CASSELL'S
ENGLISH-DUTCH
DUTCH-ENGLISH
DICTIONARY

compiled by

Dr. F. P. H. PRICK VAN WELY

CASSELL
& COMPANY
LIMITED

London

MACMILLAN
PUBLISHING
CO., INC.

New York

CASSELL & COMPANY LIMITED
35 Red Lion Square, London, WC1R 4SG
and at Sydney, Toronto, Johannesburg, Auckland
an affiliate of
MACMILLAN PUBLISHING CO., INC.,
866 Third Avenue, New York, N.Y. 10022

First published in Great Britain 1951
Second Edition 1956
Third Edition 1957
Fourth Edition 1960
Fifth Edition 1963
Sixth Edition 1965
Seventh Edition 1967
Seventh Edition, Second Impression 1968
Seventh Edition, Third Impression 1971
Seventh Edition, Fourth Impression 1977

I.S.B.N. 0 304 52289 9

Library of Congress Catalog Card Number: 77-81889

Macmillan Publishing Co., Inc. I.S.B.N. 0 02 522890 0

First Macmillan Publishing Co., Inc. Edition 1977

EXPLANATION OF PHONETIC SYMBOLS
1 for Dutch students

KLINKERS EN TWEEKLANKEN

Engelse klank   *Overeenstemmende klank*

a:	als	a	in fast	ongeveer als de *aa* van het Nederl. **vaar**
æ	als	a	in fat	tussen de *a* van het Nederl. **man** en de *e* van het Nederl. **met**
ʌ	als	u	in but	helt meer naar de korte *a* over dan de *ö* van het Duitse **Götter**
ə:	als	ur	in burst	ongeveer als de *eu* van het Franse **peur** + de toonloze ə
e	als	e	in met	zweemt enigszins naar de *i* in **min**
ɛə	als	a	in care	ongeveer als de *è* in het Franse **père**, doch met grotere kaakopening
i	als	i	in will	ongeveer als de Duitse *i* in **Bitte**
i:	als	ee	in free	als *ie* in het Nederl. **tien**, maar iets langer aangehouden
iə	als	ere	in here	hierin is de i: wat verkort en heeft lagere tongstand
ou	als	o	in stone	ongeveer als de Nederl. letterverbinding **oo**^{oe}
ɔ	als	o	in not	ongeveer als de *o* in het Nederl. **pot**
ɔ:	als	aw	in law	ongeveer als *oa* in het Overijsselse **loaten**
u	als	oo	in foot	ongeveer als de kort aangehouden *oe* in het Nederl. **voet**
u:	als	oo	in food	ongeveer als de *oe* in het Nederl. **moed**, langer aangehouden
uə	als	oor	in boor	hierin is de u: wat verkort en heeft lagere tongstand
ə	als	a	in ago	of de r in care; ongeveer als de *e* in het Nederl. **begrip**
ai	als	i	in wine	ongeveer als de *ei* in het Duitse **Bein**
au	als	ow	in how	ongeveer als de verkorte *a* van het Nederl. **baker** gevolgd door een vluchtige *oe*-klank
ei	als	a	in fate	ongeveer als de Nederl. letterverbinding **eei**
ɔi	als	oy	in boy	hierin is de ɔ een verkorte ɔ:

MEDEKLINKERS

g	als	g	in het Franse	**guerre**
j	als	j	in het Nederl.	**jaar**
ŋ	als	ng	in het Nederl.	**zing**
ʒ	als	g	in het Franse	**courage**
ʃ	als	ch	in het Franse	**Charlotte**
ð	als	th	in het Engelse	**this**
θ	als	th	in het Engelse	**thin**
w	als	w	in het Engelse	**well**
x	als	ch	in het Nederl.	**lach**

KLEMTOON

Het teken ′ vóór een lettergreep duidt aan, dat deze de klemtoon krijgt, als in **father** [′fa:ðə].

EXPLANATION OF PHONETIC SYMBOLS
2 for English students

DUTCH VOWELS

Several Dutch vowel sounds have no equivalent in English. As close an approximation as possible is given below. It should be borne in mind that all Dutch vowels are much shorter than the corresponding English vowels.

Sign	Dutch word	Equivalent in English and other languages	Description
ɑ	bad	shorter than bath	
a	baden, haast	fast, father	
ɛ	bed	fat	
e	feest, lezen	face	
ɪ	pit	pit	
i	riet	free	
ò	bot	between full and pot	
ɔ	pot	pot	
o	boot, lopen	dote	
u	hoed	foot	
ũ	put	unstressed vowel in ago	
y	minuut, uren	Fr. minute	
ø	reus	Fr. peu	
ɛ:	crème	air	
ɔ:	controle	draw	} in foreign words only
œ:	freule	pearl	
ə	gave	unstressed vowel in ago	
ã	hangar	Fr. dans	
ɛ̃	enfin	Fr. enfin	} nasalized vowels, in foreign words only
õ	pension	Fr. ton	
œ̃	Verdun	Fr. Verdun	

ɑ, ɛ, ɪ, ò, ɔ, ũ, short vowels

a., e:, o:, u:, y:, ø:, half long vowels

a:; e:, o:, u:, y:, ø:, ɛ:, ɔ:, œ:, long vowels

DUTCH DIPHTHONGS

ai	ai	line	
ɛi	ijs, reis	eye	[ɛ + i]
ou	koud, miauw	loud	[ɔ (top) + u]
a:i	draai	a (fast) + i (free)	
e:u	eeuw	e (face) + u (foot)	
i:u	nieuw	i (free) + u (foot)	
o:i	nooit	o (dote) + i (free)	
œy	huis	œ (pearl) + ə (ago)	
u:ⁱ	roeit	u (foot) + i (free)	
y:u	duw	y (Fr. minute) + u (foot)	

EXPLANATION OF PHONETIC SYMBOLS

DUTCH CONSONANTS

All Dutch consonants are pronounced as in English with the exception of those indicated below.

Sign	Dutch word	Equivalent in English and other languages	Description
c	katje	cut your	
g	zagen	Scotch loch, but weaker	
j	jong	yes	
ŋ	lang	long	
ɲ	franje	pannier	
ʃ	sjaal, kastje	shawl	
ʒ	stellage	leisure	
ʋ	water	like a soft v	pronounced by pressing the lower lip against the edge of the upper teeth, like Engl. v, but it is a stop without friction
x	deeg	Scotch loch	

STRESS

In words of two or more syllables the stress is indicated by ' preceding the syllable: ['ja.gə(n)], [jɑs'mɛin].

SYMBOLS EMPLOYED

+	attributief	attributively
‖	etymologisch niet verwant	not etymologically related
~	herhalingsteken	mark of repetition
∞	verbindingen	combinations with adverbs etc.
◉	eufemistisch	euphemistically
*	sterrenkunde	astronomy
⒰	historische term	historical term
±	ongeveer hetzelfde	approximately
☉	dichterlijk en hogere stijl	poetical and elevated style
⚲	verouderd, verouderend	archaically
†	dood	dead
⚘	dierkunde	zoology
⚘	vogelkunde	ornithology
⚘	viskunde	ichthyology
⚘	insektenkunde	entomology
⚘	plantkunde	botany
⚲	school en academie	school and university
⬚	wapenkunde	heraldry
⚔	militaire term; wapens	army; arms
⚓	marine, scheepvaart	navy, shipping
✈	vliegwezen	aviation
⛍	automobilisme	motoring
⚡	elektriciteit	electricity
⸶	telegrafie	telegraphy
⚡⸶	draadloze telegrafie, radio	wireless, radio
☏	telefonie	telephony
✉	post	post
$	handelsterm	business term
Ⓜ	handelsmerk*	trade mark
§	wetenschappelijk woord	scientific term
⚕	geneeskunde	medicine
⚖	rechtskundige term	law term
×	wiskunde	mathematics
⚒	techniek	technical term
△	bouwkunde	architecture
♪	muziek	music
⚬⚬	biljart	billiards
◇	kaartspel	cards
<	versterkend	intensifyingly
>	geringschattend	disparagingly
↓	zie beneden	see below
²	na een woord: eigenlijk en figuurlijk	literally and figuratively
°	na een woord: in velerlei betekenis	various meanings
F	gemeenzaam	familiarly

* Het ontbreken van het teken Ⓜ bij enig woord in dit woordenboek heeft niet de betekenis dat dit woord geen merk in de zin van de Nederlandse of enige andere merkenwet zou zijn.

SYMBOLS EMPLOYED (continued)

S	*slang* & argot	slang
B	bijbels	biblical
J	grappig	jocularly
P	lagere volkstaal	popularly
T	triviaal, plat	low word
&	en; enzovoort	and; etcetera
RK	rooms-katholiek	Roman Catholic
SH	Shakespeare	Shakespeare
TV	televisie	television
Am	amerikanisme	Americanism
Austr	Australië	Australia
Ind	Indonesië	Indonesia
IP	India, Pakistan en naburige landen	India, Pakistan, and neighbouring countries
Ir	Iers	Irish
Sc	Schots	Scottish
ZA	Zuid-Afrika	South Africa
ps	psychologie	psychology
sp	sport en spel	sports and games
eig	eigenlijk	literally
fig	figuurlijk	figuratively
gram	spraakkunst, taalwetenschap	grammar, linguistics
prov	provincialisme	provincialism
dial	dialect	dialect
vt	overgankelijk werkwoord	transitive verb
vi	onovergankelijk werkwoord	intransitive verb
vr	wederkerend werkwoord	reflexive verb
va	absoluut gebruikt werkwoord	absolute verb
sb	zelfstandig naamwoord	substantive
aj	bijvoeglijk naamwoord	adjective
ad	bijwoord	adverb
prep	voorzetsel	preposition
pron	voornaamwoord	pronoun
cj	voegwoord	conjunction
ij	tussenwerpsel	interjection
m	mannelijk	masculine
v	vrouwelijk	feminine
o	onzijdig	neuter
mv	meervoud	plural
T.D.	tegenwoordig deelwoord	present participle
V.D.	verleden deelwoord	past participle
V.T.	verleden tijd	past tense
Fr	Franse uitspraak	French pronunciation
gew.	gewoonlijk	usually
v.	van; voor	of; for
verk. v.	verkorting van	short for

DUTCH IRREGULAR VERBS¹)

Onbepaalde wijs (Infinitive)	Onvoltooid verleden tijd (Past tense)	Verleden deelwoord ²) (Past participle)
bakken	bakte	h. gebakken
bannen	bande	h. gebannen
barsten	barstte	is gebarsten
bederven	bedierf	h. en is bedorven
bedriegen	bedroog	h. bedrogen
bedrijven	bedreef	h. bedreven
beginnen	begon	h. en is begonnen
begrijpen	begreep	h. begrepen
bergen	borg	h. geborgen
bevelen	beval	h. bevolen
bezoeken	bezocht	h. bezocht
bidden	bad	h. gebeden
bieden	bood	h. geboden
bijten	beet	h. gebeten
binden	bond	h. gebonden
blazen	blies	h. geblazen
blijken	(het) bleek	is gebleken
blijven	bleef	is gebleven
braden	braadde	h. gebraden
breken	brak	h. gebroken
brengen	bracht	h. gebracht
buigen	boog	h. gebogen
delven	dolf, delfde	h. gedolven
denken	dacht	h. gedacht
dingen	dong	h. gedongen
doen	deed	h. gedaan
dragen	droeg	h. gedragen
drijven	dreef	h. en is gedreven
dringen	drong	h. gedrongen
drinken	dronk	h. gedronken
druipen	droop	h. gedropen
duiken	dook	h. gedoken
dunken	(mij) docht	h. gedocht
dwingen	dwong	h. gedwongen
eten	at	h. gegeten
fluiten	floot	h. gefloten
gaan	ging	is gegaan
gelden	gold	h. gegolden

1) For composite verbs see the simple verbs.
2) h. = auxiliary *hebben*; is = auxiliary *zijn*.

DUTCH IRREGULAR VERBS

Onbepaalde wijs (Infinitive)	Onvoltooid verleden tijd (Past tense)	Verleden deelwoord (Past participle)
genezen	genas	h. genezen
genieten	genoot	h. genoten
geven	gaf	h. gegeven
gieten	goot	h. gegoten
glijden	gleed	h. gegleden
graven	groef	h. gegraven
grijpen	greep	h. gegrepen
hangen	hing	h. gehangen
hebben	had	h. gehad
heffen	hief	h. geheven
helpen	hielp	h. geholpen
heten	heette	h. geheten
houden	hield	h. gehouden
houwen	hieuw	h. gehouwen
jagen	joeg, jaagde	h. gejaagd
kerven	korf, kerfde	h. en is gekorven
kiezen	koos	h. gekozen
kijken	keek	h. gekeken
kijven	keef	h. gekeven
klimmen	klom	h. en is geklommen
klinken	klonk	h. geklonken
knijpen	kneep	h. geknepen
komen	kwam	is gekomen
kopen	kocht	h. gekocht
krijgen (to get)	kreeg	h. gekregen
,, (to make war)	krijgde	h. gekrijgd
krijten	kreet	h. gekreten
krimpen	kromp	is en h. gekrompen
kruipen	kroop	h. en is gekropen
kunnen	kon	h. gekund
kwijten	kweet	h. gekweten
lachen	lachte	h. gelachen
laden	laadde	h. geladen
laten	liet	h. gelaten
lezen	las, lazen	h. gelezen
liegen	loog	h. gelogen
liggen	lag	h. en is gelegen
lijden	leed	h. geleden
lijken	leek	h. geleken
lopen	liep	h. en is gelopen
luiken	look	h. geloken

DUTCH IRREGULAR VERBS

Onbepaalde wijs (Infinitive)	Onvoltooid verleden tijd (Past tense)	Verleden deelwoord (Past participle)
malen (to grind)	maalde	h. gemalen
„ (to care)	maalde	h. gemaald
melken	molk, melkte	h. gemolken
meten	mat	h. gemeten
mijden	meed	h. gemeden
moeten	moest	h. gemoeten
mogen	mocht	h. gemoogd
nemen	nam	h. genomen
nijgen	neeg	h. genegen
nijpen	neep	h. genepen
pijpen	pijpte	h. gepijpt
plegen (to be used to)	placht	—
pluizen	ploos	h. geplozen
prijzen (to praise)	prees	h. geprezen
„ (to price)	prijsde	h. geprijsd
raden	ried, raadde	h. geraden
rieken	rook	h. geroken
rijden	reed	h. gereden
rijgen	reeg	h. geregen
rijten	reet	h. en is gereten
rijzen	rees	is gerezen
roepen	riep	h. geroepen
ruiken	rook	h. geroken
scheiden	scheidde	is gescheiden
schelden	schold	h. gescholden
schenden	schond	h. geschonden
schenken	schonk	h. geschonken
scheppen (to create)	schiep	h. geschapen
„ (to scoop)	schepte	h. geschept
scheren	schoor, scheerde	h. geschoren
schieten	schoot	h. en is geschoten
schijnen	scheen	h. geschenen
schrijden	schreed	is geschreden
schrijven	schreef	h. geschreven
schrikken	schrikte, schrok	is geschrokken, geschrikt
schuilen	school, schuilde	h. gescholen, geschuild
schuiven	schoof	h. en is geschoven
slaan	sloeg	h. geslagen
slapen	sliep	h. geslapen
slijpen	sleep	h. geslepen

DUTCH IRREGULAR VERBS

Onbepaalde wijs (Infinitive)	*Onvoltooid verleden tijd* (Past tense)	*Verleden deelwoord* (Past participle)
slijten	sleet	h. en is gesleten
slinken	slonk	is geslonken
sluipen	sloop	h. en is geslopen
sluiten	sloot	h. gesloten
smelten	smolt	h. en is gesmolten
smijten	smeet	h. gesmeten
snijden	sneed	h. gesneden
snuiten	snoot	h. gesnoten
snuiven (to sniff)	snoof	h. gesnoven
,, (to take snuff)	snuifde, snoof	h. gesnuifd
spannen	spande	h. gespannen
spijten	(het) speet	h. gespeten
spinnen	spon	h. gesponnen
splijten	spleet	h. en is gespleten
spreken	sprak	h. gesproken
springen	sprong	h. en is gesprongen
spruiten	sproot	is gesproten
spuiten	spoot	h. en is gespoten
staan	stond	h. gestaan
steken	stak	h. gestoken
stelen	stal	h. gestolen
sterven	stierf	is gestorven
stijgen	steeg	is gestegen
stijven (to starch)	steef	h. gesteven
,, (to stiffen)	stijfde	h. gestijfd
stinken	stonk	h. gestonken
stoten	stootte, stiet	h. gestoten
strijden	streed	h. gestreden
strijken	streek	h. en is gestreken
stuiven	stoof	h. en is gestoven
tijgen	toog	is getogen
treden	trad	h. en is getreden
treffen	trof	h. getroffen
trekken	trok	h. en is getrokken
vallen	viel	is gevallen
vangen	ving	h. gevangen
varen	voer	h. en is gevaren
vechten	vocht	h. gevochten
verdrieten	verdroot	h. verdroten
vergeten	vergat	h. en is vergeten
verliezen	verloor	h. en is verloren

DUTCH IRREGULAR VERBS

Onbepaalde wijs (Infinitive)	*Onvoltooid verleden tijd* (Past tense)	*Verleden deelwoord* (Past participle)
verplegen	verpleegde	verpleegd
vinden	vond	h. gevonden
vlechten	vlocht	h. gevlochten
vlieden	vlood	is gevloden
vliegen	vloog	h. gevlogen
vouwen	vouwde	h. gevouwen
vragen	vroeg, vraagde	h. gevraagd
vreten	vrat	h. gevreten
vriezen	vroor	h. gevroren
wassen (to grow)	wies	is gewassen
,, (to wash)	waste	h. gewassen
,, (to wax)	waste	h. gewast
wegen	woog	h. gewogen
werpen	wierp	h. geworpen
werven	wierf	h. geworven
weten	wist	h. geweten
weven	weefde	h. geweven
wezen	was	is geweest
wijken	week	is geweken
wijten	weet	h. geweten
wijzen	wees	h. gewezen
winden	wond	h. gewonden
winnen	won	h. gewonnen
worden	werd	h. geworden
wreken	wreekte	h. gewroken
wrijven	wreef	h. gewreven
wringen	wrong	h. gewrongen
zeggen	zegde, zei	h. gezegd
zenden	zond	h. gezonden
zieden	ziedde	h. gezoden
zien	zag	h. gezien
zijgen	zeeg	is en h. gezegen
zijn (ik ben, wij zijn)	was, waren	is geweest
zingen	zong	h. gezongen
zinken	zonk	is gezonken
zitten	zat	h. en is gezeten
zoeken	zocht	h. gezocht
zuigen	zoog	h. gezogen
zullen (zal)	zou, zouden	—
zwelgen	zwolg, zwelgde	h. gezwolgen
zwellen	zwol	is gezwollen

DUTCH IRREGULAR VERBS

Onbepaalde wijs (Infinitive)	*Onvoltooid verleden tijd* (Past tense)	*Verleden deelwoord* (Past participle)
zwemmen	zwom	h. en is gezwommen
zweren (to swear)	zwoer	h. gezworen
,, (to ulcerate)	zweerde, zwoor	h. gezweerd
zwerven	zwierf	gezworven
zwijgen	zweeg	gezwegen

ENGELSE ONREGELMATIGE WERKWOORDEN

abide	- abode	- abode	crow	- crew, crowed	- crowed
arise	- arose	- arisen	cut	- cut	- cut
awake	- awoke, awaked	- awoke, awaked	deal	- dealt	- dealt
			dig	- dug	- dug
be	- was	- been	do	- did	- done
bear	- bore	- borne born, *geboren*	draw	- drew	- drawn
			dream	- dreamt, dreamed	- dreamt, dreamed
beat	- beat	- beaten			
become	- became	- become	drink	- drank	- drunk
befall	- befell	- befallen	drive	- drove	- driven
beget	- begat, begot	- begot(ten)	dwell	- dwelt, dwelled	- dwelt, dwelled
begin	- began	- begun	eat	- ate	- eaten
begird	- begirt	- begirt	fall	- fell	- fallen
behold	- beheld	- beheld	feed	- fed	- fed
bend	- bent	- bent	feel	- felt	- felt
bereave	- bereft	- bereft	fight	- fought	- fought
beseech	- besought	- besought	find	- found	- found
betake	- betook	- betaken	flee	- fled	- fled
bethink	- bethought	- bethought	fling	- flung	- flung
1 bid	- bade	- bidden	1 fly	- flew	- flown
2 bid	- bid	- bid	2 fly	- fled	- fled
$ *bieden*			*vluchten*		
bind	- bound	- bound	forbear	- forbore	- forborne
bite	- bit	- bitten	forbid	- forbade	- forbidden
bleed	- bled	- bled	forget	- forgot	- forgotten
blend	- blended, blent	- blended, blent	forgive	- forgave	- forgiven
blow	- blew	- blown	for(e)go	- for(e)went	- for(e)gone
break	- broke	- broken	forsake	- forsook	- forsaken
breed	- bred	- bred	freeze	- froze	- frozen
bring	- brought	- brought	get	- got	- got (*Am* gotten)
build	- built	- built			
burn	- burnt, burned	- burnt, burned	gild	- gilded, gilt	- gilded, gilt
burst	- burst	- burst	gird	- girded, girt	- girded, girt
buy	- bought	- bought	give	- gave	- given
can	- could	- (been able)	go	- went	- gone
cast	- cast	- cast	grind	- ground	- ground
catch	- caught	- caught	grow	- grew	- grown
chide	- chid	- chid(den)	1 hang	- hung	- hung
choose	- chose	- chosen	2 hang	- hanged	- hanged
cleave	- cleft	- cleft	*ophangen*		
cling	- clung	- clung	have	- had	- had
come	- came	- come	hear	- heard	- heard
cost	- cost	- cost	heave	- heaved, ↓ hove	- heaved, ↓ hove
creep	- crept	- crept			

ENGELSE ONREGELMATIGE WERKWOORDEN

hew	- hewed	- hewn, hewed	set	- set	- set
hide	- hid	- hid(den)	sew	- sewed	- sewn, sewed
hit	- hit	- hit	shake	- shook	- shaken
hold	- held	- held	shall	- should	
hurt	- hurt	- hurt	shear	- sheared	- shorn
keep	- kept	- kept	shed	- shed	- shed
kneel	- knelt, kneeled	- knelt, kneeled	shine	- shone	- shone
knit	- knit, knitted	- knit, knitted	shoe	- shod	- shod
know	- knew	- known	shoot	- shot	- shot
lay	- laid	- laid	show	- showed	- shown
lead	- led	- led	shred	- shred	- shred
lean	- leant, leaned	- leant, leaned	shrink	- shrank	- shrunk
leap	- leapt, leaped	- leapt, leaped	shut	- shut	- shut
learn	- learnt, learned	- learnt, learned	sing	- sang	- sung
leave	- left	- left	sink	- sank	- sunk
lend	- lent	- lent	sit	- sat	- sat
let	- let	- let	slay	- slew	- slain
lie	- lay	- lain	sleep	- slept	- slept
light	- lit, lighted	- lit, lighted	slide	- slid	- slid
lose	- lost	- lost	sling	- slung	- slung
make	- made	- made	slink	- slunk	- slunk
may	- might	- (been allowed)	slit	- slit	- slit
mean	- meant	- meant	smell	- smelt, smelled	- smelt, smelled
meet	- met	- met	smite	- smote	- smitten
mow	- mowed	- mown	sow	- sowed	- sown, sowed
must	- must	(been obliged)	speak	- spoke	- spoken
ought	- ought		speed	- sped	- sped
overcome	- overcame	- overcome	spell	- spelt, spelled	- spelt, spelled
partake	- partook	- partaken	spend	- spent	- spent
pay	- paid	- paid	spill	- spilt, spilled	- spilt, spilled
put	- put	- put	spin	- spun	- spun
read	- read	- read	spit	- spat	- spat
rend	- rent	- rent	split	- split	- split
rid	- rid	- rid	spoil	- spoilt, spoiled	- spoilt, spoiled
ride	- rode	- ridden	spread	- spread	- spread
ring	- rang	- rung	spring	- sprang	- sprung
rise	- rose	- risen	stand	- stood	- stood
run	- ran	- run	steal	- stole	- stolen
saw	- sawed	- sawn, sawed	stick	- stuck	- stuck
say	- said	- said	sting	- stung	- stung
see	- saw	- seen	stink	- stank	- stunk
seek	- sought	- sought	strew	- strewed	- strewn, strewed
sell	- sold	- sold	stride	- strode	- stridden
send	- sent	- sent	strike	- struck	- struck

ENGELSE ONREGELMATIGE WERKWOORDEN

string	- strung	- strung
strive	- strove	- striven
swear	- swore	- sworn
sweat	- sweat, sweated	- sweat, sweated
sweep	- swept	- swept
swim	- swam	- swum
swing	- swung	- swung
take	- took	- taken
teach	- taught	- taught
tear	- tore	- torn
tell	- told	- told
think	- thought	- thought
thrive	- throve	- thriven
throw	- threw	- thrown
thrust	- thrust	- thrust

tread	- trod	- trodden
understand	- understood	- understood
wake	- woke, waked	- woke, waked
wear	- wore	- worn
weave	- wove	- woven
weep	- wept	- wept
will	- would	- (been willing)
win	- won	- won
wind	- wound	- wound
withdraw	- withdrew	- withdrawn
withhold	- withheld	- withheld
withstand	- withstood	- withstood
wring	- wrung	- wrung
write	- wrote	- written

A

a [ei] 1 (de letter) a; 2 ♪ a of la. Zie ook ↓.
A 1 [ei'wʌ1] 1 ⚓ eerste klasse [in Lloyd's Register]; 2 F eerste klas, prima, uitstekend.
a, an [ei, æn; ə, ən] een; ~ *Daniel* 1 een (man als) Daniël; 2 een zekere Daniël; 3 (op voor) Daniël!; *so much* ~ *day* zoveel per dag; *one shilling* ~*n ounce* één sh. het ons; *twice* ~ *year* tweemaal 's jaars; *of* ~ *size* van dezelfde grootte; *go* ~*-hunting* gaan jagen.
Aaron ['ɛərən] Aäron.
A.B. = *able-bodied* (*seaman*).
aback [ə'bæk] terug, achteruit; *he was taken* ~ hij was verbluft.
abandon [ə'bændən] I *vt* (aan zijn lot) overlaten, verlaten, prijsgeven, opgeven, loslaten; ~ *oneself to* zich overgeven aan; II *sb* losheid, ongedwongenheid.
abandoned [ə'bændənd] *fig* verdorven.
abandonment [ə'bændənmənt] 1 prijsgeven *o*, afstand doen *o*; afstand, overgave; 2 verlatenheid; 3 losheid, ongedwongenheid.
abase [ə'beis] vernederen, verlagen.
abasement [ə'beismənt] vernedering, verlaging.
abash [ə'bæʃ] beschamen, verlegen maken; *be* ~*ed* verlegen zijn, zich schamen.
abashment [ə'bæʃmənt] verlegenheid, schaamte, beschaming.
abate [ə'beit] I *vt* afslaan, verlagen, verminderen, lenigen, temperen; II *vi* (ver)minderen, afnemen, bedaren, gaan liggen, verflauwen.
abatement [ə'beitmənt] afslaan *o* &, vermindering, afslag, korting, rabat *o*; *noise* ~ lawaaibestrijding.
abattoir [æbə'twa:] abattoir *o*, slachthuis *o*.
abbess ['æbis] abdis.
abbey ['æbi] 1 abdij; 2 abdijkerk.
abbot ['æbət] abt.
abbreviate [ə'bri:vieit] af-, be-, verkorten.
abbreviation [əbri:vi'eiʃən] af-, be-, verkorting.
abbreviatory [ə'bri:viətəri] verkortend, af-, verkortings-.
ABC [eibə'si:] alfabet *o*; abc[2] *o*; ~ (*railway guide*) alfabetische spoorweggids; ~ (*shop*) = *Aerated Bread Company* (*shop*), lunchroom v. d. A. B. Company.
abdicate ['æbdikeit] *vi* (& *vt*) afstand doen (van), (de kroon of regering) neerleggen.

abdication [æbdi'keiʃən] (troons)afstand, neerlegging (van de kroon &).
abdomen [æb'doumen] abdomen *o*: 1 (onder)buik; 2 achterlijf *o* [v. insekten].
abdominal [æb'dɔminəl] onderbuik-, buik-.
abdominous [æb'dɔminəs] (dik)buikig.
abduct [æb'dʌkt] ontvoeren.
abduction [æb'dʌkʃən] ontvoering.
abductor [æb'dʌktə] ontvoerder.
abeam [ə'bi:m] ⚓ dwars(scheeps).
abed [ə'bed] te bed, in bed.
Abel ['eibl] Abel.
abele [ə'bi:l] ⚘ abeel.
aberrant [æ'berənt] afdwalend, afwijkend.
aberration [æbə'reiʃən] aberratie[2], afwijking, zedelijke misstap, (af)dwaling[2].
abet [ə'bet] aanzetten, ophitsen, opstoken; de hand reiken, steunen, bevorderen.
abetment [ə'betmənt] aanzetting, ophitsing; steun, bijstand (in het kwade).
abetter, abettor [ə'betə] aanzetter, ophitser, opstoker; handlanger, medehelper.
abeyance [ə'beiəns] tijdelijke opschorting; onbeheerdheid; *in* ~ tijdelijk onbeheerd of opgeschort, vacant; *fig* sluimerend; onuitgemaakt; *fall into* ~ in onbruik raken; *hold it in* ~ het nog aanhouden; *leave* [*the question*] *in* ~ laten rusten.
abhor [əb'hɔ:] verfoeien, verafschuwen.
abhorrence [əb'hɔrəns] afschuw, gruwel.
abhorrent [əb'hɔrənt] afschuw inboezemend, weerzinwekkend, met afgrijzen vervullend; ~ *from of to* strijdig, onverenigbaar met; onbestaanbaar met.
abide [ə'baid] I *vi* wonen, (ver)toeven, verblijven; blijven; volharden; ~ *by* zich houden aan [een contract &]; ~ *with me* verlaat mij niet; II *vt* dulden, uitstaan, (ver)dragen, uithouden; verbeiden.
abiding [ə'baidiŋ] blijvend, duurzaam.
ability [ə'biliti] bekwaamheid, bevoegdheid, vermogen *o*, $ solvabiliteit; *abilities* (geestes)gaven, talenten.
abject ['æbdʒekt] laag, verachtelijk.
abjection [æb'dʒekʃən] laagheid; verachtelijkheid; (diepe) vernedering.
abjuration [æbdʒu'reiʃən] afzwering.

abjure [əb'dʒuə] afzweren.

ablative ['æblətiv] ablatief, zesde naamval.

ablaze [ə'bleiz] brandend, in vlam; in lichte(r) laai(e); gloeiend[2] (van *with*).

able ['eibl] *aj* 1 bekwaam, kundig, knap, bevoegd; 2 ⚓ vol [matroos]; *be* ~ kunnen, vermogen, in staat zijn (te *to*).

able-bodied ['eibl'bɔdid] sterk en gezond, lichamelijk geschikt, volwaardig, valide, ✕ weerbaar; ~ *seaman* ⚓ vol matroos.

abloom [ə'blu:m] in bloei.

ablush [ə'blʌʃ] blozend.

ablution [ə'blu:ʃən] (af)wassing, reiniging, ablutie.

ably ['eibli] *ad* bekwaam, kundig, knap.

abnegate ['æbnigeit] verloochenen.

abnegation [æbni'geiʃən] (zelf)verloochening.

abnormal [æb'nɔ:məl] abnormaal.

abnormality [æbnɔ:'mæliti] abnormaliteit; onregelmatigheid.

aboard [ə'bɔ:d] aan boord; aan boord van; in [een trein, bus &]; *all* ~ *!*, ook: instappen!; zie ook: *fall*.

1 **abode** [ə'boud] *sb* woning, woonplaats, verblijfplaats; verblijf *o*.

2 **abode** [ə'boud] V.T. & V.D. van *abide*.

aboil [ə'bɔil] aan de kook, kokend.

abolish [ə'bɔliʃ] afschaffen, opheffen, buiten werking stellen, vernietigen.

abolishment [ə'bɔliʃmənt], **abolition** [æbə'liʃən] afschaffing, opheffing, vernietiging.

abominable [ə'bɔminəbl] *aj* afschuwelijk, verfoeilijk.

abominably [ə'bɔminəbli] *ad* zie *abominable*.

abominate [ə'bɔmineit] verafschuwen, verfoeien.

abomination [əbɔmi'neiʃən] gruwel. [en.

aboriginal [æbə'ridʒinəl] I *aj* oorspronkelijk, inheems, oer-; II *sb* oerbewoner; inboorling.

aborigines [æbə'ridʒini:z] I eerste bewoners; 2 inheemse planten en dieren.

abortion [ə'bɔ:ʃən] mislukking; misbaksel *o*.

abortive [ə'bɔ:tiv] mislukt.

abound [ə'baund] overvloedig zijn, in overvloed aanwezig zijn; ~ *in* (*with*) overvloeien van; vol zijn van; vol... zijn.

about [ə'baut] I *prep* om...(heen), rondom; omstreeks, omtrent; ongeveer, zowat; betreffende, over; aan, bij; in; *be* ~ *to*... op het punt staan om...; *what are you* ~? I wat heb je onder handen, waaraan ben je bezig?; 2 wat voer je (daar nu) uit?; *he was not long* ~ *it* hij deed er niet lang over; *week* (*and week*) ~ om de (andere) week; II *ad* om, in omloop; *be* ~ in omloop zijn; op de been zijn; in de buurt zijn; heersen; *all* ~ overal.

above [ə'bʌv] I *prep* boven; boven... uit; boven... verheven; meer dan; ~ *all* boven alles, bovenal, vooral, in de eerste plaats; II *ad* boven; hierboven; boven mij (ons); III *aj* bovengenoemd; bovenstaand of -vermeld; IV *sb the* ~ 1 het bovenstaande; 2 (de) bovengenoemde.

above-board [ə'bʌv'bɔ:d] eerlijk, open(hartig).

above-mentioned [ə'bʌv'menʃənd] bovengemeld, bovengenoemd.

abracadabra [æbrəkə'dæbrə] abracadabra *o*.

abrade [ə'breid] (af)schaven, afschuren.

Abraham ['eibrəhæm] Abraham; *in* ~'s *bosom* in Abrahams schoot.

abrasion [ə'breiʒən] (af)schaving, afschuring.

abrasive [ə'breisiv] I *aj* afschurend, schuur-; II *sb* schuurmiddel *o*, slijpmiddel *o*.

abreast [ə'brest] naast elkander; op een rij; ~ *of* (*with*) op de hoogte van, gelijke tred houdend met.

abridge [ə'bridʒ] be-, verkorten, beperken, verminderen; beroven.

abridg(e)ment [ə'bridʒmənt] be-, verkorting, beperking; kort begrip *o*, uittreksel *o*.

abroach [ə'broutʃ] aangestoken [vat].

abroad [ə'brɔ:d] 1 buiten, buitenshuis; 2 van huis, buitenlands; 3 in 't rond; in omloop; ruchtbaar; *a letter for* ~ voor het buitenland; *from* ~ uit het buitenland; *he was all* ~ F hij was helemaal in de war, de kluts kwijt, had het glad mis.

abrogate ['æbrəgeit] afschaffen, opheffen.

abrogation [æbrə'geiʃən] afschaffing, opheffing.

abrupt(ly) [ə'brʌpt(li)] afgebroken; steil; bruusk; onverwacht, plotseling.

abruptness [ə'brʌptnis] steilte; bruuskheid; kortheid (van stijl).

Absalom ['æbsələm] Absalom.

abscess ['æbsis] abces *o*, etterbuil.

abscond [əb'skɔnd] zich uit de voeten maken, er (stil) vandoor gaan, weglopen, drossen.

absence ['æbsəns] 1 afwezigheid; niet voorhanden zijn *o*; 2 verstrooidheid; 3 ⚓ appel *o* [Eton College]; ~ *of mind* verstrooidheid; afgetrokkenheid; *in the* ~ *of* bij afwezigheid van, bij ontstentenis van; bij gebrek aan; *condemned in one's* ~ ⚖ bij verstek veroordeeld.

1 **absent** ['æbsənt] *aj* afwezig; absent[2].

2 **absent** [əb'sent] *vr* in: ~ *oneself* 1 wegblijven; 2 soms: zich verwijderen.

absentee [æbsən'ti:] afwezige.

absenteeism [æbsən'ti:izm] absenteïsme *o*, (stelselmatige) afwezigheid, verzuim *o*.

absent-minded ['æbsənt'maindid] verstrooid, afgetrokken, er niet bij.

absent-mindedness ['æbsənt'maindidnis] verstrooidheid.

absinth(e) ['æbsinθ] 1 alsem; 2 absint *o* & *m*.

absolute(ly) ['æbsəl(j)u:t(li)] absoluut, volstrekt; onbeperkt; volkomen; volslagen.

absoluteness ['æbsəl(j)u:tnis] volstrektheid, onbeperktheid, onbeperkte macht.

absolution [æbsə'l(j)u:ʃən] vrijspreking, vrijspraak; absolutie, vergiffenis.

absolutism ['æbsəl(j)u:tizm] (de leer of de beginselen van de) onbeperkte macht.

absolve [əb'zɔlv] 1 vrijspreken; 2 RK de absolutie geven; 3 ontslaan [van belofte &].

absorb [əb'sɔ:b] opzuigen ,opslorpen, (in zich) opnemen, absorberen; *fig* geheel in beslag nemen [aandacht]; ~*ed in* (geheel) opgaand in; ~*ed in thought* in gedachten verdiept of verzonken.

absorbent [əb'sɔ:bənt] absorberend.

absorbing(ly) [əb'sɔ:biŋ(li)] *fig* boeiend.

absorption [əb'sɔ:pʃən] absorptie, opslorping; *fig* opgaan *o* [in iets].

absorptive [əb'sɔ:ptiv] zie *absorbent*.

abstain [əb'stein] zich onthouden (van *from*).

abstainer [əb'steinə] onthouder, F afschaffer; *total* ~ geheelonthouder.

abstemious [əb'sti:miəs] zich onthoudend, matig.

abstention [əb'stenʃən] onthouding.

abstergent [əb'stə:dʒənt] reinigend (middel *o*).

abstersion [əb'stə:ʃən] reiniging.

abstersive [əb'stə:siv] zie *abstergent*.

abstinence ['æbstinəns] onthouding; *total* ~ geheelonthouding.

abstinent ['æbstinənt] zich onthoudend, matig.

1 **abstract** ['æbstrækt] I *aj* abstract, afg etrokken; ~ *number* onbenoemd getal *o*; *in the* ~ abstract (beschouwd), in abstracto; II *sb* abstract begrip *o*; uittreksel *o*, excerpt *o*, resumé *o*.

2 **abstract** [əbs'trækt] *vt* abstraheren, aftrekken; afleiden; een uittreksel maken van, excerperen; zich toeëigenen, wegnemen.

abstracted [əbs'træktid] afgetrokken, absent.

abstraction [əbs'trækʃən] I abstractie, afgetrokken denkbeeld *o*, afgetrokkenheid; 2 toeëigening, ontvreemding.

abstruse [əbs'tru:s] diepzinnig, duister.

abstruseness [əbs'tru:snis] diepzinnigheid, duisterheid.

absurd [əb'sə:d] ongerijmd, onzinnig, dwaas.

absurdity [əb'sɔ:diti], **absurdness** [əb'sɔ:dnis] ongerijmdheid, onzinnigheid, dwaasheid.

abundance [ə'bʌndəns] overvloed, menigte.

abundant [ə'bʌndənt] *aj* overvloedig; rijk (aan *in*).

abundantly [ə'bʌndəntli] *ad* overvloedig, rijkelijk.

1 **abuse** [ə'bju:z] *vt* misbruiken; uitschelden, beledigen; ⚒ bedriegen; ⚒ mishandelen.

2 **abuse** [ə'bju:s] *sb* misbruik *o*, misstand; scheldwoorden, gescheld *o*, belediging.

abusive [ə'bju:siv] I verkeerd; 2 grof; ~ *language* beledigende taal, scheldwoorden.

abut [ə'bʌt] grenzen (aan *on, against*).

abutment [ə'bʌtmənt] beer, schoor; bruggehoofd *o*.

abysmal [ə'bizməl] I grondeloos, onpeilbaar; 2 < gruwelijk, hopeloos.

abyss [ə'bis] afgrond (van de hel).

abyssal [ə'bisəl] diepzee-.

Abyssinia(n) [æbi'sinjə(n)] I Abessinië(r); 2 Abessijns.

A.C. = I $ *account current*; 2 ⚡ *alternating current*.

---

acacia [ə'keiʃə] ✿ acacia.

academic [ækə'demik] I *aj* academisch; zuiver theoretisch; II *sb* hoogleraar; student; ~*s* I theoretische beschouwing; 2 zie *academicals*.

academical [ækə'demikl] I *aj* academisch; II *sb* ~*s* academische dracht: toga en baret.

academically [ækə'demikəli] *ad* zie *academic* I.

academician [əkædi'miʃən] lid v. e. academie.

academy [ə'kædəmi] I academie, hogeschool; 2 kostschool, school.

acanthus [ə'kænθəs] acanthus, akant [✿ & △ bladornament aan Corinthisch kapiteel].

A.C.C. = *Army Catering Corps* Verplegingstroepen.

accede [æk'si:d] toetreden (tot *to*); ~ *to* [ambt aanvaarden, [troon] bestijgen; instemmen met, toestemmen in, treden in.

accelerate [æk'seləreit] I *vt* bespoedigen, verhaasten; versnellen; ~*d* ook: vervroegd [v. betaling]; II *vi* zich versnellen; ⚙ optrekken.

acceleration [æksələ'reiʃən] bespoediging, verhaasting, versnelling; ⚙ acceleratie.

accelerative [æk'seləreitiv] versnellend.

accelerator [æk'seləreitə] versneller; ⚙ gaspedaal *o* & *m* (ook: ~ *pedal*).

1 **accent** ['æksənt] *sb* accent *o*, nadruk², klem(toon); *fig* toon; ~*s* ⊙ woorden, taal.

2 **accent** [æk'sent] *vt* accentueren², van accenten voorzien, de nadruk leggen op².

accentuate [æk'sentjueit] accentueren, de klemtoon of nadruk leggen op.

accentuation [æksentju'eiʃən] accentuatie.

accept [æk'sept] accepteren, aannemen, aanvaarden; ~ *of* aannemen, aanvaarden.

acceptability [ækseptə'biliti] aannemelijkheid.

acceptable [æk'septəbl] aannemelijk, aanvaardbaar, aangenaam, welkom.

acceptance [æk'septəns] aanneming, aanvaarding; ontvangst; $ acceptatie, accept *o*; ~ *for honour* $ interventie; *without* ~ *of persons* zonder aanzien des persoons.

acceptation [æksep'teiʃən] I aanneming; 2 (aangenomen) betekenis.

accepted [æk'septid] erkend, gangbaar, algemeen (aangenomen).

acceptor [æk'septə] acceptant; ~ *for honour* $ interveniënt.

access ['ækses] toegang; aanval [v. ziekte]; opwelling, vlaag; *easy of* ~ gemakkelijk te bereiken, genaakbaar, toegankelijk.

accessary [æk'sesəri] zie *accessory*.

accessibility [æksesi'biliti] toegankelijkheid, genaakbaarheid; vatbaarheid [voor indrukken].

accessible [æk'sesibl] toegankelijk, genaakbaar; vatbaar [voor indrukken].

accession [æk'seʃən] toetreding; aanwinst, vermeerdering; (ambts)aanvaarding, (troons)bestijging.

accessory [æk'sesəri] I *aj* bijkomstig, bijbehorend, bij-; betrokken (in *to*); medeplichtig; II *sb* bijzaak; medeplichtige; *accessories* I toebehoren *o*; 2 onderdelen; 3 bijwerk *o*.

accidence ['æksidəns] *gram* vormleer.

accident ['æksidənt] toeval *o*, ongeval *o*, ongeluk *o*; *by* ~ 1 bij toeval; 2 bij ongeluk.

accidental [æksi'dentəl] I *aj* toevallig; bijkomend, bij-; ~ *death* dood ten gevolge van een ongeluk; II *sb* toevallige omstandigheid of hoedanigheid; ♪ verplaatsingsteken *o*, toevallige verhoging of verlaging.

accidentally [æksi'dentəli] *ad* toevallig.

acclaim [ə'kleim] I *vt* toejuichen, begroeten (als); II *sb* toejuiching, gejuich *o*.

acclamation [æklə'meiʃən] acclamatie; toejuiching, bijvalsbetuiging.

acclamatory [ə'klæmətəri] bijvals-.

acclimatation [əklaimə'teiʃən] acclimatisatie.

acclimate [ə'klaimət] acclimatiseren.

acclimation [æklai'meiʃən], **acclimatization** [əklaimətai'zeiʃən] acclimatisatie.

acclimatize [ə'klaimətaiz] acclimatiseren.

acclivity [ə'kliviti] (opgaande) helling.

accolade [ækə'leid, ækə'la:d] 1 (omhelzing bij de) ridderslag; 2 ♪ accolade.

accommodate [ə'kɔmədeit] I *vt* aanpassen; bijleggen; helpen (aan), van dienst zijn; plaatsruimte hebben voor, onder dak brengen, herbergen; ~ *with* voorzien van; *be well* ~d goed wonen; II *vr* ~ *oneself to...* zich aanpassen aan...

accommodating [ə'kɔmədeitiŋ] 1 (in)schikkelijk, meegaand, tegemoetkomend, coulant; 2 ruim (van geweten).

accommodation [əkɔmə'deiʃən] aanpassing; vergelijk *o*, schikking; inschikkelijkheid; (plaats)ruimte, onderdak *o*, logies *o*, herberging; accommodatie; ~ *bill* $ schoorsteenwissel; ~ *ladder* ⚓ valreepstrap, staatsietrap.

accompaniment [ə'kʌmpənimənt] ♪ accompagnement *o*, begeleiding.

accompanist [ə'kʌmpənist] ♪ begeleider.

accompany [ə'kʌmpəni] begeleiden; ♪ accompagneren; *fig* samengaan met, gepaard gaan met; vergezellen; vergezeld doen gaan (van *with*); ~*ing* ook: bijgaand.

accomplice [ə'kɔmplis] medeplichtige.

accomplish [ə'kɔmpliʃ] volbrengen, tot stand brengen; bereiken; volvoeren, vervullen.

accomplished [ə'kɔmpliʃt] beschaafd: talentvol; volmaakt; voldongen [feit].

accomplishment [ə'kɔmpliʃmənt] vervulling; voltooiing; voleinding; volmaaktheid; *his* (*her*)~*s* zijn (haar) talenten.

accord [ə'kɔːd] I *vi* overeenstemmen, harmoniëren (met *with*); II *vt* toestaan, verlenen; III *sb* overeenstemming, akkoord *o*, overeenkomst; *of one's own* ~ uit eigen beweging, vanzelf; *with one* ~ eenstemmig, eenparig.

accordance [ə'kɔːdəns] overeenstemming.

according [ə'kɔːdiŋ] in: ~ *as* naar gelang (van); ~ *to* 1 naar gelang dat..., al naar; 2 overeenkomstig, volgens; ~ *to Cocker* volgens Bartjens; zoals het hoort.

accordingly [ə'kɔːdiŋli] dienovereenkomstig,

dus.

accordion [ə'kɔːdiən] ♪ accordeon *o* & *m*, (hand-, trek)harmonika.

accordionist [ə'kɔːdiənist] ♪ accordeonist, (hand-, trek)harmonikaspeler.

accost [ə'kɔst] aanspreken, aanklampen.

account [ə'kaunt] I *vt* rekenen, houden voor, beschouwen als, achten; II *vi* ~ *for* rekenschap geven van, verklaren; verantwoorden, voor zijn rekening nemen, neerleggen [wild]; uitmaken, vormen [een groot percentage van...]; *that* ~*s for it* dat verklaart de zaak; *there is no* ~*ing for tastes* over de smaak valt niet te twisten; III *sb* 1 (af)rekening; 2 rekenschap, verklaring, reden; 3 relaas *o*, bericht *o*, verslag *o*, beschrijving; *one's* ~ ook: de dood; *the great* (*last*) ~ de dag des oordeels; *call to* ~ ter verantwoording roepen; *demand an* ~ rekenschap vragen; *give an* ~ *of* verslag uitbrengen over; een verklaring geven van; *give a good* ~ *of oneself* zich (duchtig) weren; *leave out of* ~ geen rekening houden met, buiten beschouwing laten; *make no* ~ *of* niet tellen, geringachten; *render* (*an*) ~ rekenschap geven; *take* ~ *of* rekening houden met; *take into* ~ rekening houden met; *turn to* (*good*) ~ partij trekken van, zich ten nutte maken; *of no* ~ van geen belang of betekenis; *on* ~ op afbetaling; *on* ~ *of* vanwege, wegens; *on his own* ~ op eigen verantwoording; F op eigen houtje; voor zich(zelf); *on no* ~, *not on any* ~ in geen geval.

accountability [əkauntə'biliti] verantwoordelijkheid; toerekenbaarheid.

accountable [ə'kauntəbl] 1 verantwoordelijk; toerekenbaar; 2 verklaarbaar (ook: ~ *for*).

accountancy [ə'kauntənsi] boekhouding.

accountant [ə'kauntənt] $ (hoofd)boekhouder, administrateur; (*chartered*) ~ accountant.

account book [ə'kauntbuk] huishoudboek(je) *o*; boekhoudboek *o*, register *o*.

account current [ə'kaunt'kʌrənt] $ rekeningcourant.

account sales [ə'kauntseilz] $ verkooprekening.

accoutre [ə'kuːtə] uitrusten, kleden; toetakelen.

accoutrement(s) [ə'kuːtəmənt(s)] uitrusting, kleding; opschik.

accredit [ə'kredit] geloof schenken aan; accrediteren (bij *to*); ~*... to him*, ~ *him with...* hem... toeschrijven.

accretion [ə'kriːʃən] aanwas, aanslibbing.

accrue [ə'kruː] aangroeien, toenemen, oplopen; voortspruiten (uit *from*); ~ *to* toekomen, toevloeien, toevallen; ~*d interest* gekweekte rente.

accumulate [ə'kjuːmjuleit] (*vi* &) *vt* (zich) op(een)hopen, (zich) op(een)stapelen.

accumulation [əkjuːmju'leiʃən] op(een)hoping, op(een)stapeling, vermeerdering.

accumulative [ə'kjuːmjuleitiv] (zich) ophopend; (steeds)aangroeiend.

accumulator [ə'kju:mjuleitə **1** wie (geld) opeenhoopt, F potter; **2** ☀ accumulator, accu.

accuracy ['ækjurəsi] nauwkeurigheid, nauwgezetheid, stiptheid.

accurate(ly) ['ækjurit(li)] nauwkeurig, nauwgezet, stipt.

accursed [ə'kə:sid], **accurst** [ə'kə:st] vervloekt, gevloekt.

accusation [ækju'zeiʃən] beschuldiging.

accusative [ə'kju:zətiv] accusatief, vierde naamval.

accusatory [ə'kju:zətəri] beschuldigend.

accuse [ə'kju:z] beschuldigen, aanklagen; (the) ~d *żt* (de) verdachte.

accuser [ə'kju:zə] beschuldiger, aanklager.

accustom [ə'kʌstəm] wennen (aan to).

accustomed [ə'kʌstəmd] gewoon, gewend.

ace [eis] **1** ◇ aas *m* of *o*; één; **2** uitstekend (oorlogs)vlieger; F piet, kraan; *nor an* ~ geen greintje (zier); *within an* ~ *of death* de dood nabij; *he was within an* ~ *of …ing* het scheelde niet veel, of hij…

acerbity [ə'sə:biti] wrangheid, zuurheid; *fig* bitterheid, bitsheid.

acetate ['æsiteit] acetaat *o*.

acetic [ə'si:tik, ə'setik] in: ~ *acid* azijnzuur *o*.

acetone ['æsitoun] aceton *o* & *m*.

acetous ['æsitəs] azijnzuur; azijnachtig; zuur.

acetylene [ə'setili:n] acetyleen *o*.

ache [eik] **I** *sb* pijn; **II** *vi* zeer doen; pijn lijden; hunkeren (naar, om *for*, *to*).

achievable [ə'tʃi:vəbl] uitvoerbaar.

achieve [ə'tʃi:v] volbrengen, presteren; verwerven; bereiken, behalen.

achievement [ə'tʃi:vmənt] volbrenging; bereiking; stuk *o* werk, prestatie, verworvenheid, succes *o*; daad, bedrijf *o*, wapenfeit *o*.

Achilles [ə'kili:z] Achilles.

achromatic [ækrə'mætik] achromatisch, kleurloos.

acid ['æsid] **I** *aj* zuur[2]; scherp; **II** *sb* zuur *o*.

acidify [ə'sidifai] zuur maken of worden.

acidity [ə'siditi], **acidness** ['æsidnis] zuurheid.

acidulate [ə'sidjuleit] zuur maken; ~d ook: zuur.

acidulous [ə'sidjuləs] zuurachtig.

ack-ack ['æk'æk] ✕ S (lucht)afweer.

ackers ['ækəz] S duiten.

acknowledge [ək'nɔlidʒ] erkennen; bekennen; berichten (de ontvangst van); bedanken voor; beantwoorden [een groet].

acknowledg(e)ment [ək'nɔlidʒmənt] er-, bekentenis, erkenning, dank; (bewijs *o* van) erkentelijkheid; bericht *o* van ontvangst; beantwoording [v. groet].

acme ['ækmi] toppunt[2] *o*; glanspunt *o*.

acne ['ækni] ☛ vin(nen), medeëter(s).

acock [ə'kɔk] op één oor [v. hoed].

acolyte ['ækəlait] RK misdienaar, acoliet[2].

aconite ['ækənait] ☙ akoniet, monnikskap.

acorn ['eikɔ:n] ☙ eikel.

acoustic [ə'ku:stik] **I** *a* 'gehoor- ; **II** *sb* ~s akoe-

stiek; geluidsleer.

acquaint [ə'kweint] **I** *vt* bekendmaken (met *with*); **II** *vr* ~ *oneself with* zich de hoogte stellen van.

acquaintance [ə'kweintəns] bekendheid; kennismaking; bekende, kennis(sen); *make his* ~ kennis met hem maken; zie ook: *improve*.

acquaintanceship [ə'kweintənʃip] bekendheid; kennis(sen).

acquiesce [ækwi'es] berusten (in *in*); instemmen (met *in*), toestemmen.

acquiescence [ækwi'esəns] berusting, instemming, toestemming.

acquire [ə'kwaiə] verwerven, (ver)krijgen; opdoen; ~d ook: aangeleerd.

acquirement [ə'kwaiəmənt] verwerving, verkrijging; aanwinst; ~s kennis, talenten.

acquisition [ækwi'ziʃən] verwerving, verkrijging; aanschaffing; aanwinst.

acquisitive [ə'kwizitiv] begerig om iets te verwerven, hebzuchtig.

acquit [ə'kwit] **I** *vt* ontslaan, vrijspreken; ♦ kwijten; **II** *vr* ~ *oneself* zich kwijten.

acquittal [ə'kwitəl] **1** vrijspraak; ontheffing; **2** vervulling; kwijting.

acquittance [ə'kwitəns] $ kwijting, kwitering, voldoening; kwitantie.

acre ['eikə] acre: landmaat van 4840 vierkante yards [± 0,4047 ha].

acreage ['eikəridʒ] oppervlakte, aantal *acres*.

acred ['eikəd] grondeigendom bezittend.

acrid ['ækrid] scherp, wrang, bijtend, bits.

acrimonious(ly) [ækri'mounjəs(li)] scherp, bits.

acrimoniousness [ækri'mounjəsnis], **acrimony** ['ækriməni] scherpte, scherpheid, bitsheid.

acrobat ['ækrəbæt] acrobaat.

acrobatic(ally) [ækrə'bætik(əli)] acrobatisch.

acrobatics [ækrə'bætiks], **acrobatism** ['ækrəbætizm] acrobatiek, acrobatische toeren.

Acropolis [ə'krɔpəlis] Acropolis.

across [ə'krɔs] **I** *ad* (over)dwars, kruiselings of gekruist (over elkaar); aan de overkant, naar de overkant, er over; horizontaal [kruiswoordraadsel]; **II** *prep* (dwars) over; aan de overkant van; door.

acrostic [ə'krɔstik] acrostichon *o*, naamdicht *o*.

act [ækt] **I** *vi* handelen, (iets) doen, te werk gaan, optreden, (in)werken; acteren; ~ *up)on a suggestion* een raad opvolgen; ~ *up to a principle* overeenkomstig een beginsel handelen; **II** *vt* opvoeren, spelen (voor); **III** *sb* daad, handeling, bedrijf *o*; nummer *o* [van artiest]; wet; akte; *the* ~ *of God* hemels geweld *o*, ramp(en) van hogerhand; ~ *of oblivion* amnestie; *be in the* ~ *of*, *in* ~ *to* **1** op het punt zijn om...; **2** (juist) aan het... zijn; *taken in the (very)* ~ op heter daad betrapt.

actable ['æktəbl] te spelen [op het toneel].

acting ['æktiŋ] **I** *aj* fungerend, waarnemend; tijdelijk (aangesteld); **II** *sb* acteren *o*, actie, spel *o*, toneelspel(en)[2] *o*.

action ['ækʃən] actie, handeling, daad, bedrijf

o, (in)werking; ♂ proces o; ⚔ gevecht o; ⚔ mechaniek; *take* ~ optreden, stappen (iets) doen; zie ook: *bring*.

actionable ['ækʃənəbl] ♂ vervolgbaar.

activate ['æktiveit] activeren.

active ['æktiv] werkend, werkzaam, actief°, bedrijvig; *gram* bedrijvend.

activeness ['æktivnis], **activity** [æk'tiviti] werkzaamheid, activiteit, bedrijvigheid.

actor ['æktə] toneelspeler, acteur.

actress ['æktris] toneelspeelster, actrice.

actual ['æktjuəl] *aj* werkelijk; feitelijk; *in the ~ house* in het eigenlijke huis, in het huis zelf.

actuality [æktju'æliti] werkelijkheid; bestaande toestand.

actualize ['æktjuəlaiz] verwezenlijken.

actually ['æktjuəli] *ad* werkelijk, wezenlijk; feitelijk, in werkelijkheid, daadwerkelijk; (toen) momenteel; waarachtig, zowaar.

actuary ['æktjuəri] actuaris, wiskundig adviseur.

actuate ['æktjueit] in beweging brengen, (aan)drijven.

acuity [ə'kju:iti] acute toestand; scherpheid.

acumen [ə'kju:men] scherpzinnigheid.

acute(ly) [ə'kju:t(li)] scherp; scherpzinnig; intens, hevig; acuut; nijpend [tekort &].

acuteness [ə'kju:tnis] scherpte, scherpzinnigheid; acuut zijn o.

A.D. = *Anno Domini* na Christus, n.C.

ad [æd] F zie *advertisement*.

adage ['ædidʒ] spreekwoord o, gezegde o.

Adam ['ædəm] Adam²; ~'*s apple* adamsappel.

adamant ['ædəmənt], **adamantine** [ædə'mæntain] onvermurwbaar.

adapt [ə'dæpt] pasklaar maken, aanpassen; bewerken (naar *from*) [roman &].

adaptability [ədæptə'biliti] aanpassingsvermogen o; geschiktheid tot bewerking.

adaptable [ə'dæptəbl] pasklaar te maken (voor *to*), te bewerken; zich gemakkelijk aanpassend.

adaptation [ædæp'teiʃən] aanpassing; bewerking [v. roman &].

adapter [ə'dæptə] bewerker [v. roman &].

adaptive [ə'dæptiv] zich aanpassend, aanpassings-.

A.D.C. = ⚔ *aide-de-camp*.

add [æd] I *vt* bij-, toevoegen, bijdoen, optellen (ook: ~ *up*), samentellen (ook: ~ *together*); ~ *in* bijtellen, meerekenen; ~*ed to which...* waarbij nog komt, dat...; *an ~ed reason* een reden te meer, (nog) meer reden; *the ~ed torment* bovendien (nog) de marteling; II *vi* optellen; ~ *to* bijdragen tot, vermeerderen; vergroten, verhogen; ~ *up to* te zamen bedragen (uitmaken, vormen), neerkomen op.

adder ['ædə] adder.

1 **addict** [ə'dikt] I *vt* wijden; ~*ed to liquor* aan de drank (verslaafd); II *vr* ~ *oneself to* zich

overgeven aan.

2 **addict** ['ædikt] *sb* verslaafde.

addictedness [ə'diktidnis], **addiction** [ə'dikʃən] neiging; verslaafdheid (aan *to*).

addition [ə'diʃən] bij-, toevoeging; vermeerdering; optelling; bijvoegsel o; toegift; *in ~ bovendien; in ~ to* behalve, bij.

additional [ə'diʃənəl] I *aj* bijgevoegd, bijkomend; extra-, nog, ...meer; II *sb* extraatje o.

additionally [ə'diʃənəli] *ad* als toevoeging of toegift, erbij, bovendien.

addle ['ædl] I *aj* ledig, bedorven; verward; II *vt* bederven; verwarren.

addle-brained, ~-**headed**, ~-**pated** ['ædl-breind, -hedid, -peitid] hersenloos.

address [ə'dres] I *vt* richten (tot *to*); aan-, toespreken, zich richten tot; adresseren; II *vr* ~ *oneself to* I zich richten tot; 2 zich toeleggen op, zich bezighouden met, aanpakken; III *sb* I adres o; oorkonde; toespraak; 2 optreden o; 3 handigheid, tact; ~ *in reply* antwoord o op de troonrede; *he paid his ~es to the young lady* hij maakte de jongedame het hof.

addressee [ædre'si:] geadresseerde.

adduce [ə'dju:s] aanvoeren, aanhalen.

adenoids ['ædinɔidz] ♂ adenoïde vegetaties.

adept ['ædept] I *aj* ervaren; II *sb* meester (in *in*).

adequacy ['ædikwəsi] evenredigheid; gepastheid, geschiktheid [voor doel].

adequate(ly) ['ædikwit(li)] geëvenredigd; gepast, geschikt, bevredigend, adequaat; voldoende (voor *to*).

adhere [əd'hiə] (aan)kleven, aanhangen; blijven bij, zich houden aan.

adherence [əd'hiərəns] (aan)kleven o; verkleefdheid, aanhankelijkheid v, trouw v.

adherent [əd'hiərənt] I *aj* (aan)klevend; verbonden (met *to*); II *sb* aanhanger.

adhesion [əd'hi:ʒən] (aan)kleving; adhesie².

adhesive [əd'hi:siv] I *aj* (aan)klevend, kleverig; ~ *envelope* gegomde enveloppe; ~ *plaster* hechtpleister; ~ *tape* kleef-, plakband o; II *sb* plakmiddel o.

adieu [ə'dju:] vaarwel o, afscheid o.

adit ['ædit] horizontale mijnschacht; toegang².

adjacency [ə'dʒeisənsi] belending, nabijheid.

adjacent [ə'dʒeisənt] aangrenzend, aanliggend, belendend; nabijgelegen.

adjectival [ædʒek'taivəl] bijvoeglijk.

adjective ['ædʒektiv] bijvoeglijk naamwoord o.

adjoin [ə'dʒɔin] grenzen aan; *the ~ing list* nevenstaande lijst.

adjourn [ə'dʒə:n] I *vt* uitstellen; verdagen; II *vi* op reces gaan, uiteengaan; ~ *to* J zich begeven naar.

adjournment [ə'dʒə:nmənt] uitstel o; verdaging, reces o.

adjudge [ə'dʒʌdʒ] toewijzen, toekennen; beslissen, (ver)oordelen.

adjudicate [ə'dʒu:dikeit] I *vi* uitspraak doen

(over *upon*); **II** *vt* beslissen, berechten; ∼ *a person bankrupt* iemand failliet verklaren.

adjudication [ədʒu:di'keiʃən] berechting; toewijzing; faillietverklaring.

adjunct ['ædʒʌŋkt] **I** *aj* toegevoegd; (daarmee) verbonden; **II** *sb* 1 bijvoegsel *o*, aanhangsel *o*; bijomstandigheid; 2 toegevoegde; assistent [v. professor]; 3 *gram* bepaling.

adjuration [ædʒuə'reiʃən] bezwering; eed.

adjure [ə'dʒuə] bezweren.

adjust [ə'dʒʌst] vereffenen, regelen, in orde brengen, (recht) schikken; reguleren, justeren; (ver-, in)stellen; aanpassen.

adjustable [ə'dʒʌstəbl] verstelbaar, regelbaar.

adjuster [ə'dʒʌstə] ✖ regelaar; $ dispacheur.

adjustment [ə'dʒʌstmənt] 1 vereffening, regeling; 2 aanpassing; 3 ✖ instelling.

adjutant ['ædʒutənt] ✖ & ♾ adjudant.

ad lib. [æd'lib] *ad libitum* naar believen.

ad(-)lib [æd'lib] *Am* improviseren.

adman ['ædmæn] *Am* reclame(vak)man; tekstschrijver [v. reclame].

administer [əd'ministə] besturen, beheren; toepassen [wetten]; toedienen [voedsel &]; afnemen [eed]; ∼ *justice* rechtspreken.

administration [ədminis'treiʃən] bestuur *o*, beheer *o*, bewind *o*, regering, ministerie *o*; dienst [= openbare instelling]; toepassing [v. wet]; toediening; ∼ *of justice* rechtsbedeling, rechtspraak.

administrative [əd'ministreitiv] administratief, besturend, bestuurs-.

administrator [əd'ministreitə] bestuurder, beheerder, bewindhebber, -voerder.

administratrix [əd'ministreitriks] bestuurster, beheerster.

admirable ['ædmirəbl] *aj* bewonderenswaardig; prachtig, uitstekend, voortreffelijk.

admirably ['ædmirəbli] *ad* zie *admirable*, ook: < bijzonder.

admiral ['ædmirəl] 1 ♾ admiraal; 2 ♾ admiraalsschip *o*; 3 ❀ admiraalvlinder.

admiralship ['ædmirəlʃip] admiraalschap *o*, admiraalsrang.

admiralty ['ædmirəlti] admiraliteit.

admiration [ædmi'reiʃən] bewondering; *to* ∼ wondergoed, wonderwel, schitterend.

admire [əd'maiə] bewonderen.

admirer [əd'maiərə] bewonderaar, aanbidder.

admissibility [ədmisi'biliti] toelaatbaarheid; aannemelijkheid.

admissible [əd'misibl] toelaatbaar, geoorloofd; aannemelijk.

admission [əd'miʃən] toelating, aan-, opneming; toegang(sprijs), entree; erkenning.

admit [əd'mit] **I** *vt* toelaten, toegang verlenen; aan-, opnemen; erkennen, toegeven; **II** *vi* in: ∼ *of doubt* twijfel toelaten; ∼ *to* be-, erkennen, toegeven dat.

admittance [əd'mitəns] toegang, toelating; *no* ∼ verboden toegang.

admittedly [əd'mitidli] zoals (algemeen erkend of toegegeven wordt (werd).

admixture [əd'mikstʃə] vermenging, bijmenging; mengsel *o*, bijmengsel *o*.

admonish [əd'moniʃ] vermanen, waarschuwen; terechtwijzen; berispen.

admonisher [əd'moniʃə] vermaner.

admonishment [əd'moniʃmənt], **admonition** [ædmə'niʃən] vermaning, waarschuwing.

admonitory [əd'monitəri] vermanend.

ado [ə'du:] drukte, beweging, ophef, omslag, moeite; *much* ∼ *about nothing* veel drukte om niets, veel geschreeuw en weinig wol.

adolescence, -cy [ædə'lesəns(i)] adolescentie: rijpere jeugd, jongelingschap.

adolescent [ædə'lesənt] **I** *aj* opgroeiend; **II** *sb* adolescent: jongeling, jong meisje *o*.

Adonis [ə'dounis] Adonis; adonis² [ook ∦].

adonize ['ædənaiz] (zich) adoniseren.

adopt [ə'dopt] aannemen°, adopteren; overnemen, ontlenen (aan *from*); kiezen, (gaan) volgen [tactiek &].

adopter [ə'doptə] aannemer, adoptant.

adoption [ə'dopʃən] aanneming, adoptie; overneming, ontlening [van een woord]; kiezen *o*, volgen *o* [v. tactiek &].

adoptive [ə'doptiv] aangenomen, pleeg- [kind vader].

adorable [ə'do:rəbl] aanbiddelijk.

adoration [ædə'reiʃən] aanbidding².

adore [ə'do:] aanbidden²; dol zijn op.

adorer [ə'do:rə] aanbidder², aanbidster.

adorn [ə'do:n] (ver)sieren, verfraaien.

adornment [ə'do:nmənt] versiering, sieraad *o*.

adrenal [æ'dri:nəl] **I** *aj* adrenaal; **II** *sb* bijnier.

⊛adrenaline [ə'drenəlin] adrenaline.

Adrian ['eidriən] Adriaan, Adrianus.

Adriatic [ei-, ædri'ætik] Adriatisch; *the* ∼ (*Sea*) de Adriatische Zee.

adrift [ə'drift] ♪ drijvend, driftig; *be* ∼ drijven, ronddobberen; *fig* aan zijn lot overgelaten zijn; *break* ∼ *fig* op drift raken.

adroit(ly) [ə'droit(li)] behendig, handig.

adroitness [ə'droitnis] behendig-, handigheid.

adulate ['ædjuleit] (kruiperig) vleien.

adulation [ædju'leiʃən] kruiperige vleierij.

adulator ['ædjuleitə] kruiperige vleier.

adulatory ['ædjuleitəri] kruiperig vleiend.

adult [ə'dʌlt] **I** *aj* volwassen; ∼ *school* schoo voor volwassenen; **II** *sb* volwassene.

adulterant [ə'dʌltərənt] vervalsingsmiddel *o*.

adulterate [ə'dʌltəreit] vervalsen.

adulteration [ədʌltə'reiʃən] vervalsing.

adulterator [ə'dʌltəreitə] vervalser.

adulterer, adulteress [ə'dʌltərə, -ris] echtbreker, -breekster.

adulterous [ə'dʌltərəs] overspelig.

adultery [ə'dʌltəri] overspel *o*, echtbreuk.

adumbrate ['ædʌmbreit] afschaduwen; schetsen; aankondigen; beschaduwen.

adumbration [ædʌm'breiʃən] afschaduwing, schets; schaduw; aankondiging.

advance [əd'va:ns] **I** *vt* vooruitbrengen, vooruitschuiven, (voor)uitsteken, vooruitzetten; vervroegen, verhaasten, bevorderen; verhogen [prijzen]; opperen [plan &]; aanvoeren [reden]; voorschieten [geld]; **II** *vi* vooruitkomen, vorderen; naderen; stijgen [v. prijzen]; ~ *in years* ouder worden; ~ *upon* oprukken tegen; **III** *sb* vordering, vooruit-, voortgang, voortrukken *o*, opmars, (toe)nadering; voorschot *o*; bevordering; $ prijsverbetering, (prijs)verhoging, stijging; ~ *s* „avances"; (*is there*) *any* ~ (*on...*)? (biedt) niemand meer (dan...)?; *in* ~ bij voorbaat, vooruit; *in* ~ *of* vóór(uit).

advance booking [əd'va:nsbukiŋ] plaatsbespreking.

advanced [əd'va:nst] (ver)gevorderd; ⚔ vooruitgeschoven [post]; voor meergevorderden [v. boek &]; *fig* progressief, geavanceerd [v. ideeën]; *the day was far* ~ het was al laat geworden.

advance(d) guard [əd'va:ns(t)ga:d] ⚔ voorhoede.

advancement [əd'va:nsmənt] (be)vordering, vooruitgang; promotie; voorschot *o*.

advantage [əd'va:ntidʒ] **I** *sb* voordeel *o*; ...(*is*) *an* ~ ...strekt tot aanbeveling; *have an* ~ *over a person* iets op iemand voorhebben; *have the* ~ *of* (*over*) *a person* iemand overtreffen; *you have the* ~ *of me, sir* ik ken u niet, meneer; *take* ~ *of* profiteren van; misbruik maken van; bedotten; *to* ~ gunstig, voordelig, in een goed licht; *to the* ~ *of* in het voordeel van; *use to the best* ~ zo goed mogelijk gebruiken; **II** *vt* bevoordelen, bevorderen.

advantageous(ly) [ædvən'teidʒəs(li)] voordelig, gunstig.

advent ['ædvənt] 1 komst; 2 advent.

adventitious [ædvən'tiʃəs] toevallig, bijkomstig.

adventure [əd'ventʃə] avontuur *o*; onderneming; waagstuk *o*; speculatie; ~*s* lotgevallen.

adventurer [əd'ventʃərə] avonturier.

adventuresome [əd'ventʃəsəm] zie *adventurous*.

adventuress [əd'ventʃəris] avonturierster.

adventurous [əd'ventʃərəs] gewaagd, stout, vermetel; avontuurlijk.

adverb ['ædvə:b] bijwoord *o*.

adverbial(ly) [əd'və:biəl(i)] bijwoordelijk.

adversary ['ædvəsəri] tegenstander, vijand.

adversative [əd'və:sətiv] tegenstellend.

adverse ['ædvə:s] vijandig, nadelig, ongunstig, $ passief; tegenoverliggend; tegen-; ~ *winds* tegenwinden.

adversity [əd'və:siti] tegenspoed.

advert [əd'və:t] in: ~ *to* aandacht schenken aan; verwijzen naar; wijzen op.

advertence, -cy [əd'və:təns(i)] opmerkzaamheid.

advertise ['ædvətaiz] aankondigen, bekendmaken, adverteren, reclame maken (voor).

advertisement [əd'və:tismənt, -tizmənt] adver-

tentie; reclame.

advertiser ['ædvətaizə] 1 adverteerder; 2 advertentieblad *o*.

advertising ['ædvətaiziŋ] **I** *aj* advertentie-, reclame-; **II** *sb* adverteren *o*, reclame.

advice [əd'vais] raad; advies *o*; bericht *o*; *take* ~ 1 naar (goede) raad luisteren; 2 consulteren; *take medical* ~ een dokter raadplegen.

advisability [ədvaizə'biliti] raadzaamheid.

advisable [əd'vaizəbl] raadzaam, geraden.

advisableness [əd'vaizəblnis] raadzaamheid.

advise [əd'vaiz] **I** *vt* (aan)raden, raad geven; adviseren, berichten; **II** *vi* in: ~ *against* ontraden; ~ *with* te rade gaan met, raadplegen.

advised [əd'vaizd] (wel)beraden; *he will be well* ~ *to* hij zal er goed aan doen...

advisedly [əd'vaizidli] welberaden, na rijp beraad; met voordacht, met opzet.

advisedness [əd'vaizidnis] (wel)beradenheid.

adviser [əd'vaizə] raadsman, adviseur.

advisory [əd'vaizəri] raadgevend, adviserend, van advies, advies-.

advocacy ['ædvəkəsi] voorspraak, verdediging.

1 **advocate** ['ædvəkit] *sb* 1 verdediger, voorspreker; voorstander; 2 *Sc* advocaat.

2 **advocate** ['ædvəkeit] *vt* bepleiten, pleiten voor, verdedigen, voorstaan.

adze [ædz] dissel [bijl].

Aegean [i:'dʒi:ən] Aegeïsch(e Zee).

aegis ['i:dʒis] aegis; *fig* schild *o*, schut *o*, bescherming, auspiciën.

Aeneas [i:'ni:æs] Aeneas.

Aeneid ['i:niid] *the* ~ de Aeneïs.

Aeolian [i:'ouliən] eolisch; ~ *harp* eolusharp.

aeon ['i:ɔn] onmetelijke tijdsduur, eeuwigheid.

aerate ['eiəreit] 1 luchten; 2 met koolzuur verzadigen; ~*d* gazeus [v. dranken]; ~*d water* spuitwater *o*.

aeration [eiə'reiʃən] 1 luchten *o*; 2 verzadiging met koolzuur.

aerator ['eiəreitə] luchtpomp [v. aquarium].

aerial ['ɛəriəl] **I** *aj* lucht-; etherisch; **II** *sb* ⚓ ⚔ antenne.

aerie ['ɛəri, 'iəri] nest *o* [v. roofvogel], arendsnest[2] *o*; gebroed *o*, broedsel *o*.

aeriform ['ɛərifɔ:m] luchtvormig; nevelachtig, onwezenlijk.

aerobatics [ɛərə'bætiks] ✈ kunstvliegen *o*, luchtacrobatiek, vliegkunsten.

aero club ['ɛərəklʌb] ✈ aëroclub.

aerodrome ['ɛərədroum] ✈ vliegveld.

aerodynamics [ɛərədai'næmiks] aërodynamica.

aero-engine ['ɛərəendʒin] ✈ luchtvaartmotor, vliegtuigmotor.

aeronaut ['ɛərənɔ:t] luchtschipper.

aeronautic(al) [ɛərə'nɔ:tik(l)] luchtvaart-.

aeronautics [ɛərə'nɔ:tiks] luchtvaart.

aeroplane ['ɛərəplein] ✈ vliegmachine.

Aesculapius [i:skju'leipiəs] Esculaap; *fig* esculaap.

Aesop ['i:sɔp] Esopus.

aesthete ['i:sθi:t] estheet.

aesthetic(al) [i:s'θetik(l)] esthetisch. [leer.
aesthetics [i:s'θetiks] esthetica, schoonheids-
afar [ə'fa:] ver, in de verte; ~ *off* ver weg, in de
verte.
affability [æfə'biliti] vriendelijkheid, minzaamheid.
affable ['æfəbl] vriendelijk, minzaam.
affableness ['æfəblnis] zie *affability.*
affair [ə'fɛə] ɪ zaak, aangelegenheid; 2 ⚔ treffen *o*, gevecht *o*; 3 F ding *o*, zaakje *o*, geschiedenis, gevaarte *o*; 4 zie *love-affair*; ~*s*
(staats)zaken; ~ *of honour* erezaak: duel *o*.
affect [ə'fekt] (in)werken op, aandoen; aantasten, beïnvloeden, raken, (be)treffen; (be)-
roeren, bewegen; voorwenden; neiging hebben tot, (een aanstellerige) voorliefde tonen
voor; ~ *the freethinker* de vrijdenker uithangen; ~*ed with* aangetast door, lijdend aan.
affectation [æfek'teiʃən] geaffecteerdheid, gemaaktheid, aanstellerij; voorwending.
affected [ə'fektid] aangedaan, geroerd; gezind;
geaffecteerd, gemaakt; geveinsd.
affection [ə'fekʃən] aandoening; (toe)genegen-
heid, liefde.
affectionate [ə'fekʃənit] *aj* liefhebbend, toegenegen, aanhankelijk; hartelijk.
affectionately [ə'fekʃənitli] *ad* liefhebbend; hartelijk; *yours* ~..., uw liefhebbende...
affiance [ə'faiəns] I *sb* verloving; ~ *in* vertrouwen *o* op; II *vt* verloven; plechtig beloven;
his ~*d* zijn verloofde.
affidavit [æfi'deivit] beëdigde verklaring.
ɪ **affiliate** [ə'filieit] I *vt* als lid opnemen; aansluiten; II *vi* zich aansluiten (bij *to, with*).
2 **affiliate** [ə'filiit] *sb Am* filiaal *o.*
affiliation [əfili'eiʃən] aansluiting; afdeling, filiaal *o*; *fig* band.
affinity [ə'finiti] § affiniteit, verwantschap.
affirm [ə'fə:m] bevestigen, verzekeren.
affirmation [æfə'meiʃən] bevestiging, verzekering; (plechtige) verklaring, belofte (in plaats
van eed).
affirmative [ə'fə:mətiv] I *aj* bevestigend; II *sb*
in: *answer in the* ~ bevestigend of met ja (be)-
antwoorden.
ɪ **affix** [ə'fiks] *vt* (vast)hechten (aan *on, to*),
toevoegen; verbinden [salaris &].
2 **affix** ['æfiks] *sb* toevoeging, aanhangsel *o*;
achtervoegsel *o*, voorvoegsel *o.*
afflict [ə'flikt] bedroeven, kwellen; bezoeken,
teisteren; ~*ed at* bedroefd over; ~*ed with*
lijdend aan.
affliction [ə'flikʃən] droefheid, droefenis, leed
o, kwelling; bezoeking, ramp(spoed).
affluence ['æfluəns] toevloed, overvloed.
affluent ['æfluənt] I *aj* toevloeiend; overvloedig, rijk; ~ *society* welvaartsstaat; II *sb* zijrivier.
afflux ['æflʌks] toevloeiing, toevloed. [vier.
afford [ə'fɔ:d] verschaffen; opleveren; he can
~ *to*... hij kan zich (de weelde) veroorloven...;
I cannot ~ *it* ik kan het (zoveel) niet betalen;
can you ~ *(the time?* hebt u er (de) tijd voor?

afforest [ə'fɔrist] bebossen.
afforestation [əfɔris'teiʃən] bebossing.
affranchise [ə'fræn(t)ʃaiz] vrijmaken, bevrijden.
affranchisement [ə'fræn(t)ʃizmənt] vrijmaking,
bevrijding.
affray [ə'frei] vecht-, kloppartij, oploop.
affront [ə'frʌnt] I *vt* beledigen; trotseren; II *sb*
affront *o*, belediging.
Afghan ['æfgæn] *sb* (& *aj*) Afghaan(s).
Afghanistan [æfgænis'ta:n] Afghanistan *o.*
afield [ə'fi:ld] op het veld; ⚔ te velde; afgedwaald; *far* ~ ɪ ver van huis; 2 ver mis.
afire [ə'faiə] in brand; gloeiend (van *with*).
aflame [ə'fleim] in vlam, vlammend; *fig* gloeiend (van *with*).
afloat [ə'flout] vlot, drijvend; in de vaart; op
zee; $ zeilend; overstroomd; *fig* (weer) boven
water, er boven op, op dreef; in omloop [ge-
ruchten]; in de lucht hangend.
afoot [ə'fut] te voet, op de been; aan de gang,
aan de hand; op touw (gezet).
aforesaid [ə'fɔ:sed] voornoemd.
afraid [ə'freid] bang, bevreesd; *I am* ~... ook:
't spijt me, (maar)..., helaas..., jammer (genoeg)...; *I am not* ~ *of him, but for him* ik ben
niet bang voor hem, doch ik maak me ongerust over hem.
afresh [ə'freʃ] opnieuw, wederom.
Africa ['æfrikə] Afrika *o.*
African ['æfrikən] I *aj* Afrikaans; II *sb* Afrikaan, Afrikaanse.
Afrikaans [æfri'ka:ns] *ZA* Afrikaans *o.*
Afrikander [æfri'kændə] *ZA* Afrikaander.
Afro-Asian ['æfrou'eiʃən] I *aj* Afro-Aziatisch;
II *sb* in: ~*s* Afro-Aziaten.
aft [a:ft] ⚓ (naar) achter.
after ['a:ftə] I *ad* & *prep* achter; achterna;
naar; na, daarna, later; ~ *all* alles wel beschouwd, per slot van rekening, toch (nog);
be ~ in de zin hebben; uit zijn op, streven
naar; *be* ~ *no good* niets goeds in zijn schild
voeren; II *cj* nadat; III *sb* toetje *o*, nagerecht
o; IV *aj* later; ⚓ achter-.
after-care ['a:ftəkɛə] nazorg.
after-crop ['a:ftəkrɔp] nagewas *o*, naoogst.
after-dinner ['a:ftə'dinə] na het diner plaats-
grijpend of genoten; ~ *speech* redevoering na
het diner.
afterglow ['a:ftəglou] nagloeien *o*; avondrood *o.*
after-grass ['a:ftəgra:s] nagras *o*, etgroen *o.*
after-life ['a:ftəlaif] I latere leeftijd of jaren; 2
leven *o* hiernamaals.
aftermath ['a:ftəmæθ] nagras *o*; *fig* nasleep,
naspel *o*, naweeën.
aftermost ['a:ftəmoust] ⚓ achterst.
afternoon [a:ftə'nu:n, 'a:ftə'nu:n] (na)middag.
afterpiece ['a:ftəpi:s] nastukje *o.*
after-taste ['a:ftəteist] nasmaak.
afterthought ['a:ftəθɔ:t] later invallende gedachte; nadere overweging.

afterwards ['a:ftəwədz] naderhand, later.

again [ə'gein, ə'gen] weer, opnieuw, nog eens; verder; aan de andere kant; van de weeromstuit, ervan; ~ *and* ~ telkens en telkens (weer), herhaaldelijk; *as big (much)* ~ eens zo groot (veel); *then* ~, *why...?* bovendien waarom...?; *what's his name* ~? hoe heet hij ook weer?

against [ə'geinst, ə'genst] tegen(over); [een tekentje bij, naast, achter; [sluiten &] voor.

agape [ə'geip] met open mond; stom verbaasd.

agate ['ægit] I *sb* agaat o [stofnaam], agaat m [voorwerpsnaam]; II *aj* agaten.

Agatha ['ægəθə] Agatha.

agave [ə'geivi] ⚥ agave, Amerikaanse aloë.

agaze [ə'geiz] starend.

age [eidʒ] I *sb* 1 ouderdom, leeftijd; 2 eeuw, tijdperk o, tijd; ~ *of discretion* jaren des onderscheids (14 jaar); *(old)* ~ ouderdom, oude dag; *full* ~ meerderjarigheid; *be your* ~ ! S doe niet zo flauw!, stel je niet aan!; *for* ~ *s* een eeuwigheid; *of* ~ meerderjarig; *come of* ~ meerderjarig worden; *ten years of* ~ tien jaar oud; *over* ~ boven de jaren; *under* ~ minderjarig; II *vi* verouderen, oud worden; III *vt* oud maken.

1 **aged** ['eidʒid] oud, bejaard.

2 **aged** [eidʒd] in: ~ *six* zes jaar oud.

ageless ['eidʒlis] niet verouderend; eeuwig.

agency ['eidʒənsi] werking; agentschap o, agentuur, $ vertegenwoordiging; bureau o, instantie, lichaam o; bemiddeling, middel o.

agenda [ə'dʒendə] agenda.

agent ['eidʒənt] 1 handelende persoon, bewerker; 2 tussenpersoon, agent; rentmeester; $ vertegenwoordiger; 3 agens o; middel o.

agglomerate [ə'gləməreit] *(vi &)* vt (zich) opeenhopen.

agglomeration [əgləmə'reiʃən] opeenhoping.

agglutinate [ə'glu:tineit] vt & vi 1 aaneenlijmen, samenkleven; 2 in lijm veranderen.

agglutination [əglu:ti'neiʃən] aaneenlijming, samenkleving; agglutinatie.

aggrandize ['ægrəndaiz] vergroten².

aggrandizement [ə'grændizmənt] vergroting.

aggravate ['ægrəveit] verzwaren, verergeren; F ergeren, tergen.

aggravating ['ægrəveitiŋ] verzwarend [omstandigheid]; F ergerlijk, vervelend, lam.

aggravation [ægrə'veiʃən] verzwaring; verergering; F balorigheid.

1 **aggregate** ['ægrigit] I *aj* gezamenlijk; II *sb* verzameling, totaal o, massa; *in the* ~ globaal (genomen).

2 **aggregate** ['ægrigeit] vt verenigen; in totaal bedragen.

aggregation [ægri'geiʃən] verzameling.

aggression [ə'greʃən] aanval, agressie.

aggressive [ə'gresiv] aanvallend, agressief.

aggressiveness [ə'gresivnis] agressiviteit.

aggressor [ə'gresə] aanvaller, agressor.

aggrieve [ə'gri:v] bedroeven; benadelen.

aghast [ə'ga:st] ontzet; F paf (van *at*).

agile ['ædʒail] rap, vlug.

agility [ə'dʒiliti] rapheid, vlugheid.

agitate ['ædʒiteit] bewegen, schudden; in beroering brengen, ontroeren; bespreken, behandelen; ageren (voor *for*).

agitation [ædʒi'teiʃən] beweging, onrust; beroering, gisting; (openbare) behandeling; (politieke) campagne, actie.

agitator ['ædʒiteitə] agitator, opruier, stokebrand, onruststoker, woelgeest.

aglet ['æglət, 'eiglət] 1 nestel; 2 ⚥ katje o.

agley [ə'gli:] *Sc* schuin; *go* ~ mislopen.

aglow [ə'glou] verhit, gloeiend² (van *with*).

agnail ['ægneil] dwangnagel, nij(d)nagel.

Agnes ['ægnis] Agnes.

agnostic [æg'nɔstik] I *aj* agnostisch; II *sb* agnosticus, agnostisch denker.

ago [ə'gou] geleden; *as long* ~ *as 1904* reeds in 1904.

agog [ə'gɔg] verlangend; opgewonden; dol; ~ *on (for)* erop gebrand om..., belust op, dol op.

agonize ['ægənaiz] I *vi* met de dood worstelen; doodsangsten uitstaan; II *vt* martelen, folteren, kwellen; *agonizing*, ook: afgrijselijk, hartverscheurend.

agony ['ægəni] (doods)strijd; worsteling; (ziels)angst, foltering; toppunt o.

agree [ə'gri:] overeenstemmen, overeenkomen; afspreken; het eens worden of zijn (over *on*); toestemmen (in *to*), akkoord gaan (met *to*); overweg kunnen (met *with*); *beer does not* ~ *with me* bier bekomt mij slecht; ~*d!* akkoord!; *an* ~*d principle* een beginsel waarover overeenstemming is bereikt, waarover men het eens is.

agreeable [ə'griəbl] *aj* 1 aangenaam, prettig, welgevallig; 2 overeenkomstig (met *to*); *if you are* ~ als u het goed vindt.

agreeableness [ə'griəblnis] aangenaamheid.

agreeably [ə'griəbli] *ad* aangenaam; ~ *to* overeenkomstig, volgens.

agreement [ə'gri:mənt] overeenstemming, overeenkomst; verdrag o, akkoord o; afspraak; *be in* ~ ook: het eens zijn.

agricultural [ægri'kʌltʃərəl] landbouw-, landbouwkundig, agrarisch; ~ *labourer (worker)* landarbeider.

agriculture ['ægrikʌltʃə] landbouwkunde; landbouw, akkerbouw.

agriculturist [ægri'kʌltʃərist] landbouwkundige; landbouwer.

aground [ə'graund] ⚓ aan de grond, gestrand; *fig* in verlegenheid, in de klem.

ague ['eigju:] (malaria)koorts; (koorts)rilling².

ah [a:] ach!, ah!, ha!

aha [a:'ha:] ha! aha!

ahead [ə'hed] voor(uit), vooraan; *go* ~ ! vooruit!; *the task (that lies)* ~ de komende taak (de taak die wij voor de boeg hebben, die ons wacht); ~ *of* voor.

ahem [ə'hem] h'm!

ahoy [ə'hɔi] ⚓ aho(o)i!

ai [a:i] ≈ aai, ai, luiaard.

aid [eid] I *vt* helpen, bijstaan; bijdragen tot, bevorderen; ∼ *and abet* de hand reiken, handlangersdiensten bewijzen; II *sb* 1 hulp, bijstand; 2 helper, -ster; ∼*s* hulpmiddelen; *in* ∼ *of* ten bate van.

aide-de-camp [Fr] ⚔ aide-de-camp, adjudant.

aigrette ['eigret] aigrette [v. dameskapsel].

ail [eil] schelen, schorten; *what* ∼*s you?* wat scheelt er aan?

aileron ['eilərən] ✈ rolroer *o*.

ailing ['eiliŋ] ziekelijk, sukkelend.

ailment ['eilmənt] ziekte, ongesteldheid.

aim [eim] I *vi* richten, mikken, aanleggen (op *at*); ∼ *at* ook: *fig* doelen op; 't gemunt hebben op; streven naar, beogen [iets], aansturen op; II *vt* richten (op of tegen *at*), aanleggen (op *at*); *that was* ∼*ed at you* dat doelde op u, dat was op u gemunt; III *sb* oogmerk *o*, doel(wit) *o*; *take* ∼ aanleggen, mikken.

aimless ['eimlis] doelloos.

ain't [eint] P = *am* (*is*, *are*) *not* & *have* (*has*) *not*.

air [ɛə] I *sb* lucht; windje *o*; tocht; ♫ † ether; ♪ wijs, wijsje *o*, melodie, aria; voorkomen *o*; air *o*, houding; ∼*s and graces* kokette maniertjes; *hot* ∼ S gezwam *o*; *take* ∼ ruchtbaar worden; *take the* ∼ 1 een luchtje scheppen; 2 ✈ opstijgen; *by* ∼ door de lucht: per vliegtuig (of luchtschip); *be in the* ∼ 1 in de lucht zitten; 2 in de lucht hangen; *off the* ∼ ♫ † uit de ether; *on the* ∼ ♫ † voor de radio (optredend, sprekend, uitzendend of uitgezonden), voor de microfoon, in de ether; *over the* ∼ ♫ † door (over, via) de radio, door de ether; II *vt* lucht geven (aan)², luchten²; geuren met; III *vr* ∼ *oneself* een luchtje scheppen.

air-borne ['ɛəbɔ:n] ✈ 1 door de lucht vervoerd of aangevoerd; 2 opgestegen, in de lucht; 3 ⚔ luchtlandings-; ∼ *landing* landing uit de lucht, luchtlanding.

air conditioning ['ɛəkəndiʃəniŋ] luchtregeling, klimaatregeling.

air-cooled ['ɛəku:ld] ⚙ luchtgekoeld.

aircraft ['ɛəkra:ft] ✈ luchtvaartuig *o*, luchtvaartuigen, vliegtuig *o*, vliegtuigen; ∼ *carrier* ⚓ vliegdekschip *o*.

aircraftman ['ɛəkra:ftmən] ⚔ soldaat bij de luchtmacht.

air crash ['ɛəkræʃ] ✈ luchtramp.

air crew ['ɛəkru:] ✈ vliegtuigbemanning.

air-cushion ['ɛəkuʃən] windkussen *o*.

airfield ['ɛəfi:ld] ✈ vliegveld *o*.

airfoil ['ɛəfɔil] ✈ (draag)vlak *o*.

air force ['ɛəfɔ:s] ⚔ luchtmacht, luchtstrijdkrachten.

air-gun ['ɛəgʌn] windbuks.

air-gunner ['ɛəgʌnə] ⚔ boordschutter.

air hostess ['ɛəhoustis] ✈ (lucht)stewardess.

airily ['ɛərili] *ad* luchtig.

airiness ['ɛərinis] luchtigheid.

airing ['ɛəriŋ] luchten *o*; beweging i nde vrije lucht; *take an* ∼ een luchtje scheppen.

airless ['ɛəlis] zonder lucht; bedompt; stil, zonder wind.

air letter ['ɛəletə] ✉ luchtpostblad *o*.

air-lift ['ɛəlift] ✈ luchtbrug.

air line ['ɛəlain] ✈ luchtvaartlijn.

air liner ['ɛəlainə] ✈ lijntoestel *o*, verkeersvliegtuig *o*.

air-lock ['ɛəlɔk] 1 luchtsluis [v. caisson, kolenmijn &]; 2 dampslot *o* [in een buis].

air mail ['ɛəmeil] ✉ luchtpost, vliegpost.

airman ['ɛəmən] ✈ vlieger.

air mattress ['ɛəmætris] luchtbed *o*.

air-minded ['ɛəmaindid] ✈ luchtvaartgezind.

Air Minister ['ɛəministə] ✈ Minister voor Luchtvaart.

air-pipe ['ɛəpaip] ⚓ & ⚒ luchtbuis.

airplane ['ɛəplein] ✈ vliegtuig *o*.

air-pocket ['ɛəpɔkit] luchtzak [valwind].

airport ['ɛəpɔ:t] ✈ luchthaven, vlieghaven.

air-pump ['ɛəpʌmp] luchtpomp.

air raid ['ɛəreid] ✈ luchtaanval; *air-raid precautions* luchtbescherming; *air-raid warning* luchtalarm *o*; zie ook: *shelter, warden.*

airscrew ['ɛəskru:] ✈ schroef.

airship ['ɛəʃip] ✈ luchtschip *o*.

air-sick(ness) ['ɛəsik(nis)] luchtziek(te).

air space ['ɛəspeis] luchtruim *o* [v. e. land].

airstrip ['ɛəstrip] ✈ landingsstrook.

air-threads ['ɛəθredz] herfstdraden.

air-tight ['ɛətait] luchtdicht.

air view ['ɛəvju:] gezicht *o* uit de lucht (op *of*), ook: luchtfoto.

airway ['ɛəwei] 1 luchtgalerij [in mijn]; 2 ✈ luchtroute, luchtvaartlijn.

airwoman ['ɛəwumən] ✈ vliegster.

airworthy ['ɛəwə:ði] ✈ luchtwaardig.

airy ['ɛəri] (hoog) in de lucht, luchtig, ijl; ∼ *castles* luchtkastelen.

airy-fairy ['ɛəri'fɛəri] luchtig, dartel; fantastisch.

aisle [ail] 1 zijbeuk; 2 pad *o* [tussen banken &].

aitch [eitʃ] (de letter) h.

Aix-la-Chapelle ['eiksla:ʃæ'pel] Aken *o*.

ajar [ə'dʒa:] 1 op een kier, half open, aan; 2 niet goed gestemd, korzelig.

akimbo [ə'kimbou] in: (*with*) *arms* ∼ met de handen in de zij(de).

akin [ə'kin] verwant².

alabaster ['æləba:stə] I *sb* albast *o*; II *aj* albasten.

alack(-a-day) [ə'læk(ə'dei)] ach!, helaas!

alacrity [ə'lækriti] wakkerheid, monterheid; bereidvaardigheid; gretigheid.

Aladdin [ə'lædin] Aladdin.

alarm [ə'la:m] I *sb* alarm(sein) *o*; ontsteltenis, schrik, ongerustheid; alarmtoestel *o*, wekker(klok); appel *o* [bij 't schermen]; *the* ∼ *was given* er werd alarm gemaakt; *take the* ∼ 1 ongerust worden; 2 lont ruiken; II *vt* alarmeren, verontrusten, beangstigen, ontstellen.

alarm-bell [ə'la:mbel] alarmklok.
alarm-clock [ə'la:mklɔk] wekker(klok).
alarming(ly) [ə'la:miŋ(li)] verontrustend.
alarmist [ə'la:mist] alarmist.
alarm-watch [ə'la:mwɔtʃ] wekkerklokje o.
alarum [ə'lɛərem, ə'la:rəm] zie *alarm* I.
alas [ə'la:s, ə'læs] helaas!, ach!; ~ *for John!* die arme Jan!
alb [ælb] *RK* albe.
Albania [æl'beinjə] Albanië o.
Albanian [æl'beinjən] *aj & sb* Albanees.
Albany ['ɔ:lbəni] Albany o.
albatross ['ælbətrɔs] ⚓ albatros.
albeit [ɔ:l'bi:it] alhoewel, (of)schoon.
Albert ['ælbət] Albert(us).
albino [æl'bi:nou] albino.
Albion ['ælbiən] Albion o: Engeland o.
album ['ælbəm] album o.
albumen [æl'bju:men] eiwit o, eiwitstof.
albuminous [æl'bju:minəs] eiwithoudend.
alburnum [æl'bə:nəm] ✿ spint o.
alchemist ['ælkimist] alchimist.
alchemy ['ælkimi] alchimie.
Alcibiades [ælsi'baiədi:z] Alcibiades.
alcohol ['ælkəhɔl] alcohol, wijngeest.
alcoholic [ælkə'hɔlik] alcoholisch.
alcoholism ['ælkəhɔlizm] alcoholisme o.
Alcoran [ælkə'ra:n] koran.
alcove ['ælkouv] 1 alkoof; 2 zomerhuisje o, prieel o.
alder ['ɔ:ldə] ✿ els, elzeboom.
alderman ['ɔ:ldəmən] wethouder, schepen.
aldermanic [ɔ:ldə'mænik] wethouders-, schepen-.
Aldershot ['ɔ:ldəʃɔt] Aldershot o.
ale [eil] aal o, bier o.
alee [ə'li:] ⚓ aan lij.
ale-house ['eilhaus] bierhuis o.
alembic [ə'lembik] distilleerkolf.
alert [ə'lə:t] I *aj* waakzaam, op zijn hoede; vlug; II *sb* alarm o; luchtalarm o; *on the* ~ op zijn hoede.
alertness [ə'lə:tnis] waakzaamheid; vlugheid.
Alexander [ælig'za:ndə] Alexander.
Alexandria [ælig'za:ndriə] Alexandrië o.
alexandrine [ælig'zændrain] alexandrijn.
Alf [ælf] F zie *Alfred*.
alfalfa [æl'fælfə] ✿ luzerne.
Alfred ['ælfrid] Alfred.
alga ['ælgə], *mv* **algea** ['ældʒi:] ✿ zeewier o.
algebra ['ældʒibrə] algebra, stelkunde.
algebraic(al) [ældʒi'breiik(l)] algebraïsch, stelkundig.
Algeria [æl'dʒiəriə] Algerije o.
Algerian [æl'dʒiəriən] *sb* (& *aj*) Algerijn(s).
Algernon ['ældʒənən] Algernon.
Algiers [æl'dʒiəz] Algiers o.
alias ['eiliæs] I *aj* alias, anders genoemd; II *sb* alias, andere naam, aangenomen naam.
alibi ['ælibai] alibi o; *Am* F verontschuldiging, excuus o.
Alice ['ælis] Alice.

alien ['eiljən] I *aj* vreemd² (aan *to, from*); buitenlands; II *sb* vreemdeling.
alienability [eiljənə'biliti] vervreemdbaarheid.
alienable ['eiljənəbl] vervreemdbaar.
alienate ['eiljəneit] *vt* vervreemden².
alienation [eiljə'neiʃən] vervreemding; (*mental*) ~ kranzinnigheid.
alienist ['eiljənist] psychiater.
1 alight [ə'lait] *aj* aangestoken, aan, brandend, in brand; verlicht; schitterend.
2 alight [ə'lait] *vi* uitstappen (uit *from*), afstijgen (van *from*), neerkomen, neerstrijken (op *on*), ✈ landen; afstappen (in *at*).
align [ə'lain] I *vt* op één lijn plaatsen, opstellen; richten; aanpassen; ~ *oneself with* zich scharen aan de zijde van; zich aansluiten bij; II *vi* zich richten, zich in 't gelid scharen.
alignment [ə'lainmənt] 1 op één lijn brengen o; richten o; aanpassing; opstelling; groepering, constellatie [in de politiek]; 2 (rooi)lijn.
alike [ə'laik] gelijk, eender; op elkaar gelijkend; evenzeer.
aliment ['ælimənt] voedsel o; onderhoud o.
alimental [æli'mentəl] voedings-; voedend.
alimentary [æli'mentəri] voedend; voedings-; ~ *canal* spijsverteringskanaal o.
alimentation [ælimen'teiʃən] 1 voeding; 2 onderhoud o.
alimony ['æliməni] alimentatie, onderhoud o.
alive [ə'laiv] in leven, levend; levendig; ~ *and kicking* springlevend; ~ *to* zich bewust van met een open oog voor, ontvankelijk of gevoelig voor; ~ *with* wemelend van, krioelend van; *look* ~ F voortmaken; *man* ~ *!* maar man!, kerel!; *the best man* ~ ter wereld.
alkali ['ælkəlai] alkali o.
alkaline ['ælkəlain] alkalisch.
all [ɔ:l] I *aj* (ge)heel, gans, al(le); II *ad* geheel, helemaal, één en al; III *sb* al(les) o; IV *pron* allemaal, allen;∞ ~ *and each,* ~ *and sundry* allen zonder onderscheid; ~ *but* 1 nagenoeg, zo goed als, bijna; 2 allen (alles) met uitzondering van, op... na; ~ *comers* allen (die zich aanmelden), iedereen; ~ *day* de hele dag; ~ *London* heel Londen; ~ *of us* wij allen; ~ *the best* het beste (ermee)!; ~ *the better* des te beter; *at* ~ in het minst, (ook) maar (enigszins); wel, misschien; toch; *not at* ~ in het geheel niet, volstrekt niet; *in* ~ in het geheel; ~ *in* ~ alles bijeen(genomen), al met al; *she was* ~ *in* ~ *to him (his* ~ *in* ~) zij was hem alles, alles voor hem; *twenty* ~ *sp* twintig gelijk; ~'s *well that ends well* eind goed, al goed; zie ook: *after, along, for, in, out, over, right, round, same, there* &.
Allah ['ælə] Allah.
allay [ə'lei] (doen) bedaren; stillen, verlichten verzachten, matigen, verminderen.
allegation [æli'geiʃən] aanvoering; bewering.
allege [ə'ledʒ] aanvoeren; beweren.
allegiance [ə'li:dʒəns] trouw (van onderdanen); band

allegoric(al) [æli'gɔrik(l)] allegorisch.

allegorize ['æligəraiz] I *vt* zinnebeeldig voorstellen; II *vi* zich zinnebeeldig uitdrukken.

allegory ['æligəri] allegorie.

alleluia [æli'lu:jə] halleluja, alleluja *o*.

allergen ['ælədʒen] ⚊ allergeen *o*. [*to*).

allergic [ə'lə:dʒik] ⚊ allergisch; F afkerig (van

allergy ['ælədʒi] ⚊ allergie; F afkeer (van *to*).

alleviate [ə'li:vieit] verlichten, verzachten.

alleviation [əli:vi'eiʃən] verlichting, verzachting, leniging.

alley ['æli] steeg, gang; laantje *o*; doorgang; (kegel)baan.

All Fools' Day ['ɔ:l'fu:lzdei] 1 april.

All-Hallows ['ɔ:l'hælouz] zie *All Saints' Day*.

alliance [ə'laiəns] verbond *o*, bond, bondgenootschap *o*, verbintenis, huwelijk *o*; verwantschap.

allied [ə'laid, + 'ælaid] 1 verbonden, geallieerd, bondgenootschappelijk; 2 verwant.

alligator ['æligeitə] ⚊ alligator, kaaiman.

all-important [ɔ:lim'pɔ:tənt] van het grootste gewicht, hoogst belangrijk.

all-in ['ɔ:lin] alles ((en) allen) inbegrepen (insluitend, omvattend), met deelneming van allen, voor (van) allen; ~ *policy* ± A tot Z polis; ~ *wrestling sp* het „vrije" worstelen.

alliterate [ə'litəreit] allit(t)ereren.

alliteration [əlitə'reiʃən] allit(t)eratie, stafrijm *o*.

alliterative [ə'litərətiv] allit(t)ererend.

allocate ['æləkeit] toewijzen; aanwijzen; vaststellen.

allocation [ælə'keiʃən] toewijzing; aanwijzing; vaststelling.

allocution [ælə'kju:ʃən] aanspraak, redevoering, *RK* allocutie, toespraak.

allopathic(ally) [ælə'pæθik(əli)] allopathisch.

allopathist [ə'lɔpəθist] allopaat.

allopathy [ə'lɔpəθi] allopathie.

allot [ə'lɔt] toe(be)delen, toewijzen.

allotment [ə'lɔtmənt] 1 toe(be)deling, toewijzing; aandeel *o*; (levens)lot *o*; 2 perceel *o*; 3 volkstuintje *o*.

allottee [ələ'ti:] persoon aan wie iets toegewezen wordt.

all-out ['ɔ:laut] met alle middelen, intensief, geweldig, groot(scheeps).

allow [ə'lau] I *vt* toestaan, toelaten, veroorloven; erkennen; II *vi* ~ *for* (als verzachtende omstandigheid) in aanmerking nemen; ~ *of* toestaan, toelaten.

allowable [ə'lauəbl] geoorloofd.

allowance [ə'lauəns] toelating, vergunning; toegevendheid; portie, rantsoen *o*, toelage; $ korting, rabat *o*, refactie; *make* ~ *for* in aanmerking nemen; *make* ~*s for him* toegeeflijk zijn voor hem.

alloy [ə'lɔi] I *sb* allooi *o*, gehalte *o*; legéring; (bij)mengsel *o*; II *vt* legéren; mengen.

all-round ['ɔ:l'raund] *fig* veelzijdig, van alle markten thuis, van zessen klaar; in alle op-

zichten; ~ *price* globale prijs.

All Saints' Day ['ɔ:l'seintsdei] Allerheiligen.

All Souls' Day ['ɔ:l'soulzdei] Allerzielen.

allspice ['ɔ:lspais] piment *o*. [gekomen.

all-time ['ɔ:ltaim] S ongekend, nog niet voor-

allude [ə'l(j)u:d] in: ~ *to* zinspelen op, doelen op; (terloops) vermelden.

allure [ə'ljuə] (aan)lokken, verlokken.

allurement [ə'ljuəmənt] aan-, verlokking, lokmiddel *o*; verleidelijkheid.

alluring [ə'ljuəriŋ] aanlokkelijk, verleidelijk.

allusion [ə'l(j)u:ʒən] zin-, toespeling (op *to*).

allusive [ə'l(j)u:siv] zinspelend.

alluvial [ə'l(j)u:viəl] alluviaal, aangeslibd

alluvion [ə'l(j)u:viən] zie *alluvium*.

alluvium [ə'l(j)u:viəm] alluvium *o*, aanslibbing, aangeslibd land *o*.

1 ally [ə'lai] I *vt* verbinden (met *to*, *with*), verwant maken (aan *to*); verenigen; II *sb* ['ælai, ə'lai] bondgenoot.

2 ally ['æli] *sb* alikas [knikker].

almanac ['ɔ:lmənæk] almanak.

almighty [ɔ:l'maiti] I *aj* almachtig; II *sb the A*~ de Almachtige.

almond ['a:mənd] amandel; ~ *eyes* amandelvormige ogen; ~ *paste* amandelpas *o*.

almoner ['ælmənə, 'a:mənə] aalmoezenier.

almost ['ɔ:lmoust, -məst] bijna, nagenoeg.

alms [a:mz] aalmoes, aalmoezen.

alms-box ['a:mzbɔks] offerblok *o*, offerbus.

almshouse ['a:mzhaus] armenhuis *o*, hofje *o*.

aloe ['ælou] ⚇ aloë.

aloft [ə'lɔft] 1 hoog, omhoog[2], in de lucht[2]; 2 ⚓ aan dek; in de mast.

alone [ə'loun] alleen.

along [ə'lɔŋ] *prep* & *ad* langs...; voort, door; mee; *I ran* ~ *the corridor* door de gang; *I limped* ~ *the sand* over het zand; *the bottles* ~ *the shelf* (in een rijtje) op de plank; *all* ~ aldoor, altijd (wel), steeds; *it is all* ~ *of him* het is alles zijn schuld; ~ *with* samen (tegelijk) met.

alongside [ə'lɔŋ'said] ⚓ langszij; ~ (*of*) langs; naast[2].

aloof [ə'lu:f] op een afstand[2], ver[2]; gereserveerd, afzijdig; ⚓ te loevert.

aloofness [ə'lu:fnis] gereserveerdheid.

aloud [ə'laud] luid(e), overluid, hardop.

alp [ælp] (hoge) berg[2]; *the Alps* de Alpen.

alpaca [æl'pækə] alpaca *v* [schaap], alpaca *o* [stofnaam].

alpha ['ælfə] alfa; ~ *rays* alfastralen.

alphabet ['ælfəbit] alfabet *o*, abc[2] *o*.

alphabetic(al) [ælfə'betik(l)] alfabetisch.

Alpine ['ælpain] alpen-.

Alpinist ['ælpinist] alpinist, bergbeklimmer.

already [ɔ:l'redi] al, reeds, ⊙ bereids.

Alsace ['ælsæs] de Elzas.

Alsatian [æl'seiʃən] I *aj* Elzassisch; II *sb* 1 Elzasser; 2 ⚇ Duitse herder(shond).

also ['ɔ:lsou] ook, eveneens, bovendien

alt [ælt] ♪ alt.

altar ['ɔ:ltə] I altaar o & m; 2 Avondmaalstafel.

altar-boy ['ɔ:ltəbɔi] RK koorknaap, misdienaar.

altar-rail(s) ['ɔ:ltəreil(z)] communiebank.

alter ['ɔ:ltə] veranderen, wijzigen.

alterable ['ɔ:ltərəbl] te veranderen.

alteration [ɔ:ltə'reiʃən] verandering, wijziging; ~s ook: verbouwing.

altercate ['ɔ:ltəkeit] twisten, krakelen.

altercation [ɔ:ltə'keiʃən] (woorden)twist.

1 **alternate** ['ɔ:ltəneit] vi & vt (elkaar) afwisselen.

2 **alternate** [ɔ:l'tə:nit] I aj afwisselend; verwisselend [v. hoeken]; on ~ days om de andere dag; II sb Am plaatsvervanger.

alternately [ɔ:l'tə:nitli] ad afwisselend, beurtelings, om de beurt, beurt om beurt.

alternation [ɔ:ltə'neiʃən] afwisseling.

alternative [ɔ:l'tə:nətiv] I aj alternatief, ander (van twee); II sb alternatief o, keus (uit twee); in the ~ I als men de keus heeft; 2 subsidiair.

alternatively [ɔ:l'tə:nətivli] ad I anders; 2 subsidiair.

alternator ['ɔ:ltəneitə] ⚡ wisselstroomdynamo.

although [ɔ:l'ðou] (al)hoewel, (of)schoon, al.

altimeter [æl'timitə] hoogtemeter.

altitude ['æltitju:d] hoogte; verhevenheid.

alto ['æltou] ♪ alt°.

altogether [ɔ:ltə'geðə] alles samengenomen, over het geheel; helemaal, volkomen.

altruism ['æltruizm] altruïsme o.

altruist ['æltruist] altruïst.

altruistic [æltru'istik] altruïstisch.

alum ['æləm] aluin.

aluminium [ælju'minjəm] aluminium o.

aluminous [ə'lju:minəs] aluinachtig, aluin-.

alumni [ə'lʌmnai] mv v. alumnus.

alumnus [ə'lʌmnəs] leerling, student.

always ['ɔ:lwəz] altijd (nog), altoos.

a.m. = ante meridiem 's morgens, in de voormiddag, v.m.

am [æm] [ik] ben; word.

⊙ **amain** [ə'mein] met kracht, uit alle macht.

amalgam [ə'mælgəm] amalgama o, mengsel² o.

amalgamate [ə'mælgəmeit] amalgameren, (zich) vermengen, (zich) verbinden, samensmelten, $ fuseren, een fusie aangaan.

amalgamation [əmælgə'meiʃən] amalgamatie, vermenging, verbinding, samensmelting, $ fusie.

amanita [æmə'naitə] ♣ amaniet v.

amanuenses [əmænju'ensi:z] mv v. amanuensis.

amanuensis [əmænju'ensis] schrijver, particulier secretaris.

amaranth ['æmərænθ] I ♣ amarant v; 2 amarant o [kleur].

amass [ə'mæs] opeenhopen, vergaren.

amateur ['æmətə:, æmə'tə:] amateur, dilettant, liefhebber.

amateurish [æmə'tə:riʃ] dilettanterig.

amative ['æmətiv] verliefd (van complexie).

amatory ['æmətəri] liefde(s)-, amoureus.

amaze [ə'meiz] I vt verbazen; II sb ⊙ verbazing.

amazement [ə'meizmənt] verbazing. [zing.

amazingly [ə'meiziŋli] verbazend [ook: <].

Amazon ['æməzən] Amazone [de rivier]; amazone [(strijdbare) vrouw].

ambassador [æm'bæsədə] I ambassadeur; 2 (af)gezant.

ambassadress [æm'bæsədris] I ambassadrice; ambassadeursvrouw; 2 afgezante.

amber ['æmbə] amber, barnsteen o & m; the ~ (light) het gele (verkeers)licht.

ambergris ['æmbəgri:s] grijze amber.

ambidexter [æmbi'dekstə], **ambidextrous** [æmbi'dekstrəs] I beide handen even goed kunnende gebruiken; 2 dubbelhartig.

ambient ['æmbiənt] omringend.

ambiguity [æmbi'gjuiti] dubbelzinnigheid.

ambiguous(ly) [æm'bigjuəs(li)] aj (& ad) dubbelzinnig.

ambit ['æmbit] omvang, omtrek, grenzen.

ambition [æm'biʃən] eerzucht; vurig verlangen o, streven o, aspiratie, ideaal o.

ambitious [æm'biʃəs] eerzuchtig; begerig (naar of); groots, grootscheeps, ambitieus [plan].

ambivalence [æm'bivələns] ambivalentie.

ambivalent [æm'bivələnt] ambivalent.

amble ['æmbl] I vi in de telgang gaan; (kalm stappen; II sb telgang; kalme gang.

ambler ['æmblə] telganger.

amblyopia [æmbli'oupiə] amblyopie [onduidelijk zien].

amblyopic [æmbli'ɔpik] amblyopisch [onduidelijk ziend].

Ambrose ['æmbrouz] Ambrosius. [spijs.

ambrosia [æm'brouziə] ambrozijn o, godenambrosial** [æm'brouziəl] van ambrozijn; hemels, goddelijk, heerlijk.

ambulance ['æmbjuləns] ambulance(wagen), ziekenwagen; ~ class verbandcursus.

ambulatory ['æmbjulətəri] I aj ambulant, wandelend; rondgaand; II sb (klooster)gang.

ambuscade [æmbəs'keid], **ambush** ['æmbuʃ] I sb hinderlaag; II vt I uit een hinderlaag aanvallen; 2 ⚔ in hinderlaag leggen; be ambushed I in hinderlaag liggen; 2 in een hinderlaag vallen; III vi zich verdekt opstellen, in hinderlaag liggen.

ameer [ə'miə] emir.

Amelia [ə'mi:ljə] Amalia.

ameliorate [ə'mi:liəreit] I vt beter maken, verbeteren; II vi beter worden.

amelioration [əmi:liə'reiʃən] verbetering.

amen ['a:'men, 'ei'men] amen (o).

amenable [ə'mi:nəbl] meegaand, gezeglijk, handelbaar; ontvankelijk, vatbaar (voor to); te brengen (voor to), verantwoording schuldig (aan to).

amend [ə'mend] I vt (ver)beteren; amenderen; II vi beter worden, zich beteren.

amendment [ə'mendmənt] I verbetering, beterschap; 2 amendement o.

amends [ə'mendz] vergoeding; vergelding; *make* ~ het goedmaken; herstellen.

amenity [ə'mi:niti, ə'meniti] bevalligheid; lievigheid; minzaamheid; aangename o; *amenities* 1 vriendelijkheden, beleefdheden; 2 gemakken, genoegens, genoeglijkheden.

America [ə'merikə] Amerika o.

American [ə'merikən] I aj Amerikaans; ~ *cloth* wasdoek o & m; II sb Amerikaan(se).

Americanism [ə'merikənizm] amerikanisme o.

Americanize [ə'merikənaiz] veramerikaansen; naturaliseren als Amerikaan.

amethyst ['æmiθist] amethist o [stofnaam], amethist m [voorwerpsnaam].

amethystine [æmi'θistain] amethistkleurig.

amiability [eimjə'biliti] beminnelijkheid, liefheid.

amiable ['eimjəbl] beminnelijk, lief.

amicable ['æmikəbl] vriendelijk, vriendschappelijk, minnelijk.

amice ['æmis] *RK* amict [schouderdoek].

amid [ə'mid] te midden van, onder.

amidships [ə'midʃips] ⚓ midscheeps.

amidst [ə'midst] zie *amid*.

amino acid ['æminou'æsid] aminozuur o.

amiss [ə'mis] verkeerd, niet in orde; kwalijk, te onpas, mis; *nothing comes* ~ *to him* alles is hem goed; alles is van zijn gading.

amity ['æmiti] vriendschap.

ammeter ['æmitə] ampèremeter.

ammonia [ə'mounjə] ammonia(k).

ammoniac [ə'mouniæk] ammoniak-.

ammonium [ə'mounjəm] ammonium o.

ammunition [æmju'niʃən] ✗ (am)munitie; ~ *boots* ✗ modelschoenen; ~ *bread* ✗ commiesbrood o.

amnesty ['æmnisti] I sb amnestie; II vt amnestie verlenen (aan).

among(st) [ə'mʌŋ(st)] onder, te midden van, tussen, bij; *we had ten shillings* ~ *us* met ons allen.

amorous ['æmərəs] 1 verliefd; 2 liefdes-.

amorphous [ə'mɔ:fəs] amorf, vormloos.

amortization [əmɔ:ti'zeiʃən] amortisatie, (schuld)delging.

amortize [ə'mɔ:tiz] amortiseren, delgen.

amount [ə'maunt] I vi in: ~ *to* 1 bedragen; 2 gelijkstaan met; 3 [weinig, niets] te betekenen hebben; *it* ~*s to the same thing* het komt op hetzelfde neer; II sb bedrag o; hoeveelheid, mate; *cause any* ~ *of trouble* heel veel moeite veroorzaken; *no* ~ *of trouble will suffice to...* geen moeite zal voldoende zijn...; *to the* ~ *of* ten bedrage van.

amour [ə'muə] amourette, minnarij.

ampere ['æmpɛə] ⚡ ampère.

amphibian [æm'fibiən] I aj tweeslachtig, amfibie-; II sb ⚇ amfibie, tweeslachtig dier o; ✈ amfibievliegtuig o.

amphibious [æm'fibiəs] tweeslachtig, amfibisch, amfibie-.

amphitheatre ['æmfiθiətə] amfitheater o.

amphora ['æmfərə, *mv* amphorae 'æmfəri:] amfora, kruik.

ample ['æmpl] aj wijd, ruim, breed(voerig), overvloedig, ampel.

ampleness ['æmplnis] wijdte, ruimheid, grootte, breedvoerigheid, overvloedigheid.

amplification [æmplifi'keiʃən] aanvulling, uitbreiding; ♨ ✝ versterking.

amplifier ['æmplifaiə] ♨ ✝ versterker.

amplify ['æmplifai] I vt aanvullen; uitbreiden; ontwikkelen; ♨ ✝ versterken; II vi uitweiden (over *upon*).

amplitude ['æmplitju:d] wijdte, omvang, uitgestrektheid; overvloed; zie ook: *ampleness*.

amply ['æmpli] *ad* zie *ample*; ook: ruimschoots, rijkelijk.

ampoule ['æmpu:l] ♈ ampul.

ampulla [æm'pʌlə, *mv* ampullae æm'pʌli:] ampul.

amputate ['æmpjuteit] amputeren, afzetten.

amputation [æmpju'teiʃən] amputatie, afzetting; *fig* bekorting, besnoeiing.

amuck [ə'mʌk] amok o, amokpartij; *run* ~ *(against, at, on)* amok maken, te keer gaan tegen, te lijf gaan.

amulet ['æmjulit] amulet.

amuse [ə'mju:z] amuseren, vermaken.

amusement [ə'mju:zmənt] amusement o, vermaak o, tijdverdrijf o; ~ *park* lunapark o; ~ *tax* vermakelijkheidsbelasting.

amusing [ə'mju:ziŋ] amusant, vermakelijk.

1 an [æn; ən] een; zie ook: *a*.

2 ✸ an [æn] zo, indien (ook: ~ *if*).

anabaptist [ænə'bæptist] wederdoper.

anachronism [ə'nækrənizm] anachronisme o.

anaemia [ə'ni:miə] bloedarmoede.

anaemic [ə'ni:mik] anemisch, bloedarm.

anaesthesia [æni:s'θi:ziə] gevoelloosheid; verdoving, anesthesie.

anaesthetic [æni:s'θetik] pijnverdovend (middel o).

anaesthetist [æ'ni:sθitist] anesthesist, narcotiseur.

anaesthetize [æ'ni:sθitaiz] gevoelloos maken, verdoven, wegmaken.

anagram ['ænogræm] anagram o, letterkeer.

Anak ['einæk] Enak; *son of* ~ enakskind o.

anal ['einəl] aars-, anaal.

analecta [ænə'lektə], **analects** ['ænəlekts] analecta.

analogical [ænə'lɔdʒikl] analogisch.

analogous [ə'næləgəs] analoog, overeenkomstig.

analogy [ə'nælədʒi] analogie°, overeenkomst(igheid), overeenstemming.

analysable ['ænəlaizəbl] ontleedbaar.

analyse ['ænəlaiz] ontleden, ontbinden, analyseren.

analyses [ə'nælisi:z] *mv* v. *analysis*.

analysis [ə'nælisis] analyse, ontleding, ontbinding; overzicht o (van de inhoud); *in the last (final)* ~ uiteindelijk.

analyst ['ænəlist] analist, scheikundige; *ps* ana-
lyticus.

analytical [ænə'litikl] analytisch, ontledend; ~
chemist analist.

ananas [ə'na:nəs] ‡ ananas.

anarchic(al) [æ'na:kik(l)] regeringloos, wetteloos, ordeloos, anarchistisch.

anarchism ['ænəkizm] anarchisme *o*.

anarchist ['ænəkist] anarchist(isch).

anarchy ['ænəki] anarchie².

anathema [ə'næθimə] ban, (ban)vloek; ...*is* ~
to him ...is hem een gruwel.

anathematize [ə'næθimətaiz] de banvloek uitspreken over, vervloeken.

Anatolia [ænə'touliə] Anatolië *o*.

anatomical [ænə'təmikl] anatomisch, ontleedkundig.

anatomist [ə'nætəmist] anatoom, ontleedkundige.

anatomize [ə'nætəmaiz] ontleden.

anatomy [ə'nætəmi] anatomie.

ancestor ['ænsistə] voorvader, stamvader.

ancestral [æn'sestrəl] voorvaderlijk, voorouderlijk.

ancestry ['ænsistri] voorouders, vaderen; afkomst, geboorte.

anchor ['æŋkə] I *sb* ⚓ anker² *o*; *fig* plechtanker
o; *cast* (*drop*) ~ het anker laten vallen (uitwerpen); *up* (*weigh*) ~ het anker lichten; *at*
~ voor anker; *come to* ~ voor anker komen;
II *vt* (ver)ankeren; III *vi* ankeren.

anchorage ['æŋkəridʒ] ankeren *o*; ankergrond,
-plaats.

anchoret ['æŋkəret], **anchorite** ['æŋkərait] ana-
choreet, kluizenaar.

anchovy [æn'tʃouvi] 🐟 ansjovis.

ancient ['einʃənt] (al)oud; *the A~s* de Ouden.

ancillary ['ænsiləri] ondergeschikt (aan *to*);
hulp-, neven-, toeleverings- [v. bedrijf].

and [ænd, ənd, ən] en; ~ *só on* enz.; *smaller* ~
smaller hoe langer hoe kleiner, al kleiner (en
kleiner); *the clock ticked on* ~ *on* de klok tikte
al maar voort; *come* ~ *see me* kom me opzoeken.

Andalusia [ændə'lu:ziə] Andalusië *o*.

Andalusian [ændə'lu:ziən] I *aj* Andalusisch; II
sb Andalusiër, Andalusische.

Andes ['ændi:z] Andes.

andiron ['ændaiən] vuurbok, haardijzer *o*.

Andrew ['ændru:] Andries, Andreas.

anecdotal ['ænikdoutl] anekdotisch.

anecdote ['ænikdout] anekdote.

anemometer [æni'məmitə] windmeter.

anemone [ə'neməni] ‡ anemoon.

anent [ə'nent] betreffende.

aneroid ['ænərɔid] doosbarometer.

aneurysm ['ænjuərizm] 🫀 slagadergezwel *o*.

anew [ə'nju:] I opnieuw, nog eens; 2 anders.

angel ['eindʒəl] I engel²; 2 genius; 3 ꊢ gouden muntstuk *o*.

angel-fish ['eindʒəlfiʃ] 🐟 zeeëngel.

angelic [æn'dʒelik] engelachtig; engelen-.

angelica [æn'dʒelikə]‡ engelwortel.

angelus ['ændʒiləs] *RK* angelus *o*.

anger ['æŋgə] I *sb* gramschap, toorn, verbolgenheid, boosheid; II *vt* vertoornen, boos
maken.

Angevin ['ændʒivin] van Anjou.

angina [æn'dʒainə] 🫀 angina; ~ *pectoris* ['pek-
təris] angina pectoris.

angle ['æŋgl] I *sb* I hoek; 2 † hengel, vishaak;
3 *fig* gezichtspunt *o*; kijk; kant; II *vi* henge-
len².

angled ['æŋgld] hoekig.

angler ['æŋglə] I hengelaar; 2 🐟 zeeduivel.

Angles ['æŋglz] Angelen.

Anglican ['æŋglikən] anglicaan(s).

Anglicism ['æŋglisizm] anglicisme *o*.

Anglicize ['æŋglisaiz] verengelsen.

Anglo ['æŋglou] in samenstelling: Engels; ~
Indian I *aj* Engels-Indisch; II *sb* I Engels-In-
diër; 2 Indische halfbloed.

Anglomania [æŋglou'meiniə] anglomanie.

Anglophil(e) ['æŋgloufil] Engelsgezind(e).

Anglophobia [æŋglou'foubiə] anglofobie.

Anglo-Saxon ['æŋglou'sæksn] I *aj* Angelsaksisch; II *sb* Angelsaks.

Angora [æŋ'gɔ:rə] Angora *o*.

angostura [æŋgəs'tjuərə] angostura(bitter *o* &
m).

angrily ['æŋgrili] *ad* toornig, verbolgen, boos.

angry ['æŋgri] *aj* I toornig, verbolgen, boos;
2 🫀 ontstoken; ~ *at* (*about*) *it* boos om
(over); ~ *with* boos op.

anguish ['æŋgwiʃ] I *sb* benauwing, angst, foltering, (ziels)kwelling, pijn; II *vt* kwellen, pijnigen; ~*ed* ook: vertwijfeld.

angular ['æŋgjulə] hoekig², hoek-.

angularity [æŋgju'læriti] hoekigheid².

aniline ['ænilin] aniline.

animadversion [ænimæd'və:ʃən] kritiek, aanmerking, berisping.

animadvert [ænimæd'və:t] in: ~ (*up*)*on* kritiseren, aanmerkingen maken op, berispen.

animal ['æniməl] I *sb* dier *o*, beest *o*; wezen *o*;
II *aj* dierlijk; dieren-; *the* ~ *kingdom* het dierenrijk; *his* ~ *spirits* zijn opgewektheid, le-
venslust.

animalcule [æni'mælkju:l] microscopisch dier-
tje *o*.

animality [æni'mæliti] I dierlijkheid; 2 dierenwereld.

1 **animate** ['ænimeit] *vt* bezielen; leven geven,
doen leven; opwekken, aanvuren.

2 **animate** ['ænimit] *aj* levend, bezield, levendig.

animated ['ænimeitid] bezield, levend, levendig, opgewekt; ~ *cartoon*, ~ *picture* tekenfilm.

animation [æni'meiʃən] bezieling, leven *o*, levendigheid, animo; opwekking, aanmoediging.

animosity [æni'məsiti] animositeit, wrok.

animus ['æniməs] I geest, strekking; 2 animositeit, vijandige gezindheid.

anise ['ænis] **?** anijs.

aniseed ['ænisi:d] anijszaad o.

anisette [æni'zet] anisette.

anker ['æŋkə] anker o [vochtmaat].

ankle ['æŋkl] enkel; ~-*deep* tot de enkels.

anklet ['æŋklit] voetring; voetboei; anklet [korte sok]; ✕ enkelstuk o.

Ann(a) ['æn(ə)] Anna.

anna ['ænə] *IP* anna [muntstuk: ¹/₁₆ *rupee*].

annalist ['ænəlist] kroniekschrijver.

annals ['ænəlz] annalen, jaar-, geschiedboeken.

Anne [æn] Anna.

anneal [ə'ni:l] ✕ uitgloeien, temperen, ontlaten; ~*ing furnace* koeloven.

annelid ['ænəlid] ringworm.

1 **annex** [ə'neks] *vt* aanhechten, toe-, bijvoegen, verbinden, annexeren; inlijven (bij *to*).

2 **annex** ['æneks] *sb* aanhangsel o, bijlage; aanbouw, bijgebouw o, dependance.

annexation [ænek'seiʃən] aanhechting, bijvoeging; annexatie; inlijving.

annexe ['æneks] zie 2 *annex*.

annihilate [ə'nai(h)ileit] vernietigen.

annihilation [ənai(h)i'leiʃən] vernietiging.

anniversary [æni'və:səri] (ver)jaardag, jaarfeest o, gedenkdag.

Anno Domini ['ænou'dəminai] 1 in het jaar onzes Heren; 2 F de ouderdom.

annotate ['ænouteit] I *vt* annoteren, van verklarende aantekeningen voorzien; II *vi* aantekeningen maken (bij *on*).

annotation [ænou'teiʃən] aantekening.

annotator ['ænouteitə] wie verklarende aantekeningen maakt.

announce [ə'nauns] aankondigen, bekendmaken, bericht geven van, mededelen.

announcement [ə'naunsmənt] aankondiging, bekendmaking, mededeling, bericht o.

announcer [ə'naunsə] aankondiger; -ster; ✻✝ *TV* omroeper, -ster.

annoy [ə'nɔi] *vt* lastig vallen; ergeren, kwellen, hinderen; *be* ~*ed* (*at a thing*, *with a person*) het land hebben (over iets), boos zijn (op iemand). [gernis.

annoyance [ə'nɔiəns] last, hinderlijk iets o, er-

annoying [ə'nɔiiŋ] lastig, hinderlijk, ergerlijk; *how* ~! hoe vervelend!

annual ['ænjuəl] I *aj* jaarlijks; eenjarig; jaar-; II *sb* 1 jaarboek(je) o; 2 ? eenjarige plant.

annually ['ænjuəli] *ad* jaarlijks.

annuitant [ə'njuitənt] lijfrentetrekker.

annuity [ə'njuiti] jaargeld o, lijfrente, annuïteit.

annul [ə'nʌl] vernietigen, te niet doen, intrekken, herroepen, opheffen, annuleren.

annular ['ænjulə] ringvormig, ring-.

annulment [ə'nʌlmənt] vernietiging, intrekking, herroeping, opheffing, annulering.

annunciate [ə'nʌnʃieit] aankondigen.

annunciation [ənʌnsi'eiʃən] aankondiging; *Annunciation* (*Day*) *RK* Maria-Boodschap.

annunciator [ə'nʌnʃieitə] ✻ nummerbord o.

anode ['ænoud] ✻ anode.

anodyne ['ænədain] pijnstillend (middel o); *fig* doekje o voor het bloeden.

anoint [ə'nɔint] zalven; insmeren.

anomalous [ə'nɔmələs] afwijkend.

anomaly [ə'nɔməli] afwijking, onregelmatigheid, anoma!ie.

1 **anon** [ə'nɔn] dadelijk, aanstonds; straks.

2 **anon.** = *anonymous*.

anonymity [ænə'nimiti] anonimiteit.

anonymous [ə'nɔniməs] naamloos, anoniem.

anopheles [ə'nɔfili:z] malariamug.

another [ə'nʌðə] een ander, nog een; een tweede; *one* ~, elkaar; *you're* ~! jij ook!, kijk naar je eigen!

anserine ['ænsərain] 1 als (van) een gans, ganze(n)-; 2 *fig* dom, onnozel.

answer ['a:nsə] I *vt* antwoorden (op), beantwoorden (aan); voldoen aan; zich verantwoorden wegens; ~ *the bell* (*the door*) de deur opendoen; ~ *the helm* naar het roer luisteren; ~ *the milk* de melk aannemen; ~ *a problem* een vraagstuk oplossen; II *vi* antwoorden; baten, de moeite lonen, voldoen; ~ *back* (brutaal) wat terugzeggen; ~ *for* 1 verantwoorden; 2 instaan voor; 3 boeten voor; *have a lot to* ~ *for* ook: heel wat op zijn (haar) geweten hebben; ~ *to* antwoorden op; beantwoorden aan; luisteren naar [de naam...]; III *sb* antwoord° o; *fig* oplossing; *there is no* ~ er behoeft niet op antwoord gewacht te worden; *know* (*all*) *the* ~*s* F goed bij zijn; *make* (*an*) ~ antwoorden.

answerable ['a:nsərəbl] 1 te beantwoorden; 2 verantwoordelijk, aansprakelijk.

ant [ænt] mier.

antagonism [æn'tægənizm] antagonisme o, tegenstrijdigheid; geest van verzet; strijd.

antagonist [æn'tægənist] tegenstander.

antagonistic [æntægə'nistik] vijandig.

antagonize [æn'tægənaiz] bestrijden, tegenwerken; prikkelen, tegen zich in het harnas jagen.

antarctic [æn'ta:ktik] zuidelijk, zuidpool-; *A*~ zuidpool, zuidpoolgebied o, Zuidelijke IJszee (ook: *A*~ *Ocean*); ~ *pole* zuidpool.

ant-eater ['ænti:tə] ♣ miereneter.

antecedent [ænti'si:dənt] I *aj* voorafgaand; II *sb* voorafgaande o; antecedent o.

antechamber ['æntitʃeimbə] zie *ante-room*.

antedate ['æntideit] antedateren, vroeger dagtekenen; vooruitlopen op; voorafgaan aan.

antediluvian [æntidi'l(j)u:viən] I *aj* (van) voor de zondvloed; antediluviaans; *fig* voorwereldlijk; II *sb* antediluviaans mens²; F ouwe paai.

antelope ['æntiloup] ♣ antilope.

antemeridian [æntimə'ridiən] voormiddag-.

antenatal [ænti'neitl] prenataal: (van) voor de geboorte.

antenna [æn'tenə, *mv* **antennae** æn'teni:] 1 ✻✝ antenne; 2 voelhoren, voelspriet.

antepenult(imate) [æntipi'nʌlt(imit)] derde (lettergreep) van achteren.

anterior [æn'tiəriə] voorafgaand, vroeger; voorste.

anteriority [æntiəri'ɔriti] voorafgaan *o*, vroeger bestaan *o*, prioriteit.

ante-room ['æntirum] voorvertrek *o*, wachtkamer.

anthem ['ænθəm] Engelse kerkzang; lofzang; *the national* ~ het volkslied.

anther ['ænθə] ⚡ helmknop.

ant-hill ['ænthil] mierennest *o*, mierenhoop.

anthology [æn'θɔlədʒi] bloemlezing.

Anthony ['æntəni] Antonius, Anton.

anthracite ['ænθrəsait] antraciet.

anthrax ['ænθræks] 1 bloedzweer; 2 miltvuur *o*.

anthropoid ['ænθrɔpɔid] I *aj* op een mens gelijkend; II *sb* mensaap.

anthropology [ænθrə'pɔlədʒi] antropologie: menskunde.

anthropophagi [ænθrə'pɔfədʒai] *mv* v. *anthropophagus*.

anthropophagus [ænθrə'pɔfəgəs] menseneter.

anti- ['ænti] tegen-, strijdig met; anti-.

anti-aircraft ['ænti'ɛəkra:ft] ✕ (lucht)afweer, luchtdoelgeschut *o* (~ *artillery*).

antibiotic [æntibai'ɔtik] antibioticum *o*.

antibody [ænti'bɔdi] antilichaam *o*, antistof.

antic ['æntik] I *aj* ✎ kluchtig, potsierlijk; II *sb* ~*s* capriolen, dolle sprongen, grollen.

Antichrist ['æntikraist] antikrist.

anticipate [æn'tisipeit] voorkómen, vóór zijn; vooruitlopen op; een voorgevoel of voorsmaak hebben van, verwachten, voorzien; verhaasten.

anticipation [æntisi'peiʃən] vooruitlopen *o* op iets, voorkómen *o*; voorgevoel *o*, voorsmaak, verwachting; vooruitbetaling; *in* ~ vooruit, bij voorbaat; *in* ~ *of* in afwachting van.

anticipatory [æn'tisipeitəri] vooruitlopend.

anti-dazzle [ænti'dæzl] in: ~ *switch* 🚗 dimschakelaar.

antidote ['æntidout] tegengif(t) *o*.

anti-freeze [ænti'fri:z] anti-vriesmiddel *o*.

Antilles [æn'tili:z] Antillen.

antimacassar ['æntimə'kæsə] antimakassar.

antimony ['æntiməni] antimonium *o*.

antinomy [æn'tinəmi] tegenstelling; tegenstrijdigheid.

Antioch ['æntiɔk] Antiochië *o*.

antipathetic [æntipə'θetik] soms: antipathiek (= antipathie inboezemend), maar meestal: *I am* ~ *to her* zij is mij antipathiek (= ik ben afkerig van haar).

antipathy [æn'tipəθi] antipathie (tegen *to*).

antiphon ['æntifən], **antiphony** [æn'tifəni] beurtzang.

antipodal [æn'tipɔdl] antipoden-, tot de tegenvoeters behorende; tegengesteld².

antipode ['æntipoud] *fig* tegenvoeter.

antipodes [æn'tipɔdi:z] tegenvoeters, antipoden.

antipole ['æntipoul] tegenpool².

antiquarian [ænti'kwɛəriən] I *aj* oudheidkun-

dig; antiquarisch; ~ *bookseller* antiquaar; ~ *bookselling* het antiquariaat; ~ *bookshop* antiquariaat *o*; II *sb* oudheidkundige; antiquair.

antiquary ['æntikwəri] zie *antiquarian* II.

antiquated ['æntikweitid] verouderd; ouderwets.

antique [æn'ti:k] I *aj* oud(erwets), antiek; II *sb* antiquiteit; antiek kunstwerk *o*.

antiquity [æn'tikwiti] 1 de Oudheid; 2 antiquiteit°; 3 ouderdom.

anti-Semite [ænti'semait] antisemiet.

anti-Semitic [æntisi'mitik] antisemitisch.

anti-Semitism [ænti'semitizm] antisemitisme *o*.

antiseptic [ænti'septik] antiseptisch (middel *o*).

antisocial [ænti'souʃəl] onmaatschappelijk, asociaal.

antitank [ænti'tæŋk] ✕ antitank-; ~ *ditch* tankgracht.

antitheses [æn'tiθisi:z] *mv* v. *antithesis*.

antithesis [æn'tiθisis] antithese, tegenstelling.

antitoxin [ænti'tɔksin] tegengif(t) *o*.

anti-trade ['ænti'treid] ~ (*wind*) antipassaat.

antitype ['æntitaip] tegenbeeld *o*.

antler ['æntlə] tak [v. gewei]; ~*s* gewei *o*.

ant-lion ['æntlaiən] mierenleeuw.

antonym ['æntənim] tegengestelde *o*.

Antwerp ['æntwə:p] I *sb* Antwerpen *o*; II *aj* Antwerps.

anus ['einəs] anus.

anvil ['ænvil] aanbeeld *o*; *be on* (*upon*) *the* ~ op stapel staan, in voorbereiding zijn.

anxiety [æŋ'zaiəti] 1 benauwdheid; ongerustheid, bezorgdheid, zorg; *ps* angst; 2 (groot) verlangen *o*.

anxious ['æŋkʃəs] 1 angstwekkend, bang (soms: angstig), ongerust, bezorgd (over *about*); 2 verlangend (naar *for*).

any ['eni] enig; een; ieder(e), elk(e), welk(e)... ook, enigerlei, de (het) eerste de (het) beste; *not* ~... geen...; *I am not having* (*taking*) ~ S daar bedank ik feestelijk voor, ik moet er niets van hebben; *not* ~ *one*... geen enkel...; *not* ~ *too well* niet al te best; *are there* ~ *apples?* zijn er (ook) appels?; *are you* ~ *better?* (wat) beter?; ~ *more?* (nog) meer?; ~ *number of*... een groot aantal, heel veel...; ~ *one* één, welk(e) ook.

anybody ['enibɔdi] 1 iedereen, wie ook; 2 iemand; *anybodies* doodgewone lui; zie ook: *guess* II.

anyhow ['enihau] 1 hoe dan ook; op de een of andere manier; 2 hoe 't ook zij, in ieder geval, althans, tenminste, toch, met dit al, enfin..., eigenlijk, trouwens.

anyone ['eniwan] 1 iedereen, wie ook; 2 iemand; ~'*s guess* zie *guess* II.

anything ['eniθiŋ] iets (wat ook maar); alles··· van alles; ~ *but* allesbehalve.

anyway ['eniwei] zie *anyhow*.

anywhen ['eniwen] op welke tijd (wanneer) ook.

anywhere ['eniwɛə]1 ergens; 2 overal.

anywise ['eniwaiz] 1 op de een of andere manier; 2 in enig opzicht.

aorta [ei'ɔ:tə] aorta: grote slagader.

apace [ə'peis] snel, vlug; hard.

Apache [ə'pætʃi] Apache [Indiaan].

apache [ə'pa:ʃ] apache, boef.

apanage ['æpənidʒ] apanage o & v; fig (aan)deel o.

apart [ə'pa:t] afzonderlijk; van-, uit elkaar ter zijde; alleen; op zich zelf; ~ from afgezien van; behalve.

apartheid [ə'pa:thaid] ZA apartheid.

apartment [ə'pa:tmənt] vertrek o; ~ house flat, flatgebouw o, huurkazerne.

apathetic [æpə'θetik] apathisch, lusteloos, onverschillig.

apathy ['æpəθi] apathie, lusteloosheid, onverschilligheid.

ape [eip] I sb aap² [zonder staart]; naäper; II vt naäpen.

apeak [ə'pi:k] ⚓ loodrecht.

ape man ['eipmæn] aapmens.

Apennines ['æpinainz] Apennijnen.

aperient [ə'piəriənt] laxerend (middel o).

apéritif [Fr] aperitief o & m.

aperture ['æpətjuə] opening, spleet.

apex ['eipeks] punt, top, toppunt² o.

aphid ['æfid] plantluis.

aphides ['æfidi:z] mv v. aphis.

aphis ['æfis] plantluis.

aphorism ['æfərizm] aforisme o, kernspreuk.

Aphrodite [æfrə'daiti] Aphrodite.

apiarist ['eipiərist] bijenhouder, imker.

apiary ['eipiəri] bijenstal.

apiculture ['eipikʌltʃə] bijenteelt.

apiece [ə'pi:s] het stuk, per stuk, elk.

apish ['eipiʃ] aapachtig, dwaas.

Apocalypse [ə'pokəlips] Apocalypse, Openbaring.

apocope [ə'pokəpi] apocope: afkapping.

apocrypha [ə'pokrifə] apocriefe boeken.

apocryphal [ə'pokrifəl] apocrief; twijfelachtig; onecht.

apodictic [æpə'diktik], **apodeictic** [æpə'daiktik] apodictisch; stellig, onweerlegbaar.

apogee ['æpədʒi:] apogeum o; hoogste punt o.

Apollo [ə'polou] Apollo².

apologetic(al) [əpolə'dʒetik(l)] verontschuldigend; apologetisch, verdedigend.

apologetics [əpolə'dʒetiks] apologetiek.

apologist [ə'polədʒist] apologeet, verdediger.

apologize [ə'polədʒaiz] zich verontschuldigen, excuses maken (wegens for).

apologue ['æpəlog] fabel.

apology [ə'polədʒi] 1 apologie, verdediging, verweer(schrift) o; 2 verontschuldiging; an ~ for a letter F iets dat een brief moet voorstellen.

apophthegm ['æpəθem] kernspreuk.

apoplectic [æpə'plektik] apoplectisch; ~ fit (aanval van) beroerte.

apoplexy ['æpəpleksi] beroerte.

apostasy [ə'postəsi] afval, afvalligheid.

apostate [ə'postit] afvallig(e).

apostatize [ə'postətaiz] afvallen [v. kerk &].

apostle [ə'posl] apostel.

apostleship [ə'poslʃip], **apostolate** [ə'postəlit] 1 apostolaat o; 2 apostelschap o.

apostolic(al) [æpəs'tolik(l)] apostolisch.

apostrophe [ə'postrəfi] toespraak ‖ apostrof: afkappingsteken o, weglatingsteken o.

apostrophize [ə'postrəfaiz] aanspreken ‖ voorzien van een ' (afkappingsteken).

⚲ **apothecary** [ə'poθikəri] apotheker.

apotheosis [əpoθi'ousis] apotheose: vergoding, verheerlijking.

appal [ə'po:l] doen schrikken, ontzetten.

appalling [ə'po:liŋ] verschrikkelijk.

appanage ['æpənidʒ] zie apanage.

apparatus [æpə'reitəs] apparaat o, toestel o, gereedschappen; organen.

☉ **apparel** [ə'pærəl] I sb kleding, gewaad o, kleren, dracht; uitrusting; tooi, versiering; II vt kleden; uitrusten; tooien, versieren.

apparent [ə'pæ-, ə'peərənt] aj blijkbaar, duidelijk; ogenschijnlijk, schijnbaar.

apparently [ə'pæ-, ə'peərəntli] ad blijkbaar, klaarblijkelijk; ogenschijnlijk, schijnbaar.

apparition [æpə'riʃən] (geest)verschijning.

apparitor [ə'pæritə] bode, pedel.

appeal [ə'pi:l] I vi in beroep komen of gaan, appelleren; ~ to een beroep doen op; zich beroepen op; smeken; fig spreken tot, appelleren aan, aantrekken, bekoren; it does not ~ to me ik voel er niet veel voor; ~ to the country de Kamer(s) ontbinden; II sb appel o, (hoger) beroep o, smeekbede; fig aantrekkingskracht; lodge an ~, give notice of ~ ⚖ (hoger) beroep (appel, cassatie) aantekenen.

appealing(ly) [ə'pi:liŋ(li)] smekend.

appear [ə'piə] (ver)schijnen, optreden; zich vertonen; vóórkomen; blijken, lijken.

appearance [ə'piərəns] verschijning; verschijnsel o; schijn, voorkomen o; optreden o; to all ~ zo op 't gezicht te oordelen; naar het schijnt; ~s are deceptive schijn bedriegt.

appeasable [ə'pi:zəbl] te stillen, te bedaren, te kalmeren, te sussen, te bevredigen.

appease [ə'pi:z] stillen [honger]; bedaren, kalmeren, sussen, bevredigen.

appeasement [ə'pi:zmənt] stilling, bedaring, kalmering, sussing, bevrediging; verzoeningspolitiek door concessies.

appellant [ə'pelənt] I aj ⚖ appellerend; II sb ⚖ appellant.

appellate [ə'pelit] ⚖ van appel.

appellation [æpe'leiʃən] benaming, naam.

appellative [ə'pelətiv] I aj naam-; II sb soortnaam; naam.

append [ə'pend] (aan)hechten; toe-, bijvoegen.

appendage [ə'pendidʒ] aanhangsel o.

appendicitis [əpendi'saitis] ⚕ blindedarmontsteking.

appendix [ə'pendiks] aanhangsel *o*, bijlage, bijvoegsel *o*, toevoegsel *o*.

appertain [æpə'tein] toebehoren (aan *to*), behoren (bij *to*).

appetite ['æpitait] (eet)lust, trek, begeerte.

appetizer ['æpitaizə] de eetlust opwekkende spijs of drank.

appetizing ['æpitaizin] de eetlust opwekkend; appetijtelijk[2].

applaud [ə'plɔ:d] applaudisseren, toejuichen.

applause [ə'plɔ:z] applaus *o*, toejuiching.

apple ['æpl] appel; ~ *of discord* twistappel; ~ *of the eye* oogappel[2].

apple dumpling ['æpl'dʌmplin] appelbol.

apple-pie ['æpl'pai] appeltaart; *in* ~ *order* in de beste orde, in de puntjes.

apple-sauce ['æpl'sɔ:s] 1 appelmoes *o* & *v*; 2 *Am* F onzin; smoesjes.

appliance [ə'plaiəns] 1 aanwending, toepassing; 2 toestel *o*, middel *o*; *household* ~*s* huishoudelijke apparaten.

applicability [æplikə'biliti] toepasselijkheid.

applicable ['æplikəbl] toepasselijk (op *to*).

applicant ['æplikənt] 1 aanvrager; sollicitant; gegadigde; 2 inschrijver [op lening].

application [æpli'keiʃən] 1 aanwending, toepassing, gebruik *o*; 2 aanvraag, sollicitatie, aanmelding, inschrijving; 3 vlijt; 4 ⚓ omslag, smeersel *o*; ~ *form* aanvraagformulier *o*.

apply [ə'plai] I *vt* aanbrengen, leggen (op *to*), aanleggen; aanwenden, toepassen, gebruiken; II *vi* 1 van toepassing zijn (op *to*), gelden (voor *to*); 2 zich aanmelden, zich vervoegen; 3 solliciteren (naar *for*); ~ *for* ook: aanvragen, inschrijven op; ~ *to* ook: 1 zich wenden tot; 2 betrekking hebben op, slaan op; III *vr* ~ *oneself to* zich toeleggen op.

appoint [ə'pɔint] bepalen, vaststellen, benoemen (tot), aanstellen, voorschrijven, bestemmen; inrichten, uitrusten; ~*ed* bepaald &; aangewezen; voorbestemd.

appointee [əpɔin'ti:] aangestelde, benoemde.

appointment [ə'pɔintmənt] bepaling, voorschrift *o*; beschikking, afspraak; aanstelling, benoeming; functie, ambt *o*, betrekking; inrichting, uitrusting; *by* ~ volgens afspraak; *by* ~ (*to His Majesty*) hofleverancier.

apportion [ə'pɔ:ʃən] verdelen, toebedelen.

apportionment [ə'pɔ:ʃənmənt] verdeling, toebedeling.

apposite ['æpəzit] passend, geschikt, voegzaam, gepast (voor *to*), toepasselijk.

apposition [æpə'ziʃən] 1 aanhechting, bijvoeging; 2 *gram* bijstelling.

appraisal [ə'preizl] 1 schatting, taxatie; waardering; 2 beoordeling.

appraise [ə'preiz] schatten, taxeren (op *at*); waarderen.

appraisement [ə'preizmənt] zie *appraisal* 1.

appraiser [ə'preizə] schatter, taxateur.

appreciable [ə'pri:ʃəbl] *aj* schatbaar, te waarderen; merkbaar.

appreciably [ə'pri:ʃəbli] *ad* merkbaar.

appreciate [ə'pri:ʃieit] I *vt* (naar waarde) schatten, waarderen, op prijs stellen; begrijpen, beseffen, aanvoelen; doen stijgen (in prijs); II *vi* stijgen (in prijs).

appreciation [əpri:ʃi'eiʃən] 1 schatting, waardering; kritische beschouwing; 2 begrip *o*, besef *o*, aanvoelen *o*; 3 stijging (in prijs).

appreciative [ə'pri:ʃiətiv] waarderend.

apprehend [æpri'hend] 1 aanhouden; vatten, (be)grijpen, beseffen; 2 vrezen.

apprehensible [æpri'hensibl] waarneembaar; te begrijpen, begrijpelijk.

apprehension [æpri'henʃən] 1 aanhouding, gevangenneming; 2 bevatting, begrip *o*; 3 vrees, beduchtheid, bezorgdheid.

apprehensive [æpri'hensiv] 1 bevattelijk; begrips-; 2 bevreesd (voor *of*).

apprentice [ə'prentis] I *sb* leerjongen, leerling; II *vt* op een ambacht, in de leer doen.

apprenticeship [ə'prentisʃip] leer(tijd), leerjaren; *serve one's* ~ in de leer zijn.

apprise [ə'praiz] onderrichten, bericht of kennis geven (van *of*).

⚓ **apprize** [ə'praiz] schatten[2], waarderen.

approach [ə'proutʃ] I *vt* naderen; zich wenden tot; polsen; benaderen; *fig* aanpakken; II *vi* naderen; ~ *to* 1 nabijkomen; 2 nader brengen bij; III *sb* nadering; toegang(sweg); oprit [v. brug]; toe-, benadering; *fig* (manier van) aanpakken, aanpak; stap.

approachable [ə'proutʃəbl] toegankelijk, genaakbaar.

approbation [æprə'beiʃən] goedkeuring.

1 **appropriate** [ə'proupriit] *aj* (daarvoor) bestemd, vereist, bevoegd [instantie]; geschikt, passend; eigen.

2 **appropriate** [ə'prouprieit] *vt* zich toeëigenen; toewijzen, aanwijzen, bestemmen (voor *to*, *for*).

appropriation [əproupri'eiʃən] toeëigening; toewijzing, aanwijzing, bestemming; krediet *o* [op begroting].

approval [ə'pru:vəl] bijval, goedkeuring; goedvinden *o*; *on* ~ $ op zicht.

approve [ə'pru:v] goedkeuren; goedvinden (ook: ~ *of*); bevestigen; bewijzen.

approved [ə'pru:vd] *aj* bekwaam [geneesheer], beproefd [middel]; erkend [v. instelling]; gebruikelijk, in zwang, reçu zijnde; ~ *school* opvoedingsgesticht *o*.

approving(ly) [ə'pru:vin(li)] goedkeurend.

1 **approximate** [ə'prɔksimeit] *vt* & *vi* (be)naderen; nabijkomen; nader brengen (bij *to*).

2 **approximate** [ə'prɔksimit] *aj* (zeer) nabij(komend), benaderend, bij benadering.

approximately [ə'prɔksimitli] *ad* bij benadering, ongeveer, omstreeks.

approximation [əprɔksi'meiʃən] (be)nadering.

appurtenance [ə'pə:tinəns] aanhangsel *o*, bijvoegsel *o*; ~*s* toebehoren *o*; ap- en dependenties.

apricot ['eiprikɔt] ⚥ abrikoos.

April ['eipril] april; ~-*fool* aprilgek; ~-*fool-*
day I april; ~ *showers* maartse buien.

apron ['eiprən] schort, voorschoot; schootsvel
o, spatkleed *o*, le(de)ren dekkleed *o*; proscenium *o* [v. toneel]; ✄ platform *o* [v. vlieg-
veld].

aproned ['eiprənd] met een schort (schootsvel)
voor.

apron-string ['eiprənstriŋ] schorteband; *tied to*
his wife's ~*s* aan de leiband van zijn vrouw
lopend.

apt [æpt] *aj* geschikt, gepast, wel gekozen, ter
snede (aangebracht); geneigd; bekwaam,
vlug (in *at*); *be* ~ *to do it again* het licht weer
doen.

aptitude ['æptitju:d] geschiktheid; aanleg, bekwaamheid; geneigdheid, neiging.

aptly ['æptli] *ad* geschikt; naar behoren; van
pas; ad rem; bekwaam, vlug, wakker.

aptness ['æptnis] zie *aptitude*.

aqua fortis ['ækwə'fɔ:tis] sterkwater *o*.

aqualung ['ækwəlʌŋ] aqualong [onderwater-
sport].

aquarelle [ækwə'rel] aquarel.

aquarium [ə'kwɛəriəm] aquarium *o*.

Aquarius [ə'kwɛəriəs] ✳ de Waterman.

aquatic [ə'kwætik] **I** *aj* water-; **II** *sb* ~*s* watersport.

aqua vitae ['ækwə'vaiti:] brandewijn.

aqueduct ['ækwidʌkt] waterleiding.

aqueous ['eikwiəs] water(acht)ig, water-.

aquiline ['ækwilain] arends-.

Arab ['ærəb] **I** *sb* I Arabier; 2 Arabisch paard
o; **II** *aj* Arabisch.

arabesque [ærə'besk] arabesk.

Arabia [ə'reibiə] Arabië *o*.

Arabian [ə'reibiən] **I** *aj* Arabisch; *the* ~
Nights(' Entertainments) duizend-en-een-
nacht; **II** *sb* Arabier.

Arabic ['ærəbik] **I** *aj* Arabisch; **II** *sb* Arabisch
o.

arable ['ærəbl] bebouwbaar, bouw-.

arbiter ['a:bitə] scheidsrechter, scheidsman.

arbitral ['a:bitrəl] scheidsrechterlijk.

arbitrament [a:'bitrəmənt] scheidsrechterlijke
uitspraak.

arbitrarily ['a:bitrərili] *ad* zie *arbitrary*.

arbitrariness ['a:bitrərinis] willekeur(igheid).

arbitrary ['a:bitrəri] *aj* arbitrair, willekeurig,
eigenmachtig.

arbitrate ['a:bitreit] **I** *vt* beslissen; scheidsrechterlijk uitmaken; **II** *vi* als scheidsrechter optreden.

arbitration [a:bi'treiʃən] arbitrage.

arbitrator ['a:bitreitə] scheidsrechter.

arbitress ['a:bitris] scheidsvrouw.

arbour ['a:bə] prieel *o*.

arc [a:k] (cirkel)boog.

arcade [a:'keid] I △ arcade; 2 winkelgalerij,
passage.

Arcadia [a:'keidiə] Arcadië *o*.

Arcadian [a:'keidiən] **I** *aj* Arcadisch; *fig* arcadisch; **II** *sb* Arcadiër.

arcana [a:'keinə] *mv* v. *arcanum*.

arcanum [a:'keinəm] geheim(middel) *o*.

I **arch-** [a:tʃ] aarts-.

2 **arch** [a:tʃ] *aj* schalks, schelms, olijk.

3 **arch** [a:tʃ] **I** *sb* boog, gewelf *o*; *fallen* ~ doorgezakte voet; **II** *vt* welven; overwelven; **III** *vi*
zich welven.

archaeological [a:kiə'lɔdʒikl] oudheidkundig.

archaeologist [a:ki'ɔlədʒist] oudheidkundige.

archaeology [a:ki'ɔlədʒi] oudheidkunde.

archaic [a:'keiik] verouderd, oud.

archaism ['a:keiizm] verouderd woord *o* of
verouderde uitdrukking, archaïsme *o*.

archangel ['a:keindʒəl] aartsengel.

archbishop [a:tʃ'biʃəp] aartsbisschop.

archbishopric [a:tʃ'biʃəprik] aartsbisdom *o*.

archdeacon ['a:tʃ'di:kən] aartsdeken.

archducal ['a:tʃ'dju:kəl] aartshertogelijk.

archduchess ['a:tʃ'dʌtʃis] aartshertogin.

archduchy ['a:tʃ'dʌtʃi] aartshertogdom *o*.

archduke ['a:tʃ'dju:k] aartshertog.

arched [a:tʃt] gewelfd, boogvormig, boog-.

arch-enemy ['a:tʃ'enimi] aartsvijand.

archer ['a:tʃə] boogschutter.

archery ['a:tʃəri] schieten *o* met de boog.

archetype ['a:kitaip] archetype *o*: oerbeeld *o*.

arch-fiend ['a:tʃ'fi:nd] satan.

Archibald ['a:tʃibɔ:ld] Archibald.

archiepiscopal [a:kii'piskəpəl] aartsbisschoppelijk.

Archimedean [a:ki'mi:diən] in : ~ *screw* schroef
van Archimedes.

Archimedes [a:ki'mi:di:z] Archimedes.

archipelago [a:ki'peləgou] archipel.

architect ['a:kitekt] architect, bouwmeester.

architectonic [a:kitek'tɔnik] architectonisch,
bouwkundig.

architectural [a:ki'tektʃərəl] architecturaal,
bouwkundig.

architecture ['a:kitektʃə] architectuur, bouwkunde, bouwstijl, bouw.

architrave ['a:kitreiv] △ architraaf.

archives ['a:kaivz] archieven; archief *o*.

archivist ['a:kivist] archivaris.

archly ['a:tʃli] *ad* zie 2 *arch*.

archness ['a:tʃnis] schalks-, schelmsheid.

arch support [a:tʃsəpɔ:t] steunzool.

archway ['a:tʃwei] boog, gewelfde gang, poort.

archwise ['a:tʃwaiz] boogsgewijze.

arc-lamp ['a:klæmp] ⚡ booglamp.

arc-light ['a:klait] ⚡ booglicht *o*.

arctic ['a:ktik] noordelijk; noord-; noord-
pool-; *A*~ noordpoolgebied *o*; Noordelijke
IJszee (ook: ~ *Ocean*); ~ *fox* ♒ poolvos.

ardency ['a:dənsi] vuur² *o*, hitte², ijver.

Ardennes [a:'den(z)] Ardennen.

ardent ['a:dənt] brandend, vurig², warm², blakend, gloeiend; zie ook: *spirit* I.

ardour ['a:də] hitte; *fig* vuur *o*, warmte²,
gloed²; ijver.

arduous ['a:djuəs] steil [v. pad]; zwaar, moeilijk [v. taak]; noest, energiek.

1 are [a:] *mv* v. *am*, *art*, *is*.

2 are [a:] *sb* are: 100 m².

area ['ɛəriə] oppervlakte, oppervlak *o*; vrije open plaats; open diepe ruimte met trap naar de kelderverdieping van een Engels huis; *fig* gebied *o*, terrein *o*.

area-bell ['ɛəriəbel] keukenbel.

arena [ə'ri:nə] arena², strijdperk *o*.

argent ['a:dʒənt] I *sb* Ø zilver *o*; II *aj* zilveren.

Argentina [a:dʒən'ti:nə] Argentinië *o*.

Argentine ['a:dʒəntain] I *aj* Argentijns; II *sb* Argentijn; *the* ~ Argentinië *o*.

argil ['a:dʒil] (pottenbakkers)klei.

argillaceous [a:dʒi'leiʃəs] kleiachtig.

argon ['a:gən] argon *o*.

Argonauts ['a:gənə:ts] Argonauten.

○ **argosy** ['a:gəsi] (met schatten beladen) schip *o*.

arguable ['a:gjuəbl] in: *it is* ~ *that* men kan betogen (aanvoeren) dat; *it is* ~ *whether* het is discutabel, of.

argue ['a:gju:] I *vi* redeneren, disputeren; II *vt* bewijzen (te zijn), duiden op; betogen; aanvoeren; beredeneren (~ *out*); ~ *into* (*out of*) door redeneren overhalen tot (afbrengen van).

argument ['a:gjumənt] 1 argument *o*, argumentatie, bewijs *o*, bewijsgrond; 2 debat *o*, discussie, dispuut *o*; 3 korte inhoud, onderwerp.*o*.

argumentation [a:gjumen'teiʃən] redetwist; bewijsvoering; betoogtrant, argumentatie.

argumentative [a:gju'mentətiv] bewijzend, betogend; redenerend, twistziek.

Argus ['a:gəs] 1 Argus; *fig* argus; .2 ꝟ argus-fazant; 3 ꝟꝟ argusvlinder; ~-*eyed* met argusogen.

aria ['a:riə] ♪ aria, lied *o*, wijs.

arid ['ærid] droog², dor², onvruchtbaar².

aridity [ə'riditi] droogte, dorheid², onvruchtbaarheid²

Ariel ['ɛəriəl] Ariël: luchtgeest.

Aries ['ɛərii:z] ✻ de Ram.

aright [ə'rait] juist, goed.

arise · [ə'raiz] oprijzen, zich verheffen; opstaan²; ontstaan, voortspruiten, voortkomen (uit *from*), zich op-, voordoen, rijzen.

arisen [ə'rizn] V.D. van *arise*.

aristocracy [æris'təkrəsi] aristocratie.

aristocrat ['æ-, æ'ristəkræt] aristocraat.

aristocratic [æristə'krætik] aristocratisch.

Aristotle ['æristɔtl] Aristoteles.

arithmetic [ə'riθmətik] rekenkunde.

arithmetical [æriθ'metikl] rekenkundig, reken-.

arithmetician [əriθmə'tiʃən] rekenkundige.

ark [a:k] ark.

1 arm [a:m] *sb* arm°; tak; (*hold, keep*) *at* ~'*s length* voor zich uit (houden); op eerbiedige afstand (houden); *with folded* ~*s* met de armen over elkaar.

2 arm [a:m] I *sb* wapen *o*; ~*s* ook: 1 Ø wapen *o*; 2 bewapening; *brother* (*companion*, *comrade*) *in* ~*s* wapenbroeder; *in* ~*s*, *under* ~*s* ✗ onder de wapenen; *up in* ~*s* in het geweer; in opstand; II *vt* 1 (be)wapenen; 2 beslaan; pantseren; 3 scherp stellen [atoombom]; III *vi* zich wapenen.

armada [a:'ma:də] armada.

armadillo [a:mə'dilou] ꝛ gordeldier *o*.

Armageddon [a:mə'gedn] (hel van) het oorlogsveld; de oorlog.

armament ['a:məmənt] 1 bewapening; 2 krijgstoerusting; 3 krijgsmacht; ~ *works* wapenfabriek.

armature ['a:mətjuə] 1 bewapening, wapens, pantser *o*; 2 anker *o* [v. magneet]; armatuur [v. lamp &].

armband ['a:mbænd] armband [om mouw].

arm-chair ['a:mtʃɛə] fauteuil, leun(ing)stoel.

Armenia [a:'mi:niə] Armenië *o*.

Armenian [a:'mi:niən] I *aj* Armenisch; II *sb* Armeniër.

armful ['a:mful] armvol.

arm-hole ['a:mhoul] armsgat *o*.

Arminian [a:'miniən] Arminiaan(s).

armistice ['a:mistis] ✗ wapenstilstand.

armless ['a:mlis] zonder armen ‖ zonder wapenen.

armlet ['a:mlit] armband.

armorial [a:'mɔ:riəl] I *aj* wapen-; ~ *bearings* Ø wapen(schild) *o*; II *sb* wapenboek *o*.

armour ['a:mə] I *sb* wapenrusting; harnas *o*; pantser *o*; ✗ tanks, pantserwagens; II *vt* (be)pantseren, blinderen; ~*ed* ook: pantser-.

armour-bearer ['a:məbɛərə] ꝡ wapendrager.

armourer ['a:mərə] wapensmid.

armoury ['a:məri] wapenkamer, arsenaal *o*.

armpit ['a:mpit] oksel.

army ['a:mi] leger *o*.

army-list ['a:milist] ✗ officiersboekje *o*.

Army Service Corps ['a:mi'sə:vis'kə:] ✗ Intendance.

aroma [ə'roumə] aroma *o*, geur.

aromatic [ærə'mætik] I *aj* aromatisch, geurig; II *sb* aromatische stof.

arose [ə'rouz] V.T. van *arise*.

around [ə'raund] rondom, om... (heen), (in het) rond; om en bij; *Am* in de buurt, omstreeks, ongeveer &, zie verder: *about*.

arouse [ə'rauz] (op)wekken; gaande maken; aansporen.

A.R.P. = *air-raid precautions*.

arquebus ['a:kwibəs] ꝡ haakbus.

arrack ['ærək] arak.

arraign [ə'rein] voor een rechtbank dagen, aanklagen, beschuldigen.

arraignment [ə'reinmənt] aanklacht.

arrange [ə'rein(d)ʒ] I *vt* (rang)schikken, ordenen; in orde brengen of maken; beschikken; regelen, inrichten; beredderen, afspreken; organiseren, op touw zetten; ♪ arrangeren, zetten; **II** *vi* 1 het eens worden; 2 maatregelen treffen; zorgen (voor *about, for*).

arrangement [ǝ'rein(d)ʒmǝnt] (rang)schikking, ordening, regeling; inrichting; afspraak; akkoord *o*; ♪ zetting; F ding *o*.

arrant ['ærǝnt] doortrapt, aarts-; ~ *nonsense* klinkklare onzin.

Arras ['ærǝs] Atrecht *o*; *a*~ wandtapijt *o*.

array [ǝ'rei] **I** *vt* 1 scharen; ✗ (in slagorde) opstellen; 2 (uit)dossen, tooien; **II** *sb* 1 rij, reeks; ✗ (slag)orde; ⚖ nominatie [voor jury]; 2 ⊙ dos, tooi, kledij.

arrear(s) [ǝ'riǝ(z)] achterstand, achterstallige schuld; *be in* ~ *with* 1 achterstallig zijn met; 2 ten achter zijn met.

arrest [ǝ'rest] **I** *vt* tegenhouden, stuiten; aanhouden, arresteren; ~ *the attention* de aandacht boeien; **II** *sb* arrest *o*, arrestatie; tegenhouden *o* of stuiten *o*; *under* ~ in arrest.

arresting [ǝ'restiŋ] *fig* pakkend, boeiend.

arrival [ǝ'raivǝl] 1 (aan)komst; 2 aanvoer; 3 aangekomene; **J** nieuwe wereldburger.

arrive [ǝ'raiv] (aan)komen, arriveren; gebeuren; F „er komen"; ~ *at* 1 aankomen te; 2 komen tot, bereiken[2]; *sell to* ~ $ zeilend verkopen.

arrogance, -cy ['ærǝgǝns(i)] aanmatiging, verwaandheid.

arrogant ['ærǝgǝnt] aanmatigend, verwaand.

arrogate ['ærǝgeit] (zich) aanmatigen, wederrechtelijk toeëigenen, toekennen.

arrogation [ærǝ'geiʃǝn] aanmatiging, wederrechtelijke toeëigening, toekenning.

arrow ['ærou] pijl.

arrow-head ['ærouhed] pijlijzer *o*, -punt; ⚘ pijlkruid *o*.

arrowroot ['ærouru:t] ⚘ arrowroot *o*.

arsenal ['a:sinl] arsenaal *o*, tuighuis *o*.

1 **arsenic** ['a:snik] *sb* arsenicum *o*, rattenkruit *o*.

2 **arsenic** [a:'senik] *aj* rattenkruit bevattend; ~ *acid* arseenzuur *o*.

arsis ['a:sis] arsis: verheffing (v. d. stem).

arson ['a:sn] brandstichting.

1 **art** [a:t] [gij] zijt.

2 **art** [a:t] *sb* kunst; kunstgreep, list, geveinsdheid; *have no* ~ *or part in* part noch deel hebben aan; ~*s* ≈ letteren en geschiedenis; ~*s and crafts* kunstnijverheid.

arterial [a:'tiǝriǝl] slagaderlijk; ~ *road* hoofdverkeersweg.

arteriosclerosis [a:'tiǝriousklǝ'rousis] ⚕ aderverkalking.

artery ['a:tǝri] 1 slagader; 2 verkeersader.

artesian [a:'ti:ʒǝn] in: ~ *well* artesische put.

artful ['a:tful] listig.

Arthur ['a:θǝ] Arthur.

artichoke ['a:titʃouk] ⚘ artisjok; *Jerusalem* ~ ⚘ aardpeer, topinamboer.

article ['a:tikl] **I** *sb* artikel° *o*; *gram* lidwoord *o*; ~*s of apprenticeship* leercontract *o*; ~*s of association* statuten [van een vennootschap]; ~ *of dress* kledingstuk *o*; ~ *of furniture* meu-

---

bel *o*; *the genuine* ~ F je ware; *the (ship's)* ~*s* ♩ de monsterrol; **II** *vt* in de leer doen; ~*d clerk* op bepaalde voorwaarden aangenomen gevolmachtigd klerk op een advocatenkantoor.

articular [a:'tikjulǝ] gewrichts-.

1 **articulate** [a:'tikjulit] *aj* duidelijk (onderscheiden); gearticuleerd.

2 **articulate** [a:'tikjuleit] *vt* articuleren; verbinden.

articulation [a:tikju'leiʃǝn] articulatie, duidelijke uitspraak; geleding.

artifice ['a:tifis] kunst(greep), list(igheid).

artificer [a:'tifisǝ] handwerksman [inz. van technische vakken]; bewerker (van *of*).

artificial [a:ti'fiʃǝl] kunstmatig; gekunsteld; kunst-.

artificiality [a:tifiʃi'æliti] kunstmatigheid; gekunsteldheid.

artillerist [a:'tilǝrist] ✗ artillerist.

artillery [a:'tilǝri] ✗ artillerie, geschut *o*.

artilleryman [a:'tilǝrimǝn] ✗ artillerist.

artisan [a:'ti'zæn] handwerksman.

artist ['a:tist] 1 kunstenaar; 2 kunstschilder.

artiste [a:'ti:st] artiest(e). [nig.

artistic(ally) [a:'tistik(ǝli)] artistiek, kunstzin-

artistry ['a:tistri] kunstenaarschap *o*; artisticiteit, kunstzinnigheid.

artless(ly) ['a:tlis(li)] kunsteloos; ongekunsteld; naïef.

art paper ['a:tpeipǝ] kunstdrukpapier *o*.

arum ['ɛǝrǝm] ⚘ aronskelk.

Aryan ['ɛǝriǝn] **I** *aj* Arisch; **II** *sb* Ariër; Arisch *o*.

A/S = *account sales*.

as [æz] **I** *ad* (even) als, (even) zo, zo als, even(als), gelijk; ~ *many* ~ *fifty* wel vijftig; **II** *cj* (zo)als; toen, terwijl; daar; naar gelang, naarmate; zowaar; *rich* ~ *he is* hoe rijk hij ook is, al is hij ook rijk; ~ *it is*, ~ *it was* zo, nu (echter); toch al; ~ *it were* als het ware; ~ *you were!* ✗ herstell; *do* ~ *I say* doe wat ik zeg; *he sang* ~ *he went* hij zong onder het lopen; ~ *against* tegen(over); ~ *for* wat betreft; ~ *from*... met ingang van... [1 mei]; ~ *if* alsof; *it wasn't* ~ *if he could*... hij kon ook niet...; ~ *per* volgens [factuur &]; ~ *to* wat betreft; ~ *yet* tot nog toe; **III** *pron* in: *such* ~ zie *such* **II**.

asafoetida [æsǝ'fetidǝ] duivelsdrek.

asbestos [æz'bestǝs] asbest *o*.

ascend [ǝ'send] **I** *vi* (op)klimmen, (op)stijgen, omhooggaan, zich verheffen; **II** *vt* beklimmen, bestijgen; opgaan; opvaren.

ascendancy, -ency [ǝ'sendǝnsi] overwicht *o*, (overheersende) invloed.

ascendant, -ent [ǝ'sendǝnt] **I** *aj* (op)klimmend, opgaand; *fig* overheersend; **II** *sb* in: *be in the* ~ stijgen; overheersen.

ascension [ǝ'senʃǝn] (be)stijging; hemelvaart; *Ascension Day* Hemelvaartsdag.

ascent [ǝ'sent] beklimming; opgang, (op)klimming, -stijging; steilte, helling.

ascertain [æsə'tein] nagaan, uitmaken, bepalen, vaststellen, zich vergewissen van.
ascertainable [æsə'teinəbl] na te gaan, te bepalen, vast te stellen.
ascertainment [æsə'teinmənt] bepaling, vaststelling.
ascetic [ə'setik] I aj ascetisch; II sb asceet.
asceticism [ə'setisizm] ascese, ascetisme o.
ascorbic [əs'ko:bik] in: ~ acid ascorbinezuur o.
ascribable [ə'skraibəbl] toe te schrijven.
ascribe [ə'skraib] toeschrijven (aan to).
ascription [ə'skripʃən] toeschrijving.
asepsis [æ'sepsis] asepsis.
aseptic [æ'septik] aseptisch.
1 ash [æʃ] meestal mv ashes ['æʃiz] as².
2 ash [æʃ] ✿ es; (van) essehout o.
ashamed [ə'ʃeimd] beschaamd (over of); be ~ ook: zich schamen.
ashen ['æʃn] esse-, van essehout ‖ as-, askleurig, asgrauw (ook: ~-grey).
ashlar ['æʃlə] I sb hardsteen o & m, arduin o; II aj hardstenen, arduinen.
ashore [ə'ʃɔ:] ⚓ 1 aan land, aan wal; 2 aan de grond, gestrand.
ash-pan ['æʃpæn] asbak [v. kachel].
ash-tray ['æʃtrei] asbakje o.
ashy ['æʃi] 1 asachtig; asgrauw; asblond; 2 met as bestrooid, as-.
Asia ['eiʃə] Azië o; ~ Minor Klein-Azië o.
Asian ['eiʃən] I aj Aziatisch; II sb Aziaat.
Asiatic [eiʃi'ætik] I aj Aziatisch; II sb Aziaat.
aside [ə'said] I ad ter zijde, op zijde; II sb terzijde o.
asinine ['æsinain] ezelachtig, ezels-.
ask [a:sk] I vt vragen, vragen naar, verzoeken, verlangen; ~ a question een vraag doen (stellen); interpelleren; be ~ed in church onder de geboden komen; ~ round vragen om even aan te komen; II vi vragen; ~ about (after) vragen naar; ~ for vragen om; that is simply ~ing for it F het „zoeken", uitlokken.
askance [ə'skæns] van terzijde; schuin(s); wanaskew [ə'skju:] scheef, schuin. [trouwend.
asking ['a:skiŋ] 1 vragen o &; 2 huwelijksafkondiging; they may be had for the ~ je hebt ze maar voor 't vragen.
aslant [ə'sla:nt] 1 schuin(s); 2 dwars over.
asleep [ə'sli:p] in slaap.
aslope [ə'sloup] hellend; schuins.
1 asp [æsp] ✿ zie aspen.
2 asp [æsp] ⚮ soort adder.
asparagus [ə'spærəgəs] ✿ asperge.
aspect ['æspekt] uitzicht o, voorkomen o, aanblik; oog-, gezichtspunt o; zijde, kant, aspect o; have a southern ~ op het zuiden liggen.
aspen ['æspən] I sb ✿ esp, espeboom; II aj espe-, espen.
aspergillum [æspə'dʒiləm] RK wijwaterkwast.
asperity [æs'periti] ruwheid, scherpte.
asperse [ə'spə:s] besprenkelen; belasteren.
aspersion [ə'spə:ʃən] besprenkeling; belastering, laster; cast ~s on belasteren.

asphalt ['æsfælt] I sb asfalt o; II vt asfalteren.
asphodel ['æsfədel] ✿ affodil.
asphyxia [æs'fiksiə] verstikking.
asphyxiate [æs'fiksieit] verstikken, doen stikken; asphyxiating gas ⚔ stikgas o.
asphyxiation [æsfiksi'eiʃən] verstikking, stikken o.
aspic ['æspik] aspic [koude schotel in dril].
aspidistra [æspi'distrə] ✿ aspidistra.
aspirant [ə'spaiərənt] I aj naar hoger strevend, eerzuchtig; II sb kandidaat, sollicitant, aspirant.
1 aspirate ['æspirit] I aj aangeblazen; II sb geaspireerde letter.
2 aspirate ['æspireit] vt met luidende h of aanblazing uitspreken; wegzuigen.
aspiration [æspi'reiʃən] aanblazing; inzuiging [v. adem]; streven o (naar for, after) aspiratie.
aspire [ə'spaiə] 1 streven, dingen, trachten (naar to, after, at); 2 verrijzen.
Ⓜ aspirin ['æspirin] aspirine.
asquint [ə'skwint] scheel², loens.
ass [æs, a:s] ezel²; he made an ~ of me hij maakte mij belachelijk.
assagai ['æsəgai] assagaai.
assail [ə'seil] aanranden, aanvallen; attaqueren (over on); bestormen² (met with).
assailable [ə'seiləbl] aan te vallen.
assailant [ə'seilənt], assailer [ə'seilə] aanrander, aanvaller.
assassin [ə'sæsin] (sluip)moordenaar.
assassinate [ə'sæsineit] vermoorden.
assassination [əsæsi'neiʃən] (sluip)moord.
assassinator [ə'sæsineitə] (sluip)moordenaar.
assault [ə'sɔ:lt] I vt aanvallen, aanranden, bestormen; II sb aanval, aanranding, bestorming; dadelijkheden (~ and battery); by ~ stormenderhand.
assaulter [ə'sɔ:ltə] aanvaller, aanrander, bestormer.
assay [ə'sei] I sb essaai o, toets; II vt 1 essayeren, toetsen, keuren; 2 ⚒ beproeven.
assayer [ə'seiə] essayeur.
assegai ['æsigai] assagaai.
assemblage [ə'semblidʒ] verzameling; vereniging; vergadering.
assemble [ə'sembl] 1 (zich) verzamelen; samenkomen, vergaderen; bijeenbrengen; 2 in elkaar zetten, monteren.
assembler [ə'semblə] ⚒ monteur.
assembly [ə'sembli] bijeenkomst; vergadering; samenscholing; ⚒ (dans)partij; ⚔ „verzamelen" o; ⚒ montage; ~ line ⚒ montagelijn; ~ room 1 bal-, feestzaal; 2 ⚒ montagewerkplaats, -hal.
assent [ə'sent] I sb toestemming; instemming, goedkeuring; II vi toestemmen; ~ to instemmen met, beamen; toestemmen in.
assert [ə'sə:t] doen (laten) gelden, opkomen voor: handhaven; beweren, verklaren.
assertion [ə'sə:ʃən] handhaving; bewering, verklaring.

assertive [ə'sə:tiv] stellig; zelfbewust.

assess [ə'ses] belasten, aanslaan (voor *in*, *at*), beboeten; schatten, taxeren (op *at*); vaststellen; beoordelen; ~ *upon* opleggen.

assessable [ə'sesəbl] belastbaar.

assessment [ə'sesmənt] belasting, aanslag [in de belasting]; schatting[2], taxatie; vaststelling [v. schade]; beoordeling.

assessor [ə'sesə] 1 schatter, zetter; 2 bijzitter.

asset ['æset] bezit *o*, goed[2] *o*, *fig* voordeel *o*, troef, aanwinst; ~*s* activa, actief *o*; ~*s and liabilities* $ activa en passiva.

asseverate [ə'sevəreit] plechtig verzekeren, betuigen.

asseveration [əsevə'reiʃən] plechtige verzekering, betuiging.

assiduity [æsi'djuiti] (onverdroten) ijver, naarstigheid; *assiduities* voortdurende beleefdheden, attenties.

assiduous(ly) [ə'sidjuəs(li)] volijverig, naarstig, volhardend.

assign [ə'sain] I *vt* aan-, toewijzen; bepalen, vaststellen, bestemmen; [goederen] overdragen; toeschrijven; II *sb* cessionaris.

assignable [ə'sainəbl] aanwijsbaar; bepaalbaar; over te dragen; toe te schrijven.

assignation [æsig'neiʃən] aanwijzing, toewijzing, afspraak, rendez-vous *o*; overdracht; toeschrijving.

assignee [æsi'ni:] gevolmachtigde; rechtverkrijgende; cessionaris; ~ *in bankruptcy* curator in een faillissement.

assignment [ə'sainmənt] 1 aan-, toewijzing, bestemming; 2 (akte van) overdracht; 3 taak, opdracht.

assimilable [ə'similəbl] wat (als voedsel) kan opgenomen worden, zich latende assimileren.

assimilate [ə'simileit] I *vt* gelijk maken (aan *to*, *with*), gelijkstellen (met *to*, *with*); opnemen[2], verwerken, assimileren; II *vi* gelijk worden (aan *with*); opgenomen worden, zich assimileren.

assimilation [əsimi'leiʃən] 1 gelijkmaking, gelijkstelling; 2 verwerking [v. voedsel], opneming, assimilatie.

assist [ə'sist] I *vt* helpen, bijstaan; II *vi* ~ *at* tegenwoordig zijn bij, bijwonen.

assistance [ə'sistəns] hulp, bijstand; *be of* ~ *to a person* iemand helpen.

assistant [ə'sistənt] I *aj* hulp-; II *sb* 1 helper, assistent, adjunct; 2 hulponderwijzer, secondant; 3 (winkel)bediende, -juffrouw.

assize [ə'saiz] zetting: bepaling [van prijs &]; *the* ~(*s*) de periodieke zittingen van rondgaande rechters; *the great* ~ het laatste oordeel.

1 **associate** [ə'souʃiit] I *sb* metgezel, kameraad; bond-, deelgenoot; medeplichtige; lid *o* van een genootschap; II *aj* verbonden, mede-.

2 **associate** [ə'souʃieit] I *vt* verenigen; verbinden; in verband brengen (met *with*); II *vi* zich verenigen of associëren; omgaan (met *with*).

association [əsousi'eiʃən] bond, verbinding, vereniging, genootschap *o*, associatie; omgang; ~*s* ook: banden, herinneringen; ~ *football sp* voetbal *o* (tegenover *rugby*).

assonance ['æsənəns] assonantie.

assonant ['æsənənt] assonerend.

assort [ə'sɔ:t] I *vt* uitzoeken, sorteren; II *vt* bij elkaar komen of passen; ~ *with* 1 harmoniëren met, komen bij; 2 omgaan met.

assortment [ə'sɔ:tmənt] sortering; assortiment *o*.

assuage [ə'sweidʒ] verzachten, lenigen, bevredigen, stillen, doen bedaren.

assuagement [ə'sweidʒmənt] verzachting, leniging, bevrediging, stilling, bedaring.

assume [ə'sju:m] op zich nemen, op-, aannemen; (ver)onderstellen; aanvaarden, in handen nemen; zich aanmatigen.

assumedly [ə'sju:midli] klaarblijkelijk.

assuming(ly) [ə'sju:miŋ(li)] aanmatigend.

assumption [ə'sʌm(p)ʃən] op-, aanneming; (ver)onderstelling; aanvaarding; aanmatiging; *A*~ *RK* Maria-ten-Hemelopneming, Maria-Hemelvaart.

assurance [ə'ʃuərəns] 1 verzekering; zekerheid, zelfvertrouwen *o*; 2 onbeschaamdheid.

assure [ə'ʃuə] verzekeren, assureren.

assured [ə'ʃuəd] *aj* verzekerd; stellig, zeker.

assuredly [ə'ʃuəridli] *ad* (voor)zeker.

assurer [ə'ʃuərə] 1 verzekeraar; 2 persoon die zijn leven verzekert, verzekerde.

Assyria [ə'siriə] Assyrië *o*.

Assyrian [ə'siriən] I *aj* Assyrisch; II *sb* 1 Assyriër; 2 Assyrisch *o*.

aster ['æstə] ⚹ aster.

asterisk ['æstərisk] sterretje *o* (*).

astern [ə'stə:n] ⚓ achteruit, achter.

asthma ['æs(θ)mə] ⚕ astma *o*.

asthmatic [æs(θ)'mætik] I *aj* ⚕ astmatisch; II *sb* ⚕ astmalijder.

astir [ə'stə:] in beweging; op, bij de hand.

astonish [ə'stɔniʃ] verbazen, verwonderen.

astonishing(ly) [ə'stɔniʃiŋ(li)] verbazend, verwonderlijk.

astonishment [ə'stɔniʃmənt] verbazing.

astound [ə'staund] zeer verbazen; ontzetten.

astounding(ly) [ə'staundiŋ(li)] verbazingwekkend, ontzettend, ontstellend.

astraddle [ə'strædl] schrijlings (op *of*).

astragal ['æstrəgəl] △ astragaal.

astrakhan [æstrə'kæn] astrakan *o*.

astral ['æstrəl] astraal, sterre-, sterren-.

astray [ə'strei] het spoor bijster; verdwaald; *go* ~ verdwaald raken, verdwalen; *lead* ~ verleiden, op een dwaalspoor of op de verkeerde weg brengen.

astride [ə'straid] schrijlings (op); ~ *of* schrijlings op.

astringent [ə'strindʒənt] samentrekkend, constiperend of stelpend (middel *o*).

astrologer [əs'trɔlədʒə] sterrenwichelaar.

astrologic(al) [æstrə'lɔdʒik(l)] astrologisch.

astrology [əs'trɔlədʒi] sterrenwichelarij.
astronaut [æstrənɔ:t] ruimtevaarder.
astronautical [æstrə'nɔ:tikl] ruimte(vaart)-.
astronautics [æstrə'nɔ:tiks] ruimtevaart.
astronomer [əs'trɔnəmə] sterrenkundige.
astronomic(al) [æstrə'nɔmik(l)] astronomisch.
astronomy [əs'trɔnəmi] sterrenkunde.
astute(ly) [əs'tju:t(li)] scherpzinnig; slim, sluw, geslepen.
asunder [ə'sʌndə] gescheiden, van- of uiteen, in stukken.
asylum [ə'sailəm] asiel o, wijk-, vrij-, schuilplaats; gesticht o; (lunatic) ~ krankzinnigengesticht o, gekkenhuis o.
at [æt, ət] tot, te, op, in, ter, van, bij, aan, naar, om, over, voor, tegen, met; be ~ it er (druk) aan bezig zijn; aan de gang zijn; be ~ a person het op iemand gemunt hebben; iemand lastig vallen; ~ them again! nog eens er op los!; what are you ~? 1 waar ben je aan bezig?; 2 waar wil je toch heen?; 3 wat voer je in je schild?; ~ Brill's bij Brill, in de winkel & van Brill; ~ that bovendien; be ~ the heart of the mystery de kern vormen van het mysterie.
atavism ['ætəvizm] atavisme o.
atavistic [ætə'vistik] atavistisch.
ate [et, soms: eit] V.T. van eat.
atheism ['eiθiizm] atheïsme o, godloochening.
atheist ['eiθiist] atheïst, godloochenaar.
atheistic(al) [eiθi'istik(l)] atheïstisch.
Athenaeum [æθi'ni:əm] Atheneum o.
Athenian [ə'θi:niən] I aj Atheens; II sb Athener.
Athens ['æθinz] Athene o.
athirst [ə'θə:st] dorstig; dorstend (naar for).
athlete ['æθli:t] atleet².
athletic [æθ'letik] I aj atletisch; atletiek-; gymnastiek-; II sb ~s atletiek.
athleticism [æθ'letizism] atletiek.
at-home [ət'houm] ontvangdag, jour.
athwart [ə'θwɔ:t] (over)dwars; dwars over; tegen ... in.
Atlantic [ət'læntik] I aj Atlantisch; II sb Atlantische Oceaan.
Atlas ['ætləs, 'ætlæs] Atlas.
atlas ['ætləs] atlas [ook: eerste halswervel].
atmosphere ['ætməsfiə] atmosfeer²; fig sfeer.
atmospheric(al) [ætməs'ferik(l)] atmosferisch, dampkrings-; ~ pressure luchtdruk; atmospherics luchtstoringen.
atoll [ə'tɔl, 'ætəl] atol o.
atom ['ætəm] atoom² o, fig greintje o; to ~s in gruzelementen.
atomic [ə'tɔmik] atomair, atomisch, atoom-.
atomizer ['ætəmaizə] verstuiver.
atonal [æ'tounəl] ♪ atonaal.
atonality [ætə'næliti] ♪ atonaliteit.
atone [ə'toun] boeten (voor for), goedmaken; verzoenen.
atonement [ə'tounmənt] boete; vergoeding; verzoening; Day of A~ Grote Verzoendag.

atop [ə'tɔp] boven (op); ~ of boven op.
atrabilious [ætrə'biljəs] zwartgallig.
atrium ['eitriəm] atrium o.
atrocious(ly) [ə'trouʃəs(li)] gruwelijk, afgrijselijk.
atrocity [ə'trɔsiti] gruwel(ijkheid), gruweldaad, afgrijselijkheid.
atrophy ['ætrəfi] I sb atrofie, wegkwijning; II (vt &) vi atrofiëren, (doen) wegkwijnen.
attaboy! ['ætəbɔi] Am goed zo!
attach [ə'tætʃ] I vt vastmaken, -hechten; hechten; toevoegen; in beslag nemen; in hechtenis nemen; II vi verbonden zijn aan, aankleven, kleven (aan to).
attaché [ə'tæʃei] attaché; ~ case plat koffertje o.
attachment [ə'tætʃmənt] verbinding², band; aanhechting, gehechtheid, aanhankelijkheid, verknochtheid; ✄ hulpstuk o; ⚷ beslag o, beslaglegging, inhechtenisneming.
attack [ə'tæk] I vt aanvallen², aantasten², attaqueren²; II sb aanval².
attacker [ə'tækə] aanvaller.
attain [ə'tein] I vt bereiken, verkrijgen; II vi ~ to komen tot, bereiken.
attainability [əteinə'biliti] bereikbaarheid.
attainable [ə'teinəbl] bereikbaar, te bereiken.
attainment [ə'teinmənt] bereiking; ~s talenten, capaciteiten.
attar ['ætə] rozenolie (ook: ~ of roses).
attempt [ə'tem(p)t] I vt trachten, beproeven, pogen, ondernemen; een aanslag doen op; ~ed murder poging tot moord; II sb poging, proeve; aanslag [op iemands leven].
attend [ə'tend] I vt begeleiden, vergezellen; bedienen, verzorgen, behandelen, gaan over [v. dokter], verplegen, oppassen; bezoeken, bijwonen, volgen [colleges]; ~ed with gepaard gaand met, verbonden met; II vi aanwezig zijn; opletten, luisteren; ~ (up)on bedienen; zijn opwachting maken bij; ~ to letten op, luisteren naar; passen op, oppassen, zorgen voor; zich bezighouden met; [klanten] bedienen, helpen.
attendance [ə'tendəns] aanwezigheid; bediening, behandeling; zorg; dienst; opwachting; gevolg o, bedienden; bezoek o, opkomst, publiek o; compulsory ~ schooldwang; be in ~ dienst hebben, bedienen; aanwezig zijn; ~ register presentielijst.
attendant [ə'tendənt] I aj aanwezig; bedienend (ook: ~ on); begeleidend (ook: ~ on); gepaard gaand (met on); II sb bediende, oppasser, bewaker[v. auto's], suppoost [v.museum], juffrouw [v. d. garderobe &]; begeleider; the ~s het gevolg; medical ~ dokter.
attention [ə'tenʃən] aandacht, oplettendheid; attentie; ~! ✗ geeft acht! come to ~ ✗ de houding aannemen; stand at (soms: to) ~ ✗ in de houding staan.
attentive(ly) [ə'tentiv(li)] oplettend, aandachtig; attent.

1 **attenuate** [ə'tenjuit] *aj* dun; mager.

2 **attenuate** [ə'tenjueit] *vt* verdunnen, vermageren, verzwakken; verzachten.

attenuation [ətenju'eiʃən] verdunning, vermagering, verzwakking; verzachting.

attest [ə'test] *vt* verklaren, betuigen, bevestigen, getuigen van (ook: ~ *to*).

attestation [ætes'teiʃən] getuigenis *o* & *v*, betuiging, attestatie.

Attic ['ætik] Attisch.

attic ['ætik] vliering, dak-, zolderkamer.

Attica ['ætikə] Attica *o*.

attire [ə'taiə] I *vt* kleden, (uit)dossen, tooien; II *sb* kleding, tooi, dos, opschik.

attitude ['ætitju:d] houding: standpunt *o*, instelling; ~ *of mind* denkwijze.

attitudinize [æti'tju:dinaiz] aanstellerig doen.

attorney [ə'tə:ni] procureur; gevolmachtigde; *Attorney General* ᵼᵼ procureur-generaal; *power of* ~ volmacht.

attorneyship [ə'tə:niʃip] 1 procureurschap *o*; 2 procuratie.

attract [ə'trækt] (aan)trekken, boeien.

attraction [ə'trækʃən] aantrekking(skracht); aantrekkelijkheid, attractie.

attractive(ly) [ə'træktiv(li)] aantrekkend; aantrekkings-; aantrekkelijk.

attractiveness [ə'træktivnis] aantrekkelijkheid.

attributable [ə'tribjutəbl] toe te schrijven.

1 **attribute** [ə'tribju:t] *vt* toeschrijven, toekennen.

2 **attribute** ['ætribju:t] *sb* eigenschap, attribuut *o*, kenmerk *o*; *gram* bijvoeglijke bepaling.

attribution [ætri'bju:ʃən] toeschrijving.

attributive [ə'tribjutiv] I *aj* attributief; II *sb* attributief woord *o*.

attrition [ə'triʃən] 1 wrijving, (af)schuring, afslijting; 2 (onvolmaakt) berouw *o*; *war of* ~ uitputtingsoorlog.

attune [ə'tju:n] in overeenstemming brengen (met *to*), aanpassen (aan *to*), *fig* afstemmen (op *to*).

auburn ['ɔ:bən] goudbruin, kastanjebruin.

auction ['ɔ:kʃən] I *sb* veiling, auctie; *put up for* ~, *sell by* ~ veilen; ~ *bridge* bridgespel *o* met bieden; II *vt* veilen.

auctioneer [ɔ:kʃə'niə] I *sb* venduhouder, afslager; II *vt* veilen.

auction-mart ['ɔ:kʃənma:t], ~-**room** [-rum] venduhuis *o*, -lokaal *o*.

audacious(ly) [ɔ:'deiʃəs(li)] vermetel; driest.

audacity [ɔ:'dæsiti] vermetelheid; driestheid.

audibility [ɔ:di'biliti] hoorbaarheid.

audible ['ɔ:dibl] *aj* hoorbaar.

audibly ['ɔ:dibli] *ad* zie *audible*.

audience ['ɔ:djəns] audiëntie, gehoor *o*; auditorium *o*, toehoorders, publiek *o*.

audit ['ɔ:dit] I *sb* verificatie, accountantsrapport *o*; II *vt* verifiëren, nazien.

audition [ɔ:'diʃən] 1 gehoor *o*; 2 auditie [proef v. zanger &].

audit-office ['ɔ:ditɔfis] comptabiliteit, rekenkamer.

auditor ['ɔ:ditə] 1 (toe)hoorder; 2 accountant.

auditorium [ɔ:di'tɔ:riəm] gehoorzaal; aula.

auditory ['ɔ:ditəri] I *aj* gehoor-; II *sb* gehoorzaal; aula; toehoorders, auditorium *o*.

Augean [ɔ:'dʒi:ən] Augias-.

auger ['ɔ:gə] avegaar, boor.

aught [ɔ:t] ⊙ iets; *for* ~ *I care* voor mijn part; *for* ~ *I know* voor zover ik weet.

augment [ɔ:g'ment] I *vt* vermeerderen. verhogen, vergroten; II *vi* aangroeien, toenemen (zich) vermeerderen.

augmentation [ɔ:gmen'teiʃən] vermeerdering, verhoging, vergroting, aangroei.

augmentative [ɔ:g'mentətiv] vergrotend.

augur ['ɔ:gə] I *sb* augur: vogelwichelaar [bij de Romeinen]; II *vt* & *vi* voorspellen [uit de vlucht van vogels]; *it* ~*s well* (*ill*) het belooft (niet) veel.

augury ['ɔ:gjuri] 1 vogelwichelarij; 2 voorspelling, voorteken *o*.

August ['ɔ:gəst] augustus.

august [ɔ:'gʌst] verheven, hoog, groots.

Augustan [ɔ:'gæstən] van Keizer Augustus; klassiek; neoklassiek [v. d. Engelse letterkunde van het begin der 18e eeuw].

Augustine [ɔ:'gʌstin] Augustinus.

Augustinian [ɔ:gəs'tiniən] I *aj* van Augustinus: augustijner; II *sb* augustijn.

Augustus [ɔ:'gʌstəs] Augustus [Keizer v. Rome].

auk [ɔ:k] ᵼ alk.

auld lang syne ['ɔ:ldlæŋ'sain] *Sc* de oude tijd; *for* ~ uit oude vriendschap.

aunt [a:nt] tante; ~ *Sally* werpspel *o*; *fig* mikpunt *o*.

auntie, aunty ['a:nti] F (lieve) tante, tantetje *o*.

aura ['ɔ:rə] aura; uitstraling, emanatie.

aural ['ɔ:rəl] oor-.

aureola [ɔ:'riələ], **aureole** ['ɔ:rioul] aureool, stralenkrans, lichtkrans.

auricle ['ɔ:rikl] 1 oorschelp; 2 hartboezem.

auricula [ɔ:'rikjulə] ᵼ aurikel, bereoor *o*.

auricular [ɔ:'rikjulə] van het oor; ~ *confession* oorbiecht.

auriferous [ɔ:'rifərəs] goudhoudend.

aurist ['ɔ:rist] oorarts.

Aurora [ɔ:'rɔ:rə] Aurora.

aurora [ɔ:'rɔ:rə] dageraad; ~ *australis* [ɔ:s'treilis] zuiderlicht *o*; ~ *borealis* [bɔ:ri'eilis] noorderlicht *o*.

auscultation [ɔ:skəl'teiʃən] ᵼ auscultatie.

auspice ['ɔ:spis] voorspelling, vogelwichelarij; voorteken *o*; *under the* ~*s of* onder de auspiciën (bescherming) van.

auspicious(ly) [ɔ:s'piʃəs(li)] veelbelovend, gelukkig, gunstig.

austere(ly) [ɔ:s'tiə(li)] straf, streng, stuurs; sober; wrang.

austerity [ɔ:s'teriti] straf-, streng-, stuursheid; soberheid; wrangheid; versobering.

Austin ['ɔ:stin] Augustinus; ~ *friar* augustijn.
austral ['ɔ:strǝl] zuidelijk.
Australasia [ɔ:strǝ'leiʃǝ] Austraal-Azië *o*: Australië en de aangrenzende eilanden.
Australia [ɔ:s'treiljǝ] Australië *o*.
Australian [ɔ:s'treiljǝn] I *aj* Australisch; II *sb* Australiër, Australische.
Austria ['ɔ:striǝ] Oostenrijk *o*.
Austrian ['ɔ:striǝn] I *aj* Oostenrijks; II *sb* Oostenrijker, Oostenrijkse.
Austro- ['ɔ:strou] Oostenrijks-.
autarkic(al) [ɔ:'ta:kik(l)] autarkisch.
autarky ['ɔ:ta:ki] autarkie.
authentic(al) [ɔ:'θentik(l)] authentiek, echt.
authenticate [ɔ:'θentikeit] bekrachtigen, staven, legaliseren, waarmerken; de echtheid bewijzen van.
authentication [ɔ:θenti'keiʃǝn] waarmerking.
authenticity [ɔ:θen'tisiti] authenticiteit, echtheid.
author ['ɔ:θǝ] schepper, (geestelijke) vader, bewerker, dader; maker, schrijver, auteur.
authoress ['ɔ:θǝris] 1 daderes; 2 maakster; 3 schrijfster.
authoritarian [ɔ:θɔri'tɛǝriǝn] autoritair.
authoritative [ɔ:'θɔriteitiv] gezaghebbend; autoritair.
authority [ɔ:'θɔriti] autoriteit, gezag *o*, macht; machtiging; overheid(spersoon), instantie; zegsman; bewijs *o*; *from (on) good* ~ van goederhand, uit goede bron.
authorization [ɔ:θǝrai'zeiʃǝn] machtiging, bekrachtiging, autorisatie.
authorize ['ɔ:θǝraiz] machtigen, bekrachtigen, autoriseren; *fig* wettigen; ~*d capital* $ maatschappelijk kapitaal *o*; *the Authorized Version* de Engelse bijbelvertaling [1611].
authorship ['ɔ:θǝʃip] auteurschap *o*; schrijversloopbaan.
autism ['ɔ:tizm] *ps* autisme *o*.
autistic [ɔ:'tistik] *ps* autistisch.
auto ['ɔ:tou] *Am* auto.
autobiographer [ɔ:tǝbai'ɔgrǝfǝ] autobiograaf.
autobiographic(al) [ɔ:tǝbaiǝ'græfik(l)] autobiografisch.
autobiography [ɔ:tǝbai'ɔgrǝfi] autobiografie: levensbeschrijving van zich zelf.
autocar ['ɔ:touka:] automobiel.
autocracy [ɔ:'tɔkrǝsi] alleenheerschappij.
autocrat ['ɔ:tǝkræt] autocraat[2].
autocratic(al) [ɔ:tǝ'krætik(l)] autocratisch[2], eigenmachtig.
autogenous [ɔ:'tɔdʒinǝs] autogeen.
autogiro [ɔ:tǝ'dʒaiǝrou] ⚙ molenvliegtuig *o*.
autograph ['ɔ:tǝgra:f] I *sb* autograaf: eigen schrift *o*, ook = autogram *o*; handtekening, eigenhandig geschreven brief of stuk *o*; II *aj* eigenhandig geschreven; III *vt* eigenhandig schrijven of ondertekenen.
automat ['ɔ:tǝmæt] *Am* automatiek [restaurant].
automate ['ɔ:tǝmeit] automatiseren.

automatic [ɔ:tǝ'mætik] I *aj* automatisch[2]; werktuiglijk; ~ *machine* automaat [toestel]; ~ *pilot* ⚙ stuurautomaat; II *sb* automatisch wapen *o* (pistool *o* &).
automatically [ɔ:tǝ'mætikǝli] *ad* automatisch, werktuiglijk, vanzelf.
automation [ɔ:tǝ'meiʃǝn] automatisering.
automaton [ɔ:'tɔmǝtǝn] automaat.
automobile ['ɔ:tǝmǝbi:l] auto(mobiel).
autonomous [ɔ:'tɔnǝmǝs] autonoom.
autonomy [ɔ:'tɔnǝmi] autonomie.
autopsy ['ɔ:tɔpsi] beschouwing met eigen ogen; lijkopening, lijkschouwing.
autumn ['ɔ:tǝm] herfst.
autumnal [ɔ:'tʌmnǝl] herfstachtig, herfst-.
auxiliary [ɔ:g'ziliǝri] I *aj* hulp-; II *sb* 1 helper, bondgenoot; 2 *gram* hulpwerkwoord *o*; *auxiliaries* 1 ✕ hulptroepen; 2 ⚙ hulpwerktuigen.
avail [ǝ'veil] I *vi* & *vt* baten; II *vr* ~ *oneself o* zich ten nutte maken, benutten; III *sb* baat, hulp, nut *o*; ~*s Am* opbrengst; *of no* ~ van geen nut; *tot niets dienend, niets batend*; *to little* ~ van weinig nut; *without* ~ zonder baat, vruchteloos.
availability [ǝveilǝ'biliti] 1 beschikbaarheid; 2 geldigheid.
available [ǝ'veilǝbl] 1 beschikbaar, ter beschikking, waarvan gebruik kan worden gemaakt (door *to*); aanwezig, voorhanden, voorradig, verkrijgbaar, leverbaar; 2 geldig.
avalanche ['ævǝlɑ:nʃ] lawine[2].
avant-garde [Fr] avant-garde.
avarice ['ævǝris] gierigheid, hebzucht.
avaricious(ly) [ævǝ'riʃǝs(li)] gierig, hebzuchtig; ~ *of* begerig naar.
avast [ǝ'va:st] ⚓ hou!, stop!
⚓ **avaunt** [ǝ'vɔ:nt] terug!, weg!
avdp. = *avoirdupois*.
Ave Maria ['a:vimɑ'riǝ], **Ave Mary** ['eivi'mɛǝri] *RK* Ave-Maria *o*.
avenge [ǝ'vendʒ] wreken; *be* ~*d* zich wreken.
avenger [ǝ'vendʒǝ] wreker.
avenue ['ævinju:] toegang[2], weg[2], (oprij)laan; *Am* brede boulevard of straat.
aver [ǝ'vǝ:] betuigen, verzekeren, beweren, verklaren; ⚖ bewijzen.
average ['ævǝridʒ] I *sb* 1 gemiddelde *o*; 2 ⚓ averij; (*up)on an* (*the*) ~, *on* ~ gemiddeld, in doorsnee, door elkaar; *general* (*particular*) ~ ⚓ averij grosse (particulier); ~ *adjuster* (*stater*) ⚓ dispacheur; ~ *adjustment*, ~ *statement* ⚓ dispache; II *aj* gemiddeld, doorsnee, gewoon; III *vt* het gemiddelde berekenen van; gemiddeld komen op &; IV *vi* in: ~ *out* gemiddeld op hetzelfde neerkomen.
averment [ǝ'vǝ:mǝnt] betuiging, verzekering, bewering; ⚖ bewijs *o*.
averse [ǝ'vǝ:s] afkerig (van *to, from*).
aversion [ǝ'vǝ:ʃǝn] afkeer, tegenzin, weerzin; antipathie; *my pet* ~ mijn bête noire.
avert [ǝ'vǝ:t] afwenden, afkeren.

aviary ['eiviəri] volière.
aviation [eivi'eiʃən] ➤ luchtvaart, vliegkunst of -sport; ~ spirit (petrol) vliegtuigbrandstof, -benzine.
aviator ['eivietə] ➤ vlieger.
avid ['ævid] gretig, begerig (naar of, for).
avidity [ə'viditi] begeerte, begerigheid, gretigheid.
avocation [ævə'keiʃən] bezigheid, werk o, beroep o.
avocet ['ævəset] ♣ kluit.
avoid [ə'vɔid] (ver)mijden, ontwijken; ontlopen; uitwijken voor; I could not ~ ...ing ik moest wel...
avoidable [ə'vɔidəbl] te vermijden.
avoidance [ə'vɔidəns] 1 vermijding; 2 vacature.
avoirdupois [ævədə'pɔiz] Engels handelsgewicht o [het pond ~ is 453, 59 gram]; Am F gewicht o.
Avon ['eivən] Avon.
avouch [ə'vautʃ] waarborgen; verzekeren, betuigen; erkennen.
avouchment [ə'vautʃmənt] waarborg; verzekering, betuiging; erkenning.
avow [ə'vau] bekennen, erkennen; an ~ed enemy een verklaarde (uitgesproken) vijand.
avowal [ə'vauəl] bekentenis.
avowedly [ə'vauidli] openlijk, onbewimpeld, uitgesproken; volgens eigen bekentenis.
avuncular [ə'vʌŋkjulə] (als) van een oom; fig vaderlijk.
await [ə'weit] wachten, wachten op; afwachten, verbeiden; te wachten staan.
awake [ə'weik] I vt (op)wekken²; II vi ontwaken, wakker worden; ~ to (gaan) beseffen; III aj wakker, ontwaakt; be ~ to beseffen.
awaken [ə'weikn] I vt wekken²; ~ a person to iemand doen beseffen; II vi ontwaken.
awakening [ə'weikniŋ] ontwaken o.
award [ə'wɔ:d] I vt toekennen; beslissen; II sb uitspraak, beslissing; prijs, onderscheiding, bekroning, beloning, boete, straf.
aware [ə'wɛə] weet hebbend (van of), gewaar; be ~ of zich bewust zijn (van), merken, weten.
awareness [ə'wɛənis] (vaag) besef o, bewustheid.
awash [ə'wɔʃ] overspoeld; ronddrijvend.
away [ə'wei] weg, van huis; voort, mee; ver; < erop los; ~ from it all er (eens) helemaal uit; ~ game sp uitwedstrijd.
awe [ɔ:] I sb ontzag o, vrees, eerbied; stand in ~ of ontzag (eerbied) hebben voor; II vt ontzetten; ontzag inboezemen; imponeren.
awesome ['ɔ:səm] 1 ontzagwekkend; ontzettend; 2 eerbiedig.
awe-struck ['ɔ:strʌk] met ontzag vervuld.
awful(ly) ['ɔ:ful(i)] ontzagwekkend; < ontzaglijk, verschrikkelijk, vreselijk.
awhile [ə'wail] voor enige tijd, (voor) een poos; not yet ~ vooreerst nog niet.

awkward ['ɔ:kwəd] onhandig, onbehouwen, lomp; niet op zijn gemak; lastig, gevaarlijk, penibel, lelijk, ongelukkig, F lam, P beroerd; ~ age vlegeljaren.
awkwardness ['ɔ:kwədnis] onhandigheid &, zie awkward.
awl [ɔ:l] els, priem.
awn [ɔ:n] ♣ baard [aan aar].
awning ['ɔ:niŋ] (dek)zeil o, (zonne)scherm o, markies, zonnetent; kap, luifel.
awoke [ə'wouk] V.T. & V.D. van awake.
A.W.O.L. of awol ['eiwə:l] = absent without leave ✗ ongeoorloofd afwezig.
awry [ə'rai] scheef, schuin; verkeerd.
axe [æks] bijl; have an ~ to grind F zelfzuchtige bijbedoelingen hebben.
axes ['æksi:z] mv v. axis; ['æksiz] mv v. axe.
axial ['æksiəl] axiaal.
axiom ['æksiəm] axioma o, grondstelling.
axiomatic [æksiə'mætik] axiomatisch.
axis ['æksis] 1 as, aslijn, spil; 2 draaier [tweede halswervel].
axle ['æksl] (wagen)as, spil.
axle-tree ['æksltri:] (wagen)as.
Axminster ['æksminstə] Axminster o [plaatsnaam]; a~ carpet axminstertapijt o.
1 ay [ei] I ij o!; ~ me! wee mij! ‖ II ad ◇ altijd; for ~ (voor) altijd.
2 ay [ai] I ij ja!; II sb ja o; stem vóór; the ~es have it de meerderheid is er voor.
ayah ['aiə] IP baboe.
1 aye [ei] zie 1 ay.
2 aye [ai] zie 2 ay.
azalea [ə'zeiliə] ♣ azalea.
azimuth ['æziməθ] azimut o.
Azores [ə'zɔ:z] Azoren.
azure ['æʒə, 'eiʒə] I sb hemelsblauw o, azuur o; ⊙ lazuur o; II aj hemelsblauw, azuren; ⊙ lazuren; III vt blauw verven.

B

b [bi:] (de letter) b; ♪ b of si.
B.A. = Bachelor of Arts.
baa [ba:] I sb geblaat o; bè, mè; II vi blaten.
Baal ['beiəl] Baäl, afgod (der Kanaänieten).
babble ['bæbl] I vi klappen [ook: uit de school], snappen, wauwelen; babbelen; kabbelen; II vt verklappen; III sb geklap o, gesnap o, gepraat o, gewauwel o; gekabbel o.
babbler ['bæblə] kakelaar, wauwelaar.
babe [beib] ⊙ kindje o; fig kind o, lam o, doetje o.
Babel ['beibl] (toren van) Babel² o; (spraak)verwarring; jodenkerk, Poolse landdag.
baboo ['ba:bu:] IP (inlandse) mijnheer.
baboon [bə'bu:n] ♠ baviaan.
baby ['beibi] I sb kind² o; zuigeling, baby, kleintje o; jong o [v. e. dier]; jongste; S meisje o, schatje o; it's his ~ Am F 't is zijn zaak;

he was left to hold (carry) the ~ F hij bleef met de gebakken peren zitten; II als *aj* kinder-, klein; ~ *grand ♪* kleine vleugel(piano).
babyhood ['beibihud] kindsheid.
babyish ['beibiiʃ] kinderachtig; kinderlijk.
Babylon ['bæbilən] 1 Babylon *o*; 2 *fig* Londen *o*.
Babylonia [bæbi'louniə] Babylonië *o*.
Babylonian [bæbi'louniən] I *aj* Babylonisch; II *sb* Babyloniër.
baby-sitter ['beibisitə] babysit(ter).
baccara(t) ['bækərə:] ◊ baccarat *o*.
bacchanal ['bækənəl] I *aj* Bacchus-, bacchantisch; II *sb* 1 Bacchuspriester, bacchante; 2 bacchanaal, zwelgpartij.
bacchanalia [bækə'neiljə] bacchanalen.
bacchanalian [bækə'neiljən] I *aj* bacchantisch · II *sb* Bacchusofferaar, dronkaard.
Bacchant ['bækənt] bacchant(e).
Bacchus ['bækəs] Bacchus[2].
baccy ['bæki] P & F tabak.
bachelor ['bætʃələ] 1 vrijgezel; 2 ⟳ baccalaureus; ± kandidaat [laagste academische graad].
bachelorhⱯⱯⱭ ['bætʃələhud] vrijgezellenstaat, -leven *o*.
bachelorship ['bætʃələʃip] 1 ongehuwde staat; 2 ⟳ graad van *bachelor* 2.
bacilli [bə'silai] *mv* v. *bacillus*.
bacillus [bə'siləs] bacil.
back [bæk] I *sb* rug, rugzijde; achterkant; leuning; keerzijde; *sp* achterspeler; ~ *to front* het achterste voren; *at the* ~ *of* achter(aan, -in, -op); *at the* ~ *of his mind* in zijn binnenste, *fig* in zijn achterhoofd; *be at the* ~ *of it* er achter zitten (steken); *be on a man's* ~ iem. tot last zijn; *have... on one's* ~ met... opgescheept zitten; *have no clothes to one's* ~ geen kleren aan zijn lijf hebben; *put their* ~*s into the work* flink aanpakken, de handen uit de mouwen steken; *put (set) his* ~ *up* hem nijdig maken; *turn one's* ~ zich omkeren; *turn one's* ~ *on* de rug toekeren; in de steek laten; niets meer willen weten van; II *aj* achter-; achterstallig; afgelegen; oud [v. tijdschrift]; tegen-; III *ad* terug; naar achteren, achteruit; geleden; ~ *of Am* achter; IV *vt* doen achteruitgaan, achteruitschuiven, achteruitrijden; (onder)steunen; endosseren; ruggen [boek]; berijden [paard &]; ~ *a horse* 1 op een paard houden of wedden; 2 een paard berijden; ~ *a sail ⚓* bakzeil halen; ~ *the oars (water)* de riemen strijken; V *vi* terug-, achteruitgaan, achteruitrijden; krimpen [v. wind]; ~ *out of a difficulty* zich eruit redden, zich er doorheen slaan; ~ *out (of an engagement)* terugkrabbelen; ~ *up* steunen.
back-bencher ['bæk'ben(t)ʃə] gewoon parlementslid *o* (zonder portefeuille) (ook: *back-bench M.P.*).
backbite ['bækbait] (be)lasteren.
backbiter 'bækbaitə] lasteraar, kwaadspreker.

backbiting ['bækbaitiŋ] achterklap.
back-blocks ['bækblɔks] *Austr* afgelegen streek (streken).
backbone ['bækboun] ruggegraat[2]; flinkheid, vastheid van karakter; *to the* ~ in merg en been.
backbreaking ['bækbreikiŋ] *Am* vermoeiend.
back-date ['bækdeit] terugwerkende kracht verlenen aan.
backdoor ['bæk'dɔ:] I *sb* achterdeur[2]; II als *aj* heimelijk, achterbaks.
backdrop ['bækdrɔp] achterdoek *o* [toneel].
backer ['bækə] aanhanger; wedder [op paard].
back-fire ['bækfaiə] I *sb* ✕ terugslag [v. motor]; II *vi* ✕ terugslaan; *fig* een averechtse uitwerking hebben; mislukken.
backgammon [bæk'gæmən] *sp* triktrak *o*.
background ['bækgraund] achtergrond[2].
back-hand ['bæk'hænd] I *sb* 1 achteroverhellend schrift *o*; 2 *sp* slag links v. h. lichaam genomen [bij rechtse tennisspeler]; II *aj* zie *back-handed*.
back-handed ['bæk'hændid] met de rug van de hand, *sp* links v. h. lichaam genomen [bij rechtse tennisspeler]; achteroverhellend [schrift]; dubbelzinnig, geniepig.
back-hander ['bæk'hændə] (onverwachte) slag (met de rug van de hand).
backing ['bækiŋ] steun; zie ook *back* IV & V.
backlog ['bæklɔg] *fig* overschot *o*.
backmost ['bækmoust] achterste.
back number ['bæk'nʌmbə] oud nummer *o* [v. tijdschrift]; *fig* wat (wie) heeft afgedaan.
backroom ['bækrum] achterkamer; ~ *boy* (natuurwetenschappelijk) werker op de achtergrond.
back-seat ['bæk'si:t] achterbank; *take a* ~ op de achtergrond raken of treden.
back-sight ['bæksait] vizier *o* [v. geweer].
backslide ['bæk'slaid] afvallig worden; recidiveren; ~ *into* weer vervallen tot.
backslider ['bæk'slaidə] afvallige; recidivist.
backstairs [bæk'stɛəz] I *sb* achtertrap, geheime trap; II *aj* heimelijk.
back-stroke ['bækstrouk] 1 zie *back-hander*; 2 terugslag; 3 rugslag [zwemmen].
backward ['bækwəd] I *aj* achterwaarts; achterlijk, traag, laat; beschroomd; onwillig; II *ad* zie *backwards*.
backwardation [bækwə'deiʃən] $ deport.
backwardness ['bækwədnis] achterlijkheid[2], laat bloeien *o*; onwilligheid; traagheid.
backwards ['bækwədz] achterwaarts, -uit, -over; van achter naar voren, terug; *bend (fall, lean) over* ~ in het andere uiterste vervallen; zijn uiterste best doen, al het mogelijke doen.
backwash ['bækwɔʃ] boeggolf; terugloop [v. water]; ✸ deining [v. lucht]; *fig* terugslag.
backwater ['bækwɔ:tə] terugstromend water *o*; door schepraderen teruggeworpen water *o*, dood water *o*, waal; *fig* afgezonderd gedeelte

o, stil milieu *o*.

backwoods ['bækwudz] oerwouden [in Amerika]; binnenland *o*.

backwoodsman ['bækwudzmən] 1 iemand uit het oerwoud of het binnenland [in Amerika]; 2 Hogerhuislid *o* dat slechts uit eigenbelang ter vergadering verschijnt.

back-yard ['bæk'ja:d] achterplaats.

bacon ['beikən] 1 bacon *o* & *m*, (gerookt) spek *o*; 2 F hachje *o*.

Bacon ['beikən] Bacon, Baco [Eng. wijsgeer].

bacteria [bæk'tiəriə] bacteriën.

bacteriological [bæktiəriə'lɔdʒikl] bacteriologisch.

bacteriologist [bæktiəri'ɔlədʒist] bacterioloog.

bacteriology [bæktiəri'ɔlədʒi] bacteriologie.

bacterium [bæk'tiəriəm] bacterie.

bad [bæd] *aj* kwaad, slecht, boos, erg; ondeugend; bedorven, rot [fruit &]; naar, ziek; vals, nagemaakt; ~ *debts* $ kwade schulden; *go* ~ bederven [voedsel]; *go to the* ~ de verkeerde weg opgaan, naar de kelder gaan, mislopen; £ *10 to the* ~ schuldig, te kort.

baddish ['bædiʃ] tamelijk slecht, inferieur.

bade [bæd, beid] V. T. van *bid* I 1.

badge [bæɑʒ] ken-, ordeteken *o*; insigne *o*; distinctief *o*; penning.

badger ['bædʒə] I *sb* ♠ das; II *vt* lastig vallen; plagen, sarren, F pesten.

badly ['bædli] *ad* kwalijk, slecht, erg; < danig, hard, zeer; ~ *wounded* zwaar gewond.

badminton ['bædmintən] 1 rode wijn met spuitwater; 2 soort pluimbalspel *o*.

badness ['bædnis] slechtheid.

baffle ['bæfl] I *vt* verbijsteren; verijdelen, doen falen; beschamen, spotten met [pogingen &]; II *sb* ⚒ leiplaat (ook: ~ *plate*).

bag [bæg] I *sb* zak, baal, (wei)tas; vangst, geschoten wild *o*; buidel; uier; ,,knie'' [in een broek]; ~*s* S broek; ~ *and baggage* (met) pak en zak; *he is a* ~ *of bones* vel over been; *in the* ~ S 1 voor de bakker; 2 afgesproken; II *vt* in zakken doen, (op)zakken; in zijn zak steken; schieten, vangen, buitmaken, weten machtig te worden; ~*s* I ! mijn!; III *vi* 1 als een zak zitten, flodderen; 2 zwellen.

bagatelle [bægə'tel] bagatel, kleinigheid.

baggage ['bægidʒ] (✠ & *Am*) bagage; F brutaal nest *o*, brutaal ding *o*.

bagging ['bægiŋ] zakkengoed *o*.

baggy ['bægi] flodderig; ~ *cheeks* hangwangen.

bagman ['bægmən] handelsreiziger.

bagnio ['bænjou] bagno *o* [gevangenis].

bagpipe ['bægpaip] ♪ doedelzak (ook: ~*s*).

bah [ba:] bah!

bail [beil] I *sb* borg, borgtocht, cautie, borgstelling ! hoepel, hengsel *o* ‖ staketsel *o*; latierboom; bail [v. wicket]; *released on* ~, *admitted to* ~ onder borgtocht vrijgelaten van voorarrest; *be (become, go)* ~ *(for)* borg blijven (voor), instaan voor; II *vt* borg blijven

voor; ~ *out* door borgtocht het ontslag van voorarrest verkrijgen voor ‖ uithozen; III *vi* in: ~ *out* F eruit (uit het vliegtuig) springen met een parachute, afspringen.

bailer ['beilə] hoosvat *o*.

bailiff ['beilif] 1 gerechtsdienaar, deurwaarder; 2 rentmeester; 3 ◍ schout, baljuw.

bailiwick ['beiliwik] 1 rechtsgebied *o* van een *bailiff*; 2 ◍ baljuwschap *o*.

bairn [bɛən] *Sc* kind *o*.

bait [beit] I *sb* 1 aas² *o*, lokaas *o*, lokmiddel *o*; 2 pleisteren *o* (onderweg); *rise to (swallow, take) the* ~ aan-, toebijten, toehappen; II *vt* 1 (onderweg) voeren; 2 van (lok)aas voorzien; 3 sarren, kwellen; ~ *a bull with dogs* honden aanhitsen tegen een stier; III *vi* aanleggen, pleisteren.

baize [beiz] baai [stof]; (groen) laken *o*.

bake [beik] bakken, braden.

bakehouse ['beikhaus] bakkerij.

ⓜ **bakelite** ['beikəlait] bakeliet *o*.

baker ['beikə] bakker; *a* ~*'s dozen* dertien.

bakery ['beikəri] bakkerij.

baking ['beikiŋ] 1 bakken *o*; 2 baksel *o*; ~ *powder* bakpoeder, -poeier *o* & *m*.

baksheesh ['bækʃi:ʃ] fooi [in het Oosten].

balaclava [bælə'kla:və] ✗ bivakmuts (ook: ~ *helmet*).

balance ['bæləns] I *sb* balans, weegschaal²; evenwicht² *o*, tegenwicht² *o*; *fig* harmonie; $ saldo *o*; rest; ✗ onrust [in horloge]; ~ *due* $ debetsaldo *o*; ~ *in hand* $ creditsaldo *o*; *hold the* ~ op de wip zitten [in de politiek]; *strike a* ~ $ het saldo trekken; *fig* de balans opmaken; *strike a* ~ *between fig* het evenwicht vinden tussen, het juiste midden vinden tussen; *turn the* ~ de schaal doen doorslaan; *be in the* ~ op het spel staan, in het geding zijn; *hang in the* ~ 1 (nog) niet beslist zijn; 2 zie *be in the* ~; *tremble in the* ~ aan een zijden draadje hangen; *off (one's)* ~ *fig* uit zijn evenwicht, van streek; *on* ~ per saldo²; II *vt* wegen², overwegen; opwegen tegen, in evenwicht (harmonie) brengen of houden; $ afsluiten, sluitend maken [begroting]; [rekening] vereffenen; III *vi* in evenwicht (harmonie) zijn, balanceren; *fig* kloppen, sluiten [rekening].

balance-sheet ['bælənsʃi:t] $ balans.

balcony ['bælkəni] balkon *o*.

bald [bɔ:ld] *aj* kaal, naakt; onopgesmukt nuchter; II *vi* kaal worden.

baldachin ['bældəkin] baldakijn *o* & *m*.

balderdash ['bɔ:ldədæʃ] wartaal, klets.

baldhead ['bɔ:ldhed] kaalkop.

baldheaded ['bɔ:ld'hedid] 1 kaal(hoofdig); 2 F zonder zich te bedenken, met onstuimige kracht.

balding ['bɔ:ldiŋ] kaal wordend.

baldly ['bɔ:ldli] *ad* zie *bald* I.

baldness ['bɔ:ldnis] kaalheid &, zie *bald* I.

baldpate ['bɔ:ldpeit] kaalkop.

baldric ['bɔ:ldrik] schouder-, (draag)band.
Baldwin ['bɔ:ldwin] Boudewijn; Baldwin.
bale [beil] *sb* baal || ⊙ ellende, ongeluk *o*, verderf *o*; II *vt* (in balen ver)pakken; persen [hooi] || (uit)hozen (ook: ~ *out*); III *vi* in: ~ *out*, F eruit (uit het vliegtuig) springen met een parachute.
Balearic [bæli'ærik] Balearisch.
baleen [bə'li:n] balein *o*.
balefire ['beilfaiə] I signaalvuur *o*; 2 (vreugde)vuur *o*; 3 brandstapel.
baleful ['beilful] noodlottig, verderfelijk; onheilspellend.
baler ['beilə] pers(machine) [v. hooi, stro] || hoosvat *o*.
Balinese [ba:li'ni:z] Balinees, Balinezen.
balk [bɔ:k] I *sb* balk; rug tussen twee voren; akkerrand; belemmering, hindernis, teleurstelling; II *vt* teleurstellen; hinderen, de pas afsnijden; verijdelen; ontwijken; voorbij laten gaan; ~ *one of it* het hem onthouden, ontnemen; III *vi* weigeren; plotseling blijven steken; terugdeinzen (voor *at*).
Balkan ['bɔ:lkən] Balkan; *the* ~*s* de Balkan.
ball [bɔ:l] I *sb* bal *m* [voorwerpsnaam], bol, kogel; pil [voor paard]; kluwen *o* || bal *o* [danspartij]; *have the* ~ *at one's feet* er mooi vóór staan; *they kept the* ~ *rolling* (*up*) zij hielden het gesprek (het spelletje) aan de gang; *open the* ~ het bal openen; F beginnen, de eerste zijn; *play* ~ S samenwerken, meedoen; *on the* ~ *Am* S actief; goed bij; ~ *and socket joint* kogelgewricht *o*; II *vt* ballen; kluwenen; ~ *up Am* in de war brengen, verknoeien; III *vi* ballen.
ballad ['bæləd] lied(je) *o*, ballade.
ballade [bæ'la:d] ballade.
ballast ['bæləst] I *sb* ballast; II *vt* ballasten.
ball-bearing ['bɔ:lbɛəriŋ] ✵ kogellager *o*.
ball-cartridge ['bɔ:lka:tridʒ] ✕ scherpe patroon.
ball-cock ['bɔ:lkɔk] ✕ balkraan, flotteur [v. W.C.].
ballerina [bælə'ri:nə] ballerina.
ballet ['bælei] ballet *o*; ~ *girl* balletdanseres.
balletomane [bælitə'mein] liefhebber van het ballet.
ballistic [bə'listik] ballistisch.
ballistics [bə'listiks] ballistiek.
balloon [bə'lu:n] I *sb* 1 (lucht)ballon, -bol; 2 ontvanger [bij het distilleren]; *the* ~ *goes up* S het feest begint; II *vi* 1 bol (gaan) staan; 2 ballontochten maken.
balloonist [bə'lu:nist] ballonvaarder, luchtschipper.
ballot ['bælət] I *sb* stemballetje *o*, stembriefje *o*; aantal *o* stemmen; (geheime) stemming, ballotage; loting; II *vi* balloteren, stemmen, loten (om *for*).
ballot-box ['bælətbɔks] stembus.
ballot-paper ['bælətpeipə] stembriefje *o*.
ball-point pen ['bɔ:lpɔintpen] bol(punt)pen

ball-proof ['bɔ:lpruːf] kogelvrij.
ball-room ['bɔ:lrum] balzaal.
bally ['bæli] P verduiveld, bliksems.
ballyhoo [bæli'hu:] S luidruchtige, opdringerige reclame, (hoop) drukte.
ballyrag ['bæliræg] I *vi* S donderjagen; II *v:* uitschelden.
balm [ba:m] balsem[2].
balmoral [bæl'mɔrəl] 1 Schotse muts; 2 wollen onderrok; 3 rijglaars.
balmy ['ba:mi] 1 balsemachtig, balsemend[2]; 2 zoel; 3 S getikt, krankjorem.
baloney [bə'louni] S klets(koek)
balsam ['bɔ:lsəm] 1 ✿ balsamine, ook: kruidjeroer-mij-niet *o*; 2 balsem.
balsamic [bɔ:l'sæmik] balsamiek, verzachtend.
Baltic ['bɔ:ltik] Baltisch; *the* ~ de Oostzee.
baluster ['bæləstə] baluster, spijl.
balustrade [bæləs'treid] balustrade.
bamboo [bæm'bu:] ✿ bamboe *o* & *m*.
bamboozle [bæm'bu:zl] S beetnemen verlakken.
ban [bæn] I *sb* afkondiging; ban(vloek), (rijks-)ban; verbod *o* (van *on*); *put a* ~ *upon* verbieden; *under a* ~ in de ban; II *vt* verbieden; verbannen; uitbannen.
banal ['beinəl] banaal, triviaal.
banality [bə'næliti] banaliteit.
banana [bə'na:nə] ✿ banaan, pisang.
band [bænd] I *sb* band°, (smal) lint *o*, snoer *o*; strook, rand, streep; ring, bandje *o* [om sigaar]; drijfriem; schare, troep, bende; muziekkorps *o*, kapel, muziek; ~*s* bef; II *vt* verenigen; van een band(je) voorzien; strepen; III *vi* ~ (*together*) zich verenigen.
bandage ['bændidʒ] I *sb* verband *o*, zwachtel; blinddoek; II *vt* verbinden, (om)zwachtelen; blinddoeken.
bandan(n)a [bæn'dænə] foulard (met moesjes).
bandbox ['bændbɔks] hoededoos, ✂ lintendoos; *as if he came out of a* ~ om door een ringetje te halen.
bandit ['bændit] bandiet, (struik)rover.
banditry ['bænditri] 1 bandieten; 2 banditisme *o*.
bandmaster ['bændma:stə] kapelmeester.
bandoleer, -ier [bændə'liə] bandelier.
band-saw ['bændsɔ:] lintzaag.
bandsman ['bændzmən] muzikant.
bandstand ['bændstænd] muziektent.
band wagon ['bændwægən] *Am* reclamewagen (met muzikanten); *climb* (*get, jump, leap*) *on the* ~ ook van de partij (willen) zijn.
bandy ['bændi] I *vt* heen en weer slaan of kaatsen, wisselen; ~ *words* woorden wisselen, disputeren, „strijden"; II *sb* hockey *o*; hockeystok || *IP* bendie [rijtuig].
bandy-legged ['bændilegd] met o-benen.
bane [bein] vergif(t)[2] *o*, verderf *o*, pest, vloek.
baneful ['beinful] vergiftig; verderfelijk.
1 **bang** [bæŋ] I *vt* slaan, stompen, (dicht)smakken; ranselen; II *vi* smakken, knallen, dreu-

nen; III *sb* slag, smak, knal, klap; *go with a* ~
S met muziek, met energie; IV *ij* plof!, flang!,
pang!; V *ad* vlak, net, vierkant, pardoes; *go*
~ 1 dreunen; 2 *fig* naar de maan gaan.

2 **bang** [bæŋ] I *sb* ponyhaar *o*, pony; II *vt* [als
pony] gelijkknippen.

bangle ['bæŋgl] 1 armband; 2 voetring.

banian ['bænjən] handeldrijvende Hindoe; inlands makelaar [in Bengalen]; flanellen kabaai ‖ ⚘ soort waringin; ~ *days* ⚓ vleesloze
dagen.

banish ['bæniʃ] (ver)bannen[2]; verbannen uit.

banishment ['bæniʃmənt] verbanning, ballingschap.

banister ['bænistə] baluster, stijl; ~*s* trapleuning.

banjo ['bændʒou] ♪ banjo [soort gitaar].

banjoist ['bændʒouist] banjospeler.

bank [bæŋk] I *sb* bank, (speel)bank; oever;
zandbank; wal, dijk, glooiing, berm; ⚘ slagzij, dwarshelling; overhellen *o* [in bocht]; II
vt indammen; banken: inrekenen [vuur] ‖ $
op de bank zetten, deponeren ‖ ⚘ doen overhellen [in bocht]; ~ *up* opstapelen; indammen; banken: inrekenen; III *vi* een bankrekening hebben; bankzaken doen (met *with*);
sp de bank houden ‖ ⚘ overhellen [in bocht];
~ *on* vertrouwen op; ~ *up* zich opstapelen.

bank-bill ['bæŋkbil] $ bankwissel.

bank-book ['bæŋkbuk] $ kassiersboekje *o*.

banker ['bæŋkə] 1 bankier, kassier; 2 bankhouder.

bank holiday ['bæŋk'hɔlidi] beursvakantie.

banking ['bæŋkiŋ] bankwezen *o*.

bank-note ['bæŋknout] bankbiljet *o*, banknoot.

bank rate ['bæŋkreit] $ (bank)disconto *o*.

bankrupt ['bæŋkrʌpt] I *sb* bankroetier, gefailleerde; II *aj* bankroet[2], failliet; ~ *of* beroofd
van, verstoken van; *be adjudged* (*adjudicated*)
~, *become a* ~, *go* ~ failliet gaan; III *vt* failliet doen gaan, ruïneren.

bankruptcy ['bæŋkrəp(t)si] bankroet[2] *o*, faillissement *o*.

banner ['bænə] banier[2], vaan, vaandel *o*; spandoek *o* & *m*.

banneret ['bænərit] ⱳ baanderheer.

banner headline ['bænəhedlain] brede kop [in
krant].

bannock ['bænək] gerstebrood *o*.

banns [bænz] huwelijksafkondiging; *ask* (*proclaim, publish, put up*) *the* ~ de huwelijksafkondiging doen van de preekstoel; *forbid the*
~ formele bezwaren indienen tegen een voorgenomen huwelijk.

banquet ['bæŋkwit] I *sb* feest-, gastmaal *o*,
banket *o*; II *vt* feestelijk onthalen; III *vi* banketteren, brassen.

bantam ['bæntəm] 1 ⚘ bantammer, kriel-
(haan); 2 *sp* bokser v. h. bantamgewicht; 3
fig kemphaantje *o*, vechtersbaasje *o*.

banter ['bæntə] I *vt* voor het lapje houden, gekscheren met; II *vi* schertsen; III *sb* geksche-

rende plagerij, boert.

bantling ['bæntliŋ] (klein) kind *o*.

banyan ['bænjən] zie *banian.*

baobab ['beiəbæb] ⚘ apebroodboom.

baptism ['bæptizm] doop, doopsel *o*.

baptismal [bæp'tizməl] doop-.

Baptist ['bæptist] baptist; *John the* ~ Johannes de Doper.

baptist(e)ry ['bæptist(ə)ri] 1 doopkapel; 2
doopbekken *o* [v. baptisten].

baptize [bæp'taiz] dopen[2].

bar [ba:] I *sb* (slag)boom, barrière, sluitboom;
baar, staaf, stang; reep [chocolade]; lat;
spijl, tralie; ♪ (maat)streep, maat; ⊘ balk;
⚓ balie; bar, buffet *o*; zandbank [vóór haven
of riviermond]; ⚓ exceptie; *fig* belemmering,
hindernis; *horizontal* ~ rekstok, rek *o*; *parallel* ~*s* brug; *at the* ~ *of world opinion* voor de
rechtbank van de wereldopinie; *he was admitted* (*called*) *to* ᵗ*he* ~ hij werd als advocaat
toegelaten; II *vt* met boom of barrière sluiten; traliën; uitsluiten; afsluiten, versperren;
beletten, verhinderen; strepen; ~ *in* (*out*)
op-, buitensluiten; III *prep* zie *barring.*

barb [ba:b] I *sb* baard; weerhaak ‖ ⚓ Barbarijs paard *o*; II *vt* van weerhaken voorzien;
~*ed fig* stekelig; ~*ed wire* prikkeldraad *o* &
Barbados [ba:'beidouz] Barbados. [*m.*

Barbara ['ba:bərə] Barbara.

barbarian [ba:'bɛəriən] barbaar(s).

barbaric [ba:'bærik] barbaars.

barbarism ['ba:bərizm] 1 barbarisme *o*; 2 barbaarsheid.

barbarity [ba:'bæriti] barbaarsheid.

barbarous(ly) ['ba:bərəs(li)] barbaars.

barbarousness ['ba:bərəsnis] barbaarsheid.

Barbary ['ba:bəri] I *sb* Barbarije *o*; II *aj* Barbarijs.

barbel ['ba:bəl] ⚯ barbeel.

bar-bell ['ba:bel] lange halter.

barber ['ba:bə] barbier, kapper.

barberry ['ba:bəri] ⚘ berberis.

barbiturate [ba:bi'tjuəreit] barbituurzuurver-
binding.

barbituric [ba:bi'tjuərik] in: ~ *acid* barbituur-
zuur *o*.

barcarol(l)e ['ba:kəroul] ♪ barcarolle.

bard [ba:d] bard, zanger.

bardic ['ba:dik] barden-.

1 **bare** [bɛə] I *aj* bloot, naakt, kaal, ontbloot[2];
the ~ *idea* de gedachte alléén; ~ *of* zonder;
II *vt* ontbloten; blootleggen.

2 ⚓ **bare** [bɛə] V.T. van 2 *bear.*

bareback ['bɛəbæk] zonder zadel.

barebacked ['bɛəbækt] 1 met (een) blote rug; 2
zonder zadel.

barefaced ['bɛəfeist] *aj* 1 ongemaskerd; 2
schaamteloos, onbeschaamd.

barefacedly ['bɛəfeisidli] *ad* 1 onverbloemd,
openlijk; 2 schaamteloos, onbeschaamd.

barefoot(ed) ['bɛəfut ('bɛəˈfutid)] blootsvoets,
barrevoets.

bareheaded ['bɛə'hedid] blootshoofds.
barelegged ['bɛə'legd] met blote benen.
barely ['bɛəli] *ad* ternauwernood, amper.
bareness ['bɛənis] naaktheid, kaalheid.
bargain ['ba:gin] I *sb* koop, koopje *o*; overeenkomst, afspraak; *drive a ~* een koop sluiten; *drive a hard ~* (*with a person*) iemand het
bloed onder de nagels vandaan halen, het vel
over de oren halen; *it's a ~!* afgesproken!;
into the ~ op de koop toe; II *vi* (af)dingen,
loven en bieden; onderhandelen; *~ for* onderhandelen over; bedingen; rekenen op,
verwachten; III *vt ~ away* verkopen met verlies, verkwanselen.
bargain basement ['ba:ginbeismənt] koopjes-
souterrain *o* [in warenhuis].
bargaining ['ba:giniŋ] onderhandelen *o* &;
collective ~ onderhandelingen over een collectieve arbeidsovereenkomst; *~ counter* on-
derhandelingsobject *o*.
barge [ba:dʒ] I *sb* praam, aak, (woon)schuit;
⚓ (officiers)sloep; staatsieboot; II *vi* in: *~ in*
S zich ermee bemoeien; *~ in on a person* S
iemand lompweg storen; *~ into* (*against*) S
aanbonzen (aanbotsen) tegen.
bargee [ba:'dʒi:], **bargeman** ['ba:dʒmən],
bargemaster ['ba:dʒma:stə] schuitevoerder;
(aak)schipper.
bar-iron ['ba:raiən] staafijzer *o*.
baritone ['bæritoun] ♪ bariton.
bark [ba:k] I *sb* bast, schors; run; kina ‖ ⚓
bark ‖ geblaf *o*; *his ~ is worse than his bite*
blaffende honden bijten niet; II *vt* ontschorsen, afschillen; [de huid] schaven ‖ III *vi*
blaffen[2]; *~ at* aanblaffen[2]; *~ up the wrong
tree* het mis hebben.
bar-keeper ['ba:ki:pə] *Am* buffetknecht, tapper.
barker ['ba:kə] S I klantenlokker; 2 pistool *o*.
barley ['ba:li] ⚕ gerst.
barleycorn ['ba:liko:n] gerstekorrel.
barley-sugar ['ba:li'ʃugə] gerstesuiker.
barm [ba:m] (bier)gist.
barmaid ['ba:meid] buffetjuffrouw.
barman ['ba:mən] buffetknecht.
barmy ['ba:mi] I gistend; schuimend; 2 S getikt.
barn [ba:n] schuur.
barnacle ['ba:nəkl] I eendemossel; *fig* klis,
plakker; 2 ⚕ brandgans (*~ goose*); *~s* neus-
knijper [v. paard].
barn-door ['ba:n'do:] schuurdeur; *~* ['ba:n-
do:]*fowls* pluimvee *o*.
barn-owl ['ba:naul] ⚕ kerkuil.
barnstormer ['ba:nsto:mə] S rondtrekkend acteur; *Am* de boer opgaande kandidaat [bij
verkiezingen].
barn-swallow ['ba:nswolou] ⚕ boerenzwaluw.
barometer [bə'rəmitə] barometer.
barometric(al) [bærə'metrik(l)] barometrisch,
barometer-.
baron ['bærən] baron; *~ of beef* niet verdeeld

lendestuk van een rund.
baronage ['bærənidʒ] baronnen; adelboek *o*.
baroness ['bærənis] barones.
baronet ['bærənit] baronet.
baronetcy ['bærənitsi] baronetschap *o*.
baronial [bə'rouniəl] baronnen-.
barony ['bærəni] baronie.
baroque [bə'rouk] barok.
bar-parlour ['ba:pa:lə] zitkamer in een bar.
barque [ba:k] ⚓ bark.
barrack ['bærək] I *sb* kazerne (meestal *~s*);
~-room ✕ chambree; II *vt* I ✕ kazerneren;
2 S *sp* uitjouwen.
barrage ['bæra:ʒ, bæ'ra:ʒ] I (stuw-, keer)dam
[inz. in de Nijl]; 2 ✕ spervuur *o*; 3 versperring [v. ballons &]; *~ balloon* versperringsballon, sperballon.
barrel ['bærəl] I *sb* vat *o*, ton, fust *o*; cilinder;
loop [v. geweer]; trommel(holte); romp [v.
paard]; buis; II *vt* inkuipen.
barrel-organ ['bærəlo:gən] draaiorgel *o*.
barren ['bærən] I *aj* onvruchtbaar; kaal[2], dor;
~ of zonder; II *sb* met kreupelhout begroeid
veld *o*; dorre vlakte.
barrenness ['bærənnis] onvruchtbaarheid;
kaalheid[2], dorheid.
barricade [bæri'keid] I *sb* barricade, versperring; II *vt* barricaderen, versperren.
barrier ['bæriə] slagboom[2]; barrière; afsluiting; hinderpaal.
barring ['ba:riŋ] met uitzondering van, uitgezonderd, behalve, behoudens.
barrister ['bæristə] advocaat (*~-at-law*).
bar-room ['ba:rum] gelagkamer.
barrow ['bærou] berrie; kruiwagen; handwagen ‖ (graf)heuvel.
Bart. [ba:t] = I *Baronet*; 2 *Bartholomew*.
bar-tender ['ba:tendə] *Am* buffetknecht.
barter ['ba:tə] I *vi* ruilen, ruilhandel drijven;
II *vt* (ver)ruilen; *~ away* verkwanselen; III
sb ruil(handel).
Bartholomew [ba:'θoləmju:] Bartholomeus.
Bart's ['ba:ts] *St. Bartholomew's Hospital.*
barytone ['bæritoun] ♪ bariton.
basalt [bə'so:lt, 'bæso:lt] basalt *o*.
basaltic [bə'so:ltik] basalt-.
basan ['bæzən] bezaan(leer) *o*.
bascule ['bæskju:l] bascule, wip.
bascule-bridge ['bæskju:lbridʒ] wipbrug.
I **base** [beis] *aj* snood, slecht, laag; onedel;
min(derwaardig), vuig; vals [geld].
2 **base** [beis] I *sb* basis, grondslag, grond;
grondtal *o*; voet, voetstuk *o*; fondament *o*;
base [scheikunde]; *sp* honk *o*; II *vt* I baseren, gronden; 2 ✕ & ⚓ als basis aanwijzen;
broad-~d, broadly ~d op brede basis; *Burma-
~d planes* vliegtuigen met basis in Birma.
baseball ['beisbo:l] honkbal *o*.
base-born ['beisbo:n] van lage geboorte; onecht.
base-burner ['beisbə:nə] vulkachel.
baseless(ness) ['beislis(nis)] ongegrond(heid).

basely ['beisᴜ] *ad* op (een) lage wijze.
basement ['beismənt] I grondslag, fondament *o*; 2 souterrain *o*.
base-minded ['beismaindid] laaghartig.
baseness ['beisnis] laagheid, min(derwaardig)-heid; vuigheid; onechtheid.
bases ['beisi:z] *mv* v. *basis*; ['beisiz] *mv* v. *base*.
bash [bæʃ] I *vt* slaan, beuken; ~ *in* inslaan; II *sb* slag, opstopper, P dreun; *have a* ~ S 't eens proberen.
bashaw [bə'ʃɔ:] pasja².
bashful ['bæʃful] schaamachtig, blo, bleu, schuchter, bedeesd.
bashfulness ['bæʃfulnis] schuchterheid &.
basic ['beisik] basisch; fundamenteel, grond-, basis-.
Basic ['beisik] = vereenvoudigd Engels *o* [be-perkt tot 850 kernwoorden].
Basil ['bæzil] Basilius.
basil ['bæzil] ☙ basilicum *o* || bezaan(leer) *o*.
basilica [bə'silikə] basiliek.
basilisk ['bæzilisk] I basiliscus: fabelachtige draak; 2 *Am* kamhagedis.
basin ['beisn] bekken *o*, kom, schaal; dok *o* bassin *o*; keteldal *o*; stroomgebied *o*.
basis ['beisis] grondslag², basis.
bask [ba:sk] zich koesteren².
basket ['ba:skit] korf, mand, ben.
basket-ball ['ba:skitbɔ:l] *sp* variatie van ons „korfbal" *o*.
basketry ['ba:skitri] manden, mandewerk *o*.
Basque [bæsk] I *aj* Baskisch; II *sb* 1 Bask; 2 het Baskisch.
basque [bæsk] (verleng)pand [aan lijfje].
bas-relief ['bæsrili:f, 'ba:rili:f] bas-reliëf *o*
Bass [bæs] bier *o* van *Bass*.
1 bass [beis] ♪ bas.
2 bass [bæs] ⚛ baars || lindebast.
basset ['bæsit] dashond.
bassoon [bə'su:n] ♪ fagot.
bast [bæst] (binnen)bast.
bastard ['bæstəd] I *sb* bastaard²; T rotvent, sodemieter; II *aj* bastaard-, onecht; T ver-rekt.
bastardize ['bæstədaiz] voor bastaard verkla-ren; tot bastaard maken.
bastardy ['bæstədi] bastaardij.
baste [beist] bedruipen (met vet of boter); de rug smeren, afrossen || (aaneen)rijgen.
bastinado [bæsti'neidou] I *sb* bastonnade, dracht stokslagen; II *vt* de bastonnade ge-ven.
bastion ['bæstiən] ✕ bastion *o*.
1 bat [bæt] ⚛ vleermuis; *have* ~*s in the belfry* F kierewiet, niet goed snik zijn.
2 bat [bæt] I *sb* knuppel, kolf, slaghout *o*, bat *o*; stuk *o* baksteen; *off his own* ~ op eigen houtje; zonder iemands hulp, alléén; II *vi* batten [bij cricket]; III *vt* in: *not* ~ *an eye-(lid) Am* geen spier vertrekken.
batata [bə'ta:tə] ☙ bataat.
Batavian [bə'teiviən] Bataaf(s).

batch [bætʃ] baksel *o*; F troep, groep, partij, portie, bezending.
bate [beit] verminderen; laten vallen, aftrek-ken; inhouden [adem].
bath [ba:θ, *mv.* ba:ðz] I *sb* bad(je) *o*, badkuip; ~*s* badhuis *o*, badinrichting; badplaats; II *vt* baden, een bad geven.
Bath [ba:θ] Bath *o*.
Bath bun ['ba:θbʌn] koffiebroodje *o*.
Bath chair ['ba:θ'tʃɛə] rol-, ziekenstoel.
bathe [beið] I *sb* bad *o* in zee of in rivier; II *vt* baden, betten, afwassen; bespoelen; III *vi* (zich) baden.
bather ['beiðə] bader; badgast.
bathing-machine ['beiðiŋməʃi:n] badkoetsje *o*.
bathing-pool ['beiðiŋpu:l] zwembassin *o*.
bathing-trunks ['beiðiŋtrʌŋks] zwembroek.
bat-horse ['bæthɔ:s] pakpaard *o*.
bathos ['beiθos] belachelijke overgang van het verhevene tot het platte; anticlimax.
bathroom ['ba:θrum] badkamer.
bath-tub ['ba:θtʌb] badkuip.
batiste [bə'ti:st] batist *o*.
batman ['bætmən] ✕ oppasser.
baton ['bætən] (commando-, maarschalks)-staf; (dirigeer)stok; wapenstok; ⊘ balk.
batsman ['bætsmən] *sp* batter [cricket].
battalion [bə'tæljən] ✕ bataljon *o*.
1 batten ['bætn] I *sb* lat; ⚓ badding; II *vt* met latten bevestigen; ~ *down* ⚓ schalmen of sluiten [de luiken].
2 batten ['bætn] *vi* zich voeden, zich vetmesten (met *on*); vet worden.
batter ['bætə] I *vt* beuken; beschieten; have-nen; ~*ed* ook: gedeukt; vervallen, F gam-mel; II *vi* beuken (op *at*); III *sb* beslag *o* [v. gebak] || *sp* batter [cricket].
battering-ram ['bætəriŋræm] ⚔ stormram.
battery ['bætəri] batterij, ✕ ook: accu; stel *o* (potten en pannen); ⚖ aanranding.
battle ['bætl] I *sb* (veld)slag, strijd, gevecht *o*; *do* ~ strijden, vechten; *give* ~ slag leveren; *join* ~ de strijd aanbinden; slaags raken; ...*is half the* ~ ...is het halve succes; II *vi* strijden, vechten.
battle-array ['bætlərei] ✕ slagorde.
battle-axe ['bætlæks] strijdbijl; S kenau, feeks.
battledore ['bætldɔ:] raket *o* & *v*; ~ *and shuttlecock* pluimbal en raket(spel *o*).
battle-dress ['bætldres] ✕ veldtenue *o* & *v*.
battle-field ['bætlfi:ld] slagveld *o*.
battle-ground ['bætlgraund] slagveld *o*, ge-vechtsterrein *o*; *fig* strijdperk *o*.
battlement ['bætlmənt] kanteel, tinne.
battle-royal ['bætl'roiəl] algemeen gevecht *o*.
battleship ['bætlʃip] ⚓ slagschip *o*.
battue [bæ'tu:] klopjacht, drijfjacht.
batty ['bæti] F kierewiet, niet goed snik.
batwing ['bætwiŋ] vleermuisbrander.
bauble ['bɔ:bl] 1 (stuk *o*) speelgoed *o*, prullig sieraad *o*, prul *o*, beuzeling; 2 zotskolf.
baulk [bɔ:k] zie *balk*.

bauxite ['bɔ:ksait] bauxiet o.
Bavaria [bə'vɛəriə] Beieren o.
Bavarian [bə'vɛəriən] Beier(s).
bawd [bɔ:d] koppelaar(ster).
bawdily ['bɔ:dili] ad zie bawdy.
bawdiness ['bɔ:dinis] ontuchtigheid.
bawdy ['bɔ:di] aj ontuchtig.
bawl [bɔ:l] I vi & vt schreeuwen, bulken; fig balken, bleren (tegen at, against); ~ out S uitveteren [iemand]; II sb schreeuw.
bawler ['bɔ:lə] schreeuwer.
bawling ['bɔ:liŋ] geschreeuw o, gebulk o, gebalk o.
bay [bei] I sb inham, baai, golf; uitbouw, overkapping; vak o, ruimte ‖ ♣ laurier(boom) ‖ vos [paard] ‖ geblaf o; ~s ook: lauwerkrans, lauweren; be (stand) at ~ I zich niet weten te redden; 2 een verdedigende houding aannemen; keep (hold) at ~ zich... van het lijf houden; bring to ~ in 't nauw brengen; driven to ~ in 't nauw gebracht; turn to ~ in het nauw gebracht zijnde zich tegen zijn aanvallers of vervolgers keren; II vt & vi (aan)blaffen, blaffen (tegen at); III aj roodbruin, voskleurig; ~ horse vos.
bayadere [ba:jə'diəl] bajadère.
bay laurel ['beilɔrəl] ♣ laurier(boom).
bayonet ['beiənit] I sb bajonet²; II vt met de bajonet neer-, doorsteken.
bay-window ['bei'windou] erker.
bazaar [bə'za:] I bazaar, markt(plaats), Ind pasar; 2 fancy-fair.
bazooka [bə'zu:kə] ✕ bazooka.
B.B.C. = ✕ ✝ British Broadcasting Corporation.
B.C. = I before Christ; 2 British Columbia.
be [bi:] zijn, wezen, staan, liggen; worden, ontstaan; duren; his... to ~ zijn aanstaande..., zijn... in spe; how are you? hoe gaat het?; what are these apples? hoeveel kosten (zijn) die appelen?; N. has been N. is er (hier) geweest; you are not to think je moet niet (hebt niet te) denken; this right is (was) to ~ granted when... zal (zou) verleend worden; zie about, after &.
B.E.A. = British Electricity Authority; British European Airways.
beach [bi:tʃ] I sb strand o, oever; II vt op het strand zetten, drijven of trekken.
beachcomber ['bi:tʃkoumə] I lange golf; 2 S strandjutter; 3 S leegloper.
beachhead ['bi:tʃhed] ✕ bruggehoofd o [aan zee].
beacon ['bi:kən] I sb baak, baken² o, bakenvuur o; verkeerspaal; II vt bebakenen; verlichten.
bead [bi:d] I sb kraal, parel²; ✕ vizierkorrel; she was at her ~s, she told (counted) her ~s zij bad de rozenkrans; II vt I aaneenrijgen; 2 van kralen voorzien; III vi parelen; zie ook: draw I.
beadle ['bi:dl] I bode, pedel; 2 onderkoster.

beady ['bi:di] parelend; ~ eyes kraaloogjes.
beagle ['bi:gl] ♠ brak; fig speurhond, spion.
beak [bi:k] I bek, (s)neb, snavel; tuit; 2 S politierechter of -dienaar.
beaked [bi:kt] I gesnaveld; 2 snavelvormig.
beaker ['bi:kə] beker, bokaal.
be-all ['bi:ɔ:l] the ~ and end-all alles, het enige (doel).
beam [bi:m] I sb balk, boom; ploegboom; weversboom; juk o [v. balans]; ⚓ dekbalk, grootste wijdte [v. schip]; (licht)straal; bundel; ✕ ✝ bakenlijn [als sein voor vliegtuig]; broad in the ~ I ⚓ breed; 2 F breedheupig; be off the ~ S er naast zijn; II vt uitstralen (ook: ~ forth); ✕ ✝ speciaal uitzenden; III vi stralen; glunderen.
beam-ends ['bi:m'endz] in: the ship is on her ~ het schip ligt bijna overzij; he was on his ~ hij was erg in verlegenheid, aan lagerwal.
beamy ['bi:mi] ⚓ breed; ☉ stralend.
bean [bi:n] boon; old ~ F ouwe jongen; ~s S duiten; full of ~s F in goede conditie, vurig; get ~s F een standje krijgen, er van langs krijgen.
bean-feast ['bi:nfi:st] fuifje o van de werkgever aan zijn arbeiders; fuif, keet, pan.
beano ['bi:nou] S zie bean-feast.
1 bear [bɛə] I sb ♠ beer; fig bullebak; 2 $ baissier; II vi $ à la baisse speculeren; III vt $ doen dalen.
2 bear [bɛə] I vt (ver)dragen, dulden, toelaten, uitstaan; voortbrengen, baren; toedragen; behalen; inhouden, bevatten, hebben; ~ one's age well zich voor zijn leeftijd goed houden; ~ a hand een handje helpen; zie ook: company &; II vr ~ oneself well zich goed gedragen, houden of voordoen; III vi dragen; gaan, lopen, zich uitstrekken [in zekere richting]; bring to ~ richten (op upon), aanwenden, uitoefenen [druk], doen gelden [invloed &]; ∞ ~ against rusten of steunen op; ~ away I ⚓ wegzeilen, -varen; 2 wegdragen, behalen; meeslepen; ~ back terugdrijven; terugwijken; ~ down neerdrukken, -vellen; overmannen; ~ down upon aanhouden of aansturen op, losstevenen op; be borne in upon zich opdringen aan [v. e. gedachte]; ~ off I wegdragen; 2 ⚓ afhouden; ~ on zie ~ upon; ~ out steunen, staven, bevestigen; ~ up drijvend houden; steunen; zich flink (goed) houden; ~ up against het hoofd bieden (aan); ~ upon I ✕ gericht zijn op; 2 fig betrekking hebben op; ~ with verdragen, dulden; geduld hebben met, toegeeflijk zijn voor [iemand].
bearable ['bɛərəbl] draaglijk, te dragen.
beard [biəd] I sb I baard²; 2 weerhaak; II vt trotseren, tarten.
bearded ['biədid] I gebaard, baardig; 2 met weerhaken.
beardless ['biədlis] baardeloos.
bearer ['bɛərə] I drager, brenger, houder; 2

△ beer, stut; *by* ~ met brenger dezes; *to* ~ aan toonder; ~ *share* $ aandeel *o* aan toonder.

bear-garden ['bɛəga:dn] 1 ⟨U⟩ plaats voor berengevecht; 2 *fig* wanordelijke boel.

bearing ['bɛəriŋ] dragen *o*; houding, gedrag *o*; verhouding, betrekking; ligging; ⚓ & ⚙ peiling; richting, strekking; portee, betekenis; ⚔ lager *o*, kussen *o*; ⊘ wapenbeeld *o*; ~*s* ligging; *they had lost their* ~*s* 1 zij konden zich niet oriënteren; 2 zij waren de kluts kwijt; *take one's* ~*s* 1 zich oriënteren; 2 eens poolshoogte nemen; *in all its* ~*s* van alle kanten.

bearish ['bɛəriʃ] 1 lomp, iezegrimmig; 2 $ à la baisse (gestemd).

bear-leader ['bɛəli:də] bereleider; (meereizende) gouverneur [van jongmens].

bearskin ['bɛəskin] 1 berevel *o*, berehuid; 2 beremuts; 3 berepels(jas).

beast [bi:st] beest² *o*, dier *o*; beroerling, mispunt *o*; ~*of burden* lastdier *o*.

beastliness ['bi:stlinis] beestachtigheid, dierlijkheid; smeerlapperij.

beastly ['bi:stli] beestachtig; < beestig, smerig, gemeen &.

beat [bi:t] I *vt* slaan (met, op), kloppen (op), uitkloppen, klutsen, beuken; stampen, braken [vlas]; verslaan, overtreffen; afzoeken [bij 't jagen]; aflopen [museums &]; banen [pad]; ~ *the air* tegen windmolens vechten; ~ *one's brains* zich het hoofd breken (over *about*); *that* ~*s the band* (*everything*)! 1 dat overtreft alles!; 2 nu nog mooier!; ~ *it*! F smeer 'm!; *they* ~ *it* F ze gingen er vandoor; *that* ~*s me* dat gaat mijn verstand te boven; ~ *the streets* door de straten slenteren; II *vi* slaan, kloppen; ⚓ laveren; ∞ ~ *about the bush* er omheen praten, er omheen draaien; ~ *down* neerslaan; afdingen (op); met kracht neerkomen, fel schijnen [v. zon]; ~ *in* inslaan; ~ *into his head* het hem inhameren; ~ *off* afslaan; ~ *out* uitkloppen, uitslaan; ~ *him to it* Am het van hem winnen, hem te gauw af zijn; ~ *up* klutsen [eieren]; F afranselen; werven [recruten]; *fig* bijeentrommelen; ⚓ oplaveren; ~ *upon* slaan, kletteren & tegen; III *sb* slag, klap, klop, tik; ♪ maat(slag); ronde [van politieagent, post of wacht]; wijk [van bezorger]; jachtveld *o*; zie *beatnik*; *on the* ~ 1 in de ronde [v. politieagent]; 2 op de baan [v. prostituée]; *go on the* ~ 1 de ronde ingaan [v. politieagent]; 2 de baan opgaan [v. prostituée]; IV V.T. & P V.D. van *beat*; ook: doodop; ~ *generation* generatie der *beatniks*.

beaten ['bi:tn] V.D. van *beat*; ook: begaan, veel betreden; afgezaagd; doodop; *floor of* ~ *earth* aarden vloer.

beater ['bi:tə] klopper, stamper; drijver.

beatific [biə'tifik] zaligmakend; (geluk)zalig.

beatification [biætifi'keiʃən] zaligmaking; za-

ligverklaring.

beatify [bi'ætifai] zaligmaken; zalig verklaren.

beating ['bi:tiŋ] (pak *o*) slaag, rammeling, F klop; kloppen *o*, beuken *o*, getrommel *o*.

beatitude [bi'ætitju:d] zaligheid.

beatnik ['bi:tnik] *Am* beatnik: (ascetische, pacifistische) non-conformistische jongere [omstr. 1950-60, oorspr. uit San Francisco].

Beatrice ['biətris] Beatrice, Beatrijs.

Beatrix ['biətriks] Beatrix.

beau [bou] pronker, fat, modegek; galant.

Beauchamp ['bi:tʃəm] Beauchamp.

⊙ **beauteous** ['bju:tiəs] schoon.

beautifier ['bju:tifaiə] 1 verfraaier; 2 schoonheidsmiddel *o*.

beautiful(ly) ['bju:tiful(i)] schoon, mooi, fraai.

beautify ['bju:tifai] mooier maken, verfraaien.

beauty ['bju:ti] 1 schoonheid; 2 beauté; prachtexemplaar *o*, prachtstuk *o*; *what a* ~ *!* wat is ze (dat) mooi!

beauty parlour ['bju:tipa:lə] schoonheidsinstituut *o*.

beauty-spot ['bju:tispɔt] moesje *o*: schoonheidspleistertje *o*; mooi plekje *o*.

beaver ['bi:və] 1 ♙ bever; 2 vilt *o*; *eager* ~ *Am* ambitieus iemand.

B.E.C. = *British Employers' Confederation*.

becalm [bi'ka:m] stillen, bedaren; ~*ed* ⚓ door windstilte overvallen.

became [bi'keim] V.T. van *become*.

because [bi'kɔz, bi'kə:z] omdat; ~ *!* daarom!; ~ *of* wegens, vanwege, om.

beck [bek] I *sb* wenk²; knik, beweging met de hand [als bevel] ‖ beek; *be at one's* ~ *and call* altijd klaarstaan voor iemand; II *vt* & *vi* ⊙ zie *beckon*.

beckon ['bekn] wenken, een wenk geven.

becloud [bi'klaud] bewolken, verduisteren.

become [bi'kʌm] I *vi* worden; *what has* ~ *of it?* ook: waar is het (gebleven)?; II *vt* goed staan; passen²; betamen, voegen; III V.D. van *become*.

becoming(ly) [bi'kʌmiŋ(li)] (goed) passend, gepast, betamelijk, voegzaam, netjes; chic.

becomingness [bi'kʌminnis] gepastheid, betamelijkheid, voegzaamheid; chic.

bed [bed] I *sb* bed *o*; bedding; (onder)laag; leger *o*; ~ *and board* kost en inwoning; *separated from* ~ *and board* ⚖ gescheiden van tafel en bed; ~ *and breakfast* logies en ontbijt; *get out of* ~ *on the wrong side* met het verkeerde been uit bed stappen; II *vt* (uit)planten; vastzetten; [paarden] van een leger voorzien (ook: ~ *down*, ~ *up*).

bedaub [bi'dɔ:b] besmeren, bekladden².

⚒ **bedchamber** ['bedtʃeimbə] slaapkamer.

bed-clothes ['bedklouðz] beddegoed *o*, dekens.

bedding ['bediŋ] beddegoed *o*; ligstro *o*; (onder)laag.

bedeck [bi'dek] (op)tooien, versieren.

bedevil [bi'devl] mishandelen, judassen; uitvloeken; beheksen; in de war maken verwarren, compliceren, bemoeilijken; bederven, verknoeien.

bedew [bi'dju:] bedauwen.

bedfellow ['bedfelou] slaapkameraad; *fig* gezel, klant.

bedim [bi'dim] verduisteren, benevelen.

bedizen [bi'daizn, bi'dizn] (op)tooien.

bed-jacket ['bedʒækit] bedjasje *o*.

bedlam ['bedləm] gekkenhuis[2] *o*.

bedlamite ['bedləmait] krankzinnig(e), gek.

Bedouin ['beduin] bedoeïen(en).

bed-pan ['bedpæn] 1 steekpan; 2 beddepan.

bedraggle [bi'drægl] bemodderen; ~*d* ook: verregend; sjofel.

bed-ridden ['bedridn] bedlegerig.

bedrock ['bedrɔk] vast gesteente *o*; grond-(slag); ~ *prices* allerlaagste prijzen.

bedroom ['bedrum] slaapkamer.

bedside ['bedsaid] (bed)sponde, bed *o*; ~ *manner* 𝔉 optreden *o* bij het ziekbed.

bedsit ['bed'sit], **bed-sitter** ['bed'sitə] F zitslaapkamer.

bed-sitting-room ['bedsitiŋrum] zitslaapkamer.

bed-spread ['bedspred] beddesprei.

bedstead ['bedsted] ledikant *o*.

bedstraw ['bedstrɔ:] 𝔉 walstro *o*.

bedtick ['bedtik] beddetijk *o* [stofnaam], beddetijk *m* [voorwerpsnaam].

bee [bi:] bij; *he has a* ~ *in his bonnet* hij heeft een idee-fixe.

beech [bi:tʃ] I *sb* beuk(eboom); beukehout *o*; II *aj* van beukehout, beuken.

beechen ['bi:tʃn] van beukehout, beuken.

beech-nut ['bi:tʃnʌt] beukenoot.

bee-eater ['bi:i:tə] 🐦 bijeneter.

beef [bi:f] 1 osse-, rundvlees *o*; 2 (vetgemeste) os (*mv* beeves).

Beefeater ['bi:fi:tə] 🌃 lid *o* van de lijfwacht (een hellebaardier v. d. *Tower of London*).

beefsteak ['bi:f'steik] runderlapje *o*.

beef tea ['bi:f'ti:] bouillon.

beefy ['bi:fi] vlezig, gespierd.

beehive ['bi:haiv] bijenkorf; ~ *chair* strandstoel.

bee-line ['bi:'lain] rechte lijn; *make a* ~ *for* regelrecht afgaan op.

Beelzebub [bi'elzibʌb] B Beëlzebub.

bee-master ['bi:ma:stə] bijenhouder, imker.

been [bi:n, bin] V.D. van *be*, geweest.

beer [biə] bier *o*; *life is not all* ~ *and skittles* het leven is niet altijd rozegeur en maneschijn; het is geen lolletje.

beer-engine ['biərendʒin] bierpomp.

beery ['biəri] bierachtig; bier-; dronkemans-.

beeswax ['bi:zwæks] I *sb* was; II *vt* boenen.

beet [bi:t] 𝔉 beetwortel, biet, kroot.

beetle ['bi:tl] I *sb* 🪲 tor, kever ‖ (straat)stamper; heiblok *o*, juffer; II *vi* overhangen, vooruitsteken; III *vt* stampen.

beetle-browed ['bi:tlbraud] 1 met zware wenkbrauwen; 2 nors, stuurs.

beetle-crusher ['bi:tlkrʌʃə] S (sigaren)kistje *o*

[lompe schoen].

beetroot ['bi:tru:t] 𝔉 beetwortel, kroot.

befall [bi'fɔ:l] I *vt* overkómen, wedervaren, treffen; II *vi* gevallen, gebeuren.

befallen [bi'fɔ:ln] V.D. van *befall*.

befell [bi'fel] V.T. van *befall*.

befit [bi'fit] passen, betamen, voegen.

befog [bi'fɔg] in mist hullen, benevelen[2].

befool [bi'fu:l] voor de gek houden, bedotten.

before [bi'fɔ:] I *prep* vóór; in het bijzijn van; boven; ~ *long* eerlang, weldra; ~ *now* reeds eerder; II *ad* voor, vooruit, voorop, vooraf; (al) eerder, te voren, voordezen, voordien, voorheen; III *cj* voor(dat), eer (dat); *he would die* ~ *he lied* liever dan te liegen.

beforehand [bi'fɔ:hænd] van te voren, vooruit, vooraf; *be* ~ *with* vóór zijn.

befoul [bi'faul] bevuilen[2].

befriend [bi'frend] helpen, beschermen.

beg [beg] I *vi* bedelen; ~! opzitten [tegen hond]; ~ *for* vragen (bidden, smeken, verzoeken) om; II *vt* vragen, bidden, smeken, verzoeken; (af)bedelen; *I* ~ *to inform you* ik heb de eer, neem de vrijheid u te berichten; ~ *the question* 1 als bewezen aannemen, wat nog bewezen moet worden; 2 niet ingaan op de vraag (kwestie) zelf; ~ *one off* excuus, kwijtschelding (van straf) vragen voor iemand; *go* (*a-*)~*ging fig* geen liefhebbers vinden.

begad [bi'gæd] F verdikkeme!

began [bi'gæn] V.T. van *begin*.

†**begat** [bi'gæt] V.T. van *beget*, B gewon.

beget [bi'get] verwekken[2].

begetter [bi'getə] verwekker, (geestelijke) vader.

beggar ['begə] I *sb* bedelaar; F kerel, vent; P schooier[2]; *B*~*s* 🌃 geuzen; *set a* ~ *on horseback and he'll ride* (gallop) *to the devil* als niet komt tot iet, kent iet zich zelf niet; II *vt* verarmen, tot de bedelstaf brengen; *it* ~*s description* het gaat alle beschrijving te boven.

beggarliness ['begəlinis] berooidheid, armoedigheid, armoe.

beggarly ['begəli] armoedig, armzalig.

beggary ['begəri] grote armoede.

begin [bi'gin] I *vt* beginnen, aanvangen; II *vi* beginnen; *you can't* ~ *to understand* F je kunt helemaal niet begrijpen; *to* ~ *with* om te beginnen.

beginner [bi'ginə] beginner, beginneling.

beginning [bi'giniŋ] begin *o*, aanvang.

begird [bi'gə:d] omgorden, omringen.

begone [bi'gɔn] ga weg!, ga heen!

begonia [bi'gounjə] 𝔉 begonia.

begot [bi'gɔt] V.T. van *beget*.

begotten [bi'gɔtn] V.D. van *beget*; *the only* ~ de eniggeboren (Zoon van God).

begrime [bi'graim] besmeuren, bemorsen.

begrudge [bi'grʌdʒ] misgunnen; node geven (doen &).

beguile [bi'gail] bedriegen, bedotten; verlokken; ~ *the time* de tijd verdrijven of korten; ~ *into* verlokken tot; ~ *of* ontlokken, afhandig maken.

beguilement [bi'gailmənt] verlokking.

begum ['beigəm] oosterse vorstin, prinses.

begun [bi'gʌn] V.D. van *begin; well ~ is half done* een goed begin is het halve werk.

behalf [bi'ha:f] in: *in ~ of* ten bate van, in het belang van; *on ~ of* uit naam van; ten bate van; *on your ~* om uwentwil, voor u; namens u, uit uw naam.

behave [bi'heiv] I *vi* zich gedragen; ook = II *vr ~ oneself* zich netjes gedragen, zijn fatsoen houden.

behaviour [bi'heivjə] gedrag *o*, houding; *be on one's good (best) ~* extra goed oppassen of zoet zijn; zijn fatsoen houden.

behead [bi'hed] onthoofden.

beheld [bi'held] V.T. & V.D. van *behold.*

⊙ **behest** [bi'hest] bevel *o*.

behind [bi'haind] I *prep* achter; II *ad* achter, van (naar) achteren, ten achteren; achterom.

behindhand [bi'haindhænd] niet bij, achter; achterstallig, ten achteren; achterlijk.

behold [bi'hould] aanschouwen, zien.

beholden [bi'houldn] verplicht (voor, aan *for, to*).

beholder [bi'houldə] aanschouwer.

behoof [bi'hu:f] in: *for (on) the ~ of* ten behoeve (bate) van.

behoove [bi'hu:v], **behove** [bi'houv] in: *it ~s you to* het is nodig dat u, u behoort te; *it does not ~ you to* het betaamt u niet te.

being ['bi:iŋ] zijnde; *sb* aanzijn *o*, bestaan *o*; wezen *o; in ~* bestaand; *bring (call) into ~* in het leven roepen; *come into ~* ontstaan; *the Supreme Being* het Opperwezen.

belabour [bi'leibə] F afrossen.

belated [bi'leitid] *aj* door de nacht overvallen; verlaat, (te) laat.

belatedly [bi'leitidli] *ad* laat op de dag, te elfder ure.

belaud [bi'lɔ:d] (hemelhoog) prijzen.

belay [bi'lei] ⚓ beleggen, vastmaken.

belch [bel(t)ʃ] I *vi* boeren; II *vt* uitbraken; III *sb* boer; uitbraking, uitbarsting.

beldam(e) ['beldəm] oud wijf *o*, besje *o*, heks.

beleaguer [bi'li:gə] belegeren.

belfry ['belfri] klokketoren; klokkenhuis *o*.

Belgian ['beldʒən] I *aj* Belgisch; II *sb* Belg.

Belgium ['beldʒəm] België *o*.

Belgrade [bel'greid] Belgrado *o*.

Belial ['bi:liəl] B Belial: de duivel.

belie [bi'lai] logenstraffen.

belief [bi'li:f] geloof *o*; overtuiging; *beyond ~, past ~* ongelofelijk.

believable [bi'li:vəbl] geloofbaar, te geloven.

believe [bi'li:v] geloven; *I ~ you !* F en of!; *make ~* doen alsof; *make one ~ something* iemand iets wijsmaken; *~ in* geloven aan (in) een voorstander zijn van.

believer [bi'li:və] gelovige; *a ~ in...* wie gelooft aan...; een voorstander van...

⚒ **belike** [bi'laik] waarschijnlijk, misschien.

belittle [bi'litl] verkleinen; kleineren.

bell [bel] I *sb* bel, klok, schel; ⚹ klokje *o*; ⚓ glas *o* [half uur]; *bear (carry away) the ~* de palm wegdragen, de prijs behalen; II *vt* de (een) bel aanbinden || III *vi* schreeuwen [v. herten].

belladonna [belə'dɔnə] ⚹ belladonna, wolfskers.

bell-bottomed ['belbətəmd] met wijd uitlopende pijpen [v. broek].

bellboy ['belbɔi] *Am* piccolo, chasseur.

bell-buoy ['belbɔi] ⚓ belboei.

belle [bel] schone: beauté.

Bellerophon [bə'lerəfən] Bellerophon.

belles-lettres ['bel'letr] bellettrie.

belletrist [bel'letrist] belletrist.

belletristic [belle'tristik] bellettristisch.

bell-flower ['belflauə] ⚹ klokje *o*.

bell-founder ['belfaundə] klokkengieter.

bellhop ['belhəp] *Am* F piccolo, chasseur.

bellicose ['belikous] oorlogszuchtig.

belligerent [bi'lidʒərənt] oorlogvoerend(e).

bellman ['belmən] omroeper.

bell-metal ['belmetl] klokspijs.

bellow ['belou] I *vi* bulken, loeien; bulderen; II *vt ~ fo·th (out)* uitbulderen; III *sb* gebulk *o*, geloei *o*; gebulder *o*.

bellows ['belouz] blaasbalg; balg; F longen; *a pair of ~* een blaasbalg.

bell-pull ['belpul] schelkoord *o* & *v*.

bell-punch ['belpʌn(t)ʃ] kniptang voor kaartjes.

bell-ringer ['belriŋə] klokkeluider.

bell-rope ['belroup] 1 belkoord *o* & *v*; 2 klokketouw *o*.

bell-wether ['belweðə] belhamel[2].

belly ['beli] I *sb* buik; schoot; *a hungry ~ has no ears* honger is een scherp zwaard; II *vi (& vt)* opbollen, bol (doen) staan.

belly-ache ['belieik] I *sb* P buikpijn; *Am* S (jammer)klacht; II *vi Am* S jammeren, klagen, kankeren.

belly-band ['belibænd] buikriem.

bellyful ['beliful] buik vol, P bekomst.

belly laugh ['belila:f] onbedaarlijk gelach *o*.

belong [bi'lɔŋ] (toe)behoren (aan *to*); ergens thuishoren, er bij horen; *~ to* behoren tot (bij).

belongings [bi'lɔŋiŋz] bezittingen, hebben en houden *o*; bagage, F bullen; familie.

beloved [bi'lʌvd] I V.D. & *aj* geliefd, bemind; II + & *sb* [bi'lʌvid] geliefd(e), bemind(e).

below [bi'lou] beneden, onder; omlaag, naar beneden, hierbeneden.

belt [belt] I *sb* gordel, riem, band; ceintuur; ✂ koppel; zone; gebied *o; hit below the ~* 1 *sp* laag slaan [bij boksen]; 2 *fig* gemeen (be)handelen; II *vt* 1 een gordel of riem omdoen; 2 omgorden; omringen; 3 met een riem afranselen.

belvedere ['belvidiə] uitzichttoren.
bemoan [bi'moun] bejammeren, bewenen
bemuse [bi'mju:z] benevelen, verbijsteren.
Ben [ben] F *Benjamin*; *Big* ~ de grote klok van Westminster || *b*~ *Sc* berg(top).
bench [ben(t)ʃ] bank; werkbank; doft: roeibank; rechtbank; *King's* ~, *Queen's* ~ naam van een hooggerechtshof [Engeland]; *be on the* ~ rechter zijn; *raise to the* ~ tot rechter benoemen.
bencher ['ben(t)ʃə] *ʀ* bestuurslid v. *Inn of Court.*
bend [bend] I *vt* buigen, krommen, spannen; verbuigen; richten (op *on*); *♣* aanslaan [zeilen]; II *vi* (zich) buigen[2] of krommen; zie ook: *backwards*; III *sb* bocht, kromming; buiging; *♣* knoop; *⊘* balk [in wapen]; *round the* ~ S gek.
beneath [bi'ni:θ] beneden[2], onder.
benedick ['benidik] pas getrouwd man. [*dick.*
Benedict ['benidikt] Benedictus; *b*~ zie *bene-*
Benedictine [beni'diktain] I *sb* benedictijn; II *aj* benedictijner-.
benedictine [beni'dikti:n] benedictine [likeur].
benediction [beni'dikʃən] (in)zegening, zegen, gebed *o*; *RK* benedictie; lof *o*.
benefaction [beni'fækʃən] weldaad; schenking.
benefactor [beni'fæktə] weldoener.
benefactress [beni'fæktris] weldoenster.
benefice ['benifis] beneficium *o*; predikantsplaats.
beneficed ['benifist] met een *benefice*.
beneficence [bi'nefisəns] lief-, weldadigheid.
beneficent(ly) [bi'nefisənt(li)] lief-, weldadig.
beneficial [beni'fiʃəl] weldadig, heilzaam, nuttig, voordelig.
beneficiary [beni'fiʃəri] I *aj* beneficie-; II *sb* beneficiant.
benefit ['benifit] I *sb* baat, voordeel *o*, nut *o*, weldaad; benefiet *o*; uitkering; *give a person the* ~ *of the doubt* *ʀ* iemand vrijspreken wegens niet voldoende overtuigend bewijs; *fig* niet het ergste denken van iemand; II *vt* tot voordeel strekken, goeddoen; bevorderen; III *vi* baat vinden (bij *by*), voordeel trekken (uit *by*).
benefit night ['benifitnait] benefiet *o*.
benefit society ['benifitsəsaiəti] ondersteuningsfonds *o*.
Benelux ['benilʌks] Benelux.
benevolence [bi'nevələns] welwillendheid; weldadigheid; weldaad.
benevolent [bi'nevələnt] welwillend; weldadig; ~*fund* uitkeringsfonds *o*.
Bengal [beŋ'gɔ:l] I *sb* Bengalen *o*; II *aj* Bengaals; ~ *light* Bengaals vuur *o*.
Bengalese [beŋgə'li:z] I *aj* Bengaals; II *sb* Bengalees, Bengalezen.
Bengali [beŋ'gɔ:li] Bengalees.
benighted [bi'naitid] door de nacht overvallen; *fig* achterlijk, onwetend.
benign [bi'nain] vriendelijk; heilzaam; *♀* goedaardig.

benignancy [bi'nignənsi] vriendelijkheid; heilzaamheid; *♀* goedaardigheid.
benignant(ly) [bi'nignənt(li)] goedaardig, gunstig, weldadig, vriendelijk.
benignity [bi'nigniti] goedaardigheid.
♣ benison ['benizn, 'benisn] zegen(ing).
Benjamin ['bendʒəmin] Benjamin[2].
1 **bent** [bent] *sb* (geestes)richting, aanleg, neiging || *♣* helm; zie ook: 1 *top* I.
2 **bent** [bent] V.T. & V.D. van *bend*; gebogen, krom; *be* ~ (*up*)*on* gericht zijn op; er op uit of besloten zijn om.
bent-grass ['bentgra:s] *♣* helm, helmgras *o*.
bentwood ['bentwud] in: *Austrian* ~ *chairs* Wener stoelen.
benumb [bi'nʌm] verkleumen, doen verstijven, [verdoven.
benzene ['benzi:n] benzeen.
benzine ['benzi:n] benzine.
benzoin ['benzouin] benzoë.
bequeath [bi'kwi:ð] vermaken, legateren.
bequest [bi'kwest] legaat *o*.
Berber ['bə:bə] Berber.
bereave [bi'ri:v] beroven (van *of*); ~*d* 1 beroofd; 2 diepbedroefd [door sterfgeval].
bereavement [bi'ri:vmənt] (zwaar) verlies *o*, sterfgeval *o*.
bereft [bi'reft] V.T. & V.D. van *bereave*.
beret ['berei, 'berit] (Baskisch, alpino) mutsje *o*; baret [v. militair of geestelijke].
bergamot ['bə:gəmɔt] 1 bergamot(peer); 2 bergamotcitroen; bergamotolie.
Berlin [bə:'lin] I *sb* Berlijn *o*; II *aj* Berlijns.
Bermuda(s) [bə:'mju:də(z)] Bermuda(s).
Bernard ['bə:nəd] Bernard(us), Barend.
Berne [bə:n] Bern(er).
Bernese [bə:'ni:z] Berner.
berried ['berid] met bessen.
berry ['beri] 1 bes, bezie; 2 viseitje *o*.
berserk ['bəsə:k] in: *go* ~ razend worden.
berth [bə:θ] I *sb* *♣* hut, kooi; couchette; ligplaats; plaats; F baantje *o*; *give a wide* ~ *to* uit het vaarwater (uit de weg) blijven; II *vt* *♣* 1 meren; 2 een hut & aanwijzen; III *vi* *♣* voor anker gaan.
Bertha ['bə:θə] Bertha.
beryl ['beril] beril *o* [stofnaam], beril *m* [voorwerpsnaam].
beryllium [be'riljəm] beryllium *o*.
beseech [bi'si:tʃ] smeken.
beseem [bi'si:m] betamen, voegen, passen.
beseeming [bi'si:miŋ] betamelijk, passend.
beset [bi'set] 1 omringen; insluiten; 2 aanvallen, overvallen; het [iemand] lastig maken, in het nauw drijven; ook V.T. & V.D.; ~ *with* ook: vol...; ~*ting sin* gewoontezonde, hebbelijkheid.
♣ beshrew [bi'ʃru:] in: ~ *me* ik mag vervloekt zijn, de duivel hale mij!
beside [bi'said] naast, bij, buiten; *he was* ~ *himself* hij was buiten zich zelf.
besides [bi'saidz] bovendien, daarbij; benevens, behalve.

besiege [bi'si:dʒ] belegeren; *fig* bestormen.

besieger [bi'si:dʒə] belegeraar.

beslaver [bi'slævə], **beslobber** [bi'slɔbə] bekwijlen; *fig* likken.

besmear [bi'smiə] besmeren; besmeuren.

besmirch [bi'smə:tʃ] bekladden², besmeuren².

besom ['bi:zəm] bezem.

besot [bi'sɔt] verdwazen, verblinden; bedwelmen, verstompen.

besought [bi'sɔ:t] V.T. & V.D. van *beseech.*

bespangle [bi'spæŋgl] met lovertjes versieren, bezaaien.

bespatter [bi'spætə] bespatten; bekladden.

bespeak [bi'spi:k] bespreken, bestellen; ○ aanspreken; verraden, getuigen van.

bespoke [bi'spouk] V.T. & V.D. van *bespeak*; ~ *department* maatafdeling.

bespoken [bi'spoukn] V.D. van *bespeak.*

besprinkle [bi'spriŋkl] besprenkelen.

Bess [bes] verk. v. Elizabeth; Bet, Betje; *brown* ~ S ✕ (oud) geweer.

Bessemer ['besimə] Bessemer; ~ *process* bessemerproces *o*; ~ *steel* bessemerstaal *o*.

best [best] **I** *aj* best; *the* ~ *part of* ook: het grootste deel van; bijna; **II** *ad* het best; *you had* ~... je deed het beste met...; *as* ~ *we could* (*might*) zo goed mogelijk; zo goed en zo kwaad als we konden; **III** *sb* best(e); *get* (*have*) *the* ~ *of it* het winnen, de overhand hebben; *make the* ~ *of it* zich schikken in iets, iets voor lief nemen; zo goed mogelijk iets benutten; *make the* ~ *of one's way home* zo gauw mogelijk thuis zien te komen; *I wish you the* ~ *of luck* alle geluk (succes); *a t* (*the*) ~ hoogstens; op zijn best; *for the* ~ met de beste bedoelingen [handelen]; het beste [zijn]; *in his* (*Sunday*) ~ op zijn zondags; *to the* ~ *of my ability* (*power*) naar mijn beste vermogen; *with the* ~ als de beste; **IV** *vt* F I overtreffen, het winnen van; 2 bedotten.

bestead [bi'sted] baten, van dienst zijn.

bested [bi'sted] in: *ill* ~, *sore* ~ in het nauw.

bestial ['bestiəl] dierlijk, beestachtig.

bestiality [besti'æliti] beestachtigheid.

bestir [bi'stə:] in: ~ *oneself* zich reppen, aanpakken.

best man ['best'mæn] bruidsjonker, getuige.

bestow [bi'stou] bergen; geven, schenken; besteden [zorg]; verlenen (aan *on, upon*).

bestowal [bi'stouəl] gift, schenking; verlening.

bestrew [bi'stru:] bestrooien.

bestrewn [bi'stru:n] V.D. van *bestrew.*

bestridden [bi'stridn] V.D. van *bestride.*

bestride [bi'straid] schrijlings zitten op of staan over.

bestrode [bi'stroud] V.T. van *bestride.*

bet [bet] **I** *vt* & *vi* (ver)wedden, wedden (om); ook V.T. & V.D.; *you* ~! S waarachtig zeg!, wees daar zeker van!; **II** *sb* weddenschap.

beta ['bi:tə] bèta; ~ *rays* bètastralen.

betake [bi'teik] in: ~ *oneself to* zich begeven

naar; zijn toevlucht nemen tot.

betaken [bi'teikn] V.D. van *betake.*

betatron ['bi:tətrɔn] bètatron *o*.

betel ['bi:tl] betel, *Ind* sirih; ~ *nut* pinangnoot.

bethel ['beθəl] I B gewijde plaats; 2 bedehuis *o* (voor *dissenters*, zeelieden).

bethink [bi'θiŋk] in: ~ *oneself* (zich) bedenken; ~ *oneself of* verzinnen; zich herinneren, zich te binnen brengen.

bethought [bi'θɔ:t] V.T. & V.D. van *bethink.*

betide [bi'taid] overkomen; wedervaren; gebeuren; *woe* ~ *him!* wee hem!

betimes [bi'taimz] bijtijds, op tijd; spoedig.

betoken [bi'toukn] aan-, beduiden; blijk geven van; voorspellen, betekenen.

betook [bi'tuk] V.T. van *betake.*

betray [bi'trei] verraden°; verleiden [een meisje]; bedriegen [echtgenoot]; beschamen [vertrouwen]; *his legs* ~*ed him* zijn benen lieten hem in de steek.

betrayal [bi'treiəl] verraad° *o*; blijk *o*.

betrayer [bi'treiə] I verrader; 2 verleider.

betroth [bi'trouð] verloven (met *to*).

betrothal [bi'trouðəl] verloving.

betrothed [bi'trouðd] verloofd(e).

better ['betə] **I** *aj* & *ad* beter; *the* ~ *part of* het grootste deel van; meer dan; *no* ~ *than a peasant* maar een boer; *no* ~ *than she should be* niet veel zaaks; *be* ~ I beter zijn; 2 het beter maken; *like* ~ meer houden van, liever hebben; *be the* ~ *for it* voordeel van iets hebben, er bij profiteren; *like him the* ~ *for it* zoveel te meer van hem houden; *get the* ~ *of* de overhand krijgen op, de baas worden, het winnen van; te slim af zijn; *a change for the* ~ een verandering ten goede, een verbetering; *he took her for* ~ *for worse* hij nam haar tot vrouw (in lief en leed); *you had* ~ *go* je moest maar liever gaan; **II** *sb* meerdere [in kennis &]; *one's* ~*s* meerderen, superieuren ‖ zie ook: *bettor*; **III** *vi* beter worden; **IV** *vt* verbeteren; overtreffen; **V** *vr* in: ~ *oneself* zijn positie verbeteren.

betterment ['betəmənt] I verbetering (van positie &); 2 waardevermeerdering.

betting shop ['betiŋʃɔp] *sp* bookmakerskantoor *o*.

bettor ['betə] wedder.

between [bi'twi:n] **I** *prep* tussen; ~... *and*... deels door..., deels door...; ~ *ourselves*, ~ *you and me* onder ons gezegd (en gezwegen); ~ *us* met of onder ons beiden (allen); **II** *ad* er tussen (in).

between-decks [bi'twi:ndeks] **I** *ad* ⚓ tussendeks; **II** *sb* ⚓ tussendek *o*.

between-maid [bi'twi:nmeid] zie *tweeny.*

between-whiles [bi'twi:nwailz] tussen het werk (de bedrijven) door, zo af en toe.

⚓ **betwixt** [bi'twikst] tussen; *it is* ~ *and between* F zo half en half; zo zo, lala.

bevel ['bevl] **I** *sb* zwei, hoekmeter; schuine

rand, helling; **II** *aj* schuin(s); **III** *vt* afschuinen, afkanten; **IV** *vi* schuin lopen, hellen.

beverage ['bevəridʒ] drank.

bevy ['bevi] vlucht, troep, troepje *o*, gezelschap *o*.

bewail [bi'weil] betreuren, bejammeren.

beware [bi'wɛə] oppassen, zich hoeden, zich wachten, zich in acht nemen (voor *of*).

bewilder [bi'wildə] verbijsteren.

bewilderment [bi'wildəmənt] verbijstering.

bewitch [bi'witʃ] betoveren², beheksen².

bewitchment [bi'witʃmənt] betovering².

beyond [bi'jɔnd] **I** *prep* & *ad* aan gene zijde (van), boven (uit), over, buiten, meer (dan), verder (dan), voorbij, (daar)achter; behalve; *it is ~ me* (*my comprehension*) 't gaat mijn verstand te boven; **II** *sb* hiernamaals *o*; *the back of ~* het andere eind van de wereld.

bezel ['bezl] 1 schuine kant [v. beitel]; 2 kas [v. ring]; 3 gleufje *o* voor horlogeglas.

bhang [bæŋ] hasjiesj.

b.h.p. = *brake horse-power*.

biannual [bai'ænjuəl] halfjaarlijks.

bias ['baiəs] **I** *sb* schuinte; effect *o*; overhelling, neiging; vooroordeel *o*, partijdigheid; **II** *vt* doen overhellen²; *be ~(s)ed* bevooroordeeld zijn.

bib [bib] **I** *sb* slabbetje *o*; *best ~ and tucker* zondagse kleren; **II** *vi* pimpelen.

bibber ['bibə] pimpelaar, drinkebroer.

bible ['baibl] bijbel².

biblical ['biblikl] bijbels, bijbel-.

bibliographer [bibli'ɔgrəfə] bibliograaf.

bibliographic(al) [bibliə'græfik(l)] bibliografisch.

bibliography [bibli'ɔgrəfi] bibliografie.

bibliophile ['biblioufail] bibliofiel.

bibulous ['bibjuləs] 1 absorberend, opslorpend; 2 drankzuchtig; dronkemans-.

bicarbonate [bai'ka:bənit] dubbelkoolzuurzout *o*; *~ of soda* dubbelkoolzure soda.

bice [bais] bergblauw *o*.

bicentenary [baisen'ti:nəri] tweehonderdjarige(e gedenkdag).

biceps ['baiseps] biceps.

bicker ['bikə] kibbelen; kabbelen; flikkeren.

bickering(s) ['bikəriŋ(z)] gekibbel *o*.

biconcave [bai'kɔnkeiv] biconcaaf: dubbelhol.

biconvex [bai'kɔnveks] biconvex: dubbelbol.

bicycle ['baisikl] **I** *sb* fiets; **II** *vi* fietsen.

bicyclist ['baisiklist] wielrijder, fietser.

bid [bid] **I** *vt* 1 gebieden, bevelen, gelasten; verzoeken, zeggen, wensen, heten; 2 bieden (op *for*); ook V.T. & V.D.; *he ~s fair to become a man of note* hij belooft een man van betekenis te worden; **II** *sb* bod² *o* (op *for*); poging; *make a ~ for, fig* dingen naar.

biddable ['bidəbl] gezeglijk.

bidden ['bidn] V.D. van *bid* **I** 1.

bidder ['bidə] bieder.

bidding ['bidiŋ] bevel *o*; verzoek *o*; bod *o*, bieden *o*.

bide [baid] 1 beiden, afwachten; wachten; 2 ⚓ zie *abide*.

biennial [bai'enjəl] tweejarig(e plant).

biennially [bai'enjəli] om de twee jaar.

bier [biə] baar, lijkbaar.

biff [bif] **I** *sb* P stomp, dreun, peut; **II** *vt* P stompen, slaan; beuken.

bifocal ['bai'foukəl] *aj* (& *sb*) bifocaal (brilleglas *o*) [= met dubbel brandpunt].

1 **bifurcate** ['baifə:keit] (*vi* &) *vt* (zich) splitsen.

2 **bifurcate** ['baifə:kit] *aj* gevorkt.

bifurcation [baifə:'keiʃən] splitsing; tak.

big [big] dik, groot², zwaar; *the ~ film* de hoofdfilm; *~ with* zwanger van [onheil &].

bigamist ['bigəmist] bigamist.

bigamy ['bigəmi] bigamie.

biggish ['bigiʃ] tamelijk groot, nogal dik.

bight [bait] bocht; baai, kreek.

bigness ['bignis] grootte; dikte.

bigot ['bigət] dweper, fanaticus.

bigoted ['bigətid] dweepziek, fanatiek.

bigotry ['bigətri] dweepzucht, fanatisme *o*.

bigwig ['bigwig] F hoge (ome), piet.

bijou ['bi:ʒu:] juweel(tje)² *o*; als *aj ~ residence* bonbonnière van een huisje.

bijouterie [bi'ʒu:təri] bijouterieën.

bike [baik] **I** *sb* F fiets; **II** *vi* F fietsen.

bikini [bi'ki:ni] bikini.

bilateral [bai'lætərəl] tweezijdig, bilateraal.

bilberry ['bilbəri] 🌿 blauwe bosbes.

bilbo ['bilbou] 🗡 degen.

bilboes ['bilbouz] ⚓ (voet)boeien.

bile [bail] gal²; *stir (up) one's ~* iemand de gal doen overlopen.

bilge [bildʒ] buik [v. vat]; ⚓ kim; S klets.

biliary ['biljəri] van de gal, gal-.

bilingual [bai'liŋgwəl] tweetalig.

bilious ['biljəs] galachtig²; gallig, gal-.

bilk [bilk] F beetnemen, bedotten.

Bill [bil] Willem, Wim.

bill [bil] **I** *sb* bek, snavel ‖ hellebaard; snoeimes *o* ‖ rekening; wissel; ceel, lijst, programma *o*; aanplakbiljet *o*, strooibiljet *o*; 🏛 aanklacht, akte van beschuldiging; wetsontwerp *o*; *Am* bankbiljet *o*; *~ of exchange* wissel(brief); *~ of fare* spijslijst, menu *o* & *m*; *~ of lading* cognossement *o*; *~ of rights* statuut *o* voor mensenrechten, verklaring van de rechten van de mens; **II** *vt* (door biljetten) aankondigen, op het programma zetten; met biljetten beplakken ‖ **III** *vi* in: *~ (and coo)* trekkebekken, minnekozen, elkaar aanhalen.

bill-board ['bilbɔ:d] aanplakbord *o*.

bill-broker ['bilbroukə] $ wisselmakelaar.

billet ['bilit] **I** *sb* ⚔ inkwartieringsbiljet *o*; kwartier *o*; F baantje *o* ‖ blokje *o*; **II** *vt* ⚔ inkwartieren (bij *on*).

billhook ['bilhuk] snoeimes *o*.

billiard-ball ['biljədbɔ:l] biljartbal.

billiards ['biljədz] biljart(spel) *o*.

billiard(s) table ['biljəd(z)teibl] biljart o.

Billingsgate ['bilinzgit] vismarkt in Londen; b~ gemene taal, scheldwoorden.

billion ['biljən] I biljoen o; 2 Am miljard o.

billionaire [biljə'nɛə] (Am) miljardair.

billow ['bilou] I sb baar, golf; ☉ zee; II vi opzwellen, golven.

billowy ['biloui] golvend, hol.

bill-poster ['bilpoustə] aanplakker.

bill-sticker ['bilstikə] aanplakker.

Billy ['bili] zie Bill.

billy ['bili] (geite)bok ‖ knuppel, stok [v. agent] ‖ (water)keteltje o of kookblik o.

billycock ['bilikɔk] F dop, kaasbolletje o.

billy-goat ['biligout] ♣ geitebok.

bimetallism [bai'metəlizm] bimetallisme o.

bimonthly [bai'mʌnθli] tweemaandelijks (tijdschrift o).

bin [bin] kist; trog, bak; flessenrek o.

binary ['bainəri] I aj binair, dubbel, tweeledig, tweetallig; II sb * dubbelster.

bind [baind] I vt (in)binden, verbinden, verplichten; omboorden, beslaan; constiperen; ~ apprentice als leerling besteden, in de leer doen; ~ over (onder borgstelling) verplichten zich voor het gerecht te verantwoorden; ~ up verbinden [een wond]; samen-, inbinden; zie ook: 2 bound; II vi pakken [sneeuw]; III sb ♪ boog.

binder ['baində] I (boek)binder; 2 losse band, omslag; 3 band; 4 bindmiddel o; 5 bindsteen; 6 △ bint o.

bindery ['baindəri] boekbinderij.

binding ['baindiŋ] I aj (ver)bindend; verplichtend (voor on); II sb (boek)band; verband o; omboordsel o, rand, beslag o.

bindweed ['baindwi:d] ♣ (akker)winde.

bine [bain] ♣ (hop)rank.

binge [bindʒ] S fuif, jool.

bingo ['bingou] Am soort kienspel o.

binnacle ['binəkl] ♣ kompashuisje o.

binocular [bai-, bi'nɔkjulə] I aj binoculair: met twee oogglazen; II sb veldkijker, toneelkijker (meestal: ~s, a pair of ~s).

binomial [bai'noumiəl] tweeledige grootheid; the ~ theorem het binomium van Newton.

biochemistry [baiou'kemistri] biochemie.

biographer [bai'ɔgrəfə] biograaf.

biographic(al) [baiə'græfik(l)] biografisch.

biography [bai'ɔgrəfi] biografie, levensbeschrijving.

biologic(al) [baiə'lɔdʒik(l)] biologisch. [ving.

biologist [bai'ɔlədʒist] bioloog.

biology [bai'ɔlədʒi] biologie.

bipartite [bai'pa:tait] I tweedelig; 2 tussen of van twee partijen.

biped ['baiped] ♣ tweevoetig (dier o).

biplane ['baiplein] ✈ tweedekker.

birch [bə:tʃ] I sb 1 ♣ berk; 2 tucht-, (straf)roede; II aj berken, berkehouten: III vt (met) de roe geven.

birchen ['bə:tʃən] berken, berkehouten.

birching ['bə:tʃiŋ] pak o slaag met de roe.

bird [bə:d] 1 vogel; 2 S kerel, kwibus; 3 S kip petje o (= meisje); 4 S uitfluiten o; ~ of paradise paradijsvogel; ~ of passage doortrekker, trekvogel[2]; ~ of prey roofvogel; the early ~ catches the worm de morgenstond heeft goud in de mond; old ~! F ouwe jongen!; an old ~ is not caught with chaff een ouwe rot loopt zo licht niet in de val; a queer ~ F een rare sijs; ~s of a feather flock together soort zoekt soort; a ~ in the hand is worth two in the bush één vogel in de hand is beter dan tien in de lucht; kill two ~s with one stone twee vliegen in één klap slaan.

bird-call ['bə:dkɔ:l] vogelfluitje o.

bird-fancier ['bə:dfænsiə] 1 liefhebber van vogels; 2 vogelkoopman.

bird's-eye ['bə:dzai] I ♣ ereprijs; 2 soort tabak; ~ view gezicht o in vogelvlucht.

bird('s)-nest ['bə:d(z)nest] (inz. eetbaar) vogelnestje o.

bird('s)-nesting ['bə:d(z)nestiŋ] het zoeken en uithalen van vogelnesten.

biretta [bi'retə] RK baret.

birth [bə:θ] geboorte, afkomst; give ~ to het leven schenken aan; two at a ~ twee tegelijk; by ~ van geboorte.

birthday ['bə:θdei] verjaardag, geboortedag; ~ honours onderscheidingen op 's Konings verjaardag verleend.

birth-mark ['bə:θma:k] moedervlek.

birth-place ['bə:θpleis] geboorteplaats.

birth-rate ['bə:θreit] geboortecijfer o.

birthright ['bə:θrait] geboorterecht o.

Biscay ['biskei] Biscaje o.

biscuit ['biskit] beschuit, beschuitje o, koekje o, biscuit o of m [voorwerpsnaam]; biscuit o [stofnaam]: ongeglazuurd porselein o.

bisect [bai'sekt] in tweeën delen.

bisection [bai'sekʃən] deling in tweeën.

bisector [bai'sektə] bissectrice.

bisexual [bai'seksjuəl] tweeslachtig.

bishop ['biʃəp] 1 bisschop: 2 raadsheer, loper [in 't schaakspel].

bishopric ['biʃəprik] bisdom o.

bismuth ['bizməθ] bismut o.

bison ['baisn] ♣ bizon.

bistre ['bistə] bister o.

1 bit [bit] I sb beetje o, stuk(je) o, hapje o; ogenblikje o, poosje o; geldstukje o; bit o [v. toom]; boorijzer o, bek [v. nijptang], sleutelbaard; every ~ a German een Duitser in alle opzichten; every ~ as good net zo goed; not a ~ geen zier; not a ~ (of it)! volstrekt niet!; ~ by ~ stukje voor stukje; do one's ~ het zijne (zijn plicht) doen; zich niet onbetuigd laten; I shall give him a ~ of my mind ik zal hem goed de waarheid zeggen; take the ~ between its (one's) teeth niet meer naar de teugel luisteren[2]; II vt het bit aandoen.

2 bit [bit] V.T. & soms V.D. van bite.

bitch [bitʃ] I sb ♣ teef[2], wijfje o; P kreng o; II

vt P verknoeien; III *vi* P kankeren (over *about*).

bitchy ['bitʃi] P vuil, gemeen.

bite [bait] I *vt* bijten[2] (in, op); ~ *the dust* in het zand (stof) bijten; ~ *one's lip(s)* zich verbijten; ~ *off more than one can chew* te veel hooi op zijn vork nemen; *what's biting you?* wat scheelt je?, wat mankeert eraan?, wat hindert je?; II *vi* (aan)bijten, toehappen; ⚔ pakken; ~ *at* happen naar, trachten te bijten; III *sb* beet, bete, hap; eten *o*; bijten *o*; pakken *o*; iets bijtends of pikants; *make two ~s at a cherry* niet dadelijk toehappen; omslachtig te werk gaan.

biter ['baitə] in: *the ~ bit* de bedrieger bedrogen.

biting(ly) ['baitiŋ(li)] bijtend, bits.

bitten ['bitn] V.D. van *bite*; *once ~ twice shy* een ezel stoot zich geen tweemaal aan dezelfde steen; ~ *with* vervuld (weg) van.

bitter ['bitə] I *aj* bitter, verbitterd; bitter koud; *to the ~ end* tot het uiterste; II *sb* bittere *o*; bitter bier *o*; ~*s* bitter *o* & *m* [stofnaam], bitter *m* [voorwerpsnaam].

bitterly ['bitəli] *ad* bitter, verbitterd.

bittern ['bitən] ⚑ roerdomp.

bitterness ['bitənis] bitterheid, verbittering.

bitty ['biti] met van alles en nog wat, gemengd, bont.

bitumen [bi'tju:min] bitumen *o*, asfalt *o*.

bituminize [bi'tju:minaiz] bitumineren.

bituminous [bi'tju:minəs] bitumineus.

bivalve ['baivælv] I *aj* ⚑ tweeschalig; 🌷 tweekleppig; II *sb* tweeschalig weekdier *o*.

bivouac ['bivuæk] I *sb* ⚔ bivak *o*; II *vi* bivakkeren.

biweekly ['bai'wi:kli] I veertiendaags (tijdschrift *o*); om de veertien dagen; 2 tweemaal per week (verschijnend tijdschrift *o*).

biz [biz] F verk. van *business*.

bizarre [bi'za:] bizar, grillig.

B/L = *bill of lading*.

blab [blæb] I *vi* (uit de school) klappen; II *vt* verklappen; III *sb* zie *blabber*.

blabber ['blæbə] flapuit, babbelaar.

black [blæk] I *aj* zwart[2], donker[2], duister[2], somber; snood; ~ *cap* zwarte baret v. rechter bij uitspreken v. doodvonnis; *give him a ~ eye* een blauw oog slaan; *beat ~ and blue* bont en blauw slaan; II *sb* zwart *o*; zwartsel *o*; zwarte vlek, vuiltje *o*; brand in het koren; zwartje *o*: neger; *in the ~ Am* zonder een tekort, credit staand; *in ~ and white* zwart op wit; III *vt* zwart maken; poetsen; ~ *a person's eye* iemand een blauw oog slaan; ~ *in* zwart maken; ~ *out* 1 zwart maken; 2 verduisteren [een stad &]; *fig* verheimelijken; IV *vi* in: ~ *out* het bewustzijn (geheugen) even verliezen.

blackamoor ['blækəmuə] Moriaan, neger.

black-backed ['blæk'bækt] in: ~ *gull* ⚑ mantelmeeuw.

blackball ['blækbɔ:l] deballoteren.

blackbeetle ['blækbi:tl] 🐞 kakkerlak.

blackberry ['blækbəri] 🌷 braam(bes).

blackbird ['blækbə:d] ⚑ merel.

blackboard ['blækbɔ:d] (school)bord *o*.

black-cock ['blækkɔk] ⚑ korhaan.

blacken ['blækn] I *vt* zwart maken[2]; II *vi* zwart worden.

black friar ['blæk'fraiə] dominicaan.

blackguard ['blæga:d] I *sb* gemene kerel, deugniet, schavuit, P smeerlap; II *aj* gemeen; III *vt* de huid vol schelden.

blackguardly ['blæga:dli] gemeen.

black-head ['blækhed] meeëter, vetpuistje *o*.

black-headed ['blækhedid] in: ~ *gull* ⚑ kokmeeuw.

black-hole ['blækhoul] ⚔ cachot *o*, provoost.

blacking ['blækiŋ] schoensmeer *o* & *m*.

blacking-brush ['blækiŋbraʃ] schoenborstel.

blackish ['blækiʃ] zwartachtig.

black jack ['blæk'dʒæk] 1 geteerde leren kruik; 2 *Am* ploertendoder.

blacklead ['blæk'led] I *sb* potlood *o*; II *vt* potloden.

blackleg ['blækleg] I *sb* 1 oplichter; 2 onderkruiper [bij staking]; II *vi* onderkruipen.

black letter ['blæk'letə] gotische letter.

black-list ['blæklist] I *sb* zwarte lijst; II *vt* op de zwarte lijst zetten.

blackmail ['blækmeil] I *sb* chantage, (geld)afpersing, afdreiging; †brandschatting; *levy ~ on* chantage plegen jegens; II *vt* geld afpersen; †brandschatten; ~ *him into...* hem door 't plegen van chantage dwingen tot...

black(-)market ['blæk'ma:kit] I *sb* zwarte markt, zwarte handel; II als *aj* zwart [v. prijzen, winst &].

black marketeer ['blækma:ki'tiə] zwartehandelaar.

blackness ['blæknis] zwartheid.

black-out ['blækaut] 1 verduistering [tegen luchtaanval]; 2 kortstondig verlies *o* van bewustzijn of geheugen; 3 verzwijging, stilzwijgen *o* (om veiligheidsredenen), persblokkade, berichtenstop.

black pudding ['blæk'pudiŋ] bloedworst.

blacksmith ['blæksmiθ] (grof)smid.

blackthorn ['blækθɔ:n] 🌷 sleedoorn.

bladder ['blædə] blaas; binnenbal.

blade [bleid] 1 spriet, halm; blad *o* [ook v. zaag &], bladschijf; lemmet *o*, kling, (scheer)mesje *o*; 2 F vent, type *o*.

blain [blein] blaar.

blamable ['bleiməbl] zie *blameworthy*.

blame [bleim] I *vt* afkeuren, berispen, laken; *who is to ~?* wiens schuld is het?; *they have only themselves to ~* het is hun eigen schuld, ze hebben 't alleen aan zichzelf te wijten (te danken); *I don't ~ him* ook: ik geef hem geen ongelijk, ik neem 't hem niet kwalijk; ~ *it on him*, ~ *him for it* er hem de schuld van geven, 't hem verwijten; II *sb* blaam, berisping, schuld.

blameful ['bleimful] 1 zie *blameworthy*; 2 afkeurend.

blameless ['bleimlis] onberispelijk.

blameworthy ['bleimwə:ði] afkeurenswaardig, berispelijk, laakbaar.

blanch [bla:nʃ] I *vt* wit maken, bleken; doen verbleken; pellen; II *vi* (ver)bleken, wit worden.

Blanche [bla:nʃ] Bianca.

blancmange [blə'mənȝ] blanc-manger *o* & *m*.

bland [blænd] zacht, minzaam, (poes)lief.

blandish ['blændiʃ] vleien, paaien, strelen.

blandishment ['blændiʃmənt] [gew. *mv*] vleierij, lievigheid; aantrekkelijkheid, verlokking, verlokkelijke aanbieding.

blank [blæŋk] I *aj* wit, blanco, oningevuld, onbeschreven, open; louter, zuiver; bot, vierkant; wezenloos, leeg; beteuterd; sprakeloos [verbazing]; P verdijd; ~ *cartridge* losse patroon; *a ~ cheque* 1 $ een blanco cheque; 2 *fig* carte blanche; ~ *door* blinde deur; ~ *verse* rijmloze verzen; ~ *wall* blinde muur; II *sb* onbeschreven blad *o*, open plaats, wit *o*, witte ruimte; leegte, leemte; streepje *o* [in plaats van woord]; blanco formulier *o*; niet [in loterij]; blank [v. domino]; doelwit² *o*; *Mr. Blank* de heer N.N.; *draw a ~* 1 met een niet uitkomen; 2 bot vangen.

blanket ['blæŋkit] I *sb* (wollen) deken; II *vt* 1 met een deken bedekken, (over)dekken; 2 jonassen; 3 in de doofpot stoppen, stilhouden; III als *aj* algemeen, alles insluitend.

blanketing ['blæŋkitiŋ] (stof voor) dekens.

blankly ['blæŋkli] *ad* 1 wezenloos, beteuterd; 2 botweg, vierkant.

blare ['blɛə] I *vi* loeien, brullen; schallen, schetteren; II *vt* uitbrullen, (rond)trompetten; III *sb* geschal *o*, geschetter *o*.

blarney ['bla:ni] I *sb* F (mooie) praatjes, vleitaal; II *vt* vleien.

blaspheme [blæs'fi:m] (God) lasteren, vloeken, spotten.

blasphemer [blæs'fi:mə] (gods)lasteraar.

blasphemous(ly) ['blæsfiməs(li)] (gods)lasterlijk.

blasphemy ['blæsfimi] godslastering.

blast [bla:st] I *sb* blazen *o*, luchtstroom; (ruk)-wind, windstoot; luchtdruk(werking); stoot [op blaasinstrument], geschal *o*; ontploffing; springlading; bederf *o*; pest, vloek; *at (in) full ~* in volle werking (gang); II *vt* verdorren, verzengen; laten springen; aantasten, doen mislukken, vernietigen, verwoesten; ~ *it!* P vervloekt!; ~ *off* ontsteken [raket].

blasted ['bla:stid] P vervloekt.

blast-furnace ['bla:stfə:nis] ✠ hoogoven.

blast-off ['bla:st'ɔ:f] ontsteking [v. raket].

blatancy ['bleitənsi] geschetter *o*, geschreeuw *o*; opvallende *o*.

blatant ['bleitənt] schetterend, schreeuwerig; opvallend; verschrikkelijk.

blather ['blæðə] zie *blether*.

blaze [bleiz] I *sb* vlam; (vuur)gloed, brand; schel licht *o* ‖ bles; merk *o*; *in a ~* in lichte(r) laai(e); *like ~s* F als de bliksem; II *vi* vlammen, (op)laaien, fel branden; gloeien, flikkeren, stralen; schitteren, lichten; ~ *away* F (er op los) paffen, schieten; ~ *away at* hard werken aan; ~ *out (up)* uitslaan, oplaaien; opstuiven; III *vt* merken; *fig* banen [pad]; ~ (*abroad*) ruchtbaar maken; ~ *forth* rond-, uitbazuinen.

blazer ['bleizə] blazer: sportjasje *o*.

blazon ['bleizn] I *sb* ⊘ blazoen *o*; wapenkunde; II *vt* blazoeneren; versieren; *fig* uitbazuinen (ook: ~ *abroad, forth, out*).

blazonry ['bleiznri] ⊘ heraldiek; *fig* praal.

bleach [bli:tʃ] I *vt* & *vi* bleken; (doen) verbleken; II *sb* bleken *o*; bleekmiddel *o*.

bleacher ['bli:tʃə] 1 bleker; 2 bleekmiddel *o*.

bleach-field ['bli:tʃfi:ld] bleek, bleekveld *o*.

bleaching ['bli:tʃiŋ] in: ~ *agent* bleekmiddel *o*; ~ *liquor* bleekwater *o*; ~ *powder* bleekpoeder, -poeier *o* & *m*.

1 **bleak** [bli:k] *aj* kil, koud, guur, naar; onbeschut, open, kaal; somber.

2 **bleak** [bli:k] *sb* 🐟 alvertje *o*.

bleakness ['bli:knis] kilheid &, zie 1 *bleak*.

blear [bliə] I *aj* tranend; dof; vaag; II *vt* doen tranen; verduisteren, benevelen.

blear-eyed ['bliəraid] leepogig; *fig* kortzichtig.

bleat [bli:t] I *vi* blaten; II *sb* geblaat *o*.

bleb [bleb] blaasje *o*, blaar.

bled [bled] V.T. & V.D. van *bleed*.

bleed [bli:d] I *vi* bloeden²; II *vt* aderlaten, doen bloeden; ~ *white* het vel over de oren halen.

bleeder ['bli:də] ⚕ bloeder.

bleeding ['bli:diŋ] bloeding; aderlating.

blemish ['blemiʃ] I *vt* bekladden; bezoedelen; II *sb* vlek; fout, smet, klad.

blench [blenʃ] I *vi* terugdeinzen, wijken; II *vt* de ogen sluiten voor [een feit].

blend [blend] I *vt* (ver)mengen; II *vi* zich vermengen; zich laten mengen; III *sb* vermenging, mengsel *o*, melange.

blende [blend] blende.

blent [blent] V.T. & V.D. van *blend*.

bless [bles] 1 zegenen, loven, (zalig) prijzen; 2 ook = *damn*; ~ *oneself* zich gelukkig achten; ~ *me*, ~ *my eyes!* goeie genade!

blessed ['blesid] *aj* 1 gezegend; gelukzalig; zalig; 2 vervloekt; *of ~ memory* zaliger gedachtenis; *every ~ morning* elke morgen die God geeft.

blessedness ['blesidnis] gelukzaligheid; *single ~* de ongehuwde staat.

blessing ['blesiŋ] zegening, zegen(wens); *ask a ~* bidden [vóór of na het eten].

blest [blest] gezegend, gelukzalig, zalig; *I'm ~ if...* ik laat me hangen, als...

blether ['bleðə] I *vi* kletsen, wauwelen; II *sb* klets, gekakelt *o*, gewauwel *o*.

blew [blu:] V.T. van *blow*.

blight [blait] I *sb* meeldauw, roes:, brand; be- derf *o*, ziekte; vloek, slag; II *vt* aantasten, verzengen; vernietigen.

blighter ['blaitə] P schooier, kerel.

Blighty ['blaiti] S Engeland *o*.

blimey ['blaimi] P verduiveld!

blimp [blimp] blimp *m* [klein luchtschip voor verkenning &; geluiddichte kap v. filmcame- ra]; (*Colonel*) *Blimp* het type van de gebor- neerde conservatief (uit de militaire stand).

blimy ['blaimi] P verduiveld!

blind [blaind] I *aj* 1 blind²; verborgen; 2 S „vet" [dronken]; ∼ *alley* doodlopend straat- je *o*, keerweer, slop *o*, als *aj*: zonder vooruit- zichten; ∼ *letter* onbestelbare brief; *one's* ∼ *side* iemands zwakke zijde; *get on a per- son's* ∼ *side* iemand in zijn zwak tasten; ∼ *of* (*in*) *one eye* blind aan één oog; *as* ∼ *as a bat* (*beetle, mole*) zo blind als een mol; II *vt* 1 blind maken, verblinden, blinddoeken, ver- duisteren; 2 ⚔ blinderen; III *sb* 1 gordijn *o* & *v*, rolgordijn *o*, zonneblind *o*, jaloezie; scherm *o*; 2 blinddoek²; 3 oogklep; 4 ⚔ blin- dering; 5 *fig* voorwendsel *o*, F smoesje *o*.

blindfold ['blaindfould] I *aj* & *ad* geblind- doekt; blindelings; II *vt* blinddoeken.

blindly ['blaindli] *ad* blindelings².

blindman's buff ['blaindmænz'bʌf] blindeman- netje *o*.

blindness ['blaindnis] blindheid², verblinding.

blind-worm ['blaindwə:m] zie *slow-worm*.

blink [bliŋk] I *vi* knipperen (met de ogen), knippen (met de ogen), knipogen; gluren; flikkeren; ∼ *at* ook = II *vt* de ogen sluiten voor, ontwijken [de kwestie]; III *sb* 1 knip- p(er)en (met de ogen) *o*; 2 (ijs)blink; 3 glimp, schijnsel *o*.

blinkers ['bliŋkəz] oogkleppen.

bliss [blis] (geluk)zaligheid, geluk *o*.

blissful ['blisful] (geluk)zalig.

blissfulness ['blisfulnis] (geluk)zaligheid.

blister ['blistə] I *sb* blaar; trekpleister; II *vi* (& *vt*) blaren (doen) krijgen, (doen) bladde- ren.

⊙ **blithe, blithesome** [blaið, 'blaiðsəm] blij, vrolijk, lustig.

blitz [blits] I *sb* hevige (lucht)aanval; *the B*∼ de luchtslag om Londen (in 1940-'41); II *vt* een hevige (lucht)aanval doen op, (door een luchtaanval) verwoesten.

blizzard ['blizəd] verblindende sneeuwstorm.

bloat [blout] I *vt* 1 doen (op)zwellen; 2 roken [v. haring]; II *vi* (op)zwellen.

bloated ['bloutid] opgezwollen; opgeblazen².

bloater ['bloutə] verse bokking.

blob [blɔb] bobbel, mop, klodder.

bloc [blɔk] blok *o* [in de politiek].

block [blɔk] I *sb* blok *o*, blok *o* huizen; vorm [voor hoeden]; katrolblok *o*, katrol; cliché *o*; verkeersopstopping; stremming; *fig* be- lemmering; obstructie; ∼ *of flats* flatgebouw *o*; II *vt* belemmeren, versperren, stremmen; afsluiten, blokkeren; ∼ *in* (*out*) ruw schet-

sen; ∼ *up* versperren, blokkeren, af-, inslui- ten, dichtmetselen.

blockade [blɔ'keid] I *sb* blokkade; II *vt* blok- keren.

blockhead ['blɔkhed] domkop.

blockhouse ['blɔkhaus] ⚒ blokhuis *o*, ⚔ bun- ker [klein].

blockish ['blɔkiʃ] lomp, bot, stom.

block system ['blɔksistim] blokstelsel *o*.

block-up ['blɔk'ʌp] versperring.

bloke [blouk] S kerel, type *o*.

blond(e) [blɔnd] I *aj* blond; II *sb* blondine.

blood [blʌd] I *sb* 1 bloed *o*; 2 bloedverwantschap; 3 ⚔ dandy, heer(tje) *o*; *bad* ∼, *fig* kwaad bloed; *in cold* ∼ in koelen bloede; *fresh* ∼, *fig* nieuw bloed; *of the* ∼ (*royal*) van koninklij- ken bloede; ∼ *is thicker than water* het bloed kruipt waar het niet gaan kan; *his* ∼ *was up* zijn bloed kookte.

blood-bath ['blʌdbɑ:θ] bloedbad *o*.

blood-clot ['blʌdklɔt] bloedstolsel *o*.

blood horse ['blʌdhɔ:s] volbloed paard *o*.

bloodhound ['blʌdhaund] ⚖ bloedhond².

bloodily ['blʌdili] *ad* bloedig.

bloodless ['blʌdlis] 1 bloedeloos; 2 onbloedig.

blood-letting ['blʌdletiŋ] aderlating.   [ting.

bloodshed ['blʌdʃed] bloedvergieten *o*; slach-

bloodshot ['blʌdʃɔt] met bloed belopen.

blood-stained ['blʌdsteind] met bloed bevlekt.

blood-stream ['blʌdstri:m] bloedbaan.

blood-sucker ['blʌdsʌkə] bloedzuiger².

bloodthirstiness [blʌdθə:stinis] bloeddorst.

bloodthirsty ['blʌdθə:sti] bloeddorstig.

blood-vessel ['blʌdvesl] bloedvat *o*.

bloody ['blʌdi] I *aj* 1 bloed(er)ig; bloed-; bloeddorstig; 2 P verrekt; II *vt* met bloed bevlekken.

bloody-minded ['blʌdi'maindid] bloeddorstig; F *fig* tegen de draad, dwars.

1 **bloom** [blu:m] I *sb* ✿ bloesem; bloei²; *fig* bloem; gloed, blos, waas *o* [op vruchten]; II *vi* bloeien².

2 **bloom** [blu:m] I *sb* ⚒ walsblok *o*, loep; II *vt* ⚒ uitwalsen.

bloomer ['blu:mə] S flater.

blooming ['blu:miŋ] 1 bloeiend, blozend van gezondheid; 2 P < aarts-, vervloekt &.

blossom ['blɔsəm] I *sb* ✿ bloesem; II *vi* bloeien; ∼ *out as...* zich ontpoppen als...

blot [blɔt] I *sb* klad, vlak, (inkt)vlek, smet; II *vt* bekladden²; droogmaken, vloeien; ∼ (*out*) uitwissen, uitvlakken, doorhalen; wegvagen; III *vi* kladden, vlekken.

blotch [blɔtʃ] I *sb* puist, blaar; vlek, klad, klod- der; II *vt* vlekken.

blotter ['blɔtə] vloeiblok *o*, -map, -boek *o*.

blotting-pad ['blɔtiŋpæd] vloeiblok *o*, -boek *o*.

blotting-paper ['blɔtiŋpeipə] vloei(papier) *o*.

blouse [blauz] 1 (voermans)kiel; 2 blouse.

blow [blou] I *sb* slag², klap²; windvlaag; vlie- geëitje *o*; *in full* ∼ in volle bloei; *without* (*striking*) *a* ∼ zonder slag of stoot; II *vi* bla-

zen, waaien; hijgen, puffen; ☒ doorslaan,
-smelten, doorbranden ‖ bloeien; III vt blazen, aan-, op-, uit-, wegblazen; blazen op;
buiten adem brengen; er door brengen, uitgeven; eitjes leggen in; ~ it! P drommels!;
be ~ed P loop naar de hel!; I am ~ed if... P
ik mag doodvallen als...; ~ hot and cold met
twee monden spreken; ~ a kiss een kushandje toewerpen; ~ one's nose zijn neus snuiten;
~ the organ het orgel trappen; ~ one's top
Am S zich voor zijn raap schieten, zich van
kant maken; van streek (overstuur) raken,
gek (razend) worden; ∞ ~ away wegwaai-
en; wegblazen; wegschieten, wegslaan; ~
down omwaaien, omblazen; ~ in binnen-
waaien; inblazen; aanwaaien; ~ off overwaaien[2]; afwaaien; afblazen; afschieten,
wegslaan; ~ out uitwaaien; uit-, opblazen;
oppompen; ☒ doorslaan, -smelten; (doen)
springen [band]; ~ out one's brains zich voor
de kop schieten; ~ over omwaaien; overwaaien[2]; ~ up in de lucht (laten) vliegen; opblazen, oppompen; vergroten [foto]; een
standje maken; komen opzetten [v. storm
&]; ~ upon eitjes leggen in; fig aantasten,
bekladden [iemands naam].
blowball ['blouba:l] ✿ kaarsje o.
blower ['blouə] 1 blazer; 2 ⚒ aanjager; 3 S
telefoon.
blow-fly ['blouflai] vleesvlieg.
blow-gun ['blougʌn] blaasroer o.
blow-hole ['blouhoul] 1 spuitgat o [v. walvis];
2 luchtgat o; wak o [in het ijs].
blowing-up ['blouiŋ'ʌp] standje o.
blow-lamp ['bloulæmp] soldeerlamp, blaas-
lamp, brandlamp [v. huisschilders].
blown [bloun] V.D. van blow; ook: buiten
adem ‖ ontloken, bloeiend; uitgebloeid.
blow-out ['blou'aut] 1 ☒ doorslaan o, -smel-
ten o; 2 springen o [v. band], klapband; 3 S
etentje o, smulpartij.
blow-pipe ['bloupaip] 1 ⚒ blaaspijp; 2 blaasroer o.
blow-tube ['bloutju:b] blaasroer o.
blow-up ['blouʌp] 1 S standje o; 2 F explosie;
3 vergroting [foto].
blowy ['bloui] winderig.
blowzy ['blauzi] roodwangig; verfomfaaid.
blub [blʌb] F grienen, huilen.
blubber ['blʌbə] I sb walvisspek o ‖ gegrien o,
gehuil o; II vi grienen, huilen; III vt door huilen doen zwellen; IV aj dik [lip].
bluchers ['blu:kəz] ouderwetse rijglaarzen.
bludgeon ['blʌdʒən] I sb knuppel, ploertendoder; II vt knuppelen, slaan.
blue [blu:] I aj blauw; fig landerig, sip; somber; schuin [mop]; II sb blauw o; blauwsel o;
azuur o, lucht, zee; ⇔ sp zijn universiteit ver-
tegenwoordigende sportbeoefenaar [dark ~
= Oxford; light ~ = Cambridge]; the ~s 1
landerigheid; 2 = een dans(wijs); have (a fit
of) the ~s landerig zijn; III vt blauwen, door-

halen; blauw verven; S er door lappen [geld].
Bluebeard ['blu:biəd] Blauwbaard, fig blauwbaard.
bluebell ['blu:bel] ✿ klokje o.
bluebottle ['blu:bɔtl] 1 ✿ korenbloem; 2 ☒
bromvlieg; 3 S klabak.
blue devils ['blu:'devlz] landerigheid.
bluejacket ['blu:dʒækit] ⚓ jantje o, matroos.
blueness ['blu:nis] blauwheid.
blue print ['blu:print] blauwdruk[2]; fig plan o.
blue ribbon [blu:'ribən] 1 lint o van de Orde
van de Kouseband; 2 blauw lint o, blauwe
wimpel [hoogste onderscheiding]; 3 blauwe
knoop.
bluestocking ['blu:stɔkiŋ] blauwkous.
blue tit(mouse) ['blu:'tit(maus)] ↘ pimpelmees, blauw(kop)mees.
bluff [blʌf] I aj ⚓ stomp [v. boeg]; steil;
bruusk, openhartig, rond(uit); II sb 1 steile
oever, steil voorgebergte o; 2 bluffen o [bij
poker]; brutale grootspraak; call a person's
~ iemand dwingen de kaarten open te leggen[2], zijn grootspraak als zodanig ontmaskeren; III vi ophakken om te overbluffen of
bang te maken; bluffen [bij poker]; IV vt
overbluffen, beduvelen.
bluish ['blu:iʃ] blauwachtig.
blunder ['blʌndə] I sb misslag, flater, bok; II vi
een misslag begaan, een bok schieten; ~
along, ~ on voortknoeien, -strompelen,
-sukkelen; ~ upon toevallig vinden; III vt
in: ~ away verknoeien; ~ out er uit flappen.
blunderbuss ['blʌndəbʌs] ⃞ donderbus.
blunderhead ['blʌndəhed] botterik.
blunt [blʌnt] I aj stomp, bot; dom; kortaf,
rond(uit), bruusk; II vt stomp maken, bot
maken, af-, verstompen[2].
bluntly ['blʌntli] ad botweg, kortaf, ronduit.
bluntness ['blʌntnis] botheid; rond(uit)heid.
blur [blə:] I sb klad[2], vlek[2], smet[2], veeg; iets
vaags; II vt bekladden[2]; benevelen, verdoezelen, verduisteren; ~ out uitwissen; ~red
ook: vervaagd, wazig, onscherp.
blurb [blə:b] korte inhoud, reclametekst op
boekomslag.
blurt [blə:t] in: ~ out er uit flappen.
blush [blʌʃ] I vi blozen, rood worden; zich
schamen; II aj bleekrood; III sb blos; kleur;
at (the) first ~ op het eerste gezicht; put to
the ~ beschaamd maken; without a ~ zonder blikken of blozen.
bluster ['blʌstə] I vi bulderen[2], tieren, razen;
snoeven; II sb geraas o, gebulder[2] o; snoeverij.
blusterer ['blʌstərə] bulderbast, snoever.
blustering ['blʌstəriŋ] I aj tierend &; II sb zie
bluster II.
B.M. = 1 Bachelor of Medicine; 2 British
Museum.
B.O. = body odour ● zweetlucht.
bo [bou] boe!; he can't say ~ to a goose hij
durft niet kikken of mikken.

boa ['bouə] Ⅰ ♈ boa constrictor; 2 boa.

B.O.A.C. = *British Overseas Airways Corporation*.

boar [bɔː:] 1 beer [mannetjesvarken]; 2 wild zwijn *o* (ook: *wild* ~).

board [bɔː:d] Ⅰ *sb* plank, deel; bord *o*; tafel; kost, kostgeld *o*; ⚓ boord *o* & *m*; bestuurstafel; raad, commissie, bestuur *o*, college *o*, Departement *o*, ministerie *o*; bordpapier *o*, karton *o*; *the* ~*s* de planken: het toneel; *full* ~ volledig pension; ~ *and lodging* kost en inwoning; ~ *of directors* $ raad van commissarissen; *above* ~ open, eerlijk; *go by the* ~ overboord gaan²; verloren gaan; *in* ~*s* gekartonneerd; *on* ~ aan boord (van); in de trein (bus &); Ⅱ *vt* beplanken, met planken beschieten; ⚓ aanklampen², enteren; aan boord gaan van; stappen in [trein &]; in de kost nemen, hebben of doen; ~ *out* uitbesteden; ~ *up* dichtspijkeren (met planken); Ⅲ *vi* in de kost zijn (bij *with*).

boarder ['bɔː:də] 1 kostganger, -leerling, -jongen, intern, pensionair, pensiongast; 2 ⚓ enteraar.

boarding-house ['bɔː:diŋhaus] kosthuis *o*, pension *o*.

boarding-school ['bɔː:diŋskuːl] kostschool, internaat *o*, pensionaat *o*.

board-school ['bɔː:dskuːl] ▯ volksschool.

board-wages ['bɔː:d'weidʒiz] kostgeld *o*.

boast [boust] Ⅰ *vi* bluffen, pochen, zich beroemen (op *of*); Ⅱ *vt* zich beroemen op, (kunnen) bogen op; Ⅲ *sb* bluf, grootspraak; roem, trots; *make* (*a*) ~ *of* zich beroemen op.

boaster ['boustə] bluffer, pocher, snoever.

boastful ['boustful] bluffend, snoevend.

boat [bout] Ⅰ *sb* 1 boot, schuit; sloep; 2 (saus)kom; *we are in the same* ~ wij zitten in hetzelfde schuitje; Ⅱ *vt* per boot vervoeren; Ⅲ *vi* varen, roeien.

boater ['boutə] matelot [hoed].

boat-hook ['bouthuk] ⚓ bootshaak.

boat-house ['bouthaus] schuitehuis *o*.

boating ['boutiŋ] spelevaren *o*, roeien *o*.

boatman ['boutmən] ⚓ schuitevoerder; schuitenverhuurder.

boat-race ['boutreis] roeiwedstrijd.

boatswain ['bousn] ⚓ bootsman.

Bob [bɔb] F Rob(ert); ~*'s your uncle* zo gaat-ie goed!, in orde!

bob [bɔb] Ⅰ *sb* slingergewicht *o*; lood *o* [van peillood]; peur; vliegerstaart; knot, dot; pruik; korte staart; knik, stoot, ruk, rukje *o*; melodie [bij het klokkenspel]; slotrefrein *o*; S shilling; Ⅱ *vi* op en neer gaan, dobberen; happen (naar *for*); knikken; rukken; peuren; ~ *in* aan-, binnenwippen; ~ *up* bovenkomen, opduiken; *fig* op de proppen komen; Ⅲ *vt* op en neer bewegen; knikken met; kort knippen; recht afknippen; ~*bed hair* polkahaar *o*, pagekopje *o*.

bob-a-job ['bɔbə'dʒɔb] heitje karweitje.

bobbin ['bɔbin] klos, spoel, haspel.

bobby ['bɔbi] S klabak.

bobbysoxer ['bɔbisɔksə] *Am* F bakvisje *o*.

bobolink ['bɔbəliŋk] ♈ Am. rijstvogeltje *o*.

bob-sled, ~-sleigh ['bɔbsled, -slei] bobslee.

bobstay ['bɔbstei] ⚓ waterstag *o*.

bobtail ['bɔbteil] korte staart; kortstaart [hond of paard].

bobtailed ['bɔbteild] gekortstaart.

bob-wig ['bɔbwig] korte pruik.

bode [boud] voorspellen; betekenen.

bodega [bou'di:gə] bodega.

bodice ['bɔdis] lijfje *o*, keurs(lijf) *o*.

bodiless ['bɔdilis] zonder lichaam.

bodily ['bɔdili] lichamelijk; in levenden lijve; in zijn (hun) geheel, compleet, met huid en haar.

bodkin ['bɔdkin] rijgpen; priem; lange haarspeld; dolk.

body ['bɔdi] Ⅰ *sb* lichaam *o*, lijf *o*, romp; voornaamste (grootste) deel *o*; bovenstel *o*, bak [v. wagen], carrosserie [v. auto], laadbak [v. vrachtauto]; lijk *o* (ook: *dead* ~); persoon, mens; corporatie; corps *o*; korpus *o*; groep, troep, macht; verzameling, massa; ~ *corporate, corporate* ~ zedelijk lichaam *o*; *the* ~ *politic* de Staat; *in a* ~ gezamenlijk, en corps, en bloc; *of a good* ~ krachtig, pittig [v. wijn]; Ⅱ *vt* belichamen (~ *forth*, ~ *out*).

body-colour ['bɔdikʌlə] dekkleur.

bodyguard ['bɔdigaː:d] lijfwacht.

body-snatcher ['bɔdisnætʃə] lijkendief.

Boeotian [bi'ouʃən] Ⅰ *aj* Beotisch²; Ⅱ *sb* Beo-

Boer ['bouə] Ⅰ *sb* Boer; Ⅱ *aj* Boeren-. [tiër².

bog [bɔg] Ⅰ *sb* moeras *o*; laagveen *o*; Ⅱ *vt* be ~*ged* in de modder wegzinken (vastraken).

bogey ['bougi] zie *bogy*.

boggle ['bɔgl] schrikken, aarzelen, weifelen; knoeien.

boggy ['bɔgi] moerassig, veenachtig, veen-.

bogie ['bougi] ⚒ draaibaar onderstel *o*.

bogle ['bougl] 1 kabouter; 2 boeman; 3 vogelverschrikker.

bog-trotter ['bɔgtrɔtə] > Ier.

bogus ['bougəs] onecht, pseudo-, vals; ~ *company* zwendelmaatschappij.

bogy ['bougi] boeman², *fig* schrikbeeld *o*.

Bohemia [bou'hi:mjə] Bohemen *o*; bohème.

Bohemian [bou'hi:mjən] Ⅰ *aj* 1 Boheems; 2 van de bohémien; Ⅱ *sb* 1 Bohemer; zigeuner; 2 bohémien.

boil [bɔil] Ⅰ *vt* & *vi* koken, zieden²; ~ *away* verkoken; ~ *down* inkoken; *fig* bekorten [van verslagen &]; *it* ~*s down to this* 't komt hierop neer; ~ *over* overkoken; *fig* zieden (van *with*); ~*ed shirt* wit overhemd *o*; Ⅱ *sb* koken *o* ‖ steenpuist; *off* (*on*) *the* ~ van (aan) de kook.

boiler ['bɔilə] (kook-, stoom)ketel; warmwaterreservoir *o*.

boiling ['bɔiliŋ] koken *o*; kooksel *o*; *the whole* ~ P de hele zooi; ~-*point* kookpunt *o*.

Bois-le-Duc [bwaːˈləˈdjuːk]'s-Hertogenbosch o.

boisterous(ly) ['bɔistərəs(li)] onstuimig, rumoerig, roe(zemoe)zig; luidruchtig.

bold [bould] stout(moedig), koen; vrijpostig, driest; fors, kloek; steil; vet [drukletter]; *as ~ as brass* zo brutaal als de beul; *make ~ to* zich verstouten, zo vrij zijn om.

bold-faced ['bouldfeist] 1 onbeschaamd; 2 vet [drukletter].

bole [boul] boomstam.

boletus [bəˈliːtəs] ♣ boleet.

boll [boul] ♣ bol [zaaddoos van vlas &].

bollard ['bɒləd] verkeerspaaltje o; meerpaal [voor schip]; ⚓ bolder [op schip].

boloney [bəˈlouni] S klets(koek).

Bolshevik ['bɒlʃivik] I *sb* bolsjewiek; II *aj* bolsjewistisch.

Bolshevism ['bɒlʃivizm] bolsjewisme o.

bolster ['boulstə] I *sb* peluw; ⚒ kussen o; steun; II *vt* (onder)steunen; opvullen; *~ up* steunen², versterken, onderschragen.

bolt [boult] I *sb* 1 bout, grendel; (korte) pijl; bliksemstraal; rol [stof, behang]; 2 weglopen o, sprong; *a ~ from the blue* een donderslag uit heldere hemel; *he did a ~, he made a ~ for it* hij ging er vandoor; *he made a ~ for the door* hij vloog naar de deur; II *vt* grendelen; (door)slikken², naar binnen slaan; in de steek laten || builen, ziften; III *vi* vooruitschieten; springen; er vandoor gaan, op hol slaan (gaan); overlopen; IV *ad* in: *~ upright* kaarsrecht.

bolter ['boultə] buil, builmolen || 1 er gauw vandoor gaand paard o; 2 weg-, overloper.

bolt-hole ['boulthoul] (sluip)hol o; *fig* uitweg.

bolus ['bouləs] (grote) pil.

bomb [bɒm] I *sb* bom; II *vt* bombarderen; *~ out* uitbombarderen.

bombard [bɒmˈbaːd] ✗ bombarderen².

bombardier [bɒmbəˈdiə] ✗ korporaal bij de artillerie.

bombardment [bɒmˈbaːdmənt] ✗ bombardement o.

bombasine [bɒmbəˈziːn] bombazijn o.

bombast ['bɒmbæst] bombast.

bombastic [bɒmˈbæstik] bombastisch.

Bombay [bɒmˈbei] Bombay o; *~ duck* gedroogde vis met kerrie.

bomber ['bɒmə] ✗ & ✈ bommenwerper.

bomb-proof ['bɒmpruːf] ✗ bomvrij.

bomb-shell ['bɒmʃel] ✗ bom².

bomb-sight ['bɒmsait] ✈ bomvizier o.

bond [bɒnd] I *sb* band; contract o, verbintenis, verplichting; schuldbrief, obligatie; verband o; *~s* boeien, kluisters; *in ~* in entrepot; II *vt* 1 in entrepot opslaan; 2 verhypothekeren; 3 verbinden.

bondage ['bɒndidʒ] slavernij, knechtschap o.

bonded ['bɒndid] in entrepot (opgeslagen); *~ debt* obligatieschuld; *~ store* (*warehouse*) entrepot o.

bondholder ['bɒndhouldə] obligatiehouder.

bondmaid ['bɒndmeid] slavin; lijfeigene.

bondman ['bɒndmən] slaaf; lijfeigene.

bondsman ['bɒndzmən] 1 borg; 2 zie *bondman*.

bone [boun] I *sb* been o, bot o; graat; balein o [stofnaam], balein v [voorwerpsnaam]; *~s* gebeente o, beenderen, knoken; dobbelstenen; castagnetten; *~ of contention* twistappel; *make no ~s about* (*of*)... 1 er geen been in zien...; 2 het niet onder stoelen of banken steken; *I've a ~ to pick with you* ik heb een appeltje met u te schillen; *what is bred in the ~ will not come out of the flesh* een vos verliest wel zijn haren, maar niet zijn streken; *to the ~* tot in het gebeente, in merg en been, dóór en dóór; II *aj* benen; III *vt* uitbenen; ontgraten.

bone-dry ['bounˈdrai] kurkdroog.

bone-dust ['boundʌst] beendermeel o.

bonehead ['bounhed] *Am* F stommeling, kruk.

boneheaded ['bounhedid] *Am* F stom, uilig.

boneless ['bounlis] zonder beenderen, zonder graat; *fig* krachteloos, slap.

boner ['bounə] *Am* F flater, bok.

bonfire ['bɒnfaiə] vreugdevuur o, vuur(tje) o.

bongo (drum) ['bɒŋgou(drʌm)] ♪ bongo (trom).

Boniface ['bɒnifeis] Bonifacius.

bonnet ['bɒnit] I *sb* vrouwenhoed: kapothoed; muts; kap [op schoorstenen]; ✗ motorkap; II *vt* de hoed opzetten; [iemand] de hoed over de ogen slaan.

bonny ['bɒni] *Sc* aardig, mooi, lief.

bonus ['bounəs] $ premie; extradividend o; tantième o; toeslag, gratificatie; *~ share* $ bonusaandeel o.

bony ['bouni] 1 beenachtig, benig; 2 gratig vol graten; 3 potig, knokig.

bonze [bɒnz] bonze.

boo [buː] I *ij* boe, hoe!; II *sb* geloei o; gejouw o; III *vi* loeien; jouwen; IV *vt* uitjouwen.

booby ['buːbi] 1 domoor; sul; 2 ♣ jan-van-gent.

booby-prize ['buːbipraiz] poedelprijs.

booby-trap ['buːbitræp] truc, waarbij een schijnbaar onschuldig voorwerp is verbonden met ontploffingsmiddelen e.d.

boohoo [buˈhuː] I *ij* boe! joe!; II *sb* gegrien o; III *vi* grienen.

book [buk] I *sb* boek o; schrift o, cahier o; (tekst)boekje o, libretto o; bijbel; lijst van weddenschappen; *I am in his bad* (*black*) *~s* ik ben bij hem uit de gratie; *I am in his good ~s* ik sta bij hem in een goed blaadje; *he is* (*up*)*on the ~s* hij is lid, hij is ingeschreven; *without ~* 1 uit het hoofd; 2 zonder gezag; II *vt* & *vi* boeken, noteren, inschrijven, (plaats) bespreken; een kaartje nemen of geven; *I am ~ed* F ik ben er bij; *be ~ed for* niet kunnen ontkomen aan; *~ed up* bezet, volgeboekt.

bookbinder ['bukbaində] boekbinder.

bookcase ['bukkeis] boekenkast.

book-end ['bukend] boekensteun.

bookie ['buki] F zie bookmaker 2.

booking-clerk ['bukiŋkla:k] bureaulist, loket-beambte, die de kaartjes afgeeft op een station.

booking-office ['bukiŋɔfis] kaartjesloket o, -bureau o [op stations].

bookish ['bukiʃ] geleerd, pedant; boekachtig, boeken-.

book-keeper ['bukki:pə] boekhouder.

book-keeping ['bukki:piŋ] $ boekhouden o; ~ by double (single) entry dubbel (enkel) boekhouden o.

book-learning ['buklə:niŋ] boekengeleerdheid.

booklet ['buklit] boekje o; brochure [als reclame].

bookmaker ['bukmeikə] 1 boekenmaker; 2 bookmaker [bij wedrennen].

book-mark(er) ['bukma:k(ə)] leeswijzer.

book-plate ['bukpleit] ex-libris o.

book post ['bukpoust] ⚭ verzending van boeken als drukwerk.

bookseller ['buksela] boekhandelaar, -verkoper.

bookselling ['bukseliŋ] boekhandel.

bookshop ['bukʃɔp] boekwinkel.

bookstall ['buksto:l] 1 boekenstalletje o (second-hand ~); 2 stationsboekhandel, -kiosk (railway ~).

bookworm ['bukwə:m] 1 boekworm; 2 fig boekenwurm.

booky ['buki] F zie bookish.

boom [bu:m] I sb (haven)boom; ⚓ spier ‖ gedaver o, gedonder o, gedreun o ‖ $ hoogconjunctuur, plotselinge stijging of vraag, hausse; II vi daveren, donderen, dreunen ‖ in de hoogte gaan, een buitengewone vlucht nemen, kolossaal succes hebben; III vt reclame maken voor.

boomerang ['bu:məræŋ] I sb boemerang[2]; II vi als een boemerang werken.

boon [bu:n] I sb geschenk o; gunst; zegen, weldaad; II aj in: ~ companion goede kameraad, vrolijke kwant.

boor ['buə] boer, lomperd, pummel.

boorish ['buəriʃ] boers, lomp, pummelig.

boost [bu:st] I vt S duwen, een zetje geven[2]; in de hoogte steken, reclame maken voor; II sb S zetje[2] o; fig ophef, opkammerij, reclame; ⚡ aanjaagdruk.

booster ['bu:stə] reclamemaker; ⚡ hulpdynamo.

1 boot [bu:t] I sb laars, hoge schoen; ⚐ koffer(ruimte), bagageruimte; the ~s 1 de schoenpoetser, de knecht [in hotel]; 2 F het jongste broekje; the ~ is on the other leg het is net andersom; get the ~ F de bons (zijn congé) krijgen; give him the ~ F hem de bons geven, eruit trappen; II vt (zijn) laarzen aantrekken; ~ out F eruit trappen[2].

2 boot [bu:t] I vt ⊙ baten; II sb † baat; to ~ daarbij, op de koop toe, bovendien.

boot-black ['bu:tblæk] schoenpoetser.

booted ['bu:tid] gelaarsd.

bootee [bu:'ti:] 1 dameslaarsje o; 2 babysokje o.

booth [bu:ð] kraam, tent; hokje o, cabine.

bootjack ['bu:tdʒæk] laarzeknecht.

bootlace ['bu:tleis] (schoen)veter.

bootless ['bu:tlis] vergeefs ‖ ongelaarsd.

bootmaker ['bu:tmeikə] laarzenmaker.

boot-polish ['bu:tpɔliʃ] schoensmeer o & m.

bootstrap ['bu:tstræp] laarzestrop; pull oneself up by one's own ~s zichzelf uit het moeras trekken, uit eigen kracht er weer bovenop komen.

boot-tree ['bu:ttri:] leest [voor laarzen &].

booty ['bu:ti] buit, roof.

booze [bu:z] I vi P zuipen; II sb P 1 drank; 2 zuippartij; on the ~ aan de zuip.

bo-peep [bou'pi:p] in: play (at) ~ kiekeboe spelen[2].

boracic [bə'ræsik] boor-; ~ acid boorzuur o.

borax ['bɔ:ræks] borax.

Bordeaux [bɔ:'dou] Bordeaux o [stad]; bordeaux(wijn); ~ mixture Bordeauxse pap.

border ['bɔ:də] I sb rand[2], kant, zoom; grens(streek); II vt omranden, omzomen, begrenzen; III vi grenzen; ~ on of upon grenzen aan.

borderer ['bɔ:dərə] grensbewoner.

borderland ['bɔ:dəlænd] grensgebied[2] o.

1 bore [bɔ:] I vt (aan-, door-, uit)boren ‖ vervelen; be~d stiff (to death) zich dood vervelen; II sb boorgat o; ziel, kaliber o, diameter ‖ vervelend mens; F zanik; vervelende zaak; vervelend werk o ‖ vloedgolf.

2 bore [bɔ:] V.T. van 2 bear.

boreal ['bɔ:riəl] noordelijk.

Boreas ['bɔ:riæs] noordenwind.

boredom ['bɔ:dəm] verveling.

borer ['bɔ:rə] 1 boor; 2 boorder.

boric ['bɔ:rik] boor-; ~ acid boorzuur o.

born [bɔ:n] geboren; not ~ yesterday niet van gisteren; ~ and bred geboren en getogen; never in my ~ days van mijn leven... niet; ~ of geboren uit[2], fig voortgekomen (ontstaan) uit, het produkt van.

borne [bɔ:n] V.D. van 2 bear.

borough ['bʌrə] stad; (stedelijk) kiesdistrict o.

borrow ['bɔrou] I vt borgen; lenen [van]; ontlenen (aan from); II vi lenen.

borrower ['bɔrouə] lener, ontlener.

Borstal ['bɔ:stəl] ± jeugdgevangenis (~ Institution).

boscage ['bɔskidʒ] bosschage o.

bosh [bɔʃ] S onzin.

bosk(et) ['bɔsk(it)] bosje o; struikgewas o.

bosky ['bɔski] begroeid; ruig ‖ P aangeschoten.

Bosnia ['bɔzniə] Bosnië o.

Bosnian ['bɔzniən] I aj Bosnisch; II sb Bosniër.

bosom ['buzəm] boezem; borst; buste; fig schoot.

bosom friend ['buzəmfrend] boezemvriend(in).

bosomy ['buzəmi] met veel buste.

Bosphorus ['bɔsfərəs] Bosporus.

boss [bɔs] I *sb* knop; bult, knobbel; ronde, verhoogde versiering bij drijfwerk ‖ S baas[2], piet, kopstuk *o*, bonze, bons, leider; II *vt* in drijfwerk uitvoeren ‖ S besturen, de leiding hebben over; de baas spelen over; ~ *the show*, ~ *it* S de lakens uitdelen.

bossy ['bɔsi] S bazig.

Boston ['bɔstən] Boston *o*.

botanic(al) [bə'tænik(l)] botanisch, planten-.

botanist ['bɔtənist] plantkundige.

botanize ['bɔtənaiz] botaniseren.

botany ['bɔtəni] plantkunde.

botch [bɔtʃ] I *sb* lap; knoeiwerk *o*; II *vt* ver-knoeien, verbroddelen; (op)lappen, samen-flansen (ook: ~ *up*).

botcher ['bɔtʃə] lapper; knoeier.

bot-fly ['bɔtflai] paardehorzel.

both [bouθ] beide; ~... *and*... zowel... als, (en)... en...

bother ['bɔðə] I *vi* zaniken; zich druk maken. zich bekreunen (om *about*); moeite doen; II *vt* lastig vallen, hinderen, kwellen; ~ (*it*)! loop lastig naar de pomp!; snert!; ~ *the fellow*! die verwenste kerel!; III *sb* soesa, gezanik *o*, gemaal *o*, herrie.

botheration [bɔðə'reiʃən] zie *bother* III.

bothersome ['bɔðəsəm] lastig, vervelend.

bottle ['bɔtl] I *sb* fles; karaf ‖ bos; II *vt* botte-len, in flessen doen, wecken; ~ *up* opkropßen [woede]; insluiten [schepen].

bottle-holder ['bɔtlhouldə] I *sp* secondant bij het boksen; 2 helper.

bottle-neck ['bɔtlnek] nauwe doorgang, ver-nauwing; knelpunt[2] *o*, *fig* belemmering, strui-kelblok *o*.

bottle-nose ['bɔtlnouz] I klompneus, brande-wijnneus; 2 ⚓ butskop.

bottle-washer ['bɔtlwɔʃə] duivelstoejager.

bottom ['bɔtəm] I *sb* bodem; grond; zitting; (beneden)einde *o*; F achterste *o*; *fig* uithou-dingsvermogen *o*; ~ *up* ondersteboven; ~s *up* ad fundum; *at* ~ in de grond; *at the* ~ *of* onder aan, onder in, achter in, op de bodem van; *he is at the* ~ *of it* hij zit erachter; *on one's own* ~ op eigen houtje; op eigen benen; *go* (*send*) *to the* ~ (doen) zinken; II *aj* onder-ste; laagste; laatste; III *vt* bodemen, van een zitting voorzien; doorgronden; gronden, ba-seren.

bottom drawer ['bɔtəmdrɔə] onderste lade; *fig* bruidskorf, (huwelijks)uitzet.

bottomless ['bɔtəmlis] I bodemloos, gronde-loos, peilloos; 2 ongegrond.

bottomry ['bɔtəmri] ⚓ bodemerij; ~ *bond* ⚓ bodemerijbrief.

botulism ['bɔtjulizm] botulisme *o* [een vorm van voedselvergiftiging].

bough [bau] tak.   [inkoopboek *o*.

bought [bɔːt] V.T. & V.D. van *buy*; ~ *book* $

bougie ['buːʒiː] ⚕ bougie.

boulder ['bouldə] rolsteen, kei.

bounce [bauns] I *vi* I (op)springen, stuiten; 2 F opsnijden; ~ *into* binnenstormen; II *sb* I sprong, slag, stoot; 2 F bluf, opsnijderij, (ko-lossale) leugen; III *ad* pardoes; IV *ij* boem!

bouncer ['baunsə] I F mannetjesputter, kerel[2], kokker(d); opsnijder; 2 S leugen.

bouncing ['baunsiŋ] kolossaal; stevig.

I **bound** [baund] I *sb* grens[2]; ~s ook: perken ‖ sprong; terugstuit; *out of* ~s in verboden wijk &; verboden; II *vi* springen; terugstui-ten; III *vt* beperken; begrenzen.

2 **bound** [baund] V.T. & V.D. van *bind*; ~ *for* of *to Cadiz* op weg naar C.; *be* ~ *to*... moeten...; zeker...; *I'll be* ~ daar sta ik voor in; ~ *up with* nauw verbonden met.

boundary ['baundəri] grens(lijn).

bounden ['baundn] ⚠ V.D. van *bind*; verschul-digd, verplicht; *it is your* ~ *duty* het is uw dure plicht.

bounder ['baundə] S patser; *little* ~ F rakker.

boundless ['baundlis] grenzeloos, eindeloos.

bounteous ['bauntiəs] mild(dadig).

bountiful ['bauntiful] I mild, milddadig; 2 rij-kelijk, royaal, overvloedig.

bounty ['baunti] I mild(dadig)heid; 2 gift; premie.

bouquet ['bukei] ruiker, boeket *o* & *m* [ook v. wijn]; *fig* compliment(je) *o*, pluimpje *o*.

bourdon ['buədn] ♪ bourdon.

bourn(e) ['buən] I grens; doel *o*; 2 beek.

bout [baut] partij, partijtje *o*; keer, beurt; rondje *o*; aanval [v. koorts &].

bovine ['bouvain] rund(er)-; stupide.

Ⓜ**bovril** ['bɔvril] bovril [soort bouillon].

I **bow** [bau] I *vt* buigen; doen buigen; ~ *in* (*out*) buigend binnenbrengen (uitgeleide doen); II *vi* (zich) buigen[2]; *have a* ~*ing ac-quaintance* elkaar groeten en méér niet; III *sb* I buiging; 2 ⚓ boeg (ook: ~s); boeg: voor-ste roeier; *make one's* ~ (van het toneel) ver-dwijnen, opkomen.

2 **bow** [bou] I *sb* I boog; 2 ♪ strijkstok; 3 (los-se) strik; 4 ⚙ beugel; *draw* (*pull*) *the long* ~ met spek schieten; II *vi* ♪ strijken.

bowdlerize ['baudləraiz] castreren, zuiveren van wat *shocking* is (en verknoeien).

bowels ['bauəlz] ingewanden; *fig* hart *o*; me-delijden *o* (ook: ~ *of compassion*, ~ *of mer-cy*); *have one's* ~ *open* behoorlijke stoelgang hebben; *keep the* ~ *open* voor goede ontlas-ting zorgen; *open the* ~ laxeren.

bower ['bauə] prieel *o*; verblijf *o*; optrekje *o* ‖ ⚓ boeganker *o*.

bowery ['bauəri] schaduwrijk.

bowie-knife ['bouinaif] *Am* lang jachtmes *o*.

bowl [boul] I *sb* schaal, kom, bokaal, nap; ☉ beker; bekken *o*; pijpèkop; (lepel)blad *o* ‖ (kegel)bal; ~s balspel *o*; kegelen *o*; *those who play at* ~s *must look for rub*(*ber*)*s* wie kaatst, moet de bal verwachten; II *vi* ballen;

kegelen; bowlen [cricket]; (voort)rollen; **III** *vt* (voort)rollen; ~ *out* uitbowlen: het wicket omwerpen van [cricket]; *fig* van de baan knikkeren; ~ *over* omverwerpen; F in de war maken.

bow-legged ['boulegd] met o-benen.

bowler ['boulə] I *sp* bowler; 2 F dop, bolhoed.

bowl fire ['boulfaiə] ☀ straalkachel in de vorm v. e. parabool.

bowline ['boulain] ⚓ boelijn.

bowling-alley ['boulinæli] kegelbaan.

bowling-green ['boulingri:n] veld *o* voor 't balspel.

bowman ['boumən] 1 boogschutter; 2 ['baumən] ⚓ boeg: voorste roeier.

bowshot ['boufɔt] boogschot *o*.

bowsprit ['bousprit] ⚓ boegspriet.

Bow-street ['boustri:t] Bow-straat [in Londen], politierechtbank aldaar; ~ *officer*, ~ *runner* ▥ politiebeambte.

bowstring ['boustrin] I *sb* boogpees; II *vt* worgen met een boogpees.

bow-window ['bou'windou] 1 ronde erker; 2 F buikje *o*.

bow-wow ['bau'wau] hond; geblaf *o*.

box [bɔks] I *sb* doos, kist, koffer, kistje *o*; bak [voor plant]; bus; loge; afdeling [in stal &]; kamertje *o*, huisje *o*, kompashuisje *o*; seinhuisje *o*; telefooncel; naafbus; bok [v. rijtuig]; geschenk *o*, fooi ‖ ☀ buks(boom), palm ‖ klap, oorvijg; *you are in the wrong* ~ je hebt 't glad mis; II *vi* boksen; III *vt* in een doos & sluiten; opsluiten, wegbergen ‖ boksen met [iemand]; ~ *his ears* hem om de oren geven; ~ *in* insluiten; ~ *off* afdelen; ~ *up* opeenpakken.

boxer ['bɔksə] bokser [ook hond].

Boxing Day ['bɔksindei] tweede kerstdag.

boxing-glove ['bɔksinglʌv] bokshandschoen.

box-office ['bɔksɔfis] bespreekbureau *o*, kassa.

box-room ['bɔksrum] rommelkamer, -zolder.

box-tree ['bɔkstri:] ☀ buksboom, palm.

box-wood ['bɔkswud] palmhout *o* [v. *Buxus*].

boy [bɔi] I *sb* knaap, jongen [ook: bediende en soldaat]; *the* ~ S champie; *her best* ~ haar jongen, haar vriendje *o*; *old* ~ 1 ouwe jongen; 2 ⟜ oud-leerling; II als *aj* nog in de jongensjaren, jongens-.

boycott ['bɔikɔt] I *vt* boycotten; II *sb* boycot.

boy friend ['bɔi'frend] vriendje *o*, jongen.

boyhood ['bɔihud] jongenstijd; jongens.

boyish(ly) ['bɔiiʃ(li)] jongensachtig, jongens-.

boyishness ['bɔiiʃnis] jongensachtigheid.

boy scout ['bɔi'skaut] padvinder.

bra [bra:] beha, bustehouder.

Brabant [brə'bænt] Brabant *o*.

brace [breis] I *sb* paar *o*, koppel *o*; klamp, anker *o*, haak, beugel, booromslag, stut; accolade; riem, bretel, band; spanning; ⚓ bras; ~*s* bretels; ~ *and bit* boor; *in a* ~ *of shakes* F in een wip; II *vt* spannen, (aan)trekken, ⚓ brassen; versterken, opfrissen, [zenuwen] sta-

len; ~ *oneself* (*up*) zich vermannen.

bracelet ['breislit] 1 armband; 2 S handboei.

brachial ['breikiəl] arm-.

bracing ['breisin] versterkend, opfrissend.

bracken ['brækn] ☀ (adelaars)varen(s).

bracket ['brækit] I *sb* console; klamp; etagère; (gas)arm; haak, haakje *o*; categorie, klasse, groep; II *vt* met klampen steunen; tussen haakjes plaatsen; *fig* in één adem noemen, op één lijn stellen (met *with*); samenvoegen, groeperen.

bracket clock ['brækitklɔk] tafelklok.

brackish ['brækiʃ] brak.

bract [brækt] ☀ schutblad *o*.

brad [bræd] spijkertje *o* zonder kop, stift.

bradawl ['brædɔ:l] els.

† **Bradshaw** ['brædʃɔ:] Engelse spoorweggids [tot 1961].

brag [bræg] I *vt* brallen, pochen, bluffen (op *of*); II *sb* gepoch *o*, bluf; bluffen *o* [kaartspel].

braggadocio [brægə'doutʃjou] 1 praalhans, pocher; 2 gesnoef *o*, pocherij.

braggart ['brægət] I *sb* praalhans, pocher, bluffer, snoever; II *aj* bluffend.

Brahma ['bra:mə] Brahma.

Brahmin ['bra:min] brahmaan.

braid [breid] I *sb* vlecht; boordsel *o*, galon *o* & *m*; tres; (veter)band *o* & *m*; II *vt* vlechten; boorden, met tressen garneren.

braille [breil] braille(schrift) *o*.

brain [brein] I *sb* brein *o*, hersenen; verstand *o*; hoofd *o*, „kop"; ~*s* hersens; *have... on the* ~ malen over..., de manie hebben van...; *pick* (*suck*) *one's* ~*s* iemand (willen) uithoren; van iemand naschrijven; II *vt* de hersens inslaan.

brain child ['breintʃaild] geesteskind *o*.

brain-fag ['breinfæg] hersenoverspanning.

brainless ['breinlis] hersenloos.

brain-pan ['breinpæn] hersenpan.

brain-sick ['breinsik] 1 krankzinnig; 2 getroebleerd.

Brain(s) Trust ['brein(z)trʌst] groep van experts (ter voorlichting v. d. regering; ter beantwoording van vragen voor de radio).

brainwashing ['breinwɔʃin] hersenspoeling *v*.

brain-wave ['breinweiv] F inval, idee *o* & *v*.

brainy ['breini] F pienter.

braise [breiz] [vlees] smoren.

brake [breik] I *sb* 1 kreupelhout *o*; 2 ☀ (adelaars)varen(s); 3 (vlas)braak; 4 ✂ rem; *put on the* ~ remmen; *put a* ~ *on...*, *fig* [iets] remmen; II *vt* 1 remmen; 2 [vlas] braken.

brake(s)man ['breik(s)mən] remmer.

bramble ['bræmbl] braamstruik.

bran [bræn] zemelen.

branch [bra:n(t)ʃ] I *sb* (zij)tak, arm; (leer)vak *o*, afdeling, filiaal *o*; ~ *house* filiaal *o*; ~ *line* zijlijn; ~ *office* bijkantoor *o*; II *vi* zich vertakken; ~ *away* (*forth*, *off*, *out*) zich vertakken[2]; III *vt* aftakken [v. weg, el. stroom].

branchy ['bra:n(t)ʃi] takkig, getakt.

brand [brænd] **I** *sb* brandend hout *o*; ⊙ fakkel; ⊙ zwaard *o*; ✤ brand [ziekte]; brandijzer *o*, brandmerk *o*, merk *o*; soort, kwaliteit; **II** *vt* brandmerken[2], merken; griffen; ~*ed goods* $ merkartikelen.

branding-iron ['brændiŋaiǝn] brandijzer *o*.

brandish ['brændiʃ] zwaaien (met).

brand name ['brændneim] merknaam, woordmerk *o*.

bran(d)-new ['bræn(d)'nju:] fonkelnieuw, gloednieuw, splinternieuw.

brandy ['brændi] cognac; brandewijn.

brandy-ball ['brændibɔ:l] likeurbonbon.

brandy-pawnee ['brændi'pɔ:ni:] *IP* cognacgrog.

brant(-goose) ['brænt('gu:s)] zie *brent(-goose)*.

brash [bræʃ] *Am* brutaal.

brass [bra:s] **I** *sb* 1 geelkoper *o*, messing *o*; ⊙ brons *o*; ♪ koper *o*; gedenkplaat; **S** „centen"; 2 *fig* brutaliteit; **II** *aj* (geel)koperen, van messing; ⊙ bronzen.

brassard [bræ'sa:d] armband [om mouw].

brass band ['bra:s'bænd] ♪ fanfare, fanfarekorps *o*.

brass hat ['bra:shæt] ✕ **S** stafofficier; hoge.

brassière ['bræsiɛǝ] bustehouder.

brassy ['bra:si] **I** *aj* koperachtig, koperkleurig; *fig* onbeschaamd; pretentieus; **II** *sb* golfstok.

brat [bræt] kind *o*, jongetje *o*, joch *o*, blaag.

bravado [brǝ'va:dou] grootspraak, pocherij.

brave [breiv] **I** *aj* dapper, moedig, kloek, flink, nobel; mooi (uitgedost); **II** *sb* (Indiaans) krijgsman; **III** *vt* braveren, tarten, trotseren, uitdagen; ~ *it out* zich er (brutaal) doorheen slaan.

bravery ['breivǝri] 1 moed; 2 praal; tooi.

1 **bravo** ['bra:vou] *sb* bravo: moordenaar.

2 **bravo** ['bra:vou, bra:'vou] *ij* bravo!

brawl [brɔ:l] **I** *vi* 1 razen, tieren, schreeuwen, twisten; 2 ruisen; **II** *sb* 1 geschreeuw *o*, getier *o*, twist, ruzie; 2 ruisen *o*.

brawler ['brɔ:lǝ] ruziemaker, lawaaischopper.

brawn [brɔ:n] 1 spieren; spierkracht; 2 hoofdkaas, preskop.

brawny ['brɔ:ni] gespierd, sterk.

bray [brei] **I** *vi* 1 balken; 2 schetteren ‖ **II** *vt* fijnstampen of -wrijven; **III** *sb* 1 gebalk *o*; 2 geschetter *o*.

braze [breiz] 1 solderen; 2 bronzen.

brazen ['breizn] **I** *aj* 1 (geel)koperen; ⊙ bronzen; schel; 2 *fig* brutaal, onbeschaamd; **II** *vt* in: ~ *it out* brutaal volhouden, zich er brutaal doorheen slaan.

brazen-faced ['breiznfeist] onbeschaamd.

brazier ['breizjǝ] 1 koperslager; 2 komfoor *o*.

Brazil [brǝ'zil] Brazilië *o*.

Brazilian [brǝ'ziljǝn] Braziliaan(s).

Brazil nut [brǝ'zil'nʌt] paranoot.

breach [bri:tʃ] **I** *sb* breuk[2], bres; inbreuk; schending; ~ *of the peace* vredebreuk; rustverstoring; ~ *of promise* verbreking van trouwbelofte; **II** *vt* (een) bres schieten; doorbreken.

bread [bred] brood[2] *o*; ~ *and butter* boterham(men); ~-*and-butter miss* F bakvisje *o*; *he always finds his* ~ *buttered on both sides* hij heeft altijd een vetje; *he knows on which side his* ~ *is buttered* hij kent zijn eigen belang.

bread-basket ['bredba:skit] 1 broodmand; 2 **S** maag.

bread-crumb ['bredkrʌm] **I** *sb* broodkruimel; ~*s* ook: paneermeel *o*; **II** *vt* paneren.

breadth [bredθ] breedte, baan; brede blik; ruime opvatting, liberaliteit.

breadthways, -wise ['bredθweiz, -waiz] in de breedte.

break [breik] **I** *vt* breken; aan-, af-, door-, onder-, open-, stuk-, verbreken; overtreden [regels], schenden; banen [weg]; opbreken [kamp]; [vlas] braken; doen springen [bank]; ruïneren; bij stukjes en beetjes mededelen [nieuws]; dresseren; ✕ casseren; ontplooien [vlag]; ~ *the back (neck) of...* het voornaamste (moeilijkste) deel van... klaar krijgen, 't ergste achter de rug krijgen; ~ *surface* bovenkomen [v. onderzeeër]; **II** *vi* breken; aan-, af-, door-, los-, uitbreken, los-, uitbarsten; de gelederen verbreken; veranderen [van weer]; springen [v. bank], bankroet gaan; achteruitgaan; ophouden; ∞ ~ *away* weg-, af-, losbreken, zich losrukken, -scheuren, zich afscheiden (van *from*); ~ *down* mislukken, blijven steken, zich niet langer kunnen inhouden, bezwijken, het afleggen, afbreken; breken [tegenstand]; (zich laten) splitsen; ~ *forth* los-, uitbarsten; te voorschijn komen; ~ *in* inbreken; africhten, dresseren; in de rede vallen; ~ *into* gewennen aan; ~ *in upon* (ver)storen, onderbreken; ~ *into* inbreken in; *fig* aanbreken, aanspreken [kapitaal]; overgaan in, beginnen te; ~ *a person of a habit* iemand een gewoonte afleren; ~ *oneself of a habit* met een gewoonte breken; iets afleren; ~ *off* afbreken[2]; ~ *it off* het [engagement] afmaken; ~ *open* openbreken; ~ *out* uitslaan; uitbreken; losbarsten; ~ *through* doorbreken; overtreden, afwijken van; ~ *to the saddle* gewennen aan het zadel; ~ *up* uiteengaan, eindigen; uiteenvallen; stukbreken, afbreken[2], slopen; scheuren [v. weidegrond]; verdelen; doen uiteenvallen; ontbinden, een einde maken aan, uiteenslaan, oprollen [bende, komplot], in de war sturen [bijeenkomst]; ~ *with* breken met; **III** *sb* breuk: af-, ver-, onderbreking; aanbreken *o*; verandering; afbrekingsteken *o*; pauzering, pauze, rust; ↔ vrij kwartier *o*, speelkwartier *o*; ⸰⸰ serie; (afrij)brik; **S** kans.

breakable ['breikǝbl] breekbaar.

breakage ['breikidʒ] breken *o*, breuk.

breakaway ['breikǝwei] **I** *sb* ontsnapping; afscheiding; **II** *aj* afgescheiden.

breakdown ['breikdaun] in(een)storting; (zenuw)inzinking; mislukking; blijven steken *o*, panne, defect *o*, averij; storing; splitsing; ~ *lorry* takelwagen; ~ *product* afbraakprodukt *o*.

breaker ['breikə] 1 breker; sloper; 2 brekende golf; ~*s* branding.

breakfast ['brekfəst] I *sb* ontbijt *o*; II *vi* ontbijten.

breaking-point ['breikiŋpɔint] in: *strained to* ~ tot het uiterste gespannen.

breakneck ['breiknek] halsbrekend; *at* ~ *speed* in razende vaart.

break-through ['breikθru:] ✕ doorbraak.

break-up ['breikʌp] ineenstorting, ontbinding, uiteenvallen *o* [v. partij]; uiteengaan *o*.

breakwater ['breikwɔ:tə] golfbreker.

bream [bri:m] 🗲 brasem.

breast [brest] I *sb* borst, boezem; borststuk *o*; *make a clean* ~ *of it* alles eerlijk opbiechten; II *vt* het hoofd bieden aan; (met kracht) tegen ...in gaan; (met moeite) beklimmen of doorklieven.

breast-beater ['brestbi:tə] zich op de borst slaande (spreker &).

breast-bone ['brestboun] borstbeen *o*.

breast-high ['brest'hai] ter hoogte van of tot aan de borst.

breast-plate ['brestpleit] borstplaat, -harnas *o*, borststuk *o*.

breast-stroke ['breststrouk] borstslag.

breast-work ['brestwɔ:k] ✕ borstwering.

breath [breθ] adem(tocht), luchtje *o*, zuchtje *o*; *he caught his* ~ zijn adem stokte; *draw* ~ ademhalen; *hold one's* ~ de adem inhouden; *spend (waste) one's* ~ voor niets praten; *take* ~ adem scheppen; *take away one's* ~ iemand de adem benemen; iemand paf doen staan; *at a* ~, *in one (the same)* ~ in één adem; *below (under) one's* ~ fluisterend, binnensmonds; *out of* ~ buiten adem.

breathe [bri:ð] I *vi* ademen[2], ademhalen; II *vt* (in-, uit)ademen; (laten) uitblazen; fluisteren; te kennen geven; ~ *one's last* de laatste adem uitblazen; *don't* ~ *a word (of it)* rep er niet van.

breathed [breθt, bri:ðd] stemloos.

breather ['bri:ðə] wat inspanning vereist; *take a* ~ even uitblazen.

breathing ['bri:ðiŋ] ademhaling; ~ *space*, ~ *spell*, ~ *time* ogenblik *o* om adem te scheppen, respijt *o*, adempauze.

breathless ['breθlis] ademloos; buiten adem.

breath-taking ['breθteikiŋ] adembenemend, beklemmend, angstwekkend, verbluffend.

bred [bred] V.T. & V.D. van *breed*.

breech [bri:tʃ] I *sb* kulas [v. kanon], staartstuk *o* [v. geweer]; ~*es* ['britʃiz] korte (rij)broek; *wear the* ~*es* de broek aanhebben; II *vt* ✎ in de broek steken.

breech-block ['bri:tʃblɔk] ✕ sluitstuk *o*.

breeches buoy ['britʃizbɔi] broek, wippertoestel *o* [voor schipbreukelingen].

breech-loader ['bri:tʃloudə] ✕ achterlader.

breed [bri:d] I *vt* verwekken[2], telen, (aan)fokken, (op)kweken[2], grootbrengen, opleiden; voortbrengen, veroorzaken; II *vi* jongen, zich voortplanten; III *sb* ras *o*, soort.

breeder ['bri:də] verwekker, fokker.

breeding ['bri:diŋ] verwekken *o* &, zie *breed*; opvoeding; beschaafdheid; *good* ~ welgemanierdheid; ~ *ground* broedplaats; *fig* voedingsbodem, broeinest *o*.

breeze [bri:z] 1 bries; 2 S standje *o*, kwestie, hommeles ‖ 3 brems.

breezy ['bri:zi] winderig[2]; luchtig[2], opgewekt, joviaal.

brent(-goose) ['brent('gu:s)] 🦢 rotgans.

Brer [brə:] *Am* broer.

☉ **brethren** ['breðrin] broeders (en zusters) in den Here; ambtsbroeders, broeders.

Breton ['bretən] I *sb* Breton; Bretons *o*; II *aj* Bretons.

breve [bri:v] ♪ dubbele hele noot; *gram* ~ teken *o*.

brevet ['brevit] I *sb* brevet *o*; II *vt* ✕ de titulaire rang verlenen.

brevet rank ['brevitræŋk] ✕ titulaire rang.

breviary ['bri:viəri] *RK* brevier *o*, getijdenboek *o*.

brevity ['breviti] kortheid, beknoptheid.

brew [bru:] I *vt* & *vi* brouwen[2], *fig* (uit)broeien; zetten [thee]; ~ *up* F thee zetten; II *sb* treksel *o*, brouwsel *o*.

brewer ['bru:ə] brouwer.

brewery ['bru:əri] brouwerij.

briar ['braiə] zie *brier*.

bribable ['braibəbl] omkoopbaar.

bribe [braib] I *sb* steekpenning, gift of geschenk *o* tot omkoping; lokmiddel *o*; II *vt* omkopen.

briber ['braibə] omkoper.

bribery ['braibəri] omkoping, omkoperij.

bric-a-brac ['brikəbræk] curiosa, rariteiten.

brick [brik] I *sb* (bak-, metsel)steen *o* & *m* [stofnaam], (bak-, metsel)steen *m* [voorwerpsnaam]; blok [uit blokkendoos]; rechthoekig brood *o*; S patente kerel, beste vent (meid); *drop a* ~ een flater begaan; *make* ~*s without straw* het onmogelijke verrichten; II *aj* (bak)stenen; III *vt* met bakstenen bouwen; ~ *up* dicht-, toemetselen.

brickbat ['brikbæt] stuk *o* baksteen; *fig* afkeuring, schimpscheut, hatelijkheid.

brick-dust ['brikdʌst] steengruis *o*.

brick-field ['brikfi:ld] steenbakkerij.

brick-kiln ['brikkil(n)] steenoven.

bricklayer ['brikleiə] metselaar.

brick-maker ['brikmeikə] steenbakker.

brick-red ['brik'red] steenrood.

brickwork ['brikwɔ:k] metselwerk *o*; ~*s* steenbakkerij.

brick-yard ['brikja:d] steenbakkerij.

bridal ['braidəl] I *aj* bruids-, bruilofts-, trouw-; II *sb* ☉ bruiloft, trouwfeest *o*.

bride [braid] 1 bruid; 2 jonggehuwde (vrouw).

bride-cake ['braidkeik] bruidstaart.

bridegroom ['braidgru:m] 1 bruidegom; 2 jonggehuwde (man).

bridesmaid ['braidzmeid] bruidsmeisje *o*.

bridesman ['braidzmən] getuige [v. bruidegom].

bridewell ['braidwəl] tuchthuis *o*.

bridge [bridʒ] I *sb* brug; viool kam; rug van de neus; ◊ bridge *o*; ~ *of boats* schipbrug; II *vt* overbruggen; III *vi* ◊ bridgen.

bridgehead ['bridʒhed] bruggehoofd *o*.

Bridget ['bridʒit] Brigitta, Brechtje *o*.

bridle ['braidl] I *sb* toom, teugel; breidel[2]; II *vt* (in-, op)tomen, beteugelen[2], breidelen[2]; III *vi* in: ~ (*up*) het hoofd opheffen of in de nek werpen.

bridle-path, ~-road, ~-way ['braidlpa:θ, -roud, -wei] ruiterpad *o*.

brief [bri:f] I *aj* kort, beknopt; *in* ~ kortom; in 't kort; *to be* ~ om kort te gaan; II *sb* instructie over de hoofdpunten van een rechtszaak; breve [v. paus]; ✍ instructies; *I hold no* ~ *for...* ik ben hier niet om de belangen te bepleiten van...; III *vt* in hoofdpunten samenvatten; [een advocaat] een zaak in handen geven; ✍ instrueren.

brief case ['bri:fkeis] aktentas.

briefless ['bri:flis] zonder praktijk.

briefly ['bri:fli] *ad* (in het) kort, beknopt.

briefness ['bri:fnis] beknoptheid, kortheid.

brier ['braiə] 1 wilde roos; 2 wit heidekruid *o*; pijp van de wortel daarvan.

briery ['braiəri] vol dorens.

brig [brig] ♨ brik.

brigade [bri'geid] ⚔ brigade.

brigadier [brigə'diə] ⚔ brigadecommandant.

brigand ['brigənd] (struik)rover.

brigandage ['brigəndidʒ] (struik)roverij.

brigantine ['brigənti:n] ♨ schoenerbrik.

bright [brait] helder[2], licht, lumineus; blank; fonkelend, schitterend, levendig; vlug, pienter; opgewekt, vrolijk, blij, fleurig; rooskleurig [v. toekomst &].

brighten ['braitn] I *vt* glans geven aan, op-, verhelderen, doen opklaren; opvrolijken; ~ *up* F opkikkeren; II *vi* opklaren; verhelderen, (beginnen te) schitteren.

brightness ['braitnis] helderheid, klaarheid; glans, schittering; vlugheid, pienterheid.

brill [bril] 🐟 griet.

brilliance, -cy ['briljəns(i)] glans, schittering[2].

brilliant ['briljənt] I *aj* schitterend[2], stralend[2], glansrijk[2], uitmuntend, tintelend van geest, briljant; II *sb* briljant.

brilliantine [briljən'ti:n] brillantine.

brim [brim] I *sb* rand; boord, kant; II *vt* tot de rand vullen [een beker]; III *vi* vol zijn; ~ (*over*) *with* overvloeien van.

brimful(l) ['brimful] boordevol.

brimstone ['brimstən] zwavel; ~ *butterfly* citroenvlinder.

brindle(d) ['brindl(d)] geelbruin, gestreept.

brine [brain] I *sb* pekel, pekelnat *o*; zilte nat *o*; zee; II *vt* pekelen.

bring [briŋ] (mee)brengen, opbrengen, halen; indienen, inbrengen, aanvoeren; ~ *about* teweegbrengen, tot stand brengen; aanrichten; ~ *an action against* een proces aandoen; ~ *back* terugbrengen; weer te binnen brengen; ~ *before the public* in het licht geven; ~ *down* doen neerkomen, neerleggen, -schieten; aanhalen [bij deelsom]; verlagen; vernederen, fnuiken; ten val brengen; ~ *down the house* stormachtige bijval (in)oogsten; ~ *forth* voortbrengen: baren; brengen; ~ *forward* vooruit brengen; aanvoeren, bijbrengen [bewijzen]; transporteren [op rekening]; ~ *in* binnenbrengen; inbrengen, aanvoeren; erbij halen, erin betrekken, inschakelen; meekrijgen, winnen [voor zeker doel]; invoeren; ter tafel brengen, indienen; opbrengen; ~ *in guilty* schuldig verklaren; ~ *off* wegbrengen; erdoor halen, redden; ~ *it off* het hem leveren; ~ *on* veroorzaken, tot stand brengen; berokkenen; ~ *out* uitbrengen; te voorschijn halen; aan de dag brengen; in het licht geven; doen uitkomen; in de wereld brengen of introduceren; ~ *over* overbrengen; overhalen; transporteren [op rekening]; ~ *round* iemand (weer) bijbrengen, er bovenop halen; ~ (een zieke) er bovenop halen; ~ *to* bijbrengen; ♨ bijdraaien; ~ *to book* ter verantwoording roepen (en straffen); *I could not* ~ *myself to do it* ik kon er niet toe komen het te doen; ~ *under* ten onder brengen, onderwerpen; ~ *up* opvoeden, opkweken; voor (de rechtbank) doen komen, voorleiden; aanvoeren [versterkingen]; op het tapijt brengen; onderbreken [spreker]; ♨ voor anker brengen; ~ *up to date* (*up to 1965*) bijwerken (tot op heden; tot 1965); moderniseren; ~ *upon* berokkenen.

bringer ['briŋə] brenger.

brink [briŋk] kant, rand; *on the* ~ *of...* ook: op het punt van...

briny ['braini] zilt, zout; *the* ~ het zilte na, het pekelveld: de zee.

briquette [bri'ket] briket.

brisk [brisk] I *aj* levendig, vlug, wakker, flink; fris; II *vt* verlevendigen; ~ *up* aanvuren, aanwakkeren; III *vi* in: ~ *up* opleven.

brisket ['briskit] borst, borststuk *o* [v. dier].

bristle ['brisl] I *sb* borstels; borstelhaar *o*; *set people's* ~*s up* de mensen het land opjagen (irriteren); II *vi* de borstels overeind zetten; overeind staan; ~ *up* de kam (kuif) opzetten; opstuiven; ~ *with* bezet zijn met, wemelen van, vol zijn van.

bristled, bristly ['brisld, 'brisli] borstelig.

Britain ['britn] (Groot-)Brittannië *o*, Engeland *o*.

Britannia [bri'tænjə] ☉ Brittanje [ook = de Britse Maagd]; ~ *metal* brittanniametaal *o*.

Britannic [bri'tænik] Brits.

British ['britiʃ] Brits, Engels; *the* ~ de Britten, de Engelsen.

Britisher ['britiʃə] *Am* Engelsman.

Briton ['britn] Brit, Engelsman.

Brittany ['britəni] Bretagne *o.*

brittle ['britl] bro(o)s, breekbaar.

broach [broutʃ] I *sb* stift; priem; (braad)spit *o*; (toren)spits; II *vt* aansteken, aanbreken; *fig* ter sprake brengen.

broad [brɔ:d] I *aj* breed[2], ruim[2], wijd; ruw, grof, plat; ~ *beans* tuinbonen; *the Broad Church* de vrijzinnige richting in de Engelse Kerk; ~ *day(light)* klaarlichte dag; *a* ~ *hint* een duidelijke wenk; ~ *nonsense* tastbare onzin; *a* ~ *stare* een lomp, onbeschaamd aanstaren; *as* ~ *as it is long* zo lang als het breed is; II *ad* in: ~ *awake* klaar wakker; III *sb* (volle) breedte; verbreding v. e. riviermonding.

broad-axe ['brɔ:dæks] houthakkersbijl; strijdbijl.

broad-brimmed ['brɔ:d'brimd] breedgerand.

broadcast ['brɔ:dka:st] I *aj* & *ad* breedwerpig (gezaaid); met milde hand (uitgestrooid of verspreid); ✳ ✝ uitgezonden, radio-; II *vt* & *vi* breedwerpig zaaien; met milde hand uitstrooien of verspreiden; ✳ ✝ uitzenden, omroepen; voor de radio optreden (spreken &); III *sb* ✳ ✝ uitzending, omroep; radiorede; IV V.T. & V.D. van *broadcast.*

broadcaster ['brɔ:dka:stə] ✳ ✝ radiospreker, radioreporter, radio-artiest.

broadcasting ['brɔ:dka:stiŋ] ✳ ✝ uitzending; omroep; ~ *station* omroepstation *o.*

broaden ['brɔ:dn] (zich) verbreden, (zich) verruimen.

broadly ['brɔ:dli] *ad* zie *broad* I; globaal, in het algemeen; ronduit, vierkant.

broad-minded ['brɔ:d'maindid] ruim van opvatting.

broadness ['brɔ:dnis] breedte; grof-, platheid.

broadsheet ['brɔ:dʃi:t] aan één zijde bedrukt blad *o* (b.v. pamflet *o*).

broadside ['brɔ:dsaid] I ⚓ brede zijde; 2 volle laag; 3 zie *broadsheet.*

broadsword ['brɔ:dsɔ:d] slagzwaard *o.*

broadways, -wise ['brɔ:dweiz, -waiz] in de breedte.

Brobdingnagian ['brɔbdiŋ'nægiən] I *aj* reusachtig; II *sb* reus

brocade [brə'keid] brokaat *o.*

brocaded [brə'keidid] met brokaat geborduurd; in brokaat gekleed.

broccoli ['brɔkəli] ✿ Italiaanse bloemkool

brock [brɔk] ♒ das. [cent *o.*

brogue [broug] lage schoen ‖ plat (Iers) accent

broil [brɔil] I *sb* ruzie, twist, tumult *o* ‖ gebraden vlees *o*; II *vt* & *vi* op een rooster braden, roosteren, blakeren; branden; *it is* ~*ing* het is snikheet.

broiler ['brɔilə] rooster; braadkip.

broiler house ['brɔiləhaus] kippenmesterij.

broke [brouk] V.T. & ⚓ V.D. van *break*; P aan lagerwal, blut.

broken ['broukn] V.D. van *break*; gebroken &; aangebroken [kistje]; onvast [weer]; ~ *home* ontwricht gezin *o*; ~ *wind* dampigheid [v. paard].

broken-down ['broukn'daun] geruïneerd; terneergeslagen; (dood)op; kapot.

broken-hearted ['broukn'ha:tid] gebroken (door smart), diep bedroefd.

brokenly ['brouknli] *ad* 1 bij stukken en brokken; 2 onsamenhangend.

broken-winded ['broukn'windid] kortademig, dampig.

broker ['broukə] 1 makelaar; 2 uitdrager.

brokerage ['broukəridʒ] 1 makelarij; 2 makelaarsloon *o*, courtage.

bromic ['broumik] broom-.

bromide ['broumaid] 1 bromide *o*; 2 *Am* vervelend iemand; gemeenplaats; ~ *paper* broomzilverpapier *o*; *potassium* ~ broomkali *o*, ☤ broom *o.*

bromine ['broumi:n] bromium *o*, broom *o.*

bronchia ['brɔŋkiə] luchtpijptakken.

bronchial ['brɔŋkiəl] van de luchtpijptakken.

bronchitis [brɔŋ'kaitis] ☤ bronchitis.

bronze [brɔnz] I *sb* brons *o*; bronskleur; bronzen kunstvoorwerp *o*; II *vt* bronzen; III *aj* bronzen, bronskleurig.

brooch [broutʃ] broche, borstspeld.

brood [bru:d] I *vi* broeden[2] (op *on*, over); *fig* peinzen; hangen (over *over*); II *sb* broed(sel) *o*; gebroed *o.*

brood-hen ['bru:dhen] ♙ broedhen.

brood-mare ['bru:dmeə] fokmerrie.

broody ['bru:di] broeds.

1 **brook** [bruk] *vt* verdragen, dulden.

2 **brook** [bruk] *sb* beek.

brooklet ['bruklit] beekje *o.*

broom [bru:m] I ✿ brem; 2 bezem.

broomstick ['bru:mstik] bezemsteel.

Bros. = *Brothers* Gebr(oeders).

broth [brɔθ] bouillon, vleesnat *o.* [collega.

brother ['brʌðə] broe(de)r[2]; ambtsbroeder,

brotherhood ['brʌðəhud] broederschap *o* & *v* [betrekking], broederschap *v* [verzamelnaam].

brother-in-law ['brʌðərinlɔ:] schoonbroer, [zwager.

brotherly ['brʌðəli] broederl ijk.

brougham [bru:m, 'bru:əm] coupé.

brought [brɔ:t] V.T. & V.D. van *bring.*

brow [brau] wenkbrauw, voorhoofd *o*, ◯ gelaat *o*, aanschijn *o*; kruin, top, rand.

browbeat ['braubi:t] intimideren, overdonderen.

brown [braun] I *aj* bruin: ~ *coal* bruinkool; ~ *owl* ♙ bosuil; ~ *paper* pakpapier *o*; ~ *soap* groene zeep; II *sb* bruin *o*; III *vt* & *vi* bruinen; ~*ed off* S het land hebbend, landerig.

brownie ['brauni] kabouter.

brownish ['brauniʃ] bruinachtig.

brown-tail moth ['braunteilmɔθ] ⚜ bastaard-satijnvlinder.

browse [brauz] I *sb* 1 voorjaarsuitlopers; 2 grazen *o*; II *vt* & *vi* (af)knabbelen, (af)grazen; *fig* grasduinen (in *among*).

Bruges [bru:ʒ] Brugge *o*.

Bruin [bruin] Bruin [de beer].

bruise [bru:z] I *vt* kneuzen; blutsen; stampen; II *sb* kneuzing, bluts, buil, blauwe plek.

bruiser ['bru:zə] F (ruwe) bokser.

⚒ **bruit** [bru:t] I *sb* geraas *o*, gerucht *o*; II *vt* ruchtbaar maken (ook: ~ *about*).

Brum [brʌm], **Brummagem** ['brʌmədʒəm] I *sb* 1 > Birmingham *o*; 2 F namaak, bocht *o* & *m*; II *aj* F nagemaakt, onecht, vals; prullig.

brunch [brʌnʃ] combinatie van ontbijt en lunch.

brunette [bru:'net] brunette.

Brunswick ['brʌnszwik] Brunswijk *o*.

brunt [brʌnt] schok, stoot, aanval; geweld *o*; *bear the ~ of the onset* de spits afbijten.

brush [brʌʃ] I *sb* 1 borstel, schuier, veger, kwast, penseel *o*; 2 vossestaart; 3 kreupelhout *o*; 4 schermutseling; II *vt* (af)borstelen, (af)vegen, (af)schuieren; strijken langs, rakelings gaan langs; III *vi* "strijken" [v. paard]; ~ *aside* op zijde zetten, ter zijde leggen, negeren; ~ *it aside* het afpoeieren; ~ *away* wegvegen; ~ *by* rakelings passeren; ~ *down* afborstelen; ~ *off* af-, wegvegen; ~ *over* aanstrijken; ~ *up* opborstelen; *fig* opfrissen [kennis].

brushwood ['brʌʃwud] kreupelhout *o*; rijs-(hout) *o*.

brushy ['brʌʃi] borstelig, ruig.

brusque(ly) [brusk(li)] bruusk, kortaf.

Brussels ['brʌslz] Brussel(s).

brutal ['bru:təl] *aj* beestachtig, onmenselijk, wreed, honds; ruw, grof; dierlijk.

brutality [bru:'tæliti] beestachtigheid, onmenselijkheid, wreedheid, hondsheid; ruwheid, grofheid; dierlijkheid.

brutalization [bru:təlai'zeiʃən] verdierlijking.

brutalize ['bru:təlaiz] verdierlijken.

brutally ['bru:təli] *ad* zie *brutal*.

brute [bru:t] I *sb* (redeloos) dier *o*; woesteling, beest *o*, bruut; F rotvent, rotding *o*; II *aj* redeloos, dierlijk, woest, bruut.

brutish ['bru:tiʃ] zie *brutal*.

Brutus ['bru:təs] Brutus.

bryony ['braiəni] ⚘ heggerank.

B. Sc. = *Bachelor of Science*.

Bt. = *Baronet*.

bubble ['bʌbl] I *sb* bobbel, blaas, lucht-, (zeep)bel²; zwendel; ~ *company* zwendelmaatschappij; II *vi* bobbelen, borrelen, murmelen, pruttelen; ~ *over* overkoken; *fig* overvloeien (van *with*).

bubble-and-squeak ['bʌblən'skwi:k] gebraden vlees *o* met fijngehakte kool.

bubble car ['bʌblka:] ⚘ F two-seatertje *o*.

bubble gum ['bʌblgʌm] ballongom *m* of *o*.

bubbly ['bʌbli] I *aj* bobbelend, borrelend, vol luchtbelletjes; II *sb* S champagne.

bubbly-jock ['bʌblidʒɔk] F kalkoense haan.

bubonic [bju'bɔnik] in: ~ *plague* builenpest.

buccaneer [bʌkə'niə] I *sb* boekanier, zeerover; II *vi* als boekanier leven.

Bucephalus [bju'sefələs] 1 paard *o* van Alexander de Grote; 2 J (oude) knol.

Bucharest [bu:kə'rest] Boekarest *o*.

buck [bʌk] I *sb* (ree)bok, rammelaar, mannetje *o* [van vele diersoorten]; *fig* fat || *Am* neger; zaagbok; dollar; *pass the* ~ S 't van zich afschuiven, er een ander mee opknappen, 't zaakje (baantje) overdoen (aan een ander); II *vt* in: *it* ~ *s you up* het geeft je moed; het kikkert je op; III *vi* bokken [v. paard]; ~ *up* moed houden; voortmaken.

bucket ['bʌkit] I emmer, aker, puts; 2 pompzuiger; 3 schoep [v. waterrad]; 4 koker, schoen [v. lans &]; *kick the* ~ F de kraaienmars blazen.

bucket-shop ['bʌkitʃɔp] S gokkantoor *o*.

buck-hound ['bʌkhaund] jachthond.

Buckingham ['bʌkiŋəm] Buckingham.

buckish ['bʌkiʃ] fatterig.

buck-jump ['bʌkdʒʌmp] I *sb* sprong van een bokkend paard; II *vi* bokken.

buckle ['bʌkl] I *sb* gesp; II *vt* 1 (vast)gespen; 2 verbuigen, ontzetten; krommen, omkrullen; III *vi* omkrullen, zich krommen (ook: ~ *up*); ~ *to* zich (ten strijde) aangorden; aanpakken; zich toeleggen op.

buckler ['bʌklə] beukelaar; *fig* schild *o*.

buckram ['bʌkrəm] I *sb* stijf linnen *o*; *fig* stijfheid; II *aj* van stijf linnen; *fig* stijf.

buck-shot ['bʌkʃɔt] grove hagel.

buckskin ['bʌkskin] 1 bokkevel *o*; 2 suède *o* & *v*; ~ *cloth* bukskin *o*.

buckwheat ['bʌkwi:t] ⚘ boekweit.

bucolic [bju'kɔlik] I *aj* herderlijk, landelijk; II *sb* herderszang, -dicht *o*.

bud [bʌd] I *sb* ⚘ knop; kiem; *in the* ~ in de kiem; *fig* in de dop; II *vi* uitkomen, (uit)botten, knoppen, ontluiken; ~*ding* ook: *fig* in de dop; III *vt* oculeren, enten.

Buddha ['budə] Boeddha; boeddha.

Buddhism ['budizm] boeddhisme.

Buddhist ['budist] boeddhist(isch).

Buddhistic(al) [bu'distik(l)] boeddhistisch.

buddy ['bʌdi] *Am* S vriend, vriendje *o*, kameraad, maat.

budge [bʌdʒ] (zich) verroeren, bewegen.

budgerigar ['bʌdʒəriga:] ⚘ zangparkiet.

budget ['bʌdʒit] I *sb* zak; (staats)begroting, budget *o*; II *vi* budgetteren; ~ *for* uittrekken voor, op 't budget zetten.

budgetary ['bʌdʒitəri] budgettair, budget-, begrotings-.

buff [bʌf] I *sb* buffel-, zeemleer *o*, zeemkleur; *stripped to the* ~ poedelnaakt, in adamskostuum; II *aj* zeemkleurig, lichtgeel.

buffalo ['bʌfəlou] ⚘ buffel, *Ind* karbouw.

buffer ['bʌfə] 1 stootkussen *o*, stootbok, stootblok *o*, buffer; 2 S kerel; *old* ~ ouwe paai; ~ *state* bufferstaat.

1 **buffet** ['bʌfit] I *sb* (vuist)slag, klap; II *vt* slaan, beuken, stoten.

2 **buffet** 1 ['bʌfit] buffet *o* [meubel]; 2 ['bufei] buffet *o* [v. station &], stationsrestauratie.

buffoon [bʌ'fu:n] potsenmaker, hansworst, pias.

buffoonery [bʌ'fu:nəri] potsenmakerij.

bug [bʌg] 1 wandluis, weegluis; 2 wants; 3 kever, tor; *big* ~ S hoge (ome), piet.

bugaboo ['bʌgəbu:], **bugbear** ['bʌgbɛə] boeman, spook *o*, schrikbeeld *o*.

1 **buggy** ['bʌgi] *sb* buggy: licht rijtuigje *o*.

2 **buggy** ['bʌgi] *aj* vol weegluizen.

bugle ['bju:gl] I *sb* ♪ bugel [hoorn]; II *vi* op de bugel blazen.

bugler ['bju:glə] ✗ bugel: horenblazer.

bugloss ['bju:glɔs] ⚘ ossetong.

buhl [bu:l] inlegwerk *o* van koper en schildpad.

build [bild] I *vt* bouwen, aanleggen, maken, stichten[2]; ~ *up* opbouwen; vormen; II *vi* bouwen; ~ *on* (*upon*) zich verlaten op, bouwen op; III *sb* (lichaams)bouw.

builder ['bildə] bouwer; bouwmeester; aannemer.

building ['bildiŋ] gebouw *o*, bouwwerk *o*; bouw; ~-*line* rooilijn; ~-*plot*, ~-*site* bouwterrein *o*.

built [bilt] V.T. & V.D. van *build*; *I am not* ~ *that way* F zo ben ik niet.

built-in ['biltin] ingebouwd; *fig* inherent.

built-up ['biltʌp] in: ~ *area* bebouwde kom.

bulb [bʌlb] (bloem)bol: (gloei)lamp.

bulb-grower ['bʌlbgrouə] (bloem)bollenkweker.

bulbous ['bʌlbəs] bolvormig, bol-.

bulbul ['bulbul] 1 ⚘ oosterse zanglijster; 2 ☉ zanger (= dichter).

Bulgaria [bʌl'gɛəriə] Bulgarije *o*.

Bulgarian [bʌl'gɛəriən] Bulgaar(s).

bulge [bʌldʒ] I *sb* buik [van ton &], zwelling; II (*vt* &) *vi* (doen) uitpuilen, (op)zwellen.

bulgy ['bʌldʒi] bol, uitpuilend.

bulk [bʌlk] I *sb* omvang, grootte, volume *o*; massa, gros *o*, grootste deel *o*, meerderheid; ⚓ lading; ~ *grain*, *grain in* ~ gestort graan *o*; *sell in* ~ in het groot verkopen; *break* ~ ⚓ (beginnen te) lossen; II *vi* in: ~ *large* groot lijken; ~ *too largely* te veel plaats innemen.

bulkhead ['bʌlkhed] ⚓ schot *o*.

bulkiness ['bʌlkinis] dikte, grootte, omvang.

bulky ['bʌlki] dik, groot, lijvig, omvangrijk.

bull [bul] I *sb* 1 ♉ stier; mannetje *o* [v. olifant &]; 2 *zie bull's-eye* 1; 3 $ haussier || (pause-lijke) bul || (*Irish*) ~ bewering die een aardige tegenstrijdigheid bevat; *take the* ~ *by the horns* de koe bij de horens vatten; II *aj* mannetjes-; stiere(n)-; $ hausse-; III *vi* $ à la hausse speculeren; de koersen opdrijven; IV

vt à la hausse kopen.

bull-calf ['bulka:f] 1 ♉ stierkalf *o*, jonge stier; 2 *fig* domoor, uilskuiken *o*.

bulldog ['buldɔg] 1 ♉ buldog; 2 ⚭ dienaar van een *proctor*; 3 korte pijp.

bulldoze ['buldouz] *Am* zie *bully* II.

bulldozer ['buldouzə] bulldozer [tractor].

bullet ['bulit] (geweer)kogel.

bulletin ['bulitin] bulletin *o*.

bullet-proof ['bulitpru:f] kogelvrij.

bullfight ['bulfait] stieregevecht *o*.

bullfinch ['bulfin(t)ʃ] ⚘ goudvink.

bull-frog ['bulfrɔg] brul(kik)vors.

bullion ['buljən] ongemunt goud of zilver *o*.

bullish ['buliʃ] $ à la hausse (gestemd).

bullock ['bulək] ♉ os.

bullring ['bulriŋ] arena [v. stieregevecht].

bull's-eye ['bulzai] 1 (schot *o* in de) roos; 2 halfbolvormig, dik glas *o*; 3 rond venster(gat) *o*; 4 dievenlantaarn; 5 babbelaar [snoep].

bull-terrier ['bul'teriə] bull-terriër [hond].

bully ['buli] I *sb* bullebak, donderaar || vlees *o* uit blik; II *vt* & *vi* donderen, negeren, ringeloren, koeioneren; ~ *into* (*out of*) door bedreigingen dwingen iets te doen (laten).

bully-beef ['bulibi:f] vlees *o* uit blik.

bullyrag ['buliræg] zie *ballyrag*.

bulrush ['bulrʌʃ] ⚘ 1 (matten)bies; 2 lisdodde.

bulwark ['bulwək] bolwerk[2] *o*, stenen dam; ⚓ verschansing (meestal ~*s*).

bumbailiff ['bʌmbeilif] deurwaardersknecht.

bumble-bee ['bʌmblbi:] hommel.

bumboat ['bʌmbout] ⚓ kadraaier.

bump [bʌmp] I *sb* buil; knobbel; stoot, schok, slag, plof, bons; II *vi* bonzen, botsen, stoten; hotsen; III *vt* bonzen, (aan)stoten tegen; kwakken.

bumper ['bʌmpə] vol glas *o*; ⚗ bumper; *a* ~ *crop* (*number* &) overrijk, overvol, buitengewoon, record- &.

bumpkin ['bʌm(p)kin] (boeren)pummel.

bumptious ['bʌm(p)ʃəs] verwaand.

bumpy ['bʌmpi] hobbelig; hotsend; onrustig, buiig [v. lucht].

bun [bʌn] (krenten)broodje; knot [haar].

bunch [bʌn(t)ʃ] I *sb* tros [druiven]; bos [sleutels]; rist; pak *o*; F troep, stel *o*; *sp* peloton *o* [wielrenners]; II *vt* aan bosjes binden; III *vi* trossen of bosjes vormen; zich troepsgewijze verenigen.

bunchy ['bʌn(t)ʃi] een tros vormend.

bundle ['bʌndl] I *sb* bundel, bos, pak *o*; *she is a* ~ *of nerves* zij is één en al zenuwen, een zenuwpees; II *vt* tot een pak maken, samenbinden (~ *up*); ~ *into* duwen, gooien, jagen in; ~ *off* wegsturen, F wegbonjouren; ~ *out* eruit gooien, F eruit bonjouren; III *vi in* binnendringen; ~ *off* er vandoor gaan.

bung [bʌŋ] I *sb* bom, spon; II *vt* 1 dichten; toestoppen (ook: ~ *up*); 2 S gooien; ~ (*up*) *one's eye* iemand een oog dichtslaan.

bungalow ['bʌŋgəlou] bungalow.
bung-hole ['bʌŋhoul] spongat o.
bungle ['bʌŋgl] I vi broddelen, knoeien; II vt verknoeien; afroffelen; III sb knoeiwerk o; make a ~ of it het verknoeien.
bungler ['bʌŋglə] knoeier.
bunion ['bʌnjən] ♀ eeltknobbel.
bunk [bʌŋk] I sb kooi, couchette, slaapbank ‖ S gezwam o, geklets o, klets; do a ~ = II vi S 'm smeren.
bunker ['bʌŋkə] I sb 1 bunker, kolenruim o; 2 sp zandige holte [golfspel]; 3 fig moeilijkheid; II vi bunkeren, kolen innemen; III vt in: be ~ed sp & fig vastzitten.
bunkum ['bʌŋkəm] gezwam o, geklets o, klets.
bunny ['bʌni] F konijn o.
bunt [bʌnt] buik van een zeil.
bunting ['bʌntiŋ] 1 vlaggendoek o & m; vlaggen; 2 ♪ gors.
buntline ['bʌntlain] ♣ buikgording.
buoy [bɔi] I sb boei, ton; redding(s)boei[2]; II vt betonnen; ~ up drijvend houden; fig steunen, staande houden.
buoyancy ['bɔiənsi] drijfvermogen o; opwaartse druk; fig veerkracht, opgewektheid.
buoyant ['bɔiənt] drijvend; opwaarts drukkend; fig veerkrachtig, opgewekt.
bur [bə:] stekelige bast [van kastanje &]; klis[2].
burble ['bə:bl] inwendig lachen (koken).
burbot ['bə:bət] ⚵ kwabaal.
burden ['bə:dn] I sb last, vracht; druk [v. belastingen]; ♣ tonneninhoud; refrein o, hoofdthema o; ~ of proof bewijslast; II vt beladen; belasten; bezwaren, drukken (op).
burdensome ['bə:dnsəm] zwaar, bezwarend, drukkend, lastig.
burdock ['bə:dək] ♣ kliskruid o, klit.
bureau ['bjuərou, bjuə'rou] bureau o.
bureaucracy [bju'rɔkrəsi] bureaucratie.
bureaucrat ['bjuərəkræt] bureaucraat.
bureaucratic [bjuərə'krætik] bureaucratisch.
burgee [bə:'dʒi:] ♣ wimpel.
⊙ burgeon ['bə:dʒən] I sb ♣ knop; II vi uitkomen, (uit)botten, knoppen.
burgess ['bə:dʒis] 1 burger; 2 ◫ afgevaardig-
burgh ['bʌrə] zie borough. [de.
burgher ['bə:gə] burger.
burglar ['bə:glə] (nachtelijke) inbreker.
burglar alarm ['bə:glərəla:m] alarminstallatie (tegen inbraak).
burglar-proof ['bə:gləpru:f] inbraakvrij.
burglary ['bə:glɔri] inbraak (bij nacht).
burgle ['bə:gl] inbreken (in, bij).
burgomaster ['bə:gəma:stə] burgemeester.
Burgundian [bə:'gʌndiən] I aj Bourgondisch; II sb Bourgondiër.
Burgundy ['bə:gəndi] Bourgondië o; b~ bourgogne(wijn).
burial ['beriəl] begrafenis; ~-ground, ~-place begraafplaats; ~-service lijkdienst.
burin ['bjuərin] graveernaald.

burke [bə:k] doodzwijgen, smoren, in de doofpot stoppen.
burl [bə:l] I sb nop; II vt noppen.
burlesque [bə:'lesk] I aj boertig; II sb parodie; III vt parodiëren.
burly ['bə:li] zwaar(lijvig), groot, dik; fors.
Burma ['bə:mə] Birma o.
Burman, Burmese ['bə:mən, bə:'mi:z] I aj Birmaans; II sb Birmaan.
burn [bə:n] I vi & vt branden; gloeien; verbranden; aan-, op-, uitbranden; bakken [stenen]; ~ one's boats zijn schepen achter zich verbranden; ~ the candle at both ends roekeloos omspringen met zijn geld of gezondheid; ~ one's fingers zich de vingers branden; ∞ ~ away op-, uitbranden; ~ down afbranden; platbranden; flauwer branden; ~ in(to) inbranden, inprenten; ~ out uitbranden; door brand dakloos maken; ~ with branden (gloeien) van; II sb brandwonde; brandplek; brandgat o ‖ Sc beek.
burner ['bə:nə] brander, pit [v. gas].
burnet ['bə:nit] ♣ kleine pimpernel.
burning ['bə:niŋ] I aj brandend; ~ shame grote schande; II sb brand, branden o.
burning-glass ['bə:niŋgla:s] brandglas o.
burnish ['bə:niʃ] I vt polijsten; glanzig maken; II vi glanzig worden; III sb glans.
burnisher ['bə:niʃə] 1 polijster; 2 polijststaal o.
burnous(e) [bə:'nu:s, bə:'nu:z] boernoes.
burnt [bə:nt] V.T. & V.D. van burn; ~-offering, ~-sacrifice brandoffer o.
burr [bə:] I sb ✗ braam ‖ gesnor o; gebrouwde uitspraak van de r ‖ zie bur; II vt & vi brouwen [bij 't spreken].
burrow ['bʌrou] I sb hol o; II vt (om)wroeten, graven (in); III vi (een hol) graven fig wroeten [in archief &]; zich ingraven; in een hol wonen.
bursar ['bə:sə] 1 schatmeester; 2 bursaal, beursstudent.
bursary ['bə:səri] 1 schatmeestersambt o; 2 studiebeurs.
burst [bə:st] I vt doen barsten, doen springen; (open-, door-, ver)breken; II vi (open-, los-, uit)barsten, breken, springen; ~ in binnenstormen; ~ into uitbarsten in; binnenstormen; ~ out uit-, losbarsten, uitbreken; ~ up F springen [van handelshuis]; ~ upon overvallen; zich plotseling voordoen aan; ~ with barsten van; III sb uit-, losbarsting; barst, breuk; ren; vlaag; ⚔ vuurstoot, ratel; IV V.T. & V.D. van ~.
burthen ['bə:ðən] zie burden.
bury ['beri] begraven; bedekken, bedelven; verbergen.
burying-place ['beriiŋpleis] begraafplaats.
bus [bʌs] I sb 1 (omni)bus; 2 ✈ F kist: vliegmachine; 3 > auto; II vt in: ~ it met de bus
busby ['bʌzbi] ⚔ kolbak. [gaan.
bush [buʃ] 1 struik(en); 2 haarbos; 3 Austr wildernis: rimboe; 4 sp vossestaart ‖ ✗

(naaf)bus; *good wine needs no* ~ goede wijn behoeft geen krans.

bushel ['buʃl] schepel *o* & *m*; *hide one's light under a* ~ zijn licht onder de korenmaat zetten.

bushman ['buʃmən] 1 *Austr* kolonist; 2 *ZA* Bosjesman.

bushranger ['buʃrein(d)ʒə] ontsnapte boef; struikrover; woudloper.

bushy ['buʃi] ruig; gepluimd, pluim-.

busily ['bizili] *ad* druk.

business ['biznis] zaak, zaken, handel, bedrijf *o*, beroep *o*, werk *o*, taak; gedoe *o*; spel *o* [v. acteur]; *good* ~! goed zo!; *you had no* ~ *there* je had er niets te maken; *you had no* ~ *to...* het was uw zaak niet...; *make it one's* ~ *to...* zich tot taak stellen te...; *mean* ~ het ernstig menen; *be still in* ~ nog bestaan; nog actief zijn; *stay in* ~ blijven bestaan; actief blijven; *on* ~ voor zaken; *go out of* ~ ophouden te bestaan; het bijltje erbij neerleggen; *put out of* ~ het bestaan onmogelijk maken; [iemand] nekken; ✗ onklaar maken.

business card ['bizniska:d] $ adreskaart.

business cycle ['biznissaikl] conjunctuur.

business hours ['biznisauəz] kantooruren, bedrijfsuren.

business-like ['biznislaik] zaakkundig; praktisch; zakelijk.

business man ['biznismæn] zakenman.

business suit ['biznissu:t] *Am* colbert *o* & *m*.

busk [bʌsk] balein.

busker ['bʌskə] S straatartiest, straatmuzikant, straatzanger.

buskin ['bʌskin] broos: toneellaars; *the* ~ het treurspel.

busman ['bʌsmən] bestuurder of conducteur van een autobus; ~'*s holiday* vrije tijd besteed aan 't dagelijkse werk.

1 **bust** [bʌst] *sb* buste: borst; borstbeeld *o*.

2 **bust** [bʌst] P voor *burst*.

bustard ['bʌstəd] ✿ trapgans.

busted ['bʌstid] P gesjochten; failliet.

bustle ['bʌsl] I *vi* druk in de weer zijn (ook: ~ *about*); zich reppen; II *vt* jachten (ook: ~ *up*); III *sb* beweging, gewoel *o*, drukte.

bustling ['bʌsliŋ] bedrijvig, druk.

busy ['bizi] I *aj* (druk) bezig, aan 't werk, in de weer; druk; nijver; *I am very* ~ ik heb het erg druk; *get* ~ aan de slag gaan; iets doen [in een zaak]; II *vt* bezighouden; III *sb* S stille [detective].

busybody ['bizibədi] bemoeial.

busyness ['bizinis] bezig zijn *o*, werkzaamheid, bedrijvigheid.

but [bʌt] I *cj* maar; of; II *prep* zonder, buiten, behalve, (anders) dan; ~ *for* ware het niet dat, zonder (dat); III *ad* slechts; IV *sb* maar; V *vt* in: ~ *me no* ~*s* geen maren.

butane ['bju:tein] butaan *o*.

butcher ['butʃə] I *sb* slager; moordenaar; II *vt* slachten[2], afmaken[2]; *fig* verknoeien.

butchery ['butʃəri] slagerij; slachting.

butler ['bʌtlə] butler: chef-huisknecht.

butt [bʌt] I *sb* kogelvanger, doel(wit) *o*, mikpunt *o* || dikke eind *o*, stomp, stompje *o*; peukje *o*; kolf || vat *o* [± 5 hl] || stoot; ~*s* schietbaan; *they made a* ~ *of him* zij maakten hem tot mikpunt van hun aardigheden; II *vi* stoten, botsen (tegen *against*, *upon*), grenzen (aan *on*); ~ *in* zich ermee bemoeien; ~ *in* (*with*) komen aanzetten (met); ~ *in on a person* iemand op het lijf vallen; III *vt* zetten (tegen *against*); IV *ad* pardoes.

butt-end ['bʌt'end] (uit)einde *o*, peukje *o*; kolf.

butter ['bʌtə] I *sb* 1 boter; 2 vleierij; *lay on the* ~ F zie *butter up*; *look as if* ~ *would not melt in one's mouth* er uitzien alsof men geen tien kan tellen; II *vt* boteren, (be)smeren; ~ *up* honi(n)g om de mond smeren.

buttercup ['bʌtəkʌp] ✿ boterbloem.

butter-dish ['bʌtədiʃ] botervlootje *o*.

butter-fingered ['bʌtəfiŋgəd] onhandig.

butterfly ['bʌtəflai] ✿ vlinder[2], kapel; *butterflies* S (last van) zenuwen; ~ *collar* puntboord *o* & *m*; ~ *nut* ✗ vleugelmoer; ~ *stroke* vlinderslag.

buttermilk ['bʌtəmilk] karnemelk.

butter-scotch ['bʌtəskɔtʃ] soort toffee.

buttery ['bʌtəri] I *aj* boterachtig; II *sb* ➾ provisiekamer.

buttock ['bʌtək] bil; ~*s* achterste *o*.

button ['bʌtn] I *sb* knoop; knop; dop; *the* ~*s* de page, chasseur & [in livrei met veel knoopjes]; II *vt* knopen aanzetten; ~ (*up*) (toe)knopen, met een knoop vastmaken; ~*ed up* ook: *fig* gesloten, stil; III *vi* dichtgaan.

buttonhole ['bʌtnhoul] I *sb* knoopsgat *o*; F bloem(en) in knoopsgat; II *vt* festonneren; van knoopsgaten voorzien; *fig* aanklampen.

button-hook ['bʌtnhuk] knopehaak.

buttress ['bʌtris] I *sb* schraagpijler, steunpilaar[2]; II *vt* ~ (*up*) schragen, steunen[2].

buxom ['bʌksəm] mollig, knap, glunder.

buy [bai] I *vt* kopen, omkopen; ~ *in* terugkopen; ~ *off* af-, loskopen; ~ *out* uitkopen; ~ *over* omkopen; ~ *up* opkopen; II *sb* F koop.

buyer ['baiə] koper, inkoper; ~*s' market* $ kopersmarkt.

buzz [bʌz] I *vi* gonzen, zoemen; II *vt* fluisteren; heimelijk verspreiden; III *sb* gegons *o*.

buzzard ['bʌzəd] ✿ buizerd; *fig* uil.

buzzer ['bʌzə] 1 ❀ zoemer; 2 sirene.

by [bai] door, bij, van, aan, naar, volgens, met, op, over, voorbij, jegens, tegenover, tegen, voor &; ~ *herself* alleen; ~ *itself* ook: op zichzelf; *higher* ~ *a foot* een voet hoger; ~ *and* ~ straks, zo meteen; na een poosje, weldra; ~ *and large* over 't geheel, globaal; ~ *the* ~(*e*) tussen twee haakjes.

bye-bye ['bai'bai] dáág!; *go to* ~ ['baibai] F naar bed gaan, gaan slapen.

by-election ['baiilekʃən] tussentijdse verkiezing.

bygone ['baigən] vroeger, voorbij, vervlogen [dagen]; *let* ~*s be* ~*s* haal geen oude koeien uit de sloot.

by-law ['bailɔ:] (gemeente)verordening.

by-pass ['baipa:s] **I** *sb* 1 ✗ omloopleiding; dagbrander; 2 rondweg (ook: ~ *road*); **II** *vt* om... heen gaan, lopen, trekken; *fig* passeren, omzeilen, ontduiken.

by-path ['baipa:θ] zijpad *o*, zijweg.

by-play ['baiplei] stil spel *o* [toneel].

by-product ['baiprədəkt] bijprodukt *o*.

byre ['baiə] koestal.

Byron ['baiərən] Byron.

Byronic [bai'rɔnik] Byroniaans.

bystander ['baistændə] toeschouwer.

by-street ['baistri:t] zijstraat, achterstraat.

byword ['baiwə:d] spreekwoord *o*; smaadwoord *o*, spot-, schimpnaam, B aanfluiting.

Byzantine [bi'zæntain, 'bizəntain] Byzantijns, *fig* byzantijns.

Byzantium [bi'zæntiəm] Byzantium *o*.

C

c [si:] 1 (de letter) c; 2 ♪ c of do; C = 100 [als Romeins cijfer].

C 3 ['si:θri:] onvolwaardig[2], F inferieur.

cab [kæb] **I** *sb* 1 huurrijtuig *o*; 2 taxi; 3 kap: overdekte plaats v. machinist op locomotief; 4 cabine [v. vrachtauto &]; **II** *vt* in: ~ *it* per *cab* gaan.

cabal [kə'bæl] **I** *sb* kuiperij; kliek; **II** *vi* intrigeren, kuipen.

cabala ['kæbələ] kabbala.

cabalistic(al) [kæbə'listik(l)] kabbalistisch.

caballer [kə'bælə] kuiper, intrigant.

cabaret ['kæbərei, 'kæbəret] cabaret *o*.

cabbage ['kæbidʒ] ✿ kool.

cabbage butterfly ['kæbidʒbʌtəflai] ✺ koolwitje *o*.

cabbage-lettuce ['kæbidʒletis] ✿ kropsalade.

cabby ['kæbi] F zie *cabman*.

cabin ['kæbin] **I** *sb* hut, kajuit; cabine; **II** *vt* opsluiten.

cabin-boy ['kæbinbɔi] ⚓ kajuitsjongen.

cabinet ['kæbinit] kabinet *o*; ministerie *o*; kast, kastje *o*; kamer, kamertje *o*.

cabinet-council ['kæbinitkauns(i)l] kabinetsraad, ministerraad.

cabinet-edition ['kæbinitidiʃən] luxe-uitgaaf.

cabinet-maker ['kæbinitmeikə] 1 fijne schrijnwerker; 2 kabinetsformateur.

cable ['keibl] **I** *sb* kabel(lengte); telegraafkabel; (kabel)telegram *o*; **II** *vt* kabelen: telegraferen.

cablegram ['keiblgræm] ⚡ (kabel)telegram *o*.

cabman ['kæbmən] (huur)koetsier; (taxi)chauffeur.

caboodle [kə'bu:dl] S zooi. [feur.

caboose [kə'bu:s] ⚓ kombuis, keuken.

cabriolet [kæbriə'lei] cabriolet.

cab-stand ['kæbstænd] standplaats voor huurrijtuigen (taxi's).

ca`canny [ka:'kæni] langzaam-aan-actie.

cacao [kə'ka:ou, kə'keiou] cacao(boom).

cachalot ['kæʃələt] ⚓ potvis.

cache [kæʃ] **I** *sb* geheime bergplaats; verborgen voorraad; **II** *vt* verbergen.

cachet ['kæʃei] cachet *o*.

cachinnation [kæki'neiʃən] geschater *o*.

cackle ['kækl] **I** *vi* kakelen[2], snateren[2]; **II** *sb* gekakel[2] *o*, gesnater[2] *o*.

cackler ['kæklə] kakelaar.

cacophony [kə'kɔfəni] kakofonie.

cacti ['kæktai] *mv* v. *cactus*.

cactus ['kæktəs] ✿ cactus.

cad [kæd] poen, proleet, ploert.

cadastral [kə'dæstrəl] kadastraal.

cadaverous [kə'dævərəs] lijkachtig, lijkkleurig.

caddie ['kædi] *sp* golf-jongen.

caddis-fly ['kædisflai] kokerjuffer.

caddish(ly) ['kædiʃ(li)] poenig, ploertig.

caddy ['kædi] theekistje *o* || zie *caddie*.

cadence ['keidəns] ♪ cadans, ritme *o*.

cadet [kə'det] 1 cadet; 2 jongere broeder, jongste zoon.

cadge [kædʒ] venten; klaplopen; bedelen.

cadger ['kædʒə] venter; klaploper; bedelaar.

cadre ['ka:də] kader *o*.

caecum ['si:kəm] blindedarm.

Caesar ['si:zə] Caesar[2]; *great* ~! F grote goden!

caesura [si'zjuərə] cesuur.

café ['kæfei] café *o*, koffiehuis *o*.

cafeteria [kæfi'tiəriə] cafetaria.

caffeine ['kæfii:n] cafeïne.

caftan ['kæftən] kaftan.

cage [keidʒ] **I** *sb* 1 kooi; 2 hok *o*, gevangenis; **II** *vt* in een kooi (gevangen) zetten.

cagey ['keidʒi] F sluw; terughoudend.

caiman ['keimən] zie *cayman*.

Cain [kein] Kaïn[2], broedermoorder.

cairn [kɛən] steenhoop [als grafmonument, grens].

Cairo ['kaiərou] Caïro *o*.

caisson ['keisən] caisson.

⊙ caitiff ['keitif] **I** *sb* ellendeling, schelm; **II** *aj* snood, laag.

cajole [kə'dʒoul] vleien.

cajoler [kə'dʒoulə] vleier.

cajolery [kə'dʒouləri] vleierij.

cake [keik] **I** *sb* koek, gebak *o*, taart, tulband, cake; stuk *o* [zeep &]; ~*s and ale* pret, vreugd; feest *o*, kermis; *take the* ~ de kroon spannen; het toppunt zijn; **II** (*vt* &) *vi* (doen) koeken.

cakewalk ['keikwɔ:k] soort negerdans.

calabash ['kæləbæʃ] ✿ kalebas [pompoen].

Calais ['kælei] Calais *o*.

calamitous [kə'læmitəs] rampspoedig.

calamity [kə'læmiti] ramp, onheil *o*, ellende.

calash [kə'læʃ] 1 kales; 2 (rijtuig)kap.

calcareous [kæl'kɛəriəs] kalkhoudend, kalk-.

calciferous [kæl'sifərəs] kalkhoudend.
calcification [kælsifi'keiʃən] verkalking.
calcify ['kælsifai] verkalken.
calcination [kælsi'neiʃən] calcinatie.
calcine ['kælsain] calcineren.
calcium ['kælsiəm] calcium o.
calculable ['kælkjuləbl] berekenbaar.
calculate ['kælkjuleit] I vi rekenen; II vt 1 berekenen; 2 Am geloven, denken; ~d for berekend op, geschikt voor; the consequences are ~d to be disastrous de gevolgen moeten noodlottig zijn.
calculating-machine ['kælkjuleitiŋmə'ʃi:n] rekenmachine.
calculation [kælkju'leiʃən] berekening².
calculator [kælkjuleitə] 1 (be)rekenaar; 2 rekenmachine.
calculus ['kælkjuləs] 1 graveel o; steen; 2 (be)rekening; infinitesimaalrekening: differentiaal- en integraalrekening (ook: infinitesimal ~).
caldron ['kɔ:ldrən] ketel.
Caledonia [kæli'dounjə] Caledonië o: Schotland o.
Caledonian [kæli'dounjən] Schot(s).
calendar ['kælində] I sb kalender; lijst; rol; II vt optekenen; rangschikken.
calender ['kælində] I sb kalander, glansmachine; II vt kalanderen.
calends ['kælindz] eerste van de maand bij de Romeinen; at (on) the Greek ~ met sint-jut(te)mis.
calf [ka:f] kalf² o; kalfsleer o; jong o van een hinde & ‖ kuit [van 't been].
calf-love ['ka:flʌv] kalverliefde.
calibrate ['kælibreit] kalibreren.
calibre ['kælibə] kaliber² o; fig gehalte o, formaat o.
calico ['kælikou] calico(t) o; Am gedrukt katoen o & m.
California [kæli'fɔ:njə] Californië o; ~ poppy ⚘ slaapmutsje o.
Californian [kæli'fɔ:njən] I aj Californisch; II sb Californiër.
caliph ['kælif] kalief.
caliphate ['kælifeit] kalifaat o.
calk [kɔ:k] I sb (ijs)spoor; II vt op scherp zetten [paard] ‖ calqueren ‖ zie caulk.
calkin ['kɔ:kin] (ijs)spoor, kalkoen.
call [kɔ:l] I vt (be-, bijeen-, in-, op-, af-, uit-, aan-, toe)roepen; afkondigen; ☏ opbellen; (be)noemen, heten; ~ attention to de aandacht vestigen op; ~ a meeting ook: een vergadering beleggen; ~ names uitschelden; ~ the roll appel houden; ~ the tune de toon aangeven, de leiding hebben, het voor het zeggen hebben; II vi roepen, aanlopen, een bezoek afleggen, komen; ◊ inviteren, [bij bridge] bieden; ∞ ~ after noemen naar; naroepen; ~ at 1 aanlopen bij; 2 ⚓ aandoen; ~ back terug-, herroepen; ~ down afsmeken; ~ for komen (af)halen; vragen

om of naar, bestellen; roepen om; vereisen; to be (left till) ~ed for wordt (af)gehaald, ⚓ poste restante; ~ forth oproepen, uitlokken; ~ in binnenroepen; erbij roepen, inschakelen, laten komen; opvragen; aankomen, aanlopen; ~ in question in twijfel trekken; ~ into being in het leven roepen; ~ off terugroepen, wegroepen²; afleiden [aandacht]; afgelasten [staking]; ~ on een bezoek afleggen bij, opzoeken; aanroepen; aanmanen; ~ out uitroepen; oproepen; laten uitrukken [brandweer &]; naar buiten roepen; uitdagen; ~ over aflezen, -roepen; ~ round eens aankomen; ~ to toeroepen; ~ to mind zich herinneren; herinneren aan; ~ to naught uitmaken voor al wat lelijk is; ~ up oproepen, wakker roepen, wekken [herinneringen]; ☏ opbellen; ~ upon, zie ~ on; I don't feel ~ed upon to... ik voel me niet geroepen te...; III sb geroep o, roep, (roen)stem, (op)roeping; oproep; appel o; ◊ invite; vraag; aanmaning; aanleiding; beroep o; bezoek o, visite; ☏ gesprek o, F telefoontje o; signaal o, (bootsmans)fluitje o; lokfluitje o; fig lokstem; $ optie; it was a close ~ 't hield (spande) er om; have first ~ on 't eerst aanspraak hebben op; have no ~ to niet behoeven te...; zich niet geroepen voelen om...; at (on) ~ 1 $ direct opvorderbaar [geld]; 2 ter beschikking; within ~ te beroepen.
call-bird ['kɔ:lbə:d] lokvogel.
call-box ['kɔ:lbɔks] spreekcel, telefooncel.
call-boy ['kɔ:lbɔi] 1 jongen die de acteurs waarschuwt; 2 chasseur.
caller ['kɔ:lə] 1 roeper; 2 ☏ aanvrager; 3 bezoeker.
calligrapher [kə'ligrəfə] schoonschrijver.
calligraphic [kæli'græfik] kalligrafisch.
calligraphy [kə'ligrəfi] schoonschrijfkunst
calling [kɔ:liŋ] roeping; beroep o.
callipers ['kælipəz] krompasser.
call-office ['kɔ:lɔfis] publiek telefoonstation o.
callosity [kæ'lɔsiti] eeltachtigheid; vereelting, eeltknobbel.
callous ['kæləs] vereelt, eeltachtig; fig verhard, ongevoelig, hardvochtig.
call-over ['kɔ:louvə] zie roll-call.
callow ['kælou] zonder veren, kaal; fig groen.
calm [ka:m] I aj kalm, bedaard; rustig; windstil; II sb kalmte, rust; windstilte; III vt & vi kalmeren, (doen) bedaren (ook: ~ down).
calorie ['kæləri] calorie, warmteeënheid.
calorific [kælə'rifik] verwarmend, warmte-.
calorimeter [kælə'rimitə] warmtemeter.
calotte [kə'lɔt] kalotje o.
caltrop ['kæltrɔp] ⚔ voetangel.
calumet ['kæljumit] pijp [der Indianen].
calumniate [kə'lʌmnieit] (be)lasteren.
calumniation [kɔlʌmni'eiʃən] (be)lastering.
calumniator [kə'lʌmnieitə] lasteraar.
calumnious [kə'lʌmniəs] lasterlijk.

calumny ['kæləmni] laster(ing).

Calvary ['kælvəri] Calvarieberg.

calve [ka:v] kalven.

Calvin ['kælvin] Calvijn.

Calvinism ['kælvinizm] calvinisme o.

Calvinist ['kælvinist] calvinist(isch).

Calvinistic(al) [kælvi'nistik(l)] calvinistisch.

calypso [kə'lipsou] calypso [danslied].

calyx ['kei-, 'kæliks] ⚹ (bloem)kelk.

cam [kæm] ⚒ kam, nok.

camber ['kæmbə] I sb welving; II vt welven.

cambric ['keimbrik] batist o.

Cambridge ['keimbridʒ] Cambridge o.

came [keim] V.T. van come.

camel ['kæməl] ♒ kameel.

camellia [kə'meljə, kə'mi:ljə] ⚹ camelia.

camelopard ['kæmiləpa:d, kə'meləpa:d] ♒ giraffe.

cameo ['kæmiou] camee.

camera ['kæmərə] camera; (raad)kamer; in ~ ⚖ met gesloten deuren.

cameraman ['kæmərəmæn] (pers)fotograaf; (film)operateur, cameraman.

camisole ['kæmisoul] kamizool o.

camomile ['kæməmail] ⚹ kamille.

camouflage ['kæmufla:ʒ] I sb camouflage; II vt camoufleren.

camp [kæmp] I sb kamp o, legerplaats; II vt & vi (zich) legeren, kamperen.

campaign [kæm'pein] I sb veldtocht, campagne; II vi te velde staan; vechten; een campagne voeren.

campaigner [kæm'peinə] (oud) soldaat; old ~ oudgediende, ouwe rot.

campanile [kæmpə'ni:li] klokketoren.

campanologist [kæmpə'nɔlədʒist] kenner van klokken(spel).

campanology [kæmpə'nɔlədʒi] kennis van klokken(spel).

campanula [kəm'pænjulə] ⚹ klokje o.

camp-bed ['kæmpbed] ✗ veldbed o.

camp-chair ['kæmptʃeə] vouwstoel.

camper ['kæmpə] kampeerder.

camphor ['kæmfə] kamfer.

camphorate ['kæmfəreit] kamferen.

camping-site ['kæmpiŋsait] kampeerterrein o, [camping.

campion ['kæmpiən] ⚹ silene. [camping.

camp-stool ['kæmpstu:l] vouwstoeltje o.

campus ['kæmpəs] Am terrein o van universiteit of school; fig academische wereld.

camshaft ['kæmʃa:ft] ⚒ nokkenas.

1 can [kæn] I sb 1 kan; 2 blik, bus; carry the ~ (back) S de schuld dragen; ervoor opdraaien (ook: take the ~ back); II vt inblikken; ~ned P dronken; ~ned music F grammofoonmuziek.

2 can [kæn] kunnen; you ~not but know it het kan u niet onbekend zijn, u moet het wel weten.

Canaan ['keinən] Kanaän o. [ten.

Canaanite ['keinənait] Kanaäniet.

Canada ['kænədə] Canada o.

Canadian [kə'neidjən] Canadees.

canal [kə'næl] kanaal[2] o, vaart, [Amsterdamse] gracht.

canalization [kænəlai'zeiʃən] kanalisatie.

canalize ['kænəlaiz] kanaliseren.

Canaries [kə'neəriz] Canarische Eilanden.

canary [kə'neəri] ♒ kanarie(vogel).

canasta [kə'næstə] canasta o [kaartspel].

cancel ['kænsəl] I vt (door)schrappen, doorhalen, afstempelen; intrekken, opheffen, laten vervallen, afgelasten, afbestellen, afschrijven, annuleren; vernietigen, te niet doen; laten wegvallen; wegvallen tegen (~ out); II vi ~ (out) tegen elkaar wegvallen, elkaar opheffen, elkaar te niet doen.

cancellation [kænsə'leiʃən] (door)schrapping, doorhaling, afstempeling; intrekking, opheffing &, zie cancel.

cancer ['kænsə] kanker[2]; C~ ✳ de Kreeft.

cancerous ['kænsərəs] kankerachtig.

cancroid ['kæŋkrɔid] kanker-, kreeftachtig.

candelabra [kændi'la:brə] 1 kandelaber; 2 kandelabers (= mv v. candelabrum).

candelabrum [kændi'la:brəm] kandelaber.

candid ['kændid] oprecht, openhartig.

candidacy ['kændidəsi] zie candidature.

candidate ['kændidit] kandidaat.

candidature ['kændiditʃə] kandidatuur.

candle ['kændl] kaars; licht o; she cannot hold a ~ to her sister zij haalt niet bij, kan niet in de schaduw staan van haar zuster.

candlelight ['kændllait] kaarslicht o.

Candlemas ['kændlməs] RK Maria-Lichtmis.

candle-power ['kændlpauə] kaarssterkte.

candlestick ['kændlstik] kandelaar; flat ~ blaker.

candour ['kændə] oprecht-, openhartigheid.

candy ['kændi] I sb 1 kandij; 2 Am suikergoed o, snoep; II vt konfijten, in suiker inleggen; kristalliseren; III vi kristalliseren.

candy floss ['kændiflɔs] suikerspin, gesponnen suiker.

cane [kein] I sb 1 riet o, rotting; 2 (wandel)-stok; 3 suikerriet o; 4 stengel, rank [v. framboos]; II vt 1 matten (met riet); 2 afrossen, slaan.

cane-bottomed ['keinbɔtəmd] met rieten zitting.

canine ['kænain, 'keinain] I aj honds-; II sb hoektand.

canister ['kænistə] 1 bus; 2 ✗ kartets.

canker ['kæŋkə] I sb 1 (mond)kanker, hoefkanker, boomkanker; bladrups; 2 knagende worm; II vi (ver)kankeren, invreten; III vt wegvreten; aansteken, bederven; ~ed ook: verbitterd, korzelig.

cankerous ['kæŋkərəs] kankerachtig, in-, wegvretend.

cannel(-coal) ['kænl(koul)] gaskolen.

canner ['kænə] inmaker.

cannery ['kænəri] conservenfabriek.

cannibal ['kænibəl] kannibaal.

cannibalistic [kænibə'listik] kannibaals.

cannily ['kænili] *ad* slim &, zie *canny*.

canning factory ['kæniŋfæktəri] zie *cannery*.

cannon ['kænən] I *sb* 1 ✕ kanon *o*, kanonnen, geschut *o*; 2 ⚬⚬ carambole; II *vi* 1 ⚬⚬ caramboleren; 2 (aan)botsen (tegen *against, into, with*).

cannonade [kænə'neid] I *sb* ✕ kanonnade; II *vt* kanonneren.

cannon-ball ['kænənbɔ:l] ✕ kanonskogel.

cannon-fodder ['kænənfɔdə] kanonnevlees *o*.

cannot ['kænət, ka:nt] zie 2 *can*.

canny ['kæni] *aj* slim; voorzichtig; zuinig.

canoe [kə'nu:] I *sb* kano; II *vi* kanoën.

canoeist [kə'nuist] kanovaarder.

cañon ['kænjən] diepe, steile bergkloof.

canon ['kænən] 1 canon, kerkregel; regel; 2 domheer, kanunnik; 3 canon [drukletter]; 4 ♪ canon.

canoness ['kænənis] stiftsdame.

canonical [kə'nɔnikl] I *aj* canoniek, kerkrechtelijk, kerkelijk; II *sb* in:~s priestergewaad *o*.

canonization [kænənai'zeiʃən] heiligverklaring.

canonize ['kænənaiz] heilig verklaren.

canopy ['kænəpi] I *sb* (troon)hemel, baldakijn *o* & *m*; gewelf *o*; kap; II *vt* overwelven.

1 **cant** [kænt] I *vi* gemaakt, huichelachtig spreken; femelen, huichelen; II *sb* dieventaal[2]; (huichel)frase(n); gefemel *o*.

2 **cant** [kænt] I *sb* 1 schuine kant, helling; 2 stoot; kanteling; II *vt* 1 op zijn kant zetten, kantelen; doen overhellen; 2 (af)kanten; III *vi* overhellen.

can't [ka:nt] samentrekking van *cannot*.

Cantab ['kæntæb] (student) van Cambridge.

cantankerous [kæn'tæŋkərəs] wrevelig, kribbig, lastig, twistziek.

cantata [kæn'ta:tə] ♪ cantate.

canteen [kæn'ti:n] 1 kantine; 2 veldfles; 3 ✕ eetketeltje *o*; 4 cassette.

canter ['kæntə] I *vi* in korte galop rijden of gaan; II *vt* in korte galop laten gaan; III *sb* korte galop; *win in a* ~ op zijn gemak winnen ‖ femelaar, huichelaar.

canterbury ['kæntəb(ə)ri] muziekkastje *o*.

cantharides [kæn'θæridi:z] Spaanse vlieg.

canticle ['kæntikl] lofzang; *the Canticles* B het Hooglied.

cantilever ['kæntili:və] △ console; ✕ cantilever.

cantle ['kæntl] 1 stuk *o*, homp, brok *m* & *v of o*; 2 achterboom [v. zadel].

canto ['kæntou] zang [van een gedicht].

canton [kæn'tən] I *sb* kanton *o*; II *vt* 1 verdelen in kantons; 2 [kæn'tu:n] ✕ kantonneren.

cantonment [kæn'tu:nmənt] ✕ kantonnement.

cantor ['kæntɔ:] cantor, voorzanger.

canvas ['kænvəs] 1 zeildoek *o* & *m*; canvas *o*; 2 doek *o*, schilderij *o* & *v*; 3 zeil *o*, zeilen; *under* ~ 1 ⚓ onder zeil; 2 ✕ in tenten (ondergebracht).

canvass ['kænvəs] I *vt* 1 uitpluizen; onderzoeken; bespreken; 2 werven; bewerken; II *v*

(stemmen &) werven; III *sb* onderzoek *o*; (stemmen)werving.

canvasser ['kænvəsə] stemmen-, klantenwerver, (werf)agent, colporteur, acquisiteur.

canyon ['kænjən] zie *cañon*.

caoutchouc ['kautʃu:k] caoutchouc *o* & *m*.

cap [kæp] I *sb* muts, pet, baret, kap; dop, dopje *o*; slaghoedje *o*; ~ *and bells* zotskap; *he puts on his considering* (*thinking*) ~ hij denkt er over na; *she sets her* ~ *at him* zij tracht hem in te palmen; *if the* ~ *fits you*, *wear it* wie de schoen past, trekke hem aan; II *vt* een muts opzetten; van een dopje voorzien, beslaan; bedekken; zijn muts afzetten voor, F doppen voor; overtreffen; ⚙ *Sc* een graad verlenen.

capability [keipə'biliti] bekwaamheid, vermogen *o*, vermogens; aanleg.

capable ['keipəbl] 1 bekwaam, knap, geschikt, flink; 2 in staat (om of tot *of*), kunnende, vatbaar (voor *of*).

capacious [kə'peiʃəs] ruim, veelomvattend.

capacitate [kə'pæsiteit] in staat stellen, bekwaam (bevoegd) maken, bekwamen.

capacity [kə'pæsiti] bekwaamheid, vermogen *o*, capaciteit; bevoegdheid; hoedanigheid; ruimte, inhoud; volle zaal.

cap-a-pie [kæpə'pi:] van top tot teen.

caparison [kə'pærisn] I *sb* sjabrak [v. paard]; uitrusting; II *vt* optuigen[2].

Cape [keip] I *sb* in: *the* ~ de Kaap; *aj* Kaaps.

cape [keip] 1 kaap; 2 kap, pelerine, cape.

caper ['keipə] I *vi* (rond)springen, huppelen; II *sb* (bokke)sprong ‖ ♣ kapper(struik).

capercailye, capercailzie [kæpə'keilji] 🐦 auerhaan, auerhoen *o*.

Cape Town ['keip'taun] Kaapstad.

capillarity [kæpi'læriti] capillariteit.

capillary [kə'piləri] I *aj* haarvormig, capillair, haar-; II *sb* haarbuisje *o*; haarvat *o*.

capital ['kæpitl] I *aj* hoofd-; kapitaal, uitmuntend, prachtig, best; ~ *crime* (*offence*) halsmisdaad; ~ *punishment* doodstraf; ~ *stock* $ aandelenkapitaal *o*; II *sb* 1 kapitaal *o*; 2 hoofdstad; 3 kapiteel *o*; 4 hoofdletter; *make* ~ *out of* munt slaan uit.

capitalism ['kæpitəlizm] kapitalisme *o*.

capitalist ['kæpitəlist] kapitalist(isch).

capitalistic [kæpitə'listik] kapitalistisch.

capitalization [kæpitəlai'zeiʃən] kapitalisatie.

capitalize ['kæpitəlaiz] kapitaliseren; munt slaan uit (ook: ~ *on*).

capitally ['kæpitəli] *ad* kapitaal, uitmuntend, prachtig, best.

capitation [kæpi'teiʃən] hoofdelijke omslag; hoofdgeld *o*; premie per hoofd.

Capitol ['kæpitl] 1 Capitool *o*; 2 Congresgebouw *o* [te Washington].

capitulate [kə'pitjuleit] capituleren.

capitulation [kəpitju'leiʃən] capitulatie.

capon ['keipən] 🐦 kapoen.

capote [kə'pout] 1 kapotjas; 2 lange mantel.

caprice [kə'priːs] luim, gril, kuur, nuk, grilligheid.

capricious [kə'priʃəs] grillig, nukkig.

Capricorn ['kæprikəːn] * de Steenbok.

caprine ['kæprain] geitachtig, geite(n)-.

capriole ['kæprioul] I sb bokkesprong; luchtsprong; II vi bokkesprongen maken.

capsicum ['kæpsikəm] ⚘ Spaanse peper.

capsize [kæp'saiz] (vt &) vi (doen) kapseizen, omslaan.

capstan ['kæpstən] ⚓ kaapstander; ~ lathe ⚒ revolverdraaibank.

capsular ['kæpsjulə] (zaad)doosvormig.

capsule ['kæpsjuːl] capsule; ⚘ zaaddoos; doosvrucht.

Capt. = Captain.

captain ['kæptin] I sb aanvoerder, veldheer, kapitein, gezagvoerder; ploegbaas; primus; leider; ~ of industry grootindustrieel; II vt aanvoeren, aanvoerder & zijn van.

captaincy ['kæptinsi], captainship ['kæptinʃip] kapiteinsplaats, -rang; veldheerstalent o; leiding.

caption ['kæpʃən] titel, opschrift o, onderschrift o, kopje o.

captious ['kæpʃəs] misleidend, listig, chicaneus, spitsvondig; vitterig.

captivate ['kæptiveit] boeien, bekoren, betoveren.

captivation [kæpti'veiʃən] boeiend karakter o, bekoring, betovering.

captive ['kæptiv] I sb gevangene; II aj gevangen; ~ balloon kabelballon.

captivity [kæp'tiviti] gevangenschap.

captor ['kæptə] wie gevangen neemt of buitmaakt.

capture ['kæptʃə] I sb vangst, buit, prijs; gevangenneming; inneming, verovering; II vt vangen, gevangen nemen, buitmaken, innemen; veroveren (op from).

Capuchin ['kæputʃin] RK kapucijn; c~ kapmantel.

car [kaː] 1 wagen; 2 auto; 3 tram; Am spoorwagen; 4 gondel, schuitje o [v. ballon]; 5 Am liftkooi.

carabineer [kærəbi'niə] ✕ karabinier.

caracole ['kærəkoul] I sb halve zwenking [v. paard]; II vi een halve zwenking maken; sprongen maken.

carafe [kə'raːf] karaf.

caramel ['kærəmel] karamel.

carapace ['kærəpeis] ⚘ rugschild o.

carat ['kærət] karaat o.

caravan [kærə'væn, 'kærəvæn] 1 karavaan; 2 kermis-, woonwagen; 3 kampeerwagen, caravan.

caravansary [kærə'vænsəri] karavanserai.

caravel ['kærəvel] ⚓ karveel.

caraway ['kærəwei] ⚘ karwij.

carbide ['kaːbaid] carbid o.

carbine ['kaːbain] ✕ karabijn.

carbohydrate ['kaːbou'haidreit, -drit] koolhy-

draat o.

carbolic [ka'bolik] carbol-; ~ acid carbolzuur o, carbol o & m.

carbolize ['kaːbəlaiz] carboliseren.

carbon ['kaːbən] kool(stof); koolspits; carbon(papier) o; doorslag.

carbonaceous [kaːbə'neiʃəs] kool(stof)houdend.

1 carbonate ['kaːbənit] sb carbonaat o.

2 carbonate ['kaːbəneit] vt in een carbonaat omzetten.

carbon copy ['kaːbənkɔpi] doorslag.

carbonic [kaː'bɔnik] kool-; ~ acid koolzuur o.

carboniferous [kaːbə'nifərəs] kool(stof)houdend.

carbonization [kaːbənai'zeiʃən] verkoling.

carbonize ['kaːbənaiz] verkolen; carboniseren.

carbon monoxide ['kaːbənmə'nɔksaid] koolmonoxyde o, kolendamp.

carbon paper ['kaːbənpeipə] carbonpapier o.

carbon printing ['kaːbənprintiŋ] kooldruk.

Ⓜcarborundum [kaːbə'rʌndəm] carborundum o.

carboy ['kaːbɔi] mandefles [voor zuren].

carbuncle ['kaːbʌŋkl] karbonkel, puist.

carburet ['kaːbjuret] carbureren.

carburettor, ~er ['kaːbjuretə] carburator.

carcass, carcase ['kaːkəs] geslacht beest o; lijk o; karkas o & v; rif o, geraamte o; body o; wrak o.

card [kaːd] I sb (speel)kaart; (visite)kaartje o; balboekje o; programma o; ⚓ kompasroos ‖ (wol)kaarde ‖ S „heer" o, type o; a sure ~ iets dat zeker succes heeft; have a ~ up one's sleeve iets in petto hebben; it was on the ~s het was te voorzien, te verwachten ‖ II vt kaarden ‖ op kaart brengen [adres &].

cardboard ['kaːdbɔːd] karton o, bordpapier o.

card-case ['kaːdkeis] visiteboekje o.

carder ['kaːdə] kaarder.

cardiac ['kaːdiæk] I aj hart-; II sb hartsterkend middel o.

cardigan ['kaːdigən] gebreid vest o.

cardinal ['kaːdinəl] I aj voornaamst, hoofd-; kardinaal; donkerpurper; ~ number hoofdtelwoord o; ~ points hoofdstreken [op kompas]; II sb kardinaal°.

cardinalship ['kaːdinəlʃip] kardinaalschap o.

card index ['kaːdindeks] kaartsysteem o, cartotheek.

card-index ['kaːd'indeks] in een kaartsysteem opnemen.

cardiogram ['kaːdiougræm] ⚕ cardiogram o.

cardiograph ['kaːdiougraːf] ⚕ cardiograaf.

cardiologist [kaːdi'ɔlədʒist] ⚕ cardioloog.

cardiology [kaːdi'ɔlədʒi] ⚕ cardiologie.

card-sharper ['kaːdʃaːpə] valse speler.

card-table ['kaːdteibl] speeltafeltje o.

care [kɛə] I sb zorg, bekommernis; ~ of... per adres...; have a ~! pas op!; have the ~ of belast zijn met; take ~! pas op!; take ~ of zorgen voor; passen op; that matter will take ~

of itself die zaak komt vanzelf terecht; *in (under) his* ~ aan zijn zorg toevertrouwd; onder zijn hoede; *with* ~ *!* voorzichtig; **II** *vi* & *vt* (wat) geven om; ~ *about* geven om, bezorgd zijn of zich bekommeren om; ~ *for* (veel) geven om, houden van; zorgen voor, verzorgen; *more than I* ~ *for* meer dan mij lief is; zie ook: *for*; *I don't* ~ *(a button &)* ik geef er geen zier om; *I don't* ~ *if I do* het is mij wel wel, ik heb er niets tegen; *do you* ~ *to...?* heb je zin om...?; *he didn't* ~ *to...* i hij voelde er niet voor te...; 2 [soms:] hij wilde wel...; *who cares?* wat kan dat schelen?, wat zou het?; *I couldn't* ~ *less* S ik geloof 't wel, 't kan me niets schelen; *he really does* ~ 't doet hem echt wat.

careen [kǝ'ri:n] **I** *vi* ♎ overhellen; **II** *vt* ♎ krengen, kiel(hal)en; doen overhellen.

career [kǝ'riǝ] **I** *sb* vaart; loopbaan, carrière; *in full* ~ in volle vaart; *in mid* ~ midden in zijn vaart; **II** *vi* (voort)jagen, (voort)snellen.

career man [kǝ'riǝmæn] *Am* beroepsdiplomaat, -militair &.

career woman [kǝ'riǝwumǝn] werkende vrouw.

care-free ['kɛǝfri:] zorgeloos, onbezorgd, onbekommerd, zonder zorgen.

careful ['kɛǝful] *aj* i zorgvuldig, nauwkeurig, zorgzaam, voorzichtig; 2 zorgvol, vol zorg (voor *for*); *be* ~ *!* pas op!; *be* ~ *of* oppassen voor; *be* ~ *to* er voor zorgen te, niet nalaten

carefully ['kɛǝfǝli] *ad* zie *careful*. [te.

carefulness ['kɛǝfulnis] zorgvuldigheid, zorgzaamheid, voorzichtigheid.

careless(ly) ['kɛǝlis(li)] zorgeloos, onverschillig, onachtzaam, slordig, nonchalant.

carelessness ['kɛǝlisnis] zorgeloosheid, onverschilligheid, onachtzaamheid, slordigheid, nonchalance.

caress [kǝ'res] **I** *sb* liefkozing; **II** *vt* liefkozen, strelen, aaien, aanhalen.

care-taker ['kɛǝteikǝ] huisbewaarder, -ster, conciërge; opzichter [v. begraafplaats &]; ~ *government* zakenregering.

care-worn ['kɛǝwɔ:n] door zorgen gekweld of verteerd, afgetobd.

cargo ['ka:gou] ♎ (scheeps)lading, vracht.

caricature [kærikǝ'tjuǝ] **I** *sb* karikatuur; **II** *vt* een karikatuur maken van.

caricaturist [kærikǝ'tjuǝrist] karikatuurtekenaar.

caries ['kɛǝrii:z] beeneter; wolf, cariës [in tanden].

carillon [kǝ'riljǝn] carillon *o* & *m*, klokkenspel *o*.

carious ['kɛǝriǝs] aangevreten, rot, carieus.

carking ['ka:kiŋ] in: ~ *care* knagende zorg.

Carlovingian [ka:lǝ'vindʒiǝn] **I** *aj* Karolingisch; **II** *sb* Karolinger.

Carlyle [ka:'lail] Carlyle.

carman ['ka:mǝn] vrachtrijder, sleper.

Carmelite ['ka:milait] karmeliet, -es.

carmine ['ka:main] karmijn(rood) *o*.

carnage ['ka:nidʒ] bloedbad *o*, slachting.

carnal ['ka:nǝl] vleselijk; zinnelijk.

carnation [ka:'neiʃǝn] i inkarnaat *o*; 2 ♣ anjer, anjelier.

carnival ['ka:nivǝl] i carnaval *o*; 2 *fig* zwelgerij, orgie; 3 *Am* lunapark *o*, kermis.

carnivora [ka:'nivǝrǝ] vleesetende dieren.

carnivore ['ka:nivǝ:] vleesetend dier.

carnivorous [ka:'nivǝrǝs] vleesetend.

carob ['kærǝb] ♣ johannesbrood *o*.

carol ['kærǝl] **I** *sb* lied *o*, zang; **II** *vi* zingen.

Caroline ['kærǝlain] **I** *sb* Caroline; **II** *aj* (uit de tijd) van Karel I & II.

Carolingian [kærǝ'lindʒiǝn] zie *Carolingian*.

caroller ['kærǝlǝ] zanger. [ramboleren.

carom ['kærǝm] **I** *sb Am* carambole; **II** *vi* caromen.

carotid [kǝ'rɔtid] halsslagader (~ *artery*).

carousal [kǝ'rauzǝl] drinkgelag *o*, slemppartij.

carouse [kǝ'rauz] zuipen, zwelgen, slempen.

carouser [kǝ'rauzǝ] drinkebroer, slemper.

i **carp** [ka:p] *sb* ♎ karper.

2 **carp** [ka:p] *vi* bedillen, vitten (op *at*).

carpal ['ka:pǝl] van de handwortel.

car park ['ka:pa:k] parkeerterrein *o*, -plaats.

Carpathians [ka:'peiθjǝnz] Karpaten.

carpenter ['ka:pintǝ] **I** *sb* timmerman; **II** *vi* timmeren; **III** *vt* (in elkaar) timmeren.

carpentry ['ka:pintri] i timmermansambacht *o*; 2 timmerwerk *o*.

carpet ['ka:pit] **I** *sb* tapijt *o*, (vloer)kleed *o*, karpet *o*, loper; *be on the* ~ i in behandeling (aan de orde) zijn; 2 **F** berispt worden; **II**-*vt* (als) met een tapijt bedekken.

carpet-bag ['ka:pitbæg] reiszak, valies *o*.

carpeting ['ka:pitiŋ] tapijtgoed *o*.

carpet-knight ['ka:pitnait] saletjonker, salon- [held.

carpus ['ka:pǝs] handwortel.

car radio ['ka:reidiou] ⚡ ╪ autoradio.

carriage ['kæridʒ] rijtuig *o*; wagon; wagen; onderstel *o*; affuit; ⚔ slede; vervoer *o*, vracht; houding; gedrag *o*; ~ *free*, ~ *paid* vrachtvrij, franco; *a* ~ *and four* een vierspannig rijtuig *o*.

carriage-way ['kæridʒwei] rijweg, rijbaan.

carrier ['kæriǝ] drager; vrachtrijder, besteller, bode, voerman; vervoerder; vrachtvaarder; ⚑ bacillendrager; bagagedrager; ♎ vliegdekschip *o*; ⚔ mitrailleurswagen; ⚑ postduif (~*-pigeon*); ~ (*bi*)*cycle*, *tricycle* bakfiets, transportfiets; ~(*-based*) *plane* ⚔ boordvliegtuig *o*; ~ *rocket* draagraket; ~ *wave* ⚡ ╪ draaggolf.

carrion ['kæriǝn] kreng *o*, aas *o*.

carrion-crow ['kæriǝnkrou] ♎ zwarte kraai.

carrot ['kærǝt] ♣ gele wortel, peen.

carroty ['kærǝti] **F** rood(harig).

carry ['kæri] **I** *vt* dragen, (ver)voeren, houden; bij zich hebben [geld], (aan boord) hebben; (over)brengen, meevoeren; en dóór krijgen; behalen, wegdragen; ⚔ nemen; bevatten, inhouden; meebrengen [verantwoordelijkheid]; *it carries a salary of...* er is een salaris aan verbonden van...; *the motion was carried* werd aangenomen; ~ *it too far* het te ver drijven; ~ *it high* hoog in zijn wapen zijn, de neus in de wind steken; ~ *the day* de overwinning behalen; ~ *weight* gehandicapt zijn²; gewicht in de schaal leggen; zie ook: *coal* &; **II** *bj* dragen; pakken [sneeuw]; **III** *vr* in: ~ *oneself* zich houden of gedragen, optreden; ∞ ~ *along* meedragen; wegvoeren; meeslepen; ~ *away* wegdragen; wegvoeren; meenemen²; meeslepen; ~ *back* terugvoeren; ~ *all* (*everything*) *before one* alles meeslepen of doen wijken; ~ *forward* $ transporteren; ~ *off* weg-, afvoeren [water]; ontvoeren; ten grave slepen; wegdragen, behalen; ~ *it off* ('t) er (goed) afbrengen; ~ *on* voortzetten; (de lopende zaken) waarnemen; doorzetten, (er mee) doorgaan, volhouden; uitoefenen, drijven, voeren [campagne]; *fig* huishouden; zich aanstellen; 't aanleggen (met *with*); ~ *out* ten uitvoer brengen, uitvoeren, vervullen [plichten]; ~ *over* overdragen; overhalen; laten liggen; $ transporteren; ~ *through* doorzetten; doorvoeren, tot stand of tot een goed einde brengen; volhouden, er door helpen; ~... *with one* ...meeslepen, meekrijgen; **IV** *sb* draagwijdte.

carry-cot ['kærikɔt] reiswieg.

carrying-trade ['kæriɪŋtreid] ⚓ vrachtvaart; $ goederenvervoer *o*; expeditiebedrijf *o*.

cart [ka:t] **I** *sb* kar, wagen; *put the* ~ *before the horse* de paarden achter de wagen spannen; **II** *vt* met een kar vervoeren.

cartage ['ka:tidʒ] sleeploon *o*; vervoer *o* per as.

cartel ['ka:tel] 1 uitdaging tot een duel; 2 verdrag *o* tot uitwisseling; 3 $ kartel *o*.

carter ['ka:tə] voerman; sleper.

Cartesian [ka:'ti:ziən] Cartesiaans.

Carthage ['ka:θidʒ] Carthago *o*.

Carthaginian [ka:θə'dʒinjən] **I** *aj* Carthaags; **II** *sb* Carthager, Carthaagse.

Carthusian [ka:'θju:ziən] *RK* kartuizer.

cartilage ['ka:tilidʒ] kraakbeen *o*.

cartilaginous [ka:ti'lædʒinəs] kraakbeenachtig.

cart-load ['ka:tloud] karrevracht.

carton ['ka:tən] karton *o*, kartonnen doos, slof [v. sigaretten].

cartoon [ka:'tu:n] karton *o*: modelblad *o* voor schilders &; (politieke) (spot)prent; tekenfilm; beeldverhaal *o*.

cartoonist [ka:'tu:nist] tekenaar van (politieke) (spot)prenten &.

cartridge ['ka:tridʒ] ⚔ patroon.

cartridge-box ['ka:tridʒbɔks] ⚔ patroontas.

cart-wheel ['ka:twi:l] wagenwiel *o*; *turn ~s* rad slaan.

cartwright ['ka:trait] wagenmaker.

carve [ka:v] (voor)snijden, kerven, beeldsnijden, graveren; ~ *up* verdelen.

carvel ['ka:vəl] ⚓ karveel.

carver ['ka:və] 1 (beeld)snijder; 2 voorsnijder; 3 voorsnijmes *o*; ~*s* voorsnijmes en -vork.

carving ['ka:viɳ] beeldsnijkunst, snijwerk *o*; ~ *knife* voorsnijmes *o*.

caryatid [kæri'ætid] kariatide.

cascade [kæs'keid] cascade [watervalletje].

case [keis] **I** *sb* (pak)kist, koffer, doos; kast; dek *o*, overtrek *o* & *m*, huls, foedraal *o*, etui *o*, tas, schede; koker, trommel ‖ geval² *o*; toestand; (rechts)zaak, geding *o*, proces *o*; argument *o*, argumenten; naamval; patiënt, gewonde; *in* ~ 1 ingeval, zo; 2 ...(want) je kunt nooit weten; *in* ~ *of*... in geval van...; *in any* ~ in ieder geval; toch; *in no* ~ in geen geval; *there is a woman in the* ~ er is een vrouw in het spel; *in the* ~ *of* tegenover, voor, bij, wanneer (waar) het geldt (betreft); *it is still the* ~ het is nog zo; *there is a* ~ *for flogging* er zijn argumenten aan te voeren, er is iets te zeggen voor de geselstraf; *make out a* ~ *for* sterke argumenten aanvoeren voor; *make out* (*prove*) *one's* ~ zijn goed recht bewijzen, zijn bewering waar maken; *put one's* ~ zijn standpunt uiteenzetten; *he has a strong* ~ hij (zijn zaak) staat sterk; **II** *vt* 1 in een kist & doen, insluiten, overtrekken; 2 S verkennen, opnemen.

case-book ['keisbuk] aantekenboek *o*.

case-bottle ['keisbɔtl] reisflacon; veldfles.

case-harden ['keisha:dn] (ver)harden aan de buitenkant; ~*ed* verhard, verstokt.

case-history ['keishistəri] geschiedenis van een geval.

casein ['keisiin] caseïne: kaasstof.

casemate ['keismeit] kazemat.

casement ['keismənt] (klein) venster *o*, draairaam *o*.

caseous ['keisiəs] kaasachtig, kaas-.

case-shot ['keisʃɔt] ⚔ schroot *o*.

cash [kæʃ] **I** *sb* geld *o*, gereed geld *o*, contant(en); kas; *hard* ~ baar geld *o*, klinkende munt; ~ (*down*) (à) contant; ~ *on delivery* ⚓ (onder) rembours *o*; ~ *with order* $ vooruitbetaling; *be in* (*out of, short of*) ~ goed (niet, slecht) bij kas zijn; **II** *vt* verzilveren, wisselen; innen; **III** *vi* in: ~ *in on* F profiteren van, verdienen aan.

cash-book ['kæʃbuk] $ kasboek *o*.

cash-box ['kæʃbɔks] geldkistje *o*, geldtrommel.

cashier [kə'ʃiə] **I** *sb* kassier, caissière; **II** *vt* F afdanken, zijn congé geven.

cashmere ['kæʃmiə] 1 kasjmier *o*; 2 sjaal.

cash payment ['kæʃpeimənt] $ contant(e betaling).

cash price ['kæʃprais] $ prijs à contant.

casing ['keisiɳ] foedraal *o*; overtrek *o* & *m*, omhulsel *o*, bekleding, verpakking, mantel.

casino [kə'si:nou] casino *o*.

cask [ka:sk] vat *o*, ton.

casket ['ka:skit] kistje *o*, cassette; *Am* lijkkist.

Caspian ['kæspiən] ~ (*Sea*) Kaspische Zee.

casque [kæsk] ⊍ helm, stormhoed; oorijzer *o*.

Cassandra [kə'sændrə] Cassandra[2].

cassation [kæ'seiʃən] ⚓ cassatie.

cassava [kə'sa:və] ⚘ cassave.

casserole ['kæsəroul] kastrol.

cassock ['kæsək] toog [priesterkleed].

cassowary ['kæsəwəri] ⚘ kasuaris.

cast [ka:st] I *vt* werpen; neerwerpen, uitwerpen, afwerpen; afdanken; [zijn stem] uitbrengen; ⚓ veroordelen; ⚔ gieten; ~ *accounts* $ de rekening(en) opmaken; ~ *a horoscope* een horoscoop trekken; ~ *lots* loten; *be* ~ *for Hamlet* de rol van H. (toegewezen) krijgen; II *vi* ⚓ wenden; kromtrekken;∞ ~ *about* ⚓ wenden; ~ *about for...* zoeken naar (een middel om...); ~ *away* wegwerpen; verkwisten; *be* ~ *away* ⚓ verongelukken[2]; ~ *back* terugwerpen; teruggaan; ~ *down* neerwerpen; terneerslaan; neerslaan; ~ *in one's lot with* het lot delen (willen) van, zich aan de zijde scharen van; ~ *off* afwerpen; verstoten; loslaten; afhechten [breien]; ⚓ losgooien; ~ *oneself on* zich overgeven aan; een beroep doen op; ~ *out* uitwerpen[2], uitdrijven, verjagen; ~ *up* opwerpen, opslaan; optellen; III *sb* worp, gooi, (uit)werpen *o*; hengelplaats; (rol)bezetting, rolverdeling, spelers; (giet)vorm, afgietsel *o*, (pleister)model *o*; type *o*, soort, aard; tint, tintje *o*, tikje *o*; *have a* ~ *in one's eye* loensen; *the paper has a bluish* ~ zweemt naar het blauw; IV V.T. en V.D. van *cast*; V *aj* gegoten, giet-; ~ *shadow* slagschaduw; zie ook: *cast-iron*.

castanets [kæstə'nets] castagnetten.

castaway ['ka:stəwei] I *aj* uit de koers gedreven; verongelukt; verworpen; II *sb* I schipbreukeling; 2 verworpeling, paria.

caste [ka:st] kaste; *lose* ~ in stand achteruitgaan.

castellan ['kæstələn] slotvoogd, -bewaarder.

caster ['ka:stə] I werper; gieter [v. staal &]; 2 zie *castor*.

castigate ['kæstigeit] I kastijden; 2 gispen; 3 verbeteren [een tekst].

castigation [kæsti'geiʃən] I kastijding; 2 gisping; 3 verbetering.

castigator ['kæstigeitə] I kastijder; 2 gisper; 3 verbeteraar.

Castile [kæs'ti:l] Castilië *o*.

Castilian [kæs'tiliən] Castiliaan(s).

casting ['ka:stiŋ] gieten *o* &, zie *cast*; gietstuk *o*, gietsel *o*; hoopje *o* [v. aardworm].

casting-net ['ka:stiŋnet] werpnet *o*.

casting vote ['ka:stiŋ'vout] beslissende stem.

cast-iron ['ka:st'aiən] I *sb* gietijzer *o*; II *aj* ['ka:staiən] van gietijzer; *fig* hard, vast.

castle ['ka:sl] I *sb* burcht, slot *o*, kasteel *o*; ~*s in the air* luchtkastelen; II *vi* rokeren.

castle-builder ['ka:slbildə] bouwer van luchtkastelen, dromer, fantast.

Castlereagh ['ka:slrei] Castlereagh.

cast-off ['ka:stɔ:f] I *aj* afgedankt; II *sb* F aflegger; verworpeling.

castor ['ka:stə] rolletje *o* [onder meubel]; strooier; *set of* ~*s* olie-en-azijnstel *o*.

castor oil ['ka:stə'rɔil] wonderolie.

castor sugar ['ka:stə'ʃugə] strooisuiker.

casual ['kæʒuəl] I *aj* toevallig; zonder plan; ongeregeld; nonchalant; slordig; ~ *labourer* los werkman; II *sb* los werkman; amateur.

casually ['kæʒuəli] *ad* I toevallig; 2 terloops; zie verder: *casual* I.

casualty ['kæʒuəlti] toeval *o*; ongeval *o*; *casualties* I ⚔ doden en gewonden, verliezen; 2 slachtoffers.

casuistry ['kæzjuistri] casuïstiek; spitsvondigheid, haarkloverij.

cat [kæt] I kat[2]; 2 ~(-*o'nine-tails*) kat [geselstrafwerktuig]; 3 *Am* S swingmusicus, swingmaniak; vent, knaap, jongen; *he let the* ~ *out of the bag* hij verklapte het geheim; *turn* ~ *in pan* zijn rokje omkeren; *see which way the* ~ *jumps* de kat uit de boom kijken; *a* ~ *may look at a king* kijken staat vrij; *when the* ~*'s away the mice will play* als de kat weg is, dansen de muizen.

cataclysm ['kætəklizm] overstroming; geweldige beroering, omwenteling.

catacomb ['kætəkoum] catacombe.

catafalque ['kætəfælk] katafalk.

Catalan ['kætələn] I *aj* Catalaans; II *sb* I Cataloniër; 2 Catalaans *o*.

catalogue ['kætələg] I *sb* catalogus; II *vt* catalogiseren.

catalyst ['kætəlist] katalysator.

catamaran [kætəmə'ræn] I ⚓ vlot *o*; 2 feeks.

catapult ['kætəpʌlt] I *sb* katapult; II *vt* met een katapult (be-, af)schieten.

cataract ['kætərækt] cataract: I waterval; 2 ⚕ grauwe staar.

catarrh [kə'ta:] catarre.

catarrhal [kə'ta:rəl] catarraal.

catastrophe [kə'tæstrəfi] I catastrofe, ramp; 2 ontknoping.

catastrophic [kætə'strɔfik] catastrofaal.

catcall ['kætkɔ:l] I *sb* schel fluitje *o* [om uit te fluiten]; II *vt* uitfluiten.

catch [kætʃ] I *vt* vatten; (op)vangen; pakken, grijpen; betrappen; snappen; (in)halen; oplopen, te pakken krijgen; raken, treffen; toebrengen, geven [een klap]; vastraken met, blijven haken of hangen met; klemmen; ~ *one's attention* iemands aandacht trekken; ~ *it (hot)* er (ongenadig) van langs krijgen; ~ *me (doing it)!* F kan je begrijpen (dat ik dat doen zal)!; ~ *one's name* zijn naam goed verstaan; ~ *the Speaker's eye* het woord krijgen; II *vi* pakken [v. schroef]; aangaan, vlam vatten; aanbranden;∞ ~ *at* grijpen naar, aangrijpen; *if I* ~ *him at it* als ik er hem op betrap; ~ *him in a lie* hem op een leugen betrappen; *be caught in the rain* door de regen overvallen worden; ~ *on* pakken [*fig*], opnemen, opgang maken, ingang vinden; 't snappen; ~ *out sp* uitspelen [cricket]; *fig* betrappen; ~ *over* dichtvriezen; ~ *up* opnemen; onderbreken; inhalen, bijkomen; ~ *up with (on)* inhalen; III *sb* (op)vangen *o*; greep; vangst, buit, voordeel *o*, aanwinst; goede partij; strikvraag, valstrik; ♪ (komische) canon; vang, klink, haak, pal, knip; stokken *o* [v. stem]; *a poor (no great, no particular)* ~ F niet veel zaaks; *there is a* ~ *in it* er schuilt (steekt) iets achter.

catcher ['kætʃə] vanger.

catching ['kætʃiŋ] besmettelijk, aanstekelijk; pakkend.

catchment area ['kætʃməntəəriə], ~ **basin** [-beisn] neerslaggebied *o*, stroomgebied *o*.

catch-phrase ['kætʃfreiz] leus; gezegde *o*.

catchword ['kætʃwə:d] wachtwoord *o*, wacht; trefwoord *o*; custos; (partij)leus.

catchy ['kætʃi] pakkend, aantrekkelijk; ongestadig; bedrieglijk; listig; verraderlijk.

catechetic(al) [kæti'ketik(l)] catechetisch.

catechism ['kætikizm] catechismus.

catechist ['kætikist] catechiseermeester.

catechize ['kætikaiz] catechiseren, ondervragen.

catechizer ['kætikaizə] catechiseermeester.

catechumen [kæti'kju:men] catechumeen, catechisant, leerling.

categorical [kæti'gorikl] categorisch, stellig, uitdrukkelijk.

category ['kætigəri] categorie.

cater ['keitə] leveren; zorgen (voor *for*).

cater-cousin ['keitəkʌzn] verre bloedverwant; dikke vriend.

caterer ['keitərə] leverancier (van levensmiddelen), kok, restaurateur.

catering ['keitəriŋ] proviandering; consumptie; ~ *industry* ± hotel-, café- en restauratiebedrijf *o*.

caterpillar ['kætəpilə] rups; ~ *wheel* rupswiel *o*.

caterwaul ['kætəwɔ:l] I *vi* krollen; II *sb* krols gemiauw *o*, kattemuziek.

catgut ['kætgʌt] darmsnaar; ₮ catgut *o*.

cat-head ['kæthed] ♨ kraanbalk.

cathedral [kə'θi:drəl] I *aj* kathedraal; II *sb* kathedraal, dom(kerk).

Catherine ['kæθərin] Catharina, Katrijn; ~ *wheel* I soort roosvenster *o*; 2 vuurrad *o*; *turn* ~ *wheels* rad slaan.

catheter ['kæθitə] ₮ catheter.

cathode ['kæθoud] ⚡ kathode.

catholic ['kæθəlik] I *aj* I algemeen; ruim; veelzijdig; 2 katholiek; II *sb* katholiek.

Catholicism [kə'θɔlisizm] katholicisme *o*.

catholicity [kæθə'lisiti] I algemeenheid; ruime opvattingen; veelzijdigheid; 2 katholiciteit.

cat-ice ['kætais] bomijs *o*.

catkin ['kætkin] ♣ katje *o* [van wilg &].

catlike ['kætlaik] katachtig.

cat-nap ['kætnæp] hazeslaap, dutje *o*.

cat's-cradle ['kætskreidl] *sp* afnemertje *o*.

cat-sleep ['kætsli:p] zie *cat-nap*.

cat's-paw ['kætspɔ:] I kattepoot; 2 dupe, werktuig *o*; 3 lichte bries; *be made a* ~ *of* de kastanjes voor een ander uit het vuur moeten halen.

catsup ['kætsəp] zie *ketchup*. [halen.

cattish ['kætiʃ] kattig.

cattle ['kætl] I vee² *o*, rundvee *o*; 2 S paarden.

cattle-breeding ['kætlbri:diŋ] veeteelt.

cattle-plague ['kætlpleig] runderpest.

cattle-post, ~-**ranch**, ~-**range**, ~-**run** ['kætlpoust, -ra:n(t)ʃ, -reindʒ, -rʌn] veepark *o*.

cattle show ['kætlʃou] veetentoonstelling.

catty ['kæti] kattig.

Caucasian [kɔ:'keizjən] I *aj* Kaukasisch; II *sb* Kaukasiër, Kaukasische.

Caucasus ['kɔ:kəsəs] Kaukasus.

caucus ['kɔ:kəs] kiezersvergadering, verkiezingscomité *o*; hoofdbestuursvergadering; >

caudal ['kɔ:dl] staart-. [kliek.

caudle ['kɔ:dl] kandeel.

caught [kɔ:t] V.T. & V.D. van *catch*.

caul [kɔ:l] helm; *born with a* ~ met de helm geboren².

cauldron ['kɔ:ldrən] ketel.

cauliflower ['kɔliflauə] ♣ bloemkool; ~ *ear* bloemkooloor *o*.

caulk [kɔ:k] kalefateren, breeuwen.

causal ['kɔ:zəl] causaal, oorzakelijk.

causality [kɔ:'zæliti] causaliteit, oorzakelijk verband *o*.

causation [kɔ:'zeiʃən] veroorzaking.

causative ['kɔ:zətiv] I *aj* I veroorzakend; 2 oorzakelijk; 3 causatief; II *sb* causatief *o*.

cause [kɔ:z] I *sb* I oorzaak, reden; 2 (rechts)zaak, proces *o*; *in a good* ~ voor een goede zaak; *in the* ~ *of*... voor de (het)....; II *vt* veroorzaken, aanrichten, bewerken, maken dat ..., doen, laten; wekken [teleurstelling &], aanleiding geven tot.

causeless ['kɔ:zlis] ongegrond, zonder oorzaak.

cause-list ['kɔ:zlist] ₰₮ rol.

causeway ['kɔ:zwei], **causey** ['kɔ:zi] straatweg, chaussee; dijk; dam.

caustic ['kɔ:stik] I *aj* brandend, bijtend²; *fig* scherp, sarcastisch; II *sb* brandmiddel *o*, bijtmiddel *o*, helse steen.

causticity [kɔ:s'tisiti] bijtende eigenschap; sarcasme *o*.

cauterization [kɔ:tərai'zeiʃən] uitbranden *o*, toeschroeiing.

cauterize ['kɔ:təraiz] uitbranden, toeschroeien.

cautery ['kɔ:təri] brandijzer *o*.

caution ['kɔ:ʃən] I *sb* om-, voorzichtigheid; waarschuwing, waarschuwingscommando *o*; borg(tocht); II *vt* waarschuwen (voor *against*).

cautionary ['kɔ:ʃənəri] waarschuwend, waarschuwings-.

caution-money ['kɔ:ʃənmʌni] waarborgsom.

cautious(ly) ['kɔ:ʃəs(li)] omzichtig, behoedzaam, voorzichtig.

cavalcade [kævəl'keid] cavalcade.

cavalier [kævo'liə] I *sb* ruiter, ridder; cavalier
[ook: aanhanger van Karel I]; II *aj* zwierig,
vrij, hooghartig; ⬜ royalistisch.

cavalry ['kævolri] ✕ cavalerie, ruiterij.

cavalryman ['kævolrimən] ✕ cavalerist.

cave [keiv] I *sb* hol *o*, grot; II *vi* in: ~ *in* I af-,
inkalven, instorten; 2 toegeven; III *vt* uithollen; ~ *in* inslaan, indeuken.

cave-art ['keiva:t] holenkunst.

cave-drawing ['keivdrɔ:iŋ] rotstekening.

cave-dweller ['keivdwelə] zie *cave-man* I.

cave-man ['keivmæn] I holemens; holbewoner; 2 *fig* primitieve bruut.

cave-painting ['keivpeintiŋ] rotsschildering.

cavern ['kævən] spelonk, hol *o*, grot.

cavernous ['kævonəs] vol spelonken; hol.

caviar(e) [kævi'a:] kaviaar.

cavil ['kævil] I *sb* haarkloverij, vitterij, chica-
nes; II *vi* haarkloven, vitten (op *at*).

caviller ['kævilə] haarklover, vitter.

cavity ['kæviti] holte.

cavort [kə'vo:t] steigeren; (rond)springen.

cavy ['keivi] ⚶ Guinees biggetje *o*.

caw [ko:] I *vi* krassen [v. raaf]; II *sb* gekras *o*.

cayenne [kei'en] cayennepeper; C~ ['keien]
pepper cayennepeper.

cayman ['keimən] ⚶ kaaiman.

C.B. = *Companion of the Order of the Bath.*

C.B.I. = *Confederation of British Industries.*

C.D. = *Civil Defence.*

C.E. = *Church of England.*

cease [si:s] I *vi* ophouden (met *from*); II *vt* ophouden met, staken; III *sb* in: *without* ~
zonder ophouden.

cease-fire ['si:s'faiə] ✕ staken *o* van het vuren.

ceaseless ['si:slis] onophoudelijk.

Cecily ['sesili] Cecilia.

cedar ['si:də] ceder.

⊙ cedarn ['si:dən] cederhouten.

cede [si:d] cederen, afstaan.

cedilla [si'dilə] cedille.

ceil [si:l] plafonneren.

ceiling ['si:liŋ] I △ plafond *o*, zoldering; 2 ⚓
wegering; ✈ hoogtegrens; *fig* plafond *o*, (toelaatbaar) maximum *o*.

celandine ['selondain] *greater* ~ ⚘ stinkende
(grote) gouwe; *lesser* ~ ⚘ kleine gouwe.

celebrant ['selibrənt] celebrant.

celebrate ['selibreit] I *vt* vieren; loven, verheerlijken; celebreren, opdragen [de mis],
voltrekken [huwelijk]; II *va* celebreren, de
mis opdragen; feestvieren, fuiven.

celebrated ['selibreitid] beroemd, vermaard.

celebration [seli'breiʃən] viering; feest *o*, fuif.

celebrity [si'lebriti] vermaard-, beroemdheid.

celerity [si'leriti] snelheid, spoed.

celery ['seləri] ⚘ selderij; *turnip-rooted* ~ ⚘
knolselderij.

celestial [si'lestjəl] I *aj* hemels; hemel-; II *sb*
I hemeling; 2 F Chinees.

celibacy ['selibəsi] celibaat *o*: ongehuwde staat.

celibate ['selibit] celibatair, ongehuwd(e).

cell [sel] I cel, kluis; 2 ⚡ cel, element *o*.

cellar ['selə] I *sb* kelder; II *vt* kelderen, in een
kelder bergen.

cellarage ['seləridʒ] I kelderruimte; 2 opslag in
kelder; 3 kelderhuur.

cellarer ['selərə], cellarman ['seləmən] keldermeester.

cellist ['tʃelist] ♪ cellist.

cello ['tʃelou] ♪ cel.

Ⓜ cellophane ['seləfein] cellofaan *o*.

cellular ['seljulə] celvormig; cel-; ~ *tissue* celweefsel *o*.

cellule ['selju:l] celletje *o*.

Ⓜ celluloid ['seljuloid] celluloïde *o*, celluloïd *o*.

cellulose ['seljulous] cellulose.

Celt [kelt] Kelt.

Celtic ['keltik] Keltisch.

cement [si'ment] I *sb* cement *o* & *m*; bindmiddel[2] *o*; *fig* band; II *vt* cementeren; verbinden[2]; *fig* bevestigen.

cementation [si:men'teiʃən] cementering.

cemetery ['semitri] begraafplaats.

cenobite ['si:nəbait] kloosterling.

cenotaph ['senətа:f] cenotaaf.

cense [sens] bewieroken.

censer ['sensə] wierookvat *o*.

censor ['sensə] I *sb* censor, zedenmeester; *board
of film* ~*s* filmkeuring(scommissie); II *vt*
(als censor) nazien, censureren; ~*ed* door de
censuur nagelezen (goedgekeurd, geschrapt).

censorious [sen'sɔ:riəs] vitterig, bedillerig.

censorship ['sensəʃip] I ambt *o* van censor; 2
censuur.

censurable ['senʃərəbl] afkeurenswaardig.

censure ['senʃə] I *sb* berisping, afkeuring, (ongunstige) kritiek; II *vt* (be)kritiseren, afkeuren, gispen, berispen, bedillen.

census ['sensəs] (volks)telling.

cent [sent] I honderd; 2 Amerikaanse cent.

cental ['sentl] 100 pond (Engels).

centaur ['sentɔ:] centaur, paardmens.

centenarian [senti'neəriən] honderdjarig(e).

centenary [sen'ti:nəri, 'sentinəri] I *aj* honderdjarig; II *sb* honderd jaar; eeuwfeest *o*.

centennial [sen'tenjəl] zie *centenary*.

centesimal [sen'tesiməl] I *aj* honderddelig; II
sb honderdste deel *o*.

centigrade ['sentigreid] in honderd graden verdeeld; *70 degrees* ~ 70° Celsius.

centigramme ['sentigræm] centigram *o*.

centilitre ['sentili:tə] centiliter.

centimetre ['sentimi:tə] centimeter.

centipede ['sentipi:d] ⚬ⓖ duizendpoot.

centner ['sentnə] centenaar.

central ['sentrəl] I *aj* centraal, midden-; kern-,
hoofd-; ~ *school* ± kopschool; II *sb Am* ✠
centrale.

centrality [sen'træliti] centrale ligging.

centralization [sentrəlai'zeiʃən] centralisatie.

centralize ['sentrəlaiz] centraliseren.

centre ['sentə] I *sb* centrum *o*, middelpunt *o*,

spil, *fig* haard [v. onrust &]; consultatie-bureau *o*; vulling [v. bonbon]; *sp* mid(den)-voor; voorzet [bij voetbal]; ~ *of gravity* zwaartepunt *o*; II *aj* midden-; III *vi* zich concentreren (in *in*); *the novel* ~*s round* (*upon*, *on*) *a Dutch family* een Hollands gezin vormt het middelpunt van de roman; IV *vt* het middelpunt bepalen van; concentreren; in het midden plaatsen; *sp* centeren, voorzetten [bij voetbal].

centrebit ['sentəbit] ⚔ centerboor.

centreboard ['sentəbɔ:d] ⚓ middenzwaard *o*.

centre forward ['sentə'fɔ:wəd] *sp* mid(den)-voor.

centre half ['sentə'ha:f] *sp* midhalf, (stopper)-spil.

centre-piece ['sentəpi:s] middenstuk *o*, pièce de milieu *o*; tafelkleedje *o*.

centrifugal [sen'trifjugəl] middelpuntvliedend, centrifugaal.

centripetal [sen'tripitəl] middelpuntzoekend.

centuple ['sentjupl] I *sb* honderdvoud *o*; II *aj* honderdvoudig; III *vt* verhonderdvoudigen.

centurion [sen'tjuəriən] 𝔒 hoofdman over honderd.

century ['sentʃuri] I eeuw; 2 *sp* 100 runs.

ceramic [si'ræmik] I *aj* ceramisch; II *sb* in: ~*s* ceramiek: pottenbakkerskunst.

Cerberus ['sə:bərəs] Cerberus[2].

cere [siə] washuid.

cereal ['siəriəl] I *aj* graan-; II *sb* graansoort; ~*s* I graan *o*, graangewassen; 2 havervlokken, roggevlokken e.d.

cerebellum [seri'beləm] kleine hersenen.

cerebral ['seribrəl] *aj* hersen-; cerebraal[2].

cerebro-spinal ['seribrou'spainəl] hersenruggemergs-; ~ *meningitis* 𝔉 nekkramp.

cerebrum ['seribrəm] hersenen.

cerecloth ['siəklɔθ] wasdoek *o* & *m*.

cerement(s) ['siəmənt(s)] lijkwa.

ceremonial [seri'mounjəl] ceremonieel (*o*).

ceremonious(ly) [seri'mounjəs(li)] vormelijk, plechtig, plechtstatig, deftig.

ceremony ['seriməni] plechtigheid, plichtpleging, vormelijkheid; *without* ~ zonder complimenten.

cerise [sə'ri:z] kersrood.

certain ['sə:t(i)n] I zeker (van *of*), vast, (ge)wis; 2 bepaald; 3 enige, sommige; *for* ~ (heel) zeker, met zekerheid.

certainly ['sə:t(i)nli] zeker (wel); voorzeker.

certainty ['sə:t(i)nti] zekerheid; *for* (*of*, *to*) *a* ~ zeker.

⚔ **certes** ['sə:tiz] zekerlijk.

certificate [sə'tifikit] I *sb* getuigschrift *o*, certificaat *o*, bewijs *o*, brevet *o*, attest *o*, diploma *o*, akte; II *vt* [sə'tifikeit] een certificaat of diploma verlenen, diplomeren.

certification [sə:tifi'keiʃən] verklaring; diplomering.

certified ['sə:tifaid] gediplomeerd; zie ook ↓.

certify ['sə:tifai] verzekeren, be-, getuigen,

verklaren; waarmerken, certificeren, attesteren; krankzinnig verklaren.

certitude ['sə:titju:d] zekerheid.

cerulean [si'ru:liən] hemelsblauw.

ceruse [si'ru:s] loodwit *o*.

cervical ['sə:vikl] hals-.

cessation [se'seiʃən] ophouding, stilstand.

cession ['seʃən] (boedel)afstand, cessie.

cessionary ['seʃənəri] cessionaris.

cesspool ['sespu:l] zinkput; *fig* poel.

Ceylon [si'lɔn] Ceylon *o*.

Cf. = *confer* (*compare*) vergelijk, vgl.

chafe [tʃeif] I *vt* (warm) wrijven, schuren, schaven [de huid]; ergeren, sarren; II *vi* I (zich) wrijven (tegen *against*); 2 zich ergeren (over *at*), schuimen[2] [ook: van woede]; III *sb* I schaving [v. huid]; 2 ergernis.

chafer ['tʃeifə] 𝔎 (mei)kever.

chaff [tʃa:f] I *sb* I kaf *o*, haksel *o*; 2 waardeloos iets; 3 scherts, plagerij; II *vt* gekscheren met; plagen.

chaffer ['tʃæfə] I *vi* dingen, loven en bieden pingelen, sjacheren; II *sb* gepingel *o* &.

chaffinch ['tʃæfin(t)ʃ] 𝔎 boekvink.

chaffy ['tʃa:fi] I vol kaf; 2 onbeduidend.

chafing-dish ['tʃeifindiʃ] komfoor *o*.

chagrin ['ʃægrin] I *sb* verdriet *o*, hartzeer *o*; II *vt* verdrieten.

chain [tʃein] I *sb* ketting; keten[2]; reeks; maatschappij, syndicaat *o* [v. gelijksoortige bedrijven]; guirlande; II *vt* met ketens afsluiten; ketenen; aan de ketting leggen, vastleggen (ook: ~ *up*).

chain crash ['tʃeinkræʃ] kettingbotsing.

chain reaction ['tʃeinriækʃən] kettingreactie.

chain-shot ['tʃeinʃɔt] ⚔ kettingkogel.

chain store ['tʃeinstɔ:] grootwinkelbedrijf *o*; kettingwinkel.

chair [tʃɛə] I *sb* stoel, zetel, voorzittersstoel, draagstoel; katheder, leerstoel; voorzitterschap *o*, voorzitter; ~ *!*, ~ *!* ordel; *be in the* ~ voorzitter zijn, presideren; *leave* (*take*) *the* ~ ook: de vergadering sluiten (openen); II *vt* I op een stoel of de schouders ronddragen; 2 installeren [als voorzitter].

chair-lift ['tʃɛəlift] stoeltjeslift.

chairman ['tʃɛəmən] voorzitter; ~ *of directors* $ president-commissaris.

chairmanship ['tʃɛəmənʃip] voorzitterschap *o*

chairwoman ['tʃɛəwumən] voorzitster.

chaise [ʃeiz] jachtwagen.

Chaldaic [kæl'deiik] Chaldeeuws.

Chaldea [kæl'di:ə] Chaldea *o*.

Chaldean [kæl'di:ən], **Chaldee** [kæl'di:] I *a* Chaldeeuws; II *sb* Chaldeeër.

chalice ['tʃælis] kelk; (Avondmaals)beker.

chalk [tʃɔ:k] I *sb* krijt *o*; *by a long* ~, *by long* ~*s* F verreweg; *not by a long* ~ F op geen stukken na; II *vt* met krijt besmeren, tekenen of schrijven, ⚙ krijten [de keu]; ~ *out* schetsen, aangeven; ~ *up* F aankalken; opschrijven.

chalk-pit ['tʃɔ:kpit] krijtgroeve.
chalk-stone ['tʃɔ:kstoun] jichtknobbel.
chalky ['tʃɔ:ki] 1 krijtachtig; 2 vol krijt.
challenge ['tʃælin(d)ʒ] I *sb* uitdaging; tarting; ✕ aanroeping; ⚓ wraking; ~ *cup* wisselbeker; II *vt* uitdagen, tarten; aanroepen; betwisten; eisen, vragen; ⚓ wraken [jury]; *challenging* ook: interessant, tot nadenken stemmend.
challengeable ['tʃælin(d)ʒəbl] wraakbaar; betwistbaar.
chamber ['tʃeimbə] 1 kamer, ⚓ slaapkamer; 2 kolk [v. sluis]; 3 kamerpot, po (~ *pot*); ~*s* kamers [van vrijgezel]; (advocaten)kantoor *o*; raadkamer [van rechter]; ~ *of commerce* kamer van koophandel; ~ *of horrors* gruwelkamer.
chamberlain ['tʃeimbəlin] kamerheer.
chambermaid ['tʃeimbəmeid] kamermeisje *o*.
chameleon [kə'mi:ljən] ⚓ kameleon *o* & *m*.
chamfer ['tʃæmfə] I *sb* groef; schuine kant; II *vt* groeven; afschuinen.
chamois ['ʃæmwa:] ⚓ gems; ~ ['ʃæmi] *leather* zeemleer *o*, gemzeleer *o*.
champ [tʃæmp] kauwen, knagen, bijten op.
champagne [ʃæm'pein] champagne.
champion ['tʃæmpjən] I *sb* kampioen; voorvechter; II *vt* strijden voor, vóórstaan, verdedigen; III *aj* P reuze, prima.
championship ['tʃæmpjənʃip] kampioenschap *o*; *fig* verdediging, voorspraak.
chance [tʃa:ns] I *sb* toeval *o*, geluk *o*; kans; mogelijkheid; vooruitzicht *o*; *the main* ~ eigen voordeel *o*; *stand a good* ~ goede kans(en) hebben; *take one's* ~ het erop aan laten komen; de kans wagen; *by* ~ toevallig; *on the* ~ *of* ...*ing* met het oog op de mogelijkheid dat...; II *aj* toevallig; III *vi* gebeuren; *I* ~*d to see it,* bij toeval (toevallig) zag ik het; ~ *upon* toevallig vinden; ontmoeten; IV *vt* wagen; ~ *it* (*one's arm, one's luck*) het erop wagen; het erop aan laten komen.
chancel ['tʃa:nsəl] koor *o* [v. kerk].
chancellery ['tʃa:nsələri] kanselarij.
chancellor ['tʃa:nsələ] kanselier; C~ *of the Exchequer* Minister van Financiën.
chancellorship ['tʃa:nsələʃip] kanselierschap *o*.
chancery ['tʃa:nsəri] kanselarij; (*Court of*) C~ afdeling van het Hooggerechtshof.
chancy ['tʃa:nsi] onzeker, gewaagd, riskant.
chandelier [ʃændə'liə] kroonluchter.
chandler ['tʃa:ndlə] 1 kaarsenmaker; 2 komenijsman.
change [tʃein(d)ʒ] I *vt* (ver)wisselen, (om-, ver)ruilen, veranderen (van); ~ *carriages* (*trains* &), overstappen; ~ *one's clothes* zich verkleden; ~ *gear* ⚓ overschakelen; ~ *hands* in andere handen overgaan, van eigenaar veranderen; ~ *one's linen* zich verschonen; ~ *one's mind* 1 van gedachte veranderen; 2 ook: zich bedenken; ~ *one's note* (*tune*) een andere toon aanslaan²; II *vi* & *va* (om)ruilen; ver-

anderen; overstappen; zich om-, verkleden; ~ *down* ⚓ terugschakelen; ~ *over* om-, overschakelen²; overgaan; elkaar aflossen [v. wacht]; III *sb* verandering; overgang; af-, verwisseling; kleingeld *o*; schoon goed *o*; *a* ~ *of heart* een verandering van gezindheid; een bekering; *for a* ~ voor de variatie; *get no* ~ *out of him* er bij hem bekaaid afkomen; *no* ~ *given!* (af)gepast geld s.v.p.!; *you may keep the* ~ laat maar zitten! [tegen kelner]; *ring the* ~*s* op honderd manieren herkauwen of herhalen; *take one's* ~ *out of a person* 't iemand betaald zetten; *take your* ~ *out of that!* steek die in je zak!
Change [tʃein(d)ʒ] de Beurs.
changeable ['tʃein(d)ʒəbl] veranderlijk.
changeful ['tʃein(d)ʒful] veranderlijk.
changeless ['tʃein(d)ʒlis] onveranderlijk.
change-over ['tʃein(d)ʒ'ouvə] om-, overschakeling²; overgang; aflossing [v. wacht].
changer ['tʃein(d)ʒə] ⚒ wisselaar.
change-speed gear ['tʃein(d)ʒspi:d'giə] ⚒ versnelling(sbak).
changing-room ['tʃein(d)ʒiŋrum] kleedkamer.
channel ['tʃænl] I *sb* (vaar)geul, stroombed *o*, kanaal² *o* [ook *TV*], kil; groef; cannelure; *the Channel* het Kanaal; *the Channel Islands* de Normandische Eilanden; *through diplomatic* ~*s* langs diplomatieke weg; II *vt* groeven, uithollen; canneleren.
chant [tʃa:nt] I *sb* gezang *o*, koraalgezang *o*; dreun; spreekkoor *o*; II *vt* (be)zingen; opdreunen; in koor roepen; III *vi* zingen, galmen.
chanter ['tʃa:ntə] 1 (voor)zanger; 2 schalmeipijp [v. doedelzak].
chanterelle [tʃæntə'rel] ⚘ cantharel, hanekam.
chanty ['tʃa:nti] ⚓ matrozenlied *o*.
chaos ['keiɔs] chaos, baaierd, verwarring.
chaotic(ally) [kei'ɔtik(əli)] chaotisch.
1 **chap** [tʃæp] I *sb* scheur, spleet, barst, kloof [in de handen] ‖ kaak; II *vi* & *vt* scheuren, splijten, (doen) barsten, kloven.
2 **chap** [tʃæp] *sb* F kwant, knaap, vent.
chap-book ['tʃæpbuk] ⌑ volksboek *o*.
chapel ['tʃæpəl] kapel; bedehuis *o*, kerk [*RK* en dissenters]; ~ *of ease* hulpkerk.
chaperon ['ʃæpəroun] I *sb* chaperonne [zelden: chaperon]; II *vt* chaperonneren.
chap-fallen ['tʃæpfɔ:ln] ontmoedigd.
chaplain ['tʃæplin] 1 (huis)kapelaan; 2 ✕ aalmoezenier, veldprediker.
chaplet ['tʃæplit] 1 krans; 2 (hals)snoer *o*; 3 *RK* rozenhoedje *o*.
chapman ['tʃæpmən] marskramer.
chappie ['tʃæpi] F fatje *o*, heertje *o*, ventje *o*.
chappy ['tʃæpi] gebarsten ‖ zie ook: *chappie*.
chapter ['tʃæptə] hoofdstuk *o*, kapittel *o*; chapiter *o*, punt *o*; *Am* afdeling [v. vereniging]; *give* ~ *and verse* tekst en uitleg geven, man en paard noemen.
1 **char** [tʃa:] I *sb* werkster; II *vi* uit werken gaan.

2 char [tʃɑ:] vt & vi I verkolen; 2 blakeren.
char-a-banc ['ʃærəbæŋ] janplezier(-auto).
character ['kæriktə] karakter o; kenmerk o; kenteken o; aard, hoedanigheid; rol; reputatie; persoon(lijkheid), figuur; type o, heer o; getuigschrift o; letter; in (out of) ~ (niet) in de rol; be in ~ with passen bij, horen bij.
characteristic [kæriktə'ristik] I aj karakteristiek, typerend (voor of); II sb kenmerk o.
characterization [kæriktərai'zeiʃən] karakteristiek, typering.
characterize ['kæriktəraiz] kenmerken, kenschetsen, typeren, karakteriseren.
charade [ʃə'ra:d] charade.
charcoal ['tʃa:koul] houtskool.
⚲ chare [tʃɛə] zie I char.
charge [tʃa:dʒ] I sb last², lading; opdracht; taak, plicht; RK mandement o; (voorwerp o van) zorg; pupil; gemeente [v. geestelijke]; schuld; (on)kosten; ✗ charge, aanval; ♖ beschuldiging, aanklacht; have ~ of belast zijn met (de zorg voor); at a ~ tegen betaling; at his own ~ op eigen kosten; lance at the ~ met gevelde lans; official in ~ dienstdoende beambte; be in ~ dienst hebben, in functie zijn; be in ~ of I belast zijn met (de zorg voor); aan het hoofd staan van; 2 onder de hoede (leiding) staan van, toevertrouwd zijn aan (de zorg van); give in ~ laten arresteren; take in ~ arresteren; lay it to his ~ het hem ten laste leggen; return to the ~ de aanval hernieuwen, op de zaak terugkomen; II vt (be)laden, vullen; belasten, gelasten; opdragen; in rekening brengen (aan on), vragen (voor for); beschuldigen (van with); ✗ aanvallen; ~ bayonets ✗ de bajonet vellen; III vi ✗ chargeren; ~ at losstormen op; ~ into aanrennen tegen.
chargeable ['tʃa:dʒəbl] ten laste komend (van to); te wijten (aan on).
charger ['tʃa:dʒə] I dienstpaard o [v. officier]; 2 ⚲ grote schotel.
chariot ['tʃæriət] (strijd-, triomf)wagen.
charioteer [tʃæriə'tiə] wagenmenner.
charitable ['tʃæritəbl] liefdadig, barmhartig, menslievend; welwillend, zacht.
charity ['tʃæriti] liefdadigheid, (christelijke) liefde, barmhartigheid; mildheid, aalmoes, liefdadigheidsinstelling; ~ begins at home het hemd is nader dan de rok.
charivari [ʃa:ri'va:ri] ketelmuziek; kabaal o.
charlatan [ʃa:lətən] kwakzalver; charlatan.
charlatanry [ʃa:lətənri] kwakzalverij.
Charlemagne ['ʃa:lə'mein] Karel de Grote.
Charles [tʃa:lz] Karel.
Charley, Charlie ['tʃa:li] Karel, Kareltje o.
charlock ['tʃa:lək] ⚘ herik.
Charlotte ['ʃa:lət] Charlotte.
charm [tʃa:m] I sb I tovermiddel o; toverwoord o, -formulier o; betovering, bekoring; bekoorlijkheid, charme; 2 amulet; hangertje o [aan horlogeketting]; II vt betoveren, be-

koren; ~ away wegtoveren; ~ it out of him het hem weten te ontlokken.
charm bracelet ['tʃa:mbreislit] bedelarmband.
charmer ['tʃa:mə] tovenaar, tovenares; charmeur.
charming ['tʃa:miŋ] bekoorlijk; charmant, innemend, alleraardigst, verrukkelijk.
charnel-house ['tʃa:nəlhaus] knekelhuis o.
Charon ['kɛərən] Charon².
chart [tʃa:t] I sb I (zee-, weer)kaart; 2 tabel; 3 grafiek; II vt in kaart brengen.
charter ['tʃa:tə] I sb charter o, handvest o, oorkonde; octrooi o; voorrecht o; II vt bij charter instellen; een octrooi verlenen aan, octrooieren; ♦ bevrachten, huren, charteren.
charterer ['tʃa:tərə] ♦ bevrachter.
chartering-agent, ~-broker ['tʃa:təriŋeidʒənt, -broukə] ♦ scheepsbevrachter.
charter-party ['tʃa:təpa:ti] ♦ chertepartij.
chartist ['tʃa:tist] chartist: Engelse radicaal.
charwoman ['tʃa:wumən] werkster.
chary ['tʃɛəri] aj voorzichtig; karig (met of); be ~ of (in) ...ing schromen te...
Charybdis [kə'ribdis] Charybdis o.
Chas. = Charles.
chase [tʃeis] I sb jacht, najagen o, vervolging, jachtgrond, -veld o; gejaagd wild o, vervolgd schip o; jachtstoet ‖ groef; ✗ mondstuk o [v. kanon] ‖ vormraam o [v. drukkers]; give ~ to najagen, achtervolgen; II vt jagen, najagen; achtervolgen ‖ drijven, ciseleren ‖ groeven.
chaser ['tʃeisə] jager; achtervolger ‖ ciseleur.
chasm [kæzm] kloof; afgrond.
chassis ['ʃæsi:] chassis o.
chaste [tʃeist] kuis, eerbaar, zuiver, rein; ingetogen.
chasten ['tʃeisn] kastijden; zuiveren [van dwalingen]; kuisen; fig louteren; verootmoedigen.
chastise [tʃæs'taiz] kastijden, tuchtigen.
chastisement ['tʃæstizmənt] kastijding, tuchtiging.
chastity ['tʃæstiti] kuisheid, eerbaarheid, reinheid, zuiverheid; ingetogenheid.
chasuble ['tʃæzjubl] RK kazuifel.
chat [tʃæt] I vi kouten, keuvelen, babbelen; II sb gepraat o, gekeuvel o ‖ ⚘ tapuit.
chatelaine ['ʃætəlein] I burchtvrouw; 2 chatelaine [kettinkje(s)].
Chatham ['tʃætəm] Chatham o.
chattel ['tʃætl] goed o, bezitting; (goods and) ~s bezittingen, have en goed.
chatter ['tʃætə] I vi snateren², snappen², kakelen²; klapperen [v. tanden]; II sb gesnater o, gekakel o; gesnap o; geklapper o.
chatterbox ['tʃætəbɔks] babbelkous.
chatterer ['tʃætərə] babbelaar.
chatty ['tʃæti] spraakzaam; babbelziek.
chauffeur ['ʃoufə, ʃou'fə:] chauffeur.
chauvinism ['ʃouvinizm] chauvinisme o.
chauvinist ['ʃouvinist] chauvinist.

chauvinistic [ʃouvi'nistik] chauvinistisch.

chaw [tʃɔ:] *vt* & *vi* P kauwen, pruimen.

cheap [tʃi:p] goedkoop[2]; klein, nietig, verachtelijk; F onlekker; *hold* ~ geringachten; *on the* ~ op een koopje.

cheapen [tʃi:pn] afdingen; afslaan, in prijs verminderen; kleineren.

cheapskate ['tʃi:pskeit] *Am* miserabele vent; vrek.

cheat [tʃi:t] I *vt* bedriegen, beetnemen; verdrijven [tijd]; ~ (*out*) *of* afzetten; II *vi* bedriegen, vals doen (spelen); III *sb* 1 bedrog *o*, afzetterij; 2 bedrieger, afzetter.

check [tʃek] I *sb* *sp* schaak *o*; beteugeling, belemmering, tegenslag; controle; reçu *o*, bonnetje *o*; contramerk *o*; sortie; *Am* $ cheque; fiche *o* & *v* || ruit; ~*s* geruite stof(fen); *keep in* ~ in toom houden; II *vt* *sp* schaak geven; beteugelen; tegenhouden, tot staan brengen, stuiten, belemmeren; controleren, nagaan; *Am* in bewaring geven of nemen, afgeven, aannemen; ~ *off* aanstippen, aftikken; ~ *up* controleren; III *vi* ~ *in Am* binnenkomen, aankomen; ~ *out Am* weggaan, heengaan; ~ *up on* controleren; ~ *with Am* 1 kloppen met; 2 raadplegen; IV *aj* geruit [pak &].

check-book ['tʃekbuk] 1 controleboek *o*; 2 *Am* chequeboek *o*.

checked [tʃekt] geruit.

checker ['tʃekə] 1 controleur; 2 *Am* damschijf; ~*s Am* damspel *o*; 3 *zie* *chequer*.

check-list ['tʃeklist] alfabetische en genummerde lijst.

checkmate ['tʃek'meit] I *sb* schaakmat[2]; II *vt* schaakmat zetten[2].

check-up ['tʃek'ʌp] controle; onderzoek *o*.

cheek [tʃi:k] I *sb* wang; F brutaliteit; ~ *by jowl* wang aan wang; zij aan zij; II *vt* brutaliseren.

cheek-bone ['tʃi:kboun] wangbeen *o*, jukbeen [*o*.

cheeky ['tʃi:ki] F brutaal.

cheep [tʃi:p] I *vi* tjilpen, piepen; II *sb* getjilp *o*, gepiep *o*.

cheer [tʃiə] I *sb* stemming; vrolijkheid, opgeruimdheid; toejuiching, bijval(sbetuiging), hoera(geroep) *o*; onthaal *o*, spijs; ~*s!* /proost!; *of good* ~ opgeruimd; goedsmoeds; *make good* ~ goede sier maken; II *vt* opvrolijken, opmonteren; toejuichen; ~ *on* aanmoedigen; III *vi* juichen, hoera roepen; ~ *up* moed scheppen.

cheerful(ly) ['tʃiəful(i)] blij(moedig), vrolijk, opgewekt, opgeruimd.

cheerfulness ['tʃiəfulnis] blij(moedig)-, vrolijkheid, opgewekt-, opgeruimdheid.

cheerio ['tʃiəri'ou] S hou je goed!; proost!; dag!, tot ziens!

cheerless ['tʃiəlis] troosteloos, somber.

cheery ['tʃiəri] blijmoedig, opgewekt.

cheese [tʃi:z] kaas; *the* ~ S je ware!

cheesecake ['tʃi:zkeik] taart(je *o*) met wrongel; *Am* (afbeelding van) prikkelend vrouwelijk schoon *o*.

cheesemonger ['tʃi:zmʌŋgə] kaaskoper.

cheese-paring ['tʃi:zpɛəriŋ] I *sb* 1 afgesneden kaaskorst; 2 krenterigheid; II *aj* krenterig.

cheesy ['tʃi:zi] 1 kaasachtig; 2 S chic, fijn; 3 *Am* miezerig.

chef [ʃef] chef-kok.

chemical ['kemikl] I *aj* chemisch, scheikundig; II *sb* chemisch produkt *o*; ~*s* ook: chemicaliën.

chemise [ʃi'mi:z] (vrouwen)hemd *o*.

chemist ['kemist] 1 chemicus; scheikundige; 2 apotheker.

chemistry ['kemistri] chemie, scheikunde.

chemotherapy [kemou'θerəpi] chemotherapie.

cheque [tʃek] $ cheque.

chequer ['tʃekə] I *vt* ruiten; schakeren; *a* ~*ed lot* een veelbewogen leven *o*; II *sb* ~*s* schaakbord *o* [als uithangteken]; geruit patroon *o*.

cherish ['tʃeriʃ] I liefhebben, beminnen; koesteren, voeden [hoop].

cheroot [ʃə'ru:t] manillasigaar.

cherry ['tʃeri] I *sb* kers; II *aj* kersrood.

cherry stone ['tʃeristoun] kersepit.

cherub ['tʃerəb] engel, cherubijn[2].

cherubic [tʃe'ru:bik] engelachtig.

cherubim ['tʃerəbim] *mv* v. *cherub*.

chervil ['tʃə:vil] ♣ kervel.

chess [tʃes] schaak(spel) *o*.

chess-board ['tʃesbɔ:d] schaakbord *o*.

chess-man ['tʃesmæn] schaakstuk *o*.

chess-tournament ['tʃestuənəmənt] schaaktoernooi *o*.

chest [tʃest] 1 kas, kist, koffer; 2 borst(kas); ~ *of drawers* latafel; commode; *what was on his* ~ wat hij op het hart had.

chesterfield ['tʃestəfi:ld] 1 soort sofa; 2 soort overjas.

chestnut ['tʃesnʌt] I *sb* 1 kastanje; 2 kastanjebruin paard *o*; 3 F oude mop; II *aj* kastanjebruin.

cheval-glass [ʃə'vælgla:s] psyché [spiegel].

chevalier [ʃevə'liə] 1 ridder; 2 ruiter.

cheviot ['tʃeviət] 1 schaap *o* van de Cheviotheuvels; 2 cheviot *o* & *m*.

chevron ['ʃevrən] ✕ chevron.

chevy ['tʃevi] *zie* *chiv(v)y*.

chew [tʃu:] kauwen, pruimen; overdenken; ~ *the cud* herkauwen; peinzen.

chewing-gum ['tʃu:iŋgʌm] kauwgom *m* of *o*.

Chicago [ʃi'ka:gou, ʃi'kə:gou] Chicago *o*.

chicane [ʃi'kein] I *sb* chicane; II *vi* & *vt* chicaneren.

chicanery [ʃi'keinəri] chicane.

chick [tʃik] 1 ♣ kuiken *o*; 2 F kind *o*.

chicken ['tʃikin] 1 kuiken *o*; kip (op tafel); 2 kind *o*.

chicken-hearted ['tʃikinha:tid] laf(hartig).

chicken-pox ['tʃikinpɔks] waterpokken.

chick-pea ['tʃikpi:] ♣ keker.

chickweed ['tʃikwi:d] ♣ (sterre)muur.

chicory ['tʃikəri] 1 cichorei; 2 Brussels lof *o*.

chid [tʃid] V.T. & V.D. van *chide*.

chidden ['tʃidn] V.D. van *chide*.

chide [tʃaid] (be)knorren, berispen.

chief [tʃi:f] I *aj* voornaamste, opperste, eerste, hoofd-; ~ *clerk* chef (de bureau); II *sb* hoofd *o*, hoofdman, chef, leider; *C*~ *of Staff* ✕ Chef-Staf; ...*in* ~ opper-.

chiefly ['tʃi:fli] *ad* hoofdzakelijk.

chieftain ['tʃi:ftən] (opper)hoofd *o*.

chiff-chaff ['tʃiftʃæf] ♪ tjiftjaf.

chilblain ['tʃilblein] winter [aan handen of voeten].

child [tʃaild] kind *o*; *from a* ~ van kindsbeen af; *the burnt* ~ *dreads the fire* een ezel stoot zich geen tweemaal aan dezelfde steen.

childbirth ['tʃaildbə:θ] bevalling.

†childe [tʃaild] jonker.

Childermas (Day) ['tʃildəməs(dei)] Onnozelekinderen(dag) [28 december].

childhood ['tʃaildhud] kindsheid, kinderjaren; *second* ~ kindsheid [v. d. ouderdom].

childish ['tʃaildiʃ] kinderachtig, kinderlijk, kinder-.

childishness ['tʃaildiʃnis] kinderachtigheid.

childless(ness) ['tʃaildlis(nis)] kinderloos(heid).

childlike ['tʃaildlaik] kinderlijk.

children ['tʃildrən] *mv* v. *child*.

child's play ['tʃaildzplei] kinderspel *o*.

Chile ['tʃili] Chili *o*.

Chilean ['tʃiliən] Chileen(s).

chill [tʃil] I *aj* koud, kil, koel²; II *sb* kilheid, koude, koelheid²; koude rilling; III *vt* koud maken; afkoelen; laten bevriezen [vlees]; bekoelen; IV *vi* koud worden.

chilli ['tʃili] ♪ Spaanse peper.

chill(i)ness ['tʃil(i)nis] kilheid, koude; koelheid²; rilling; kouwelijkheid.

chilly ['tʃili] kil, koel²; huiverig; kouwelijk.

Chiltern Hundreds ['tʃiltən'hʌndrədz] in: *accept the* ~ zijn mandaat (als volksvertegenwoordiger) neerleggen.

chime [tʃaim] I *sb* (klok)gelui *o*; klokkenspel *o*; samenklank, harmonie, deun; II *vi* luiden; (samen)klinken, harmoniëren; ~ *in* invallen; ~ *(in) with* overeenstemmen met; instemmen met; III *vt* luiden.

chimera [kai'miərə] hersenschim.

chimerical [kai'merikl] hersenschimmig.

chimney ['tʃimni] I schoorsteen; schouw; 2 lampeglas *o*; 3 bergkloof.

chimney corner ['tʃimnikɔ:nə] hoekje *o* van de haard.

chimney-piece ['tʃimnipi:s] schoorsteenmantel.

chimney-pot ['tʃimnipɔt] schoorsteen [boven het dak]; ~ *(hat)* ,,kachelpijp''.

chimney-stack ['tʃimnistæk] I schoorsteen [boven dak]; 2 rij schoorstenen.

chimney-sweep(er) ['tʃimniswi:p(ə)] schoorsteenveger.

chimpanzee [tʃimpæn'zi:] ♪ chimpansee.

chin [tʃin] kin; *keep one's* ~ *up* geen krimp geven.

China ['tʃainə] I *sb* China *o*; II *aj* Chinees.

china ['tʃainə] I *sb* I porselein *o*; 2 S kameraad, vriend(in); II *aj* porseleinen.

Chinaman ['tʃainəmən] I > Chinees; 2 ⚓ schip *o* dat op China vaart.

china shop ['tʃainəʃɔp] porseleinwinkel.

china-ware ['tʃainəwɛə] porselein(goed) *o*.

chinchilla [tʃin'tʃilə] I ♪ chinchilla *v*; 2 chinchilla *o* [bont].

chine [tʃain] ruggegraat, rugstuk *o*.

Chinese ['tʃai'ni:z] Chinees, Chinezen.

chink [tʃiŋk] I *sb* spleet, reet ‖ klinken *o* [v. geld]; II *vi* klinken, rinkelen; III *vt* laten klinken, laten rinkelen.

chintz [tʃints] I *sb* sits *o*; II *aj* sitsen.

chip [tʃip] I *sb* spaan(der), splinter, snipper, schilfer; fiche *o* & *v*; ~*s* frites; *he is a* ~ *of(f) the old block* hij heeft een aardje naar zijn vaartje; *with a* ~ *on the shoulder* met ressentiment; *the* ~*s are down* 't is menens; II *vt* afbikken; snipperen; afsnijden, afslaan; F voor het lapje houden; III *vi* afsplinteren, schilferen; ~ *in* S invallen, ook wat zeggen.

chippy ['tʃipi] *fig* droog; S katterig; kribbig.

chiropodist [ki'rɔpədist] pedicure [persoon].

chiropody [ki'rɔpədi] pedicure [handeling].

chirp [tʃə:p] tjilpen, sjilpen.

chirpy ['tʃə:pi] F vrolijk.

chirr [tʃə:] sjirpen [v. krekel].

chirrup ['tʃirəp] klakken met de tong.

chisel ['tʃizl] I *sb* beitel; II *vt* (uit)beitelen.

chit [tʃit] F peuter, peuzel, ,,ding'' *o* ‖ briefje *o*.

chit-chat ['tʃittʃæt] gesnap *o*, gekeuvel *o*.

chivalrous ['ʃivəlrəs] ridderlijk.

chivalry ['ʃivəlri] I ridderwezen *o*; 2 ridderlijkheid; 3 ridderschap.

chive(s) [tʃaiv(z)] ♪ bieslook *o*.

chiv(v)y ['tʃivi] I *vt* achternazetten, (na)jagen; II *vi* jagen, rennen; III *sb* jacht, geren *o*; krijgertje *o*.

Chloe ['kloui] Chloë.

chloral ['klɔ:rəl] chloraal *o*.

chloride ['klɔ:raid] chloride *o*.

chlorine ['klɔ:ri:n] chloor.

chloroform ['klɔrəfɔ:m] I *sb* chloroform; II *vt* chloroformeren, wegmaken.

chlorophyll ['klɔ:rəfil] chlorofyl *o*, bladgroen *o*.

chlorosis [klɔ'rousis] bleekzucht.

chlorotic [klɔ'rɔtik] bleekzuchtig.

choc [tʃɔk] F chocolaatje *o*.

chock [tʃɔk] I *sb* (stoot)blok *o*, klos, klamp; II *vt* vastzetten; ~ *up* volstoppen.

chock-full ['tʃɔk'ful] prop-, tjokvol.

chocolate ['tʃɔk(ə)lit] I *sb* chocola(de); chocolaatje *o*; II *aj* chocoladekleurig.

choice [tʃɔis] I *sb* keus, verkiezing, (voor)keur; bloem (het beste van); *Hobson's* ~ waarbij men te kiezen of te delen heeft; *at* ~ naar verkiezing; *by (for)* ~ bij voorkeur; *from* ~ uit eigen verkiezing; *of* ~ bij voorkeur; *make one's* ~ een keus doen; *take your*

~ kies maar uit; II *aj* uitgelezen, uitgezocht, fijn, keurig.

choicely ['tʃɔisli] *ad* uitgelezen, keurig.

choiceness ['tʃɔisnis] uitgelezenheid, keurigheid.

choir ['kwaiə] I *sb* koor *o*; II *vt* & *vi* ☉ in koor zingen.

choke [tʃouk] I *vt* doen stikken, verstikken; smoren; onderdrukken; verstoppen; ~ *down* inslikken; ~ *off* zich van het lijf houden; de mond snoeren; ~ *up* verstoppen; II *vi* 1 stikken; 2 zich verslikken.

choke-damp ['tʃoukdæmp] stikgas *o* in mijnen.

choker ['tʃoukə] S hoge das, hoog boord *o* & *m*.

choky ['tʃouki] verstikkend; benauwd.

choler ['kɔlə] ✳ gal, ☉ toorn.

cholera ['kɔlərə] cholera.

choleric ['kɔlərik] cholerisch, oplopend, toornig.

cholesterol [kɔ'lestərɔl] cholesterol [galvet].

choose [tʃu:z] (uit-, ver)kiezen (tot); *there is nothing to ~ between them* er is geen verschil tussen hen; *I cannot ~ but...* ik moet wel...

choosy ['tʃu:zi] F kieskeurig.

chop [tʃɔp] I *vt* kappen, hakken, kloven; afbijten [woorden]; ~ *down* omhakken, omkappen; ~ *off* afhakken, afslaan; ~ *up* fijnhakken; II *vi* 1 hakken; 2 ⚓ plotseling omslaan [wind]; ~ *and change* telkens veranderen; ~ *about* plotseling (om)draaien; ~ *in* invallen, ook wat zeggen; ~ *round* omslaan [wind]; III *sb* slag; karbonade, kotelet; korte golfslag; ~*s and changes* veranderingen, wisselvalligheden ‖ kaak; *lick one's* ~*s* likkebaarden.

chop-house ['tʃɔphaus] goedkoop restaurant *o*.

chopper ['tʃɔpə] 1 hakker; 2 hakmes *o*.

chopping-block ['tʃɔpiŋblɔk] hakblok *o*.

chopping-knife ['tʃɔpiŋnaif] hakmes *o*.

choppy ['tʃɔpi] 1 kort [golfslag]; woelig; 2 telkens veranderend [wind].

chopstick ['tʃɔpstik] eetstokje *o*.

choral ['kɔ:rəl] koraal-, koor-, zang-.

choral(e) [kɔ'ra:l] ♪ koraal *o*.

chord [kɔ:d] 1 snaar; 2 koorde; 3 ♪ akkoord *o*.

chore [tʃɔ:] werk *o*, karwei.

choreographer [kɔri'ɔgrəfə] choreograaf.

choreographic(al) [kɔriə'græfik(l)] choreografisch.

choreography [kɔri'ɔgrəfi] choreografie.

chorister ['kɔristə] koorzanger, -knaap.

chortle ['tʃɔ:tl] grinniken.

chorus ['kɔ:rəs] I *sb* 1 koor *o*; 2 refrein *o*; II *vi* & *vt* in koor zingen (herhalen).

chorus-girl ['kɔ:rəsgə:l] koriste.

chose [tʃouz] V.T. van *choose*.

chosen ['tʃouzn] V.D. van *choose*; uitverkoren.

chough [tʃʌf] ✳ alpenraaf.

chow [tʃau] 1 chowchow [hond]; 2 S kostje *o*, eten *o*.

chow-chow ['tʃau'tʃau] 1 gemengd zuur *o*; 2

allegaartje *o*; 3 zie *chow*.

chrism [krizm] *RK* chrisma *o*, H. Olie.

Christ [kraist] Christus.

christen ['krisn] dopen[2], noemen.

Christendom ['krisndəm] christenheid.

christening ['krisniŋ] doop.

Christian ['kristjən] I *aj* christelijk, christen-; ~ *name* doopnaam, voornaam; II *sb* 1 christen, christin; 2 Christiaan.

Christianity [kristi'æniti] christendom *o*; christelijkheid.

christianization [kristjənai'zeiʃən] kerstening.

christianize ['kristjənaiz] kerstenen.

Christianly ['kristjənli] christelijk.

Christina [kris'ti:nə] Christina.

Christmas ['krisməs] Kerstmis; kerst-.

Christmas box ['krisməsbɔks] kerstgeschenk *o*; kerstfooi.

Christmas carol ['krisməskærəl] kerstlied *o*.

Christmas(s)y ['krisməsi] Kerstmisachtig, Kerstmis-, kerst-.

Christopher ['kristəfə] Christoffel.

chromatic [krə'mætik] I *aj* ♪ chromatisch; kleuren-; II *sb* ~*s* kleurenleer.

chrome, chromium [kroum, 'kroumiəm] chroom *o*.

chromium-plated ['kroumiəmpleitid] verchroomd.

chromo ['kroumou] F chromo.

chromosome ['krouməsoum] chromosoom *o*.

chronic ['krɔnik] chronisch.

chronicle ['krɔnikl] I *sb* kroniek; II *vt* boekstaven; ~ *small beer* wauwelen.

chronicler ['krɔniklə] kroniekschrijver.

chronologic(al) [krɔnə'lɔdʒik(l)] chronologisch.

chronology [krə'nɔlədʒi] tijdrekening.

chronometer [krə'nɔmitə] chronometer.

chrysalis ['krisəlis] pop [v. insekt].

chrysanthemum [kri'sænθəməm] ✽ chrysant(hemum).

chubby ['tʃʌbi] bolwangig, mollig, poezelig.

chuck [tʃʌk] I *vt* (zacht) kloppen, strijken, aaien; (weg)gooien; F de bons geven; de brui geven aan; ~ *away* weg-, vergooien; ~ *out* S eruit kaaien; ~ *up* 1 F de brui geven aan; 2 S de bons geven; ~ *it!* S schei uit!; II *vi* klokken; III *sb* klopje *o*, streek [onder de kin]; aai; ruk; worp ‖ geklok *o*: tok-tok *o* [van hen]; ⚒ klauwplaat [v. draaibank]; boorhouder.

chucker-out [tʃʌkə'raut] uitsmijter.

chuckle ['tʃʌkl] I *vi* klokken; inwendig, onderdrukt lachen, zich verkneuteren, gnuiven, gniffelen; II *sb* 1 klokken *o*; 2 onderdrukte lach.

chuckle-head ['tʃʌklhed] ezelskop; ~*ed* stom.

chum [tʃʌm] I *sb* kameraad; kamergenoot; II *vi* samenwonen; ~ *up* goede maatjes worden.

chummy ['tʃʌmi] intiem, gezellig.

chump [tʃʌmp] 1 dik eind *o*; blok *o*; 2 S kop; stomkop; *off his* ~ S niet goed wijs.

chunk [tʃʌŋk] brok *m* & *v* of *o*, homp, bonk.

church [tʃə:tʃ] kerk; *go into (enter) the* ~ predikant (*RK* geestelijke) worden.

churchman ['tʃə:tʃmən] 1 kerkelijk persoon, geestelijke; 2 lid *o* van de (staats)kerk.

church mouse ['tʃə:tsmaus] in: *as poor as a* ~ zo arm als een kerkrat (als Job, als de mieren).

churchwarden ['tʃə:tʃwɔ:dn] 1 kerkmeester, kerkvoogd; 2 F gouwenaar.

churchy ['tʃə:tʃi] kerks.

churchyard ['tʃə:tʃ'ja:d] kerkhof *o*.

churl [tʃə:l] boer(enpummel), vlerk; vrek.

churlish ['tʃə:liʃ] lomp, onheus, onvriendelijk, onaardig; vrekkig.

churn [tʃə:n] I *sb* 1 karn; 2 melkbus; II *vt* karnen; (om)roeren; ~ *up* omwoelen [de grond]; III *vi* koken, zieden [v. golven].

chute [ʃu:t] stroomversnelling, waterval; glijbaan, helling; stortkoker.

ciborium [si'bɔ:riəm] *RK* ciborie.

cicada [si'ka:də] ⚇ cicade.

cicatrice ['sikətris] litteken *o*.

cicatrization [sikətrai'zeiʃən] littekenvorming, heling.

cicatrize ['sikətraiz] een litteken vormen, helen.

cicerone [tʃitʃə'rouni] cicerone, gids[2].

C.I.D. = *Criminal Investigation Department.*

cider ['saidə] cider, appelwijn.

cigar [si'ga:] sigaar.

cigar-box [si'ga:bɔks] sigarenkistje *o*.

cigar-case [si'ga:keis] sigarenkoker.

cigar-cutter [si'ga:kʌtə] sigareknipper.

cigarette [sigə'ret] sigaret.

cigar-holder [si'ga:houldə] sigarepijpje *o*.

C.-in-C. = *Commander-in-Chief.*

cinch [sin(t)ʃ] *Am* 1 zadelriem; 2 S greep, vat, houvast *o*; iets dat zeker is, gemakkelijk is.

cinchona [siŋ'kounə] kina.

cinder ['sində] sintel, slak; ~s ook: as.

Cinderella [sində'relə] 1 Assepoester, *fig* assepoester; 2 bal *o* dat om 12 uur eindigt (ook: ~ *dance*).

cine ['sini] film-; ~-*camera* filmtoestel *o*.

cinema ['sinimə] bioscoop, cinema.

cinematograph [sini'mætəgra:f] cinematograaf, bioscoop.

Cingalese [siŋgə'li:z] Singalees, Singalezen.

cinnabar ['sinəba:] cinnaber *o*; vermiljoen *o*.

cinnamon ['sinəmən] kaneel.

cipher ['saifə] I *sb* cijfer *o*; nul[2]; cijferschrift *o*, sleutel daarvan, code; monogram *o*; *a mere* ~ een nul; II *vi* cijferen, rekenen; III *vt* 1 in cijferschrift schrijven, coderen; 2 berekenen (ook: ~ *out*).

Circe ['sə:si] Circe[2].

circle ['sə:kl] I *sb* cirkel, ring, kring[2]; *the grand* ~ de reuzenzwaai; II *vi* (rond)draaien, rondgaan; cirkelen; III *vt* cirkelen om; omringen.

circlet ['sə:klit] cirkeltje *o*; ring, band.

circuit ['sə:kit] kring(loop), omtrek, gebied *o*, (ronde) baan; omweg; tournee, rondgang (van rechters); ⚡ rondvlucht; ⚡ stroomkring; ring [v. methodisten]; groep [v. bioscopen]; schakeling [v. rekenmachines].

circuitous [sə:'kjuitəs] niet recht op het doel afgaand; *a* ~ *road* een omweg.

circular ['sə:kjulə] I *aj* rond; kring-, cirkel-; ~ *letter* circulaire; rondschrijven *o*; ~ *letter of credit* reiskredietbrief; ~ *note* 1 circulaire; 2 reiskredietbrief; ~ *saw* cirkelzaag; ~ *ticket* rondreisbiljet *o*; ~ *tour* rondreis; II *sb* circulaire, rondschrijven *o*.

circulate ['sə:kjuleit] I *vi* circuleren, in omloop zijn; *circulating capital* vlottend kapitaal *o*; *circulating decimal* repeterende breuk; *circulating library* leesbibliotheek; leeskring; *circulating medium* betaalmiddel *o*; II *vt* laten circuleren of rondgaan; in omloop brengen.

circulation [sə:kju'leiʃən] circulatie [bloed, geld]; omloop; verspreiding; oplaag.

circumcise ['sə:kəmsaiz] besnijden.

circumcision [sə:kəm'siʒən] besnijdenis.

circumference [sə:'kʌmfərəns] omtrek.

circumflex ['sə:kəmfleks] circumflex.

circumjacent [sə:kəm'dʒeisənt] omliggend.

circumlocution [sə:kəmlə'kju:ʃən] omschrijving, omslachtigheid, omhaal van woorden; het eromheen praten.

circumlocutory [sə:kəm'lɔkjutəri] omschrijvend, omslachtig.

circumnavigate [sə:kəm'nævigeit] omvaren.

circumnavigation [sə:kəmnævi'geiʃən] omvaring.

circumscribe ['sə:kəmskraib] omschrijven; beperken, begrenzen.

circumscription [sə:kəm'skripʃən] omschrijving; omschrift *o*; beperking; omtrek.

circumspect ['sə:kəmspekt] omzichtig.

circumspection [sə:kəm'spekʃən] omzichtigheid.

circumstance ['sə:kəmstəns] omstandigheid; omhaal; staatsie.

circumstanced ['sə:kəmstənst] zich in zekere omstandigheden bevindend.

circumstantial [sə:kəm'stænʃəl] bijkomstig; omstandig, uitvoerig.

circumstantiality ['sə:kəmstænʃi'æliti] omstandigheid, uitvoerigheid.

circumstantiate [sə:kəm'stænʃieit] omstandig beschrijven, door omstandigheden staven.

circumvent [sə:kəm'vent] om de tuin leiden, misleiden; ontduiken [de wet], omzeilen.

circumvention [sə:kəm'venʃən] misleiding; ontduiking, omzeiling.

circumvolution [sə:kəmvə'lju:ʃən] draai(ing) kronkel(ing); omwenteling.

circus ['sə:kəs] 1 circus *o* & *m*, paardenspel *o*; 2 rond plein *o*; 3 keteldal *o*.

cirri ['sirai] *mv* v. *cirrus.*

cirrus ['sirəs] hechtrank || vederwolk.

cistern ['sistən] (water)bak, -reservoir *o*, stortbak [v. W.C.], regenbak.

citadel ['sitədl] citadel.

citation [sai'teiʃən] citatie, dagvaarding; aanhaling; bijbrenging; *Am* ✕ eervolle vermelding.

cite [sait] dagvaarden; citeren, aanhalen; aanvoeren, bijbrengen; noemen; *Am* ✕ eervol

cither(n) ['siθə(n)] ♪ citer. [vermelden.

citizen ['sitizən] burger; staatsburger.

citizenry ['sitizənri] burgerij.

citizenship ['sitizənʃip] burgerrecht *o*, (staats)-burgerschap *o*.

citric ['sitrik] in: ~ *acid* citroenzuur *o*.

citron ['sitrən] ♣ muskuscitroen(boom).

citrus ['sitrəs] ♣ citrus.

city ['siti] (grote) stad; *the City* de oude stad, handelswijk [van Londen].

city-man ['sitimæn] beurs-, handelsman.

cityward(s) ['sitiwəd(z)] stadwaarts.

civet ['sivit] ♨ civet(kat).

civic ['sivik] I *aj* burgerlijk, burger-, stads-; ~ *reception* officiële ontvangst (door de burgerlijke overheid); II *sb* in: ~s grondslagen der burgerlijke maatschappij.

civil ['sivil] burger-, burgerlijk; civiel; beleefd, beschaafd; ~ *death* verlies *o* van burgerschapsrechten; ~ *defence* civiele verdediging, ± Bescherming Bevolking; ~ *servant* 1 burgerlijk ambtenaar; 2 ⚏ ambtenaar bij het Binnenlands Bestuur; ~ *service* 1 civiele dienst, burgerlijke ambtenaren; 2 ⚏ Binnenlands Bestuur *o*.

civilian [si'viljən] I *sb* burger; II *aj* burger-.

civility [si'viliti] beleefdheid.

civilization [sivilai'zeiʃən] beschaving.

civilize ['sivilaiz] beschaven.

civvies ['siviz] F burgerkleding.

civvy ['sivi] F burger; *Civvy Street* F de burgermaatschappij.

clack [klæk] I *vi* klappen, klapperen, ratelen[2]; snateren, snappen; II *sb* klap, klepper; geratel *o*; geklets *o*; > snater; ✕ klep.

clad [klæd] ⊙ V.T. & V.D. van *clothe*.

claim [kleim] I *vt* (op)eisen, aanspraak maken op, reclameren; beweren; II *sb* eis; aanspraak, (schuld)vordering, recht *o*; reclame; claim; *lay* ~ *to* aanspraak maken op.

claimable ['kleiməbl] opeisbaar.

claimant ['kleimənt] eiser, pretendent.

clairvoyance [klɛə'voiəns] helderziendheid.

clairvoyant [klɛə'voiənt] helderziend(e).

clam [klæm] klamp, klem ‖ gaapschelp.

clamant ['kleimənt] schreeuwend[2]; luidruchtig; dringend.

clamber ['klæmbə] klauteren.

clamminess ['klæminis] klam-, kleverigheid.

clammy ['klæmi] klam, kleverig; klef.

clamorous ['klæmərəs] luid(ruchtig), tierend.

clamour ['klæmə] I *sb* geroep *o*, roep; geschreeuw *o*, misbaar *o*, getier *o*; II *vi* roepen, schreeuwen, tieren; ~ *against* luide protesteren tegen; ~ *for* roepen om.

clamp [klæmp] I *sb* kram; klamp; klem; kuil

[voor aardappelen]; II *vt* (op)klampen; krammen; inkuilen [aardappelen]; stevig zetten (drukken, pakken &).

clan [klæn] clan: stam, geslacht *o*; > kliek.

clandestine(ly) [klæn'destin(li)] heimelijk, geheim, clandestien, illegaal.

clang [klæŋ] I *sb* schelle klank; gerammel *o*, geratel *o*, gekletter *o*; geschal *o*; luiden *o*; II *vi* & *vt* klinken, (doen) kletteren [de wapens], schallen, luiden.

clangour ['klæŋgə] geklank *o*, geschal *o*.

clank [klæŋk] zie *clang*.

clansman ['klænzmən] lid *o* van een clan.

clap [klæp] I *sb* slag, klap; donderslag; handgeklap *o*; II *vi* klappen; III *vt* klappen met (in), slaan, dichtklappen, -slaan; (met kracht) zetten, drukken, leggen &; toejuichen; ~ *in prison* in de gevangenis stoppen; zie ook: *eye*, *spur*.

clapper ['klæpə] klepel, bengel; klapper; ratel[2]; applaudisserende.

claptrap ['klæptræp] I *sb* effectbejag *o*, knaleffect *o*; woordenkraam, holle frasen; II *aj* op effect berekend.

Clara ['klɛərə], Clare [klɛə] Clara.

claret ['klærət] bordeaux(wijn).

clarification [klærifi'keiʃən] klaring; verheldering, verduidelijking, opheldering.

clarify ['klærifai] I *vt* klaren, zuiveren; verhelderen, verduidelijken, ophelderen; II *vi* klaar worden.

clarinet [klæri'net] ♪ klarinet.

clarinettist [klæri'netist] ♪ klarinettist.

clarion ['klæriən] I *sb* klaroen; II *aj* schallend als een klaroen; III *vt* ⊙ bazuinen.

clarionet [klæri(ə)'net] ♪ klarinet.

clarity ['klæriti] klaarheid, helderheid.

clash [klæʃ] I *vi* & *vt* (doen) klinken; botsen, rinkelen, kletteren, rammelen (met); ~ *with* in botsing komen (in strijd zijn, vloeken) met; indruisen tegen; II *sb* klank; gekletter *o*; conflict *o*, botsing[2].

clasp [klɑ:sp] I *sb* slot *o*, kram, haak; gesp [aan decoratie]; handdruk, omhelzing; greep; II *vt* sluiten, toehaken; grijpen, omvatten, omklemmen; omhelzen.

clasp-knife ['klɑ:spnaif] knipmes *o*.

class [klɑ:s] I *sb* 1 klas(se); stand; 2 ⚌ klas(se), cursus, les, lesuur *o*; II *vt* classificeren, klasseren, rangschikken, indelen.

classic ['klæsik] I *aj* klassiek; II *sb* 1 klassiek schrijver of werk *o*; 2 classicus.

classical(ly) ['klæsikəl(i)] klassiek.

classicist ['klæsisist] classicus.

classification [klæsifi'keiʃən] classificatie, klassering; klassement *o*.

classify ['klæsifai] classificeren, klasseren; *Am* niet voor algemene kennisneming verklaren [v. documenten &]; *classified Am* ook: geheim, vertrouwelijk; *classified advertisements* kleine advertenties; *classified results* klassement *o* [bij wedstrijden].

classless ['kla:slis] klassenloos. [noot.

class-mate ['kla:smeit] klassegenoot, jaargenoot.

class-room ['kla:srum] ⌖ klas(se)(lokaal *o*), leslokaal *o*, schoollokaal *o*.

class-war(fare) ['kla:swɔ:(fɛə)] klassenstrijd.

classy ['kla:si] S fijn, chic.

clatter ['klætə] I *vi* & *vt* klepperen, kletteren, rammelen (met); II *sb* geklepper *o*, gekletter *o*, gerammel *o*.

clause [klɔ:z] clausule, artikel *o*; zinsnede, passage; *gram* bijzin.

claustral ['klɔ:strəl] kloosterachtig; klooster-.

⚓ clave [kleiv] V.T. van *cleave* II.

clavicle ['klævikl] sleutelbeen *o*.

claw [klɔ:] I *sb* klauw[2]; poot[2]; schaar; haak; II *vt* grijpen[2], klauwen, krabben.

claw-hammer ['klɔ:hæmə] klauwhamer; ～ *coat* F stalen pen: rok.

clay [klei] I *sb* klei, leem *o* & *m*, aarde; *fig* stof; F aarden pijp; II *aj* aarden, lemen.

clayey ['kleii] kleiachtig, klei-.

claymore ['kleimɔ:] ▥ slagzwaard *o*.

clean [kli:n] I *aj* schoon, zuiver, rein, zindelijk; welgevormd; keurig; glad; vlak; scherp (= duidelijk); eerlijk [v. strijd]; II *ad* schoon; < totaal, helemaal; glad; vlak; *come* ～ S eerlijk opbiechten; III *vt* zuiveren, reinigen, schoonmaken; ～ *out* schoonmaken, leeghalen; [iemand] blut maken; ～ *up* opknappen, opruimen, schoonmaak houden in; IV *sb* (schoonmaak)beurt.

clean-cut ['kli:n'kʌt] scherp omlijnd.

cleaner ['kli:nə] schoonmaker, schoonmaakster, reiniger, -ster; stofzuiger.

cleaning ['kli:niŋ] schoonmaken *o*; reiniging, schoonmaak.

cleanliness ['klenlinis] zindelijkheid.

1 cleanly ['klenli] *aj* zindelijk.

2 cleanly ['kli:nli] *ad* schoon &, zie *clean* I.

cleanness ['kli:nnis] zindelijkheid, (zedelijke) zuiverheid, reinheid.

clean-out ['kli:n'aut] schoonmaak.

cleanse [klenz] reinigen, zuiveren.

cleanser ['klenzə] reinigingsmiddel *o*.

clean-up ['kli:n'ʌp] schoonmaak.

clear [kliə] I *aj* klaar, helder, duidelijk, zuiver; dun [soep]; vrij, onbezwaard; veilig (*all* ～); absoluut [v. meerderheid]; ～ *of* vrij van; niet rakend aan; II *ad* klaar; vrij; los; < totaal, glad; III *sb in* ～ ⅛ en clair, niet in codewoorden; *in the* ～ binnenwerks; IV *vt* klaren, helder maken, verhelderen; zuiveren, leegmaken, lichten [bus], vrijmaken [terrein], ontruimen [straat &], schoonvegen[2], ontstoppen [buis]; opruimen; verduidelijken, ophelderen; aanzuiveren, aflossen, afdoen; afnemen; banen; $ uit-, inklaren; ⚖ vrijspreken; ～ *accounts* de rekening vereffenen; ～ *the decks* alles voorbereiden; ～ *a ditch*, ～ *a hedge* springen over, „nemen"; ～ *the ground*, ～ *the water by a foot* een voet boven (van) de grond hangen (zich bevinden), bo-

ven het water uitsteken; ～ *the table* de tafel afnemen; ～ *one's throat* de keel schrapen; ～ *the way* ruim baan maken; V *vi* opklaren;∞ ～ *away* op-, wegruimen; wegtrekken; ～ *off* aanzuiveren; opruimen; overtrekken [onweer]; zijn biezen pakken, verdwijnen; ～ *out* leeghalen; zijn biezen pakken; ～ *up* ophelderen, opklaren; opruimen.

clearance ['kliərəns] opheldering; opruiming; in- of uitklaring; vrije ruimte [v. voertuig], ⚒ schadelijke ruimte, vrijslag; ～ *sale* uitverkoop; zie ook: *clearing*.

clear-cut ['kliə'kʌt] scherp omlijnd.

clearing ['kliəriŋ] I opengekapt bosterrein *o* om te ontginnen; ontginning; 2 $ verrekening van vorderingen, clearing.

clearing-house ['kliəriŋhaus] (bankiers)verrekenkantoor *o*; *fig* centrale.

clearly ['kliəli] *ad* I klaar, duidelijk; 2 klaarblijkelijk, kennelijk; natuurlijk.

clearness ['kliənis] klaarheid, zuiverheid, helderheid, duidelijkheid.

clear-sighted(ly) ['kliə'saitid(li)] scherpziend; schrander.

cleat [kli:t] klamp; wig.

cleavage ['kli:vidʒ] kloving, splijting; scheiding, scheuring, breuk.

cleave [kli:v] I *vt* kloven, splijten, (door)klieven; II *vi* (aan)kleven, aanhangen.

cleaver ['kli:və] hak-, kapmes *o*; ～s ✿ kleefkruid *o*.

cleek [kli:k] I haak; 2 golfstok met klik.

clef [klef] ♪ (muziek)sleutel.

1 cleft [kleft] *sb* kloof, spleet, reet, barst.

2 cleft [kleft] V.T. & V.D. van *cleave* I.

clematis ['klemətis] ✿ clematis.

clemency ['klemənsi] I zachtheid [v. weer]; 2 goedertierenheid, clementie.

Clement ['klemənt] Clementius, Clemens.

clement ['klemənt] I zacht [weer]; 2 goedertieren, genadig.

clench [klenʃ] op elkaar klemmen; (om)klemmen; ballen [de vuist]; zie ook: *clinch*.

Cleopatra [kliə'pa:trə, -'pætrə] Cleopatra.

clergy ['klə:dʒi] geestelijkheid; geestelijken.

clergyman ['klə:dʒimən] geestelijke, dominee.

cleric ['klerik] geestelijke(e).

clerical ['klerikl] I *aj* I geestelijk; dominees-; klerikaal; 2 schrijvers-, klerken-; administratief; ～ *error* schrijffout; II *sb* klerikaal.

clericalism ['klerikəlizm] klerikalisme *o*.

clericalist ['klerikəlist] klerikaal.

clerihew ['klerihju:] vierregelig geestig versje *o*.

clerk [kla:k] I *sb* klerk, schrijver, (kantoor)-bediende; griffier; secretaris; koster & voorzanger; ⚓ geleerde; geestelijke; ～ *of (the) works* (bouw)opzichter; II *vi* voor klerk(je) spelen (ook: ～ *it*).

clerkship ['kla:kʃip] I kostersambt *o*; 2 klerkenbaantje *o*.

clever(ly) ['klevə(li)] bekwaam, handig, knap F pienter, spits, glad; *Am* aardig.

cleverness [klevǝnis] bekwaam-, knapheid &.
clew [klu:] 1 kluwen o; 2 zie *clue*.
cliché ['kli:ʃei] cliché² o.
click [klik] I *vi* (& *vt*) tikken; klikken, klakken, klappen (met); II *sb* 1 geklik o, getik o; 2 klink; pal.
client ['klaiǝnt] cliënt(e); klant, afnemer.
clientele [kli:a:n'teil] clientèle, cliënteel.
cliff [klif] steile rots, rotswand [aan zee].
cliffy ['klifi] rotsachtig, steil.
climactic [klai'mæktik] een climax vormend.
climate ['klaimit] klimaat o, luchtstreek.
climatic(al) [klai'mætik(l)] klimaat-.
climatology [klaimǝ'tɔlǝdʒi] klimatologie.
climax ['klaimæks] climax, opklimming.
climb [klaim] I *vi* (op)klimmen, klauteren; stijgen; ~ *down* een toontje lager zingen, inbinden; II *vt* klimmen in of op, beklimmen; III *sb* klim(partij); ✗ stijgvermogen o.
climb-down ['klaim'daun] *fig* vermindering van zijn eisen, inbinden o; vernedering.
climber ['klaimǝ] 1 (be)klimmer; 2 klimplant; 3 klimvogel; 4 streber
⊙ **clime** [klaim] (lucht)streek.
clinch [klinʃ] I *vt* (vast)klinken; *fig* beklinken; afdoende maken; II *vi* elkaar vastgrijpen [bij boksen]; III *sb* clinch [vastgrijpen bij boksen].
clincher ['klinʃǝ] afdoend antwoord o, dooddoener.
cling [kliŋ] (aan)kleven; aanhangen; nauw sluiten [aan het lijf]; zich vastklemmen.
clinic ['klinik] kliniek.
clinical ['klinikl] klinisch; ~ *thermometer* koortsthermometer.
clink [kliŋk] I *vi* & *vt* (doen) klinken, klinken met; II *sb* klinken o || S nor, cachot o.
clinker ['kliŋkǝ] klinker(steen); ✗ slak.
Clio ['klaiou] Clio: muze v. d. geschiedenis.
clip [klip] I *vt* 1 (af-, kort)knippen; scheren; (be)snoeien; afbijten, niet uitspreken [woorden]; 2 klemmen, hechten; ~ *his wings* hem kortwieken; II *sb* 1 scheren o; scheerwol; 2 knijper, haak, clip.
clipper ['klipǝ] 1 (be)snoeier; schapenscheerder; 2 ⚓ klipper; ~*s* wolschaar, tondeuse.
clippie ['klipi] F conductrice. [wol.
clipping ['klipiŋ] snoeisel o; knipsel o; scheer-
clique [kli:k] kliek, coterie.
cloak [klouk] I *sb* mantel, dekmantel; II *vt* met een mantel bedekken, bemantelen.
cloak-room ['kloukrum] 1 garderobe, vestiaire, kleedkamer; 2 bagagedepot o.
clock [klɔk] I *sb* uurwerk o, klok; F horloge o; ‡ kaarsje o [v. paardebloem] || pijlvormig figuurtje o [op kous of sok]; *against the* ~ gehaast; II *vt* (& *vi*) door middel van een tijdregistratieklok (zich laten) controleren bij het komen (~ *in*, ~ *on*) of bij het gaan (~ *out*, ~ *off*) || ~*ed socks* sokken met een pijltje.
clockwise ['klɔkwaiz] met de wijzers mee.
clockwork ['klɔkwǝ:k] (uur)werk o; *like* ~ regelmatig; machinaal; vanzelf; ~ *toy* speelgoed o met mechaniek.
clod [klɔd] 1 kluit, aardkluit, klont, (aard)klomp; 2 (boeren)knul.
clodhopper ['klɔdhɔpǝ] (boeren)kinkel.
clog [klɔg] I *sb* blok; trip: klompschoen; blok o aan 't been²; belemmering; II *vt* een blok aan 't been doen; tegenhouden, belemmeren; overladen; verstoppen; III *vi* verstopt raken klonteren.
cloggy ['klɔgi] (aaneen)klevend; klonterig.
cloister ['klɔistǝ] I *sb* kruisgang [bij kerk]; klooster o; II *vt* in een klooster doen; ~*ed fig* in afzondering (levend).
cloistral ['klɔistrǝl] kloosterachtig, klooster-.
1 **close** [klous] I *aj* (in)gesloten, dicht²; dicht opeen; streng (bewaakt), nauwkeurig, scherp; vinnig [strijd]; besloten [jachttijd &], (aaneen)gesloten; achterhoudend; nauwsluitend; op de voet volgend: getrouw; innig, dik [v. vrienden]; op de penning; benauwend, benauwd, bedompt; *it was a* ~ *thing* zie *near*; *keep* (*lie*) ~ zich gedekt houden; II *ad* (dicht) bij; heel kort [knippen]; ~ *up(on)* (dicht) bij, bijna; III *sb* ingesloten ruimte, erf o, speelplaats.
2 **close** [klouz] I *vt* sluiten², af-, insluiten, besluiten, eindigen; ~ *down* sluiten [fabriek]; ~ *in* in-, omsluiten; ~ *up* sluiten; verstoppen; II *vi* (zich) sluiten, dichtgaan, zich aaneensluiten; ✗ de gelederen sluiten; eindigen; ~ *down* sluiten; ~ *in* opschikken; korten [dagen]; (in)vallen [avond]; ~ *in* (*up*)*on* aanvallen, losgaan op; ~ *up* (aan)sluiten, op-, bijschikken; de gelederen sluiten; ~ *upon* omsluiten, omspannen [v. de hand]; ~ *with* handgemeen worden met; (gretig) aannemen; III *sb* slot o, einde o, besluit o; handgemeen o.
close-fisted ['klous'fistid] vrekkig, gierig.
close-fitting ['klous'fitiŋ] nauwsluitend.
close-grained ['klous'greind] fijnkorrelig.
closely ['klousli] *ad* dicht (op elkaar); nauw; van nabij &, zie 1 *close* I & II.
closeness ['klousnis] geslotenheid²; benauwdheid; nabijheid; innigheid; nauwkeurigheid; achterhoudendheid; gierigheid.
closet ['klɔzit] I *sb* kamertje o, kabinet o; studeerkamer; (muur)kast; II *vt* opsluiten.
close-up ['klousʌp] close-up.
closing ['klouziŋ] I *aj* sluitings-, slot-, laatste; II *sb* sluiting, afsluiting.
closure ['klouʒǝ] I *sb* sluiting²; slot o; II *vt* het debat sluiten over.
clot [klɔt] I *sb* klonter o; klodder; II *vi* klonteren, stollen.
cloth [klɔθ] laken o, stof, doek o & m [stofnaam]; doek m = lap; tafellaken o, linnen o, linnen band [v. boek]; *the* ~ het geestelijk kleed; de geestelijke stand, de geestelijken.
clothe [klouð] laken, kleden, bekleden², inkleden.
clothes [klouðz] 1 kle(de)ren, kleding; 2 was; 3 beddegoed o.

clothes-horse ['klouðəʒ:s] droogrek *o*.

clothes-line ['klouðʒlain] drooglijn, waslijn.

clothes-peg, clothes-pin ['klouðzpeg, -pin] 1 wasknijper; 2 kapstok.

clothes-press ['klouðzpres] kleerkast.

clothier ['klouðiə] lakenfabrikant; lakenkoper (en kleermaker).

clothing ['klouðiŋ] (be)kleding; inkleding.

clotty ['kloti] klonterig.

cloud [klaud] I *sb* wolk²; *be in the ~s* 1 in de lucht zweven; 2 in hoger sferen zijn; *he is under a ~* 1 hij is in grote moeilijkheden; 2 hij is uit de gratie; *every ~ has a silver lining* achter de wolken schijnt de zon; II *vt* bewolken; verduisteren²; *fig* benevelen; vertroebelen; III *vi* betrekken; *~ over (up)* betrekken.

cloud-burst ['klaudbə:st] wolkbreuk.

cloud-capped, cloud-capt ['klaudkæpt] in wolken gehuld.

cloudiness ['klaudinis] bewolktheid.

cloudless ['klaudlis] onbewolkt.

cloudlet ['klaudlit] wolkje *o*.

cloudy ['klaudi] bewolkt, wolkig; troebel, betrokken²; duister².

clough [klʌf] ravijn *o*.

clout [klaut] I *sb* 1 lap, doek; 2 P oplawaai; II *vt* 1 lappen; 2 P een klap geven.
1 **clove** [klouv] V.T. van *cleave* I.
2 **clove** [klouv] *sb* 1 kruidnagel; 2 ♣ anjer ‖ *a ~ of garlic* een teentje *o* knoflook.

cloven [klouvn] V.D. van *cleave* I; *show the ~ hoof (foot)* de aap uit de mouw laten komen.

cloven-footed, cloven-hoofed ['klouvn'futid, -'hu:ft] met gespleten hoeven.

clover ['klouvə] ♣ klaver; *be (live) in ~* het goed hebben.

clown [klaun] 1 clown, hansworst; 2 lomperd.

clownish ['klauniʃ] 1 pummelachtig, lomp; 2 clownachtig, clownesk.

cloy [kloi] overladen, oververzadigen.

club [klʌb] I *sb* knuppel, knots; *sp* golfstok; club, vereniging, sociëteit; fonds *o*, bus; *~(s)* ◊ klaveren; II *vi* zich verenigen, medewerken; [geld] bijeenleggen; III *vt* 1 knuppelen; 2 bijeenleggen; *he ~bed his musket* hij sloeg met de kolf van zijn geweer.

clubfoot ['klʌb'fut] horrelvoet.

club-house ['klʌb'haus] club, clubgebouw *o*.

club-law ['klʌb'lɔ:] vuistrecht *o*.

club-moss ['klʌb'mɔs] ♣ wolfsklauw.

cluck [klʌk] klokken [v. kip].

clue [klu:] 1 draad [om de weg te vinden], aanwijzing, sleutel; 2 zie *clew*.

clump [klʌmp] I *sb* klomp; blok *o*; groep [bomen &]; dubbele zool; P klap; II *vi* klossen; III *vt* van dubbele zolen voorzien; bijeenplanten; P een klap geven.

clumsily ['klʌmzili] *ad* zie *clumsy*.

clumsiness ['klʌmzinis] lompheid, onhandigheid, plompheid.

clumsy ['klʌmzi] *aj* lomp, onhandig, plomp.

clung [klʌŋ] V.T. & V.D. van *cling*.

cluster ['klʌstə] I *sb* tros, bos; groep, groepje *o*, zwerm, troep; II *vi* in trossen (bosjes) groeien; zich groeperen, zich scharen; III *vt* groeperen, in trossen binden.

clutch [klʌtʃ] I *vt* grijpen, vatten, beetpakken; zich vastklampen aan; II *vi* grijpen (naar *at*); III *sb* 1 greep, klauw; 2 ✗ koppeling ‖ 3 ♀ broedsel *o*; paar *o* eieren; *let in the ~* ♠ inschakelen.

clutter ['klʌtə] I *sb* warboel; gestommel *o*; herrie; II *vi* stommelen; lawaai, herrie maken; III *vt ~ (up)* dooreengooien; volstoppen, -proppen, -gooien (met *with*).

C.O. = *Commanding Officer*.

Co. = 1 *Company*; 2 *County*.

c/o = *care of* per adres, p/a.

coach [koutʃ] I *sb* 1 koets; diligence; spoorrijtuig *o*; touringcar, bus; ⇔ repetitor; *sp* trainer; II *vi* in een koets (diligence) rijden; ⇔ met een repetitor studeren; III *vt* ⇔ klaarmaken (voor een examen); *sp* trainen.

coach-and-four (six) ['koutʃən'fɔ:('siks)] wagen met 4 (6) paarden.

coach-box ['koutʃbɔks] bok.

coachman ['koutʃmən] koetsier.

coachwork ['koutʃwə:k] carrosserie.

coadjutor [kou'ædʒutə] (mede)helper, assistent; coadjutor [v. bisschop].

coagulate [kou'ægjuleit] stremmen, (doen) stollen.

coagulation [kouægju'leiʃən] stremming, stolling.

coal [koul] I *sb* (steen)kool, kolen; *carry ~s to Newcastle* water naar (de) zee dragen; zie *haul* I; II *vt* van kolen voorzien; III *vi* kolen innemen of laden.

coal-black ['koulblæk] koolzwart.

coal-box ['koulbɔks] kolenbak.

coaler ['koulə] 1 kolenschip *o*; 2 kolentrein.

coalesce [kouə'les] samengroeien, samenvloeien, zich verenigen.

coalescence [kouə'lesəns] samengroeien *o*, samenvloeiing, vereniging.

coal-face ['koulfeis] (kolen)front *o*.

coal-gas ['koul'gæs] lichtgas *o*.

coal-heaver ['koulhi:və] kolendrager.

coaling-station ['kouliŋsteiʃən] kolenstation *o*.

coalition [kouə'liʃən] verbond *o*, coalitie.

coal-owner ['koulounə] mijneigenaar.

coal-pit ['koulpit] kolenmijn.

coal-scuttle ['koulskʌtl] kolenemmer.

coal-seam ['koulsi:m] kolenader.

coal-tar ['koul'ta:] koolteer.

coaltit ['koultit] ♣ zwarte mees.

coarse(ly) [kɔ:s(li)] grof², ruw.

coarsen ['kɔ:sn] vergroven, verruwen.

coarseness ['kɔ:snis] grofheid², ruwheid.

coast [koust] I *sb* kust; *the ~ is clear* de kust is veilig, het gevaar is voorbij; II *vi* 1 langs de kust varen; 2 (een helling af)glijden; 3 freewheelen [van helling].

coastal ['koustəl] kust-

coaster ['koustə] ⚓ kustvaarder, kustboot, kuster; kustbewoner; ~ brake terugtraprem.

coast-guard ['koustga:d] ⚓ kustwacht.

coasting-vessel ['koustiŋvesl] ⚓ kustvaarder.

coastwise ['koustwaiz]langs de kust, kust-.

coat [kout] I sb jas; ✱ rok; (dames)mantel; bedekking, bekleding; vacht, pels, vel o, huid; schil; vlies o; laag [verf]; ∅ wapen o; ~ and skirt mantelpak o; ~ of arms wapen-(schild) o; ~ of mail maliënkolder; cut your ~ according to your cloth zet de tering naar de nering; II vt bekleden; bedekken; aanstrijken [met verf].

coated ['koutid] 1 gejast; 2 ⚞ beslagen.

coatee [kou'ti:] kort jasje o.

coat-hanger ['kouthæŋə] kleerhanger.

coating ['koutiŋ] 1 stof voor jassen; 2 laag.

coat-tail ['koutteil] jaspand; zie ook: trail II.

coax [kouks] flemen, vleien; ~... from him ...ontlokken; ~ one into... door vleien van iemand gedaan krijgen, dat...; ~ one out of something iets aftroggelen.

coaxer ['kouksə] flemer, vleier.

cob [kɔb] 1 klomp, stuk o; 2 ⚞ maïskolf; 3 hazelnoot; 4 ☫ kortbenige hit; 5 ☫ mannetjeszwaan; 6 leem o & m met stro.

cobalt [kə'bɔ:lt] kobalt o.

cobble ['kɔbl] I sb 1 (straat)kei; 2 soort steenkolen; II vt met keien bestraten; (op)lappen; samenflansen.

cobbler ['kɔblə] 1 schoenlapper; 2 knoeier; 3 cobbler: koeldrank; ~'s wax pek o & m.

cobble-stone ['kɔblstoun] (straat)kei.

cobra ['koubrə] ☫ cobra: brilslang.

cobweb ['kɔbweb] spinneweb o, spinrag o.

cocaine [kə'kein] cocaïne.

coccyx ['kɔksiks] stuitbeen o, staartbeen o.

cochineal ['kɔtʃini:l] cochenille.

cochlea ['kɔkliə] slakkenhuis o [v. oor].

cock [kɔk] I sb ☫ mannetje o, haan; weerhaan; kraan; haantje de voorste, piet, primus ‖ (hooi)opper ‖ wijze van optomen, optrekken, opzetten; old ~ F ouwe jongen; the ~ of the walk haantje de voorste; ~ of the wood ☫ auerhaan, auerhoen o; that ~ won't fight die vlieger gaat niet op; at (full) ~ met gespannen haan; at half ~ half gespannen of overgehaald; II vt optomen, schuin (op één oor) zetten [hoed], scheef houden [hoofd]; optrekken, opzetten; de haan spannen van; spitsen [de oren] ‖ aan oppers zetten; ~ one's eye at schelms aankijken; ~ up opzetten, spitsen [de oren]; in de nek werpen [het hoofd]; optrekken [zijn benen]; III vi overeind staan (ook: ~ up).

cockade [kɔ'keid] kokarde.

cock-a-doodle(-doo) ['kɔkədu:dl('du:)] kukeleku.

cock-a-hoop ['kɔkə'hu:p] uitgelaten.

cockalorum [kɔkə'lɔ:rəm] F baasje o; high ~ bok-stavast.

cock-and-bull story ['kɔkən'bul'stɔ:ri] onge-

rijmd verhaal o.

cockatoo [kɔkə'tu:] ☫ kaketoe.

cockboat ['kɔkbout] ⚓ kleine boot, jol.

cockchafer ['kɔktʃeifə] meikever.

cock-crow(ing) ['kɔkkrou(iŋ)] hanegekraai o; dageraad.

Cocker ['kɔkə] zie according.

cocker ['kɔkə] I sb ☫ cocker-spaniël (~ spaniel); II vt vertroetelen (ook: ~ up).

cockerel ['kɔkərəl] haantje[2] o.

cock-eyed ['kɔkaid] scheel; fig scheef; Am krankzinnig; bezopen.

cock-fight ['kɔkfait] hanengevecht o.

cock-horse ['kɔk'hɔ:s] stokpaardje o.

cockle ['kɔkl] I sb 1 hartschelp; 2 ⚞ bolderik (corn-~), dolik, brand; 3 oneffenheid; it warms the ~s of my heart het doet mijn hart goed; II vt & vi krullen, rimpelen.

cockle-shell ['kɔklʃel] 1 (hart)schelp; 2 notedop [v. een scheepje].

cock-loft ['kɔklɔ:ft] vliering.

cockney ['kɔkni] 1 cockney [geboren Londenaar]; 2 cockney o [plat-Londens].

cock-pigeon ['kɔk'pidʒən] ☫ doffer.

cockpit ['kɔkpit] 1 hanenmat; 2 ⚓ ziekenboeg; hennegat o; 3 ✈ cockpit: stuurhut; 4 fig strijdperk o.

cockroach ['kɔkroutʃ] kakkerlak.

cockscomb ['kɔkskoum] 1 hanekam [ook ⚞]; 2 zie coxcomb.

cock-shot ['kɔkʃɔt] mikpunt o; worp.

cock-shy ['kɔkʃai] 1 kraam waar gegooid wordt naar kokosnoten e.d.; 2 zie cock-shot.

cocksure ['kɔk'ʃuə] zo zeker als wat, zeker van zijn (hun &) zaak; positief.

cocktail ['kɔkteil] 1 (paard o met) in de hoogte gedragen staart, niet-volbloed renpaard o; 2 parvenu; 3 cocktail [drank].

cock(s)y ['kɔk(s)i] verwaand, eigenwijs.

coco(a) ['koukou] ⚞ kokosnoot, kokosboom, klapper(boom).

cocoa ['koukou] cacao(boom).

coco(a)-nut ['koukənʌt] kokosnoot; P kop; ~ matting kokosmat; ~ shy zie cock-shy 1.

cocoon [kə'ku:n] cocon [v. zijderups].

C.O.D. = cash on delivery.

cod [kɔd] kabeljauw.

coddle ['kɔdl] vertroetelen, verwennen.

code [koud] I sb code; wetboek o; reglement o; regels, voorschriften; II vt coderen: in code overbrengen.

codex ['koudeks] codex.

cod-fish ['kɔdfiʃ] ☫ kabeljauw.

codger ['kɔdʒə] F (ouwe) baas, kerel.

codices ['koudisi:z] mv v. codex.

codicil ['kɔdisil] codicil o; aanhangsel o.

codification [kɔdifi'keiʃən] codificatie.

codify ['kɔdifai] codificeren.

codling ['kɔdliŋ] ☫ gul: kleine kabeljauw ‖ ⚞ soort appel(boom); ~ moth ☫ appelbladroller.

cod-liver oil ['kɔdlivə'rɔil] levertraan.

coed ['kou'ed] *Am* F meisjesstudent.
coeducation ['kouedju'keiʃən] coëducatie.
coefficient [koui'fiʃənt] coëfficiënt.
coenobite ['si:nəbait] kloosterling.
coequal [kou'i:kwəl] gelijk(e).
coerce [kou'ə:s] dwingen (tot *into*).
coercion [kou'ə:ʃən] dwang.
coercive [kou'ə:siv] dwingend; dwang-.
coeval [kou'i:vəl] I *aj* even oud (als *with*); tijdgenoot (van *with*); II *sb* tijdgenoot.
coexist [kouig'zist] gelijktijdig bestaan.
coexistence [kouig'zistəns] gelijktijdig bestaan *o*, coëxistentie.
coexistent [kouig'zistənt] gelijktijdig bestaand.
coffee ['kɔfi] koffie; ~*-bean* & koffieboon &.
coffee-grounds ['kɔfigraundz] koffiedik *o*.
coffee-room ['kɔfirum] eetzaal.
coffer ['kɔfə] (geld)kist; ~*s* schatkist.
coffer-dam ['kɔfədæm] kistdam, kisting.
coffin ['kɔfin] I *sb* doodkist; II *vt* kisten.
cog [kɔg] I *sb* ✄ tand of kam [v. rad]; II *vt* tanden.
cogency ['koudʒənsi] (bewijs)kracht.
cogent ['koudʒənt] krachtig, dringend, klemmend [betoog].
cogitate ['kɔdʒiteit] I *vi* denken; II *vt* overpeinzen, uitdenken, verzinnen.
cogitation [kɔdʒi'teiʃən] overpeinzing.
cognac ['kɔnjæk, 'kounjæk] cognac.
cognate ['kɔgneit] I *aj* verwant[2] (aan *to*, *with*); II *sb* verwant woord *o*; verwant.
cognition [kɔg'niʃən] 't kennen; 't gekende.
cognizable ['kɔ(g)nizəbl] kenbaar, waarneembaar; ✄ vervolgbaar.
cognizance ['kɔ(g)nizəns] kennis, kennisneming; ⊘ kenteken *o*, insigne *o*; ✄ onderzoek *o*; (rechts)gebied *o*.
cognizant ['kɔ(g)nizənt] kennend, wetend; ~ *of* kennis dragend van.
cognomen [kɔg'noumen] familienaam; bijnaam; benaming.
cog-railway ['kɔgreilwei] tandradbaan.
co-guardian ['kou'ga:diən] toeziende voogd.
cog-wheel ['kɔgwi:l] ✄ kamrad *o*, tandrad *o*.
coheir ['kou'ɛə], **coheiress** ['kou'ɛəris] medeerfgenaam, -erfgename.
cohere [kou'hiə] samenkleven, samenhangen.
coherence, -cy [kou'hiərəns(i)] samenhang[2].
coherent [kou'hiərənt] samenhangend[2].
cohesion [kou'hi:ʒən] cohesie; samenhang[2].
cohesive [kou'hi:siv] samenhangend.
cohort ['kouhə:t] cohort(e); krijgsbende.
coif [kɔif] huif, kap, mutsje *o*.
coiffure [kwa:'fjuə] kapsel *o*, coiffure, frisuur.
coign [kɔin] in: ~ *of vantage* geschikt punt *o*, gunstige positie.
coil [kɔil] I *vt* & *vi* (in een bocht) opschieten; (zich) (ineen)kronkelen of oprollen; II *sb* bocht, kronkel(ing); spiraal; tros (touw); rol (van vlechten); winding; ≋ spoel, klos; ⚓ rompslomp.
coin [kɔin] I *sb* geldstuk *o*, munt; F geld *o*;

pay one in one's own ~ met gelijke munt betalen; II *vt* [geld] slaan, (aan)munten; verzinnen; smeden [een woord]; *be* ~*ing money* geld als water verdienen.
coinage ['kɔinidʒ] aanmunting; munt(en); muntwezen *o*; verzinnen *o*; smeden *o* [v. woord]; verzinsel *o*; nieuw gevormd woord *o*.
coincide [kouin'said] samenvallen; overeenstemmen; 't eens zijn (met *in*).
coincidence [kou'insidəns] samenvallen *o*; overeenstemming; samenloop (van omstandigheden); tref, toeval *o*, toevalligheid.
coincident [kou'insidənt] samenvallend; overeenstemmend.
coiner ['kɔinə] I (valse)munter; 2 verzinner.
coir ['kɔiə] kokosvezel(s).
coke [kouk] I *sb* cokes ‖ S cocaïne ‖ *Am* F Coca-cola; II *vt* & *vi* in cokes veranderen.
cokernut ['koukənʌt] *zie coco(a)-nut*.
cokery ['koukri] cokesinstallatie, cokesfabriek.
coking coal ['koukiŋkoul] cokeskolen.
colander ['kʌləndə] vergiet *o* & *v*, vergiettest.
cold [kould] I *aj* koud[2], koel[2]; ~ *comfort* schrale troost; II *sb* kou(de); verkoudheid; *be left out in the* ~ er kaal afkomen, er buiten gehouden worden, mogen toekijken.
cold-blooded ['kould'blʌdid] koudbloedig; koelbloedig, in koelen bloede; ongevoelig.
coldish ['kouldiʃ] ietwat koud.
coldly ['kouldli] *ad* koud(jes), koel(tjes).
coldness ['kouldnis] koude, koelheid[2].
cold-shoulder ['kould'ʃouldə] met de nek aanzien, negeren.
cole [koul] ≋ kool(raap).
coleoptera [kɔli'ɔptərə] schildvleugeligen.
cole-seed ['koulsi:d] ≋ koolzaad *o*.
colic ['kɔlik] ≋ koliek *o* & *v*.
Coliseum [kɔli'si:əm] Coliseum *o*.
collaborate [kə'læbəreit] mede-, samenwerken; collaboreren [met de vijand].
collaboration [kəlæbə'reiʃən] mede-, samenwerking; collaboratie [met de vijand].
collaborator [kə'læbəreitə] medewerker; collaborateur [met de vijand].
collapse [kə'læps] I *vi* invallen, in(een)storten; ineenzakken, bezwijken; mislukken; verlopen [staking]; II *sb* in(een)storting; verval *o* van krachten; mislukking.
collapsible [kə'læpsəbl] opvouwbaar, klap-.
collar ['kɔlə] I *sb* kraag, boord *o* & *m*, boordje *o*, halsband; ordeteken; gareel *o*, haam *o*; ring; rollade; *against the* ~ zwaar, inspannend; II *vt* een halsband & aandoen; bij de kraag vatten; S inpalmen; ~*ed beef* rollade; ~*ed herring* rolmops.
collarbone ['kɔləboun] sleutelbeen *o*.
collaret(te) [kɔlə'ret] kraagje *o* [v. kant &].
collar-work ['kɔləwə:k] zwaar werk *o*.
collate [kə'leit] I vergelijken, collationeren; 2 een kerkelijk ambt verlenen.
collateral [kɔ'lætərəl] I *aj* zijdelings, zij-; parallel[2]; ~ *security* zakelijk onderpand *o*; II *sb*

1 bloedverwant in de zijlinie; 2 zakelijk onderpand o.

collation [kɔ'leiʃən] I vergelijking, collatie; 2 begeving (v. kerkelijk ambt); 3 lichte maaltijd.

collator [kɔ'leitə] I wie collationeert; 2 collator.

colleague ['kɔli:g] ambtgenoot, collega.

1 **collect** ['kɔlekt] sb collecte [gebed].

2 **collect** [kə'lekt] I vt verzamelen, bijeenbrengen, inzamelen, collecteren, innemen [kaartjes]; (op-, af)halen; innen, incasseren; ~ oneself bekomen, zich zelf meester worden; II vi zich verzamelen.

collected [kə'lektid] I verzameld, compleet; 2 bedaard, zich zelf meester.

collection [kə'lekʃən] collectie, verzameling; collecte, inzameling, (op-, af)halen o; inning, incassering; buslichting.

collective [kə'lektiv] verzamelend; verenigd, collectief, gezamenlijk, gemeenschappelijk; ~ noun verzamelnaam.

collector [kə'lektə] verzamelaar; inzamelaar, collectant; incasseerder; ontvanger.

colleen ['kɔli:n] Ir meisje o.

college ['kɔlidʒ] college o; inrichting van onderwijs, (afdeling van) universiteit.

collegial [kə'li:dʒiəl] van een college.

collegian [kə'li:dʒiən] lid o van een college.

collegiate [kə'li:dʒiit] een college hebbend, college-; ~ church collegiale kerk.

collide [kə'laid] (tegen elkaar) botsen, in botsing (aanvaring) komen.

collie ['kɔli] ⚓ Schotse herdershond.

collier ['kɔliə] I kolenmijnwerker; 2 kolenschip o.

colliery ['kɔliəri] kolenmijn.

collision [kə'liʒən] botsing[2], aanvaring.

collocate ['kɔləkeit] plaatsen, rangschikken.

collocation [kɔlə'keiʃən] plaatsing, rangschikking.

collodion [kə'loudiən] collodium o.

collogue [kə'loug] F samen smoezen, samenspannen.

collop ['kɔləp] lapje o [vlees].

colloquial [kə'loukwiəl] tot de omgangstaal behorende, gemeenzaam, spreektaal-.

colloquialism [kə'loukwiəlizm] gemeenzame zegswijze.

colloquy ['kɔləkwi] samenspraak, gesprek o.

✎ **collude** [kə'l(j)u:d] zich verstaan, het eens zijn.

collusion [kə'l(j)u:ʒən] geheime verstandhouding.

collusive [kə'l(j)u:siv] heimelijk.

Cologne [kə'loun] Keulen o.

colon ['koulən] I dubbele punt (:); 2 karteldarm.

colonel ['kə:nəl] ✕ kolonel.

colonial [kə'lounjəl] I aj koloniaal; II sb bewoner van de koloniën.

colonist ['kɔlənist] kolonist.

colonization [kɔlənai'zeiʃən] kolonisatie.

colonize ['kɔlənaiz] koloniseren.

colonizer ['kɔlənaizə] kolonisator.

colonnade [kɔlə'neid] zuilenrij, -gang.

colony ['kɔləni] kolonie, volksplanting.

colophon ['kɔləfən] colofon o & m.

colophony [kə'lɔfəni] spiegel-, vioolhars o & m.

Colorado [kɔlə'ra:dou] Colorado o; ~ beetle coloradokever.

coloration [kʌlə'reiʃən] kleur(ing).

colossal [kə'lɔsəl] kolossaal, reusachtig.

Colosseum [kɔlə'si:əm] Colosseum o.

colossus [kə'lɔsəs] kolos, gevaarte o.

colour ['kʌlə] I sb kleur; tint; verf; ✕ vaandel o; fig schijn; dekmantel; ~s ✕ vaandel o, vlag; man of ~ kleurling, neger; change ~ 1 van kleur verschieten; 2 een kleur krijgen; gain (lose) ~ kleur krijgen (zijn kleur verliezen); give (lend) ~ to een schijn van waarheid geven aan; put false ~s upon in een verkeerd daglicht plaatsen; show one's ~s kleur bekennen; in one's true ~s in zijn ware gedaante; off ~ bleek en miezerig; niet in orde; F afgetakeld; Am onnet [v. mop]; under false ~s onder valse vlag; under ~ of onder de schijn (het voorwendsel) van; with the ~s ✕ actief, onder dienst; with ~s flying met vliegende vaandels; with flying ~s met vlag en wimpel; II vt kleuren[2]; verven; verbloemen, bemantelen; doorroken [pijp]; III vi een kleur krijgen: blozen.

colourable ['kʌlərəbl] schoonschijnend; voorgewend.

colour-bar ['kʌləba:] scheiding of discriminatie tussen blanken en niet-blanken.

colour-blind ['kʌləblaind] kleurenblind.

coloured ['kʌləd] I aj gekleurd[2]; bemanteld, verbloemd; ~ man kleurling, (Am) neger; ~ pencil kleurpotlood o; II sb ZA kleurling.

colourful ['kʌləful] kleurig, bont, schilderachtig, interessant.

colouring ['kʌləriŋ] kleur(ing), kleursel o, koloriet o; fig schijn, voorkomen o.

colourist ['kʌlərist] kolorist.

colourless ['kʌləlis] kleurloos.

colourman ['kʌləmən] verfhandelaar.

colour plate ['kʌləpleit] plaat in kleurendruk, gekleurde plaat.

colour slide, colour transparency ['kʌləslaid, -træns'pɛərənsi] kleurendia.

colportage ['kɔlpɔ:tidʒ] colportage.

colt [koult] ⚓ (hengst)veulen o, jonge hengst; fig veulen o; wildzang; beginneling.

coltish ['koultiʃ] als (van) een veulen; fig speels.

coltsfoot ['koultsfut] ✿ (klein) hoefblad o.

columbarium [kɔləm'bɛəriəm] columbarium o.

Columbine ['kɔləmbain] Colombine.

columbine ['kɔləmbain] ✿ akelei, akolei.

column ['kɔləm] I zuil, kolom; rubriek, kroniek [in krant]; 2 colonne; fifth ~ vijfde colonne.

columnist ['kɔləmnist] schrijver over een speciaal onderwerp [in krant &]; *fifth* ~ lid *o* van de vijfde colonne.

colza ['kɔlzə] ✿ koolzaad *o*; ~ *oil* raapolie.

coma ['koumə] coma *o*, lethargie.

co-mate ['kou'meit] kameraad.

comatose ['koumətous] aan coma onderhevig, lethargisch.

comb [koum] **I** *sb* 1 kam; 2 (honi(n)g)raat; **II** *vt* kammen; af-, doorzoeken; ~ *out* uitkammen²; *fig* schiften; af-, doorzoeken; zuiveren; te voorschijn halen [onderduikers &].

combat ['kɔm-, 'kʌmbət] **I** *sb* gevecht *o*, kamp, strijd; *single* ~ tweegevecht *o*; **II** *vi* vechten, kampen, strijden; **III** *vt* bestrijden.

combatant ['kɔm-, 'kʌmbətənt] **I** *aj* strijdend; **II** *sb* ✕ combattant, strijder.

combative ['kɔm-, 'kʌmbətiv] strijdlustig.

comber ['koumə] 1 kammer; ✕ kammachine; 2 lange omkrullende golf.

combination [kɔmbi'neiʃən] combinatie, verbinding, vereniging; samenspel *o*; ~*s* combination: hemdbroek.

combine [kəm'bain] **I** *vi* zich verbinden, zich verenigen; **II** *vt* verbinden, verenigen, combineren; paren (aan *with*); **III** *sb* ['kɔmbain] 1 combinatie, syndicaat *o*, consortium *o*, kongsi(e); 2 combine: maaidorser, maaidorsmachine.

combing(s) ['koumiŋ(z)] (uit)kamsel *o*.

combustibility [kəmbʌsti'biliti] brandbaarheid.

combustible [kəm'bʌstibl] **I** *aj* brandbaar; **II** *sb* 1 brandstof; 2 brandbare stof.

combustion [kəm'bʌstʃən] verbranding.

come [kʌm] **I** *vi* komen, aan-, er bij-, op-, over-, neer-, uitkomen; (mee)gaan; komen opzetten; worden; ~! komaan, och kom!; ~ *easy to him* hem gemakkelijk afgaan; *easy* ~ *easy go, light(ly)* ~ *light(ly) go* zo gewonnen zo geronnen; ~ *right* uitkomen, in orde komen; ~ *short* te kort schieten; ~ *true* uitkomen [voorspelling]; ~ *undone (untied)* losgaan, -raken; ...*to* ~ (toe)komende, aanstaande; *not for years to* ~ nog in geen jaren; **II** quasi *vt* in: *have* ~ *a long way* afgelegd hebben; ~ *a person's way* iemands kant of buurt uitkomen; iemand ten deel vallen; *if it should ever* ~ *your way* als je het ooit eens tegenkomt; als het je ooit eens overkomt; ~ *it (too) strong* het te ver drijven, overdrijven; zie ook: *cropper*; ∞ ~ *about* zich toedragen, gebeuren; tot stand komen; ~ *across* (toevallig) aantreffen, ontmoeten of vinden; ~ *across one's mind* bij iemand opkomen; ~ *after* komen na, volgen op; ~ *again* terugkomen; ~ *along* komen (aanzetten); meegaan, voortmaken; ~ *along!* allo, mee!; ~ *apart,* ~ *asunder* uit elkaar gaan, losgaan, stukgaan; ~ *at* aan (bij)... komen, bereiken, (ver)krijgen; achter... komen; ~ *away* losraken; weggaan, scheiden; ~ *back* terugkomen; weer te binnen schieten; bijkomen; zich

herstellen (ook: in de gunst), er weer in (d.i. in trek, in de mode) komen; ~ *by* voorbijkomen, passeren; aan ... komen, (ver)krijgen; ~ *down* afkomen, afdalen, afzakken; naar beneden komen (vallen); ◡ van de universiteit komen; dalen; (neer)komen, reiken (tot *to*); **F** een toontje lager zingen; ~ *down (handsomely)* **F** over de brug komen; ~ *down against (for)* zich verklaren tegen (voor); ~ *down in the world* aan lagerwal raken; ~ *down on a person (like a ton of bricks)* tegen iemand te keer gaan (van je welste); ~ *down on the side of* zich verklaren voor; ~ *for* komen om, komen (af)halen; ~ *forth* te voorschijn komen, zich vertonen; ~ *forward* zich aanmelden (aanbieden); ~ *from* komen van (uit); ~ *in* binnenkomen²; aankomen [mail]; ~ *in again* weer in de mode of aan 't bewind komen; *when cherries* ~ *in* als 't kersentijd is; *where do I* ~ *in?* waar blijf ik nu?, en ik dan?, wat heb ik daar nu voor voordeel bij?; wat heb ik er mee te maken?; ~ *in handy (useful)* van (te) pas komen; ~ *in for* krijgen; ~ *into* komen in; deel uitmaken van; ~ *into a fortune (a thousand)* krijgen als zijn (erf)deel, erven; ~ *into one's own* (weer) in zijn rechten treden; zijn (erf)deel krijgen²; *fig* ook: het hem (haar) toekomende krijgen; zie ook: *force* &; ~ *near doing* bijna doen; ~ *of* komen van, afstammen van; ~ *off* afkomen van; er af gaan, loslaten, afgeven [kleuren], uitvallen [haar], ontsnappen [gassen]; doorgaan, plaatshebben; lukken; uitkomen; ~ *off badly* er slecht afkomen, het er slecht afbrengen; ~ *off it!* **S** schei uit!, hou op!; ~ *on* (aan)komen, gedijen, tieren; opkomen [onweer &]; aangaan [van het licht]; ter sprake komen; ,,loskomen", op dreef komen; ~ *on for discussion* in behandeling komen; ~ *on for hearing (for trial)* 🏛 vóórkomen; ~ *on to...* beginnen te...; ~ *out* uitkomen, (naar) buiten komen, uit de gevangenis komen; in staking gaan (ook: ~ *out on strike*); uitlekken; aan 't licht komen, verschijnen [publikaties]; opkomen [pokken]; ✿ uitlopen; debuteren; optreden; er uit gaan [vlekken]; ~ *out strong(ly)* flink voor den dag komen; ~ *out against (for, in favour of)* opkomen tegen (voor); ~ *well out of it* er goed afkomen; ~ *out with* komen aanzetten, voor den dag komen, uit de hoek komen met; ~ *over* óverkomen [inz. uit Frankrijk met Willem de Veroveraar]; overlopen (naar *to*); ~ *over one* 1 iemand overvallen, bekruipen, bevangen; iemand overkómen, **F** bezielen; 2 **F** iemand bepraten; bedotten; ~ *round* aankomen, aanwippen; vóórkomen [auto &]; *fig* een gunstige wending nemen, in orde komen; bijkomen; bijdraaien; ~ *round again* weer komen, er weer zijn [v. datum]; ~ *round a person* **F** iemand inpalmen, bedotten; ~ *through* 1 er door komen; 2 doorkomen [v geluid, bericht &]; ~ *to* (weer) bijkomen; komen bij, naar, tot, op; ~ *to believe* &, gaan geloven &; ~ *to know a person* iemand leren kennen; ~ *to think of it* er over beginnen te denken; *it is coming to be regarded as...* het wordt langzamerhand (gaandeweg, allengs) beschouwd als...; ~ *to blows* slaags raken; ~ *to harm* een ongeluk krijgen, verongelukken; ~ *to nothing* op niets uitlopen (uitdraaien); ~ *to one* te beurt vallen, overkómen; te binnen schieten; *he had it coming to him* het was zijn verdiende loon; *it* ~*s natural(ly) to him* het gaat hem goed af, het ligt hem; ~ *to pass* gebeuren; *if it* ~*s to that* wat dat aangaat, als dat de zaak is; *what girls are coming to!* waar moet het toch met onze meisjes heen!; ~ *under this head* vallen onder; ~ *up* boven komen; opkomen; in de mode komen; ter sprake komen; in behandeling komen; aankomen [studenten]; ~ *up to* toegaan naar; gelijk zijn of beantwoorden aan, halen bij; ~ *up with* inhalen; ~ *upon one* (*it*) aantreffen, tegen 't lijf lopen; aanvallen; te binnen schieten; ~ *upon the parish* (*town*) armlastig worden; ~ *upon the scene* ten tonele verschijnen.

come-back ['kʌmbæk] F terugkeer; herstel *o*.

comedian [kə'mi:diən] 1 toneelspeler, acteur; *fig* komediant; 2 blijspeldichter.

come-down ['kʌmdaun] val, vernedering, achteruitgang; tegenvaller.

comedy ['kɔmidi] blijspel *o*, komedie.

comeliness ['kʌmlinis] bevalligheid, knapheid; gepastheid.

comely ['kʌmli] bevallig, knap; gepast.

comer ['kʌmə] wie (aan)komt; *Am* veelbelovend iemand; *the first* ~ de eerste de beste; ~*s and goers* de gaande en komende man.

comestibles [kə'mestiblz] eetwaren.

comet ['kɔmit] komeet.

comfit ['kʌmfit] suikertje *o*.

comfort ['kʌmfət] I *sb* troost, vertroosting; opbeuring; welgesteldheid; gemak *o*, gerief *o*, geriefelijkheid, comfort *o*; *take* ~ zich troosten; II *vt* (ver)troosten, opbeuren.

comfortable ['kʌmfətəbl] I *aj* behaaglijk, aangenaam, geriefelijk, gemakkelijk, op zijn gemak; genoeglijk; welgesteld; gerust; ruim [inkomen]; II *sb Am* gewatteerde deken.

comfortably ['kʌmfətəbli] *ad* zie *comfortable*.

comforter ['kʌmfətə] 1 trooster, troosteres; 2 bouffante; 3 fopspeen; 4 *Am* gewatteerde deken.

comfortless ['kʌmfətlis] troosteloos; ongeriefelijk.

comfy ['kʌmfi] F zie *comfortable* I.

comic ['kɔmik] I *aj* komisch, humoristisch, grappig; II *sb* 1 komiek; 2 humoristisch blad *o*; 3 beeldverhaal *o* (ook: ~*s*).

comical ['kɔmikl] kluchtig, koddig, grappig.

comicality [kɔmi'kæliti] komische *o*; grap(pigheid).

coming ['kʌmiŋ] I *aj* (toe)komend; II *sb* komst.

comity ['kɔmiti] beleefdheid; *the* ~ *of nations* 1 de internationale hoffelijkheid; 2 de gemeenschap der beschaafde volkeren.

comma ['kɔmə] komma *v* of *o*.

command [kə'ma:nd] I *vt* bevelen, gebieden, ✗ commanderen, aanvoeren, het commando voeren over; ✗ bestrijken; *fig* beheersen; beschikken over; afdwingen; opbrengen [v. prijzen]; hebben [aftrek]; doen [huur]; *yours to* ~ uw dienstwillige; II *vi* bevelen; het commando voeren; III *sb* bevel *o*; gebod *o*, opdracht; ✗ commando *o*; leiding; legerleiding; legerdistrict *o*; ⚓ afdeling, dienst; *fig* beheersing; beschikking; *Coastal C*~ ⚓ kust-vliegdienst; *High C*~ ✗ [Russisch &] Opperbevel *o*; *Higher C*~ ✗ [Engels] Opperbevel *o*; *at his* ~ 1 op zijn bevel; 2 te zijner beschikking; *by his* ~ op zijn bevel; *be in* ~ het bevel voeren (over *of*); *second in* ~ onderbevelhebber.

commandant [kɔmən'dænt] ✗ commandant.

commandeer [kɔmən'diə] rekwireren.

commander [kə'ma:ndə] bevelhebber; aanvoerder; commandeur [v. ridderorde]; ⚓ kapitein-luitenant-ter-zee; ✗ commandant; ~-*in-chief* ✗ opperbevelhebber, legercommandant.

commanding [kə'ma:ndiŋ] bevelend; bevelvoerend; de omtrek bestrijkend; *fig* imposant, imponerend, indrukwekkend.

commandment [kə'ma:ndmənt] gebod *o*.

commando [kə'ma:ndou] ✗ commando *o*.

commemorate [kə'meməreit] herdenken, gedenken, vieren.

commemoration [kəmemə'reiʃən] herdenking; gedachtenisviering; *in* ~ *of* ter herdenking van.

commemorative [kə'memərətiv] herdenkings-, gedenk-.

commence [kə'mens] beginnen.

commencement [kə'mensmənt] begin *o*.

commend [kə'mend] (aan)prijzen, aanbevelen; ✞ de groeten doen van; ~ *me to A* geef mij maar A; ~ *itself to* in de smaak vallen bij, instemming vinden bij.

commendable [kə'mendəbl] *aj* prijzenswaardig, loffelijk.

commendably [kə'mendəbli] *ad* zie *commendable*.

commendation [kɔmen'deiʃən] aanbeveling, lof(tuiting).

commendatory [kə'mendətəri] prijzend, aanbevelend, aanbevelings-; lof-.

commensurable [kə'menʃərəbl] onderling meetbaar, deelbaar; evenredig.

commensurate [kə'menʃərit] evenredig (aan *to*, *with*); gelijk (aan *with*).

comment ['kɔment] I *sb* aantekening; uitleg, commentaar[2] *m* of *o*; II *vi* opmerken; ~ *on* aantekeningen maken bij; opmerkingen maken over, commenteren.

commentary ['kɔməntəri] uitleg, opmerking(en), commentaar² *m* of *o*; (radio)reportage.

commentator ['kɔmenteitə] uitlegger, verklaarder, commentator; (radio)reporter.

commerce ['kɔmə:s] I handel, verkeer *o*; 2 omgang; 3 ◇ commerce *o* [spel].

commercial [kə'mə:ʃəl] I *aj* commercieel, handels-, bedrijfs-, beroeps-, zaken-, zakelijk; ~ *room* uitpakkamer; II *sb* F handelsreiziger.

commercialism [kə'mə:ʃəlizm] handelsgeest.

commie ['kɔmi] *Am* > communist.

commiserate [kə'mizəreit] beklagen, medelijden hebben met.

commiseration [kəmizə'reiʃən] deernis, medelijden *o*, deelneming.

commissariat [kɔmi'sɛəriət] ✕ intendance.

commissary ['kɔmisəri] gemachtigde, commissaris.

commission [kə'miʃən] I *sb* last, lastbrief, (officiers)aanstelling; opdracht; commissie; provisie; begaan *o* [v. misdaad]; verlening; *go beyond one's* ~ buiten zijn opdracht (F zijn boekje) gaan; *in* ~ ⚓ in actieve dienst; *on* ~ $ in commissie; *out of* ~ ⚓ buiten dienst; II *vt* machtigen; opdracht geven; bestellen; aanstellen; ⚓ in dienst stellen.

commission-agent [kə'miʃəneidʒənt] $ commissionair.

commissionaire [kəmiʃə'nɛə] kruier; boodschaploper; portier.

commissioner [kə'miʃənə] commissaris, gevolmachtigde, lid *o* v. e. commissie; hoofdcommissaris van politie; ⊞ resident; *High C*~ Hoge Commissaris.

commissionership [kə'miʃənəʃip] commissariaat *o*.

commissure ['kɔmisjuə] voeg, naad.

commit [kə'mit] I *vt* bedrijven, begaan, plegen; toevertrouwen (aan *to the flames, the grave* &); prijsgeven; verwijzen (naar een commissie); compromitteren; binden; *Am* inzetten [strijdkrachten]; ~ *for trial* ï⅔ ter terechtzitting verwijzen; ~ *to memory* van buiten leren; ~ *to prison* gevangen zetten; II *vr* ~ *oneself* zich toevertrouwen (aan *to*); zich verbinden (tot *to*); zich binden; zich blootgeven of compromitteren.

commitment [kə'mitmənt] I verplichting; 2 zie *committal*.

committal [kə'mitl] plegen *o* &; toevertrouwen *o*, prijsgeven *o*; toewijzing; verwijzing (ter terechtzitting, naar een commissie); (bevel *o* tot) gevangennneming.

I **committee** [kə'miti] commissie; comité *o*; bestuur *o*.

2 **committee** [kɔmi'ti:] curator [v. krankzinnige].

commode [kə'moud] latafel.

commodious [kə'moudiəs] ruim en geriefelijk.

commodity [kə'mɔditi] (koop)waar, (handels)artikel *o*, goed *o*, produkt *o*.

commodore ['kɔmədɔ:] I commodore [⚓ & ⚓⚓], ⚓ commandeur [kapitein]; 2 president

[v. zeilclub].

common ['kɔmən] I *aj* gemeen(schappelijk); algemeen, alledaags, gewoon, ordinair; ~ *or garden*... F gewoon; *the* ~ *council* de gemeenteraad; ~ *crier* stadsomroeper; *of* ~ *gender gram* gemeenslachtig; ~ *ground* iets waarover men het eens kan zijn (of is), een gemeenschappelijke basis; ~ *law* gewoonterecht *o*; ~ *noun* soortnaam; (*Book of*) *Common Prayer* (dienstboek *o* met) de liturgie der Anglicaanse Kerk; ~ *room* I gelagkamer; 2 ◇ docentenkamer, kamer voor de *fellows*; 3 gemeenschappelijke ruimte: recreatielokaal *o* e.d.; ~ *weal* I algemeen welzijn *o*; 2 ⚓ gemenebest *o*; II *sb* I gewone *o*; 2 gemeenteweide; 3 weiderecht *o*; *in* ~ gemeen(schappelijk); *out of the* ~ ongewoon; buitengewoon, niet alledaags; zie ook: *commons, sense* &.

commonalty ['kɔmənəlti] burgerij; gemeenschap; gemeenteraad; corporatie.

commoner ['kɔmənə] I burger; 2 lid *o* van het Lagerhuis; 3 ⊞ niet-beursstudent.

commonly ['kɔmənli] *ad* I gemeenlijk; gewoonlijk; 2 gewoon; ordinair, min.

commonplace ['kɔmənpleis] I *aj* gewoon, alledaags; II *sb* aanhaling, gemeenplaats.

commons ['kɔmənz] I burgerstand; ˙(gewone) volk *o*; 2 dagelijks rantsoen *o*; ◇ portie eten van 't gewone menu; (*House of*) *Commons* Lagerhuis *o*; *be on short* ~ het mondjesmaat hebben.

commonsensical [kɔmən'sensikl] verstandig.

commonwealth ['kɔmənwelθ] gemenebest *o*; republiek²; *the C*~ I het Britse Gemenebest (= *the British C*~); 2 het Australische Gemenebest (= *the C*~ *of Australia*); 3 ⊞ de Republiek van 1649-'60 (= *the C*~ *of England*).

commotion [kə'mouʃən] beweging, beroering, opschudding.

communal ['kɔmjunəl] gemeente-; gemeenschaps-, gemeenschappelijk; van de bevolkingsgroep(en).

I **commune** ['kɔmju:n] *sb* gemeente; *the Commune* de Commune.

2 **commune** [kə'mju:n] *vi* I zich onderhouden (met *with*); 2 *Am* zie *communicate* II 2.

communicable [kə'mju:nikəbl] mededeelbaar; ⚕ besmettelijk.

communicant [kə'mju:nikənt] Avondmaalsganger, *RK* communicant.

communicate [kə'mju:nikeit] I *vt* I mededelen (aan *to*); 2 overbrengen (op *to*); II *vi* I gemeenschap hebben; in verbinding staan, zich in verbinding stellen (met *with*); 2 ten Avondmaal gaan; communiceren².

communication [kəmju:ni'keiʃən] mededeling; gemeenschap, aansluiting, communicatie, verbinding(sweg); ~ *cord* noodrem.

communicative [kə'mju:nikeitiv] mededeelzaam.

communicator [kə'mju:nikeitə] mededeler.

communion [kə'mju:njən] 1 gemeenschap; verbinding, omgang; 2 kerkgenootschap o; 3 Avondmaal o, RK communie.

communiqué [kə'mju:nikei] communiqué o.

communism ['kɔmjunizm] communisme o.

communist ['kɔmjunist] I sb communist; II a communistisch.

communistic [kɔmju'nistik] communistisch.

community [kə'mju:niti] gemeenschap, gemeente, maatschappij; bevolkingsgroep; kolonie (van vreemdelingen); the mercantile ~ de handelswereld; ~ of interests belangengemeenschap.

commutation [kɔmju'teiʃən] verandering, verwisseling; omzetting; verzachting; Am abonnement, traject-, ritten-, weekkaart & (~ ticket).

commutator ['kɔmjuteitə] ⚡ stroomwisselaar.

commute [kə'mju:t] I vt veranderen, verwisselen; omzetten; verzachten; II vi heen en weer reizen, forenzen.

commuter [kə'mju:tə] pendelaar, forens.

1 **compact** ['kɔmpækt] sb 1 overeenkomst, verdrag o; 2 poederdoosje o, -steentje o.

2 **compact** [kəm'pækt] I aj compact, dicht, vast, beknopt, gedrongen [stijl]; II vt verdichten; fig condenseren.

companion [kəm'pænjən] I sb (met)gezel, makker, kameraad; gezellin, gezelschapsdame; laagste graad in ridderorde; pendant o & m ‖ ⚓ kampanje; ~ hatch kajuitskap; ~ picture pendant o & m; II vt vergezellen; III vi in: ~ with omgaan met.

companionable [kəm'pænjənəbl] gezellig.

companionship [kəm'pænjənʃip] kameraadschap; gezelschap o; gezelligheid.

company ['kʌmpəni] gezelschap o; maatschappij; vennootschap; genootschap o, gilde o & v; compagnie; ⚓ bemanning; be good ~ zijn gezelschap waard zijn; bear ~ gezelschap houden; have ~ mensen [te eten &] hebben; keep ~ with verkering hebben met; see ~ mensen ontvangen (zien); before ~ in gezelschap; for ~ 1 voor de gezelligheid; 2 van de weeromstuit [huilen &]; in ~ in gezelschap; he never goes into ~ hij gaat nooit op visite; ~'s water leidingwater o.

comparable ['kɔmpərəbl] te vergelijken.

comparative [kəm'pærətiv] I aj vergelijkend; betrekkelijk; ~ degree vergrotende trap; II sb vergrotende trap.

comparatively [kəm'pærətivli] ad bij-, in vergelijking; betrekkelijk.

compare [kəm'pɛə] I vt vergelijken (bij to, met with); ~ notes elkaar hun bevindingen meedelen; II vi vergeleken kunnen worden; ~ (un)favourably with (on)gunstig afsteken bij; III sb in: beyond (past, without) ~ onvergelijkelijk.

comparison [kəm'pærisn] vergelijking; bear (challenge, stand) ~ with de vergelijking doorstaan met; beyond ~ niet te vergelij-

ken; by ~ vergelijkenderwijs; by ~ with in vergelijking met; in ~ with vergeleken met.

compartment [kəm'pa:tmənt] 1 afdeling, vak o, coupé; 2 ⚓ waterdichte afdeling.

compass ['kʌmpəs] I sb omtrek, omvang; omweg²; grens; gebied o, ruimte; bestek o, bereik o; ⚓ kompas o; II vt 1 omvatten, omvamen², insluiten, omringen; begrijpen²; 2 bereiken, volvoeren, verkrijgen, verwerven; beramen; zie ook: compasses.

compass-card ['kʌmpəska:d] ⚓ kompasroos.

compasses ['kʌmpəsiz] passer; a pair of ~ een passer.

compassion [kəm'pæʃən] medelijden o, mededogen o, erbarmen o (met on).

compassionate [kəm'pæʃənit] medelijdend, meewarig, meedogend; ~ leave ⚔ uitzonderingsverlof o.

compatibility [kəmpæti'biliti] bestaanbaarheid; verenigbaarheid; overeenstemming.

compatible [kəm'pætibl] bestaanbaar (met with), verenigbaar.

compatriot [kəm'pætriət] landgenoot.

compeer [kɔm'piə] gelijke; makker.

compel [kəm'pel] dwingen, afdwingen.

compellable [kəm'peləbl] te dwingen.

compendious [kəm'pendiəs] beknopt, kort.

compendium [kəm'pendiəm] compendium o, kort begrip o; (beknopt) handboek o.

compensate ['kɔmpenseit] compenseren, opwegen tegen, goedmaken, vergoeden (ook: ~ for), schadeloos stellen.

compensation [kɔmpen'seiʃən] compensatie, (schade)vergoeding, schadeloosstelling.

compensatory [kɔm'pensətəri] compenserend.

compere ['kɔmpɛə] I sb conferencier [v. cabaret]; II vt conferencier zijn van.

compete [kəm'pi:t] concurreren, wedijveren, mededingen (naar for, met with).

competence, -cy ['kɔmpitəns(i)] 1 bevoegdheid, bekwaamheid, competentie; 2 welgesteldheid; behoorlijk inkomen o.

competent ['kɔmpitənt] bevoegd, bekwaam, competent; behoorlijk; it is not ~ to me to... het staat niet aan mij om...

competition [kɔmpi'tiʃən] concurrentie, mededinging, wedijver; wedstrijd, prijsvraag.

competitive [kəm'petitiv] concurrerend; vergelijkend [v. examen].

competitor [kəm'petitə] concurrent; mededinger, deelnemer.

competitress [kəm'petitris] concurrente; mededingster, deelneemster.

compilation [kɔmpi'leiʃən] compilatie.

compile [kəm'pail] samenstellen; verzamelen.

compiler [kəm'pailə] compilator.

complacence, -cy [kəm'pleisəns(i)] (zelf)voldoening, zelfvoldaanheid; (zelf)behagen o.

complacent(ly) [kəm'pleisənt(li)] (zelf)voldaan, met zichzelf ingenomen.

complain [kəm'plein] klagen (over of, bij to), zich beklagen.

complaint [kəm'pleint] 1 beklag *o*; (aan)klacht; 2 kwaal.

complaisance [kəm'pleizəns] voorkomendheid; inschikkelijkheid.

complaisant [kəm'pleizənt] voorkomend; inschikkelijk.

complement ['komplimənt] I *sb* aanvulling; getalsterkte, vol getal *o*, vereiste hoeveelheid, taks; (voltallige) bemanning; complement *o*; II *vt* ['kompliment] aanvullen.

complementary [kompli'mentəri] complementair [v. hoek], aanvullend, aanvullings-.

complete [kəm'pli:t] I *aj* compleet, volledig, voltallig; voltooid; volslagen, volmaakt; II *vt* voltooien, voleinden, afmaken; aanvullen, voltallig maken, completeren; invullen [formulier].

completely [kəm'pli:tli] *ad* compleet, totaal, geheel en al, volkomen, volslagen.

completeness [kəm'pli:tnis] volledigheid.

completion [kəm'pli:ʃən] 1 voltooiing, voleindiging; 2 aanvulling.

completive [kəm'pli:tiv] aanvullend.

complex ['kompleks] I *aj* samengesteld, ingewikkeld; II *sb* complex *o*, geheel *o*.

complexion [kəm'plekʃən] gelaatskleur, teint; *fig* aanzien *o*, voorkomen *o*; aard.

complexity [kəm'pleksiti] samengesteldheid, ingewikkeldheid.

compliance [kəm'plaiəns] inschikkelijkheid; toestemming; voldoen *o*, gevolg geven *o* (aan *with*); in~ *with* overeenkomstig.

compliant [kəm'plaiənt] inschikkelijk.

complicacy ['komplikəsi] ingewikkeldheid.

1 **complicate** ['komplikit] *aj* ingewikkeld.

2 **complicate** ['komplikeit] *vt* ingewikkeld maken, verwikkelen.

complication [kompli'keiʃən] ingewikkeldheid, verwikkeling; complicatie.

complicity [kəm'plisiti] medeplichtigheid.

1 **compliment** ['komplimənt] I *sb* compliment *o*; plichtpleging; II *vt* ['kompliment] gelukwensen (met *on*), complimenteren, een compliment maken; vereren (met *with*).

complimentary [kompli'mentəri] complimenteus; ~ *copy* presentexemplaar *o*; ~ *ticket* vrijkaart.

complin(e) ['komplin] *RK* completen.

comply [kəm'plai] zich onderwerpen, berusten, zich voegen (naar *with*); ~ *with a request* aan een verzoek voldoen, gevolg geven.

component [kəm'pounənt] I *aj* samenstellend; ~ *part* = II *sb* bestanddeel *o*.

comport [kəm'pɔ:t] I *vi* overeenstemmen (met *with*); II *vr* ~ *oneself* zich gedragen. [ding.

comportment [kəm'pɔ:tmənt] gedrag *o*, hou-

compose [kəm'pouz] I *vt* & *vi* samenstellen, vormen, (uit)maken; (op)stellen [brief]; zetten [drukwerk]; ♪ componeren; regelen, schikken; bijleggen, beslechten; kalmeren; *be* ~*d of* ook: bestaan uit; II *vr* ~ *oneself* zich herstellen; bedaren; ~ *oneself to write*

aanstalten maken om te schrijven.

composed [kəm'pouzd] *aj* bedaard, kalm.

composedly [kəm'pouzidli] *ad* bedaard, kalm.

composedness [kəm'pouzidnis] kalmte.

composer [kəm'pouzə] componist.

composing room [kəm'pouziŋrum] zetterij.

composing stick [kəm'pouziŋstik] zethaak.

composite ['kompəzit] I *aj* samengesteld; gemengd; gecombineerd; ~ *photograph* (*picture, set*) fotomontage; II *sb* samenstelling.

composition [kompə'ziʃən] samenstelling; mengsel *o*; aard; compositie; opstel *o*; verdrag *o*, akkoord *o*; afkoping; (letter)zetten *o*.

compositor [kəm'pɔzitə] letterzetter.

compost ['kompɔst] compost *o* & *m*: mengmest.

composure [kəm'pouʒə] kalmte, bedaardheid.

compote ['kompout] compote.

1 **compound** ['kompaund] I *aj* samengesteld; 𝔛 gecompliceerd [v. breuk]; II *sb* samenstelling, mengsel *o* ‖ erf *o* [van oosters huis]; afgepaald terrein *o*, kamp *o*.

2 **compound** [kəm'paund] I *vt* samenstellen, verenigen, (ver)mengen, bereiden; bijleggen; afkopen; II *vi* een schikking treffen; het op een akkoordje gooien.

comprehend [kompri'hend] omvatten, insluiten, bevatten[2]; begrijpen, verstaan.

comprehensibility [komprihensə'biliti] begrijpelijkheid.

comprehensible [kompri'hensəbl] te begrijpen[2], begrijpelijk.

comprehension [kompri'henʃən] omvang; bevatting, bevattingsvermogen *o*, begrip *o*; verstand *o*.

comprehensive [kompri'hensiv] veelomvattend, uitgebreid, ruim; ~ *faculty* bevattingsvermogen *o*; ~ *school* ⇔ scholengemeenschap.

1 **compress** [kəm'pres] *vt* samendrukken, samenpersen, comprimeren.

2 **compress** ['kompres] *sb* kompres *o*.

compressibility [kəmpresi'biliti] samendrukbaarheid.

compressible [kəm'presibl] samendrukbaar.

compression [kəm'preʃən] samendrukking, -persing, compressie; bondigheid.

compressor [kəm'presə] ⚒ compressor.

comprise [kəm'praiz] om-, bevatten; samenvatten; insluiten; uitmaken.

compromise ['komprəmaiz] I *sb* compromis *o*, vergelijk *o*, overeenkomst; schikking; II *vt* 1 (in der minne) schikken, bijleggen; 2 compromitteren, in opspraak brengen; III *vi* tot een vergelijk komen; een compromis sluiten; IV *vr* ~ *oneself* zich compromitteren.

comptroller [kən'troulə] 1 schatmeester, administrateur; 2 controleur.

compulsion [kəm'pʌlʃən] dwang; *ps* 1 dwangvoorstelling; 2 dwanghandeling; *on* ~ gedwongen.

compulsive [kəm'pʌlsiv] dwingend, dwang-; *sp* dwangmatig.

compulsory [kəm'pʌlsəri] dwingend, dwang-, gedwongen, verplicht; ~ *education* leerplicht; ~ *(military) service* dienstplicht.

compunction [kəm'pʌŋkʃən] wroeging, gewetensknaging; berouw *o*, spijt.

computable [kəm'pju:təbl] berekenbaar.

computation [kɔmpju'teiʃən] (be)rekening.

compute [kəm pju:t] (be)rekenen (op *at*).

computer [kəm'pju:tə] computer, [elektronische] rekenmachine.

comrade ['kɔmrid] kameraad, makker.

comradeship ['kɔmridʃip] kameraadschap.

1 **con** [kɔn] *ad & sb* tegen; zie 2 *pro*.

2 **con** [kɔn] *vt* (van buiten) leren, bestuderen, nagaan (ook: ~ *over*) ‖ ~ *a ship* ⚓ de koers aangeven, roercommando's geven.

concatenation [kɔnkæti'neiʃən] aaneenschakeling.

concave ['kɔnkeiv] I *aj* concaaf, hol; II *sb* holte; (hemel)gewelf *o*.

concavity [kɔn'kæviti] holheid, holte.

conceal [kən'si:l] verbergen, verhelen, verstoppen; geheim houden, verzwijgen.

concealment [kən'si:lmənt] verberging, verheling; verzwijging; schuilplaats (ook: *place of~*). [gen [eis].

concede [kən'si:d] toestaan; toegeven; inwilligen.

conceit [kən'si:t] verbeelding, waan, (eigen)dunk, verwaandheid; inval; gril; *in his own* ~ in zijn eigen ogen; *I am out of* ~ *with it* ik heb er geen plezier of behagen meer in.

conceited(ly) [kən'si:tid(li)] waanwijs, verwaand, eigenwijs.

conceivable [kən'si:vəbl] denkbaar.

conceive [kən'si:v] I *vt* (be)vatten, begrijpen, denken, zich voorstellen; opvatten; ~*d in plain terms* in... vervat; II *vi* ontvangen: zwanger worden; ~ *of* zich een voorstelling maken van, zich voorstellen.

concentrate ['kɔnsentreit] (zich) in een punt samentrekken, (zich) concentreren.

concentration [kɔnsen'treiʃən] samentrekking, concentratie; ~ *camp* concentratiekamp *o*.

concentric(al) [kɔn'sentrik(l)] concentrisch.

concept ['kɔnsept] begrip *o*.

conception [kən'sepʃən] bevatting, begrip *o*; voorstelling, gedachte; opvatting; ontwerp *o*; ontvangenis.

conceptual [kən'septjuəl] begrippelijk.

concern [kən'sə:n] I *vt* aangaan, betreffen, raken; II *vr* ~ *oneself* zich bekommeren, zich ongerust maken (over *about, for*); zich interesseren (voor *about, in, with*); zie ook: *concerned*; III *sb* zaak, aangelegenheid, onderneming, bedrijf *o*, concern *o*; deelneming; zorg, bezorgdheid; belang *o*, gewicht *o*; *it is no ~ of mine* 't is mijn zaak niet; 't interesseert me niet; *I have no ~ with it* ik heb daarmee niets te maken.

concerned [kən'sə:nd] bezorgd; betrokken; *the parties (persons)* ~ de betrokkenen; *be ~ about* 1 zich interesseren voor, belang stel-

len in; 2 bezorgd zijn over; *we are ~ at...* 1 het spijt ons dat...; 2 we zijn bezorgd over; ~ *for* bezorgd over; *be ~ in* te maken hebben met, betrokken zijn bij; ~ *over* bezorgd over, *I am* ~ *to hear that...* 't spijt me te moeten horen, dat...; *he is ~ to show that...* het is hem er om te doen aan te tonen, dat...; *I am not ~ to...* het is mijn zaak niet om...; *be ~ with* 1 zich bezighouden met; 2 te maken hebben met.

concerning [kən'sə:niŋ] betreffende.

concernment [kən'sə:nmənt] belang *o*, gewicht *o*; aangelegenheid; tussenkomst; deelneming; bezorgdheid.

1 **concert** ['kɔnsət] *sb* 1 overeenstemming; 2 ♪ concert *o*; *in ~ with* 1 overeenkomstig; 2 samen met, in samenwerking met.

2 **concert** [kən'sə:t] *vt* beramen; ♪ arrangeren; ~*ed action* samenwerking.

concertina [kɔnsə'ti:nə] ♪ soort harmonika.

concerto [kən'tʃə:tou] ♪ concerto *o*, concert *o* [= muziekstuk].

concession [kən'seʃən] bewilliging, vergunning, concessie.

concessionaire [kɔnseʃə'nɛə] concessionaris, concessiehouder.

concessionary [kən'seʃənəri] I *aj* concessie-; II *sb* concessionaris, concessiehouder.

concessive [kən'sesiv] concessief, toegevend.

conch [kɔŋk] (zee)schelp.

conciliate [kən'silieit] (met elkaar) verzoenen; winnen, verwerven.

conciliation [kɔnsili'eiʃən] verzoening; overhalen *o*; verwerven *o*.

conciliator [kən'silieitə] verzoener, bemiddelaar.

conciliatory [kən'siliətəri] verzoenend, bemiddelend; verzoeningsgezind.

concise(ly) [kən'sais(li)] beknopt.

concision [kən'siʒən] beknoptheid.

conclave ['kɔnkleiv] conclave *o*; *in (secret)* ~ in geheime zitting.

conclude [kən'klu:d] besluiten, afleiden, opmaken (uit *from*); (af)sluiten, aangaan; afdoen, (be)eindigen (met *by, with*); *to be ~d (in our next)* slot volgt.

conclusion [kən'klu:ʒən] besluit *o*, einde *o*, slot *o*; slotsom; gevolgtrekking, conclusie; sluiten *o*; *in ~* tot besluit, ten slotte.

conclusive [kən'klu:siv] beslissend, afdoend.

concoct [kən'kɔkt] bereiden; brouwen; smeden, beramen, bekokstoven, verzinnen.

concoction [kən'kɔkʃən] bereiding; beraming; brouwsel *o*; verzinsel *o*.

concomitant [kən'kɔmitənt] vergezellend, begeleidend (verschijnsel *o*).

concord ['kɔŋkə:d, 'kɔnkə:d] eendracht, overeenstemming, harmonie[2].

concordance [kən'kə:dəns] 1 overeenstemming; 2 concordantie.

concordant [kən'kə:dənt] overeenstemmend; harmonisch.

concordat [kɔn'kɔ:dæt] concordaat *o*.

concourse ['kɔŋkɔ:s, 'kɔnkɔ:s] toevloed, toeloop, samenloop; menigte; vereniging.

1 **concrete** ['kɔnkri:t] I *aj* concreet; vast, hard; beton-; ~ *number* benoemd getal *o*; II *sb* concrete *o*, concreet iets; vaste massa; beton *o*; III *vt* betonneren.

2 **concrete** [kɔn'kri:t] *vt* & *vi* verharden.

concrete mixer ['kɔnkri:tmiksə] betonmolen.

concretion [kɔn'kri:ʃən] verdichting; samengroeiing; verharding, verstening.

concubinage [kɔn'kju:binidʒ] concubinaat *o*.

concubine ['kɔŋkjubain] bijzit; bijwijf *o*.

concur [kɔn'kə:] samenvallen; overeenstemmen (in *in*, met *with*); het ééns zijn; samenwerken, medewerken (tot *to*).

concurrence [kɔn'kʌrəns] samenkomst, samenloop, vereniging, medewerking, overeenstemming, instemming, goedkeuring.

concurrent [kɔn'kʌrənt] samenlopend; gelijktijdig (optredend); samenwerkend, meewerkend; overeenstemmend, eenstemmig.

concuss [kɔn'kʌs] schudden, schokken.

concussion [kɔn'kʌʃən] schudding, schok; hersenschudding (ook: ~ *of the brain*).

condemn [kɔn'dem] veroordelen, doemen; afkeuren; opgeven [een zieke]; verbeurd verklaren; onbewoonbaar verklaren; ~*ed cell* cel voor ter dood veroordeelde, dodencel.

condemnable [kɔn'demnəbl] te veroordelen, laakbaar, afkeurenswaardig.

condemnation [kɔndem'neiʃən] veroordeling, afkeuring.

condemnatory [kɔn'demnətəri] veroordelend, afkeurend.

condensable [kɔn'densəbl] condenseerbaar.

condensation [kɔnden'seiʃən] condensatie, verdichting; samenpersing.

condense [kɔn'dens] condenseren, verdichten, verdikken; samenpersen; samenvatten.

condenser [kɔn'densə] condens(at)or.

condescend [kɔndi'send] afdalen (tot *to*), zich verwaardigen.

condescending(ly) [kɔndi'sendiŋ(li)] neerbuigend (minzaam).

condescension [kɔndi'senʃən] afdaling, (neerbuigende) minzaamheid.

condign [kɔn'dain] verdiend [v. straf].

condiment ['kɔndimənt] toekruid *o*, kruiderij.

condition [kɔn'diʃən] I *sb* staat, toestand, conditie; gesteldheid; voorwaarde; rang, stand; *change one's* ~ trouwen; II *vt* bedingen; bepalen; op een bepaalde wijze behandelen [door te drogen &].

conditional [kɔn'diʃənəl] I *aj* voorwaardelijk; ~ (*up*)*on* afhankelijk van; II *sb gram* voorwaardelijke wijs.

conditioned [kɔn'diʃənd] bedongen; gesteld; in een... staat, ...geaard; ~ *reflex* voorwaardelijke reflex.

condolatory [kɔn'doulətəri] van rouwbeklag.

condole [kɔn'doul] *vi* in: ~ *with one on*... iemand condoleren met...

condolence [kɔn'douləns] rouwbeklag *o*.

condonation [kɔndou'neiʃən] vergiffenis; vergoelijking.

condone [kɔn'doun] 1 vergeven, door de vingers zien; vergoelijken; 2 goedmaken.

condor ['kɔndɔ:] 🦅 condor.

conduce [kɔn'dju:s] leiden, bijdragen, strekken (tot *to*).

conducive [kɔn'dju:siv] bevorderlijk (voor *to*), strekkend (tot *to*).

1 **conduct** ['kɔndəkt] *sb* gedrag *o*, houding, optreden *o*; leiding; behandeling.

2 **conduct** [kɔn'dʌkt] I *vt* (ge)leiden; (aan)voeren, dirigeren, besturen; II *vr* ~ *oneself well* zich goed gedragen.

conduction [kɔn'dʌkʃən] geleiding.

conductive [kɔn'dʌktiv] geleidend.

conductivity [kɔndʌk'tiviti] geleidingsvermogen *o*.

conduct-money ['kɔndəktmʌni] ⚖️ reisgeld *o* [aan getuigen].

conductor [kɔn'dʌktə] 1 (ge)leider; 2 ♪ dirigent; 3 conducteur; 4 geleidraad; 5 bliksemafleider.

conductress [kɔn'dʌktris] 1 (ge)leidster; 2 conductrice.

conduit ['kɔndit, ⚡ 'kɔndjuit] leiding, buis.

cone [koun] 1 kegel; 2 sparappel, pijnappel; 3 horentje *o* (met ijs).

cone-shaped ['kounʃeipt] kegelvormig.

coney ['kouni] zie *cony*.

confabulate [kɔn'fæbjuleit] praten, keuvelen, kouten.

confabulation [kɔnfæbju'leiʃən] praatje *o*.

confection [kɔn'fekʃən] bereiding; suikergoed *o*; (dames)confectieartikel *o*.

confectioner [kɔn'fekʃənə] suikerbakker, banketbakker, confiseur, patissier.

confectionery [kɔn'fekʃənəri] suikergoed *o*, banket *o*, confiserie, patisserie, suikerbakkerswinkel.

confederacy [kɔn'fedərəsi] verbond *o*, (staten)bond, eedgenootschap *o*; komplot *o*.

1 **confederate** [kɔn'fedərit] I *aj* verbonden; bonds-; II *sb* eedgenoot, bondgenoot; medeplichtige.

2 **confederate** [kɔn'fedəreit] I *vt* verenigen; II *vi* een verbond sluiten, zich verbinden.

confederation [kɔnfedə'reiʃən] bondgenootschap *o*, (staten)bond.

confer [kɔn'fə:] I *vt* verlenen, schenken (aan *upon*); II *vi* beraadslagen.

conference ['kɔnfərəns] conferentie.

conferment [kɔn'fə:mənt] verlening.

confess [kɔn'fes] I *vt* bekennen, erkennen; belijden, (op)biechten; de biecht horen; ~*ed* erkend; II *vi* bekennen; ~ *to* be-, erkennen, toegeven dat.

confessant [kɔn'fesənt] biechteling.

confessedly [kɔn'fesidli] 1 volgens eigen bekentenis; 2 ontegenzeglijk.

confession [kən'feʃən] 1 bekentenis, (geloofs)-belijdenis; 2 biecht.

confessional [kən'feʃənəl] **I** *aj* belijdenis-; biecht-; ~ *box* = **II** *sb* biechtstoel.

confessor [kən'fesə] 1 belijder; 2 biechtvader.

confetti [kən'feti] confetti.

confidant(e) [kɒnfi'dænt] vertrouweling(e).

confide [kən'faid] **I** *vi* in: ~ *in* 1 in vertrouwen nemen; 2 vertrouwen op; **II** *vt* toevertrouwen (aan *to*).

confidence ['kɒnfidəns] 1 (zelf)vertrouwen *o*, vrijmoedigheid, brutaal optreden *o*; 2 vertrouwelijke mededeling, confidentie.

confident ['kɒnfidənt] vol vertrouwen; zeker, overtuigd; vrijmoedig, brutaal.

confidential [kɒnfi'denʃəl] vertrouwd; vertrouwelijk; ~ *cierk* procuratiehouder.

confiding(ly) [kən'faidiŋ(li)] goed van vertrouwen; geen kwaad vermoedend.

configuration [kənfigju'reiʃən] uiterlijke gedaante, vorm, schikking.

1 **confine** ['kɒnfain] *sb* grens (meestal ~*s*).

2 **confine** [kən'fain] **I** *vt* bepalen, beperken, begrenzen; in-, opsluiten, ⚥ in arrest stellen; *be* ~*d* in de kraam zijn; ~ *to barracks* ⚥ 1 consigneren; 2 kwartierarrest geven; *be* ~*d to one's room* de kamer moeten houden; **II** *vr* ~ *oneself to* zich bepalen tot.

confinement [kən'fainmənt] 1 beperking, begrenzing; 2 opsluiting; (kamer)arrest *o*; 3 bevalling; ~ *to barracks* ⚥ kwartierarrest *o*.

confirm [kən'fə:m] bevestigen, versterken, bekrachtigen; arresteren [notulen &]; aannemen, *RK* vormen; *be* ~*ed* zijn belijdenis doen; ~*ed drunkard* verstokte dronkaard; ~*ed invalid* chronisch lijder.

confirmation [kɒnfə'meiʃən] bevestiging, versterking, bekrachtiging; aanneming, belijdenis, *RK* vormsel *o*; ~ *candidate*, ~ *candidate for* ~ aannemeling; ~ *class(es)* catechisatie.

confirmatory [kən'fə:mətəri] bevestigend.

confirmee [kɒnfə:'mi:] aannemeling; *RK* vormeling.

confiscable [kən'fiskəbl] verbeurbaar.

confiscate ['kɒnfiskeit] verbeurd verklaren, confisqueren.

confiscation [kɒnfis'keiʃən] confiscatie, verbeurdverklaring.

conflagration [kɒnflə'greiʃən] (zware) brand.

1 **conflict** ['kɒnflikt] *sb* conflict *o*, botsing[2], strijd.

2 **conflict** [kən'flikt] *vi* botsen, strijden, in botsing komen; ~*ing* (tegen)strijdig.

confluence ['kɒnfluəns] samenvloeiing, samenkomst; samenloop; toeloop.

confluent ['kɒnfluənt] **I** *aj* samenvloeiend, samenkomend; **II** *sb* zijrivier.

conflux ['kɒnflʌks] zie *confluence*.

conform [kən'fɔ:m] **I** *vt* richten, schikken, regelen (naar, *to*), in overeenstemming brengen (met *to*); **II** *vi* zich schikken, richten, regelen, voegen (naar *to*, *with*).

conformable [kən'fɔ:məbl] 1 overeenkomstig; 2 inschikkelijk.

conformation [kɒnfɔ:'meiʃən] overeenstemming; vorm(ing), bouw.

conformist [kən'fɔ:mist] **I** *sb* conformist, lid *o* van de Engelse staatskerk; **II** *aj* conformistisch.

conformity [kən'fɔ:miti] 1 overeenstemming, overeenkomst; 2 inschikkelijkheid; 3 conformisme *o*.

confound [kən'faund] verwarren, in de war brengen, dooreengooien; beschamen; verijdelen; ~ *it !* wat duivel!

confounded [kən'faundid] *aj* verward, onthutst, beschaamd; < weergaas, bliksems.

confoundedly [kən'faundidli] *ad* < geweldig, weergaas, duivels, kolossaal.

confraternity [kɒnfrə'tə:niti] broederschap.

confront [kən'frʌnt] staan (stellen) tegenover, tegenover elkaar stellen; het hoofd bieden; vergelijken (met *with*); confronteren[2].

confrontation [kɒnfrʌn'teiʃən] vergelijking; confrontatie[2].

confuse [kən'fju:z] verwarren, verbijsteren.

confusedly [kən'fju:zidli] verward, verbijsterd, verlegen, bedremmeld.

confusion [kən'fju:ʒən] 1 verwarring, verwardheid, wanorde; bedremmeldheid, verlegenheid, beschaming; 2 ondergang; ~ *of tongues* spraakverwarring; ~ *worse confounded* een onbeschrijfelijke verwarring.

confutation [kɒnfju:'teiʃən] weerlegging.

confute [kən'fju:t] weerleggen.

congeal [kən'dʒi:l] (doen) stremmen, stollen, bevriezen.

congealment [kən'dʒi:lmənt] stremming, stolling, bevriezing.

congelation [kɒndʒi'leiʃən] stremming, stolling, bevriezing; gestolde (bevroren) massa.

congener ['kɒndʒinə] (stam)verwant; soortgenoot; gelijksoortig iets.

congenial [kən'dʒi:niəl] (geest)verwant (met *to*, *with*); sympathiek (*to*).

congeniality [kəndʒi:ni'æliti] (geest)verwantschap; sympathie.

congenital [kən'dʒenitəl] aangeboren; geboren.

conger ['kɒŋgə] ⚥ zeepaling.

congeries [kən'dʒerii:z] hoop, opeenstapeling, massa, verzameling.

congest [kən'dʒest] ⚕ congestie veroorzaken in; ~*ed* ook: overbevolkt, overladen, overvol, verstopt.

congestion [kən'dʒestʃən] ophoping, opstopping [van verkeer]; ⚕ congestie.

1 **conglomerate** [kən'glɒmərit] **I** *aj* opeengehoopt, samengepakt; **II** *sb* conglomeraat *o*.

2 **conglomerate** [kən'glɒməreit] (*vi* &) *vt* (zich) samenpakken, (zich) opeenhopen.

conglomeration [kəŋglɒmə'reiʃən] samenpakking, opeenhoping; conglomeraat *o*.

Congo ['kɒŋgou] Kongo.

Congolese [kəngou'li:z] Kongolees, Kongolezen.

congratulate [kən'grætjuleit] gelukwensen, feliciteren (met *on, upon*).

congratulation [kəngrætju'leiʃən] gelukwens, felicitatie.

congratulator [kən'grætjuleitə] wenser.

congratulatory [kən'grætjulətəri] gelukwensend, felicitatie-.

congregate ['kɔŋgrigeit] vergaderen, (zich) verzamelen, bijeenkomen.

congregation [kɔŋgri'geiʃən] verzameling, vergadering; (kerkelijke) gemeente; *RK* broederschap, congregatie.

congregational [kɔŋgri'geiʃənəl] gezamenlijk; gemeente-; *C~* congregationalistisch [v. kerk].

congress ['kɔŋgres] congres *o*, vergadering, bijeenkomst.

congressional [kɔŋ'greʃənəl] congres-.

Congressman ['kɔŋgresmən] *Am* lid *o* van het Congres.

congruence, -cy ['kɔŋgruəns(i)] overeenstemming; congruentie.

congruent ['kɔŋgruənt] overeenstemmend; congruent.

congruity [kɔŋ'gruiti] overeenstemming.

congruous ['kɔŋgruəs] overeenstemmend; gepast; consequent (volgehouden).

conic(al) ['kɔnik(l)] kegelvormig, kegel-.

conifer ['kounifə] ♣ conifeer, naaldboom.

coniferous [kou'nifərəs] ♣ kegeldragend.

conjecturable [kən'dʒektʃərəbl] te gissen.

conjectural [kən'dʒektʃərəl] conjectureaal: op gissingen berustend.

conjecture [kən'dʒektʃə] I *sb* vermoeden *o*, gissing, veronderstelling, conjectuur; II *vt* vermoeden, gissen, veronderstellen.

conjoin [kən'dʒɔin] I *vt* samenvoegen, verbinden, verenigen; II *vi* zich verenigen.

conjoint [kən'dʒɔint] *aj* samengevoegd, verenigd; toegevoegd; mede-.

conjointly [kən'dʒɔintli] *ad* gezamenlijk, tegelijk (met *with*).

conjugal ['kɔndʒugəl] echtelijk, huwelijks-.

conjugate ['kɔndʒugeit] *gram* vervoegen.

conjugation [kɔndʒu'geiʃən] *gram* vervoeging.

conjunct [kən'dʒʌŋkt] verenigd; toegevoegd.

conjunction [kən'dʒʌŋkʃən] vereniging; samenstand [v. sterren]; samenloop; *gram* voegwoord *o; in ~ with* samen met.

conjunctiva [kɔndʒʌŋk'taivə] bindvlies *o*.

conjunctive [kən'dʒʌŋktiv] I *aj* verbindend; verbonden; *gram* aanvoegend; verbindings-; II *sb* gram aanvoegende wijs.

conjuncture [kən'dʒʌŋktʃə] samenloop (van omstandigheden); crisis.

conjuration [kɔndʒu'reiʃən] bezwering, smeking.

1 **conjure** [kən'dʒuə] *vt* bezweren, smeken.

2 **conjure** ['kʌndʒə] I *vt* bezweren; ~ *away* wegtoveren; ~ *into* omtoveren in (tot); ~ *up* oproepen [beelden &]; te voorschijn toveren; II *vi* toveren; goochelen.

conjurer, conjuror ['kʌndʒərə] geestenbezweerder; tovenaar; goochelaar.

conk [kɔŋk] *sb* S kokkerd (van een neus) ‖ *vi* S 't opgeven (ook: ~ *out*).

conker ['kɔŋkə] wilde kastanje; ~*s* kinderspel waarbij men elkaars kastanje tracht stuk te slaan.

connate ['kɔneit] aangeboren; te zamen geboren; samengegroeid; verwant.

connect [kə'nekt] I *vt* verbinden (ook: ~ *up*), verenigen, aan(een)sluiten; in verband brengen; ~*ed* ook: samenhangend; *well* ~*ed* van goede familie; II *vi* aansluiten, aansluiting hebben, in verbinding staan.

connecting-rod [kə'nektiŋrɔd] ✗ drijfstang.

connection [kə'nekʃən] verbinding, verband *o*, samenhang, band; aansluiting [v. treinen &]; connectie; familie(betrekking), familielid *o*; relatie(s); *in this* ~ in dit verband, in verband hiermee.

connective [kə'nektiv] I *aj* verbindend; ~ *tissue* bindweefsel *o*; II *sb* verbindingswoord *o*.

connexion [kə'nekʃən] zie *connection*.

conning-tower ['kɔniŋtauə] commandotoren.

connivance [kə'naivəns] oogluiking.

connive [kə'naiv] ~ *at* oogluikend toelaten, door de vingers zien.

connoisseur [kɔni'sə:] (kunst)kenner.

connotation [kɔnou'teiʃən] (bij)betekenis.

connote [kə'nout] insluiten; (mede)betekenen.

connubial [kə'nju:biəl] echtelijk, huwelijks-.

conquer ['kɔŋkə] veroveren (op *from*); overwinnen.

conquerable ['kɔŋkərəbl] te overwinnen.

conqueror ['kɔŋkərə] overwinnaar; veroveraar.

conquest ['kɔŋkwest] overwinning; verovering.

consanguineous [kɔnsæŋ'gwiniəs] verwant (in den bloede).

consanguinity [kɔnsæŋ'gwiniti] (bloed)verwantschap.

conscience ['kɔnʃəns] geweten *o*; F brutaliteit; *in (all)* ~, *upon my* ~ *!* in gemoede, waarachtig; ~ *money* gewetensgeld *o*.

conscientious [kɔnʃi'enʃəs] *aj* consciëntieus, nauwgezet, angstvallig; gewetens-.

conscientiously [kɔnʃi'enʃəsli] *ad* 1 nauwgezet; 2 volgens eer en geweten.

conscientiousness [kɔnʃi'enʃəsnis] nauwgezetheid, angstvalligheid.

conscious(ly) ['kɔnʃəs(li)] bewust; bij kennis; ~ *of* zich bewust van.

consciousness ['kɔnʃəsnis] bewustheid; bewustzijn *o*.

1 **conscript** ['kɔnskript] I *aj* ingeschreven; ~ *fathers* vroede vaderen; II *sb* ✗ dienstplichtige, loteling, milicien.

2 **conscript** [kən'skript] *vt* tot de (militaire) dienst verplichten.

conscription [kən'skripʃən] dienstplicht.

consecrate ['kɔnsikreit] toewijden, (in)wijden,

inzegenen, heiligen; *RK* consacreren.
consecration [konsi'kreiʃən] (in)wijding, inzegening, heiliging; *RK* consecratie.
consecution [konsi'kju:ʃən] 1 (logisch) gevolg *o*; 2 opeenvolging, reeks.
consecutive [kən'sekjutiv] opeenvolgend; *gram* gevolgaanduidend, ...van gevolg.
consensus [kən'sensəs] overeenstemming.
consent [kən'sent] I *vi* toestemmen (in *to*), zijn toestemming geven (om *to*); II *sb* toestemming; *by common* ~ 1 zoals algemeen erkend wordt; 2 eenstemmig; *by mutual* ~ met onderling goedvinden; *with one* ~ eenstemmig, eenparig.
consequence ['konsikwəns] gevolg *o*; belang *o*, betekenis, gewicht *o*, invloed; *in* ~ dientengevolge; *in* ~ *of* ten gevolge van.
consequent ['konsikwənt] I *aj* daaruit volgend; volgend (op *on, upon*); consequent; II *sb* gevolg *o*; volgende term.
consequential [konsi'kwenʃəl] 1 volgend; 2 gewichtig, ingebeeld, verwaand.
consequentiality [konsikwenʃi'æliti] 1 consequentie; 2 verwaande gewichtigheid.
consequently ['konsikwəntli] bijgevolg, dus.
conservancy [kən'sə:vənsi] 1 (college *o* van) toezicht *o*; 2 zie *conservation*.
conservation [konsə'veiʃən] behoud *o*, instandhouding.
conservatism [kən'sə:vətizm] conservatisme *o*, behoudzucht.
conservative [kən'sə:vətiv] I *aj* behoudend, conservatief; voorzichtig, aan de lage kant, matig [v. schatting]; II *sb* conservatief, behoudsman. [*o.*
conservatoire [kən'sə:vətwa:] conservatorium
conservator [kən'sə:vətə] conservator, bewaarder, custos.
conservatory [kən'sə:vətri] 1 serre, broeikas; 2 zie *conservatoire*.
conserve [kən'sə:v] I *vt* conserveren, in stand houden; II *sb* ingelegd fruit *o*, ingemaakte groente (meestal ~*s*).
consider [kən'sidə] beschouwen, overdenken, letten op; overwegen, (na)denken over, nagaan, (be)denken; in aanmerking nemen, rekening houden met, ontzien; reflecteren op; beschouwen als, achten, houden voor, van mening zijn; *his* ~*ed opinion* zijn weloverwogen mening; zie ook: *considering*.
considerable [kən'sidərəbl] *aj* aanzienlijk, aanmerkelijk; vrij wat; geruim [tijd].
considerably [kən'sidərəbli] *ad* aanmerkelijk, belangrijk, zeer, veel.
considerate [kən'sidərit] attent, kies; zorgzaam; ⚓ bedachtzaam, bezonnen.
consideration [kənsidə'reiʃən] beschouwing, overweging; achting; consideratie, attentie; aanzien *o*; vergoeding; *that is a* ~ een punt van gewicht; *the cost is no* ~ op de prijs zal niet gelet worden; *in* ~ *of* met het oog op; ter wille (vergelding) van, voor; *take into* ~

in overweging nemen; in aanmerking nemen; *on no* ~, *not on any* ~ voor geen geld van de wereld; in geen geval; *out of* ~ *for* met het oog op, ter wille van; *it is under* ~ het is in overweging (in behandeling).
considering [kən'sidəriŋ] in aanmerking genomen; naar omstandigheden.
consign [kən'sain] overdragen, toevertrouwen; deponeren; zenden; $ consigneren; ~ *to oblivion* der vergetelheid prijsgeven.
consignee [konsai'ni:] $ geconsigneerde, geadresseerde.
consigner [kən'sainə] $ consignatiegever, afzender.
consignment [kən'sainmənt] 1 overdracht; 2 $ consignatie; 3 zending; ~ *note* vrachtbrief; *on* ~ in consignatie.
consist [kən'sist] bestaan; ~ *in* (*of*) bestaan in (uit); ~ *with* samengaan met.
consistence [kən'sistəns] dichtheid, vastheid, samenhang.
consistency [kən'sistənsi] 1 consequentie; 2 zie *consistence*.
consistent [kən'sistənt] consequent; ~ *with* bestaanbaar of verenigbaar met, overeenstemmend met, overeenkomstig.
consistory [kən'sistəri] consistorie *o*.
consolable [kən'souləbl] troostbaar.
consolation [konsə'leiʃən] troost.
consolatory [kən'solətəri] troostend, troost-.
1 **console** ['konsoul] *sb* 1 console; 2 ♪ speeltafel [v. orgel].
2 **console** [kən'soul] *vt* troosten.
consolidate [kən'solideit] I *vt* vast (hecht) maken, versterken, bevestigen; verenigen; consolideren; II *vi* vast (hecht) worden; zich verenigen.
consolidation [kənsoli'deiʃən] vast worden *o*; versterking, bevestiging; vereniging [v. wetten &]; consolidatie.
consols ['konsolz, kən'solz] de Engelse geconsolideerde staatsschuld.
consonance ['konsənəns] gelijkluidendheid, overeenstemming[2].
consonant ['konsənənt] I *aj* gelijkluidend, overeenstemmend, in overeenstemming (met *with* & *to*); II *sb* medeklinker.
1 **consort** ['konsə:t] *sb* gemaal, gemalin.
2 **consort** [kən'sə:t] *vi* 1 omgaan (met *with*); 2 samengaan, overeenstemmen (met *with*); 3 (goed) komen (bij *with*).
conspectus [kən'spektəs] overzicht *o*.
conspicuous [kən'spikjuəs] in het oog vallend, opvallend, duidelijk zichtbaar, uitblinkend, uitstekend; *he made himself* ~ hij maakte, dat aller ogen op hem gevestigd werden; ~ *by one's absence* schitterend door afwezigheid.
conspiracy [kən'spirəsi] samenzwering, samenspanning, komplot *o*.
conspirator [kən'spirətə] samenzweerder.
conspire [kən'spaiə] I *vi* samenzweren, samenspannen; II *vt* beramen.

constable ['kʌnstəbl] I politieagent; 2 ⨃ opperstalmeester; 3 slotvoogd; *chief* ~ ± commissaris van politie.

constabulary [kən'stæbjuləri] I *sb* politiemacht, -korps *o*, politie; II *aj* politie-.

Constance ['kɔnstəns] Constanz; Constantia; Constance.

constancy ['kɔnstənsi] standvastigheid, bestendigheid, vastheid, trouw (aan *to*).

constant(ly) ['kɔnstənt(li)] I *aj* & *ad* standvastig, bestendig, vast, voortdurend, trouw; § constant; II *sb* constante.

Constantine ['kɔnstəntain] Constantijn.

Constantinople [kɔnstænti'noupl] Constantinopel *o*.

constellation [kɔnstə'leiʃən] constellatie, sterrenbeeld *o*, gesternte *o*.

consternation [kɔnstə'neiʃən] ontsteltenis, verslagenheid.

constipation [kɔnsti'peiʃən] constipatie.

constituency [kən'stitjuənsi] (gezamenlijke kiezers van een) kiesdistrict *o*.

constituent [kən'stitjuənt] I *aj* samenstellend; constituerend; ~ *part* bestanddeel *o*; II *sb* 1 lastgever; 2 kiezer; 3 bestanddeel *o*.

constitute ['kɔnstitju:t] samenstellen, (uit)maken, vormen; instellen, aanstellen (tot); constitueren; ~ *oneself the*... zich opwerpen tot...

constitution [kɔnsti'tju:ʃən] samenstelling, vorming, inrichting; constitutie, (lichaams)gestel *o*; staatsregeling, grondwet; beginselverklaring, statuten, statuut *o* [v. d. Bank].

constitutional [kɔnsti'tju:ʃənəl] I *aj* van het gestel; grondwettelijk, -wettig, constitutioneel; (volgens de statuten) geoorloofd; II *sb* F wandeling voor de gezondheid.

constitutive ['kɔnstitju:tiv] samenstellend, wezenlijk; bepalend, wetgevend.

constrain [kən'strein] bedwingen, dwingen, noodzaken; vastzetten, opsluiten; ~*ed* gedwongen, onnatuurlijk.

constrainedly [kən'streinidli] gedwongen, onnatuurlijk.

constraint [kən'streint] dwang; opsluiting; gedwongenheid.

constrict [kən'strikt] samentrekken.

constriction [kən'strikʃən] samentrekking.

constrictor [kən'striktə] 1 sluitspier; 2 ♌ boa constrictor: reuzenslang.

constringent [kən'strindʒənt] samentrekkend.

construct [kən'strʌkt] (op)bouwen, aanleggen, maken; § construeren.

construction [kən'strʌkʃən] bouw; samenstelling, inrichting; aanleg; maaksel *o*; constructie; zinsbouw; uitlegging, verklaring; *under* ~ in aanbouw.

constructional [kən'strʌkʃənəl] constructie-; ~ *work* bouwwerk *o*.

constructive [kən'strʌktiv] bouw-; opbouwend; door afleiding, indirect.

constructor [kən'strʌktə] bouwer, maker; scheepsbouwmeester.

construe [kən'stru:] uitleggen, verklaren; construeren; ontleden; vertalen.

consuetude ['kɔnswitju:d] gewoonte, gewoonterecht *o*.

consul ['kɔnsəl] consul.

consular ['kɔnsjulə] consulair.

consulate ['kɔnsjulit] consulaat *o*.

consult [kən'sʌlt] I *vt* consulteren, raadplegen, rekening houden met; II *vi* beraadslagen (over *on*, *about*; met *with*), overleggen.

consultant [kən'sʌltənt] 1 consulterend geneesheer; 2 adviseur; 3 wie om raad vraagt.

consultation [kɔnsəl'teiʃən] 1 raadpleging, beraadslaging, overleg *o*, ruggespraak; 2 consult *o* [v. dokter].

consultative [kən'sʌltətiv] ⎫ raadgevend.
consultatory [kən'sʌltətəri] ⎭ adviserend.

consulting-room [kən'sʌltiŋrum] spreekkamer [v. dokter].

consumable [kən'sju:məbl] verteerbaar.

consume [kən'sju:m] verbruiken, gebruiken verteren[2]; ~*d with* verteerd van.

consumedly [kən'sju:midli] vervaarlijk, uitbundig.

consumer [kən'sju:mə] verbruiker, afnemer, consument; ~ *goods* verbruiks-, consumptiegoederen.

1 **consummate** [kən'sʌmit] *aj* volkomen, volmaakt, volleerd, doortrapt.

2 **consummate** ['kɔnsəmeit] *vt* voltrekken, voltooien, voleindigen.

consummation [kɔnsə'meiʃən] voltrekking, voltooiing, voleindiging, einde *o*; vervulling.

consumption [kən'sʌm(p)ʃən] 1 vertering; verbruik *o*; 2 tering.

consumptive [kən'sʌm(p)tiv] I *aj* verterend; verbruiks-; teringachtig, tering-; II *sb* teringlijder.

contact ['kɔntækt] I *sb* contact *o*; aanraking; II *vt* in contact brengen; contact maken of (op)nemen met; III *vi* in contact komen of zijn, contact maken of (op)nemen.

contagion [kən'teidʒən] 1 besmetting; aanstekelijkheid[2]; 2 smetstof.

contagious(ly) [kən'teidʒəs(li)] besmettelijk, aanstekelijk[2].

contagiousness [kən'teidʒəsnis] besmettelijkheid; aanstekelijkheid[2].

contain [kən'tein] I *vt* bevatten, inhouden, behelzen, insluiten; in bedwang houden, bedwingen; ⚔ vasthouden, binden; *be* ~*ed in* vervat zijn in; II *vr* ~ *oneself* zich inhouden, zich bedwingen.

container [kən'teinə] reservoir *o*, houder, vat *o*, bak, bus, blik *o*, doos, koker &; container, laadkist [v. spoorwegen].

contaminate [kən'tæmineit] besmetten, bezoedelen, bevlekken; bederven.

contamination [kɔntæmi'neiʃən] besmetting, bezoedeling, bevlekking; bederf *o*.

contango [kən'tæŋgou] $ contango, prolongatiepremie, -rente.

⊙ **contemn** [kən'tem] minachten, verachten.
contemplate ['kɔntempleit] I *vt* beschouwen, overpeinzen; denken over; van plan zijn, in de zin hebben, beogen; ~*d* ook: voorgenomen; II *vi* peinzen.
contemplation [kɔntem'pleiʃən] beschouwing; (godsdienstige) contemplatie; overpeinzing; *in* ~ in overweging.
contemplative [kən'templətiv] beschouwend, beschouwelijk, bespiegelend, peinzend.
contemplator ['kɔntempleitə] beschouwer.
contemporaneity [kəntempərə'ni:iti] gelijktijdigheid.
contemporaneous [kəntempə'reinjəs] gelijktijdig, van (uit) dezelfde (leef)tijd.
contemporary [kən'tempərəri] I *aj* gelijktijdig; van dezelfde (leef)tijd (als *with*); van die tijd; hedendaags, van onze tijd, eigentijds; II *sb* 1 tijdgenoot; 2 zusterblad *o*.
contempt [kən'tem(p)t] min-, verachting; *beneath* ~ beneden kritiek.
contemptible [kən'tem(p)təbl] verachtelijk.
contemptuous(ly) [kən'tem(p)tjuəs(li)] min-, verachtend, verachtelijk; ~ *of* minachting hebbend voor.
contend [kən'tend] I *vi* strijden, twisten, vechten, worstelen, kampen (met *with*; voor, om *for*); II *vt* beweren.
1 **content** [kən'tent] I *sb* tevredenheid, voldoening; *to one's heart's* ~ naar hartelust; II *aj* tevreden, voldaan; *the* ~*s* de vóórstemmers; III *vt* tevreden stellen; IV *vr* ~ *oneself* zich tevreden stellen.
2 **content** ['kɔntent] *sb* inhoud; gehalte *o*; ~*s* inhoud.
contented(ly) [kən'tentid(li)] tevreden.
contentedness [kən'tentidnis] tevredenheid.
contention [kən'tenʃən] 1 twist, strijd; 2 bewering.
contentious [kən'tenʃəs] twistziek; twist-.
contentment [kən'tentmənt] tevredenheid.
1 **contest** ['kɔntest] *sb* geschil *o*, twist, (wed)-strijd, kamp.
2 **contest** [kən'test] I *vt* betwisten; ~ *a borough* zich kandidaat stellen (voor); II *vi* twisten (met *with*); strijden (om *for*).
contestable [kən'testəbl] betwistbaar.
contestant [kən'testənt] 1 bestrijder; tegenstander; 2 deelnemer [aan wedstrijd].
contestation [kɔntes'teiʃən] bestrijding; strijd, twist, geschil *o*, dispuut *o*; bewering.
context ['kɔntekst] samenhang, verband *o*.
contexture [kən'tekstʃə] (samen)weefsel *o*, samenstelling, bouw, opzet.
contiguity [kɔnti'gjuiti] belending, nabijheid.
contiguous [kən'tigjuəs] belendend, rakend, aangrenzend; nabijgelegen.
continence, -cy ['kɔntinəns(i)] onthouding, zelfbeheersing; kuisheid.
continent ['kɔntinənt] I *aj* zich onthoudend, sober; kuis; II *sb* vasteland *o*; werelddeel *o*; *the C*~ het Continent, het vasteland van

Europa; *the dark* ~ het donkere werelddeel: Afrika.
continental [kɔnti'nentl] I *aj* van het vasteland, vastelands-; continentaal; Europees [tegenover Engels]; II *sb* vastelandsbewoner; Europeaan [tegenover Engelsman].
contingency [kən'tindʒənsi] toevalligheid; mogelijkheid, gebeurlijkheid; geval *o*; gebeurtenis; onvoorziene uitgave.
contingent [kən'tindʒənt] I *aj* toevallig; mogelijk; onzeker; afhankelijk (van *on*), gepaard gaande (met *on*); II *sb* 1 eventualiteit; 2 contingent *o*, aandeel *o*, bijdrage.
continual(ly) [kən'tinjuəl(i)] aanhoudend, gestadig, voortdurend, gedurig, bestendig.
continuance [kən'tinjuəns] 1 gestadigheid, voortduring, voortzetting, bestendiging, duur; 2 verblijf *o*.
continuation [kəntinju'eiʃən] voortduring, voortzetting, vervolg *o*; prolongatie; ~ *classes* herhalingsonderwijs *o*.
continuative [kən'tinjuətiv] 1 voortzettend, voortdurend; 2 *gram* niet beperkend.
continue [kən'tinju:] I *vi* aanhouden, voortduren; voortgaan (met); blijven; II *vt* voortzetten, vervolgen, bestendigen; verlengen; doortrekken; handhaven [in ambt]; *to be* ~*d* wordt vervolgd.
continued [kən'tinju:d] aanhoudend, voortdurend, onafgebroken.
continuity [kɔnti'nju:iti] samenhang, verband *o*; § continuïteit; draaiboek *o* [v. film]; ~ *girl* script-girl.
continuous(ly) [kən'tinjuəs(li)] samenhangend; onafgebroken; doorlopend; aanhoudend, voortdurend; continu-.
contort [kən'to:t] (ver)draaien, (ver)wringen.
contortion [kən'to:ʃən] verdraaiing, verwringing, verrekking; bocht.
contortionist [kən'to:ʃənist] slangemens.
contour ['kɔntuə] omtrek; ~ *map* hoogtekaart.
contra ['kɔntrə] tegen, contra.
contraband ['kɔntrəbænd] I *sb* contrabande, sluikhandel; smokkelwaar; II *aj* smokkel-; verboden.
contrabandist ['kɔntrəbændist] smokkelaar.
contrabass ['kɔntrə'beis] ♪ contrabas.
1 **contract** ['kɔntrækt] *sb* contract *o*, verdrag *o*, overeenkomst; verloving; *by private* ~ onderhands; ~ *work* aangenomen werk *o*; ~*s have been let for the work* het werk is aanbesteed (gerund).
2 **contract** [kən'trækt] I *vt* samentrekken; inkrimpen; aangaan, sluiten; aannemen; zich op de hals halen; contracteren; II *vi* zich samentrekken, inkrimpen; contracteren; ~ *for* zich verbinden tot, aannemen [werk], contracteren; ~ *out* niet meer meedoen, bedanken (voor *of*). [baarheid.
contractibility [kɔntrækti'biliti] samentrek-
contractible [kən'træktibl] samentrekbaar; (zich) samentrekkend.

contractile [kən'træktail] zie *contractible.*

contraction [kən'trækʃən] samentrekking, verkorting; inkrimping.

contractor [kən'træktə] contractant, aannemer, leverancier; samentrekker [spier].

contractual [kən'træktjuəl] contractueel.

contradict [kɔntrə'dikt] tegenspreken.

contradiction [kɔntrə'dikʃən] tegenspraak, tegenstrijdigheid.

contradictious [kɔntrə'dikʃəs] tot tegenspraak geneigd.

contradictory [kɔntrə'diktəri] tegenstrijdig, -sprekend; strijdig (met *to*).

contradistinction [kɔntrədis'tiŋ(k)ʃən] tegenstelling; *in ~ to* in tegenstelling met.

contralto [kən'træltou] ♪ alt(stem).

contraposition [kɔntrəpə'ziʃən] tegenstelling.

contraption [kən'træpʃən] uitvindsel *o*, zaakje *o*, ding *o*, spul *o*.

contrariety [kɔntrə'raiəti] tegenstrijdigheid; contrast *o*; tegenwerking, tegenslag².

contrariness [kən'trɛərinis] F dwarsdrijverij.

contrariwise ['kɔntrəriwaiz, kən'trɛəriwaiz] integendeel; in tegenovergestelde of andere zin, andersom, verkeerd.

1 **contrary** ['kɔntrəri] **I** *aj* tegengesteld, strijdig; ander; tegen-; *~ to* in strijd met, tegen; **II** *ad* in: *~ to* tegen (...in); **III** *sb* tegen(over)gestelde *o*, tegendeel *o*; *on the ~* integendeel; daarentegen; *hear to the ~* tegenbericht krijgen.

2 **contrary** [kən'trɛəri] *aj* F in de contramine, dwars.

1 **contrast** ['kɔntræst] *sb* tegenstelling, contrast *o*; *in ~ to (with)* in tegenstelling met.

2 **contrast** [kən'træst] **I** *vt* tegenover elkaar stellen; stellen (tegenover *with*); **II** *vi* een tegenstelling vormen (met *with*), afsteken (bij *with*), contrasteren.

contravene [kɔntrə'vi:n] tegenwerken, ingaan tegen; overtreden.

contravention [kɔntrə'venʃən] overtreding; *in ~ of* in strijd met.

contribute [kən'tribjut] **I** *vt* bijdragen; **II** *vi* medewerken, bijdragen; *~ to* ook: bevorderen.

contribution [kɔntri'bju:ʃən] bijdrage, contributie, belasting, brandschatting; *lay under ~* brandschatten; laten bijdragen; *fig* gebruik maken van, putten uit.

contributive [kən'tribjutiv] bijdragend, medewerkend.

contributor [kən'tribjutə] contribuant, (bijdragende) medewerker.

contributory [kən'tribjutəri] **I** *aj* bijdragend, medewerkend; **II** *sb* contribuant.

contrite(ly) ['kɔntrait(li)] berouwvol, door wroeging verteerd.

contrition [kən'triʃən] diep berouw *o*, wroeging.

contrivance [kən'traivəns] vindingrijkheid, (uit)vinding, list; middel *o*, toestel *o*, inrichting, ding *o*.

contrive [kən'traiv] vinden, uit-, bedenken, verzinnen, beramen, overleggen, het aanleggen; *~ to* weten te...

contriver [kən'traivə] uitvinder, -ster; verzinner; plannenmaker; intrigant.

control [kən'troul] **I** *sb* beheer *o*, bestuur *o*; leiding, regeling; ✗ bediening, besturing; controle, toezicht *o*; beperking; bedwang *o*; (zelf)beheersing, macht; zeggenschap; bestrijding [v. ziekten &]; *~s* I ✗ stuurinrichting, stuurorganen; 2 staatsbemoeiing, staatstoezicht *o*, overheidsleiding (van het economisch leven); *gain ~ (of, over)* de baas worden; *be in ~ of* het beheer voeren, de leiding hebben over; beheersen, meester zijn; *out of ~* niet te regeren (besturen), stuurloos, onbestuurbaar; *bring (get) inflation under ~* de inflatie de baas worden; *have the fire under ~* de brand meester zijn; **II** *vt* beheren, besturen; leiden, regelen; bedwingen, in bedwang houden, beheersen, regeren; bestrijden [ziekten &]; controleren.

controllable [kən'trouləbl] bestuurbaar, te regeren &, zie *control* **II**.

controller [kən'troulə] controleur.

control panel [kən'troulpænl] ✗ bedieningspaneel *o*.

control room [kən'troulrum] ✗ controlekamer.

control tower [kən'troultauə] ✈ verkeerstoren.

controversial [kɔntrə'və:ʃəl] polemisch, twist-, strijd-, controversieel.

controversialist [kɔntrə'və:ʃəlist] polemist.

controversy ['kɔntrəvə:si] geschil *o*, strijdvraag, controverse, twistgeschrijf *o*, polemiek, redetwist, dispuut *o*; *beyond (without) ~* buiten kijf.

controvert ['kɔntrəvə:t, kɔntrə'və:t] betwisten, bestrijden, twisten over.

controvertible [kɔntrə'və:tibl] betwistbaar.

contumacious [kɔntju'meiʃəs] weerspannig, zich verzettend; ♱♱ ongehoorzaam.

contumacy ['kɔntjuməsi] weerspannigheid; ♱♱ ongehoorzaamheid.

contumelious(ly) [kɔntju'mi:liəs(li)] smalend, honend, minachtend.

contumely ['kɔntjumili] smaad, hoon, minachting.   [ting.

contuse [kən'tju:z] kneuzen.

contusion [kən'tju:ʒən] kneuzing.

conundrum [kə'nʌndrəm] raadsel *o*.

convalesce [kɔnvə'les] herstellende zijn.

convalescence [kɔnvə'lesəns] herstel *o*.

convalescent [kɔnvə'lesənt] **I** *aj* herstellend; *~ home* tehuis *o* voor herstellenden; **II** *sb* herstellende zieke.

convene [kən'vi:n] **I** *vt* bijeen-, samenroepen, oproepen; **II** *vi* bijeen-, samenkomen.

convenience [kən'vi:njəns] geschiktheid, gepastheid; gerief *o*, geriefelijkheid, gemak *o*; *(public) ~* (openbaar) toilet *o*; *at your ~* I als het u gelegen komt; 2 bij gelegenheid; 3 op uw gemak; *at your earliest ~* zodra het u schikt; *for ~* voor het gemak.

convenient(ly) [kən'vi:njənt(li)] gemakkelijk, geriefelijk, geschikt; gelegen (komend); *make it ~ to...* het zo schikken dat...

convent ['kɔnvənt] (vrouwen)klooster o.

convention [kən'venʃən] bijeenkomst, vergadering; overeenkomst, verdrag o, verbond o, afspraak; (de) conventie.

conventional [kən'venʃənəl] overeengekomen, aangenomen, gebruikelijk, conventioneel.

conventionality [kənvenʃə'næliti] conventionele o.

conventionalize [kən'venʃənəlaiz] 1 conventioneel maken; 2 stileren.

conventual [kən'ventjuəl] I *aj* kloosterlijk, klooster-; II *sb* kloosterling(e).

converge [kən'və:dʒ] (doen) convergeren, in één punt (doen) samenkomen.

convergence [kən'və:dʒəns] convergentie.

convergent, -ging [kən'və:dʒənt, -dʒiŋ] convergerend, in één punt samenkomend.

conversable {kən'və:səbl] spraakzaam; gezellig, onderhoudend.

conversant [kən'və:sənt, 'kɔnvəsənt] gemeenzaam (met *with*); bedreven, thuis, ervaren (in *in*), vertrouwd (met *with*).

conversation [kɔnvə'seiʃən] conversatie, gesprek o.

conversational [kɔnvə'seiʃənl] van de omgangstaal; gemeenzaam; spraakzaam.

conversationalist [kɔnvə'seiʃənəlist] causeur.

conversazione [kɔnvəsætsi'ouni] soiree.

1 **converse** [kən'və:s] *vi* converseren, spreken, zich onderhouden.

2 **converse** ['kɔnvə:s] *sb* omgang, gesprek o.

3 **converse** ['kɔnvə:s] I *aj* omgekeerd; II *sb* omgekeerde o.

conversely [kən'və:sli] *ad* omgekeerd.

conversion [kən'və:ʃən] 1 omkering, omzetting, verandering, conversie; herleiding, omrekening; *fig* omschakeling; 2 bekering; 3 verduistering.

1 **convert** [kən'və:t] *vt* 1 omkeren, omzetten, veranderen; herleiden; omrekenen; converteren; *fig* omschakelen; 2 bekeren; 3 aanwenden (ten eigen bate), verduisteren.

2 **convert** ['kɔnvə:t] *sb* bekeerling(e).

converter [kən'və:tə] 1 bekeerder; 2 ⚡ convertor, omvormer; ⚒ bessemerpeer.

convertibility [kənvə:ti'biliti] omzet-, omkeerbaarheid; in-, verwisselbaarheid, convertibiliteit.

convertible [kən'və:tibl] I *aj* omzet-, omkeerbaar; in-, verwisselbaar, converteerbaar; ~ *car* (*coupé*) = II *sb* 🚗 auto met afneembare kap, cabriolet.

convex ['kɔnveks] convex, bol(rond).

convexity [kən'veksiti] bol(rond)heid.

convey [kən'vei] overbrengen, vervoeren; overdragen; mededelen; uitdrukken; geven.

conveyance [kən'veiəns] overbrengen o, vervoer o; overdracht; vaartuig o, voertuig o; weg.

conveyer, -or [kən'veiə] 1 overbrenger; vervoerder; 2 ⚙ transportband, lopende band.

1 **convict** ['kɔnvikt] I *sb* dwangarbeider; II als *aj* gevangenis-, straf-.

2 **convict** [kən'vikt] *vt* schuldig verklaren, veroordelen; overtuigen [v. schuld &].

conviction [kən'vikʃən] 1 schuldigverklaring, veroordeling; 2 (vaste) overtuiging; *carry ~* overtuigend zijn.

convince [kən'vins] overtuigen.

convincing(ly) [kən'vinsiŋ(li)] overtuigend.

convivial [kən'viviəl] feestelijk, vrolijk, gezellig.

conviviality [kənvivi'æliti] feestelijkheid, vrolijkheid, gezelligheid.

convocation [kɔnvə'keiʃən] op-, bijeenroeping, bijeenkomst; provinciale synode van de Engelse staatskerk; ⚓ senaat.

convoke [kən'vouk] op-, bijeenroepen.

convolution [kɔnvə'lu:ʃən] kronkel(ing).

convolvulus [kən'vɔlvjuləs] ✿ winde.

1 **convoy** [kən'vɔi] *vt* konvooieren, begeleiden.

2 **convoy** ['kɔnvɔi] *sb* konvooi o, geleide o.

convulse [kən'vʌls] krampachtig samentrekken, doen stuiptrekken, schokken; *be ~d with laughter* schudden van 't lachen.

convulsion [kən'vʌlʃən] stuiptrekking, schok²; schudding [v. lachen]; *fig* beroering; *~s* stuipen.

convulsive [kən'vʌlsiv] kramp-, stuipachtig.

cony ['kouni] ⚘ konijn o; konijnevel o.

coo [ku:] kirren².

cook [kuk] I *sb* keukenmeid, kookster; kok; *too many ~s spoil the broth* veel koks bederven de brij; II *vt* koken, klaarmaken, bereiden; *fig* vervalsen, flatteren [balans &]; ~ *up* opwarmen; verzinnen.

cooker ['kukə] 1 kook(toe)stel o, -fornuis o, -pan; 2 stoofappel, -peer &.

cookery ['kukəri] 1 kookkunst; 2 de ,,keuken''; ~ *book* kookboek o.

cookie ['kuki] *Sc* broodje o; *Am* 1 koekje o; 2 F vent, kerel, jongen; meid, meisje o.

cooking ['kukiŋ] I *sb* koken o, kookkunst, de ,,keuken''; II als *aj* kook-, keuken-, stoof-.

cooky ['kuki] 1 F kok(kin); 2 zie *cookie*.

cool [ku:l] I *aj* koel, fris; kalm; (dood)leuk (ook: *as ~ as a cucumber*), brutaal, onverschillig; F uitgekookt; *a ~ hundred* een slordige £ 100; II *sb* koelte; III *vi* & *vt* koelen, ver-, be-, afkoelen (ook: ~ *down²*); ~ *one's heels* staan schilderen, antichambreren of blauwbekken.

coolant ['ku:lənt] koelmiddel o.

cooler ['ku:lə] 1 koeldrank; 2 koelvat o, koeler; 3 ⚒ koelinrichting; 4 *Am S* petoet, doos.

cool-headed ['ku:l'hedid] koel, kalm.

coolie ['ku:li] koelie.

coolly ['ku:li] *ad* koeltjes; doodleuk, brutaal.

coolness ['ku:lnis] koelheid, koelte; koelbloedigheid, kalmte; leukheid, aplomb o; verkoeling.

coomb [ku:m] kom: delling, holte.

coon [ku:n] 1 ♣ wasbeer; 2 F neger; 3 S kerel; *he's a gone* ~ S hij is voor de haaien.

co-op [kou'ɔp] F coöperatie.

coop [ku:p] I *sb* kippenmand, kippenhok *o*; II *vt* opsluiten (ook: ~ *in*, ~ *up*).

cooper ['ku:pə] I *sb* kuiper; II *vi & vt* kuipen; ~ *up* F opknappen, oplappen.

co-operate [kou'ɔpərəit] mede-, samenwerken.

co-operation [kouɔpe'reiʃən] mede-, samenwerking, coöperatie.

co-operative [kou'ɔpərətiv] mede-, samenwerkend; ~ *stores* coöperatieve winkel, coöperatie.

co-operator [kou'ɔpəreitə] medewerker.

coopery ['ku:pəri] kuipersambacht *o*; kuiperij.

co-opt [kou'ɔpt] coöpteren.

1 **co-ordinate** [kou'ɔ:dinit] *aj* van dezelfde orde of rang; nevengeschikt.

2 **co-ordinate** [kou'ɔ:dineit] *vt* coördineren, rangschikken, ordenen.

co-ordination [kouɔ:di'neiʃən] coördinatie, rangschikking, ordening.

co-ordinative [kou'ɔ:dineitiv] nevenschikkend.

coot [ku:t] ♣ (meer)koet.

cop [kɔp] S I *sb* smeris; *it's a fair* ~ ik (je) stink(t) erin; II *vt* te pakken krijgen; ~ *it* ook: er van langs krijgen.

copal ['koupəl] kopal *o & m*, copal *o & m*.

copartner ['kou'pa:tnə] (mede)deelhebber.

copartnership ['kou'pa:tnəʃip] deelgenootschap *o*, vennootschap.

1 **cope** [koup] I *sb* kap, koorkap, mantel; (hemel)gewelf *o*; II *vt* bekappen, (be)dekken.

2 **cope** [koup] I *vi* in: ~ *with* het hoofd bieden aan; af-, aankunnen; helpen [patiënten]; verwerken, voorzien in, voldoen aan [aanvragen]; II *va* 't klaarspelen.

Copenhagen [koupn'heiɡn] Kopenhagen *o*; als *aj* Kopenhaags.

Copernican [kou'pə:nikən] Copernicaans.

cope-stone ['koupstoun] zie *coping-stone*.

coping ['koupiŋ] kap [v. muur], (muur)afdekking, deksteen.

coping-stone ['koupiŋstoun] deksteen; *fig* kroon op het werk; toppunt *o*.

copious ['koupjəs] overvloedig, uitvoerig, rijk(elijk), ruim.

copper ['kɔpə] I *sb* (rood)koper *o*; ketel; koperen geldstuk *o*: S klabak, smeris; II *aj* koperen; III *vt* (ver)koperen.

copperas ['kɔpərəs] ferrosulfaat *o*.

copper beech ['kɔpəbi:tʃ] ♣ bruine beuk.

copperplate ['kɔpəpleit] 1 koperplaat; 2 kopergravure; ~ *writing* keurig schrift *o*.

copper-smith ['kɔpəsmiθ] koperslager.

coppery ['kɔpəri] koperachtig.

coppice ['kɔpis] hakhout *o*, kreupelhout *o*, kreupelbosje *o*.

copra ['kɔprə] kopra.

copse [kɔps] zie *coppice*.

copse-wood ['kɔpswud] onderhout *o*.

Copt [kɔpt] Kopt.

Coptic ['kɔptik] Koptisch.

copula ['kɔpjulə] 1 koppel(werk)woord *o*; 2 verbinding; 3 ♪ koppeling.

copulate ['kɔpjuleit] paren.

copulation [kɔpju'leiʃən] paring.

copulative ['kɔpjulətiv, -eitiv] I *aj* verbindend II *sb* verbindingswoord *o*.

copy ['kɔpi] I *sb* afschrift *o*, kopie; kopij; exemplaar *o*; (schrijf)voorbeeld *o*; II *vt* af-, overschrijven, kopiëren (ook: ~ *out*), naschrijven, natekenen; nabootsen, nadoen, namaken; overnemen.

copy-book ['kɔpibuk] (schoon)schrijfboek *o*, (schoon)schrift *o*; *blot one's* ~ zijn reputatie [bevlekken.

copycat ['kɔpikæt] F naäper.

copyhold ['kɔpihould] leen *o*, erfpacht.

copyholder ['kɔpihouldə] erfpachter.

copying paper ['kɔpiiŋpeipə] kopieerpapier *o*; doorslagpapier *o*.

copyist ['kɔpiist] kopiist.

copyright ['kɔpirait] I *sb* auteursrecht *o*, kopijrecht *o*; II *vt* zich het auteursrecht verzekeren van; III *aj* waarvan het auteursrecht verzekerd is; nadruk verboden.

copy writer ['kɔpiraitə] tekstschrijver [v. reclame].

coquetry ['koukitri] koketterie, behaagzucht.

coquette [kou'ket] I *sb* kokette; II *vi* koketteren (met *with*).

coquettish(ly) [kou'ketiʃ(li)] koket, behaagziek.

coracle ['kɔrəkl] ♣ soort vissersboot.

coral ['kɔrəl] I *sb* 1 koraal *o*; 2 koralen bijtring; II *aj* 1 koralen; 2 koraalrood.

coralline ['kɔrəlain] I *aj* koralen, koraalachtig, koraalrood; II *sb* koraalmos *o*.

cord [kɔ:d] I *sb* koord *o & v*, touw *o*, snoer *o*, band, streng; vadem hout [128 kub. voet]; geribde stof; II *vt* (vast)binden, -sjorren; vademen [hout]; ~*ed* ook: geribd [v. stoffen].

cordage ['kɔ:didʒ] touwwerk *o*.

cordial ['kɔ:diəl] I *aj* hartsterkend; hartelijk; hartgrondig; II *sb* hartsterkend middel *o*, likeur, hartsterking.

cordiality [kɔ:di'æliti] hartelijkheid.

cordon ['kɔ:dən] 1 (orde)lint *o*; 2 △ muurlijst; 3 ✕ kordon *o*.

corduroy ['kɔ:djurɔi] manchester *o*, pilo *o*; ~*s* manchester- of pilobroek.

core [kɔ:] I *sb* binnenste *o*, hart[2] *o*, kern[2], klokhuis *o* [v. appel]; *rotten at the* ~ van binnen rot; *rotten to the* ~ door en door rot; II *vt* boren [appels &].

co-religionist ['kouri'lidʒənist] geloofsgenoot.

corgi ['kɔ:ɡi] ♣ corgi [klein soort hond].

coriander [kɔri'ændə] ♣ koriander.

Corinth ['kɔrinθ] Corinthe *o*.

Corinthian [kə'rinθiən] I *aj* 1 Corinthisch; 2 ✎ losbandig; II *sb* Corinthiër.

cork [kɔ:k] I *sb* 1 kurk *o & m* [stofnaam], kurk *v* [voorwerpsnaam]; 2 kurkboom; II *aj* kur-

ken; III *vt* 1 kurken; 2 zwart maken met gebrande kurk; ~ *up* 1 kurken; 2 opsluiten; 3 opkroppen; ~*ed* ook: naar de kurk smakend.
corkscrew ['kɔ:kskru:] kurketrekker; ~ *curls* kurketrekkers.
corky ['kɔ:ki] 1 kurkachtig; 2 naar de kurk smakend.
cormorant ['kɔ:mərənt] ♣ aalscholver; *fig* vraat; haai.
corn [kɔ:n] I *sb* 1 koren *o*, graan *o*; *Sc* haver; *Am* maïs; 2 korrel ‖ likdoorn ‖ *Am* S iets conventioneels, iets banaals, iets tams; II *vt* zouten.
corncob ['kɔ:nkɔb] maïskolf; pijp daaruit.
corn-crake ['kɔ:nkreik] ♣ kwartelkoning.
cornea ['kɔ:niə] hoornvlies *o* [v. oog].
corneal ['kɔ:niəl] hoornvlies-; ~ *grafting* hoornvliestransplantatie.
corned [kɔ:nd] ~ *beef* cornedbeef.
cornel ['kɔ:nəl] ♣ kornoelje.
corner ['kɔ:nə] I *sb* hoek; tip, punt; *sp* & S corner; *be in a* (*tight*) ~ (erg) in 't nauw gebracht zijn; *done in a* ~ clandestien; *out of the* ~ *of his eye* van terzijde; *round the* ~ 1 om de hoek; 2 *fig* boven jan; 3 = *just* (*a*)*round the* ~ niet ver(af)[2]; II *vt* van hoeken voorzien; in een hoek zetten; in het nauw brengen; $ opkopen om de prijzen op te jagen.
corner-man ['kɔ:nəmæn] komiek (van een troep negerzangers).
corner-stone ['kɔ:nəstoun] hoeksteen[2].
cornerwise ['kɔ:nəwaiz] overhoeks.
cornet ['kɔ:nit] 1 horentje *o*, peperhuisje *o*; 2 kornet(muts); 3 ♪ kornet; piston, cornet à pistons; 4 pistonist; 5 ✕ † 2de luitenant (vaandeldrager) bij de cavalerie.
†cornetcy ['kɔ:nitsi] ✕ rang van *cornet* 5.
cornetist ['kɔ:nitist] ♪ pistonist.
cornfield ['kɔ:nfi:ld] korenveld *o*; *Am* maïsveld *o*.
corn flakes ['kɔ:nfleiks] maïsvlokken
cornflower ['kɔ:nflauə] ♣ korenbloem.
cornice ['kɔ:nis] lijst, kroonlijst, lijstwerk *o*.
Cornish ['kɔ:niʃ] (taal) van Cornwallis.
corn-salad ['kɔ:nsæləd] ♣ veldsla.
cornucopia [kɔ:nju'koupjə] horen des overvloeds.
Cornwall(is) ['kɔ:nwəl, kɔ:n'wɔlis] Cornwallis.
corny ['kɔ:ni] *Am* S conventioneel, banaal, tam.
corolla [kə'rɔlə] ♣ bloemkroon.
corollary [kə'rɔləri] gevolg *o*, gevolgtrekking.
corona [kə'rounə] kring [om zon of maan]; corona [bij zonsverduistering, ❋]; kroon.
1 **coronal** [kə'rounl] *aj* kroon-; ~ *bone* voorhoofdsbeen *o*.
2 **coronal** ['kɔrənl] *sb* kroon, krans.
coronary ['kɔrənəri] coronair: van de kransslagaderen; ~ *artery* kransslagader.
coronation [kɔrə'neiʃən] kroning.

coroner ['kɔrənə] lijkschouwer.
coronet ['kɔrənit] krans; ∅ kroontje *o*.
Corp. = ✕ *corporal*.
1 **corporal** ['kɔ:pərəl] *sb* 1 ✕ korporaal; 2 *RK* corporale *o*: altaardoek.
2 **corporal** ['kɔ:pərəl] *aj* lichamelijk, lichaams-; ~ *punishment* lijfstraf.
corporality [kɔ:pə'ræliti] lichamelijkheid.
corporate ['kɔ:pərit] geïncorporeerd, van een corporatie; ~ *town* stedelijke gemeente.
corporation [kɔ:pə'reiʃən] corporatie, rechtspersoon; gilde *o* & *v*; *Am* (naamloze) vennootschap; *F* (burgemeesters)buikje *o*; (*municipal*) ~ gemeentebestuur *o*; *public* ~ publiekrechtelijk lichaam *o*.
corporeal [kɔ:'pɔ:riəl] lichamelijk; stoffelijk.
corporeity [kɔ:pə'ri:iti] lichamelijkheid.
corps [kɔ:, *mv* kɔ:z] (leger)korps *o*, (leger)korpsen.
corpse [kɔ:ps] lijk *o*.
corpulence, -cy ['kɔ:pjuləns(i)] corpulentie.
corpulent ['kɔ:pjulənt] corpulent, gezet.
corpus ['kɔ:pəs] 1 korpus *o*, lichaam *o*; 2 verzameling [v. wetten &].
Corpus Christi ['kɔ:pəs'kristai] Sacraments-
corpuscle ['kɔ:pʌsl] lichaampje *o*.   [dag.
corpuscular [kɔ:'pʌskjulə] atomisch, atoom-.
corral [kɔ'ræl] I *sb* kraal; II *vt* in-, opsluiten.
correct [kə'rekt] I *aj* juist, precies; goed, correct; *if found* ~ bij akkoordbevinding; II *vt* corrigeren, verbeteren, rechtzetten, herstellen, verhelpen; berispen, (af)straffen; reguleren.
correction [kə'rekʃən] correctie; verbetering; berisping, afstraffing; *under* ~ zijn mening voor een betere gevend; met uw welnemen.
correctitude [kə'rektitju:d] correctheid.
corrective [kə'rektiv] I *aj* verbeterend; II *sb* correctief *o*: middel *o* ter verbetering.
correctness [kə'rektnis] correctheid, juistheid.
corrector [kə'rektə] corrector.
correlate ['kɔrileit] I *sb* correlaat *o*: elk van twee in wederkerige betrekking staande dingen; II *vi* (& *vt*) in wederkerige betrekking staan (stellen).
correlation [kɔri'leiʃən] correlatie: onderlinge verhouding.
correlative [kə'relətiv] correlatief: wederkerig betrekkelijk.
correspond [kɔris'pɔnd] corresponderen, beantwoorden (aan *to*); overeenkomen, overeenstemmen, briefwisseling houden (met *with*); aansluiting hebben.
correspondence [kɔris'pɔndəns] correspondentie, briefwisseling; overeenkomst, overeenstemming; aansluiting; ~ *clerk* $ handelscorrespondent; ~ *course* schriftelijke cursus.
correspondent [kɔris'pɔndənt] I *aj* corresponderend; II *sb* correspondent; $ handelsvriend.
corresponding(ly) [kɔris'pɔndiŋ(li)] overeenkomstig.

corridor ['kɔridɔ:] gang, galerij, corridor; ~ train D-trein, harmonikatrein.
corrigible ['kɔridʒibl] verbeterlijk.
corroborant [kə'rɔbərənt] versterkend (middel o).
corroborate [kə'rɔbəreit] versterken, bekrachtigen, bevestigen.
corroboration [kərɔbə'reiʃən] versterking, bekrachtiging, bevestiging.
corroborative [kə'rɔbərətiv] versterkend, bekrachtigend, bevestigend.
corrode [kə'roud] weg-, invreten, in-, uitbijten, aantasten², verroesten, verteren.
corrosion [kə'rouʒən] invreting, corrosie.
corrosive [kə'rousiv] bijtend, invretend (middel o).
corrugate ['kɔrugeit] rimpelen; ~d cardboard golfkarton o; ~d iron gegolfd ijzer o.
corrugation [kɔru'geiʃən] rimpeling.
corrupt [kə'rʌpt] I aj bedorven, verdorven; onecht, verknoeid; corrupt, omkoopbaar, veil; II vt bederven, verbasteren, omkopen, corrumperen; III vi bederven, (ver)rotten.
corrupter [kə'rʌptə] bederver; omkoper.
corruptibility [kərʌpti'biliti] 1 bederfelijkheid; 2 omkoopbaarheid.
corruptible [kə'rʌptibl] 1 aan bederf onderhevig; B vergankelijk; 2 omkoopbaar.
corruption [kə'rʌpʃən] bederf o; verdorvenheid; verbastering; verknoeiing; corruptie; omkoping.
corruptive [kə'rʌptiv] bedervend; verderfelijk.
corsage [kɔ:'sa:ʒ] lijf(je) o; corsage.
corsair ['kɔ:sɛə] 1 zeerover; 2 ⚓ roofschip o. ⊙ corse [kɔ:s] lijk o.
corselet ['kɔ:slit] 1 borstharnas o; 2 borststuk o [v. insekt]; 3 corselet o [ondergoed].
corset ['kɔ:sit] korset o (ook: ~s).
Corsica ['kɔ:sikə] Corsika o.
Corsican ['kɔ:sikən] Corsikaan(s).
cortège [kɔ:'teiʒ] stoet, gevolg o.
§ cortex ['kɔ:teks] schors; bedekking.
coruscate ['kɔrəskeit] flikkeren, schitteren.
coruscation [kɔrəs'keiʃən] flikkering, schittering.
corvette [kɔ:'vet] ⚓ korvet.
coryphaeus [kɔri'fi:əs] coryfee².
cos [kɔs] ⚘ bindsla.
cosh [kɔʃ] S I sb ploertendoder; II vt (neer)slaan met een ploertendoder.
cosher ['kɔʃə] vertroetelen, verwennen.
co-signatory ['kou'signətəri] I sb medeondertekenaar; II aj medeondertekenend.
cosily ['kouzili] ad zie cosy I.
cosine ['kousain] cosinus.
Cos lettuce ['kɔs'letis] ⚘ bindsla.
cosmetic [kɔz'metik] I aj kosmetisch, schoonheids-; II sb schoonheidsmiddel o, kosmetiek; ~s ook: cosmetica.
cosmic(al) ['kɔzmik(l)] kosmisch; wereld-.
cosmographic(al) [kɔzmə'græfik(l)] kosmografisch.

cosmography [kɔz'mɔgrəfi] kosmografie.
cosmology [kɔz'mɔlədʒi] kosmologie.
cosmonaut ['kɔzmənɔ:t] kosmonaut.
cosmopolitan [kɔzmə'pɔlitən] I aj kosmopolitisch; II sb kosmopoliet, wereldburger.
cosmopolite [kɔz'mɔpəlait] zie cosmopolitan II.
cosmos ['kɔzmɔs] kosmos, heelal o.
Cossack ['kɔsæk] kozak.
cosset ['kɔsit] I sb 1 leplam o, lievelingslam o 2 lieveling; II vt vertroetelen, verwennen.
cost [kɔ:st, kɔst] I sb prijs, kosten, kostende o, uitgave; schade, verlies o; ~s (proces)-kosten; at all ~s wat 't ook koste; at any ~ tot elke prijs; at my ~ op mijn kosten, voor mijn rekening; at the ~ of ten koste van; I know it to my ~ ik heb leergeld betaald; II vi 1 kosten; 2 de kosten berekenen; ~ dear(ly) duur (te staan) komen; III V.T. & V.D. van ~.
§ costal ['kɔstəl] van de ribben, ribben-.
coster(monger) ['kɔstə(mʌŋgə)] straatventer van fruit, groenten, vis.
costive ['kɔstiv] hardlijvig.
costliness ['kɔ:stlinis] kostbaarheid; hoge prijs
costly ['kɔ:stli] kostbaar; duur.
costume ['kɔstju:m, kɔs'tju:m] I sb kleding, gewaad o, kostuum o, (kleder)dracht; II vt [kɔs'tju:m] kostumeren; van kostuums voorzien.
costum(i)er [kɔs'tju:m(i)ə] costumier.
cosy ['kouzi] I aj gezellig, behaaglijk; II sb theemuts.
cot [kɔt] kooi, krib; bedje o; (veld)bed o; kot o; ⊙ hut.
cotangent ['kou'tændʒənt] cotangens.
cote [kout] hok o inz. schaapskooi.
coterie ['koutəri] coterie: kliek.
cotill(i)on [kə'tiljən] cotillon.
cottage ['kɔtidʒ] hut; arbeiderswoning; huisje o, buitentje o, kleine villa.
cottage piano ['kɔtidʒ'pjænou] ♪ pianino.
cottager ['kɔtidʒə] (boeren)arbeider; dorpeling.
cottar ['kɔtə] zie cottier.
cotter ['kɔtə] 1 ⚔ spie; 2 zie cottier.
cottier ['kɔtiə] keuterboer.
cotton ['kɔtn] I sb katoen o & m; (absorbent) ~ Am watten; ~s katoenen stoffen; II aj katoenen; III vi harmoniëren; ~ up to F aanpappen met, op krijgen met.
cotton-grass ['kɔtngra:s] ⚘ wol(le)gras o.
cotton-mill ['kɔtnmil] katoenfabriek.
cotton print ['kɔtnprint] bedrukte katoenen stof, katoentje o.
cottontail ['kɔtnteil] ⚮ Amerikaans konijn o.
cotton waste ['kɔtnweist] poetskatoen o & m.
cotton-wool ['kɔtn'wul] 1 ruwe katoen o & m; 2 watten.
cottony ['kɔtni] katoenachtig.
cotyledon [kɔti'li:dən] ⚘ zaadlob.
couch [kautʃ] I sb rustbed o, -bank, canapé, divan; ⊙ sponde, leger o ‖ ⚘ kweek; II vt

(neer)leggen; vellen [lans]; inkleden, uitdrukken, vervatten; omsluieren [onder woorden]; ~ *in writing* op schrift brengen; III *vi* (gaan) liggen.
couchant ['kautʃɔnt] ∅ liggend.
couch-grass ['kautʃgra:s] ⚘ kweek.
cough [kɔ:f, kɔf] I *sb* hoest; II *vi* hoesten; ~ *out* (*up*) opgeven; ~ *up* S (op)dokken; opbiechten.
could [kud] V.T. van 2 *can*; *he was as friendly as* ~ *be* hij was zeer vriendelijk.
coulter ['koultə] kouter *o*, ploegijzer *o*.
council ['kauns(i)l] raad, raadsvergadering; concilie *o*; ~ *of war* ✕ krijgsraad.
councillor ['kauns(i)lə] raad, raadslid *o*.
council school ['kauns(i)lsku:l] openbare lagere school.
counsel ['kauns(ə)l] I *sb* raad, raadgeving, beraadslaging; advocaat; (de) advocaten; ~ *for the defence, defending* ~ ᵻᵼ verdediger; ~ *for the prosecution, prosecuting* ~ ᵻᵼ (ambtenaar van) het Openbaar Ministerie; *King's* (*Queen's*) *C.* eminente *barrister* die het recht heeft een zijden toga te dragen; *keep one's* (*own*) ~ zijn mond (weten te) houden, kunnen zwijgen; *take* ~ raadplegen, beraadslagen, overleggen (met *with*); *wiser* ~*s will prevail* het gezond verstand zal zegevieren; II *vt* (aan)raden.
counsellor ['kauns(ə)lə] raadgever, raadsman; ~ *of embassy* ambassaderaad.
1 count [kaunt] *sb* graaf.
2 count [kaunt] I *vt* tellen, op-, meetellen; rekenen, achten; aanrekenen; ~ *in* meetellen; ~ *out* uittellen; aftellen; niet meetellen, uitschakelen; ~ *up* optellen; II *vi* (mee)tellen, gelden; van belang zijn; ~ *for nothing* niet meetellen; geen gewicht in de schaal leggen; ~ (*up*)*on* staat maken op, rekenen op; III *sb* tel, aantal *o*; telling; punt *o* (van aanklacht); *keep* ~ (*of*) tellen; *have lost* ~ de tel kwijt zijn; *have lost* ~ *of time* van uur noch tijd weten; *take the* ~ uitgeteld worden [v. bokser]; *on any* (*every*) ~ in ieder opzicht.
countable ['kauntəbl] telbaar.
count-down ['kaunt'daun] aftelling [voor lancering].
countenance ['kauntinəns] I *sb* (aan)gezicht *o*, gelaat *o*; bescherming; steun; *he changed* ~ zijn gelaat(suitdrukking) veranderde; *give* ~ *to* steunen; *he kept his* ~ hij behield zijn bedaardheid (kalmte), hij hield zich goed [vooral bij iets lachwekkends]; *lend* ~ *to* steunen; *put* (*stare*) *one out of* ~ iemand (door aankijken) van zijn stuk brengen; II *vt* begunstigen, beschermen, aanmoedigen, steunen.
counter ['kauntə] I *sb* fiche *o* & *v*; teller; toonbank, balie, loket *o* [in postkantoor]; boeg [v. paard]; ⚓ wulf *o*; contrefort *o* [v. schoen]; tegenstoot; *sell over the* ~ 1 in het klein verkopen; 2 aan het loket verkopen; II *aj* tegen(gesteld); III *ad* tegen (...in); IV *vt* tegenspre-

ken; tegenwerken; ingaan tegen; afslaan; V *vi* pareren.
counteract [kauntə'rækt] tegenwerken; neutraliseren, opheffen.
counter-attack ['kauntərətæk] I *sb* tegenaanval; II *vi* een tegenaanval doen.
counterbalance ['kauntəbæləns] I *sb* tegenwicht *o*; II *vt* [kauntə'bæləns] opwegen tegen, opheffen, compenseren.
counterblast ['kauntəbla:st] tegenstoot; antwoord *o*, repliek.
counter-charge ['kauntətʃa:dʒ] I *sb* tegenbeschuldiging; II *vi* een tegenbeschuldiging inbrengen.
counter clerk ['kauntəkla:k] loketbeambte.
counter-current ['kauntəkʌrənt] tegenstroom.
counterfeit ['kauntəfit] I *aj*. nagemaakt, onecht, vals; II *vt* namaken, nabootsen, vervalsen; huichelen; III *sb* namaak.
counterfoil ['kauntəfoil] souche, strook, stok.
countermand [kauntə'ma:nd] I *vt* tegenbevel geven; afzeggen, herroepen, afgelasten, afbestellen, annuleren; II *sb* ['kauntəma:nd] tegenbevel *o*; afbestelling.
countermark ['kauntəma:k] contramerk *o*.
countermine ['kauntəmain] I *sb* tegenmijn; tegenlist; II *vt* ✕ contramineren; trachten te verijdelen; III *vi* een tegenlist smeden.
counterpane ['kauntəpein] beddesprei.
counterpart ['kauntəpa:t] ♪ tegenstem; *fig* tegenhanger, pendant *o* & *m*.
counter-plea ['kauntəpli:] repliek.
counterplot ['kauntəplot] I *sb* tegenlist; II *vt* tegenwerken.
counterpoint ['kauntəpoint] ♪ contrapunt *o*.
counterpoise ['kauntəpoiz] I *sb* 1 tegenwicht *o*; 2 evenwicht *o*; II *vt* 1 opwegen tegen; 2 in evenwicht houden.
countersign ['kauntəsain] I *sb* 1 ✕ wachtwoord *o*; herkenningsteken *o*; 2 waarmerkende ondertekening; II *vt* contrasigneren.
counter-tenor ['kauntə'tenə] ♪ hoge tenor.
countervail [kauntə'veil] opwegen tegen.
counterweight ['kauntə:weit] tegenwicht *o*.
counterwork ['kauntəwə:k] I *sb* ✕ tegen(bol)werk *o*; II *vt* tegenwerken.
countess ['kauntis] gravin.
counting-frame ['kauntiŋfreim] telraam *o*.
counting-house ['kauntiŋhaus] kantoor *o*.
countless ['kauntlis] talloos, ontelbaar.
countrified ['kʌntrifaid] boers, landelijk.
country ['kʌntri] (vader)land *o*, (land)streek; (platte)land *o*; *the old* ~ het moederland; Engeland *o*; *in the* ~ op het land, buiten, in de provincie; *go to the* ~ zie *appeal* I.
country-cousin ['kʌntri'kʌzn] familielid *o* van buiten (de stad).
country-dance ['kʌntri'da:ns] soort volksdans.
country-house ['kʌntri'haus] landhuis *o*.
country-life ['kʌntri'laif] buiten-, landleven *o*.
countryman ['kʌntrimən] 1 buitenman, landman; 2 landsman, landgenoot.

country-seat ['kʌntri'si:t] buitenplaats, landgoed *o*.

countryside ['kʌntri'said] landstreek; *the* ~ het platteland, buiten; de provincialen.

country-squire ['kʌntriskwaiə] landjonker.

country-town ['kʌntri'taun] provinciestad.

countrywoman ['kʌntriwumən] 1 boerin; plattelandsvrouw; 2 landgenote.

countship ['kauntʃip] graafschap *o*.

county ['kaunti] graafschap *o*; ± provincie; ~ *constable* ✠ veldwachter; ~ *council* graafschapsraad; ± Provinciale Staten; ~ *court* graafschapsrechtbank; ~ *town* hoofdstad van een graafschap.

coup [ku:] slag, zet; coup d'état, staatsgreep.

coupé ['ku:pei] 1 halve (eind)coupé [v. spoorwagen]; 2 coupé [auto, rijtuig].

couple ['kʌpl] I *sb* paar *o*; echtpaar *o*; koppel *o*; F span *o*; II *vt* koppelen, verbinden, verenigen; ~... *with*... ...paren aan...; III *vi* paren.

coupler ['kʌplə] ✠ koppeling; ♪ koppel *o* [v. orgel].

couplet ['kʌplit] tweeregelig vers *o*.

coupling ['kʌpliŋ] ✠ koppeling.

coupon ['ku:pɔn] coupon, bon.

courage ['kʌridʒ] moed; *Dutch* ~ jenevermoed; *take* ~ moed vatten; *take one's* ~ *in both hands* al zijn moed verzamelen, de stoute schoenen aantrekken.

courageous(ly) [kə'reidʒəs(li)] moedig.

courier ['kuriə] koerier, renbode.

course [kɔ:s] I *sb* loop, koers, gang, verloop *o*, beloop *o*; wedloop; (ren)baan; lange jacht; cursus, leergang (ook: ~ *of lectures*), ⚔ colleges; reeks, opeenvolging, laag [stenen] gerecht *o*; ⚔ kuur; *fig* weg, handelwijze, gedragslijn (~ *of action*); ~ *of exchange* wisselkoers; *evil* ~*s* slechte levenswandel; *take a* ~ *of waters* een kuur doen; *let things take their* ~ de zaken op hun beloop laten, Gods water over Gods akker laten lopen; *in due* ~ te bekwamer of te zijner tijd; na verloop van tijd; *in the* ~ *of* in de loop van, gedurende; *in* ~ *of construction* in aanbouw; *in* ~ *of time* mettertijd; na verloop van tijd; *in the* ~ *of time* in de loop der tijden; *of* ~ natuurlijk; II *vt* (na)jagen (op de lange jacht); III *vi* 1 jagen; 2 stromen.

courser ['kɔ:sə] renpaard *o*.

coursing ['kɔ:siŋ] lange jacht.

court [kɔ:t] I *sb* 1 hof *o*; gerechtshof *o*, rechtbank (ook: ~ *of justice*, ~ *of law*), rechtszaal, terechtzitting; raad; 2 hofhouding, hofstoet; receptie ten hove; 3 (binnen)plaats; plein *o*; hofje *o*; 4 (tennis)baan; *pay* (*one's*) ~ *to* het hof maken; *put* (*rule*) *out of* ~ niet ontvankelijk verklaren; wraken, niet toelaten; uitsluiten; *settle out of* ~ in der minne schikken; II *vt* het hof maken²; vrijen (naar); dingen naar, streven naar; zoeken, uitlokken; III *vi* vrijen.

court-card ['kɔ:tka:d] ◊ pop.

court chaplain ['kɔ:ttʃæplin] hofprediker.

court-day ['kɔ:tdei] 1 rechtsdag, zitdag; 2 ontvangdag ten hove.

court dress ['kɔ:tdres] hofkostuum *o*.

courteous(ly) ['kɔ:tjəs(li), 'kɔ:tjəs(li)] hoffelijk, beleefd.

courteousness ['kɔ:t-, 'kɔ:tjəsnis] hoffelijkheid beleefdheid.

courtesan [kɔ:ti'zæn] courtisane, lichtekooi.

courtesy ['kɔ:tisi, 'kɔ:tisi] I *sb* hoffelijkheid, vriendelijkheid, gunst; II *aj* uit hoffelijkheid verleend [titels].

court fool ['kɔ:tfu:l] hofnar.

courtier ['kɔ:tjə] hoveling.

courtliness ['kɔ:tlinis] hoofs-, hoffelijkheid.

courtly ['kɔ:tli] hoofs, heus, hoffelijk.

court-martial ['kɔ:t'ma:ʃəl] I *sb* krijgsraad; II *vt* voor de krijgsraad brengen.

court-plaster ['kɔ:t'pla:stə] Engelse pleister.

court-room ['kɔ:trum] rechtszaal.

courtship ['kɔ:tʃip] hofmakerij, vrijage, verkering.

courtyard ['kɔ:t'ja:d] (binnen)plaats, -plein *o*.

cousin ['kʌzn] neef, nicht; ~ *german* volle neef (nicht); *our* (*American*) ~*s* ook: *fig* onze stamverwanten (in Amerika).

cove [kouv] kreek, inham; beschutte plek ‖ S vent, kerel.

covenant ['kʌvinənt] I *sb* overeenkomst, akte, verdrag *o*, verbond *o*; *the Covenant* 1 het Verbond (van 1643) der Schotse presbyterianen; 2 het Handvest van de Volkenbond; II *vt* & *vi* overeenkomen.

Coventry ['kɔvəntri] Coventry *o*; *send to* ~ dood verklaren.

cover ['kʌvə] I *vt* bedekken; overdekken; beschermen; dekken; verbergen; overtrekken, bekleden, kaften; zich uitstrekken over, beslaan; omvatten; voorzien in; gaan over, behandelen; ✗ aanleggen op, onder schot houden of krijgen; bestrijken; afleggen [afstand]; verslaan [als verslaggever]; ~ *in* overdekken; vullen, dichtgooien [graf &]; ~ *up* toedekken, over-, bedekken, verbergen; II *sb* dek(sel) *o*; (be)dekking; omslag, kaft *o* & *v*; plat *o* [v. boek]; overtrek *o* & *v*, hoes, omhulsel *o*; buitenband; bekleding; enveloppe; foedraal *o*; stolp; kap; couvert *o* [bord, mes, vork, lepel]; $ dekking; *fig* bescherming, beschutting; schuilplaats, leger *o* [v. wild]; *from* ~ *to* ~ van a tot z, van 't begin tot 't einde; *under* ~ ingesloten [in brief]; beschut, onder dak; ✗ gedekt; *under* (*the*) ~ *of* onder dekking (bescherming) van; *fig* onder de schijn (dekmantel) van.

coverage ['kʌvəridʒ] 1 wat bestreken (bereikt) wordt door radio, TV, reclame &; 2 verslag *o*, reportage; 3 $ dekking; 4 risicodekking.

cover-girl ['kʌvəgə:l] fotomodel *o*.

covering ['kʌvəriŋ] I *sb* (be)dekking; dek *o*; II *aj* dekkings-; ~ *letter* begeleidend schrijven *o*; ~ *note* $ sluitnota.

coverlet ['kʌvəlit] beddesprei.

covert ['kʌvət] I *aj* bedekt, heimelijk, geheim, verborgen; II *sb* schuilplaats, struikgewas *o* [als schuilplaats voor wild], leger *o*.

covertly ['kʌvətli] *ad* bedektelijk, heimelijk, tersluik(s).

coverture ['kʌvətjuə] bedekking, beschutting.

covet ['kʌvit] begeren.

covetous ['kʌvitəs] begerig, hebzuchtig.

covetousness ['kʌvitəsnis] begerigheid, begeerte, hebzucht.

covey ['kʌvi] 1 ⁀ vlucht; 2 troep.

1 cow [kau] *sb* 1 koe; 2 wijfje *o* [v. olifant &].

2 cow [kau] *vt* bang maken, vrees inboezemen, intimideren.

coward ['kauəd] I *sb* lafaard; II *aj* laf(hartig).

cowardice ['kauədis] laf(hartig)heid.

cowardliness ['kauədlinis] laf(hartig)heid.

cowardly ['kauədli] laf(hartig).

cowboy ['kaubɔi] koewachter; *Am* cowboy: bereden koeherder.

cowcatcher ['kaukætʃə] baanschuiver [aan locomotief].

cower ['kauə] neerhurken, ineenkrimpen, (weg)kruipen.

cowgirl ['kaugə:l] *Am* meisje van een veefokkerij.

cow hand ['kauhænd] *Am* cowboy.

cowherd ['kauhə:d] koeherder.

cowhide ['kauhaid] I *sb* 1 rundsbox *o*; 2 leren zweep; II *vt* met de zweep geven.

cowhouse ['kauhaus] koe(ie)stal.

cowl [kaul] monnikskap; (monniks)pij; „gek" op een schoorsteen; ⁀ kap [v. motor].

cowling ['kauliŋ] ⁀ kap [v. motor].

cow parsley ['kaupɑ:sli] ⁂ fluitenkruid *o*.

cowpox ['kaupɔks] koepokken.

cowshed ['kauʃed] koe(ie)stal.

cowslip ['kauslip] ⁂ sleutelbloem.

cox [kɔks] I *sb* F zie *coxswain*; II *vt* als *coxswain* besturen; III *vi* coxswain zijn.

coxcomb ['kɔkskoum] kwast, fat.

coxcombical(ly) [kɔks'koumikəl(i)] kwasterig, fatterig.

coxcombry ['kɔkskəmri] kwasterigheid.

coxswain ['kɔksn] ⁂ stuurman.

coy(ly) [kɔi(li)] zedig, bedeesd, schuchter.

coyness ['kɔinis] zedigheid, bedeesdheid, schuchterheid.

coyote [kɔi'outi, 'kɔiout] ⁂ prairiewolf.

⁂ coz [kʌz] F verk. voor *cousin*.

cozen ['kʌzn] bedriegen, bedotten.

cozenage ['kʌznidʒ] bedrog *o*, fopperij.

cr. = 1 *credit(or)*; 2 *crown*.

crab [kræb] I *sb* krab; ✳ Kreeft; ⁂ lier; ⁂ loopkat; *fig* iezegrim; ⁂ wilde appel; II *vt* krabben; F afmaken, bekritiseren, bederven.

crab-apple ['kræbæpl] wilde appel.

crabbed(ly) ['kræbid(li)] 1 zuur, kribbig, nors, korzelig; 2 kriebelig (geschreven); gewrongen [v. stijl].

crack [kræk] I *sb* gekraak *o*, kraak, krak, knak,

knal; kier, spleet, barst, breuk; slag, klap; F kraan; F steek, boutade; *the ~ of doom* de dag des oordeels; II *aj* chic, prima, best, keur-, elite-; III *vi* & *vt* kraken, knappen, breken [glas, ijs]; (doen) barsten, springen, doen knallen, (laten) klappen; *~ a bottle* een fles knappen; *~ jokes* F moppen tappen; *get ~ing* S aan de slag gaan, voortmaken (met *on*); *~ down on Am* F flink aanpakken; *~ up* 1 F opkammen; 2 S bezwijken, het afleggen, te pletter vallen; IV *ad* krak!

crack-brained ['krækbreind] F getikt.

cracked [krækt] F getikt.

cracker ['krækə] kraker; (zeven)klapper, knalbonbon, pistache; (harde) beschuit; S leugen; *~s* notekraker; als *aj* S krankjorum, gek.

crackerjack ['krækədʒæk] *Am* I *sb* kraan, piet; II *aj* kranig, prima.

crackle ['krækl] I *vi* knetteren, knappen; II *sb* geknetter *o*, knappen *o*; craquelure, haarscheurtjes; [v. porselein] craquelé *o* (ook: *~ ware*).

crackling ['krækliŋ] 1 geknetter *o*; 2 gebraden zwoerd *o*; *~s* kaantjes.

cracknel ['kræknəl] krakeling.

crackpot ['krækpɔt] S excentriek; gek.

cracky ['kræki] 1 vol barsten; 2 licht barstend; 3 F getikt.

cradle ['kreidl] I *sb* wieg²; bakermat; ⁂ slede; goudwasserstrog; ⁑ spalk; ⁂ raam *o*; hangstelling; ⁂ haak; *from the ~* van kindsbeen af; II *vt* in de wieg leggen; ⁂ op de slede plaatsen; wiegen.

craft [krɑ:ft] handwerk *o*, ambacht *o*; kunst-(nijverheid), vak *o*; gilde *o* & *v*; list(igheid), sluwheid, bedrog *o*; ⁂ vaartuig *o*, vaartuigen [van allerlei soort].

craft guild ['krɑ:ftgild] werkmansgilde *o* & *v*.

craftily ['krɑ:ftili] *ad* zie *crafty*.

craftiness ['krɑ:ftinis] listigheid, sluwheid.

craftsman ['krɑ:ftsmən] (bekwaam) handwerksman; vakman.

craftsmanship ['krɑ:ftsmənʃip] vakmanschap *o*, bedrevenheid; handwerk *o*.

crafty ['krɑ:fti] *aj* loos, listig, sluw.

crag [kræg] rots(punt).

cragged ['krægid], **craggy** ['krægi] steil, ruw, onregelmatig, grillig ingesneden.

crake [kreik] ⁀ spriet.

cram [kræm] I *vt* in-, volstoppen, ⁀ inpompen, klaarstomen [voor examen]; doen slikken [leugens]; *~ up* volstoppen; er in pompen; *~ up with* volproppen met²; II *vi* gulzig eten, schransen, zich volstoppen; ⁀ blokken; III *sb* 1 gedrang *o*; 2 ingepompte kennis, inpompen *o*; 3 S leugen.

cram-full ['kræm'ful] tjokvol, propvol.

crammer ['kræmə] repetitor; S leugen.

cramp [kræmp] I *sb* kramp; kram, klemhaak; belemmering; II *vt* kramp veroorzaken (in); krammen; belemmeren; *be ~ed for room*

zich niet vrij bewegen kunnen, eng behuisd zijn; ~ed handwriting kriebelig schrift o; ~ed style gewrongen stijl; ~ a person's style iemand in zijn bewegingen belemmeren, handicappen.
cramp-iron ['kræmpaiən] kram, muuranker o.
crampon ['kræmpən] ijsspoor.
cranage ['kreinidʒ] $ kraangeld o.
cranberry ['krænbəri] ♣ veenbes.
crane [krejn] I sb 1 ♣ kraanvogel; 2 ⚔ kraan; II vi de hals uitrekken; ~ at blijven staan of steken voor, opzien tegen.
crane-fly ['kreinflai] langpootmug.
crane's-bill ['kreinzbil] ♣ ooievaarsbek.
cranial ['kreiniəl] schedel-.
craniology [kreini'ɔlədʒi] schedelleer.
cranium ['kreiniəm] schedel.
crank [kræŋk] I sb 1 kruk, handvat o, slinger; 2 woordspeling; gril; zonderling, maniak; II aj licht omslaand, ⚓ rank; zwak, wrak; III vt ~ (up) aanzetten [motor].
crank-shaft ['kræŋkʃɑ:ft] ⚔ krukas.
cranky ['kræŋki] sukkelend, zwak, wrak; nukkig, humeurig; excentriek, raar; bochtig; licht omslaand, ⚓ rank.
crannied ['krænid] gescheurd, vol spleten.
cranny ['kræni] scheur, spleet.
crape [kreip] krip o, (rouw)floers o.
crapulence ['kræpjuləns] overlading, onmatigheid; misselijkheid.
crapulous ['kræpjuləs] liederlijk.
crash [kræʃ] I vt verbrijzelen, verpletteren; II vi kraken, ratelen; krakend ineenstorten; neerkomen, te pletter vallen [v. vliegtuig]; ~ against (into) aanbotsen tegen; III sb 1 gekraak o, geratel o, geraas o; slag; botsing; val; 2 $ krach, debâcle; 3 ✈ neerstorting, „kraak" ‖ grof linnen o.
crash-dive ['kræʃdaiv] snel duiken.
crash-helmet ['kræʃhelmit] valhelm.
crash-land ['kræʃlænd] ✈ een noodlanding maken met beschadiging van het toestel.
crash programme ['kræʃprougræm] urgentieprogramma o.
crass [kræs] dik; lomp, grof, erg; stomp.
crassitude ['kræsitju:d] grofheid, lompheid, stommiteit; stompheid.
crate [kreit] krat o.
crater ['kreitə] krater; (granaat)trechter.
cravat [krə'væt] das.
cravatted [krə'vætid] gedast.
crave [kreiv] I vt smeken, vragen (om); II vi in: ~ for verlangen naar.
craven ['kreivn] I sb lafaard; II aj laf.
craving ['kreiviŋ] hevig verlangen o.
craw [krɔ:] krop [van vogel].
crawfish ['krɔ:fiʃ] rivierkreeft.
crawl [krɔ:l] I vi kruipen², sluipen; krieuwelen; snorren [van taxi &]; ~ with wemelen van; II sb kruipen o; gekrieuwel o; crawl [zwemslag].
crawler ['krɔ:lə] 1 kruiper; 2 snorder; ~s

kruippakje o.
crayfish ['kreifiʃ] rivierkreeft.
crayon ['kreiən] I sb 1 crayon o & m, tekenkrijt o; 2 pastel o, pasteltekening; 3 ▓ koolspits; II vt 1 crayoneren; 2 schetsen.
craze [kreiz] I vt krankzinnig maken; II sb krankzinnigheid, rage, manie.
crazed [kreizd] krankzinnig, gek.
crazily ['kreizili] ad zie crazy.
craziness ['kreizinis] 1 wrakheid, bouwvalligheid; 2 krankzinnigheid.
crazy ['kreizi] aj 1 wrak, bouwvallig; 2 krankzinnig, gek; ~ about dol op.
creak [kri:k] kraken; knarsen, piepen.
creaky ['kri:ki] krakend; knarsend, piepend.
cream [kri:m] I sb room²; crème²; beste o, fig bloem; bonbon; ~ of tartar cremortart o; II aj crème; III vt (af)romen²; room doen bij; IV vi romen, zo dik worden als room.
creamery ['kri:məri] 1 boterfabriek, zuivelfabriek; 2 roomhuis o, melksalon.
creamy ['kri:mi] roomachtig, roomhoudend.
crease [kri:s] I sb kreuk(el), vouw, plooi; II vt & vi kreuk(el)en, vouwen, plooien.
creasy ['kri:si] vol plooien, geplooid; plooiend.
create [kri'eit] scheppen; in het leven roepen, doen ontstaan, teweegbrengen, wekken; creëren, maken; benoemen tot.
creation [kri'eiʃen] schepping; instelling; creatie.
creative [kri'eitiv] scheppend, scheppings-, creatief.
creator [kri'eitə] schepper.
creature ['kri:tʃə] schepsel o; > creatuur o werktuig o; beest o, dier o.
crèche [kreiʃ] crèche, kinderbewaarplaats.
credence ['kri:dəns] geloof o.
credentials [kri'denʃəlz] geloofsbrieven.
credibility [kredi'biliti] geloofwaardigheid.
credible ['kredibl] aj geloofwaardig.
credibly ['kredibli] ad geloofwaardig van.
credit ['kredit] I sb geloof o, reputatie, goede naam, gezag o, invloed; eer; krediet o; credit o, creditzijde; ~s ook: titels [v. film]; be a ~ to, do ~ to tot eer strekken; give him ~ for hem de eer geven... te zijn; give ~ to geloof schenken aan; take ~ (to oneself) for het zich tot een eer (verdienste) rekenen dat; to his ~ 1 tot zijn eer (strekkend); 2 in zijn credit (geboekt); II vt geloven; crediteren; ~ him with... 1 hem de eer geven van...; 2 hem... toeschrijven; 3 hem crediteren voor...
creditable ['kreditəbl] eervol, fatsoenlijk.
creditor ['kreditə] $ crediteur, schuldeiser.
credit titles ['kredittaitlz] titels [v. film].
creditworthiness ['kreditwə:ðinis] kredietwaardigheid.
creditworthy ['kreditwə:ði] kredietwaardig.
credo ['kri:dou] credo o.
credulity [kri'dju:liti] lichtgelovigheid.
credulous(ly) ['kredjuləs(li)] lichtgelovig.

creed [kri:d] I geloof *o*, geloofsbelijdenis; 2 overtuiging, richting.

creek [kri:k] I kreek, inham, bocht; 2 *Am* zijrivier, riviertje *o*, beek.

creel [kri:l] (aal)korf, kanis.

creep [kri:p] I *vi* kruipen, sluipen; krieuwelen; dreggen; *it made my flesh* ~ ik kreeg er kippevel van; ~*ing paralysis* progressieve verlamming; II *sb* kruipen *o*; krieuweling; kruipgat *o*.

creeper ['kri:pə] I kruiper; 2 kruipend dier *o*; 3 kruipende plant; 4 ♣ boomkruiper; 5 dreg.

creepy ['kri:pi] kruipend; griezelig.

creese [kri:s] kris.

cremate [kri'meit] verbranden [lijken], verassen, cremeren.

cremation {kri'meiʃən] lijkverbranding, verassing, crematie.

crematoria [kremə'tɔ:riə] *mv* v. *crematorium.*

crematorium [kremə'tɔ:riəm], **crematory** ['kremətəri] crematorium *o*.

crenate(d) ['kri:neit(id)] ♣ gekarteld.

crenel ['krenl] kanteel, tinne.

crenellated ['krenileitid] gekanteeld.

creole ['kri:oul] I *sb* creool(se); II *aj* creools.

creosote ['kri:əsout] creosoot.

crêpe [kreip] crêpe.

crepitate ['krepiteit] knetteren.

crepitation [krepi'teiʃən] geknetter *o*, knettering.

crept [krept] V.T. & V.D. van *creep.*

crepuscular [kri'pʌskjulə] schemerend, schemerig, schemer-.

crescent ['kresənt] I *aj* I wassend, toenemend; 2 halvemaanvormig; II *sb* I wassende maan; 2 halvemaan; 3 halfcirkelvormige rij huizen.

cress [kres] ♣ tuin-, waterkers.

cresset ['kresit] bakenlicht *o*, toorts.

crest [krest] kam, kuif, pluim; kruin, top; (schuim)kop [op golven]; ⊘ helmteken *o*.

crested ['krestid] gekuifd; kuif-; gekamd; met schuimkoppen; ⊘ met een helmteken.

crestfallen ['krestfɔ:l(ə)n] terneergeslagen.

cretaceous [kri'teiʃəs] krijtachtig, krijt-.

Cretan ['kri:tən] I *aj* van Kreta; II *sb* Kretenzer.

Crete [kri:t] Kreta.

cretin ['kre-, 'kri:tin] cretin, idioot.

cretonne [kro'tɔn, 'kretən] cretonne *o*.

crevasse [kri'væs] gletsjerspleet.

crevice ['krevis] spleet, scheur.

I **crew** [kru:] I *sb* scheepsvolk *o*, bemanning; bediening(smanschappen); ploeg; troep, bende; gespuis *o*; II *vi* (& *vt*) deel uitmaken van de bemanning (van).

2 **crew** [kru:] V.T. van *crow.*

crew cut ['kru:kʌt] haar *o* „en brosse": kortgeknipt en steil.

crewel ['kru:əl] borduurwol.

crib [krib] I *sb* krib; hut; koestal; kribbe, kinderbedje *o*; F baantje *o*; ⇔ woordelijke vertaling; plagiaat *o*; II *vt* I opsluiten; 2 F in

de wacht slepen; overkalken, spieken.

cribbage ['kribidʒ] zeker kaartspel.

crib-biter ['kribbaitə] kribbebijter.

crick [krik] I *sb* kramp; II *vt* verrekken.

cricket ['krikit] I *sb* krekel ‖ cricket(spel) *o* bankje *o*; *not* (*quite*) ~ *to*... niet eerlijk om... II *vi* cricketen.

cricketer ['krikitə] cricketspeler.

crier ['kraiə] omroeper.

crime [kraim] I *sb* misdaad; criminaliteit; wandaad; ⚔ vergrijp *o*; II *vt* ⚔ aanklagen; veroordelen; straffen.

Crimea [krai-, kri'miə] Krim.

Crimean [krai-, kri'miən] Krim-.

criminal ['kriminəl] I *aj* crimineel; misdadig; *C*~ *Investigation Department* recherche; ~ *law* strafrecht *o*; ~ *lawyer* I strafpleiter; 2 criminalist; II *sb* misdadiger, F boef.

criminality [krimi'næliti] criminaliteit: misdadigheid; aantal *o* misdaden.

criminate ['krimineit] I beschuldigen; 2 incrimineren.

crimination [krimi'neiʃən] beschuldiging.

crimp [krimp] I *vt* I plooien, krullen; 2 krimp snijden ‖ ronselen; II *sb* ronselaar.

crimson ['krimzn] I *aj* karmozijnrood; [v. gezicht] vuurrood; II *sb* karmozijn *o*; III *vt* karmozijn verven; IV *vi* karmozijnrood worden, blozen.

cringe [krindʒ] I *vi* ineenkrimpen; *fig* kruipen (voor *to*); II *sb* kruiperige buiging.

crinkle ['kriŋkl] I *vt* & *vi* (doen) kronkelen, rimpelen, (ver)frommelen; II *sb* kronkel, rimpel, frommel.

crinkly ['kriŋkli] kronkelig, rimpelig.

crinoline ['krinəli:n] hoepelrok.

cripple ['kripl] I *sb* kreupele, gebrekkige, verminkte; II *vt* kreupel maken, verminken; onklaar maken; *fig* verlammen, belemmeren.

crises ['kraisi:z] *mv* v. *crisis.*

crisis ['kraisis] crisis, keerpunt *o*.

crisp [krisp] I *aj* kroes; gerimpeld; knappend, krakend [papier], bros; opwekkend [lucht]; gedecideerd; scherp; fris, levendig, pittig, ongezouten [antwoord]; II *vt* krullen, kroezen, friseren; rimpelen.

crispy ['krispi] kroes; bros; fris.

criss-cross ['kriskrɔ(:)s] I *sb* kruisje *o* [in plaats van handtekening]; warnet *o*; II *ad* & *aj* kriskras (liggend, lopend).

criteria [krai'tiəriə] *mv* v. **criterion** [krai'tiəriən] criterium *o*, toets, maatstaf.

critic ['kritik] criticus, beoordelaar.

critical(ly) ['kritikəl(i)] I kritisch; 2 kritiek; *be* ~ *of* kritiek hebben op, kritisch staan tegenover.

criticaster ['kritikæstə] criticaster.

criticism ['kritisizm] I kritiek (op *of*), beoordeling; 2 kritische op-, aanmerking.

criticize ['kritisaiz] I kritiseren, beoordelen; 2 aanmerkingen maken op, bekritiseren, hekelen.

critique [kri'ti:k] kritiek, beoordeling.
croak [krouk] kwaken, krassen.
croaker ['kroukə] 1 kwaker, krasser; 2 knorrepot; 3 ongeluksprofeet.
Croat ['krouət] Kroaat.
Croatia [krou'eiʃə] Kroatië o.
Croatian [krou'eiʃən] I sb Kroaat; Kroatisch o; II aj Kroatisch.
crochet ['krouʃi] I sb haakwerk o; II vt & vi haken.
crochet-hook ['krouʃihuk] haakpen.
crock [krɔk] I sb 1 pot; 2 S sukkel, kruk; wrak; knol, krak; oud meubel o &; II vt S tot een sukkel (wrak) maken (ook: ~ up).
crockery ['krɔkəri] aardewerk o.
crocodile ['krɔkədail] I sb ♠ krokodil: krokodilleleer o; ~ ~i krokodille-; krokodilleleren.
crocus ['kroukəs] ♣ krokus.
Croesus ['kri:səs] Croesus[2].
croft [krɔ(:)ft] besloten veld o; klein stuk weiof bouwland o van een keuterboertje.
crofter ['krɔ(:)ftə] keuterboertje.
cromlech ['krɔmlek] soort hunebed o.
crone [kroun] I oud wijf o; 2 ♠ oude ooi.
crony ['krouni] boezemvriend(in).
crook [kruk] I sb kromte, bocht; kromming; haak; herdersstaf, kromstaf, bisschopsstaf; S oplichter, boef; on the ~ S niet eerlijk; II vt & vi (zich) krommen; buigen; III aj zie crooked.
crook-back ['krukbæk] bochel.
crook-backed ['krukbækt] gebocheld.
crooked ['krukid] krom, gebogen, verdraaid, verkeerd, slinks, oneerlijk.
croon [kru:n] half neuriën, croonen.
crooner ['kru:nə] ♪ crooner.
crop [krɔp] I sb krop; gewas o, oogst (ook: ~s); aantal o, menigte, hoop; kortgeknipt haar o; knipsel o, knippen o; steel [van zweep]; jachtzweep; in (under) ~ bebouwd; II vt plukken, oogsten; afknippen; kortstaarten, (de oren) afsnijden; afknabbelen, afvreten; bebouwen; III vi opleveren; ~ out aan het licht komen; ~ up opduiken, zich op-, voordoen, er tussen komen.
crop-eared ['krɔpiəd] 1 gekortoord; 2 met kortgeknipt haar.
cropper ['krɔpə] kropper [duif] || F val (voorover); || ♣ (zeer) produktieve plant; Am deelbouwer; come a ~ 1 languit vallen; 2 over de kop gaan; 3 fiasco maken; 4 lelijk te pas komen.
crop rotation ['krɔprouteiʃən] vruchtwisseling, wisselbouw.
croquet ['kroukei, -ki] croquet(spel) o.
croquette [krou'ket] croquet.
crosier ['krouʒə] bisschopsstaf, kromstaf.
cross [krɔ:s, krɔs] I sb kruis o; kruisje o; kruising, middending o (tussen between); on the ~ diagonaal, schuin; S niet eerlijk; II vt kruisen; kruisgewijs over elkaar leggen, [armen,

benen] over elkaar slaan, doorkruisen, strepen [een cheque]; een kruis maken over; met een kruis(je) merken; kruiselings berijden; overschrijden, oversteken, overvaren; dwarsbomen, tegenwerken; keep one's fingers ~ ed een afwachtende houding aannemen; in stilte bidden (hopen); ~ one's mind bij iemand opkomen; ~ off (out) doorstrepen; III vi elkaar kruisen; IV vr ~ oneself een kruis slaan (maken); V aj elkaar kruisend, dwars, tegen-, verkeerd; slecht van humeur, boos; as ~ as two sticks zo nijdig als een spin.
cross-bar ['krɔ(:)sba:] dwarshout o, dwarslat.
crossbones ['krɔ(:)sbounz] gekruiste dijbeenderen als zinnebeeld van de dood.
cross-bow ['krɔ(:)sbou] kruisboog.
cross-bred ['krɔ(:)sbred] van gekruist ras.
cross-breed ['krɔ(:)sbri:d] I sb gekruist ras o, kruising; bastaard; II vt kruisen [rassen].
cross bun ['krɔ(:)s'bʌn] broodje o met een kruis erop [op Goede Vrijdag].
cross-country ['krɔ(:)s'kʌntri] (wedren) dwars door het land, over heg en steg; sp veldloop.
cross-cut ['krɔ(:)s'kʌt] I aj overdwars gesneden of gezaagd; II sb korte (dwars)weg; ~ saw trekzaag.
cross-examination ['krɔ(:)sigzæmi'neiʃən] ♣ kruisverhoor o.
cross-eyed ['krɔ(:)said] scheel.
cross-grained ['krɔ(:)sgreind] dwarsdraads; fig dwars.
crossing ['krɔ(:)siŋ] kruising, oversteken o; overvaart, -tocht; kruispunt o; overweg; oversteekplaats.
crossing-sweeper ['krɔ(:)siŋswi:pə] straatveger.
cross-legged ['krɔ(:)slegd] met gekruiste benen.
crossness ['krɔ(:)snis] dwarsheid; slecht humeur o, verstoordheid.
crosspatch ['krɔ(:)spætʃ] F nijdas.
cross-purpose ['krɔ(:)s'pə:pəs] tegenstrijdig doel o, misverstand o; be at ~s 1 elkaar niet verstaan; 2 elkaar in 't vaarwater zitten.
cross-question ['krɔ(:)s'kwestʃən] strikvraag.
cross-reference ['krɔ(:)s'refərəns] verwijzing.
cross-road ['krɔ(:)s'roud] dwarsweg; ~s wegkruising, twee-, viersprong; dirty work at the ~s 'n vuil zaakje o.
cross-section ['krɔ(:)s'sekʃən] dwars(door)snede.
cross-street ['krɔ(:)sstri:t] dwarsstraat.
cross-way ['krɔ(:)swei] zie cross-road(s).
crossways ['krɔ(:)sweiz] zie crosswise.
crosswise ['krɔ(:)swaiz] kruisgewijze.
crossword ['krɔ(:)swə:d] in: ~ puzzle kruiswoordraadsel o.
crotchet ['krɔtʃit] 1 haakje o; 2 ♪ kwartnoot; 3 gril.
crotcheteer [krɔtʃi'tiə], crotchet-monger ['krɔtʃitmʌŋgə] fantast, maniak.
crotchety ['krɔtʃiti] grillig, vol grillen.

crouch [krautʃ] I *vi* bukken; *fig* kruipen; II *sb* gebukte (kruipende) houding.

croup [kru:p] kruis *o* [v. paard] ‖ ♄ kroep.

croupier ['kru:piə] croupier; ondervoorzitter [aan een feestmaal].

crow [krou] I *sb* 1 ♣ kraai; 2 koevoet, breekijzer *o*; 3 gekraai *o*; *a white* ～ een witte raaf; *as the* ～ *flies* hemelsbreed; *have a* ～ *to pick (pluck, pull) with a person* een appeltje met iemand te schillen hebben; II *vi* kraaien²; ～ *over him* victorie kraaien.

crowbar ['krouba:] koevoet, breekijzer *o*.

crowberry ['kroubəri] ♣ kraaiheide.

crowd [kraud] I *sb* gedrang *o*, menigte, schare, (grote) hoop, massa; figuratie [in film]; II *vi* dringen, duwen, zich verdringen, drommen; ～ *on* op de hielen volgen van; III *vt* (opeen)-dringen, (opeen)pakken, duwen; zich verdringen in (op); vullen, volproppen; ～*ed* (stamp)vol; druk; ～ *(on) sail* ♆ zeilen bijzetten; ～ *out* verdringen.

crowfoot ['kroufut] ♣ ranonkel.

crown [kraun] I *sb* kroon²; krans; kruin; top; bol [v. hoed], hoofd *o*; muntstuk *o* (van 5 shilling); kruis *o* [v. anker]; II *vt* kronen (tot), bekronen; ～ *a man sp* dam halen; *to* ～ *all* om de kroon op het werk te zetten; tot overmaat van ramp.

crown colony ['kraun'kɔləni] kroonkolonie.

crown land ['kraun'lænd] kroondomein *o*.

crow's-foot ['krouzfut] kraaiepootje *o*: rimpeltje *o* (bij de ogen).

crozier zie *crosier*.

crucial ['kru:ʃiəl] kruisvormig, kruis-; *fig* kritiek, beslissend, doorslaggevend.

crucible ['kru:sibl] smeltkroes; *fig* vuurproef.

crucifix ['kru:sifiks] crucifix *o*, kruisbeeld *o*.

crucifixion [kru:si'fikʃən] kruisiging.

cruciform ['kru:sifɔ:m] kruisvormig.

crucify ['kru:sifai] kruisen, kruisigen.

crude(ly) [kru:d(li)] rauw, ruw, grof, onbereid, ongezuiverd, onrijp; primitief.

crudeness ['kru:dnis], crudity ['kru:diti] rauwheid, ruwheid, grofheid, onrijpheid; primitiviteit.

cruel ['kruəl] I *aj* wreed; *the flies are something* ～ F de vliegen zijn verschrikkelijk, afschuwelijk; II *ad* F verschrikkelijk, afschuwelijk.

cruel-hearted ['kruəl'ha:tid] wreedaardig.

cruelty ['kruəlti] wreedheid.

cruet ['kruit] 1 (olie-, azijn)flesje *o*; 2 *RK* ampul; 3 zie *cruet-stand*.

cruet-stand ['kruitstænd] olie-en-azijnstel *o*.

cruise [kru:z] I *vi* ♆ kruisen; II *sb* ♆ kruistocht; pleziervaart (ook: *pleasure* ～).

cruiser ['kru:zə] ♆ kruiser.

cruising speed ['kru:ziŋspi:d] kruissnelheid.

crumb [krʌm] I *sb* kruim, kruimel²; II *vt* 1 kruimelen; 2 paneren.

crumb-brush ['krʌmbrʌʃ] tafelschuier.

crumble ['krʌmbl] (ver)kruimelen, brokkelen,

verbrokkelen, afbrokkelen.

crumbly ['krʌmbli] kruimelig, brokkelig.

crump [krʌmp] I *sb* 1 S slag, klap, mep; 2 (geluidnabootsend) knor; II *vt* meppen.

crumpet ['krʌmpit] 1 plaatkoek; 2 S bol: kop.

crumple ['krʌmpl] *vt* & *vi* (ver)kreukelen, kreuken, verfrommelen; verschrompelen; verbuigen; verbogen worden; in elkaar (doen) zakken (ook: ～ *up*); ～*d* ook: krom, gebogen.

crunch [krʌnʃ] I *vi* kraken, knarsen; II *vt* (knarpend) oppeuzelen; III *sb* krak.

crunchy ['krʌnʃi] knappend; krakend.

crupper ['krʌpə] 1 staartriem; 2 kruis *o* [v. paard].

crusade [kru:'seid] I *sb* kruistocht²; *fig* campagne; II *vi* een kruistocht ondernemen, te velde trekken.

crusader [kru:'seidə] kruisvaarder; *fig* deelnemer aan een campagne, strijder, ijveraar.

crush [krʌʃ] I *vt* (samen-, uit)persen, (samen-, plat)drukken; stampen [erts]; verpletteren, vernietigen, onderdrukken; verfrommelen; ～ *out* uitpersen; dempen [oproer]; II *vi* in: ～ *into* binnendringen; III *sb* verplettering; schok; gedrang *o*; grote avondpartij.

crusher ['krʌʃə] pletter, plethamer; stampmolen.

crush-hat ['krʌʃhæt] 1 klak(hoed); 2 slappe hoed.

crush-room ['krʌʃrum] foyer.

Crusoe ['kru:sou] Crusoe.

crust [krʌst] I *sb* korst, schaal, aanzetsel *o* [in een fles]; II *vi* aanzetten, een korst vormen; III *vt* met een korst bedekken.

crustacean [krʌs'teiʃiən] schaaldier *o*.

crustaceous [krʌs'teiʃəs] met een schaal, schaal-.

crusted ['krʌstid] be-, omkorst; aangezet [v. wijn]; ingeworteld [gewoonte &].

crustiness ['krʌstinis] korstigheid; *fig* korzeligheid, kribbigheid, gemelijkheid.

crusty ['krʌsti] korstig; *fig* korzelig, kribbig, gemelijk.

crutch [krʌtʃ] kruk; *fig* steun.

crutched [krʌtʃt] met een handvat (kruk).

Crutched Friars ['krʌtʃid'fraiəz] kruisheren.

crux [krʌks] 1 crux, kruis *o*; 2 zuiderkruis *o*; 3 *fig* (onoplosbare) moeilijkheid.

cry [krai] I *sb* roep, schreeuw, kreet, geroep *o*, geschreeuw *o*, gebrul *o*; geblaf *o*, gejank *o*; gehuil *o*, huilbui; *it is a far* ～ het is heel ver; *have a good* ～ eens goed uithuilen; II *vi* roepen, schreeuwen, schreien, huilen; blaffen, janken; III *vt* (uit)roepen, omroepen; ～ *halves* zijn deel opeisen; ∞ ～ *down* 1 afbreken; 2 overschreeuwen; ～ *for* roepen, schreeuwen, huilen, schreien om; van [vreugde]; ～ *for the moon* het onmogelijke verlangen; ～ *off (from a bargain)* terugkrabbelen, het laten afweten; er van afzien; ～ *out* uitroepen, het uitschreeuwen; ～ *out against* zijn stem verheffen tegen; luide protesteren tegen; ~ *over spilt milk* gedane zaken die toch geen keer nemen betreuren; ~ *to* of *unto* toe-, aanroepen; ~ *to heaven* ten hemel schreien; ~ *up* ophemelen.

cry-baby ['kraibeibi] huilebalk.

crying ['kraiiŋ] schreeuwend, hemeltergend; dringend.

crypt [kript] crypt(e), krocht.

cryptic ['kriptik] geheim, verborgen; duister.

crypto- ['kriptou] crypto-, verborgen, geheim, verkapt.

cryptogam ['kriptəgæm] ♀ bedektbloeiende plant.

cryptogram ['kriptəgræm] in geheimschrift geschreven stuk *o*.

cryptography [krip'tɔgrəfi] geheimschrift *o*.

crystal ['kristəl] I *sb* kristal *o*; II *aj* kristallen.

crystal-clear ['kristəl'kliə] kristalhelder[2]; *fig* glashelder; zonneklaar.

crystalline ['kristəlain] kristalachtig, kristallen, ○ kristallijnen; ~ *lens* kristallens.

crystallization [kristəlai'zeiʃən] kristallisatie.

crystallize ['kristelaiz] (zich) kristalliseren.

cub [kʌb] I *sb* jong *o*, welp; *fig* ongelikte beer, vlerk; II *vi* jongen werpen, jongen.

Cuba ['kju:bə] Cuba.

Cuban ['kju:bən] Cubaan(s).

cubby-hole ['kʌbihoul] huisje *o*, kamertje *o*, hoekje *o*; vakje *o*; hok *o*.

cube [kju:b] I *sb* kubus; dobbelsteen; blok, blokje *o*; × derde macht; II *vt* tot de derde macht verheffen; de inhoud berekenen van.

cubic(al) ['kju:bik(l)] kubusvormig; kubiek, derdemachts-, inhouds-.

cubicle ['kju:bikl] afgeschoten slaapkamertje *o* [v. kostschool &], kamertje *o*, hokje *o*.

cubit ['kju:bit] elleboogslengte.

cuckoo ['kuku:] ♫ koekoek.

cuckoo-flower ['kuku:flauə] ♀ 1 pinksterbloem; 2 koekoeksbloem.

cuckoo-pint ['kuku:pint] ♀ gevlekte aronskelk.

cucumber ['kju:kəmbə] komkommer.

cud [kʌd] geweekt voedsel *o* van herkauwend dier.

cuddle ['kʌdl] I *vi* dicht bij elkaar liggen; ~ *(in)* er lekker onder kruipen [in bed]; II *vt* knuffelen, „pakken".

cuddy ['kʌdi] 1 ♣ kajuit; 2 kamertje *o*; kast ‖ ezel[2].

cudgel ['kʌdʒəl] I *sb* knuppel; *take up the ~s for one* het voor iemand opnemen; II *vt* knuppelen, afrossen; ~ *one's brains* zich het hoofd breken.

cudweed ['kʌdwi:d] ♀ droogbloem.

cue [kju:] wacht, wachtwoord *o* [v. acteur]; wenk, aanwijzing ‖ ♂ keu; ⚔ staart; *give a person the ~* iemand de woorden in de mond leggen of een wenk geven; *take one's ~ from...* zich laten leiden door, de aanwijzing volgen van, zich richten naar.

cuff [kʌf] I *sb* 1 slag, klap, oorveeg; 2 opslag [v. mouw]; manchet; *off the ~ Am* geïmproviseerd, ex tempore, voor de vuist; *on the ~ Am* I op de pof; 2 voor noppes; II *vt* slaan.

cuff-link ['kʌfliŋk] manchetknoop.

cuirass [kwi'ræs] kuras *o*, (borst)harnas *o*.

cuirassier [kwirə'siə] kurassier.

cuisine [kwi'zi:n] keuken: wijze van koken.

culinary ['kju:linəri] culinair, keuken-, kook-.

cull [kʌl] plukken, uitzoeken, lezen.

culm [kʌlm] kolengruis *o* ‖ stengel, halm.

culminate ['kʌlmineit] culmineren, het toppunt bereiken.

culmination [kʌlmi'neiʃən] culminatie, hoogtepunt[2] *o*.

culpability [kʌlpə'biliti] schuldigheid, misdadigheid.

culpable ['kʌlpəbl] schuldig, misdadig.

culprit ['kʌlprit] schuldige, boosdoener.

cult [kʌlt] cultus, eredienst; aanbidding.

cultivable ['kʌltivəbl] bebouwbaar.

cultivate ['kʌltiveit] bouwen, bebouwen, bewerken; verbouwen, (aan)kweken, telen; beschaven; beoefenen; cultiveren.

cultivation [kʌlti'veiʃən] bebouwing, bewerking, verbouwen *o*, cultuur, aankweking, teelt; beschaving; beoefening.

cultivator ['kʌltiveitə] 1 bebouwer; kweker; beoefenaar; 2 wiedvork; cultivator [ploeg].

cultural ['kʌltʃərəl] cultureel.

culture ['kʌltʃə] cultuur [ook = kweek (van bacteriën)], aankweking, teelt, bebouwing; beschaving; *physical ~* lichamelijke opvoeding, lichaamsoefeningen.

cultured ['kʌltʃəd] beschaafd; ~ *pearl* gekweekte parel.

culvert ['kʌlvət] duiker [onder dijk].

cum [kʌm] cum, met; *ballet-~-opera* ballet en (tevens) opera.

cumber ['kʌmbə] belemmeren, hinderen, last veroorzaken; versperren.

cumbersome ['kʌmbəsəm], **cumbrous** ['kʌmbrəs] log, hinderlijk, lastig, omslachtig.

cummerbund ['kʌməbʌnd] brede ceintuur.

cum(m)in ['kʌmin] ♀ komijn.

cumulative ['kju:mjulətiv] cumulatief.

cumuli ['kju:mjulai] *mv* v. **cumulus** ['kju:mjuləs] 1 stapel, hoop; 2 stapelwolk.

cuneiform ['kju:niifɔ:m] wigvormig; ~ *writing* spijkerschrift *o*.

cunning ['kʌniŋ] I *aj* 1 listig, sluw; 2 handig; 3 *Am* aardig, lief, leuk; II *sb* 1 listigheid, sluwheid; 2 handigheid.

cup [kʌp] I *sb* kop, kopje *o*, beker, kroes, kelk, bokaal, schaal; nap, napje *o*, dop, dopje *o*; bakje *o*, potje *o*; holte; bowl; laatkop; *not my ~ of tea* F ik moet het (hem &) niet; *in one's ~s* F boven zijn theewater; II *vt* koppen zetten; de vorm van een beker geven; in de holte van de hand houden (opvangen); ~*ped hand* holle hand *v*; *with hands ~ped over their ears* met de handen schulpsgewijs om hun oren gelegd.

cup-bearer ['kʌpbeərə] schenker.
cupboard ['kʌbəd] kast.
Cupid ['kju:pid] Cupido; cupido.
cupidity [kju:'piditi] hebzucht.
cupola ['kju:pələ] koepel.
cuppa ['kʌpə] S kop thee.
cupping-glass ['kʌpiŋgla:s] laatkop.
cup tie ['kʌptai] sp bekerwedstrijd.
cur [kə:] 1 straathond; 2 hond, vlegel.
curability [kjuərə'biliti] geneeslijkheid.
curable ['kjuərəbl] geneeslijk.
Curaçao [kjuərə'sou] Curaçao o; c~ curaçao.
curacy ['kjuərəsi] 1 (hulp)predikantsplaats; 2 RK kapelaanschap o.
curate ['kjuərit] 1 (hulp)predikant; 2 RK kapelaan.
curative ['kjuərətiv] genezend (middel o).
curator [kju'reitə] curator; directeur; conservator.
curb [kə:b] I sb 1 kinketting; fig teugel, toom; 2 rand(steen); (trottoir)band; Am $ niet-officiële beurs, nabeurs (ook: ~ market); II vt een kinketting aandoen; beteugelen, in toom houden, intomen, bedwingen.
curbstone ['kə:bstoun] 1 randsteen; 2 trottoirband.
curd [kə:d] wrongel, dikke melk (ook: ~s).
curdle ['kə:dl] (vt &) vi (doen) klonteren; stremmen, stollen.
cure [kjuə] I sb 1 genezing; geneesmiddel o; kuur; (ziel)zorg; predikantsplaats ‖ S type o; II vt 1 genezen (van of); 2 (verduurzamen door) zulten, drogen, pekelen, roken &.
cure-all ['kjuərə:l] panacee.
curfew ['kə:fju:] avondklok; uitgaansverbod o [zich tussen bepaalde uren in de open lucht te bevinden].
curia ['kjuəriə] ⚏ curia; RK curie.
curie ['kjuəri] § curie.
curio ['kjuəriou] rariteit.
curiosity [kjuəri'ɔsiti] 1 nieuwsgierigheid, weetgierigheid; 2 curiositeit, rariteit.
curious(ly) ['kjuəriəs(li)] 1 nieuws-, weetgierig, benieuwd; 2 curieus, zeldzaam, raar.
curl [kə:l] I sb 1 krul, kronkel(ing); ⚓ krulziekte; II vt krullen, kronkelen, rimpelen; minachtend optrekken of omkrullen (ook: ~ up); III vi (om)krullen, (ineen)kronkelen, rimpelen (ook: ~ up); ~ up zich oprollen; ineenkrimpen; in elkaar zakken.
curler ['kə:lə] krulpen; krulijzer o.
curlew ['kə:lju:] ⚏ wulp.
curling ['kə:liŋ] sp ijswerpen o: balspel op het ijs.
curling-iron ['kə:liŋaiən] krulijzer o.
curl-paper ['kə:lpeipə] papillot.
curly ['kə:li] krullend, gekruld, krul-, kroes-; ~-head, ~-pate krullebol.
curmudgeon [kə:'mʌdʒən] 1 vrek; 2 iezegrim.
currant ['kʌrənt] 1 krent; 2 ⚓ aalbes; black & ~s zwarte & bessen; dried ~s krenten.
currency ['kʌrənsi] (om)loop, circulatie, looptijd [v. wissels], gangbaarheid; ruchtbaarheid; (gang)baar geld o, munt(soort), betaalmiddel o, valuta, deviezen; ~ note zilverbon, muntbiljet o; ~ reform geldzuivering, -sanering.
current ['kʌrənt] I aj courant, gangbaar, in omloop, lopend; algemeen verspreid of aangenomen; actueel, van de dag; tegenwoordig, laatst (verschenen) [nummer]; be (go, pass, run) ~ gangbaar[2] of in omloop zijn; II sb stroming, stroom, loop, gang; alternating ~ 📶 wisselstroom; continuous (direct) ~ 📶 gelijkstroom; low-tension ~ 📶 zwakstroom.
currently ['kʌrəntli] ad 1 algemeen; 2 geregeld, alsmaar; 3 tegenwoordig.
curricle ['kʌrikl] licht tweewielig rijtuigje o.
curricula [kə'rikjulə] mv v. **curriculum** [kə'rikjuləm] cursus, programma o, leerplan o.
currier ['kʌriə] leerbereider, leertouwer.
currish(ly) ['kə:riʃ(li)] honds, rekelachtig.
1 **curry** ['kʌri] I sb kerrie; kerrieschotel; II vt met kerrie bereiden.
2 **curry** ['kʌri] vt [leer] bereiden, touwen; roskammen; afrossen; ~ favour with one iemands gunst zoeken te winnen.
curry-comb ['kʌrikoum] roskam.
curse [kə:s] I vi vloeken; II vt uit-, vervloeken; ~ with bezoeken met; III sb vloek, vervloeking, verwensing.
cursed ['kə:sid] vervloekt.
cursive ['kə:siv] lopend (schrift o).
cursorily ['kə:sərili] ad zie cursory.
cursory ['kə:səri] aj terloops (gedaan of gemaakt), vluchtig, haastig.
curst [kə:st] zie cursed.
curt [kə:t] aj kort, kort en bondig, kortaf, bits.
curtail [kə:'teil] korten, besnoeien, beknotten, beperken, verminderen, beroven (van of).
curtailment [kə:'teilmənt] korten o, besnoeiing, beknotting, beperking, vermindering.
curtain ['kə:t(i)n] I sb 1 gordijn o & v, schuifgordijn o, overgordijn o; scherm o, doek o; ~! tableau!; II vt behangen met gordijnen; ~ off afschieten met een gordijn.
curtain lecture ['kə:t(i)nlektʃə] bedsermoen o.
curtain-raiser ['kə:t(i)nreizə] voorstuk o [op het toneel].
curtain-rod ['kə:t(i)nrɔd] gordijnroede.
curtly ['kə:tli] ad zie curt.
curts(e)y ['kə:tsi] I sb revérence; drop a ~ = II vi een revérence maken.
curvaceous [kə:'veiʃəs] mollig slank.
curvature ['kə:vətʃə] boog, kromming; ~ of the spine ruggegraatsverkromming.
curve [kə:v] I sb kromming, kromme (lijn), bocht; § curve; II vi een bocht maken, buigen, zich krommen; III vt (om)buigen, krommen.
curvilinear [kə:vi'liniə] kromlijnig.
cushion ['kuʃən] I sb kussen o; kussentje o; ⚏ band; II vt van kussens voorzien; op een kussen laten zitten; in de doofpot stoppen,

smoren; ∞ bij de band brengen; opvangen [de slag], breken [de val], verzachten; *fig* steunen.

cushion-tire ['kuʃəntaiə] massieve band.

cushy ['kuʃi] S jofel, fijn, makkelijk.

cusp [kʌsp] punt; horen [v. d. maan].

cuss [kʌs] P I *sb* I vloek; 2 kerel; *not a (tinker's)* ~ geen snars; II (*vt* &) *vi* (ver-, uit)vloeken.

cussed ['kʌsid] P vervloekt; S balorig.

custard ['kʌstəd] vla [v. eieren en melk].

custodian [kʌs'toudiən] bewaker, custos, conservator [v. museum]; voogd.

custody ['kʌstədi] bewaring, bewaking, hoede, zorg, voogdij; hechtenis.

custom ['kʌstəm] I *sb* gewoonte, gebruik *o*; clientèle, klandizie, nering; ~s douane; douanerechten; II *aj Am* speciaal (gemaakt), op maat, maat- [v. kleding &].

customary ['kʌstəməri] gewoon, gebruikelijk.

custom-built ['kʌstəm'bilt] zie *custom* II.

customer ['kʌstəmə] klant; *an ugly* ~ F een kwaaie korporaal, een lastige klant.

custom(s)-house ['kʌstəm(z)haus] douanekantoor *o*, douane; ~ *officer* douanebeambte, commies.

cut [kʌt] I *vt* snijden², af-, aan-, be-, door-, stuk-, open-, uitsnijden; verminderen, verlagen [prijzen]; afschaffen [ter bezuiniging]; couperen, afnemen; (af-, door)knippen; hakken, (af)kappen; maaien [zoden] steken, [een dijk] doorsteken; (door)graven; doorhakken; (door)klieven; banen [een weg]; [glas] slijpen; af-, verbreken; weglaten; *fig* negeren, wegblijven van [les &], eraan geven; ~ *capers* bokkesprongen maken; ~ *his comb* hem op zijn nummer zetten; ~ *a dash* vertoon (geur) maken; ~ *it* aan de haal gaan; ~ *it fat* opsnijden; ~ *jokes* moppen tappen; ~ *lots* loten; ~ *one's stick* F 'm smeren; ~ *its teeth* tanden krijgen; II *vi* snijden, couperen; zich laten snijden; aanslaan [v. paard]; P er vandoor gaan (~ *and run*); vliegen, rennen; ~ *both ways* van twee kanten snijden; ∞ ~ *across* doorsnijden; (dwars) oversteken; *fig* ingaan tegen; ~ *at one* steken of een uitval doen naar; ~ *away* wegsnijden; ~ *back* I snoeien; besnoeien; 2 terugkeren naar een vorig beeld of toneel [in film]; ~ *down* verminderen, besnoeien²; vellen; ~ *in* insnijden; in de rede vallen, invallen; ~ *off* afsnijden²; wegmaaien; afknippen, afhakken, afslaan; afzetten [ledema ˈen; motor]; afsluiten [gas &]; afbreken [onderhandelingen]; ~ *off with a shilling* onterven; ~ *out* (uit)knippen, uitsnijden; uitsluiten; verdringen, een beentje lichten; achterwege laten, couperen; F uitscheiden (ophouden) met; uitschakelen; afslaan, weigeren [v. motor]; zie ook: *work* IV; *be* ~ *out for* geknipt zijn voor; ~ *under* onderkruipen; ~ *up* (stuk)snijden, hakken, knippen, versnijden; verdelen; *fig*

afmaken, afbreken; in de pan hakken; *be* ~ *up by* ontdaan, kapot zijn van; ~ *up rough* (*rusty*) boos of nijdig worden; ~ *up well* (*fat*) flink wat nalaten; III *aj* gesneden; los [bloemen]; geslepen [glas]; ~ *price* sterk verlaagde prijs, spotprijs; ~ *and dry* (*dried*) vooraf pasklaar gemaakt [theorieën], oudbakken; kant en klaar [plannen]; IV *sb* snede, knip, hak, houw, slag, tik [met zweep]; stuk, (stuk) vlees; *fig* veeg uit de pan; snit, coupe, fatsoen *o*; houtsnede, plaat; couperen *o* [kaarten]; coupure; vermindering, verlaging [v. prijs, loon]; *whose* ~ *is it?* ◊ wie moet afnemen?; *a short* ~ een kortere weg; *a* ~ *above* een graadje hoger dan; V V.T. & V.D. van ~.

cut-away ['kʌtəwei] jacquet *o* & *v*.

cute [kju:t] F I spits, pienter, bijdehand; 2 *Am* lief, snoezig.

cuticle ['kju:tikl] opperhuid; vliesje *o*; nagelriem.

cutie ['kju:ti] *Am* F snoes, meisje *o*. [riem.

cutlass ['kʌtləs] kortelas; hartsvanger.

cutler ['kʌtlə] messenmaker.

cutlery ['kʌtləri] messenmakerij; messen, scharen enz.

cutlet ['kʌtlit] kotelet, karbonade.

cut-out ['kʌtaut] I schakelaar; 2 vrije uitlaat [v. motor]; 3 uitknipsel *o*.

cutpurse ['kʌtpə:s] (gauw)dief.

cutter ['kʌtə] I snijder; coupeur; 2 (snij)mes *o*, snijmachine; snijbrander; frees; 3 houwer, hakker; 4 kotter, boot.

cut-throat ['kʌtθrout] I *sb* moordenaar; J ouderwets scheermes *o*; II als *aj* in: ~ *competition* moordende concurrentie.

cutting ['kʌtiŋ] I *aj* I snijdend, scherp, bijtend, vinnig; 2 snij-; II *sb* ① stek; uitknipsel *o*; (afgesneden, afgeknipt) stuk *o*, coupon [v. stof]; snijden *o*, knippen *o* &; doorgraving; holle weg; doorkomen *o* [v. tanden].

cuttle(-fish) ['kʌtl(fiʃ)] inktvis.

cutty ['kʌti] F neuswarmertje *o*.

cutwater ['kʌtwɔ:tə] scheg.

cwt. = *hundredweight*.

cybernetic [saibə'netik] I *aj* cybernetisch; II *sb* ~s cybernetica: stuurkunde.

Cyclades ['siklədi:z] Cycladen.

cyclamen ['sikləmən] ① cyclaam, cyclamen, alpenviooltje *o*.

cycle ['saikl] I *sb* I tijdkring, kringloop; 2 cyclus; 3 rijwiel *o*, fiets; ~ *per second* hertz; II *vi* I in een kring ronddraaien; 2 fietsen.

cycle-track ['saikltræk], **cycling-track** ['saikliŋtræk] I fietspad *o*; 2 wielerbaan.

cyclist ['saiklist] wielrijder, fietser.

cyclone ['saikloun] cycloon.

cyclonic [sai'klonik] cycloonachtig, cycloon-.

cyclopaedia [saiklə'pi:diə] encyclopedie.

cyclops ['saiklɔps] cycloop.

cyclostyle ['saikləstail] I *sb* cyclostyle; II *vt* cyclostyleren.

cyclotron ['saiklətrɔn] cyclotron *o*.

cygnet ['signit] ① jonge zwaan.

cylinder ['silində] cilinder, wals, rol.
cylindrical [si'lindrikl] cilindervormig.
cymbal ['simbəl] ♪ cimbaal, bekken o.
cymbalist ['simbəlist] ♪ cimbalist, bekkenist.
ynic ['sinik] I aj cynisch; II sb cynisch wijsgeer; cynicus.
cynical ['sinikl] cynisch.
cynicism ['sinisizm] cynisme o.
cypher ['saifə] zie cipher.
cypress ['saipris] ♣ cipres.
Cyprian ['sipriən] I aj Cyprisch, van Cyprus; II sb Cyprioot; fig lichtmis.
Cypriot ['sipriət] I aj Cyprisch; II sb Cyprioot.
Cyprus ['saiprəs] Cyprus o.
cyst [sist] cyste: blaas, beursgezwel o.
cytology [sai'tolədʒi] cytologie: celleer.
Czar [za:] tsaar.
Czarina [za:'ri:nə] tsarina.
Czech [tʃek] Tsjech(isch).
Czechoslovak ['tʃekou'slouvæk] Tsjechoslowaak(s).
Czechoslovakia ['tʃekouslou'vækiə] Tsjechoslowakije o.

D

d [di:] 1 (de letter) d; 2 ♪ d of re; D = 500 [als Romeins cijfer]; **d.** = *denarius, penny* of *denarii, pence.*
'd = *had, would.*
d-(d) [di:(d)] zie *damned.*
dab [dæb] I sb tikje o, por; klompje o, spat, kwak ‖ 🐟 schar ‖ F piet, kraan (in *at*); II vt & vi (aan)tikken; betten; ~ *at* betasten of even bestrijken.
dabble ['dæbl] I vt bespatten, nat maken, plassen met; II vi plassen, ploeteren [in water]; doen aan, liefhebberen (in *in*).
dabbler ['dæblə] beunhaas, knoeier.
dace [deis] 🐟 serpeling.
dachshund ['dækshund] 🐾 taks, tekkel.
dactyl ['dæktil] dactylus.
dad, daddy [dæd, 'dædi] F pa, paatje.
daddy-long-legs ['dædi'loŋlegz] 1 langpootmug; 2 hooiwagen [spin]; 3 langbeen.
dado ['deidou] lambrizering, beschot o.
daffodil ['dæfədil] ♣ gele narcis.
daft [da:ft] dwaas, dom, mal, gek.
dagger ['dægə] dolk; kruisje o (†); *be at* ~*s drawn* op uiterst gespannen voet staan.
daguerreotype [də'gerətaip] daguerreotype.
dahlia ['deiljə] ♣ dahlia.
Dail (Eireann) [dɔil('ɛərən)] Lagerhuis o van Eire.
daily ['deili] I aj (& ad) dagelijks, dag-; II sb 1 dagblad o; 2 F dagmeisje o.
daintily ['deintili] ad zie *dainty* I.
daintiness ['deintinis] fijnheid, sierlijkheid, keurigheid; lekkerheid; kieskeurigheid.

dainty ['deinti] I aj fijn, sierlijk, keurig; aardig; lekker; kieskeurig; II sb lekkerbeetje o, lekkernij.
dairy ['dɛəri] melkhuis o, melkinrichting, melkerij, zuivelfabriek.
dairy-farm ['dɛərifɑ:m] melkerij, zuivelbedrijf o.
dairymaid ['dɛərimeid] melkmeid.
dairyman ['dɛərimən] melk-, zuivelboer.
dairy produce ['dɛəriprɒdju:s] zuivelprodukten.
dais ['deiis] estrade.
daisy ['deizi] I sb ♣ madeliefje o; S dot; prachtstuk o; II als aj S prima, pracht-.
dale [deil] dal o.
dalesman ['deilzmən] dalbewoner [in 't N.].
dalliance ['dæliəns] 1 dartelen o, stoeien o, mallen o; 2 beuzelarij; 3 getalm o.
dally ['dæli] I vi dartelen, stoeien, mallen; beuzelen; talmen; II vt in: ~ *away* verbeuzelen.
Dalmatia [dæl'meiʃiə] Dalmatië o.
Dalmatian [dæl'meiʃiən] I aj Dalmatisch; II sb 1 Dalmatiër; 2 Dalmatische hond.
dalmatic [dæl'mætik] dalmatiek.
dam [dæm] I sb dam, dijk; ingesloten water o ‖ moer [v. dier]; II vt ~ (*up*) een dam opwerpen tegen², afdammen, bedijken; stuiten.
damage ['dæmidʒ] I sb schade, beschadiging, averij; S kosten; ~s schadevergoeding; II vt beschadigen, havenen, toetakelen; schaden, in diskrediet brengen.
damaging ['dæmidʒiŋ] fig nadelig, schadelijk, bezwarend, ongunstig.
damascene [dæmə'si:n] damasceren.
damask ['dæməsk] I sb damast o; damascener staal o; zacht rood o; II aj damasten; damascener; III vt damasceren; figuren weven in; rood kleuren.
damaskeen [dæməs'ki:n] damasceren.
dame [deim] 1 vrouw(e), moeder, moedertje o; 2 (school)matres; leraar-kostbaas; 3 wettelijke titel v. vrouw van *knight* of *baronet*; vrouwelijk lid o van de *Order of the British Empire*; 4 Am griet, meisje o.
damn [dæm] I vi vloeken; II vt (ver-, uit)vloeken; verdoemen; veroordelen; in diskrediet brengen, onmogelijk maken; afbreken; ~ *it!* vervloekt!; ~ *the rain!* die vervloekte regen!; III sb vloek; *it is not worth a* (*tinker's*) ~ P het is geen duit waard; IV aj & ad P vervloekt.
damnable ['dæmnəbl] aj verdoemelijk, vloekwaardig; F vervloekt; afschuwelijk.
damnably ['dæmnəbli] ad zie *damnable.*
damnation [dæm'neiʃən] verdoemenis, verdoeming; ~! (wel) vervloekt!
damnatory ['dæmnətəri] verdoemend, veroordelend, afkeurend.
damned [dæmd] vervloekt, verdoemd.
damning ['dæmiŋ] fig bezwarend, vernietigend.
Damocles ['dæməkli:z] Damocles.
damp [dæmp] I aj vochtig, klam; II sb vocht o & v, vochtigheid; mijngas o; neerslachtig-

heid; III *vt* vochtig maken; doen bekoelen of verflauwen, temperen²; ~ *down* temperen door toedekken met as .&; IV *vi* in: ~ *off* verrotten en afvallen [v. scheut &].

damper ['dæmpə] bevochtiger; (toon)demper; sleutel, schuif [in kachelpijp]; *fig* 1 teleurstelling; 2 spelbederver; *put a* ~ *on* temperen.

dampish ['dæmpiʃ] ietwat vochtig.

damp-proof ['dæmppru:f] tegen vocht bestand.

damsel ['dæmzəl] 1 dame, dametje *o*, juffer, jonge deern; 2 ⊙ jonkvrouw.

damson ['dæmzn] ✿ damastpruim, kwets.

dance [da:ns] I *vi* dansen; ~ *to his piping (tune)* naar zijn pijpen dansen; II *vt* (laten) dansen; ~ *attendance on* antichambreren bij, achternalopen; III *sb* dans(partij), dansavondje *o*; dansje *o*; *lead the* ~ voordansen; *lead one a (jolly)* ~ ongenadig trakteren, er van laten lusten.

dancer ['da:nsə] 1 danser; 2 danseres.

dancing ['da:nsiŋ] gedans *o*, dans.

dancing-card ['da:nsiŋka:d] balboekje *o*.

dancing-room ['da:nsiŋrum] danszaal.

dandelion ['dændilaiən] ✿ paardebloem.

dander ['dændə] S boosheid, slecht humeur *o*; *he got my* ~ *up* hij maakte mij woedend; *he got his* ~ *up* hij werd woedend.

dandiacal [dæn'daiəkl] zie *dandyish*.

dandify ['dændifai] fatterig opdirken, adoniseren, mooi maken.

dandle ['dændl] laten dansen op de knie, dodijnen; liefkozen; vertroetelen.

dandruff ['dændrəf] roos [op het hoofd].

dandy ['dændi] I *sb* 1 dandy, fat; 2 ⚓ soort sloep; II *aj* fatterig; „fijn".

dandyish ['dændiiʃ] fatterig.

dandyism ['dændiizm] fatterigheid.

Dane [dein] 1 Deen; Deense dog (ook: *Great* ~); 2 Noorman.

danger ['dein(d)ʒə] gevaar *o*; ~! „gevaarlijk"!; ~ *point* gevaarlijk punt *o*; ~ *signal* onveilig sein *o*.

dangerous(ly) ['dein(d)ʒərəs(li)] gevaarlijk.

dangle ['dæŋgl] I *vi* slingeren, bengelen, bungelen; ~ *about (after, round)* achternalopen; II *vt* laten bengelen, zwaaien met; ~ *it before his eyes fig* het hem voorspiegelen, er hem lekker mee maken.

dangler ['dæŋglə] leegloper; naloper.

Daniel ['dænjəl] Daniël.

Danish ['deiniʃ] Deens.

dank [dæŋk] vochtig.

Danube ['dænju:b] Donau.

Daphne ['dæfni] Daphne; *d*~ ✿ peperboompje *o*.

dapper ['dæpə] vlug, wakker, vief; keurig.

dapple ['dæpl] I *vt* (be)spikkelen; II *aj* bespikkeld, gespikkeld.

dapple-grey ['dæpl'grei] I *aj* appelgrauw; II *sb* ⚘ appelschimmel.

Dardanelles [da:də'nelz] Dardanellen.

dare [dɛə]durven, het wagen; trotseren, tarten, uitdagen; *I* ~ *say* ik denk, denk ik, zeker, wel.

dare-devil ['dɛədevl] I *sb* waaghals, durfal; II *aj* roekeloos, doldriest.

daring ['dɛəriŋ] I *aj* stout(moedig), koen, vermetel, gewaagd, gedurfd; II *sb* stout(moedig)heid, vermetelheid, koenheid, durf.

dark [da:k] I *aj* duister², donker²; *fig* somber; snood; geheimzinnig; *keep* ~ zich verborgen houden; *keep it* ~ het geheim houden; *the* ~ *ages* de middeleeuwen; II *sb* donker *o*, duister *o*, duisternis, duisterheid; donkere partij [v. schilderij]; *at* ~ bij invallende duisternis; *keep one in the* ~ iemand in onwetendheid laten.

darken ['da:kn] I *vi* donker (duister) worden; II *vt* donker (duister) maken, verdonkeren, verduisteren; *you shall never* ~ *my door(s) again* je zal nooit een voet meer over mijn drempel zetten.

⊙**darkle** ['da:kl] donker, duister, somber worden; verborgen liggen.

⊙**darkling** ['da:kliŋ] in het duister; duister².

darkly ['da:kli] *ad* zie *dark* I.

darkness ['da:knis] duisternis, duisterheid, duister *o*, donker *o*, donkerheid.

⊙**darksome** ['da:ksəm] duister, donker.

darky ['da:ki] F neger, zwartje *o*.

darling ['da:liŋ] I *sb* lieveling; F schat, dot; II *aj* geliefkoosd, geliefd, lief.

1 **darn** [da:n] I *vt* stoppen, mazen; II *sb* stop, gestopte plaats.

2 **darn** [da:n] P zie *damn*.

darnel ['da:nəl] ✿ dolik.

darning-needle ['da:niŋni:dl] stopnaald.

dart [da:t] *sb* schicht, pijl, werpspies; sprong, worp; ~*s sp* vogelpik [werpspel]; II *vt* schieten, werpen; III *vi* in: ~ *at* af-, aanvliegen op; ~ *away* wegschieten; ~ *in* naar binnen stormen (vliegen); ~ *on* losstormen op; ~ *out* naar buiten stormen, snellen; ~ *up* opvliegen.

Darwinian [da:'winiən] darwinist(isch).

dash [dæʃ] I *vi* kletsen, spatten; ~ *against* (aan)bonzen, kwakken tegen; ~ *at* aanvliegen op; ~ *away* wegschieten; ~ *into* aanbotsen tegen; ~ *off* voort-, wegstuiven; ~ *on* voortstormen; ~ *up* komen aanstuiven; ~ *upon one* aan-, losstormen; II *vt* werpen, smijten; slaan; besprenkelen, bespatten; mengen [wijn met water]; verpletteren, terneerslaan, teleurstellen, de bodem inslaan; verijdelen; onderstrepen; ~ *it!* P verdikkeme!; ~ *away tears* wegwissen; ~ *down (off) a few lines* op papier gooien; ~ *in* inslaan; ~ *out* doorstrepen; III *sb* slag, stoot; klets; tikje *o*; scheutje *o* [bier &]; veeg [verf]; ✂ plotselinge aanval; *fig* zwier, elan *o*, durf; streepje *o*, (—); ~ *of the pen* pennestreek; *make a* ~ *for...* in vliegende vaart zien te bereiken; zie ook: *cut* I.

dash-board ['dæʃbɔ:d] 1 spatbord o; 2 schutbord o, instrumentenbord o [v. auto &].
dashed [dæʃt] P vervloekt.
dasher ['dæʃə] 1 karnstok; 2 F geurmaker.
dashing ['dæʃiŋ] onstuimig; kranig, flink; zwierig, chic.
dastard ['dæstəd] I sb lafaard; II aj laf.
dastardly ['dæstədli] lafhartig.
data ['deitə] mv v. datum.
date [deit] I sb dadel(palm) ‖ datum, dagtekening; jaartal o; tijdstip o; ☉ (leef)tijd, ✎ duur; Am 1 afspraak, afspraakje o; 2 meisje o; out of ~ uit de tijd, ouderwets, verouderd; to ~ tot (op) heden; under ~ June 1 gedagtekend 1 juni; up to ~ tot (op) heden; op de hoogte (van de tijd); „bij"; modern; zie ook: bring; II vt dateren; dagtekenen; Am een afspraak(je) maken met; ~ from rekenen van af; III vi verouderen; Am een afspraak(je) maken; ~ back to, ~ from dateren uit (van).
dateless ['deitlis] ongedateerd; ☉ onheuglijk; tijdeloos.
date-line ['deitlain] 1 datumlijn, datumgrens; 2 regel met datum (en plaats).
date-palm ['deitpa:m] dadelpalm.
dative ['deitiv] datief, derde naamval.
datum ['deitəm] gegeven o.
daub [dɔ:b] I vt smeren, besmeren, bepleisteren, bekladden, kladden; II vi kladschilderen, kladden; III sb veeg; pleister(werk) o; kladschilderij.
daub(st)er ['dɔ:b(st)ə] kladschilder.
dauby ['dɔ:bi] knoeierig [v. schilderij].
daughter ['dɔ:tə] dochter².
daughter-in-law ['dɔ:tərinlɔ:] schoondochter.
daughterly ['dɔ:təli] als (van) een dochter.
daunt [dɔ:nt] afschrikken, ontmoedigen; nothing ~ed onversaagd.
dauntless ['dɔ:ntlis] onverschrokken.
dauphin ['dɔ:fin] dauphin.
David ['deivid] David.
davit ['dævit] ⚓ davit.
Davy Jones ['deivi'dʒounz] in: go to ~'s locker naar de haaien gaan.
daw [dɔ:] ⚡ kauw.
dawdle ['dɔ:dl] I vi treuzelen, talmen, beuzelen; slenteren; II vt in: ~ away verbeuzelen; III sb treuzel, beuzelaarster.
dawn [dɔ:n] I sb dageraad²; 't aanbreken, gloren o van de dag; II vi licht worden; dagen, aanbreken, gloren; it ~ed upon me het werd mij duidelijk.
dawning ['dɔ:niŋ] dageraad²; oosten o.
day [dei] 1 dag, daglicht o; jour; tijd; 2 overwinning; ~s of grace respijtdagen; she is fifty if she is a ~ zij is op zijn minst vijftig; it is early ~s yet to... het is nu nog wel wat vroeg om..., nog de tijd niet om...; it will be a long ~ before... het zal lang duren eer...; the ~ is ours de zege is ons; call it a ~ S (laten we) ermee uitscheiden; lose (win) the ~ de slag verliezen (winnen); make a ~ of it het er

een dagje van nemen; zie ook: carry & name; at this ~ op heden; by ~, overdag; ~ by ~ dag aan dag; in the ~ overdag; in my ~ in mijn tijd; on his ~ als hij zijn (goede) dag heeft; to this ~ tot op heden; zie ook: this; ~ in ~ out dag in dag uit; one ~ op zekere dag; eenmaal, eens; all (the) ~, all ~ long de gehele dag; a ~ after the fair te laat.
day-boarder ['deibɔ:də] ☞ half-interne leerling.
daybook ['deibuk] 1 dagboek o; 2 memoriaal o.
day-boy ['deibɔi] ☞ externe leerling.
daybreak ['deibreik] 't aanbreken v. d. dag.
day-dream ['deidri:m] mijmering, dromerij.
day-labourer ['deileibərə] dagloner.
daylight ['deilait] daglicht o, dag.
day-nursery ['deinə:səri] kinderbeawarplaats.
☉day-spring ['deispriŋ] dageraad.
day-star ['deista:] morgenster.
day's-work ['deiz'wə:k] 1 ⚓ middagbestek o; 2 dagtaak; it is all in the ~ het hoort er zo bij.
day-time ['deitaim] dag; in the ~ overdag.
day-to-day ['deitə'dei] van dag tot dag; dagelijks.
daze [deiz] I vt verblinden; verdoven, bedwelmen; doen duizelen; verbijsteren; ~d ook: als versuft; II sb verblinding; verdoving, bedwelming; verbijstering.
dazzle ['dæzl] I vt verblinden²; verbijsteren; II sb verblinding²; verbijstering.
D.C. = Direct Current.
D.D. = Doctor of Divinity.
D-day ['di:dei] ✂ D-dag: de dag voor het beginnen van een operatie (inz. van de Invasie op 6 juni 1944); fig de grote dag.
deacon ['di:kən] diaken; ouderling; geestelijke in rang volgend op priest.
deaconess ['di:kənis] diacones.
deaconry ['di:kənri], **deaconship** ['di:kənʃip] diakenschap o.
dead [ded] I aj dood; (af)gestorven, overleden; doods; uitgedoofd, dof, mat; ✂ niet ingeschakeld, uitgevallen, stroomloos, leeg [accu]; absoluut, compleet, totaal [fiasco &]; ~ and gone ter ziele, dood; there was a ~ calm 't was bladstil; a ~ certainty absolute zekerheid; ~ centre dood punt o; ~ coal dove kool; ~ door (window) blinde deur (venster o); in ~ earnest in alle ernst; ~ end doodlopend eind o; dood spoor² o, zie ook: blind (I) alley; ~ heat sp loop & waarbij de deelnemers gelijk eindigen, kamp zijn; ~ letter onbestelbare brief; dode letter [v. wet]; on a ~ level volkomen vlak; he is a ~ man hij is een kind des doods; the ~ season de slappe tijd; he is a ~ shot hij mist nooit; ~ steam afgewerkte stoom; ~ water stilstaand water o; kielwater o; as ~ as a (the) dodo (as a doornail, as mutton &) zo dood als een pier, morsdood; I wouldn't be seen ~ with... F ik zou me voor geen geld willen vertonen met...; II

ad dood, < absoluut, compleet, totaal; vlak; plotseling [ophouden &]; ~ *drunk* smoordronken; ~ *slow* zeer langzaam; ~ *sure* zo zeker als wat; **III** *sb* dode(n); stilte; *the ~ of night* het holle van de nacht; *the ~ of winter* het hartje van de winter.

dead-alive ['dedə'laiv] dood(s).

dead-beat ['ded'bi:t] I *aj* doodop; II *sb Am* klaploper.

deaden ['dedn] dempen, temperen, verzwakken, verdoven; af-, verstompen.

deadline ['dedlain] grens(lijn); (tijds)limiet, (uiterste, fatale) termijn.

deadlock ['dedlɔk] I *sb* slot *o* zonder veer; *at a ~* op het dode punt, in een impasse; II *vi* op het dode punt komen, in een impasse geraken; III *vt* vastzetten, doen vastlopen.

deadly ['dedli] dodelijk, doods; < vreselijk.

dead-march ['ded'ma:tʃ] ♪ treurmars.

deadness ['dednis] doodsheid².

dead-nettle ['ded'netl] ✿ dovenetel.

dead pan ['ded'pæn] *Am* effen, uitgestreken gezicht *o*.

dead-pan ['dedpæn] *Am* onverstoorbaar, onbewogen, effen; doodleuk.

dead-reckoning ['ded'rekniŋ] ⚓ gegist bestek *o*.

dead weight ['ded'weit] eigen gewicht *o*; ⚓ laadvermogen *o*; *fig* zware (drukkende) last.

deaf [def] doof² (voor *to*); *as ~ as a post* zo doof als een pot (kwartel); ~ *and dumb* doofstom; ~ *of (in) an ear* doof aan één oor; *turn a ~ ear to* zich doof houden (doof blijven) voor.

deaf-aid ['defeid] hoorapparaat *o*.

deafen ['defn] doof maken; verdoven, dempen; ~*ing* ook: oorverdovend.

deaf-mute ['def'mju:t] doofstomme.

deafness ['defnis] doofheid.

1 **deal** [di:l] *sb* hoeveelheid; *a ~* F een boel; *a great (good) ~ (of)* heel wat, heel veel ‖ geven *o* [bij het kaarten]; transactie; *do (make) a ~* een koop sluiten; *give a person a fair (square) ~* iemand eerlijk behandelen ‖ grene-, vurehout *o*; vurehouten plank.

2 **deal** [di:l] I *vt* uitdelen (ook: ~ *out*); ronddelen (ook: ~ *round*); toe-, bedelen; toebrengen; geven [de kaarten]; II *vi* uitdelen; geven; handelen; ~ *at N's* bij N. (alles) kopen of halen; ~ *well (ill) by* goed (slecht) bejegenen; ~ *in* handel drijven in, doen in of aan; F zich inlaten met; ~ *with* handel drijven met, kopen bij; omgaan met, te doen hebben met; zich bezighouden met; behandelen, bejegenen, aanpakken; afrekenen met; het hoofd bieden aan; verwerken [bestellingen].

dealer ['di:lə] I uitdeler; gever [v. kaarten]; 2 $ koopman, handelaar; dealer.

dealing ['di:liŋ] (be)handeling, handelwijze; ~*s* transacties, zaken; relaties, omgang; *have (no) ~s with* (niets) te maken hebben met.

dealt [delt] V.T. & V.D. van *deal*.

dean [di:n] I deken; 2 domproost; 3 ✿ hoofd *o* (v. faculteit); 4 doyen, oudste; ~ *and chapter* domkapittel *o*.

deanery ['di:nəri] I decanaat *o*; 2 proosdij.

deanship ['di:nʃip] decanaat *o*.

dear [diə] I *aj* lief, waard, dierbaar; duur, kostbaar; *Dear Sir* Geachte heer; II *ad* duur; III *ij* in: ~ *me!*, ~, ~! *oh—! oh*, och!, o jee!, lieve hemel!; II *sb* lieve, liefste; schat; *do, there's a ~* dan ben je een beste.

dearie ['diəri] zie *deary*.

dearly ['diəli] *ad* I duur; 2 innig, zeer, dolgraag.

dearness ['diənis] I dierbaarheid; 2 duurte.

dearth [də:θ] I schaarsheid (en duurte); 2 schaarste, nood, gebrek *o* (aan *of*).

deary ['diəri] F liefje *o*, schat; ~ *me!* gunst!

death [deθ] dood; (af)sterven *o* overlijden *o*; sterfgeval *o*; *be at ~'s door* de dood nabij zijn; *be the ~ of a person* I iemands dood zijn; 2 iemand zich dood laten lachen; *be ~ on* dol (fel) zijn op; *it is ~ to...* op... staat de dood(straf); *to ~* dodelijk, dood-; *put (do) to ~* ter dood brengen, doden; *to the ~* tot de dood (toe), tot in de dood; *war to the ~* op leven en dood.

death-bed ['deθbed] doodsbed *o*, sterfbed *o*.

death-blow ['deθblou] dodelijke slag, genadeslag.

death-duties ['deθdju:tiz] successierechten.

deathless ['deθlis] onsterfelijk.

deathlike ['deθlaik] doods, dodelijk.

deathly ['deθli] doods, dodelijk, dood(s)-.

death-mask ['deθma:sk] dodenmasker *o*.

death-rate ['deθreit] sterftecijfer *o*.

death-rattle ['deθrætl] gerochel *o*.

death's-head ['deθshed] doodshoofd *o*.

death-trap ['deθtræp] levensgevaarlijke plaats, val.

death-warrant ['deθwɔrənt] bevelschrift *o* tot voltrekking van het doodvonnis.

death-watch ['deθwɔtʃ] doodskloppertje *o*.

debar [di'ba:] uitsluiten (van *from*), onthouden, weigeren, verhinderen.

debark [di'ba:k] (zich) ontschepen.

debarkation [di:ba:'keiʃən] ontscheping.

debase [di'beis] I vernederen, verlagen; 2 vervalsen [munt].

debasement [di'beismənt] I vernedering, verlaging; 2 vervalsing.

debatable [di'beitəbl] betwist(baar).

debate [di'beit] I *sb* debat *o*; woordenstrijd; II *vt* debatteren over, bespreken; overleggen; betwisten; III *vi* debatteren; redetwisten.

debater [di'beitə] debater.

debauch [di'bɔ:tʃ] I *vt* verleiden, bederven; II *sb* ongebondenheid, uitspatting(en).

debauched [di'bɔ:tʃt] liederlijk.

debauchee [debɔ:'(t)ʃi:] lichtmis, brasser.

debauchery [di'bɔ:tʃəri] liederlijkheid; uitspatting(en).

debenture [di'bentʃə] I $ verklaring van uit-

voer omtrent op drawback recht hebbende goederen; 2 schuldbrief, obligatie.
debilitate [di'biliteit] verzwakken.
debilitation [dibili'teiʃən] verzwakking.
debility [di'biliti] zwakheid, zwakte.
debit ['debit] I *sb* $ debet *o*, debetzijde; II *vt* debiteren (voor *with*); ~ ...*against* (*to*) him hem debiteren voor...
debonair [debə'nɛə] joviaal, heus, minzaam, voorkomend.
Deborah ['debərə] Deborah.
debouch [di'bu:ʃ] uitkomen (op *in*), uitmonden (in *in*); ✕ deboucheren.
debouchment [di'bu:ʃmənt] uitkomen *o*, uitmonding; ✕ deboucheren *o*.
Debrett [di'bret] adelboek *o* (van Debrett).
debris ['debri:] puin *o*; overblijfselen.
debt [det] schuld; ~ *of nature* tol der natuur; *he is in my* ~ hij staat bij mij in het krijt; *be in* (*under a*) ~ *to* verplichting(en) hebben aan.
debtor ['detə] schuldenaar, debiteur.
debunk [di:'bʌŋk] S van de larie ontdoen; ontluisteren.
début ['deibu:] 1 debuut *o*, eerste optreden *o*; 2 intrede in de wereld.
débutant [deibu:'tɔ:ŋ] debutant.
débutante [deibu:'tɔ:nt] debutante.
decade ['dekəd] tiental *o* (jaren &); *RK* tientje *o* [v. d. rozenkrans].
decadence ['dekədəns] verval *o*.
decadent ['dekədənt] decadent.
decaffeinated [di:'kæfiineitid] cafeïnevrij.
decagon ['dekəgən] tienhoek.
decagram(me) ['dekəgræm] decagram *o*.
decalitre ['dekəli:tə] decaliter.
decalogue ['dekələg] tien geboden.
decametre ['dekəmi:tə] decameter.
decamp [di'kæmp] 1 ('t kamp) opbreken; 2 F er vandoor gaan, uitknijpen.
decampment [di'kæmpmənt] opbreken *o*; af-, uittocht.
decanal [di'keinəl] van een *dean*.
decant [di'kænt] af-, overschenken.
decanter [di'kæntə] karaf.
decapitate [di'kæpiteit] onthoofden.
decapitation [dikæpi'teiʃən] onthoofding.
decarbonize [di:'ka:bənaiz] ✕ ontkolen.
decathlon [di'kæθlən] *sp* tienkamp.
decay [di'kei] I *vi* achteruitgaan, vervallen, in verval bederven, (ver)rotten; II *sb* achteruitgang, verval *o*; aftakeling; bederf *o*, (ver)rotting; *fall into* ~ in verval geraken.
decease [di'si:s] I *vi* overlijden; II *sb* overlijden *o*.
deceased [di'si:st] (de) overleden(e).
deceit [di'si:t] bedrog *o*, bedrieglijkheid, bedriegerij, misleiding.
deceitful(ly) [di'si:tful(i)] 1 vol bedrog; 2 bedrieglijk.
deceivable [di'si:vəbl] licht te bedriegen.
deceive [di'si:v] bedriegen, misleiden.
deceiver [di'si:və] bedrieger, misleider

December [di'sembə] december.
decency ['di:sənsi] betamelijkheid, fatsoen *o*; *the decencies* het decorum.
decennial [di'senjəl] tienjarig; tienjaarlijks.
decennium [di'seniəm] decennium *o*.
decent(ly) ['di:sənt(li)] betamelijk, welvoeglijk, behoorlijk, fatsoenlijk, geschikt, aardig; met goed fatsoen.
decentralization [di:sentrəlai'zeiʃən] decentralisatie.
decentralize [di:'sentrəlaiz] decentraliseren.
deception [di'sepʃən] bedrog *o*, misleiding.
deceptive [di'septiv] bedrieglijk, misleidend.
decibel ['desibel] decibel.
decide [di'said] I *vt* beslissen, bepalen; (doen) besluiten; II *vi* een beslissing of besluit nemen; ♯ uitspraak doen; ~ *against* besluiten om niet te...; ♯ beslissen ten nadele van; ~ *for* besluiten om te...; ♯ beslissen ten gunste van; ~ *on* besluiten tot (om te...).
decided [di'saidid] beslist, vastbesloten.
decider [di'saidə] 1 beslisser; 2 *sp* beslissende partij; beslissingswedstrijd.
deciduous [di'sidjuəs] af-, uitvallend; loofverliezend, winterkaal [v. boom]; *fig* vergankelijk.
decigram(me) ['desigræm] decigram *o*.
decilitre ['desili:tə] deciliter.
decimal ['desiməl] I *aj* decimaal: tientallig; tiendelig; II *sb* tiendelige breuk.
decimate ['desimeit] decimeren.
decimetre ['desimi:tə] decimeter.
decipher [di'saifə] ontcijferen, ontraadselen.
decipherable [di'saifərəbl] ontcijferbaar.
decipherment [di'saifəmənt] ontcijfering.
decision [di'siʒən] beslissing, uitslag, besluit *o*; beslistheid [v. karakter].
decisive(ly) [di'saisiv(li)] beslissend, afdoend, doorslaggevend; beslist.
deck [dek] I *sb* ⚓ dek *o*; II *vt* met een dek beleggen ‖ (ver)sieren, tooien (ook: ~ *out*).
deck-chair ['dek'tʃɛə] dekstoel.
deck-hand ['dekhænd] ⚓ dekmatroos.
declaim [di'kleim] voordragen, declameren; uitvaren (tegen *against*).
declaimer [di'kleimə] hoogdravend redenaar.
declamation [deklə'meiʃən] voordracht, declamatie; (hoogdravende) rede; retorica.
declamatory [di'klæmətəri] hoogdravend.
declaration [deklə'reiʃən] declaratie, verklaring, bekendmaking [van verkiezingsuitslag], aangifte.
declarative [di'klærətiv], **declaratory** [di'klærətəri] verklarend.
declare [di'klɛə] I *vt* verklaren; bekendmaken, declareren, aangeven [bij douane]; afkondigen, uitroepen; ◇ troef maken; ~ *off* af-, opzeggen, afgelasten, afbreken; II *vr* ~ *oneself* zijn mening zeggen, zich (nader) verklaren; zich openbaren, uitbreken; III *vi* zich verklaren (voor, tegen *for*, *against*); *Well, I* ~! Heb je van je leven!

declared [di'kle̱əd] *aj* verklaard, openlijk.

declaredly [di'kle̱əridli] *ad* openlijk; volgens eigen bekentenis.

declension [di'klenʃən] 1 verval *o*, achteruitgang; 2 verbuiging.

declinable [di'klainəbl] verbuigbaar.

declination [dekli'neiʃən] declinatie.

decline [di'klain] I *vi* hellen; buigen; afnemen, achteruitgaan, dalen; kwijnen; bedanken, weigeren; *in his declining years* op zijn oude dag; II *vt* verbuigen; afwijzen, afslaan, bedanken voor, weigeren; III *sb* achteruitgang, verval *o* (van krachten); (uit)tering; (zons)ondergang; $ (prijs)daling; *the ~ of life* de avond des levens; *be on the ~* achteruitgaan.

declivity [di'kliviti] (af)helling.

declutch [di:'klʌtʃ] ⇜ ontkoppelen, debrayeren.

decoction [di'kɔkʃən] afkooksel *o*; afkoking.

decode [di'koud] decoderen, ontcijferen.

decolo(u)rize [di:'kʌləraiz] ontkleuren.

decompose [di:kəm'pouz] I *vt* ontbinden, oplossen, ontleden; II *vi* oplossen, tot ontbinding overgaan.

decomposition [di:kɔmpə'ziʃən] ontbinding, oplossing, ontleding.

decontrol [di:kən'troul] vrijgeven.

decorate ['dekəreit] versieren; decoreren.

decoration [dekə'reiʃən] versiering; decoreren *o*; decoratie, onderscheiding.

decorative ['dekərətiv] decoratief, versierings-, sier-.

decorator ['dekəreitə] decorateur, huisschilder en behanger.

decorous(ly) ['dekərəs(li), di'kɔ:rəs(li)] welvoeglijk, betamelijk, fatsoenlijk.

decorum [di'kɔ:rəm] welvoeglijkheid, betamelijkheid, fatsoen *o*, decorum *o*.

decoy [di'kɔi] I *vt* (ver)lokken; II *sb* 1 lokeend; 2 lokaas² *o*, lokvogel²; 3 eendenkooi.

decoy-duck [di'kɔidʌk] zie *decoy* II 1 & 2.

decrease [di'kri:s] I *vi* & *vt* verminderen, (doen) afnemen, minderen; II *sb* ['di:kri:s] vermindering; afneming.

decree [di'kri:] I *sb* decreet *o*, (raads)besluit *o*, bevel *o*; vonnis *o*; II *vt* bepalen, beslissen, bevelen, verordenen.

decrement ['dekrimənt] vermindering.

decrepit [di'krepit] afgeleefd, vervallen.

decrepitude [di'krepitju:d] verval *o* [v. krachten].

decretal [di'kri:təl] pauselijk bevel *o*, decretaal.

decry [di'krai] uitkrijten (voor *as*), afgeven op, afkeuren, afbreken.

decuple ['dekjupl] I *aj* tienvoudig; II *vt* vertienvoudigen; III *sb* tienvoud *o*.

dedicate ['dedikeit] (toe)wijden, opdragen; openstellen voor het publiek [natuurmonument]; *~d* ook: toegewijd, bezield, geestdriftig.

dedication [dedi'keiʃən] (toe)wijding, opdracht; openstelling voor het publiek [v. natuurmonumenten].

dedicatory ['dedikeitəri] als opdracht.

deduce [di'dju:s] afleiden.

deducible [di'dju:sibl] af te leiden.

deduct [di'dʌkt] aftrekken; *after ~ing expenses* na aftrek(king) der onkosten.

deduction [di'dʌkʃən] 1 aftrek(king); 2 korting; 3 gevolgtrekking; deductie.

deductive(ly) [di'dʌktiv(li)] deductief.

deed [di:d] 1 daad; 2 akte.

deem [di:m] oordelen, achten, denken.

deep [di:p] I *aj* diep², diepliggend, diepzinnig; verdiept (in *in*); S gewiekst, uitgekookt; (*drawn up*) *six ~* in zes rijen achter elkaar; *a ~ drinker* die zwaar drinkt; *go off the ~ end* S zich druk (kwaad) maken, op hol slaan; *~ stakes* hoge inzet; II *ad* diep; *drink ~* zwaar drinken; *play ~* grof spelen; III *sb* diepte, zee.

deepen ['di:pn] I *vt* verdiepen, uitdiepen; *fig* versterken; II *vi* dieper-, donkerder worden; *fig* toenemen.

deep-freeze ['di:p'fri:z] I *sb* diepvrieskast, -loket *o*; II *vt* diepvriezen; III *aj* diepvries-.

deep-freezer ['di:p'fri:zə] diepvrieskluis.

deep-freezing ['di:p'fri:ziŋ] diepvries(-).

deep-frozen ['di:p'frouzn] diepvries-.

deep-laid ['di:p'leid] fijn bedacht.

deeply ['di:pli] *ad* zie *deep* I; ook: zeer.

deepness ['di:pnis] diepte.

deep-rooted ['di:p'ru:tid] ingeworteld.

deep-seated ['di:p'si:tid] diep(liggend).

deep-set ['di:p'set] diepliggend [v. ogen].

deer [diə] ⇌ hert *o*, herten.

deer-hound ['diəhaund] Schotse windhond.

deer-park ['diəpa:k] hertenkamp.

deerskin ['diəskin] hertevel *o*; hertsleer *o*.

deer-stalking ['diəstɔ:kiŋ] sluipjacht op herten.

deface [di'feis] schenden, beschadigen, ontsieren, bevuilen; uitwissen, doorhalen.

defacement [di'feismənt] schending &.

defalcate [di'fælkeit] zich aan verduistering schuldig maken.

defalcation [di:fæl'keiʃən] verduistering [v geld]; tekort *o*.

defamation [defə'meiʃən] eerroof, laster, smaad.

defamatory [di'fæmətəri] eerrovend, lasterlijk. smaad-.

defame [di'feim] (be)lasteren, smaden.

defamer [di'feimə] eerrover, lasteraar.

default [di'fɔ:lt] I *sb* gebrek *o*; verzuim *o*; in gebreke blijven *o*; wanbetaling; *make ~* ⚖ verstek laten gaan; *by ~* ⚖ bij verstek; *their rights will not go by ~* hun rechten zullen niet in het gedrang komen; *in ~ of* bij gebreke (ontstentenis) van; II *vi* zijn verplichting(en) niet nakomen; in gebreke blijven; niet (op tijd) betalen; ⚖ niet verschijnen; III *vt* ⚖ bij verstek veroordelen.

defaulter [di'fɔ:ltə] 1 (geld)verduisteraar; wanbetaler; 2 ⚔ niet opgekomene; 3 ✗ gestrafte.

defeat [di'fi:t] I *sb* nederlaag, verijdeling [v. plan], vernietiging; II *vt* verslaan; verwerpen [voorstel]; ⚔ nietig verklaren; verijdelen [aanval]; voorbijstreven [doel]; ~ *the law* de wet ontduiken.

defect [di'fekt] I *sb* gebrek *o*, fout; II *vi* overlopen (naar *to*), afvallen (van *from*), ontrouw worden (*from*).

defection [di'fekʃən] overlopen *o* (naar *to*), afval, afvalligheid (van *from*), ontrouw.

defective [di'fektiv] I gebrekkig, onvolkomen; defect; 2 zwakzinnig; 3 *gram* defectief.

defector [di'fektə] overloper, afvallige.

defence [di'fens] 1 verdediging²; 2 verweer *o*; 3 *ps* afweer; ~s ✗ verdedigingswerken; *in* ~ *of* ter verdediging van.

defenceless [di'fenslis] zonder verdediging, weerloos.

defend [di'fend] 1 verdedigen; beschermen; 2 ✎ verbieden; ~ *from* bewaren voor.

defendant [di'fendənt] ⚔ gedaagde, verdachte.

defender [di'fendə] verdediger°.

defensibility [difensi'biliti] verdedigbaarheid.

defensible [di'fensibl] verdedigbaar.

defensive [di'fensiv] I *aj* defensief, verdedigend; II *sb* in: *be* (*act, stand*) *on the* ~ een verdedigende houding aannemen, in het defensief zijn, defensief optreden.

defer [di'fə:] I *vt* uitstellen; II *vi* uitstellen, dralen; ~ *to* zich neerleggen bij [het oordeel van], zich onderwerpen aan, zich voegen naar; ~*red payment system* afbetalingsstelsel *o*.

deference ['defərəns] eerbied, eerbiediging, achting; *in* ~ *to* uit achting voor; *with due* ~ *to* met alle respect voor.

deferential(ly) [defə'renʃəl(i)] eerbiedig.

deferment [di'fə:mənt] uitstel *o*.

defiance [di'faiəns] uitdaging, tarting; *bid* ~ *to* tarten, trotseren; *set at* ~ zich niet storen aan, met voeten treden, tarten, trotseren; *in* ~ *of* trots, ...ten spijt.

defiant(ly) [di'faiənt(li)] uitdagend, tartend.

deficiency [di'fiʃənsi] gebrek *o*, ontoereikendheid, tekort *o*, tekortkoming, leemte; onvolkomenheid; defect *o*; deficit *o*.

deficient [di'fiʃənt] 1 gebrekkig, ontoereikend; onvolkomen; 2 zwakzinnig; *be* ~ *in* te kort schieten in, arm zijn aan.

deficit ['defisit, 'di:fisit] $ deficit *o*, tekort *o*.

defier [di'faiə] uitdager, trotseerder.

1 **defile** ['di:fail] I *sb* (berg)engte, pas, ✗ defilé *o*; II *vi* [di'fail] ✗ defileren.

2 **defile** [di'fail] *vt* bevuilen, verontreinigen; bezoedelen²; ontwijden.

defilement [di'failmənt] bevuiling, verontreiniging; bezoedeling²; ontwijding.

definable [di'fainəbl] bepaalbaar, te omschrijven, te definiëren.

define [di'fain] bepalen, begrenzen, afbakenen,

beschrijven, omschrijven, definiëren.

definite ['definit] *aj* bepaald, begrensd; duidelijk omschreven; precies; scherp; definitief; beslist.

definitely ['definitli] *ad* bepaald; definitief; vast en zeker; beslist.

definition [defi'niʃən] bepaling, omschrijving, definitie; scherpte [v. beeld].

definitive [di'finitiv] bepalend, beslissend, bepaald, definitief.

deflate [di'fleit] 1 lucht uitlaten of laten ontsnappen uit; 2 $ deflatie veroorzaken van.

deflation [di'fleiʃən] 1 uitlating van lucht; 2 $ deflatie.

deflationary [di'fleiʃənəri] $ deflatoir.

deflect [di'flekt] (doen) afwijken; buigen.

deflection [di'flekʃən] afwijking; buiging.

Defoe [də'fou, di'fou] Defoe.

deform [di'fɔ:m] misvormen, ontsieren.

deformation [di:fɔ:'meiʃən] 1 vormverandering; vervorming; 2 misvorming.

deformed [di'fɔ:md] mismaakt, wanstaltig.

deformity [di'fɔ:miti] mismaaktheid, wanstaltigheid.

defraud [di'frɔ:d] bedriegen, te kort doen; ~ *of* onthouden, F door de neus boren.

defrauder [di'frɔ:də] bedrieger.

defray [di'frei] bekostigen, [de kosten] bestrijden, betalen.

defrayal [di'freiəl], **defrayment** [di'freimənt] bekostiging, bestrijding [van onkosten], betaling.

deft(ly) [deft(li)] vlug, handig.

defunct [di'fʌŋkt] I *aj* overleden, ter ziele; niet meer bestaand; II *sb* in: *the* ~ de overledene(n), afgestorvene(n).

defy [di'fai] tarten, trotseren, uitdagen.

degeneracy [di'dʒenərəsi] ontaarding.

1 **degenerate** [di'dʒenəreit] *vi* degenereren, ontaarden, verbasteren.

2 **degenerate** [di'dʒenərit] *aj* (& *sb*) gedegenereerd(e), ontaard(e), verbasterd(e).

degeneration [didʒenə'reiʃən] ontaarding, verbastering, degeneratie; *fatty* ~ *of the heart* hartvervetting.

degradation [degrə'deiʃən] degradatie, verlaging; vernedering; ontaarding.

degrade [di'greid] degraderen, verlagen; vernederen; doen ontaarden.

degree [di'gri:] graad, mate, trap²; rang, stand; *honorary* ~ ⚯ eredoctoraat *o*; *he took his* ~ ⚯ hij promoveerde; *by* ~*s* langzamerhand; *to a* (*high*) ~ in hoge mate; *to some* ~ in zekere mate; tot op zekere hoogte; *to the last* ~ in de hoogste mate.

degree-day [di'gri:dei] ⚯ promotiedag.

dehydrate [di:'haidreit] dehydreren; drogen [groente]; *fig* de pittigheid ontnemen aan.

de-ice [di:'ais] ontdooien.

de-icer [di:'aisə] ijsbestrijder.

deification [di:ifi'keiʃən] vergoding.

deify ['di:ifai] vergoden, vergoddelijken.

deign [dein] I *vi* zich verwaardigen; II *vt* verwaardigen met.

deism ['di:izm] deïsme *o*, godsgeloof *o*.

deist ['di:ist] deïst.

deistic(al) [di:'istik(l)] deïstisch.

deity ['di:iti] godheid.

deject [di'dʒekt] neerslachtig maken.

dejected(ly) [di'dʒektid(li)] neerslachtig, terneergeslagen, ge-, bedrukt; verslagen.

dejectedness [di'dʒektidnis] neerslachtigheid, bedruktheid; verslagenheid.

dejection [di'dʒekʃən] zie *dejectedness*.

delate [di'leit] aanbrengen, aangeven [een misdaad]; aanklagen [iemand].

delation [di'leiʃən] ²⁄₃ aanklacht; aangifte.

delay [di'lei] I *vt* uitstellen, vertragen, ophouden; *all is not lost that is ~ed* uitstel is geen afstel; II *vi* uitstellen, dralen, talmen; uit-, wegblijven; *~ing action* ✕ vertragend gevecht *o*; *~ed-action bomb* ✕ tijdbom; III *sb* uitstel *o*, oponthoud *o*, vertraging; *without ~* onverwijld.

dele ['di:li] deleatur *o*.

delectable [di'lektəbl] verrukkelijk.

delectation [di:lek'teiʃən] genoegen *o*, genot *o*.

1 **delegate** ['deligit] I *aj* gedelegeerd; II *sb* gedelegeerde, gemachtigde, afgevaardigde.

2 **delegate** ['deligeit] *vt* delegeren, afvaardigen, opdragen, overdragen.

delegation [deli'geiʃən] delegatie, afvaardiging, opdracht, overdracht.

delete [di'li:t] (uit)schrappen, doorhalen.

deleterious(ly) [deli'tiəriəs(li)] schadelijk, verderfelijk, giftig.

deletion [di'li:ʃən] schrapping, doorhaling.

delf(t) [delf(t)] Delfts aardewerk *o*.

1 **deliberate** [di'libərit] *aj* 1 weloverwogen, (wel)beraden; 2 bedaard, bezadigd.

2 **deliberate** [di'libəreit] I *vt* overwegen; overleggen; II *vi* delibereren, zich beraden, beraadslagen (over *on*).

deliberately [di'libəritli] *ad* bedaard, bezadigd, na rijp beraad; willens en wetens.

deliberateness [di'libəritnis] beradenheid.

deliberation [dilibə'reiʃən] beraadslaging, beraad *o*, overweging; overleg *o*, overlégging; bedaardheid, bezadigdheid.

deliberative [di'libərətiv] beraadslagend.

delicacy ['delikəsi] 1 fijnheid, zachtheid, teer(gevoelig)heid, zwakheid; kiesheid, fijngevoeligheid; 2 (kies)keurigheid; 3 finesse; 4 lekkernij, delicatesse.

delicate ['delikit] ['delikit(li)] 1 fijn, zacht, teer, zwak; 2 delicaat, kies, fijngevoelig; 3 (kies)keurig; 4 lekker.

delicious(ly) [di'liʃəs(li)] heerlijk.

delight [di'lait] I *sb* genoegen *o*, vermaak *o*, behagen *o*, verrukking, lust, genot *o*; *take ~ in* behagen scheppen in; II *vt* verheugen, verrukken, strelen; *I shall be ~ed to...* het zal mij aangenaam zijn...; III *vi* behagen scheppen; genot vinden (in *in*).

delightful(ly) [di'laitful(i)] heerlijk, verrukkelijk; prachtig, uitstekend, voortreffelijk.

Delilah [di'lailə] Delila.

delimit [di'limit] afbakenen.

delimitation [dilimi'teiʃən] afbakening, grensregeling.

delineate [di'linieit] tekenen²; schetsen; *fig* schilderen.

delineation [dilini'eiʃən] tekening, schets; *fig* (af)schildering.

delineator [di'linieitə] tekenaar, schetser; *fig* schilder.

delinquency [di'liŋkwənsi] plicht(s)verzuim *o*, overtreding, misdrijf *o*; zie ook: *juvenile*.

delinquent [di'liŋkwənt] I *aj* delinquent, (straf)schuldig; II *sb* delinquent, misdadiger, schuldige.

deliquesce [deli'kwes] vervloeien; (weg)smelten.

deliquescence [deli'kwesəns] vervloeiing; (weg)smelting.

deliquescent [deli'kwesənt] vervloeiend; (weg)smeltend.

delirious(ly) [di'liriəs(li)] ijlend, ijlhoofdig, dol.

delirium [di'liriəm] ijlen *o*, ijlhoofdigheid, waanzin, razernij; *~ tremens* [-'tri:menz] delirium *o* tremens: dronkemanswaanzin.

deliver [di'livə] I *vt* bevrijden, verlossen; (over)geven, ter hand stellen; uitreiken; (in-, af-, uit)leveren, afgeven (ook: *~ over*); bezorgen; overbrengen; toebrengen; (uit)werpen; uitspreken; houden [een rede, lezing &]; *~ the goods* S zijn belofte nakomen; 't 'm leveren *~ up* afstaan, af-, overgeven; II *vr* in: *~ oneself well* goed spreken; *~ oneself of* uiten.

deliverable [di'livərəbl] leverbaar; *~ to* ook: af te geven aan.

deliverance [di'livərəns] bevrijding, verlossing; uitspraak, vonnis *o*.

deliverer [di'livərə] 1 bevrijder; 2 bezorger.

delivery [di'livəri] verlossing; (af-, in)levering; overhandiging; ✕ overgave; bezorging, bestelling; toebrengen *o*; werpen *o* [v. bal]; voordracht; houden *o* [v. rede]; *take ~ of* $ in ontvangst nemen; *for future (forward) ~* $ op termijn.

delivery-man [di'livərimən] bezorger.

delivery order [di'livəriə:də] $ volgbriefje *o*.

delivery van [di'livərivæn] bestelwagen.

dell [del] nauw bebost dal *o*.

Delphian ['delfiən], **Delphic** ['delfik] van Delphi, Delphisch; duister, raadselachtig.

delta ['deltə] 1 Griekse d = Δ; 2 delta.

deltoid ['deltɔid] I *aj* deltavormig; *~ muscle* = II *sb* deltaspier.

delude [di'l(j)u:d] misleiden, bedriegen, begoochelen; *~ oneself into the belief that...* zich wijsmaken dat...

deluder [di'l(j)u:də] misleider, bedrieger.

deluge ['delju:dʒ] I *sb* zondvloed, overstroming²; (stort)vloed²; II *vt* overstromen².

delusion [di'l(j)u:ʒən] (zelf)bedrog *o*, (zins)begoocheling; waan(voorstelling).

delusional [di'l(j)u:ʒənəl] waan-.

delusive [di'l(j)u:siv], delusory [di'l(j)u:səri] misleidend, bedrieglijk.

de luxe [də'luks] luxe-.

delve [delv] delven, graven, spitten; vorsen, snuffelen, zoeken.

demagogic [demə'gɔgik, -dʒik] demagogisch.

demagogue ['deməgɔg] volksmenner.

demagogy ['deməgɔgi, -dʒi] demagogie.

demand [di'ma:nd] I vt (ver)eisen, vorderen, verlangen, vragen (van of, from); II sb eis, vordering, verlangen o, (aan)vraag; ~ and supply vraag en aanbod; I have many ~s on my purse er wordt dikwijls een beroep gedaan op mijn beurs; (much) in ~ zeer gezocht (gewild, gevraagd); on ~ op aanvraag; op zicht.

demarcate ['di:ma:keit] afbakenen; (af)scheiden.

demarcation [di:ma:'keiʃən] afbakening, demarcatie, afscheiding, grens(lijn).

demean [di'mi:n] ~ oneself 1 zich gedragen; 2 zich verlagen of vernederen.

demeanour [di'mi:nə] houding, gedrag o.

demented [di'mentid] krankzinnig.   [zin.

dementia [di'menʃiə] krankzinnigheid, waan-

demerit [di:'merit] fout, gebrek o.

demesne [di'mein] domein o, gebied o.

demigod ['demigɔd] halfgod.

demijohn ['demidʒɔn] mandefles.

demise [di'maiz] I sb 1 overdracht [bij akte of testament]; 2 overlijden o; II vt overdragen; bij uiterste wil vermaken.

demi-semiquaver ['demisemi'kweivə] ♪ 32ste noot.

demobilization ['di:moubilai'zeiʃən] ✗ demobilisatie.

demobilize [di:'moubilaiz] ✗ demobiliseren.

democracy [di'mɔkrəsi] democratie.

democrat ['deməkræt] democraat.

democratic(ally) [demə'krætik(əli)] democratisch.

democratize [di'mɔkrətaiz] democratiseren.

demolish [di'mɔliʃ] afbreken, slopen; fig omverwerpen, vernietigen; J verorberen.

demolition [de-, di:mə'liʃən] afbreken o, sloping; vernietiging; afbraak.

demon ['di:mən] 1 geleigeest; 2 boze geest, duivel, demon; a ~ for work een echte werkezel.

demonetize [di:'mʌnitaiz] buiten koers stellen, ontmunten.

demoniac [di'mouniæk] I aj demonisch°, duivels; bezeten; II sb bezetene.

demoniacal [di:mə'naiəkl] duivels.

demonic [di'mɔnik] demonisch.

demonstrable ['demənstrəbl] aantoonbaar, bewijsbaar.

demonstrate ['demənstreit] I vt aantonen, bewijzen; demonstreren; aan de dag leggen; II vi een demonstratie houden.

demonstration [demən'streiʃən] bewijs o; be-

toging, manifestatie, demonstratie; betoon o, vertoon o.

demonstrative [di'mɔnstrətiv] I aj bewijzend, aanwijzend; bewijs-; betoog-; demonstratief expansief; bewijsbaar; II sb aanwijzend (voornaam)woord o.

demonstrator ['demənstreitə] betoger, manifestant; assistent [v. professor].

demoralization [dimɔrəlai'zeiʃən] demoralisademoralize [di'mɔrəlaiz] demoraliseren.   [tie.

demote [di'mout] Am degraderen.

demotion [di'mouʃən] Am degradatie.

demur [di'mə:] I vi aarzelen, weifelen; bezwaar maken, protesteren (tegen at, to); ŧŧ excepties opwerpen; II sb aarzeling, weifeling; bezwaar o, protest o.

demure(ly) [di'mjuə(li)] stemmig, (gemaakt) zedig, preuts, uitgestreken.

demurrage [di'mʌridʒ] $ overliggeld o; days of ~ overligdagen.

demurrer [di'mʌrə] ŧŧ exceptie.

den [den] hol o, hok o, kuil; F kast: kamer.

denarii [di'neəriai] mv v. denarius [di'neəriəs] 1 ₪ denarius; 2 penny.

denary ['di:nəri] tientallig.

denature [di:'neitʃə] denatureren.

deniable [di'naiəbl] te loochenen.

denial [di'naiəl] weigering, ontkenning, dementi o, (ver)loochening, ontzegging, onthouden o [v. e. recht aan]; I will take no ~ ik wil van geen bedankje of weigering horen.

denier [di'naiə] loochenaar.

denigrate ['denigreit] denigreren, afkammen.

denim ['denim] denim o; blue ~s blauwe overal.

denizen ['denizən] bewoner; genaturaliseerd vreemdeling; ingeburgerd woord o &.

Denmark ['denma:k] Denemarken o.

denominate [di'nɔmineit] (be)noemen.

denomination [dinɔmi'neiʃən] naamgeving, benoeming, benaming, naam; sekte, gezindte; coupure [van effect &], (nominale) waarde [v. munt, postzegel], bedrag o.

denominational [dinɔmi'neiʃənəl] tot een sekte behorende; ~ education bijzonder onderwijs; ~ school sekteschool.

denominative [di'nɔminətiv] benoemend; gram denominatief.

denominator [di'nɔmineitə] × noemer; a common ~ één noemer; (lowest) common ~ kleinste gemene veelvoud o; reduce to a common ~ gelijknamig maken.

denotation [di:nou'teiʃən] aanduiding.

denote [di'nout] aanduiden, aanwijzen, wijzen op, te kennen geven.

denouement [dei'nu:ma:ŋ] ontknoping.

denounce [di'nauns] aangeven, aanbrengen, aanklagen; opzeggen [verdrag]; uitvaren tegen, aan de kaak stellen; veroordelen, zijn afkeuring uitspreken over, wraken; ~ as... uitkrijten voor...

denouncement [di'naunsmənt] zie denunciation

dense [dens] *aj* 1 dicht; 2 stom, stompzinnig.

densely ['densli] *ad* dicht [bevolkt &].

denseness ['densnis], **density** ['densiti] 1 dichtheid; 2 stomheid, stompzinnigheid.

dent [dent] I *sb* deuk, indruk; II *vt* (in)deuken.

dental ['dentl] I *aj* tand-; tandheelkundig; *gram* dentaal; II *sb gram* dentaal.

dentate(d) ['denteit(id)] ♀ & ♨ getand.

dentifrice ['dentifris] tandpoeder, -poeier *o* & *m*, tandpasta.

dentine ['denti:n] tandbeen *o*.

dentist ['dentist] tandarts.

dentistry ['dentistri] tandheelkunde.   [sel *o*.

dentition [den'tiʃən] tanden krijgen *o*; tandstel-

denture ['dentʃə] (kunst)gebit *o*.

denudation [di:nju'deiʃən] ontbloting, blootlegging; beroving [v. recht &].

denude [di'nju:d] ontbloten, blootleggen; ~ *of* ontdoen van; ontnemen [een recht &].

denunciate [di'nʌnsieit] zie *denounce*.

denunciation [dinʌnsi'eiʃən] aanbrengen *o*, aangifte, aanklacht; opzegging [v. verdrag]; aan de kaak stellen *o*, veroordeling, afkeuring.

denunciator [di'nʌnsieitə] aanbrenger, aangever, aanklager.

deny [di'nai] ontkennen, (ver)loochenen; ontzeggen, onthouden, weigeren.

deodorization [di:oudərai'zeiʃən] reukeloos maken *o*.

deodorize [di:'oudəraiz] reukeloos maken.

deodorizer [di:'oudəraizə] reukeloos makend middel *o*.

depart [di'pa:t] (weg)gaan, vertrekken, heengaan[2]; ~ *from* afwijken van, laten varen; ~*ed glory* vergane grootheid; *the* ~*ed* de overledene(n).

department [di'pa:tmənt] afdeling, departement[2] *o*, gebied *o*; ~ *store(s)* warenhuis *o*.

departmental [dipa:t'mentl] departementaal, departements-, afdelings-.

departmentalize [dipa:t'mentəlaiz] specialiseren [de wetenschap].

departure [di'pa:tʃə] vertrek *o*, afreis; heengaan[2] *o*; *fig* ⚓ afsterven *o*, dood; afwijking; *a new* ~ iets nieuws, een nieuwe koers; *they took their* ~ zij vertrokken.

depend [di'pend] ⚓ hangen (aan *from*); ~ (*up*)*on* 1 afhangen van, afhankelijk zijn van, aangewezen zijn op; 2 rekenen op, vertrouwen op, zich verlaten op; ~ *upon it* reken er maar op; *that* ~*s* dat hangt ervan af.

dependable [di'pendəbl] betrouwbaar.

dependant [di'pendənt] afhangeling; *the* ~*s o₁ our soldiers* voor wie onze soldaten te zorgen hebben.

dependence [di'pendəns] afhankelijkheid (van *on*); vertrouwen *o*, toeverlaat; samenhang.

dependency [di'pendənsi] 1 zie *dependence*; 2 onderhorigheid.

dependent [di'pendənt] I *aj* afhangend (van *from*); afhankelijk van *on*, *upon*); onderge-

schikt; onderhorig; II *sb* zie *dependant*.

depict [di'pikt] (af)schilderen, afbeelden.

depiction [di'pikʃən] (af)schildering.

depilate ['depileit] ontharen, epileren.

depilation [depi'leiʃən] ontharing.

depilatory [di'pilətəri] ontharingsmiddel *o*.

deplete [di'pli:t] ledigen; ontlasten; uitputten; dunnen.

depletion [di'pli:ʃən] lediging; ontlasting; uitputting; dunning.

deplorable [di'plɔ:rəbl] *aj* betreurens-, beklagenswaardig; erbarmelijk, jammerlijk.

deplorably [di'plɔ:rəbli] *ad* zie *deplorable*.

deplore [di'plɔ:] betreuren, bewenen, beklagen, bejammeren.

deploy [di'plɔi] ✕ deployeren, (zich) ontplooien.

deplume [di'plu:m] plukken[2].

deponent [di'pounənt] I *aj* lijdend van vorm en bedrijvend van betekenis; II *sb* 1 *gram* deponens; 2 ♨ ondervraagde getuige.

depopulate [di:'pɔpjuleit] ontvolken.

depopulation ['di:pɔpju'leiʃən] ontvolking.

deport [di'pɔ:t] I *vt* deporteren; II *vr* ~ *oneself* zich gedragen.

deportation [di:pɔ:'teiʃən] deportatie.

deportee [dipɔ:'ti:] gedeporteerde.

deportment [di'pɔ:tmənt] houding, gedrag *o*, manieren, optreden *o*.

deposable [di'pouzəbl] afzetbaar.

deposal [di'pouzəl] afzetting.

depose [di'pouz] I *vt* 1 afzetten; 2 (onder ede) verklaren; II *vi* getuigen.

deposit [di'pɔzit] I *sb* deposito *o*, storting, n-leg, pand *o*, waarborgsom, statiegeld *o*; neerslag; bezinksel *o*; laag [v. erts]; *on* ~ $ in deposito; II *vt* (neer)leggen; in bewaring geven, inleggen; deponeren, storten; afzetten [slijk &]; III *vi* neerslaan.

depositary [di'pɔzitəri] bewaarder.

deposition [de-, di:pə'ziʃən] 1 bezinking; bezinksel *o*; 2 kruisafneming; 3 afzetting; 4 (getuigen)verklaring; 5 deponeren *o*.

depositor [di'pɔzitə] inlegger; bewaargever.

depository [di'pɔzitəri] 1 bewaarplaats; 2 bewaarder.

depot ['depou] depot *o* & *m*; opslagplaats; (tram)remise.

depravation [deprə'veiʃən] verdorvenheid, bederf *o*.

deprave [di'preiv] bederven; ~*d* verdorven.

depravity [di'præviti] verdorvenheid.

deprecate ['deprikeit] 1 ⚓ afbidden; 2 opkomen tegen, waarschuwen voor, afkeuren.

deprecation [depri'keiʃən] 1 ⚓ afbidding; smeekbede; 2 protest *o*.

deprecatory ['deprikeitəri] 1 ⚓ smekend; 2 (zich) verontschuldigend.

depreciate [di'pri:ʃieit] I *vt* doen dalen [in waarde]; depreciëren; in diskrediet brengen; onderschatten; II *vi* dalen, depreciëren.

depreciation [dipri:ʃi'eiʃən] (waarde)vermindering, daling, depreciatie; geringschatting; afschrijving [voor waardevermindering].

depreciatory [di'pri:ʃieitəri] geringschattend, minachtend.

depredate ['deprideit] plunderen.

depredation [depri'deiʃən] plundering, verwoesting, roof(tocht).

depredator ['deprideitə] plunderaar, verwoester.

depress [di'pres] (neer)drukken²; verlagen; *fig* terneerslaan; deprimeren; ~*ed areas* door de malaise uitzonderlijk getroffen gebieden; ~*ed classes* paria's [in°India].

depression [di'preʃən] (neer)drukking; verlaging; kimduiking; gedruktheid, neerslachtigheid; depressie; $ malaise, slapte.

deprival [di'praivəl] beroving; afzetting, ontzetting [uit ambt].

deprivation [depri'veiʃən] beroving, ontneming; verlies *o*; afzetting, ontzetting [uit ambt].

deprive [di'praiv] beroven; afzetten, ontzetten [uit ambt]; ~ *him of* ook: hem... ontnemen, hem... onthouden; ~*d of* ook: verstoken van, gespeend van, zonder.

Dept. = *Department*.

depth [depθ] diepte²; diepzinnigheid; diepste *o*; *in the* ~ *of night* (*winter*) in het holst van de nacht, in 't hartje van de winter; *he was out of his* ~ hij voelde geen grond meer².

depth-charge ['depθtʃa:dʒ] dieptebom.

deputation [depju'teiʃən] deputatie.

depute [di'pju:t] 1 afvaardigen; 2 opdragen, overdragen.

deputize ['depjutaiz] in: ~ *for* invallen voor, vervangen.

deputy ['depjuti] I *sb* afgevaardigde; (plaats)vervanger, waarnemer, invaller; II *aj* plaatsvervangend, vice-, onder-, substituut-.

derail [di'reil] (doen) ontsporen.

derailment [di'reilmənt] ontsporing.

derange [di'reindʒ] (ver)storen, in de war brengen, verwarren; [verstand] krenken; ~*d* gestoord, getroebleerd.

derangement [di'reindʒmənt] storing, verwarring; (*mental*) ~ gestoordheid, getroebleerdheid.

Derby ['da:bi] *the* ~ de Derbywedrennen (te Epsom).

derelict ['derilikt] I *aj* verlaten; onbeheerd [v. schip op zee]; vervallen; II *sb* verlaten schip *o*; onbeheerd goed *o*; wrak *o*.

dereliction [deri'likʃən] plicht(s)verzuim *o*.

deride [di'raid] bespotten, uitlachen, belachelijk of bespottelijk maken.

derision [di'riʒən] spot(ternij), bespotting; *bring into* ~ bespottelijk maken; *have* (*hold*) *in* ~ de spot drijven met.

derisive(ly) [di'raisiv(li)] spottend, spot-.

derisory [di'raisəri] bespottelijk; spot-.

derivable [di'raivəbl] af te leiden.

derivation [deri'veiʃən] afleiding; verkrijging.

derivative [di'rivətiv] I *aj* afgeleid; II *sb* afgeleid woord *o*, afleiding.

derive [di'raiv] I *vt* afleiden (uit, van *from*); (ver)krijgen, trekken, putten (uit *from*); II *vi* afkomen, afstammen, voortkomen, voortspruiten (van, uit *from*).

dermal ['də:məl] huid-.

dermatology [də:mə'tolədʒi] leer der huidziekten.

derogate ['derogeit] zich verlagen; ~ *from* te kort doen aan, afbreuk doen aan.

derogation [derə'geiʃən] verkorting, schade, afbreuk (aan *of*, *from*); verlaging.

derogatory [di'rogətəri] afbreuk doend (aan *from, to*); vernederend, geringschattend.

derrick ['derik] 1 ⚓ kraan, laadboom, bok; 2 boortoren.

Derrick ['derik] Dirk.

dervish ['də:viʃ] derwisj.

1 **descant** ['deskænt] *sb* 1 ♪ discant: sopraan; gezang *o*, zang; 2 *fig* uitweiding.

2 **descant** [dis'kænt] *vi* zingen in variaties; *fig* uitweiden (over *on, upon*).

descend [di'send] (neer)dalen, afdalen² (tot *to*); zich verlagen (tot *to*); neerkomen, -vallen, -stromen; naar beneden gaan; afgaan, afkomen, afzakken; uitstappen; overgaan (op *to, upon*); afstammen (van *from*); *be* ~*ed from* afstammen van; ~ (*up*)*on* een inval doen in, landen op (in), overvallen, neerschieten op.

descendant [di'sendənt] afstammeling.

descent [di'sent] af-, (neer)daling; (af)helling; afzakken *o*, verval *o*; landing, in-, overval; overgang [v. rechten]; afkomst; afstamming; geslacht *o*; ~ *from the Cross* kruisafneming.

describable [dis'kraibəbl] te beschrijven.

describe [dis'kraib] beschrijven; omschrijven, weergeven, voorstellen; ~ *as* ook: noemen, aanduiden (bestempelen, kwalificeren) als.

describer [dis'kraibə] beschrijver.

description [dis'kripʃən] 1 beschrijving; 2 signalement *o*; 3 soort, slag *o*, klasse, aard.

descriptive [dis'kriptiv] beschrijvend.

descry [dis'krai] gewaarworden, ontwaren, onderscheiden, ontdekken, bespeuren.

desecrate ['desikreit] ontheiligen, ontwijden.

desecration [desi'kreiʃən] ontheiliging, ontwijding.

desecrator ['desikreitə] ontheiliger, ontwijder.

1 **desert** ['dezət] I *aj* woest, onbewoond, verlaten; II *sb* woestijn, woestenij.

2 **desert** [di'zə:t] I *vt* verlaten, in de steek laten, weglopen van; II *vi* deserteren.

3 **desert** [di'zə:t] *sb* verdienste; (verdiend) loon *o*; *get one's* ~*s* zijn verdiende loon krijgen; *by* ~(*s*) naar verdienste.

deserter [di'zə:tə] ✕ deserteur.

desertion [di'zə:ʃən] verlating, afvalligheid, verzaking; verlatenheid; ✕ desertie.

deserve [di'zə:v] I *vt* verdienen; II *vi* in: ~ *well of* zich verdienstelijk maken jegens.

deservedly [di'zə:vidli] 1 naar verdienste; 2 terecht.

deserving(ly) [di'zə:viŋ(li)] verdienstelijk.

deshabille ['dezæbi:l] negligé o.

desiccant ['desikənt] opdrogend (middel o).

desiccate ['desikeit] (op-, uit)drogen.

desiccation [desi'keiʃən] (op-, uit)droging.

desiccative ['desikeitiv] opdrogend (middel o).

desiderata [dizidə'reitə] mv v. **desideratum** [dizidə'reitəm] gevoelde behoefte, gewenst iets, desideratum o.

design [di'zain] I vt schetsen, ontwerpen; van plan zijn; bedoelen; bestemmen; II sb tekening, ontwerp o, plan o; dessin o, patroon o, model o; vormgeving; opzet o; fig bedoeling, oogmerk o, doel o; by ~ met opzet.

1 **designate** ['dezigneit] vt aanduiden, aanwijzen; noemen, bestempelen; bestemmen (tot, voor to, for).

2 **designate** ['dezignit] aj nieuwbenoemd.

designation [dezig'neiʃən] aanduiding, aanwijzing, bestemming; naam.

designedly [di'zainidli] opzettelijk.

designer [di'zainə] 1 ontwerper; ✂ tekenaar; constructeur [v. vliegtuigen]; vormgever; 2 intrigant.

designing [di'zainiŋ] intrigerend, listig.

desirability [dizaiərə'biliti] begeerlijkheid, wenselijkheid.

desirable [di'zaiərəbl] begeerlijk, wenselijk, gewenst.

desire [di'zaiə] I vt wensen, begeren, verlangen, verzoeken; II sb wens, verlangen o, begeerte, zucht, verzoek o; at your ~ op uw verlangen; by ~ op verzoek.

desirous [di'zaiərəs] begerig, verlangend (naar of).

desist [di'zist] afzien, ophouden, aflaten. [of).

desk [desk] lessenaar, schrijftafel, bureau² o; lezenaar; kassa; (school)bank.

desk lamp ['desklæmp] bureaulamp.

desk telephone ['desktelifoun] ☎ tafeltoestel o.

1 **desolate** ['desolit] aj verlaten, eenzaam, woest, troosteloos, naargeestig.

2 **desolate** ['desəleit] vt verwoesten, ontvolken.

desolation [desə'leiʃən] verwoesting; ontvolking; verlatenheid, troosteloosheid.

despair [dis'pɛə] I sb wanhoop; II vi wanhopen (aan of).

despairing(ly) [dis'pɛəriŋ(li)] wanhopig.

despatch [dis'pætʃ] zie dispatch.

desperado [despə'reidou] desperado: dolle waaghals, wanhopige woesteling.

desperate(ly) ['despərit(li)] 1 wanhopig, hopeloos, vertwijfeld; 2 roekeloos; 3 < verschrikkelijk, hoogst, zeer.

desperation [despə'reiʃən] 1 wanhoop, vertwijfeling; 2 moed der wanhoop, roekeloosheid.

despicable ['despikəbl] verachtelijk.

despise [dis'paiz] verachten, versmaden.

despite [dis'pait] I sb spijtigheid; ✎ minachting, boosaardigheid; (in) ~ of in weerwil van; II prep ...ten spijt, trots...

despoil [dis'pɔil] 1 beroven; plunderen; 2 ontsieren, bederven [het landschap].

despoilment [dis'pɔilmənt], **despoliation** [dispɔuli'eiʃən] 1 beroving; plundering; 2 ontsiering, (landschap)bederf o.

despond [dis'pɔnd] I vi moedeloos worden, wanhopen; II sb ✎ moedeloosheid.

despondency [dis'pɔndənsi] moedeloosheid, mismoedigheid.

despondent(ly) [dis'pɔndənt(li)] moedeloos.

despot ['despɔt] despoot, dwingeland.

despotic [des'pɔtik] despotisch.

despotism ['despɔtizm] despotisme o.

dessert [di'zə:t] dessert o, nagerecht o.

destination [desti'neiʃən] (plaats van) bestemming.

destine ['destin] bestemmen.

destiny ['destini] bestemming, noodlot o, lot o; the Destinies de drie schikgodinnen.

destitute ['destitju:t] 1 behoeftig; 2 ontbloot, verstoken (van of).

destitution [desti'tju:ʃən] armoede, behoeftigheid, gebrek o.

destroy [dis'trɔi] I vt vernielen, vernietigen, verwoesten, te niet doen; verdelgen; afmaken [een hond]; II vr ~ oneself zich van het leven beroven.

destroyer [dis'trɔiə] 1 vernieler, verwoester; 2 ⚓ torpedojager.

destructible [dis'trʌktibl] vernielbaar.

destruction [dis'trʌkʃən] vernieling, vernietiging, verwoesting, verdelging; ondergang.

destructive(ly) [dis'trʌktiv(li)] vernielend, verwoestend; vernielzuchtig; afbrekend.

destructor [dis'trʌktə] 1 zie destroyer 1; 2 vuilverbrandingsoven.

desuetude ['deswitju:d] in: fall into ~ in onbruik raken.

desultorily ['desəltərili] ad zie desultory.

desultory ['desəltəri] aj onsamenhangend, zonder methode, terloops gemaakt, van de hak op de tak springend; vluchtig.

detach [di'tætʃ] I vt losmaken², scheiden; uitzenden, ✂ detacheren; II vr ~ oneself (from) zich losmaken (van); ✂ zich distantiëren (van).

detachable [di'tætʃəbl] los te maken, afneembaar.

detached [di'tætʃt] gedetacheerd &; vrij-, alleenstaand [huis]; los [zin]; objectief.

detachment [di'tætʃmənt] losmaking; scheiding; onverschilligheid voor zijn omgeving; objectiviteit; isolement o; ✂ detachement o; detachering.

1 **detail** ['di:teil] sb bijzonderheid, bijzaak; detail o, kleinigheid; onderdeel o; opsomming; in ~ omstandig; go into ~ in bijzonderheden afdalen (treden).

2 **detail** [di'teil] vt 1 omstandig verhalen, opsommen; 2 ✂ detacheren, aanwijzen.

detailed [di'teild] gedetailleerd, omstandig.

detain [di'tein] ophouden, terug-, vast-, aan-,

achter-, afhouden; gevangen of in bewaring houden, detineren.

detainee [ditei'ni:] gedetineerde.

detainer [di'teinə] wie achterhoudt; $\frac{1}{16}$ gevangenhouding; bevel *o* tot gevangenhouding; onwettig bezit *o*, achterhouding.

detainment [di'teinmənt] op-, aan-, achterhouding; gevangenhouding.

detect [di'tekt] ontdekken; opsporen; bespeuren, betrappen.

detection [di'tekʃən] ontdekking; opsporing.

detective [di'tektiv] I *aj* opsporings-; rechercheurs-; *the ~ force* de recherche; II *sb* detective, rechercheur, speurder.

detector [di'tektə] 1 ontdekker; 2 verklikker [aan instrumenten &]; detector.

detention [di'tenʃən] achterhouding; oponthoud *o*; aanhouding, gevangenhouding; ⇔ schoolblijven *o*.

detention room [di'tenʃənrum] ✗ arrestantenkamer.

deter [di'tə:] afschrikken, terughouden (van *from*).

detergent [di'tə:dʒənt] zuiverend* (middel *o*); wasmiddel *o*.

deteriorate [di'tiəriəreit] I *vt* slechter maken; II *vi* slechter worden, verslechteren, achteruitgaan, ontaarden.

deterioration [ditiəriə'reiʃən] verslechtering, achteruitgang, ontaarding.

determinable [di'tə:minəbl] bepaalbaar.

determinant [di'tə:minənt] beslissend(e factor); bepalend (woord *o*).

determinate [di'tə:minit] bepaald, vast, beslist.

determination [ditə:mi'neiʃən] bepaling; vaststelling; besluit *o*, beslissing; beslistheid, vastberadenheid; richting, stroming, beëindiging, einde *o* [v. contract].

determinative [di'tə:minətiv] bepalend; beslissend.

determine [di'tə:min] bepalen, vaststellen, (doen) besluiten; beslissen; beëindigen; *~ on* besluiten tot.

determined(ly) [di'tə:mind(li)] (vast)beraden, vastbesloten, resoluut.

deterrent [di'terənt] afschrikkend (middel *o*).

detest [di'test] verfoeien.

detestable [di'testəbl] verfoeilijk.

detestation [di:tes'teiʃən] verfoeiing; afschuw; *hold (have) in ~* verfoeien.

dethrone [di'θroun] onttronen.

dethronement [di'θrounmənt] onttroning.

detonate ['detəneit] (doen) ontploffen, (doen) detoneren.

detonation [detə'neiʃən] ontploffing, knal, detonatie.

detonator ['detəneitə] detonator: knalsignaal *o*.

detour [di'tuə] omweg.

detract [di'trækt] in: *~ from* afbreuk doen aan, verminderen, verkleinen.

detraction [di'trækʃən] afbrekende kritiek,

kleinering; kwaadsprekerij.

detractive [di'træktiv] kleinerend; lasterend.

detractor [di'træktə] kleineerder; kwaadspreker.

detrain [di:'trein] I *vi* ✗ uitstappen; II *vt* (uit een trein) uitladen [troepen].

detriment ['detrimənt] nadeel *o*, schade.

detrimental [detri'mentəl] nadelig, schadelijk.

deuce [dju:s] twee [op dobbelstenen en speelkaarten]; gelijk met 40 punten [tennis] ‖ duivel, drommel; *the ~!* drommels!; *what (who) the ~?* wat (wie) voor de drommel?; *a ~ of a...* (zo) een drommelse...; zie verder: *devil* I.

deuced ['dju:sid] drommels, verduiveld.

Deuteronomy [dju:tə'rɔnəmi] Deuteronomi-
devaluate [di:'væljueit] devalueren. [um.

devaluation [di:vælju'eiʃən] devaluatie.

devalue [di:'vælju:] devalueren.

devastate ['devəsteit] verwoesten.

devastation [devəs'teiʃən] verwoesting.

devastator ['devəsteitə] verwoester.

develop [di'veləp] I *vt* ontwikkelen; tot ontwikkeling brengen; aan de dag leggen; uitbreiden; ontginnen; bebouwen [met gebouwen]; krijgen [koorts &]; II *vi* zich ontwikkelen (tot *into*); tot ontwikkeling komen; optreden [v. koorts &], ontstaan, zich ontspinnen; *a crisis ~ed* het kwam tot een crisis.

developer [di'veləpə] ontwikkelaar; bouwspeculant.

development [di'veləpmənt] ontwikkeling; uitbreiding; ontginning; bebouwing, (op)bouw; verloop *o*; *await ~s* verdere gebeurlijkheden atwachten.

deviate ['di:vieit] afwijken (van *from*).

deviation [di:vi'eiʃən] afwijking².

device [di'vais] 1 plan *o*, oogmerk *o*; middel *o*; list; (uit)vinding; toestel *o*; 2 zinspreuk, devies *o*, motto *o*; *leave him to his own ~s* hem aan zijn lot overlaten.

devil ['devl] I *sb* duivel²; loopjongen [bij drukkers], assistent [van schrijver of advocaat], duivelstoejager; sterk gekruide (vlees)-spijs; P fut; *the ~!* duivels!; *(the) ~ a bit* geen zier; *the (a) ~ of a...* een geweldig(e)...; *between the ~ and the deep sea* tussen twee vuren; *like the ~* als de drommel (weerga); *it's the ~'s (own) luck* het is een echte wanbof; maar ook: *you have the ~'s luck* je bent stom gelukkig; *give the ~ his due* iedereen recht laten wedervaren; *there was the ~ to pay* daar had je de poppen aan 't dansen; *play the ~* te keer gaan als een bezetene; *play the ~ with* veel kwaad doen, vreselijk omspringen met, vreselijk huishouden onder, ruïneren; *~ take the hindmost* sauve qui peut; II *vt* heet peperen; III *vi* als duivelstoejager (voor een ander) werken.

devilish ['devliʃ] duivels, drommels.

devil-may-care ['devlmei'kɛə] onverschillig; roekeloos, doldriest.

devilment ['devlmənt] I geduvel o, duivelse snoodheid; 2 uitgelatenheid.

devilry ['devlri] duivelskunsten(arij), snoodheid, dolle streken; roekeloze moed.

devil's bones ['devlz'bounz] dobbelstenen.

devil's books ['devlz'buks] speelkaarten.

devious ['di:viəs] kronkelend; afwijkend; dwalend; a ~ way een omweg.

devise [di'vaiz] I vt 1 uit-, bedenken, verzinnen, smeden, beramen; overléggen; 2 legateren; II sb legaat o.

deviser [di'vaizə] verzinner, uitvinder.

devisor [di'vaizə] erflater.

devoid [di'void] in: ~ of ontbloot van, verstoken van, gespeend van, zonder.

devolution [di:və'l(j)u:ʃən] overgang; overdracht; toevallen o; decentralisatie.

devolve [di'vɔlv] I vt doen overgaan, overdragen, opleggen (aan upon); II vi in: ~ upon neerkomen op², overgaan op, toevallen aan.

devote [di'vout] (toe)wijden, bestemmen (voor to), overleveren (aan to).

devoted [di'voutid] (toe)gewijd, (aan elkaar) gehecht, verknocht; gedoemd, vervloekt.

devotee [devou'ti:] (bekrompen) dweper (met), ijveraar (voor), dwepend aanhanger of enthousiast liefhebber (van of, to).

devotion [di'vouʃən] (toe)wijding, gehechtheid, verknochtheid; godsvrucht, vroomheid; godsdienstoefening, gebed o; ~ to duty plicht(s)betrachting.

devotional [di'vouʃənəl] godsdienstig, stichtelijk.

devour [di'vauə] verslinden²; fig verteren.

devourer [di'vauərə] verslinder.

devout [di'vaut] godsdienstig, godvruchtig, vroom; oprecht, vurig.

dew [dju:] I sb dauw; II (vt &) vi (be)dauwen.

dew-drop ['dju:drɔp] dauwdruppel.

dewlap ['dju:læp] kossem, halskwabbe.

dew-worm ['dju:wə:m] worm, pier.

dewy ['dju:wi] dauwachtig, bedauwd.

dexterity [deks'teriti] behendigheid, handigheid, vaardigheid.

dext(e)rous ['dekst(ə)rəs] 1 rechts; 2 behendig, handig, vaardig.

dextrin ['dekstrin] dextrine.

diabetes [daiə'bi:ti:z] suikerziekte.

diabetic [daiə'betik] I aj suikerziekte-; II sb diabeticus; lijder aan suikerziekte.

diabolic(al) [daiə'bɔlik(l)] duivels.

diabolo [di'æbəlou] sp diabolo.

diaconal [dai'ækənəl] van een deacon.

diadem ['daiədem] diadeem.

diaereses [dai'iərisi:z] mv v. diaeresis [dai'iərisis] 1 diaeresis; 2 deelteken o, trema o.

diagnose ['daiəgnouz] diagnostiseren, de diagnose opmaken (van); constateren, vaststellen [ziekte].

diagnosis [daiəg'nousis] diagnose.

diagonal [dai'ægənəl] aj & sb diagonaal.

diagram ['daiəgræm] I sb diagram o, figuur,

schematische voorstelling, grafiek; II vt schematisch of grafisch voorstellen.

dial ['daiəl] I sb 1 zonnewijzer; 2 wijzerplaat; 3 (kies)schijf; 4 (afstem)schaal; 5 S facie o & v, bakkes(je) o; II vi & vt (een nummer) draaien, kiezen, opbellen; ~ling tone kiestoon.

dialect ['daiəlekt] streektaal, tongval, dialect o.

dialectal [daiə'lektəl] dialectisch.

dialectic(al) [daiə'lektik(l)] dialectisch.

dialogue ['daiəlɔg] dialoog, samenspraak gesprek o.

dial-plate ['daiəlpleit] wijzerplaat.

diameter [dai'æmitə] diameter, middellijn.

diametric(al) [daiə'metrik(l)] diametraal, lijnrecht.

diamond ['daiəmənd] I sb diamant o [stofnaam], diamant m [voorwerpsnaam]; ruit; ◊ ruiten; it is ~ cut ~ ze zijn aan elkaar gewaagd; II aj 1 diamanten; 2 ruitvormig.

Diana [dai'ænə] Diana²; fig jageres.

diapason [daiə'peizn] ♪ (stem-, toon)hoogte; (toon)omvang; diapason; harmonie.

diaper ['daiəpə] handdoek, luier & met ruitvormig patroon.

diaphanous [dai'æfənəs] doorschijnend.

diaphragm ['daiəfræm] 1 middenrif o; 2 diafragma o [v. lens]; tussenschot o.

diarchy ['daia:ki] tweehoofdig bestuur o.

diarist ['daiərist] dagboekschrijver.

diarrhoea [daiə'riə] diarree.

diary ['daiəri] dagboek o; agenda.

diatribe ['daiətraib] schimprede; hekelschrift o.

dib [dib] bikkel; fiche o & v; ~s S duiten.

dibble ['dibl] I sb pootijzer o; II vt met een pootijzer bewerken of planten.

dice [dais] I sb dobbelstenen (mv v. die); dobbelspel o; II vi dobbelen; III vt aan dobbelstenen snijden; ~ away verdobbelen.

dice-box ['daisbɔks] dobbelbeker.

dicer ['daisə] dobbelaar.

Dick [dik] F Richard.

dickens ['dikinz] F the ~ drommels!

dickey, dicky ['diki] 1 kattebak [v. rijtuig], hulpzitting [v. auto]; 2 frontje o; 3 F ezel; 4 F vogeltje o (~-bird).

1 dictate [dik'teit] vt voorzeggen, dicteren, ingeven; voorschrijven.

2 dictate ['dikteit] sb voorschrift o, inspraak.

dictation [dik'teiʃən] dictee o, dictaat o.

dictator [dik'teitə] dictator.

dictatorial [diktə'tɔ:riəl] gebiedend, dictatorial

dictatorship [dik'teitəʃip] dictatuur. [aal.

diction ['dikʃən] dictie, voordracht.

dictionary ['dikʃənəri] woordenboek o.

dictum ['diktəm] uitspraak, gezegde o.

did [did] V.T. van do.

didactic [di'dæktik] didactisch, leer-.

diddle ['didl] S bedotten.

1 die [dai] sb 1 dobbelstéen, teerling; 2 muntstempel; 3 matrijs; 4 snijijzer o; the ~ is cast de teerling is geworpen.

2 **die** [dai]. *vi* sterven, overlijden; doodgaan; uit-, wegsterven, verflauwen, uitgaan, voorbijgaan, bedaren; ~ *a millionaire* sterven als (een) miljonair; ~ *away* (*down*) af-, wegsterven², afnemen, luwen, uitgaan; ~ *for* sterven voor; sterven van; snakken naar; ~ *from* (*of*) sterven aan; ~ *of grief* sterven van verdriet; ~ *of laughter* zich doodlachen; ~ *off* (*out*) weg-, uitsterven; ~ (*un*)*to the world* der wereld afsterven; ~ *with thirst* van dorst sterven (vergaan); ~ *hard* een taai leven hebben; moeilijk sterven; zich taai houden; *be dying to*... branden van verlangen om...

die-hard ['daiha:d] F onverzoenlijke.

diesel ['di:zl] diesel.

1 **diet** ['daiət] *sb* voedsel *o*, kost, voeding; leefregel, dieet *o* ‖ rijksdag, landdag.

2 **diet** ['daiət] I *vt* een leefregel voorschrijven, op dieet stellen; II *vi* op dieet leven.

dietary ['daiətəri] I *aj* dieet-, voedsel-; II *sb* dieet *o*; kost.

dietetic [daiə'tetik] I *aj* dieet-, voedings-; II *sb* ~*s* voedingsleer.

dietician, dietitian [daiə'tiʃən], **dietist** ['daiətist] voedingsspecialist(e), diëtist(e).

differ ['difə] verschillen, het niet eens zijn.

difference ['difrəns] verschil *o*, onderscheid *o*; geschil(punt) *o*; $ koers-, prijsverschil *o*.

different ['difrənt] *aj* verschillend (van *from*, *to*), onderscheiden, verscheiden, anders (dan *from*, *to*), ander (dan *from*).

differential [difə'renʃəl] I *aj* differentieel [v. rechten]; differentiaal; ~ *calculus* × differentiaalrekening; ~ *gear* ✕ differentieel; II *sb* 1 × differentiaal; 2 ✕ differentieel; 3 loonklasseverschil *o*.

differentiate [difə'renʃieit] I *vt* onderscheiden, doen verschillen, verschil maken tussen; II *vi* zich differentiëren.

differentiation [difərenʃi'eiʃən] verschil *o*, onderscheiding; differentiatie.

differently ['difrəntli] *ad* verschillend; anders.

difficile ['difisi:l] lastig, moeilijk te voldoen.

difficult ['difikəlt] moeilijk, lastig.

difficulty ['difikəlti] moeilijkheid, moeite, zwarigheid, bezwaar *o*.

diffidence ['difidəns] gebrek *o* aan zelfvertrouwen; schroomvalligheid.

diffident(ly) ['difidənt(li)] schroomvallig.

diffraction [di'frækʃən] diffractie, buiging [v. lichtstralen of geluidsgolven].

1 **diffuse** [di'fju:s] *aj* verspreid, verstrooid; breedsprakig, wijdlopig.

2 **diffuse** [di'fju:z] *vt* verspreiden, uitstorten, uitgieten; § diffunderen.

diffusedly [di'fju:zidli] verspreid.

diffusedness [di'fju:zidnis] verspreid voorkomen *o*.

diffusely [di'fju:sli] *ad* zie 1 *diffuse*.

diffuseness [di'fju:snis] verspreid voorkomen *o*; breedsprakigheid, wijdlopigheid.

diffusion [di'fju:ʒən] verspreiding, verbreiding, uitstorting; § diffusie.

diffusive [di'fju:siv] (zich) verspreidend; wijdlopig.

dig [dig] I *vt* graven, delven, (om)spitten; rooien [aardappelen]; duwen, porren; *Am* S snappen, begrijpen, genieten (van), appreciëren, waarderen; ~ *down* ondergraven, -mijnen; ~ *in* onderwerken [mest]; (zich) ingraven; ~ *in one's heels* (*toes*) het been stijf houden; ~ *one's nails into* doen dringen, slaan of boren in; ~ *out* (*up*) uitgraven, opgraven; opbreken; rooien; *fig* opschommelen; oprakelen; ~ *through* doorgraven; II *vi* graven, spitten; S wonen; III *sb* graafwerk *o*; por, duw; *fig* steek; ~*s* S „kast", kamer(s).

1 **digest** [di-, dai'dʒest] I *vt* 1 verteren, verduwen, verwerken, verkroppen; 2 rangschikken, systematiseren; II *vi* verteren.

2 **digest** ['daidʒest] *sb* 1 $ pandecten; 2 overzicht *o*, resumé *o*.

digestibility [didʒesti'biliti] verteerbaarheid.

digestible [di'dʒestibl] licht verteerbaar.

digestion [di'dʒestʃən] spijsvertering; verwerking [van het geleerde], digestie.

digestive [di'dʒestiv] de spijsvertering bevorderend (middel *o*); spijsverterings-.

digger ['digə] (goud)graver, delver.

digger-wasp ['digəwɔsp] graafwesp.

digging ['digiŋ] graven *o*; ~*s* 1 goudveld *o*, goudvelden; 2 F kamer(s), „kast".

✕ **dight** [dait] getooid; bereid.

digit ['didʒit] vinger(breedte), ﻮﻮ teen, vinger; cijfer *o* beneden 10.

digitate ['didʒitit], **digitated** ['didʒiteitid] ✿ & ﻮﻮ gevingerd.

digitigrade ['didʒitigreid] I *aj* ﻮﻮ op de tenen lopend; II *sb* ﻮﻮ teenganger.

dignified ['dignifaid] waardig, deftig.

dignify ['dignifai] meer waardigheid geven, sieren, adelen; vereren (met *with*).

dignitary ['dignitəri] dignitaris, (kerkelijke) waardigheidsbekleder.

dignity ['digniti] waardigheid.

digress [dai'gres] afdwalen [van het onderwerp], uitweiden.

digression [dai'greʃən] afdwaling [v. het onderwerp], uitweiding.

digressive [dai'gresiv] uitweidend.

dike [daik] I *sb* dijk, dam; stenen muur (zonder kade); sloot; II *vt* indijken; een sloot graven om.

dike-reeve ['daikri:v] dijkgraaf.

dilapidated [di'læpideitid] verwaarloosd, vervallen, bouwvallig; verkwist.

dilapidation [dilæpi'deiʃən] verwaarlozing, verval *o*, bouwvalligheid; verkwisting.

dilatability [daileitə'biliti] uitzetbaarheid, uitzettingsvermogen *o*.

dilatable [dai'leitəbl] uitzetbaar.

dilatation [dailə'teiʃən] uitzetting, verwijding; uitweiding.

dilate [dai'leit] I vt uitzetten, verwijden; ~d eyes opengespalkte ogen; II vi uitzetten, zich verwijden; ~ upon uitweiden over.

dilation [dai'leifən] zie dilatation.

dilatoriness ['dilətərinis] getalm o.

dilatory ['dilətəri] talmend.

dilemma [di'lemə, dai'lemə] dilemma o.

dilettante [dili'tænti, mv dilettanti dili'tænti:] dilettant.

diligence ['dilidʒəns] 1 ijver, naarstigheid, vlijt; 2 diligence [in Frankrijk &].

diligent(ly) ['dilidʒənt(li)] ijverig, naarstig, vlijtig.

dill [dil] ♣ dille.

dilly-dally ['dilidæli] F treuzelen.

diluent ['diljuənt] verdunnend (middel o).

dilute [dai'lju:t] I vt verdunnen; II aj verdund.

dilution [dai'lju:fən] 1 verdunning; 2 vervanging van geschoolde arbeiders door ongeschoolde of vrouwen.

diluvial [di-, dai'l(j)u:viəl] diluviaal.

diluvium [di-, dai'l(j)u:viəm] diluvium o.

dim [dim] I aj dof, schemerig, donker, duister; vaag; flauw; zwak, onduidelijk; S gering, pover; onbeduidend, onbenullig, dom [iemand]; take a ~ view of S niet veel verwachten van; niet veel ophebben met; II vi dof & worden; beslaan [glas]; verflauwen; tanen; III vt dof & maken, verduisteren, benevelen; ontluisteren; dimmen, temperen ['t licht].

dime [daim] ¹/₁₀ dollar.

dimension [di'menfən] afmeting, dimensie, omvang, grootte.

dimensional [di'menfənəl], **dimensioned** [di'menfənd] (...)dimensionaal.

diminish [di'minif] I vt verminderen, verkleinen; II vi (ver)minderen, afnemen.

diminution [dimi'nju:fən] vermindering, afneming, verkleining.

diminutive [di'minjutiv] I aj klein, gering, verkleinings-, miniatuur-; II sb verkleinwoord o.

dimity ['dimiti] I sb diemit o; II aj diemiten.

dimly ['dimli] ad zie dim I.

dimness ['dimnis] dofheid &, zie dim I.

dimple ['dimpl] I sb (wang)kuiltje o; II vi (& vt) kuiltjes vormen (in); ~d met kuiltjes.

dimply ['dimpli] met kuiltjes.

dimwit ['dimwit] Am stommerd, sufferd.

din [din] I sb leven o, geraas o, lawaai o, gekletter o; II vt verdoven; ~ it into his ears er aanhoudend over zaniken.

Dinah ['dainə] Dina.

dine [dain] I vi middagmalen, dineren, eten; I ~d off (on) boiled meat ik deed mijn maal met gekookt vlees; ~ out uit eten gaan; buitenshuis eten; ~ with Duke Humphrey niets te eten krijgen; II vt middageten verschaffen, te dineren hebben.

diner ['dainə] 1 eter, gast; 2 restauratiewagen.

ding-dong ['diŋ'dɔŋ] bimbam(beieren), klokgebrom o; go it ~ F er op los slaan; a ~ fight

gevecht o waarbij 't heet toegaat.

dinghy ['diŋgi] ♣ kleine jol; rubberboot (ook: rubber~).

dinginess ['din(d)ʒinis] duister-, dof-, groezelig-, vuil-, goorheid.

dingle ['diŋgl] dal o, vallei. [goor².

dingy ['din(d)ʒi] duister, dof, groezelig, vuil, dining-car ['daiŋiŋka:] restauratiewagen.

dining-room ['dainiŋrum] eetkamer, -zaal.

dinner ['dinə] middagmaal o, eten o, diner o.

dinner-jacket ['dinədʒækit] smoking.

dinner-party ['dinəpa:ti] diner o.

dinner-plate ['dinəpleit] plat bord o.

dinner-service ['dinəsə:vis], **dinner-set** ['dinəset] eetservies o.

dinner-time ['dinətaim] etenstijd.

dinner-wag(g)on ['dinəwægən] dientafel.

dint [dint] in: by ~ of door; zie ook: dent.

diocesan [dai'ɔsisən] I aj diocesaan; II sb 1 bisschop; 2 diocesaan.

diocese ['daiəsis, 'daiəsi:s] diocees o, bisdom o.

Diogenes [dai'ɔdʒini:z] Diogenes.

Dionysian [daiə'nisiən] Dionysisch; Bacchus-.

Dionysus [daiə'naisəs] Dionysus.

diopter [dai'ɔptə] dioptrie.

dioptric [dai'ɔptrik] I aj straalbrekings-; II sb in: ~s leer van de straalbreking.

diorama [daiə'ra:mə] diorama o.

dip [dip] I vt (in)dopen, (in)dompelen; (uit)scheppen; verven; neerlaten; laten hellen; ~ one's flag (to) ♣ salueren [een schip]; ~ the headlights ⚙ dimmen; drive on ~ped headlights ⚙ met dimlicht(en) rijden; II vi duiken, dalen, (af)hellen; doorslaan [v. balans]; ~ into duiken in; zich verdiepen in; in-, doorkijken; aanspreken [voorraad]; ~ into one's purse in de zak tasten; III sb indoping; onderdompeling; F bad o; duiken o; (kim)duiking, (af)helling; vetkaars; ~ of the horizon kimduiking; ~ of the needle inclinatie van de magneetnaald; have a ~ into a book hier en daar (even) inkijken.

diphtheria [dif'θiəriə] difterie, difteritis.

diphthong ['difθɔŋ] tweeklank, diftong.

diploma [di'ploumə] diploma o.

diplomacy [di'plouməsi] diplomatie².

diplomat ['diplomæt] diplomaat².

diplomatic [diplə'mætik] I aj diplomatisch²; diplomatiek; ~ bag zak met diplomatieke post; II sb in: ~s diplomatie; paleografie.

diplomatist [di'ploumətist] diplomaat².

dipper ['dipə] 1 schepper, pollepel; 2 ♣ waterspreeuw; 3 > baptist, wederdoper.

dipsomania [dipsou'meiniə] drankzucht.

dipsomaniac [dipsou'meiniæk] drankzuchtige.

dip-stick ['dipstik] ⚙ peilstok.

dire ['daiə] akelig, ijselijk, verschrikkelijk; ~ necessity harde noodzaak.

direct [di'rekt, dai'rekt] I aj direct, recht, rechtstreeks, onmiddellijk; fig ronduit; II ad rechtstreeks; III vt richten, besturen, (ge)leiden, regisseren [film]; voorschrijven, orders (last) geven; dirigeren; ⚎ instrueren; adresseren; de weg wijzen.

direction [di-, dai'rekʃən] directie, leiding, bestuur o; regie [v. film]; richting; aanwijzing, instructie, voorschrift o; adres o; *by ~ of…* op last (aanwijzing) van…

directional [di-, dai'rekʃənəl] ⚎ ✝ gericht.

direction-finder [di-, dai'rekʃənfaində] ⚎ ✝ richtingzoeker, radiopeiler.

direction-finding [di-, dai'rekʃənfaindiŋ] ⚎ ✝ radiopeiling.

directive [di-, dai'rektiv] I *aj* leidend, regelend, richt-; II *sb* richtlijn, directief o.

directly [di-, dai'rektli] I *ad* direct, recht-(streeks), aanstonds, dadelijk; II *cj* F zodra.

director [di-, dai'rektə] directeur, leider, bestuurder, bewindhebber; $ commissaris [v. maatschappij]; (film)regisseur; *~ of public prosecutions* ⚎ Officier van Justitie.

directorate [di-, dai'rektərit] 1 directoraat o; 2 $ raad van commissarissen.

directorship [di-, dai'rektəʃip] directeurschap o.

directory [di-, dai'rektəri] I *aj* aanwijzend, leidend; II *sb* 1 adresboek o; 2 (regerings)almanak; *D~* ⚏ Directoire o [1795].

directress [di-, dai'rektris] directrice.

direful ['daiəful] zie *dire*.

dirge [də:dʒ] lijk-, klaag-, treurzang.

dirigible ['diridʒibl] I *aj* bestuurbaar; II *sb* bestuurbare luchtballon, luchtschip o.

dirk [də:k] dolk, ponjaard [v. adelborst].

dirt [də:t] vuil o, vuilnis, modder², slijk² o, vuiligheid; grond, aarde; goudhoudende aarde; *eat ~* beledigingen slikken.

dirt-cheap ['də:t'tʃi:p] spotgoedkoop.

dirt farmer ['də:tfa:mə] *Am* boer die zelf werkt.

dirtily ['də:tili] *ad* zie *dirty* I.

dirtiness ['də:tinis] vuil(ig)heid; gemeenheid.

dirt road ['də:troud] *Am* onverharde weg.

dirt track ['də:ttræk] *sp* sintelbaan.

dirty ['də:ti] I *aj* vuil; smerig; gemeen; vies [woord]; II *vt* vuilmaken; bezoedelen; III *vi* vuil worden.

disability [disə'biliti] onvermogen o, onbekwaamheid, onbevoegdheid; diskwalificatie; belemmering, handicap; invaliditeit.

disable [dis'eibl, di'zeibl] onbekwaam, ongeschikt, onschadelijk maken; buiten gevecht stellen; ⚎ diskwalificeren, onbevoegd verklaren; uitsluiten; ⚓ onttakelen.

disabled [dis'eibld, di'zeibld] gediskwalificeerd; invalide; buiten gevecht gesteld; verminkt; ontredderd, stuk.

disablement [dis'eiblmənt, di'zeiblmənt] invaliditeit; diskwalificatie.

disabuse [disə'bju:z] uit een dwaling of uit de droom helpen.

disaccustom [disə'kʌstəm] ontwennen.

disadvantage [disəd'va:ntidʒ] I *sb* nadeel o; verlies o; *take one at a ~* (op een onbewacht ogenblik) overrompelen; II *vt* benadelen.

disadvantageous [disædva:n'teidʒəs] nadelig.

disaffected [disə'fektid] ontevreden.

disaffection [disə'fekʃən] ontevredenheid.

disafforest [disə'fərist] ontbossen.

disafforestation [disæfəris'teiʃən] ontbossing

disagree [disə'gri:] verschillen, het oneens zijn, niet passen (bij *with*); … *~s with me* …bekomt me niet goed.

disagreeable [disə'griəbl] I *aj* onaangenaam; II *sb* F *~s* onaangenaamheden.

disagreeably [disə'griəbli] *ad* onaangenaam.

disagreement [disə'gri:mənt] afwijking, verschil o, onenigheid, geschil o, tweedracht.

disallow [disə'lau] niet toestaan, weigeren; verwerpen.

disallowance [disə'lauəns] weigering; verwerping.

disappear [disə'piə] verdwijnen.

disappearance [disə'piərəns] verdwijning.

disappoint [disə'pɔint] teleurstellen.

disappointment [disə'pɔintmənt] teleurstelling, tegenvaller, deceptie.

disapprobation [disæprə'beiʃən] afkeuring.

disapproval [disə'pru:vəl] afkeuring.

disapprove [disə'pru:v] afkeuren (ook: *~ of*).

disarm [dis'a:m, di'za:m] ⚔ ontwapenen.

disarmament [dis'a:məmənt, di'z-] ⚔ ontwapening.

disarrange [disə'reindʒ] in de war brengen.

disarrangement [disə'reindʒmənt] verwarring, wanorde.

disarray [disə'rei] I *sb* wanorde; verwarring; II *vt* in wanorde brengen.

disaster [di'za:stə] ramp, onheil o, catastrofe.

disastrous(ly) [di'za:strəs(li)] rampspoedig, noodlottig, catastrofaal.

disavow [disə'vau] (ver)loochenen, ontkennen, niet erkennen; desavoueren.

disavowal [disə'vauəl] (ver)loochening, ont kenning, niet-erkenning.

disband [dis'bænd] I *vi* uiteengaan, zich verspreiden; II *vt* ⚔ afdanken; ontbinden.

disbandment [dis'bændmənt] ⚔ ontbinding.

disbar [dis'ba:] ⚎ uitsluiten (van de balie).

disbelief ['disbi'li:f] ongeloof o.

disbelieve ['disbi'li:v] niet geloven.

disbeliever ['disbi'li:və] ongelovige.

disburden [dis'bə:dn] ontlasten; uitstorten.

disburse [dis'bə:s] (uit)betalen, uitgeven, voorschieten.

disbursement [dis'bə:smənt] (uit)betaling; uitgave; verschot o.

disc [disk] schijf, discus; *Am* (grammofoon)-plaat; *slipped ~* ✝ hernia.

discard [dis'ka:d] af-, wegleggen, op zij zetten, ter zijde leggen; afdanken.

discern [di'sə:n] onderscheiden, onderkennen, bespeuren, ontwaren, waarnemen.

discernible [di'sə:nibl] (duidelijk) te onderscheiden, waarneembaar.

discerning [di'sə:niŋ] schrander, scherpziend.

discernment [di'sə:nmənt] onderscheiding, onderscheidingsvermogen o, oordeel o des onderscheids, doorzicht *o*, schranderheid, scherpe blik.

discharge [dis'tʃa:dʒ] I *vt* af-, ontladen, afschieten, lossen; [water] lozen; ontlasten; ontheffen, kwijtschelden, vrijspreken (van *from*); ontslaan, ⚓ afmonsteren; $ rehabiliteren; (zich) kwijten (van); voldoen, betalen; vervullen [plichten]; II *vi* zich ontlasten; etteren, dragen [v. wond]; III *sb* ontlading; lossen *o*, losbranding, afschieten *o*; schot *o*; etter; ontlasting, lozing; ontheffing, kwijtschelding, vrijspraak; kwijting, kwijtbrief, ontslag *o*; ⚓ afmonstering; $ rehabilitatie; vervulling [van zijn plicht].

disciple [di'saipl] leerling, discipel.

disciplinarian [disipli'nɛəriən] wie orde houdt, tuchtmeester.

disciplinary ['disiplinəri] disciplinair, tucht-.

discipline ['disiplin] I *sb* (krijgs)tucht, orde, discipline; tuchtiging, kastijding; II *vt* disciplineren; tuchtigen, kastijden.

disc jockey ['diskdʒɔki] platendraaier, discojockey.

disclaim [dis'kleim] geen aanspraak maken op; niet erkennen, afwijzen; verwerpen, ontkennen.

disclaimer [dis'kleimə] afwijzing, verwerping; ontkenning, dementi *o*; afstand.

disclose [dis'klouz] blootleggen, openbaren, onthullen, aan het licht brengen, openbaar maken, bekendmaken, uit de doeken doen.

disclosure [dis'klouʒə] openbaring, onthulling, openbaarmaking, bekendmaking.

discography [dis'kɔgrəfi] discografie *v.*

discolour [dis'kʌlə] (*vt* &) *vi* (doen) verkleuren, verschieten of verbleken.

discolo(u)ration [diskʌlə'reiʃən] verandering van kleur, verkleuring, vlek.

discomfit [dis'kʌmfit] verslaan, uit het veld slaan²; verijdelen [v. plannen]; ~*ed* onthutst, beduusd.

discomfiture [dis'kʌmfitʃə] nederlaag; verbijstering; verijdeling; verlegenheid.

discomfort [dis'kʌmfət] I *sb* ongemak *o*; onbehaaglijkheid; ✎ leed *o*; II *vt* ongemak veroorzaken, hinderen; ✎ bedroeven.

discompose [diskəm'pouz] doen ontstellen, verontrusten, verstoren; ~*d* ontdaan.

discomposure [diskəm'pouʒə] ontsteltenis, verontrusting, onrust; verwarring.

disconcert [diskən'sə:t] verijdelen; ontstellen, van zijn stuk brengen; ~*ed* ontdaan.

disconnect [diskə'nekt] losmaken; los-, afkoppelen, uitschakelen; scheiden; ~*ed* onsamenhangend, los.

disconsolate(ly) [dis'kɔnsəlit(li)] troosteloos, ontroostbaar.

discontent [diskən'tent] I *aj* misnoegd; II *sb* ontevredenheid; III *vt* misnoegen geven.

discontented(ly) [diskən'tentid(li)] ontevreden, misnoegd.

discontinuance [diskən'tinjuəns], **discontinua-**

tion [diskɔntinju'eiʃən] afbreking, uitscheiden *o*, ophouden *o*, staking; intrekking; opzegging; opheffing.

discontinue [diskən'tinju:] staken, afbreken, ophouden met; intrekken; opzeggen [abonnement]; opheffen [zaak].

discontinuity [diskɔnti'nju:iti] discontinuïteit.

discontinuous [diskən'tinjuəs] onderbroken; onsamenhangend.

1 **discord** ['diskɔ:d] *sb* disharmonie, onenigheid, tweedracht; wanklank; dissonant.

2 **discord** [dis'kɔ:d] *vi* niet harmoniëren.

discordance [dis'kɔ:dəns] disharmonie.

discordant [dis'kɔ:dənt] onharmonisch, niet-overeenstemmend², uiteenlopend; onenig, wanluidend.

1 **discount** ['diskaunt] *sb* $ disconto *o*; korting; disagio *o*; *be at a* ~ 1 beneden pari staan; 2 in diskrediet of niet in tel zijn.

2 **discount** [dis'kaunt] *vt* $ (ver)disconteren; buiten rekening laten, niet tellen; weinig geloof hechten aan; afbreuk doen aan, verminderen; iets afdoen [v. prijs]; vooruitlopen op.

discountable [dis'kauntəbl] $ disconteerbaar.

discountenance [dis'kauntənəns] verlegen maken, van zijn stuk brengen; zijn steun onthouden aan, geen voet geven, niet aanmoedigen, tegengaan, tegenwerken.

discourage [dis'kʌridʒ] ontmoedigen; afschrikken; niet aanmoedigen, ont-, afraden, (ervan) afhouden, tegengaan.

discouragement [dis'kʌridʒmənt] ontmoediging; tegenwerking.

discourse [dis'kɔ:s] I *sb* verhandeling, voordracht, rede(voering); preek; ✎ gesprek *o*; II *vi* spreken (over *on, of*), praten.

discourteous(ly) [dis'kə:tiəs(li), -'kɔ:tjəs(li)] onhoffelijk, onheus, onbeleefd.

discourtesy [dis'kə:tisi, -'kɔ:tisi] onhoffelijkheid, onheusheid, onbeleefdheid.

discover [dis'kʌvə] I *vt* ontdekken; ✎ openbaren, tonen, verraden; II *vr* ~ *oneself* zich bekendmaken.

discoverer [dis'kʌvərə] ontdekker.

discovery [dis'kʌvəri] ontdekking.

discredit [dis'kredit] I *sb* diskrediet *o*; II *vt* niet geloven; in diskrediet brengen.

discreditable [dis'kreditəbl] schandelijk.

discreet(ly) [dis'kri:t(li)] kunnende zwijgen, voorzichtig [in zijn uitlatingen]; tactvol.

discrepancy [dis'krepənsi] gebrek *o* aan overeenstemming; tegenstrijdigheid; verschil *o*.

discrepant [dis'krepənt] tegenstrijdig, niet overeenstemmend.

discretion [dis'kreʃən] oordeel *o* (des onderscheids), verstand *o*, wijsheid, voorzichtigheid, beleid *o*; *surrender at* ~ zich op genade of ongenade overgeven; *at the* ~ *of...* 1 naar goedvinden van...; 2 overgeleverd aan de willekeur van...; *it is at your* ~ het is (staat) tot uw dienst; zoals u verkiest; *act on* (*use*) *one's own* ~ naar (eigen) goedvinden handelen; ~

is the better part of valour beter blo Jan dan do Jan.

discretionary [dis'kreʃənəri] onbepaald, naar eigen believen te bepalen; ~ *power(s)* macht om naar goeddunken te handelen.

discriminate [dis'krimineit] onderscheiden (van *from*), onderscheid maken.

discriminating [dis'krimineitiŋ] (scherp) onderscheidend; scherpzinnig, schrander; ~ *duties* differentiële rechten.

discrimination [diskrimi'neiʃən] 1 onderscheiding, onderscheidingsvermogen o; 2 scherpzinnigheid; 3 onderscheid o; 4 discriminatie [v. rassen &].

discriminative [dis'krimineitiv] 1 onderscheidend, nauwlettend; 2 kenmerkend.

discriminatory [dis'krimineitəri] zie *discriminating & discriminative*.

discrown [dis'kraun] de kroon ontnemen.

discursive(ly) [dis'kə:siv(li)] 1 niet-intuïtief; beredenerend; 2 van de hak op de tak springend, afdwalend; veelzijdig.

discus ['diskəs] discus.

discuss [dis'kʌs] discuteren, bespreken; F verorberen [iets], verschalken [een glaasje].

discussion [dis'kʌʃən] discussie, bespreking; F verorbering, verschalking; *under* ~ in behandeling.

disdain [dis'dein] I *vt* minachten; versmaden, beneden zich achten, zich niet verwaardigen; II *sb* minachting, versmading.

disdainful(ly) [dis'deinful(i)] minachtend, versmadend

disease [di'zi:z] ziekte, kwaal.

diseased [di'zi:zd] ziek, ziekelijk.

disembark [disim'ba:k] I *vt* ontschepen, aan land zetten; II *vi* zich ontschepen, landen, aan wal gaan.

disembarkation [disemba:'keiʃən] ontscheping, landing.

disembarrass [disim'bærəs] bevrijden, ontlasten, ontdoen; ontwarren.

disembogue [disim'boug] I *vi* uitmonden, zich ontlasten; II *vt* uitstorten, uitbraken.

disembowel [disim'bauəl] ontweien [wild &]; [vis] uithalen; de buik openrijten van.

disembroil [disim'brɔil] ontwarren.

disenchant [disin'tʃa:nt] ontgoochelen.

disenchantment [disin'tʃa:ntmənt] ontgoocheling, ontnuchtering, desillusie.

disencumber [disin'kʌmbə] vrijmaken, [van overlast] bevrijden.

disenfranchise [disin'fræn(t)ʃaiz] zie *disfranchise*.

disengage [disin'geidʒ] los-, vrijmaken, bevrijden.

disengaged [disin'geidʒd] bevrijd; los, vrij, onbezet [van tijd].

disengagement [disin'geidʒmənt] los-, vrijmaking, bevrijding; vrijheid, vrij zijn o; losheid [v. beweging]; onbevangenheid; verbreking van engagement.

disentangle [disin'tæŋgl] ontwarren; losmaken; vrijmaken, bevrijden.

disentanglement [disin'tæŋglmənt] ontwarring; los-, vrijmaking, bevrijding.

disestablish [disis'tæbliʃ] van de Staat scheiden.

disestablishment [disis'tæbliʃmənt] scheiding van Kerk en Staat.

disfavour [dis'feivə] I *sb* ongenade, ongunst; *to his* ~ te zijnen nadele; *regard with* ~ niet gaarne zien; II *vt* uit de gunst doen geraken; niet gaarne zien, geen voet geven.

disfigure [dis'figə] mismaken, schenden, verminken, ontsieren.

disfigurement [dis'figəmənt] mismaaktheid, schending, verminking, ontsiering.

disfranchise [dis'fræn(t)ʃaiz] de voorrechten, het kiesrecht ontnemen.

disfranchisement [dis'fræn(t)ʃizmənt] ontneming van de voorrechten, van het kiesrecht.

disgorge [dis'gɔ:dʒ] I *vt* uitbraken, ontlasten; op-, teruggeven[2]; II *vi* zich ontlasten of uitstorten.

disgrace [dis'greis] I *sb* ongenade; schande; schandvlek; *in* ~ in ongenade gevallen; II *vt* in ongenade doen vallen, zijn gunst onttrekken aan; onteren, te schande maken; tot schande strekken; schandvlekken; III *vr* ~ *oneself* zich schandelijk gedragen.

disgraceful(ly) [dis'greisful(i)] schandelijk.

disgruntled [dis'grʌntld] ontevreden.

disgruntlement [dis'grʌntlmənt] ontevredenheid.

disguise [dis'gaiz] I *vt* vermommen, verkleden; handig verbergen, verbloemen; *a* ~*d hanp* een verdraaide hand; ~*d subsidies* verkapte subsidies; *we cannot* ~ *from ourselves the difficulty of...* wij kunnen ons de moeilijkheid om... niet ontveinzen; II *sb* vermomming, verkleding; dekmantel, masker o; *in* ~ vermomd, verkapt; *without* ~ zonder er doekjes om te winden.

disgust [dis'gʌst] I *sb* walg, afkeer (van *at*, *for*), walging; II *vt* doen walgen, afkerig maken (van *with*); *be* ~*ed at* walgen van.

disgusting(ly) [dis'gʌstiŋ(li)] walglijk; misselijk.

dish [diʃ] I *sb* schotel, schaal, gerecht o; *standing* ~ vaste schotel; *fig* nooit mankerend nummer o; II *vt* opscheppen [uit ketel]; S te slim af zijn; ~ *up* opdissen, opdienen, voorzetten; ~*ed (up)* F naar de maan.

dishabille [disæ'bi:l] negligé o.

disharmony [dis'ha:məni] disharmonie.

dish-cloth ['diʃklɔθ] vaatdoek.

dishearten [dis'ha:tn] ontmoedigen.

dishevel [di'ʃevəl] in de war brengen [het haar]; ~*led* met verwarde haren; verward; slordig; verfomfaaid.

dish-mop ['diʃmɔp] vatenkwast, vaatkwast.

dishonest(ly) [dis'ɔnist(li)] oneerlijk.

dishonesty [dis'ɔnisti] oneerlijkheid.

dishonour [dis'ɔnə] I *sb* oneer, schande; II *vt* onteren, te schande maken; $ [een wissel] niet honoreren.

dishonourable [dis'ɔnərəbl] schandelijk; eerloos; oneervol.

dishwasher ['diʃwɔʃə] bordenwasser; bordenwasmachine, afwasmachine, -automaat (ook: *automatic* ~); ⚓ witte kwikstaart.

dish-water ['diʃwɔ:tə] vaatwater o.

disillusion [disi'l(j)u:ʒən] I *sb* desillusie: ontgoocheling; II *vt* ontgoochelen.

disillusionize [disi'l(j)u:ʒənaiz] ontgoochelen.

disillusionment [disi'l(j)u:ʒənmənt] desillusie: ontgoocheling.

disinclination [disinkli'neiʃən] ongeneigdheid, tegenzin, afkerigheid.

disincline [disin'klain] afkerig maken; ~*d to* niet genegen om, afkerig van, niet gestemd

disinfect [disin'fekt] ontsmetten. [tot.

disinfectant [disin'fektənt] I *aj* ontsmettend; II *sb* ontsmettingsmiddel o.

disinfection [disin'fekʃən] ontsmetting.

disingenuous(ly) [disin'dʒenjuəs(li)] onoprecht,

disinherit [disin'herit] onterven. [geveinsd.

disinheritance [disin'heritəns] onterving.

disintegrate [dis'intigreit] tot ontbinding (doen) overgaan, (doen) uiteenvallen.

disintegration [disinti'greiʃən] ontbinding, uiteenvallen o, desintegratie.

disinter [disin'tə:] opgraven, opdelven.

disinterested [dis'int(ə)restid] 1 belangeloos, onbaatzuchtig; 2 zonder belangstelling; ~ *in* niet geïnteresseerd bij.

disinterestedness [dis'int(ə)restidnis] 1 belangeloosheid, onbaatzuchtigheid; 2 gebrek o aan belangstelling.

disinterment [disin'tə:mənt] opgraving.

disjoin [dis'dʒɔin] scheiden, losmaken.

disjoint [dis'dʒɔint] ontwrichten, uit elkaar nemen; ~*ed* onsamenhangend, los.

disjunction [dis'dʒʌŋkʃən] scheiding.

disjunctive [dis'dʒʌŋktiv] scheidend.

disk [disk] zie *disc*.

disk jockey ['diskdʒɔki] zie *disc jockey*.

dislike [dis'laik] I *vt* niet houden van, niet mogen; II *sb* afkeer, tegenzin, antipathie.

dislocate ['disləkeit] ontwrichten[2].

dislocation [dislə'keiʃən] ontwrichting[2].

dislodge [dis'lɔdʒ] losmaken; [uit een stelling &] verdrijven, op-, verjagen.

disloyal(ly) [dis'lɔiəl(i)] ontrouw, trouweloos.

disloyalty [dis'lɔiəlti] ontrouw, trouweloosheid, trouwbreuk.

dismal ['dizməl] akelig, naar, treurig, triest, somber; ~ *Jimmy* pessimist.

dismantle [dis'mæntl] ⚓ ontmantelen; ⚓ ontakelen; ✗ demonteren.

dismay [dis'mei] I *vt* ontmoedigen, doen ontstellen; ~*ed* verslagen; II *sb* ontsteltenis, verslagenheid.

dismember [dis'membə] uiteenrukken, verdelen, verbrokkelen; verminken[2].

dismemberment [dis'membəmənt] verdeling, verbrokkeling, verminking[2].

dismiss [dis'mis] I *vt* wegzenden, ontslaan, afdanken, afzetten: laten gaan, ✗ laten inrukken; van zich afzetten [gedachte]; [een idee] laten varen; afpoeieren, zich afmaken van; 🎓 afwijzen; ~ *!* ✗ ingerukt!; II *sb* de ~ ✗ het (sein tot) inrukken.

dismissal [dis'misəl] ontslag o, afdanking, afzetting; 🎓 afwijzing.

dismount [dis'maunt] I *vi* afstijgen; II *vt* uit de zadel werpen[2]; ✗ demonteren. [heid.

disobedience [disə'bi:djəns] ongehoorzaamheid.

disobedient [disə'bi:djənt] ongehoorzaam.

disobey [disə'bei] I *vt* niet gehoorzamen, niet luisteren naar, overtreden; II *vi* ongehoorzaam zijn, niet luisteren.

disoblige [disə'blaidʒ] weigeren van dienst te zijn; voor het hoofd stoten.

disobliging(ly) [disə'blaidʒiŋ(li)] weinig tegemoetkomend, onvriendelijk, onheus.

disorder [dis'ɔ:də] I *sb* 1 wanorde, verwarring; 2 stoornis, kwaal, ongesteldheid; ~*s* ook: ongeregeldheden; II *vt* in de war brengen, van streek (ziek) maken.

disordered [dis'ɔ:dəd] 1 verward; 2 in de war van streek.

disorderliness [dis'ɔ:dəlinis] on-, wanordelijkheid; ongeregeldheid; rustverstoring.

disorderly [dis'ɔ:dəli] on-, wanordelijk, ongeregeld, burengerucht veroorzakend.

disorganization [disɔ:gənai'zeiʃən] desorganisatie; *fig* ontwrichting.

disorganize [dis'ɔ:gənaiz] desorganiseren; *fig* ontwrichten.

disown [dis'oun] niet erkennen, verloochenen, verstoten.

disparage [dis'pæridʒ] verkleinen, kleineren, neerhalen, afbreken.

disparagement [dis'pæridʒmənt] verkleining, kleinering.

disparaging(ly) [dis'pæridʒiŋ(li)] kleinerend.

disparate ['dispərit] I *aj* ongelijk; II *sb* ~*s* twee ongelijke zaken.

disparity [dis'pæriti] ongelijkheid, verschil o.

dispart [dis'pa:t] (zich) scheiden, verdelen.

dispassionate(ly) [dis'pæʃənit(li)] bezadigd, koel, onpartijdig.

dispatch [dis'pætʃ] I *vt* (met spoed) afzenden of afdoen, afhandelen, afmaken, van kant maken; F naar binnen spelen; II *sb* afverzending, zenden o; (spoedige) afdoening, spoed; (spoed)bericht o, depêche.

dispatch-box [dis'pætʃbɔks] bronzen aktenkistje o (waarachter een bewindsman of oppositieleider het woord voert in het Parlement); aktenkoffertje o [inz. met de miljoenenrede (*red*~)].

dispatch-note [dis'pætʃnout] 🖂 adreskaart.

dispatch-rider [dis'pætʃraidə] ✗ bereden estafette; motorordonnans.

dispel [dis'pel] verdrijven, verjagen.

dispensable [dis'pensəbl] **ontbeerlijk; waarvan** vrijstelling verleend kan worden.

dispensary [dis'pensəri] apotheek.

dispensation [dispen'seiʃən] uitdeling, toediening; beschikking, bedeling; dispensatie, vergunning, ontheffing, vrijstelling.

dispense [dis'pens] **I** vt uitdelen; toedienen; klaarmaken [recept]; vrijstellen, ontheffen (van *from*); **II** vi in: ~ *with* het stellen buiten; onnodig maken.

dispenser [dis'pensə] **I** uitdeler; beschikker (over *of*); 2 apotheker; 3 dispenser [voor mesjes &].

dispeople [dis'pi:pl] ontvolken.

dispersal [dis'pə:sl] verstrooiing, verspreiding.

disperse [dis'pə:s] **I** vt verstrooien, verspreiden; uiteenjagen, -drijven; **II** vi zich verstrooien, zich verspreiden, uiteengaan.

dispersion [dis'pə:ʃən] verspreiding, verstrooiing, uiteenjagen o; verstrooid liggen o; versnippering [van stemmen &].

dispirit [dis'pirit] ontmoedigen.

dispirited(ly) [dis'piritid(li)] ontmoedigd.

displace [dis'pleis] verplaatsen, verschuiven; afzetten; vervangen; verdringen; ~*d person* ontheemde.

displacement [dis'pleismənt] (water)verplaatsing; verschuiving; vervanging.

display [dis'plei] **I** vt ontplooien; uitstallen, (ver)tonen, ten toon spreiden, aan de dag leggen; te koop lopen met, geuren met; opvallend (met vette koppen) drukken, als kop plaatsen [in krant]; **II** sb vertoning, uitstalling, vertoon o; pracht, praal; *air* ~ ✈ vliegdemonstratie; *firework* ~ vuurwerk o; *make* a ~ *of* ten toon spreiden, pralen met.

displease [dis'pli:z] mishagen, onaangenaam aandoen, niet aangenaam zijn; ~*d* misnoegd, ontstemd, ontevreden (over *at*).

displeasing [dis'pli:ziŋ] onaangenaam.

displeasure [dis'pleʒə] mishagen o, misnoegen o, ongenoegen o, ontstemming.

disport [dis'pɔ:t] **I** vr & vi zich vermaken, spelen, dartelen; **II** sb ✻ vermaak o.

disposable [dis'pouzəbl] beschikbaar.

disposal [dis'pouzəl] beschikking; schikking; plaatsing; afdoening; van de hand doen o; verkoop; opruiming [v. bommen &]; *have the* ~ *of* (kunnen) beschikken over; *at your* ~ te uwer beschikking; *for* ~ te koop.

dispose [dis'pouz] (rang)schikken, plaatsen; regelen; beschikken; stemmen, bewegen; ~*d* geneigd, gestemd, gezind; *are you* ~*d to...?* ook: hebt u zin om...?; ~ *of* beschikken over; afdoen; weerleggen [argumenten], ontzenuwen; afrekenen met; afmaken, uit de weg ruimen; kwijtraken, opruimen; zich ontdoen van, van de hand doen, verkopen; J verschalken, verorberen.

disposition [dispə'ziʃən] (rang)schikking, plaatsing; beschikking; aard; aanleg, gezindheid, neiging, stemming; *at your* ~ te uwer be-

schikking.

dispossess [dispə'zes] uit het bezit stoten, beroven (van *of*); onteigenen; *the* ~*ed* de misdeelden (onzer maatschappij).

dispraise [dis'preiz] **I** sb afkeuring, laking, blaam; **II** vt afkeuren, laken, wraken.

disproof [dis'pru:f] weerlegging.

disproportion [disprə'pɔ:ʃən] onevenredigheid, wanverhouding.

disproportional [disprə'pɔ:ʃənəl], **disproportionate** [-'pɔ:ʃənit], **disproportioned** [-'pɔ:ʃənd] onevenredig, niet geëvenredigd, niet in verhouding (met *to*).

disprove [dis'pru:v] weerleggen.

disputable ['dispjutəbl] betwistbaar.

disputant ['dispjutənt] disputant.

disputation [dispju'teiʃən] dispuut o, redetwist.

disputatious [dispju'teiʃəs] twistziek.

dispute [dis'pju:t] **I** vi (rede)twisten, disputeren; **II** vt discuteren over; betwisten; **III** sb dispuut o, twistgesprek o, (rede)twist, woordenstrijd, verschil o van mening, geschil o; *beyond* ~ buiten kijf; *the matter in* ~ het geschilpunt, de zaak in kwestie.

disqualification [diskwɔlifi'keiʃən] onbevoegdheid; uitsluiting, diskwalificatie.

disqualify [dis'kwɔlifai] onbekwaam of ongeschikt maken, zijn bevoegdheid ontnemen, uitsluiten, diskwalificeren.

disquiet [dis'kwaiət] **I** sb onrust, ongerustheid; **II** vt verontrusten.

disquietude [dis'kwaiətju:d] verontrusting, ongerustheid, onrust.

disquisition [diskwi'ziʃən] verhandeling.

Disraeli [diz'reili] Disraeli.

disrate [dis'reit] ♣ degraderen.

disregard [disri'ga:d] **I** vt geen acht slaan op, veronachtzamen; **II** sb veronachtzaming; terzijdestelling, geringschatting.

disrelish [dis'reliʃ] **I** sb tegenzin (in *for*); **II** vt een tegenzin hebben in.

disrepair [disri'pɛə] vervallen staat.

disreputable [dis'repjutəbl] berucht, minder fatsoenlijk, schandelijk, slecht.

disrepute [disri'pju:t] kwade naam, oneer.

disrespect [disris'pekt] oneerbiedigheid.

disrespectful(ly) [disris'pektful(i)] oneerbiedig.

disrobe [dis'roub] (zich) ontkleden; het ambtsgewaad afleggen; ontdoen (van *of*).

disrupt [dis'rʌpt] uiteenrukken, vaneenscheuren; doen uiteenvallen; ontwrichten.

disruption [dis'rʌpʃən] vaneenscheuring; scheuring [in de Kerk]; ontwrichting.

dissatisfaction [dissætis'fækʃən] ontevredenheid, onvoldaanheid, misnoegen o.

dissatisfactory [dissætis'fæktəri] onbevredigend, teleurstellend.

dissatisfied [dis'sætisfaid] onvoldaan.

dissatisfy [dis'sætisfai] **I** geen voldoening schenken, teleurstellen, tegenvallen, mishagen; 2 ontevreden stemmen.

dissect [di'sekt] ontleden²; ~*ing room* snij- of ontleedkamer.

dissection [di'sekʃən] sectie, ontleding.

dissector [di'sektə] ontleder, anatoom.

dissemble [di'sembl] I *vt* (zich) ontveinzen, verbergen; II *vi* huichelen, veinzen.

dissembler [di'semblə] huichelaar, veinzer.

disseminate [di'semineit] (uit)zaaien², uitstrooien², verspreiden.

dissemination [disemi'neiʃən] zaaien² *o*, verspreiding.

disseminator [di'semineitə] verspreider.

dissension [di'senʃən] verdeeldheid, onenigheid, tweedracht.

dissent [di'sent] I *vi* verschillen in gevoelen of van mening; zich afscheiden [in geloofszaken]; *a* ~*ing minister* een afgescheiden dominee; II *sb* verschil *o* van mening; afscheiding [v. d. staatskerk]; de afgescheidenen.

dissenter [di'sentə] afgescheidene.

dissentient [di'senʃənt] I *aj* afwijkend [in denkwijze]; andersdenkend; *with one* ~ *voice* met één stem tegen; II *sb* 1 andersdenkende; 2 tegenstemmer.

dissertation [disə'teiʃən] verhandeling.

disserve [dis'sə:v] een ondienst doen.

disservice [dis'sə:vis] ondienst.

dissever [dis'sevə] scheiden.

dissidence [disidəns] (menings)verschil *o*.

dissident [disidənt] I *aj* verschillend; onenig; een andere mening toegedaan, andersdenkend; afgescheiden; II *sb* andersdenkende; afgescheidene.

dissimilar [di'similə] ongelijk(soortig).

dissimilarity [disimi'læriti], **dissimilitude** [disi-'militju:d] ongelijk(soortig)heid.

dissimulate [di'simjuleit] I *vt* ontveinzen, verbergen; II *vi* veinzen, huichelen.

dissimulation [disimju'leiʃən] geveinsdheid, veinzerij, huichelarij; ontveinzen *o*.

dissipate [disipeit] I *vt* verstrooien; verdrijven; doen optrekken of vervliegen; verkwisten, verspillen; ~*d* 1 verstrooid; 2 verkwistend, losbandig, verboemeld; II *vi* zich verstrooien; pierewaaien; verdwijnen.

dissipation [disi'peiʃən] 1 verstrooiing; verdrijving; 2 verkwisting, verspilling; 3 losbandigheid.

dissociate [di'souʃieit] I *vt* (af)scheiden; II *vr* ~ *oneself* zich afscheiden of losmaken, zich distantiëren (van *of*).

dissociation [disousi'eiʃən] (af)scheiding.

dissolubility [disɔlju'biliti] oplosbaarheid, ontbindbaarheid.

dissoluble [di'sɔljubl] oplosbaar, ontbindbaar.

dissolute(ly) [disəl(j)u:t(li)] ongebonden, los(bandig), liederlijk.

dissoluteness [disəl(j)u:tnis] ongebondenheid, losbandigheid, liederlijkheid.

dissolution [disə'l(j)u:ʃən] (weg)smelting, oplossing; ontbinding; dood. [baar.

dissolvable [di'zɔlvəbl] oplosbaar, ontbind-

dissolve [di'zɔlv] I *vt* oplossen, ontbinden, scheiden; II *vi* (zich) oplossen, smelten; uiteengaan.

dissolvent [di'zɔlvənt] oplossend (middel *o*).

dissonance [disənəns] wanklank, dissonant², wanluidendheid; onenigheid.

dissonant [disənənt] wanluidend, onharmonisch, niet overeenstemmend (met *from, to*).

dissuade [di'sweid] af-, ontraden; afbrengen (van *from*).

dissuasion [di'sweiʒən] af-, ontrading.

dissuasive [di'sweisiv] I *aj* af-, ontradend; II *sb* afschrikwekkend voorbeeld *o* of geval *o*.

dissyllabic [disi'læbik] tweelettergrepig.

dissyllable [di'siləbl] tweelettergrepig woord *o*.

distaff [dista:f] spinrokken *o*; ~ (*side*) ⒲ spilzijde, vrouwelijke linie.

distance [distəns] I *sb* afstand; verte; eind *o* (weegs); *keep one's* ~ zich op een afstand houden, op een (eerbiedige) afstand blijven; II *vt* op zekere afstand plaatsen; achter zich laten², voorbijstreven; *be* ~*d* het afleggen [tegen concurrent], achterblijven.

distant [distənt] ver, verwijderd, afgelegen; terughoudend, op een afstand.

distaste [dis'teist] afkeer, tegenzin.

distasteful [dis'teistful] onaangenaam, onsmakelijk.

distemper [dis'tempə] I *sb* ziekte, kwaal; hondeziekte ‖ tempera [verf]; saus [voor muren]; II *vt* in de war brengen; ziek maken ‖ tempera schilderen; sausen [plafond &].

distend [dis'tend] *vt* & *vi* rekken, openspalken, (doen) uitzetten, opzwellen.

distension [dis'tenʃən] uitzetting, (op)zwelling, rekking; omvang.

distich [distik] distichon *o*; tweeregelig vers *o*.

distil [dis'til] I *vi* 1 afdruipen, afdruppelen; 2 zich laten distilleren; II *vt* 1 doen druppelen; 2 distilleren.

distillate [distilit] distillaat *o*.

distillation [disti'leiʃən] 1 afdruiping; 2 distillatie.

distillatory [dis'tilətəri] distilleer-.

distiller [dis'tilə] distillateur.

distillery [dis'tiləri] distilleerderij, stokerij, branderij.

distinct [dis'tiŋ(k)t] *aj* onderscheiden, verschillend; gescheiden, apart; helder, duidelijk; bepaald, beslist; *as* ~ *from* in tegenstelling met.

distinction [dis'tiŋ(k)ʃən] onderscheiding, onderscheid *o*; aanzien *o*, distinctie, voornaamheid; *of* ~ gedistingeerd, eminent.

distinctive [dis'tiŋ(k)tiv] onderscheidend, kenmerkend.

distinctly [dis'tiŋ(k)tli] *ad* zie *distinct*.

distinguish [dis'tiŋgwiʃ] I *vt* onderscheiden; onderkennen; *be* ~*ed by* (*for*) zich onderscheiden door; *as* ~*ed from* in tegenstelling met; II *vr* ~ *oneself* zich onderscheiden; III *vi* onderscheid maken (tussen *between*).

distinguishable [dis'tiŋgwiʃəbl] te onderscheiden.

distinguished [dis'tiŋgwiʃt] voornaam; gedistingeerd; eminent, van naam.

distort [dis'tɔ:t] verwringen, verdraaien[2]; vervormen; ~ing mirror toverspiegel.

distortion [dis'tɔ:ʃən] verwringing, verdraaiing[2]; vervorming.

distract [dis'trækt] afleiden; verwarren, verbijsteren, gek of dol maken.

distracted [dis'træktid] verward, verbijsterd; gek, dol, krankzinnig.

distraction [dis'trækʃən] afleiding, ontspanning; verwarring, beroering; (verstands)verbijstering, krankzinnigheid.

distrain [dis'trein] rt in beslag nemen [goederen], beslag leggen (op upon).

distrainee [distrei'ni:] rt geëxecuteerde.

distraint [dis'treint] rt beslag o, beslaglegging.

distrait [dis'trei] verstrooid.

distraught [dis'trɔ:t] zie distracted.

distress [dis'tres] I sb nood, ellende, benauwdheid, angst, smart; rt beslag o, beslaglegging; II vt benauwen, bedroeven, pijnlijk zijn, kwellen; ~ed area noodlijdend gebied o; a ~ed vessel een schip o in nood.

distressful(ly) [dis'tresful(i)] I rampspoedig; 2 kommervol.

distress-gun [dis'tresgʌn] ⚓ noodschot o.

distressing(ly) [dis'tresiŋ(li)] pijnlijk, onrustbarend, < schrikbarend.

distress-sale [dis'tresseil] executoriale verkoop.

distress-warrant [dis'treswɔrənt] dwangbevel o.

distribute [dis'tribjut] verspreiden, rond-, uitdelen, verdelen, distribueren.

distribution [distri'bju:ʃən] uit-, verdeling, verspreiding; distributie.

distributive [dis'tribjutiv] uit-, verdelend, distributief.

distributor [dis'tribjutə] uitdeler; verspreider; $ wederverkoper.

district ['distrikt] district o, arrondissement o, streek, wijk, gebied[2] o.

distrust [dis'trʌst] I vt wantrouwen; II sb wantrouwen o.

distrustful(ly) [dis'trʌstful(i)] wantrouwig.

disturb [dis'tə:b] (ver)storen, in de war brengen, verontrusten, beroeren, opjagen.

disturbance [dis'tə:bəns] (ver)storing, stoornis; verontrusting, rustverstoring, verwarring, beroering; ~s ongeregeldheden.

disturber [dis'tə:bə] rustverstoorder (~ of the peace).

disunion [dis'ju:njən] scheiding; onenigheid.

disunite [disju'nait] I vt scheiden, verdelen; II vi onenig worden; uiteengaan.

disunity [dis'ju:niti] onenigheid, verdeeldheid, verscheurdheid.

1 **disuse** [dis'ju:s] sb in: fall into ~ in onbruik raken.

2 **disuse** [dis'ju:z] vt niet meer gebruiken.

disyllabic & zie dissyllabic &.

ditch [ditʃ] I sb sloot, gracht, greppel; die in the last ~ zich tot het uiterste verdedigen II vi sloten graven; III vt sloten graven om of in; S de bons geven, lozen; be ~ed in een sloot raken.

dither ['diðə] trillen, beven; weifelen.

dithyramb ['diθiræm(b)] dithyrambe.

dithyrambic [diθi'ræmbik] dithyrambisch.

ditto ['ditou] de- of hetzelfde, dito.

ditty ['diti] F deuntje o, wijsje o.

diurnal [dai'ə:nəl] dagelijks, dag-.

div. = dividend.

divagate ['daivəgeit] afdwalen; uitweiden.

divagation [daivə'geiʃən] afdwaling; uitweiding.

divan [di'væn] divan. [ding.

dive [daiv] I vi (onder)duiken; tasten [in zak]; doordringen, zich verdiepen (in into); II sb (onder)duiking; duik(vlucht); Am kroegje o, kit.

dive-bomb ['daivbɔm] vi (& vt) ✈ in duikvlucht bommen werpen (op).

dive-bomber ['daivbɔmə] ✈ duikbommenwerper.

diver ['daivə] duiker [ook ⚓]; sp schoonspringer (fancy ~) [zwemmen].

diverge [dai-, di'və:dʒ] afwijken, uiteenlopen; divergeren.

divergence, -cy [dai-, di'və:dʒəns(i)] divergentie, afwijking.

divergent [dai-, di'və:dʒənt] afwijkend, uiteenlopend; divergerend.

🔧 **divers** ['daivəz] verscheidene, ettelijke.

diverse [dai'və:s] onderscheiden, verschillend.

diversification [daivə:sifi'keiʃən] verandering, verscheidenheid, wijziging, afwisseling.

diversify [dai'və:sifai] veranderen, wijzigen, variëren, afwisselen, verschillend maken.

diversion [dai-, di'və:ʃən] afleiding, afwending, om-, verlegging, omleiding; ontspanning, vermaak o, verzet(je) o; afleidingsmanoeuvre.

diversity [dai-, di'və:siti] verscheidenheid, ongelijkheid.

divert [dai-, di'və:t] afwenden, afleiden[2]; om-, verleggen [een weg], omleiden [verkeer]; aan zijn bestemming onttrekken, tot een ander doel aanwenden; vermaken, afleiding geven.

diverting [dai-, di'və:tiŋ] afleiding gevend, amusant, vermakelijk.

divest [dai-, di'vest] I vt ontkleden, ontdoen, ontbloten, beroven (van of); II vr ~ oneself (of) zich ont-, uitkleden; zich ontdoen van, afleggen, neerleggen.

divide [di'vaid] I vt (ver)delen, indelen, scheiden; ~ the House laten stemmen; II vi 1 delen; zich verdelen, zich splitsen; 2 stemmen; III sb waterscheiding; fig scheidingslijn.

dividend ['dividend] 1 deeltal o; 2 dividend o; 3 uitkering; ~ warrant $ dividendmandaat o.

divider [di'vaidə] (ver)deler, wie verdeeldheid zaait; ~s steekpasser.

dividing line [di'vaidiŋ'lain] scheidingslijn, scheidslijn, scheilijn, demarcatielijn.

divination [divi'neiʃən] voorzegging, waarzeggerij, voorspelling.

1 **divine** [di'vain] I *aj* goddelijk; godsdienstig; ~ *service* godsdienstoefening, kerkdienst; II *sb* 1 godgeleerde; 2 geestelijke.

2 **divine** [di'vain] *vt* raden; voorspellen.

diviner [di'vainə] voorspeller, waarzegster.

diving ['daiviŋ] duiken *o*; *sp* schoonspringen *o* (*fancy* ~) [v. zwemmers].

diving-bell ['daiviŋbel] duikerklok.

diving-board ['daiviŋbɔ:d] springplank [v. zwemmers].

diving-dress ['daiviŋdres], **diving-suit** ['daiviŋsu:t] duikerpak *o*.

divining-rod [di'vainiŋrɔd] wichelroede.

divinity [di'viniti] 1 goddelijkheid, god(heid); 2 godgeleerdheid.

divisibility [divizi'biliti] deelbaarheid.

divisible [di'vizibl] deelbaar.

division [di'viʒən] (ver)deling, in-, afdeling, divisie; (kies)district *o*; verdeeldheid; (af)scheiding; stemming; *on a* ~ bij stemming.

divisional [di'viʒənəl] divisie-; afdelings-.

divisive [di'vaiziv] verdelend.

divisor [di'vaizə] deler.

divorce [di'vɔ:s] I *sb* (echt)scheiding; II *vt* scheiden (van *from*); zich laten scheiden van; III *vi* scheiden.

divorcé(e) [di'vɔ:sei] gescheiden man (vrouw).

divorcee [divɔ:'si:] gescheiden persoon.

divorcement [di'vɔ:smənt] (echt)scheiding.

divulge [dai-, di'vʌldʒ] onthullen, openbaar maken, ruchtbaar maken.

dizzily ['dizili] *ad* zie *dizzy* I.

dizziness ['dizinis] duizeligheid, duizeling.

dizzy ['dizi] I *aj* duizelig; duizelingwekkend; II *vt* duizelig maken.

D. Lit. = *Doctor of Literature*.

do. = *ditto*.

1 **do** [dou] ♪ do, ut.

2 **do** [du:] I *vi* doen; dienen, baten; gedijen, tieren; *that will* ~ zo is 't goed (voldoende, genoeg); *that won't* ~ dat gaat niet aan, dat kan zo niet; ~ *gloriously* een prachtig figuur maken; *he is* ~*ing well* het gaat hem goed; *he did very well* hij bracht 't er heel goed af; *they* ~ *you well there* je hebt 't er goed; ~ *oneself well* 't er goed van nemen; *how do you* ~? hoe maakt u het?; ~ *or die* erop of eronder; *make* ~ *with* het stellen (doen) met, zich behelpen met; II *vt* doen, uitvoeren, verrichten; maken, op-, klaarmaken, koken, braden &; aanrichten [schade]; uithangen, spelen (voor); F verhandelen; beoordelen, recenseren; S lenen; beetnemen; ~ *the civil to* beleefd zijn tegen; omschrijvend: ~ *you see?* ziet u?; *I* ~ *not know* ik weet het niet; *you don't think so,* ~ *you?* wel?; nadrukkelijk: ~ *come* kom toch; kom toch vooral; *they* ~ *come* ze komen wel (degelijk), inderdaad, werkelijk, zeer zeker; plaatsvervangend: *he likes it, and so* ~ *I* en ik

ook; ∞ ~ *something about it* er iets aan doen; ~ *away with* van zich afzetten; wegnemen; afschaffen; uit de wereld helpen; ~ *by others as you would be done by* wat gij niet wilt dat u geschiedt, doe dat ook aan een ander niet; ~ *down* F te pakken nemen, beetnemen; ~ *for* dienen als; deugen voor; voldoende zijn voor; F de huishouding waarnemen voor; S iemand zijn vet geven, de das omdoen; ~ *in* S kapot maken; *done into French* in het Frans vertaald; ~ *out of 20 pounds* afzetten voor; ~ *up* in orde maken; repareren, opknappen; inpakken, dichtmaken; *I have done with him* ik wil niets meer met hem te maken hebben; *I could* ~ *with a glass* F ik zou wel een glaasje willen hebben; ~ *without* het stellen zonder; III *sb* F 1 bedrog *o*; 2 fuif, fuifje *o*; zie ook: *doing, done, have &*.

doat [dout] zie *dote*.

docile ['dousail, 'dɔsail] leerzaam, volgzaam; handelbaar, gezeglijk.

docility [dou'siliti] leerzaamheid, volgzaamheid, handelbaarheid, gezeglijkheid.

dock [dɔk] I *sb* 🛳 dok *o*; haven (meestal ~*s*) ‖ 🌿 zuring ‖ hokje *o* voor de verdachte, bank der beschuldigden; II *vt* 🛳 dokken ‖ kortstaarten; korten, af-, inhouden [v. loon]; III *vi* 🛳 dokken.

dock company ['dɔkkʌmpəni] $ veem *o*.

docker ['dɔkə] 🛳 bootwerker, havenarbeider.

docket ['dɔkit] I *sb* briefje *o*; bon; borderel *o*; etiket *o*; korte inhoud; II *vi* de korte inhoud vermelden op, merken en nummeren [op een briefje], etiketteren.

dock labourer ['dɔkleibərə] zie *docker*.

dock warrant ['dɔkwɔrənt] $ ceel.

dockyard ['dɔkja:d] 🛳 (marine)werf.

doctor ['dɔktə] I *sb* doctor, dokter; geleerde; ⚕ leraar; II *vt* F de doctorsgraad verlenen; (geneeskundig) behandelen; F opknappen; knoeien met, vervalsen.

doctoral ['dɔktərəl] doctoraal.

doctorate ['dɔktərit] doctoraat *o*.

doctrinaire [dɔktri'nɛə] doctrinair.

doctrinal ['dɔktrinəl, dɔk'trainəl] leerstellig.

doctrine ['dɔktrin] leer, leerstuk *o*.

document ['dɔkjumənt] I *sb* (bewijs)stuk *o*, akte, document *o*; II *vt* documenteren.

documentary [dɔkju'mentəri] I *aj* documentair; II *sb* documentaire (film).

documentation [dɔkjumen'teiʃən] documentatie.

dodder ['dɔdə] I *sb* 🌿 warkruid *o*; II *vi* beven; beverig strompelen.

dodecagon [dou'dekəgon] twaalfhoek.

dodecahedron [doudikə'hi:drən] twaalfvlak *o*.

dodecaphonic [doudikə'fɔnik] ♪ dodecafonisch, twaalftoons-.

dodge [dɔdʒ] I *vi* ter zijde springen, op zij gaan, uitwijken; zich wenden en keren, draaien[2]; II *vt* ontduiken, behendig ontwijken; III *sb* zijsprong; ontwijkende manoeuvre; kneep, kunstje *o*, foefje *o*, truc.

dodgem (car) ['dɔdʒəm(ka:)] botsautootje *o*, autoscooter [op kermis].

dodger ['dɔdʒə] draaier, slimmerd.

dodo ['doudou] 1 🐦 dodo [uitgestorven]; 2 *fig* F oude pruik.

doe [dou] 1 hinde; 2 wijfje *o*.

doer ['duə] 1 dader; 2 man van de daad.

does [dʌz] [hij] doet.

doeskin ['douskin] 1 suède *o* & *v*; 2 soort bukskin.

⊙ **doest** ['du:ist] [je] doet.

⊙ **doeth** ['du:iθ] [hij] doet.

doff [dɔf] afdoen, afleggen, -zetten.

dog [dɔg] I *sb* hond; mannetje *o*: rekel [v. hond, vos, wolf &], reu [v. hond]; haak, klauw; F kerel; *a dull* ~ een saaie piet; *a lucky* ~ een geluksvogel; *a sly* ~ een slimme vogel; *give a* ~ *a bad name and hang him* wee de wolf die in een kwaad gerucht staat; *go to the* ~*s* achteruit, naar de maan (de kelder) gaan; *throw to the* ~*s* weggooien; er aan geven; *let sleeping* ~*s lie* geen slapende honden wakker maken; *he is a* ~ *in the manger* hij kan de zon niet in het water zien schijnen; *every* ~ *has his day* iedereen krijgt zijn beurt, het gaat iedereen wel eens goed; II *vt* op de hielen zitten, (op de voet) volgen, iemands gangen nagaan; vervolgen[2].

dogberry ['dɔgberi] 🌸 kornoelje; *Dogberry* belachelijk potentaatje *o* [naar *SH*].

dog-biscuit ['dɔgbiskit] hondebrood *o*.

dogcart ['dɔgka:t] dogkar.

dog-collar ['dɔgkɔlə] 1 halsband; 2 F hoog boord *o* & *m*, priesterboord *o* & *m*.

dog-days ['dɔgdeiz] hondsdagen.

doge [doudʒ] [v. Venetië].

dog-end ['dɔgend] S sigarettepeuk.

dog-fight ['dɔgfait] 1 hondengevecht *o*; 2 verward gevecht *o*.

dog-fish ['dɔgfiʃ] 🐟 hondshaai.

dogged ['dɔgid] vasthoudend; taai; hardnekkig.

doggerel ['dɔgərəl] I *aj* rijmelend; II *sb* rijmelarij.

doggie ['dɔgi] F hondje *o*.

doggish ['dɔgiʃ] honds.

doggo ['dɔgou] in: *lie* ~ S zich sjakes houden.

dog-hole ['dɔghoul] hok *o*, gat *o* [v. e. plaats].

doghouse ['dɔghaus] *Am* zie *dog-kennel*; *be in the* ~ F eruit liggen, uit de gratie zijn.

dog-kennel ['dɔgkenl] hondehok *o*, hondenhuis *o*.

dog Latin ['dɔg'lætin] potjeslatijn *o*.

dog-leg(ged) ['dɔgleg(d)] zigzag- [v. trap].

dogma ['dɔgmə] dogma *o*, leerstuk *o*.

dogmatic(al) [dɔg'mætik(l)] dogmatisch.

dogmatics [dɔg'mætiks] dogmatiek.

dogmatism ['dɔgmətizm] dogmatisme *o*.

dogmatist ['dɔgmətist] dogmaticus.

dogmatize ['dɔgmətaiz] dogmatiseren.

do-gooder ['du:'gudə] *Am* (sentimenteel) filantroop.

dog-rose ['dɔgrouz] 🌸 hondsroos.

dog's-ear ['dɔgziə] I *sb* ezelsoor *o* [in boek]; II *vt* omvouwen [met ezelsoor].

dog-sleep ['dɔgsli:p] hazeslaap.

dog's life ['dɔgzlaif] hondeleven *o*.

dog-star ['dɔgsta:] ✷ hondsster, Sirius.

dog-tired ['dɔg'taiəd] doodmoe.

dog-watch ['dɔgwɔtʃ] platvoetwacht.

doily ['dɔili] „doily" [kleedje onder vingerkom, fles &].

doing ['du:iŋ] *sb* daad, bedrijf *o*, werk *o*, handelwijs; *his* ~*s* zijn doen en laten *o*.

doit [dɔit] 𝕨 duit[2].

do-it-yourself [duitju'self] doe-het-zelf.

doldrums ['dɔldrəmz] streek van de windstilten; *be in the* ~ gedrukt zijn.

dole [doul] I *sb* aalmoes; uit-, bedeling; (werkloosheids)uitkering; 🔨 lot *o*; deel *o* ‖ 🔨 leed *o*; gejammer *o*; *be on the* ~ steun trekken; II *vt* uit-, rond-, toebedelen (ook: ~ *out*).

doleful ['doulful] treurig.

doll [dɔl] I *sb* pop[2]; *Am* meisje *o*; II (*vi* &) *vt* in: ~ *up* F (zich) mooi maken, opdirken.

dollar ['dɔlə] dollar; S 5 shillingstuk *o*.

dollish ['dɔliʃ] popperig.

Dolly ['dɔli] Door, Doortje *o*.

dolly ['dɔli] I *aj* popperig; II *sb* popje *o*.

dolman ['dɔlmən] dolman [kledingstuk].

dolmen ['dɔlmen] dolmen [soort hunebed].

dolomite ['dɔləmait] dolomiet *o*.   [vig.

dolorous ['dɔlərəs] smartelijk, pijnlijk; droe-

⊙ **dolour** ['doulə] 1 smart; pijn; 2 droefheid.

dolphin ['dɔlfin] 1 🐟 dolfijn; 2 ⚓ dukdalf.

dolt [doult] botterik, sul, uilskuiken *o*.

doltish ['doultiʃ] bot, dom, sullig.

dom [dɔm] dom *m* [titel].

domain [də'mein] domein *o*, gebied[2] *o*.

domanial [də'meiniəl] domaniaal.

dome [doum] koepel; gewelf *o*; *Am* S kop.

domed [doumd] koepelvormig, met koepel(s), koepel-; gewelfd.

domestic [də'mestik] I *aj* huiselijk, huishoudelijk, huis-, tam; binnenlands, inlands; ~ *animal* huisdier *o*; ~ *economy* huishoudkunde; ~ *servant* bediende, dienstbode; II *sb* (huis)bediende, dienstbode.

domesticate [də'mestikeit] aan 't huiselijk leven gewennen; inburgeren; tam maken.

domesticity [doumes'tisiti] huiselijkheid; huiselijk leven *o*; *the domesticities* huishoudelijke zaken.

domicile ['dɔmisail] I *sb* domicilie *o*, woonplaats; II *vt* domiciliëren [wissel]; vestigen.

domiciliary [dɔmi'siljəri] huis-; ~ *visit* huiszoeking.

dominance ['dɔminəns] zie *domination*.

dominant ['dɔminənt] I *aj* (over)heersend, dominerend; II *sb* ♪ dominant.

dominate ['dɔmineit] be-, overheersen, heersen, domineren, uitsteken boven.

domination [dɔmi'neiʃən] be-, overheersing heerschappij.

domineer [dəmi'niə] heersen, de baas spelen (over *over*); ~*ing* heerszuchtig, bazig.

Dominic ['dɔminik] Dominicus.

Dominican [də'minikən] dominicaan(s).

dominie ['dɔmini] *Sc* schoolmeester.

dominion [də'minjən] I *sb* heerschappij, gebied *o*; [Brits] rijksdeel *o*; II als *aj* dominiaal: van (één van) de [Britse] rijksdelen.

domino ['dɔminou] 1 domino *m* of half masker *o* [bij maskerade]; 2 dominosteen; ~*es* domino(spel) *o*.

1 **don** [dɔn] *sb* (Spaanse) don; piet (in *at*); ⊃ hoofd *o*, *fellow* of *tutor* van een *college*.

2 **don** [dɔn] *vt* aantrekken, aandoen, opzetten.

donate [dou'neit] schenken; begiftigen.

donation [dou'neiʃən] gift; schenking.

donative ['dounətiv] gift; schenking.

done [dʌn] V.D. van *do*; ook: gekookt, gebraden, gaar; klaar; voorbij, achter de rug; uit, op &; *a* ~ *thing* afgesproken werk; ~ *for* F verloren, weg; ~ *up* op [van vermoeidheid]; *what is* ~ *cannot be undone* gedane zaken nemen geen keer; als *ij* top!; *well* ~! goed zo!, bravo!; zie ook: 2 *do*.

donee [dou'ni:] begiftigde.

donjon ['dɔn-, 'dʌndʒən] slottoren.

Don Juan [dɔn'dʒu:ən] Don Juan[2].

donkey ['dɔŋki] ezel[2]; ~(*-engine*) ✕ donkey: hulpmachine; ~*'s years* F járen; ~ *work* zwaar werk *o*, koeliewerk *o*.

donnish ['dɔniʃ] als een *don*, pedant.

donor ['dounə] schenker, gever, ⚕ donor.

do-nothing ['du:nʌθiŋ] I *aj* nietsdoend; II *sb* nietsdoener.

Don Quixote [dɔn'kwiksət] Don Quichot.

don't [dount] samentrekking van *do not*, doe (het) niet, laat het; als *sb* verbod *o*.

doodle ['du:dl] I *sb* krabbeltje; II *vi* & *vt* krabbelen.

doolie, dooly ['du:li] *IP* draagbaar.

doom [du:m] I *sb* (doem)vonnis *o*, oordeel *o*, lot *o*, ondergang; II *vt* vonnissen, doemen; ~*ed* ten dode opgeschreven, ten ondergang (tot mislukking) gedoemd.

doomsday ['du:mzdei] het laatste oordeel.

door [dɔ:] deur; portier *o* [v. auto &]; *creaking* ~*s hang longest* krakende wagens lopen het langst; *lay it at (to) his* ~ het hem ten laste leggen, het hem in de schoenen schuiven; *it lies at his* ~ het is hem te wijten, het is zijn schuld; *put one to the* ~ iemand de deur uitzetten; *out of* ~*s* buitenshuis, buiten; *to the* ~ (*with you, with him* &)! de deur uit!; *within* ~*s* binnenshuis, binnen.

door-keeper ['dɔ:ki:pə], **doorman** ['dɔ:mən] portier.

door-mat ['dɔ:mæt] deurmat; *fig* voetveeg.

door-nail ['dɔ:neil] spijker of knop waarop de klopper neervalt.

door-plate ['dɔ:pleit] naamplaatje *o*.

door-post ['dɔ:poust] deurstijl.

door-step ['dɔ:step] drempel, stoep.

doorway ['dɔ:wei] 1 ingang; 2 deuropening; 3 portiek [v. winkel].

dope [doup] I *sb* 1 smeersel *o*, vernis *o* & *m* of lak *o* & *m*; 2 S bedwelmend middel *o* [als cocaïne &]; inlichting, nieuws *o*; verlakkerij, smoesje *o*, smoesjes; II *vt* met een smeersel (vernis, lak) behandelen; [een renpaard, iemand] iets ingeven, bedwelmen; iets doen in [wijn, bier &], vervalsen; [iemand] iets wijsmaken; verlakken.

Dorian ['dɔ:riən] I *aj* Dorisch; II *sb* Doriër.

Doric ['dɔrik] Dorisch.

dormant ['dɔ:mənt] slapend, sluimerend[2]; niet werkend; $ stil [vennoot].

dormer-window ['dɔ:mə'windou] dakvenster *o*.

dormitory ['dɔ:mitri] 1 slaapzaal; 2 woonwijk

dormouse ['dɔ:maus] relmuis, zevenslaper.

Dorothy ['dɔrəθi] Dorothea.

dorsal ['dɔ:səl] rug-.

dosage ['dousidʒ] dosering; toediening; dosis.

dose [dous] I *sb* dosis[2]; II *vt* afpassen, afwegen, doseren; een dosis toedienen; mengen [wijn &]; ~ *a person with* iemand ... ingeven, iemand behandelen met...

doss [dɔs] S slapen (in een slaapstee).

doss-house ['dɔshaus] S slaapstee.

dossier ['dɔsiei, 'dɔsiə] dossier *o*.

dost [dʌst] [gij] doet.

dot [dɔt] I *sb* stip, punt ‖ bruidsschat; *off one s* ~ S van lotje getikt; II *vt* stippelen; ~ *one's i's* de puntjes op de i zetten[2]; ~ *him one* S hem een mep geven; ~ *and carry one* (nul) ik houd er een; ~*ted line* stippellijn; *sign on the* ~*ted line* tekenen; ~*ted with* bezaaid met.

dotage ['doutidʒ] sufferij, kindsheid.

dotard ['doutəd] suffer, kindse grijsaard.

dote [dout] 1 suffen, kinds worden; 2 verzot of dol zijn (op *on, upon*).

⊙ **doth** [dʌθ] [hij] doet.

doting ['doutiŋ] kinds, sufferig; verzot, mal.

dottle ['dɔtl] propje *o* tabak [in de pijp].

dotty ['dɔti] gestippeld; onvast [ter been]; (van lotje) getikt, halfgaar.

double ['dʌbl] I *aj* & *ad* dubbel, tweeledig; dubbelhartig; *ride* ~ met zijn tweeën op één paard zitten; II *sb* het dubbele; dubbelganger, tegenhanger; doublet *o*, duplicaat *o*; doublure; dubbelspel *o* [bij tennis]; ✕ looppas; scherpe draai; ~ *or quits* quitte of dubbel; *at the* ~ ✕ met de looppas; III *vt* verdubbelen, (om)vouwen; [de vuisten] ballen; doubleren; ⚓ omzeilen; ~ *down* omvouwen; ~ *up* om-, dubbelvouwen; IV *vi* (zich) verdubbelen; vooruit- en weer teruglopen; een scherpe draai maken; ✕ in de looppas marcheren; ~ *up* dubbel slaan.

double-barrelled ['dʌbl'bærəld] dubbelloops; dubbelzinnig.

double-bass ['dʌbl'beis] ♪ contrabas.

double bed ['dʌbl'bed] lits-jumeaux *o*.

double-breasted ['dʌbl'brestid] met twee rijen knopen [v. kledingstukken].

double-cross ['dʌbl'krɔ(:)s] S (zowel de een als de ander) bedriegen, (een medeplichtige, een kameraad &) verraden.

double-dealer ['dʌbl'di:lə] dubbelhartig mens.

double-dealing ['dʌbl'di:liŋ] dubbelhartig-(heid).

double-decker ['dʌbl'dekə] (auto)bus met twee verdiepingen.

double-dyed ['dʌbl'daid] in de wol geverfd.

double-edged ['dʌbl'edʒd] tweesnijdend².

double entry ['dʌbl'entri] $ dubbel boekhouden o.

double-faced ['dʌbl'feist] huichelachtig.

double-ganger ['dʌblgæŋə] dubbelganger.

double-handed ['dʌbl'hændid] met twee handvatten; verraderlijk, bedrieglijk.

double-headed ['dʌbl'hedid] tweekoppig.

double-hearted ['dʌbl'ha:tid] vals.

double-lock ['dʌbl'lɔk] het slot tweemaal omdraaien, op het nachtslot doen.

double-quick ['dʌbl'kwik] versneld; *at the* ~ met versnelde pas.

double room ['dʌbl'rum] tweepersoonskamer.

doublet ['dʌblit] 1 doublet o; 2 (wam)buis o.

double talk ['dʌbltɔ:k] holle frases, demagogische taal.

double-time ['dʌbl'taim] ✕ looppas.

double-tongued ['dʌbl'tʌŋd] dubbeltongig, met twee monden sprekend.

doubling ['dʌbliŋ] (ver)dubbeling; vouw; *fig* gedraai o, wending, uitvlucht, list.

doubloon [dʌb'lu:n] ⌼ dubloen.

doubly ['dʌbli] *ad* dubbel.

doubt [daut] I *sb* twijfel, onzekerheid; *beyond* ~, *out of* ~, *without* ~, *no* ~ ongetwijfeld, zonder twijfel; *I make no* ~ *of it* ik twijfel er niet aan; II *vi* twijfelen (aan *of*), weifelen; III *vt* I betwijfelen; 2 ⚓ vrezen, vermoeden.

doubter ['dautə] twijfelaar.

doubtful ['dautful] twijfelachtig; dubieus; bedenkelijk; weifelend; *be* ~ *of* twijfelen aan.

doubtless ['dautlis] ongetwijfeld.

douche [du:ʃ] douche.

dough [dou] 1 deeg o; 2 S splint o: geld o.

dough-nut ['dounʌt] oliekoek, -bol.

doughty ['dauti] ⊙ & J manhaftig, flink.

doughy ['doui] deegachtig, klef; pafferig.

dour [duə] Sc hard, streng, steilorig.

douse [daus] in 't water ploffen; water gooien over; drenken; ⚓ strijken [zeil]; uitdoen [licht]; zie ook: *dowse*.

dove [dʌv] ❧ duif², duifje² o.

dovecot(e) ['dʌvkɔt] duiventil; *flutter the* ~s veel beroering teweegbrengen.

Dover ['douvə] Dover o.

dovetail ['dʌvteil] I *sb* zwaluwstaart [houtverbinding]; II *vt* (met een zwaluwstaart) verbinden², in elkaar doen grijpen; III *vi* in elkaar grijpen, passen (in *into*).

dowager ['dauədʒə] douairière.

dowdy ['daudi] I *aj* slonzig; II *sb* slons.

dower ['dauə] I *sb* bruidsschat: weduwgift; *fig* gave, talent o; II *vt* een bruidsschat geven; begiftigen (met *with*).

dowerless ['dauəlis] zonder bruidsschat, arm.

dowlas ['daulas] grof linnen o.

I **down** [daun] I *prep* (van)... af; langs; ~ *the country* landwaarts in; ~ *the wind* met de wind mee; II *ad* (naar) beneden, neer, onder, af; contant; minder, achter [aantal punten, bij spel]; verticaal [kruiswoordraadsel]; ~! koest!; *one* ~ *to me* nul-één voor mij; ~ *and out* S gesjochten; *I have you* ~ u staat al op mijn lijst; ~ *at heel* afgetrapt [v. schoenen]; sjofel; *be* ~ *for* in het krijt staan voor; getekend hebben voor; aan de beurt zijn voor; op de agenda staan om...; te wachten hebben; ~ (*in the mouth*) neerslachtig, down; ~ *to our time* tot op onze tijd; ~ *with...* ! weg met...!; *be* ~ *with influenza* (te pakken) hebben; III *aj* benedenwaarts, afwaarts; contant; IV *vt* F eronder krijgen of houden; neerleggen, -schieten; *fig* doen vallen [een minister &]; naar binnen slaan [borrel]; ~ *tools* S (het werk) staken.

2 **down** [daun] *sb* dons² o ‖ heuvelachtig land o; duin ‖ tegenslag; *the Downs* (de rede van) Duins; *have a* ~ *on* S de pik hebben op.

downcast ['daunka:st] (ter)neergeslagen, neerslachtig.

downfall ['daunfɔ:l] (regen)bui; val², ondergang, instorting.

down-grade ['daungreid] afwaartse helling; *fig* achteruitgang; *on the* ~ achteruitgaand, zich in dalende lijn bewegend.

down-hearted ['daun'ha:tid] ontmoedigd.

downhill ['daun'hil] I *ad* bergaf, naar beneden; *go* ~ achteruitgaan [*fig*]; II *aj* hellend²; ~ *work* dat als vanzelf gaat; III *sb* helling²; *the* ~ *of life* de levensavond.

downpour ['daunpɔ:] stortbui, stortregen.

downright ['daunrait] oprecht, rechtuit (gezegd), rond(uit), vierkant, bot(weg), gewoon-(weg), bepaald, echt, volslagen.

downstairs [daun'stɛəz] (naar) beneden.

downstream ['daun'stri:m] stroomafwaarts.

downstroke ['daunstrouk] neerhaal.

down-to-earth ['dauntə'ə:θ] nuchter.

downtown ['dauntaun] *Am* I *sb* binnenstad; II *aj* in (van) de binnenstad; III *ad* [daun'taun] naar (in) de binnenstad.

down train ['dauntrein] van Londen vertrekkende trein.

downtrodden ['dauntrɔdn] vertrapt².

downward(s) ['daunwəd(z)] naar beneden, ne-(d)erwaarts: *from...* ~ van... af.

downy ['dauni] donsachtig, donzig.

dowry ['dau(ə)ri] bruidsschat; *fig* gave, talent o.

dowse [dauz] met de wichelroede water & opsporen; zie ook: *douse*.

dowser ['dauzə] roedeloper.

dowsing-rod ['dauziŋrɔd] wichelroede.

doxology [dɔk'sɔlədʒi] lofzang.

doze [douz] **I** *vi* soezen, dutten; ∼ *off* indutten; **II** *vt* in: ∼ *away* verslapen, verdutten; **III** *sb* dutje *o*, dommeling.

dozen ['dʌzn] dozijn *o*; *a long* ∼ dertien; ∼*s of people* heel wat (tientallen) mensen; *talk nineteen* (*sixteen*) *to the* ∼ honderd uit praten.

dozy ['douzi] soezerig.

Dr. = *Doctor*; *debtor*.

drab [dræb] vaal(bruin); *fig* kleurloos, grauw, saai. ,

drachm [dræm], **drachma** ['drækmə] drachme.

Draconian [drei'kounjən], **Draconic** [drə'kɔnik] draconisch.

draff [dræf] spoeling, draf; uitschot *o*.

draft [dra:ft] **I** *sb* trekken *o*; ontwerp *o*, concept *o*, schets, klad *o*; ✕ detachement *o*; lichting; *Am* I conscriptie, dienstplicht; 2 kandidatuur; $ traite, wissel; $ stille uitslag; **II** als *aj* ontwerp-; **III** *vt* ontwerpen, opstellen; ✕ detacheren (ook: ∼ *off*); *Am* I aanwijzen voor de militaire dienst; 2 kandidaat stellen; zie ook: *draught*.

draftee [dræf'ti:] *Am* dienstplichtige.

draftsman ['dra:ftsmən] ontwerper, opsteller; tekenaar.

drag [dræg] **I** *vt* slepen (met), sleuren; (af)dreggen; met een sleepnet (af)vissen; remmen; eggen; ∼ *one's feet over* traineren met; **II** *vi* slepen; *fig* traineren; niet vlotten, niet opschieten; omkruipen [v. tijd]; ∞ ∼ *along* voortslepen; ∼ *by* omkruipen [tijd]; ∼ *in* er bij halen, met de haren er bij slepen; ∼ *on* (zich) voortslepen; omkruipen [tijd]; ∼ *out* rekken, lang aanhouden; voortslepen [zijn leven]; ∼ *up* in het ruwe grootbrengen; **III** *sb* slepen *o* &; dreg; sleepnet *o*; eg; soort diligence; rem(schoen); ✈ (lucht)weerstand; *fig* rem.

draggle ['drægl] bemodderen, door het slijk slepen, over de grond slepen; zich voortslepen.

draggle-tail ['dræglteil] slodderkous, slons.

dragline ['dræglain] dragline: (treklijn van) graafmachine met sleepemmer.

drag link ['dræglink] ⊷ stuurstang.

drag-net ['drægnet] sleepnet *o*.

dragoman ['drægəmən] drogman, tolk.

dragon ['drægən] draak.

dragon-fly ['drægənflai] libel, waterjuffer.

dragon's-blood ['drægənzblʌd] drakebloed *o*

dragon-tree ['drægəntri:] drakebloedboom.

dragoon [drə'gu:n] **I** *sb* ✕ dragonder[2]; **II** *vt* donderen, negeren; ∼ *into* met ruw geweld dwingen tot.

drain [drein] **I** *vt* droogleggen, afwateren, laten leeglopen; draineren; aftappen; op-, uitdrinken; laten afdruipen of wegvloeien; onttrekken; uitputten; ∼ *away* (*off*) afvoeren [water]; ∼ *of* beroven van; **II** *vi* af-, wegvloeien, uitlekken; **III** *sb* afvoerbuis, -pijp; afvoerkanaal *o*; afwatering; riool *o* & *v*; *fig* onttrekking; uitputting; aderlating; *a great* ∼ *on my*

pocket een zware post; *the money goes down the* ∼ het geld verdwijnt als in een zinkput, dat is weggegooid geld.

drainage ['dreinidʒ] drooglegging, (water)afvoer; afwatering; riolering; drainering.

drain-cock ['dreinkɔk] aftapkraan.

drain-pipe ['dreinpaip] draineerbuis; ∼*s*, ∼ *trousers* broek met smalle pijpen.

drake [dreik] ♚ woerd, mannetjeseend.

dram [dræm] drachme; beetje *o*; borreltje *o*.

drama ['dra:mə] drama[2] *o*.

dramatic [drə'mætik] dramatisch, toneel-; indrukwekkend, aangrijpend.

dramatist ['dræmətist] toneelschrijver.

dramatization [dræmətai'zeiʃən] dramatiseren *o*; toneelbewerking.

dramatize ['dræmətaiz] dramatiseren; voor het toneel bewerken.

drank [dræŋk] V.T. van *drink*.

drape [dreip] **I** *vt* bekleden, draperen; **II** *sb Am* draperie.

draper ['dreipə] manufacturier.

drapery ['dreipəri] manufacturen, manufacturenhandel; draperie; drapering.

drastic ['dræstik] drastisch, radicaal.

dratted ['drætid] P vervloekt, verwenst.

draught [dra:ft] **I** *sb* trek, trekken *o*; tocht; teug, slok; drank, drankje *o*; vangst; klad *o*, schets, ontwerp *o*; ⚓ diepgang; ∼*s* damspel *o*; *feel a* (*the*) ∼ F *fig* 't voelen, er de kwade gevolgen van ondervinden; *at a* ∼ in één teug; *beer on* ∼ bier *o* van het vat, vatbier *o*; **II** *vt* schetsen, tekenen [v. kaarten]; zie ook: *draft*.

draught-board ['dra:ftbɔ:d] dambord *o*.

draught-horse ['dra:fthɔ:s] trekpaard *o*.

draughtsman ['dra:ftsmən] tekenaar; ontwerper, opsteller; damschijf.

draughtsmanship ['dra:ftsmənʃip] tekenkunst

draughty ['dra:fti] tochtig.

draw [drɔ:] **I** *vt* trekken; aantrekken; dicht-, op-, uit-, open-, voort-, wegtrekken; slepen; halen, putten, tappen; in ontvangst nemen; opnemen [krediet, voorschot]; (uit)rekken, spannen; uithalen, schoonmaken; doorzoeken [naar wild]; opjagen [vos]; [iem.] uit zijn tent lokken, aan 't praten krijgen, uithoren; afvissen; laten trekken [thee]; (op)maken; opstellen [rapport]; tekenen; *sp* onbeslist laten; ∼ *attention to...* de aandacht vestigen op; ∼ *a bead upon* mikken op; ∼ *bit* (*bridle*) 't paard inhouden, stilhouden; ∼ ... *feet of water* ⚓ een diepgang hebben van...; ∼ *it mild* niet overdrijven; *it strong* overdrijven; ∼ *lots* loten; ∼ *a sigh* een zucht slaken; **II** *vi* trekken[2]; de sabel trekken; (uit)loten; tekenen; komen [dichter bij], gaan, schuiven; *sp* gelijk spelen; ∞ ∼ *away* af-, wegtrekken; zich verwijderen; ∼ *back* (zich) terugtrekken[2]; opentrekken [gordijnen]; ∼ *from* [iem.] ontlokken, trekken uit, halen uit, (ver)krijgen uit (van), opdoen uit, putten uit, ontlenen aan, rekruteren uit; ~*n from all ranks of society* ook: (voort)gekomen uit alle standen der maatschappij; ~ *a person from a course* iemand aftrekken (afbrengen) van een handelwijze; ~ *from nature* tekenen naar de natuur; ~ *in* intrekken; inademen; aanhalen; korten [dagen]; vallen [avond]; zich (gaan) bekrimpen; ~ *into* betrekken in; ~ *near* (⚓ *nigh*) naderen; ~ *off* aftrekken, afleiden [aandacht]; aftappen; (zich) terugtrekken, wegtrekken; ~ *on* aantrekken; verlokken; naderen; zie verder ~ *upon*; ten gevolge hebben; mee-, na zich slepen; trekken aan [zijn sigaret]; ~ *out* uittrekken; opvragen [geld]; (uit)rekken; lengen [dagen]; uitschrijven, opmaken; opstellen; ♪ lang aanhouden; *fig* ontlokken; aan 't praten krijgen, uithoren; ~ *to* dichttrekken; ~ *to a close* (*to an end*) op een eind lopen; ~ *together* samentrekken, samenbrengen; bij (tot) elkaar komen; ~ *up* optrekken; ontwerpen, opstellen; ✕ (zich) opstellen; stilhouden, tot staan komen (brengen); bijschuiven [stoel]; ~ *up to* dichter bij... komen; ~ *up with* inhalen; ~ *oneself up* zich oprichten, zich in postuur zetten; ~ *upon* $ trekken op; gebruik maken van, putten uit, aanspreken [zijn kapitaal]; III *sb* trek; getrokken (loterij)nummer *o*; loterij; (ver)loting; trekking; trekken *o*; attractie, succesnummer *o*, -stuk *o*, reclameartikel *o*; middel *o* om iemand aan 't praten te krijgen of uit te horen; onbesliste wedstrijd, gelijk spel *o*, remise; *it* (*she*) *was a* ~ het (zij) ,,trok'' erg; *end in a* ~ onbeslist blijven, kamp zijn; zie ook: *drawn.*

drawback ['drɔ:bæk] 1 $ teruggave van betaalde (invoer)rechten; 2 *fig* bezwaar *o*, schaduwzijde, nadeel *o*, gebrek *o*.
draw-bar ['drɔ:ba:] ⚒ koppelstang.
draw-bench ['drɔ:ben(t)ʃ] ⚒ trekbank.
draw-bridge ['drɔ:bridʒ] ophaalbrug.
drawee [drɔ:'i:] $ betrokkene, trassaat.
drawer ['drɔə] 1 trekker; $ trassant; 2 tekenaar; 3 (af)tapper; 4 (schuif)lade; (*pair of*) ~*s* 1 onderbroek; 2 zwembroekje *o*.
drawing ['drɔ:iŋ] 1 trekken *o* &; trekking; opneming [v. geld]; 2 tekening; tekenkunst, tekenen *o*; ~*s* ontvangsten; *out of* ~ mistekend.
drawing-board ['drɔ:iŋbɔ:d] tekenplank.
drawing-master ['drɔ:iŋma:stə] tekenmeester, -leraar.
drawing-office ['drɔ:iŋɔfis] tekenkamer.
drawing-pen ['drɔ:iŋpen] trekpen.
drawing-pin ['drɔ:iŋpin] punaise.
drawing-room ['drɔ:iŋrum] 1 receptiekamer, salon; 2 receptie ten hove.
drawl [drɔ:l] I *vi* lijzig spreken, temen; II *sb* temerige spraak, geteem *o*.
drawn [drɔ:n] V.D. van *draw*; (uit)getrokken; opgetrokken; be-, vertrokken; onbeslist.
dray [drei] sleperswagen, brouwerswagen.
dray-horse ['dreihɔ:s] sleperspaard *o*.

drayman ['dreimən] sleper, brouwersknecht.
dread [dred] I *sb* vrees (voor *of*); II *aj* gevreesd; vreselijk; III *vt* vrezen, duchten; opzien tegen.
dreadful(ly) ['dredful(i)] vreselijk, verschrikkelijk.
dreadnought ['drednɔ:t] 1 (stof voor) dikke overjas; 2 ⚓ dreadnought [slagschip].
dream [dri:m] I *sb* droom²; II *vi* & *vt* dromen; ~ *away* verdromen; *I don't* ~ *of it* ik denk er niet over; ~ *up* F uitdenken, verzinnen.
dreamer ['dri:mə] dromer.
dreamily ['dri:mili] *ad* zie *dreamy.*
dreamt [dremt] V.T. & V.D. van *dream* II.
dreamy ['dri:mi] *aj* dromerig; vaag.
drearily ['driərili] *ad* zie *dreary.*
dreariness ['driərinis] akeligheid, somberheid, triest(ig)heid, woestheid.
dreary ['driəri] *aj* akelig, somber, triest(ig), woest.
dredge [dredʒ] I *sb* sleepnet *o*; dreg; baggermachine; II *vt* & *vi* (uit)baggeren; dreggen ‖ (be)strooien.
dredger ['dredʒə] baggerman; baggermachine, baggermolen ‖ strooier, strooibus.
dredging-machine ['dredʒiŋməʃi:n] baggermachine.
dreggy ['dregi] drabbig, droesemig.
dregs [dregz] droesem, drab, moer, grondsop *o*, bezinksel *o*; *fig* heffe, uitschot *o*, schuim *o*; *to the* ~ tot de bodem.
drench [drenʃ] I *vt* (door)nat maken, doorweken; [de aarde] drenken; II *sb* 1 (purgeer)drank; 2 F stortbui; nat pak *o*.
drencher ['drenʃə] F stortbui, plasregen.
Dresden ['drezdən] 1 Dresden *o*; 2 Saksisch porselein *o* (~ *china*, ~ *ware*).
dress [dres] I *vt* (aan)kleden, tooien; pavoiseren; klaarmaken, aanmaken [salade], bereiden, bewerken; bemesten; kappen, opmaken [het haar]; roskammen; schoonmaken [vis]; verbinden [wonden]; besnoeien; ✕ richten; ~ *down* een schrobbering geven, afstraffen; ~ *out* uitdossen, tooien; ~ *up* opsmukken, uitdossen; kostumeren; II *vi* zich kleden, (avond)toilet maken; ✕ zich richten; ~ *up* zich opsmukken, zich uitdossen; zich kostumeren; III *sb* kleding, dracht, kleren, tenue *o* & *v*; kleed² *o*, toilet *o*, kostuum *o*, japon, jurk; avondtoilet *o*, gala *o*.
dress circle ['dres'sə:kl] (eerste) balkon *o* [in schouwburg].
dress coat ['dres'kout] rok [v. heer].
dresser ['dresə] 1 (aan)kleder, -kleedster; bereider; verbinder; 2 aanrecht *o* & *m*.
dressing ['dresiŋ] (aan)kleden *o* &; (aan)kleding, kledij, toilet *o*; bereiding; mest; preparaat *o*, appretuur, smeersel *o*; saus; verband *o*; F schrobbering, pak *o* (slaag).
dressing-case ['dresiŋkeis] 1 toilet- of kapdoos reisnecessaire; 2 verbandkist.

dressing-down ['dresiŋ'daun] schrobbering: afstraffing; pak o slaag.

dressing-gown ['dresiŋgaun] kamerjas, -japon, sjamberloek; morgenjapon, peignoir.

dressing-jacket ['dresiŋdʒækit] kapmantel.

dressing-room ['dresiŋrum] ɪ kleedkamer; 2 🏱 verbandkamer.

dressing-station ['dresiŋsteiʃən] ✕ verbandplaats.

dressing-table ['dresiŋteibl] toilettafel.

dressmᾶker ['dresmeikə] kleermaakster; dameskleermaker.

dress parade ['drespəreid] modeshow.

dress rehearsal ['dresrihə:səl] generale repetitie [in kostuum].

dress-suit ['dres's(j)u:t] rokkostuum o [v. heer].

dressy ['dresi] veel om zijn toilet gevend, smaakvol, chic (gekleed).

drew [dru:] V.T. van *draw*.

dribble ['dribl] ɪ *vi* & *vt* (laten) druppelen; kwijlen; *sp* dribbelen [voetbal]; II *sb* druppelen o; druppeltje o; dun straaltje o, stroompje o; kwijl; *sp* dribbel [voetbal].

drib(b)let ['driblit] drupje o; klein sommetje o; *by (in)* ~*s* bij kleine beetjes.

dried [draid] gedroogd; ~ *egg(s)* ei o (eieren) in poedervorm, eipoeder, -poeier o & m.

drier ['draiə] droger; droogtoestel o; droogmiddel o.

drift [drift] ɪ *sb* ɪ ♃ & ✕ drift; (af)drijven o, afwijking; drijfkracht; stroom, trek; 2 opeenhoping [als ijsgang, zandverstuiving], (sneeuw)jacht; 3 *fig* bedoeling, strekking; 4 ZA wed o; 5 ✕ drevel; II *vi* drijven, af-, meedrijven (met de stroom)², (rond)zwalken; (op)waaien, verstuiven, zich opeenhopen [v. sneeuw]; *let things* ~ Gods water over Gods akker laten lopen; ~ *apart* elk zijn eigen weg gaan, van elkaar vervreemden; III *vt* ɪ meevoeren; op hopen jagen [sneeuw &]; 2 ✕ drevelen.

drift-wood ['driftwud] drijfhout o.

drill [dril] ɪ *vt* (door)boren, drillen, africhten; in rijen zaaien; II *vi* boren; exerceren; III ✕ dril m = drilboor, boor(machine); ✕ drillen o, exercitie; ✕ S ding o, zaakje o, manier; zaaivoor; rijenzaaimachine ǁ dril o [weefsel]; *know the* ~ S weten hoe het hoort, hoe het toegaat, waar het om gaat, waar het op aankomt.

drilling platform ['driliŋplætfɔ:m] booreiland o.

drilling rig ['driliŋrig] boorinstallatie, booreiland o.

drill-sergeant ['drilsa:dʒənt] ✕ sergeant-instructeur.

drily ['draili] zie *dryly*. [structeur.

drink [driŋk] ɪ *vi* drinken; II *vt* (uit-, op)drinken; ~ *away* verdrinken [zijn geld]; ~ *down* opdrinken; verdrinken [leed]; ~ *in* indrinken², in zich opnemen; ~ *off* in één teug uitdrinken; ~ *(to) the health of* drinken op de gezondheid van; ~ *up* uitdrinken; III

sb drank; dronk; borrel, F glas o, slokje o; *the* ~ S het water, de zee; *in* ~ dronken; *on the* ~ aan de drank.

drinkable ['driŋkəbl] ɪ *aj* drinkbaar; II *sb* ~*s* drank(en).

drinker ['driŋkə] drinker; drinkebroer.

drinking-bout ['driŋkiŋbaut] drinkgelag o.

drip [drip] ɪ *vi* druipen, druppelen; II *vt* laten druppelen; III *sb* ɪ drup; 2 druiplijst.

dripping ['dripiŋ] braadvet o; ~*s* druppels.

dripping-pan ['dripiŋpæn] druippan.

drive [draiv] ɪ *vt* drijven; aan-, voort-, ver-, indrijven; jagen; voeren [de pen]; besturen, mennen, rijden; ~ *mad* gek maken; ~ *away* verdrijven, ver-, wegjagen; ~ *in(to)* inslaan [spijker]; ~ *out* verdrijven, verjagen; verdringen; ~ *up* opdrijven, opjagen [prijzen]; II *vi* rijden [in wagen], mennen, sturen; jagen; drijven; *driving rain* slagregen; *what's he driving at?* wat wil hij toch?, wat voert hij in zijn schild?; *let* ~ *at* slaan (schieten) op, gooien naar; losgaan op; hard werken aan; ~ *away* wegrijden; ~ *up* aan komen rijden; voorrijden; III *sb* rit, ritje o; rijtoer; oprijlaan; drijfjacht; drijven o, jagen o; *sp* slag; ✕ aandrijving, overbrenging, drijfwerk o; ⊕ [links, rechts] stuur o, besturing; *fig* drijf-, stuwkracht; voortvarendheid, energie, vaart, gang; drang; campagne, actie; ✕ opmars.

drivel ['drivl] ɪ *vi* kwijlen; bazelen, wauwelen; II *sb* kwijl; gebazel o, gewauwel o.

driveller ['drivlə] kwijler; wauwelaar.

driven ['drivn] V.D. van *drive*; *hard* ~ met werk overladen, afgebeuld.

driver ['draivə] ɪ drijver; menner; ✕ stukrijder; voerman, koetsier, chauffeur, bestuurder, machinist; 2 ✕ drijfwiel o.

driving ['draiviŋ] ɪ *sb* rijden o, mennen o &; II als *aj* ✕ drijf-; ⊕ rij-; ~ *band (belt)* ✕ drijfriem; ~ *gear (mechanism)* ✕ drijfwerk o; ~ *mirror* ⊕ achteruitkijkspiegel; ~ *test* ⊕ rijexamen o; ~ *wheel* ɪ ✕ drijfwiel o; 2 ⊕ stuurrad o. [gen.

drizzle ['drizl] ɪ *vi* motregenen; II *sb* motregen.

drizzly ['drizli] miezerig, druilerig, mottig.

drogue [droug] ♃ drijfanker o; ⚥ windzak; ~ *target* ⚥ sleepschijf, doelzak.

droll [droul] ɪ *aj* snaaks, kluchtig, grappig, komiek; II *sb* snaak, grapjas.

drollery ['drouləri] boerterij, snaaksheid.

drolly ['drouli] *ad* zie *droll* I.

dromedary ['drɔm-, 'drʌmidəri] dromedaris.

drone [droun] ɪ *sb* dar, hommel²; nietsdoener ǁ gegons o, gesnor o, gebrom o, geronk o; dreun; II *vi* gonzen, snorren, brommen, ronken; dreunen ǁ parasiteren; III *vt* opdreunen; ~ *away* verluieren.

droop [dru:p] ɪ *vi* kwijnend hangen; af-, neerhangen; ⊙ zinken [moed]; *fig* (weg)kwijnen, verflauwen; ~*ing eyes* neergeslagen ogen; II *vt* laten hangen; [de ogen] neerslaan; III *sb* hangende houding; kwijning, verflauwing.

drop [drɔp] I *sb* drop, drup(pel); F borrel, slokje *o*; oorbel, oorknop, hanger; F drupsje *o*, zuurtje *o*, pastille, flikje *o*; scherm *o*; valluik *o* [v. galg]; val; (prijs)daling; *at the ~ of a hat* subiet, op slag, zonder dralen; II *vt* laten vallen, neerlaten, af-, uitwerpen, droppen [uit vliegtuig]; laten druppelen; neerslaan [ogen], laten dalen [stem]; laten varen; opgeven; laten schieten; weglaten; zich laten ontvallen; [een passagier] afzetten, [pakje] aanreiken; neerleggen [wild]; verliezen [bij het spel]; ~ *it* ! F schei uit!; ~ *a hint* een wenk geven; ~ *a line* een lettertje schrijven; III *vi* druppelen, druipen; (om-, neer)vallen, komen te vallen; dalen; zakken; gaan liggen [v. wind]; ophouden; *his face ~ped* zijn gezicht betrok; hij zette een lang gezicht; *the matter ~ped* de kwestie bleef nu rusten, daarbij bleef het; ~ *across one* I iemand tegen 't lijf lopen; 2 hem een reprimande toedienen; ~ *away* afvallen [v. e. partij], zich verwijderen; langzaam achteruitgaan; ~ *behind* achter raken; ~ *down* neerzinken; [de rivier] afzakken; ~ *in* binnenvallen; even aan-, oplopen (bij iemand *upon one*); één voor één binnenkomen; ~ *off* komen te vallen; in slaap vallen; zie ook: ~ *away*; ~ *on one* I iemand tegen het lijf lopen; 2 hem de oren wassen; ~ *out* afvallen, uitvallen; verdwijnen; ~ *out of use* in onbruik raken; ~ *round* even aanwippen; ~ *to the rear* achterraken.

drop-forge ['drɔp'fɔːdʒ] I *sb* ✂ smeedpers; II *vt* ✂ met de smeedpers smeden.

droplet ['drɔplit] druppeltje *o*.

dropper ['drɔpə] druppelbuisje *o*.

dropping-bottle ['drɔpiŋbɔtl] druppelflesje *o*.

droppings ['drɔpiŋz] uitwerpselen, mest, drek.

dropsical ['drɔpsikl] waterzuchtig.

dropsy ['drɔpsi] waterzucht.

dross [drɔs] slakken, schuim[2] *o*.

drossy ['drɔsi] schuimig; *fig* onzuiver, slecht.

drought [draut] droogte; ⚒ dorst.

droughty ['drauti] droog, dor; ⚒ dorstig.

☉ **drouth(y)** [drauθ(i)] zie *drought(y)*.

1 **drove** [drouv] V.T. van *drive*.

2 **drove** [drouv] *sb* kudde, drift, school, drom, hoop, troep.

drover ['drouvə] veedrijver, veehandelaar.

drown [draun] I *vt* verdrinken; onder water zetten, overstromen; overstemmen, smoren [de stem]; *they were ~ed* zij verdronken; II *vi* verdrinken; *a ~ing man* een drenkeling.

drowse [drauz] I *vi* soezen, dommelen; II *sb* soes, dommel(ing).

drowsily ['drauzili] *ad* zie *drowsy*.

drowsiness ['drauzinis] slaperigheid.

drowsy ['drauzi] *aj* soezerig, dommelig, slaperig; slaapwekkend.

drub [drʌb] afrossen, slaan; stampen.

drubbing ['drʌbiŋ] afrossing, pak *o* slaag.

drudge [drʌdʒ] I *vi* sloven, zwoegen, zich afsloven; II *sb* werkezel, zwoeger, sloof; slaaf.

drudgery ['drʌdʒəri] gesloof *o*, koeliewerk *o*.

drug [drʌg] I *sb* drogerij; kruid *o*; farmaceutisch artikel *o*, geneesmiddel *o*; verdovend middel *o*; *be a ~ in the market* geen aftrek vinden; II *vt* met [iets] mengen; [iemand] iets ingeven; bedwelmen; III *vi* verdovende middelen gebruiken.

druggist ['drʌgist] 1 drogist; 2 apotheker.

drug store ['drʌgstɔː] *Am* apotheek, drogisterij (waar van alles en nog wat, b.v. ook versingen, tijdschriften enz., verkocht wordt).

Druid ['druːid] druïde.

drum [drʌm] I *sb* trommel(holte), trom; tamboer; ✂ cilinder; bus, blik *o*; *bang (beat) the big ~* de grote trom roeren; *with ~s beating and colours flying* met vliegende vaandels en slaande trom; II *vi* trommelen; III *vt* trommelen met of op; ~ *into* inhameren, instampen; ~ *out* uittrommelen; ~ *up* bijeentrommelen.

drumhead ['drʌmhed] trommelvel *o*.

drum-major ['drʌm'meidʒə] ✗ tamboer-majoor.

drum majorette ['drʌmmeidʒə'ret] *Am* vrouwelijke trommelslager.

drummer ['drʌmə] trommelslager, tamboer; ♪ drummer, slagwerker.

drumstick ['drʌmstik] trommelstok; boutje *o* [v. e. gebraden vogel].

drunk [drʌŋk] I V.D. van *drink*; II *aj* dronken[2]; *get ~ on* dronken worden van, zich bedrinken aan; III *sb* 1 P dronkeman; 2 geval *o* van dronkenschap; 3 P zuippartij.

drunkard ['drʌŋkəd] dronkaard.

drunken ['drʌŋkən] dronken[2]; dronkemans-.

drunkenness [drʌŋkənnis] dronkenschap.

drupe [druːp] ✿ steenvrucht.

dry [drai] I *aj* droog[2]; F dorstig; sec: niet zoet [wijn]; *fig* 1 „drooggelegd"; 2 dor; 3 contant; ~ *goods* 1 droge waren; 2 manufacturen; II *vt* (laten) drogen, afdrogen; doen uitdrogen; III *vi* (op-, uit)drogen; ~ *up* op-, verdrogen; minder worden, kwijnen, ophouden; P zijn mond houden.

dryad ['draiəd] dryade: bosnimf.

dryasdust ['draiəzdʌst] droog (schrijver, geleerde &).

dry-cleaning ['drai'kliːniŋ] chemisch reinigen *o*, (uit)stomen *o*.

dry-dock ['drai'dɔk] I *sb* droogdok *o*; II *vt* **dryer** zie *drier*. [dokken.

dry-farming ['drai'faːmiŋ] landbouwbedrijf *o* op droge gronden.

dryly ['draili] *ad* droogjes, droogweg.

dryness ['drainis] droogheid, droogte.

dry-nurse ['drainəːs] baker, droge min.

dry-rot ['drai'rɔt] 1 vuur *o* [in hout]; 2 *fig* corruptie, bederf *o*.

drysalter ['draisɔːltə] drogist en handelaar in verduurzaamde levensmiddelen.

drysaltery ['draisɔːltəri] drogisterij en zaak in verduurzaamde levensmiddelen.

dry-shod ['drai'ʃɔd] droogvoets.

D.Sc. = *Doctor of Science*.

D.S.C. = *Distinguished Service Cross*.

D.S.M. = *Distinguished Service Medal*.

D.S.O. = *Distinguished Service Order*.

D.T.'s [di:'ti:z] P *delirium tremens*.

dual ['dju:əl] dubbel; tweevoudig, -ledig.

duality [dju'æliti] tweevoudigheid.

dub [dʌb] [iem.] tot ridder slaan (∼ *a person a knight*); noemen ‖ in de slappe was zetten [leer] ‖ nasynchroniseren [film].

dubbin(g) ['dʌbin, 'dʌbiŋ] slappe was.

dubiety [dju'baiəti] onzekerheid.

dubious(ly) ['dju:biəs(li)] twijfelachtig[2].

ducal ['dju:kəl] hertogelijk, hertogs-.

ducat ['dʌkət] dukaat.

duchess ['dʌtʃis] hertogin.

duchy ['dʌtʃi] hertogdom *o*.

duck [dʌk] I *sb* 🐦 eend(en), eendvogel; F snoes ‖ duik(ing) ‖ licht zeildoek *o* & *m*, stevig linnen *o*; *lame* ∼ F I sukkelaar; 2 $ wanbetaler, failliete beursspeculant; ∼*s* (wit) linnen broek of pak *o*; *make* ∼*s and drakes* steentjes over het water keilen, kiskassen; *make* ∼*s and drakes of one's money* zijn geld vergooien; II *vt* I (in-, onder)dompelen; 2 buigen; 3 ontduiken; III *vi* (onder)duiken; (zich) bukken.

duckbill ['dʌkbil] 🐦 vogelbekdier *o*.

duckling ['dʌkliŋ] 🐦 jong eendje *o*.

duckweed ['dʌkwi:d] 🌿 (eende)kroos *o*.

ducky ['dʌki] F I *aj* snoezig; II *sb* snoes.

duct [dʌkt] kanaal *o*, buis, leiding.

ductile ['dʌktail] smeedbaar, rekbaar, buigzaam[2]; *fig* handelbaar.

ductility [dʌk'tiliti] smeed-, rekbaarheid, buigzaamheid[2]; *fig* handelbaarheid.

dud [dʌd] I *sb* S lor *o* & *v*, prul *o*, sof; 🗡 blindganger: niet ontplofte granaat; ∼*s* vodden; spullen; II als *aj* vals; niets waard, ...van niks.

dude [dju:d] *Am* I dandy; 2 iemand uit de stad (inz. bezoeker van een *dude ranch* = boerderij voor toeristen).

dudgeon ['dʌdʒən] in: *in high* ∼ zo nijdig als een spin.

due [dju:] I *aj* verplicht, schuldig, verschuldigd; behoorlijk, gepast, rechtmatig; $ vervallen [v. wissel]; *in* ∼ *time* (precies) op tijd; *te zijner tijd; the mail is* ∼ de post moet aankomen; *vessels* ∼ verwachte schepen; *it was* ∼ *to him* I hem te danken (te wijten); 2 het kwam hem toe; *become (fall)* ∼ $ vervallen; II *ad* vlak; ∼ *east* vlak (pal) oost; III *sb* het iemand verschuldigde of toekomende; recht *o*, rechten; $ ∼*s* schulden, schuld; ⚓ (haven &) gelden; ∼*s* rechten en leges.

duel ['dju:əl] *sb* duel *o*, tweegevecht *o*; *fight a* ∼ duelleren; II *vi* duelleren.

duellist ['dju:əlist] duellist.

duenna [dju'enə] gouvernante; chaperonne.

duet [dju'et] I ♪ duet *o*; 2 tweetal *o*; *play* ∼*s* ♪ quatre-mains spelen.

duffer ['dʌfə] F stommerd, sukkel, suffer.

duffle-coat ['dʌfl'kout] monty-coat, houtjes-touwtjes-jas.

dug [dʌg] V.T. & V.D. van *dig*.

dug-out ['dʌgaut] I kano (uit een uitgeholde boomstam); 2 uitgegraven woonhol *o*; 3 🗡 bomvrije schuilplaats.

duke [dju:k] hertog ‖ S knuist.

⊙ **dulcet** ['dʌlsit] zoet, zacht(klinkend).

Dulcinea [dʌlsi'niə, dʌl'siniə] Dulcinea[2].

dull [dʌl] I *aj* bot, stomp, dom; dof; suf, loom, traag; saai, vervelend, taai; mat, flauw, gedrukt; druilerig; ∼ *of hearing* hardhorig; *the* ∼ *season* de slappe tijd; II *vt* bot, stomp, dom, dof, suf maken; af-, verstompen; flauw stemmen; verdoven; III *vi* afstompen; verflauwen, dof worden.

dullard ['dʌləd] sufferd, botterik, domoor.

dull-brained ['dʌlbreind] dom, hardleers.

dull-eyed ['dʌlaid] met doffe blik.

dul(l)ness ['dʌlnis] bot-, stomp-, domheid, loomheid, dofheid, matheid; saaiheid.

duly ['dju:li] *ad* I behoorlijk, naar behoren; 2 op tijd; 3 terecht, dan ook; *we* ∼ *received your letter* $ wij hebben uw brief in goede orde ontvangen.

dumb [dʌm] stom, sprakeloos.

dumb-bell ['dʌmbel] halter.

dumbfound [dʌm'faund] verstomd doen staan, verbluffen.

dumbness ['dʌmnis] stomheid.

dumb-show ['dʌm'ʃou] gebarenspel *o*, pantomime.

dumb-waiter ['dʌm'weitə] dientafeltje *o*.

dumdum ['dʌmdʌm] 🗡 dumdum(kogel).

dummy ['dʌmi] I *sb* ◇ blinde; figurant, stroman; (kostuum)pop; iets dat nagemaakt is, leeg fust *o*, lege fles &; fopspeen; F stommeling; *play* ∼ ◇ met de blinde spelen; II *aj* onecht, schijn-, nagemaakt; ∼ *cartridge* 🗡 exercitiepatroon; ∼ *door* loze deur.

dump [dʌmp] I *sb* plof; vuilnisbelt; opslagplaats; hoop [kolen &]; autokerkhof *o*; prop, propje *o*; loden fiche *o* & *v*; S duit; *the* ∼*s* F landerigheid; *be in the* ∼*s* F moedeloos (in de put) zijn; II *vt* (neer)ploffen, -gooien; [puin] storten; [waren] beneden de kostprijs in het buitenland verkopen.

dumping-cart ['dʌmpiŋka:t] kipwagen.

dumpling ['dʌmpliŋ] knoedel.

dumpy ['dʌmpi] kort en dik.

1 **dun** [dʌn] I *aj* muisvaal, vaalgrijs, donkerbruin, donker; II *sb* donkerbruin paard *o*.

2 **dun** [dʌn] I *sb* schuldeiser, maner; aanmaning; II *vt* manen, lastig vallen.

dunce [dʌns] domoor, ezel.

dunderhead ['dʌndəhed], **dunderpate** ['dʌndəpeit] domoor, ezelskop, domkop.

dune [dju:n] duin [in Nederland].

dung [dʌŋ] I *sb* mest, drek; II *vt* (be)mesten.

dungaree [dʌŋgə'ri:] grof katoen *o*; ∼*s* werkpak *o*, -broek, overall.

dungeon ['dʌndʒən] 1 kerker; 2 zie *donjon*.

dunghill ['dʌŋhil] mesthoop.

Dunkirk [dʌn'kə:k] Duinkerken *o*.

dunnage ['dʌnidʒ] ⚓ stuwhout *o*.

dunning-letter ['dʌniŋletə] maanbrief.

dupe [dju:p] I *sb* bedrogene, dupe; onnozele hals; II *vt* bedriegen, beetnemen.

dupery ['dju:pəri] bedriegerij.

duplex ['dju:pleks] tweevoudig, dubbel.

1 **duplicate** ['dju:plikit] I *aj* dubbel; ~ *train* volgtrein; II *sb* dubbele [v. postzegel]; afschrift *o*, duplicaat *o*; *in* ~ in duplo.

2 **duplicate** ['dju:plikeit] *vt* verdubbelen, in duplo (op)maken; stencilen.

duplication [dju:pli'keiʃən] verdubbeling.

duplicator ['dju:plikeitə] stencilmachine.

duplicity [dju:'plisiti] dubbelhartigheid.

durability [djuərə'biliti] duurzaamheid.

durable ['djuərəbl] I *aj* duurzaam; II *sb* duurzaam goed *o*.

⊙ **durance** ['djuərəns] gevangenschap.

duration [dju'reiʃən] duur.

duress [dju'res] dwang; gevangenhouding, gevangenschap; *under* ~ gedwongen.

during ['djuəriŋ] gedurende, tijdens, onder; ~ *the day* ook: overdag.

durst [də:st] V.T. van *dare*.

dusk [dʌsk] I *sb* schemering, schemerdonker *o*, donker *o*, donkerheid; II *aj* zie *dusky*.

dusky ['dʌski] schemerachtig, donker, zwart.

dust [dʌst] I *sb* 1 stof *o*; stuifmeel *o*; 2 F standje *o*, herrie; 3 S geld *o*, spie; *kick up* (*raise*) *a* ~ herrie schoppen; stof opjagen²; *throw* ~ *in a person's eyes* iemand zand in de ogen strooien; II *vt* afstoffen; bestuiven; bestrooien; ~ *his jacket* hem op zijn baadje geven; III *vi* stof afnemen.

dustbin ['dʌstbin] vuilnisbak.

dust-cart ['dʌstka:t] vuilniskar.

duster ['dʌstə] stoffer, stofdoek; stofjas.

dustiness ['dʌstinis] stoffigheid.

dusting ['dʌstiŋ] 1 afstoffing; 2 S pak *o* slaag.

dust jacket ['dʌstdʒækit] stofomslag [v. boek].

dustman ['dʌstmən] asman, vuilnisman; *the D—* het Zandmannetje, Klaas Vaak.

dustpan ['dʌstpæn] stof-, (vuilnis)blik *o*.

dust-proof ['dʌstpru:f] stofdicht, -vrij.

dust-sheet ['dʌstʃi:t] hoes, stoflaken *o*.

dust-shot ['dʌstʃət] mussenhagel.

dust-trap ['dʌsttræp] stofnest *o*.

dust-up ['dʌst'ʌp] F kloppartij, ruzie.

dusty ['dʌsti] stoffig, bestoven; ~ *answer* vaag antwoord *o*; *not* (*none*) *so* ~ S (lang) niet mis, niet zo kwaad.

Dutch [dʌtʃ] I *aj* 1 Nederlands, Hollands; 2 *Am* (soms ook:) Duits; ~ *auction* verkoping bij afslag; ~ *comfort* schrale troost; *a* ~ *concert* een leven als een oordeel; ~ *gold* blad-, klatergoud *o*; *talk to one like a* ~ *uncle* iemand behoorlijk de les lezen; *go* ~ *Am* ieder voor zichzelf betalen; sam-sam doen; zie ook: *courage* &; II *sb* Nederlands *o*, Hol-

lands *o*; *double* ~ koeterwaals *o*; *the* ~ de Hollanders ‖ *my old* ~ P moeder de vrouw.

Dutchify ['dʌtʃifai] verhollandsen.

Dutchman ['dʌtʃmən] 1 Nederlander, Hollander [ook: schip]; 2 *Am* Duitser.

⊙ **duteous** ['dju:tiəs] zie *dutiful*.

dutiable ['dju:tiəbl] belastbaar.

dutiful(ly) ['dju:tiful(i)] gehoorzaam, eerbiedig; plichtmatig, verschuldigd.

duty ['dju:ti] plicht; dienst; functie, bezigheid, werkzaamheid, taak; recht *o*, rechten, accijns; *in* ~ *to* uit (verschuldigde) eerbied voor; *be off* ~ geen dienst hebben, vrij zijn; (*up*)*on* ~ op wacht, dienstdoend; *do* ~ *for* dienst doen als of voor; *do one's* ~ zijn plicht doen; *pay one's* ~ *to* bij iemand zijn opwachting maken.

duty-free ['dju:ti'fri:] vrij van rechten.

dwarf [dwɔ:f] I *sb* dwerg; II *vt* in de groei belemmeren; nietig doen lijken, in de schaduw stellen.

dwarfish ['dwɔ:fiʃ] dwergachtig.

dwell [dwel] wonen, verblijven; ~ *on* of *upon* rusten op [v. het oog]; (lang) stilstaan bij, uitweiden over [iets].

dweller ['dwelə] bewoner.

dwelling ['dweliŋ] woning.

dwelling-house ['dweliŋhaus] woonhuis *o*.

dwelling-place ['dweliŋpleis] woonplaats.

dwelt [dwelt] V.T. & V.D. van *dwell*.

dwindle ['dwindl] afnemen, verminderen, achteruitgaan, slinken, inkrimpen.

dwt. = *pennyweight*.

Dyak ['daiək] I *sb* Dajakker; II *aj* Dajaks.

dye [dai] I *sb* verf(stof), kleur, tint; ...*of the deepest* ~ ...van de ergste soort; II *vt* verven [v. stoffen of haar]; II *va* zich laten verven.

dyer ['daiə] verver [van stoffen].

dye-stuff ['daistʌf] verfstof.

dye-works ['daiwə:ks] ververij [v. stoffen].

dying ['daiiŋ] stervend(e); doods-; op zijn sterfbed gegeven; laatste.

dyke [daik] zie *dike*.

dynamic [dai'næmik] I *aj* dynamisch; II *sb* ~*s* dynamica.

dynamite ['dainəmait] I *sb* dynamiet *o*; II *vt* met dynamiet laten springen, bestoken &.

dynamiter ['dainəmaitə] dynamiteur.

dynamo ['dainəmou] dynamo.

dynamometer [dainə'məmitə] dynamometer.

dynastic [di'næstik] dynastiek.

dynasty ['dinəsti] dynastie.

dysentery ['disntri] dysenterie.

dyspepsia [dis'pepsiə] slechte spijsvertering.

dyspeptic [dis'peptik] I *aj* moeilijk verterend; II *sb* lijder aan moeilijke spijsvertering.

E

e [i:] 1 (de letter) e; 2 ♪ e of mi.

E. = *East*(*ern*).

each [i:tʃ] elk, ieder; *cost a shilling* ~ een shilling per stuk kosten; ~ *other* elkaar.

eager(ly) ['i:gə(li)] vurig, begerig, verlangend, gretig; gespannen; onstuimig.

eagerness ['i:gənis] vuur o, gretigheid, begeerte, (ongeduldig) verlangen o; gespannen aandacht.

eagle ['i:gl] ✹ arend, adelaar.

eagle-eyed ['i:gl'aid] met arendsogen, -blik.

eaglet ['i:glit] ✹ jonge arend, arendsjong o.

ear [iə] I *sb* oor o, oortje o ‖ aar; *be all* ~*s* geheel oor zijn; *gain the* ~ *of* gehoor verkrijgen bij; *give* ~ *to* het oor lenen aan; *have an* ~ *for music* (muzikaal) gehoor hebben; *he had the king's* ~ de koning luisterde graag naar zijn woorden; *play by* ~ op het gehoor; *set by the* ~*s* tegen elkaar in het harnas jagen; *in the public* ~ in het openbaar; *up to the* ~*s* (*in debt*) tot over de oren ‖ II *vi* aren vormen.

ear-ache ['iəreik] oorpijn.

ear aid ['iəraid] hoortoestel o, hoorapparaat o.

ear-drop ['iədrop] oorbel, -knop.

ear-drum ['iədrʌm] trommelvlies o, trommelholte.

earl [ə:l] graaf [Eng. titel].

earldom ['ə:ldəm] graafschap o; grafelijke waardigheid of titel.

early ['ə:li] I *aj* vroeg, pril; vroegtijdig; spoedig; *keep* ~ *hours* vroeg opstaan en vroeg naar bed gaan; II *ad* vroeg, bijtijds; *an hour* ~ een uur te vroeg; *as* ~ *as September* reeds in september; ~ *in the year*, ~ *next month* in het begin van...

earmark ['iəma:k] I *sb* oormerk o, merk o; kenmerk o; II *vt* oormerken, merken; *fig* [gelden] bestemmen, uittrekken [op begroting].

earn [ə:n] verdienen, verwerven; bezorgen.

earnest ['ə:nist] I *aj* ernstig (gemeend); ijverig; vurig; II *sb* ernst ‖ handgeld o; (onder)pand o; belofte, voorsmaak; *be in* ~ het menen; *in good (sober)* ~ in alle ernst.

earnestly ['ə:nistli] *ad* zie *earnest* I.

earnest-money ['ə:nistmʌni] handgeld o, godspenning.

earnestness ['ə:nistnis] ernst.

earnings ['ə:niŋz] verdiensten, inkomsten.

earphone(s) ['iəfoun(z)] koptelefoon.

ear-piece ['iəpi:s] oortelefoon.

ear-ring ['iəriŋ] oorring.

earshot ['iəʃɔt] in: *out of* ~ I ver genoeg om niet te worden gehoord; 2 ver genoeg om niet te horen; *within* ~ I dichtbij genoeg om te worden gehoord; 2 dichtbij genoeg om te horen.

ear-splitting ['iəsplitiŋ] oorverscheurend.

earth [ə:θ] I *sb* aarde; grond; *sp* hol o; *how on* ~ *could you...?* hoe kon je nu toch (in 's hemelsnaam, in godsnaam)...?; II *vt* met aarde bedekken; in zijn hol jagen; ✖ aarden; ~ *up* aanaarden; III *vi* in zijn hol kruipen.

earthen ['ə:θən] van aarde, aarden.

earthenware ['ə:θənwɛə] aardewerk o.

earthly ['ə:θli] aards; *of no* ~ *use* van hoegenaamd geen nut.

earthquake ['ə:θkweik] aardbeving.

earth satellite ['ə:θsætilait] aardsatelliet.

earthwork ['ə:θwə:k] grondwerk o.

earthworm ['ə:θwə:m] aardworm[2].

earthy ['ə:θi] aards; aard-.

ear-trumpet ['iətrʌmpit] hoorbuis, gehoorhoorn.

earwig ['iəwig] oorworm.

ease [i:z] I *sb* rust, gemak o, verlichting; gemakkelijkheid, los-, ongedwongenheid; *at* ~ op zijn gemak; II *vt* geruststellen; verlichten, ontlasten (van *of*), gemakkelijker, minder gespannen maken, verminderen [de spanning]; ~ *away* of *off* ✹ vieren; ~ *her!* ✹ halve kracht; III *vi* minder gespannen worden, afnemen, verminderen.

easel ['i:zl] (schilders)ezel.

easement ['i:zmənt] servituut o.

easily ['i:zili] *ad* I gemakkelijk; licht; op zijn gemak; 2 < verreweg; *he might* ~ *have been a German* hij had wel (best) een Duitser kunnen zijn.

easiness ['i:zinis] gemakkelijkheid.

east [i:st] I *sb* oosten o; oostenwind; II *aj* oostelijk, oosten-, ooster-, oost-; III *ad* naar het (ten) oosten.

Easter ['i:stə] Pasen; paas-, Paas-.

easterly ['i:stəli] oostelijk, oosten-.

eastern ['i:stən] I *aj* oosters; oostelijk, oosten-, oost-; II *sb* oosterling.

easternmost ['i:stənmoust] oostelijkst.

eastward(s) ['i:stwəd(z)] oostwaarts.

easy ['i:zi] I *aj* gerust; gemakkelijk, ongedwongen; welgesteld; $ flauw; ~*!* kalm!; *in* ~ *circumstances* in goeden doen, welgesteld; *make your mind* ~ wees maar gerust; II *als ad* I gemakkelijk; 2 ✹ langzaam!; III *als sb* rust(poos).

easy chair ['i:zi'tʃeə] leunstoel, fauteuil.

easy-going ['i:zigouiŋ] licht lopend; [de zaken] licht opnemend; gemakzuchtig.

I **eat** [i:t] I *vt* eten, opeten, (in)vreten; *I will* ~ *my hat if...* F ik ben een boon als...; ~ *one's words* zijn woorden terugnemen; ~ *their heads off* als doodeters op stal staan [v. paarden]; niets uitvoeren; niet renderen; ~ *out one's heart* zijn leed opkroppen, zich dood kniezen; ~ *a person out of house and home* iemand de oren van het hoofd eten; ~ *up* F opeten; *fig* verteren; II *vi* eten; *it* ~*s well* het laat zich goed eten; ~ *into* invreten; van iets eten.

2 **eat** [et] V.T. van *eat*.

eatable ['i:təbl] I *aj* eetbaar; II *sb* ~*s* eetwaren. ⟨ren.

eaten ['i:tn] V.D. van *eat*.

eater ['i:tə] eter, eetster.

eating ['i:tiŋ] I etend; vretend; 2 eten o; ~ *apple* tafel-, handappel.

eating-house ['i:tiŋhaus] eethuis o.

eaves [i:vz] onderste dakrand.

eavesdrop ['i:vzdrɔp] staan (af)luisteren [aan de deuren], luistervinken.

eavesdropper ['i:vzdrɔpə] luistervink.

ebb [eb] I sb eb(be)²; fig afneming; at a low ~ laag; aan lagerwal; in verval; ...is at its lowest ~ ...heeft het dieptepunt bereikt; be on the ~ afnemen; II vi ebben², afnemen (ook: ~ away).

ebb-tide ['eb'taid] eb(be).

⊙ **ebon** ['ebən] aj zie ebony.

ebonite ['ebənait] eboniet o.

ebony ['ebəni] I sb ebbehout o; ebbeboom; II aj ebbehouten; zwart als ebbehout.

ebriety [i'braiəti] dronkenschap.

ebullience, **-cy** [i'bʌljəns(i)] uitbundigheid; zie verder ebullition.

ebullient [i'bʌljənt] (over)kokend, opbruisend, opborrelend, opwellend; uitbundig.

ebullition [ebə'liʃən] (over)koking, opborreling, opwelling, opbruising.

eccentric [ik'sentrik] I aj uitmiddelpuntig, excentrisch; excentriek; II sb excentriek m-v [persoon]; ✗ excentriek o.

eccentricity [eksen'trisiti] uitmiddelpuntigheid, excentriciteit, zonderlingheid.

Ecclesiastes [ikli:zi'æsti:z] B Prediker.

ecclesiastic [ikli:zi'æstik] I sb geestelijke; II aj zie ecclesiastical.

ecclesiastical [ikli:zi'æstikl] geestelijk; kerkelijk.

echelon ['eʃələn] ✗ echelon.

echo ['ekou] I sb weerklank², echo²; (be applauded) to the ~ uitbundig; II vt weerkaatsen; herhalen; III vi weerklinken.

echo sounder ['ekousaundə] echolood o.

eclectic [ek'lektik] I aj eclectisch, schiftend, uitzoekend; II sb eclecticus.

eclipse [i'klips] I sb verduistering, eclips; fig op de achtergrond raken o, aftakeling; II vt verduisteren, in de schaduw stellen.

ecliptic [i'kliptik] ecliptica.

eclogue ['eklɔg] herdersdicht o.

economic [i:kə'nɔmik] I aj economisch, staathuishoudkundig; II sb ~s economie, (staat)huishoudkunde.

economical [i:kə'nɔmikl] spaarzaam, zuinig, voordelig, economisch.

economist [i'kɔnəmist] econoom, staathuishoudkundige.

economize [i'kɔnəmaiz] I vt (be)sparen, be-, uitzuinigen; spaarzaam of zuinig zijn met; II vi bezuinigen (op on).

economy [i'kɔnəmi] huishoudkunde, huishouding, economie, bedrijfsleven o; spaarzaamheid, zuinigheid; besparing, bezuiniging; inrichting [v. boek &], stelsel o, gestel o; political ~ staathuishoudkunde.

ecstasy ['ekstəsi] (ziels)verrukking, geestvervoering, opgetogenheid, extase.

ecstatic(ally) [ek'stætik(əli)] extatisch, verrukt.

Ecuador [ekwə'dɔ: Ecuador o.

eczema ['eksimə, 'ekzimə] eczeem o.

eddy ['edi] I sb draaikolk; maalstroom; wervel-, dwarrelwind; II (vt &) vi (doen) ronddwarrelen, wervelen.

Eden ['i:dn] Eden² o.

§ **edentate** [i'denteit] tandeloos (dier o).

edge [edʒ] I sb sne(d)e, scherp o, scherpte; 2 rand, kant, zoom; give an ~ to scherpen²; on ~ op zijn kant; fig in gespannen toestand; geprikkeld; set the teeth on ~ I slee maken; 2 door merg en been gaan, doen griezelen; put to the ~ of the sword over de kling jagen; II vt I scherpen, slijpen; 2 (om)zomen; (om)boorden, (om)randen (met with); 3 schuiven, dringen; ~ on aanzetten, ophitsen.

edged [edʒd] I scherp, snijdend; 2 gerand.

edge-tool ['edʒtu:l] snijdend gereedschap o.

edgeways ['edʒweiz], **edgewise** ['edʒwaiz] op zijn kant (gezet); schuins tegen elkaar; not get a word in edgeways er geen woord (geen speld) tussen kunnen krijgen.

edging ['edʒiŋ] rand; boordsel o.

edgy ['edʒi] kantig, (te) scherp.

edibility [edi'biliti] eetbaarheid.

edible ['edibl] zie eatable I & II.

edict ['i:dikt] edict o, bevelschrift o.

edification [edifi'keiʃən] opbouw, [godsdienstig, geestelijk of zedelijk] stichting.

edifice ['edifis] gebouw² o.

edify ['edifai] opbouwen, stichten².

edifying(ly) ['edifaiiŋ(li)] stichtelijk.

Edinburgh ['edinb(ə)rə] Edinburg(s).

edit ['edit] I (voor de druk) bezorgen, bewerken, persklaar maken; 2 redigeren; 3 monteren [een film].

Edith ['i:diθ] Edith.

edition [i'diʃən] uitgaaf, druk, editie.

editor ['editə] I bewerker; 2 redacteur.

editorial [edi'tɔ:riəl] I aj redactioneel, redactie-; ~ staff redactie; II sb hoofdartikel o.

editorship ['editəʃip] I bewerking, leiding; 2 redacteurschap o.

editress ['editris] I bewerker; 2 redactrice.

Edmund ['edmənd] Edmond.

educate ['edjukeit] opvoeden, vormen; highly ~d zeer beschaafd (ontwikkeld).

education [edju'keiʃən] opvoeding, vorming, ontwikkeling, onderwijs o.

educational [edju'keiʃənəl] de opvoeding betreffend; onderwijs-, school-; ~ establishment onderwijsinrichting.

education(al)ist [edju'keiʃən(əl)ist] opvoed(st)er, opvoedkundige, pedagoog.

educative ['edjukeitiv] opvoedend.

educator ['edjukeitə] opvoeder, -ster.

educe [i'dju:s] aan het licht brengen; trekken (uit from), afleiden; afscheiden.

eduction [i'dʌkʃən] afleiding; afscheiding; ~ pipe ✗ afvoerpijp, afblaaspijp.

Edward ['edwəd] Eduard.

eel [i:l] I aal, paling; 2 (azijn)aaltje o.

e'en [i:n] verk. van I *even*; 2 *evening*.

e'er [εə] verk. van *ever*.

eerie, eery ['iəri] I bijgelovig bang; 2 angst-wekkend, akelig, F „eng".

efface [i'feis] I *vt* uitwissen², uitvegen; *fig* overschaduwen, in de schaduw stellen; II *vr* ~ *oneself* zich terugtrekken of op de achtergrond houden; verdwijnen.

effect [i'fekt] I *sb* (uit)werking, invloed, gevolg o, resultaat o, effect o; ~s bezittingen, goed o, goederen; *give* ~ *to* uitvoeren; *take* ~ uitwerking hebben; effect maken; in werking treden; *for* ~ uit effectbejag; *in* ~ in werkelijkheid; *carry into* ~ ten uitvoer brengen; *be of no* ~ geen uitwerking hebben; *to no* ~ zonder resultaat; tevergeefs; (*a notice*) *to the* ~ *that...* behelzende, inhoudende, hierop neerkomend, dat...; *assurances to this* ~ verzekeringen in deze geest (zin); *with* ~ *from* met ingang van; II *vt* uitwerken, teweegbrengen, bewerkstelligen, tot stand brengen, uitvoeren, verwezenlijken; § (af)sluiten.

effective ['i'fektiv] I *aj* werkzaam, krachtig; krachtdadig; doeltreffend; raak; effect hebbend; effectief; *become* ~ ook: van kracht worden; II *sb* ✕ effectief o.

effectual [i'fektjuəl] *aj* krachtig; doeltreffend; geldig, van kracht, bindend.

effectually [i'fektjuəli] *ad* op doeltreffende wijze, met succes.

effectuate [i'fektjueit] bewerkstelligen, uitvoeren, volvoeren, volbrengen.

effeminacy [i'feminəsi] verwijfdheid.

effeminate [i'feminit] verwijfd.

effervesce [efə'ves] mousseren, (op)bruisen.

effervescence, -cy [efə'vesəns(i)] mousseren o, (op)bruising².

effervescent [efə'vesənt] mousserend, (op)-bruisend².

effete [e'fi:t] zwak, afgeleefd, versleten.

efficacious(ly) [efi'keiʃəs(li)] werkzaam, doeltreffend, probaat, kracht(dad)ig.

efficaciousness [efi'keiʃəsnis], efficacy ['efikəsi] kracht(dadigheid), werkzaamheid, doeltreffendheid, uitwerking.

efficiency [i'fiʃənsi] kracht(dadigheid), doeltreffendheid; bekwaamheid, geschiktheid; ✕ nuttig effect o, rendement o.

efficient(ly) [i'fiʃənt(li)] werkend, kracht(dad)ig, doeltreffend; bekwaam, geschikt.

effigy ['efidʒi] afbeeldsel o; beeld o, beeldenaar, borstbeeld o [op een munt]; *in* ~ in effigie.

effort ['efət] poging, (krachts)inspanning; prestatie; *make an* ~ I een poging doen; 2 zich geweld aandoen; 3 zich inspannen.

effrontery [e'frʌntəri] onbeschaamdheid.

effulgent [e'fʌldʒənt] stralend, schitterend.

effuse [e'fju:z] uitgieten, (uit)storten, uitstralen, verspreiden².

effusion [e'fju:ʒən] vergieten o, uitstorting²; *fig* ontboezeming.

effusive [e'fju:siv] zich geheel gevend, (over)hartelijk, expansief, uitbundig.

eft [eft] ♎ salamander.

e. g. = [exempli gratia] *for instance* bijvoorbeeld, b.v.

egg [eg] I *sb* ei o; *good* ~*!* F I beste kerel!; 2 mooi zo!; *he put all his* ~*s in one basket* hij zette alles op één kaart; II *vt* in: ~ *on* aanzetten, aan-, ophitsen.

egg-cup ['egkʌp] eierdopje o.

egg flip ['eg'flip] soort advocatenborrel.

egghead ['eghed] *Am* intellectueel.

egg nog ['eg'nog] soort advocatenborrel.

egg-shell ['egʃel] eierdop, eierschaal.

egg-spoon ['egspu:n] eierlepeltje o.

egg-whisk ['egwisk] eierklopper.

eglantine ['eglantain] ♌ egelantier.

ego ['egou] ik o; ikheid; *ps* ego.

egoism ['egouizm] egoïsme o, zelfzucht, eigenbaat; zie ook: *egotism.*

egoist ['egouist] egoïst, zelfzuchtige.

egoistic(ally) [egou'istik(əli)] egoïstisch.

egotism ['egoutizm] I eigenliefde; 2 zelfzucht.

egotist ['egoutist] I iemand die gaarne over zichzelf spreekt; 2 egoïst. [zuchtig.

egotistic(al) [egou'tistik(l)] I ikkerig; 2 zelf-

egregious(ly) [i'gri:dʒəs(li)] groot, kolossaal [ironisch].

egress ['i:gres] I uitgang; 2 uitgaan o.

egret ['i:gret] I ♌ kleine witte reiger; 2 reigerveer; 3 aigrette; 4 ♌ zaadpluim.

Egypt ['i:dʒipt] Egypte o.

Egyptian [i'dʒipʃən] I *aj* I Egyptisch; 2 zigeuner-; II *sb* I Egyptenaar; 2 zigeuner(in).

eh [ei] he!, wat?

eider ['aidə] ♌ eidereend, eidergans.

eider-down ['aidədaun] I eiderdons o; 2 dekbed o (van dons).

eider-duck ['aidə'dʌk] ♌ eidereend, -gans.

eight [eit] acht.

eighteen ['ei'ti:n, + 'eiti:n] achttien.

eighteenth ['ei'ti:nθ, + 'eiti:nθ] 18de (deel o).

eightfold ['eitfould] achtvoudig.

eighth [eitθ] achtste (deel o).

eightieth ['eitiiθ] tachtigste (deel o).

eighty ['eiti] tachtig; *the eighties* de jaren van (18)80 tot (18)90; *in the (one's) eighties* ook: in de tachtig.

Eire ['εərə] I *sb* Eire o; II *aj* van Eire.

either ['aiðə, 'i:ðə] I *aj* (één van) beide; II *pron* de één zowel als de andere; ~ *of us* één onzer; III *cj* ~... *or* (of)... of; IV *ad* ook; *if...I'll not go* ~ dan ga ik ook niet.

ejaculate [i'dʒækjuleit] uitbrengen, uitroepen.

ejaculation [idʒækju'leiʃən] ontboezeming; uitroep.

ejaculatory [i'dʒækjulətəri] in: ~ *prayer* schietgebed(je) o.

eject [i'dʒekt] uitwerpen; (uit)schieten [stralen]; (met geweld) uitzetten, verdrijven.

ejection [i'dʒekʃən] uitwerping, uitschieting; uitzetting, verdrijving.

ejection seat [ı dʒekʃənsi:t] ⚓ schietstoel.

ejectment [i'dʒektmənt] ⚖ uitzetting.

ejector (seat) [i'dʒektə(si:t)] ⚓ schietstoel.

eke [i:k] ~ *out* aanvullen; rekken; ~ *out a livelihood* ziin onderhoud bijeenscharrelen.

1 **elaborate** [i'læbərit] *aj* doorwrocht, fijn af-, uitgewerkt; ingewikkeld; uitgebreid, uitvoerig, nauwgezet.

2 **elaborate** [i'læbəreit] *vt* nauwkeurig, grondig uit-, bewerken.

elaboration [ilæbə'reiʃən] (grondige) uit-, bewerking.

eland ['i:lənd] ⚕ eland-antilope.

elapse [i'læps] verlopen, verstrijken.

elastic [i'læstik] I *aj* veerkrachtig, elastisch; rekbaar²; II *sb* elastiek(je) o.

elasticity [elæs'tisiti] veerkracht, rekbaarheid, elasticiteit.

elate [i'leit] I *aj* zie *elated*; II *vt* triomfantelijk (opgetogen) maken.

elated [i'leitid] triomfantelijk, opgetogen.

elation [i'leiʃən] overmoed; opgetogenheid.

elbow ['elbou] I *sb* elleboog; bocht; *at one's* ~ vlak bij; *out at* ~s met de ellebogen door zijn mouwen; aan lagerwal, verlopen; *up to the* ~s *in work* tot over de oren in het werk; II *vt* met de ellebogen duwen, dringen; ~ *one's way* zich een weg banen; ~ *out* verdringen; III *vi* een bocht maken.

elbow-room ['elbourum] ruimte om zich te roeren, vrijheid van beweging, armslag.

1 **elder** ['eldə] I *aj* ouder, oudste [v. twee]; II *sb* oudere; ouderling.

2 **elder** ['eldə] *sb* ⚘ vlier(struik).

elderly ['eldəli] bejaard, op leeftijd, oudachtig.

eldership ['eldəʃip] 1 majoraat o; 2 ouderlingschap o.

eldest ['eldist] oudste.

El Dorado [eldə'ra:dou] eldorado o.

Eleanor ['elinə] Eleonora.

elect [i'lekt] I *vt* (ver)kiezen (tot); II *aj* (uit)verkoren, gekozen; II *sb* uitverkorene.

election [i'lekʃən] keus, verkiezing°.

electioneer [ilekʃə'niə] stemmen werven, meedoen aan een verkiezingscampagne; ~*ing agent* verkiezingsagent.

elective [i'lektiv] kies-, keur-; (ver)kiezend; verkiezings-; ge-, verkozen.

elector [i'lektə] 1 kiezer; 2 keurvorst.

electoral [i'lektərəl] 1 kies-, kiezers-, verkiezings-; 2 keurvorstelijk.

electorate [i'lektərit] 1 (gezamenlijke) kiezers, kiezerscorps o; 2 keurvorstendom o.

electress [i'lektris] 1 kiezeres; 2 keurvorstin.

electric [i'lektrik] elektrisch; elektriseer-; ~ *eel* sidderaal; ~ *jar* Leidse fles.

electrical [i'lektrikl] elektrisch; elektriseer-; ~ *engineer* elektrotechnicus.

electrician [ilek'triʃən] elektricien.

electricity [ilek'trisiti] elektriciteit.

electrification [ilektrifi'keiʃən] 1 elektrisering; 2 elektrificatie.

electrify [i'lektrifai] 1 elektriseren; 2 elektrificeren.

electrocute [i'lektrəkju:t] elektrokuteren: elektrisch terechtstellen.

electrocution [ilektrə'kju:ʃən] elektrokutie.

electrode [i'lektroud] elektrode.

electrolier [ilektrə'liə] elektrische kroonluchter.

electrolyse [i'lektrəlaiz] elektrolyseren.

electrolysis [ilek'trəlisis] elektrolyse.

electrolytic [ilektrə'litik] elektrolytisch.

electrometer [ilek'trɔmitə] elektrometer.

electromotor [ilektrou'moutə] elektromotor.

electron [i'lektrɔn] elektron o; ~ *microscope* elektronenmicroscoop.

electronic [ilek'trɔnik] I *aj* elektronisch; II *sb* ~s elektronica.

electroplate [i'lektroupleit] I *vt* elektrolytisch verzilveren; II *sb* pleet(werk) o.

electroscope [i'lektrəskoup] elektroscoop.

electrotherapy [i'lektrou'θerəpi] elektrotherapie.

elegance, -cy ['eligəns(i)] sierlijkheid, keurigheid, bevalligheid, elegantie.

elegant(ly) ['eligənt(li)] sierlijk, keurig, bevallig, elegant.

elegiac [eli'dʒaiək] I *aj* elegisch; II *sb* in: ~s elegische poëzie.

elegy ['elidʒi] elegie, treurzang, -dicht o.

element ['elimənt] element o, bestanddeel o, grondstof; ~s ook: (grond)beginselen.

elemental [eli'mentəl] van de elementen, natuur-; wezenlijk, onvermengd.

elementary [eli'mentəri] elementair, aanvangs-, grond-; ~ *school* lagere school.

elephant ['elifənt] olifant.

elephantine [eli'fæntain] als (van) een olifant.

elevate ['eliveit] opheffen, verheffen, verhogen; opslaan [ogen]; veredelen.

elevated ['eliveitid] 1 verheven; 2 F aangeschoten; ~ *railway* luchtspoorweg.

elevation [eli'veiʃən] op-, verheffing, verhoging, hoogte, verhevenheid, △ opstand.

elevator ['eliveitə] 1 opheffer [spier]; 2 ⚒ elevator; 3 *Am* lift; 4 ⚓ hoogteroer o.

eleven [i'levn] elf; *an* ~ een elftal o.

eleven-plus [i'levn'plʌs] ↪ toelatingsexamen ø voor een inrichting van middelbaar onderwijs (voor leerlingen van elf jaar of ouder).

elevenses [i'levnziz] elfuurtje o.

eleventh [i'levnθ] elfde; *at the* ~ *hour* B ter elfder ure.

elf [elf] elf, fee, kaboutermannetje² o; dreumes.

elfin ['elfin] I *aj* elfen-; II *sb* elf.

elfish ['elfiʃ] elfen-; *fig* ondeugend.

Elia ['i:liə] Elia.

Elias [i'laiəs] Elias.

elicit [i'lisit] uit-, ontlokken, aan het licht brengen, ontdekken; krijgen (uit *from*).

eligibility [elidʒi'biliti] 1 (ver)kiesbaarheid; 2 geschiktheid, wenselijkheid.

eligible ['elidʒibl] 1 (ver)kiesbaar; 2 in aanmerking komend, geschikt, wenselijk, verkieslijk.

Elijah [i'laidʒə] B Elia.

eliminate [i'limineit] elimineren, wegwerken [factor]; verdrijven, verwijderen; buiten beschouwing laten, uitschakelen.

eliminating [i'limineitiŋ] in: ~ contest sp afvalwedstrijd.

elimination [ilimi'neiʃən] eliminatie: wegwerking, verwijdering, terzijdestelling, uitschakeling.

elixir [i'liksə] elixir² o.

Eliza [i'laizə] Eliza.

Elizabeth [i'lizəbəθ] Elizabeth.

Elizabethan [ilizə'bi:θən] I aj van (Koningin) Elizabeth; II sb schrijver enz. uit de tijd van Koningin Elizabeth I.

elk [elk] ⚹ eland.

ell [el] el; ellemaat.

ellipse [i'lips] 1 ellips; 2 uitlating.

ellipsis [i'lipsis] uitlating.

elliptic(al) [i'liptik(l)] elliptisch.

elm [elm] ⚹ olm, iep.

Elmo ['elmou] in: St. ~'s fire (sint-)elmsvuur o.

elocution [elə'kju:ʃən] voordracht, dictie.

elocutionist [elə'kju:ʃənist] voordrachtkunstenaar; leraar in de dictie.

elongate ['i:lɔŋgeit] vt verlengen; (uit)rekken; ~d ook: lang, slank, spichtig.

elongation [i:lɔŋ'geiʃən] verlenging; ⚹ rek.

elope [i'loup] weglopen, zich laten schaken (door with).

elopement [i'loupmənt] weglopen o, vlucht; schaking.

eloquence ['eləkwəns] welsprekendheid.

eloquent ['eləkwənt] welsprekend²; be ~ of een welsprekend getuigenis afleggen van.

else [els] anders; what ~? 1 wat... anders?; 2 nog iets?

elsewhere ['els'wɛə] ergens anders, elders.

elucidate [i'l(j)u:sideit] ophelderen, toelichten, duidelijk maken, verklaren.

elucidation [il(j)u:si'deiʃən] opheldering, toelichting, verklaring.

elucidatory [i'l(j)u:sideitəri] ophelderend, verklarend.

elude [i'l(j)u:d] ontgaan, ontsnappen (aan); ontwijken, ontduiken, ontkomen aan.

elusion [i'l(j)u:ʒən] ontsnapping; ontwijking, ontduiking, ontkoming.

elusive [i'l(j)u:siv] ontwijkend, ontduikend; (aan alle nasporing) ontsnappend, moeilijk of niet te benaderen of te bepalen.

elves [elvz] mv v. elf.

elvish ['elviʃ] zie elfish.

Elysian [i'liziən] Elyzees [velden]; Elysisch: hemels.

Elysium [i'liziəm] elysium o: hemel².

'em [əm] F zie them.

emaciate [i'meiʃieit] vermageren, uitteren.

emaciation [imeiʃi'eiʃən] vermagering, uittering.

emanate ['eməneit] uitstromen; ~ from voortvloeien uit, voortkomen uit, uitgaan van, afkomstig zijn van.

emanation [emə'neiʃən] uitstroming, uitstraling, emanatie.

emancipate [i'mænsipeit] bevrijden, vrijlaten, vrijmaken, ontvoogden, emanciperen.

emancipation [imænsi'peiʃən] bevrijding, vrijlating, vrijmaking, ontvoogding, emancipatie.

emasculate [i'mæskjuleit] verzwakken.

emasculation [imæskju'leiʃən] verzwakking.

embalm [im'ba:m] balsemen.

embalmment [im'ba:mmənt] balseming.

embank [im'bæŋk] indijken, bedijken.

embankment [im'bæŋkmənt] in-, bedijking; (spoor)dijk; kade, wal.

embargo [em'ba:gou] I sb embargo o, beslag o [op schepen]; verbod o, belemmering, II vt beslag leggen op, onder embargo leggen.

embark [im'ba:k] (vi &) vt (zich) inschepen; ~ in (zich) steken in, zich inlaten met; ~ on (upon) zich wagen (begeven) in, beginnen (aan).

embarkation [emba:'keiʃən] inscheping

embarrass [im'bærəs] verlegen maken verwarren, in verwarring brengen; in moeilijkheden brengen; bemoeilijken; hinderen, generen, belemmeren; ~ing ook: lastig, pijnlijk, gênant.

embarrassment [im'bærəsmənt] (geld)verlegenheid, verwarring, gêne; moeilijkheid.

embassy ['embəsi] ambassade; gezantschap o; opdracht, zending, missie.

embattle [im'bætl] 1 ⊙ in slagorde scharen; 2 van kantelen voorzien; ~d ook: Am F krijgshaftig, strijdlustig.

embed [im'bed] insluiten, (in)zetten, (vast)leggen; be ~ded in ook: vastzitten in.

embellish [im'beliʃ] versieren, verfraaien, opsieren.

embellishment [im'beliʃmənt] versiering, verfraaiing, opsiering.

ember ['embə] gloeiende kool; ~s gloeiende as of sintels.

Ember days ['embədeiz] quatertemperdagen.

embezzle [im'bezl] verduisteren.

embezzlement [im'bezlmənt] verduistering.

embezzler [im'bezlə] wie verduistert.

embitter [im'bitə] verbitteren, vergallen, verergeren.

embitterment [im'bitəmənt] verbittering, vergalling; verergering.

emblazon [im'bleizn] zie blazon II.

emblazonry [im'bleiznri] zie blazonry.

emblem ['embləm] zinnebeeld o, symbool o.

emblematic(al) [embli'mætik(l)] zinnebeeldig.

embodiment [im'bɔdimənt] belichaming.

embody [im'bɔdi] belichamen; verenigen, inlijven; be-, omvatten.

embolden [im'bouldən] aanmoedigen.

embolism ['embəlizm] ᵹ embolie.

emboss [im'bos] in reliëf maken, drijven.

embossment [im'bosmənt] reliëf o, gedreven werk o; verhevenheid.

embrace [im'breis] I *vt* omhelzen; omvatten, insluiten; overzien; aangrijpen; II *vi* elkaar omarmen; III *sb* omhelzing.

embracement [im'breismənt] omhelzing.

embrasure [im'breiʒə] △ nis; ✕ schietgat o.

embrocation [embrə'keiʃən] smeersel o.

embroider [im'broidə] borduren², *fig* opsieren.

embroidery [im'broidəri] borduurwerk o, borduursel² o; ~ *frame* borduurraam o.

embroil [im'broil] verwarren, in de war gooien; verwikkelen (in een geschil).

embroilment [im'broilmənt] verwarring; verwikkeling.

embryo ['embriou] embryo o, kiem; eerste ontwerp o; *in* ~ in embryonale toestand².

embryonic [embri'onik] embryonaal.

emend [i'mend], **emendate** ['i:mendeit] emenderen, verbeteren.

emendation [i:men'deiʃən] (tekst)verbetering.

emerald ['emərəld] I *sb* smaragd o [stofnaam], smaragd *m* [voorwerpsnaam]; II *aj* van smaragd, smaragdgroen; *the Emerald Isle* het groene Erin: Ierland o.

emerge [i'mə:dʒ] opduiken, oprijzen; te voorschijn komen, naar voren komen, opkomen; uitkomen, blijken; zich voordoen.

emergence [i'mə:dʒəns] verschijning.

emergency [i'mə:dʒənsi] onverwachte of onvoorziene gebeurtenis; moeilijke omstandigheid; noodtoestand; spoedgeval o; *in case of* ~, *in an* ~ in geval van nood.

emergency door [i'mə:dʒənsidə:] nooddeur.

emergency meeting [i'mə:dʒənsimi:tiŋ] spoedvergadering.

emergent [i'mə:dʒənt] oprijzend, opkomend.

emeritus [i'meritəs] emeritus, rustend.

emersion [i'mə:ʃən] opduiken o, opkomen o.

emery ['eməri] amaril.

emery-cloth, ~**-paper** ['eməriklɔθ, -peipə] schuurlinnen o; schuurpapier o.

emetic [i'metik] I *aj* braak-; II *sb* braakmiddel o.

emigrant ['emigrənt] I *aj* (naar een ander land) trekkend, uitwijkend; uitgeweken; trek-; II *sb* emigrant, landverhuizer.

emigrate ['emigreit] I *vi* emigreren, uit het land trekken, uitwijken; F verhuizen; II *vt* doen emigreren, uitzenden.

emigration [emi'greiʃən] emigratie.

émigré ['emigrei] ⫶ [Franse] emigré, [Russische] emigrant.

Emily ['emili] Emilie.

eminence ['eminəns] hoogte², hoge positie, grootheid, verhevenheid, uitstekendheid, uitmuntendheid; eminentie.

eminent ['eminənt] *aj* hoog, verheven, uitstekend, uitnemend, eminent.

eminently ['eminəntli] *ad* eminent; in hoge mate, uiterst, bijzonder.

emir [e'miə] emir.

emissary ['emisəri] afgezant.

emission [i'miʃən] uitzending [v. geluid, licht]; uitstraling, uitstorting; $ emissie, uitgifte; uitvaardiging [van besluit &].

emit [i'mit] uitzenden, uitstralen, uitstorten, afgeven; uit-, voortbrengen [geluid], uiten, uitspreken, (ten beste) geven; $ uitgeven; uitvaardigen [bevelen]; ~*ting area* ✳ ♯ zendbereik o.

Emmaus [e'meiəs] Emmaüs o; *men of* ~ Emmaüsgangers.

emollient [i'moliənt] verzachtend (middel o).

emolument [i'moljumənt] emolument o, honorarium o, salaris o, verdienste.

emotion [i'mouʃən] aandoening, ontroering.

emotional [i'mouʃənəl] tot het gevoel sprekend; gevoels-; licht geroerd.

emotive [i'moutiv] gevoels-.

empanel [im'pænl] op de lijst van gezworenen plaatsen; [een jury] samenstellen.

empathic [em'pæθik] empathisch [= invoelend].

empathy ['empəθi] empathie [= zich invoelen].

emperor ['empərə] keizer.

emperorship ['empərəʃip] keizerschap o.

emphases ['emfəsi:z] *mv* v. *emphasis*.

emphasis ['emfəsis] nadruk², klem(toon)², *fig* accent o.

emphasize ['emfəsaiz] de nadruk leggen op².

emphatic(ally) [im'fætik(əli)] uit-, nadrukkelijk, met klem; krachtig; beslist, gedecideerd.

empire ['empaiə] I *sb* (keizer)rijk o, imperium o; heerschappij; II als *aj* 1 empire [meubelen, stijl]; 2 imperiaal [v. politiek].

empiric [em'pirik] I *aj* empirisch, op ervaring gegrond; II *sb* 1 empiricus; 2 kwakzalver.

empiricism [em'pirisizm] 1 empirie: ervaringsleer; 2 kwakzalverij.

empiricist [em'pirisist] empiricus.

emplacement [im'pleismənt] 1 emplacement o; terrein o; 2 plaatsing.

employ [im'plɔi] I *vt* gebruiken, besteden, aanwenden; bezighouden, in dienst hebben, te werkstellen; ~*ed in agriculture* werkzaam in de landbouw; *be* ~*ed on* bezig zijn met (aan); *employers and* ~*ed* werkgevers en werknemers; II *sb* dienst; werk o; *in the* ~ *of* in dienst bij.

employé(e) [əm'plɔiei], **employee** [emplɔi'i:] 1 employé(e), geëmployeerde, bediende; 2 werknemer.

employer [im'plɔiə] werkgever, patroon.

employment [im'plɔimənt] 1 gebruik o, aanwending; tewerkstelling; werkgelegenheid; 2 bezigheid, werk o, beroep o; *full* ~ volledige werkgelegenheid; *out of* ~ zonder werk; ~ *exchange* arbeidsbureau o.

emporium [em'pɔ:riəm] stapelplaats, handelscentrum o, markt; magazijn o.

empower [im'pauə] machtigen; in staat stellen.

empress ['empris] keizerin.

emptiness ['em(p)tinis] ledigheid, leegte.

empty ['em(p)ti] I aj ledig, leeg; ijdel; ~ of ontbloot van, zonder; II sb lege wagon, fust o, fles &; III vt ledigen, leegmaken, leeg-, uithalen, ruimen; IV vi leeg worden of -lopen; zich uitstorten.

empty-handed ['em(p)ti'hændid] met lege handen.

empty-headed ['em(p)ti'hedid] he is ~ 't is een leeghoofd.

empurple [im'pə:pl] purper verven.

empyreal [empai'ri:əl] hemels.

empyrean [empai'ri:ən] I aj hemels; II sb hoogste hemel.

emu ['i:mju:] ⚲ emoe.

emulate ['emjuleit] nastreven, wedijveren met.

emulation [emju'leiʃən] naijver; wedijver, wedstrijd.

emulative ['emjuleitiv] nastrevend, wedijverend; ~ of wedijverend met.

emulator ['emjuleitə] mededinger.

emulous ['emjuləs] naijverig; ~ of strevend naar, trachtende te evenaren.

emulsion [i'mʌlʃən] emulsie.

enable [i'neibl] in staat stellen, ('t) mogelijk maken; machtigen.

enact [i'nækt] 1 vaststellen, bepalen; tot wet verheffen; 2 opvoeren, spelen; be ~ed ook: zich afspelen.

enactment [i'næktmənt] 1 vaststelling; bepaling; verordening; 2 opvoering.

enamel [i'næməl] I sb email o, brandverf, verglaassel o, glazuur o, vernis o & m; lak o & m; brandschilderwerk o; email kunstvoorwerp o; II vt emailleren, verglazen, glazuren, vernissen; lakken, moffelen; brandschilderen; ⊙ veelkleurig maken.

enameller [i'næmələ] emailleur.

enamour [i'næmə] verliefd maken, bekoren; be ~ed of (with) verliefd zijn op.

encage [in'keidʒ] opsluiten (als) in een kooi.

encamp [in'kæmp] (zich) legeren, kamperen.

encampment [in'kæmpmənt] legering, kampering; legerplaats, kamp(ement) o.

encapsulate [in'kæpsjuleit] inkapselen[2].

encase [in'keis] overtrekken, steken in.

encash [in'kæʃ] $ verzilveren, innen.

encephalitis [ensefə'laitis] 𝕋 1 hersenontsteking; 2 Europese slaapziekte.

enchain [in'tʃein] ketenen, boeien[2].

enchant [in'tʃa:nt] betoveren; bekoren, verrukken.

enchanter [in'tʃa:ntə] tovenaar; bekoorder.

enchantment [in'tʃa:ntmənt] betovering; bekoring, verrukking.

enchantress [in'tʃa:ntris] tovenares, heks.

encircle [in'sə:kl] omringen, omsluiten, insluiten, omsingelen.

enclave [en'kleiv] enclave.

enclose [in'klouz] om-, insluiten, omheinen,

omringen, omvatten, bevatten.

enclosure [in'klouʒə] insluiting; (om)heining; besloten ruimte; $ bijlage.

encomiast [en'koumiæst] lofredenaar.

encomium [en'koumiəm] lof(rede, -zang).

encompass [in'kʌmpəs] omgeven, omringen, omsluiten; om-, bevatten.

encore [ɔŋ'kɔ:] I ij nog eens, bis!; II als sb bis(nummer) o, toegift; III vt & vi bisseren.

encounter [in'kauntə] I sb ontmoeting; ⚔ treffen o, gevecht o; II vt ontmoeten, tegenkomen, aantreffen, (onder)vinden; tegemoet treden; het hoofd bieden.

encourage [in'kʌridʒ] be-, aanmoedigen, aanzetten, animeren, voet (voedsel) geven aan, in de hand werken, bevorderen.

encouragement [in'kʌridʒmənt] be-, aanmoediging, aanwakkering, aansporing.

encroach [in'kroutʃ] inbreuk maken (op on); zich indringen, veld winnen.

encroachment [in'kroutʃmənt] inbreuk; binnendringen o, uitbreiding, aanmatiging.

encrust [in'krʌst] om-, overkorsten; incrusteren; inleggen.

encumber [in'kʌmbə] belemmeren, hinderen; versperren; belasten, bezwaren.

encumbrance [in'kʌmbrəns] 1 belemmering hindernis, last; 2 hypotheek; no ~(s), without ~(s) zonder kinderen.

encyclic(al) [en'saiklik(l)] I aj rondgaand; II sb RK encycliek.

encyclopaedia [ensaiklə'pi:diə] encyclopedie.

encyclopaedic [ensaiklə'pi:dik] encyclopedisch.

encyst [in'sist] inkapselen. [disch.

end [end] I sb aan 't eind(e) o [ook = dood]; uiteinde o; besluit o, afloop, uitslag, doel o, oogmerk o; eindje o, stukje o [touw, kaars]; and there's an~ (of it) en daarmee uit, basta; no ~ sorry S geweldig, „reuze"; no ~ of... massa's, hopen...; ...bij de vleet; gain one's ~(s) zijn doel bereiken; get (have) the better ~ of the staff aan het langste eind trekken; keep one's ~ up zijn man staan; make (both) ~s meet de eindjes aan elkaar knopen, rondkomen; make an ~ of it, put an ~ to it er een eind aan maken; be at an ~ voorbij (om, op, uit) zijn; be at a loose ~ niets om handen hebben; at the ~ 1 ten laatste; 2 aan het eind [van...]; for that ~ te dien einde; in the ~ ten slotte, uiteindelijk; op de duur; he is near his~ de dood nabij; on ~ overeind; achtereen; it makes your hair stand on ~ je haar rijzen; bring to an ~ een eind maken aan; come to an ~ ten einde lopen; come to a bad ~ lelijk (ongelukkig) aan zijn eind komen; to no ~ tevergeefs; to what ~? waarvoor, waartoe zou 't dienen?; to the ~ that opdat; ~ to ~ in de lengte, achter elkaar; zie ook: world; II vi eindigen, besluiten, ophouden, aflopen; ~ in uitgaan op [een letter]; uitlopen op; ~ up eindigen, besluiten; III vt (vol)eindigen, afmaken, een eind maken aan.

endanger [in'dein(d)ʒə] in gevaar brengen.
endear [in'diə] bemind maken (bij *to*); ~*ing* innemend, sympathiek; lief.
endearment [in'diəmənt] tederheid, liefkozing, liefdeblijk *o*.
endeavour [in devə] I *sb* poging, streven *o*; II *vi* beproeven, trachten, pogen, streven.
endemic [en'demik] I *aj* endemisch, inheems; II *sb* endemische ziekte.
ending ['endiŋ] einde *o*; uitgang [v. woord].
endive ['endiv] ♣ andijvie.
endless ['endlis] eindeloos, zonder einde.
endorse [in'dɔ:s] $ endosseren; (iets) op de rugzijde vermelden van; *fig* steunen, onderschrijven, bevestigen [mening &].
endorsee [endɔ:'si:] $ geëndosseerde.
endorsement [in'dɔ:smənt] $ endossement *o*; vermelding op de rugzijde; *fig* goedkeuring, steun, bevestiging.
endorser [in'dɔ:sə] $ endossant.
endow [in'dau] begiftigen, doteren.
endowment [in'daumənt] 1 begiftiging; dotatie, schenking; 2 gave, talent *o*.
endpaper ['endpeipə] schutblad *o*.
⊙ **endue** [in'dju:] bekleden[2]; begiftigen.
endurable [in'djuərəbl] te verdragen.
endurance [in'djuərəns] 1 voortduring; duur; 2 lijdzaamheid, geduld *o*; uithoudingsvermogen *o*, weerstandsvermogen *o*; verdragen *o*.
endure [in'djuə] I *vt* verduren, verdragen, lijden, dulden, ondergaan, uithouden; II *vi* (voort)duren, blijven (bestaan).   [zaam.
enduring(ly) [in'djuəriŋ(li)] blijvend; duur-
endways ['endweiz], **endwise** ['endwaiz] overeind; met het eind naar voren; in de lengte.
Eneas zie *Aeneas*.
enemy ['enimi] I *sb* vijand; *the Enemy* de Duivel; II als *aj* vijandelijk.
energetic [enə'dʒetik] energiek, krachtig, flink, doortastend.
energy ['enədʒi] energie, (wils)kracht, flinkheid; arbeidsvermogen *o* [van plaats &].
enervate ['enəveit] ontzenuwen, verslappen, verzwakken, krachteloos maken.
enervation [enə'veiʃən] ontzenuwing, verslapping, verzwakking.
enfeeble [in'fi:bl] verzwakken.
enfeeblement [in'fi:blmənt] verzwakking.
enfeoff [in'fef] ⫿ belenen.
enfeoffment [in'fefmənt] ⫿ belening.
enfilade [enfi'leid] I *sb* ⚔ enfileervuur *o*; II *vt* ⚔ enfileren.
enfold [in'fould] 1 wikkelen, hullen (in *in*); omvatten; 2 omarmen, omhelzen.
enforce [in'fɔ:s] afdwingen, dwingen tot; kracht bijzetten; versterken, de hand houden aan; ~ (*up*)*on* opleggen, dwingen tot; ~*d* ook: gedwongen.
enforcement [in'fɔ:smənt] handhaving, tenuitvoerlegging, uitvoering; dwang.
enfranchise [in'fræn(t)ʃaiz] 1 bevrijden, vrijlaten; 2 burgerrecht of kiesrecht geven.

enfranchisement [in'fræn(t)ʃizmənt] 1 bevrijding, vrijlating; 2 verlening van burgerrecht of kiesrecht.
engage [in'geidʒ] I *vt* verbinden, engageren, aannemen, in dienst nemen, aanmonsteren, huren; bespreken [plaatsen]; in beslag nemen, bezetten; wikkelen [in strijd]; ⚔ aanvallen, de strijd aanbinden met; ⚙ grijpen in; inschakelen; *be* ~*d* 1 bezig zijn (aan *in*, *on*), bezet zijn; 2 zijn woord gegeven hebben; 3 geëngageerd zijn (met *to*); *number* ~*d* ⚓ in gesprek; II *vi* ⚔ grijpen (in *with*), in elkaar grijpen; ~ *in* zich mengen in, zich begeven in, zich inlaten met; zich bezighouden met; ~ *to* zich verbinden te..., op zich nemen te...
engagement [in'geidʒmənt] verplichting, afspraak, verbintenis; engagement *o*, verloving; bezigheid, dienst; in dienst nemen *o*, aanmonstering; ⚔ treffen *o*, gevecht *o*; *be under an* ~ zijn woord gegeven hebben; *without* ~ $ vrijblijvend.
engaging(ly) [in'geidʒiŋ(li)] innemend, aantrekkelijk, sympathiek.
engender [in'dʒendə] verwekken, voortbrengen, baren, veroorzaken.
engine [in'endʒin] I *sb* 1 machine; 2 brandspuit; 3 locomotief; 4 motor; 5 *fig* middel *o*, werktuig *o*; II *vt* van een motor (machine &) voorzien; *three-~d plane* ✈ driemotorig vliegtuig *o*.
engine-driver ['endʒindraivə] machinist.
engineer [endʒi'niə] I *sb* ingenieur; ⚔ genist; ⚙ machinebouwer, technicus, ⚓ machinist; *the (Royal) Engineers* ⚔ de genie; II *vt* als ingenieur leiden, bouwen; *fig* op touw zetten, (weten te) bewerken, F klaarspelen.
engineering [endʒi'niəriŋ] machinebouw(kunde); (burgerlijke) bouwkunde; [elektro-, verwarmings- &] techniek; ingenieurswezen *o*; ~*works* machinefabriek.
engird(le) [in'gə:d(l)] omgorden, omsluiten.
England [iŋglənd] Engeland *o*.
English ['iŋgliʃ] I *aj* Engels; II *sb* (het) Engels; *the* ~ de Engelsen; *the King's* ~ de (zuivere) Engelse taal.
Englishman ['iŋgliʃmən] Engelsman.
Englishwoman ['iŋgliʃwumən] Engelse.
engraft [in'gra:ft] enten (op *into*, *upon*), inplanten[2], *fig* inprenten, griffelen.
engrain [in'grein] zie *ingrain*.
engrave [in'greiv] graveren; inprenten.
engraver [in'greivə] graveur.
engraving [in'greiviŋ] 1 graveerkunst; 2 gravure, plaat.
engross [in'grous] grosseren; *fig* in beslag nemen; ~*ed in* verdiept in.
engrossing [in'grousiŋ] *fig* boeiend.
engrossment [in'grousmənt] 1 grosse; 2 *fig* opgaan *o* (in iets).
engulf [in'gʌlf] opslokken[2], verzwelgen[2].
enhance [in'ha:ns] verhogen, verheffen, vergroten, vermeerderen, verzwaren.

enhancement [in'ha:nsmənt] verhoging, verheffing, vergroting, vermeerdering, verzwa-

enigma [i'nigmə] raadsel o. [ring.

enigmatic(al) [enig'mætik(l)] raadselachtig.

enjoin [in'dʒɔin] opleggen, gelasten, bevelen; ~ *upon* op het hart drukken.

enjoy [in'dʒɔi] I *vt* genieten (van), schik hebben in, gaarne mogen; II *vr* ~ *oneself* zich amuseren, genieten.

enjoyable [in'dʒɔiəbl] genoeglijk; genietbaar.

enjoyment [in'dʒɔimənt] genot o, genoegen o.

enlace [in'leis] om-, ineenstrengelen.

enlarge [in'la:dʒ] I *vt* vergroten, uitbreiden, verwijden, vermeerderen, uitzetten, verruimen; II *vi* groter worden, zich verwijden, zich uitbreiden; ~ *upon* uitweiden over.

enlargement [in'la:dʒmənt] vergroting, uitbreiding, verwijding, vermeerdering, uitzetting, verruiming, uitweiding.

enlighten [in'laitn] verlichten[2]; *fig* in-, voorlichten, opheldering geven, verhelderen.

enlightenment [in'laitnmənt] verlichting[2]; *fig* in-, voorlichting, op-, verheldering.

enlist [in'list] I *vt* 1 inschrijven; 2 ⚔ (aan)werven; 3 *fig* winnen [voor een zaak]; II *vi* ⚔ dienst nemen; *fig* meedoen.

enlistment [in'listmənt] ⚔ werving; dienstneming.

enliven [in'laivn] verlevendigen, opvrolijken.

enmesh [in'meʃ] verstrikken.

enmity ['enmiti] vijandschap.

ennoble [i'noubl] 1 veredelen, adelen; 2 tot de adelstand verheffen.

ennoblement [i'noublmənt] 1 veredeling; 2 verheffing tot de adelstand.

Enoch ['i:nɔk] Henoch.

enormity [i'nɔ:miti] afschuwelijkheid, gruwelijkheid, snoodheid; gruwel(daad).

enormous(ly) [i'nɔ:məs(li)] enorm, ontzaglijk, kolossaal.

enough [i'nʌf] genoeg, voldoende; *well* ~ 1 vrij goed; 2 heel (zeer) genot o; *he was fortunate (kind* &) ~ *to...* hij was zo gelukkig (vriendelijk &) te...; ~ *is as good as a feast* tevredenheid is beter dan rijkdom.

enquire zie *inquire.*

enrage [in'reidʒ] woedend maken; ~*d* woedend.

enrapture [in'ræptʃə] verrukken, in verrukking brengen.

enrich [in'ritʃ] verrijken[2].

enrichment [in'ritʃmənt] verrijking.

enrobe [in'roub] kleden, (uit)dossen.

enro(l)l [in'roul] I *vt* inschrijven, registreren; inlijven, in dienst nemen, aanmonsteren, aanwerven; II *vi* zich laten inschrijven, zich opgeven (als lid &); dienst nemen.

enrolment [in'roulmənt] inschrijving; registratie; aanmonstering, werving.

ensconce [in'skɔns] verschansen; verdekt opstellen; ~*d in* weggedoken in.

ensemble [a:n'sa:mbl] 1 ensemble o; 2 complet *m* of o [dameskostuum].

enshrine [in'ʃrain] in-, wegsluiten; als een heiligdom bewaren; bevatten.

enshroud [in'ʃraud] (om)hullen.

ensign ['ensain] 1 (onderscheidings)teken o; 2 vaandel o, (natie)vlag; 3 ⚓ vaandrig; *blue* ~ vlag van de Britse marinereserve; *red* ~ Britse koopvaardijvlag; *white* ~ Britse marinevlag.

ensilage ['ensilidʒ] I *sb* 1 inkuiling; 2 kuilvoer o; II *vt* (in)kuilen.

ensile [in'sail] (in)kuilen.

enslave [in'sleiv] tot (zijn) slaaf maken, knechten; ~*d to* verslaafd aan.

enslavement [in'sleivmənt] knechting; slavernij; verslaafdheid.

enslaver [in'sleivə] onweerstaanbare vrouw hartedief.

ensnare [in'snɛə] verstrikken, (ver)lokken.

ensue [in'sju:] volgen, voortvloeien (uit *from*).

ensure [in'ʃuə] verzekeren (tegen *against*); waarborgen; zorgen voor; beveiligen (tegen, voor *against, from*).

entablature [en'tæblətʃə] △ dekstuk o.

entail [in'teil] I *sb* onvervreemdbaar erfgoed o; II *vt* 1 🏛 onvervreemdbaar maken [v. erfgoed]; 2 *fig* meebrengen, na zich slepen.

entangle [in'tængl] in de war maken, verwarren[2], verstrikken[2], verwikkelen[2].

entanglement [in'tænglmənt] 1 verwikkeling, verwarring; 2 ⚔ (draad)versperring.

entente [a:n'ta:nt] entente (cordiale).

enter ['entə] I *vt* binnentreden, in-, binnengaan, -komen, -dringen &; betreden; zich begeven in; zijn intrede doen in; in dienst treden bij; gaan in (bij); (laten) inschrijven, boeken; aangeven; toelaten; $ inklaren; ~ *an appearance* verschijnen; ~ *one's name* zich opgeven; II *vi* binnentreden; binnengaan, -komen; opkomen [acteur]; zich laten inschrijven, zich opgeven; ~ *Hamlet* Hamlet komt op; ∞ ~ *against* [goederen] op rekening schrijven van; ~ *into* aanknopen [gesprek]; aangaan [verdrag]; beginnen, gaan in [zaken]; zich verplaatsen in, iets voelen voor, [ergens] inkomen; ingaan op; deel uitmaken van; er aan te pas (er bij) komen; ~ *(up)on* aanvaarden; in bezit nemen; beginnen (aan); ingaan [zijn 60ste jaar].

enteric [en'terik] I *aj* darm-, ingewands-; ~ *fever* = II *sb* buiktyfus.

enteritis [entə'raitis] darmontsteking.

enterprise ['entəpraiz] I *sb* 1 onderneming, waagstuk o; speculatie; 2 ondernemingsgeest, initiatief o; II *vt* ↖ ondernemen.

enterprising ['entəpraiziŋ] ondernemend.

entertain [entə'tein] I *vt* onderhouden, ontvangen, onthalen; in overweging nemen [voorstel]; ingaan op [aanbod]; koesteren [gevoelens]; vermaken, amuseren, bezighouden; ~ *at (to) luncheon* een lunch aanbieden; II *vi* ontvangen, recipiëren.

entertainer [entə'teinə] 1 gastheer; 2 in 't publiek optredende goochelaar &.

entertaining [entə'teiniŋ] onderhoudend.

entertainment [entə'teinmənt] onthaal o, (feestelijke) receptie, partij, feestelijkheid, uitvoering, vermakelijkheid, vermaak o, amusement o; ~ *film* amusementsfilm; ~ *industry* amusementsbedrijf o.

enthral [in'θrɔ:l] tot slaaf maken; *fig* betoveren; boeien, meeslepen.

enthrone [in'θroun] op de troon plaatsen; [een bisschop] installeren.

enthronement [in'θrounmənt] op de troon plaatsen o, intronisatie; installatie.

enthronization [inθrounai'zeiʃən] zie *enthronement*.

enthuse [in'θju:z] *vi* (& *vt*) F in extase (doen) geraken, (doen) dwepen.

enthusiasm [in'θju:ziæzm] enthousiasme o, geestdrift.

enthusiast [in'θju:ziæst] enthousiast.

enthusiastic(ally) [inθju:zi'æstik(əli)] enthousiast, geestdriftig.

entice [in'tais] (ver)lokken, verleiden.

enticement [in'taismənt] verlokking.

enticing [in'taisiŋ] aanlokkelijk, verleidelijk.

entire [in'taiə] *aj* algeheel, (ge)heel, volkomen, onverdeeld, volledig; gaaf; onbeschadigd.

entirely [in'taiəli] *ad* geheel, helemaal, volkomen, zeer.

entirety [in'taiəti] geheel o.

entitle [in'taitl] noemen, betitelen; ~ *to* recht, aanspraak geven op; *be* ~d *to* recht hebben op, het recht hebben...; ~d ook: getiteld [v. boek &].

entity ['entiti] zijn o, wezen o.

entomb [in'tu:m] begraven.

entombment [in'tu:mmənt] begrafenis.

entomology [entə'mɔlədʒi] insektenkunde.

entrails ['entreilz] ingewanden; binnenste o.

entrain [in'trein] I *vi* ✕ instappen (in de trein); II *vt* inladen [troepen].

1 **entrance** ['entrəns] *sb* ingang, intrede; entree, opkomen o, binnenkomst, inkomst, intocht; toegang; ⚓ invaart; aanvaarding [v. ambt]; ~ *examination* toelatingsexamen o; ~ *fee* entree [als lid].

2 **entrance** [in'tra:ns] *vt* verrukken.

entrancing [in'tra:nsiŋ] verrukkelijk.

entrant ['entrənt] 1 binnentredende; 2 deelnemer [bij wedstrijd]; 3 nieuweling.

entrap [in'træp] in een val lokken of vangen, verstrikken.

entreat [in'tri:t] bidden, smeken (om).

entreaty [in'tri:ti] (smeek)bede, smeking.

entrée ['ɔntrei] entree [inz. gerecht].

entrench [in'trenʃ] verschansen; *an* ~ed *clause* een fundamentele, onveranderlijke clausule; *an* ~ed *habit* een diep verankerde gewoonte; (*well-*)~ed *party bosses* vaste voet gekregen hebbende, vast in de zadel zittende partijbonzen.

entrenchment [in'trenʃmənt] ✕ verschansing[2], schans.

entrepreneur [ɔntrəprə'nə:] ondernemer.

entrust [in'trʌst] toevertrouwen (aan, *it to him, him with it*).

entry ['entri] intocht, binnenkomst; toe-, ingang, intrede; *sp* inschrijving(en), deelnemer; $ boeking, post; notitie, aantekening [in dagboek &], artikel o [in woordenboek]; inzending; declaratie, inklaring; zie ook: *bookkeeping*.

entwine [in'twain], **entwist** [in'twist] ineen-, omstrengelen, omwinden, vlechten.

enumerate [i'nju:məreit] opsommen, (op)tellen, opnoemen.

enumeration [inju:mə'reiʃən] opsomming, (op)telling, opnoeming.

enunciate [i'nʌnsieit] verkondigen, uitdrukken, uiten, uitspreken.

enunciation [inʌnsi'eiʃən] verkondiging, uiteenzetting; uiting; uitspraak.

envelop [in'veləp] (om)hullen, (in-, om)wikkelen; ✕ omsluiten.

envelope ['envəloup] (om)hulsel o; enveloppe, couvert o, omslag.

envelopment [in'veləpmənt] in-, omwikkeling; omhulsel o; bekleding; ✕ omsluiting.

envenom [in'venəm] vergiftigen[2]; verbitteren.

enviable ['enviəbl] benijdenswaard(ig).

envious(ly) ['enviəs(li)] afgunstig, jaloers.

environ [in'vaiərən] omringen; omgeven.

environment [in'vaiərənmənt] omgeving, milieu o.

environs [in'vaiərənz, 'environz] omstreken.

envisage [in'vizidʒ] onder de ogen zien; beschouwen, overwegen.

envoy ['envɔi] 1 (af)gezant; 2 opdracht [als slot van gedicht].

envy ['envi] I *sb* nijd, afgunst, jaloezie; *she is the* ~ *of her sisters* zij wordt benijd door haar zusters, haar zusters zijn jaloers (afgunstig) op haar; II *vt* benijden, afgunstig zijn op, misgunnen.

enwrap [in'ræp] (om)hullen, (om-, in)wikkelen.

epaulet(te) ['epɔ:let] epaulet. [len.

ephemera [i'femərə] 1 wat één dag duurt, eendagsvlieg[2]; 2 *mv* v. *ephemeron*.

ephemeral [i'femərəl] van één dag, kortstondig.

ephemeron [i'femərən] zie *ephemera* 1.

epic ['epik] I *aj* episch; verhalend; ~ *poem* heldendicht o; II *sb* heldendicht o, epos o.

epicentre ['episentə] epicentrum o.

epicure ['epikjuə] epicurist, genotzoeker.

epicurean [epikju'ri:ən] epicurist(isch).

epicurism ['epikjuərizm] epicurisme o.

epidemic [epi'demik] epidemie.

epidemic(al) [epi'demik(l)] epidemisch.

§ **epidermis** [epi'də:mis] opperhuid.

§ **epiglottis** [epi'glɔtis] strotklepje o.

epigram ['epigræm] epigram o, puntdicht o.

epigrammatic [epigrə'mætik] epigrammatisch.

epigrammatist [epi'græmətɪst] puntdichter.

epigraph ['epigra:f] opschrift o.

epilepsy ['epilepsi] epilepsie: vallende ziekte; *fit of* ~ toeval.

epileptic [epi'leptik] I *aj* epileptisch; II *sb* epilepticus.

epilogue ['epilog] epiloog, naschrift o, slotrede.

Epiphany [i'pifəni] Driekoningen(dag).

Epirus [i'paiərəs] Epirus.

episcopacy [i'piskəpəsi] bisschoppelijke kerkregering; *the* ~ de bisschoppen.

episcopal [i'piskəpəl] bisschoppelijk.

episcopalian [ipiskə'peiliən] episcopaal.

episcopate [i'piskəpit] 1 bisschoppelijke waardigheid; 2 bisdom o; 3 bisschoppen.

episode ['episoud] episode.

episodic(al) [epi'sɔdik(l)] episodisch.

epistle [i'pisl] (zend)brief, epistel o of m.

epistolary [i'pistələri] brief-.

epitaph ['epita:f] grafschrift o.

epithet ['epiθet] epitheton o.

epitome [i'pitəmi] kort begrip o, uittreksel o.

epitomize [i'pitəmaiz] verkorten; een uittreksel maken van, verkort weergeven.

epoch ['i:pɔk] tijdperk o, tijdvak o; tijdstip o; ~*making* hoogst belangrijk.

epode ['epoud] slotzang.

epopee ['epəpi:] heldendicht o.

Epsom salt(s) ['epsəm sɔ:lt(s)] Engels zout o.

equability [ɔ-, i:kwə'biliti] gelijkheid, gelijkmatigheid, gelijkvormigheid.

equable ['e-, 'i:kwəbl] gelijk(matig, -vormig).

equal ['i:kwəl] I *aj* gelijk(matig), gelijkwaardig, gelijkgerechtigd; de-, hetzelfde; ~ *to the occasion* tegen de moeilijkheden opgewassen, wel raad wetend; *he is not* ~ *to the task* hij is niet berekend voor die taak; II *sb* gelijke, weerga; III *vt* 1 gelijkmaken; 2 gelijk zijn aan, evenaren.

equality [i'kwɔliti] gelijkheid; gelijkwaardigheid, gelijkgerechtigdheid, rechtsgelijkheid; *on an* ~ *with* op voet van gelijkheid met.

equalization [i:kwəlai'zeiʃən] gelijkmaking; gelijkstelling; egalisatie.

equalize ['i:kwəlaiz] gelijkmaken°; gelijkstellen; egaliseren.

equally [i'kwɔli] *ad* gelijk(elijk), even(zeer).

equanimity [i:kwə'nimiti] gelijkmoedigheid.

equate [i'kweit] gelijkstellen of -maken.

equation [i'kweiʃən] vergelijking; gelijkmaking; equatie; ~ *of time* tijdsvereffening.

equator [i'kweitə] equator, evenaar.

equatorial [ekwə'tɔ:riəl] equatoriaal.

equerry ['ekwəri] stalmeester; ± adjudant (van een vorstelijk persoon).

equestrian [i'kwestriən] I *aj* te paard, ruiter-, rij-; ~ *statue* ruiterstandbeeld o; II *sb* ruiter, paardrijder, -rijdster.

equestrianism [i'kwestriənizm] paardesport, ruitersport, rijsport.

equiangular [i:kwi'æŋgjulə] gelijkhoekig.

equilateral [i:kwi'lætərəl] gelijkzijdig.

equilibrate [i:kwi'laibreit] in evenwicht brengen (houden, zijn).

equilibration [i:kwilai'breiʃən] evenwicht o.

equilibrist [i:'kwilibrist] koorddanser, balanceerkunstenaar.

equilibrium [i:kwi'libriəm] evenwicht² o.

equine ['i:kwain] paarde(n)-.

equinoctial [i:kwi'nɔkʃəl] I *aj* nachtevenings-; II *sb* evennachtslijn, linie, hemelequator; ~*s* herfststormen.

equinox ['i:kwinɔks] (dag-en-)nachtevening.

equip [i'kwip] toe-, uitrusten; outilleren.

equipage ['ekwipidʒ] toe-, uitrusting; benodigdheden; equipage.

equipment [i'kwipmənt] toe-, uitrusting, outillage, installatie(s), apparatuur.

equipoise ['i:kwipɔiz] I *sb* 1 evenwicht o; 2 tegenwicht o; II *vt* in evenwicht houden (brengen); opwegen tegen².

equipollence [i:kwi'pɔləns] gelijkwaardigheid.

equipollent [i:kwi'pɔlənt] gelijkwaardig.

equitable ['ekwitəbl] billijk, onpartijdig.

equitation [ekwi'teiʃən] rijkunst.

equity ['ekwiti] 1 billijkheid, rechtvaardigheid; 2 $ aandeel o; *in* ~ billijkerwijs.

equivalence [i'kwivələns] gelijkwaardigheid.

equivalent [i'kwivələnt] I *aj* gelijkwaardig, gelijkstaand (met *to*); equivalent; II *sb* equivalent o.

equivocal [i'kwivɔkl] dubbelzinnig; twijfelachtig; verdacht.

equivocate [i'kwivəkeit] dubbelzinnig spreken, draaien, een slag om de arm houden.

equivocation [ikwivə'keiʃən] dubbelzinnigheid; draaierij.

equivocator [i'kwivəkeitə] *fig* draaier.

equivoke, equivoque ['ekwivouk] dubbelzinnigheid², woordspeling.

er [ə:] *ij* eh!

era ['iərə] 1 jaartelling; 2 tijdperk o, era.

eradicable [i'rædikəbl] uit te roeien².

eradicate [i'rædikeit] ontwortelen; uitroeien².

eradication [irædi'keiʃən] ontworteling; uitroeiing².

erase [i'reiz] uitschrappen, doorhalen, uitwissen, raderen; wegvegen.

eraser [i'reizə] radeermesje o; vlakgom.

erasure [i'reiʒə] uitschrapping, doorhaling, uitwissing, radering.

⊙ **ere** [eə] eer, voor(dat); ~ *long* eerlang, weldra.

erect [i'rekt] I *aj* recht(op), opgericht; overeind(staand); II *vt* oprichten, (op)bouwen, opzetten; verheffen (tot *into*); ✗ opstellen, opwerpen; ✗ monteren.

erection [i'rekʃən] oprichting, verheffing; opstelling, bouw, gebouw o; ✗ montage.

erectness [i'rektnis] rechtopstaande houding.

erector [i'rektə] oprichter; ✗ monteur.

eremite ['erimait] kluizenaar.

⊙ **erewhile** [eə'wail] eertijds, vóór dezen.

ergo ['ə:gou] ergo, dus, bijgevolg.

Erie ['iəri] *Lake* ~ het Eriemeer *o*.

⊙ **Erin** ['erin, 'iərin] Erin *o*: Ierland *o*.

ermine ['ə:min] 1 ♒ hermelijn *m*; 2 hermelijn *o* [bont].

ermined ['ə:mind] in (met) hermelijn.

Ernest ['ə:nist] Ernest, Ernst.

erode [i'roud] eroderen: wegvreten, uitslijpen.

Eros ['iərəs] Eros.

erosion [i'rouʒən] erosie: wegvreting, uitslijping.

erotic [i'rɔtik] erotisch.

err [ə:] dolen, dwalen, een fout begaan, zich vergissen; falen; zondigen.

errand ['erənd] boodschap; *go* (*run*) ~*s* boodschappen doen.

errand-boy ['erəndbɔi] loopjongen.

errant ['erənt] (rond)dwalend, zwervend, dolend.

errata [i'reitə] *mv* v. *erratum*.

erratic [i'rætik] dwalend, zwervend; ongeregeld; grillig; ~ *block* zwerfblok *o*.

erratum [i'reitəm] (druk)fout, vergissing.

erroneous [i'rounjəs] *aj* foutief, onjuist, verkeerd; ~ *notion* dwaalbegrip *o*.

erroneously [i'rounjəsli] *ad* 1 foutief **&**; 2 abusievelijk, per abuis.

error ['erə] dwaling; vergissing, fout, overtreding, zonde; *be in* ~ het mis hebben.

Erse [ə:s] Keltisch *o*.

⊙ **erst**(**while**) ['ə:st(wail)] vroeger, voorheen.

eructation [i:rʌk'teiʃən] oprisping.

erudite ['erudait] geleerd.

erudition [eru'diʃən] geleerdheid.

erupt [i'rʌpt] uitbarsten [vulkaan]; doorkomen [v. tanden].

eruption [i'rʌpʃən] 1 uitbarsting; 2 doorkomen *o* [v. tanden]; 3 ❦ uitslag.

eruptive [i'rʌptiv] 1 uitbarstend; eruptief; 2 uitslaand, met uitslag (gepaard gaand).

erysipelas [eri'sipiləs] ❦ (bel)roos.

Esau ['i:sɔ:] B Ezau.

escalade [eskə'leid] I *sb* ✕ beklimming met stormladders; II *vt* ✕ met stormladders beklimmen.

escalator ['eskəleitə] roltrap.

escapade [eskə'peid] escapade², dolle of moedwillige streek; kromme sprong.

escape [is'keip] I *sb* ontsnapping, ontvluchting, ontkoming; *fig* vlucht (uit de werkelijkheid); lek *o* [van gas]; ✇ opslag; wilde uitloper; redding(s)toestel *o* [bij brand], brandladder; *make* (*good*) *one's* ~ (weten te) ontsnappen; zie ook: *narrow*; II *vi* ontsnappen, ontvluchten, ontkomen, ontglippen (aan *from*), ontvallen, ontgaan, ontlopen.

escapement [is'keipmənt] ⚙ echappement *o*.

escape-valve [is'keipvælv] uitlaatklep.

escapism [is'keipizm] escapisme *o*: zucht om te vluchten (uit de werkelijkheid).

escapist [is'keipist] escapist(isch).

escapologist [iskei'pɔlədʒist] boeienkoning.

escarp [is'ka:p] zie *scarp*.

escarpment [is'ka:pmənt] steile wand; glooiing.

escheat [is'tʃi:t] ⚖ I *vi* vervallen; II *vt* verbeurd verklaren; III *sb* vervallen *o*; vervallen (leen)goed *o*.

eschew [is'tʃu:] schuwen, (ver)mijden.

1 **escort** ['eskɔ:t] *sb* (gewapend) geleide *o*, escorte *o*; ~ *carrier* ⚓ escorte-vliegdekschip *o*.

2 **escort** [is'kɔ:t] *vt* escorteren, begeleiden.

esculent ['eskjulənt] I *aj* eetbaar; II *sb* eetwaar.

escutcheon [is'kʌtʃən] 1 (wapen)schild *o*, (familie)wapen *o*; 2 ⚓ spiegel [v. schip].

Eskimo ['eskimou] Eskimo.

Esop ['i:sɔp] Esopus.

esoteric [esou'terik] geheim, esoterisch.

espalier [is'pæljə] leiboom, spalier *o*.

especial [is'peʃəl] *aj* bijzonder, speciaal.

especially [is'peʃəli] *ad* (in het) bijzonder, vooral, inzonderheid.

Esperantist [espə'ræntist] esperantist.

Esperanto [espə'ræntou] Esperanto *o*.

espial [is'paiəl] ver~, bespieding.

espionage [espiə'na:ʒ, 'espiənidʒ] spionage.

esplanade [esplə'neid] esplanade.

espousal [is'pauzəl] 1 *fig* omhelzing [v. zaak]; 2 ~(*s*) verloving; huwelijk *o*, bruiloft.

espouse [is'pauz] ten huwelijk geven; huwen; [een zaak] omhelzen, tot de zijne maken.

espy [is'pai] in het gezicht krijgen, ontwaren, bespeuren, ontdekken.

Esq. = *Esquir* [is'kwaiə], in: *Robert Bell* ~ De weledelgeb. heer Robert Bell.

⚔ **esquire** [is'kwaiə] zie *squire* I.

essay ['esei] I *sb* poging, proef; essay *o*, verhandeling, opstel *o*; II *vt* [e'sei] 1 pogen, beproeven; 2 op de proef stellen.

essayist ['eseiist] essayist.

essence ['esəns] 1 wezen *o*, essentiële *o*; 2 essence: af~, uittreksel *o*, vluchtige olie; 3 reukwerk *o*; ~ *of meat* vleesextract *o*; *he is the* ~ *of politeness* de beleefdheid zelf.

essential [i'senʃəl] I *aj* wezenlijk, werkelijk, volstrekt noodzakelijk, essentieel; ~ *oil* vluchtige olie; II *sb* wezenlijke *o*, volstrekt noodzakelijke *o*, hoofdzaak.

essentiality [isenʃi'æliti] wezen *o*, wezenlijkheid, essentiële *o*.

essentially [i'senʃəli] *ad* zie *essential* I; ook: in wezen, in de grond, volstrekt.

establish [is'tæbliʃ] vestigen, grondvesten, oprichten, stichten, instellen; tot stand brengen; aanknopen [betrekkingen]; vaststellen, (met bewijzen) staven, bewijzen; *the E~ed Church* de Staatskerk; *an* ~*ed truth* een uitgemaakte zaak.

establishment [is'tæbliʃmənt] vestiging; grondvesting, oprichting; stichting, inrichting, instelling, etablissement *o*; (handels)huis *o*; huishouding; personeel *o*; ✕ formatie; sterkte; totstandkoming; vaststelling, staving; *the Establishment* 1 de Staatskerk; 2 de heersende kliek.

estate [is'teit] staat; rang; (land)goed o; bezit o, bezitting; boedel, nalatenschap; terrein o, land o, plantage, onderneming; *the fourth* ~ de pers; *housing* ~ woonwijk; *man's* ~ de mannelijke leeftijd; *real* ~ onroerende goederen; *the third* ~ ŵ de tiers-état; *the (three)* ~s *of the realm* de rijksstenden.

estate agent [is'teiteidʒɔnt] 1 rentmeester; 2 makelaar in vaste goederen.

estate car [is'teitka:] ᷂ combi(natie)wagen.

estate duty [is'teitdju:ti] successierecht o.

esteem [is'ti:m] I *vt* achten, schatten, waarderen; II *sb* achting, schatting, waardering.

Esther ['estə] Esther.

Esthonia [es'θouniə] Estland o.

Esthonian [es'θouniən] I *sb* Estlander; II *aj* Estlands.

estimable ['estiməbl] achtenswaardig.

estimate ['estimit] I *sb* schatting, raming, begroting, waardering; oordeel o; *the Estimates* de begroting; II *vt* ['estimeit] schatten, ramen, begroten (op *at*).

estimation [esti'meiʃən] schatting; waardering, achting; oordeel o, mening.

estrange [is'trein(d)ʒ] vervreemden.

estrangement [is'trein(d)ʒmənt] vervreemding.

estuary ['estjuəri] wijde riviermonding.

et cetera [it'setrə] en zo voort, enz., etc.

etceteras [it'setrəz] allerlei; extra's.

etch [etʃ] etsen.

etcher ['etʃə] etser.

etching ['etʃiŋ] 1 etsen o; etskunst; 2 ets; ~-*needle* etsnaald.

eternal [i'tə:nəl] I *aj* eeuwig; II *sb the Eternal* de Eeuwige (Vader): God.

eternalize [i'tə:nəlaiz] vereeuwigen, eeuwig (lang) doen duren.

eternally [i'tə:nəli] *ad* eeuwig.

eternity [i'tə:niti] eeuwigheid.

eternize [i'tə:naiz] zie *eternalize.*

Ethel ['eθəl] Ethel.

ether ['i:θə] ether.

ethereal(ly) [i'θiəriəl(i)] etherisch, vluchtig, hemels.

etherize ['i:θəraiz] etheriseren, met ether verdoven.

ethic ['eθik] I *sb* ethiek; II *aj* ethisch.

ethical ['eθikl] ethisch.

ethics ['eθiks] ethica, zedenleer.

Ethiopia [i:θi'oupjə] Ethiopië o.

Ethiopian [i:θi'oupjən] I *aj* Ethiopisch; II *sb* 1 Ethiopiër; 2 F neger.

ethnic ['eθnik] 1 etnisch; 2 heidens.

ethnographer [eθ'nɔgrəfə] etnograaf.

ethnographic [eθnə'græfik] etnografisch.

ethnography [eθ'nɔgrəfi] etnografie: volkenbeschrijving.

ethnological [eθnə'lɔdʒikl] etnologisch.

ethnologist [eθ'nɔlədʒist] etnoloog.

ethnology [eθ'nɔlədʒi] volkenkunde.

ethos ['i:θɔs] ethos; karakter o, geest.

etiolate ['i:tiəleit] bleek maken, (doen) verble-

ken, doen kwijnen.

etiquette [eti'ket, 'etiket] etiquette.

Etna ['etnə] de Etna; *e*~ spiritustoestel o.

Eton ['i:tn] Eton o; ~ *jacket* kort buisje o.

Etonian [i'tounjən] I *aj* van Eton; II *sb* (oud-)-leerling van Eton College.

Etruscan [i'trʌskən] I *aj* Etruskisch; II *sb* Etruskiër.

etui, etwee [e'twi:] etui o, foedraal o, koker.

etymological [etimə'lɔdʒikl] etymologisch.

etymologist [eti'mɔlədʒist] etymoloog.

etymology [eti'mɔlədʒi] etymologie.

eucalyptus [ju:kə'liptəs] eucalyptus.

Eucharist ['ju:kərist] eucharistie.

Eucharistic [ju:kə'ristik] eucharistisch.

Euclid ['ju:klid] Euclides; meetkunde.

Eugene ['ju:dʒi:n, ju:'dʒi:n] Eugenius, Eugène.

Eugenia [ju:'dʒi:niə] Eugénie.

eugenic [ju:'dʒenik] I *aj* eugenetisch; II *sb* in: ~s eugenetica: rasverbetering.

eulogist ['ju:lədʒist] lofredenaar.

eulogistic [ju:lə'dʒistik] prijzend, lovend, lof-.

eulogize ['ju:lədʒaiz] prijzen, roemen, loven.

eulogy ['ju:lədʒi] lof(spraak), lofrede.

eunuch ['ju:nək] eunuch.

euphemism ['ju:fimizm] eufemisme o.

euphemistic [ju:fi'mistik] eufemistisch: verzachtend, bedekt, verbloemend.

euphonic [ju:'fɔnik], euphonious [ju:'founiəs] welluidend.

euphony ['ju:fəni] welluidendheid.

euphoria [ju:'fɔ:riə] euforie.

Euphrates [ju:'freiti:z] Eufraat.

Eurasian [ju:'reiʃən, -'reiʒən] I *aj* Europees-Aziatisch; Indo-Europees; II *sb* Eurazïer; Indo-Europeaan, Indo, halfbloed.

Europe ['juərəp] Europa o.

European [juərə'pi:ən] I *aj* Europees; II *sb* Europeaan, Europese.

Europeanize [juərə'pi:ənaiz] vereuropesen.

evacuate [i'vækjueit] ledigen, lozen; ontlasten; evacueren, (ont)ruimen [een stad].

evacuation [ivækju'eiʃən] evacuatie, lediging, ontlasting, lozing, ontruiming.

evacuee [ivækju'i:] evacué, geëvacueerde.

evade [i'veid] ontwijken, ontduiken, ontgaan, ontsnappen aan.

evaluate [i'væljueit] de waarde bepalen van.

evaluation [ivælju'eiʃən] waardebepaling.

evanescent [evə'nesənt] verdwijnend, vluchtig, voorbijgaand; oneindig klein.

ᶊ evangel [i'vændʒəl] evangelie o.

evangelic(al) [i:væn'dʒelik(l)] I *aj* evangelisch; II *sb* aanhanger van de Low Church.

evangelist [i'vændʒilist] evangelist.

evangelize [i'vændʒilaiz] evangeliseren; het evangelie prediken of verkondigen.

Evans ['evnz] Evans.

evaporate [i'væpəreit] (doen) verdampen, uitdampen, uitwasemen; vervluchtigen, vervliegen[2]; F verdwijnen, uitknijpen; ~d *apples* gedroogde appelen.

evaporation [ivæpə'reiʃən] verdamping, vervluchtiging, uitdamping, uitwaseming.

evasion [i'veiʒən] ontwijking, ontduiking, uitvlucht.

evasive [i'veisiv] ontwijkend².

Eve [i:v] Eva.

eve [i:v] 1 vooravond: avond (dag) vóór (een feest); 2 ✤ avond.

Eveline, Evelyn ['i:vlin] Evelina.

1 ⊙ **even** ['i:vn] sb avond.

2 **even** ['i:vn] I aj gelijk(matig), effen; even; rond, vol [v. som &]; of ∼ date $ van dezelfde datum; we are ∼ 1 we staan gelijk; 2 we zijn quitte; I'll be (get) ∼ with him ik zal het hem betaald zetten; break ∼ uit kunnen [zonder verlies of winst]; quitte spelen (zijn); II vt effenen, gelijkmaken; gelijkstellen.

3 **even** ['i:vn] ad (ja) zelfs; ✤ juist, net; ∼ as... net toen...; ∼ more nog meer; ∼ now 1 zo pas nog; 2 op dit ogenblik; ∼ so ook: toch, zelfs dan, dan nog; ∼ then ook: toen al; not ∼ zelfs niet, niet eens.

even-handed ['i:vn'hændid] onpartijdig.

evening ['i:vniŋ] avond(stond); (gezellig) avondje o.

evening dress ['i:vniŋ'dres] avondtoilet o.

evening primrose ['i:vniŋ'primrouz] ✤ teunisbloem.

evenly ['i:vnli] ad gelijk(matig).

evenness ['i:vnnis] gelijk(matig)heid, effenheid, bedaardheid; onpartijdigheid.

evensong ['i:vnsɔŋ] vesper; avonddienst.

event [i'vent] gebeurtenis; evenement o; voorval o; afloop, uitslag; geval o; sp nummer o, wedstrijd, race; after the ∼ achteraf, als het te laat is; at all ∼s in allen gevalle; in any ∼ wat er ook gebeuren moge; hoe 't ook zij, toch, in ieder geval; in either ∼ in beide gevallen; in the ∼ uiteindelijk; in the ∼ of in geval van.

⊙ **eventide** ['i:vntaid] avond(stond).

eventual [i'ventjuəl] aj daaruit voortvloeiend; later volgend; aan het slot; gebeurlijk, mogelijk, eventueel; uiteindelijk, eind-.

eventuality [iventju'æliti] mogelijke gebeurtenis, mogelijkheid.

eventually [i'ventjuəli] ad ten slotte, uiteindelijk.

eventuate [i'ventjueit] [goed &] aflopen; uitlopen (op in); gebeuren.

ever ['evə] ooit, weleens; ⊙ altijd, immer, eeuwig; did you ∼! heb je ooit van je leven!; ∼ and again (anon) van tijd tot tijd; telkens weer; as much as ∼ nog even veel; ∼ so much heel veel, o zo veel; thank you ∼ so much! mijn bijzondere dank!; he may be ∼ so rich hoe rijk hij ook is, al is hij ook nog zo rijk; as... as ∼ he could zo... als hij maar kon; for ∼ (and ∼, and a day) (voor) altijd, eeuwig; X for ∼! hoera voor X!; yours ∼ steeds de

uwe; the biggest ∼ F de (het) grootste (ooit voorgekomen &); how (who, why, when &) ∼? hoe (wie, waarom, wanneer &) ... toch?

evergreen ['evəgri:n] ✤ altijdgroen (gewas o).

everlasting [evə'la:stiŋ] I aj eeuwig(durend); II sb 1 eeuwigheid; 2 everlasting o [stof]; 3 ✤ immortelle; the Everlasting de Eeuwige (God).

evermore ['evə'mɔ:] (voor) altijd, eeuwig.

every ['evri] ieder, elk, al; ∼ day alle dagen; ∼ one (of them) ieder (hunner); ∼ other day, ∼ second day om de andere dag; ∼ third day, ∼ three days om de drie dagen; ∼ third man één van elke drie mannen; his ∼ word elk zijner woorden.

everybody ['evribodi] iedereen.

everyday ['evridei] (alle)daags; gewoon.

everyone ['evriwʌn] iedereen.

everything ['evriθiŋ] alles; have got ∼ S mieters zijn.

everyway ['evriwei] in alle opzichten, alleszins.

everywhere ['evriweə] overal.

evict [i'vikt] ⚖ uitzetten.

eviction [i'vikʃən] ⚖ uitzetting.

evidence ['evidəns] I sb klaarblijkelijkheid; getuigenis o & v; bewijsstuk o, bewijsmateriaal o, bewijs o; ✤ getuige(n); King's (Queen's) ∼ kroongetuige; bear (give) ∼ getuigenis afleggen; getuigen, blijk geven (van of); be in ∼ de aandacht trekken; call in ∼ als getuige oproepen; II vt bewijzen, (aan)tonen; getuigen van.

evident ['evidənt] aj blijkbaar, klaarblijkelijk, kennelijk, duidelijk.

evidential [evi'denʃəl] tot bewijs dienend, bewijs-; be ∼ of bewijzen, getuigen van.

evidently ['evidəntli] ad zie evident.

evil ['i:v(i)l] I aj slecht, kwaad, boos, snood; the E∼ One de Boze; II sb kwaad o, onheil o; euvel o; kwaal.

evil-doer ['i:vl'du:ə] boosdoener.

evilly ['i:v(i)li] ad op (een) slechte & wijze.

evil-minded ['i:vl'maindid] kwalijk gezind.

evince [i'vins] bewijzen, (aan)tonen, aan den dag leggen.

evocation [evə'keiʃən] oproeping.

evoke [i'vouk] 1 oproepen; 2 fig uitlokken.

evolution [i:və'l(j)u:ʃən] 1 ontvouwing, ontplooiing, ontwikkeling; evolutie; 2 worteltrekking; 3 ⚔ & ⚓ zwenking, manoeuvre.

evolve [i'vɔlv] (zich) ontvouwen, ontplooien, ontwikkelen; evolueren.

ewe [ju:] ooi.

ewe-lamb ['ju:'læm] ooilam o.

ewer ['ju:ə] lampetkan.

ex [eks] 1 ex-, vroeger, voormalig, gewezen, oud-; 2 uit; 3 zonder.

exacerbate [eks'æsəbeit] verergeren, toespitsen; verbitteren, prikkelen.

exacerbation [eksæsə'beiʃən] verergering; verbittering, prikkeling.

exact [ig'zækt] I *aj* nauwkeurig, stipt; juist; afgepast; exact; II *vt* vorderen; eisen, afpersen; *too ~ing* te veeleisend; *~ing work* inspannend werk *o*.

exaction [ig'zækʃən] vordering, buitensporige eis, afpersing.

exactitude [ig'zæktitju:d] nauwkeurigheid, stiptheid; juistheid.

exactly [ig'zæktli] *ad* nauwkeurig, stipt, juist, precies; *what did he say ~?* wat zei hij eigenlijk?

exactness [ig'zæktnis] zie *exactitude*.

exactor [ig'zæktə] afperser.

exaggerate [ig'zædʒəreit] overdrijven; chargeren [in tekening].

exaggeration [igzædʒə'reiʃən] overdrijving; overdrevenheid; charge.

exalt [ig'zɔ:lt] verheffen, verhogen; verheerlijken; in verrukking brengen.

exaltation [egzɔ:l'teiʃən] verheffing, verhoging; verheerlijking; (geest)vervoering.

exalted [ig'zɔ:ltid] I verheven[2], hoog, aanzienlijk; 2 in verrukking, geestdriftig.

exam [ig'zæm] F examen *o*.

examination [igzæmi'neiʃən] examen *o*, onderzoek *o*, visitatie, ᵈᵗ ondervraging, verhoor *o*; *on (closer) ~* bij (nader) onderzoek, op de keper beschouwd; *be under ~* in onderzoek zijn; geëxamineerd worden; ᵈᵗ verhoord worden.

examine [ig'zæmin] examineren, onderzoeken, visiteren, inspecteren, controleren, nakijken, bekijken, onder de loep nemen; ᵈᵗ ondervragen, verhoren.

examinee [igzæmi'ni:] examinandus.

examiner [ig'zæminə] examinator; ondervrager; ᵈᵗ rechter van instructie.

example [ig'za:mpl] voorbeeld *o*, model *o*; exemplaar *o* [v. kunstwerk]; opgave, som; *for ~* bij voorbeeld; *make an ~ of him (them &)* een voorbeeld stellen; *set an ~* een voorbeeld geven; *take ~ by* een voorbeeld nemen aan; zich spiegelen aan; *~ is better than precept* leringen wekken, voorbeelden trekken.

exasperate [ig'za:s-, ig'zæspəreit] prikkelen, verbitteren; verergeren.

exasperating [ig'za:s-, ig'zæspəreitiŋ] ergerlijk, onuitstaanbaar, tergend.

exasperation [igza:s-, igzæspə'reiʃən] prikkeling, verbittering; verergering.

excavate ['ekskəveit] op-, uitgraven, uithollen.

excavation [ekskə'veiʃən] op-, uitgraving, uitholling, holte.

excavator ['ekskəveitə] graafmachine.

exceed [ik'si:d] overtreffen, overschrijden, te boven (buiten) gaan.

exceeding(ly) [ik'si:diŋ(li)] bijzonder, uiterst.

excel [ik'sel] I *vt* overtreffen, uitmunten, uitsteken boven; II *vi* uitmunten.

excellence ['eksələns] uitmuntendheid, uitstekendheid, voortreffelijkheid.

excellency ['eksələnsi] excellentie.

excellent(ly) ['eksələnt(li)] uitmuntend, uitstekend, uitnemend, voortreffelijk.

except [ik'sept] I *vt* uitzonderen; II *vi* een tegenwerping maken (tegen *to, against*); III *prep* behalve, uitgezonderd; *~ for* behalve; behoudens; IV *cj* ⚔ tenzij.

excepting [ik'septiŋ] uitgezonderd.

exception [ik'sepʃən] uitzondering (op *to*); tegenwerping; exceptie; *take ~ against (at, to)* aanstoot nemen aan; opkomen tegen; een exceptie opwerpen tegen.

exceptionable [ik'sepʃənəbl] aanstotelijk, laakbaar, berispelijk; betwistbaar.

exceptional [ik'sepʃənəl] *aj* ongemeen, bijzonder, uitzonderlijk; uitzonderings-.

exceptionally [ik'sepʃənəli] *ad* 1 ongemeen, bijzonder, uitzonderlijk; 2 bij uitzondering.

excerpt ['eksə:pt] I *sb* passage, excerpt *o*; II *vt* [ek'sə:pt] excerperen, aanhalen.

excess [ik'ses] overmaat, overdaad, buitensporigheid; uitspatting, exces *o*; surplus *o*, extra *o*; *in (to) ~* bovenmatig, overdadig; *in ~ of* boven, meer (groter) dan; *~ fare* toeslag [op spoorkaartje]; *~ luggage* overvracht; *~ profit* overwinst.

excessive(ly) [ik'sesiv(li)] overdadig, buitensporig, overdreven, ongemeen.

exchange [iks'tʃein(d)ʒ] I *sb* (om-, uit-, in-, ver)wisseling, ruil(ing); woordenwisseling; $ wisselkoers; valuta, deviezen; beurs; ☎ telefooncentrale; *~ broker* $ wisselmakelaar; *~ list* $ koerslijst; *~ rate* $ wisselkoers; *~ value* ruilwaarde; II *vt* (uit-, in-, ver)wisselen, (ver)ruilen.

exchangeable [iks'tʃein(d)ʒəbl] in-, verwisselbaar, ruilbaar.

exchequer [iks'tʃekə] schatkist; kas.

excisable [ik'saizəbl] accijnsplichtig.

excise [ik'saiz] I *vt* uit-, afsnijden, wegnemen, schrappen ‖ accijns laten betalen; II *sb* accijns; *~ duties* accijnzen.

exciseman [ik'saizmən] commies.

excision [ik'siʒən] uit-, afsnijding; wegneming, schrapping; uitsluiting.

excitability [iksaitə'biliti] prikkelbaarheid.

excitable [ik'saitəbl] prikkelbaar.

excitation [eksi'teiʃən] prikkeling, opwekking; opwinding.

excite [ik'sait] prikkelen, opwekken, aanzetten; opwinden; (ver)wekken.

excitement [ik'saitmənt] prikkeling, opwekking, aanzetting; opwinding.

exciting [ik'saitiŋ] ook: boeiend, interessant, spannend.

exclaim [iks'kleim] uitroepen; *~ against* uitvaren (luide protesteren) tegen.

exclamation [eksklə'meiʃən] uitroep.

exclamatory [eks'klæmətəri] uitroepend.

exclude [iks'klu:d] buiten-, uitsluiten.

excluding [iks'klu:diŋ] zie *exclusive of*.

exclusion [iks'klu:ʒən] buiten-, uitsluiting.

exclusive [iks'klu:siv] *aj* uitsluitend; exclusief;

~ *of* met uitsluiting van; ongerekend, niet inbegrepen.

exclusively [iks'klu:sivli] *ad* zie *exclusive*.

excommunicate [ekskə'mju:nikeit] excommuniceren, in de ban doen².

excommunication [ekskəmju:ni'keiʃən] excommunicatie, (kerk)ban.

excoriate [eks'kɔ:rieit] ontvellen, schaven.

excoriation [ekskə:ri'eiʃən] ontvelling, schaving.

excrement ['ekskrimənt] uitwerpsel *o*.

excremental [ekskri'mentl] uitscheidings-.

excrescence [iks'kresəns] uitwas.

excrescent [iks'kresənt] uitwassend; overtollig.

excrete [eks'kri:t] uit-, afscheiden.

excretion [eks'kri:ʃən] uit-, afscheiding.

excretive [eks'kri:tiv], **excretory** [-əri] uit-, afscheidend; uit-, afscheidings-.

excruciate [iks'kru:ʃieit] folteren, martelen; *excruciating(ly)* ook: F < vreselijk.

exculpate ['ekskʌlpeit] van blaam zuiveren, verontschuldigen, vrijpleiten.

exculpation [ekskʌl'peiʃən] zuivering van blaam, verontschuldiging, vrijpleiten *o*.

excursion [iks'kə:ʃən] excursie, uitstapje *o*; uitweiding; afdwaling.

excursionist [iks'kə:ʃənist] plezierreiziger, deelnemer aan een excursie.

excursion train [iks'kə:ʃəntrein] pleziertrein.

excursive [iks'kə:siv] afdwalend, uitweidend.

excusable [iks'kju:zəbl] verschoonbaar.

1 **excuse** [iks'kju:s] *sb* verschoning, verontschuldiging, excuus *o*; *send an* ~ iemand (een uitnodiging) afschrijven.

2 **excuse** [iks'kju:z] *vt* verontschuldigen; excuseren; vergeven; vrijstellen, schenken [v. lessen &]; ~ *me!* pardon!; *beg to 'be* ~*d*, ~ *oneself* zich verontschuldigen; bedanken [voor uitnodiging], afschrijven.

execrable ['eksikrəbl] afschuwelijk.

execrate ['eksikreit] (ver)vloeken, verafschuwen.

execration [eksi'kreiʃən] vervloeking; afschuw; gruwel.

executant [ig'zekjutənt] ♪ executant.

execute ['eksikju:t] uitvoeren; verrichten, volbrengen; voltrekken; passeren [een akte]; terechtstellen, ter dood brengen.

execution [eksi'kju:ʃən] uitvoering, volbrenging; *ŧᵗ* voltrekking; executie, terechtstelling; passeren *o* [v. e. akte]; *do great* ~ veel schade of een grote slachting aanrichten, veel slachtoffers maken; *carry (put) into* ~ ten uitvoer brengen.

executioner [eksi'kju:ʃənə] beul.

executive [ig'zekjutiv] **I** *aj* 1 uitvoerend; 2 leidend [functie &]; **II** *sb* uitvoerende macht; uitvoerend comité *o*, (dagelijks) bestuur *o*; bestuurder, leider, hoofd *o*, directeur.

executor ['eksikju:tə] uitvoerder; *ŧᵗ* [ig'zekjutə] executeur.

executory [ig'zekjutəri] executoir.

executrices [ig'zekjutrisi:z] *mv* v. *executrix*

executrix [ig'zekjutriks] executrice.

exegesis [eksi'dʒi:sis] exegese.

exegetic(al) [eksi'dʒetik(l)] exegetisch.

exemplar [ig'zemplə] model *o*, voorbeeld *o*.

exemplary [ig'zempləri] voorbeeldig.

exemplification [igzemplifi'keiʃən] verklaring; gewaarmerkt afschrift *o*.

exemplify [ig'zemplifai] verklaren, toelichten door voorbeelden; kopie nemen van; door gewaarmerkt afschrift bewijzen.

exempt [ig'zem(p)t] **I** *vt* ontslaan, vrijstellen; **II** *aj* vrij(gesteld) (van *from*); **III** *sb* vrijgestelde.

exemption [ig'zem(p)ʃən] vrijstelling.

exequies ['eksikwiz] uitvaart.

exercise ['eksəsaiz] **I** *vt* uitoefenen, aanwenden, gebruiken; in acht nemen, betrachten [zorg &]; (be)oefenen; ✕ laten exerceren, drillen; beweging laten nemen; bezighouden; op de proef stellen ['t geduld]; ~ *the minds* de gemoederen bezighouden; *be* ~*d in (one's) mind* ergens over tobben; **II** *vi* (zich) oefenen; ✕ exerceren; beweging nemen; **III** *sb* oefening; uitoefening; aanwending, gebruik *o*; betrachting, beoefening; opgave, thema; ✕ exercitie; (lichaams)beweging.

exercise-book ['eksəsaizbuk] schrift *o*, cahier *o*.

exert [ig'zə:t] **I** *vt* aanwenden, inspannen, gebruiken; uitoefenen; **II** *vr* ~ *oneself* zich inspannen.

exertion [ig'zə:ʃən] aanwending; inspanning [van krachten]; krachtige poging.

exeunt ['eksiʌnt] (zij treden) af.

exfoliate [eks'foulieit] afschilferen.

exfoliation [eksfouli'eiʃən] afschilfering.

exhalation [eks(h)ə-, egzə'leiʃən] uitademing, uitwaseming, uitdamping, damp.

exhale [eks'heil, eg'zeil] uitademen, -wasemen, uit-, verdampen; *fig* lucht geven aan.

exhaust [ig'zɔ:st] **I** *vt* uitputten, leegmaken (ook: luchtledig); grondig behandelen [onderwerp]; **II** *vr* ~ *oneself* zich uitputten, zich uitsloven; **III** *sb* ✕ uitlaat; uitlaatgas *o*.

exhausted [ig'zɔ:stid] uitgeput; (lucht)ledig; S uitverkocht; op.

exhaustion [ig'zɔ:stʃən] uitputting².

exhaustive [ig'zɔ:stiv] uitputtend, grondig.

exhaust-pipe [ig'zɔ:stpaip] uitlaatbuis.

exhaust-steam [ig'zɔ:ststi:m] ✕ afgewerkte stoom.

exhaust-valve [ig'zɔ:stvælv] ✕ uitlaatklep.

exhibit [ig'zibit] **I** *sb* *ŧᵗ* stuk *o* van overtuiging; inzending [op tentoonstelling]; **II** *vt* tentoonstellen, (ver)tonen, aan den dag leggen; overleggen, indienen.

exhibition [eksi'biʃən] 1 vertoning, tentoonstelling; 2 *ŧᵗ* overlegging, indiening; 3 ⌂ (studie)beurs; *it is all* ~ aanstellerij; *make an* ~ *of oneself* zich (belachelijk) aanstellen, zich bespottelijk maken. [dent.

exhibitioner [eksi'biʃənə] ⌂ bursaal, beursstu-

exhibitor [ig'zibitə] vertoner; exposant.

exhilarate [ig'ziləreit] opvrolijken.

exhilaration [igzilə'reiʃən] opvrolijking; vrolijkheid.

exhort [ig'zɔ:t] aan-, vermanen, aansporen.

exhortation [egzɔ:-, eksɔ:'teiʃən] aan-, vermaning, aansporing.

exhortative [ig'zɔ:tətiv], exhortatory [ig'zɔ:-tətəri] vermanend.

exhorter [ig'zɔ:tə] vermaner.

exhumation [eks(h)ju:'meiʃən] opgraving.

exhume [eks'hju:m] opgraven; fig opdiepen.

exigence, -cy ['eksidʒəns(i)] nood, behoefte, eis.

exigent ['eksidʒənt] urgent, dringend; veeleisend; ~ of (ver)eisend.

exiguity [eksi'gjuiti] klein-, onbeduidendheid.

exiguous [eg'zi-, ek'sigjuəs] klein, gering, onbeduidend.

exile ['eksail, 'egzail] I sb 1 verbanning, ballingschap; 2 balling; II vt (ver)bannen.

exist [ig'zist] bestaan, zijn, existeren.

existence [ig'zistəns] bestaan o, aanwezigheid, wezen o, zijn o, existentie; the best... in ~ die of dat er bestaat; call into ~ in het aanzijn roepen; come into ~ ontstaan.

existent [ig'zistənt] bestaand, nog of nu aanwezig, hedendaags.

existential [egzis'tenʃəl] existentieel. [o.

existentialism [egzis'tenʃəlizm] existentialisme

existentialist [egzis'tenʃəlist] I sb existentialist; II aj existentialistisch.

exit ['eksit] I vi in: ~ H H (treedt) af, exit H; A ~s F A „af"; II sb aftreden[2] o [van het toneel]; heengaan o [= dood]; uitgang; he made his ~ hij ging heen[2], hij trad af.

ex-libris [eks'laibris] ex-libris o.

exodus ['eksədəs] exodus[2]: uittocht.

exonerate [ig'zɔnəreit] ontlasten, ontheffen; (van blaam) zuiveren.

exoneration [igzɔnə'reiʃən] ontlasting, ontheffing; zuivering (van blaam).

exorbitance [ig'zɔ:bitəns] buitensporigheid.

exorbitant(ly) [ig'zɔ:bitənt(li)] buitensporig.

exorcise ['eksɔ:saiz] uitdrijven, (uit)bannen, bezweren; (van geesten) bevrijden.

exorcism ['eksɔ:sizm] (geesten)bezwering.

exorcist ['eksɔ:sist] geestenbezweerder.

exordium [ek'sɔ:diəm, eg'zɔ:diəm] inleiding.

exoteric [eksou'terik] exoterisch, openbaar; meer populair.

exotic [ek'sɔ-, eg'zɔtik] I aj uitheems; exotisch; II sb uitheemse plant &.

expand [iks'pænd] I vt uitspreiden, uitbreiden; (doen) uitzetten; ontwikkelen, ontplooien; II vi uitzetten; toenemen, zich uitbreiden (uitspreiden); zich ontwikkelen (ontplooien); ontluiken; loskomen.

expanse [iks'pæns] uitgestrektheid; the ~ (of heaven) het uitspansel.

expansibility [ikspænsi'biliti] uitzetbaarheid.

expansible [iks'pænsibl] uitzetbaar.

expansion [iks'pænʃən] uitbreiding; expansie; uitzetting; spankracht; ontwikkeling; ontplooiing; ontluiking; uitgebreidheid, uitgestrektheid; uitspansel o.

expansive [iks'pænsiv] uitzettend; uitzettings-; uitgebreid, uitgestrekt, wijd; expansief, mededeelzaam.

expatiate [eks'peiʃieit] in: ~ on (upon) uitweiden over.

expatiation [ekspeiʃi'eiʃən] uitweiding.

expatriate [eks'peitrieit, ook: -pæ-] I vt verbannen, het land uitzetten; II vr ~ oneself zijn land verlaten, uitwijken.

expatriation [ekspeitri'eiʃən, ook: -pæ-] verbanning, uitzetting; uitwijking.

expect [ik'spekt] verwachten; F denken.

expectancy [ik'spektənsi] verwachting; vooruitzicht o.

expectant [ik'spektənt] I aj af-, verwachtend; vooruitzichten hebbende; aanstaande [moeder], vermoedelijk [erfgenaam]; II sb vermoedelijk erfgenaam.

expectantly [ik'spektəntli] ad afwachtend; vol verwachting.

expectation [ekspek'teiʃən] af-, verwachting, vooruitzicht o, hoop; have ~s vooruitzichten [op een erfenis], iets te wachten hebben.

expectorant [ik'spektərənt] slijm oplossend of losmakend (middel o).

expectorate [ik'spektəreit] [uit de borst] opgeven, spuwen.

expectoration [ikspektə'reiʃən] opgeving [bij het hoesten]; opgegeven slijm o & m.

expedience, -cy [iks'pi:diəns(i)] gepastheid, geschiktheid, raadzaamheid, dienstigheid.

expedient [iks'pi:diənt] I aj gepast, geschikt, raadzaam, dienstig; II sb (red-, hulp)middel o.

expedite ['ekspidait] bevorderen, bespoedigen, verhaasten, (vlug) afdoen.

expedition [ekspi'diʃən] 1 expeditie; 2 spoed.

expeditionary [ekspi'diʃənəri] expeditie-.

expeditious(ly) [ekspi'diʃəs(li)] snel, vaardig.

expel [iks'pel] uit-, verdrijven, (ver)bannen, uitzetten, wegjagen, -zenden, royeren.

expend [iks'pend] uitgeven, besteden, verbruiken.

expenditure [iks'penditʃə] uitgeven o, uitgaaf; uitgaven; (nutteloos) verbruik o.

expense [iks'pens] (on)kosten, uitgaaf; at the ~ of ten koste van.

expense account [iks'pensəkaunt] onkostenrekening; declaratie.

expensive(ly) [iks'pensiv(li)] kostbaar, duur.

expensiveness [iks'pensivnis] kostbaarheid, duurte.

experience [iks'piəriəns] I sb ondervinding; ervaring; belevenis, wedervaren o (ook: ~s); bevinding [inz. religieus]; praktijk [v. kantoorbediende &]; by (rom) ~ bij (door) ondervinding, bij (uit) ervaring; II vt ondervinden, ervaren, door-, meemaken, beleven.

experienced [iks'piəriənst] ervaren, bedreven.

experiment [iks'perimənt] I *sb* experiment *o*, proef(neming); II *vi* [iks'periment] experimenteren, proeven nemen.

experimental [eksperi'mentəl] proefondervindelijk, experimenteel, ervarings-; proef-; bevindelijk [v. godsdienst].

experimentalize [eksperi'mentəlaiz] proeven nemen, experimenteren.

experimentation [eksperimen'teiʃən] proefneming.

experimenter [iks'perimentə] proefnemer.

1 **expert** [eks'pə:t] *aj* bedreven (in *at, in*).

2 **expert** ['ekspə:t] I *sb* deskundige, vakman, expert (in *in, at*); II *aj* deskundig.

expertise [ekspə:'ti:z] deskundigheid.

expertness [eks'pə:tnis] bedrevenheid.

expiable ['ekspiəbl] te boeten.

expiate ['ekspieit] boeten [een misdaad].

expiation [ekspi'eiʃən] boete(doening).

expiatory ['ekspiətəri] boete-, zoen-.

expiration [ekspi'reiʃən] 1 uitademing; laatste ademtocht; 2 einde *o*; vervallen *o*, verstrijken *o*, afloop, vervaltijd.

expire [iks'paiə] I *vt* uitademen; II *vi* de laatste adem uitblazen; aflopen, verstrijken, vervallen; uitgaan [vuur]; ophouden (te bestaan).

expiry [iks'paiəri] zie *expiration* 2.

explain [iks'plein] uitleggen, verklaren, uiteenzetten; ~ *away* wegredeneren, goedpraten, vergoelijken; ~ *oneself* zich nader verklaren.

explainable [iks'pleinəbl] verklaarbaar.

explainer [iks'pleinə] verklaarder, uitlegger.

explanation [eksplə'neiʃən] verklaring, uitleg(ging), uiteenzetting, explicatie.

explanatory [iks'plænətəri] verklarend.

expletive [iks'pli:tiv] I *aj* aanvullend; overtollig; II *sb* stopwoord *o*, vloek, krachtterm.

explicable ['eksplikəbl] verklaarbaar.

explicate ['eksplikeit] ontwikkelen [een beginsel], ontvouwen; ⚲ verklaring.

explication [ekspli'keiʃən] ontwikkeling [v. beginsel]; ⚲ verklaring.

explicative ['eksplikeitiv], **explicatory** ['eksplikeitəri] verklarend.

explicit [eks'plisit] duidelijk, uitdrukkelijk; stellig; openhartig.

explode [iks'ploud] I *vi* exploderen, ontploffen, springen, (uit-, los)barsten²; II *vt* tot ontploffing brengen, doen (uit)barsten; laten springen; *fig* de nekslag geven; ~*d theory* theorie die afgedaan heeft.

exploit ['eksploit] I *sb* (helden)daad; wapenfeit *o*; prestatie; II *vt* [iks'ploit] exploiteren; uitbuiten.   [ting.

exploitation [eksploi'teiʃən] exploitatie; uitbui-

exploration [eksplə:'reiʃən] navorsing, nasporing, onderzoeking.

explore [iks'plə:] navorsen, onderzoeken.

explorer [iks'plə:rə] navorser, onderzoeker; ontdekkingsreiziger.

explosion [iks'plouʒən] ontploffing, springen *o*, los-, uitbarsting², explosie.

explosive [iks'plousiv] I *aj* ontplofbaar, ontploffings-, spring-; explosief; opvliegend; II *sb* springstof; ontploffingsgeluid *o*; *high* ~ ✗ brisante springstof.

exponent [eks'pounənt] exponent, *fig* vertolker, vertolking, uitdrukking, belichaming, drager [v. idee].

1 **export** ['ekspɔ:t] *sb* $ uitgevoerd goed *o*; uitvoerartikel *o*; uitvoer, export (ook: ~*s*).

2 **export** [iks'pɔ:t] *vt* $ uitvoeren, exporteren.

exportation [ekspɔ:'teiʃən] $ uitvoer, export.

exporter [iks'pɔ:tə] $ exporteur.

expose [iks'pouz] uitstallen; (ver)tonen; tentoonstellen; blootstellen; bloot (onbedekt, onbeschut) laten; blootleggen; belichten [foto]; te vondeling leggen; *fig* uiteenzetten [theorieën]; aan de kaak stellen; ontmaskeren, aan den dag brengen; ~ *oneself* zich blootgeven; ~*d* onbeschut; ~*d to the East* op het oosten liggend.

exposition [ekspə'ziʃən] uitstalling; blootlegging; uiteenzetting; exposé *o* [v. drama]; *Am* tentoonstelling.

expositor [iks'pɔzitə] verklaarder, tolk.

expository [iks'pɔzitəri] verklarend.

expostulate [iks'pɔstjuleit] protesteren; ~ *with one about (for, on, upon)* iemand eens onderhouden over.

expostulation [ikspɔstju'leiʃən] vertoog *o*, vermaning, protest *o*.

expostulatory [iks'pɔstjuleitəri] vermanend.

exposure [iks'pouʒə] blootstellen *o*, blootgesteld zijn *o*; ontbloting; uitstalling; ontmaskering; belichting [foto]; te vondeling leggen *o*; gebrek *o* aan beschutting; *with a southern* ~ op het zuiden liggend; ~ *meter* belichtingsmeter.

expound [iks'paund] uitleggen, verklaren.

expounder [iks'paundə] uitlegger, verklaarder [v. d. Schrift].

express [iks'pres] I *aj* uitdrukkelijk; speciaal; expres; ~ *company Am* bestelhuis *o*, -kantoor *o*; ~ *messenger* expresse; II *ad* per expresse; III *sb* 1 ⚲ expresse; 2 expres(trein); IV *vt* uitpersen; uitdrukken², te kennen geven, betuigen.

expressible [iks'presibl] uit te drukken.

expression [iks'preʃən] uitpersing; uitdrukking; uiting, gezegde *o*; *beyond (past)* ~ onuitsprekelijk.

expressive [iks'presiv] expressief; veelzeggend; ~ *of*... ...uitdrukkend.

expressiveness [iks'presivnis] tekenachtigheid, (zeggings)kracht.

expressway [iks'preswei] *Am* snelverkeersweg.

expropriate [eks'prouprieit] onteigenen.

expropriation [əksproupri'eiʃən] onteigening.

expulsion [iks'pʌlʃən] uit-, verdrijving, uitzetting, verbanning; wegjagen *o*, -zenden *o*; royement *o*.

expulsive [iks'pʌlsiv] uit-, af-, verdrijvend.

expunge [iks'pʌn(d)ʒ] uitwissen, schrappen.

expurgate ['ekspə:geit] zuiveren, [een boek] castigeren, schrappen.

expurgation [ekspə:'geiʃən] zuivering, castigatie [v. e. boek], schrapping.

expurgatory [eks'pə:gətəri] in: ~ *index RK* index [v. verboden boeken].

exquisite ['ekskwizit] I *aj* uitgelezen, uitgezocht, fijn, keurig; volmaakt; *an* ~ *pain* een nameloze smart; II *sb* fat.

exquisitely ['ekskwizitli] *ad* keurig; vreselijk.

ex-Serviceman ['eks'sə:vismæn] oud-strijder.

extant [eks'tænt] (nog) bestaande, voorhanden, aanwezig.

extemporaneous [ekstempə'reinjəs], ~**porary** [iks'tempərəri], **extempore** [eks'tempəri] voor de vuist (bedacht), onvoorbereid.

extemporization [ekstempərai'zeiʃən] improvisatie.

extemporize [eks'tempəraiz] voor de vuist spreken, improviseren.

extend [iks'tend] I *vt* (uit)strekken; uit-, toesteken; uitbreiden; (uit)rekken; verlengen; dóórtrekken; doen toekomen, te beurt doen vallen, verlenen [hulp]; (over) hebben (voor *to*); II *vi* zich uitstrekken; zich uitbreiden; ✕ zich verspreiden; ~*ed order* ✕ verspreide orde; ~*ing table* schuif-, uittrektafel.

extensibility [ikstensi'biliti] rekbaarheid; vatbaarheid voor uitbreiding.

extensible [iks'tensibl] rekbaar; voor uitbreiding vatbaar.

extension [iks'tenʃən] (uit)strekking, (uit)rekking, uitbreiding, uitgebreidheid; omvang; verlenging; verlengstuk²; ☏ neventoestel *o*; ~ *13* ☏ toestel *13*; ~ *apparatus* ⚡ rekverband *o*; ~ *cord* ⚡ verlengsnoer *o*; ~ *instrument* ☏ neventoestel *o*; ~ *ladder* schuifladder; ~ *table* schuif-, uittrektafel.

extensive(ly) [iks'tensiv(li)] uitgebreid, uitgestrekt, omvangrijk, extensief, op grote schaal; *travel extensively* veel reizen.

extensor [iks'tensə] strekspier.

extent [iks'tent] uitgebreidheid, uitgestrektheid, omvang; hoogte, mate; *to the* ~ *of* ten bedrage van; zó (ver gaand) dat; *to a large* ~ grotendeels; *to some* (*a certain*) ~ in zekere mate, tot op zekere hoogte.

extenuate [iks'tenjueit] verzachten, vergoelijken; *extenuating circumstances* ⚖ verzachtende omstandigheden.

extenuation [ekstenju'eiʃən] verzachting, vergoelijking.

exterior [eks'tiəriə] I *aj* uitwendig, uiterlijk; buitenste, buiten-; II *sb* buitenkant; uiterlijk *o*, uiterlijkheid, uitwendigheid.

exterminate [eks'tə:mineit] uitroeien, verdelgen.

extermination [ekstə:mi'neiʃən] uitroeiing, verdelging.

exterminator [eks'tə:mineitə] uitroeier.

exterminatory [eks'tə:mineitəri] verdelgings-.

external [eks'tə:nəl] I *aj* uitwendig; uiterlijk; buiten-; buitenlands; II *sb* uiterlijk *o*; ~*s* uiterlijkheden; bijkomstigheden.

extinct [iks'tiŋkt] (uit)geblust, uitgedoofd; uitgestorven; afgeschaft; *life is* ~ de levensgeesten zijn geweken.

extinction [iks'tiŋkʃən] (uit)blussing, uitdoving; delging [v. schuld]; vernietiging; opheffing; uitroeiing; ondergang; uitsterving.

extinguish [iks'tiŋgwiʃ] (uit)blussen², uitdoven²; delgen [schuld]; uitroeien; vernietigen; opheffen; in de schaduw stellen; F tot zwijgen brengen.

extinguishable [iks'tiŋgwiʃəbl] te blussen.

extinguisher [iks'tiŋgwiʃə] 1 blusser; 2 dompertje *o*; 3 blusapparaat *o*; 4 F dooddoener.

extirpate ['ekstə:peit] uittrekken; uitroeien².

extirpation [ekstə:'peiʃən] uittrekken *o*; uitroeiing².

extirpator ['ekstə:peitə] 1 uitroeier; 2 wiedmachine.

extol [iks'tɔl, iks'toul] verheffen, prijzen, ophemelen, verheerlijken.

extort [iks'tə:t] ontwringen, afdwingen, afpersen.

extortion [iks'tə:ʃən] afpersing; F afzetterij.

extortionate [iks'tə:ʃənit] exorbitant.

extortioner [iks'tə:ʃənə] (geld)afperser, knevelaar, uitzuiger; F afzetter.

extra ['ekstrə] I *aj* & *ad* extra; II *sb* iets extra's, extranummer *o*, -dans, -schotel &, extraatje *o*; figurant; *no* ~*s* alles inbegrepen.

1 **extract** [iks'trækt] *vt* (uit)trekken, trekken, halen (uit *from*); afpersen.

2 **extract** ['ekstrækt] *sb* extract *o*, uittreksel *o*.

extraction [iks'trækʃən] 1 uittrekking; 2 afkomst; ~ *of roots* ✕ worteltrekking.

extraction rate [iks'trækʃənreit] uitmalingspercentage *o*.

extradite ['ekstrədait] ⚖ uitleveren.

extradition [ekstrə'diʃən] ⚖ uitlevering.

extrajudicial ['ekstrədʒu'diʃəl] 1 buitengerechtelijk; 2 wederrechtelijk.

extramural ['ekstrə'mjuərəl] buiten de muren van de stad of van de universiteit.

extraneous [eks'treinjəs] vreemd, van buiten.

extraordinarily [iks'trɔ:dnrili] *ad* buitengewoon°, ongemeen.

extraordinariness [iks'trɔ:dnrinis] ongewoonheid, ongemeenheid.

extraordinary [iks'trɔ:dnri] *aj* buitengewoon°, ongemeen.

extrasensory ['ekstrə'sensəri] paragnostisch; ~ *perception* paragnosie.

extravagance [iks'trævəgəns] buitensporigheid; overdrijving, ongerijmdheid; verkwisting; uitspatting.

extravagant(ly) [iks'trævəgənt(li)] buitensporig; overdreven, ongerijmd; verkwistend.

extravaganza [ekstrævə'gænzə] 1 buitensporigheid; 2 ♪ extravaganza.

extravasation [ekstrævə'seiʃən] ✝ (bloed)uit-storting.

extreme [iks'tri:m] I *aj* uiterst, laatst, hoogst, verst; buitengewoon; extreem; II *sb* uiterste *o*; uiteinde *o*; × uiterste term; *in the ~* in de hoogste mate, uiterst; *go to ~s* in het uiterste vervallen.

extremely [iks'tri:mli] *ad* < bijzonder, zeer.

extremist [iks'tri:mist] extremist(isch).

extremity [iks'tremiti] uiterste *o*, (uit)einde *o*; uiterste nood; *extremities* 1 uiterste maatregelen; 2 ledematen.

extricate ['ekstrikeit] los-, vrijmaken, ontwarren, bevrijden, helpen (uit *from*).

extrication [ekstri'keiʃən] los-, vrijmaking, ontwarring, bevrijding.

extrinsic [eks'trinsik] uiterlijk, van buiten; *~ to ...* liggende buiten...

extrude [iks'tru:d] uit-, verdrijven, uitwerpen.

extrusion [iks'tru:ʒən] uit-, verdrijving, uit-werping.

exuberance [ig'zju:bərəns] weelderigheid [v. groei]; overvloed; overdrevenheid; uitbundig-, uitgelatenheid; (over)volheid.

exuberant [ig'zju:bərənt] weelderig, overvloedig, overdreven, uitbundig, uitgelaten; over-vloeiend, overvol, rijk.

exudation [eksju:'deiʃən] uitzweting.

exude [ig'zju:d] uitzweten.

exult [ig'zʌlt] juichen, jubelen (over *at*); *~ in* zich verkneukelen in; *~ over* triomferen over.

exultant [ig'zʌltənt] juichend, triomfantelijk.

exultation [egzʌl'teiʃən] gejuich *o*, gejubel *o*; uitbundige vreugde.

eye [ai] I *sb* oog *o*; *my ~(s)!* F sakkerloot!; *all my ~!* onzin!, klets!; *~s right* × hoofd rechts!; *be all ~s* geheel oog zijn; *clap ~s on* F te zien krijgen; *have all one's ~s about one* goed uit zijn ogen kijken; *have an ~ for* oog hebben voor; *have an ~ to* het oog houden op; *keep an ~ on* in het oog houden; *make ~s at a girl* een meisje oogjes geven; *mind your ~!* opgepast!; *open one's ~s* grote ogen op-zetten; *open a person's ~s* iemand de ogen openen; *I never set ~s on him again* ik kreeg hem nooit weer onder mijn ogen; *turn a (the) blind ~ on (to)* niet willen zien, geen notitie nemen van; een oogje toedoen voor; *an ~ for an ~* oog om oog; *in my ~s* in mijn oog (ogen); *do one in the ~* S iemand in de nek zien, beetnemen; *in the ~ of the wind, in the wind's ~* vlak tegen de wind in; *see ~ to ~ with* het volkomen eens zijn met; *up to one's ~s* tot over de oren; *with an ~ to* met het oog op; II *vt* aankijken, kijken naar, beschou-wen.

eye-ball ['aibɔ:l] oogappel, -bal.

eyebrow ['aibrau] wenkbrauw; *lift (raise) an ~* de wenkbrauwen optrekken.

eyebrow pencil ['aibraupensl] wenkbrauwstift.

eye-catcher ['aikætʃə] blikvanger.

eyeful ['aiful] F 1 blik; 2 beetje *o*; 3 iets moois, knap meisje *o*, knappe jongen.

eye-glass ['aigla:s] monocle; *~es* 1 lorgnet; 2 face-à-main.

eye-hole ['aihoul] 1 oogholte; 2 kijkgat *o*; 3 (veᵉer)gaatje *o*.

eyelash ['ailæʃ] wimper, ooghaar *o*.

eyeless ['ailis] blind.

eyelet ['ailit] 1 oogje *o*; 2 vetergaatje *o*; 3 kijk-gat *o*.

eyelid ['ailid] ooglid *o*.

eye-opener ['aioupənə] wat iemand de ogen opent.

eye-piece ['aipi:s] oculair *o*, oogglas *o*.

eye-shade ['aiʃeid] oogscherm *o*.

eyeshot ['aiʃɔt] in: *out of ~* ver genoeg om niet te worden gezien; *within ~* dichtbij genoeg om te worden gezien.

eyesight ['aisait] gezicht *o*.

eyesore ['aisɔ:] belediging voor het oog; on-ooglijk iets; doorn in het oog.

eye-tooth ['aitu:θ] oogtand; *he has cut his eye-teeth* hij is ook niet van gisteren.

eyewash ['aiwɔʃ] oogwatertje *o*; *all ~* F alle-maal smoesjes.

eye-water ['aiwɔ:tə] 1 waterlanders; 2 oogwa-tertje *o*.

eye-witness ['aiwitnis] ooggetuige.

eyrie, eyry ['ɛəri, 'iəri] zie *aerie*.

Ezekiel [i'zi:kjəl] B Ezechiël.

F

f [ef] 1 (de letter) f; 2 ♪ f of fa.

fa [fa:] ♪ fa.

fable ['feibl] I *sb* fabel, sprookje *o*, verzinsel *o*, praatje *o*; II *vt* [fabels] dichten, verzinnen; *~d* vermaard, legendarisch, fabelachtig; III *vi* fabels dichten; *fig* maar wat vertellen.

fabric ['fæbrik] gebouw *o*, bouw, samenstel *o*, werk *o*; maaksel *o*; weefsel *o*, stof.

fabricate ['fæbrikeit] bouwen; maken; nama-ken; *fig* fabriceren, verzinnen.

fabrication [fæbri'keiʃən] vervaardiging; ver-zinnen *o*, verzinsel *o*; namaak.

fabricator ['fæbrikeitə] (na)maker, vervaardi-ger; verzinner.

fabulist ['fæbjulist] fabeldichter.

fabulous(ly) ['fæbjuləs(li)] fabelachtig[2].

façade [fə'sa:d] (voor)gevel, façade[2].

face [feis] I *sb* (aan)gezicht *o*; aanzien *o*, vóór-komen *o*; (voor)zijde, -kant, platte kant; op-pervlakte; vlak *o*; front *o* [v. kolenlaag]; beeldzijde; beeld *o* [v. drukletter]; wijzer-plaat; *fig* F onbeschaamdheid, brutaliteit; prestige *o*; *put a good ~ on the matter* gunstig voorstellen; *faire bonne mine à mauvais jeu*; *save (one's) ~* zijn prestige of de schijn weten te redden; *set one's ~ against* zich verzetten tegen, niet dulden; *before one's ~* onder iemands ogen, waar hij bij staat; *in* ~ *of* tegenover; *in (the)* ~ *of* tegen... in; ondanks; tegenover; *he was going red in the* ~ hij begon rood aan te lopen; *on the* ~ *of it* op het eerste gezicht, zo gezien; klaarblijkelijk; *to one's* ~ (vlak) in iemands gezicht; ~ *to* ~ van aangezicht tot aangezicht; tegenover elkaar; ~ *to* ~ *with* tegenover; II *vt* in het (aan)gezicht zien; (komen te) staan tegenover[2]; tegemoet treden; onder de ogen zien, trotseren, het hoofd bieden; gekeerd zijn naar, liggen op [het zuiden &]; bekleden [met tegels]; afzetten [met lint &]; uitmonsteren [een uniform]; omleggen, (om)keren [een kaart]; ~ *it out* brutaal volhouden, doorzetten; ~*d with the choice* geplaatst voor, gesteld voor, staande voor, geconfronteerd met de keuze; III *vi* gekeerd zijn naar; ~ *about* ✕ rechtsomkeert (laten) maken; *about* ~! rechtsomkeert!; ~ *round* zich omkeren; ~ *up to* onder de ogen zien, het hoofd bieden; aandurven.

face-cloth ['feiskləθ], **face-flannel** ['feisflænl] waslapje *o*, washandje *o*.

faceless ['feislis] *fig* anoniem.

face-lift(ing) ['feislift(iŋ)] gelaatsverjonging; *fig* verjongingskuur [v. e. stad, gebouwen &].

face-pack ['feispæk] schoonheidsmasker *o*.

facer ['feisə] klap in het gezicht; moeilijkheid waar men voor „staat", lastig geval *o*.

facet ['fæsit] facet *o*.

facetious(ly) [fə'si:ʃəs(li)] grappig.

face value ['feisvælju:] nominale waarde; *accept... at its* ~ zonder nader onderzoek accepteren.

facial ['feiʃəl] I *aj* gezichts-; gelaats-; II *sb* F gezichtsmassage.

facile ['fæsil] gemakkelijk, vaardig [met de pen]; vlug, vlot; meegaand; oppervlakkig.

facilitate [fə'siliteit] verlichten, vergemakkelijken.

facilitation [fəsili'teiʃən] verlichting, vergemakkelijking.

facility [fə'siliti] 1 gemakkelijkheid, gemak *o*; 2 faciliteit, tegemoetkoming; 3 vaardigheid, vlugheid, vlotheid; 4 meegaandheid; 5 oppervlakkigheid.

facing ['feisiŋ] bekleding; opslag [aan uniform]; revers.

facsimile [fæk'simili] facsimile *o*.

fact [fækt] feit *o*; daad; werkelijkheid; ~! F heus!; *in* ~ inderdaad; feitelijk; (*the*) ~ (*of the matter*) *is*... de zaak is...; *the* ~*s of life* 1 de bijzonderheden van geslachtsleven en voortplanting; 2 de realiteiten.

faction ['fækʃən] partij(schap), factie.

factious ['fækʃəs] partijzuchtig; oproerig.

factitious [fæk'tiʃəs] nagemaakt, kunstmatig.

factitive ['fæktitiv] factitief, causatief.

factor ['fæktə] 1 factoor, agent; 2 factor[2].

factory ['fæktəri] 1 factorij; 2 fabriek.

factory ship ['fæktəriʃip] ⚓ fabrieksschip *o*.

factotum [fæk'toutəm] duivelstoejager.

factual ['fæktjuəl] feitelijk, feiten-.

facultative ['fækəltətiv] facultatief.

faculty ['fækəlti] vermogen *o*; macht, machtiging; bevoegdheid; faculteit; *the Faculty* de medische faculteit.

fad [fæd] stokpaardje *o*, hobby, liefhebberij, gril, manie.

faddish ['fædiʃ] grillig, maniakaal.

faddist ['fædist] maniak.

faddy ['fædi] grillig, maniakaal.

fade [feid] I *vi* verwelken, verschieten; verbleken, tanen; ~ (*away, out*) verflauwen, vervagen; (weg)kwijnen, wegsterven; verdwijnen; ~ *in* geleidelijk verschijnen [v. filmbeeld]; ~ *into* geleidelijk overgaan in; II *vt* doen verwelken &.

fadeless ['feidlis] onverwelkbaar, onvergankelijk; niet verschietend.

faecal ['fi:kəl] faecaal. [liën.

faeces ['fi:si:z] 1 bezinksel *o*; 2 faeces, faeca-

Faerie, Faery ['feiəri, 'fɛəri] I *sb* feeënland *o*; feeën; II als *aj* feeën-, droom-.

fag [fæg] I *vi* 1 zich afsloven; 2 ⇄ als *fag* dienen; II *vt* ⇄ als *fag* gebruiken; ~ (*out*) uitputten, afmatten; III *sb* 1 vermoeiend werk *o*; 2 sloof, werkezel; ⇄ schooljongen die een oudere leerling zekere diensten moet bewijzen; 3 S sigaret.

fag-end [fæg'end] zelfkant; eind(je) *o*.

faggot ['fægət] mutsaard, takkenbos; bundel.

faience [fai'a:ns] faience.

fail [feil] I *vi* ontbreken; mislukken, -lopen, niet uitkomen; te kort schieten; falen; achteruitgaan, minder worden, uitvallen, uitgaan [v. licht]; $ failliet gaan; in gebreke blijven, niet kunnen; niet verder kunnen; zakken [bij examen]; ~ *of* niet bereiken; *you cannot* ~ *to...* u moet wel...; II *vt* teleurstellen; in de steek laten, begeven [krachten]; zakken voor [examen]; laten zakken [kandidaat]; III *sb without* ~ zeker, zonder mankeren.

failing ['feiliŋ] I *prep* in: ~ *this* bij gebrek hieraan; bij gebreke hiervan; ~ *whom* bij wiens ontstentenis; II *sb* fout, zwak *o*, gebrek *o*, tekortkoming.

failure ['feiljə] mislukking, fiasco *o*; failliet *o*, faillissement *o*; fout, gebrek *o*, defect *o*, storing, uitvallen *o* [van de stroom]; mislukkeling.

fain [fein] I *aj* blij (uit noodzaak), verlangend; gedwongen; *he was* ~ *to...* hij moest wel...; II *ad* in: *he would* ~... gaarne, met vreugde.

faint [feint] I *aj* zwak, (afge)mat; flauw(hartig), laf; zwoel [v. lucht of geur]; vaag; gering; *I've not the* ~*est* F geen flauw idee; II *sb* bezwijming, flauwte; III *vi* ~ (*away*) in zwijm vallen, flauwvallen.

faint-heart ['feintha:t] bloodaard.

faint-hearted ['feint'ha:tid] laf-, flauwhartig.

fainting ['feintiŋ] bezwijming; ~ *fit* flauwte.

faintly ['feintli] *ad* zwak(jes), flauw(tjes).

faintness ['feintnis] zwak-, flauwheid.

1 **fair** [fɛə] *sb* jaarmarkt, kermis; jaarbeurs; *horse* ~ paardenmarkt; *industries* (*trade*) ~ jaarbeurs; *world*('*s*) ~ wereldtentoonstelling.

2 **fair** [fɛə] **I** *aj* schoon, mooi, fraai; „aardig"; behoorlijk, tamelijk, vrij aanzienlijk; licht, blond, blank; gunstig; billijk; eerlijk; F < echt; *a* ~ *copy* een in het net geschreven afschrift *o*, net *o*; ~ *and square* eerlijk, ronduit; **II** *sb* ✽ schone (vrouw); **III** *ad* mooi; eerlijk; F zie *fairly* 3; *copy* (*write out*) ~ in het net schrijven; ~ *and softly goes far* zachtjes aan dan breekt het lijntje niet; **IV** *vt* stroomlijnen.

fair-ground ['fɛəgraund] kermisterrein *o*, lunapark *o*.

fairing ['fɛərin] stroomlijnkap, -bekleding; vloeistuk *o* ‖ ✽ kermisgift.

fairish ['fɛəriʃ] tamelijk goed, aardig.

fairly ['fɛəli] *ad* 1 eerlijk, billijk, behoorlijk; 2 nogal, tamelijk, vrij(wel); 3 bepaald, gewoonweg, werkelijk; goed en wel, totaal, geheel en al.

fairness ['fɛənis] 1 schoonheid; 2 blondheid; blankheid; 3 eerlijkheid, billijkheid.

fair-sized ['fɛə'saizd] tamelijk groot.

fair-spoken ['fɛə'spoukn] minzaam, hoffelijk.

fairway ['fɛəwei] ✽ vaargeul, -water *o*.

fair-weather ['fɛəweðə] in: ~ *friends* schijnvrienden.

fairy ['fɛəri] **I** *sb* tovergodin, fee; **II** als *aj* toverachtig, feeën-, tover-; ~ *godmother* goede fee (van Assepoester).

fairy-lamp ['fɛərilæmp] vetpotje *o*, illumineereglaasje *o*.

fairyland ['fɛərilænd] feeënland *o*; sprookjesland *o*.

fairy-light ['fɛərilait] zie *fairy-lamp*.

fairy-like ['fɛərilaik] zie *fairy* **II**.

fairy-tale ['fɛəriteil] sprookje[2] *o*.

faith [feiθ] geloof *o*, (goede) trouw; vertrouwen *o*; (ere)woord *o*; (*in*) ~ *!* op mijn woord!; *in good* ~ te goeder trouw; *on the* ~ *of* (*that*) ... vertrouwende op (dat)...

faithful ['feiθful] **I** *aj* (ge)trouw; nauwgezet; gelovig; *a* ~ *promise* een eerlijke belofte; **II** *sb the* ~ de gelovigen.

faithfully ['feiθfuli] *ad* (ge)trouw; nauwgezet; *yours* ~ zie *yours*; *promise* ~ eerlijk beloven.

faith-healing ['feiθhi:liŋ] gezondbidden *o*.

faithless ['feiθlis] trouweloos; ongelovig.

fake [feik] **I** *sb* S bedrog *o*; bedrieglijke namaak, namaaksel *o*, vervalsing; **II** *vt* ~ (*up*) S opknappen (als nieuw); knoeien met, namaken; vervalsen; fingeren, simuleren; **III** *aj* S vals.

fakir ['fa:kiə] fakir.

falchion ['fɔ:l(t)ʃən] kromzwaard *o*.

falcon ['fɔ:lkən, 'fɔ:kn] 🜂 valk.

falconer ['fɔ:(l)kənə] valkenier.

falconry ['fɔ:(l)kənri] valkerij, valkejacht.

falderals ['fældə'rælz] zie *fal-lals*.

faldstool ['fɔ:ldstu:l] stoel v. e. bisschop;

knielbank; lezenaar [voor de litanie].

fall [fɔ:l] **I** *vi* vallen, neer-, vervallen; uit-, ontvallen; neerkomen; dalen, verminderen, afnemen; sneuvelen; ~ *ill* ziek worden; *his face* (*countenance*) *fell* zijn gezicht betrok; hij zette een lang gezicht; *her eyes fell* zij sloeg de ogen neer; ~ *a-weeping* beginnen te huilen; ∞ ~ *aboard of* ⚓ in aanvaring komen met; ~ *among* geraken onder [dieven &]; ~ *astern* ⚓ achterraken; ~ *away* afvallen, vervallen; achteruitgaan, dalen; afvallig worden; ~ *back* wijken, terugtreden, -deinzen; terugvallen; ~ *back upon* terugtrekken op; zijn toevlucht nemen tot; ~ *behind* ten achter raken, achter blijven (bij); ~ *down* neer-, omvallen, vallen van; ~ *for* S zich laten inpalmen door, geen weerstand kunnen bieden aan; er inlopen, erin trappen; ~ *in* invallen; instorten; vervallen, aflopen [v. contract]; ⚔ aantreden; ~ *in love* (*with*) verliefd worden (op); ~ *in with* (aan)treffen, tegen het lijf lopen; zich voegen naar [iemands inzichten], akkoord gaan met [een voorstel]; ~ *into* vallen of uitlopen in; raken in, op [achtergrond]; vervallen tot; ~ *into line* ⚔ aantreden; *fig* zich aansluiten; ~ *into a rage* woedend worden; ~ *off* afvallen, vervallen, achteruitgaan; wijken; afnemen; afvallig worden; ~ *on* vallen op; neerkomen op; vallen om [de hals]; (aan)treffen, stoten op; aan-, overvallen; ~ *on evil days* (*on bad times*) slechte tijden doormaken; ~ *out* uitvallen; ⚔ uittreden; komen te gebeuren; ruzie krijgen (met *with*); ~ *out of use* in onbruik raken; ~ *over* omvallen; zie ook: *backwards*; ~ *through* in duigen vallen, mislukken, vallen [v. voorstel of motie]; ~ *to* aanpakken, aan het werk gaan; toetasten; vervallen, ten deel (te beurt) vallen aan (ook: ~ *to one's lot*, *share*); ~ *to talking* beginnen te praten; ~ *under* behoren tot, vallen onder [een klasse]; ~ *upon* zie *fall on*; ~ *within* vallen binnen of onder; **II** *sb* val; verval *o*, helling; daling; waterval; uitwatering; ondergang, dood; *Am* herfst; *the Fall* de zondeval; *have a* ~ een val doen; *try a* ~ *with* zich meten met.

fallacious [fə'leiʃəs] bedrieglijk, vals.

fallacy ['fæləsi] valse schijn, bedrieglijkheid, bedrog *o*, drogreden, dwaalbegrip *o*.

fal-lals ['fæ'lælz] prullen, kwikjes en strikjes, tierelantijntjes.

fallen ['fɔ:l(ə)n] V.D. van *fall*.

fallibility [fæli'biliti] feilbaarheid.

fallible ['fælibl] feilbaar.

falling ['fɔ:liŋ] **I** *aj* vallend; **II** *sb* val.

falling-off [fɔ:liŋ'ɔ:f] vermindering, achteruitgang, afneming.

fall-out ['fɔ:laut] radioactieve neerslag [van explosie].

fallow ['fælou] **I** *aj* vaalrood, vaalbruin ‖ braak; **II** *sb* braakland *o*; **III** *vt* omploegen.

fallow-deer ['fæloudiə] 🜂 damhert *o*.

false [fɔ:ls] *aj* vals, onwaar, onjuist, verkeerd; scheef [v. verhouding]; onecht; pseudo; trouweloos, ontrouw (aan *to*); *a* ~ *step* een misstap[2].

false-hearted ['fɔ:ls'ha:tid] vals.

falsehood ['fɔ:lshud] leugen(s); valsheid.

falsely ['fɔ:lsli] *ad* zie *false*.

falseness ['fɔ:lsnis] valsheid.

falsetto [fɔ:l'setou] ♪ falset(stem).

falsies ['fɔ:lsiz] F valse buste.

falsification [fɔ:lsifi'keiʃən] vervalsing.

falsifier ['fɔ:lsifaiə] vervalser.

falsify ['fɔ:lsifai] vervalsen; weerleggen, logenstraffen, beschamen [verwachtingen]; schenden [zijn woord].

falsity ['fɔ:lsiti] valsheid; onjuistheid.

Falstaff ['fɔ:lsta:f] Falstaff.

falter ['fɔ:ltə] I *vi* struikelen; stamelen, stotteren; haperen, weifelen, wankelen[2]; II *vt* (uit)stotteren (~ *out*).

fame [feim] faam, vermaardheid; roem, (goede) naam; ⚓ gerucht *o*; *of* ... ~ wiens naam verbonden is met, de bekende...

famed [feimd] befaamd, beroemd, vermaard.

familiar [fə'miljə] I *aj* gemeenzaam; (wel)bekend; vertrouwd; vertrouwelijk, intiem; (al te) familiaar; ~ *spirit* gedienstige geest; II *sb* vertrouwde (vriend); gedienstige geest.

familiarity [fəmili'æriti] gemeenzaamheid, bekendheid, vertrouwdheid, vertrouwelijkheid, familiariteit.

familiarize [fə'miljəraiz] gemeenzaam maken, bekend maken, vertrouwd maken.

family ['fæmili] (huis)gezin *o*, huis *o*; familie; geslacht *o*; *in a* ~ *way* (heel) familiaar; *in the* ~ *way* in verwachting.

family allowance ['fæmiliə'lauəns] kinderbijslag.

family doctor ['fæmilidɔktə] huisarts.

family hotel ['fæmilihou'tel] hotel-pension.

family likeness ['fæmililaiknis] familietrek.

family man ['fæmilimæn] 1 huisvader; 2 huiselijk man.

family planning ['fæmiliplæniŋ] gezinsbeperking, geboorteregeling.

family tree ['fæmilitri:] stamboom.

famine ['fæmin] 1 hongersnood; 2 schaarste, gebrek *o*, nood.

famish ['fæmiʃ] I *vt* uithongeren, laten verhongeren; II *vi* (ver)hongeren.

famous ['feiməs] *aj* 1 beroemd, vermaard; 2 F fameus, prachtig.

famously ['feiməsli] *ad* F fameus, prachtig.

fan [fæn] I *sb* wan; waaier; blaasbalg; ventilator ‖ S enthousiast, fan [bij voetbal &]; II *vt* wannen; waaien, koelte toewuiven; aanwakkeren, aanblazen; ~ (*out*) (zich) waaiervormig ver-, uitspreiden.

fanatic [fə'nætik] I *aj* dweepziek, fanatiek; II *sb* (godsdienstig) dweper, fanaticus.

fanatical [fə'nætikl] zie *fanatic* I. [me *o*.

fanaticism [fə'nætisizm] dweepzucht, fanatis-

fanaticize [fə'nætisaiz] I *vi* dwepen; II *vt* dweepziek maken, doen dwepen.

fancier ['fænsiə] liefhebber; fokker, kweker.

fanciful ['fænsiful] fantastisch; wonderlijk, grillig; denkbeeldig, hersenschimmig.

fancy ['fænsi] I *sb* fantasie, ver-, inbeelding; verbeeldingskracht; hersenschim; idee *o* & *v*; inval, gril; (voor)liefde, liefhebberij; lust, zin, smaak; *catch* (*hit, strike, take*) *one's* ~ in iemands smaak vallen; *take a* ~ *to* lust of zin krijgen in; op krijgen met; II *vt* zich verbeelden, zich voorstellen, wanen, denken; zin (trek) krijgen of hebben in, op krijgen of hebben met, houden van; een hoge dunk hebben van; fokken, kweken; ~ (*that*) ! stel je voor!; *I don't* ~ *his looks* zijn uiterlijk staat me niet aan, bevalt me niet; III *vr* ~ *oneself* met zichzelf ingenomen zijn; IV *aj* fantasie-; fantastisch; chic; zie ↓.

fancy-articles ['fænsi'a:tiklz] galanterieën.

fancy-ball ['fænsi'bɔ:l] gekostumeerd bal *o*.

fancy bread ['fænsi'bred] luxebrood *o*.

fancy cake ['fænsi'keik] taart, taartje *o*.

fancy-dress ['fænsi'dres] kostuum *o* [v. gekostumeerd bal]; ~ *ball* gekostumeerd bal *o*.

fancy fair ['fænsi'feə] liefdadigheidsbazaar.

fancy-goods ['fænsi'gudz] galanterieën.

fancy price ['fænsi'prais] fabelachtige prijs.

fancy-work ['fænsiwə:k] handwerkje *o*, handwerkjes.

☉ **fane** [fein] tempel.

fanfare ['fænfeə] fanfare.

fanfaronade [fænfærə'na:d] snoeverij.

fang [fæŋ] slagtand, giftand; tandwortel; klauw [v. werktuig].

fanlight ['fænlait] (waaiervormig) bovenlicht *o*.

fanny ['fæni] S derrière.

fantail ['fænteil] ⚓ pauwstaart.

fantasia [fæn'teiziə] ♪ fantasia.

fantast ['fæntæst] fantast.

fantastic(al) [fæn'tæstik(l)] denkbeeldig; hersenschimmig, fantastisch, grillig.

fantasy ['fæntəsi] fantasie, gril.

far [fa:] I *aj* ver, afgelegen; *the* ~ *end* het andere einde [van de straat &]; *on the* ~ *right of the platform* helemaal rechts op het podium; II *sb* in: *by* ~ verreweg; *from* ~ (van) ver, ver weg; III *ad* ver, verre(weg), < veel; ~ (*and away*) *the best* verreweg de beste; ~ *and near*, ~ *and wide* wijd en zijd, heinde en ver; ~ *from it* verre van dien; ~ *off* ver weg; ver; ~ *other* (ge)heel anders; *as* ~ *as* tot aan, tot; *as* ~ *back as* 1904 reeds in 1904; *as* (*so*) *as, in so* ~ *as* voor of in zover; *so* ~ tot zover, tot nu toe, tot dusver; in zover(re); *so* ~ *from...* wel verre van...; *so* ~ *so good* tot zover is alles (het) in orde; *how* ~ hoe ver; in hoever(re).

far-away ['fa:rə'wei] 1 afgelegen, ver[2]; 2 verstrooid.

farce [fa:s] klucht[2], kluchtspel *o*; paskwil *o*.

farcical ['fa:sikl] bespottelijk; kluchtig.

fardel ['fa:dəl] bundel, pak *o*, last.

fare [fɛə] I *sb* vracht; vrachtprijs, tarief *o*; F (geld *o* voor) kaartje *o* [in tram &]; passagier; kost, voedsel *o*; II *vi* (er bij) varen, gaan, zich bevinden; zich voeden, eten; ~ *badly* I slecht eten; 2 er bekaaid afkomen; *they* ~*d badly* ook: het (ver)ging hun slecht; ~ *forth* vertrekken; ~ *well* I zich wel bevinden; 2 goed eten; ~ (*you, thee*) *well !* vaarwel!

farewell ['fɛə'wel] I *ij* vaarwel!; II *sb* afscheid *o*, vaarwel *o*; III als *aj* afscheids-.

far-fetched ['fa:'fetʃt] vergezocht.

far-flung ['fa:flʌŋ] ver verspreid, uitgestrekt.

farina [fə'rainə] I bloem van meel; 2 ⚹ stuifmeel *o*; 3 zetmeel *o*.

farinaceous [færi'neiʃəs] (zet)meelachtig, melig, meel-.

farm [fa:m] I *sb* boerderij, fokkerij, kwekerij, (pacht)hoeve; II *vt* verpachten, verhuren; uitbesteden (ook: ~ *out*); bebouwen; pachten [belastingen &]; III *vi* boeren, het boerenbedrijf uitoefenen; IV als *aj* ook: landbouw-; zie ↓.

farmer ['fa:mə] boer, landman, landbouwer, agrariër; [schapen- &] fokker, [pluimvee- &] houder, [oester- &] kweker; pachter [v. belastingen &].

farm-hand ['fa:mhænd] boerenarbeider, boerenknecht.

farming ['fa:miŋ] I *sb* landbouw, boerenbedrijf *o*; [pluimvee-, varkens-, fruit- &] teelt; II *aj* landbouw-, pacht-.

farmland ['fa:mlænd] bouwland *o*.

farm products ['fa:mprodəkts] landbouwprodukten, agrarische produkten.

farmstead ['fa:msted] boerderij.

farmyard ['fa:m'ja:d] boerenerf *o*.

Faroe Islands ['fɛərou'ailəndz], **the Faroes** de Faröer of Schapeneilanden.

far-off ['fa:'rɔ:f] zie *far-away*.

farrago [fə'reigou] mengelmoes *o* & *v*.

far-reaching ['fa:'ri:tʃiŋ] verreikend; verstrekkend; ingrijpend.

farrier ['færiə] I hoefsmid; 2 paardenarts.

farriery ['færiəri] I hoefsmederij; 2 paardenartsenijkunde.

farrow ['færou] I *sb* worp (biggen); II (*vi* &) *vt* (biggen) werpen.

far-seeing ['fa:'si:iŋ] (ver) vooruitziend.

far-sighted ['fa:'saitid] I verziend; 2 zie *far-seeing*.

farther ['fa:ðə] verder; zie ook: *further*.

farthermost ['fa:ðəmoust] verst.

farthest ['fa:ðist] verst; *at* (*the*) ~ op zijn verst; op zijn hoogst; op zijn laatst.

farthing ['fa:ðiŋ] † ¹/₄ *penny*; *fig* cent, duit.

f.a.s. = *free alongside*.

fasces ['fæsi:z] ⛁ bijlbundel.

fascia ['fæʃiə] I band; zwachtel; 2 naambord *o* boven winkel (ook: ~-*board*).

fascinate ['fæsineit] betoveren, bekoren, boeien fascineren, biologeren.

fascination [fæsi'neiʃən] betovering.

fascism ['fæʃizm] fascisme *o*.

fascist ['fæʃist] I *sb* fascist; II *aj* fascistisch.

fashion ['fæʃən] I *sb* manier, wijze, mode; trant; fatsoen *o*; vorm, snit; *the* ~ I de grote lui; 2 de mode; *after* (*in*) *a* ~ tot op zekere hoogte; *after* (*in*) *the latest* ~ naar de laatste mode; *in* (*out of* ~) ~ in (uit) de mode; *people of* ~ mensen van stand; II *vt* vormen, fatsoeneren; pasklaar maken (voor *to*).

fashionable ['fæʃənəbl] *aj* I in de, naar de mode; chic, modieus, mode-; 2 tot de grote wereld behorende, deftig; 3 gangbaar; conventioneel.

fashionably ['fæʃənəbli] *ad* zie *fashionable*.

fashion-plate, ~-**sheet** ['fæʃənpleit, -ʃi:t] modeplaat.

I **fast** [fa:st] I *sb* vasten *o*; II *vi* vasten.

2 **fast** [fa:st] I *aj* vast, kleurhoudend, wasecht; hecht; flink; hard; snel, vlug, vlot; ~ *and furious* geweldig; ~ *friends* dikke vrienden; *a* ~ *liver* (*man*) een doordraaier; *pull a* ~ *one over a person* S iemand een loer draaien, een poets bakken; ~ *train* sneltrein; *my watch is* ~ mijn horloge is vóór; II *ad* vast; flink, hard; snel, vlug, vlot; ~ *asleep* in diepe slaap; ~ *beside*, ~ *by* vlak naast; *play* ~ *and loose* zijn woord niet houden; het zo nauw niet nemen [in gewetenszaken].

fast-day ['fa:stdei] vastendag.

fasten ['fa:sn] I *vt* vastmaken, -zetten, -binden, -leggen; sluiten, dichtdoen; vestigen [een blik]; II *vi* dichtgaan, sluiten; ~ (*up*)*on* aangrijpen, zich vastklampen aan.

fastener ['fa:snə] klem, knijper, sluiting.

fastening ['fa:sniŋ] sluiting, slot *o*, verbinding; haak, kram.

faster ['fa:stə] I *sb* vaster ‖ II *aj* vaster &.

fastidious(ly) ['fæs'tidiəs(li)] lastig, kieskeurig.

fasting ['fa:stiŋ] het vasten.

fastness ['fa:stnis] I vastheid, hechtheid; 2 snelheid; 3 bolwerk *o*.

fat [fæt] I *aj* vet, vlezig, dik; rijk; ~ *cattle* mestvee *o*; (*a*) ~ *lot* S > nogal wat; ~ *stock* slachtvee *o*; II *sb* vet *o*; vette *o*; *the* ~ *is in the fire* F nou heb je de poppen aan het dansen; *live on the* ~ *of the land* het vette der aarde genieten; III *vt* (& *vi*) mesten, vet maken (worden).

fatal ['feitəl] *aj* noodlottig, ongelukkig, dodelijk; *the* ~ *Sisters* de schikgodinnen.

fatalism ['feitəlizm] fatalisme *o*.

fatalist ['feitəlist] fatalist(isch).

fatalistic [feitə'listik] fatalistisch.

fatality [fə'tæliti] noodlot *o*, noodlottigheid; onheil *o*, ramp; *200 fatalities* 200 doden.

fatally ['feitəli] *ad* zie *fatal*.   [ling.

fata morgana ['fa:'təmɔ:'ga:nə] luchtspiege-

fate [feit] noodlot *o*, fatum *o*; lot *o*; dood; *the Fates* de schikgodinnen.

fated ['feitid] voorbeschikt, (voor)bestemd; (ten ondergang) gedoemd.

fateful ['feitful] fataal, profetisch; gewichtig.

fat-head ['fæthed] F stomkop.

father ['fa:ðə] I sb 1 vader; 2 pater, ook: pastoor; *Father Christmas* het kerstmannetje; *the Fathers (of the Church)* de kerkvaders; ~s *of the city, city* ~s vroede vaderen; ~ *of the House* nestor van de Kamer; II *vt* vader zijn van, een vader zijn voor; (als kind) aannemen; zich de maker, schrijver & van iets verklaren; ~ *(up)on* toeschrijven aan, in de schoenen schuiven.

fatherhood ['fa:ðəhud] vaderschap o.

father-in-law ['fa:ðərinlɔ:] schoonvader.

⊙ fatherland ['fa:ðəlænd] vaderland o.

fatherless ['fa:ðəlis] vaderloos.

fatherliness ['fa:ðəlinis] vaderlijkheid.

fatherly ['fa:ðəli] vaderlijk.

Father's Day ['fa:ðəz'dei] vaderdag.

fathom ['fæðəm] I sb vadem; II vt peilen², doorgronden.

fathomable ['fæðəməbl] peilbaar².

fathomless ['fæðəmlis] peilloos, grondeloos².

fatigue [fə'ti:g] I sb afmatting, vermoeidheid, vermoeienis; ✕ corvee; II vt afmatten, vermoeien.

fatness ['fætnis] vetheid.

fatten ['fætn] I vi vet worden; II vt mesten.

fatty ['fæti] I aj vettig, vet; II sb F dikzak.

fatuity [fə'tjuiti] onzinnigheid, onbenulligheid, dwaasheid.

fatuous(ly) ['fætjuəs(li)] onzinnig, onbenullig, dwaas, idioot.

faucet ['fɔ:sit] *Am* (tap)kraan.

faugh [pf, fɔ:] bah!, foei!

fault [fɔ:lt] I sb fout, feil, schuld; gebrek o; ✕ defect o; storing; *find* ~ aanmerking(en) maken, vitten (op *with*); *be at* ~ 1 het spoor bijster zijn²; er naast zijn; niet in orde zijn; 2 ook = *be in* ~ schuldig zijn; schuld hebben; *kind & to a* ~ overdreven (al te) goed; II vt aanmerking(en) maken op, vitten op.

fault-finder ['fɔ:ltfaində] 1 vitter; 2 ✕ storingzoeker.

fault-finding ['fɔ:ltfaindiŋ] I aj vitterig; II sb 1 gevit o, vitterij, vitzucht; 2 ✕ opsporen o van defecten.

faultiness ['fɔ:ltinis] gebrekkigheid; onjuistheid, verkeerdheid.

faultless(ly) ['fɔ:ltlis(li)] feilloos, onberispelijk, foutloos.

faulty ['fɔ:lti] met fouten (behept), onjuist, verkeerd, gebrekkig, niet in orde, defect.

faun [fɔ:n] faun, bosgod.

§ fauna ['fɔ:nə] fauna.

favour ['feivə] I sb gunst, gunstbewijs o, genade; begunstiging; $ schrijven o, letteren; kleur [als blijk van genegenheid &], lint o, strik; ✎ verlof o; gelaat o, voorkomen o; *in* ~ *of* ten gunste van; *be in* ~ *of, look with* ~ *on* gunstig gezind zijn, vóór iets zijn; *under* ~ ✎ met uw verlof; II vt gunstig gezind zijn, zijn vóór; begunstigen; bevorderen, steunen, aan-

moedigen; bevoorrechten; voortrekken; ✎ gelijken op.

favourable ['feivərəbl] aj gunstig.

favourably ['feivərəbli] ad zie *favourable*.

favourite ['feivərit] I aj geliefkoosd, lievelings-; II sb gunsteling(e); favoriet [bij races]; lieveling.

favouritism ['feivəritizm] onrechtvaardige begunstiging, bevoorrechting.

Fawkes [fɔ:ks] Fawkes.

fawn [fɔ:n] I sb jong hert o, reekalf o; II a lichtbruin; III vi [jonge herten] werpen ‖ ~ *(up)on* vleien, pluimstrijken.

fawner ['fɔ:nə] vleier, pluimstrijker.

⊙ fay [fei] fee.

F.B.I. = 1 *Federal Bureau of Investigation* recherche, opsporingsdienst [in de V.S.]; 2 *Federation of British Industries*.

fealty ['fi:əlti] (leenmans)trouw.

fear [fiə] I sb vrees (voor *of*), angst; *no* ~ wees maar niet bang!, geen nood!; *for* ~ *of (lest)* uit vrees voor (dat); *be (go) in* ~ *of* vrezen voor; *without* ~ *or favour* zonder aanzien des persoons; II vt vrezen; III vi vrezen, bang zijn.

fearful ['fiəful] aj 1 vreesachtig; 2 vreselijk; ~ *lest* bang dat; ~ *of* bevreesd voor.

fearfully ['fiəfəli] ad vreselijk°.

fearless(ly) ['fiəlis(li)] onbevreesd, onvervaard.

fearsome ['fiəsəm] 1 vreselijk; 2 vreesachtig.

feasibility [fi:zi'biliti] doenlijkheid, uitvoerbaarheid, mogelijkheid; geschiktheid.

feasible ['fi:zibl] doenlijk, uitvoerbaar, mogelijk; geschikt.

feast [fi:st] I sb feest o, gastmaal o; II vi feestvieren, smullen; ~ *on* zich vergasten aan²; III vt onthalen; ~ *on* [de ogen] weiden aan.

feaster ['fi:stə] 1 feestvierder; 2 feestgenoot, gast; 3 gastheer.

feat [fi:t] (helden)daad; (wapen)feit o; kunststuk o, toer, prestatie.

feather ['feðə] I sb ve(d)er; pluim(en); piek [haar]; *a* ~ *in one's cap* een pluim op iemands hoed; *in full* ~ F in pontificaal; *be in high* ~ zeer in zijn schik zijn; *show the white* ~ zich laf tonen; II vt met veren versieren, met veren bedekken; ~ *one's nest* zijn schaapjes op het droge brengen; ~ *the oars* de riemen plat leggen; III vi veren krijgen; markeren [v. jachthond]; zich ontplooien.

feather-bed ['feðəbed] veren bed o.

feather-brain(ed) ['feðəbrain(d)] zie *feather-headed*.

feathered ['feðəd] be-, gevederd. [*head(ed)*].

feather-head ['feðəhed] lichthoofd.

feather-headed ['feðəhedid] ijlhoofdig.

featherweight ['feðəweit] sp vedergewicht o: lichtste belasting, jockey &.

feathery ['feðəri] met veren versierd, gevederd; vederachtig.

feature ['fi:tʃə] I sb (gelaats)trek; fig hoofdtrek, (hoofd)punt o, glanspunt o, „clou"; speciaal artikel o &; hoofdfilm of speelfilm (ook: ~ *film*); ※ ✝ klankbeeld *o* (ook: *radio* ~); II *vt* een beeld geven van, karakteriseren; iaten optreden als „ster", vertonen, brengen [een film &].

febrifuge ['febrifju:dʒ] koortsmiddel· *o.*

febrile ['fi:brail] koortsig, koorts-.

February ['februəri] februari.

feckless ['feklis] 1 futloos; 2 zwak, ijdel.

feculence ['fekjuləns] troebel-, drabbigheid.

feculent ['fekjulənt] troebel, drabbig.

fecund ['fe-, 'fi:kənd] vruchtbaar.

fecundate ['fe-, 'fi:kəndeit] vruchtbaar maken, bevruchten.

fecundation [fe-, fi:kən'deiʃən] vruchtbaar maken *o*, bevruchting.

fecundity [fi'kʌnditi] vruchtbaarheid.

fed [fed] V.T. & V.D. van *feed.*

federal ['fedərəl] federaal, bonds-.

federalist ['fedərəlist] federalist(isch).

1 **federate** ['fedərit] *aj* verbonden.

2 **federate** ['fedəreit] (*vi* &) *vt* (zich) tot een (staten)bond verenigen.

federation [fedə'reiʃən] (staten)bond.

federative ['fedəreitiv] federatief.

fee [fi:] I *sb* leen(goed) *o*; loon *o*, honorarium *o*; leges; (school)geld *o*; bedrag *o*; fooi; ~*s* ook: contributie, entreegeld *o*; II *vt* honoreren, betalen.

feeble ['fi:bl] *aj* zwak.

feeble-minded ['fi:bl'maindid] zwakhoofdig, zwakzinnig; wankelmoedig.

feebly ['fi:bli] *ad* zwakjes, flauwtjes.

feed [fi:d] I *vt* voeden, spijz(ig)en; te eten (voedsel) geven; voe(de)ren, (laten) weiden; onderhouden ['t vuur]; ✗ aanvoeren; ~ *down* afgrazen; ~ *up* flink voeden; (vet)mesten; *fed up* F landerig; *be fed up with* zijn bekomst hebben van, beu zijn van; II *vi* zich voeden; eten; weiden; ~ *on* leven van, zich voeden met; III *sb* voe(de)r *o*, maal *o*, maaltijd, eten *o*; portie; ✗ voeding, aanvoer; *off one's* ~ de eetlust kwijt.

feed-back ['fi:d'bæk] ※ terugkoppeling.

feeder ['fi:də] voeder, eter; vetweider; voedingskanaal *o*, zijrivier; zijlijn [van spoor]; slabbetje *o*; zuigfles; ✗ inlader, aanvoerwals; in-, toevoermechanisme *o*; ※ voedingskabel, -leiding.

feeding-bottle ['fi:diŋbɔtl] zuigfles.

feeding-stuffs ['fi:diŋstʌfs] voederartikelen.

feed-pipe ['fi:dpaip] ✗ voedingspijp.

feel [fi:l] I *vt* (ge)voelen, bevoelen, betasten; vinden, menen, achten, denken; ~ *one's ground* (*way*) op de tast gaan; *fig* het terrein verkennen; II *vi* (zich) voelen; aanvoelen; ~ *strongly* zeer gevoelig zijn; een zeer besliste mening hebben (omtrent *on*); *I don't* ~ *quite myself* ik voel me niet erg prettig; ~ *after* voelen, tastend zoeken naar; ~ *for* (tastend) zoeken naar; meelij hebben met; *not* ~ *like food* (*going* &) geen trek hebben; ~ *out of it* zich voelen als een kat in een vreemd pakhuis; ~ *with* meevoelen met; III *sb* gevoel *o*, tast; aanvoelen *o*; *it is cold to the* ~ 't voelt koud aan.

feeler ['fi:lə] voeler, voelhoorn; *throw out a* ~ een proefballon oplaten.

feeling ['fi:liŋ] I *aj* gevoelvol, gevoelig; II *sb* gevoel *o*; gevoeligheid; geraaktheid, ontstemming, opwinding; stemming; ~*s* gevoelens; ~ *was running high* de gemoederen waren verhit (opgewonden); *with a ouch of* ~ een tikje geraakt.

feelingly ['fi:liŋli] *ad* gevoelvol, met gevoel.

feet [fi:t] *mv* v. *foot.*

feign [fein] veinzen, voorwenden, huichelen; ✎ namaken; verzinnen; zich verbeelden; ~*ed hand* verdraaide hand [v. schrijven].

feint [feint] I *sb* schijnbeweging, schijnaanval; voorwendsel *o*; list; *make a* ~ *of*... doen alsof...; II *vi* een schijnbeweging uitvoeren.

feldspar ['feldspa:] veldspaat *o.*

felicitate [fi'lisiteit] gelukwensen (met *on*).

felicitation [filisi'teiʃən] gelukwens.

felicitous [fi'lisitəs] gelukkig (bedacht &).

felicity [fi'lisiti] geluk *o*, gelukzaligheid; *felicities* gelukkige vondsten, gedachten &.

feline ['fi:lain] katte(n)-, katachtig, kattig; [poeslief.

Felix ['fi:liks] Felix.

1 **fell** [fel] *sb* vel *o*, huid ‖ heuvel, berg.

2 ⊙ **fell** [fel] *aj* wreed, woest; dodelijk.

3 **fell** [fel] I *vt* vellen, neervellen; II *sb* gekapt hout *o*, velling.

4 **fell** [fel] V.T. van *fall.*

1 **feller** ['felə] houthakker.

2 **feller** ['felə] P zie *fellow.*

fellmonger ['felmʌŋgə] huidenkoper.

felloe ['felou] velg [v. rad].

fellow ['felou] I *sb* maat, makker, kameraad, kerel, vent; andere of gelijke (van twee), weerga; lid *o*; ➢ I lid *o* v. *college* aan de Hogescholen; 2 gepromoveerde, die een „beurs" geniet; II *aj* mede-.

fellow-creature ['felou'kri:tʃə] medeschepsel *o.*

fellow-feeling ['felou'fi:liŋ] 1 medelijden *o*, medegevoel *o*; 2 sympathie.

fellowship ['felouʃip] kameraadschap, collegialiteit; broederschap; (deel)genootschap *o*; omgang, gemeenschap; lidmaatschap *o* [v. *college*]; beurs [v. e. *fellow*].

fellow-soldier ['felou'sould3ə] ✗ wapenbroeder.

fellow-student ['felou'stju:dənt] ➢ medestudent, schoolmakker.

fellow-townsman ['felou'taunzmən] stadgenoot.

fellow-traveller ['felou'trævlə] 1 medereiziger, tochtgenoot; 2 meeloper, sympathiserende [inz. van communistische partij].

fellow-worker ['felou'wə:kə] kameraad, collega, ⊙ medearbeider.

felly ['feli] velg [v. rad].

felon ['felən] I *aj* ⊙ wreed, snood; II *sb* misdadiger, booswicht ‖ fijt.

felonious(ly) [fi-, feˈlounjəs(li)] misdadig.
felony [ˈfeləni] (hals)misdaad.
felspar [ˈfelspaː] veldspaat o.
1 **felt** [felt] I sb vilt o; vilten hoed; II aj vilten; III vt vilten, tot vilt maken.
2 **felt** [felt] V.T. & V.D. van *feel*.
felty [ˈfelti] viltachtig.
female [ˈfiːmeil] I aj vrouwelijk, vrouwen-, wijfjes-; ~ *screw* moer; II sb 1 P vrouw, vrouwspersoon o; 2 ♠ wijfje o.
feminine [ˈfeminin] vrouwelijk; verwijfd.
femininity [femiˈniniti] 1 vrouwelijkheid, verwijfdheid; 2 vrouwen.
feminist [ˈfeminist] I sb voorstander van de vrouwenbeweging; II aj feministisch.
femoral [ˈfemərəl] dij-.
femur [ˈfiːmə] dijbeen o; dij [v. insekt].
fen [fen] moeras o; *the Fens* het lage land in Cambridgeshire.
fence [fens] I sb schutting, (om)heining, hek o, heg; schermen o; *fig* scherm o, bescherming, beschutting; S heler(splaats); *electric* (*wire*) ~ schrikdraad; *be* (*sit, stay*) *on the* ~ de kat uit de boom kijken; II vt omheinen (ook: ~ *about, in, round, up*); beschutten, beschermen; pareren[2]; ~ *off* afslaan; III vi 1 schermen; 2 een slag om de arm houden; 3 hindernissen nemen; 4 S in gestolen goed handelen; ~ *with a question* ontwijken.
fencer [ˈfensə] 1 schermer; 2 heiningmaker; 3 paard o dat over heggen springt.
fence-season [ˈfenssiːzn] gesloten jachttijd.
fencing [ˈfensiŋ] 1 schermen o, schermkunst; 2 omrastering.
fencing-master [ˈfensiŋmaːstə] schermmeester.
fend [fend] afweren; ⚓ verdedigen; ~ *for oneself* voor zichzelf zorgen; ~ *off* 1 afweren; 2 [een boot] afhouden.
fender [ˈfendə] 1 haardrand; 2 ⚓ wrijfhout o; 3 *Am* spatbord o.
Fenian [ˈfiːniən] ⚓ Fenian: aanhanger v. d. Ierse revolutionaire beweging.
fennel [ˈfenl] ♣ venkel.
fenny [ˈfeni] moerassig, moeras-.
feoff [fef] ⚓ leengoed o.
feoffment [ˈfefmənt] ⚓ leengeving.
feral [ˈfiərəl], **ferine** [ˈfiərain] wild; ongetemd; beestachtig.
1 **ferment** [ˈfəːment] sb gist; gisting; ferment o.
2 **ferment** [fəˈment] (vt &) vi (doen) gisten, (doen) fermenteren.
fermentation [fəːmenˈteiʃən] gisting; fermentatie.
fermentative [fəˈmentətiv] gistend, gistings-; fermentatie-.
fern [fəːn] ♣ varen(s).
fernery [ˈfəːnəri] kweekplaats voor varens.
ferny [ˈfəːni] met varens begroeid.
ferocious(ly) [fəˈrouʃəs(li)] woest; wreed; verscheurend.
ferocity [fəˈrɔsiti] woestheid; wreedheid.
ferreous [ˈferiəs] ijzerachtig, ijzerhoudend.

ferret [ˈferit] I sb ♠ fret o ‖ lint o; II vi fretten; snuffelen; III vt ~ *out* uitdrijven, uitjagen; uitvissen; opscharrelen, opsporen.
ferriage [ˈferiidʒ] veergeld o; overzetten o.
ferric [ˈferik] ijzer-.
ferro-concrete [ˈferouˈkɔnkriːt] gewapend beton o.
ferruginous [feˈruːdʒinəs] ijzerhoudend; roestkleurig.
ferrule [ˈferuːl, ˈferəl] metalen ring, busje o [aan mes, rotting, stok], beslag o.
ferry [ˈferi] I sb veer o; II vt & vi overzetten, overbrengen, overvaren.
ferry-boat [ˈferibout] veerpont, -boot.
ferry-bridge [ˈferibridʒ] spoorwegveer o.
ferryman [ˈferimən] veerman.
fertile [ˈfəːtail] vruchtbaar.
fertility [fəːˈtiliti] vruchtbaarheid.
fertilization [fəːtilaiˈzeiʃən] vruchtbaar maken o; ♣ bevruchting; bemesting (met kunstmest).
fertilize [ˈfəːtilaiz] vruchtbaar maken; ♣ bevruchten; bemesten (met kunstmest).
fertilizer [ˈfəːtilaizə] 1 bevruchter; 2 mest(stof), kunstmest(stof).
ferule [ˈferuːl] ⇔ plak[2].
fervency [ˈfəːvənsi] gloed, vuur o, vurigheid.
fervent(ly) [ˈfəːvənt(li)] vurig[2], warm.
fervid [ˈfəːvid] heet[2], gloeiend[2], vurig.
fervour [ˈfəːvə] ijver, vurigheid, gloed.
festal [ˈfestəl] feestelijk, feest-.
fester [ˈfestə] I (vt &) vi (doen) (ver)zweren, (ver)etteren, (ver)rotten, invreten; II sb verzwering.
festival [ˈfestivəl] I aj feestelijk; feest-; II sb feest o, feestviering; feestdag; muziekfeest o, [festival o.
festive [ˈfestiv] feestelijk, feest-.   [festival o.
festivity [fesˈtiviti] feestelijkheid; feestvreugde.
festoon [fesˈtuːn] I sb festoen o & m, guirlande, slinger; II vt met guirlandes & behangen.
fetch [fetʃ] I vt (be)halen, brengen; opbrengen; te voorschijn brengen [bloed, tranen]; toebrengen, geven [een klap]; bereiken; *fig* inpalmen [het publiek]; indruk maken op; uit zijn tent lokken; slaken [zucht]; ~ *up* tegenhouden; uitbraken; II vi in: ~ *and carry* 1 apporteren; 2 *fig* voor boodschaploper (knechtje) spelen; ~ *up* blijven staan of steken, stilhouden.
fetching [ˈfetʃiŋ] pakkend, aantrekkelijk.
fête [feit] I sb feest o; *RK* naamdag; II vt fêteren, feestelijk onthalen.
fetid [ˈfetid, ˈfiːtid] stinkend.
fetish [ˈfetiʃ, ˈfiːtiʃ] fetisj[2].
fetter [ˈfetə] I sb keten, boei, kluister; II vt boeien, kluisteren; binden[2].
fettle [ˈfetl] in: *in good* (*fine, high, splendid*) ~ in uitstekende conditie.
1 **feud** [fjuːd] I sb vijandschap, vete; II vi *Am* strijden, twisten.
2 **feud** [fjuːd] sb ⚓ leen(goed) o.
feudal [ˈfjuːdəl] ⚓ feudaal, leenroerig; ~ *system* leenstelsel o.

feudalism ['fju:dəlizm] ① feudalisme *o*, leenstelsel *o*.

feudality [fju:'dæliti] ① leenroerigheid; leenstelsel *o*; leen *o*.

feudatory ['fju:dətəri] I *aj* ① leenroerig, -plichtig; II *sb* leenman.

fever ['fi:və] I *sb* koorts; grote opwinding; II *vt* koortsig maken.

feverish(ly) ['fi:vəriʃ(ii)] koortsachtig; koortsig.

feverous ['fi:vərəs] koortsig; koorts-.

fever-trap ['fi:vətræp] koortshol *o*, -nest *o*.

few [fju:] weinig; *a ~* 1 enige, weinige; een paar, enkele; 2 S geen klein beetje; *a good ~*, *quite a ~* F heel wat; *some ~* een paar; *the ~* de weinigen, de enkelen; de minderheid; *~ and far between* zeldzaam; *in ~* ☉ om kort te gaan.

fewness ['fju:nis] gering aantal *o*.

fez [fez] fez [muts].

fiancé(e) [fi'a:nsei] aanstaande, verloofde.

fiasco [fi'æskou] fiasco *o*.

fiat ['faiæt] fiat *o*: goedkeuring, besluit *o*.

fib [fib] I *sb* leugentje *o*, jokkentje *o*; *tell ~s* jokken; II *vi* jokken.

fibber ['fibə] leugenaar(ster), jokkebrok.

fibre ['faibə] 1 vezel; fiber *o* & *m*; 2 wortelhaar *o*; 3 *fig* aard, karakter *o*.

fibril ['faibril] 1 vezeltje *o*; 2 wortelhaartje *o*.

fibrin ['faibrin] fibrine.

fibrous ['faibrəs] vezelachtig, vezelig.

fichu ['fi:ʃu:] fichu, doekje *o*.

fickle ['fikl] wispelturig, wuft, grillig.

fictile ['fiktail] aarden; kneedbaar, plastisch; *~ art* pottenbakkerskunst.

fiction ['fikʃən] verdichting; verdichtsel *o*; fictie; romanliteratuur, romans.

fictional ['fikʃənl] 1 van (in) de romanliteratuur, roman-; 2 zie *fictitious*.

fictionalize ['fikʃənlaiz] romantiseren: tot een roman verwerken.

fictitious [fik'tiʃəs] verdicht; verzonnen, fictief, gefingeerd; denkbeeldig, onecht, vals.

fictive ['fiktiv] vormend, scheppend; fictief, verzonnen, aangenomen, geveinsd.

fiddle ['fidl] I *sb* viool, ☉ vedel; F fiedel; S knoeierij, zwendel, zwendeltje *o*; *play first ~* de eerste viool spelen; *play second ~* een ondergeschikte rol spelen; II *vi* viool spelen, vedelen, fiedelen; S knoeien, sjacheren, scharrelen; *~ about (at)* friemelen (futselen) aan; *~ away* er op los strijken; *~ with* spelen, schermen met [zijn handschoenen &]; III *vt* in: *~ away* verleuteren.

fiddle-bow ['fidlbou] ♪ strijkstok.

fiddle-de-dee ['fiddi:'di:] F onzin, malligheid.

fiddle-faddle ['fidlfædl] I *sb* beuzeling; gewauwel *o*; gepruts *o*; leuteraar; II *aj* prullerig; III *ij* lariel; IV *vi* beuzelen, prutsen.

fiddler ['fidlə] vedelaar, speelman.

fiddlestick ['fidlstik] ♪ strijkstok; *~s!* F lariel

fidelity [fi-, fai'deliti] getrouwheid, trouw.

fidget ['fidʒit] I *sb* zenuwachtige gejaagdheid, onrust (ook: zenuwachtig, gejaagd persoon); *have the ~s* niet stil kunnen zitten; II *vi* zenuwachtig zijn, (zenuwachtig) draaien; III *vt* 1 zenuwachtig maken; 2 zenuwachtig bewegen.

fidgety ['fidʒiti] onrustig, ongedurig.

fiduciary [fi'dju:ʃiəri] fiduciair: van vertrouwen; II *sb* bewaarnemer.

fie [fai] I *ij* foei!, bah!; II *aj ~-~* vies.

fief [fi:f] ① leen(goed) *o*.

field [fi:ld] I *sb* veld *o*, akker; terrein *o*; gebied *o*; ✕ slagveld *o* (*~ of battle*); *a fair ~ and no favour* geen bevoorrechting, gelijke kansen voor allen; *hold the ~* 1 zie *keep the ~* 1; 2 *fig* opgeld doen; *keep the ~* 1 het veld behouden, standhouden; 2 ✕ te velde blijven; *take the ~* ✕ te velde trekken; *win the ~* ✕ de slag winnen; *in the ~* 1 ter plaatse; 2 ✕ te velde; *there are already others in the ~* er zijn al anderen (, die...); *in the ~ of finance* op financieel gebied (terrein); *in the ~s* op het land, buiten; II *vi* & *vt* fielden [bij cricket]; III als *aj* veld°-, ✕ te velde; buiten-, in het (open, vrije) veld, in de natuur; ter plaatse.

field-day ['fi:lddei] ✕ manoeuvredag; *fig* grote dag; *Am* sportdag.

fielder ['fi:ldə] fielder [bij cricket].

field-event ['fi:ldivent] *sp* veldnummer *o*: springen, werpen [geen hardlopen].

field-glass(es) ['fi:ldgla:s(iz)] veldkijker.

field-marshal ['fi:ld'ma:ʃəl] ✕ veldmaarschalk.

field-mouse ['fi:ldmaus] ♨ veldmuis.

field-officer ['fi:ldɔfisə] ✕ hoofdofficier.

fieldsman ['fi:ldzmən] fielder [bij cricket].

field-sports ['fi:ldspɔ:ts] inz. jagen, vissen.

field-work ['fi:ldwə:k] 1 ✕ schans; 2 veldwerk *o*, buitenwerk *o*; veldwerkzaamheden, veldonderzoek *o*.

fiend [fi:nd] 1 boze geest; duivel[2], Boze; 2 F maniak; aan... verslaafde.

fiendish ['fi:ndiʃ], *~like* [-laik] duivelachtig, duivels.

fierce(ly) ['fiəs(li)] woest, verwoed; wreed; onstuimig, heftig, fel; *Am* erg, bar.

fierceness ['fiəsnis] woest-, verwoedheid; wreedheid; onstuimig-, heftigheid, felheid.

fierily ['faiərili] *ad* vurig[2].

fieriness ['faiərinis] vurigheid[2].

fiery ['faiəri] *aj* vurig[2], vlammend, licht ontbrandbaar; vuur-.

fife [faif] I *sb* ♪ 1 (dwars)fluit, pijp; 2 pijper; II *vi* & *vt* pijpen.

fifer ['faifə] ♪ pijper.

fifteen ['fif'ti:n, + 'fifti:n] vijftien.

fifteenth ['fif'ti:nθ, + 'fifti:nθ] vijftiende (deel *o*).

fifth [fifθ] 1 vijfde (deel *o*); 2 ♪ kwint.

fifthly ['fifθli] ten vijfde.

fiftieth ['fiftiiθ] vijftigste (deel *o*).

fifty ['fifti] vijftig; *the fifties* de jaren van

fig 173 **film strip**

(19)50 tot (19)60; *in the (one's) fifties* ook: in de vijftig.

fig [fig] I *sb* vijgeboom; vijg; *I don't care a* ∼ ik geef er geen zier om || *in full* ∼ F in pontificaal; *in good* ∼ F in goede conditie; II *vt* in: ∼ *out* opknappen.

fight [fait] I *vi* vechten; strijden; ∼ *back* zich (ver)weren; ∼ *shy of* uit de weg gaan, ontwijken; II *vt* bevechten, vechten met of tegen, bestrijden; uitvechten; laten vechten; ∼ *a battle* slag leveren; ∼ *one's way* zich al vechtende een weg banen; ∼ *back* terugdringen; ∼ *down* bedwingen; ∼ *off* afweren, verdrijven; ∼ *it out* het uitvechten; III *sb* gevecht *o*, strijd; kamp; vechtpartij; *he had* ∼ *in him yet* hij gaf nog geen kamp; *show* ∼ zich te weer stellen.

fighter ['faitə] I strijder, vechter(sbaas); 2 ✈ gevechtsvliegtuig *o*, jager; ∼-*bomber* ✈ jachtbommenwerper; ∼ *pilot* ✈ jachtvlieger.

fighting ['faitiŋ] I *sb* gevecht *o*, gevechten, strijd, vechten *o*; II *aj* strijdlustig; strijdbaar; gevechts-, strijd-, vecht-; *a* ∼ *chance* een kleine kans (om zich er door te slaan); ∼ *man* strijder; combattant.

fighting-cock ['faitiŋkɔk] vechthaan [voor hanengevechten]; *live like* ∼*s* een herenleven(tje) hebben.

fig-leaf ['figli:f] vijgeblad *o*.

figment ['figmənt] verdichtsel *o*, fictie.

fig-tree ['figtri:] vijgeboom.

figuration [figju'reiʃən] (uiterlijke) vorm, vorming, (symbolische) voorstelling, afbeelding, figuratie.

figurative(ly) ['figjurətiv(li)] I figuurlijk; zinnebeeldig; 2 figuratief; 3 beeldrijk.

figure ['figə] I *sb* I figuur, gedaante, gestalte; afbeelding; beeld *o*; persoonlijkheid, persoon; 2 cijfer *o*; *double* ∼*s* getallen van twee cijfers; *cut a* ∼ een figuur maken (slaan); *look a* ∼ er uitzien als een vogelverschrikker; *at a low* ∼ tegen een lage prijs; *be quick at* ∼*s* vlug zijn in rekenen; *income of four* ∼*s* tussen 1000 en 10000 pond; II *vt* 1 afbeelden, voorstellen; (met figuren) versieren; 2 F zich voorstellen, denken; ∼ *out* becijferen, uitrekenen; F begrijpen; ∼ *up* optellen; III *vi* 1 figureren, vóórkomen; 2 cijferen; ∼ *as* optreden als, doorgaan voor; *it* ∼*s out at...* het komt op...

figured ['figəd] gebloemd, met figuren.

figurehead ['figəhed] 1 ⚓ schegbeeld *o*; 2 J gezicht *o*; 3 *fig* paradeleider, stroman.

figure-skating ['figəskeitiŋ] kunstrijden *o* op de schaats.

figurine [figju'ri:n] beeldje *o*.

figwort ['figwə:t] ♣ 1 helmkruid *o*; 2 speenkruid *o*.

filament ['filəmənt] 1 vezel; 2 ☀ (gloei)draad; 3 ♣ helmdraad.

filamentous [filə'mentəs] vezelig.

filbert ['filbət] 1 hazelnoot; 2 F fatje *o*.

filch [fil(t)ʃ] kapen, gappen.

file [fail] I *sb* vijl; S (slimme) vent || rij, file, ✕ gelid *o*, rot *o* || lias; (brief)ord(e)ner, map; dossier *o*; opbergkast; register *o* [v. (pons)-kaarten]; in volgorde bewaarde kranten &, jaargang; ∼*s* ook: archief *o* [v. kantoor]; *in Indian (single)* ∼ achter elkaar; II *vt* vijlen, afvijlen || aan een snoer rijgen, rangschikken, opbergen; deponeren; [een aanklacht] indienen || III *vi* achter elkaar lopen (rijden); ∼ *off* ✕ afmarcheren.

filial ['filjəl] kinderlijk.

filiation [fili'eiʃən] zoonschap *o*, afstamming; samenhang, verwantschap; afdeling.

filibuster ['filibʌstə] I *sb* vrijbuiter; *Am* obstructie; obstructievoerder; II *vi* (gaan) vrijbuiten; *Am* obstructie voeren.

filigree ['filigri:] filigraan *o*.

filing cabinet ['failiŋkæbinit] opbergkast, cartotheek.

filing card ['failiŋka:d] fiche *o* & *v* [v. kaartsysteem].

filing clerk ['failiŋkla:k] archiefbediende.

filings ['failiŋz] vijlsel *o*.

fill [fil] I *vt* vullen, aan-, in-, vervullen; vol maken, vol gieten; stoppen; plomberen [tand]; uitvoeren [bestelling]; verzadigen; bezetten, bekleden, innemen, beslaan [plaats]; doen zwellen [de zeilen]; ∼ *the bill* voldoen, je „dat" zijn; ∼ *in* invullen [formulier]; dichtmaken, -stoppen, -gooien; ∼ *out* vullen, in-, aan-, opvullen; ∼ *up* (geheel) vullen, beslaan, innemen; op-, bij-, aan-, invullen; dichtgooien, dempen; II *vi* zich vullen, vol lopen, raken &; ∼ *out* voller, gezetter worden, zwellen; ∼ *up* zich geheel vullen; dichtslibben; (bij)vullen [benzine &], tanken; *it* ∼*s up* het vult de maag; III *sb* vulling; verzadiging, bekomst; *drink (eat) one's* ∼ drinken (eten) tot men genoeg heeft; *look one's* ∼ zich zat kijken.

filler ['filə] I vuller; trechter; 2 vulsel *o*, bladvulling; ∼*s* binnenwerk *o* [v. sigaren]; ∼ *cap* ⛽ vuldop.

fillet ['filit] I *sb* I haar-, hoofdband; 2 band; lijst, lijstje *o*; 3 kalfsschijf, filet; II *vt* I met een band binden; 2 met een band of lijst(je) versieren; 3 fileren [vis].

filling ['filiŋ] vulling, vulsel *o*, plombeersel *o*.

filling station ['filiŋsteiʃən] tankstation *o*.

fillip ['filip] I *sb* knip (met de vingers); prikkel, spoorslag, aansporing, opfrissing; II *vt* I wegknippen; 2 opwekken, opfrissen; III *vi* knippen (met de vingers).

filly ['fili] (merrie)veulen² *o*; *fig* wildebras.

film [film] I *sb* vlies *o*; film, rolprent; waas *o*; draad; II *vt* I met een vlies of waas bedekken; 2 filmen; verfilmen; III *vi* zich met een vlies of waas bedekken.

filmgoer ['filmgouə] bioscoopbezoeker.

film library ['filmlaibrəri] filmotheek.

film maker ['filmmeikə] cineast.

film strip ['filmstrip] filmpje *o*.

filmy ['filmi] 1 vliezig; 2 ragfijn; 3 wazig.

filter ['filtə] I *sb* filter; II *vt* filtreren; zuiveren; III *vi* door een filtreertoestel gaan; (door)sijpelen; voorsorteren [in het verkeer]; ~ *through* doorsijpelen; doorschemeren; *fig* uitfilth [filθ] vuil² *o*, vuiligheid. [lekken.

filthily ['filθili] *ad* zie *filthy*.

filthiness ['filθinis] vuilheid²; *fig* smerigheid.

filthy ['filθi] *aj* vuil²; *fig* smerig.

filtrate ['filtrit] I *sb* filtraat *o*; II *vt* ['filtreit] filtreren.

filtration [fil'treiʃən] filtreren *o*.

fin [fin] 1 🕉 vin; 2 S vlerk, arm, hand; 3 ⚓ rib [v. radiator &]; 4 ✈ kielvlak *o*.

finable ['fainəbl] bekeurbaar, beboetbaar.

final ['fainəl] I *aj* laatste, beslissend, definitief, uiteindelijk, eind-, slot-; *is that* ~? is dat uw laatste woord?; II *sb* 1 *sp* finale; 2 ☞ eindexamen *o* (ook: ~*s*).

finale [fi'na:li] ♪ finale.

finalist ['fainəlist] *sp* finalist.

finality [fai'næliti] definitief zijn *o*; eindresultaat *o*; doelmatigheid; doelleer; *in a tone of* ~ op besliste toon.

finally ['fainəli] *ad* 1 eindelijk, ten slotte, uiteindelijk; 2 afdoend, beslissend, definitief.

finance [fi-, fai'næns] I *sb* financiën; geldelijk beheer *o*; geldwezen *o*; ~*s* financiën, geldmiddelen, fondsen; II *vt* financieel beheren; financieren, geldelijk steunen.

financial [fi-, fai'nænʃəl] financieel, geldelijk.

financier [fi-, fai'nænsiə] I *sb* financier; II *vt* [fi-, fainæn'siə] financieren.

finch [fin(t)ʃ] ⚡ vink.

find [faind] I *vt* vinden; onder-, bevinden; (be)merken; aantreffen, ontdekken, zoeken, halen; aan-, verschaffen; ⚖ [een vonnis] vellen, [schuldig] verklaren; *all found* alles inbegrepen, met kost en inwoning; *well found in* goed voorzien van; *they were found to be* ... zij bleken... te zijn, het bleek dat zij... waren; ~ *one's feet* beginnen te lopen; *fig* erin komen; *I* ~ *it easy* het valt me gemakkelijk; *he could not* ~ *it in his heart to...* hij kon het niet van zich (over zijn hart) verkrijgen; ~ *out* ontdekken, tot de ontdekking komen, te weten komen; opsporen; betrappen; niet thuis treffen; ~ *out about it* er achter (zien te) komen; II *vr* in: ~ *oneself* zich bevinden of zien; zijn ware roeping ontdekken; ~ *oneself in* zich aanschaffen, zelf zorgen voor; III *vi* in: ~ *for the plaintiff* uitspraak doen ten gunste van de eiser; IV *sb* vondst; vindplaats.

finder ['faində] 1 vinder; 2 ⚓ zoeker.

finding ['faindiŋ] 1 vondst; 2 ⚖ uitspraak; conclusie; 3 bevinding.

1 **fine** [fain] I *aj* mooi [ook ironisch], fraai, schoon; fijn; uitstekend; *when* ~ bij mooi weer; II *ad* mooi; III *sb* mooi weer *o* (in: *rain or* ~); IV *vt* (af)klaren, zuiveren, fineren; ~ *away* fijner maken; ~ *down* fijner maken; afklaren; V *vi* klaren.

2 **fine** [fain] I *sb* (geld)boete ‖ *in* ~ ten slotte, kortom; II *vt* beboeten (met).

fine-draw ['fain'drɔ:] onzichtbaar stoppen of aan elkaar naaien; ~*n* fijn (gesponnen).

finely ['fainli] *ad* zie 1 *fine* I.

fineness ['fainnis] 1 fijnheid; 2 schoonheid.

finery ['fainəri] 1 opschik, mooie kleren; 2 ⚒ frishaard.

finesse [fi'nes] I *sb* loosheid, list; kneep, finesse; II *vi* list gebruiken; snijden [bij bridge]; III *vt* door loosheid verkrijgen.

finger ['fiŋgə] I *sb* vinger; *fourth* ~ 1 pink; 2 ringvinger; *little* ~ pink; *third* ~ ringvinger; *his* ~*s are all thumbs* hij is de onhandigheid in persoon; *have a* ~ *in the pie* er de hand in hebben; *have at one's* ~(*s*') *ends* op zijn duimpje kennen; II *vt* bevoelen, betasten, met zijn vingers zitten aan; ~*ed by* ♪ met vingerzetting van.

finger-board ['fiŋgəbɔ:d] ♪ 1 greepplank; 2 manuaal *o*.

finger-bowl, finger-glass ['fiŋgəboul, -gla:s] vingerkom.

fingering ['fiŋgəriŋ] betasten *o*; ♪ vingerzetting ‖ breiwol.

finger-post ['fiŋgəpoust] handwijzer.

finger-print ['fiŋgəprint] vingerafdruk; *the F*~ *Department* de Dactyloscopische Dienst.

finger-stall ['fiŋgəstɔ:l] vingerling.

finical, finikin ['finikəl, 'finikin] gemaakt, peuterig, kieskeurig; overdreven netjes.

finish ['finiʃ] I *vt* eindigen, voleind(ig)en, voltooien, aflopen, afmaken [ook = doden]; de laatste hand leggen aan, afwerken; appreteren; uitlezen; op-, leegeten; leeg-, uitdrinken; *I'm* ~*ed* 1 ik ben klaar; 2 ik ben kapot; *I have* ~*ed packing* ik ben klaar met pakken; ~ *off* (*up*) de laatste hand leggen aan; afwerken; II *vi* eindigen, ophouden, uitscheiden (met); *sp* finishen; III *sb* einde *o*, slot *o*; afwerking; glans, vernis *o & m*, appretuur; *fig* finish; *fight to a* ~ tot het laatst doorvechten.

finished ['finiʃt] geëindigd &; ook: afgestudeerd, volleerd, volmaakt, op-en-top; ~ *goods* (*products*) eindprodukten.

finisher ['finiʃə] 1 afwerker; appreteur; 2 *sp* wie finisht; 3 laatste slag, stoot &.

finishing ['finiʃiŋ] afwerking; appretuur; ~ *line sp* eindstreep; ~ *stroke* genadeslag; ~ *touch* laatste hand.

finite ['fainait] eindig, beperkt; ~ *verb* persoonsvorm [v. werkwoord].

Finland ['finlənd] Finland *o*.

Finlander ['finləndə], **Finn** [fin] Fin.

finned [find] gevind.

Finnic ['finik], **Finnish** ['finiʃ] Fins.

finny ['fini] 1 gevind; 2 vol vis; 3 vis-.

fiord [fjɔ:d] fjord.

fir [fə:] den, denneboom; zilverspar; dennehout *o*.

fir-apple ['fə:ræpl], **fir-cone** ['fə:koun] ⚘ pijnappel.

fire ['faiə] **I** *sb* vuur *o*; brand, hitte; [elektrische &] kachel, haard; *on* ~ brandend, in brand; gloeiend; *set on* ~, *set* ~ *to* in brand steken; in brand doen vliegen; *catch'(take)* ~ vuur (vlam) vatten², in brand raken (vliegen); *strike* ~ vuur slaan; **II** *vt* I in brand steken, ont-, aansteken; stoken [oven]; bakken [steen]; 2 schieten met, afschieten, afvuren, lossen [schot]; 3 *fig* aanvuren, aanwakkeren, doen ontvlammen; 4 F ontslaan; ~ *off* afvuren; *be* ~*d with* gloeien van; **III** *vi* vlam vatten; ✕ vuren, schieten; ~ *away!* F vooruit!; begin maar!; ~ *up (at)* in vuur raken (over), opstuiven (bij).

fire-alarm ['faiərəla:m] I brandschel; 2 brandalarm *o*.

fire-arm ['faiəra:m] vuurwapen *o*.

fire-ball ['faiəbɔ:l] I vuurbol; 2 brandkogel.

fire-bomb ['faiəbəm] brandbom.

fire-box ['faiəbɔks] ✕ vlamkast.

firebrand ['faiəbrænd] I brandend stuk *o* hout; 2 stokebrand.

fire-brick ['faiəbrik] vuurvaste steen *o* & *m* [stofnaam], vuurvaste steen *m* [voorwerpsnaam].

fire-brigade ['faiəbrigeid] brandweer.

fire-bucket ['faiəbʌkit] branddemmer.

fire-call ['faiəkɔ:l] brandalarm *o*.

fire-clay ['faiəklei] vuurvaste klei.

fire-curtain ['faiəkə:tin] brandscherm *o*.

fire-damp ['faiədæmp] mijngas *o*.

fire department ['faiədipa:tmənt] *Am* brandweer.

fire-dog ['faiədəg] haardijzer *o*, vuurbok.

fire-eater ['faiəri:tə] vuurvreter, ijzervreter.

fire-engine ['faiərendʒin] brandspuit.

fire-escape ['faiəriskeip] I redding(s)toestel *o* [bij brand]; 2 brandtrap.

fire-extinguisher ['faiəriks'tiŋgwiʃə] blusapparaat *o*.

fire-fighting ['faiəfaitiŋ] **I** *sb* brandbestrijding; **II** als *aj* brandblus-.

fire-float ['faiəflout] drijvende brandspuit.

fire-fly ['faiəflai] glimworm, vuurvliegje *o*.

fire-guard ['faiəga:d] I vuur-, haardscherm *o*; 2 brandwacht.

fire-hose ['faiəhouz] brandslang.

fire-insurance ['faiərinʃuərəns] brandverzekering.

fire-irons ['faiəraiənz] haardstel *o*.

fire-lighter ['faiəlaitə] vuurmaker.

fire-lock ['faiələk] ⊞ vuurroer *o*, snaphaan.

fireman ['faiəmən] I brandweerman; 2 stoker.

fire-master ['faiəma:stə] brandmeester.

fireplace ['faiəpleis] haardstede, haard.

fire-plug ['faiəplʌg] brandkraan.

fire-policy ['faiəpəlisi] brandpolis.

fire-proof ['faiəpru:f] vuurvast, brandvrij.

firer ['faiərə] I ✕ ontsteker; 2 ✕ schutter; 3 brandstichter.

fire-raiser ['faiəreizə] brandstichter.

fire-raising ['faiəreiziŋ] brandstichting.

fire-screen ['faiəskri:n] vuurscherm *o*.

fire-service ['faiəsə:vis] brandweer.

fire-ship ['faiəʃip] ⚓ brander.

fireside ['faiə'said] haard, haardstede; hoekje *o* van de haard.

fire-station ['faiəsteiʃən] brandweerkazerne.

firewood ['faiəwud] brandhout *o*.

fire-worker ['faiəwə:kə] vuurwerkmaker.

fireworks ['faiəwə:ks] vuurwerk *o*.

firing ['faiəriŋ] I brandstof; 2 ✕ ontsteking; 3 (af)vuren *o* &; ~-*party*, ~-*squad* ✕ vuurpeloton *o*, executiepeloton *o*.

firkin ['fə:kin] vaatje *o* (± 25 kg, ± 40 l).

I **firm** [fə:m] *sb* naam, firma.

2 **firm** [fə:m] **I** *aj* vast, standvastig; vastberaden; hard, stevig, flink; *be* ~ op zijn stuk blijven staan; **II** *vt* vast maken (zetten); **III** *vi* vast worden; ~ *up* $ vaster worden [prijzen].

firmament ['fə:məmənt] uitspansel *o*.

firmly ['fə:mli] *ad* vast, stevig; vastberaden; met vaste hand; stellig, met beslistheid.

firmness ['fə:mnis] vastheid, hechtheid, standvastigheid; vastberadenheid; stevigheid.

firry ['fə:ri] van dennen, denne(n)-.

first [fə:st] **I** *aj* eerst; ~ *cousin* volle neef (nicht); ~ *name* vóórnaam; ~ *night* première; *at (the)* ~ in het begin; eerst, aanvankelijk; *from the* ~ van het begin, al dadelijk; *from* ~ *to last* van het begin tot het eind; **II** *ad* (voor het) eerst; ten eerste; eerder, liever; ~ *of all*, ~ *and foremost* allereerst; ~ *and last* alles samengenomen, door elkaar gerekend; ~ *or last* vroeg of laat; ~ *come*, ~ *served* wie eerst komt, eerst maalt; **III** *sb* eerste; eerste prijs(winner); nummer één; ~*s* $ eerste soort; *be an easy* ~ gemakkelijk winnen; ~ *of exchange* $ prima [wissel].

first-aid ['fə:st'eid] E.H.B.O., eerstehulp-; ~ *kit* verbandkist.

first-born ['fə:stbɔ:n] eerstgeboren(e).

first-class ['fə:st'kla:s, + 'fə:stkla:s] prima; *a* ~ *row* een geduchte ruzie.

first-fruits ['fə:stfru:ts] eersteling(en).

first-hand ['fə:st'hænd, + 'fə:sthænd] uit de eerste hand.

firstling ['fə:stliŋ] eersteling.

firstly ['fə:stli] *ad* ten eerste, in de eerste plaats.

first-rate ['fə:st'reit, + 'fə:streit] eersterangs(-), prima.

firth [fə:θ] zeearm, brede riviermond.

fir-tree ['fə:tri:] denneboom; den; zilverspar.

fisc [fisk] schatkist, fiscus.

fiscal ['fiskəl] fiscaal; belasting-.

fish [fiʃ] **I** *sb* vis ‖ fiche *o* & *v* ‖ ✕ las; *an odd* ~, *a queer* ~ een rare sijs; *I have other* ~ *to fry* ik heb wel wat anders aan mijn hoofd of te doen; *all is* ~ *that comes to (his) net* alles is van zijn gading; *neither* ~, *flesh, nor good red herring* vlees noch vis; *like a* ~ *out of water* als een vis op het droge; **II** *vt* vissen; op-, be-, afvissen ‖ ✕ lassen; ~ *out* opvissen²; *fig* uitvissen; **III** *vi* vissen.

fish-bone ['fiʃboun] (vis)graat.
fish-carver ['fiʃka:və] vismes *o*.
fisher ['fiʃə] 1 ∗ visser; 2 ≙≙ Canadese marter.
fisherman ['fiʃəmən] visser.
fishery ['fiʃəri] 1 visserij; 2 visplaats; 3 visrecht *o*.
fish-glue ['fiʃglu:] vislijm.
fish-hook ['fiʃhuk] vishaak, angel.
fishing-boat ['fiʃiŋbout] vissersboot.
fishing-line ['fiʃiŋlain] vissnoer *o*.
fishing-rod ['fiʃiŋrɔd] hengel(roede).
fishing-smack ['fiʃiŋsmæk] ⚓ visserspink.
fishing-tackle ['fiʃiŋtækl] vistuig *o*.
fishmonger ['fiʃmʌŋgə] viskoper, vishandelaar.
fish-plate ['fiʃpleit] ✂ lasplaat.
fish-pond ['fiʃpɔnd] visvijver.
fish-slice ['fiʃslais] 1 vismes *o*; 2 visspaan.
fishwife ['fiʃwaif] viswijf *o*, visvrouw.
fish-woman ['fiʃwumən] zie *fishwife*.
fishy ['fiʃi] visachtig; visrijk; *fig* verdacht, met een luchtje eraan; twijfelachtig; ~ *eyes* schelvisogen; *a* ~ *meal* een vismaal *o*.
fissile ['fisail] zie *fissionable*.
fission ['fiʃən] splijting, deling, splitsing.
fissionable ['fiʃənəbl] splijtbaar; ~ *material* splijtstof.
fission product ['fiʃənprɔdəkt] splijt(ings)produkt *o*.
fissure ['fiʃə] I *sb* kloof, spleet, scheur; II *vt* & *vi* kloven, splijten.
fist [fist] I *sb* vuist; F poot; II *vt* stompen.
fistic(al) ['fistik(l)] J boksers-, boks-.
fisticuffs ['fistikʌfs] bokspartij; *resort to* ~ op de vuist gaan, gaan knokken.
fist-law ['fistlɔ:] vuistrecht *o*.
fistula ['fistjulə] 1 fistel; 2 buis [v. insekten].
fit [fit] I *aj* geschikt; bekwaam; behoorlijk, gepast, voegzaam; gezond, fris; *as* ~ *as a fiddle* in uitstekende conditie; kiplekker; *see* (*think*) ~ goeddunken, het oorbaar achten; II *vt* passend (geschikt, bekwaam) maken (voor *for, to*); aanbrengen, zetten, monteren; voorzien (van *with*), uitrusten, inrichten; passen (op, bij, voor), goed zitten; *a* ~*ted washbasin* een vaste wastafel; ~ *in* inpassen; ~ *on* (aan)passen; aanbrengen, op-, aanzetten; ~ *out* uitrusten; ~ *up* aanbrengen [toestel]; [een huis] inrichten; ✂ monteren; uitrusten; III *vi* passen; ~ *in nicely* 1 precies (erin) passen; 2 mooi uitkomen; ~ *in with* passen bij; stroken met, „kloppen" met; IV *sb* passen *o*, pasvorm ‖ stuip, toeval, beroerte; aanval, vlaag, bevlieging, bui; *it was a bad* ~ het zat niet goed; *a shivering* ~ een (koorts)rilling; *it is a tight* ~ het zit nauw; het kan nog net; *by* ~*s and starts* met horten en stoten, bij vlagen.
fitchew ['fitʃu:] ≙≙ bunzing.
fitful(ly) ['fitful(i)] ongestadig, onbestendig; ongeregeld; grillig; bij vlagen.
fitly ['fitli] *ad* geschikt, goed; behoorlijk.
fitment ['fitmənt] inrichting, montering; ~*s*

zie *fittings*.
fitness ['fitnis] geschiktheid; bekwaamheid; gepastheid, voegzaamheid; gezondheid.
fit-out ['fit'aut] uitrusting.
fitter ['fitə] bankwerker, monteur; fitter.
fitting ['fitiŋ] I *aj* passend², gepast; II *sb* passen *o* &, zie *fit* II; ~*s* benodigdheden voor het inrichten v. e. huis, winkel &, inrichting, installatie, bekleding, (winkel)opstand; fittings: monteerbenodigdheden; ~ *room* paskamer; ~ *shop* bankwerkerij.
five [faiv] vijf; ~*s* 1 (hand)schoenen & maat vijf; 2 vijfpercentsobligaties; 3 *sp* soort handbalspel *o*.
fivefold ['faivfould] vijfvoudig.
fiver ['faivə] S bankbiljet van vijf pond.
fix [fiks] I *sb* moeilijkheid, lastig geval *o*; *I was in an awful* (*bad, regular*) ~ F ik zat lelijk in de knel, in het nauw; II *vt* vastmaken, -hechten, -zetten, -leggen, -houden, (be)vestigen; bepalen, vaststellen; aanbrengen, plaatsen, monteren; fixeren; regelen; repareren, in orde brengen, opknappen; omkopen; ⚒ opzetten [bajonet]; ~ *in* (*on*) *the memory* in het geheugen prenten; ~ *up* aanbrengen, plaatsen, inrichten; opknappen; in orde brengen, regelen, organiseren; voorzien (van *with*); ~ *one up* (*for the night*) iemand logeren; III *vi* vast worden; stollen; zich vestigen; ~ *up(on)* kiezen; besluiten (tot).
fixation [fik'seiʃən] vaststelling, vastlegging; bevestiging; vasthouden *o*; stolling; fixering; fixatie.
fixative ['fiksətiv] I *aj* fixerend; II *sb* fixatief *o*: fixeermiddel *o*.
fixature ['fiksətʃə] fixatief *o* [pommade].
fixed [fikst] *aj* vast²; strak; niet vluchtig; bepaald; *a* ~ *idea* een idee-fixe *o* & *v*, een dwangvoorstelling.
fixedly ['fiksidli] *ad* vast, strak.
fixedness ['fiksidnis] vastheid.
fixer ['fiksə] fixeermiddel *o*.
fixity ['fiksiti] vastheid.
fixture ['fikstʃə] al wat spijkervast is; vast iets; vaste klant (bezoeker &), vast nummer² *o*; (datum voor) wedstrijd; ~*s* opstand [v. winkel].
fizz [fiz] I *vi* sissen, bruisen; II *sb* 1 gesis *o*, gebruis *o*; 2 F pittigheid; 3 S champagne.
fizzle ['fizl] I *vi* (zachtjes) sissen, sputteren; ~ *out* met een sisser aflopen, op niets uitdraaien; II *sb* gesis *o*, gesputter *o*; fiasco *o*.
fizzy ['fizi] mousserend, gazeus.
fjord [fjɔ:d] fjord.
flabbergast ['flæbəga:st] F geheel van zijn stuk brengen; ~*ed* ook: beduusd.
flabbiness ['flæbinis] zacht-, week-, slapheid².
flabby ['flæbi] zacht, week, slap².
flaccid ['flæksid] slap².
flaccidity [flæk'siditi] slapheid².
flag [flæg] I *sb* vlag ‖ estrik: platte steen ‖ ⚘ lis; ~ *o* *truce* witte vlag; II *vt* bevlaggen; seinen

(met vlaggen) ‖ bevloeren, beleggen (met vloerstenen); III *vi* mat hangen, verslappen, verflauwen, kwijnen[2].

flag-captain ['flæg'kæptin] ⚓ vlaggekapitein.

flag-day ['flægdei] speldjesdag.

flagellant [flæ'dʒelənt, 'flædʒilənt] geselbroeder.

flagellate ['flædʒileit] geselen.

flagellation [flædʒi'leiʃən] geseling.

flageolet [flædʒə'let] I ♪ flageolet; 2 ✿ witte boon.

flag-lieutenant ['flægle'tenənt] ⚓ adjudant van een admiraal.

flagman ['flægmən] baanwachter.

flag-officer ['flægɔfisə] ⚓ vlagofficier.

flagon ['flægən] I grote fles; 2 schenkkan.

flagrancy ['fleigrənsi] flagrante *o*; verregaande schandaligheid.

flagrant ['fleigrənt] flagrant, in het oog lopend; schandalig; schreeuwend.

flag-ship ['flægʃip] ⚓ vlaggeschip *o*.

flagstaff ['flægstaːf] vlaggestok.

flag-stone ['flægstoun] platte steen.

flail [fleil] I *sb* dorsvlegel; II *vt* (met de vlegel) dorsen, slaan, ranselen.

flake [fleik] I *sb* vlok; schilfer; vonk; lapje *o* (vel); laag; ~ *of ice* ijsschots; II (*vt* &) *vi* (doen) (af)schilferen; vlokken; ~*d out* S beroerd, slap.

flaky ['fleiki] vlokkig; schilferachtig.

flam [flæm] praatje *o*; bedotterij.

flambeau ['flæmbou] fakkel, flambouw.

flamboyant [flæm'bɔiənt] flamboyant [v. bouwstijl]; gloeiend, kleurrijk, zwierig; opzichtig; opscheperig.

flame [fleim] I *sb* vlam; hitte, vuur *o*; *burst into* ~(*s*) opvlammen; plotseling in brand vliegen; II *vi* op-, ontvlammen, vlammen, schitteren; ~ *up* opvlammen; opvliegen, opstuiven; een kleur krijgen.

flamingo [flə'miŋgou] ✿ flamingo.

flamy ['fleimi] vlammend, vurig, vlammen-.

Flanders ['flaːndəz] I *sb* Vlaanderen *o*; II als *aj* Vlaams.

flange [flæn(d)ʒ] ✕ flens.

flank [flæŋk] I *sb* flank; zijde; ribstuk *o*; II *vt* flankeren; ✕ in de flank dekken; in de flank aanvallen, bestrijken; omtrekken.

flannel ['flænl] I *sb* flanel *o*; lap, doekje *o*; ~*s* flanellen kleding, pak *o* of broek; flanellen goederen; II *aj* flanellen.

flannelette [flænə'let] katoenflanel *o*.

flannelly ['flænli] als (van) flanel.

flap [flæp] I *sb* klep; flap; klap; neerslaand blad *o* of luik *o*; afhangende rand [v. hoed]; slip, pand [jas]; lel; S consternatie, paniek; II *vt* slaan (met), klapp(er)en met; ~ *down* neerkwakken; III *vi* flappen, klapp(er)en; klapwieken.

flapdoodle ['flæpduːdl] F larie, kletskoek.

flapjack ['flæpdʒæk] pannekoek.

flapper ['flæpə] (vliege)klap; klepper; klep;

vin; staart; S hand; ⚓ vlugge eend; *fig* F bakvisje *o*.

flare ['flɛə] I *vi* I flikkeren, (op)vlammen, schitteren; 2 zich ronden [v. steven]; klokken, uitstaan [v. rok &]; ~ *up* opvlammen[2]; opstuiven; II *sb* I geflikker *o*, vlam; licht(signaal) *o*, lichtfakkel; 2 ronding [v. steven]; klokken *o*, uitstaan *o* [v. rok].

flare-up ['flɛə'rʌp] opflikkering; F uitbarsting, aanval van woede, "scène"; S gloeiende fuif.

flash [flæʃ] I *sb* glans, (op)flikkering, straal; schicht, flits; ✕ opgenaaid insigne *o*; F vertoon *o*, pralerij; S Bargoens *o*; *a* ~ *in the pan* een ketsschot *o*; *fig* een fiasco *o*; *a* ~ *of lightning* een bliksemstraal; *a* ~ *of wit* een geestige inval; *in a* ~ in een oogwenk; II *aj* S opzichtig, fijn; nagemaakt, vals; (gauw)dieven-; III *vi* flikkeren, bliksemen, schitteren, opvlammen; (voort)schieten; flitsen; *it* ~*ed across my mind* (*upon me*) het flitste mij door het hoofd; IV *vt* I schieten, doen flikkeren &; 2 S geuren met; 3 seinen.

flashback ['flæʃbæk] beeld *o* (klank) uit het verleden, terugblik.

flash bulb ['flæʃbʌlb] flitslampje *o*.

flashing light ['flæʃiŋlait] flikkerlicht *o*, knipperlicht *o*.

flash lamp ['flæʃlæmp] I seinlamp; 2 flitslamp; 3 zaklantaarn.

flash-light ['flæʃlait] flikkerlicht *o*, knipperlicht *o*; flitslicht *o*, magnesiumlicht *o*; zaklantaarn.

flashy ['flæʃi] opzichtig.

flask [flaːsk] I flacon; fles; 2 kruithoorn.

flat [flæt] I *aj* vlak, plat; eenvoudig, duidelijk; smakeloos, laf, verschaald; dof, mat; saai; $ flauw; ♪ mineur, mol; *that is* ~ F daarmee is 't uit; *fall* ~ mislukken; niet inslaan; niets uithalen; *sing* ~ ♪ vals (te laag) zingen; *a* ~ *denial* een botte (vierkante) weigering; *a* ~ *failure* een compleet fiasco *o*; ~ *race* wedloop op de vlakke baan; *a* ~ *rate* een uniform tarief *o*; *a* ~ *tyre* een slappe (lekke) band; *a* ~ *wage* een uniform loon *o*; II *sb* vlak terrein *o*, vlakte; plat *o*; platte kant; platte mand; etage(woning), flat; schoen met platte hak; flat; vlak scherm *o* [toneel]; ⚓ platboomd vaartuig *o*, vlet; ondiepte, zandbank; moeras *o*; ♪ mol; *sp* vlakke baan; F sul, sukkel; slappe (lekke) band; III *vt zie flatten*.

flat-bottomed ['flætbɔtəmd] ⚓ platboomd.

flatfish ['flætfiʃ] platvis.

flat-foot ['flætfut] platvoet; *Am* S smeris.

flat-heeled ['flæthiːld] met platte hak.

flat-iron ['flætaiən] strijkijzer *o*.

flatly ['flætli] *ad* vlak, plat; botweg; < vierkant, totaal.

flatness ['flætnis] vlakheid &; *zie flat I*.

flatten ['flætn] I *vt* I plat, vlak maken; (ter)neerdrukken of -slaan; pletten; ♪ verlagen; 2 laten verschalen; II *vi* I plat, vlak worden; 2 verschalen.

flatter ['flætə] vleien, strelen; flatteren.

flatterer ['flætərə] vleier.

flattery ['flætəri] vleierij, gevlei o, vleitaal.

flattie ['flæti] 1 S smeris; 2 flatje o [schoen].

flatting-mill ['flætiŋmil] pletmolen, pletterij.

flattop ['flættɔp] Am vliegdekschip o.

flatulence, -cy ['flætjuləns(i)] winderigheid; opgeblazenheid.

flatulent ['flætjulənt] winderig; opgeblazen.

flaunt [flɔ:nt] I vi wapperen, zwieren; pralen; pronken; II vt doen wapperen; pralen met, pronken met; III vr ~ oneself pronken; IV sb gepraal o, pronkerij.

flautist ['flɔ:tist] ♪ fluitist.

flavour ['fleivə] I sb geur, smaak; aroma[2] o; fig „tikje" o [van pedanterie &]; II vt geur geven, smakelijk maken, kruiden[2].

flavouring ['fleivəriŋ] aroma o [middel].

flavourless ['fleivəlis] zonder geur, smakeloos[2].

flaw [flɔ:] I sb barst, breuk, scheur, fout, gebrek o; vlek, smet ‖ rukwind; bui; II (vt &) vi (doen) barsten; bederven.

flawless(ly) ['flɔ:lis(li)] zonder scheur of breuk; zonder (één) fout, vlekkeloos, smetteloos.

flax [flæks] ♣ vlas o.

flaxen ['flæksən] 1 vlassig, van vlas; 2 vlaskleurig, (vlas)blond, vlas-.

flaxy ['flæksi] vlassig, vlasachtig.

flay [flei] villen[2], (af)stropen[2]; fig hekelen.

flayer ['fleiə] vilder.

flea [fli:] vlo; come away with a ~ in one's ear van een koude kermis thuiskomen, er bekaaid afkomen; send him away with a ~ in his ear hem afschepen, nul op het rekest geven.

fleabane ['fli:bein] ♣ vlooienkruid o.

flea-bite ['fli:bait] 1 vlooiebeet; 2 kleinigheid.

flea circus ['fli:sə:kəs] vlooientheater o.

fleck [flek] I sb vlek; plek; II vt vlekken; plekken.

fled [fled] V.T. & V.D. van flee.

fledge [fledʒ] van veren voorzien; ~d vlug [v. jonge vogels].

fledg(e)ling ['fledʒliŋ] vlugge vogel; fig aankomeling, melkbaard, melkmuil.

flee [fli:] (ont)vlieden, (ont)vluchten.

fleece [fli:s] I sb (schaaps)vacht; vlies o; II vt 1 scheren; 2 fig het vel over de oren halen; 3 (met een vacht) bedekken.

fleecy ['fli:si] wollig, wolachtig; vlokkig; a ~ sky een schaapjeshemel.

1 fleet [fli:t] I sb vloot; schare, zwerm, groep; our ~ of motor-cars al de auto's van onze zaak, ons wagenpark o, autopark o ‖ inham; kreek.

2 ⊙ fleet [fli:t] aj snel, vlug, rap.

3 fleet [fli:t] vi (voorbij-, heen)snellen.

fleeting ['fli:tiŋ] snel voorbijgaand, vergankelijk, vluchtig.

Fleming ['flemiŋ] Vlaming.

Flemish ['flemiʃ] Vlaams; the ~ de Vlamingen.

flesh [fleʃ] I sb vlees o; be͝_in ~ goed in zijn

vlees zitten; in the ~ in levenden lijve; in le ven; it is more than ~ and blood can bear he is meer dan een mens kan verdragen; gathe (put on) ~ dik(ker) worden; lose ~ mage worden, afvallen; II vt (met) vlees voeren [honden] bloed laten proeven; fig aanhitsen inwijden [degen, pen &].

flesh-coloured ['fleʃkʌləd] vleeskleurig.

fleshiness ['fleʃinis] vlezigheid.

fleshliness ['fleʃlinis] zinnelijkheid.

fleshly ['fleʃli] vleselijk: zinnelijk.

flesh-pot ['fleʃpɔt] vleespot[2].

fleshy ['fleʃi] vlezig; gevleesd; vlees-; dik.

flew [flu:] V.T. van 2 fly.

flex [fleks] I vi & vt buigen; buigen en strekken; ~ one's muscles, ~ oneself ook: fig zijn krachten beproeven, zich oefenen; II sb ⚡ snoer o.

flexibility [fleksi'biliti] buigzaam-, soepelheid[2].

flexible ['fleksibl] buigzaam[2], soepel[2], plooibaar[2], handelbaar, inschikkelijk.

flexion ['flekʃən] 1 buiging; bocht; 2 gram verbuiging.

flexional ['flekʃənəl] gram buigings-.

flexor ['fleksə] buigspier.

flexuous ['flekʃuəs] bochtig, kronkelend.

flexure ['flekʃə] buiging; bocht.

flibbertigibbet ['flibəti'dʒibit] lichthoofd, flapuit, onrust.

flick [flik] I sb tikje o; knip; rukje o; the ~s S de bios; II vt een tik(je) geven, tikken; ~ away (off) wegknippen; ~ over snel omslaan [de bladzijden]; ~ through snel doorbladeren [boek].

flicker ['flikə] I vi flakkeren, flikkeren; trillen; fladderen, klappen; II sb geflakker o, (op-)flikkering, geflikker o; ongestadig licht o; gefladder o; fig vleug; the ~s S de bios.

flier ['flaiə] zie flyer.

flight [flait] vlucht; loop, vaart; reeks; zwerm, troep, ✈ escadrille v & o; ~ of stairs trap; ~ of steps bordes o; ~ of wit geestige zet; put to ~ op de vlucht drijven; take (to) ~ op de vlucht gaan, de vlucht nemen; ~-deck ✈ vliegdek o; ~-engineer ✈ boordwerktuigkundige; ~-lieutenant ✈ kapitein-vlieger; ~-sergeant ✈ sergeant-vlieger.

flighty ['flaiti] grillig; wispelturig, wuft; halfgaar.

flimsily ['flimzili] ad zie flimsy I.

flimsiness ['flimzinis] dunheid, lichtheid, zwakheid, ondeugdelijk-, armzaligheid.

flimsy ['flimzi] I aj voddig, dun, onsolide, ondeugdelijk; luchtig, los; armzalig; II sb dun papier o; S bankbiljet o, bankbiljetten.

flinch [flinʃ] aarzelen, terugdeinzen, wijken (voor from); (ineen)krimpen [v. pijn]; without ~ing 1 onwrikbaar; 2 zonder een spier te vertrekken.

fling [fliŋ] I vi vliegen, stormen [uit vertrek]; (achteruit)slaan [paard]; II vt (op de grond) gooien, (af)werpen, smijten; ∞ ~ at gooien

naar, naar (het hoofd) werpen; ~ *away* wegstuiven; wegwerpen; ~ *down* neergooien,
tegen de grond smijten; ~ *in* op de koop toegeven; ~ *into a room* binnenstormen; ~ *off*
afwerpen; van het spoor brengen; ~ *out*
plotseling (achteruit) slaan; uitspreiden [zijn
armen]; [woorden] eruit gooien; uitvaren;
~ *up* omhoog werpen; ten hemel heffen [de
armen]; *fig* laten varen [plan]; III *sb* worp,
gooi; *the Highland* ~ een Schotse dans; *have*
a ~ *at* I het ook eens proberen; 2 [iemand]
een veeg uit de pan geven; *have one's* ~ aan
de rol gaan, uitrazen; zie verder *throw*.

flint [flint] keisteen, vuursteen *o* & *m* [stof-
naam], vuursteen *m* [voorwerpsnaam]; steentje *o* [v. aansteker]; ~ *and steel* vuurslag *o*.

flint-glass ['flintgla:s] flintglas *o*.

flint-lock ['flintlok] I steenslot *o*; 2 vuursteen-
geweer *o*.

flinty ['flinti] steenachtig, vuursteen-; *fig* onvermurwbaar, van steen.

flip [flip] I *sb* flip; ook: advocatenborrel || knip,
tik; ruk; II *vt* een tikje geven; (weg)knippen;
III *vi* tikken; knippen [met de vingers].

flip-flap ['flipflæp] I klikklak; 2 buiteling; 3
voetzoeker; 4 soort draaimolen.

flippancy ['flipənsi] luchthartigheid, lichtzinnigheid, ongegeneerdheid.

flippant(ly) ['flipənt(li)] luchthartig, lichtzinnig, ongegeneerd.

flipper ['flipə] I vin; zwempoot; 2 *sp* zwemvlies *o* [duiksport]; 3 S poot: hand.

flirt [flə:t] I *vi* fladderen; flirten; ~ *with* spelen
of koketteren met; II *vt* (weg)knippen, -schie-
ten; spelen met; ~ *out* uitspreiden; eruit
flappen; III *sb* I ruk, zwaai; 2 flirt.

flirtation [flə:'teiʃən] flirt, geflirt *o*.

flirtatious [flə:'teiʃəs], **flirty** ['flə:ti] graag flir-
tend.

flit [flit] I fladderen, vliegen; heen en weer
gaan, (weg)trekken; 2 *Sc* verhuizen.

flitch [flitʃ] zijde spek.

flivver ['flivə] *Am* goedkoop autootje *o*.

float [flout] I *sb* vlot *o*; ✗ vlotter; ➤ drijver;
drijvertje *o* [v. nachtpitje]; dobber; drijvende
brandspuit; schepbord *o*, schoep; strijkbord
o [v. metselaar]; lage wagen, praalwagen;
voetlicht *o*; II *vi* vlot zijn; zweven, vlotten,
drijven, dobberen; wapperen; III *vt* laten
drijven; vlot maken; onder water zetten; in
omloop brengen, lanceren [praatje]; oprichten; uitschrijven [lening].

floatage ['floutidʒ] zeedrift, strandvond; vermogen *o* of kracht om te drijven; drijven *o*;
schepen op stroom.

floatation [flou'teiʃən] drijven *o* &; oprichting; uitgifte [v. lening].

float-board ['floutbə:d] schepbord *o*, schoep.

floating ['floutiŋ] drijvend; vlottend; zwevend;
~ *bridge* schipbrug; ~ *light* lichtboei; lichtschip *o*; ~ *policy* contractpolis; ~ *rumour* in
omloop zijnd gerucht *o*.

flock [flok] I *sb* kudde[2], troep, zwerm, schare
|| vlok, pluis; II *vi* in: ~ *(together)* samenko-
men, samenscholen, stromen (naar *to*).

flocky ['floki] vlokkig.

floe [flou] ijsschots, stuk *o* drijfijs.

flog [flog] slaan, (af)ranselen; *🡒* geselen; S organiseren, (in)pikken; versjacheren; ~ *a dead*
horse belangstelling trachten te wekken voor
wat afgedaan heeft; vergeefse moeite doen.

flogging ['flogiŋ] (pak *o*) slaag of ransel; *🡒*
geseling, geselstraf.

flood [flʌd] I *sb* vloed[2], stroom[2], overstroming;
zondvloed; II *vt* onder water zetten, overstromen[2] (met *with*), doen onderlopen.

floodgate ['flʌdgeit] sluisdeur; *fig* sluis.

floodlight ['flʌdlait] I *sb* (schijnwerper voor)
strijklicht *o*; II *vt* verlichten door middel van
strijklicht.

floodlit ['flʌdlit] V.T. & V.D. van *floodlight*.

flood-mark ['flʌdma:k] hoogwaterlijn.

flood-tide ['flʌdtaid] vloed.

floor [flo:] I *sb* vloer, bodem; verdieping; zaal
[v. Parlement &]; *first* ~ eerste verdieping;
Am benedenverdieping, parterre *o* &; *get*
(have, hold) the ~ het woord krijgen (hebben,
voeren); *take the* ~ I het woord nemen; 2 ten
dans gaan; *on the* ~ ook: ter vergadering; II
vt bevloeren; vloeren: op de grond werpen;
fig onder krijgen; in de war maken; vastzetten, het winnen van, verslaan.

floor-cloth ['flo:kloθ] I (vloer)zeil *o*; 2 dweil.

flooring ['flo:riŋ] bevloering, vloer.

floor-lamp ['flo:læmp] (grote) staande (schemer)lamp.

floor level ['flo:levl] begane grond.

floor-polish ['flo:poliʃ] vloerwas.

floor-polisher ['flo:poliʃə] vloerwrijver.

floosie, floozy ['flu:zi] *Am* (lichtzinnig) grietje
o.

flop [flop] I *sb* klap, flap; plof; S fiasco *o*; *Am*
bed *o*; II *ad* in: *come* ~ *down* neerploffen; III
ij flang!; IV *vi* flappen, ploffen, klossen; ~
down neerploffen; V *vt* flappen met; kwakken.

floppy ['flopi] floddderig, slap.

Flora ['flo:rə] Flora; *f*~ flora.

floral ['flo:rəl] bloeme(n)-, bloem-.

Florence ['florəns] Florence.

Florentine ['florəntain] I *aj* Florentijns; II *sb* I
Florentijn(se); 2 florentine [zijde].

florescence [flo:'resəns] *🡒* I bloeien *o*; 2 bloeitijd.

floret ['flo:rit] *🡒* bloempje *o*.

floriculture ['flo:rikʌltʃə] bloementeelt.

floriculturist [flo:ri'kʌltʃərist] bloemkweker.

florid ['florid] bloemrijk; blozend; zwierig.

floridity [flo:'riditi] bloemrijke taal; blozende
kleur; zwierigheid.

florin ['florin] I florijn, gulden; 2 [in Engeland]
twee-shilling-stuk *o*.

florist ['florist] I bloemist; 2 bloemenkenner.

floss (silk) ['flos('silk)] vlos-, floretzijde.

flossy ['flosi] vlossig.

flotilla [flou'tilə] ⚓ flottielje.

flotsam ['flɔtsəm] ⚓ zeedrift, wrakgoederen.

1 **flounce** [flauns] I *sb* volant: strook; II *vt* met volants garneren.

2 **flounce** [flauns] I *vi* plonzen, ploffen; stuiven; zich draaien; spartelen; II *sb* plof, ruk.

1 **flounder** ['flaundə] I *vi* [in de modder &] baggeren, spartelen; steigeren; hakkelen, knoeien; II *sb* hulpeloze poging.

2 **flounder**·['flaundə] 🐟 bot.

flour ['flauə] I *sb* bloem (van meel), meel *o*, poeder *o* & *m*; II *vt* met meel bestrooien.

flourish ['flʌriʃ] I *vi* bloeien², tieren, gedijen; in zijn bloeitijd zijn [v. kunstenaar]; in bloemrijke taal spreken; ♪ preluderen; II *vt* versieren (met krullen); zwaaien met; pronken met; III *sb* zwaai; zwierige wending, versiering, krul; ♪ fanfare, roulade; *in full* ~ in volle bloei.

floury ['flauəri] melig; met meel bedekt.

flout [flaut] I *vi* in: ~ *at* = II *vt* bespotten, honen, spotten met; III *sb* spot, hoon.

flow [flou] I *vi* vloeien, overvloeien, stromen², vlieten; golven [v. e. kleed, manen]; opkomen ['t getij]; ~ *from* voortvloeien uit; II *sb* (over)vloed, stroom², (uit)stroming; loop; golving; ~ *of language* (*words*) woordenvloed.

flower ['flauə] I *sb* bloem², bloesem; bloei; II *vi* bloeien; III *vt* met bloemen tooien.

flower-bed ['flauəbed] bloembed *o*.

flowered ['flauəd] met bloemen, gebloemd.

flowerer ['flauərə] 🌻 bloeier.

floweret ['flauərit] 🌻 bloempje *o*.

floweriness ['flauərinis] bloemrijke taal.

flowerpot ['flauəpɔt] bloempot.

flower-show ['flauəʃou] bloemententoonstelling.

flowery ['flauəri] bloemrijk², bloem(en)-.

flown [floun] V.D. van 2 *fly*.

flu [flu:] F influenza, griep.

fluctuate ['flʌktjueit] op en neer gaan², golven, dobberen, schommelen, weifelen.

fluctuation [flʌktju'eiʃən] schommeling [v. prijzen &]; dobbering, weifeling.

flue [flu:] dons *o*, pluis *o* ‖ 1 rookkanaal *o*, vlampijp; 2 luchtkoker.

fluency ['flu:ənsi] vaardigheid, vlotheid; bespraaktheid.

fluent ['flu:ənt] vloeiend², bespraakt; vlot.

fluff [flʌf] I *sb* dons *o*, pluis *o*; II *vi* pluizen; III *vt* pluizen; ~ *out* doen uitstaan.

fluffy ['flʌfi] donsachtig, donzig, dons-.

fluid ['flu:id] I *aj* vloeibaar; niet vast; vloeiend; beweeglijk; II *sb* vloeistof; niet-vast lichaam *o*; fluïdum *o*.

fluidity [flu'iditi] vloeibaarheid; niet-vast zijn *o*; vloeiende *o*; beweeglijkheid.

fluke [flu:k] ⚓ ankerblad *o*; punt [v. pijl]; ~*s* staart [v. walvis] ‖ (lever)bot ‖ F *sp* bof, ♋ beest *o*; II *vi* F boffen; III *vt* F door stom geluk maken (krijgen &).

fluky ['flu:ki] F (stom)gelukkig; bof-; onzeker; ~ *stroke* ♋ beest *o*.

flummery ['flʌməri] 1 meelpap; 2 lekkermakerij; kale complimenten.

flump [flʌmp] I *vi* ploffen; II *vt* in: ~ *down* neerploffen; III *sb* plof.

flung [flʌŋ] V.T. & V.D. van *fling*.

flunkey ['flʌŋki] lakei², > mosterdjongen.

fluor ['flu:ɔ:] vloeispaat *o*.

fluorescence [fluə'resəns] fluorescentie.

fluorescent [fluə'resənt] fluorescerend; ~ *lamp* fluorescentielamp, TL-buis.

fluoridate ['fluəraideit] fluorideren.

fluoridation [fluərai'deiʃən] fluoridering.

fluoride ['fluəraid] fluoride *o*.

fluorine ['fluəri:n] fluor *o*.

flurried ['flʌrid] geagiteerd, de kluts kwijt.

flurry ['flʌri] I *sb* (wind)vlaag, bui; agitatie, gejaagdheid; II *vt* zenuwachtig maken, agiteren, jachten; in de war brengen.

flush [flʌʃ] I *vi* (uit)stromen [vloeistoffen], gutsen; uitlopen [jonge blaadjes]; opvliegen; gloeien; blozen; II *vt* doorspoelen; onder water zetten; opjagen [vogels]; 't bloed naar 't hoofd jagen; aanvuren, overmoedig doen worden; gelijkmaken, voegen [een muur]; ~ *the toilet* de W.C. doortrekken; ~*ed* ook: verhit; ~*ed with joy* dolblij; ~*ed with success* in de roes van het succes; III *sb* (plotselinge) toevloed, stroom²; opwelling²; blos; gloed; roes, opwinding; opgejaagde vlucht [vogels]; ◇ suite; 🌻 uitlopende blaadjes; IV *aj* overvloedig (voorzien van *of*), vol [v. water]; rood, blozend; effen, gelijk, vlak; *be* ~ (*of money*) goed bij kas zijn.

Flushing ['flʌʃiŋ] Vlissingen *o*.

fluster ['flʌstə] I *vt* (door drank) verhitten; agiteren, in de war brengen; II *vi* druk doen; III *sb* verhitting; agitatie.

flute [flu:t] I *sb* 1 ♪ fluit; 2 groef, cannelure, plooi; II *vi* fluit spelen; fluiten [v. vogel]; III *vt* groeven, canneleren; plooien.

flutist ['flu:tist] fluitist.

flutter ['flʌtə] I *vi* fladderen; wapperen; dwarrelen; flakkeren, trillen [licht]; popelen ['t hart]; gejaagd doen; II *vt* doen wapperen; haasten, agiteren; III *sb* gefladder o, fladderen *o* &; gejaagdheid, agitatie; F speculatie; *make a* ~ sensatie maken; *put in a* ~ zenuwachtig maken.

fluty ['flu:ti] helder en zacht [toon].

§ **fluvial** ['flu:viəl] rivier-.

flux [flʌks] vloed; vloeiing; vloei-, smeltmiddel *o*; stroom; buikloop; *fig* voortdurende verandering; ~ *and reflux* eb en vloed.

1 **fly** [flai] *sb* vlieg; kunstvlieg ‖ vliegwiel *o*; onrust [v. klok]; licht huurrijtuigje *o*; klep, gulp (ook: F *flies*) [v. broek &]; lengte van een vlag; *a* ~ *in the ointment* roet in het eten; *no flies on him!* die is bij de pinken!

2 **fly** [flai] I *vi* vliegen; vluchten, omvliegen, (voorbij)snellen, ⊙ vlieden; wapperen; sprin-

gen [v. glas &]; *let ~ laten* schieten, vieren; afschieten [een pijl]; *let ~ at* er op los gaan of slaan, er van langs geven; ∞ *~ about* rondvliegen, rondfladderen; *~ at* (*upon*) *one* aanvliegen; *~ at higher game* naar hoger streven; *~ in the face of* trotseren; ingaan tegen; *~ into a passion* (*rage*) woedend worden; *~ out* uitvliegen; opstuiven, uitvaren; *~ to arms* te wapen snellen; **II** *vt* vluchten uit; laten vliegen of wapperen, voeren [de vlag]; ✈ vliegen over of met, per vliegtuig vervoeren; *~ a kite* 1 een vlieger oplaten; 2 een proefballon oplaten, een balletje over iets opgooien; 3 $ een schoorsteenwissel trekken.

3 fly [flai] *aj* P uitgeslapen, glad; *I am ~ to it* ik heb het in de gaten.

fly-blow ['flaiblou] **I** *sb* vliegeëi *o*; bederf *o* door vliegen; **II** *vt* bederven [van vlees door vliegen]; *~n* door vliegen bevuild; *fig* niet ongerept [van reputatie].

fly-boat ['flaibout] ⚓ vlieboot.

fly-bomb ['flaibɔm] vliegende bom, V 1.

fly-catcher ['flaikætʃə] ✺ vliegenvanger.

flyer ['flaiə] vluchteling; hoogvlieger; ✈ vlieger; hardloper: renpaard *o*, snelzeilend schip

flying-boat ['flaiiŋbout] ✈ vliegboot. [*o* &.

flying-bomb ['flaiiŋbɔm] vliegende bom, V 1.

flying-bridge ['flaiiŋ'bridʒ] noodbrug; gierpont.

flying-club ['flaiiŋklʌb] aëroclub.

Flying Dutchman ['flaiiŋ'dʌtʃmən] Vliegende Hollander.

flying-fish ['flaiiŋ'fiʃ] 𝔖 vliegende vis.

flying-fox ['flaiiŋ'fɔks] ⚶ vliegende hond.

flying-man ['flaiiŋmən] ✈ vlieger.

flying-officer ['flaiiŋɔfisə] ✕ eerste-luitenantvlieger.

flying-visit ['flaiiŋ'vizit] bliksembezoek *o*.

fly-leaf ['flaili:f] schutblad *o* [v. boek].

fly-over ['flai'ouvə] viaduct, ongelijkvloerse (weg)kruising.

fly-sheet ['flaiʃi:t] vliegend blaadje *o*.

fly-trap ['flaitræp] vliegenvanger.

fly-wheel ['flaiwi:l] ✸ vliegwiel *o*.

foal [foul] **I** *sb* veulen *o*; **II** *vi* [veulen] werpen.

foam [foum] **I** *sb* schuim *o*; *~ extinguisher* (*plastic, rubber*) schuimblusser (-plastiek *o*, -rubber); **II** *vi* schuimen; *~ at* (*the*) *mouth* schuimbekken; *~ed plastic* schuimplastiek *o*.

foamy ['foumi] schuimig, schuimend.

f.o.b. = *free on board*.

fob [fɔb] **I** *sb* (horloge)zakje *o*; **II** *vt* bedotten; *~ off* afschepen; *~ it off on him* het hem aansmeren. [*smeren.*

focal ['foukəl] brandpunts-, brand-. [*smeren.*

foci ['fousai] *mv* v. *focus* **I**.

fo'c'sle ['fouksl] zie *forecastle*.

focus ['foukəs] **I** *sb* brandpunt *o*; haard [v. ziekte]; centrum *o*; *in ~* scherp (gesteld), duidelijk; *out of ~* onscherp, onduidelijk; **II** *vt* 1 in een brandpunt verenigen (brengen); (in)stellen [lens &]; richten [kijker &]; 2 concentreren [gedachten].

fodder ['fɔdə] **I** *sb* voeder *o*; **II** *vt* voederen.

⊙ **foe** [fou], ✻ **foeman** ['foumən] vijand.

fog [fɔg] **I** *sb* mist, nevel; sluier [op foto] ‖ nagras *o*; *in a ~* ook: de kluts kwijt; **II** *vt* in mist hullen, sluieren [foto]; *fig* in de war brengen.

fog(e)y ['fougi] F ouderwetse paai; sok.

fogginess ['fɔginis] mistigheid &, zie *foggy*.

foggy ['fɔgi] mistig, nevelig; vaag; beneveld, gesluierd [v. foto].

fog-signal ['fɔgsignəl] mistsignaal *o*.

foible ['fɔibl] zwak *o*, zwakke zijde; zwakheid.

foil [fɔil] **I** *sb* schermdegen, floret ‖ foelie [achter spiegel, juweel] ‖ spoor *o* [v. wild]; *be a ~ to* beter doen uitkomen; **II** *vt* verijdelen; verlegen maken, het winnen van.

foist [fɔist] in: *~ in*(*to*) bedrieglijk inlassen, onderschuiven, binnensmokkelen; *~ something on one* iemand iets aansmeren (ook: aanwrijven).

1 fold [fould] *sb* vouw, plooi, kronkel ‖ kudde[2]; schaapskooi; schoot (der Kerk).

2 fold [fould] **I** *vt* vouwen, plooien ‖ wikkelen, sluiten, slaan; hullen [in duisternis &] ‖ kooien [schapen]; *~ one's arms* (*one's hands*) ook: *fig* de handen in de schoot leggen; *~ back* (*down*) omvouwen; *~ in one's arms* in de armen sluiten; *~ up* op-, dichtvouwen; **II** *vi* 1 zich laten vouwen; 2 S het afleggen; op de fles gaan; het bijltje erbij neerleggen (ook: *~ up*).

foldable ['fouldəbl] (op)vouwbaar.

folder ['fouldə] 1 vouwer; 2 vouwbeen *o*; 3 folder: vouwblad *o*, gevouwen circulaire; 4 map, mapje *o*; 5 vouwwagen, wandelwagentje *o*; *~s* lorgnet.

folding ['fouldiŋ] opvouwbaar, vouw-; *~-bed* opklapbed *o*; veldbed *o*; kermisbed *o*; *~ camera* klapcamera; *~-chair* vouwstoel; *~ door* vleugeldeur; *~ picture* uitslaande plaat.

foliage ['fouliidʒ] lommer *o*, loof *o*, gebladerte *o*; bladversiering, loofwerk *o*.

foliate ['foulieit] 1 foeliën; 2 foliëren; 3 met loofwerk versieren.

foliation [fouli'eiʃən] 1 bladvorming; 2 foeliën *o*; 3 foeliëring; 4 versiering met loofwerk.

folio ['fouliou] folio(vel) *o*; foliant.

folk [fouk] volk *o*; luitjes, volkje *o*; *little ~s* de kleintjes; *the old ~s* de oudjes.

Folkestone ['foukstən] Folkestone *o*.

folklore ['fouklɔ:] folklore: volkskunde.

folk-song ['fouksɔŋ] (oud) volkslied *o*.

folksy ['fouksi] *Am* gezellig, hartelijk, eenvoudig.

follicle ['fɔlikl] 1 ⚘ kokervrucht; 2 (klier)blaasje *o*; 3 (haar)zakje *o*; 4 cocon.

follow ['fɔlou] **I** *vt* volgen (op), navolgen, nazetten, najagen; [een beroep] uitoefenen; *~ the sea* zeeman zijn; *~ suit* 1 ◇ kleur bekennen; 2 het voorbeeld volgen; *~ out* opvolgen, voldoen aan; vervolgen, doorvoeren; *~ up* nagaan, nader ingaan op; voortzetten; zich ten nutte maken; (na)volgen; laten volgen (door *by*, *with*); **II** *vi* & *va* volgen; **III** *sb* ⚭ coulé, doorstoot.

follower ['folouə] volger; volgeling, aanhanger; navolger; F vrijer [v. d. meid].

following ['folouiŋ] **I** *aj* volgend; **II** *sb* gevolg *o*, aanhang.

follow-up ['folou'ʌp] voortzetting, nabehandeling.

folly ['foli] 1 dwaasheid, gekkenwerk *o*, zotheid; stommiteit; 2 duur maar nutteloos gebouw *o* &.

foment [fou'ment] (warm) betten; *fig* voeden, koesteren, kweken, aanstoken.

fomentation [foumen'teiʃən] betting; warme omslag; *fig* aanstoking.

fond [fond] *aj* 1 liefhebbend, teder, innig; 2 dwaas, mal; *be* ~ *of* houden van.

fondle ['fondl] strelen, liefkozen, aanhalen.

fondling ['fondliŋ] 1 liefkozing; 2 lieveling.

fondly ['fondli] *ad* teder, innig, vol liefde.

fondness ['fondnis] 1 tederheid, liefde, genegenheid, zwak *o* (*for* voor); 2 dwaasheid.

font [font] doopvont; wijwaterbakje *o*; oliebakje *o* [v. lamp].

food [fu:d] voedsel *o*, spijs, eten *o*, voe(de)r *o*; ~*s* voedingsstoffen, -middelen; ~ *for reflection* (*thought*) stof tot nadenken.

food office ['fu:dofis] ± distributiekantoor *o*.

food shop ['fu:dʃɔp] levensmiddelenbedrijf *o*.

foodstuffs ['fu:dstʌfs] voedingsmiddelen, levensmiddelen.

fool [fu:l] **I** *sb* dwaas, gek(kin), zot(tin); nar ‖ (kruisbessen)vla; ~*'s cap* zie *foolscap*; *a* ~*'s errand* een dwaze onderneming; *send one on a* ~*'s errand* iemand voor gek laten lopen; *a* ~*'s paradise* een denkbeeldige hemel; *make a* ~ *of* voor de gek houden²; *make a* ~ *of oneself* zich belachelijk maken, zich dwaas aanstellen; **II** *aj* P gek, idioot; **III** *vi* beuzelen, gekheid maken; ~ *about* (*around*) rondlummelen; **IV** *vt* voor de gek houden; bedotten²; ~ *away* verbeuzelen; ~ *into* ...ing verleiden om te...; ~ *out of* aftroggelen.

foolery ['fu:ləri] dwaasheid, scherts, gemal *o*.

foolhardiness ['fu:lha:dinis] roekeloosheid.

foolhardy ['fu:lha:di] roekeloos, doldriest.

fooling ['fu:liŋ] voordegekhouderij, gekke streken, gemal *o*.

foolish(ly) ['fu:liʃ(li)] dwaas, gek, mal, zot, F (zo) idioot, stom.

foolishness ['fu:liʃnis] dwaasheid.

fool-proof ['fu:lpru:f] 1 overduidelijk; 2 zich niets latende wijsmaken; 3 absoluut veilig.

foolscap 1 ['fu:lzkæp] zotskap; 2 ['fu:lskæp] klein-foliopapier *o*.

foot [fut] **I** *sb* voet [ook: Eng. maat v. 12 duim = 30,48 cm]; poòt; voetvolk *o*, infanterie; voeteneind *o*; *at* ~ onderaan [de voet v. d. bladzij]; onderstaand; *swift of* ~ vlug (ter been); *carry one off his feet* iemand meeslepen (in zijn enthousiasme); *on* ~ te voet; op de been; aan de gang; *set on* ~ op touw zet-

ten; *get off on the wrong* ~ verkeerd beginnen; *be on one's feet* op de been zijn; het woord voeren; goed gezond zijn; een positie hebben; *set on one's feet* op de been (er bovenop) helpen; *get* (*rise*) *to one's feet* opstaan; *jump* (*leap*, *spring*, *start*) *to one's feet* overeind springen, opspringen; *put one's best* ~ *foremost* zijn beste beentje voorzetten; *put one's* ~ *down* zeggen waar het op staat, „optreden"; *put one's* ~ *in it* een flater begaan; **II** *vi* te voet gaan, lopen, wandelen, dansen (meest: ~ *it*); betreden, bewandelen; een voet breien aan [kous]; F betalen [rekening]; optellen (~ *up*).

foot-and-mouth ['futən'mauθ] in: ~ *disease* mond- en klauwzeer *o*.

football ['futbɔ:l] *sp* voetbal *o* [spel], voetbal *m* [voorwerpsnaam].

footballer ['futbɔ:lə] *sp* voetballer.

foot-board ['futbɔ:d] treeplank; voetplank.

foot-boy ['futbɔi] page, livreiknechtje *o*.

foot-bridge ['futbridʒ] loopbrug.

footed ['futid] met... voeten (poten).

footfall ['futfɔ:l] (geluid *o* van een) voetstap.

footguards ['futgɑ:dz] ✕ (lijf)garde te voet.

foot-hill ['futhil] heuvel aan de voet van een berg.

foothold ['futhould] steun voor de voet; *fig* vaste voet.

footing ['futiŋ] voet²; vaste voet, steun; optelling, totaal *o* [v. cijferkolom]; *fig* basis; *on an equal* ~ op voet van gelijkheid; *miss one's* ~ misstappen, uitglijden.

footle ['fu:tl] **F I** *vi* beuzelen; **II** *sb* beuzelarij.

footlights ['futlaits] voetlicht *o*.

footloose ['futlu:s] vrij, luchtig.

footman ['futmən] 1 lakei; 2 ✕ infanterist.

foot-mark ['futmɑ:k] voetspoor *o*.

foot-note ['futnout] voetnoot.

foot-pace ['futpeis] tred; *at a* ~ stapvoets.

footpad ['futpæd] struikrover.

foot-passenger ['futpæsindʒə] voetganger.

foot-path ['futpɑ:θ] voetpad *o*.

footprint ['futprint] voetspoor *o*.

footrule ['futru:l] maatstok [v. 1 Eng. voet].

foot-soldier ['futsouldʒə] ✕ infanterist.

footsore ['futsɔ:] met zere voeten.

footstep ['futstep] voetstap, tred.

footstool ['futstu:l] voetbankje *o*.

footwarmer ['futwɔ:mə] stoof.

footway ['futwei] 1 voetpad *o*; 2 trottoir *o*, stoep.

foot-wear ['futwεə] schoeisel *o*, schoenwerk *o*.

foozle ['fu:zl] (ver)knoeien.

fop [fop] fat, kwast, modegek.

foppery ['fopəri] kwasterigheid; opschik.

foppish(ly) ['fopiʃ(li)] fatterig.

foppishness ['fopiʃnis] fatterigheid.

for [fo:] **I** *cj* want; **II** *prep* voor, in plaats van; gedurende; naar; uit; om, vanwege, wegens; wat betreft; niettegenstaande; [kiezen] tot, als; *oh*, ~ *a cigarette!* had ik (hadden we maar een sigaret!; *I know him* ~ *a...* ik weet, dat hij een... is; ~ *all I care* voor mijn part; ~ *all I know* voor zover ik weet; ~ *all she was gifted* hoe talentvol ze ook was; ~ *all that toch*; ~ *her* (*him*) ɪ voor haar (hem); 2 voor haar (zijn) doen; *it is* ~ *her to...* het staat aan haar, 't past haar om...; *think* ~ *oneself* zelf denken; ~ *joy* van vreugde; ~ *years* jaren lang; *not* ~ *years* in geen jaren; *you are* ~ *it !* S je bent erbij!; *now* ~ *it !* nu erop los!, nu komt het erop aan!; *there is nothing* ~ *it but...* er zit niets anders op dan...

forage ['fɔridʒ] I *sb* voe(de)r *o*, foerage; II *vi* ✗ foerageren; III *vt* ɪ ✗ foerageren; 2 (af)-stropen; (door)zoeken; plunderen.

forage-cap ['fɔridʒkæp] ✗ kwartiermuts.

forasmuch [fərəz'mʌtʃ] in: ~ *as* aangezien.

foray ['fɔrei] I *sb* rooftocht; II *vi* roven, plunderen.

forbad(e) [fɔ:'bæd] V.T. van *forbid*.

ɪ **forbear** ['fɔ:bɛə] *sb* voorvader, voorzaat.

2 **forbear** [fɔ:'bɛə] I *vt* nalaten, zich onthouden van, zich wachten voor; II *vi* geduld hebben, wat door de vingers zien; ~ *from* zich onthouden van.

forbearance [fɔ:'bɛərəns] ɪ onthouding; 2 verdraagzaamheid, geduld *o*, toegevendheid; ~ *is no acquittance* uitstel is geen afstel.

forbearing(ly) [fɔ:'bɛəriŋ(li)] verdraagzaam, toegevend, geduldig.

forbid [fɔ:'bid] verbieden; *Heaven* ~ *!* dat verhoede God!; zie ook: *banns*.

forbidden [fɔ:'bidn] verboden.

forbidding(ly) [fɔ:'bidiŋ(li)] afschrikwekkend, af-, terugstotend, onaanlokkelijk.

forbore [fɔ:'bɔ:] V.T. van 2 *forbear*.

forborne [fɔ:'bɔ:n] V.D. van 2 *forbear*.

force [fɔ:s] I *sb* kracht, macht, geweld *o*; noodzaak; *the* ~ de politie; *the* (*armed*) ~*s* de strijdkrachten; *by* (*main*) ~ met geweld; *by* ~ *of* door middel van; *in* ~ van kracht; in groten getale; *he was in great* ~ hij was goed op dreef; *come into* ~ van kracht worden, in werking treden; II *vt* dwingen, noodzaken, geweld aandoen; met geweld nemen; [een doortocht] banen; duwen, dringen, drijven; afdwingen; openbreken; forceren; trekken, in kassen kweken; *fig* klaarstomen; ~ *one's hand* iemand dwingen (tot een handeling); ~ *back* terugdringen, terugdrijven; ~ *down* met geweld doorkrijgen of slikken; drukken [de markt]; zie ook: *throat*; ~ *from* afdwingen [tranen &]; ~ *into* dringen, duwen of drijven in; dwingen tot; ~ *it on one* opdringen; ~ *up the prices* opdrijven; *it was* ~*d upon us* het werd ons opgedrongen.

forcedly ['fɔ:sidli] gedwongen; gezocht.

forceful(ly) ['fɔ:sful(i)] krachtig.

force-meat ['fɔ:smi:t] farce: gehakt *o*.

forceps ['fɔ:seps] forceps; tang.

force-pump ['fɔ:spʌmp] perspomp.

forcible ['fɔ:sibl] *aj* krachtig;[gewelddadig; ge-

dwongen.

forcibly ['fɔ:sibli] *ad* met klem; met geweld.

forcing-house ['fɔ:siŋhaus] broeikas.

ford [fɔ:d] I *sb* waadbare plaats; II *vt* doorwaden.

fordable ['fɔ:dəbl] doorwaadbaar.

fore [fɔ:] I *aj* voor(ste); II *ad* ⚓ vooruit; *he soon came to the* ~ hij raakte (trad) spoedig op de voorgrond.

ɪ **forearm** ['fɔ:ra:m] *sb* voorarm.

2 **forearm** [fɔ:'ra:m] *vt* vooraf wapenen.

forebode [fɔ:'boud] ɪ voorspellen; 2 een voorgevoel hebben van.

foreboding [fɔ:'boudiŋ] ɪ voorspelling; 2 voorgevoel *o*.

ɪ **forecast** ['fɔ:ka:st] *sb* (voorafgaande) berekening, verwachting, (weer)voorspelling.

2 **forecast** [fɔ:'ka:st] *vt* (vooraf) berekenen, ontwerpen, voorzien; voorspellen.

forecastle ['fouksl] ⚓ bak, vooronder *o*.

forefather ['fɔ:fa:ðə] voorvader.

forefinger ['fɔ:fiŋgə] wijsvinger.

forefoot ['fɔ:fut] voorbeen *o*; voorpoot.

forefront ['fɔ:frʌnt] voorgevel; voorste gedeelte *o*; *be in the* ~ *of* een vooraanstaande plaats innemen in (onder, bij).

foregather [fɔ:'gæðə] zie *forgather*.

forego [fɔ:'gou] ɪ voorafgaan (aan); 2 zie *forgo*; zie ook: *foregone*.

foregoing [fɔ:'gouiŋ] voor(af)gaand(e).

foregone [fɔ:'gɔn] V.D. van *forego*; *a* ~ ['fɔ:gɔn] *conclusion* een uitgemaakte zaak, vanzelfsprekend iets.

foreground ['fɔ:graund] voorgrond².

forehand ['fɔ:hænd] I *sb* voorhand [van paard]; II *aj* ɪ voorafgaand; vooraf betaald; 2 *sp* [slag] rechts van het lichaam genomen.

forehead ['fɔrid] voorhoofd *o*.

foreign ['fɔrin] vreemd, buitenlands, uitheems; ~ *legion* ✗ vreemdelingenlegioen *o*; *Foreign Secretary* (*Office*) Minister (Ministerie *o*) van Buitenlandse Zaken.

foreigner ['fɔrinə] vreemdeling, buitenlander; buitenlands produkt &.

forejudge [fɔ:'dʒʌdʒ] vooruit be-, veroordelen.

foreknow [fɔ:'nou] vooraf weten.

foreknowledge ['fɔ:'nɔlidʒ] voorkennis.

foreland ['fɔ:lənd] landpunt, voorland *o*, uiterwaard.

foreleg ['fɔ:leg] voorpoot.

forelock ['fɔ:lɔk] voorhaar *o*; *take occasion* (*time*) *by the* ~ de gelegenheid (het gunstige ogenblik) niet laten voorbijgaan.

foreman ['fɔ:mən] voorman, meesterknecht, ploegbaas; voorzitter [v. jury].

foremast ['fɔ:ma:st] ⚓ fokkemast.

foremost ['fɔ:moust, 'fɔ:məst] voorste, eerste.

forenoon ['fɔ:nu:n] voormiddag.

forensic [fə'rensik] ⚖ gerechtelijk, rechts-.

foreordain ['fɔ:rɔ:'dein] voorbestemmen.

forepart ['fɔ:pa:t] voorste deel *o*; begin *o*.

forerunner [fɔ:'rʌnə] voorloper, voorbode

foresail ['fɔ:seil, 'fɔ:sl] ⚓ fok.

foresee [fɔ:'si:] voorzien, vooruitzien.

foreshadow [fɔ:'ʃædou] (voor)beduiden, de voorbode zijn van, aankondigen.

foreshorten [fɔ:'ʃɔ:tn] in verkorting zien of tekenen [in perspectief].

foresight ['fɔ:sait] 1 vooruitzien *o*; vooruitziende blik; 2 overleg *o*; 3 ✖ vizierkorrel.

forest ['fɔrist] I *sb* woud *o*, bos *o*; II *vt* bebossen.

forestall [fɔ:'stɔ:l] vóór zijn, voorkomen, vooruitlopen op, verhinderen; ⊞ opkopen.

forester ['fɔristə] 1 houtvester; 2 boswachter; 3 bosbewoner.

forestry ['fɔristri] bosbouw, boswezen *o*.

1 **foretaste** ['fɔ:teist] *sb* voorsmaak, -proefje *o*.

2 **foretaste** [fɔ:'teist] *vt* vooraf proeven, een voorsmaak hebben van.

foretell [fɔ:'tel] voorzeggen, voorspellen.

forethought ['fɔ:θɔ:t] voorbedachtheid; voorzorg, overleg *o*.

forever [fə'revə] zie (*for*) *ever*.

forewarn [fɔ:'wɔ:n] (vooraf) waarschuwen.

forewent [fɔ:'went] V.T. van *forego*.

forewoman ['fɔ:wumən] 1 hoofd *o*, cheffin [in winkel]; 2 presidente van een vrouwenjury.

foreword ['fɔ:wə:d] voorwoord *o*.

forfeit ['fɔ:fit] I *sb* verbeuren *o*; verbeurde *o*, boete, pand *o*; *play (at)* ~*s* pand verbeuren; II *vt* verbeuren, verliezen, verspelen; III *aj* verbeurd.

forfeiture ['fɔ:fitʃə] verbeuren *o*; verlies *o*; verbeurdverklaring.

forfend [fɔ:'fend] verhoeden, afwenden.

forgather [fɔ:'gæðə] vergaderen; samenkomen; omgang hebben (met *with*).

forgave [fə'geiv] V.T. van *forgive*.

forge [fɔ:dʒ] I *sb* 1 smidse, smederij, smidsvuur *o*; 2 smeltoven; II *vt* smeden²; verzinnen; namaken, vervalsen; III *vi* valsheid in geschrifte plegen || ~ (*ahead*) ⚓ (met moeite) vooruitkomen.

forger ['fɔ:dʒə] smeder²; verzinner; wie namaakt, vervalser, falsaris.

forgery ['fɔ:dʒəri] vervalsing, valsheid in geschrifte; namaak; verdichtsel *o*.

forget [fə'get] I *vt* & *vi* vergeten; *I* ~ ik ben vergeten; II *vr* ~ *oneself* zich vergeten, zijn zelfbeheersing verliezen.

forgetful [fə'getful] vergeetachtig.

forgetfulness [fə'getfulnis] vergeetachtigheid.

forget-me-not [fə'getminɔt] 🌷 vergeet-mij-nietje *o*.

forgivable [fə'givəbl] vergeeflijk.

forgive [fə'giv] vergeven, kwijtschelden.

forgiven [fə'givn] V.D. van *forgive*.

forgiveness [fə'givnis] vergiffenis, kwijtschelding; vergevensgezindheid.

forgiving(ness) [fə'giviŋ(nis)] vergevensgezind-(heid).

forgo [fɔ:'gou] afzien van, afstand doen van, opgeven, derven, zich onthouden van.

forgot(ten) [fə'gɔt(n)] V.T. & (V.D.) van *forget*.

fork [fɔ:k] I *sb* vork, gaffel; vertakking², tweesprong; II *vi* zich vertakken; III *vt* met de vork bewerken of aangeven; ~ *out* S opdokken, schokken.

forked [fɔ:kt] gevorkt, gaffelvormig, gespleten.

fork lift (truck) ['fɔ:klift(trʌk)] vorkheftruck.

forlorn [fə'lɔ:n] verlaten, hopeloos, ellendig, zielig, wanhopig; ~ *of* beroofd van; ~ *hope* ✖ troep vrijwilligers voor een gevaarlijke onderneming; wanhopige onderneming, laatste redmiddel *o*.

form [fɔ:m] I *sb* vorm², gedaante; formulier *o*; formaliteit; fatsoen *o*; bank(zonder leuning); ~ klasse; leger *o* [v. haas]; *bad* ~ niet „netjes"; *good* ~ correctheid; netjes, zoals het hoort; *in* ~ formeel; in de vorm; *sp* in goede conditie; *in due* ~ naar de eis, behoorlijk; *be in good (bad)* ~ (niet) in goede conditie zijn, (niet) goed op dreef zijn; *out of* ~ *sp* niet in conditie; II *vt* vormen; (uit)maken; ✖ formeren; III *vi* zich vormen, de vorm aannemen; zich opstellen; ~ (*up*) ✖ aantreden.

formal ['fɔ:məl] formeel; stellig, uitdrukkelijk; vormelijk, plecht(stat)ig, officieel; vorm-.

formalism ['fɔ:məlizm] formalisme *o*, vormendienst, vormelijkheid.

formalist ['fɔ:məlist] formalist, man van de vorm (de vormen).

formality [fɔ:'mæliti] formaliteit, vorm; vormelijkheid.

formalize ['fɔ:məlaiz] in de vorm brengen.

format ['fɔ:mæt] formaat *o* [v. boek].

formation [fɔ:'meiʃən] vorming, formatie.

formative ['fɔ:mətiv] vormend, afleidings-.

1 **former** ['fɔ:mə] *sb* vormer, schepper || *sixth* ~ leerling van de zesde klasse.

2 **former** ['fɔ:mə] *aj* vorig, eerste, vroeger, voormalig; *the* ~ ...*the latter* de eerste (gene) ..., de laatste (deze).

formerly ['fɔ:məli] *ad* vroeger, eertijds.

formidable ['fɔ:midəbl] *aj* ontzaglijk, vreselijk, geducht.

formidably ['fɔ:midəbli] *ad* formidabel, vreselijk.

formless ['fɔ:mlis] vormloos. [lijk°.]

form-master ['fɔ:mma:stə] klasseleraar.

formula ['fɔ:mjulə] formule; recept *o*.

formulary ['fɔ:mjuləri] I *sb* formulier(boek) *o*; II *aj* vormelijk, voorgeschreven.

formulate ['fɔ:mjuleit] formuleren.

formulation [fɔ:mju'leiʃən] formulering.

fornication [fɔ:ni'keiʃən] ontucht.

fornicator ['fɔ:nikeitə] ontuchtige.

forsake [fə'seik] verzaken, in de steek laten, verlaten, begeven.

forsaken [fə'seikn] V.D. van *forsake*.

forsook [fə'suk] V.T. van *forsake*.

forsooth [fə'su:θ] voorwaar, waarlijk, waarachtig [ironisch].

forswear [fɔ:'swɛə] I *vt* afzweren; II *vr* ~ *one-self* een meineed doen.

forswore [fɔ:'swɔ:] V.T. van *forswear*.

forsworn [fɔ:'swɔ:n] V.D. van *forswear*; *aj* meinedig.

fort [fɔ:t] ✗ fort *o*; *hold the* ~ F de boel aan het draaien houden, waarnemen, invallen (voor een ander).

1 **forte** [fɔ:t] *sb* fort *o* & *m*: sterke zijde.

2 **forte** ['fɔ:ti] ♪ forte: krachtig.

forth [fɔ:θ] vooruit; uit, buiten; voort(s); *from that day* ~ van die dag af.

forthcoming [fɔ:θ'kʌmiŋ] op handen (zijnd), aanstaande; aanwezig (zijnd); toeschietelijk; *be* ~ er komen, er zijn.

forthright ['fɔ:θrait] I *aj* rechtuit, openhartig; onomwonden; II *ad* [fɔ:θ'rait] rechtuit.

forthwith ['fɔ:θ'wið, 'fɔ:θ'wiθ] op staande voet, onmiddellijk, aanstonds.

fortieth ['fɔ:tiiθ] veertigste (deel *o*).

fortification [fɔ:tifi'keiʃən] versterking.

fortify ['fɔ:tifai] versterken; sterken.

fortitude ['fɔ:titju:d] zielskracht, vastberadenheid, standvastigheid.

fortnight ['fɔ:tnait] veertien dagen; *Monday* ~ maandag over 14 dagen.

fortnightly ['fɔ:tnaitli] I *aj* veertiendaags; II *ad* alle veertien dagen; III als *sb* veertiendaags tijdschrift *o*.

fortress ['fɔ:tris] ✗ sterkte, vesting.

fortuitous(ly) [fɔ:'tjuitəs(li)] toevallig.

fortuity [fɔ:'tjuiti] toevalligheid, toeval *o*.

fortunate ['fɔ:tʃənit] *aj* gelukkig.

fortunately ['fɔ:tʃənitli] *ad* gelukkig(erwijs).

fortune ['fɔ:tʃən] geluk *o*, lot *o*, fortuin *o* [geluk, geldelijk vermogen], fortuin *v* [lot, noodlot].

fortune-hunter ['fɔ:tʃənhʌntə] gelukzoeker (door rijk huwelijk).

fortune-teller ['fɔ:tʃəntelə] waarzegger, -ster.

fortune-telling ['fɔ:tʃənteliŋ] waarzeggerij.

forty ['fɔ:ti] veertig; *the forties* de jaren van (19)40 tot (19)50; *in the (one's) forties* ook: in de veertig.

forum ['fɔ:rəm] ⬚ forum² *o*.

forward ['fɔ:wəd] I *aj* 1 voorwaarts; voorste, voor-; 2 (ver)gevorderd; vooruitstrevend, progressief, geavanceerd; voorlijk [kind]; vroeg, vroegrijp; 3 bereidwillig; toeschietelijk; brutaal, vrijpostig; 4 $ op termijn; II *ad* vooruit, voorwaarts; naar voren, voorover; *from this day* ~ van nu af (aan); *carriage* ~ $ vracht betaalbaar ter plaatse; III *sb* *sp* voorhoedespeler; *the* ~*s sp* de voorhoede; IV *vt* 1 bevorderen, vooruithelpen; 2 $ af-, op-, door-, (o)verzenden.

1 **forwarder** ['fɔ:wədə] *sb* 1 bevorderaar; 2 afzender; expediteur.

2 **forwarder** ['fɔ:wədə] *ad* (meer) vooruit.

forwarding ['fɔ:wədiŋ] bevordering; afzending; expeditie; ~ *agency* $ expeditiezaak; ~ *agent* $ expediteur; ~ *business* $ expeditie-

zaak; ~ *clerk* $ expeditieklerk.

forward-looking ['fɔ:wədlukiŋ] progressief.

forwardly ['fɔ:wədli] *ad* brutaal, vrijpostig.

forwardness ['fɔ:wədnis] vroegtijdigheid; bereidwilligheid, ijver (om te helpen); vrijpostigheid &, zie *forward* I.

forwards ['fɔ:wədz] *ad* zie *forward* II.

forwent [fɔ:'went] V.T. van *forgo*.

fossil ['fɔsl] I *aj* versteend, fossiel; II *sb* verstening, fossiel² *o*.

fossilization[fɔsilai'zeiʃən] verstening; *fig* verstarring.

fossilize ['fɔsilaiz] (doen) verstenen; *fig* verstarren.

foster ['fɔstə] (aan)kweken, (op)voeden, bevorderen, koesteren².

fosterage ['fɔstəridʒ] opkweking; aankweking, bevordering, koestering.

foster-brother ['fɔstəbrʌðə] zoogbroeder.

foster-child ['fɔstətʃaild] voedsterkind *o*.

foster-daughter ['fɔstədɔ:tə] pleegdochter.

fosterer ['fɔstərə] voedstervader, pleegvader; beschermer, bevorderaar.

foster-father ['fɔstəfɑ:ðə] pleegvader.

foster-home ['fɔstəhoum] pleeggezin *o*.

fosterling ['fɔstəliŋ] 1 voedsterling; 2 protégé.

foster-mother ['fɔstəmʌðə] pleegmoeder.

foster-parents ['fɔstəpɛərənts] pleegouders.

foster-sister ['fɔstəsistə] zoogzuster.

foster-son ['fɔstəsʌn] pleegzoon.

fought [fɔ:t] V.T. & V.D. van *fight*.

foul [faul] I *aj* vuil, onrein, bedorven; beslagen; grof; vies, smerig, laag, snood; gemeen; vals, oneerlijk; ⚓ onklaar; ~ *copy* klad *o*; ~ *wind* tegenwind; *fall* ~ *of* ⚓ in aanvaring komen met; in botsing komen met; te lijf gaan, aanvallen²; II *sb* botsing; *sp* overtreding (van de spelregels); III *vt* bevuilen, bezoedelen, besmetten, verontreinigen; ⚓ onklaar doen lopen, in 't ongerede brengen; in de weg komen, stoten op, botsen tegen; IV *vi* 1 ⚓ onklaar lopen; botsen; 2 met vuil aanzetten.

foully ['fauli] *ad* op een vuile, schandelijk lage of gemene wijze.

foulness ['faulnis] vuil-, onrein-, smerig-, gemeenheid, laagheid.

1 **found** [faund] V.T. & V.D. van *find*.

2 **found** [faund] I *vt* stichten, grond(vest)en; oprichten ‖ [metaal] gieten; II *vi* in: ~ *(up)on* steunen op².

foundation [faun'deiʃən] grondslag²; fundament, fundering; grond; grondvesting, stichting, oprichting; fundatie; fonds *o*.

foundationer [faun'deiʃənə] uit een fonds studerende, bursaal.

foundation-stone [faun'deiʃənstoun] eerste steen.

1 **founder** ['faundə] *sb* grondlegger, oprichter, stichter ‖ (metaal)gieter.

2 **founder** ['faundə] I *vi* ⚓ zinken; vergaan; (in-een)zakken; mislukken; kreupel worden; II *vt* doen vergaan; kreupel rijden.

founding father ['faundiŋ'fa:ðə] *fig* vader [van wie iets uitgaat, inz. v.·d. Grondwet der V.S., stichter &].

foundling ['faundliŋ] vondeling.

foundress ['faundris] oprichtster, stichtster.

foundry ['faundri] (metaal)gieterij.

fount [faunt] ⊙ bron, fontein ‖ letterpolis.

fountain ['fauntin] bron², fontein; reservoir *o*.

fountain-head ['fountinhed] bron².

fountain-pen ['fauntinpen] vulpen(houder).

four [fɔ:] I *aj* vier; II *sb* vier, viertal *o*; (*not*) *be* (*go*) *on all* ~*s with* (niet) kloppen met; (niet) op één lijn staan met; *they crept on all* ~*s* zij kropen op handen en voeten; *form* ~*s!* ✂ met vieren.

fourfold ['fɔ:fould] viervoudig.

four-footed ['fɔ:'futid, + 'fɔ:futid] viervoetig.

four-in-hand ['fɔ:'rin'hænd] vierspan *o*.

four-leaved ['fɔ:li:vd] in: ~ *clover* ♣ klaverblad *o* van vier(en), klaver(tje)vier *o*.

four-letter ['fɔ:letə] in: ~ *word* schutting-

fourscore ['fɔ:skɔ:] tachtig. [woord *o*.

foursome ['fɔ:səm] I *aj* voor vier; II *sb* (golf)-wedstrijd voor vier deelnemers. ◆

four-square ['fɔ:skwɛə] vierkant, potig, stevig,

fourteen ['fɔ:'ti:n, +·'fɔ:ti:n] veertien. [pal.

fourteenth ['fɔ:'ti:nθ, + 'fɔ:ti:nθ] veertiende.

fourth [fɔ:θ] I *aj* vierde; II *sb* 1 vierde (deel *o*); kwart *o*; 2 vierde man.

fourthly ['fɔ:θli] ten vierde.

fowl [faul] I *sb* vogel; kip, haan, hoen *o*; gevogelte *o*; II *vi* vogels vangen of schieten.

fowler ['faulə] vogelaar.

fowling ['fauliŋ] vogeljacht.

fowling-piece ['fauliŋpi:s] ganzenroer *o*.

fowl-run ['faulrʌn] kippenren, kippenloop.

fox [fɔks] I *sb* vos²; ~ *and geese sp* wolf en schapen [op dambord]; II *vi* 1 sluw veinzen; 2 vlekkig worden.

foxglove ['fɔksglʌv] ♣ vingerhoedskruid *o*.

foxhound ['fɔkshaund] hond voor vossejacht.

fox-hunt(ing) ['fɔkshʌnt(iŋ)] vossejacht.

foxiness ['fɔksinis] sluwheid.

fox-terrier ['fɔks'teriə] ♠ fox-terriër.

fox-trot ['fɔkstrɔt] I *sb* foxtrot [dans]; II *vi* foxtrotten: de foxtrot dansen.

foxy ['fɔksi] sluw; vosachtig; roodbruin; vlekkig [door vocht]; zuur.

fraction ['frækʃən] fractie; breuk, gebroken getal *o*; onderdeel *o*.

fractional ['frækʃənəl] gebroken; fractioneel.

fractious ['frækʃəs] kribbig, lastig, gemelijk.

fracture ['fræktʃə] I *sb* breuk; II *vt* & *vi* breken.

fragile ['frædʒail] breekbaar, bro(o)s, zwak.

fragility [frə'dʒiliti] breekbaarheid, bro(o)sheid, zwakheid.

fragment ['frægmənt] brok *m* & *v* of *o*, brokstuk *o*, fragment *o*.

fragmentary ['frægməntəri] fragmentarisch.

fragrance ['freigrəns] geur, geurigheid, welriekendheid.

fragrant ['freigrənt] geurig, welriekend.

1 **frail** [freil] *sb* (vijgen)korf, -mat.

2 **frail** [freil] *aj* broos, zwak, teer.

frailness ['freilnis], **frailty** ['freilti] broosheid, zwakheid², teerheid.

frame [freim] I *vt* bouwen, vormen, samenstellen; schikken, regelen, inrichten; ontwerpen, opstellen, op touw zetten, F bekonkelen, bekokstoven (~ *up*); in-, omlijsten; II *vi* in: *it* ~*s well* het laat zich goed aanzien; III *sb* raam *o*, geraamte *o*, frame *o*, chassis *o*; lijst; kozijn *o*; montuur *o* & *v*; (film)beeld *o*; broeibak; ⚘ spant *o*; samenstel *o*, inrichting, bouw; lichaamsbouw, lichaam *o*; gesteldheid; ~ *of mind* gemoedsgesteldheid, stemming.

framer ['freimə] vormer, samensteller; ontwerper, opsteller; lijstenmaker.

frame-saw ['freimsɔ:] ⚒ spanzaag.

frame-up ['freimʌp] F konkelarij, komplot *o*.

framework ['freimwə:k] raam *o*, lijstwerk *o*; geraamte *o*; kader *o*, opzet [v. stuk].

franc [fræŋk] frank.

France [fra:ns] Frankrijk *o*.

Frances ['fra:nsis] Francisca.

franchise ['fræn(t)ʃaiz] (voor)recht *o*, vrijstelling; burgerrecht *o*; stemrecht *o*.

Francis ['fra:nsis] Franciscus, Frans.

Franciscan [fræn'siskən] franciscaan.

Franco-German ['fræŋkou'dʒə:mən] Frans-Duits.

Franconia [fræŋ'kouniə] Frankenland *o*.

frangibility [frændʒi'biliti] breekbaarheid, broosheid.

frangible ['frændʒibl] breekbaar, broos.

Frank [fræŋk] Frank, Frans.

frank [fræŋk] *aj* openhartig, oprecht.

frankfurter ['fræŋkfətə] Frankforter knakworstje *o*.

frankincense ['fræŋkinsens] wierook.

franking machine ['fræŋkiŋməʃi:n] frankeermachine.

frankly ['fræŋkli] *ad* openhartig, ronduit (gezegd).

frankness ['fræŋknis] openhartigheid. [zegd].

frantic(ally) ['fræntik(əli)] dol, razend.

fraternal(ly) [frə'tə:nəl(i)] broederlijk.

fraternity [frə'tə:niti] broederschap *o* & *v* [betrekking], broederschap *v* [verzamelnaam].

fraternization [frætənai'zeiʃən] verbroedering; vriendschappelijke omgang.

fraternize ['frætənaiz] broederschap sluiten; zich verbroederen; vriendschappelijk omgaan (met *with*).

fratricidal [frei-, frætri'saidl] broedermoordend.

fratricide ['frei-, 'frætrisaid] 1 broedermoord; 2 broedermoordenaar.

fraud [frɔ:d] 1 bedrog *o*; 2 bedrieger.

fraudulence ['frɔ:djuləns] bedrieglijkheid; bedrog *o*.

fraudulent(ly) ['frɔ:djulənt(li)] bedrieglijk; frauduleus.

⊙ **fraught** [frɔːt] bevracht, beladen; vol.

fray [frei] I *sb* krakeel *o*, twist, gevecht *o*, strijd² ‖ II *vt* & *vi* verslijten; rafelen; *fig* overspannen [de zenuwen].

frazzle ['fræzl] in: *beaten to a* ~ tot mosterd geslagen; *worn to a* ~ totaal op.

freak [friːk] I *sb* gril, kuur; speling der natuur, gedrocht *o*, monster *o*, wonderdier *o* &; II *aj* grillig, fantastisch, abnormaal, raar.

freakish ['friːkiʃ] grillig, nukkig.

freckle ['frekl] sproet.

freckled ['frekld], **freckly** ['frekli] sproet(er)ig; gespikkeld.

Frederic(k) ['fredrik] Frederik.

free [friː] I *aj* vrij; ongedwongen, vrijwillig; vrijmoedig, ongegeneerd; onbezet; gratis, kosteloos, franco (ook: ~ *of charge*); los, open²; royaal [met geld]; ~ *and easy* ongedwongen, ongegeneerd; *a* ~ *fight* een algemene kloppartij; *he is* ~ *to...*, *it is* ~ *for* (*to*) *him to...* hij mag gerust...; *I am* ~ *to own* ik wil gaarne bekennen; *be* ~ *of the house* vrij mogen uit- en inlopen; *make one* ~ *of a city* iemand het ereburgerschap aanbieden; *make* ~ *with* zich ongegeneerd van iets bedienen; II *ad* vrij; gratis; III *vt* in vrijheid stellen; vrijmaken; vrijlaten, bevrijden.

freebooter ['friːbuːtə] vrijbuiter.

freebooting ['friːbuːtiŋ] vrijbuiterij.

free-born ['friːˈbɔːn, + ˈfriːbɔːn] vrijgeboren.

freedman ['friːdmən] vrijgemaakte slaaf.

freedom ['friːdəm] vrijdom; vrijheid; ongedwongenheid; ereburgerschap *o*.

free-for-all ['friːfərɔːl] algemeen gevecht *o* &.

free-handed ['friːˈhændid] royaal.

freehold ['friːhould] onroerend goed *o* in vrije eigendom (ook: ~ *property*).

freeholder ['friːhouldə] bezitter v. *freehold*.

free lance ['friːˈlaːns] wilde [in de politiek]; niet-vaste medewerker (van een krant &); ⚟ huurling.

freely ['friːli] *ad* vrij(elijk), vrijuit; overvloedig, royaal; flink, erg; geredelijk, gaarne.

freeman ['friːmən] vrije; burger; ereburger.

freemason ['friːmeisn] vrijmetselaar.

freemasonry ['friːmeisnri] vrijmetselarij.

freesia ['friːziə] 🌿 fresia.

free-spoken ['friːspoukn] ronduit (zijn mening zeggend), rondborstig, vrijmoedig.

freestone ['friːstoun] I *sb* hardsteen *o* & *m*, arduin *o*; II *aj* hardstenen, arduinen.

freethinker ['friːˈθiŋkə] vrijdenker.

free trade ['friːˈtreid] vrijhandel.

freeway ['friːwei] *Am* (auto)snelweg.

freeze ['friːz] I *vi* vriezen, bevriezen, stollen; ~ *over* be-, dichtvriezen; ~ *up* vast-, dichtvriezen; II *vt* doen (laten) bevriezen; doen stollen; $ blokkeren; ~ *wages* een loonstop afkondigen; ~ *out* wegwerken [een concurrent], wegkijken; III *sb* I vorst(periode); 2 [loon-, prijs- &] stop.

freezer ['friːzə] ijsmachine, ijskast; vriesvak *o*.

freezing ['friːziŋ] vriezend, vries-; ijskoud.

freight [freit] I *sb* vracht, lading; zeevracht; II *vt* bevrachten; laden.

freightage ['freitidʒ] I vracht(prijs); 2 bevrachting.

freighter ['freitə] I bevrachter; 2 vrachtschip *o*; 3 vrachtvliegtuig *o*; 4 vrachtauto.

freight train ['freittrein] goederentrein.

French [fren(t)ʃ] I *aj* Frans; ~ *bean* slaboon, snijboon, witte boon; ~ *horn* ♪ waldhoorn; ~ *polish* politoer *o* & *m*; II *sb* het Frans; *the* ~ de Fransen.

Frenchify ['fren(t)ʃifai] verfransen.

Frenchman ['fren(t)ʃmən] Fransman.

Frenchwoman ['fren(t)ʃwumən] Française.

Frenchy ['fren(t)ʃi] F Fransoos.

frenzied ['frenzid] dol.

frenzy ['frenzi] razernij.

frequency ['friːkwənsi] herhaald voorkomen *o*, gedurige herhaling; veelvuldigheid; frequentie.

1 frequent ['friːkwənt] *aj* herhaald, vaak voorkomend; veelvuldig.

2 frequent [friˈkwent] *vt* (dikwijls) bezoeken, omgaan met.

frequentation [friːkwenˈteiʃən] bezoeken *o*; omgang.

frequentative [friˈkwentətiv] *gram* frequentatief (werkwoord *o*).

frequenter [friˈkwentə] (geregeld) bezoeker.

frequently ['friːkwəntli] *ad* herhaaldelijk, vaak, dikwijls, veelvuldig.

fresco ['freskou] I *sb* fresco *o*; II *vt* al fresco schilderen.

fresh [freʃ] I *aj* fris, vers; nieuw; zoet [v. water]; *as* ~ *as paint* zo fris als een hoentje; ~ *from England* net (pas) uit Engeland; II *sb* I frisheid; 2 zie *freshet*.

freshen ['freʃn] I *vt* op-, verfrissen; II *vi* opfrissen; toenemen, aanwakkeren [v. wind].

fresher ['freʃə] S ⇔ zie *freshman*.

freshet ['freʃit] I overstroming (door bovenwater); 2 stroompje *o*.

freshly ['freʃli] *ad* I vers, fris; 2 onlangs, pas.

freshman ['freʃmən] ⇔ student van 't eerste jaar, groen, nieuweling.

freshness ['freʃnis] versheid, frisheid.

fresh-water ['freʃwɔːtə] zoetwater-.

fret [fret] I *sb* ergernis ‖ (uitgezaagde) lijst, (Griekse) rand ‖ ♪ toets; II *vt* knagen, in-, wegvreten; aantasten; prikkelen, irriteren, ergeren; doen rimpelen ‖ uitsnijden, uitzagen, randen; schakeren; ~ *away* (*out*) *one's life*, ~ *oneself to death* zich doodkniezen; III *vi* om zich heen vreten; afslijten; kabbelen; zich ergeren, kniezen; ~ *and fume* zich opwinden.

fretful(ly) ['fretful(i)] gemelijk, prikkelbaar.

fret-saw ['fretsɔː] figuurzaag.

fretwork ['fretwɔːk] (uitgezaagde) lijst, (Griekse) rand; snijwerk *o*.

friability [fraiəˈbiliti] brosheid, brokkeligheid.

friable ['fraiəbl] bros, brokkelig.

friar ['fraiə] monnik, (klooster)broeder.

friary ['fraiəri] klooster o.

fribble ['fribl] I sb beuzelaar, futselaar; beuzelarij; II vi beuzelen, spelen, futselen.

fricassee [frikə'si:] I sb fricassee: hachee; ragoût; II vt fricassee maken van.

fricative ['frikətiv] I aj schurend; II sb spirant, schuringsgeluid o.

friction ['frikʃən] wrijving[2].

frictional ['frikʃənəl] wrijvings-.

Friday ['fraidi] vrijdag.

fridge [fridʒ] F ijskast.

fried [fraid] gebakken; French ~ potatoes frites.

friend [frend] vriend, vriendin; ~s ook: familie(leden); a ~ at (in) court een invloedrijke vriend, F een kruiwagen; my honourable ~ de geachte afgevaardigde voor...; my learned ~ mijn geachte confrater [van twee advocaten]; the (Society of) Friends de kwakers; make ~s (again) (weer) goede vrienden worden; make ~s with vriendschap sluiten met; a ~ in need is a ~ indeed in de nood leert men zijn vrienden kennen. •

friendless ['frendlis] zonder vrienden.

friendliness ['frendlinis] vriendelijkheid, vriendschappelijkheid, amicaliteit, toeschietelijkheid; goedgezindheid.

friendly ['frendli] vriendelijk, vriendschappelijk, amicaal, toeschietelijk; goedgezind; bevriend; vrienden-; a ~ society een genootschap o tot onderlinge bijstand; be on ~ terms op vriendschappelijke voet staan.

friendship ['frendʃip] vriendschap.

Friesland ['fri:zlənd] Friesland o.

frieze [fri:z] I △ fries v of o; 2 fries o [weefsel].

frigate ['frigit] I ⚓ fregat o; 2 ⚓ fregatvogel.

fright [frait] I sb schrik, vrees; spook o [ook: look a ~ er uit zien als een vogelverschrikker; take~ bang worden; II vt ⊙ verschrikken.

frighten ['fraitn] verschrikken, doen schrikken; ~ away verjagen; afschrikken (van from); ~ into door vrees aan te jagen brengen tot; be ~ed bang zijn (voor of).

frightening ['fraitniŋ] schrikwekkend, ontstellend.

frightful(ly) ['fraitful(i)] verschrikkelijk°, vreselijk° (ook <).

frightfulness ['fraitfulnis] I verschrikkelijkheid; 2 terrorisme o (der Duitsers).

frigid ['fridʒid] koud, koel[2], kil[2], ijzig.

frigidity [fri'dʒiditi] koud-, koelheid &.

frill [fril] I sb jabot m & o; ruche; geplooide kraag; ~s F aanstellerij; fig franje; put on ~s F zich airs geven; II vt plooien.

frilling ['friliŋ] plooisel o.

fringe [frin(d)ʒ] I sb I franje; (uiterste) zoom, rand, periferie, zelfkant [van de maatschappij]; 2 ponyhaar o, pony; ringbaard (~ of whisker); II vt met franje versieren; omzomen, omranden.

frippery ['fripəri] opschik; prullen; kwikjes en strikjes.

Frisco ['friskou] F San Francisco o.

Frisian ['friziən] I aj Fries; II sb (het) Fries.

frisk [frisk] I vi dartelen, springen; II vt Am fouilleren; bestelen; III sb sprongetje o; kromme sprong.

friskily ['friskili] ad zie frisky.

friskiness ['friskinis] dartelheid.

frisky ['friski] aj dartel.

fritter ['fritə] I sb beignet; II vt in: ~ away versnipperen, verbeuzelen, verspillen.

frivol ['frivəl] I vi beuzelen; II vt in: ~ away verbeuzelen.

frivolity [fri'vɔliti] frivoliteit, wuftheid; beuzelachtigheid.

frivolous(ly) ['frivələs(li)] frivool, wuft; beuzelachtig.

friz(z) [friz] I vt krullen, kroezen, friseren; II sb frisuur; kroeskop.

frizz [friz] vi sissen [in de pan].

frizzle ['frizl] zie friz(z) & frizz.

frizz(l)y ['friz(l)i] krullend, kroezelig, kroes-.

fro [frou] in: to and~ heen en weer.

frock [frɔk] pij; jurk; kiel; geklede jas.

frock-coat ['frɔk'kout] geklede jas.

frog [frɔg] I 🐸 kikvors, kikker; F Fransoos; 2 brandebourg.

frog-bit ['frɔgbit] ✿ duitblad o.

frog-fish ['frɔgfiʃ] 🐟 zeeduivel.

frogman ['frɔgmæn] kikvorsman.

frolic ['frɔlik] I sb pret, pretje o, fuifje o, grap; II vi vrolijk zijn, pret maken, dartelen; III aj ⊙ zie frolicsome.

frolicsome ['frɔliksəm] vrolijk, lustig, uitgelaten, dartel, speels.

from [frɔm] van (...af), vandaan, (van) uit; (te oordelen) naar; aan de hand van; door, (ten gevolge) van; [schuilen, verbergen] voor; ~ among (van) uit; [schuilen, verbergen] voor; ~ among (van) uit; 25 years ~ now over 25 jaar; ~... onwards vanaf...; ~ out (van) uit; ~ under onder... uit.

frond [frɔnd] ✿ (palm-, varen)blad o.

front [frʌnt] I sb voorste gedeelte o, voorkant, -zijde; (voor)gevel; front o; frontje o [v. hemd]; toer [vals haar]; gezicht o, ⊙ voorhoofd o; onbeschaamdheid; F voorkamer; mantelorganisatie, fig stroman, façade; in ~ voorop, vooraan, voorin; van voren; in ~ of tegenover, vóór; voor... uit; bring to the ~ de aandacht vestigen op; come to the ~ voor het front komen[2]; op de voorgrond treden; II vt staan tegenover; front (laten) maken (naar); fig het hoofd bieden; van voren bekleden; III vi front maken; ~ to (towards, upon) liggen op, uitzien op; (eyes) ~! ⚔ staat!; IV aj voorste, voor-, eerste.

frontage ['frʌntidʒ] front° o; gevel(breedte).

frontal ['frʌntəl] I aj voorhoofds-; front-; II sb voorgevel.

front bench ['frʌnt'ben(t)ʃ] ministersbank.

front-door ['frʌnt'dɔ:] voordeur.

frontier ['frʌntjə, 'frɔntjə] grens.

frontispiece ['frʌntispi:s] frontispice *o*; voorgevel; titelplaat; S facie *o* & *v*.

frontlet ['frʌntlit] hoofdband.

front-room ['frʌnt'rum] voorkamer.

front-row ['frʌnt'rou] eerste (voorste) rij.

frost [frɔst] I *sb* vorst; rijm, rijp; *he (it) was a ~* had geen succes; II *vt* doen bevriezen [plant]; (als) met rijp bedekken; glaceren [taart]; mat maken, matteren [glas]; [paard] scherp zetten.

frost-bitten ['frɔstbitn] bevroren.

frost-bound ['frɔstbaund] be-, vast-, ingevroren.

frostily ['frɔstili] *ad* kil², ijzig koud².

frostiness ['frɔstinis] kilheid, ijzige koude.

frostwork ['frɔstwə:k] ijsbloemen [op glas &].

frosty ['frɔsti] *aj* vriezend, vorstig, vries-; bevroren; kil², ijzig koud²; ☉ berijpt.

froth [frɔθ] I *sb* schuim *o*; gebazel *o*; II *(vt &) vi* (doen) schuimen.

frothily ['frɔθili] *ad* zie *frothy*.

frothiness ['frɔθinis] schuimen *o*; ijdelheid, luchtigheid.

frothy ['frɔθi] *aj* schuimachtig; schuimend; ijdel, luchtig.

✎ **froward** ['frouəd] weerbarstig.

frown [fraun] I *vi* 't voorhoofd fronsen; stuurs (nors, dreigend) kijken; ~ *at (on, upon)* met geen goed oog aanzien; afkeuren; II *vt* in: ~ *one down* de ogen doen neerslaan; het zwijgen opleggen = ~ *one into silence*; III *sb* frons; stuurse (norse, dreigende) blik; afkeuring.

frowst [fraust] I *sb* broeierige kachelwarmte; II *vi* bij de kachel zitten te broeien.

frowsty ['frausti] broeierig warm; duf.

frowzy ['frauzi] muf, vuns; vuil, slonzig.

froze [frouz] V.T. van *freeze*.

frozen [frouzn] V.D. van *freeze*; *fig* koud.

fructification [frʌktifi'keiʃən] vruchtvorming; bevruchting; ☘ vruchthoopjes.

fructify ['frʌktifai] I *vi* vrucht dragen; II *vt* bevruchten; vruchtbaar maken.

frugal ['fru:gəl] matig, sober, karig, spaarzaam (met *of*).

frugality [fru'gæliti] matigheid, soberheid, karigheid, spaarzaamheid.

fruit [fru:t] I *sb* vrucht², vruchten², fruit *o*; II *vi (& vt)* vruchten (doen) dragen.

fruitage ['fru:tidʒ] ooft *o*; vruchtdragen *o*.

fruitarian [fru:'teəriən] I *sb* vruchteneter; II *aj* vruchten-.

fruit cake ['fru:t'keik] vruchtencake.

fruiter ['fru:tə] 1 vruchtboom; 2 vruchtenschip *o*.

fruiterer ['fru:tərə] fruithandelaar.

fruit fly ['fru:tflai] fruitvlieg.

fruitful(ly) ['fru:tful(i)] vruchtbaar².

fruitfulness ['fru:tfulnis] vruchtbaarheid².

fruition [fru:'iʃən] genot *o*; rijpheid; verwezenlijking.

fruitless(ly) ['fru:tlis(li)] zonder vrucht(en);

vruchteloos, nutteloos.

fruit machine ['fru:tməʃi:n] *Am* gokautomaat.

fruit salad ['fru:t'sæləd] vruchtensla.

fruit tree ['fru:ttri:] ooft-, vruchtboom.

fruity ['fru:ti] 1 vrucht(en)-; fruitig [v. wijn]; 2 *fig* sappig; smakelijk; pikant; pittig.

frumenty ['fru:mənti] pap van tarwemeel.

frump [frʌmp] ouwe slons, totebel.

frumpish ['frʌmpiʃ], **frumpy** ['frʌmpi] slonzig, verfomfaaid.

frustrate [frʌs'treit] doen mislukken, verijdelen, (ver)hinderen; teleurstellen; frustreren.

frustration [frʌs'treiʃən] mislukking, verijdeling; teleurstelling; frustratie.

fry [frai] I *vt* & *vi* bakken, braden²; II *sb* gebraden vlees *o* ‖ jonge vissen; jong goedje *o*; *the small(er)* ~ het jonge volkje, het kleine grut²; de mindere goden, de kleine luiden.

frying-pan ['fraiiŋpæn] braadpan; *out of the* ~ *into the fire* van de regen in de drop.

ft. = *foot, feet.*

fubsy ['fʌbzi] kort en dik, mollig.

fuchsia ['fju:ʃə] ☘ foksia.

fuddle ['fʌdl] I *vi* pimpelen, zich bedrinken; II *vt* dronken maken, benevelen.

fuddyduddy ['fʌdi'dʌdi] S pietlut; oude pruik.

fudge [fʌdʒ] I *sb* knoeierij; klets, onzin; soort fondant; II *vt* knoeien met, samenflansen; III *vi* knoeien.

fuel ['fjuəl] I *sb* brandstof; II *vt* van brandstof voorzien; voeden [het vuur]; III *vi* brandstof (benzine) innemen.

fugacious [fju'geiʃəs] vroeg afvallend of verwelkend, kortstondig, vluchtig².

fugacity [fju'gæsiti] kortstondigheid, vluchtigheid².

fugitive ['fju:dʒitiv] I *aj* vluchtig, voorbijgaand; kortstondig; voortvluchtig; II *sb* vluchteling, voortvluchtige.

fugue [fju:g] ♪ fuga.

fulcrum ['fʌlkrəm] steunpunt *o*.

fulfil [ful'fil] vervullen, ten uitvoer brengen; volvoeren, waarmaken, beantwoorden aan.

fulfilment [ful'filmənt] vervulling.

☉ **fulgent** ['fʌldʒənt] schitterend.

fuliginous [fju'lidʒinəs] roetachtig, roetkleurig.

1 **full** [ful] I *aj* vol, gevuld; volledig, voltallig; uitvoerig; verzadigd; vervuld (van *of*); ~ *of days* B der dagen zat; *be* ~ *up* vol zijn [v. bus of hotel]; *be* ~ *up with work* tot over de oren in het werk zitten; II *ad* ten volle, helemaal; vlak [in het gezicht]; < heel, zeer; III *sb* in: *at the (her)* ~ vol [v. maan]; *in* ~ voluit; ten volle; volledig, geheel; *to the* ~ ten volle, geheel.

2 **full** [ful] *vt* vollen [laken].

full-back ['ful'bæk] full-back [voetbal].

full-blooded ['ful'blʌdid] 1 volbloed(ig); 2 robuust; pittig.

full-blown ['ful'bloun] in volle bloei, geheel ontwikkeld; volleerd; *fig* volbloed, volslagen, op-en-top, in optima forma.

full-cream ['fulkri:m] in: ~ *milk* volle melk.

full dress ['ful'dres] I *sb* groot toilet *o*, groot tenue *o* & *v*, galakleding, ambtsgewaad *o*; II *aj* full-dress ['fuldres] ...in galakleding, ...in groot tenue, gala-; volledig [debat &], in optima forma.

fuller ['fulə] (laken)voller.

full-face ['ful'feis] en face.

full-faced ['ful'feist] 1 met een vol gezicht; 2 [foto] en face; 3 vet [drukletter].

full-fledged ['ful'fledʒd] 1 geheel bevederd; 2 *fig* geheel ontwikkeld; volleerd; volslagen, op-en-top, volwaardig, in optima forma.

full-grown ['ful'groun] volwassen.

full-length ['ful'leŋθ] 1 [portret] ten voeten uit; 2 lang [roman, film &], uitvoerig, volledig; zie verder *length*.

full-mouthed ['ful'mauðd] met een volledig gebit; luid blaffend; luid (klinkend).

fullness ['fulnis] volheid; volledigheid.

full-page ['fulpeidʒ] de (een) hele pagina beslaand; ~ *illustrations* illustraties buiten de tekst, buitentekstplaten.

full-scale ['fulskeil] compleet, volledig, groot.

full-size(d) ['ful'saiz(d)] (op de) ware grootte; *a* ~ *room* een grote kamer.

full-time ['fultaim] vol [v. betrekking].

fully ['fuli] ten volle, geheel; volledig; uitvoerig; ~ *paid shares* $ volgestorte aandelen; ~ *80%* wel 80%, ruim 80%.

fulminate ['fʌlmineit] I *vi* knallen, ontploffen, donderen[2], fulmineren[2]; *fulminating powder* knalpoeder *o* & *m*; II *vt* doen ontploffen; *fig* uitbulderen, slingeren [banvloek &].

fulmination [fʌlmi'neiʃən] knal, ontploffing, donder[2], fulminatie[2].

fulness ['fulnis] zie *fullness*.

fulsome ['fulsəm] walglijk; overdreven (lief &).

fulvous ['fʌlvəs] voskleurig.

fumble ['fʌmbl] I *vi* voelen, tasten, morrelen; ~ *along* zijn weg op de tast zoeken; II *vt* bevoelen, betasten, morrelen aan; verknoeien [kans]; ~ *up* samenfrommelen.

fumbler ['fʌmblə] onhandige knoeier.

fume [fju:m] I *sb* damp, uitwaseming; lucht; *he is in a* ~ hij is woedend; II *vi* roken, dampen; koken [v. woede]; III *vt* uit-, beroken; fumigeren; bewieroken.

fumigate ['fju:migeit] uit-, beroken.

fumigation [fju:mi'geiʃən] uit-, beroking.

fumy ['fju:mi] rokend; dampig.

fun [fʌn] grap, aardigheid; pret, pretje *o*, plezier *o*, F lol, lolletje *o*; *for* ~ voor de grap; *in* ~ voor de aardigheid; *like* ~ F dat het een aard heeft; *what* ~! wat leuk!; *not get any* ~ *out of it* er geen plezier van hebben; *make* ~ *of, poke* ~ *at* voor de mal houden, de draak steken met.

funambulist [fju'næmbjulist] koorddanser.

function ['fʌŋkʃən] I *sb* ambt *o*, functie; plechtigheid, feestelijkheid, partij; II *vi* functioneren[2], werken.

functional ['fʌŋkʃənəl] functioneel.

functionary ['fʌŋkʃənəri] functionaris, ambtenaar; beambte.

fund [fʌnd] I *sb* fonds[2] *o*; voorraad[2]; ~*s* 1 kapitaal *o*, geld *o*, contanten; 2 staatspapieren; *in* ~*s* (goed) bij kas; II *vt* 1 in staatspapieren beleggen; 2 funderen, consolideren [een schuld].

fundament ['fʌndəmənt] zitvlak *o*.

fundamental [fʌndə'mentəl] I *aj* principieel, grond-; II *sb* 1 grondbeginsel *o*, grondslag, basis; grondwaarheid; 2 ♪ grondtoon.

fundamentally [fʌndə'mentəli] *ad* in de grond, au fond, principieel.

fund-holder ['fʌndhouldə] $ bezitter van staatspapieren.

funeral ['fju:nərəl] I *aj* begrafenis-, graf-, lijk-; ~ *honours* laatste eer; ~ *march* treurmars; ~ *pile* brandstapel; ~ *procession* lijkstoet; II *sb* begrafenis; lijkstoet; *not my* ~ F mijn zaak niet.

funereal [fju'niəriəl] begrafenis-, lijk-, doden-, graf-; treurig, somber.

fun fair ['fʌnfeə] kermis, lunapark *o*.

fungi ['fʌndʒai] *mv* v. *fungus*.

fungous ['fʌŋgəs] zwamachtig.

fungus ['fʌŋgəs] zwam; paddestoel[2]; sponsachtige uitwas.

funicular [fju'nikjulə] I *aj* snoer-; ~ *railway* kabelspoorweg; II *sb* kabelspoor *o*.

funk [fʌŋk] I *sb* P angst; bangerd; II *vi* P bang zijn; III *vt* ~ *it* P bang zijn, niet (aan)durven.

funky ['fʌŋki] P laf, bang.

funnel ['fʌnl] 1 trechter; 2 schoorsteen, pijp [v stoomschip]; 3 (lucht)koker.

funnily ['fʌnili] *ad* zie *funny*.

funny ['fʌni] *aj* grappig, aardig, leuk, moppig; vreemd, raar, gek.

funny-bone ['fʌniboun] elleboogsknokkel.

funny-man ['fʌnimæn] komiek(eling), pias.

fur [fə:] I *sb* bont *o*, pels, pelswerk *o*, pelterij; pelsjas &; vacht; ⚓ beslag *o* [v. d. tong]; ⚒ aanslag, ketelsteen *o* & *m*; ~ *and feather* pelsen vederwild *o*; II *aj* bonten, bont-; III *vt* 1 met bont voeren, bekleden; in bont kleden; 2 [de tong] doen beslaan, met aanslag, ketelsteen bedekken; 3 ontdoen van ketelsteen; IV *vi* aan-, beslaan [v. tong].

furbelow ['fə:bilou] geplooide strook; ~*s* ook: kwikjes en strikjes.

furbish ['fə:biʃ] polijsten, bruineren, (op)poetsen; ~ *up* opknappen, bijwerken.

furcate(d) ['fə:keit(id)] gevorkt.

furcation [fə:'keiʃən] vertakking.

furious(ly) ['fjuəriəs(li)] woedend, razend, woest (op *with*), verwoed.

furl [fə:l] I *vt* ⚓ [een zeil] vastmaken; oprollen, opvouwen; II *vi* zich oprollen.

furlong ['fə:lɔŋ] 1/8 Eng. mijl = 201 m.

furlough ['fə:lou] I *sb* ⚔ verlof *o*; *on* ~ met verlof; II *vt* verlof geven (verlenen).

furnace ['fə:nis] (stook-, smelt)oven[2].

furnish ['fə:niʃ] verschaffen, leveren; voorzien (van *with*), uitrusten; meubileren.

furnisher ['fə:niʃə] 1 leverancier; 2 meubelmaker.

furniture ['fə:nitʃə] meubelen, meubilair *o*, huisraad *o*, stoffering²; uitrusting, toebehoren *o*; ~ *van* verhuiswagen.

furore [fju'rɔ:ri] furore.

furrier ['fʌriə] pels-, bontwerker, -handelaar.

furriery ['fʌriəri] pels-, bontwerk *o*, pelterij.

furrow ['fʌrou] I *sb* voor, groef; rimpel; II *vt* groeven, doorploegen, rimpelen.

furry ['fə:ri] met bont gevoerd, bonten; zacht.

further ['fə:ðə] I *aj* verder; verste [v. twee]; nog, meer, ander; *fig* nader; *the* ~ *bank (side)* de overzij; II *ad* verder; *I'll see you* ~ (*first*) ik zag je nog liever (hangen); III *vt* bevorderen.

furtherance ['fə:ðərəns] bevordering.

furtherer ['fə:ðərə] bevorderaar; begunstiger.

furthermore ['fə:ðəmɔ:] bovendien.

furthermost ['fə:ðəmoust] verst.

furthest ['fə:ðist] verst(e), zie *farthest*.

furtive ['fə:tiv] *aj* heimelijk, steels; gestolen.

furtively ['fə:tivli] *ad* heimelijk, steelsgewijs.

fury ['fjuəri] woede, razernij; furie².

furze [fə:z] ♣ gaspeldoorn.

1 fuse [fju:z] I *vt & vi* (samen)smelten; fus(ion)eren, een fusie aangaan; ※ doorslaan; II *sb* ※ zekering, veiligheid, (smelt)stop.

2 fuse [fju:z] I *sb* lont; buis [v. granaat]; II *vt* de lont zetten aan.

fuselage ['fju:zilidʒ] ✈ romp.

fusibility [fju:zi'biliti] smeltbaarheid.

fusible ['fju:zibl] smeltbaar.

fusilier [fju:zi'liə] ✕ fuselier.

fusillade [fju:zi'leid] I *sb* fusillade, geweervuur *o*; fusilleren *o*; II *vt* fusilleren, neerschieten; beschieten.

fusion ['fju:ʒən] smelten *o*; samensmelting, fusie.

fuss [fʌs] I *sb* 1 opschudding, herrie, (onnodige) drukte, ophef; 2 F zenuwpees; pietlut; zeur; II *vi* drukte maken, zich druk maken, pietluttig doen; zeuren; ~ *about* druk in de weer zijn, rondscharrelen.

fussily ['fʌsili] *ad* zie *fussy*.

fuss-pot ['fʌspɔt] zie *fuss* I 2.

fussy ['fʌsi] *aj* druk; pietluttig.

fustian ['fʌstiən] I *sb* fustein *o*, bombazijn *o*; *fig* bombast; II *aj* bombazijnen; bombastisch.

fustigate ['fʌstigeit] J (af)ranselen. [tisch.

fustigation [fʌsti'geiʃən] J rammeling.

fustiness ['fʌstinis] dufheid, mufheid.

fusty ['fʌsti] duf, muf.

futile ['fju:tail] beuzelachtig, vergeefs, nutteloos, waardeloos, nietig.

futility [fju'tiliti] beuzelachtigheid, beuzelarij, kinderachtigheid, nietigheid.

future ['fju:tʃə] I *aj* toekomstig, aanstaand, (toe)komend; II *sb* toekomst; aanstaande; *gram* toekomende tijd; ~*s* $ termijnzaken;

for the (*in*) ~ in het vervolg, voortaan.

futurism ['fju:tərizm] futurisme *o*.

futurist ['fju:tʃərist] *sb* (& *aj*) futurist(isch).

futurity [fju'tjuəriti] toekomst; ophanden zijnde gebeurtenis.

fuzz [fʌz] pluis *o*; dons *o*.

fuzzy ['fʌzi] 1 pluizig; vlokkig; donzig; kroes; 2 vaag, wazig, beneveld.

fuzzy-wuzzy ['fʌzi'wʌzi] 1 F kroeskop; 2 Soedanees (soldaat).

fy [fai] foeil

fylfot ['filfət] swastika, hakenkruis *o*.

G

g [dʒi:] 1 (de letter) g; 2 ♪ g of sol.

gab [gæb] I *sb* F gewauwel *o*; gekakel *o*; praats; zie ook: *gift* I; II *vi* kakelen, ratelen.

gabble ['gæbl] I *vi* kakelen, brabbelen, snateren; II *vt* in: ~ (*over*) aframmelen [les &]; III *sb* gekakel *o*, gebrabbel *o*, gesnater *o*.

gaberdine ['gæbədi:n] 1 kaftan; 2 gabardine.

gabion ['geibiən] ✕ schanskorf.

gable ['geibl] I *sb* geveltop, puntgevel; ~ *end* puntgevel; II *vt* met geveltoppen voorzien.

Gabriel ['geibriəl] Gabriël.

gaby ['geibi] onnozele hals, sukkel, sul.

Gad [gæd] F God; *by* ~ ! jandoriel

gad [gæd] zwerven, uitlopen; ~ *about* rondlopen, lanterfanten.

gadabout ['gædəbaut] uitloper, uitloopster, lanterfanter.

gad-fly ['gædflai] 1 horzel; 2 lastig iemand.

gadget ['gædʒit] uitvindsel *o*, apparaat *o*, instrumentje *o*, technisch snufje *o*, ding *o*.

Gael [geil] Schotse (Ierse) Kelt.

Gaelic ['geilik] Keltisch, inz. Gaelisch.

gaff [gæf] haak, speer; ♣ gaffel.

gaffer ['gæfə] 1 (ouwe) baas, ouwe (heer); 2 meesterknecht, ploegbaas.

gag [gæg] I *sb* mondprop; ingelaste woorden & [v. acteur]; S verlakkerij; leugen; II *vt* een prop in de mond stoppen; *fig* knevelen; [woorden &] inlassen in; S beetnemen.

gage [geidʒ] I *sb* pand *o*, onderpand *o*; handschoen, uitdaging; II *vt* op het spel zetten; verwedden; zie ook: *gauge*.

gaggle ['gægl] snateren, gaggelen.

gaiety ['geiəti] vrolijkheid, pret; bonte opschik, opzichtigheid, fleurigheid.

gaily ['geili] *ad* zie *gay*.

gain [gein] I *vt* verwerven, (ver)krijgen; verdienen, winnen°; bereiken; behalen; ~ *over* overhalen; II *vi* (het) winnen; zich uitbreiden; vooruitgaan; voorlopen [klok &]; ~ *in one's opinion* rijzen in iemands achting; ~ (*up*)*on* veld (iemands genegenheid) winnen; inhalen; (hoe langer hoe meer) ingang vinden bij; III *sb* (aan)winst, profijt *o*, voordeel *o*; *no* ~*s without pains* geen baat zonder moeite.

gainer ['geinə] winner, verwerver.

gainful ['geinful] voordelig, winstgevend; *a ~ occupation* een broodwinning.

gainings ['geiniŋz] winst; profijt *o*, voordeel *o*.

gainsay [gein'sei] tegenspreken.

⊙ gainst [geinst] tegen.

gait [geit] (manier van) lopen *o*, gang, pas.

gaiter ['geitə] slobkous; ~*ed* met slobkousen aan.

gala ['gei-, 'ga:lə] gala *o*; feest *o*, feestelijkheid.

galactic [gə'læktik] ✻ van een (de) melkweg.

galantine ['gælənti:n] galantine. [melkweg-.

Galatia(n) [gə'leiʃiə(n)] Galatië(r).

galaxy ['gæləksi] ✻ melkweg; melkwegstelsel *o*; *fig* schitterende stoet, groep of verzameling.

gale [geil] harde wind, storm ‖ ⚘ gagel.

Galicia [gə'liʃiə] Galicië *o*. [ciër.

Galician [gə'liʃiən] I *aj* Galicisch; II *sb* Galilean [gæli'li:ən] I *aj* van Galilea ‖ van Galilei; II *sb* Galileeër.

Galilee ['gælili:] Galilea *o*.

gall [gɔ:l] I *sb* gal[2], bitterheid ‖ schaafwond, ontvelling; kale plek [in veld] ‖ galnoot; II *vt* ['t vel] afschaven; drukken [v. zadel]; verbitteren, kwellen, ergeren.

1 gallant ['gælənt] *aj* dapper, kranig; fier; prachtig, schitterend, zwierig.

2 gallant [gə'lænt] II *aj* galant, hoffelijk; II *sb* galant (heer).

gallantry ['gæləntri] 1 dapperheid, kranigheid; 2 liefdesavontuur *o*; galanterie.

gall-bladder ['gɔ:lblædə] galblaas.

galleon ['gæliən] ⚓ galjoen *o*.

gallery ['gæləri] galerij; schilderijenmuseum *o*; tribune; schellinkje[2] *o*; *play to the ~* (goedkoop) effect najagen.

galley ['gæli] 1 ⚓ galei; kombuis; kapiteinssloep; 2 ⚔ galei [voor 't zetsel]. •

galley-slave ['gælisleiv] galeiboef, -slaaf.

gall-fly ['gɔ:lflai] galwesp.

Gallic ['gælik] Gallisch, Frans.

gallicism ['gælisizm] gallicisme.

gallimaufry [gæli'mɔ:fri] poespas.

§ gallinaceous [gæli'neiʃəs] hoenderachtig.

gallipot ['gælipɔt] zalfpot.

gall-nut ['gɔ:lnʌt] ⚘ galnoot, -appel.

gallon ['gælən] gallon = ± 4,54 liter.

galloon [gə'lu:n] galon *o* & *m*, lint *o*.

gallop ['gæləp] I *sb* galop; *at a ~* in galop; *(at) full ~* in volle galop; II *vi* galopperen; ~ *through (over)* dóórvliegen; ~*ing consumption* vliegende tering; III *vt* laten galopperen.

gallopade [gælə'peid] galoppade.

galloway ['gæləwei] ≛ hit.

gallows ['gæləuz] galg.

gallows-bird ['gæləuzbə:d] galgeaas *o*.

gallows-face ['gæləuzfeis] galgetronie.

gallows-tree ['gæləuztri:] galg.

gall-stone ['gɔ:lstoun] galsteen. [ren.

galop ['gæləp] I *sb* galop [dans]; II *vi* galoppegalore [gə'lɔ:] (in) overvloed, bij de vleet.

galosh [gə'lɔʃ] (gummi-)overschoen.

galvanic [gæl'vænik] galvanisch.

galvanism ['gælvənizm] galvanisme *o*.

galvanize ['gælvənaiz] galvaniseren[2].

gambit ['gæmbit] gambiet *o*.

gamble ['gæmbl] I *vi* spelen, dobbelen, gokken; II *vt* ~ *away* verspelen, verdobbelen; III *sb* gok, *fig* loterij.

gambler ['gæmblə] speler, dobbelaar, gokker.

gambol ['gæmbəl] I *sb* sprong, kromme sprong; II *vi* springen, huppelen, dartelen.

game [geim] I *sb* spel *o*; spelletje *o*; partij [biljart], manche [bridge]; wedstrijd; wild *o*; *none of your ~s!* geen kunsten!; *have a ~ of...* een spelletje... doen; *have the ~ in one's (own) hands* gewonnen spel hebben; *I (don't) know his ~* ik weet (niet), wat hij in zijn schild voert; *make ~ of* de spot drijven met; *the ~ is up* het spel is verloren, het is mis; *the ~ is not worth the candle* het sop is de kool niet waard; ~ *and* ~ gelijk op; II *aj* F flink, dapper, branie ‖ lam, mank; *be ~ for* aandurven, voor iets te vinden zijn; *die ~* moedig; III *vi* spelen, dobbelen.

game-bag ['geimbæg] weitas.

game-cock ['geimkɔk] vechthaan [voor hanengevechten].

game-keeper ['geimki:pə] jachtopziener, koddebeier.

game-laws ['geimlɔ:z] jachtwetten.

game-licence ['geimlaisəns] jachtakte.

gamely ['geimli] *ad* F flink, dapper, branie.

gameness ['geimnis] F dapperheid, durf.

gamesman ['geimzmən] wie tracht te winnen of iets te bereiken door minder faire, maar niet ongeoorloofde middelen.

games-master ['geimzma:stə] *sp* spelleider.

gamesome ['geimsəm] speels, dartel.

gamester ['geimstə] speler, dobbelaar.

gaming-house ['geiminhaus] speelhuis *o*.

gaming-table ['geiminteibl] speeltafel.

gamma ['gæmə] gamma.

gammon ['gæmən] I *sb* gerookte ham ‖ F verlakkerij; malligheid, onzin; II *vt* roken [ham of spek] ‖ iets wijsmaken, voor het lapje houden.

gamut ['gæmət] ♪ toonladder, toonschaal, gamma; *the whole ~ of* alle...

gamy ['geimi] 1 wildrijk; 2 adellijk [v. wild].

gander ['gændə] ≛ mannetjesgans: gent.

gang [gæŋ] I *sb* stel *o* (gereedschap of werktuigen); ploeg (werklieden); bende, kliek, troep; II *vi* in: ~ *up* zich verenigen (tot een bende), met vereende krachten optreden (tegen *on*) ‖ Sc gaan; ~ *one's own gate* zijn eigen gang gaan.

gang-board ['gæŋbɔ:d] ⚓ loopplank.

ganger ['gæŋə] ploegbaas.

Ganges ['gændʒi:z] Ganges.

ganglia ['gæŋgliə] *mv* v. ganglion ['gæŋgliən] zenuwknoop; *fig* centrum *o*.

gang-plank ['gæŋplæŋk] ⚓ loopplank.

gangrene ['gæŋgri:n] I *sb* gangreen *o*, koudvuur *o*; *fig* kanker, bederf *o*; II *vi* (& *vt*) gangreen (doen) krijgen.

gangrenous ['gæŋgrinəs] gangreneus, door koudvuur aangetast; *fig* kanker-.

gangster ['gæŋstə] gangster, bendelid *o*, bandiet.

gangway ['gæŋwei] pad *o*, doorgang; dwars pad *o* in het Lagerhuis; ⚓ 1 gangboord *o* & *m*; 2 loopplank, (loop)brug; 3 valreep.

gannet ['gænit] ♁ jan-van-gent.

gantry ['gæntri] stelling, stellage; seinbrug [v. spoorweg]; rijbrug [v. loopkraan].

Ganymede ['gænimi:d] 1 Ganymedes; 2 schenker.

gaol(er) ['dʒeil(ə)] zie *jail(er)*.

gap [gæp] gat *o*, opening, gaping, leemte, hiaat, *m* & *o*; tekort *o*; bres; *fig* kloof.

gape [geip] I *vi* gapen², geeuwen; ~ *at* aangapen; II *sb* gaap; gaping; *the* ~*s* de gaap.

gaper ['geipə] gaper.

garage ['gæridʒ, 'gæra:ʒ] I *sb* garage; II *vt* in de garage stallen.

garb [ga:b] I *sb* gewaad *o*, kleding; II *vt* kleden.

garbage ['ga:bidʒ] afval *o* & *m* [v. dier]; vuilnis; *fig* vuil *o*.

garble ['ga:bl] verdraaien, verminken, verknoeien.

garden ['ga:dn] I *sb* tuin, hof; *public* ~ plantsoen *o*; II *vi* tuinieren.

garden-city ['ga:dnsiti] tuinstad.

gardener ['ga:dnə] tuinman, -baas; tuinier.

garden frame ['ga:dnfreim] broeibak.

gardenia [ga:'di:niə] ♣ gardenia.

gardening ['ga:dniŋ] tuinbouw, tuin(iers)werk

garden-party ['ga:dnpa:ti] tuinfeest *o*.   [*o*.

garden-roller ['ga:dnroulə] grasrol(ler).

garden-stuff ['ga:dnstʌf] tuingewassen, groenten.

garfish ['ga:fiʃ] ۩ geep.

gargle ['ga:gl] I *vi* gorgelen; II *sb* gorgeldrank.

gargoyle ['ga:gɔil] waterspuwer.

garish ['gɛəriʃ] schel, hel, (oog)verblindend; opzichtig, bont.

garland ['ga:lənd] I *sb* guirlande, (bloem)-krans²; bloemlezing; II *vt* met guirlandes behangen, be-, omkransen.

garlic ['ga:lik] ♣ knoflook *o* & *m*.

garment ['ga:mənt] kledingstuk *o*, gewaad *o*.

garn [ga:n] P loop rond! hij zeit wat!

⊙ **garner** ['ga:nə] I *sb* graan-, korenschuur; II *vt* in-, opzamelen, vergaren.

garnet ['ga:nit] granaat *o* [stofnaam], granaat-(steen) *m* [voorwerpsnaam].

garnish ['ga:niʃ] I *vt* garneren, opmaken, versieren (met *with*); voorzien (van *with*); II *sb* garnering, versiering.

garnishment ['ga:niʃmənt] garnering.

garniture ['ga:nitʃə] garnituur *o*, garnering, versiering; toebehoren *o*.

garret ['gærit] vliering, zolderkamertje *o*

garrison ['gærisn] I *sb* garnizoen *o*; ~ *artillery*

vestingartillerie; II *vt* bezetten, garnizoen leggen in; in garnizoen leggen.

garrotte [gə'rɔt] I *sb* (ver)worging; worgtouw *o* (met spanstok); II *vt* worgen; knevelen (en uitschudden).

garrulity [gæ'ru:liti] praatachtigheid.

garrulous(ly) ['gæruləs(li)] praatziek.

garter ['ga:tə] kouseband.

gas [gæs] I *sb* gas *o*; *Am* benzine; *fig* gezwam *o*, geklets *o*; bluf, opsnijderij; *step* (*tread*) *on the* ~ gas geven²; er vaart achter zetten; F 'm van katoen geven; II *vi* zwammen, kletsen; bluffen, opsnijden; III *vt* (ver)gassen, door gas doen stikken; met gas behandelen [dentist].

gas-bag ['gæsbæg] 1 ۩ gaszak [v. luchtschip]; 2 *fig* kletsmeier; windbuil.

gas-bracket ['gæsbrækit] gasarm.

gas-cooker ['gæskukə] gasfornuis *o*.

gaselier [gæsə'liə] gaskroon.

gaseous ['geiziəs, 'gæsiəs] gasachtig, gasvormig, gas-; ijl.

gas-fire ['gæsfaiə] gaskachel, -haard.

gash [gæʃ] I *sb* sne(d)e, jaap, houw; II *v* (open)snijden, een snee geven, japen.

gas-holder ['gæshouldə] gashouder.

gasification [gæsifi'keiʃən] gasvorming; vergassing.

gasiform ['gæsifɔ:m] gasvormig.

gasify ['gæsifai] vergassen.

gasket ['gæskit] ۩ pakking.

gas-main ['gæsmein] gasleiding.

gas-meter ['gæsmi:tə] gasmeter.

gasolene, gasoline ['gæsəli:n] 1 gasoline; 2 *Am* benzine.

gasometer [gæ'sɔmitə] gashouder.

gasp [ga:sp] I *vi* (naar adem) snakken, hijgen; ~ *after* (*for*) snakken naar; II *vt* in: ~ *away* (*out*) *life* de laatste adem uitblazen; ~ *out* er met moeite uitbrengen; III *sb* hijgen *o*; stokken *o* van de adem; snik; *be at the last* ~ zieltogen.

gas-range ['gæsreindʒ] gasfornuis *o*.

gas-ring ['gæsriŋ] gaskomfoor *o*, gaspit.

gas-stove ['gæsstouv] gasfornuis *o*; gaskachel.

gassy ['gæsi] gasachtig, gas-; *fig* blufferig.

gastric ['gæstrik] gastrisch, maag-.

gastronome ['gæstrənoum], **gastronomer** [gæs'trɔnəmə] gastronoom, fijnproever.

gastronomic(al) [gæstrə'nɔmik(l)] gastronomisch.

gastronomist [gæs'trɔnəmist] zie *gastronome*.

gastronomy [gæs'trɔnəmi] gastronomie.

gasworks ['gæswə:ks] gasfabriek.

gate [geit] poort², deur, ingang; hek *o*, slagboom; betalend publiek *o* [bij voetbal], entreegeld *o*, recette.

gate-crash ['geitkræʃ] F zich indringen (in).

gate-crasher ['geitkræʃə] F ongenode gast, indringer.

gate-house ['geithaus] 1 portierswoning; 2 gevangenpoort.

gate-keeper ['geitki:pə] poortwachter; ook ↓.

gateman ['geitmən] 1 portier; 2 overwegwachter [bij spoorbaan].

gate-money ['geitmʌni] entreegeld *o*, recette [bij voetbal &].

gateway ['geitwei] poort.

gather ['gæðə] I *vt* vergaren, vergaderen, bijeen-, in-, verzamelen; bijeenbrengen, ophalen; plukken, oogsten; samentrekken; innemen, plooien; afleiden, opmaken; ~ *breath* (weer) op adem komen; ~ *way* ♣ vaart krijgen; ~ *in* binnen-, inhalen; ~ *up* oprapen, opnemen; optrekken [de benen]; verzamelen; II *vi* zich verzamelen; samenkomen, vergaderen; rijp worden [zweer]; zich samenpakken [wolken &]; toenemen; III *sb* in: ~*s* plooisel *o*.

gatherer ['gæðərə] in-, verzamelaar; ophaler, plukker, oogster.

gathering ['gæðəriŋ] in-, verzameling; bijeenkomst; gezelschap *o*; pluk; abces *o*.

gauche [gouʃ] *fig* links.

gaucherie ['gouʃəri] *fig* linksheid.   [prul *o*.

gaud [gɔ:d] pronk, pronksieraad *o*; opschik;

gaudily ['gɔ:dili] *ad* zie *gaudy*.

gaudiness ['gɔ:dinis] opzichtigheid, pronk.

gaudy ['gɔ:di] *aj* opzichtig, pronkerig, bont.

gauge [geidʒ] I *sb* 1 peilstok, peilglas *o*, peil *o*, ijkmaat, maat[2], meter; *fig* maatstaf; 2 spoorwijdte, spoor *o*; 3 ♣ diepgang; 4 ✕ mal; ✕ kaliber *o*; II *vt* 1 peilen[2], ijken, meten, roeien; kalibreren; 2 schatten [afstanden].

gauger ['geidʒə] peiler, ijker, meter, roeier.

gauging-rod ['geidʒiŋrɔd] roeistok, peilstok.

Gaul [gɔ:l] 1 Gallië *o*; 2 Galliër.

Gaulish ['gɔ:liʃ] Gallisch.

gaunt [gɔ:nt] schraal, mager; luguber.

gauntlet ['gɔ:ntlit] 1 ◻ pantserhandschoen; 2 (scherm-, rij)handschoen, lange dameshandschoen ‖ *run the* ~ door de spitsroeden lopen; *have to run the* ~ *of* onder handen genomen worden door, veel te verduren hebben van.

gauze [gɔ:z] I *sb* 1 gaas *o*; 2 heiigheid, wazigheid; II *aj* gazen.

gauzy ['gɔ:zi] 1 gaasachtig; 2 heiig, wazig.

gave [geiv] V.T. van *give*.

gavel ['gævəl] *Am* (voorzitters)hamer.

gawk [gɔ:k] lummel, slungel, sul.

gawky ['gɔ:ki] onhandig, lomp, sullig.

gay [gei] *aj* vrolijk[2], opgewekt; luchtig, luchthartig; los(bandig); bont, (veel)kleurig, fleurig; ~ *with* (bont) versierd met.

gaze [geiz] I *vi* staren (naar *at, on, upon*); II *sb* starende blik.

gazebo [gə'zi:bou] uitzichttoren, belvédère.

gazelle [gə'zel] ♠ gazelle.

gazette [gə'zet] I *sb* (Engelse) Staatscourant; ◻ nieuwsblad *o*; II *vt* bekendmaken.

gazetteer [gæzi'tiə] 1 eertijds: schrijver, redacteur van een dagblad; 2 thans: aardrijkskundig woordenboek *o*, klapper.

G.C.E. = *general certificate of education*.

gear [giə] I *sb* tuig *o*, gareel *o*; uitrusting, goed *o*; tuigage; takelage, gerei *o*; toestel *o*, inrichting, ✕ overbrenging, drijfwerk *o*; versnelling; ✖ onderstel *o*; *in* ~ ✕ gekoppeld; *out of* ~ ✕ afgekoppeld; *fig* ontredderd; *in de war*; II *vt* (op)tuigen; ✕ van overbrenging (versnelling) voorzien; koppelen; inschakelen; instellen (op *to*); uitrusten; III *vi* ✕ grijpen (in *into*).

gear-box ['giəbɔks] ✕ versnellingskast.

gear-case ['giəkeis] ✕ kettingkast.

gearing ['giəriŋ] ✕ overbrenging, drijfwerk *o*.

gear-lever ['giəli:və] ✕ versnellingshendel *o* & *m*.

gear-wheel ['giəwi:l] ✕ tand-, kettingwiel *o*.

gecko ['gekou] ♠ gekko, toke.

gee [dʒi:] I *ij* hu!, hot!; sakkerloot!, gossie! (ook: ~ *whizz!*); II *sb* F paard(je) *o*.

gee-gee ['dʒi:dʒi:] F paard(je) *o*.

geese [gi:s] ganzen, *mv.* v. *goose*.

geezer ['gi:zə] S (ouwe) vent; (oud) wijf *o*.

Geiger counter ['gaigəkauntə] geigerteller.

gelatine [dʒelə'ti:n] gelatine.

gelatinous [dʒi'lætinəs] gelatineachtig.

gelding ['geldiŋ] ♠ ruin.

gelid ['dʒelid] kil, (ijs)koud.

gem [dʒem] I *sb* edelgesteente *o*, kleinood *o*, gemme; juweel[2] *o*; II *vt* (met edelgesteenten) versieren.

1 geminate ['dʒeminit] *aj* dubbel, gepaard.

2 geminate ['dʒemineit] *vt* verdubbelen; paarsgewijs plaatsen.

gemination [dʒemi'neiʃən] verdubbeling; paarsgewijze plaatsing.

Gemini ['dʒeminai] ✻ de Tweelingen.

gender ['dʒendə] *gram* geslacht *o*.

gene [dʒi:n] gen *o* [erffactor].

genealogical [dʒi:niə'lɔdʒikl] genealogisch; ~ *tree* geslachts-, stamboom.

genealogist [dʒi:ni'ælədʒist] genealoog, geslachtkundige.

genealogy [dʒi:ni'ælədʒi] genealogie: geslachtkunde; stamboom.

genera ['dʒenərə] *mv.* v. *genus*.

general ['dʒenərəl] I *aj* algemeen; ~ *cargo* lading stukgoederen; ~ *certificate of education* ⇨ ± einddiploma *o* van een middelbare school; ~ *dealer* winkelier die van alles verkoopt; ~ *officer* ✖ opperofficier; ~ *post* 1 ☞ eerste bestelling; 2 soort gezelschapsspel *o*; 3 *fig* stuivertjewisselen *o*; *G*~ *Post Office* hoofdkantoor *o* van de posterijen; ~ *practitioner* genees- en heelkundige, arts; *the* ~ *public* het grote publiek; *the* ~ *reader* het lezend publiek in het algemeen; ~ *shop* (*store*) warenhuis *o*; II *sb* 1 algemeen *o*; 2 ✖ generaal, veldheer; generale mars; 3 F meid alleen; *in* ~ in (over) 't algemeen; III *vt* leiden.

generalissimo [dʒenərə'lisimou] ✖ generalissimus: opperbevelhebber.

generality [dʒenə'ræliti] algemeenheid; *the* ~ *of people* de grote meerderheid.

generalization [dʒenərəlai'zeiʃən] veralgemening; generalisering.

generalize ['dʒenərəlaiz] I *vt* algemeen maken of verbreiden; II *vi* generaliseren.

generally ['dʒenərəli] *ad* gewoonlijk; algemeen, in (over) het algemeen.

generalship ['dʒenərəlʃip] generaalsrang; veldheerstalent *o*; leiding, tact, beleid *o*.

generate ['dʒenəreit] voortbrengen, verwekken; ontwikkelen [gas], opwekken [elektriciteit]; *generating station* (elektrische) centrale, krachtstation *o*.

generation [dʒenə'reiʃən] voortbrenging; ontwikkeling, opwekking; voortplanting; generatie, geslacht *o*.

generative ['dʒenəreitiv] voortbrengend, voorttelings-; vruchtbaar.

generator ['dʒenəreitə] I voortbrenger, verwekker; 2 ✗ stoomketel; generator.

generic [dʒi'nerik] generisch, geslachts-; algemeen.

generosity [dʒenə'rɒsiti] edelmoedigheid; mildheid, milddadigheid.

generous(ly) ['dʒenərəs(li)] I edel(moedig), mild(dadig); vruchtbaar; 2 rijk, royaal, overvloedig, flink, krachtig.

Genesis ['dʒenisis] Genesis; *g~* genesis: wording(sgeschiedenis), ontstaan *o*.

genetic(al) [dʒi'netik(l)] genetisch.

geneticist [dʒi'netisist] geneticus.

genetics [dʒi'netiks] genetica, erfelijkheidsleer.

geneva [dʒi'ni:və] jenever.

Geneva [dʒi'ni:və] Genève *o*.

genial ['dʒi:niəl] *aj* levenwekkend; opgewekt, gemoedelijk, joviaal, sympathiek; vriendelijk, (lekker) warm [weer].

geniality [dʒi:ni'æliti] opgewektheid, jovialiteit &, zie *genial*.

genially ['dʒi:niəli] *ad* zie *genial*.

genie ['dʒi:ni] geest.

genii ['dʒi:niai] *mv* v. *genius* I & *genie*.

genitive ['dʒenitiv] genitief, tweede naamval.

genius ['dʒi:niəs] I genius: geest°; 2 beschermgeest; 3 genie° *o*, (natuurlijke) aanleg; *a man of ~* een geniaal mens, een genie *o*.

Genoa ['dʒenouə] Genua *o*.

genocide ['dʒenousaid] genocide.

Genoese [dʒenou'i:z] Genuees, Genuezen.

gent [dʒent] P quasi-heer *o*, poen; F heer *m*.

genteel [dʒen'ti:l] fatsoenlijk, net, fijn, deftig.

gentian ['dʒenʃən] ✿ gentiaan(wortel).

gentile ['dʒentail] I *aj* heidens; niet-joods; niet-mormoons; *~ name* volksnaam; II *sb* heiden; niet-jood; niet-mormoon.

gentility [dʒen'tiliti] I voorname afkomst; 2 fatsoen *o*, fatsoenlijkheid, fijne manieren.

gentle ['dʒentl] I *aj* zacht°, zachtzinnig, lief, vriendelijk; van goede geboorte; voornaam; *the ~ craft* de hengelsport; *the ~ sex* het schone geslacht; II *sb* made [als aas].

gentlefolk(s) ['dʒentlfouk(s)] voorname lieden, betere stand(en).

gentleman [dʒentlmən] (mijn)heer, F & > meneer; gentleman: fatsoenlijk man; *~'s ~* herenknecht; *~ in waiting* kamerheer.

gentleman-at-arms [dʒentlmənət'a:mz] kamerheer v. d. koninklijke lijfwacht.

gentleman-farmer ['dʒentlmən'fa:mə] hereboer.

gentlemanly ['dʒentlmənli], *~like* [-laik] fatsoenlijk, gentlemanlike.

gentleness ['dʒentlnis] zacht(zinnig)heid.

gentlewoman ['dʒentlwumən] vrouw van geboorte, (echte) dame.

gently ['dʒentli] *ad* I zacht(jes), vriendelijk; 2 *~ born* van (goede) geboorte.

gentry ['dʒentri] de deftige stand, komend na de adel; *these ~* > die „heren".

genuflexion [dʒenju'flekʃən] kniebuiging.

genuine ['dʒenjuin] echt, onvervalst, serieus [v. aanvraag &].

genuineness ['dʒenjuinnis] echtheid.

genus ['dʒi:nəs] geslacht *o*, klasse, soort.

Geoffrey ['dʒefri] Godfried.

geographer [dʒi'ɒgrəfə] aardrijkskundige.

geographic(al) [dʒiə'græfik(l)] aardrijkskundig.

geography [dʒi'ɒgrəfi] aardrijkskunde.

geological [dʒiə'lɒdʒikl] geologisch.

geologist [dʒi'ɒlədʒist] geoloog.

geology [dʒi'ɒlədʒi] geologie.   [rups.

geometer [dʒi'ɒmitə] I meetkundige; 2 ✗ spangeometric(al) [dʒiə'metrik(l)] meetkundig; *~ drawing* lijntekenen *o*.

geometrician [dʒiəme'triʃən] meetkundige.

geometry [dʒi'ɒmitri] meetkunde.

George [dʒɔ:dʒ] George, Joris; St.-Joris(beeld *o*); *by ~!* wel allemachtig!

Georgia ['dʒɔ:dʒiə] I Georgië *o*; 2 Georgia *o*.

Georgian ['dʒɔ:dʒiən] I *aj* I uit de tijd der vier Georges [1714-1830]; 2 van koning George V; 3 van Georgië of Georgia; II *sb* inwoner van Georgië of Georgia.

georgic ['dʒɔ:dʒik] I *aj* landbouw-; landelijk; II *sb* landelijk gedicht *o*.

Gerald ['dʒerəld] Gerhard.

Geraldine ['dʒerəldi:n] Gerardina.

geranium [dʒi'reinjəm] ✿ geranium.

Gerard ['dʒera:d, dʒe'ra:d] Gerard, Gerrit.

gerfalcon ['dʒɔ:fɔ:(l)kən] ✜ giervalk.

geriatrics [dʒeri'ætriks] geriatrie.

germ [dʒɔ:m] I *sb* kiem²; II *vi* (ont)kiemen.

german [dʒɔ:mən] germain, vol.

German ['dʒɔ:mən] I *aj* Duits; *~ flute* dwarsfluit; ✜ *the ~ Ocean* de Noordzee; *~ text* gotische letter; II *sb* I Duitser; 2 (het) Duits.

germane [dʒɔ:'mein] (nauw) verwant.

Germanic [dʒɔ:'mænik] Germaans.

Germanism ['dʒɔ:mənizm] germanisme *o*.

Germanize ['dʒɔ:mənaiz] verduitsen.

Germany ['dʒɔ:məni] Duitsland *o*.

germ-carrier ['dʒɔ:mkæriə] bacillendrager.

germinal ['dʒɔ:minəl] kiem-.

germinate ['dʒɔ:mineit] (*vt* &) *vi* (doen) ontkiemen, ontspruiten.

germination [dʒəːmiˈneiʃən] ontkieming.

germ warfare [ˈdʒəːmwəːfɛə] bacteriologische oorlog(voering).

gerontology [dʒerənˈtɔlədʒi] gerontologie.

Gertrude [ˈgəːtruːd] Geertruida, Truí.

gerund [ˈdʒerənd] gerundium o.

gesticulate [dʒesˈtikjuleit] I vi gesticuleren; II vt door gebaren te kennen geven.

gesticulation [dʒestikjuˈleiʃən] gesticulatie, gebaar o, gebarenspel o.

gesture [ˈdʒestʃə] I sb gebaar o; geste; II vi gebaren maken; III vt door gebaren te kennen geven.

get [get] I vt (ver)krijgen, in zijn macht (te pakken) krijgen, bekomen, opdoen, vatten; verdienen; halen, nemen; bezorgen; krijgen (brengen, overhalen) tot, ervoor zorgen dat; F begrijpen, snappen; S beetnemen; *what have you got there?* F wat heb je daar?; *where does it ~ you?* F wat bereik je ermee?, wat heb je eraan?; *it does not ~ you anywhere*, *it ~s you nowhere* F je bereikt er niets mee; *you have got to...* F je moet...; *it ~s me* F 't hindert mij: ~ *it (hot, nicely)* er (ongenadig) van langs krijgen; ~ *it done (copied &)* iets laten doen (overschrijven &); II vr ~ *you gone!* ⚓ scheer je weg!; III vi komen; worden, (ge)raken; S 'm smeren; ~ *going* aan de gang (aan de slag) gaan; op gang komen (brengen); ~ *undone* ook: losgaan; *I got ...ing* ik begon te...; ◌ *he could not ~ about* hij kon niet lopen [v. e. zieke]; *don't let it ~ about* vertel het niet verder; ~ *(a bit) above oneself* F verwaand worden; ~ *abroad* ruchtbaar worden; ~ *across* oversteken; ~ *across or over (the footlights)* het publiek bereiken; „het doen"; ~ *along* vooruitgaan, opschieten[2]; *how are things ~ting along?* hoe staat het er mee?; ~ *along (with you)!* P ga nou door!; ~ *along with it* iets klaarspelen; ~ *at* komen bij (aan, achter), bereiken, te pakken krijgen[2] (nemen); *fig* knoeien met, omkopen; ~ *away* wegkrijgen; wegkomen, zich wegpakken; er vandoor gaan [v. paard]; ~ *away from the subject* afkomen van 't apropos, afdwalen; ~ *away with it* F er mee aan de haal gaan of gaan strijken; S succes (ermee) hebben, 't klaarspelen, 't gedaan krijgen; ongestraft blijven; ~ *back* I terugkrijgen[a], -komen; 2 terugkrijgen; ~ *back (some of) one's own* zich schadeloos stellen, 't betaald zetten; ~ *down* af-, uitstappen, afstijgen, naar beneden gaan (krijgen); [eten] naar binnen krijgen; *fig* onder krijgen; F terneerdrukken; er iemands zenuwen werken; *don't let it ~ you down* F trek 't je niet zo aan; ~ *down to brass tacks* spijkers met koppen slaan; ~ *in* instappen; binnenkomen; gekozen worden [voor Kamer]; binnenkrijgen, er in krijgen, [een woord] er tussen krijgen, plaatsen; [oogst] binnenhalen; ~ *into* krijgen in; komen (stappen, raken) in; ~ *into*

one's clothes ook: aantrekken; ~ *off* weggaan, vertrekken; af-, uitstappen; kwijtraken [vals geld &]; debiteren [mop]; ⚓ afbrengen [schip]; ~ *off cheap(ly)* er goedkoop afkomen; ~ *off a horse* afstijgen; ~ *off the ground* van de grond komen; *tell him where he ~s off* F 't hem eens goed zeggen; ~ *on* I vooruitkomen[2], vorderen, opschieten; 2 op jaren komen; ~ *on!* loop heen!, ga nou door!; *how are you ~ting on?* ook: hoe staan de zaken?; ~ *on one's boots* zijn laarzen aankrijgen; *it is (you are) ~ting on my nerves* het (je) maakt me zenuwachtig; *it is ~ting on for 12 o'clock* het loopt naar twaalven; ~ *on with* overweg kunnen met; het stellen met; ~ *out* uitkomen, uitlekken; af-, uitstappen, uitstijgen; ~ *out!* er uit!; loop heen!; ~ *out a boat* uitzetten; ~ *out a word* uitbrengen; ~ *out of* komen uit; verliezen; ~ *over* [een verlies] te boven komen; [een weg] afleggen; afdoen; *not ~ over* it zich niet over iets heen kunnen zetten; iets niet „op" kunnen; ~ *over one* beetnemen; zie ook: ~ *across*; ~ *round* weer beter worden; ~ *round the difficulty* omzeilen; ~ *round one* iemand inpalmen, beetnemen; *there is no ~ting round this* daaraan is niet te ontkomen; ~ *round to ...ing* er toe komen te...; ~ *there* „er komen"; „het doen", raak zijn, pakken; ~ *through* I ☎ aansluiting krijgen; 2 [spiritistisch] contact krijgen; 3 zich een weg banen door, komen door; het er af brengen, er door komen; ~ *to* komen bij, bereiken, er toe komen (om); *where's my book got to?* gebleven?; ~ *to like it* er smaak (zin) in krijgen; ~ *together* bijeenbrengen; (zich) verenigen; *the fire was got under* men werd de brand meester; ~ *up* opstaan; op-, instappen; opsteken [wind]; arrangeren, in elkaar of op touw zetten, monteren [toneelstuk]; maken [stoom]; opmaken [linnen]; (aan)kleden; uitvoeren [v. e. boek &]; prepareren, nazien [lessen &]; ~ *oneself up* F zich mooi maken, zich opdirken.

get-at-able [getˈætəbl] F te bereiken; toegankelijk, genaakbaar.

getting [ˈgetiŋ] opbrengst, winst, verdienste (ook: ~s).

get-together [ˈgettəgeðə] bijeenkomst; instuif.

get-up [getˈʌp, ˈgetʌp] opmaken o; regeling, (toneel)schikking, aankleding [v. e. stuk], uitvoering, verzorging [v. e. boek]; uitrusting; F doorgestoken kaart.

gewgaw [ˈgjuːgɔː] prul(sieraad) o.

geyser [ˈgei-, ˈgaizə] geiser°.

Ghana [ˈgaːnə] Ghana o.

Ghanaian [gaːˈneiən] Ghanees.

ghastliness [ˈgaːstlinis] spookachtigheid, akeligheid, afgrijselijkheid &.

ghastly [ˈgaːstli] doodsbleek; spookachtig; akelig; afgrijselijk, ijzingwekkend.

Ghent [gent] Gent(s).

gherkin [ˈgəːkin] (ingemaakt) augurkje o.

ghetto ['getou] getto *o*: jodenbuurt.

ghost [goust] I geest, spook *o*, schim, verschijning; 2 F schijntje *o*, aasje *o*; *the ~ of his former self* de schaduw van wat hij was.

ghostliness ['goustlinis] I spookachtigheid; 2 ⁎ geestelijkheid.

ghostly ['goustli] I spookachtig; 2 ⁎ geestelijk.

ghost-story ['gousts təːri] spookgeschiedenis.

ghoul [guːl] lijken verslindend monster *o*.

ghoulish ['guːliʃ] als van een *ghoul*; macaber.

G.H.Q. = *General Headquarters.*

G.I. ['dʒiː'ai] = *Am* I *government issue*; 2 F soldaat.

giant ['dʒaiənt] I *sb* reus; ~ ('s)-*stride* zweefmolen; II als *aj* reuzen-, reusachtig.

giantess ['dʒaiəntis] reuzin.

giaour ['dʒauə] ongelovige (hond), kafir.

gibber ['dʒibə] I *vi* brabbelen; II *sb* gebrabbel *o*.

gibberish ['gibəriʃ] brabbeltaal, koeterwaals *o*.

gibbet ['dʒibit] I *sb* I galg; 2 kraanarm; II *vt* I ophangen; 2 aan de kaak stellen.

gibbon ['gibən] ⁎ gibbon [aap].

gibbosity [gi'bɔsiti] uitpuiling, bultigheid,

gibbous ['gibəs] uitpuilend, bultig.

gibe [dʒaib] I *vi* honen, schimpen, spotten (met *at*); II *vt* honen, beschimpen; III *sb* schimpscheut, hatelijkheid.

giber ['dʒaibə] (be)schimper, spotter.

giblets ['dʒiblits] afval *o* & *m* van gevogelte.

Gibraltar [dʒi'brɔːltə] Gibraltar *o*.

gibus ['dʒaibəs] gibus, klak, klaphoed.

giddily ['gidili] *ad* zie *giddy* I.

giddiness ['gidinis] duizeligheid, draaierigheid; lichtzinnigheid, onbezonnenheid.

giddy ['gidi] duizelig, draaierig; duizelingwekkend; lichtzinnig, onbezonnen.

gift [gift] I *sb* gave, gift, geschenk *o*; (recht *o* van) be-, vergeving; *have the ~ of the gab* van de tongriem gesneden zijn; *I would not have it at a ~* ik zou het niet cadeau willen hebben; *the living is in his ~* hij heeft die plaats te vergeven; II *aj* in: *one must not look a ~ horse in the mouth* men moet een gegeven paard niet in de bek zien.

gifted ['giftid] begiftigd; begaafd.

gig [gig] I cabriolet, sjees; 2 ⚓ giek. [reuzen-.

gigantic(ally) [dʒai'gæntik(əli)] reusachtig,

giggle ['gigl] I *vi* giechelen; II *sb* gegiechel *o*.

giggler ['giglə] giechelaar, -ster.

giglamps ['giglæmps] S fok: bril.

Gilbert ['gilbət] Gilbert; Engelbrecht.

Gilbertian [gil'bəːtiən] grotesk, zoals in de opera's van Gilbert & Sullivan.

gild [gild] vergulden; ~*ed youth* (lid *o* van de) jeunesse dorée.

gilder ['gildə] vergulder.

gilding ['gildiŋ] vergulden *o*; verguldsel *o*.

1 **gill** [gil] *sb* kieuw; kaak; lel; plaatje *o* [v. paddestoel] ‖ ravijn *o*; bergstroompje *o*; *pale (white) about the ~s* bleek om zijn neus; *rosy about the ~s* met blozende wangen.

2 **gill** [dʒil] *sb* ¼ *pint*.

gillie ['gili] *Sc* bediende, oppasser.

gillyflower ['dʒiliflauə] ✣ I anjer; 2 muurbloem.

gilt [gilt] I *sb* verguldsel *o*; *the ~ is off the gingerbread* het aantrekkelijke (het nieuwtje) is er af; II *aj* verguld.

gilt-edged ['giltedʒd] verguld op snee; $ solide.

gimbals ['dʒimbəlz] (kompas)beugel.

gimcrack ['dʒimkræk] I *sb* prul *o*; II *aj* prullig.

gimlet ['gimlit] spitsboor; schroefboor.

gimmick ['gimik] *Am* F I foefje *o*, truc; 2 zie gadget.

gin [dʒin] I *sb* (val)strik ‖ bok, windas *o*; egreneermachine [voor katoen] ‖ jenever; *a ~ and bitters* een bittertje *o*; *a ~ and lime* een schilletje *o*; II *vt* strikken ‖ egreneren [katoen].

ginger ['dʒindʒə] I *sb* I gember; 2 S rode; 3 fut; II *vt* I met gember kruiden; 2 S opkikkeren; aanporren; pittiger maken (ook: ~ *up*).

ginger ale ['dʒindʒə'reil] gemberbier *o*.

ginger beer ['dʒindʒə'biə] gemberbier *o*.

gingerbread ['dʒindʒəbred] I *sb* peperkoek; II als *aj* prullerig.

gingerly ['dʒindʒəli] behoedzaam, zachtjes.

ginger-nut ['dʒindʒənʌt] gemberkoekje *o*.

ginger pop ['dʒindʒə'pɔp] F gemberbier *o*.

gingham ['giŋəm] I gingang *o*; 2 F paraplu.

gin-palace ['dʒinpælis] drankhuis *o*.

gin-shop ['dʒinʃɔp] drankwinkel.

gipsy ['dʒipsi] zigeuner(in).

gipsy-moth ['dʒipsi'mɔθ] ✺ plakker.

gipsy-table ['dʒipsiteibl] etagèretafeltje *o*.

giraffe [dʒi'rɑːf] ⁎ giraffe.

1 **gird** [gəːd] I *sb* hatelijkheid; II *vi* in: ~ *at* spotten met, afgeven op.

2 **gird** [gəːd] *vt* aan-, omgorden; om-, insluiten, omgeven, omsingelen; ~ *on* aangorden; ~ *round* ombinden; ~ *oneself* (*up*) zich ten strijde aangorden; ~ *with power* bekleden met macht.

girder ['gəːdə] (dwars)balk.

girdle ['gəːdl] I *sb* gordel²; ring; *RK* singel; II *vt* omgorden, omgeven; ringen [boom].

girl [gəːl] (dienst)meisje *o*; *his best ~* zijn meisje *o*, zijn vriendinnetje *o*; *old ~* F beste (meid).

girl friend ['gəːl'frend] vriendinnetje *o*, meisje *o*.

girl guide ['gəːl'gaid] padvindster.

girlhood ['gəːlhud] [haar] jeugd; meisjes.

girlie ['gəːli] F meisje *o*.

girlish ['gəːliʃ] meisjesachtig, meisjes-.

girlishness ['gəːliʃnis] meisjesachtig voorkomen *o* of optreden *o*.

Girondist [dʒi'rɔndist] ⏟ Girondijn.

1 **girt** [gəːt] I *sb* omvang; II *vt* meten.

2 **girt** [gəːt] V.T. & V.D. van 2 *gird*.

girth [gəːθ] I *sb* I buikriem, singel [v. paard]; gordel; 2 omvang; II *vt* I singelen; vastmaken; omringen; 2 meten.

gist [dʒist] hoofdpunt *o*, essentiële *o*, kern, fijne *o*, pointe.

give [giv] I *vi* & *va* geven; meegeven, doorzakken, -buigen; bezwijken, het begeven, wijken; afnemen [kou]; zachter worden [v. weer]; ~ *as good as one gets* met gelijke munt betalen; II *vt* geven, aan-, op-, afgeven°; verlenen, schenken, verschaffen, bezorgen, bereiden, veroorzaken, doen; houden [toespraak]; *I ~ you the ladies* ik stel voor op de gezondheid van de dames te drinken; *I'll ~ it him (finely, hot)* ik zal er hem (lekkertjes) van langs geven; zie ook: *boot, ear, joy* &; ∞ ~ *about* rondstrooien [geruchten &]; ~ *the case (it) against* r̊ in het ongelijk stellen; ~ *away* weggeven, cadeau geven; *fig* verklappen, verraden (bijv. *a secret, the whole thing*); ~ *away the bride* als bruidsvader optreden; ~ *back* teruggeven; ~ *the case (it) for* r̊ in het gelijk stellen; ~ *forth* geven; afgeven [hitte &]; bekendmaken, rondstrooien; ~ *in* [stukken &] inleveren; toegeven; het opgeven; betuigen [adhesie]; ~ *into* uitkomen op [de markt &]; ~ *off* afgeven [warmte &], verspreiden; ~ *(up)on* uitkomen op; ~ *out* (af)geven; opgeven [werk], uitdelen; bekendmaken, publiceren; opraken, uitgaan; *his strength will ~ out* zijn krachten zullen uitgeput raken; ~ *oneself out as (for)* zich uitgeven voor; ~ *over* (het) opgeven [v. e. poging, een zieke &]; overleveren, uitleveren [aan politie]; *be ~n over to* zich overgeven aan [ondeugd], verslaafd zijn aan; bestemd zijn voor; ~ *up* opgeven; afstand doen van, afzien van; af-, overgeven, overleveren; wijden [zijn leven aan de wetenschap &]; ~ *it up* het opgeven, zich gewonnen geven; ~ *up the ghost* de geest geven; ~ *up for lost* als verloren beschouwen, opgeven; ~ *oneself up to* zich aangeven bij [politie]; zich overgeven aan; zich wijden aan; ~ *upon* zie ~ *on*; III *sb* meegeven *o*.

give-and-take ['givən'teik] geven en nemen *o*, over en weer *o*.

given ['givn] I gegeven; willekeurig; 2 geneigd (tot *to*), verslaafd (aan), ...aangelegd; ~ *name* doopnaam.

giver ['givə] gever.

gizzard ['gizəd] spiermaag; *that sticks in his* ~ dat zit hem dwars (in de maag).

glacial ['gleisiəl] ijzig; ijs-; gletsjer-.

glaciated ['gleisieitid] met ijs bedekt; vergletsjerd.

glaciation [gleisi'eiʃən] ijsvorming; vergletsjering.

glacier ['glæsjə] gletsjer.

glad [glæd] *aj* blij(de), verheugd (over *of, at*); *we are ~ to hear* het doet ons genoegen (te vernemen); *we shall be ~ to hear* wij zullen gaarne (graag) vernemen.

gladden ['glædn] verblijden, verheugen.

glade [gleid] open plaats in een bos.

gladiator ['glædieitə] gladiator, zwaardvechter.

gladioli [glædi'oulai] *mv* v. *gladiolus*.

gladiolus [glædi'ouləs] ⚄ gladiolus, gladiool, zwaardlelie.

gladly ['glædli] *ad* blij; blijmoedig; met genoegen, graag, gaarne.

gladness ['glædnis] blijdschap, blijheid.

○ **gladsome** ['glædsəm] blijde, heuglijk.

Gladstone ['glædstən] Gladstone; ~ (*bag*) valies *o*.

glair [glɛə] I *sb* eiwit *o*; II *vt* eiwitten.

○ **glaive** [gleiv] (slag)zwaard *o*.

glamorous ['glæmərəs] betoverend; aantrekkelijk.

glamour ['glæmə] I *sb* betovering, zinsbegoocheling; (tover)glans; II *vt* betoveren, begoochelen.

glamour girl ['glæməgə:l] meisje *o* met *sex appeal*.

glance [gla:ns] I *sb* flikkering, schamplicht *o*; oogopslag, blik; *at a* ~ met één oogopslag (blik); II *vi* I blinken; schitteren; 2 kijken; ~ *aside* afschampen; ~ *at* aanblikken, een blik werpen op[2]; even aanroeren [een onderwerp]; doelen op; ~ *down* naar beneden kijken, de ogen neerslaan; ~ *(off)* afschampen; ~ *over (through)* even inzien, vluchtig dóórzien; ~ *up* opkijken; III *vt* in: ~ *one's eye at (over)* even een blik werpen op, vluchtig overzien (doorlópen).

gland [glænd] klier.

glanders ['glændəz] (kwade) droes.

glandular ['glændjulə], **glandulous** ['glændjuləs] klierachtig.

glare [glɛə] I *sb* verblindend of schel licht *o*; gloed; (schitter)glans; schittering; vlammend oog *o*; woeste blik; II *vt* schitteren, hel schijnen; woest kijken; ~ *at each other* elkaar woedend aankijken.

glaring(ly) ['glɛəriŋ(li)] schel, (oog)verblindend, schitterend, vurig [v. d. ogen]; brutaal, schril [v. contrast], flagrant.

glass [gla:s] I *sb* glas[2] *o*; spiegel; (verre)kijker; zandloper; weerglas *o*; barometer; lens; raam *o* [v. portier]; ~*es* lorgnet; bril; II *aj* glazen, glas-; III *vt* verglazen.

glass bell ['gla:s'bel] stolp.

glass-blower ['gla:sblouə] glasblazer.

glass-cloth ['gla:sklɔθ] I glazendoek; 2 poetsdoek.

glass eye ['gla:s'sai] I glazen oog *o*; 2 glasoog *o*.

glass-house ['gla:shaus] I serre, kas; 2 ✕ S gevangenis.

glassiness ['gla:sinis] glasachtig-, glazigheid.

glass-paper ['gla:speipə] schuurpapier *o*.

glassware ['gla:swɛə] glaswerk *o*.

glass-works ['gla:swə:ks] glasfabriek.

glassy ['gla:si] glasachtig, glazig; glas-; (spiegel)glad.

glaucoma [glɔ:'koumə] ⚕ groene staar.

glaucous ['glɔ:kəs] zeegroen.

glaze [gleiz] I *vt* I van glas (ruiten) voorzien; achter (in) glas zetten; verglazen; 2 glanzen, glaceren, satineren; II *vi* glazig (glanzig) worden; III *sb* verglaassel *o*, glazuur *o*; glacé *o*; glans.

glazed [gleizd] glasdicht; verglaasd; geglaceerd, geglansd; glanzig, blinkend; ~ cabinet glazenkast; ~ frost ijzel.

glazer ['gleizə] verglazer.

glazier ['gleiziə] glazenmaker.

glazy ['gleizi] 1 glasachtig; 2 glanzend.

gleam [gli:m] I sb glans, schijnsel o, straal; II vi blinken, glanzen, glimmen, schijnen.

glean [gli:n] I vt nalezen, op-, in-, verzamelen; opvangen, oppikken; II vi aren lezen.

gleaner ['gli:nə] arenlezer, -leesster, nalezer²; fig sprokkelaar.

gleaning ['gli:niŋ] aren lezen o, nalezing², fig inzameling, sprokkeling.

glebe [gli:b] pastorieland o; ⊙ grond; land o.

glee [gli:] 1 vrolijkheid; 2 ♪ meerstemmig lied o.

gleeful ['gli:ful] vrolijk, blijde; triomfantelijk, met leedvermaak.

glen [glen] dal o; vallei.

glengarry [glen'gæri] Schotse muts.

glib(ly) ['glib(li)] glad, rad (van tong), welbespraakt; vlot [v. bewering].

glibness ['glibnis] gladheid, radheid (van tong), welbespraaktheid; vlotheid.

glide [glaid] I vi glijden; glippen; zweven; II sb 1 glijden o; 2 ✈ glij-, zweefvlucht; 3 ♪ glissando o; 4 gram overgangsklank.

glider ['glaidə] 1 glijder; 2 ✈ zweefvliegtuig o; zweefvlieger; 3 ⚓ glijboot.

glimmer ['glimə] I vi schemeren, gloren, blinken, (even) opflikkeren; II sb zwak schijnsel o, glinster(ing), (licht)schijn, glimp, flauw idee o; eerste aanduiding.

glimmering ['gliməriŋ] zie glimmer II.

glimpse [glimps] I sb glimp, (licht)straal; schijnsel o, (vluchtige) blik, kijkje o; catch a ~ of even zien; II vt even zien.

glint [glint] I sb glimp, glinstering, schijnsel o, blinken o; II vi glinsteren, blinken.

glisten ['glisn] glinsteren, flikkeren, fonkelen.

✎ glister ['glistə] zie glitter.

glitter ['glitə] I vi flikkeren, flonkeren, fonkelen, schitteren, blinken; II sb flikkering, geflonker o, schittering, glans.

gloaming ['gloumiŋ] schemering.

gloat [glout] in: ~ on, upon of over, zich vermeien in, met duivels leedvermaak aanzien, zich verkneukelen in.

global ['gloubl] Am wereldomvattend, wereld-; alles omvattend, totaal.

globe [gloub] bol, globe, aardbol; rijksappel (oog)bal; ballon [v. lamp]; viskom.

globe-trotter ['gloubtrɔtə] globetrotter, wereldreiziger.

globose ['gloubous] bolvormig.

globular ['glɔbjulə] bolvormig.

globule ['glɔbju:l] bolletje o.

gloom [glu:m] I sb duister-, donker-, somberheid; II vt versomberen; III vi somber worden (schijnen), verduisteren, betrekken [v. lucht]; donker kijken, kniezen.

gloomily ['glu:mili] ad zie gloomy.

gloominess ['glu:minis] duister-, somberheid.

gloomy ['glu:mi] aj donker², duister, somber, droefgeestig; bedroevend, droevig.

glorification [glɔ:rifi'keiʃən] verheerlijking.

glorify ['glɔ:rifai] verheerlijken.

glorious ['glɔ:riəs] 1 roem-, glorierijk, glansrijk, heerlijk°, stralend [v. d. ochtend]; 2 F prachtig, kostelijk; 3 S zalig (= stomdronken).

glory ['glɔ:ri] I sb roem, glorie, heerlijkheid; stralenkrans; II vi in: ~ in zich beroemen op, prat gaan op.

gloss [glɔs] I sb glans; (schone) schijn ‖ glosse, commentaar m of o; II vt glanzen; een schone schijn geven aan, een glimp geven aan, vergoelijken, bemantelen (ook: ~ over) ‖ glossen maken bij (op), (verkeerd) uitleggen²; III vi glossen maken (op upon).

glossarist ['glɔsərist] commentator.

glossary ['glɔsəri] verklarende woordenlijst.

glossiness ['glɔsinis] glans, glanzigheid.

glossy ['glɔsi] I aj glanzend; schoonschijnend; ~ magazine duur (op glad papier gedrukt) tijdschrift o; ~ paperback pocketboek o met geïllustreerd, glanzend omslag; II sb = ~ magazine, ~ paperback.

§ glottal ['glɔtl], glottic ['glɔtik] stemspleet-.

§ glottis ['glɔtis] stemspleet.

Gloucester ['glɔstə] Gloucester o.

glove [glʌv] I sb (boks)handschoen; take off the ~s zich er voor zetten; flink aanpakken; take up (throw down) the ~ de handschoen opnemen (toewerpen); handle without (the) ~s hardhandig aanpakken; II vt van handschoenen voorzien; ~d gehandschoend.

glove-fight ['glʌvfait] bokspartij.

glover ['glʌvə] handschoenmaker.

glow [glou] I vi gloeien, branden; II sb gloed², vuur o; be in a ~, (all) of a ~ gloeien.

glower ['glauə] staren, boos of dreigend kijken (naar at, upon).

glowing ['glouiŋ] gloeiend, brandend; geestdriftig.

glow-worm ['glouwə:m] glimworm.

gloze [glouz] I vt in: ~ over bewimpelen, verbloemen, bemantelen, vergoelijken; II vi in: ~ upon ✎ commenteren.

glucose ['glu:kous] glucose, druivesuiker.

glue [glu:] I sb lijm; II vt lijmen, kleven, plakken²; ~d to the spot als aan de grond genageld.

gluey ['glu:i] lijmig, kleverig. [geld.

glum [glʌm] donker, somber, nors, stuurs.

glume [glu:m] ♣ kafje o.

glut [glʌt] I vt (over)verzadigen; overladen; overvoeren [de markt]; II sb (over)verzadiging; overvoering [v. d. markt].

gluten ['glu:tən] gluten o: kleefstof.

glutinous ['glu:tinəs] lijmig, kleverig.

glutton ['glʌtn] gulzigaard; ⚕ veelvraat; he is a (regular) ~ for... hij is dol op...; a ~ for (at) work een echte werkezel.

gluttonous(ly) ['glʌtənəs(li)] gulzig, vraatachtig, vraatzuchtig.

gluttony ['glʌtəni] gulzigheid, vraatzucht.

glycerine [glisə'ri:n] glycerine.

gnarl [na:l] knoest.

gnarled [na:ld], **gnarly** ['na:li] knoestig.

gnash [næʃ] I *vi* knarsen; II *vt* in: ~ *one's teeth* op de tanden knarsen, knarsetanden.

gnat [næt] mug.

gnaw [nɔ:] knagen (aan *at*), (af)kluiven.

gnome [noum] kabouter ‖ zinspreuk.

gnu [nju:, nu:] ⚥ gnoe.

go [gou] I *vi* gaan°, lopen°; gangbaar zijn [v. geld]; reiken [v. geld, gezag &]; heen-, doodgaan; op-, wegraken, verdwijnen, er aan (moeten) geloven; uitvallen, aflopen; luiden; worden; zijn; blijven; ~ *far* ver gaan (reizen); het ver brengen, voordelig in het gebruik zijn; *this goes far to show that...* dit bewijst vrij duidelijk dat...; *the remark is* (was) *true as far as it goes* (went) ...tot op zekere hoogte; ...*is* ~*ing* ...is (nog) kras, ...maakt 't goed, ...gaat goed; *but let it* ~ maar laat dat passeren!; *pay as you* ~ betaal dadelijk alles contant; *as the phrase* (*term*) *goes* zoals het heet (luidt); *as things* ~ naar omstandigheden; *as times* ~ voor de tijd; *how goes the world?* wat nieuws?, hoe staat 't ermee?; *twelve weeks to* ~ nog twaalf weken; II als *vt* in: ~ *a drive* een toertje gaan maken; ~ *halves* half staan; ook = ~ *shares* gelijk op delen; half om half doen; ~ *it* hem raken; het ervan nemen, aan de zwier gaan; ~ *it!* toe maar!, geef hem!; ~ *it alone Am* het op zijn eentje doen; ~ *the entire animal,* ~ *the whole hog* (*figure*) F ook B zeggen als men A gezegd heeft, doorzetten; ~ *one better* méér bieden; *fig* méér doen, overtreffen, de loef afsteken; ∞ ~ *about* rondlopen; in omloop zijn; een omweg maken; ⚓ overstag gaan, wenden; ~ *about it the wrong way* de zaak (het) verkeerd aanpakken; ~ *about one's business* zich bezighouden met zijn zaken; zijn werk doen; ~ *against* ingaan tegen; in het nadeel uitvallen van; [iem.] tegenlopen; *it goes against* (*the grain with*) *me, against my stomach* het stuit me tegen de borst; ~ *along* voortgaan, verder gaan; ~ *along with you!* loop rond!; *as we* ~ (*went*) *along* onder de hand; gaandeweg; ~ *at it* er op los gaan, aanpakken; ~ *at one* ook: iemand flink aanpakken, onder handen nemen; ~ *back* achteruit- (terug)gaan; ~ *back on* (*from*) *one's word* zich niet houden aan zijn woord, zijn belofte weer intrekken, terugkrabbelen; ~ *before* voorafgaan; verschijnen voor; ~ *behind something* iets nader onderzoeken; ~ *behind a man's words* iets achter iemands woorden zoeken; ~ *between* middelaar zijn tussen; ~ *by* 1 voorbijgaan, passeren; 2 zich laten leiden door; 3 bepaald worden door; ~ *by appearances* afgaan op het uiterlijk, oor-

delen naar de schijn; ~ *by the name of* bekend staan onder de naam....; ~ *down* gaan beneden gaan; ondergaan [de zon]; gaan liggen [de wind]; zakken [water]; ⚮ met vakantie naar huis gaan; ⚓ naar de kelder gaan; *fig* achteruitgaan, het afleggen, te gronde gaan, (komen te) vallen; $ dalen [prijzen]; teruggaan; *that won't* ~ *down with me* F dat wil er bij mij niet in; ~ *for* (gaan) halen; gelden (voor); F af-, losgaan op; ~ *for a drive* een toertje gaan maken; ~ *for a soldier* soldaat worden; ~ *for little* (*nothing*) weinig (niet) meetellen; geen effect hebben; *it goes in pocket-money* 't gaat op aan zakgeld; ~ *in for* zich aanschaffen [kledingstukken &]; meedoen aan, zich bemoeien (inlaten) met; opgaan [voor een examen]; (gaan) doen aan [een vak &]; ~ *into* gaan in; gaan op [bij deling]; ~ *into shrieks* beginnen te gillen; ~ *deep(er) into the matter* (*things*) diep(er) op de zaak ingaan; ~ *into particulars* (*details*) in bijzonderheden treden; ~ *off* weggaan²; indutten; flauwvallen; heengaan (= sterven); van de hand gaan; van stapel lopen [v. iets]; afgaan [geweer &]; ontploffen, losbarsten; slijten [v. gevoel]; achteruitgaan, minder worden; ~ *on* doorgaan, voortgaan, verder gaan (met); voorbijgaan [tijd]; aan de gang (aan de hand, gaande) zijn, gebeuren, plaatshebben, zich afspelen, verlopen, gaan, [in iemand] omgaan; te keer gaan; *as time goes* (*went*) *on* met de tijd, na verloop van tijd; *he is* ~*ing on for forty* hij loopt naar de veertig; *he went on to say...* hij zei vervolgens...; ~ *on together* met elkaar overweg kunnen; zie ook: ~ *upon*; ~ *out* uitgaan°; uittrekken [v. leger], (gaan) duelleren; aftreden [minister]; u,t de mode gaan; aflopen; in staking gaan; ~ *out of one's mind* het verstand verliezen, gek worden; *his heart went out to her* (*in sympathy*) hij had erg met haar te doen; ~ *over* overgaan [inz. tot het katholicisme], overlopen; doorlezen, doorlopen, nakijken [rekening]; *fig* de revue laten passeren; ~ *round* achterom lopen; (rond)draaien, rondtrekken; ergens even aangaan; (*not*) *enough to* ~ *round* (niet) genoeg voor allen; ~ *through* dóórgaan; doorlopen [v. les]; doorzoeken [zijn zakken]; doorstaan, meemaken; beleven; door-, afwerken [programma &]; vervullen [formaliteiten]; ~ *through the form of* ...*ing* voor de vorm, plichtmatig [iets doen]; ~ *through the motions* doen alsof; ~ *through with it* doorzetten; ~ *to* toevallen [v. prijs]; ~ *to the country* zie *appeal*; ~ *to much trouble* zich veel moeite getroosten; *12 pence* ~ *to a shilling* gaan op (in); *two things* ~ *to this* zijn hiervoor nodig; *it went to buy shoes* werd aan schoenen besteed; ~ *to!* ✎ och loop!, kom, kom!; ~ *together* samengaan; *fig* goed bij elkaar komen; ~ *under* ondergaan, te gronde gaan, bezwijken, het afleggen; ~ *under a name* onder zekere naam bekend zijn; ~ *up* (op)stijgen (ook ≫); opgaan (voor examen); $ omhoog gaan; aangaan [licht]; verrijzen [v. nieuw gebouw]; ⇆ naar de universiteit gaan; ~ *upon fig* zich laten leiden door, zich baseren op [zekere principes]; ~ *with* verkeren met; samengaan met, harmoniëren met, (be)horen (komen, passen, staan) bij; meegaan met; ~ *without* (*one's dinner, grog &*) het stellen zonder (buiten), niet krijgen; III *sb* vaart; elan *o*, gang, fut; mode; aanval; beurt; keer; *it's a ~!* top!; (*these hats are*) *all the ~, quite the ~* de mode; een rage; je ware; *a jolly, nice* (*pretty*) ~ ! een mooie boel (grap, geschiedenis)!; *it was a near ~ with him* dat was op het nippertje, op het kantje af met hem; *it is no ~* dat (het) gaat niet; het kan niet; het geeft (baat) niets; *two ~es of whiskey* twee (glazen) whisky; *have a ~* (*at*) het eens proberen, aanpakken, onder handen nemen; aanspreken [v. dranken]; *at* (*in*) *one ~* ineens; *on the ~* F op de been, in de weer, in beweging. Zie ook: *going, gone.*

goad [goud] I *sb* (ossedrijvers)prikkel[2]; II *vt* prikkelen, aansporen (*tot into, to*).

go-ahead ['gouǝhed] voortvarend.

goal [goul] doel *o*; *sp* goal: doelpunt *o*.

goalie ['gouli] F *sp* doelverdediger, keeper.

goal-keeper ['goulki:pǝ] *sp* doelverdediger, keeper.

goat [gout] ♈ geit; bok; *act* (*play*) *the* (*giddy*) ~ F zich mal aanstellen, idioot doen.

goatee [gou'ti:] sik, sikje *o*.

goatherd ['gouthǝ:d] geitenhoeder.

goatskin ['goutskin] (van) geitevel, geiteleer.

goatsucker ['goutsʌkǝ] ♰ geitenmelker.

gobble ['gɔbl] I *vi* klokken, kokkelen [v. kalkoenen] ‖ II *vt* opslokken (~ *down, up*); III *va* schrokken; IV *sb* geklok *o*. [gon *o*.

gobbledygook ['gɔbldi'guk] F (ambtelijk) jargobbler ['gɔblǝ] gulzigaard ‖ ♰ kalkoen.

gobelin ['goubǝlin] gobelin *o* & *m* (ook: ~ *tapestry*).

go-between ['goubitwi:n] bemiddelaar, tussenpersoon.

goblet ['gɔblit] ⊙ beker; bokaal; glas *o* met voet.

goblin ['gɔblin] kabouter, (boze) geest. [voet.

go-by ['goubai] in: *give the ~* achter zich laten; ontsnappen aan; laten schieten, links laten liggen; negeren; afdanken.

go-cart ['gouka:t] I ⚒ loopwagentje *o*; 2 kinderwagen.

God, god [gɔd] God, (af)god; *by ~!* bij God!; *under ~* naast God; *the ~s* F het schellinkje; *ye ~s!* o goden!

godchild ['gɔdtʃaild] petekind *o*.

goddaughter ['gɔdɔ:tǝ] peetdochter.

goddess ['gɔdis] godin[2].

godfather ['gɔdfa:ðǝ] peet(oom).

god-fearing ['gɔdfiǝriŋ] godvrezend.

god-forsaken ['gɔdfǝseikn] van God verlaten; ellendig.

Godfrey ['gɔdfri] Godfried, F Govert.

godhead ['gɔdhed] godheid.

Godiva [gɔ-, gou'daivǝ] Godiva.

godless ['gɔdlis] goddeloos.

godlike ['gɔdlaik] godgelijk; goddelijk.

godliness ['gɔdlinis] godsvrucht, godzaligheid.

godly ['gɔdli] godvruchtig.

godmother ['gɔdmʌðǝ] peettante, petemoei.

God's acre ['gɔdz'eikǝ] godsakker.

godsend ['gɔdsend] onverwacht geluk *o*, uitkomst, buitenkansje *o*, meevaller.

godson ['gɔdsʌn] peetzoon.

God-speed ['gɔd'spi:d] in: *bid* (*wish*) ~ *succes* of goede reis wensen.

godwit ['gɔdwit] ♰ grutto.

goer ['gouǝ] (hard)loper; *good ~* I hardloper; 2 goed lopend horloge *o*.

goggle ['gɔgl] I *vt* & *vi* (met de ogen) rollen, gapen, scheel kijken; uitpuilen; II *sb* ~*s* I (veiligheids-, stof-, auto- &) bril; 2 draaiziekte; III *aj* uitpuilend.

goggle-eyed ['gɔglaid] met uitpuilende ogen.

going ['gouiŋ] gaande; *be ~ to* op het punt zijn te...; van plan zijn te...; ~, ~, *gone!* eenmaal, andermaal, derdemaal!; I als *aj* bestaand; *the finest business ~* de mooiste zaak die er is of van de wereld; *a ~ concern* een in (volle) bedrijf zijnde onderneming; II als *sb* gaan *o*; (race)terrein *o*.

goings-on [gouiŋ'zɔn] F gedrag *o*, doen (en laten) *o*, gedoe *o*; *fine ~* een mooie boel!

goitre ['gɔitǝ] kropgezwel *o*.

gold [gould] I *sb* goud[2] *o*; II *aj* gouden.

gold-dust ['gould'dʌst] stofgoud *o*.

golden ['gouldn] gouden, gulden; goud-; goudkleurig, goudgeel; *the ~ age* de gouden eeuw; ~ *eagle* ♰ steenarend; *the ~ fleece* het gulden

goldfinch ['gouldfin(t)ʃ] ♰ distelvink. [vlies.

goldfish ['gouldfiʃ] ⓩ goudvis.

goldilocks ['gouldilɔks] ♣ gulden boterbloem; *G~* Goudlokje *o* [uit het sprookje].

gold-lace ['gould'leis] goudkoord *o* & *v*.

gold-leaf ['gouldli:f] bladgoud *o*.

goldsmith ['gouldsmiθ] goudsmid.

gold-wire ['gould'waiǝ] gouddraad *o* & *m*.

golf [gɔlf] I *sb sp* golf *o*; II *vi* golf spelen.

golf-club ['gɔlfklʌb] I golfclub; 2 golfstok.

golf-links ['gɔlfliŋks] golfbaan.

Golgotha ['gɔlgǝθǝ] Golgotha[2] *o*.

Goliath [gǝ'laiǝθ] Goliath.

golliwog ['gɔliwɔg] groteske pop.

golly ['gɔli] *ij* F gossie (ook: *by ~!*).

golosh [gǝ'lɔʃ] zie *galosh*.

Gomorrah [gǝ'mɔrǝ] Gomorra[2] *o*.

gondola ['gɔndǝlǝ] gondel.

gondolier [gɔndǝ'liǝ] gondelier.

gone [gɔn] V.D. van *go*; verloren, weg, verdwenen; voorbij; op; dood; P voor de haaien; *in days ~ by* in vervlogen dagen; *a ~ case* een hopeloos geval *o*; *he is far ~* het loopt op een eind met hem; *be ~ on* F verkikkerd zijn op.

gong [gɔŋ] gong; schel, bel.

goniometry [gouni′ɔmitri] goniometrie.

good [gud] **I** *aj* goed (voor, jegens *to*; voor, tegen *against*, *for*); „zoet" [v. kinderen], niet ondeugend, braaf; lief, aardig; prettig, heerlijk, fijn, lekker; flink, knap, sterk & goed (in *at*); ~ *!* F mooi (zo)!; *the* ~ *people* de feeën, de kaboutertjes; *is not* ~ *enough* deugt niet, is onbevredigend, niet voldoende; ~ *for* goed voor [op bon]; ~ *for you* / F jofel!, goed zo!; *make* ~ I (weer) goedmaken, vergoeden; 2 goed terechtkomen, er komen; zich er goed doorheen slaan; zich kranig houden; 3 bewijzen, waarmaken; gestand doen, ten uitvoer brengen; slagen in, weten te [ontsnappen]; **II** *sb* goed(e) *o*, welzijn *o*, best *o*, voordeel *o*, baat; *he is no* ~ 't is een vent van niks, daar zit niet veel bij; *it is no* (*not a bit of*) ~ 't is van (heeft) geen nut, 't geeft niet(s); *that's no* ~ *with me* daarmee hoef je bij mij niet aan te komen; *it is not much* ~ het geeft niet veel; *what's the* ~ (*of it*)? wat geeft (baat) het?; *for* ~ ten goede; *for* ~ (*and all*) voorgoed; *it is for your* ~ om uw bestwil; *he will come to no* ~ er zal niet veel van hem terechtkomen, 't zal niet goed met hem aflopen; *be ten pounds to the* ~ £ 10 voordeel hebben, er £ 10 op over houden, nog £ 10 te goed of ter beschikking hebben; *be all to the* ~ tot heil strekken, geen kwaad kunnen; zie ook *goods*.

good-breeding [gud′bri:diŋ] welgemanierdheid, beschaafdheid, wellevendheid.

good-bye [gud′bai] **I** *ij* adieu, (goeden)dag!; **II** *sb* afscheid *o*; *say* ~ ook: afscheid nemen (van *to*).

good-fellowship [gud′felouʃip] kameraadschap.

good-for-nothing [gudfə′nʌθiŋ] deugniet.

good humour [′gud′hju:mə] goede luim, opgeruimdheid, vrolijkheid.

goodies [′gudiz] bonbons, lekkers *o*, snoep.

goodish [′gudiʃ] goedig, tamelijk goed; *a* ~ *many* tamelijk veel, aardig wat.

good-looking [′gud′lukiŋ] knap, mooi.

goodly [′gudli] I knap, mooi; 2 flink.

⚓ goodman [′gudmən] man, baas; „vrind".

good nature [′gud′neitʃə] goedaardigheid.

good-natured [gud′neitʃəd] goedaardig, goedhartig.

goodness [′gudnis] goedheid, deugd; kracht, voeding [v. voedsel]; ~ (*gracious*) / F goeie genade!; ~ *knows where* de hemel weet waar; *thank* ~ / goddank!; *for* ~′ *sake* om godswil; ...*I hope to* ~ ...hoop ik (maar).

goods [gudz] goederen, goed *o*; waren; *it is the* ~ S je ware.

⚓ goodwife [′gudwaif] (huis)vrouw.

goodwill [′gud′wil] I welwillendheid; 2 klandizie, clientèle, goodwill.

goody [′gudi] **I** *sb* 1 ⚓ moedertje *o*, moeke *o*; 2 bonbon; **II** *aj* zie *goody-goody*.

---

goody-goody [′gudi′gudi] F sentimenteel, braaf, sullig; zoetsappig.

goon [gu:n] *Am* S geweldenaar, lid *o* van een knokploeg; kaffer.

goose [gu:s] I 🦢 gans; 2 *fig* gansje *o*, uilskuiken *o*; 3 persijzer *o*; *all his geese are swans* hij meent zijn uil een valk te zijn; *get the* ~ S uitgefloten worden.

gooseberry [′guzbəri] 🌿 kruisbes.

goose-flesh [′gu:sfleʃ] I ganzevlees *o*; 2 kippevel *o*.

gooseherd [′gu:shə:d] ganzenhoeder.

goose-quill [′gu:skwil] ganzeveer.

goose-skin [′gu:sskin] zie *goose-flesh* 2.

goose-step [′gu:sstep] ⚔ I *sb* paradepas; **II** *vi* in paradepas stappen.

Gordian [′gɔ:diən] gordiaans.

1 gore [gɔ:] **I** *sb* geronnen bloed *o*; **II** *vt* doorboren, (met de hoorns) spietsen.

2 gore [gɔ:] **I** *sb* geer; **II** *vi* geren.

gorge [gɔ:dʒ] **I** *sb* strot, keel; bergengte, -kloof; △ holkeel; brok *m* & *v* of *o* (eten); *my* ~ *rises at it* ik walg er van; **II** *vt* opslokken, inslikken; volstoppen (met *with*); **II** *vi* zich volproppen, schrokken.

gorgeous(ly) [′gɔ:dʒəs(li)] prachtig, schitterend.

gorgeousness [′gɔ:dʒəsnis] pracht.

Gorgon [′gɔ:gən] gorgone.

gorilla [gə′rilə] 🐒 gorilla.

gormandize [′gɔ:məndaiz] **I** *vi* gulzig eten, schrokken; **II** *vt* verslinden[2].

gormandizer [′gɔ:məndaizə] vraat.

gorse [gɔ:s] 🌿 gaspeldoorn.

gory [′gɔ:ri] bebloed, bloederig; bloedig.

gosh [gɔʃ] *ij* F gossie (ook: *by* ~ /).

goshawk [′gɔshɔ:k] 🦅 havik.

gosling [′gɔzliŋ] 🦢 jonge gans, gansje[2] *o*.

go-slow [′gou′slou] langzaam-aan-actie, -tactiek, -staking.

gospel [′gɔspəl] evangelie[2] *o*.

gospeller [′gɔspələ] voorlezer van 't evangelie.

gospel-truth [′gɔspəltru:θ] *fig* evangelie *o*.

gossamer [′gɔsəmə] **I** *sb* herfstdraad, -draden; rag(fijn weefsel) *o*; **II** *aj* ragfijn.

gossip [′gɔsip] **I** *sb* 1 babbelaar(ster), kletstante, roddelaar(ster); 2 (buur)praatje *o*, (buur)praatjes, gepraat *o*, gebabbel *o*, geroddel *o*; [journalistieke] ditjes en datjes; 3 ⚓ peetvriend(in), buur(vrouw); **II** *vi* babbelen, kletsen, roddelen.

gossiper [′gɔsipə] zie *gossip* I 1.

gossipy [′gɔsipi] praatziek; roddelend.

got [gɔt] V.T. & V.D. van *get*.

Goth [gɔθ] Goot.

Gothic [′gɔθik] **I** *aj* gotisch; barbaars; **II** *sb* (het) Gotisch; gotiek; gotische letter.

Gothicism [′gɔθisizm] gotiek.

gotten [′gɔtn] ⚓ & *Am* V.D. van *get*.

gouge [gaudʒ] **I** *sb* ⚒ guts; **II** *vt* gutsen; uitsteken (ook: ~ *out*).

gourd [guəd] 🌿 pompoen, kalebas.

gourmand ['guəmənd] I *aj* gulzig; II *sb* lekkerbek; gulzigaard.

gourmet ['guəmei] fijnproever.

gout [gaut] I jicht; 2 ✎ druppel.

goutiness ['gautinis] jichtigheid.

gouty ['gauti] jichtig; ~ *patient* jichtlijder.

govern ['gʌvən] regeren, besturen, leiden, regelen, beheersen; ~*ing body* (hoofd)bestuur *o*.

governable ['gʌvənəbl] te regeren.

governance ['gʌvənəns] bestuur *o*, leiding.

governess ['gʌvənis] gouvernante.

government ['gʌvənmənt] bestuur *o*, regering; leiding; gouvernement *o*.

governmental [gʌvən'mentl] regerings-.

governor ['gʌvənə] landvoogd, gouverneur; bestuurder; directeur; S ouwe heer; baas, chef, meneer; ✎ regulateur.

governor-general ['gʌvənə'dʒenərəl] gouverneur-generaal.

governorship ['gʌvənəʃip] gouverneurschap *o*.

gown [gaun] I *sb* japon, kleed *o*, jurk; tabberd, toga; het rechterlijk of geestelijk ambt; zie ook: *town*; II *vt & vi* (zich) kleden, de toga aantrekken.

gownsman ['gaunzmən] (academie)burger.

G.P.O. = *General Post Office.*

grab [græb] I *sb* greep, vangst, buit, roof; ✎ vanghaak; grijper; *make a* ~ *at* grijpen naar; II *vi* in: ~ *at* grijpen naar; III *vt* naar zich toe halen, inpikken, pakken, grissen, graaien.

grabble ['græbl] grabbelen, tasten (naar *for*); (liggen te) spartelen.

Gracchi ['grækai] *the* ~ de Gracchen.

grace [greis] I *sb* genade, gunst, bevalligheid, gratie°; respijt *o*, uitstel *o*; tafelgebed *o*; ♪ versiering; *the* ~*s* de gratiën; jeu de grâces; *good* ~*s* gunst; *Your Grace* Uwe Hoogheid [titel v. hertog(in) of aartsbisschop]; *he had the* ~ *to...* hij was zo fatsoenlijk (beleefd) om...; *say* ~ danken, bidden [aan tafel]; *in the year of* ~... in het jaar onzes Heren...; *with a bad* ~ met tegenzin, niet van harte; *with a good* ~ graag, van harte; met fatsoen; II *vt* (ver)sieren, luister bijzetten aan, opluisteren; vereren (met *with*); begunstigen.

graceful(ly) ['greisful(i)] bevallig, gracieus.

graceless ['greislis] I onbeschaamd; ondeugend; godvergeten; 2 onbevallig.

gracious ['greiʃəs] genadig; goedgunstig; minzaam; hoffelijk; ✎ bevallig, gracieus; aangenaam; *good* ~ *l*, *my* ~ *l*, ~ *me l*, ~ *goodness l* goeie genade!, lieve hemel!

gradate [grə'deit] geleidelijk (doen) overgaan.

gradation [grə'deiʃən] gradatie, trapsgewijze opklimming, (geleidelijke) overgang; nuancering.

gradational [grə'deiʃən(ə)l] trapsgewijs.

grade [greid] I *sb* graad, rang, trap; kwaliteit, gehalte *o*, soort, klasse; *Am* ✎ klas v. lagere school; cijfer *o*; helling; *make the* ~ *Am* slagen, succes hebben, 't 'm leveren; II *vt* I graderen, rangschikken, sorteren; 2 nivelleren

[een weg]; 3 veredelen [v. dieren]; III *vi* geleidelijk overgaan (in *into*).

grade crossing ['greidkrɔ(:)siŋ] *Am* overweg [v. spoorweg], gelijkvloerse kruising [v. wegen].

grade school ['greidsku:l] *Am* lagere school.

gradient ['greidiənt] helling; hellingshoek; (barometrische) gradiënt.

gradual ['grædjuəl] I *aj* trapsgewijze opklimmend &, geleidelijk; II *sb* RK graduale *o*.

gradually ['grædjuəli] *ad* trapsgewijze, geleidelijk, langzamerhand, allengs, gaandeweg.

1 **graduate** ['grædjuit] *sb* 1 ✎ gegradueerde; *Am* gediplomeerde; 2 maatglas *o*.

2 **graduate** ['grædjueit] I *vt* 1 in graden verdelen, graderen; 2 ✎ promoveren; 3 *Am* een diploma verlenen; ~*d taxation* progressieve belasting; II *vi* I (geleidelijk) overgaan (in *into*); 2 ✎ promoveren; 3 *Am* een diploma behalen.

graduation [grædju'eiʃən] geleidelijke opklimming; graadverdeling; gradering; ✎ promotie.

graduator ['grædjueitə] graadmeter.

Graeco- ['gri:kou] Grieks-.

graft [gra:ft] I *sb* 1 ent; 2 *Am* (door) politiek gekonkel *o* (verkregen voordeel *o*); II *vt* enten[2]; III *vi Am* konkelen, knoeien.

grafter ['gra:ftə] I enter; 2 *Am* konkelaar, knoeier.

Grail [greil] graal ‖ *g*~ *RK* graduale *o*.

grain [grein] I *sb* graan *o*, koren *o*; (graan)korrel; grein° *o*, greintje *o*; korreling, kern, nerf, weefsel *o*; ruwe kant van leer, keper, structuur, draad[2]; aard, natuur; † scharlakenrood *o*; ~*s* draf; *against the* ~ tegen de draad; zie ook: *go*; *dyed in* ~ in de wol geverfd[2]; *a rogue in* ~ een aartsschelm; *with the* ~ op de draad; II *vt & vi* korrelen, grein(er)en; aderen, marmeren.

gram [græm] gram *o*.

§ **graminaceous** [greimi'neiʃəs] grasachtig.

grammar ['græmə] spraakkunst, grammatica; *it is bad* ~ ongrammaticaal.

grammarian [grə'mɛəriən] grammaticus.

grammar school ['græməsku:l] I middelbare school [van 11 tot minstens 15 jaar]; 2 ± gymnasium *o*, ✎ Latijnse school.

grammatical(ly) [grə'mætikəl(i)] taalkundig, grammaticaal.

gramme [græm] gram *o*.

gramophone ['græməfoun] grammofoon.

granary ['grænəri] korenzolder, -schuur[2].

grand [grænd] I *aj* groot, groots; voornaam, edel, F prachtig; *do the* ~ de grote heer uithangen, mooi weer spelen; II *sb* I ♪ vleugel(piano); 2 *Am* S 1000 dollar.

✎ **grandam** ['grændæm] grootje *o*.

grand-aunt ['grænda:nt] oudtante.

grandchild ['græn(d)tʃaild] kleinkind *o*.

granddad ['grændæd] F opa.

grand-daughter ['grænddɔ:tə] kleindochter.

grand duchess ['grænd'dʌtʃis] 1 groothertogin; 2 grootvorstin.

grand duchy ['grænd'dʌtʃi] groothertogdom o.

grand duke ['grænd'dju:k] 1 groothertog; 2 grootvorst.

grandee [græn'di:] (Spaanse) grande.

grandeur ['græn(d)ʒə] grootheid, grootsheid, pracht, staatsie, voornaamheid.

grandfather ['græn(d)fɑ:ðə] grootvader; ~('s) clock staande klok.

grandiloquence [græn'diləkwəns] bombast, hoogdravendheid; grootspraak.

grandiloquent [græn'diləkwənt] bombastisch, hoogdravend; grootsprakig.

grandiose ['grændious] grandioos, groots, weids.

grandiosity [grændi'ɔsiti] grootsheid.

grandmother ['græn(d)mʌðə] grootmoeder.

grand-nephew ['grændnevju] achterneef.

grand-niece ['grændni:s] achternicht.

grand-parents ['grændpɛərənts] grootouders.

grandsire ['græn(d)saiə] 1 voorvader; 2 grootvader [v. paard].

grandson ['græn(d)sʌn] kleinzoon.

grandstand ['grændstænd] (overdekte) tribune.

grand-uncle ['grændʌŋkl] oudoom.

grange ['grein(d)ʒ] hereboerderij.

granite ['grænit] graniet o; bite on ~ er zijn tanden op stomp bijten.

granny ['græni] F grootje o, opoe.

grant [grɑ:nt] I vt vergunnen, toestaan, inwilligen, verlenen, schenken; toegeven, toestemmen; God ~ it God geve het!; ~ed (na: beg pardon) F pas de quoi; ~ed that toegegeven of aangenomen dat; take for ~ed als vaststaand, als vanzelfsprekend, zonder meer aannemen; II sb schenking, concessie, bijdrage, toelage, subsidie.

grantable ['grɑ:ntəbl] te verlenen.

grantee [grɑ:n'ti:] begiftigde; concessionaris.

grantor ['grɑ:ntə] begiftiger, schenker.

granular ['grænjulə] korrelachtig, korrelig.

granulate ['grænjuleit] korrelen, greineren.

granulation [grænju'leiʃən] korreling, greinering.

granule ['grænju:l] korreltje o.

grape [greip] ♣ druif; sour ~s = the ~s are sour de druiven zijn zuur.

grape-fruit ['greipfru:t] ♣ soort pompelmoes.

grapery ['greipəri] druivenkwekerij, -kas.

grape-shot ['greipʃɔt] ✕ schroot o.

grape-stone ['greipstoun] druivepit.

grapevine ['greipvain] Am 1 wijnstok; 2 gerucht o; keten van fluisterposten, geruchtendienst.

graph [græf] grafische voorstelling, grafiek.

graphic(ally) ['græfik(əli)] grafisch; schrift-, schrijf-, teken-; fig tekenachtig, aanschouwelijk.

graphite ['græfait] grafiet o.

graphologist [græ'fɔlədʒist] grafoloog.

graphology [græ'fɔlədʒi] grafologie.

grapnel ['græpnəl] 1 dreg(ge); 2 dreganker o.

grapple ['græpl] I vt enteren; aanklampen; omvatten; omklemmen, beetpakken; II vi ~ with worstelen met, zich meten met, entameren [moeilijkheden]; III sb (enter)dreg; greep, omvatting, worsteling².

grappling-iron ['græpliŋaiən] ♣ enterhaak.

grapy ['greipi] druiven-, als (van) druiven.

grasp [grɑ:sp] I vt (aan-, vast)grijpen, beetpakken, (om)vatten², begrijpen; omklemmen, vasthouden; ~ the nettle de koe bij de horens vatten; II vi ~ at grijpen naar; III sb greep², bereik² o; macht; houvast o; volledig beheersen of omvatten van een onderwerp; bevatting, bevattingsvermogen o.

grasping ['grɑ:spiŋ] inhalig, schraperig.

grass [grɑ:s] I sb gras o; grasje o; S grond; cut the ~ from under one's feet iemand het gras voor de voeten wegmaaien; not let the ~ grow under one's feet er geen gras over laten groeien; be at ~ in de wei lopen²; put (send, turn out) to ~ in de wei doen; fig in de wei laten lopen; wegjagen; II vt met graszoden bedekken; bleken; sp in 't zand doen bijten, neerschieten, aan land halen [vissen].

grasshopper ['grɑ:hɔpə] sprinkhaan.

grass-plot ['grɑ:splɔt] grasveld o, grasperk o.

grass-roots ['grɑ:sru:ts] I sb fig fondamenten; II als aj met het volk verbonden, onder de massa levend.

grass-snake ['grɑ:ssneik] ringslang.

grass-widow ['grɑ:s'widou] onbestorven weduwe.

grassy ['grɑ:si] 1 grasrijk, grazig; 2 grasachtig, gras-.

grate [greit] I sb 1 traliewerk o; 2 rooster m & o; 3 (vuur)haard; II vt 1 traliën; 2 wrijven, raspen, knarsen op [de tanden]; III vi knarsen, krassen, schuren; ~ upon the ear het gehoor pijnlijk aandoen.

grateful(ly) ['greitful(i)] dankbaar, erkentelijk; strelend, behaaglijk, aangenaam.

gratefulness ['greitfulnis] dankbaar-, erkentelijkheid; behaaglijk-, aangenaamheid.

grater ['greitə] rasp.

gratification [grætifi'keiʃən] bevrediging, voldoening; genoegen o, genot o, behagen o; beloning, gratificatie.

gratify ['grætifai] bevredigen, voldoen, voldoening schenken; behagen; belonen (met fooi), een gratificatie schenken; gratified shouts kreten van voldoening; ~ing ook: aangenaam, verheugend, strelend.

grating ['greitiŋ] I aj knarsend, krassend; door merg en been gaand; irriterend; II sb traliewerk o, roosterwerk o.

gratis ['greitis] om niet, gratis, kosteloos.

gratitude ['grætitju:d] dankbaarheid.

gratuitous(ly) [grə'tju:itəs(li)] gratis, kosteloos; ongemotiveerd, uit de lucht gegrepen, ongegrond; niet gerechtvaardigd of te rechtvaardigen, nodeloos.

gratuity [grə'tju:iti] gift; fooi; gratificatie.
gratulatory ['grætjuleitəri] felicitatie-.
gravamen [grə'veimen] 𝑖𝑡 hoofdpunt *o* van aanklacht; bezwaar *o*, grief.
1 grave [greiv] *sb* graf *o*, grafkuil.
2 grave [greiv] *vt* graveren, beitelen, beeldhouwen; ⚓ (be)graven ‖ ⚓ schoonbranden; ~ *in* (*on*) inprenten, griffen in.
3 grave [greiv] *aj* deftig, stemmig, statig, ernstig; donker [kleur]; diep [toon].
grave-digger ['greivdigə] doodgraver°.
gravel ['grævəl] I *sb* kiezel *o* & *m*, kiezelzand *o*, grind *o*; graveel *o*; II *vt* 1 met kiezelzand bestrooien, begrinten; 2 vastzetten; ergeren.
gravelly ['grævəli] vol kiezel(zand).
gravel-walk ['grævəl'wɔ:k] kiezelpad *o*.
gravely ['greivli] *ad* zie 3 grave.
graven ['greivən] gegrift; ~ *image* B gesneden beeld *o*.
graver ['greivə] 1 graveur; 2 graveerstift.
graveside ['greivsaid] in: *at the* ~ aan het graf, bij de groeve.
gravestone ['greivstoun] grafsteen.
graveyard ['greivja:d] kerkhof *o*.
graving-dock ['greiviŋdɔk] ⚓ droogdok *o*.
gravitate ['græviteit] graviteren; ~ *towards* overhellen, neigen naar, aangetrokken worden tot.
gravitation [grævi'teiʃən] zwaartekracht.
gravity ['græviti] gewicht *o*; gewichtigheid; deftigheid, ernst(igheid); zwaarte, zwaartekracht; *specific* ~ soortelijk gewicht *o*.
gravy ['greivi] jus.
gravy-boat ['greivibout] juskom.
gray [grei] zie *grey*.
grayling ['greiliŋ] 𝕊 vlagzalm.
1 graze [greiz] I *vi* grazen, weiden; II *vt* laten grazen (weiden); afgrazen.
2 graze [greiz] I *vi* & *vt* schaven; schampen; rakelings voorbijgaan, even aanraken; ~ *against* (*along, by, past*) gaan (strijken) langs; II *sb* schaving; schampschot *o*.
grazier ['greiziə] vetweider.
grease [gri:s] I *sb* vet *o*, smeer *o* & *m*; II *vt* [gri:z, gri:s] smeren, insmeren, 🚂 doorsmeren; invetten; de handen smeren (zalven): omkopen (ook: ~ *the hand, the palm*).
grease-paint ['gri:speint] schmink. [pier].
greaseproof ['gri:spru:f] vetdicht; vetvrij [papier].
greaser ['gri:zə] smeerder; ⚓ olieman.
greasiness ['gri:zinis, 'gri:sinis] smerigheid, vettigheid.
greasy ['gri:zi, -si] smerig, vettig²; glibberig; zalvend; *the* ~ *pole* (mast voor) het mastklimmen of boegsprietlopen.
great [greit] I *aj* groot°; hoog [leeftijd]; F prachtig, heerlijk, leuk; ~ *at* (*on*) knap in; II *sb* ~*s* ⇔ eindexamen *o* voor *B.A.*
great-aunt ['greita:nt] oudtante. [jas.
greatcoat ['greit'kout] 1 overjas; 2 ✂ kapot
greater ['greitə] groter; *Greater Britain* het gehele Britse Rijk; *Greater Copenhagen* Kopenhagen met de voorsteden; *the* ~ *part* ook: het grootste deel.
great-grandfather ['greit'græn(d)fa:ðə] overgrootvader.
great-grandson ['greit'græn(d)sʌn] achterkleinzoon.
greatly ['greitli] *ad* 1 grotelijks, < sterk, zeer. veel; 2 groots, nobel.
greatness ['greitnis] grootte, grootheid.
great-uncle ['greitʌŋkl] oudoom.
greaves [gri:vz] been-, scheenplaten [v. wapenrusting] ‖ kaantjes.
grebe [gri:b] 𝕊 fuut.
Grecian ['gri:ʃən] I *aj* Grieks; II *sb* 1 Griek; 2 graecus.
Greece [gri:s] Griekenland *o*.
greed [gri:d], greediness ['gri:dinis] hebzucht; begerigheid, gretigheid, gulzigheid.
greedily ['gri:dili] *ad* zie *greedy*.
greedy ['gri:di] *aj* hebzuchtig, begerig (naar *of*), gretig, gulzig; belust (op *for*).
Greek [gri:k] I *aj* Grieks; II *sb* Griek; Grieks² *o*; S bedrieger, valse speler; *it was* ~ *meeting* ~ 1 ze waren aan elkaar gewaagd; 2 het spande er.
green [gri:n] I *aj* groen², onrijp², nieuw, vers, fris; ~ *cheese* 1 groene kaas; 2 weikaas; ~ *crop* groen gewas *o*; *have* ~ *fingers* zie *have a* ~ *thumb* ↓; ~ *fly* plantluis; *a* ~ *hand* een nieuweling; ~ *light* groene licht *o*; *fig* goedkeuring, verlof *o*; ~ *manure* groenbemesting; ~ *pea* doperwt; ~ *stuff* (*food, meat*) groenten; groen(voer) *o*; *have a* ~ *thumb* een gelukkige hand bij het tuinieren hebben; *keep* ~ *the memory of...* in gezegend aandenken houden; II *sb* groen *o*, grasveld *o*, dorpsplein *o*; *fig* kracht; ~*s* 1 groente(n); 2 groen *o*, loof *o*; 3 groene partijen [v. schilderij]; *do you see any* ~ *in my eye?* zie je me voor zo groen (onnozel) aan?; III *vt* groen maken; S voor de gek houden; IV *vi* ☉ groenen.
greenback ['gri:nbæk] *Am* bankbiljet *o*.
greenery ['gri:nəri] 1 groen *o*; 2 serre, kas, oranjerie.
green-eyed ['gri:naid] groenogig; *the* ~ *monster* de jaloersheid, de schele nijd.
greenfinch ['gri:nfin(t)ʃ] 𝕊 groenvink.
greengage ['gri:n'geidʒ] 🌱 reine-claude.
greengrocer ['gri:ngrousə] groen(te)boer.
greengrocery ['gri:ngrousəri] groente(handel).
greenhorn ['gri:nhɔ:n] F groen, sul.
greenhouse ['gri:nhaus] serre, kas, oranjerie.
greenish ['gri:niʃ] groen(acht)ig.
Greenland ['gri:nlənd] Groenland(s).
Greenlander ['gri:nləndə] Groenlander.
greenness ['gri:nnis] groenheid².
greenroom ['gri:nrum] artiestenkamer.
greensickness ['gri:nsiknis] bleekzucht.
green-stall ['gri:nsto:l] groentestalletje *o*.
greensward ['gri:nswɔ:d] grasveld *o*.
Greenwich ['grinidʒ] Greenwich *o*.
greeny ['gri:ni] groen(ig), groenachtig.

greet [gri:t] begroeten, groeten.

greeting ['gri:tiŋ] begroeting, groet; ∼s *tele-gram* gelukstelegram o.

gregarious [gri'gɛəriəs] ♣♣ gezellig (levend); ∼ *animal* ook: kuddedier o.

Gregorian [gri'gɔ:riən] gregoriaans.

Gregory ['gregəri] Gregorius.

gremlin ['gremlin] de man met de hamer: denkbeeldige onheilbrengende geest [aan boord v. e. vliegtuig].

grenade [gri'neid] ✗ (hand)granaat.

grenadier [grenə'diə] ✗ grenadier.

grenadine ['grenədi:n] grenadine.

grew [gru:] V.T. van *grow*.

grey [grei] I *aj* grijs, grauw; ongebleekt [v. katoen &]; ∼ *horse* schimmel; ∼ *matter* I grijze stof [in het centrale zenuwstelsel]; 2 *fig* F hersens, verstand o; II *sb* grijs o, grauw o; schimmel; ∼s I grijze partijen [v. schilderij]; 2 ongebleekte linnen goederen; III *vi* (beginnen te) grijzen; IV *vt* grijs maken.

grey-back ['greibæk] ♣ bonte kraai.

greybeard ['greibiəd] I grijsaard; 2 F kruik.

grey friar ['grei'fraiə] franciscaan.

grey-haired ['grei'hɛəd, -'hedid] met grijs haar, grijs, vergrijsd.

grey-hen ['greihen] ♣ korhoen o.

greyhound ['greihaund] hazewind, windhond; *Ocean* ∼ F snelvarend stoomschip o.

greyish ['greiiʃ] grijs-, grauwachtig.

grid [grid] (braad)rooster *m* & o; net o, centrale voorziening [v. elektriciteit, gas &].

griddle ['gridl] bakplaat.

griddle-cake ['gridlkeik] plaatkoek.

gride [graid] I *vi* knarsen; II *sb* geknars o.

gridiron ['gridaiən] I (braad)rooster; 2 traliewerk o; ∼ *pendulum* compensatieslinger.

grief [gri:f] droefheid, verdriet o, leed o, kommer, smart, hartzeer o; *come to* ∼ een ongeluk krijgen, verongelukken; een val doen; de nek breken; mislukken, stranden[2], schipbreuk lijden[2] (op, *on*, *over*).

grievance ['gri:vəns] grief.

grieve [gri:v] I *vt* bedroeven, verdrieten, smarten, leed (aan)doen; II *vi* treuren (over *about*, *at*, *over*, *for*).

grievous(ly) ['gri:vəs(li)] zwaar, drukkend, pijnlijk, grievend, smartelijk, bitter, < deerlijk, jammerlijk &.

griffin ['grifin] griffioen.

griffon ['grifən] smoushond; zie ook: *griffin*.

grig [grig] zandaal; *prov* krekel, sprinkhaan.

grill [gril] I *sb* rooster; geroosterd vlees o &; zie ook: *grill-room*, *grille*; II *vt* roosteren, braden[2].

grille [gril] traliewerk o, -hek o, afsluiting.

grill-room ['grilrum] restaurant o.

grim [grim] *aj* grimmig, bars; bar, streng, hard; fel, verwoed, verbeten, woest, wreed, afschuwelijk; lelijk, bedenkelijk.

grimace [gri'meis] I *sb* grimas, grijns; II *vt* grimassen maken, grijnzen.

grimalkin [gri'mælkin] oude kat[2].

grime [graim] I *sb* vuil o; roet o; II *vt* bevuilen.

griminess ['graiminis] vuilheid, vuil o.

grimly ['grimli] *ad* zie *grim*.

grimness ['grimnis] grimmigheid, bar(s)heid, strengheid, hardheid; felheid, verwoedheid, verbetenheid; wreedheid.

grimy ['graimi] vuil, smerig.

grin [grin] I *sb* brede glimlach; grijns, grijnslach; II *vi* het gezicht vertrekken; grijnzen, grijnslachen.

grind [graind] I *vi* (zich laten) malen of slijpen; zich afbeulen (op *away at*), ploeteren, blokken; knarsen; II *vt* (fijn)malen, (fijn)wrijven; slijpen; draaien [orgel]; drillen [jongens]; ∼ *the faces of the poor* de armen onderdrukken, uitzuigen, uitmergelen; ∼ *one's teeth* knarsetanden; ∞ ∼ *down* fijnmalen; onderdrukken; ∼ *in* „pas" slijpen; ∼ *(in)to dust* tot stof vermalen; ∼ *out* afdraaien [op een orgel]; III *sb* malen of slijpen o; (orgel)-draaien o, knarsen o; F karwei; koeliewerk o, sjouw; wandeling voor de gezondheid.

grinder ['graində] slijper; kies, maaltand; slijpmachine; *fig* verdrukker, uitzuiger; repetitor.

grindstone ['graindstoun] slijpsteen.

grip [grip] I *sb* greep°, houvast o, vat; begrip o; macht; *at* ∼s handgemeen; II *vt* (vast)grijpen, beetpakken, klemmen; *fig* pakken, boeien; III *vi* & *va* pakken, boeien.

gripe [graip] I *vt* (vast)grijpen, (beet)pakken; koliek veroorzaken; *fig* knijpen; II *sb* greep°, houvast o, vat; knaging, druk; ∼s koliek o & v, kramp(en).

griping ['graipiŋ] grijpend, (k)nijpend; inhalig, schraperig; knagend [v. pijn].

gripsack ['gripsæk] *Am* valies o.

grisly ['grizli] akelig, griezelig.

grist [grist] koren o; *that brings* ∼ *to his mill* dat legt hem geen windeieren; *all is* ∼ *that comes to his mill* alles is van zijn gading.

gristle ['grisl] kraakbeen o.

gristly ['grisli] kraakbeenachtig.

grit [grit] I *sb* zand o, steengruis o; zand- of biksteen o & *m*; grein o; *fig* flinkheid, fut; ∼s grutten; II *vt* in: ∼ *one's teeth* knarsetanden; III *vi* knarsen.

gritstone ['gritstoun] zand- of biksteen o & *m*.

grittiness ['gritinis] zanderigheid, korreligheid; *fig* flinkheid.

gritty ['griti] zanderig, korrelig; *fig* flink.

grizzled ['grizld] grijs, grauw, vergrijsd.

grizzly ['grizli] I *aj* grijs(achtig); II *sb* F grijze beer.

groan [groun] I *vi* ste(u)nen, kreunen, kermen (van *with*), zuchten (naar *for*, onder *under*); kraken [v. houtwerk]; II *sb* gesteun o, gekreun o.

groat [grout] in: *not a* ∼ geen zier, geen duit.

groats [grouts] grutten.

grocer ['grousə] kruidenier.

grocery ['grousəri] 1 kruidenierswaren; 2 kruidenierswinkel.

grog [grɔg] grog.

groggy ['grɔgi] 1 aangeschoten, dronken; 2 onvast op de benen.

grogram ['grɔgrəm] grofgrein o.

groin [grɔin] 1 lies; 2 △ graatrib.

groined [grɔind] ~ vault △ kruisgewelf o.

groom [gru:m] I sb stal-, rijknecht; bruidegom; kamerheer; ~ of the stole opperkamerheer; II vt verzorgen; prepareren, opleiden [een opvolger].

groomsman ['gru:mzmən] bruidsjonker.

groove [gru:v] I sb groef, sponning, gleuf; trek [v. kanon of geweer]; fig sleur; in the ~ Am S er helemaal „in"; II vt 1 groeven; 2 ✂ ploegen.

grope [group] (tastend) zoeken, (rond)tasten (naar for, after).

grosbeak ['grousbi:k] ⚑ appelvink, dikbek.

gross [grous] I aj dik, groot, lomp, grof, ruw, onbeschoft; bruto; schromelijk, erg, flagrant; II sb gros o; in (the) ~ in zijn geheel, in het algemeen; bij de hoop; in het groot.

grossly ['grousli] ad grovelijk &, zie gross I.

grossness ['grousnis] grofheid, lompheid.

⊙ **grot** [grɔt] grot.

grotesque [grou'tesk] I sb groteske; II aj grotesk, potsierlijk.

grotesquely [grou'teskli] ad zie grotesque II.

Grotius ['grouʃiəs] (Hugo) de Groot.

grotto ['grɔtou] grot.

1 **ground** [graund] I sb grond² (ook = grondkleur); achtergrond; bodem; terrein² o; ~s grondsop o, droesem, (koffie)dik o; aanleg, park o; break ~ beginnen te graven, het terrein ontginnen²; break new ~ pionierswerk doen; change one's ~ zie shift one's ~; cover much ~ een hele afstand afleggen; fig veel afdoen; zich over een groot gebied uitstrekken; cut the ~ from under one's feet iemand het gras voor de voeten wegmaaien; gain ~ veld winnen², vorderen; give ~ wijken; hold (keep) one's ~ stand houden, voet bij stuk houden, lose ~ terrein verliezen²; maintain one's ~, zie hold one's ~; shift one's ~ van standpunt veranderen, het over een andere boeg gooien; stand one's ~ zie hold one's ~; touch ~ grond voelen; above ~ boven aarde; nog in leven; on sure ~ op veilig terrein; on the ~ of... op grond van, wegens; on the ~(s) that op grond van het feit, dat..., omdat, daar; on personal ~s om redenen van persoonlijke aard; fall to the ~ op de grond vallen; fig in 't water (in duigen) vallen; II vt gronden°; grondvesten, baseren; grondverven; de gronden onderwijzen; op de grond leggen [geweren]; ⚓ op strand zetten; ✈ op de grond houden; ✎ naar de aarde afleiden; well~ed I gegrond [v. klachten &]; 2 goed onderlegd (in in); III vi ⚓ aan de grond raken, stranden.

2 **ground** [graund] V.T. & V.D. van grind; ~ glass matglas o.

groundage ['graundidʒ] ⚓ ankergeld o.

ground-floor ['graund'flɔ:] benedenverdieping.

grounding ['graundiŋ] 1 grondverven o; 2 grondslag²; 3 ⚓ aan de grond raken o; with a good~ goed onderlegd.

ground-ivy ['graund'aivi] ⚑ hondsdraf.

groundless ['graundlis] ongegrond.

ground level ['graundlevl] begane grond.

ground-nut ['graundnʌt] ⚑ grondnoot.

ground-plan ['graundplæn] plattegrond.

ground-plot ['graundplɔt] bouwterrein o.

ground-rent ['graundrent] grondpacht.

ground sheet ['graundʃi:t] grondzeil o.

ground-swell ['graundswel] grondzee.

groundwork ['graundwə:k] grondslag², grond; onderbouw.

group [gru:p] I sb groep; II vt groeperen; III vi zich groeperen.

grouping ['gru:piŋ] groepering.

grouse [graus] I sb ⚑ korhoen o, korhoenders || S gemopper o, gekanker o; grief; II vi S mopperen, kankeren.

grout [graut] I sb dunne mortel; II vt met dunne mortel voegen.

grove [grouv] bosje o, bosschage o.

grovel ['grɔvl] kruipen², zich in het stof vernederen (ook: ~ in the dirt, in the dust).

groveller ['grɔvlə] kruiper, lage ziel.

grovelling ['grɔvliŋ] kruipend²; kruiperig.

grow [grou] I vi groeien, wassen, aangroeien; ontstaan; worden; ~ into one aaneen-, samengroeien; ~ out of voortspruiten, ontstaan uit; groeien uit, ontgroeien; ~ together samengroeien; ~ up (op)groeient groot worden; ontstaan; ~ upon one vakrijgen op; zich opdringen [v. gedachte]; II vt laten groeien (staan); (ver)bouwen, kweken, telen; voortbrengen.

grower ['grouə] wie (wat) groeit; verbouwer, kweker.

growing ['grouiŋ] I aj groei-; groeizaam [v. weer]; ~ crops te velde staande gewassen; ~ pains 1 groeikoorts; 2 fig kinderziekte(n); II sb (ver)bouw, cultuur, teelt.

growl [graul] I vi snauwen, knorren, grommen, brommen (tegen at); II vt ~ (out) brommen; III sb grauw, snauw, geknor o, gebrom o, gegrom o.

growler ['graulə] 1 knorrepot; 2 ✎ F vigilante.

grown [groun] I V.D. van grow; 2 begroeid; 3 volgroeid, volwassen; groot.

grown-up ['grounʌp] I aj volwassen; II sb the ~s de volwassenen, de groten.

growth [grouθ] 1 groei, wasdom, aanwas, toeneming, vermeerdering; 2 gewas o, produkt o; 3 gezwel o, uitwas.

groyne [grɔin] golfbreker.

grub [grʌb] I sb larve, made, engerling; ploeteraar; slons; S eterij, kost; II vi graven, wroeten; zich afbeulen (op at); ploeteren (aan *away at*); S bikken, schransen; ~ *along* (*on*) door-, voortploeteren (aan); III *vt* opgraven, om-, uitgraven, rooien (ook: ~ *up*).

grubby ['grʌbi] 1 vol maden; 2 vuil, vies, slonzig.

grudge [grʌdʒ] I *vt* misgunnen, niet gunnen; *he* ~*s no labour* geen arbeid is hem te veel; II *sb* wrok; *bear* (*owe*) *one a* ~, *have a* ~ *against* (een) wrok koesteren jegens, geen goed hart toedragen.

grudgingly ['grʌdʒiŋli] met tegenzin, ongaarne; tegen wil en dank.

gruel ['gruəl] I *sb* dunne pap, brij; *get one's* ~ S er van langs krijgen; II *vt* S iemand zijn vet (bekomst) geven.

gruelling ['gruəliŋ] I *aj* S afmattend, zwaar, hard; II *sb* S afstraffing.

gruesome(ly) ['gru:səm(li)] ijselijk, griezelig, ijzingwekkend, akelig.

gruff(ly) [grʌf(li)] nors; bars; grof.

gruffness ['grʌfnis] nors-, bars-, grofheid.

grumble ['grʌmbl] I *vi* morren, knorren; brommen, grommen, pruttelen, mopperen (over *at, about, over*); rommelen; II *vt* ~ (*out*) grommen; III *sb* gegrom *o*, gemopper *o*, grauw; gerommel *o* [van donder].

grumbler ['grʌmblə] knorrepot, brombeer, mopperaar.

grume [gru:m] klonter.

grumous ['gru:məs] klonterig.

grumpy ['grʌmpi] I *aj* brommerig, knorrig, mopperig; II *sb* brombeer, grompot.

Grundy ['grʌndi] in: *Mrs.* ~ de boze, kwaadsprekende wereld.

grunt [grʌnt] I *vi* knorren (als een varken); II *vt* ~ (*out*) grommen; III *sb* knor, geknor *o*.

grunter ['grʌntə] 1 knorder, grommer; 2 ♙ varken *o*.

gruyère ['gru:jɛə] gruyère(kaas).

gs. = *guineas*.

guana ['gwɑ:nə] ♙ leguaan.

guano ['gwɑ:nou] guano *o*.

guarantee [gærən'ti:] I *sb* 1 (waar)borg; garantie; $ aval *o* [v. wissel]; 2 waarborg(en) verkregen hebbende (partij); II *vt* waarborgen, vrijwaren (tegen, voor *against, from*) borg staan voor, garanderen; $ avaleren [een wissel].

guarantor [gærən'tɔ:] garant; $ avalist [v. wissel].

guaranty ['gærənti] zie *guarantee* I 1 & II.

guard [gɑ:d] I *sb* wacht, hoede, waakzaamheid, dekking; bescherming, bewaking; bewaker, wachter; *Am* cipier, gevangenbewaarder; ⚔ garde, lijfwacht (~*s*); conducteur; stootplaat [van degen]; beugel [van geweer]; (vuur)scherm *o*; (been)beschermer; leuning; (gevechts)positie [bij 't schermen]; ~ *of honour* erewacht; *lower one's* ~ zijn waakzaamheid laten verslappen; *off one's* ~ niet op zijn hoede; *be on* ~ ⚔ op wacht staan; *on one's* ~ op zijn hoede; II *vt* (be)hoeden, be-

schermen (tegen *against, from*); bewaken[2]; III *vi* zich hoeden, zich wachten, op zijn hoede zijn, oppassen, waken (voor *against*).

guard-chain ['gɑ:dtʃein] sautoir, halsketting; veiligheidskettinkje *o*.

guarded(ly) ['gɑ:did(li)] voorzichtig, gereserveerd.

guardee [gɑ:'di:] S zie *guardsman*. [veerd.

guard-house ['gɑ:dhaus] zie *guard-room*.

guardian ['gɑ:djən] voogd; curator; bewaarder, bewaker; opziener; *RK* gardiaan; *fig* hoeder; ~ *angel* engelbewaarder, beschermengel; ~*s of the poor* ▯ armvoogden; *board of* ~*s* ▯ armbestuur *o*.

guardianship ['gɑ:djənʃip] voogdij, voogdijschap *o*, bewaking, hoede, bescherming.

guard-post ['gɑ:dpoust] verkeerszuil.

guard-rail ['gɑ:dreil] 1 leuning; 2 vangrail.

guard-room ['gɑ:drum] ⚔ 1 wachtlokaal *o*; 2 arrestantenlokaal *o*; politiekamer.

guardsman ['gɑ:dzmən] ⚔ officier (soldaat) van de garde, gardist.

gudgeon ['gʌdʒən] 1 ⚘ grondeling; 2 sul; 3 ✂ pen.

guelder rose [geldə'rouz] ✿ sneeuwbal.

Guelders ['geldəz] Gelderland *o*.

⊙ **guerdon** ['gə:dən] beloning.

Guernsey ['gə:nzi] Guernsey *o*; *g*~ trui.

guer(r)illa [gə'rilə] 1 guerrilla (ook: ~ *war*); 2 guerrillastrijder.

guess [ges] I *vi* & *vt* raden, gissen (naar *at*); *Am* denken, geloven; vermoeden; II *sb* gis(sing); *it's anybody's* (*anyone's*) ~ dat weet geen mens; *my* ~ *is...* ik denk (geloof)...; *give a* ~ (*at*) raden (naar); *at a* ~ naar gissing; *by* ~ op de gis.

guess-work ['gesˈwə:k] gissing, gegis *o*, raden *o*.

guest [gest] gast, logé; introducé; genodigde; *paying* ~ betalende logé.

guest-chamber ['gestˈtʃeimbə] zie *guest-room*.

guest-house ['gesthaus] tehuis *o* voor vreemdelingen, pension *o*.

guest-room ['gestrum] logeerkamer.

guffaw [gʌ'fɔ:] I *sb* luide (onbeschaafde) lach; II *vi* bulkend lachen.

Guiana [gi'ɑ:nə, gai'ænə] Guyana *o*.

guidable ['gaidəbl] bestuurbaar; *fig* volgzaam, meegaand.

guidance ['gaidəns] leiding, bestuur *o*; geleide *o*; voorlichting.

guide [gaid] I *sb* leidsman, (ge)leider, gids; leidraad; reisgids; ⚔ guide; II *vt* (ge)leiden, (be)sturen, tot gids dienen[2], de weg wijzen[2]; ~*d missile* geleid projectiel *o*.

guide-book ['gaidbuk] (reis)gids, leidraad.

guide-dog ['gaiddɔg] geleidehond.

guide-post ['gaidpoust] hand-, wegwijzer.

guide-rope ['gaidroup] 1 sleepkabel, -touw *o* [v. ballon]; 2 keertouw *o* [bij 't hijsen].

guidon ['gaidən] vaantje *o*, wimpel.

guild [gild] gilde *o* & *v*; vereniging.

guilder ['gildə] gulden.

guildhall ['gild'hɔ:l] gildehuis *o*; stadhuis *o*.

guile [gail] bedrog *o*; (arg)list, valsheid.

guileful(ly) ['gailful(i)] arglistig, vals.

guileless(ly) ['gaillis(li)] onschuldig, argeloos.

guillemot ['gilimət] ⚓ zeekoet.

guillotine [gilə'ti:n] I *sb* 1 guillotine: valbijl; 2 ✂ snijmachine; II *vt* guillotineren.

guilt [gilt] schuld; misdaad.

guiltily ['giltili] *ad* 1 schuldig; op misdadige wijze; 2 schuldbewust.

guiltiness ['giltinis] schuld.

guiltless ['giltlis] schuldeloos, onschuldig (aan *of*); ~ *of*... ook: zonder...

guilty ['gilti] *aj* 1 schuldig (aan *of*); misdadig; 2 schuldbewust; *be* ~ *of* ook: zich schuldig maken aan.

Guinea ['gini] Guinea *o*.

guinea ['gini] gienje, guinje: 🅤 muntstuk van 21 sh., thans rekenmunt.

guinea-fowl ['ginifaul] ⚓ parelhoen *o*.

Guinean ['giniən] I *aj* Guinees; II *sb* Guineeër.

guinea-pig ['ginipig] 1 ⚕ cavia, marmot, Guinees biggetje *o*; 2 *fig* proefkonijn *o*; 3 $ commissaris, die weinig meer doet dan zijn presentiegeld in ontvangst nemen.

Guinevere ['g(w)iniviə] Ginevra.

guise [gaiz] 1 gedaante; uiterlijk *o*, voorkomen *o*, schijn; 2 ✎ kledij; *in the* ~ *of* bij wijze van; *under the* ~ *of* onder de schijn van; als.

guitar [gi'ta:] ♪ gitaar.

guitarist [gi'ta:rist] ♪ gitaarspeler.

gulch [gʌl(t)ʃ] *Am* (goudhoudend) ravijn *o*.

gules [gju:lz] ⊘ keel: rood.

gulf [gʌlf] golf, (draai)kolk, zeeboezem; afgrond[2], *fig* klove.

gull [gʌl] I *sb* ⚓ (zee)meeuw ‖ *fig* eend, onnozele bloed; II *vt* voor 't lapje houden, wat wijsmaken, bedotten.

gullet ['gʌlit] slokdarm, keel; ⚒ waterloop.

gullibility [gʌli'biliti] lichtgelovigheid, onnozelheid.

gullible ['gʌlibl] lichtgelovig, onnozel.

Gulliver ['gʌlivə] Gulliver.

gully ['gʌli] goot; riool *o*; geul; ravijn *o*.

gulp [gʌlp] I *vt* (in)slikken; ~ *down* (in)slikken[2], inslokken, naar binnen slaan; *fig* onderdrukken [snik, woede &]; II *vi* slikken; slokken; III *sb* slik, slok; *at a* (*one*) ~ in één slok (teug).

gum [gʌm] I *sb* gom *m* of *o*; gomboom; gombal; kauwgom *m* of *o* ‖ ~*s* 1 tandvlees *o*; 2 *Am* overschoenen; ~ *arabic* Arabische gom *m* of *o*; II *vt* gommen; III *vi* kleven.

gumboil ['gʌmbɔil] abcesje *o* op 't tandvlees.

gum-boots ['gʌmbu:ts] rubberlaarzen.

gum-drop ['gʌmdrɔp] gombal.

gummy ['gʌmi] gomachtig, kleverig, dik, opgezet. [& *m*.

gumption ['gʌm(p)ʃən] F pienterheid; fut, lef *o*

gum-resin ['gʌmˌrezin] gomhars *o* & *m*.

gum-tree ['gʌmtri:] gomboom.

gun [gʌn] I *sb* geweer *o*, kanon *o*; *Am* F revolver; ✂ spuitpistool *o*, spuit [voor verf &];

(saluut)schot *o*; jager; *big* (*great*) ~ F piet, hoge ome; *blow great* ~*s* F verschrikkelijk stormen; *stand* (*stick*) *to one's* ~(*s*) op zijn post blijven; voet bij stuk houden; II *vi* jagen, schieten; III *vt* beschieten.

gun-boat ['gʌnbout] ⚓ kanonneerboot.

gun-carriage ['gʌnkæridʒ] ✗ affuit.

gun-case ['gʌnkeis] foedraal *o* v. geweer.

gun-cotton ['gʌnkɔtn] schietkatoen *o* & *m*.

gun-fire ['gʌnfaiə] ✗ kanonvuur *o*; morgen-, avondschot *o*; S sterke thee.

gunman ['gʌnmən] bandiet, gangster.

gunnel ['gʌnl] ⚓ dolboord *o* & *m*.

gunner ['gʌnə] 1 ✗ artillerist, kanonnier; schutter; 2 ⚓ konstabel; 3 jager.

gunnery ['gʌnəri] 1 ballistiek; artillerie; 2 kanonvuur *o*.

gunny ['gʌni] gonje, jute; jutezak.

gunpowder ['gʌnpaudə] (bus)kruit *o*; *Gunpowder Plot* Buskruitverraad *o* [1605].

gun-runner ['gʌnrʌnə] wapensmokkelaar.

gun-running ['gʌnrʌniŋ] wapensmokkelarij.

gunshot ['gʌnʃɔt] geweer-, kanonschot *o*, schootsverheid.

gunsmith ['gʌnsmiθ] geweermaker.

gunwale ['gʌnl] ⚓ dolboord *o* & *m*.

gurgle ['gə:gl] I *vi* klokken [als uit een fles]; murmelen; kirren [v. kind]; II *sb* geklok *o*; gemurmel *o*; gekir *o* [v. kind].

Gurkha ['guəkə] Gurkha [behorend tot een krijgshaftig volk van India].

gurnard ['gə:nəd], gurnet ['gə:nit] 🐟 knorhaan.

gush [gʌʃ] I *vi* gutsen, (uit)stromen; aanstellerig sentimenteel doen, dwepen (met *about*); II *sb* stroom, uitstroming, uitstorting, uitbarsting; overdreven sentimentele taal.

gusher ['gʌʃə] 1 spuiter: spuitende petroleumbron; 2 gevoelskomediant.

gushing ['gʌʃiŋ], gushy ['gʌʃi] overvloeiend[2]; *fig* overdreven, sentimenteel, dwepend.

gusset ['gʌsit] geer, okselstuk *o*, (driehoekig) inzetsel *o*.

gust [gʌst] vlaag[2]; windvlaag.

gustation [gʌs'teiʃən] proeven *o*; smaak.

gustatory ['gʌstətəri] smaak-.

gusto ['gʌstou] smaak, genot *o*, animo.

gusty ['gʌsti] stormachtig, buiig.

gut [gʌt] I *sb* 1 darm; 2 vernauwing; nauwte; (zee)engte; ~*s* 1 grom *o*; P buik; 2 *fig* fut; lef *o* & *m*; II *vt* grommen, wammen, uithalen, schoonmaken; leeghalen [een huis]; uitbranden [bij brand]; plunderen, excerperen [voor referaat].

gutless ['gʌtlis] F futloos; laf.

gutta-percha ['gʌtə'pə:tʃə] guttapercha.

gutter ['gʌtə] I *sb* goot, groef, geul; *from the* ~ van de straat opgeraapt; II *vi* stromen; aflopen [v. kaars]; III *vt* groeven.

gutter-snipe ['gʌtəsnaip] straatjongen.

guttural ['gʌtərəl] I *aj* keel-; II *sb* keelklank.

guv'nor ['gʌvnə] P ouwe heer; baas, meneer

Guy [gai] Guido.
1 guy [gai] I *sb* borgtouw *o*; scheerlijn [v. tent]; II *vt* met een borgtouw & bevestigen.
2 guy [gai] I *sb* Guy-Fawkespop [op 5 nov. rondgedragen ter herinnering aan het Buskruitverraad]; vogelverschrikker, wonderlijk toegetakeld iemand; S vent, kerel, knaap; II *vt* voor 't lapje houden; chargeren, travesteren [op het toneel].
guy-rope ['gairoup] zie 1 *guy* I.
guzzle ['gʌzl] zuipen, brassen; (op)schrokken.
guzzler ['gʌzlə] zuiplap, brasser; schrokker.
gym [dʒim] F gymnastiekzaal; ~ shoes gymnastiekschoenen.
gymkhana [dʒim'kaːnə] 1 *IP* sportterrein *o*; 2 atletiekwedstrijden.
gymnasium [dʒim'neizjəm] 1 gymnastiekschool, -zaal; 2 [buiten Engeland] gymnasium *o*.
gymnast ['dʒimnæst] gymnast. [sium *o*.
gymnastic [dʒim'næstik] I *aj* gymnastisch; gymnastiek-; II *sb* ~(*s*) gymnastiek.
gyp [dʒip] ↔ (studenten)oppasser.
gypsum ['dʒipsəm] gips *o*.
§ gyrate ['dʒaiəreit] (rond)draaien.
§ gyration [dʒaiə'reifən] ronddraaiing, omwenteling, kringloop.
§ gyratory ['dʒaiərətəri] draaiend, draai-.
gyroscope ['dʒaiərəskoup] gyroscoop.
○ gyve [dʒaiv] I *sb* keten; II *vt* ketenen.

H

h [eitʃ] (de letter) h.
ha [haː] ha!, zie ook: *hum*.
habeas corpus ['heibjəs'kɔːpəs] *ṛ̌* (*writ of*) ~ bevelschrift *o* tot voorleiding van een gevangene.
haberdasher ['hæbədæʃə] 1 winkelier in garen en band, spelden &; 2 winkelier in herenmodes.
haberdashery ['hæbədæʃəri] 1 garen- en bandwinkel; garen en band, spelden &; 2 (zaak in) herenmodes.
habiliment [hə'bilimənt] kleding, dracht; ~s gewaad *o*, uitrusting.
habit ['hæbit] I *sb* gewoonte, hebbelijkheid, aanwensel *o*; gesteldheid; (rij)kleed *o*, amazone; habijt *o*, pij; dracht; ~ of mind denkwijze; have a ~ of, be in the ~ of de gewoonte hebben, gewoon zijn; fall (get) into the ~ of zich aanwennen; II *vt* kleden.
habitability [hæbitə'biliti] bewoonbaarheid.
habitable ['hæbitəbl] bewoonbaar.
habitat ['hæbitæt] verblijf-, vind-, groeiplaats [v. dier of plant].
habitation [hæbi'teiʃən] bewoning; woning, woonplaats.
habit-forming ['hæbitfɔːmiŋ] in: ~ drug verslavingsvergift *o*.
habitual [hə'bitjuəl] *aj* gewoon; gewoonte-.

habitually [hə'bitjuəli] *ad* 1 uit gewoonte; 2 gewoonlijk.
habituate [hə'bitjueit] wennen (aan *to*).
habitude ['hæbitjuːd] 1 gewoonte, hebbelijkheid; 2 constitutie, gesteldheid.
1 hack [hæk] I *sb* houweel *o*; houw, snede, keep ‖ droge kuch ‖ huurpaard *o*, knol; broodschrijver; loonslaaf; II als *aj* afgezaagd ‖ huur-; ~ work werk *o* om den brode; ~ writer broodschrijver.
2 hack [hæk] I *vt* hakken, houwen, japen, kerven, inkepen ‖ tot vervelens toe herhalen, afgezaagd maken; II *vi* erop inhakken (ook: ~ at); (droog) kuchen.
hackle ['hækl] I *sb* 1 (vlas)hekel; 2 (hane)veer, kunstvlieg (met veer); with one's ~s up nijdig; strijdlustig; II *vt* hekelen ‖ stukhakken, verminken.
hackney ['hækni] I *sb* rij-, huurpaard *o*; huurrijtuig *o*; loonslaaf; II *aj* huur-; III *vt* afgezaagd maken; ~ed afgezaagd.
hackney-coach ['hæknikoutʃ] huurkoets.
hacksaw ['hæksɔː] ijzer-, metaalzaag.
had [hæd] V.T. & V.D. van have.
haddock ['hædək] ẞ schelvis.
Hades ['heidiːz] Hades: het schimmenrijk.
haemophilia [hiːmou'filiə] hemofilie: bloederziekte.
haemorrhage ['heməridʒ] bloeding. [ziekte.
hæmorrhoids ['heməroidz] aambeien.
haft [haːft] heft *o*, handvat *o*.
hag [hæg] heks[2], toverkol.
Hagar ['heigaː] Hagar.
haggard ['hægəd] I *aj* wild, verwilderd; II *sb* wilde, niet getemde havik of valk.
haggis ['hægis] gerecht *o* van hart, longen en lever van een schaap.
haggish ['hægiʃ] als (van) een heks.
haggle ['hægl] I *vi* knibbelen, kibbelen, pingelen, (af)dingen; II *sb* gekibbel *o*.
haggler ['hæglə] knibbelaar, pingelaar.
hagridden ['hægridn] (als) door een nachtmerrie gekweld.
Hague (The) [ðə 'heig] Den Haag; als *aj* Haags.
hail [heil] I *sb* hagel ‖ (aan)roep; within (out of) ~ (niet) te beroepen; II *vi* hagelen ‖ ~ from komen van, afkomstig zijn van; III *vt* doen neerdalen ‖ aanroepen, ⚓ praaien; begroeten (als *as*); IV *ij* heil (u); Hail Mary RK wees gegroet, Maria; a Hail Mary RK een weesgegroet(je) *o*.
hail-fellow(-well-met) ['heilfelou('wel'met)] beste maatjes zijnde (met *with*).
hailstone ['heilstoun] hagelsteen, -korrel.
hailstorm ['heilstɔːm] hagelbui, hagelslag.
Hainault ['heinɔːt] Henegouwen *o*.
hair [hɛə] haar *o*; haartje[2] *o*; haren; keep your ~ on F maak je niet dik; let one's ~ down F een ongedwongen houding aannemen, loskomen; to a ~ op een haar, haarfijn.
hairbreadth ['hɛəbredθ] haarbreed *o*; he had a ~ escape het scheelde maar een haar of hij was er bij geweest.

hairbrush ['hɛəbrʌʃ] haarborstel.
haircloth ['hɛəklɔθ] 1 haren stof; 2 haren kleed *o*, boetekleed *o*.
haircut ['hɛəkʌt] knippen *o*.
hairdo ['hɛədu:] kapsel *o*, coiffure, frisuur.
hairdresser ['hɛədresə] kapper, coiffeur.
haired ['hɛəd] behaard, harig.
hairiness ['hɛərinis] behaardheid, harigheid.
hairless ['hɛəlis] zonder haar, onbehaard.
hair-line ['hɛəlain] 1 ophaal [bij het schrijven]; 2 inplanting [v. h. hoofdhaar].
hairpin ['hɛəpin] haarspeld; ~ *bend* haarspeld-bocht.
hair-raising ['hɛəreiziŋ] waarvan je de haren te berge rijzen.
hair-restorer ['hɛəristə:rə] haargroeimiddel *o*.
hair's-breadth ['hɛəzbredθ] zie *hairbreadth*.
hair-shirt ['hɛə'ʃə:t] haren hemd *o*; boete-kleed *o*.
hair-splitter ['hɛəsplitə] haarklover.
hair-splitting ['hɛəsplitiŋ] 1 *aj* haarklovend; II *sb* haarkloverij.
hair-style ['hɛəstail] coiffure, kapsel *o*.
hair-wash ['hɛəwɔʃ] haarwater *o*.
hairy ['hɛəri] harig, behaard; haren, haar-.
Haiti ['heiti] Haïti *o*.
hake [heik] ⚓ soort kabeljauw.
halberd ['hælbəd] hellebaard.
halberdier [hælbə'diə] hellebaardier.
halcyon ['hælsiən] I *sb* 🦜 ijsvogel; II als *aj* vredig, stil, kalm, rustig.
hale [heil] I *aj* fris, gezond, kloek, flink; ~ *and hearty* fris en gezond, kras; II *vt* 🗡 trekken, slepen, halen.
half [ha:f] I *aj* half; ~ *a pound* een half pond; *in a* ~ *whisper* (zacht) fluisterend; II *ad* half, halverwege; ~ *as much* (*many*) *again* anderhalf maal zoveel; ~ *past* (*five*) half (zes); *from two to* ~ *past* tot half drie; *not* ~ *!* F en of!, en niet zuinig ook!; *not* ~ *bad* F nog zo kwaad niet, lang niet slecht; III *sb* helft, half; F semester *o*, halve mijl, vrije middag; half-back; kwart liter; *bigger by* ~ de helft groter; *too... by* ~ F al te...; *do nothing by halves* ten halve; *cut, fold in* ~ (*in halves*) in tweeën, doormidden.
half-and-half ['ha:fən(d)'ha:f] half-en-half *o* & *m* (porter en ale).
half-back ['ha:f'bæk] *sp* halfback, middenspeler.
half-baked ['ha:f'beikt] halfgaar[2], onbekookt.
half-binding ['ha:f'baindiŋ] halfleren band.
half-blood ['ha:fblʌd] halfbloed°; halfbroeder, halfzuster.
half-bred ['ha:fbred] I *aj* half beschaafd; van gemengd bloed; II *sb* halfbloed (paard *o*).
half-breed ['ha:fbri:d] halfbloed°.
half-brother ['ha:fbrʌðə] halfbroeder.
half-caste ['ha:fka:st] halfbloed.
half-crown ['ha:f'kraun] 2 sh. 6 d.
half-hearted ['ha:f'ha:tid] niet van harte, lauw, halfslachtig, weifelend.

half-holiday ['ha:f'hɔlidi] vrije middag.
half-length ['ha:f'leŋθ] kniestuk *o* (ook: ~ *picture*).
half-mast ['ha:f'ma:st] in: *at* ~, ~ *high* half-stok.
half-pay ['ha:f'pei] I *sb* non-activiteitstraktement *o*, wachtgeld *o*; II als *aj* op non-activiteitstraktement.
halfpence ['heip(ə)ns] halve stuivers.
halfpenny ['heipni] halve stuiver.
halfpennyworth ['heipəθ, 'heipniwə:θ] ter waarde van of voor een halve stuiver.
half-seas-over ['ha:fsi:z'ouvə] halfdronken.
half-sister ['ha:fsistə] halfzuster.
half-time ['ha:f'taim] I *sb sp* half-time *o* & *m*: rust; II *aj* & *ad* voor de halve tijd.
half-timer ['ha:f'taimə] halve arbeider (voor halve dagen); halve leerling.
halfway ['ha:f'wei, + 'ha:fwei] halfweg, halverwege; ~ *house* compromis *o*, middending *o*, tussenstation *o*.
half-witted ['ha:f'witid] halfwijs, zwakzinnig.
half-yearly ['ha:f'jə:li] halfjaarlijks.
halibut ['hælibət] ⚓ heilbot. [ken *o*.
halitosis [hæli'tousis] uit zijn (haar) adem ruihall [hɔ:l] hal; vestibule; zaal; ☞ eetzaal; slot *o*, huizing; gildehuis *o*; stadhuis *o*; college *o*.
hallelujah [hæli'lu:jə] halleluja, alleluja *o*.
halliard ['hæljəd] ⚓ val *o*.
hallmark ['hɔ:l'ma:k] I *sb* stempel[2] *o* & *m*, keur [v. essayeurs], waarmerk *o*; II *vt* stempelen[2], waarmerken.
hallo(a) [hə'lou] hela!, he!
halloo [hə'lu:] I *ij* & *sb* allo, hei, ho, hola; geroep *o*, geschreeuw *o*; II *vi* hallo schreeuwen, roepen; III *vt* aanhitsen.
hallow ['hælou] heiligen, wijden.
Hallowe'en ['hælou'i:n] *Sc* vooravond van Allerheiligen.
Hallowmas ['hæloumæs] Allerheiligen.
hall-porter ['hɔ:lpɔ:tə] portier.
hall-stand ['hɔ:lstænd] kapstok en paraplustander.
hallucinate [hə'l(j)u:sineit] hallucineren.
hallucination [həl(j)u:si'neiʃən] hallucinatie.
halm [ha:m] zie *haulm*.
halma ['hælmə] halma(spel) *o*.
halo ['heilou] I *sb* halo: lichtkring om zon of maan; stralenkrans; II *vt* met een halo (stralenkrans) omgeven.
1 **halt** [hɔ:lt] I *ij* halt!; II *sb* 1 halt, stilstand; 2 halte; *call a* ~ halt (laten) houden; *make a* ~ halt houden; III *vi* (& *vt*) halt (laten) houden.
2 **halt** [hɔ:lt] I *vi* 🗡 mank, kreupel lopen; *fig* weifelen; mank gaan; ~ *between two opinions* op twee gedachten hinken; II *sb* 🗡 kreupelheid; III *aj* 🗡 kreupel.
halter ['hɔ:ltə] I *sb* halster; strop; II *vt* halsteren, met een touw of halster binden, een touw of strop om de hals doen[2].

halting-place ['hɔːltiŋpleis] stopplaats, ètappe.

halt sign ['hɔːltsain] stopbord *o*.

halve [haːv] halveren, in tweeën delen.

halyard ['hæljəd] ⚓ val *o*.

Ham [hæm] B Cham.

ham [hæm] 1 dij, bil; 2 ham; 3 S prulacteur.

hamadryad [hæmə'draiæd] boomnimf.

hamburger ['hæmbɔːgə] (broodje *o* met) ge-hakt *o*, gehaktbal.

ham-fisted ['hæm'fistid] F onhandig, ruw.

hamlet ['hæmlit] gehucht *o*.

hammer ['hæmə] I *sb* hamer; ~ *and tongs* uit alle macht; *go to the* ~, *come under the* ~ onder de hamer komen; *throwing the* ~ *sp* kogelslingeren *o*; II *vi* hameren; ~ (*away*) er los hameren, beuken op; ploeteren aan; III *vt* (uit)hameren; slaan[2]; ~ *it into one's head* instampen; ~ *out* uitvorsen; verzinnen; uit-werken.

hammer-head ['hæməhed] 1 hamerkop [ook Zuidafr. vogel]; 2 🐟 hamerhaai.

hammerman ['hæməmən] voorslaander, smid.

hammock ['hæmok] hangmat.

hamper ['hæmpə] I *sb* pakmand; sluitkorf; II *vt* in een mand doen ‖ bemoeilijken, belem-meren, verstrikken.

hamshackle ['hæmʃækl] met een touw kop aan voorpoot vastmaken.

hamster ['hæmstə] 🐀 hamster.

hamstring ['hæmstriŋ] I *sb* kniepees; II *vt* de kniepees doorhakken, verlammen.

hamstrung ['hæmstrʌŋ] V.T. & V.D. van *ham-string*.

hand [hænd] I *sb* hand° (ook: handbreed *o*; handschrift *o*; handtekening; handvol en vijf stuks); (voor)poot [van dieren]; wijzer [v. uurwerk]; arbeider, ⚓ man; ◇ speler, spel *o*, kaart; (maat van) 4 inches; *all* ~*s* ⚓ alle hens; *be a bad* (*poor*) ~ (*not much of a* ~) *at* slecht zijn in, geen bolleboos zijn in; *a cool* ~ F een brutaal heer; *he is a new* ~ een nieuweling, beginner; *he is an old* ~ hij is een oud-gediende; *the knowing* ~*s* de gewiekste lui; *serve* (*wait upon*) *one* ~ *and foot* iemand op zijn wenken bedienen; *be* ~ *and* (*in*) *glove* koek en ei zijn; (*win*) ~*s down* op zijn dooie gemak; *get one's* ~ *in* in de slag van iets (weer) beetkrijgen; (weer) op dreef komen; *have a* ~ *in it* er de hand in hebben; *have* (*keep*) *one's* ~ *in* in training blijven, zich blijven oefenen; ~*s off!* afblijven!; *my* ~ *is out* ik ben de slag ervan kwijt, ik heb lang niet ge-oefend; ~*s up!* handen omhoog!; *lay* ~*s on* beslag leggen op, F te pakken krijgen; vin-den; *lay* (*put*) ~*s* (*violent* ~*s*) *on oneself* de hand aan zich zelf slaan; *show one's* ~ de kaarten openleggen; ∾ *be at* ~ 1 bij de hand zijn, in de buurt zijn; 2 op handen zijn; *at first* ~ uit de eerste hand; *at your* ~*s I did not expect this* van u; *die at the* ~*s of a mur-derer* door moordenaarshanden vallen; *by* ~ 1 uit (met) de hand (gemaakt); 2 „in han-den" [op brieven]; met de fles; *for one's own* ~ voor eigen rekening (risico); *from a sure* ~ van goeder hand; *from* ~ *to mouth* van de hand in de tand; *in* ~ in de hand [n, han-den, nog voorhanden, onverkocht; *the matter in* ~ in voorbereiding, onder handen, de zaak in kwestie; *money in* ~ gereed geld, contan-ten; *be in the* ~*s of* in handen zijn van, berus-ten bij; *go* ~ *in* ~ *with* hand in (aan) hand gaan met; *have one's men* (*well, thoroughly*) *in* ~ zijn manschappen (goed) onder appel heb-ben (houden); *have the situation in* ~ de toe-stand meester zijn; *take it in* ~ de hand aan het werk slaan, iets aanpakken; iets op zich nemen; *take one in* ~ hem flink aanpak-ken; *that's off my* ~*s* daar ben ik af, dat is aan kant; *be on* ~ aanwezig zijn, voorradig zijn, ter beschikking zijn (staan); *have work on* ~ werk voor de boeg hebben; *on all* ~*s* van (aan) alle kanten[2]; *on either* ~ van (aan) beide zijden (kanten); *on the other* ~ van (aan) de andere kant; *the goods left on my* ~*s* waar ik mee ben blijven zitten; *out of* ~ op staande voet; *get out of* ~ ongezeglijk wor-den; moeilijk (niet meer) te regeren zijn; ~ *over fist*, ~ *over* ~ 1 ⚓ hand over hand; 2 F steeds veld winnende; vlug; *come to* ~ in handen vallen; zijn bestemming bereiken [v. brieven]; *no... to* ~ geen... bij de hand, geen... ter beschikking; *your letter to* ~ uw brief (hebben wij) ontvangen; *ready* (*made*) *to your* ~ kant en klaar voor u; ~ *to* ~ ✕ man tegen man; *with all* ~*s* (*on board*) ⚓ met man en muis; *with folded* ~*s* ook: *fig* met de handen in de schoot; *with a high* ~ uit de hoogte, aan-matigend; eigenmachtig, autoritair; II *vt* aan-, overreiken, ter hand stellen, overhandigen, aan-, afgeven; ~ *about* rondgeven; ~ *down* aangeven; overleveren; ~ *in* inleveren, afge-ven, aanbieden; erin helpen; ~ *out* aan-, af-geven; uitdelen; eruit helpen; ~ *over* in-, af-leveren, overhandigen, afgeven, uitreiken; *fig* afstaan, overdragen, overmaken, -doen, -le-veren; de leiding (het bestuur, de zaak &) overdragen; $ doen toekomen, uitbetalen; ~ *round* ronddelen, ronddienen; *I must* ~ *it to him, he was decent* F dat moet ik hem na-geven: hij was fatsoenlijk; *you've got to* ~ *it to him* F ik neem mijn hoed voor hem af.

handbag ['hændbæg] handtas, handtasje *o*.

hand-barrow ['hændbærou] (draag)berrie.

handbill ['hændbil] (strooi)biljet *o*.

handcuff ['hændkʌf] I *sb* handboei; II *vt* de handboeien aanleggen, boeien.

handful ['hændful] handvol *fig* lastig perceel *o*; kluif.

hand-glass ['hændglɑːs] 1 handspiegel; 2 hand-

handhold ['hændhould] houvast *o*. [loep.

handicap ['hændikæp] I *sb* 1 *sp* handicap; 2 *fig* hindernis; nadeel *o*; II *aj* met voorgift; III *vt* handicappen; *fig* in minder gunstige positie brengen, belemmeren.

handicraft ['hændikra:ft] ambacht *o*, handwerk *o*, handenarbeid.

handily ['hændili] *ad* zie *handy*.

handiness ['hændinis] handigheid.

handiwork ['hændiwə:k] werk *o* (der handen).

handkerchief ['hæŋkətʃif] zakdoek, doek.

handle ['hændl] **I** *sb* handvat *o*, heft *o*, hengsel *o*, (hand)greep, ⚔ handel *o* & *m*, steel, kruk, zwengel, gevest *o*, oor *o*; stuur *o*; (deur)knop, -kruk; *fig* „vat"; *a* ~ *to one's name* een titel; *fly off the* ~ **S** opstuiven; **II** *vt* betasten, bevoelen, hanteren; aanvatten, aanpakken[2]; behandelen, onder handen nemen, omgaan (omspringen) met; verwerken [het verkeer &]; ✂ bedienen [geschut]; *sp* met de handen aanraken [de bal]; $ handelen in.

handle-bar(s) ['hændlba:(z)] stuur *o* [v. fiets]; *dropped* ~ omgekeerd stuur *o*; ~ (*moustache*) „fietsstuur" [lange, zware snor].

handless ['hændlis] zonder handen.

handling ['hændliŋ] behandeling, hantering &, zie *handle* **II**; *sp* „hands" [bij voetbal].

hand-made ['hændmeid] uit (met) de hand gemaakt, handwerk; geschept [papier].

handmaid(en) ['hændmeid(n)] ⊙ dienstmaagd; *fig* dienares.

handout ['hændaut] **S** 1 gift, aalmoes; 2 mededeling aan de pers.

hand-post ['hændpoust] wegwijzer.

handrail ['hændreil] leuning.

handsaw ['hændsɔ:] handzaag; zie ook: *know*.

handsel ['hænsl, 'hænsəl] **I** *sb* handpenning, handgift, handgeld *o*; **II** *vt* handgeld geven[2]; inwijden [een nieuwe jas &].

handshake ['hændʃeik] handdruk.

handsome ['hænsəm] *aj* mooi, fraai, knap, nobel, royaal, mild; aardig, flink; ~ *is that* ~ *does* men moet niet op het uiterlijk afgaan.

handsomely ['hænsəmli] *ad* zie *handsome*.

handspike ['hændspaik] ⚓ handspaak.

handstand ['hændstænd] handstand [gymnastiek].

hand-to-hand ['hændtə'hænd] in: ~ *fight* gevecht *o* van man tegen man, handgemeen *o*.

hand-to-mouth ['hændtə'mauθ] van de hand in de tand (levend).

handwork ['hændwə:k] handenarbeid; slöjd.

handwriting ['hændraitiŋ] handschrift *o*.

hand-written ['hændritn] met de hand geschreven.

handy ['hændi] *aj eig* bij de hand; handig°; ~ *with* goed kunnende gebruiken; zie ook: *come*.

handy-man ['hændimən] 1 du(i)velstoejager, factotum *o* & *m*; knutselaar.

hang [hæŋ] **I** *vt* (op)hangen, behangen°; laten hangen; ~ *fire* ⚔ „nabranden" [v. patroon]; *fig* niet opschieten; aarzelen; geen opgang maken; ~ *me if*... ik mag hangen als...; ~ *it !* drommels!; ~ *up* ophangen; *fig* aan de kapstok hangen; op de lange baan schuiven; **II** *vi* (af)hangen; zweven; traineren [v. proces]; ~ *about* zich ergens ophouden; altijd om en bij

[iemand] zijn; ~ *back* niet vooruit willen; *fig* aarzelen, terugkrabbelen; ~ *behind* achterblijven; ~ *down* afhangen; ~ *on* hangen aan; afhangen van; ~ *on* (met klemtoon), aanhangen, blijven (hangen), zich vastklemmen (ook: ~ *on to*); volhouden; even wachten; *time* ~*s heavy* (*on my hands*) de tijd valt me lang; ~ *out* uithangen [vlag]; **S** (ergens) uithangen, zich ophouden; ~ *together* aaneen-, samenhangen, eendrachtig samengaan, **F** één lijn trekken; ~ *up* ☎ de hoorn op de haak leggen, het gesprek afbreken (met *on*); **III** *sb* hangen *o*; (steile) helling; *fig* (in)richting; slag; *get the* ~ *of it* de slag ervan beetkrijgen; erachter komen.

hangar ['hæŋə] hangar, (vliegtuig)loods.

hangdog ['hæŋdɔg] galgebrok; ~ *look* gluiperige blik, gemeen boevengezicht *o*.

hanger ['hæŋə] hanger; haak; hartsvanger.

hanger-on ['hæŋə'rɔn] aanhanger, trawant.

hanging ['hæŋiŋ] **I** *sb* ophanging, hangen *o*; ~*s* draperie(ën), behang(sel) *o*; **II** *aj* (af)hangend, hang-; *a* ~ *affair* (*matter*) een halszaak, -misdaad.

hangman ['hæŋmən] beul.

hang-nail ['hæŋneil] dwangnagel, nij(d)nagel.

hang-out ['hæŋaut] **S** verblijf *o*, hol *o*.

hang-over ['hæŋouvə] **S** kater; overblijfsel *o*.

hank [hæŋk] streng [garen].

hanker ['hæŋkə] (vurig) verlangen, hunkeren, haken (naar *for, after*).

hankering ['hæŋkəriŋ] vurig verlangen *o*.

hanky ['hæŋki] **F** zakdoek.

hanky-panky ['hæŋki'pæŋki] **F** hocus-pocus, trucs, knoeierij, kunsten.

Hanover ['hænəvə] Hannover *o*.

Hanoverian [hænə'viəriən] Hannoveraan(s).

Hansard ['hænsəd] de Handelingen van het Parlement.

Hanse [hæns] Hanze.

Hanseatic [hænsi'ætik] Hanze-.

hansom (cab) ['hænsəm ('kæb)] hansom: tweewielig huurrijtuig *o*.

⚓ **hap** [hæp] **I** *sb* toeval *o*, (on)geluk *o*; **II** *vi* zie *happen*.

haphazard [hæp'hæzəd] **I** *sb* bloot toeval *o*; *at* (*by*) ~ op goed geluk; **II** *aj* op de bof ondernomen, (in 't wild) gewaagd; **III** *ad* op goed geluk.

hapless ['hæplis] ongelukkig.

⚓ **haply** ['hæpli] misschien, mogelijk.

ha'p'orth ['heipəθ] zie *halfpennyworth*.

happen ['hæpn] (toevallig, vanzelf) gebeuren, plaatsgrijpen, voorvallen; ~ *on* (*upon*) toevallig ontmoeten, aantreffen; *I* ~*ed to see him* toevallig zag ik hem; *as it* ~*s* juist.

happenings ['hæpniŋz] gebeurtenissen.

happily ['hæpili] *ad* gelukkig(erwijs) &, zie *happy*. [heid.

happiness ['hæpinis] geluk *o*, blijheid, tevreden-

happy ['hæpi] *aj* gelukkig[2], blij, tevreden; *I shall be* ~ *to*... ik zal gaarne...

happy-go-lucky ['hæpigou'lʌki] zorgeloos, op goed geluk (gedaan).

Hapsburg ['hæpsbə:g] Habsburg(er).

hara-kiri ['ha:rə'kiri] harakiri o.

harangue [hə'ræŋ] I sb heftige rede, toespraak; II vi een redevoering houden; III vt toespreken.

harass ['hærəs] kwellen, teisteren; afmatten; bestoken; ✕ harceleren.

harbinger ['ha:bin(d)ʒə] I sb (voor)bode, voorloper; II vt aankondigen.

harbour ['ha:bə] I sb haven², schuilplaats [v. hert]; II vt herbergen [ook: ongedierte &]; koesteren [gedachten]; met zich omdragen [plan]; III vi 1 een schuilplaats vinden; 2 ♟ ten anker gaan.

harbourage ['ha:bəridʒ] schuilplaats, toevlucht.

harbour master ['ha:bəma:stə] havenmeester.

hard [ha:d] I aj hard°, zwaar, moeilijk; moeizaam; hardvochtig; $ vast; scherp [v. medeklinkers]; ~ drinks alcoholische dranken; ~ labour ± tuchthuisstraf; ~ names ook: scheldwoorden; lelijke namen; a ~ and fast rule een vaste (geen uitzondering of afwijking toelatende) regel; ~ words 1 moeilijke woorden; 2 harde woorden; ~ of hearing hardhorig; II ad hard°; drink ~ zwaar drinken; look ~ at streng, strak aankijken; think ~ ingespannen denken, zich goed bedenken; ~ behind (by) vlak achter (bij); ~ on (upon) 1 dicht bij; vlak op [iets volgen]; 2 hard voor [iemand]; ~ up F slecht bij kas; verlegen (om for).

hardback ['ha:dbæk] gebonden (boek o).

hard-bitten ['ha:d'bitn] taai [v. vechter].

hardboard ['ha:dbɔ:d] hardboard o.

hard-boiled ['ha:d'bɔild] hard [v. ei en fig].

hardcover ['ha:dkʌvə] gebonden (boek o).

harden ['ha:dn] I vt harden, hard (gevoelloos) maken, verharden; II vi hard worden, verharden; een vaste(re) vorm aannemen; $ vaster (hoger) worden; ~ed ook: verstokt.

hard-fisted ['ha:d'fistid] met harde vuisten; fig op de penning, vrekkig.

hard-got(ten) ['ha:d'gɔt(n)] zuur verdiend.

hard-headed ['ha:d'hedid] nuchter, praktisch, onaandoenlijk.

hard-hearted ['ha:d'ha:tid] hardvochtig. [nig.

hard-hitting ['ha:d'hitiŋ] hard toeslaand, vinhardihood ['ha:dihud] onversaagdheid, koenheid, stoutheid; onbeschaamdheid.

hardily ['ha:dili] ad zie hardy.

hardiness ['ha:dinis] gehardheid; onversaagdheid, stoutheid, koenheid, flinkheid.

hardly ['ha:dli] nauwelijks, ternauwernood, bijna niet; eigenlijk niet; wel niet; bezwaarlijk, kwalijk; hard, moeilijk, met moeite; ~ ever bijna nooit; ~ ...when (✎ before) nauwelijks... of.

hard-mouthed ['ha:d'mauðd] hard in de mond of bek²; ruw, grof.

hardness ['ha:dnis] hardheid.

hardship ['ha:dʃip] moeilijkheid, ongemak o; onbillijkheid; ontbering; tegenspoed.

hardware ['ha:dwɛə] ijzerwaren; bouwelementen v.e. computer.

hard-wearing ['ha:d'wɛəriŋ] sterk, niet gauw slijtend, solide.

hard-worked ['ha:dwə:kt] 1 hard moetende werken; 2 afgezaagd [v. gezegde &].

hardy ['ha:di] aj gehard; onversaagd, stout(moedig), koen; flink; ⚘ winterhard; ~ annual 1 ⚘ harde plant; 2 fig (elk jaar) geregeld terugkerend onderwerp o.

hare [hɛə] haas; ~ and hounds snipperjacht; hold (run) with the ~ and run (hunt) with the hounds beide partijen te vriend trachten te houden.

harebell ['hɛəbel] ⚘ 1 (gras)klokje o; 2 sterhyacint.

hare-brained ['hɛəbreind] onbesuisd.

harelip ['hɛəlip] hazelip.

harem ['hɛərəm] harem.

haricot ['hærikou] 1 slaboon, snijboon (ook: ~ bean); 2 ragoût van schape- of ander vlees.

hark [ha:k] luisteren; ~ away! weg daar! [tegen hond]; ~ back terug(gaan), fig teruggaan (tot to), terugkomen (op to).

harlequin ['ha:likwin] harlekijn, hansworst².

harlequinade [ha:likwi'neid] harlekinade.

harm [ha:m] I sb kwaad o, schade, nadeel o; letsel o; ~ watch (set), ~ catch (get) wie een kuil graaft voor een ander, valt er zelf in; be out of ~'s way geborgen zijn; II vt kwaad doen, schaden, benadelen, deren, letsel toebrengen.

harmful(ly) ['ha:mful(i)] nadelig, schadelijk.

harmless(ly) ['ha:mlis(li)] onschadelijk; ongevaarlijk; argeloos, zonder erg, onschuldig; onbeschadigd.

harmonic [ha:'mɔnik] I aj harmonisch; II sb ~s ♪ 1 harmonieleer; 2 boventonen; [op viool] flageolettonen.

harmonica [ha:'mɔnikə] ♪ mondharmonika.

harmonical [ha:'mɔnikl] harmonisch.

harmonious(ly) [ha:'mounjəs(li)] harmonieus, harmoniërend², overeenstemmend, welluidend; eendrachtig.

harmonium [ha:'mounjəm] ♪ harmonium o.

harmonization [ha:mənai'zeiʃən] 1 harmoniëring; 2 harmonisering [v. lonen, prijzen; ♪].

harmonize ['ha:mənaiz] I vi harmoniëren², overeenstemmen; II vt 1 doen harmoniëren², in overeenstemming brengen; 2 harmoniseren [lonen, prijzen; ♪].

harmony ['ha:məni] harmonie², overeenstemming, eensgezindheid.

harness ['ha:nis] I sb 1 ✎ harnas o; 2 (paarde)tuig o; gareel o; in ~ in 't gareel², aan 't werk; die in ~ midden in zijn werk of op zijn post sterven; II vt 1 ✎ harnassen; 2 (op)tuigen [paard], aanspannen; fig aanwenden, gebruiken (voor to).

Harold ['hærəld] Harold.

harp [ha:p] I *sb* ♪ harp; II *vi* op de harp spelen; ~ *on a thing* (*on the same string*) op hetzelfde aambeeld hameren.

harper ['ha:pə] ♪ harpspeler, harpenaar.

harpist ['ha:pist] ♪ harp(en)ist.

harpoon [ha:'pu:n] I *sb* harpoen; II *vt* harpoeneren.

harpooner [ha:'pu:nə] harpoenier.

harpsichord ['ha:psikɔ:d] ♪ klavecimbel.

harpy ['ha:pi] harpij[2].

harridan ['hæridən] oude feeks, tang.

harrier ['hæriə] 1 ♨ hond voor de lange jacht; 2 *sp* deelnemer aan veldloop; 3 ♫ kiekendief; 4 plunderaar.

Harriet ['hæriət] F Jetje *o*.

harrow ['hærou] I *sb* eg(ge); II *vt* eggen; pijnigen, folteren; ~*ing* ook: aangrijpend, hartverscheurend || ~ *hell* de hel plunderen.

Harry ['hæri] F verk. v. *Henry*; *Old* ~ Heintje Pik, de duivel.

harry ['hæri] vervolgen, kwellen, teisteren, verontrusten, mishandelen, plunderen, aflopen, afstropen, verwoesten.

harsh(ly) [ha:ʃ(li)] hard[2], scherp[2], grof[2], ruw[2], wrang, stroef, krijsend; streng.

harshness ['ha:ʃnis] hardheid &.

hart [ha:t] hert *o*; ~ *of ten* tienender.

hartshorn ['ha:tshɔ:n] hertshoorn *o* & *m*.

hart's-tongue ['ha:tstʌŋ] ♣ tongvaren.

harum-scarum ['hɛərəm'skɛərəm] I *aj* wild, dol(zinnig), onbesuisd; II *sb* dolleman.

harvest ['ha:vist] I *sb* oogst[2]; II *vt* oogsten, in-, opzamelen.

harvester ['ha:vistə] oogster; oogstmachine.

harvest home ['ha:vist'houm] 1 einde *o* van de oogst; 2 oogstfeest *o*; 3 oogstlied *o*.

harvestman ['ha:vistmən] oogster.

harvest-mouse ['ha:vistmaus] ♨ dwergmuis.

Harwich ['hæridʒ] Harwich *o*.

has [hæz, (h)əz] 3de pers. enk. T.T. v. *have*.

hash [hæʃ] I *vt* (fijn)hakken (ook: ~ *up*); II *sb* hachee *m* & *o*; *fig* mengelmoes *o* & *v*, (rommel)zootje *o*; *make a* ~ *of it* F de boel verknoeien; *settle one's* ~ F iemand zijn vet (zijn bekomst) geven.

hasheesh, hashish ['hæʃi:ʃ, 'hæʃiʃ] hasjiesj.

haslet ['heizlit] gebraden hart *o* & van varkens.

hasp [ha:sp] I *sb* klamp, klink, beugel, grendel; II *vt* met een klamp & sluiten.

assock ['hæsək] 1 voet-, knielkussen *o*; 2 pol [gras].

♦ **hast** [hæst] 2de pers. enk. T.T. v. *have*.

haste [heist] I *sb* haast, spoed; overijling; *more* ~ *less speed* haastige spoed is zelden goed; II *vi* ♦ zich haasten.

hasten ['heisn] I *vi* zich haasten (spoeden); II *vt* verhaasten, bespoedigen; haasten.

hastily ['heistili] *ad* zie *hasty*.

hastiness ['heistinis] haastigheid; ~ *of temper* driftigheid.

Hastings ['heistiŋz] Hastings *o*.

hasty ['heisti] *aj* haastig; gehaast, overijld; driftig; ~ *pudding* melkpap.

hat [hæt] I *sb* hoed; pet [stijf, decoratief]; kardinaalshoed[2]; *cocked* ~ 1 steek; 2 knijpbriefje *o*; *knock into a cocked* ~ tot mosterd slaan; totaal verslaan; *my* ~! F sakkerloot!; ~ *in hand* met de hoed in de hand; *send round the* ~ rondgaan (voor geldinzameling), collecteren; II *vt* een hoed opzetten.

hatband ['hætbænd] hoedeband, -lint *o*.

1 **hatch** [hætʃ] *sb* broeden *o*, broedsel[2] *o* ‖ ♦ luik(gat) *o*; halve deur ‖ arceerlijn; *under* ~*es* ♦ onder de luiken geconsigneerd; *fig* in verzekerde bewaring; veilig opgeborgen; er beroerd aan toe; dood.

2 **hatch** [hætʃ] I *vt* uitbroeden[2] ‖ arceren; II *vi* broeden; uitkomen.

hatchery ['hætʃəri] broedplaats [voor vis].

hatchet ['hætʃit] bijl; bijltje *o*; *bury the* ~ de strijdbijl begraven; *take up the* ~ de wapens opvatten; *throw the* ~ S opsnijden; ~ *face* lang, scherp gezicht *o*.

hatchway ['hætʃwei] ♦ luikgat *o*.

hate [heit] I *vt* haten, het land (een hekel) hebben aan; *I* ~ *to do it* ik doe het niet graag; ~ *one's guts* F iemand niet kunnen uitstaan; II *sb* ⊙ haat.

hateful ['heitful] hatelijk; gehaat; afschuwelijk, akelig.

hater ['heitə] hater, haatster.

⊙ **hath** [hæθ] 3de pers. enk. T.T. v. *have*.

hat-rack ['hætræk] kapstok.

hatred ['heitrid] haat, vijandschap.

hat-stand ['hætstænd] kapstok.

hatter ['hætə] hoedenmaker, -verkoper.

hat-trick ['hættrik] 1 kunstje *o* met de hoed; 2 *sp* het maken van 3 doelpunten of het achter elkaar nemen van 3 wickets in één wedstrijd.

hauberk ['hɔ:bə:k] 𝕌 maliënkolder.

haughtily ['hɔ:tili] *ad* zie *haughty*.

haughtiness ['hɔ:tinis] hoogmoed(igheid), hooghartigheid, trots.

haughty ['hɔ:ti] *aj* hoogmoedig, hooghartig, trots; uit de hoogte.

haul [hɔ:l] I *vt* trekken, slepen; vervoeren; halen; ♦ aanhalen, wenden; ~ *in* ♦ binnen boord halen; ~ *one up* hem een uitbrander geven (ook: ~ *him over the coals*); II *vi* draaien [wind]; trekken [aan touw]; ~ *off* afhouden; ~ *to* (*upon*) *the wind* ♦ oploeven; III *sb* trek, haal; vangst[2]; winst; buit.

haulage ['hɔ:lidʒ] trekken *o* of slepen *o*; (beroeps-, weg)vervoer *o*; tractie, trekkracht; sleeploon *o*; vervoerprijs.

haulier ['hɔ:ljə] sleper [in kolenmijn &]; (beroeps-, weg)vervoerder.

haulm [hɔ:m] 1 halm, stro *o* [v. bonen]; 2 loof *o* [v. aardappelen].

haunch [hɔ:n(t)ʃ] heup [v. dier], lende(stuk *o*); bout; dij [v. paard].

haunt [hɔ:nt] I *vt* bezoeken, zich ophouden

(rond)waren in, om en bij; (steeds) vervolgen, kwellen [gedachten]; *a ~ed house* een spookhuis *o*; **II** *sb* (vaste) verblijfplaats, verzamelplaats [v. dieren]; schuilplaats, hol *o*, leger *o*.

hautboy ['(h)ouboi] 1 ♪ hobo; 2 ⚘ tuinaardbei.

hauteur [ou'tə:] hooghartigheid.

Havana [hə'vænə] Havana; havanna.

have [hæv, (h)əv] **I** *vt* & *vi* 1 hebben, bezitten; houden; krijgen, nemen; gebruiken; te pakken hebben; kennen; S beetnemen; 2 ondervinden; 3 laten; *~ dinner* dineren; *~ a game* een spelletje doen; *~ no Greek* geen Grieks kennen; *I will ~ a suit made* laten maken; *what will you ~ me do?* dat ik doen zal?; *I had to go* ik moest gaan; *~ done!* schei uit!; *I ~ it!* nu ben ik er!; *as the Bible has it* zoals in de Bijbel staat, zoals de Bijbel zegt; *as chance (fate, luck &) would ~ it* zoals het toeval wilde; alsof het spel sprak; *rumour has it that* het gerucht gaat dat...; *let him ~ it* hem er van langs geven; *~ had it* S voor de poes zijn, er geweest zijn; *there you ~ me* daar kan ik geen antwoord op geven; *I'm not having this* ik duld zoiets niet; *~ money about one* bij zich; *~ at one te* lijf gaan; *~ at you!* pas op!; *~ it away* haal dat weg; *~ a doctor in* laten komen; *~ it in for* S het gemunt hebben op; iets hebben tegen; *~ it in one to...* ertoe in staat zijn; *to be had of all booksellers* bij alle boekhandelaren verkrijgbaar; *~ on* op-, om-, aanhebben; *~ nothing on a person* S 1 niet op kunnen tegen iemand; 2 niets bezwarends voor iemand in handen hebben; *~ a tooth out* een tand laten trekken; *~ it out of one* iemand iets betaald zetten; *~ it out with one* zeggen waar 't op staat, een zaak uitmaken; *~ the place & to oneself* ook: het rijk alleen hebben; *~ up* vóór laten komen; op het matje roepen; laten komen; **II** *sb* in: *it was a ~* S bedotterij; *the ~s and the ~-nots* de bezitters en de niet-bezitters.

haven ['heivn] haven[2]; toevluchtsoord *o*.

haver ['heivə] eromheen praten; weifelen, aarzelen.

haversack ['hævəsæk] ✕ broodzak.

having ['hæviŋ] bezitting, have.

havoc ['hævək] verwoesting; *make ~ of* vreselijk huishouden met, verwoesten, vernielen; *play ~ among (with)* vreselijk huishouden onder, deerlijk toetakelen, ruïneren.

haw [hɔ:] 1 haagappel; 2 haagdoorn ‖ zie verder.

Hawaii [ha:'waii:] Hawaii. [der *hum*.

Hawaiian [ha:'waiiən] (inwoner, taal) van Hawaii.

hawfinch ['hɔ:fin(t)ʃ] ⚘ appelvink.

haw-haw]'hɔ:'hɔ:] **I** *vi* 1 (aanstellerig) hummend praten; 2 ho-ho-end lachen; **II** *sb* 1 aanstellerige manier van spreken; 2 ho-ho lach; **III** *aj* gemaakt voornaam.

hawk [hɔ:k] **I** *sb* 1 ⚘ havik, valk; 2 *fig* haai; **II** *vi* met valken jagen ‖ de keel schrapen; *~*

at aanvallen; **III** *vt* (rond)venten, leuren me (ook: *~ about*); *fig* uitstrooien, verspreiden.

hawker ['hɔ:kə] valkenier ‖ (rond)venter, leurder, marskramer.

hawk-moth ['hɔ:kmɔθ] ⚘ sfinx, pijlstaart(vlinder).

hawk-nose(d) ['hɔ:knouz(d)] (met een) haviksneus.

hawse [hɔ:z] ⚓ kluis.

hawse-hole ['hɔ:zhoul] ⚓ kluisgat *o*.

hawser ['hɔ:zə] ⚓ kabel, tros.

hawthorn ['hɔ:θɔ:n] ⚘ haagdoorn; *~ berry* haagappel.

hay [hei] hooi *o*; *make ~* hooien; *make ~ of* overhoop gooien, in de war schoppen; *make ~ while the sun shines* het ijzer smeden terwijl het heet is.

haybox ['heibɔks] hooikist.

haycock ['heikɔk] hooiopper.

hay fever ['hei'fi:və] hooikoorts.

hayloft ['heilɔft] hooizolder.

haymaker ['heimeikə] hooier, hooister.

haymaking ['heimeikiŋ] hooibouw, hooien *o*.

hayrick ['heirik], **haystack** ['heistæk] hooiberg.

haywire ['heiwaiə] in: *be all (go) ~* S in de war zijn (raken).

hazard ['hæzəd] **I** *sb* toeval *o*; risico *o*, gevaar *o*; kans; hazardspel *o*; *at ~* op goed geluk; **II** *vt* wagen, in de waagschaal stellen, riskeren; durven maken (opperen &).

hazardous(ly) ['hæzədəs(li)] gevaarlijk, gewaagd.

haze [heiz] **I** *sb* damp, nevel, waas *o*, wazigheid; **II** *vt* benevelen[2], met een waas bedekken ‖ ⚓ koeioneren (met overwerk); pesten *Am* negeren, donderen.

hazel ['heizl] **I** *sb* hazelaar; **II** *aj* lichtbruin.

hazel-nut ['heizlnʌt] hazelnoot.

hazily ['heizili] *ad* zie *hazy*.

haziness ['heizinis] 1 dampigheid, wazigheid; 2 *fig* beneveling; vaagheid.

hazy ['heizi] *aj* dampig, wazig, heiig, nevelig; *fig* beneveld; vaag.

he [hi:] hij; mannetje *o*.

head [hed] **I** *sb* (opper)hoofd° *o*, F kop° [ook v. zweer, schip]; kruin, top, ✕ spits; kap [v. auto, rijtuig]; helm [v. distilleerkolf]; krop [v. sla], stronk [v. andijvie, bloemkool]; gewei *o*; hoofdeinde *o*; ⚓ voorsteven; manchet [= schuim op glas bier]; hoofdman, leider, chef, directeur, rector [v. college]; stuk *o*, stuks [vee]; beeldenaar [v. munt]; (hoofd)punt *o* [v. aanklacht &]; categorie, rubriek; bron, oorsprong; *a ~* F haarpijn; *two shillings a ~* per persoon; *the ~ and front of...* de hoofdzaak, de kwintessens; *I can make neither ~ nor tail of it* ik kan er geen touw aan vastknopen; *~(s) or tail(s)* kruis of munt; *~ over heels* hals over kop; *gather ~* zich sterker ontwikkelen, aan kracht winnen; *he was given his ~ too freely* hij werd niet genoeg in toom gehouden; *keep your ~* houd u kalm, verlies het hoofd niet; *lay (their)* ~s *together* de koppen bij elkaar steken; *lose one's* ~ het hoofd verliezen; *make* ~ opschieten, vooruitkomen; *make* ~ *against* het hoofd bieden (aan); *take the* ~ zich aan de spits stellen; *it has turned his* ~ 't heeft hem het hoofd op hol gebracht; ∞ *at the* ~ *of* aan het hoofd (de spits) van; bovenaan (nummer één) [op lijst]; *stand at the* ~ *of* ook: de eerste zijn onder; zie ook: I *poll;* ~ *first, foremost* vooraver; *from* ~ *to foot* van top tot teen; *in one's* ~ uit het hoofd [berekenen]; *he took it into his* ~ *to...* hij kreeg (haalde) het in zijn (het) hoofd (om)...; *of his own* ~ op eigen houtje; *of its own* ~ vanzelf; *off his* ~ niet wel bij het hoofd, gek; *on that* ~ op dat punt, te dien aanzien; *out of his own* ~ uit zijn (eigen) koker; *over the* ~(*s) of* I te hoog gaand voor; 2 over... heen, met voorbijgang van; *over* ~ *and ears* tot over de oren; *bring the affair to this* ~ I tot dit resultaat; 2 het zo ver laten komen; *come (draw, gather) to a* ~ rijp worden [zweer]; *fig* een kritiek punt bereiken; *it will go to your* ~ 't zal u naar het hoofd stijgen; II *vt* aan het hoofd staan van; aanvoeren; zich aan de spits (het hoofd) stellen van; de eerste zijn van (onder); sturen, wenden; *sp* ,,koppen" [een voetbal]; toppen (~ *down*) [bomen]; *an article* ~*ed...* met het opschrift...; ~ *back,* ~ *off* opvangen (aanhouden), de pas afsnijden; *fig* voorkomen, verhinderen [v. plan]; III *vi* kroppen; ~ *for (towards)* koers zetten naar, aansturen, -stevenen op, gaan naar.

headache ['hedeik] hoofdpijn; F probleem *o,* moeilijkheid, (kop)zorg, last.

headband ['hedbænd] hoofdband.

head-clerk ['hed'kla:k] $ chef de bureau, procuratiehouder.

head-dress ['heddres] I hoofdtooi; 2 kapsel *o.*

header ['hedə] kopsteen; duik [bij kopje-onder]; *sp* kopbal.

head-gear ['hedgiə] hoofddeksel *o;* hoofdtooi; hoofdstel *o.*

head-hunter ['hedʌntə] koppensneller.

headiness ['hedinis] onstuimigheid, onbesuisdheid; koppigheid [v. wijn].

heading ['hediŋ] hoofd *o,* titel, opschrift *o,* rubriek.

headland ['hedlənd] voorgebergte *o.* [briek.

headless ['hedlis] zonder hoofd, hoofdeloos[2].

headlight ['hedlait] koplicht *o.*

headline ['hedlain] hoofd *o,* opschrift *o,* kop, kopje *o* [in krant]; ~*s* ook: voornaamste nieuws *o; be in the* ~*s* in het brandpunt van de belangstelling staan.

headlong ['hedlɔŋ] met het hoofd vooruit, hals over kop; dol, blindelings; onstuimig, onbezonnen, roekeloos; steil.

headman ['hedmæn] hoofdman, onderbaas, meesterknecht; stamhoofd *o.*

headmaster ['hed'ma:stə] ⇐ hoofd *o* van school; directeur; rector.

headmistress ['hed'mistris] ⇐ hoofd *o* van school; directrice.

headmost ['hedmoust] voorste.

head-office ['hed'ɔfis] hoofdkantoor *o.*

head-on ['hed'ɔn] frontaal [tegen elkaar botsen]; ~ *collision* frontale botsing; *fig* felle botsing.

headphone(s) ['hedfoun(z)] koptelefoon.

headpiece ['hedpi:s] bovenstuk *o;* kopvignet *o;* hoofddeksel *o,* oorijzer *o,* helm, stormhoed; F kop; verstand *o,* hersens.

headquarters ['hed'kwɔ:təz] ✕ hoofdkwartier[2] *o;* stafkwartier *o,* staf; hoofdbureau; $ hoofdkantoor *o;* hoofdzetel; *general* ~ ✕ het grote hoofdkwartier.

headroom ['hed-rum] vrije hoogte [v. boog &], doorvaarthoogte [v. brug], doorrijhoogte [v. viaduct].

headscarf ['hedska:f] hoofdsjaal.

headship ['hedʃip] directeurschap *o* &; leiding.

headsman ['hedzmən] beul, scherprechter.

headstall ['hedstɔ:l] hoofdstel *o.*

headstone ['hedstoun] I hoeksteen; 2 (rechtopstaande) grafsteen.

headstrong ['hedstrɔŋ] koppig, eigenzinnig.

head-waiter ['hed'weitə] ober.

headway ['hedwei] I vaart, gang, vooruitgang; 2 speling; 3 zie *headroom; make* ~ opschieten, vorderen, om zich heen grijpen, zich uitbreiden.

head wind ['hedwind] tegenwind.

headword ['hedwə:d] titelwoord *o,* lemma *o.*

heady ['hedi] onstuimig, onbesuisd; koppig [v. wijn].

heal [hi:l] I *vt* helen, genezen, gezond maken; II *vi* helen, genezen, beter worden; ~ *over (up)* toegroeien, dichtgaan [v. wond]; *the* ~*ing art* de geneeskunde.

heal-all ['hi:lɔ:l] I panacee; 2 🌢 valeriaan.

healer ['hi:lə] wie [iemand, iets] geneest.

health [helθ] gezondheid, welzijn *o,* heil *o* [van de ziel]; *your (good)* ~*!* (op uw) gezondheid!; *in good* ~ gezond.

healthful ['helθful] gezond[2].

healthiness ['helθinis] gezondheid.

health insurance ['helθin'ʃuərəns] ziekteverzekering.

health-resort ['helθrizɔ:t] herstellingsoord *o.*

healthy ['helθi] gezond°.

heap [hi:p] I *sb* hoop, stapel; F boel, massa; *struck all of a* ~ F verstomd, versteld, erg van streek; II *vt* ophopen, (op)stapelen (~ *up*); ~*...upon,* ~ *with...* overladen met...

hear [hiə] I *vt* horen; verhoren, overhoren; 🏛 behandelen [zaak]; *I* ~ ook: ik heb vernomen; ~ *one out* tot het eind toe aanhoren; II *vi* horen, luisteren; ~ *from* horen van; ~ *of* horen van (over); III als *ij* ~, ~ *!* bravo!

heard [hə:d] V.T. & V.D. van *hear.*

hearer ['hiərə] (toe)hoorder(es).

hearing ['hiəriŋ] I gehoor *o;* 2 🏛 verhoor *o,* behandeling [van een zaak]; 2 ♪ auditie; *give* *a person a patient* ~ iemand geduldig aanho-ren; *in my* ~ zodat ik het horen kon; *out of* ~, *within* ~ zie *earshot*.

hearing aid ['hiəriŋeid] hoortoestel *o*, hoor-apparaat *o*.

○ **hearken** ['ha:kn] luisteren.

hearsay ['hiəsei] in: *by* (*from*, *on*) ~ van horen zeggen.

hearse [hə:s] lijkwagen.

heart [ha:t] hart° *o*; kern, binnenste *o*; moed; ~(*s*) ◇ harten; ~*s of oak* ⚓ jongens van Jan de Witt; *dear* (*sweet*) ~ *!* (mijn) hartje!; ~ *and soul* met hart en ziel; *his* ~ *was* (*not*) *in it* hij was er (niet) met hart en ziel bij; *my* ~ *was in my mouth* het hart klopte mij in de keel; *keep* (*a good*) ~ moed houden; *lose* ~ de moed verliezen; *lose one's* ~ zijn hart ver-liezen [aan een meisje]; *put some* ~ *into a person* iemand moed geven; *set one's* ~ *on* zijn zinnen zetten op; *take* ~ moed vatten; *wear one's* ~ *upon one's sleeve* het hart op de tong hebben; (*a man*) *after my* (*own*) ~ naar mijn hart; *at* ~ 1 in zijn hart; 2 in de grond (van zijn hart); *sad at* ~ droef te moede; *have it at* ~ zich (veel) aan iets laten gelegen zijn; *get* (*know*, *learn*) *by* ~ van buiten; *from my* ~ uit de grond van mijn hart; *in* (*good*) ~ vol moed, opgewekt; *in his* ~ *of* ~*s* in de grond (het diepste) van zijn hart; *be near his* ~ hem na aan het hart liggen; *be of good* ~ houd maar moed, wees maar niet bang; *out of* ~ 1 moedeloos, terneergeslagen; 2 uitge-mergeld [akker]; *it will go to his* ~ hem aan 't hart gaan, hem aangrijpen; *lay to* ~ ter harte nemen; zich aantrekken; *take it* (*heav-ily*) *to* ~ zich het (erg) aantrekken; *with all my* ~ van (ganser) harte.

heartache ['ha:teik] hartzeer *o*, harteleed *o*.

heart-break ['ha:tbreik] zielesmart.

heart-breaking ['ha:tbreikiŋ] hartbrekend, hartverscheurend.

heart-broken ['ha:tbroukn] gebroken (door smart).

heartburn ['ha:tbə:n] zuur *o* in de maag.

heartburning ['ha:tbə:niŋ] ergernis, ontstem-ming, afgunst.

hearten ['ha:tn] I *vt* bemoedigen (ook ~ *up*); II *vi* moed scheppen.

heart failure ['ha:tfeiljə] hartverlamming.

heartfelt ['ha:tfelt] diepgevoeld, oprecht, in-nig.

hearth [ha:θ] haard, haardstede.

hearth-rug ['ha:θrʌg] haardkleedje *o*.

hearth-stone ['ha:θstoun] 1 haardsteen; haard; 2 soort schuursteen.

heartily ['ha:tili] *ad* 1 hartelijk, van harte; hartgrondig; 2 hartig; flink.

heartiness ['ha:tinis] 1 hartelijkheid; 2 animo.

heartless ['ha:tlis] 1 harteloos; 2 lafhartig, flauw.

heart-rending ['ha:trendiŋ] hartverscheurend.

heart-searching ['ha:tsə:tʃiŋ] I *aj* het hart doorvorsend; II *sb* 1 zelfonderzoek *o*; 2 ge-wetensknaging, bange twijfel.

heart's-ease ['ha:tsi:z] ✿ driekleurig viooltje *o*.

heartsick ['ha:tsik] hartzeer hebbend; neer-slachtig, terneergedrukt.

heart-sore ['ha:tsɔ:] hartzeer hebbend.

heartstrings ['ha:tstriŋz] (koorden van 't) hart

heart-to-heart ['ha:ttə'ha:t] (open)hartig. [*o*.

heart-whole ['ha:tthoul] gezond van harte; vrij; vol, oprecht [v. sympathie].

heart-wood ['ha:twud] kernhout *o*.

hearty ['ha:ti] I *aj* hartelijk; hartgrondig; har-tig; flink; gezond; II *sb* in: *my hearties!* beste jongens!

heat [hi:t] I *sb* hitte, warmte², gloed², vuur *o*; *sp* manche, loop; II *vt* heet (warm) maken, verhitten, verwarmen; opwinden; *get* ~*ed* driftig worden; broeien [hooi]; III *vi* heet (warm) worden of lopen; broeien [hooi].

heated(ly) ['hi:tid(li)] heftig.

heater ['hi:tə] verwarmer, verhitter; straal-kachel; geiser; boiler, heetwatertoestel *o*; bout [v. strijkijzer]; ⚒ vóórwarmer.

heath [hi:θ] 1 heide; 2 ✿ erica, dopheide.

heath-cock ['hi:θkɔk] 🐦 korhaan.

heathen ['hi:ðən] I *sb* heiden; *the* ~ ook: de heidenen; II *aj* heidens.

heathenish ['hi:ðəniʃ] heidens.

heathenism ['hi:ðənizm] heidendom *o*.

heather ['heðə] ✿ heidekruid *o*.

heathery ['heðəri] zie *heathy*.

heathy ['hi:θi] met heide begroeid, heide-.

heating ['hi:tiŋ] verhitting, verwarming; *central* ~ centrale verwarming.

heat-lightning ['hi:tlaitniŋ] weerlicht *o* & *m*.

heat-stroke ['hi:tstrouk] bevangen worden door de hitte; zonnesteek.

heat-wave ['hi:tweiv] hittegolf.

heave [hi:v] I *vt* opheffen, (op)tillen, (op)hij-sen, ophalen, lichten, ⚓ hieuwen; werpen; doen zwellen; ~ *a sigh* een zucht slaken; ~ *down* ⚓ krengen, kielen; ~ *to* ⚓ bijdraaien; II *vi* rijzen, zich verheffen, op en neer gaan, deinen; zwoegen [v. borst]; (op)zwellen; kok-halzen; ~ *in sight* in het gezicht komen; III *sb* rijzing; deining, (op)zwelling; zwoegen *o*; *the* ~*s* dampigheid.

heaven ['hevn] ook: ~*s* hemel; *by* ~ *!*, *good* ~*s !* goeie hemel!; *for* ~*'s sake* om 's hemels wil.

heavenly ['hevnli] hemels, goddelijk; hemel-; F „zalig" (lekker &).

heavenward(s) ['hevnwəd(z)] ten hemel.

heaver ['hi:və] drager, sjouwer, losser.

heavily ['hevili] *ad* zie *heavy* I.

heaviness ['hevinis] zwaarte; zwaarmoedig-heid, zwaarheid; loomheid.

heavy ['hevi] I *aj* zwaar, zwaarmoedig; dik, drukkend [lucht]; loom; traag; zwaar op de hand; dom; saai; hevig; druk [verkeer]; ~-*type* vette letter; ~ *in* (*on*) *hand* zwaar op de hand²; ~ *with* zwanger van², bezwangerd met [geuren &]; II *ad* zwaar; III *sb heavies* 1 zware cavalerie; 2 zwaar geschut *o*, zware bommenwerpers &.

heavy-weight ['heviweit] (bokser of jockey van) zwaargewicht *o*; *fig* kopstuk *o*.

hebdomadal [heb'dəmədəl] wekelijks.

Hebe ['hi:bi:] Hebe[2]; F schenkster.

Hebraic [hi:'breiik] Hebreeuws.

Hebraism ['hi:breiizm] hebraïsme *o*.

Hebraist ['hi:breiist] kenner van het Hebreeuws.

Hebrew ['hi:bru:] I *sb* het Hebreeuws; het Iwriet (*modern* ~); Hebreeër; II *aj* Hebreeuws.

Hebrides ['hebridi:z] Hebriden.   [breeuws.

Hecate ['hekəti] Hecate.

becatomb ['həkətoum] hecatombe; slachting.

heckle ['hekl] I *sb* hekel; II *vt* hekelen; (een verkiezingskandidaat) aan de tand voelen, wat gedaan wordt door de ~*rs* en *heckling* heet.

hectare ['hektɛə, 'hekta:] hectare.

hectic ['hektik] teringachtig, tering-; F koortsachtig, dol, opwindend, jachtig.

hectogram(me) ['hektəgræm] hectogram *o*.

hectograph ['hektəgra:f] I *sb* hectograaf; II *vt* hectograferen.

hectolitre ['hektəli:tə] hectoliter.

hectometre ['hektəmi:tə] hectometer.

hector ['hektə] I *sb* bullebak; ijzervreter; II *vt* donderen; III *vi* donderen, snoeven.

Hecuba ['hekjubə] Hecuba.

he'd [hi:d] = *he had* of *he would*.

hedge [hedʒ] I *sb* heg, haag; *fig* belemmering; II *vt* omheinen, insluiten (ook: ~ *in*), afsluiten (ook: ~ *off*); ~ *a bet* blokkeren, een weddenschap dekken; III *vi* zich gedekt houden, een slag om de arm houden.

hedgehog ['hedʒhɔg] 1 egel; 2 zeeëgel; 3 *Am* & *fig* stekelvarken *o*; 4 ✕ egelstelling.

hedge-priest ['hedʒpri:st] hageprediker.

hedger ['hedʒə] 1 heggeplanter; 2 haagsnoeier; 3 *fig* wie zich gedekt houdt.

hedgerow ['hedʒrou] haag.

hedge-sparrow ['hedʒ'spærou] 🐦 bastaardnachtegaal.

heed [hi:d] I *vt* acht geven (slaan) op, letten op; II *sb* opmerkzaamheid, oplettendheid; *give, pay (no)* ~ *to* (geen) acht slaan op, (niet) letten op, zich (niet) bekreunen om; *take* ~ oppassen, zich in acht nemen.

heedful ['hi:dful] oplettend; behoedzaam; ~ *of* lettend op.

heedless ['hi:dlis] onachtzaam, zorgeloos; ~ *of* niet lettend op, niet gevend om.

hee-haw ['hi:'hɔ:] ia(ën) [van een ezel].

heel [hi:l] I *sb* 1 hiel, hak; 2 korstje *o* [v. brood]; 3 eind *o*; 4 *Am* snertvent, slampamper; *have the* ~*s of* achter zich laten; *show one's* ~*s* (*a clean pair of* ~*s*), *take to one's* ~*s* het hazepad kiezen; *be a t the* ~*s of* op de hielen zitten; *be out at* ~*s* gaten in de kousen hebben: aan lagerwal zijn; *lay one by the* ~*s*

achter de tralies zetten; *bring to* ~ doen gehoorzamen, klein krijgen; *come to* ~ gedwee volgen; II *vt* de hielen (een hiel) zetten aan, de hakken (een hak) zetten onder ‖ ⚓ kielen, krengen; III *vi* ⚓ slagzij maken (ook: ~ *over*).

heeled [hi:ld] *Am* gefortuneerd, rijk, bij kas.

heel-tap ['hi:ltæp] in: *no* ~*s!* ad fundum!; *leave no* ~*s* het glas tot de bodem ledigen.

hefty ['hefti] stoer; zwaar.

hegemony [hi:'geməni] hegemonie.

he-goat ['hi:gout] 🐐 bok.

heifer ['hefə] 🐄 vaars.

height [hait] hoogte, verhevenheid; hoogtepunt *o*, toppunt *o*; lengte, grootte; *at its* ~ op zijn hoogst; *in the* ~ *of summer* in het hartje van de zomer.

heighten ['haitn] verhogen[2]; versterken; overdrijven.

heinous(ly) ['heinəs(li)] snood, gruwelijk.

heir [ɛə] erfgenaam; ~ *apparent* rechtmatige troonopvolger; erfgenaam bij versterf; ~-*at-law* wettige erfgenaam.

heiress ['ɛəris] 1 erfgename; 2 erfdochter.

heirless ['ɛəlis] zonder erfgenaam.

heirloom ['ɛəlu:m] erfstuk *o*.

heirship ['ɛəʃip] 1 erfrecht *o*; 2 erfenis.

held [held] V.T. & V.D. van *hold*.

Helen ['helin], **Helena** ['helinə] Helena.

helices ['helisi:z] *mv* v. *helix*.

Helicon ['helikən, -ən] de Helicon.

helicopter ['helikɔptə] ✈ helikopter, hefschroefvliegtuig *o*.

Heligoland ['heligoulænd] Helgoland *o*.

heliograph ['hi:liəgra:f] heliograaf.

heliotrope ['heljətroup] 🌸 heliotroop.

heliport ['helipɔ:t] ✈ helihaven, heliport.

helium ['hi:ljəm] helium *o*.

helix ['hi:liks] 1 schroeflijn, spiraal(lijn); 2 rand van de oorschelp.

hell [hel] hel; ~ *of a noise* hels kabaal *o*; *wha the* ~? wat drommel?; *gallop* (*go, ride*) ~ *for leather* er vandoor gaan zo hard mogelijk; *give them* ~ F er op slaan; *go to* ~ *!* loop naar de weerlicht!

Hellas ['helæs] Hellas *o*.

hell-bent ['helbent] *Am* wild, gebrand (op *for*, *on*).

hell-cat ['helkæt] helleveeg, feeks, heks[2].

hellebore ['helibɔ:] 🌿 nieskruid *o*.

Hellene ['heli:n] Helleen.

Hellenic [he'li:nik] Helleens.

Hellenism ['helinizm] hellenisme *o*.

Hellenist ['helinist] hellenist.

hell-fire ['hel'faiə] hellevuur *o*.

hell-hound ['helhaund] helhond[2]; hellewicht *o*.

hellish ['heliʃ] hels.

hello [he'lou] hallo!

helm [helm] helmstok; roerpen, roer *o* ‖ ⚓ helm; *be at the* ~ *of affairs* aan het roer staan.

helmet ['helmit] 1 helm; 2 helmhoed.

helmeted ['helmitid] gehelmd.

helmsman ['helmzmən] ⚓ roerganger.

helot ['helət] ⫘ heloot; slaaf².

help [help] I *vt* helpen, bijstaan, hulp verlenen, ondersteunen; serveren, bedienen; *I could not ~ laughing* ik kon niet nalaten te lachen, moest wel lachen; *it can't be ~ed* er is niets aan te doen; *don't be longer than you can ~* dan nodig is; *~ forward* vooruit-, voorthelpen; *~ on* bevorderen, voorthelpen; *~ one out (over the stile)* helpen, redden uit (een moeilijkheid); *~ one to the gravy* de jus aangeven, bedienen van; II *vr ~ oneself* zich(zelf) helpen; zich bedienen (van *to*); *he could not ~ himself* hij kon niet anders; hij wist geen raad; III *vi* helpen; *~ in ...ing* bijdragen tot...; IV *sb* 1 (be)hulp (ook = help(st)er; bijstand; hulp in de huishouding (ook *domestic ~*); *Am* (dienst)meisje *o*; 2 portie [bij 't eten]; *there is no ~ for it* er is niets aan te doen; *be of ~* helpen.

helper ['helpə] (mede)helper, helpster.

helpful ['helpful] behulpzaam, hulpvaardig; bevorderlijk; nuttig, bruikbaar.

helping ['helpiŋ] I *aj* helpend; *lend a ~ hand* zie *lend*; II *sb* portie [eten].

helpless(ly) ['helplis(li)] hulpeloos; machteloos; onbeholpen.

helplessness ['helplisnis] hulpeloosheid.

helpmate ['helpmeit], ☉ **helpmeet** ['helpmi:t] helper; hulpe; levensgezel, -gezellin.

helter-skelter ['heltə'skeltə] I *ad* holderdebolder, hals over kop; II *aj* overijld, onbesuisd, dol; III *sb* 1 wilde verwarring, dolle vlucht (ren &); 2 glijbaan [op kermis &].

helve [helv] steel [v. e. bijl &]; *throw the ~ after the hatchet* de steel naar de bijl werpen.

Helvetia [hel'vi:ʃiə] Helvetië *o*: Zwitserland *o*.

Helvetian [hel'vi:ʃiən] I *aj* Helvetisch; II *sb* Helvetiër.

1 hem [hem] I *sb* zoom, boord; II *vt* (om)zomen; *~ about, around* of *in* omringen, in-, omsluiten, omsingelen.

2 hem [hem] I *ij* hum!; II *vi* hum! roepen, hummen; *~ and haw* zie *hum (and haw)*.

hemisphere ['hemisfiə] halfrond *o*, halve bol.

hemispheric(al) [hemi'sferik(l)] halfrond.

hemlock ['hemlɔk] ❧ dollekervel.

hemorrhage ['hemoridʒ] bloeding.

hemorrhoids ['heməroidz] aambeien.

hemp [hemp] 1 hennep; 2 strop [v. d. galg]; 3 hasjiesj.

hempen ['hempən] van hennep, hennepen.

hen [hen] ❧ hoen *o*, hen, kip; pop, wijfjes-.

henbane ['henbein] ❀ bilzekruid *o*.

hence [hens] van nu af, van hier; hieruit, vandaar; *a week ~* over een week.

henceforth ['hens'fɔ:θ], **~forward** [-'fɔ:wəd] van nu af, voortaan, in het vervolg.

henchman ['hen(t)ʃmən] 1 ⫘ bediende, page;

2 volgeling, trawant, handlanger.

hen-coop ['henku:p] hoenderkorf; hoenderhok *o*.

hen-harrier ['hen'hæriə] ❧ blauwe kiekendief.

hen-house ['henhaus] kippenhok *o*.

henna ['henə] henna.

henpecked ['henpekt] onder de pantoffel zittend.

hen-roost ['henru:st] hoenderrek *o*.

Henry ['henri] Hendrik.

§ **hepatic** [hi'pætik] lever-; leverkleurig.

heptagon ['heptəgən] zevenhoek.

heptagonal [hep'tægənəl] zevenhoekig.

heptarchy ['heptə:ki] heptarchie.

her [hə:] haar, F zij.

herald ['herəld] I *sb* heraut; *fig* voorloper; (voor)bode, aankondiger; II *vt* aankondigen, inluiden (ook: *~ in*).

heraldic [hi'rældik] heraldisch.

heraldry ['herəldri] 1 heraldiek, wapenkunde; 2 wapenschild *o*, blazoen *o*.

herb [hə:b] kruid *o*.

herbaceous [hə:'beiʃəs] kruidachtig.

herbage ['hə:bidʒ] 1 groen(voer) *o*, kruiden; 2 ⚖ weiderecht *o*.

herbal ['hə:bəl] kruidboek *o*, herbarium *o*.

herbalist ['hə:bəlist] 1 kruidkundige, plantkundige; 2 drogist.

herbarium [hə:'bɛəriəm] herbarium *o*.

§ **herbivorous** [hə:'bivərəs] plantenetend.

herborize ['hə:bəraiz] botaniseren.

Herculean [hə:kju'li:ən] van Hercules, herculisch.

Hercules ['hə:kjuli:z] Hercules.

herd [hə:d] I *sb* kudde [v. groot vee]; troep ‖ herder, hoeder; *the common ~* de grote hoop; II *vi* in kudden of te zamen leven; *~ together* bijeengroepen, samenscholen; *~ with* zich aansluiten (voegen) bij; omgaan met; III *vt* (in kudden) bijeendrijven ‖ hoeden.

herd-book ['hə:dbuk] rundveestamboek *o*.

herdsman ['hə:dzmən] veehoeder, herder.

here [hiə] I *ad* hier, alhier; hierheen; ⚔ present!; *~ and now* nu, direct; *it's neither ~ nor there* 1 het heeft er niets mee te maken; het doet er niet toe; 2 dat raakt kant noch wal; *~'s to you!* (op je) gezondheid!; *~ you are!* alstublieft, ziehier, hier heb je 't (nou)!; *~ goes* F vooruit (met de geit)!; daar gaat ie!; II *sb* in: *from ~* van hier; *near ~* hier in de buurt.

hereabout(s) ['hiərəbaut(s)] hier in de buurt.

hereafter [hiə'ra:ftə] I *ad* hierna, voortaan; in het leven hiernamaals; verder op [in boek]; II *sb the ~* het hiernamaals.

hereby ['hiə'bai] 1 hierbij; 2 hierdoor.

hereditary [hi'reditəri] (over)erfelijk, overgeërfd, erf-.

heredity [hi'rediti] erfelijkheid; overerving.

herein ['hiə'rin] hierin.

hereof ['hiə'rɔv] hiervan.

hereon ['hiə'rɔn] hierop.

heresy ['herisi] ketterij.

heretic ['heritik] ketter.

heretical [hi'retikl] ketters.

hereto ['hiə'tu:] hiertoe.

heretofore ['hiətu'fɔ:] voorheen, eertijds

hereupon ['hiərə'pɔn] hierop.

herewith ['hiə'wið] hiermede, hierbij, bij dezen.

heritable ['heritəbl] erfelijk; erfgerechtigd, erf-.

heritage ['heritidʒ] erfdeel o, erfenis; nalatenschap; erfgoed o, -stuk o.

hermaphrodite [hə:'mæfrədait] I aj tweeslachtig; II sb hermafrodiet.

Hermes ['hə:mi:z] Hermes: Mercurius.

hermetic(al) [hə:'metik(l)] hermetisch, luchtdicht.

hermit ['hə:mit] kluizenaar, heremiet.

hermitage ['hə:mitidʒ] kluis; ermitage(wijn).

hernia ['hə:niə] ⚕ breuk.

hero ['hiərou] held.

Herod ['herəd] Herodes.

heroic [hi'rouik] I aj heldhaftig; helden-; sb ~s bombastische taal.

Ⓜ heroin ['herouin] heroïne [geneesmiddel].

heroine ['herouin] heldin.

heroism ['herouizm] heldhaftigheid, heldenmoed.

heron ['herən] ♟ reiger.

heronry ['herənri] reigerhut, -kolonie.

hero-worship ['hiərouwə:ʃip] heldenverering.

herring ['heriŋ] ♟ haring; red ~ gerookte bokking; draw a red ~ across the trail een bokking over het spoor [van de vos] halen; fig van het spoor trachten af te brengen, de aandacht willen afleiden.

herringbone ['heriŋboun] 1 haringgraat; 2 flanelsteek (~ stitch); 3 visgraat(dessin o); △ visgraatverband o.

herring gull ['heriŋgʌl] ♟ zilvermeeuw.

herring pond ['heriŋpɔnd] J (Atlantische) Oceaan.

hers [hə:z] de, het hare, van haar.

herself [hə:'self] zij-, haarzelf, zich zelve, zich; by ~ alleen.

hesitancy ['hezitənsi] aarzeling, weifeling.

hesitant ['hezitənt] aarzelend, weifelend.

hesitate ['heziteit] 1 aarzelen, weifelen; 2 naar zijn woorden zoeken, haperen.

hesitation [hezi'teiʃən] 1 aarzeling, weifeling; 2 hapering.

hesitative ['heziteitiv] aarzelend, weifelend.

☉ Hesperian [hes'piəriən] westelijk.

Hesperides [hes'peridi:z] Hesperiden.

Hesperus ['hespərəs] ✻ de avondster.

Hessian ['hesiən] I aj Hessisch; II sb Hes; h~ 1 hoge laars (ook: ~ boot); 2 grof linnen o, jute.

♦ hest [hest] gebod o, bevel o.

heterodox ['hetərədɔks] heterodox.

heterodoxy ['hetərədɔksi] heterodoxie. [heid.

heterogeneity [hetərədʒi'ni:iti] ongelijksoortig-

heterogeneous [hetərə'dʒi:niəs] heterogeen, ongelijksoortig.

hew [hju:] I vt houwen, be-, uithouwen, hakken, vellen; II vi houwen (naar at).

hewer ['hjuə] hakker, houwer; ~s of wood and drawers of water arme loonslaven.

hewn [hju:n] V.D. van hew.

hexagon ['heksəgən] zeshoek.

hexagonal [hek'sægənəl] zeshoekig.

hexahedron [heksə'hi:drən] zesvlak o.

hexameter [hek'sæmitə] hexameter.

hey [hei] hei!, hee!, he?; ~ for... hoera...; ha...; ~ presto hocus, pocus, pas!, rrrt!

heyday ['heidei] I ij hee!; ha!; ʔopsa!; II sb bloeitijd, beste dagen, hoogte-, toppunt o.

hi [hai] hei!, hé!

hiatus [hai'eitəs] gaping, leemte; hiaat.

hibernate ['haibə:neit] de winterslaap doen.

hibernation [haibə:'neiʃən] winterslaap.

Hibernia [hai'bə:niə] Ierland o.

Hibernian [hai'bə:niən] Ier(s).

hiccough, hiccup ['hikʌp] I vi & vt hikken, de hik hebben; II sb hik.

hickory ['hikəri] Amerikaanse noteboom, notehout o.

hid [hid] V.T. & V.D. van 2 hide.

hidden ['hidn] V.D. van 2 hide.

1 hide [haid] I sb huid, vel o, F hachje o ‖ Ⓤ ± 120 acres land; II vt F op zijn huid geven.

2 hide [haid] I vt verbergen, weg-, verstoppen (voor from); ~ one's head niet weten waar van schaamte zich te bergen; II vi zich verbergen, zich verschuilen (Am ook: ~ out).

hide-and-seek ['haidən'si:k] verstoppertje o.

hidebound ['haidbaund] met nauwsluitende huid of schors; fig bekrompen.

hideous ['hidiəs] afschuwelijk, afzichtelijk.

hide-out ['haidaut] Am schuilplaats.

hiding ['haidiŋ] F rammeling ‖ verbergen o; schuilplaats; be in ~ zich schuilhouden, ondergedoken zijn; go into ~ zich verbergen (verschuilen), onderduiken.

hiding-place ['haidiŋpleis] schuilplaats.

☉ hie [hai] zich haasten, zich reppen.

hierarch ['haiəra:k] kerkvoogd, opperpriester.

hierarchic(al) [haiə'ra:kik(l)] hiërarchisch.

hierarchy ['haiəra:ki] hiërarchie[2].

hieratic [haiə'rætik] hiëratisch; gewijd.

hieroglyph ['haiərəglif] hiëroglyfe[2].

hieroglyphic [haiərə'glifik] I aj hiëroglyfisch[2]; II sb ~s hiëroglyfen.

Hieronymus [haiə'rɔniməs] Hiëronymus!

hi-fi ['hai'fai] natuurgetrouwe weergave.

higgle ['higl] dingen, knibbelen, pingelen.

higgledy-piggledy ['higldi'pigldi] ondersteboven, op en door elkaar, overhoop.

high [hai] I aj hoog°, verheven, machtig, groot; sterk; streng [protestant &]; F adellijk [wild]; the Most High de Allerhoogste; ~ and dry hoog en droog[2]; fig geborgen; star; ~ and mighty arrogant, Ⓤ hoogmogend; ~ *chair* 1 hoge stoel; 2 kinderstoel, tafelstoel; ~ *feeding* zware voeding; ~ *jump sp* hoogspringen *o*; ~ *life* (het leven van) de grote wereld; ~ *noon* volle middag; *the ~ road* de grote weg; *the ~ seas* de volle (open) zee; *on the ~ seas* in volle (open) zee; *how is that for* ~? S hoe keur je hem (die)?; *on ~* bovenop, omhoog, in de lucht, in de hemel; *from on ~* van boven, van omhoog; II *ad* hoog°, sterk, grof; ~ *and low* overal.

high-angle ['hai'æŋgl] in: ~ *fire* ✕ krombaanvuur *o*.

high-backed ['haibækt] met een hoge rug.

highball ['haibɔ:l] *Am* whiskysoda met ijs.

high-born ['haibɔ:n] van hoge geboorte.

high-brow ['haibrau] (pedant) intellectueel.

High(-)Church ['hai'tʃɔ:tʃ] streng episcopaal; streng episcopale Kerk.

high-class ['haikla:s] prima; voornaam.

high-coloured ['hai'kʌləd] sterk gekleurd[2].

highfalutin(g) ['haifə'lu:tin(ŋ)] I *aj* hoogdravend; II *sb* hoogdravendheid.

high-flown ['haifloun] hoogdravend.

high-flyer ['haiflaiə] iemand met hogere aspiraties; fantast.

high-grade ['haigreid] met een hoog gehalte [v. erts &], hoogwaardig; prima.

high-handed ['hai'hændid] arbitrair, eigenmachtig, autoritair; laatdunkend.

high-heeled ['haihi:ld] met hoge hak.

highland ['hailənd] I *sb* hoogland *o*; II als *aj* hooglands.

Highlander ['hailəndə] Hooglander.

highlight ['hai'lait] I *sb* hoog licht *o*; *fig* glanspunt *o*, hoogtepunt *o*, clou; II *vt* goed doen uitkomen, in het licht stellen; een bijzondere glans verlenen aan, opluisteren.

✎ **high-lows** ['hailouz] rijglaarzen.

highly ['haili] *ad* hoog, ☉ hooglijk; < hoogst, zéér; *speak* ~ *of* met veel lof spreken van; *think* ~ *of* een hoge dunk hebben van.

high-minded ['hai'maindid] I edel, groot van ziel, grootmoedig; 2 B hoogmoedig.

highness ['hainis] hoogheid°, hoogte.

high-pitched ['hai'pitʃt] 1 ♪ hoog (gestemd); 2 hoog van verdieping; 3 *fig* verheven.

high-powered ['hai'pauəd] zwaar [v. motor]; sterk, krachtig [v. radiostation]; goed geoutilleerd; *fig* machtig, geweldig.

high priest ['hai'pri:st] hogepriester.

high-ranking ['hai'ræŋkiŋ] hoog(geplaatst).

high school ['haisku:l] ± middelbare school; middelbare meisjesschool.

high-seasoned ['hai'si:znd] (sterk) gekruid.

high-sounding ['haisaundiŋ] (luid) klinkend[2]; *fig* hoogdravend, weids.

high-speed ['haispi:d] snellopend, snel.

high-spirited ['hai'spiritid] vurig, fier, hooghartig, stoutmoedig.

high-strung ['hai'strʌŋ] hooggespannen[2]; overgevoelig; erg nerveus, opgewonden.

☉ **hight** [hait] geheten[2].

high-up ['hai'ʌp] I *aj* F hoog(geplaatst); II *sb* F hoge ome.

high water ['hai'wɔ:tə] hoogwater *o*; *high-water mark* hoogwaterpeil *o*; *fig* hoogtepunt *o*.

highway ['haiwei] grote weg, straatweg; *the King's (Queen's)* ~ de openbare weg.

highwayman ['haiweimən] struikrover.

high-wing ['haiwiŋ] in: ~ *monoplane* ✈ hoogdekker.

high-wrought ['hai'rɔ:t] keurig bewerkt; (hoog)gespannen; (uiterst) opgewonden.

hike [haik] I *vi* een voetreis maken, trekken; II *sb* voetreis, trektocht.

hiker ['haikə] trekker.

hilarious(ly) [hi'lɛəriəs(li)] vrolijk.

hilarity [hi'læriti] vrolijkheid, hilariteit.

hill [hil] heuvel, berg; hoop.

hillbilly ['hilbili] *Am* (eenvoudig) bergbewoner.

hillock ['hilək] heuveltje *o*.

hill-side ['hil'said] heuvelhelling, berghelling.

hilly ['hili] heuvelachtig, bergachtig.

hilt [hilt] gevest *o*, hecht *o*; *up to the* ~ geheel en al, in allen dele, zonneklaar.

him [him] hem; F hij.

Himalaya [himə'leiə] Himalaya (ook: ~*s*).

Himalayan [himə'leiən] van het Himalayagebergte; kolossaal.

himself [him'self] hij-, hemzelf, zich(zelf); *by* ~ alleen.

1 **hind** [haind] *sb* hinde ‖ boerenknecht, boer[2].

2 **hind** [haind] *aj* achterst(e), achter-.

1 **hinder** ['haində] *aj* achter(ste).

2 **hinder** ['hində] *vt* hinderen; belemmeren, verhinderen, beletten (om te *from*).

hind(er)most ['haind(ə)moust] achterste.

hindrance ['hindrəns] hindernis, beletsel *o*, belemmering.

hindsight ['haindsait] *Am* nabeschouwing.

Hindu ['hin'du:] Hindoe(s).

Hindustan [hindu'sta:n] Hindostan *o*.

Hindustani [hindu'sta:ni] Hindostaans *o*.

hind wheel ['haindwi:l] achterwiel *o*.

hinge [hin(d)ʒ] I *sb* hengsel *o*, scharnier *o*; spil[2]; *be off the* ~*s* in de war zijn, in 't ongerede zijn[2]; II *vt* van hengsels voorzien; ~*d* scharnierend, met scharnier(en); III *vi* draaien[2], rusten[2] (om, *op on, upon*).

hinny ['hini] muilezel.

hint [hint] I *sb* wenk; zin-, toespeling; aanduiding; zweem, spoor *o*; *take the* ~ de wenk begrijpen of opvolgen; II *vt* aanduiden, te kennen geven, laten doorschemeren; (een idee) opperen; III *vi* in: ~ *at* zinspelen op.

hinterland ['hintəlænd] achterland *o*.

1 **hip** [hip] *sb* heup; △ graatbalk ‖ zwaarmoedigheid ‖ ⚘ rozebottel; *have one on the* ~ in zijn macht hebben.

2 **hip** [hip] *ij* hiep!, hiep! (ook: ~ *l*, ~ *l*).

hip-bath ['hipba:θ] zitbad *o*.

hipped [hipt] zwaarmoedig, landerig.

Hippocrates [hi'pɔkrəti:z] Hippocrates.

Hippocratic [hipou'krætik] Hippocratisch; ~ *oath* eed van Hippocrates [bij artsexamen].

hippodrome ['hipədroum] renbaan; circus *o* & *m.*

hippopotamus [hipə'potəmɔs] nijlpaard *o.*

hipster ['hipstə] *Am* (agressieve, militante) non-conformistische jongere [oorspr. uit Greenwich Village, New York].

hire ['haiə] I *sb* huur, loon *o*; verhuur; *for* ~ te huur; *on* ~ te huur; in huur; II *vt* huren; in dienst nemen; ~ (*out*) verhuren.

hire car ['haiəka:], **hired car** ['haiəd'ka:] huur-auto.

hireling ['haiəliŋ] I *sb* huurling; II als *aj* gehuurd, huurlingen-.

hire-purchase ['haiə'pə:tʃis] koop op afbetaling; ~ *system* huurkoop.

hirer ['haiərə] huurder; verhuurder.

hirsute ['hə:sju:t] ruig, harig, borstelig.

his [hiz] zijn; van hem, het zijne, de zijne(n).

hiss [his] I *vi* sissen, fluiten; II *vt* uitfluiten; nasissen (ook: ~ *at*); ~ *away* (*off*) door sissen verjagen; wegfluiten; ~ *down* uitfluiten; III *sb* gesis *o*, gefluit *o*; sisklank (ook: ~ing

hist [hist, st] st! [*sound*].

historian [his'tɔ:riən] historicus, geschiedschrijver.

historic [his'tɔrik] historisch.

historical(ly) [his'tɔrikəl(i)] geschiedkundig, historisch.

historiographer [histɔ:ri'ɔgrəfə] historiograaf, (officieel) geschiedschrijver.

historiography [histɔ:ri'ɔgrəfi] historiografie, (officiële) geschiedschrijving.

history ['histəri] geschiedenis, (geschied)verhaal *o*, historie.

histrionic [histri'ɔnik] I *aj* toneel-, acteurs-; komedianterig, gehuicheld; II *sb* ~s toneelspeelkunst; komediespel *o*, komedie.

hit [hit] I *vt* slaan, raken, treffen, stoten; geven [een slag]; raden; *Am* (aan)komen in (op, tegen &), bereiken, halen; ~ *it* raken, treffen; juist raden, de spijker op de kop slaan; met elkaar opschieten; ~ *off* precies nadoen; precies treffen; ~ *it off together* (*with each other*) het kunnen vinden, goed overweg kunnen met elkaar; II *vi* raken, treffen, slaan; ~ *or miss* lukraak; ~ *out* slaan (naar *at*), (flink) van zich afslaan; ~ (*up*)*on* toevallig aantreffen, vinden; ~ (*up*)*on the idea* op het idee komen; III *sb* stoot, slag²; tref; ⚔ treffer; steek (onder water), gelukkige of fijne zet; succes *o*, successtuk *o*, „hit"; *direct* ~ ⚔ voltreffer; *make a* ~ inslaan; IV V.D. & V.T. van *hit.*

hitch [hitʃ] I *vi* schuiven, niet stilzitten; blijven haken (steken); II *vt* vastmaken, aan-, vasthaken (aan *to*, *on to*); ~ *up* optrekken [broek]; III *sb* ruk; knoop²; kink² (in de kabel); hapering, storing, beletsel *o.*

hitch-hike ['hitʃhaik] F liften [met auto].

hitch-hiker ['hitʃhaikə] F lifter.

hither ['hiðə] I *ad* herwaarts, hierheen, hier; ~ *and thither* heen en weer, her en der; II *aj* ⚓ (aan) deze (zijde).

hitherto ['hiðə'tu:] tot hier(toe), tot nog toe.

hitherward ['hiðəwəd] herwaarts.

hitter ['hitə] die raakt.

Hittite ['hitait] 1 Hettiet; 2 S bokser.

hive [haiv] I *sb* bijenkorf²; zwerm²; (druk) centrum *o*; II *vt* korven; vergaren; huisvesten; III *vi* 1 de korven opzoeken; 2 samenwonen.

hives [haivz] 🍵 1 waterpokken; 2 netelroos; ? kroep; 4 ingewandsontsteking.

H.M. = *His* (*Her*) *Majesty.*

H.M.S. = *His* (*Her*) *Majesty's Ship.*

ho [hou] hé!, ho!

hoar [hɔ:] I *aj* wit, grijs; II *sb* 1 wit-, grijsheid; 2 rijp, rijm.

hoard [hɔ:d] I *sb* hoop, voorraad, schat; II *vt* vergaren, (op)sparen, opleggen, hamsteren, oppotten (~ *up*).

hoarder ['hɔ:də] opzamelaar, F potter; hamsteraar.

hoarding ['hɔ:diŋ] potten *o* & ‖ houten schutting; aanplakbord *o.*

hoar-frost ['hɔ:'frɔst] rijp, rijm.

hoariness ['hɔ:rinis] grijsheid, witheid.

hoarse [hɔ:s] hees, schor.

hoary ['hɔ:ri] grijs, wit [v. ouderdom]; oud; *a* ~ *chestnut* F een mop met een baard.

hoax [houks] I *sb* mystificatie, fopperij; aardigheid, grap; II *vt* mystificeren, foppen, voor de gek houden.

hob [hɔb] 1 haardplaat; 2 pin; kopspijker.

hobble ['hɔbl] I *vi* strompelen, hompelen, hinken; II *vt* kluisteren [paard]; doen strompelen; III *sb* 1 strompelende gang; strompeling; 2 moeilijkheid.

hobbledehoy [hɔbldi'hɔi] aankomende jongen; slungel.

hobby ['hɔbi] hobby, liefhebberij.

hobby-horse ['hɔbihɔ:s] hobbelpaard *o*; stokpaardje *o*; paard *o* [v. draaimolen].

hobgoblin ['hɔbgɔblin] kabouter; boeman.

hobnail ['hɔbneil] kopspijker; *fig* kinkel.

hob-nob ['hɔbnɔb] samen drinken; gemeenzaam omgaan of praten (met *with*).

hobo ['houbou] *Am* (werkzoekende) landloper.

Hobson ['hɔbsn] Hobson; ~'s *choice* zie *choice* I.

hock [hɔk] rijnwijn; zie ook: *hough.*

hockey ['hɔki] hockey(spel) *o.*

hocus-pocus ['houkəs'poukəs] I *sb* hocuspocus; II *vt* bedotten; III *vi* goochelen.

hod [hɔd] kalkbak; stenenbak.

Hodge [hɔdʒ] 1 Rutger; 2 buitenman, boer.

hodge-podge ['hɔdʒpɔdʒ] zie *hotchpot(ch).*

hodman ['hɔdmən] opperman; *fig* loonslaaf, broodschrijver.

hoe [hou] I *sb* schoffel, hak; II *vt* schoffelen.

hog [hɔg] 🐷 varken *o*; lam *o* [totdat het geschoren wordt]; *fig* zwijn *o*; zie ook: *go* II.

hogback ['hɔgbæk] scherpe (heuvel)rug.
hoggish(ly) ['hɔgiʃ(li) zwijnachtig; beestachtig.
hogshead ['hɔgzhed] okshoofd *o*: 238,5 l.
hog-wash ['hɔgwɔʃ] draf; spoeling[2].
hoist [hɔist] I *vt* (op)hijsen; (op)lichten; II *sb* hijstoestel *o*, lift.
hoity-toity ['hɔiti'tɔiti] I *ij* ho, ho!; toe maar!; II *aj* wild, uitgelaten; opvliegend; aanmatigend; III *sb* uitgelatenheid.
hokey-pokey ['houki'pouki] I hocus-pocus; 2 ijswafel.
Holborn ['houbən] Holborn.

hold [hould] I *vt* houden, achter-, dicht-, terug-, vast-, weer-, aan-, behouden; inhouden, (kunnen) bevatten; houden voor, 't er voor houden, achten, van oordeel zijn; er op na houden [theorie], huldigen, toegedaan zijn [mening]; boeien [lezers]; bekleden; innemen [plaats]; voeren [taal]; volgen [koers]; vieren [zekere dagen]; in leen of in bezit hebben, hebben; ~ *one's own* with zich staande houden tegenover, het kunnen opnemen tegen; ~ *the road* (*well*) vast op de weg liggen [v. auto]; II *vi* aanhouden, (blijven) duren; het uit-, volhouden; zich goed houden; doorgaan, gelden, van kracht zijn, opgaan, steek houden (ook: ~ *good*, ~ *true*); ~ *!* ✎ wacht!, stop!; ~ *hard!* I stop!, wacht even!; 2 hou je vast!; ∞ ~ *back* terug-, achterhouden; tegenhouden; zich onthouden, zich inhouden; weinig animo tonen; ~ *by* vasthouden aan[2]; ~ *down* in bedwang houden; ~ *forth* betogen, oreren; ~ *forth on* uitweiden over; ~ *in* aanhouden; (zich) inhouden[2], beteugelen; ~ *in aversion* een afkeer hebben van; ~ *in contempt* verachten; ~ *in hand* in zijn macht hebben; ~ *off* (zich) op een afstand houden; uitblijven [v. regen]; ~ *on* aanhouden, voortgaan, voortduren; zich vastklemmen of vasthouden[2] (aan *by*, *to*); volhouden; ~ *on!* stop!, wacht even!; ~ *on like grim death* niet loslaten; ~ *out* volhouden, het uithouden, zich goed houden; in stand blijven; uitsteken, toesteken, bieden[2] [de hand]; *fig* voorspiegelen; ~ *over* aanhouden, op zij leggen; ~ *to* houden aan (tegen); zich houden aan[2]; vasthouden of trouw blijven aan, toegedaan zijn, blijven bij [een mening]; ~ *together* bij elkaar houden; samenhangen[2]; eendrachtig zijn; ~ *up* aan-, op-, tegenhouden, opschorten, ondersteunen[2], staande houden; opsteken; aanhouden, overvallen; ~ *up one's head* het hoofd op- of hooghouden; ~ *up one's head with the best* niet onderdoen voor; ~ *up as a model* tot voorbeeld stellen; ~ *up to contempt* aan de minachting prijsgeven; ~ *up to ridicule* belachelijk maken; ~ *with* zich aansluiten bij, partij kiezen voor, het eens zijn met; ophebben met; *I don't* ~ *with...* daar ben ik niet zo erg vóór, daar zie ik niet veel heil in; III *sb* houvast *o*, vat[2], greep[2]; steunpunt *o*; bolwerk[2] *o'* ‖ (scheeps)ruim *o'*;

no ~*s barred* alles' s geoorloofd; *catch* (*get, lay, seize, take*) ~ *of* aanpakken, aantasten; grijpen, (te pakken) krijgen, pakken; *keep* ~ *of* vasthouden.
hold-all ['houldɔ:l] reiszak, necessaire.
hold-back ['houldbæk] beletsel *o*, hindernis.
holder ['houldə] bezitter, (aandeel)houder; bekleder [v. ambt]; pachter, huurder; handgreep; reservoir *o*; etui *o*; glaasje *o*; pijpje *o*.
holdfast ['houldfa:st] houvast *o*, klemhaak.
holding ['houldiŋ] houvast *o*; invloed; bezit *o*; pachthoeve, landbouwbedrijf *o*; ~ *company* $ maatschappij die de aandelen van andere ondernemingen heeft.
hold-up ['houldʌp] I aanhouding, roofoverval; 2 stagnatie.
hole [houl] I *sb* gat *o*, hol *o*, kuil; hok *o*; opening; *a* ~ *of a place* een nest, „gat"; *he is in a* ~ F in de klem; (*all*) *in* ~*s* vol gaten, helemaal stuk; II *vt* een gat (gaten) maken in; graven [een tunnel]; ⚬⚬ stoppen.
hole-and-corner ['houlən'kɔ:nə] onderhands, geheim, stiekem.
holiday ['hɔlədi] I *sb* feest *o*, feestdag, vakantiedag; ~(*s*) vakantie; *make* ~, *take a* ~ vrijaf (vakantie) nemen; II als *aj* feest-; vakantie-; III *vi* ['hɔlədei] vakantie nemen (houden), de vakantie doorbrengen.
holiday-maker ['hɔlədimeikə] vakantieganger.
holier-than-thou ['houliəðənðau] S schijnheilig.
holily ['houlili] *ad* heilig.
holiness ['houlinis] heiligheid.
holla ['hɔlə] zie I *hollo*(*w*).
Holland ['hɔlənd] Holland *o*, Nederland *o*; *brown* ~ ongebleekt Hollands linnen *o*.
Hollander ['hɔləndə] Hollander.
Hollands ['hɔləndz] Hollandse jenever.
holler ['hɔlə] P bleren.
1 **hollo**(**w**) ['houlou], **holloa** [hə'lou] I *ij* hola!; II *vi* (hola) roepen; III *vt* aan-, toeroepen, aanhitsen [de honden]; IV *sb* (hola)geroep *o*, kreet.
2 **hollow** ['hɔlou] I *aj* hol, uitgehold, voos; vals, geveinsd; II *ad* hol; < totaal; III *sb* holte, uitholling, hol *o*; laagte; *have... in the* ~ *of one's hand* geheel in zijn macht hebben; IV *vt* uithollen (ook: ~ *out*), hol maken.
hollow-eyed ['hɔlouaid] hologig.
hollow-hearted ['hɔlou'ha:tid] onoprecht.
hollowness ['hɔlounis] I holheid; 2 valsheid, geveinsdheid.
hollow-ware ['hɔlouwɛə] potten en pannen.
holly ['hɔli] ⚘ hulst.
hollyhock ['hɔlihɔk] ⚘ stokroos.
1 **holm** [houm] riviereilandje *o*, waard.
2 **holm** [houm] ⚘ steeneik (~ *oak*).
Holmes [houmz] Holmes.
holocaust ['hɔləkɔ:st] brandoffer *o*; *fig* slachting; vernietiging.
holster ['houlstə] pistooltas, holster.
⊙ **holt** [hoult] I bosschage *o*; 2 bosland *o*.

holy ['houli] *aj* heilig, gewijd; *the H~ of Holies* het Heilige der Heiligen².

holy day ['houlidei] heiligedag, (kerkelijke) feestdag, hoogtijdag.

Holy Saturday ['houli'sætədi] Paaszaterdag.

holystone ['houlistoun] ♧ I *sb* soort schuursteen; II *vt* schuren.

Holy Thursday ['houli'θə:zdi] 1 Witte Donderdag; 2 Hemelvaartsdag.

holy water ['houli'wo:tə] wijwater *o*.

Holy Week ['houli'wi:k] *RK* Goede Week.

homage ['homidʒ] hulde, huldebetoon *o*, huldiging; *do (pay)* ~ *to* hulde bewijzen, huldigen.

Homburg ['hombə:g] F deukhoed (~ *hat*).

home [houm] I *sb* huis *o*, tehuis *o*, thuis *o*; honk *o*; woonstede; verblijf *o*; (vader)land *o*; F (zenuw)inrichting; ~ *is* ~ *be it (n)ever so homely*, (*there's) no place like* ~ eigen haard is goud waard, zoals het klokje thuis tikt, tikt het nergens; *at* ~ 1 thuis; 2 in het (vader)land, hier (te lande), in het moederland; *at* ~ *and abroad* in binnen- en buitenland; *be at* ~ *in (on, with) a subject* er goed in thuis zijn; *look at* ~! kijk naar je eigen!; *make yourself at* ~ doe alsof je thuis bent; *last (long)* ~ laatste woning, eeuwige rust; II *aj* huiselijk, huis-; in-, binnenlands; raak; gevoelig; *the* ~ *counties* het dichtst bij Londen; ~ *department* (*Home Office*) Ministerie *o* van Binnenlandse Zaken; *Home Secretary* Minister van Binnenlandse Zaken; III *ad* naar huis, huiswaarts, huistoe, thuis; raak; stevig (aangedraaid), vast; < flink; *bring it* ~ *to...* (duidelijk) aan het verstand brengen; doen beseffen; *it comes* ~ *to me* het treft mij gevoelig (diep); er gaat mij een licht op; het komt mij bekend voor; ik ondervind er nu de gevolgen van; *drive* ~ in-, vastslaan; *fig* doorzetten; *go* ~ naar huis gaan; raak zijn²; *hit (strike)* ~ gevoelig treffen, raak slaan; *see* ~ thuisbrengen; IV *vi* naar huis gaan [v. duiven]; het doel zoeken [v. projectiel]; V *vt* huisvesten.

home-born ['houm'bɔ:n, + 'houmbɔ:n] inheems.

home-bred ['houm'bred, + 'houmbred] inlands; *fig* eenvoudig.

home-coming ['houmkʌmiŋ] thuiskomst.

home-felt ['houmfelt] diepgevoeld; innig.

home-grown ['houm'groun, + 'houmgroun] inlands.

home guard ['houmga:d] (lid *o* van het) [Engels] burgerleger *o*, ± nationale reserve.

home help ['houmhelp] gezinshelpster.

homeland ['houmlənd] geboorteland *o*.

homeless ['houmlis] onbehuisd, dakloos.

homelike ['houmlaik] huiselijk; gemoedelijk.

homeliness ['houmlinis] huiselijkheid; eenvoudigheid, alledaagsheid; lelijkheid.

home-loving ['houmlʌviŋ] huiselijk.

homely ['houmli] huiselijk; eenvoudig, alledaags*, gewoon, niet mooi, lelijk.

home-made ['houm'meid, + 'hoummeid] eigengemaakt; van inlands fabrikaat.

homemaker ['hoummeikə] gezinsverzorgster.

homeopath zie *homoeopath*.

Homer ['houmə] Homerus.

Homeric [hou'merik] homerisch.

Home Rule ['houm'ru:l] zelfbestuur *o*.

home-sick ['houmsik] heimwee hebbend.

home-sickness ['houmsiknis] heimwee *o*.

homespun ['houmspʌn] eigengesponnen (stof); *fig* eenvoudig.

homestead ['houmsted] hofstede.

home truth ['houmtru:θ] harde waarheid.

homeward ['houmwəd] huiswaarts; ~ *bound* ♧ op de thuisreis.

homewards ['houmwədz] huiswaarts.

homework ['houmwə:k] 1 huiswerk *o*; 2 voorbereidend werk *o*; ~ *book* ⬯ klasseboek *o*.

homicidal [homi'saidl] moorddadig, moord-.

homicide ['homisaid] 1 manslag, doodslag; doodslager; 2 ⚔ moordenaar.

homiletic [homi'letik] I *aj* homiletisch; II *sb* ~s homiletiek, kanselwelsprekendheid.

homily ['homili] leerrede, (zeden)preek².

homing-pigeon ['houmiŋpidʒən] ⬯ postduif.

homoeopath ['houmiəpæθ] homeopaat.

homoeopathic(ally) [houmiə'pæθik(əli)] homeopathisch.

homoeopathist [houmi'ɔpəθist] homeopaat.

homoeopathy [houmi'ɔpəθi] homeopathie.

homogeneity [homədʒi'ni:iti] homogeniteit, gelijksoortigheid.

homogeneous [homə'dʒi:niəs] homogeen, gelijksoortig.

homologate [hou'mɔləgeit] *Sc* bekrachtigen.

homologous [hou'mɔləgəs] homoloog, overeenkomstig.

homonym ['homənim] homoniem *o*.

homonymous [ho'mɔniməs] gelijkluidend.

homuncule [ho'mʌŋkju:l] homunculus, > homy ['houmi] huiselijk. [mensje *o*.

hone [houn] I *sb* wetsteen; II *vt* aanzetten.

honest ['onist] *aj* eerlijk, rechtschapen, onvervalst; braaf, eerbaar; ~ *(Injun)!* F echt waar!, op mijn (ere)woord!

honestly ['onistli] *ad* eerlijk. [prima.

honest-to-goodness ['onisttəgudnis] F echt;

honesty ['onisti] eerlijkheid, rechtschapenheid; braafheid, eerbaarheid; ❀ judaspenning; ~ *is the best policy* eerlijk duurt het langst.

honey ['hʌni] honi(n)g; *(my)* ~ F snoes, schat.

honey-buzzard ['hʌnibʌzəd] ⬯ wespendief.

honeycomb ['hʌnikoum] honi(n)graat; ~ *cloth* wafeldoek *o* & *m*; ~ *towel* wafeldoek *m*; ~*ed met* cellen; ~*ed with* vol....

honeydew ['hʌnidju:] 1 honi(n)gdauw; 2 (met melasse) gesausde tabak.

honeyed ['hʌnid] honi(n)gzoet.

honeymoon ['hʌnimu:n] I *sb* wittebroodsweken, huwelijksreis; II *vi* de wittebroodsweken doorbrengen; op de huwelijksreis zijn.

honeysuckle ['hʌnisʌkl] ❀ kamperfoelie.

honey-tongued ['hʌni'tʌŋd] mooipratend.

honk [hoŋk] I *vi* 1 (als de wilde gans) schreeuwen; 2 toeteren [met autohoorn]; II *sb* 1 geschreeuw *o*; 2 (auto)getoeter *o*.

honky-tonk ['hoŋkitoŋk] *Am* 1 ordinaire kroeg of dancing; 2 soort swing.

honorarium [(h)onə'rɛəriəm] honorarium *o*.

honorary ['onərəri] honorair, ere-.

honorific [onə'rifik] I *aj* ere-; vererend; II *sb* eretitel; beleefdheidsformule.

honour ['onə] I *sb* eer; eerbewijs *o*; eergevoel *o*; erewoord *o*; *your Honour* | Edelachtbare; ~*s* eer(bewijzen), onderscheidingen [op 's Konings verjaardag]; eretitels; honneurs; ⚓ *cum laude*; *do* ~ eer bewijzen; eer aandoen; *do the* ~*s* de honneurs waarnemen; ~ *bright* F op mijn woord van eer; *pay due* ~ *to a bill* $ een wissel honoreren; ~*s* (*are*) *easy* (*divided, equal, even*) honneurs gelijk; *in his* ~ te zijner eer; *in* ~ *of* ter ere van; *be bound in* ~ *to do it, be on one's* ~ *to do it* zedelijk verplicht zijn, het aan zijn eer verplicht zijn; *upon my* (*word and*) ~ op mijn erewoord; II *vt* eren, vereren; honoreren [wissel]; nakomen [verplichtingen].

honourable ['onərəbl] *aj* eervol; achtbaar, eerzaam, eerwaardig; hooggeboren.

honourably ['onərəbli] *ad* eervol, met ere.

hood [hud] I *sb* kap°; capuchon; huif; *Am* ⚙ motorkap; II *vt* met een kap bedekken; ~*ed crow* bonte kraai.

hoodlum ['hudləm] zie *hooligan*.

hoodwink ['hudwiŋk] blinddoeken; misleiden.

hoof [hu:f] I *sb* hoef; F voet, poot; II *vt* ~ *it* S tippelen; ~ *out* S eruit trappen.

hoof-and-mouth ['hu:fən'mauθ] in: ~ *disease Am* mond- en klauwzeer *o*.

hoofed [hu:ft] gehoefd, met hoeven.

hook [huk] I *sb* 1 haak²; vishaak, angel; sikkel, snoeimes *o*; 2 ✂ duim, kram; 3 ⚓ hoek; 4 bocht; 5 *sp* hoek(stoot) [boksen]; ~*s and eyes* haken en ogen; *by* ~ *or by crook* F op de een of andere manier; eerlijk of oneerlijk; *off the* ~*s* dood; *he did it on his own* ~ F hij deed het op eigen houtje (risico); II *vt* haken zetten aan; aan-, dichthaken; aan de haak slaan²; naar zich toe halen; S gappen; ~ *it* S 'm smeren; III *vi* (blijven) haken.

hookah ['hukə] Turkse waterpijp.

hooked [hukt] haaksgewijze gebogen, krom; gehaakt.

hooker ['hukə] ⚓ hoeker; schuit.

hook-nose(d) ['huknouz(d)] (met een) haviksneus.

hooligan ['hu:ligən] straatschender, apache.

hooliganism ['hu:ligənizm] straatschenderij.

hoop [hu:p] I *sb* hoepel; hoepelrok; ring, band; II *vt* met hoepels of banden beslaan; samenhouden; zie ook: *whoop*.

hooping-cough ['hu:piŋkə(:)f] kinkhoest.

hoopoe ['hu:pu:] 🐦 hop.

hoot [hu:t] I *vi* jouwen; schreeuwen [v. uil];

toeten [v. stoomfluit]; toeteren, claxonneren [v. auto]; ~ *after* (*at*) na-, uitjouwen; II *vt* uitjouwen; III *sb* gejouw *o*; geschreeuw *o* [v. uil]; getoet(er) *o*.

hooter ['hu:tə] stoomfluit, sirene, (auto)toeter.

1 **hop** [hop] I *vi* huppelen, hinken, springen, F dansen; II *vt* hinkend afleggen; springen over; ~ *it* S 'm smeren, ophoepelen; III *sb* 1 sprongetje *o*, sprong; 2 F dansje *o*; danspartij; *on the* ~ F in de weer.

2 **hop** [hop] I *sb* 🌿 hop; ~*s* hop(bellen); II *vt* hoppen; III *vi* hop plukken.

hope [houp] I *sb* hoop, verwachting; II *vt* & *vi* hopen (op *for*), verwachten (van *of*); ~ *against* ~ hopen tegen beter weten in.

hopeful ['houpful] hoopvol; veelbelovend; *young* ~ F (de) veelbelovende(!) zoon.

hopeless(ly) ['houplis(li)] hopeloos.

hopelessness ['houplisnis] hopeloosheid.

hopgarden ['hopga:dn] hopakker.

hop-o'-my-thumb ['hopəmiθʌm] F kleinduimpje *o*, peuter, uk.

hopper ['hopə] springer; danser; sprinkhaan, kaasmijt, vlo; ⚒ hopper; tremel [v. e. molen] ‖ hopplukker.

hop-scotch ['hopskotʃ] hinkelspel *o*.

hop-step-and-jump ['hopstepən'dʒʌmp] *sp* hinkstap-sprong.

Horace ['horəs] Horatius.

Horatian [hə'reiʃiən] Horatiaans.

horde [ho:d] horde, bende, troep.

horehound ['ho:haund] 🌿 malrove.

horizon [hə'raizn] horizon(t), (gezichts)einder, gezichtskring².

horizontal [hori'zontl] I *aj* horizontaal; II als *sb* horizontale lijn, horizontaal vlak *o*.

hormone ['ho:moun] hormo(o)n *o*.

horn [ho:n] I *sb* hoorn, horen *o* [stofnaam], hoorn, horen *m* [voorwerpsnaam]; voelhoorn; drinkhoren; *draw* (*haul, pull*) *in one's* ~*s* in zijn schulp kruipen; wat inbinden; II *aj* hoornen; III *vt* van horens voorzien; op de horens nemen.

hornbeam ['ho:nbi:m] 🌿 haagbeuk.

hornbill ['ho:nbil] 🐦 neushoornvogel.

horned [ho:nd] gehoornd, hoorn-.

hornet ['ho:nit] horzel, hoornaar; *bring* (*raise*) *a* ~*'s nest about one's ears* zich (zijn hand) in een wespennest steken.

hornpipe ['ho:npaip] horlepijp.

horny ['ho:ni] hoornachtig; eeltig; hoorn-.

horology [hə'rolədʒi] uurwerkmakerij.

horoscope ['horəskoup] horoscoop.

horrible ['horibl] *aj* afschuwelijk, afgrijselijk, akelig, gruwelijk, huiveringwekkend.

horribly ['horibli] *ad* zie *horrible*; < vreselijk.

horrid(ly) ['horid(li)] zie *horrible*.

horrific [ho'rifik] schrikbarend, afgrijselijk.

horrify ['horifai] met afschuw vervullen; aanstoot geven; ~*ing* afschuwelijk.

horror ['horə] huivering, rilling; (af)schrik, afschuw, gruwel, verschrikking, akeligheid;

fig griezel, monster *o*; *the* ~*s* delirium *o* tremens; *it gives you the* ~*s* het is om van te rillen.

horror-stricken ['hɔrəstrikn], **horror-struck** [-strʌk] met afgrijzen vervuld.

horse [hɔ:s] I *sb* 🐴 paard *o*; ✗ ruiterij, cavalerie; ✗ schraag, rek *o*, bok; *a* ~ *of another (a different) colour* een heel andere zaak; *a dark* ~ *sp* een onbekend paard *o* [bij races]; *fig* iemand van wie men maar weinig weet; *come off the high* ~ een toontje lager zingen; *get on (mount, ride) the high* ~ een hoge toon aanslaan; *light* ~ ✗ lichte cavalerie; *white* ~*s* witgekuifde golven; *take* ~ te paard stijgen; *to* ~ *!* te paard!, opstijgen!; II *vt* van een paard of paarden voorzien; inspannen.

horse artillery ['hɔ:sa:'tiləri] ✗ rijdende artillerie.

horseback ['hɔ:sbæk] in: *on* ~ te paard.

horse-box ['hɔ:sbɔks] box [v. paarden].

horse-breaker ['hɔ:sbreikə] pikeur.

horse-chestnut [hɔ:s'tʃesnʌt] 🌰 wilde kastanje.

horse-cloth ['hɔ:sklɔθ] paardedek *o*.

horse-collar ['hɔ:skɔlə] gareel *o*, haam *o*.

horsecoper ['hɔ:skoupə] paardenkoper.

horse-dealer ['hɔ:sdi:lə] paardenhandelaar.

horseflesh ['hɔ:sfleʃ] 1 paardevlees *o*; 2 paarden.

horse-fly ['hɔ:sflai] paardevlieg.

Horse Guards ['hɔ:sga:dz] (3de reg. der) cavaleriebrigade van de Koninklijke lijfgarde.

horsehair ['hɔ:shɛə] I *sb* paardehaar *o*; II *aj* paardeharen.

horse-laugh ['hɔ:sla:f] ruwe lach.

horseleech ['hɔ:sli:tʃ] 1 grote bloedzuiger; 2 *fig* uitzuiger.

horseman ['hɔ:smən] ruiter, paardrijder.

horsemanship ['hɔ:smənʃip] rijkunst.

horse-marines ['hɔ:sməri:nz] J Zwitserse marine; zie ook: *tell* I.

horse opera ['hɔ:sɔpərə] *Am* S cowboyfilm.

horse-play ['hɔ:splei] ruw spel *o*, ruwe grappen.

horse-pond ['hɔ:spɔnd] paardenwed *o*.

horse-power ['hɔ:spauə] paardekracht; *brake* ~ rempaardekracht; *indicated* ~ indicateurpaardekracht.

horse-race ['hɔ:sreis] wedren.

horse-radish ['hɔ:s'rædiʃ] 🌰 mierik(s)wortel.

horse-sense ['hɔ:ssens] gezond verstand *o*.

horseshoe ['hɔ:sʃu:] hoefijzer *o*.

horse show ['hɔ:sʃou] 1 paardententoonstelling; 2 concours *o* & *m* hippique.

horse-tail ['hɔ:steil] paardestaart (ook: 🌰).

horse-trading ['hɔ:streidiŋ] 1 paardenhandel; 2 *fig* koehandel.

horsewhip ['hɔ:swip] I *sb* rijzweep; II *vt* met een rijzweep slaan, afranselen.

horsewoman ['hɔ:swumən] paardrijdster.

hors(e)y ['hɔ:si] als (van) een paard; paarden-(kopers)-; naar de stal riekend; ruw.

hortative ['hɔ:tətiv], **hortatory** ['hɔ:tətəri] ver-

manend, aansporend.

horticultural [hɔ:ti'kʌltʃərəl] tuinbouw-.

horticulture ['hɔ:tikʌltʃə] tuinbouw.

horticulturist [hɔ:ti'kʌltʃərist] 1 tuinder; 2 tuinbouwkundige.

hosanna [hou'zænə] hosanna *o*.

hose [houz] I *sb* 1 slang [v. brandspuit]; 2 kousen; II *vt* bespuiten.

Hosea [hou'ziə] Hosea.

hoseman ['houzmən] spuitgast.

hose-pipe ['houzpaip] (brand)slang.

hosier ['houʒə] kousenkoper; winkelier in gebreide of geweven ondergoed(eren).

hosiery ['houʒəri] gebreid of geweven ondergoed *o*, kousen.

hospice ['hɔspis] hospitium *o*.

hospitable ['hɔspitəbl] gastvrij.

hospital ['hɔspitəl] ziekenhuis *o*, hospitaal *o*; gasthuis *o*.

hospitality [hɔspi'tæliti] gastvrijheid.

hospitaller ['hɔspitələ] 1 hospitaalridder (*Knight Hospitaller*); 2 ziekenbroeder, liefdezuster; 3 aalmoezenier [in hospitaal].

host [houst] heer *o*, leger *o*, schaar, menigte gastheer; waard, herbergier ‖ *RK* hostie; *Lord God of Hosts* Heer der Heerscharen.

hostage ['hɔstidʒ] gijzelaar; onderpand *o*.

hostel ['hɔstəl] hospitium *o*; kosthuis *o* [voor studenten &]; jeugdherberg; ↘ herberg.

↘ **hostelry** ['hɔstəlri] hospitium *o*; herberg.

hostess ['houstis] 1 gastvrouw; 2 waardin; 3 ✈ stewardess.

hostile ['hɔstail] vijandelijk, vijandig.

hostility [hɔs'tiliti] vijandelijkheid; vijandige gezindheid, vijandigheid.

hostler ['ɔslə] stalknecht.

hot [hɔt] *aj* heet², warm; vurig, heftig, hevig; *make it* ~ *for one* iemand het vuur na aan de schenen leggen; *be* ~ *on* heet (gebrand) zijn op; ~ *under the collar* S razend, tureluurs.

hotbed ['hɔtbed] 1 broeibak; 2 broeinest *o*.

hot-blooded ['hɔt'blʌdid] heetgebakerd, vurig.

hot-brained ['hɔtbreind] heethoofdig.

hotchpot(ch) ['hɔtʃpɔt(ʃ)] hutspot², mengelmoes *o* en *v*.

hot dog ['hɔt'dɔg] *Am* (broodje *o* met) warm worstje *o*.

hotel [hou'tel] hotel *o*.

hotfoot ['hɔtfut] F in aller ijl.

hothead ['hɔthed] heethoofd, driftkop.

hot-headed ['hɔt'hedid] heethoofdig.

hothouse ['hɔthaus] broeikas.

hotly ['hɔtli] *ad* zie *hot*.

hot-plate ['hɔtpleit] (elektrische) kookplaat.

hotpot ['hɔtpɔt] jachtschotel.

hot-pressed ['hɔtprest] gesatineerd.

hotspur ['hɔtspə:] doldriftig iemand; driftkop.

hot-tempered ['hɔt'tempəd] heetgebakerd, oplopend.

Hottentot ['hɔtntɔt] Hottentot(s).

hot-water bottle ['hɔt'wɔ:təbɔtl] (warme) kruik.

hough [hɔk] I *sb* hakpees; stuk *o* vlees aan schenkel; II *vt* de hakpees doorsnijden.

hound [haund] I *sb* jachthond, hond²; *ride to ~s, follow the ~s* [te paard achter de honden op de vossejacht] jagen; II *vt* achtervolgen, vervolgen; aanhitsen (~ *on*); ~ *out* wegjagen, wegpesten.

hour [auə] uur *o*; ⊙ ure, stond(e); *book of ~s* getijdenboek *o*; *the small ~s* de uren na middernacht; *keep bad* (*good, regular*) *~s* erg laat (op tijd) thuiskomen; (on)geregeld leven; *after ~s* na het sluitingsuur; na kantoortijd; *in an evil ~* te kwader ure.

hour-glass ['auəglɑ:s] zandloper.

hour-hand ['auəhænd] uurwijzer.

houri ['huəri] hoeri².

hourly ['auəli] (van) ieder uur, alle uren; om het uur; per uur; uur-; voortdurend.

ı house [haus, *mv* 'hauziz] *sb* huis *o* (ook: stam-, vorsten-, handelshuis, klooster, armenhuis), (schouwburg)zaal; woning; *the House* ı het Lagerhuis of het Hogerhuis; 2 de Beurs; 3 ⇌ Christ Church College; 4 het armhuis; *first, second* & ~ eerste, tweede & voorstelling; ~ *and home* huis en hof; ~ *of business* handelshuis *o*, zaak; ~ *of cards* kaartenhuis *o*; ~ *of correction* verbeterhuis *o*; ~ *of God* godshuis *o*, kerk; *keep ~* huishouden, het huishouden doen; *keep the ~* niet uitgaan, binnen (moeten) blijven; *keep open ~* open tafel houden; *set up ~* een huishouden opzetten; *like a ~ on fire* F vliegensvlug, van je welste; *as safe as ~s* volkomen veilig; *a drink on the ~* een consumptie voor rekening van de zaak (= waarop de kastelein trakteert).

2 house [hauz] I *vt* onder dak brengen, onderbrengen, huisvesten; binnenhalen; stallen; II *vi* huizen, wonen.

house-agent ['hauseidʒənt] makelaar in huizen.

house-boat ['hausbout] woonschip *o*.

house-breaker ['hausbreikə] ı inbreker; 2 sloper van huizen.

house-breaking ['hausbreikiŋ] ı inbraak; 2 slopen *o* van huizen.

house-coat ['hauskout] ochtendjas.

house-famine ['hausfæmin] woningnood.

house-flag ['hausflæg] ⚓ rederijvlag.

household ['haushould] I *sb* (huis)gezin *o*, huishouden *o*; *the H~* de koninklijke hofhouding; II als *aj* huishoudelijk, huiselijk, huis-; ~ *stuff* huisraad *o*; ~ *troops* koninklijke lijfgarde; ~ *word* bekend gezegde *o*; *his name is a ~ word* wordt overal (vaak) genoemd.

householder ['haushouldə] gezinshoofd *o*.

housekeeper ['hauski:pə] huishoudster.

housekeeping ['hauski:piŋ] huishouding, huishouden *o*; ~ *book* huishoudboek *o*.

housemaid ['hausmeid] werkmeid; ~'*s knee* ⚕ kruipknie, leewater *o*.

housemaster ['hausmɑ:stə] ı leraar die internen van een *public school* in de kost heeft; 2

hoofd *o* v. e. *Borstal house* of v. e. *approved school*.

house-organ ['hausɔ:gən] $ huisorgaan *o*.

house-party ['hauspɑ:ti] (deelnemers aan een) logeerpartij in een landhuis (gedurende enige dagen).

house-physician ['hausfi'ziʃən] inwonend geneesheer [in ziekenhuis].

house-proud ['hauspraud] keurig (netjes) op haar huishouden.

house-room ['hausrum] ruimte in een huis; *give ~* (iemand) logeren; *obtain ~* logies vinden.

house-surgeon ['haussə:dʒən] inwonend chirurg.

house-tax ['haustæks] personele belasting.

house-top ['haustɔp] in: *proclaim it from the ~s* het van de daken verkondigen.

house-trained ['haustreind] kamerzindelijk.

house-warming ['hauswɔ:miŋ] feestje *o* ter inwijding van een woning.

housewife ['hauswaif] ı huisvrouw; 2 ['hʌzif] necessaire (met naaigerei).

housewifely ['hauswaifli] huishoudelijk; spaarzaam.

housewifery ['hauswifri] huishouden *o*.

housework ['hauswə:k] werk *o* thuis of in huis te doen.

housing ['hauziŋ] ı onder dak brengen *o*, huisvesting; 2 paardedek *o*, sjabrak; ~ *shortage* woningtekort *o*.

hove [houv] V.T. & V.D. van *heave*.

hovel ['hɔvl] ı hut, stulp; krot *o*; 2 loods.

hover ['hɔvə] I *vi* fladderen, zweven, (blijven) hangen²; weifelen; ~ *about* rondzweven, omfladderen; spelen [v. glimlach om de lippen]; II *sb* gefladder *o*.

Ⓜ **hovercraft** ['hɔvəkrɑ:ft] hovercraft [luchtkussenvoertuig *o*].

how [hau] I *ad* hoe; wat; ~ *about...?* hoe staat het met...?; wat zeg je van...?; ~ *come? Am* waarom?, hoe zit dat toch?; II *sb* in: *the ~ (and why)* het hoe (en waarom).

⚒ **howbeit** [hau'bi:it] alhoewel; niettemin.

howdah ['haudə] zadel *m* of *o* (met tent) op de rug van een olifant.

how(-d'ye)-do ['hau(di)'du:] F bonjour!, hoe gaat het?; als *sb* (mooie) geschiedenis.

however [hau'evə] niettemin; echter, evenwel, maar, hoe... ook, hoe.

howitzer ['hauitsə] ⚔ houwitser.

howl [haul] I *vi* huilen, janken; II *vt* uitbrullen; III *sb* gehuil *o*, gejank *o*.

howler ['haulə] ı huiler, janker; 2 ⚫ brulaap; 3 F verschrikkelijke bok.

howling ['hauliŋ] I *aj* zie *howl*; ook: verschrikkelijk, vreselijk; ~ *monkey* ⚫ brulaap; II *sb* gehuil *o*, gejank *o*.

⚒ **howsoever** [hausou'evə] hoe ook; evenwel.

hoy [hɔi] hei! ⚓

hoyden ['hɔidn] wilde meid.

hoydenish ['hɔidniʃ] wild.

h.p. = *horse-power.*
H.P. = *hire-purchase.*
H.R.H. = *His (Her) Royal Highness.*
hub [hʌb] naaf; *fig* middelpunt *o* ‖ zie *hubby.*
hubble-bubble ['hʌblbʌbl] 1 geroezemoes *o*, herrie; 2 Turkse waterpijp.
hubbub ['hʌbʌb] geraas *o*, rumoer *o*, kabaal *o*.
hubby ['hʌbi] F mannie.
hub-cap ['hʌbkæp] naafdop, ⚙ wieldop.
Hubert ['hju:bət] Hubert(us).
hubris ['hju:bris] hybris: driestheid.
hubristic [hju:'bristik] driest.
huckaback ['hʌkəbæk] grof linnen *o*.
huckleberry ['hʌklberi] ⚘ *Am* blauwbes.
huckle-bone ['hʌklboun] heupbeen *o*.
huckster ['hʌkstə] I *sb* venter, kramer; sjacheraar; II *vt* venten; III *vi* dingen, pingelen; sjacheren; met negotie lopen.
huddle ['hʌdl] I *vt* opeengooien, op een hoop of door elkaar gooien (~ *together*); ~ *on* aangooien, aanschieten; ~ *through one's work* afroffelen; ~ *up* samenflansen, in elkaar timmeren, afroffelen; ~ *oneself up* in elkaar duiken; II *vi* in: ~ (*together*) zich opeenhopen, bijeenkruipen; III *sb* (verwarde) hoop; warboel; *Am* conferentie, onderonsje *o*; *go into a* ~ *Am* de koppen bij elkaar ste-
1 **hue** [hju:] *sb* kleur; tint, schakering. [ken.
2 **hue** [hju:] in: *raise a* ~ *and cry* (*against*) „houd de dief" roepen; hem laten achtervolgen; een geschreeuw aanheffen.
hued [hju:d] getint.
huff [hʌf] I *sb* (plotselinge) vlaag van woede; boze bui; blazen *o* [bij 't dammen]; *in a* ~ gepikeerd; II *vt* nijdig maken; een standje maken; uit de hoogte behandelen; blazen [bij 't dammen].
huffish ['hʌfiʃ] opgeblazen, verwaand.
huffy ['hʌfi] (gauw) gepikeerd; opgeblazen.
hug [hʌg] I *vt* in de armen drukken, omhelzen, omklemmen, knuffelen; *fig* zich vastklemmen aan; koesteren; ~ *the land* (*the shore*) ⚓ dicht bij de wal houden; ~ *oneself* zich gelukwensen (met *for, upon*); II *sb* omhelzing, omklemming.
huge [hju:dʒ] *aj* zeer groot, kolossaal.
hugely ['hju:dʒli] *ad* < kolossaal.
hugeous(ly) ['hju:dʒəs(li)] J kolossaal.
hugger-mugger ['hʌgəmʌgə] I *sb* 1 geheimhouding, gesmoes *o*; 2 janboel; II *aj* & *ad* 1 geheim, heimelijk; 2 in de war, verward; III *vi* (heimelijk) smoezen, konkelen.
Hugh [hju:] Hugo, Huig.
Huguenot ['hju:gənət, -nou] hugenoot.
hulk [hʌlk] oud, onttakeld schip *o*; bonk, log gevaarte *o*.
hulking ['hʌlkiŋ] log, lomp. [II *vt* pellen.
hull [hʌl] I *sb* schil, dop; omhulsel *o*; ⚓ romp;
hullabaloo ['hʌləbə'lu:] F kabaal *o*, herrie.
hullo(a) ['hʌ'lou] hela!, hei!, hallo!
hum [hʌm] I *vi* gonzen, zoemen, snorren, brommen, neuriën; ~ *and ha(w)* hemmen,

hakkelen; allerlei bedenkingen opperen, niet ronduit spreken; *make things* ~ leven in de brouwerij brengen; II *vt* neuriën; III *sb* gegons *o*, gezoem *o*, gesnor *o*, gebrom *o*, geneurie *o*; ~*s and haws* gehem *o*; IV *ij* hum!
human ['hju:mən] I *aj* menselijk, mensen-; *we are all* ~ we zijn allemaal (maar) mensen; II *sb* J mens(elijk wezen *o*).
humane [hju'mein] menslievend, humaan; ~ *society* redding(s)maatschappij.
humanism ['hju:mənizm] humanisme *o*.
humanist ['hju:mənist] humanist.
humanistic [hju:mə'nistik] humanistisch.
humanitarian [hjumæni'teəriən] I *aj* humanitair; menslievend; II *sb* filantroop.
humanity [hju'mæniti] mensdom *o*; mensheid; menselijkheid; menslievendheid; *the humanities* de humaniora.
humanize ['hju:mənaiz] beschaven, veredelen, humaniseren.
humankind [hju:mən'kaind] (de) mensheid.
humanly ['hju:mənli] *ad* menselijk; ~ *speaking* menselijkerwijs gesproken.
humble ['hʌmbl] I *aj* deemoedig, nederig; bescheiden; onderdanig [als formule]; gering; II *vt* vernederen.
humble-bee ['hʌmblbi:] hommel.
humbleness ['hʌmblnis] nederigheid.
humbly ['hʌmbli] *ad* zie *humble* I.
humbug ['hʌmbʌg] I *sb* 1 humbug, kale bluf, larie, bedrog *o*; bluffer, charlatan; 2 (peppermunt)balletje *o*; II *vt* bedotten.
humdrum ['hʌmdrʌm] I *aj* eentonig, alledaags; saai; sleur-; II *sb* 1 eentonigheid, alledaagsheid, sleur; 2 saaie piet.
humid ['hju:mid] vochtig.
humidity [hju'miditi] vocht *o & v*, vochtigheid.
humiliate [hju'milieit] vernederen, verootmoedigen.
humiliation [hjumili'eiʃən] vernedering, verootmoediging.
humility [hju'militi] nederigheid, ootmoed.
humming-bird ['hʌmiŋbə:d] ⚘ kolibrie.
humming-top ['hʌmiŋtəp] bromtol. [veltje *o*.
hummock ['hʌmək] bult; hobbel; hoogte, heu-
humorist ['hju:mərist] humorist.
humorous(ly) ['hju:mərəs(li)] humoristisch, luimig, grappig.
humour ['hju:mə] I *sb* 1 (lichaams)vocht *o*; 2 humeur *o*, stemming; luim, gril; humor; *out of* ~ in een kwade luim; *out of* ~ *with* boos op; II *vt* zich schikken naar, zijn zin geven, believen, toegeven (aan).
humoursome ['hju:məsəm] gemelijk; grillig.
hump [hʌmp] I *sb* bult, bochel, uitsteeksel *o*; *give* (*have*) *the* ~ F het land op jagen (hebben); II *vt* krommen.
humpback ['hʌmpbæk] bochel; gebochelde.
humpbacked ['hʌmpbækt] gebocheld.
humph [hmf] h(u)m!
humpty-dumpty ['hʌm(p)ti'dʌm(p)ti] I *aj* ineengedrongen; II *sb* kleine dikzak.

humpy ['hʌmpi] 1 gebocheld; bultig; 2 F uit zijn hum.

humus ['hju:məs] humus, teelaarde.

Hun [hʌn] Hun².

hunch [hʌn(t)ʃ] I vt krommen, optrekken; II sb bochel, bult; homp; S (voor)gevoel o, idee o & v, ingeving.

hunchback(ed) ['hʌn(t)ʃbæk(t)] zie humpback-(ed).

hundred ['hʌndrəd] honderd(tal) o; great (long) ~ 120.

hundredfold ['hʌndrədfould] honderdvoudig.

hundredth ['hʌndrədθ] honderdste (deel o).

hundredweight ['hʌndrədweit] centenaar (= 112 Eng. ponden = ± 50 kilo).

hung [hʌŋ] V.T. & V.D. van hang.

Hungarian [hʌŋ'gɛəriən] Hongaar(s).

Hungary ['hʌŋgəri] Hongarije o.

hunger ['hʌŋgə] I sb honger²; hunkering; II vi hongeren, hunkeren (naar after, for); III vt uit-, verhongeren; ~ed ↖ hongerig.

hunger-strike ['hʌŋgəstraik] hongerstaking.

hunger-striker ['hʌŋgəstraikə] hongerstaker.

hungrily ['hʌŋgrili] ad hongerig; hunkerend.

hungry ['hʌŋgri] aj hongerig; hunkerend; schraal [v. grond]; be ~ honger hebben.

hunk [hʌŋk] homp, (grote, groot) brok m & v of o.

hunks [hʌŋks] vrek.

hunt [hʌnt] I vi jagen; op de (vosse)jacht gaan; fig snuffelen, zoeken; ~ after (for) najagen, jacht maken op, zoeken naar; II vt jagen (op); afjagen, afzoeken; berijden [op jacht], jagen met; najagen, nazetten; ~ down in 't nauw brengen, opsporen, (uit)vinden; ~ out (up) opzoeken, opsporen, (uit)vinden; III sb (vosse)jacht; jachtveld o; jachtgezelschap o.

hunter ['hʌntə] 1 jager; 2 jachtpaard o, -hond; 2 savonet [horloge].

hunting ['hʌntiŋ] I sb jacht, jagen o; II aj jacht-.

hunting-horn ['hʌntiŋhɔ:n] jachthoorn.

huntress ['hʌntris] jageres.

huntsman ['hʌntsmən] 1 jager; 2 pikeur [bij vossejacht].

hurdle [hə:dl] I sb 1 (tenen) horde; 2 hek o [bij wedrennen]; the ~s sp de hordenloop; II vt met horden afsluiten of toedekken.

hurdler ['hə:dlə] 1 hordenvlechter; 2 sp deelnemer aan een hordenloop.

hurdle-race ['hə:dlreis] hordenloop.

hurdy-gurdy ['hə:digə:di] ♪ lier [draaiorgel].

hurl [hə:l] slingeren, werpen; ~ defiance at tarten.

hurly-burly ['hə:libə:li] geraas o, geweld o.

Huron ['hjuərən] Lake ~ het Huronmeer.

hurrah, hurray [hu'ra:, hu'rei] I ij hoera!; II vi hoera roepen; II vt toejuichen.

hurricane ['hʌrikən] orkaan; ~ deck ♣ stormdek o; ~ lamp stormlamp.

hurried ['hʌrid] aj haastig, gehaast, overhaast(ig).

hurriedly ['hʌridli] ad zie hurried, ook: inderhaast.

hurry ['hʌri] I sb haast, haastige spoed; be in a ~ haast hebben; zich haasten; not in a ~ F niet zo (heel) gauw; II vi zich haasten; ~ away zich wegspoeden; ~ on (along) voortijlen; ~ up haast maken, voortmaken; III vt haasten; overhaasten; verhaasten, haast maken met; in aller ijl brengen, zenden & [v. troepen &]; ~ along ook: meeslepen; ~ on voortjagen; ~ on one's clothes aanschieten; ~ on things er vaart achter zetten; ~ a bill through er door jagen.

hurry-scurry ['hʌri'skʌri] I sb verwarring; II aj & ad haastig en verward, hals over kop.

hurst [hə:st] bosje o; zandheuvel; zandbank.

hurt [hə:t] I sb letsel o, wonde; slag; nadeel o, schade; II vt pijn doen, bezeren, wonden; deren; krenken, kwetsen², beledigen²; schaden, benadelen; III vi schaden; it ~s het doet zeer; IV V.T. & V.D. van ~.

hurtful ['hə:tful] 1 schadelijk, nadelig (voor to); 2 krenkend.

hurtle ['hə:tl] I vi botsen, stoten, ratelen, donderen; II vt slingeren, smakken.

hurtless ['hə:tlis] onschadelijk; ongedeerd.

husband ['hʌzbənd] I sb echtgenoot, man; ↖ beheerder; II vt zuinig huishouden (omgaan) met, zuinig beheren, sparen.

husbandman ['hʌzbəndmən] landman.

husbandry ['hʌzbəndri] 1 landbouw; 2 teelt (vooral in samenstellingen, b.v.: animal ~, cattle ~) veeteelt, veefokkerij, veehouderij); 3 huishoudkunde, (huishoudelijk, zuinig) beheer o.

hush [hʌʃ] I vt tot zwijgen brengen, sussen²; ~ up in de doofpot stoppen; verzwijgen; II vi zwijgen; III sb zwijgen o, (diepe) stilte; IV ij stil!, st!

hush-hush ['hʌʃ'hʌʃ] I aj F geheim; II sb F geheimzinnigheid, heimelijkheid.

hush-money ['hʌʃmʌni] zwijggeld o.

husk [hʌsk] I sb schil, bolster, dop, kaf o; (om)hulsel o; II vt schillen, doppen, pellen.

buskily ['hʌskili] ad schor, hees.

1 **husky** ['hʌski] aj vol schillen ‖ schor, hees; Am F stevig, potig.

2 **husky** ['hʌski] sb Eskimo(hond, -taal).

hussar [hu'za:] ⚔ huzaar.

Hussite ['hʌsait] hussiet.

hussy ['hʌzi] ondeugd [v. e. meisje]; meid, deern, feeks.

hustings ['hʌstiŋz] ⊞ stellage vanwaar men bij verkiezingen tot het volk sprak; verkiezing(s-campagne).

hustle ['hʌsl] I vt (ver)dringen, (weg)duwen, stompen, door elkaar schudden; voortjagen, jachten; drijven; II vi duwen, dringen; er vaart achter ᵗzetten, aanpakken; III sb gejacht o, geduw o, gedrang o; voortvarendheid, energie.

hustler ['hʌslə] Am voortvarend iemand.

hut [hʌt] I *sb* 1 hut, keet; 2 barak; II *vt* (& *vi*) in een barak (barakken) onderbrengen (liggen of wonen).

hutch [hʌtʃ] (meel)kist, (bak)trog; (konijne)hok *o*; hutje *o*.

hutment ['hʌtmənt] barak(ken).

huzza [hʌ'za:, hu'za:] zie *hurrah.*

hyacinth ['haiəsinθ] 1 ♣ hyacint *v*; 2 hyacint *o* [stofnaam], hyacint *m* [edelsteen].

hybrid ['haibrid] I *sb* bastaard; II *aj* bastaard-.

Hyde Park ['haid'pa:k] het Hydepark.

hydra ['haidrə] waterslang, hydra².

hydrangea [hai'dreindʒiə] ♣ soort hortensia.

hydrant ['haidrənt] hydrant, standpijp.

hydrate ['haidreit] hydraat *o*.

hydraulic [hai'drɔ:lik] I *aj* hydraulisch; II *sb* ∼s hydraulica.

hydro ['haidrou] F waterkuurinrichting.

hydrocephalus [haidrə'sefələs] waterhoofd *o*.

hydrochloric [haidrə'klɔrik] in: ∼ *acid* zoutzuur *o*.

hydrodynamics [haidrədai'næmiks] hydrodynamica.

hydro-electric [haidrəi'lektrik] hydro-elektrisch; ∼ (*power-*)*station* waterkrachtcentrale.

hydrogen ['haidridʒən] waterstof; *carburetted* ∼ koolwaterstof(gas *o*).

hydrographic(al) [haidrə'græfik(l)] hydrografisch.

hydrography [hai'drɔgrəfi] hydrografie.

hydrometer [hai'drɔmitə] hydrometer.

hydropathic [haidrə'pæθik] I *aj* hydropathisch; II *sb* waterkuurinrichting.

hydropathy [hai'drɔpəθi] watergeneeskunde, waterkuur.

hydrophobia [haidrə'foubiə] watervrees, hondsdolheid.

hydroplane ['haidrəplein] 1 ✈ watervliegtuig *o*; 2 ⚓ glijboot.

hydroponics [haidrə'pɔniks] ♣ watercultuur.

hydrostatic(al) [haidrə'stætik(l)] hydrostatisch.

hydrostatics [haidrə'stætiks] hydrostatica.

hyena [hai'i:nə] ♠ hyena.

hygiene ['haidʒi:n] gezondheidsleer.

hygienic [hai'dʒi:nik] I *aj* hygiënisch; II *sb* ∼s gezondheidsleer.

hygrometer [hai'grɔmitə] hygrometer.

Hymen ['haimen] Hymen: huwelijksgod.

hymeneal [haime'ni:əl] huwelijks-.

hymn [him] I *sb* kerkgezang *o*, lofzang, gezang *o*; II *vt* & *vi* loven, (be)zingen.

hyperbole [hai'pə:bəli] hyperbool.

hyperbolic(al) [haipə'bɔlik(l)] hyperbolisch.

hypercritical [haipə'kritikl] hyperkritisch.

Hyperion [hai'piəriən] Hyperion, Apollo².

hypertension [haipə'tenʃən] ⚕ hypertensie: verhoogde bloeddruk.

hypertrophy [hai'pə:trəfi] I *sb* hypertrofie: ziekelijke vergroting; II *vi* aan hypertrofie onderhevig zijn.

hyphen ['haifən] I *sb* koppelteken *o*; II *vt* verbinden door een -.

hyphenate ['haifəneit] door een koppelteken verbinden; ∼*d* 1 door een koppelteken verbonden; 2 met een dubbele naam.

hypnosis [hip'nousis] hypnose.

hypnotic [hip'nɔtik] I *aj* slaapwekkend, hypnotisch; II *sb* 1 hypnoticum *o*, slaapmiddel *o*; 2 gehypnotiseerde.

hypnotism ['hipnətizm] hypnotisme *o*.

hypnotist ['hipnətist] hypnotiseur.

hypnotize ['hipnətaiz] hypnotiseren.

hypochondria [hai-, hipə'kɔndriə] hypochondrie: zwaarmoedigheid.

hypochondriac [hai-, hipə'kɔndriæk] hypochonder: zwaarmoedig (iemand).

hypocrisy [hi'pɔkrisi] huichelarij, veinzerij.

hypocrite ['hipəkrit] huichelaar, veinzer.

hypocritical [hipə'kritikl] huichelachtig, schijnheilig.

hypodermic [haipə'də:mik] onderhuids; ∼ *needle* injectienaald; ∼ *syringe* injectiespuitje *o*.

hypotenuse [hai'pɔtinju:s] hypotenusa.

hypothecate [hai'pɔθikeit] verhypothekeren; verpanden.

hypotheses [hai'pɔθisi:z] *mv* v. *hypothesis.*

hypothesis [hai'pɔθisis] hypothese, veronderstelling.

hypothetic(al) [haipə'θetik(l)] hypothetisch.

hyssop ['hisəp] ♣ hysop.

hysteria [his'tiəriə] hysterie.

hysteric [his'terik] I *sb* hystericus, hysterica; II *aj* zie *hysterical.*

hysterical [his'terikl] *aj* hysterisch; ook: zenuwachtig [v. lachen].

hysterically [his'terikəli] *ad* zie *hysterical.*

hysterics [his'teriks] zenuwtoeval; *fall* (*go off*) *into* ∼ het op de zenuwen krijgen.

I

i, I [ai] (de letter) i, I.

I [ai] ik; *the* ∼ het ik.

iamb ['aiæm(b)] jambe.

iambic [ai'æmbik] I *aj* jambisch; II *sb* jambe; ∼s jamben, jambische verzen.

iambus [ai'æmbəs] jambe.

Iberia [ai'biəriə] Iberië *o*: Spanje en Portugal.

Iberian [ai'biəriən] I *aj* Iberisch; II *sb* Iberiër; het Iberisch.

ibex ['aibeks] ♠ steenbok.

ibis ['aibis] ♠ ibis.

ice [ais] I *sb* ijs *o*; *cut no* ∼ geen gewicht in de schaal leggen; *keep* (*put*) *on* ∼ in de ijskast zetten (leggen); II *vt* 1 tot ijs doen worden, met ijs overdekken, (laten) bevriezen; 2 frapperen [dranken]; 3 glaceren [suikerwerk].

ice-age ['aiseidʒ] ijstijd.

iceberg ['aisbə:g] ijsberg.

icebox ['aisbɔks] ijskast.

ice-bound ['aisbaund] ingevroren; dicht-, toegevroren, bevroren.

ice-cream ['ais'kri:m] (room)ijs *o*.

ice-house ['aishaus] ijskelder[2].

Iceland ['aislənd] I *sb* IJsland *o*; II *aj* IJslands.

Icelander ['aisləndə] IJslander.

Icelandic [ais'lændik] IJslands.

ichneumon [ik'nju:mən] I ♠ spoorwezel, -rat, faraorat; 2 sluipwesp (~ *fly*).

§ **ichthyology** [ikθi'ɔlədʒi] viskunde.

ichthyosaurus [ikθiə'sɔ:rəs] ichtyosaurus.

icicle ['aisikl] ijskegel, -pegel.

icily ['aisili] *ad* ijzig, ijskoud[2].

iciness ['aisinis] ijzige koude of koelheid.

icing ['aisiŋ] I suikerglazuur *o* [v. gebak]; 2 ijsafzetting.

icon ['aikən] icoon [afbeelding].

iconoclasm [ai'kɔnəklæzm] beeldenstorm; *fig* 't afbreken van heilige huisjes.

iconoclast [ai'kɔnəklæst] beeldstormer; *fig* afbreker van heilige huisjes.

iconoclastic [aikɔnə'klæstik] beeldstormend; *fig* heilige huisjes afbrekend.

ictus ['iktəs] (vers)accent *o*.

icy ['aisi] ijskoud[2], ijzig[2], ijs-.

I'd [aid] F voor *I would, I should, I had.*

idea [ai'diə] denkbeeld *o*, begrip *o*, gedachte, idee° *o* & *v; that's the* ~ dat is de bedoeling; zo is (moet) het; mooi zo!, juist!

ideal [ai'diəl] I *aj* ideaal; denkbeeldig; II *sb* ideaal *o*.

idealism [ai'diəlizm] idealisme *o*.

idealist [ai'diəlist] idealist.

idealistic [aidiə'listik] idealistisch.

idealization [aidiəlai'zeiʃən] idealisering.

idealize [ai'diəlaiz] idealiseren.

identical [ai'dentikl] (de-, het)zelfde, gelijk, identiek.

identification [aidentifi'keiʃən] vereenzelviging, gelijkstelling, identificatie; ~ *mark* (ken)merk *o*, herkenningsteken *o*.

identify [ai'dentifai] vereenzelvigen, gelijkstellen, -maken (aan *with*), identificeren.

identity [ai'dentiti] gelijk(luidend)heid; éénzijn *o*; persoon(lijkheid) *o*; identiteit; ~ *card* identiteitsbewijs *o*, -kaart, persoonsbewijs *o*; ~ *disk* ✗ identiteitsplaatje *o*.

ides [aidz] 15de dag van maart, mei, juli en oktober, anders de 13de; *the* ~ *of March* de fatale datum, de onheilsdag.

idiocy ['idiəsi] idiotisme *o*, stompzinnigheid.

idiom ['idiəm] I idioom *o*, taaleigen *o*; 2 dialect *o*.

idiomatic(al) [idiə'mætik(l)] idiomatisch.

idiosyncrasy [idiə'siŋkrəsi] eigenaardigheid, individuele geestes- of gevoelsneiging.

idiot ['idiət] idioot[2].

idiotic [idi'ɔtik] idioot[2], mal.

idle ['aidl] I *aj* ledig, nietsdoend, werk(e)loos, stil(liggend, -staand); lui; ongebruikt; ijdel, nutteloos; *we have not been* ~ we hebben niet

stilgezeten; II *vi* leeglopen, niets doen, luieren, lanterfanten; III *vt* in: ~ *away* in ledigheid doorbrengen, verluieren.

idleness ['aidlnis] lediggang, ledigheid, luiheid; nutteloosheid, ijdelheid.

idler ['aidlə] ledigganger, leegloper, nietsdoener, dagdief.

idling ['aidliŋ] I *aj* luierend &; II *sb* leeglopen *o* &, zie *idle.*

idly ['aidli] *ad* zie *idle* I; ook: zonder een hand uit te steken; zo maar.

idol ['aidl] afgod[2].

idolater [ai'dɔlətə] afgodendienaar; aanbidder, afgodisch vereerder.

idolatrous [ai'dɔlətrəs] afgodisch.

idolatry [ai'dɔlətri] afgoderij; afgodendienst; vergoding.

idolization [aidəlai'zeiʃən] ver(af)goding[2].

idolize ['aidəlaiz] ver(af)goden[2].

idyl(l) ['aidil] idylle[2].

idyllic [ai'dilik] idyllisch[2].

i.e. = [id est] *that is*, dat is, d.i.

if [if] I *cj* indien, zo, als, ingeval; zo... al, al; of; *a critical* ~ *loving eye* (of)schoon; *the damage,* ~ *any* de eventuele schade; *little (few)* ~ *any* vrijwel geen; *he was,* ~ *anything, an artist* hij was juist een kunstenaar!; ~ *not* zo niet; *the rascal!* ~ *he has not broken my stick!* daar heeft ie me waarachtig...; *nothing* ~ *not critical* zeer kritisch; ~ *only* als... maar; II *sb* in: ~ ~*s and ans were pots and pans* as is verbrande turf.

igloo ['iglu:] iglo: sneeuwhut.

igneous ['igniəs] vurig, vuur-.

ignes fatui ['igni:z 'fætjuai] *mv* v. **ignis fatuus** ['ignis 'fætjuəs] dwaallicht[2] *o*.

ignitable [ig'naitəbl] ontbrandbaar.

ignite [ig'nait] I *vt* in brand steken, doen ontbranden, ontsteken; doen gloeien; II *vi* in brand raken, ontbranden, vuur vatten.

igniter [ig'naitə] ontsteker.

ignition [ig'niʃən] ontbranding; ✗ ontsteking; gloeiing; ~ *key* ✍ contactsleuteltje *o*; ~ *switch* ontstekingsschakelaar.

ignoble [ig'noubl] onedel, laag, schandelijk.

ignominious(ly) [ignə'miniəs(li)] schandelijk, onterend; smadelijk, oneervol.

ignominy ['ignəmini] schande(lijkheid), oneer, smaad.

ignoramus [ignə'reiməs] weetniet, domoor.

ignorance ['ignərəns] onkunde, onwetendheid; onbekendheid (met *of*).

ignorant ['ignərənt] onwetend, onkundig; ~ *of* onbekend met; onkundig van.

ignore [ig'nɔ:] niet willen weten of kennen, geen notitie nemen van, voorbijzien, ignoreren, negeren.

iguana [i'gwa:nə] ♠ leguaan, kamhagedis.

i.h.p. = *indicated horse-power.*

ileum ['iliəm] kronkeldarm.

ilex ['aileks] ♣ I steeneik; 2 ilex, hu st.

Iliad ['iliəd] Ili✎[2].

ilk [ilk] *Sc* elk; het-, dezelfde; *of that* ~ van die naam; *P* van dat soort.

I'll [ail] F voor *I shall, I will.*

ill [il] I *aj* 1 kwaad, slecht; 2 ziek; misselijk; II *ad* slecht, kwalijk; *take it* ~ het kwalijk nemen; ~ *at ease* niet op zijn gemak; III *sb* kwaad *o*, kwaal; ramp.

ill-advised ['iləd'vaizd] onberaden, onverstandig.

ill-affected ['ilə'fektid] kwaadgezind, kwaadwillig.

ill-assorted ['ilə'sɔ:tid] slecht bij elkaar passend.

ill-boding ['il'boudiŋ] onheilspellend.

ill-bred ['il'bred] onopgevoed; onbeschaafd.

ill-conditioned ['ilkən'diʃənd] slecht geaard; kwaadaardig; in slechte toestand.

ill-considered ['ilkən'sidəd] onberaden.

ill-contrived ['ilkən'traivd] slecht bedacht, onoordeelkundig.

ill-disposed ['ildis'pouzd] niet genegen; kwaadgezind, kwaadwillig.

illegal [i'li:gəl] onwettig.

illegality [ili'gæliti] onwettigheid.

illegibility [iledʒi'biliti] onleesbaarheid.

illegible [i'ledʒibl] *aj* onleesbaar.

illegibly [i'ledʒibli] *ad* onleesbaar.

illegitimacy [ili'dʒitiməsi] onwettigheid, ongeoorloofdheid, onechtheid.

illegitimate [ili'dʒitimit] I *aj* onwettig, ongeoorloofd, onecht; II *sb* bastaard.

ill-fated ['il'feitid] ongelukkig, rampspoedig.

ill-favoured ['il'feivəd] mismaakt, lelijk.

ill-feeling ['il'fi:liŋ] kwade gevoelens, onwillendheid, kwaad bloed *o*.

ill-gotten ['il'gɔtn] onrechtvaardig verkregen.

ill-health ['il'helθ] slechte gezondheid, ziekte.

ill-humoured ['il'hju:məd] slecht gehumeurd.

illiberal [i'libərəl] 1 onedel (denkend), bekrompen; 2 niet royaal, karig.

illiberality [ilibə'ræliti] 1 bekrompenheid; 2 karigheid.

illicit [i'lisit] ongeoorloofd; onwettig.

illimitable [i'limitəbl] onbegrensd.

illiteracy [i'litərəsi] ongeletterdheid; analfabetisme *o*.

illiterate [i'litərit] I *aj* ongeletterd; niet kunnende lezen (en schrijven); II *sb* analfabeet.

ill-judged ['il'dʒʌdʒd] slecht bedacht (overlegd), onberaden; onwijs, onverstandig.

ill-looking ['illukiŋ] 1 er slecht uitziend, lelijk; 2 bedenkelijk.

ill-luck ['il'lʌk] ongeluk *o*, tegenspoed.

ill-mannered ['il'mænəd] ongemanierd.

ill-natured ['il'neitʃəd] kwaadaardig, boosaardig, hatelijk.

illness ['ilnis] ongesteldheid, ziekte.

illogical [i'lɔdʒikl] onlogisch.

ill-omened ['il'oumənd] onder ongunstige omstandigheden ondernomen; ongelukkig.

ill-starred ['il'sta:d] onder een ongelukkig gesternte geboren; ongelukkig.

ill-tempered ['il'tempəd] humeurig, uit zijn (haar) humeur.

ill-timed ['il'taimd] ontijdig, ongelegen.

ill-treat ['il'tri:t] 1 mishandelen; 2 slecht (verkeerd) behandelen.

ill-treatment ['il'tri:tmənt] 1 mishandeling; 2 slechte (verkeerde) behandeling.

⊙ **illume** [i'l(j)u:m] verlichten, verhelderen.

illuminant [i'l(j)u:minənt] I *aj* verlichtend; II *sb* verlichtingsmiddel *o*.

illuminate [i'l(j)u:mineit] verlichten²; belichten; licht werpen op; voorlichten; verluchten; illumineren; luister bijzetten aan; *an illuminating survey* een verhelderend werkend overzicht.

illumination [il(j)u:mi'neiʃən] verlichting²; belichting; voorlichting; verluchting; illuminatie; glans, luister.

illuminative [i'l(j)u:minətiv] verlichtend.

illuminator [i'l(j)u:mineitə] verlichter²; voorlichter; verlichtingsmiddel *o*; verluchter.

illumine [i'l(j)u:min] zie *illuminate*.

ill-usage ['il'ju:zidʒ] zie *ill-treatment*.

ill-use ['il'ju:z] zie *ill-treat*.

illusion [i'l(j)u:ʒən] illusie; (zins)begoocheling, zinsbedrog *o*.

illusionist [i'l(j)u:ʒənist] goochelaar.

illusive [i'l(j)u:siv], **illusory** [i'l(j)u:səri] illusoir, denkbeeldig; bedrieglijk.

illustrate ['iləstreit] toelichten, ophelderen; illustreren.

illustration [iləs'treiʃən] illustratie²: prent, plaat; toelichting, opheldering.

illustrative ['iləstreitiv] illustrerend, ophelderend, toelichtend.

illustrator ['iləstreitə] illustrator; toelichter.

illustrious(ly) [i'lʌstriəs(li)] doorluchtig, beroemd, roemrijk, vermaard, hoog.

ill-will ['il'wil] vijandige gezindheid, kwaadwilligheid, wrok.

Illyria [i'liriə] Illyrië *o*.

Illyrian [i'liriən] I *aj* Illyrisch; II *sb* Illyriër; het Illyrisch.

I'm [aim] F voor *I am*.

image ['imidʒ] I *sb* beeld *o*, beeltenis; evenbeeld *o*; toonbeeld *o*; image; II *vt* afbeelden, weer-, afspiegelen, voorstellen.

image-breaker ['imidʒbreikə] beeldstormer.

imagery ['imidʒri, 'imidʒəri] beeld *o*, beeldwerk *o*; beelden; beeldrijkheid; beeldspraak.

image-worship [i'midʒwə:ʃip] beeldendienst.

imaginable [i'mædʒinəbl] denkbaar.

imaginary [i'mædʒinəri] ingebeeld, denkbeeldig.

imagination [imædʒi'neiʃən] verbeelding(s-kracht), fantasie, voorstellingsvermogen *o*, voorstelling.

imaginative [i'mædʒinətiv] vol verbeeldingskracht, fantasierijk; van fantasie getuigend; van de verbeelding, verbeeldings-.

imagine [i'mædʒin] I *vt* zich in-, verbeelden, zich voorstellen; II *vi* zich voorstellingen vor-

men, fantaseren; ~ ! verbeeld je!
imago [i'meigou] volkomen insekt *o*.
imbalance [im'bæləns] gebrek *o* aan evenwicht, onevenwichtigheid.
imbecile ['imbisi:l, -sail] zwakhoofdig, imbeciel.
imbecility [imbi'siliti] geesteszwakte, imbeciliteit.
imbibe [im'baib] (in)drinken, op-, inzuigen, (in zich) opnemen².
imbroglio [im'brouljou] imbroglio *o*: warboel, verwarring; verwikkeling.
imbrue [im'bru:] bezoedelen, dopen.
imbue [im'bju:] doortrékken; doordringen; drenken; verven; *fig* vervullen (van *with*).
imitability [imitə'biliti] navolgbaarheid.
imitable ['imitəbl] navolgbaar.
imitate ['imiteit] navolgen, nabootsen, namaken, nadoen, > naäpen.
imitation [imi'teiʃən] I *sb* navolging, nabootsing; imitatie; II als *aj* imitatie-.
imitative ['imiteitiv] nabootsend, navolgend; nabootsing-; ~ *arts* beeldende kunsten; ~ *of* in navolging van, naar, gevormd (gebouwd) naar.
imitator ['imiteitə] navolger, nabootser, wie namaakt, > naäper.
immaculacy [i'mækjuləsi] onbevlektheid; smetteloosheid.
immaculate(ly) [i'mækjulit(li)] onbevlekt; smetteloos; onberispelijk; ♣ & ♠ ongevlekt.
immanent ['imənənt] immanent.
immaterial [imə'tiəriəl] onstoffelijk, onlichamelijk; van weinig of geen belang, van geen betekenis, onverschillig.
immateriality ['imətiəri'æliti] onstoffelijkheid, onlichamelijkheid; onbelangrijkheid.
immature [imə'tjuə] onrijp, onvolkomen; ⚲ ontijdig.
immaturity [imə'tjuəriti] onrijpheid; ⚲ ontijdigheid.
immeasurability [imeʒərə'biliti] onmeetbaarheid; onmetelijkheid.
immeasurable [i'meʒərəbl] *aj* onmeetbaar; onmetelijk; < oneindig.
immeasurably [i'meʒərəbli] *ad* zie *immeasurable*.
immediate [i'mi:djət] *aj* onmiddellijk, dadelijk; direct°; naast(bijzijnd), ophanden zijnd; ⚲ [op brieven] spoed.
immediately [i'mi:djətli] I *ad* onmiddellijk &, zie *immediate*; II *cj* zodra.
immemorial [imi'mɔ:riəl] onheuglijk, eeuwenoud.
immense(ly) [i'mens(li)] onmetelijk, oneindig, mateloos, F kolossaal.
immensity [i'mensiti] onmetelijkheid, oneindigheid, eindeloze uitgestrektheid.
immerse [i'mə:s] in-, onderdompelen, indopen; ~*d in* verdiept in, diep in.
immersion [i'mə:ʃən] in-, onderdompeling, indoping; ~ *in* verdiept zijn *o* in.

immersion heater [i'mə:ʃənhi:tə] ✿ dompelaar.
mmigrant ['imigrənt] I *aj* immigrerend; II *sb* immigrant.
immigrate ['imigreit] immigreren.
immigration [imi'greiʃən] immigratie.
imminence ['iminəns] dreigend gevaar *o*.
imminent ['iminənt] dreigend, ophanden (zijnd), voor de deur staand, aanstaande.
immiscible [i'misibl] on(ver)mengbaar.
immitigable [i'mitigəbl] niet te verzachten; onverzoenlijk.
immixture [i'mikstʃə] (ver)menging; betrokken zijn *o* (bij *in*), inmenging.
immobile [i'moubil] onbeweeglijk.
immobility [imə'biliti] onbeweeglijkheid.
immobilize [i'moubilaiz] I onbeweeglijk (immobiel) maken; 2 aan de circulatie onttrekken.
immoderate(ly) [i'mədərit(li)] on-, bovenmatig, onredelijk, overdreven.
immoderation [imədə'reiʃən] onmatigheid; onredelijkheid, overdrevenheid.
immodest(ly) [i'mədist(li)] I onbescheiden; 2 onbetamelijk, onzedig.
immodesty [i'mədisti] I onbescheidenheid; 2 onbetamelijkheid, onzedigheid.
immolate ['iməleit] (op)offeren.
immolation [imə'leiʃən] I (op)offering; 2 offer *o*.
immolator ['iməleitə] offeraar.
immoral [i'mərəl] I immoreel, onzedelijk; 2 zedeloos.
immorality [imə'ræliti] I immoraliteit, onzedelijkheid; onzedelijke handeling(en); 2 zedeloosheid.
immortal [i'mə:təl] *aj* (& *sb*) onsterfelijk(e).
immortality [imə:'tæliti] onsterfelijkheid.
immortalization [imə:tələi'zeiʃən] onsterfelijk maken *o*, vereeuwiging.
immortalize [i'mə:təlaiz] onsterfelijk maken, vereeuwigen.
immortelle [imə:'tel] ♣ immortelle, strobloem.
immovability [imu:və'biliti] onbeweeglijkheid; onveranderlijkheid, onwrikbaarheid.
immovable [i'mu:vəbl] I *aj* onbeweegbaar, onbeweeglijk; onveranderlijk, onwrikbaar; ⚲ onroerend, vast; II *sb* ~*s* onroerende of vaste goederen.
immune [i'mju:n] immuun: onvatbaar (voor *from, to, against*), vrij (van *from*).
immunity [i'mju:niti] immuniteit: onvatbaarheid; vrijstelling, ontheffing.
immunize ['imjunaiz] immuun maken.
immure [i'mjuə] insluiten, opsluiten; inmetselen [als doodstraf].
immutability [imju:tə'biliti] onveranderlijkheid.
immutable [i'mju:təbl] onveranderlijk.
imp [imp] duivelskind *o*, duiveltje *o*, rakker.
impact ['impækt] stoot, schok, slag, botsing; *fig* uitwerking, invloed.

impair [im'pɛə] benadelen, aantasten, verzwakken, afbreuk doen aan.

impairment [im'pɛəmənt] benadeling, aantasting, verzwakking.

impale [im'peil] 1 spietsen; 2 ⚔ ompalen.

impalement [im'peilmənt] spietsen o.

impalpability [impælpə'biliti] onvoelbaarheid, ontastbaarheid².

impalpable [im'pælpəbl] onvoelbaar, ontastbaar².

impanel [im'pænəl] zie empanel.

impart [im'pa:t] mededelen, geven, verlenen; bijbrengen [kennis].

impartial [im'pa:ʃəl] onpartijdig.

impartiality [impa:ʃi'æliti] onpartijdigheid.

impassability [impa:sə'biliti] onbegaanbaarheid; geen overtocht gedogende toestand.

impassable [im'pa:səbl] onbegaanbaar; [rivier] waar men niet overheen kan.

impassibility [impæsi'biliti] onaandoenlijkheid; ongevoeligheid, gevoelloosheid.

impassible [im'pæsibl] onaandoelijk; ongevoelig, gevoelloos.

impassioned [im'pæʃənd] hartstochtelijk.

impassive [im'pæsiv] onbewogen, ongevoelig, onaandoenlijk, onverstoorbaar.

impasto [im'pæstou] dik opleggen o van de verf; dikke verf(laag).

impatience [im'peiʃəns] ongeduld o, ongeduldigheid; his ~ of restraint zijn afkeer van dwang.

impatient [im'peiʃənt] ongeduldig; ~ of niet kunnende uitstaan of dulden.

impeach [im'pi:tʃ] 1 in twijfel trekken; 2 verdacht maken; 3 beschuldigen, aanklagen.

impeachable [im'pi:tʃəbl] laakbaar.

impeacher [im'pi:tʃə] beschuldiger.

impeachment [im'pi:tʃmənt] in twijfel trekken o, verdachtmaking; (stellen o in staat van) beschuldiging, aanklacht.

impeccability [impekə'biliti] 1 onzondigheid; 2 onberispelijkheid.

impeccable [im'pekəbl] 1 zondeloos, onzondig; 2 onberispelijk.

impecuniosity [impikju:ni'ositi] geldgebrek o; geldelijk onvermogen o.

impecunious [impi'kju:niəs] zonder geld; onbemiddeld, onvermogend.

impede [im'pi:d] bemoeilijken, verhinderen, belemmeren, tegenhouden, beletten.

impediment [im'pedimənt] verhindering, belemmering, beletsel o; ~ in his speech spraakgebrek o; ~s (leger)bagage.

impedimenta [impedi'mentə] (leger)bagage.

impel [im'pel] aandrijven, voortdrijven, -bewegen; aanzetten, bewegen.

impellent [im'pelənt] I aj aan-, voortdrijvend, drijf-; II sb drijfkracht, -veer².

impend [im'pend] boven het hoofd hangen, dreigen [v. gevaar]; ophanden zijn.

impendence, -cy [im'pendəns(i)] boven 't hoofd hangen o, dreigen o.

impenetrability [impenitrə'biliti] ondoordringbaarheid; ondoorgrondelijkheid.

impenetrable [im'penitrəbl] ondoordringbaar; ondoorgrondelijk.

impenitence, -cy [im'penitəns(i)] onboetvaardigheid.

impenitent [im'penitənt] onboetvaardig.

imperative [im'perətiv] I aj gebiedend, verplicht(end) (voor upon); II sb gebiedende wijs (ook: ~ mood), imperatief.

imperceptible [impə'septibl] aj onmerkbaar.

imperceptibly [impə'septibli] ad zie imperceptible.

imperfect [im'pə:fikt] I aj onvolmaakt, onvolkomen; ~ tense onvoltooid verleden tijd; II sb imperfectum o: onv. verl. tijd.

imperfection [impə'fekʃən] onvolmaaktheid, onvolkomenheid.

imperforate [im'pə:fərit] ongeperforeerd.

imperial [im'piəriəl] I aj keizerlijk, keizer(s)-; rijks-, imperiaal; II sb 1 imperiaal o & v [op rijtuig]; 2 imperiaal(papier) o; 3 napoleon [sik].

imperialism [im'piəriəlizm] 1 keizersmacht; 2 imperialisme o.

imperialist [im'piəriəlist] 1 keizersgezind(e); 2 imperialist(isch).

imperialistic [impiəriə'listik] imperialistisch.

imperil [im'peril] in gevaar brengen.

imperious [im'piəriəs] gebiedend, heerszuchtig; F bazig.

imperishable [im'periʃəbl] 1 onvergankelijk, onverwelkbaar, onverslijtbaar; 2 $ niet aan bederf onderhevig.

impermeability [impə:miə'biliti] ondoordringbaarheid.

impermeable [im'pə:miəbl] ondoordringbaar.

impersonal [im'pə:sən(ə)l] niet persoonlijk; onpersoonlijk.

impersonality [impə:sə'næliti] onpersoonlijkheid.

impersonate [im'pə:səneit] verpersoonlijken; voorstellen, vertolken [een rol].

impersonation [impə:sə'neiʃən] verpersoonlijking; voorstelling, vertolking [v. rol]; imitatie [door cabaretartiest].

impersonator [im'pə:səneitə] 1 vertolker; 2 imitator [v. cabaret].

impertinence [im'pə:tinəns] niet ter zake zijn o; onbeschaamdheid.

impertinent(ly) [im'pə:tinənt(li)] niets met de zaak te maken hebbend, niet van pas; ongepast; onbeschaamd.

imperturbability [impətə:bə'biliti] onverstoorbaarheid.

imperturbable [impə'tə:bəbl] aj onverstoorbaar. [turbable.

imperturbably [impə'tə:bəbli] ad zie imperimpervious [im'pə:viəs] ondoordringbaar; ontoegankelijk, niet vatbaar (voor to).

impetuosity [impetju'ositi] onstuimigheid, heftigheid.

impetuous [im'petjuəs] onstuimig, heftig.
impetus ['impitəs] voortstuwende kracht, aandrang, aandrift, vaart, stoot, vlucht.
impiety [im'paiəti] goddeloosheid, oneerbiedigheid, gebrek *o* aan piëteit.
impinge [im'pindʒ] stoten, botsen, slaan (tegen *on*); ~ *on* ook: 1 treffen, raken; 2 inbreuk maken op.
impingement [im'pindʒmənt] 1 botsing, stoot; 2 inbreuk.
impious ['impiəs] goddeloos, profaan.
impish ['impiʃ] duivels, ondeugend.
implacability [implækə'biliti] onverzoenlijkheid; onverbiddelijkheid.
implacable [im'plækəbl] onverzoenlijk; onverbiddelijk.
implant [im'pla:nt] (in)planten, zaaien[2]; inprenten.
implantation [impla:n'teiʃən] inplanting, inprenting.
1 **implement** ['implimənt] *sb* gereedschap *o*; werktuig *o*; ~s uitrusting.
2 **implement** ['impliment] *vt* 1 van gereedschappen voorzien; aanvullen; 2 uitvoeren; nakomen.
implementation [implimen'teiʃən] uitvoering; nakoming.
implicate ['implikeit] inwikkelen, insluiten, verwikkelen, betrekken (bij *in*).
implication [impli'keiʃən] in-, verwikkeling; gevolgtrekking; stilzwijgende conditie; bijbedoeling; *by*~ stilzwijgend.
implicit(ly) [im'plisit(li)] daaronder begrepen, stilzwijgend (aangenomen); onvoorwaardelijk; blind [vertrouwen &].
implied [im'plaid] daaronder begrepen, stilzwijgend aangenomen, vanzelfsprekend.
implore [im'plɔ:] smeken (om *for*), afsmeken.
imploring(ly) [im'plɔ:riŋ(li)] smekend.
imply [im'plai] insluiten, inhouden; vóóronderstellen; (indirect) te kennen geven of aanduiden, impliceren. [digheid.
impolicy [im'pɔlisi] onhandigheid, onverstan-
impolite [impə'lait] onbeleefd, onwellevend.
impolitic [im'pɔlitik] onhandig, onverstandig.
imponderability [impɔndərə'biliti] onweegbaarheid.
imponderable [im'pɔndərəbl] onweegbaar (iets); ~s imponderabilia.
1 **import** [im'pɔ:t] *vt* invoeren, importeren; insluiten, aanduiden; van belang zijn voor.
2 **import** ['impɔ:t] *sb* invoer, import; ~s invoerartikelen, invoer; zie ook: *importance*.
importable [im'pɔ:təbl] importabel.
importance [im'pɔ:təns] belang *o*, belangrijkheid, gewicht *o*, gewichtigheid, betekenis.
important [im'pɔ:tənt] belangrijk, van gewicht (betekenis), gewichtig(doend).
importation [impɔ:'teiʃən] 1 $ invoer; ingevoerd artikel *o*; 2 invoering.
importer [im'pɔ:tə] $ importeur.
importunate [im'pɔ:tjunit] lastig, opdringerig.

importune [im'pɔ:tju:n] lastig vallen, overlast aandoen.
importunity [impɔ:'tju:niti] lastigheid; overlast; onbescheiden aanhouden *o*.
imposable [im'pouzəbl] oplegbaar.
impose [im'pouz] I *vt* opleggen; ~ *upon* opleggen; in de handen stoppen; II *vi* ~ (*up*)*on* imponeren; misleiden; bedriegen.
imposing [im'pouziŋ] imposant, imponerend, indrukwekkend.
imposition [impə'ziʃən] 1 oplegging; belasting; ☞ strafwerk *o*; 2 misleiding.
impossibility [impɔsi'biliti] onmogelijkheid.
impossible [im'pɔsibl] onmogelijk°.
impost ['impoust] 1 belasting; 2 impost.
impostor [im'pɔstə] bedrieger, oplichter.
imposture [im'pɔstʃə] bedrog *o*, bedriegerij.
impotence, -cy ['impətəns(i)] onmacht, machteloosheid; onvermogen *o*; impotentie.
impotent ['impətənt] onmachtig, machteloos, onvermogend; impotent.
impound [im'paund] 1 in-, opsluiten; 2 in beslag nemen [goederen]; inhouden [paspoort].
impoverish [im'pɔvəriʃ] verarmen; uitputten [land].
impoverishment [im'pɔvəriʃmənt] verarming; uitputting.
impracticability [impræktikə'biliti] ondoenlijkheid &, zie *impracticable*.
impracticable [im'præktikəbl] 1 ondoenlijk, onuitvoerbaar; 2 onhandelbaar; 3 onbruikbaar, onbegaanbaar [v. weg].
imprecate ['imprikeit] afsmeken (over *upon*).
imprecation [impri'keiʃən] verwensing, vervloeking.
imprecatory ['imprikeitəri] verwensend, vloek-.
impregnable [im'pregnəbl] onneembaar[2]; onaantastbaar.
1 **impregnate** [im'pregnit] *aj* doortrokken (van *with*), zwanger[2].
2 **impregnate** ['impregneit] *vt* bevruchten; impregneren, doortrekken, verzadigen.
impregnation [impreg'neiʃən] bevruchting; verzadiging.
impresario [impre'sa:riou] impresario.
1 **impress** ['impres] *sb* indruk; afdruk, afdruksel *o*, stempel[2] *o* & *m*.
2 **impress** [im'pres] *vt* in-, afdrukken, inprenten[2], stempelen[2]; (een zekere) indruk maken op, imponeren, treffen; ~ (*up*)*on* ook: drukken op; op het hart drukken, inprenten; ~ *with an idea* doordringen van een idee ‖ ✕ & ⚓ pressen.
impressible [im'presibl] zie *impressionable*.
impression [im'preʃən] indrukking; af-, indruk[2], impressie; stempel[2] *o* & *m*; oplage, druk; F idee *o* & *v*.
impressionable [im'preʃənəbl] voor indrukken vatbaar, gevoelig.
impressionist [im'preʃənist] I *sb* impressionist; II *aj* impressionistisch.

impressionistic [impreʃə'nistik] impressionistisch.

impressive [im'presiv] indrukwekkend.

impressment [im'presmənt] ✄ & ⚓ pressing.

imprimatur [impri'meitə] imprimatur² o.

1 **imprint** ['imprint] sb 1 indruk [v. voet &], afdruk, afdruksel o; 2 stempel o & m; 3 drukkers- of uitgeversnaam op titelblad &. 2 **imprint** [im'print] vt drukken, stempelen, inprenten.

imprison [im'prizn] gevangenzetten.

imprisonment [im'priznmənt] gevangenschap, gevangenzetting, gevangenis(straf); ∼ for debt gijzeling.

improbability [imprɔbə'biliti] onwaarschijnlijkheid.

improbable [im'prɔbəbl] onwaarschijnlijk.

improbity [im'prɔbiti] oneerlijkheid.

impromptu [im'prɔm(p)tju:] I aj geïmproviseerd; II ad voor de vuist; III sb improvisatie; ♪ impromptu o & m.

improper(ly) [im'prɔpə(li)] 1 ongeschikt; 2 onbehoorlijk, ongepast, onfatsoenlijk, onbetamelijk; 3 oneigenlijk, onecht [v. breuken]; 4 onjuist, ten onrechte.

impropriate [im'prouprieit] seculariseren.

impropriety [imprə'praiəti] ongeschiktheid &, zie improper.

improvable [im'pru:vəbl] 1 vatbaar voor verbetering; 2 bebouwbaar.

improve [im'pru:v] I vt verbeteren, beter maken, verhogen, veredelen, vervolmaken; zich ten nutte maken; ∼ his acquaintance nader kennis maken; ∼ the occasion van de gelegenheid gebruik maken; ook: om een stichtelijke toespraak te houden; ∼ them away hen doen verdwijnen; II vi beter worden, vooruitgaan; ∼ on of upon verbeteringen aanbrengen in of aan; verbeteren; ∼ on acquaintance bij nadere kennismaking meevallen; he ∼d on this hij overtrof zich zelf nog; improving ook: stichtelijk; leerzaam.

improvement [im'pru:vmənt] verbetering, beterschap, vooruitgang, vordering; veredeling; goed gebruik o; stichting.

improver [im'pru:və] 1 verbeteraar; 2 leerling, volontair (in een of ander vak).

improvidence [im'prɔvidəns] gebrek o aan voorzorg, zorgeloosheid.

improvident [im'prɔvidənt] zonder voorzorg, niet vooruitziend, zorgeloos.

improvisation [imprəvai'zeiʃən] improvisatie.

improvisator [im'prɔvizeitə] improvisator.

improvise ['imprəvaiz] improviseren.

imprudence [im'pru:dəns] onvoorzichtigheid.

imprudent(ly) [im'pru:dənt(li)] onvoorzichtig.

impudence ['impjudəns] onbeschaamdheid, schaamteloosheid.

impudent(ly) ['impjudənt(li)] onbeschaamd, schaamteloos.

impugn [im'pju:n] bestrijden, betwisten.

impulse ['impʌls], **impulsion** [im'pʌlʃən] aandrijving, aandrift, aandrang, opwelling, impuls, stoot.

impulsive [im'pʌlsiv] aandrijvend; voortstuwend, stuw-; impulsief.

impunity [im'pju:niti] straffeloosheid; with ∼ straffeloos.

impure [im'pjuə] onzuiver, onrein; onkuis.

impurity [im'pjuəriti] onzuiverheid, onreinheid²; onkuisheid; verontreiniging.

imputable [im'pju:təbl] te wijten of toe te schrijven (aan to).

imputation [impju'teiʃən] beschuldiging.

impute [im'pju:t] toeschrijven, wijten, aanwrijven, toedichten, ten laste leggen.

in. = inch(es).

in [in] I prep in, naar, bij, volgens, aan, op; van; betrokken bij; met... aan (op), met; over; he has it ∼ him hij is er de man voor; he is not ∼ it hij telt niet mee; he is not ∼ it with... hij legt het glad af tegen...; ∼ itself op zich zelf, alléén al; there is something ∼ that daar is wel iets van aan; they... ∼ their thousands zij... bij duizenden; ∼ three days 1 in drie dagen; 2 over drie dagen; four feet ∼ width 4 voet breed; II ad aan [van boot, ministerie]; binnen [van trein]; (naar) binnen; t(e)huis; aan slag [bij cricket]; fruit is ∼ nu is het de tijd voor fruit; you are ∼ for it F je bent „zuur"; I'll be (am) ∼ for a scolding daar zit een standje voor me op, er staat mij een standje te wachten; ∼ and out in en uit; af en aan; door en door; all ∼ alles inbegrepen; III als aj binnen...; IV sb in: the ∼s and outs 1 alle hoeken en gaten; alle bochten en kronkelingen; 2 alle finesses of details; 3 het ministerie en de oppositie.

inability [inə'biliti] onvermogen o, onbekwaamheid.

inaccessibility [inæksesi'biliti] ongenaakbaarheid²; ontoegankelijkheid, onbeklimbaarheid, onbereikbaarheid.

inaccessible [inæk'sesibl] ongenaakbaar²; ontoegankelijk, onbeklimbaar, onbereikbaar.

inaccuracy [i'nækjurəsi] onnauwkeurigheid.

inaccurate(ly) [i'nækjurit(li)] onnauwkeurig.

inaction [i'nækʃən] zie inactivity.

inactive(ly) [i'næktiv(li)] werkeloos; niet actief; traag.

inactivity [inæk'tiviti] werkeloosheid, nietsdoen o; traagheid.

inadequacy [i'nædikwəsi] onevenredigheid; onvoldoendheid, ontoereikendheid.

inadequate(ly) [i'nædikwit(li)] onevenredig (aan to); onvoldoende, ontoereikend.

inadmissibility [inədmisi'biliti] onaannemelijkheid; ontoelaatbaarheid.

inadmissible [inəd'misibl] onaannemelijk; ontoelaatbaar.

inadvertence, -cy [inəd'və:təns(i)] onachtzaamheid, onoplettendheid.

inadvertent [inəd'və:tənt] onachtzaam, onoplettend; onbewust.

inalienability [ineiljənə'biliti] onvervreemdbaarheid.

inalienable [i'neiljənəbl] onvervreemdbaar[2].

inane [i'nein] I *aj* ledig; *fig* leeg, zinloos; idioot; II *sb* ledige ruimte [v. heelal].

inanimate [i'nænimit] levenloos, onbezield.

inanition [inə'niʃən] leegte; uitputting.

inanity [i'næniti] (zin)ledigheid; zinloosheid; zinledig gezegde *o*, banaliteit.

inapplicability [inæplikə'biliti] ontoepasselijkheid.

inapplicable [i'næplikəbl] ontoepasselijk, niet van toepassing (op *to*).

inapposite [i'næpəzit] ontoepasselijk, ongepast.

inappreciable [inə'pri:ʃiəbl] onwaardeerbaar; uiterst gering, te verwaarlozen.

inappreciation [inəpri:ʃi'eiʃən] gebrek *o* aan waardering, niet waarderen *o*.

inappreciative [inə'pri:ʃiətiv] niet waarderend.

inapproachable [inə'proutʃəbl] ongenaakbaar, ontoegankelijk.

inappropriate(ly) [inə'proupriit(li)] ongeschikt, ongepast.

inapt(ly) [i'næpt(li)] ongeschikt, onbekwaam, niet ad rem.

inaptitude [i'næptitju:d] ongeschiktheid.

inarticulate [ina:'tikjulit] niet gearticuleerd, onduidelijk, zich moeilijk uitdrukkend; sprakeloos.

inartificial [ina:ti'fiʃəl] ongekunsteld.

inasmuch [inəz'mʌtʃ] ~ *as* aangezien; ✎ in zoverre (als).

inattention [inə'tenʃən] onoplettendheid.

inattentive(ly) [inə'tentiv(li)] onoplettend, niet lettend (op *to*); onattent.

inaudibility [inə:di'biliti] onhoorbaarheid.

inaudible [i'nɔ:dibl] *aj* onhoorbaar.

inaudibly [i'nɔ:dibli] *ad* onhoorbaar.

inaugural [i'nɔ:gjurəl] inaugureel, intree-, inwijdings-, openings-.

inaugurate [i'nɔ:gjureit] inwijden, inhuldigen, onthullen, openen [nieuw tijdperk].

inauguration [inɔ:gju'reiʃən] inwijding, inhuldiging.

inauspicious(ly) [inɔ:s'piʃəs(li)] onheilspellend, ongunstig, ongelukkig.

inboard ['inbɔ:d] ⚓ binnen boord.

inborn ['in'bɔ:n, + 'inbɔ:n], **inbred** ['in'bred, + 'inbred] aan-, ingeboren, ingeschapen.

inbreed ['in'bri:d] aankweken.

Inc. = *Incorporated*, *Am* Naamloze Vennootschap, N.V.

incalculability [inkælkjulə'biliti] onberekenbaarheid.

incalculable [in'kælkjuləbl] onberekenbaar.

incandescence [inkæn'desəns] (witte) gloeihitte, gloeiing[2].

incandescent [inkæn'desənt] (wit)gloeiend, gloei-.

incantation [inkæn'teiʃən] bezwering, toverformule.

incapability [inkeipə'biliti] onbekwaamheid, niet kunnen *o*; ⚖ onbevoegdheid.

incapable [in'keipəbl] I *aj* onbekwaam[2]; ⚖ onbevoegd; ~ *of* niet kunnende, niet in staat om, zich niet latende; II *sb* ongeschikte (persoon).

incapacitate [inkə'pæsiteit] onbekwaam maken; ⚖ onbevoegd verklaren.

incapacity [inkə'pæsiti] onbekwaamheid; ⚖ onbevoegdheid.

incarcerate [in'ka:səreit] gevangenzetten, opsluiten.

incarceration [inka:sə'reiʃən] gevangenzetting, opsluiting.

☉ **incarnadine** [in'ka:nədain] I *aj* vleeskleurig, rood; II *vt* rood kleuren.

incarnate [in'ka:nit] I *aj* vlees geworden, vleselijk; II *vt* [in'ka:neit] incarneren, belichamen.

incarnation [inka:'neiʃən] incarnatie, vleeswording, menswording, belichaming, verpersoonlijking.

incase [in'keis] zie *encase*.

incautious [in'kɔ:ʃəs] onvoorzichtig.

incendiarism [in'sendjərizm] brandstichting; *fig* opruiing.

incendiary [in'sendjəri] I *aj* brandstichtend; brand-; *fig* opruiend; II *sb* 1 brandstichter; 2 brandbom; 3 *fig* stokebrand, opruier.

1 **incense** [in'sens] *vt* vertoornen; ~*d* verbolgen, gebelgd, woedend (over *at*).

2 **incense** [in'sens] I *sb* wierook[2], bewieroking; II *vt* bewieroken[2].

incense-boat ['insensbout] wierookscheepje *o*.

incensory ['insensəri] wierookvat *o*.

incentive [in'sentiv] I *aj* aansporend, prikkelend; II *sb* prikkel(ing), aansporing, stimulans, drijfveer.

inception [in'sepʃən] begin *o*.

inceptive [in'septiv] beginnend, begin-.

incertitude [in'sə:titju:d] onzekerheid.

incessant(ly) [in'sesnt(li)] aanhoudend, onophoudelijk.

incest ['insest] bloedschande.

incestuous [in'sestjuəs] bloedschendig.

inch [in(t)ʃ] I *sb* Engelse duim, $1/12$ voet = $2^{1}/_{2}$ cm ‖ eilandje *o*; *every* ~ *a gentleman* open-top een heer; *give him an* ~, *and he will take an ell* als men hem een vinger geeft, neemt hij de hele hand; ~ *by* ~, *by* ~*es* duim voor duim; langzaam aan, langzamerhand; *to an* ~ precies, op een haar; *flog one within an* ~ *of his life* iemand bijna doodranselen; II (*vi &*) *vt* (zich) duim voor duim bewegen.

inchoate ['inkoueit] I *aj* 1 juist begonnen; 2 onontwikkeld; II *vt* beginnen.

inchoation [inkou'eiʃən] begin *o*.

inchoative ['inkoueitiv] I *aj* begin-, aanvangs-; inchoatief; II *sb* inchoatief (werkwoord) *o*.

incidence ['insidəns] vallen *o*; wijze van treffen of raken; invloed, gevolgen; vóórkomen *o* [v. kanker &]; druk [v. belasting]; *angle of* ~ hoek van inval.

incident ['insidənt] I *aj* (in)vallend [v. straal]; ~ *to* (soms *on*), voortvloeiend uit; verbonden met, eigen aan; II *sb* voorval *o*, episode, incident *o*.

incidental [insi'dentəl] I *aj* toevallig, bijkomend, bijkomstig, incidenteel, bij-; tussen-; ~ *music* tussen de handeling; ~ *remark* terloops gemaakt; ~ *to* zie *incident to*; II *sb* bijkomstigheid; ~*s* bijkomende (on)kosten.

incidentally [insi'dentəli] *ad* toevallig; terloops, tussen twee haakjes; overigens.

incinerate [in'sinəreit] 1 (tot as) verbranden; 2 verassen.

incineration [insinə'reiʃən] 1 verbranding (tot as); 2 lijkverbranding, verassing.

incinerator [in'sinəreitə] vuilverbrandingsoven.

incipience, -cy [in'sipiəns(i)] begin *o*.

incipient [in'sipiənt] beginnend; begin-.

incise [in'saiz] insnijden, kerven.

incision [in'siʒən] insnijding; snee, kerf.

incisive [in'saisiv] snijdend; *fig* scherp; ~ *teeth* snijtanden.

incisor [in'saizə] snijtand.

incite [in'sait] aansporen, prikkelen, opwekken; aan-, opzetten, aanhitsen.

incitement [in'saitmənt] aansporing, opzetting, aanhitsing; prikkel; opwekking.

incivility [insi'viliti] onbeleefdheid.

inclemency [in'klemənsi] barheid, guurheid.

inclement [in'klemənt] bar, guur.

inclinable [in'klainəbl] geneigd, genegen.

inclination [inkli'neiʃən] helling; inclinatie; *fig* neiging, genegenheid; zin, trek, lust.

incline [in'klain] I *vi* neigen, buigen, (over)hellen, geneigd zijn (tot, naar *to*); II *vt* buigen, doen (over)hellen, schuin houden of -zetten; geneigd maken; ~*d plane* hellend vlak *o*; III *sb* helling, hellend vlak *o*.

inclose [in'klouz] zie *enclose* &.

include [in'klu:d] insluiten, be-, omvatten, meetellen, -rekenen; opnemen, inschakelen; ...~*d*, *including*... ...inbegrepen, met inbegrip van..., daaronder..., waaronder...; *up to and including*... tot en met...

inclusion [in'klu:ʒən] insluiting; opneming, opname, inschakeling.

inclusive [in'klu:siv] insluitend, inclusief; *from* ... *to*...~ van... tot en met...; ~ *of*... met inbegrip van, meegerekend; *be* ~ *of* omvatten.

incog(nito) [in'kɔg(nitou)] incognito (*o*).

incoherence, -cy [inkou'hiərəns(i)] onsamenhangendheid.

incoherent [inkou'hiərənt] onsamenhangend.

incombustibility [inkəmbʌsti'biliti] on(ver)-brandbaarheid.

incombustible [inkəm'bʌstibl] on(ver)brandbaar.

income ['inkəm, 'inkʌm] inkomen *o*, inkomsten; ~ *tax* inkomstenbelasting.

incoming ['inkʌmiŋ] I *aj* in-, binnenkomend°; opkomend [getij]; nieuw [v. ambtenaar]; II *sb* (binnen)komst; ~*s* inkomsten.

incommensurability ['inkəmenʃərə'biliti] (onderlinge) onmeetbaarheid.

incommensurable [inkə'menʃərəbl] (onderling) onmeetbaar.

incommensurate [inkə'menʃərit] ongeëvenredigd; (onderling) onmeetbaar.

incommode [inkə'moud] lastig vallen, storen, hinderen, belemmeren.

incommodious [inkə'moudiəs] lastig, ongemakkelijk, ongeriefelijk.

incommunicability ['inkəmju:nikə'biliti] onmededeelbaarheid.

incommunicable [inkə'mju:nikəbl] onmededeelbaar, voor mededeling niet geschikt.

incommunicative [inkə'mju:nikətiv] niet (bijzonder) mededeelzaam, gesloten.

incommutable [inkə'mju:təbl] onveranderlijk, niet verwisselbaar.

incomparable [in'kɔmpərəbl] onvergelijkelijk, weergaloos.

incompatibility [inkəmpæti'biliti] onverenigbaarheid; ~ *of temper* te grote uiteenlopendheid van karakters.

incompatible [inkəm'pætibl] onverenigbaar; geheel (te zeer) uiteenlopend.

incompetence, -cy [in'kɔmpitəns(i)] onbekwaamheid, ongeschiktheid, onbevoegdheid.

incompetent [in'kɔmpitənt] onbekwaam, ongeschikt, onbevoegd (tot *to*).

incomplete [inkəm'pli:t] onvolkomen, onvolledig, onvoltallig, onvoltooid.

incomprehensibility [inkəmprihensə'biliti] onbegrijpelijkheid.

incomprehensible [inkəmpri'hensəbl] onbegrijpelijk.

incomprehension [inkəmpri'henʃən] onbegrip *o*, niet-begrijpen *o*.

incompressibility [inkəmpresi'biliti] onsamendrukbaarheid.

incompressible [inkəm'presibl] onsamendrukbaar.

inconceivability [inkənsi:və'biliti] 1 onbegrijpelijkheid; 2 ondenkbaarheid.

inconceivable [inkən'si:vəbl] 1 onbegrijpelijk; 2 ondenkbaar.

inconclusive [inkən'klu:siv] niet afdoend, niet (weinig) beslissend.

incongruity [inkɔŋ'gruiti] gebrek *o* aan overeenstemming, ongelijk(soortig)heid; wanverhouding; ongerijmdheid, ongepastheid.

incongruous [in'kɔŋgruəs] 1 ongelijk(soortig), onverenigbaar; 2 ongerijmd, ongepast.

inconsequence [in'kɔnsikwəns] onlogische gevolgtrekking, onsamenhangendheid.

inconsequent [in'kɔnsikwənt] niet consequent, onlogisch, onsamenhangend.

inconsequential [inkɔnsi'kwenʃəl] onbelangrijk; zie ook: *inconsequent*.

inconsiderable [inkən'sidərəbl] onbeduidend.

inconsiderate(ly) [inkən'sidərit(li)] 1 onbezonnen, onbedachtzaam, ondoordacht; 2 onattent; niet zeer kies.

inconsideration [inkənsidə'reiʃən] onbezonnenheid &, zie *inconsiderate*.

inconsistency [inkən'sistənsi] 1 onverenigbaarheid, onbestaanbaarheid, tegenspraak; 2 inconsequentie.

inconsistent [inkən'sistənt] 1 niet bestaanbaar, niet in overeenstemming, onverenigbaar of in tegenspraak (met *with*); 2 inconsequent, onlogisch.

inconsolable [inkən'souləbl] ontroostbaar.

inconspicuous [inkən'spikjuəs] niet opvallend, niet de aandacht trekkend, nauwelijks zichtbaar; onaanzienlijk.

inconstancy [in'kɔnstənsi] onbestendigheid, onstandvastigheid; ongestadigheid, veranderlijkheid, wispelturigheid.

inconstant [in'kɔnstənt] onbestendig, onstandvastig, ongestadig, veranderlijk, wispelturig.

incontestable [inkən'testəbl] onbetwistbaar.

incontinence [in'kɔntinəns] gebrek *o* aan zelfbeheersing.

incontinent [in'kɔntinənt] *aj* zich niet beheersend.

incontinently [in'kɔntinəntli] *ad* 1 onbetoomd, teugelloos; 2 op staande voet.

incontrovertible [inkɔntrə'və:tibl] onbetwistbaar.

inconvenience [inkən'vi:njəns] I *sb* ongelegenheid, ongemak *o*, ongerief *o*; II *vt* in ongelegenheid brengen, tot last zijn; lastig vallen.

inconvenient [inkən'vi:njənt] ongelegen, niet gelegen (komend), lastig, ongeriefelijk.

inconvertibility [inkənvə:ti'biliti] onverwisselbaarheid; onconverteerbaarheid.

inconvertible [inkən'və:tibl] onverwisselbaar, onveranderlijk; niet converteerbaar, niet inwisselbaar (voor *into*).

1 **incorporate** [in'kɔ:pərit] *aj* (tot één lichaam) verenigd; met rechtspersoonlijkheid.

2 **incorporate** [in'kɔ:pəreit] 1 *vt* (tot één lichaam, maatschappij) verenigen, inlijven (bij *in*, *with*), opnemen [in een corporatie &]; rechtspersoonlijkheid verlenen; II *vi* zich verenigen (met *with*).

incorporation [inkɔ:pə'reiʃən] inlijving, opname; ⁂ erkenning als rechtspersoon; incorporatie.

incorporeal [inkɔ:'pɔ:riəl] onlichamelijk, onstoffelijk.

incorporeity [inkɔ:pə'ri:iti] onlichamelijkheid, onstoffelijkheid.

incorrect(ly) [inkə'rekt(li)] onnauwkeurig, onjuist, niet correct.

incorrigibility [inkɔridʒi'biliti] onverbeterlijkheid.

incorrigible [in'kɔridʒibl] onverbeterlijk.

incorrupt(ed) [inkə'rʌpt(id)] 1 onbedorven²; onomkoopbaar; 2 niet omgekocht.

incorruptibility [inkərʌpti'biliti] 1 onbederfelijkheid, onvergankelijkheid; 2 onomkoopbaarheid.

incorruptible [inkə'rʌptibl] 1 onbederfelijk, onvergankelijk; 2 onomkoopbaar.

1 **increase** [in'kri:s] I *vi* (aan)groeien, toenemen, stijgen, zich vermeerderen; II *vt* doen aangroeien &; vermeerderen, vergroten, verhogen, versterken.

2 **increase** ['inkri:s] *sb* groei, aanwas, wassen *o*, toename, vermeerdering; verhoging; *be on the* ~ aangroeien, wassen, toenemen, talrijker (groter) worden.

increasingly [in'kri:siŋli] in: ~ *difficult* steeds moeilijker.

incredibility [inkredi'biliti] ongelofelijkheid.

incredible [in'kredibl] ongelofelijk.

incredulity [inkri'dju:liti] ongelovigheid.

incredulous [in'kredjuləs] ongelovig.

increment ['inkrimənt] aanwas; toeneming; (waarde)vermeerdering; (loons)verhoging.

incriminate [in'krimineit] beschuldigen, incrimineren.

incriminatory [in'krimineitəri] beschuldigend, incriminerend.

incrustation [inkrʌs'teiʃən] 1 aan-, omkorsting, korst, ketelsteen *o* & *m*; 2 inlegwerk *o*.

incubate ['inkjubeit] (uit)broeden; incuberen.

incubation [inkju'beiʃən] broeding; incubatie.

incubator ['inkjubeitə] broedmachine, broedtoestel *o*, couveuse.

incubus ['inkjubəs] nachtmerrie².

inculcate ['inkʌlkeit] inprenten; ~ *it upon him* het hem inprenten.

inculcation [inkʌl'keiʃən] inprenting.

inculpate ['inkʌlpeit] beschuldigen, aanklagen.

inculpation [inkʌl'peiʃən] beschuldiging, aanklacht.

incumbency [in'kʌmbənsi] 1 last², verplichting; 2 bekleden *o* van een (geestelijk) ambt; 3 predikantsplaats.

incumbent [in'kʌmbənt] I *aj* liggend, rustend (op *on*); *it is* ~ *upon you* het is uw plicht; II *sb* bekleder van een (geestelijk) ambt, predikant.

incur [in'kə:] zich op de hals halen, oplopen, vervallen in [boete &]; zich blootstellen aan; ~ *debts* schulden maken.

incurability [inkjuərə'biliti] ongeneeslijkheid.

incurable [in'kjuərəbl] I *aj* ongeneeslijk; II *sb* ongeneeslijke zieke.

incuriosity [inkjuəri'ositi] 1 niet nieuwsgierig zijn *o*; 2 achteloosheid; 3 onverschilligheid.

incurious [in'kjuəriəs] 1 niet nieuwsgierig; 2 achteloos, onachtzaam; 3 oninteressant.

incursion [in'kə:ʃən] inval.

incurvation [inkə:'veiʃən] (krom)buiging.

indebted [in'detid] schuldig; *be* ~ *to a person for a thing* iemand iets te danken hebben, iemand dankbaar voor iets (moeten) zijn.

indebtedness [in'detidnis] schuld(en); verplichting.

indecency [in'di:sənsi] onbetamelijkheid, onwelvoeglijkheid, onfatsoenlijkheid.

indecent [in'di:sənt] onbetamelijk, onwelvoeglijk, onfatsoenlijk.

indecipherable [indi'saifərəbl] niet te ontcijferen.

indecision [indi'siʒən] besluiteloosheid.

indecisive [indi'saisiv] niet beslissend; besluiteloos, weifelend.

indeclinable [indi'klainəbl] onverbuigbaar.

indecorous [in'dekərəs] onwelvoeglijk.

indecorum [indi'kɔ:rəm] onwelvoeglijkheid.

indeed [in'di:d] inderdaad, in werkelijkheid, (voor)zeker, voorwaar, waarlijk, waarachtig, wel, ja (zelfs), dan ook, trouwens; ~ *!* jawel!, och kom!; werkelijk?

indefatigability [indifætigə'biliti] onvermoeibaarheid.

indefatigable [indi'fætigəbl] onvermoeibaar, onvermoeid.

indefeasibility [indifi:zə'biliti] onaantastbaarheid, onvervreemdbaarheid.

indefeasible [indi'fi:zəbl] onaantastbaar, onvervreemdbaar.

indefensible [indi'fensibl] onverdedigbaar.

indefinable [indi'fainəbl] niet te om- of te beschrijven.

indefinite(ly) [in'definit(li)] onbepaald, onbegrensd; ook: voor onbepaalde tijd; tot in het oneindige.

indelibility [indeli'biliti] onuitwisbaarheid.

indelible [in'delibl] onuitwisbaar; ~ *pencil* inktpotlood *o*.

indelicacy [in'delikəsi] onkiesheid.

indelicate [in'delikit] onkies.

indemnification [indemnifi'keiʃən] schadeloosstelling, (schade)vergoeding.

indemnify [in'demnifai] 1 schadeloos stellen; 2 vrijwaren (voor *against, from*).

indemnity [in'demniti] 1 vrijwaring; schadeloosstelling, vergoeding; 2 kwijtschelding.

indemonstrable [indi'mɔnstrəbl] onbewijsbaar, niet te bewijzen.

indent [in'dent] I *vt* (uit)tanden, insnijden; inkepen; (in)deuken; (en reliëf) stempelen; inspringen [bij 't drukken]; in duplo opmaken; bestellen; II *sb* ['indent] uittanding, insnijding; inkerving, (in)keep; deuk; bestelling, order.

indentation [inden'teiʃən] uittanding; inkeping; inkeep; deuk; inspringen *o*.

indenture [in'dentʃə] I *sb* contract *o*; leercontract *o* (meest ~*s*); II *vt* bij contract verbinden; in de leer doen (nemen); ~*d labour* contractarbeiders; contractarbeid.

independence [indi'pendəns] 1 onafhankelijkheid (van *of, on*); zelfstandigheid; 2 onafhankelijk bestaan *o* of inkomen *o*.

independency [indi'pendənsi] onafhankelijke staat, onafhankelijkheid (van de Kerk).

independent [indi'pendənt] I *aj* onafhankelijk (van *of*); zelfstandig; II *sb* independent; wilde [in de politiek]; lid van een afgescheiden Kerk.

independently [indi'pendəntli] *ad* onafhankelijk (van elkaar); zelfstandig.

indescribable [indis'kraibəbl] onbeschrijf(e)lijk.

indestructibility [indistrʌkti'biliti] onverwoestbaarheid.

indestructible [indis'trʌktibl] onverwoestbaar, onvernielbaar, onverdelgbaar.

indeterminable [indi'tə:minəbl] onbepaalbaar.

indeterminate [indi'tə:minit] onbepaald, vaag.

indetermination [inditə:mi'neiʃən] besluiteloosheid.

index ['indeks] I *sb* index°; wijsvinger, wijzer; lijst, klapper, register *o*; exponent; *fig* aanwijzing; II *vt* 1 van een index voorzien; in een register inschrijven; 2 op de index plaatsen.

index card ['indekska:d] fiche *o* & *v* [v. kaartsysteem].

index figure ['indeksfigə] indexcijfer *o*.

India ['indjə] (aardrijksk.) Voor-Indië *o*; (staatk.) India *o*; *Further* ~ Achter-Indië *o*.

Indiaman ['indjəmən] Oostindiëvaarder.

Indian ['indjən] I *aj* 1 ⚓ (of aardrijksk.) Indisch, Oostindisch; (modern en staatk.) Indiaas, van India; 2 Indiaans; ~ *corn* maïs; ~ *meal* maïsmeel *o*; ~ *summer* 1 nazomer; 2 tweede jeugd; II *sb* 1 ⚓ Indiër; ⚓ Indischman; (modern en staatk.) Indiaas onderdaan, iemand van (uit) India; 2 Indiaan (*Red*~).

India paper ['indjəpeipə] dundrukpapier *o*.

india-rubber ['indjə'rʌbə] gomelastiek *o*.

indicate ['indikeit] (aan)wijzen, aanduiden, te kennen geven; wijzen op, beduiden.

indication [indi'keiʃən] aanwijzing, aanduiding, teken *o*; § indicatie.

indicative [in'dikətiv] I *aj* aantonend; II *sb* aantonende wijs (ook: ~ *mood*).

indicator ['indikeitə] 1 indicateur, aangever, (aan)wijzer; 2 ⚒ meter, teller, verklikker.

indices ['indisi:z] *mv v. index*.

indict [in'dait] aanklagen.

indictable [in'daitəbl] ⚖ strafbaar.

indictment [in'daitmənt] aanklacht.

Indies ['indiz] *the* ~ Indië *o*.

indifference [in'difrəns] 1 onverschilligheid; 2 onbelangrijkheid; middelmatigheid.

indifferent [in'difrənt] I *aj* 1 onverschillig (voor *to*); 2 van geen of weinig belang; (middel)matig, zo zo, niet veel zaaks; 3 ⚒ indifferent; II *sb* onverschillige.

indifferently [in'difrəntli] *ad* 1 zonder verschil (te maken); 2 onverschillig; 3 middelmatig, tamelijk (wel), niet bijzonder (goed &), zo zo; 4 (vrij) slecht.

indigence ['indidʒəns] behoeftigheid, nooddruft, gebrek *o*, armoede.

indigene ['indidʒi:n] inboorling.

indigenous [in'didʒinəs] 1 inlands, inheems; 2 ingeboren.

indigent ['indidʒənt] behoeftig, arm.

indigestible [indi'dʒestibl] onverteerbaar[2].

indigestion [indi'dʒestʃən] slechte spijsvertering.

indigestive [indi'dʒestiv] met of van een slechte spijsvertering.

indignant(ly) [in'dignənt(li)] verontwaardigd (over *at, with*).

indignation [indig'neiʃən] verontwaardiging; ~ *meeting* protestvergadering.

indignity [in'digniti] onwaardige behandeling, smaad, hoon, belediging.

indigo ['indigou] indigo *m* [plant, verfstof], indigo *o* [kleur].

indirect ['indi'rekt] middellijk, zijdelings; indirect, slinks; ~ *objet* medewerkend voorwerp *o*.

indiscernible [indi'sə:nibl] niet te onderscheiden of te onderkennen.

indisciplinable [in'disiplinəbl] voor geen tucht vatbaar, tuchteloos; onbuigbaar.

indiscipline [in'disiplin] gebrek *o* aan discipline; tuchteloosheid.

indiscreet [indis'kri:t] 1 onvoorzichtig, onbezonnen; 2 indiscreet: loslippig.

indiscretion [indis'kreʃən] 1 onvoorzichtigheid, onbezonnenheid; 2 indiscretie.

indiscriminate [indis'kriminit] geen onderscheid makend; zonder onderscheid of in den blinde toegepast (verleend); door elkaar (gebruikt), algemeen.

indispensability [indispensə'biliti] onmisbaarheid, onontbeerlijkheid, noodzakelijkheid.

indispensable [indis'pensəbl] onmisbaar, onontbeerlijk, noodzakelijk.

indispose [indis'pouz] ongeschikt (ongesteld) maken; afkerig maken (van *from, to, towards*); onwelwillend stemmen.

indisposed [indis'pouzd] 1 niet gezind; ongenegen; 2 ongesteld.

indisposition [indispə'ziʃən] 1 ongesteldheid; 2 onwelwillendheid, ongeneigdheid; afkerigheid (van *to, towards*).

indisputability [indispju:tə'biliti] onbetwistbaarheid.

indisputable [in'dispjutəbl] onbetwistbaar.

indissolubility [indisolju'biliti] onoplosbaarheid, onverbreek-, onontbindbaarheid.

indissoluble [indi'soljubl] onoplosbaar, onverbreekbaar, onontbindbaar, onlosmakelijk.

indistinct(ly) [indis'tiŋ(k)t(li)] onduidelijk, verward.

indistinguishable [indis'tiŋgwiʃəbl] niet te onderscheiden.

indite [in'dait] opstellen, schrijven.

individual [indi'vidjuəl] I *aj* individueel, afzonderlijk, apart, persoonlijk; II *sb* enkeling; persoon; individu *o*.

individualism [indi'vidjuəlizm] individualisme *o*.

individualistic [individjuə'listik] individualistisch.

individuality [individju'æliti] individualiteit, (eigen) persoonlijkheid.

individualize [indi'vidjuəlaiz] individualiseren, kenmerken als individu of persoon.

individually [indi'vidjuəli] *ad* individueel, (elk) op zichzelf, één voor één.

indivisibility [indivizi'biliti] ondeelbaarheid.

indivisible [indi'vizibl] ondeelbaar (iets).

Indo-China ['indou'tʃainə] Indo-China *o*.

indocile [in'dousail] ongezeglijk.

indocility [indou'siliti] ongezeglijkheid.

indoctrinate [in'dɔktrineit] onderwijzen (in *in*); ~ *with* inprenten.

indoctrination [indɔktri'neiʃən] onderwijzing; inprenting.

Indo-European ['indoujuərə'pi:ən] I *aj* Indo-europees, Arisch; II *sb* Indo-europeaan, Ariër.

Indo-Germanic ['indoudʒə:'mænik] Indogermaans.

indolence ['indələns] traagheid, vadsigheid.

indolent(ly) ['indələnt(li)] traag, vadsig.

indomitable [in'dɔmitəbl] ontembaar, onbedwingbaar.

Indonesia [indou'ni:zjə] Indonesië *o*.

Indonesian [indou'ni:zjən] I *aj* Indonesisch; II *sb* Indonesiër.

indoor ['indɔ:] (voor) binnenshuis, huis-, kamer- [plant, gymnastiek &], binnen-; ~ *relief* verzorging in een armenhuis.

indoors [in'dɔ:z] binnen(shuis).

indorse [in'dɔ:s] zie *endorse* &.

indubitable [in'dju:bitəbl] *aj* ontwijfelbaar.

indubitably [in'dju:bitəbli] *ad* ontwijfelbaar.

induce [in'dju:s] bewegen, nopen; teweegbrengen, aanleiding geven tot; afleiden; 🔌 induceren; ~*d current* 🔌 inductiestroom.

inducement [in'dju:smənt] aanleiding, drijfveer, prikkel, lokmiddel *o*; teweegbrengen *o*.

induct [in'dʌkt] installeren (in *into*); bevestigen (in *to*) [geestelijk ambt]; *fig* inwijden.

induction [in'dʌkʃən] installatie, bevestiging; gevolgtrekking; 🔌 inductie; ⚒ inlaat; *fig* inwijding; ~ *coil* 🔌 inductieklos.

inductive [in'dʌktiv] inductief; 🔌 inductie-.

inductor [in'dʌktə] inductor.

indulge [in'dʌldʒ] I *vt* toegeven (aan), zich overgeven aan; zijn zin geven, verwennen; ~ *a hope* zich vleien met, koesteren; II *vr* ~ *oneself in* zich overgeven aan; III *vi* ~ *in* zich overgeven aan, zich inlaten met; zich de weelde veroorloven van, zich [iets] permitteren.

indulgence [in'dʌldʒəns] zich overgeven *o* (aan *in*), bevrediging (van *of*); toegevendheid, toegeeflijkheid; gunst; *RK* aflaat.

indulgent [in'dʌldʒənt] inschikkelijk, toegeeflijk.

indurate ['indjureit] I *vi* verharden, verstokken; *fig* inwortelen; II *vt* verharden, harden, verstokt maken.

induration [indju'reiʃən] verharding.

industrial [in'dʌstriəl] I *aj* industrieel, industrie-, nijverheids-, bedrijfs-; ~ *arts* kunstnijverheid; II *sb* industrieel; ~*s* $ industriewaarden.

industrialist [in'dʌstriəlist] industrieel.

industrialization [indʌstriəlai'zeiʃən] industrialisering.

industrialize [in'dʌstriəlaiz] industrialiseren.

industrious [in'dʌstriəs] arbeid-, werkzaam, nijver, naarstig, vlijtig.

industry ['indəstri] 1 naarstigheid, vlijt; 2 nijverheid, industrie, bedrijf o.

1 inebriate [i'ni:briit] I aj beschonken, dronken; II sb beschonkene, dronkaard.

2 inebriate [i'ni:brieit] vt dronken maken².

inebriation [ini:bri'eiʃən] dronkenschap, roes.

inebriety [ini'braiəti] dronkenschap.

inedible [i'nedibl] oneetbaar.

inedited [i'neditid] 1 onuitgegeven; 2 ongeredigeerd (gepubliceerd).

ineffable [i'nefəbl] onuitsprekelijk.

ineffaceable [ini'feisəbl] onuitwisbaar.

ineffective [ini'fektiv], ineffectual [-'fektjuəl] zonder uitwerking; geen effect makend; vergeefs; onbekwaam.

inefficacious [inefi'keiʃəs] ondoeltreffend.

inefficacy [i'nefikəsi] ondoeltreffendheid.

inefficiency [ini'fiʃənsi] onbruikbaarheid &, zie inefficient.

inefficient [ini'fiʃənt] 1 ongeschikt, onbruikbaar; 2 geen effect sorterend.

inelegance, -cy [i'neligəns(i)] onbevalligheid, onsierlijkheid.

inelegant [i'neligənt] onbevallig, onsierlijk.

ineligibility [inelidʒi'biliti] onverkiesbaarheid; onverkieslijkheid.

ineligible [i'nelidʒibl] I aj niet verkiesbaar; onverkieslijk; II als sb ∼s ongeschikte, ongewenste, niet in aanmerking komende kandidaten &.

ineluctable [ini'lʌktəbl] onontkoombaar.

inept [i'nept] onzinnig, ongerijmd.

ineptitude [i'neptitju:d] onzinnigheid, ongerijmdheid.

inequality [ini'kwɔliti] ongelijkheid; oneffenheid; onvermogen o (om to).

inequitable [i'nekwitəbl] onbillijk.

inequity [i'nekwiti] onbillijkheid.

ineradicable [ini'rædikəbl] on.uitroeibaar.

inert [i'nə:t] log, loom, traag², inert.

inertia [i'nə:ʃiə] traagheid², inertie.

inescapable [inis'keipəbl] onontkoombaar.

inessential [ini'senʃəl] zie unessential.

inestimable [i'nestiməbl] onschatbaar.

inevitability [inevitə'biliti] onvermijdelijkheid.

inevitable [i'nevitəbl] onvermijdelijk.

inexact [inig'zækt] onnauwkeurig, onjuist.

inexactitude [inig'zæktitju:d] onnauwkeurigheid, onjuistheid.

inexcusable [iniks'kju:zəbl] onvergeeflijk.

inexhaustible [inig'zɔ:stibl] onuitputtelijk.

inexorability [ineksərə'biliti] onverbiddelijkheid.

inexorable [i'neksərəbl] onverbiddelijk.

inexpediency [iniks'pi:diənsi] ondoelmatigheid, ongeschiktheid, ondienstigheid.

inexpedient [iniks'pi:diənt] ondoelmatig, ongeschikt, ondienstig.

inexpensive [iniks'pensiv] goedkoop.

inexperience [iniks'piəriəns] onervarenheid.

inexperienced [iniks'piəriənst] onervaren.

inexpert [ineks'pə:t] onbedreven; ondeskundig.

inexpiable [i'nekspiəbl] niet te boeten; onverzoenlijk.

inexplicability [ineksplikə'biliti] onverklaarbaarheid.

inexplicable [i'neksplikəbl] onverklaarbaar.

inexpressible [iniks'presibl] onuitsprekelijk.

inexpressive [iniks'presiv] zonder uitdrukking.

inexpugnable [iniks'pʌgnəbl] onneembaar; onaantastbaar.

inextinguishable [iniks'tiŋgwiʃəbl] on(uit)blusbaar, onlesbaar, onbedaarlijk.

inextricable [i'nekstrikəbl] niet te ontwarren; waar men zich niet uit kan redden.

infallibility [infæli'biliti] onfeilbaarheid.

infallible [in'fælibl] onfeilbaar.

infamous ['infəməs] 1 schandelijk; 2 berucht; 3 ⚖ eerloos; 4 < gemeen, abominabel.

infamy ['infəmi] 1 schande(lijkheid); schanddaad; 2 ⚖ eerloosheid.

infancy ['infənsi] kindsheid²; ⚖ minderjarigheid; fig beginstadium o, kinderschoenen.

infant ['infənt] I sb 1 zuigeling (ook: ∼ in arms); kind o; 2 ⚖ minderjarige; II aj jong; opkomend-; kinder-.

infanta [in'fæntə] infante.

infant class ['infəntkla:s] ⟷ kleuterklasse.

infante [in'fænti] infant.

infanticide [in'fæntisaid] kindermoord(enaar).

infantile ['infəntail], ∼ine [-tain] kinderlijk, kinderachtig, kinder-.

infant mortality ['infəntmɔ:'tæliti] kindersterfte.

infantry ['infəntri] ✕ infanterie.

infantryman ['infəntrimən] ✕ infanterist.

infant school ['infəntsku:l] ⟷ bewaarschool.

infatuate [in'fætjueit] verzot maken; verdwazen; ∼d with verliefd op.

infatuation [infætju'eiʃən] dwaze vooringenomenheid; verdwaasdheid; bevlieging; malle verliefdheid.

infect [in'fekt] infecteren, aansteken, besmetten; bederven, verpesten (door with).

infection [in'fekʃən] infectie, aansteking, besmetting; bederf o, verpesting.

infectuous [in'fekʃəs] besmettelijk², aanstekelijk²; ∼ matter smetstof.

infective [in'fektiv] zie infectious.

infelicitous [infi'lisitəs] niet gelukkig (gekozen).

infelicity [infi'lisiti] niet gelukkig zijn² o; ongeluk o; niet gelukkige uitdrukking (gedachte &).

infer [in'fə:] besluiten, afleiden, opmaken; insluiten, beduiden.

inferable [in'fə:rəbl] afleidbaar.

inference ['infərəns] gevolgtrekking.

inferential [infə'renʃəl] afleidbaar; afgeleid.

inferior [in'fiəriə] I *aj* 1 minder, lager, ondergeschikt; onder-, inferieur°, minderwaardig; 2 ♀ onderstandig; II *sb* mindere, ondergeschikte.

inferiority [infiəri'ɔriti] minderheid, minderwaardigheid; ondergeschiktheid; ~ *complex* minderwaardigheidscomplex *o*.

infernal(ly) [in'fə:nəl(i)] hels, duivels; F afschuwelijk.

infertile [in'fə:tail] onvruchtbaar.

infertility [infə:'tiliti] onvruchtbaarheid.

infest [in'fest] onveilig maken; verpesten.

infidel ['infidəl] ongelovig(e).

infidelity [infi'deliti] ongeloof *o*; ontrouw.

infighting ['infaitiŋ] *sp* invechten *o* [boksen].

infiltrate [in'filtreit] (laten) in-, doorsijpelen, langzaam doordringen of doortrekken, infiltreren.

infiltration [infil'treiʃən] doorsijpeling, langzame doordringing, infiltratie.

infiltrator [infil'treitə] infiltrant.

infinite ['infinit] I *aj* oneindig; II als *sb the* ~ het oneindige; *the I*~ de Oneindige.

infinitesimal [infini'tesiməl] oneindig klein (quantum *o*).

infinitive [in'finitiv] onbepaald(e wijs).

infinitude [in'finitju:d], **infinity** [in'finiti] oneindigheid; oneindige ruimte.

infirm [in'fə:m] 1 zwak; 2 onvast, weifelend.

infirmary [in'fə:məri] ziekenhuis *o*; ziekenzaal [v. school &].

infirmity [in'fə:miti] 1 zwakheid, zwakte, ziekelijkheid, gebrek *o*; 2 onvastheid.

1 **infix** [in'fiks] *vt* inzetten, invoegen, bevestigen, inplanten², inprenten.

2 **infix** ['infiks] *sb* infix *o*: tussenvoegsel *o*.

inflame [in'fleim] I *vt* doen ontvlammen; doen gloeien of blaken, verhitten [het bloed], (doen) ontsteken²; II *vi* ontvlammen, vuur vatten, ontsteken².

inflammability [inflæmə'biliti] ontvlambaarheid.

inflammable [in'flæməbl] I *aj* ontvlambaar, brandbaar; II *sb* licht ontvlambare stof.

inflammation [inflə'meiʃən] ontvlamming; ontsteking.

inflammatory [in'flæmətəri] verhittend, ontstekend; ontstekings-; opruiend.

inflatable [in'fleitəbl] opblaasbaar [rubberboot &].

inflate [in'fleit] opblazen², *fig* opgeblazen maken; doen zwellen, vullen, oppompen [fietsband]; (kunstmatig) opdrijven.

inflation [in'fleiʃən] opblazen of oppompen *o*; inflatie, (kunstmatige) opdrijving; opgeblazenheid.

inflationary [in'fleiʃənəri] $ inflatoir.

inflator [in'fleitə] fietspomp.

inflect [in'flekt] (om)buigen, verbuigen².

inflection [in'flekʃən] 1 buiging; 2 verbuiging; 3 stembuiging.

inflective [in'flektiv] buigbaar; buigings-.

inflexibility [infleksi'biliti] onbuigbaarheid, onbuigzaamheid.

inflexible [in'fleksibl] onbuigbaar, onbuigzaam.

inflexion [in'flekʃən] zie *inflection*.

inflexional [in'flekʃənəl] buigings-.

inflict [in'flikt] opleggen [straf]; [een slag] toebrengen (aan *upon*); doen ondergaan.

infliction [in'flikʃən] toebrengen of doen ondergaan *o*; (straf)oplegging, straf, kwelling, marteling.

inflorescence [inflɔ'resəns] 1 bloem(en); bloeiwijze; 2 bloei².

inflow [inflou] binnenstromen *o*; toevloed.

influence ['influəns] I *sb* invloed² (op *upon*, *over*, *with*); inwerking; ✳ inductie; II *vt* invloed hebben op, beïnvloeden.

influential [influ'enʃəl] invloedrijk.

influenza [influ'enzə] influenza, griep.

influx ['inflʌks] binnenstromen *o*; toevloed.

inform [in'fɔ:m] I *vt* mededelen, berichten, in-, voorlichten; ~ *of* op de hoogte stellen van, berichten, melden; ~ *with* bezielen met, doordringen van; II *vi* in: ~ *against* aanklagen; ~ *on a friend* een vriend aanbrengen; zie ook: *informed*.

informal [in'fɔ:məl] niet in de vorm; niet officieel; familiaar, zonder complimenten.

informality [infɔ:'mæliti] informaliteit.

informant [in'fɔ:mənt] 1 zegsman; 2 ᵼᵼ aanbrenger.

information [infə'meiʃən] kennis(geving), voorlichting; bericht *o*, mededeling, inlichting(en); ᵼᵼ aanklacht.

informative [in'fɔ:mətiv] leerzaam, voorlichtend.

informed [in'fɔ:md] goed ingelicht, (goed) op de hoogte; „bescheiden" [lezer].

informer [in'fɔ:mə] aanbrenger, aangever, aanklager; *common* ~ aanbrenger.

infraction [in'frækʃən] zie *infringement*.

infra dig. ['infrə'dig] beneden iemands waardigheid, onwaardig.

infra-red [infrə'red] infrarood.

infrastructure ['infrəstrʌktʃə] ✕ infrastructuur.

infrequency [in'fri:kwənsi] zeldzaamheid.

infrequent [in'fri:kwənt] *aj* zeldzaam.

infrequently [in'fri:kwəntli] *ad* zelden.

infringe [in'frin(d)ʒ] overtreden, schenden, inbreuk maken op (ook: ~ *upon*).

infringement [in'frin(d)ʒmənt] overtreding, schending, inbreuk.

infuriate [in'fjuərieit] *vt* razend (woedend, dol) maken.

infuse [in'fju:z] ingieten², instorten [genade], ingeven, inboezemen, bezielen (met *with*); laten trekken [thee].

infusible [in'fju:zibl] onsmeltbaar.

infusion [in'fju:ʒən] ingieting, ingeving; instorting [v. genade]; aftreksel *o*, § infusie.

infusoria [infju:'sɔ:riə] infusiediertjes.

ingenious [in'dʒi:njəs] vindingrijk, vernuftig.

ingenuity [indʒi'nju:iti] vindingrijkheid, vernuft *o*, vernuftigheid.

ingenuous [in'dʒenjuəs] ongekunsteld, openhartig, naïef.

ingenuousness [in'dʒenjuəsnis] ongekunsteldheid, openhartigheid, naïveteit.

ingle ['iŋgl] vuur *o*, haard; ∼-*nook* hoekje *o* van de haard.

inglorious [in'glɔ:riəs] roemloos.

ingot ['iŋgət] baar, staaf.

ingrain [in'grein] in de wol verven; doortrekken; ∼*ed* ook: *fig* doortrapt, aarts-; ingeworteld, ingekankerd.

ingratiate [in'greiʃieit] ∼ *oneself with* zich bemind maken of trachten in de gunst te komen bij; *ingratiating* ook: innemend.

ingratitude [in'grætitju:d] ondankbaarheid.

ingredient [in'gri:diənt] bestanddeel *o*.

ingress ['ingres] binnentreden *o*, -dringen *o*, in-, toegang.

inguinal ['iŋgwinəl] lies-.

ingurgitate [in'gə:dʒiteit] inslokken.

inhabit [in'hæbit] bewonen, wonen in.

inhabitable [in'hæbitəbl] bewoonbaar.

inhabitant [in'hæbitənt] in-, bewoner.

inhabitation [inhæbi'teiʃən] bewoning.

inhalation [inhə'leiʃən] inademing, inhalatie.

inhale [in'heil] inademen, inhaleren.

inhaler [in'heilə] inademende, inhalerende; inhalatietoestel *o*; respirator.

inharmonious [inha:'mounjəs] onwelluidend.

inherence [in'hiərəns] inherentie.

inherent [in'hiərənt] innerlijk onafscheidelijk verbonden, inherent (aan *in*).

inherit [in'herit] (over)erven.

inheritable [in'heritəbl] (over)erfelijk.

inheritance [in'heritəns] overerving; erfenis, erfgoed *o*.

inheritor [in'heritə] erve, erfgenaam.

inheritress [in'heritris], ∼**trix** [-triks] erfgename.

inhibit [in'hibit] verbieden; verhinderen, stuiten, remmen.

inhibition [inhi'biʃən] verbod *o*; stuiting, belemmering, remming, rem.

inhibitory [in'hibitəri] belemmerend, remmend; verbiedend, verbods-.

inhospitable [in'hɔspitəbl] onherbergzaam, ongastvrij.

inhospitality [inhɔspi'tæliti] onherbergzaamheid, ongastvrijheid.

inhuman [in'hju:mən] onmenselijk.

inhumane [inhju'mein] niet menslievend, niet humaan.

inhumanity [inhju'mæniti] onmenselijkheid.

inhumation [inhju'meiʃən] begraving, begrafenis.

inhume [in'hju:m] begraven.

inimical [i'nimikl] vijandig; schadelijk.

inimitability [inimitə'biliti] onnavolgbaarheid.

inimitable [i'nimitəbl] onnavolgbaar.

iniquitous [i'nikwitəs] onrechtvaardig, onbillijk; snood.

iniquity [i'nikwiti] ongerechtigheid, onbillijkheid; snoodheid.

initial [i'niʃəl] **I** *aj* eerste, voorste, begin-, aanvangs-; ∼ *capital* $ oprichtingskapitaal *o*, stamkapitaal *o*; ∼ *word* letterwoord *o*; **II** *sb* eerste letter, voorletter, initiaal; ∼*s* ook: paraaf [als verkorte handtekening]; **III** *vt* met (de) voorletters merken, tekenen, paraferen.

initially [i'niʃəli] *ad* aanvankelijk.

1 **initiate** [i'niʃieit] *vt* inwijden (in *in*, *into*); een begin maken met, inleiden.

2 **initiate** [i'niʃiit] *aj* (& *sb*) ingewijd(e).

initiation [iniʃi'eiʃən] inwijding; begin *o*.

initiative [i'niʃiətiv] **I** *sb* begin *o*, eerste stap of stoot, (recht *o* van) initiatief *o*; **II** *aj* begin-, inleidend, eerste.

initiatory [i'niʃiətəri] inwijdings-; eerste.

inject [in'dʒekt] inspuiten.

injection [in'dʒekʃən] inspuiting, injectie.

injudicious(ly) [indʒu'diʃəs(li)] onoordeelkundig, onverstandig.

injunction [in'dʒʌŋkʃən] uitdrukkelijk bevel *o*, last, gebod *o*; *lay strong* ∼*s upon him to*... hem streng op 't hart drukken om...

injure ['in(d)ʒə] benadelen, onrecht aandoen kwaad doen, krenken, wonden, kwetsen.

injurious [in'dʒuəriəs] nadelig, schadelijk; krenkend.

injury ['in(d)ʒəri] onrecht *o*, verongelijking, krenking; schade, nadeel *o*, kwaad *o*; kwetsuur, letsel *o*, verwonding.

injustice [in'dʒʌstis] onrecht *o*, onrechtvaardigheid.

ink [iŋk] **I** *sb* inkt; **II** *vt* inkten; met inkt besmeren.

ink-bottle ['iŋkbɔtl] 1 inktfles; 2 inktkoker.

inkling ['iŋkliŋ] aanduiding, flauw vermoeden

inkstand [iŋkstænd] inktkoker; inktstel *o*. [*o*.

ink-well ['iŋkwel] inktpot, inktkoker.

inky ['iŋki] inktachtig, vol inkt; zo zwart als inkt.

inlaid ['inleid] ingelegd (linoleum *o* & *m* &).

inland ['inlənd, 'inlænd] **I** *sb* binnenland *o*; **II** *aj* binnenlands; binnen-; ∼ *town* landstad; **III** *ad* landinwaarts, in (naar) 't binnenland.

in-law ['inlɔ:, in'lɔ:] **F** aangetrouwd familielid *o*; ∼*s* ook: schoonouders.

1 **inlay** [in'lei] *vt* inleggen.

2 **inlay** ['inlei] *sb* ingelegd werk *o*, inlegsel *o*.

inlet ['inlet] ingang, opening, weg; inham; inzetsel *o*; ✗ inlaat.

inmate ['inmeit] 1 (mede)bewoner, huisgenoot; (gestichts)patiënt, verpleegde; gevangene; 2 inzittende.

inmost ['inmoust] binnenste; geheimste.

inn [in] herberg, logement *o*; *Inns of Court* de vier colleges van rechtsgeleerden, die juristen tot de balie kunnen toelaten.

innate [i'neit, 'ineit] in-, aangeboren.

innavigable [i'nævigəbl] onbevaarbaar.

inner ['inə] inwendig, innerlijk, binnenst, binnen-; intiem, verborgen; *the ~ cabinet* het kernkabinet [van ministers]; *the ~ office* het privékantoor; *~ tube* binnenband.

innermost ['inəmoust] binnenste.

innings ['iniηz] beurt, aan slag zijn *o* [bij het cricketspel]; *get óne's ~* ook aan de beurt komen[2].

innkeeper ['inki:pə] herbergier, waard.

innocence ['inəsəns] onschuld; onnozelheid.

Innocent ['inəsənt] Innocentius.

innocent ['inəsənt] **I** *aj* onschuldig (aan *of*); schuldeloos; onschadelijk; onnozel; *~ of windows* (*wit*) zonder ramen (geest); **II** *sb* onschuldige; onnozele.

Innocents' Day ['inəsəntsdei] Onnozele-kinderen(dag): 28 dec.

innocuous [i'nɔkjuəs] onschadelijk.

innovate ['inəveit] nieuwigheden invoeren.

innovation [inə'veiʃən] invoering van nieuwigheden, nieuwigheid.

innovator ['inəveitə] invoerder van nieuwigheden.

innoxious [i'nɔkʃəs] onschadelijk.

innuendo [inju'endou] toespeling, insinuatie.

innumerable [i'nju:mərəbl] ontelbaar.

inobservance [inɔb'zə:vəns] niet nakomen *o*, niet opvolgen *o* [v. wet &]; achteloosheid.

inoculate [i'nɔkjuleit] (in)enten[2].

inoculation [inɔkju'leiʃən] (in)enting[2].

inoculator [i'nɔkjuleitə] (in)enter.

inodorous [i'noudərəs] reukeloos.

inoffensive [inə'fensiv] niet beledigend; onschadelijk, onschuldig, argeloos.

inoperable [i'nɔpərəbl] 🝙 inoperabel.

inoperative [i'nɔpərətiv] buiten werking; zonder uitwerking.

inopportune [i'nɔpətju:n] ontijdig, ongelegen.

inordinate [i'nɔ:dinit] ongeregeld; overdreven, onmatig, buitensporig.

inorganic [inɔ:'gænik] anorganisch.

in-patient ['inpeiʃənt] in een ziekenhuis verpleegde patiënt.

inquest ['inkwest] onderzoek *o*; (*coroner's*) *~* gerechtelijke lijkschouwing; *the great* (*last*) *~* het laatste oordeel.

inquietude [in'kwaiitju:d] ongerustheid; onrust, onrustigheid.

nquire [in'kwaiə] **I** *vi* navraag doen, vragen, informeren, onderzoeken; *~ about, ~ after* vragen (informeren) naar; *~ at N's* inlichtingen bij N.; *~ for* vragen naar [een artikel]; *~ into* onderzoeken; *~ of a neighbour* inlichtingen inwinnen bij een buur; **II** *vt* vragen (naar).

inquirer [in'kwaiərə] vrager, onderzoeker.

inquiring(ly) [in'kwaiəriη(li)] vragend, onderzoekend, weetgierig.

inquiry [in'kwaiəri] vraag, onderzoek *o*; aan-, navraag; *make inquiries* informeren, inlichtingen inwinnen, een onderzoek instellen; *a look of ~* een vragende blik.

inquiry-office [in'kwaiəriɔfis] informatiebureau *o*.

inquisition [inkwi'ziʃən] onderzoek *o*; inquisitie.

inquisitive [in'kwizitiv] (alles) onderzoekend, nieuwsgierig, vraagachtig.

inquisitor [in'kwizitə] ondervrager; rechter van onderzoek; inquisiteur.

inquisitorial [inkwizi'tɔ:riəl] inquisitoriaal, inquisitie-.

inroad ['inroud] vijandelijke inval; inbreuk; *fig* hap [uit kapitaal &].

inrush ['inrʌʃ] binnenstromen *o*, binnendringen *o*; toevloed.

insalubrious [insə'l(j)u:briəs] ongezond.

insalubrity [insə'l(j)u:briti] ongezondheid.

insane [in'sein] krankzinnig.

insanitary [in'sænitəri] onhygiënisch.

insanity [in'sæniti] krankzinnigheid.

insatiability [inseiʃiə'biliti] onverzadelijkheid.

insatiable [in'seiʃiəbl] onverzadelijk.

insatiate [in'seiʃiit] onverzadelijk, onverzadigd.

inscribe [ins'kraib] in- of opschrijven, griffen[2]; opdragen [een boek]; beschrijven (in) [een cirkel &].

inscription [ins'kripʃən] inschrijving; inschrift *o*, opschrift *o*; opdracht.

inscrutability [inskru:tə'biliti] ondoorgrondelijkheid, onnaspeurlijkheid.

inscrutable [ins'kru:təbl] ondoorgrondelijk, onnaspeurlijk.

insect ['insekt] insekt[2] *o*.

insecticide [in'sektisaid] insekticide: insektendodend middel *o*.

insecure [insi'kjuə] onveilig, onzeker, onvast.

insecurity [insi'kjuəriti] onveiligheid, onzekerheid, onvastheid.

insemination [insemi'neiʃən] inseminatie.

insensate [in'sensit] 1 zinneloos, onzinnig; 2 gevoelloos.

insensibility [insensi'biliti] 1 ongevoeligheid; 2 bewusteloosheid.

insensible [in'sensibl] 1 ongevoelig (voor *of, to*); 2 bewusteloos; 3 onbewust; 4 onmerkbaar.

insensitive [in'sensitiv] ongevoelig (voor *to*).

insentient [in'senʃiənt] geen gevoel (meer) hebbend, onbezield.

inseparability [insepərə'biliti] onscheidbaarheid; onafscheidelijkheid.

inseparable [in'sepərəbl] onscheidbaar; onafscheidelijk (van *from*).

insert [in'sə:t] invoegen, inlassen, inzetten, plaatsen [in krant].

insertion [in'sə:ʃən] invoeging, inlassing; plaatsing [i. e. krant]; entre-deux *o* & *m*.

inset ['inset] inzetsel *o*; bijlage; bijkaartje *o*; medaillon *o* [v. illustratie].

inshore ['in'ʃɔ:] bij (naar) de kust; *~* ['inʃɔ:] *fisherman* kustvisser.

inside [in'said] **I** *prep* binnen(in), in; **II** *ad* [in'said] (naar, van) binnen; *be ~* ook: **S** achter de tralies zitten; ~ *of* binnen [een week &]; III *aj* ['insaid] binnenste, binnen-; ~ *information* inlichtingen van ingewijden; IV *sb* ['in'said] 1 binnenkant, inwendige *o*; 2 F ingewanden; ~ *out* het binnenste buiten.

insider [in'saidə] ingewijde.

inside track ['insaidtræk] *sp* binnenbaan; *have the* ~ F de meeste kans hebben.

insidious [in'sidiəs] arglistig; verraderlijk.

insight ['insait] inzicht *o*.

insignia [in'signiə] insignes, ordetekenen.

insignificance [insig'nifikəns] onbeduidendheid &, zie *insignificant*.

insignificant(ly) [insig'nifikənt(li)] onbetekenend, onbeduidend, onbelangrijk, onaanzienlijk, gering.

insincere(ly) [insin'siə(li)] onoprecht.

insincerity [insin'seriti] onoprechtheid.

insinuate [in'sinjueit] handig of ongemerkt indringen, inschuiven, ongemerkt bijbrengen, te verstaan geven, insinueren; *insinuating* ook: vleierig.

insinuation [insinju'eiʃən] indringen *o* &; bedekte toespeling; insinuatie.

insinuative [in'sinjueitiv] indringend; insinuerend; vleierig.

insipid [in'sipid] smakeloos, laf, flauw, geesteloos.

insipidity [insi'piditi] smakeloosheid &, zie *insipid*.

insist [in'sist] aanhouden, volhouden; (nadrukkelijk) beweren; aandringen; ~ (*up*)*on* staan op, aandringen op, blijven bij, blijven staan op, stilstaan bij; met alle geweld willen.

insistence, -cy [in'sistəns(i)] aanhouden *o*, aandringen *o*, aandrang.

insistent [in'sistənt] aanhoudend, dringend; zich opdringend.

insobriety [insə'braiəti] onmatigheid.

insolation [insə'leiʃən] 1 (blootstelling aan de) inwerking van de zon; 2 zonnebad *o*, zonnebaden *o*; 3 zonnesteek.

insolence ['insələns] onbeschaamdheid.

insolent(ly) ['insələnt(li)] onbeschaamd.

insolubility [insəlju'biliti] onoplosbaarheid².

insoluble [in'səljubl] onoplosbaar².

insolvency [in'səlvənsi] onvermogen *o* tot betaling, insolventie.

insolvent [in'səlvənt] I *aj* onvermogend om te betalen, insolvent; II *sb* insolvente schuldenaar.

insomnia [in'səmniə] slapeloosheid.

insomniac [in'səmniæk] aan slapeloosheid lijdend(e).

insomuch [insou'mʌtʃ] in zoverre, zó.

insouciance [in'su:siəns] zorgeloosheid, onverschilligheid.

insouciant [in'su:siənt] zorgeloos, onverschillig.

inspect [in'spekt] onderzoeken, inspecteren.

inspection [in'spekʃən] inzage, bezichtiging, onderzoek *o*, inspectie, toezicht *o*.

inspector [in'spektə] onderzoeker; opziener, inspecteur.

inspectorate [in'spektərit] ambt *o* van inspecteur; inspectie.

inspectress [in'spektris] inspectrice.

inspiration [inspi'reiʃən] 1 inademing; 2 inspiratie, ingeving.

inspire [in'spaiə] 1 inademen; 2 inblazen, ingeven, inboezemen, bezielen (met *with*); ~*d* geïnspireerd [v. artikel].

inspirit [in'spirit] bezielen; moed geven.

inst. = *instant*, dezer.

instability [instə'biliti] onvastheid, onbestendigheid, onstandvastigheid.

install [in'stɔ:l] een plaats geven; installeren; ~ *oneself* 1 (op zijn gemak) gaan zitten; 2 zich installeren (inrichten).

installation [instə'leiʃən] aanbrengen *o*, aanleg; installatie, bevestiging.

instalment [in'stɔ:lmənt] aflevering; termijn; gedeelte *o*; *on the* ~ *plan* op afbetaling.

instance ['instəns] I *sb* aandrang, dringend verzoek *o*; voorbeeld *o*, geval *o*; *rt* instantie, aanleg; *at his own* ~ op eigen verzoek; *for* ~ bij voorbeeld; *in the first* ~ 1 in eerste instantie; 2 in de eerste plaats; *in the present* ~ in het onderhavige geval; II *vt* (als voorbeeld) aanhalen.

instant ['instənt] I *aj* dringend, aanhoudend; ogenblikkelijk, onmiddellijk; *the twentieth* ~ de twintigste dezer; II *sb* ogenblik(je) *o*; *the* ~ *I saw...* zodra ik zag...; *on the* ~, *this* ~, *that* ~ dadelijk.

instantaneous [instən'teinjəs] ogenblikkelijk, onmiddellijk; ~ *photo* momentopname.

instantly ['instəntli] *ad* ogenblikkelijk, op staande voet, dadelijk.

instead [in'sted] in plaats daarvan; ~ *of* in plaats van.

instep ['instep] wreef [van de voet].

instigate ['instigeit] aansporen; aan-, ophitsen, aanzetten (tot), aanstichten.

instigation [insti'geiʃən] aansporing; aan-, ophitsing, aanstichting; *at the* ~ *of* op aandrang van.

instigator ['instigeitə] aanstichter, aanstoker, aanlegger, aan-, ophitser.

instil(l) [in'stil] 1 indruppelen; *fig* inboezemen, inprenten (in *into*).

instillation [insti'leiʃən] indruppeling; *fig* inboezeming, inprenting.

1 **instinct** ['instiŋkt] *sb* instinct *o*.

2 **instinct** [ins'tiŋkt] *aj* in: ~ *with* bezield met, vol (van), ademend. [tig.

instinctive [ins'tiŋktiv] instinctief, instinctmatig.

institute ['institju:t] I *vt* instellen, stichten; installeren, aanstellen; II *sb* instituut *o*, instelling, genootschap *o*.

institution [insti'tju:ʃən] instituut° *o*, instelling, stichting; aanstelling, installatie; wet.

institutional [insti'tju:ʃənəl] ingesteld; van een (het) instituut, institutioneel.

institutor ['institju:tə] insteller, stichter.

instruct [ins'trʌkt] 1 onderwijzen, onderrichten; 2 last geven, gelasten.

instruction [ins'trʌkʃən] 1 onderwijs o, onderricht o, onderrichting, les, lering; 2 lastgeving, opdracht, instructie, voorschrift o.

instructional [ins'trʌkʃənəl] onderwijs-; instructief; ∼ film instructiefilm.

instructive [ins'trʌktiv] onderwijzend, leerzaam, leerrijk, instructief.

instructor [ins'trʌktə] 1 onderwijzer, leraar; 2 ✕ instructeur.

instructress [ins'trʌktris] lerares.

instrument ['instrumənt] I sb 1 instrument o; 2 ✕ gereedschap o, werktuig o; 3 ♪ speeltuig o; 4 (gerechtelijke) akte, oorkonde, document o, stuk o; II vt ♪ instrumenteren.

instrumental [instru'mentəl] 1 instrumentaal; 2 dienstig, bevorderlijk; be ∼ in meewerken tot.

instrumentalist [instru'mentəlist] ♪ instrumentist: bespeler van een instrument.

instrumentality [instrumen'tæliti] (mede)werking; bemiddeling.

instrumentation [instrumen'teiʃən] ♪ instrumentatie.

instrument panel ['instruməntpænl] ✕ instrumentenbord o [v. vliegtuig, auto].

insubordinate [insə'bɔ:dinit] weerspannig.

insubordination [insəbɔ:di'neiʃən] weerspannigheid, verzet o (tegen de krijgstucht).

insufferable [in'sʌfərəbl] 1 onduldbaar, on(ver)draaglijk; 2 F onuitstaanbaar.

insufficiency [insə'fiʃənsi] ontoereikendheid, ongenoegzaamheid.

insufficient(ly) [insə'fiʃənt(li)] onvoldoend, ongenoegzaam.

insular ['insjulə] eiland-; fig bekrompen.

insularity [insju'læriti] eiland zijn o; fig afzondering; bekrompenheid.

insulate ['insjuleit] afzonderen; ✇ isoleren; insulating tape isolatieband o.

insulation [insju'leiʃən] afzondering; ✇ isolatie.

insulator ['insjuleitə] ✇ isolator.
ⓜ insulin ['insjulin] insuline.

1 insult ['insʌlt] sb belediging, hoon.

2 insult [in'sʌlt] vt beledigen, honen.

insuperability [insju:pərə'biliti] onoverkomelijkheid.

insuperable [in'sju:pərəbl] onoverkomelijk.

insupportable [insə'pɔ:təbl] on(ver)draaglijk.

insurance [in'ʃuərəns] verzekering, assurantie.

insurant [in'ʃuərənt] verzekerde.

insure [in'ʃuə] verzekeren, assureren.

insurer [in'ʃuərə] verzekeraar, assuradeur.

insurgent [in'sə:dʒənt] I aj oproerig; II sb oproerling.

insurmountable [insə'mauntəbl] onoverkomelijk.

insurrection [insə'rekʃən] opstand, oproer o.

insusceptible [insə'septibl] ongevoelig, onvat-

baar (voor of, to).

intact [in'tækt] intact, gaaf, heel, onbeschadigd, ongeschonden, ongerept.

intake ['inteik] opneming; opgenomen hoeveelheid; inlaat; vernauwing.

intangibility [intændʒi'biliti] ontastbaarheid.

intangible [in'tændʒibl] ontastbaar.

integer ['intidʒə] geheel (getal) o.

integral ['intigrəl] geheel, volledig, integraal; integrerend; ∼ calculus integraalrekening.

integrant ['intigrənt] integrerend.

integrate ['intigreit] integreren.

integration [inti'greiʃən] integratie.

integrity [in'tegriti] volledigheid, integriteit, onkreukbaarheid, onomkoopbaarheid, eerlijkheid; zuiverheid; geheel o.

integument [in'tegjumənt] bedekking, bekleedsel o; vlies o.

intellect ['intilekt] intellect° o; verstand o.

intellectual [inti'lektjuəl] I aj intellectueel, verstandelijk, geestelijk, verstands-, geestes-; II sb intellectueel.

intelligence [in'telidʒəns] 1 verstand o, oordeel o, begrip o, schranderheid, intelligentie; 2 bericht o, berichten, nieuws o; ∼ department, ∼ service inlichtingendienst; ∼ quotient intelligentiequotiënt.

intelligent(ly) [in'telidʒənt(li)] verstandig, vlug (van begrip), intelligent, schrander.

intelligibility [intelidʒi'biliti] begrijpelijkheid, verstaanbaarheid.

intelligible [in'telidʒibl] begrijpelijk, verstaanbaar.

intemperance [in'tempərəns] onmatigheid, overdrevenheid.

intemperate [in'tempərit] onmatig, overdreven.

intend [in'tend] voorhebben, van plan zijn, de bedoeling hebben, bedoelen; toedenken; bestemmen (voor for).

intendant [in'tendənt] intendant.

intended [in'tendid] I aj voorgenomen &, aanstaande; opzettelijk; II sb his ∼ zijn aanstaande.

intending [in'tendiŋ] aanstaand; ∼ purchasers gegadigden.

intense [in'tens] (in)gespannen, hevig, krachtig, diep, intens.

intensification [intensifi'keiʃən] versterking°, verhoging, verheviging, verscherping, intensivering.

intensify [in'tensifai] versterken°, verhogen, verhevigen, verscherpen, intensiveren.

intensity [in'tensiti] hevigheid, kracht, intensiteit.

intensive [in'tensiv] intensief; ∼ course stoomcursus [voor een examen].

intent [in'tent] I sb oogmerk o, bedoeling, opzet o; to all ∼s and purposes in alle opzichten; feitelijk; II aj ingespannen; strak; ∼ upon gericht op, uit op; ∼ upon mischief kwaad in zijn schild voerend; ∼ upon his *reading* verdiept in; ~ *upon his work* ijverig aan zijn werk.

intention [in'tenʃən] voornemen *o*, oogmerk *o*, bedoeling; *RK* intentie.

intentional(ly) [in'tenʃənəl(i)] opzettelijk, met opzet (gedaan), voorbedachtelijk.

intently [in'tentli] *ad* ingespannen; strak.

1 **inter** [in'tə:] *vt* begraven.

2 **inter** ['intə] *prep* tussen, onder.

interact [intə'rækt] op elkaar inwerken.

interaction [intə'rækʃən] wisselwerking.

inter alia ['intə'reiliə] onder anderen.

inter-allied [intə'rælaid] intergeallieerd.

intercalary [in'tə:kələri] ingevoegd, ingelast; schrikkel-.

intercalate [in'tə:kəleit] invoegen, inlassen.

intercalation [intə:kə'leiʃən] inlassing.

intercede [intə'si:d] tussenbeide komen; ~ *for one with*... iemands voorspraak zijn bij, **F** een goed woordje voor iemand doen bij.

intercept [intə'sept] onderscheppen, opvangen, (de pas) afsnijden, tegenhouden.

interception [intə'sepʃən] onderschepping, opvangen *o*, afsnijding, tegenhouden *o*.

interceptor [intə'septə] ✈ onderschepper, jager.

intercession [intə'seʃən] tussenkomst, bemiddeling; voorspraak, voorbede; ~ *service* bidstond.

intercessor [intə'sesə] (be)middelaar.

intercessory [intə'sesəri] bemiddelend.

1 **interchange** ['intə'tʃein(d)ʒ] *sb* wisseling, uit-, afwisseling; ruil.

2 **interchange** [intə'tʃein(d)ʒ] *vt* af-, ver-, uitwisselen, (met elkaar) wisselen, ruilen.

interchangeability ['intətʃein(d)ʒə'biliti] verwisselbaarheid.

interchangeable [intə'tʃein(d)ʒəbl] verwisselbaar, ruilbaar.

intercommunicate [intəkə'mju:nikeit] onderling gemeenschap hebben.

intercommunication ['intəkəmju:ni'keiʃən] onderlinge gemeenschap.

intercontinental [intəkɔnti'nentl] intercontinentaal.

intercourse ['intəkɔ:s] omgang, gemeenschap, (handels)verkeer *o*, betrekkingen.

interdenominational [intədinɔmi'neiʃənəl] interkerkelijk.

interdependent [intədi'pendənt] onderling afhankelijk.

1 **interdict** ['intədikt] *sb* verbod *o*; *RK* interdict *o*; schorsing.

2 **interdict** [intə'dikt] *vt* verbieden; *RK* het interdict uitspreken over; schorsen.

interdiction [intə'dikʃən] verbod *o*.

interdictory [intə'diktəri] verbods-.

interest ['int(ə)rest] I *sb* belang *o*, voordeel *o*; belangstelling, interesse; aandeel *o*; invloed; partij; $ rente, interest; *the brewing* ~ de bij het brouwen geïnteresseerden; *it has an* ~ 't is interessant; *make* ~ *with* zijn invloed doen

gelden bij; *take an* ~ *in* belang stellen in; *at* ~ op rente (uitgezet); *in the* ~ *of* in het belang van, ten behoeve van; *of* ~ interessant, belangwekkend; *to their* ~ in hun belang (voordeel); II *vt* interesseren, belang inboezemen, belang doen stellen (in *for, in*); de belangen raken van; III *vr* ~ *oneself in* belang stellen in, zich gelegen laten liggen aan; ~ *oneself in behalf of* zich interesseren voor.

interest-bearing ['int(ə)restbɛəriŋ] rentegevend.

interested ['int(ə)restid] 1 belangstellend, belang hebbend; 2 zelfzuchtig, uit eigenbelang; ~ *in* geïnteresseerd bij.

interest-free ['int(ə)restfri:] in: ~ *loan* renteloos voorschot *o*.

interesting(ly) ['int(ə)restiŋ(li)] interessant.

interfere [intə'fiə] tussenbeide komen, zich ermee bemoeien; ~ *in* zich mengen in; ~ *with* zich bemoeien met; belemmeren, storen; in botsing komen met; raken (komen, zitten) aan [met zijn vingers].

interference [intə'fiərəns] tussenkomst, inmenging, bemoeiing; storing, hinder, belemmering; § interferentie.

interim ['intərim] I *sb* tussentijd; *in the* ~ intussen; II *aj* tijdelijk; waarnemend; tussentijds, voorlopig [dividend].

interior [in'tiəriə] I *aj* binnen-; inwendig; binnenlands; innerlijk; ~ *decoration* binnenhuisarchitectuur; II *sb* binnenste *o*; binnenland *o*; interieur *o*; *Minister of the Interior* Minister van Binnenlandse Zaken.

interjacent [intə'dʒeisənt] tussenliggend.

interject [intə'dʒekt] er tussen gooien, uitroepen.

interjection [intə'dʒekʃən] tussenwerpsel *o*; uitroep.

interjectional [intə'dʒekʃənəl] tussengevoegd, van een tussenwerpsel; ~ *remark* tussenin gemaakte opmerking.

interlace [intə'leis] I *vt* dooreenvlechten; ineenstrengelen; II *vi* elkaar doorkruisen.

interlard [intə'la:d] doorspekken (met *with*).

interleave [intə'li:v] (met wit papier) doorschieten.

interline [intə'lain] tussen (de regels) schrijven of invoegen.

interlinear [intə'liniə] tussen de regels (gedrukt of geschreven), interlineair.

interlineation ['intəlini'eiʃən] tussenschrijven *o*; tussenschrift *o*.

interlock [intə'lɔk] in elkaar (doen) sluiten of grijpen.

interlocution [intələ'kju:ʃən] gesprek *o*.

interlocutor [intə'lɔkjutə] persoon met wie men spreekt, gespreksgenoot.

interlocutory [intə'lɔkjutəri] in de vorm van een gesprek.

interlope [intə'loup] onderkruipen; beunhazen.

interloper [intə'loupə] onderkruiper; beunhaas.

interlude ['intəl(j)u:d] pauze; tussenbedrijf *o*, tussenspel *o*, intermezzo[2] *o*.

intermarry [intə'mæri] (onder elkaar) trouwen.

intermeddle [intə'medl] zich mengen (in *in*), zich afgeven of bemoeien (met *with*).

intermeddler [intə'medlə] bemoeial.

intermediary [intə'mi:diəri] I *aj* tussen-; bemiddelend; II *sb* tussenpersoon, bemiddelaar; bemiddeling.

1 **intermediate** [intə'mi:djət] *aj* tussenliggend, tussen-.

2 **intermediate** [intə'mi:dieit] *vi* bemiddelen.

interment [in'tə:mənt] begrafenis.

intermezzo [intə'metzou] intermezzo[2] *o*.

interminable [in'tə:minəbl] oneindig, eindeloos[2].

intermingle [intə'miŋgl] I *vt* (ver)mengen; II *vi* zich (laten) vermengen.

intermission [intə'miʃən] onderbreking, tussenpoos, verpozing; *without* ~ zonder ophouden.

intermit [intə'mit] I *vt* tijdelijk afbreken, doen ophouden, staken, schorsen; II *vi* tijdelijk ophouden.

intermittent [intə'mitənt] (af)wisselend, bij tussenpozen werkend (spuitend &); intermitterend.

intermix [intə'miks] zie *intermingle*.

intermixture [intə'mikstʃə] vermenging, mengsel *o*.

intern [in'tə:n] interneren.

internal [in'tə:nəl] inwendig, innerlijk; binnenlands; binnen-; ~ *combustion engine* ✗ inwendige verbrandingsmotor.

international [intə'næʃənəl] I *aj* internationaal; ~ *law* volkenrecht *o*; II *sb* (deelnemer aan) internationale wedstrijd; I~ Internationale.

internationalize [intə'næʃənəlaiz] internationaliseren.

internecine [intə'ni:sain] moorddadig, verwoestend, elkaar verdelgend.

internee [intə:'ni:] geïnterneerde.

internment [in'tə:nmənt] internering.

internuncio [intə'nʌnʃiou] internuntius.

interpellate [in'tə:peleit] interpelleren.

interpellation [intə:pe'leiʃən] interpellatie.

interpellator [intə:pe'leitə] interpellant.

interplanetary [intə'plænitəri] interplanetair.

interplay ['intəplei] wisselwerking, reactie over en weer.

interpolate [in'tə:pəleit] in-, tussenvoegen, inschuiven, interpoleren.

interpolation [intə:pə'leiʃən] in-, tussenvoeging, inschuiving, interpolatie.

interpose [intə'pouz] I *vt* stellen of plaatsen tussen; in 't midden brengen [iets]; II *vi* tussenbeide komen, in de rede vallen.

interposition [intəpə'ziʃən] liggen (plaatsen) *o* tussen; tussenkomst, bemiddeling.

interpret [in'tə:prit] I *vt* uitleggen, vertolken, interpreteren; II *vi* als tolk fungeren.

interpretable [in'tə:pritəbl] voor uitlegging (vertolking) vatbaar, te interpreteren.

interpretation [intə:pri'teiʃən] uitlegging, vertolking, interpretatie.

interpretative [in'tə:priteitiv] uitleggend, vertolkend.

interpreter [in'tə:pritə] uitlegger, vertolker, tolk[2].

interregnum [intə'regnəm] interregnum *o*, tussenregering; interim *o*, tussentijd; onderbreking.

interrogate [in'terəgeit] (onder)vragen.

interrogation [interə'geiʃən] 1 ondervraging, vraag; 2 vraagteken *o* (ook: ~ *mark*).

interrogative [intə'rogətiv] I *aj* vragend, vraag-; II *sb* vragend voornaamwoord *o*.

interrogator [in'terəgeitə] (onder)vrager.

interrogatory [intə'rogətəri] I *aj* (onder)vragend; II *sb* 1 vraag; 2 ondervraging, verhoor *o*.

interrupt [intə'rʌpt] I *vt* af-, onderbreken; belemmeren, storen; in de rede vallen; II *va* hinderen, storen; in de rede vallen.

interruption [intə'rʌpʃən] af-, onderbreking; storing; interruptie.

intersect [intə'sekt] I *vt* (door)snijden, (door)kruisen; II *vi* elkaar snijden.

intersection [intə'sekʃən] (door)snijding; snijpunt *o*; kruispunt *o*, wegkruising.

interspace ['intəspeis] tussenruimte.

intersperse [intə'spə:s] hier en daar strooien, mengen, verspreiden, zetten, planten & (onder of tussen *with*).

interstice [in'tə:stis] tussenruimte, opening, spleet.

intertwine [intə'twain], **intertwist** [intə'twist] (zich) dooreenvlechten, ineenstrengelen.

interval ['intəvəl] tussenruimte; tussenpoos, -tijd; pauze; (toon)afstand, ♪ interval *o*.

intervene [intə'vi:n] liggen of zijn tussen; tussenbeide komen of treden; ingrijpen [v. chirurg]; (onverwachts) zich voordoen.

intervention [intə'venʃən] interventie, tussenkomst; ingrijpen *o* [v. chirurg].

interview ['intəvju:] I *sb* samenkomst, onderhoud *o*; interview *o*, vraaggesprek *o*; II *vt* een onderhoud hebben met; interviewen.

inter-war ['intə'wɔ:] in: *the* ~ *years* de jaren tussen de twee wereldoorlogen (1919-1939).

interweave [intə'wi:v] door(een)weven.

interzonal [intə'zounəl] interzonaal.   [dene].

intestate [in'testit] zonder testament (overleden).

intestinal [in'testinəl] darm-, ingewands-.

intestine [in'testin] I *aj* inwendig; binnenlands; ~ *war* burgeroorlog; II *sb* darm, ingewanden (meest ~*s*); *large* (*small*) ~ dikke (dunne) darm.

intimacy ['intiməsi] vertrouwelijkheid, intimiteit; innigheid; grondigheid [v. kennis].

1 **intimate** ['intimit] I *aj* innerlijk, innig; vertrouwelijk; intiem; grondig [v. kennis]; II *sb* intimus, intieme vriend.

2 **intimate** ['intimeit] *vt* bekendmaken, te kennen geven, laten doorschemeren.

intimation [inti'meiʃən] 1 kennisgeving; 2 wenk; aanduiding.

intimidate [in'timideit] bang maken; vrees, schrik aanjagen, intimideren.

intimidation [intimi'deiʃən] bangmakerij, vreesaanjaging, intimidatie.

into ['intu, 'intə] in, tot.

intolerable [in'tələrəbl] on(ver)draaglijk, onduldbaar, onuitstaanbaar.

intolerance [in'tələrəns] onverdraagzaamheid.

intolerant [in'tələrənt] onverdraagzaam.

intonate ['intouneit] ♪ intoneren.

intonation [intou'neiʃən] ♪ intonatie; lees-, spreektoon, stembuiging; aanhef.

intone [in'toun] ♪ intoneren.

intoxicant [in'təksikənt] sterke drank.

intoxicate [in'təksikeit] dronken maken²; bedwelmen².

intoxication [intəksi'keiʃən] dronkenschap, roes².

intractability [intræktə'biliti] onhandelbaarheid; lastigheid.

intractable [in'træktəbl] onhandelbaar; lastig.

intransigent [in'trænsidʒənt] intransigent, wars van geschipper, onverzoenlijk.

intransitive [in'trænsitiv] onovergankelijk.

intrepid [in'trepid] onverschrokken.

intrepidity [intri'piditi] onverschrokkenheid.

intricacy ['intrikəsi] ingewikkeldheid.

intricate ['intrikit] ingewikkeld, verward.

intrigue [in'tri:g] I *sb* kuiperij, gekonkel *o*, intrige°; II *vi* kuipen, konkelen, intrigeren; III *vt* intrigeren, nieuwsgierig maken.

intriguer [in'tri:gə] intrigant.

intrinsic [in'trinsik] innerlijk, wezenlijk, intrinsiek.

introduce [intrə'dju:s] invoeren; inleiden, binnenleiden; indienen [wetsvoorstel]; ter tafel brengen [onderwerp]; voorstellen [iemand], introduceren.

introduction [intrə'dʌkʃən] invoering, inleiding°; indiening; voorstelling [van twee personen], introductie.

introductory [intrə'dʌktəri] inleidend.

introit ['introit, in'trouit] *RK* introïtus.

introspection [introu'spekʃən] zelfbeschouwing.

introspective [introu'spektiv] de blik naar binnen slaande.

intrude [in'tru:d] I *vr* ~ *oneself* zich opdringen (aan *upon*); II *vi* zich indringen (in *into*); (iemand) lastig vallen, ongelegen komen.

intruder [in'tru:də] indringer, ongenode of onwelkome gast.

intrusion [in'tru:ʒən] binnendringen *o*.

intrusive [in'tru:siv] indringend; in-, opdringerig.

intuition [intju'iʃən] intuïtie. [gerig.

intuitive [in'tju:itiv] intuïtief.

inundate ['inʌndeit] onder water zetten, overstromen² (met *with*).

inundation [inʌn'deiʃən] onderwaterzetting; overstroming; *fig* stroom.

inure [i'njuə] I *vt* gewennen (aan *to*), harden (tegen *to*); II *vi* 🏛 van kracht worden.

inurement [i'njuəmənt] gewennen *o*, harden *o*.

inutility [inju'tiliti] nutteloosheid.

invade [in'veid] een inval doen in, in-, binnendringen; inbreuk maken op.

invader [in'veidə] vijandelijke indringer.

1 **invalid** ['invəli:d] I *aj* gebrekkig, gebrekkelijk, ziekelijk, lijdend; II *sb* zieke, lijder, 🏥 invalide; III *vt* aan 't ziekbed kluisteren; 🏥 voor de dienst ongeschikt maken of verklaren; ~ *home* wegens ziekte of als invalide evacueren.

2 **invalid** [in'vælid] *aj* niet geldend; ongeldig.

invalidate [in'vælideit] ongeldig (krachteloos) maken; ontzenuwen [argumenten].

invalidation [invæli'deiʃən] ongeldigverklaring; ontzenuwing.

invalidity [invə'liditi] zwakheid, krachteloosheid, ongeldigheid, onwaarde.

invaluable [in'væljuəbl] onschatbaar, van onschatbare waarde.

invariable [in'vɛəriəbl] *aj* onveranderlijk, constant.

invariably [in'vɛəriəbli] *ad* onveranderlijk, steeds, steevast.

invasion [in'veiʒən] (vijandelijke) inval, binnendringen *o*; invasie; 🏛 schending.

invasive [in'veisiv] 1 invallend, binnendringend; 2 invals-.

invective [in'vektiv] I *sb* smaadrede; scheldwoord *o*, scheldwoorden; II *aj* uitvarend, scheldend, schimpend, schimp-.

inveigh [in'vei] (heftig) uitvaren, schelden, schimpen (op *against*).

inveigle [in'vi:gl] (ver)lokken, verleiden (tot *into*).

invent [in'vent] uitvinden; uit-, bedenken, verzinnen, uit de lucht grijpen, verdichten.

invention [in'venʃən] (uit)vinding, uitvindsel *o*, bedenksel *o*, verzinsel *o*; vindingrijkheid; *I~ of the Cross* Kruisvinding.

inventive [in'ventiv] vindingrijk, inventief.

inventor [in'ventə] uitvinder; verzinner.

inventory ['invəntri] I *sb* inventaris; boedelbeschrijving; II *vt* inventariseren.

inverse [in'və:s] I *aj* omgekeerd; II *sb* omgekeerde *o*.

inversion [in'və:ʃən] omkering, omzetting, inversie.

inversive [in'və:siv] omkerend.

invert [in'və:t] omkeren, omzetten; ~*ed commas* aanhalingstekens.

invertebrate [in'və:tibrit] ongewerveld (dier *o*); *fig* slap, karakterloos (iemand).

invest [in'vest] I *vt* 1 bekleden² (met *with*); installeren; 2 🏥 insluiten, omsingelen; 3 [geld] beleggen, steken (in *in*), investeren; ~ *with* ook: verlenen; II *vi* & *va* zijn geld beleggen; ~ *in a bun* F een broodje kopen.

investigable [in'vestigəbl] naspeurbaar.

investigate [in'vestigeit] onderzoeken, navorsen, nasporen.

investigation [investi'geiʃən] navorsing, nasporing, onderzoek o.

investigator [in'vestigeitə] navorser, onderzoeker.

investigatory [in'vestigeitəri] onderzoekend.

investiture [in'vestitʃə] investituur, installatie; bekleding.

investment [in'vestmənt] 1 ✕ insluiting, omsingeling; 2 $ (geld)belegging, investering; 3 bekleding.

investor [in'vestə] belegger, investeerder.

inveteracy [in'vetərəsi] ingeworteldheid.

inveterate [in'vetərit] ingeworteld, ingekankerd, verouderd; aarts-; onverbeterlijk.

invidious [in'vidiəs] hatelijk; aanstotelijk; netelig.

invigilate [in'vidʒileit] surveilleren [bij examen].

invigilation [invidʒi'leiʃən] surveillance [bij examen].

invigilator [in'vidʒileitə] surveillant♦

invigorate [in'vigəreit] kracht bijzetten of geven, sterker maken, versterken.

invincibility [invinsi'biliti] onoverwinnelijkheid.

invincible [in'vinsibl] onoverwinnelijk, onoverkomelijk.

inviolability [invaiələ'biliti] onschendbaarheid.

inviolable [in'vaiələbl] onschendbaar.

inviolate [in'vaiəlit] ongeschonden, ongerept.

invisibility [invizi'biliti] onzichtbaarheid.

invisible [in'vizibl] I aj onzichtbaar; niet te zien (spreken); II sb onzienlijke.

invitation [invi'teiʃən] uitnodiging.

invite [in'vait] I vt (uit)nodigen, noden, inviteren; (vriendelijk) verzoeken, vragen (om); uitlokken; applications are ~d sollicitaties worden ingewacht; II sb F uitnodiging.

inviting(ly) [in'vaitiŋ(li)] uitnodigend, aanlokkelijk, verleidelijk.

invocation [invə'keiʃən] in-, aanroeping, afsmeking; oproeping.

invoice ['invɔis] I sb $ factuur; II vt factureren.

invoice-clerk ['invɔiskla:k] $ facturist.

invoke ` [in'vouk] in-, aanroepen, afsmeken; oproepen; zich beroepen op.

involuntary [in'vɔləntəri] 1 onwillekeurig; 2 onvrijwillig.

involute ['invəl(j)u:t] ingewikkeld, naar binnen gedraaid of gerold; ineensluitend.

involution [invə'l(j)u:ʃən] in-, verwikkeling; ingewikkeldheid; machtsverheffing.

involve [in'vɔlv] wikkelen of hullen, verwikkelen, betrekken; insluiten, meebrengen, meeslepen; ~d ingewikkeld[2]; in schulden (moeilijkheden); our interests are ~d het gaat om onze belangen; the persons ~d de daarbij betrokken personen; the risk ~d het ermee verbonden (gepaard gaande, gemoeide) gevaar;

become ~d with zich inlaten met.

involvement [in'vɔlvmənt] in-, verwikkeling; moeilijkheden; schuld(en).

invulnerability [invʌlnərə'biliti] onkwetsbaarheid.

invulnerable [in'vʌlnərəbl] onkwetsbaar.

inward ['inwəd] I aj inwendig, innerlijk; II sb ~s ingewanden; III ad naar binnen.

inwardly ['inwədli] ad inwendig, innerlijk; in zijn binnenste, in zichzelf; naar binnen.

inwardness ['inwədnis] innerlijke betekenis, innerlijk wezen o.

inwards ['inwədz] ad zie inward III.

inwrought ['in'rɔ:t, + 'inrɔ:t] ingewerkt, doorweven[2] (met with).

iodide ['aiədaid] jodide o.

iodine ['aiədi:n] jodium o.

iodoform [ai'ɔdəfɔ:m] jodoform.

ion ['aiən] ion o.

Ionia [ai'ounjə] Ionië o.

Ionian [ai'ounjən] I aj Ionisch; II sb Ioniër.

Ionic [ai'ɔnik] Ionisch.

ionic [ai'ɔnik] ionen-.

ionization [aiənai'zeiʃən] ionisatie.

ionize ['aiənaiz] ioniseren.

ionosphere [ai'ɔnəsfiə] ionosfeer.

iota [ai'outə] Griekse i, jota[2].

I O U ['aiou'ju:] schuldbekentenis [I owe you ik ben u schuldig].

Irak zie Iraq.

Iran [i'ra:n] Iran o.

Iranian [i'reinjən] I aj Iraans; II sb Iraniër.

Iraq [i'ra:k] Irak o.

Iraqi [i'ra:ki] I aj Iraaks; II sb Irakees.

irascibility [iræsi'biliti] opvliegendheid.

irascible [i'ræsibl] oplopend, opvliegend.

irate [ai'reit] woedend, toornig, verbolgen.

○ ire ['aiə] toorn.

ireful ['aiəful] toornig, verbolgen.

Ireland ['aiələnd] Ierland o.

Irene [ai'ri:ni, 'airi:n] Irene.

iridescence [iri'desns] kleurenspel.

iridescent [iri'desnt] iriserend.

iridium [ai'ridiəm] iridium o.

iris ['aiəris] 1 regenboog; 2 iris: regenboogvlies o; 3 ☀ iris.

Irish ['aiəriʃ] I aj Iers; II sb het Iers; the ~ de Ieren.

Irishism ['aiəriʃizm] 1 Iers karakter o; 2 Ierse zegswijze (eigenaardigheid).

Irishman ['aiəriʃmən] Ier.

Irishwoman ['aiəriʃwumən] Ierse.

irk [ə:k] tegenstaan, verdrieten, ergeren.

irksome ['ə:ksəm] vervelend, ergerlijk.

iron ['aiən] I sb 1 ijzer o; 2 strijkijzer o; 3 brandijzer o; 4 soort golfstok; ~s 1 boeien; 2 beugels [v. been]; have too many ~s in the fire te veel hooi op zijn vork genomen hebben; strike the ~ while it is hot men moet het ijzer smeden, als het heet is; II aj ijzeren[2]; ~ horse stalen ros o (ook = locomotief); III vt 1 met ijzer beslaan; 2 strijken; 3 boeien kluisteren; ~ *out* uit-, weg-, gladstrijken[2]; *fig* wegnemen, verwijderen, vereffenen; **IV** *vi* strijken.

iron-bound ['aiǝnbaund] met ijzeren banden; *fig* 1 ijzeren, uiterst streng; 2 door (steile) rotsen ingesloten.

ironclad ['aiǝnklæd] **I** *aj* gepantserd; **II** *sb* ⚓ pantserschip *o*.

ironer ['aiǝnǝ] strijkster.

iron-founder ['aiǝnfaundǝ] ijzergieter.

iron-foundry ['aiǝnfaundri] ijzergieterij.

iron-grey ['aiǝn'grei], + 'aiǝngrei] ijzergrauw

ironic(al) [ai'rɔnik(l)] ironisch.

ironing-board ['aiǝninbɔ:d] strijkplank.

ironmonger ['aiǝnmʌŋgǝ] handelaar in ijzerwaren.

ironmongery ['aiǝnmʌŋgǝri] 1 ijzerwaren; 2 ijzerhandel.

iron-mould ['aiǝnmould] ijzerplek, roestvlek [in wasgoed].

Ironside ['aiǝnsaid] gehard soldaat [van Cromwell].

ironwork ['aiǝnwǝ:k] ijzerwerk *o*; ~*s* ijzerfabriek, ijzergieterij, ijzerpletterij.

1 **irony** ['aiǝni] *aj* ijzerachtig, ijzerhard, ijzer-.

2 **irony** ['aiǝrǝni] *sb* ironie.

irradiance [i'reidiǝns] (uit)straling; glans.

irradiate [i'reidieit] **I** *vt* bestralen[2], doen stralen[2] (van *with*); **II** *vi* stralen.

irradiation [ireidi'eiʃǝn] uit-, bestraling.

irrational [i'ræʃǝnl] **I** *aj* onredelijk; redeloos; irrationeel; **II** *sb* onmeetbaar getal *o*.

irrationality [iræʃǝ'næliti] onredelijkheid; redeloosheid.

irreclaimable [iri'kleimǝbl] onverbeterlijk.

irreconcilability [i'rekǝnsailǝ'biliti] onverzoenlijkheid; onverenigbaarheid.

irreconcilable [i'rekǝnsailǝbl] onverzoenlijk; onverenigbaar.

irrecoverable [iri'kʌvǝrǝbl] niet te herkrijgen; onherroepelijk verloren; oninbaar; onherstelbaar.

irredeemable [iri'di:mǝbl] onafkoopbaar, onaflosbaar; onherstelbaar; onverbeterlijk.

irreducible [iri'dju:sibl] onherleidbaar.

irrefragable [i'refrǝgǝbl] onweerlegbaar.

irrefutable [i'refjutǝbl] onomstotelijk, onweerlegbaar.

irregular [i'regjulǝ] **I** *aj* onregelmatig; niet in orde [v. paspoort &]; ongeregeld; ongelijk; **II** *sb* ~*s* ✗ ongeregelde troepen.

irregularity [iregju'læriti] onregelmatigheid; ongeregeldheid.

irrelevance, -cy [i'relivǝns(i)] ontoepasselijkheid, niet ter zake zijn *o*.

irrelevant [i'relivǝnt] niet ter zake (dienende), niets tot de zaak toe of afdoende.

irreligious [iri'lidʒǝs] godsdienstloos, zonder geloof; ongodsdienstig.

irremediable [iri'mi:diǝbl] onherstelbaar.

irremovability [irimu:vǝ'biliti] onafzetbaarheid.

irremovable [iri'mu:vǝbl] onafzetbaar.

irreparability [irepǝrǝ'biliti] onherstelbaarheid.

irreparable [i'repǝrǝbl] onherstelbaar.

irreplaceable [iri'pleisǝbl] onvervangbaar.

irrepressible [iri'presibl] **I** *aj* niet te onderdrukken; onbedwingbaar; **II** *sb* F iemand die niet tot zwijgen te brengen is; wijsneus.

irreproachable [iri'proutʃǝbl] onberispelijk.

irresistibility [irizisti'biliti] onweerstaanbaarheid.

irresistible [iri'zistibl] onweerstaanbaar.

irresolute [i'rezǝl(j)u:t] besluiteloos.

irresolution [irezǝ'l(j)u:ʃǝn] besluiteloosheid.

irresolvable [iri'zɔlvǝbl] onoplosbaar.

irrespective [iris'pektiv] in: ~ *of* 1 zonder te letten op; 2 ongeacht; ~ *of persons* zonder aanzien des persoons.

irresponsibility [irispɔnsi'biliti] onverantwoordelijkheid; ontoerekenbaarheid.

irresponsible [iris'pɔnsibl] onverantwoordelijk; ontoerekenbaar.

irresponsive [iris'pɔnsiv] niet reagerend (op *to*).

irretrievable [iri'tri:vǝbl] *aj* onherstelbaar.

irretrievably [iri'tri:vǝbli] *ad* onherstelbaar; ~ *lost* onherroepelijk verloren.

irreverence [i'revǝrǝns] oneerbiedigheid.

irreverent [i'revǝrǝnt] oneerbiedig.

irreversible [iri'vǝ:sibl] onherroepelijk, onveranderlijk; niet omkeerbaar.

irrevocable [i'revǝkǝbl] onherroepelijk.

irrigate ['irigeit] bevochtigen, besproeien, bevloeien, irrigeren.

irrigation [iri'geiʃǝn] bevochtiging, besproeiing, bevloeiing, irrigatie.

irritability [iritǝ'biliti] prikkelbaarheid.

irritable ['iritǝbl] prikkelbaar, geprikkeld.

irritant ['iritǝnt] prikkelend (middel *o*).

irritate ['iriteit] prikkelen[2], irriteren[2].

irritation [iri'teiʃǝn] prikkeling[2], geprikkeldheid.

irritative ['iriteitiv] prikkelend[2].

irruption [i'rʌpʃǝn] binnendringen *o*, inval.

is [iz] derde pers. enk. van *be*, is.

Isaac ['aizǝk] Izaäk, Isaäc.

Isabel ['izǝbel] Isabella.

Isaiah [ai'zaiǝ] Jesaja.

Ishmael ['iʃmeiǝl] Ismaël[2].

Ishmaelite ['iʃmiǝlait] Ismaëliet[2].

isinglass ['aizinglɑ:s] vislijm.

Islam ['izlǝm, i'slɑ:m] de islam.

Islamic [iz'læmik] islamitisch.

Islamite ['izlǝmait] islamiet.

Islamitic [izlǝ'mitik] islamitisch.

island ['ailǝnd] 1 eiland *o*; 2 vluchtheuvel.

islander ['ailǝndǝ] eilandbewoner.

isle [ail] eiland *o*.

islet ['ailit] eilandje *o*.

isobar ['aisoubɑ:] isobaar.

isolate ['aisǝleit] afzonderen, isoleren; ~*d* ook: alleenstaand.

isolation [aisǝ'leiʃǝn] afzondering, isolering, isolatie, isolement *o*.

isosceles [ai'sɔsiliːz] gelijkbenig.
isotherm ['aisouθɜːm] isotherm.
isotope ['aisətoup] isotoop.
Israel ['izreiəl] Israël o.
Israeli [iz'reili] I aj Israëlisch; II sb Israëli.
Israelite ['izriəlait] Israëliet.
Israelitish ['izriəlaitiʃ] Israëlitisch.
issue ['isjuː, 'iʃuː] I sb uitstorting, uitstroming; (rivier)mond; nakomelingschap, (na)kroost o; uitgang; uitweg; afloop, uitslag, uitkomst, resultaat o; uitvaardiging; uitgifte; $ emissie; nummer o, editie [v. krant]; (geschil)punt o, kwestie, strijdvraag; *the matter (point, question) at* ~ het geschilpunt; *join (take)* ~ de strijd aanbinden; II vi uitkomen; zich uitstorten, uitstromen, naar buiten komen (ook: ~ *forth, out)*; aflopen [v. e. zaak]; ~ *from* komen uit; voortkomen uit, afstammen van; ~ *in* uitlopen op; III vt af-, uitgeven, in omloop brengen; uitvaardigen; verzenden.
isthmian ['isθmiən, 'ismiən] van een landengte; *I~ games* istmische spelen.
isthmus ['isməs] landengte.
it [it] het, hij, zij; ~ *is I (me)* ik ben het; ~ *is* ~ F dat is „je"; *they are* ~ F dat zijn „je" (chique) lui; *who is* ~*?* I wie is dat?; 2 wie is „hem"?; *bus &* ~ met de bus & gaan; zie ook: *give, go &.*
Italian [i'tæljən] I aj Italiaans; II sb I Italiaan; 2 het Italiaans.
italic [i'tælik] I aj cursief; II sb cursieve letter; *in* ~s cursief.
italicize [i'tælisaiz] cursiveren.
Italy ['itəli] Italië o.
itch [itʃ] I sb schurft; jeuk(ing); jeukte; hevig verlangen o; II vi jeuken, hevig verlangen; *he* ~*es to...*, *his fingers* ~ *to...* de vingers jeuken hem om...
itchy ['itʃi] I jeukerig; 2 schurftig.
item ['aitem] I ad item; II sb artikel o, post, punt o [op agenda], nummer o [v. program], stuk o; (nieuws)bericht o.
iterate ['itəreit] herhalen.
iteration [itə'reiʃən] herhaling.
iterative ['itərətiv] herhalend; herhaald; herhalings-.
itinerant [ai-, i'tinərənt] rondreizend, rondtrekkend.
itinerary [ai-, i'tinərəri] I sb reisboek o; reisroute; reisbeschrijving; II aj (rond)reizend; ~ *jottings* reisaantekeningen.
itinerate [ai-, i'tinəreit] (rond)reizen, rondtrekken.
its [its] zijn, haar.
itself [it'self] zich (zelf).
Ivanhoe ['aivənhou] Ivanhoe.
ivied ['aivid] met klimop begroeid.
ivory ['aivəri] I sb ivoor m of o; *the ivories* I de biljartballen; 2 de dobbelstenen; 3 de pianotoetsen; 4 de tanden; II aj ivoren.
ivy ['aivi] ✿ klimop.

J

j [dʒei] (de letter) j.
jab [dʒæb] I vt & vi steken, porren; II sb steek, por.
jabber ['dʒæbə] I vi & vt kakelen, brabbelen, wauwelen; II sb gekakel o, gebrabbel o.
jabot ['ʒæbou] jabot.
jacinth ['dʒæsinθ] hyacint o [stofnaam], hyacint m [edelsteen].
Jack [dʒæk] Jan, Jantje o; jantje o (= matroos); *cheap* ~ venter, kramer; ~ *and Jill* Jan en Griet; ~ *Ketch* de beul; ~ *Pudding* Jan Klaassen; *before you could say* ~ *Robinson* in een wip.
jack [dʒæk] I sb spitdraaier; schraag, (zaag)-bok; dommekracht, vijzel, krik; laarzenknecht; ♪ wippertje o [v. piano]; ◇ boer; mannetje o [van diersoorten]; ✿ kauw; kerel, man; bediende, knecht; ⚓ geus || *Am* S geld o; *every man* ~ iedereen; II vt opvijzelen (ook: ~ *up).*
Jack-a-dandy ['dʒækə'dændi] kwast, kwibus.
jackal ['dʒækɔːl] I ✿ jakhals; 2 handlanger.
jackanapes ['dʒækəneips] aap²; fat, kwast.
jackass ['dʒækæs, *fig* 'dʒækaːs] ezel².
jackboot ['dʒækbuːt] hoge laars.
jackdaw ['dʒækdɔː] ✿ kauw.
jacket ['dʒækit] buis, jekkertje o, jak o, jasje o, colbert o & m; omhulsel o; omslag; vel o, huid, vacht, pels; schil [v. aardappel]; ✂ mantel.
Jack-in-office ['dʒækinɔfis] (gewichtigdoend) ambtenaartje o.
Jack-in-the-(a-)box ['dʒækinðə(ə)bɔks] duiveltje o in een doosje.
jack-knife ['dʒæknaif] zeemanszakmes o.
Jack-of-all-trades ['dʒækə'vɔːltreidz] manusje-van-alles o; ~ *and master of none* twaalf ambachten, dertien ongelukken.
jack-o'-lantern ['dʒækəlæntən] dwaallicht o.
Jack-tar ['dʒæk'taː] F pikbroek, jantje o.
jack-towel ['dʒæktauəl] rolhanddoek.
Jacob ['dʒeikəb] Jakob(us); ~*'s ladder* jakobsladder.
Jacobean [dʒækə'biːən] van Jakobus (I).
Jacobin ['dʒækəbin] I jakobijn; 2 dominicaan; 3 ✿ raadsheer [duif].
Jacobite ['dʒækəbait] ⚏ jakobiet.
1 jade [dʒeid] sb knol, oud paard o; wijf o; ondeugende meid ‖ bittersteen, nefriet.
2 jade [dʒeid] vt afjakkeren²; ~*d* ook: geblaseerd.
jag [dʒæg] I sb uitstekende punt; tand; II vt tanden, inkepen, kerven.
jagged ['dʒægid] getand, geschaard, puntig.
jaguar ['dʒægjuə] ✿ jaguar.
jail [dʒeil] I sb gevangenis; II vt gevangenzetten.
jail-bird ['dʒeilbəːd] boef. [ten.
jailer ['dʒeilə] cipier, gevangenbewaarder.
jail-fever ['dʒeilfiːvə] vlektyfus.

Jakarta [dʒə'ka:tə] Djakarta *o*.

jalopy [dʒə'lɔpi] *Am* S 🚗 (oud) wagentje *o*, 🚲 (gammele) kist.

1 **jam** [dʒæm] *sb* jam ‖ opeenhoping, opstopping, verwarde klomp, gedrang *o*; klemming; 🎼 † storing; F verlegenheid, moeilijkheid, knel.

2 **jam** [dʒæm] I *vt* (samen)drukken, -pakken, -duwen [tussen]; vastzetten; klemmen, knellen; versperren; 🎼 † storen; ~ *on the brakes* hard remmen; II *vi* klemmen.

Jamaica [dʒə'meikə] Jamaica(rum).

jamb [dʒæm] stijl [v. deur &].

jamboree [dʒæmbə'ri:] 1 S fuif; 2 jamboree [van padvinders].

James [dʒeimz] Jakobus, Jakob.

jammer ['dʒæmə], **jamming station** ['dʒæmiŋsteiʃən] 🎼 † stoorzender.

jam session ['dʒæmseʃən] onderonsje *o* van swingmuzikanten, die improviseren voor eigen genoegen.

Jane [dʒein] Jans, Johanna.

Janet ['dʒænit] Jansje *o*.

jangle ['dʒæŋgl] I *vi* een wanklank geven; kibbelen; II *vt* ontstemmen[2]; rammelen, rinkelen met; ~d *nerves* geschokte zenuwen; III *sb* wanklank; kibbelarij.

janitor ['dʒænitə] portier.

janizary ['dʒænizəri] janitsaar.

Januari ['dʒænjuəri] januari.

Janus ['dʒeinəs] Janus.

Jap [dʒæp] F I *sb* Jap; II als *aj* Japans.

Japan [dʒə'pæn] I *sb* Japan *o*; II *aj* Japans.

japan [dʒə'pæn] I *sb* 1 lak *o* & *m*; 2 Japans porselein *o*; II *vt* (ver)lakken.

Japanese [dʒæpə'ni:z] I *aj* Japans; II *sb* 1 Japanner, Japanners; 2 het Japans.

jape [dʒeip] I *sb* poets; II *va* gekscheren.

1 **jar** [dʒa:] *sb* (stop)fles, kruik, pot.

2 **jar** [dʒa:] I *vi* krassen, schuren; trillen; in botsing komen, niet harmoniëren (met *with*); ~ *upon* onaangenaam aandoen; *a ~ring note* een wanklank[2]; II *vt* doen trillen [van de schok]; III *sb* gekras *o*, schuurgeluid *o*; wanklank[2]; onenigheid, botsing; schok ‖ *on the* ~ F op een kier.

jargon ['dʒa:gən] jargon *o*, brabbeltaal, koeterwaals[2] *o*; Bargoens *o*, (dieven)taaltje *o*.

jasmin(e) ['dʒæsmin] 🌿 jasmijn.

Jasper ['dʒæspə] Jasper, Kasper.

jasper ['dʒæspə] jaspis *o*.

jaundice ['dʒɔ:ndis] geelzucht; *fig* vooroordeel *o*, nijd; scheve kijk [op iets].

jaundiced ['dʒɔ:ndist] aan geelzucht lijdend; *fig* afgunstig; scheef [v. kijk].

jaunt [dʒɔ:nt] I *vi* een uitstapje maken; II *sb* uitstapje *o*, tochtje *o*.

jauntily ['dʒɔ:ntili] *ad* zwierig, kwiek.

jauntiness ['dʒɔ:ntinis] zwierig-, kwiekheid.

jaunting-car ['dʒɔ:ntiŋka:] kleine tweewielige Ierse char-à-bancs.

jaunty ['dʒɔ:nti] *aj* zwierig, kwiek.

Java ['dʒa:və] 1 Java *o*; 2 F Javakoffie.

Javanese [dʒa:və'ni:z] I *aj* Javaans; II *sb* 1 Javaan, Javanen; 2 het Javaans.

javelin ['dʒævlin] werpspies, *sp* speer.

jaw [dʒɔ:] I *sb* kaak; ✂ klauw [v. tang], (~*s*) bek [v. sleutel]; *fig* F brutale bek; geklets *o*; standje *o*; II *vi* kletsen; III *vt* afbekken.

jay [dʒei] 🐦 Vlaamse gaai; *fig* 1 klappei; 2 sul.

jaywalker ['dʒeiwɔ:kə] onvoorzichtige voetganger [bij 't oversteken &].

jazz [dʒæz] I *sb* ♪ jazz; S drukte, leven *o*; II *vi* de jazz dansen; III *vt* S opkikkeren, fut brengen in, opvrolijken (ook: ~ *up*).

jazzy ['dʒæzi] lawaaierig, druk, kakelbont.

jealous(ly) ['dʒeləs(li)] jaloers, afgunstig, ijverzuchtig, naijverig (op *of*), angstvallig bezorgd of wakend (voor *about*, *of*).

jealousy ['dʒeləsi] jaloersheid, jaloezie, afgunst, naijver; angstvallige bezorgdheid.

Jean [dʒi:n] Jans, Johanna.

jean [dʒi:n, dʒein] soort stevig katoen *o* & *m*; ~*s* sportpantalon, werkbroek of overall van stevig katoen.

ⓜ **jeep** [dʒi:p] jeep.

jeer [dʒiə] I *vi* spotten (met *at*), schimpen (op *at*); II *vt* bespotten, beschimpen, honen; III *sb* hoon, hoongelach *o*, spotternij.

Jeffrey ['dʒefri] Godfried, Govert.

Jehovah [dʒi'houvə] Jehova. [sier.

Jehu ['dʒi:hju:] B Jehu; J woeste rijder; koetsier.

jejune [dʒi'dʒu:n] nuchter[2]; mager; droog.

jell [dʒel] stollen; S slagen.

jellied ['dʒelid] geleiachtig, gestold, in gelei.

jelly ['dʒeli] I *sb* gelei, lil *o* & *m*, dril; gelatinepudding; (*in*)*to a* ~ tot moes, tot mosterd, in stukken; II (*vt* &) *vi* (doen) stollen.

jelly-fish ['dʒelifiʃ] kwal.

Jemima [dʒi'maimə] Jemima; *j*~*s* elastieken laarsjes.

jemmy ['dʒemi] S breekijzer *o*.

jennet ['dʒenit] ♞ genet *o*.

Jenny ['dʒeni] Jenny, Jansje *o*, Janneke *o*.

jenny ['dʒeni] 1 wijfjesezel; 2 spinmachine.

jeopardize ['dʒepədaiz] in gevaar brengen; in de waagschaal stellen.

jeopardy ['dʒepədi] gevaar *o*.

jeremiad [dʒeri'maiəd] jeremiade, klaaglied *o*.

Jeremiah [dʒeri'maiə], **Jeremy** ['dʒerimi] Jeremia, Jeremias.

Jericho ['dʒerikou] Jericho *o*; *he may go to* ~ hij kan (me) naar de pomp lopen.

jerk [dʒə:k] I *sb* stoot, ruk, hort, schok; (spier)trekking; *physical* ~*s* gymnastische oefeningen; II *vi* stoten, rukken, schokken, horten; II *vt* rukken aan, stoten, keilen.

jerkily ['dʒə:kili] *ad* met horten en stoten.

jerkin ['dʒə:kin] buis *o*, wambuis *o*; ⚔ kolder.

jerkiness ['dʒə:kinis] hortende beweging.

jerky ['dʒə:ki] *aj* hortend[2].

Jerome ['dʒerəm, dʒə'roum] zie *Hieronymus*.

Jerry ['dʒeri] I *sb* F 1 zie *Jeremiah*; 2 mof [= Duitser]; II als *aj* F Duits.

jerry-building ['dʒeribildiŋ] revolutiebouw.
Jersey ['dʒəːzi] Jersey o.
jersey ['dʒəːzi] 1 (wollen) sporttrui, trui; 2 jersey; 3 Jerseykoe.
Jerusalem [dʒəˈruːsələm] Jeruzalem o.
jessamine ['dʒesəmin] ‡ jasmijn.
jest [dʒest] I sb kwinkslag, scherts, aardigheid, grap, mop; voorwerp o van spot; in ~ voor de aardigheid; II vi schertsen, gekheid majester ['dʒestə] 1 spotvogel; 2 (hof)nar. [ken.
Jesuit ['dʒezjuit] jezuïet; ~s' bark kinabast.
Jesuitical [dʒezjuˈitikl] jezuïtisch.
Jesuitism ['dʒezjuitizm] jezuïtisme o.
Jesus ['dʒiːzəs] Jezus.
1 **jet** [dʒet] I sb (water)straal, fontein; guts; (gas)vlam, -bek, -pit; straalpijp [v. spuit]; sproeier [v. carburator]; gietbuis, -gat o; ⚡ straalvliegtuig o; II vi & vt (uit)spuiten.
2 **jet** [dʒet] I sb git o; II aj gitten.
jet-black ['dʒet'blæk, + 'dʒetblæk] gitzwart.
jet bomber ['dʒetbɔmə] ⚡ straalbommenwerper.
jet engine ['dʒetendʒin] straalmotor. [per.
jet fighter ['dʒetfaitə] ⚡ straaljager.
jet plane ['dʒetplein] ⚡ straalvliegtuig o.
jet-propelled ['dʒetprəpeld] met straalaandrijving.
jet propulsion ['dʒetprəpʌlʃən] straalaandrijving.
etsam ['dʒetsəm] ⚓ overboord geworpen lading, strandgoederen.
jettison ['dʒetisn] I sb ⚓ werping: het overboord werpen van goederen bij gevaar; II vt overboord werpen² [in nood].
1 **jetty** ['dʒeti] aj van git; gitzwart.
2 **jetty** ['dʒeti] sb havenhoofd o, pier, steiger.
jetty-head ['dʒeti'hed] eind o van een havenhoofd.
Jew [dʒuː] I sb jood; II aj joods, joden-.
Jew-baiting ['dʒuːbeitiŋ] jodenvervolging.
jewel ['dʒuːəl] juweel² o, edelsteen, kleinood o.
jewelled ['dʒuːəld] met juwelen bezet, juwelen.
jeweller ['dʒuːələ] juwelier.
jewel(le)ry ['dʒuːəlri] juwelen, preciosa.
Jewess ['dʒuis] jodin.
Jewish ['dʒuiʃ] joods.
Jewry ['dʒuəri] 1 jodenbuurt; 2 jodendom o.
Jew's-harp ['dʒuːzˈhaːp] ♪ mondtrom.
Jezebel ['dʒezəbl] B Izebel².
jib [dʒib] I sb 1 ⚓ kluiver; 2 ✕ arm van een kraan; the cut of his ~ F zijn facie o & v; II vt [het zeil] omdraaien; III vi kopschuw worden²; niet willen; ~ at niet aandurven, niets moeten hebben van.
jib-boom ['dʒib'buːm] ⚓ kluiverboom.
jibe zie gibe.
jiff [dʒif], **jiffy** ['dʒifi] F ogenblikje o; in a ~ F in een wip, een-twee-drie.
jig [dʒig] I sb 1 soort horlepijp of danswijsje o daarvoor; 2 zeef (voor erts); 3 ✕ spangereedschap o, mal; II vi (de horlepijp) dansen, met de benen slingeren; III vt heen en weer bewegen (schudden); [erts] zeven.

jigger ['dʒigə] I sb ertszeef, -zifter; ⚓ jigger-(zeil o); ✕ takel; ⚙ bok; S fiets; II vt in: I'm ~ed if... P ik ben een boon als...
jiggle ['dʒigl] schudden, schokken, schommelen.
jigsaw ['dʒigsɔː] machinale figuurzaag; ~ puzzle legkaart, -prent, -puzzel.
Jill [dʒil] Juliaantje o.
jilt [dʒilt] I sb kokette; II vt de bons geven.
Jim [dʒim] F Jaap; ~ Crow > neger [in de V.S.].
jingle ['dʒiŋgl] I (vt &) vi (laten) rinkelen; II sb gerinkel o; rijmklank, rijmpje o.
jingo ['dʒiŋgou] I sb jingo: (Engelse) chauvinist; by ~ voor de drommel; verdikkeme; II als aj chauvinistisch.
jingoism ['dʒiŋgouizm] chauvinisme o.
jinricksha, jinrikisha [dʒin'rik(i)ʃə] riksja.
jitterbug ['dʒitəbʌg] I sb 1 jitterbug [dans]; 2 S zenuwknoop, bangerik; II vi de jitterbug dansen.
jitters ['dʒitəz] S zenuwachtigheid, benauwdheid, bibberatie.
jittery ['dʒitəri] S zenuwachtig.
jiu-jitsu [dʒuː'dʒitsuː] jioe-jitsoe o.
jive [dʒaiv] Am S I sb 1 swing; swingtaaltje o; 2 gezwam o; praatje o; II vi swingen, ♪ swing spelen.
Joan [dʒoun] Johanna, Jeanne.
Job [dʒoub] Job; ~'s comforter jobsvriend; ~'s news jobstijding; ~'s post jobsbode.
job [dʒɔb] I sb (aangenomen) work o, taak, karwei², baan, baantje o; zaak, zaakje o, sjachelarij, knoeierij ‖ por; and a good ~ too! en 't was maar goed ook!; make a good ~ of it het er goed afbrengen; by the ~ als aangenomen werk; per stuk; on the ~ S (druk) bezig, er mee bezig, aan (onder) het werk; II aj in: a ~ lot (een partij) ongeregelde goederen; een rommelzootje o; ~ work aangenomen werk o; III vt uitvoeren [aangenomen werk]; (ver)huren; handelen in ‖ porren; that job is ~bed! klaar is Kees!; IV vi op stukloon werken; karweitjes aannemen; gokken [op de beurs], sjacheren, knoeien; ~ backwards S nakaarten; ~bing gardener tuinman in tijdelijke dienst.
jobber ['dʒɔbə] 1 stukwerker; 2 stalhouder; 3 $ (effecten)handelaar; hoekman; 4 fig knoeier.
jobbery ['dʒɔbəri] knoeierij, geknoei o.
jobless ['dʒɔblis] werkloos, zonder baan(tje).
jobmaster ['dʒɔbmaːstə] stalhouder.
Jock [dʒɔk] F 1 Sc Jaap; 2 Schot.
jockey ['dʒɔki] I sb jockey; II vt bedriegen; door bedrog (slinkse streken) krijgen (tot into; van out of); [iemand] wegwerken (uit out of); III vi knoeien; manoeuvreren.
jocose [dʒə'kous] grappig, schertsend.
jocosity [dʒə'kɔsiti] grappigheid, grap.
jocular ['dʒɔkjulə] grappig, snaaks, schertsend.
jocularity [dʒɔkju'læriti] grappigheid, snaaksheid.

jocund ['dʒɔ-, 'dʒoukənd] vrolijk, opgewekt.

jocundity [dʒɔ-, dʒou'kʌnditi] vrolijkheid, opgewektheid.

jodhpurs ['dʒɔdpuəz] soort rijbroek (nauwsluitend van knie tot enkel).

Joe [dʒou] F verk. van *Joseph*; *not for ~* F voor geen geld van de wereld; ~ *Miller* F oude „ui" of afgezaagde mop.

jog [dʒɔg] I *vt* aanstoten, schudden, aanporren²; opfrissen [geheugen]; II *vi* horten, sjokken; ~ *along* (*on*) voortsukkelen; *we must be* ~*ging* F we moeten opstappen; III *sb* duwtje *o*, por; sukkeldrafje *o*.

joggle ['dʒɔgl] I *vt* 1 schudden; 2 vertanden; II *vi* sjokken; III *sb* 1 duwtje *o*; 2 vertanding; 3 sukkeldrafje *o*.

jog-trot ['dʒɔg'trɔt] sukkeldrafje *o*; *fig* routine, sleur.

John [dʒɔn] Jan, Johannes; ~ *Bull* de Engelsman; ~ *Chinaman* de Chinees; ~ *Citizen* de burger; ~ *Company* Jan Compagnie.

John Dory ['dʒɔn'dɔ:ri] ⚓ zonnevis.

Johnnie, Johnny ['dʒɔni] Jantje *o*; *j*~ piet, kerel, aap; ~ *Raw* 1 ⚔ rekruut; 2 ⚓ baar; 3 *fig* groen.

join [dʒɔin] I *vt* verenigen, samenvoegen, verbinden (ook: ~ *up*); leggen (zetten) [bij of tegen]; paren aan; bijvoegen of toevoegen (aan *to*); zich voegen (aansluiten) bij, zich verenigen met, toetreden tot, lid worden van; ~ *forces* zich verenigen, samenwerken; ~ *hands* 1 de handen vouwen; elkaar de hand geven; 2 *fig* de handen ineenslaan; elkaar de hand reiken; ~ *the majority* doodgaan; *I cannot* ~ *you* ik kan niet van de partij zijn of niet komen; II *vi* zich verenigen of verbinden, (aaneen)sluiten; zich associëren; ⚔ dienst nemen (ook: ~ *up*); ~ *in* deelnemen aan [gesprek]; meedoen (aan), meezingen &, ♪ invallen; ~ *in their prayers* meebidden; ~ *with him* zich bij hem (zijn zienswijze) aansluiten; III *sb* aaneenvoeging, verbinding.

joiner ['dʒɔinə] schrijnwerker, meubelmaker; *Am* deelnemer aan het verenigingsleven.

joinery ['dʒɔinəri] schrijnwerk *o*.

1 **joint** [dʒɔint] I *sb* 1 verbinding, voeg, las, naad; gewricht *o*; gelid *o*, geleding; scharnier *o*; ⚘ knoop; 2 stuk *o* (vlees); 3 *Am* S plaats, gelegenheid, huis *o*, kroeg, kast, kit, keet, tent; *out of* ~ uit het lid, ontwricht, uit de voegen; II *vt* 1 verbinden; ⚒ voegen, lassen; 2 verdelen [vlees].

2 **joint** [dʒɔint] *aj* verbonden, verenigd, gezamenlijk; gemeenschappelijk; mede-; *on* ~ *account* voor gezamenlijke rekening; ~ *owner* medeëigenaar, ⚓ medereder.

joint-heir ['dʒɔint'ɛə] medeërfgenaam.

jointly ['dʒɔintli] *ad* gezamenlijk.

jointress ['dʒɔintris] douairière.

joint-stock ['dʒɔint'stɔk, + 'dʒɔintstɔk] maatschappelijk kapitaal *o*; ~ *company* maatschappij op aandelen.

joint-stool ['dʒɔintstu:l] kunstig krukje *o*.

joint-tenancy ['dʒɔint'tenənsi] gezamenlijk bezit *o*.

jointure ['dʒɔintʃə] 1 *sb* douarie, weduwgoed *o*; II *vt* een weduwgoed vastzetten op.

joist [dʒɔist] I *sb* dwarsbalk, bint *o*; II *vt* met dwarsbalken of binten beleggen.

joke [dʒouk] I *sb* scherts, kwinkslag, grap, aardigheid, F mop; *it was beyond a* ~ het was geen gekheid; het was al te mal; *in* ~ voor de aardigheid, uit gekheid; *it is no* ~ 1 het is geen aardigheid, het is ernst; 2 het is geen gekheid (kleinigheid); II *vt* voor de gek houden of plagen; III *vi* schertsen, gekheid maken; *joking apart* alle gekheid op een stokje.

joker ['dʒoukə] 1 grappenmaker; 2 ◊ joker.

jollification [dʒɔlifi'keiʃən] jool, pretje *o*.

jollify ['dʒɔlifai] *vi* pret maken; II *vt* opvrolijken.

jolliness ['dʒɔlinis], **jollity** ['dʒɔliti] jool, joligheid, vrolijkheid.

jolly ['dʒɔli] I *aj* vrolijk°, lustig, jolig, lollig; leuk; aardig (groot &); *he must be a* ~ *fool to...* hij zou wel gek zijn als...; II *ad* < aardig, drommels; heel.

jolly(-boat) ['dʒɔli(bout)] ⚓ jol.

jolt [dʒoult] I *vi* horten, stoten, schokken, schudden; II *vt* stoten, schokken, schudden; III *sb* hort, stoot, schok.

Jonah ['dʒounə] Jonas²; S onheilbrenger.

Jonathan ['dʒɔnəθən] Jonathan; (*Brother*) ~ de Amerikaanse natie.

jonquil ['dʒɔŋkwil] I *sb* ⚘ jonquille; jonquillekleur; II als *aj* lichtgeel.

Jordan ['dʒɔ:dn] Jordaan; Jordanië *o*.

Jordanian [dʒɔ:'deinjən] I *aj* Jordaans; II *sb* Jordaniër.

Joseph ['dʒouzif] Jozef². [Jordaniër.

joskin ['dʒɔskin] S boerenpummel.

joss [dʒɔs] Chinees afgodsbeeld *o*.

josser ['dʒɔsə] uilskuiken *o*; vent, kerel.

joss-house ['dʒɔshaus] Chinese tempel.

joss-stick ['dʒɔsstik] wierook-, offerstokje *o*.

jostle ['dʒɔsl] I *vt* [met de elleboog] stoten, duwen; verdringen (ook: ~ *away*); II *vi* dringen, hossen; II *sb* duw, stoot; gedrang *o*; botsing.

jot [dʒɔt] I *sb* jota; *not one* ~ *or tittle* geen tittel of jota; II *vt* opschrijven, aantekenen, noteren (ook: ~ *down*).

jotter ['dʒɔtə] 1 notitieboekje *o*; 2 bolpen.

jotting ['dʒɔtiŋ] notitie.

jotting-tablet ['dʒɔtiŋtæblit] blocnote.

journal ['dʒə:nəl] 1 dagboek *o*, journaal *o*; (dag)blad *o*, tijdschrift *o*; 2 ⚒ hals, tap.

journalese [dʒə:nə'li:z] > krantestijl.

journalism ['dʒə:nəlizm] journalistiek.

journalist ['dʒə:nəlist] journalist.

journalistic [dʒə:nə'listik] journalistiek.

journalize ['dʒə:nəlaiz] 1 in een dagboek optekenen; 2 journaliseren.

journey ['dʒə:ni] I *sb* reis; rit, tocht; *go on a* ~ op reis gaan; II *vi* reizen.

journeyman ['dʒə:nimən] I gezel, knecht; 2 huurling.

journey-work ['dʒə:niwə:k] I dagwerk *o*; 2 koeliewerk *o*.

joust [dʒaust] I *sb* steekspel *o*, to(e)rnooi² *o*; II *vi* een steekspel houden.

Jove [dʒouv] Jupiter; *by* ~ *!* F sakkerloot.

jovial ['dʒouvjəl] vrolijk, blijmoedig.

joviality [dʒouvi'æliti] vrolijkheid, blijmoedigheid.

jowl [dʒaul] wang, kaak; krop; kop [v. vis].

joy [dʒɔi] I *sb* vreugde, blijdschap, genot *o*; *give* (*wish*) *one* ~ iemand gelukwensen (met *of*); II *vi* ⊙ zich verheugen, blij zijn; III *vt* ⊙ verblijden.

joy-bells ['dʒɔibelz] vreugdeklokken.

joyful(ly) ['dʒɔiful(i)] vreugdevol; blijde; verblijdend.

joyless ['dʒɔilis] vreugdeloos.

joyous ['dʒɔiəs] vreugdevol; blijde, vrolijk.

joy-ride ['dʒɔiraid] I *sb* plezierrit, -tochtje *o* in (weggenomen) auto &; II *vi* (zulk) een pleziertochtje maken.

joy-stick ['dʒɔistik] ✈ knuppel, stuurstok.

J.P. = *Justice of the Peace.*

jubilant ['dʒu:bilənt] jubelend, juichend; opgetogen; *be* ~ *at* jubelen over.

jubilate ['dʒu:bileit] jubelen, juichen.

jubilation [dʒu:bi'leiʃən] gejubel *o*, gejuich *o*.

jubilee ['dʒu:bili:] I jubeljaar *o*, jubelfeest *o*; 2 jubileum *o*; 3 gejubel *o*, jubel.

Judah ['dʒu:də] Juda.

Judaic [dʒu'deiik] joods.

Judaism ['dʒu:deiizm] jodendom *o*, joodse leer.

Judas ['dʒu:dəs] Judas, *fig* judas, verrader.

Judea [dʒu'di:ə] Judea: het joodse land.

judge [dʒʌdʒ] I *sb* rechter, beoordelaar, kenner; [v. tentoonstelling &] jurylid *o*; *Judges* B (het boek) Richteren; II *vi* rechtspreken, oordelen (naar *by*, *from*), uitspraak doen (over *of*); II *vt* uitspraak doen over, oordelen (ook: achten), beoordelen (naar *by*); schatten [afstand].

judge advocate ['dʒʌdʒ'ædvəkit] ✕ auditeurmilitair.

judgeship ['dʒʌdʒʃip] rechtersambt *o*.

judg(e)ment ['dʒʌdʒmənt] oordeel *o*; vonnis *o*, godsgericht *o*; mening, (gezond) verstand *o*; *give* ~ uitspraak doen; *against one's better* ~ tegen beter weten in.

judgment-day ['dʒʌdʒməntdei] dag des (laatsten) oordeels.

judgment-seat ['dʒʌdʒməntsi:t] rechterstoel.

judicature ['dʒu:dikətʃə] rechtspleging, justitie; gerechtshof *o*; rechterschap *o*.

judicial [dʒu'diʃəl] rechterlijk, gerechtelijk, justitieel, rechters-; onpartijdig.

judiciary [dʒu'diʃiəri] I *aj* rechterlijk, gerechtelijk; II *sb* rechterlijke macht.

judicious(ly) [dʒu'diʃəs(li)] verstandig, oordeelkundig.

Judith ['dʒu:diθ] Judith.

judo ['dʒu:dou] *sp* judo *o*.

judoka ['dʒu:doukə] *sp* judoka.

Judy ['dʒu:di] Judith; de vrouw van „Punch" in het poppenspel, Katrijn [in Nederland].

1 jug [dʒʌg] *sb* I kruik; kan, kannetje *o*; 2 S pot, doos: gevangenis ‖ nachtegaalsslag.

2 jug [dʒʌg] I *vt* in de pot koken; S in de pot (doos) zetten; ~*ged hare* hazepeper; II *vi* slaan [v. nachtegaal].

Juggernaut ['dʒʌgənɔ:t] Jaggernaut [(wagen met) Krisjnabeeld, waardoor men zich liet verpletteren]; *fig* moloch.

juggins ['dʒʌginz] S sul, uilskuiken *o*, idioot.

juggle ['dʒʌgl] I *vi* goochelen, toveren; II *vt* in: ~ *away* weggoochelen; ~ *out of* aftroggelen; III *sb* goocheltoer; bedriegerij.

juggler ['dʒʌglə] goochelaar; bedrieger.

jugglery ['dʒʌgləri] goochelarij, gegoochel *o*.

§ jugular ['dʒʌgjulə] I *aj* hals-, keel-; II *sb* hals-, keelader.

juice [dʒu:s] I sap *o*; 2 S benzine; ⚡ stroom.

juicily ['dʒu:sili] *ad* zie *juicy.*

juiciness ['dʒu:sinis] saprijkheid, sappigheid².

juicy ['dʒu:si] *aj* saprijk, sappig².

jujube ['dʒu:dʒu:b] jujube.

juke box ['dʒu:kbɔks] jukebox [muziekautomaat].

julep ['dʒu:lep] koeldrank.

Julia ['dʒu:ljə] Julia.

Julian ['dʒu:ljən] I *sb* Juliaan; Julianus; II *aj* Juliaans; ~ *Alps* Julische Alpen.

Juliana [dʒu:li'ænə] Juliana.

Juliet ['dʒu:ljət] Julia.

Julius ['dʒu:ljəs] Julius.

July [dʒu'lai] juli.

jumble ['dʒʌmbl] I *vt* dooreengooien (ook: ~ *up*); ~ *together* ook: samenflansen; II *sb* I mengelmoes *o* & *v*, warboel, rommel; 2 schok [in rijtuig].

jumble-sale ['dʒʌmblseil] liefdadigheidsbazaar van goedkope artikelen.

jumble-shop ['dʒʌmblʃɔp] dubbeltjesbazaar.

jumbo ['dʒʌmbou] F olifant; reus; kanis.

jump [dʒʌmp] I *vi* springen, opspringen (ook van verbazing of schrik); plotseling omhooggaan [v. prijzen]; overeenstemmen (met *with*); ~ *about* rondspringen; *fig* van de hak op de tak springen; ~ *at an offer* (*a proposal*) met beide handen aangrijpen, gretig toehappen; ~ *down one's throat* F uitvaren tegen, aanvliegen; ~ (*up*)*on* te lijf gaan; F uitvaren tegen; ~ *to* (*at*) *a conclusion* een al te haastige gevolgtrekking maken; II *vt* laten of helpen springen, doen opspringen; springen over; vliegen uit [de rails]; overslaan; (voor de neus) wegkapen; ~ *the gun* I *sp* het startschot niet afwachten; 2 voorbarig zijn; ~ *the lights* door het stoplicht rijden; ~ *the queue* zijn beurt niet afwachten; ~ *a train* in of uit een trein *s*pringen; III *sb* sprong; opspringen *o* (van schrik); *sp* hindernis [rensport]; *get the* ~*s* F zenuwachtig worden.

jumper ['dʒʌmpə] 1 springer; mijt; F vlo; 2 ♣ soort boezeroen; werkkiel; 3 jumper; *Am* overgooier; 4 ⚔ boorijzer *o*.

jumpiness ['dʒʌmpinis] F zenuwachtigheid, schrikachtigheid.

jumping-sheet ['dʒʌmpiŋʃi:t] springzeil *o*.

jumpy ['dʒʌmpi] F zenuwachtig, schrikachtig.

junction ['dʒʌŋkʃən] vereniging, verbinding; verbindingspunt *o*, verenigingspunt *o*; knooppunt *o* [v. spoorwegen]; ~ *railway* verbindingsspoorweg.

juncture ['dʒʌŋktʃə] verbinding; verbindingspunt *o*; voeg, naad; (kritiek) ogenblik *o*; samenloop van omstandigheden; *at this* ~ op dit (kritieke) ogenblik.

June [dʒu:n] juni.

jungle ['dʒʌŋgl] tropische wildernis, rimboe.

jungly ['dʒʌŋgli] rimboeachtig.

junior ['dʒu:njə] I *aj* jonger, junior; jongst; lager; in of voor de lagere klassen; ~ *clerk* jongste bediende; ~ *school* lagere school [7-11 jaar in Eng.]; II *sb* jongere; *he is my* ~ 1 hij is jonger dan ik; 2 hij staat beneden mij in anciënniteit.

juniper ['dʒu:nipə] ♣ jeneverbes.

junk [dʒʌŋk] jonk ‖ homp ‖ oud kabel- en touwwerk *o*; (ouwe) rommel, oudroest *o*; ♣ gepekeld vlees *o* ‖ *Am* S narcoticum *o*, narcotica.

junket ['dʒʌŋkit] I *sb* 1 dikke zure melk; 2 fuif; smulpartij; uitstapje *o*; II *vi* fuiven; smullen; een uitstapje maken.

junkie, junky ['dʒʌŋki] *Am* S verslaafde aan verdovende middelen.

junk-shop ['dʒʌŋkʃɔp] uitdragerswinkel.

Juno ['dʒu:nou] Juno.

junta ['dʒʌntə] 1 junta [raad]; 2 zie *junto*.

junto ['dʒʌntou] partij, factie, kliek.

Jupiter ['dʒu:pitə] Jupiter.

juridical [dʒu'ridikl] gerechtelijk, juridisch.

jurisconsult ['dʒuəriskənsʌlt] rechtsgeleerde.

jurisdiction [dʒuəris'dikʃən] rechtsgebied *o*; rechtsbevoegdheid; rechtspraak.

jurisprudence [dʒuəris'pru:dəns] rechtsgeleerdheid.

jurist ['dʒuərist] jurist, rechtsgeleerde.

juror ['dʒuərə] 1 gezworene; 2 jurylid *o*.

jury ['dʒuəri] gezworenen, jury.

jury-box ['dʒuəribɔks] bank der gezworenen.

juryman ['dʒuərimən] gezworene.

jury-mast ['dʒuərima:st] ♣ noodmast.

jury-rigged ['dʒuəririgd] ♣ met noodtuig.

1 just [dʒʌst] *aj* rechtvaardig, gerecht; verdiend, billijk; juist.

2 just [dʒʌst] *ad* juist, éven; (daar)net; precies; eens (even); (alleen) maar; gewoon(weg); bepaald; ~ *fancy!* verbeeld je!; ~ *go and see* ga eens kijken; ~ *now* daarnet; op 't ogenblik; ~ *over £ 300* iets meer dan £ 300; ~ *so!* precies!; ~ *then* toen net; *not* ~ *yet* nu niet; vooreerst niet; *it's* ~ *possible* 't is niet onmogelijk.

justice ['dʒʌstis] gerechtigheid, rechtvaardigheid; recht *o* (en billijkheid); justitie; rechter [van het Hooggerechtshof]; ~ *of the peace* plaatselijke magistraat; *do* ~ *to* recht laten wedervaren; [een schotel] eer aandoen; *do oneself* ~ 't er met ere afbrengen; *in* ~ van rechtswege, rechtens, billijkerwijze, billijkheidshalve; *bring to* ~ de gerechte straf doen ondergaan.

justiceship ['dʒʌstisʃip] rechterschap *o*.

justifiable ['dʒʌstifaiəbl] te rechtvaardigen, verantwoord, verdedigbaar.

justification [dʒʌstifi'keiʃən] rechtvaardiging, verdediging, verantwoording, wettiging.

justificative ['dʒʌstifikeitiv] ~**tory** [-təri] rechtvaardigend; verdedigings-; bewijs-.

justifier ['dʒʌstifaiə] verdediger.

justify ['dʒʌstifai] rechtvaardigen, verdedigen, verantwoorden, wettigen.

Justinian [dʒʌs'tiniən] I *aj* Justiniaans; II *sb* Justinianus.

justly ['dʒʌstli] *ad* rechtvaardig, billijk; juist, terecht, met recht.

justness ['dʒʌstnis] 1 rechtvaardigheid, billijkheid; 2 juistheid.

jut [dʒʌt] I *sb* uitsteeksel *o*, uitstek *o*; II *vi* uitsteken, uitspringen (ook: ~ *out, forth*).

Jute [dʒu:t] Jut.

jute [dʒu:t] jute.

Jutland ['dʒʌtlənd] Jutland *o*.

juvenescence [dʒu:vi'nesəns] jeugd.

juvenescent [dʒu:vi'nesənt] verjongend.

juvenile ['dʒu:vinail] I *aj* jeugdig; jong; voor (van) de jeugd; kinder-; ~ *delinquency* jeugdcriminaliteit; II *sb* jeugdig persoon; jongeling; jeune premier.

juvenility [dʒu:vi'niliti] jeugdigheid.

juxtapose ['dʒʌkstəpouz] naast elkaar plaatsen.

juxtaposition [dʒʌkstəpə'ziʃən] plaatsing naast elkaar.

K

k [kei] (de letter) k.

Kaffir ['kæfə] Kaffer; ~**s** ook: Zuidafrikaanse mijnbouwaandelen.

kail, kale [keil] 1 (boeren)kool; 2 koolsoep.

kaleidoscope [kə'laidəskoup] caleidoscoop.

kaleidoscopic [kəlaidə'skɔpik] caleidoscopisch.

kangaroo [kæŋgə'ru:] ⁂ kangoeroe.

kaolin ['keiəlin] porseleinaarde.

kapok ['ka:pɔk] kapok.

Kate [keit] Katrien, Kaatje *o*.

Kathleen ['kæθli:n] *Ir* Katrien.

kayak ['kaiæk] kajak.

K. B. = 1 *Knight of the Bath*; 2 *King's Bench*.

keck [kek] kokhalzen (tegen *at*).

keel [ki:l] I *sb* 1 ♣ kiel; 2 (kolen)schuit; *on an*

even (*level*) ~ in evenwicht²; **II** *vi* & *vt* (doen) kantelen (ook: ~ *over*).

keelhaul ['ki:lhɔ:l] ⚓ kielhalen.

keen [ki:n] *aj* scherp², vlijmend, hevig, intens, levendig, vurig, ijverig, hartstochtelijk, verwoed, vinnig, bits; dol, fel, happig, gebrand (op *on*); (*as*) ~ *as mustard* vol vuur.

keenly ['ki:nli] *ad* scherp &; ~ *alive to* ook: zeer gevoelig voor.

keenness ['ki:nnis] scherpheid, hevigheid, bitsheid; F happigheid, animo.

keen-set ['ki:n'set] zie *sharp-set*.

keen-sighted ['ki:n'saitid] scherp van gezicht.

keen-witted ['ki:n'witid] scherp(zinnig).

keep [ki:p] **I** *vt* houden, hoeden; behouden, tegen-, terug-, ophouden; behoeden, bewaren, bewaken, beschutten, verdedigen; er op nahouden, hebben (te koop); onderhouden; vieren; bijhouden [boeken]; zich houden aan; ~ *one's feet* op de been blijven; ~ *one waiting* laten wachten; **II** *vi* zich (goed) houden, goed blijven [v. vruchten]; *it will* ~ ook: 't kan wachten, er is geen haast bij; ~ *looking running* &) blijven kijken (lopen &); ~ *in good health* gezond blijven; ∞ ~ *at it* ermee doorgaan; ermee bezighouden; ~ *away* afhouden; wegblijven; ~ *back* terughouden; achterhouden; zich op een afstand houden; ~ *down* bedwingen, in bedwang houden, niet laten opkomen; laag houden [prijzen]; ~ *from* afhouden van; zich onthouden van; onthouden; verborgen houden voor; behoeden (bewaren) voor; ~ *in* inhouden, in toom houden, binnenhouden, ☞ schoolhouden; aanhouden ['t vuur]; ~ *in with* op goede voet blijven met; ~ *off* afweren; (zich) op een afstand van 't lijf houden, afblijven van; weg-, uitblijven; ~ *on* aan-, ophouden; ~ *on ...ing* doorgaan met, blijven...; ~ *out* (er) buiten houden; (er) buiten blijven; ~ *out of the way* uit de weg blijven, zich op een afstand houden; ~ *to* (zich) houden aan; blijven bij; houden voor [zich(zelf)]; houden [rechts, links, de kamer &]; ~ (*oneself*) *to oneself* zich niet met anderen bemoeien; ~ *together* bijeenhouden of -blijven; ~ *under* niet laten opkomen; klein houden; onderdrukken, bedwingen; ~ *up* opblijven; ophouden, aan-, onderhouden [vriendschap, kennis], volhouden; levendig houden; handhaven; ~ *up appearances* de schijn bewaren; ~ *up one's courage* moed houden; ~ *it up* (de strijd) volhouden, het niet opgeven; ~ *up with* bijhouden, gelijke tred houden met, niet achterblijven bij, niet onderdoen voor; **III** *sb* bewaring, hoede; onderhoud *o*, kost; slottoren [als gevangen's]; *for* ~*s* F om te houden; voorgoed.

keeper ['ki:pə] houder, bewaarder, conservator; bewaker, oppasser, opz'chter; cipier; B hoeder; veiligheidsring; anker *o* [v. magneet]; ~ *of the records* archivaris.

keeping ['ki:piŋ] bewaring, hoede; onderhoud *o*; overeenstemming; *in* (*out of*) ~ *with* (niet) strokend met.

keepsake ['ki:pseik] herinnering, souvenir *o*.

keg [keg] vaatje *o*.

kelp [kelp] I kelp; 2 ♣ zeewier *o*.

kelpie, kelpy ['kelpi] Sc watergeest.

ken [ken] **I** *sb* gezichtskring, (geestelijke) horizon; (ge)zicht *o*; **II** *vt* Sc kennen, weten; ↖ kunnen zien.

kennel ['kenl] **I** *sb* (honde)hok *o*; kennel; troep [jachthonden]; hol *o*; krot *o* ‖ goot; **II** *vi* in een hok (hol) liggen of wonen; **III** *vt* in een hok opsluiten of houden.

Kentish ['kentiʃ] van Kent.

kept [kept] V.T. & V.D. van *keep*; *a* ~ *press* een veile (verkochte) pers.

kerb [kə:b] zie *curb* I 2.

kerbstone ['kə:bstoun] zie *curbstone*.

kerchief ['kə:tʃif] I hoofddoek, halsdoek; 2 ⊙ zakdoek.

kermes ['kə:miz] kermes.

kernel ['kə:nəl] korrel; pit², kern².

kerosene ['kerəsi:n] gezuiverde petroleum.

kestrel ['kestrəl] ♣ torenvalk.

ketch [ketʃ] ⚓ kits [zeiljacht].

ketchup ['ketʃəp] ketchup: pikante saus van champignons &.

kettle ['ketl] ketel; *a pretty* ~ *of fish* F een mooie boel.

kettledrum ['ketldrʌm] ♪ keteltrom, pauk.

kettledrummer ['ketldrʌmə] ♪ paukenist.

key [ki:] **I** *sb* sleutel²; ♪ toon(aard)²; toets, klep; ✗ wig, spie ‖ rif *o*; *be out of* ~ *with* niet harmoniëren met, niet passen bij; **II** als *aj* [v. industrie, positie &] sleutel-, voornaamste, hoofd-, essentieel, vitaal, onmisbaar; **III** *vt* spannen; ♪ stemmen; ✗ vastzetten; ~ *up* opschroeven², opdraaien², spannen².

keyboard ['ki:bɔ:d] klavier *o*, toetsenbord *o*.

keyhole ['ki:houl] sleutelgat *o*.

keyless ['ki:lis] zonder sleutel; ~ *watch* remontoir *o*.

keynote ['ki:nout] ♪ grondtoon²; *the* ~ *of the organization is peace* de organisatie staat in het teken van de vrede.

key-ring ['ki:riŋ] sleutelring.

keystone ['ki:stoun] sluitsteen², *fig* hoeksteen.

khaki ['ka:ki] kaki *o*.

khan [ka:n] kan: gouverneur; vorst.

Khedive [ki'di:v] kedive.

kibbutz [ki'buts, *mv* **kibbutzim** kibut'sim] kibboets.

kibe [kaib] winterhiel.

kibosh ['kaibɔʃ] S verlakkerij; *put the* ~ *on him* hem zijn vet, de nekslag geven.

kick [kik] **I** *sb* schop, trap; ✗ (terug)stoot; *fig* fut; ziel [v. fles]; *more* ~*s than halfpence* meer slaag dan eten; *get a* ~ *out of* iets opwindends (verrukkelijks) vinden in; *get the* ~ F z'n congé krijgen; **II** *vi* schoppen, trappen (naar *at*); ✗ stoten; *fig* zich verzetten (tegen *at, against*); klagen; ~ *against the pricks* B de verzenen tegen de prikkels slaan; ~ *over the traces* uit de band springen; III *vt* (voort)-schoppen, (weg)trappen; ~ *the beam* omhooggaan [juk v. balans]; *fig* het afleggen; ~ *one's heels* zie *cool* III; ~ *one downstairs* de trap af of eruit gooien; ~ *off* uit-, wegschoppen; *sp* de aftrap doen; ~ *out* (er)uit trappen; ~ *one upstairs* iemand wegwerken door promotie of verheffing in de adelstand.

kicker ['kikə] die schopt, trapper; slaand paard *o*.

kick-off ['kik'ɔ:f] *sp* aftrap.

kickshaw ['kikʃɔ:] beuzelarij, wissewasje *o*; liflafje *o*.

kick-starter ['kikstɑ:tə] ✗ trapstarter.

kid [kid] I *sb* 1 ♨ jonge geit, geitje *o*; 2 geitele(d)er *o*, glacé *o* [leer], glacé *m* [handschoen]; 3 S kind *o*, peuter, joch(ie) *o*, jongen, meisje *o* || vaatje *o*; ⚓ etensbak || S verlakkerij; II *vi* (geiten) werpen; III *vt* S 1 voor 't lapje houden; 2 wat wijsmaken.

kiddy ['kidi] S peuter, kleine; joch(ie) *o*.

kid-glove ['kid'glʌv] I *sb* glacéhandschoen; II als *aj* (half)zacht, verwekelijkt.

kidnap ['kidnæp] stelen [kind]; ontvoeren.

kidnapper ['kidnæpə] kinderdief; ontvoerder.

kidney ['kidni] nier; *of that* ~ van dat slag (soort); *of the right* ~ van de goede soort.

kidney-bean ['kidni'bi:n] ✿ 1 bruine boon; 2 slaboon; 3 pronkboon.

kill [kil] I *vt* doden[2]; slachten; *fig* te niet doen, onmogelijk maken, afmaken [een wet]; overstelpen [met vriendelijkheid &]; afzetten [motor]; *be* ~*ed* ook: sneuvelen; ~ *off* afmaken, uitroeien; II *vi* & *va* (zich laten) slachten; doodslaan, doden; dodelijk zijn; *dance* (*dress*) *to* ~ verrukkelijk, vreselijk chic; *a case of* ~ *or cure* erop of eronder; III *sb* 1 doden *o* of afmaken *o*; 2 gedood dier *o*, gedode dieren; 3 dode prooi; zie ook: *killing*.

killer ['kilə] doder; moordenaar.

killing ['kiliŋ] I *aj* dodelijk, moorddadig; F onweerstaanbaar; *be* ~ onweerstaanbaar aardig, leuk & zijn; II *sb* doden *o*; slachting, doodslag, moord.

kill-joy ['kildʒɔi] spelbederver.

kiln [kil(n)] I *sb* (droog)oven; eest; II *vt* eesten, in een oven drogen.

kiln-dry ['kil(n)drai] eesten, in een oven drogen.

kilo ['kilou] kilo(gram) *o*. [gen.

kilogram(me) ['kiləgræm] kilogram *o*.

kilolitre ['kilɑli:tə] kiloliter.

kilometre, ~meter ['kiləmi:tə] kilometer.

kilowatt ['kiləwɔt] kilowatt.

kilt [kilt] I *vt* 1 opnemen [v. kleren]; 2 plisseren; ~*ed* ook: het rokje der Bergschotten dragend; II *sb* rokje *o* der Bergschotten.

kimono [ki'mounou] kimono.

kin [kin] I *sb* maagschap, verwantschap, geslacht *o*, familie; *of* ~ verwant; II *aj* verwant (aan *to*).

1 **kind** [kaind] *sb* soort, slag *o*, aard; geslacht *o*; *I* ~ *of thought so* F dat dacht ik wel half en half; ~ *of stunned* F als 't ware, ietwat, zo'n beetje versuft; *receive in* ~ in natura ontvangen; *repay in* ~ met gelijke munt betalen; *...of a* ~ zo'n soort...; *excellent of its* ~ in zijn soort; *nothing of the* ~! 1 niets van dien aard; 2 niets daarvan!; *something of the* ~ iets dergelijks.

2 **kind** [kaind] *aj* vriendelijk, goed (voor *to*).

kinder ['kaində] P zie *kind of*.

kindergarten ['kindəgɑ:tn] fröbelschool.

kind-hearted ['kaind'hɑ:tid, + 'kaindhɑ:tid] goed(hartig).

kindle ['kindl] I *vt* ontsteken; aansteken, doen ontvlammen of ontbranden[2]; II *vi* vuur vatten, beginnen te gloeien (van *with*); ~ *up* opvlammen.

kindliness ['kaindlinis] goedheid, vriendelijkheid, welwillendheid.

kindling (**wood**) ['kindliŋ(wud)] aanmaakhout *o*.

kindly ['kaindli] I *aj* vriendelijk, goed(aardig), welwillend; II *ad* zie 2 *kind*; ~ *tell me...* wees zo goed mij te zeggen.

kindness ['kaindnis] vriendelijkheid, goedheid, (vrienden)dienst, vriendschap; *have the* ~ *to...* ook: wees zo goed.

kindred ['kindrid] I *sb* (bloed)verwantschap, familie; II *aj* (aan)verwant.

⚓ **kine** [kain] koeien.

kinema ['kainimə, 'kinimə] zie *cinema*.

kinetic [kai'netik] I *aj* kinetisch, bewegings-; II *sb* in: ~*s* bewegingsleer.

king [kiŋ] 1 koning, vorst, heer; 2 *sp* dam; ~(-)*of*(-)*arms* ⌧ wapenkoning; *go to* ~ *sp* dam halen.

King Charles [kiŋ'tʃɑ:lz] King Charles(hond).

kingcup ['kiŋkʌp] ✿ 1 boterbloem; 2 dotterbloem.

kingdom ['kiŋdəm] koninkrijk *o*; rijk *o*; *go to* ~ *come* S de eeuwigheid ingaan.

kingfisher ['kiŋfiʃə] ⚳ ijsvogel.

kinglet ['kiŋlit] koninkje *o*.

kinglike ['kiŋlaik] koninklijk.

kingling ['kiŋliŋ] koninkje *o*.

kingly ['kiŋli] koninklijk.

kingship ['kiŋʃip] koningschap *o*.

king-size(d) ['kiŋsaiz(d)] extra groot.

kink [kiŋk] I *sb* slag [in een touw], kink; kronkel (in de hersens); gril; II *vi* kinken.

kinky ['kiŋki] 1 kronkelig; kroes; 2 grillig.

kinless ['kinlis] zonder familie of verwanten.

kinsfolk ['kinzfouk] familie(leden).

kinship ['kinʃip] (bloed)verwantschap.

kinsman ['kinzmən] bloedverwant.

kinswoman ['kinzwumən] bloedverwante.

kiosk [ki'ɔsk] kiosk.

kipper ['kipə] I *sb* 1 mannetjeszalm in of na de paaitijd; 2 gezouten en gerookte haring of vis; II *vt* zouten en roken.

kirk [kə:k] *Sc* kerk.

kirsch [kiəʃ] kirsch.
† **kirtle** ['kə:tl] 1 rok; japon; 2 buis *o*.
kismet ['kismet] noodlot *o*.
kiss [kis] I *sb* 1 kus, zoen; 2 ⁂ klots; 3 suikerboon; II *vt* kussen, zoenen; ⁂ klotsen tegen; ~ *the book* de bijbel kussen [bij eed]; ~ *the dust* in het stof bijten; zich in het stof vernederen; ~ *the ground* zich voor iemand vernederen; ~ *hands* met een handkus zijn ambt aanvaarden; ~ *one's hand to* een kushand toewerpen; ~ *away* afzoenen, wegkussen; III *vi* (elkaar) kussen, zich verzoenen (~ *and be friends*); ⁂ klotsen.
kiss-in-the-ring ['kisinðə'riŋ] soort van patertje-langs-de-kant *o*.
Kit [kit] 1 Kaatje *o*; 2 Kris.
kit [kit] vaatje *o*; uitrusting; bagage; gereedschap *o*, spullen; plunjezak ‖ katje *o*.
kit-bag ['kitbæg] 1 ⚔ spekzak; 2 valies *o*.
kitchen ['kitʃin] keuken.
kitchener ['kitʃinə] 1 keukenfornuis *o*; 2 keukenmeester.
kitchen garden ['kitʃin'ga:dn] moestuin.
kitchen-maid ['kitʃinmeid] tweede keukenmeid.
kitchen-range ['kitʃinrein(d)ʒ] keukenfornuis *o*.
kitchen-utensils ['kitʃinju:'tens(i)lz] keukengerei *o*.
kitchen-ware ['kitʃinwɛə] keukengerei *o*.
kite [kait] 1 🐦 wouw; kiekendief; 2 vlieger; 3 „haai", schraper; 4 $ schoorsteenwissel; 5 ✈ S kist; zie ook: 2 *fly* II.
kite-balloon ['kaitbəlu:n] kabelballon.
kite-flying ['kaitflaiiŋ] 1 vliegeren *o*; 2 $ wisselruiterij.
kith [kiθ] in: ~ *and kin* kennissen en verwanten.
kitten ['kitn] I *sb* 🐾 katje² *o*; II *vi* jongen.
kittenish ['kitniʃ] kat(ach)tig (speels).
kittiwake ['kitiweik] 🐦 drietenige zeemeeuw.
kittle ['kitl] lastig, moeilijk.
kitty ['kiti] 1 poesje *o*; 2 zie *kittiwake*; 3 *sp* pot.
kiwi ['ki:wi] 🐦 kiwi.
Ⓜ **klaxon** ['klæksn] claxon.
kleptomania [kleptou'meiniə] kleptomanie.
kleptomaniac [kleptou'meiniæk] kleptomaan.
knack [næk] slag, handigheid; gewoonte, aanwensel *o*, hebbelijkheid.
knacker ['nækə] 1 vilder; 2 sloper.
knag [næg] kwast, knoest.
knaggy ['nægi] kwastig, knoestig.
knap [næp] (*vt* &) *vi* (doen) knappen, breken, slaan; [stenen] kloppen.
knapsack ['næpsæk] ransel, knapzak, rugzak.
knar [na:] knoest, kwast.
knave [neiv] 1 schurk, schelm; 2 ◇ boer; 3 † jongen, knecht.
knavery ['neivəri] schurkerij; schelmenstreken; *a piece of* ~ een schurkenstreek.
knavish ['neiviʃ] schurkachtig, schelmachtig; ~ *trick* schurkenstreek.
knead [ni:d] kneden.
kneading-trough ['ni:diŋtrɔ:f] bakkerstrog.
knee [ni:] I *sb* 1 knie; 2 ⚒ kniestuk *o*; 3 ⚓ kromhout *o*; *on the* ~*s of the gods* nog onzeker; *go down on one's* ~*s* op de knieën vallen²; *beat* (*bring*) *them to their* ~*s* er onder krijgen; II *vt* 1 met de knie aanraken; 2 ⚒ met een kniestuk bevestigen.
knee-breeches ['ni:britʃiz] kuit-, kniebroek.
knee-cap ['ni:kæp] 1 kniebeschermer; 2 knieschijf.
kneed [ni:d] met knieën.
knee-deep ['ni:di:p] tot aan de knieën.
knee-joint ['ni:dʒɔint] kniegewricht *o*.
kneel [ni:l] knielen (voor *to*).
knee-pan ['ni:pæn] knieschijf.
knell [nel] I *sb* doodsklok²; II *vi* † de doodsklok luiden.
knelt [nelt] V.T. & V.D. van *kneel*.
knew [nju:] V.T. van *know*.
Knickerbocker ['nikəbɔkə] New Yorker (afstammeling van de Holl. kolonisten); *k*~*s* wijde kniebroek.
knickers ['nikəz] 1 F zie *knickerbockers*; 2 directoire.
knick-knack ['niknæk] snuisterij.
knife [naif] I *sb* mes *o*; *have one's* ~ *into one* op iemand zitten te hakken, hem (ongenadig) te pakken hebben; II *vt* (door)steken.
knife-board ['naifbɔ:d] slijpplank.
knife-grinder ['naifgraində] scharenslijper.
knife-rest ['naifrest] messelegger.
knife-sharpener ['naifʃa:pnə] messeaanzetter.
knight [nait] I *sb* 1 ridder²; 2 *sp* paard *o* [v. schaakspel]; ~ *of Malta* Maltezer ridder; ~ *of the road* 1 struikrover; 2 landloper; 3 handelsreiziger; ~ *of the rueful countenance* ridder van de droevige figuur; II *vt* tot ridder slaan; in de adelstand verheffen, *knight* maken.
knightage ['naitidʒ] 1 ridderschap; 2 adelboek *o* (van de *knights*).
knight-errant ['nait'erənt] dolende ridder.
knighthood ['naithud] ridderschap *o* [waardigheid], ridderschap *v* [verzamelnaam].
knightly ['naitli] ridderlijk, ridder-.
knit [nit] *vt* breien, knopen (ver)binden, samenvlechten, verenigen: *he* ~ *his brows* hij fronste de wenkbrauwen; ~ *up* samenknopen; verbinden; II *vi* 1 breien; 2 zich verenigen; zich samentrekken [v. wenkbrauwen]; zich zetten [v. vrucht]; III V.T. & V.D. van ~; *closely* ~ hecht [v. organisatie &].
knitter ['nitə] 1 brei(st)er; 2 breimachine.
knitting ['nitiŋ] breien *o*, breiwerk *o*.
knitting-needle ['nitiŋni:dl] breinaald.
knitwear ['nitwɛə] gebreide goederen.
knob [nɔb] knobbel, knop [v. deur of stok], knoest; klont, klontje *o*, brok *m* & *v* of *o*. brokje *o*; P kop.
knobbed [nɔbd] knobbelig; met een knop.
knobbiness 'nɔbinis] knobbeligheid.

knobb(l)y ['nɔb(l)i] knobbelig.
knobkerrie ['nɔbkeri] ZA knuppel, knots.
knobstick ['nɔbstik] (knoestige) knuppel.
knock [nɔk] I *vi* slaan, (aan)kloppen, stoten, botsen; II *vt* slaan, kloppen, stoten; ∞ ~ *about* rondslenteren, rondslingeren; rondscharrelen; ~ *one about* heen en weer gooien; door elkaar rammelen, toetakelen; ~ *one's head against* het hoofd stoten tegen² (voor²); ~ *at* kloppen op; ~ *down* neerslaan, -vellen, tegen de grond gooien; aanrijden; verslaan; toewijzen [op veiling]; afslaan; verlagen [prijs]; uit elkaar nemen; doen omvallen (van verbazing &); *you could have* ~*ed me down with a feather* S ik stond er paf van; ~ *off* afslaan; er af doen [v. d. prijs]; klaarspelen, afdoen; F afnokken: ophouden of uitscheiden met werken (ook: ~ *off work*); ~ *off Latin verses* uit zijn mouw schudden; ~ *one off his perch* van zijn stuk brengen, paf doen staan; van de sokken slaan; ~ *on the head* ook: *fig* de nekslag geven; de kop indrukken, nekken, in duigen doen vallen; ~ *out* (er) uitslaan, uitkloppen; „knock-out" slaan [bij boksen]; verslaan, het winnen van, buiten gevecht stellen; ~ *the bottom out of* krachteloos maken, te niet doen; onthullen [geheim]; $ de klad brengen in; ~ *over* omverslaan, omgooien; *be* ~*ed over* overreden worden; *fig* „kapot" van iets zijn; ~ *together* in elkaar of samenflansen; ~ *under* zich gewonnen geven; ~ *up* in de hoogte slaan; opkloppen, wekken; (inderhaast) arrangeren of improviseren; uitputten; ~*ed up* (dood)op; ~ *up against one* iemand tegen het lijf lopen; III *sb* slag, klap, klop, geklop *o*; *there is a* ~ (*at the door*) er wordt geklopt.
knock-about ['nɔkəbaut] I *sb* lawaaiscène of -acteur; II *aj* daags [v. kleren]; lawaaierig; wild [spel]; zwervend, ongeregeld [leven].
knock-down ['nɔkdaun] I *aj* in: ~ *argument* dooddoener; ~ *price* minimumprijs; II *sb* neervellende slag² of tijding, verrassing waar men paf van staat.
knocker ['nɔkə] klopper²; *dressed up to the* ~ F piekfijn uitgedost.
knock-knees ['nɔkni:z] x-benen.
knock-out ['nɔkaut] *sp* bewusteloos slaan *o* [bij boksen]; genadeslag; iets of iemand waar je paf van staat.
knoll [noul] heuveltje *o*.
knot [nɔt] I *sb* 1 knoop°; strik, strikje *o*; band; 2 knobbel; knoest; knot, knoedel, dot; klompje *o* (mensen), groep, groepje *o*; *cut the* ~ de knoop doorhakken; II *vt* knopen; verbinden; verwikkelen; III *vi* knopen vormen; in de knoop raken.
knot-grass ['nɔtgra:s] ♣ duizendknoop.
knotted ['nɔtid] knoestig, kwastig; knobbelig; met knopen.
knottiness ['nɔtinis] kwastigheid &, zie *knotty*.
knotty ['nɔti] 1 zie *knotted*; 2 netelig, lastig, ingewikkeld.

knout [naut] I *sb* knoet; II *vt* (met) de knoet geven.
know [nou] I *vt* 1 kennen, (soms: kunnen); 2 herkennen; 3 weten, verstaan; 4 (kunnen) onderscheiden; 5 leren kennen; 6 ervaren, ondervinden, merken, zien; *not if I* ~ *it!* ik ben er ook nog!, daar komt niets van in!; *he* ~*s it backwards* hij kan het van achter naar voren opzeggen, hij kent het van buiten; ~ *a hawk from a handsaw* zijn weetje weten; *I do not* ~ *him from Adam* ik ken hem helemaal niet; ~ *what's what* zijn weetje weten; *before you* ~ *where you are* voor men er om denkt; ~ *which is which* ze uit elkaar kennen; II *vi* & *va* weten; *it's grand, you* ~ weet je; *do you* ~? weet jij het?; *I* ~ *better (than that)* dat zul je mij niet wijsmaken; ik kijk wel uit!; *they* ~ *better than...* zij zullen zich wel wachten om; *there is no* ~*ing...* men kan niet weten; ~ *about the matter* van de zaak af weten; ~ *about pictures* verstand hebben van schilderijen; ~ *of* (af)weten van; *not that I* ~ *of* niet dat ik weet; III *sb* in: *be in the* ~ er alles van weten, op de hoogte zijn.
knowable ['nouəbl] te weten, te kennen, (her)-kenbaar.
know-how ['nouhau] *Am* praktische kennis, „slag".
knowing ['nouiŋ] *aj* schrander; geslepen, slim, glad; chic.
knowingly ['nouiŋli] *ad* zie *knowing*; ook: bewust, willens en wetens, met opzet.
knowledge ['nɔlidʒ] 1 kennis, kunde, geleerdheid; 2 (mede)weten *o*, wetenschap (van iets), voorkennis; *it is common* ~ algemeen bekend; *to (the best of) my* ~ voor zover ik weet; voor zover mij bekend.
knowledgeable ['nɔlidʒəbl] 1 kundig, knap; 2 goed ingelicht of op de hoogte.
known [noun] V.D. van *know*; (wel)bekend.
knuckle ['nʌkl] I *sb* knokkel; schenkel; [varkens] kluif; boksbeugel; II *vi* in: ~ (*down, under*) zich gewonnen geven, toegeven, door de knieën gaan (voor *to*).
knucklebone ['nʌklboun] knokkel; bikkel.
knuckle-duster ['nʌkldʌstə] boksbeugel.
knur, knurl [nə:, nə:l] knoest, knobbel, knop.
knut [kə'nʌt] S dandy, fatje *o*.
k.o. = *knock*(*ed*) *out*.
Ⓡ **kodak** ['koudæk] kodak [F kiektoestel].
kohlrabi ['koul'ra:bi] ♣ koolrabi, raapkool.
kopeck ['koupek] kopeke.
Koran [kə'ra:n] koran.
Korea [kə'riə] Korea *o*.
Korean [kə'riən] Koreaan(s).
kosher ['kouʃə] kousjer, (ritueel) zuiver².
ko(w)tow [kou'tau] I *sb* buiging tot op de grond; *fig* flikflooierij; II *vi* tot op de grond buigen (voor *to*); ~ *to* ook: flikflooien.
kraal [kra:l] ZA kraal.
kudos ['kju:dɔs] S roem, eer.

Ku-Klux-Klan ['kju:klʌks'klæn] *Am* een geheim verbond dat de oppermacht van het blanke ras voorstaat.

Kurdistan [kə:dis'ta:n] Koerdistan *o.*

kyrie ['kirii] *RK* kyrie.

L

l [el] (de letter) l; **L** = 50 [als Romeins cijfer].

la [la:] ♪ la.

label ['leibl] **I** *sb* etiket[2] *o*, label, strook; F benaming; **II** *vt* etiketteren, de label(s) hechten aan; F noemen (ook: ~ *as*).

labial ['leibiəl] **I** *aj* lip-, labiaal; **II** *sb* labiaal: lipklank.

labiate ['leibiit] ❦ lipbloemig(e plant).

labiodental ['leibiou'dentl] labiodentaal.

laboratory ['læbərətəri] laboratorium *o*; ~ *animal* proefdier *o*; ~ *worker* laborant.

laborious(ly) [lə'bɔ:riəs(li)] werkzaam, arbeidzaam; moeizaam, zwaar, moeilijk.

labour ['leibə] **I** *sb* arbeid, werk *o*; moeite; de werkkrachten of arbeiders; *Labour* de (Engelse) arbeiderspartij; *a* ~ *of love* een con amore gedaan (geschreven) werk *o*; *hard* ~ zie *hard*; *lost* ~ vergeefse moeite; **II** *vi* arbeiden, werken [ook: v. schip], zich moeite geven; ~ *under* laboreren aan; ~ *under a mistake* in dwaling verkeren; **III** *vt* bewerken; (nader) uitwerken.

laboured ['leibəd] bewerkt; moeilijk [v. ademhaling]; gekunsteld, niet spontaan.

labourer ['leibərə] arbeider, werkman.

Labourite ['leibərait] lid *o* van de Arbeiderspartij.

Labour party ['leibəpa:ti] Arbeiderspartij.

labour-saving ['leibəseiviŋ] arbeidbesparend.

Labrador ['læbrədɔ:] Labrador *o.*

laburnum [lə'bə:nəm] ❦ goudenregen.

labyrinth ['læbirinθ] labyrint *o*, doolhof°.

labyrinthian [læbi'rinθiən], **labyrinthine** [læbi'rinθain] verward, ingewikkeld (als een doolhof).

lac [læk] lak *o & m*; zie ook: *lakh.*

lace [leis] **I** *sb* 1 veter; 2 galon *o & m*, passement *o*; 3 kant; 4 vitrage; **II** *vt* (vast)rijgen, snoeren; galonneren; versieren [met kant]; *coffee* ~*d with* cognac met een scheutje cognac; ~ *up* vastrijgen; **III** *vi* zich laten rijgen; zich inrijgen (ook: ~ *in*); ~ *into him* hem afrosse ɪ; **IV** *aj* kanten.

¹ace-boot ['leisbu:t] rijglaars.

lacerate ['læsəreit] scheuren, verscheuren[2].

laceration [læsə'reiʃən] (ver)scheuring.

lace-up ['leis'ʌp] **I** *aj* rijg-; **II** *sb* ~*s* F rijglaarzen.

lachrymal ['lækriməl] traan-.

lachrymatory ['lækrimətəri] **I** *aj* tranenverwekkend; **II** *sb* ⅏ tranenkruikje *o.*

lachrymose ['lækrimous] tranen stortend; huilerig, larmoyant.

lacing ['leisiŋ] veter, boordsel *o*; scheutje *o* sterke drank (in koffie &); afrossing.

lack [læk] **I** *sb* gebrek *o*, gemis *o*, behoefte, tekort *o* (aan *of*); **II** *vt* gebrek of een tekort hebben aan; *he* ~*s courage* het ontbreekt hem aan moed; **III** *vi* in: *be* ~*ing* ontbreken; *he is* (*not*) ~*ing in...* het ontbreekt hem (niet) aan...

lackadaisical [lækə'deizikl] gemaakt treurig, sentimenteel doend, lusteloos.

lacker ['lækə] zie *lacquer.*

lackey ['læki] **I** *sb* lakei; **II** *vi* als lakei dienen, de lakei spelen (voor *to*).

lackland ['læklænd] (iemand) zonder land.

lacklustre ['læklʌstə] glansloos, dof.

laconic(ally) [lə'kɔnik(əli)] laconiek, kort en bondig.

laconism ['lækənizm] laconisme *o*, bondigheid; kort en bondig gezegde *o.*

lacquer ['lækə] **I** *sb* lak *o & m*, lakwerk *o*, vernis *o & m*; **II** *vt* (ver)lakken, vernissen.

lacquey ['læki] zie *lackey.*

lacrosse [lə'krɔs] een Canadees balspel.

lactation [læk'teiʃən] melkafscheiding.

lacteal ['læktiəl] melk-.

lacteous ['læktiəs] melkachtig, melk-.

lactescent [læk'tesənt] melkachtig; melkhoudend, melk afscheidend, melk-.

lactic ['læktik], **lactiferous** [læk'tifərəs] melk-.

lacuna [lə'kju:nə, *mv* **lacunae** lə'kju:ni:] leemte, gaping, hiaat, lacune.

lacustrine [lə'kʌstrin] meer-; ~ *habitations* paalwoningen.

lacy ['leisi] als (van) kant; kanten.

lad [læd] knaap; jongen° (ook: soldaat).

ladder ['lædə] **I** *sb* ladder[2]; **II** *vi* ladderen [v. kous].

laddie ['lædi] knaap, ventje *o*, jongen.

lade [leid] laden, beladen[2].

laden [leidn] V.D. van *lade.*

la-di-da [la:di'da:] **S I** *aj* aanstellerig, geblaseerd doend; **II** *sb* 1 geurmaker; 2 drukte, opschepperij.

ladified zie *ladyfied.*

lading ['leidiŋ] lading.

ladle ['leidl] **I** *sb* pollepel, soeplepel, scheplepel; schoep [v. molenrad]; **II** *vt* opscheppen; ~ *out* uitscheppen, oplepelen[2].

ladleful ['leidlful] lepel(vol).

lady ['leidi] dame°, vrouw (des huizes), „mevrouw" [v. de meid]; lady; echte dame & titel van de vrouw van een *knight* of *baronet*, of de dochter van een graaf, markies of hertog; ♠ merrie; wijfje *o*; teef; in samenst. = -ster, -es; ~ *of the bedchamber*, ~ *in waiting* hofdame; *the* (*my*) *old* ~ moeder de vrouw; *your* (*good*) ~ mevrouw [uw vrouw]; *Lady Bountiful* weldoenster; *Our Lady* Onze-Lieve-Vrouw; *Our Sovereign Lady* onze landsvrouwe.

Lady-altar ['leidiɔ:ltɔ] *RK* Maria-altaar *o & m.*
ladybird ['leidibɔ:d], ∼bug [-bʌg] lieveheersbeestje *o.*
Lady Day ['leididei] Maria-Boodschap.
lady-dog ['leidi'dɔg] teef.
lady friend ['leidi'frend] vriendin.
ladyfied ['leidifaid] als (van) een dame.
lady help ['leidi'help] hulp in de huishouding.
lady-killer ['leidikilɔ] adonis, Don Juan.
ladylike ['leidilaik] vrouwelijk, als een dame.
lady-love ['leidilʌv] liefste, geliefde.
lady principal ['leidi'prinsipɔl] directrice.
lady's companion ['leidizkɔm'pænjɔn] naai-
necessaire.
ladyship ['leidiʃip] ladyschap *o,* lady's titel;
her (*your*) ∼ mevrouw (de gravin &).
lady's-maid ['leidiz'meid] kamenier.
1 lag [læg] I *vi* achteraankomen, achterblijven;
not ∼ *behind them* niet bij hen achterblijven;
II *sb* achterblijven *o.*
2 lag [læg] I *vt* ⚔ bekleden; II *sb* ⚔ bekleding
|| (ontslagen) gedeporteerde, tuchthuisboef;
an old ∼ een bajesklant.
lager ['la:gɔ] lagerbier *o.*
laggard ['lægɔd] I *sb* talmer, achterblijver; II *aj*
achterblijvend, traag, treuzelig.
lagoon [lɔ'gu:n] lagune.
laic ['leiik] I *aj* leken-; I *sb* leek.
laicization [leiisai'zeiʃɔn] secularisatie.
laicize ['leiisaiz] seculariseren.
laid [leid] V.T. & V.D. v. 3 *lay;* ∼ *paper* ge-
vergeerd papier *o.*
lain [lein] V.D. v. 2 *lie.*
lair [lɛɔ] I *sb* hol² *o,* leger *o* [v. dier]; II *vt & vi*
legeren.
laird [lɛɔd] *Sc* (land)heer.
laity ['leiiti] lekendom *o;* leken.
lake [leik] meer *o* || lakverf; *Lake Superior* het
Bovenmeer.
lake-dwelling ['leikdweliŋ] paalwoning.
lake-land ['leiklænd] *the* ∼ het merendistrict.
lakelet ['leiklit] meertje *o.*
lake poet ['leikpouit] dichter v. d. *Lake
School.*
Lake School ['leiksku:l] dichtergroep van
Coleridge, Southey en Wordsworth.
lake-village ['leikvilidʒ] paaldorp *o.*
lakh [læk] *IP* honderdduizend [ropijen].
lakist ['leikist] zie *lake poet.*
lama ['la:mɔ] lama°.
lamasery [lɔ'ma:sɔri] lamaklooster *o.*
lamb [læm] I *sb* 1 lam² *o;* 2 lamsvlees *o;* II *vi*
lammeren, werpen.
lambast(e) [læm'beist] S ervan langs geven.
lambent ['læmbɔnt] lekkend, spelend [v. vlam-
men], glinsterend, tintelend.
lambkin ['læmkin] lammetje² *o.*
lamblike ['læmlaik] (zacht) als een lam.
lambrequin ['læmbrikin] lambrekijn.
lambskin ['læmskin] lamsvel *o.*   [laar.
lamb's-tails ['læmzteils] 🌿 katjes van de haze-
lame [leim] I *aj* mank, kreupel², gebrekkig;

armzalig; mat; ∼ *of* (*in*) *a leg* mank aan één
been; II *vt* mank (kreupel) maken; verlammen, met lamheid slaan.
lamella [lɔ'melɔ] lamel, plaatje *o.*
lament [lɔ'ment] I *sb* jammer-, weeklacht; II
vi (wee)klagen, jammeren, lamenteren; III *vt*
bejammeren, betreuren, bewenen; *the late*
∼*ed...* ...zaliger, wijlen...
lamentable ['læmɔntɔbl] *aj* beklagens-, betreurenswaardig; jammerlijk.
lamentably ['læmɔntɔbli] *ad* zie *lamentable.*
lamentation [læmen'teiʃɔn] weeklacht, jammerklacht, gejammer *o;* klaaglied *o.*
lamina ['læminɔ, *mv* laminae 'læmini:] dunne
plaat; laag; blad *o.*
laminate ['læmineit] pletten; in lagen afdelen;
met platen beleggen, lamineren.
Lammas ['læmɔs] St.-Pieter [1 augustus]; *at
latter* ∼ met sint-jut(te)mis.
lammergeyer ['læmɔgaiɔ] 🦅 lammergier.
lamp [læmp] lamp; lantaarn; ∼*s* S ogen.
lamp-black ['læmpblæk] lampzwart *o.*
lamp-chimney ['læmptʃimni] lampeglas *o.*
lampion ['læmpiɔn] illumineerglaasje *o,* vetpotje *o.*
lamplighter ['læmplaitɔ] lantaarnopsteker.
lampoon [læm'pu:n] I *sb* schotschrift *o;* pamflet *o;* II *vt* (in schotschriften) hekelen.
lampoonist [læm'pu:nist] pamfletschrijver.
lamp-post ['læmppoust] lantaarn(paal).
lamprey ['læmpri] 🐟 lamprei, zeeprik.
Lancashire ['læŋkɔʃ(i)ɔ] Lancashire *o.*
Lancaster ['læŋkɔstɔ] Lancaster *o.*
Lancastrian [læn'kæstriɔn] 1 ⊞ (aanhanger)
van Lancaster [in de Rozenoorlog]; 2 (inwoner) van Lancashire.
lance [la:ns] I *sb* 1 lans; 2 ⚔ lansier & *lance-
corporal;* II *vt* (met een lans) doorsteken;
(met een lancet) dóórsteken of openen; ⊙
werpen.
lance-corporal ['la:ns'kɔpɔrɔl] ⚔ soldaat eerste klasse.
lancelet ['la:nslit] 🐟 lancetvisje *o.*
Lancelot ['la:nslɔt] Lancelot.
lanceolate ['la:nsiɔlit] lancetvormig.
lancer ['la:nsɔ] lansier; *the* ∼*s* de „lanciers"
[dans].
lancet ['la:nsit] lancet *o.*
land [lænd] I *sb* land° *o,* landerijen; grond,
bodem; *see how the* ∼ *lies* poolshoogte nemen; *by* ∼ over land; te land; *on* ∼ aan land,
aan (de) wal; te land; II *as aj* in: ∼ *reform*
agrarische hervorming; III *vt* 1 (doen) landen, doen belanden, aan land zetten, aan
land brengen of halen, lossen [goederen], afzetten [uit voertuig]; 2 *fig* brengen [in moei-
lijkheden]; 3 S opstrijken, krijgen; ∼ *him
for 10 sh.* S voor 10 sh. erbij lappen; ∼ *him
one in the eye* S hem een klap op z'n oog geven; ∼ *him with* S hem opknappen met; IV
vi (aan-, be)landen; neerkomen; *sp* aankomen [bij einddoel].

land-agent ['lændeidʒənt] 1 rentmeester; 2 makelaar in landerijen &.

landau ['lændɔ:] landauer.

landaulet(te) [lændɔ:'let] landaulet.

landbank ['lændbæŋk] grondkredietbank.

landed ['lændid] 1 uit landerijen bestaande; 2 landerijen bezittende, grond-; *the ~ interest* de grondbezitters; *~ property* grondbezit *o*; *~ proprietor* grondbezitter.

landfall ['lændfɔ:l] in: *make a ~* land in zicht krijgen; *make (a) ~ on an island* voor 't eerst voet aan wal zetten op een eiland.

land force(s) ['lændfɔ:s(iz)] landmacht.

landgrave ['lændgreiv] landgraaf.

landgravine ['lændgrəvi:n] landgravin.

landholder ['lændhouldə] grondbezitter.

landing ['lændiŋ] 1 landing; 2 lossing; 3 vangst; 4 aanvoer; 5 landingsplaats, losplaats; 6 (trap)portaal *o*, overloop.

landing-captain ['lændiŋkæptin] walkapitein.

landing-charges ['lændiŋtʃa:dʒiz] lossingskosten.

landing-craft ['lændiŋkra:ft] ⚓ landingsvaartuig *o*, landingsvaartuigen.

landing-gear ['lændiŋgiə] ✈ onderstel *o*.

landing-net ['lændiŋnet] schepnet *o*.

landing-party ['lændiŋpa:ti] ⚓ & ✗ landingsdetachement *o*.

landing-place ['lændiŋpleis] landingsplaats; losplaats.

landing-stage ['lændiŋsteidʒ] aanlegsteiger.

landjobber ['lænddʒɔbə] speculant in landerijen.

landlady ['lændleidi] 1 huiseigenares; 2 hospita, kostjuffrouw; 3 herbergierster, waardin.

landlocked ['lændlɔkt] door land ingesloten.

landlord ['lændlɔ:d] 1 landheer; 2 huisbaas; 3 hospes, kostbaas; 4 herbergier, waard, kastelein.

landlubber ['lændlʌbə] ⚓ landrot.

landmark ['lændma:k] grenspaal; ⚓ baken *o*, landmerk *o*; (bekend) punt *o*; *fig* mijlpaal [op levensweg &].

landowner ['lændounə] grondbezitter.

land-plane ['lændplein] ✈ landvliegtuig *o*.

landrail ['lændreil] ⚲ kwartelkoning, spriet.

landscape ['læn(d)skeip] landschap *o*; *~ gardener* tuinarchitect; *~ gardening* tuinarchitectuur.

landscapist ['læn(d)skeipist] landschapschilder.

landslide ['lændslaid] 1 bergstorting, aardverschuiving; 2 *fig* verschuiving [naar links, rechts], (verkiezings)overwinning, (verkiezings)debâcle.

landslip ['lændslip] zie *landslide* 1.

landsman ['læn(d)zmən] landrot.

land-tax ['lændtæks] grondbelasting.

landward(s) ['lændwəd(z)] landwaarts.

lane [lein] landweg [tussen heggen]; doorgang [tussen rijen mensen], pad *o*, haag [v. personen]; steeg; baan [v. autoweg]; ⚓ vaarweg;

⚓ & ✈ route.

language ['læŋgwidʒ] taal, spraak; scheldwoorden; *use (bad) ~* vloeken, schelden.

languid(ly) ['læŋgwid(li)] mat, slap, loom, lusteloos, flauw, smachtend.

languish ['læŋgwiʃ] verflauwen; weg-, (ver)kwijnen, (ver)smachten (naar *for*).

languishment ['læŋgwiʃmənt] kwijning; smachten *o*.

languor ['læŋgə] kwijning; matheid, loomheid.

languorous ['læŋgərəs] kwijnend, smachtend; mat, loom.

lank [læŋk] schraal, lang en mager; sluik [v. haar].

lankiness ['læŋkinis] schraalheid &.

lanky ['læŋki] lang (en mager of slungelachtig).

lansquenet ['lænskənit] 1 ✗ lan(d)sknecht; 2 lanskenet *o* [kaartspel].

lantern ['læntən] lantaarn; *Chinese ~* lampion; *dark ~* dievenlantaarn.

lantern-slide ['læntənslaid] lantaarnplaatje *o*.

lanyard ['lænjəd] ⚓ taliereep; riem; koord *o*.

Laocoon [lei'ɔkouən] Laocoön.

Laodicean [leiədi'siən] I *sb* Laodiceeër[2]; II *aj* onverschillig in godsdienst of politiek.

1 **lap** [læp] *sb* schoot; pand [v. kledingstuk]; (oor)lel; ✗ (over)lap; slijpschijf; *sp* ronde [bij baanwedstrijd] ‖ slobber; slorp; gekabbel *o*.

2 **lap** [læp] I *vt* 1 ✗ over... heen leggen of vouwen; 2 (om)wikkelen; 3 *sp* „lappen" ‖ (op)leppen, opslorpen; *~ped in luxury* badend in weelde; II *vi* slorpen; kabbelen.

lap-dog ['læpdɔg] schoothondje *o*.

lapel [lə'pel] lapel [v. jas].

lapful ['læpful] schootvol.

lapidary ['læpidəri] I *aj* lapidair; II *sb* steensnijder.

lapis lazuli [ləpis'læzjulai] lapis lazuli, lazuursteen, lazuur *o*.

Lapland(er) ['læplænd(ə)] Lapland(er).

Lapp [læp] I *sb* Lap(lander); II als *aj* Laplands.

lappet ['læpit] slip; lapel; (oor)lel.

Lappish ['læpiʃ] Laplands.

Lapponian [lə'pouniən] zie *Lapp*.

lapse [læps] I *sb* val, loop, verval *o*, verloop *o*, vervallen *o*; afval(ligheid); afdwaling, fout; misslag; II *vi* verlopen, (ver)vallen°, afvallen, afdwalen.

lapwing ['læpwiŋ] ⚲ kievit.

larboard ['la:bɔ:d] ⚓ bakboord.

larcenous ['la:sinəs] diefachtig, dieven-.

larceny ['la:sni] ⚖ diefstal.

larch [la:tʃ] ♣ lorkeboom, lariks.

lard [la:d] I *sb* reuzel; II *vt* larderen, (door)spekken (met *with*).

larder ['la:də] provisiekamer, -kast.

lardy-dardy ['la:di'da:di] *aj* zie *la-di-da* I.

lares ['lɛəri:z] laren: huisgoden.

large [la:dʒ] *aj* groot°, ruim[2]; breed, veelomvattend; royaal; ~ *of limb* grofgebouwd; *at* ~ I breedvoerig; 2 vrij, op vrije voeten; 3 in (over) het algemeen; 4 in het wilde weg; 5 in algemene dienst [v. ambassadeur &]; *gentleman at* ~ heer zonder beroep, rentenier; *the public at* ~ het grote publiek; *in* ~ in het groot.

large-hearted ['la:dʒ'ha:tid] groothartig, edelmoedig.

large-limbed ['la:dʒlimd] grofgebouwd.

largely ['la:dʒli] *ad* in den brede; in grote (ruime, hoge) mate, ruimschoots; grotendeels.

large-minded ['la:dʒ'maindid] breed van opvatting, ruim van blik.

largeness ['la:dʒnis] grootte; onbekrompenheid; ~ *of mind* ruime denkwijze, brede blik.

large-scale ['la:dʒskeil] op grote schaal, grootscheeps, groot.

largess(e) ['la:dʒes] I geschenk *o*; 2 mildheid.

lariat ['læriət] I lasso; 2 touw om paard & vast te binden.

lark [la:k] I *sb* 🜪 leeuwerik ‖ F pret, pretje *o*; grap, lolletje *o*; II *vi* F lol maken.

larkspur ['la:kspə:] 🜍 ridderspoor.

larky ['la:ki] F uit op een pretje, jolig, lollig.

larrikin ['lærikin] vagebond; boefje *o*.

larva ['la:və, *mv* larvae 'la:vi:] larve.

larval ['la:vəl] larve-.

laryngeal [lə'rindʒiəl] van het strottehoofd.

laryngitis [lærin'dʒaitis] laryngitis: strottehoofdontsteking.

laryngoscope [lə'riŋgəskoup] keelspiegel.

larynx ['læriŋks] strottehoofd *o*.

lascar ['læskə] 🜨 laskaar: inlands matroos.

lascivious [lə'siviəs] wellustig, wulps.

lash [læʃ] I *sb* zweepkoord *o*; slag, zweepslag, gesel, -slag; wimper, ooghaar *o*; *be under the* ~ onder de plak zitten; II *vt* zwepen, *fig* opzwepen; geselen[2]; striemen; slaan, beuken; (vast)sjorren; III *vi* slaan, zwiepen; ~ *out* achteruitslaan [v. paard]; *fig* uit de band springen; uitvaren (tegen *at*).

lasher ['læʃə] I wie zweept &; 2 waterkering.

lashing ['læʃiŋ] I geseling; 2 🜨 sjorring.

lash-out ['læʃ'aut] klap, slag [van paard].

lass(ie) ['læs(i)] deerntje *o*, meisje *o*.

lassitude ['læsitju:d] moeheid, loomheid, matheid, afmatting.

lasso ['læsou] I *sb* lasso; II *vt* met de lasso vangen.

I **last** [la:st] *sb* I leest; 2 $ last *o* & *m*.

2 **last** [la:st] I *aj* laatst; vorig(e), verleden, jongstleden; hoogst; *the* ~ *but one* op een na de laatste; *the* ~ *day* de jongste dag; ~ *night* gisteravond; vannacht [verleden nacht]; ~ *but not least* de (het) laatstgenoemde, maar niet de (het) minste; II *sb* laatste; *Willie's* ~ W's laatste mop; *Mrs. Johnson's* ~ jongste (spruit); *since my* ~ na mijn laatste schrijven; *we shall never hear the* ~ *of it* er komt nooit een eind aan; *look one's* ~ *at...* een laatste blik werpen op; *at* ~ (soms: *at the* ~, *at (the) long* ~) eindelijk, ten laatste; *be near one's* ~ zijn eind nabij zijn; *towards the* ~ tegen 't eind; III *ad* het laatst; ten slotte.

3 **last** [la:st] I *vi* (blijven) duren; voortduren; goed blijven, (lang) meegaan; het uithouden; *it will* ~ *you a week* u hebt er voor een week genoeg aan; *she will not* ~ *long* 't niet lang meer maken; *make one's money* ~ lang doen met zijn geld; ~ *out* het volhouden; II *vt* in: ~ *(out) the day* & de nacht halen; III *sb* uithoudingsvermogen *o*.

lasting ['la:stiŋ] I *aj* duurzaam, (voort)durend, bestendig; II *sb* everlasting [stof].

lastly ['la:stli] *ad* ten laatste, ten slotte.

latch [lætʃ] I *sb* klink; II *vt* op de klink doen.

latchet ['lætʃit] B schoenriem.

latchkey ['lætʃki:] huissleutel.

late [leit] I *aj* laat; te laat; laatst, van de laatste tijd, jongst(e); vergevorderd; gewezen, vorig, ex-; overleden, wijlen; *the* ~ *Mr. A.* wijlen de heer A.; *of* ~ (in) de laatste tijd; II *ad* laat; te laat; voorheen; ⊙ onlangs; *as* ~ *as the Stuart times* tot aan (in), nog in, tot op die tijd.

lateen [lə'ti:n] in: ~ *sail* ⚓ latijnzeil *o*.

lately ['leitli] I laatst, onlangs; 2 (in) de laatste tijd.

lateness ['leitnis] in: *the* ~ *of the hour* het late uur.

latent ['leitənt] verborgen, slapend; § latent.

later ['leitə] later; ~ *on* later, naderhand.

lateral ['lætərəl] zijdelings, zij-.

latest ['leitist] laatste; *Monday at (the)* ~ op zijn laatst; *the* ~ de nieuwste mop, het nieuwste snufje &.

latex ['leiteks] 🜍 latex *o* & *m*: melksap *o*.

lath [la:θ] I *sb* lat; II *vt* met latten bespijkeren, betingelen.

lathe [leið] 🜨 draaibank.

lather ['læðə] I *sb* zeepsop *o*; schuim *o*; *in a* ~ schuimend; II *vi* schuimen; III *vt* met schuim bedekken; inzepen; S afranselen.

Latin ['lætin] I *aj* Latijns; ~ *America* Latijns-Amerika; II *sb* Latijn *o*.

Latin-American ['lætinə'merikən] Latijns-Amerikaans.

latinism ['lætinizm] latinisme *o*.

latinist ['lætinist] latinist.

latish ['leitiʃ] wat laat.

latitude ['lætitju:d] I (geografische) breedte, hemelstreek; 2 vrijheid [v. handelen], speelruimte; 3 omvang.

latitudinarian ['lætitju:di'neəriən] I *aj* vrijzinnig; II *sb* vrijzinnige.

latrine [lə'tri:n] ⚔ latrine.

latter ['lætə] *aj* laatstgenoemde, laatste (van twee), tweede; ~ *end* (levens)eind *o*.

latter-day ['lætədei] van de laatste tijd, modern; *the* ~ *saints* de heiligen der laatste dagen [de mormonen].

latterly ['lætəli] *ad* I in de laatste tijd; 2 later.

lattice ['lætis] I *sb* traliewerk *o*, open latwerk *o*; ~ *bridge* traliebrug; II *vt* van tralie-, latwerk voorzien.

lattice window ['lætis'windou] 1 tralievenster *o*; 2 venster *o* met glas in lood.

lattice-work ['lætiswə:k] traliewerk *o*.

Latvia ['lætviə] Letland *o*.

Latvian ['lætviən] I *aj* Lets; II *sb* Let.

laud [lɔ:d] I *sb* lof, lofzang; ~*s RK* lauden; II *vt* loven, prijzen.

laudable ['lɔ:dəbl] *aj* lof-, prijzenswaardig.

laudably ['lɔ:dəbli] *ad* zie *laudable*.

laudanum ['lɔdnəm] laudanum *o*.

laudation [lɔ:'deiʃən] lof(tuiting).

laudative ['lɔ:dətiv] zie *laudatory*.

laudatory ['lɔ:dətəri] prijzend, lovend, lof-.

laugh [la:f] I *vi* & *vt* lachen; *he* ~*s best who* ~*s last* wie het laatst lacht, lacht het best; ∞ ~ *at* lachen om[2], uitlachen; lachen tegen; ~ *away* zie ~ *off*; ~ *down* door lachen tot zwijgen brengen; ~ *off* door lachen verdrijven; zich lachend afmaken van; *he* ~*ed on the wrong side of his mouth* hij lachte als een boer die kiespijn heeft; ~ *out* luid lachen; ~ *one out of a plan* er af brengen door het belachelijk te maken; ~ *over* lachen om; ~ *to scorn* (om iets) uitlachen; II *sb* lach, gelach *o*; *get (have) the* ~ *of one* iemand (kunnen) uitlachen.

laughable ['la:fəbl] belachelijk, lachwekkend.

laughing-gas ['la:fiŋgæs] lachgas *o*.

laughing-stock ['la:fiŋstɔk] voorwerp *o* van bespotting, risee.

laughter ['la:ftə] gelach *o*, lachen *o*.

Launcelot ['la:nslət] Lancelot.

launch [lɔ:nʃ] I *vt* werpen, slingeren; te water laten, van stapel laten lopen; lanceren[2], de wereld in zenden (in sturen), beginnen, inzetten, ontketenen [aanval &]; oplaten [ballon]; II *vi* in: ~ *forth* in zee steken; ~ *forth in praise of* uitweiden over de verdiensten van; ~ *into* aan... beginnen; ~ *out* uitbarsten; van wal steken; zijn geld laten rollen; zich begeven (in *into*); III *sb* 1 tewaterlating; lancering [v. raket]; 2 barkas.

launcher ['lɔ:nʃə] lanceerinrichting.

launching pad ['lɔ:nʃinpæd] lanceertoren.

launching site ['lɔ:nʃinsait] lanceerterrein *o*.

launder ['lɔ:ndə] wassen en opmaken.

launderette [lɔ:ndə'ret] automatische (munt)wasserij, wasserette.

laundress ['lɔ:ndris] wasvrouw.

laundry ['lɔ:ndri] 1 was; 2 wasserij.

laundryman ['lɔ:ndrimən] wasman.

laureate ['lɔ:riit] gelauwerd(e dichter).

laurel ['lɔrəl] I *sb* 1 laurier; 2 lauwerkrans; ~*s* ook: *fig* lauweren; II *vt* lauweren.

Laurence ['lɔrəns] Laurentius, Laurens.

lava ['la:və] lava.

lavatory ['lævətəri] toilet *o*, retirade, W.C., closet *o*; ~ *basin*, ~ *pan* closetbak; ~ *bowl* closetpot.

☉ **lave** [leiv] wassen, bespoelen.

lavender ['lævində] ✿ lavendel; *lay up in* ~ zorgvuldig bewaren.

laver ['leivə] wasbekken *o*.

lavish ['læviʃ] I *aj* verkwistend, kwistig (met *of*); overvloedig, luxueus; II *vt* kwistig uitdelen of besteden; verkwisten (aan *upon*).

lavishment ['læviʃmənt], **lavishness** ['læviʃnis] verkwisting, kwistigheid.

1 **law** [lɔ:] *sb* wet; recht *o*; justitie; bedenktijd; *sp* voorsprong; *canon* ~ kerkrecht *o*; *constitutional* ~ staatsrecht *o*; *customary* ~ gewoonterecht *o*; ~ *of nations* volkenrecht *o*; *be at* ~ in proces liggen; *go to* ~ de weg van rechten inslaan; procederen; *have the* ~ *of one* in rechten vervolgen; *lay down the* ~ de wet stellen; *study* ~ in de rechten studeren; *take the* ~ *into one's own hands* zichzelf recht verschaffen; *take the* ~ *of one* in rechten aanspreken.

2 **law(s)** [lɔ:(z)] *ij* F gunst!

law-abiding ['lɔ:əbaidiŋ] gehoorzaam (aan de wet), ordelievend, goedgezind.

law-breaker ['lɔ:breikə] overtreder (van de wet).

law-court ['lɔ:kɔ:t] rechtbank. [wet].

lawful ['lɔ:ful] wettig, rechtmatig.

law-giver ['lɔ:givə] wetgever.

lawless ['lɔ:lis] wetteloos; bandeloos.

law-maker ['lɔ:meikə] wetgever.

law merchant ['lɔ:'mə:tʃənt] handelsrecht *o*.

lawn [lɔ:n] 1 grasperk *o*, gazon *o*; 2 kamerdoek *o* & *m*, batist *o*; 3 *fig* waardigheid van bisschop; ~ *mower* grasmaaimachine.

lawn-tennis ['lɔ:n'tenis] tennis *o*.

law-officer ['lɔ:ɔfisə] rechterlijk ambtenaar.

Lawrence ['lɔrəns] Laurentius, Laurens.

lawsuit ['lɔ:sju:t] rechtsgeding *o*, proces *o*.

law-term ['lɔ:tə:m] 1 rechtsterm; 2 zittingsperiode.

lawyer ['lɔ:jə] rechtsgeleerde, jurist; advocaat.

lax [læks] 1 los[2], slap[2], laks; 2 loslijvig.

laxative ['læksətiv] I *aj* laxerend; II *sb* laxeermiddel *o*.

laxity ['læksiti] losheid[2], slapheid[2], laksheid.

1 **lay** [lei] V.T. van 2 *lie*.

2 **lay** [lei] *aj* wereldlijk, leke(n)-.

3 **lay** [lei] I *vt* leggen; aan-, beleggen (met *with*); zetten; neerslaan, doen legeren [koren]; temperen, doen bedaren; bannen, bezweren [geesten]; richten [kanon]; dekken [tafel]; slaan [touw]; smeden [samenzwering]; (ver)wedden; indienen [aanklacht]; klaarzetten [ontbijt &]; ~ *a bet* een weddenschap aangaan; ~ *the cloth* de tafel dekken; ~ *snares* strikken spannen; zie ook: *hand* &; II *vi* leggen; dekken [de tafel]; ∞ ~ *about one* erop (van zich af) slaan (naar alle kanten); ~ *aside* ter zijde leggen; laten varen; ~ *at* vaststellen op; slaan naar, te lijf willen; ~ *before* voorleggen; ~ *by* ter zijde, wegafleggen, afdanken; op zij leggen, sparen; ~ *down* neerleggen[2]; (vast)stellen [regels], be-

palen; ⚓ op stapel zetten; opslaan [wijn]; ~ *down one's life* zijn leven geven; ~ *in* opdoen, inslaan; ~ *into one* erop los slaan; ~ *off* 1 afleggen; 2 afpalen; uitzetten [afstanden]; 3 gedaan geven [werklui]; uitscheiden; met rust laten; ~ *on* opleggen; erop (erover) leggen; aanleggen [gas &]; organiseren [feestje &], zorgen voor; erop ranselen; schuiven op [schuld]; ~ *it on* (*thick, with a trowel*) F 1 het er dik opleggen, overdrijven; 2 met de stroopkwast werken; ~ *out* uitleggen; aanleggen, ontwerpen; afleggen [een dode]; uitgeven, besteden (aan *in*); ~ *oneself out to...* zijn uiterste best doen, zich uitsloven om...; ~ *over* bedekken, beleggen; ~ *to* wijten aan; ⚓ bijleggen; ~ *under water* onder water zetten [land]; ~ *up* inslaan [voorraad]; opzamelen, sparen; ⚓ opleggen; buiten dienst stellen, afschaffen, afdanken; *be laid up* (ziek) liggen, het bed moeten houden; ~ *upon* zie ~ *on.*

4 lay [lei] *sb* leg [v. kip]; ligging; S karweitje *o*; plan *o* ‖ ⊙ lied *o*, zang.

lay-about ['leiəbaut] S dalver, leegloper.

lay brother ['lei'brʌðə] lekebroeder.

!ay-by ['leibai] 1 🚗 parkeerhaven; 2 wijkplaats [in rivier]; 3 spaargeld *o*.

lay-days ['leideiz] ⚓ ligdagen.

lay-down ['lei'daun] I *sb* F slaapje *o*; II *aj* ['leidaun] in: ~ *collar* liggende boord *o* & *m.*

layer ['leiə] 1 laag; 2 🐔 leghen; 3 ♣ aflegger.

layered ['leiəd] in lagen.

layette [lei'jet] babyuitzet.

lay figure ['lei'figə] ledenpop².

layman ['leimən] leek².

lay-off ['lei'ɔ:f] vakantie, rust, verlof *o*; tijdelijke werkloosheid.

lay-out ['lei'aut] aanleg [van park &]; ontwerp *o*; uitvoering; inrichting.

lay preacher ['lei'pri:tʃə], **lay reader** ['lei'ri:də] leek met bevoegdheid om godsdienstige bijeenkomsten te leiden.

lay sister ['lei'sistə] lekezuster.

lazaretto [læzə'retou] lazaret *o*, leprozenhuis *o*; ⚓ quarantainegebouw *o*, -schip *o*.

Lazarus ['læzərəs] Lazarus².

laze [leiz] dagdieven, luilakken, lummelen, lanterfanten; ~ *about* ook: flaneren.

lazily ['leizili] *ad* lui, vadsig.

laziness ['leizinis] luiheid, vadsigheid.

lazy ['leizi] *aj* lui, vadsig.

lazy-bones ['leizibounz] luiwammes, luilak.

lb. = *libra, pound* of *librae, pounds.*

L.C.C. = *London County Council.*

⊙ **lea** [li:] beemd, weide, grasveld *o*.

1 lead [led] I *sb* lood *o* [ook = kogels]; potlood *o*; diep-, peillood *o*; zegelloodje *o*; witlijn; *the ~s (of a house)* het plat; II *aj* loden; III *vt* 1 met lood bedekken of bezwaren; 2 plomberen [voor de douane]; 3 in lood vatten; 4 interliniëren.

2 lead [li:d] I *vt* leiden, (tot iets) brengen

(aan)voeren; ◇ uitkomen met; ~ *the van* de voorhoede aanvoeren; ook = ~ *the way* voorgaan², vooropgaan; zie ook: *dance* III; II *vi* vooropgaan, bovenaan (nummer één) staan; leiden; de leiding hebben; F *sp* aan de kop liggen; ◇ uitkomen; ∞ ~ *away* wegleiden, wegvoeren; *be led away* zich laten meeslepen; ~ *away from the subject* (doen) afdwalen; ~ *by the nose* bij de neus leiden; ~ *off* voorgaan, beginnen; ~ *off the ball* het bal openen; ~ *on* vooropgaan, aanvoeren, meeslepen; ~ *one up the garden*(-*path*) iemand inpakken, iets wijsmaken; ~ *up to* voeren (leiden) tot; aansturen op [in gesprek]; III *sb* leiding°, voorsprong; ◇ invite; ◇ voorhand; ◇ uitkomen *o*; riem, lijn [voor honden]; hoofdrol; voorbeeld *o*; *fig* vingerwijzing, aanwijzing; (voorafgaande) korte samenvatting [v. krantenartikel &]; *it is my* ~ ◇ ik moet uitkomen; *follow my* ~ ◇ speel door in dezelfde kleur; *fig* volg mijn voorbeeld; *take the* ~ de leiding nemen²; *in the* ~ vooraan, aan de kop.

leaden ['ledn] 1 loden, loodzwaar²; 2 loodkleurig.

leader ['li:də] (ge)leider, leidsman, gids, aanvoerder, voorman; eerste advocaat; ♪ concertmeester; hoofdartikel *o*; voorpaard *o*; 🌱 hoofdscheut.

leadership ['li:dəʃip] leiding, leiderschap *o*.

1 leading ['lediŋ] *sb* lood *o*.

2 leading ['li:diŋ] I *aj* leidend; eerste, voorste, vooraanstaand, toonaangevend, voornaamste; hoofd-; ~ *article* 1 $ voornaamste artikel *o*; reclameartikel *o*; 2 hoofdartikel *o* [v. krant]; ~ *edge* 🛩 voorrand [v. vleugel]; ~ *lady*, ~ *man* eerste rol [toneel]; II *sb* leiding.

leading-strings ['li:diŋstriŋz] leiband; *be in* ~ aan de leiband lopen.

lead-pencil ['led'pensl] potlood *o*.

lead-seal ['led'si:l] $ plombe.

leadsman ['ledzmən] ⚓ loder.

lead-works ['ledwɔ:ks] loodgieterij.

leaf [li:f] I *sb* blad° *o*; vleugel [v. deur]; klep [v. vizier]; *dead* ~ 1 dood (dor) blad *o*; 2 bruingeel *o*; 3 🌱 dwarrelvlucht; *in* ~ 🌱 uitgelopen [v. bomen]; *take a* ~ *out of his book* hem tot voorbeeld nemen; *turn over a new* ~ een nieuw en beter leven beginnen; II *vi* uitlopen, bladeren krijgen; III *vt* Am doorbladeren (ook: ~ *through*).

leafage ['li:fidʒ] 1 loof *o*; 2 loofwerk *o*.

leaf-bridge ['li:fbridʒ] klapbrug.

leafiness ['li:finis] rijke bladertooi.

leaf-insect ['li:f'insekt] wandelend blad *o*.

leafless ['li:flis] bladerloos.

leaflet ['li:flit] 1 blaadje *o*; 2 strooibiljet *o*; brochure, traktaatje *o*.

leaf-mould ['li:fmould] bladaarde.

leafy ['li:fi] bladerrijk, loofrijk.

league [li:g] I *sb* verbond *o*, bond, liga *sp* competitie [voetbal] ‖ (zee)mijl; *League o*

Nations Ⓤ volkenbond; *be in* ~ *with* heulen met; **II** (*vi* &) *vt* (zich) in een verbond verenigen, een verbond aangaan, (zich) verbinden.

leaguer ['li:gǝ] lid *o* van een liga; verbondene ‖ ✎ (leger)kamp *o*; belegering.

leak [li:k] **I** *sb* lek *o*; lekkage; **II** *vi* lekken, lek zijn; ~ *out* uitlekken²; **III** *vt* laten uitlekken.

leakage ['li:kidʒ] lekkage, lek² *o*; uitlekken² *o*.

leakiness ['li:kinis] lek zijn *o*.

leaky ['li:ki] lek; *fig* F loslippig.

⊙ **leal** [li:l] trouw, loyaal.

I lean [li:n] **I** *vi* leunen; overhellen, hellen, neigen; *the* ~*ing Tower* de scheve toren [v. Pisa]; ~ *back* achteroverleunen; ~ *forward* vooroverleunen; ~ (*up*)*on* leunen (steunen²) op; ~ *over* (voor)overhellen; zie ook: *backwards*; **II** *vt* laten leunen of steunen; zetten; **III** *sb* overhelling.

2 lean [li:n] **I** *aj* mager, schraal; **II** *sb* mager (vlees) *o*.

leaning ['li:niŋ] overhelling, neiging.

leanness ['li:nnis] magerheid, schraalheid.

leant [lent] V.T. & V.D. van *I lean*.

lean-to ['li:n'tu] aanbouwsel *o*, loods, schuurtje *o*.

leap [li:p] **I** *vi* springen; ~ *at an excuse* aangrijpen; *it* ~*s to the eye* het springt in 't oog; ~ *up* opspringen; **II** *vt* over... springen; laten springen; overslaan [bij lezen]; **III** *sb* sprong²; *by* ~*s* (*and bounds*) met (grote) sprongen.

leaper ['li:pǝ] **I** springer; **2** springpaard *o*.

leap-frog ['li:pfrɔg] haasje-over *o*.

leapt [lept] V.T. & V.D. van *leap*.

leap-year ['li:pjiǝ] schrikkeljaar *o*.

learn [lǝ:n] **I** leren; **2** vernemen, te weten komen.

I learned [lǝ:nt, -d] leerde, (heb) geleerd.

2 learned ['lǝ:nid] *aj* geleerd; wetenschappelijk.

learnedly ['lǝ:nidli] *ad* geleerd, op geleerde wijze.

learner ['lǝ:nǝ] leerling; volontair.

learning ['lǝ:niŋ] geleerdheid, wetenschap.

learnt [lǝ:nt] V.T. & V.D. van *learn*.

lease [li:s] **I** *sb* huurceel, -contract *o*, verhuring, verpachting; huurtijd; pacht, huur; *long* ~ erfpacht; *my* ~ *of life* mijn levensduur; *he has taken a new* ~ *of life* hij is geheel verjongd; *take by* (*on*) ~ huren, pachten; *put out to* ~ verhuren, verpachten; **II** *vt* (ver)huren; (ver)pachten.

leasehold ['li:should] **I** *sb* pacht; pachthoeve; **II** *aj* pacht-, huur-.

leaseholder ['li:shouldǝ] pachter.

leash [li:ʃ] **I** *sb* koppel; band; drietal *o* [honden &]; *on the* ~ aan de lijn, aan de band; **II** *vt* (aan)koppelen.

least [li:st] kleinste, minste, geringste; *at* ~ tenminste; *at the* ~ op zijn minst (genomen); (*in*) *the* ~ in het allerminst; *not in the* ~ volstrekt niet; zie ook: *2 say* **I**.

leastways ['li:stweiz] **P** tenminste.

leather ['leðǝ] **I** *sb* le(d)er *o*; ~*s* **I** leergoed *o*; **2** leren broek; *nothing like* ~ bij mij moet je wezen; **II** *aj* leren, van leer; **III** *vt* **I** met leer bekleden (overtrekken); **2** F ranselen.

leather-dresser ['leðǝdresǝ] leerbereider.

leathering ['leðǝriŋ] F pak *o* slaag.

leathern ['leðǝn] lederen, van leer.

leathery ['leðǝri] leerachtig, leer-.

I leave [li:v] **I** *sb* verlof *o*; ~ *of absence* ⚔ verlof *o*; *take* (*one's*) ~ afscheid nemen; *take French* ~ stilletjes weggaan of vertrekken; *by your* ~ met uw verlof; *on* ~ met verlof; **II** *vi* & *va* weggaan, vertrekken; ✎ ophouden; ~ *here* **I** de plaats verlaten; **2** het leven vaarwel zeggen; **III** *vt* verlaten; nalaten°; overlaten; laten; achterlaten, laten staan (liggen); ~ *alone* er van afblijven, zich niet bemoeien met, met rust laten; ~ *go* **P** loslaten; ~ *it at that* er verder niets meer over zeggen; *six from seven* ~*s one* 6 van 7 blijft **I**; ∞ ~ *about* laten slingeren; ~ *behind* achter (zich) laten; nalaten; ~ *off* afleggen, uitlaten [kleren]; ophouden met; ~ *off smoking* **I** ophouden met roken; **2** het roken opgeven (laten); ~ *a card on one* afgeven; ~ *on the left* links laten liggen (niet *fig*); ~ *out* uit-, weglaten; overslaan; voorbijgaan; ~ *over* laten liggen of rusten; ~ *a letter with one* bij iemand afgeven; zie ook: *I left*.

2 leave [li:v] *vi* bladeren krijgen.

leaved [li:vd] gebladerd; ...bladig.

leaven ['levn] **I** *sb* zuurdeeg *o*, zuurdesem²; **II** *vt* desemen; doortrekken, doordringen.

leave-taking ['li:vteikiŋ] afscheid *o*.

leaving certificate ['li:viŋsǝ:tifikit] ⊸ einddiploma *o*.

leavings ['li:viŋz] overblijfsel *o*, overschot *o*, kliekjes, afval *o* & *m*.

Lebanese [lebǝ'ni:z] **I** *aj* Libanees; **II** *sb* Libanees, Libanezen.

Lebanon ['lebǝnǝn] Libanon.

✎ **lecher** ['letʃǝ] lichtmis, wellusteling.

lecherous ['letʃǝrǝs] ontuchtig, wellustig.

lechery ['letʃǝri] ontucht, wellust.

lectern ['lektǝn] lezenaar.

lecture ['lektʃǝ] **I** *sb* **I** lezing, verhandeling; **2** ⊸ college *o*; **3** F strafpreek; *read one a* ~ iemand de les lezen; **II** *vi* lezing(en) houden, college geven (over *on*); **III** *vt* **I** spreken of lezen voor; **2** de les lezen.

lecturer ['lektʃǝrǝ] **I** lezer: wie een lezing houdt, spreker; **2** lector; **3** hulpprediker.

lecture-room ['lektʃǝrum] collegezaal.

lectureship ['lektʃǝʃip] lectoraat *o*.

led [led] V.T. & V.D. van *2 lead*.

ledge [ledʒ] richel, rand, scherpe kant.

ledger ['ledʒǝ] **I** grootboek *o*; **2** deksteen; **3** liggende balk v. e. steiger.

ledger-line ['ledʒǝlain] ♪ hulplijn.

led horse ['ledhɔ:s] handpaard *o*; pakpaard *o*.

lee [li:] ⚓ lij, lijzijde, luwte.

leeboard ['li:bɔ:d] ♃ (zij)zwaard o.

leech [li:tʃ] I bloedzuiger; 2 ⚕ dokter ‖ ♃ lijk o [van een zeil]; cling (stick) like a ~ aanhangen als een klis.

leek [li:k] ♣ prei, look o & m; eat the ~ een belediging slikken; zoete broodjes bakken.

leer [liə] I vi gluren; ~ at begluren; toelonken; II sb glurende, wellustige blik.

leery ['liəri] S gewiekst, geslepen; be ~ of Am wantrouwen; op zijn hoede zijn voor.

lees [li:z] droesem, grondsop o, moer, heffe.

lee-shore ['li:ʃɔ:] ♃ kust aan lijzijde, lagerwal.

leetle ['li:tl] F zie little.

leeward ['li:wəd] ♃ lijwaarts, onder de wind, aan lij; the L~ Islands de Benedenwindse Eilanden.

leeway ['li:wei] ♃ in: make ~ afdrijven; make up ~ de achterstand inhalen.

I left [left] V.T. & V.D. van I leave; achter-, nagelaten; any tea ~? nog thee over?; there is nothing ~ for him but to... er schiet hem niets anders over dan...; goods ~ on hand $ onverkochte goederen; ~ luggage gedeponeerde bagage.

2 left [left] I aj links; linker; II ad links; III sb linkerhand, -kant, -vleugel; the Left de Linkerzijde; on your ~ aan uw linkerhand, links van u; to the ~ aan de linkerkant, (naar) links.

left-handed ['left'hændid] links²; niet gemeend; dubbelzinnig; ~ marriage morganatisch huwelijk o.

left-hander ['left'hændə] I iemand die links is; 2 slag met de linkerhand.

leftist ['leftist] F links(e) [in de politiek].

left-off ['left'ɔ:f, + 'leftə:f] afgelegd; ~ clothing, ~s afleggers.

left-overs ['left'ouvəz] kliekjes.

leftward(s) ['leftwəd(z)] links, naar links.

leg [leg] I sb been° o, bout, schenkel; poot; pijp [v. broek]; schacht [v. laars]; gedeelte o, etappe; ronde [v. wedstrijd &]; be on one's ~s I het woord voeren; 2 op de been zijn; be on one's last ~s op zijn la:tste benen lopen; fall on one's ~s op zijn pootjes terechtkomen; get on one's ~s opstaan, het woord nemen; give one a ~ (up) een handje helpen, een zetje geven; not have a ~ to stand upon geen enkel steekhoudend argument kunnen aanvoeren; keep one's ~s op de been blijven; make a ~ een kniebuiging maken; pull one's ~ F voor 't lapje houden; stretch one's ~s zich vertreden; take to one's ~s het op een lopen zetten; be taken off one's ~s niet op de been kunnen blijven; II vt in: ~ it F lopen.

legacy ['legəsi] legaat o, erfenis.

legal ['li:gəl] wettelijk, wettig; rechtsgeldig; rechterlijk, rechtskundig, juridisch; wets-, rechts-.

legalism ['li:gəlizm] I het vasthouden aan de wet; 2 werkheiligheid

legalist ['li:gəlist] iemand die zich aan de letter van de wet houdt.

legality [li'gæliti] wettigheid; the legalities of the question de juridische kant.

legalization [li:gəlai'zeiʃən] legalisatie; wetting.

legalize ['li:gəlaiz] legaliseren; wettigen.

legate ['legit] legaat, (pauselijk) gezant.

legatee [legə'ti:] legataris.

legation [li'geiʃən] legatie°; gezantschap o.

legend ['ledʒənd] legende; randschrift o, op-, omschrift o, onderschrift o, bijschrift o.

legendary ['ledʒəndəri] I aj legendarisch; legenden-; II sb I legendenverzameling; 2 legendenschrijver.

legerdemain ['ledʒədə'mein] goochelarij.

legged [legd] met... benen.

legging ['legiŋ] beenkap.

leggy ['legi] langbenig.

Leghorn ['leg'hɔ:n, + 'leghɔ:n] Livorno o.

leghorn [le'gɔ:n] I (hoed v.) Italiaans stro o; 2 ♣ leghorn.

legibility [ledʒi'biliti] leesbaarheid.

legible ['ledʒibl] leesbaar, te lezen.

legion ['li:dʒən] I legioen o; 2 legio; American Legion vereniging van Amerikaanse oudstrijders; British Legion vereniging van Engelse oud-strijders.

legionary ['li:dʒənəri] I aj legioen-; talloos; II sb soldaat van een legioen.

legionnaire [li:dʒə'nɛə] lid v. h. American Legion.

legislate ['ledʒisleit] wetten maken.

legislation [ledʒis'leiʃən] wetgeving; wet(ten)

legislative ['ledʒisleitiv] wetgevend.

legislator ['ledʒisleitə] wetgever.

legislature ['ledʒisleitʃə] wetgevende macht.

legitimacy [li'dʒitiməsi] wettigheid, rechtmatigheid, echtheid.

I legitimate [li'dʒitimit] aj wettig, rechtmatig, echt; gewettigd, gerechtvaardigd.

2 legitimate [li'dʒitimeit] vt (voor) wettig, echt verklaren, echten, wettigen.

legitimately [li'dʒitimitli] ad terecht; zie verder I legitimate.

legitimation [lidʒiti'meiʃən] echting, wettiging.

legitimist [li'dʒitimist] legitimist.

legitimize [li'dʒitimaiz] zie 2 legitimate.

leguminous [le'gju:minəs] ♣ peul-.

Leicester ['lestə] Leicester.

leisure ['leʒə] I sb (vrije) tijd; at ~ op zijn gemak; be at ~ vrij, onbezet zijn, niets te doen (om handen) hebben; II aj vrij.

leisured ['leʒəd] met veel (vrije) tijd.

leisurely ['leʒəli] bedaard, op zijn gemak.

⚘ leman ['lemən] boel, lief o, liefste.

lemon ['lemən] ♣ citroen(boom).

lemonade [lemə'neid] (citroen)limonade.

lemon-squash ['lemən'skwɔʃ] kwast [drank].

lemur ['li:mə] ⚹ lemur, maki, vosaap.

lend [lend] I vt (uit)lenen; verlenen; ⚘ geven: ~ a (helping) hand de behulpzame hand bieden, een handje helpen; **II** *vr* in: ∼ *oneself to* zich lenen tot.

lender ['lendə] lener, uitlener.

lending-library ['lendiŋlaibrəri] leesbibliotheek, uitleenbibliotheek.

length [leŋθ] lengte; afstand; grootte; duur; stuk *o*; eind(je) *o*; *go all ∼s* door dik en dun meegaan, tot het uiterste gaan; *go (to) great ∼s* heel veel doen, heel wat durven (zeggen), zich veel moeite getroosten, heel wat laten vallen van zijn eisen; *go the ∼ of saying that...* zo ver gaan, dat men durft beweren, dat...; *have (know) the ∼ of one's foot* weten welk vlees men in de kuip heeft; *at ∼* 1 eindelijk, ten laatste (slotte); 2 uitvoerig; voluit; *(at) full ∼* 1 languit; 2 ten voeten uit; 3 levensgroot; *at great(er) ∼* uitvoerig(er); *for any ∼ of time* voor onbepaalde tijd, lang; *for some ∼ of time* een tijd(lang); *throughout the ∼ and breadth of the country* het hele land door.

lengthen ['leŋθn] **I** *vt* verlengen; **II** *vi* lengen, langer worden.

lengthening ['leŋθniŋ] verlenging.

lengthways ['leŋθweiz], **lengthwise** ['leŋθwaiz] in de lengte.

lengthy ['leŋθi] lang(gerekt), (ietwat) gerekt, wijdlopig.

leniency ['li:niənsi] zachtheid, toegevendheid, mildheid.

lenient ['li:niənt] zacht, toegevend, mild.

lenitive ['lenitiv] verzachtend (middel *o*).

lenity ['leniti] zachtheid, toegevendheid.

Lenore [lə'no:] Leonora.

lens [lenz] 1 lens; 2 loep.

Lent [lent] vasten(tijd).

lent [lent] V.T. & V.D. van *lend*.

lenten ['lentən] 1 vasten-; 2 schraal, mager; triest(ig).

§ **lenticular** [len'tikjulə] lensvormig.

lentil ['lentil] ✿ linze.

Leo ['li:ou] 1 Leo; 2 * de Leeuw.

Leonard ['lenəd] Leonard, Leendert.

leonine ['li:ənain] leeuwachtig; leeuwen-.

leopard ['lepəd] ♠ luipaard.

Leopold ['liəpould] Leopold.

leper ['lepə] melaatse, lepralijder.

leprosy ['leprəsi] lepra, melaatsheid.

leprous ['leprəs] melaats, aan lepra lijdend.

lese-majesty ['li:z'mædʒisti] majesteitsschennis.

lesion ['li:ʒən] beschadiging, benadeling; letsel *o*, kneuzing.

less [les] minder, kleiner; min(us); *no ∼ a man than* niemand minder dan.

lessee [le'si:] huurder, pachter.

lessen ['lesn] **I** *vt* verminderen; verkleinen; **II** *vi* verminderen, afnemen.

lesser ['lesə] kleiner, minder; klein(st).

lesson ['lesn] les°; *read one a ∼* de les lezen; *teach one a ∼* een lesje geven.

lesson-book ['lesnbuk] leerboek *o*.

lessor [le'so:] verhuurder, verpachter.

lest [lest] uit vrees dat, opdat niet; *I feared ∼... ik* vreesde, dat...

1 **let** [let] **I** *vt* ✎ verhinderen, (be)letten; **II** *sb* 1 ✎ verhindering, beletsel *o*; 2 *sp* bal die overgespeeld wordt [tennis]; *without ∼ or hindrance* onverhinderd, onbelemmerd.

2 **let** [let] **I** *vt* 1 laten, toelaten; 2 verhuren; ∼ *blood* aderlaten; **II** *vi* verhuren; *to ∼* te huur; ∞ ∼ *alone* zich niet bemoeien met, met rust laten; er van afblijven; ∼ *alone* laat staan, daargelaten (dat *that*); ∼ *him alone to take care of himself* hij zal wel... wees daar gerust op; ∼ *be* op zijn beloop laten, (met rust) laten; van iets afblijven; ∼ *down* neerlaten, laten zakken; wat langer maken; *fig* teleurstellen, duperen; in de steek laten; bedriegen; ∼ *go* laten schieten, loslaten (ook: ∼ *go of*); ∼ *in-*, binnenlaten; *fig* de deur openzetten voor; er in laten lopen; ∼ *oneself in for something unpleasant* zich iets onaangenaams op de hals halen (berokkenen); ∼ *into* toelaten, binnenlaten in...; aanbrengen in; inwijden in [geheim]; **S** er van langs geven; ∼ *loose* loslaten; ∼ *off* los-, vrijlaten; laten vallen, afslaan; kwijtschelden; ontslaan, vrijstellen van; afschieten, afsteken [vuurwerk]; uitlaten [gassen]; verhuren; ∼ *on* 1 zich uitlaten, (zich) verraden, verklappen, klikken; 2 doen alsof; ∼ *out* uitlaten; uitleggen [een zoom]; verhuren, verpachten; rondstrooien, verklappen; trappen en slaan; *fig* uitpakken; ∼ *up Am* afnemen, verflauwen, verminderen; uitscheiden; **III** V.T. & V.D. van 1 & 2 *let*; **IV** *sb* verhuring; plaatsbespreking.

let-down ['let'daun] **F** klap [in 't aangezicht], teleurstelling; achteruitgang.

lethal ['li:θəl] dodelijk, letaal; ∼ *chamber* gaskamer [voor dieren].

lethargic [li'θa:dʒik] lethargisch, slaperig.

lethargy ['leθədʒi] lethargie, slaapzucht, diepe slaap², doffe onverschilligheid.

Lethe ['li:θi:] de Lethe; *fig* (rivier der) vergetelheid.

1 **letter** ['letə] *sb* verhuurder.

2 **letter** ['letə] **I** *sb* brief; letter; ∼*s* letteren; ∼*s patent* brieven van octrooi; ∼*s of credence* geloofsbrieven; ∼ *of marque (and reprisal)* kaperbrief; ∼ *to the editor (to the press)* ingezonden stuk *o*; *by ∼* per brief, schriftelijk; *to the ∼* letterlijk; **II** *vt* letteren, merken; de (rug)titel aanbrengen op.

letter-balance ['letəbæləns] briefweger, brieveweger.

letter-box ['letəbɔks] ✆ brievenbus.

letter-card ['letəka:d] ✆ postblad *o*.

letter-case ['letəkeis] brieventas, portefeuille.

lettered ['letəd] 1 met letters gemerkt; 2 geletterd, geleerd.

letterhead ['letəhed] briefhoofd *o*, brievehoofd *o*.

lettering ['letəriŋ] 1 letteren *o*, merken *o*; 2 letters, (rug)titel.

letter-lock ['letəlɔk] letterslot *o*.

letter-perfect ['letə'pə:fikt] rolvast.

letterpress ['letəpres] 1 drukschrift *o*; 2 bijschrift *o*, tekst [bij of onder illustratie]; 3 kopieerpers.

letter-weight ['letəweit] presse-papier.

letter-writer ['letəraitə] 1 briefschrijver; 2 brievenboek *o*.

lettuce ['letis] ♣ latuw, salade, sla.

let-up ['letʌp] *Am* onderbreking; vermindering.

leuk(a)emia [l(j)u:'ki:miə] ⚕ leuk(a)emie.

leuk(a)emic [l(j)u:'ki:mik, -'kemik] ⚕ leuk(a)emisch.

Levant. [li'vænt] Levant.

levant [li'vænt] S er vandoor gaan.

Levantine [li'væntain] Levantijn(s).

levee ['levi] 1 ⊡ morgenreceptie; 2 receptie [ten hove voor heren]; 3 *Am* dijk; ⚓ steiger.

level ['levl] I *sb* waterpas *o*; niveau *o*, stand [v. het water]; spiegel [v. d. zee], peil² *o*, hoogte²; vlak, vlakte; *at the highest* ~ ook: op het hoogste niveau; *on a* ~ 1 op gelijke hoogte; 2 op één lijn (staand); *be on a* ~ *with* op gelijke hoogte staan, op één lijn staan, gelijkstaan met; *put on a* ~ (*with*) op één lijn stellen (met); *on the* ~ F eerlijk; II *aj* waterpas, horizontaal, vlak; gelijk(matig); op één hoogte, naast elkaar; *he did his* ~ *best* hij deed zijn uiterste best; *a* ~ *head* een evenwichtige, nuchtere geest; *a* ~ *teaspoonful* een afgestreken theelepel; *get* ~ *with* quitte worden, afrekenen met; *keep* ~ *with* op de hoogte blijven van, bijhouden; III *vt* gelijkmaken, slechten; waterpassen, nivelleren; ⚔ richten, aanleggen, munten (op *at*); ~ *down* nivelleren; ~ *out* in evenwicht brengen; ~ *up* ophogen, opheffen²; op hoger peil brengen; IV *vi* & *va* aanleggen, richten (op *at*); ~ *at* ook: streven naar.

level-crossing ['levl'krɔ(:)siŋ] overweg.

level-headed ['levl'hedid] evenwichtig, bezadigd, nuchter.

leveller ['levlə] gelijkmaker.

levelling ['levliŋ] gelijkmaking; nivellering; ~ *instrument* waterpasinstrument *o*; ~ *screw* stelschroef; ~ *rod* (*staff*) nivelleerstok.

lever ['li:və] I *sb* hefboom; II *vt* (met een hefboom) optillen, opvijzelen.

leverage ['li:vəridʒ] kracht of werking van een hefboom; *fig* vat, invloed.

leveret ['levərit] ♣ haasje *o*.

lever watch ['li:vəwɔtʃ] ankerhorloge *o*.

leviable ['leviəbl] invorderbaar.

leviathan [li'vaiəθən] I *sb* leviathan [zeemonster]; kolossus; II *als aj* kolossaal.

Levite ['li:vait] leviet, priester.

Levitical [li'vitikl] levitisch.

levity ['leviti] licht(zinnig)heid, wuftheid.

levy ['levi] I *sb* heffing [v. tol &]; ⚔ lichting;

~ *in mass* levée en masse; II *vt* heffen; ⚔ lichten; ~ *an army* op de been brengen; ~ *a distress* beslag leggen; ~ *war* ⚔ een oorlog beginnen, oorlog voeren (tegen *on, against*).

lewd(ly) ['lju:d(li)] ontuchtig, wulps, geil.

lewdness ['lju:dnis] wulpsheid, geilheid.

Lewis ['l(j)u:is] Lodewijk; ~ *gun* ⚔ Lewismitrailleur.

lexical ['leksikl] lexicografisch.

lexicographer [leksi'kɔgrəfə] lexicograaf.

lexicographical [leksikə'græfikl] lexicografisch.

lexicography [leksi'kɔgrəfi] lexicografie.

lexicon ['leksikən] lexicon *o*, woordenboek *o*.

ley [lei] kunstweide; ~ *farming* wisselbouw met kunstweiden.

Leycester ['lestə] Leycester.

Leyden ['laidn] Leiden *o*; ~ *jar* ['leidn'dʒa:] Leidse fles.

liability [laiə'biliti] verantwoordelijkheid, aansprakelijkheid; blootgesteld zijn *o* (aan *to*); (geldelijke) verplichting; *fig* last(post), nadeel *o*, handicap, blok *o* aan het been; *liabilities* $ passief *o*, passiva.

liable ['laiəbl] verantwoordelijk, aansprakelijk (voor *for*); onderhevig, blootgesteld (aan *to*); ~ *to abuse* ook: misbruikt kunnende worden; *be* ~ *to err* zich licht (kunnen) vergissen, de kans lopen zich te vergissen; ~ *to rheumatism* last hebbend van reumatiek; ~ *to service* dienstplichtig.

liaison [li'eizn] liaison; verbinding.

liana [li'a:nə] ♣ liane, liaan.

liar ['laiə] leugenaar.

lias ['laiəs] Lias *o* [kalkgesteente].

libation [lai'beiʃən] plengoffer *o*; drinkgelag *o*.

libel ['laibəl] I *sb* 1 schotschrift *o*, smaadschrift *o*, smaad; 2 ⚖ klacht; II *vt* 1 belasteren, bekladden; 2 ⚖ aanklagen.

libeller ['laibələ] lasteraar.

libellous ['laibələs] lasterlijk.

liberal ['libərəl] I *aj* mild, vrijgevig, royaal, gul; overvloedig, ruim; liberaal, vrijzinnig; *the* ~ *arts* de vrije kunsten; ~ *education* hogere opvoeding; ~ *of* royaal met; II *sb* liberaal, vrijzinnige.

liberalism ['libərəlizm] liberalisme *o*.

liberality [libə'ræliti] mildheid, gulheid; liberaliteit, vrijzinnigheid.

liberally ['libərəli] *ad* zie *liberal* I.

liberate ['libəreit] bevrijden, vrijlaten, vrijmaken.

liberation [libə'reiʃən] bevrijding, vrijlating, vrijmaking.

liberator ['libəreitə] bevrijder.

Liberia [lai'biəriə] Liberia *o*.

libertine ['libətain] I *sb* 1 lichtmis; 2 libertijn; II *aj* 1 losbandig; 2 libertijns.

libertinism ['libətinizm] 1 losbandigheid, lichtmisserij; 2 vrijdenkerij.

liberty ['libəti] vrijheid; *take liberties* zich vrijheden veroorloven: *at* ~ vrij; in vrijheid.

Liberty Hall ['libəti'hɔ:l] vrijgevochten boel.
libidinous [li'bidinəs] wellustig, wulps.
Libra ['laibrə] ∗ de Weegschaal.
librarian [lai'brɛəriən] bibliothecaris.
librarianship [lai'brɛəriənʃip] I bibliotheekwezen o; 2 bibliothecarisambt o.
library ['laibrəri] I bibliotheek, boekerij; 2 studeerkamer.
librettist [li'bretist] librettist.
libretto [li'bretou] libretto o, tekstboekje o.
Libya ['libiə] Libië o.
Libyan ['libiən] I aj Libisch; II sb Libiër.
lice [lais] luizen (mv v. louse).
licence ['laisəns] I sb verlof o, vergunning, vrijheid, losbandigheid; licentie, patent o, akte, diploma o; rijbewijs o; poetic ~ dichterlijke vrijheid; under ~ in licentie [vervaardigen]; II vt zie license.
licence fee ['laisənsfi:] ▒ ♯ luisterbijdrage; TV kijkgeld o.
license ['laisəns] vergunning verlenen, (officieel) toelaten, patenteren².
licensee [laisən'si:] licentiehouder; herbergier.
licenser ['laisənsə] licentiegever; censor.
licentiate [lai'senʃiit] licentiaat.
licentious [lai'senʃəs] los(bandig), ongebonden.
lichen ['laikən] I ♣ korstmos o; 2 ♂ lichen.
lichgate ['litʃgeit] overdekte ingang v. kerkhof.
lick [lik] I vt I (af-, be-, op)likken, likken aan, lekken; 2 S (af)ranselen; het winnen van; ~ his boots (shoes) voor hem kruipen; ~ the dust in het zand (stof) bijten; ~ into shape fatsoeneren; ~ off aflikken; ~ up oplikken; II vi likken (aan at); III sb I lik² (ook: mep); 2 zoutlik.
lickerish ['likəriʃ] I verlekkerd, graag; 2 kieskeurig; zie ook: lecherous.
lickety-sp(l)it ['likətisp(l)it] F rap, als de bliksem.
licking ['likiŋ] S rammeling. [ker.
lickspittle ['likspitl] pluimstrijker, strooplik-
licorice ['likəris] zie liquorice.
lictor ['liktə] ⊞ lictor: bijldrager.
lid [lid] deksel o; (oog)lid o; that puts the ~ on it F dat doet de deur dicht; dat is wel het toppunt.
Lido ['li:dou] Lido; l~ natuurbad o.
1 lie [lai] I sb leugen; give one the ~ iemand iets heten liegen; give the ~ to logenstraffen; tell a ~ liegen; II vi liegen.
2 lie [lai] I vi liggen, rusten, slapen; staan; ⚓ logeren; this action will not ~ ‡‡ is niet ontvankelijk; ∞ ~ about rondslingeren; ~ at the bank op de bank (uitgezet) zijn; ~ back achteroverliggen of -leunen; ~ by liggen, rusten; ongebruikt liggen; ~ down gaan liggen; ~ down under an accusation niet opkomen tegen; op zich laten zitten; it ~s in... het zit hem in...; as far as in me ~s naar mijn beste vermogen; ~ low (begraven) liggen; zich koest houden; zich schuilhouden; ~ over blijven liggen; ~ under onderliggen; ~ un-

der the charge of beschuldigd zijn van; ~ up I gaan liggen: naar bed gaan; 2 ⚓ dokken; it ~s with you met het staat aan u; II sb ligging; know the ~ of the land de kaart van 't land kennen.
lie-abed ['laiəbed] langslaper.
lief [li:f] lief, gaarne.
Liége [li'ei3] Luik o.
liege [li:dʒ] I sb ⊞ leenheer, (opper)heer; leenman; trouwe onderdaan; II aj leenplichtig; (ge)trouw; ~ lord (leen)heer, vorst.
liegeman ['li:dʒmən] leenman, vazal.
lien ['li:ən] pandrecht o.
lieu [l(j)u:] in ~ of in plaats van.
lieutenancy [lef'tenənsi] I luitenantsplaats, -aanstelling; 2 gouverneurschap o.
lieutenant [lef'tenənt] I ✕ luitenant; 2 gouverneur [v. graafschap]; stedehouder; onderbevelhebber; fig schildknaap.
lieutenant-governor [lef'tenənt'gʌvənə] ondergouverneur.
life [laif] leven² o, (levens)duur, levenswijze, levensbeschrijving; levend model o; take one's ~ in one's hand zijn leven wagen; as large as ~ I levensgroot; 2 in levenden lijve; there was no loss of ~ er waren geen mensenlevens te betreuren; for ~ I voor het leven, levenslang; 2 uit alle macht; for dear (very) ~ for his ~ uit alle macht, wat hij (zij &) kon; not for the ~ of him voor geen geld van de wereld, om de dood niet; drawn from (the) ~ I naar het leven (de natuur) getekend; 2 uit het leven gegrepen; in ~ I in het leven; 2 bij zijn leven; 3 van de wereld; the chance & of my (your) ~ de mooiste (grootste) kans & van heel mijn (uw) leven; terrify him out of his ~ hem zich dood doen schrikken; to the ~ getrouw (naar het leven), sprekend (gelijkend); upon my ~ op mijn woord; escape with (one's) ~ het er levend afbrengen.
life-and-death ['laifən'deθ] in: ~ struggle strijd op leven en dood.
lifebelt ['laifbelt] redding(s)gordel.
life-blood ['laifblʌd] hartebloed o.
lifeboat ['laifbout] ⚓ redding(s)boot.
lifebuoy ['laifbɔi] ⚓ redding(s)boei.
life-estate ['laifis'teit] goed o waarvan men levenslang het vruchtgebruik heeft.
life-guard ['laifga:d] lijfwacht; the Life Guards het lijfgarderegiment.
life-guardsman ['laifga:dzmən] cavalerist van de Life Guards.
life-insurance ['laifinʃuərəns] levensverzekering.
life-interest ['laif'int(ə)rest] levenslang vruchtgebruik (van in).
life-jacket ['laifdʒækit] zwemvest o.
lifeless ['laiflis] levenloos.
lifelike ['laiflaik] alsof het leeft, getrouw, levend, echt.
life-line ['laiflain] I redding(s)lijn; 2 vitale ravitailleringsweg; 3 levenslijn [v. hand].

lifelong ['laifloŋ] levenslang.
life-office ['laifɔfis] kantoor o van een levens- verzekering.
life-peerage ['laifpiəridʒ] niet-erfelijk pair- schap o v. *life-peers* met personele titel.
life-preserver ['laifprizə:və] 1 redding(s)toestel o, zwemgordel; 2 ploertendoder.
life-saving ['laifseiviŋ] redding(s)-.
life-size(d) ['laif'saiz(d)] (op) natuurlijke (ware) grootte, levensgroot(te).
lifetime ['laiftaim] levenstijd, levensduur; men- senleeftijd; *in my* ~ bij mijn leven.
life-work ['laifwə:k] levenswerk° o.
lift [lift] I *vt* (op)heffen, (op)tillen, (op)lichten; verheffen²; opslaan [de ogen]; opsteken [de hand &]; rooien [aardappelen &]; F stelen; inpikken; ~ *up* opheffen, verheffen; II *vi* om- hooggaan, rijzen; optrekken [v. mist]; III *sb* heffen o; (op)heffing; stijging, rijzing; kleine helling; til; lift; vervoer o door de lucht, luchtbrug; *it is a dead* ~ het geeft niet mee; het is niet te vertillen; er is geen beweging in te krijgen; *get a* ~ 1 (voor niets) mee mo- gen rijden, een lift krijgen; 2 F promotie ma- ken; *give one a* ~ 1 iemand mee laten rijden, een lift geven; 2 *fig* hem een zetje geven; hem opmonteren.
lift-bridge ['liftbridʒ] ophaalbrug, hefbrug.
lifter ['liftə] lichter; F dief [v. vee &].
§ **ligament** ['ligəmənt] (gewrichts)band.
ligature ['ligətʃə] I *sb* 1 band², verband² o; koppelletter; 2 ♪ ligatuur; II *vt* 𝄞 afbinden.
1 **light** [lait] I *sb* licht² o; dag-, levenslicht o; lichtje o, vlammetje o, lucifer; lichteffect o; be-, verlichting; venster o, ruit; ~*s* longen [v. dieren]; *let in* ~ licht geven [in...]; *see the* ~ 1 het levenslicht aanschouwen, het licht zien; 2 *Am* tot inzicht (inkeer) komen; *see the red* ~ het gevaar beseffen, op zijn hoede zijn; *(they speak) according to their* ~*s* naar zij verstand hebben; *between the* ~*s* F tussen licht en donker; *stand in one's own* ~ zich zelf in het licht (in de weg) staan, zijn eigen glazen ingooien; *come (be brought) to* ~ aan het licht komen; *sit without a* ~ zitten sche- meren; II *vt* verlichten, bij-, voorlichten; aan- steken, opsteken (ook: ~ *up*); *a* ~*ed cigar* een brandende sigaar; III *vi & va* 1 lichten; aangaan, vuur vatten; 2 ⚓ afstappen, afstij- gen; ~ *on* neerkomen of neerstrijken op; tegenkomen, aantreffen; ~ *out* S 'm sme- ren; ~ *up* (eens) opsteken; de lichten aanste- ken; *fig* verhelderen, opklaren; beginnen te schitteren [v. ogen]; aangaan.
2 **light** [lait] I *aj* 1 licht, helder; 2 licht(blond) ‖ (te) licht, gemakkelijk; lichtzinnig, luchtig; los [v. grond]; ~ *of foot* vlug ter been; *make* ~ *of* licht tellen, de hand lichten met, in de wind slaan; ~ *reading* lichte (ontspannings) lectuur; II *ad* licht, zacht.
lighten ['laitn] I *vt* verlichten, verhelderen, op- klaren ‖ verlichten [een taak &]; II *vi* (weer)-

lichten, bliksemen; lichter worden.
lighter ['laitə] I *sb* aan-, ontsteker, (vuur)aan- maker; ⚓ lichter; II *vt* ⚓ vervoeren met een lichter.
lighterage ['laitəridʒ] 1 lichtertransport o; 2 lichtergeld o.
light-fingered ['lait'fiŋgəd] vingervlug, diefach- tig.
light-footed ['lait'futid] lichtvoetig.
light-handed ['lait'hændid] 1 zacht² [van hand]; 2 weinig bagage & dragend.
light-headed ['lait'hedid, + 'laithedid] licht in 't hoofd; ijlhoofdig, lichtzinnig.
light-hearted ['lait'ha:tid, + 'laitha:tid] opge- wekt; ook: luchtig, lichthartig.
lighthouse ['laithaus] vuurtoren; ~ *keeper* vuurtorenwachter.
lighting ['laitiŋ] aansteken o; be-, verlichting; ~-*up time* voorgeschreven uur om het licht (de lantarens) aan te steken.
lightly ['laitli] *ad* licht, gemakkelijk; zacht [ge- kookt]; luchtig, lichtzinnig.
lightmeter ['laitmi:tə] lichtmeter [v. camera].
light-minded ['lait'maindid] lichtzinnig, luch- tig, lichthartig, lichtvaardig.
lightness ['laitnis] lichtheid, gemakkelijkheid; lichtzinnigheid, luchtigheid.
lightning ['laitniŋ] I *sb* weerlicht o & m, blik- sem; II als *aj* bliksemsnel; ~ *cartoonist* snel- tekenaar; ~ *strike* wilde staking.
lightning-conductor, -rod ['laitniŋkəndʌktə, -rɔd] bliksemafleider.
light-plant ['laitpla:nt] 🌿 lichtinstallatie.
lightship ['laitʃip] ⚓ licht-, vuurschip o.
lightsome ['laitsəm] licht, helder ‖ licht, vlug, opgewekt.
light-weight ['laitweit] *sp* (bokser of jockey van) lichtgewicht o; *fig* onbeduidend persoon.
§ **ligneous** ['ligniəs] houtachtig.
lignite ['lignait] ligniet o [bruinkool]. [thiek.
likable ['laikəbl] prettig, aangenaam, sympa-
1 **like** [laik] I *aj* gelijk, dergelijk, (de)zelfde; gelijkend; (zo)als; zo; *what is it* ~? hoe ziet het er uit?, hoe is het?, wat is het voor iets?; *as* ~ *as two peas* op elkaar gelijkend als twee druppels water; *something* ~ *1500 people* zo- wat, ongeveer 1500 mensen; *that was some- thing* ~ *a day* dat was nog eens een dag; *that is something* ~! dat laat zich horen!; *it is not anything* ~ *as good, it is nothing* ~ *as good* op geen stukken na (lang niet) zo goed; *that is just* ~ *him* dat is net iets voor hem; *that is* ~ *your impudence* dat is nu weer eens een staal- tje van je onbeschaamdheid; II *prep* (zo)als, zo, als; ~ *as* ⚓ zoals, als; ~ *anything (blazes, fun, one o'clock)* van je welste, van wat-ben- je-me, als de bliksem; ~ *a good boy* dan ben je een beste; III *ad* ⚓twat; ~ *enough, very* ~ *(as)* ~ *as not* wel (best) mogelijk; waarschijnt lijk; IV *cj* F & P zoals; *I had* ~ *to have lost i*, ik had het bijna verloren; V *sb* gelijke, weder- ga(de), weerga; ~ *draws to* ~ soort zoekt

soort; *his* ~ zijn weerga; *the* ~ *(of it)* iets dergelijks; *you and the* ~*s of you* F u en uws gelijken; ...*and the* ~ enz.

2 **like** [laik] **I** *vt* houden van, ophebben met; geven om, (gaarne) mogen, graag hebben; ↖ lijken, aanstaan; *I* ~ *it* ook: ik vind 't prettig (aardig, leuk, lekker &), 't bevalt me, 't staat me aan; *I* ~ *that!* F die is goed!; *I* ~ *to see it* ik zie het graag; *I should* ~ *to know* ik zou gaarne (wel eens) willen weten; *as you* ~ *it SH* zoals het u behaagt; *if you* ~ als je wilt; *if you don't* ~ *it, you may lump it* je moet 't maar voor lief nemen; *what would you* ~? wat zal het zijn?; **II** *sb* voorliefde; ~*s and dislikes* sympathieën en antipathieën.

likeable ['laikəbl] zie *likable*.

likelihood ['laiklihud], **likeliness** ['laiklinis] waarschijnlijkheid.

likely ['laikli] waarschijnlijk, vermoedelijk; geschikt; *the most* ~ *person to do it* die het (zeker) wel doen zal; *the likeliest place to find him in* waar hij vermoedelijk wel te vinden is; *not* ~*!* F kan je begrijpen!; *he is not* ~ *to come* hij zal (waarschijnlijk) wel niet komen; *he is more* ~ *to succeed* hij heeft meer kans te slagen; *as* ~ *as not* wel (best) mogelijk; waarschijnlijk (wel).

like-minded ['laik'maindid] gelijkgezind, één van zin.

liken ['laikn] vergelijken (bij *to*).

likeness ['laiknis] gelijkenis; gedaante; portret *o*.

likewise ['laikwaiz] evenzo; des-, insgelijks, eveneens, ook.

liking ['laikiŋ] zin, smaak, lust, (voor)liefde, genegenheid; *have a* ~ *for* houden van, liefhebben.

lilac ['lailək] **I** *sb* 1 ✿ sering; 2 lila *o*; **II** *aj* lila. § **liliaceous** [lili'eiʃəs] lelieachtig.

Lille [li:l] Rijssel *o*.

Lilliput ['lilipʌt] Lilliput *o*.

Lilliputian [lili'pju:ʃən] **I** *aj* lilliputachtig, dwergachtig; **II** *sb* Lilliputter, *fig* lilliputter.

lilt [lilt] **I** *sb* vrolijk wijsje *o*; ritme *o*, cadans; veerkracht; **II** *vi* wippen, huppelen; zingen; **II** *vt* vlug en vrolijk zingen.

lily ['lili] **I** *sb* ✿ lelie; ~ *of the valley* ✿ lelietje-van-dalen *o*; **II** als *aj* (lelie)wit.

lily-white ['lili'wait, + 'liliwait] lelieblank.

limb [lim] lid *o*; J been *o*; tak; § limbus; rand; F rakker [v. e. kind]; ~ *of the devil* duivelskind *o*; *out on a* ~ in een ongunstige positie.

1 **limber** ['limbə] **I** *aj* buigzaam, lenig; **II** *vt* (& *vi*) ~ *(up)* buigzaam (lenig) maken (worden); **III** *va* ~ *up* de spieren los maken door lenigheidsoefeningen; *fig* zich inspelen.

2 **limber** ['limbə] **I** *sb* ✗ voorwagen; **II** *vt* & *vi* ~ *(up)* ✗ opleggen, aanspannen.

limbo ['limbou] 1 het voorgeborchte der hel; 2 F gevangenis; *consign to* ~ der vergetelheid prijsgeven.

lime [laim] **I** *sb* (vogel)lijm ‖ kalk ‖ linde-

(boom) ‖ limoen; **II** *vt* met lijm bestrijken, lijmen[2] ‖ met kalk bemesten of behandelen.

lime-burner ['laimbə:nə] kalkbrander.

lime-juice ['laimdʒu:s] limoensap *o*.

limekiln ['laimkil(n)] kalkoven, kalkbranderij.

limelight ['laimlait] kalklicht *o*; *in the* ~ in het schelle licht van de publiciteit.

Limerick ['limərik] Limerick *o*; *limerick* soort vijfregelig grappig canonversje *o*.

limestone ['laimstoun] kalksteen *o* & *m*.

lime-tree ['laimtri:] lindeboom.

lime-twig ['laimtwig] lijmroede.

lime-wash ['laimwoʃ] **I** *sb* witkalk; **II** *vt* witten.

lime-water ['laimwɔ:tə] kalkwater *o*.

limey ['laimi] *Am* S Engelsman.

limit ['limit] **I** *sb* (uiterste) grens, grenslijn; limiet; beperking; *that's the* ~ S dat is het toppunt; *off* ~*s Am* zie *out of bounds*; *to the* ~ tot het (aller)uiterste; **II** *vt* begrenzen; beperken; limiteren.

limitation [limi'teiʃən] 1 beperking, begrenzing, grens[2]; beperktheid; 2 verjaringstermijn.

limited ['limitid] beperkt, begrensd; geborneerd, bekrompen; ~ *(liability) company* $ naamloze vennootschap (met beperkte aansprakelijkheid); ~ *partnership* $ commanditaire vennootschap.

limitless ['limitlis] onbegrensd, onbeperkt.

↖ **limn** [lim] schilderen, kleuren, verluchten.

↖ **limner** ['limnə] (portret)schilder, miniatuurschilder; verluchter.

limousine ['limuzi:n] limousine.

1 **limp** [limp] *aj* slap.

2 **limp** [limp] **I** *vi* hinken, mank, kreupel lopen; **II** *sb* in: *have a* ~ *in one's gait, walk with a* ~ mank, kreupel lopen.

limpet ['limpit] napslak; *cling (stick) like a* ~ aanhangen als een klis.

limpid ['limpid] helder, klaar, doorschijnend.

limpidity [lim'piditi] helderheid, klaarheid, doorschijnendheid.

limy ['laimi] lijmig ‖ kalkachtig, kalk-.

linage ['lainidʒ] 1 aantal *o* regels; 2 honorarium *o* per regel.

linchpin ['lin(t)ʃpin] luns.

Lincoln ['liŋkən] Lincoln.

linden ['lindən] lindeboom, linde.

line [lain] **I** *sb* lijn, regel, streep, schreef; grens(lijn); F regeltje *o*, lettertje *o*; ↩ strafregel; (richt)snoer *o*, touw *o*; linie; spoor-, stoomvaartlijn &; reeks, rij; $ branche, vak *o*; assortiment *o*, artikel *o*; *it is hard* ~*s* hard, een hard gelag; ~ *of action* koers, gedragslijn; ~ *of battle* slagorde; *it is not my* ~ *(of business)* vak *o*, branche; ~ *of conduct* gedragslijn; ~ *of sight* vizierlijn; ~ *of thought* gedachtengang; *cross the* ~ ⚓ de linie passeren; *draw the* ~ *somewhere* een grens trekken; *give one* ~ *enough* de nodige vrijheid van beweging laten; *hold the* ~ ☎ blijft u aan het toestel?; *take a* ~ *of one's own* (one's *own* ~) zijn eigen weg gaan; zijn eigen inzicht volgen; *take a firm* ~ *against*... vastberaden optreden tegen...; *take the* ~ *of least resistance* de weg van de geringste weerstand kiezen; *all along the* ~ over de gehele linie; *along the* ~*s of* in de geest (zin, trant) van, op de wijze van; *by* ~ *and rule*, (*SH by* ~ *and level*) met passer en liniaal; *in* ~ *with* op één lijn (staand) met; in overeenstemming met; *a shop in the general* ~ waar alles te krijgen is; *it is not in his* ~ dat ligt niet op zijn weg, daar heeft hij geen bemoeienis mee, dat is niets voor hem; *bring them into* ~ hen akkoord doen gaan, hen tot eendrachtige samenwerking krijgen; hen op voet van gelijkheid brengen; *come into* ~ *with* zich scharen aan de zijde van; *form into* ~ ✗ 1 aantreden; 2 in bataille komen; *of a good* ~ van goede komaf; *on the* ~*s laid down by him* volgens het principe, op de voet, op de basis door hem aangegeven; *on the old accepted* ~*s* op de traditionele manier, op de oude leest (geschoeid); ~ *upon* ~ B regel op regel; langzaam maar zeker; II *vt* liniëren, strepen; afzetten [met soldaten]; (geschaard) staan langs [v. menigte, bomen &]; voeren, bekleden, beleggen, beschieten; ~ *one's pockets* (*purse*) zijn beurs spekken; *a face* ~*d with pain* doorploegd, met voren; ~ *in* omlijnen; ~ *off* aftekenen, aanstrepen; ~ *out* omlijnen; ~ *through* dóórstrepen; ~ *up* opstellen, laten aantreden; III *vi* in: ~ *up* zich opstellen, aantreden; in de (een) rij gaan staan; ~ *up with* zich aansluiten bij, zich scharen aan de zijde van.

lineage ['liniidʒ] geslacht *o*, afkomst; nakomelingschap.

lineal ['liniəl] in de rechte lijn (afstamming), rechtstreeks.

lineament ['liniəmənt] gelaatstrek, trek.

linear ['liniə] lijnvormig, lineair, lijn-, lengte-.

line-drawing ['laindrɔːiŋ] contourtekening.

line-engraving ['lainingreiviŋ] lijngravure.

lineman ['lainmən] 1 baanwachter; 2 ✙ lijnwerker.

linen ['linin] I *sb* linnen(goed) *o*, ✎ lijnwaad *o*; II *aj* linnen, van linnen.

linen-draper ['linindreipə] manufacturier.

liner ['lainə] ⚓ lijnboot; ✈ lijnvliegtuig *o*; ✗ bekleding, voering.

linesman ['lainzmən] 1 ✗ liniesoldaat; 2 *sp* grensrechter; 3 zie ook: *lineman*.

ling [liŋ] ✣ (struik)heide ‖ 🐟 leng.

linger ['liŋgə] I *vi* toeven, talmen, dralen; weifelen; kwijnen, blijven hangen (ook: ~ *on*); *not* ~ *over* niet lang(er) stilstaan bij; II *vt* ~ *away* vertreuzelen; ~ *out one's days* voortslepen, rekken.

lingerer ['liŋgərə] talmer.

lingering ['liŋgəriŋ] I *aj* lang(durig), slepend, langzaam (werkend); dralend, langgerekt; II *sb* (kwijnend) voortbestaan *o*; toeven *o* &.

lingo ['liŋgou] (vreemd) taaltje *o*.

lingual ['liŋgwəl] I *aj* tong-; taal-; II *sb* tongklank.

linguist ['liŋgwist] taalkundige.

linguistic [liŋ'gwistik] I *aj* taalkundig, taal-; II *sb* in: ~*s* taalwetenschap.

liniment ['linimənt] smeersel *o*.

lining ['lainiŋ] voering, bekleding; zie ook: *cloud* I.

link [liŋk] I *sb* schakel², schalm; lengte van 7.92 inch; (pek)toorts; *fig* band; ~*s* 1 vlakke, met gras bedekte strook aan de zeekust; *sp* golfbaan; 2 manchetknopen; II *vt* steken (door *in*); ~ (*up*) aaneenschakelen, verbinden, verenigen, aansluiten (met, aan *to, with*); *be* ~*ed* (*up*) *with* ook: aansluiten bij, op; III *vi* in: ~ *up with* zich verbinden met, zich verenigen met, zich aansluiten bij.

link-up [liŋk'ʌp] verbinding, vereniging.

Linnaean [li'niːən] van Linnaeus.

linnet ['linit] 🐦 vlasvink, kneu.

lino ['lainou] F linoleum *o* & *m*.

linoleum [li-, lai'nouljəm] linoleum *o* & *m*.

linseed ['linsiːd] lijnzaad *o*.

linseed cake ['linsiːd'keik] lijnkoek.

linseed oil ['linsiːd'ɔil] lijnolie.

linstock ['linstɔk] ⚔ lontstok.

lint [lint] pluksel *o*.

lintel ['lintl] △ kalf *o*, bovendrempel.

lion ['laiən] I ♌ leeuw; 2 *fig* beroemdheid merkwaardigheid [van de plaats]; *the* ~ *of the day* de held van de dag.

lioness ['laiənis] 1 leeuwin; 2 F lionne.

lion-hearted ['laiən'haːtid] met leeuwemoed (bezield), manmoedig.

lion-hunter ['laiənhʌntə] 1 leeuwejager; 2 F wie jacht maakt op de celebriteiten van de dag.

lip [lip] lip°; rand; P (brutale) praatjes; *give* ~ P brutaliseren.

lip-deep ['lip'diːp] niet (oprecht) gemeend.

lipsalve ['lipsaːv] lippenpomade; *fig* flikflooierij.

lip-service ['lipsəːvis] lippendienst.

lipstick ['lipstik] lippenstift.

liquefaction [likwi'fækʃən] vloeibaarmaking, smelting.

liquefiable ['likwifaiəbl] smeltbaar; oplosbaar.

liquefy ['likwifai] vloeibaar maken (worden); oplossen.

liqueur [li'kjuə] likeur.

liquid ['likwid] I *aj* vloeibaar; vloeiend; waterig [v. ogen]; liquide; ~ *resources* $ vlottende middelen; II *sb* 1 vloeistof; 2 *gram* liquida.

liquidate ['likwideit] vereffenen, liquideren.

liquidation [likwi'deiʃən] liquidatie, vereffeliquidator ['likwideitə] $ liquidateur. [ning.

liquidity [li'kwiditi] vloeibaarheid; $ liquiditeit.

liquor ['likə] I *sb* vocht *o*; (sterke) „drank"; *in* ~ beschonken; II *vi* S ~ (*up*) borrelen.

liquorice ['likəris] I ♣ zoethout *o*; 2 drop.

lira ['liərə, *mv* lire 'liəri] lire.

Lisbon ['lizbən] Lissabon *o*.

lisle [lail] in: ~ *gloves* garen handschoenen; ~ *thread* fil d'écosse *o*.

lisp [lisp] I *vi* & *vt* lispelen; II *sb* gelispel *o*.

lissom(e) ['lisəm] buigzaam, lenig, vlug, rap.

1 **list** [list] I *sb* zelfkant, tochtband *o* [stofnaam], tochtband *m* [voorwerpsnaam], rand ‖ (naam)lijst, catalogus, tabel, rol ‖ ♣ slagzij(de), overhelling; ~*s* (strijd)perk *o*; *the* ~ *of wines* de wijnkaart; *enter the* ~*s* in het strijdperk treden; II *aj* zelfkanten, stoffen [pantoffels].

2 **list** [list] I *vt* 1 een lijst opmaken van, inschrijven, noteren, catalogiseren; opnemen, opsommen, vermelden; 2 met een rand of tochtband afzetten; II *vi* 1 ♣ slagzij(de) maken, overhellen; 2 ⊙ lust hebben, lusten ‖ ⊙ luisteren ‖ zie ook: *enlist*.

listen ['lisn] luisteren (naar *to*)²; ~ *in* 💥✝ luisteren; ~ *in* (*to* be-, afluisteren.

listener ['lisnə])luisteraar; > luistervink; toehoorder.

listener-in ['lisnə'rin] 💥✝ luisteraar.

listless(ly) ['listlis(li)] lusteloos, hangerig, slap.

list-price ['listprais] $ catalogusprijs.

lit [lit] V.T. & V.D. van *light*.

litany ['litəni] litanie.

literacy ['litərəsi] het kunnen lezen en schrijven.

literal ['litərəl] *aj* letterlijk; letter-.

literalism ['litərəlizm] letterknechterij.

literalist ['litərəlist] letterknecht.

literally ['litərəli] *ad* letterlijk.

literary ['litərəri] literair, letterkundig; geletterd; ~ *historian* literair-historicus; ~ *history* literatuurgeschiedenis.

literate ['litərit] het lezen en schrijven machtig (zijnde); geletterd.

literati [litə'reitai] geleerden, geletterden.

literature ['lit(ə)rətʃə] literatuur, letterkunde; [propaganda] lectuur, prospectussen, drukwerk &.

litharge ['liθa:dʒ] loodglit *o*. [werk &.

lithe(some) ['laið(səm)] buigzaam, lenig.

lithograph ['liθəgra:f] I *sb* lithografie, steendruk(plaat); II *vt* lithograferen.

lithographer [li'θɔgrəfə] lithograaf.

lithographic [liθə'græfik] lithografisch.

lithography [li'θɔgrəfi] lithografie.

Lithuania [liθju'einjə] Litouwen *o*.

Lithuanian [liθju'einjən] I *aj* Litouws; II *sb* Litouwer.

litigant ['litigənt] I *aj* procederend, in proces liggend; II *sb* procederende partij.

litigate ['litigeit] I *vi* procederen; II *vt* procederen over; betwisten.

litigation [liti'geiʃən] 1 procederen *o*; 2 (rechts)geding *o*, proces *o*.

litigious [li'tidʒəs] 1 pleitziek; 2 betwistbaar; 3 proces-.

litmus ['litməs] lakmoes *o*.

litre ['li:tə] liter.

litter ['litə] I *sb* 1 draagkoets, (draag)baar; stalstro *o*, strooisel *o*; warboel, rommel, afval *o* & *m* [schillen &]; 2 worp [varkens]; II *vt* van stro voorzien, met stro bedekken, strooien (ook: ~ *down, up*); bezaaien; dooreengooien, overal (ordeloos) neergooien of laten liggen; ~*ed with books* overdekt met overal slingerende boeken; III *vi* (jongen) werpen.

litter bin ['litəbin] metalen papiermand (op straat).

littery ['litəri] rommelig.

little ['litl] I *aj* klein², kleinzielig; luttel; weinig, gering; ~ *butter* weinig boter; *a* ~ *butter* een beetje (wat) boter; *L*~ *Englander* anti-imperialistischgezinde Engelsman; *make* ~ *of* niet tellen, weinig geven om; zie ook: *finger &*; II *sb* weinig; *a* ~ een beetje; een kleinigheid; *not a* ~ niet weinig (= zeer veel); *after a* ~ na korte tijd; ~ *by* ~, *by* ~ *and* ~ langzamerhand; *for a* ~ een poosje; *in* ~ in het klein; *he was within a* ~ *of crying* hij had bijna gehuild; *many a* ~ *makes a mickle* veel kleintjes maken een grote; III *ad* weinig (soms = niet).

littlego ['litlgou] ⇔ eerste examen *o* voor B.A. [Cambridge].

littleness ['litlnis] klein(zielig)heid.

littoral ['litərəl] I *aj* kust-; II *sb* kustgebied *o*.

liturgical [li'tə:dʒikl] liturgisch.

liturgy ['litədʒi] liturgie.

livable ['livəbl] bewoonbaar; leefbaar [leven]; gezellig.

1 **live** [laiv] *aj* levend, in leven; levendig; actief, energiek; brandend, actueel [v. kwestie]; echt, heus [beest]; gloeiend [kool]; scherp (geladen); niet ontploft [granaat]; vers [stoom]; 💥 onder stroom of geladen; 💥✝ & *TV* direct [v. uitzending]; *a* ~ *wire* ook: *fig* een energiek iemand; een dynamische persoonlijkheid *v*.

2 **live** [liv] I *vi* 1 leven, bestaan; blijven leven, in (het) leven blijven; ♣ het uithouden [in een storm]; 2 wonen; ~ *and learn* een mens is nooit te oud om te leren; *as I* ~ *!* zo waar ik leef!; *he quite* ~*s there* hij is er altijd over de vloer; II *vt* leven; doorleven, beleven; ∞ ~ *again* herleven; ~ *by bread alone* van brood alleen; ~ *down a calumny* door zijn leven logenstraffen; ~ *down prejudice* het vooroordeel te boven komen; ~ *in* intern zijn, inwonen; ~ *on* blijven leven, voortleven; ~ *on grass* zich voeden met; ~ *on one's relations* leven (op kosten) van; ~ *on one's reputation* op zijn roem teren; ~ *out* overleven; niet intern zijn; ~ *to* (*be*) *a hundred* (nog) honderd jaar worden; ~ *to see*... het beleven dat; ~ *up to* leven overeenkomstig..., naleven, niet te schande maken; ~ *with* 1 wonen bij, samenwonen met; 2 leven met.

liveable ['livəbl] zie *livable*.

livelihood ['laivlihud] kost-, broodwinning,

kost, (levens)onderhoud *o*, brood *o*, bestaan *o*; *make a (his)* ~ zijn brood verdienen.

liveliness ['laivlinis] levendigheid°, vrolijkheid; drukte.

livelong ['livloŋ] in: *the* ~ *day* de godganse dag.

lively ['laivli] levendig°, vrolijk; druk.

liven ['laivn] verlevendigen, opvrolijken (ook: ~ *up*).

I **liver** ['livə] wie leeft, levende; *a free* ~ een losbol; een smulpaap; *a good* ~ I een braaf mens; 2 een bon-vivant; *the longest* ~ de overlevende, de langstlevende; *a loose* ~ een losbol, boemelaar.

2 **liver** ['livə] I lever; 2 leverziekte, -kleur.

liveried ['livərid] in livrei, livrei-.

liverish ['livəriʃ] aan de lever lijdend.

livery ['livəri] I livrei; *fig* kleed *o*; 2 zie *livery company*; 3 (akte van) overdracht; *keep horses at* ~ huurpaarden houden.

livery company ['liverikʌmpəni] gilde *o* & *v* van de City van Londen.

liveryman ['liverimən] I lid van een der gilden van de City van Londen; 2 stalhouder.

livery stable ['liveristeibl] stalhouderij.

live-stock ['laivstɔk] levende have, veestapel.

livid ['livid] lood-, lijkkleurig, (doods)bleek; S hels, razend.

lividity [li'viditi] loodkleur, doodsbleke kleur.

living ['liviŋ] I *aj* levend; *be* ~ (nog) leven, in leven zijn; *within* ~ *memory* bij mensenheugenis; ~ *space* I woonruimte; 2 levensruimte; ~ *wage* een menswaardig bestaan verzekerend loon *o*; II *sb* leven *o*, levensonderhoud *o*, bestaan *o*, kost(winning); predikantsplaats; *for a (his)* ~ voor de kost, om den brode; *make a (his)* ~ zijn brood verdienen.

living-room ['liviŋrum] woonvertrek *o*, huiskamer; zie ook: *living space*.

Livonia [li'vounjə] Lijfland *o*.

Livonian [li'vounjən] I *aj* Lijflands; II *sb* Lijflander.

Livy ['livi] Livius.

§ **lixiviate** [lik'sivieit] uitlogen.

lizard ['lizəd] ☙ hagedis.

llama ['la:mə] ☙ lama.

LL.B. = *Legum Baccalaureus, Bachelor of Laws.*

LL.D. = *Legum Doctor, Doctor of Laws.*

Lloyd's [lɔidz] Lloyd's kantoor *o*: beursafdeling voor zeeverzekering (te Londen).

☙ **lo** [lou] zie!, kijk!

load [loud] I *sb* lading, last, vracht; ☙ belasting; ~*s of...* hopen; *a* ~ *of hay* een voer hooi; *that is a* ~ *off my mind* een pak van 't hart; II *vt* I (in-, op-, be)laden, bevrachten, bezwaren, belasten); vullen [pijp]; 2 overladen; ~*ed claret* aangezette bordeauxwijn; ~*ed dice* valse dobbelstenen; ~*ed question* strikvraag; ~*ed stick* met lood gevulde stok; III *vi* & *va* laden.

loader ['loudə] lader.

loading ['loudiŋ] het laden, lading, vracht; ☙ belasting; ~ *berth* ⚓ laadplaats.

loadline ['loudlain] ⚓ lastlijn.

loadstar ['loudsta:] poolster[2], ☉ leidstar.

loadstone ['loudstoun] magneetsteen *o* & *m* [stofnaam], magneetsteen *m* [voorwerpsnaam].

I **loaf** [louf] I *sb* I brood *o*; 2 krop [v. sla &]; 3 stuk *o* [zult, gehakt &]; *the loaves and fishes* het materieel belang; *half a* ~ *is better than no bread* beter een half ei dan een lege dop; II *vi* kroppen [v. sla &].

2 **loaf** [louf] I *vi* leeglopen, lanterfanten, rondslenteren (ook: ~ *about*); II *vt* in: ~ *away* verlummelen; III *sb* lanterfanterij.

loafer ['loufə] leegloper, schooier.

loaf-sugar ['louf'ʃugə] broodsuiker.

loam [loum] I *sb* leem *o* & *m*; II *vt* lemen.

loamy ['loumi] leemachtig, leem-.

loan [loun] I *sb* lening, geleende *o*, lenen *o*; *ask for the* ~ *of* te leen vragen; *may I have the* ~ *of it?* mag ik het eens lenen?; *on* ~ te leen; *(be) out on* ~ uitgeleend (zijn); II *vt* (uit)lenen.

loan-bank ['lounbæŋk] voorschotbank.

loan-office ['lounɔfis] I hulpbank; 2 leenbank

loan-word ['lounwə:d] bastaardwoord *o*, leenwoord *o*.

loath [louθ] afkerig, ongenegen; *nothing* ~ *to go* wat graag gaande.

loathe [louð] verafschuwen, een afkeer hebben van, walgen van.

loathing ['louðiŋ] walg(ing), weerzin.

☙ **loathly** ['louðli] zie *loathsome*.

loathsome ['louðsəm] walglijk, weerzinwekkend, afschuwelijk.

lob [lɔb] I *vi* zich log bewegen; II *vt* in een boog gooien; hoog slaan; III *sb* bal die een boog beschrijft; hoge bal [tennis].

lobby ['lɔbi] I *sb* I voorzaal, portaal *o*; 2 koffiekamer, foyer; 3 couloir, wandelgang; II *vt* & *vi* (leden van het Parlement &) in de wandelgangen bewerken.

lobe [loub] I lob; 2 kwab; 3 lel.

lobed [loubd] ✿ gelobd, -lobbig.

lobster ['lɔbstə] I zeekreeft; 2 S † soldaat; ~ *salad* kreeftesla.

lobule ['lɔbju:l] lobbetje *o*, kwabbetje *o*, lelletje *o*.

lob-worm ['lɔbwə:m] zeepier. [letje *o*.

local ['loukəl] I *aj* plaatselijk; van plaats; van de plaats; plaats-; lokaal; alhier, stad [op adres]; ~ *service* buurtwerker *o*, lokaaldienst; II *sb* plaatselijk inwoner; plaatselijk nieuws *o*; lokaaltrein; plaatselijke afdeling &; S (stam)kroeg, wijkcafé *o*.

locale [lou'ka:l] plaats (waar iets voorvalt).

localism ['loukəlizm] plaatselijke eigenaardigheid, uitdrukking &.

locality [lou'kæliti] plaatselijkheid; plaats, lokaliteit; plaatsgeheugen *o*.

localization [loukəlai'zeiʃən] lokalisatie, plaat-

selijk maken *o*, plaatselijke beperking; plaatsbepaling.
localize ['loukəlaiz] lokaliseren, binnen bepaalde grenzen beperken; zie ook: **locate I**.
locally ['loukəli] *ad* 1 plaatselijk; 2 ter plaatse.
locate [lou'keit] een (zijn) plaats aanwijzen, de
plaats bepalen van, plaatsen, vestigen; de
plaats opsporen (vaststellen) van.
location [lou'keiʃən] plaatsbepaling, plaatsing,
plaats, ligging; plaats voor buitenopnamen
[v. film]; mijnbouwterrein *o*; *ZA* lokasie: na-
turellenkwartier *o*; *Austr* fokkerij.
loch [lɔx, lɔk] *Sc* meer *o*; zeearm.
1 **lock** [lɔk] *sb* lok [haar]; vlok [wol].
2 **lock** [lɔk] **I** *sb* slot *o*; sluis; ∼, *stock, and
barrel* zoals het reilt en zeilt, alles inbegrepen; *under* ∼ *and key* achter slot en grendel;
II *vt* 1 sluiten, op slot doen, af-, op-, in-, om-,
wegsluiten; vastzetten, klemmen; 2 van sluizen voorzien; ∼ *away* wegsluiten; ∼ *in* in-,
opsluiten; ∼ *out* 1 buitensluiten; 2 uitsluiten
[werkvolk]; ∼ *through* (door)schutten
[schip]; ∼ *up* op-, wegsluiten, vastleggen
[kapitaal]; sluiten.
lockage ['lɔkidʒ] 1 verval *o* van een sluis; 2
schut-, sluisgeld *o*; 3 sluiswerken.
lock-chamber ['lɔktʃeimbə] schut-, sluiskolk.
locker ['lɔkə] kastje *o*, kist.
locker-room ['lɔkərum] kleedkamer [v. bedrijf
&].
locket ['lɔkit] medaillon *o*.
lock-gate ['lɔkgeit] sluisdeur.
lockjaw ['lɔkdʒɔ:] ⚕ mondklem.
lock-keeper ['lɔkki:pə] sluiswachter.
lock-out ['lɔk'aut] uitsluiting.
locksman ['lɔksmən] sluiswachter.
locksmith ['lɔksmiθ] slotenmaker.
lock-up ['lɔkʌp] 1 arrestantenlokaal *o*, nor; 2
box [v. garage]; 3 (tijd van) sluiten *o*; 4 vastlegging [v. kapitaal]; ∼ *café* café *o* zonder
woonruimte; ∼ *desk* lessenaar die op slot
kan; ∼ *garages* boxengarage(s); ∼ *shop* dag-
winkel.
loco ['loukou] *Am* F getikt, gek.
locomotion [loukə'mouʃən] (vermogen *o* van)
voortbeweging, zich verplaatsen *o*.
locomotive ['loukəmoutiv] **I** *aj* zich (automatisch) voortbewegend of kunnende bewegen;
bewegings-; ∼ *engine* locomotief; **II** *sb* locomotief.
locum tenens ['loukəm'ti:nenz] (plaats)vervan-
ger [v. dokter of geestelijke].
locus ['loukəs] (meetkundige) plaats.
locust ['loukəst] sprinkhaan.
locution [lə'kju:ʃən] spreekwijze.
lode [loud] (water)afvoerkanaal *o*; ertsader.
loden ['loudn] loden [wollen stof].
lodestar ['loudsta:] zie *loadstar*.
lodestone ['loudstoun] zie *loadstone*.
lodge [lɔdʒ] **I** *sb* optrekje *o*, huisje *o*, hut; portierswoning, -hokje *o*, rectorswoning [bij
universiteit]; loge [v. vrijmetselaars]; leger *o*,

hol *o* [v. dier]; **II** *vt* (neer)leggen, plaatsen,
huisvesten, herbergen, zetten; deponeren;
indienen, inleveren, inzenden (bij *with*); opslaan [goederen]; ∼ *oneself* ook: zich nestelen; ∼ *a bullet in his brain* jagen; *power* ∼*d in*
(*in the hands of, with*) berustend bij; **II** *vi* wonen, huizen; blijven zitten (steken); ∼ *with*
inwonen bij.
lodge-keeper ['lɔdʒki:pə] portier [van een bui-
ten].
lodgement zie *lodgment*.
lodger ['lɔdʒə] kamerbewoner, inwonende.
lodging ['lɔdʒiŋ] huisvesting, (in)woning, logies
o, kamers; *in* ∼*s* op kamers.
lodging-house ['lɔdʒiŋhaus] huis *o* waar kamers verhuurd worden.
lodgment ['lɔdʒmənt] plaatsing, huisvesting;
ophoping; ⚖ deposito *o*; *effect* (*make*) *a* ∼
⚔ zich nestelen.
loess ['louis] löss.
Lofoten [lə'foutn] *the* ∼ (*Islands*) de Lofodden.
loft [lɔ:ft] zolder; vliering; duiventil; galerij.
loftily ['lɔ:ftili] *ad* zie *lofty*; ook: uit de
hoogte.
loftiness ['lɔ:ftinis] verhevenheid, hoogte;
trots.
lofty ['lɔ:fti] *aj* verheven, hoog; trots.
log [lɔg] **I** *sb* 1 blok *o*; 2 ⚓ log; 3 zie *logbook*;
heave the ∼ ⚓ loggen; **II** *vt* 1 (hout) hakken;
2 in het logboek optekenen.
loganberry ['lougənberi] ⚘ braamframboos.
logarithm ['lɔgəriθm] logaritme.
logbook ['lɔgbuk] ⚓ logboek *o*, journaal *o*;
logboek *o*: dagboek *o*; register *o*; werk-
boekje *o*.
log-cabin ['lɔgkæbin] blokhuis *o*.
loggerhead ['lɔgəhed] 1 ⚘ botterik; 2 valse
karetschildpad; *be at* ∼*s* elkaar in het haar
zitten, overhoop liggen, bakkeleien.
loggia ['lɔdʒə] loggia.
log-house ['lɔghaus] blokhuis *o*.
logic ['lɔdʒik] logica, redeneerkunde.
logical(ly) ['lɔdʒikəl(i)] logisch.
logistic [lou'dʒistik] ⚔ logistiek.
logistics [lou'dʒistiks] ⚔ logistiek.
logwood ['lɔgwud] campêchehout *o*.
loin [lɔin] lende, lendestuk *o*.
loin-cloth ['lɔinklɔθ] lendendoek.
loiter ['lɔitə] **I** *vi* talmen, treuzelen, lanterfanten; ⚖ op verdachte wijze rondhangen; ∼
about rondslenteren; **II** *vt* in: ∼ *away* verbeuzelen.
loiterer ['lɔitərə] treuzelaar, slenteraar.
loll [lɔl] **I** *vi* lui liggen, leunen, hangen; ∼
about staan „hangen"; **II** *vt* laten hangen, [de
tong] uitsteken (ook: ∼ *out*).
lollipop ['lɔlipɔp] snoepje *o*, snoep, lekkers *o*;
lolly.
lollop ['lɔləp] luieren, lummelen; ∼ *about* lanterfanten; rondzwalken.
lolly ['lɔli] 1 S duiten, money; 2 lolly.

Lombard ['lɔmbəd] I *sb* Lombard; II *aj* Lombardijs; ~ *Street* de Londense geldmarkt; *it's (all)* ~ *Street to a China orange* duizend tegen één.

Lombardy ['lɔmbədi] Lombardije *o*.

London ['lʌndən] Londen(s); ~ *pride* ♣ porseleinbloempje *o*.

Londoner ['lʌndənə] Londenaar.

lone [loun] eenzaam, verlaten.

loneliness ['lounlinis] eenzaamheid, verlatenheid.

lonely ['lounli], **lonesome** ['lounsəm] eenzaam.

1 **long** [lɔŋ] I *aj* lang°, langwijlig, langdurig; groot [gezin &]; ~ *bill* $ langzichtwissel; ~ *firm* zwendelfirma; *a* ~ *head* 1 iemand die uitgeslapen is; 2 dolichocefaal; ~ *jump sp* vèrspringen *o*; ~ *measure* lengtemaat; ~ *price (figure)* hoge prijs; *a* ~ *purse* een ruime beurs; ~ *vacation* grote vakantie; ~ *in the tooth* aftands; II *ad* in: *don't be* ~ blijf niet te lang weg; *he was not* ~ *(in) finding it out* het duurde niet lang of...; *he is not* ~ *for this world* hij zal 't niet lang meer maken; *as* ~ *as six months ago* al (wel) zes maanden geleden; *so (as)* ~ *as* als... maar, mits; *so* ~ *!* tot ziens!; III *sb the L*~ de grote vakantie; *the* ~ *and the short of it is...* om kort te gaan...

2 **long** [lɔŋ] *vi* verlangen (naar *after, for*).

long-bill ['lɔŋbil] ♣ snip.

long-billed ['lɔŋbild] langsnavelig.

longboat ['lɔŋbout] ⚓ sloep.

long-dated ['lɔŋ'deitid] $ langzicht-[wissel].

long-drawn ['lɔŋ'drɔ:n, + 'lɔŋdrɔ:n] langgerekt (ook: ~ *out*).

1 **longer** ['lɔŋgə] *aj* langer; *no* ~ niet langer (meer).

2 **longer** ['lɔŋə] *sb* verlanger.   [langst.

longest ['lɔŋgist] langst; *at (the)* ~ op zijn

longevity [lɔn'dʒeviti] lang leven *o*, hoge ouderdom.

longhand ['lɔŋhænd] gewoon schrift *o* (tegenover stenografie).

long-headed ['lɔŋhedid] 1 *fig* uitgeslapen; 2 dolichocefaal: langschedelig.

longing ['lɔŋiŋ] (sterk) verlangen *o*, belustheid.

longing(ly) ['lɔŋiŋ(li)] (erg) verlangend.

longish ['lɔŋiʃ] wat lang, vrij lang.

longitude ['lɔn(d)ʒitju:d] (geografische) lengte.

longitudinal [lɔn(d)ʒi'tju:dinəl] in de lengte, lengte-.

long-legged ['lɔŋlegd] langbenig.

long-lived ['lɔŋ'laivd, -'livd, + 'lɔŋlaivd, -livd] 1 langlevend, lang van leven; 2 langdurig.

long-play(ing) ['lɔŋplei(iŋ)] in: ~ *record* langspeelplaat.

long-range ['lɔŋrein(d)ʒ] ✕ vèrdragend [geschut], ✈ lange-afstands-[vlucht]; *fig* op lange termijn.

longshoreman ['lɔŋʃɔ:mən] 1 sjouwer, bootwerker, havenarbeider; 2 strandvisser.

long-sighted ['lɔŋ'saitid] vèrziend; *fig* vooruitziend; ~ *bill* $ langzichtwissel.

long-standing ['lɔŋstændiŋ] oud.

long-suffering ['lɔŋ'sʌfəriŋ] I *sb* lankmoedigheid; II *aj* lankmoedig.

long-term ['lɔŋtə:m] op lange termijn; voor lange tijd.

longways ['lɔŋweiz] in de lengte.

long-winded ['lɔŋ'windid] 1 lang van adem; 2 lang van stijl, langdradig.

longwise ['lɔŋwaiz] in de lengte.

looby ['lu:bi] lomperd; kwast.

look [luk] I *vi* kijken, zien, er uitzien; lijken; ~ *big* trots kijken, een hoge borst zetten; ~ *black* nors, zwart kijken; er somber uitzien; ~ *blank (foolish, sold)* beteuterd of op zijn neus kijken; ~ *blue* sip kijken; ~ *like* 1 lijken op; 2 er naar uitzien (dat); *it* ~*s like rain* het ziet er naar uit of we regen zullen krijgen; ~ *sharp* 1 scherp uitkijken; 2 haast (voort)maken; ~ *south* uitzien op het zuiden; ~ *before you leap* bezint eer gij begint; II *vt* er uitzien als, voorstellen; door zijn kijken uitdrukken, verraden; (er voor) zorgen; verwachten; *not* ~ *one's age* jonger lijken dan men is, er nog (voor zijn jaren) goed uitzien; ~ *one's best* zijn (haar) beau jour hebben; er op zijn voordeligst uitzien; goed uitkomen; ~ *it,* ~ *the part* het goede figuur hebben voor een rol; zijn uiterlijk niet logenstraffen; *you are not* ~*ing yourself* niet zo goed als anders; ∞ ~ *about* rondkijken, rondzien; ~ *about one* voorzichtig zijn, goed uit zijn ogen kijken; ~ *about for...* omzien (zoeken) naar; ~ *after* 1 acht geven op; 2 passen, letten op, zorgen voor; ~ *after his interests* behartigen; ~ *ahead* vooruitzien; ~ *at* kijken naar, bekijken, aankijken; *they will not* ~ *at...* 1 zij zullen er niet naar kijken; 2 ze willen niets weten van...; *he couldn't* ~ *at...* F hij zou... niet aankunnen; ~ *twice at his money* een dubbeltje tweemaal omkeren; ~ *away* een andere kant uit kijken, de blik (de ogen) afwenden; ~ *back* 1 achteruitzien, terugzien; 2 omkijken; *he never* ~*ed back* hij kwam (ging) vooruit; ~ *back upon* een terugblik werpen op; ~ *behind* omkijken; ~ *down* $ naar beneden gaan [prijzen]; ~ *one down* de ogen doen neerslaan; ~ *down on* neerzien op²; ~ *for* uitzien naar; verwachten; zoeken (naar); ~ *forward to* verlangend uitzien naar; zich verheugen op; tegemoet zien; ~ *in* even aanlopen (bij *upon*); ~ *in (at TV)* kijken naar de televisie; ~ *into* kijken in; onderzoeken, nagaan, bekijken; ~ *into the street* uitzien op de straat; ~ *on* toekijken; ~ *on (upon) as* beschouwen als, houden voor; ~ *on (upon) it with distrust* het wantrouwend aanzien, het wantrouwen; ~ *on with* inkijken [in één boek] bij; ~ *out* 1 uitzien, uit... zien; op de uitkijk staan; (goed) uitkijken; 2 uitzoeken, opzoeken [in boek]; ~ *out!* opgepast! ~ *out for* uitzien naar; (zeker) verwachten; ~ *over* 1 bekijken, opnemen; 2 doorkijken; 3 door de vingers zien; ~ *round* 1 omkijken, omzien; 2 eens uitkijken; 3 om zich heen zien; ~ *him through and through* 1 scherp aankijken; 2 hem heel en al doorzien; *greed* ~*s through his eyes* ziet hem de ogen uit; ~ *to* 1 (uit)zien naar; 2 letten op, passen op; 3 zorgen voor; 4 vertrouwen op; 5 verwachten; 6 uitzien op; ~ *towards* uitzien naar (op); overhellen naar; ~ *up* opzien, opkijken; $ de hoogte ingaan [prijzen]; opleven, beter gaan [zaken]; opknappen [het weer]; opzoeken; komen opzoeken; naslaan, nagaan [in boek]; ~ *up to one* (hoog) opzien tegen; ~ *up and down zie ~ on*; III *sb* blik; aanzien *o*, gezicht *o*, voorkomen *o*, uiterlijk *o*; *her* (*good*) ~*s* haar knap uiterlijk *o*; *have* (*take*) *a* ~ *at it* er eens naar kijken; *I don't like the* ~ *of it* dat bevalt me niet, ik vertrouw 't niet erg; *I can see it by your* ~*s* dat kan ik u aanzien.

looker-on ['lukə'rɔn] toeschouwer, kijker.
look-in ['luk'in] in: *have a* ~ eens een kijkje (komen) nemen; een kansje hebben.
looking-glass ['lukiŋglɑ:s] 1 spiegel; 2 spiegelglas *o*.
look-out ['luk'aut] 1 uitkijk°; 2 (voor)uitzicht *o*; *it is his* (*own*) ~ dat is zijn zaak; *keep a good* ~ goed uitkijken.
1 **loom** [lu:m] *sb* 1 weefgetouw *o*; 2 schacht van een roeispaan; 3 ⚓︎ zie *auk, guillemot, loon & puffin.*
2 **loom** [lu:m] *vi* zich (in flauwe omtrekken) vertonen, (dreigend) oprijzen, opdoemen; ~ *ahead* opdoemen; ~ *large* een voorname of veel plaats innemen [in boek &].
loon [lu:n] deugniet; vent ‖ ⚓︎ ijsduiker.
loony ['lu:ni] F (van lotje) getikt.
loony-bin ['lu:nibin] S gesticht *o* (voor krankzinnigen).
loop [lu:p] I *sb* 1 lis, lus, bocht, (laarze)strop; ✈ duikelvlucht; II *vi* 1 zich in een lus kronkelen; 2 omduikelen; III *vt* met een lus vastmaken; in een bocht opschieten; ~ *the loop* een kringduikeling (✈ duikelvlucht) maken.
looper ['lu:pə] spanrups.
loop-hole ['lu:phoul] kijkgat *o*, schietgat *o*; *fig* uitvlucht, uitweg; achterdeurtje *o*.
loopy ['lu:pi] 1 bochtig; 2 S kierewiet; kolderiek.
loose [lu:s] I *aj* los°; ruim, wijd; loslijvig; slap; vaag, onnauwkeurig; loszinnig; II *sb* in: *give a* ~ *to* de vrije teugel geven aan; *on the* ~ F aan de rol, aan de zwabber; III *vt* losmaken, loslaten; afschieten; ⚓︎ losgooien; ~ *hold* (*of*) loslaten.
loose-leaf ['lu:sli:f] losbladig [v. boek].
loosely ['lu:sli] *ad* losjes &, zie *loose* I.
loosen ['lu:sn] I *vt* losmaken, losser maken; laten verslappen [tucht]; II *vi* losgaan, los(ser) worden; verslappen [tucht].
looseness ['lu:snis] losheid, slapheid; vaag-

heid, onnauwkeurigheid; gebrek *o* aan samenhang; losbandigheid.
loosestrife ['lu:sstraif] ❀ wederik; *purple* ~ kattestaart.
loot [lu:t] I *sb* buit, roof, plundering; II *vt* (uit)plunderen², beroven, (weg)roven; III *vi* plunderen, stelen.
1 **lop** [lɔp] I *sb* snoeihout *o*, afgekapte takken; II *vt* (af)kappen; afhakken, wegkappen (ook: ~ *away*, ~ *off*); snoeien.
2 **lop** [lɔp] I *vi* slap neerhangen; II *vt* laten hangen.
lope [loup] I *vi* met grote stappen of sprongen zich voortbewegen; II *sb* grote stap, sprong.
lop-ear ['lɔpiə] hangoor(konijn) *o*.
loppings ['lɔpiŋz] snoeihout *o*, snoeisel *o*.
lop-sided ['lɔp'saidid] overhangend, scheef; eenzijdig.
loquacious [lə'kweiʃəs] babbelziek; spraakzaam.
loquacity [lə'kwæsiti] babbelzucht; spraakzaamheid.
Lor, lor' [lɔ:] P gossiemijne!
Lord, lord [lɔ:d] I *sb* heer, meester; lord; ~ *and master* heer en meester: echtgenoot; ~ *spiritual* (*temporal*) geestelijk (gewoon) lid *v* van het Hogerhuis; ~ *of the bedchamber*, ~ *in waiting* dienstdoende kamerheer; *Lord!* goeie genade!; *My* ~ [mi'lɔ:d] Milord; ~ *knows* (*how*) F dat mag de hemel weten; *the* ~ de Heer, Onze-Lieve-Heer, God; *the* (*House of*) ~*s* het Hogerhuis; ~ *Lieutenant* 1 ± Commissaris des Konings; 2 onderkoning; (*the*) ~ *Mayor* titel v. d. burgemeester van Londen, Dublin, York en sommige andere steden; ~ *President of the Council* plaatsvervangend minister-president, vicepremier; *the* ~ *of the manor* de ambachtsheer; *the* ~'*s day* de dag des Heren; *the* ~'*s prayer* het gebed des Heren: het onze-vader; *the* ~'*s supper* het (laatste, heilig) Avondmaal; *the* ~'*s table* de Tafel des Heren, de Communie; II *vt* & *vi* tot lord verheffen; ~ (*it*) domineren; de baas spelen (over *over*).
lordliness ['lɔ:dlinis] voornaamheid, vorstelijkheid.
lordling ['lɔ:dliŋ] lordje *o*, heertje *o*.
lordly ['lɔ:dli] als (van) een lord; voornaam, vorstelijk; hooghartig.
Lord's [lɔ:dz] een cricketterrein bij Londen (genoemd naar Thomas Lord).
lordship ['lɔ:dʃip] 1 heerschappij (over *of*, over); 2 heerlijkheid; 3 lordschap *o*; *your* (*his*) ~ mijnheer (de graaf &).
lore [lɔ:] (traditionele) kennis.
lorgnette [lɔ:n'jet] 1 face-à-main; 2 toneelkijker; *her* ~*s* haar face-à-main.
lorn [lɔ:n] eenzaam (en verlaten).
Lorraine [lɔ'rein] Lotharingen.
lorry ['lɔri] 1 vrachtauto; 2 lorrie [bij de spoorwegen]; 3 sleperswagen.
losable ['lu:zəbl] te verliezen.

lose [lu:z] I *vt* verliezen, verbeuren, verspelen, verzuimen, er bij inschieten, kwijtraken; afraken van; doen verliezen; ~ *one's labour* vergeefse moeite doen; ~ *one's legs* van de been raken; ~ *one's life* ook: om het leven komen; ~ *one's train* missen; ~ *one's way* verdwalen; zie ook: *day* &; II *vr* ~ *oneself* zich verliezen of opgaan (in *in*); verdwalen; III *vi* & *va* (het) verliezen, te kort komen (bij *by*); achterlopen [v. horloge]; zie ook: *losing* & *lost*.

loser ['lu:zə] verliezer; *be a bad* (*good*) ~ niet (goed) tegen zijn verlies kunnen; *be a* ~ *by* bij iets verliezen.

losing ['lu:ziŋ] I *aj* verliezend; waarbij verloren wordt; niet te winnen, hopeloos; II *sb* verlies *o* (ook: ~s).

loss [lɔs] verlies *o*, nadeel *o*, schade; *at a* ~ 1 met verlies; 2 het spoor bijster; niet wetend [wat..., hoe...]; *never at a* ~ *for a reply* nooit om een antwoord verlegen.

lost [lɔst] V.T. & V.D. van *lose*; verloren (gegaan), weg; verdwaald; omgekomen, verongelukt, ♣ vergaan; *get* ~ verloren gaan; verdwalen; *the motion was* ~ werd verworpen; ~ *in thought* in gedachten verdiept (verzonken); *the joke was* ~ *on him* niet aan hem besteed, ontging hem; ~ *to honour* zonder eergevoel; ~ *property office* bureau *o* voor gevonden voorwerpen.

lot [lɔt] I *sb* 1 lot *o*, deel *o*; 2 portie, partij, kaveling, perceel *o*; film(studio)terrein *o*; hoop, heel wat, boel, heel veel; F stel *o*; vent; ding *o*; *a bad* ~ F een treurig exemplaar *o*; *by* ~ door het lot; zie ook: *cast, cut, draw* &; II *vt* ~ (*out*) (ver)kavelen.

loth [louθ] zie *loath*.

Lothario [lou'θɛəriou] in: *a gay* ~ een lichtmis.

lotion ['loufən] lotion: wasmiddel *o*, watertje *o*.

lottery ['lɔtəri] loterij.

lottery-ticket ['lɔtəritikət] loterijbriefje *o*.

lotto ['lɔtou] lotto *o*, kienspel *o*.

lotus ['loutəs] ♣ 1 (Egyptische) lotusbloem; 2 lotusstruik, lotusboom.

loud [laud] I *aj* luid; luidruchtig; opzichtig, schreeuwend [kleuren]; II *ad* luid, hard(op).

loudly ['laudli] *ad* zie *loud*.

loud-speaker ['laud'spi:kə] ▓✝ luidspreker.

loud-spoken ['laud'spoukn] luidruchtig.

lough [lɔx, lɔk] *Ir* meer *o*; zeearm.

Louis ['lu:i:(s)] Lodewijk; ['lu:i] louis [van 20 francs].

Louisa [lu'i:zə] Louise.

lounge [laun(d)ʒ] I *vi* luieren; kuieren, flaneren, slenteren; lummelen; II *vt* in: ~ *away* verlummelen; III *sb* promenade; pantoffelparade; overdekte binnenhal [v. hotel], lounge; zitkamer [v. huis]; sofa, ligstoel (~-*chair*).

lounger ['laun(d)ʒə] slenteraar, flaneur.

lounge-suit ['laun(d)ʒs(j)u:t] wandelkostuum *o*, colbertkostuum *o*, colbert *o* & *m*.

lour ['lauə] zie 2 *lower*.

louse [laus] I *sb* luis; II *vt* [lauz] luizen; ~ *up Am* S bederven.

lousy ['lauzi] luizig; *fig* min, miserabel.

lout [laut] (boeren)kinkel, pummel, lummel, vlegel.

loutish ['lautiʃ] pummelig, slungelig, lummelachtig, vlegelachtig.

Louvain ['lu:vein] Leuven *o*.

louver, louvre ['lu:və] ventilatieopening.

lovable ['lʌvəbl] *aj* beminnelijk, beminnenswaardig, lief(tallig).

lovably ['lʌvəbli] *ad* zie *lovable*.

love ['lʌv] I *sb* liefde (voor, tot *for, of, to, towards*); soms: zucht; (ge)liefde; Amor[beeldje *o*]; F snoes, schat; ~*s* amourettes; ~ *all sp* nul gelijk; *for* ~ uit liefde; *not to be had for* ~ *or money* voor geen geld of goede woorden; *play for* ~ om 's keizers baard (om niet) spelen; *for the* ~ *of God* om godswil; *in* ~ verliefd (op *with*); *out of* ~ uit liefde; *be out of* ~ *with* niet meer mogen; (*give*) *my* ~ *to all* de groeten aan allemaal; *make* ~ vrijen, het hof maken (aan *to*); *send one's* ~ de groeten doen; *there is no* ~ *lost between them* ze mogen elkaar niet; II *vt* 1 liefhebben, beminnen, houden van, gaarne hebben of willen; ~ dol zijn op; 2 lief zijn voor; ~ *me*, ~ *my dog* wie mij liefheeft, moet mijn vrienden op de koop toe nemen; ~ *a duck!* S asjemenou!; *Lord* ~ *you!* lieve hemel!

love-affair ['lʌvəfɛə] amourette, liefdesgeschiedenis, minnarij, verhouding.

love-bird ['lʌvbə:d] ♣ dwergpapegaai.

love-in-a-mist ['lʌvinə'mist] ♣ juffertje-in-'t-groen *o*.

love-knot ['lʌvnɔt] liefdeknoop.

Lovelace ['lʌvleis] Don Juan.

loveless(ly) ['lʌvlis(li)] liefdeloos.

love-letter ['lʌvletə] liefdesbrief, minnebrief.

love-lies-(a-)bleeding ['lʌvlaiz(ə)'bli:diŋ] ♣ kattestaartamarant.   [heid.

loveliness ['lʌvlinis] liefelijkheid, lief(tallig)-

lovelock ['lʌvlɔk] lok of krul op 't voorhoofd of bij 't oor.

lovelorn ['lʌvlɔ:n] 1 door de geliefde verlaten; 2 (van liefde) smachtend.

lovely ['lʌvli] I *aj* liefelijk, lief(tallig); allerliefst; F prachtig, verrukkelijk, heerlijk, mooi; II *sb* S beauty, beauté.

love-making ['lʌvmeikiŋ] vrijerij.

love-match ['lʌvmætʃ] huwelijk *o* uit liefde.

love-potion ['lʌvpoufən] minnedrank.

lover ['lʌvə] (be)minnaar, liefhebber; *a* ~ *o*; *nature, a nature* ~ een natuurvriend; *a couple of* ~*s* een (minnend) paartje *o*.

lovesick ['lʌvsik] smachtend (verliefd).

love-song ['lʌvsɔŋ] minnelied *o*.

love-story ['lʌvstɔ:ri] liefdesgeschiedenis.

lovey(-dovey) ['lʌvi(dʌvi)] F liefje *o*, schat.

loving ['lʌviŋ] liefhebbend, liefderijk, liefdevol; toegenegen, teder.

loving-cup ['lʌviŋkʌp] vriendschapsbeker.
loving-kindness ['lʌviŋ'kaindnis] barmhartigheid, goedheid.
1 **low** [lou] I *aj* laag, laag uitgesneden; lager (staand); gering; gemeen, ordinair, min; terneergeslagen; zacht [stem]; zwak [pols]; diep [buiging]; *Low Church* meer vrijzinnige partij in de Engelse Staatskerk; ~ *comedian* komiek; *the Low Countries* 🆄 de Nederlanden; (thans:) de Lage Landen: Nederland, België en Luxemburg; ~ *diet* magere kost; *Low German* Nederduits *o*; *Low Latin* middeleeuws Latijn *o*; ~ *life* (het leven van) de lagere klassen; *Low Sunday* beloken Pasen; *Low Week* week na beloken Pasen; *be* ~ laag staan°; aan lagerwal zijn, niet monter zijn; min zijn [zieke]; *get (run)* ~ opraken; *lay* ~ neervellen; *lie* ~ zie 2 *lie*; II *ad* laag, diep; zachtjes [v. 't spreken]; $ tegen lage prijs; *as* ~ *as 1795*, nog in 1795; zie ook: 1 *lower &.*
2 **low** [lou] I *vi* loeien, bulken; II *sb* geloei *o*, gebulk *o*.
low-born ['loubɔ:n] van lage geboorte.
low-bred ['loubred] ordinair.
low-brow ['loubrau] gewoon (mens).
Low-Church ['lou'tʃə:tʃ] van de *Low Church* zie onder 1 *low*.
low-class ['loukla:s] inferieur; ordinair.
low-down ['lou'daun] laag; *fig* ingemeen.
1 **lower** ['louə] I *aj* lager (staand); dieper; minder, geringer; beneden-, onder(ste); later; ~ *chamber* Tweede Kamer [buiten Engeland]; *L*~ *Egypt* Beneden-Egypte; *the L*~ *Empire* het Oostromeinse rijk; *L*~ *House* Lagerhuis *o*; *the* ~ *world* 1 de aarde; 2 de onderwereld; II *vt* lager maken of draaien; temperen; verlagen; neerslaan, neerlaten, laten zakken, strijken [zeil]; verneP deren, fnuiken [trots]; verminderen; ~ *one's voice* ook: zachter spreken; III *vi* afnemen, dalen, zakken.
2 **lower** ['lauə] I *vi* nors, dreigend, somber zien naar *at, upon*); dreigen [v. wolken]; II *sb* norse, dreigende, sombere blik; dreiging.
lowermost ['louəmoust] laagst.
lowest ['louist] laagst(e); *at (its)* ~ op zijn laagst (minst).
low-grade ['lougreid] met een laag gehalte [v. erts], arm; inferieur.
low-heeled ['louhi:ld] met lage hak.
lowland ['loulənd] I *sb* laagland *o*; *the Lowlands* de Schotse Laaglanden; II *aj* van het laagland.
Lowlander ['louləndə] bewoner v. d. Schotse Laaglanden.
lowliness ['loulinis] geringheid, onaanzienlijkheid; nederigheid, ootmoed.
lowly ['louli] gering, onaanzienlijk; nederig, ootmoedig.
low-minded ['lou'maindid] onedel, ordinair.
low-necked ['lou'nekt] gedecolleteerd.
lowness ['lounis] laagte, laagheid; geringheid; neerslachtigheid; zwakheid &.

low-pitched ['lou'pitʃt] 1 ♪ laag(gestemd); 2 △ laag van verdieping.
low-powered ['lou'pauəd] licht [v. motor]; zwak [v. radiozender].
low-spirited ['lou'spiritid] neerslachtig.
low-water ['lou'wɔ:tə] in: ~ *mark* laagwaterpeil *o*.
low-wing ['louwiŋ] in: ~ *monoplane* ✈ laagdekker.
loyal ['lɔiəl] (ge)trouw, loyaal.
loyalist ['lɔiəlist] (regeringsge)trouw onderdaan.
loyalty ['lɔiəlti] getrouwheid, (onderdanen)trouw, loyaliteit; binding.
lozenge ['lɔzindʒ] 1 ⬦ ruit; 2 ruitje *o* [in raam]; 3 tabletje *o* [voor soep, hoest &].
lozenged ['lɔzindʒd] ruitvormig, geruit.
L.P. = *long-play(ing) record.*
L. S. D. = *librae, solidi, denarii* F geld *o*, dubbeltjes, centen, duiten.
Ltd. = *limited.*
lubber ['lʌbə] 1 lomperd, lummel, pummel; 2 ⚓ klungel.
lubberly ['lʌbəli] pummelachtig, lummelig.
lubricant ['l(j)u:brikənt] smeermiddel *o*.
lubricate ['l(j)u:brikeit] oliën, smeren; *lubricating oil* smeerolie.
lubrication [l(j)u:bri'keiʃən] smering.
lubricator ['l(j)u:brikeitə] smeerpot; smeermiddel *o*.
lubricity [l(j)u:'brisiti] vetgehalte *o*; glibberigheid², gladheid²; *fig* geilheid.
lucency ['l(j)u:sənsi] schittering.
lucent ['l(j)u:sənt] schijnend, blinkend.
Lucerne [l(j)u:'sə:n] Luzern *o*.
lucern(e) [l(j)u:'sə:n] ✿ luzerne.
lucid ['l(j)u:sid] schitterend, stralend; helder².
lucidity [l(j)u:'siditi], **lucidness** ['l(j)u:sidnis] helderheid².
Lucifer ['l(j)u:sifə] 1 [de engel] Lucifer; 2 Satan; 3 ✳ de morgenster [Venus].
luck [lʌk] toeval *o*, geluk *o*, tref, F bof; *bad* ~ pech; *good* ~ geluk *o*, bof; *good* ~ *!* veel succes!, het beste!; *just my* ~ natuurlijk wanbof ik weer; *worse* ~ ongelukkigerwijze; *for* ~ tot (uw) geluk (heil); als een voorteken van geluk; *be in* ~ geluk hebben, gelukkig zijn, F boffen; *down on one's* ~ pech hebbend.
luckily ['lʌkili] *ad* gelukkig(erwijs).
luckiness ['lʌkinis] gelukkig toeval *o*, geluk *o*.
luckless ['lʌklis] onfortuinlijk; ongelukkig.
lucky ['lʌki] *aj* gelukkig; ~ *bird* geluksvogel, boffer; *how* ~ *!* wat treft dat gelukkig!
lucrative ['l(j)u:krətiv] winstgevend, voordelig.
lucre ['l(j)u:kə] gewin *o*, winst, voordeel *o*; *filthy* ~ vuil gewin; het slijk der aarde.
lucubrate ['l(j)u:kjubreit] I *vi* 's nachts werken of studeren; II *vt* des nachts in de studeerkamer uitdenken (uitbroeden).
lucubration [l(j)u:kju'breiʃən] (vrucht van) nachtelijke studie of bespiegeling.

ludicrous(ly) ['l(j)u:dikrəs(li)] belachelijk, lachwekkend, potsierlijk, koddig.

luff [lʌf] ⚓ I *sb* loef, loefzijde; II *vi* loeven; III *vt* de loef afsteken.

lug [lʌg] I *vt* trekken, slepen; ~ *it into the conversation* het er met de haren bijslepen; II *vi* ~ *at* trekken aan; III *sb* ruk ‖ oor *o*.

luggage ['lʌgidʒ] bagage², reis-, passagiersgoed *o*; zie ook: 1 *left* II.

luggage-ticket ['lʌgidʒtikit] bagagereçu *o*.

luggage-van ['lʌgidʒvæn] bagagewagen.

lugger ['lʌgə] ⚓ logger.

lugsail ['lʌgseil, 'lʌgsl] ⚓ loggerzeil *o*.

lugubrious [l(j)u:'gju:briəs] luguber, somber, treurig.

Luke [l(j)u:k] Lucas.

lukewarm ['l(j)u:kwɔ:m] lauw².

lull [lʌl] I *vt* (in slaap) sussen, in slaap wiegen², stillen, paaien; II *vi* gaan liggen, luwen [wind]; III *sb* (korte) stilte, (ogenblik *o*) rust, ogenblikkelijke bedaring.

lullaby ['lʌləbai] wiegelied(je) *o*.

lumbago [lʌm'beigou] spit *o* (in de rug).

lumbar ['lʌmbə] van de lendenen, lende-.

lumber ['lʌmbə] I *sb* 1 (oude) rommel; 2 timmerhout *o* [v. houtaankap]; *learned* ~ geleerde ballast; II *vt* 1 volproppen (ook: ~ *up*); 2 (hout) bekappen; III *vi* 1 rommelen; 2 log voortgaan.

lumberer ['lʌmbərə] houtkoper; houthakker.

lumbering ['lʌmbəriŋ] rammelend; lomp, onbehouwen; sjokkerig.

lumberman ['lʌmbəmən] houtkoper; houthakker.

lumber-room ['lʌmbərum] rommelkamer.

luminary ['l(j)u:minəri] hemellicht *o*, licht *o*.

luminosity [l(j)u:mi'nɔsiti] lichtgevend vermogen *o*; lichtsterkte.

luminous ['l(j)u:minəs] lichtgevend, lichtend, stralend, helder, lumineus, licht-.

lump [lʌmp] I *sb* 1 stuk *o*, bonk, klomp, klont, klontje *o*; brok *m* & *v* of *o*, bult, buil, knobbel; hoop, boel; 2 pummel; *he is a* ~ *of selfishness* één en al egoïsme; *by (in) the* ~ bij de roes, en bloc; *have a* ~ *in one's throat* een prop in de keel hebben; II als *aj* in: *a* ~ *sum* een ronde som; een som ineens; III *vt* bijeengooien; in' de roes nemen; F in zijn geheel zetten [op een paard]; ~ *together* samennemen, over één kam scheren; ~ *under*, ~ *(in) with* en bloc nemen met, indelen bij; IV *vi* klonteren; ~ *along* voortklossen.

lumpfish ['lʌmpfiʃ] 🐟 snotolf.

lumping ['lʌmpiŋ] dik, zwaar, bonkig.

lumpish ['lʌmpiʃ] dik, lomp, log, traag.

lump-sugar ['lʌmpʃugə] klontjessuiker.

lumpy ['lʌmpi] klonterig; bultig, vol builen; met onstuimige golfjes.

lunacy ['l(j)u:nəsi] krankzinnigheid.

lunar ['l(j)u:nə] van de maan, maan-; ~ *caustic* helse steen; ~ *eclipse* maansverduistering.

lunatic ['lu:nətik] I *aj* krankzinnig; B maanziek; *the* ~ *fringe* het stelletje zonderlingen; zie ook: *asylum*; II *sb* krankzinnige.

lunch(eon) ['lʌn(ʃ)ən] I *sb* lunch; II *vi* lunchen; III *vt* te lunchen hebben (geven).

lunette [l(j)u:'net] lunet [✗ brilschans].

lung [lʌŋ] long.

lunge [lʌn(d)ʒ] I *sb* uitval [bij 't schermen]; stoot; vooruitschieten *o*; II *vi* 1 een uitval doen (ook: ~ *out*); 2 (achteruit) slaan [v. paard]; vooruitschieten.

1 **lunged** [lʌŋd] met longen.

2 **lunged** [lʌn(d)ʒd] V.T. & V.D. van *lunge*.

lungwort ['lʌŋwə:t] 🌿 longkruid *o*.

1 **lupine** ['l(j)u:pin] *sb* 🌿 lupine.

2 **lupine** ['l(j)u:pain] *aj* wolfachtig.

lupus ['l(j)u:pəs] 🐺 lupus.

lurch [lə:tʃ] I *sb* ruk, plotselinge slinger(ing); *leave in the* ~ in de steek laten; II *vi* slingeren, plotseling op zijde schieten.

lure [ljuə] I *sb* lokaas² *o*, lokspijs², verlokking; II *vt* (aan)lokken, weg-, verlokken; ~ *away* weglokken; ~ *into* verlokken tot; ~ *on* verlokken, meetronen.

lurid ['l(j)uərid] bleekgeel, vaal(bruin); rossig), donker gloeiend, somber (laaiend); luguber°; prikkelend, pikant.

lurk [lə:k] I *vi* schuilen, zich schuilhouden; verborgen zijn; ~*ing rocks* blinde klippen; II *sb* in: *on the* ~ op de loer.

lurker ['lə:kə] loerder; zich verschuilende.

lurking-place ['lə:kiŋpleis] schuilplaats, -hol *o*.

luscious ['lʌʃəs] (in)zoet; heerlijk, lekker; overdadig versierd; voluptueus.

lush [lʌʃ] I *aj* 1 weelderig, sappig, mals [gras]; 2 S beschonken; II *sb Am* dronkelap.

Lusitania [l(j)u:si'teinjə] Lusitania.

lust [lʌst] I *sb* (zinnelijke) lust, wellust; begeerte, zucht; ~ *for power* machtswellust; ~ *of blood* bloeddorst; ~ *of gain* gewinzucht; II *vi* (vurig) begeren, dorsten (naar *after*, *for*).

lustful ['lʌstful] wellustig.

lustily ['lʌstili] *ad* zie *lusty*; *sing* ~ uit volle borst zingen.

lustiness ['lʌstinis] kloekheid, flinkheid.

lustral ['lʌstrəl] zuiverings-.

lustration [lʌs'treiʃən] zuivering, reinigingsoffer *o*.

lustre ['lʌstə] 1 luister, glans; schittering; 2 lustre *o* [stof]; 3 luster: kroonkandelaar ‖ lustrum *o*.

lustreless ['lʌstəlis] glansloos, dof.

lustrine ['lʌstrin], **lustring** ['lʌstriŋ] lustrine, glanzige taf.

lustrous ['lʌstrəs] luister-, glansrijk, schitterend.

lustrum ['lʌstrəm] lustrum *o*.

lusty ['lʌsti] *aj* kloek, flink (en gezond), stevig, krachtig, ferm.

lute [lju:t, lu:t] I *sb* ♪ luit ‖ kit; II *vt* (ver)kitten.

lute-string ['l(j)u:tstriŋ] luitsnaar.
lutestring ['l(j)u:tstriŋ] zie *lustrine*.
Luther ['lu:θə] Luther.
Lutheran ['lu:θərən] I *aj* luthers; van Luther; II *sb* lutheraan.
luxate ['lʌkseit] ontwrichten, verrekken.
luxation [lʌk'seiʃən] ontwrichting, spierverrekking.
Luxemb(o)urg ['lʌksəmbə:g] Luxemburg *o*.
luxuriance [lʌg'ʒuəriəns] weelderigheid, weligheid.
luxuriant [lʌg'ʒuəriənt] weelderig, welig.
luxuriate [lʌg'ʒuərieit] welig groeien; in overdaad leven, zwelgen (in *in*).
luxurious(ly) [lʌg'ʒuəriəs(li)] 1 luxueus, weelderig; 2 wellustig.
luxury ['lʌkʃəri] 1 luxe, weelde, weelderigheid, overdaad; 2 genot *o*; wellust; *luxuries* 1 weeldeartikelen; 2 genotmiddelen; 3 heerlijkheden, lekkernijen.
lyceum [lai'si:əm] lyceum *o*.
lychgate zie *lichgate*.
lyddite ['lidait] lyddiet *o*.
lye [lai] loog.
lying ['laiiŋ] 1 T.D. van *lie*, liggen; 2 van *lie*, liegen; als *aj* ook: leugenachtig.
lying-in ['laiiŋ'in] kraam, kraambed *o*; ~ *hospital* kraaminrichting.
lymph [limf] 1 ⊙ water *o*; 2 lymf(e).
lymphatic [lim'fætik] I *aj* lymfatisch, lymf(e)-; *fig* slap; II *sb* lymf(e)vat *o*.
lynch [lin(t)ʃ] lynchen.
lynx [liŋks] ⁂ los, lynx.
lynx-eyed ['liŋks'aid] met lynxogen.
Lyons ['laiənz] Lyon *o*.
lyre ['laiə] ♪ lier.
lyric ['lirik] I *aj* lyrisch; II *sb* lyrisch gedicht *o*; ~*s* 1 lyrische poëzie (verzen); lyriek; 2 tekst [v. wijsje of zangnummer].
lyrical ['lirikl] lyrisch, lier-.
lyricism ['lirisizm] lyriek, lyrisch karakter *o*, lyrische vlucht.
lyricist ['lirisist] tekstschrijver [v. wijsjes].
Lysander [lai'sændə] Lysander.
Ⓜ **lysol** ['laisɔl] lysol *o* & *m*.

M

m [em] (de letter) m; *million(s)*; M = 1000 [als Romeins cijfer]; *motorway*.
M.A. = *Master of Arts*.
ma [ma:] P ma.
ma'am [ma:m] zie *madam* [aanspreking v. leden der Koninklijke familie; bedienden tot mevrouw: mæm, məm, m].
Mab [mæb] feeënkoningin || Mabel.
Mabel ['meibl] Mabel.
Mac [mæk] *Sc* zoon; *the* ~*s* de Schotten.
mac [mæk] F zie *mackintosh*.
macabre [mə'ka:br] griezelig, akelig.

macadam [mə'kædəm] macadam *o* & *m*.
macadamize [mə'kædəmaiz] macadamiseren.
macaroni [mækə'rouni] 1 macaroni; 2 ⚓ fat.
macaroon [mækə'ru:n, + 'mækəru:n] bitterkoekje *o*.
Macaulay [mə'kɔ:li] Macaulay.
macaw [mə'kɔ:] ⅀ ara.
Macbeth [mək'beθ] Macbeth.
Maccabees ['mækəbi:z] Maccabeeërs.
mace [meis] foelie || staf, scepter; ⚔ strijdknots; ⚙ dikke biljartkeu.
mace-bearer ['meisbɛərə] stafdrager, pedel.
Macedon, Macedonia ['mæsidən, mæsi'dounjə] Macedonië *o*.
Macedonian [mæsi'dounjən] I *aj* Macedonisch; II *sb* Macedoniër.
macerate ['mæsəreit] 1 vermageren; 2 macereren, (laten) weken.
maceration [mæsə'reiʃən] 1 vermagering; 2 weking.
Mach [ma:k] mach.
Machiavellian [mækiə'veliən] machiavellistisch[2].
machinate ['mækineit] kuipen, konkelen.
machination [mæki'neiʃən] machinatie, intrige, kuiperij, konkelarij.
machinator ['mækineitə] intrigant.
machine [mə'ʃi:n] I *sb* 1 machine[2], toestel *o*; automaat; *fig* apparaat *o*; 2 naaimachine; 3 fiets; 4 auto; 5 badkoets; 6 *Am* brandspuit; II *vt* machinaal bewerken (vervaardigen).
machine-gun [mə'ʃi:ngʌn] I *sb* ⚔ mitrailleur; II *vt* & *vi* ⚔ mitrailleren.
machine-made [mə'ʃi:nmeid] machinaal (vervaardigd), fabrieks-.
machinery [mə'ʃi:nəri] 1 machines; machinerie(ën); 2 mechaniek, mechanisme *o*; apparaat *o* [v. bestuur &], apparatuur; 3 inrichting; opzet [v. gedicht].
machine tool [mə'ʃi:ntu:l] machinaal gedreven werktuig *o*.
machinist [mə'ʃi:nist] 1 machineconstructeur; 2 wie een machine bedient; 3 machinenaaister.
mackerel ['mækrəl] ⅀ makreel; ~ *sky* lucht met schapewolkjes.
mackintosh ['mækintɔʃ] (waterproof) regenjas.
Macmahon [mək'ma:n] Macmahon.
Macpherson [mək'fə:sn] Macpherson.
macrocosm ['mækrəkɔzm] macrocosmos.
macula ['mækjulə, *mv* maculae 'mækjuli:] vlek [op huid of zon].
maculate ['mækjuleit] (be)vlekken.
maculation [mækju'leiʃən] bevlekking; vlek.
mad [mæd] I *aj* niet wijs, gek, dol (op *after*, *about*, *for*, *on*); krankzinnig, razend (over *at*); *hopping* ~ F woest, razend; *he... like* ~ als een bezetene; *he is as* ~ *as a hatter* (*as a March hare*) hij is stapelgek; II *vt* & *vi* zie *madden*; *the* ~*ding crowd* het gewoel van de wereld.
Madagascar [mædə'gæskə] Madagascar *o*.

madam ['mædəm] mevrouw, juffrouw.
madcap ['mædkæp] I *sb* dolleman; II *aj* dol.
madden ['mædn] I *vt* gek, dol, razend maken; II *vi* gek, dol, razend worden.
maddening(ly) ['mædniŋ(li)] om je gek te maken.
madder ['mædə] (mee)krap.
made [meid] V.T. & V.D. van *make*; *he is ~ like that* F zo is hij nu eenmaal; *a ~ dish* een opgemaakte of opgewarmde schotel; *a ~ man* iemand die binnen is; *~ up* (op)gemaakt; *a ~-up story* een verzonnen verhaal *o*.
Madeira [mə'diərə] 1 Madeira *o*; 2 madera [wijn]; 3 soort gebak *o*.
Madge [mædʒ] Gretha, Griet(je).
madhouse ['mædhaus] gekkenhuis *o*.
madly ['mædli] *ad* zie *mad* I.
madman ['mædmən] dolleman, gek, krankzinnige.
madness ['mædnis] dolheid, gekheid, krankzinnigheid, razernij.
madonna [mə'dənə] madonna[2].
Madras [mə'dræs] Madras *o*.
madrepore ['mædripɔ:] sterkoraal *o*.
Madrid [mə'drid] Madrid *o*.
madrigal ['mædrigəl] ♪ madrigaal *o*.
Maecenas [mi'si:næs] Maecenas; *fig* mecenas.
maelstrom ['meilstroum] maalstroom.
maenad ['mi:næd] maenade, bacchante[2].
maffick ['mæfik] hossen en herriën.
magazine [mægə'zi:n] 1 magazijn *o*, tuighuis *o*; 2 kruitkamer; 3 tijdschrift *o*.
Magdalen(e) ['mægdəlin, -li:n; als naam v. *College* te Oxford en Cambridge: 'mɔ:dlin] Magdalena[2].
Magdeburg ['mægdəbə:g] Maagdenburg.
✹ **mage** [meidʒ] magiër, wijze.
Magellan [mə'gelən] Magellan.
magenta [mə'dʒentə] magenta [roodpaars].
Maggie ['mægi] F zie *Madge*.
maggot ['mægət] made; *fig* gril, luim.
maggoty ['mægəti] vol maden; *fig* grillig.
Magi ['meidʒai] *mv* v. *Magus*.
Magian ['meidʒiən] I *aj* van de magiërs; II *sb* magiër; tovenaar.
magic ['mædʒik] I *aj* magisch, toverachtig, betoverend, tover-; *~ lantern* toverlantaarn; II *sb* toverkracht, -kunst, tove(na)rij, magie; betovering.
magical ['mædʒikl] *aj* zie *magic* I.
magically ['mædʒikəli] *ad* bij toverslag, zie ook: magic I.
magician [mə'dʒiʃən] tovenaar.
magisterial [mædʒis'tiəriəl] 1 magistraal; meesterachtig; 2 magistraats-.
magistracy ['mædʒistrəsi] magistratuur.
magistrate ['mædʒistrit] magistraat; politierechter.
Magna C(h)arta ['mægnə'ka:tə] ⌘ Magna Charta; grondwet.
magnanimity [mægnə'nimiti] grootmoedigheid.

magnanimous [mæg'næniməs] grootmoedig.
magnate ['mægneit] magnaat.
magnesia [mæg'ni:[ə] magnesia.
magnesium [mæg'ni:ziəm] magnesium *o*.
magnet ['mægnit] magneet[2].
magnetic [mæg'netik] magnetisch, magneet-.
magnetism ['mægnitizm] magnetisme[2] *o*.
magnetization [mægnitai'zeiʃən] magnetiseren *o*.
magnetize ['mægnitaiz] magnetisch maken, magnetiseren; aantrekken[2], biologeren.
magnetizer ['mægnitaizə] magnetiseur.
magneto [mæg'ni:tou] ✠ magneet.
✹ **magnific** [mæg'nifik] groots, prachtig.
magnificat [mæg'nifikæt] *RK* magnificat *o*.
magnificence [mæg'nifisəns] pracht, heerlijkheid, luister.
magnificent [mæg'nifisənt] prachtig, heerlijk, luisterrijk.
magnifico [mæg'nifikou] 1 Venetiaans edelman; 2 *SH* grande.
magnifier ['mægnifaiə] vergrootglas *o*, loep.
magnify ['mægnifai] 1 vergroten; groter maken (voorstellen); 2 ✹ verheerlijken.
magnifying-glass ['mægnifaiiŋgla:s] vergrootglas *o*, loep.
magniloquence [mæg'niləkwəns] grootspraak, gezwollenheid [van stijl].
magniloquent [mæg'niləkwənt] grootsprakig, gezwollen [v. stijl].
magnitude ['mægnitju:d] grootte; grootheid.
magnolia [mæg'nouljə] ✿ magnolia.
magnum ['mægnəm] dubbele fles.
magpie ['mægpai] ⚶ ekster[2].
Magus ['meigəs] magiër, wijze (koning) uit het oosten.
Magyar ['mægja:] Magyaar(s).
Maharaja(h) [ma:hə'ra:dʒə] maharadja [vorst in Voor-Indië].
Maharanee [ma:hə'ra:ni:] vrouw van de *Maharaja(h)*.
Mahatma [mə'hætmə] mahatma: grote ziel.
Mahdi ['ma:di] mahdi.
mahogany [mə'həgəni] mahoniehout *o*; mahonieboom; bruinrood *o*; F (eet)tafel.
Mahomet [mə'həmit, gewone familienaam: 'meiəmet] Mahomed.
Mahometan [mə'həmitən] mohammedaan(s).
mahout [mə'haut] kornak: geleider van een olifant.
maid [meid] meid; meisje *o*, maagd; *~ of honour* ongetrouwde hofdame; *old ~* 1 oude vrijster, oude jongejuffrouw; 2 ◇ zwartepiet.
maiden ['meidn] I *sb* jonkvrouw, meisje *o*, maagd; II als *aj* maagdelijk, jonkvrouwelijk; ongetrouwd, meisjes-; eerste; *~ name* familie-, meisjesnaam [v. gehuwde vrouw]; *~ speech* maiden-speech: eerste redevoering van nieuw lid.
maidenhair ['meidnhɛə] ⚘ venushaar *o*.
maidenhead ['meidnhed] maagdelijkheid.
maidenhood ['meidnhud] maagdelijkheid.

maidenish ['meidniʃ], **maidenlike** ['meidnlaik], **maidenly** ['meidnli] maagdelijk, jonkvrouwelijk.

maid-of-all-work [meidəv'ɔ:lwə:k] meid alleen.

maid-servant ['meidsə:vənt] dienstmeid, dienstmeisje o.

1 **mail** [meil] I *sb* brievenmaal, postzak; mail(trein), post; II *vt* met de post of mail (ver)zenden, posten.

2 **mail** [meil] I *sb* maliënkolder, pantserhemd o; II *vt* (be)pantseren.

mail-bag ['meilbæg] ♱ postzak.

mail-cart ['meilka:t] 1 ♱ postwagen; 2 sportkar.

mail-coach ['meilkoutʃ] ♱ postwagen.

mailing list ['meiliŋlist] $ verzendlijst.

mail-order ['meilɔ:də] $ postorder; ~ *business* postorderbedrijf o; ook = ~ *house* verzendhuis o.

mailplane ['meilplein] ✈ postvliegtuig o.

mail-train ['meiltrein] ♱ posttrein.

mail-van ['meilvæn] ♱ postrijtuig o.

maim [meim] verminken, F lam slaan.

main [mein] I *aj* voornaamste, groot(ste); hoofd-; ~ *force* geweld alléén; *the* ~ *force* de hoofdmacht; II *sb* ♣ kracht (in: *with might and* ~); ♣ vasteland o; ⊙ (open) zee; voornaamste deel o; hoofdlijn [van spoorweg]; hoofdleiding, hoofdbuis [van gas &], (licht)net o (ook: ~s); *in the* ~ in hoofdzaak, over 't geheel.

main-deck ['mein'dek] ♣ tussendek o.

mainland ['meinlənd] vasteland o, hoofdland o.

mainly ['meinli] *ad* voornamelijk, hoofdzakelijk, in hoofdzaak, grotendeels.

mainmast ['meinma:st, -məst] ♣ grote mast.

mainsail ['meinseil, ♣ -sl] ♣ grootzeil o.

mainspring ['meinspriŋ] grote veer, slagveer; *fig* hoofddrijfveer, drijfveer, drijfkracht.

mainstay ['meinstei] ♣ grote stag o; *fig* voornaamste steun.

maintain [men'tein] handhaven, in stand houden; op peil houden, hooghouden, steunen, verdedigen; onderhouden; staande houden, volhouden; beweren; ⚔ houden [stelling]; ophouden [waardigheid], bewaren [stilzwijgen].

maintainable [men'teinəbl] te handhaven, verdedigbaar, houdbaar.

maintainer [men'teinə] handhaver; verdediger [v. stelling]; onderhouder [v. gezin &].

maintenance [meintinəns] handhaving, verdediging; onderhoud o; onderstand.

maintop ['meintɔp] ♣ grote mars.

mainyard ['meinja:d] ♣ grote ra.

maisonnette [Fr] huisje o (boven-, beneden-); afzonderlijk verhuurd gedeelte o van een woning.

maize [meiz] ✿ maïs, Turkse tarwe. [ning.

Ⓜ **maizena** [mei'zi:nə] maizena.

majestic [mə'dʒestik] majestueus.

majestical(ly) [mə'dʒestikəl(i)] majestueus.

majesty ['mædʒisti] majesteit.

majolica [mə'dʒɔlikə] majolica *o & v.*

major ['meidʒə] I *aj* groot, hoofd-, belangrijk, van formaat; grootste; ♪ majeur; ⊵ senior; ~ *road* voorrangsweg; II *sb* 1 ⚔ majoor; 2 meerderjarige; 3 major [van sluitrede]; 4 ♪ majeur [toonaard].

majordomo ['meidʒə'doumou] majordomus, hofmeester, hofmeier.

major-general ['meidʒə'dʒenərəl] ⚔ generaalmajoor.

majority [mə'dʒɔriti] 1 meerderheid; merendeel o; meerderjarigheid; 2 ⚔ majoorschap o, majoorsrang; *a working* ~ een voldoende meerderheid; *the* ~ *of...* ook: de meeste...

make [meik] I *vt* maken°, vervaardigen, vormen, scheppen; doen; houden [redevoering]; brengen [offers]; leveren [bijdrage]; stellen [voorwaarden]; treffen [regelingen]; nemen [besluit]; bijzetten [zeil]; zetten [koffie]; opmaken [bed]; vermaken [pen]; zetten, trekken [gezicht]; aanleggen [vuur]; afleggen [afstand]; voeren [oorlog]; (af)sluiten [verdrag, vrede]; halen [een trek, trein]; verdienen [geld]; lijden [verliezen]; wassen [de kaarten]; ♣ in zicht krijgen; binnenvaren; bereiken; *twice two* ~*s four* 2 × 2 = 4; *he will never* ~ *an author* (*painter* &) hij is niet voor schrijver & in de wieg gelegd, zal nooit een (goed) schrijver & worden; ~ (*her*) *a good husband* een goed echtgenoot zijn (voor haar); *it* ~*s pleasant reading* 't laat zich aangenaam (prettig) lezen; *what do you* ~ *the time?* hoe laat heb je het?; *I* ~ *it to be a parrot* ik houd het voor; *Britain can* ~ *it* ook: F Engeland kan 't klaarspelen, 't bolwerken, 't 'm leveren; *it may* ~ *or mar me* het is erop of eronder; ~ *itself felt* zich doen gevoelen (laten voelen); II *vi* maken, doen; (de kaarten) wassen; zich begeven (naar *for*); komen opzetten of aflopen [getij]; ~ *as if* doen alsof; ∞ ~ *after one* vervolgen, nazetten; ~ *against* benaderen, niet bevorderlijk zijn voor; ~ *at one* op iemand afkomen; ~ *away* zich wegpakken; ~ *away with* 1 uit de weg ruimen [ook: doden]; 2 zoek maken, opmaken; 3 F naar binnen spelen; ~ *away with oneself* zich van kant maken; ~ *for* aan-, afgaan op, zich begeven naar, aansturen op, bevorderlijk zijn voor, bijdragen tot [geluk &]; ~ *in favour of* bevorderlijk zijn voor, bijdragen tot; ~ *into* maken tot, veranderen in; *do you know what to* ~ *of it?* weet u wat het is (er staat), wat het betekent?; ~ *off* zich wegmaken of wegpakken, er vandoor gaan (met *with*); ~ *out* onderscheiden, ontdekken; achter iets komen; begrijpen, verklaren; voorgeven, beweren; bewijzen, aantonen [iets]; opbrengen [geld]; opmaken, uitschrijven [rekeningen]; ~ *him* (*it*) *out to be* voorstellen, afschilderen als, houden voor; ~ *over* vermaken, opnieuw maken; overdoen°, overdragen; ~ *to go* aanstalten maken om te gaan; ~ *up* (op)maken [een pakje, recept, rekening &], klaarmaken; vormen; verzinnen; samenstellen, opstellen [brief]; bijleggen [geschil], aanvullen [leemte]; inhalen [tijd]; vergoeden [verlies]; in orde maken (brengen); (zich) grimeren, (zich) opmaken; *fig* komedie spelen; ~ (*it*) *up again* weer goed worden (op elkaar); *he is making it up* hij verzint maar wat; ~ *up one's mind* een besluit nemen, voor zich zelf uitmaken (dat); *be made up of* bestaan uit; ~ *up for arrears* (*lost time*) zien in te halen; ~ *up to* afkomen op, toegaan naar; in het gevlij zien te komen bij; het hof maken aan; **III** *sb* maaksel *o*, fabrikaat *o*; merk *o*; ☉ makelij; aard, soort; *he is not the ~ of man to...* hij is er de man niet naar om; *a man of his ~* van zijn slag; *on the ~* **S** op eigen voordeel uit; zie ook: *made* & ↓.

make-believe ['meikbili:v] wat men zich zelf wijsmaakt, schijn, komedie(spel *o*), aanstellerij, ...voor de leus; als *aj* voorgewend.

maker ['meikǝ] maker, fabrikant, vervaardiger, schepper°; *at ~'s price* tegen fabrieksprijs.

makeshift ['meikʃift] *sb* hulpmiddel *o*, redmiddel *o*; *aj* ...om zich te behelpen, bij wijze van noodhulp, geïmproviseerd.

make-up ['meikʌp] 1 samenstelling; gestel *o*; gesteldheid; aankleding, uitvoering, verzorging [v. boek]; 2 grime; vermomming; 3 opmaken *o*, opmaak; 4 **F** verzinsel *o*.

makeweight ['meikweit] toegift.

making ['meikiŋ] vervaardiging, vorming; maken *o*, maak, maaksel *o*; *his ~s* het door hem verdiende (loon); *it was the ~ of him* dat hielp hem er bovenop; *he has the ~s of a good soldier* hij is van 't hout waarvan men goede soldaten maakt.

Malacca [mǝ'lækǝ] Malakka *o*.

malachite ['mælǝkait] malachiet *o*.

maladjusted ['mælǝ'dʒʌstid] *ps* onaangepast.

maladjustment ['mælǝ'dʒʌstmǝnt] slechte regeling, verkeerde inrichting; *ps* onaangepastheid.

maladministration ['mælǝdminis'treiʃǝn] wanbeheer *o*, wanbestuur *o*.

maladroit(ly) ['mælǝdroit(li)] onhandig.

malady ['mælǝdi] ziekte.

Malaga ['mælǝgǝ] Malaga *o*; malaga [wijn].

malaise [mæ'leiz] gevoel *o* van onwel zijn, zich onlekker gevoelen *o*; onbehaaglijkheid.

✤ malapert ['mælǝpǝ:t] brutaal.

malaprop(ism) ['mælǝprop(izm)] belachelijke verwisseling van vreemde woorden.

malaria [mǝ'lɛǝriǝ] malaria.

malarial [mǝ'lɛǝriǝl] malaria-.

Malay [mǝ'lei] **I** *sb* 1 Maleier; 2 het Maleis; **II** *aj* Maleis.

malcontent ['mælkǝntent] **I** *aj* ontevreden, misnoegd; **II** *sb* ~*s* malcontenten.

male [meil] **I** *aj* 1 mannelijk, mannen-; 2 van het mannelijk geslacht, mannetjes-; **II** *sb* 1 🐾 mannetje *o*; 2 manspersoon, man.

malediction [mæli'dikʃǝn] vervloeking.

malefactor ['mælifæktǝ] boosdoener, misdadiger.

malefic [mǝ'lefik] boos, verderfelijk.

maleficent [mǝ'lefisnt] onheil stichtend, verderfelijk.

malevolence [mǝ'levǝlǝns] kwaadwilligheid, vijandige gezindheid, boosaardigheid.

malevolent [mǝ'levǝlǝnt] kwaadwillig, vijandig gezind, boosaardig.

malfeasance [mæl'fi:zǝns] (ambts)overtreding.

malformation [mælfǝ:'meiʃǝn] misvorming.

malformed [mæl'fǝ:md] misvormd.

malice ['mælis] boos(aardig)heid, kwaadaardigheid; plaagzucht; ⚖ boos opzet *o* (~ *prepense*); *with ~ aforethought*, *of* (*with*) ~ *prepense* ⚖ met voorbedachten rade; *bear ~* wrok koesteren.

malicious [mǝ'liʃǝs] *aj* boos(aardig); plaagziek; ⚖ opzettelijk.

maliciously [mǝ'liʃǝsli] *ad* boosaardig; plagerig; ⚖ met voorbedachten rade.

malign [mǝ'lain] **I** *aj* boos(aardig), verderfelijk, slecht, ongunstig; 🕀 kwaadaardig; **II** *vt* kwaadspreken van, belasteren.

malignancy [mǝ'lignǝnsi] boos(aardig)heid; kwaadaardigheid; kwaadwilligheid.

malignant [mǝ'lignǝnt] **I** *aj* boos(aardig); kwaadaardig [v. ziekte]; kwaadwillig; **II** *sb* kwaadwillige.

maligner [mǝ'lainǝ] kwaadspreker, lasteraar.

malignity [mǝ'ligniti] zie *malignancy*.

Malines [mæ'li:n] Mechelen *o*.

malinger [mǝ'liŋgǝ] malengeren, simuleren.

malingerer [mǝ'liŋgǝrǝ] malenger, simulant.

mall [mɔ:l, mæl] malie(baan); promenade.

mallard ['mælǝd] 🐾 wilde eend.

malleability [mæliǝ'biliti] smeedbaarheid; *fig* kneedbaar-, buigzaam-, gedweeheid.

malleable ['mæliǝbl] smeedbaar; *fig* kneedbaar, buigzaam, gedwee.

mallet ['mælit] (houten) hamer.   [luwe.

mallow(s) ['mælou(z)] 🌿 kaasjeskruid *o*, ma-

malnutrition ['mælnju'triʃǝn] slechte voeding, ondervoeding.

malodorous [mæ'loudǝrǝs] kwalijk riekend.

malpractice [mæl'præktis] verkeerde (be)handeling, kwade praktijken; malversatie.

malt [mɔ:lt] **I** *sb* mout *o* & *m*; **II** *vt* mouten.

Malta ['mɔ:ltǝ] Malta *o*.

Maltese ['mɔ:l'ti:z] Maltezer(s); ~ *dog* 🐾 Maltezer leeuwtje *o*.

malt-house ['mɔ:lthaus] mouterij.

Malthus ['mælθǝs] Malthus.

Malthusian [mæl'θju:ziǝn] malthusiaan(s).

malt-kiln ['mɔ:ltkil(n)] mouteest.

maltreat [mæl'tri:t] mishandelen, slecht behandelen.

maltreatment [mæl'tri:tmǝnt] mishandeling, slechte behandeling.

maltster ['mɔ:ltstə] mouter.

malversation [mælvə:'seiʃən] malversatie, geld-verduistering, wanbeheer o.

Mameluke ['mæmil(j)u:k] mammeluk.

mam(m)a [mə'ma:] ma, mama.

mammal ['mæməl] ఊ zoogdier o.

mammalia [mæ'meiljə] ఊ zoogdieren.

mammon ['mæmən] mammon².

mammoth ['mæməθ] I sb mammoet; II als aj kolossaal, reuzen-.

mammy ['mæmi] F I maatje; 2 Am baboe.

man [mæn] I sb man², mens; werkman, knecht, bediende; (schaak)stuk o, (dam)-schijf; ✕ mindere; ⇔ student; men, ook: manschappen; a ~ men, je, iemand; ~ about town boemelaar, uitloper; ~ of business I zakenman; 2 agent, zaakwaarnemer; ~ of family van goede familie; ~ of letters geleerde; letterkundige, lit(t)erator; a ~ of men een best (voortreffelijk) mens; he is the ~ of men de aangewezen persoon; a ~ of straw een stropop², stroman²; he is a ~ of few words hij zegt niet veel; ~ and boy als kind en als man, mijn hele leven; ~ and a brother een broeder [fig]; the little ~ I het ventje; 2 de kleine man; the old ~ I B de oude Adam; 2 S de „ouwe", de baas; old ~! ouwe jongen!; be one's own ~ I zijn eigen baas zijn; 2 zich zelf (meester) zijn; ~ Friday handlanger, duivels-toejager; the ~ in the street Jan Publiek, Jan en alleman; he is ~ enough to... mans genoeg om...; he is not a ~ to... hij is er de man niet naar om...; between ~ and ~ tussen de mensen onderling; ~ for ~ man voor man; to a ~ als één man, tot de laatste man, eenparig; allen; (so) many men (so) many minds zoveel hoofden, zoveel zinnen; II aj mannelijk, van het mannelijk geslacht; ~ nurse ziekenverpleger; III vt bemannen, bezetten; IV vr ~ oneself zich vermannen.

manacle ['mænəkl] I sb (hand)boei; II vt boeien, kluisteren, de handen binden.

manage ['mænidʒ] I vt besturen, behandelen, beheren, leiden; regeren; op- of aankunnen, afdoen; ~ it (matters) het klaarspelen; F het hem leveren; II vi zie manage it; ~ for oneself zich (zelf) redden, het zelf klaarspelen; ~ to... het zó weten aan te leggen, dat..., weten te..., (net nog) kunnen...

manageability [mænidʒə'biliti] handelbaarheid.

manageable ['mænidʒəbl] handelbaar, meegaand, (gemakkelijk) te besturen &.

management ['mænidʒmənt] behandeling, bediening; bestuur o, leiding, beheer o, administratie, directie; de ondernemers, de patroons; tact; handigheid.

manager ['mænidʒə] bestuurder, beheerder, leider, administrateur, directeur; chef.

manageress ['mænidʒəris] bestuurster, leidster, administratrice, directrice, chef.

managerial [mænə'dʒiəriəl] directie-, bestuurs-; (bedrijfs)organisatorisch.

managership ['mænidʒəʃip] bestuur o, beheer o, leiding.

managing ['mænidʒiŋ] I praktisch; 2 bazig; 3 beherend, leidend; ~ director directeur.

manatee [mænə'ti:] ఊ zeekoe.

Manchester ['mæntʃistə] Manchester o.

Manchu [mæn'tʃu:] Mantsjoe.

Manchuria [mæn'tʃuəriə] Mantsjoerije o.

mandamus [mæn'deimes] 🔒 bevelschrift o.

mandarin ['mændərin] mandarijn.

mandatary ['mændətəri] mandataris, gevolmachtigde, lasthebber.

mandate ['mændeit] I sb lastbrief, -geving, bevelschrift o, opdracht, mandaat o; II vt onder mandaat brengen; ~d territory mandaatgebied o.

mandatory ['mændətəri] I aj lastgevend; gebiedend; mandaat-; II sb mandataris.

mandible ['mændibl] I kinnebak; 2 kaak [v. insekten].

mandolin(e) ['mændəlin] ♪ mandoline.

mandragora [mæn'drægərə], **mandrake** ['mændreik] ⚘ alruin.

manducate ['mændjukeit] kauwen, eten.

manducation [mændju'keiʃən] kauwing.

manducatory ['mændjukeitəri] kauw-.

mane [mein] manen [van een paard &].

man-eater ['mæni:tə] I menseneter [ook leeuw, tijger, haai]; 2 F bijtend paard o.

manes ['meini:z] schimmen van afgestorvenen.

manful ['mænful] dapper, manhaftig, moedig.

manganese [mæŋgə'ni:z] mangaan o.

mange [mein(d)ʒ] schurft.

mangel(-wurzel) ['mæŋgl('wə:zl)] ⚘ mangelwortel.

manger ['mein(d)ʒə] krib(be), trog, voerbak.

manginess ['mein(d)ʒinis] schurftigheid.

1 mangle ['mæŋgl] I sb mangel; II vt mangelen.

2 mangle ['mæŋgl] vt verscheuren; havenen; verminken; verknoeien.

mangler ['mæŋglə] mangelaar, mangelvrouw.

mango ['mæŋgou] manga(boom).

mangold ['mæŋgəld] zie mangel(-wurzel).

mangrove ['mæŋgrouv] ⚘ wortelboom.

mangy ['mein(d)ʒi] schurftig.

man-handle ['mænhændl] I ruw aanpakken, mishandelen, toetakelen; 2 door mensenhand laten behandelen.

manhole ['mænhoul] ⚒ mangat o.

manhood ['mænhud] mannelijkheid; mannelijke staat; mannen; menselijke natuur, menselijkheid; manmoedigheid, moed.

mania ['meiniə] manie; the ~ of grandeur grootheidswaan(zin); persecution ~ vervolgingswaanzin; racial ~ rassenwaan.

maniac ['meiniæk] I sb maniak, waanzinnige; II aj waanzinnig.

maniacal [mə'naiəkl] I waanzinnig; 2 maniakaal.

manicure ['mænikjuə] I sb manicure; II vt manicuren.

manicurist ['mænikjurist] manicure.
manifest ['mænifest] I *aj* duidelijk, kennelijk; II *sb* ⚓ manifest *o*; III *vt* openbaren, openbaar maken, aan den dag leggen; ⚓ aangeven [goederen]; IV *vr* ~ *itself* zich openbaren of vertonen; V *va* manifesteren.
manifestation [mænifes'teiʃən] manifestatie; openbaarmaking, openbaring, uiting.
manifesto [mæni'festou] manifest *o*.
manifold ['mænifould] I *aj* menigvuldig, veelvuldig, veelsoortig, vele; ~ *writer* hectograaf; II *sb* 1 gehectografeerde afdruk; 2 ✂ verzamelbuis; verdeelstuk *o*, spruitstuk *o*; III *vt* vermenigvuldigen, hectograferen.
manikin ['mænikin] ledenpop; fantoom *o*; mannetje *o*, dwerg.
Manil(l)a [mə'nilə] 1 Manilla *o*; 2 manilla-(sigaar); 3 manillahennep.
manioc ['mæniɔk] ✿ maniok.
maniple ['mænipl] *RK* manipel.
manipulate [mə'nipjuleit] hanteren, behandelen, bewerken[2], manipuleren, F knoeien met [koopmansboeken &].
manipulation [mənipju'leiʃən] manipulatie; betasting.
mankind ['mænkaind] 1 de mannen; 2 [mæn'kaind] het mensdom, de mensheid.
manlike ['mænlaik] mannelijk, manachtig.
manliness ['mænlinis] mannelijkheid, manmoedigheid.
manly ['mænli] mannelijk, manmoedig, mannen-.
man-made ['mænmeid] door mensen (mannen) gemaakt; ~ *fibre* kunstvezel.
manna ['mænə] manna *o*.
mannequin ['mænikin] mannequin.
manner ['mænə] 1 manier, wijze; (levens)gewoonte; > aanstellerij; 2 soort, slag *o*; ~*s* (goede) manieren; *where are your* ~*s*? wat zijn dat voor manieren?; ~*s and customs* zeden en gewoonten; ~ *and matter* vorm en inhoud [v. boek]; *all* ~ *of* allerlei; *it is no* ~ *to* het is niet netjes...; *have* ~*s* zijn manieren kennen; *he might have had the* ~*s to*... hij had de beleefdheid kunnen hebben om...; *after the* ~ *of*... in de trant (stijl) van; *after this* ~ op deze wijze; *by no* ~ *of means* op generlei wijze, volstrekt niet; *in a* ~ in zekere zin; *in a* ~ *of speaking* om zo te zeggen; *in this* ~ op deze manier (wijze); *in like* ~ op dezelfde wijze, eveneens; *to the* ~ *born* van kindsbeen daaraan gewend.
mannered ['mænəd] gemanierd, met ...manieren; > gemanièreerd.
mannerism ['mænərizm] gemanièreerdheid, gemaaktheid, manièrisme *o* [in de kunst]; ~*s* maniertjes.
mannerliness ['mænəlinis] welgemanierdheid, beleefdheid.
mannerly ['mænəli] welgemanierd, beleefd.
mannish ['mæniʃ] 1 manachtig; 2 als (van) een man.

manoeuvrability [mənu:vrə'biliti] wendbaarheid.
manoeuvrable [mə'nu:vrəbl] wendbaar.
manoeuvre [mə'nu:və] I *sb* manoeuvre[2]; II *vi* manoeuvreren[2]; intrigeren; III *vt* laten manoeuvreren; ~ *away* (*out*) handig loodsen, wegwerken, -krijgen.
man-of-war ['mænəv'wɔ:] ⚓ oorlogsschip *o*.
manometer [mə'nɔmitə] manometer.
manor ['mænə] (ambachts)heerlijkheid; landgoed *o*.
manor-house ['mænəhaus] (ridder)slot *o*.
manorial [mə'nɔ:riəl] van een ambachtsheerlijkheid, heerlijk.
man-power ['mænpauə] mensenkracht; mankracht: werk- of strijdkrachten.
manse [mæns] pastorie, predikantswoning.
man-servant ['mænsə:vənt] knecht, bediende.
mansion ['mænʃən] herenhuis *o*; B woning; ~*s* flatgebouw *o*.
mansion-house ['mænʃənhaus] zie *manor-house*; *the Mansion House* de officiële woning van de Lord Mayor te Londen.
manslaughter ['mænslɔ:tə] (onwillige) doodslag, manslag.
manslayer ['mænsleiə] doodslager.
mantel(piece) ['mæntl(pi:s)] schoorsteenmantel.
mantelshelf ['mæntlʃelf] schoorsteenrand.
mantilla [mæn'tilə] mantille.
mantle ['mæntl] I *sb* 1 mantel°; *fig* dekmantel; 2 gloeikousje *o*; II *vt* bedekken, verbergen; ~*d cheeks* overtogen wangen.
mantlet ['mæntlit] 1 manteltje *o*; 2 ✂ blindering.
mantrap ['mæntræp] voetangel, klem, val.
manual ['mænjuəl] I *aj* met de hand, hand(en)-; ~ *alphabet* vingeralfabet *o* [doofstommen]; ~ *arts* handenarbeid; II *sb* 1 ♪ manuaal *o* [orgel]; 2 handboek *o*, -leiding; 3 handspuit; *the* ~*s* ✕ de handgrepen.
manufactory [mænju'fæktəri] fabriek.
manufacture [mænju'fæktʃə] I *sb* vervaardiging, fabricage, fabriceren *o*; fabrikaat *o*; II *vt* vervaardigen, fabriceren; > fabrieken; ~*d* ook: fabrieks-; *manufacturing town* fabrieksstad.
manufacturer [mænju'fæktʃərə] fabrikant.
manumission [mænju'miʃən] vrijlating [v. slaaf].
manumit [mænju'mit] vrijlaten.
manure [mə'njuə] I *sb* mest; II *vt* (be)mesten.
manuscript ['mænjuskript] I *aj* (met de hand) geschreven; in manuscript; II *sb* manuscript *o*, handschrift *o*.
Manx [mæŋks] I *aj* van het eiland Man; II *sb* taal (ook: kat) van Man.
many ['meni] I *aj* veel, vele; ~ *a man*, ~ *a one* menigeen; ~ *a time*, ~ *and* ~ *a time* menigmaal; *too* ~ te veel; *be one too* ~ (ergens) te veel zijn; *be* (*one*) *too* ~ *for*... ....te slim af zijn; II *sb the* ~ de menigte, de grote hoop; *a good*

(*great*) ~ heel wat, heel veel, zeer veel (velen).

many-coloured ['menikʌləd] veelkleurig.

many-headed ['menihedid] veelhoofdig.

many-sided ['menisaidid] veelzijdig².

Maori ['ma:(ə)ri, 'mauri] II *sb* Maori: inlander v. Nieuw-Zeeland; II als *aj* Maori-.

map [mæp] I *sb* (land)kaart, hemelkaart; *off the* ~ niet (meer) aan de orde, niet (meer) in tel; *on the* ~ aan de orde, in tel; II *vt* in kaart brengen; ontwerpen (ook: ~ *out*); ~ *out* indelen.

maple ['meipl] ♣ ahorn, esdoorn.

maple leaf ['meiplli:f] ahornblad *o* [zinnebeeld van Canada].

mar [ma:] bederven; ontsieren; zie ook:

marabou ['mærəbu:] ♀ maraboe.   [*make* I.

marabout ['mærəbu:t] maraboet.

maraschino [mærəs'ki:nou] maraskijn.

Marathon ['mærəθən] I Marathon *o*; 2 *sp* marathonloop [26 Eng. mijlen].

maraud [mə'rɔ:d] maroderen, plunderen².

marauder [mə'rɔ:də] marodeur, plunderaar.

marble ['ma:bl] I *sb* marmer *o*; marmeren beeld *o* &; knikker; II *aj* marmeren; III *vt* marmeren.

marbly ['ma:bli] marmerachtig, marmeren.

March [ma:tʃ] maart.

1 **march** [ma:tʃ] *sb* mark, grens, grensgebied *o*.

2 **march** [ma:tʃ] I *sb* ✕ & ♪ mars²; opmars, tocht, (voort)gang, loop, verloop *o*; II *vi* marcheren; op-, aanrukken; ~ *off* afmarcheren; ~ *out* uitrukken; ~ *past* defileren (voor); III *vt* laten marcheren; ~ *off* wegleiden, wegvoeren.

marching-order ['ma:tʃiŋɔ:də] ✕ marstenue *o* & ✕; ~*s* ✕ marsorder(s); *give him his* ~*s* F hem de laan uit sturen.

marchioness ['ma:ʃənis] markiezin.

marchpane ['ma:tʃpein] marsepein.

march past ['ma:tʃ'pa:st] ✕ defilé *o*.

mare [mɛə] merrie; *find a* ~*'s* nest zich blij maken met een dode mus.

Margaret ['ma:g(ə)rit] Margaretha.

margarine [ma:dʒə'ri:n, ma:gə'ri:n] margarine.

☉ **marge** [ma:dʒ] zie *margin* I.

Margery ['ma:dʒ(ə)ri] F Gretha.

margin ['ma:dʒin] I *sb* 1 rand; kant; marge; 2 $ winst; surplus² *o*; 3 *fig* speelruimte, vrijheid; *escape by the narrowest of* ~*s* nog net op het kantje; II *vt* van een rand voorzien; van kanttekeningen voorzien; in margine aantekenen.

marginal ['ma:dʒinəl] marginaal, in margine, op de rand, kant-; grens-.

marginalia [ma:dʒi'neiliə] kanttekeningen.

margrave ['ma:greiv] markgraaf.

margravine ['ma:grəvi:n] markgravin.

marguerite ['ma:gəri:t] ♣ ganzebloem.

Maria [mə'raiə] Maria, Marie; *black* ~ S gevangenwagen.

marigold ['mærigould] ♣ goudsbloem; *African* (*French*) ~ ♣ afrikaantje *o*.

marijuana [ma:ri'hwa:nə] marihuana.

marinade [mæri'neid] I *sb* gekruide (wijn)azijnsaus; gemarineerde vis- of vleesspijs; II *vt* marineren.

marine [mə'ri:n] I *aj* zee-, scheeps-; ~ *parade* strandboulevard; II *sb* 1 marine, vloot; 2 zeestuk *o*; 3 marinier; *tell that to the* ~*s* F maak dat je grootje wijs.

mariner ['mærinə] ♪ zeeman, matroos.

marionette [mæriə'net] marionet.

marital ['mæritl, mə'raitl] van een echtgenoot; echtelijk.

maritime ['mæritaim] aan zee gelegen, maritiem, kust-, zee-; ~ *law* zeerecht *o*.

marjoram ['ma:dʒərəm] ♣ marjolein.

Marjory ['ma:dʒəri] zie *Margery*.

Mark [ma:k] Markus, Marcus.

mark [ma:k] I *sb* merk *o*, merkteken *o*, stempel *o* & *m*; teken *o*, kruisje *o* [in plaats v. handtekening], spoor *o*; ⬦ cijfer *o*, punt *o* [op school]; blijk *o*, bewijs *o*; doel(wit) *o*; peil *o* ‖ [Duitse] mark; *hit the* ~ raak schieten, de spijker op de kop slaan; 't raden; *make one's* ~ zich onderscheiden, van zich doen spreken, succes hebben (bij *with*); (*God*) *save the* ~! God betere het!; *below the* ~ beneden peil; *beside* (*wide of*) *the* ~ er naast, de plank mis; *be near the* ~ er dicht bij of dicht bij de waarheid zijn; *a man of* ~ een man van betekenis; *be quick off the* ~ snel starten; *fig* snel te werk gaan; *be up to the* ~ aan de (gestelde) eisen voldoen; *I am not up to the* ~ F ik voel me niet erg lekker (wel); *keep up to the* ~ op peil houden; *within the* ~ zonder overdrijven; II *vt* merken, tekenen; kenmerken; onderscheiden; noteren, op-, aantekenen; aanstrepen; bestemmen; laten merken, aanduiden, aangeven, beduiden, betekenen; ⬦ cijfers (punten) geven; prijzen [koopwaar]; opmerken, letten, acht geven op; niet ongemerkt voorbij laten gaan, vieren, herdenken; *sp* dekken [tegenspeler]; ~ *me!* let op mijn woorden!; ~ *time* ✕ de pas markeren, pas op de plaats maken²; *fig* niet verder komen; ~ *you!* let wel!; ~ *down* aanstrepen; aangeven [op kaart]; noteren; $ lager noteren; afprijzen; ~ *off* afscheiden; onderscheiden (van *from*); ~ *out* aanwijzen, bestemmen; afbakenen, afsteken [terrein]; onderscheiden; ~ *up* 1 noteren; 2 $ hoger noteren.

marked [ma:kt] *aj* opvallend, in het oog vallend, duidelijk, merkbaar, markant.

markedly ['ma:kidli] *ad* zie *marked.*

marker ['ma:kə] 1 aantekenaar, opschrijver, markeur; 2 leeswijzer; 3 fiche *o* & *m*.

market ['ma:kit] I *sb* markt°; aftrek, vraag; *be in the* ~ *for* nodig hebben, aan de markt zijn voor...; *not in the* ~ niet op de markt, niet in de handel; *come into the* ~ op de markt of in de handel komen; *place* (*put*) *them on the* ~ ze te koop bieden (stellen); *bring one's hogs* (*eggs*) *to a bad* ~ van een koude kermis thuiskomen; *make a* ~ *of* 1 exploiteren; 2 verkwanselen; **II** *vt* markten, ter markt brengen; handelen in; verkopen [op de markt]; **III** *vi* markten, inkopen doen.

marketable ['ma:kitəbl] geschikt voor de markt; (goed) verkoopbaar, courant.

marketer ['ma:kitə] marktganger; *Am* verkoper.

market-garden ['ma:kit'ga:dn] warmoezerij.

market-gardener ['ma:kit'ga:dnə] warmoezenier, tuinder.

market-gardening ['ma:kit'ga:dniŋ] tuinderij.

marketing ['ma:kitiŋ] het markten; verkoop; ~*s* waren, marktinkopen.

market place ['ma:kitpleis] marktplein *o*, markt.

market report ['ma:kitripɔ:t] $ marktbericht *o*.

market research ['ma:kitrisə:tʃ] $ marktanalyse.

market town ['ma:kittaun] marktplaats.

marking ['ma:kiŋ] 1 tekening [v. dier]; 2 ✄ herkenningsteken *o*; 3 $ notering.

marking-ink ['ma:kiŋiŋk] merkinkt.

marksman ['ma:ksmən] (scherp)schutter.

marl [ma:l] mergel.

Marlborough ['mɔ:l-, 'ma:lb(ə)rə] Marlborough.

marlstone ['ma:lstoun] mergelsteen *o* & *m*.

marly ['ma:li] mergelachtig, mergel-.

marmalade ['ma:məleid] marmelade.

marmoreal [ma:'mɔ:riəl] marmerachtig; van marmer, marmeren; marmer-.

marmoset ['ma:məzet] ⚲ zijdeaapje *o*.

marmot ['ma:mət] ⚲ marmot.

1 **maroon** [mə'ru:n] **I** *sb* voortvluchtige neger [W.-Indië], bosneger; achtergelaten matroos ‖ ✄ moor(d)slag; **II** *vi* rondzwerven, lanterfanten; **III** *vt* ⚓ op een onbewoond eiland aan wal zetten; isoleren.

2 **maroon** [mə'ru:n] *aj* kastanjebruin.

marplot ['ma:plɔt] spelbederver, spelbreker.

marque [ma:k] ⚓ kaperschip *o*, kaper.

marquee [ma:'ki:] grote tent.

marquess ['ma:kwis] zie *marquis*.

marquetry ['ma:kitri] inlegwerk *o*.

marquis ['ma:kwis] markies.

marquisate ['ma:kwisit] markizaat *o*.

marquise [ma:'ki:z] 1 markiezin; 2 marquisering.

marriage ['mæridʒ] 1 huwelijk *o*; ☉ echt; 2 *fig* harmonie; *relative by* ~ aangetrouwd; *ask in* ~ ten huwelijk vragen.

marriageable ['mæridʒəbl] huwbaar.

marriage articles ['mæridʒa:tiklz] huwelijkscontract *o* (met voorwaarden).

marriage licence ['mæridʒlaisəns] huwelijksvergunning van overheidswege.

marriage lines ['mæridʒlainz] trouwakte.

marriage portion ['mæridʒpɔ:ʃən] huwelijks-

goed *o*.

marriage settlement ['mæridʒsetlmənt] huwelijksvoorwaarden.

married ['mærid] gehuwd, getrouwd (met *to*); echtelijk, huwelijks-.

marrow ['mærou] merg *o*; *fig* pit *o* & *v*; (*vegetable*) ~ ⚲ eierpompoen.

marrowbone ['mærouboun] mergpijp.

marrowfat ['mæroufæt] ⚲ grote erwt, kapucijner (ook: ~ *pea*).

marrowy ['mæroui] vol merg, mergachtig; *fig* pittig.

1 **marry** ['mæri] **I** *vt* trouwen; uithuwen; huwen², paren, verbinden; ~ *a fortune* een vrouw met geld trouwen; ~ *off* aan de man brengen; **II** *vi* trouwen; *not a* ~*ing man* geen man om te trouwen.

2 ✎ **marry** ['mæri] waratje!, ja zeker!

Mars [ma:z] Mars².

Marseilles [ma:'seilz] Marseille *o*.

marsh [ma:ʃ] moeras *o*.

marshal ['ma:ʃəl] **I** *sb* 1 maarschalk; 2 ceremoniemeester; ordecommissaris; **II** *vt* ordenen, opstellen, rangschikken; aanvoeren, geleiden; ~*ling yard* rangeerterrein *o*.

marshalship ['ma:ʃəlʃip] maarschalkschap *o*.

marsh mallow ['ma:ʃmælou] 1 ⚲ heemst; 2 soort snoepgoed.

marsh marigold ['ma:ʃmærigould] ⚲ dotterbloem.

marshy ['ma:ʃi] moerassig, drassig.

marsupial [ma:'sju:piəl] ⚲ **I** *aj* buideldragend; **II** *sb* buideldier *o*.

mart [ma:t] 1 markt²; stapelplaats, handelscentrum *o*; 2 venduhuis *o*, verkooplokaal *o*.

marten ['ma:tin] 1 ⚲ marter; 2 marterbont *o*

Martha ['ma:θə] Martha².

Martial ['ma:ʃəl] Martialis.

martial ['ma:ʃəl] krijgshaftig, krijgs-; *proclaim* ~ *law* de staat van beleg afkondigen.

Martian ['ma:ʃiən] **I** *aj* van Mars; **II** *sb* Marsbewoner.

Martin ['ma:tin] Martinus, Martijn, Maarten; *St.* ~*'s summer* mooie nazomer.

martin ['ma:tin] ⚲ huiszwaluw.

martinet [ma:ti'net] dienstklopper.

Martinmas ['ma:tinməs] St.-Maarten.

martyr ['ma:tə] **I** *sb* martelaar²; *be a* ~ *to* lijden aan; **II** *vt* martelen, pijnigen; de marteldood doen sterven.

martyrdom ['ma:tədəm] martelaarschap *o*, marteldood; marteling.

martyrize ['ma:təraiz] martelen; *fig* een martelaar maken van.

martyrology [ma:tə'rɔlədʒi] martelaarsgeschiedenis, -boek *o*, -lijst.

marvel ['ma:vəl] **I** *sb* wonder *o*; ~ *of Peru* ⚲ wonderbloem; **II** *vi* zich verwonderen (over *at*, *over*), verbaasd staan, zich (verbaasd) afvragen...

marvellous ['ma:v(ə)ləs] wonderbaar(lijk), verbazend, wonder-.

Marxian ['ma:ksiən], **Marxist** ['ma:ksist] marxist(isch).

Mary ['mɛəri] Marie; *my little ~* F mijn buik.

Maryland ['mɛərilænd] Maryland(tabak).

marzipan [ma:zi'pæn] marsepein.

mascara [mæs'ka:rə] mascara.

mascot ['mæskət] mascotte.

masculine ['ma:s-, 'mæskjulin] mannelijk°; manachtig.

masculinity [ma:s-, mæskju'liniti] 1 mannelijkheid; 2 manachtigheid.

mash [mæʃ] I *vt* fijnstampen [v. spijs]; mengen [v. mout]; *~ed potatoes* (aardappel)puree; II *sb* beslag *o* [v. brouwers]; mengvoer *o*; S (aardappel)puree; *fig* brij; mengelmoes *o* & *v*.

masher ['mæʃə] [etens-, aardappel]stamper.

mask [ma:sk] I *sb* 1 masker² *o*, mom²; 2 gemaskerde; 3 *sp* kop [v. vos]; *in ~s* met maskers voor, gemaskerd; II *vi* een masker voordoen, zich vermommen; III *vt* maskeren; vermommen; maskéren²; *~ed* ook: verkapt; *~(ed) ball* bal *o* masqué.

masker ['ma:skə] gemaskerde.

mason ['meisn] 1 steenhouwer; 2 vrijmetselaar.

masonic [mə'sɔnik] vrijmetselaars-.

masonry ['meisnri] 1 metselwerk *o*; 2 vrijmetselarij.

masquerade [mæskə'reid] I *sb* maskerade; II *vi* vermomd gaan, zich vermommen²; *masquerading as...* ook: zich voordoend als..., zich uitgevend voor...

1 **mass** [mæs, ma:s] *sb RK* mis; *high (low) ~* hoogmis (leesmis, stille mis); *~es for his soul* zielmissen; *say ~* de mis lezen.

2 **mass** [mæs] I *sb* massa; hoop; *he is a ~ of bruises* één en al kneuzingen; *the ~es and the classes* het volk en de hogere standen; *in the ~* in massa, in zijn geheel; II *vt* (in massa) bijeenbrengen, op-, samenhopen; combineren; III *vi* zich op-, samenhopen, zich verzamelen; IV als *aj* massa-; op grote schaal, massaal.

massacre ['mæsəkə] I *sb* moord(partij), bloedbad *o*, slachting; *~ of the Innocents* kindermoord te Bethlehem; II *vt* uit-, vermoorden, een sl ːhting aanrichten onder.

massage ['mæsa:ʒ] I *sb* massage; II *vt* masseren.

mass communication ['mæskəmju:nikeiʃən] massacommunicatie.

masseur [mæ'sə:] masseur.

masseuse [mæ'sə:z] masseuse.

massive ['mæsiv] massief, zwaar; massaal, aanzienlijk, indrukwekkend.

mass media ['mæsmi:djə] *mv* v. **mass medium** ['mæsmi:djəm] massacommunicatiemiddel *o*.

mass meeting ['mæs'mi:tiŋ] grote meeting.

mass-produce ['mæsprədju:s] in massaproductie vervaardigen, in massa produceren.

mass production ['mæsprədʌkʃən] massaproductie.

massy ['mæsi] massief, zwaar.

mast [ma:st] I *sb* mast; II *vt* masten.

master ['ma:stə] I *sb* meester°, heer (des huizes), eigenaar; baas, chef, directeur; ⟐ hoofd *o* (v. *college*), rector; leraar; ⚓ schipper; gezagvoerder; *Master Henry* de jongeheer Hendrik; *The Master* de Meester: Christus; the *~ and mistress* mijnheer en mevrouw; *~s and men* werkgevers en werknemers; *French ~* leraar in het Frans; *a French ~* een Franse meester (schilder); schilderstuk van een dito; *second ~* ⟐ conrector, onderdirecteur; *~ of Arts* ⟐ hoogste graad in de *Arts*-faculteit; *~ of ceremonies* ceremoniemeester; *~ of the Horse* opperstalmeester; *~ of Hounds* opperjagermeester; *~ of the Rolls* Rijksarchivaris; *like ~ like man* zo heer, zo knecht; II *vt* zich meester maken van, overmeesteren, baas worden, onder de knie krijgen², meester worden, machtig worden; besturen; *~ oneself* zich(zelf) beheersen.

master builder ['ma:stə'bildə] bouwmeester; meester aannemer.

masterful ['ma:stəful] meesterachtig, eigenmachtig, despotisch, bazig.

masterkey ['ma:stəki:] loper [sleutel].

masterless ['ma:stəlis] zonder meester.

masterly ['ma:stəli] meesterlijk, magistraal, meester-.

master mariner ['ma:stə'mærinə] ⚓ gezagvoerder.

master mind ['ma:stə'maind] grote geest.

masterpiece ['ma:stəpi:s] meesterstuk *o*, meesterwerk *o*.

master plan ['ma:stə'plæn] basisplan *o*.

mastership ['ma:stəʃip] meesterschap° *o*; rectoraat *o*; leraarschap *o*.

master spirit ['ma:stə'spirit] grote geest.

master stroke ['ma:stəstrouk] meesterlijke stoot of zet², meesterwerk *o*.

mastery ['ma:stəri] meesterschap° *o*; overhand; heerschappij.

mast-head ['ma:sthed] top van de mast; *at the ~* in top.

mastic ['mæstik] mastiek(boom).

masticate ['mæstikeit] kauwen.

mastication [mæsti'keiʃən] kauwing, kauwen *o*.

masticatory ['mæstikeitəri] kauw-.

mastiff ['mæstif] ≈ Engelse dog.

mastodon ['mæstədən] ≈ mastodont.

Mat [mæt] 1 Mat(je); 2 Matthijs.

1 **mat** [mæt] I *sb* 1 mat, matje *o*; 2 verwarde massa (haar &); II *vt* met matten beleggen; samenvlechten; III *vi* samenkleven².

2 **mat** [mæt] I *aj* mat; II *vt* mat maken, matteren.

matador ['mætədɔ:] matador.

1 **match** [mætʃ] *sb* lucifer; lont.

2 **match** [mætʃ] I *sb* gelijke, evenknie, partuur; stel *o*, paar *o*; partij, huwelijk *o*; match, kamp, wedstrijd; *be a ~ for* het kunnen opnemen tegen, opgewassen zijn tegen, aankun-

nen; *be a good* ~ *for* goed komen bij; *be no*
~ *for* geen partuur zijn voor; *find* (*meet*) *one's*
~ zijn man vinden; *make a* ~ I bij elkaar
komen (horen); 2 samen trouwen; II *vt* pa-
ren°, evenaren; zich kunnen meten met; de
vergelijking kunnen doorstaan met; de gelijke vinden van; tegenover elkaar stellen, in
overeenstemming brengen (met *to*); *they are*
well ~*ed* I zij passen (komen) goed bij elkaar; 2 zij wegen tegen elkaar op; III *vi* een
paar vormen, bij elkaar horen (komen); ...*to*
~ daarbij komende.

match-box ['mætʃbɔks] lucifersdoosje *o*.

matchless ['mætʃlis] weergaloos.

matchlock ['mætʃlɔk] ☷ lontroer *o*.

match-maker ['mætʃmeikə] lucifermaker ‖ kop-
pelaar(ster).

matchwood ['mætʃwud] I lucifershout *o*; 2
splinters; *make* ~ *of* totaal ruïneren of ka-
potslaan.

I mate [meit] I *sb* maat, makker, kameraad;
helper; gezel; (levens)gezel(lin); mannetje
o of wijfje *o* [v. dieren]; ⚓ stuurman; II *vt*
paren, (in de echt) verenigen; huwen; III *vi*
paren; zich verenigen.

2 mate [meit] I *sb* (schaak)mat; II *vt* (schaak)-
mat zetten.

mater ['meitə] F moeder, ouwe vrouw.

material [mə'tiəriəl] I *aj* stoffelijk, lichamelijk,
materieel; belangrijk, wezenlijk; II *sb* materiaal *o*, (bouw)stof.

materialism [mə'tiəriəlizm] materialisme *o*.

materialist [mə'tiəriəlist] materialist(isch).

materialistic [mətiəriə'listik] materialistisch.

materiality [mətiəri'æliti] stoffelijkheid; lichamelijkheid; wezenlijkheid; belang *o*, belangrijkheid.

materialization [mətiəriəlai'zeiʃən] realisatie,
verwezenlijking; verstoffelijking.

materialize [mə'tiəriəlaiz] I *vt* realiseren°; ver-
stoffelijken; II *vi* zich verwezenlijken; (wezenlijk) voordeel opleveren; zich verstoffelij-
ken; *it didn't* ~ F er kwam niets van &.

materially [mə'tiəriəli] *ad* zie *material* I.

maternal [mə'tə:nəl] moederlijk, moeder(s)-;
van moederszijde.

maternity [mə'tə:niti] moederschap *o*; ~ *home*
(*hospital*) kraaminrichting.

matey ['meity] F amicaal, familiaar.

mathematical [mæθi'mætikl] mathematisch,
wiskundig; wiskunde-; ~ *instruments* gereedschappen voor het rechtlijnig tekenen; *case*
of ~ *instruments* passerdoos.

mathematician [mæθimə'tiʃən] wiskundige.

mathematics [mæθi'mætiks] wiskunde.

Mat(h)ilda [mə'tildə] Mathilde.

matie ['meiti] ⚓ maatjesharing.

matin ['mætin] I *aj* morgen-; II *sb* ~s metten;
~(*s*) ☉ morgenzang.

matinée ['mætinei] matinee.

mating-time ['meitiŋtaim] paartijd.

matriarchy ['meitria:ki] matriarchaat *o*.

matricide ['meitrisaid] I moedermoord; 2
moedermoordenaar.

matriculate [mə'trikjuleit] I *vt* inschrijven, toelaten (als student); II *vi* zich laten inschrijven,
toegelaten worden.

matriculation [mətrikju'leiʃən] inschrijving,
toelating (als student); ~ (*examination*) toelatingsexamen *o*.

matrimonial [mætri'mounjəl] huwelijks-.

matrimony ['mætriməni] huwelijk *o*, huwelijke
staat.

matrix ['meitriks] matrijs.

matron ['meitrən] getrouwde dame, matrone;
moeder [v. weeshuis]; juffrouw voor de huishouding [v. kostschool]; directrice [v. zieken-
huis].

matter ['mætə] I *sb* stof, materie; zaak, ding
o; aangelegenheid, kwestie; aanleiding, reden; etter; kopij, zetsel *o*; ⚱ stukken; *the*
amount is still (*a*) ~ *for conjecture* naar het
bedrag gist men nog; *a* ~ *of course* iets heel
gewoons, de gewoonste zaak van de wereld;
it is a ~ *of danger* het is gevaarlijk; *a* ~ *of*
fact een feit; *as a* ~ *of fact* feitelijk, eigenlijk,
in werkelijkheid; inderdaad; trouwens; *it is a*
~ *of habit* het is een kwestie van gewoonte; *a*
~ *of 500 pounds* de bagatel van £ 500; *a* ~ *of*
40 years een 40 jaar; *no* ~ *how* hoe dan ook;
no such ~ niets van dien aard; *it is* (*makes*)
no ~ het maakt niet(s) uit; *it is a small* ~ het
is een kleinigheid; *what* ~ (*if*)...? wat zou het,
(al)...?; *what is the* ~ (*with you*)? wat is er?,
wat scheelt er aan?; *it is no laughing* ~ het is
niet om te lachen; *as the* ~ *may be* (al) naar
omstandigheden; *for that* ~, *for the* ~ *of*
that wat dat aangaat, trouwens; *in the* ~
of... inzake...; II *vi* I van belang zijn; 2 etteren; *it does not* ~ het komt er niet op aan, het
geeft niet, het heeft niets te betekenen.

matterful ['mætəful] zaakrijk.

matter-of-course [mætərəv'kɔ:s] vanzelfsprekend, natuurlijk.

matter-of-fact [mætərəv'fækt] zakelijk; proza-
isch, droog, nuchter.

Matthew ['mæθju:] Mattheus. [ding.]

matting ['mætiŋ] matwerk *o*, (matten)bekle-

mattock ['mætək] houweel *o*, hak.

mattress ['mætris] I matras; 2 zinkstuk *o*.

maturate ['mætjureit] rijpen, rijp worden.

maturation [mætju'reiʃən] rijping.

mature [mə'tjuə] I *aj* I rijp²; 2 $ vervallen; II
vt rijp maken, rijpen; III *vi* I rijp worden, rijpen; 2 $ vervallen.

matured [mə'tjuəd] gerijpt, rijp; belegen; $
vervallen.

maturity [mə'tjuəriti] rijpheid; $ vervaltijd,
-dag.

matutinal [mætju'tain(ə)l] vroeg, morgen-.

Maud [mɔ:d] Magda.

maudlin ['mɔ:dlin] (dronkemansachtig) sentimenteel.

⚓ **maugre** ['mɔ:gə] in weerwil van, ondanks.

maul [mɔ:l] I *sb* beukhamer, beuker; II *vt* beuken, er op timmeren; toetakelen.

maulstick ['mɔ:lstik] schildersstok.

maunder ['mɔ:ndə] 1 slungelen; 2 onsamenhangend praten.

Maundy Thursday ['mɔ:ndi'θə:zdi] Witte Donderdag.

Maurice ['mɔris] Maurits.

Mauritania [mɔri'teinjə] Mauretanië *o*.

Mauritius [mɔ'riʃəs], (*the*) ~ Mauritius *o*.

mausoleum [mɔ:sɔ'li:əm] mausoleum *o*, praalmauve [mouv] mauve. [graf *o*.
⊙ **mavis** ['meivis] ♫ zanglijster.

maᵛburneen [mɔ'vuəni:n] *Ir* (mijn) schatje *o*.

maw [mɔ:] pens, krop, maag.

mawkish ['mɔ:kiʃ] walglijk flauw; *fig* sentimenteel.

mawseed ['mɔ:si:d] (blauw)maanzaad *o*.

§ **maxillary** [mæk'siləri] van de kaak, kaak-.

Maxim ['mæksim] Maxim(mitrailleur).

maxim ['mæksim] grondstelling; (stel)regel; leerspreuk.

Maximilian [mæksi'miljən] Maximiliaan.

maximize ['mæksimaiz] op het maximum brengen.

maximum ['mæksiməm] maximum *o*.

May [mei] mei; *m*~ ♣ meidoorn(bloesem) ‖ Maaike.

may [mei] mogen, kunnen, kunnen zijn; *who ~ you be?* wie ben je wel?; *he ~ not come back* misschien komt hij niet meer terug; *as... as ~ be* zo... mogelijk; *be this as it ~* hoe het ook zij.

maybe ['meibi:] misschien, mogelijk.

May-bug ['meibʌg] meikever.

May-day ['meidei] 1 eerste mei; 2 meidag.

mayfly ['meiflai] ⚥ haft *o*, eendagsvlieg.

♣ **mayhap** ['meihæp] zie *maybe*.

maying ['meiiŋ] 't vieren van het meifeest.

mayonnaise [meiə'neiz] mayonaise.

mayor [mɛə] burgemeester; ~ *of the palace* hofmeier.

mayoral ['mɛərəl] burgemeesters-.

mayoralty ['mɛərəlti] burgemeesterschap *o*.

mayoress ['mɛəris] 1 burgemeestersvrouw; 2 vrouwelijke burgemeester.

mayorship ['mɛəʃip] burgemeesterschap *o*.

maypole ['meipoul] 1 meiboom; 2 F bonestaak, lange lijs.

May queen ['mei'kwi:n] meikoningin.

mazarine [mæzə'ri:n] donkerblauw.

maze [meiz] I *sb* doolhof; verbijstering; (*be*) *in a* ~ de kluts kwijt; II *vt* verbijsteren.

mazurka [mə'zə:kə] mazurka.

mazy ['meizi] vol kronkelpaden; verward.

me [mi:] mij; F & P ik.

mead [mi:d] mee [drank] ‖ ⊙ beemd, weide.

meadow ['medou] weiland *o*, weide.

meadow-saffron ['medousæfrən] ♣ herfsttijloos.

meadow-sweet ['medouswi:t] ♣ moerasspirea.

meagre ['mi:gə] mager², schraal.

meagreness ['mi:gənis] mager-, schraalheid.

1 **meal** [mi:l] I *sb* maal *o*, maaltijd; *at* ~*s* bij de maaltijd; aan tafel; II *vi* eten.

2 **meal** [mi:l] *sb* meel *o*; *Am* (maïs)meel *o*.

mealie(s) ['mi:li(z)] *ZA* maïs.

mealiness ['mi:linis] meelachtigheid; meligheid; *fig* zoetsappigheid.

meal-time ['mi:ltaim] etenstijd.

mealy ['mi:li] meelachtig; melig; geschimmeld, vlekkig; bleekneuzig; *fig* zoetsappig.

mealy-mouthed ['mi:li'mauðd] voorzichtig in zijn uitlatingen; zalvend, zoetsappig; schijnheilig.

1 **mean** [mi:n] I *aj* gemiddeld, middelbaar [v. tijd]; middel-; ~ *proportional* middelevenredige; II *sb* gemiddelde *o*, middelmaat; middenweg, middelevenredige; *the golden* (*happy*) ~ de gulden middelmaat; *the* ~ *between* het midden tussen...

2 **mean** [mi:n] *aj* gering; min, laag, gemeen, verachtelijk; gierig, krenterig, deun.

3 **mean** [mi:n] I *vt* bedoelen, menen, in de zin hebben, van plan zijn; betekenen; bestemmen (voor *for*); ~ *by* bedoelen met; verstaan onder; *that is* ~*t for you* I dat is u toegedacht; 2 dat moet jou voorstellen; 3 dit is op jou gemunt; *I* ~ *you to go* ik wil dat...; *this does not* ~ *that...* ook: dat wil niet zeggen, dat...; *this name* ~*s nothing to me* die naam zegt me niets; II *vi* het menen (bedoelen); ~ *well by* (*to*, *towards*) het goed menen met iemand.

meander [mi'ændə] I *sb* kronkeling; ~*s* ook: doolhof; II *vi* kronkelen, zich slingeren; dolen.

meaning ['mi:niŋ] I *aj* veelbetekenend; II *sb* 1 bedoeling; 2 betekenis, zin.

meaningful ['mi:niŋful] zinvol, zinrijk; veelbetekenend; van betekenis.

meaningless ['mi:niŋlis] zonder zin, zinledig; nietszeggend.

meaningly ['mi:niŋli] *ad* 1 veelbetekenend; 2 opzettelijk; 3 in alle ernst.

meanly ['mi:nli] *ad* zie 2 *mean*; ook: slecht; geringschattend.

meanness ['mi:nnis] geringheid &, zie 2 *mean*.

means [mi:nz] middelen, geldelijke inkomsten; middel *o*; *live beyond one's* ~ boven zijn stand leven; *by all* (*manner of*) ~ 1 op alle mogelijke manieren; 2 toch vooral, zeker, stellig; *not by any* (*manner of*) ~ 1 op generlei wijze; 2 geenszins, volstrekt niet; *by fair* ~ *or foul* op eerlijke of oneerlijke manier; *by no* (*manner of*) ~ 1 op generlei wijze; 2 geenszins, volstrekt niet; *by this* ~ op deze wijze; *by* ~ *of* door middel van; *by his* ~ met zijn hulp, door zijn bemiddeling, door hem; *a man of* ~ een bemiddeld man.

mean-spirited(ly) ['mi:n'spiritid(li)] laaghartig.

means test [mi:nztest] onderzoek *o* naar iemands draagkracht.

meant [ment] V.T. & V.D. van 3 *mean*.

meantime ['mi:n'taim], **meanwhile** ['mi:n-'hwail] middelerwijl, intussen, ondertussen (ook: *in the* ~).

measles ['mi:zlz] 1 mazelen; 2 gort [varkensziekte]; *German* ~ Europese rodehond.

measly ['mi:zli] 1 de mazelen hebbend; 2 gortig; *fig* armzalig, miserabel, miezerig.

measurable ['meʒərəbl] meetbaar; afzienbaar.

measure ['meʒə] I *sb* maat°; ⊙ mate; maatstaf; deler; maatregel; gevechtsafstand [bij schermen]; [steenkolen] laag; *take the* ~ *of one's opponents* schatten, wegen, de krachten meten; *take* ~s maatregelen nemen; *tread a* ~ ⚓ een dansje doen; *beyond* ~ bovenmatig; ~ *for* ~ leer om leer; *for good* ~ op de koop toe; *in a* (*some*) ~ in zekere mate, tot op zekere hoogte; *in a great* (*large*) ~ in grote mate, grotendeels; *made to* ~ op maat; II *vt* meten, op-, afmeten, uit-, toemeten (~ *out*); de maat nemen; *I* ~*d him* (*with my eye*) nam hem op van het hoofd tot de voeten; ~ *oneself against* (*with*) zich meten met; ~ *other people's cloth* (*feet*) *by one's own yard* of ~ *other people's corn by one's own bushel* anderen naar zich zelf afmeten; *he* ~*d his length on the ground* hij viel languit op de grond; ~ *swords with* de degen kruisen met; III *vi* ~ *up to* voldoen aan, beantwoorden aan; opgewassen zijn tegen, op kunnen tegen.

measured ['meʒəd] afgemeten, gelijkmatig; gematigd; weloverwogen.

measureless ['meʒəlis] onmetelijk.

measurement ['meʒəmənt] (af)meting, maat; inhoud.

measurer ['meʒərə] meter.

measuring ['meʒəriŋ] I *aj* maat-, meet-; II *sb* meten *o*, maatnemen *o*.

meat [mi:t] vlees *o*, spijs, kost, voedsel *o*; ⚓ eten *o*; *strong* ~ zware kost; *one man's* ~ *is another man's poison* 1 de een zijn dood is de ander zijn brood; 2 elk zijn meug; *this is* ~ *and drink to him* dat is zijn lust en zijn leven; *after* (*before*) ~ ⚓ na (vóór) den eten; *be at* ~ ⚓ aan tafel zijn.

meat-offering ['mi:təfəriŋ] B spijsoffer *o*.

meat-pie ['mi:t'pai] vleespastei.

meat-safe ['mi:tseif] vliegenkast.

meat-tea ['mi:tti:] thee met brood, vlees &.

meaty ['mi:ti] vlezig, vlees-; rijk [v. inhoud], degelijk, stevig.

Mecca ['mekə] Mekka² *o*.

mechanic [mi'kænik] werktuigkundige, mecanicien, [auto &] monteur; ~s werktuigkunde, mechanica.

mechanical [mi'kænikl] 1 machinaal, werktuiglijk; werktuigkundig; 2 machine-; ~ *engineering* werktuigbouwkunde.

mechanician [mekə'niʃən] werktuigkundige.

mechanism ['mekənizm] 1 mechanisme *o*, mechaniek; 2 techniek.

mechanization [mekənai'zeiʃən] mechanisering.

mechanize ['mekənaiz] mechaniseren.

Mechlin ['meklin] 1 Mechelen *o*; 2 Mechelse kant.

medal ['medl] (gedenk)penning, medaille.

medallion [mi'dæljən] grote medaille of (gedenk)penning; medaillon *o* [als ornament].

medallist ['medlist] 1 medailleur; 2 houder van een medaille.

meddle ['medl] zich bemoeien, zich inlaten (met *with*); met zijn vingers aan iets komen, tornen (aan *with*); zich mengen (in *in*).

meddler ['medlə] bemoeial.

meddlesome ['medlsəm], **meddling** ['medliŋ] bemoeiziek.

Mede [mi:d] Mediër; *law of the* ~s *and Persians* B wet van Meden en Perzen.

Medea [mi'diə] Medea.

Media ['mi:djə] Medië *o*.

media ['mi:djə] *mv* v. *medium*.

mediaeval [medi'i:vəl] I *aj* middeleeuws; II *sb* middeleeuwer.

medial ['mi:diəl] 1 midden-, tussen-, middel-; 2 gemiddeld.

median ['mi:diən] midden-, middel-; mediaan.

1 **mediate** ['mi:diit] *aj* middellijk.

2 **mediate** ['mi:dieit] *vi* & *vt* bemiddelen.

mediation [mi:di'eiʃən] bemiddeling.

mediator ['mi:dieitə] (be)middelaar.

mediatory ['mi:dieitəri] bemiddelend, bemiddelings-.

mediatrix [mi:di'eitriks] bemiddelaarster, middelares.

medical ['medikl] I *aj* medisch, genees-, geneeskundig; ~ *man* medicus, dokter; ~ *officer* 1 ⚔ officier van gezondheid; 2 arts v. d. Geneesk. Dienst (~ *officer of health*); II *sb* F student in de medicijnen.

medicament [me'dikəmənt] medicament *o*, geneesmiddel *o*.

medicate ['medikeit] 1 medicinaal bereiden; geneeskundig behandelen; ~*d coffee* geprepareerde koffie; ~*d cotton-wool* verbandwatten; ~*d vinegar* kruidenazijn; ~*d waters* medicinale wateren.

medicinal [mi'disinəl] geneeskrachtig, genezend, medicinaal, geneeskundig.

medicine ['medsn, 'medisin] medicijn, geneesmiddel *o*, artsenij; geneeskunde; *take one's* ~ F zijn straf ondergaan.

medicine chest ['medsntʃest] medicijnkistje *o*, huisapotheek.

medicine man ['medsnmæn] medicijnman.

medico ['medikou] S medicus, esculaap.

medico-legal ['medikou'li:gəl] medisch-forensisch.

medieval [medi'i:vəl] I *aj* middeleeuws; II *sb* middeleeuwer.

mediocre [mi:dioukə] middelmatig.

mediocrity [mi:di'ɔkriti] middelmatigheid°.

meditate ['mediteit] I *vi* nadenken, peinzen (over *on*, *over*); *RK* mediteren; II *vt* overdenken, denken over, bepeinzen, beramen.

meditation [medi'teiʃən] overdenking, overpeinzing, gepeins o; *RK* meditatie.

meditative ['mediteitiv] (na)denkend, peinzend.

Mediterranean [meditə'reinjən] (van de) Middellandse Zee.

medium ['mi:djəm] I *sb* midden o; middenweg; middelsoort; middelste term; tussenpersoon, middel o, medium o; mediaanpapier o; *by (through) the ~ of* door (bemiddeling of tussenkomst van); II *aj* middelsoort-; middelfijn, middelzwaar &; gemiddeld; middelmatig; *~ wave* 💥✝ middengolf.

medlar ['medlə] ⚘ mispel.

medley ['medli] I *sb* 1 mengelmoes o & v, mengeling, mengelwerk o; 2 ♪ potpourri; 3 *sp* wisselslag (*~ relay*); II *aj* gemengd, bont.

Medusa [mi'dju:zə] Medusa; *m~* kwal.

⊙ **meed** [mi:d] beloning, loon o.

meek(ly) ['mi:k(li)] zachtmoedig, zachtzinnig, ootmoedig, gedwee.

meekness ['mi:knis] zachtmoedigheid, zachtzinnigheid, gedweeheid, ootmoed.

meerschaum ['miəʃəm] 1 meerschuim o; 2 meerschuimen pijp.

1 ⚘ **meet** [mi:t] *aj* geschikt, gepast, behoorlijk; *it is (but) ~* niet meer dan gepast.

2 **meet** [mi:t] I *vt* ontmoeten, tegenkomen, (aan)treffen, vinden; een ontmoeting (samen-, bijeenkomst) hebben met, op-, bezoeken; ontvangen, afhalen; tegemoet gaan of treden; het hoofd bieden (aan); tegemoet komen (aan); voldoen (aan); voorzien in; ondervangen, opvangen; *Am* kennis maken met; *~ Mr. S. Am* mag ik u voorstellen aan de heer S?; *does it ~ the case?* is het goed zo?, is het zo wel voldoende?; *~ expenses* de kosten dekken, bestrijden; *~ one at the station* afhalen; *have I met you?* is u dat goed zo?; *more is meant than ~s the ear (the eye)* daar schuilt meer achter dan 't zo lijkt; *~ fraud with fraud* bedrog beantwoorden (keren) met bedrog; II *vi* elkaar ontmoeten; samen-, bijeenkomen; *till we ~ again!* tot weerziens!; *~ with* ontmoeten, aantreffen; wegdragen [goedkeuring]; krijgen [een ongeluk]; (onder)vinden; lijden [verlies]; III *sb* bijeenkomst; rendez-vous o.

meeting ['mi:tiŋ] ontmoeting, bijeenkomst, vergadering, meeting; *sp* wedstrijd, wedren; samenvloeiing [v. rivieren].

meeting-house ['mi:tiŋhaus] bedehuis o.

meeting-place ['mi:tiŋpleis] verzamelplaats, plaats van samenkomst, trefpunt o.

⚘ **meetly** ['mi:tli] *ad* zie 1 ⚘ *meet*.

⚘ **meetness** ['mi:tnis] geschikt-, gepastheid.

megacycle ['megəsaikl] 💥✝ megahertz.

megalomania [megəlou'meinjə] grootheidswaan(zin).

megalomaniac [megəlou'meiniæk] lijder (lijdend) aan grootheidswaan(zin).

megalopolitan [megəlou'pɔlitən] grotestads-, grootsteeds.

megaphone ['megəfoun] I *sb* megafoon; II *vt* & *vi* door de megafoon roepen.

megaton ['megətʌn] megaton.

megawatt ['megəwɔt] 💥 megawatt.

Meggy ['megi] F Grietje.

megrim ['mi:grim] schele hoofdpijn; *~s* 1 landerigheid; 2 duizeligheid [v. paard].

melancholia [melən'kouljə] *ps* melancholie.

melancholic [melən'kɔlik] melancholisch.

melancholy ['melənkəli] I *aj* melancholiek, zwaarmoedig, droefgeestig; droevig, treurig, triest; II *sb* melancholie, zwaarmoedigheid, droefgeestigheid.

Melanesia [melə'ni:ziə] Melanesië o.

Melanesian [melə'ni:ziən] I *aj* Melanesisch; II *sb* Melanesiër.

mêlée ['melei] verward gevecht o (van man tegen man), handgemeen o.

melinite ['melinait] meliniet o.

meliorate ['mi:liəreit] zie *ameliorate*.

melioration [mi:liə'reiʃən] zie *amelioration*.

mellifluence [me'lifluəns] zoetvloeiendheid.

mellifluent [me'lifluənt], **mellifluous** [me'lifluəs] zoetvloeiend, honi(n)gzoet[2].

mellow ['melou] I *aj* 1 rijp, mals, murw, zacht; 2 ♪ mollig [toon]; 3 joviaal; 4 F halfdronken; II *vi* rijp & worden; III *vt* doen rijpen; mals, zacht & maken; temperen, verdoezelen.

mellowy ['meloui] zie *mellow* I.

melodious(ly) [mi'loudjəs(li)] melodieus, welluidend, zangerig.

melodiousness [mi'loudjəsnis] welluidendheid.

melodist ['melədist] 1 zanger; 2 componist van de melodie.

melodrama ['melədra:mə] melodrama o.

melodramatic [melədrə'mætik] melodramatisch.

melody ['melədi] ♪ melodie°. [tisch.

melon ['melən] ⚘ meloen.

Melpomene [mel'pɔmini] Melpomene.

melt [melt] I *vi* smelten[2]; *~ away* weg-, versmelten; *~ into one another* in elkaar vloeien [v. kleuren]; II *vt* smelten; vermurwen, vertederen, roeren; *~ down* versmelten; III *sb* smelting.

melting ['meltiŋ] I *aj* smeltend[2], (ziel)roerend; II *sb* smelting; vertedering.

melting-pot ['meltiŋpɔt] smeltkroes.

member ['membə] lid° o; lidmaat; afgevaardigde; *be a ~ of, be ~s of* ook: deel uitmaken van; *~ state(s)* lid-staat (leden-staten).

membership ['membəʃip] lidmaatschap o; aantal o leden.

§ **membrane** ['membrein] vlies o, membraan o & v.

§ **membranous** ['membrənəs] vliezig.

memento [mi'mentou] gedachtenis, herinnering, aandenken o, souvenir o.

memo ['memou] F zie *memorandum*.

memoir ['memwa:] verhandeling, (levens)bericht o; *~s* memoires, gedenkschriften; handelingen [v. genootschap].

memorable ['memərəbl] *aj* gedenkwaardig, heuglijk, onvergetelijk.

memorably ['memərəbli] *ad* zie *memorable*.

memorandum [memə'rændəm] memorandum *o*, aantekening, notitie; nota; ~ *of association* akte van oprichting.

memorial [mi'mɔ:riəl] I *aj* van 't geheugen; herinnerings-, gedenk-; ~ *service* rouwdienst; II *sb* gedachtenis, herinnering; verzoekschrift *o*, petitie, adres *o*, nota, memorie; gedenkstuk *o*, -teken *o*.

memorialist [mi'mɔ:riəlist] opsteller van een memorie, rekwestrant, adressant.

memorialize [mi'mɔ:riəlaiz] zich met een verzoekschrift wenden tot.

memorize ['meməraiz] optekenen; in de herinnering bewaren; memoriseren.

memory ['meməri] memorie, geheugen *o*; herinnering, (na)gedachtenis, aandenken *o*; *play from* ~ uit het hoofd spelen.

mem-sahib ['memsa:ib] *IP* mevrouw.

men [men] *mv* v. *man*.

menace ['menis] I *sb* dreiging, bedreiging; dreigement *o*; S lastpost, kruis *o*; II *vt* dreigen, bedreigen.

menacer ['menisə] (be)dreiger.

menagerie [mi'nædʒəri] menagerie, beestenspel *o*.

mend [mend] I *vt* (ver)beteren, beter maken, herstellen, repareren, (ver)maken, verstellen, lappen, stoppen; ~ *the fire* wat op het vuur doen; *that won't* ~ *matters* dat maakt het niet beter; ~ *one's ways* zijn leven beteren; II *vi* beteren, beter worden; vooruitgaan [zieke]; zich (ver)beteren; III *sb* gestopte of verstelde plaats; *on the* ~ aan de beterhand.

mendacious [men'deiʃəs] leugenachtig.

mendacity [men'dæsiti] leugenachtigheid.

mender ['mendə] lapper, hersteller, versteller.

mendicancy ['mendikənsi] bedelarij.

mendicant ['mendikənt] I *aj* bedelend, bedel-; II *sb* 1 bedelaar; 2 bedelmonnik.

mendicity [men'disiti] bedelarij.

mending ['mendiŋ] reparatie, herstelling, verstelling; stopgaren *o*; verstelwerk *o*.

menfolk ['menfouk] man(s)volk *o*, mannen.

menhir ['menhiə] menhir: soort hunebed *o*.

menial ['mi:niəl] I *aj* dienend, dienst-; dienstbaar; knechts, knechtelijk, huurlingen-; *the most* ~ *offices* geringste, laagste; ~ *service* koeliedienst; II *sb* (dienst)knecht, loondienaar, huurling.

meningitis [menin'dʒaitis] hersenvliesontsteking.

Mennonite ['menənait] mennoniet, doopsgezinde.

mensurability [menʃurə'biliti] meetbaarheid.

mensurable ['menʃurəbl] meetbaar.

mensuration [mensju'reiʃən] meting°.

mental ['mentl] geestelijk, geestes-, mentaal; verstandelijk; F gestoord, krankzinnig; ~ *age* verstandelijke leeftijd; ~ *arithmetic*

hoofdrekenen *o*; ~ *deficiency* zwakzinnigheid; ~ *faculties* geestvermogens; ~ *home*, ~ *hospital* psychiatrische inrichting, psychiatrisch ziekenhuis *o*, zenuwinrichting; ~ *nurse* krankzinnigenverpleger, -verpleegster; ~ *patient* geestesziege, zenuwpatiënt.

mentality [men'tæliti] mentaliteit; geestesgesteldheid; denkwijze.

mentally ['mentəli] *ad* geestelijk, mentaal; in de geest; verstandelijk; uit het hoofd; ~ *defective* (*deficient*) zwakzinnig; ~ *ill* (*sick*) geestesziek.

menthol ['menθəl] menthol; ~ *cone*, ~ *pencil* migrainestift.

mention ['menʃən] I *sb* (ver)melding, gewag; II *vt* (ver)melden, noemen, melding maken van, gewag maken van, spreken over; ⊙ gewagen van; *not to* ~... om nog maar niet te spreken van...; *don't* ~ *it !* geen dank!

mentor ['mentə] mentor, raadgever.

menu ['menju:] menu *o* & *m*, spijskaart.

Mephistopheles [mefis'tɔfili:z] Mephistopheles; *fig* mefisto.

Mephistophelian [mefistə'fi:liən] mefistofelisch.

mephitic [mi'fitik] stinkend, verpestend.

mephitis [mi'faitis] verpestende stank.

mercantile ['mə:kəntail] koopmans-, handels-, mercantiel.

mercenary ['mə:sinəri] I *aj* gehuurd, huur-; veil², (voor geld) te koop²; baatzuchtig, > koopmans-; II *sb* huurling; *mercenaries* ook: huurtroepen.

mercer ['mə:sə] manufacturier (in zijden en wollen stoffen).

mercery ['mə:səri] 1 zijden en wollen stoffen; ellewaren; 2 manufactuurzaak.

merchandise ['mə:tʃəndaiz] I *sb* koopwaar, waren; II *vi* & *vt Am* verkopen.

merchandiser ['mə:tʃəndaizə] *Am* verkoper.

merchant ['mə:tʃənt] I *sb* koopman, (groot)-handelaar; II *aj* handels-, koopvaardij-.

merchantable ['mə:tʃəntəbl] verkoopbaar; gewild, courant.

merchantman ['mə:tʃəntmən] 🕱 koopvaardijschip *o*.

Merchant Navy ['mə:tʃənt'neivi] 🕱 koopvaardijvloot.

merchant service ['mə:tʃənt'sə:vis] 🕱 1 handelsvloot; 2 koopvaardij(vaart).

merciful(ly) ['mə:siful(i)] barmhartig, genadig; *mercifully* ook: goddank, gelukkig.

merciless(ly) ['mə:silis(li)] onbarmhartig, meedogenloos.

mercurial [mə:'kjuəriəl] I *aj* van Mercurius; kwikzilverachtig; kwik-; *fig* levendig, vlug; II *sb* kwikmiddel *o*.

Mercury ['mə:kjuri] Mercurius.

mercury ['mə:kjuri] kwik(zilver) *o*.

mercy ['mə:si] barmhartigheid, genade; weldaad; *appeal for* ~ 🕱 verzoek om gratie; *for* ~'*s sake* om godswil!; *have* ~ (*up*)*on us* wees ons genadig, ontferm u onzer; *it was a ~ you were not there* het was een geluk; *be at the ~ of...*, *be left to the tender mercies of...* aan de genade overgeleverd zijn van; een spel zijn van [wind en golven].

1 ⊙ mere [miə] *sb* meer *o*.

2 mere [miə] *aj* louter, zuiver, enkel, bloot; maar; *a ~ boy* nog maar een jongen; *the ~st trifle* de minste kleinigheid.

merely ['miəli] *ad* enkel, louter, alleen.

meretricious [meri'triʃəs] veil; opzichtig.

merganser [mə:'gænsə] ⚓ duikergans.

merge [mə:dʒ] I *vt* samensmelten (met *into*), doen opgaan; *be ~d in* opgaan in; II *vi* opgaan.

merger ['mə:dʒə] $ samensmelting, fusie.

meridian [mə'ridiən] I *sb* meridiaan; middaghoogte, hoogtepunt *o*, toppunt *o*; (geestelijk) peil *o*; ⚲ middag; II *aj* middag-; hoogste; ~ *altitude* middaghoogte.

meridional [mə'ridiənəl] zuidelijk.

meringue [mə'ræŋ] schuimpje *o*, schuimtaart.

merino [mə'ri:nou] I merinos *o*; 2 merinosschaap *o*.

merit ['merit] I *sb* verdienste; *the ~s of the case* het essentiële (het eigenlijke, de merites) van de zaak; *on its (own) ~s* op zich zelf; II *vt* verdienen.

meritorious(ly) [meri'tɔ:riəs(li)] verdienstelijk.

⊙ merle [mə:l] ⚓ merel.

Merlin ['mə:lin] Merlijn.

merlin ['mə:lin] ⚓ steenvalk, smelleken *o*.

mermaid ['mə:meid] meermin.

merman ['mə:mæn] meerman.

Merovingian [merə'vindʒiən] I *aj* Merovingisch; II *sb* Merovinger.

merrily ['merili] *ad* vrolijk, lustig.

merriment ['merimənt] vrolijkheid.

merry ['meri] *aj* vrolijk, lustig; prettig; *make ~* vrolijk zijn, feestvieren, pret maken; *make ~ over* de gek steken met.

merry-andrew ['meri'ændru:] paljas, hansworst.

merry-go-round ['merigouraund] draaimolen.

merry-making ['merimeikiŋ] pretmakerij, feestje *o*.

mescaline [meskə'li:n] mescaline.

⚲ meseems [mi'si:mz] mij dunkt, dunkt me.

mesh [meʃ] I *sb* maas; *~es* net(werk) *o*; II *vt* in de mazen van een net vangen, verstrikken; III *vi* ✗ in elkaar grijpen.

mesh-work ['meʃwə:k] netwerk *o*.

meshy ['meʃi] I met mazen; 2 geknoopt.

mesmeric [mez'merik] biologerend.

mesmerism ['mezmərizm] mesmerisme *o*.

mesmerize ['mezməraiz] biologeren, hypnotiseren.

Mesopotamia [mesəpə'teimjə] Mesopotamië *o*.

mess [mes] I *sb* I gerecht *o*, schotel; ✗ & ⚓ gemeenschappelijke tafel; ✗ menage, ⚓ bak; 2 smeer-, war-, knoeiboel; vuil goedje *o*; ~ *of pottage* B schotel linzen; *make a ~ of it* alles

overhoop halen; de boel verknoeien, in de war sturen; *be in a ~* overhoop liggen; *be in a fine ~* er lelijk in zitten; *get oneself into a ~* zich allerlei soesa op de hals halen; II *vt* bemorsen, vuilmaken; verknoeien, bederven (ook: ~ *up*); ~ *the whole business*, ~ *things* zie *make a ~ of it*; III *vi* morsen, knoeien; ~ *about* (rond)scharrelen; ~ *with* I samen eten met; 2 knoeien aan, zich bemoeien met.

message ['mesidʒ] boodschap; bericht *o*.

messenger ['mesindʒə] bode, boodschapper; voorbode; koerier; loper [v. bankinstelling]; besteller [v. telegrammen]; ~ *boy* loopjongen.

Messiah mi'saiə] Messias.

Messianic [mesi'ænik] Messiaans.

Messias [mi'saiəs] Messias.

messing-allowance ['mesiŋəlauəns] ✗ tafelgeld *o*.

mess-jacket ['mesdʒækit] militaire smoking.

messmate ['mesmeit] I disgenoot; 2 ⚓ baksmaat.

mess-room ['mesrum] ⚓ & ✗ eetkamer.

Messrs. ['mesəz] de Heren.

mess-sergeant ['messə:dʒənt] ✗ menagemeester.

mess-tin ['mestin] ✗ eetketeltje *o*, gamel.

messy ['mesi] vuil, smerig, slordig, wanordelijk.

mestizo [mes'ti:zou] mesties, halfbloed.

met [met] V.T. & V.D. van 2 *meet*.

§ metabolism [me'tæbəlizm] stofwisseling.

§ metacarpus [metə'ka:pəs] middelhand.

metal ['metl] I *sb* metaal *o*; steenslag *o*; glasspecie; ~*s* spoorstaven, rails; *leave the ~s*, *go (run) off the ~s* derailleren, ontsporen; II *vt* bekleden [schip]; verharden [weg]; III *aj* metalen, metaal-.

metallic [mi'tælik] metaalachtig, metalen, metaal-.

metalliferous [metə'lifərəs] metaalhoudend.

metalline ['metəlain] metaalachtig, metaal-.

metallize ['metəlaiz] I metalliseren [v. hout]; 2 vulcaniseren [v. rubber].

metallography [metə'lɔgrəfi] metallografie.

metallurgic(al) [metə'lə:dʒik(l)] metallurgisch, metaal-.

metallurgist [me'tælə:dʒist] metaalbewerker; metaalkenner.

metallurgy [me'tælə:dʒi] metallurgie: metaalbewerking.

metamorphose [metə'mɔ:fouz] metamorfoseren: (van gedaante) doen veranderen.

metamorphosis [metə'mɔ:fəsis] metamorfose: gedaanteverwisseling, vormverandering.

metaphor ['metəfə] metafora, metafoor: beeldspraak, overdrachtelijke spreekwijze.

metaphoric(al) [metə'fɔrik(l)] metaforisch: overdrachtelijk, figuurlijk.

metaphysical [metə'fizikl] metafysisch.

metaphysician [metəfi'ziʃən] metafysicus.

metaphysics [metə'fiziks] metafysica.

§ metatarsal [metə'taːsl] in: ~ *bone* middelvoetsbeentje *o.*

§ metatarsus [metə'taːsəs] middelvoet.

⊙ mete [miːt] meten; ~ *out* toe(be)delen, toemeten, toedienen, geven.

meteor ['miːtjə] meteoor².

meteoric [miːti'ɔrik] meteoor-; *fig* schitterend
maar van korte duur; ~ *shower* sterrenregen.

meteorite ['miːtjərait] meteoorsteen.

meteorological [miːtjərə'lɔdʒikl] meteorologisch, weerkundig.

meteorologist [miːtjə'rɔlədʒist] meteoroloog,
weerkundige.

meteorology [miːtjə'rɔlədʒi] meteorologie.

meter ['miːtə] meter [voor gas &].

⚛ methinks [mi'θiŋks] mij dunkt, dunkt me.

method ['meθəd] methode, werk-, leerwijze.

methodical [mi'θədikl] methodisch.

Methodist ['meθədist] methodist(isch).

⚛ methought [mi'θɔːt] (naar) mij docht.

Methuselah [mi'θjuːzələ] Methusalem.

methyl ['meθil] methyl *o.*

methylated ['meθileitid] in: ~ *spirit* brandspiritus.

meticulous [mi'tikjuləs] overangstvallig, bijzonder nauwgezet, peuterig precies.

metonymy [mi'tɔnimi] overnoeming.

metre ['miːtə] 1 metrum *o,* dichtmaat; 2 meter.

metric ['metrik] metriek.

metrical ['metrikl] metrisch.

metrics ['metriks] metriek.

metropolis [mi'trɔpəlis] 1 hoofdstad; wereldstad (speciaal Londen); 2 zetel van een aartsbisschop.

metropolitan [metrə'pɔlitən] I *aj* 1 van de
hoofdstad (speciaal Londen); 2 aartsbisschoppelijk; II *sb* metropolitaan, aartsbisschop.

mettle ['metl] vuur *o,* moed, F fut; *be on one's*
~ zijn uiterste best doen; laten zien wat men
kan; *put a person on* (upon, *to*) *his* ~ hem
laten tonen wat hij kan; ook: iemands geduld op de proef stellen.

mettled ['metld] vurig [v. e. paard], moedig.

mettlesome ['metlsəm] zie *mettled.*

Meuse [mjuːz] Maas.

1 mew [mjuː] *sb* ⚓ meeuw.

2 mew [mjuː] I *sb* ruikooi; II *vi* ruien; III *vt*
opsluiten (ook: ~ *up*).

3 mew [mjuː] I *vi* m(i)auwen; II *sb* gemiauw *o.*

mewl [mjuːl] drenzen, dreinen.

mews [mjuːz] stal(len), stalling; hof, steeg.

Mexican ['meksikən] Mexicaan(s).

Mexico ['meksikou] Mexico *o.*

mezzanine ['mezəniːn] entresol.

mi [miː] ♪ mi.

miaow [mi'au] miauwen.

miasma [mai'æzmə, *mv* miasmata mai'æzmətə]
miasma.

miaul [mi'ɔːl] miauwen.

mica ['maikə] mica *o* & *m,* glimmer *o.*

mice [mais] *mv* v. *mouse.*

Michael ['maikl] Michiel.

Michaelmas ['miklməs] St.-Michiel.

mickle ['mikl] *Sc* veel, groot.

microbe ['maikroub] microbe.

microcosm ['maikrəkɔzm] microcosmos.

micrometer [mai'krɔmitə] micrometer.

microphone ['maikrəfoun] microfoon.

microscope ['maikrəskoup] microscoop.

microscopic(ally) [maikrəs'kɔpik(əli)] microscopisch (klein).

mid [mid] I *prep* ⊙ te midden van; II *aj* mid-
den-; half-.

mid air ['mid'εə] in: *in* ~ in de lucht, tussen
hemel en aarde.

midday ['middei] middag (= 12 uur 's middags).

middle ['midl] I *aj* middelste, midden-, mid-
del-, tussen-, middelbaar; ~ *age* middelbare
leeftijd; *the M~ Ages* de middeleeuwen; ~
course middenweg; ~ *life* middelbare leeftijd; *in* ~ *life* op middelbare leeftijd; II *sb*
midden *o,* middel *o* [v. 't lichaam]; *I was in*
the ~ *of* ...*ing* ik was net aan het...

middle-aged ['midl'eidʒd, + 'midleidʒd] van
middelbare leeftijd.

middle-brow ['midlbrau] enigszins intellectueel.

middle class ['midl'klaːs] burgerklasse, (gegoede) middenstand (ook: *middle classes*).

middle-class ['midl'klaːs, + 'midlklaːs] burgerlijk, middenstands-.

middleman ['midlmæn] tussenpersoon.

middlemost ['midlmoust] middelste.

middle-of-the-road(er) ['midləvðə'roud(ə)] *Am*
gematigd(e).

middle-sized ['midlsaizd] van middelbare
grootte, middelsoort-.

middling ['midliŋ] I *aj* middelmatig, tamelijk,
redelijk, zo zo; II *ad* tamelijk; III *sb* in: ~*s*
middelsoort (goederen); gries *o.*

middy ['midi] F adelborst.

midge [midʒ] mug; *fig* dwerg.

midget ['midʒit] dwergje *o;* ~ *submarine* kleine
onderzeeboot.

midland ['midlənd] I *sb* midden *o* van een
land; *the M~s* Midden-Engeland; II als *aj*
in het midden van een land gelegen, binnenlands.

midmost ['midmoust] middelste.

midnight ['midnait] I *sb* middernacht; II als
aj middernachtelijk.

midriff ['midrif] middenrif *o.*

midship ['midʃip] ⚓ midscheeps.

midshipman ['midʃipmən] ⚓ adelborst.

midst [midst] I *sb* midden *o; in the* ~ *of* te midden van; II *prep* ⊙ te midden van.

midsummer ['midsʌmə] 1 het midden van de
zomer; 2 zomerzonnestilstand.

Midsummer Day ['midsʌmədei] St.-Jan.

midtown ['midtaun| *Am* in (van) het stadscen-
trum.

midway ['mid'wei] halverwege, in het midden.
midwife ['midwaif] vroedvrouw.
midwifery ['midwifri] verloskunde.
mid-wing ['midwiŋ] in: ~ monoplane ≯ middendekker.
midwinter ['mid'wintə] 1 het midden van de winter; 2 winterzonnestilstand.
⊙ mien [mi:n] uiterlijk o, voorkomen o, houding.
1 might [mait] V.T. van may.
2 might [mait] sb macht, kracht; with ~ and main uit (met) alle macht.
mightily ['maitili] ad machtig, F kolossaal.
mightiness ['maitinis] machtigheid; hoogheid; High M~es Hoogmogenden.
mighty ['maiti] I aj machtig, groot, F kolossaal; ~ works B wonderwerken; II ad F < (alle)machtig, kolossaal, erg; III sb machtige, grote (heer).
mignonette [minjə'net] ‡ reseda.
migraine ['migrein] migraine.
migrant ['maigrənt] I aj zie migratory; II sb 1 ⯞ trekvogel; 2 emigrant, immigrant; 3 zwerver.
migrate [mai'greit, 'maigreit] verhuizen, emigreren, immigreren, trekken [v. vogels of vis], zwerven.
migration [mai'greiʃən] verhuizing, emigratie, immigratie, trek.
migratory ['maigrətəri] verhuizend, trekkend, nomadisch, zwervend; trek-; ~ birds ⯞ trekvogels.
Mikado [mi'ka:dou] mikado.
Mike [maik] 1 P verk. v. Michael; 2 S Ier.
mike [maik] S microfoon.
Milan [mi'læn, 'milən] Milaan o.
Milanese [milə'ni:z] Milanees.
milch [miltʃ] melkgevend; ~-cow melkkoe².
mild [maild] zacht(aardig); goedaardig [ziekte]; zwak, flauw²; matig; licht [sigaar].
mildew ['mildju:] I sb meeldauw; schimmel; II vt met meeldauw besmetten, bedekken &; doen (be)schimmelen.
mildly ['maildli] ad zie mild; ~ sarcastic lichtelijk sarcastisch. [mild.]
mildness ['maildnis] zacht(aardig)heid &, zie mile [mail] Engelse mijl [1609 meter].
mileage ['mailidʒ] 1 aantal o mijlen; 2 kosten per mijl.
milestone ['mailstoun] mijlsteen; mijlpaal².
milfoil ['milfoil] ‡ duizendblad o.
militancy ['militənsi] strijdlust, strijdbaarheid.
militant ['militənt] I aj strijdend, strijdlustig; strijdbaar; II sb strijder.
militarily ['militərili] ad zie military I.
militarism ['militərizm] militarisme o.
militarist ['militərist] militarist(isch).
militarization [militərai'zeiʃən] militarisering.
militarize ['militəraiz] militariseren.
military ['militəri] I aj militair, krijgskundig, krijgs-; ~ man militair; II sb the ~ de militairen, het leger.

militate ['militeit] vechten, strijden; ~ against ook: pleiten tegen; tegenwerken, niet gunstig, niet bevorderlijk zijn voor.
militia [mi'liʃə] ⚔ militie(leger o); ⚲ landweer.
militiaman [mi'liʃəmən] ⚲ landweersoldaat.
milk [milk] I sb melk°; ~ for babes kinderkost [fig]; II vt melken².
milk-and-water ['milkən'wɔ:tə] water en melk²; als aj halfzacht, slap.
milk bar ['milkba:] melksalon.
milker ['milkə] 1 melk(st)er; melkmachine; 2 melkkoe.
milk float ['milkflout] melkwagentje o.
milking machine ['milkiŋməʃi:n] melkmachine.
milkmaid ['milkmeid] melkmeid, -meisje o.
milkman ['milkmən] melkboer.
milk shake ['milk'ʃeik] ijskoude melkdrank met spuitwater &.
milksop ['milksɔp] melkmuil, lafbek.
milk-thistle ['milkθisl] ‡ mariadistel.
milk van ['milkvæn] melkwagen (v. trein).
milky ['milki] melkachtig, melk-; the Milky Way ✷ de Melkweg.
mill [mil] I sb 1 molen (ook: tredmolen); 2 fabriek; spinnerij ‖ Am 1/1000 dollar; he has been through the ~ hij kent het klappen van de zweep; II vt 1 malen; vollen; pletten; 2 kartelen [munt]; 3 ⚔ frezen; III vi in het rond draaien; Am F rondlopen, (rond)sjouwen.
millboard ['milbɔ:d] dik karton o.
mill-dam ['mildæm] molenstuw.
millenarian [mili'nɛəriən] I aj duizendjarig; van het duizendjarig rijk; II sb wie het duizendjarig rijk verwacht.
millenary ['milinəri] I aj uit duizend bestaande; duizendjarig; II sb 1 duizend jaar; 2 duizendjarig tijdperk o of gedenkfeest o.
millennial [mi'leniəl] duizendjarig; van het duizendjarig rijk.
millennium [mi'leniəm] duizendjarig rijk o.
millepede ['milipi:d] ⚭ miljoenpoot.
miller ['milə] 1 molenaar; 2 ⚔ frezer; drown the ~ 1 er te veel water bij doen; 2 de tekst begraven onder commentaren.
millesimal [mi'lesiməl] 1 duizendste; 2 duimillet ['milit] ‡ gierst. [zenddelig.]
mill-hand ['milhænd] fabrieksarbeider.
mill-hopper ['milhɔpə] molentrechter.
milliard ['miljəd] miljard o.
millibar ['miliba:] millibar.
milligram(me) ['miligræm] milligram o.
millilitre ['milili:tə] milliliter.
millimetre ['milimi:tə] millimeter.
milliner ['milinə] modemaakster, modiste.
millinery ['milinəri] modes, modevak o.
milling cutter ['miliŋkʌtə] ⚔ frees. [chine.]
milling machine ['miliŋməʃi:n] ⚔ freesmamillion ['miljən] miljoen o; the ~ de grote hoop, de massa.
millionaire [miljə'nɛə] miljonair.
millionth ['miljənθ] miljoenste (deel o).

mill-owner ['milounə] fabrikant.

mill-race ['milreis] molentocht.

millstone ['milstoun] molensteen.

millwright ['milrait] molenmaker.

milt [milt] I *sb* hom; II *vt* kuit doen schieten.

milter ['miltə] homvis.

Milton ['miltn] Milton.

Miltonian [mil'touniən] Miltoniaans.

Miltonic [mil'tənik] zie *Miltonian*.

mime [maim] I *sb* gebarenspel *o*; mimicus; II *vt* door gebaren voorstellen; III *vi* mimische bewegingen maken.

mimeograph ['mimiəgra:f] I *sb* stencilmachine; II *vt* stencilen.

mimetic [mai'metik] nabootsend, nagebootst.

mimic ['mimik] I *aj* mimisch, nabootsend; nagebootst; geveinsd, schijn-, onecht; ~ *warfare* spiegelgevecht *o*, spiegelgevechten; II *sb* nabootser; > naäper; III *vt* nabootsen, nadoen, > naäpen.

mimicry ['mimikri] mimiek; nabootsing; § mimicry: (kleur)aanpassing.

mimosa [mi'mouzə] ✿ mimosa.

minaret ['minəret] minaret.

minatory ['minətəri] dreigend, dreig-.

mince [mins] I *vt* fijnhakken; *do not* ~ *matters* (*words*) wind er geen doekjes om, neem geen blad voor de mond; ~*d meat* gehakt *o*; II *vi* met een pruimemondje spreken, nuffig trippelen; III *sb* fijngehakt vlees *o*.

mincemeat ['minsmi:t] vulsel *o* van fijngehakte krenten, appels &; *make* ~ *of* tot moes hakken; geen stuk heel laten van.

mince-pie ['mins'pai] pasteitje *o* met *mince-mincer* ['minsə] vleesmolen. [*meat.*

mincing(ly) ['minsiŋ(li)] gemaakt.

mincing-machine ['minsiŋmə'ʃi:n] vleesmolen.

mind [maind] I *sb* gemoed *o*; verstand *o*, geest; gedachten; gevoelen *o*, mening, opinie; gezindheid, neiging, lust, zin; *year's* ~ jaardienst (voor overledene); *give one's* ~ *to it* zich met de borst er op toeleggen; *have a (no)* ~ *to*... (geen) lust (zin) hebben om te...; *have a good (great)* ~ *to*... erg veel zin (lust) hebben om te...; *have half a* ~ *to*... wel zin hebben om te...; *she knows her own* ~ ze weet wat ze wil; *set one's* ~ *on* zijn zinnen zetten op; *speak one's* ~ ronduit spreken, vertellen waar 't op staat; *be in the same* ~ *about* 1 hetzelfde denken, het eens zijn over; 2 nog altijd van zins zijn...; *be in two* ~*s about* het nog niet met zich zelf eens zijn, in twijfel zijn; *bear (have, keep) in* ~ bedenken, onthouden, denken aan; *be of one's* ~ het met iemand eens zijn; *they were of one (a)* ~ het eens, eensgezind; *that's a great anxiety off my* ~ dat is mij een pak van het hart; *he has something on his* ~ hij heeft iets op het hart; *he is out of his* ~ hij is niet wel bij het hoofd, gek; *to my* ~ naar mijn zin; naar mijn opinie; II *vt* bedenken, denken (geven) om; acht slaan op, letten op, passen op, oppassen; zorgen voor;

✎ zich herinneren; ~ *!* let wel!, pas op!; ~ *you* weet je [als tussenzin]; ~ *your own business !* bemoei je met je eigen zaken!; never ~ *him* stoor je niet aan hem; *do not* ~ *me* geneer je maar niet voor mij; *I should not* ~ *a cup of tea* ik zou wel een kop thee willen hebben; *would you* ~ *telling me?* zoudt u zo vriendelijk willen zijn mij te zeggen?; *if you don't* ~ als u er niets op tegen hebt, als u het goedvindt; III *vr* ~ *oneself* zich in acht net men; IV *vi* & *va* om iets denken; zich in acht nemen, op zijn tellen passen; er wat om geven, zich het aantrekken, het erg vinden, er iets op tegen hebben; *I don t* ~ *if I do*... ik heb er niets tegen om..., ik wil wel...; *never* ~ *!* dat komt er niet op aan, dat is niets; *never* ~ *about that, never you* ~ *!* bekommer u daar niet over.

minded ['maindid] gezind; ingesteld, b.v. *internationally*-~ internationaal ingesteld, ingesteld op of belangstelling hebbend voor het internationale; *be* ~ *to* van zins zijn; zin of lust hebben om.

mindful ['maindful] indachtig, oplettend, zorgvuldig, behoedzaam; *be* ~ *of* denken om.

mindless ['maindlis] onoplettend, achteloos.

1 **mine** [main] *pron* de, het mijne; van mij; ✎ mijn; *I and* ~ ik en de mijnen.

2 **mine** [main] I *sb* mijn; *fig* bron; II *vi* een mijn (mijnen) leggen; delven, graven; III *vt* ondermijnen, uitgraven, uithollen; winnen [steenkool]; met mijnen bestrooien; *be* ~*d* ook: op een mijn lopen.

mine field ['mainfi:ld] ✕ mijnenveld *o*.

mine layer ['mainleiə] ⚓ mijnenlegger.

miner ['mainə] 1 mijnwerker; 2 ✕ mineur.

mineral ['minərəl] I *aj* mineraal, delfstoffen-; ~ *kingdom* delfstoffenrijk *o*; II *sb* mineraal *o*, delfstof.

mineralize ['minərəlaiz] mineraliseren.

mineralogist [minə'rælədʒist] delfstofkundige.

mineralogy [minə'rælədʒi] delfstofkunde.

Minerva [mi'nə:və] Minerva.

mine sweeper ['mainswi:pə] ⚓ mijnenveger.

mingle ['miŋgl] (zich) mengen, vermengen.

miniature ['minjətʃə] miniatuur; ~ *camera* kleinbeeldcamera.

miniaturist ['minjətʃərist] miniatuurschilder.

minim ['minim] 1 ♩ halve noot; 2 druppel.

minimization [minimai'zeiʃən] 1 herleiding tot een minimum; 2 verkleining.

minimize ['minimaiz] 1 tot een minimum terugbrengen of herleiden, zo gering mogelijk maken; 2 verkleinen; bagatelliseren.

minimum ['miniməm] minimum *o*.

mining ['mainiŋ] I *sb* mijnbouw; mijnarbeid; mijnwezen *o*; II als *aj* mijn-; ~ *act* mijnwet; ~ *engineer* mijningenieur.

minion ['minjən] gunsteling, favoriet(e); *SH* > lieverd, feeks; *his* ~*s* ook: zijn handlangers; ~ *of the moon SH* ('s nachts er op uitgaande) struikrover.

miniskirt ['miniskə:t] minirok.

minister ['ministə] I *sb* minister; gezant; bedienaar des Woords, predikant; ⊙ dienaar; *M~ of State* 1 minister; 2 staatssecretaris; II *vi* ministreren, de dienst verrichten; dienen; *~ to* behulpzaam zijn in, bevorderlijk zijn aan, bijdragen tot; verzorgen; voorzien in; bevredigen; III *vt* verlenen, geven, toedienen.

ministerial [minis'tiəriəl] ministerieel, minister(s)-; geestelijk, predikants-; dienend; *~ to* bevorderlijk aan.

ministrant ['ministrənt] I *aj* dienend; II *sb* dienaar.

ministration [minis'treiʃən] bediening; (geestelijk) ambt *o*; bijstand; medewerking; verlening, verschaffing, toediening.

ministry ['ministri] 1 ministerie *o*; 2 bediening, verzorging, zorg; 3 (predik)ambt *o*, dienst; 4 medewerking, tussenkomst; *the ~* ook: de geestelijke stand.

miniver ['minivə] soort (wit) hermelijn *o*.

mink [miŋk] 1 ♋ Amerikaanse wezel, nerts *m*; 2 nerts *o* [bont].

minnow ['minou] ♉ elrits; zie ook: *Triton*.

minor ['mainə] I *aj* minder, klein(er), van minder belang; van de tweede of lagere rang; ♪ mineur; ⇔ junior; *in a ~ key* in mineur[2]; op klagende toon; *~ road* geen voorrangsweg; II *sb* 1 minderjarige; 2 minderterm; 3 minoriet.

Minorite ['mainərait] minoriet.

minority [mai-, mi'nɔriti] 1 minderheid; 2 minderjarigheid.

Minos ['mainɔs] Minos.

Minotaur ['minətɔ:] Minotaurus, stiermens.

minster ['minstə] kloosterkerk, munsterkerk.

minstrel ['minstrəl] 1 minstreel; 2 negerzanger.

minstrelsy ['minstrəlsi] minstrelen(kunst).

1 mint [mint] *sb* ♣ munt.

2 mint [mint] I *sb* munt; *a ~ of...* F een boel (hoop, bom)...; II *vt* munten; *fig* smeden, verzinnen.

mintage ['mintidʒ] aanmunting; munt(en); muntrecht *o*; muntloon *o*; stempel[2] *o* & *m*; *fig* smeden *o*, verzinnen *o*; verzinsel *o*, nieuw gevormd woord *o*.

minter ['mintə] munter.

minuend ['minjuend] aftrektal *o*.

minuet [minju'et] ♪ menuet *o* & *m*.

minus ['mainəs] 1 minus, min, minteken *o*; 2 F zonder, behalve; *~ sign* minteken *o*.

1 minute [mai-, mi'nju:t] *aj* klein, gering; minutieus, haarfijn, uiterst precies.

2 minute ['minit] I *sb* minuut (¹/₆₀ uur & ¹/₆₀ graad); minuut: origineel ontwerp *o* v. akte of contract; memorandum *o*; *the ~s* de notulen; *that ~* op dat ogenblik; *the ~ you see him...* zodra; *this ~* 1 op staande voet; 2 een ogenblik geleden, zo net; *to the (a) ~* op de minuut (af); II *vt* minuteren; notuleren; *~ down* noteren.

minute-book ['minitbuk] 1 notulenboek *o*; 2 kladboek *o*.

minute-guns ['minitgʌnz] ✗ minuutschoten.

minute-hand ['minithænd] minuutwijzer.

1 minutely [mai-, mi'nju:tli] omstandig, (tot) in de kleinste bijzonderheden, minutieus.

2 minutely ['minitli] elke minuut.

minuteness [mai-, mi'nju:tnis] kleinheid, geringheid; omstandigheid, nauwgezetheid.

minutiae [mai-, mi'nju:ʃii:] bijzonderheden, kleinigheden, nietigheden.

minx [miŋks] brutale meid, feeks, kat.

miracle ['mirəkl] wonderwerk *o*, wonder *o*, mirakel *o*; *to a ~* wonderwel.

miracle play ['mirəklplei] mirakelspel *o*.

miraculous(ly) [mi'rækjuləs(li)] miraculeus, wonderbaarlijk; wonderdadig, wonder-.

mirage [mi'ra:ʒ] luchtspiegeling; *fig* drogbeeld *o*, hersenschim.

mire ['maiə] I *sb* modder, slijk *o*; *be (find oneself, stick) in the ~* in de soep zitten; II *vt* bemodderen; in de modder duwen.

mire-crow ['maiəkrou] ♋ kokmeeuw.

miriness ['maiərinis] modderigheid.

mirror ['mirə] I *sb* spiegel; afspiegeling; toonbeeld *o*; II *vt* af-, weerspiegelen; *~ed room* spiegelkamer, -zaal.

mirth [mə:θ] vrolijkheid.

mirthful ['mə:θful] vrolijk.

mirthless ['mə:θlis] droefgeestig.

miry ['maiəri] modderig, slijkerig.

misadventure ['misəd'ventʃə] ongeluk *o*, tegenspoed; *homicide by ~* onwillige manslag.

misalliance ['misə'laiəns] mesalliance.

misanthrope ['mizənθroup] mensenhater.

misanthropic [mizən'θrɔpik] misantropisch.

misanthropist [mi'zænθrəpist] mensenhater.

misanthropy [mi'zænθrəpi] mensenhaat.

misapplication ['misæpli'keiʃən] verkeerde toepassing; misbruik *o*.

misapply ['misə'plai] verkeerd toepassen; misbruiken.

misapprehend ['misæpri'hend] misverstaan, verkeerd begrijpen.

misapprehension ['misæpri'henʃən] misverstand *o*, misvatting.

misappropriate ['misə'prouprieit] zich onrechtmatig toeëigenen, misbruiken.

misappropriation ['misəproupri'eiʃən] onrechtmatige toeëigening, misbruiken *o*.

misbecome ['misbi'kʌm] misstaan, niet passen, niet voegen.

misbegotten ['misbi'gɔtn] onecht; bastaard-; wanstaltig; gemeen; ongelukkig.

misbehave ['misbi'heiv] zich misdragen; *~d* onopgevoed, geen manieren kennend.

misbehaviour ['misbi'heivjə] wangedrag *o*.

misbelief ['misbi'li:f] verkeerd geloof *o*, dwaalleer; dwaalbegrip *o*.

misbeliever ['misbi'li:və] dwaalgeest, dwaler.

miscalculate ['mis'kælkjuleit] misrekenen, verkeerd berekenen.

miscalculation ['miskælkju'leiʃən] misrekening; verkeerde berekening.

miscall ['mis'kɔ:l] verkeerd noemen; ~ed > zogenaamd.

miscarriage [mis'kæridʒ] wegraken o; mislukking; ~ of justice rechterlijke dwaling.

miscarry [mis'kæri] weg-, verloren raken; mislukken; mislopen.

miscellanea [misi'leiniə] (letterkundig) mengelwerk o.

miscellaneous [misi'leinjəs] gemengd; veelsoortig; veelzijdig.

miscellany ['misiləni, mi'seləni] mengelwerk o, mengeling.

mischance [mis'tʃa:ns] ongeluk o, F wanbof; by ~ bij ongeluk.

mischief ['mistʃif] onheil o, kwaad o, kattekwaad o, ondeugendheid; rakker; the ~ (of it) is that... het lamme van de geschiedenis is, dat...; what the ~... wat drommel...; cause (do) ~ kwaad doen; do one a ~ een ongeluk begaan aan iemand; make ~ onheil stichten; tweedracht zaaien; de boel in de war sturen; he means ~ hij voert iets (kwaads) in zijn schild; get into ~ with... het aan de stok krijgen met...; out of pure ~ uit louter baldadigheid.

mischief-maker ['mistʃifmeikə] onruststoker.

mischievous(ly) ['mistʃivəs(li)] schadelijk; moedwillig, boosaardig, ondeugend.

mischoose ['mis'tʃu:z] verkeerd kiezen.

miscible ['misibl] (ver)mengbaar.

misconceive ['miskən'si:v] verkeerd begrijpen of opvatten, misverstaan.

misconception ['miskən'sepʃən] verkeerde opvatting, misvatting, wanbegrip o.

1 **misconduct** ['miskən'dʌkt] I vt slecht beheren, verkeerd leiden; II vr ~ oneself zich misdragen; overspel plegen.

2 **misconduct** ['mis'kɔndəkt] sb slecht bestuur o, wanbeheer o; wangedrag o; overspel o.

misconstruction ['miskən'strʌkʃən] verkeerde uitlegging of opvatting.

misconstrue ['miskənstru:] misduiden, verkeerd uitleggen, verkeerd opvatten.

miscount ['mis'kaunt] I vt verkeerd (op)tellen; II vi zich vergissen bij het tellen, zich vertellen; III sb verkeerde (op)telling; make a ~ zich vertellen.

miscreant ['miskriənt] I aj laag, snood; ⚔ ongelovig; II sb onverlaat; ⚔ ongelovige.

miscue ['mis'kju:] ♋ misstoot.

misdeal ['mis'di:l] I vi verkeerd geven; II sb verkeerd geven o; make a ~ (de kaarten) vergeven.

misdealt [mis'delt] verkeerd gegeven.

misdeed [mis'di:d] misdaad, wandaad.

misdemean ['misdi'mi:n] zich misdragen.

misdemeanour ['misdi'mi:nə] wangedrag o, wandaad; vergrijp o, misdrijf o.

misdirect ['misdi'rekt] verkeerd richten; verkeerde aanwijzingen geven; in verkeerde richting leiden; verkeerd adresseren.

misdirection ['misdi'rekʃən] in verkeerde richting leiden o; verkeerde, misleidende inlichting; verkeerd adres o.

misdoing ['mis'du:iŋ] misslag; misdaad.

misdoubt [mis'daut] 1 wantrouwen, verdenken; 2 betwijfelen; 3 vrezen (dat that).

misemploy ['misim'plɔi] misbruiken.

misemployment ['misim'plɔimənt] misbruik o.

miser ['maizə] gierigaard, vrek.

miserable ['mizərəbl] aj ellendig, rampzalig, diep ongelukkig; beroerd, droevig, armzalig, jammerlijk.

miserably ['mizərəbli] ad zie miserable.

miserere [mizə'riəri] miserere o, boetpsalm.

miserliness ['maizəlinis] gierigheid, vrekkigheid.

miserly ['maizəli] gierig, vrekkig.

misery ['mizəri] 1 miserie, ellende, rampzaligheid; 2 misère [bij 't kaartspel].

misfeasance [mis'fi:zəns] machtsmisbruik o.

misfire ['mis'faiə] I vi ketsen, weigeren, niet aanslaan [v. motor]; fig geen succes hebben; II sb ketsen o &, ketsing.

misfit ['mis'fit] niet passen o of niet goed zitten o; niet passend kledingstuk o; a social ~ een onaangepast iemand, een mislukkeling.

misfortune [mis'fɔ:tʃən] ramp(spoed), ongeluk o.

misgive [mis'giv] in: my heart (mind) ~s me ik heb een bang voorgevoel.

misgiving [mis'giviŋ] bange twijfel, bezorgdheid, angstig voorgevoel o; argwaan.

misgovern ['mis'gʌvən] slecht besturen.

misgovernment ['mis'gʌvənmənt] slecht bestuur o, wanbeheer o.

misguidance ['mis'gaidəns] 1 verkeerde leiding; 2 misleiding.

misguide ['mis'gaid] verkeerd leiden; misleiden; ~d ook: onverstandig.

mishandle ['mis'hændl] verkeerd hanteren of aanpakken; havenen, mishandelen.

mishap [mis'hæp] ongeval o, ongeluk o, malheur o.

mishear ['mis'hiə] verkeerd horen.

mishmash ['miʃmæʃ] mengelmoes o & v.

misinform ['misin'fɔ:m] verkeerd inlichten.

misinformation ['misinfɔ:'meiʃən] verkeerde inlichting(en).

misinterpret ['misin'tə:prit] misduiden, verkeerd uitleggen.

misinterpretation ['misintə:pri'teiʃən] verkeerde uitlegging.

misjudge ['mis'dʒʌdʒ] verkeerd (be)oordelen.

mislay [mis'lei] 1 op een verkeerde plaats leggen, verleggen, zoek maken; 2 voor een ogenblik kwijtraken [zijn humeur]; it has got mislaid het is zoek (geraakt).

mislead [mis'li:d] misleiden, op een dwaalspoor brengen; bedriegen.

mismanage ['mis'mænidʒ] verkeerd, slecht behandelen of besturen, aanpakken.

mismanagement ['mis'mænidʒmənt] slecht bestuur *o*, wanbeheer *o*; verkeerde regeling, verkeerd optreden *o* of manoeuvreren *o*.

misname ['mis'neim] verkeerd (be)noemen.

misnomer ['mis'noumə] verkeerde benaming, ongelukkig gekozen naam; ..., *by a* ~, *called* ... ten onrechte ...genoemd.

misogynist [mai-, mi'sɔdʒinist] vrouwenhater.

misplace ['mis'pleis] verkeerd plaatsen of aanbrengen, misplaatsen².

misprint ['mis'print] I *vt* verkeerd (af)drukken; II *sb* drukfout.

misprision ['mis'priʒən] in: ~ *of felony* verheling van een misdaad.

misprize ['mis'praiz] minachten; onderschatten.

mispronounce ['misprə'nauns] verkeerd uitspreken.

mispronunciation ['misprənʌnsi'eiʃən] verkeerde uitspraak.

misquotation ['miskwou'teiʃən] verkeerde aanhaling.

misquote ['mis'kwout] verkeerd aanhalen.

misread ['mis'ri:d] 1 verkeerd lezen; 2 misduiden.

misreport ['misri'pɔ:t] verkeerd overbrengen.

misrepresent ['misrepri'zent] verkeerd voorstellen; in een verkeerd daglicht plaatsen, een valse voorstelling geven van.

misrepresentation ['misreprizen'teiʃən] onjuiste of verkeerde voorstelling (opgave).

misrule ['mis'ru:l] 1 wanorde, verwarring, tumult *o*; 2 wanbestuur *o*.

1 **miss** [mis] *sb* (me)juffrouw; *the* ~ *Smiths, the* ~*es Smith* de (jonge)dames Smith.

2 **miss** [mis] I *vt* missen, misslaan, mislopen; verzuimen [school, lessen of gelegenheden]; uit-, weglaten (ook: ~ *out*); ~ *one's aim* (*mark*) misschieten; *fig* zijn doel niet treffen; ~ *fire* zie *misfire* I; ~ *one's road* (*the way*) verdwalen; II *vi* & *va* missen, misschieten; [de school] verzuimen; *be* ~*ing* er niet zijn, ontbreken; vermist worden; ~ *out on* F missen, laten voorbijgaan [kans]; III *sb* misslag, misstoot, misschot *o*, poedel; P gemis *o*; *a* ~ *is as good as a mile* mis is mis, al scheelt 't nog zo weinig.

missal ['misəl] *RK* missaal *o*, misboek *o*.

missel(-thrush) ['misl(θrʌʃ)] 🦅 grote lijster.

mis-shapen ['mis'ʃeipn] mismaakt, wanstaltig.

missile ['misail] I *aj* werp-; II *sb* projectiel *o*.

mission ['miʃən] I *sb* zending°, missie°; gezantschap *o*; opdracht; roeping; zendingspost; *Am* ✗ ✈ vlucht; II als *aj* zendings-, missie-; ~ *work* ook: evangelisatie.

missionary ['miʃənəri] I *sb RK* missionaris; zendeling; II *aj RK* missie-; zendings-.

missis ['misis] zie *missus*.

missish ['misiʃ] jufferachtig.

missive ['misiv] I *aj* zend-; II *sb* missive, brief.

misspell ['mis'spel] verkeerd spellen.

misspend ['mis'spend] verkeerd of nutteloos

besteden, verkwisten.

misstate ['mis'steit] verkeerd voorstellen, verkeerd opgeven, verdraaien.

misstatement ['mis'steitmənt] verkeerde of onjuiste voorstelling (opgave), onjuistheid, verdraaiing van de feiten.

misstep ['mis'step] misstap, verkeerde stap.

missus ['misəs] P (moeder de) vrouw; *the* ~ (mijn) mevrouw [v. dienstboden].

missy ['misi] F juffie *o*.

mist [mist] mist², nevel; waas *o* [voor de ogen]; *be in a* ~ benevveld zijn; de kluts kwijt zijn; *Scotch* ~ motregen.

mistakable ['mis'teikəbl] dat men verkeerd kan opvatten, verkeerd op te vatten.

mistake [mis'teik] I *vt* misverstaan, verkeerd verstaan, ten onrechte aanzien (voor *for*); zich vergissen in; *they are easily* ~*n* men kan ze gemakkelijk verwisselen; II *vi* zich vergissen; III *sb* vergissing, dwaling, abuis *o*, fout, misgreep; *make a* ~ een fout maken; zich vergissen (in *over*); *by* (*in*) ~ per abuis, ten gevolge van een vergissing; *be under a* ~ zich vergissen, het mis hebben; *my* ~ *!* ik vergis me!; *and no* ~ van je welste, een echte...; *now no* ~ versta me nu goed.

mistaken [mis'teikn] *aj* verkeerd, foutief; misplaatst; *be* ~ zich vergissen.

mistakenly [mis'teiknli] *ad* bij vergissing, per abuis; verkeerdelijk.

mister ['mistə] geschreven: *Mr.* mijnheer, de heer; P baas.

misterm ['mis'tə:m] verkeerd noemen.

mistimed [mis'taimd] te onpas, misplaatst.

mistiness ['mistinis] mistigheid; vaagheid.

mistletoe ['misltou] 🌿 maretak, vogellijm.

mistook [mis'tuk] V.T. van *mistake*.

mistral ['mistrəl, mis'tra:l] mistral.

mistranslate ['mistra:ns'leit] verkeerd vertalen.

mistranslation ['mistra:ns'leiʃən] verkeerde vertaling.

mistress ['mistris] heerseres, gebiedster, meesteres; vrouw des huizes; directrice, hoofd *o*; onderwijzeres, lerares; geliefde; juffrouw [in burgerkringen], mevrouw [altijd geschreven *Mrs.* en uitgesproken: 'misiz]; ~ *of herself* 1 haar eigen baas; 2 zich zelf meester.

mistrust ['mis'trʌst] I *vt* wan-, mistrouwen, niet vertrouwen; II *sb* wan-, mistrouwen *o*.

mistrustful [mis'trʌstful] wantrouwig.

misty ['misti] mistig, beneveld, nevelig; vaag.

misunderstand ['misʌndə'stænd] misverstaan, verkeerd of niet begrijpen.

misunderstanding ['misʌndə'stændiŋ] misverstand *o*, geschil *o*.

misunderstood ['misʌndə'stud] V.T. & V.D. van *misunderstand*.

1 **misuse** ['mis'ju:z] *vt* misbruiken, verkeerd gebruiken; mishandelen.

2 **misuse** ['mis'ju:s] *sb* misbruik *o*; verkeerd gebruik *o*.

mite [mait] (kaas)mijt; penning; kleinigheid,

ziertje *o*; peuter; *the widow's* ∼ B het penningske der weduwe.

mitigate ['mitigeit] verzachten; lenigen; matigen.

mitigation [miti'geiʃən] verzachting; leniging; matiging.

mitigatory ['mitigeitəri] verzachtend.

mitre ['maitə] I *sb* 1 mijter; 2 △ verstek *o*, hoek van 45°; II *vt* 1 de mijter opzetten; 2 △ in 't verstek werken.

mitred ['maitəd] gemijterd.

mitt [mit] zie *mitten.*

mitten ['mitn] want; mitaine; *the* ∼*s* S ook: de bokshandschoenen; *get (give) the* ∼ F de bons krijgen (geven); *handle without* ∼*s* flink aanpakken[2].

mittimus ['mitiməs] 1 ⚖ bevel *o* tot gevangenzetting; 2 F congé *o & m.*

mity ['maiti] vol mijten.

mix [miks] I *vt* mengen, vermengen; aanmaken (salade), mixen; ∼ *up* 1 dooreen-, vermengen; 2 (met elkaar) verwarren; ∼ *one up in it* iemand in iets betrekken; ∼*ed up with* vermengd met; betrokken bij; *get* ∼*ed up with* ook: zich inlaten met; II *vi* zich (laten) vermengen; ∼ *in society* „uitgaan"; ∼ *with* ook: omgaan met.

mixed [mikst] gemengd, vermengd, gemêleerd.

mixed-up ['mikst'ʌp] neurotisch.

mixer ['miksə] menger [v. dranken]; ook: molen [voor beton &]; mixer; *a good* ∼ *Am* F iemand, die zich gemakkelijk aansluit, een gezellig iemand.

mixture ['mikstʃə] mengeling, mengsel *o*, melange; drankje *o*.

mix-up ['miks'ʌp] mengelmoes *o & v*; verwarring, warboel.

miz(z)en ['mizn] ⚓ bezaan.

miz(z)en-yard ['miznja:d] ⚓ bezaansra.

M.O. = 1 *Medical Officer*; 2 *Money-Order.*

Moabite ['mouəbait] I *sb* Moabiet; II *aj* Moabitisch.

moan [moun] I *sb* gesteun *o*, gekreun *o*, gekerm *o*, geklaag *o*, gejammer *o*; II *vi* ste(u)nen, kreunen, kermen, jammeren; III *vt* betreuren, bejammeren; ∼ *out* kreunen.

moat [mout] I *sb* gracht (om kasteel); II *vt* met een gracht omgeven (ter verdediging).

mob [mɔb] I *sb* grauw *o*, gespuis *o*, gepeupel *o*; hoop, troep, bende; II *vt* hinderlijk volgen, zich verdringen om of omringen.

mob-cap ['mɔbkæp] ouderwetse vrouwenmuts.

mobile ['moubail] beweeglijk; mobiel; rijdend, verplaatsbaar; ∼ *canteen* kantinewagen.

mobility [mou'biliti] beweeglijkheid.

mobilization [moubilai'zeiʃən] ✗ mobilisatie.

mobilize ['moubilaiz] *vt & vi* mobiliseren.

mobocracy [mɔ'bɔkrəsi] de heerschappij van het gepeupel.

mob orator ['mɔbərətə] volksredenaar.

mob rule ['mɔbru:l] zie *mobocracy.*

moccasin ['mɔkəsin] mocassin [schoeisel].

Mocha ['moukə] Mokka *o*.

mocha ['moukə] mokka(koffie).

mock [mɔk] I *sb* bespotting, spot, voorwerp *o* van spot, (bespottelijke) nabootsing; *make a* ∼ *of* de spot drijven met; II *aj* vals, onecht, nagemaakt, schijn-, zogenaamd, voorgewend, huichelachtig, ironisch; III *vt* bespotten, spotten met[2]; bespottelijk maken; spottend naäpen; IV *vi* spotten (met *at*).

mocker ['mɔkə] spotter.

mockery ['mɔkəri] spot, spotternij, bespotting, aanfluiting, farce, paskwil *o*.

mock-fight ['mɔk'fait] spiegelgevecht *o*.

mocking-bird ['mɔkiŋbə:d] ⚵ spotvogel.

mockingly ['mɔkiŋli] spottend.

mock-moon ['mɔk'mu:n] bijmaan.

mock-orange ['mɔk'ɔrin(d)ʒ] ✿ (boeren)jasmijn.

mock-sun ['mɔksʌn] bijzon.

mock turtle ['mɔk'tə:tl] in: ∼ *soup* nagemaakte schildpadsoep.

mock-up [mɔk'ʌp] bouwmodel *o* [v. vliegtuig].

mock-velvet ['mɔk'velvit] trijp *o*.

modal ['moudl] modaal.

modality [mou'dæliti] modaliteit.

mode [moud] mode; modus, vorm, wijze, manier; ♪ toonsoort.

model ['mɔdl] I *sb* model *o*, voorbeeld *o*; maquette; mannequin (ook: *fashion* ∼); II *aj* model-; III *vt* modelleren, boetseren, (naar een voorbeeld) vormen.

modeller ['mɔdlə] vormer; modelleur, boetseerder.

1 **moderate** ['mɔdərit] I *aj* matig, gematigd; middelmatig; II *sb* in: *the* ∼*s* de gematigden [in de politiek].

2 **moderate** ['mɔdəreit] I *vt* matigen, temperen, stillen, doen bedaren; II *vi* 1 zich matigen, bedaren; 2 presideren.

moderately ['mɔdəritli] *ad* zie 1 *moderate* I.

moderateness ['mɔdəritnis] 1 matigheid, gematigdheid; 2 middelmatigheid.

moderation [mɔdə'reiʃən] matiging, tempering; matigheid, gematigdheid; maat; *in* ∼ met mate; ∼*s* ⏵ tweede examen *o* aan de universiteit [Oxford].

moderator ['mɔdəreitə] 1 voorzitter, leider; 2 ⚛ moderator [v. kernreactor].

modern ['mɔdən] I *aj* modern, van de nieuw(er)e tijd, nieuw, hedendaags; II *sb* iemand van de nieuwe tijd.

modernism ['mɔdənizm] modernisme *o*.

modernist ['mɔdənist] modernist(isch).

modernity [mɔ'də:niti] modern karakter *o*, moderniteit; modernisme *o*.

modernization [mɔdənai'zeiʃən] modernisering.

modernize ['mɔdənaiz] moderniseren.

modest(ly) ['mɔdist(li)] bescheiden, zedig, eerbaar, ingetogen.

modesty ['mɔdisti] bescheidenheid, zedigheid, eerbaarheid, ingetogenheid.

modicum ['mɔdikəm] weinigje *o*, beetje *o*.

modifiable ['mɔdifaiəbl] dat gewijzigd kan worden, voor wijziging vatbaar.

modification [mɔdifi'keiʃən] wijziging; beperking; matiging, verzachting.

modifier ['mɔdifaiə] 1 wie of wat wijzigt; 2 *gram* beperkend woord *o*.

modify ['mɔdifai] wijzigen, veranderen; beperken; matigen, verzachten; *modified o*, o-umlaut.

modish ['moudiʃ] modieus, fatterig.

modishness ['moudiʃnis] modezucht.

modiste [mou'di:st] modiste.

modulate ['mɔdjuleit] ♪, ♋‡ moduleren.

modulation [mɔdju'leiʃən] ♪, ♋‡ modulatie.

mog(gie) ['mɔg(i)] S poes.

Mogul [mou'gʌl] I *sb* 1 Mongool; 2 grootmogol; *m~* mogol [invloedrijk persoon]; II *aj* Mongools.

mohair ['mouhɛə] mohair *o*, angorawol.

Mohammed [mou'hæmid] Mohammed.

Mohammedan [mou'hæmidən] mohammedaan(s).

Mohammedanize [mou'hæmidənaiz] islamiseren.

Mohican ['mouikən] Mohikaan(s).

moiety ['mɔiəti] helft, deel *o*.

moil [mɔil] sloven, zwoegen.

moire [mwa:] moiré *o*.

moist [mɔist] vochtig, nat, klam.

moisten ['mɔisn] I *vt* bevochtigen; II *vi* vochtig worden.

moistness ['mɔistnis] vochtigheid, klamheid.

moisture ['mɔistʃə] vochtigheid, vocht *o* & *v*.

moke [mouk] S ezel[2].

molar ['moulə] kies, maaltand.

molasses [mə'læsiz] melasse, suikerstroop.

Moldavia [mɔl'deivjə] Moldavië *o*.

Moldavian [mɔl'deivjən] I *aj* Moldavisch; II *sb* Moldaviër.

mole [moul] ♠ mol ‖ havendam, pier; strekdam, keerdam ‖ moedervlek.

mole-cricket ['moulkrikit] veenmol.

molecular [mou'lekjulə] moleculair.

molecule ['mɔlikju:l] molecule.

mole-hill ['moulhil] molshoop.

moleskin ['moulskin] 1 mollevel *o*; 2 moleskin *o*; *~s* broek van moleskin.

molest [mə'lest] molesteren, lastig vallen.

molestation [moules'teiʃən] molestatie.

Moll [mɔl] F verk. v. *Mary*, Mie, Miek.

mollifiable ['mɔlifaiəbl] te vermurwen &.

mollification [mɔlifi'keiʃən] verzachting, vertedering, vermurwing.

mollify ['mɔlifai] verzachten, vertederen, vermurwen.

mollusc ['mɔlʌsk] weekdier *o*

Molly ['mɔli] F zie *Moll*.

mollycoddle ['mɔlikɔdl] I *sb* F janhen; moederskindje *o*, papkindje *o*; II (*vi* &) *vt* (zich) vertroetelen.

Moloch ['moulɔk] moloch

molten ['moultn] V.D. van *melt*.

Molucca Islands [mə'lʌkə 'ailəndz], the Moluccas [mə'lʌkəz] de Molukken.

moment ['moumənt] 1 moment° *o*; ogenblik *o*; 2 gewicht *o*, belang *o*; *the (very) ~ I heard of it* zodra...; *this ~* een minuut geleden, daarnet; ogenblikkelijk; *at the ~* op dat (het) ogenblik; *of great (little) ~* van groot (weinig) belang; *on the ~* ogenblikkelijk; *to the ~* op de minuut af.

momentarily ['mouməntərili] *ad* 1 (voor) een ogenblik; 2 ieder ogenblik.

momentary ['mouməntəri] *aj* van (voor) een ogenblik, kortstondig, vluchtig.

momently ['mouməntli] 1 ieder ogenblik; 2 voor een ogenblik.

momentous [mou'mentəs] gewichtig.

momentum [mou'mentəm] ⚔ moment *o*; voortstuwende kracht, drang, vaart.

monachal ['mɔnəkəl] zie *monastic*.

monachism ['mɔnəkizm] kloosterleven *o*, kloosterwezen *o*.

monad ['mɔnæd] monade.

monarch ['mɔnək] vorst, vorstin; (alleen)heerser, monarch.

monarchic(al) [mɔ'na:kik(l)] monarchaal.

monarchist ['mɔnəkist] monarchist(isch).

monarchy ['mɔnəki] monarchie.

monastery ['mɔnəstri] (mannen)klooster *o*.

monastic [mə'næstik] kloosterachtig, kloosterlijk, klooster-; als (van) een monnik, monniken-.

monasticism [mə'næstisizm] kloosterwezen *o*, kloosterleven *o*.

Monday ['mʌndi] maandag; *Black ~* 1 de maandag na Pasen; 2 ⏳ de eerste (maan)dag na de vakantie.

monetary ['mʌnitəri] geldelijk; munt-, monetair.

monetization [mʌnitai'zeiʃən] aanmunting.

monetize ['mʌnitaiz] aanmunten.

money ['mʌni] geld *o*; *~ of account* rekenmunt; *~ for jam (for old rope)* S da's meegenomen; *there's no ~ in it* F er is niets aan te verdienen; *he's the man for my ~* F hij is mijn man; *~ makes the mare to go* het geld is de ziel van de negotie; *get one's (solid) ~'s worth* waar voor zijn geld krijgen; *out of ~* slecht bij kas.

money-box ['mʌnibɔks] spaarpot; collectebus; geldkistje *o*.

money-broker ['mʌnibroukə] $ geldhandelaar.

money-changer ['mʌnitʃein(d)ʒə] wisselaar.

moneyed ['mʌnid] rijk, bemiddeld; geldelijk, geld-.

money-grubber ['mʌnigrʌbə] geldwolf.

money-lender ['mʌnilendə] geldschieter.

moneyless ['mʌnilis] zonder geld.

money-order ['mʌniɔ:də] ✆ postwissel.

money-spider, money-spinner ['mʌnispaidə, 'mʌnispinə] 1 geluksspinnetje *o*; 2 iemand die geld als water verdient.

money-taker ['mʌniteikə] caissière, bureaulist.
moneywort ['mʌniwə:t] ✿ penningkruid o.
monger ['mʌŋgə] in samenstelling: 1 handelaar, koper; 2 fig > wie doet aan... (om er munt uit te slaan).
Mongol ['mɔŋgɔl] Mongool(s).
Mongolia [mɔŋ'goulió] Mongolië o.
Mongolian [mɔŋ'gouliən] Mongool(s).
mongoose ['mɔŋgu:s] ≋ ichneumon.
mongrel ['mʌŋgrəl] I sb ≋ & ✿ bastaard; II aj van gemengd ras, bastaard-, basterd-.
⊙ 'mongst [mʌŋst] zie amongst.
monition [mou'niʃən] vermaning; aanmaning, waarschuwing; ₁₂ dagvaarding.
monitor ['mɔnitə] I sb 1 vermaner, waarschuwer; 2 monitor [☞ oudere leerling; ⚓ oorlogsschip; ☀✝ & TV ontvanger voor controle; ⚔ spuit; instrument voor radioactieve straling; ☀✝ beroepsluisteraar; 3 ≋ varaan [hagedis]; II vi & vt controleren, (ter controle) meeluisteren (naar); ~ing service ☀✝ radioluisterdienst.
monitorial [mɔni'tɔ:riəl] vermanend; waarschuwend; monitors-.
monitory ['mɔnitəri] vermanend; waarschuwend.
monk [mʌŋk] monnik.
monkey ['mʌŋki] I sb 1 ≋ aap[2]; 2 apekop; 3 ⚔ heiblok o, valblok o; 4 S £ 500; get (have) one's ~ up F woedend worden (zijn); put his ~ up F hem het land op jagen; make a ~ out of belachelijk maken; II vi morrelen, donderjagen; ~ with a gun met een geweer liggen (staan) morrelen, er met zijn vingers aan zitten.
monkey-bread ['mʌŋkibred] ✿ apebroodboom; apebrood o [vrucht].
monkey-nut ['mʌŋkinʌt] apenootje o.
monkey-puzzle ['mʌŋkipʌzl] ✿ araucaria.
monkey-wrench ['mʌŋkirenʃ] ⚔ moersleutel, schroefsleutel.
monkish ['mʌŋkiʃ] als (van) een monnik, monniken-.
monk's-hood ['mʌŋkshud] ✿ monnikskap.
monocle ['mɔnəkl] monocle.
monocotyledon ['mɔnoukɔti'li:dən] ✿ eenzaadlobbige plant.
monody ['mɔnədi] 1 eenstemmig gezang o; 2 klaaglied o, lijkzang.
monogamy [mɔ'nɔgəmi] monogamie.
monogram ['mɔnəgræm] monogram o.
monograph ['mɔnəgrɑ:f] monografie.
monolith ['mɔnəliθ] monoliet: zuil uit één stuk steen.
monologue ['mɔnələg] alleenspraak.
monomania [mɔnou'meiniə] monomanie.
monomaniac [mɔnou'meiniæk] monomaan.
monoplane ['mɔnəplein] ✈ eendekker.
monopolist [mə'nɔpəlist] houder of voorstander van een monopolie.
monopolize [mə'nɔpəlaiz] 1 $ monopoliseren; 2 (alléén) in beslag nemen.

monopoly [mə'nɔpəli] monopolie[2] o.
monosyllabic [mɔnəsi'læbik] eenlettergrepig; fig weinig spraakzaam.
monosyllable ['mɔnə'siləbl] eenlettergrepig woord o.
monotheism ['mɔnəθi:izm] monotheïsme o: geloof o aan één god.
monotone ['mɔnətoun] eentonig gezang o (geluid o, spreken o &); eentonigheid.
monotonous [mə'nɔtənəs] eentonig.
monotony [mə'nɔtəni] eentonigheid.
monoxide [mə'nɔksaid] monoxyde.
Monroe [mən'rou] Monroe.
monsignor [mɔn'si:njə] RK monseigneur.
monsoon [mɔn'su:n] moesson.
monster ['mɔnstə] monster[2] o, gedrocht o.
monstrance ['mɔnstrəns] RK monstrans.
monstrosity [mɔns'trɔsiti] monsterachtigheid, gedrochtelijkheid, gedrocht o.
monstrous ['mɔnstrəs] I aj monsterachtig (groot), wanschapen, afschuwelijk, monster-; II ad ⚓ zie < monstrously 2.
monstrously ['mɔnstrəsli] ad 1 monsterachtig; 2 < verschrikkelijk, geweldig &.
Montenegrin [mɔnti'ni:grin] Montenegrijn(s).
Montenegro [mɔnti'ni:grou] Montenegro o.
Montgomery [mən(t)'gʌməri] Montgomery.
month [mʌnθ] maand.
monthly ['mʌnθli] I aj & ad maandelijks; ~ nurse kraamverzorgster, baker; II sb maandschrift o, maandblad o.
Monty ['mɔnti] F verk. v. Montgomery.
monument ['mɔnjumənt] monument o, gedenkteken o.
monumental(ly) [mɔnju'mentəl(i)] monumentaal; F kolossaal.
moo [mu:] loeien [v. koeien].
mood [mu:d] 1 stemming, luim, humeur o; 2 gram wijs [v. e. werkwoord].
moodily ['mu:dili] ad zie moody.
moodiness ['mu:dinis] humeurigheid.
moody ['mu:di] aj humeurig; droevig, somber.
moon [mu:n] I sb maan; ⊙ & P maand; once in a blue ~ een enkele keer; II vi dromen, zitten suffen; ~ about rondlummelen; III vt in: ~ away verdromen.
moonbeam ['mu:nbi:m] straal van de maan.
mooncalf ['mu:nka:f] uilskuiken o.
moonless ['mu:nlis] zonder maan.
moonlight ['mu:nlait] I sb maanlicht o, maneschijn; II als aj maanlicht-, maan-.
moonlighter ['mu:nlaitə] 1 ᛜ Ir bedrijver van nachtelijke schenderijen; 2 Am iemand met een bijbaantje (met schnabbeltjes).
moonlit ['mu:nlit] door de maan verlicht.
moonshine ['mu:nʃain] 1 maneschijn; 2 humbug, lak; S gesmokkelde of clandestien bereide drank.
moon-struck ['mu:nstrʌk] maanziek.
moony ['mu:ni] maan-; fig dromerig.
Moor [muə] Moor.
1 **moor** [muə] sb hei(de); veen o

2 **moor** [muə] vt ⚓ (vast)meren, vastleggen.
moorcock ['muəkɔk] ♦ korhaan.
moor-fowl ['muəfaul], **moor-game** ['muəgeim] ♦ korhoenders.
moorhen ['muəhen] ♦ korhoen o; waterhoen o.
mooring-buoy ['muəriŋbɔi] ⚓ meerboei.
mooring-mast ['muəriŋma:st] meermast.
moorings ['muəriŋz] ⚓ 1 meertros; 2 ligplaats.
Moorish ['muəriʃ] Moors.
moorland ['muələnd] heide(grond).
moose [mu:s] ♠ Amerikaanse eland.
moot [mu:t] I sb ⚅ (volks)vergadering; (voortrekkers)bijeenkomst [padvinderij]; ⚐ dispuut o; II aj betwistbaar; ~ case (point) twistzaak, -punt o; III vt ter sprake brengen.
1 **mop** [mɔp] I sb stokdweil, zwabber²; (vaten)kwast; F raagbol, pruik (haar); II vt dweilen, zwabberen, (af)wissen; ~ up opnemen², opdweilen; fig opslorpen, in zich opnemen; in de wacht slepen; S zijn vet geven, afmaken; ✕ zuiveren [loopgraven &].
2 **mop** [mɔp] I vi gezichten trekken (ook: ~ and mow); II sb ~s and mows grimassen.
mope [moup] I vi druilen, kniezen; II vt in: ~ away one's life zijn leven verkniezen; III vr ~ oneself to death F zich doodkniezen; IV sb druiloor; the ~s neerslachtigheid.
moped ['mouped] bromfiets.
mop-head ['mɔphed] raagbol, pruik (haar).
moping(ly) ['moupin(li)] druilend, druilerig.
mopish ['moupiʃ], **mopy** ['moupi] druilerig.
moraine [mə'rein] morene.
moral ['mɔrəl] I aj moreel, zedelijk; zedenkundig, zeden-; II sb zedenles, moraal; ~s zeden; zedenleer; his ~s zijn zedelijk gedrag o.
morale [mɔ'ra:l] moreel o.
moralist ['mɔrəlist] zedenmeester, zedenprediker, moralist.
morality [mɔ'ræliti] zedenleer, zedelijkheid, zedelijk gedrag o, moraliteit°.
moralize ['mɔrəlaiz] 1 moraliseren, een zedenpreek houden voor (over), zedenlessen geven; 2 zedelijk verbeteren.
moralizer ['mɔrəlaizə] zedenmeester, zedenprediker.
morass [mɔ'ræs] moeras o.
moratorium [mɔrə'tɔ:riəm] moratorium o.
Moravia [mə'reivjə] Moravië o.
Moravian [mə'reivjən] I aj Moravisch; II sb 1 inwoner van Moravië; 2 hernhutter.
morbid ['mɔ:bid] 1 ziekelijk, ziekte-; 2 somber; ~ anatomy pathologische anatomie.
morbidity [mɔ:'biditi] 1 ziekelijkheid; ziektetoestand; ziektecijfer o; 2 somberheid.
morbific [mɔ:'bifik] ziekte verwekkend.
mordacious [mɔ:'deiʃəs] bijtend².
mordacity [mɔ:'dæsiti] bijtende toon, spot &, bijten o.
mordancy ['mɔ:dənsi] zie mordacity.
mordant ['mɔ:dənt] I aj bijtend, scherp, sarcastisch; II sb beits, bijtmiddel o; hechtmiddel o.

Mordecai [mɔ:di'keiai] B Mordechai.
more [mɔ:] meer; not... any ~ niet meer, niet langer, niet weer; niets meer; one ~ glass nog een glas; some ~ nog wat; nog enige; the ~..., the ~... hoe meer..., des te meer (hoe)...; the ~ the merrier hoe meer zielen hoe meer vreugd; so much the ~ des te meer; no ~ niet meer², niet langer; niets meer; no ~ ...than evenmin ...als; no ~ does he hij ook niet; ~ or less min of meer.
Morea [mɔ'riə] the ~ Morea o.
moreen [mɔ'ri:n] woldamast o.
moreish ['mɔ:riʃ] in: taste ~ F naar meer smaken.
morel [mɔ'rel] ♣ zwarte nachtschade ‖ morille.
morello [mɔ'relou] ♣ morel, zure kers.
moreover [mɔ:'rouvə] daarenboven, bovendien.
mores ['mɔ:ri:z] mores: zeden, volksgebruiken.
Moresque [mɔ'resk] Moors.
morganatic(ally) [mɔ:gə'nætik(əli)] morganatisch.
moribund ['mɔribʌnd] zieltogend, stervend.
Mormon ['mɔ:mən] mormoon(s).
⊙ **morn** [mɔ:n] zie morning.
morning ['mɔ:niŋ] morgen, ochtend; voormiddag.
morning call ['mɔ:niŋkə:l] namiddagvisite.
morning-coat ['mɔ:niŋ'kout] jacquet o & v.
morning dress ['mɔ:niŋ'dres] jacquet o & v.
morning gown ['mɔ:niŋ'gaun] 1 sjamberloek; 2 ochtendjapon, peignoir.
morning-paper ['mɔ:niŋpeipə] ochtendblad o.
morning-room ['mɔ:niŋrum] huiskamer.
morning service ['mɔ:niŋsə:vis] vroegdienst.
morning star ['mɔ:niŋ'sta:] morgenster°.
morning-watch ['mɔ:niŋwɔ:tʃ] ⚓ dagwacht.
Moroccan [mə'rɔkən] Marokkaan(s).
Morocco [mə'rɔkou] Marokko o.
morocco [mə'rɔkou] marokijn(leer) o.
moron ['mɔ:rɔn] zwakzinnige, debiel; fig cretin.
moronic [mə'rɔnik] zwakzinnig, debiel; fig van (voor) cretins.
morose(ly) [mə'rous(li)] gemelijk, knorrig.
Morpheus ['mɔ:fju:s] Morfeus.
morphia ['mɔ:fjə], **morphine** ['mɔ:fi:n] morfine.
morphi(n)omaniac [mɔ:fi(n)ou'meiniæk] morfinist.
morphology [mɔ:'fɔlədʒi] morfologie, vormleer.
morris ['mɔris] Moorse dans: boerendans (ook: ~ dance).
⊙ **morrow** ['mɔrou] volgende dag; on the ~ of dadelijk na.
Morse [mɔ:s] ⚓ morsetoestel o; morsealfabet o.
morse [mɔ:s] ♠ walrus. [o.
morsel ['mɔ:səl] bete, brokje o, stukje o, hap, hapje o.
mortal ['mɔ:tl] I aj sterfelijk; dodelijk,

dood(s)-; ~ *combat* strijd op leven en dood;
be in a ~ *hurry* een vreselijke haast hebben;
a ~ shame een eeuwige schande; *any ~ thing*
(al) wat je maar wilt; II *sb* sterveling.
mortality [mɔ:'tæliti] sterfelijkheid; sterfte,
sterftecijfer *o*.
mortally ['mɔ:təli] *ad* dodelijk; F vreselijk.
mortar ['mɔ:tə] I *sb* 1 vijzel; 2 ✕ mortier;
3 mortel; II *vt* 1 met mortel pleisteren; 2 ✕
met mortieren bestoken.
mortar-board ['mɔ:təbɔ:d] 1 kalkplank; 2 ⟺
vierhoekige Eng. studentenbaret.
mortgage ['mɔ:gidʒ] I *sb* hypotheek; II *vt* (ver)-
hypothekeren; *fig* verpanden.
mortgage-bond ['mɔ:gidʒbɔnd] pandbrief.
mortgagee [mɔ:gə'dʒi:] hypotheekhouder.
mortgagor [mɔ:gə'dʒɔ:] hypotheekgever.
mortician [mɔ:'tiʃən] *Am* bezorger van begrafenissen.
mortification [mɔ:tifi'keiʃən] 1 grievende vernedering, beschaming, teleurstelling; doding
des vlezes, tuchtiging, kastijding, af-, versterving; 2 gangreen *o*, koudvuur *o*.
mortify ['mɔ:tifai] I *vt* vernederen, beschamen, verootmoedigen; [het vlees] doden,
tuchtigen, kastijden; II *vi* door gangreen aangetast worden.
mortise ['mɔ:tis] I *sb* ✕ tapgat *o*; II *vt* een tapgat maken in; verbinden.
mortmain ['mɔ:tmein] 🏛 de dode hand.
mortuary ['mɔ:tjuəri] I *aj* sterf-, graf-, begrafe-
nis-; lijk-; II *sb* lijkenhuis *o*.
Mosaic [mou'zeiik] Mozaïsch.
mosaic [mə'zeiik] mozaïek *o*.
Moscow ['mɔskou] I *sb* Moskou *o*; II als *aj*
Moskous.
Moselle [mə'zel] Moezel; *m~* moezel(wijn).
Moses ['mouziz] Mozes.
Moslem ['mɔzləm] I *aj* mohammedaans; II *sb*
moslem, mohammedaan.
mosque [mɔsk] moskee.
mosquito [mɔs'ki:tou] muskiet.
moss [mɔs] 1 mos *o*; 2 moeras *o*; veen *o*.
moss-clad ['mɔsklæd], **moss-grown** [-groun]
met mos begroeid of bedekt, bemost.
moss-litter ['mɔslitə] turfstrooisel *o*.
moss-rose ['mɔs'rouz] ⚘ mosroos.
mossy ['mɔsi] bemost; mosachtig.
most [moust] I *aj* meest, grootst; ~ *people* de
meeste mensen; *make the ~ of it* er zoveel
mogelijk partij van trekken, woekeren met,
exploiteren, uitbuiten; *(the) ~ of the day* het
grootste deel van de dag; *at (the) ~* op zijn
hoogst, hooguit, hoogstens; II *ad* meest;
hoogst, zeer; bijzonder; ~ *eastern* oostelijk-
st(e); ~ *learned* ook: hooggeleerd.
mostly ['moustli] *ad* meest(al), voornamelijk.
mote [mout] stofje *o*; *the ~ in thy brother's eye*
B splinter.
motel ['moutel] motel *o*.
motet [mou'tet] ♪ motet *o*.
moth [mɔθ] 1 mot; 2 🦋 nachtvlinder, uil; 3 *fig*

knagende worm.
moth-eaten ['mɔθi:tn] door de mot aangetast;
fig verouderd, ouderwets.
mother ['mʌðə] I *sb* 1 moeder²; 2 (azijn)moer;
Mother Carey's chicken 🐦 stormzwaluw;
Mother Hubbard 1 Moeder de Gans; 2 huik;
Mother Superior RK moeder-overste; *every
~'s son* van de eerste tot de laatste (man); II
vt als kind aannemen; bemoederen, moedertje spelen over, verzorgen; ~ *it* moedertje
spelen.
mother church ['mʌðətʃə:tʃ] moederkerk.
mother country ['mʌðəkʌntri] moederland *o*.
mother hen ['mʌðə'hen] 🐦 kloek.
motherhood ['mʌðəhud] moederschap *o*.
mother-in-law ['mʌðərinlɔ:] schoonmoeder.
motherless ['mʌðəlis] moederloos.
motherly ['mʌðəli] moederlijk.
mother-of-pearl ['mʌðərəv'pə:l] paarlemoer.
Mother's Day ['mʌðəz'dei] moederdag.
mother tongue ['mʌðətʌŋ] moedertaal.
mother wit ['mʌðəwit] aangeboren geest of (gezond) verstand *o*.
mothy ['mɔθi] mottig of vol motten.
motif [mou'ti:f] motief *o* [in de kunst].
motion ['mouʃən] I *sb* beweging°; voorstel *o*,
motie; ✕ mechanisme *o*, werk *o*; ♪ tempo
o; II *vt* wenken, een wenk geven om te..., bijv.
~ *him away* (*out* &).
motionless ['mouʃənlis] bewegingloos, onbeweeglijk, roerloos.
motion-picture ['mouʃənpikt[ə] film.
motivate ['moutiveit] motiveren; bewegen,
aanzetten.
motive ['moutiv] I *aj* bewegend, bewegings-,
beweeg-; II *sb* motief *o*, beweegreden; *from
~s of delicacy* kiesheidshalve; III *vt* motiveren, bewegen.
motley ['mɔtli] I *aj* bont²; II *sb* narrenpak *o*.
motor ['moutə] I *sb* motor, beweger; beweegkracht; auto; II *aj* motorisch, bewegings-
[zenuw &]; III *vi* & *vt* met of in een auto
rijden.   [auto.
motor-ambulance ['moutəræmbjuləns] zieken-
motor-boat ['moutəbout] motorboot.
motor-bus ['moutəbʌs] autobus.
motorcade ['moutəkeid] autocolonne.
motor-car ['moutəka:] 1 auto(mobiel); 2 motorwagen.
motor-coach ['moutəkoutʃ] 1 touringcar; 2 rijtuig *o* [v. elektr. trein].
motor-cycle ['moutəsaikl] motorfiets; ~ *police*
motorpolitie.
motor-cyclist ['moutəsaiklist] motorrijder.
motordrome ['moutədroum] (auto)racebaan.
motor-hearse ['moutəhə:s] lijkauto.
motoring ['moutəriŋ] I *sb* automobilisme *o*,
autorijden *o*; II *aj* auto-; motor-.
motorist ['moutərist] automobilist.
motorization [moutərai'zeiʃən] motorisering.
motorize ['moutəraiz] motoriseren; *~d bicycle*
bromfiets.

motor-lorry ['moutələri] vrachtauto.
motor-man ['moutəmæn] wagenbestuurder [van elektr. tram of trein].
motor scooter ['moutəsku:tə] scooter.
motor-spirit ['moutəspirit] benzine.
motor-truck ['moutətrʌk] vrachtauto.
motor-van ['moutəvæn] vrachtauto.
motorway ['moutəwei] autoweg.
mottled ['motld] gevlekt, geaderd, gestreept [steen], doorregen [vlees], gemarmerd [zeep], zwartbont [vogels].
motto ['motou] motto o, zin-, kernspreuk.
motto-kiss ['motoukis] ulevel.
mouflon ['mu:flon] ♠ moeflon.
1 **mould** [mould] I sb teelaarde, losse aarde ‖ schimmel; II vi (be)schimmelen.
2 **mould** [mould] I sb (giet)vorm; mal; pudding (uit een vorm); fig type o, aard; cast in the same ~ (van) hetzelfde (type); II vt vormen (naar upon); gieten; kneden².
mouldable ['mouldəbl] vormbaar, kneedbaar.
mouldboard ['mouldbɔ:d] (ploeg)rister strijkbord o.
1 **moulder** ['mouldə] sb vormer.
2 **moulder** ['mouldə] vi vermolmen, tot stof vergaan, vervallen.
mouldiness ['mouldinis] beschimmeldheid &, zie mouldy.
moulding ['mouldiŋ] 1 afdruk; 2 △ lijstwerk o, lijst; fries v of o; 3 ✕ vormstuk o.
mouldy ['mouldi] beschimmeld; vermolm-m(en)d, vergaan(d); fig afgezaagd; miezerig, beroerd; vervelend.
moult [moult] I vi ruien, verharen; ~ing time ruitijd; II sb ruien o.
mound [maund] wal, dijk, heuveltje o.
1 **mount** [maunt] sb berg.
2 **mount** [maunt] I vi klimmen, (op)stijgen, naar boven gaan, opgaan, rijzen; optrekken [mist]; ~ up stijgen; oplopen [schuld]; II vt opgaan, oplopen, opklimmen, beklimmen, bestijgen; een paard (rijdier) geven; te paard zetten, laten opzitten; opstellen, (in)zetten, plaatsen, monteren; opplakken [landkaart]; ~ the breach zich op de bres stellen; ~ guard de wacht betrekken; de wacht hebben (bij over); the car ~ed the pavement de auto reed het trottoir op; III sb 1 rit [bij wedren]; 2 rijdier o, paard o &; 3 montuur o & v.
mountain ['mauntin] berg; the Mountain de Bergpartij; make ~s of mole-hills van een mug een olifant maken.
mountain ash ['mauntin'æʃ] ♣ lijsterbes.
mountain dew ['mauntin'dju:] F Schotse whisky.
mountaineer [maunti'niə] I sb bergbewoner; bergbeklimmer; II vi bergen beklimmen.
mountaineering [maunti'niəriŋ] bergsport; ~ boot bergschoenen.
mountainous ['mauntinəs] bergachtig, berg-; huizehoog, hemelhoog, kolossaal.
mountebank ['mountibæŋk] kwakzalver.

mounted ['mauntid] te paard (zittend); bereden [politie &]; well ~ I goed te paard zittend; 2 met goede rijdieren.
mounting ['mauntiŋ] 1 montage, montering; 2 ✕ affuit; 3 montuur o & v, beslag o.
mourn [mɔ:n] I vi treuren, rouwen (over, om for, over); II vt betreuren, bewenen.
mourner ['mɔ:nə] treurende; rouwdrager; chief ~ eerste rouwdrager.
mournful(ly) ['mɔ:nful(i)] treurig, droevig.
mourning ['mɔ:niŋ] droefheid, treurigheid; rouw, rouwgewaad o; in ~ in de rouw; out of ~ uit de rouw; ~ apparel rouwkleren; ~ coach rouwkoets, volgkoets.
1 **mouse** [maus] sb ♠ muis.
2 **mouse** [mauz] vi muizen vangen; snuffelen; sluipen; ~ about rondsnuffelen.
mouser ['mauzə] muizenvanger, muiskat.
mousetrap ['maustræp] muizeval.
moustache [məs'ta:ʃ, mus'ta:ʃ] snor, knevel.
moustached [məs'ta:ʃt] met knevels of snor.
mousy ['mausi] naar muizen riekend; vol muizen; muizen-; stil als een muis.
mousy-haired ['mausi'hɛəd] met een rattekop.
1 **mouth** [mauθ] sb mond°, muil, bek; monding; give ~ aanslaan [honden]; give ~ to uitspreken, uiten, vertolken; make ~s (lelijke) gezichten, een scheve mond trekken; make one's ~ water iemand doen watertanden; by the ~ of bij monde van; be in everybody's ~ overal besproken worden; over de tong gaan.
2 **mouth** [mauð] I vt bijten aan [aas], in de mond nemen, ophappen; declameren, uitgalmen (ook: ~ out); II vi declameren, galmen; gezichten trekken.
mouthful ['mauθful] mondvol, hap.
mouth-organ ['mauθɔ:gən] mondharmonika.
mouthpiece ['mauθpi:s] 1 ♪ mondstuk o; ⊛ hoorn; 2 fig woordvoerder, spreekbuis.
mouth-wash ['mauθwɔʃ] mondspoeling.
mouthy ['mauði] de mond vol nemend, galmend, bombastisch.
movable ['mu:vəbl] I aj beweeglijk, beweegbaar, verplaatsbaar; ~ feasts roerende feestdagen; ~ property roerend goed o; II sb ~s roerende goederen, meubilair o.
move [mu:v] I sb beweging; zet; fig stap; verhuizing; get a ~ on F 1 vooruitkomen; 2 in beweging komen; 3 maak wat voort!; make a ~ 1 een zet doen²; 2 van tafel opstaan [en zich naar de salon begeven]; make no ~ zich niet bewegen, geen vin verroeren; be on the ~ in beweging zijn; II vi zich bewegen, zich in beweging zetten, zich roeren, iets doen; zich verplaatsen, trekken, (weg)gaan, verhuizen; ~ away from zich verwijderen van; zich distantiëren van [een idee]; ~ for verzoeken om; voorstellen; ~ in, ~ into a house een woning betrekken; ~ off wegtrekken, zich verwijderen; ✕ afmarcheren; ~ on verder gaan, ✕ voortmarcheren, oprukken; ~ on!

doorlopen!; ~ *out* eruit trekken [uit een huis]; ~ *up* opschuiven, opschikken; **III** *vt* bewegen, in beweging brengen; verplaatsen, overbrengen, vervoeren; verzetten [schaakstuk]; (op)wekken; (ont)roeren; voorstellen [motie &]; [een voorstel] doen; *the spirit ~d him* de geest werd vaardig over hem; ~ *him into the chair* (voorstellen) hem tot voorzitter (te) benoemen.

movement ['mu:vmənt] 1 beweging[2]; verplaatsing, overbrenging, vervoer *o*; 2 *fig* aandrang, opwelling; 3 gang [v. verhaal]; 4 ✕ mechaniek; 5 ♪ deel *o*; tempo *o*; 6 $ omzet; 7 stoelgang.

mover ['mu:və] beweger; voorsteller; drijfveer; *prime ~* voornaamste drijfkracht, eerste oorzaak, aanstichter.

movie ['mu:vi] *Am* **I** *sb* film; *the ~s* de bios(coop); **II** *aj* film-, bioscoop-.

moving ['mu:viŋ] (zich) bewegend, rijdend; beweegbaar, beweeg-; roerend, treffend, aangrijpend, aandoenlijk; ~-*day* verhuisdag; *the ~ pictures* de bioscoop; ~ *power* drijfkracht [*fig*]; ~ *staircase* roltrap.

1 **mow** [mau] *sb* hooiberg, opper; plaats in een schuur om hooi of koren te bergen.

2 **mow** [mou, mau] **I** *sb* pruilmond, (scheef) gezicht *o*; **II** *vi* monden, gezichten trekken.

3 **mow** [mou] *vt* maaien; ~ *down* (*off*) wegmaaien [troepen].

mower ['mouə] 1 maaier; 2 maaimachine.

mowing-machine ['mouiŋməʃi:n] maaimachine.

mown [moun] V.D. van 3 *mow*.

M.P. = 1 *Member of Parliament*; 2 *Military Police*; 3 *Metropolitan Police*.

m. p. g. = *miles per gallon*.

m. p. h. = *miles per hour*.

Mr. zie *mister*.

Mrs. zie *mistress*.

MS. = *manuscript*.

M. Sc. = *Master of Science*.

MSS. = *manuscripts*.

much [mʌtʃ] **I** *aj* veel; *I thought as ~* dat dacht ik wel; *as ~ as* 1 zoveel als, zoveel; 2 evenzeer (evengoed) als; *as ~ as three months ago* wel drie maanden geleden; *it was as ~ as he could do to..*, hij kon slechts met moeite of ternauwernood...; *as ~ as to say* alsof hij wilde zeggen; *how ~?* 1 hoeveel (is, kost het)?; 2 F wa'blief!; *not ~* 1 niet veel; 2 F kan je denken!; *it is not ~ of a thing* niet veel zaaks; *nothing ~* niet veel (zaaks); zo erg niet; *be too ~ for one* iemand te machtig zijn; *make ~ of* veel gewicht hechten aan; veel ophef maken van; in de hoogte steken, veel ophebben met, fêteren; ook: munt slaan uit; **II** *ad* zeer, erg; veel; verreweg; ~ *as...* 1 hoezeer... ook; 2 ongeveer zoals...; *not so ~ as* niet eens; *so ~ so that* zó (zeer)... dat; ~ *to the amusement of* tot groot vermaak van; ~ *the same*, ~ *as usual* zowat, vrijwel hetzelfde.

muchness ['mʌtʃnis] in: *much of a ~* vrijwel hetzelfde, één potnat.

mucilage ['mju:silidʒ] 1 ✿ (plante)slijm *o* & *m*; 2 vloeibare gom.

mucilaginous [mju:si'lædʒinəs] slijmig.

muck [mʌk] **I** *sb* (natte) mest, vuiligheid, vuil *o*; rommel; **II** *vt* (be)mesten; bevuilen; ~ *it* S de boel verknoeien; ~ *out* uitmesten; ~ *up* S verknoeien, bederven; **III** *vi* in: ~ *about* S omhangen, lanterfanten; ~ *about with* S (met zijn vingers) zitten aan; ~ *in with* S (lief en leed) broederlijk delen met, (alles) samendoen met.

mucker ['mʌkə] in: *come a ~* S over de kop gaan[2], het afleggen.

muck-rake ['mʌkreik] **I** *sb* mesthaak; **II** *vi* vuile zaakjes uitpluizen, schandalen onthullen.

mucky ['mʌki] smerig, vuil.

mucous ['mju:kəs] slijmig; ~ *membrane* slijmvlies *o*.

mucus ['mju:kəs] slijm *o* & *m*.

mud [mʌd] modder[2], slijk *o*; leem *o* & *m* [v. muur &]; ~ *hut* lemen hut.

muddiness ['mʌdinis] modderigheid &, zie *muddy* I.

muddle ['mʌdl] **I** *sb* warboel; **II** *vt* benevelen; in de war gooien; in de war brengen; verknoeien; ~ *away* verknoeien; ~ *together*, ~ *up* (met elkaar) verwarren; **III** *vi* modderen, ploeteren[2]; ~ *along*, ~ *on* voortsukkelen, voortploeteren; ~ *through* er door scharrelen, er zich doorheen slaan.

muddle-head ['mʌdlhed] domkop, warhoofd *o* & *m-v*.

muddle-headed ['mʌdlhedid] verward.

muddy ['mʌdi] **I** *aj* modderig; modder-; bemodderd, vuil, vaal; troebel; verward; **II** *vt* bemodderen; vertroebelen.

mud-flap ['mʌdflæp] spatlap.

mudguard ['mʌdga:d] spatbord *o*.

mudlark ['mʌdla:k] **I** *sb* 1 rioolwerker; 2 F straatbengel; **II** *vi* in de modder spelen.

mud pie ['mʌd'pai] figuurtje *o* van zand [door kinderen gemaakt].

mud-slinger ['mʌdsliŋə] lasteraar.

mud-slinging ['mʌdsliŋiŋ] gelaster *o*.

mud-stained ['mʌdsteind] bemodderd.

muezzin [mu'ezin] moëddzin, muezzin.

muff [mʌf] **I** *sb* mof; sul, flauwerd; klungel; *make a ~ of it* de boel verknoeien; **II** *vt* bederven, verknoeien; ~ *the shot* missen.

muffin ['mʌfin] soort gebak *o* bij de thee.

muffin-face ['mʌfinfeis] gezicht *o* zonder uitdrukking.

muffle ['mʌfl] **I** *sb* ✕ moffel(oven); **II** *vt* inbakeren, inpakken (ook: ~ *up*); omwikkelen; dempen; ⚔ omfloersen [trom]; *in a ~d voice* met gedempte stem.

muffler ['mʌflə] bouffante; demper [v. geluiden]; bokshandschoen, ♦want.

mufti ['mʌfti] moefti: mohammedaans koranuitlegger en rechtsgeleerde; *in* ~ F in politiek, in burger.

mug [mʌg] I *sb* 1 (drink)kroes, beker; pot; 2 S snuit; 3 sul, uil; *a* ~'s *game* S gekkenwerk; II *vt* S in: ~ *up* er instampen [kennis]; III *vi* S blokken (op *at*); ~ *away* hard blokken.

muggy ['mʌgi] broeierig, drukkend, zwoel.

mulatto [mju'lætou] mulat.

mulberry ['mʌlbəri] ♣ moerbei.

mulct [mʌlkt] I *sb* geldboete; II *vt* beboeten (met *in*); ~ *of* beroven van.

mule [mju:l] 1 muildier *o*; 2 ♠ & ♣ bastaard; 3 *fig* stijfkop; 4 ✗ fijnspinmachine || muiltje *o*.

muleteer [mju:li'tiə] muilezeldrijver.

mulish ['mju:liʃ] als (van) een muildier; *fig* koppig.

1 **mull** [mʌl] I *sb* fiasco *o*; *make a* ~ *of it* de boel verknoeien; II *vt* verknoeien.

2 **mull** [mʌl] *vt* [dranken] heet maken en kruiden; ~*ed wine* bisschop.

mullah ['mʌlə] mollah.

mullein ['mʌlin] ♣ koningskaars.

mullet ['mʌlit] ⊗ 1 harder; 2 mul.

mulligatawny [mʌligə'tɔ:ni] kerriesoep.

mullion ['mʌljən] middenstijl [v. raam].

multifarious [mʌlti'fɛəriəs] veelsoortig, velerlei, menigerlei, verscheiden.

multiform ['mʌltifɔ:m] veelvormig.

multiformity [mʌlti'fɔ:miti] veelvormigheid.

multilateral [mʌlti'lætərəl] veelzijdig, multilateraal.

multimillionaire [mʌltimiljə'nɛə] multimiljonair.

multinomial [mʌlti'noumiəl] veelterm.

multiple ['mʌltipl] I *aj* veelvuldig; veelsoortig, vele; ~ *shop* grootwinkelbedrijf *o*; II *sb* veelvoud *o*; *least common* ~ kleinste gemene veelvoud *o*.

multiplex ['mʌltipleks] meervoudig; veelvuldig.

multipliable ['mʌltiplaiəbl] vermenigvuldigbaar (met *by*).

multiplicand [mʌltipli'kænd] vermenigvuldigtal *o*.

multiplication [mʌltipli'keiʃən] vermenigvuldiging°.

multiplicative ['mʌltiplikətiv] vermenigvuldigend.

multiplicity [mʌlti'plisiti] menigvuldigheid; veelheid.

multiplier ['mʌltiplaiə] 1 vermenigvuldiger; 2 ✗ multiplicator.

multiply ['mʌltiplai] I *vt* vermenigvuldigen; II *vi* zich vermenigvuldigen.

multiracial [mʌlti'reiʃəl] multiraciaal, veelrassig.

multitude ['mʌltitju:d] menigte, (grote) massa; F hoop; *the* ~ de grote hoop.

multitudinous [mʌlti'tju:dinəs] menigvuldig, veelvuldig, talrijk; *SH* eindeloos.

1 **mum** [mʌm] *sb* F mevrouw || maatje *o*.

2 **mum** [mʌm] *aj* stil; *be* (*keep*) ~ zwijgen,

stommetje spelen, geen woord zeggen; ~'s *the word!* mondje dicht!

mumble ['mʌmbl] I *vi* mompelen; II *vt* prevelen; kluiven aan; III *sb* gemompel *o*.

mumbler ['mʌmblə] mompelaar, prevelaar.

Mumbo Jumbo ['mʌmbou'dʒʌmbou] West-Afrikaanse afgod; *fig* afgod; hocus-pocus.

mummer ['mʌmə] 1 vermomde, gemaskerde; 2 > toneelspeler, komediant.

mummery ['mʌməri] maskerade, mommerij; *fig* komediespel *o*, komedie.

mummied ['mʌmid] gemummificeerd.

mummification [mʌmifi'keiʃən] mummificatie.

mummify ['mʌmifai] mummificeren.

mummy ['mʌmi] mummie || F maatje *o*, moesje *o*.

mumpish ['mʌmpiʃ] landerig.

mumps [mʌmps] 1 bof [ziekte]; 2 landerigheid, „bokkepruik".

munch [mʌnʃ] knabbelen, smakkend eten.

Munchhausen [mʌn'tʃə:zn] Münchhausen.

mundane ['mʌndein] werelds², mondain, aards; wereld-.

Munich ['mju:nik] München.

municipal [mju'nisipəl] gemeentelijk, stedelijk, stads-, gemeente-.

municipality [mjunisi'pæliti] gemeente; gemeentebestuur *o*.

municipalize [mju'nisipəlaiz] onder gemeentebestuur brengen.

munificence [mju'nifisəns] mild(dadig)heid.

munificent [mju'nifisənt] mild(dadig).

munition [mju'niʃən] I *sb* krijgsvoorraad, (am)munitie (meest ~*s*); II *vt* van munitie voorzien.

mural ['mjuərəl] I *aj* muur-, wand-; II *sb* wandschildering.

murder ['mə:də] I *sb* moord; ~ *will out* een moord blijft niet verborgen; bedrog komt altijd uit; *the* ~ *is out* het geheim is verklapt; *cry blue* ~ moord en brand schreeuwen; II *vt* vermoorden²; ~ *the King's English* het Engels radbraken.

murderer ['mə:dərə] moordenaar.

murderess ['mə:dəris] moordenares.

murderous ['mə:dərəs] moorddadig.

mure [mjuə] ommuren; (tussen vier muren opsluiten (ook: ~ *up*); ~ *up* dicht-, toemetselen.

muriatic [mjuəri'ætik] in: ~ *acid* zoutzuur *o*.

⊙ **murk** [mə:k] I *aj* duister; II *sb* duisternis.

murkiness ['mə:kinis] duisterheid, donkerheid, somberheid.

murky ['mə:ki] duister, donker, somber.

murmur ['mə:mə] I *sb* gemompel *o*, gemopper *o*, gebrom *o*, gemor *o*; gemurmel *o*, geruis *o*; *without a* ~ zonder een kik te geven; II *vi* mompelen, mopperen, morren (over *at*, *against*); murmelen, ruisen.

murmurer ['mə:mərə] mopperaar.

murmurous ['mə:mərəs] mompelend, mopperend, morrend; murmelend, ruisend.

murrain ['mʌrin] veepest.

muscadel [mʌskə'del], **muscadine** ['mʌskədin], **muscat** ['mʌskət], **muscatel** [mʌskə'tel] I muskaatwijn; 2 muskadeldruif.

muscle ['mʌsl] spier; spierkracht; *without moving a* ~ zonder een spier te vertrekken.

Muscovite ['mʌskəvait] I *sb* Moskoviet; II *aj* Moskovisch.

Muscovy ['mʌskəvi] ✺ Moskovië: Rusland.

muscular ['mʌskjulə] gespierd; spier-.

muscularity [mʌskju'læriti] gespierdheid, spierkracht.

Muse [mju:z] muze, zanggodin.

muse [mju:z] I *vi* peinzen, mijmeren; ~ *on* be-, overpeinzen; II *sb* ✺ gemijmer *o*.

muser ['mju:zə] peinzer, mijmeraar, dromer.

museum [mju'ziəm] museum *o*.

mushroom ['mʌʃrum] I paddestoel, champignon; 2 *fig* parvenu; *of* ~ *growth* als paddestoelen opgeschoten of verrezen.

music ['mju:zik] muziek[2]; toonkunst; *rough* ~ ketelmuziek; *have some* ~ musiceren; *set to* ~ op muziek zetten.

musical ['mju:zikl] I *aj* muzikaal; muziek-; ~ *box* speeldoos; ~ *chairs sp* stoelendans; ~ *comedy* operette; ~ *glasses* glasharmonika; II als *sb* F operette(film).

music-hall ['mju:zikhɔ:l] variété(theater) *o*.

musician [mju'ziʃən] muzikant, musicus, toonkunstenaar.

musicological [mju:zikə'lɔdʒikl] musicologisch.

musicologist [mju:zi'kɔlədʒist] musicoloog.

musicology [mju:zi'kɔlədʒi] musicologie.

music-stool ['mju:zikstu:l] pianokrukje *o*.

musing ['mju:ziŋ] gepeins *o*, gemijmer *o*, mijmering(en).

musing(ly) ['mju:ziŋ(li)] peinzend &.

musk [mʌsk] I muskus; 2 muskusdier *o*.

musk-deer ['mʌskdiə] muskusdier *o*.

musk-duck ['mʌskdʌk] ✺ muskuseend.

musket ['mʌskit] ✺ musket *o*; geweer *o*.

musketeer [mʌski'tiə] ✺ musketier.

musketry ['mʌskitri] ✺ I geweervuur *o*; 2 geweren; 3 schietoefeningen.

musk-melon ['mʌskmelən] (gewone) meloen.

musk-rat ['mʌskræt] ✿ muskusrat, bisamrat; bisambont *o*.

musk-rose ['mʌskrouz] ✤ muskusroos.

musky ['mʌski] als (van) muskus, muskus-.

Muslim ['mʌzlim] zie *Moslem*.

muslin ['mʌzlin] mousseline, neteldoek *o* & *m*.

musquash ['mʌskwɔʃ] zie *musk-rat*.

mussel ['mʌsl] mossel.

Mussulman ['mʌslmən] muzelman.

mussy ['mʌsi] *Am* wanordelijk dooreen, rommelig; vuil, vies, mors-.

1 **must** [mʌst] moet, moest, moe(s)ten; *you* ~ *not smoke here* mag niet; *a* ~ iets wat gedaan (gezien, gelezen &) moet worden.

2 **must** [mʌst] *sb* most.

mustang ['mʌstæŋ] ✿ mustang.

mustard ['mʌstəd] mosterd.

muster ['mʌstə] I *sb* I monstering; 2 ✕ inspectie; *there was a strong* ~ de vergadering was goed bezocht; *pass* ~ de toets doorstaan, er mee door kunnen; II *vt* monsteren; op de been roepen; (laten) verzamelen; *he couldn't* ~ *three shillings* bij elkaar krijgen; ~ *up a smile* met moeite een glimlach te voorschijn roepen.

muster-roll ['mʌstəroul] ✕ & ✢ monsterrol.

mustiness ['mʌstinis] beschimmeldheid, schimmeligheid, schimmel; muffigheid, dufheid; sufheid [van ouderdom].

musty ['mʌsti] beschimmeld, schimmelig; muf, duf; suf [v. ouderdom].

mutability [mju:tə'biliti] veranderlijkheid, ongedurigheid

mutable ['mju:təbl] veranderlijk, ongedurig.

mutation [mju'teiʃən] verandering, (klank)wijziging; § mutatie.

mute [mju:t] I *aj* stom, sprakeloos, zwijgend; II *sb* stomme; figurant; ontploffingsgeluid *o*; stomme letter; ♪ sourdine; bidder, ✺ huilebalk [bij begrafenis]; III *vt* ♪ dempen, de sourdine opzetten.

muteness ['mju:tnis] stomheid, (stil)zwijgen *o*.

mutilate ['mju:tileit] verminken, schenden.

mutilation [mju:ti'leiʃən] verminking, schending.

mutineer [mju:ti'niə] muiter, muiteling, oproerling.

mutinous ['mju:tinəs] muitziek, oproerig, opstandig.

mutiny ['mju:tini] I *sb* muiterij, opstand, oproer *o*; II *vi* oproerig worden, aan het muiten slaan, opstaan (tegen *against*).

mutter ['mʌtə] I *vi* mompelen; mopperen; rommelen [van donder]; II *vt* mompelen; III *sb* gemompel *o*.

mutton ['mʌtn] I schapevlees *o*; 2 J schaap *o*; *to return to our* ~*s* om weer op ons apropos te komen.

mutton-chop ['mʌtnʃɔp] schaapskotelet; ~ *whiskers* F koteletten, favoris.

mutual ['mju:tjuəl] *aj* onderling, wederkerig; wederzijds; gemeenschappelijk.

mutuality [mju:tju'æliti] wederkerigheid.

mutually ['mju:tjuəli] *ad* onderling, van beide kanten, over en weer.

muzzle ['mʌzl] I *sb* muil, bek, snuit; muilkorf, -band; mond, tromp [v. vuurwapen]; II *vt* I muilbanden[2]; 2 besnuffelen.

muzzle-loader ['mʌzlloudə] ✕ voorlader.

muzzling ['mʌzliŋ] muilbanden[2] *o*.

muzzy ['mʌzi] beneveld [ook v. drank], suf.

my [mai] mijn; *(oh)* ~ *!* goeie genade!

myope ['maioup] bijziende persoon.

myopia [mai'oupiə] bijziendheid.

myopic [mai'ɔpik] bijziend.

myriad ['miriəd] myriade: tienduizendtal *o*; duizenden en duizenden, ontelbare.

myrmidon ['mə:midən] handlanger, volgeling.

myrrh [mə:] mirre.

myrtle ['mə:tl] ✿ mirt, mirtestruik.

myself [mai'self] zelf, ik (zelf); mij(zelve); *I'm not* ~ ik ben niet goed in orde.

mysterious [mis'tiəriəs] geheimzinnig; verborgen.

mystery ['mistəri] I verborgenheid, geheim *o*, mysterie *o*; raadsel *o*; geheimzinnigheid; 2 ⃞ mysterie *o* [spel]; *the* ~ *of the thing* het geheimzinnige van de zaak.

mystic ['mistik] I *aj* mystiek, verborgen; II *sb* mysticus.

mystical ['mistikl] zie *mystic* I.

mysticism ['mistisizm] mysticisme *o*; mystiek.

mystification [mistifi'keiʃən] mystificatie, fopperij, bedotterij.

mystify ['mistifai] mystificeren, foppen, er in laten lopen, bedotten.

mystique [mis'ti:k] mystiek, > hocus-pocus.

myth [miθ] mythe², sage; *fig* fabel, legende.

mythic(al) ['miθik(l)] mythisch.

mythologic(al) [miθə'lɔdʒik(l)] mythologisch.

mythologist [mi'θɔlədʒist] mytholoog.

mythology [mi'θɔlədʒi] mythologie.

§ **myxomatosis** [miksoumə'tousis] myxomatose.

N

n [en] (de letter) n; **N.** = *North(ern)*.

N.A.A.F.I., Naafi ['næfi] = *Navy, Army and Air Force Institutes* ± Cantinedienst, CADI.

nab [næb] S snappen; knippen; op de kop tikken, gappen.

nabob ['neibɔb] nabob, rijkaard.

nacre ['neikə] paarlemoer.

nacr(e)ous ['neikr(i)əs] paarlemoeɾachtig, paarlemoer-.

nadir ['neidiə] ✴ nadir *o*, voetpunt *o*; *fig* aagste punt *o*.

1 **nag** [næg] *sb* hit, F paard *o*.

2 **nag** [næg] I *vi* zaniken, zeuren; hakken, vitten (op *at*); II *vt* bevitten, treiteren (door aanmerkingen te maken).

naiad ['neiæd] najade, waternimf.

nail [neil] I *sb* spijker, nagel°; 2¹/₄ Eng. duim; *as hard as* ~*s* I in uitstekende conditie; 2 keihard, onverbiddelijk; *on the* ~ I $ met gereed geld, contant; 2 onmiddellijk; *it adds a* ~ *to* (drives a ~ *into, is a* ~ *in) his coffin* dat is een nagel aan zijn doodkist, ook: dat is hem een gruwelijke ergernis; *hit the* (*right*) ~ *on the head* de spijker op de kop slaan; II *vt* I (vast)spijkeren, met spijkers beslaan; 2 S betrappen, snappen; op de kop tikken; 3 *fig* lijmen, niet loslaten; ~ *down* dichtspijkeren; vastspijkeren; *fig* vastzetten; niet loslaten; ~ *one's colours to the mast* van geen wijken of toegeven willen weten; ~ *up* dichtspijkeren; vastspijkeren.

nailer ['neilə] I nagelsmid; 2 S kraan.

nail-file ['neilfail] nagelvijl.

nailing ['neiliŋ] I *aj* S prima; pracht-; II *ad* in: ~ *good* P verduiveld goed.

naïve(ly) [na:'i:v(li)] naïef, ongekunsteld.

naïveté [na:'i:vtei] naïveteit, ongekunsteldheid.

naked ['neikid] naakt, bloot, kaal; ~ *boys* (*lady*) ✿ herfsttijloos; *a* ~ *light* een onbeschermd licht *o*.

nakedness ['neikidnis] naaktheid &.

namby-pamby ['næmbi'pæmbi] I *aj* zoetelijk; II *sb* zoetelijkheid.

name [neim] I *sb* naam²; benaming; *have a* ~ *for* bekend zijn om zijn...; *take his* ~ ook: hem bekeuren; *John by* ~*, by the* ~ *of J.* J. geheten; *call him by his* ~ bij zijn naam; *know him by* ~ persoonlijk; van naam; *mention by* ~ met name, met naam en toenaam; *in* ~ in naam; *in the* ~ *of* in naam van; onder de naam van; op naam (ten name) van; *of the* ~ *of John* J. geheten; II *vt* noemen, benoemen; dopen [schip &]; tot de orde roepen [Parlementslid &]; ~ *the day* de bruiloftsdag vaststellen.

name-dropping ['neimdrɔpiŋ] dikdoenerij met namen van bekende personen.

nameless ['neimlis] naamloos; onbekend; zonder naam; onnoemelijk; *a certain scoundrel who shall be* ~ die ik niet noemen wil.

namely ['neimli] namelijk, te weten.

name-part ['neimpa:t] titelrol.

name-plate ['neimpleit] naambordje *o*.

namesake ['neimseik] naamgenoot.

naming ceremony ['neimiŋseriməni] doopplechtigheid [v. schip &].

Namur ['neimə] Namen *o*.

Nancy ['nænsi] Ant(je).

nankeen [næn'ki:n] nanking *o*.

Nannie, Nanny ['næni] Ant(je).

nannie, nanny ['næni] kinderjuffrouw, F juf.

nanny(-goat) ['næni(gout)] F 🐐 geit.

1 **nap** [næp] I *sb* slaapje *o*, dutje *o*; *have (take) a* ~ een dutje doen; II *vi* (zitten) dutten; *catch one* ~*ping* iemand overrompelen; betrappen (op een fout of verzuim).

2 **nap** [næp] I *sb* nop; haar *o*; II *vt* noppen.

napalm ['neipa:m] ✖ napalm *o*.

nape [neip] nek (~ *of the neck*).

🔧 napery ['neipəri] tafellinnen *o*.

naphtha ['næfθə] nafta.

naphthalene, -line ['næfθəli:n] naftaline.

napkin ['næpkin] I servet *o*; 2 luier; 3 doek; *bury* (*lay up*) *one's talent in a* ~ niet met zijn talent woekeren.

Naples ['neiplz] Napels *o*.

Napoleon [nə'pouljən] Napoleon.

Napoleonic [nəpouli'ɔnik] Napoleontisch, van Napoleon.

nappy ['næpi] F luier.

narcissism [na:'sisizm] *ps* narcisme *o*.

narcissus [na:'sisəs] ✿ narcis.

narcosis [na:'kousis] ☞ narcose.

narcotic [na:'kɔtik] I *aj* narcotisch; II *sb* narcoticum *o*.

narcotize ['na:kɔtaiz] narcotiseren.

nard [na:d] nardus(olie).

narghile ['na:gili] nargileh [waterpijp met gummislang].

narrate [næ'reit] verhalen, vertellen.

narration [næ'reiʃən] verhaal *o*, relaas *o*.

narrative ['nærətiv] I *aj* verhalend, vertellend; II *sb* verhaal *o*, relaas *o*; vertelling.

narrator [næ'reitə] verhaler, verteller.

narrow ['nærou] I *aj* eng, nauw, smal; nauwkeurig [onderzoek]; bekrompen, benepen; karig, schriel; beperkt, klein; *have a ~ escape* ternauwernood ontkomen; *~ gauge* smalspoor *o*; *~ goods* band en lint *o*; *a ~ majority* een geringe meerderheid; II *sb* in: *~s* zeeengte(n); III *vt* vernauwen, verengen, beperken; *~ down* doen slinken, verminderen [aantal]; IV *vi* 1 nauwer worden, inkrimpen; zich vernauwen; 2 minderen [bij breien].

narrow-brimmed ['nærou'brimd] met smalle rand.

narrowly ['nærouli] *ad* zie *narrow* I; ook: ternauwernood, op het kantje af.

narrow-minded [nærou'maindid, + 'nærou-maindid] kleingeestig, bekrompen.

narrowness ['nærounis] nauwheid, bekrompenheid, karigheid &, zie *narrow* I.

narwhal ['na:wəl] ♒ narwal.

nasal ['neizəl] I *aj* neus-; nasaal; II *sb* nasaal: neusklank.

nasality [nei'zæliti] nasaal geluid *o*, neusgeluid *o*.

nasalize ['neizəlaiz] I *vt* nasaleren; II *vi* door de neus spreken.

nasally ['neizəli] *ad* door de neus, nasaal.

nascent ['næsənt] (geboren) wordend, ontstaand, opkomend, ontluikend.

nastily ['na:stili] *ad* zie *nasty*.

nastiness ['na:stinis] zie *nasty*.

nasturtium [nə'stə:ʃəm] ♣ 1 Oostindische kers; 2 waterkers.

nasty ['na:sti] *aj* vuil[2], smerig, vies[2]; akelig, gemeen, lelijk, naar; hatelijk; *a ~ fellow* een gevaarlijk heer; *a ~ one* 1 een „gemene" slag; 2 een keihard schot *o*; 3 een uitbrander (van je welste).

Natal [nə'tæl] Natal *o*.

natal ['neitl] van de geboorte, geboorte-.

natality [nə'tæliti] geboortencijfer *o*.

natation [nei'teiʃən] zwemkunst, zwemmen *o*.

natatorial [neitə'tɔ:riəl], **natatory** ['neitətəri] zwem-.

nation ['neiʃən] volk *o*, natie.

national ['næʃənəl] I *aj* nationaal; landelijk; vaderlands(gezind); volks-, staats-, lands-; II *sb* ~*s* onderdanen, landgenoten [in het buitenland].

nationalism ['næʃənəlizm] vaderlandslievende gezindheid; nationalisme *o*.

nationalist ['næʃənəlist] nationalist(isch).

nationalistic [næʃənə'listik] nationalistisch.

nationality [næʃə'næliti] nationaliteit, volkskarakter *o*; volksbestaan *o*; natie.

nationalization [næʃənəlai'zeiʃən] nationalisatie, naasting; naturalisatie.

nationalize ['næʃənəlaiz] nationaliseren, naasten: onteigenen; naturaliseren.

nation-wide ['neiʃənwaid] de gehele natie omvattend, over het hele land.

native ['neitiv] I *aj* aangeboren, natuurlijk, oorspronkelijk; ♒ & ♣ inheems; inlands; ⚒ gedegen, zuiver [mineralen]; geboorte-; *~ country (land)* geboortegrond, vaderland *o*; *~ language (speech)* moedertaal; *~ to the place* daar inheems of thuishorend; II *sb* inboorling, inlander; *a ~ of A* iemand uit, geboortig van A; ♒ & ♣ in A thuishorend, inheems; ~*s* ook: 1 inlandse oesters; 2 > kaffers; *astonish the ~s* de mensen doen staan kijken.

nativity [nə'tiviti] geboorte (van Christus); *cast one's ~* iemands horoscoop trekken.

Nativity play [nə'tivitiplei] kerstspel *o*.

N.A.T.O. ['neitou] = *North Atlantic Treaty Organization*.

natron ['neitrən] natron *o*.

natter ['nætə] I *vi* zwammen, praten; II *sb* gezwam *o*, praatje *o*.

nattily ['nætili] *ad* zie *natty*.

nattiness ['nætinis] netheid &, zie *natty*.

natty ['næti] *aj* (kraak)net, keurig; handig.

natural ['nætʃrəl] I *aj* natuurlijk[2]; aangeboren; natuur-; menselijk; ♪ zonder voorteken; *~ day* etmaal *o*; *~ gas* aardgas *o*; *~ life* aardse (vergankelijke) leven *o*; *~ science* natuurwetenschap(pen); II *sb* 1 ♪ noot zonder voorteken; herstellingsteken *o*; witte toets; 2 idioot; *a ~ Am* F iets reusachtigs, je ware.

naturalism ['nætʃrəlizm] naturalisme *o*.

naturalist ['nætʃrəlist] I *sb* natuuronderzoeker; naturalist; II *aj* naturalistisch.

naturalistic [nætʃrə'listik] naturalistisch.

naturalization [nætʃrəlai'zeiʃən] naturalisatie; inburgering; ♣ & ♒ acclimatisatie.

naturalize ['nætʃrəlaiz] naturaliseren; inburgeren; ♣ & ♒ acclimatiseren.

naturally ['nætʃrəli] *ad* 1 op natuurlijke wijze; 2 van nature, uiteraard; 3 natuurlijk(erwijze).

nature ['neitʃə] natuur, karakter *o*, aard, geaardheid; soort; *by ~* van nature; *by (from, in) the ~ of the case (of things)* uit de aard der zaak: *from ~* naar de natuur; *in ~* (in de natuur) bestaand; *anything in the ~ of sympathy* alles wat maar zweemt naar medegevoel; *the note is in (of) the ~ of an ultimatum* de nota heeft het karakter van een ultimatum, de nota is ultimatief; *anything of a ~ to...* alles wat strekken kan om...; *in a state o ~* in de natuurstaat; in adamskostuum; *true to ~* natuurgetrouw.

naught [nɔ:t] niets, nul; *come to ~* op niets

uitlopen, in het water vallen, mislukken; zie ook: *call, set*.

naughtily ['nɔ:tili] *ad* zie *naughty*.

naughtiness ['nɔ:tinis] ondeugend-, stoutheid.

naughty ['nɔ:ti] *aj* ondeugend, stout.

nausea ['nɔ:siə] misselijkheid, walg(ing); zee-ziekte.

nauseate ['nɔ:sieit] I *vi* misselijk worden, walgen (van *at*); II *vt* misselijk maken, doen walgen; walgen van; verafschuwen.

nauseating ['nɔ:sieitiŋ] walglijk.

nauseous ['nɔ:siəs] walglijk.

nautical ['nɔ:tikl] zeevaartkundig, zeevaart-, zee-.

nautilus ['nɔ:tiləs] nautilus [weekdier].

naval ['neivəl] ⚓ zee-; scheeps-, marine-, vloot-; ~ *officer* zeeofficier; ~ *port* oorlogshaven; ~ *term* scheepsterm; ~ *victory* overwinning op (ter) zee.

nave [neiv] naaf ‖ schip *o* [v. kerk].

navel ['neivl] navel; *fig* middelpunt *o*.

navigability [nævigə'biliti] bevaarbaarheid; bestuurbaarheid.

navigable ['nævigəbl] bevaarbaar [v. water]; bestuurbaar [v. ballons].

navigate ['nævigeit] I *vi* varen, stevenen; II *vt* bevaren, varen op; besturen.

navigation [nævi'geiʃən] navigatie, (scheep)-vaart, stuurmanskunst.

navigator ['nævigeitə] 1 zeevaarder; 2 ⚙ navigator.

navvy ['nævi] grondwerker, polderjongen; ⚒ excavateur.

navy ['neivi] marine, (oorlogs)vloot, zeemacht; *in the* ~ bij de marine.

navy-blue ['neivi'blu:] marineblauw.

navy-list ['neivilist] ranglijst van zeeofficieren.

navy-yard ['neivija:d] *Am* marinewerf.

nay [nei] I *ad* wat meer is, ja (zelfs); ✎ neen; nu, maar; II als *sb* neen *o*; *say* ~ weigeren; tegenspreken; *take no* ~ van geen weigering willen horen.

Nazarene [næzə'ri:n] I *aj* Nazareens; II *sb* Nazarener.

Nazareth ['næzəriθ] Nazareth *o*.

naze [neiz] voorgebergte *o*, landpunt.

Nazi ['na:tsi] nazi.

Nazism ['na:tsizm] nazisme *o*.

N.C.O. = *non-commissioned officer*.

neap [ni:p] ⚓ doodtij *o*.

neaped [ni:pt] ⚓ op doodtij liggend.

Neapolitan [niə'pɔlitən] Napolitaan(s).

neap-tide ['ni:p'taid] ⚓ doodtij *o*.

near [niə] I *aj* na, nabij of dichtbij zijnd; dichtbij, omtrent; naverwant, dierbaar; vasthoudend, gierig; *be* ~ *one in blood* in den bloede bestaan; *those* ~ *and dear to us* die ons het naast aan het hart liggen; *the* ~ *foreleg* de linkervoorpoot; *a* ~ *friend* intieme; *the* ~ *horse* het bijdehandse (linkse) paard; *a* ~ *miss* ⚔ schot (inslag) waardoor het doel even geraakt wordt; *the* ~*est price* naaste; *a* ~

riot bijna een relletje; *it was a* ~ *thing* (*the* ~*est of* ~ *things*) het hield er om, dat was op het nippertje, dat scheelde maar weinig; *a* ~ *translation* nauwkeurige; II *ad* dichtbij, in de buurt; bijna; krenterig; ~ *at hand* (dicht) bij de hand; op handen; ~ *by* dichtbij, nabij; ~ *upon a week* bijna een week; III *prep* nabij: *he came* ~ *falling* hij was bijna gevallen; IV *vt* & *vi* naderen.

nearby ['niə'bai] naburig, nabij.

nearly ['niəli] van nabij, na; bijna; ~ *allied* na verwant; *not* ~ *so rich* lang zo rijk niet.

nearness ['niənis] 1 nabijheid; 2 nauwe verwantschap; 3 gierigheid.

near-sighted ['niə'saitid] bijziend.

1 **neat** [ni:t] *sb* rundvee *o*; rund *o*.

2 **neat** [ni:t] *aj* net(jes), keurig; handig, knap; *brandy* ~ cognac puur.

☉ **neath** [ni:θ] zie *beneath*.

neat-handed ['ni:t'hændid] behendig, vlug.

neatherd ['ni:thə:d] veehoeder.

neatly ['ni:tli] *ad* zie 2 *neat*.

neatness ['ni:tnis] netheid &, zie 2 *neat*.

neat's-foot ['ni:tsfut] koeiepoot.

neat's-leather ['ni:tsleðə] runderleer *o*.

neat's-tongue ['ni:tstʌŋ] ossetong.   [zar.

Nebuchadnezzar [nebjukəd'nezə] Nebucadne-

nebula ['nebjulə, *mv* nebulae 'nebjuli:] (nevel)-vlek; vlek [op 't oog].

nebular ['nebjulə] nevel-.

nebulosity [nebju'lɔsiti] nevel(acht)igheid[2], vaagheid[2].

nebulous ['nebjuləs] nevel(acht)ig[2], vaag[2].

necessarily ['nesisərili] *ad* noodzakelijk(erwijs), per se, nodig.

necessary ['nesisəri] I *aj* noodzakelijk, nodig, benodigd; II *sb* noodzakelijke *o*, nodige *o*; noodzakelijkheid (des levens); *the necessaries* (*of life*) de eerste (noodzakelijkste) levensbehoeften.

necessitate [ni'sesiteit] noodzakelijk maken, noodzaken, dwingen.

necessitous [ni'sesitəs] behoeftig; kommerlijk.

necessity [ni'sesiti] nood(zaak), noodzakelijkheid, noodwendigheid; nood(druft), behoeftigheid; ~ *has no law* nood breekt wet; ~ *is the mother of invention* nood maakt vindingrijk, nood leert bidden; *there is no* ~ *to...* wij hoeven niet..., het is niet nodig...; *from* ~ uit nood; *of* ~ noodzakelijkerwijs; noodwendig; *of primary* ~ allernoodzakelijkst, eerst(e); *be under a* (*the*) ~ *to...* genoodzaakt zijn om...; *lay* (*put*) *one under the* ~ *of* ...*ing* iemand noodzaken te..

neck [nek] 1 hals°, halsstuk *o*; 2 *sp* halslengte; 3 (land)engte; *the back of the* ~ de nek; ~ *and crop* compleet, vierkant; ~ *and* ~ nek aan nek [v. renpaarden]; ~ *or nothing* (*nought*) erop of eronder; *ride* ~ *or nought* zo hard men kan.

neckband ['nekbænd] halsboord *o* & *m* [v. hemd

neckcloth ['nekkləθ] das.
neckerchief ['nekətʃif] halsdoek.
necklace ['neklis] halssnoer o, collier; S strop.
necklet ['neklit] halssnoer o; boa.
neckline ['neklain] halslijn; low ~ decolleté o.
neck-tie ['nektai] das.
neck-wear ['nekwɛə] boorden en dassen.
necrology [ne'krɔlədʒi] necrologie.
necromancer ['nekrəmænsə] beoefenaar van de zwarte kunst, geestenbezweerder.
necromancy ['nekrəmænsi] zwarte kunst, geestenbezwering.
necromantic [nekrə'mæntik] tot de geestenbezwering behorende, bezwerings-.
necropolis [ne'krɔpəlis] dodenstad; begraafplaats.
necrosis [ne'krousis] ⚕ beeneter.
nectar ['nektə] 1 nectar[2]; 2 ⚘ honi(n)g.
nectarine ['nektərin] ⚘ nectarine [perzik].
nectary ['nektəri] ⚘ honi(n)gklier.
Ned, Neddy [ned(i)] verk. van Edward.
neddy ['nedi] F grauwtje o, langoor.
need [ni:d] I sb nood, noodzaak; noodzakelijkheid[2]; behoefte (aan for, of); ~s ook: benodigdheden; if ~ be (were) zo nodig; in geval van nood; there is no ~ (for us) to.. wij (be)hoeven niet...; have ~ of nodig hebben; have ~ to go (noodzakelijk) moeten gaan; you had ~ be quick to... je (men) moet wel vlug zijn om...; at ~ in geval van nood; desnoods; be in ~ in behoeftige omstandigheden verkeren; stand in ~ of van node (nodig) hebben; II vt nodig hebben, (be)hoeven; vereisen; be ~ed ook: nodig zijn; it (there) ~s er is... nodig; it ~s only for them to... zij behoeven maar te...; it ~s not... het (be)hoeft niet...; as... as ~ be zo... als het maar kan (kon); III vi gebrek lijden.
needful ['ni:dful] I aj nodig, noodzakelijk; the one thing ~ het éne nodige; II sb the ~ 1 het nodige; 2 S de duiten, het geld.
needily ['ni:dili] ad behoeftig.
neediness ['ni:dinis] behoeftigheid.
needle ['ni:dl] I sb naald°; brei-, kompasnaald, breipen; gedenknaald; dennenaald; II vt met een naald doorprikken; F ergeren.
needle-case ['ni:dlkeis] naaldenkoker.
needleful ['ni:dlful] a ~ een draad garen.
needle-furze ['ni:dlfə:z] ⚘ stekelbrem.
needle-point ['ni:dlpɔint] 1 fijne punt [v. naald]; 2 naaldkant.
needless(ly) ['ni:dlis(li)] onnodig, nodeloos.
needlessness ['ni:dlisnis] nodeloosheid.
needlewoman ['ni:dlwumən] naaister.
needlework ['ni:dlwə:k] naaldwerk o; handwerk o, handwerken; naaiwerk o.
needs [ni:dz] noodzakelijk; he ~ must go hij moe(s)t wel gaan; he must ~ go hij moest (wou) er met alle geweld naar toe.
needy ['ni:di] aj behoeftig.
⊙ **ne'er** [nɛə] nooit = never.
ne'er-do-well ['nɛədu:wel] deugniet.

nefarious [ni'fɛəriəs] afschuwelijk, snood.
negation [ni'geiʃən] ontkenning; weigering; negatie.
negative ['negətiv] I aj ontkennend; weigerend; negatief°; ~ sign minteken o; II sb ontkenning; weigerend antwoord o; (recht o van) veto o; negatief o; negatieve grootheid; ⚡ negatieve pool; answer in the ~ met neen beantwoorden, ontkennend antwoorden; III vt ontkennen; weerleggen, weerspreken, te niet doen; verwerpen [wet].
neglect [ni'glekt] I vt verzuimen, verwaarlozen, veronachtzamen, over het hoofd zien, niet (mee)tellen; II sb verzuim o; verwaarlozing, veronachtzaming; to the ~ of met achterstelling van; met verwaarlozing van.
neglectful [ni'glektful] achteloos, nalatig; be ~ of verwaarlozen.
negligence ['neglidʒəns] nalatigheid, achteloosheid, onachtzaamheid, veronachtzaming.
negligent(ly) ['neglidʒənt(li)] nalatig, onachtzaam, achteloos; be ~ of veronachtzamen, verwaarlozen.
negligible ['neglidʒəbl] te verwaarlozen, niet noemenswaard, miniem; ~ quantity quantité négligeable.
negotiability [nigouʃiə'biliti] verhandelbaarheid
negotiable [ni'gouʃiəbl] verhandelbaar.
negotiate [ni'gouʃieit] I vi onderhandelen; II vt verhandelen; onderhandelen over; tot stand brengen, sluiten [huwelijk, lening &]; heenkomen, springen, rijden over; „nemen" [hindernis], doorstaan [proef]; hanteren [boek]; J verorberen, verschalken [spijs of drank].
negotiation [nigouʃi'eiʃən] onderhandeling; $ verhandeling; totstandbrenging.
negotiator [ni'gouʃieitə] onderhandelaar; verhandelaar.
negress ['ni:gris] negerin.
negrito [ni'gri:tou] negrito: dwergneger.
negro ['ni:grou] I sb neger; II als aj neger-.
negro-head ['ni:grouhed] negerit(tabak).
negroid ['ni:grɔid] negroïde.
negro minstrel ['ni:grouminstrəl] negerzanger.
negus ['ni:gəs] negus: hete wijn met water, suiker, kruidnagel en citroen.
Nehemiah [ni:i'maiə] Nehemia.
neigh [nei] I vi hinniken; II sb gehinnik o.
neighbour ['neibə] I sb buur, buurman, buurvrouw; B naaste; II vt grenzen aan, nabij wonen; III vi in: ~ upon grenzen aan[2]; ~ with grenzen aan; nabij wonen of zitten.
neighbourhood ['neibəhud] buurt, (na)buurschap; nabijheid; good ~ (na)buurschap o; in the ~ of in de buurt van; om en bij.
neighbouring ['neibəriŋ] naburig, in de buurt gelegen, aangrenzend, nabijgelegen.
neighbourliness ['neibəlinis] (goede) nabuurschap o.
neighbourly ['neibəli] buur-; in goede ver-

standhouding met de (zijn) buren, als goede buren.

neighbourship ['neibəʃip] buurtschap.

neither ['naiðə, 'ni:ðə] I *aj & pron* geen van beide(n); geen (van allen); II *cj & ad* ook ... niet; ~ *he nor she* noch hij, noch zij.

Nell(y) ['nel(i)] F Nelly, Helena.

Nemesis ['nemisis] Nemesis², wraak(godin).

nenuphar ['nenjufa:] ♃ (witte) waterplomp.

neolithic [ni:ou'liθik] neolithisch.

neologism [ni'ɔlədʒizm] neologisme *o*.

neology [ni'ɔledʒi] invoering van nieuwe woorden of leerstellingen; neologisme *o*.

neon ['ni:ən] neon *o*.

neophyte ['ni:oufait] neofiet, pas gewijd priester, nieuwbekeerde; nieuweling, beginner.

uephew ['nevju] neef [oomzegger].

nephritic [ne'fritik] van de nieren, nier-.

nephritis [ne'fraitis] ♀ nierontsteking.

nepotism ['nepətizm] nepotisme *o*.

Neptune ['neptju:n] Neptunus.

Neptunian [nep'tju:niən] Neptunisch.

nereid ['niəriid] 1 zeenimf; 2 zeeduizendpoot.

Nero ['niərou] Nero². •

nervate ['nə:veit] ♃ generfd.

nervation [nə:'veiʃən] ♃ nervatuur.

nerve [nə:v] I *sb* zenuw, nerf, pees; (spier)-kracht; energie; moed; brutaliteit [om...]; II *vt* kracht geven, stalen, een hart onder de riem steken; III *vr* ~ *oneself* zich vermannen.

nerveless ['nə:vlis] krachteloos, slap.

nerve-racking ['nə:vrækiŋ] zenuwslopend.

nervily ['nə:vili] *ad* zie *nervy*.

nervous ['nə:vəs] 1 krachtig, gespierd; 2 zenuw-; 3 zenuwachtig; nerveus, bang.

nervousness ['nə:vəsnis] kracht, gespierdheid; nervositeit, zenuwachtigheid.

nervy ['nə:vi] *aj* 1 sterk, gespierd; 2 F nerveus, zenuwachtig; 3 S driest.

nescience ['neʃiəns] onwetendheid; het niet-weten.

nest [nest] I *sb* nest° *o*, roofnest *o*; stel *o*; II *vi* nestelen, een nest maken, zich nestelen; nesten uithalen.

nest-box ['nestbɔks] nestkastje *o*.

nest-egg ['nesteg] 1 nestei *o*; 2 spaarduitje *o*.

nesting-box ['nestiŋbɔks] nestkastje *o*.

nestle '[nesl] I *vi* zich nestelen; ~ *down* zich neervleien; ~ *close to* (*on to, up to*) zich vlijen, aankruipen tegen; II *vt* vlijen; ~*d* (weg)gedoken; III *vr* ~ *oneself* zich (neer)-vlijen, wegkruipen.

nestling ['nestliŋ, 'nesliŋ] nestvogel; nestkuiken *o*.

Nestor ['nestə:] Nestor; *fig* nestor.

1 **net** [net] I *sb* net² *o*; strik; netje *o*; $ tule, vitrage; II *vt* in een net vangen, in zijn (haar) netten vangen; afvissen (met het net); knopen; ~*ted* ook: netvormig, net-.

2 **net** [net] I *aj* $ netto, zuiver; II *vt* 1 $ (netto) opleveren of verdienen; 2 binnenhalen [winst]; F in de wacht slepen.

nether ['neðə] onderste, onder-, beneden-; *the* ~ *world* de onderwereld.

Netherlands, The [ðə'neðələndz] I *sb* Nederland *o*, ⚓ de Nederlanden; II *aj* Nederlands.

nethermost ['neðəmoust] onderste, laagste, benedenste, diepste.

netting ['netiŋ] netwerk *o*, knoopwerk *o*; gaas *o*.

nettle ['netl] I *sb* ♃ (brand)netel; II *vt* netelen; *fig* ergeren; ~*d at* gepikeerd over.

nettle-rash ['netlræʃ] ♀ netelroos.

network ['netwə:k] netwerk² *o*, *fig* net *o*; *TV* zender(net *o*).

neuralgia [njuə'rældʒə] zenuwpijn(en).

neurasthenia [njuərəs'θi:niə] neurasthenie.

neurasthenic [njuərəs'θenik] I *aj* zenuwziek; II *sb* zenuwlijder.

neurologist [njuə'rɔlədʒist] neuroloog, zenuw-

neurology [njuə'rɔlədʒi] neurologie. [arts.

neuroses [njuə'rousi:z] *mv* v. *neurosis*.

neurosis [njuə'rousis] neurose.

neurotic [njuə'rɔtik] I *aj* neurotisch; II *sb* 1 neuroticus; 2 zenuwmiddel *o*.

neuter ['nju:tə] I *aj* onzijdig²; II *sb* neutrum *o*, onzijdig geslacht *o*.

neutral ['nju:trəl] I *aj* neutraal, onzijdig; II *sb* neutrale; neutrale staat &; ⚙ vrijloop.

neutrality [nju:'træliti] neutraliteit, onzijdigheid.

neutralization [nju:trəlai'zeiʃən] neutralisering, opheffing; neutraalverklaring.

neutralize ['nju:trəlaiz] neutraliseren, te niet doen, opheffen; neutraal verklaren.

neutron ['nju:trɔn] neutron *o*.

névé ['nevei] firn.

never ['nevə] nooit, nimmer; (in het minst) niet; toch niet; ~ *!* och kom!; *Well, I* ~ *!* heb ik van mijn leven!; ~ *fear!* wees maar niet bang!; ~ *a word did he say* hij sprak geen stom woord; *be he* ~ *so clever* al is hij nog zo knap.

never-failing ['nevəfeiliŋ] nooit missend; onfeilbaar; onbedrieglijk.

nevermore ['nevə'mɔ:] nooit meer (weer).

never-never ['nevə'nevə] S in: *on the* ~ op afbetaling.

Never-Never (Land) ['nevə'nevəlænd] 1 Noordwest-Queensland *o* [in Australië]; 2 *fig* uithoek; 3 sprookjesland *o*.

nevertheless [nevəðə'les] (des)niettemin, desondanks, niettegenstaande dat, toch.

new [nju:] *aj* nieuw, vers; groen; *a* ~ *man* een nieuw (ander) mens; ook: een parvenu; *the* ~ *woman* de moderne vrouw; *he is* ~ *to the business* (*his functions*) nog pas in de zaak (in betrekking).

new-born ['nju:bɔ:n] 1 pasgeboren; 2 wedergeboren.

new-built ['nju:bilt] pas gebouwd; verbouwd.

new-comer ['nju:'kʌmə] pas aangekomene, nieuweling.

New Delhi ['nju:'deli] New Delhi.

newel ['njuəl] spil [v. wenteltrap]; grote stijl [v. trapleuning].

newfangled ['nju:'fæŋgld] > nieuwerwets.

new-fashioned ['nju:'fæʃənd] nieuwmodisch.

Newfoundland [nju:'faundlənd] Newfoundland o; ♠ Newfoundlander [hond].

Newgate ['nju:git] vroegere gevangenis in Londen; ~ frill (fringe) schippersbaardje o.

newish ['nju:iʃ] min of meer nieuw.

new-laid ['nju:leid] vers (gelegd).

newly ['nju:li] ad 1 nieuw; 2 onlangs, pas.

newly-wed ['nju:liwed] F pasgetrouwd(e).

new-made ['nju:meid] pas gemaakt, nieuw²; fig nieuwbakken.

new-married ['nju:mærid] pas getrouwd.

newness ['nju:nis] nieuw(ig)heid; nieuwtje o.

news [nju:z] nieuws o, tijding, bericht o, berichten; be in the ~ in het middelpunt van de belangstelling staan.

news-agent ['nju:zeidʒənt] krantenhandelaar.

news-board ['nju:zbɔ:d] aanplakbord o.

newsboy ['nju:zbɔi] krantenjongen.

newsman ['nju:zmən] krantenman (Am ook = persman, journalist).

newsmonger ['nju:zmʌŋgə] nieuwtjesventer.

newspaper ['nju:zpeipə] krant.

newspaperman ['nju:zpeipəmæn] journalist.

newsprint ['nju:zprint] krantenpapier o.

newsreel ['nju:zri:l] (film)journaal o; ~ theatre journaaltheater o, cineac.

news-room ['nju:zrum] 1 leeszaal; 2 tijdingzaal.

news-stand ['nju:zstænd] krantenkiosk.

news theatre ['nju:zθiətə] cineac.

newsvendor ['nju:zvendə] krantenverkoper.

newt [nju:t] (kleine) watersalamander.

New Year ['nju:jiə] nieuwjaar o; ~'s Day nieuwjaarsdag; ~'s Eve oudejaarsavond, oudejaar o.

New York ['nju:'jɔ:k] New-York.

New Yorker ['nju:'jɔ:kə] Newyorker.

New Zealand [nju:'zi:lənd] Nieuw-Zeeland o.

New Zealander [nju:'zi:ləndə] Nieuwzeelander.

next [nekst] I aj naast, dichtstbij zijnd, (eerst)volgend, volgend op..., aanstaand; the ~ best op één na de beste; the ~ boy you see de eerste de beste; he lives ~ door hij woont hiernaast; ~ door to vlak naast; grenzend aan; zo goed als; sitting ~ to me naast mij; the largest city ~ to Londen na Londen; the ~ thing to hopeless zo goed als hopeloos; ~ to nothing zo goed als niets; II ad & prep naast, (daar)na, vervolgens; de volgende keer; they'll be pulling down the palace ~ straks breken ze ook nog het paleis af; what ~? ook: wat (krijgen we) nu?, nu nog mooier!; ~ before vlak voor; zie ook: skin; III sb volgende (man; echtgenoot; kind), eerstvolgend schrijven o of nummer o [v. krant &]; ~ of kin naaste bloedverwant(en); ~, please! die volgt!

next-door ['nekstdɔ:] van hiernaast, naast; zie verder onder next I.

nexus ['neksəs] verbinding, band.

Niagara [nai'ægərə] Niagara.

nib [nib] I sb 1 neb, snavel; punt, spits; pen; 2 S heer o; II vt (aan)punten.

nibble ['nibl] I vi 1 knabbelen (aan at); 2 fig chicaneren; II vt af-, beknabbelen; III sb geknabbel o, beet [v. vissen].

nice [nais] aj lekker; prettig; aardig, lief, mooi; keurig, fijn, nauwkeurig; delicaat, kieskeurig; „net", fatsoenlijk; ~ and near lekker dichtbij; ~ and wide lekker ruim.

nicely ['naisli] ad zie nice.

Nicene [nai'si:n] van Nicea.

nicety ['naisiti] lekkere, fijne smaak; keurigheid, kieskeurigheid, nauwkeurigheid; fijnheid; fijne onderscheiding, finesse; to a ~ uiterst nauwkeurig, precies.

niche [nitʃ] nis; fig plaatsje o.

Nicholas ['nikələs] Nicolaas, Klaas.

Nick [nik] F zie Nicholas; old ~ F Heintje Pik.

nick [nik] I sb (in)keep, kerf, insnijding; hoge worp in het dobbelspel; in the (very) ~ (of time) juist op het nippertje; net op tijd; II vt (in)kepen, (in)kerven; F (net) snappen; knippen; S op de kop tikken; ~ it precies raden; net raken.

nickel ['nikl] I sb nikkel o; nikkelen munt, Am 5-centstuk o; II aj nikkelen; III vt vernikkelen.

nickel-plate ['nikl'pleit] vernikkelen.

nickname ['nikneim] I sb bijnaam, spotnaam; II vt een bijnaam geven.

nicotine ['nikəti:n] nicotine.

niddle-noddle ['nidl'nɔdl] knikkebollen.

nid-nod ['nid'nɔd] knikken, knikkebollen.

nidus ['naidəs] nest o, broeinest o [v. ziektekiemen], (besmettings)haard.

niece [ni:s] nicht [oomzegster].

Niger ['naidʒə] Niger.

Nigeria [nai'dʒiəriə] Nigeria o.

niggard ['nigəd] I sb vrek, gierigaard; II a krenterig, gierig; ~ of niet scheutig met...

niggardliness ['nigədlinis] vrekkigheid; krenterigheid.

niggardly ['nigədli] vrekkig; krenterig.

nigger [nigə] > nikker, neger, zwarte.

niggle ['nigl] peuteren, pietluttig doen, vitten.

niggling ['nigliŋ] I aj peuterig, pietluttig, krenterig; a ~ hand een (echt) kriebelpootje; II sb gepeuter o.

♦ nigh [nai] na, nabij, dicht bij; ~ at hand dicht bij; ~ on forty bij de veertig.

night [nait] nacht²; avond; make a ~ of it er nachtwerk van maken; nachtbraken, de nacht doorfuiven; ~ out vrije avond [van dienstboden]; at ~ 's avonds; in de nacht, des nachts; by ~ des nachts; of (o') ~s des nachts.

night-bird ['naitbə:d] 1 ♠ nachtvogel; 2 S nachtbraker, nachtpit.

night-cap ['naitkæp] 1 slaapmuts; 2 F slaapmutsje o.

night-club ['naitklʌb] nachtclub.

night-dress ['naitdres] nacht(ja)pon; ~ case nachtzak.

nightfall ['naitfɔ:l] het vallen van de avond (nacht).

night-fighter ['naitfaitə] ✈ nachtjager.

night-gown ['naitgaun] nacht(ja)pon.

nightie ['naiti] F nachtpon.

nightingale ['naitiŋgeil] ♪ nachtegaal.

nightjar ['naitdʒa:] ♪ geitenmelker.

night-long ['naitlɔŋ] de gehele nacht (durende).

nightly ['naitli] I aj nachtelijk, avond-; II ad 1 des nachts; 2 elke nacht, alle nachten, iedere avond.

nightmare ['naitmɛə] nachtmerrie.

night-reveller ['naitrevlə] nachtbraker.

nightshade ['naitʃeid] ♣ nachtschade.

night-shelter ['naitʃeltə] nachtasiel o.

night-soil ['naitsɔil] faecaliën.

night-watch ['nait'wɔtʃ] nachtwacht.

nighty ['naiti] F nachtpon.

nigrescent [nai'gresənt] zwartachtig.

nihilism ['nai(h)ilizm] nihilisme o.

nihilist ['nai(h)ilist] nihilist(isch).

nihility [nai'hiliti] nietigheid; niet o.

nil [nil] niets, nul, nihil.

Nile [nail] Nijl.

Nilotic [nai'lɔtik] van de Nijl, Nijl-.

nimble ['nimbl] aj vlug°, rap, vaardig.

nimbleness ['nimblnis] vlugheid &.

nimble-witted ['nimbl'witid] vlug [van begrip].

nimbly ['nimbli] ad zie nimble.

nimbus ['nimbəs] 1 nimbus²: licht-, stralenkrans; 2 regenwolk.

Nimrod ['nimrɔd] Nimrod; fig nimrod.

nincompoop ['ninkəmpu:p] sul, uilskuiken o.

nine [nain] negen; a ~ day's wonder sensatienieuwtje o of succes o van één dag; the Nine de negen Muzen; dressed up to the ~s piekfijn of tiptop gekleed.

ninepins ['nainpinz] kegelspel o, kegels.

nineteen ['nain'ti:n, + 'nainti:n] negentien; talk ~ to the dozen honderd uit praten.

nineteenth ['nain'ti:nθ, + 'nainti:nθ] negentiende (deel o).

ninetieth ['naintiiθ] negentigste (deel o).

ninety ['nainti] negentig; the nineties de jaren van (18)90 tot (19)00; in the (one's) nineties ook: in de negentig.

Nineveh ['ninivi] Ninive o.

Ninevite ['ninivait] I sb Niniviter; II aj Ninivitisch.

ninny ['nini] uilskuiken o; bloed, sul.

ninth [nainθ] negende (deel o).

Niobe ['naiəbi] Niobe².

1 **nip** [nip] I vt (k)nijpen, beknellen, klemmen; bijten [v. kou]; vernielen; beschadigen [v. vorst]; ~ in the bud in de kiem smoren; ~ off afbijten, afknijpen; ~ up snel oprapen; weggappen; II vi (k)nijpen; ~ in binnenwippen; ~ out uitknijpen, wegwippen; III sb neep, kneep; beet; steek², schimpscheut; bijtende kou.

2 **nip** [nip] I sb wippertje o, borreltje o, hapje o; II vi borrelen.

nipper ['nipə] knijper ‖ snijtand [v. paard]; schaar [v. kreeft] ‖ F peuter; straatjongen ‖ borrelaar.

nippers ['nipəz] 1 kniptang; 2 pince-nez.

nipple ['nipl] 1 tepel°; speen; 2 ✗ nippel.

nippy ['nipi] bijtend [v. koude]; bits, scherp [op de tong]; S vlug, kwiek.

nirvana [niə'va:nə] nirvana, nirwana o.

nit [nit] neet.

nitrate ['naitreit] I sb nitraat o; II vt nitreren.

nitre ['naitə] salpeter.

nitric ['naitrik] salpeter-; ~ acid salpeterzuur o.

nitrogen ['naitrɔdʒən] stikstof.

nitrogenous [nai'trɔdʒinəs] stikstofhoudend.

nitroglycerine ['naitrouglisə'ri:n] nitroglycerine.

nitrous ['naitrəs] salpeterachtig; ~ oxide stikstofdioxyde o, lachgas o.

nitwit ['nitwit] S leeghoofd o & m-v.

nix(ie) ['niks(i)] watergeest.

no [nou] I aj geen; ~ man's land niemandsland o; II ad neen; niet; ~! 1 neen!; 2 och kom!, toch niet!; III sb 1 neen o; 2 tegenstemmer; the ~es have it de meerderheid is er tegen.

Noah ['nouə] Noach.

nob [nɔb] S kop, bol ‖ hoge (ome), piet.

nobble ['nɔbl] S om-, bepraten; bedotten; gappen; „bewerken"; inrekenen.

nobby ['nɔbi] S tiptop, (piek)fijn, chic.

nobiliary [nou'biliəri] adellijk, adel-.

nobility [nou'biliti] adel², adeldom, adelstand; edelheid; ~ of mind zieleadel.

noble ['noubl] I aj edel², edelaardig; adellijk; groots, nobel; prachtig, imposant; the ~ art de bokskunst; II sb 1 edelman; 2 ⏲ nobel [munt].

nobleman ['noublmən] edelman, edele.

noble-minded ['noubl'maindid, + 'noublm-] edelaardig, edelmoedig.

nobleness ['noublnis] edel(aardig)heid; adellijkheid; grootsheid.

nobly ['noubli] ad zie noble I.

nobody ['noubədi] niemand; fig nul.

nocturnal [nɔk'tə:nl] nachtelijk; nacht-.

nocturne ['nɔktə:n] 1 ♪ nocturne; 2 nachtstuk o.

nod [nɔd] I vi knikken [met hoofd]; knikkebollen; ~ off again weer indutten; ~ to its fall ten val neigen; have a ~ding acquaintance with oppervlakkig kennen; II vt knikken, door wenken of knikken te kennen geven; ~ approbation goedkeurend knikken; ~ one's head met het hoofd (k)nikken; III sb wenk, knikje o; give a ~ knikken; give the ~ to Am goedkeuren; be at his ~ hem op zijn wenken bedienen; *the land of Nod* het land van Klaas Vaak; *on the* ~ 1 zonder discussie; 2 op de pof.

nodal ['noudəl] knoop-.

noddy ['nɔdi] 1 🐦 domme zeezwaluw; 2 *fig* uilskuiken *o*.

node [noud] knobbel, knoest; knoop²; knooppunt *o*.

nodi ['noudai] *mv* v. *nodus*.

nodose [nou'dous] knobbelig, knoestig.

nodosity [nou'dɔsiti] knobbeligheid, knoestigheid; knobbel.

nodular ['nɔdjulə] knoestig.

nodule ['nɔdju:l] knoestje *o*, knobbeltje *o*; klompje *o*.

nodus ['noudəs] knoop, verwikkeling.

nog [nɔg] 1 houten prop; 2 soort sterk bier *o*.

noggin ['nɔgin] kleine kroes, mok, bekertje *o*.

nohow ['nouhau] 1 op generlei wijs; geenszins; 2 *fig* armoedig, beroerd.

noise [nɔiz] I *sb* leven *o*, lawaai *o*, rumoer *o*; F kabaal *o*; geraas *o*, gerucht *o*; geluid *o*; ✹ ruis; *hold your* ~! P hou je snater!; II *vt* in: ~ *it abroad* ruchtbaar maken.

noiseless(ly) ['nɔizlis(li)] geluidloos, geruisloos, stil.

noisily ['nɔizili] *ad* zie *noisy*.

noisiness ['nɔizinis] luidruchtigheid &.

noisome ['nɔisəm] schadelijk, ongezond; stinkend, walglijk.

noisy ['nɔizi] *aj* luidruchtig, lawaai(er)ig, rumoerig; ,,druk" [v. kleuren &]; gehorig.

noli-me-tangere ['noulaimi:'tændʒəri] 1 🌿 springzaad *o*; 2 *fig* ,,kruidje-roer-mij-niet" *o*.

Noll [nɔl] F verk. van *Oliver*.

nomad ['nɔməd] I *sb* nomade, zwerver; II *aj* zie *nomadic*.

nomadic [nou'mædik] nomadisch, zwervend, rondtrekkend.

nomenclature [nou'menklətʃə] nomenclatuur; naamlijst.

nominal ['nɔminl] *aj* 1 nominaal, naam(s)-; 2 (alléén) in naam; zo goed als geen, gering, klein; 3 *gram* naamwoordelijk; ~ *capital* $ maatschappelijk kapitaal *o*; ~ *list* (*roll*) naamlijst; ~ *price* spotprijs; ~ *share* $ aandeel *o* op naam.

nominally ['nɔminəli] *ad* in naam.

nominate ['nɔmineit] benoemen; kandidaat stellen, voordragen.

nomination [nɔmi'neiʃən] benoeming; kandidaatstelling, voordracht; *be in* ~ *for* voorgedragen zijn voor.

nominative ['nɔminətiv] eerste naamval.

nominee [nɔmi'ni:] 1 benoemde; 2 kandidaat, voorgedragene.

non-acceptance ['nɔnək'septəns] niet-aanneming, non-acceptatie.

nonage ['nounidʒ] minderjarigheid; *fig* onrijpheid.

nonagenarian [nounədʒi'nɛəriən] negentigjarig(e).

non-alcoholic ['nɔnælkə'hɔlik] alcoholvrij.

non-appearance ['nɔnə'piərəns] niet-verschijning, ontstentenis.

nonary ['nounəri] I *aj* negentallig; II *sb* negental *o*.

non-attendance ['nɔnə'tendəns] niet-verschijnen *o*, wegblijven *o*, afwezigheid.

nonce [nɔns] in: *for the* ~ bij deze (bijzondere) gelegenheid; voor deze keer.

nonce-word ['nɔnswə:d] gelegenheidswoord *o*.

nonchalance ['nɔnʃələns] nonchalance, onverschilligheid.

nonchalant ['nɔnʃələnt] nonchalant, onverschillig.

non-collegiate ['nɔnkə'li:dʒiit] ⇒ 1 niet intern, uitwonend; 2 geen *colleges* hebbend.

non-combatant ['nɔn'kɔmbətənt] ✕ non-combattant.

non-commissioned ['nɔnkə'miʃənd] in: ~ *officer* ✕ onderofficier.

non-committal ['nɔnkə'mitl] zich niet blootgevend, niet compromitterend; tot niets verbindend, een slag om de arm houdend.

non-conducting ['nɔnkən'dʌktiŋ] ✹ niet geleidend.

nonconformist ['nɔnkən'fɔ:mist] I *sb* non-conformist, afgescheidene (van de Engelse staatskerk); II *aj* non-conformistisch.

nonconformity ['nɔnkən'fɔ:miti] niet-overeenstemming, afwijking; non-conformisme *o*, afgescheidenheid (van de Engelse staatskerk).

non-delivery ['nɔndi'livəri] niet-levering; niet-bestelling [v. poststukken].

nondescript ['nɔndiskript] I *aj* niet te beschrijven, vreemdsoortig, wonderlijk; veelsoortig, rommelig; II *sb* hybridisch wezen *o* of ding *o*.

none [nʌn] I *pron* & *aj* geen, niet een; niemand, niets; *it is* ~ *of my business* 't is mijn zaak niet, 't gaat me niets aan, ik heb er niets mee te maken; ~ *of your impudence!* geen brutaliteit alsjeblieft!; *I will have* ~ *of it!* ik moet er niets van hebben!; *his ears were* ~ *the shortest* niet van de kortste; ~ *but he* alleen hij; ~ *other than* niemand anders dan; II *ad* niets, (volstrekt) niet; niet zo bijzonder; ~ *the less* niettemin.

nonentity [nɔ'nentiti] niet-bestaan *o*; iets, dat niet bestaat; onding *o*; onbeduidend mens, onbeduidendheid, nul.

nones [nounz] 1 ⌷ negende dag vóór de *ides*; 2 *RK* none.

nonesuch [nʌnsʌtʃ] 1 persoon of zaak, die zijn weerga niet heeft; 2 🌿 hopklaver.

non-existent ['nɔnig'zistənt] niet bestaand.

non-ferrous ['nɔn'ferəs] non-ferro [metalen].

non-intervention ['nɔnintə'venʃən] non-interventie: het niet tussenbeide komen.

non-member ['nɔn'membə] niet-lid *o*.

nonpareil [nɔnpə'rel] I *aj* onvergelijkelijk, zonder weerga; II *sb* 1 persoon of zaak, die zijn weerga niet heeft; 2 nonpareilappel; 3 nonpareille [drukletter].

non-payment ['nɔn'peimənt] niet-betaling.

nonplus ['nɔn'plʌs] I *sb* verlegenheid, klem, raadsel *o; at a* ~ in 't nauw gedreven; perplex; *reduce to a* ~ = II *vt* in 't nauw drijven, vastzetten, perplex doen staan.

non-profit(-making) ['nɔn'prɔfit(meikiŋ)] niet-commercieel [v onderneming].

non-resident ['nɔn'rezidənt] I *aj* uitwonend, extern; II *sb* niet-inwoner, forens; extern; uitwonende predikant.

nonsense ['nɔnsəns] onzin, gekheid; *stand no* ~ geen aardigheden dulden; *there is no* ~ *about...* er valt niet te sollen met...; *it makes* ~ *of our plans* het maakt onze plannen illusoir, doet onze plannen te niet.

nonsensical [nɔn'sensikl] onzinnig, ongerijmd, gek, zot, absurd.

non-skid ['nɔn'skid] antislip-; ~ *chain* ⚙ sneeuwketting.

non-stop ['nɔn'stɔp] doorgaand [trein], direct [verbinding], ✈ zonder tussenlanding(en), doorlopend [voorstelling], zonder te stoppen.

nonsuit ['nɔn'sju:t] I *sb* ⚖ royering van een rechtszaak; II *vt* ⚖ de eis ontzeggen.

non-union ['nɔn'ju:njən] niet aangesloten [bij een bond], ongeorganiseerd.

noodle ['nu:dl] uil, uilskuiken *o* ‖ meelbal; ~s (Chinese) vermicelli, mí.

nook [nuk] hoek, hoekje *o*, gezellig plekje *o*; uithoek.

noon [nu:n] middag (= 12 uur 's middags); *fig* hoogtepunt *o*.

noonday ['nu:ndei], ~tide [-taid] zie **noon**.

noose [nu:s] I *sb* knoop, lus, strik²; II *vt* knopen; (ver)strikken; vangen.

nor [nɔ:] noch, (en) ook niet; dan ook niet.

Nordic ['nɔ:dik] noords (mens).

Norfolk ['nɔ:fək] Norfolk *o*.

norm [nɔ:m] norm.

normal ['nɔ:məl] I *aj* normaal; gewoon; loodrecht; II *sb* loodlijn; gemiddelde *o*; normale (lichaams)temperatuur, toestand &.

normalcy ['nɔ:məlsi], **normality** [nɔ:'mæliti] normale toestand, normaliteit.

normalization [nɔ:məlai'zeiʃən] normalisering.

normalize ['nɔ:məlaiz] normaliseren.

normally ['nɔ:məli] *ad* normaal, normaliter, in de regel, doorgaans, gewoonlijk, meestal.

Norman ['nɔ:mən] I *sb* Normandiër; II *aj* Normandisch.

Normandy ['nɔ:məndi] Normandië *o*.

Norse [nɔ:s] Noors *o*, Oudnoors *o*.

Norseman ['nɔ:smən] 1 Noor; 2 Noorman.

north [nɔ:θ] I *ad* naar 't noorden, noordwaarts, noordelijk; II *aj* noordelijk; noord(er)-, noorden-; ~ *of* ten noorden van; III *sb* noorden *o*; noordenwind.

north-east ['nɔ:θ'i:st] I *ad* noordoost; II *sb* noordoosten *o*.

north-easter ['nɔ:θ'i:stə] noordoostenwind.

north-easterly ['nɔ:θ'i:stəli] noordoostelijk.

northerly ['nɔ:ðəli] noordelijk.

northern ['nɔ:ðən] noordelijk, noord(en)-; ~ *lights* noorderlicht *o*.

Northerner ['nɔ:ðənə] bewoner van het noorden [v. Engeland, Amerika, Europa &].

northernmost ['nɔ:ðənmoust] noordelijkst.

northing ['nɔ:θiŋ] ⚓ noorderdeclinatie.

☉ **Northland** ['nɔ:θlənd] Noorderland *o*.

Northman ['nɔ:θmən] zie *Norseman*.

North Sea ['nɔ:θ'si:] Noordzee.

North-star ['nɔ:θ'sta:] poolster, noordster.

Northumberland [nɔ:'θʌmbələnd] Northumberland *o*.

Northumbrian [nɔ:'θʌmbriən] 1 van Northumbria; 2 van Northumberland.

northward(s) ['nɔ:θwəd(z)] naar het noorden.

north-west ['nɔ:θ'west] I *ad* noordwest; II *sb* noordwesten *o*.

north-westerly ['nɔ:θ'westəli] noordwestelijk.

Norway ['nɔ:wei] Noorwegen *o*.

Norwegian [nɔ:'wi:dʒən] I *aj* Noorweegs, Noors; II *sb* 1 Noor; 2 het Noors.

nor'wester [nɔ:'westə] 1 noordwestenwind; 2 zuidwester [hoed].

nose [nouz] I *sb* 1 neus²; 2 geur, reuk; 3 S stille verklikker; 4 ⚗ tuit; hals [v. buizen, retorten &]; *it is a* ~ *of wax* dat kan men net draaien zoals men wil; *bite (snap) one's* ~ *off* iemand aan-, afsnauwen; *cut off one's* ~ *to spite one's face* zijn eigen glazen ingooien; *hold (keep) their* ~s *to the grindstone* hen ongenadig laten werken, uitmergelen, onderdrukken; *look down one's* ~ *at* neerzien op; *poke (thrust) one's* ~ *into it* er zijn neus insteken; *put his* ~ *out of joint* hem de voet lichten, uit de gunst verdringen; *turn up one's* ~ *at* de neus optrekken (voor *at*); *under his* ~ vlak voor zijn neus, waar hij bij stond; II *vt* ruiken²; besnuffelen; ~ *out* uitvissen; III *vi* 1 neuzen, zijn neus in een anders zaken steken; 2 snuffelen; 3 zich voorzichtig een weg banen (bewegen); ~ *about* rondsnuffelen; ~ *at* besnuffelen; ~ *for* (snuffelend) zoeken.

nose-bag ['nouzbæg] voederzak [v. paard].

nose-band ['nouzbænd] neusriem.

nose-cone ['nouzkoun] neuskegel.

nose-dive ['nouzdaiv] I *vi* ✈ duiken; II *sb* ✈ duik(vlucht).

nosegay ['nouzgei] ruiker.

nosey ['nouzi] 1 met een grote neus; 2 bemoeiziek.

nostalgia ['nɔs'tældʒiə] heimwee *o*, nostalgie.

nostalgic [nɔs'tældʒik] nostalgisch.

nostril ['nɔstril] neusgat *o*.

nostrum ['nɔstrəm] geheimmiddel *o*, kwakzalversmiddel *o*.

nosy ['nouzi] zie **nosey**.

not [nɔt] niet; *I think* ~ ik denk van niet; ~ *I* ook: F ka'je begrijpen, nee hoor; *these people will not fight,* ~ *they* ze denken er niet over om te vechten; *more likely than* ~ gans niet onwaarschijnlijk, wel waarschijnlijk; zie ook: *often*.

notability [noutə'biliti] 1 merkwaardigheid; 2 sommiteit, notabele.

notable ['noutəbl] I *aj* merkwaardig; merkbaar; opmerkelijk; belangrijk, aanzienlijk; eminent; *a ~ woman* een flinke (huis)vrouw; II *sb* voorname, notabele.

notably ['noutəbli] *ad* 1 merkbaar, aanmerkelijk; belangrijk; 2 inzonderheid.

notarial [nou'teəriəl] notarieel.

notary ['noutəri] notaris (ook: ~ *public*).

notation [nou'teiʃən] notering, schrijfwijze, voorstellingswijze, (noten)schrift *o*, notatie, talstelsel *o*.

notch [nɔtʃ] I *sb* inkeping, keep, kerf, schaard(e) [in mes]; bergpas; II *vt* inkepen, kerven.

note [nout] I *sb* merk *o*, teken *o*; ken-, merkteken *o*; toon; ♪ noot; noot, aantekening, nota°; (order)briefje *o*; bankbiljet *o*; betekenis, aanzien *o*; notitie; *bought ~* $ koopbriefje *o*; *sold ~* $ verkoopbriefje *o*; *~ of admiration (exclamation)* uitroepteken *o*; *~ of hand* $ orderbriefje *o*, promesse; *~ of interrogation* vraagteken *o*; *make a mental ~ of it* het in zijn oor knopen, het goed onthouden (voor later); *strike a warning ~* een waarschuwend geluid laten horen; *take ~ of* nota nemen van; notitie nemen van; *take ~s of* aantekeningen maken van, noteren; II *vt* 1 noteren, opschrijven, aan-, optekenen (ook: *~ down*); 2 nota of notitie nemen van, opmerken; van aantekeningen voorzien.

notebook ['noutbuk] aantekenboek *o*, notitieboekje *o*, zakboekje *o*, (dictaat)schrift *o*.

note-case ['noutkeis] portefeuille.

noted ['noutid] bekend, vermaard, befaamd.

note-paper ['noutpeipə] postpapier *o*.

noteworthy ['noutwə:ði] opmerkenswaardig.

nothing ['nʌθiŋ] I *pron* niets; *~ doing* 1 er is niets te doen, er gaat niets om; 2 F „het zal niet gaan", niks, hoor!; *that is ~ to him* 1 dat betekent niets voor hem; 2 't gaat hem niets aan; 3 daar trekt hij zich niets van aan; *it has got ~ to it* S er is niets aan, 't is niets bijzonders; *there is ~ in it* er is niets (van) aan, het is van geen betekenis; *he has ~ in him* hij is een kerel van niets; *come to ~* in het water vallen, niet doorgaan, mislukken; *make ~ of* niet opzien tegen, niet tellen, geen been zien in, niet geven om, zijn licht niet omdraaien voor; *I can make ~ of it* ik kan er niet uit wijs worden; II *sb a* (*mere*) *~* een niets, nietigheid, nul; III *ad* volstrekt niet (in: *~ daunted, loth*).

nothingness ['nʌθiŋnis] nietigheid, niet *o*; niets *o*; onbeduidendheid.

notice ['noutis] I *sb* aandacht, acht, opmerkzaamheid; aankondiging, bekendmaking, bericht *o*, kennisgeving; waarschuwing; opschrift *o*; recensie; convocatie(biljet *o*); *give ~* kennis geven, laten weten, aankondigen; waarschuwen; *give ~ (to quit)* de huur (de dienst) opzeggen; *take ~ of* 1 kennis nemen

van; 2 notitie nemen van; *at a moment's ~* op staande voet; *at one hour's ~* binnen een uur; *at short ~* op korte termijn; *be under ~* opgezegd zijn; *until further ~* tot nader order; II *vt* 1 acht slaan op, (veel) notitie nemen van, opmerken; 2 vermelden, bespreken, recenseren.

noticeable ['noutisəbl] *aj* 1 merkbaar; 2 opmerkelijk; 3 merkwaardig.

noticeably ['noutisəbli] *ad* zie *noticeable*.

notice-board ['noutisbɔ:d] aanplakbord *o*; waarschuwingsbord *o*; verkeersbord *o* &.

notification [noutifi'keiʃən] aanzegging, aanschrijving, kennisgeving; aangifte.

notify ['noutifai] ter kennis brengen bekendmaken, kennis geven (van); aangeven.

notion ['nouʃən] begrip° *o*, denkbeeld *o*, idee *o* & *v*, notie.

notional ['nouʃənəl] denkbeeldig, begrips-.

notoriety [noutə'raiəti] (algemene) bekendheid; beruchtheid; bekende persoonlijkheid.

notorious [nou'tɔ:riəs] *aj* (algemene) bekend, notoir, berucht.

notoriously [nou'tɔ:riəsli] *ad* in: *he is ~ stupid* 't is algemeen bekend dat hij dom is.

Notts [nɔts] F Nottinghamshire *o*.

notwithstanding [nɔtwiθ'stændiŋ] I *prep* niettegenstaande, ondanks, trots, ...ten spijt; II *ad* niettemin, desondanks.

nougat ['nu:ga:] noga.

nought [nɔ:t] niets, nul; *~s and crosses* „boter, melk en kaas".

noun [naun] (zelfstandig) naamwoord *o*.

nourish ['nʌriʃ] voeden[2], koesteren[2], aankweken, grootbrengen.

nourishing ['nʌriʃiŋ] voedzaam, voedend.

nourishment ['nʌriʃmənt] voedsel *o*, voeding.

Nova Scotia ['nouvə'skouʃə] Nieuw-Schotland *o*.

1 **novel** ['nɔvəl] *sb* 1 roman: 2 zeer novelle.

2 **novel** ['nɔvəl] *aj* nieuw, ongewoon.

novelette [nɔvə'let] 1 novelle; 2 romannetje *o*.

novelist ['nɔvəlist] romanschrijver.

novelty ['nɔvəlti] nieuwigheid, nieuws *o*; nieuwe *o*.

November [nou'vembə] november.

novena [nou'vi:nə] *RK* noveen, novene.

novice ['nɔvis] novice; nieuweling.

noviciate, novitiate [nou'viʃiit] noviciaat *o*, proeftijd.

now [nau] I *ad* nu, thans; *but ~* zoëven, daarnet; *by ~* nu wel; *from ~ (on)* van nu af (aan), voortaan; *in three days from ~* over drie dagen; *~..., ~..., ~..., then...* nu eens..., dan weer...; *~ and again, ~ and then* nu en dan, bij tussenpozen, af en toe; *every ~ and again (then)* 1 telkens; 2 zie *~ and again, ~ and then*; *~ then* komaan (dan), allo; II *ci* nu (ook: *~ that*); III *sb the ~* het heden.

nowadays ['nauədeiz] tegenwoordig.

noway(s) ['nouwei(z)] zie *nowise*.

nowhence ['nouwens] nergens (vandaan).

nowhere ['nouwɛə] nergens; be ~ (in the race) nergens zijn: helemaal achteraan komen; niet in aanmerking komen; fiasco maken.
nowhither ['nouwiðə] nergens (heen).
nowise ['nouwaiz] geenszins, op generlei wijze.
noxious ['nɔkʃəs] schadelijk, verderfelijk.
noyau ['nwa:jou] persico.
nozzle ['nɔzl] neus, snuit, mondstuk o, tuit, pijp, straalpijp.
nub [nʌb] brok; knobbel; Am kern.
nubbly ['nʌbli] knobbelig; bultig.
Nubia ['nju:biə] Nubië o.
Nubian ['nju:biən] I sb Nubiër; II aj Nubisch.
nubile ['nju:bil] huwbaar.
nubility [nju'biliti] huwbaarheid.
nuclear ['nju:kliə] nucleair, kern-; ~ power-station kernenergiecentrale.
nuclei ['nju:kliai] mv v. nucleus.
nucleus ['nju:kliəs] kern².
nude [nju:d] I aj naakt, bloot; II sb naakt (model) o.
nudge [nʌdʒ] I vt (met de elleboog) aanstoten; II sb duwtje o.
nudity ['nju:diti] I naaktheid, blootheid; 2 naakte figuur, naaktstudie.
nugatory ['nju:gətəri] beuzelachtig, nietszeggend; render ~ illusoir maken.
nugget ['nʌgit] klomp [inz. goud].
nuisance ['nju:səns] plaag, (over)last; burengerucht o; lastpost; common (public) ~ wat (wie) iedereen overlast aandoet; domestic ~ huiskruis o; it is a ~ ... ook: 't is vervelend (lam)...
null [nʌl] nietswaardig, krachteloos, nietig, ongeldig; ~ and void krachteloos, van nul en gener waarde.
nullification [nʌlifi'keiʃən] nietig-, ongeldigverklaring, 🗲 vernietiging.
nullify ['nʌlifai] krachteloos maken, 🗲 vernietigen, nietig of ongeldig verklaren, te niet doen.
nullity ['nʌliti] ongeldigheid, nietigheid; nulliteit.
numb [nʌm] I aj gevoelloos, verstijfd, verkleumd, verdoofd; II vt doen verstijven, verkleumen; verdoven.
number ['nʌmbə] I sb nummer o; getal² o, aantal o; (vers)maat; ~s I aantal o, getalsterkte; tal o (van...); 2 dichtmaat, verzen; Numbers B Numeri; his ~ is up S hij is ,,zuur"; ~ one nummer één (als aj prima); in ~(s) in aantal; come in ~s in groten getale komen (opzetten); to the ~ of... ten getale van...; hard pressed with ~s door de overmacht in het nauw gebracht; without ~s zonder tal, talloos; II vt nummeren, tellen; rekenen (onder, tot among, in, with); bedragen; III vi & va tellen; ~ (off) 🗙 zich nummeren.
numberless ['nʌmbəlis] talloos, zonder tal.
numbness ['nʌmnis] verstijving, verdoving, verkleumdheid.
numerable ['nju:mərəbl] telbaar, tetellen.

numeral ['nju:mərəl] I aj getal-, nummer-; II sb I getalletter, getalmerk o; 2 gram telwoord o; Roman~s Romeinse cijfers.
numeration [nju:mə'reiʃən] telling.
numerator ['nju:məreitə] teller [van breuk].
numerical [nju'merikl] numeriek, getal-; ~ superiority grotere getalsterkte.
numerous ['nju:mərəs] talrijk, tal van, vele.
numismatic [nju:miz'mætik] I aj numismatisch; II sb ~s penningkunde.
numismatist [nju'mizmətist] penningkundige.
numskull ['nʌmskʌl] uilskuiken o, stoffel.
nun [nʌn] I non; 2 🐦 nonnetje o.
nunciature ['nʌnʃiətjə] RK nuntiatuur.
nuncio ['nʌnʃiou] RK nuntius: pauselijk gezant.
nunnery ['nʌnəri] nonnenklooster o.
nuphar ['nju:fə] 🌿 gele waterlelie.
nuptial ['nʌpʃəl] I aj huwelijks-, bruilofts-; II sb ~s bruiloft.
Nuremberg ['njuərəmbə:g] Neurenberg o.
nurse [nə:s] I sb min; baker; kinderjuffrouw, ,,juf"; ziekenverpleegster, -oppasster; verzorger, kweker; male ~ (zieken)verpleger, -broeder; II vt zogen, (zelf) voeden; oppassen, verplegen, verzorgen; koesteren², (op)kweken, grootbrengen; zuinig beheren, zuinig zijn met; omstrengeld houden; met de hand strijken over; ~ a (one's) cold uitvieren; III vi zogen; uit verplegen gaan; in de verpleging zijn.
nurse-child ['nə:stʃaild] pleegkind o, zoogkind o.
nurseling zie nursling. [kind o.
nurse-maid ['nə:smeid] kindermeisje o.
nursery ['nə:sri] kinderkamer; kinderbewaarplaats; kweekschool; (boom)kwekerij; kweekplaats, kweekvijver.
nursery-governess ['nə:srigʌvənis] kinderjuffrouw.
nurseryman ['nə:srimən] boomkweker.
nursery rhyme ['nə:sriraim] bakerrijmpje o.
nursery school ['nə:srisku:l] bewaarschool [3-5 jaar in Eng.].
nursing-home ['nə:siŋhoum] ziekenverpleging, ziekeninrichting.
nursing-sister ['nə:siŋsistə] pleegzuster, (zieken)verpleegster; ziekenzuster.
nursling ['nə:sliŋ] zoogkind o, voedsterling, troetelkind o.
nurture ['nə:tʃə] I sb op-, aankweking; opvoeding; verzorging; voeding; voedsel o; II vt op-, aankweken; opvoeden, verzorgen; voeden², koesteren [v. plannen].
nut [nʌt] I sb I noot [inz. hazelnoot]; 2 🔩 moer [v. schroef]; 3 ♪ slof [strijkstok]; 4 F kersepit, bol; 5 S dandy; 6 Am S gek, idioot; ~s ook: nootjeskolen; ~s! Am S onzin!; she couldn't sing for ~s absoluut niet; be ~s upon S dol zijn op; be dead ~s on (soms against) S fel zijn op; go ~s S gek worden; be off one's ~ F van lotje getikt zijn; do one's ~ S tekeergaan; II vi noten plukken.

nut-brown ['nʌtbraun] lichtbruin.
nutcracker ['nʌtkrækə] ⚹ notekraker; ~(s) notekraker [voorwerp].
nuthatch ['nʌthætʃ] ⚹ boomklever.
nut-house ['nʌthaus] S gekkenhuis o.
nutmeg ['nʌtmeg] notemuskaat.
nutrient ['nju:triənt] I aj voedend; II sb nutriënt [voedingsstof].
nutriment ['nju:trimənt] voedsel o.
nutrition [nju'triʃən] voeding, voedsel o.
nutritious [nju'triʃəs], **nutritive** ['nju:tritiv] voedend, voedzaam.
nutshell ['nʌtʃel] notedop; a novel in a ~ in een paar regels of bladzijden; be (lie) in a ~ in weinig (een paar) woorden te zeggen zijn, zeer eenvoudig zijn.
nut-tree ['nʌtri:] (hazel)noteboom.
nutty ['nʌti] I met veel noten; naar de noot smakend; 2 fig pittig; 3 S chic, snoezig; dandyachtig; 4 S getikt, gek; ~ on S verkikkerd
nux vomica ['nʌks'vəmikə] braaknoot.   [op.
nuzzle ['nʌzl] I vi wroeten; snuffelen [als een zwijn]; zich nestelen of vlijen; II vt wroeten langs of in; besnuffelen.
Ⓜ **nylon** ['nailən] nylon o & m [stofnaam]; nylon v [kous].
nymph [nimf] I nimf²; 2 ⚘ pop [v. insekt].

O

o [ou] I (de letter) o; 2 ij o!, ach!; 3 ⚑ nul [cijfer].
o' [ə] zie of & on.
oaf [ouf] pummel, uilskuiken o; mispunt o.
oafish ['oufiʃ] pummelig, sullig, onnozel.
oak [ouk] I sb I eik; 2 eikehout o; 3 eikeloof o; II aj eiken, eikehouten.
oak-apple ['oukæpl] galnoot; O~ Day 29 mei [Restauratie van Karel II].
oaken ['oukn] eiken, eikehouten.
oakum ['oukəm] werk o [uitgeplozen touw].
oak-wood ['oukwud] I eikehout o; 2 eikenbos o.
oar [ə:] I sb (roei)riem; roeier; put in one's ~ een duit in het zakje doen, ook een woordje meespreken; rest on one's ~s I op de riemen rusten; 2 op zijn lauweren rusten; II vi & vt roeien.
oarsman ['ɔ:zmən] roeier.
oases [ou'eisi:z] mv v. **oasis** [ou'eisis] oase.
oast [oust] eest.
oat [out] I ⚘ haver (meestal ~s); 2 fig herdersfluit, -poëzie; rolled ~s havermout; he has sown his wild ~s hij heeft zijn wilde haren verloren, hij is uitgeraasd.
oatcake ['out'keik] haverbrood o.
oaten ['outn] haver-.
oath [ouθ, mv **oaths** ouðz] eed; vloek; ~ of allegiance huldigingseed; ~ of office ambtseed; by ~ onder ede; on (his) ~ onder ede; put one on his ~ iemand de eed afvorderen;

make ~, take (swear) an ~ een eed doen.
oath-breaking ['ouθbreikiŋ] eedbreuk.
oatmeal ['outmi:l] havermeel o; ~ porridge havermoutpap.
obbligato [əbli'ga:tou] ♪ obligaat o.
obduracy ['ɔbdjurəsi] verstoktheid, verharding, halsstarrigheid.
obdurate ['ɔbdjurit] verstokt, verhard, halsstarrig.
obedience [ou'bi:djəns] gehoorzaamheid; in ~ to gehoorzamend aan; overeenkomstig.
obedient [ou'bi:djənt] aj gehoorzaam.
obediently [ou'bi:djəntli] ad gehoorzaam; yours ~ uw dienstwillige.
obeisance [ou'beisəns] I diepe buiging; 2 hulde.
obelisk ['ɔbilisk] I obelisk; 2 kruisje o (†).
obese [ou'bi:s] corpulent, zwaarlijvig.
obesity [ou'bi:siti] corpulentie, zwaarlijvigheid.
obey [ou'bei] gehoorzamen² (aan); gehoor geven aan; luisteren naar [het roer].
obfuscate ['ɔbfʌskeit] verduisteren, benevelen [het verstand]; verbijsteren.
obfuscation [ɔbfʌs'keiʃən] verduistering, beneveling; verbijstering.
obituary [ou'bitjuəri] I sb sterflijst; sterfgevallen [krantenrubriek], in memoriam; II aj doods-; ~ notice levensbericht o.
I object ['ɔbdʒikt] sb voorwerp o; oogmerk o, bedoeling, doel o; onderwerp o [v. onderzoek]; object o; she looked an ~ zij zag er uit als een vogelverschrikker; salary no ~ salaris bijzaak.
2 object [əb'dʒekt] I vt inbrengen (tegen against, to), tegenwerpen; II vi er op tegen hebben; tegenwerpingen maken, bezwaar hebben, opkomen (tegen to).
object-glass ['ɔbdʒiktgla:s] objectief o.
objection [əb'dʒekʃən] tegenwerping; bezwaar o.
objectionable [əb'dʒekʃənəbl] aanstotelijk, afkeurenswaardig, verwerpelijk; onaangenaam.
objective [əb'dʒektiv] I aj objectief; ~ case gram voorwerpsnaamval; II sb I objectief o [v. kijker]; 2 ⚔ object² o; doel² o; 3 gram voorwerpsnaamval.
objectiveness [əb'dʒektivnis], **objectivity** [ɔbdʒek'tiviti] objectiviteit.
object-lens ['ɔbdʒiktlenz] objectief o.
object lesson ['ɔbdʒiktlesn] aanschouwelijke les; fig sprekende illustratie.
objector [əb'dʒektə] wie tegenwerpingen maakt, opponent; conscientious ~ gewetensbezwaarde, principieel dienstweigeraar.
object teaching ['ɔbdʒiktti:tʃiŋ] aanschouwelijk onderwijs o.
objurgate ['ɔbdʒə:geit] berispen, gispen.
objurgation [ɔbdʒə:'geiʃən] scherp verwijt o, berisping.
objurgatory [əb'dʒə:gətəri] verwijtend; berispend.

oblation [ə'bleiʃən] offerande, offer *o*, gave.

obligate ['ɔbligeit] *zz* (ver)binden, verplichten.

obligation [ɔbli'geiʃən] verbintenis, verplichting; ...*of* ~ verplicht; *be under an* ~ *to*... verplicht zijn...; *put under an* ~ aan zich verplichten.

obligatory ['ɔbligətəri] verplicht, bindend; ~ *education* leerplicht.

oblige [ə'blaidʒ] I *vt* (ver)binden, (aan zich) verplichten, dwingen; ~ *me by* ...*ing* wees zo goed (vriendelijk) te...; *will you* ~ *the company* (*with a song* &)? iets ten beste geven?; *be* ~*d to* ook: moeten; II *vi* & *va* (anderen) aan zich verplichten, van dienst zijn; iets ten beste geven; *an answer will* ~ antwoord verzocht.

obligee [ɔbli'dʒi:] 1 wie men iets verplicht is; schuldeiser; 2 wie verplichtingen heeft aan iemand.

obliging [ə'blaidʒiŋ] voorkomend, minzaam, vriendelijk, inschikkelijk, gedienstig.

obligor [ɔbli'gɔ:] die zich verplicht; schuldenaar.

oblique [ə'bli:k] scheef, schuin(s), hellend, afwijkend; zijdelings; slinks; ~ *cases* verbogen naamvallen; ~ *oration* (*speech*) „indirecte rede".

obliquity [ə'blikwiti] scheve richting, schuin(s)heid; afwijking; verkeerdheid.

obliterate [ə'blitəreit] uitwissen, doorhalen; & afstempelen; vernietigen.

obliteration [əblitə'reiʃən] uitwissing, doorhaling; & afstempeling; vernietiging.

oblivion [ə'bliviən] vergetelheid; *rescue* (*save*) *from* ~ aan de vergetelheid onttrekken (ontrukken); *fall* (*sink*) *into* ~ in vergetelheid raken.

blivious [ə'bliviəs] 1 vergeetachtig; 2 vergetelheid brengend; ~ *of* (*to*) 1 vergetend; 2 onbewust van.

oblong ['ɔblɔŋ] I *aj* langwerpig; II *sb* rechthoek, langwerpig voorwerp *o*.

obloquy ['ɔblɔkwi] smaad, schande, oneer.

obnoxious [ɔb'nɔkʃəs] aanstotelijk; gehaat, hatelijk; onaangenaam; *be* ~ *to* ook: een doorn in het oog zijn.

oboe ['oubou] ♪ hobo.

oboist ['ouboist] ♪ hoboïst.

obscene [ɔb'si:n] obsceen, ontuchtig, gemeen, vuil[2].

obscenity [ɔb'si:niti] obsceniteit, ontuchtigheid; *obscenities* vuile praatjes &.

obscurant [ɔb'skjuərənt] domper.

obscurantist [ɔbskjuə'ræntist] I *sb* duisterling, domper; II *aj* dompers-.

obscuration [ɔbskju'reiʃən] verduistering.

obscure [ɔb'skjuə] I *aj* duister[2], donker[2]; obscuur; onduidelijk; onbekend; II *sb* duister *o*, duisterheid; III *vt* verduisteren, verdonkeren; verdoezelen; *fig* overschaduwen.

obscurity [ɔb'skjuəriti] duister *o*, duisternis, donker *o* & *m*, donkerte; duisterheid, don-

kerheid; obscuriteit; onduidelijkheid; *live in* ~ stil (teruggetrokken) leven; *obscurities* ook: *fig* onbekende grootheden.

obsequies ['ɔbsikwiz] lijkplechtigheden, lijkdienst; lijkstaatsie, uitvaart, begrafenis.

obsequious [əb'si:kwiəs] onderdanig, overgedienstig; kruiperig.

observable [əb'zə:vəbl] 1 merkbaar, waarneembaar; 2 opmerkelijk.

observance [əb'zə:vəns] waarneming; inachtneming, naleving; viering; voorschrift *o*.

observant [əb'zə:vənt] I *aj* oplettend, opmerkzaam; ~ *of the rules of his order* streng in acht nemend; II *sb* observant: franciscaan van de strenge orde.

observation [ɔbzə'veiʃən] waarneming, observatie; opmerking.

observatory [əb'zə:vətri] 1 observatorium *o*, sterrenwacht; 2 uitzicht-, uitkijktoren.

observe [əb'zə:v] I *vt* waarnemen, gadeslaan, observeren; opmerken; in acht nemen, naleven; vieren [feestdagen]; II *vi* in: ~ (*up*)*on* opmerkingen maken over, iets opmerken omtrent.

observer [əb'zə:və] waarnemer, opmerker, observator; *a strict* ~ *of his word* die zich stipt aan zijn woord houdt.

observing [əb'zə:viŋ] *aj* (goed) waarnemend, oplettend, F zijn ogen de kost gevend.

observingly [əb'zə:viŋli] *ad* opmerkzaam, oplettend.

obsess [ɔb'ses] obsederen, niet loslaten, onophoudelijk ver-, achtervolgen [van gedachten].

obsession [ɔb'seʃən] bezeten zijn *o* [door boze geest]; obsessie, nooit loslatende gedachte, voortdurende kwelling.

obsessional [ɔb'seʃənl] obsessioneel.

obsessive [ɔb'sesiv] obsederend.

obsolescence [ɔbsə'lesəns] veroudering, in onbruik geraken *o*.

obsolescent [ɔbsə'lesənt] verouderend, in onbruik gerakend.

obsolete ['ɔbsəli:t] verouderd, in onbruik geraakt.

obstacle ['ɔbstəkl] hinderpaal, hindernis, beletsel *o*; ~ *race* wedren met hindernissen.

obstinacy ['ɔbstinəsi] hardnekkigheid, halsstarrigheid, (stijf)koppigheid.

obstinate(ly) ['ɔbstinit(li)] hardnekkig, halsstarrig, stijfhoofdig, koppig, obstinaat.

obstreperous(ly) [əb'strepərəs(li)] luidruchtig, rumoerig, lawaaiig, woelig.

obstruct [əb'strʌkt] verstoppen; (de voortgang) belemmeren, versperren.

obstruction [əb'strʌkʃən] obstructie, verstopping, belemmering, versperring.

obstructionist [əb'strʌkʃənist] I *sb* obstructievoerder; II *aj* obstructievoerend.

obstructive [əb'strʌktiv] verstoppend; belemmerend, versperrend, verhinderend; obstructievoerend; obstructie-.

obtain [əb'tein] I *vt* (ver)krijgen, bekomen, verwerven, behalen; verschaffen; **II** *vi* algemeen regel zijn, ingang gevonden hebben; heersen, gelden.

obtainable [əb'teinəbl] verkrijgbaar.

obtainment [əb'teinmənt] verkrijging, verwerving; verschaffing.

obtrude [əb'tru:d] (zich) opdringen (aan *upon*); (zich) indringen.

obtrusion [əb'tru:ʒən] op-, indringing.

obtrusive(ly) [əb'tru:siv(li)] op-, indringend, op-, indringerig.

obturate ['ɔbtjureit] (ver)stoppen, afsluiten.

obturation [ɔbtju'reiʃən] (gas)afsluiting.

obturator ['ɔbtjureitə] afsluiter.

obtuse [əb'tju:s] stomp, bot[2], stompzinnig.

obverse ['ɔbvə:s] voorzijde [v. munt &].

obviate ['ɔbvieit] afwenden, voorkomen, ondervangen, uit de weg ruimen.

obvious(ly) ['ɔbviəs(li)] voor de hand liggend, in het oog springend, duidelijk (merkbaar), kennelijk, klaarblijkelijk, zonneklaar; aangewezen.

ocarina [ɔkə'ri:nə] ♪ ocarina.

occasion [ə'keiʒən] **I** *sb* gelegenheid; aanleiding, behoefte; gebeurtenis, plechtigheid, feest *o*; *one's lawful ~s* (wettige) bezigheden, bedrijf *o*, zaken; *on ~* van tijd tot tijd, zo nodig; *on the ~ of* bij gelegenheid van; *give ~ to* aanleiding geven om (tot); *have ~ to* moeten; *have no ~ to* niet hoeven; *take ~ to* van de gelegenheid gebruik maken om; **II** *vt* veroorzaken, aanleiding geven tot.

occasional [ə'keiʒənəl] *aj* toevallig, nu en dan (voorkomend); gelegenheids-; ~ *chair* extrastoel; ~ *table* bijzettafeltje *o*.

occasionally [ə'keiʒənəli] *ad* af en toe, nu en dan, van tijd tot tijd; bij gelegenheid.

Occident ['ɔksidənt] westen *o*, avondland *o*.

occidental [ɔksi'dentəl] **I** *aj* westelijk, westers; **II** *sb* westerling.

occipital [ɔk'sipitəl] achterhoofds-.

§ **occiput** ['ɔksipʌt] achterhoofd *o*.

occult [ə'kʌlt] occult, verborgen, geheim.

occulting [ə'kʌltiŋ] in: ~ *light* ⚓ intermitterend licht [v. vuurtoren].

occultism [ə'kʌltizm] occultisme *o*.

occupancy ['ɔkjupənsi] inbezitneming, bezit *o*, bewoning.

occupant ['ɔkjupənt] **I** wie bezit neemt, bezitter; 2 bewoner; *the ~s* ook: de inzittenden; *the ~ of a post* bekleder.

occupation [ɔkju'peiʃən] bezitneming, bezit *o*; ✕ bezetting; bewoning; bezigheid, beroep *o*; *be in ~ of* ook: bezet houden; bewonen; ~ *bridge* (*road*) particuliere brug (weg).

occupational [ɔkju'peiʃənəl] **I** beroeps-; 2 bezettings-; ~ *centre* Rijkswerkplaats; ~ *therapy* ♣ arbeidstherapie.

occupier ['ɔkjupaiə] **I** bezetter; 2 zie *occupant*.

occupy ['ɔkjupai] bezetten, bezet houden; beslaan [plaats], innemen; in beslag nemen [tijd &], bezighouden; bewonen [huis]; bekleden

[post]; *be occupied in* (*with*) aan (met) iets bezig zijn.

occur [ə'kə:] vóórkomen; opkomen (bij *to*), invallen; voorvallen, gebeuren, zich voordoen.

occurrence [ə'kʌrəns] gebeurtenis; voorval *o*; vóórkomen *o*; *it is of frequent ~* het komt herhaaldelijk (veel) voor; *on the ~ of a vacancy* bij vóórkomende vacature.

ocean ['ouʃən] oceaan, (wereld)zee[2].

ocean-going ['ouʃəngouiŋ] in: ~ *ship* oceaanboot.

Oceania [ouʃi'einjə] Oceanië *o*.

oceanic [ouʃi'ænik] van de oceaan, oceaan-, zee-.

ochre ['oukə] oker.

ochr(e)ous ['oukr(i)əs], **ochry** ['oukri] okerhoudend, okerachtig, oker-.

o'clock [ə'klɔk] in: *what ~ is it?* hoe laat is het?; *it is eight ~* het is acht uur.

§ **octagon** ['ɔktəgən] achthoek.

§ **octagonal** [ɔk'tægənəl] achthoekig.

§ **octahedral** [ɔktə'hi:drəl] achtvlakkig.

§ **octao. dron** [ɔktə'hi:drən] achtvlak *o*.

octane ['ɔktein] octaan *o*.

§ **octangular** [ɔk'tæŋgjulə] achthoekig.

octant ['ɔktənt] octant.

octave ['ɔktiv, *RK* 'ɔkteiv] **I** achttal *o*; 2 octaaf° *o* & *v*; 3 octaafdag; 4 zie *octet* 2.

octavo [ɔk'teivou] octavo *o*.

octennial [ɔk'tenjəl] *aj* **I** achtjarig; 2 achtjaarlijks.

octennially [ɔk'tenjəli] *ad* om de acht jaar.

octet [ɔk'tet] **I** ♪ octet *o*; 2 acht versregels.

October [ɔk'toubə] oktober.

octogenarian [ɔktoudʒi'neəriən] tachtigjarig(e).

octopus ['ɔktəpəs] achtarmige poliep.

octosyllabic [ɔktousi'læbik] achtlettergrepig.

octosyllable [ɔktou'siləbl] achtlettergrepig woord *o*.

octuple ['ɔktjupl] **I** *sb* achtvoud *o*; **II** *aj* achtvoudig.

ocular ['ɔkjulə] **I** *aj* oog-; **II** *sb* oculair *o*.

oculist ['ɔkjulist] oogarts.

odalisque ['oudəlisk] odalisk(e).

odd [ɔd] *aj* oneven; overblijvend [na deling door 2, of na betaling]; overgebleven van één of meer paren, niet bij elkaar horend; zonderling; vreemd; gek, raar; *in some ~ corner* hier of daar in een (afgelegen) hoek; *an ~ hand* extrabediende, noodhulp; duivelstoejager; *an ~ hour* een tussenuur *o*; ~ *jobs* allerhande karweitjes; ~ *man out* **I** opgooien *o* om iemand voor iets aan te wijzen; 2 wie overschiet, wie het gelag betaalt; 3 buitenbeentje *o*, zonderling; ~ *moments* verloren ogenblikken; *an ~ volume* een enkel deel *o* van een meerdelig werk; *fifty ~ pounds* vijftig en zoveel pond, ruim vijftig pond; *sixty ~ thousand* tussen de 60 en 70 duizend; zie ook: *odds*.

oddball ['ɔdbɔ:l] *Am* F excentriek.

oddfellow ['ɔdfelou] lid *o* van de maçonniek getinte steunvereniging der *Oddfellows*.

oddity ['ɔditi] zonderlingheid, vreemdheid; excentriek wezen *o*, gek type *o*, kwibus.

odd-looking ['ɔdlukiŋ] er vreemd uitziend.

oddly ['ɔdli] *ad* vreemd, gek (genoeg).

oddments ['ɔdmənts] overgebleven stukken, restanten; zie ook: *odds and ends*.

odds [ɔdz] ongelijkheid, verschil *o*; onenigheid; voorgift; voordeel *o*; groter getal *o*, overmacht; grotere kans, waarschijnlijkheid; wat de bookmaker op een paard „houdt"; ~ *and ends* stukken en brokken, brokstukken, rommel; *at* ~ oneens, overhoop liggend (met *with*); *by all* ~ verreweg [de beste &]; ontegenzeglijk; *the* ~ *are that* de kans bestaat, dat...; *what's the* ~? wat zou dat?; *it is long* ~ *that...* de kans is groot, het is zo goed als zeker...; *it's no* ~ het maakt niets uit; *give one* ~ iemand voorgeven; *take the* ~ de weddenschap aannemen.

ode [oud] ode.

odeum [ou'di:əm] odeon *o*.

Odin ['oudin] Odin, Wodan. [verfoeilijk.

odious(ly) ['oudjəs(li)] hatelijk, afschuwelijk,

odium ['oudiəm] haat en verachting; blaam.

§ odontology [ɔdɔn'tɔlədʒi] odontologie.

odoriferous [oudə'rifərəs] welriekend, geurig.

odorous ['oudərəs] zie *odoriferous*.

odour ['oudə] reuk, geur; ⚘ reukwerk *o*; *fig* luchtje *o*, zweem, zweempje *o*; *be in bad, ill* ~ *with* in een kwade reuk staan bij; *in* ~ *of sanctity* in de reuk van heiligheid.

odourless ['oudəlis] reukeloos.

Odysseus [ə'disju:s] Odysseus.

Odyssey ['ɔdisi] Odyssee; *fig* odyssee.

oecumenical [i:kju'menikl] oecumenisch.

oedema [i:'di:mə] ℞ oedeem *o*.

Oedipus ['i:dipəs] Oedipus.

○ o'er [ɔə] zie *over*.

§ oesophagus [i:'sɔfəgəs] slokdarm.

of [ɔv, əv] van; *the city* ~ *Rome* de stad Rome; *the courage* ~ *it!* welk een moed!, hoe moedig!; ~ *itself* vanzelf; uit zichzelf; *no prudence* ~ *ours* van onze zijde; *the three* ~ *them* het drietal; *there were fifty* ~ *them* er waren er vijftig; ze waren met hun vijftigen; *he* ~ *all men* en dat juist hij; *he* ~ *the grey hat* die met de grijze hoed; *a Prussian* ~ (*the*) *Prussians* een echte Pruis; ~ *an evening* (*morning* &) des avonds, des morgens.

off [ɔ:f] I *ad* er af, af, af, weg; ver(wijderd); uit; *be* ~ I niet doorgaan [v. match &]; uit de baan zijn; 2 „af" zijn [engagement]; 3 afgedaan hebben; 4 in slaap zijn; 5 in zwijm liggen; 6 opstappen, weggaan, vertrekken; *be a bit* ~ I niet wel bij het hoofd zijn; 2 niet fris meer zijn, beginnen te bederven [v. spijs & drank]; *be badly* ~ I er slecht aan toe zijn; 2 het slecht hebben; *how are you* ~ *for boots?* hoe staat het met je schoenen?; *have a day* ~ een vrije dag hebben; ~ *and on* af en toe, bij tussenpozen, een enkele maal; ~ (*with you*)! weg!, eruit!; II *prep* van... (af), van... (weg); van; verwijderd van; op zij van, uitkomend op, in de buurt van; ⚓ op de hoogte van; *breakfast* ~ *boiled eggs* zijn ontbijt doen met gekookte eieren; *live* ~ *the land*, *live* ~ *rents* van het land, van de pacht(en) leven; ~ *stage* niet op het toneel; achter de coulissen; ~ *white* gebroken wit, bij het gele of grijze af; III *aj* verder gelegen; *the* ~ *hind leg* de rechterachterpoot; *the* ~ *horse* het vandehandse (rechtse) paard; *an* ~ *street* een zijstraat; zie ook: *duty* &.

offal ['ɔfəl] afval *o* & *m* [v. geslacht dier]; bedorven vlees *o*, kreng *o*; *fig* uitschot *o*, bocht *o* & *m*.

off-beat ['ɔ:fbi:t] F bijzonder, buitenissig, abnormaal.

off-chance ['ɔ:ftʃa:ns] zeer twijfelachtige mogelijkheid; *on the* ~ *of meeting him* om hem misschien te ontmoeten.

off-day ['ɔ:fdei] I vrije dag; 2 niet drukke dag; 3 dag waarop men niet op dreef is.

offence [ə'fens] belediging; aanstoot, ergernis; aanval; overtreding, vergrijp *o*, delict *o*, strafbaar feit *o*; misdaad; *no* ~ *meant!* neem me niet kwalijk; *take* ~ *at* zich beledigd gevoelen over.

offend [ə'fend] I *vt* beledigen, ergeren, kwetsen; aanstoot geven; II *vi* misdoen; ~ *against* zondigen tegen; overtreden.

offender [ə'fendə] belediger; overtreder, delinquent; zondaar[2]; *old* ~ recidivist.

offensive [ə'fensiv] I *aj* beledigend, aanstotelijk, ergerlijk, weerzinwekkend, onaangenaam; offensief, aanvallend; aanvals-; II *sb* offensief *o*; *act on the* ~ aanvallend optreden.

offensiveness [ə'fensivnis] beledigende aard, aanstotelijkheid.

offer ['ɔfə] I *vt* (aan)bieden, offreren; offeren, ten offer brengen (ook: ~ *up*); aanvoeren [ter verdediging]; uitloven [prijs]; ten beste geven, maken [opmerkingen &]; (uit)oefenen [kritiek]; mine(s) maken [om te...]; ~ *assault* attaqueren; ~ *up a prayer* opzenden; II *vi* & *va* zich aanbieden; zich voordoen; III *sb* (aan)bod *o*, aanbieding, offerte, (huwelijks)aanzoek *o*; *they are on* ~ $ ze worden aangeboden.

offerer ['ɔfərə] offeraar; aanbieder; bieder.

offering ['ɔfəriŋ] offerande, offergave, offer *o*; aanbieding.

offertory ['ɔfətəri] *RK* I offertorium *o*, offergebed *o*; 2 collecte.

off-hand ['ɔ:f'hænd] I *ad* op staande voet, ineens; voetstoots, voor de vuist, zonder plichtplegingen; II *aj* ['ɔ:fhænd] hooghartig; nonchalant; bruusk.

off-hours ['ɔ:fauəz] vrije uren; *at* ~ in mijn (zijn &) vrije uren; buiten kantoortijd.

office ['ɔfis] ambt *o*, betrekking, dienst; bediening; taak; officie *o*; (kerk)dienst, ritueel *o*, gebed *o*, gebeden; ministerie *o*, kantoor *o*, bureau *o*; *Am* spreekkamer; *the Holy O~* het Heilig Officie; ⊔ de Inquisitie; *H.M. Stationery O~* de Landsdrukkerij; *the ~s* de werkvertrekken (van de bedienden); de (bij)keuken, aanrechtkamer; *good ~s committee* commissie van goede diensten; *his kind ~s* zijn vriendelijke bemiddeling, zijn vriendelijkheid; *be in ~* een ambt bekleden, in functie zijn; *a man in ~* een fungerend ambtenaar; een (aan het bewind zijnd) minister; *while in ~* „aan" zijnd, in functie zijnd; *come into ~*, *enter (take) ~* een (zijn) ambt aanvaarden.

office-bearer ['ɔfisbɛərə], **office-holder** ['ɔfishouldə] titularis, functionaris.

officer ['ɔfisə] I *sb* beambte, ambtenaar; agent [van politie]; ✕ officier; deurwaarder; functionaris; II *vt* ✕ van officieren voorzien, encadreren; aanvoeren [als officier].

official [ə'fiʃəl] I *aj* ambtelijk, officieel, ambts-; *~ duties* ambtsbezigheden, -plichten; II *sb* ambtenaar, beambte; functionaris.

officialdom [ə'fiʃəldəm] bureaucratie.

officialism [ə'fiʃəlizm] officieel gedoe *o*, bureaucratische rompslomp.

officiant [ə'fiʃənt] officiant: de mis opdragende of de dienst verrichtende priester.

officiate [ə'fiʃieit] I een ambt of iemands plaats waarnemen, dienst doen; 2 *RK* officiëren, de dienst doen, de mis opdragen; *~ as...* fungeren als...

officinal [ə'fisinəl] I geneeskrachtig; 2 in een apotheke voorhanden.

officious [ə'fiʃəs] I gedienstig; overgedienstig; opdringerig; bemoeieziek; 2 officieus.

offing ['ɔfiŋ] open zee, ruime sop *o*; *in the ~ fig* in het verschiet.

offish ['ɔ:fiʃ] gereserveerd; uit de hoogte.

off-issue ['ɔ:fiʃu:] zie *side-issue*.

off-key ['ɔ:f'ki:] uit de toon (vallend).

off-print ['ɔ:fprint] overdrukje *o*.

offscourings ['ɔ:fskauəriŋz] afval *o* & *m*, uitschot *o*, schuim *o*, uitvaagsel *o*.

off-season ['ɔ:f'si:zn] slappe tijd.

offset ['ɔ:fset] I *sb* uitloper°, wortelscheut, spruit; tegenwicht *o*, vergoeding, compensatie; offset(druk); II *vt* opwegen tegen, goedmaken, compenseren, te niet doen, neutraliseren; *~ against* stellen tegenover.

offshoot ['ɔ:fʃu:t] uitloper, afzetsel *o*, zijtak.

offside ['ɔ:f'said] I verste kant (= rechts of links); 2 *sp* buitenspel [bij voetbal].

offspring ['ɔ:fspriŋ] (na)kroost *o*, spruit(en), nakomeling(en), nageslacht *o*; resultaat *o*, [vrucht(en).

off-street ['ɔ:fstri:t] zijstraat.

off-the-peg ['ɔ:fðəpeg] confectie-.

off-time ['ɔ:ftaim] vrije tijd.

☉ **oft** [ɔ:ft] dikwijls, vaak.

often ['ɔ:f(t)ən] dikwijls, vaak; *as ~ as not* vaak genoeg, niet zelden; *every so ~* F nu en dan, af en toe; *more ~ than not* meestal.

↘ **oft(en)times** ['ɔ:ft(ən)taimz] dikwijls, vaak.

ogee [ou'dʒi:, 'oudʒi:] △ ojief *o*.

ogival [ou'dʒaivəl] △ ogivaal.

ogive ['oudʒaiv] △ ogief *o*, spitsboog.

ogle ['ougl] I *vi* lonken; II *vt* aan-, toelonken; III *sb* lonk, (verliefde) blik.

ogre ['ougə] I weerwolf, menseneter; 2 wilde man, bullebak, boeman.

ogr(e)ish ['ougəriʃ, 'ougriʃ] wildemans-.

oh [ou] o; ach, och; au; *~?* ook: zo?

ohm [oum] ⚡ ohm *o* & *m*.

oho [ou'hou] aha!

oil [ɔil] I *sb* olie; petroleum; *~s* F I geoliede overkleren; 2 olieverfschilderijen; *~ of vitriol* zwavelzuur *o*; *in ~(s)* in olieverf (geschilderd); II *vt* oliën; (met olie) insmeren; 2 in olie inleggen; *~ one's hand*, *~ one* iemand de handen smeren [= hem omkopen]; *~ the wheels* de wielen smeren[2]; III *vi* stookolie innemen.

oilcake ['ɔilkeik] lijnkoek, veekoek.

oilcloth ['ɔilklɔθ] wasdoek *o* & *m*, zeildoek *o* oil-colour ['ɔilkʌlə] olieverf. [& *m*.

oiled [ɔild] F in de olie, aangeschoten.

oiler ['ɔilə] I oliekan, -spuit, -spuitje *o*; 2 olieman, smeerder; 3 ⚓ petroleumboot.

oil-fuel ['ɔilfjuil] stookolie.

oil-heater ['ɔilhi:tə] petroleumkachel.

oiliness ['ɔilinis] olieachtigheid; *fig* zalving.

oilman ['ɔilmən] oliehandelaar; olieman.

oil-paint(ing) ['ɔilpeint(iŋ)] olieverf(schilderij).

oilskin ['ɔilskin] gewaste taf; oliejas; *~s* geoliede overkleren.

oilstone ['ɔilstoun] oliesteen.

oil-well ['ɔilwel] petroleumbron.

oily ['ɔili] olieachtig, vet, goed gesmeerd; olie-; *fig* zalvend, glad [v. tong].

ointment ['ɔintmənt] zalf, smeersel *o*.

O.K. ['ou'kei] F in orde, goed; fijn, prima.

okapi [ou'ka:pi] ≞ okapi.

old [ould] I *aj* oud, ouwelijk, ouderwets; *good (dear) ~...* F die goeie, beste...; *as ~ as the hills* zo oud als de weg naar Kralingen; *the ~* het oude; de oud(er)en; II *sb* in: *of ~* van ouds; in (van) vroeger dagen; zie ook: *age, boy, country, girl, hand, maid, man, woman*.

old-age ['ouldeidʒ] van (voor) de oude dag, ouderdoms-.

old-clothesman ['ould'klouðzmæn] kleerkoop.

olden ['ouldn] I *aj* 🜚 oud, vroeger; II *vi* oud worden; III *vt* oud maken.

old-established ['ouldis'tæbliʃt] reeds lang bestaand; (van ouds) gevestigd.

old-fashioned ['ould'fæʃənd] ouderwets.

old hat ['ould'hæt] F verouderd, oude koek.

oldish ['ouldiʃ] oudachtig, ouwelijk.

old-maidish ['ould'meidiʃ] als (van) een oude vrijster.

oldness ['ouldnis] ouderdom; oudheid.

oldster ['ouldstə] I oude heer; 2 oudere, oudgediende.

old-time ['ould'taim] ouderwets; oud.

old-timer ['ould'taimə] I oudgediende, ouwetje *o*; 2 oudgast.

old-womanish ['ould'wuməniʃ] als (van) een oud wijf.

old-world ['ould'wə:ld] 1 uit de oude tijd, ouderwets; 2 van de Oude Wereld.

oleaginous [ouli'ædʒinəs] olie-, vetachtig.

oleander [ouli'ændə] ♀ oleander.

oleograph ['ouliəgra:f] oleografie.

olfactory [əl'fæktəri] I *aj* van de reuk; ~ *nerves* reukzenuwen; II als *sb* reukorgaan *o*.

oligarchic(al) [əli'ga:kik(l)] oligarchisch.

oligarchy ['ɔligə:ki] oligarchie.

olio ['ouliou] olla podrida²; allegaartje *o*, ratjetoe, mengelmoes *o* & *v*.

olivaceous [ɔli'veiʃəs] olijfkleurig.

olive ['ɔliv] I ♀ olijf(tak); 2 olijfkleur.

olive-branch ['ɔlivbra:n(t)ʃ] ♀ olijftak; ~es F spruiten: kinderen.

olive-oil [ɔli'vɔil] olijfolie.

Oliver ['ɔlivə] Olivier.

olla podrida ['ɔləpɔ'dri:də] zie *olio*.

olympiad [ou'limpiæd] olympiade.

Olympian [ou'limpiən] olympisch.

Olympic [ou'limpik] I *aj* olympisch; II *sb* in: *the* ~s de olympische spelen.

ombre ['ɔmbrə] omber(spel) *o*.

omega ['oumigə] omega; einde *o*.

omelet(te) ['ɔmlit] omelet.

omen ['oumen] I *sb* voorteken *o*; II *vt* voorspellen, beloven.

ominous ['ɔminəs] onheilspellend, omineus.

omissible [ou'misibl] weggelaten kunnende worden.

omission [ou'miʃən] weg-, uitlating; nalating, verzuim *o*.

omit [ou'mit] weg-, uitlaten, achterwege laten, overslaan, nalaten, verzuimen.

omnibus ['ɔmnibəs] I *sb* omnibus; II *aj* vele onderwerpen (voorwerpen &) omvattend.

omnifarious [ɔmni'fɛəriəs] veelsoortig.

omnipotence [ɔm'nipɔtəns] almacht.

omnipotent [ɔm'nipɔtənt] almachtig.

omnipresence [ɔmni'prezəns] alomtegenwoordigheid.

omnipresent [ɔmni'prezənt] alomtegenwoordig.

omniscience [ɔm'niʃ(i)əns] alwetendheid. [dig.

omniscient [ɔm'niʃ(i)ənt] alwetend.

omnivorous [ɔm'nivərəs] 1 alverslindend; 2 ♘ omnivoor, allesetend.

on [ɔn] I *prep* op, aan, in, bij, om, met, van, over, tegen, volgens, naar; *hundreds* ~ *hundreds of miles* honderden en honderden mijlen; *the election is* ~ *us* we zitten in de verkiezing; *this round is* ~ *me* dit rondje geef ik; *slam the door* ~ *a person* achter (ook: vóór) iemand dichtslaan; II *ad* aan, op; dóór, voort, verder [bij werkwoorden]; ~, *Stanley*, ~! op!, vooruit!, sla toe!; ~ *with your coat* (trek) aan je jas; *he is* ~ hij is aan de beurt; hij is op de planken [v. toneel]; hij zit onder het mes [bij examen]; hij is al wat op leeftijd; *I am* ~ ook: top!, ik doe mee!; *the case is* ~ de (rechts)zaak is in behandeling; *Macbeth is*

~ wordt gegeven; *what is* ~? wat is er aan de hand?, te doen?, gaande?, aan de gang?; *we are well* ~ *in April* al een heel eind in april; ~ *and off* zie *off* and *on*; ~ *to* op, naar; *be* ~ *to* S doorhebben; *fig* ruiken.

onager ['ɔnəgə] ♘ onager, woudezel.

once [wʌns] I *ad* eens, éénmaal; ~ *again* nog eens, nogmaals, andermaal, weer; ~ *and again* af en toe, een enkele maal (ook: ~ *or twice*); ~ *and away* ééns en dan niet meer; een hoogst enkele maal (ook: ~ *in a while*, ~ *in a way*); ~ *more* nog eens, nogmaals, andermaal, weer; ~ *upon a time* (er was er) eens; *at* ~ 1 dadelijk; 2 tegelijk; *all at* ~ plotseling; *for* ~ een enkele maal; bij (hoge) uitzondering; *not* (*never*) ~ geen enkele keer; II als *aj* vroeger, in: *my* ~ *master*; III *sb* *this* ~ ditmaal; *for this* (*that*) ~ voor deze keer; IV *cj* toen (eenmaal), als (eenmaal), zodra.

oncoming ['ɔnkʌmiŋ] I *aj* 1 naderbij komend, aanrollend, naderend, aanstaand; 2 F toeschietelijk [v. vrouwen]; ~ *car* ook: tegenligger; II *sb* nadering.

one [wʌn] I *telw*. een, één; een enkele; (een en) dezelfde; enig; ~ *James* een zekere James; ~ *night* op zekere nacht; ~ *and all* elk en een iegelijk; allen (gezamenlijk), als één man; *his* ~ *and only hope* zijn enige hoop; ~ *and six* F een shilling en zes stuiver; ~ *another* elkaar; ~ *after another* de een na de ander; de één vóór, de ander na; ~ *with another* door elkaar (gerekend); *the* ~(*s*) *I have seen* die ik gezien heb; *he is the* ~ hij is de (onze) man; *he is the* ~ *man to do it* de enige die het kan; *what* ~? welke?; *what kind of* ~(*s*)? welke, wat voor?; *a small boy and a big* ~ een grote; *small boys and big* ~s kleine en grote jongens; *that's a good* ~! die is goed!; *the great* ~s de grote lui; de groten (der aarde); *the little* ~(*s*) de kleine(n), kleintje(s); *that was a nasty* ~ dat was een lelijke klap; *you are a nice* ~! je bent me een mooie!; (*that was*) ~ *in the eye for you*! F een lelijke slag (klap, veeg uit de pan); *be* ~ één zijn; het eens zijn; *it is all* ~ het is allemaal hetzelfde; *be* ~ *of the party* (*make* ~) van de partij zijn; *Book* (*chapter*) ~ het eerste boek (hoofdstuk); *at* ~ om één uur; *be at* ~ *with him on* (*about*) het met hem eens zijn over; ~ *by* ~ één voor één; stuk voor stuk; *by* ~s *and twos* bij bosjes van twee en drie; *X. for* ~ om maar eens iemand te noemen, X., X. bij voorbeeld; *I for* ~ ik voor mij; II *pron* men, F je; de een; iemand; *One above* God daarboven; *like* ~ *mad* als een bezetene; *I am not* ~ *for boasting* (*to talk*) ik hou niet van opsnijden (praten); III *sb* één; *two* ~s twee énen.

one-armed ['wʌn'a:md, + 'wʌna:md] met één arm; ~ *bandit* gokautomaat.

one-eyed ['wʌn'aid, + 'wʌnaid] eenogig.

one-horse ['wʌnhɔ:s] met één paard; F klein, armoedig; *a* ~ *affair* niet veel zaaks.

one-legged ['wʌn'legd] met één been.
one-man ['wʌnmən] eenmans-; van één persoon, schilder & b.v. *a ~ exhibition*.
oneness ['wʌnnis] eenheid, enigheid.
onerous ['ɔnərəs] lastig, bezwaarlijk, zwaar, onereus; *ɪ̣̃₂* bezwaard [eigendom].
oneself [wʌn'self] zich; zichzelf; zelf.
one-sided ['wʌn'saidid] eenzijdig, partijdig.
one-time ['wʌntaim] voormalig, gewezen, ex-.
one-track ['wʌntræk] eenzijdig [v. geest].
one-way ['wʌnwei] in één richting; *~ traffic* eenrichtingsverkeer *o*.
onfall ['ɔnfɔ:l] aanval, bestorming.
ongoings ['ɔngouiŋz] zie *goings-on*.
onion ['ʌnjən] ui; *he is off his ~* S het scheelt hem in zijn bovenkamer.
onlooker ['ɔnlukə] toeschouwer.
only ['ounli] I *aj* enig; II *ad* alleen, enig, enkel, maar, slechts, nog (maar); pas, net; eerst; *~ think !* denk eens aan!; *~ too glad* maar al te blij; III *cj* alleen [= maar].
onomatopoeia [ɔnəmætə'pi:ə] klanknabootsing; klanknabootsend woord *o*, onomatopee.
onrush ['ɔnrʌʃ] stormloop, opmars.
onset ['ɔnset] 1 aanval; 2 begin *o*.
onslaught ['ɔnslɔ:t] aanval, bestorming.
onto ['ɔn'tu] zie *on to*.
onus ['ounəs] plicht, verplichting, last.
onward ['ɔnwəd] I *aj* voorwaarts; II *ad ~(s)* voorwaarts, vooruit; zie ook: *from*.
onyx ['ɔniks] onyx *o & m*.
oof [u:f] S splint *o*, duiten.
oofy ['u:fi] S rijk, met centen.
oomph [u:mf] S *sex appeal*.
ooze [u:z] I *sb* modder, slik *o*; stroompje *o*; sijpelen *o*; II *vi* sijpelen; dóórdringen; *~ away* wegsijpelen, wegvloeien; *~ out* doorsijpelen, (uit)lekken[2]; III *vt* uitzweten.
oozy ['u:zi] modderig, slijkerig; klam.
opacity [ou'pæsiti] ondoorschijnendheid, donkerheid[2], duisterheid[2]; domheid, stompheid.
opal ['oupəl] opaal *o* [stofnaam], opaal(steen)
opaline ['oupəlain] opaalachtig, opaal-.   [*m*.
opaque [ou'peik] ondoorschijnend, donker[2], duister[2]; dom, stomp.
○ **ope** [oup] (zich) openen.
open ['oup(ə)n] I *aj* open°; geopend, openbaar, publiek; openlijk; openhartig; onverholen; onbevangen; onbezet; onbeslist; *be ~ to* open zijn (staan) voor; blootstaan aan; vatbaar zijn voor [rede]; gaarne willen (ontvangen &); *it is ~ to you* het staat u vrij om...; *~ to reproach* te laken; *be ~ with one* openhartig zijn tegenover; *lay ~* open-, blootleggen; *lay oneself ~ to* zich blootstellen aan, vat op zich geven; II *sb* open veld *o*; open zee; *in the ~* 1 in de open lucht; 2 onder de blote hemel; 3 in het openbaar; *bring into the ~* aan het licht brengen; *come (out) into the ~* voor de dag komen; naar buiten optreden; III *vt* openen, openmaken, -doen,

-zetten, -stellen; openkrijgen; openleggen[2]; blootleggen; inleiden [onderwerp], beginnen; ontginnen [het terrein]; banen [weg]; verruimen [geest]; *~ out* openen; *~ up* toegankelijk maken, ontsluiten; open-, blootleggen; onthullen; ontginnen; beginnen; IV *vi* opengaan, zich openen; beginnen; *~ into, on (on to)* uitkomen op; *~ out* opengaan, zich ontplooien; „loskomen"; *his eyes ~ed to...* de ogen gingen hem open voor...; *~ up* opengaan; beginnen; „loskomen".
open-eyed ['oupən'aid] 1 met open(gesperde) ogen, waakzaam; 2 met grote ogen.
open-handed ['oupən'hændid] mild, royaal.
open-hearted ['oupən'ha:tid] 1 openhartig; 2 grootmoedig; hartelijk.
opening ['oupəniŋ] I *aj* openend; inleidend; eerste; II *sb* opening°; begin *o*; inleiding; kans; gelegenheid; plaats [voor een werkkracht]; *~s* ook: vooruitzichten.
openly ['oupənli] *ad* openlijk, onverholen.
open-minded ['oupən'maindid] onbevangen, onbevooroordeeld.
open-mouthed ['oupən'mauðd] met open mond.
open-necked ['oupən'nekt] met open kraag; *~ shirt* schillerhemd *o*.
openness ['oupənnis] open-, openhartigheid.
open-work ['oupənwə:k] ajour.
opera ['ɔpərə] opera.
operable ['ɔpərəbl] te opereren.
opera-cloak ['ɔpərəklouk] sortie, avondcape.
opera-glass(es) ['ɔpərəgla:s(iz)] toneelkijker.
opera-hat ['ɔpərəhæt] klak(hoed), gibus.
opera-house ['ɔpərəhaus] opera(gebouw *ø*).
operate ['ɔpəreit] I *vi* werken° [v. geneesmiddelen &]; uitwerking hebben; van kracht zijn; $ & ✕ opereren; ✗ een operatie doen; *~ (up)on* werken op [iemands gevoel]; opereren [iemand; *for* van]; II *vt* 1 bewerken; teweegbrengen, ten gevolge hebben; 2 in werking stellen; ✗ drijven; in beweging brengen; 3 besturen, behandelen, bedienen [machine]. werken met [vulpen]; 4 exploiteren, leiden.
operatic [ɔpə'rætik] opera-.
operating room ['ɔpəreitiŋrum] 1 ✗ operatiekamer; 2 cabine [van bioscoop].
operating theatre ['ɔpəreitiŋθiətə] operatiezaal.
operation [ɔpə'reiʃən] (uit)werking; werkzaamheid, verrichting, bewerking, (be)handeling, bediening [v. machine]; exploitatie; operatie; *be in ~* 1 van kracht zijn; 2 ✗ in bedrijf zijn.
operational [ɔpə'reiʃənəl] ✕ operationeel.
operative ['ɔpərətiv] I *aj* werkzaam, werkend, van kracht; werk-; ✗ operatief; *become ~* in werking treden; II *sb* werkman, arbeider; *Am* detective, rechercheur.
operator ['ɔpəreitə] operateur; werker; bewerker; exploitant, eigenaar, ondernemer; **S** speculant; wie bedient [machine], bestuurder; ✝ telegrafist, ☏ telefonist.

operetta [ɔpə'retə] operette.

§ ophthalmia [ɔf'θælmiə] oogontsteking.

§ ophthalmic [ɔf'θælmik] oog-; ooglijders-.

§ ophthalmoscope [ɔf'θælmɔskoup] oogspiegel.

opiate ['oupiit] opiaat o; *fig* bedwelmend middel o.

opine [ou'pain] van mening zijn, vermenen.

opinion [ə'pinjən] opinie, ziens-, denkwijze, idee o & v; mening, oordeel o, gevoelen o; [rechtskundig &] advies o; *have no ~ of* geen hoge dunk hebben van; *in my ~* volgens mijn mening, naar mijn opinie.

opinionated [ə'pinjəneitid], opinionative [ə'pinjəneitiv] stijfhoofdig: stijf op zijn stuk staand; eigenwijs, eigenzinnig.

opium ['oupjəm] opium, ✎ amfioen o.

opium den [ˈoupjəmden] opiumkit.

opium smoker ['oupjəmsmoukə] opiumschuiver.

opossum [ə'pɔsəm] ♨ opossum o, buidelrat.

oppidan ['ɔpidən] externe leerling van Eton.

opponent [ə'pounənt] I *aj* tegengesteld; II *sb* tegenstander, tegenpartij, bestrijder.

opportune ['ɔpətjuːn] juist op tijd, van pas (komend), gelegen, geschikt.

opportunism ['ɔpətjuːnizm] opportunisme o.

opportunist ['ɔpətjuːnist] opportunist(isch).

opportunity [ɔpə'tjuːniti] (gunstige) gelegenheid, kans.

oppose [ə'pouz] I *vt* stellen (brengen) tegenover, tegenover elkaar stellen; zich kanten tegen, zich verzetten tegen, tegengaan, bestrijden [voorstel]; II *va* tegenwerpingen maken, oppositie voeren; *~d to* tegengesteld aan; *as ~d to* tegen(over); *firmly ~d to...* sterk (gekant) tegen.

opposer [ə'pouzə] opponent; bestrijder.

opposing [ə'pouziŋ] tegen(over)gesteld, tegenstrijdig; (vijandig) tegenover elkaar staand.

opposite ['ɔpəzit] I *aj* tegen(over)gesteld, -gelegen; overstaand [hoeken & ♣]; *~ neighbour* overbuur; *~ number* gelijke, ambtgenoot, collega, pendant o & m, tegenspeler; *~ party* tegenpartij; *the ~ sex* het andere geslacht; *~ (to) the house* tegenover het huis; II *ad & prep* (daar)tegenover, aan de overkant; *nearly ~* schuin (tegen)over; III *sb* tegen(over)gestelde o, tegendeel o.

opposition [ɔpə'ziʃən] oppositie°, tegenstand, verzet o, tegenkanting, weerstand; tegenoverstelling; tegenstelling; *in ~ to* tegenover; *in* strijd met; tegen... in.

oppositionist [ɔpə'ziʃənist] (lid) van de oppositie.

oppress [ə'pres] onderdrukken, verdrukken; drukken (op), bezwaren, benauwen.

oppression [ə'preʃən] onder-, verdrukking; druk, benauwing.

oppressive(ly) [ə'presiv(li)] (onder)drukkend, benauwend.

oppressor [ə'presə] onderdrukker, verdrukker.

opprobrious [ə'proubriəs] smadend, smaad-, beledigend.

opprobrium [ə'proubriəm] smaad, schande.

oppugn [ə'pjuːn] bestrijden, aanvallen.

opt [ɔpt] opteren, kiezen; *~ out* niet meer willen (meedoen), bedanken (voor *of*).

optic ['ɔptik] I *aj* optisch, gezichts-; *~ angle* gezichtshoek; *~ nerve* oogzenuw; II *sb* in: *~s* I optica, optiek; 2 S ogen.

optical ['ɔptikl] optisch, gezichts-; *~ illusion* gezichtsbedrog o.

optician [ɔp'tiʃən] opticien.

optimal ['ɔptiməl] zie *optimum* II.

optimism ['ɔptimizm] optimisme o.   [tisch.

optimist ['ɔptimist] I *sb* optimist; II *aj* optimis-

optimistic(ally) [ɔpti'mistik(əli)] optimistisch.

optimum ['ɔptiməm] I *sb* optimum o; II *aj* optimaal: gunstigst, best.

option ['ɔpʃən] keus, verkiezing, recht o of vrijheid van kiezen, optie; $ premie(affaire).

optional ['ɔpʃənl] niet verplicht, ter keuze, facultatief; *it is ~ with you to...* het staat u vrij, het blijft aan u overgelaten om...

opulence ['ɔpjuləns] rijkdom, overvloed, weelde(righeid).

opulent ['ɔpjulənt] rijk, overvloedig, weelderig.

opus ['oupəs] ♪ opus o, werk o [v. schrijver].

opuscule [ɔ'pʌskjuːl] ♪ klein opus o, werkje o.

or [ɔː] of; *five ~ six* vijf à zes; een stuk of zes; *a word ~ two* een paar woorden.

oracle ['ɔrəkl] orakel[2] o.

oracular [ɔ'rækjulə] orakelachtig.

oral ['ɔːrəl] *aj* mondeling; mond-; ♀ oraal.

orally ['ɔːrəli] *ad* mondeling; ♀ oraal.

orange ['ɔrin(d)ʒ] I oranjeboom; 2 sinaasappel; 3 oranje(kleur); *bitter ~* pomerans.

Orange ['ɔrin(d)ʒ] Oranje; *~ Free State* Oranje Vrijstaat.

orangeade [ɔrin'(d)ʒeid] orangeade.

Orangeman ['ɔrin(d)ʒmən] orangist.

orange-peel ['ɔrin(d)ʒpiːl] oranjeschil, sinaasappelschil.

orangery ['ɔrin(d)ʒri] oranjerie.

orang-utan ['ɔːrəŋ'uːtən] ♨ orang-oetan.

orate [ɔ'reit] oreren.

oration [ɔ'reiʃən] rede, redevoering, oratie.

orator ['ɔrətə] redenaar, spreker.

oratorical [ɔrə'tɔrikl] oratorisch, redenaars-.

oratorio [ɔrə'tɔːriou] ♪ oratorium o.

oratory ['ɔrətəri] I welsprekendheid; (holle) retoriek; 2 bidvertrek o, (huis)kapel.

oratress ['ɔrətris] redenaarster, spreekster.

orb [ɔːb] (hemel)bol; kring; rijksappel; ☉ oogappel, oog o.

orbed [ɔːbd], ☉ ['ɔːbid] rond.

orbit ['ɔːbit] I *sb* 1 baan [v. hemellichaam, satelliet]; 2 *fig* sfeer; 3 oogholte, -kas; *get (go) into ~* in een baan (om de aarde) komen; *put (send) into ~* in een baan (om de aarde) brengen; II *vi* in een baan (om de aarde) draaien; III *vt* in een baan (om de aarde) brengen; in een baan draaien om [de aarde].

orbital ['ɔːbitl] van een baan, baan-; ~ *flight* vlucht in een baan (om de aarde).

orchard ['ɔːtʃəd] boomgaard.

orchestra ['ɔːkistrə] orkest° o.

orchestral [ɔːˈkestrəl] van het orkest, orkest-.

orchestrate ['ɔːkistreit] orkestreren, voor orkest bewerken.

orchestration [ɔːkisˈtreiʃən] orkestratie.

orchestrina [ɔːkisˈtriːnə] orkestrion o.

orchid ['ɔːkid] ✿ orchidee.

orchis ['ɔːkis] ✿ standelkruid o.

ordain [ɔːˈdein] aan-, instellen; bevelen, verordenen, ⊙ (ver)ordineren; bestemmen, bepalen; ordenen (tot priester), wijden.

ordeal [ɔːˈdiːəl, ɔːˈdiːl] godsgericht o; *fig* beproeving; vuurproef.

order ['ɔːdə] I *sb* (rang-, volg)orde, klasse, soort; stand; ridderorde; ordening, regeling, schikking; orde(lijkheid); order, bevel o, last-(geving), bestelling; formulier o; (toegangs)biljet o; ✕ tenue o & v; ✎ rij, reeks; *Order in Council* ± Koninklijk Besluit o; ~ *of battle* ✕ slagorde; *the ~ of the day* de orde van de dag; ✕ de dagorder; *be the ~ of the day* aan de orde van de dag zijn; ~ *of knighthood* ridderorde; *holy ~s* de geestelijke wijding; *it is a large (tall, big) ~* S dat is veel gevergd; dat is niet mis; *there are ~s against it* het is verboden; *obtain (take) ~s* I (tot priester) gewijd worden; 2 $ bestellingen krijgen (aannemen); *arms at the ~* ✕ met het geweer bij de voet; *by ~* op bevel, op last; *by his ~s* op zijn bevel; *in ~* in orde; aan de orde; niet buiten de orde; *in ~ to marry*, *in ~ that he might marry* om te, ⊙ ten einde te trouwen; *in ~s* (tot priester) gewijd; *enter into (holy) ~s* (tot priester) gewijd worden; *on ~* in bestelling; *out of ~* niet in orde; ordeloos; niet wel; in het ongerede, defect, stuk; buiten de orde; *to ~* op commando (bevel); volgens bestelling, op (naar) maat; $ aan order; *call to ~* tot de orde roepen; II *vt* ordenen, (be)schikken, regelen, inrichten; verordenen, gelasten, bevelen, voorschrijven; bestellen; ~ *arms!* ✕ 't geweer bij de voet!; ~ *about* commanderen, ringeloren; ~ *away*, ~ *off* gelasten heen te gaan; ~ *home* gelasten naar huis te gaan; naar 't moederland terugroepen (zenden); ~ *the carriage (round)* ook: laten inspannen, laten vóórkomen.

order-book ['ɔːdəbuk] $ orderboek o, orderportefeuille.

order-form ['ɔːdəfɔːm] $ bestelbiljet o, bestelformulier o, bestelkaart.

orderliness ['ɔːdəlinis] ordelijkheid.

I orderly ['ɔːdəli] *aj* ordelijk, geregeld.

2 orderly ['ɔːdəli] *sb* ✕ ordonnans; hospitaalsoldaat; oppasser [in een hospitaal].

orderly bin ['ɔːdəlibin] vuilnisbak.

orderly officer ['ɔːdəliɔfisə] ✕ officier van de dag.

orderly room ['ɔːdəlirum] ✕ bureau o.

order-paper ['ɔːdəpeipə] agenda.

ordinal ['ɔːdinəl] rangschikkend; ~ *number* rangtelwoord o.

ordinance ['ɔːdinəns] voorschrift o, verordening, ordonnantie; ritus.

ordinarily ['ɔːd(i)nərili] *ad* zie *ordinary* I.

ordinary ['ɔːd(i)nəri] I *aj* gewoon, alledaags; ~ *seaman* ⚓ lichtmatroos; *physician in ~* lijfarts, hofarts; *professor in ~* gewoon hoogleraar; *ships in ~* opgelegde schepen; II *sb* I gewone o; 2 ordinaris; *out of the ~* ongewoon; buitengewoon.

ordinate ['ɔːdinit] ✕ ordinaat.

ordination [ɔːdiˈneiʃən] I (ver)ordening, bepaling, raadsbesluit o, ordinantie (Gods); 2 priesterwijding.

ordnance ['ɔːdnəns] ✕ I geschut o, artillerie; 2 oorlogsmateriaal en -voorraden; *Army O~ Corps* ± uitrustingstroepen; *a piece of ~* een stuk o (geschut).

ordnance map ['ɔːdnənsmæp] ✕ stafkaart.

ordnance survey ['ɔːdnənsˈsəːvei] ✕ topografische opname(dienst), triangulatie.

ordure ['ɔːdjuə] vuilnis; vuiligheid², vuil² o.

ore [ɔː] I erts o; 2 ⊙ metaal o, goud o.

oread ['ɔːriæd] bergnimf.

organ ['ɔːgən] I ♪ orgel o; 2 orgaan² o.

organ-blower ['ɔːgənblouə] orgeltrapper.

organdie ['ɔːgəndi] organdie.

organ-grinder ['ɔːgəngraində] orgeldraaier.

organic [ɔːˈgænik] organisch, bewerktuigd, organiek.

organism ['ɔːgənizm] organisme o.

organist ['ɔːgənist] ♪ organist.

organization [ɔːgənaiˈzeiʃən] organisatie.

organize ['ɔːgənaiz] organiseren.

organizer ['ɔːgənaizə] organisator.

organ-loft ['ɔːgənlɔːft] ♪ orgelkoor o; *RK* oksaal o.

organ-stop ['ɔːgənstɔp] ♪ (orgel)register o.

orgasm ['ɔːgæzm] razernij, hoogste opwinding, opgewondenheid.

orgy ['ɔːdʒi] orgie, zwelg-, braspartij.

oriel ['ɔːriəl] erker; erkervenster o (ook: ~ *window*).

Orient ['ɔːriənt] oosten o, morgenland o.

orient ['ɔːriənt] I *aj* opgaand [als de zon]; oostelijk; ⊙ oosters; schitterend, stralend; II *sb* glans [v. parelen]; III *vt* ['ɔːrient] naar het oosten keren (richten).

oriental [ɔːriˈentəl] I *aj* oostelijk; oosters; II *sb* oosterling.

orientate ['ɔːrienteit] oriënteren.

orientation [ɔːrienˈteiʃən] oriëntering².

orifice ['ɔrifis] opening; mond.

origin ['ɔridʒin] oorsprong, begin o, af-, herkomst; oorzaak, ontstaan o.

original [əˈridʒinəl] I *aj* oorspronkelijk, aanvankelijk, origineel; ~ *sin* erfzonde; II *sb* origineel o = oorspronkelijk stuk (werk) o; grondtekst; origineel m [persoonsnaam]; ⬦ oorsprong.

originality [əridʒi'næliti] oorspronkelijkheid; originaliteit.

originally [ə'ridʒinəli] ad zie original I.

originate [ə'ridʒineit] I vt voortbrengen; II vi ontstaan, voortspruiten (uit in), afkomstig zijn, uitgaan (van from, with).

origination [əridʒi'neiʃən] oorsprong, ontstaan o.

originator [ə'ridʒineitə] (eerste) ontwerper, aanlegger, schepper, verwekker, vader.

oriole ['ɔ:rioul] ♣ wielewaal, goudmerel.

Orion [ə'raiən] * Orion.

⚹ orison ['ɔrizən] gebed o.

Orkneys ['ɔ:kniz], the ~ de Orkadische eilanden.

orlop ['ɔ:lɔp] ⚓ koebrug.

ornament ['ɔ:nəmənt] I sb ornament o, versiersel o, versiering; sieraad² o; II vt ['ɔ:nəment] (ver)sieren, tooien.

ornamental [ɔ:nə'mentəl] (ver)sierend, ornamenteel, decoratief [v. personen]; sier-; ~ art (ver)sier(ings)kunst, ornamentiek; ~ painter decoratieschilder.

ornamentation [ɔ:nəmen'teiʃən] versiering; ornamentiek.

ornate [ɔ:'neit] (te) zeer versierd, overladen.

§ ornithology [ɔ:ni'θɔlədʒi] vogelkunde.

orphan ['ɔ:fən] I sb weeskind o, wees; II aj verweesd, ouderloos, wees-.

orphanage ['ɔ:fənidʒ] 1 ouderloosheid; 2 weeshuis o.

orphaned ['ɔ:fənd] verweesd, ouderloos.

orphanhood ['ɔ:fənhud] ouderloosheid.

Orphean [ɔ:'fi:ən] zie Orphic.

Orpheus ['ɔ:fju:s] Orfeus.

Orphic ['ɔ:fik] van Orfeus; Orfisch; orakelachtig; meeslepend.

orpiment ['ɔ:pimənt] operment o [verfstof].

orrery ['ɔrəri] planetarium o.

orthodox ['ɔ:θədɔks] 1 orthodox, rechtzinnig; 2 echt, van de oude stempel; gebruikelijk, gewoon; 3 oosters-orthodox.

orthodoxy ['ɔ:θədɔksi] orthodoxie, rechtzinnigheid.

orthographic(al) [ɔ:θə'græfik(l)] orthografisch: van de spelling, spelling-.

orthography [ɔ:'θɔgrəfi] (juiste) spelling.

orthopaedic [ɔ:θou'pi:dik] orthopedisch.

orthopaedy ['ɔ:θoupi:di] orthopedie.

oscillate ['ɔsileit] slingeren, schommelen²; ✴✝ oscilleren.

oscillation [ɔsi'leiʃən] slingering, schommeling²; ✴✝ oscillatie.

oscillatory ['ɔsileitəri] slingerend, schommelend², slinger-; ✴✝ oscillatie-.

osculate ['ɔskjuleit] osculeren; J kussen.

osculation [ɔskju'leiʃən] osculatie; J kus, gekus o.

osier ['ouʒə] I sb ♣ 1 kat-, teen-, bindwilg; 2 rijs o; teen; II als aj tenen.

Osiris [ou'saiəris] Osiris.

osmose ['ɔzmous], osmosis [ɔz'mousis] osmose.

osmund ['ɔzmənd] ♣ koningsvaren.

osprey ['ɔsprei] 1 ♣ visarend; 2 aigrette.

osseous ['ɔsiəs] beenachtig, beender-.

Ossianic [ɔsi'ænik] (in de trant) van Ossian.

ossification [ɔsifi'keiʃən] beenvorming, verbening.

ossifrage ['ɔsifridʒ] ♣ visarend.

ossify ['ɔsifai] I vt doen verbenen; verharden²; II vi verbenen; verharden².

ossuary ['ɔsjuəri] knekelhuis o.

Ostend [ɔs'tend] Ostende o.

ostensible [ɔs'tensibl] aj voorgewend, voor de leus (op)gegeven &, ogenschijnlijk, zogenaamd.

ostensibly [ɔs'tensibli] ad zoals voorgegeven wordt (werd), ogenschijnlijk, zogenaamd.

ostentation [ɔsten'teiʃən] (uiterlijk) vertoon o, pralerij, pronkerij; ostentatie.

ostentatious [ɔsten'teiʃəs] aj pralend, praalziek, pronkerig, pronkziek.

ostentatiously [ɔsten'teiʃəsli] ad op in 't oog vallende wijze; zie ook: ostentatious.

osteology [ɔsti'ɔlədʒi] osteologie: leer der beenderen.

ostler ['ɔslə] stalknecht.

ostracism ['ɔstrəsizm] 1 ▥ schervengericht o; verbanning; 2 banvonnis o, ban, boycot.

ostracize ['ɔstrəsaiz] 1 ▥ (door het schervengericht) verbannen; 2 in de ban doen, (maatschappelijk) boycotten.

ostrich ['ɔstritʃ] ♣ struis(vogel).

Ostrogoth ['ɔstrəgɔθ] Oostgoot.

other ['ʌðə] I aj ander; nog (meer); anders; some ~ day op een andere dag; the ~ day onlangs; the ~ night laatst op een avond; (far) ~ than, ~ from (geheel) verschillend van, anders dan; ~ than ook: behalve; zie ook: none; some one or ~ de een of andere, deze of gene; some time or ~ (bij gelegenheid) wel eens; II sb andere; he is the man of all ~s for the work net de man voor dat werk; why choose this book of all ~s? waarom nu juist dit boek?

⊙ otherwhere ['ʌðəweə] elders.

otherwise ['ʌðəwaiz] I ad anders°, anderszins, op (een) andere manier; wise and ~ wijs en niet wijs; rich or ~ al of niet rijk, rijk of arm; II als aj in: his ~ dullness zijn domheid bij andere gelegenheden; ~-minded van andere opinie; andersdenkend.

otiose ['ouʃious] onnut, overbodig.

otoscope ['outəskoup] oorspiegel.

otter ['ɔtə] ♣♣ (zee)otter.

Ottoman ['ɔtəmən] Ottomaan(s), Turk(s).

ottoman ['ɔtəmən] ottomane [rustbank].

1 ought [ɔ:t] 1 ⊙ iets; 2 P nul.

2 ought [ɔ:t] moeten, behoren; you ~ to... u moe(s)t...

ounce [auns] ons o (¹/₁₆ Engels pond) ‖ ♣♣ sneeuwpanter; ⊙ lynx.

our ['auə] ons, onze.

ours ['auəz] de onze(n), het onze; van ons.

ourself [auə'self], **ourselves** [auə'selvz] wij (zelf); ons, (ons) zelf.

ousel ['u:zl] zie *ouzel*.

oust [aust] uit het bezit stoten; verdringen; de voet lichten; uit-, ontzetten.

out [aut] **I** *ad* uit°, (naar) buiten; er op uit, weg, ♺ buitengaats, ✕ te velde; uitgelopen [blaren]; buiten de oevers getreden; uitgedoofd; op; om; uit de mode; niet meer „aan" (het bewind); niet meer aan slag; in staking; bewusteloos; bekend, geopenbaard, publiek; *all ~* I totaal; helemaal de plank mis; 2 met volle kracht, uit alle macht; *go all ~* zich helemaal geven; alles op alles zetten; *~ there* daarginder (in Canada &); *~ and away the best* verreweg de beste; *~ and ~* door en door, terdege; *my arm is ~* uit het lid; *the eruption is ~ all over him* hij zit vol uitslag; *in school and ~* en daarbuiten; *on her Sundays ~* op haar vrije zondagen; *the last novel ~* de laatst verschenen (nieuwste) roman; *on the voyage ~* op de uitreis; *be ~* uit zijn; weer op de been zijn (na ziekte); bloeien; aan het hof voorgesteld zijn; *sp* „af" zijn; ✕ onder de wapenen zijn; *fig* het mis hebben, zich verrekend hebben; gebrouilleerd zijn; *genius will ~* het genie blijft niet verborgen, het genie laat zich niet onderdrukken; *~ at elbows* zie *elbow* I; *~ for Germany's destruction* het er op gezet hebbend Duitsland te vernietigen; *~ in one's calculations* zich verrekend hebbend; *~ of* uit; buiten; van; zonder; door [voorraad] heen; *be ~ of it* er niet meer in zijn; niet meer meetellen; niet meer hebben; niet in zijn element zijn; *be ~ to* het erop gemunt hebben om, het erop aanleggen om; **II** *ij ~ upon him (such hyprocrisy)!* weg met...!; **III** *prep* in: *from ~ the dungeon* (van) uit de gevangenis; **IV** *aj* in: *an ~-size* een extra grote maat, extra groot nummer [handschoenen &]; **V** *vi* in: *~ with one's knife* zijn mes te voorschijn halen, zijn mes trekken; **VI** *sb* in: *the ~s* de niet aan het bewind zijnde partij.

out-and-out ['autənd'aut] degelijk, eersterangs; echt; aarts-, doortrapt, uitgeslapen; door dik en dun (meegaand), je reinste...

outbalance [aut'bæləns] zwaarder wegen dan...

outbid [aut'bid] meer bieden (dan...); *fig* overtreffen, de loef afsteken.

outboard ['autbɔ:d] ♺ buiten boord; *~ engine, ~ motor* buitenboordmotor.

outbound ['autbaund] ♺ op de uitreis.

outbrave [aut'breiv] trotseren; (in moed) overtreffen.

outbreak ['autbreik] uitbreken *o* [v. mazelen &, brand]; uitbarsting; opstootje *o*, oproer *o*; *an ~ of fire* een begin *o* van brand.

outbuilding ['autbildiŋ] bijgebouw *o*.

outburst ['autbə:st] uitbarsting²; *fig* uitval.

outcast ['autka:st] **I** *sb* verworpeling, verstoteling, verschoppeling, balling; **II** *aj* verwor-

pen, uitgeworpen; diep gezonken.

outclass [aut'kla:s] overtreffen, (ver) achter zich laten, *sp* overklassen.

outcome ['autkʌm] uitslag, resultaat *o*.

outcrop ['autkrɔp] te voorschijn komen(de) *o*.

1 **outcry** [aut'krai] *sb* geschreeuw *o*, schreeuw; protest *o*.

2 **outcry** [aut'krai] *vt* overschreeuwen.

outdare [aut'deə] meer durven dan; tarten.

outdistance [aut'distəns] achter zich laten².

outdo [aut'du:] overtreffen, de loef afsteken.

outdoor ['autdɔ:] buiten-; voor buitenshuis; *~ game* openluchtspel *o*; *~ relief* ondersteuning van huiszittende armen.

outdoors ['aut'dɔ:z] buitenshuis, buiten.

outer ['autə] buiten-, buitenste; *~ garments* bovenkleren; *his ~ man* zijn uiterlijk *o*; *~ office* kantoor *o* voor ondergeschikte(n) en publiek; *~ space* buitenatmosfeer, buitenaardse ruimte.

outermost ['autəmoust] buitenste, uiterste.

outface [aut'feis] de ogen doen neerslaan; van zijn stuk brengen; trotseren.

outfall ['autfɔ:l] afvloeiing [v. water], afvoerkanaal *o*, waterlozing, uitweg, -gang.

outfit ['autfit] **I** uitrusting; 2 **F** zaak, zaakje *o*; gezelschap *o*, stel *o*; ploeg; ✕ afdeling, onderdeel *o*.

outfitter ['autfitə] leverancier van uitrustingen.

outflank [aut'flæŋk] **I** ✕ overvleugelen, omtrekken; 2 beetnemen.

outflow [aut'flou] uitstroming; uitstorting; wegvloeien *o* [v. kapitaal].

outfly [aut'flai] sneller (hoger &) vliegen dan.

outgoing ['autgouiŋ] **I** *aj* I uitgaand; 2 aflopend [getij]; 3 vertrekkend [trein]; 4 aftredend [minister]; **II** *sb ~s* uitgave(n), (on)kosten.

outgrow [aut'grou] sneller groeien dan...; te groot worden voor...; ontgroeien, ontwassen; over het hoofd groeien; groeien uit [kledingstuk]; *~ it* het te boven komen.

outgrowth ['autgrouθ] uitwas; *fig* uitvloeisel *o*, resultaat *o*, produkt *o*.

out-herod [aut'herəd] naar *SH* in: *~ Herod* (Herodes nog) overtreffen, anderen ver achter zich laten in...

outhouse ['authaus] bijgebouw *o*.

outing ['autiŋ] I uitgang, uitgaansdag, vrij [v dienstboden]; 2 uitstapje *o*.

outlander ['autlændə] buitenlander, vreemdeling, *ZA* uitlander.

outlandish [aut'lændiʃ] buitenlands, vreemd, zonderling; (ver)afgelegen.

outlast [aut'la:st] langer duren dan...

outlaw ['autlɔ:] **I** *sb* vogelvrij verklaarde, balling; bandiet; **II** *vt* vogelvrij verklaren, buiten de wet stellen, verbieden.

outlawry ['autlɔ:ri] vogelvrijverklaring, buiten de wet stellen *o*.

outlay ['autlei] uitgave, (on)kosten.

outlet ['autlet] uitgang; uitweg; afvoerkanaal *o*; **$** afzetgebied *o*.

outline ['autlain] I *sb* omtrek, schets²; omlijning; *the ~s* ook: de hoofdpunten; II *vt* (in omtrek) schetsen, (af)tekenen²; omlijnen; uitstippelen; III *vr* ~ *itself* zich aftekenen (tegen *against*).

outlive [aut'liv] langer leven dan..., overleven; te boven komen; ~ *one's (its) day* zich overleven; *not* ~ *the night* de dag niet halen.

outlook ['autluk] uitkijk; kijk, blik, zienswijze, opvatting, visie; (voor)uitzicht *o*.

outlying ['autlaiiŋ] ver, verwijderd, afgelegen, buiten-.

outmarch [aut'ma:tʃ] ✕ sneller marcheren dan, achter zich laten.

outmost ['autmoust] buitenste, uiterste.

outnumber [aut'nʌmbə] in aantal overtreffen, talrijker zijn dan...; *be ~ed* in de minderheid zijn (blijven).

out-of-date ['autəv'deit] ouderwets, verouderd.

out-of-pocket ['autəv'pɔkit] in: ~ *expenses* voorschotten (ook: F ~ *s*).

out-of-the-way ['autəvðə'wei] afgelegen; ongewoon; buitennissig.

out-of-work ['autəv'wə:k] I *aj* werk(e)loos, zonder werk; II *sb* werk(e)loze.

outpace [aut'peis] voorbijstreven.

out-patient ['autpeiʃənt] niet in een ziekenhuis verpleegde patiënt; ~*s' department* polikliniek.

outport ['autpɔ:t] ⚓ voorhaven.   [niek.

outpost ['autpoust] 1 buitenpost; 2 ✕ voorpost.

outpour(ing) ['autpɔ:(riŋ)] uitstorting; ontboezeming.

output ['autput] 1 opbrengst, produktie; 2 ✕ effect *o*, vermogen *o*.

outrage ['autreidʒ] I *vt* beledigen, schenden, met voeten treden, geweld aandoen; II *sb* smaad, belediging; aanranding, vergrijp *o*, schennis, gewelddaad, wandaad; aanslag.

outrageous [aut'reidʒəs] *aj* beledigend, schandelijk, gewelddadig, overdreven.

outrageously [aut'reidʒəsli] *ad* gewelddadig, schandelijk; uitbundig, bovenmate.

outrank [aut'ræŋk] (in rang) staan boven; overtreffen.

outreach [aut'ri:tʃ] verder reiken dan; overtreffen.

out-relief ['autrili:f] zie *outdoor relief*.

outride [aut'raid] voorbijrijden; ~ *a storm* het uithouden in een storm.

outrider ['autraidə] voorrijder.

outrigger ['autrigə] ⚓ 1 uithouder, bakspier; dove jut; 2 boot met uithouders; *Ind* vierkprauw.

outright ['aut'rait] ineens, op slag; zoals het reilt en zeilt, in zijn geheel, terdege, totaal, volslagen; openlijk, ronduit; *laugh* ~ in een schaterlach uitbarsten, hardop lachen.

outrival [aut'raivəl] het winnen van.

outrun [aut'rʌn] 1 harder lopen dan...; 2 ontlopen; 3 *fig* voorbijstreven; overschrijden; ~ *the constable* op te grote voet leven.

outrunner ['autrʌnə] voorloper.

outrush ['autrʌʃ] uitstroming.

outsail [aut'seil] 1 harder zeilen dan; 2 voorbijvaren.

outset ['autset] begin *o*; *at the ~, from the (very)* ~ al dadelijk (bij het begin).

outshine [aut'ʃain] (in glans) overtreffen.

outside [aut'said] I *sb* buitenzijde, -kant; uitwendige *o*; buitenste *o*; uiterste *o*; *six at the* ~ op zijn hoogst; *from (the)* ~ van buiten; *on the* ~ buitenop; bovenop [omnibus]; van buiten; II *ad* buiten²; bovenop [omnibus]; van, naar buiten; III *prep* buiten (het bereik van); IV *aj* ['autsaid] van buiten (komend); uiterste; buiten-; *the* ~ *edge* beentje over *o* [bij schaatsenrijden].

outsider [aut'saidə] 1 niet-ingewijde, buitenstaander; 2 niet favoriet zijnd paard *o*.

outsit [aut'sit] langer blijven zitten dan...

outsize ['autsaiz] extra grote maat.

outskirts ['autskə:ts] buitenkant, zoom, grens, rand; buitenwijken.

outsleep [aut'sli:p] langer slapen dan...

outspan ['autspæn] I *vt* ZA uitspannen; II *sb* ZA uitspanplek.

outspoken ['aut'spoukn] onbewimpeld, openhartig, vrijmoedig.

outspread ['aut'spred] I *vt* uitspreiden; II *aj* uitgespreid.

outstanding [aut'stændiŋ] *aj* 1 uitstaand, onbetaald; onafgedaan, onuitgemaakt, onbeslist, onopgelost; 2 markant, bijzonder, uitzonderlijk.

outstandingly [aut'stændiŋli] *ad* bijzonder, uitzonderlijk.

out-station ['autsteiʃən] buitenpost².

outstay [aut'stei] langer blijven dan; ~ *the (his) time* over zijn tijd blijven, zich verlaten.

outstep [aut'step] overschrijden.

outstretch [aut'stretʃ] uitstrekken.

outstrip [aut'strip] voorbijstreven, achter zich laten, de loef afsteken.

outtalk [aut'tɔ:k] omverpraten.

outvie [aut'vai] overtreffen, voorbijstreven, het winnen van.

outvote [aut'vout] overstemmen; *be ~d* in de minderheid blijven.

outwalk [aut'wɔ:k] sneller (verder) gaan dan...

outward ['autwəd] I *aj* uitwendig, uiterlijk; naar buiten gekeerd; buiten-; *the* ~ *(form)* het vóórkomen; ~ *journey* uitreis; II *ad* naar buiten; ~ *bound* ⚓ op de uitreis.

outwardly ['autwədli] *ad* zie *outward* I.

outwards ['autwədz] buitenwaarts.

outwear [aut'wɛə] 1 verslijten; 2 te boven komen; 3 langer duren dan.

outweigh [aut'wei] zwaarder wegen dan²...; *fig* méér gelden dan...

outwit [aut'wit] verschalken, te slim af zijn.

outwork ['autwə:k] ✕ buitenwerk *o*.

outworker ['autwə:kə] 1 die buitenwerk verricht; 2 thuiswerker.

outworn ['aut'wɔ:n] afgezaagd; verouderd; versleten; uitgeput.

ouzel ['u:zl] ♭ merel.

oval ['ouvəl] I *aj* ovaal, eirond; II *sb* ovaal *o*; *the Oval* een cricketterrein in Londen.

ovary ['ouvəri] 1 eierstok; 2 ♣ vruchtbeginsel *o*.

ovate ['ouvit, 'ouveit] eivormig.

ovation [ou'veiʃən] ovatie.

oven ['ʌvn] oven.

over ['ouvə] I *prep* over°, boven, over... heen; meer dan; naar aanleiding van, in verband met, inzake, aangaande...; ~ *and above* (boven en) behalve; ~ *a glass of wine* onder (bij) een glaasje wijn; *he was a long time* ~ *it* hij deed er lang over; ~ *the telephone* door de telefoon; ~ *the week-end* gedurende; *sleep* ~ *one's work* bij zijn werk; ~ *the years* in de loop der jaren; II *ad* over°; voorbij, afgelopen, uit; omver; meer; ~ *against* 1 tegenover; 2 in tegenstelling met; ~ *and* ~ (*again*) keer op keer, telkens weer; *all* ~ van boven tot onder, van top tot teen; op-en-top; helemaal; *all the world* ~ de hele wereld door; over de hele wereld; *it is all* ~ *with him* gedaan, uit met hem; *twice* ~ tweemaal; ~ *in America* (daar)ginder in Amerika; ~ *there* (daar)ginder, aan de overkant, daar; *not* ~ *well dressed* niet al te best gekleed; III *sb* 1 overschot *o*; 2 *sp* over [cricket].

overabound [ouvərə'baund] al te overvloedig zijn; *we* ~ *in* (with) we hebben overvloed van.

overact [ouvə'rækt] overdrijven.

overall ['ouvərɔ:l] I *sb* (jongens)kiel, morskiel, -jurk, stofjas, jasschort; ~*s* overbroek, werkbroek, werkpak *o*, overall; II als *aj* totaal; algemeen.

overanxiety ['ouvərænˌ'zaiəti] al te grote bezorgdheid.

overanxious ['ouvə'ræŋkʃəs] (al) te bezorgd.

overarch [ouvə'ra:tʃ] overwelven.

overawe [ouvə'rɔ:] in ontzag houden, ontzag inboezemen, imponeren.

1 overbalance [ouvə'bæləns] I *vi* het evenwicht verliezen; II *vt* het evenwicht doen verliezen; zwaarder of meer wegen dan²...

2 overbalance ['ouvə'bæləns] *sb* 1 overwicht *o*; 2 surplus *o*; 3 meerderheid.

overbear [ouvə'bɛə] het winnen van, doen zwichten, neervellen, omverwerpen.

overbearing(ly) [ouvə'bɛəriŋ(li)] aanmatigend.

overbid [ouvə'bid] 1 meer bieden dan; 2 overtreffen.

overboard [ouvəbɔ:d] overboord².

overbold [ouvə'bould] al te vrijmoedig.

overbuild [ouvə'bild] te vol bouwen.

overburden [ouvə'bə:dn] overladen².

over-busy ['ouvə'bizi] 't overdruk hebbend.

overcast ['ouvə'ka:st] I *vt* bedekken, verduisteren, versomberen; overnaaien; II *aj* betrokken [van de lucht].

overcautious ['ouvə'kɔ:ʃəs] al te omzichtig.

1 overcharge [ouvə'tʃɑ:dʒ] I *vt* overladen°; $ te veel vragen, overvragen (voor); II *vi* $ overvragen.

2 overcharge ['ouvə'tʃɑ:dʒ] *sb* overvraging; overdreven prijs; te zware lading.

overcloud [ouvə'klaud] met wolken bedekken.

overcoat ['ouvekout] overjas.

overcome [ouvə'kʌm] I *vt* overwinnen; te boven komen; II *aj fig* onder de indruk; overmand, verslagen (ook: ~ *by emotion*); bevangen; F beneveld.

overcrowd [ouvə'kraud] overladen (met namen, details); ~*ed* overvol, overbevolkt, overbezet.

overcurious ['ouvə'kjuəriəs] al te nieuwsgierig.

overdo [ouvə'du:] (de zaak) overdrijven, te ver drijven; afmatten; te gaar koken &.

overdone ['ouvə'dʌn] overdreven, overladen; afgemat; te gaar (gebraden).

overdose ['ouvə'dous] I *sb* al te grote dosis; II *vt* een te grote dosis geven.

overdraft ['ouvədra:ft] $ (bedrag *o* van) overdispositie, voorschot *o* in rekening-courant.

overdraw [ouvə'drɔ:] 1 te zwart afschilderen, overdrijven, chargeren; 2 $ overdisponeren (ook: ~ *one's account*); *be overdrawn* $ debet staan [bij de bank].

overdress [ouvə'dres] *vi* & *vt* (zich) te zwierig kleden, te veel opschikken.

overdrive [ouvə'draiv] te hard aandrijven; afjagen, afjakkeren, afbeulen.

overdue ['ouvə'dju:, ouvə'dju:] over zijn tijd, te laat [trein]; reeds lang noodzakelijk; $ over de vervaltijd, achterstallig [v. schulden].

overeat [ouvə'ri:t] zich overeten (ook: ~ *oneself*).

overemphasize [ouvə'remfəsaiz] te zeer de nadruk leggen op, overdrijven.

1 overestimate [ouvə'restimit] *sb* te hoge schatting.

2 overestimate [ouvə'restimeit] *vt* te hoog schatten of aanslaan; overschatten.

overestimation ['ouvəresti'meiʃən] te hoge schatting; overschatting.

overexcite [ouvərik'sait] al te zeer opwekken, prikkelen, opwinden &.

overexert [ouvərig'zə:t] te zeer inspannen.

oxerexertion [ouvərig'zə:ʃən] bovenmatige inspanning.

overexposure [ouvəriks'pouʒə] overbelichting [v. foto].

overfeed [ouvə'fi:d] (zich) overvoeden.

1 overflow [ouvə'flou] I *vi* overvloeien, overlopen; II *vt* overstromen²; stromen over; ~ *its banks* buiten de oevers treden.

2 overflow ['ouvəflou] I *sb* overstroming; te veel *o*; (water)overlaat, overloop; II *aj* in: ~ *meeting* parallelvergadering.

overflowing [ouvə'flouiŋ] in: *full to* ~ overvol, boordevol.

overfull ['ouvə'ful] te vol.

overground ['ouvəgraund] bovengronds.

overgrow [ouvə'grou] I *vt* begroeien, overdekken; II *vi* over de maat groeien; III *vr* ~ *oneself* uit zijn kracht groeien.

overgrown [ouvə'groun] 1 begroeid, bedekt [met gras &]; verwilderd [v. tuin]; 2 uit zijn kracht gegroeid, opgeschoten.

overgrowth ['ouvəgrouθ] te welige groei.

overhand ['ouvəhænd] bovenhands.

1 **overhang** [ouvə'hæŋ] I *vt* hangen over, boven (iets); boven 't hoofd hangen, dreigen; II *vi* overhangen, uitsteken.

2 **overhang** ['ouvəhæŋ] *sb* overhangen *o*; overhangend gedeelte *o*.

overhaul [ouvə'hɔ:l] I *vt* 1 ♦ inhalen; 2 nazien, onder handen nemen, ✗ reviseren [motor &]; onderzoeken, inspecteren; II *sb* ['ouvəhɔ:l] nazien *o*, onder handen nemen *o*, ✗ revisie; onderzoek *o*, inspectie.

overhead [ouvə'hed] I *ad* boven ons, boven het (ons, zijn) hoofd, (hoog) in de lucht; II *aj* ['ouvəhed] in: ~ *charges* (*cost, expenses*) $ algemene onkosten; ~ *railway* luchtspoorweg; ~ *valve* ✗ kopklep; ~ *wires* 羃 bovengrondse of bovenleiding; III *sb* ['ouvəhed] $ algemene onkosten (ook : ~*s*).

overhear [ouvə'hiə] bij toeval horen, opvangen, afluisteren.

overheat [ouvə'hi:t] te heet maken, te veel verhitten, oververhitten.

overhours ['ouvərauəz] overuren.

overindulge [ouvərin'dʌldʒ] te veel toegeven.

overjoyed [ouvə'dʒɔid] in de wolken, dolblij.

overlabour [ouvə'leibə] te uitvoerig ingaan op, te peuterig bewerken.

overland ['ouvəlænd] I *aj* over land (gaand); II *ad* [ouvə'lænd] over land.

overlap [ouvə'læp] (elkaar) gedeeltelijk bedekken; over (elkaar) heenvallen, in elkaar grijpen; *fig* gedeeltelijk hetzelfde doen &, herhalen, dubbel werk doen; (elkaar) overlappen.

1 **overlay** [ouvə'lei] *vt* bedekken, beleggen.

2 **overlay** ['ouvəlei] *sb* bovenmatras.

overleaf [ouvə'li:f] aan ommezijde.

overleap [ouvə'li:p] springen over.

overlie [ouvə'lai] liggen over.

1 **overload** ['ouvəloud] *sb* te zware belasting.

2 **overload** [ouvə'loud] *vt* 1 overladen; 2 overbelasten.

overlook [ouvə'luk] overzien; uitzien op; toezien op, in het oog houden; over het hoofd zien, voorbijzien; door de vingers zien.

overlord [ouvə'lɔ:d] opperheer.

overman ['ouvəmæn] 1 (ploeg)baas; 2 zie ook : *superman*.

overmaster [ouvə'ma:stə] overmeesteren.

overmatch [ouvə'mætʃ] te boven gaan, overtreffen; overmannen, verslaan.

overmeasure ['ouvəmeʒə] overmaat.

overmuch ['ouvə'mʌtʃ] al te veel, te zeer.

1 **overnight** [ouvə'nait] *ad* de avond (nacht) te voren; gedurende de nacht; in één nacht; ineens, plotseling; op stel en sprong.

2 **overnight** ['ouvənait] I *sb* de vorige avond (nacht); II *aj* van de vorige avond (nacht).

overpass [ouvə'pa:s] voorbijgaan; oversteken [rivier]; overschrijden; te boven komen; overtreffen.

overpay [ouvə'pei] te veel (uit)betalen, een te hoog loon geven, te hoog bezoldigen.

overplay [ouvə'plei] chargeren [v. acteur]; ~ *one's hand* te veel wagen, te ver gaan.

overpower [ouvə'pauə] overmannen, overstelpen, overweldigen.

overprint [ouvə'print] I *vt* van een opdruk voorzien [postzegel]; II *sb* ['ouvəprint] opdruk.

overproduction ['ouvəprə'dʌkʃən] overproduktie.

overrate [ouvə'reit] overschatten.

overreach [ouvə'ri:tʃ] I *vt* verder reiken dan; bedriegen; II *vr* ~ *oneself* te ver reiken, zich verrekken; *fig* het doel voorbijstreven.

override [ouvə'raid] afrijden, afjagen, afjakkeren, afbeulen [paard]; onder de voet lopen; op zijde zetten, ter zijde stellen, met voeten treden, vernietigen; (weer) te niet doen; overheersen; ~ *one's commission* buiten zijn bevoegdheid (F boekje) gaan.

overripe ['ouvə'raip] overrijp.

overrule [ouvə'ru:l] de overhand hebben over; ⚖ verwerpen; te niet doen; overstemmen; *be* ~*d* ook : moeten zwichten; in de minderheid blijven, overstemd of afgestemd worden.

overrun [ouvə'rʌn] lopen over, overschrijden, overstromen²; overdekken [van plantengroei]; aflopen, verwoesten, onder de voet lopen [een land].

oversea(s) [ouvə'si:(z)] I *ad* over zee, naar overzeese gewesten; II *aj* overzees.

oversee [ouvə'si:] overzien; het toezicht hebben over.

overseer ['ouvəsiə] opzichter, opziener, inspecteur.

overshadow [ouvə'ʃædou] overschaduwen, in de schaduw stellen, verduisteren.

overshoe ['ouvəʃu:] overschoen.

overshoot [ouvə'ʃu:t] I *vt* voorbij schieten overheen schieten; ~ *the mark* zijn (het) doel voorbijstreven; II *vr* ~ *oneself* zijn mond voorbijpraten; zich te ver wagen.

oversight ['ouvəsait] 1 toe-, opzicht *o*; 2 onoplettendheid, vergissing.

oversimplified ['ouvə'simplifaid] simplistisch.

oversimplify ['ouvə'simplifai] simplistisch voorstellen, opvatten of redeneren.

oversleep [ouvə'sli:p] I *vi* zich verslapen; II *vt* langer slapen dan; III *vr* ~ *oneself* zich verslapen, te lang slapen.

overspend [ouvə'spend] te veel inspannen, overspannen, afmatten; te veel uitgeven.

overspill ['ouvəspil] teveel *o*; overbevolking.

overspread [ouvə'spred] overdekken, zich verspreiden over.

overstaffed [ouvə'sta:ft] met te veel personeel, overbezet.

overstate [ouvə'steit] overdrijven; te hoog opgeven; ~ *the case* te veel beweren.

overstatement [ouvə'steitmənt] overdrijving.

overstay [ouvə'stei] langer blijven dan.

overstep [ouvə'step] overschrijden[2]; ~ *all (the)*
bounds alle perken te buiten gaan.

1 overstock [ouvə'stɔk] *vt* overladen, overvoeren [de markt].

2 overstock ['ouvəstɔk] *sb* te grote voorraad.

overstrain ['ouvə'strein] I *vt* te zeer (in)span-
nen, overspannen; *fig* te breed uitmeten; II
vr ~ *oneself* zich verrekken; III *sb* te grote
(in)spanning; overspanning.

overstress [ouvə'stres] zie *overemphasize.*

overstrung ['ouvə'strʌŋ] geëxalteerd, overspannen [v. zenuwen]; ['ouvəstrʌŋ] ♪ kruissnarig.

oversubscribe [ouvəsəb'skraib] $ overtekenen.

overt ['ouvət] *aj* open, openlijk, duidelijk.

overtake [ouvə'teik] inhalen, achterhalen; bijwerken; overvallen.

overtax [ouvə'tæks] al te zwaar belasten; te
veel vergen van.

1 overthrow [ouvə'θrou] *vt* om(ver)werpen[2];
fig ten val brengen; vernietigen.

2 overthrow ['ouvəθrou] *sb* omverwerping; val
[v. minister &]; nederlaag.

overtime ['ouvətaim] I *sb* overuren, overwerk
o; II *aj* in: ~ *work* overwerk *o*; III *ad* in:
work ~ overuren maken, overwerken.

overtly ['ouvətli] *ad* zie *overt.*

1 overtone ['ouvətoun] *sb* ♪ boventoon; ~s
ook: *fig* sausje *o*, vernisje *o*; aandikking; bijbetekenis.

2 overtone [ouvə'toun] *vt* 1 overstemmen; 2
een te donkere tint geven [aan foto].

overture [ouvətjuə] 1 opening, inleiding; inleidend voorstel *o* [bij onderhandeling]; 2 ♪
ouverture; ~s ook: avances.

overturn [ouvə'tə:n] I *vt* omwerpen, omverwerpen, doen mislukken, te gronde richten,
te niet doen; II *vi* omslaan, omvallen.

overvalue [ouvə'vælju:] overschatten.

overweening [ouvə'wi:niŋ] 1 aanmatigend,
verwaand, laatdunkend; 2 overdreven.

1 overweight ['ouvə'weit] *sb* over(ge)wicht *o*.

2 overweight ['ouvə'weit] *vt* overbelasten.

overwhelm [ouvə'welm] overstelpen (met *with*);
verpletteren.

overwhelming [ouvə'welmiŋ] overstelpend,
verpletterend, overweldigend, overgroot.

1 overwork ['ouvəwə:k] *sb* overwerk *o*, extrawerk *o*; te grote inspanning.

2 overwork ['ouvə'wə:k] I *vt* te veel laten werken; uitputten; ~*ed* ook: afgezaagd; II *vi*
zich overwerken.

overwrought ['ouvə'rɔ:t] overspannen; overladen [met details].

Ovid ['ɔvid] Ovidius.

Ovidian [ou'vidiən] van Ovidius.

§ oviform ['ouvifɔ:m] eivormig.

§ ovine ['ouvain] van de schapen, schape(n)-.

§ oviparous [ou'vipərəs] eierleggend.

ovoid ['ouvɔid] I *aj* eivormig; II *sb* eivormig
lichaam *o*; ~s eierkolen.

owe [ou] I *vt* schuldig zijn, verschuldigd zijn,
te danken, te wijten hebben (aan); II *vi*
schuld(en) hebben.

owing ['ouiŋ] I *aj* te betalen (zijnd); *it was* ~
to... het was te danken (te wijten, toe te
schrijven) aan...; II *prep* in: ~ *to...* ten gevolge van..., dank zij...

owl [aul] 🦉 uil[2]; *fig* uilskuiken *o*.

owlet ['aulit] uiltje[2] *o*.

owlish ['auliʃ] uilachtig, uilig, uile(n)-.

1 own [oun] *aj* eigen; ~ *cousin* volle neef (van
to); *have it for your (very)* ~ (helemaal) voor
u alleen; *a house of my* ~ een eigen huis; *on*
one's ~ alleen; op eigen houtje; zelfstandig;
voor eigen rekening; *it has a charm all its* ~
een eigenaardige bekoring; *my* ~ *!* lieve!

2 own [oun] I *vt* bezitten, (in bezit) hebben;
toegeven, erkennen; II *vi* eigendom bezitten;
~ *to* bekennen, dat...; ~ *up* bekennen, opbiechten.

owner ['ounə] 1 eigenaar; 2 reder.

ownerless ['ounəlis] onbeheerd.

ownership ['ounəʃip] eigendom(srecht) *o*, be-
zit(srecht) *o*.

ox [ɔks] 🐂 os; rund *o*.

oxalic [ɔk'sælik] in: ~ *acid* zuringzuur *o*.

Oxbridge ['ɔksbridʒ] Oxford en Cambridge
[de oude universiteiten].

oxen ['ɔksən] *mv* v. *ox.*

ox-eye ['ɔksai] 1 osseoog[2] *o*; 2 🌼 margriet; 3 🐦
koolmees.

ox-eyed ['ɔksaid] *fig* met kalfsogen.

ox-fence ['ɔksfens] dichte haag [voor 't vee].

Oxford ['ɔksfəd] Oxford *o*; ~ *movement* in
1833 begonnen (meer) roomse beweging in
de Eng. Kerk; ~ *shoes* lage schoenen.

oxidation [ɔksi'deiʃən] oxydatie.

oxide ['ɔksaid] oxyde *o*: zuurstofverbinding.

oxidize ['ɔksidaiz] oxyderen.

oxlip ['ɔkslip] 🌼 slanke sleutelbloem.

Oxonian [ɔk'sounjən] ⇒ (student of gegradueerde) van Oxford.

ox-tail ['ɔksteil] ossestaart.

oxygen ['ɔksidʒən] zuurstof.

oxygenate [ɔk'sidʒineit], oxygenize [ɔk'sidʒi-
naiz] met zuurstof verbinden.

oyes, oyez [ou'jes] hoort!

oyster ['ɔistə] oester[2].

oyster-catcher ['ɔistəkætʃə] 🐦 scholekster.

oyster-farm ['ɔistəfa:m] oesterkwekerij.

oz. = *ounce(s).*

ozone ['ouzoun, ou'zoun] ozon *o* & *m*.

ozonic [ou'zɔnik] ozonhoudend, ozon-.

P

p [pi:] (de letter) p; *mind your P's and Q's* pas
op uw tellen.

pa [pa:] **I** pa.

pabulum ['pæbjuləm] voedsel² o.

1 pace ['peisi] in: ~ *tua* met uw verlof; ~ *Mr.* *X* met alle respect voor X.

2 pace [peis] **I** *sb* stap, pas, schrede; gang, tempo o; telgang [v. paard]; *go the* ~ flink doorstappen of -rijden; er op los leven; F aan de sjouw zijn; *keep* ~ gelijke tred houden; *mend one's* ~ zijn tred verhaasten, wat aanstappen; *set the* ~ het tempo aangeven²; *at a great* (*brisk, smart*) ~ met flinke stappen, vlug; *at a slow* ~ langzaam stappend; langzaam (lopend); *put... through his* ~*s* op en neer laten draven; *fig* op het slappe koord laten komen; **II** *vi* stappen; in de telgang gaan [v. paard]; **III** *vt* afpassen, afstappen; het tempo aangeven.

pace-maker ['peismeikə] *sp* gangmaker.

pacer ['peisə] telganger; *sp* gangmaker.

pachyderm ['pækidə:m] dikhuidig dier o (mens).

pachydermatous [pæki'də:mətəs] dikhuidig².

pacific [pə'sifik] *aj* vredelievend; vreedzaam; *the Pacific* (*Ocean*) de Stille Zuidzee, de Grote Oceaan.

pacification [pæsifi'keiʃən] stilling; bedaring, kalmering; pacificatie, bevrediging.

pacificatory [pə'sifikətəri] vredes-; bedarend, kalmerend.

pacifier ['pæsifaiə] vredestichter.

pacifism ['pæsifizm] vredesbeweging.

pacifist ['pæsifist] pacifist(isch).

pacify ['pæsifai] stillen; bedaren, kalmeren; pacificeren, tot vrede (rust) brengen.

pack [pæk] **I** *sb* pak o, last; mars [v. marskramer]; ✂ bepakking, ransel; *sp* meute, troep (jachthonden &); bende; pakijs o; spel o [kaarten]; baal [240 Eng. ponden]; *a* ~ *of lies* een hoop leugens; **II** *vt* (in-, ver)pakken; bepakken, beladen; samenpakken; volproppen, volstoppen (met *with*); omwikkelen; partijdig samenstellen [jury]; ~ *a punch* S hard toeslaan; ~ *away* (*off*) wegsturen; wegbergen; ~ *on all sail* ⚓ alle zeilen bijzetten; ~ *up* (in)pakken; S (ermee) uitscheiden; opkrassen; ~*ed with...* ook: vol...; **III** *vi* & *va* pakken; zich laten (in)pakken; samenscholen; ~ *off* F zijn biezen pakken; *send a person* ~*ing* iemand de bons geven; *be sent* ~*ing* zijn congé krijgen.

package ['pækidʒ] **I** *sb* verpakking; pak o; ~*s* ook: colli; **II** *vt* verpakken

pack-animal ['pækæniməl] pakdier o, lastdier o.

pack-cloth ['pækkləθ] paklinnen o.

pack-drill ['pækdril] ✂ strafexerceren o; *no names, no* ~ F niemand genoemd, niemand geblameerd.

packer ['pækə] 1 (ver)pakker; 2 pakmachine; 3 *Am* fabrikant van verduurzaamde levensmiddelen (inz. varkensvlees).

packet ['pækit] 1 pakje o, pakket o; 2 ⚓ pak-

ketboot; 3 S hoop geld, bom duiten.

packet-boat ['pækitbout] pakketboot.

pack-horse ['pækhɔ:s] pakpaard o.

pack-ice ['pækais] pakijs o.

packing ['pækiŋ] 1 inpakken o &; 2 verpakking; 3 ✂ pakking.

packing-needle ['pækiŋni:dl] paknaald.

packman ['pækmən] marskramer.

pact [pækt] pact o, verdrag o, verbond o.

Pad [pæd] 1 verk. v. *Patrick*; 2 **F** Ier.

1 pad [pæd] **I** *sb* kussen(tje) o; opvulsel o; onderlegger bij het schrijven, blok o; blocnote S poot; *Am* S kast (= kamer &); bed o *launching* ~ lanceertoren [v. raket &]; **II** *v.* (op)vullen.

2 pad [pæd] **I** *sb* ⚓ weg; ✎ telganger; *go or the* ~ op roof uit gaan; **II** *vt* aflopen; ~ *it* (*the hoof*) er op uit gaan (te voet), tippelen **III** *vi* tippelen.

padding ['pædiŋ] (op)vulsel o [bijv. watten] vulling, bladvulling.

paddle ['pædl] **I** *sb* pagaai, peddel; blad o [v. e. riem]; schoep [van een scheprad]; zwemvoet; roeitochtje o; **II** *vt* pagaaien; roeien: ~ *one's own canoe* op eigen wieken drijven; **III** *vi* 1 pagaaien, peddelen; roeien; 2 dribbelen; plassen; pootjebaden.

paddle-board ['pædlbɔ:d] schoep.

paddle-box ['pædlbɔks] raderkast.

paddle-steamer ['pædlsti:mə] rader(stoom)-boot.

paddle-wheel ['pædlwi:l] scheprad o.

paddock ['pædək] paddock, kleine omheinde weide.

Paddy ['pædi] **F** de (typische) Ier.

paddy ['pædi] S nijdige bui ‖ *Ind* padie.

padlock ['pædlɔk] **I** *sb* hangslot o; **II** *vt* met een hangslot sluiten.

padre ['pa:dri] S dominee; ✂ (leger-, vloot)-predikant, *RK* (leger-, vloot)aalmoezenier.

paean ['pi:ən] jubelzang, zegelied o.

pagan ['peigən] **I** *sb* heiden; **II** *aj* heidens.

paganism ['peigənizm] heidendom o.

page [peidʒ] **I** *sb* page; livreiknechtje o, piccolo ‖ bladzijde²; **II** *vt* pagineren ‖ iemands naam laten omroepen [in hotels &]; *paging Mr. X* is meneer X aanwezig?

pageant ['pædʒənt] (praal)vertoning; schouwspel o; (historische) optocht; praal, pracht.

pageantry ['pædʒəntri] praal(vertoning).

paginate ['pædʒineit] pagineren.

pagination [pædʒi'neiʃən] paginering.

pagoda [pə'goudə] pagode.

pah [pa:] bah!

paid [peid] V.T. & V.D. van *pay*; *put* ~ *to* een eind maken aan, het einde betekenen van.

pail [peil] emmer.

pailful ['peilful] emmer(vol).

paillasse [pæl'jæs] stromatras.

pain [pein] **I** *sb* pijn, smart, lijden o; straf; ~*s* ook: (barens)weeën; moeite, inspanning; *take* (*great*) ~*s*, *be at* (*great*) ~*s to...* zich (veel) moeite geven...; *under* of (*up*)*on* ~ *of death* op straffe des doods; II *vt* pijnlijk zijn, pijn doen of veroorzaken; leed doen, bedroeven.

ainful(ly) ['peinful(i)] I pijnlijk°; smartelijk; 2 moeilijk.

ain-killer ['peinkilə] pijnstillend middel o.

ainless(ly) ['peinlis(li)] pijnloos.

ainstaking ['peinzteikiŋ] ijverig; nauwgezet.

aint [peint] I *sb* I verf; 2 blanketsel o; II *vt* (be-, af)schilderen; verven, blanketten; ~ *in* bijschilderen; ~ *out* overschilderen; ~ *the town red* S de bloemetjes buiten zetten; III *vi* & *va* I schilderen; 2 zich blanketten of verven [v. dames].

aint-box ['peintbɔks] kleur-, verfdoos.

aint-brush ['peintbrʌʃ] penseel o, verfkwast.

ainter ['peintə] schilder || ♪ vanglijn; *cut the* ~ zich losmaken; er vandoor gaan.

ainterly ['peintəli] schilderkunstig.

ainting ['peintiŋ] schilderkunst; schilderij o & v; schildering.

ainting-book ['peintiŋbuk] kleurboek o.

aintress ['peintris] schilderes.

ainty ['peinti] vol verf (zittend); verf-.

air [pɛə] I *sb* I paar o (twee, die bij elkaar behoren); span o; paartje o; 2 andere van een paar (handschoenen &); *that's another* ~ *of shoes* dat is wat anders; *a* ~ *of spectacles* een bril; *a* ~ *of trousers* een broek; II *vt* paren°; verenigen; III *vi* paren; samengaan.

ajamas [pə'dʒa:məz] *Am* zie *pyjamas*.

*akistan [pa:kis'ta:n] Pakistan o.

*akistani [pa:kis'ta:ni] I *aj* Pakistaans; II *sb* Pakistaner.

al [pæl] I *sb* P kameraad; II *vi* P kameraad zijn of worden (met *with*).

alace ['pælis] paleis o.

aladin ['pælədin] paladijn².

alankeen, palanquin [pælən'ki:n] palankijn, draagkoets.

alatable ['pælətəbl] smakelijk², aangenaam.

alatal ['pælətəl] palataal.

alate ['pælit] verhemelte o; *fig* smaak.

alatial [pə'leiʃ(ə)l] als (van) een paleis, groots.

alatinate [pə'lætinit] paltsgraafschap o; *the* P~ de Palts.

alatine ['pælətain] I *aj* paltsgrafelijk; *count* ~ paltsgraaf || verhemelte-; II *sb* paltsgraaf.

alaver [pə'la:və] I *sb* conferentie, bespreking, (mondeling) onderhoud o; gewauwel o; lekkermakerij; II *vi* confereren; wauwelen; III *vt* bepraten; lekker maken.

pale [peil] I *sb* paal°; grenzen, omheining; gebied o, terrein o; II *vt* af-, ompalen, omheinen.

pale [peil] I *aj* bleek, dof, flauw, flets, licht [blauw &]; II *vt* bleek maken; III *vi* bleek worden, verbleken².

ale ale ['peil'eil] licht Engels bier o.

ale face ['peilfeis] „bleekgezicht" o, blanke.

ale-faced ['peilfeist] bleek [v. gezicht].

paleness ['peilnis] bleekheid o.

Palestine ['pælistain] Palestina o.

Palestinian [pælis'tiniən] Palestijns.

paletot ['pæltou] losse overjas; paletot.

palette ['pælit] palet o.

palette-knife ['pælitnaif] tempermes o.

palfrey ['pɔ:lfri] damespaard o, paradepaard o.

paling ['peiliŋ] omrastering, staketsel o.

palisade [pæli'seid] I *sb* paalwerk o, palissade, stormpaal; II *vt* verschansen, palissaderen.

palish ['peiliʃ] bleekachtig, bleekjes.

I pall [pɔ:l] *sb* baarkleed o, lijkkleed o; *fig* mantel, sluier.

2 pall [pɔ:l] I *vt* verzadigen; doen walgen; II *vi* in: ~ (*up*)*on one* iemand (gaan) tegenstaan of vervelen.

palladium [pə'leidiəm] palladium² o; *fig* bolwerk o, plechtanker o.

pall-bearer ['pɔ:lbɛərə] slippedrager.

pallet ['pælit] palet o || strobed o, strozak.

palliasse [pæl'jæs] stromatras.

palliate ['pælieit] verzachten, lenigen; bemantelen, bewimpelen, verbloemen.

palliation [pæli'eiʃən] verzachting, leniging; bemanteling, bewimpeling, verbloeming.

palliative ['pæliətiv] lapmiddel o, doekje o voor 't bloeden.

pallid ['pælid] (doods)bleek.

Pall-Mall [pel'mel] een straat in Londen, waar vele clubs zijn.

pallor ['pælə] bleekheid.

pally ['pæli] P kameraadschappelijk.

palm [pa:m] I *sb* palm; *bear the* ~ de palm wegdragen; II *vt* betasten; in de hand verbergen; omkopen; ~ *a thing off on one* iemand iets aansmeren; ~ *oneself off as a(n)*... zich voor... uitgeven.

palmer ['pa:mə] I pelgrim; 2 ※ harige rups.

palmetto [pæl'metou] ♣ dwergpalm.

palmist(ry) ['pa:mist(ri)] handkijker(ij).

palm-oil ['pa:mɔil] I palmolie; 2 *fig* omkoopgeld o, fooi.

Palm Sunday ['pa:m'sʌndi] Palmzondag.

palm-tree ['pa:mtri:] ♣ palmboom.

palmy ['pa:mi] vol palmen; *fig* bloeiend; voorspoedig; ~ *days* bloeitijd.

palpability [pælpə'biliti] tastbaarheid.

palpable ['pælpəbl] *aj* tastbaar.

palpably ['pælpəbli] *ad* tastbaar.

palpate ['pælpeit] betasten.

palpation [pæl'peiʃən] betasting.

palpitate ['pælpiteit] kloppen [van het hart], popelen, trillen, lillen.

palpitation [pælpi'teiʃən] (hart)klopping, popeling, trilling, lilling.

palsied ['pɔ:lzid] verlamd.   [men.

palsy ['pɔ:lzi] I *sb* verlamming; II *vt* verlampalter ['pɔ:ltə] draaien, uitvluchten zoeken; ~ *with* knoeien met; marchanderen met; 't zo nauw niet nemen met.

paltriness ['pɔ:ltrinis] armzaligheid, ellendigheid, nietigheid.

paltry ['pɔːltri] armzalig, ellendig, nietig.
paludal [pə'ljuːd(ə)l] moeras-; ~ *fever* malaria.
pampas ['pæmpəz] pampas.
pamper ['pæmpə] overvoe(de)ren; vertroetelen, verwennen, te veel toegeven aan.
pamphlet ['pæmflit] brochure, vlugschrift *o*; pamflet *o*.
pamphleteer [pæmfli'tiə] I *sb* schrijver van brochures of vlugschriften; pamflettist; II *vi* brochures (pamfletten) schrijven.
Pan [pæn] Pan; ~'s *pipes* pansfluit.
pan [pæn] I *sb* pan°; II *vt* in: ~ *off* (*out*) wassen [goudaarde]; III *vi* in: ~ *out* uitkomen, uitvallen, F uitpakken; ~ *out well* heel wat opleveren, prachtig gaan of marcheren.
panacea [pænə'siːə] panacee.
panache [pæ'naːʃ] vederbos, pluim; *fig* (overmoedige) bravoure, kranigheidsroes.
Panama [pænə'maː] Panama *o*; panama-(hoed).
Pan-American ['pænə'merikən] Pan-Amerikaans; geheel Amerika omvattend.
pancake ['pænkeik] pannekoek.
pancreas ['pænkriəs] alvleesklier.
pancreatic [pæŋkri'ætik] van de alvleesklier.
Pandean [pæn'diːən] in: ~ *pipe(s)* pansfluit.
pandects ['pændekts] ₰ pandecten.
pandemonium [pændi'mounjəm] hel; hels lawaai *o*; *fig* een Poolse landdag.
pander ['pændə] I *sb* koppelaar; (pluimstrijkende) handlanger; II *vi* koppelen, voor koppelaar spelen; ~ *to a man's vices* zich richten naar, zijn ondeugden ter wille zijn.
pane [pein] glasruit, (venster)ruit; (muur)vak *o*; paneel *o* [v. deur].
panegyric [pæni'dʒirik] lofrede.
panegyrical [pæni'dʒirikl] uitbundig prijzend, lovend.
panegyrist [pæni'dʒirist] lofredenaar.
panegyrize ['pænidʒiraiz] een lofrede houden op, uitbundig prijzen, ophemelen.
panel ['pænl] I *sb* paneel *o*; vak *o*; tussenzetsel *o*; lijst; jury; commissie; *on the* ~ ook ±: in het ziekenfonds; II *vt* (met panelen) lambrizeren; van panelen voorzien, in vakken verdelen.
panel doctor ['pænldɔktə] fondsdokter.
panelling ['pænliŋ] beschot *o*, lambrizering.
panel patient ['pænlpeiʃənt] fondspatiënt.
pang [pæŋ] pijn, steek; foltering, kwelling, angst; ~s *of conscience* gewetenswroeging.
1 panic ['pænik] *sb* zie *panic-grass*.
2 panic ['pænik] I *aj* panisch; II *sb* paniek; III *vi* door een paniek aangegrepen worden; IV *vt* een paniek op het lijf jagen.
panic-grass ['pænikgraːs] ₰ vingergras *o*.
panicky ['pæniki] in een paniekstemming (verkerend, brengend, genomen, gedaan &).
panic-monger ['pænikmʌŋgə] alarmist.
panic-stricken, -struck ['pænikstrikn, -strʌk] door een paniek aangegrepen.

panjandrum [pæn'dʒændrəm] S hoge ome.
pannier ['pæniə] mand, korf
pannikin ['pænikin] kroes.
panoplied ['pænəplid] in volle wapenrusting.
panoply ['pænəpli] volle wapenrusting.
panorama [pænə'raːmə] panorama *o*.
panoramic [pænə'ræmik] als (van) een panorama, panorama-.
Pan-pipe ['pænpaip] pansfluit.
pansy ['pænzi] ₰ driekleurig viooltje *o*.
pant [pænt] I *vi* hijgen; kloppen [v. hart]; ~ *for* (*after*) verlangen, haken, snakken naar; II *vt* hijgend uitbrengen; III *sb* hijging; (hart)-klopping.
pantaloon [pæntə'luːn] hansworst²; ~s pantalon.
pantechnicon [pæn'teknikən] 1 meubelpakhuis *o*; 2 verhuiswagen (ook: ~ *van*).
pantheism ['pænθiizm] pantheïsme *o*.
pantheist ['pænθiist] pantheïst.
pantheistic(al) [pænθi'istik(l)] pantheïstisch.
pantheon [pæn'θiːɔn, 'pænθiən] pantheon *o*.
panther ['pænθə] ₰ panter.
panties ['pæntiz] F kinderbroekje *o*; directoire.
pantile ['pæntail] dakpan.
pantograph ['pæntəgraːf] tekenaap.
pantomime ['pæntəmaim] 1 pantomime; gebarenspel *o*; 2 pantomimist.
pantomimist ['pæntəmaimist] pantomimist.
pantry ['pæntri] provisiekamer, -kast; ⚓ en ⚔ pantry, aanrechtkamer.
pants [pænts] F 1 pantalon; 2 onderbroek.
pap [pæp] pap.
papa [pə'paː] papa.
papacy ['peipəsi] pausschap *o*; pausdom *o*.
papal ['peipəl] pauselijk.
papaverous [pə'peivərəs] ₰ papaverachtig.
paper ['peipə] I *sb* papier *o*; (nieuws)blad *o*, krant; document *o*; opstel *o*; verhandeling; examenopgave; agenda [in Parlement]; lijst; behangselpapier *o*; brief [spelden]; zakje *o*; S vrijbiljetten; ~s 1 papillotten; 2 (officiële) stukken; *commit to* ~ op papier zetten, opschrijven; *send in one's* ~s ontslag nemen; II *aj* 1 papieren; 2 *fig* op papier [niet in werkelijkheid]; III *vt* behangen [kamer], met papier beplakken; ~ *over* overplakken.
paperback ['peipəbæk] ingenaaid boek *o*, pocketboek *o*.
paper-backed ['peipəbækt] ingenaaid.
paper-chase ['peipətʃeis] *sp* snipperjacht.
paper-clip ['peipəklip] paperclip: papierklem
paper currency ['peipə'kʌrənsi] papieren geld *o*
paper-cutter ['peipəkʌtə] snijmachine.
paper-hanger ['peipəhæŋə] (kamer)behanger.
paper-hangings ['peipəhæŋiŋz] behang(selpapier) *o*.
paper-knife ['peipənaif] vouwbeen *o*.
paper-maker ['peipəmeikə] papierfabrikant.
paper-mill ['peipəmil] papierfabriek, -molen.
paper-stainer ['peipəsteinə] behangselpapierfabrikant.

paper-weight ['peipəweit] presse-papier.
papery ['peipəri] als papier, papier-.
§ **papilionaceous** [pəpiliə'neiʃəs] ♣ vlinderbloemig.
papilla [pə'pilə, *mv* **papillae** pə'pili:] papil.
papillary [pə'piləri] papillair.
papist ['peipist] pausgezinde, papist.
papistic(al) [pə'pistik(l)] pausgezind, papistisch.
papistry ['peipistri] pausgezindheid, papisterij.
pappy ['pæpi] pappig, zacht, sappig.
Papua ['pæpjuə] Australisch Nieuw-Guinea *o*.
Papuan ['pæpjuən] I *aj* Papoeaas; II *sb* Papoea.
papyri [pə'paiərai] *mv* v. *papyrus*.
papyrus [pə'paiərəs] papyrus.
1 par [pa:] gelijkheid; § pari(koers); *above* ~ boven pari; boven het gemiddelde; uitstekend; *at* ~ à pari; *below* ~ beneden pari; beneden het gemiddelde; niet veel zaaks; *feel below* ~ zich niet erg goed voelen; *on a* ~ gemiddeld; *be on a* ~ gelijk staan, op één lijn staan; *up to* ~ voldoende.
2 par [pa:] F verk. v. *paragraph* = krantebericht(je) *o*.
parable ['pærəbl] parabel, gelijkenis.
parabola [pə'ræbələ] parabool.
parabolic(al) [pærə'bɔlik(l)] parabolisch, in gelijkenissen, als een gelijkenis.
parachute ['pærəʃu:t] I *sb* parachute, valscherm *o*; II *vi* eruit springen met een parachute; III *vt* af-, uit-, neerwerpen (aan een parachute), parachuteren.
parachutist ['pærəʃu:tist] parachutist(e).
parade [pə'reid] I *sb* 1 parade°; *fig* vertoon *o*; 2 ⚔ zie *parade-ground*; appel *o*; aantreden *o*; 3 openbare wandelplaats, promenade, (strand)boulevard; 4 optocht; 5 (mode)show; *make a* ~ *of* pronken met; II *vt* pronken met; parade laten maken, inspecteren; laten marcheren; trekken door [de straten]; III *vi* paraderen, in optocht marcheren, voorbijtrekken; ⚔ aantreden.
parade-ground [pə'reidgraund] ⚔ exercitieterrein *o*, paradeplaats.
paradigm ['pærədaim] paradigma *o*, voorbeeld *o*.
paradise ['pærədais] paradijs² *o*, lusthof.
paradisiac [pærə'disiæk], **paradisiacal** [pærədi'saiəkl] paradijsachtig, paradijs-.
paradox ['pærədɔks] paradox, wonderspreuk, schijnbare tegenstrijdigheid.
paradoxical [pærə'dɔksikl] paradoxaal.
paraffin ['pærəfin] paraffine.
paragon ['pærəgɔn] toonbeeld *o* (van volmaaktheid).
paragraph ['pærəgra:f] alinea, paragraaf (§); (kort) krantebericht *o*.
parakeet ['pærəki:t] ⚶ parkiet.
parallel ['pærəlel] I *aj* evenwijdig (met *to*, *with*), parallel², overeenkomstig; II *sb* evenwijdige lijn, parallel²; ~ (*of latitude*) breedte-

cirkel; *without* (*a*) ~ zonder weerga; III *vt* evenwijdig lopen met; evenwijdig plaatsen; op één lijn stellen, vergelijken; evenaren; een ander voorbeeld aanhalen van.
parallelepiped [pærəle'lepiped] parallellepipedum *o*, blok *o*.
parallelism ['pærəlelizm] parallellisme° *o*; evenwijdigheid, overeenkomstigheid.
parallelogram [pærə'leləgræm] parallellogram *o*.
paralyse ['pærəlaiz] verlammen².
paralysis [pə'rælisis] verlamming.
paralytic [pærə'litik] I *aj* verlamd; aanleg hebbende voor verlamming; II *sb* lamme, verlamde, met lamheid geslagene.
para-military [pærə'militəri] paramilitair.
paramount ['pærəmaunt] opperste, opper-, hoogste; overwegend, overheersend; *be* ~ *to* overtreffen, zwaarder wegen dan.
paramountcy ['pærəmauntsi] opperheerschappij; overwegend belang *o*, superioriteit.
paramour ['pærəmuə] minnaar, minnares.
paranormal [pærə'nɔ:məl] paranormaal.
parapet ['pærəpit] borstwering; leuning; muurtje *o*.
paraph ['pærəf] I *sb* paraaf; II *vt* paraferen.
paraphernalia [pærəfə'neiljə] lijfgoederen, persoonlijk eigendom *o*; sieraden, tooi; gerei *o*, toebehoren *o*, uitrusting; santenkraam.
paraphrase ['pærəfreiz] I *sb* omschrijving, vrije overzetting, parafrase; II *vt* parafraseren, omschrijven.
paraphrastic [pærə'fræstik] omschrijvend.
parapsychological [pærəsaikə'lɔdʒikl] parapsychologisch.
parapsychology [pærəsai'kɔlədʒi] parapsychologie.
parasite ['pærəsait] parasiet.
parasitic(al) [pærə'sitik(l)] parasitair, op kosten van anderen levend, op andere gewassen groeiend.
parasol ['pærəsɔl] parasol, zonnescherm *o*.
paratrooper ['pærətru:pə] ⚔ parachutist.
paratroops ['pærətru:ps] ⚔ parachutisten, parachutetroepen.
paratyphoid [pærə'taifɔid] ⚕ paratyfus.
parboil ['pa:bɔil] ten halve koken.
Parcae ['pa:si:] Parcen: schikgodinnen.
parcel ['pa:sl] I *sb* perceel *o*, kaveling *o*, stuk *o*; pakje *o*, pak *o*; pakket *o*, partij, hoop; II als *ad* & *aj* gedeeltelijk, half, b.v. ~ *blind*; *a* ~ *poet* zo'n stuk *o* dichter; III *vt* verdelen, kavelen, toe-, uitdelen (ook: ~ *out*); ⚓ met smarting bekleden, smarten.
parcelling ['pa:sliŋ] ⚓ smarting.
parcel post ['pa:slpoust] ✉ pakketpost.
parcels delivery ['pa:slzdi'livəri] besteldienst; ~ *man* besteller.
parch [pa:tʃ] (doen) verdrogen, verzengen, schroeien; zacht roosteren; versmachten.
parchment ['pa:tʃmənt] I *sb* perkament II*o*; als *aj* perkamenten.

↖ pard [pa:d] **⚏** luipaard.
pardon ['pa:dn] I *sb* pardon *o*, vergiffenis, vergeving; begenadiging, genade, gratie; aflaat; *general ~* amnestie; *beg ~* pardon, excuseer me; *beg ~?* wat blieft u?, wat zei u?; II *vt* vergiffenis schenken, vergeven, begenadigen; *~ me* vergeef mij, neem me niet kwalijk, pardon...
pardonable ['pa:dnəbl] vergeeflijk.
pardoner ['pa:dnə] 1 wie vergeeft; 2 ⊞ aflaatkramer.
pare [pɛə] schillen [appel]; (af)knippen [nagel]; wegsnijden, afsnijden (ook: *~ away*, *off*); besnoeien[2] (ook: *~ down*).
parent ['pɛərənt] I *sb* vader, moeder; ouder; *fig* oorzaak; *~s* ouders; II als *aj* moeder-.
parentage ['pɛərəntidʒ] afkomst, geboorte, geslacht *o*, familie.
parental [pə'rentəl] vaderlijk; moederlijk; ouderlijk, ouder-.
parentheses [pə'renθisi:z] *mv* v. *parenthesis*.
parenthesis [pə'renθisis] tussenzin, parenthesis, haakje *o* van ( ); *in parentheses* tussen haakjes.
parenthetical(ly) [pærən'θetikəl(i)] bij wijze van parenthesis, zo tussen haakjes.
parenthood ['pɛərənthud] ouderschap *o*.
parentless ['pɛərəntlis] ouderloos.
parer ['pɛərə] 1 schiller, besnoeier; 2 veegmes *o* [v. hoefsmid].
parget ['pa:dʒit] I *sb* pleisterkalk; II *vt* pleisteren, bepleisteren, aansmeren.
pariah ['pæriə] paria[2].
paring ['pɛəriŋ] schil, knipsel *o*, afval *o* & *m*; (af)schillen *o*, (af)knippen *o*; *~chisel* steekbeitel; *~knife* veegmes *o*.
Paris ['pæris] Paris; Parijs *o*; als *aj* Parijs.
parish ['pæriʃ] kerspel *o*, parochie, (kerkelijke) gemeente; *come (go) upon the ~* armlastig worden.
parish clerk ['pæriʃ'kla:k] koster.
parishioner [pə'riʃənə] parochiaan.
parish priest ['pæriʃ'pri:st] (plaatselijke) pastoor of dominee.
parish register ['pæriʃ'redʒistə] kerkelijk register *o*.
parish relief ['pæriʃri'li:f] armenzorg, onderstand.
Parisian [pə'rizjən] I *aj* Parijs; II *sb* 1 Parijzenaar; 2 Parisienne.
parity ['pæriti] gelijkheid; pariteit.
park [pa:k] I *sb* 1 park *o*; 2 ✗ artilleriepark *o*; 3 parkeerterrein *o*; 4 oesterpark *o*; II *vt* in een park sluiten, in een park verzamelen; parkeren; III *vi* parkeren.
parking ['pa:kiŋ] parkeren *o*; parkeer-; *~ meter* parkeermeter.
parlance ['pa:ləns] taal; *in legal ~* in de taal van de rechtsgeleerden.
parley ['pa:li] I *sb* onderhoud *o*, onderhandeling; II *vi* 1 onderhandelen, parlementeren; 2 F parlevinken.

parliament ['pa:ləmənt] parlement *o*.
parliamentarian [pa:ləmen'tɛəriən] I *sb* 1 parlementariër; 2 ⊞ parlementsgezinde [in de 17de-eeuwse burgeroorlog]; II *aj* zie *parliamentary*.
parliamentary [pa:lə'mentəri] parlementair[2], parlements-.
parlour ['pa:lə] zitkamer; spreekkamer [in herberg of bij kantoor]; salon [v. kapper].
parlour-boarder ['pa:ləbə:də] kostjongen die als kind in huis is bij de instituteur.
parlour-game ['pa:ləgeim] huiskamerspelletje *o*.
parlour-maid ['pa:ləmeid] binnenmeisje *o*.
parlous ['pa:ləs] precair, gevaarlijk; slim.
Parmesan [pa:mi'zæn] I *aj* van Parma; *~ cheese* = II *sb* parmezaanse kaas, parmezaan.
Parnassian [pa:'næsiən] I *aj* van de Parnassus; II *sb* „Parnassien".
Parnassus [pa:'næsəs] Parnassus.
parochial [pə'roukjəl] parochiaal; kleinsteeds, bekrompen, begrensd.
parochialism [pə'roukjəlizm] bekrompenheid, kleinsteedsheid.
parodist ['pærədist] schrijver van parodieën.
parody ['pærədi] I *sb* parodie; II *vt* parodiëren, bespottelijk nabootsen.
parole [pə'roul] 1 (ere)woord *o*; 2 ✗ parool *o*, wachtwoord *o*; 3 *Am* ⚖ voorwaardelijke invrijheidstelling; *on ~* op zijn erewoord.
paroquet ['pærəkit] ⚑ parkiet.
paroxysm ['pærəksizm] (heftige) aanval.
parquet ['pa:kei, 'pa:kit] I *sb* parket° *o*, parketvloer; II *vt* parketteren.
parquetry ['pa:kitri] 1 parketvloer; 2 inlegwerk *o*.
parricidal [pæri'saidl] van een vadermoord, vadermoordend; vadermoordenaars-.
parricide ['pærisaid] vadermoord(enaar).
parrot ['pærət] I *sb* ⚑ papegaai[2]; II *vt* nabauwen; nadoen.
parroter ['pærətə] nabauwer; naäper.
parrotry ['pærətri] nabauwen *o*; naäperij.
parry ['pæri] I *vt* afweren, pareren[2]; ontwijken; II *vi* pareren; III *sb* afwering; ontwijking; parade [bij 't schermen].
parse [pa:z] taalkundig (redekundig) ontleden.
Parsee [pa:'si:] pars.
parsimonious(ly) [pa:si'mounjəs(li)] spaarzaam, karig, schriel.
parsimony ['pa:siməni] spaarzaamheid, karigheid, schrielheid.
parsing ['pa:ziŋ] taalkundige (redekundige) ontleding.
parsley ['pa:sli] ⚘ peterselie.
parsnip ['pa:snip] ⚘ pastinaak, witte peen.
parson ['pa:sn] predikant, dominee; > steek.
parsonage ['pa:snidʒ] predikantswoning, pastorie.
parsonic(al) [pa:'sɔnik(l)] van een dominee.
part [pa:t] I *sb* part *o*, (aan)deel *o*, gedeelte *o* aflevering [v. boekwerk]; ✗ (onder)deel

o; plicht, zaak, taak; partij, zijde, kant; ♪ stem; rol²; ~*s* bekwaamheden, talent; *the* ~*s of speech* de rededelen; *a man of (good)* ~*s* bekwaam, talentvol; *in foreign* ~*s* in den vreemde; *in these* ~*s* in deze streek (buurt); *the curious* ~ *of it is...* het gekke van de zaak is...; *be* ~ *and parcel of* een integrerend deel uitmaken van, schering en inslag zijn van; *bear one's* ~ het zijne (zijn plicht) doen, zich... houden (tonen); *do one's* ~ het zijne (zijn plicht) doen; *have neither* ~ *nor lot in* niets te maken hebben met, part noch deel hebben aan; *play a* ~ een rol spelen²; *fig* komedie spelen; *play one's* ~ het zijne doen, zijn deel bijdragen; *take* ~ deelnemen, meedoen (aan *in*); *take a man's* ~, *take* ~ *with him* zijn partij kiezen; *take (words) in good* ~ goed opnemen; *for my* ~ voor mijn part, wat mij betreft, ik voor mij; *for the most* ~ hoofdzakelijk, grotendeels; *in* ~ deels; gedeeltelijk; *in* ~*s* in afleveringen; ♪ meerstemmig; *of the one* ~, *of the other* ~ ter eenre, ter andere; *on my* ~ mijnerzijds, uit naam van mij; II *ad* zie *partly*; III *vt* verdelen; scheiden; breken; ~ *company* uit of van elkaar gaan, scheiden (van *with*); *her* ~*ed lips* geopende; IV *vi* zich verdelen, uiteengaan, -wijken, scheiden (als); breken; ~ *from* weggaan (scheiden) van; ~ *with* van de hand doen, afstand doen van.

partake [pa:'teik] deelnemen, deel hebben (aan, in *of*, *in*); ~ *of* 1 F gebruiken, verorberen; 2 iets hebben van.

partaken [pa:'teikn] V.D. van *partake*.

partaker [pa:'teikə] deelnemer, deelgenoot.

part-author ['pa:t'ɔ:θə] medewerker.

parterre [pa:'teə] 1 bloemperken; 2 parterre *o* & *m*.

Parthian ['pa:θiən] I *aj* Parthisch; II *sb* Parth.

partial ['pa:ʃəl] *aj* partieel, gedeeltelijk; partijdig, eenzijdig; *be* ~ *to* een voorliefde hebben voor, bijzonder gaarne mogen.

partiality [pa:ʃi'æliti] partijdigheid, eenzijdigheid; zwak *o*, voorliefde (voor *to*).

partially ['pa:ʃəli] *ad* zie *partial*.

participant [pa:'tisipənt] I *aj* deelnemend, deel hebbend; II *sb* deelnemer, deelhebber.

participate [pa:'tisipeit] delen, deelnemen, deel hebben (in, aan *in*).

participation [pa:tisi'peiʃən] deelneming, deelhebbing.

participator [pa:'tisipeitə] zie *participant* II.

participial [pa:ti'sipiəl] participiaal.

participle ['pa:tisipl] deelwoord *o*.

particle ['pa:tikl] deeltje *o*, greintje *o*; partikel *o*: onveranderlijk rededeeltje *o*.

parti-coloured zie *party-coloured*.

particular [pə'tikjulə] I *aj* bijzonder; speciaal; bepaald; persoonlijk; kies-, nauwkeurig; veeleisend, lastig; *a* ~ *friend* een goede (intieme) vriend; *he is not* ~ *to a few guilders* hij ziet niet op een gulden of wat; *one case in* ~

(meer) in 't bijzonder, met name; II *sb* bijzonderheid, bijzondere omstandigheid, punt *o*; *a London* ~ een echte Londense mist.

particularity [pətikju'læriti] bijzonderheid; kieskeurigheid; nauwkeurigheid.

particularize [pə'tikjuləraiz] I *vi* & *va* in bijzonderheden treden; II *vt* met naam noemen; in bijzonderheden opgeven, omstandig verhalen.

particularly [pə'tikjuləli] *ad* bijzonder; zeer; speciaal, met name, in 't bijzonder.

parting ['pa:tiŋ] I *aj* afscheids-; ~ *breath* laatste ademtocht; *a* ~ *word* ook: een woordje *o* tot afscheid; II *sb* scheiding°; afscheid *o*, vertrek *o*.

partisan [pa:ti'zæn] I *sb* aanhanger, medestander, voorstander; partijganger; partizaan; II *aj* partijdig; partizanen-.

partisanship [pa:ti'zænʃip] partijgeest.

partition [pa:'tiʃən] I *sb* deling, verdeling; (af)-scheiding; scheidsmuur; afdeling, (be)schot *o*; vak *o*; II *vt* delen, verdelen; afscheiden, afschutten; ~ *off* afschieten [een vertrek].

partition-wall [pa:'tiʃənwɔ:l] scheidsmuur².

partitive ['pa:titiv] delend; delings-.

Partlet ['pa:tlit] in: *Dame* ~ 1 de hen; 2 de vrouw (des huizes).

partly ['pa:tli] gedeeltelijk, ten dele, deels.

partner ['pa:tnə] I *sb* maat, gezel(lin); deelgenoot, deelhebber, compagnon, firmant, vennoot; partner: dame of heer met wie men danst, speelt &; II *vt* ter zijde staan, de partner zijn van; ~ *a person with* iemand... tot partner geven.

partnership ['pa:tnəʃip] deelgenootschap *o*, vennootschap.

partook [pa:'tuk] V.T. van *partake*.

part-owner ['pa:t'ounə] 1 medeëigenaar; 2 ⚓ medereder.

part-payment ['pa:t'peimənt] gedeeltelijke betaling.

partridge ['pa:tridʒ] ♣ patrijs.

part-song ['pa:tsɔŋ] ♪ meerstemmig lied *o*.

party ['pa:ti] partij, feest(je) *o*, fuif, gezelschap *o*; afdeling, groep, troep; deelnemer; *be a* ~ *to* deel hebben of deelnemen aan, meedoen aan; *be of the* ~ tot het gezelschap behoren; *a queer* ~ F een rare sijs (sinjeur).

party-coloured [pa:tikʌləd] bont, veelkleurig.

party-spirit ['pa:tispirit] partijgeest.

party-wall ['pa:ti'wɔ:l] gemeenschappelijke muur.

parvenu ['pa:vənju:] parvenu.

parvis ['pa:vis] 1 voorplein *o* [v. kerk]; 2 kerkportaal *o*.

pas [pa:] (dans)pas; *give (yield) the* ~ vóór laten gaan, de voorrang gunnen.

paschal ['pæskəl] paas-; ~ *lamb* paaslam *o*.

pasha ['pa:ʃə] pasja.

pasquinade [pæskwi'neid] paskwil *o*, schotschrift *o*.

pass [pa:s] I *vi* voorbijgaan°, passeren° voorbijlopen, -komen &; heengaan; voorvallen; gewisseld worden [v. woorden &]; erdoor komen of er (mee) door kunnen, slagen [bij examen]; aangenomen worden; passen [bij 't kaartspel]; **II** *vt* voorbijgaan, -lopen, -trekken; passeren; doorgaan; overslaan; overgaan, overtrekken, -steken; te boven gaan; met goed gevolg afleggen; laten passeren; erdoor of toelaten, aannemen [voorstel]; doorbrengen [tijd]; geven [zijn woord]; uitspreken [oordeel]; doorgeven; strijken met [zijn hand] (over *across*), halen (door *through*); uitgeven, kwijtraken [geldstuk]; ~ *belief* ongelooflijk zijn; ~ *remarks* opmerkingen maken; ∞ ~ *along* zie ~ *on*; ~ *away* voorbijgaan; verdwijnen; ⊙ heengaan, overlijden; verdrijven [tijd]; ~ *by* passeren, voorbijlopen; geen notitie nemen van; ~ *by the name of...* ...genoemd worden; ~ *for* **1** doorgaan voor, gelden als; **2** slagen als (voor); ~ *into* overgaan in; veranderen in; worden; ~ *off* gaan, verlopen; voorbij-, overgaan; uitgeven, kwijtraken [vals geld]; maken [opmerkingen]; ~ *oneself off as...* zich uitgeven voor; ~ *it off on them* in de hand stoppen; op de mouw spelden; ~ *it off with a smile* er zich met een (glim)lachje afmaken; ~ *on* dóórlopen, verder gaan; ~ *it on* het doorgeven; het doorbereiken (aan *to*); ~ *on to...* overgaan tot...; ~ *out* een (onderwijs)inrichting verlaten, heengaan; **S 1** bewusteloos worden, flauwvallen; **2** doodgaan; ~ *over* gaan over, komen over; voorbijgaan; voorbijtrekken [onweer]; passeren; overslaan; geen notitie nemen van; ~ *round* **1** slaan of leggen om [v. e. touw]; **2** doorgeven, laten rondgaan; ~ *through* gaan door; steken door; doormaken, meemaken; doorlópen [school]; *be ~ing through* (ergens) doortrekkend zijn; **III** *sb* pas, bergpas, doorgang; ♣ „gat" *o*; slagen *o* [bij examen]; reis-, verlofpas, vrij-, permissiebiljet *o*, toegangsbewijs *o*, perskaart (*press* ~); testimonium *o* [v. afgelegd examen]; uitval [bij schermen]; handbeweging; toestand, staat van zaken; *bring to* ~ tot stand brengen, teweegbrengen; *come to* ~ gebeuren; *how did it come to* ~? hoe heeft het zich toegedragen?; *things have come to a pretty* ~ het is ver gekomen...; *sell the* ~ verraad plegen.

passable ['pa:səbl] *aj* **1** gangbaar; **2** begaanbaar, berijd-, bevaarbaar; **3** er mee door kunnend, draaglijk, tamelijk, voldoend.

passably ['pa:səbli] *ad* tamelijk, redelijk, nogal.

passage ['pæsidʒ] doorgang, doortocht; doorvaart, doorreis; doormars; passeren *o*, overgang, overtocht; voorbijgaan *o*; gang, uitgang; steeg; passáge° [ook = vrachtprijs, plaats in boek &]; doorlaten *o* of aannemen *o* [wetsvoorstel]; (uit)wisseling; *a* ~ *of* (*at*) *arms* woordenwisseling, botsing.

pass-book ['pa:sbuk] **1** ′ bestelboekje *o* [van winkeliers]; **2** $ kassiersboekje *o*.

pass-check ['pa:stʃek] contramerk *o*.

passenger ['pæsindʒə] **1** passagier, reiziger; **2** F personentrein.

passenger (**motor-**)**car** ['pæsindʒə(moutə)ka:] personenauto.

passenger-train ['pæsindʒətrein] personentrein; *forward by* ~ als expresgoed verzenden.

passer(-by) ['pa:sə('bai)] voorbijganger.

passing ['pa:siŋ] **I** *aj* voorbijgaand²; dóórtrekkend; terloops gemaakt; **II** *ad* in hoge mate, zeer; **III** *sb* voorbijgang; slagen *(*[bij examen]; aannemen *o* [wet]; ⊙ heengaan *o*, overlijden *o*; *in* ~ en passant, terloops.

passing-bell ['pa:siŋbel] doodsklok.

passion ['pæʃən] lijden *o*; drift, hartstocht, passie; woede; *have a* ~ *for* dol zijn op; *in a* ~ in drift; woedend.

passionate(ly) ['pæʃənit(li)] hartstochtelijk; driftig.

passion-flower ['pæʃənflauə] ✿ passiebloem.

passionless ['pæʃənlis] zonder hartstocht, geen hartstocht kennend.

Passion-play ['pæʃənplei] passiespel *o*.

Passion Sunday ['pæʃən'sʌndi] Passiezondag: tweede zondag vóór Pasen.

Passiontide ['pæʃəntaid] passietijd (= de twee weken van Passiezondag tot Paasavond).

Passion week ['pæʃənwi:k] **1** week van Passiezondag tot Palmzondag; **2** ♣ lijdensweek: week vóór Pasen.

passive ['pæsiv] **I** *aj* lijdelijk; lijdend; passief; **II** *sb* gram lijdende vorm, lijdend werkwoord *o*.

passiveness ['pæsivnis] passiviteit, lijdelijkheid.

passivity [pæ'siviti] zie *passiveness*.

pass-key ['pa:ski:] loper; huissleutel; eigen sleutel.

pass-out check ['pa:saut'tʃek] sortie.

Passover ['pa:souvə] (joods) paasfeest *o*; paaslam *o*.

passport ['pa:spɔ:t] paspoort² *o*, pas².

password ['pa:swɔ:d] ⚔ parool *o*, wachtwoord *o*.

past [pa:st] **I** *aj* verleden, geleden; voorbij(gegaan), afgelopen; vroéger, ex-; *for some days* ~ sedert enige dagen; ~ *master* **1** ex-meester; **2** (onovertroffen) meester; **II** *sb* in: *the* ~ het verleden; het (vroeger) gebeurde; *gram* de verleden tijd; **III** *prep* voorbij, over, na; *she is* ~ *a child* geen kind meer; *it is* ~ *crying for* er helpt geen lievemoederen meer aan; ~ *cure* onherstelbaar, ongeneeslijk; ~ *help* niet meer te helpen; ~ *hope* hopeloos; ~ *saving* reddeloos verloren; **IV** *ad* voorbij; *at noon or five minutes* ~ erover.

paste [peist] **I** *sb* deeg *o*; pap [om te plakken], stijfsel; pasta; smeersel *o*; meelprodukt *o* [macaroni &]; similidiamant *o*; **II** *vt* (be-)plakken, opplakken; ~ *up* aanplakken.

pasteboard ['peistbɔ:d] **I** *sb* **1** bordpapier *o*, karton *o*; **2** F kaartje *o*; **II** *aj* bordpapieren, kartonnen.

paste-brush ['peistbrʌʃ] stijfselkwast.
pastel [pæs'tel, 'pæstəl] 1 pastel *o*; 2 ✿ wede.
pastel(l)ist [pæs'telist] pastelschilder.
paste-pot ['peistpɔt] stijfselpot.
paster ['peistə] aanplakker.
pastern ['pæstən] koot van een paard.
pasteurization [pæstərai'zeiʃən] pasteurisatie.
pasteurize ['pæstəraiz] pasteuriseren.
pastil ['pæstil], **pastille** [pæs'ti:l] pastille; reukballetje *o*.
pastime ['pa:staim] tijdverdrijf *o*.
pastor ['pa:stə] herder en leraar, zielenherder, voorganger, predikant; *Am* ook: pastoor.
pastoral ['pa:stərəl] I *aj* herderlijk², landelijk; herders-; pastoraal; ~ *care* zielzorg; II *sb* I herderlijk schrijven *o*; 2 pastorale, herderszang, -dicht *o*, -spel *o*.
pastorale [pæstə'ra:li] ♪ pastorale.
pastorate ['pa:stərit] I geestelijkheid; 2 herderlijk ambt *o*.
pastorship ['pa:stəʃip] herderlijk ambt *o*.
pastry ['peistri] gebak *o*, gebakje *o*, taartje *o*, gebakjes, taartjes.
pastry-cook ['peistrikuk] pasteibakker, banketbakker.
pasturage ['pa:stʃəridʒ] weiden *o*; weiland *o*; gras *o*.
pasture ['pa:stʃə] I *sb* weide, gras *o*; II *vi* & *vt* (laten) weiden, (af)grazen.
1 **pasty** ['peisti] *aj* deegachtig; bleek.
2 **pasty** ['pæsti] *sb* vleespastei.
Pat [pæt] F verk. v. *Patrick & Patricia*; Ier.
1 **pat** [pæt] I *sb* tikje *o*, klopje *o*; klompje *o*, stukje *o* [boter]; II *vt* tikken, kloppen (op); ~ *oneself on the back* zichzelf een pluimpje geven, zichzelf feliciteren.
2 **pat** [pæt] *aj* & *ad* (net) van pas; (precies) raak, toepasselijk; prompt, op zijn duimpje; *he had his rhymes* ~ hij kon ze zo maar uit zijn mouw schudden; *stand* ~ op zijn stuk blijven staan; *stand* ~ *on* blijven bij.
Patagonia [pætə'gounjə] Patagonië *o*.
Patagonian [pætə'gounjən] I *aj* Patagonisch; II *sb* Patagoniër.
patch [pætʃ] I *sb* lap, lapje *o*, stukje *o* (grond), plek; moesje *o*; *purple* ~*es* markante plaatsen, prachtige gedeelten [in gedicht &]; *he (it) is not a* ~ *on...* hij (het) haalt niet bij...; *when I strike a bad* ~ als het me tegenzit; II *vt* een lap zetten op, oplappen²; met moesjes bedekken; ~ *up* I oplappen, opknappen, kalfateren; 2 in elkaar flansen; haastig tot stand brengen of bijleggen.
patchwork ['pætʃwə:k] lapwerk *o*; ~ *counterpane (quilt)* bedelaarsdeken, lappendeken.
patchy ['pætʃi] gelapt; ongelijk.
pate [peit] F kop, bol, knikker.
patella [pə'telə] knieschijf.
paten ['pæten] *RK* pateen.
patency ['peitənsi] open(baar) zijn *o*; duidelijkheid, zichtbaarheid.
patent ['peitənt] I *aj* open(baar); gepatenteerd,

patent-; duidelijk (aan het licht tredend); voor een ieder zichtbaar; voortreffelijk; ~ *leather* verlakt (leer) *o*; II *sb* patent *o*, vergunning; octrooi *o*; zijn kenmerk *o*, blijk *o*; ~ *of nobility* adelbrief; III *vt* patenteren.
patentee [pei-, pætən'ti:] patenthouder.
patently ['peitəntli] klaarblijkelijk, kennelijk.
patent office ['pei-, 'pætəntɔfis] octrooiraad.
pater ['peitə] F piepa, ouwe heer.
paternal [pə'tə:nəl] *aj* I vaderlijk, vader(s)-; 2 van vaderszijde.
paternally [pə'tə:nəli] *ad* vaderlijk.
paternity [pə'tə:niti] vaderschap² *o*.
paternoster ['pætə'nɔstə] I onzevader *o*, paternoster *o*; 2 zetlijn (ook: ~*-line*).
path [pa:θ, *mv* pa:ðz] pad *o*, weg, baan.
pathetic [pə'θetik] I *aj* pathetisch, gevoelvol, aandoenlijk; gevoels-; beklagenswaardig, deerniswekkend, zielig; II als *sb* ~*s* het pathetische of aandoenlijke genre.
pathfinder ['pa:θfaində] I padvinder [bij de Indianen]; 2 baanbreker, pionier.
pathless ['pa:θlis] ongebaand.
pathological [pæθə'lɔdʒikl] pathologisch.
pathologist [pə'θɔlədʒist] patholoog.
pathology [pə'θɔlədʒi] ziektenkunde.
pathos ['peiθɔs] pathos *o*.
pathway ['pa:θwei] (voet)pad *o*, weg. baan.
patience ['peiʃəns] geduld *o*, lankmoedigheid, lijdzaamheid; patience *o* [met de kaarten]; *have no* ~ *with* niet kunnen uitstaan; *be out of* ~ *with* niet meer kunnen luchten of zien.
patient ['peiʃənt] I *aj* geduldig, lankmoedig, lijdzaam; ~ *of* geduldig verdragend; toelatend; II *sb* patiënt, lijder; lijdende partij.
patiently ['peiʃəntli] *ad* zie *patient* I.
patina ['pætinə] patina *o*: roestlaag, -kleur.
patness ['pætnis] toepasselijkheid; van pas zijn *o*.
patriarch ['peitria:k] patriarch°, aartsvader; *fig* nestor.
patriarchal(ly) [peitri'a:kəl(i)] patriarchaal, aartsvaderlijk.
patriarchate ['peitria:kit], **patriarchy** ['peitria:ki] patriarchaat *o*.
patrician [pə'triʃən] I *aj* patricisch; II *sb* patriciër.
Patrick ['pætrik] Patricius.
patrimonial [pætri'mounjəl] tot het vaderlijk erfdeel behorend; (over)geërfd.
patrimony ['pætriməni] vaderlijk erfdeel *o*, erfgoed² *o*.
patriot ['peitriət] patriot, vaderlander.
patriotic [pætri'ɔtik] *aj* vaderland(s)lievend.
patriotically [pætri'ɔtikəli] *ad* patriottisch.
patriotism ['pætriətizm] vaderlandsliefde.
patrol [pə'troul] I *sb* ✕ patrouille, ronde; II (*vt* &) *vi* (af)patrouilleren.
patrol car [pə'troulka:] *Am* surveillancewagen [v. politie].
patrolman [pə'troulmən] *Am* agent(-surveillant).

patrol wagon [pə'troulwægən] *Am* politieauto.

patron ['peitrən] beschermer, beschermheer; patroon, beschermheilige (ook: ~ *saint*); vaste klant, begunstiger; begever van kerkelijk ambt.

patronage ['pætrənidʒ] bescherming; begevingsrecht *o*; beschermheerschap *o*; begunstiging, klandizie, begunstigers; steun, medewerking; beschermend air *o*.

patroness ['peitrənis] beschermster, beschermvrouw(e); patrones, beschermheilige; *the ~es* de dames van het comité.

patronize ['pætrənaiz] beschermen; begunstigen [met de klandizie], geregeld bezoeken; steunen; uit de hoogte behandelen; *well ~d* beklant [v. winkel].

patronizing(ly) ['pætrənaiziŋ(li)] beschermend, uit de hoogte.

patronymic [pætrə'nimik] I *aj* vaders-, familie-; II *sb* vadersnaam, stam-, familienaam.

patten ['pætən] trip [schoeisel].

patter ['pætə] I *vi* kletteren [hagel]; ratelen; trappelen, trippelen; II *vt* doen kletteren; (af)ratelen (ook: ~ *out*); kakelen, patlevinken, praten; III *sb* gekletter *o*, geratel *o*; gesnap *o*; getrippel *o*; toespraak; praatje *o*, woorden [v. lied of komediestuk].

pattern ['pætən] I *sb* model *o*, voorbeeld *o*, patroon *o*, staal *o*; toonbeeld *o*; II als *aj* model-; III *vt* volgens patroon maken, vormen (naar *after, upon*).

patty ['pæti] pasteitje *o*.

paucity ['pɔːsiti] schaarste, gebrek *o* (aan *of*).

Paul [pɔːl] Paulus; ~ *Pry* nieuwsgierige bemoeial.

1 **Pauline** ['pɔːlain] *aj* Paulinisch.

2 **Pauline** [pɔː'liːn] *sb* Paulina.

paunch [pɔːn(t)ʃ] pens, buik.

paunchy ['pɔːn(t)ʃi] dikbuikig.

pauper ['pɔːpə] I *sb* arme, bedeelde; II als *aj* armen-.

pauperdom ['pɔːpədəm] pauperisme *o*.

pauperism ['pɔːpərizm] armoede; pauperisme *o*; de armen.

pauperization [pɔːpərai'zeiʃən] verarming.

pauperize ['pɔːpəraiz] tot armoede brengen; verarmen, arm maken.

pause [pɔːz] I *sb* rust, stilte, pauzering, stilstand; gedachtenstreep; ♪ orgelpunt; pauze; *give ~ to* doen aarzelen, nadenkend stemmen; *make a ~* even pauzeren; II *vi* pauzeren, even rusten, ophouden; nadenken, zich bedenken; ~ *over the details* stilstaan bij de bijzonderheden; ~ *(up)on* lang aanhouden of stilstaan bij.

pave [peiv] bestraten, plaveien; bevloeren; ~ *the way for...* de weg banen voor.

pavement ['peivmənt] bestrating, plaveisel *o*, stenen vloer; trottoir *o*, stoep; *Am* rijweg, rijbaan.

paver ['peivə] zie *paviour*.

pavilion [pə'viljən] paviljoen *o*, tent.

paving ['peiviŋ] bestrating; plaveisel *o*.

paving-beetle ['peiviŋbiːtl] ✗ straatstamper.

paving-stone ['peiviŋstoun] straatsteen.

paving-tile ['peiviŋtail] trottoirtegel.

paviour ['peivjə] 1 straatmaker; 2 ✗ straatstamper; 3 straatsteen.

paw [pɔː] I *sb* poot°, klauw; II *vi* krabben; „kappen" [met de voorpoot]; III *vt* krabben; betasten; ruw beetpakken; ~ *the ground* „kappen" [v. een paard].

pawl [pɔːl] I *sb* ✗ pal; II *vt* ✗ pal zetten.

pawn [pɔːn] I *sb* pand *o* ‖ pion [schaakspel]; *be at ~* in de lommerd staan; *take out of ~* inlossen; II *vt* verpanden², belenen.

pawnbroker ['pɔːnbroukə] lommerdhouder.

pawnee [pɔː'niː] pandhouder.

pawner ['pɔːnə] verpander, pandgever.

pawnshop ['pɔːnʃɔp] pandjeshuis *o*, lommerd.

pawn-ticket ['pɔːntikit] lommerdbriefje *o*.

pax [pæks] *ij* ⌐ S vergiffenis.

pay [pei] I *sb* betaling, bezoldiging, traktement *o*, salaris *o*, loon *o*, gage, ✗ soldij; *in the ~ of...* door... bezoldigd, in dienst van...; II *vt* betalen, bezoldigen, salariëren, voldoen, uitbetalen, uitkeren; lonen, vergelden; boeten (voor *for*); betuigen [eerbied]; ~ *attention* aandacht schenken (aan *to*), opletten, acht geven; ~ *one a compliment* een compliment maken; ~ *one's respects* zijn opwachting maken (bij *to*); ~ *a visit* een bezoek afleggen; ~ *one's way* zich (zelf) bedruipen; *it ~s you to...* het loont de moeite, 't is wel de moeite waard...; III *vi* betalen; de moeite lonen, renderen; ∞ ~ *away* maar aan 't betalen blijven; ⚓ vieren; ~ *down* contant betalen; ~ *for* it 1 (het) betalen; 2 ervoor boeten; ~ *in money* geld storten; ~ *it into his hands* aan hem afdragen; ~ *off* 1 ⚓ (laten) afvallen; 2 (af)betalen; 3 F de moeite lonen; renderen; ~ *off the crew* het scheepsvolk afmonsteren; *I'll ~ you off for this* dat zal ik je betaald zetten; ~ *out* 1 ⚓ vieren; 2 (uit)betalen; ~ *one* het hem betaald zetten; ~ *over to...* het (uit)betalen of afdragen aan; ~ *through the nose* buitengewoon veel betalen, afgezet worden; ~ *towards the cost* het zijne bijdragen; ~ *up* 1 (af)betalen; 2 volstorten [aandelen].

payable ['peiəbl] betaalbaar, te betalen; lonend, renderend; *become ~* vervallen; *make ~* betaalbaar stellen.

pay-bill ['peibil] betaalsrol, betaalstaat.

pay-book ['peibuk] ✗ zakboekje *o*.

pay-box ['peibɔks] loket *o*, bespreekbureau *o*.

pay-day ['peidei] 1 betaaldag; 2 traktementsdag.

pay-dirt ['peidəːt] betalend erts *o*.

P.A.Y.E. ['piːeiwaiˈiː] = *pay-as-you-earn* (*income-tax*) loonbelasting.

payee [peiˈiː] te betalen persoon, nemer [v wissel].

payer ['peiə] betaler.

pay(ing)-load ['pei(iŋ)loud] nuttige last.

paymaster ['peima:stə] 1 betaler; 2 betaalmeester; 3 ✗ & ⚓ officier van administratie; *stand* ~ betalen, trakteren.

payment ['peimənt] betaling; *fig* loon *o*.

✎ paynim ['peinim] *sb* (& *aj*) heiden(s).

pay-office ['peiəfis] betaalkantoor *o*, -kas.

payola [pei'oulə] *Am* douceurtje *o*, douceurtjes.

pay-packet ['peipækit] loonzakje *o*

pay-roll ['peiroul] zie *pay-bill*.

pea [pi:] ✿ erwt.

peace [pi:s] vrede; rust; ~! stil!; ~ *of mind* gemoedsrust; *the King*'s *(the Queen's)* ~ de openbare orde; *break* the *(King's)* ~ de vrede verbreken; de rust verstoren; *hold one's* ~ (stil)zwijgen; *keep the* ~ de vrede bewaren; de openbare orde niet verstoren; *make one's* ~ *with* zich verzoenen met; *at* ~ in vrede; *in* ~ in vrede; met rust.

peaceable ['pi:səbl] *aj* 1 vreedzaam; 2 vredelievend.

peaceably ['pi:səbli] *ad* zie *peaceable.*

peace-breaker ['pi:sbreikə] 1 vredeverstoorder; 2 rustverstoorder.

peaceful(ly) ['pi:sful(i)] vreedzaam; vredig.

peace-loving ['pi:slʌviŋ] vredelievend.

peacemaker ['pi:smeikə] vredestichter.

peace-offering ['pi:səfəriŋ] dank-, zoenoffer *o*.

peace-officer ['pi:səfisə] politiedienaar.

1 peach [pi:tʃ] *sb* 1 ✿ perzik; perzik(e)boom; 2 F snoes, „juweel" *o*.

2 peach [pi:tʃ] *vi* S klikken; ~ *against (on)* klikken van, verklikken.

peach-brandy ['pi:tʃ'brændi] persico.

peach-coloured ['pi:tʃ'kʌləd] perzikbloesemkleurig.

pea-chick ['pi:tʃik] ≱ jonge pauw.

peachy ['pi:tʃi] perzikachtig, -kleurig; perzik-.

peacock ['pi:kɔk] I *sb* 1 ≱ pauw; 2 ❀ pauwoog; II *vi* pauwachtig stappen.

peacock butterfly ['pi:kɔkbʌtəflai] ❀ pauwoog.

peacockish ['pi:kɔkiʃ] pauwachtig.

peacocky ['pi:kɔki] pauwachtig.

pea-hen ['pi:'hen] ≱ pauwin.

pea-jacket ['pi:dʒækit] pijjekker.

1 peak [pi:k] I *sb* spits, punt, top, *fig* hoogtepunt *o*, maximum *o*, record *o*; piek; ⚓ gaffel; klep [v. pet]; ~ *hours* piekuren, spitsuren; II *vt* ⚓ toppen.

2 peak [pi:k] *vi* er smalletjes uitzien; ~ *and pine* kwijnen.

peaked [pi:kt] puntig; smalletjes [v. gezicht], pips; spits, scherp; ~ *cap* pet (met klep).

peaky ['pi:ki] puntig; zie ook: *peaked.*

peal [pi:l] I *sb* gelui *o*; geratel *o*; (donder)slag; stel *o* klokken [v. klokkenspel]; ~ *of laughter* een schaterend gelach *o*; II *vi* schallen, klinken, klateren, galmen; III *vt* doen schallen, klinken &.

peanut ['pi:nʌt] ✿ pinda, olienootje *o*, apenootje *o*; ~ *butter* pindakaas.

pea-pod ['pi:pɔd] (erwte)peul.

pear [peə] ✿ peer°.

pearl [pə:l] I *sb* parel²; II *vt* beparelen; parelen [gerst]; III *vi* 1 parelen; 2 naar parels vissen.

pearl-barley ['pə:l'ba:li] parelgerst.

pearl-button ['pə:l'bʌtn] paarlemoeren knoop

pearl-diver ['pə:ldaivə] parelvisser.

pearl-shell ['pə:lʃel] 1 paarlemoer *o*; 2 parelschelp.

pearly ['pə:li] parelachtig, rijk aan parelen.

pear-shaped ['peəʃeipt] peervormig.

peasant ['pezənt] I *sb* boer, landman; ~ *farmer* eigenerfde (boer); II *aj* boeren-.

peasantry ['pezəntri] boerenstand, landvolk *o*.

✎ pease [pi:z] ✿ erwten.

pea-shell ['pi:ʃel] (erwte)peul.

pea-shooter ['pi:ʃu:tə] erwtenblazer, blaaspijp.

peat [pi:t] turf; veen *o*.

peat-bog ['pi:tbɔg] veengrond, veen *o*.

peatery ['pi:təri] veenderij.

peat-hag ['pi:thæg] veengrond, veen *o*.

peat-moss ['pi:tmɔs] veengrond, veen *o*.

peaty ['pi:ti] turfachtig, turf-; veenachtig.

pebble ['pebl] 1 kiezelsteen; 2 bergkristal *o*.

pebbled ['pebld], pebbly ['pebli] vol kiezelstenen.

peccability [pekə'biliti] zondigheid.

peccable ['pekəbl] zondig.

peccadillo [pekə'dilou] zondetje *o*.

peccancy ['pekənsi] zondigheid.

peccant ['pekənt] zondig.

peccavi [pe'ka:vi:] ik heb gezondigd; *cry* ~ ongelijk of schuld bekennen.

1 peck [pek] *sb* maat = 9,092 liter; *a* ~ *of money (troubles)* een hoop geld (soesa).

2 peck [pek] I *vt* & *vi* pikken; bikken; ~ *at* pikken in (naar); *fig* hakken op; ~ *at food* meepikken, een hapje eten; II *sb* 1 pik [met de snavel]; 2 F kus.

pecker ['pekə] 1 pikker; 2 ≱ specht; *keep your* ~ *up* S kop op, kerel!

Pecksniffian [pek'snifiən] F huichelachtig.

pectoral ['pektərəl] I *aj* borst-; II *sb* 1 borststuk *o*; 2 borstvin, -spier; 3 borstmiddel *o*.

peculate ['pekjuleit] (geld) verduisteren.

peculation [pekju'leiʃən] (geld) verduistering.

peculator ['pekjuleitə] wie (geld) verduistert

peculiar [pi'kju:liə] bijzonder; eigenaardig; ~ *to* eigen aan.

peculiarity [pikju:li'æriti] bijzonderheid, eigenaardigheid.

pecuniary [pi'kju:niəri] geldelijk, gelds-; geld-.

pedagogic(al) [pedə'gɔdʒik(l), -'gɔgik(l)] opvoedkundig, pedagogisch.

pedagogics [pedə'gɔdʒiks, -'gɔgiks] pedagogie, opvoedkunde.

pedagogue ['pedəgɔg] pedagoog, schoolvos.

pedagogy ['pedəgɔgi, -gɔdʒi] pedagogie, opvoedkunde.

pedal ['pedl] I *sb* 1 pedaal *o* & *m*; 2 ♪ orgelpunt; II *vt* & *vi* het pedaal of de trapper gebruiken; peddelen, trappen, fietsen; III *aj* voet-.

pedal-cycle ['pedlsaikl] (trap)fiets.

pedant ['pedənt] pedant, schoolvos.

pedantic(ally) [pi'dæntik(əli)] pedant, schoolmeesterachtig.

pedantry ['pedəntri] pedanterie, schoolmeesterachtigheid.

peddle ['pedl] I *vi* 1 met de mars lopen, venten; 2 *fig* zich met beuzelingen ophouden, prutsen; II *vt* rondventen.

peddling ['pedliŋ] I *aj* beuzelachtig; II *sb* kleingeestig gedoe *o*; gepingel *o*.

pedestal ['pedistl] voetstuk² *o*; nachtkastje *o* (ook: ~ *cupboard*); ~ *writing-table* bureauministre *o*.

pedestrian [pi'destriən] I *aj* te voet; voet-; *fig* alledaags, laag-bij-de-gronds, platvloers; II *sb* 1 voetganger; 2 *sp* wandelaar.

pedestrianism [pi'destriənizm] 1 wandelsport; 2 *fig* alledaagsheid, platvloersheid.

pedicab ['pedikæb] betjah: fietstaxi.

pedigree ['pedigri:] stam-, geslachtsboom; ~ *cattle* stamboekvee *o*; ~ *fowl* rashoenders.

pediment ['pedimənt] △ fronton *o*.

pedlar ['pedlə] marskramer; venter.

pedlary ['pedləri] lopen *o* met de mars; marskramerswaren.

pedometer [pi'dəmitə] schredenteller.

peduncle [pi'dʌŋkl] ⚘ (bloem)steel.

pee [pi:] plasje *o*.

1 peel [pi:l] *sb* schietschop, schieter.

2 peel [pi:l] I *sb* schil; *candied* ~ sukade; II *vt* (af)schillen, pellen, (af)stropen, villen, ontvellen, ontschorsen (ook: ~ *off*); III *vi* (zich laten) schillen; afschilferen, afbladderen, vervellen (ook: ~ *off*); S zich uitkleden.

peeler ['pi:lə] ✎ S klabak ‖ schiller.

peelings ['pi:liŋz] schillen; schilfers.

1 peep [pi:p] I *vi* 1 gluren, kijken (naar *at*); gloren; ~ *out* zich vertonen; om de hoek komen kijken; II *sb* (glurende) blik; kijkje *o*; *the* ~ *of day* (*dawn*) het aanbreken van de dag.

2 peep [pi:p] I *vi* piepen; II *sb* gepiep *o*.

peep-bo ['pi:pbou] kiekeboe.

1 peeper ['pi:pə] *sb* 1 begluurder, loervogel; 2 F kijker [ook = oog

2 peeper ['pi:pə] *sb* pieper.

peep-hole ['pi:phoul] kijkgat *o*.

peep-show ['pi:pʃou] kijkkast, rarekiek.

1 peer [piə] I *sb* pair, gelijke, weerga; II *vi* in: ~ *with* evenaren.

2 peer [piə] *vi* turen, kijken, gluren.

peerage ['piəridʒ] pairschap *o*; adel(stand); adelboek *o*.

peeress ['piəris] vrouw van een pair; vrouwelijke pair.

peerless ['piəlis] weergaloos.

peevish(ly) ['pi:viʃ(li)] korzelig, kribbig, gemelijk, knorrig.

peewit ['pi:wit] ⚭ kievit.

Peg [peg] F Grietje *o*.

peg [peg] I *sb* pin, houten pen of nagel; paaltje *o*; kapstok²; ♪ schroef [aan viool]; S 1 (houten) been *o*; 2 brandy (whisky) soda; *come down a* ~ *or two* een toontje lager zingen, zoete broodjes bakken; *take down a* ~ *or two* een toontje lager doen zingen; *he is a round* ~ *in a square hole* hij is niet de rechte man op de rechte plaats; II *vt* (met een pin) vastmaken, vastpinnen; $ stabiliseren; III *vi* ploeteren; ∞ ~ *away* F ploeteren; ~ *down* binden (aan *to*); ~ *into him* P hem van katoen geven; ~ *out* P opkrassen², om zeep gaan; ~ *out a claim* afbakenen.

Pegasus ['pegəsəs] Pegasus.

Peggy ['pegi] F Grietje *o*.

peg-leg ['pegleg] S houten been *o*.

pegtop ['pegtɔp] priktol.

Pekin(g)ese [pi:ki'n(ŋ)i:z] ✿ pekinees.

pekoe ['pekou, 'pi:kou] pecco(thee).

pelargonium [pelə'gounjəm] ✿ geranium.

pelerine ['peləri:n] pelerine.

pelf [pelf] geld *o*, „centen"; *filthy* ~ aards slijk *o*.

pelican ['pelikən] ✿ pelikaan.

pelisse [pe-, pi'li:s] damesmantel; jasje *o*.

pellet ['pelit] balletje *o*; prop, propje *o*; pilletje *o*; kogeltje *o*.

pellicle ['pelikl] vlies *o*, vliesje *o*.

pell-mell ['pel'mel] door en over elkaar; holderdebolder.

pellucid [pe'l(j)u:sid] doorschijnend; helder.

pellucidity [pel(j)u'siditi] doorschijnendheid; klaarheid, helderheid.

Peloponnesian [peləpə'ni:ʃən] I *aj* Peloponnesisch; II *sb* Peloponnesiër.

Peloponnesus [peləpə'ni:səs] Peloponnesus.

1 pelt [pelt] *sb* vel *o*, vacht, huid.

2 pelt [pelt] I *vt* gooien, beschieten, bekogelen, bombarderen²; II *vi* (neer)kletteren [hagel, regen]; F er de sokken in zetten, rennen; III *sb* in: (*at*) *full* ~ zo hard mogelijk (lopen).

peltry ['peltri] huiden, pelterij. [pend).

pelvic ['pelvik] van het bekken.

pelvis ['pelvis] bekken *o*, nierbekken *o*.

Pembroke ['pembruk] Pembroke; ~ *table* klaptafel, hangoortafel.

pemmican ['pemikən] 1 in repen gesneden, gedroogd rundvlees *o*; 2 *fig* degelijke kost.

1 pen [pen] I *sb* pen; II *vt* schrijven, (neer)pennen.

2 pen [pen] I *sb* (schaaps)kooi, perk *o*, hok *o*; (baby)box; duikbootbunker; II *vt* perken; opsluiten (ook: ~ *in, up*).

penal ['pi:nəl] I *aj* strafbaar, straf-; *the* ~ *laws* de strafwetten; ~ *servitude* dwangarbeid; II *sb* F dwangarbeid.

penalize ['pi:nəlaiz] strafbaar stellen; straffen; handicappen.

penalty ['penlti] straf, boete; handicap; *pay the* ~ *of* boeten voor; *pay the extreme* ~ de doodstraf ondergaan.

penance ['penəns] boete, boetedoening.
penates [pe neiti:z] penaten, huisgoden.
pen-case ['penkeis] pennenkoker.
pence [pens] *mv* v. *penny*.
penchant ['pa:nʃa:n, 'pɔ:nʃə:n of Fr] neiging.
pencil ['pensl] I *sb* 1 potlood *o*; griffel; stift; 2 ✎ & *fig* penseel *o*; ~ *of rays* stralenbundel; II *vt* (met potlood) tekenen, optekenen, (op)-schrijven; penselen.
pencil-case ['penslkeis] 1 griffel-, potloodko-ker; 2 potloodhouder.
pencil-sharpener ['penslʃa:pnə] potloodslijper.
pendant ['pendənt] I *aj* zie *pendent* I; II *sb* 1 (oor)hanger; 2 ⚑ wimpel; 3 luchter; 4 pen-dant *o* & *m*, tegenhanger.
pendency ['pendənsi] hangende- of aanhangig zijn *o* [v. proces].
pendent ['pendənt] hangend[2]; overhangend; zwevend.
pending ['pendiŋ] I *aj* (nog) hangend, onaf-gedaan; II *prep* gedurende; in afwachting van.
pendulous ['pendjuləs] hangend; schomme-lend.
pendulum ['pendjuləm] slinger [v. klok].
Penelope [pi'neləpi] Penelope.   [heid.
penetrability [penitrə'biliti] doordringbaar-
penetrable ['penitrəbl] doordringbaar; te door-gronden; ~ *to* toegankelijk, vatbaar voor.
penetrate ['penitreit] I *vt* doordringen (van *with*); doorgronden; II *vi* dóór-, binnendrin-gen (in *into, through*).
penetrating ['penitreitiŋ] doordringend; scherp(ziend), scherpzinnig, diepgaand.
penetration [peni'treiʃən] doordringen *o*; in-, binnendringen *o*; doorgronden *o*; doorzicht *o*; scherpzinnigheid.
penetrative ['penitreitiv] zie *penetrating*; ~ *power* ook: doordringendheid.
penguin ['peŋgwin] 🐧 pinguïn.
penholder ['penhouldə] pen(ne)houder.
penicillin [peni'silin] 🜊 penicilline.
peninsula [pi'ninsjulə] schiereiland *o*; *the Peninsula* het Iberisch schiereiland.
peninsular [pi'ninsjulə] van een schiereiland.
penitence ['penitəns] berouw *o*, boete, boet-vaardigheid.
penitent ['penitent] I *aj* berouwvol, boetvaar-dig; II *sb* boetvaardige, boeteling(e); ~ *form* zondaarsbankje *o*.
penitential [peni'tenʃəl] boetvaardig, berouw-vol; boete-; ~ *psalms* boetpsalmen.
penitentiary [peni'tenʃəri] I *aj* boete-; straf-; II *sb* verbeteringsgesticht *o*; *Am* strafgevan-genis.
penknife ['pennaif] pennemes *o*, zakmesje *o*.
penman ['penmən] 1 schoonschrijver; 2 schrij-ver, auteur.
penmanship ['penmənʃip] (schoon)schrijf-kunst.
pen-name ['penneim] schuilnaam.
pennant ['penənt] wimpel; zie ook: *pennon* 3.
penniless ['penilis] zonder geld, arm.

Pennines ['penainz] Penninisch gebergte *o*.
pennon ['penən] 1 ⚑ wimpel; 2 banier; 3 ✠ (lans)vaantje *o*.
penn'orth ['penəθ] zie *pennyworth*.
Pennsylvania [pensil'veinjə] Pennsylvanië *o*.
penny ['peni] stuiver°; ⓌⒹ penning; *a ~ for your thoughts* waar zit je over te piekeren?; *in for a ~, in for a pound* wie a zegt, moet ook b zeggen; *cost a pretty ~* een hele duit kos-ten; *a ~ saved is a ~ gained (got)* die wat spaart, heeft wat; *take care of the pence* op de kleintjes passen.
penny-a-liner ['peniə'lainə] broodschrijver [voor de krant].
penny dreadful [peni'dredful] F sensatieroman-netje *o*.
penny-in-the-slot machine ['peniinðəslɔt mə'ʃi:n] muntautomaat.
pennyweight ['peniweit] gewicht: 1,55 gram.
penny-wise ['peni'waiz] zuinig op nietigheden; ~ *and pound-foolish* verkeerde zuinigheid (in kleine dingen en verkwisting aan de andere kant) betrachtend.
pennyworth ['penəθ, 'peniwə:θ] voor een stui-ver; *a good ~* een koopje *o*.
1 **pension** ['penʃən] I *sb* jaargeld *o*, pensioen *o*; II *vt* een jaargeld geven, toeleggen; ~ *off* pensioneren, op pensioen stellen.
2 **pension** ['pa:ŋsiɔ:n] *sb* pension *o*.
pensionable ['penʃənəbl] pensioengerechtigd, recht gevend op pensioen.
pensionary ['penʃənəri] I *aj* pensioens-; ge-huurd, betaald; II *sb* 1 trekker van een jaar-geld; gepensioneerde; 2 afhangeling, huur-ling; 3 ⓌⒹ pensionaris.
pensioner ['penʃənə] 1 trekker van een jaar-geld; gepensioneerde; 2 ☞ inwonend student, die zelf zijn verpleging en studie bekostigt [Cambridge].
pensive ['pensiv] peinzend, zwaarmoedig, wee-moedig, droevig.
penstock ['penstɔk] valdeur [v. sluis].
pent [pent] V.D. van 2 *pen* II.
pentad ['pentæd] vijftal *o*; groep van vijf.
pentagon ['pentəgən] vijfhoek; *the Pentagon Am* het Pentagon: (het gebouw van) de Le-gerleiding en het Bureau van de Minister van Defensie.
pentagonal [pen'tægənəl] vijfhoekig.
pentameter [pen'tæmitə] vijfvoetig vers *o*.
Pentateuch ['pentətju:k] Pentateuch.
pentathlon [pen'tæθlən] *sp* vijfkamp.
Pentecost ['pentikɔst] pinksterfeest *o* der joden.
Pentecostal [penti'kɔstl] pinkster-.
penthouse ['penthaus] 1 afdak *o*, luifel, loods; 2 terraswoning [op flatgebouw].
pent-up ['pent'ʌp] op-, ingesloten; *fig* lang in-gehouden of opgekropt.
penult(imate) [pi'nʌlt(imit)] voorlaatste (letter-
penumbra [pi'nʌmbrə] halfschaduw.   [greep).
penurious [pi'njuəriəs] karig, schraal, armoe-dig; gierig.

penury ['penjuri] armoede[2], behoeftigheid; volslagen gebrek *o* (aan *of*).

penwiper ['penwaipə] inktlap.

peony ['piəni] 🌺 pioen(roos).

people ['pi:pl] I *sb* volk *o*; mensen; lieden, personen; men; *my* ~ ook: mijn familie; *the little* ~ I het kleine volkje; 2 de feeën, kaboutertjes; ~ *say so* men zegt het; II *vt* bevolken.

pep [pep] *Am* S fut.

pepper ['pepə] I *sb* peper; II *vt* peperen; spikkelen, (be)strooien; S I er van langs geven; 2 ✗ beschieten.

pepper-and-salt ['pepərən'sɔ:lt] peper-en-zoutkleurig(e stof).

pepperbox ['pepəbɔks] peperbus.

pepper-caster ['pepəka:stə] peperbus.

peppercorn ['pepəkɔ:n] peperkorrel.

peppermint ['pepəmint] I 🌺 pepermunt; 2 pepermuntje *o*.

pepperpot ['pepəpɔt] peperbus.

peppery ['pepəri] peperachtig; vol peper; gepeperd[2], scherp, prikkelend; prikkelbaar, opvliegend, heetgebakerd.

pepsin ['pepsin] pepsine.

peptone ['peptoun] pepton *o*.

per [pə:] per; ~ *pro(c)*. bij volmacht.

✕ **peradventure** [pərəd'ventʃə] I *ad* misschien, bij toeval; II *sb* twijfel(achtigheid).

perambulate [pə'ræmbjuleit] (door)wandelen, doorlopen; aflopen [de grenzen].

perambulation [pəræmbju'leiʃən] (door)wandeling, rondgang; (grens)schouw; district *o*.

perambulator [p(ə)'ræmbjuleitə] (kinder)wagentje *o*.

perceivable [pə'si:vəbl] merkbaar, bespeurbaar, waarneembaar, te zien.

perceive [pə'si:v] (be)merken, bespeuren, ontwaren, waarnemen.

perceiving [pə'si:viŋ] scherpziend, pienter.

per cent. [pə'sent] ten honderd, percent; *a hundred* ~ F voor honderd procent.

percentage [pə'sentidʒ] percentage *o*; percenten, commissieloon *o*.

perceptibility [pəsepti'biliti] merkbaarheid, waarneembaarheid.

perceptible [pə'septibl] merkbaar, waarneembaar.

perception [pə'sepʃən] perceptie, waarneming; gewaarwording; inzicht *o*.

perceptive [pə'septiv] waarnemend; gewaarwordend; scherpzinnig; ~ *faculty* waarnemingsvermogen *o*; scherpzinnigheid.

perceptivity [pə:sep'tiviti] waarnemingsvermogen *o*; scherpzinnigheid.

I **perch** [pə:tʃ] I *sb* stokje *o* in een vogelkooi, roest, stang; hoge plaats; II *vi* (hoog) gaan zitten, roesten [vogels]; neerstrijken (op *upon*); III *vt* doen zitten, (hoog) plaatsen; *be* ~*ed* (hoog) zitten, liggen, staan &.

2 **perch** [pə:tʃ] *sb* 𝔜 baars.

✕ **perchance** [pə'tʃa:ns] misschien.

percipient [pə'sipiənt] waarnemend.

percolate ['pə:kəleit] (laten) doorzijgen, filtreren, doorsijpelen[2], doordringen[2].

percolation [pə:kə'leiʃən] doorzijging, filtreren *o*; doorsijpelen[2] *o*, doordringen[2] *o*.

percolator ['pə:kəleitə] I filter; 2 filtreerkan.

percuss [pə'kʌs] percuteren, bekloppen.

percussion [pə'kʌʃən] I schok, slag, stoot, botsing; 2 𝔜 percussie; 3 ♪ slagwerk *o*.

percussion-cap [pə'kʌʃənkæp] slaghoedje *o*.

percussion-fuse [pə'kʌʃənfju:z] ✕ schokbuis.

percussive [pə'kʌsiv] slaand, schokkend, stotend, slag-, schok-, stoot-.

perdition [pə:'diʃən] verderf *o*, ondergang, verdoemenis.

peregrinate ['perigrineit] (rond)zwerven, reizen en trekken.

peregrination [perigri'neiʃən] rondzwerven *o*, zwerftocht.

peregrinator ['perigrineitə] zwerver.

peregrine ['perigrin] I *aj* ✕ vreemd, uitheems; ~ *falcon* = II *sb* 𝔜 slechtvalk.

peremptorily ['perəmtərili] *ad* zie *peremptory*.

peremptoriness ['perəmtərinis] gebiedend karakter *o*; beslistheid; volstrektheid.

peremptory ['perəmtəri] *aj* geen tegenspraak duldend; gebiedend; afdoend, beslissend; volstrekt.

perennial [pə'renjəl] I *aj* het gehele jaar durend; eeuwig(durend), voortdurend; (over)blijvend, onvergankelijk; II *sb* 🌺 overblijvende plant.

perennially [pə'renjəli] *ad* jaar in jaar uit; voortdurend; eeuwig.

I **perfect** ['pə:fikt] I *aj* volmaakt, volkomen, perfect (in orde); echt; < ook: volslagen; II *sb* voltooid tegenwoordige tijd.

2 **perfect** [pə'fekt] *vt* volmaken, verbeteren, perfectioneren; ⊙ volvoeren.

perfectibility [pəfekti'biliti] volmaakbaarheid, vatbaarheid voor verbetering.

perfectible [pə'fektibl] volmaakbaar, voor verbetering vatbaar.

perfection [pə'fekʃən] volmaaktheid; volkomenheid, perfectie; volmaking; *to* ~ in de perfectie.

perfective [pə'fektiv] I volmakend; 2 *gram* perfectief.

perfectly ['pə:fiktli] *ad* zie I *perfect* I; *you know* ~ *well* je weet heel goed, opperbest.

perfectness ['pə:fiktnis] volmaaktheid, volkomenheid, perfectie.

perfidious(ly) [pə'fidiəs(li)] trouweloos, verraderlijk, vals (voor *to*), perfide.

perfidy ['pə:fidi] trouweloosheid, verraderlijkheid, valsheid.

perforate ['pə:fəreit] I *vt* doorboren, perforeren; II *vi* doordringen (in *into*).

perforation [pə:fə'reiʃən] doorboring, perforatie; perforeermachine. [tie.

perforator ['pə:fəreitə]

perforce [pə'fɔ:s] (nood)gedwongen, noodzakelijk(erwijs); † met geweld.

perform [pə'fɔ:m] **I** vt volvoeren, nakomen, volbrengen, vervullen; verrichten, doen; uit-, opvoeren, vertonen, spelen; **II** vi (komedie) spelen, kunsten doen, optreden; ~ing elephants gedresseerde olifanten.

performance [pə'fɔ:məns] volvoering, volbrenging, verrichting, nakoming, vervulling; op-, uitvoering°, vertoning; prestatie, werk o, daad, spel o, voorstelling.

performer [pə'fɔ:mə] wie volbrengt, verrichter; executant, speler; toneelspeler, artiest; he is a bad ~ ook: hij komt zijn beloften niet na.

1 **perfume** ['pə:fju:m] sb geur; reukwerk o, parfum o & m.

2 **perfume** [pə'fju:m] vt welriekend maken, een geurtje geven, parfumeren.

perfumer [pə'fju:mə] parfumeur.

perfumery [pə'fju:məri] parfumerie(ën).

perfunctorily [pə'fʌŋktərili] ad zie perfunctory.

perfunctoriness [pə'fʌŋktərinis] sleurse plichtmatigheid.

perfunctory [pə'fʌŋktəri] aj (gedaan) omdat het moet, sleurs; in a ~ way ook: voor de leus.

pergola ['pə:gələ] pergola. [leus.

perhaps [pə'hæps, præps] misschien.

peri ['piəri] boze (goede) geest; (gevallen) engel; fee.

§ **perianth** ['periænθ] ✿ bloemdek o, bloembekleedsels.

§ **pericardium** [peri'ka:diəm] hartzakje o.

§ **pericarp** ['perika:p] ✿ vruchtwand.

perigee ['peridʒi:] perigeum o.

peril ['peril] gevaar o; at your (own) ~ op uw eigen verantwoording, risico; he was in ~ of his life hij was in levensgevaar.

perilous(ly) ['periləs(li)] gevaarlijk, hachelijk.

perimeter [pə'rimitə] omtrek [v. e. figuur].

period ['piəriəd] **I** sb 1 tijdvak o, tijdkring, tijdperk o, tijd; omloop(s)tijd v. planeet; periode° [ook v. repeterende breuk]; 2 volzin; 3 punt [na volzin]; put a ~ to een einde maken aan; **II** aj in de stijl van zekere tijd, in zekere tijd spelend.

periodical [piəri'ɔdikl] **I** aj periodiek; **II** sb periodiek, tijdschrift o.

periodicity [piəriə'disiti] geregelde terugkeer, periodiciteit.

peripatetic [peripə'tetik] **I** aj 1 peripatetisch; 2 rondreizend; **II** sb peripateticus.

peripheral [pə'rifərəl] perifeer. [rand.

periphery [pə'riferi] periferie; omtrek; buiten-

periphrasis [pə'rifrəsis] omschrijving.

periphrastic [peri'fræstik] omschrijvend.

periscope ['periskoup] periscoop.

perish ['periʃ] omkomen, te gronde gaan; vergaan (van with).

perishable ['periʃəbl] **I** aj 1 vergankelijk; 2 aan bederf onderhevig; **II** sb in: ~s aan bederf onderhevige waren.

peristaltic [peris'tæltik] peristaltisch.

peristyle ['peristail] zuilengalerij.

peritoneum [peritə'ni:əm] buikvlies o.

peritonitis [peritə'naitis] ✝ buikvliesontsteking.

periwig ['periwig] pruik. [op.

periwigged ['periwigd] gepruikt, met een pruik

periwinkle ['periwiŋkl] alikruik ‖ ✿ maagdenpalm.

perjure ['pə:dʒə] in: ~ oneself vals zweren, een meineed doen; ~d meineedig.

perjurer ['pə:dʒərə] meinedige.

perjury ['pə:dʒəri] meineed; woordbreuk.

perk [pə:k] **I** vi de neus in de lucht steken; een hoge borst zetten; ~ up F opkikkeren; **II** vt in: ~ up opsteken [het hoofd &]; F opkikkeren; mooi maken.

perkily ['pə:kili] ad zie perky.

perky ['pə:ki] aj F zich voelend, parmant(ig), brutaal, zwierig.

perm [pə:m] F **I** sb permanent; **II** vt permanenten.

permanence, -cy ['pə:mənəns(i)] bestendigheid, duurzaamheid, duur; vaste betrekking.

permanent ['pə:mənənt] aj bestendig, blijvend, vast, permanent; ~ way baanbed o, spoorbaan.

permanently ['pə:mənəntli] ad zie permanent.

permeability [pə:miə'biliti] doordringbaarheid.

permeable ['pə:miəbl] doordringbaar.

permeate ['pə:mieit] doordringen, doortrekken; dringen, trekken (door through).

permeation [pə:mi'eiʃən] doordringing.

permissible [pə'misibl] toelaatbaar, geoorloofd.

permission [pə'miʃən] permissie, vergunning, verlof o, toestemming.

permissive [pə'misiv] veroorlovend.

1 **permit** [pə'mit] **I** vt permitteren, veroorloven, toestaan, toelaten, vergunnen; **II** vi het toelaten; ~ of toelaten, dulden.

2 **permit** ['pə:mit] sb (schriftelijke) vergunning; verlof o; consent o.

permutation [pə:mju'teiʃən] permutatie; verwisseling.

pernicious(ly) [pə:'niʃəs(li)] verderfelijk, schadelijk, fnuikend.

pernickety [pə'nikiti] F peuterig; overdreven netjes, kieskeurig; lastig.

perorate ['perəreit] een peroratie houden; oreren.

peroration [perə'reiʃən] peroratie, slot o van een redevoering.

peroxyde [pə'rɔksaid] **I** sb peroxyde o; **II** vt bleken [het haar].

perpendicular [pə:pən'dikjulə] **I** aj loodrecht, rechtop, steil; **II** sb loodlijn; schietlood o; the ~ ook: de loodrechte stand.

perpendicularity ['pə:pəndikju'læriti] loodrechte stand, in het lood zijn o.

perpetrate ['pə:pitreit] bedrijven, begaan, plegen[2].

perpetration [pə:pi'treiʃən] bedrijven o, begaan o of plegen o.

perpetrator ['pə:pitreitə] bedrijver, dader.
perpetual(ly) [pə'petjuəl(i)] eeuwigdurend, altijddurend, eeuwig; levenslang, vast.
perpetuate [pə'petjueit] vereeuwigen, doen voortduren, bestendigen.
perpetuation [pəpetju'eiʃən] vereeuwiging, bestendiging.
perpetuity [pə:pi'tjuiti] eeuwige duur, eeuwigheid; doorlopende lijfrente; in (to, for) ∼ voor eeuwig.
perplex [pə'pleks] in de war brengen, verwarren, verlegen maken, onthutsen.
perplexed [pə'plekst] aj verward, verlegen, onthutst, verslagen.
perplexedly [pə'pleksidli] ad zie perplexed.
perplexity [pə'pleksiti] verwardheid, verlegenheid, verslagenheid.
perquisite ['pə:kwizit] emolument o, fooi.
persecute ['pə:sikju:t] vervolgen; lastig vallen.
persecution [pə:si'kju:ʃən] vervolging.
persecutor ['pə:sikju:tə] vervolger.
perseverance [pə:si'viərəns] volharding.
persevere [pə:si'viə] volharden (in in), aanhouden, doorzetten.
Persia ['pə:ʃə] Perzië o.
Persian ['pə:ʃən] I aj Perzisch; ∼ blinds persiennes, zonneblinden; II sb 1 Pers; 2 (het) Perzisch.
persiflage [pɛəsi'fla:ʒ] persiflage, bespotting.
persimmon [pə:'simən] ♣ dadelpruim.
persist [pə'sist] volharden, hardnekkig volhouden, blijven (bij in), doorgaan (met in); aanhouden, voortduren.
persistence, -cy [pə'sistəns(i)] volharding, hardnekkig volhouden o; hardnekkigheid.
persistent(ly) [pə'sistənt(li)] volhardend, aanhoudend, blijvend, hardnekkig.
person ['pə:sn] persoon°, personage o & v, mens o; figuur; the young ∼ de jongedame.
personable ['pə:sənəbl] welgemaakt, knap.
personage ['pə:sənidʒ] persoon, personage o & v.
personal ['pə:sən(ə)l] aj persoonlijk°, personeel; eigen; ∼ estate (property) roerend goed o.
personality [pə:sə'næliti] persoonlijkheid°.
personally ['pə:sən(ə)li] ad persoonlijk; in persoon; ∼ I see no objection ik voor mij...
personalty ['pə:snəlti] roerend goed o.
personate ['pə:səneit] voorstellen, uitbeelden, de rol vervullen van; zich uitgeven voor.
personation [pə:sə'neiʃən] voorstelling, uitbeelding [v. rol]; optreden o voor of als een ander.
personification [pəsɔnifi'keiʃən] persoonsverbeelding; verpersoonlijking.
personify [pə'sɔnifai] verpersoonlijken.
personnel [pə:sə'nel] personeel o.
perspective [pə'spektiv] I sb perspectief v = doorzichtkunde; perspectieftekening; perspectief o = verschiet o, (voor)uitzicht o; II aj perspectivisch.

perspicacious(ly) [pə:spi'keiʃəs(li)] scherpziend, scherpzinnig, schrander.
perspicacity [pə:spi'kæsiti] scherpziende blik, scherpzinnigheid, schranderheid.
perspicuity [pə:spi'kjuiti] klaarheid, duidelijkheid, helderheid.
perspicuous [pə'spikjuəs] duidelijk, helder.
perspiration [pə:spə'reiʃən] uitwaseming; transpiratie; be in a ∼ transpireren.
perspire [pəs'paiə] I vi uitwasemen; transpireren; II vt uitwasemen, uitzweten.
persuade [pə'sweid] I vt overreden, overhalen, brengen (tot to); overtuigen; ∼ one into overhalen tot; II vr ∼ oneself zich overtuigen; zich wijsmaken.
persuasion [pə'sweiʒən] overreding, overtuiging; geloof o, gezindte, richting; soort.
persuasive [pə'sweisiv] overredend, overtuigend; ∼ power overredingskracht.
pert [pə:t] aj vrijpostig, brutaal.
pertain [pə:'tein] in: ∼ to 1 behoren bij (tot); 2 aangaan, betrekking hebben op.
pertinacious(ly) [pə:ti'neiʃəs(li)] hardnekkig, halsstarrig, volhoudend, vasthoudend.
pertinacity [pə:ti'næsiti] hardnekkigheid, halsstarrigheid, volharding.
pertinence, -cy ['pə:tinəns(i)] toepasselijkheid, zakelijkheid.
pertinent ['pə:tinənt] toepasselijk, ter zake (dienend), zakelijk; ∼ to van toepassing op, betrekking hebbend op.
pertly ['pə:tli] ad zie pert.
pertness ['pə:tnis] vrijpostigheid, brutaalheid.
perturb [pə'tə:b] storen, in beroering brengen, verstoren, verontrusten.
perturbation [pə:tə:'beiʃən] storing, verontrusting, beroering.
Peru [pə'ru:] Peru o.
peruke [pə'ru:k] pruik.
perusal [pə'ru:zəl] (nauwkeurige) lezing.
peruse [pə'ru:z] (nauwkeurig) lezen, doorlezen, onderzoeken.
Peruvian [pə'ru:viən] I aj Peruviaans; ∼ bark kinabast; II sb Peruaan.
pervade [pə'veid] doordringen, doortrekken, vervullen (van with, by).
pervasion [pə'veiʒən] doordringing.
pervasive [pə'veisiv] doordringend.
perverse(ly) [pə'və:s(li)] onhandelbaar, onredelijk, dwars, koppig; averechts, verkeerd, inslecht, verdorven, pervers.
perversion [pə'və:ʃən] verdraaiiing, omkering.
perversity [pə'və:siti] onhandelbaarheid, perversiteit, slechtheid, verdorvenheid.
1 pervert [pə'və:t] vt verdraaien [v. woord]; bederven, verleiden; misbruiken.
2 pervert ['pə:və:t] sb afvallige, renegaat.
perverter [pə'və:tə] verdraaier; bederver, verleider.
pervious ['pə:viəs] doordringbaar, toegankelijk, vatbaar (voor to).
pesky ['peski] Am F lam, vervelend.

pessimism ['pesimizm] pessimisme o.

pessimist ['pesimist] I sb pessimist; II aj pessimistisch.

pessimistic [pesi'mistik] pessimistisch.

pest [pest] plaag, pest; kwelgeest, lastpost, schadelijk dier o, insekt o of gewas o.

pester ['pestə] lastig vallen, kwellen, plagen.

pesterer ['pestərə] kwelgeest, plaaggeest.

pestiferous [pes'tifərəs] verpestend[2], verderfelijk; pest-.

pestilence ['pestiləns] pest[2], pestziekte.

pestilent ['pestilənt] pestilent, verderfelijk; lastig.

pestilential [pesti'lenʃəl] pestachtig, verpestend, pest-; pestilent, verderfelijk.

pestle ['pes(t)l] stamper [v. vijzel].

1 pet [pet] sb kwade luim, boze bui; take (the) ~ nijdig worden.

2 pet [pet] I sb lievelingsdier o; fig lieveling; II aj geliefd, vertroeteld; a ~ dog een lievelingshond; ~ name troetelnaam; III vt (ver)troetelen, liefkozen, aanhalen.

petal ['petl] ❀ bloemblad o.

petard [pi'ta:d] I springbus; 2 klapper, voetzoeker; he was hoist with his own ~ hij viel in de kuil, die hij voor een ander gegraven had.

Peter ['pi:tə] Petrus, Piet(er); Blue ~ ⚓ de blauwe (vertrek)vlag; rob ~ to pay Paul een gat maken om het andere te stoppen.

peter ['pi:tə] in: ~ out F uitgeput raken; afnemen, verflauwen, ophouden; uitgaan als een nachtkaars.

Peterkin ['pi:təkin] Peerke.

Peter('s) pence ['pi:tə(z)pens] Pieterspenning.

petition [pi'tiʃən] I sb smeekschrift o, verzoek-(schrift) o; petitie, adres o; bede; file one's ~ in bankruptcy zijn faillissement aanvragen; II vt smeken (om for); verzoeken; III vi een petitie indienen, rekwestreren.

petitionary [pi'tiʃənəri] smekend, verzoekend; ~ epistle verzoekschrift o.

petitioner [pi'tiʃənə] verzoeker, adressant.

Petrarch ['petra:k, 'pi:tra:k] Petrarca.

petrel ['petrəl] ☙ stormvogeltje o.

petrifaction [petri'fækʃən] verstening.

petrify ['petrifai] (doen) verstenen[2].

petrol ['petrəl] benzine.

petroleum [pi'trouljəm] petroleum.

petticoat ['petikout] I rok, onderrok; 2 vrouw; a... in ~s een vrouwelijke...; be in ~s nog in de lange kleren zijn [kind].

petticoated ['petikoutid] met een (onder)rok.

petticoat government ['petikout gavənmənt] vrouwenregering; be under ~ F onder de pantoffel zitten.

pettifogger ['petifɔgə] I beunhaas; 2 rechtsverdraaier, chicaneur.

pettifoggery ['petifɔgəri] I beunhazerij; 2 rechtsverdraaiing, chicane.

pettifogging ['petifɔgin] I gebeunhaas o; 2 chicanerend gedoe o.

pettiness ['petinis] kleinheid, geringheid, nietigheid, kleinzieligheid.

pettish ['petiʃ] korzelig, gemelijk; gauw op zijn teentjes getrapt, prikkelbaar.

pettitoes ['petitouz] I varkenspootjes; 2 F pootjes, voeten.

petto ['petou] in: in ~ in reserve.

petty ['peti] klein, gering, onbeduidend; klein-(zielig); ~ officer ⚓ onderofficier.

petulance ['petjuləns] prikkelbaarheid, lastigheid, knorrigheid.

petulant ['petjulənt] prikkelbaar, lastig, knorrig.

petunia [pi'tju:njə] ❀ petunia.

pew [pju:] kerkbank.

pewit ['pi:wit] ☙ kievit.

pew-opener ['pju:oupnə] ± koster(svrouw).

pewter ['pju:tə] I peauter o [mengsel van tin en lood]; 2 kan, kroes of beker van peauter.

pewterer ['pju:tərə] tinnegieter.

phaeton ['feitn] faëton [rijtuig].

phalange ['fælæn(d)ʒ] kootje o.

phalanges I ['fælænd3iz] = kootjes; 2 [fə'lænd3i:z] = falanxen.

phalanx ['fælæŋks] I falanx; 2 kootje o.

phantasm ['fæntæzm] droombeeld o, hersenschim.

phantasmagoria [fæntæzmə'gɔ:riə] schimmenspel[2] o, fantasmagorie.

phantasmal [fæn'tæzməl] fantastisch, spookachtig.

phantasy ['fæntəsi] fantasie; gril.

phantom ['fæntəm] spook(sel) o, schim, verschijning, geest; droombeeld o; ~ ship spookschip o.

Pharaoh ['feərou] farao.

pharisaic(al) [færi'seiik(l)] farizees, farizeïsch, schijnheilig.

pharisee ['færisi:] farizeeër, schijnheilige; th Pharisees de Farizeeën.

pharmaceutical [fa:mə'sju:tikl] farmaceutisch: artsenijkundig; ~ chemist apotheker.

pharmaceutics [fa:mə'sju:tiks] artsenijbereidkunde.

pharmacist ['fa:məsist] farmaceut.

pharmacologist [fa:mə'kɔlədʒist] artsenijkundige.

pharmacology [fa:mə'kɔlədʒi] artsenijleer.

pharmacopoeia [fa:məkə'pi:ə] farmacopoea.

pharmacy ['fa:məsi] I artsenijbereidkunde; 2 apotheek.

pharos ['feərɔs] vuurtoren, baken o.

pharyngeal [fə'rindʒiəl] van de keelholte.

pharyngitis [færin'dʒaitis] ⚕ ontsteking van de keelholte.

pharynx ['færiŋks] keelholte.

phase [feiz] fase, stadium o.

pheasant ['fezənt] ⚘ fazant; ~'s eye ❀ kooltje-vuur o, adonisbloem.

pheasantry ['fezəntri] fazantehok o; fazantenpark o.

Phebe ['fi:bi] Phebe.

phenacetin [fi'næsitin] fenacetine.

phenix ['fi:niks] feniks².

phenol ['fi:nɔl] fenol *o.*

phenomena [fi'nɔminə] *mv* v. *phenomenon.*

phenomenal [fi'nɔminəl] 1 op de verschijnselen betrekking hebbend; 2 zinnelijk waarneembaar; 3 fenomenaal, merkwaardig, buitengewoon.

phenomenon [fi'nɔminən] verschijnsel² *o;* fenomeen *o.*

phew [fju:] foei! bah! ff!

phial ['faiəl] flesje *o.*

Phil [fil] F Flip.

philander [fi'lændə] flirten.

philanderer [fi'lændərə] beroepsflirter.

philanthrope ['filənθroup] mensenvriend.

philanthropic(al) [filən'θrɔpik(l)] filantropisch, menslievend; liefdadigheids-.

philanthropist [fi'lænθrɔpist] mensenvriend.

philanthropy [fi'lænθrɔpi] mensenmin, -liefde, menslievendheid.

philatelic [filə'telik] filatelistisch.

philatelist [fi'lætəlist] I *sb* postzegelverzamelaar; II als *aj* postzegelverzamelaars-.

philately [fi'lætəli] filatelie.

philharmonic [fila:'mɔnik] filharmonisch.

Philip ['filip] Filippus, Philippus, Filip.

philippic [fi'lipik] filippica, scherpe hekelrede.

philippine ['filipi:n] filippine.

Philippines ['filipi:nz] Philippijnen.

Philistine ['filistain] I *sb* 1 Filistijn; 2 filister; II *aj* 1 Filistijns; 2 filisterachtig.

philological [filə'lɔdʒikl] filologisch.

philologist [fi'lɔlədʒist] filoloog.

philology [fi'lɔlədʒi] filologie.

Philomel ['filəmel], **Philomela** [filə'mi:lə] filomeel, ☉ nachtegaal.

philosopher [fi'lɔsəfə] filosoof, wijsgeer; ~*s' stone* steen der wijzen.

philosophic(al) [filə'sɔfik(l)] filosofisch, wijsgerig.

philosophize [fi'lɔsəfaiz] filosoferen.

philosophy [fi'lɔsəfi] filosofie°.

philtre ['filtə] minnedrank.

phiz [fiz] F facie *o* & *v*, gezicht *o.*

phlegm [flem] 1 slijm *o* & *m;* 2 flegma *o*, koelheid.

phlegmatic [fleg'mætik] flegmatisch; flegmatiek, koel.

phlox [flɔks] ⚘ flox: herfstsering.

Phoebe ['fi:bi] Phoebe [de maan].

Phoebus ['fi:bəs] Phoebus [de zonnegod].

Phoenicia [fi'niʃə] Fenicië *o.*

Phoenician [fi'niʃən] I *aj* Fenicisch; II *sb* Feniciër, Fenicische.

phoenix ['fi:niks] feniks².

phone [foun] F zie *telephone.*

phoneme ['founi:m] foneem *o.*

phonetic [fou'netik] I *aj* fonetisch; II *sb* in: ~*s* fonetiek, klankleer.

phoney ['founi] *Am* S I *aj* vals, onecht, schijn-; II *sb* komediant, aansteller; III *vt* vervalsen.

phonogram ['founəgræm] fonogram *o.*

phonograph ['founəgra:f] fonograaf; *Am* grammofoon.

phonographic [founə'græfik] fonografisch.

phonography [fou'nɔgrəfi] fonografie.

phonology [fou'nɔlədʒi] klankleer; klankstelsel *o.*

phosphate ['fɔsfeit] fosfaat *o.*

phosphorate ['fɔsfəreit] met fosfor verbinden.

phosphoresce [fɔsfə'res] fosforesceren.

phosphorescence [fɔsfə'resəns] fosforescentie.

phosphorescent [fɔsfə'resənt] fosforescerend.

phosphoric [fɔs'fɔrik], **phosphorous** ['fɔsfərəs] fosfor-.

phosphorus ['fɔsfərəs] fosfor.

photo ['foutou] F zie *photograph.*

photochromy ['foutəkroumi] kleurenfotografie.

photocopy ['foutəkɔpi] I *sb* fotocopie; II *vt* fotocopiëren.

photogenic [foutə'dʒenik] fotogeniek.

photograph ['foutəgra:f] I *sb* fotografie°; *have one's* ~ *taken* zich laten fotograferen; II *vt* fotograferen.

photographer [fə'tɔgrəfə] fotograaf.

photographic [foutə'græfik] fotografisch.

photography [fə'tɔgrəfi] fotografie.

photogravure [foutəgrə'vjuə] fotogravure.

photometer [fou'tɔmitə] lichtmeter.

phototype ['foutətaip] lichtdruk.

phrase [freiz] I *sb* frase°; zegs-, spreekwijze, uitdrukking, gezegde *o;* II *vt* onder woorden brengen, inkleden, uitdrukken; ♪ fraseren.

phraseological [freiziə'lɔdʒikl] fraseologisch.

phraseology [freizi'ɔlədʒi] wijze van zich uit te drukken.

phrenetic [fri'netik] waanzinnig, razend.

phrenology [fri'nɔlədʒi] schedelleer [v. Gall].

Phrygia ['fridʒiə] Phrygië *o.*

Phrygian ['fridʒiən] I *aj* Phrygisch; II *sb* Phrygiër, Phrygische.

phthisical ['θaisikl, 'tizikl] teringachtig.

phthisis ['θaisis, 'θaisis] (long)tering.

phut [fʌt] in: *go* ~ F naar de bliksem gaan.

phylloxera [filɔk'siərə] druifluis.

physic ['fizik] I *sb* geneeskunde; geneesmiddel *o*, medicijn, purgeermiddel *o;* ~*s* natuurkunde, fysica; II *vt* 1 geneeskundig behandelen; 2 medicijn ingeven.

physical ['fizikl] *aj* 1 natuurkundig, natuurwetenschappelijk; 2 fysiek², lichamelijk, lichaams-; ~ *training* lichamelijke oefening, gymnastiek.

physically ['fizikəli] *ad* zie *physical.*

physician [fi'ziʃən] dokter, geneesheer.

physicist ['fizisist] natuurkundige.

physiognomist [fizi'ɔnəmist] gelaatkundige.

physiognomy [fizi'ɔnəmi] gelaatkunde; fysionomie, voorkomen *o*, gelaat *o*, wezen *o.*

physiological [fiziə'lɔdʒikl] fysiologisch.

physiologist [fizi'ɔlədʒist] fysioloog.

physiology [fizi'ɔlədʒi] fysiologie.

physique [fi'zi:k] fysiek *o*, lichaamsbouw.
pianino [pi:ɔ'ni:nou] ♪ pianino.
pianist ['piɔnist, 'pjænist] ♪ pianist.
piano ['pjænou] ♪ piano; *grand*~ ♪ vleugel.
pianoforte [pjænɔ'fɔ:ti] ♪ piano.
piastre [pi'æstɔ] piaster.
piazza [pi'ædzɔ] 1 plein *o* [v. It. stad]; 2 *Am* buitengalerij, veranda.
pibroch ['pi:brɔk] *Sc* krijgsmars (met variaties) op de doedelzak.
Picardy ['pikɔdi] Picardië *o*.
picaresque [pikɔ'resk] schelmen-, dieven-.
picaroon [pikɔ'ru:n] (zee)rover, vrijbuiter.
piccalilli ['pikɔlili] mosterdzuur *o*.
piccaninny ['pikɔnini] I *sb* negerkind *o*; dreumesje *o*; kindje *o*; II *aj* klein.
piccolo ['pikɔlou] ♪ piccolofluit.
pick [pik] I *sb* 1 punthouweel *o*; haaksleutel; tandestoker; 2 pluk; keus; *the* ~ *of*... de (het) beste van..., het puik(je) van...; *take one's* ~ *from* een keus doen uit; II *vt* hakken, (op)pikken, prikken, opensteken; uitpeuteren; (af)kluiven; (af-, uit-)pluizen; schoonmaken [salade]; plukken [vruchten, bloemen en gevogelte]; (uit)zoeken; (uit)kiezen; ~ *holes in* vitten op, kritiseren; ~ *oakum* 1 werk plukken; 2 *fig* zakjes plakken [als straf]; ~ *pockets* zakkenrollen; ~ *a quarrel* ruzie zoeken; ~ *one's steps* voorzichtig (stap voor stap) vooruitgaan; *not here to* ~ *straws* om vliegen te vangen; ~ *one's way*, zie ~ *one's steps*; ~ *one's words* voorzichtig zijn woorden kiezen; ~ *off* uitpikken, wegschieten; ~ *out* uitpikken, (uit)kiezen; uitpluizen, ontdekken [de betekenis]; ♪ op het gehoor spelen; afzetten (met *with*); ~ *to pieces* uit elkaar nemen; kritiseren zodat er geen stuk van heel blijft, afmaken; ~ *up* openhakken; oppikken"; oprapen, opnemen [reizigers], ophalen; opdoen, op de kop tikken; (te pakken) krijgen, vinden; opvangen [een radiostation]; herkrijgen [krachten]; ~ *up with a person* met iemand „aanpappen"; ~ *up a living* zijn kostje bijeenscharrelen; ~ *oneself up* weer op-, bijkrabbelen, op zijn verhaal komen; III *vi* kluiven, bikken; ~ *and choose* kiezen; kieskeurig zijn; ~ *and steal* gappen; ~ *on* (uit)kiezen; *Am* afgeven op; ~ *up* bijkrabbelen, bijkomen [v. herstellenden]; weer aanslaan [v. motor], optrekken [v. auto].
pick-a-back ['pikɔbæk] op de rug.
pickax(e) ['pikæks] houweel *o*.
picked [pikt] uitgekozen, uitgezocht, uitgelezen, keur-, elite-.
picker ['pikɔ] 1 pikhaak; houweel *o*; 2 plukker; ~*s and stealers* kleine en grote dieven.
pickerel ['pikɔrɔl] 𝕊 snoekje *o*.
picket ['pikit] I *sb* piketpaal, staak; ✕ piket *o*; post [bij staking]; II *vt* 1 met palen afzetten of versterken; aan een paal vastmaken; 2 posten [bij staking].
picking ['pikiŋ] kiezen *o* &, zie *pick*; ~*s* bij-

verdiensten, profijtjes, emolumenten.
pickle ['pikl] I *sb* 1 pekel, zuur *o*; ingemaakt goed *o*, zuurtje *o*; 2 F lastig kind *o*, lastpost; *be in a* (*sad, sorry, nice* &) ~ in moeilijkheden, F (lelijk) in de knoei zitten; *mixed* ~*s* gemengd zuur *o*; II *vt* pekelen, inmaken, inleggen.
picklock ['piklɔk] haaksleutel; inbreker.
pick-me-up ['pikmi:ʌp] S hartsterking.
pickpocket ['pikpɔkit] zakkenroller.
pick-up ['pikʌp] pick-up: toonopnemer [v. grammofoon]; *Am* kleine bestelauto; S toevallig ontmoet iemand.
Pickwickian [pik'wikiɔn] van Pickwick, Pickwickiaans; *in a* ~ *sense* in speciale betekenis, in verborgen zin.
picnic ['piknik] I *sb* picknick; II *vi* picknicken.
picotee [pikɔ'ti:] ✿ donkergerande anjelier.
pictorial [pik'tɔ:riɔl] I *aj* picturaal, schilder-; in beeld(en), beeld-; geïllustreerd; schilderachtig; II *sb* geïllustreerd blad *o*.
picture ['piktʃɔ] I *sb* schilderij *o* & *v*, prent (plaatje *o*); afbeelding, schildering, tafereel *o*; beeltenis, portret *o*; foto; afbeeldsel *o*, (toon)beeld *o*; evenbeeld *o*; film; *the* ~*s* de bioscoop; *it is a* ~ het is beelderig; *be in the* ~ er bij horen, meetellen; *be (a little) out of the* ~ niet in zijn omgeving passen; er niet bij horen, niet meetellen; II *vt* (af)schilderen, afbeelden; ~ (*to oneself*) zich voorstellen.
picture-book ['piktʃɔbuk] 1 prentenboek *o*; 2 platenboek *o*, plaatwerk *o*.
picture-card ['piktʃɔka:d] ◊ pop.
picture-gallery ['piktʃɔgælɔri] zaal voor schilderijen, schilderijenkabinet *o*, schilderijenmuseum *o*.
picture hat ['piktʃɔhæt] grote (dames) Gainsborough- of Rembrandthoed.
picture-house ['piktʃɔhaus] bioscoop.
picture-palace ['piktʃɔpælis] bioscoop.
picture-play ['piktʃɔplei] filmdrama *o*.
picture-postcard ['piktʃɔpous(t)ka:d] prentbriefkaart.
picture-puzzle ['piktʃɔpʌzl] rebus.
picture-show ['piktʃɔʃou] 1 schilderij ententoonstelling; 2 bioscoopvoorstelling.
picturesque [piktʃɔ'resk] schilderachtig.
picture-theatre ['piktʃɔθiɔtɔ] bioscoop.
picture-window ['piktʃɔwindou] uitzichtraam *o*
picture-writing ['piktʃɔraitiŋ] beeldschrift *o*.
piddle ['pidl] beuzelen, prutsen; kiskauwen.
piddler ['pidlɔ] beuzelaar, prutser; kiskau-
piddling ['pidliŋ] beuzelachtig.   [wer.
pidgin ['pidʒin] Pidgin-Engels, mengtaaltje *o*; *it's not my* ~ S 't is mijn zaak niet.
1 pie [pai] pastei; *Am* taart; ~ *in the sky* (*when you die*) brave mensen komen in de hemel; toekomstmuziek; *eat humble* ~ zoete broodjes bakken.
2 pie [pai] 🐦 ekster.
3 pie [pai] *IP* 1/12 anna.

piebald ['paibɔːld] bont; geschakeerd.

piece [piːs] I *sb* stuk° *o*; ✕ stuk *o* (geschut); $ eind *o*, lap; *a* ~ per stuk; ieder; *a* ~ *of advice* een raad; *a* ~ *of bread and butter* een boterham; *a* ~ *of consolation* een troost; *a* ~ *of folly* een dwaze daad; *a* ~ *of good fortune* een buitenkansje *o*; *a* ~ *of impudence* een brutaal stukje *o*, een staaltje *o* van onbeschaamdheid; *a* ~ *of intelligence (news)* een nieuwtje *o*; *give a man a* ~ *of one's mind* eens flink de waarheid zeggen; *by the* ~ bij het stuk, op stuk; *in* ~*s* aan stukken, stuk; *they are of a (one)* ~ zij zijn van één soort, in overeenstemming (met *with*), van hetzelfde slag (als *with*); *of one (a)* ~ uit één stuk; *be on the* ~ op stuk werken; *come (go) to* ~*s* stukgaan, in stukken breken; het afleggen, fiasco maken, mislukken; zich niet langer goed kunnen houden; *take to* ~*s* uit elkaar nemen; II *vt* lappen, verstellen, samenvoegen; aaneenhechten, verbinden²; ~ *in* invoegen; ~ *out* aanvullen, bijwerken; ~ *together* samenlappen, aaneenflansen²; ~ *up* verstellen.

piece-goods ['piːsgudz] geweven (stuk)goederen, goederen aan 't stuk.

piecemeal ['piːsmiːl] I *ad* bij stukken en brokken, bij gedeelten (ook: *by* ~); II als *aj* uit stukken en brokken bestaand, niet uit één stuk.

piece-work ['piːswəːk] stukwerk *o*. [stuk.

piece-worker ['piːswəːkə] stukwerker.

pied [paid] bont, gevlekt, gespikkeld.

Piedmontese [piːdmənˈtiːz] Piëmontees.

pieman ['paimən] pasteitjesventer.

pier [piə] I (brug)pijler; stenen beer; havendam, -hoofd *o*; pier; 2 △ penant *o*.

pierce [piəs] I *vt* doorboren², doorsteken, open-, dóórsteken, doordringen, doorsnijden; door... heendringen, breken door; doorgronden, doorzien; II *vi* binnendringen (in *into*); doordringen (tot *to*); zich een weg banen (door *through*); ~ *through* verder doorpiercer ['piəsə] (grote) boor; priem. [dringen.

piercing(ly) ['piəsiŋ(li)] doordringend.

pier-glass ['piəglaːs] penantspiegel.

Pierian [paiˈiəriən] muzen-.

pierrot ['piərou] pierrot.

pier-table ['piəteibl] penanttafel.

pietist ['paiətist] piëtist [1670]; *fig* kwezelaar.

piety ['paiəti] vroomheid, piëteit, kinderlijke liefde.

piffle ['pifl] I *vi* F wauwelen; II *sb* klets.

piffler ['piflə] F wauwelaar.

pig [pig] I *sb* 1 varken(svlees) *o*; big; 2 *fig* schrok; smeerlap; stijfkop; mispunt *o*; 3 ☆ gieteling: klomp ruw ijzer; blok *o* [lood]; schuitje *o* [tin]; *have brought one's* ~*s to the wrong market* 1 van een koude kermis thuiskomen; 2 aan het verkeerde kantoor zijn; *buy a* ~ *in a poke* een kat in de zak kopen; *when* ~*s fly* F als de kalveren op het ijs dansen; II *vi* biggen; (samen)hokken (ook: ~ *it*).

pigeon ['pidʒən] ♣ duif; *fig* sul; *it's not my* ~ S 't is mijn zaak niet.

pigeon-breast ['pidʒənbrest] kippeborst.

pigeon-English ['pidʒiniŋgliʃ] zie *pidgin*.

pigeon-fancier ['pidʒənfænsiə] duivenmelker.

pigeon-hole ['pidʒənhoul] I *sb* gat *o* in een duiventil, duivegat *o*; loket *o*, hokje *o*, vakje *o*; II *vt* 1 in een vakje leggen; opbergen; 2 onder het loodje leggen, ter griffie deponeren; 3 goed in zijn geheugen prenten.

pigeon-house ['pidʒənhaus] duiventil.

pigeon-livered ['pidʒənlivəd] zacht.

pigeon-loft ['pidʒənlɔːft] duivenslag *o*.

pigeonry ['pidʒənri] duivenhok *o*.

pig-eyed ['pigaid] met varkensoogjes.

piggery ['pigəri] 1 varkensfokkerij; zwijnestal²; varkenshok *o*, -kot *o*; 2 zwijnerij.

piggish ['pigiʃ] 1 varkensachtig, vuil, vies; 2 gulzig; 3 koppig; 4 inhalig.

piggy ['pigi] F varkentje *o*.

piggyback ['pigibæk] op de rug.

piggy bank ['pigibæŋk] spaarvarken *o*.

piggy-wiggy ['pigi'wigi] F varkentje *o*.

pigheaded ['pig'hedid, + 'pighedid] koppig, dwars; eigenwijs.

pig-iron ['pigaiən] ruw ijzer *o*.

piglet ['piglit], **pigling** ['pigliŋ] big, biggetje *o*.

pigment ['pigmənt] I *sb* pigment *o*, kleur-, verfstof; II *vt* kleuren.

pigmy ['pigmi] zie *pygmy*.

pigskin ['pigskin] 1 varkenshuid; varkensleer *o*; 2 S zadel; 3 *sp* voetbal.

pigsticker ['pigstikə] jager op wilde zwijnen.

pigsty ['pigstai] varkenskot *o*, varkenshok *o*.

pigtail ['pigteil] varkensstaart; (meisjes)vlecht; staartpruik; staart [v. Chinees].

pigwash ['pigwɔʃ] spoeling², slobber².

pike [paik] 1 piek; spies; tolboom; 2 ⚓ snoek.

piked [paikt] puntig, stekelig.

pikeman ['paikmən] piekenier; tolgaarder.

pikestaff ['paikstaːf] piekstok, lansstok; *as plain as a* ~ zo duidelijk als wat.

pilaster [piˈlæstə] pilaster.

Pilate ['pailət] Pilatus.

pilchard ['piltʃəd] ⚓ pelser.

pile [pail] I *sb* 1 hoop, stapel; 2 ✕ rot *o* (geweren); 3 ⚡ element *o*; zuil [van Volta]; voor atoomenergie]; 4 brandstapel; 5 gebouw *o*; 6 hoop geld, fortuin *o*; 7 (hei)paal ‖ haar *o* [op lichaam]; pool [v. fluweel]; pluis *o*, nop [van laken &]; aambei; *make one's* ~ fortuin maken; II *vt* 1 (op)stapelen, ophopen; beladen; 2 heien; ~ *arms* ✕ de geweren aan rotten zetten; ~ *on (up)* opstapelen, ophopen, optassen; ~ *it on* overdrijven; III *vi* in: ~ *up* zich opstapelen, zich ophopen.

pile-driver ['paildraivə] 1 heier; 2 heimachine.

pile-up ['pailʌp] (ravage van) kettingbotsing.

pile-work ['pailwəːk] paalwerk *o*.

pilewort ['pailwəːt] ♣ speenkruid *o*.

pilfer ['pilfə] kapen, ontfutselen.

pilferage ['pilfəridʒ] gekaap *o*, gegap *o*.

pilferer ['pilfərə] gapper, dief.

pilgrim ['pilgrim] pelgrim.

pilgrimage ['pilgrimidʒ] I *sb* bedevaart, pelgrimstocht; II *vi* ter bedevaart gaan.

pill [pil] pil°; bittere pil.

pillage ['pilidʒ] I *sb* plundering, roof; II *vt* & *vi* plunderen, roven.

pillager ['pilidʒə] plunderaar.

pillar ['pilə] pilaar, pijler; zuil; stut, stijl; *the ~s of society* steunpilaren; *driven from ~ to post* van Pontius naar Pilatus, van het kastje naar de muur gestuurd.

pillar-box ['piləbɔks] ✆ brievenbus.

pillared ['piləd] door pilaren gedragen.

pill-box ['pilbɔks] 1 pillendoos; 2 F popperig huisje; 3 ✕ kleine bunker.

pillion ['piljən] 1 zadelkussen °; 2 vrouwenzadel; 3 duo(zitting).

pillion rider ['piljənraidə] duopassagier.

pillory ['piləri] I *sb* kaak, schandpaal; *in the ~* aan de kaak; II *vt* aan de kaak stellen².

pillow ['pilou] I *sb* (oor)kussen °; ✕ kussen °; *take counsel of* (*consult with*) *one's ~* zich op iets beslapen; II *vt* 1 op een kussen leggen; 2 met kussens ondersteunen.

pillow-case ['piloukeis] kussensloop.

pillow-slip ['pilouslip] kussensloop.

§ **pilose** ['pailous] behaard, harig.

§ **pilosity** [pai'lɔsiti] behaard-, harigheid.

pilot ['pailət] I *sb* 1 loods, gids; 2 ✈ bestuurder, piloot; II *vt* loodsen, (be)sturen; geleiden; *~ a bill through* erdoor halen.

pilotage ['pailətidʒ] 1 loodsgeld °; 2 loodsen °, (be)sturen °; 3 loodswezen °.

pilot-balloon ['pailətbəlu:n] proefballon.

pilot-boat ['pailətbout] ⚓ loodsboot.

pilot-fish ['pailətfiʃ] ✕ loodsmannetje °.

pilot-jacket ['pailətdʒækit] zie *pea-jacket*.

pilot-officer ['pailətfisə] ✕ tweede-luitenant-vlieger.

pilot plant ['pailətpla:nt] proeffabriek, proefinstallatie.

pilous ['pailəs] zie *pilose*.

Pilsener ['pilznə] pils(ener).

pilule ['pilju:l] pilletje °.

pimento [pi'mentou] piment °.

pimpernel ['pimpənel] ✿ guichelheil °.

pimple ['pimpl] puist, blaasje °.

pimpled ['pimpld], **pimply** ['pimpli] puistig, vol puisten.

pin [pin] I *sb* speld; pin, pen, stift, tap, nagel, bout; luns; kegel; ♪ schroef; *~s* S benen; *~s and needles* het „slapen" van ledematen; *be on ~s and needles* op hete kolen zitten; *I don't care a ~* ik geef er geen steek om; II *vt* (vast)spelden; (op)prikken; vastklemmen, vastzetten; -houden; in-, opsluiten; *~ one's faith on*... alle vertrouwen hebben (stellen) in, vertrouwen op; *~ up* vastspelden; opprikken; opsluiten; stutten.

pinafore ['pinəfɔ:] 1 (kinder)schort; 2 overgooier (*~ dress*).

pinball ['pinbɔ:l] zie *pin table*.

pin-case ['pinkeis] speldenkoker.

pincers ['pinsəz] 1 nijptang (ook: *pair of ~*); 2 schaar [v. kreeft &].

pinch [pin(t)ʃ] I *sb* 1 kneep; klem; nijpen °, nijpende nood; snuifje °; *at a ~, when it comes to the ~* als het er op aan komt, in geval van nood, desnoods; II *vt* knijpen°, knellen, klemmen, drukken, pijn doen; dichtknijpen; beknibbelen, honger laten lijden; S 1 gappen; 2 knippen [dief]; *~ed* ook: ingevallen, mager; *be ~ed* het niet ruim hebben; *be ~ed for*... krap aan zijn met...; *~ one in* (*of, for*) *food* krap toemeten; *~ oneself* zich bekrimpen, zich het nodigste ontzeggen; *~ oneself of*... zich van..., zich... ontzeggen; III *vi* & *va* knijpen, knellen, zich bekrimpen, kromliggen.

pinchbeck ['pin(t)ʃbek] I *sb* 1 pinsbek °; 2 namaak; II *aj* onecht, nagemaakt.

pin-cushion ['pinkuʃən] speldenkussen °.

Pindar ['pində] Pindarus.

Pindaric [pin'dærik] I *aj* Pindarisch; II *sb* Pindarische ode.

1 **pine** [pain] *sb* ♣ 1 pijn(boom), grove den, grenehout °; 2 ananas.

2 **pine** [pain] *vi* (ver)kwijnen, smachten, hunkeren (naar *after, for*); *~ away* wegkwijnen; *~ to death* zich doodtreuren.

pine-apple ['painæpl] ♣ ananas.

pine-cone ['painkoun] ♣ pijnappel.

pine marten ['painma:tin] ♒ boommarter.

pinery ['painəri] 1 naaldbos °; 2 ananasaanplant.

pine-tree ['paintri:] ♣ pijn(boom), mastboom.

pinfold ['pinfould] schuthok °. [nis].

ⓜ **ping-pong** ['piŋpɔŋ] pingpong ° [tafelten-

pinion ['pinjən] I *sb* punt van een vleugel; slagveer; ⊙ vleugel, wiek; vlerk ‖ ✕ rondsel °, tandwiel °; II *vt* kortwieken², (vast)binden [de armen], knevelen; boeien.

1 **pink** [piŋk] I *sb* 1 ✿ anjelier; 2 roze °, rozerood °; 3 F (rode) vossejager(sjas) ‖ ♒ minnow & samlet; *the ~* (*and pride*) *of* het toppunt, de bloem van...; *he was in the* (*very*) *~* (*of condition*) in uitstekende conditie; II *aj* roze(kleurig).

2 **pink** [piŋk] *sb* ⚓ pink.

3 **pink** [piŋk] I *vt* 1 doorboren; doorsteken, prikken; porren; 2 perforeren, uitschulpen, versieren; II *vi* ⚙ pingelen [v. motor].

pin-money ['pinmʌni] speldengeld °.

pinnace ['pinis] ⚓ pinas [sloep].

pinnacle ['pinəkl] I *sb* pinakel; B tinne; top; *fig* toppunt °; II *vt* van torentjes voorzien; verheffen.

§ **pinnate** ['pinit] 1 vleugelvormig, gevederd; 2 ♣ gevind.

pinny ['pini] F zie *pinafore*.

pin-point ['pinpɔint] I *sb* speldepunt; II *vt* nauwkeurig aanwijzen (aangeven, de plaats bepalen van &).

pin-prick ['pinprik] speldeprik².
pin-stripe ['pinstraip] streepje *o* [op stoffen].
pint [paint] pint: ¹/₈ gallon, o,568 l.
pin table ['pinteibl] trekspel *o*, trekbiljart *o*.
pintail ['pinteil] ♣ pijlstaart.
pintle ['pintl] pinnetje *o*, bout.
pin-up ['pinʌp] opgeprikt plaatje *o* van een aantrekkelijk meisje *o* (~ *girl*).
piny ['paini] pijnboom-; met pijnbomen beplant.
pioneer [paiə'niə] I *sb* pionier², baanbreker, voortrekker; II *vi & vt* pionierswerk doen, de weg bereiden (voor), het eerst aanpakken, invoeren of beginnen met.
pious ['paiəs] godvruchtig, vroom; vol piëteit.
pip [pip] 1 oog *o* [in het spel]; 2 ⚔ S ster [als distinctief] ‖ pit [van appel &] ‖ pip.
pipage ['paipidʒ] (leggen *o* van) buizen.
pipe [paip] I *sb* pijp°, buis, leiding; fluit, fluitje *o*; gefluit *o*; (fluit)signaal *o*; luchtpijp; stemgeluid *o*, stem; *a* ~ *of wine* 105 gallons; the ~*s* de doedelzak; *put that in your* ~ (and smoke it) die kun je in je zak steken; II *vt* 1 pijpen, fluiten; piepen; 2 met biezen versieren; 3 van buizen voorzien; door buizen leiden; ~*d water* leidingwater *o*; waterleiding.
pipe-clay ['paipklei] pijppaarde.
pipe dream ['paipdri:m] dromerij, fantastisch plan *o* (idee *o* &).
pipe-line ['paiplain] pijpleiding [v. petroleum]; *fig* kanaal *o*.
piper ['paipə] pijper; doedelzakblazer; *the pied* ~ *of Hameln* de rattenvanger van Hameln; *pay the* ~ het gelag betalen.
pipette [pi'pet] pipet.
piping ['paipin] I *aj* pijpend, fluitend &; *the* ~ *time(s) of peace* de gulden vredestijd; ~ *hot* kokend heet; heet uit de pan; II *sb* 1 buizenstelsel *o*; buizen, pijpen; 2 bies.
pipit ['pipit] ♣ pieper.
pipkin ['pipkin] pannetje *o*, potje *o*.
pippin ['pipin] pippeling [appel].
piquancy ['pi:kənsi] pikante° *o*.
piquant ['pi:kənt] pikant°.
pique [pi:k] I *sb* pik, wrok; *in a fit of* ~ in een spijtige bui; II *vt* krenken; prikkelen, gaande maken; *be* ~*d* ook: gepikeerd of geraakt zijn; III *vr* ~ *oneself on* zich laten voorstaan op.
piqué ['pi:kei] piqué *o*.
piquet [pi'ket] ◊ piket(spel) *o*; zie ook: *picket*.
piracy ['paiərəsi] 1 zeeroverij; 2 het nadrukken van boekwerken.
pirate ['paiərit] I *sb* 1 piraat, zeerover; roofschip *o*; 2 nadrukker; ~ *transmitter* 📻 clandestiene zender; II *vi* zeeroverij plegen; III *vt* 1 roven; 2 nadrukken.
piratical [pai'rætikl] (zee)rovers-, roof-; ~ *printing* nadruk.
pirouette [piru'et] I *sb* pirouette; II *vi* pirouetteren.

§ **piscatory** ['piskətəri] vis-, vissers-.

§ **pisciculture** ['pisikʌltʃə] visteelt.
pish [piʃ] I *ij* ba, foei!; II *vi* ba, foei zeggen.
pistachio [pis'ta:ʃiou] ♣ pistache, pimpernoot.
pistil ['pistil] ♣ stamper.
pistol ['pistl] pistool *o*.
pistole [pis'toul] ⏣ pistool [Spaanse munt].
piston ['pistən] 1 (pomp)zuiger; 2 klep.
piston-ring ['pistənrin] ⚙ zuigerveer.
piston-rod ['pistənrɔd] ⚙ zuigerstang.
piston-stroke ['pistənstrouk] ⚙ zuigerslag.
piston-valve ['pistənvælv] ⚙ zuigerklep.
pit [pit] I *sb* (kolen)put, -mijn, mijnschacht; groeve; putje *o*, holte, kuil, kuiltje *o*; diepte; hanenmat; parterre *o & m* [in schouwburg]; *Am* pit [v. vrucht]; *the (bottomless)* ~ de (afgrond van de) hel; II *vt* inkuilen; kuiltjes (putjes) vormen in; ~ *against* laten vechten tegen [v. hanen, honden &]; stellen tegenover; zie ook: *pitted*.
pit-a-pat ['pitəpæt] tiktak; triptrap; *his heart went* ~ zijn hart ging van rikketik.
1 **pitch** [pitʃ] I *sb* pik *o & m*, pek *o & m*; II *vt* pekken.
2 **pitch** [pitʃ] I *sb* hoogte²; trap, graad; toppunt *o*; helling, schuinte; ♪ toonhoogte; ⚓ spoed [v. schroef], steek [v. schuine palen &]; ⚓ stampen *o* [v. schip]; worp; standplaats [v. venter]; (sport)terrein *o*; visplaats; II *vt* opstellen, opslaan, (op)zetten [tent &]; bestraten [met stenen]; uitstallen [waren]; ♪ aangeven [toon], stemmen; gooien, keilen [stenen &]; *a* ~*ed battle* een geregelde veldslag; *a* ~*ed roof* een schuin dak *o*; ~ *one's expectations high (low)* spannen; ~ *a tale (a yarn)* S een verhaal doen; III *vi* neerkomen; tuimelen, vallen; ⚓ stampen [schip]; kamperen; ~ *in* hem van katoen geven; ~ *into one* er op los gaan (slaan)²; iemand te lijf gaan; ~ *up(on)* zijn keus laten vallen op; komen op.
pitch-dark ['pitʃ'da:k] pikdonker.
pitcher ['pitʃə] kruik, kan ‖ steen; werper; straatventer [met vaste plaats of stalletje]; *little* ~*s have long ears* kleine potjes hebben ook oren; *the* ~ *goes to the well till it comes home broken at last* de kruik gaat zo lang te water tot zij breekt.
pitcher-plant ['pitʃəpla:nt] ♣ bekerplant.
pitchfork ['pitʃfɔ:k] I *sb* hooivork; II *vt* met een hooivork (op)gooien; *fig* met geweld stoppen of schoppen [in een baantje].
pitching ['pitʃin] I *aj* hellend; II *sb* 1 stampen *o* [van schip]; 2 helling.
pitchpine ['pitʃpain] Am. grenehout *o*.
pitchy ['pitʃi] 1 pikachtig; bepekt; 2 pikzwart, stikdonker.
pit-coal ['pitkoul] steenkool.
piteous(ly) ['pitiəs(li)] jammerlijk, erbarmelijk, deerlijk, treurig.
pitfall ['pitfɔ:l] valkuil; *fig* val(strik).
pith [piθ] pit *o & v*, kern; (rugge)merg *o*; kracht.

pit-head ['pithed] emplacement o, terrein o [v. mijn]; ~ *bath* waslokaal ə; ~ *price* prijs af mijn [v. steenkool].

pit helmet ['pithelmit] schachthoed [v. mijnwerker].

pith helmet ['piθ'helmit] tropenhelm.

pithily ['piθili] *ad* zie *pithy*.

pithiness ['piθinis] pittigheid, kernachtigheid, kracht.

pithless ['piθlis] zonder pit², krachteloos, zonder geur of fleur.

pithy ['piθi] *aj* pittig, kernachtig, krachtig.

pitiable ['pitiəbl] beklagenswaardig, deerniswaardig, jammerlijk, erbarmelijk, zielig.

pitiful(ly) ['pitiful(i)] medelijdend; deernriswekkend, treurig, armzalig, erbarmelijk.

pitiless(ly) ['pitilis(li)] meedogenloos, onbarmhartig, geen medelijden kennend.

piton ['pitɔn] muurhaak [v. alpinist].

piton-hammer ['pitɔnhæmə] berghamer.

pit-prop ['pitprɔp] mijnstut; ~s mijnstutten, mijnhout o.

pit-saw ['pitsɔ:] kraanzaag.

pittance ['pitəns] schrale portie, klein deel o, karig loon o, aalmoes; *a mere* ~ een bedroefd beetje o.

pitted ['pitid] I met putjes of kuiltjes; 2 pokdalig (ook: ~ *with the smallpox*).

pituitary [pi'tju:itəri], **pituitous** [pi'tju:itəs] slijmafscheidend, slijmig, slijm-.

pity ['piti] I *sb* medelijden o; ⊙ deernis; *it is a (great)* ~, *it is a thousand pities* het is (erg) jammer; *what a* ~!, *the* ~ *of it!* hoe jammer!; *(the) more's the* ~ des te erger, wat nog erger is; *for* ~*'s sake* om godswil, in godsnaam; *in* ~ *for (of, to)* uit medelijden voor; *have (take)* ~ *on* = II *vt* medelijden hebben met, begaan zijn met, beklagen; *he is to be pitied* hij is te beklagen.

pivot ['pivət] I *sb* spil²; tap; stift; stifttand (ook ~ *tooth*); II *vt* (om een spil) doen draaien; III draaien (om *upon*)².

pivotal ['pivətəl] waar alles om draait, voornaamste.

pixie, pixy ['piksi] fee.

placability [plækə'biliti] verzoenlijkheid, vergevensgezindheid.

placable ['plækəbl] verzoenlijk, vergevensgezind.

placard ['plæka:d] I *sb* plakkaat o, aanplakbiljet o; II *vt* be-, aanplakken, afficheren.

placate [plə'keit] verzoenen, bevredigen, gunstig stemmen.

place [pleis] I *sb* plaats°, plek, oord o; gelegenheid [tot vermaak &], woning, huis o, kantoor o, winkel, zaak &; buiten o, kasteel o, slot o, plein(tje) o, hofje o; positie, betrekking, post, ambt o; *it is not my* ~ *to...* het ligt niet op mijn weg...; *change* ~s van plaats verwisselen; *find* ~ een plaats(je) vinden; *give* ~ *to* wijken voor, plaats maken voor; *know one's* ~ weten, waar men staan moet; *take* ~

plaatshebben, plaatsgrijpen; *take the* ~ *of* de plaats vervullen van, in de plaats komen voor, vervangen; *take your* ~s neemt uw plaatsen in; *at (in, of) this* ~ te dezer stede, alhier; *at (of) your* ~ ten uwent; *in* ~ op zijn (hun) plaats; *in another* ~ I elders [in een boek]; 2 in het Hogerhuis (soms: Lagerhuis); *in* ~s hier en daar; *out of* ~ I buiten betrekking; 2 niet op zijn plaats², misplaatst; *all over the* ~ overal (rondslingerend &); *be all over the* ~ ook: I ruchtbaar zijn; 2 S helemaal in de war zijn; *go to the other* ~ F loop naar de hel!; *to ten* ~s *of decimals, to ten decimal* ~s tot in tien decimalen; II *vt* plaatsen°, zetten, stellen; (op interest) uitzetten; [iemand] „thuisbrengen"; ook: raden welke positie hij inneemt in de maatschappij; *be* ~*ed sp* geplaatst zijn (tot de eerste 3 behoren); *be well* ~*d* ook: *fig* zich in een gunstige positie bevinden.

place hunter ['pleishʌntə] baantjesjager.

placeman ['pleismən] regeringsgunsteling.

placer ['pleisə] goudbedding; goudwasserij.

placid ['plæsid] onbewogen, rustig, vreedzaam, stil.

placidity [plæ'siditi] onbewogenheid, vreedzaamheid, rustigheid; rust.

placket ['plækit] split o of zak in een (vrouwen)rok.

plagiarism ['pleidʒiərizm] plagiaat o.

plagiarist ['pleidʒiərist] plagiator, plagiaris, letterdief.

plagiarize ['pleidʒiəraiz] I *vt* naschrijven; II *vi & va* plagiaat plegen.

plagiary ['pleidʒiəri] letterdief, naschrijver; letterdieverij, naschrijverij.

plague [pleig] I *sb* pest, pestilentie; plaag; *a* ~ *upon him!* de drommel hale hem!; II *vt* (met rampen of plagen) bezoeken; F pesten, kwellen.

plaguesome ['pleigsəm] lastig, kwellend.

plague sore ['pleigsɔ:] pestbuil.

plague spot ['pleigspɔt] I pestvlek; 2 pesthaard².

plaguily ['pleigili] *ad* < drommels.

plaguy ['pleigi] *aj* F verduiveld, drommels.

plaice [pleis] ⚥ schol.

plaid [plæd] I plaid, Schotse omslagdoek; 2 reisdeken.

I **plain** [plein] I *aj* vlak, effen; eenvoudig; onopgesmukt, ongekunsteld; ongelinieerd; ongekleurd; glad [v. ring], zonder mondstuk [v. sigaret], puur [v. chocolade]; niet mooi; gewoon, alledaags, lelijk; openhartig, rondborstig; duidelijk; ~ *clothes* burgerkleren; ~ *dealing* oprechtheid, rondheid, eerlijkheid; ~ *soda-water* sodawater o zonder iets erin; *in* ~ *words* in ronde woorden; *as* ~ *as day, as the nose in your face, as* ~ *as way to parish church* zo voor de hand liggend als maar mogelijk is; zo klaar als een klontje; II *ad* duidelijk; III *sb* vlakte.

2 ⚲ **plain** [plein] *vi* jammeren, klagen.

plain-chant ['pleintʃaːnt] zie *plain-song*.

plain-clothes ['pleinklouðz] in burger(kleren).

plain-clothesman ['plein'klouðzmən] rechercheur.

plain-dealing ['pleindiːliŋ] oprecht, rond, eerlijk.

plainly ['pleinli] *ad* duidelijk, ronduit, rondborstig; eenvoudig, heel gewoon; kennelijk.

plainness ['pleinnis] vlakheid &, zie 1 *plain*.

plainsman ['pleinzmən] vlaktebewoner.

plain-song ['pleinsɔŋ] ♪ eenstemmig koraalgezang *o*.

plain-spoken ['plein'spoukn] ronduit sprekend, openhartig, rond(borstig).

plaint [pleint] 1 ⊙ klaagtoon, klaagzang, klacht; 2 ⅛ aanklacht.

plaintiff ['pleintif] ⅛ klager, eiser.

plaintive ['pleintiv] klagend, klaaglijk, klaag-.

plait [plæt] I *sb* vouw, plooi, plissé *o*; vlecht; II *vt* vouwen, plooien; vlechten.

plan [plæn] I *sb* plan° *o*, ontwerp *o*, plattegrond, schets; *the better (best)* ~ *is to*... het beste is...; *the best* ~ *to*... de beste methode (manier) om...; *our only* ~ *is to*... het enige wat wij doen kunnen is...; *on a novel* ~ volgens een nieuwe methode; II *vt* een plan maken van; ontwerpen (ook: ~ *out*); inrichten; beramen; plannen maken voor; ~*ned economy* planmatige huishouding, geleide economie; III *vi* plannen maken; van plan zijn.

1 **plane** [plein] *sb* ⚲ plataan.

2 **plane** [plein] I *sb* schaaf; II *vt* schaven; ~ *the way* ⚲ de weg effenen.

3 **plane** [plein] I *aj* vlak; II *sb* (plat) vlak *o*; plan *o*, niveau *o*, peil *o*; ⚓ vliegtuig *o*; III *vi* ⚓ 1 vliegen; 2 glijden, planeren; ~ *down* dalen (in glijvlucht).

planet ['plænit] planeet².

planetarium [plæni'tɛəriəm] planetarium *o*.

planetary ['plænitəri] planeet-, planetair; dwalend; ~ *system* planetenstelsel *o*.

plane-tree ['pleintriː] ⚲ plataanboom.

planish ['plæniʃ] glad maken, polijsten; planeren, pletten [metaal].

plank [plæŋk] I *sb* 1 (dikke) plank; 2 punt *o* van politiek program; *make one walk the* ~ iemand de voeten spoelen; II *vt* beplanken, met planken bevloeren; ~ *down* S neerleggen, opdokken.

plank-bed ['plæŋkbed] brits.

plank-bridge ['plæŋkbridʒ] vonder.

planking ['plæŋkiŋ] beplanking; planken.

plankton ['plæŋktən] plankton *o*.

planless ['plænlis] zonder plan, stelselloos.

planner ['plænə] plannenmaker, ontwerper, beramer.

planning ['plæniŋ] ontwerpen *o*, beramen *o* &; planning.

plano-concave ['pleinou'kɔnkeiv] planconcaaf: plathol.

plano-convex ['pleinou'kɔnveks] planconvex:

platbol.

plant [plaːnt] I *sb* ⚲ plant, gewas *o*; ✗ installatie, outillage, bedrijfsmateriaal *o*; fabriek, bedrijf *o*; S komplot *o*, doorgestoken kaart; II *vt* planten, poten, beplanten; (neer)zetten; opstellen [geschut]; vestigen [kolonie], koloniseren; toebrengen [slag]; S verbergen [gestolen goederen]; begraven; *she had* ~*ed herself on us* ze had zich bij ons ingedrongen en was niet meer weg te krijgen; ~ *out* uit-, verplanten.

Plantagenet [plæn'tædʒinit] Plantagenet.

plantain ['plæntin] ⚲ weegbree ‖ pisang.

plantation [plæn'teiʃən] (be)planting; plantage; volksplanting, kolonisering; aanplant(ing); plantsoen *o*.

planter ['plaːntə] planter°.

plantigrade ['plæntigreid] ⚚ zoolganger.

plant-louse ['plaːntlaus] bladluis.

plant-pathology ['plaːntpə'θɔlədʒi] planteziektenkunde.

plaque [plaːk] 1 (geëmailleerd) bord *o*; (gedenk)plaat; 2 ster [v. ridderorde].

plash [plæʃ] I *vi* plassen, plonzen, kletteren; II *sb* plas, geplas *o*; zie ook: *pleach*.

plashy ['plæʃi] 1 vol plassen; 2 plassend, kletterend.

plasm(a) ['plæzm(ə)] plasma *o*.

plaster ['plaːstə] I *sb* pleister *o* [stofnaam], pleisterkalk; gips *o*; pleister *v* [voorwerpsnaam]; ~ *of Paris* gebrande gips *o*; II als *aj* gipsen; III *vt* 1 een pleister leggen op; (be)pleisteren; 2 F lekker maken.

plasterer ['plaːstərə] pleisteraar, stukadoor.

plastic ['plæstik] I *aj* 1 plastisch, vormend, beeldend; *fig* kneedbaar; 2 plastieken; ~ *art* plastiek *v*; II *sb* plastiek *o*: kunststof.

plasticity [plæs'tisiti] kneedbaarheid².

plastron ['plæstrən] 1 borstplaat [harnas]; 2 borstlap, stootlap; 3 plastron *o* & *m*.

plate [pleit] I *sb* plaat°; naambord *o*; bord *o*; schaal [voor collecte]; vaatwerk *o*; goud- of zilverwerk *o*; tafelzilver *o*; gebitplaat; harnas *o*; prijs [bij wedrennen]; II *vt* met metaalplaten bekleden; (be)pantseren; plateren: verzilveren, vergulden &; ~*d candlestick* pleten kandelaar; ~*d ware* pleet *o*.

plateau ['plætou] plateau *o*, tafelland *o*.

plate collection ['pleitkəlekʃən] schaalcollecte.

plate glass ['pleit'glaːs] spiegelglas *o*.

plate-glass window ['pleitglaːswindou] spiegelruit.

platen ['plætn] degel [v. drukpers, schrijfmachine].

platform ['plætfɔːm] perron *o*; terras *o*; podium *o*; balkon *o* [van tram]; laadbak [v. vrachtauto]; geschutbedding, -stelling; politiek program *o*; *fig* bestuurstafel [v. vergadering].

platform ticket ['plætfɔːmtikit] perronkaartje *o*.

platinum ['plætinəm] platina *o*.

platitude ['plætitjuːd] banaliteit, gemeenplaats.

platitudinous [plæti'tju:dinəs] banaal.
Plato ['pleitou] Plato.
Platonic [plə'tɔnik] Platonisch; *fig* platonisch.
platoon [plə'tu:n] ✕ peloton *o*.
platter ['plætə] platte schotel; *Am* grammofoonplaat.
§ **platypus** ['plætipəs] ☙ vogelbekdier *o*.
plaudit ['plɔ:dit] gejuich *o* van bijval, toejuiching; *the* ~*s* ook: het applaus.
plausibility [plɔ:zi'biliti] aannemelijkheid &.
plausible ['plɔ:zibl] 1 aannemelijk; schoonschijnend; 2 aangenaam (in de omgang), innemend.
play [plei] **I** *vi* spelen°; speling of speelruimte hebben; **S** meedoen, van de partij zijn; ~ *or pay* betalen moet je, of je meedoet of niet; ~ *safe* voorzichtig zijn; **II** *vt* spelen (op), bespelen; uitspelen [kaart]; spelen tegen; spelen voor, uithangen; uithalen [grap]; laten spelen [ook kanonnen]; laten uitspartelen [vis]; (af)draaien [grammofoonplaat]; ~ *one's cards well* zijn troeven goed plaatsen²; gelukkig kolven; ~ *the game* eerlijk spel spelen, eerlijk doen; ~ *the game of* in de kaart spelen van; ~ *a losing game* een hopeloze strijd voeren; ~ *one false* oneerlijk spel met iemand spelen; ∞ ~ *about* spelen om; ronddartelen; ~ *along* (laten) spelen langs [v. licht]; ~ *at fighting* niet serieus vechten; ~ *at hide-and-seek* verstoppertje spelen; ~ *at marbles* knikkeren; *two can* ~ *at that* dat kan een ander (ik) ook; ~ *away* verspelen; ~ *back* afspelen [met bandrecorder]; ~ *down* verdoezelen, verbloemen, verzwakken, verzachten; ~ *for safety* op goed af spelen²; ~ *for time* tijd trachten te winnen; ~ *the congregation in* (*out*) spelen (op het orgel) terwijl de kerkgangers binnenkomen (de kerk verlaten); ~ *into one's hands* in iemands kaart spelen; ~ *off one's charms* te koop lopen met; ~ *them off against each other* de een tegen de ander uitspelen; ~ *on* spelen op, bespelen [instrument]; (laten) spelen op [v. kanonnen of licht]; exploiteren [lichtgelovigheid]; ~ *a joke* (*prank, trick*) (*up*)*on one* iemand een poets bakken; ~ *on words* woordspelingen maken; ~ *out* (uit)spelen [rol]; ~*ed out* „op", foutu; ook: vieux jeu; ~ *over* spelen over [v. licht]; ~ *a melody over* een wijsje doorspelen; ~ *up* 1 beginnen (te spelen); 2 opblazen, aandikken, beter doen uitkomen; ~ *up to one* 1 goed tegenspel te zien geven, waardig ter zijde staan [op het toneel]; 2 hem tegemoet komen; 3 bij hem in 't gevlij zien te komen; ~ *upon* zie ~ *on*; ~ *with* spelen met²; **III** *sb* spel *o*; speling, speelruimte; (toneel)stuk *o*; ~ *of colours* kleurenspel *o*; ~ *of features* mimiek; ~ *of words* woordenspel *o*; ~ *on words* woordspeling; *give full* ~ *to* vrij spel laten, de vrije loop laten, de teugel vieren; *make* (*capital*) ~ *zich* flink weren; *make* ~ *with* uitbuiten; scher-

men met [klassejustitie &]; *be at* ~ aan 't spelen zijn, spelen°; *at the* ~ in de komedie; *in* ~ voor de aardigheid; *be in* ~ ♋ aan stoot zijn; *be in full* ~ in volle werking zijn; *hold* (*keep*) *in* ~ aan de gang of bezig houden; *bring* (*call*) *into* ~ aanwenden [invloed &]; *come into* ~ erbij in het spel komen, zich doen gelden [invloeden]; *out of* ~ „af" [bij spel], buiten spel; *go to the* ~ naar de schouwburg gaan.
play-actor ['pleiæktə] > acteur, komediant.
playback ['pleibæk] afspelen *o* [met bandrecorder].
play-bill ['pleibil] affiche *o* & *v*; programma *o*.
playboy ['pleibɔi] losbol, boemelaar, doordraaier.
player ['pleiə] speler; toneelspeler.
player piano ['pleiəpjænou] mechanische piano.
playfellow ['pleifelou] speelmakker.
playful(ly) ['pleiful(i)] speels; schalks.
playgoer ['pleigouə] schouwburgbezoeker.
playground ['pleigraund] 1 speelplaats; 2 ontspanningsoord *o*.
play-house ['pleihaus] schouwburg.
playing-cards ['pleiiŋka:dz] (speel)kaarten.
playing-field ['pleiiŋfi:ld] speelveld *o*.
playlet ['pleilit] toneelstukje *o*.
playmate ['pleimeit] speelmakker.
play-off ['pleiɔ:f] *sp* beslissingswedstrijd.
playpen ['pleipen] (baby)box, loophek *o*.
plaything ['pleiθiŋ] (stuk) speelgoed *o*; *fig* speelbal.
playwright ['pleirait], **play-writer** ['pleiraitə] toneelschrijver.
plea [pli:] 1 pleidooi *o*, pleit *o*, proces *o*; 2 verontschuldiging; 3 voorwendsel *o*; 4 (smeek)bede, dringend verzoek *o*; *on the* ~ *of*... onder voorwendsel dat...
pleach [pli:tʃ] (dooreen)vlechten.
plead [pli:d] **I** *vi* pleiten; zich verdedigen; ~ *for* smeken om; ~ *with him to*... hem smeken te...; **II** *vt* bepleiten; aanvoeren [gronden]; ~ (*not*) *guilty* (niet) bekennen; ~ *ignorance* zich met onwetendheid verontschuldigen; ~ *illness* ziekte voorwenden.
pleader ['pli:də] pleiter, verdediger.
pleading ['pli:diŋ] **I** *sb* 1 het pleiten; pleidooi *o*; 2 smeking; **II** *aj* smekend.
pleasant(ly) ['plezənt(li)] aangenaam, prettig, genoeglijk, plezierig; vriendelijk.
pleasantry ['plezəntri] scherts, grap, grapje *o*, aardigheid; *a piece of* ~ een aardigheid, aardigheidje *o*.
please [pli:z] **I** *vt* behagen, bevallen, aanstaan; voldoen, plezieren; believen; ~! 1 als het u belieft; 2 om u te dienen; ~ (*to*) *return it soon* wees zo goed (gelieve) het spoedig terug te zenden; ~ *Sir, will you be so kind as to*... (pardon) Mijnheer, wilt u &; *if you* ~ 1 als het u belieft; [ironisch] nota bene, waarachtig; ~ *God* zo God wil; ~ *your Majesty* 1

moge het Uwer Majesteit behagen; 2 met Uwer Majesteits verlof...; ~d ook: blij, tevreden; *be ~d at...* zich verheugen over; *I shall be ~d to...* het zal mij aangenaam zijn...; *be ~d with* ook: ingenomen (in zijn schik) zijn met, tevreden zijn over; II *vr* in: *~ yourself* handel naar eigen goedvinden, je moet zelf maar weten wat je doet.

pleasing ['pli:ziŋ] behaaglijk, welgevallig, aangenaam, innemend.

pleasurable ['pleʒərəbl] genoeglijk, aangenaam, prettig.

pleasure ['pleʒə] I *sb* vermaak *o*, genoegen *o*, genot *o*, plezier *o*; (wel)behagen *o*; believen *o*, welgevallen *o*, goedvinden *o*; *what is your ~?* wat zal u believen?; wat is er van uw dienst?; *it is our ~ to...*, *we have ~ in...* ook: wij hebben de eer...; *at ~* naar verkiezing, naar eigen goedvinden; *during the King's ~* zolang het de Koning behaagt; *take (a) ~ in* er plezier in vinden om..., behagen scheppen in; *take one's ~(s)* zich vermaken; II *vt* een genoegen doen, behagen, een dienst bewijzen. **pleasure boat** ['pleʒəbout] plezierboot. [zen. **pleasure ground** ['pleʒəgraund] lusthof, park *o*.

pleat [pli:t] I *sb* plooi; II *vt* plooien.

plebeian [pli'bi:ən] I *aj* plebejisch; II *sb* plebejer. **plebiscite** ['plebisit] plebisciet *o*. [bejer.

plectrum ['plektrəm] ♪ plectrum *o*.

pledge [pledʒ] I *sb* pand *o*, onderpand *o*; borgtocht; belofte, gelofte; toost; *sign (take) the ~* de gelofte van geheelonthouding afleggen; II *vt* verpanden; (ver)binden; plechtig beloven; drinken op de gezondheid van; III *vr* in: *~ oneself* zijn woord geven, zich (op erewoord) verbinden.

pledget ['pledʒit] plukselverband *o*.

Pleiades ['plaiədi:z] * Plejaden, zevengesternte *o*.

plenary ['pli:nəri] volkomen, volledig, algeheel; *~ indulgence* volle aflaat; *~ powers* volmacht; *~ sitting* voltallige vergadering, plenum *o*, plenaire zitting.

plenipotentiary [plenipə'tenʃəri] I *aj* gevolmachtigd; II *sb* gevolmachtigde.

plenitude ['plenitju:d] volheid, overvloed.

⊙ **plenteous** ['plentiəs] overvloedig.

plentiful(ly) ['plentiful(i)] overvloedig.

plenty ['plenti] I *sb* overvloed; II *ad* overvloedig, rijkelijk.

pleonasm ['pli:ənæzm] pleonasme *o*.

pleonastic [pli:ə'næstik] pleonastisch.

plethora ['pleθərə] volbloedigheid; *fig* overmaat, overvloed.

§ **plethoric** [ple'θɔrik] volbloedig.

pleura ['pluərə] borstvlies *o*.

pleurisy ['pluərisi] borstvliesontsteking.

plexus ['pleksəs] netwerk *o* van bloedvaten, zenuwen &; *solar ~* zonnevlecht; F maagholte.

pliability [plaiə'biliti] buigzaamheid; *fig* plooibaarheid, meegaandheid.

pliable ['plaiəbl] buigzaam; *fig* plooibaar, meegaand.

pliancy ['plaiənsi] soepel-, buigzaamheid &.

pliant ['plaiənt] soepel, buigzaam, plooibaar, gedwee, handelbaar.

pliers ['plaiəz] buigtang.

1 **plight** [plait] *sb* staat, toestand, conditie; *in perilous ~* in benarde toestand (staat); *in a sore ~*, *in sorry ~* er slecht (naar) aan toe.

2 **plight** [plait] I *vt* verpanden, beloven; *~ one's faith (troth, word)* zijn woord geven; II *vr ~ oneself* zijn woord geven.

Plimsoll ['plimsəl] Plimsoll; *~ line*, *~('s) mark* [lastlijn.

plinth [plinθ] plint.

Pliny ['plini] Plinius.

plod [plɔd] I *vi* ploeteren (aan *at*); blokken (op *at*); *~ along (on)* door-, voortploeteren, voortsjouwen; II *sb* sjouw.

plodder ['plɔdə] ploeteraar; blokker.

plop [plɔp] I *vi* ploffen, plonzen; II *ad* plons.

plot [plɔt] I *sb* I stuk(je) *o* grond; 2 samenzwering, komplot *o*; intrige; II *vt* I in kaart brengen, uitzetten, traceren, ontwerpen (ook: *~ out*); 2 beramen, smeden; III *vi & va* plannen maken, intrigeren; samenspannen, samenzweren.

plotter ['plɔtə] ontwerper; samenzweerder; intrigant.

plough [plau] I *sb* ploeg; ploegschaaf; snijmachine [in drukkerij]; *the Plough* * de Grote Beer; II *vt* I (om)ploegen; doorploegen [het gelaat]; doorklieven [de golven]; 2 S laten zakken [bij examen]; *~ back* I inploegen [klaver &]; 2 $ reïnvesteren; *~ down (in)* onderploegen; *~ out (up)* uit de grond ploegen; *~ up* omploegen; scheuren [weidegrond]; III *vi* ploegen; ploeteren [door de modder &]; *~ through a book* doorworstelen.

ploughboy ['plaubɔi] hulp bij het ploegen.

plougher ['plauə] ploeger.

ploughland ['plaulənd] bouwland *o*.

ploughman ['plaumən] ploeger; boer.

ploughshare ['plauʃeə] ploegschaar.

plover ['plʌvə] ♣ I pluvier; 2 P kievit.

♣ **plow** zie *plough*.

ploy [plɔi] *dial* werkje *o*; S zet; stunt.

pluck [plʌk] I *sb* rukje *o*, trek; hart, long en lever [v. dieren]; moed, durf; II *vt & vi* I rukken, plukken, trekken (aan *at*); tokkelen [snaarinstrument]; 2 S laten zakken [bij examen]; *~ up* uitrukken, uitroeien; *~ up courage (one's spirits)* (weer) moed scheppen; *be ~ed* S zakken [bij examen].

pluckily ['plʌkili] *ad* zie *plucky*.

plucky ['plʌki] *aj* F moedig, dapper, branie.

plug [plʌg] I *sb* plug, prop, tap; stop; ☼ stekker; waterspoeling [van W.C.]; ☂ tampon; (stuk) geperste tabak, pruimpje *o* (tabak); *pull the (lavatory) ~* de W.C. doortrekken; II *vt* dichtstoppen, (ver)stoppen; ☂ tamponneren; plomberen (ook: *~ up*); S beschieten

neerschieten, een kogel jagen door ('t lijf); trachten er in te krijgen [nieuwe liedjes bij 't publiek]; *Am* reclame maken voor; **III** *vi* **S** schieten; slaan; ploeteren; ~ *in* ❋ inschakelen.
plum [plʌm] ⚘ 1 pruim; 2 rozijn; 3 **F** vet baantje *o*; 4 **S** 100.000 pond sterling; *the ~s in the book* **F** de beste brokken.
plumage ['plu:midʒ] bevedering, pluimage.
plumb [plʌm] **I** *sb* (schiet)lood *o*; dieplood *o*; *out of ~* uit het lood; **II** *aj* in het lood, loodrecht; ~ *nonsense* je reinste onzin; **III** *ad* loodrecht, vlak; *Am* volslagen; **IV** *vt* te lood zetten, waterpas maken; peilen; **V** *vi* loodgieterswerk doen.
plumbago [plʌm'beigou] grafiet *o*.
plumber ['plʌmə] loodgieter, -werker.
plumbery ['plʌməri] loodgieterij, loodgieterswerk *o*.
plumbic ['plʌmbik] loodhoudend, lood-.
plumbing ['plʌmiŋ] loodgieterswerk *o*, sanitaire inrichting(en).
plumb-line ['plʌmlain] schietlood *o*, dieplood *o*; loodlijn.
plumb-rule ['plʌmru:l] timmermanswaterpas *o*.
plum-cake ['plʌm'keik] rozijnenkoek.
plume [plu:m] **I** *sb* vederbos; veer, pluim[2]; **II** *vt* van veren voorzien; [de veren] gladstrijken; ~ *oneself* een hoge borst zetten; ~ *oneself on* zich laten voorstaan op.
plummet ['plʌmit] ⚓ schiet-, dieplood *o*; loodje *o*; *fig* last.
plumose ['plu:mous] vederachtig, gevederd.
1 **plump** [plʌmp] **I** *aj* gevuld, vlezig, mollig, dik; **II** *vt* gevuld(er), mollig maken; doen uitzetten; **III** *vi* ~ *out* (*up*) gevulder, dikker worden; zich ronden, uitzetten.
2 **plump** [plʌmp] **I** *vi* (neer)ploffen (ook: ~ *down*); ~ *for* alleen stemmen op; zich onvoorwaardelijk verklaren vóór; **II** *vt* (neer)-kwakken; **III** *ad* plof; pardoes, vierkant, botweg; **IV** *aj* bot; *a ~ lie* een vierkante leugen; *answer with a ~ No* botweg néén zeggen; **V** *sb* plof.
plum-pudding ['plʌm'pudiŋ] rozijnenpudding.
plumpy ['plʌmpi] dik en vet, mollig, poezelig.
plumy ['plu:mi] gevederd, veder-; veren-.
plunder ['plʌndə] **I** *vt* plunderen; beroven; **II** *vi* plunderen, roven; **III** *sb* plundering, beroving, roof; buit; **S** winst.
plunderer ['plʌndərə] plunderaar.
plunge [plʌn(d)ʒ] **I** *vt* dompelen, storten, stoten, plonzen (in *into*); onder-, indompelen; ~*d in thought* in gedachten verdiept; **II** *vi* zich storten, duiken; achteruitspringen en slaan [paard]; ⚓ stampen; **III** *sb* in-, onderdompeling, (onder)duiking; sprong[2], val; *make a ~ downstairs* de trap afhollen; *take the ~* de (grote) sprong wagen; in 't huwelijksbootje stappen.
plunger ['plʌn(d)ʒə] 1 dompelaar, duiker; 2 ⚒ zuiger [v. pomp]; stang [v. karn].
pluperfect ['plu:'pə:fikt] *gram* voltooid verleden (tijd).
plural ['pluərəl] **I** *aj* meervoudig; **II** *sb* meervoud *o*.
pluralist ['pluərəlist] pluralist; ambtenaar (geestelijke) met meer dan één baantje.
plurality [plu'ræliti] meervoudigheid, meervoud *o*; menigte; meerderheid, merendeel *o*.
plus [plʌs] **I** *prep* plus; **II** *aj* extra; ❋ positief; **III** *sb* plusteken *o*; zie ook: *eleven-plus*.
plus fours ['plʌs'fɔ:z] wijde golfbroek.
plush [plʌʃ] pluche *o* & *m*; ~*es* **F** pluchen broek.
Plutarch ['plu:ta:k] Plutarchus.
Pluto ['plu:tou] Pluto.
plutocracy [plu'tɔkrəsi] plutocratie.
plutocrat ['plu:tɔkræt] plutocraat.
plutocratic [plu:tə'krætik] plutocratisch.
Plutonian [plu'tounjən] van Pluto, Plutonisch.
plutonic [plu'tɔnik] plutonisch.
plutonium [plu:'tounjəm] plutonium *o*.
pluvial ['plu:viəl] regenachtig, regen-.
pluviometer [plu:vi'ɔmitə] regenmeter.
pluvious ['plu:viəs] regenachtig, regen-.
1 **ply** [plai] *sb* plooi, vouw; draad [van garen], laag [v. e. plank]; *fig* karakterplooi, -trek.
2 **ply** [plai] **I** *vt* gebruiken, werken met, hanteren; in de weer zijn met; uitoefenen [beroep]; ~ *the oars* ook: roeien; ~ *with* bestormen met [vragen &]; volstoppen met; voeren; **II** *vi* zijn beroep uitoefenen; (druk) werken, in de weer zijn; (heen en weer) varen (rijden, vliegen &); ~ *for customers* (*hire*) snorren [v. huurkoetsiers].
Plymouth ['plimәθ] Plymouth *o*.
plywood ['plaiwud] triplex *o* & *m*, multiplex *o* [hout van drie of meer lagen].
p.m. = *post meridiem* 's middags, 's avonds, in de namiddag, n.m.
P.M. = *Prime Minister*.
pneumatic [nju'mætik] **I** *aj* pneumatisch; lucht-, wind-; ~ *tyre* luchtband; **II** *sb* luchtband; ~*s* leer der gassen.
pneumonia [nju'mounjə] longontsteking.
pneumonic [nju'mɔnik] van de longen; longontstekings-; longontsteking hebbend.
1 **poach** [poutʃ] *vt* pocheren: eieren koken door ze zonder de schaal in kokend water te laten vallen.
2 **poach** [poutʃ] **I** *vt* stropen; **II** *vi* stropen; ~ *on a person's preserves* onder iemands duiven schieten.
poacher ['poutʃə] stroper.
pochard ['poutʃəd, 'poukəd] 🐦 tafeleend.
pock [pɔk] pok.
pocket ['pɔkit] **I** *sb* zak°; *be 5 sh. in ~* 5 sh. rijk zijn; 5 sh. gewonnen of verdiend hebben; *she has him in her ~* zij kan met hem doen wat zij wil; *put one's dignity & in one's ~* ...op zij zetten; *you will have to put your hand in your ~* je zult in de zak moeten tasten; *be*

out of ~ er op toeleggen; **II** als *aj* ...in zak-formaat, zak-, miniatuur-; **III** *vt* in de zak steken; kapen; ∞ stoppen [bal]; *fig* slikken [belediging]; op zij zetten [zijn trots].

pocketable ['pɔkitəbl] gemakkelijk in de zak te steken, zak-.

pocket-book ['pɔkitbuk] 1 zakboekje *o*; 2 portefeuille.

pocket-glass ['pɔkitgla:s] 1 zakspiegeltje *o*; 2 zakkijker.

pocket-handkerchief ['pɔkithæŋkətʃif] zakdoek.

pocket-knife ['pɔkitnaif] zakmes *o*.

pocket-piece ['pɔkitpi:s] (geldstuk *o* als) portebonheur.

pock-marked ['pɔkma:kt] pokdalig.

pod [pɔd] **I** *sb* dop, schil, bast, peul; **II** *vt* doppen, peulen; **III** *vi* peulen zetten.

podagra [pə'dægrə] podagra *o*, het pootje.

podded ['pɔdid] 养 peul-; *fig* er warmpjes in zit-

podge [pɔdʒ] dikkerd, potjerol *o*. [tend.

podgy ['pɔdʒi] kwabbig, dik.

poem ['pouim] gedicht *o*, dichtstuk *o*, poëem² *o*.

养 **poesy** ['pouizi] dichtkunst, poëzie.

poet ['pouit] dichter.

poetaster [poui'tæstə] pruldichter.

poetess ['pouitis] dichteres.

poetic(al) [pou'etik(l)] dichterlijk, poëtisch; ~ *vein* dichtader.

poetry ['pouitri] dichtkunst, poëzie².

poignancy ['pɔinənsi] scherpheid &.

poignant ['pɔinənt] scherp, bijtend, stekelig; pijnlijk, schrijnend, hevig.

point [pɔint] **I** *sb* punt *v* & *o* = (lees)teken *o*; punt *m* = spits; punt *o* [andere betekenissen]; stip; decimaalteken *o*; landpunt; stift, (ets)naald [tak [v. gewei]; naaldkant [v. paard &]; 养 stopcontact *o*; *fig* puntigheid, pointe [v. aardigheid]; ~ *of view* oog-, standpunt *o*; ~*s* wissel [v. spoorweg]; goede eigenschappen [v. paard &]; *the* ~*s of the compass* de streken van het kompas; *what is the* ~*?* wat is de kwestie?; *that is just the* ~ dat is (nu) juist de kwestie, dat is het hem juist; *that is the great* ~ de zaak waar 't op aankomt; *the* ~ *is to...* het is zaak om...; *singing is not his strong* ~ is zijn fort niet; *there is no* ~ *in* ...*ing* het heeft geen zin te...; *carry (gain, win) one's* ~ zijn zin (weten te) krijgen; *give* ~*s to...* (wat) voorgeven [bij spelen & *fig*]; *maintain one's* ~ op zijn stuk blijven staan, volhouden; *make a* ~ 1 staan [v. jachthond]; 2 een bewering bewijzen; *make a* ~ *of* staan (aandringen) op; *make a* ~ *of* ...*ing, make it a* ~ *to...* het zich tot taak stellen om..., het er op aanleggen om...; *make one's* ~ zijn bewering bewijzen; *make the* ~ *that...* er op wijzen, dat...; *miss the* ~ niet begrijpen waar 't om te doen is; er naast zijn; *prove one's* ~ zijn bewering bewijzen; *press the* ~ op iets aandringen; *pursue the* ~ verder op iets doorgaan; *not to put too fine a* ~ *upon it* om het nu maar eens

ronduit te zeggen; *strain (stretch) a* ~ 1 het zo nauw niet nemen, met de hand over het hart strijken; 2 overdrijven; ∞ *at all* ~*s* in alle opzichten; *armed at all* ~*s* tot de tanden gewapend; *at the* ~ *of death* op sterven; *at the* ~ *of the sword* met de degen (in de vuist), met geweld (van wapenen); *that's beside the* ~ dat doet niets ter zake; *a case in* ~ een ter zake dienend geval (voorbeeld); *in* ~ *of* uit een (het) oogpunt van; inzake...; op het stuk van; *in* ~ *of fact* in werkelijkheid, feitelijk; *off the* ~ niet ad rem; *on (upon) the* ~ *of...* op het punt om (van te)...; *to the* ~ ter zake; *to the* ~ *that...* in die mate dat..., zozeer dat...; *come to the* ~ ter zake komen; *when it came to the* ~ toen het er op aankwam; op stuk van zaken; *up to a* ~ tot op zekere hoogte; **II** *vt* (aan)punten, een punt maken aan, scherpen, spitsen, interpungeren; ♪ van punten voorzien; ✗ aanleggen, richten (op *at*); wijzen met [vinger &]; onderstrepen [beweringen &], op treffende wijze illustreren; voegen [van metselwerk]; ~ *a moral* ook: een zedenles bevatten; ~ *out* (aan)wijzen, wijzen op, aanduiden, aantonen, te kennen geven; **III** *vi* wijzen² (op *at*, *to*); staan [v. jachthond].

point-blank ['pɔint'blæŋk, + 'pɔintblæŋk] ✗ à bout portant; *fig* vlak in zijn gezicht, op de man af; bot-, gladweg.

point-duty ['pɔintdju:ti] dienst van (als) verkeersagent op een bepaald punt.

pointed ['pɔintid] *aj* spits²; scherp²; puntig²; ondubbelzinnig; opvallend.

pointedly ['pɔintidli] *ad* zie *pointed*; ook: stipt; nadrukkelijk, duidelijk.

pointer ['pɔintə] wijzer; aanwijsstok; aanwijzing; 养 pointer [hond].

point-lace ['pɔint'leis] naaldkant.

pointless ['pɔintlis] zonder punt(en); niet ad rem, geesteloos, pointeloos.

pointsman ['pɔintsmən] 1 wisselwachter; 2 verkeersagent.

point-to-point ['pɔinttə'pɔint] van punt tot punt; ~ *race* steeple-chase voor amateurs.

poise [pɔiz] **I** *vt* in evenwicht houden of brengen; balanceren; wegen [in de hand]; houden, dragen; *be* ~*d* ook: zweven [v. vogels]; **II** *vi* in evenwicht zijn; **III** *sb* evenwicht *o*; beheerstheid; balanceren *o*; zweving [in onzekerheid], houding [v. hoofd &].

poison ['pɔizn] **I** *sb* 1 vergif(t) *o*, gif(t)² *o*; 2 **P** drank; **II** *vt* vergiftigen², *fig* bederven, vergallen; verbitteren; ~*ed cup* gif(t)beker.

poisoner ['pɔiznə] gif(t)menger, -ster.

poison-fang ['pɔiznfæŋ] gif(t)tand.

poisonous ['pɔiznəs] (ver)giftig.

1 **poke** [pouk] *sb dial* zak.

2 **poke** [pouk] **I** *vi* scharrelen, snuffelen, tasten, voelen; ~ *about (in a box)* zitten rommelen; **II** *vt* stoten, steken; (op)poken, (op)porren; zie ook: *fun* **I**; **III** *sb* stoot, por.

poke-bonnet ['pouk'bənit] tuithoed.

poker ['poukə] 1 (kachel)pook; 2 *sp* poker *o*; *by the holy* ~ *!* voor de drommel!

poker face ['poukəfeis] F strak (stalen) gezicht *o*.

poker-work ['poukəwə:k] brandwerk *o*.

poky ['pouki] bekrompen, nauw; hokkerig; krottig; slonzig.

Poland ['poulənd] Polen *o*.

polar ['poulə] pool-; ~ *bear* 🐻 ijsbeer.

Polaris [pou'læris] Polaris [poolster].

polarity [pou'læriti] polariteit.

polarization [poulərai'zeiʃən] polarisatie.

polarize ['pouləraiz] polariseren.

polder ['pouldə] polder.

Pole [poul] Pool.

pole [poul] I *sb* pool; paal, stok, pols, staak, mast; disselboom; ~*s apart* (*asunder*) hemelsbreed verschillend; II *vt* van palen voorzien; staken; ⚓ (voort)bomen.

pole-axe ['poulæks] 1 slagersbijl; 2 hellebaard, strijdbijl.

polecat ['poulkæt] 🐻 bunzing; *Am* skunk.

pole-jump ['pouldʒʌmp] zie *pole-vault*.

polemic [pə'lemik] I *aj* polemisch; II *sb* 1 polemiek; 2 polemist; ~*s* polemiek.

polemical [pə'lemikl] polemisch.

pole-star ['poulsta:] poolster.

pole-vault ['poulvə:lt] polsstoksprong, *sp* polsstok(hoog)springen *o*.

police [pə'li:s] I *sb* politie; 5 ~ 5 politieagenten; II als *aj* politieel, politie-; III *vt* (politie)toezicht houden op; van politie voorzien.

police force [pə'li:sfɔ:s] politie(macht), politiekorps *o*.

policeman [p(ə)'li:smən] politieagent.

police officer [pə'li:sɔfisə] politiebeambte.

police station [pə'li:ssteiʃən] politiebureau *o*.

policewoman [p(ə)'li:swumən] agente van politie.

policlinic [pɔli'klinik] polikliniek.

policy ['pɔlisi] staatkunde; (staats)beleid *o*, politiek, gedragslijn ‖ polis.

polio ['pouliou] polio.

§ poliomyelitis [poulioumaiə'laitis] ⚕ poliomyelitis: kinderverlamming.

polish ['pɔliʃ] I *vt* polijsten², politoeren, afgladwrijven, poetsen, boenen; slijpen; ~*ed manners* beschaafde manieren; ~ *off* F afdoen, opknappen [een werkje]; zijn vet geven [tegenstander]; ~ *up* opknappen; oppoetsen; II *vi* zich laten poetsen; glimmen; III *sb* politoer *o* & *m*; poetsmiddel *o*; glans; *fig* beschaving; *give it the final* ~ er de laatste hand aan leggen.

Polish ['pouliʃ] Pools.

polisher ['pɔliʃə] 1 polijster; slijper; 2 glansborstel.

polite [pə'lait] *aj* beleefd; beschaafd; ~ *literature* bellettrie.

politely [pə'laitli] *ad* beleefd(elijk).

politeness [pə'laitnis] beleefdheid.

politic ['pɔlitik] I *aj* politiek²; II *sb* ~*s* politiek, staatkunde.

political [pə'litikl] politiek, staatkundig.

politician [pɔli'tiʃən] politicus, staatkundige, staatsman.

polity ['pɔliti] (staats)inrichting, regeringsvorm; staat.

polka ['pɔlkə] polka.

polka dot ['pɔlkədɔt] moesje *o* [in weefsel].

Poll [pɔl] F zie 2 *poll* en *Polly*.

1 poll [poul] I *sb* kop, hoofd *o*; hoornloos rund *o*; stembus, stembureau *o*; stemming; aantal *o* (uitgebrachte) stemmen, stemmencijfer *o*; ~ *of public opinion,* (*public*) *opinion* ~ opinieonderzoek *o*; *be returned at the head of the* ~ de meeste stemmen krijgen; II *vt* toppen, knotten; ✂ (de haren) knippen; (stemmen) verwerven; laten stemmen; laten deelnemen aan een opinieonderzoek; III *vi* stemmen (op *for*).

2 poll [pɔl] *sb* 🦜 lorre [papegaai].

pollack ['pɔlək] 🐟 pollak.

pollard ['pɔləd] I *sb* 1 🌳 getopte boom; 2 🦌 hert *o* dat zijn gewei verloren heeft; hoornloos rund *o*; 3 zemelen; II *vt* 🌳 knotten.

pollard-willow ['pɔlədwilou] 🌳 knotwilg.

pollen ['pɔlin] stuifmeel *o*.

pollinate ['pɔlineit] bestuiven.

pollination [pɔli'neiʃən] bestuiving.

polling-booth ['pouliŋbu:ð] stembureau *o*.

polling-clerk ['pouliŋkla:k] stemopnemer.

polling-day ['pouliŋdei] stemdag.

polling-station ['pouliŋsteiʃən] stembureau *o*.

pollster ['poulstə] opinieonderzoeker.

poll-tax ['poultæks] hoofdelijke omslag.

pollute [pə'l(j)u:t] bezoedelen, bevlekken, besmetten, ontwijden; verontreinigen.

pollution [pə'l(j)u:ʃən] bezoedeling, bevlekking, besmetting, ontwijding; verontreiniging.

Polly ['pɔli] 1 F Mietje; 2 🦜 lorretje *o*.

polo ['poulou] *sp* polo *o*.

polonaise [pɔlə'neiz] polonaise°.

polony [pə'louni] saucisse de Boulogne.

poltroon [pɔl'tru:n] lafaard, bloodaard.

poltroonery [pɔl'tru:nəri] laf(hartig)heid.

polyandrous [pɔli'ændrəs] 1 🌼 veelhelmig; 2 veelmannig.

polyandry ['pɔliændri] 1 🌼 veelhelmigheid; 2 veelmannerij.

polyanthus [pɔli'ænθəs] 🌼 sleutelbloem.

polychrome ['pɔlikroum] I *aj* veelkleurig; II *sb* veelkleurig beschilderd kunstwerk *o*.

polyclinic [pɔli'klinik] polikliniek.

polygamous [pə'ligəməs] polygaam.

polygamy [pə'ligəmi] veelwijverij.

polyglot ['pɔliglət] I *aj* veeltalig; II *sb* polyglot(te).

polygon ['pɔligən] veelhoek.

polygonal [pə'ligənəl] veelhoekig.

polyhedral [pɔli'hi:drəl] veelvlakkig.

polyhedron [pɔli'hi:drən] veelvlak o.
Polynesia [pɔli'ni:ziə] Polynesië o.
Polynesian [pɔli'ni:ziən] I aj Polynesisch; II sb Polynesiër.
polyp ['pɔlip] poliep.
polypi ['pɔlipai] mv v. polypus.
polypus ['pɔlipəs] ⚕ poliep.
polysyllabic ['pɔlisi'læbik] veellettergrepig.
polysyllable ['pɔli'siləbl] veellettergrepig woord o.
polytechnic [pɔli'teknik] I aj (poly)technisch; II sb (poly)technische school.
polytheism ['pɔliθiizm] veelgoderij.
polytheist ['pɔliθiist] polytheïst.
polytheistic [pɔliθi'istik] polytheïstisch.
pomade [pə'ma:d] I sb pommade; II vt pommaderen.
pomatum [pə'meitəm] zie pomade.
pome [poum] ⚕ pitvrucht, appelvrucht.
pomegranate ['pɔmgrænit] ⚕ granaat(appel), granaat(boom).
pomelo ['pɔmilou] ⚕ pompelmoes.
Pomerania [pɔmə'reinjə] Pommeren o.
Pomeranian [pɔmə'reinjən] I aj Pommers; ~ (dog) keeshond; II sb Pommer.
pommel ['pʌml] I sb degenknop; zadelknop; II vt beuken, (bont en blauw) slaan.
pomp [pɔmp] pracht, praal, luister, staatsie.
Pompeii [pɔm'pi:ai] Pompeji o.
Pompey ['pɔmpi] Pompejus.
pompom ['pɔmpɔm] ✗ pompom [kanon].
pompon ['pɔmpən] pompon [kwastje].
pomposity [pɔm'pɔsiti] praalzucht, praalvertoon o; gezwollenheid [v. stijl].
pompous(ly) ['pɔmpəs(li)] pompeus, deftigdoend, pralend; hoogdravend, gezwollen.
pond [pɔnd] poel, vijver; wed o.
ponder ['pɔndə] I vt overwegen, overdenken, bepeinzen; II vi peinzen (over on).
ponderability [pɔndərə'biliti] weegbaarheid².
ponderable ['pɔndərəbl] weegbaar².
ponderosity [pɔndə'rɔsiti] zwaarte.
ponderous ['pɔndərəs] zwaar², zwaarwichtig, zwaar op de hand [v. stijl].
pongee [pɔn'dʒi:] ongebleekte Chinese zijde.
poniard ['pɔnjəd] I sb dolk; II vt doorsteken [met een dolk].
pontiff ['pɔntif] opperpriester; the sovereign ~ de paus.
pontifical [pɔn'tifikl] I aj opperpriesterlijk, pontificaal, pauselijk; II sb pontificale o; ~s pontificaal o: bisschoppelijk staatsiekleed o; in full ~s in pontificaal, in vol ornaat.
1 pontificate [pɔn'tifikit] sb pontificaat o, opperpriesterschap o, pauselijke waardigheid.
2 pontificate [pɔn'tifikeit] vi 1 pontificeren; 2 zie pontify.
pontify ['pɔntifai] gewichtig doen of oreren (over about), de onfeilbare uithangen.
pontoneer [pɔntə'niə] ✗ pontonnier.
pontoon [pɔn'tu:n] 1 ponton; 2 banken o [kaartspel].

pony ['pouni] ♨ hit; pony.
pony tail ['pouniteil] paardestaart [haardracht].
poodle ['pu:dl] poedel.
pooh [pu:] ij bah!
pooh-pooh ['pu:'pu:] niet willen weten van.
1 pool [pu:l] sb poel, plas, plasje o; (zwem)bassin o.
2 pool [pu:l] I sb potspel o; inzet, pot; pool, (sport)toto, $ syndicaat o; II vt samenleggen, verenigen [v. kapitaal], onder één directie brengen; III vi samendoen, zich verenigen.
poolhall ['pu:lhɔ:l] Am goklokaal o.
poolroom ['pu:lrum] Am 1 biljartlokaal o; 2 goklokaal o.
poop [pu:p] I sb ⚓ achterschip o; achterdek o, kampanje; II vt over het achterdek slaan [golven]; be ~ed een stortzee overkrijgen.
poor [puə, pɔə] arm (aan in), behoeftig; armelijk, armoedig, schraal, mager, gering, min, pover, armzalig, ellendig; treurig, erbarmelijk, zielig; slecht; my ~ father (mijn) vader zaliger; the ~ de armen.
poor-box ['puəbɔks] offerblok o, offerbus.
poor-house ['puəhaus] armhuis o.
poor-law ['puəlɔ:] armenwet.
poorly ['puəli] I ad zie poor; II aj min(netjes), niet erg gezond.
poorness ['puənis] armoede &; zie poor.
poor-rate ['puəreit] armenbelasting.
poor-relief ['puərili:f] armenzorg.
poor-spirited ['puə'spiritid] zonder durf, lafhartig.
1 pop [pɔp] I vi poffen, paffen, knallen, ploffen, floepen, klappen; II vt doen knallen of klappen, afschieten; Am poffen [maïs]; S in de lommerd zetten; ~ a question een vraag opwerpen; ~ the question een meisje vragen; ∞ ~ across overwippen; ~ at paffen (schieten) op; ~ away hard weglopen; er op los paffen; ~ down neerzinken, zich op eens neerlaten; neerkwakken; neerschieten; ~ in (ergens) binnen komen vallen, ook: ~ in (upon one) aanwippen [bij iemand]; binnenstuiven; ~ in one's head into het hoofd steken in; ~ into bed zijn bed inwippen; ~ off wegwippen, hem poetsen; uitknijpen, doodgaan; paffen met, afschieten [geweer]; ~ out ineens te voorschijn komen; uitschieten, uitdoen; ~ one's head out of... het hoofd steken buiten; ~ up ineens opduiken; III sb pof, plof, floep, klap, knal; S 1 gemberbier o; limonade; 2 champie; 3 poffer: pistool o; in ~ S in de lommerd; IV ij & ad pof!, floep!; ~, bang! piefpaf!; go ~ barsten; op de fles gaan.
2 pop [pɔp] sb zie poppa; popular concert, music, tune.
popcorn ['pɔpkɔ:n] Am 1 gepofte maïs; 2 pofmaïs.
pope [poup] paus [v. Rome]; pope [in de Griekse kerk].
popedom ['poupdəm] pausdom o.
popery ['poupəri] > papisterij, papisme o.

pop-eye ['pɔpai] uitpuilend oog o, puiloog o.
popgun ['pɔpgʌn] proppeschieter, > kinderpistooltje o.
popinjay ['pɔpindʒei] 1 kwast, windbuil; 2 *sp* (pape)gaai [houten vogel, waarnaar men schiet].
popish ['poupiʃ] papistisch, paaps.
poplar ['pɔplə] ♣ populier.
poplin ['pɔplin] popeline o & m [stof].
poppa ['pɔpə] *Am* (pi)pa.
poppet ['pɔpit] 1 ⚓ stut; 2 ⚔ losse kop [v. draaibank]; schotelklep (ook: ~ *valve*); F popje o, schatje o.
poppy ['pɔpi] ♣ papaver; klaproos (*corn-*~)
Poppy Day ['pɔpidei] Klaproosdag.
poppy-head ['pɔpihed] ♣ papaverbol.
pop-shop ['pɔpʃɔp] pandjeshuis o.
pop singer ['pɔpsiŋə] zanger(es) van populaire liedjes.
populace ['pɔpjuləs] volk o, menigte, massa; gepeupel o, grauw o.
popular ['pɔpjulə] *aj* van (voor, door) het volk, volks-, algemeen, populair; ~ *with* ook: gewild, in trek, bemind, gezien, getapt bij; ~ *concert* volksconcert o; ~ *music* populaire muziek; ~ *tune* populair liedje o.
popularity [pɔpju'læriti] populariteit.
popularization [pɔpjulərai'zeiʃən] popularisering, verspreiding onder het volk.
popularize ['pɔpjuləraiz] populariseren.
popularly ['pɔpjuləli] *ad* populair; gemeenzaam; ~ *called*... in de wandeling... genoemd; ~ *elected* door het volk gekozen.
populate ['pɔpjuleit] bevolken.
population [pɔpju'leiʃən] bevolking.
populous ['pɔpjuləs] volkrijk, dicht bevolkt.
porbeagle ['pɔ:bi:gl] 🐟 haringhaai.
porcelain ['pɔ:slin] porselein o.
porch [pɔ:tʃ] (voor)portaal o; portiek; *Am* veranda.
porcine ['pɔ:sain] varkensachtig, varkens-.
porcupine ['pɔ:kjupain] 🐀 stekelvarken o.
1 **pore** [pɔ:] *sb* porie.
2 **pore** [pɔ:] *vi* in: ~ *at* (*on*) turen naar, staren op; ~ *on* peinzen over; ~ *over* (*on*) *one's books* zich verdiepen in zijn boeken, met zijn neus in de boeken zitten, F zitten blokken.
pork [pɔ:k] varkensvlees o.
porker ['pɔ:kə] 🐀 vleesvarken o.
porky ['pɔ:ki] vet (als een varken); varkens-.
pornographer [pɔ:'nɔgrəfə] pornograaf.
pornographic [pɔ:nə'græfik] pornografisch.
pornography [pɔ:'nɔgrəfi] pornografie.
porosity [pɔ:'rɔsiti] poreusheid.
porous ['pɔ:rəs] poreus.
porphyry ['pɔ:firi] porfier o.
porpoise ['pɔ:pəs] 🐀 bruinvis.
porridge ['pɔridʒ] (meel)pap, brij.
porringer ['pɔrindʒə] soepkommetje o; (diep) bord o; pannetje o.
port [pɔ:t] ⚓ haven(plaats) ‖ ⚓ geschutpoort; patrijspoort; opening ‖ ⚓ bakboord ‖ houding ‖ port(wijn); ~ *of call* ⚓ aanloophaven.
portable ['pɔ:təbl] draagbaar, verplaatsbaar; koffer- [grammofoon, radio, schrijfmachine &].
portage ['pɔ:tidʒ] 1 dragen o, vervoer o; 2 draagloon o, vervoerkosten; 3 draagplaats.
portal ['pɔ:təl] poort; portaal o.
port-charges [pɔ:'ttʃa:dʒiz] havengelden.
portcrayon [pɔ:'t'kreiən] tekenpen.
portcullis [pɔ:'t'kʌlis] valpoort.
port-dues ['pɔ:tdju:z] ⚓ havengelden.
Porte [pɔ:t] in: *the* (*Sublime*) ~ ⌷ de Porte.
portend [pɔ:'tend] (voor)beduiden, voorspellen, betekenen.
portent ['pɔ:tent] (ongunstig) voorteken o; (wonder)teken o, wonder o.
portentous(ly) [pɔ:'tentəs(li)] 1 onheilspellend; 2 monsterachtig, vervaarlijk, geweldig.
porter ['pɔ:tə] portier, drager, sjouwer, besteller, kruier, witkiel ‖ porter [bier].
porterage ['pɔ:təridʒ] draag-, kruiersloon o; bestelloon o.
porter-house ['pɔ:təhaus] bierhuis o, eethuis o.
portfolio [pɔ:'t'fouliou] portefeuille, map, aktentas.
port-hole ['pɔ:thoul] ⚓ 1 patrijspoort; 2 geschutpoort.
portico ['pɔ:tikou] portiek, zuilengang.
portion ['pɔ:ʃən] I *sb* deel o (ook = lot o), portie, aandeel o; kindsgedeelte o, huwelijksgoed o; II *vt* verdelen, uitdelen; met een huwelijksgift bedelen; ~ *off* haar (zijn) kindsgedeelte geven; ~ *out* verdelen.
portliness ['pɔ:tlinis] deftigheid &.
portly ['pɔ:tli] deftig; dik, welgedaan, zwaar.
portmanteau [pɔ:'t'mæntou] valies o.
portrait ['pɔ:trit] portret o; schildering.
portraitist ['pɔ:tritist] portrettist, portretschilder.
portraiture ['pɔ:tritʃə] portret o; portretteren o; schildering; portretschilderen o.
portray [pɔ:'trei] portretteren, afschilderen.
portrayal [pɔ:'treiəl] schildering, konterfeitsel o.
portress ['pɔ:tris] portierster.
Portugal ['pɔ:tjugəl] Portugal o.
Portuguese [pɔ:tju'gi:z] Portugees, Portugezen.
pose [pouz] I *vt* 1 stellen [een vraag]; een pose doen aannemen; plaatsen; 2 verlegen maken, vastzetten; II *vi* poseren²; zetten [bij domineren]; ~ *as* zich voordoen als, zich uitgeven voor; III *sb* pose, houding; aanstellerij.
poser ['pouzə] moeilijke vraag, moeilijkheid.
poseur [pou'zə:] poseur.
posh [pɔʃ] S chic, fijn.
posit ['pɔzit] poneren, als waar aannemen.
position [pə'ziʃən] ligging, positie², houding, rang, stand; plaats; standpunt o; toestand; stelling; bewering; *I am not in a* ~ *to*... ook: ik kan niet..., ben niet in de machte...; *make good one's* ~ zijn bewering bewijzen.

positive ['pɔzitiv] I *aj* stellig, bepaald, volstrekt, zeker, wezenlijk; positief; F echt; *she was ~ that...* zij was er zeker van dat...; *the ~ degree* de stellende trap; *the ~ sign* het plusteken; II *sb* 1 *gram* positief *m* = stellende trap; 2 positief *o* [v. foto].

positively ['pɔzitivli] *ad* positief°, stellig, zeker.

positivism ['pɔzitivizm] positivisme *o*.

posse ['pɔsi] (politie)macht; menigte.

possess [pə'zes] I *vt* bezitten, hebben; *what ~es him?* wat bezielt hem toch?; *be ~ed of...* bezitten; *like one ~ed* als een bezetene; II *vr* in: *~ oneself* zich beheersen; *~ oneself of* in bezit nemen, zich meester maken van.

possession [pə'zeʃən] bezitting; eigendom *o*, bezit *o*; bezetenheid; *take ~ of* in bezit nemen, betrekken [een huis]; *with immediate ~, with vacant ~* dadelijk (leeg) te aanvaarden; *~ is nine points of the law* ± hebben is hebben, maar krijgen is de kunst, zalig zijn de bezitters.

possessive [pə'zesiv] I *aj* bezit-, alléén (voor zich) willende bezitten, egoïstisch; *gram* bezitaanduidend, bezittelijk; *~ case* tweede naamval; II *sb gram* tweede naamval.

possessor [pə'zesə] bezitter, eigenaar.

posset ['pɔsit] soort kandeel.

possibility [pɔsi'biliti] mogelijkheid; *there is a (no) ~ of his coming* het is (niet) mogelijk dat..., hij kan (on)mogelijk komen; *not by any ~* onmogelijk.

possible ['pɔsibl] I *aj* mogelijk; *the only ~...* de enige niet onmogelijke, geschikte; II *sb* in: *I'll do my ~* ik zal mijn best doen.

possibly ['pɔsibli] *ad* mogelijk, misschien; *he cannot ~ come* hij kan onmogelijk komen.

1 **post** [poust] I *sb* post°; ❀ postkantoor *o* ‖ paal, stijl, stut ‖ post, betrekking; (stand)plaats; $ factorij; *last ~* ✕ taptoe om 10 uur: wordt ook geblazen bij militaire begrafenis als laatst vaarwel; *by ~, through the ~* ❀ over de post; *ride ~* als postiljon (koerier) rijden; in vliegende vaart rijden; II *vi* met postpaarden reizen; ijlen, snellen, zich haasten; III *vt* posten°, op de post doen; posteren, uitzetten, plaatsen; indelen (bij *to*); aanplakken; beplakken; $ boeken; *fig* op de hoogte brengen, in de geheimen [van het vak] inwijden; *~ed missing* als vermist opgegeven; *~ed in...* goed thuis in...; *keep ~ed* op de hoogte houden; *~ up* afficheren; $ bijhouden, bijwerken [boeken]; *fig* op de hoogte brengen of houden; IV *vr ~ oneself on...* zich inwerken in...

2 **post** [poust] in samenst.: na, achter.

postage ['poustidʒ] ❀ port(o) *o* & *m*; *additional ~* strafport *o* & *m*; *~ due stamp* strafportzegel.

postage stamp ['poustidʒstæmp] ❀ postzegel.

postal ['poustəl] ❀ van de post(erijen), post-; *~ card Am* briefkaart; *~ collection order* postkwitantie; *~ delivery* (post)bestelling; *~*

order postbewijs *o*.

post-boy ['poustbɔi] ❀ postiljon.

postcard ['pous(t)ka:d] ❀ briefkaart.

post-chaise ['poustʃeiz] ❀ postwagen.

post-date ['poust'deit] later dagtekenen.

post-diluvian [poustdi'l(j)u:viən] (van) na de zondvloed.

poster ['poustə] 1 aanplakbiljet *o*, affiche *o* & *v*; 2 aanplakker.

posterior [pɔs'tiəriə] I *aj* later, later komend; achter-; II *sb ~(s)* partes posteriores.

posteriority [pɔstiɔri'ɔriti] later zijn of vallen *o*.

posterity [pɔs'teriti] nakomelingschap, nageslacht *o*.

postern ['poustən] achterdeur; poortje *o*; als *aj* in: *~ door* achterdeur.

post-free ['poust'fri:] ❀ franco.

post-graduate [poust'grædjuit] ⪕ na de promotie, voor gepromoveerden.

post-haste ['poust'heist] in vliegende vaart, in aller ijl.

posthumous ['pɔstjuməs] na de dood geboren; nagelaten; na de dood, postuum.

postil(l)ion [pɔs'tiljən] voorrijder, postiljon.

postman ['pous(t)mən] ❀ (brieven)besteller, postbode.

postmark ['pous(t)ma:k] I *sb* ❀ postmerk *o*, (post)stempel *o* & *m*; II *vt* stempelen.

postmaster ['pous(t)ma:stə] ❀ postmeester, postdirecteur; *~-general* directeur-generaal van de posterijen.

postmeridian ['poustmə'ridiən] namiddag-.

post-mortem ['poust'mɔ:tem] na de dood; *~ (examination)* lijkschouwing; *~s* F nabeschouwingen, nakaarten *o*.

post office ['poustɔfis] ❀ postkantoor *o*; Post(erijen); *~ box* postbus; *~ order* ❀ postwissel; *~ savings-bank* postspaarbank.

post-paid ['poust'peid] ❀ franco, gefrankeerd.

postpone [pous(t)'poun] uitstellen, verschuiven; achterstellen (bij *to*).

postponement [pous(t)'pounmənt] uitstel *o*; achterstelling.

postscript ['pous(t)skript] naschrift *o*.

postulant ['pɔstjulənt] kandidaat in de theologie, proponent; *RK* postulant.

1 **postulate** ['pɔstjulit] *sb* postulaat *o*, grondstelling, hypothese, axioma *o*.

2 **postulate** ['pɔstjuleit] *vt* postuleren; (als bewezen) aannemen; aanspraak maken op, eisen.

postulation [pɔstju'leiʃən] 1 vooronderstelling; 2 aan-, verzoek *o*.

posture ['pɔstʃə] I *sb* houding, pose; staat; *in a ~ of defence* in staat van verdediging; in verdedigende houding; II *vt* plaatsen; III *vi* een zekere houding aannemen, poseren.

post-war ['poust'wɔ:] naoorlogs.

posy ['pouzi] ruiker, bloemtuil; *fig* bundel.

pot [pɔt] I *sb* pot°; kan; kroes; bloempot; *sp* pot, inzet, prijs; aalkorf; *big ~* F hoge ome, piet; *a ~ of money* een bom duiten; *keep the*

~ *boiling* I zorgen zijn broodje te verdienen; 2 de boel aan de gang houden; *the* ~ *calls the kettle black* de pot verwijt de ketel dat hij zwart ziet (is); *go to* ~ S op de fles gaan, naar de kelder gaan; II *vt* in potten doen of overplanten, potten; inmaken, zulten; &c stoppen [bal]; *sp* schieten [voor de pot], neerschieten.

potable ['poutəbl] I *aj* drinkbaar; II *sb* in: ~*s* drank(en).

potash ['pɔtæʃ] kaliumcarbonaat *o*, ✧ potas.

potassium [pə'tæsiəm] kalium *o*; kali.

potation [pou'teiʃən] drank; drinken *o*; drinkgelag *o*; dronk.

potato [pə'teitou] aardappel; *sweet* (*Spanish*) ~ bataat.

potato blight [pə'teitoublait] aardappelziekte.

pot-bellied ['pɔtbelid] dikbuikig; ~ *stove* potkachel.

pot-belly ['pɔtbeli] burgemeestersbuik.

pot-boiler ['pɔtbɔilə] 1 artikel *o* (boek *o* &) om den brode gemaakt (geschreven); 2 broodschrijver, om den brode werkende kunstenaar.

pot-boiling ['pɔtbɔiliŋ] werk *o* om den brode.

pot-companion ['pɔtkəmpænjən] kroegmakker.

potency ['poutənsi] macht, kracht, vermogen *o*.

potent ['poutənt] machtig, krachtig, sterk.

potentate ['poutənteit] potentaat², vorst.

potential [pə'tenʃəl] I *aj* potentieel; mogelijk; eventueel; *gram* mogelijkheid uitdrukkend; II *sb* potentiaal; potentieel *o*.

potentiality [pətenʃi'æliti] potentialiteit, mogelijkheid.

pother ['pɔðə] rumoer *o*, herrie, drukte.

pot-herb ['pɔthə:b] moeskruid *o*, groente.

pot-hole ['pɔthoul] kolk, gat *o*, kuil.

pot-holer ['pɔthoulə] F holenonderzoeker, speleoloog.

pot-holing ['pɔthouliŋ] F holenonderzoek *o*, speleologie.

pot-hook ['pɔthuk] heugelhaak; ~*s* hanepoten [bij het schrijven].

pot-house ['pɔthaus] bierhuis *o*, kroeg; ~ *politician* politieke tinnegieter.

pot-hunter ['pɔthʌntə] tropeeënjager.

potion ['pouʃən] drank [medicijn].

pot-luck ['pɔt'lʌk] in: *take* ~ *with* familiaar (à la fortune du pot) bij iemand eten, voor lief nemen wat de pot schaft.

potpourri [pou'puri] 1 ♪ potpourri; 2 mengelmoes.

potsherd ['pɔtʃə:d] potscherf.   [ling.

pot-shot ['pɔtʃɔt] schot *o* gedaan met het oogmerk om de pot te vullen; schot *o* van dichtbij (uit een hinderlaag).

✧ **pottage** ['pɔtidʒ] soep; zie ook: *mess* I.

potted ['pɔtid] ingemaakt; *fig* verkort, beknopt.

1 **potter** ['pɔtə] *sb* pottenbakker.

2 **potter** ['pɔtə] I *vi* 1 strompelen; sukkelen; 2 prutsen, knutselen, liefhebberen (in *at*, *in*); ~ *about* rondscharrelen; II *vt* in: ~ *away*

verprutsen, verbeuzelen.

pottery ['pɔtəri] ⌐ pottenbakkerij; 2 aardewerk *o*, potten en pannen.

potting-shed ['pɔtiŋʃed] tuinschuurtje *o*.

pottle ['pɔtl] 1 ✧ vier pint, kan; 2 mandje *o*.

potty ['pɔti] S 1 klein; 2 gek.

pot-valour ['pɔtvælə] jenevermoed.

pouch [pautʃ] I *sb* zak, tas; ⋊ patroontas; ✧ beurs; buidel; krop [v. vogel], wangzak [v. aap]; ✿ hauw, hauwtje *o*; II *vt* in een zak doen, in de zak steken; doen opbollen; III *vi* opbollen.

poult [poult] ⋟ kuiken *o* [van kip, fazant &].

poulterer ['poultərə] poelier.

poultice ['poultis] I *sb* pap, warme omslag; II *vt* pappen.

poultry ['poultri] gevogelte *o*, pluimvee *o*, hoenders.

poultry-house ['poultrihaus] kippenhok *o*.

poultry-yard ['poultrija:d] hoenderhof.

1 **pounce** [pauns] I *sb* klauw [v. roofvogel]; *make a* ~ *at* neerschieten op; II *vt* neerschieten op, in zijn klauwen grijpen; III *vi* in: ~ *upon* af-, neerschieten op; aanvallen op, grijpen.

2 **pounce** [pauns] I *sb* ✧ sandrak *o*; ponce; II *vt* ✧ met sandrak bestrooien; sponsen [tekening].

1 **pound** [paund] I *sb* 1 pond *o* [*16 ounces avoirdupois* = ± 453,6 gram; *12 ounces troy* = ± 373 gram]; 2 £: pond *o* sterling; *pay a shilling in the* ~ 5% uitkeren [van gefailleerde].

2 **pound** [paund] I *sb* schuthok *o*; II *vt* schutten, in het schuthok sluiten (ook: ~ *up*).

3 **pound** [paund] I *vt* (fijn)stampen [suiker &]; aanstampen [aarde]; beuken, slaan, schieten, timmeren op; II *vi* stampen; beuken; schieten; ~ *along* voortploeteren; ~ *(away) at*, ~ *on* 1 erop los timmeren, beuken, schieten; 2 zitten zwoegen aan.

poundage ['paundidʒ] 1 pondgeld *o*; 2 schutgeld *o*; 3 aantal *o* ponden; 4 geheven recht *o* [v. postwisselbedragen], commissieloon *o* per pond sterling, aandeel *o* in de opbrengst.

pounder ['paundə] 1 stamper; 2 van ... pond.

pour [pɔ:] I *vt* gieten, uitgieten, (uit)storten; schenken, in-, uitschenken; in stromen neer doen komen; ~ *forth* uitgieten, uitstorten [zijn hart &]; ~ *itself into* uitstromen in; ~ *out* (uit-, in)schenken; uitstorten [zijn hart &]; ~ *oneself out* zijn gemoed eens uitstorten; II *vi* gieten, stromen, in stromen neerkomen; stortregenen; ~ *down* in stromen neerkomen; ~ *out* naar buiten stromen; III *sb* stortbui.

pout [paut] I *vt* vooruitsteken [lippen]; II *vi* pruilen; III *sb* vooruitsteken *o* van de lippen, gepruil *o*.

pouter ['pautə] 1 pruiler; 2 ⋟ kropduif.

poverty ['pɔvəti] armoe(de); behoefte; schraalheid; ~ *of* ook: gebrek *o* aan.

poverty-stricken ['pɔvətistrikn] arm(oedig).

powder ['paudə] I *sb* 1 poeder *o* & *m* [stofnaam], poeier *o* & *m* [stofnaam]; poeder *v* [voorwerpsnaam], poeier *v* [voorwerpsnaam]; 2 (bus)kruit *o*; 3 *fig* kracht; *not worth ~ and shot* geen schot kruit waard; II *vt* fijnstampen, pulveriseren, tot poeder stampen; poeieren, bestrooien, besprenkelen (met *with*); *~ed coffee* poederkoffie; *~ed milk* melkpoeder *o* & *m*; III *vi* & *va* tot poeder worden; zich poeieren.

powder-flask ['paudəfla:sk] zie *powder-horn*.

powder-horn ['paudəhɔ:n] kruithoorn.

powder-puff ['paudəpʌf] poederkwast, -dons.

powder-room ['paudərum] kruitkamer.

powdery ['paudəri] poederachtig, fijn als poeder; gepoeierd.

power ['pauə] I *sb* kracht, macht, gezag *o*, vermogen *o*, sterkte; energie, ※ stroom, F elektrisch (licht) *o*; bevoegdheid; volmacht (ook: *full ~s*); mogendheid; *~s* ook: geestesgaven, talent *o*; *the ~s that be* de gestelde machten; *merciful ~s !* grote goden!; *in ~* aan het bewind, aan de regering, aan het roer, aan de macht; *under her own ~* op eigen kracht [v. boot &]; *more ~ to your elbow !* alle goeds!, veel succes!; II *vt* energie leveren (aan, voor), aandrijven; *~ed pedal-cycle* rijwiel *o* met hulpmotor.

power-dive ['pauədaiv] ✈ motorduikvlucht.

powerful(ly) ['pauəful(i)] machtig, krachtig, vermogend, sterk, geweldig.

powerfulness ['pauəfulnis] macht, kracht.

power-house ['pauəhaus] ※ elektrische centrale.

powerless(ly) ['pauəlis(li)] machteloos.

power-loom ['pauəlu:m] mechanisch weefgetouw *o*.

power-plant ['pauəpla:nt] krachtinstallatie.

power-station ['pauəsteiʃən] (elektrische) centrale; *atomic ~* atoomcentrale; *nuclear ~* kernenergiecentrale.

pow-wow ['pau'wau] S (rumoerige) bijeenkomst, conferentie.

practicability [præktikə'biliti] doenlijkheid, uitvoerbaarheid; bruikbaarheid; begaanbaarheid &.

practicable ['præktikəbl] doenlijk, uitvoerbaar; bruikbaar; echt [niet blind of geschilderd]; begaanbaar, doorwaadbaar, bevaarbaar, berijdbaar [v. weg &].

practical ['præktikl] *aj* praktisch; feitelijk; *a ~ joke* een handtastelijke, ruwe aardigheid, waarbij men iets op zijn hoofd krijgt, ergens tegen aan loopt &.

practicality [prækti'kæliti] (zin voor) het praktische.

practically ['præktikəli] *ad* 1 praktisch; in (de) praktijk; 2 ['præktikli] feitelijk.

practice ['præktis] praktijk [tegenover theorie]; be-, uitoefening, praktijk; oefening; gebruik *o*, toepassing; gewoonte; *~s* praktijken; *~ makes perfect* oefening baart kunst; *in ~* in de praktijk; *be in ~* praktizeren [dokter]; *keep (oneself) in ~* het onderhouden, zich blijven oefenen; *put in(to) ~, reduce to ~* in praktijk brengen; *be out of ~* lang niet meer geoefend hebben, de handigheid kwijt zijn.

practice-ground ['præktisgraund] zie *practising-ground*.

practice-match ['præktismætʃ] oefenwedstrijd.

practise ['præktis] I *vt* uit-, beoefenen, in praktijk of in toepassing brengen, betrachten; oefenen, instuderen [muziekstuk], zich oefenen in of op; gebruiken; II *vi* 1 (zich) oefenen; 2 praktizeren; *~ upon one, upon his credulity* misbruik maken van, exploiteren (iemands goedgelovigheid &).

practised ['præktist] bedreven, ervaren.

practising-ground ['præktisiŋgraund] ⚔ 1 exercitieveld *o*; 2 schietbaan; 3 *sp* oefenterrein *o*.

practitioner [præk'tiʃənə] 1 praktizerend geneesheer (*medical ~*) of advocaat (*legal ~*); 2 beoefenaar; *general ~* genees- en heelkundige, (huis)arts.

praetor ['pri:tə] ⫿ pretor.

praetorian [pri'tɔ:riən] pretoriaan(s).

pragmatic [præg'mætik] pragmatiek, pragmatisch; zie ook: *pragmatic(al)*.

pragmatic(al) [præg'mætik(l)] dogmatisch, eigenwijs, kleingeestig, bemoeiziek.

Prague [pra:g] Praag *o*.

prairie ['prɛəri] prairie.

praise [preiz] I *sb* lof, lofspraak; *be loud in one's ~s of...*, *chant (sing, sound) one's ~s* iemands lof verkondigen; de loftrompet steken over iemand; *beyond all ~* boven alle lof verheven; *in ~ of* tot lof (roem) van; II *vt* prijzen; loven, roemen.

praiseworthiness ['preizwə:ðinis] loffelijkheid, lof-, prijzenswaardigheid.

praiseworthy ['preizwə:ði] loffelijk, lofwaardig, prijzenswaardig.

praline ['pra:li:n] praline.

1 **pram** [pra:m] ⚓ praam.

2 **pram** [præm] 1 kinderwagentje *o*; 2 handwagentje *o* van de melkrondbrenger.

prance [pra:ns] I *vi* steigeren; trots stappen, de borst vooruitsteken, pronken; II *vt* laten steigeren; III *sb* steigering.

1 **prank** [præŋk] *sb* streek; poets, pots; *play one's ~s* zijn streken uithalen.

2 **prank** [præŋk] I *vt* (uit)dossen, (op)tooien (ook: *~ out, ~ up*); II *vi* pronken.

prankish ['præŋkiʃ] ondeugend, schelms.

prate [preit] I *vi* snappen, babbelen, wauwelen, leuteren; II *vt* wauwelen; III *sb* gesnap *o*, gewauwel *o*, wauwelpraat.

prater ['preitə] babbelaar, wauwelaar.

prattle ['prætl] I *vi* & *vt* babbelen; II *sb* gesnap *o*.

prattler ['prætlə] snapper.

prawn [prɔ:n] steurgarnaal.

pray [prei] **I** *vt* bidden, smeken, (beleefd) verzoeken; **II** *vi* bidden, smeken; (*I*) ∼*!* alstublieft, zeg!; ⚓ wat ik u bidden mag, eilieve.

1 **prayer** ['preiə] bidder, biddende.

2 **prayer** [prɛə] gebed *o*, bede, smeekbede; verzoek *o*; ∼(*s*) ook: (godsdienst)oefening; *say one's* ∼*s* bidden.

prayer-book ['prɛəbuk] gebedenboek *o*.

prayer-meeting ['prɛəmi:tiŋ] godsdienstige bijeenkomst, „oefening", bidstond.

preach [pri:tʃ] **I** *vi* prediken, preken²; **II** *vt* prediken, preken; ∼ *a sermon* een preek houden; ∼ *down* preken tegen, ijveren tegen, afbreken; ∼ *up* preken ten gunste van, ijveren voor; aanprijzen; ophemelen.

preacher ['pri:tʃə] predikant, prediker.

preachify ['pri:tʃifai] zedenpreken houden.

preaching ['pri:tʃiŋ] prediking; preek, predikatie; > gepreek *o*.

preachment ['pri:tʃmənt] > preek; gepreek *o*.

preachy ['pri:tʃi] > prekerig, preek-.

pre-adamite ['pri:'ædəmait] **I** *sb* aardbewoner vóór Adam; **II** *aj* (van) vóór Adam.

pre-admonish [pri:əd'mɔniʃ] vooraf waarschuwen.

pre-admonition [pri:ædmə'niʃən] voorafgaande waarschuwing.

preamble [pri:'æmbl] **I** *sb* inleiding; *without further* ∼ zonder verdere omhaal, met de deur in huis vallend; **II** *vt* van een inleiding voorzien.

prearrange ['pri:ə'reindʒ] vooraf regelen.

prebend ['prebənd] prebende.

prebendary ['prebəndəri] domheer.

precarious(ly) [pri'kɛəriəs(li)] onzeker, wisselvallig, hachelijk, precair.

precatory ['prekətəri] smekend, verzoekend.

precaution [pri'kɔ:ʃən] voorzorg(smaatregel).

precautionary [pri'kɔ:ʃənəri] van voorzorg, voorzorgs-.

precede [pri'si:d] **I** *vt* voorafgaan, gaan vóór, de voorrang hebben boven; vooraf laten gaan; **II** *vi* voor(af)gaan.

precedence [pri'si:dəns] voorrang²; prioriteit; *take* ∼ *of* (*over*) voorgaan, de voorrang hebben boven.

precedent ['presidənt] precedent *o*.

precentor [pri'sentə] voorzanger, koorleider.

precept ['pri:sept] voorschrift *o*, stelregel, lering, bevel(schrift) *o*, mandaat *o*.

preceptor [pri'septə] (leer)meester².

precinct ['pri:siŋkt] grens; gebied² *o*; *Am* politie-, kiesdistrict *o*; *the* ∼*s of* ook: de omgeving van.

preciosity [preʃi'ɔsiti] precieusheid, overdreven gezochtheid of gemaaktheid.

precious ['preʃəs] **I** *aj* kostbaar, dierbaar; edel [metalen]; kostelijk, mooi (ironisch); < geducht, kolossaal; precieus: overdreven gezocht of gemaakt [van taal]; *a* ∼ *sight more* een hele boel meer; ∼ *stones* edelstenen; **II** *sb* in: *my* ∼*!* mijn schat(je)!; **III** *ad* < verba-

zend, verduveld &.

preciously ['preʃəsli] *ad* zie *precious* I & III.

precipice ['presipis] steilte, steile rots; *fig* afgrond.

precipitance, -cy [pri'sipitəns(i)] overhaasting, overijling.

1 **precipitate** [pri'sipitit] **I** *aj* steil; overhaast, haastig; overijld, onbezonnen; **II** *sb* § neerslag, precipitaat *o*.

2 **precipitate** [pri'sipiteit] **I** *vt* (neer)storten; (neer)werpen; aandrijven; (o)verhaasten; bespoedigen; (doen) neerslaan, precipiteren [in oplossing]; **II** *vi* storten; zich overijlen, haast maken, voorthollen, overijld te werk gaan; neerslaan, precipiteren.

precipitation [prisipi'teiʃən] neerstorting; (o)verhaasting, haast, overijling; neerslag.

precipitous(ly) [pri'sipitəs(li)] steil.

précis ['preisi:] overzicht *o*, resumé *o*.

precise(ly) [pri'sais(li)] nauwkeurig, juist; stipt, nauwgezet, precies, < secuur.

precisian [pri'siʒən] Jantje Secuur.

precision [pri'siʒən] nauwkeurigheid, juistheid; ∼ *instrument* precisie-instrument *o*.

preclude [pri'klu:d] uitsluiten; de pas afsnijden, voorkomen, verhinderen, beletten.

preclusion [pri'klu:ʒən] uitsluiting; voorkoming, verhindering.

preclusive [pri'klu:siv] uitsluitend; voorkomend, verhinderend.

precocious(ly) [pri'kouʃəs(li)] vroeg(rijp), voorlijk, vroeg wijs, wijsneuzig.

precocity [pri'kɔsiti] vroegrijpheid, voorlijkheid; *a little* ∼ een kleine wijsneus.

preconceive ['pri:kən'si:v] vooraf opvatten; *a* ∼*d opinion* een vooropgezette mening.

preconception ['pri:kən'sepʃən] vooraf gevormd begrip *o*; vooropgezette mening.

preconcert ['pri:kən'sə:t] vooraf beramen.

precursive [pri'kə:siv] voorafgaand.

precursor [pri'kə:sə] voorloper, voorbode.

precursory [pri'kə:səri] voorafgaand; inleidend; ∼ *symptom* voorteken *o*.

predacious [pri'deiʃəs] van roof levend, roof-.

predatory ['predətəri] 1 rovend, roofzuchtig, plunderend; 2 rovers-, roof-.

predecease [pri:di'si:s] **I** *vt* eerder sterven dan; **II** *sb* eerder (vroeger) overlijden *o*.

predecessor ['pri:disesə, pri:di'sesə] (ambts)voorganger.

predestinate [pri:'destineit] zie *predestine*.

predestination [pridesti'neiʃən] voorbestemming, voorbeschikking.

predestine [pri:'destin] voorbestemmen, voorbeschikken.

predetermination ['pri:ditə:mi'neiʃən] bepaling vooraf; voorbeschikking.

predetermine [pri:di'tə:min] vooraf bepalen, vaststellen; voorbeschikken.

predicament [pri'dikəmənt] staat, toestand; (kritiek) geval *o*; *be in a pretty* ∼ lelijk in de knoei zitten.

1 **predicate** ['predikit] *sb* 1 (toegekend) predikaat *o*; 2 (grammaticaal) gezegde *o*.

2 **predicate** ['predikeit] *vt* toekennen (aan *of*), bevestigen, zeggen.

predication [predi'keiʃən] toekenning, bevestiging, bewering.

predicative [pri'dikətiv] predikatief.

predict [pri'dikt] voorzeggen, voorspellen.

prediction [pri'dikʃən] voorspelling.

predictor [pri'diktə] voorzegger, voorspeller.

predilection [pri:di'lekʃən] voorliefde, voorkeur.

predispose ['pri:dis'pouz] vatbaar of ontvankelijk maken (voor *to*), predisponeren.

predisposition ['pri:dispə'ziʃən] vatbaarheid, ontvankelijkheid; aanleg [voor ziekte].

predominance [pri'dominəns] overheersing, overhand, overwicht *o*, heerschappij.

predominant [pri'dominənt] *aj* overheersend.

predominantly [pri'dominəntli] *ad* zie *predominant*; ook: overwegend.

predominate [pri'domineit] domineren, overheersen, overheersend zijn; de overhand hebben; op de voorgrond treden, sterk vertegenwoordigd zijn.

predomination [pridomi'neiʃən] overheersen *o*, overheersend karakter *o*.

pre-election [pri:i'lekʃən] in: ~ *promises* vóór de verkiezing gedane beloften.

pre-eminence [pri:'eminəns] voorrang², superioriteit.

pre-eminent [pri:'eminənt] *aj* uitmuntend, uitstekend, uitblinkend, voortreffelijk.

pre-eminently [pri:'eminəntli] *ad* zie *pre-eminent*; ook: bij uitstek.

pre-emption [pri:'em(p)ʃən] voorkoop; recht *o* van voorkoop.

preen [pri:n] I *vt* [de veren] gladstrijken; II *vr* ~ *oneself* 1 zich mooi maken; 2 met zichzelf ingenomen zijn; ~ *oneself on being*... zich verbeelden dat men... is.

pre-engage ['pri:in'geidʒ] vooraf verbinden; vooruit bespreken.

pre-engagement ['pri:in'geidʒmənt] vroegere verplichting; voorbespreking.

pre-establish ['pri:is'tæbliʃ] vooraf bepalen, vooraf vaststellen, vooruit regelen.

pre-existence ['pri:ig'zistəns] voorbestaan *o*.

pre-existent ['pri:ig'zistənt] voorafbestaand, vroeger bestaand (dan *to*).

prefab ['pri:'fæb] F montagewoning.

prefabricate ['pri:'fæbrikeit] prefabriceren: vooraf in de fabriek de onderdelen vervaardigen van; ~*d house* montagewoning.

prefabrication ['pri:fæbri'keiʃən] prefabricatie, montagebouw.

preface ['prefis] I *sb* voorrede, voorbericht *o*; inleiding; *RK* prefatie (v. d. mis); II *vt* van een voorrede of inleiding voorzien; laten voorafgaan (door *with*).

prefatory ['prefətəri] voorafgaand, inleidend.

prefect ['pri:fekt] 1 ⏶ prefect [in 't oude Rome]; 2 prefect [in Frankrijk].

prefecture ['pri:fektʃə] prefectuur.

prefer [pri'fə:] 1 verkiezen, liever hebben, de voorkeur geven (boven *to*); 2 bevorderen (tot *to*); 3 voordragen, indienen [rekwest]; ~*red* $ preferent [v. aandeel &].

preferable ['prefərəbl] *aj* de voorkeur verdienend, te verkiezen (boven *to*).

preferably ['prefərəbli] *ad* bij voorkeur, liefst; ~ *to* liever dan.

preference ['prefərəns] voorkeur; $ preferentie [bij aandelen &]; *for* (*in*, *by*) ~ bij voorkeur; *in* ~ *to*... liever dan...

preference share ['prefərənsʃɛə] $ preferent aandeel *o*.

preferential [prefə'renʃəl] voorkeur-; preferent.

preferment [pri'fə:mənt] bevordering.

prefigure [pri'figə] afschaduwen, aankondigen; zich bij voorbaat voorstellen.

1 **prefix** ['pri:fiks] *sb* 1 *gram* voorvoegsel *o*; 2 titel voor de naam.

2 **prefix** [pri:'fiks] *vt* vóór plaatsen, voorvoegen, vooraf laten gaan (aan *to*).

pregnancy ['pregnənsi] 1 zwangerschap; 2 vruchtbaarheid; 3 pregnante betekenis, veelzeggend karakter *o*, betekenis.

pregnant ['pregnənt] *aj* zwanger²; vruchtbaar; rijk aan gevolgen; van grote betekenis; veelzeggend, pregnant; ~ *with* vol (van), doortrokken van, rijk aan.

pregnantly ['pregnəntli] *ad* pregnant, veelzeggend, veelbetekenend, betekenisvol.

prehensile [pri'hensail] ☙ om mede te grijpen; ~ *tail* grijpstaart.

prehension [pri'henʃən] (be)grijpen *o*.

prehistorian ['pri:his'tɔ:riən] prehistoricus.

prehistoric ['pri:his'tɔrik] prehistorisch, voorhistorisch.

prehistory ['pri:'histəri] prehistorie, voorgeschiedenis, voorhistorische tijd.

prejudge ['pri:'dʒʌdʒ] vooruit (ver)oordelen; tevoren beslissen; vooruitlopen op.

prejudg(e)ment ['pri:'dʒʌdʒmənt] 1 vooroordeel *o*; voorbarig oordeel *o*.

prejudice ['predʒudis] I *sb* 1 vooroordeel *o*; vooringenomenheid; 2 schade, nadeel *o*; *to the* ~ *of* ten nadele van; *without* ~ 1 alle rechten voorbehouden; 2 $ zonder verbinding; *without* ~ *to*... behoudens..., onverminderd...; II *vt* 1 innemen (tegen *against*); 2 benadelen, schaden; ~*d* bevooroordeeld, vooringenomen.

prejudicial [predʒu'diʃəl] nadelig, schadelijk.

prelacy ['preləsi] prelaatschap *o*; prelaten.

prelate ['prelit] prelaat, kerkvorst, -voogd.

prelect [pri'lekt] lezen (over *on*).

prelection [pri'lekʃən] openbare les, lezing.

prelector [pri'lektə] (voor)lezer; lector.

preliminary [pri'liminəri] I *aj* voorafgaand, inleidend, voor-; II *sb* inleiding, voorbereiding.

prelude ['prelju:d] I *sb* ♪ voorspel² *o*; inleiding; II *vi* preluderen; III *vt* 1 inzetten [met een voorspel]; 2 een inleiding vormen tot; 3 voorspellen.

premature [premə'tjuə] *aj* voortijdig, ontijdig, te vroeg, prematuur, voorbarig; ~ *baby* couveusekind *o*.

prematurely [premə'tjuəli] *ad* zie *premature*; ook: voor zijn (haar, hun) tijd.

prematurity [premə'tjuəriti] ontijdigheid; voorbarigheid.

premeditate [pri'mediteit] vooraf bedenken, vooraf overleggen of beramen.

premeditation [primedi'teiʃən] voorbedachtheid, voorafgaand overleg *o*; *with* ~ met voorbedachten rade.

premier ['premjə] I *aj* eerste, voornaamste; II *sb* minister-president.

premiership ['premjəʃip] waardigheid van minister-president.

1 **premise** [pri'maiz] *vt* vooraf laten gaan, vooraf zeggen, vooropstellen.

2 **premise** ['premis] *sb* premisse; ~s huis (en erf) *o*, pand *o*, lokaliteit, $ zaak.

premiss ['premis] premisse.

premium ['pri:mjəm] prijs, beloning; premie; $ agio *o*, waarde boven pari; leergeld *o*; ℔ toeslag; *at a* ~ 1 $ boven pari, hoog, duur; met winst; 2 *fig* opgeld doend.

premonition [pri:mə'niʃən] (voorafgaande) waarschuwing.

premonitory [pri'mɔnitəri] (vooraf) waarschuwend, waarschuwings-; ~ *symptom* ook: voorteken *o* [v. ziekte].

prenatal ['pri:'neitl] (van) vóór de geboorte.

preoccupation [pri:ɔkju'peiʃən] vroegere inbezitneming; geheel vervuld zijn *o* (van een gedachte); bezorgdheid; bezorgde zorg.

preoccupied [pri:'ɔkjupaid] van eigen gedachten vervuld, bezorgd; *be* ~ *with* zich ongerust maken over.

preoccupy [pri:'ɔkjupai] vooraf in bezit nemen, vroeger bezetten; (gedachten) geheel in beslag nemen.

preordain ['pri:ɔ:'dein] vooraf of vooruit bepalen, vooraf beschikken.

prep [prep] F ⇐ 1 nazien *o* of repeteren *o* [v. lessen]; (avond)studie; 2 zie *preparatory school*.

prepaid ['pri:'peid] vooruit betaald, franco.

preparation [prepə'reiʃən] voorbereiding; toebereidsel *o*; (microscopisch) preparaat *o*; (toe)bereiding, klaarmaken *o*, inleggen *o* [y. ansjovis]; bewerking; ⇐ nazien *o* of repeteren *o* [v. lessen], (avond)studie; ♪ instudering.

preparative [pri'pærətiv] I *aj* voorbereidend; ~ *to* ter voorbereiding van; II *sb* voorbereidsel *o*, toebereidsel *o*.

preparatory [pri'pærətəri] voorbereidend; voorbereidings-; voorafgaand, inleidend; ~ *school* 1 voorbereidingsschool [leeftijd van 8 tot 13½ jaar] voor *public school* 1; 2 *Am* school voor voorbereidend hoger onderwijs; ~ *to* ...*ing* alvorens te...

prepare [pri'pɛə] I *vt* voorbereiden; bewerken; (toe)bereiden, gereedmaken, klaarmaken, opleiden [voor examen]; prepareren, nazien [lessen]; ♪ instuderen; *be* ~*d to*... er op voorbereid zijn om...; bereid zijn om...; *I am* ~*d to leave it at that* ik ben van plan 't daarbij te laten; ik wil 't daarbij laten; *I am* ~*d to say*... ik durf wel zeggen...; II *vr* in: ~ *oneself for* (*to*) zich voorbereiden (om...), zich gereedmaken om...; III *vi* zich voorbereiden, zich gereedmaken.

preparedness [pri'pɛəridnis] gereedheid; (voor)bereid zijn *o*, paraatheid.

preparer [pri'pɛərə] voorbereider; (toe)bereider, opmaker, appreteur. [ren.

prepay ['pri:'pei] vooruit betalen; ℔ franke-

prepayment ['pri:'peimənt] vooruitbetaling; ℔ frankering.

prepense [pri'pens] voorbedacht.

preponderance [pri'pɔndərəns] overwicht *o*.

preponderant [pri'pɔndərənt] overwegend, van overwegend belang.

preponderate pri'pɔndəreit] zwaarder wegen (dan *over*)²; (van) overwegend (belang) zijn; het overwicht hebben.

preposition [prepə'ziʃən] *gram* voorzetsel *o*.

prepositional [prepə'ziʃənəl] voorzetsel-.

prepossess [pri:pə'zes] innemen (voor; tegen *in favour of*; *against*); beïnvloeden; *a* ~*ing appearance* een innemend voorkomen.

prepossession [pri:pə'zeʃən] vooringenomenheid; vooraf gevormde mening; vooroordeel *o*.

preposterous(ly) [pri'pɔstərəs(li)] averechts, ongerijmd, onzinnig°, mal.

prep school ['prepsku:l] F zie *preparatory school*. [& *v*.

prerequisite [pri:'rekwizit] eerste vereiste *o*

prerogative [pri'rɔgətiv] I *sb* (voor)recht *o*, privilegie *o*; prerogatief *o*; II *aj* bevoorrecht.

1 **presage** ['presidʒ] *sb* 1 voorteken *o*; 2 voorgevoel *o*.

2 **presage** [pri'seidʒ] *vt* 1 voorspellen, aankondigen; 2 een voorgevoel hebben van.

presbyopia [prezbi'oupiə] verziendheid.

presbyopic [prezbi'ɔpik] verziend.

presbyter ['prezbitə] 1 presbyter (der eerste christenen), ouderling; 2 dominee van de presbyteriaanse kerk.

Presbyterian [prezbi'tiəriən] presbyteriaan(s).

presbytery ['prezbitəri] 1 kerkeraad; 2 priesterkoor *o*; 3 *RK* pastorie.

prescience ['preʃiəns] voorwetenschap; voorweten *o*; vooruitziendheid.

prescient ['preʃiənt] voorafwetend; vooruitziend [in de toekomst].

prescribe [pris'kraib] I *vt* voorschrijven; II *v* voorschriften geven.

prescript ['pri:skript] voorschrift *o* bevel *o*.

prescription [pris'kripʃən] voorschrijving; voorschrift *o*, recept *o*; verjaring.

prescriptive [pris'kriptiv] voorschrijvend; verjaard, oud [recht].

presence ['prezəns] tegenwoordigheid, aanwezigheid, bijzijn *o*; houding; voorkomen *o*, verschijning; persoonlijkheid, vorst; ~ *of mind* tegenwoordigheid van geest.

presence-chamber ['prezənstʃeimbə], ~**-room** [-rum] ontvangzaal.

1 **present** ['prezənt] I *aj* tegenwoordig, aanwezig, present, onderhavig; hedendaags, huidig; *the* ~ *volume* het boek in kwestie, het hier besproken boek; *the* ~ *writer* schrijver dezes; *be* ~ *to the mind* voor de geest staan; II *sb* tegenwoordige tijd°, heden *o*; *at* ~ nu, op 't ogenblik; *for the* ~ voor 't ogenblik.

2 **present** ['prezənt] *sb* present *o*, cadeau *o*, geschenk *o*; *make one a* ~ *of something* iem. iets ten geschenke geven, cadeau geven.

3 **present** [pri'zent] I *vt* presenteren° [ook: het geweer]; voorstellen [aan hof of publiek]; vertonen; aanbieden, uitdelen [prijzen]; voorleggen, overleggen, indienen; bieden, geven, opleveren; voordragen [voor betrekking]; ✗ aanleggen (op, ·*at*); ~ *!* ✗ aan!; ~ *arms* ✗ het geweer presenteren; ~ *one with a thing* iemand iets cadeau geven; II *vr* ~ *itself* zich aanbieden, zich voordoen [gelegenheid &]; verschijnen, opkomen [gedachte].

presentable [pri'zentəbl] presentabel, toonbaar; goed om aan te bieden.

presentation [prezən'teiʃən] aanbieding; indiening, overlegging [v. stukken]; voorstelling [aan 't hof]; vertoning; (recht *o* van) voordracht; schenking; *on* ~ bij aanbieding, op vertoon; ~ *copy* presentexemplaar *o*; ~ *sword* eresabel, -degen.

present-day ['prezəntdei] hedendaags, huidig, tegenwoordig, actueel, modern.

presentee [prezən'ti:] voorgestelde; voorgedragene; begiftigde.

presenter [pri'zentə] 1 gever; 2 voorsteller.

presentiment [pri'zentimənt] voorgevoel *o*.

presently ['prezəntli] *ad* kort daarop; aanstonds, dadelijk, zó (meteen), weldra; *Am* op het ogenblik.

presentment [pri'zentmənt] aanklacht; aanbieding; voorstelling.

preservation [prezə'veiʃən] bewaring; behoeding, behoud *o*; instandhouding; verduurzaming, inmaak; *in fair* ~ goed geconserveerd.

preservative [pri'zə:vətiv] I *aj* voorbehoedend, bewarend; II *sb* bederfwerend middel *o*; voorbehoedmiddel *o*.

preserve [pri'zə:v] I *vt* behoeden (voor *from*), bewaren; in stand houden; inmaken, verduurzamen, conserveren, inleggen, konfijten; [wild] houden op een gereserveerd terrein; II *sb* gereserveerde jacht of visserij, wildpark *o*; *fig* gebied *o*, terrein *o*; ~*s* vruchtengelei; groenten & uit blik.

preserver [pri'zə:və] bewaarder, behoeder; inmaker [van vruchten, groenten]; conserverend middel *o*. [~ *over, at*).

preside [pri'zaid] voorzitten; presideren (ook: ~

presidency ['prezidənsi] presidentschap° *o*.

president ['prezidənt] president°, voorzitter.

presidential [prezi'denʃəl] van de (een) president, presidents-; voorzitters-.

presidentship ['prezidəntʃip] presidentschap *o*.

press [pres] I *sb* 1 pers; drukpers, drukkerij; 2 gedrang *o*, drang, druk²; 3 drukte; 4 (linnen-, kleer)kast; *at* ~, *in the* ~ ter perse; *under* ~ *of canvas* ⚓ met alle zeilen op; II *vt* (uit-, ineen-, op-, samen)persen, drukken (op); uitdrukken; dringen, aandringen, (aan)drijven, niet loslaten; kracht (klem) bijzetten; achterheen zitten, bestoken, in het nauw brengen; ⚓ & ✗ (tot de dienst) pressen; ~ *one hard* iemand in de engte drijven, het vuur na aan de schenen leggen; ~ *one's advantage* partij weten te trekken van; ~ *one for payment* op betaling aandringen; *be* ~*ed for funds* (*time* &) slecht bij kas zijn, krap aan zijn met zijn tijd &; ~ *on* kracht (vaart) zetten achter; voortjagen, aanporren; ~ *it* (*up*)*on him* (*upon his acceptance*) het hem opdringen; III *va* & *vi* drukken, knellen; zich drukken; dringen, opdringen [menigte]; urgent zijn, presseren; ~ *down* drukken (op *on*); ~ *for it* er op aandringen; ~ *forward*, ~ *on* opdringen; voortmaken; voortrukken; *there is something* ~*ing on his mind* er is iets dat hem drukt.

press-cutting ['preskʌtiŋ] kranteknipsel *o*.

presser ['presə] 1 perser, drukker; 2 pers.

press-gang ['presɡæn] ✗ & ⚓ presgang.

pressing ['presin] I *aj* pressant, dringend; drukkend, nijpend, dreigend; *since you are so* ~ nu je zo aandringt; II *sb* persing, druk, aandringen *o*; noden *o*, bidden *o*; grammofoonopname.

pressman ['presmən] persman, journalist.

press-stud ['presstʌd] drukknoopje.

pressure ['preʃə] drukking; druk°; spanning; pressie, (aan)drang, dwang; *live at high* ~ onder hoge druk; *write under* ~ zonder de nodige tijd te hebben; *put* (*a*) ~ (*bring* ~ *to bear*) *on one* druk op iemand uitoefenen.

pressure cabin ['preʃəkæbin] ✈ drukkajuit.

pressure-cooker ['preʃəkukə] drukpan, snelkookpan.

pressure gauge ['preʃəgeidʒ] ⚒ manometer [v. stoomketel]; *oil* ~ ⚒ oliedrukmeter.

pressure group ['preʃəɡru:p] pressiegroep.

prestidigitation ['prestidɪdʒi'teiʃən] goochelarij, goochelkunst(en).

prestidigitator [presti'didʒiteitə] goochelaar.

prestige [pres'ti:ʒ] aanzien *o*, invloed, gewicht *o*, prestige *o*.

presto ['prestou] snel, vlug; plots; zie *hey*.

prestressed ['pri:'strest] in: ~ *concrete* voorgespannen beton *o*, spanbeton *o*.

presumable [pri'zju:məbl] *aj* vermoedelijk.
presumably [pri'zju:məbli] *ad* vermoedelijk.
presume [pri'zju:m] I *vt* vermoeden, veronderstellen, aannemen; ~ *to...* het wagen, de vrijheid nemen; II *vi* & *va* veronderstellen; *...I* ~ geloof ik; *don't* ~ *!* wees nu niet zo verwaand!; ~ *too far* te ver gaan; zich te veel verbeelden; ~ (*up*)*on* I al te zeer vertrouwen op, zich laten voorstaan op; 2 te veel vergen van, misbruik maken van. [matigend.
presuming(ly) [pri'zju:miŋ(li)] verwaand, aanmatigend.
presumption [pri'zʌm(p)ʃən] I presumptie, vermoeden *o*, veronderstelling; 2 arrogantie, aanmatiging, verwaandheid.
presumptive [pri'zʌm(p)tiv] vermoedelijk; ~ *evidence* 𝔱𝔷 aanwijzing.
presumptuous [pri'zʌm(p)tjuəs] aanmatigend, arrogant, ingebeeld, verwaand.
presuppose [pri:sə'pouz] vooronderstellen.
presupposition [pri:sʌpə'ziʃən] vooronderstelling.
pretence [pri'tens] voorwendsel *o*, schijn; pretentie, aanspraak; *make* ~ *to...* doen alsof ...; *make no* ~ *to* geen aanspraak maken op.
pretend [pri'tend] I *vt* voorwenden, voorgeven, (ten onrechte) beweren; doen alsof; II *vi* ~ *to* de pretentie hebben van, pretenderen (te zijn), zich aanmatigen; aanspraak maken op; ~ *to her hand* naar haar hand dingen.
pretended [pri'tendid] voorgewend; vermeend, gewaand; quasi-, schijn-.
pretender [pri'tendə] I veinzer; 2 pretendent.
pretending [pri'tendiŋ] huichelend, zich... houdend, zich aanstellend; pretentieus.
pretension [pri'tenʃən] pretentie, aanspraak; voorwendsel *o*; aanmatiging; *make* ~*s to wit* de pretentie hebben geestig te zijn.
pretentious(ly) [pri'tenʃəs(li)] pretentieus.
preterhuman [pri:tə'hju:mən] bovenmenselijk.
preterit(e) ['pretərit] verleden (tijd).
pretermission [pri:tə'miʃən] weglating.
pretermit [pri:tə'mit] I weglaten; 2 met stilzwijgen voorbijgaan; 3 nalaten.
preternatural(ly) [pri:tə'nætʃrəl(i)] onnatuurlijk; buitengemeen (groot, dik &).
pretext ['pri:tekst] voorwendsel *o*; *on some idle* ~ onder een of ander nietig voorwendsel; *under a* (*the*) ~ *of...* ook: onder de schijn van..., voorwendend.
pretties ['pritiz] snuisterijen, bibelots.
prettily ['pritili] *ad* aardig &, zie *pretty* I.
prettiness ['pritinis] aardigheid, zie *pretty* I.
pretty ['priti] I *aj* aardig, lief, mooi [ook ironisch]; fraai; *my* ~ *!* snoes!; II *ad* redelijk, tamelijk, vrij; ~ *much the same thing* vrijwel hetzelfde; zie ook: *pretties*.
prevail [pri'veil] de overhand hebben (op *over* of *against*); zegevieren; heersen, algemeen zijn; *a rumour* ~*ed that...* het gerucht ging dat...; ~ *on* (*upon*) overhalen, overreden; ~ *on himself to...* het van zich verkrijgen...; ~ *with* ingang vinden bij, vat hebben op.

prevailing [pri'veiliŋ] heersend [ziekten &].
prevalence ['prevələns] heersend zijn *o*, algemeen voorkomen *o*; overwicht *o*, (grotere) prevalent ['prevələnt] heersend. [invloed.
prevaricate [pri'værikeit] zich van iets afmaken; (om iets heen) draaien.
prevarication [priværi'keiʃən] draaierij.
prevaricator [pri'værikeitə] draaier.
prevent [pri'vent] voorkomen; afhouden van, beletten, verhoeden, verhinderen; *be* ~*ed* verhinderd zijn.
prevention [pri'venʃən] voorkoming, verhoeding; verhindering.
preventive [pri'ventiv] I *aj* voorkomend, verhinderend, preventief [v. maatregel &]; *the* ~ *service* de kustwacht; II *sb* voorbehoedmiddel *o*.
preview ['pri:'vju:] I *sb* bezichtiging vooraf; voorvertoning [v. film]; II *vt* vooraf bezichtigen of zien.
previous ['pri:vjəs] *aj* I voorafgaand, vorig, vroeger; 2 S voorbarig; ~ *to...* vóór...; *move* (*put*) *the* ~ *question* de prealabele kwestie stellen.
previously ['pri:vjəsli] *ad* (van) te voren, vroeger (al), vóór die tijd.
pre-war ['pri:'wɔ:] vooroorlogs.
prey [prei] I *sb* prooi, buit; *beast of* ~ roofdier *o*; *a* ~ *to* ten prooi aan [wanhoop &]; II *vi* in: ~ (*up*)*on* plunderen; azen op; *fig* knagen aan.
Priam ['praiəm] Priamus.
price [prais] I *sb* prijs°; $ koers; ✎ waarde; *above* (*beyond, without*) ~ onbetaalbaar, onschatbaar; *at a* ~ tegen een behoorlijke prijs, voor veel geld; *at a high* ~ tegen hoge prijs; *at any* ~ tot elke prijs; II *vt* I prijzen, de prijs bepalen of aangeven van; 2 schatten; 3 de prijs vragen van; ~*d catalogue* $ prijslijst; ~ *out of the market* door exorbitante prijzen uitschakelen.
price-current ['praiskʌrənt] $ prijscourant.
price-cutting ['praiskʌtiŋ] $ prijsvermindering.
priceless(ly) ['praislis(li)] onschatbaar; < kostelijk, heerlijk.
price-list ['praislist] $ prijslijst, -courant.
pricey ['praisi] F prijzig.
prick [prik] I *sb* prik, steek, stip, punt; prikkel, stekel; spoor *o* [v. haas]; ~*s of conscience* gewetensknagingen, -wroeging; II *vt* prikken (in), steken; door-, opensteken, een gaatje maken in, puncteren; prikkelen; ✎ de sporen geven, aansporen; *his conscience* ~*ed him* hij had gewetenswroeging; ~ *the ears* de oren spitsen²; ~ *in* (uit)poten; ~ *off* (*out*) I uitpoten; 2 door prikjes aangeven; ~ *up* spitsen [oren]; III *vi* & *va* I prikken, steken (naar *at*); 2 ✎ galopperen.
pricker ['prikə] punt, prikkel, priem, ruimnaald; prikstok.
prickle ['prikl] I *sb* prikkel, stekel, dorentje *o*; II *vt* prikk(el)en, steken; III *vi* prikk(el)en.

prickliness ['priklinis] stekeligheid.

prickly ['prikli] stekelig; stoppelig; netelig.

pride [praid] **I** *sb* hoogmoed; fierheid, trots; praal, luister; *take (a)* ~ *in* trots zijn op; er een eer in stellen...; *take (hold)* ~ *of place* de eerste plaats innemen, aan de spits staan; *in the* ~ *of the season* in het mooiste gedeelte van het jaargetij; ~ *will have a fall* hoogmoed komt voor de val; **II** *vr* in: ~ *oneself on* trots zijn op; zich beroemen op, zich laten voorstaan op, prat gaan op.

prier ['praiə] snuffelaar; nieuwsgierige bemoeial.

priest [pri:st] priester; geestelijke (tussen *deacon* en *bishop*); *RK* pastoor; *assistant* ~ *RK* kapelaan.

priestess ['pri:stis] priesteres.

priesthood ['pri:sthud] priesterschap *o* [waardigheid], priesterschap *v* [verzamelnaam].

priestly ['pri:stli] priesterlijk, priester-.

priest-ridden ['pri:stridn] door (de) priesters of geestelijken geregeerd.

prig [prig] **I** *sb* 1 kwast, pedant heer *o*, verwaande kwibus; 2 **S** dief; **II** *vt* **S** kapen.

priggery ['prigəri] pedanterie. *

priggish ['prigiʃ] pedant.

prim [prim] **I** *aj* gemaakt, stijf, preuts; **II** *vt* samenpersen [lippen]; optooien.

primacy ['praiməsi] 1 primaatschap *o*; 2 eerste plaats, voorrang.

prima donna ['pri:mə'dɔnə] prima-donna.

prima facie ['praimə'feiʃii:] op het eerste gezicht; ~ *case* ℔ zaak waaraan rechtsingang kan worden verleend; ~ *evidence* ℔ voorlopig bewijs *o*.

primage ['praimidʒ] kaplaken *o* [premie].

primal ['praiməl] eerste, oer-, oorspronkelijk; voornaamste, hoofd-, grond-.

primarily ['praimərili] *ad* in de eerste plaats, in hoofdzaak; voornamelijk.

primary ['praiməri] *aj* primair, oorspronkelijk; eerste, voornaamste, hoofd-; elementair; grond-; ~ *education* lager onderwijs *o*.

primate ['praimit] primaat, opperkerkvoogd; aartsbisschop.

primateship ['praimitʃip] primaatschap *o*.

1 **prime** [praim] **I** *aj* eerste, voornaamste, oorspronkelijk; prima, best, uitstekend; ~ *cost* 1 inkoopsprijs; 2 kostprijs; ~ *minister* minister-president; ~ *number* priemgetal *o*; **II** *sb* begin *o*; prime [= 1ste canoniek uur]; het (de) eerste, het (de) beste; *the* ~ *of life* de bloei der jaren.

2 **prime** [praim] *vt* 1 in de grondverf zetten; 2 [de pomp] voeren, [motor] op gang brengen; 3 *fig* voorbereiden, prepareren, instrueren, bewerken; kennis inpompen; 4 **F** volstoppen, voeren.

primer ['praimə] 1 abc-boek *o*; boek *o* voor beginners, inleiding; eerste beginselenboekje *o*; 2 ['primə] soort drukletter.

primeval [prai'mi:vəl]'eerste, oer-.

priming ['praimiŋ] 1 grondverf; grondverven *o*; 2 voeren *o* &, zie 2 *prime*.

primitive ['primitiv] **I** *aj* oorspronkelijk, oudste, oer-; primitief; ~ *colours* grondkleuren; **II** *sb* 1 een der primitieven (schilder of schilderstuk van vóór de renaissance); 2 stamprimly ['primli] *ad* zie *prim* **I**. [woord *o*.

primness ['primnis] gemaaktheid, stijfheid, preutsheid.

primogeniture [praimou'dʒenitʃə] (recht *o* van) eerstgeboorte, eerstgeboorterecht *o*.

primordial [prai'mɔ:diəl] eerste, oudste, oorspronkelijk, oer-, fundamenteel.

primrose ['primrouz] ✿ sleutelbloem; *P~ Day* 19 april [sterfdag van Beaconsfield, 1881]; *the P. League* bond van conservatieven gesticht ter herinnering aan Lord Beaconsfield.

primula ['primjulə] ✿ primula, sleutelbloem.

primus ['praiməs] **I** *aj* in: *Smith* ~ ⇨ Smith senior; **II** *sb* 1 eerste bisschop v. d. episcopale kerk v. Schotland; 2 ⓜ primus [kooktoestel].

prince [prins] vorst[2], prins[2]; ~ *consort* prinsgemaal; ~ *royal* kroonprins.

princedom ['prinsdəm] 1 prinsdom *o*, vorstelijke rang; 2 vorstendom *o*.

prince-like ['prinslaik] vorstelijk.

princeling ['prinsliŋ] > prinsje *o*.

princely ['prinsli] prinselijk, vorstelijk[2].

princess [prin'ses, + 'prinses] prinses, vorstin; ~ *dress* robe princesse; ~ *royal* kroonprinses, oudste dochter van de Koning van Engeland.

principal ['prinsipəl] **I** *aj* voornaamste, hoofd-; **II** *sb* hoofd *o*, chef, patroon; directeur, rector [v. school]; hoofdpersoon, lastgever, principaal[o]; hoofdaanlegger, hoofdschuldige; duellist; hoofdsom, kapitaal *o*; △ hoofdbalk.

principality [prinsi'pæliti] 1 prinselijke of vorstelijke waardigheid; 2 prins-, vorstendom *o*; *the Principality* Wales.

principally ['prinsipəli] *ad* hoofdzakelijk, voornamelijk, merendeels.

principle ['prinsipl] beginsel *o*, oorsprong, bron; grondstof; bestanddeel *o*; grondbeginsel *o*, principe *o*; *on* ~ uit principe; principieel.

principled ['prinsipld] met... beginselen.

prink [priŋk] **I** *vt* opsmukken; [de veren] gladstrijken; **II** *vr* ~ *oneself* zich mooi maken; **III** *vi* zich opsmukken.

print [print] **I** *sb* merk *o*, teken *o*, spoor *o*; stempel *o* & *m*, druk, in-, afdruk; drukletters; gedrukt katoen *o* & *m*; plaat, prent; drukwerk *o*, blad *o*, krant; *in* ~ 1 in druk, gedrukt; 2 te krijgen, niet uitverkocht; *a book out of* ~ uitverkocht; **II** als *aj* gedrukt; *a* ~ *dress (frock)* een katoenen jurkje *o*; **III** *vt* drukken, bedrukken, af-, indrukken; laten drukken, publiceren; inprenten (in *on*); stempelen; ~*ed goods* (gedrukte)katoentjes; ~*ed* *matter* drukwerk *o*; ~*ed ware* gedecoreerd aardewerk *o*.

printer ['printə] drukker; ~*'s error* drukfout.

printing ['printiŋ] drukken *o*, druk; oplaag; drukkunst.

printing frame ['printiŋfreim] drukraam *o*.

printing office ['printiŋɔfis] drukkerij.

printing press ['printiŋpres] drukpers.

printing works ['printiŋwɔ:ks] drukkerij.

print-seller ['printselə] prentenhandelaar.

print-works ['printwɔ:ks] (katoen)drukkerij.

1 **prior** ['praiə] *aj* & *ad* vroeger, ouder, voorafgaand; ~ *to...* ook: voor(dat).

2 **prior** ['praiə] *sb* prior.

priorate ['praiərit] prioraat *o*.

prioress ['praiəris] priores.

priority [prai'ɔriti] prioriteit, voorrang.

priorship ['praiəʃip] priorschap *o*, prioraat *o*.

priory ['praiəri] priorij.

prise zie 2 *prize*.

prism [prizm] prisma *o*.

prismatic [priz'mætik] prismatisch, prisma-.

prison ['prizn] I *sb* gevangenis; II *vt* ⊙ gevangen zetten, opsluiten.

prison-breaker ['priznbreikə] uitbreker.

prisoner ['priznə] 1 gevangene, arrestant; 2 (de) verdachte (ook: ~ *at the bar*); ~ *of war* krijgsgevangene; *make* (*take*) ~ gevangen nemen; ~*s' bars* (*base*) een soort krijgertje *o*.

prison-house ['priznhaus] gevangenis.

prison-van ['priznvæn] gevangenwagen. [ger.

pristine ['pristain] eerste, oorspronkelijk, vroe-⊙ **prithee** ['priði] ik bid u, eilieve.

privacy ['praivəsi] afzondering, eenzaamheid; stilte, geheimhouding; privacy; *think it over in* ~ als u alleen bent; ~ *of correspondence* briefgeheim *o*.

private ['praivit] I *aj* privaat, privé, eigen; onder vier ogen, geheim, heimelijk; vertrouwelijk; onderhands; particulier, persoonlijk; besloten [v. vergadering &]; ⨯ niet gegradueerd, gewoon; ~ ook: verboden toegang; *I wish to be* ~ alléén te zijn (blijven); *keep it* ~ houd het vóór je; *a* ~ *affair* I een privé-aangelegenheid; 2 een plechtigheid, feest &, en petit comité, F een „onderonsje" *o*; ~ *boarding-house* familiepension *o*; ~ *box* ☞ postbus; *that's for your* ~ *ear* dat is alléén voor u béstemd; ~ *eye* particulier detective; ~ *hotel* familiehotel *o*; *a* ~ *individual* (*person*) een particulier; ~ *view* I persoonlijke opinie; 2 bezichtiging voor genodigden; *the funeral* (*wedding*) *was strictly* ~ werd in (alle) stilte voltrokken, had in (alle) stilte plaats; II *sb* ⨯ (gewoon) soldaat; *in* ~ alléén, onder vier ogen, binnenskamers; in stilte, in 't geheim; in het particuliere leven.

privateer [praivə'tiə] I *sb* kaper(schip *o*); II *vi* ter kaap varen.

privateering [praivə'tiəriŋ] kaapvaart.

privately ['praivitli] *ad* zie *private* I & *in private*.

privation [prai'veiʃən] ontbering, gebrek *o*, gemis *o*.

privative ['privətiv] ontkennend.

privet ['privit] ♣ liguster; ~ *hawk-moth* ☙ ligusterpijlstaart.

privilege ['privilidʒ] I *sb* privileg(i)e *o*; voorrecht *o*; onschendbaarheid; II *vt* bevoorrechten; machtigen; vrijstellen (van *from*).

privity ['priviti] medeweten *o*.

privy ['privi] I *aj* heimelijk, geheim, verborgen; *Privy Council* geheime raad; *Privy Councillor* (*Counsellor*) lid v. e. *Privy Council*; ~ *purse* civiele lijst; ~ *seal* geheimzegel *o*; *Lord Privy Seal* geheimzegelbewaarder; *he was* ~ *to it* hij was er bekend mee, hij was in het geheim; II *sb* privaat *o*.

1 **prize** [praiz] I *sb* prijs; beloning ‖ ⚓ prijs(schip *o*), buit; *make a* ~ *of a ship* een schip prijs maken; II *aj* bekroond (bijv. ~ *poem*); III *vt* op prijs stellen ‖ prijs maken [schip].

2 **prize** [praiz] I *sb* kracht, steunpunt *o* van een hefboom; II *vt* openbreken (ook: ~ *open*, ~ *up*).

prize-court ['praizkɔ:t] ⚖ prijsgericht *o*.

prize-day ['praizdei] ☞ dag van de prijsuitdeling.

prize-essay ['praiz'esei] bekroonde verhande- **prize-fight** ['praizfait] bokspartij. [ling.

prize-fighter ['praizfaitə] bokser.

prize-fighting ['praizfaitiŋ] boksen *o*.

prizeman ['praizmən] prijswinnaar.

prize-money ['praizmʌni] I ⚖ prijsgeld *o*; 2 geld van de prijs (prijzen).

prize-ring ['praizriŋ] *sp* I ring: kampplaats der boksers; 2 bokserswereld.

1 **pro** [prou] F verk. v. *professional* = beroepsspeler, prof; S artiest, -e.

2 **pro** [prou] pro, vóór; ~ *and con* vóór en tegen; *the* ~*s and cons* het vóór en tegen.

proa ['prouə] ⚓ prauw.

probability [prɔbə'biliti] waarschijnlijkheid; *in all* ~ naar alle waarschijnlijkheid; *there is no* ~ *of his coming* hoogstwaarschijnlijk zal hij niet komen.

probable ['prɔbəbl] *aj* waarschijnlijk, vermoedelijk; aannemelijk.

probably ['prɔbəbli] *ad* waarschijnlijk, vermoedelijk.

probate ['proubit] ⚖ gerechtelijke verificatie van een testament; gerechtelijk geverifieerd afschrift *o* van een testament.

probation [prə'beiʃən] I proef, onderzoek *o*; proeftijd; 2 voorwaardelijke veroordeling; *on* ~ I op proef; 2 voorwaardelijk veroordeeld; ~ *officer* ambtenaar van de reclassering.

probationary [prə'beiʃənəri] op proef, proef-.

probationer [prə'beiʃənə] op proef dienende; a(d)spirant; novice of pleegzuster in het proefjaar, leerling-verpleegster; voorwaardelijk veroordeelde; proponent.

probe [proub] I *sb* sonde; II *vt* sonderen; peilen, onderzoeken; doordringen in; ~ *to the bottom* grondig onderzoeken.

probity ['probiti] eerlijkheid, rechtschapenheid.

problem ['problim] vraagstuk² *o*, probleem *o*.

problematic(al) [probli'mætik(l)] twijfelachtig, problematisch; onzeker.

problem play ['problimplei] toneelstuk *o* met een of ander vraagstuk tot thema.

proboscis [prə'bosis] I snuit, slurf [van olifanten, tapirs]; 2 F neus.

procedure [prə'si:dʒə] methode, werkwijze, handelwijze, procedure; *legal* ~ rechtspleging.

proceed [prə'si:d] voortgaan, verder gaan, aan de gang zijn, voortgang hebben, vorderen, verlopen; vervolgen (= zeggen); gaan; zich begeven; te werk gaan; ½ de weg van rechte inslaan (tegen *against*); ~ (*to the degree of*) *M.A.* ➾ de graad van *M.A.* behalen; ~ *rom* voortkomen (voortspruiten) uit, ontspruiten aan, ontstaan uit, komen uit (van); ~ *to* overgaan tot; beginnen te.↓.; gaan (zich begeven) naar; *he* ~*ed to ask...* hij vroeg vervolgens...; ~ *with* verder gaan met, voortzetten.

proceeding [prə'si:diŋ] handelwijze; handeling; maatregel; ~*s* wat er zo al gebeurde (gebeurt); werkzaamheden [v. vergadering]; handelingen [v. genootschap]; ½ actie, proces *o*; *institute legal* ~*s* (*take* ~*s*) ½ een actie (vervolging) instellen.

proceeds ['prousi:dz] opbrengst, provenu *o*.

process ['prouses] I *sb* voortgang; loop, verloop *o*; handeling; procédé *o*; proces° *o*; dagvaarding; uitsteeksel *o* [aan been]; *in the* ~ daarbij, onder die bedrijven; *in* ~ (*the*) ~ *of* ...*ing* aan (bij, onder) het...; *in* ~ *of construction* in aanbouw; *in* ~ *of time* mettertijd, na verloop van tijd; II *vt* I machinaal reproduceren; 2 een procédé doen ondergaan; verduurzamen; 3 ½ een actie instellen tegen.

procession [prə'seʃən] stoet, omgang, optocht; *RK* processie.

processional [prə'seʃənəl] I *aj* als (van) een processie, processie-; II *sb* I processiegezang *o*; 2 boek *o* met de processiegezangen.

process-server ['prousesə:və] deurwaarder.

proclaim [prə'kleim] afkondigen, bekendmaken; verkondigen; uitroepen tot [koning &]; verklaren tot [verrader]; verklaren [oorlog]; in staat van beleg verklaren; verbieden [bijeenkomst].

proclaimer [prə'kleimə] af-, verkondiger.

proclamation [proklə'meiʃən] proclamatie; afkondiging; verkondiging; bekendmaking; verklaring [v. oorlog &]; verbod *o*.

proclivity [prə'kliviti] overhelling; neiging (tot *to*).

proconsul [prou'konsəl] ⒲ proconsul.

proconsulate [prou'konsjulit], **proconsulship**

[prou'konsəlʃip] ⒲ proconsulschap *o*.

procrastinate [prou'kræstineit] uitstellen.

procrastination [proukræsti'neiʃən] uitstel *of* verschuiving (van dag tot dag); ~ *is the thie, of time* ± van uitstel komt afstel.

procrastinator [prou'kræstineitə] uitsteller; talmer.

procreate ['proukrieit] voortbrengen, (voort)-telen, verwekken.

procreation [proukri'eiʃən] voortbrenging, voortteling, verwekking.

procreative ['proukrieitiv] voortbrengend, voorttelend; ~ *power* teelkracht.

procreator ['proukrieitə] voortbrenger, verwekker; *fig* schepper.

Procrustean [prou'krʌstiən] van Procrustes.

proctor ['proktə] I procureur [voor een geestelijke rechtbank]; 2 ➾ ambtenaar van een hogeschool, die met het handhaven van orde en tucht belast is.

proctorship ['proktəʃip] ambt *o* van *proctor*.

procumbent [prou'kʌmbənt] (voorover) liggend.

procurable [prə'kjuərəbl] verkrijgbaar, te krijgen.

procuration [prokju'reiʃən] verschaffing, bezorging; volmacht, procuratie; procura, provisie [geld]; *by* ~ bij volmacht.

procurator ['prokjureitə] I gevolmachtigde, zaakbezorger; 2 ⒲ procurator [landvoogd].

procure [prə'kjuə] I (zich) verschaffen, bezorgen, (ver)krijgen; 2 ⚒ bewerken.

procurement [prə'kjuəmənt] verschaffing, verkrijging; bemiddeling.

procurer [prə'kjuərə] verschaffer.

prod [prod] I *sb* prikkel; priem; prik, por; II *vt* prikken, steken (naar *at*), (aan)porren.

prodigal ['prodigəl] I *aj* verkwistend; ~ *of* kwistig met; *the* ~ *son* de verloren zoon; II *sb* verkwister, doorbrenger; *the* ~ de verloren zoon.

prodigality [prodi'gæliti] verkwisting; kwistigheid.

prodigally ['prodigəli] *ad* verkwistend; kwistig.

prodigious(ly) [prə'didʒəs(li)] wonderbaar-(lijk); verbazend, ontzaglijk.

prodigy ['prodidʒi] wonder *o*; *child* ~, *infant* ~ wonderkind *o*.

1 **produce** ['prodju:s] *sb* voortbrengsel *o*, voortbrengselen, produkt *o*; (landbouw)produkten; opbrengst; *colonial* ~ koloniale waren.

2 **produce** [prə'dju:s] *vt* voortbrengen, produceren, opbrengen, opleveren; teweegbrengen, maken [indruk]; in 't licht geven; voor 't voetlicht brengen, opvoeren, vertonen; voor den dag komen met; te voorschijn halen, aanvoeren, bijbrengen, óverleggen; verlengen [een lijn].

producer [prə'dju:sə] I producent, voortbrenger, vertoner &, zie 2 *produce*, [toneel] regisseur, [film] producent; 2 ⚒ [gas] generator; ~ *gas* generatorgas *o*.

producible [prə'dju:sibl] te produceren, bij te brengen, aan te voeren &, zie 2 *produce*.

product ['prɔdəkt] voortbrengsel *o*, produkt° *o*; *fig* vrucht, resultaat *o*.

production [prə'dʌkʃən] produktie, voortbrenging; produkt *o*, voortbrengsel *o*, overlegging [stukken]; opvoering, vertoning [toneelstuk]; verlenging [lijn].

productive [prə'dʌktiv] producerend, voortbrengend; produktief, vruchtbaar; ~ *capacity* produktievermogen *o*; *be* ~ *of*... voortbrengen, opleveren; tot stand (teweeg)brengen.

productiveness [prə'dʌktivnis], **productivity** [prɔdʌk'tiviti] produktiviteit.

proem ['prouem] voorrede, voorwoord *o*; proloog, voorspel *o*.

profanation [prɔfə'neiʃən] ontwijding, ontheiliging, (heilig)schennis, profanatie.

profane [prə'fein] I *aj* profaan, on(in)gewijd; oneerbiedig, goddeloos; werelds; II als *sb the* ~ de oningewijden; III *vt* profaneren, ontwijden, ontheiligen; misbruiken.

profaner [prə'feinə] ontwijder, ontheiliger, heiligschenner, schender; misbruiker.

profanity [prə'fæniti] heiligschennis, goddeloosheid; vloekwoorden, vloeken.

profess [prə'fes] I *vt* belijden; betuigen, verklaren, beweren; uit-, beoefenen; doceren; ~ *to be a scholar* zich uitgeven voor; II *vr* ~ *oneself a Republican* R. verklaren te zijn; III *vi* I doceren; 2 zijn godsdienstplichten vervullen; 3 *RK* de kloostergelofte afleggen.

professed [prə'fest] *aj* verklaard; van beroep, beroeps-; *RK* de (klooster)gelofte afgelegd hebbend; voorgewend, zogenaamd.

professedly [prə'fesidli] *ad* I openlijk, volgens eigen bekentenis; 2 ogenschijnlijk.

profession [prə'feʃən] (openlijke) belijdenis, betuiging, verklaring; *RK* kloostergelofte; beroep *o*, stand; ~ *of faith* geloofsbelijdenis; *the* ~ 'de vaklui [inz. de toneelspelers]; *the (learned)* ~*s* de geleerde beroepen; *by* ~ van beroep, beroeps-.

professional [prə'feʃənəl] I *aj* vak-, beroeps-, ambts-; van beroep; ~ *help* geneeskundige hulp; ~ *jealousy* jalousie de métier, broodnijd; *a* ~ *man* I vakman; 2 iemand die een der geleerde beroepen uitoefent: dominee, advocaat, dokter &; II *sb* vakman; beroepsspeler &.

professor [prə'fesə] belijder; hoogleraar; professor.

professorate [prə'fesərit] professoraat *o*; professoren.

professorial [profe'sɔ:riəl] professoraal.

professoriate [profe'sɔ:riit] zie *professorate*.

professorship [prə'fesəʃip] professoraat *o*.

proffer ['prɔfə] I *vt* toesteken, aanbieden; II *sb* ⊙ aanbod *o*.

proficiency [prə'fiʃənsi] vaardigheid, bedrevenheid, bekwaamheid.

proficient [prə'fiʃənt] I *aj* vaardig, bedreven, knap in zijn vak; ~ *in* knap in; II *sb* in zijn vak bedrevene, meester.

profile ['proufail] I *sb* I profiel *o*, (verticale) doorsnede; 2 geschreven portret *o* [in krant]; II *vt* in profiel tekenen.

profit ['prɔfit] I *sb* voordeel *o*, winst, nut *o*, profijt *o*, baat; *at a* ~ met winst; *to my* ~ met voordeel; II *vt* voordeel afwerpen voor, goed doen, baten, helpen; III *vi* profiteren (van *by*); zich ten nutte maken, zijn voordeel doen (met *by*).

profitable ['prɔfitəbl] *aⁱ* winstgevend, voordelig, nuttig.

profitably ['prɔfitəbli] *ad* voordelig, nuttig, met voordeel, met winst, met vrucht.

profiteer [profi'tiə] I *vi* ongeoorloofde of woekerwinst maken; II *sb* profiteur.

profitless ['prɔfitlis] onvoordelig; zonder nut.

profit-sharing ['prɔfitʃɛəriŋ] met aandeel in de winst.

profligacy ['prɔfligəsi] losbandigheid, zedeloosheid.

profligate ['prɔfligit] I *aj* losbandig, zedeloos; II *sb* losbol.

profound [prə'faund] I *aj* diep; diepzinnig; diepgaand; grondig; groot; II *sb* ⊙ diep *o* (van de zee).

profoundly [prə'faundli] *ad* zie *profound* I; ook; zeer, hoogst.

profundity [prə'fʌnditi] diepte; diepzinnigheid; grondigheid.

profuse(ly) [prə'fju:s(li)] kwistig; overvloedig.

profusion [prə'fju:ʒən] overvloed(igheid); kwistigheid, verkwisting.

progenitor [prou'dʒenitə] voorvader, voorzaat; (geestelijke) vader.

progeny ['prɔdʒini] nageslacht *o*, kroost *o*.

prognosis [prɔg'nousis] prognose.

prognostic [prɔg'nɔstik] I *aj* voorspellend; ~ *sign (symptom)* voorteken *o*; II *sb* voorteken *o*, voorspelling.

prognosticate [prɔg'nɔstikeit] voorspellen.

prognostication [prɔgnɔsti'keiʃən] voorspelling; voorteken *o*.

program(me) ['prougræm] I *sb* I program(ma)° *o*; 2 balboekje *o*; II *vt* programmeren.

programmer ['prougræmə] programmeur.

I progress ['prougres] *sb* vordering(en), voortgang, vooruitgang; ⚔ opmars; verloop *o* [v. ziekte]; loop(baan), levensloop; gang [v. zaken]; (rond)reis, tocht, tournee [vooral van vorstelijke personen]; *be in* ~ aan de gang zijn; in bewerking zijn; geleidelijk verschijnen [boekwerk].

2 progress [prə'gres] *vi* vooruitgaan, -komen, vorderen, vorderingen maken, opschieten; nog voortduren.

progression [prə'greʃən] voortgang; vordering; (opklimmende) reeks, opklimming.

progressionist [prə'greʃənist] progressist.

progressive [prə'gresiv] I *aj* voortgaand, (geleidelijk) opklimmend, toenemend, progressief; vooruitgaand; vooruitstrevend [tegenover conservatief]; II *sb* progressist.

prohibit [prə'hibit] verbieden [inz. door overheid]; ~ *from* verhinderen.

prohibition [proui'biʃən] (drank)verbod *o*.

prohibitionist [proui'biʃənist] voorstander van het drankverbod.

prohibitive [prə'hibitiv] verbiedend; ~ *duties* beschermende (invoer)rechten; ~ *price* afschrikkend hoge prijs.

prohibitory [prə'hibitəri] verbiedend.

1 **project** [prə'dʒekt] I *vt* ontwerpen, beramen; (weg)slingeren; projecteren, werpen; II *vi* vooruitsteken, uitsteken, uitspringen. [ject *o*.

2 **project** ['prɔdʒekt] *sb* ontwerp *o*, plan *o*, pro-

projectile [prə'dʒektail] I *aj* voortwerpend; ~ *force* stuwkracht; II *sb* [ook: 'prɔdʒiktail] ✕ projectiel *o*.

projection [prə'dʒekʃən] projectie; uitstek *o*, uitsteeksel *o*; projectie(tekening), ontwerp *o*; werpen *o*, (weg)slingeren *o*.

projectionist [prə'dʒekʃənist] (film)operateur.

projector [prə'dʒektə] ontwerper, plannenmaker; oprichter van (zwendel)máatschappijen; projectietoestel *o*, ✎ -lantaarn, -lamp; schijnwerper, zoeklicht *o*.

proletarian [prouli'tɛəriən] I *aj* proletarisch; II *sb* proletariër.

proletariat(e) [prouli'tɛəriət] proletariaat *o*.

prolific [prə'lifik] vruchtbaar, rijk (aan *in, of*); *be* ~ *of* baren, veroorzaken.

prolix ['prouliks] wijdlopig, breedsprakig, langdradig.

prolixity [prou'liksiti] wijdlopigheid, breedsprakigheid, langdradigheid.

prologue ['proulɔg] proloog, voorspel *o*.

prolong [prə'lɔŋ] verlengen, rekken; ~*ed* ook: langdurig.

prolongation [proulɔŋ'geiʃən] verlenging.

promenade [prɔmi'na:d] I *sb* promenade°, wandeling; II *vi* wandelen, kuieren; III *vt* wandelen door (over, in); op en neer laten lopen, rondleiden.

promenader [prɔmi'na:də] wandelaar.

Prometheus [prə'mi:θju:s] Prometheus.

prominence, -cy ['prɔminəns(i)] uitsteken *o*; uitsteeksel *o*, verhevenheid; op de voorgrond treden *o*; uitstekendheid; *give due* ~ *to the fact that...* goed doen uitkomen.

prominent ['prɔminənt] (voor)uitstekend, in het oog vallend; voornaam, eminent, vooraanstaand, uitstekend; *make oneself* ~ zich onderscheiden, op de voorgrond treden.

promiscuity [prɔmis'kju:iti] gemengdheid, dooreenmenging, verwarring; vrije omgang.

promiscuous(ly) [prə'miskjuəs(li)] gemengd; verward, door elkander, zonder onderscheid; toevallig.

promise ['prɔmis] I *sb* belofte, toezegging; *of (great)* ~, *full of* ~ veelbelovend; *be under a* ~ *to* 1 zijn woord gegeven hebben aan; 2

beloofd (de belofte afgelegd) hebben om te...; II *vt* beloven, toezeggen; III *vi* & *va* beloven; ~ *well* véél beloven.

promising ['prɔmisiŋ] veelbelovend.

promissory ['prɔmisəri] belovend; ~ *note* $ promesse.

promontory ['prɔməntri] voorgebergte *o*.

promote [prə'mout] bevorderen° (tot), werken in het belang van; aankweken, verwekken; oprichten [maatschappij].

promoter [prə'moutə] bevorderaar, bewerker, aanstoker; oprichter [v. maatschappij], promotor.

promotion [prə'mouʃən] bevordering°.

promotive [prə'moutiv] bevorderend; *be* ~ *o,* bevorderen.

prompt [prɔm(p)t] I *aj* vaardig, vlug, prompt°; ~ *cash* $ contant zonder korting; ~ *to the hour* stipt op tijd; II *vt* vóórzeggen, souffleren; ingeven, inblazen, aansporen, (aan)drijven, aanzetten.

prompt-book ['prɔm(p)tbuk] souffleursboek *o*.

prompt-box ['prɔm(p)tbɔks] souffleurshok *o*.

prompter ['prɔm(p)tə] 1 souffleur; 2 vóórzeg ger; 3 aanzetter; ~*'s box* souffleurshokje *o*.

prompting ['prɔm(p)tiŋ] vóórzeggen *o* &; *the* ~*s of his heart* de ingeving (de stem) van zijn hart.

promptitude ['prɔm(p)titju:d] vaardigheid, vlugheid, spoed; promptheid, stiptheid.

promptly ['prɔm(p)tli] *ad* zie *prompt*.

promptness ['prɔm(p)tnis] zie *promptitude*.

promulgate ['prɔməlgeit] afkondigen, uitvaardigen; verkondigen, openbaar maken.

promulgation [prɔməl'geiʃən] afkondiging, uitvaardiging; verkondiging, openbaarmaking.

promulgator ['prɔməlgeitə] af-, verkondiger.

prone [proun] gebogen, voorover(liggend); ~ *to* geneigd tot; aanleg hebbend voor.

prong [prɔŋ] I *sb* (hooi)vork; tand van een vork; II *vt* aan de vork steken.

pronominal [prə'nɔminəl] *gram* voornaamwoordelijk.

pronoun ['prounaun] *gram* voornaamwoord *o*.

pronounce [prə'nauns] I *vt* uitspreken, uitbrengen; verklaren, zeggen (dat); II *vi* (zich) uitspreken; uitspraak doen; ~ *for (in favour of)* zich verklaren voor; ~ *o n* zijn mening zeggen over.

pronounceable [prə'naunsəbl] uit te spreken.

pronounced [prə'naunst] *aj* geprononceerd, sterk sprekend, beslist.

pronouncedly [prə'naunsidli] *ad* geprononceerd, beslist.

pronouncement [prə'naunsmənt] uitspraak, verklaring.

pronouncing [prə'naunsiŋ] I *sb* uitspreken *o*; II als *aj* uitspraak-.

pronunciation [prənʌnsi'eiʃən] uitspraak.

proof [pru:f] I *sb* bewijs *o*, blijk *o*; proef, drukproef; proef: sterktegraad [alcohol]; reageerbuisje *o*; *in* ~ *of* ten bewijze van; *armour of*

~ ✤ ondoordringbaar harnas *o*; bring (*put*) *to the* ~ op de proef stellen; *the* ~ *of the pudding is in the eating* ± ondervinding is de beste leermeesteres; II *aj* beproefd, bestand (tegen *against*); III *vt* ondoordringbaar of vuurvast & maken.

proof-reader ['pru:fri:də] corrector.

proof-sheet ['pru:ʃʃi:t] drukproef, proefvel *o*.

prop [prɔp] I *sb* stut, steun²; steunpilaar, schoor; II *vt* stutten, steunen, schragen.

propaedeutic(al) [proupi:'dju:tik(l)] propae-deutisch, voorbereidend.

propaedeutics [proupi:'dju:tiks] propaedeuse, propaedeutica.

propaganda [prɔpə'gændə] propaganda.

propagandist [prɔpə'gændist] I *sb* propagan-dist; II als *aj* propagandistisch.

propagandize [prɔpə'gændaiz] propaganda maken (voor).

propagate ['prɔpəgeit] I *vt* voortplanten², in-gang doen vinden, verbreiden, verspreiden; II *vi* zich voortplanten².

propagation [prɔpə'geiʃən] voortplanting, ver-breiding, verspreiding.

propagative ['prɔpəgeitiv] voortplantings-.

propagator ['prɔpəgeitə] voortplanter, versprei-der.

propel [prə'pel] (voort)drijven, voortstuwen, voortbewegen.

propeller [prə'pelə] propeller, schroef.

propeller-shaft [prə'peləʃɑ:ft] ⚓ schroefas.

propelling-pencil [prə'peliŋpens(i)l] vulpot-lood *o*.

propensity [prə'pensiti] neiging (tot *to, for*).

proper ['prɔpə] *aj* eigen; eigenlijk, echt, recht-matig; eigenaardig; geschikt, behoorlijk, juist, betamelijk, gepast; fatsoenlijk; ~ *name* eigennaam; *the* ~ *officer* de betrokken amb-tenaar; *there will be a* ~ *row about it* F een standje dat niet mis is; *think* (*it*) ~ goedvin-den.

properly ['prɔpəli] *ad* eigenlijk (gezegd); be-hoorlijk, goed; terecht; ~ *understood* ook: welbegrepen.

propertied ['prɔpətid] bezittend.

property ['prɔpəti] eigenschap; eigendom *o*, bezit *o*, bezittingen, goed *o*; landgoed *o*; *pri-vate* ~ privaatbezit *o*; *properties* rekwisieten, (toneel)benodigdheden; *a man of* ~ een eige-naar, grondbezitter.

propertyless ['prɔpətilis] zonder bezit.

property-man ['prɔpətimæn], **property-master** ['prɔpətimɑ:stə] rekwisiteur.

prophecy ['prɔfisi] voorspelling, profetie.

prophesy ['prɔfisai] voorspellen, profeteren.

prophet ['prɔfit] I profeet; 2 voorstander (van *of*); *the Prophet* de Profeet (Mohammed); *the* ~*s* B het Boek der Profeten.

prophetess ['prɔfitis] profetes.

prophetic [prə'fetik] profetisch; *it is* ~ *of*... het voorspelt...

prophylactic [prɔfi'læktik] voorbehoedend

(middel *o*).

propinquity [prə'piŋkwiti] 1 nabijheid; 2 (bloed)verwantschap.

propitiate [prə'piʃieit] verzoenen, gunstig stemmen.

propitiation [prəpiʃi'eiʃən] verzoening.

propitiatory [prə'piʃiətəri] verzoenend, zoen-.

propitious(ly) [prə'piʃəs(li)] genadig; gunstig.

proportion [prə'pɔ:ʃən] I *sb* evenredigheid, ver-houding; deel *o*; ~*s* ook: afmetingen; *in* ~ *as*... naar gelang...; *in* ~ *to*... in verhouding tot...; *of magnificent* ~*s* prachtig van afme-tingen; II *vt* evenredig maken, afmeten, af-wegen (naar *to*).

proportionable [prə'pɔ:ʃənəbl] evenredig.

proportional [prə'pɔ:ʃənəl] I *aj* evenredig, ge-evenredigd (aan *to*); II *sb* term van een even-redigheid, evenredige.

proportionally [prə'pɔ:ʃənəli] *ad* 1 evenredig; 2 naar evenredigheid, in verhouding.

proportionate [prə'pɔ:ʃənit] evenredig, geëven-redigd (aan *to*).

proposal [prə'pouzəl] voorstel *o*, voorslag; aanbod *o*; F (huwelijks)aanzoek *o*.

propose [prə'pouz] I *vt* voorstellen, aanbieden; voorleggen [vraagstuk]; opgeven [raadsel]; (een dronk) instellen (op); II *vi* zich voorstel-len, zich voornemen; *man* ~*s, God disposes* de mens wikt, God beschikt; ~ *to a girl* een meisje (ten huwelijk) vragen; ~ *to write,* ~ *writing* voornemens zijn of er over denken te schrijven.

proposition [prɔpə'ziʃən] 1 voorstel *o*; 2 stel-ling; probleem *o*; F zaak, zaakje *o*.

propound [prə'paund] voorleggen, voorstellen, opperen, opgeven.

propounder [prə'paundə] voorsteller.

proprietary [prə'praiətəri] I *aj* eigendoms-, be-zit-; ~ *article* (*medicine*) merkartikel *o*, spe-cialiteit; *the* ~ *classes* de bezittende klassen; ~ *rights* eigendomsrechten; ~ *school* parti-culiere school; II *sb* eigendomsrecht *o*, eigen-dom; *the landed* ~ de grondbezitters.

proprietor [prə'praiətə] eigenaar, (grond)bezit-ter.

proprietress [prə'praiətris] eigenares.

propriety [prə'praiəti] gepastheid; juistheid; fatsoen *o*, welvoeglijkheid; *the proprieties* het decorum.

props [prɔps] F rekwisieten, toneelbenodigd-heden.

propulsion [prə'pʌlʃən] voortdrijving, voort-stuwing, stuwkracht.

propulsive [prə'pʌlsiv] voortdrijvend, stuw-.

pro rata [prou'reitə] naar rata.

prorogation [prourə'geiʃən] verdaging, slui-ting.

prorogue [prə'roug] I *vt* verdagen, sluiten; II *vi* verdaagd (gesloten) worden.

prosaic(al) [prou'zeiik(l)] prozaïsch².

prosaist ['prouzeiist] 1 prozaschrijver; 2 pro-zaïsch mens.

proscenium [prou'si:niəm] 1 proscenium o; 2 ⊡ toneel o; ~ box toneelloge.

proscribe [prəs'kraib] buiten de wet stellen, vogelvrij verklaren, uit-, verbannen; verwerpen; in de ban doen.

proscription [prəs'kripʃən] vogelvrijverklaring, uit-, verbanning; verwerping.

prose [prouz] I sb proza o; II als aj proza-; prozaïsch; III vi in proza verhalen (vertellen, schrijven); praten en praten.

prosecutable ['prɔsikju:təbl] vervolgbaar.

prosecute ['prɔsikju:t] I vt 1 ⅛ vervolgen (wegens for); 2 voort-, doorzetten [plan]; 3 uitoefenen [beroep]; II vi een gerechtelijke vervolging instellen.

prosecution [prɔsi'kju:ʃən] 1 ⅛ (gerechtelijke) vervolging; 2 voortzetting; 3 uitoefening [v. beroep]; the ~ ook: ⅛ de aanklager, eiser.

prosecutor ['prɔsikju:tə] ⅛ eiser, aanklager; the public ~ de Officier van Justitie.

prosecutrix ['prɔsikju:triks] ⅛ eiseres.

proselyte ['prɔsilait] proseliet, bekeerling.

proselytism ['prɔsilitizm] bekeringsijver.

proselytize ['prɔsilitaiz] proselieten maken; bekeren.

proselytiser ['prɔsilitaizə] proselietenmaker.

proser ['prouzə] 1 prozaschrijver; 2 langdradig vervelende verhaler of schrijver.

Proserpine ['prɔsəpain] Persephone.

prosiness ['prouzinis] prozaïsche o, langdradigheid, saaiheid.

prosodic [prə'sɔdik] prosodisch.

prosody ['prɔsədi] prosodie.

prospect ['prɔspekt] I sb uitzicht o (op of), verschiet o, vergezicht o; vooruitzicht o, verwachting; II vi & vt [ook: prəs'pekt] prospecteren; ~ for gold onderzoeken of er goud zit in de grond.

prospective [prəs'pektiv] vooruitziend; te wachten staand, te verwachten, in het verschiet liggend, aanstaand, toekomstig.

prospector [prəs'pektə] prospector, mijnbouwkundig onderzoeker.

prospectus [prəs'pektəs] prospectus o & m.

prosper ['prɔspə] I vi voorspoed hebben; gedijen, bloeien; II vt begunstigen.

prosperity [prɔs'periti] voorspoed, welvaart, bloei.

prosperous(ly) ['prɔspərəs(li)] voorspoedig, welvarend, bloeiend; gelukkig; gunstig.

prosthesis ['prɔsθisis] 1 𝕋 prothese; 2 gram prothesis.

prosthetic [prɔs'θetik] 1 prothetisch; 2 gram voorgevoegd.

prostitute ['prɔstitju:t] I sb prostituée; II vt prostitueren²; III vr ~ oneself zich prostitueren²; fig zich verkopen, zijn talent(en) misbruiken.

prostitution [prɔsti'tju:ʃən] prostitutie², ontucht, veilheid; fig ontwijding.

1 **prostrate** ['prɔstrit] aj uitgestrekt, nedergeworpen, (terneer)liggend, terneergebogen,

verootmoedigd, uitgeput; fall ~ op zijn aangezicht (neer)vallen, een knieval doen (voor before).

2 **prostrate** [prɔs'treit] I vt ter aarde werpen, neerwerpen, omverwerpen, in het stof doen buigen of vernederen; vernietigen; uitputten; II vr ~ oneself een knieval doen, in het stof buigen (voor before).

prostration [prɔs'treiʃən] op zijn aangezicht neervallen o; knieval, voetval; neerwerping, omverwerping, diepe vernedering [ook van zichzelf]; verslagenheid; grote zwakte, uitputting (door ziekte).

prosy ['prouzi] prozaïsch, langgerekt, saai.

protagonist [prou'tægənist] hoofdpersoon [in drama of roman]; voorman, leider; voorvechter.

protean ['proutiən] proteïsch, veranderlijk, wisselend.

protect [prə'tekt] beschermen, beschutten, behoeden, vrijwaren (voor from, against); $ honoreren [wissel].

protection [prə'tekʃən] bescherming, beschutting (tegen against, from), protectie; vrijgeleide o.

protectionism [prə'tekʃənizm] protectionisme o.

protectionist [prə'tekʃənist] I aj protectionistisch; II sb protectionist.

protective [prə'tektiv] beschermend; ~ col-o(u)ration kleuraanpassing.

protector [prə'tektə] beschermer, protector.

protectorate [prə'tektərit] protectoraat o.

protectorship [prə'tektəʃip] beschermheerschap o, protectoraat o.

protectress [prə'tektris] beschermster, beschermvrouw(e).

protégé(e) ['prouteʒei] protégé(e).

protein ['proutiin] proteïne, eiwitstof, eiwit o.

pro tem [prou'tem] tijdelijk, waarnemend.

1 **protest** ['proutest] sb protest° o; enter (make, put in) a ~ protest (verzet) aantekenen, protesteren.

2 **protest** [prə'test] I vt (plechtig) verklaren, betuigen; $ (laten) protesteren; II vi protesteren (tegen against; bij to).

Protestant ['prɔtistənt] protestant(s).

protestant ['prɔtistənt] protesterend(e).

Protestantism ['prɔtistəntizm] protestantisme o.

protestation [prɔtis'teiʃən] betuiging, verzekering, (plechtige) verklaring; protest o.

Proteus ['proutju:s] Proteus².

protocol ['proutəkɔl] protocol o.

proton ['proutən] proton o.

§ **protoplasm** ['proutəplæzm] protoplasma o.

prototype ['proutətaip] model o, prototype o.

§ **protozoa** [proutə'zouə] protozoën.

protract [prə'trækt] verlengen, rekken; op schaal tekenen; ~ed ook: langdurig.

protraction [prə'trækʃən] verlenging; rekken o; getalm o.

protractor [prə'træktə] graadboog.

protrude [prə'tru:d] I *vt* (voor)uitsteken; II *vi* uitsteken, uitpuilen.

protrusion [prə'tru:ʒən] (voor)uitsteken *o*, uitpuilen *o*; uitsteeksel *o*.

protrusive [prə'tru:siv] (voor)uitstekend.

protuberance [prə'tju:bərəns] uitwas, knobbel, zwelling.

protuberant [prə'tju:bərənt] uitstekend, uitpuilend, gezwollen.

proud [praud] *aj* fier, trots (op *of*); prachtig; *a ~ day for us* een dag om trots op te zijn; *~ flesh* wild vlees *o*.

proudly ['praudli] *ad* zie *proud*.

provable ['pru:vəbl] bewijsbaar, te bewijzen.

prove [pru:v] I *vt* bewijzen, aantonen; de proef maken (nemen) op [een som]; een proef trekken van [een plaat]; ✕ proberen; op de proef stellen, ✕ beproeven; II *vr* in: *he has still to ~ himself* hij moet nog laten zien wat hij kan, zijn sporen nog verdienen; *a precious doctor he has ~d himself* heeft hij bewezen te zijn; III *vi* & *va* blijken (te zijn).

✕ **proven** ['pru:vn] V.D. van *prove*.

provenance ['prɔvinəns] herkomst.   [eten *o*.

provender ['prɔvində] voer *o*; J voedsel *o*,

proverb ['prɔvəb] spreekwoord *o*; *(the Book of) Proverbs* B het Boek der Spreuken; *he is ignorant to a ~* zijn onwetendheid is spreekwoordelijk; *pass into a ~* spreekwoordelijk worden.

proverbial [prə'və:biəl] *aj* spreekwoordelijk; spreekwoorden-; uit het spreekwoord.

proverbially [prə'və:biəli] *ad* spreekwoordelijk; *he is ~ ignorant* zijn onwetendheid is spreekwoordelijk.

provide [prə'vaid] I *vt* zorgen voor, bezorgen, verschaffen; voorzien (van *with*); voorschrijven, bepalen; *you must ~ yourselves* u moet u zelf van het nodige voorzien; II *vi* in: *~ against* (zijn voorzorgs)maatregelen nemen tegen, zorgen voor; *~ for* voorzien in; zorgen voor; verzorgen.

provided [prə'vaidid] *~ (that)* mits; *~ school* gemeenteschool.

providence ['prɔvidəns] 1 voorzorg; 2 zuinigheid; *Providence* de Voorzienigheid.

provident ['prɔvidənt] 1 voor(uit)ziend, voorzienig; zorgzaam; 2 zuinig.

providential [prɔvi'denʃəl] door de Voorzienigheid (beschikt), wonderbaarlijk; van de Voorzienigheid.

provider [prə'vaidə] 1 verzorger; verschaffer; 2 leverancier.

providing [prə'vaidiŋ] *~ (that)* mits.

province ['prɔvins] (win)gewest *o*; provincie; gebied *o*, departement *o*; *it is not (within) my ~* het ligt buiten mijn ressort, buiten mijn sfeer.

provincial [prə'vinʃəl] I *aj* provinciaal, gewestelijk; provincie-; II *sb* provinciaal; buitenman.

provincialism [prə'vinʃəlizm] provincialisme *o*.

provinciality [prəvinʃi'æliti] provincialisme *o*, kleinsteedse bekrompenheid.

provision [prə'viʒən] I *sb* voorziening; voorzorg(smaatregel); (wets)bepaling; $ dekking [v. wissel]; *~(s)* proviand, (mond)voorraad, levensmiddelen, provisie; *make ~ for her* voor haar onderhoud zorgen; II *vt* provianderen.

provisional(ly) [prə'viʒənəl(i)] voorlopig, tijdelijk, provisioneel.

provisionment [prə'viʒənmənt] proviandering.

proviso [prə'vaizou] beding *o*; voorwaarde, clausule; *there is a ~* er is een mits bij; *with the (a) ~ that* onder voorbehoud dat.

provisorily [prə'vaizərili] *ad* zie *provisory*.

provisory [prə'vaizəri] *aj* 1 voorwaardelijk; 2 voorlopig; 3 voorzienig.

provocation [prɔvə'keiʃən] tarting, terging; provocatie; prikkeling; aanleiding; *he did it under severe ~* omdat hij op ergerlijke wijze geprovoceerd werd.

provocative [prə'vɔkətiv] I *aj* tergend, tartend; provocerend; prikkelend; *be ~ of* uitlokken, (op)wekken [v. gevoelens]; II *sb* provocatiemiddel *o*, prikkel.

provoke [prə'vouk] (op)wekken, gaande maken, teweegbrengen, uitlokken, provoceren; prikkelen; tergen, tarten.

provoking [prə'voukiŋ] tergend, tartend; prikkelend; ergerlijk; F lam, akelig, vervelend.

provost ['prɔvəst] 1 ☞ hoofd *o* van een *college*; 2 *Sc* burgemeester; 3 [prə'vou] ✕ provoost.

provost-marshal [prə'vou'ma:ʃəl] ✕ chef van de politietroepen.

prow [prau] ♪ (voor)steven.

prowess ['prauis] 1 moed; 2 heldendaad; 3 kunnen *o*.

prowl [praul] I *vi* rondsluipen, rondzwerven; II *vt* sluipen door, afzwerven; III *sb* zwerftocht, rooftocht; *be (go) on the ~* op roof uitgaan; op de baan lopen.

prowler ['praulə] 1 zwerver; 2 snuffelaar.

prox. [prɔks] zie *proximo*.

proximate ['prɔksimit] naast(bijzijnd); *~ cause* naaste of onmiddellijke oorzaak.

proximity [prɔk'simiti] nabijheid; *~ of blood* bloedverwantschap.

proximo ['prɔksimou] aanstaand(e), eerstvolgend(e), van de aanstaande maand.

proxy ['prɔksi] volmacht; gevolmachtigde, procuratiehouder; *by ~* bij volmacht.

prude [pru:d] preuts persoontje *o*.

Prudence ['pru:dəns] Prudentia.

prudence ['pru:dəns] voorzichtigheid, omzichtigheid, beleid *o*, verstandigheid.

prudent ['pru:dənt] *aj* voorzichtig, omzichtig, beleidvol, verstandig.

prudential [pru:'denʃəl] wijs, voorzichtig.

prudently ['pru:dəntli] *ad* zie *prudent*.

prudery ['pru:dəri] preutsheid.

prudish(ly) ['pru:diʃ(li)] preuts.

1 **prune** [pru:n] *sb* 1 pruimedant; 2 prune: roodpaars.

2 **prune** [pru:n] *vt* snoeien; ~ *down* besnoeien²; ~ *of* ontdoen van.

pruner ['pru:nə] snoeier.

pruning-hook ['pru:niŋhuk], ~-**knife** [-naif] snoeimes *o*.

prurience, -cy ['pruəriəns(i)] kitteling; belustheid.

prurient ['pruəriənt] prikkelend; belust.

Prussia ['prʌʃə] Pruisen *o*.

Prussian ['prʌʃən] I *aj* Pruisisch; ~ *blue* Berlijns blauw *o*; II *sb* Pruis.

prussic ['prʌsik] in: ~ *acid* blauwzuur *o*.

1 **pry** [prai] *vi* gluren, turen, snuffelen; ~ *about* rondsnuffelen; ~ *into* naar binnen gluren; *fig* zijn neus steken in.

2 **pry** [prai] I *sb* hefboom; II *vt* (open)breken; (los)krijgen.

psalm [sa:m] psalm.

psalmist ['sa:mist] psalmist.

psalmody ['sæl-, 'sa:mədi] 1 psalmgezang *o*; 2 psalmen.

psalter ['sɔ:ltə] psalmboek *o*.

psaltery ['sɔ:ltəri] ♪ psalter *o*.

pseudo ['sju:dou] vals, onecht; gewaand.

pseudonym ['sju:dənim] pseudoniem *o*.

pseudonymity [sju:də'nimiti] pseudonimiteit.

pseudonymous [sju'dɔniməs] pseudoniem.

pshaw [(p)ʃɔ:] I *aj* ba, foei; II *vi* „ba" zeggen (tegen *at*).

psittacosis [psitə'kousis] papegaaieziekte.

psyche ['saiki] psyche [ziel].

psychiatric [saiki'ætrik] psychiatrisch.

psychiatrist [sai'kaiətrist] psychiater.

psychiatry [sai'kaiətri] psychiatrie.

psychic(al) ['saikik(l)] psychisch, ziel-.

psycho ['saikou] S psychopaat.

psychoanalysis [saikouə'nælisis] psychoanalyse.

psychoanalytic(al) [saikouænə'litik(l)] psychoanalytisch.

psychological [saikə'lɔdʒikl] psychologisch.

psychologist [sai'kɔlədʒist] psycholoog.

psychology [sai'kɔlədʒi] psychologie.

psychopath ['saikoupæθ] psychopaat.

psychopathic [saikou'pæθik] psychopathisch.

psychoses [sai'kousi:z] *mv* v. *psychosis*.

psychosis [sai'kousis] psychose.

psychotic [sai'kɔtik] psychotisch (persoon).

P.T. = *physical training*; *purchase tax*.

ptarmigan ['ta:migən] ⚓ sneeuwhoen *o*.

P.T.O. = *please turn over* zie ommezijde, z.o.z.

Ptolemy ['tɔləmi] Ptolemeus.

ptomaine ['toumein] ptomaïne [vergift].

pub [pʌb] F zie *public house*.

pub-crawl ['pʌbkrɔ:l] F kroeg(en)tocht.

public ['pʌblik] I *aj* algemeen, openbaar, publiek; staats-, rijks-, lands-, volks-; ~ *bar* bar in *public house* voor het „gewone" publiek; *in the ~ eye* de algemene aandacht

trekkend; *the ~ good* het algemeen welzijn; ~ *house* herberg, kroeg, café *o*; ~ *law* 1 het volkerenrecht; 2 het publiekrecht; ~ *man* iemand die een openbaar ambt bekleedt of deelneemt aan het openbare leven; *the ~ mind, ~ opinion* de openbare mening; *Public Relations (Department)* ± Voorlichting(s-dienst); ~ *school* zie ↓; ~ *spirit* belangstelling in en ijver voor het algemeen welzijn; II *sb* 1 publiek *o*; 2 P herberg; *in ~* in het publiek, in het openbaar.

public-address system ['pʌblikə'dresistim] luidsprekerinstallatie.

publican ['pʌblikən] 1 B tollenaar; 2 herbergier, caféhouder, > kroeghouder, -baas.

publication [pʌbli'keiʃən] openbaarmaking, afkondiging, bekendmaking; publikatie, uitgave, blad *o*.

publicist ['pʌblisist] 1 schrijver over het volkenrecht; 2 (dagblad)schrijver, publicist.

publicity [pʌ'blisiti] publiciteit, algemene bekendheid, openbaarheid; ruchtbaarheid; reclame.

publicize ['pʌblisaiz] publiciteit geven aan, reclame maken voor.

public school ['pʌbliksku:l] 1 (particuliere) opleidingsschool voor de academie [in Engeland]; 2 openbare (lagere of middelbare) school [in Schotland, de Eng. koloniën, Dominions en Amerika].

public-spirited ['pʌblik'spiritid] vol belangstelling in en bezield met ijver voor het algemeen welzijn.

publish ['pʌbliʃ] openbaar maken, publiek maken, bekendmaken, afkondigen [iets]; publiceren, uitgeven [boek].

publishable ['pʌbliʃəbl] voor publikatie geschikt.

publisher ['pʌbliʃə] uitgever.

publishing-business ['pʌbliʃiŋbiznis] uitgeverszaak, uitgeverij.

puce [pju:s] puce, donker- of purperbruin.

puck [pʌk] 1 kaboutermannetje *o*; ondeugd, rakkertje *o*; 2 *sp* schijf [v. ijshockey].

pucker ['pʌkə] I *vi* rimpelen, (zich) plooien, zich fronsen (ook: ~ *up*); II *vt* (doen) rimpelen, (op)plooien, frons(el)en (ook: ~ *up*); III *sb* rimpel, plooi, fronsel.

puckish ['pʌkiʃ] snaaks, ondeugend.

pud [pʌd] F [kindertaal] knuistje *o*, poot.

pudding ['pudiŋ] 1 pudding; beuling; 2 ⚓ leguaan.

pudding-face ['pudiŋfeis] vollemaansgezicht *o*.

pudding-head ['pudiŋhed] uilskuiken *o*.

puddle ['pʌdl] I *sb* (modder)plas, poel; modderboel; knoeiboel; vulklei; II *vi* ploeteren, plassen, knoeien; III *vt* omroeren; ✂ puddelen, frissen [gesmolten ijzer]; met vulklei dichtmaken.

puddling-furnace ['pʌdliŋfə:nis] puddeloven.

puddly ['pʌdli] vol plasjes; modderig.

puerile ['pjuərail] kinderachtig.

puerility [pjuə'riliti] kinderachtigheid.

puff [pʌf] **I** *sb* windstootje *o*, ademtochtje *o*, zuchtje *o*, wolkje *o*; trekje *o* [aan pijp]; snoevende reclame; poederdons; pof [aan japon]; soes; **II** *vi* 1 opzwellen; 2 blazen, hijgen, snuiven, paffen [aan pijp], puffen [locomotief]; 3 *fig* wind of reclame maken; **III** *vt* op-, uitblazen; doen opbollen (ook: ~ *out*, ~ *up*); reclame maken voor; in de hoogte steken (ook: ~ *up*); ~*ed up*; ~*ed sleeves* pofmouwen; ~*ed up with pride* opgeblazen van trots.

puff-ball ['pʌfbɔ:l] ⚘ stuifzwam.

puffer ['pʌfə] 1 wie puft &, F stoomlocomotief, stoomboot; snoever, windmaker; reclamemaker; 2 S opjager [bij veilingen].

puffery ['pʌfəri] reclame(makerij).

puffin ['pʌfin] 🐦 papegaaiduiker.

puffiness ['pʌfinis] pafferigheid &, zie *puffy*.

puff-paste ['pʌfpeist] bladerdeeg *o*.

puff-pastry ['pʌfpeistri] bladerdeeg *o*.

puffy ['pʌfi] puffend; kortademig; pafferig; opgeblazen[2]; gezwollen; reclameachtig.

pug [pʌg] 1 mopshond; 2 vos, aap ‖ klei ‖ *IP* voetspoor *o*.

pugilism ['pju:dʒilizm] boksen *o*.

pugilist ['pju:dʒilist] bokser.

pugilistic [pju:dʒi'listik] vuistvechters-; ~ *encounter* bokspartij, -wedstrijd.

pugnacious(ly) [pʌg'neiʃəs(li)] strijdlustig.

pugnacity [pʌg'næsiti] strijdlust.

pug-nose ['pʌgnouz] mopneus.

puisne ['pju:ni] **I** *aj* 🔮 jonger; ~ *judge* = **II** *sb* = rechter van lagere rang.

⊙ **puissance** ['pjuis(ə)ns] macht, kracht.

⊙ **puissant** ['pjuis(ə)nt] machtig.

pulchritude ['pʌlkritju:d] *Am* schoonheid.

pule [pju:l] 1 dreinen, janken; 2 piepen.

pull [pul] **I** *vt* rukken, trekken (aan), scheuren, plukken (aan); overhalen, afdrukken, -trekken (~ *the trigger*); ⚓ roeien; ~ *devil*, ~ *baker!* toe maar, jongens!; hard tegen hard; ~ *a good oar* goed kunnen roeien; *boat that* ~*s six oars* zesriemsboot; ~ *one's punches* S niet toeslaan; 't kalm aan doen; toegeeflijk zijn; ~ *no punches* ook: geen blad voor de mond nemen, vrijuit spreken; ~ *one's weight* zich geheel geven; **II** *vi & va* trekken [aan de bel]; roeien; ∞ ~ *about* heen en weer trekken, toetakelen; door elkaar gooien; ~ *at* plukken aan, trekken aan; drinken uit (van); ~ *away at* uit alle macht trekken aan &; ~ *down* neertrekken, omverhalen, neerhalen[2], afbreken, slopen; *fig* (doen) aftakelen; ~ *in* intrekken; binnenrijden; ~ *off* aftrekken, uittrekken [schoenen]; afnemen; ~ *it off* F 1 het winnen; 2 het klaarspelen, het hem leveren; ~ *on* aantrekken; ~ *out* uittrekken; vertrekken, weggaan; uithalen [naar rechts, links]; ~ *round*, ~ *through* er zich doorheen slaan, het er bovenop halen, er bovenop komen (helpen); ~

to bits (*pieces*) uit elkaar (stuk) trekken; *fig* afmaken [boek &]; ~ *together* bijeentrekken; *fig* 1 één lijn trekken; 2 weer opknappen [een zieke]; ~ *oneself together* zich vermannen; *they don't* ~ *together* 1 ze roeien niet gelijk; 2 *fig* ze kunnen niet met elkaar opschieten; ~ *up* stilhouden, blijven staan, stoppen; optrekken, omhoogtrekken, ophalen; uit de grond trekken; bijtrekken [stoel]; ~ *one up* tot staan brengen, tegenhouden; op zijn plaats zetten; oppakken, voor het gerecht trekken; **III** *sb* ruk; trekken *o*; ✕ aftrekken *o*; trek, trekje *o* [aan pijp]; trekkracht; aantrekkingskracht; roeitocht; teug; handvat *o*; *it is a hard* ~ 1 het is zwaar roeien; 2 het is een hele toer, een hele sjouw; *have a* ~ *on* (*with*) *one* invloed bij iemand hebben, veel bij iemand vermogen; *have the* ~ *over* (*of*) iemand de baas zijn; zie ook ↓.

pulled [puld] getrokken; ~ *bread* opgebakken kruim; ~ *chicken* zonder been; *their* ~ *faces* scherpe, bleke trekken.

puller ['pulə] trekker.

pullet ['pulit] 🐦 kuiken *o*; jonge legkip.

pulley ['puli] ✕ katrol; riemschijf. [rijtuig *o*.

Pullman (car) ['pulmən(ka:)] slaap- of salon-

pull-over ['pulouvə] pullover [soort trui].

pull-up ['pul'ʌp] 1 stilhouden *o*; 2 pleisterplaats.

pulmonary ['pʌlmənəri] long-.

pulp [pʌlp] **I** *sb* weke massa; merg *o*; vlees *o* [v. vruchten], moes *o*, pulp, (papier)brij, -pap; goedkoop (op slecht papier gedrukt) tijdschrift *o* (ook: ~ *magazine*); **II** *vt* (& *vi*) tot moes of brij maken (worden).

pulpiness ['pʌlpinis] zachtheid &, zie *pulpy*.

pulpit ['pulpit] **I** *sb* kansel, preekstoel, katheder, spreekgestoelte *o*; **II** als *aj* kansel-.

pulpous ['pʌlpəs], **pulpy** ['pʌlpi] zacht, moesachtig, vlezig.

pulsate ['pʌlseit, pʌl'seit] kloppen, slaan, trillen, pulseren.

pulsation [pʌl'seiʃən] slaan *o*, (hart)slag, klopping [van het hart &], trilling.

pulsatory ['pʌlsətəri] kloppend, slaand.

1 **pulse** [pʌls] *sb* ⚘ peulvrucht(en).

2 **pulse** [pʌls] **I** *sb* pols, (pols)slag, klopping, trilling; 🔬 (im)puls; **II** *vi* kloppen, slaan, pulseren.

pulverizable ['pʌlvəraizəbl] (tot pulver of poeier) fijn te stampen.

pulverization [pʌlvərai'zeiʃən] vermaling tot poeier, fijnstamping; verstuiving; verpulvering[2]; *fig* vermorzeling.

pulverize ['pʌlvəraiz] **I** *vt* tot pulver of poeier stoten of wrijven, fijnstampen of -wrijven; doen verstuiven; verpulveren[2]; *fig* vermorzelen; **II** *vi* tot poeier of stof worden.

pulverizer ['pʌlvəraizə] pulverisator, verstuiver, verstuivingstoestel *o*.

puma ['pju:mə] 🐾 poema.

pumice ['pʌmis] **I** *sb* puimsteen *o* & *m* [stofnaam], puimsteen *m* [voorwerpsnaam] (ook: ~ *stone*); II *vt* puimen.

pummel ['pʌməl] zie *pommel*.

1 **pump** [pʌmp] I *sb* pomp; II *vt* (uit)pompen; *fig* uithoren; III *vi* pompen.

2 **pump** [pʌmp] *sb* lak-, dansschoen, pump.

pump-brake ['pʌmpbreik] pompzwengel.

pumper ['pʌmpə] pomper.

pumpernickel ['pumpənikl] pompernikkel.

pump-handle ['pʌmphændl] pompslinger.

pumpkin ['pʌm(p)kin] ♣ pompoen.

pump-room ['pʌmprum] koerzaal.

pun [pʌn] I *sb* woordspeling; II *vi* woordspelingen maken (op *on*).

1 **punch** [pʌn(t)ʃ] *sb* 1 ✗ pons, doorslag, drevel; kaartjestang; 2 F stoot, stomp, slag; 3 S durf, fut || punch || hansworst.

2 **punch** [pʌn(t)ʃ] *vt* 1 ✗ ponsen, doorslaan; knippen [met een gaatje]; 2 F stompen, slaan (op).

3 **Punch** [pʌn(t)ʃ] in: ~ *and Judy* 1 Jan Klaassen en Katrijn; 2 poppenkast; *as pleased* (*proud*) *as* ~ F erg in zijn nopjes (zo trots als een pauw).

punch-bowl ['pʌn(t)ʃboul] punchkom.

puncher ['pʌn(t)ʃə] 1 stomper; 2 priem; 3 *Am* veedrijver.

punchinello [pʌn(t)ʃi'nelou] polichinel, hansworst, janklaassen.

punctilio [pʌŋk'tiliou] formaliteitsfinesse; overdreven nauwgezetheid.

punctilious(ly) [pʌŋk'tiliəs(li)] overdreven nauwgezet, stipt.

punctual(ly) ['pʌŋktjuəl(i)] stipt (op tijd), precies, nauwgezet, punctueel.

punctuality [pʌŋktju'æliti] stiptheid, punctualiteit, preciesheid, nauwgezetheid.

punctuate ['pʌŋktjueit] 1 interpungeren; 2 onderbreken; 3 onderstrepen, accentueren; kracht bijzetten aan.

punctuation [pʌŋktju'eiʃən] punctuatie, interpunctie; ~ *marks* leestekens.

puncture ['pʌŋktʃə] I *sb* prik, gaatje *o*, doorboring, lek *o* [in fietsband]; II *vt* (door)prikken; *a* ~*d tire* een lekke (lucht)band.

pundit ['pʌndit] geleerde (Hindoe); wijze.

pungency ['pʌndʒənsi] scherpheid, bijtend karakter *o*.

pungent(ly) ['pʌndʒənt(li)] scherp, bijtend.

Punic ['pju:nik] Punisch.

punish ['pʌniʃ] straffen, bestraffen; kastijden; afstraffen; S toetakelen, op zijn kop geven, flink aanspreken [de fles &].

punishable ['pʌniʃəbl] strafbaar.

punishment ['pʌniʃmənt] straf, bestraffing, afstraffing.

punitive ['pju:nitiv] straffend, straf-.

punk [pʌŋk] (boom)zwam; S klets; rotzooi.

punka(h) ['pʌŋkə] luchtwaaier [in 't Oosten].

punster ['pʌnstə] maker van woordspelingen.

1 **punt** [pʌnt] I *sb* platboomde rivierschuit; II *vt* voortbomen; III *vi* & *va* op de rivier met

de *punt* tochtjes maken.

2 **punt** [pʌnt] I *vi* pointeren, tegen de bankhouder spelen; wedden; kleine sommetje wagen; II *sb* 1 ponto [bij faro]; 2 speler tegen de bankhouder.

3 **punt** [pʌnt] *sb sp* opgooischop; II *vt* & [de voetbal] uit de lucht vallend trappen.

punter ['pʌntə] visser of jager & in een schui || pointeur; wedder; speculant.

puny ['pju:ni] klein, zwak, petieterig.

pup [pʌp] I *sb* 1 jonge hond; 2 (jong) broekje *o*, aap; II *vi* jongen werpen, jongen.

pupa ['pju:pə, *mv* pupae 'pju:pi:] ✗ pop.

pupal ['pju:pəl] ✗ pop-.

pupate ['pju:peit] ✗ zich verpoppen.

pupation [pju'peiʃən] ✗ verpopping.

pupil ['pju:pil] 1 pupil [v. oog]; 2 leerling, kwekeling, discipel; ✗ pupil.

pupil(l)age ['pju:pilidʒ] 1 minderjarigheid, onmondigheid; 2 leertijd.

pupil(l)ary ['pju:piləri] 1 pupil-; 2 leerlingen-; ✗ pupillen-.

pupil-teacher ['pju:pil'ti:tʃə] ⟷ kwekeling.

puppet ['pʌpit] I *sb* marionet[2]; II *aj* marionetten-.

puppet play ['pʌpitplei] marionettenspel *o*, poppenspel *o*.

puppetry ['pʌpitri] 1 marionetten(spel *o*, -theater *o*); 2 poppenkasterij, schijnvertoning.

puppet show ['pʌpitʃou] marionettenspel *o*, -theater *o*, poppenspel *o*, poppenkast.

puppy ['pʌpi] jonge hond; *fig* „aap".

puppyism ['pʌpiizm] kwasterigheid.

purblind ['pə:blaind] bijziend; *fig* kortzichtig.

purchasable ['pə:tʃəsəbl] te koop.

purchase ['pə:tʃəs] I *sb* koop°; aanschaffing; aankoop, inkoop; ✗ verwerving; ✗ aangrijpingspunt *o*; hefkracht; spil, talie; *get a* ~ een punt vinden om aan te zetten, vat krijgen; *make* ~*s* inkopen doen; II *vt* (aan)kopen[2], ✗ verwerven; ✗ opheffen, lichten; ~ *out* $ uitkopen.

purchase-money ['pə:tʃəsmʌni] kooppenningen, koopsom.

purchaser ['pə:tʃəsə] koper; $ afnemer.

purchase tax ['pə:tʃəstæks] ± omzetbelasting.

purchasing-power ['pə:tʃəsiŋpauə] koopkracht.

pure ['pjuə] *aj* zuiver, rein, kuis; puur, onvermengd; louter; ~ *and simple* zuiver, louter, niets anders dan, F je reinste.

pure-bred ['pjuəbred] rasecht, ras-.

purée ['pjuərei] puree.

purely ['pjuəli] *ad* zie *pure*.

pureness ['pjuənis] zuiverheid[2] &.

purgation [pə:'geiʃən] 1 zuivering; 2 purgatie; *oath of* ~ zuiveringseed.

purgative ['pə:gətiv] I *aj* zuiverend; purgerend; II *sb* purgeermiddel *o*.

purgatorial [pə:gə'tɔ:riəl] van het vagevuur.

purgatory ['pə:gətəri] *RK* vagevuur *o*.

purge [pə:dʒ] I vt zuiveren, reinigen, schoonwassen; laten purgeren; II sb zuivering; purgatie; purgatief o.

purification [pjuərifi'keiʃən] zuivering, reiniging, loutering.

purificatory ['pjuərifikeitəri] zuiverend, reinigend, louterend.

purifier ['pjuərifaiə] zuiveraar, reiniger, louteraar; zuiveringsmiddel o, -toestel o.

purify ['pjuərifai] zuiveren, reinigen, louteren; klaren.

Purim ['pjuərim] Purim o, purimfeest o.

purism ['pjuərizm] purisme o.

purist ['pjuərist] purist, taalzuiveraar.

puristic(al) [pjuə'ristik(l)] puristisch.

Puritan ['pjuəritən] puritein(s)[2].

Puritanical [pjuəri'tænikl] puriteins.

Puritanism ['pjuəritənizm] puritanisme o.

purity ['pjuəriti] zuiverheid[2], reinheid.

1 purl [pə:l] I sb boordsel o; cantille; averechtse steek; II vt boorden; met cantille afzetten; averechts breien.

2 purl [pə:l] I vi kabbelen; II sb gekabbel o.

3 purl [pə:l] I (vt &) vi F (doen) tuimelen, (doen) buitelen; get ~ed over de kop gaan; II sb tuimeling, buiteling.

purler ['pə:lə] F tuimeling, buiteling.

purlieu ['pə:lju:] (meestal ~s) grens, omtrek, buurt.

purlin ['pə:lin] hanebalk.

purloin [pə:'lɔin] kapen, stelen.

purple ['pə:pl] I aj purper(rood); purperen; II sb purper[2] o; III vt (& vi) purperen, purper(kleurig) verven of maken (worden).

purplish ['pə:pliʃ] purperachtig.

1 purport ['pə:pət] sb inhoud; zin, betekenis; strekking, bedoeling.

2 purport [pə:'pət] vt voorgeven, de indruk (moeten) wekken, beweren; te kennen geven, inhouden, behelzen; van plan zijn.

purpose ['pə:pəs] I sb doeleinde o, doel o, oogmerk o; bedoeling; vastberadenheid; for that ~ met dat doel; te dien einde; daarom; from the ~ mis, verkeerd; of set ~ opzettelijk; on ~ met opzet; to the ~ ter zake (dienend); to good ~ met succes; to little ~ met weinig succes; to lusty ~ duchtig, uit alle macht; to no ~ zonder resultaat, tevergeefs; a novel with a ~ een tendensroman; II vt zich voornemen, van plan zijn (ook: ↖ be ~d).

purposeful ['pə:pəsful] 1 met een bedoeling in het leven geroepen; 2 doelbewust, recht op het doel afgaand.

purposeless ['pə:pəslis] doelloos.

purposely ['pə:pəsli] opzettelijk, met opzet.

purr [pə:] I vi snorren, spinnen [v. katten]; II vt kirren; III sb spinnen o [v. katten].

purse [pə:s] I sb beurs°; portemonnaie, portemonnee; buidel; premie, geldprijs; the public ~ de schatkist; II (vi &) vt (zich) samentrekken, (zich) fronsen (óók: ~ up).

purse-bearer ['pə:sbɛərə] thesaurier.

purser ['pə:sə] ⚓ administrateur.

purse-strings ['pə:sstriŋz] koorden van de beurs; hold the ~ de koorden van de beurs in handen hebben.

pursiness ['pə:sinis] 1 opgeblazenheid; 2 kortademigheid, aamborstigheid.

purslane ['pə:slin] ⚘ postelein.

pursuance [pə'sju:əns] nastreven o [van een plan]; voortzetting; uitvoering; in ~ of ingevolge, overeenkomstig.

pursuant [pə'sju:ənt] in: ~ to overeenkomstig, ingevolge.

pursue [pə'sju:] I vt vervolgen, achtervolgen; voortzetten; najagen, nastreven; volgen [weg, zekere politiek], uitoefenen [bedrijf]; doorgaan op [iets]; II vi verder gaan, doorgaan; ~ after najagen.

pursuer [pə'sjuə] vervolger; (achter)volger; najager; voortzetter.

pursuit [pə'sju:t] vervolgen o; achter-, vervolging, najaging, jacht (op of); streven o (naar of); ~s bezigheden, werk o; in ~ of vervolgend, jacht makend op, nastrevend, uit op.

pursuivant ['pə:swivənt] ⊘ wapenheraut.

pursy ['pə:si] 1 opgeblazen; saamgeknepen; gefronst; 2 aamborstig, kortademig.

purulent ['pjuərulənt] etter(acht)ig, etterend; ~ discharge etter, ettering.

purvey [pə:'vei] verschaffen, leveren.

purveyance [pə:'veiəns] voorziening, verschaffing; proviandering, leverantie.

purveyor [pə:'veiə] verschaffer, leverancier; ~ to Their Majesties hofleverancier.

purview ['pə:vju:] bepalingen [van een wet]; gebied o, bereik o, omvang, gezichtskring.

§ pus [pʌs] ⚘ pus o & m, etter.

push [puʃ] I vt stoten, duwen, dringen, drijven (tot to); schuiven; pousseren [een artikel]; ~ an advantage (home) benutten; ~ the button op de knop drukken; ~ one's claim vasthouden aan zijn eis; ~ one's fortune zich pousseren; ~ one's way 1 zich een weg banen; 2 zich pousseren; ~ for an answer aandringen op een antwoord; they ~ed him hard ze legden hem het vuur na aan de schenen; be (hard) ~ed for money verlegen zijn om geld; II vr ~ oneself forward (zich) naar voren dringen[2]; fig zich pousseren; III vi & va stoten, duwen, dringen; ∞ ~ around S ringeloren, koeioneren; ~ away wegduwen; ~ back terugduwen, terugdringen; ~ down neerduwen; ~ for the next village dóórlopen naar, oprukken naar, rijden (roeien) naar; ~ forth roots schieten; ~ forward 1 voortrukken; 2 vaart zetten achter [iets], pousseren [iemand]; 3 ⚒ vooruitschuiven [troepen]; ~ from shore van wal steken; ~ off afzetten, afduwen, afstoten; F opstappen, vertrekken; ~ on voortduwen; pousseren, voorthelpen, vooruitschoppen; aanzetten (tot to); voortrijden, voortrukken, doormarcheren, verder roeien; ~ *on with it* I er mee doorgaan; 2 er mee voortmaken; ~ *out into the sea* in zee steken; ~ *through* doorzetten, doordrijven, klaarspelen; **IV** *sb* stoot[2], duw; zet, zetje *o*; druk, drang; stuwkracht; energie; ⚔ offensief *o*; drukknop, toets [aan toestel]; *get the* ~ **S** de bons krijgen; *make a* ~ *for home* zo gauw mogelijk thuis zien te komen; *make a* ~ *for the town* de stad (vechtende) zien te bereiken; *at a* ~ I in één; 2 in geval van nood; *when it came to the* ~ toen het er op aankwam.

push-bike ['puʃbaik] (trap)fiets.

push-button ['puʃbʌtn] drukknop.

push-cart ['puʃka:t] hand-, kinderwagen.

pusher ['puʃə] I duwer; aandrijver; 2 ⚔ pal [van bajonet]; 3 ✈ vliegtuig *o* met duwschroef; 4 **F** streber; ~ *screw* ✈ duwschroef.

pushful ['puʃful], **pushing** ['puʃiŋ] ondernemend, energiek, voortvarend.

pusillanimity [pju:silə'nimiti] kleinmoedigheid, blohartigheid.

pusillanimous [pju:si'læniməs] kleinmoedig, blohartig.

puss [pus] I kat, poes, poesje[2] *o*; 2 haas; ~ *in boots* de gelaarsde kat; ~ *in the corner* stuivertje (boompje) wisselen.

pussy ['pusi] I poesje *o*; 2 ♣ katje *o*.

pussy-cat ['pusikæt] poes, poesje *o*.

pustular ['pʌstjulə] puistig.

pustulate ['pʌstjuleit] (tot) blaren of puistjes vormen.

pustule ['pʌstju:l] puistje *o*, blaartje *o*.

pustulous ['pʌstjuləs] zie *pustular*.

I **put** [put] **I** *vt* zetten, stellen, plaatsen, leggen; brengen; steken, stoppen, bergen, doen; *fig* uitdrukken, onder woorden brengen, zeggen; [een zaak] voorstellen; [een zekere uitleg] geven (aan *on*); [iets] in stemming brengen; ~ *a check on* tegenhouden, beteugelen, in toom houden; ∞ ~ *about* wenden; laten rondgaan; *fig* uitstrooien; *I hope I don't* ~ *you about* dat ik u niet derangeer; *be* ~ *about* ook: uit zijn humeur zijn; in de rats zitten; *be* ~ *about to...* alle moeite hebben om...; ~ *across* overzetten; ~ *it across* **S** 't [een mop] doen inslaan, 't erin krijgen, 't klaarspelen; [iem.] beduvelen; ~ *along* aanzetten [paarden]; ~ *aside* op zij zetten[2]; van de hand wijzen; ~ *away* wegleggen; van zich af zetten [gedachten]; **F** verorberen; **F** veilig opbergen [in gevangenis]; **S** in de lommerd zetten; ~ *back* weer op zijn plaats zetten of leggen; achteruit-, terugzetten [klok]; [diner &] later stellen; achteruit strijken [het haar]; achteruitzetten [gezondheid &]; ⚓ terugkeren; ~... *before*... I voorleggen; 2 stellen boven of hoger dan; ~ *behind one* ter zijde leggen [rekwest &]; *that* ~*s it beyond all doubt* heft alle twijfel op; ~ *by* op zij leggen, overleggen [geld]; ter zijde leggen; afschepen [iem.]; van de hand wijzen; pareren [slag]; ~

down neerleggen, neerzetten; afzetten [passagiers]; opschrijven, optekenen, noteren; onderdrukken, bedwingen [opstand]; afschaffen [auto &]; een toontje lager doen zingen, tot zwijgen brengen [iem.]; fnuiken [trots]; ~ *him down as* (*for*) *a fool* houden voor; ~ *it down to his nervousness* toeschrijven aan; ~ *forth* uitsteken [de hand]; uitvaardigen [edict]; uitgeven [boek]; opperen [mening]; verkondigen; inspannen, aanwenden [zijn krachten]; ~ *forth leaves* in 't blad schieten; ~ *forward* I vooruitzetten, vervroegen; 2 te berde of ter tafel brengen, verkondigen, opperen [mening]; uitkomen met [kandidaten]; ~ *oneself forward* zich op de voorgrond plaatsen; ~ *in* zetten... in, inzetten, steken in; invoegen, inlassen; (laten) aanleggen [el. licht &]; aanspannen [paarden]; planten [zaden]; aanstellen, in dienst nemen; **F** verzetten [veel werk], werken [zoveel uren]; ⚓ binnenlopen; ~ *in an appearance* zich (even) vertonen; ~ *in a claim* (*a demand*) een eis indienen; ~ *in a word* een woordje meespreken, ook een duit in 't zakje doen; ~ *in a word for one* een goed woordje voor iemand doen; ~ *in for a clerkship* solliciteren naar, zich opgeven voor; ~ *it into Dutch* zeg (vertaal) het in het Nederlands; ~ *into words* onder woorden brengen; ~ *off* afzetten, afleggen, uittrekken; van wal steken; uitstellen; afzeggen, afschrijven; afbrengen; een tegenzin doen krijgen in; onthutsen; wegmaken [met chloroform]; kwijtraken, in omloop brengen [vals geld]; verkopen; ~ *one off with talk* (*fair words*) met mooie praatjes afschepen; ~ *off as* (*for*) uitgeven voor; *he has* ~ *it off upon me* het mij aangesmeerd; ~ *on* opzetten, aandoen, aantrekken [kleren]; opleggen; aanzetten; aanhaken [spoorwegrijtuig]; inleggen, extra laten lopen [trein]; in de vaart brengen [schip]; aannemen [zeker air]; zetten [een gezicht]; aan het werk zetten [iemand]; laten spelen [toneelstuk], opvoeren, geven, **F** op touw zetten, organiseren; ~ *on the clock* voorzetten; ~ *it on* **F** overvragen; overdrijven; maar zo doen; pootaan spelen; ~ *on to...* ☞ verbinden met nummer...; ~ *money on a horse* op een paard wedden; ~ *on sixpence* er 6 stuiver op leggen; ~ *on speed* vaart zetten; ~ *on steam* stoom maken; *fig* er vaart achter zetten; zie ook: *side*; ~ *out* uitleggen, (er) uitzetten, uitsteken, uitplanten; uitdoen, (uit)blussen, uitdoven; uitstrooien [gerucht]; uitgeven, publiceren; uitbesteden [werk]; van zijn stuk brengen, in de war maken; hinderen; *sp* uitbowlen; de loef afsteken; **S** van kant maken; ~ *out buds* knoppen krijgen; ~ *out one's plans* verijdelen; ~ *out one's shoulder* ontwrichten; ~ *out one's washing* buitenshuis laten wassen; ~ *out of* (*his*) *misery* uit zijn lijden verlossen; ~ *out to* *board* uitbesteden; ~ *out to contract* aanbesteden; ~ *out to sea* in zee steken, uitvaren; ~ *oneself out to...* zich uitsloven om...; *be* ~ *out* van zijn stuk gebracht of boos zijn; blijven steken; ~ *over* S ingang doen vinden, populair maken; zie ook: ~ *it across*; ~ *it over the fire* het boven 't vuur hangen; ~ *it over till Monday* het laten liggen (rusten) tot maandag; ~ *through* 1 uit-, doorvoeren; 2 [iem.] laten doorwerken, onderwerpen aan; *they* ~ *a bullet through his head* zij schoten hem een kogel door het hoofd; *will you* ~ *me through to No. 1000?* ☞ wilt u mij aansluiten met No. 1000?; ~ *to* slaan (leggen, houden, brengen) aan; ~ *to bed* in bed leggen, naar bed brengen; ~ *the horses to (the cart)* aanspannen; ~ *to expense* op kosten jagen; ~ *to inconvenience* last veroorzaken; ~ *to school* op school doen; ~ *one to it* er vóór zetten; *he was hard (sorely, sadly)* ~ *to it, (to ...)* hij had het hard te verantwoorden; *I* ~ *it to you* dat vraag ik u, zegt u het nu zelf; ~ *together* samenvoegen, samenstellen, in elkaar zetten; bijeenpakken, verzamelen; ~ *up* doen in, inpakken; opsteken [haar, sabel, paraplu]; ophalen [raampje]; opslaan, verhogen [prijs]; opzenden [gebeden]; indienen [resolutie]; opstellen, ophangen, aanbrengen [ornament &]; optrekken, bouwen [huizen]; onder dak brengen, logeren, stallen [auto]; afstappen, zijn intrek nemen (in *at*); inmaken [boter]; opjagen [wild]; (zich) kandidaat stellen, voorhangen; F vooruit afspreken; ~ *up a desperate defence* zich wanhopig verdedigen; ~ *up a play* ten tonele brengen; ~ *one's feet up* S naar kooi gaan, wat uitrusten; ~ *up (for sale)* aanslaan, in veiling brengen, te koop aanbieden; ~ *him up to it* het hem op de hoogte brengen; ~ *him up to the thing* ertoe aanzetten of ertoe krijgen; ~ *up in tins* in blikken verpakt; ~ *up with* berusten in, genoegen nemen met, zich laten welgevallen, verdragen; *he is easily* ~ *upon* laat zich gemakkelijk beetnemen; *he is much* ~ *upon* hij heeft het hard te verduren; II *vr* ~ *oneself (in his place)* zich stellen (in zijn plaats); III *sb* $ premie te leveren; ~ *and call* dubbele premie: te leveren of te ontvangen; IV V.T. & V.D. van 1 *put*; *stay* ~ F (op zijn plaats) blijven.

2 **put** [pʌt] zie *putt*.

putative ['pju:tətiv] verondersteld, vermeend.

put-off ['put'ɔ:f] F uitvlucht; uitstel o.

put-on ['put'ɔn] voorgewend, geveinsd, geaffecteerd.

putrefaction [pju:tri'fækʃən] (ver)rotting, rotheid.

putrefactive [pju:tri'fæktiv] de rotting bevorderend, (ver)rottend; ~ *process* rottingsproces o; ~ *smell* rotlucht.

putrefy ['pju:trifai] I *vt* doen verrotten; verpesten [de lucht]; II *vi* (ver)rotten.

putrescence [pju:'tresəns] (ver)rotting.

putrescent [pju:'tresənt] rottend; rottings-; rot-.

putrid ['pju:trid] rottend; (ver)rot, bedorven.

putridity [pju:'triditi] verrotting, rotheid[2].

putt [pʌt] I *sb sp* slag met een *putter* [golfspel]; II *vt* & *vi sp* slaan met een *putter*.

puttee ['pʌti] beenwindsel o.

putter ['pʌtə] korte golfstok.

putty ['pʌti] I *sb* stopverf; II *vt* met stopverf vastzetten of dichtmaken.

putty-knife ['pʌtinaif] stopmes o.

put-up ['put'ʌp] in: *a* ~ *job* een doorgestoken kaart.

puzzle ['pʌzl] I *sb* niet op te lossen moeilijkheid, vraag of kwestie; verlegenheid; raadsel o; legkaart, geduldspel o, puzzel; *be in a* ~ geen weg met iets weten; voor een raadsel staan, er geen raad voor weten; II *vt* verlegen maken, verbijsteren, vastzetten; *be* ~ *d about (at, over)* it niet weten hoe men het heeft; voor een raadsel staan; er niets op weten; ~ *out* uitpuzzelen, uitpiekeren; *puzzling* ook: raadselachtig; III *vr* in: ~ *oneself with* zich het hoofd breken over; IV *vi* piekeren, zich het hoofd breken (over *about*, *over*).

puzzled ['pʌzld] niet wetend hoe men 't heeft of wat te doen, beteuterd; *with a* ~ *look* met een blik van niet-begrijpen.

puzzle-head ['pʌzlhed] warhoofd o & *m-v*.

puzzle-headed ['pʌzlhedid] verward.

puzzle-lock ['pʌzllɔk] geheim slot o, combinatieslot o.

puzzlement ['pʌzlmənt] perplexiteit, niet-begrijpen o.

puzzle-picture ['pʌzlpiktʃə] rebus.

puzzler ['pʌzlə] niet op te lossen moeilijkheid, vraag of kwestie; raadsel o.

pwt. = *pennyweight*.

PX ['pi:'eks] = *Post Exchange Am* ✠ cantine.

pygmean [pig'mi:ən] dwergachtig, dwerg-.

pygmy ['pigmi] I *sb* pygmee, dwerg; II als *aj* dwergachtig, dwerg-.

pyjamas [pə'dʒa:məz] pyjama.

pylon ['pailən] (tempel)poort; toren, mast [op vliegveld &].

pyramid ['pirəmid] piramide.

pyramidal [pi'ræmidəl] piramidaal[2], < kolossaal. [saal.

pyre ['paiə] brandstapel.

Pyrenean [pirə'ni:ən] Pyrenees.

Pyrenees [pirə'ni:z] *the* ~ de Pyreneeën.

pyrites [pai'raiti:z] pyriet o, zwavelkies o.

pyrometer [pai'rəmitə] hittemeter.

pyrotechnic [paiərou'teknik] I *aj* vuurwerk-; II *sb* ~*s* 1 vuurwerkkunst; 2 vuurwerk o.

pyrotechnist [paiərou'teknist] vuurwerkmaker.

Pyrrhic ['pirik] van Pyrrus; ~ *victory* Pyrrusoverwinning.

Pythagoras [pai'θægəræs] Pythagoras.

Pythagorean [paiθægə'ri:ən] I *aj* van Pythagoras; II *sb* aanhanger van de leer van Pythagoras.

python ['paiθən] ⚹ python.
pythoness ['paiθənis] waarzegster.
pyx [piks] 1 *RK* pyxis [voor hosties]; 2 doosje *o* voor proefmunten.

Q

q [kju:] (de letter) q.
q.t. [kju:'ti:] in: *on the ~* F zie *on the quiet.*
qua [kwei] qua, als.
quack [kwæk] I *sb* 1 gekwa(a)k *o*, kwak; 2 kwakzalver; charlatan; II als *aj* kwakzalvers-; *~ doctor* kwakzalver; III *vi* 1 kwaken; 2 kwakzalven; IV *vt* 1 kwaken; 2 kwakzalverachtig ophemelen of behandelen.
quackery ['kwækəri] kwakzalverij.
quackish ['kwækiʃ] kwakzalverachtig.
quad [kwɔd] zie *quadrangle.*
quadragenarian [kwɔdrədʒi'nɛəriən] I *aj* veertigjarig; II *sb* veertigjarige.
Quadragesima [kwɔdrə'dʒesimə] Quadragesima: 1ste zondag in de vasten.
quadragesimal [kwɔdrə'dʒesiməl] van de vasten, vasten-; veertigdaags.
quadrangle ['kwɔdræŋgl] 1 vierkant *o*, vierhoek; 2 binnenplaats [v. school &].
quadrangular [kwɔ'dræŋgjulə] vierkant, vierhoekig.
quadrant ['kwɔdrənt] kwadrant *o*.
1 **quadrate** ['kwɔdrit] *aj* vierkant.
2 **quadrate** [kwɔ'dreit] *vt* kwadrateren.
quadratic [kwɔ'drætik] I *aj* vierkant, vierkants-; *~ equation* vierkantsvergelijking; II *sb* vierkantsvergelijking.
quadrature ['kwɔdrətʃə] kwadratuur [v. cirkel &].
quadrennial [kwɔ'dreniəl] 1 vierjarig; 2 vierjaarlijks.
quadrilateral [kwɔdri'lætərəl] I *aj* vierzijdig; II *sb* vierhoek.
quadrille [k(w)ə'dril] quadrille° [dans en kaartspel]; *set of ~s* quadrille [dans].
quadrillion [kwɔ'driljən] quadriljoen *o*.
quadripartite [kwɔdri'pa:tait] 1 vierdelig; 2 tussen vier partijen.
quadrisyllabic [kwɔdrisi'læbik] vierlettergrepig.
quadrisyllable [kwɔdri'siləbl] vierlettergrepig woord *o*.
quadroon [kwɔ'dru:n] quadroon.
quadrumanous [kwɔ'dru:mənəs] vierhandig.
quadruped ['kwɔdruped] viervoetig (dier *o*).
quadruple ['kwɔdrupl] I *aj* viervoudig; *~ time* ♪ vierkwartsmaat; II *sb* viervoud *o*: het viervoudige; III *vt* verviervoudigen; IV *vi* verviervoudigd worden.
quadruplet ['kwɔdruplet] viertal *o*; vierling.
1 **quadruplicate** [kwɔ'dru:plikit] I *aj* viervoudig; II *sb* viervoudig afschrift *o*.
2 **quadruplicate** [kwɔ'dru:plikeit] *vt* verviervoudigen.
quadruplication [kwɔdru:pli'keiʃən] verviervoudiging.
quaestor ['kwi:stə] ⅏ quaestor.
quaff [kwa:f] I *vi* & *vt* (leeg)drinken, zwelgen; II *sb* teug.
quaffer ['kwa:fə] drinker.
quag [kwæg] moeras *o*.
quagga ['kwægə] ⚹ quagga [soort zebra].
quaggy ['kwægi] moerassig.
quagmire ['kwægmaiə] moeras² *o*, modderpoel².
1 **quail** [kweil] *sb* 🐦 kwartel.
2 **quail** [kweil] *vi* de moed verliezen, bang worden, versagen.
quail-call ['kweilkɔ:l], *~-pipe* [-paip] kwartelfluitje *o*.
quaint(ly) [kweint(li)] vreemd, eigenaardig, zonderling, bijzonder, ouderwets.
quaintness ['kweintnis] vreemdheid &.
quake [kweik] I *vi* beven, sidderen, trillen, schudden; II *sb* beving, siddering, trilling.
quaker ['kweikə] kwaker.
quakeress ['kweikəris] kwakeres.
quakerism ['kweikərizm] kwakerwezen.
quaker-meeting ['kweikəmi:tiŋ] kwakersbidstond; *fig* stille bijeenkomst.
quaking ['kweikiŋ] beving, siddering, trilling, schudding.
quaking-grass ['kweikiŋgra:s] ⚘ trilgras *o*.
quaky ['kweiki] bevend, beverig.
qualification [kwɔlifi'keiʃən] bevoegdheid; bekwaamheid, geschiktheid, (vereiste) eigenschap; kwalificatie, nadere aanduiding; beperking, wijziging, restrictie; *without ~* zonder meer.
qualificatory ['kwɔlifikeitəri] de bevoegdheid verlenend.
qualified ['kwɔlifaid] gerechtigd, gediplomeerd, bevoegd, bekwaam, geschikt; niet zonder enig voorbehoud, niet onverdeeld gunstig; *~ to vote* stemgerechtigd.
qualifier ['kwɔlifaiə] 1 beperkende toevoeging; restrictie; verzachting [v. een uitspraak]; 2 *gram* bepalend woord *o*; 3 *sp* geplaatste (deelnemer).
qualify ['kwɔlifai] I *vt* bevoegd, bekwaam maken (voor, tot *for*); kwalificeren, aanduiden, betitelen; (nader) bepalen; wijzigen; matigen, verzachten, verzwakken, beperken; aanlengen [met water]; water [soms sterke drank] doen bij; II *vr* in: *~ oneself* zich bekwamen; III *vi* zich bekwamen of de bevoegdheid verwerven (voor een ambt &), examen doen; in aanmerking komen [voor gratificatie]; *sp* geplaatst worden.
qualitative [kwɔ'litətiv] kwalitatief.
quality ['kwɔliti] kwaliteit, (goede) hoedanigheid; eigenschap; deugd; ⚹ *the ~, the people of ~* de mensen van stand, de grote lui.
qualm [kwa:m, kwɔ:m] 1 misselijkheid; 2 gewetensbezwaar *o*, scrupule, twijfel.

qualmish ['kwa:-, 'kwɔ:miʃ] misselijk, wee.

quandary ['kwɔndəri] verlegenheid, dilemma o, moeilijk parket o.

quant [kwɔnt] (schippers)boom.

quantitative ['kwɔntitətiv] kwantitatief.

quantity ['kwɔntiti] kwantiteit, hoeveelheid; grootheid; menigte; in quantities in menigte, in grote hoeveelheden.

quantum ['kwɔntəm] quantum o, hoeveelheid.

quarantine ['kwɔrənti:n] I sb quarantaine; II vt in quarantaine plaatsen.

1 quarrel ['kwɔrəl] sb ⚏ pijl.

2 quarrel ['kwɔrəl] I sb ruzie, twist; we have no ~ against (with him) 1 geen enkele reden tot klagen; 2 niets tegen hem; we have no ~ with it wij hebben er niets op aan te merken, niets tegen (in te brengen); II vi krakelen, twisten; kijven (over about, over); ~ with ook: aanmerkingen maken op, opkomen tegen; ~ with one's bread and butter zijn eigen belang miskennen, zijn eigen glazen ingooien.

quarreller ['kwɔrələ] twister, krakeler.

quarrelsome ['kwɔrəlsəm] twistziek.

1 quarry ['kwɔri] sb wild o, prooi.

2 quarry ['kwɔri] I sb steengroeve; fig mijn, bron; II vt (uit)graven, opdelven²; III vi graven².

quarryman ['kwɔrimən] arbeider in een steengroeve.

quart [kwɔ:t] ¼ gallon [= 1,136 l]; his ~ ook: zijn pintje o, zijn potje o bier.

quartan ['kwɔ:tən] derdendaags(e koorts).

quarter ['kwɔ:tə] I sb vierde (deel) o, vierendeel o, vierde part(je) o, kwart o; kwartier° o [ook ⬭ & ⚔]; windstreek; buurt, (stads)wijk; kwartaal o; zijstuk o [v. schoenwerk]; ⚓ achterwerk o; ⚖ bout, dij; ¼ fathom, ¼ Engelse mijl [wedren]; 28 Eng. ponden; 2,908 hl; ¼ dollar; ~ of an hour kwartier o; a bad ~ of an hour een angstig ogenblik o; no ~! ⚔ geen genade; ~s 1 ⚖ achterste o, achterdeel o [v. paard]; 2 kwartier o, kwartieren, verblijven, kamer(s), vertrek o, vertrekken, huisvesting, plaats; at close ~s (van) dichtbij; live at close ~s klein behuisd zijn; come to close ~s handgemeen worden; we had it from a good ~ uit goede bron, van goede zijde; from all ~s van alle kanten; is the wind in that ~? waait de wind uit die hoek²?; in (from) that ~ daar, van die kant; in high (exalted) ~s in regeringskringen; aan het hof; all hands to ~s! ⚓ iedereen op zijn post!; II vt in vieren (ver)delen; vierendelen; 2 ⚔ inkwartieren (bij on); 3 afzoeken [op jacht].

quarter-day ['kwɔ:tədei] kwartaaldag, betaaldag.

quarter-deck ['kwɔ:tədek] ⚓ achterdek o.

quartering ['kwɔ:tərin] 1 verdeling in vieren; vierendeling; 2 ⚔ inkwartiering; 3 ⬭ kwartier o.

quarterly ['kwɔ:təli] I aj driemaandelijks, kwartaal-; II ad per drie maanden; III sb

driemaandelijks tijdschrift o.

quartermaster ['kwɔ:təma:stə] ⚔ & ⚓ kwartiermeester; ~-general ⚔ kwartiermeester-generaal; ~-sergeant ⚔ foerier.

quartern ['kwɔ:tən] vierpondsbrood o.

quarter-sessions ['kwɔ:təseʃənz] driemaandelijkse zittingen van de vrederechters.

quarterstaff ['kwɔ:təsta:f] stok (bij het batonneren); play at ~ batonneren.

quartet(te) [kwɔ:'tet] 1 kwartet o; 2 viertal o.

quarto ['kwɔ:tou] 1 kwartijn; 2 kwarto o.

quartz [kwɔ:ts] kwarts o.

quartzy ['kwɔ:tsi] kwartsachtig.

quash [kwɔʃ] 1 onderdrukken, verijdelen, de kop indrukken; 2 🏛 vernietigen, casseren.

quasi ['kwa:zi, 'kweisai] quasi.

quaternion [kwə'tə:niən] viertal o.

quatrain ['kwɔtrein] kwatrijn o: vierregelig vers o.

quaver ['kweivə] I vi trillen; ♪ vibreren; II vt trillend of met bevende stem uitbrengen (ook: ~ out); III sb trilling; ♪ 1 triller; 2 achtste noot.

quay [ki:] kaai, kade.

quayage ['ki:idʒ] kaaigeld o; kaden.

quayside ['ki:said] kaai, kade.

quean [kwi:n] Sc vrouw, meisje o; > slet.

queasiness ['kwi:zinis] 1 misselijkheid; 2 kieskeurigheid, kiesheid; 3 walgijkheid.

queasy ['kwi:zi] 1 misselijk; 2 kieskeurig, kies; 3 walgijk.

queen [kwi:n] I sb 1 koningin²; 2 ◊ vrouw; ~ of hearts ◊ hartenvrouw; fig hartenveroveraarster; Queen Anne is dead dat is oud nieuws; II vt koningin maken [bij schaken]; III vi de koningin spelen (~ it).

queen-bee ['kwi:n'bi:] bijenkoningin.

queen consort ['kwi:n'kɔnsɔ:t] gemalin van de (een) regerende vorst.

queen dowager ['kwi:n'dauidʒə] koningin-weduwe.

queenhood ['kwi:nhud] koninginneschap o.

queenlike ['kwi:nlaik], queenly ['kwi:nli] als (van) een koningin.

queer [kwiə] I aj 1 wonderlijk, zonderling, vreemd, gek, raar°; 2 F onlekker; II vt S (het voor een ander) bederven (ook: ~ the pitch for a person).

quell [kwel] onderdrukken, bedwingen, dempen.

quench [kwen(t)ʃ] blussen, uitdoven, dempen, lessen; afkoelen, doen bekoelen.

quencher ['kwen(t)ʃə] S glaasje o.

quenchless ['kwen(t)ʃlis] on(uit)blusbaar, onlesbaar.

querist ['kwiərist] vrager.

quern [kwə:n] handmolen.

querulous ['kweruləs] klagend, kribbig.

query ['kwiəri] I sb vraag; vraagteken o; de vraag is...; II vi vragen; III vt 1 vragen; 2 een vraagteken zetten bij; 3 fig in twijfel trekken.

quest [kwest] I *sb* onderzoek *o*, onderzoeking, zoeken *o*; speurtocht; nasporing; *in* ~ *of* zoekende naar; II *vt* & *vi* zoeken.

question ['kwestʃən] I *sb* vraag, kwestie; interpellatie; twijfel; ~ pijniging, pijnbank; *Question!* ter zakel [in de Kamer &]; *a leading* ~ I een vraag waarbij men de hoorder het antwoord in de mond geeft; 2 een brandend vraagstuk *o*; *no* ~ *about it* er is geen twijfel aan; *I make no* ~ *that...* ik twijfel er niet aan of...; *put the* ~ tot stemming overgaan; *put to the* ~ op de pijnbank brengen; *fig* in scherp verhoor nemen; *it is beside the* ~ dat is de kwestie niet; *beyond* ~ zonder twijfel, ongetwijfeld, buiten kijf; *out of* ~ zonder twijfel, ongetwijfeld; *that's out of the* ~ daar is geen sprake van, geen kwestie van; *without* ~ zonder de minste bedenking, grif; ongetwijfeld, ondertwistbaar; II *vt* vragen, ondervragen, uitvragen; in twijfel trekken, betwijfelen; betwisten; *it cannot be* ~*ed but (that)...* er valt niet aan te twijfelen of...

questionable ['kwestʃənəbl] twijfelachtig; onzeker, verdacht; bedenkelijk.

questioner ['kwestʃənə] I vrager; 2 interpellant; 3 ondervrager, examinator.

questioning(ly) ['kwestʃəniŋ(li)] vragend.

question-mark ['kwestʃənma:k] vraagteken *o*.

questionnaire [kwestiə'nɛə] vragenlijst.

queue [kju:] I *sb* I vlecht, staart; 2 queue, file, rij; ris; II *vi* in de rij staan; ~ *up* in de rij gaan staan.

quibble ['kwibl] I *sb* spitsvondigheid, chicane; voorwendsel *o*; II *vi* spitsvondigheden gebruiken, chicaneren.

quibbler ['kwiblə] chicaneur.

quick [kwik] I *aj* vlug, snel, gezwind, gauw; levendig; scherp [oor &]; ~ levend; ~ *march!* voorwaarts mars!; ~ *march (step, time)* ✗ gewone marspas; *be* ~*!* vlug wat!, haast je!; *be* ~ *about it* er vlug mee zijn; ermee voortmaken; ~ *of apprehension* vlug van begrip; ~ *to learn* vlug in 't leren; II *ad* vlug, gauw, snel; III *sb* I levend vlees *o*; 2 levende haag; *the* ~ *and the dead* de levenden en de doden; *to the* ~ I tot op het leven; 2 tot in de ziel.

quicken ['kwikn] I *vt* (weer) levend maken; verlevendigen; aanmoedigen, aanzetten; verhaasten; II *vi* (weer) levend worden, opleven; sneller worden.

quick-firer ['kwik'faiərə] ✗ snelvuurkanon *o*.

quick-firing ['kwikfaiəriŋ] in: ~ *gun* ✗ snelvuurkanon *o*.

quicklime ['kwiklaim] ongebluste kalk.

quickly ['kwikli] *ad* zie *quick* I & II.

quickness ['kwiknis] levendigheid, vlugheid, snelheid, gauw(ig)heid; ~ *of temper* opvliegendheid.

quicksand(s) ['kwiksænd(z)] drijfzand *o*.

quickset ['kwikset] I *aj* levend [v. haag]; II *sb* I levende stek(ken) [inz. v. haagdoorn]; 2 levende haag.

quick-sighted ['kwik'saitid] scherp van gezicht.

quicksilver ['kwiksilvə] kwik(zilver) *o*.

quick-tempered ['kwik'tempəd] opvliegend.

quick-witted ['kwik'witid] vlug (van begrip), gevat, slagvaardig.

quid [kwid] pruim (tabak) ‖ S pond *o* (sterling) ‖ *a* ~ *pro quo* I vergoeding; 2 ook: leer om leer; 3 misvatting.

quiddity ['kwiditi] I wezenlijkheid; 2 spitsvondigheid.

quidnunc ['kwidnʌŋk] nieuwsgierig mens; nieuwtjesventer.

quiescence [kwai'esəns] rust, kalmte.

quiescent [kwai'esənt] rustig, vredig, stil.

quiet ['kwaiət] I *sb* rust, stilte, vrede; bedaardheid, kalmte; *be at* ~ rust hebben; II *aj* rustig, stil, bedaard, kalm, vreedzaam [lam], mak [paard]; niet opzichtig, stemmig [japon]; niet opdringerig [persoon]; ~*!* koest!; *be* ~*!* still, zwijg!; *on the* ~ in 't geheim, stilletjes, F stiekem; III *vt* doen bedaren, kalmeren, stillen; IV *vi* bedaren, kalmeren (meestal: ~ *down*).

quieten ['kwaiətn] kalmeren (ook: ~ *down*).

quietly ['kwaiətli] *ad* zie *quiet* II.

quietness ['kwaiətnis], **quietude** ['kwaiətju:d] rust, rustigheid, stilte.

quietus [kwai'i:təs] in: *get one's (its)* ~ de doodsteek (genadeslag) krijgen.

quiff [kwif] lok over het voorhoofd.

quill [kwil] I *sb* schacht; (veren) pen; tandestoker; dobber; ♠ stekel; ♪ fluitje *o*; ✗ spoel; pijp [kaneel]; *carry a good* ~ goed schrijven; II *vt* I plooien; 2 op de spoel winden.

quill-driver ['kwildraivə] F pennelikker.

quill-feather ['kwilfeðə] slagpen.

quilt [kwilt] I *sb* gewatteerde of gestikte deken of sprei; II *vt* I stikken, watteren; 2 S afranselen.

quince [kwins] ♣ kwee(peer).

quinine [kwi'ni:n] kinine.

quinquagenarian [kwiŋkwədʒi'nɛəriən] vijftigjarig(e).

Quinquagesima [kwiŋkwə'dʒesimə] Quinquagesima: zondag vóór de vasten.

quinquennial [kwiŋ'kweniəl] I vijfjarig; 2 vijfjaarlijks.

quinquennium [kwiŋ'kweniəm] vijfjarige periode.

quinquepartite [kwiŋkwi'pa:tait] vijfdelig.

quinquina [kiŋ'ki:nə] kina.

quinsy ['kwinzi] keelontsteking, angina.

quintal ['kwint(ə)l] I 100 pond; 2 100 kg.

quintan ['kwintən] vierdendaags(e koorts).

quintessence [kwin'tesəns] kwintessens.

quintessential [kwinti'senʃəl] wezenlijk, zuiver(st).

quintet(te) [kwin'tet] ♪ kwintet *o*; 2 vijftal *o*.

quintillion [kwin'tiljən] quintiljoen o.
quintuple ['kwintjupl] I aj vijfvoudig; II sb vijf-voud o; III vt vervijfvoudigen.
quintuplet ['kwintjuplet] vijfling.
quip [kwip] schimpscheut; kwinkslag; mop; spitsvondigheid.
1 quire ['kwaiə] katern, boek o [24 vel]; in ~s in losse vellen [v. boek].
2 quire ['kwaiə] zie choir.
Quirinal ['kwirinol] Quirinaal o.
quirk [kwə:k] draai; krul [aan letter]; ♪ loopje o; hebbelijkheid, eigenaardigheid, gril; uit-vlucht; kwinkslag; „steek".
quisling ['kwizliŋ] F landverrader.
quit [kwit] I aj vrij; ~ of the trouble van de soesa ontslagen (af); II va de woning rui-men; Am heen-, weggaan, er vandoor gaan; ('t) opgeven, ophouden, uitscheiden; III vt verlaten; laten varen; loslaten; overlaten; Am ophouden (uitscheiden) met; ⊙ kwijten; vereffenen; vergelden; IV V.T. & V.D. van ~.
quite [kwait] geheel en al, heel, helemaal, vol-komen, absoluut; zeer; wel; bepaald; nog maar; ~ (so) precies, juist; it is ~ too delight-ful F het is bepaald énig.
quits [kwits] quitte; I'll be ~ with him ik zal 't hem betaald zetten; cry ~ verklaren quitte te zijn; het erbij laten.
quittance ['kwitəns] vrijstelling; kwijting; be-loning, vergelding; kwitantie.
1 quiver ['kwivə] sb pijlkoker; have an arrow (a shaft) left in one's ~ al zijn pijlen nog niet verschoten hebben.
2 quiver ['kwivə] I vi trillen, beven, sidderen; II sb trilling, beving, siddering.
quiverful ['kwivəful] in: a ~ (of children) een hele schep kinderen.
qui vive [ki:'vi:v] in: on the ~ op zijn hoede.
quixotic [kwik'sətik] donquichotterig.
quixotism ['kwiksətizm], quixotry ['kwiksətri] donquichotterie.
quiz [kwiz] I sb snaak, type o, (droogkomie-ke) spotvogel, spotster; aardigheid, grap; ondervraging, vraag(spel o), hersengymnas-tiek(wedstrijd), quiz; II vt 1 voor de gek houden, foppen; 2 begluren; 3 ondervragen, aan de tand voelen.
quizzical ['kwizikl] spottend; snaaks; komisch.
✧ quizzing-glass ['kwiziŋgla:s] face-à-main.
quod [kwɔd] S nor, doos, gevang o.
quoin [kɔin] hoek, hoeksteen; wig.
quoit [kɔit] werpschijf, -ring; ~s werpspel o, ringwerpen o.
quondam ['kwɔndæm] gewezen, voormalig.
quorum ['kwɔ:rəm] quorum o: voldoend aan-tal leden om een wettig besluit te nemen.
quota ['kwoutə] I sb (evenredig) deel o; aan-deel o; contingent o; quota [v. films]; kies-deler; II vt contingenteren.
quotable ['kwoutəbl] aangehaald kunnende worden.

quotation [kwou'teiʃən] 1 aanhaling; citaat o; 2 $ notering, koers, prijs; prijsopgave; ~ marks aanhalingstekens.
quote [kwout] I vt 1 aanhalen, citeren; 2 $ op-geven, noteren (prijzen); II sb F aanhaling, citaat o; ~s aanhalingstekens.
✧ quoth [kwouθ] zei (ik, hij of zij).
✧ quotha ['kwouθə] och kom!, loop heen!
quotidian [kwou'tidiən] I aj dagelijks; alle-daags; II sb alledaagse koorts.
quotient ['kwouʃənt] quotiënt o.

R

r [a:] (de letter) r; the three ~'s = reading, (w)riting, (a)rithmetic lezen, schrijven en re-kenen (als minimum van onderwijs).
R.A. = Royal Academy; Royal Academician.
rabbet ['ræbit] I sb sponning; II vt een spon-ning maken in; met sponningen ineenvoe-gen.
rabbi ['ræbai], rabbin ['ræbin] rabbi, rabbijn.
rabbinate ['ræbinit] rabbinaat o.
rabbinic(al) [ræ'binik(l)] rabbijns.
rabbit ['ræbit] I sb 1 konijn o; Am haas; 2 sp S slecht speler, kruk; II vi op konijnen ja-gen.
rabble ['ræbl] grauw o, gepeupel o, gespuis o.
rabid ['ræbid] dol; razend, woest.
rabies ['reibii:z] hondsdolheid.
raccoon [rə'ku:n] ≈ gewone wasbeer.
1 race [reis] I sb wedloop, wedren, wedstrijd; loop; loopbaan; stroom; molenbeek; II vi racen; ✧ doorslaan [machine]; rennen, snel-len, jagen, vliegen, wedlopen, harddraven; III vt laten lopen [in wedren]; racen met; ~ the bill through the House het wetsontwerp er doorjagen.
2 race [reis] sb ras o, geslacht o, afkomst.
3 race [reis] sb wortel [v. gember].
race-course ['reiskɔ:s] renbaan.
race-horse ['reishɔ:s] renpaard o.
raceme [rə'si:m] ✿ tros.
racer ['reisə] 1 hardloper, renner; 2 harddra-ver; 3 racefiets, raceauto, wedstrijdjacht o &.
Rachel ['reitʃl] Rachel.
rachitis [ræ'kaitis] ✿ rachitis, Engelse ziekte.
racial ['reiʃəl] rassen-, ras-.
racialism ['reiʃəlizm] rassentheorie; rasvoor-oordeel o, racisme o.
racily ['reisili] ad zie racy.
raciness ['reisinis] geurigheid &, zie racy.
racing-car ['reisiŋka:] racewagen, raceauto.
racing cyclist ['reisiŋsaiklist] wielrenner.
racing motorist ['reisiŋmoutərist] autorenner, (auto)coureur.
racing-stable ['reisiŋsteibl] renstal.
rack [ræk] I sb pijnbank[2]; ✧ heugel, tand-reep; rek o, rak o, rooster; ruif ‖ arak ‖ zwerk o; ~ and pinion ✧ heugel en rondsel;

be on the ~ op de pijnbank liggen; op de been of in beweging zijn; zich uitsloven; in spanning zijn, op hete kolen staan; *go to* ~ *and ruin* geheel te gronde gaan; II *vt* spannen, op (in) een rek zetten; op de pijnbank leggen; *fig* pijnigen, folteren, afpersen, uitmergelen; ~ *one's brains about* zich het hoofd breken over ‖ III *vi* jagen [wolken].

1 **racket** ['rækit] *sb* 1 raket *o* & *v*; 2 sneeuwschoen; ~*s* raketspel *o*.

2 **racket** ['rækit] I *sb* leven *o*, kabaal *o*, herrie², drukte; gezwier *o*; S (afpersings)truc, zwendel; *stand the* ~ S 1 het kunnen uithouden, het er goed afbrengen; 2 (het gelag) betalen; II *vi* leven & maken; aan de zwier zijn (~ *about*).

racketeer [ræki'tiə] I *sb* (geld)afperser (door bedreiging met geweld); II *vi* als *racketeer* optreden.

rack railway ['rækreilwei] tandradbaan.

rack-rent ['rækrent] I *sb* exorbitante pacht of huur; II *vt* exorbitante pacht of huur eisen van (voor).

racoon [rə'ku:n] zie *raccoon*.

racquet ['rækit] zie 1 *racket*.

racy ['reisi] *aj* geurig [v. wijn]; pittig, sappig, pikant; fris, origineel.

radar ['reida:] radar.

raddle ['rædl] I *sb* roodaarde, > schmink; II *vt* roodaarden, > schminken.

radial ['reidiəl] I *aj* 1 straalsgewijze geplaatst, gestraald; stralen-, straal-; spaakbeen-; 2 radium-; ~ *engine* = II *sb* 🌟 stermotor.

radiance ['reidiəns] (uit)straling, glans.

radiant ['reidiənt] I *aj* uitstralend; stralend² (van *with*); II *sb* uitstralingspunt *o*.

1 **radiate** ['reidiit] *aj* gestraald.

2 **radiate** ['reidieit] *vi* (& *vt*) (af-, uit)stralen.

radiation [reidi'eiʃən] (af-, uit-, be)straling.

radiator ['reidieitə] radiator.

radical ['rædikl] I *aj* radicaal, grondig, ingrijpend; ingeworteld; grond-; wortel-; fundamenteel; II *sb* grondwoord *o*, stam, stamletter; × wortel(teken *o*); radicaal.

radicalism ['rædikəlizm] radicalisme *o*.

radically ['rædikəli] *ad* radicaal, in de grond; totaal.

radices ['reidisi:z] *mv* v. *radix*.

radicle ['rædikl] 🌿 wortelkiem, worteltje *o*.

radii ['reidiai] *mv* v. *radius*.

radio ['reidiou] I *sb* 1 radio; 2 radiotelegram *o*; *on the* ~ voor de radio (optredend, sprekend, uitzendend of uitgezonden), voor de microfoon, in de ether; *over the* ~ door (over, via) de radio, door de ether; II *vt* & *vi* radiotelegrafisch seinen, uitzenden, overbrengen &.

radioactive [reidiou'æktiv] radioactief.

radioactivity [reidiouæk'tiviti] radioactiviteit.

radiogram ['reidiougræm] 1 radio(tele)gram *o*; 2 röntgenfoto; 3 radiogrammofoon.

radiograph ⸗ reidiougra:f] röntgenfoto.

radiographer [reidi'ɔgrəfə] röntgenoloog.

radiography [reidi'ɔgrəfi] radiografie.

radiolocation ['reidioulou'keiʃən] radioplaatsbepaling.

radio-play ['reidiouplei] luisterspel *o*.

radiotelegram ['reidiou'teligræm] radio(tele)gram *o*.

radiotelephone [reidiou'telifoun] mobilofoon.

radiotelescope [reidiou'teliskoup] radiotelescoop.

radish ['rædiʃ] 🌿 radijs; *black* ~ rammenas.

radium ['reidiəm] radium *o*.

radius ['reidiəs] 1 straal, radius; 2 spaak; 3 spaakbeen *o*; ~ *of action* actieradius, 🛩 vliegbereik *o*.

radix ['reidiks] 1 wortel; 2 grondtal *o*.

R.A.F. = *Royal Air Force*.

raffish ['ræfiʃ] liederlijk, gemeen.

raffle ['ræfl] I *sb* 1 loterij, verloting; 2 rommel(zootje *o*); II *vt* verloten; III *vi* loten; ~ *for* een lot nemen op, loten om.

raft [ra:ft] I *sb* vlot *o*, houtvlot *o*; II *vt* vlotten.

rafter ['ra:ftə] (dak)spar ‖ vlotter.

raftered ['ra:ftəd] met sparren (verbonden).

raftsman ['ra:ftsmən] vlotter.

1 **rag** [ræg] *sb* vod *o* & *v*, lomp; lap, lapje *o* [ook = bankbiljet *o*]; lor² *o* & *v*; F zakdoek; doek; 🚢 zeil *o*; zie ook: *ragtime*; *the local* ~ het krantje van de plaats; ~*s of cloud* wolkenrafels; *in* ~*s* in lompen gehuld; *aan flarden* (hangend); *boil to* ~*s* tot draden of tot moes koken.

2 **rag** [ræg] *sb* soort zandsteen *o* & *m*.

3 **rag** [ræg] I *vt* ⊂ groenen, negeren; S pesten; er tussen nemen; II *vi* donderjagen; keet maken; III *sb* donderjool, keet.

ragamuffin ['rægəmʌfin] schooier; boefje *o*.

rag-book ['rægbuk] linnen prentenboek *o*.

rage [reidʒ] I *sb* woede, razernij; F „rage", manie; II *vi* woeden, razen; ~ *and rave* razen en tieren; III *vr* ~ *itself out* uitrazen.

ragged ['rægid] voddig, gescheurd, in gescheurde kleren, haveloos; slordig; onsamenhangend; ruw, ongelijk, getand; ~ *robin* 🌿 koekoeksbloem.

ragman ['rægmən] voddenraper, lompenkoopman.

ragout [ræ'gu:] ragoût.

rag-picker ['rægpikə] voddenraper.

ragtag ['rægtæg] in: *the* ~ (*and bobtail*) het janhagel, Jan Rap en zijn maat.

ragtime ['rægtaim] ♪ 1 gesyncopeerde maat; 2 muziek in deze maat.

ragwort ['rægwə:t] 🌿 kruiskruid *o*.

raid [reid] I *sb* (vijandelijke) inval, aanval [met vliegtuig]; rooftocht, razzia, overval; II *vi* (& *vt*) een inval doen (in), een razzia houden (in); een aanval doen (op); roven, plunderen.

raider ['reidə] deelnemer aan een *raid*; plunderaar; 🚢 kaper(schip *o*).

rail [reil] **I** *sb* leuning, rasterwerk *o*, hek *o*, ⚓ reling (ook: ~*s*); slagboom; staaf, stang, lat; dwarsbalk; rail, spoorstaaf; ~*s* ook: $ spoorwegaandelen; *by* ~ met het (per) spoor; *go* (*get*) *off the* ~*s* ontsporen; **II** *vt* 1 met hekwerk omgeven; omrasteren (ook: ~ *in*); 2 per spoor verzenden of vervoeren; ~ *off* afrasteren; ~ *it* met de trein gaan; **III** *vi* met het spoor reizen, sporen.

2 rail [reil] *vi* schelden, schimpen, smalen (op *at, against*).

3 rail [reil] *sb* ½ spriet.

rail-guard ['reilga:d] baanschuiver.

rail-head ['reilhed] eind *o* van de baan.

1 railing ['reiliŋ] reling, leuning; rastering, staketsel *o*, hek *o* (ook: ~*s*).

2 railing ['reiliŋ] schimp, gescheld *o*.

raillery ['reiləri] boert, scherts.

railroad ['reilroud] *Am* spoorweg, spoor *o*.

railway ['reilwei] spoorweg, spoor *o*.

railway porter ['reilweipo:tə] stationskruier.

railway yard ['reilweija:d] emplacement *o*.

⊙ **raiment** ['reimənt] kleding, kleed *o*, dos.

rain [rein] **I** *sb* regen[2]; ~ *or shine* mooi weer of niet, onder alle omstandigheden; *the* ~*s* 1 de regentijd [in de tropen], westmoesson; 2 de regenstreek van de Atlantische Oceaan; **II** *vi* regenen; *it never* ~*s but it pours* een (on)geluk komt zelden alleen; **III** *vt* doen (laten) regenen[2], doen neerdalen (neerkomen); *he* ~*ed benefits upon us* hij overlaadde ons met weldaden; *it* ~*ed cats and dogs* (*pitchforks*) het regende dat het goot.

rainbow ['reinbou] regenboog.

rainfall ['reinfo:l] regenval, neerslag.

rain-gauge ['reingeidʒ] regenmeter.

rain-proof ['reinpru:f] regendicht.

rainy ['reini] regenachtig, regen-; *provide against a* ~ *day* een appeltje voor de dorst bewaren.

raise [reiz] **I** *vt* doen rijzen; doen opstaan, uit zijn bed halen; opjagen; ophalen, optrekken; opslaan [de ogen]; opsteken, opheffen, optillen, oprichten, planten [de vlag]; bouwen, verbouwen, telen, fokken, (aan)kweken; grootbrengen; verhogen [ook v. loon]; bevorderen; opwekken; (ver)wekken; oproepen [geesten]; verheffen [stem]; aanheffen [kreet]; inbrengen, opwerpen, opperen, maken [bezwaren]; ✗ stoken [stoom]; lichten [gezonken schip]; heffen; op de been brengen, werven; opbreken [beleg]; opheffen [blokkade]; ~ *a beard* zijn baard laten staan; ~ *a blister* een blaar trekken; ~ *Cain* (*the devil* &) spektakel maken; ~ *one's hat to...* zijn hoed afnemen voor[2]; ~ *a loan* een lening uitschrijven; ~ *money* geld bijeenbrengen, zich geld verschaffen, F geld loskrijgen; ~ *a question* een kwestie te berde (ter sprake) brengen of doen opkomen; zie ook: *dust, wind* &; **II** *vr* ~ *oneself to be...* zich verheffen tot...; **III** *sb* (salaris)verhoging.

raised [reizd] 1 verhoogd; 2 (en) reliëf; *in a* ~ *voice* met verheffing van stem.

raiser ['reizə] optiller, opheffer; oprichter, stichter; opwekker; (aan)kweker, fokker.

raisin ['reizn] rozijn.

raja(h) ['ra:dʒə] radja [vorst in India].

1 rake [reik] *sb* lichtmis, losbol, roué.

2 rake [reik] **I** *sb* hark, krabber, rakelijzer *o*; **II** *vt* 1 harken, rakelen, (bijeen)schrapen, verzamelen; 2 af-, doorzoeken, -snuffelen; 3 ✗ enfileren; bestrijken; overzien, de blik laten gaan over; ~ *in* opstrijken [geld]; ~ *out* 1 uithalen ['t vuur]; 2 opscharrelen [iets]; ~ *up* bijeenharken, -schrapen, verzamelen; ~ *up a forgotten affair* een oude geschiedenis weer oprakelen.

3 rake [reik] **I** *sb* schuinte; **II** *vi* (& *vt*) schuin (doen) staan of aflopen.

⚓ **rakehell** ['reikhel] zie 1 *rake*.

rakish ['reikiʃ] losbandig; zwierig.

Raleigh ['ro:li, 'ra:li, 'ræli] Raleigh.

1 rally ['ræli] **I** *vt* verzamelen, herenigen; weer verzamelen; verenigen; **II** *vi* zich (weer) verzamelen, zich verenigen; zich herstellen, weer op krachten komen; er weer bovenop komen; ~ *round* zich scharen om; ~ *to* zich aansluiten bij; **III** *sb* hereniging, verzameling; bijeenkomst; reünie; toogdag; rally (= sterrit; reeks snel gewisselde slagen [tennis]); ✗ (signaal *o* tot) „verzamelen" *o*; weer bijkomen *o*, herstel *o* [v. krachten, prijzen].

2 rally ['ræli] *vt* plagen (met *on*).

rallying-point ['ræliiŋpoint] verzamelpunt *o*.

Ralph [rælf] Rudolf, Roelof, F Raaf.

ram [ræm] **I** *sb* 1 ✗ ram; 2 ✗ stormram; 3 ⚓ ramschip *o*; 4 ✗ heiblok; dompelaar; **II** *vt* 1 heien, aan-, in-, vaststampen; (vol)stoppen, -proppen; stoten (met); 2 ⚓ rammen; 3 ⊞ rammeien; ~ *Latin into him* hem Latijn instampen, inpompen.

Ramadan [ræmə'dæn] ramadan [mohammedaanse vastenmaand].

ramble ['ræmbl] **I** *vi* (rond-, om)zwerven, (rond-, om)dolen, dwalen; afdwalen [v. onderwerp]; raaskallen, ijlen; **II** *sb* zwerftocht, uitstapje *o*.

rambler ['ræmblə] zwerver; (*crimson*) ~ ⚘ klimroos.

rambling ['ræmbliŋ] **I** *aj* zwervend; ⚘ slingerend; verward, onsamenhangend; onregelmatig gebouwd, zonder plan neergezet; *a* ~ *expedition* een zwerftocht; **II** *sb* rondzwerven *o*, zwerftocht; *his* ~*s* 1 zijn zwerftochten; 2 zijn geraaskal *o*, zijn wartaal.

R.A.M.C. = *Royal Army Medical Corps* Geneeskundige troepen.

ramification [ræmifi'keiʃən] vertakking[2].

ramify ['ræmifai] **I** *vi* in takken uitschieten, zich vertakken[2]; **II** *vt* in takken verdelen[2].

ramjet ['ræmdʒet] ✈ stuwstraalbuis.

rammer ['ræmə] 1 heiblok *o*; 2 (straat)stamper; 3 laadstok; 4 aanzetter.

ramp [ræmp] I *vi* steigeren; razen, tieren; II *sb* glooiing, helling, oprit; vliegtuigtrap ‖ S zwendel, afzetterij.

rampage [ræm'peidʒ] I *vi* als gek rondspringen, als een dolle te keer gaan; II *sb* dolheid, uitgelatenheid; *be on the* ~ dol (wild) zijn van uitgelatenheid.

rampageous [ræm'peidʒəs] dol, uitgelaten.

rampancy ['ræmpənsi] hand over hand toenemen *o*, voortwoekeren *o*.

rampant ['ræmpənt] op de achterpoten staande; ⊘ klimmend; (dansend en) springend, uitgelaten, dartel; door 't dolle heen [partijgangers]; ⚕ weelderig; (hand over hand) toenemend; heersend, algemeen [ziekten]; *be* ~ ook: hoogtij vieren; *the spirit of... was* ~ *within him* beheerste hem geheel.

rampart ['ræmpɑ:t] I *sb* wal, bolwerk² *o*; II *vt* omwallen².

rampion ['ræmpjən] ⚕ rapunzel *o* & *m*.

ramrod ['ræmrɔd] laadstok.

ramshackle ['ræmʃækl] bouwvallig, vervallen, F gammel; waggelend, rammelend.

ran [ræn] V.T. van I *run*.

ranch [rɑ:n(t)ʃ, ræn(t)ʃ] *Am* I *sb* veefokkerij, boerderij; II *vi* werkzaam zijn als paarden- en veefokker.

rancher ['rɑ:n(t)ʃə, 'ræn(t)ʃə], **ranchman** ['rɑ:n(t)ʃ-, 'ræn(t)ʃmən] *Am* paarden- en veefokker.

rancid ['rænsid] ransig, garstig.

rancidity [ræn'siditi] ransigheid, garstigheid.

rancorous ['ræŋkərəs] haatdragend, wrokkend.

rancour ['ræŋkə] rancune, wrok; ingekankerde haat; *bear* ~ wrok koesteren.

Rand [rænd] *the* ~ de Witwatersrand.

randan [ræn'dæn] roeiboot voor drie man.

random ['rændəm] I *sb* in: *at* ~ in 't wilde weg, op goed geluk, in den blinde; er maar op los, lukraak; II als *aj* lukraak, in 't wilde (afgeschoten, gegooid &); *a* ~ *sample* een steekproef.

ranee ['rɑ:ni:] vorstin [in India].

rang [ræŋ] V.T. van 2 *ring*.

range [rein(d)ʒ] I *vt* rangschikken, (in rijen) plaatsen, ordenen, (op)stellen, scharen; gaan langs, varen langs; doorlopen², afzwerven; ✗ bestrijken; II *vr* ~ *oneself on the side of,* ~ *oneself with* zich scharen aan de zijde van; III *vi* zich uitstrekken, reiken, dragen [v. vuurwapen]; varen, lopen [in zekere richting]; zwerven; ✗ zich inschieten; ~ *between ...and* (*from ... to*) variëren tussen; ~ *with* (*among*) op één lijn staan met; IV *sb* rij, reeks, (berg)keten, richting°; draagwijdte; schietbaan, -terrein *o*; (keuken)fornuis *o*; bereik *o*; ♪ omvang [v. d. stem]; *fig* gebied² *o*, terrein² *o*; klasse; *a wide* ~ *of* ... een grote verscheidenheid van ..., diverse, allerlei, $ een ruime sortering..., een uitgebreide collectie...; *his* ~ *of reading* zijn belezenheid; *find the* ~ (*get one's* ~) ✗ zich inschieten; *have free* ~ vrij spel

hebben; *at short* ~ op korte afstand; *out of* ~ buiten schot; *within* ~ onder schot.

range-finder ['rein(d)ʒfaində] ✗ afstandsmeter.

ranger ['rein(d)ʒə] I zwerver; 2 ✗ jager te paard; 3 *Am* ✗ lid *o* van een commando; 4 speurhond; 5 ⚘ houtvester; 6 parkopzichter; 7 voortrekster [bij de padvindsters].

I **rank** [ræŋk] I *sb* rang, graad; rij, gelid *o*; (maatschappelijke) stand; standplaats [voor taxi's &]; other ~*s* ✗ militairen beneden de rang van sergeant; *the* ~*s* de geledenen; de grote hoop; *the* ~ *and fashion* de beau monde; *the* ~ *and file* I ✗ de minderen; 2 *fig* de grote hoop; de gewone man; *reduce to the* ~*s* ✗ degraderen; *rise from the* ~*s* ✗ uit de geledenen voortkomen [officier]; zich opwerken; II *vt* (in het gelid) plaatsen, (op)stellen; een plaats geven; ~ *with* op één lijn stellen met; III *vi* een rang hebben; een plaats innemen; ~ *among* behoren tot; ~ *with* dezelfde rang hebben als; op één lijn staan met.

2 **rank** [ræŋk] *aj* weelderig [groei]; grof; te sterk smakend of riekend; vuil; ~ *nonsense* klinkklare onzin, je reinste onzin.

ranker ['ræŋkə] ✗ I wie uit de geledenen officier geworden is; 2 gewoon soldaat.

rankle ['ræŋkl] ⚘ zweren, etteren; *fig* kankeren, knagen.

ransack ['rænsæk] af-, doorzoeken, doorsnuffelen; plunderen [een stad].

ransom ['rænsəm] I *sb* losgeld *o*; afkoopsom; vrijlating; verlossing; *a king's* ~ een heel vermogen, een kapitaal; *hold him to* ~ een losgeld voor hem eisen; *fig* hem brandschatten; II *vt* vrijkopen, af-, loskopen; vrijlaten; verlossen; *fig* brandschatten.

rant [rænt] I *vi* hoogdravende taal voeren, bombastisch oreren, fulmineren, uitvaren (tegen *against, at*); II *sb* bombast.

ranter ['ræntə] I schreeuwer; 2 F (primitieve) methodist; 3 straatprediker.

ranunculus [rə'nʌŋkjuləs] ⚕ ranonkel.

R.A.O.C. = *Royal Army Ordnance Corps* Uitrustingstroepen.

rap [ræp] I *sb* I slag; tik; geklop *o*; 2 S duit; *not a* ~ geen steek, geen zier, geen sikkepit; II *vt* slaan, kloppen, tikken (op); ~ *a person's knuckles* iemand op de vingers tikken; ~ *out* I door kloppen te kennen geven [v. geesten]; 2 *fig* eruit gooien; III *vi* kloppen, (aan)tikken.

rapacious(ly) [rə'peiʃəs(li)] roofzuchtig.

rapacity [rə'pæsiti] roofzucht.

I **rape** [reip] I *vt* I onteren; 2 ⊙ (gewelddadig) ontvoeren; roven; II *sb* I ontering; 2 ⊙ (gewelddadige) ontvoering; roof.

2 **rape** [reip] *sb* ⚕ raap-, koolzaad *o*.

rapeseed ['reipsi:d] kool-, raapzaad *o*.

Raphael ['ræfeiəl] Raphael.

rapid ['ræpid] I *aj* snel, vlug; steil [v. helling]; II *sb* stroomversnelling.

rapidity [rə'piditi] snelheid, vlugheid; steilheid.

rapidly ['ræpidli] *ad* zie *rapid* I.

rapier ['reipiə] rapier *o*.

rapine ['ræpain] roverij, roof.

rapper ['ræpə] I klopper; 2 F spiritist.

rapscallion [ræps'kæljon] schurk, schelm.

rapt [ræpt] weggerukt, opgetogen, verrukt (ook: ~ *away*, *up*); ~ *into admiration* in de wolken van bewondering; ~ *up in her husband* geheel opgaand in; ~ *with joy* vervoerd van vreugde.

rapture ['ræptʃə] vervoering, verrukking; *go into* ~s in extase raken (over *over*).

○ **raptured** ['ræptʃəd] verrukt, in extase.

rapturous(ly) ['ræptʃərəs(li)] verrukkend, extatisch, opgetogen, verrukt.

rare [rɛə] *aj* I dun, ijl; 2 zeldzaam, ongewoon; 3 buitengewoon (mooi), bijzonder.

rarebit ['rɛəbit] zie *Welsh* I.

raree-show ['rɛərifou] kijkkast, rarekiek.

rarefaction [rɛəri'fækʃən] verdunning.

rarefy ['rɛərifai] I *vt* verdunnen, verfijnen²; II *vi* zich verdunnen, ijler worden.

rarely ['rɛəli] *ad* I zelden; 2 zeldzaam of bijzonder (mooi &).

rarity ['rɛəriti] I zeldzaamheid (ook = rariteit); 2 dunheid, ijlheid.

R.A.S.C. = *Royal Army Service Corps* Aanen afvoertroepen.

rascal ['ra:skəl] I *sb* schelm, schurk; II *aj* ✷ gemeen; *the* ~ *rout* het gepeupel.

rascality [ra:s'kæliti] schelmerij, schurkachtigheid; schurkenstreek; ✷ rapaille *o*.

rascally ['ra:skəli] schurkachtig, gemeen.

rase [reiz] zie *raze*.

I **rash** [ræʃ] *sb* (huid)uitslag.

2 **rash** [ræʃ] *aj* overijld, overhaastig; lichtvaardig, roekeloos, onbezonnen.

rasher ['ræʃə] reepje *o*, sneetje *o* spek of ham.

rashly ['ræʃli] *ad* zie 2 *rash*.

rashness ['ræʃnis] overijling; lichtvaardigheid; roekeloosheid; onbezonnenheid.

rasp [ra:sp] I *sb* rasp; gekras *o*; II *vt* raspen, (af)schrapen; krassend schuren over; onaangenaam aandoen; III *vi* krassen.

raspberry ['ra:zb(ə)ri] ✿ framboos.

rat [ræt] I *sb* I rat; 2 S overloper; onderkruiper; ~s! onzin!; II *vi* I ratten vangen; 2 S overlopen; de onderkruiper spelen.

ratability [reitə'biliti] schatbaarheid; belastbaarheid.

ratable ['reitəbl] schatbaar; belastbaar; belastingplichtig.

ratafia [rætə'fiə] ratafia.

rataplan [rætə'plæn] rataplan.

ratch [rætʃ], **ratchet** ['rætʃit] ✗ pal.

I **rate** [reit] I *sb* tarief *o*; cijfer *o*, verhouding; snelheid, vaart, tempo *o*; prijs, koers; standaard, maatstaf; graad, rang, klasse; (gemeente)belasting; ~ *of exchange* (wissel)koers; ~ *of interest* rentevoet; ~ *of pay* (*wages*) loonstandaard; ~s *and taxes* gemeente- en rijksbelastingen; *at any* ~ in ieder geval; tenminste; *at that* ~ op die manier; *at the* ~ *of* I met een snelheid van; 2 ten getale van; 3 tegen, op de voet van [3%], à raison van; ook onvertaald in: *people were killed at the* ~ *of 40 a day* er werden veertig mensen per dag gedood; *come (up)on the* ~s armlastig worden; II *vt* aanslaan, (be)rekenen, taxeren, bepalen; schatten², waarderen²; *Am* verdienen, waard zijn, behalen; *be* ~*d as* ♻ de rang hebben van; III *vr* in: ~ *oneself with* zich op één lijn stellen met; IV *vi* geschat worden, gerekend worden, de rang hebben (van *as*).

2 **rate** [reit] *vt* doorhalen; ~ *at* uitvaren tegen.

rateable zie *ratable*.

ratepayer ['reitpeiə] belastingbetaler, belastingschuldige.

○ **rathe, rath** [reið, ra:θ] vroeg.

rather ['ra:ðə] I eer(der), liever, veeleer; meer; 2 heel wat; 3 nogal, vrij, enigszins, tamelijk, wel; ~ *nice* ook: niet onaardig; ~! En of! Of ik!

ratification [rætifi'keiʃən] ratificatie, bekrachtiging.

ratify ['rætifai] ratificeren, bekrachtigen.

rating ['reitiŋ] I aanslag [in gemeentebelasting]; 2 ♻ graad, klasse; 3 waardering, waarderingscijfer *o* ‖ uitbrander; *the* ~s ook: ♻ het personeel, de manschappen.

ratio ['reiʃiou] verhouding, reden.

ratiocinate [ræti'ɔsineit] redeneren.

ratiocination [rætiɔsi'neiʃən] redenering.

ration ['ræʃən] I *sb* rantsoen *o*, portie; *off the* ~ niet op de bon, van de bon, zonder bon; *on the* ~ op de bon; II *vt* I rantsoeneren; distribueren [in oorlogstijd &]; op rantsoen stellen; 2 zijn (hun) rantsoen geven.

rational ['ræʃənl] *aj* redelijk, verstandig, rationeel; ~ *dress* reformkleding.

rationalism ['ræʃ(ə)nəlizm] rationalisme *o*.

rationalist ['ræʃ(ə)nəlist] rationalist(isch).

rationalistic [ræʃ(ə)nə'listik] rationalistisch.

rationality [ræʃə'næliti] I rede; verstand *o*; 2 redelijkheid, rationaliteit.

rationalization [ræʃ(ə)nəlai'zeiʃən] rationalisatie.

rationalize ['ræʃ(ə)nəlaiz] rationaliseren.

rationally ['ræʃənəli] *ad* zie *rational*.

rationing ['ræʃəniŋ] rantsoenering; distributie.

rat race ['rætreis] *Am* zinloze jacht naar meer, tredmolen van de maatschappij.

rattan [ræ'tæn] I rotan *o & m* [stofnaam]; 2 rotan *m* [voorwerpsnaam].

rat-tat ['ræt'tæt] tok-tok, geklop *o*.

ratten ['rætn] sabotage plegen, saboteren.

rattening ['rætniŋ] sabotage.

ratter ['rætə] I rattenvanger; 2 S overloper.

rattle ['rætl] I *vi* ratelen, rammelen, kletteren; reutelen; ~ *along* (*away*, *on*) maar doorratelen (kletsen); II *vt* I doen rammelen &; rammelen met &; 2 S zenuwachtig, in de war maken; ~ *off* (*out*, *over*) afrabbelen, aframmelen [les &]; **III** *sb* ratel², rammelaar; geratel *o*; gerammel *o*; reutelen *o*; reutelaar; *the* ~*s* de kroep.

rattle-brain ['rætlbrein] leeghoofd *o* & *m*-*v*.
rattle-headed ['rætlhedid] onbezonnen.
rattler ['rætlə] 1 ratel, kletsmeier; 2 F ratelslang; 3 S klap die aankomt, vloek van heb ik jou daar, donderse leugen.
rattlesnake ['rætlsneik] ratelslang.
rattletrap ['rætltræp] rammelkast.
rattling ['rætliŋ] ratelend &; < verduiveld (goed &).
rat-trap ['rættræp] ratteval.
raucous ['rɔ:kəs] schor, rauw.
ravage ['rævidʒ] **I** *sb* verwoesting, teistering; plundering; **II** *vt* verwoesten, teisteren; plunderen.
rave [reiv] **I** *vi* ijlen, raaskallen; razen (en tieren); ~ *about* (*of*, *over*) dol zijn op, dwepen met; **II** *vt* uitkramen; **III** *vr* ~ *itself out* uitrazen; **IV** *sb* dol gedweep *o*.
ravel ['rævl] **I** *vt* 1 uit-, ontrafelen, ontwarren (ook: ~ *out*); 2 verwikkelen, in de war maken, verwarren; **II** *vi* 1 in de war geraken; 2 rafelen; **III** *sb* 1 ingewikkeldheid, wirwar; 2 rafel.
1 **raven** ['reivn] **I** *sb* 🐦 raaf; **II** als *aj* ravezwart.
2 **raven** ['rævn] **I** *vt* verslinden, opslokken; **II** *vi* gulzig schrokken; roven.
ravening ['rævniŋ] **I** *aj* roofzuchtig; zie ook: *ravenous*; **II** *sb* roofzucht.
ravenous ['rævinəs] 1 verslindend, vraatzuchtig, uitgehongerd; 2 roofzuchtig; *a* ~ *appetite* een razende honger.
⊙ **ravin** ['rævin] roofgierigheid; roof; buit.
ravine [rə'vi:n] ravijn *o*, gleuf, kloof.
raving ['reiviŋ] **I** *aj* ijlend; **II** *ad* in: ~ *mad* stapelgek; **III** *sb* ijlen *o*; dweperij, gedweep *o*; *his* ~*s* zijn geraaskal *o*.
ravish ['rævɪʃ] ontrukken, (ont)roven, wegvoeren, meeslepen²; *fig* verrukken.
ravisher ['ræviʃə] rover; ontvoerder.
ravishment ['ræviʃmənt] ontroving; roof; wegvoering; *fig* verrukking.
raw [rɔ:] **I** *aj* rauw°, guur; ruw, onbewerkt, grof; groen, onervaren, ongeoefend; onvermengd [dranken], puur; ongevold; *a* ~ *deal* een onbillijke (gemene) behandeling; ~ *materials* grondstoffen; **II** *sb* rauwe plek; *touch him on the* ~ hem in zijn zeer tasten.
raw-boned ['rɔ:bound] mager (als een hout).
rawness ['rɔ:nis] rauwheid &, zie *raw* I.
1 **ray** [rei] *sb* 🐟 rog.
2 **ray** [rei] **I** *sb* straal; **II** *vi* stralen schieten, stralen; **III** *vt* uitstralen (ook: ~ *forth*); 🌱 bestralen.
rayon ['reiɔn] rayon *o* & *m* [kunstzijde].
raze [reiz] doorhalen, uitwissen, uitkrabben; met de grond gelijk maken, slechten.

razor ['reizə] scheermes *o*; *electric* ~ elektrisch scheerapparaat *o*; *as sharp as a* ~ ook: vlijmscherp.
razor-back ['reizəbæk] scherpe rug.
razor-bill ['reizəbil] 🐦 alk.
razor-edge ['reizəredʒ] scherp *o* [van scheermes], scherpe kant (rand); *on a* (*the*) ~ op de rand, op de grens; in een netelige toestand.
razor-strop ['reizəstrɔp] aanzetriem. [stand.
razzia ['ræziə] razzia, inval, strooptocht.
razzle(-dazzle) ['ræzl(dæzl)] herrie, drukte; *on the* ~ S aan de zwier.
R.E. = *Royal Engineers* de Genie.
1 **re** [rei] ♪ re.
2 **re** [ri:] inzake.
reabsorb ['ri:əb'sɔ:b] weer absorberen.
reach [ri:tʃ] **I** *vt* bereiken; komen tot [gevolgtrekking &]; aanreiken, overhandigen; toesteken, uitstrekken; ~ *one's audience* weten te „pakken"; **II** *vi* reiken, zich uitstrekken; *the news has not* ~*ed here* is nog niet binnengekomen; ~ *after* zie ~ *for*; ~ *at* reiken tot, bereiken, raken; ~ *down* afhangen, afnemen; ~ *for* de hand uitsteken naar, grijpen naar, reiken naar, trachten te bereiken, streven naar; ~ *out* (de hand) uitsteken; ~ (*up*) *to it* zover reiken, het bereiken, er bij komen; **III** *sb* bereik *o*, omvang, uitgestrektheid; rak *o* [rivier]; *the higher* (*upper*) ~*es of* ook: *fig* de hogere regionen van; *above my* ~ boven mijn bereik (horizon); *beyond the* ~ *of* buiten bereik van; *out of* ~ niet te bereiken; *out of my* ~ buiten mijn bereik; *within* ~ (makkelijk) te bereiken; *within my* ~ binnen mijn bereik.
reach-me-down ['ri:tʃmidaun] **I** *aj* confectie; **II** *sb* confectiepak *o*.
re-act ['ri:'ækt] *vt* weer opvoeren (spelen).
react [ri'ækt] *vi* reageren (op *upon*, *to*) terugwerken; ~ *against* zich verzetten tegen, tegen (iets) ingaan, tegenwerken.
reaction [ri'ækʃən] reactie, terugwerking.
reactionary [ri'ækʃənəri] reactionair.
reactor [ri'æktə] reactor.
1 **read** [ri:d] **I** *vt* lezen (in), af-, op-, voorlezen; oplossen [raadsel]; ontcijferen; uitleggen [droom], opvatten, begrijpen; doorzien [iemand]; ~ *the clock* op de klok kijken; ~ *the gas-meter* de gasmeter opnemen; ~ *law* in de rechten studeren; *if I* ~ *him rightly* als ik hem goed begrijp, als ik mij niet vergis in zijn karakter; ~ *off* (af)lezen, oplezen; ~ *out* uitlezen; hardop lezen, oplezen; voorlezen; ~ (*over*) *to one* iemand voorlezen; ~ *up* 1 hardop lezen; 2 doorlezen, nazien [lessen]; **II** *vr* ~ *oneself in* zijn intreepreek houden; **III** *vi* lezen; studeren; een lezing houden; zich laten lezen; klinken, luiden; *the thermometer* ~*s* 30 wijst 30 aan; ~ *with one* 1 studeren onder iemands leiding; 2 iemand klaarmaken [voor examen]; **IV** *sb* in: *have a long* (*quiet* &) ~ lang (rustig) zitten lezen.

2 read [red] V.T. & V.D. van *read*; *well*~, *deeply* ~ (zeer) belezen, op de hoogte.

readability [ri:də'biliti] leesbaarheid.

readable ['ri:dəbl] lezenswaardig, leesbaar[2].

reader ['ri:də] 1 lezer, voorlezer; lezeres; lector; adviseur [v. een uitgever]; 2 corrector; 3 leesboek *o*; ook: *lay reader*.

readership ['ri:dəʃip] 1 voorlezerschap *o*, voorlezersplaats; 2 lectoraat *o*; 3 aantal *o* lezers, lezerskring.

readily ['redili] *ad* geredelijk, grif, dadelijk, gaarne, gemakkelijk; *sell* ~ $ gerede aftrek vinden.

readiness ['redinis] gereedheid, bereid zijn *o*; bereidwilligheid; (slag)vaardigheid; vlugheid; ~ *of resource* vindingrijkheid; ~ *of wit* gevatheid; *in* ~ gereed, klaar.

reading ['ri:diŋ] I *aj* lezend, van lezen houdend; vlijtig, hard werkend; II *sb* (voor)lezen *o*; lezing°, aflezing; belezenheid; lectuur; studie; opvatting; stand [v. barometer &].

reading-book ['ri:diŋbuk] leesboek *o*.

reading-desk ['ri:diŋdesk] lezenaar.

reading-lamp ['ri:diŋlæmp] leeslamp; studeerlamp.

reading-room ['ri:diŋrum] leeszaal, -kamer.

readjourn ['ri:ə'dʒə:n] weer uitstellen, verdagen of opschorten.

readjust ['ri:ə'dʒʌst] weer regelen, in orde brengen of schikken, weer aanpassen.

readjustment ['ri:ə'dʒʌstmənt] opnieuw regelen *o*, in orde brengen *o* of schikken *o*, weer aanpassen *o*.

readmission ['ri:əd'miʃən] wedertoelating.

readmit ['ri:əd'mit] weer toelaten.

readmittance ['ri:əd'mitəns] wedertoelating.

readopt ['ri:ə'dɔpt] weer aannemen.

ready ['redi] I *aj* bereid, gereed, klaar; bereidwillig; vaardig; gemakkelijk; snel; vlug, bij de hand, gevat; ~ *cash (money)* contant geld *o*; ~ *reckoner* (boek *o* met) herleidingstabellen; *the readiest weapon he found* het eerste het beste; ~ *wit* slagvaardigheid, slagvaardigheid; *make (get)* ~ (zich) klaarmaken; ~ *for sea* zeilvaardig; ~ *to faint* op het punt van te bezwijmen; II *sb the* ~ F de contanten, de duiten; *at the* ~ gereed (om te vuren), klaar.

ready-made ['redi'meid, + 'redimeid] I *aj* confectie-; (kant en) klaar; II *sb* confectiepakje *o*.

ready-to-wear ['reditə'weə] confectie-.

reaffirm ['ri:ə'fə:m] opnieuw bevestigen.

reafforest ['ri:ə'fɔrist] herbebossen.

reafforestation ['ri:əfɔris'teiʃən] herbebossing.

reagent [ri:'eidʒənt] reagens *o*.

1 real [rei'a:l] *sb* reaal [munt].

2 real ['riəl] *aj* wezenlijk, werkelijk, waar, eigenlijk, echt, reëel; zakelijk [recht]; onroerend [eigendommen]; ~ *money* klinkende munt; *the* ~ *thing* F je ware.

realism ['riəlizm] realisme *o*, werkelijkheidszin.

realist ['riəlist] realist(isch).

realistic [riə'listik] realistisch.

reality [ri'æliti] realiteit; wezenlijkheid, werkelijkheid.

realization [riəlai'zeiʃən] 1 verwezenlijking; besef *o*; 2 $ realisatie, tegeldemaking.

realize ['riəlaiz] verwezenlijken; realiseren, te gelde maken; zich voorstellen, beseffen, zich rekenschap geven van, inzien; $ opbrengen [v. prijzen], maken [winst].

really ['riəli] *ad* werkelijk, waarlijk, inderdaad, in werkelijkheid, eigenlijk; echt, bepaald, beslist, heus, toch.

realm [relm] koninkrijk *o*, rijk *o*.

realty ['riəlti] vast of onroerend goed *o*.

1 ream [ri:m] *sb* riem [papier].

2 ream [ri:m] *vt* opruimen [een gat].

reamer ['ri:mə] ⚒ (op)ruimer, ruimnaald.

reanimate ['ri:'ænimeit] weer bezielen of doen opleven, doen herleven, bijbrengen.

reanimation ['ri:æni'meiʃən] wederbezieling; herleving.

reap [ri:p] maaien, inoogsten, oogsten[2]; ~ *the fruits of* de vruchten plukken van.

reaper ['ri:pə] 1 maaier, oogster; 2 maaimachine; *the Reaper* de Dood.

reaping-hook ['ri:piŋhuk] zicht, sikkel.

reaping-machine ['ri:piŋməʃi:n] maaimachine.

reappear ['ri:ə'piə] weer verschijnen &.

reappearance ['ri:ə'piərəns] wederverschijning.

reappoint ['ri:ə'pɔint] weer benoemen, herbenoemen, weer aanstellen.

reappointment ['ri:ə'pɔintmənt] herbenoeming, wederaanstelling.

1 rear [riə] I *sb* achterhoede; achterkant; etappe, etappegebied *o*; *bring up the* ~ ✕ de achterhoede vormen, achteraan komen; *at (in) the* ~ *of* achter; *in (the)* ~ achteraan; van achteren; *attack in (the)* ~ in de rug aanvallen[2]; II *aj* achter-, achterste.

2 rear [riə] I *vt* 1 oprichten, opheffen; bouwen; 2 opbrengen, (op)kweken, grootbrengen; fokken; verbouwen; II *vr* ~ *onesel (itself)* zich verheffen; III *vi* steigeren.

rear-admiral ['riə'rædmirəl] ⚓ schout-bij-nacht.

rearguard ['riəga:d] ✕ achterhoede.

rearm ['ri:'a:m] (zich) herbewapenen.

rearmament ['ri:'a:məmənt] herbewapening.

rearmost ['riəmoust] achterste.

rearrange ['ri:ə'reindʒ] opnieuw schikken &.

rearward ['riəwəd] I *sb* achterhoede; *in the* ~ achteraan (geplaatst); achter ons; *to* ~ *of* achter; II *aj* achterwaarts; achterste, achter-; III *ad* achterwaarts.

reascend ['ri:ə'send] I *vi* weer (op)stijgen, (op)klimmen; II *vt* opnieuw beklimmen.

reason ['ri:zn] I *sb* rede, redelijkheid, verstand *o*; recht *o*, billijkheid; reden, oorzaak, grond; *as* ~ *was* wat dan ook billijk was; *there's some* ~ *in that* dat laat zich horen; *hear* ~ naar rede luisteren; *he shall... or I will know the* ~ *why* of hij krijgt met mij te doen; *lose one's* ~ het verstand verliezen; *see* ~ *to...* reden hebben om...; *talk* ~ verstandig spreken; *by* ~ *of* op grond van, ten gevolge van, vanwege, wegens; *for some* ~ (*or other*) om de een of andere reden; *he will do anything in* ~ alles wat men billijkerwijs verlangen kan; *in* ~ *or out of* ~ redelijk of niet; *listen to* ~ naar rede luisteren; *it stands to* ~ het spreekt vanzelf; *with* ~ met recht, terecht; *without* ~ zonder reden; II *vi* redeneren (over *about, of, upon*); III *vt* beredeneren, redeneren over; bespreken; ~ *away* wegredeneren; ~ *down* door redenering overwinnen; ~ *one into* ...*ing* overreden of overhalen om...; ~ *it out* beredeneren; ~ *out the consequences* de gevolgen bedenken; ~ *him out of his fears* hem zijn angst uit 't hoofd praten.

reasonable ['ri:znəbl] *aj* redelijk; billijk; matig.

reasonably ['ri:znəbli] *ad* redelijk; billijk; tamelijk; redelijkerwijs, met reden, terecht.

reasoned ['ri:znd] beredeneerd.

reasoner ['ri:znə] redeneerder.

reasoning ['ri:zniŋ] redenering.

reassemble ['ri:ə'sembl] I *vt* opnieuw verzamelen; II *vi* weer bijeenkomen.

reassert ['ri:ə'sə:t] I *vt* weer verklaren; II *vr* ~ *itself* zich weer doen gelden.

reassertion ['ri:ə'sə:ʃən] herhaalde verklaring.

reassume ['ri:ə'sju:m] terugnemen; weer aannemen, weer aanvaarden of opvatten.

reassumption ['ri:ə'sʌm(p)ʃən] wederaanneming; hervatting.

reassurance [ri:ə'ʃuərəns] nieuwe verzekering; geruststelling.

reassure [ri:ə'ʃuə] opnieuw verzekeren; geruststellen.

⚓ reave [ri:v] (be)roven.

rebaptism [ri:'bæptizm] wederdoop.

rebaptize [ri:bæp'taiz] opnieuw dopen.

rebate ['ri:beit] I *sb* $ korting, rabat *o*, aftrek; II *vt* [ri'beit] ⚓ verminderen, verzwakken; verstompen; zie ook: *rabbet.*

1 **rebel** ['rebəl] I *sb* oproermaker, oproerling, opstandeling, muiter; rebel; II als *aj* oproerig, opstandig, muitend.

2 **rebel** [ri'bel] *vi* oproer maken, muiten, opstaan, in opstand komen.

rebellion [ri'beljən] oproer *o*, opstand.

rebellious(ly) [ri'beljəs(li)] oproerig, rebels, weerspannig, hardnekkig [v. zweren].

rebind ['ri:'baind] opnieuw (in)binden.

rebirth ['ri:'bə:θ] wedergeboorte.

1 **rebound** [ri'baund] I *vi* terugspringen, terug-, afstuiten; II *sb* terugspringen *o*, terugstoot, afstuiting.

2 **rebound** ['ri:'baund] V.T. & V.D. v. *rebind.*

rebroadcast ['ri:'brɔ:dka:st] I *vt* & *vi* 🎙 ⚓ heruitzenden; II V.T. & V.D. van ~; III *sb* 🎙 ⚓ heruitzending.

rebuff [ri'bʌf] I *sb* weigering, afwijzing; te-

rechtwijzing; echec *o*; II *vt* weigeren, afwijzen, afstoten; terechtwijzen.

rebuild ['ri:'bild] herbouwen, weer opbouwen; ombouwen.

rebuilt ['ri:'bilt] V.T. & V.D. van *rebuild.*

rebuke [ri'bju:k] I *vt* berispen; II *sb* berisping.

rebus ['ri:bəs] rebus; ⊘ sprekend wapen *o*.

rebut [ri'bʌt] 1 terugslaan, terugstoten, afweren; 2 weerleggen; terug-, afwijzen.

rebuttal [ri'bʌtəl] weerlegging.

recalcitrance [ri'kælsitrəns] weerspannigheid.

recalcitrant [ri'kælsitrənt] I *aj* tegenstribbelend, weerspannig; II *sb* weerspannige.

recalcitrate [ri'kælsitreit] tegenstribbelen, weerspannig zijn, zich verzetten.

recall [ri'kɔ:l] I *vt* 1 terugroepen; herroepen, intrekken; weer in het geheugen roepen, memoreren, herinneren aan; zich herinneren; 2 $ opzeggen [een kapitaal]; *it* ~*s...* het doet je denken aan...; II *sb* terugroeping; herroeping; rappel *o*; bis [in schouwburg]; *beyond* (*past*) ~ onherroepelijk; reddeloos (verloren).

recant [ri'kænt] I *vt* herroepen, terugnemen; II *vi* & *va* zijn woorden terugnemen, zijn dwaling openlijk afzweren.

recantation [ri:kæn'teiʃən] herroeping, afzwering van een dwaling.

recapitulate [ri:kə'pitjuleit] I *vt* in het kort herhalen, samenvatten; II *vi* resumeren.

recapitulation [ri:kəpitju'leiʃən] recapitulatie, korte herhaling of samenvatting.

recapitulatory [ri:kə'pitjuleitəri] recapitulerend, resumerend, kort samenvattend.

recapture ['ri:'kæptʃə] I *vt* heroveren; II *sb* 1 herovering; 2 ⚓ heroverd prijsschip *o*.

recast ['ri:'ka:st] I *vt* opnieuw gieten, omgieten; opnieuw vormen; opnieuw berekenen; *fig* opnieuw bewerken, omwerken [een boek &]; II *sb* omgieten *o*; *fig* omwerking.

recede [ri'si:d] *vi* teruggaan, -wijken, (zich) terugtrekken; $ teruglopen [koers]; zich verwijderen [v. d. kust &]; aflopen [getij]; ~ *from a demand* een eis laten vallen; ~ *from view* uit het gezicht verdwijnen.

receipt [ri'si:t] I *sb* ontvangst; bewijs *o* van ontvangst, kwitantie; reçu *o*; recept *o*; ~*s* recette; *be in* ~ *of* ontvangen hebben; ontvangen, krijgen, trekken; *on* ~ *of* na ontvangst van; II *vt* kwiteren.

receipt-stamp [ri'si:tstæmp] plakzegel.

receivable [ri'si:vəbl] ontvangbaar, aannemelijk; nog te ontvangen of te innen.

receive [ri'si:v] I *vt* ontvangen, aannemen, in ontvangst nemen; opvangen; vinden, krijgen; opnemen, toelaten; ⚖ helen; *the standard* ~*d in Paris* te Parijs geldend; II *vi* 1 recipiëren, ontvangen; 2 ⚖ helen.

receiver [ri'si:və] 1 ontvanger°; 2 heler; 3 ⚖ curator [v. failliete boedel]; 4 recipiënt, klok; 5 reservoir *o*; 6 🕾 hoorn; 7 🎙 ⚓ ontvangtoestel *o*; *official* ~ curator bij een faillissement;

the ∼ *is as bad as the thief* de heler is zo goed als de steler.
receiving-licence [ri'si:viŋlaisəns] 🎖✝ luistervergunning.
receiving-office [ri'si:viŋɔfis] bestelkantoor *o*.
receiving-order [ri'si:viŋɔ:də] 🎗 aanstelling tot curator [bij faillissement].
receiving-set [ri'si:viŋset] 🎖✝ ontvangtoestel *o*.
receiving-station [ri'si:viŋsteiʃən] 🎖✝ ontvangstation *o*.
recency ['ri:sənsi] van recente datum zijn *o*; nieuwheid, frisheid.
recension [ri'senʃən] herziening; herziene uitgaaf.
recent ['ri:sənt] *aj* van recente datum, onlangs plaats gehad hebbend; van de nieuwere tijd; vers, nieuw, fris; laatst, jongst.
recently ['ri:səntli] *ad* I onlangs, kort geleden; 2 in de laatste tijd; *as* ∼ *as 1919* in 1919 nog.
receptacle [ri'septəkl] vergaarbak, -plaats; schuilplaats; ⚘ bloem-, vruchtbodem.
reception [ri'sepʃən] ontvangst, onthaal *o*, opname; opneming; receptie.
reception centre [ri'sepʃənsentə] opvangcentrum *o*.
reception clerk [ri'sepʃənkla:k], **receptionist** [ri'sepʃənist] receptionist(e).
receptive [ri'septiv] receptief, kunnende opnemen, ontvankelijk; ∼ *faculties* opnemingsvermogen *o*.
receptivity [risep'tiviti] receptiviteit, opnemingsvermogen *o*, ontvankelijkheid.
recess [ri'ses] terugwijking [v. gevel]; inham, (schuil)hoek, nis, alkoof; opschorting [v. zaken]; reces *o*; vakantie; ↩ pauze, vrij kwartier *o*, speelkwartier *o*; *in* ∼ op reces.
recession [ri'seʃən] wijken *o*; terugtreding; $ recessie.
recessional [ri'seʃənəl] gezang *o* terwijl de geestelijken zich na afloop van de dienst terugtrekken (ook: ∼ *hymn*).
recharge ['ri:'tʃa:dʒ] I opnieuw aanvallen; opnieuw beschuldigen; 2 opnieuw vullen, opnieuw laden.
recidivist [ri'sidivist] recidivist.
recipe ['resipi] recept *o*.
recipient [ri'sipiənt] I *aj* ontvangend, opnemend; II *sb* ontvanger.
reciprocal [ri'siprəkl] *aj* wederzijds, wederkerig.
reciprocally [ri'siprəkəli] *ad* wederkerig, over en weer; ∼ *proportional* omgekeerd evenredig; *...and* ∼ *...*en omgekeerd.
reciprocate [ri'siprəkeit] I *v* I ⚔ heen en weer gaan; 2 reciproceren, iets terug doen; bewezen gunsten beantwoorden; II *vt* vergelden, beantwoorden (met *with*), (uit)wisselen.
reciprocation [risiprə'keiʃən] I (uit)wisseling; 2 beantwoording, vergelding.
reciprocity [resi'prɔsiti] wederkerigheid; wisselwerking.

recital [ri'saitl] opsomming (der feiten), verhaal *o*; reciet *o*, voordracht; recital *o*: concert door één artiest of gewijd aan de werken van één componist.
recitation [resi'teiʃən] opzeggen *o*, voordracht; verhaal *o*.
recitative [resitə'ti:v] ♪ recitatief *o*.
recite [ri'sait] opsommen; reciteren, voordragen, opzeggen.
reciter [ri'saitə] I declamator; 2 declameerboek *o*, voordrachtenverzameling.
⊙ **reck** [rek] in: *if (though)... what* ∼ *we, we do not* ∼ wat kan ons dat schelen?; *what* ∼*s it him?* wat kan hem dat schelen?; ∼ *of* geven om.
reckless(ly) ['reklis(li)] zorgeloos, roekeloos, onbesuisd; vermetel; ∼ *of* niet gevend om, niet achtend, niet tellend.
recklessness ['reklisnis] zorgeloosheid, roekeloosheid &.
reckon ['rekn] I *vt* (be)rekenen, tellen; achten, houden voor...; denken; ∼ *among (with)* rekenen of tellen onder; ∼ *in* meerekenen, -tellen; ∼ *up* optellen, uitrekenen, samenvatten; II *vi* rekenen; ∼ *(up)on* rekenen op; ∼ *with* I rekening houden met; 2 afrekenen met[2]; ∼ *without one's host* buiten de waard rekenen.
reckoner ['reknə] rekenaar.
reckoning ['rekniŋ] rekening, afrekening[2]; berekening; *(dead)* ∼ ⚓ (gegist) bestek *o*; *be out in one's* ∼ zich misrekend hebben, zich vergissen; *short* ∼*s make long friends* effen rekening maakt goede vriendschap.
reclaim [ri'kleim] I *vt* terugbrengen op het rechte pad, verbeteren, bekeren; terugwinnen; in cultuur brengen, ontginnen, droogleggen; tam maken, africhten; II *sb* in: *beyond (past)* ∼ onherroepelijk (verloren); onverbeterlijk.
reclamation [reklə'meiʃən] terugvordering, terugroeping, vordering, eis; reclame, protest *o*; (zedelijke) verbetering; bekering; (land)aanwinning, ontginning, drooglegging.
recline [ri'klain] I *vt* (doen) leunen, laten rusten; II *vi* achteroverleunen, rusten; ∼ *upon* steunen of vertrouwen op.
reclothe ['ri:'klouð] opnieuw (be)kleden.
recluse [ri'klu:s] I *aj* afgezonderd, eenzaam; II *sb* kluizenaar.
recognition [rekəg'niʃən] I herkenning; 2 erkenning; 3 erkentenis; *beyond (out of) (all)* ∼ tot onherkenbaar wordens toe; *in* ∼ *of...* ter erkenning van, uit erkentelijkheid voor...
recognizable ['rekəgnaizəbl] te herkennen, (her)kenbaar; kennelijk.
recognizance [ri'kɔgnizəns] 🎗 gelofte, schriftelijke verplichting om iets te doen; borgtocht.
recognize ['rekəgnaiz] I herkennen (aan *by*); 2 erkennen; inzien.
recoil [ri'kɔil] I *vi* I terugspringen, terugdein-

zen (voor *from*); 2 ✕ teruglopen [kanon], (terug)stoten [geweer]; ~ *on the head of* neerkomen op het hoofd van; **II** *sb* terugspringen *o*; terugslag; ✕ terugloop [v. kanon]; terugstoot [v. geweer].

recoin ['ri:'kɔin] her-, vermunten.

recoinage ['ri:'kɔinidʒ] her-, vermunting.

1 **recollect** ['ri:kə'lekt] *vt* weer verzamelen.

2 **recollect** [rekə'lekt] **I** *vt* zich herinneren; **II** *vr* ~ *oneself* zich bezinnen; **III** *va* het zich herinneren.

recollection [rekə'lekʃən] herinnering; *to the best of my* ~ voor zover ik mij herinner; *within the* ~ *of man* bij mensenheugenis.

recommence ['ri:kə'mens] **I** *vi* weer beginnen; **II** *vt* weer beginnen, hervatten.

recommencement ['ri:kə'mensmənt] weer beginnen *o*, hervatting.

recommend [rekə'mend] aanbevelen, aanprijzen, recommanderen; aanraden, adviseren.

recommendable [rekə'mendəbl] aan te bevelen, aanbevelenswaardig.

recommendation [rekəmen'deiʃən] recommandatie, aanbeveling, aanprijzing; advies *o*.

recommendatory [rekə'mendətəri] aanbevelend, aanbevelings-.

recommit ['ri:kə'mit] weer bedrijven &; weer gevangen zetten; naar een commissie terugzenden.

recompense ['rekəmpens] **I** *vt* (be)lonen; vergelden, vergoeden, schadeloos stellen (voor *for*); **II** *sb* beloning, vergelding, vergoeding, loon *o*, schadeloosstelling.

recompose ['ri:kəm'pouz] 1 weer samenstellen; 2 (weer) kalmeren.

recomposition ['ri:kɔmpə'ziʃən] wedersamenstelling.

reconcilable ['rekənsailəbl] verzoenbaar, verenigbaar, bestaanbaar (met *with, to*).

reconcile ['rekənsail] **I** *vt* verzoenen (met *to, with*); ~ *with* overeenbrengen, verenigen met; ~ *differences* geschillen bijleggen; **II** *vr* ~ *oneself to it* zich ermee verzoenen, zich erin schikken.

reconcilement ['rekənsailmənt] verzoening[2].

reconciliation [rekənsili'eiʃən] verzoening[2].

recondite ['rekəndait, ri'kɔndait] verborgen; diepzinnig, duister.

recondition ['ri:kən'diʃən] weer opknappen, opnieuw uitrusten [schip &].

reconduct ['ri:kən'dʌkt] terugleiden.

reconnaissance [ri'kɔnisəns] ✕ verkenning[2].

reconnoitre [rekə'nɔitə] **I** *vt* ✕ verkennen[2]; **II** *va* het terrein verkennen[2].

reconquer ['ri:'kɔŋkə] 1 weer overwinnen; 2 heroveren, herwinnen.

reconquest ['ri:'kɔŋkwest] herovering.

reconsider ['ri:kən'sidə] opnieuw overwegen; herzien [vonnis]; terugkomen op [een beslissing].

reconstitute ['ri:'kɔnstitju:t] opnieuw samenstellen, reconstrueren.

reconstruct ['ri:kəns'trʌkt] weer (op)bouwen; opnieuw samenstellen, reconstrueren.

reconstruction ['ri:kəns'trʌkʃən] nieuwe samenstelling, reconstructie; wederopbouw.

reconstructive ['ri:kən'strʌktiv] herstel-, herstellings-.

1 **record** [ri'kɔ:d] *vt* aan-, optekenen, aangeven, registreren; opnemen [op grammofoonplaat]; vastleggen, boekstaven, melding maken van, vermelden, verhalen; uitbrengen [zijn stem]; ~*ed music* grammofoonmuziek.

2 **record** ['rekɔ:d] *sb* aan-, optekening; gedenkschrift *o*, (historisch) document *o*, officieel afschrift *o*; gedenkteken *o*, getuigenis *o* & *v* [van het verleden]; staat van dienst; verleden *o*; *sp* record *o*; (grammofoon)rol, -plaat, opname; ~*s* archief *o*, archieven; *criminal* ~, *police* ~ ✍ strafregister *o*; *have a clean* ~ een blanco strafregister hebben; *bear* ~ *of* getuigenis afleggen van; *off the* ~ *Am* niet officieel, niet voor publikatie (geschikt) geheim, vertrouwelijk; *be on* ~ opgetekend zijn, te boek staan, historisch zijn; (algemeen) bekend zijn; *go on* ~ *as... Am* verklaren te (zijn)...; *place* (*put*) *on* ~ vastleggen, boekstaven; verklaren; *the greatest... on* ~ de grootste... waarvan de geschiedenis gewaagt; *keep to the* ~ voet bij stuk houden.

record changer ['rekɔ:dtʃein(d)ʒə] platenwisselaar.

recorder [ri'kɔ:də] 1 griffier; 2 archivaris; 3 rechter; 4 registreertoestel *o*; recorder, opnemer, opneemtoestel *o*; 5 ♪ blokfluit.

recording [ri'kɔ:diŋ] opname; registreren *o* &, zie 1 *record*.

recording tape [ri'kɔ:diŋteip] geluidsband.

recording van [ri'kɔ:diŋvæn] reportagewagen.

record library ['rekɔ:dlaibrəri] discotheek.

record office ['rekɔ:dɔfis] (rijks)archief *o*.

record player ['rekɔ:dpleiə] platenspeler.

1 **recount** [ri'kaunt] *vt* verhalen, opsommen.

2 **recount** ['ri:'kaunt] **I** *vt* opnieuw tellen; **II** *sb* nieuwe telling.

recoup [ri'ku:p] **I** *vt* schadeloos stellen (voor), (weer) goedmaken, vergoeden; **II** *vr* ~ *oneself* zich schadeloos stellen, zijn schade verhalen.

recoupment [ri'ku:pmənt] schadeverhaal *o*.

recourse [ri'kɔ:s] toevlucht; $ regres *o*; *have* ~ *to* zijn toevlucht nemen tot.

1 **recover** [ri'kʌvə] **I** *vt* terug-, herkrijgen, herwinnen; heroveren; terugvinden; bergen [v. lijken, ruimtecapsule]; terugwinnen; goedmaken [fout], inhalen [verloren tijd]; innen [schulden]; doen herstellen [iemand]; zich herstellen van [slag]; er bovenop halen [zieke], bevrijden, redden; weer bereiken; ✍ zich toegewezen zien [schadevergoeding]; ~ *one's breath* weer op adem komen; ~ *damages* schadevergoeding krijgen; ~ *one's legs* weer op de been komen, weer opkrabbelen; **II** *vr* ~ *oneself* weer op de been komen; zich her-

stellen; zijn kalmte herkrijgen; III *vi* herstellen, beter worden; weer bijkomen [uit bezwijming]; zich herstellen; schadevergoeding krijgen; ⚹ zijn eis toegewezen krijgen.

2 **recover** [ˈriːˈkʌvə] *vt* weer bedekken, opnieuw bekleden of dekken; overtrekken [een paraplu].

recoverable [riˈkʌvərəbl] herkrijgbaar, te herwinnen &; ⚹ verhaalbaar.

recovery [riˈkʌvəri] terugkrijgen *o* &; berging; terugbekoming, wederverkrijging, herstel *o* [van gezondheid]; *beyond (past)* ~ onherstelbaar, ongeneeslijk.

⊙ **recreant** [ˈrekriənt] I *aj* lafhartig; afvallig; II *sb* lafaard; afvallige.

1 **recreate** [ˈrekrieit] I *vt* opkwikken, ontspanning geven, vermaken; II *vi* ontspanning nemen, zich ontspannen.

2 **recreate** [ˈriːkriˈeit] *vt* herscheppen.

1 **recreation** [rekriˈeiʃən] opkwikking; verlustiging, ont-, uitspanning, speeltijd.

2 **recreation** [ˈriːkriˈeiʃən] herschepping.

recreation ground [rekriˈeiʃəngraund] speelplaats, speelterrein *o*, speeltuin.

recreative [ˈrekrieitiv] ter ontspanning dienend, ontspannend, opwekkend.

recriminate [riˈkrimineit] elkaar over en weer beschuldigen, tegenbeschuldigingen of (tegen)verwijten doen.

recrimination [rikrimiˈneiʃən] tegenbeschuldiging, (tegen)verwijt *o*.

recrudesce [riːkruːˈdes] opnieuw uitbreken, oplaaien; verergeren.

recrudescence [riːkruːˈdesəns] opnieuw uitbreken *o* [v. ziekte]; opleving; oplaaiing [van hartstocht &]; verergering.

recruit [riˈkruːt] I *sb* rekruut²; nieuweling; ⚹ versterking; II *vt* versterken, nieuwe kracht geven, aanvullen; (aan)werven, rekruteren²; III *vi* weer op krachten komen, aansterken.

recruiter [riˈkruːtə] (aan)werver.

recruitment [riˈkruːtmənt] (aan)werving, rekrutering; versterking; aanvulling; aansterrectangle [ˈrektæŋgl] rechthoek.   [king.

rectangular [rekˈtæŋgjulə] rechthoekig.

rectifiable [ˈrektifaiəbl] te herstellen.

rectification [rektifiˈkeiʃən] rectificatie [ook = herhaalde distillatie], verbetering, herstel *o*, rechtzetting.

rectifier [ˈrektifaiə] verbeteraar; rectificatietoestel *o*; ☇ gelijkrichter.

rectify [ˈrektifai] rectificeren [ook = opnieuw distilleren], verbeteren, herstellen, rechtzetten.

rectilinear [rektiˈliniə] rechtlijnig.

rectitude [ˈrektitjuːd] oprechtheid, rechtschapenheid; correctheid.

rector [ˈrektə] 1 predikant, dominee, *RK* pastoor [v. parochie]; 2 ☞ rector [v. gymnasium of hogeschool in Schotland, Nederland & Frankrijk].

rectorial [rekˈtɔːriəl] rectoraal, rectoraats-.

rectorship [ˈrektəʃip] rectoraat *o*.

rectory [ˈrektəri] 1 predikantsplaats; 2 pastorie; 3 rectorswoning.

§ **rectum** [ˈrektəm] endeldarm.

recumbency [riˈkʌmbənsi] (achterover)liggende houding; rust.

recumbent [riˈkʌmbənt] (achterover)liggend; rustend.

recuperate [riˈkjuːpəreit] herstellen, opkwikken.

recuperation [rikjuːpəˈreiʃən] herstel *o*.

recuperative [riˈkjuːpərətiv] herstellend, versterkend; herstellings-.

recur [riˈkəː] terugkeren, terugkomen; zich herhalen; ~ *to one (to one's mind)* weer bij iemand opkomen, iemand weer te binnen schieten; ~*ring decimal* repeterende breuk.

recurrence [riˈkʌrəns] terugkeer; herhaling.

recurrent [riˈkʌrənt] (periodiek) terugkerend, periodiek.

recusant [ˈrekjuzənt, riˈkjuːzənt] weerspannig(e); afgescheiden(e).

red [red] I *aj* rood²; bloedig²; *see* ~ in blinde woede ontsteken, van woede buiten zichzelf zijn; ~ *deer* edelhert *o*; ~ *man* roodhuid; *it is a* ~ *rag to him* het werkt op hem als een rode lap op een stier; II *sb* 1 roodheid, rood *o*; 2 **F** rode [republikein &]; 3 ⚬ rode bal; *in (out of) the* ~ met (zonder) een tekort, debet (credit) staand.

redact [riˈdækt] opstellen, inkleden, bewerken, redigeren.

redaction [riˈdækʃən] redigeren *o*, opstelling, inkleding, bewerking; nieuwe uitgave.

redactor [riˈdæktə] opsteller, bewerker, bezorger voor de druk.

redan [riˈdæn] ⚔ redan [versterking].

red-blooded [ˈredblʌdid] robuust, pittig.

redbreast [ˈredbrest] ⚘ roodborstje *o*.

red-brick [ˈredbrik] in: ~ *university* universiteit van de nieuwere tijd.

redcap [ˈredkæp] 1 iemand v. d. militaire politie; 2 *Am* kruier, witkiel.

⚔ **redcoat** [ˈredkout] ⚔ roodrok, soldaat.

redden [ˈredn] I *vt* rood kleuren, rood maken; doen blozen; II *vi* rood worden, een kleur krijgen, blozen.

reddish [ˈrediʃ] roodachtig, rossig.

redeem [riˈdiːm] terugkopen, loskopen, af-, vrijkopen; in-, aflossen; terugwinnen; verlossen, bevrijden; (weer) goedmaken; vervullen, gestand doen, inlossen [belofte].

redeemable [riˈdiːməbl] aflosbaar, afkoopbaar; verlost kunnende worden; uitlootbaar.

redeemer [riˈdiːmə] bevrijder; *the Redeemer* de Verlosser, de Heiland.

redeeming [riˈdiːmiŋ] verlossend; *the one* ~ *feature* het enige lichtpunt, het enige dat in zijn voordeel te zeggen valt.

redemption [riˈdem(p)ʃən] loskoping, verlossing, terugkoop, af-, inlossing; *beyond (past)* ~ reddeloos verloren.

Redemptorist [ri'dem(p)tərist] *RK* redemptorist.

redescend ['ri:di'send] weer afdalen.

red-handed ['red'hændid] in: *be caught (taken)* ~ op heter daad betrapt worden.

red hat ['red'hæt] 1 kardinaalshoed; 2 ✗ S stafofficier.

red-heat ['red'hi:t] rode gloeihitte.

red-hot ['red'hɔt] roodgloeiend, gloeiend²; vurig, dol.

rediffusion ['ri:di'fju:ʒən] radiodistributie, televisiedistributie.

redintegrate [re'dintəgreit] herstellen (in zijn oude vorm), vernieuwen.

redintegration [redintə'greiʃən] herstel *o*, herstelling, vernieuwing.

redistribute ['ri:dis'tribjut] opnieuw ver-, uitof indelen, anders schikken.

redistribution ['ri:distri'bju:ʃən] nieuwe verdeling, uit-, indeling, herverdeling.

red-lead ['redled] I *sb* menie; II *vt* meniën.

red-letter ['redletə] in: ~ *day* bijzondere of gelukkige dag.

redness ['rednis] roodheid; rossigheid.

redolence ['redələns] geurigheid, geur.

redolent ['redələnt] geurig; ~ *of* riekend naar; *fig* vervuld met de geur van, (zoete) herinneringen wekkend aan.

redouble [ri'dʌbl] I *vt* verdubbelen; II *vi* zich verdubbelen, toenemen, aanwassen.

redoubt [ri'daut] ✗ redoute.

redoubtable [ri'dautəbl] te duchten, geducht.

redound [ri'daund] terugstromen, terugkeren; voortvloeien; *it* ~s *to his credit (honour)* het strekt hem tot eer; *the benefits that* ~ *to us from it* die daaruit voortspruiten voor ons; *the honour* ~s *to God* komt God toe.

redraft ['ri:'dra:ft] I *vt* opnieuw ontwerpen; II *sb* 1 nieuw ontwerp *o*; 2 $ retourwissel, herwissel.

redraw ['ri:'drɔ:] 1 overtekenen, opnieuw tekenen; 2 $ opnieuw trekken (op *on*).

1 **redress** [ri'dres] I *vt* herstellen, verhelpen, goedmaken, (weer) in orde brengen, redresseren; II *sb* herstel *o*, redres *o*.

2 **redress** ['ri:'dres] *vt* opnieuw (aan)kleden.

redshank ['redʃæŋk] ♣ tureluur.

redskin ['redskin] roodhuid, Indiaan.

redstart ['redsta:t] ♣ roodstaartje *o*.

red-tape ['red'teip] I *sb* rood band *o* of lint *o*; *fig* bureaucratie; II als *aj* bureaucratisch.

red-tapism ['red'teipizm] bureaucratie.

red-tapist ['red'teipist] bureaucraat.

reduce [ri'dju:s] (terug)brengen, herleiden; zetten [een lid]; verkleinen, verlagen, verkorten, verminderen, verdunnen; fijnmaken; onderwerpen, ten onder brengen, tot overgave dwingen [v. e. vesting]; *in* ~d *circumstances* achteruitgegaan, aan lagerwal; ~ *to ashes* in de as leggen; ~ *to beggary* tot de bedelstaf brengen; ~ *to powder* fijnmalen, fijnwrijven; ~ *to writing* opschrijven; zie ook:

1 *rank* I.

reducibility [ridju:si'biliti] herleidbaarheid &.

reducible [ri'dju:sibl] herleidbaar, terug te brengen &.

reduction [ri'dʌkʃən] terugbrenging; herleiding; verlaging, ✗ degradatie; verkorting, beperking, vermindering, verkleining, afslag, reductie; onderwerping, tenonderbrenging; zetting [v. een lid]; *at a* ~ tegen verminderde prijs.

redundancy [ri'dʌndənsi] overtolligheid, overvloed(igheid).

redundant(ly) [ri'dʌndənt(li)] overtollig, overvloedig.

reduplicate [ri'dju:plikeit] verdubbelen.

reduplication [ridju:pli'keiʃən] verdubbeling.

reduplicative [ri'dju:plikətiv] verdubbelend.

redwing ['redwiŋ] ♣ koperwiek.

redwood ['redwud] roodhout *o*, brazielhout *o*.

re-echo [ri'ekou] I *vt* weerkaatsen, herhalen; II *vi* weerklinken, weergalmen.

reed [ri:d] I *sb* 1 ♣ riet *o*; 2 ♪ rietje *o* [in mondstuk v. klarinet]; ☉ herdersfluit; rietfluitje *o*; tongetje *o* [in orgelpijp]; 3 ☉ pijl; *the* ~s 1 ♪ de houten blaasinstrumenten: hobo en fagot; 2 ook: het riet [collectief]; II *vt* 1 met riet dekken; 2 ♪ een rietje of tongetje zetten

re-edify ['ri:'edifai] wederopbouwen.   [in.

reed-mace ['ri:dmeis] ♣ lisdodde.

re-educate ['ri:'edjukeit] heropvoeden.

re-education ['ri:edju'keiʃən] heropvoeding.

reed-warbler ['ri:dwɔ:blə] ♣ rietzanger.

reedy ['ri:di] vol riet, rieten, riet-; schraal.

1 **reef** [ri:f] I *sb* ⚓ rif *o*; *take in a* ~ reven; *fig* wat inbinden; II *vt* ⚓ reven.

2 **reef** [ri:f] ⚒ rif *o*; 2 ertsader.

reefer ['ri:fə] jekker (ook: ~ *jacket*).

reef-knot ['ri:fnɔt] ⚓ platte knoop.

reefy ['ri:fi] vol riffen.

reek [ri:k] I *sb* damp, rook; stank; II *vi* dampen, roken; stinken, rieken (naar² *of*).

reeky ['ri:ki] 1 rokerig, berookt, zwart; 2 (kwalijk) riekend.

reel [ri:l] I *sb* 1 haspel, klos; rol; spoel; film(strook); 2 reel: Schotse dans; 3 waggelende gang; *(straight) off the* ~ zonder haperen, vlot achter elkaar; op stel en sprong; II *vt* haspelen, opwinden; ~ *in* in-, ophalen; ~ *off* afhaspelen, afwinden; *fig* afdraaien [les]; ~ *up* op-, inhalen; III *vi* 1 waggelen [als een dronkaard]; wankelen; 2 de *reel* dansen; *my brain* ~s het duizelt mij.

re-elect ['ri:i'lekt] herkiezen.

re-election ['ri:i'lekʃən] herkiezing.

re-eligible ['ri:'elidʒibl] herkiesbaar.

re-embark ['ri:im'ba:k] (zich) weer inschepen.

re-embarkation ['ri:emba:'keiʃən] wederinscheping.

re-engage ['ri:in'geidʒ] I *vt* opnieuw engageren°; II *vi* opnieuw dienst nemen.

re-engagement ['ri:in'geidʒmənt] opnieuw engageren *o* &.

re-enlist ['ri:in'list] I *vt* opnieuw inschrijven &; II *vi* ✗ opnieuw dienst nemen.

re-enter ['ri:'entə] I *vi* weer, binnenkomen; weer intreden; ~*ing angle* inspringende hoek; II *vt* weer betreden.

re-establish ['ri:is'tæbliʃ] (weer) herstellen, wederoprichten.

re-establishment ['ri:is'tæbliʃmənt] herstelling, herstel [v. gezondheid &].

1 reeve [ri:v] *sb* baljuw ‖ ⚘ wijfje *o* van de kemphaan.

2 reeve [ri:v] ⚓ *vt* inscheren.

re-examination ['ri:igzæmi'neiʃən] 1 tweede ondervraging; 2 nieuw onderzoek *o*; 3 ☞ herexamen *o*; 4 ✗ herkeuring.

re-examine ['ri:ig'zæmin] 1 weer ondervragen; 2 weer onderzoeken; 3 ☞ opnieuw examineren; 4 ✗ herkeuren.

re-exchange ['ri:iks'tʃein(d)ʒ] 1 omruiling; 2 $ herwissel, ricambio.

1 re-export ['ri:iks'pɔ:t] *vt* $ weer uitvoeren.

2 re-export ['ri:'ekspɔ:t] *sb* $ wederuitvoer.

refashion ['ri:'fæʃən] opnieuw vormen, vervormen, omwerken.

refection [ri'fekʃən] verkwikking, verversing, lichte maaltijd.

refectory [ri'fektəri] refectorium *o*, refter.

refer [ri'fə:] I *vt* in: ~ *to* verwijzen naar; doorzenden naar, in handen stellen van, voorleggen aan, onderwerpen aan; toeschrijven aan; terugbrengen tot, brengen onder; II *vr* ~ *oneself to* zich verlaten op; zich onderwerpen aan; III *vi* in: ~ *to* zich wenden tot, raadplegen, (er op) naslaan; verwijzen naar; zich beroepen op; betrekking hebben op; zinspelen op, op het oog hebben, doelen op; reppen van, melding maken van, vermelden, noemen, spreken over, 't hebben over; ~*ring to your letter* onder referte aan, onder verwijzing naar uw brief.

referable [ri'fə:rəbl] terug te brengen (tot *to*), toe te schrijven (aan *to*).

referee [refə'ri:] I *sb* 1 scheidsrechter; 2 referentie [bij sollicitatie]; II *vi* als scheidsrechter optreden.

reference ['refərəns] betrekking; verwijzing; zinspeling; vermelding; getuige, referentie; bewijsplaats; raadplegen *o*, naslaan *o*; $ referte; *book* (*work*) *of* ~ naslagboek *o*, -werk *o*; *terms of* ~ taakomschrijving; *make* ~ *to* zinspelen op; vermelden; *in* (*with*) ~ *to* ten aanzien van, met betrekking ,tot, aangaande; met (onder) verwijzing naar; *without* ~ *to* ook: zonder te letten op.

reference book ['refərənsbuk] naslagboek *o*.

reference work ['refərənswə:k] naslagwerk *o*.

referendary [refə'rendəri] referendaris.

referendum [refə'rendəm] referendum *o*.

refill ['ri:'fil] I *vt* opnieuw vullen, weer aanvullen; II *sb* nieuwe vulling [voor pijp, potloodhouder, opschrijfboekje &], reservepotloodje *o*, -potloodjes, reserveblad *o*, -bladen

&.

refine [ri'fain] I *vt* raffineren, zuiveren, louteren, veredelen, verfijnen, beschaven; II *vi* zuiverder worden; ~ *upon* 1 fijn uitpluizen; 2 verbeteren, overtreffen.

refined [ri'faind] gezuiverd, gelouterd, verfijnd; beschaafd; geraffineerd[2].

refinement [ri'fainmənt] raffinage, zuivering, loutering, verfijning, veredeling, beschaving; > spitsvondigheid; finesse.

refiner [ri'fainə] raffinadeur; zuiveraar; *fig* 1 verfijner [v. de smaak], beschaver; 2 uitpluizer, haarklover.

refinery [ri'fainəri] raffinaderij.

refit ['ri:'fit] I *vt* 1 herstellen; repareren; 2 opnieuw uitrusten; II *sb* 1 herstel *o*, reparatie; 2 nieuwe uitrusting.

reflect [ri'flekt] I *vt* terugwerpen, terugkaatsen, weerkaatsen, weerspiegelen, afspiegelen; ~ *credit on* tot eer strekken; II *vi* nadenken; bedenken (dat *that*); ~ *on* nadenken over, overwegen; aanmerking(en) maken op; zich ongunstig uitlaten over, een blaam werpen op.

reflection [ri'flekʃən] terugkaatsing, weerkaatsing, weerschijn, weerspiegeling, afspiegeling, (spiegel)beeld *o*; nadenken *o*, overdenking, overweging, gedachte; hatelijkheid; afkeuring; *cast* (*throw*) ~*s on* schampere opmerkingen maken over, een blaam werpen op; *on* (*better, further*) ~ bij nadere overweging, bij nader inzien.

reflective(ly) [ri'flektiv(li)] 1 weerkaatsend; 2 (na)denkend.

reflector [ri'flektə] reflector.

reflex ['ri:fleks] I *aj* teruggekaatst; zelfbespiegelend; onwillekeurig reagerend, reflex-; II *sb* weerkaatst beeld *o*; weerkaatsing; weerkaatst licht *o*; reflex(beweging).

reflexion zie *reflection*.

reflexive [ri'fleksiv] wederkerend (werkwoord *o*, voornaamwoord *o*).

refloat ['ri:'flout] weer vlot maken.

reflux ['ri:flʌks] terugvloeiing, eb; *a* ~ *o opinion* een ommekeer in de openbare mening.

1 reform ['ri:'fɔ:m] *vt* opnieuw vormen, maken (✗ formeren).

2 reform [ri'fɔ:m] I *vt* hervormen; bekeren, (zedelijk) verbeteren; afschaffen, wegnemen [misbruiken]; II *vi* zich beteren, zich bekeren; III *sb* hervorming; (zedelijke) verbetering; afschaffing [misbruiken].

1 reformation ['ri:fɔ:'meiʃən] nieuwe vorming (✗ formering).

2 reformation [refə'meiʃən] hervorming°, verbetering; reformatie.

reformatory [ri'fɔ:mətəri] I *aj* hervormend, verbeterings-; ~ *school* = II *sb* † tuchtschool verbeteringsgesticht ∝

reformer [ri'fɔ:mə] hervormer°.

refract [ri'frækt] breken [de lichtstralen].

refraction [ri'frækʃən] straalbreking. [kings-.
refractive [ri'fræktiv] (straal)brekend; bre-
refractory [ri'fræktəri] I weerspannig, weerbarstig, hardnekkig; 2 moeilijk smeltbaar,
vuurvast.
1 refrain [ri'frein] sb refrein o.
2 refrain [ri'frein] I vi zich bedwingen, zich
weerhouden; ~ from zich onthouden van; II
vt ✶ in toom houden, inhouden.
refrangible [ri'frændʒibl] breekbaar.
refresh [ri'freʃ] I vt verversen, op-, verfrissen,
verkwikken, laven; ~ one's inner man wat
gebruiken; II vi zich verfrissen.
refresher [ri'freʃə] I wie of wat ververst of ver-
kwikt; 2 opfrissing; ~ course herhalingscursus.
refreshing(ly) [ri'freʃiŋ(li)] verfrissend &.
refreshment [ri'freʃmənt] verversing, op-, verfrissing, verkwikking, laving; take some ~
iets gebruiken [in café &].
refreshment room [ri'freʃməntrum] verver-
singslokaal o, restauratie(zaal), koffiekamer.
refrigerant [ri'fridʒərənt] I aj verkoelend; II sb
koelmiddel o.
refrigerate [ri'fridʒəreit] koel maken, (ver)koe-
len, koud maken.
refrigeration [rifridʒə'reiʃən] af-, verkoeling.
refrigerator [ri'fridʒəreitə] koelvat o; koelkan;
ijskast; vrieskamer; ~ carriage koelwagen.
reft [reft] V.T. & V.D. van reave.
refuel ['ri:'fjuil] bijtanken.
refuge ['refju:dʒ] toevlucht, toevluchtsoord o,
wijk-, schuilplaats; asiel o; vluchtheuvel;
harbour of ~ vluchthaven; take ~ in... zijn
toevlucht nemen tot; de wijk nemen naar;
take ~ with zijn toevlucht zoeken bij.
refugee [refju:'dʒi:] I vluchteling, uitgewekene; 2 Ⓠ refugié.
refulgence [ri'fʌldʒəns] glans, luister.
refulgent [ri'fʌldʒənt] stralend, schitterend.
refund [ri:'fʌnd] I vt teruggeven, terugbetalen;
II sb terugbetaling, teruggave.
refurbish ['ri:'fə:biʃ] weer opknappen.
refusal [ri'fju:zəl] weigering; optie; preferentie [op huis &]; meet with a ~ nul op het
rekest krijgen; afgeslagen worden; take no
~ van geen weigering willen weten.
1 refuse ['refju:s] I sb uitschot o, afval o & m,
vuilnis; II als aj uitgeschoten, waardeloos.
2 refuse [ri'fju:z] I vt afwijzen, afslaan, weigeren; ~ acceptance niet willen aannemen,
weigeren; ~ oneself... zich... ontzeggen; II vi
weigeren°.
refuse bin ['refju:sbin] vuilnisvat o, vuilnisbak,
-emmer.
refuse chute ['refju:sʃu:t] vuilniskoker.
refuse-collector ['refju:skəlektə] vuilnisauto.
refuser [ri'fju:zə] weigeraar.
refutable ['refjutəbl] weerlegbaar.
refutation [refju'teiʃən] weerlegging.
refute [ri'fju:t] weerleggen.
refuter [ri'fju:tə] weerlegger.

regain [ri'gein] herwinnen, herkrijgen; weer
bereiken; ~ one's feet (footing) weer op de
been komen.
regal ['ri:gəl] koninklijk, konings-.
regale [ri'geil] I sb gastmaal o, onthaal o, traktatie; II vt onthalen, vergasten, trakteren (op
with), een lust zijn voor [het oog]; III vi trakteren; ~ on zich vergasten, zich te goed doen
aan.
regalia [ri'geiliə] regalia, koninklijke rechten;
kroonsieraden; insignes; kroningsgala o; in
full~ in vol ornaat.
regality [ri'gæliti] koninklijke waardigheid;
koningschap o; soevereiniteit.
regard [ri'ga:d] I vt aanzien, beschouwen;
achten; hoogachten; acht slaan op; betreffen,
aangaan; as ~s me wat mij betreft; II sb blik;
aanzien o, achting, eerbied, egards; kind ~s
to you all met beste groeten; have a ~ for ook:
wel mogen; have (pay) ~ to acht slaan op,
rekening houden met; in this ~ in dit opzicht; in ~ of (to), with ~ to ten aanzien van;
without ~ to zonder zich te bekommeren
om, geen rekening houdend met.
regardant [ri'ga:dənt] 🅩 omziend.
regardful [ri'ga:dful] I oplettend, opmerkzaam; 2 eerbiedig.
regarding [ri'ga:diŋ] betreffende.
regardless [ri'ga:dlis] onoplettend, achteloos,
onachtzaam; ~ of niet lettend op, zich niet
bekommerend om, onverschillig voor, ongeacht; niet ontziend.
regatta [ri'gætə] roei-, zeilwedstrijd.
regency ['ri:dʒənsi] regentschap o.
1 regenerate [ri'dʒenərit] aj herboren.
2 regenerate [ri'dʒenəreit] I vt weder opwekken, tot nieuw leven brengen, herscheppen,
doen herleven, verjongen, regenereren; II vi
herboren worden, zich hernieuwen.
regeneration [ridʒenə'reiʃən] (zedelijke) wedergeboorte, herschepping, hernieuwd leven
o, vernieuwing, verjonging, regeneratie.
regenerative [ri'dʒenərətiv] vernieuwend.
regenerator [ri'dʒenəreitə] I wederopwekker; 2
⚒ regenerator.
regent ['ri:dʒənt] I sb regent, regentes; II als
aj in: Prince ~ prins-regent; Queen ~ konin-
gin-regentes.
regentship ['ri:dʒəntʃip] regentschap o.
regicide ['redʒisaid] koningsmoord(er). [stel o.
regime, régime [re'ʒi:m] regime o, (staats)be-
regimen ['redʒimen] I leefregel, dieet o; 2 regime o; stelsel o; 3 gram regering.
regiment ['redʒ(i)mənt] I sb ⚔ regiment o; II
vt ['redʒiment] in regimenten indelen; groeperen; reglementeren, aan banden leggen,
ringeloren.
regimental [redʒi'mentəl] I aj regiments-; ~
band stafmuziek; ~ clothes uniform o & v;
II sb ~s uniform o & v.
regimentation [redʒimen'teiʃən] indeling in regimenten; groepering; reglementering.

Regina [ri'dʒainə] 1 Regina; 2 regerende vorstin; 3 de Kroon.

Reginald ['redʒinəld] Reinout.

region ['ri:dʒən] streek, landstreek, gewest² *o*; *fig* gebied *o; the lower ~s* de onderwereld; *the upper ~s* de hogere sferen; *in the ~ of* 60 om en (na)bij de 60.

regional ['ri:dʒənl] regionaal, gewestelijk.

register ['redʒistə] I *sb* 1 register *o*; lijst; kiezerslijst; 2 ♪ (orgel)register *o*; 3 ✗ sleutel, schuif [aan kachelpijp]; II *vt* (laten) inschrijven, (laten) aantekenen, registreren; aanwijzen, staan op [thermometer]; F [v. gezicht] uitdrukken, tonen, blijk geven van; *~ one's name* zich laten inschrijven; *~ed capital* $ maatschappelijk kapitaal *o; ~ed offices* zetel [v. maatschappij]; *by ~ed post* aangetekend; *~ed share* $ aandeel *o* op naam; *~ed trade mark* gedeponeerd handelsmerk *o*; III *vr ~ oneself* zich laten inschrijven; IV *vi* zich laten inschrijven; S inslaan, indruk maken.

register office ['redʒistərəfis] 1 kantoor *o* van registratie; 2 bureau *o* van de burgerlijke stand; 3 verhuurkantoor *o*; 4 inschrijvingskantoor *o*.

registrar ['redʒistra:] 1 griffier; 2 ambtenaar van de burgerlijke stand; 3 ☞ administrateur [v. universiteit]; 4 bewaarder der hypotheken (*~ of mortgages*).

registration [redʒis'treiʃən] 1 registratie, inschrijving; 2 ✆ aantekening [v. brief]; *~ plate* kentekenplaat.

registry ['redʒistri] 1 inschrijving; 2 register *o*, lijst; 3 zie *register office.*

registry office ['redʒistriəfis] zie *register office.*

regnal ['regnəl] regerings-.

regnant ['regnənt] regerend, heersend.

1 **regress** ['ri:gres] *sb* achterwaartse beweging; teruggang.

2 **regress** [ri'gres] *vi* achteruit-, teruggaan.

regression [ri'greʃən] achterwaartse beweging, terugkeer, -gang; achteruitgang.

regressive [ri'gresiv] terugkerend, -gaand.

regret [ri'gret] I *vt* betreuren, berouw hebben over, spijt hebben van; II *sb* spijt, leedwezen *o*, betreuren *o; ~s* leedwezen *o*, spijt.

regretful(ly) [ri'gretful(i)] vol spijt, treurig.

regrettable [ri'gretəbl] *aj* betreurenswaardig.

regrettably [ri'gretəbli] *ad* betreurenswaardig.

regroup ['ri:'gru:p] (zich) hergroeperen.

regrouping ['ri:'gru:piŋ] hergroepering.

regular ['regjulə] I *aj* regelmatig, geregeld; behoorlijk; regulier; definitief benoemd, vast; beroeps-; *a ~ battle* een formeel gevecht *o; ~ clergy* reguliere geestelijken; *~ customers* (*frequenters*) vaste (trouwe) klanten, bezoekers; *a ~ devil, hero* een echte duivel, held; *~ physician* I geregeld dokter; 2 vaste dokter; II *ad* < echt, erg; III *sb* 1 vaste klant, stamgast; 2 vast werkman; 3 regulier: ordesgeestelijke, kloosterling; *~s* ✗ geregelde troepen.

regularity [regju'læriti] regelmatigheid, regelmaat, geregeldheid.

regularization [regjulərai'zeiʃən] regularisatie.

regularize ['regjuləraiz] regulariseren.

regularly ['regjuləli] *ad* zie *regular* I.

regulate ['regjuleit] reglementeren; reguleren ordenen, regelen, schikken.

regulation [regju'leiʃən] I *sb* regeling, schikking, ordening, reglementering; voorschrift *o*, bepaling, reglement *o* (ook: *~s*); II als *aj* reglementair, voorgeschreven, ✗ model-; *~ fare* gewoon tarief *o*.

regulative ['regjuleitiv] regelend.

regulator ['regjuleitə] 1 regelaar; 2 regulateur.

regurgitate [ri'gə:dʒiteit] I *vt* terugwerpen, -geven; II *vi* terugvloeien.

regurgitation [rigə:dʒi'teiʃən] terugwerping, teruggeving; terugvloeiing.

rehabilitate [ri:(h)ə'biliteit] rehabiliteren, herstellen; revalideren.

rehabilitation [ri:(h)əbili'teiʃən] herstel *o*, eerherstel *o*, rehabilitatie; revalidatie.

rehash [ri:'hæʃ] I *vt fig* (weer) opwarmen, opnieuw opdissen; II *sb fig* opwarming; opgewarmde kost.

rehearsal [ri'hə:səl] herhaling; relaas *o*, repetitie; oefening.

rehearse [ri'hə:s] I *vt* herhalen, opzeggen; verhalen, opsommen; repeteren; II *vi* repetitie houden.

rehouse ['ri:'hauz] weer onder dak brengen.

reign [rein] I *sb* regering, bewind *o*; rijk *o; in* (*under*) *the ~ of* onder de regering van; II *vi* regeren, heersen.

reimburse [ri:im'bə:s] vergoeden, terugbetalen.

reimbursement [ri:im'bə:smənt] vergoeding, terugbetaling.

1 **reimport** ['ri:im'pɔ:t] *vt* $ weer invoeren.

2 **reimport** [ri:'impɔ:t] *sb* $ wederinvoer.

rein [rein] I *sb* teugel², leidsel *o; draw ~* stilhouden; *fig* niet zo hard van stapel lopen; *give ~* (*the ~s*) de vrije teugel geven²; *hold the ~s* (*of government*) de teugels van 't bewind voeren; *let the ~s loose* de teugels laten glippen; II *vt* inhouden, intomen²; beteugelen², breidelen² (*~ in, ~ up*).

reincarnate [ri:in'ka:neit] reïncarneren.

reincarnation [ri:inka:'neiʃən] reïncarnatie.

reindeer ['reindiə] ⚶ rendier *o*, rendieren.

reinforce [ri:in'fɔ:s] I *vt* versterken; *~d concrete* gewapend beton *o*; II *sb* versterking.

reinforcement [ri:in'fɔ:smənt] versterking.

reins [reinz] I nieren; 2 lendenen.

reinsert ['ri:in'sə:t] weer invoegen, plaatsen, inlassen of opnemen.

reinstall ['ri:in'stɔ:l] weer aanstellen, herbenoemen.

reinstate ['ri:in'steit] opnieuw in bezit stellen van, weer (in ere) herstellen, weer aannemen in zijn vorige betrekking.

reinsurance ['ri:in'ʃuərəns] herverzekering.

reinsure ['ri:in'ʃuə] herverzekeren.

reintroduce ['ri:intrə'dju:s] weer invoeren &.

reinvest ['ri:in'vest] 1 weer bekleden; 2 $ opnieuw beleggen of (geld) steken (in *in*).

reissue ['ri:'isju:] I *vt* opnieuw uitgeven; II *sb* 1 heruitgave; 2 nieuwe uitgifte.

reiterate [ri:'itəreit] herhalen.

reiteration [ri:itə'reiʃən] herhaling.

reiterative [ri:'itəreitiv] herhalend.

reject [ri'dʒekt] verwerpen; afwijzen, van de hand wijzen; afkeuren; uitwerpen.

rejection [ri'dʒekʃən] verwerping; uitwerping; afkeuring; afwijzing.

rejoice [ri'dʒɔis] I *vt* verheugen, verblijden; *be ~d* verheugd zijn (over *at, by, over*); II *vi* zich verheugen (over *at, over*).

rejoicing [ri'dʒɔisiŋ] vreugde; *~s* vreugde, vreugdebedrijf *o*, feest *o*, feesten.

1 **rejoin** [ri'dʒɔin] I *vi* antwoorden; ₂½ dupliceren; II *vt* 1 antwoorden; 2 zich weer voegen bij.

2 **rejoin** ['ri:'dʒɔin] I *vt* opnieuw of weer verenigen &; II *vi* zich opnieuw verenigen.

rejoinder [ri'dʒɔində] antwoord q (op een antwoord); ₂½ dupliek.

rejuvenate [ri'dʒu:vineit] verjongen.

rejuvenation [ridʒu:vi'neiʃən] verjonging.

rejuvenescence [ridʒu:vi'nesəns] verjonging.

rejuvenescent [ridʒu:vi'nesənt] verjongend.

rekindle ['ri:'kindl] weer aansteken, opnieuw ontsteken of (doen) opvlammen².

relapse [ri'læps] I *vi* weer vervallen, terugvallen (in, tot *into*), (weer) instorten [v. zieke]; II *sb* (weder)instorting.

relate [ri'leit] I *vt* 1 verhalen; 2 in verband brengen (met *to, with*); II *vi* in: *~ to* in verband staan met, verband houden met, betrekking hebben op.

related [ri'leitid] verwant² (aan, met *to*).

relater [ri'leitə] verhaler.

relation [ri'leiʃən] 1 betrekking; verhouding, relatie; verwantschap; 2 bloedverwant, familie(lid *o*); 3 verhaal *o*, relaas *o*; *bear no ~ to* 1 geen betrekking hebben op; 2 in geen verhouding staan tot; 3 buiten alle verhouding zijn tot; *in ~ to* met betrekking tot.

relationship [ri'leiʃənʃip] verwantschap; betrekking, verhouding.

relative ['relətiv] I *aj* betrekkelijk; relatief; *~ to* 1 betrekking hebbend op; 2 in verhouding staand tot; 3 met betrekking tot; betreffend; II *sb* 1 (bloed)verwant; 2 *gram* betrekkelijk voornaamwoord *o*.

relatively ['relətivli] *ad* betrekkelijk.

relativity [relə'tiviti] relativiteit, betrekkelijkheid.

relax [ri'læks] I *vt* verslappen², verzachten; ontspannen; II *vi* verslappen, afnemen; zich ontspannen; ontspanning nemen.

relaxation [rilæk'seiʃən] verzachting [v. een wet]; verslapping, ontspanning²; *fig* uitspanning.

1 **relay** ['ri:'lei] *vt* opnieuw leggen, omleggen.

2 **relay** [ri'lei] I *sb* verse paarden, jachthonden of dragers; wisselpaarden; verse ploeg (arbeiders); wissel-, pleisterplaats; ✖ relais *o*; ✖✚ relayering; *sp* estafette; II *vt* ✖✚ relayeren.

relay exchange [ri'leiiks'tʃein(d)ʒ] ✖✚ radio-(distributie)centrale.

relay race [ri'leireis] *sp* estafette(loop).

release [ri'li:s] I *vt* loslaten, vrijlaten, vrijmaken, vrijgeven; verlossen, bevrijden; losmaken; uitbrengen [= voor 't eerst vertonen v. e. film]; publiceren; ₂½ overdragen [recht, schuld]; ✖ naar huis zenden; *~ from* ontslaan van of uit, ontheffen van; II *sb* bevrijding, vrijlating, ontslag *o*; ontheffing; uitbrengen *o* [v. film]; publikatie; overdracht; ✖ uitlaat; ontspanner.

relegate ['religeit] verbannen, overplaatsen, overbrengen, verschuiven; degraderen; verwijzen (naar *to*), overlaten (aan *to*).

relegation [reli'geiʃən] verbanning, overplaatsing, overbrenging, verschuiving; degradatie; verwijzing; overlaten *o*.

relent [ri'lent] zich laten vermurwen, medelijden krijgen, toegeven.

relentless(ly) [ri'lentlis(li)] meedogenloos.

relevance, -cy ['relivəns(i)] relevantie, toepasselijkheid, betrekking, betekenis.

relevant ['relivənt] relevant, toepasselijk, ter zake (dienend); *~ to* betrekking hebbend op.

reliability [rilaiə'biliti] betrouwbaarheid.

reliable [ri'laiəbl] te vertrouwen; betrouwbaar.

reliance [ri'laiəns] 1 vertrouwen *o*; 2 betrouwend.

reliant [ri'laiənt] vertrouwend. [wen *o*.

relic ['relik] relikwie; overblijfsel *o*; souvenir *o*; *~s* ook: stoffelijk overschot *o*.

relief [ri'li:f] 1 verlichting, leniging, opluchting, ontlasting; onderstand, ondersteuning, steun, hulp; ✖ aflossing; versterking, ontzet *o*; afwisseling ‖ reliëf *o*; *high (low) ~* haut- (bas)-relief *o*; *stand out in ~* (duidelijk) uitkomen, zich scherp aftekenen; *bring (throw) into ~* (duidelijk) doen uitkomen.

relief-map [ri'li:fmæp] reliëfkaart.

relief train [ri'li:ftrein] extratrein *m*: voortrein *m*, volgtrein *m*.

relief work [ri'li:fwə:k] 1 hulpverlening; 2 werkverschaffing (ook: *~s*).

relievable [ri'li:vəbl] verlicht, geholpen & kunnende worden.

relieve [ri'li:v] verlichten, lenigen; ontlasten°, opluchten, opbeuren; ontheffen, ontslaan; ondersteunen, helpen; ✖ aflossen, ontzetten; afwisselen, afwisseling brengen in; afzetten [met kant] ‖ (sterker) doen uitkomen; *~ one's feelings* zijn gemoed lucht geven.

relieving [ri'li:viŋ] verlichtend &; *~ army* ontzettingsleger *o*; *~ officer* armmeester.

relievo [ri'li:vou] reliëf *o*, verheven beeldwerk *o*.

relight ['ri:'lait] 1 weer verlichten; 2 weer op-, ont-, aansteken.

religion [ri'lidʒən] godsdienst; godsvrucht; *be in* ~ in het klooster zijn; *enter into* ~ in het klooster gaan.

religionist [ri'lidʒənist] streng godsdienstig persoon, piëtist, ijveraar; dweper.

religiosity [rilidʒi'ositi] godsdienstigheid.

religious [ri'lidʒəs] I *aj* godsdienstig, godsdienst-; geestelijk, kerkelijk; vroom; *with* ~ *care* met de meest stipte zorg; II *sb* monnik-(en), religieuze(n).

relinquish [ri'liŋkwiʃ] laten varen, opgeven; loslaten, afstaan, afstand doen van.

relinquishment [ri'liŋkwiʃmənt] laten varen *o*, opgeven *o*, afstand, loslating.

reliquary ['relikwəri] relikwieënkastje *o*.

relish ['reliʃ] I *vt* smakelijk maken, kruiden; zich laten smaken; genieten van, smaak vinden in; *he did not* ~ *it* ook: hij moest er niet veel van hebben; II *vi* in: ~ *of* smaken naar; iets (weg)hebben van; III *sb* smaak[2]; (bij)smaakje *o*; scheutje *o*, tikje *o*; aantrekkelijkheid; genoegen *o*; *Yorkshire* ~ Yorkshire saus; *it loses its* ~ de aardigheid gaat er af.

relive ['ri:'liv] opnieuw door-, beleven.

reluctance [ri'lʌktəns] weerzin, tegenzin.

reluctant [ri'lʌktənt] *aj* weerstrevend, onwillig; *be (feel)* ~ *to...* niet gaarne...; *yield a* ~ *consent* slechts node.

reluctantly [ri'lʌktəntli] *ad* met tegenzin, schoorvoetend, node.

rely [ri'lai] in: ~ *on (upon)* zich verlaten, vertrouwen, steunen op, afgaan op.

remain [ri'mein] I *vi* blijven: verblijven; overblijven, resten, (er op) overschieten; ~ *behind* achterblijven; ~ *on* (na)blijven, nog wat blijven; ~ *over* overblijven, blijven liggen; *worse things* ~*ed to come* zouden nog volgen; *it (still)* ~*s to be proved* dat moet nog bewezen worden; *it* ~*s to be seen* dat staat nog te bezien, dat dient men nog af te wachten; *it* ~*s with him to...* het staat aan hem; II *sb* overblijfsel *o*; ruïne; ~*s* (stoffelijk) overschot *o*; *literary* ~*s* nagelaten werken.

remainder [ri'meində] rest, overschot *o*, restant *o*, overblijfsel *o*.

remake ['ri:'meik] opnieuw maken, overmaken, omwerken.

remand [ri'ma:nd] I *vt* terugzenden in voorarrest; ~ *on bail* onder borgstelling voorlopig vrijlaten; II *sb* terugzending in voorarrest; *under* ~ in voorarrest.

remand home [ri'ma:ndhoum] observatiehuis *o*.

remark [ri'ma:k] I *vt* opmerken, bemerken; II *vi* in: ~ *on* een opmerking maken over; III *sb* opmerking.

remarkable [ri'ma:kəbl] opmerkelijk, merkwaardig; *make oneself* ~ zich onderscheiden.

remarriage ['ri:'mæridʒ] hertrouw, nieuw huwelijk *o*.

remarry ['ri:'mæri] hertrouwen.

R.E.M.E. = *Royal Electrical and Mechanical Engineers* Technische Troepen.

remediable [ri'mi:diəbl] herstelbaar, te verhelpen.

remedial [ri'mi:diəl] genezend, herstellend.

⊙ **remediless** ['remidilis] onherstelbaar; ongeneeslijk.

remedy ['remidi] I *sb* 1 (genees)middel *o*, remedie, hulpmiddel *o*, herstel *o*; 2 ✠ rechtsmiddel *o*, verhaal *o*; *beyond (past)* ~ ongeneeslijk, onherstelbaar[2]; II *vt* verhelpen, herstellen; genezen.

remember [ri'membə] *v(t)* 1 zich herinneren, onthouden, denken aan, gedenken; 2 bedenken, een fooitje geven; *this shall be* ~*ed against no one* dat zal later niemand aangerekend worden; ~ *me to him* doe hem mijn groeten.

remembrance [ri'membrəns] herinnering; aandenken *o*; ~*s* ook: groeten; *Remembrance Day* de dag ter herdenking van de gesneuvelden in de twee wereldoorlogen (= *Remembrance Sunday*, de zondag vóór of van 11 nov.).

remembrancer [ri'membrənsə] 1 iemand, die of iets, dat aan iets herinnert; 2 herinnering; 3 notitieboekje *o*.

remind [ri'maind] indachtig maken, doen denken, herinneren (aan *of*); *that* ~*s* me apropos...

reminder [ri'maində] 1 herinnering; 2 aanmaning, waarschuwing.

reminisce [remi'nis] herinneringen ophalen, zich in herinneringen verdiepen.

reminiscence [remi'nisəns] herinnering.

reminiscent [remi'nisənt] herinnerend (aan *of*); *be* ~ *of* 1 herinneren aan, doen denken aan; 2 zich herinneren.

remiss [ri'mis] nalatig, te kort schietend; lui, traag; slap; *be* ~ *in one's attendance* dikwijls verzuimen.

remissible [ri'misibl] vergeeflijk.

remission [ri'miʃən] afneming, verflauwing, vermindering; (gedeeltelijke) kwijtschelding, vergiffenis [van zonden].

remit [ri'mit] I *vt* verzachten, verminderen, temperen, doen afnemen of verflauwen; vrijstellen van, vergeven, kwijtschelden; $ overmaken, remitteren; ✠ verwijzen; (terug)zenden; uitstellen; II *vi* afnemen, verflauwen, verminderen, verslappen.

remittance [ri'mitəns] overmaking, overgemaakt bedrag *o*, remise.

remittent [ri'mitənt] op-en-afgaand(e koorts).

remitter [ri'mitə] 1 iemand, die vergeeft, kwijtscheldt &; 2 afzender, remittent.

remnant ['remnənt] overblijfsel *o*, overschot *o*, restant *o*; coupon, lap; ~ *day* lappendag.

remodel ['ri:'mɔdl] opnieuw modelleren; om-, vervormen, omwerken.

remonstrance [ri'mɔnstrəns] vertoog *o*; vermaning; protest *o*; ▣ remonstrantie.

remonstrant [ri'mɔnstrənt] I *aj* vertogend; ▣ remonstrants; II *sb* ▣ remonstrant.

remonstrate [ri'mɔnstreit] **I** *vt* tegenwerpen, aanvoeren; **II** *vi* protesteren, tegenwerpingen maken; ~ *with a person* (*up*)*on a thing* hem onderhouden, de les lezen over.

remorse [ri'mɔ:s] wroeging, berouw *o*.

remorseful(ly) [ri'mɔ:sful(i)] berouwvol.

remorseless(ly) [ri'mɔ:slis(li)] onbarmhartig, meedogenloos, harteloos.

remote [ri'mout] *aj* afgelegen, ver[2], verwijderd[2]; verderaf liggend, afgezonderd; *make a ~ allusion to...* in de verte zinspelen op; ~ *control* ✻ afstandsbediening; *I have not the ~st* (*idea*) ik heb er niet het flauwste idee van; *at no ~ time* in een niet zeer verwijderde toekomst.

remotely [ri'moutli] *ad* ver(af), indirect.

remoteness [ri'moutnis] afgelegenheid, verheid, veraf zijn *o*, afstand.

remould ['ri:'mould] opnieuw gieten; *fig* opnieuw vormen, omwerken.

remount ['ri:'maunt] **I** *vt* weer bestijgen; remonteren; van nieuwe paarden voorzien; **II** *vi* weer te paard stijgen; ~ *to the twelfth century* teruggaan tot; **III** *sb* ['ri:maunt] remonte, nieuw paard *o*.

removability [rimu:və'biliti] afneembaarheid, verplaatsbaarheid; afzetbaarheid.

removable [ri'mu:vəbl] afneembaar, weg te nemen, verplaatsbaar; afzetbaar.

removal [ri'mu:vəl] 1 verwijdering, verlegging; 2 verhuizing; 3 wegneming, op-, wegruiming; 4 opheffing; 5 afzetting.

remove [ri'mu:v] **I** *vt* verplaatsen, verleggen, verzetten, verschuiven; [in een hogere klasse] doen overgaan; verwijderen, afvoeren [v. lijst], wegbrengen, wegzenden, ontslaan, afzetten [hoed of ambtenaar], uittrekken; uit de weg ruimen; verdrijven, wegnemen; opheffen; wegmaken, uitwissen; overbrengen [meubels], verhuizen; *be ~d* ⇆ overgaan; ~ *a boy from school* van school (af)nemen; ~ *the cloth* (de tafel) afnemen; ~*d from his office* ontslagen, ontheven van zijn ambt; *houses ~d from the roadside* van de weg afstaand; **II** *vi* verhuizen; **III** *sb* bevordering [tot hogere klasse]; soms: tussenklasse; gerecht *o* [op menu]; graad [v. bloedverwantschap]; afstand; soms: verhuizing; *he did not get his ~, he missed his ~* ⇆ hij ging niet over.

removed [ri'mu:vd] verwijderd, afgelegen, ver(af); *a cousin once* (*twice, seven times*) ~ in de 2e (3de, 8ste) graad.

remover [ri'mu:və] verhuizer &.

remunerate [ri'mju:nəreit] (be)lonen, vergoeden.

remuneration [rimju:nə'reiʃən] (geldelijke) beloning, vergoeding.

remunerative [ri'mju:nərətiv] (be)lonend, voordeel afwerpend, voordelig, rendabel.

renaissance [ri'neisəns] herleving; renaissance.

§ renal ['ri:nəl] nier-.

rename ['ri:'neim] ver-, omdopen.

Renard ['renəd] Reintje *o* (de vos).

renascence [ri'næsəns] wedergeboorte, herleving; renaissance.

renascent [ri'næsənt] weer opkomend, weer oplevend, herlevend.

rend [rend] (vaneen)scheuren, verscheuren, (door)klieven, splijten.

render ['rendə] (over)geven; opgeven; teruggeven, vergelden; weergeven, vertolken, spelen; vertalen; uitsmelten; maken; ~ *help* hulp verlenen; ~ *judgment* een oordeel uitspreken; ~ *service* een dienst (diensten) bewijzen; ~ *thanks* (zijn) dank betuigen, (be)danken; ~ *up* 1 teruggeven; 2 uitleveren.

rendering ['rendəriŋ] teruggeven *o*; vertaling, vertolking.

rendezvous ['rɔndivu:] rendez-vous *o*, verzamelplaats, (plaats van) samenkomst.

rendition [ren'diʃən] 1 overgaaf, overgave; 2 uitlevering; 3 weergave [v. muziekstuk]; vertolking, wijze van voordracht.

renegade ['renigeid], **renegado** [reni'geidou] 1 renegaat, afvallige; 2 deserteur.

renew [ri'nju:] her-, vernieuwen; verversen; doen herleven; hervatten; verlengen, prolongeren [wissel].

renewable [ri'nju:əbl] her-, vernieuwbaar.

renewal [ri'nju:əl] her-, vernieuwing.

rennet ['renit] kaasstremsel *o*, leb ‖ renet.

renounce [ri'nauns] afstand doen van, afzien van; opgeven, vaarwel zeggen, laten varen; verloochenen, verwerpen, verzaken; niet bekennen [bij 't kaarten].

renovate ['renəveit] vernieuwen.

renovation [renə'veiʃən] vernieuwing.

renovator ['renəveitə] vernieuwer.

renown [ri'naun] vermaardheid, faam; beroemdheid; *of* (*great*) ~ vermaard.

renowned [ri'naund] vermaard, beroemd.

1 rent [rent] V.T. & V.D. van *rend*.

2 rent [rent] *sb* scheur; scheuring.

3 rent [rent] **I** *sb* huur, pacht; **II** *vt* huren, pachten; verhuren; **III** *vi* verhuurd worden.

rentable ['rentəbl] huurbaar, verhuurbaar.

rental ['rentl] huur, pacht, pachtgeld *o*; verhuur.

rent-charge ['renttʃa:dʒ] erfpacht.

rent-free ['rent'fri:] pachtvrij; *live* ~ vrij woning hebben.

rentier ['rɔntiei] rentenier.

rent-roll ['rentroul] pachtboek *o*.

renunciation [rinʌnsi'eiʃən] 1 verzaking; (zelf)verloochening; 2 afstand.

reoccupation ['ri:ɔkju'peiʃən] wederbezetting, -inneming.

reoccupy ['ri:'ɔkjupai] weder bezetten of innemen.

reopen ['ri:'oup(ə)n] **I** *vt* heropenen; opnieuw in behandeling nemen; weer te berde brengen; **II** *vi* zich weer openen, weer opengaan; weer beginnen [v. scholen &].

reorganization ['ri:ɔ:gənai'zeiʃən] reorganisatie.

reorganize ['ri:'ɔ:gənaiz] reorganiseren.

rep [rep] zie *reps*.

1 **repair** [ri'pɛə] *vi* in: ~ *to* zich begeven naar.

2 **repair** [ri'pɛə] I *vt* herstellen², weer goedmaken; verstellen, repareren; II *sb* herstelling, herstel *o*, reparatie; onderhoud *o*; *beyond* ~ niet meer te herstellen, onherstelbaar; *keep in* ~ onderhouden; *in bad* (*good*) ~ slecht (goed) onderhouden; *out of* ~ slecht onderhouden, in verval; *under* ~ in reparatie, in de maak.

repairable [ri'pɛərəbl] herstelbaar &.

repairer [ri'pɛərə] hersteller, reparateur.

repair shop [ri'pɛəʃɔp] herstellingswerkplaats, reparatiewerkplaats.

reparable ['repərəbl] herstelbaar.

reparation [repə'reiʃən] herstel *o*, herstelling, reparatie; genoegdoening; schadeloosstelling; ~s ook: herstelbetalingen.

repartee [repa:'ti:] gevat antwoord *o*; *quick at* ~ slagvaardig.

repartition ['ri:pa:'tiʃən] (her)verdeling.

repass ['ri:'pa:s] weer voorbijgaan, weer oversteken, weer overtrekken.

repast [ri'pa:st] maal *o*; maaltijd.

repatriate [ri:'pætrieit] I *vt* & *vi* repatriëren; II *sb* gerepatrieerde.

repatriation [ri:pætri'eiʃən] repatriëring.

repay [ri:'pei] terugbetalen, aflossen; betaald zetten, vergelden, vergoeden, (be)lonen.

repayable [ri:'peiəbl] terugbetaalbaar, aflosbaar.

repayment [ri:'peimənt] terugbetaling, aflossing.

repeal [ri'pi:l] I *vt* herroepen, intrekken [wet]; II *sb* herroeping, intrekking.

repealable [ri'pi:ləbl] herroepbaar.

repeat [ri'pi:t] I *vt* herhalen, overdoen; nadoen, nazeggen &; ⚡ repeteren, (over)leren; opzeggen; oververtellen, verder vertellen, overbrengen; II *vr* ~ *itself* zich herhalen; ~ *oneself* in herhalingen vervallen; III *vi* & *va* 1 repeteren; 2 repeterend zijn [breuk]; 3 opbreken [v. voedsel]; *his language will not bear* ~*ing* laat zich niet herhalen; IV *sb* 1 herhaling; bis; 2 $ nabestelling; 3 ♪ reprise; herhalingsteken *o*; ~ $ nabestelling.

repeatedly [ri'pi:tidli] herhaaldelijk.

repeater [ri'pi:tə] herhaler; recidivist; opzegger; repetitiehorloge *o*; repeteergeweer *o*'of -pistool *o*; repeterende breuk.

repeating [ri'pi:tiŋ] repeterend, repeteer-; ~ *decimal* repeterende breuk; ~ *rifle* repeteergeweer *o*; ~ *watch* repetitiehorloge *o*.

repel [ri'pel] I *vt* terugdrijven, terugslaan, afslaan°, af-, terugstoten, afweren, afwenden, weerstaan; II *vi* & *va* afstoten.

repellent [ri'pelənt] terugdrijvend; æfstotend; tegenstaand.

repent [ri'pent] I *vt* berouw hebben over, berouwen; ⚡ *it* ~*s me*, *I* ~ *me* het berouwt mij; II *vi* berouw hebben (over *of*).

repentance [ri'pentəns] berouw *o*.

repentant [ri'pentənt] berouwhebbend, berouwvol.

repeople ['ri:'pi:pl] weer bevolken.

repercussion [ri:pə'kʌʃən] weerkaatsing, terugkaatsing; terugslag, reactie.

repercussive [ri:pə'kʌsiv] weerkaatsend, terugkaatsend; teruggekaatst.

repertoire ['repətwa:] repertoire *o*.

repertory ['repətəri] verzameling; repertoire *o*.

repetition [repi'tiʃən] herhaling, repetitie; opzeggen *o*, voordracht; ⚡ les; kopie.

repine [ri'pain] morren, klagen (over *at*, *against*).

replace [ri'pleis] terugplaatsen, -leggen, -zetten; vervangen, in de plaats stellen voor, de plaats vervullen van.

replacement [ri'pleismənt] vervanging.

replant [ri:'pla:nt] weer planten, verplanten.

replenish [ri'pleniʃ] weer vullen; bijvullen; (voorraad) aanvullen.

replenishment [ri'pleniʃmənt] bijvullen *o* &.

replete [ri'pli:t] vol, verzadigd (van *with*).

repletion [ri'pli:ʃən] volheid, verzadigdheid; overlading.

replica ['replikə] 1 tweede exemplaar *o* [v. kunstwerk], kopie (door kunstenaar zelf); 2 *fig* evenbeeld *o*.

replication [repli'keiʃən] 1 repliek, (weder)antwoord *o*; 2 kopie, navolging; 3 echo.

reply [ri'plai] I *vi* antwoorden, repliceren; ~ *to* antwoorden op, beantwoorden; II *vt* antwoorden; III *sb* (weder)antwoord *o*; *what he says by way of* ~ (*in* ~) wat hij ten antwoord geeft; *there is no* ~ er hoeft niet op antwoord gewacht te worden; *make* (*offer*) *no* ~ geen antwoord geven.

reply-paid [ri'plaipeid] ⚓ & ✝ met betaald antwoord.

repolish ['ri:'pɔliʃ] weer opwrijven, opnieuw polijsten, oppoetsen.

report [ri'pɔ:t] I *vt* rapporteren, melden, opgeven, verslag geven van, berichten, overbrengen, vertellen; *it is* ~*ed that* het gerucht gaat dat..., naar verluidt...; ~ *a person to the police* iemand aangeven bij de politie; ~ *progress* verslag doen van de stand van zaken; [in Parlement] de debatten sluiten; II *vr* ~ *oneself* (*to one's superior*) zich melden bij zijn chef; III *vi* rapport uitbrengen, verslag geven, doen of uitbrengen (over *on*), rapporteren; reporterswerk doen; zich melden (bij *to*); IV *sb* rapport *o*, verslag *o*, bericht *o*; gerucht *o* [ook = reputatie]; knal, schot *o*; *from* ~ van horen zeggen; *of good* ~ een goede reputatie hebbend; *faithful through* (*in*) *good and evil* (*ill*) ~ in voor- en tegenspoed.

reporter [ri'pɔ:tə] 1 berichtgever, verslaggever; 2 rapporteur.

repose [ri'pouz] I *vt* laten rusten, (doen) steunen of leunen (op *on*); ter ruste leggen; ∼ *confidence in* vertrouwen stellen in; II *vr* ∼ *oneself* = III *vi* uitrusten, rusten; ∼ *on* berusten op; IV *sb* rust.

reposeful [ri'pouzful] rustig.

repository [ri'pozitəri] bewaarplaats, opslagplaats, depot *o* & *m*; *fig* schatkamer.

repossess ['ri:pə'zes] I *vt* opnieuw bezitten; weder in bezit stellen; II *vr* ∼ *oneself of* zich weer in bezit stellen van, herkrijgen.

repot ['ri:'pɔt] verpotten.

reprehend [repri'hend] berispen.

reprehensible [repri'hensibl] *aj* berispelijk.

reprehensibly [repri'hensibli] *ad* op berispelijke wijze.

reprehension [repri'henʃən] berisping, blaam.

represent [repri'zent] vertegenwoordigen; voorstellen°, doen of laten voorkomen, afbeelden; voorhouden, onder het oog brengen, wijzen op.

representation [reprizen'teiʃən] vertegenwoordiging; voorstelling; vertoog *o*; op-, aanmerking, bedenking, protest *o*; *make* ∼*s to* een vertoog richten tot, stappen doen bij, protesteren bij.

representative [repri'zentətiv] I *aj* representatief, voorstellend, vertegenwoordigend, typisch[2]; *be* ∼ *of* vertegenwoordigen; voorstellen; II *sb* vertegenwoordiger; *the House of R*∼*s* het Huis van Afgevaardigden [in de V.S.].

repress [ri'pres] onderdrukken; beteugelen, in toom houden, tegengaan, bedwingen; *ps* verdringen.

repression [ri'preʃən] onderdrukking, beteugeling, bedwang *o*; *ps* verdringing.

repressive [ri'presiv] onderdrukkend, beteugelend, bedwingend; ter beteugeling.

reprieve [ri'pri:v] I *vt* ₺ uitstel, opschorting of gratie verlenen; II *sb* ₺ uitstel *o*, opschorting, gratie.

reprimand ['reprima:nd] I *sb* (officiële) berisping, reprimande; II *vt* berispen.

1 **reprint** ['ri:'print] *sb* herdruk.

2 **reprint** [ri:'print] *vt* herdrukken.

reprisal [ri'praizl] weerwraak, vergelding, represaille; *make* ∼(*s*) represaillemaatregelen nemen.

reproach [ri'proutʃ] I *vt* verwijten; berispen; ∼ *one with* (*for*) *something* iemand iets verwijten; II *vr* ∼ *oneself with* (*for*) *a thing* zich ergens een verwijt van maken; III *sb* verwijt *o*; schande; *above* (*beyond*) ∼ onberispelijk.

reproachable [ri'proutʃəbl] berispelijk.

reproachful [ri'proutʃful] verwijtend.

reproachless [ri'proutʃlis] onberispelijk.

reprobate ['reprəbeit] I *aj* verworpen, goddeloos, verdoemd; snood; II *sb* verworpeling; snoodaard; III *vt* verwerpen, verdoemen.

reprobation [reprə'beiʃən] verwerping, verdoeming.

reproduce [ri:prə'dju:s] weer voortbrengen;

reproduceren; weergeven; (zich) voortplanten of vermenigvuldigen.

reproducible [ri:prə'dju:sibl] reproduceerbaar.

reproduction [ri:prə'dʌkʃən] wedervoortbrenging; reproduktie; weergave; voortplanting, vermenigvuldiging.

reproductive [ri:prə'dʌktiv] weer voortbrengend; reproducerend; weergevend.

reproof [ri'pru:f] terechtwijzing, berisping.

reprovable [ri'pru:vəbl] berispelijk.

reproval [ri'pru:vəl] zie *reproof*.

reprove [ri'pru:v] terechtwijzen, berispen.

reps [reps] rips *o*.

reptile ['reptail] I *sb* kruipend dier *o*, reptiel[2] *o*; *fig* kruiper; II *aj* kruipend[2], kruiperig.

reptilian [rep'tiliən] kruipend (dier *o*).

republic [ri'pʌblik] republiek[2].

republican [ri'pʌblikən] I *aj* republikeins; II *sb* republikein.

republication ['ri:pʌbli'keiʃən] vernieuwde uitgaaf, herdruk.

republish ['ri:'pʌbliʃ] opnieuw uitgeven.

repudiate [ri'pju:dieit] verwerpen, verstoten; afwijzen; verloochenen.

repudiation [ripju:di'eiʃən] verwerping, verstoting; afwijzing; verloochening.

repugnance [ri'pʌgnəns] afkeer, tegen-, weerzin (tegen *to*, *against*); tegenstrijdigheid.

repugnant(ly) [ri'pʌgnənt(li)] weerzinwekkend, terugstotend; tegenstrijdig (met *to*).

repulse [ri'pʌls] I *vt* terugdrijven, -slaan; afslaan; afwijzen; II *sb* af-, terugslaan *o*; afwijzing; *meet with a* ∼ 1 af-, teruggeslagen worden; 2 een weigerend antwoord krijgen.

repulsion [ri'pʌlʃən] afstoting; afkeer, weerzin, tegenzin.

repulsive(ly) [ri'pʌlsiv(li)] af-, terugstotend; weerzinwekkend.

repurchase ['ri:'pə:tʃis] I *vt* terugkopen; II *sb* terugkoop.

reputable ['repjutəbl] achtenswaardig, (in)fatsoenlijk, geacht.

reputation [repju'teiʃən] reputatie, (goede) naam, faam, roep; *from* ∼ bij gerucht.

repute [ri'pju:t] I *vt* houden voor; *he is* ∼*d* (*to be*) *the best*... hij wordt gehouden voor..., het heet dat hij...; *he is ill* (*well*) ∼*d* heeft een slechte (goede) naam; *his* ∼*d father* (*benefactor* &) zijn vermeende vader (weldoener &); II *sb* reputatie, (goede) naam; *by* ∼ bij gerucht; *in bad* ∼ te kwader naam bekend staand; *get into* ∼ naam maken; *of good* ∼ te goeder naam en faam bekend staand.

reputedly [ri'pju:tidli] naar het heet(te).

request [ri'kwest] I *sb* verzoek *o*; (aan)vraag; *make a* ∼ een verzoek doen; *in great* ∼ $ veel gevraagd; II *vt* verzoeken (om).

requiem ['rekwiem] requiem *o*, requiemmis (∼ *mass*).

requirable [ri'kwaiərəbl] vereist.

require [ri'kwaiə] (ver)eisen, vorderen, verlangen; nodig hebben; behoeven.

requirement [ri'kwaiəmənt] eis, vereiste *o* & *v*; ~*s* ook: behoeften.

requisite ['rekwizit] I *aj* vereist; nodig; II *sb* vereiste *o* & *v*; ~*s* ook: benodigdheden.

requisition [rekwi'ziʃən] I *sb* eis; (op)vordering; oproeping; ⚔ rekwisitie; *bring (call) into* ~, *put in* ~ rekwireren; II *vt* rekwireren, (op)vorderen.

requital [ri'kwaitəl] vergelding, beloning; weerwraak; *in* ~ I ter vergelding; 2 in ruil (voor *for*).

requite [ri'kwait] vergelden, betaald zetten, belonen.

reredos ['riədos] retabel, altaarstuk *o*.

resale ['ri:'seil] wederverkoop.

rescind [ri'sind] vernietigen, te niet doen [een vonnis]; intrekken, afschaffen [wet].

rescission [ri'siʒən] vernietiging, tenietdoening[2]; intrekking, afschaffing.

rescript ['ri:skript] rescript *o*.

rescue ['reskju:] I *vt* redden, ontzetten, (gewelddadig) bevrijden; terugnemen; II *sb* redding, hulp, ontzet *o*, (gewelddadige) bevrijding; terugneming.

rescue-party ['reskju:pa:ti] redding(s)brigade.

rescuer ['reskjuə] redder, bevrijder.

research [ri'sə:tʃ] I *sb* (wetenschappelijk) onderzoek *o*, onderzoeking, nasporing; *make* ~*es into* onderzoeken; II *vi* onderzoekingen doen.

research station [ri'sə:tʃsteiʃən] proefstation *o*.

research work [ri'sə:tʃwə:k] wetenschappelijk onderzoek, speurwerk *o*, researchwerk *o*.

reseat ['ri:'si:t] weer neerzetten, opnieuw doen zitten; van een nieuwe zitting voorzien.

reseda ['residə] reseda.

reseize ['ri:'si:z] weer bemachtigen, opnieuw bezit nemen van, hernemen.

reseizure ['ri:'si:ʒə] wederbemachtiging.

resell ['ri:'sel] weer of opnieuw verkopen.

resemblance [ri'zembləns] gelijkenis, overeenkomst (met *to*).

resemble [ri'zembl] gelijken (op); ↘ vergelijken (met *to*).

resent [ri'zent] hoog opnemen, zich beledigd voelen door, gepikeerd (gebelgd) zijn over.

resentful [ri'zentful] lichtgeraakt; boos, gebelgd; haatdragend.

resentment [ri'zentmənt] boosheid, gebelgdheid, haat, wrok, ressentiment *o*.

reservation [rezə'veiʃən] reserveren *o*; voorbehoud *o*; *Am* reservaat *o*; *mental* ~ geestelijk voorbehoud *o*; *with a (some)* ~ onder voorbehoud, onder reserve.

reserve [ri'zə:v] I *vt* reserveren, bewaren (voor later), in reserve houden, (zich) voorbehouden; aan-, openhouden; opschorten [oordeel]; bespreken [plaatsen]; *it was (not)* ~*d for him to...* het was voor hem (niet) weggelegd om...; II *vr* ~ *oneself for* zijn krachten sparen voor; III *sb* reserve; gereserveerdheid, terughoudendheid; voorbehoud *o*; ⚔ reser-

ve(troepen); $ limiet [v. prijs]; gereserveerd gebied *o*, reservaat *o*; *with all* ~, *with all proper* ~*s* onder alle voorbehoud, met het nodige voorbehoud; *without* ~ I zonder enig voorbehoud; 2 $ [verkoop] tot elke prijs.

reserved [ri'zə:vd] *aj* gereserveerd, terughoudend, omzichtig [in woorden]; *on the* ~ *list* ⚓ bij de reserve.

reservedly [ri'zə:vidli] *ad zie* reserved.

reservist [ri'zə:vist] reservist.

reservoir ['rezəvwa:] vergaar-, waterbak, reservoir *o*.

reset ['ri:'set] opnieuw zetten.

resettle ['ri:'setl] opnieuw vestigen, weer een plaats geven; opnieuw koloniseren.

reship ['ri:'ʃip] weer inschepen, opnieuw verschepen, overladen.

reshuffle ['ri:'ʃʌfl] I *vt* opnieuw schudden [de kaarten]; wijzigen, hergroeperen [het Kabinet]; II *sb* opnieuw schudden *o* [v. d. kaarten]; wijziging, hergroepering.

reside [ri'zaid] wonen, verblijf houden, zetelen, resideren; ~ *in* ook: berusten bij.

residence ['rezidəns] woonplaats, verblijfplaats, verblijf *o*; inwoning; woning, (heren)huis *o*; *be in* ~ aanwezig zijn; *take up one's* ~ zich metterwoon vestigen.

resident ['rezidənt] I *aj* woonachtig; inwonend, intern; vast [v. inwoners]; ~ *bird* standvogel; II *sb* (vaste) inwoner, bewoner; (minister-)resident.

residential [rezi'denʃəl] I woon-; 2 van een woonwijk [bv. ~ *school* &]; ~ *area* (*district*, *estate*, *quarter*) (deftige) woonwijk.

residual [ri'zidjuəl] overgebleven (deel *o*).

residuary [ri'zidjuəri] overgebleven, overblijvend; ~ *legatee* universeel erfgenaam.

residue ['rezidju:] residu *o*; restant *o*, rest, overschot *o*.

residuum [ri'zidjuəm] *zie* residue.

1 **resign** [ri'zain] I *vt* afstaan, afstand doen van, overgeven, overlaten; opgeven; neerleggen [ambt]; II *vr* ~ *oneself* berusten; ~ *oneself to...* zich onderwerpen aan...; berusten in...; zich overgeven aan; III *vi* & *va* af-, uittreden, ontslag nemen; bedanken [voor betrekking].

2 **resign** ['ri:'sain] *vt* opnieuw tekenen.

resignation [rezig'neiʃən] berusting, overgave [aan Gods wil]; gelatenheid; afstand; aftreden *o*, uittreden *o*, ontslag *o*; *give in (send in, tender) one's* ~ zijn ontslag indienen.

resigned [ri'zaind] *aj* gelaten.

resignedly [ri'zainidli] *ad* gelaten.

resilience, -cy [ri'ziljəns(i)] terugspringen *o*; veerkracht[2].

resilient [ri'ziljənt] terugspringend; verend veerkrachtig.

resin ['rezin] I *sb* hars *o* & *m*; II *vt* met hars bestrijken.

resinous ['rezinəs] harsachtig, hars-.

resist [ri'zist] I *vt* weerstaan, weerstand bieden

aan; zich verzetten tegen; *I couldn't ~ asking...* ik kon niet nalaten te vragen...; **II** *vi* weer-, tegenstand bieden, zich verzetten; de verleiding weerstaan.

resistance [ri'zistəns] weerstand, tegenstand; verzet *o*; weerstandsvermogen *o*; *make no ~* geen weerstand bieden, zich niet verzetten.

resister [ri'zistə] wie weerstaat of zich verzet; verzetsman; *passive ~* lijdelijk verzet plegende.

resistless [ri'zistlis] onweerstaanbaar; geen weerstand biedend.

resoluble ['rezəljubl] oplosbaar.

resolute ['rezəl(j)u:t] resoluut, vastberaden, beslist, vast besloten.

resolution [rezə'l(j)u:ʃən] oplossing, ontbinding; resolutie, besluit *o*, beslissing; vastberadenheid; ᵮ verdwijning [v. gezwel &]; *good~s* ook: goede voornemens.

resolvable [ri'zɔlvəbl] oplosbaar.

resolve [ri'zɔlv] **I** *vt* 1 oplossen²,ontbinden; 2 besluiten; doen besluiten; **II** *vr ~ itself* zich oplossen; **III** *vi* 1 (zich) oplossen; ᵮ verdwijnen [v. gezwel &]; 2 besluiten (tot *upon*), een besluit nemen; **IV** *sb* besluit *o*; ⊙ vastberadenheid.

resolvedly [ri'zɔlvidli] vastberaden.

resonance ['rezənəns] resonantie, weerklank.

resonant ['rezənənt] weerklinkend.

resonator ['rezəneitə] resonator.

1 **resort** [ri'zɔ:t] **I** *vi* in: *~ to* 1 zich begeven naar; 2 zijn toevlucht nemen tot; **II** *sb* samenloop, toevloed; (verenigings)plaats, oord *o*, vakantie-, ontspanningsoord *o*; toevlucht, hulp-, redmiddel *o*, ressort *o*; instantie; *a place of public ~* een plaats van openbare samenkomst.

2 **resort** [ri:'sɔ:t] *vt* opnieuw sorteren.

1 **resound** [ri'zaund] (*vt &*) *vi* (doen) weerklinken, weergalmen (van *with*); *~ing* ook: klinkend [overwinning]; daverend [succes].

2 **resound** [ri:'saund] **I** *vi* opnieuw klinken; **II** *vt* opnieuw doen klinken.

resource [ri'sɔ:s] hulpbron, -middel *o*, redmiddel *o*, uitkomst, uitweg, toevlucht; vindingrijkheid; *~s* (geld)middelen; *natural ~s* natuurlijke hulpbronnen (rijkdommen); *he is a man (full) of ~* hij weet zich goed te redden; *he is a man of no ~s* 1 zonder middelen; 2 zonder liefhebberijen, hij weet zich niet bezig te houden.

resourceful [ri'sɔ:sful] rijk aan (hulp)middelen, zich goed wetende te helpen, vindingrijk.

resourceless [ri'sɔ:slis] zonder (hulp)middelen, hulpeloos.

respect [ris'pekt] **I** *sb* 1 aanzien *o*, achting, eerbied, eerbiediging; 2 opzicht *o*; *give him my ~s* doe hem de groeten; *have ~ of persons* niet zonder aanzien des persoons handelen, partijdig zijn; *have ~ to* betrekking hebben op; *have no ~ to anything but* alleen letten op; *hold in ~* respecteren; *send one's ~s*

iemand de complimenten doen, laten groeten; *n every ~* in alle opzichten; *in some ~* enigermate; *in some ~s* in sommige opzichten; *in ~ of* ten aanzien van, met betrekking tot; uit het oogpunt van; vanwege; *with ~ to* ten opzichte (aanzien) van, betreffende; *without ~ of persons* zonder aanzien des persoons; *without ~ to* zonder te letten op; **II** *vt* 1 respecteren°, (hoog)achten, eerbiedigen, ontzien; 2 betrekking hebben op, betreffen; *~ persons* de persoon aanzien; *as ~s* wat betreft; **III** *vr ~ oneself* zich zelf respecteren.

respectability [rispektə'biliti] achtenswaardigheid; fatsoenlijkheid, fatsoen *o*; aanzien *o*; $ soliditeit; *Putney ~* de notabelen van P.

respectable [ris'pektəbl] achtbaar, achtenswaardig, respectabel°, (vrij) aanzienlijk, fatsoenlijk, net; $ solide.

respecter [ris'pektə] in: *no ~ of persons* iemand die handelt zonder aanzien des persoons.

respectful [ris'pektful] *aj* eerbiedig.

respectfully [ris'pektfəli] *ad* eerbiedig; *yours ~* hoogachtend, uw dw. dr.

respecting [ris'pektiŋ] ten aanzien van, aangaande, betreffende.

respective [ris'pektiv] *aj* respectief; *they contributed the ~ sums of £ 3 and £ 4* zij droegen respectievelijk 3 en 4 pond bij.

respectively [ris'pektivli] *ad* respectievelijk.

respirable [ris'paiərəbl] in te ademen.

respiration [respi'reiʃən] ademhaling.

respirator ['respireitə] respirator; gasmasker *o*.

respiratory [ris'paiərətəri] ademhalings-.

respire [ris'paiə] **I** *vi* ademhalen², ademen²; weer op adem komen²; **II** *vt* inademen, ademen², uitademen.

respite ['respait, 'respit] **I** *sb* uitstel *o*, schorsing, respijt *o*, verademing, rust; **II** *vt* uitstel verlenen, uitstellen, opschorten.

resplendence, -cy [ris'plendəns(i)] glans, luister.

resplendent [ris'plendənt] glansrijk, luisterrijk, schitterend (van *with*).

respond [ris'pɔnd] antwoorden (op *to*), gehoor geven² (aan *to*), reageren (op *to*).

respondent [ris'pɔndənt] **I** *aj* antwoord gevend, gehoor gevend (aan *to*), reagerend (op *to*); ⚹⚹ gedaagd; **II** *sb* 1 ☞ respondent; 2 ⚹⚹ gedaagde [bij echtscheiding].

response [ris'pɔns] antwoord *o*; responsorie [liturgisch]; reageren², reactie (op *to*); *fig* weerklank; *in ~ to* als antwoord op; gehoor gevend aan; ingevolge...

responsibility [rispɔnsi'biliti] verantwoordelijkheid; aansprakelijkheid.

responsible [ris'pɔnsibl] 1 verantwoordelijk, aansprakelijk; 2 $ solide.

responsions [ris'pɔnʃənz] ☞ eerste examen *o* voor *B.A.*

responsive [ris'pɔnsiv] 1 antwoordend; 2 niet

op een antwoord latende wachten; 3 sympathiek; *be* ~ *to* reageren op.

responsiveness [ris'pɒnsivnis] reageren *o*.

responsory [ris'pɒnsəri] responsorie.

1 **rest** [rest] I *vi* rusten, uitrusten (van *from*); rustig blijven; rust hebben; ~ *on* (*upon*) rusten op [v. zorg, verdenking]; gebaseerd zijn op, steunen, berusten op; II *vt* laten (doen) rusten, rust geven; baseren, steunen; (*God*) ~ *his soul* de Heer hebbe zijn ziel; III *vr* ~ *oneself* (uit)rusten; IV *sb* rust°, pauze; rustplaats, tehuis *o*; rustpunt *o*, steun, steuntje *o*; bok [bij 't biljarten &]; ♪ rustteken *o*; *be at* ~ ter ruste zijn; rust hebben; bedaard zijn; in ruste zijn; afgedaan zijn; *set at* ~ geruststellen, doen bedaren, tot zwijgen brengen, opheffen, uit de wereld helpen; *with lance in* ~ met gevelde lans; *enter into one's* ~ de eeuwige rust ingaan; *go (retire) to* ~ zich ter ruste begeven.

2 **rest** [rest] I *vi* blijven; ~ *assured* (*satisfied*) verzekerd (tevreden) zijn; *it* ~*s with you to...* het staat aan u om...; *the management* ~*ed with...* het bestuur berustte bij...; II *sb* rest; $ reservefonds *o*; (*as*) *for the* ~ voor het overige, overigens.

restaurant ['restərɒŋ] restaurant *o*; ~ *car* restauratiewagen.

restaurateur [restərə'tə:] restaurateur.

restful(ly) ['restful(i)] rustig, stil; kalmerend, rust gevend.

resting-place ['restiŋpleis] rustplaats.

restitution [resti'tju:ʃən] teruggave, vergoeding, schadeloosstelling, herstel *o*; *make* ~ *of* teruggeven, vergoeden.

restive ['restiv] koppig, weerspannig; ongeduldig, prikkelbaar; *become* ~ ook: zich schrap zetten.

restless(ly) ['restlis(li)] rusteloos, onrustig, ongedurig, woelig.

restorable [ris'tɔ:rəbl] herstelbaar.

restoration [restə'reiʃən] restauratie, herstel° *o*; herstelling, teruggave; *the Restoration* de Restauratie in 1660.

restorative [ris'tɔ:rətiv] versterkend, herstellend (middel *o*).

1 **restore** [ris'tɔ:] *vt* restaureren, vernieuwen, herstellen; teruggeven, terugzetten [op zijn plaats], terugbrengen; ~*d to health* hersteld; ~ *to life* in 't leven terugroepen.

2 **restore** ['ri:'stɔ:] *vt* opnieuw opbergen, opslaan &.

restorer [ris'tɔ:rə] restaurateur, hersteller.

restrain [ris'trein] bedwingen, in bedwang houden, in toom houden, terug-, tegen-, weerhouden, beteugelen, inhouden; beperken; ~*ed* ook: gematigd; sober.

restrainable [ris'treinəbl] te bedwingen &.

restraint [ris'treint] dwang, (zelf)bedwang *o*; beteugeling, beperking; gereserveerdheid; *be under* ~ zich in hechtenis bevinden, opgesloten zijn; *without* ~ eheel vrij, onbe-

perkt.

restrict [ris'trikt] beperken, bepalen; maximumsnelheid voorschrijven voor [een weg]; *I am* ~*ed to...* ik moet mij bepalen tot.

restriction [ris'trikʃən] beperking, bepaling, beperkende bepaling; voorbehoud *o*.

restrictive [ris'triktiv] beperkend, bepalend.

result [ri'zʌlt] I *vi* volgen (uit *from*); ontstaan; voortvloeien (uit *from*); uitlopen (op *in*), resulteren (in *in*); II *sb* gevolg *o*; afloop, uitslag, uitkomst, slotsom, resultaat *o*; *as a* ~ dientengevolge; *as a* ~ *of* ten gevolge van, na; *without* ~ zonder resultaat, tevergeefs.

resultant [ri'zʌltənt] I *aj* voortvloeiend (uit *from*); II *sb* resultante; resultaat *o*.

resumable [ri'zju:məbl] hernomen, hervat & kunnende worden.

resume [ri'zju:m] hernemen, weer opnemen, innemen, opvatten, beginnen of aanknopen; hervatten; herkrijgen; resumeren.

résumé ['rez(j)umei] resumé *o*.

resumption [ri'zʌm(p)ʃən] weer opvatten *o* *o* opnemen *o* &, hervatting; terugnemen *o*.

resumptive [ri'zʌm(p)tiv] weer opvattend, resumerend, hernemend, hervattend.

⚓ resurge [ri'sə:dʒ] weer opstaan.

resurgent [ri'sə:dʒənt] weer opstaand; weer opkomend.

resurrect [rezə'rekt] (weer) opgraven; weer ophalen, weer oprakelen, doen herleven.

resurrection [rezə'rekʃən] opstanding, verrijzing, verrijzenis; herleving.

1 **resurvey** [ri:sə:'vei] *vt* 1 weer nazien; 2 opnieuw opmeten of opnemen.

2 **resurvey** ['ri:'sə:vei] *sb* 1 nieuwe bezichtiging; 2 nieuwe opmeting of opname.

resuscitate [ri'sʌsiteit] I *vt* uit den dode doen opstaan, in 't leven terugroepen, doen herleven; weer oprakelen; II *vi* uit den dode opstaan; herleven.

resuscitation [risʌsi'teiʃən] opwekking, herleving.

ret [ret] roten, weken [v. vlas].

retail ['ri:teil] I *sb* $ kleinhandel; *sell* (*by*) ~ in 't klein verkopen; II *vt* [ri'teil] in 't klein verkopen, slijten; omstandig verhalen; rondvertellen.

retail dealer ['ri:teildi:lə] $ kleinhandelaar, slijter, wederverkoper, detaillist.

retailer [ri'teilə] zie *retail dealer*

retail trade ['ri:teiltreid] kleinhandel, detailhandel.

retain [ri'tein] tegenhouden, vasthouden, houden, behouden, inhouden, onthouden; (in dienst) nemen; bespreken.

retainer [ri'teinə] 1 ⬚ iemand van het gevolg, bediende; 2 ⚖ retentie; 3 vooruitbetaald honorarium *o* voor advocaat.

retake ['ri:'teik] terugnemen; heroveren.

retaliate [ri'tælieit] I *vt* vergelden, betaald zetten; ~ *upon* terugwerpen op; II *vi* weerwraak (represailles) nemen.

retaliation [ritæli'eiʃən] wedervergelding, weerwraak, wraakneming, represaille(s).

retaliatory [ri'tælieitəri] vergeldings-.

retard [ri'ta:d] vertragen, later stellen, uitstellen, tegenhouden, ophouden; ~*ed child* achtergebleven kind *o*; ~*ed ignition* ✕ na-ontsteking.

retardation [ri:ta:'deiʃən] vertraging; uitstel *o*; ✕ na-ontsteking.

retardment [ri'ta:dmənt] zie *retardation*.

retch [ri:tʃ] kokhalzen.

retell ['ri:'tel] opnieuw vertellen, oververtellen, herhalen; opnieuw tellen.

retention [ri'tenʃən] tegenhouden *o*; inhouden *o*; vasthouden *o*; behoud *o*; onthouden *o*.

retentive [ri'tentiv] terughoudend, vasthoudend, behoudend; ~ *memory* sterk geheugen *o*; *be* ~ *of* vasthouden (aan), behouden, bewaren.

reticence ['retisəns] achterhoudend-, terughoudend-, geslotenheid, stilzwijgendheid, verzwijging, achterhouding, terughouding.

reticent(ly) ['retisənt(li)] niets loslatend, niet erg spraakzaam; achterhoudend, terughoudend, gesloten.

reticular [ri'tikjulə] netvormig.

reticule ['retikju:l] reticule.

retina ['retinə] netvlies *o*.

retinue ['retinju:] gevolg *o*, (hof)stoet.

retire [ri'taiə] I *vt* terugnemen, intrekken, terugtrekken; ontslaan; pensioneren; II *vi* (zich) terugtrekken; (terug)wijken; zich verwijderen; zijn ontslag nemen, aftreden; uit de zaken gaan, stil gaan leven; de eetkamer verlaten (om naar de salon te gaan); ~ (*to bed, to rest, for the night*) zich ter ruste begeven; ~ *into oneself* I teruggetrokken zijn of leven; 2 tot zich zelf inkeren; ~ *on* (*a*) *pension* zijn pensioen nemen, met pensioen gaan; III *sb* ✕ sein *o* tot de aftocht.

retired [ri'taiəd] teruggetrokken; afgezonderd, eenzaam; stil-levend, rentenierend; gepensioneerd; ~ *allowance* (*pay*) pensioen *o*; *place on the* ~ *list* pensioneren.

retirement [ri'taiəmənt] I terugtrekken *o*, aftocht; 2 teruggetrokkenheid, afzondering, eenzaamheid; 3 aftreden *o*, ontslag *o*, pensionering; ~ *pension* ouderdomsrente.

retiring [ri'taiəriŋ] terugtrekkend &; teruggetrokken; ~ *allowance* (*pension*) pensioen *o*; ~ *room* W.C.

retold ['ri:'tould] V.T. & V.D. van *retell*.

1 **retort** [ri'tɔ:t] I *sb* retort, distilleerkolf; II *vt* in de retort zuiveren.

2 **retort** [ri'tɔ:t] I *vt* terugwerpen, keren [v. argumenten]; vinnig antwoorden; ~*ed* ombegogen; II *vi* vinnig antwoorden; III *sb* vinnig antwoord *o*.

retouch ['ri:'tʌtʃ] I *vt* retoucheren[2], op-, bijwerken; II *sb* retouche[2], op-, bijwerking.

1 **retrace** [ri'treis] (weer) nagaan, naspeuren; ~ *one's steps* (*one's way*) op zijn schreden

terugkeren.

2 **retrace** ['ri:'treis] óvertrekken [tekening].

retract [ri'trækt] intrekken, terugtrekken, herroepen.

retractable [ri'træktəbl] intrekbaar &.

retractation [ritræk'teiʃən], **retraction** [ri-'trækʃən] intrekking; herroeping.

retrain ['ri:'trein] herscholen.

retread ['ri:'tred] I *vt* vernieuwen [banden], coveren; II *sb* band met nieuw loopvlak.

retreat [ri'tri:t] I *vi* (zich) terugtrekken; (terug)wijken; II *vt* terugzetten [bij schaken]; III *sb* terug-, aftocht; sein *o* tot de aftocht; terugtreding; ✕ taptoe; *RK* retraite; afzondering; wijkplaats, rustoord *o*; asiel *o*; *beat a* ~ I ✕ aftrekken; 2 *fig* de aftocht blazen; *hold a* ~ *RK* retraite houden; *make good one's* ~ weten te ontkomen; *sound a* (*the*) ~ ✕ de aftocht blazen.

retrench [ri'trenʃ] I *vt* weg-, afsnijden, besnoeien, in-, beperken; ontslaan wegens bezuiniging; ✕ verschansen; II *vi* zich beperken, zich inkrimpen, bezuinigen.

retrenchment [ri'trenʃmənt] I weg-, afsnijding, besnoeiing[2], in-, beperking; bezuiniging; 2 ✕ verschansing.

retribution [retri'bju:ʃən] vergelding, beloning.

retributive [ri'tribjutiv] vergeldend.

retrievable [ri'tri:vəbl] terug te vinden; weer goed te maken, herstelbaar.

retrieval [ri'tri:vəl] terugvinden *o* &; redding, herstel *o*.

retrieve [ri'tri:v] I *vt* terugvinden, herwinnen, redden (uit *from*); terugbekomen; weer goedmaken, herstellen; apporteren; II *sb* in: *beyond* (*past*) ~ onherstelbaar.

retriever [ri'tri:və] ✍ apporterende hond.

retroaction [ri:trou'ækʃən] terugwerking.

retroactive [ri:trou'æktiv] terugwerkend.

retrocession [ri:trou'seʃən] teruggang; teruggave, wederafstand.

retrogradation [retrougrə'deiʃən] teruggang, terugwijking; achteruitgang.

retrograde ['retrougreid] I *aj* achteruitgaand[2], teruggaand[2], achterwaarts[2]; reactionair; *in* ~ *order* van achter naar voren; *a* ~ *step* een stap achteruit; II *vi* achteruitgaan[2], teruggaan.

retrogress [ri:trou'gres] achteruitgaan[2].

retrogression [ri:trou'greʃən] teruggang, achteruitgang[2].

retrogressive [ri:trou'gresiv] teruggaand, achteruitgaand[2].

retro-rocket ['retrourəkit] remraket.

retrospect ['re-, 'ri:trouspekt] terugblik; *in* ~ terugblikkend, achteraf.

retrospection [re-, ri:trou'spekʃən] terugzien *o*, terugblik.

retrospective [re-, ri:trou'spektiv] *aj* terugziend, retrospectief; térugwerkend; ~ *effect* terugwerkende kracht; ~ *exhibition* retrospectieve tentoonstelling; ~ *view* terugblik.

retrospectively [re-, ri:trou'spektivli] *ad* I terugblikkend, achteraf; 2 terugwerkend.

return [ri'tə:n] I *vi* terugkomen; terugkeren; teruggaan; wederkeren; antwoorden; II *vt* teruggeven, terugzenden, (weer) inleveren, terugbrengen, terugzetten &; terugbetalen, betaald zetten, vergelden; beantwoorden; officieel opgeven; afvaardigen [vertegenwoordigers]; uitbrengen; geven [antwoord]; terugslaan [bij tennis]; ~ *like for like* met gelijke munt betalen; ~ *a profit* winst opleveren; ~ *thanks* zijn dank betuigen; danken; ~ *a visit* een bezoek beantwoorden (met een tegenbezoek); *be* ~*ed guilty* & schuldig & verklaard worden; III *sb* terugkeer, terugkomst, thuiskomst; terugweg, terugreis; retourbiljet *o*; terugzending; teruggave; tegenprestatie; vergelding, beloning; opbrengst; winst; antwoord *o*; opgave; aangifte [v. d. belasting]; verslag *o*, officieel rapport *o*, statistiek &; verkiezing (tot lid van 't Parlement); ~*s* I statistiek, cijfers; 2 omzet; *many happy* ~*s (of the day)* nog vele jaren na dezen; *as a* ~ *for* ter vergelding van, tot dank voor; *by* ~ *(of post)* 🕊 per omgaande; *be loved in* ~ wederliefde vinden; *in* ~ *for* in ruil voor; als vergelding voor, voor; IV als *aj* terug-; retour-; ~ *game* zie *return match*.

returnable [ri'tə:nəbl] dat teruggegeven kan worden; in te leveren (aan *to*).

returning-officer [ri'tə:niŋɔfisə] voorzitter van het stembureau bij verkiezing.

return match [ri'tə:nmætʃ] revanchepartij, returnwedstrijd.

return ticket [ri'tə:ntikit] retourkaartje *o*.

return visit [ri'tə:nvizit] tegenbezoek *o*.

Reuben [ˈruːbin] Ruben. [reünie.

reunion [riˈjuːnjən] hereniging; bijeenkomst,

reunite [ˈriːjuˈnait] I *vt* opnieuw verenigen, herenigen[2]; II *vi* zich verenigen[2], weer bijeen-

Rev. = *Reverend.* [komen.

rev [rev] F I *sb* toer [v. motor]; II *vi* (& *vt*) op volle toeren (laten) komen (~ *up*).

revaccinate [ri:ˈvæksineit] herinenten.

revaluation [ˈriːvæljuˈeiʃən] herschatting; $ herwaardering.

revalue [ˈriːˈvælju:] herschatten; $ herwaarderen.

reveal [riˈvi:l] onthullen, openbaren, bekendmaken, doen zien, tonen, aan het licht brengen. [gen.

reveille [riˈvæli] ✕ reveille.

revel [ˈrevl] I *vi* brassen, zwelgen; zwieren; ~ *in* zich verkneukelen in, genieten van; II *sb* braspartij, feestelijkheid; *the* ~*s* ook: de feestvreugde, het feest.

revelation [reviˈleiʃən] openbaring, onthulling.

reveller [ˈrevlə] brasser, pretmaker.

revelry [ˈrevlri] braspartij, brasserij, gezwier *o*; feestvreugde.

revenge [riˈvendʒ] I *vt* wreken; *be* ~*d on* (*of*) zich wreken of wraak nemen op; II *vr* in: ~ *oneself for... on...* zich wreken over... op...;

III *sb* wraak, wraakneming, wraakzucht; revanche; *have (take) one's* ~ revanche nemen; *in* ~ *for* uit wraak over.

revengeful(ly) [riˈvendʒful(i)] wraakgierig, -zuchtig.

revenger [riˈvendʒə] wreker.

revenue [ˈrevinju:] inkomsten; *the (public)* ~ de inkomsten van de staat; de fiscus (ook: *the Inland R*~).

revenue-cutter [ˈrevinju:kʌtə] ⚓ recherchevaartuig *o*.

revenu-officer [ˈrevinju:ɔfisə] belastingambtenaar.

revenue-stamp [ˈrevinju:stæmp] belastingzegel.

reverberant [riˈvə:bərənt] weerkaatsend; weergalmend.

reverberate [riˈvə:bəreit] I *vt* weerkaatsen; II *vi* weerkaatst worden; weergalmen.

reverberation [rivə:bəˈreiʃən] weer-, terugkaatsing; reverbereren *o*.

reverberatory [riˈvə:breitəri] I *aj* weer-, terugkaatsend; II *sb* ✕ reverbeeroven. [tot.

revere [riˈviə] eren, vereren, eerbiedig opzien

reverence [ˈrevərəns] I *sb* eerbied; ontzag *o*; verering; piëteit; ✧ buiging; *hold in* ~ (ver)eren; *his* ~ ✧ zijn eerwaarde [v. e. dominee]; *saving your* ~ ✧ met uw verlof; met permissie; II *vt* zie *revere*.

reverend [ˈrevərənd] I *aj* eerwaard, eerwaardig; *the* ~ *John Smith* Dominee Smith; II *sb* dominee. [minee.

reverent [ˈrevərənt] eerbiedig.

reverential [revəˈrenʃəl] zie *reverent*.

reverie [ˈrevəri] I mijmering; 2 ♪ reverie.

reversal [riˈvə:səl] I omkering, ommekeer, kentering; 2 ✕ omzetting [v. machine]; 3 ⚖ herroeping, vernietiging, cassatie.

reverse [riˈvə:s] I *aj* omgekeerd, tegengesteld, tegen-; II *sb* omgekeerde *o*, tegengestelde *o*, tegendeel *o*; keerzijde; tegenslag, tegenspoed; nederlaag; ⇦ achteruit *o* & *m* (ook: ~ *gear*); *in* ~ in omgekeerde richting of orde; *take in* ~ ✕ in de rug aanvallen; III *vt* het onderste boven keren, omkeren; ✕ omgooien [v. machine], omzetten, omschakelen; ⚖ vernietigen, casseren [vonnis]; ~ *arms* ✕ het geweer met de kolf naar boven keren; ~ *one's policy* een heel andere politiek gaan volgen; IV *vi* ✕ achteruitgaan, -rijden &.

reversely [riˈvə:sli] *ad* omgekeerd.

reversibility [rivə:siˈbiliti] omkeerbaarheid.

reversible [riˈvə:sibl] omkeerbaar, omgekeerd & kunnende worden, omkeer- [film &].

reversion [riˈvə:ʃən] terugvalling [v. e. erfgoed]; recht *o* van opvolging; terugkeer; atavisme *o*; ~ *to type* atavisme *o*.

reversionary [riˈvə:ʃənəri] terugvallend; atavistisch.

revert [riˈvə:t] I *vt* omkeren; II *vi* terugvallen, terugkeren, -komen (op *to*).

revertible [riˈvə:tibl] terugvallend.

revet [riˈvet] bekleden, bemantelen.

revetment [ri'vetmənt] bekleding(smuur), bemanteling [vestingwerk].

revictual ['ri:'vitl] opnieuw provianderen.

review [ri'vju:] I *sb* 1 herziening; 2 overzicht *o*; 3 ✗ wapenschouwing, parade, revue, inspectie; 4 recensie, boekbeoordeling; 5 revue, tijdschrift *o*; *pass in* ~ ✗ parade laten maken; *fig* de revue laten passeren; *the period under* ~ het hier beschouwde tijdperk; II *vt* overzien; de revue laten passeren; terugzien op, in ogenschouw nemen; bespreken, beoordelen, recenseren; ✗ inspecteren; herzien.

review copy [ri'vju:kɔpi] recensie-exemplaar *o*.

reviewer [ri'vju:ə] recensent.

revile [ri'vail] smaden, (be)schimpen.

revilement [ri'vailmənt] smaad, beschimping.

reviler [ri'vailə] smader, beschimper.

revise [ri'vaiz] I *vt* nazien, corrigeren; herzien; revideren; II *sb* revisie [v. drukproef]; herziening.

reviser [ri'vaizə] herziener; corrector.

revision [ri'viʒən] herziening, revisie; herziene uitgave.

revisit ['ri:'vizit] weer, opnieuw bezoeken.

revival [ri'vaivəl] herleving, wederopleving; herstel *o*; (godsdienstig) reveil *o*; reprise [v. toneelstuk]; *the Revival of learning* de Renaissance.

revive [ri'vaiv] I *vi* herleven², weer opleven, weer bekomen; weer aanwakkeren; II *vt* doen herleven; weer opwekken, weer doen opleven, aanwakkeren; opkleuren, ophalen; oprakelen; weer opvoeren of vertonen; in ere herstellen [gebruik]; ~ *old differences* oude koeien uit de sloot halen.

reviver [ri'vaivə] F hartsterking.

revivification [rivivifi'keiʃən] wederopleving, wederopwekking.

revivify [ri'vivifai] weer levend maken, weer doen opleven.

revocable ['revəkəbl] herroepbaar.

revocation [revə'keiʃən] herroeping; intrekking.

revoke [ri'vouk] I *vt* herroepen; intrekken; II *vi* niet bekennen [bij 't kaarten], verzaken, renonceren; III *sb* renonce.

revolt [ri'voult] I *vi* opstaan, in opstand komen (tegen *against*, *at*, *from*); walgen; II *vt* in opstand doen komen, in opstand brengen; *the meal revolted him* deed hem walgen; III *sb* oproer *o*, opstand²; walging; *rise in* ~ opstaan, in opstand komen.

revolted [ri'voultid] oproerig, in opstand.

revolter [ri'voultə] oproerling, opstandeling.

revolting(ly) [ri'voultiŋ(li)] oproerig; weerzinwekkend, stuitend, walglijk.

revolution [revə'l(j)u:ʃən] omloop; omwenteling², revolutie², ✗ toer.

revolutionary [revə'l(j)u:ʃənəri] revolutionair.

revolutionist [revə'l(j)u:ʃənist] revolutionair.

revolutionize [revə'l(j)u:ʃənaiz] een omwenteling bewerken, een ommekeer teweegbrengen in, revolutioneren.

revolve [ri'vɔlv] I *vt* omwentelen, (om)draaien; overdenken; II *vi* (zich) wentelen, draaien.

revolver [ri'vɔlvə] revolver. [en.

revolving-door [ri'vɔlviŋdɔ:] draaideur.

revolving-light [ri'vɔlviŋlait] ♪ draailicht *o*.

revue [ri'vju:] revue [toneel].

revulsion [ri'vʌlʃən] ommekeer.

reward [ri'wɔ:d] I *sb* beloning, vergelding; loon *o*; II *vt* belonen, vergelden.

rewarding [ri'wɔ:diŋ] (de moeite) lonend, bevredigend, geslaagd.

rewrite ['ri:'rait] nog eens schrijven; overschrijven; opnieuw bewerken, omwerken.

Reynard ['renəd] Reintje *o*.

Reynold ['renəld] Reinout.

rhapsodic(al) [ræp'sɔdik(l)] rapsodisch.

rhapsodist ['ræpsədist] rapsodist.

rhapsodize ['ræpsədaiz] I *vt* rapsodisch reciteren; II *vi* in rapsodische stijl schrijven, spreken &.

rhapsody ['ræpsədi] rapsodie.

✎ **Rhenish** ['re-, 'ri:niʃ] I *aj* rijn-; II *sb* rijnwijn.

rheostat ['ri:əstæt] reostaat.

rhetoric ['retərik] retorica², redekunst; holle retoriek, (louter) declamatie.

rhetorical [ri'tɔrikl] retorisch.

rhetorician [retə'riʃən] retor; redenaar.

rheumatic [ru'mætik] I *aj* reumatisch; II *sb* lijder aan reumatiek; ~*s* reumatiek.

rheumatism ['ru:mətizm] reumatiek.

✎ **rheumy** ['ru:mi] vochtig.

Rhine [rain] Rijn.

rhinestone ['rainstoun] soort bergkristal *o*; Boheemse steen.

rhino ['rainou] F rinoceros ‖ S duiten.

rhinoceros [rai'nɔsərəs] ♣ rinoceros, neushoorn.

rhizome ['raizoum] ♣ wortelstok.

Rhodes [roudz] 1 Rhodes; 2 Rhodus *o*.

Rhodesia [rou'di:ziə] Rhodesia *o*.

rhododendron [roudə'dendrən] ♣ rododendron.

rhomb [rɔm(b)] ruit: ◊.

rhombic ['rɔmbik] ruitvormig.

rhubarb ['ru:ba:b] ♣ rabarber.

rhyme [raim] I *sb* rijm *o*; rijmpje *o*, poëzie, verzen; *without* ~ *or reason* zonder slot noch zin; zonder reden; II *vt* (be)rijmen, laten rijmen; ~ *to* (*with*) doen rijmen met²; III *vi* & *va* rijmen (op *to*, *with*).

rhymer ['raimə], **rhymester** ['raimstə], **rhymist** ['raimist] rijmelaar, rijmer.

rhythm ['riðm, 'riθm] ritmus, ritme *o*.

rhythmic(al) ['riθ-, 'riθmik(l)] ritmisch.

rib [rib] I *sb* rib°; ribbe; rib(be)stuk *o*; ribbel; nerf; balein [v. paraplu]; II *vt* 1 ribben, geribd maken; 2 S plagen.

ribald ['ribəld] I *sb* ✎ schooier; II *aj* vuil, spottend, oneerbiedig, schaamteloos; ongehoord.

ribaldry ['ribəldri] vuile taal, vuilbekkerij; schaamteloze spot.

riband ['ribənd] zie *ribbon*.

ribbed [ribd] geribd.

ribbon ['ribən] lint *o*, band *o* [stofnaam], band *m* [voorwerpsnaam], strook; *handle the ~s* de teugels in handen hebben; *in ~s, all to ~s* aan flarden (gescheurd).

ribboned ['ribənd] met linten (versierd).

rice [rais] rijst.

rice-bird ['raisbə:d] ⚘ rijstvogel.

rice-milk ['rais'milk] rijstepap.

rich [ritʃ] *aj* rijk°; machtig [voedsel]; klankrijk, vol [stem]; *~ in (with) minerals* rijk aan; *a ~ idea* een kostelijk idee *o* & *v*; *the ~* de rijken.

riches ['ritʃiz] rijkdom.

richly ['ritʃli] *ad* rijk(elijk), ten volle.

richness ['ritʃnis] rijkdom; rijkheid; machtig-

rick [rik] hoop, mijt; hooiberg. [heid.

rickets ['rikits] ⚘ rachitis, Engelse ziekte.

rickety ['rikiti] 1 ⚘ rachitisch; 2 waggelend, wankel, wrak, zwak.

rickshaw ['rikʃɔ:] riksja.

ricochet ['rikəʃei, -ʃet] I *sb* ricochetschot *o*; II *vi* ricocheren.

rid [rid] bevrijden, ontdoen, verlossen (van *of*); *be ~ of* bevrijd (af) zijn van; *get ~ of* zich ontdoen van, lozen, kwijtraken, afkomen van.

ridable ['raidəbl] berijdbaar.

riddance ['ridəns] bevrijding, verlossing; *a good ~ (of bad rubbish)* een goede opruiming.

ridden ['ridn] V.D. van *ride*.

1 **riddle** ['ridl] I *sb* raadsel² *o*; II *vt* ontraadselen, raden; III *vi* in raadselen spreken.

2 **riddle** ['ridl] I *sb* grove zeef; II *vt* 1 ziften; 2 doorzéven, doorboren.

riddling ['ridliŋ] raadselachtig.

ride [raid] I *vi* rijden (in *in*); drijven; *~ at anchor* ⚓ voor anker liggen; *~ for a fall* woest rijden; *fig* roekeloos doen; zijn ondergang tegemoet snellen; II *vt* berijden, rijden op; door-, afrijden [een land]; laten rijden; regeren, kwellen; *~ one down* omverrijden; inhalen; *~ out a gale* in een storm uithouden; *~ a principle to death* eeuwig op een beginsel doordraven; III *sb* 1 rit; 2 zijpad *o* [in bos]; *go for a ~* een ritje gaan maken.

rider ['raidə] (be)rijder, ruiter; allonge, toegevoegde clausule; toevoeging; wis-, meetkundig vraagstuk *o* ter toepassing.

ridge [ridʒ] I *sb* (berg-, heuvel)rug, kam; nok, vorst; rand; II *vt* ribbelen, rimpelen.

ridge-pole ['ridʒpoul] nokbalk.

ridgeway ['ridʒwei] weg over een heuvelrug.

ridgy ['ridʒi] ribbelig; heuvelachtig.

ridicule ['ridikju:l] I *sb* spot, bespotting; *bring (cast, pour, throw) ~ on* belachelijk maken; II *vt* belachelijk maken, bespotten.

ridiculous(ly) [ri'dikjuləs(li)] belachelijk, bespottelijk.

riding ['raidiŋ] 1 rijden *o*; 2 district *o* (van Yorkshire).

riding-habit ['raidiŋhæbit] amazone.

riding-hood ['raidiŋhud] rijkap; *Little Red R~* Roodkap e *o*.

riding-master ['raidiŋma:stə] pikeur.

riding-school ['raidiŋsku:l] rijschool, manege.

rife [raif] algemeen, heersend [van ziekten]; *be ~* 1 heersen; veel voorkomen, tieren; 2 in omloop zijn [v. verhaal]; *be ~ with* wemelen van, vol zijn van.

riff-raff ['rifræf] uitschot *o*; schorem *o*.

rifle ['raifl] I *sb* geweer *o* (met getrokken loop), buks; *the ~s* ✗ de jagers; II *vt* [een geweerloop] trekken ‖ plunderen, leeghalen, wegroven.

rifle booth ['raiflbu:ð] schiettent.

rifle-club ['raiflklʌb] schietvereniging.

rifleman ['raiflmən] scherpschutter; ✗ jager.

rifler ['raiflə] plunderaar, rover.

rifle-range ['raiflrein(d)ʒ] ✗ schietbaan.

rifle-shot ['raiflʃɔt] geweerschot *o*.

rift [rift] I *sb* kloof, spleet, scheur; *there is a (little) ~ (with)in the lute* 1 een barstje in de vaas der vriendschap; 2 ook: er loopt bij hem een streep door; II *vt* scheuren, splijten, kloven.

1 **rig** [rig] I *vt* (op)tuigen²; inrichten, uitrusten; in elkaar zetten; *~ out (up) with* optuigen met²; II *sb* 1 ⚓ tuig *o*, takelage²; gerei *o*; optuiging; boorinstallatie, booreiland *o*; 2 S plunje.

2 **rig** [rig] I *sb* grap; streek, foefje *o*; II *vt* in: *~ the market* de markt naar zijn hand zetten, de prijzen kunstmatig opdrijven.

rigging ['rigiŋ] ⚓ uitrusting, want *o*, tuigage, tuig *o* (ook = plunje).

right [rait] I *aj* rechter; rechts; recht°, rechtvaardig, billijk; rechtmatig; juist, goed, in orde; echt, waar; *Mr. Right* de ware jozef; *he's not in his ~ mind* (head) hij is niet wel bij het hoofd (bij zijn verstand); *am I ~?* heb je (geen) gelijk?; *they are ~ to protest* (*in protesting*) zij protesteren terecht; *all ~!* in orde!, vooruit maar!, pas de quoi!; *it exists all ~* wel (degelijk), heus (wel); *he is as ~ as a trivet* (*as rain*) helemaal in orde, zo fris als een hoentje; *be on the ~ side of forty* nog geen veertig zijn; *get ~* in orde komen (brengen); *put* (*set*) *~* in orde brengen; terechthelpen; herstellen, verbeteren, rechtzetten; gelijkzetten [klok]; II *ad* recht, billijk; behoorlijk; goed, wel, juist; (naar) rechts; < juist, precies; vlak, vierkant, helemaal; zeer; *do ~* rechtvaardig handelen; rechtvaardig zijn; iets naar behoren of goed doen; *he does ~ o...* hij doet er goed aan dat...; *~ turn!* ✗ rechtsom!; *~ about...* (*turn*)! ✗ rechtsomkeert; *~ against...* vlak tegen...; in; *~ away* op staande voet; dadelijk; *~ now Am* direct; *~ off* op staande voet; dadelijk; III *sb* 1 rechterhand, -kant; ✗ rechtervleugel; 2

recht° *o; the Right* de Rechterzijde; *the ~s of the case* het rechte van de zaak; *put (set) to ~s* in orde brengen (maken); ∞ *by ~(s)* rechtens; eigenlijk; *by what ~?* met welk recht?; *by ~ of* krachtens; *you are in the ~* 1 u hebt het bij het rechte eind, u hebt gelijk; 2 u hebt het recht aan uw zijde; 3 u bent in uw recht; *put in the ~* in het gelijk stellen; *in one's own ~* van zichzelf; *it is a good book in its own ~* het is op zichzelf (beschouwd), zonder meer, uiteraard een goed boek; *of ~* rechtens; *on your ~* aan uw rechterhand, rechts van u; *to the ~* aan de rechterkant, (naar) rechts; IV *vt* 1 rechtop of overeind zetten; 2 verbeteren, in orde maken, herstellen; 3 recht doen, recht laten wedervaren; 4 ⚓ midscheeps leggen; V *vr ~ oneself* zich recht verschaffen; ~ *itself* (van zelf) weer in orde komen; ook = VI *vi* zich oprichten.

right-about ['raitəbaut] rechtsomkeert[2] (ook: ~ *face, ~ turn*); *execute a ~* rechtsomkeert maken[2]; *fig* zijn draai nemen.

right-angled ['raitæŋgld] rechthoekig.

right-down ['raitdaun] zie *downright.*

righteous(ly) ['raitʃəs(li)] rechtvaardig, rechtschapen.

rightful(ly) ['raitful(i)] rechtvaardig; rechtmatig.

right-hand ['raithænd] aan de rechterhand geplaatst; voor of met de rechterhand; rechts; *he is my ~ man* mijn rechterhand.

right-handed ['rait'hændid] rechts.

right-hander ['rait'hændə] 1 iemand die rechts is; 2 slag met de rechterhand.

rightist ['raitist] F rechts(e) [in de politiek].

rightly ['raitli] *ad* rechtvaardig; juist, goed; terecht.

right-minded ['rait'maindid] rechtgeaard.

rightness ['raitnis] rechtheid; juistheid.

right-thinking ['rait'θiŋkiŋ] weldenkend.

rigid(ly) ['ridʒid(li)] stijf, strak; (ge)streng, onbuigzaam, star.

rigidity [ri'dʒiditi] stijfheid, strakheid; (ge)strengheid, onbuigzaamheid, starheid.

rigmarole ['rigməroul] onzin, klets.

rigorous(ly) ['rigərəs(li)] streng[2], hard.

rigour ['rigə] strengheid, hardheid.

rig-out ['rigaut] F uitrusting, plunje, tuig *o.*

rig-up ['rigʌp] zie *rig-out.*

rile [rail] S het land op jagen.

rill [ril] beekje *o.*

rim [rim] I *sb* velg [v. wiel]; rand [v. kom &]; ~s ook: montuur *o* & *v* [v. bril]; II *vt* velgen; omranden; *gold-~med glasses* bril met gouden montuur.

1 ⊙ **rime** [raim] I *sb* rijm; II *vt* met rijm bedekken.

2 **rime** [raim] *sb* zie *rhyme.*

⊙ **rimy** ['raimi] vol rijp, berijpt.

rind [raind] schors, bast, schil, korst, zwoerd *o.*

rinderpest ['rindəpest] vee-, runderpest.

1 **ring** [riŋ] I *sb* ring[2], kring[2], circus *o* & *m,*

arena, renbaan; kringetje *o;* kliek; combinatie, consortium *o; the ~* 1 de bookmakers; 2 het boksersstrijdperk, de boksers(gemeenschap); *hold the ~* helpers uit de ring weren, interventie beletten; *make ~s round...* F vlugger zijn dan..., ...achter zich laten; *throw one's hat in the ~ Am* verklaren deel te nemen aan de strijd; II *vt* 1 een ring (ringen) aandoen; 2 ringen [v. bomen, duiven &]; aan ringen of schijven snijden [appels]; ~ *about (in, round)* (in een kring) insluiten, omsingelen, omringen; III *vi* een kring (kringen) beschrijven; in een kring gaan staan.

2 **ring** [riŋ] I *vi* luiden, klinken, weergalmen; bellen; *the bell ~s* de bel gaat (over), er wordt gescheld; ~ *again* weerklinken [v. d. weeromstuit]; ~ *at the door* aanbellen; II *vt* luiden; ~ *a bell* F iets bij iemand wakker maken; iemand op een idee brengen; ~ *the bell* 1 (aan)bellen; 2 F 't doen, succes hebben, het winnen; ~ *a coin* laten klinken; ∞ ~ *back* ☎ terugbellen; ~ *down (the curtain)* [in schouwburg] bellen om het scherm te laten zakken; *fig* afbreken, eindigen; ~ *off* ☎ afbellen; ~ *out* weerklinken, luid klinken; uitluiden; ~ *up (the curtain)* het sein geven voor 't ophalen van 't scherm; ~ *one up* ☎ iemand opbellen; III *sb* klank, geluid *o;* gelui *o;* luiden *o;* klokkenspel *o; there is (goes) a ~* er wordt gebeld [aan de deur]; *give the bell a ~* (aan)bellen; *I'll give you a ~* ☎ ik zal je opbellen; *have a false ~* vals klinken, niet echt klinken; *three ~s for...* driemaal bellen om...

ringed [riŋd] geringd; beringd; ring-; met kringen.

ringer ['riŋə] (klokke)luider.

ringleader ['riŋli:də] belhamel, raddraaier.

ringlet ['riŋlit] 1 ringetje *o;* krul, krulletje *o.*

ringmaster ['riŋma:stə] 1 pikeur (in een circus); 2 leider van een bokswedstrijd.

ringworm ['riŋwə:m] ringworm, dauwworm.

rink [riŋk] I *sb* 1 ijsbaan; 2 kunstijsbaan; 3 rolschaatsenbaan; II *vi* rolschaatsen.

rinker ['riŋkə] rolschaatsenrijder, -rijdster.

rinse [rins] I *vt* spoelen, omspoelen; ~ *away (out)* weg-, uitspoelen; ~ *down* doorspoelen [v. eten]; II *sb* spoeling.

riot ['raiət] I *sb* uitgelatenheid, uitspatting; oploop, relletje *o,* opstootje *o; a ~ of colour* een kleurenorgie; *run ~* uit de band springen; in 't wild groeien, woekeren; *let one's fancy (tongue) run ~* de vrije loop laten; II *vi* zwieren, zwelgen; aan 't muiten slaan, roerig worden.

rioter ['raiətə] oproerling, relletjesmaker, herriemaker.

riotous(ly) ['raiətəs(li)] ongebonden, bandeloos, B overdadig; (op)roerig; rumoerig.

riot police ['raiətpəli:s] oproerpolitie, staatsveiligheidstroepen.

1 **rip** [rip] I *vt* openrijten, openscheuren, (los)-

tornen; ~ *off* afrijten, afstropen [het vel v. dier]; ~ *out* uit-, lostornen; uitstoten; ~ *up* openrijten, openscheuren; ~ *up old grievances* oude grieven ophalen; **II** *vi* I tornen, losgaan, scheuren, uit de naad gaan; 2 als de bliksem rijden, gaan &; *let* ~ laten schieten, loslaten, afdrukken [de trekker]; er vandoor laten gaan [auto]; S laten stikken [iets, iemand]; **III** *sb* torn, scheur.

2 **rip** [rip] *sb* krak [v. mens, paard &]; knol [v. paard]; deugniet.

riparian [rai'pɛəriən] **I** *aj* oever-; **II** *sb* oeverbewoner.

ripe [raip] rijp²; gerijpt; belegen [v. wijn &], oud.

ripen ['raipən] **I** *vi* rijp worden, rijpen; **II** *vt* (doen) rijpen, rijp maken.

ripeness ['raipnis] rijpheid.

riposte [ri'poust] **I** *sb* tegenstoot; raak antwoord *o*; **II** *vi* riposteren.

ripper ['ripə] I lostorner, opensnijder; 2 tornmesje *o*; 3 S patente kerel, kraan; bovenste beste [v. personen en zaken].

ripping ['ripiŋ] I openrijtend &; 2 S bovenste beste, fijn, magnifiek, enig, prima.

1 **ripple** ['ripl] **I** *vi* & *vt* I rimpelen; 2 kabbelen; **II** *sb* I rimpeling; 2 gekabbel *o*.

2 **ripple** ['ripl] **I** *sb* vlasrepel; **II** *vt* repelen.

ripply ['ripli] vol rimpels, rimpelig.

rip-roaring ['ripro:riŋ] *Am* uitbundig, stormachtig; geweldig, reuze.

rise [raiz] **I** *vi* (op-, ver)rijzen, opstaan; (overeind) gaan staan; het woord nemen [in een vergadering]; in opstand komen (tegen *against*); opstijgen, opgaan°, de hoogte in gaan, opvliegen [vogels], aanbijten²; bovenkomen; stijgen; oplopen [v. grond]; vooruitkomen; promotie maken; opkomen; opsteken [wind]; zich verheffen; ontspringen [rivier], voortspruiten (uit *from*); op reces gaan, uiteengaan; ~ *above* zich verheffen boven; verheven zijn boven; ~ *head and shoulders above* hoog uitsteken boven; ~ *from* opstaan uit (van); *fig* voortspruiten uit; ~ *in arms* de wapenen opvatten; ~ *into notice* bekend beginnen te worden; ~ *on* in opstand komen tegen; ~ *to* zich verheffen tot; stijgen tot; ~ *to be a...* opklimmen tot...; ~ *to the occasion* tegen de moeilijkheden (van zijn taak) opgewassen blijken, zich voor zijn taak berekend tonen; ~ *up* opstaan [uit bed]; **II** *vt* doen opvliegen, opjagen [vogels]; doen aanbijten [vis]; **III** *sb* rijzing, opkomst°, oorsprong; helling; opgang [v. zon]; opklimming, promotie; stijging [prijs]; verheffing, verhoging [prijs of salaris]; \$ hausse; *sp* beet [v. vis]; *get* (*take*) *a* ~ *out of one* I aan de gang maken, uit zijn slof doen schieten; 2 er in laten lopen; 3 in 't zonnetje zetten; *give* ~ *to* aanleiding geven tot; *take its* ~ *in* (*from*) ontspringen in; voortspruiten uit; *be on the* ~ I (voortdurend) stijgen [prijzen &]; 2 in

opkomst zijn.

risen ['rizn] V.D. van *rise*.

riser ['raizə] die die opstaat; optrede; *be an early* ~ vroeg opstaan, matineus zijn.

risibility [rizi'biliti] lachlust.

risible ['rizibl] lachziek, goedlachs; lach-; belachelijk; ~ *muscles* lachspieren.

rising ['raiziŋ] **I** *aj* (op)rijzend, opkomend &; in opkomst zijnd; ~ *fourteen* bijna 14 jaar zijnd; **II** *sb* opstaan *o*, stijgen *o*; uiteengaan *o* [v. vergadering]; (zons)opgang; (op)stijging; opstand; opstanding [uit de dood]; zwelling.

risk [risk] **I** *sb* gevaar *o*, risico *o* & *m*; *not caring to run* ~*s* niets willende riskeren; *take* ~*s* iets riskeren; *at shipper's* ~ voor risico van de afzender; *at the* ~ *of offending you* op gevaar af van u te beledigen; *at the* ~ *of his life* met levensgevaar; *at your own* ~ *and peril* op (uw) eigen risico; **II** *vt* riskeren, wagen.

riskily ['riskili] *ad* zie *risky*.

riskiness ['riskinis] gewaagdheid, riskante aard.

risky ['riski] *aj* gevaarlijk, gewaagd, riskant.

rissole ['risoul] croquetje *o*.

rite [rait] rite, ritus, kerkgebruik *o*, plechtigheid.

ritual ['ritjuəl] **I** *aj* ritueel; **II** *sb* ritueel *o*; ritual *o*.

ritualist ['ritjuəlist] die zich streng houdt aan het ritueel v. d. *High Church*.

ritualistic [ritjuə'listik] ritualistisch.

rival ['raivəl] **I** *sb* mededinger, medeminnaar; **II** *aj* mededingend, wedijverend; concurrerend; **III** *vt* wedijveren met, op zijde streven.

rivalry ['raivəlri] mededinging, wedijver, concurrentie², rivaliteit.

⊙ **rive** [raiv] **I** *vt* splijten, (ver)scheuren; ~ *from* ook: wegrukken van; **II** *vi* splijten, scheuren.

riven ['rivn] V.D. van *rive*.

1 **river** ['raivə] splijter.

2 **river** ['rivə] rivier, stroom²; *sell a person down the* ~ S iemand in de steek laten; *up the* ~ *Am* S in (naar) de bajes.

riverain ['rivərein] **I** *aj* aan de rivier liggend, gelegen of wonend, oever-; **II** *sb* oeverbewoner.

river-basin ['rivəbeisn] stroomgebied *o*.

river-craft ['rivəkra:ft] riviervaartuig *o*, -vaartuigen.

river-horse ['rivəhɔ:s] ♠ nijlpaard *o*.

riverside ['rivəsaid] oever [v. rivier].

rivet ['rivit] **I** *sb* klinknagel; **II** *vt* met klinknagels bevestigen, klinken; *fig* vastklinken, kluisteren (aan *to*); boeien [de aandacht]; richten [de blik]; ~*ed to the spot* als aan de grond genageld.

rivulet ['rivjulit] riviertje *o*, beek.

R.M. = *Royal Marines*.

R.N. = *Royal Navy*.

R.N.V.R. = *Royal Naval Volunteer Reserve*.

roach [routʃ] ⏁ blankvoren
road [roud] weg², rijweg, straat || ⚓ rede (ook:
~s); by ~ per as, per auto of bus &; te voet;
te paard; on the ~ op weg; be on the ~ 1 op
reis zijn; 2 reizen en trekken (als handelsreiziger); give one the ~ iemand laten passeren;
take the ~ op weg gaan; gaan zwerven.
road accident ['roud'æksidənt] verkeersongeval o.
road-block ['roudblɔk] ✕ wegversperring.
road-bridge ['roudbridʒ] verkeersbrug.
road-hog ['roudhɔg] S snelheidsmaniak, wegpiraat.
road-holding ['roudhouldiŋ] in: ~ qualities
⚙ wegligging.
road house ['roudhaus] wegrestaurant o.
road-maker ['roudmeikə] wegwerker, straatmaker.
roadman ['roudmən] 1 $ acquisiteur, reiziger;
2 road-maker.
road-metal ['roudmetl] steenslag o.
road-race ['roudreis] sp wegwedstrijd.
road-roller ['roudroulə] wegwals.
road safety ['roudseifti] verkeersveiligheid, veilig verkeer o.
roadside ['roudsaid] kant van de weg.
road sign ['roudsain] verkeersbord o.
roadstead ['roudsted] ⚓ rede, ree; in the ~ op
de ree.
roadster ['roudstə] 1 op de rede liggend schip
o; 2 reispaard o, rijpaard o; 3 sterk gebouwde
fiets of auto; 4 ervaren reiziger.
road surface ['roudsə:fis] wegdek o.
road sweeper ['roudswi:pə] straatveger.
road system ['roudsistim] wegennet o.
roadway ['roudwei] rijweg; brugdek o.
roam [roum] I vi (om)zwerven; II vt af-, doorzwerven; III sb omzwerving.
roamer ['roumə] zwerver.
roan [roun] I aj roodgrijs; II sb ♞ muskaat-
schimmel || bezaanleer o.
roar [rɔ:] I vi brullen, loeien, huilen, bulderen, rommelen, razen; snuiven [v. dampig
paard]; they ~ed (with laughter) ze brulden
(schaterden) van het lachen; II vt brullen,
bulderen; III sb gebrul o, geloei o, gehuil o,
gebulder o, gerommel o, geraas o, gedruis o;
geschater o; set the table in a ~ het gezelschap doen schaterlachen.   [paard.
roarer ['rɔ:rə] 1 wie brult &; 2 snuivend
roaring ['rɔ:riŋ] I aj brullend &; kolossaal;
he is in ~ health in blakende welstand; II sb
1 gebrul o &; 2 piepende dampigheid.
roast [roust] I vt braden, roost(er)en, branden
[koffie], poffen [kastanjes]; II vi braden; III
sb gebraad o; gebraden vlees o; rule the ~ F
de lakens uitdelen; IV als aj gebraden.
roaster ['roustə] 1 brader; 2 braadoven; 3
koffiebrander; 4 braad(aard)appel, braadvar-
ken o &; 5 F plaaggeest.
rob [rɔb] I vt roven, stelen, plunderen; bestelen, beroven; uitplunderen; ~ one of some-

thing iemand iets ontroven (ontstelen); aan
iemand iets ontnemen; zie ook: Peter; II va
roven, stelen.
robber ['rɔbə] rover, dief.
robbery ['rɔbəri] roof, roverij, diefstal.
robe [roub] I sb toga, staatsiemantel; (boven)-
kleed o; (dames)robe; (doop)jurk; Am plaid;
~s galakostuum o; ambtsgewaad o; master
of the ~s kamerheer; mistress of the ~s
eerste hofdame; long ~ advocaten- of do-
mineestoga; gentlemen of the (long) ~ heren
van de magistratuur; II (vi &) vt (zich) kleden, be-, aankleden, in ambtsgewaad steken;
fig uitdossen.
Robert ['rɔbət] Robert.
robin ['rɔbin] ♞ roodborstje o (~ redbreast).
Robin Goodfellow ['rɔbin'gudfelou] vrolijke en
ondeugende kabouter.
robing-room ['roubiŋrum] kleedkamer [v. gerechtshof, Parlement &].
robot ['roubɔt] robot, mechanische mens, automaat; ~ aircraft ✈ draadloos bestuurd(e)
vliegtuig(en).
robust [rou'bʌst] robuust, sterk, flink, fors.
robustious [rou'bʌstiəs] (gewild) fors; robuust.
rochet ['rɔtʃit] rochet [koorhemd v. bisschop,
abt &].
1 rock [rɔk] sb (spin)rokken o.
2 rock [rɔk] sb rots, klip, gesteente o, steen;
kandijsuiker, suikerstok; the Rock (de rots
van) Gibraltar; be on the ~s aan de grond
zitten, aan lagerwal zijn; Scotch on the ~s
Schotse whisky met stukjes ijs.
3 rock [rɔk] I vt schommelen, heen en weer
schudden, doen schudden, wieg(el)en; ~ the
boat S de anderen het leven lastig maken,
dwars zitten, hinderen; ~ to sleep in slaap
wiegen²; II vr ~ oneself (zitten) schommelen; ~ oneself with... zich in slaap wiegen
met...; III vi schommelen, schudden, wieg-
(el)en, wankelen.
rock-bottom ['rɔk'bɔtəm] I sb fig het laagste
punt; II als aj in: ~ prices allerlaagste prijzen; the ~ truth „de" waarheid.
rock-crystal ['rɔk'kristəl] bergkristal o.
rocker ['rɔkə] 1 wieg(st)er; 2 gebogen hout o
onder een wieg &; 3 schommelstoel; 4 hobbelpaard o; 5 soort schaats; 6 goudwas-
machine.
rockery ['rɔkəri] rotspartij.
1 rocket ['rɔkit] sb ⚘ 1 raket; 2 damastbloem,
nachtviooltje o.
2 rocket ['rɔkit] I sb vuurpijl, raket; V 2; II
vi als een pijl de hoogte in schieten of opvliegen; met sprongen omhoog gaan.
rocketry ['rɔkitri] rakettechniek.
rock-face ['rɔkfeis] rotswand.
rocking-chair ['rɔkiŋtʃɛə] schommelstoel.
rocking-horse ['rɔkiŋhɔ:s] hobbelpaard o.
rock 'n' roll ['rɔkn'roul] I sb rock en roll; II vi
rock en roll dansen.
rock-salt ['rɔksɔ:lt] klipzout o.

1 **rocky** ['rɔki] I *aj* rotsachtig, rots-; vol klippen; steenhard; *R~ Mountains* = II *sb the Rockies* het Rotsgebergte.

2 **rocky** ['rɔki] *aj* F onvast, wankel.

rococo [rə'koukou] rococo *o*, rococostijl.

rod [rɔd] roede, staf, staaf; ✗ stang; ook: hengelroede; *Black Rod* ceremoniemeester van het Hogerhuis; *I have a ~ in pickle for you* ik heb voor u nog wat in het vat; *rule with a ~ of iron* met ijzeren vuist regeren; zie ook: *spare*.

rode [roud] V.T. van *ride*.

rodent ['roudənt] knaagdier *o*.

rodomontade [rɔdəmɔn'teid] I *sb* snoeverij, grootspraak; II *vi* snoeven, pochen.

roe [rou] ♠ ree ‖ 𝔖 viskuit; *hard ~* kuit; *soft ~* hom.

roebuck ['roubʌk] ♠ reebok.

rogation [rou'geiʃən] litanie voor de kruisdagen; *~ days* de drie dagen vóór Hemelvaart; *~ week* Hemelvaartsweek.

Roger ['rɔdʒə] Rutger; (*Sir*) *~ de Coverley* zekere vorm van de lanciers [dans]; (*the*) *Jolly ~* de zwarte (zeerovers)vlag.

rogue [roug] schurk, schelm; snaak, guit; alleen rondzwervende olifant; *~s' gallery* fotocartotheek van delinquenten [ten b. hoeve v. d. politie].

roguery ['rougəri] schurkenstreken, schelmerij, snakerij, guitigheid.

roguish(ly) ['rougiʃ(li)] 1 schurkachtig, schelmachtig; 2 schelms, snaaks, guitig.

roister ['rɔistə] leven maken; snoeven.

roisterer ['rɔistərə] levenmaker; snoever.

Roland ['roulənd] Roland, Roeland.

rôle, role [roul] rol [v. toneelspeler].

roll [roul] I *sb* 1 rol°, wals; cilinder; (rond) broodje *o*, rollen *o*, gerol *o*; ♣ slingeren *o* [schip]; deining [zee]; ✗ rolvlucht; schommelende beweging; ✗ (trom)geroffel *o*; 2 rol, lijst, register *o*; *~s* archief *o*; *~ of honour* ✗ lijst der gesneuvelden; II *vt* rollen (met), wentelen, op-, voortrollen; walsen, pletten; doen of laten rollen; ✗ roffelen op; III *vi & va* rollen, zich rollen, zich wentelen; ♣ slingeren; schommelen; golven; rijden; ✗ roffelen [v. trom]; zich laten (op)rollen; *~ and pitch* ♣ slingeren en stampen; ∞ *~ along* voortrollen; *~ away* weg-, voortrollen; *~ by* voortrollen, voorbijgaan [jaren]; *~ down* afrollen; *~ in* binnenrollen; [iemand] toevloeien; *~ in wealth* (*gold*) in weelde baden; geld als water hebben; *two* (*three*)... *~ed into one* in één gerold; in één persoon verenigd; *~ on* voortrollen[2]; *~ on* (*Christmas*)! F was 't maar al zo ver (Kerstmis)!; *~ out* uit-, ontrollen; *~ out verses* verzen laten rollen; *~ over* omrollen, omver tollen; *~ one over* iemand doen rollen, tegen de vlakte slaan; *~ up* (zich) oprollen[2]; *~ up one's eyes* de ogen (smachtend, zalvend) ten hemel slaan.

roll-call ['roulkɔ:l] appel *o*, afroepen *o* der namen; *vote by ~* hoofdelijk stemmen.

roller ['roulə] rol, inktrol; wals; rolstok; rolletje *o*, zwachtel; lange golf.

roller-bearing ['roulə'bɛəriŋ] ✗ rollager *o*.

roller-blind ['roulə'blaind] rolgordijn *o*.

roller-coaster ['roulə'koustə] roetsjbaan.

roller-skate ['roulə'skeit] rolschaats.

roller-towel ['roulə'tauəl] rolhanddoek.

rollick ['rɔlik] I *vi* aan de rol zijn, fuiven, pret maken; dartelen; II *sb* lolletje *o*, fuif.

rollicking ['rɔlikiŋ] erg vrolijk, uitgelaten, jolig; leuk, om te gieren, dolletjes.

rolling ['rouliŋ] rollend &; ook: golvend [van terrein].

rolling-mill ['roulinmil] pletmolen, pletterij.

rolling-pin ['roulinpin] deegroller, rol, rolstok.

rolling-stock ['roulinstɔk] rollend materieel *o*.

roll-top ['roultɔp] in: *~ desk* cilinderbureau *o*.

roly-poly ['rouli'pouli] I *sb* 1 opgerolde geleipudding; 2 F potjerol *o*; II als *aj* kort en dik, mollig.

Roman ['roumən] I *aj* Romeins; rooms; II *sb* 1 Romein; 2 romein, gewone drukletter.

Roman Catholic ['roumən'kæθəlik] rooms-katholiek.

Romance [rə'mæns] Romaans *o*.

romance [rə'mæns] I *sb* romance; riddergedicht *o*, verdicht verhaal *o*, (ridder)roman; romantiek; *fig* gefabel *o*, verdichtsel *o*, (puur) verzinsel *o*; II *vi* F maar wat verzinnen, fantaseren.

romancer [rə'mænsə] 1 romancier, romandichter, -schrijver; 2 F jokkenaar.

Romanesque [roumə'nesk] Romaans(e stijl).

Romanic [rou'mænik] Romaans.

romantic [rə'mæntik] I *aj* romantisch; II *sb* romanticus; *~s* romantische ideeën (taal).

romanticism [rə'mæntisizm] romantiek.

romanticist [rə'mæntisist] romanticus.

Romany ['rɔməni] 1 zigeunertaal; 2 zigeuner.

Rome [roum] Rome[2]; *when at ~, do as ~ does* schik u naar de gebruiken des lands, ± 's lands wijs, 's lands eer; *~ was not built in a day* Keulen en Aken zijn niet op één dag gebouwd.

Romeo ['roumiou] Romeo.

Romish ['roumiʃ] rooms.

romp [rɔmp] I *vi* stoeien, dartelen; *~ home, ~ in* S met gemak winnen; *~ off* er vandoor gaan; II *sb* 1 stoeier, wildebras, wildzang; 2 stoeipartij.

romper(s) ['rɔmpə(z)] speelpakje *o*.

rompish ['rɔmpiʃ] stoeiziek.

rondeau ['rɔndou], **rondel** ['rɔndəl] rondo *o*.

rood [ru:d] 1 roede: ¼ acre (= ± 10 are); 2 ✗ kruis *o*.

roof [ru:f] I *sb* dak[2] *o*; gewelf *o*; *the ~ (of the mouth)* het verhemelte; II *vt* van een dak of gewelf voorzien, onder dak brengen (ook: *~ in, over*); overwelven.

roof garden ['ru:fga:dn] daktuin.

roofing ['ru:fiŋ] bedaking; dakwerk o; ~ tile dakpan.

roofless ['ru:flis] zonder dak, dakloos.

rook [ruk] I sb I ♞ roek; 2 afzetter, valse speler; 3 kasteel o [in 't schaakspel]; II vt bedriegen [bij 't spel], plukken, afzetten.

rookery ['rukəri] I roekenesten, roekenkolonie; 2 kolonie van pinguïns of zeehonden; 3 F krottenbuurt.

room [ru:m, rum] I sb I plaats, ruimte; 2 kamer; zaal; 3 fig grond, reden, aanleiding; give ~ to plaats maken voor; aanleiding geven tot; there is ~ for improvement het kan nog wel verbeterd worden; they like his ~ better than his company ze zien hem liever gaan dan komen; II vi Am een kamer (kamers) bewonen; III vt in: four-~ed flat vierkamerflat.

roomer ['ru:mə] Am kamerbewoner.

roomily ['ru:mili] ad zie roomy.

roominess ['ru:minis] ruimheid, ruime aanleg.

roomy ['ru:mi] ruim (gebouwd); wijd.

roost [ru:st] I sb rek o, roest; (roest)stok; slaapplaats; be (sit) at ~ op stok zijn; have one's chickens come home to ~ zijn trekken thuis krijgen; curses come home to ~ komen neer op het hoofd van hem die ze uitspreekt; go to ~ op stok gaan[2], naar kooi gaan; II vi (op de roest) gaan zitten, rekken; neerstrijken; de nacht doorbrengen.

rooster ['ru:stə] ♞ haan.

1 root [ru:t] I sb wortel°; ~ and branch met wortel en tak; radical; at (the) ~ in de grond; be (lie) at the ~ of ten grondslag liggen aan; get at (go to) the ~ of the matter tot de grond (het wezen) van de zaak doordringen; strike (take) ~ wortel schieten; II vi inwortelen, wortel schieten; geworteld zijn (in in); III vt wortel doen schieten; ~ up (out) ontwortelen, uitroeien.

2 root [ru:t] zie 2 rout.

root-and-branch ['ru:tən'bra:n(t)ʃ] radicaal.

root crop ['ru:tkrɔp] wortelgewas o, hakvrucht.

rooted ['ru:tid] diep geworteld; stand ~ to the spot als aan de grond genageld staan.

rootedly ['ru:tidli] vastgeworteld; fig radicaal.

rootless ['ru:tlis] wortelloos, zonder wortels.

rootlet ['ru:tlit] worteltje o.

rooty ['ru:ti] vol wortels.

rope [rəup] I sb reep, touw o, koord o & v, lasso, strop; draad o & m; rist [uien]; snoer o [parelen]; a ~ of sand een zwakke band; give one plenty of ~ alle (voldoende) vrijheid van beweging; know the ~s het klappen van de zweep kennen, F van wanten weten; put one up to the ~s (show him the ~s) op de hoogte brengen, wegwijs maken; II vi draderig worden [v. bier &]; III vt I (vast)binden; met een lasso vangen; ~ in afzetten [met een touw]; binnenhalen [winst]; vangen [sollicitanten]; bijeenverzamelen [partijgenoten &];

~ off afzetten (met touwen).

rope-dancer ['rəupdɑ:nsə] koorddanser(es).

rope-ladder ['rəuplædə] touwladder.

rope-maker ['rəupmeikə] touwslager.

rope-walk ['rəupwɔ:k] lijnbaan.

rope-walker ['rəupwɔ:kə] koorddanser(es).

rope-way ['rəupwei] kabelbaan.

rope-yarn ['rəupja:n] kabelgaren o.

ropiness ['rəupinis] draderigheid.

ropy ['rəupi] als touw; draderig.

rorqual ['rɔ:kwəl] ♈ vinvis.

rosary ['rəuzəri] I rozenkrans; 2 rosarium o, rozenperk o, -tuin.

1 rose [rəuz] V.T. van rise.

2 rose [rəuz] I sb roos[2]; rozet; rozekleur; roze; sproeier, broes [v. gieter, douche]; under the ~ sub rosa: in 't geheim; his life is no bed of ~s zijn weg gaat niet over rozen; no ~ without a thorn geen rozen zonder doornen; II aj roze.

roseate ['rəuziit] rozig, rooskleurig.

rose-bud ['rəuzbʌd] rozeknop; fig meisje.

rose-coloured ['rəuzkʌləd] rooskleurig[2].

rosemary ['rəuzməri] ♣ rozemarijn.

rose-pink ['rəuzpiŋk] roze.

rosette [rəu'zet] rozet.

rose-window ['rəuzwindou] roosvenster o.

rose-wood ['rəuzwud] rozehout o, palissander o.

rosily ['rəuzili] ad zie rosy.

rosin ['rɔzin] I sb (viool)hars o & m; II vt met hars bestrijken.

Rosinante [rɔzi'nænti] Rosinante; fig rossinant, knol.

rosiness ['rəuzinis] rooskleurigheid; roze.

roster ['rɔstə] rooster, lijst.

rostra ['rɔstrə] mv v. rostrum.

rostrate ['rɔstrit], **rostrated** ['rɔstreitid] met een snavel.

rostrum ['rɔstrəm] I ♞ snavel; 2 ♺ sneb; 3 spreekgestoelte o, tribune.

rosy ['rəuzi] aj rooskleurig; blozend; roze(n)-.

rot [rɔt] I sb I verrotting, rotheid; bederf o; rot o; vuur o [in 't hout]; schapeleverziekte; 2 S onzin, klets; talk ~ S kletsen; II vi (ver)rotten; ~ off wegrotten; III vt doen rotten.

rota ['rəutə] rooster, (naam)lijst.

Rotarian [rəu'teəriən] lid v. e. Rotary Club.

rotary ['rəutəri] rondgaand, draaiend, draai-, rotatie-; Rotary (Club) genootschap o voor internationaal dienstbetoon.

rotate [rəu'teit] I vi draaien; rouleren; II vt doen draaien; laten rouleren.

rotation [rəu'teiʃən] (om)draaiing, (om)wenteling; afwisseling; vruchtwisseling, wisselbouw (~ of crops); by (in) ~ bij toerbeurt.

rotatory ['rəutətəri] (rond)draaiend, draai-, rotatie-.

rote [rəut] in: know (learn) by ~ (machinaal) van buiten.

Rothschild ['rɔθʃaild] Rothschild[2].

rotor ['rəutə] ♺ rotor.

rotten ['rɔtn] 1 verrot, rot, bedorven; 2 F beroerd, akelig, snert-.

rottenness ['rɔtnnis] (ver)rotheid &.

Rotten Row ['rɔtn'rou] de chique rijweg in Hyde Park.

rotter ['rɔtə] F kerel van niks, snertvent.

rotund [rou'tʌnd] 1 rond; 2 hoogdravend, gezwollen; 3 vol [stem].

rotunda [rou'tʌndə] rotonde.

rotundity [rou'tʌnditi] 1 rondheid; 2 hoogdravendheid, gezwollenheid; 3 volheid [v. stem].

rouble ['ru:bl] roebel.

roué ['ru:ei] losbol.

rouge [ru:ʒ] I sb rouge [kosmetiek]; II vi rouge gebruiken; III vt met rouge opmaken.

rough [rʌf] I aj ruw², grof², bars, streng, hard-(handig), moeilijk; ruig; oneffen; ongeslepen; ongepeld [v. rijst]; onstuimig; onguur [zootje, element]; a ~ copy een klad(je) o; a ~ draft een ruwe schets, een klad o, een concept o; at a ~ estimate ruw (globaal) geschat; II sb ruwe kant; oneffen terrein o; onguur element o, ruwe kerel; ijsnagel; in the ~ in het ruwe; zoals wij zijn; globaal (genomen); over ~ and smooth over heg en steg; through ~ and smooth in voor- en tegenspoed; III vt ruw bewerken; ruw maken; op scherp zetten [paard]; ~ it F zich er doorheen slaan, zich allerlei ongemakken getroosten; het hard (te verantwoorden) hebben; ~ out ontwerpen; ~ it out ⚓ het uithouden [in een storm].

rough-and-ready ['rʌfən'redi] ruw, onafgewerkt, geïmproviseerd; ongegeneerd; ~ methods pasklaar gemaakte methoden.

rough-and-tumble ['rʌfən'tʌmbl] I aj onordelijk, ongeregeld; II sb kloppartij.

roughcast ['rʌfka:st] I sb 1 ruwe schets; eerste ontwerp o; 2 beraping, ruwe pleisterkalk; II aj ruw; III vt 1 ruw schetsen, in ruwe trekken aangeven; 2 berapen.

rough-draw ['rʌfdrɔ:] ruw schetsen.

roughen ['rʌfn] vt (& vi) ruw maken (worden).

rough-hewn ['rʌf'hju:n] ruw behouwen of bekapt; fig grof, ruw.

roughly ['rʌfli] ad ruw &, zie rough I; ook: in het ruwe, ruwweg, globaal, zowat, ongeveer.

roughness ['rʌfnis] ruwheid &.

rough-rider ['rʌfraidə] 1 pikeur; 2 ✗ ruiter van de ongeregelde cavalerie.

rough-shod ['rʌfʃɔd] scherp beslagen, op scherp gezet; ride ~ over honds behandelen, ringeloren; zich niet storen aan.

rough-wrought ['rʌfrɔ:t] grof bewerkt.

roulade [ru:'la:d] ♪ roulade, loopje o.

rouleau [ru:'lou] rolletje o (geld).

roulette [ru:'let] 1 roulette; 2 raadje o.

Roumania [ru:'meinjə] Roemenië o.

Roumanian [ru:'meinjən] I aj Roemeens; II sb 1 Roemeen; 2 Roemeens o.

---

1 ⚓ **round** [raund] vi & vt fluisteren.

2 **round** [raund] I aj rond; stevig, flink [vaartje &]; ~ trip rondreis; reis heen en terug; II ad rond; in de rondte; rondom; in de omtrek; all ~ overal, in alle richtingen, naar alle kanten; fig in 't algemeen, in alle opzichten; (genoeg) voor allen; all ~, ~ and ~ om en om; the carriage will be ~ vóór zijn (komen); all the year ~ het hele jaar door; a long way ~ een heel eind om; ~ about om... heen, in het rond, rondom; langs een omweg; om en bij [de vijftig &]; III prep rondom, om, om... heen, rond; IV sb kring, bol; ommegang; routine, sleur; rondreis, rond(t)e; toer [bij breien]; rondje o; sport; rondgezang o, canon; rondedans; reeks [misdaden]; snee [brood]; ✗ salvo o; 100 ~s of ammunition ✗ 100 (stuks) patronen; ~s of applause salvo's van applaus; ~ of beef runderschijf; go the ~ de ronde doen [v. gerucht]; go (make) one's ~s ✗ de ronde doen; in the ~ vrijstaand [v. beeldhouwwerk]; a job on the bread ~ een baantje als broodbezorger; V vt rond maken, (af)ronden, omringen; omgaan, omkomen [een hoek]; ⚓ omzeilen; ~ off (af)ronden; voltooien, afmaken; ~ up bijeendrijven; omsingelen; oppakken; VI vi rond worden, vol worden; ~ (on one's heels) zich omdraaien; ~ on zich keren tegen; verraden, verklikken.

roundabout ['raundəbaut] I aj omlopend, een omweg makend; om de zaak heen draaiend; wijdlopig; rond; a ~ way een omweg; II sb 1 omweg; omhaal; 2 draaimolen; 3 verkeersplein o.

rounded ['raundid] (af)gerond², rond.

roundel ['raundəl] 1 medaillon o, schildje o; 2 ♪ rondo o; rondedans.

roundelay ['raundilei] rondo o; rondedans.

round game ['raundgeim] (gezelschaps)spelletje o, allegaartje o.

round hand ['raundhænd] rondschrift o.

Roundhead ['raundhed] ⊞ rondkop.

round-house ['raundhaus] 1 locomotiefloods; ⊞ gevangenis; 3 ⚓ galjoen o [van een schip].

rounding ['raundiŋ] ronding.

roundish ['raundiʃ] rondachtig.

roundly ['raundli] ad 1 rond; 2 ronduit; botweg, vierkant, onbewimpeld; flink.

roundness ['raundnis] rondheid &.

roundsman ['raundzmən] bezorger.

round-the-clock ['raundðə'klɔk] onafgebroken (gedurende een etmaal), 24-uur-[dienst &].

round-up ['raund'ʌp] bijeendrijven o; omsingeling; klopjacht, razzia.

rouse [rauz] I vt (op)wekken², doen ontwaken, wakker schudden, opporren, aanporren (ook: ~ up); opjagen; prikkelen; II vr ~ oneself wakker worden; zich vermannen; III vi ontwaken, wakker worden² (ook: ~ up).

rousing ['rauziŋ] 1 (op)wekkend &; bezielend, geestdriftig; 2 F kolossaal.

1 rout [raut] **I** *sb* 1 troep, wanordelijke bende; lawaai *o*; algemene vlucht; 2 ✳ avondpartij; *put to* ~ op de vlucht drijven; **II** *vt* op de vlucht drijven.

2 rout [raut] **I** *vi* wroeten, scharrelen; **II** *vt* omwroeten, omwoelen; ~ *out* halen uit; doorsnuffelen; opscharrelen (ook: ~ *up*).

route [ru:t, ✕ raut] **I** *sb* 1 route, weg, parcours *o*; 2 ✕ marsorder; *en* ~ *for* (*to*) op weg naar...

route-march ['rautma:tʃ] ✕ **I** *sb* afstandsmars; **II** *vi* een afstandsmars houden.

routine [ru:'ti:n] **I** *sb* routine, sleur; **II** als *aj* ook: dagelijks, gewoon, normaal.

routineer [ru:ti'niə] sleurmens.

1 rove [rouv] **I** *vi* (om)zwerven; dwalen [v. ogen &]; **II** *vt* af-, doorzwerven.

2 rove [rouv] V.T. & V.D. van 2 *reeve*.

rover ['rouvə] 1 zwerver; 2 zeeschuimer (ook: ~ *of the seas*); 3 voortrekker [bij de padvinders].

roving ['rouviŋ] **I** *aj* zwervend; dwalend; ~ *shot* schot *o* in 't wild; **II** *sb* zwerven *o*, zwerftocht.

1 row [rou] *sb* 1 rij, reeks, huizenrij; 2 straat; *the Row* Rotten Row; *a hard* ~ *to hoe Am* een hele pluk; *in a* ~ op een rij; *in* ~*s* op (in, aan) rijen.

2 row [rou] **I** *vi* roeien; **II** *vt* roeien; roeien tegen; ~ *down* inhalen bij het roeien; **III** *sb* roeien *o*; roeitochtje *o*; *go for a* ~ F gaan roeien.

3 row [rau] **I** *sb* kabaal *o*, herrie, ruzie, standje *o*, rel; *what's the* ~? wat is er aan 't handje?; *get into a* ~ herrie krijgen; *kick up a* ~ herrie maken; **II** *vt* een standje maken; **III** *vi* herrie maken.

rowan ['rouən] ♣ lijsterbes.

row-boat ['roubout] roeiboot.

rowdily ['raudili] *ad* zie *rowdy* II.

rowdy ['raudi] **I** *sb* ruwe kerel, herrieschopper; **II** *aj* lawaaierig, rumoerig.

rowdy-dowdy ['raudi'daudi] lawaaierig.

rowdyish ['raudiiʃ] zie *rowdy* II.

rowdyism ['raudiizm] herrie, lawaaierige drukte, ruwheid.

rowel ['rauəl] spoorradertje *o*, raadje *o*.

rower ['rouə] roeier.

1 rowing ['rouiŋ] roeien *o*; roei-.

2 rowing ['rauiŋ] herrie schoppen *o*; herrie; schrobbering.

rowlock ['rʌlək] roeiklamp, dolklamp, dol.

royal ['rɔiəl] **I** *aj* koninklijk², vorstelijk², konings-; van koninklijken bloede; prachtig; *there is no* ~ *road to learning* geleerdheid komt iemand niet aanwaaien; *the* ~ *speech* de troonrede; **II** *sb* royaalformaat [papier].

royalist ['rɔiəlist] koningsgezind(e), royalist(isch).

royally ['rɔiəli] *ad* koninklijk, vorstelijk; ~ *descended* van koninklijken bloede.

royalty ['rɔiəlti] koningschap *o*; koninklijk ka-rakter *o*; (lid *o* of leden van) de koninklijke familie; tantième *o*, royalty; *royalties* ook: 1 kroonprivilegiën; 2 vorstelijke personen.

rozzer ['rɔzə] S smeris.

r.p.m. = *revolutions per minute*.

rub [rʌb] **I** *vt* wrijven, inwrijven, afwrijven; boenen, poetsen; schuren (over); ~ *elbows zie* ~ *shoulders*; ~ *one's eyes* zich de ogen uitwrijven²; ~ *one's hands* zich (in) de handen wrijven (van voldoening); ~ *noses* de neusgroet brengen [van wilden]; familiaar omgaan (met *with*); ~ *shoulders with the more fashionable people* in (intiemere) aanraking komen met; ~ *one* (*up*) *the wrong way* iemand verkeerd aanpakken, irriteren; **II** *vi* (zich) wrijven, schuren; ∞ ~ *along* voortsukkelen, verder scharrelen; ~ *along* (*together*) het kunnen vinden, opschieten (met elkaar); ~ *away* af-, wegwrijven, doen uitslijten; *fig* slijten; ~ *down* afwrijven°, boenen; roskammen; ~ *in* inwrijven; ~ *it in*(*to them*), ~ *things in* iemand eens iets goed zeggen of laten voelen, onder de neus wrijven, er telkens weer op terugkomen; ~ *off* afwrijven; er afgaan; *it will* ~ *off* het zal wel slijten; ~ *out* uitwissen, uitvegen; er afgaan; ~ *through* (*the world*) zich er doorheen slaan, door het leven scharrelen; ~ *up* opwrijven; opfrissen; weer ophalen; **III** *sb* wrijven *o*, wrijving; moeilijkheid; wederwaardigheid; steek onder water, veeg (uit de pan); ~*s* (*and worries*) onaangename wederwaardigheden; *there's the* ~ daar zit hem de knoop.

rub-a-dub ['rʌbə'dʌb] rombom *o* [v. trom], gerommel *o*.

rubber ['rʌbə] wrijver, poetser; slijpsteen; wrijflap; masseur; rubber; vlakgom *m* of *o* ‖ *sp* robber [whist]; ~*s* ook: overschoenen.

rubbish ['rʌbiʃ] puin *o*; uitschot *o*, afval *o* & *m*; bocht *o* & *m*, prulleboel, prullen, rommel; ~! klets!; *talk* ~ onzin verkopen, kletsen.

rubbishy ['rʌbiʃi] vol puin, vol rommel; snert-, prullig.

rubble ['rʌbl] puin *o*; steenslag *o*; breuksteen, natuursteen *o* & *m*.

Rubicon ['ru:bikən] Rubicon; *cross* (*pass*) *the* ~ de beslissende stap doen.

rubicund ['ru:bikənd] rood(achtig).

rubric ['ru:brik] rubriek; titel; *RK* rubriek: kerkregel.

ruby ['ru:bi] **I** *sb* 1 robijn *o* [stofnaam], robijn *m* [voorwerpsnaam]; karbonkel, rode puist; 2 kleine drukletter; 3 S bloed *o*; **II** *aj* robijnen; robijnrood.

ruche [ru:ʃ] ruche.

1 ruck [rʌk] *sb* grote hoop, troep, massa.

2 ruck [rʌk] **I** *vt* kreukelen, plooien; **II** *vi* kreukelen, zich (laten) plooien; **III** *sb* kreukel, plooi.

ruckle ['rʌkl] **I** *vt* kreukelen; **II** *vi* rochelen.

rucksack ['ruksæk] rugzak.

ruction(s) ['rʌkʃən(z)] S heibel, herrie, ruzie.

rudd [rʌd] ⚥ ruisvoorn.

rudder ['rʌdə] ⚓ roerblad *o*; roer *o*.

ruddle ['rʌdl] roodaarde, roodsel *o*.

ruddy ['rʌdi] (fris) rood, blozend, rossig, ros; zie ook: *bloody* I 2.

rude [ru:d] *aj* ruw, grof, ruig; hard, streng; onbeschaafd, onbeleefd, onheus; lomp, primitief; *be in ~ health* in blakende welstand zijn; *~ things* onbeleefdeheden, grofheden.

rudely ['ru:dli] *ad* zie *rude*.

rudeness ['ru:dnis] ruwheid &.

rudiment ['ru:dimənt] rudiment *o*; *~s* eerste beginselen.

rudimental [ru:di'mentəl], **~ary** [-əri] elementair, aanvangs-; rudimentair.

1 **rue** [ru:] *sb* ⚘ wijnruit.

2 **rue** [ru:] *vt* betreuren, berouw hebben over; *you shall ~ it (the day)* het zal je berouwen.

rueful ['ru:ful] treurig, droevig, bedroefd.

ruff [rʌf] I *sb* (geplooide) kraag ‖ ⚥ kemphaan ‖ (af)troeven *o*; II *vt* & *vi* (af)troeven.

ruffian ['rʌfjən] I *sb* bandiet, schurk; woesteling; II *aj* schurkachtig; woest.

ruffianism ['rʌfjənizm] schurkerij; woestheid.

ruffianly ['rʌfjənli] schurkachtig; woest.

ruffle ['rʌfl] I *vt* frommelen, plooien, rimpelen, in (door) de war maken; verstoord maken, verstoren; *it ~d his temper* het bracht hem uit zijn humeur; *~ (up)* opzetten [veren]; II *vi* rimpelen; III *sb* 1 rimpeling; (geplooide) kraag of boord *o* & *m*; 2 ✕ roffel.

rug [rʌg] 1 reisdeken, plaid; 2 (haard)kleedje *o*.

Rugby ['rʌgbi] Rugby *o*; *~ (football)* sp rugby *o*.

rugged(ly) ['rʌgid(li)] ruig, ruw; oneffen, hobbelig; grof, lomp, hoekig; hard, stotend, onwelluidend, krassend; *Am* sterk, krachtig, stoer, robuust.

rugger ['rʌgə] *sp* F rugby *o*.

ruin ['ruin] I *sb* ondergang, verderf *o*, vernietiging; ruïne[2]; puinhoop, puin *o* (ook: *~s*); *bring to ~, bring ~ on* te gronde richten, ruïneren; *be (lie) in ~(s)* in puin liggen; *run to ~* in verval geraken; II *vt* verwoesten, vernielen; ruïneren, bederven, in het verderf storten, te gronde richten.

ruination [rui'neiʃən] ondergang, verderf *o*.

ruinous(ly) ['ruinəs(li)] 1 bouwvallig; in puin (liggend); 2 verderfelijk, ruïneus.

rule [ru:l] I *sb* regel°; levensregel; liniaal, duimstok; streep, streepje *o*; bewind *o*, bestuur *o*, heerschappij; *~s* beslissing; *~s* ook: reglement *o*; *~ of action* gedragslijn; *~ of thumb* praktische methode, de praktijk; *bear ~* regeren; *make it a ~* zich tot regel stellen; *as a ~* in de regel; *by ~* volgens de regel; machinaal; *work to ~* model werken, een modelactie voeren; II *vt* liniëren; regeren, heersen over; besturen, het bewind voeren

over; beheersen; ✕ beslissen (dat *that*); *be ~d by* ook: zich laten leiden door; *~ out* uitsluiten; uitschakelen; zie ook: *court*; III *vi* heersen, regeren (over *over*); *~ firm (low)* ✕ vast (laag) zijn.

ruler ['ru:lə] 1 bestuurder, regeerder, heerser; 2 liniaal.

ruling ['ru:liŋ] I *aj* (over)heersend; *~ prices* ✕ marktprijzen; II *sb* 1 liniëring; 2 ✕ beslissing.

1 **rum** [rʌm] *sb* 1 rum; 2 *Am* ,,drank".

2 **rum** [rʌm] *aj* vreemd, raar; *a ~ bird (case, customer, one)* S een rare (sijs).

rumble ['rʌmbl] I *vi* rommelen; dreunen; denderen; II *vt ~ forth (out)* opdreunen; III *sb* 1 gerommel *o*; gedreun *o*; gedender *o*; 2 kattebak [v. rijtuig]; 3 gevecht *o* tussen jeugdbenden.

rumbustious [rʌm'bʌstiəs] F lawaai(er)ig.

ruminant ['ru:minənt] herkauwend (dier *o*) zie ook: *ruminative*.

ruminate ['ru:mineit] I *vt* herkauwen; be-, overpeinzen; II *vi* herkauwen; peinzen, nadenken; *~ over* be-, overpeinzen; *~ upon (on, of, about)* broeden op, denken over.

rumination [ru:mi'neiʃən] herkauwing; *fig* overdenking, gepeins *o*.

ruminative ['ru:mineitiv] nadenkend, peinzend.

rummage ['rʌmidʒ] I *vt* doorsnuffelen, doorzoeken, door elkaar halen; *~ out (up)* opschommelen; II *vi* 1 rommelen, woelen, snuffelen (in *among*); 2 rommel maken; *~ for* opscharrelen; III *sb* rommel; gesnuffel *o*, doorzoeking.

rummage-sale ['rʌmidʒseil] 1 $ uitverkoop tegen afbraakprijzen; 2 zie *jumble-sale*.

rummer ['rʌmə] roemer.

rummy ['rʌmi] rumachtig ‖ S zie 2 *rum*.

rumour ['ru:mə] I *sb* gerucht *o*; II *vt* (bij gerucht) verspreiden; uitstrooien; *it is ~ed that...* er loopt een gerucht dat...

rump [rʌmp] 1 stuitbeen *o*, stuit, stuitstuk *o*; 2 achterste *o*, achterstuk *o*; 3 overschot *o*; *the Rump* het rompparlement *o* [1648-53 & 1659].

rumple ['rʌmpl] I *sb* kreuk, vouw; II *vt* verkreuk(el)en, kreuken, vouwen, in de war maken, verfrommelen.

rumpsteak ['rʌmpsteik] biefstuk.

rumpus ['rʌmpəs] S herrie, heibel, keet.

rum-shrub ['rʌmʃrʌb] rumpunch.

1 **run** [rʌn] I *vi* lopen°, (hard)lopen, rennen, hollen, snellen, gaan, rijden; in omloop zijn, geldig zijn; gaan lopen, deserteren; deelnemen aan de (wed)strijd; in elkaar lopen [kleuren]; aflopen [kaars]; lekken, vloeien, stromen, smelten; etteren, pussen; luiden [v. tekst]; *~ cold (mad)* koud (gek) worden; *my blood ran cold* het bloed stolde mij in de aderen; *~ dry* ophouden te vloeien[2]; *~ high* hoog lopen (gaan), hoog zijn (staan); hoog

gespannen zijn [verwachtingen]; ~ *small* klein uitvallen, klein van stuk zijn; *he who* ~*s may read* het is zo klaar als de dag; *how your tongue* ~*s!* wat ben je weer aan het doorslaan!; II *vt* laten lopen [treinen &]; laten draven [paard]; laten deelnemen [aan (wed)strijd], stellen [een kandidaat]; racen met; laten gaan [zijn vingers, over of door], strijken met; steken, halen, rijgen [draad, degen]; drijven, besturen, leiden, exploiteren [zaak, machine &]; houden [wedren, een auto], geven [cursus, voorstelling]; vervolgen, achtervolgen, nazetten [vos &]; verbreken [blokkade]; smokkelen [geweren &]; stromen van [bloed]; ~ *the show* F de lakens uitdelen; ~ *them close* (*hard*) dicht op de hielen zitten; ∞ ~ *about* rondlopen; ~ *across one* iemand toevallig ontmoeten, tegen het lijf lopen; ~ *after* nalopen²; ~ *against...* tegen... aan lopen (met) [het hoofd], tegen het lijf lopen; ~ *aground* (*ashore*) ⚓ aan de grond raken; op het strand zetten; ~ *at* aan-, losstormen op; ~ *away* weglopen, F er vandoor gaan (met *with*), ⚔ deserteren; *don't* ~ *away with that opinion* (*notion, impression*) verbeeld je dat maar niet (te gauw); ~ *before* vooruitlopen, vóór zijn; ~ *down* aflopen [v. uurwerk]; uitgeput raken; verlopen; omverlopen, overrijden; ⚓ overzeilen; opsporen; uitputten [onderwerp]; *sp* doodlopen; doodjagen; *fig* afbreken, afgeven op; *feel* ~ *down* zich „op" voelen; ~ *down the coast* varen langs; ~ *for it* F het op een lopen zetten; ~ *from* ontlopen, weglopen van; ~ *in* inlopen [motor]; inrijden [auto]; F inrekenen; ~ *in the blood* (*family*) in het bloed (de familie) zitten; ~ *in to one* F even aanlopen bij; ~ *into* binnenlopen; aanlopen tegen, aanrijden (tegen), aanvaren; ~ *into debt* schulden maken; ~ *into five editions* vijf oplagen beleven; *it* ~*s into six figures* het loopt in de 100.000; *it* ~*s into a large sum* het loopt in de papieren; *it will* ~ *you into £ 80* 't zal je £ 80 kosten; ~ *off* I (laten) weglopen; afdwalen; 2 aframmelen, afratelen; 3 op papier gooien; 4 afdrukken, afdraaien [met stencilmachine]; ~ *on* doorlopen, -varen; voorbijgaan; oplopen [rekeningen]; (door)ratelen, doorslaan; *his every thought* ~*s upon it* zijn hele denken is daarop gericht; ~ *out* ten einde lopen, aflopen [termijn]; opraken [voorraad]; lekken; afrollen [touw]; uitsteken, uitbrengen; ~ *out of provisions* door zijn voorraad heen raken; ~ *oneself out* zich buiten adem lopen; ~ *over* overlopen; overvloeien (van *with*); (in gedachten) nagaan, doorlópen; overrijden; ~ *through* lopen door [v. weg]; doorlopen [brief &]; ~ *through a fortune* F erdoor lappen; ~ *one's pen through...* de pen halen door; ~ *one through the body* doorsteken; ~ *to earth* in zijn hol jagen [vos]; J te pakken

krijgen, vinden [iemand]; *it will* ~ *to eight pages* het zal wel acht bladzijden beslaan (bedragen); *the money won't* ~ *to it* zo ver reikt mijn geld niet; *it won't* ~ *to that* zo hoog (duur) komt dat niet; ~ *up* oplopen°; opschieten; krimpen; laten oplopen; optellen; in elkaar zetten; hijsen [vlag]; opjagen [de inzet op auctie]; optrekken [muur]; opstellen [geschut]; ✗ op volle toeren (laten) komen; ~ *up bills* op rekening kopen; ~ *up against* aanbonzen tegen, tegen het lijf lopen; optornen tegen; ~ *upon* zie ~ *on*; ~ *with* druipen van [bloed &]; ~ *with the hare and hold with the hounds* met twee monden spreken; III *sb* loop, aanloop; verloop *o* [v. markt]; plotselinge vraag (naar *on*); bestorming [v. bank]; run [bij cricket]; toeloop; ren, wedloop; ♪ loopje *o*; vrije toegang (tot *o*), vrije beschikking (over *of*); vaart [bij het zeilen]; uitstapje *o*, reis, rit; traject *o*; periode, reeks, serie; slag *o*, soort, type *o*; kudde [vee], troep, school [vissen]; kippenren; weide [v. schapen &]; goot; luchtgang [in mijn]; *the play had a* ~ *of 300 nights* werd 300 keer achter elkaar opgevoerd; *a* ~ *of ill luck* voortdurende pech; *a* ~ *of luck* voortdurend geluk *o*; *have the* ~ *of the library* vrije toegang hebben tot; *have (get) a good* ~ *for one's money* waar voor zijn geld krijgen; *at a* ~ op een loopje; *by the* ~ met een vaart; *in the long* ~ op de duur; *in the short* ~ op korte termijn; *on the* ~ 1 op de vlucht; 2 in de weer, bezig; *out of the common* ~ niet gewoon; *throughout the* ~ *of the fair* zo lang de kermis duurt; *with a* ~ met een vaartje.

2 **run** [rʌn] I V.D. van *run*: gelopen &; II *aj* uitgesmolten [v. boter]; gesmokkeld [v. drank].

run-about ['rʌnəbaut] I *aj* (rond)zwervend; II *sb* 1 zwerver; 2 F soort lichte wagen; lichte auto.

⚔ **runagate** ['rʌnəgeit] 1 landloper; 2 vluchteling; deserteur; renegaat.

runaway ['rʌnəwei] I *sb* vluchteling; deserteur, gedroste; hollend paard *o*; schaking; II *aj* weggelopen, op hol (geslagen); *a* ~ *knock* (*ring*) (een) beldeurtje *o*; *a* ~ *match* (*marriage*) een huwelijk *o* na schaking; *a* ~*victory* (*win*) een glansrijke overwinning.

run-down ['rʌn'daun] afgelopen [van uurwerk]; vervallen; „op" [v. vermoeidheid].

rune [ru:n] rune.

1 **rung** [rʌŋ] *sb* sport [v. ladder].

2 **rung** [rʌŋ] V.D. & ⊙ V.T. van 2 *ring*.

runic ['ru:nik] rune(n)-.

runlet ['rʌnlit] 1 ⚓ vaatje *o*; 2 stroompje *o*.

runnel ['rʌnl] 1 beekje *o*; 2 goot.

runner ['rʌnə] 1 loper; 2 boodschapper; 3 ♣ uitloper; klimboon; 4 ⚓ blokkadebreker; 5 schuifring.

runner-bean ['rʌnəbi:n] ♣ klimboon.

runner-up ['rʌnə'rʌp] I pas in de laatste manche afvallende mededinger [bij schijfschieten &], nummer twee; 2 opjager [bij verkopingen].

running ['rʌniŋ] I aj lopend°, doorlopend, achtereenvolgend; strekkend [bij meting]; race-; *four times* ~ viermaal achtereen; ~ *account* $ rekening-courant; ~ *costs* bedrijfskosten, exploitatiekosten; ~ *fire* ⚔ onafgebroken vuur o; ~ *jump* sprong met aanloop; ~ *knot* ⚓ schuifknoop; ~ *title* kolomtitel; II sb lopen o, loop, ren; smokkelen o; *he is not in the* ~ *at all, he is fairly out of the* ~ hij komt helemaal niet in aanmerking, heeft helemaal geen kans.

run-of-the-mill ['rʌnəvðəmil] gewoon.

runt [rʌnt] klein rund o; ♠ krieltje o; ⬥ Spaanse duif.

runway ['rʌnwei] loop; pad o; sponning; ✈ rolbaan: start- en landingsbaan; [v. watervliegtuig] helling.

rupee [ru:'pi:] IP ropij.

Rupert ['ru:pət] Ruprecht, Robert.

rupture ['rʌptʃə] I sb breuk²; verbreken o; scheuring; II vt verbreken, breken, doen springen [aderen &]; *be* ~*d* een breuk krijgen; III vi breken, springen [aderen &].

rural ['ruərəl] landelijk; plattelands-.

ruse [ru:z] krijgslist, list, kunstgreep.

1 rush [rʌʃ] I sb ♣ bies; *not worth a* ~ geen sikkepit waard; II vt matten [stoelen].

2 rush [rʌʃ] I vi (voort)snellen, ijlen, stuiven, schieten, rennen, stormen, jagen; zich storten; stromen; ruisen; II vt aan-, losstormen op, bestormen², stormlopen op; overrompelen²; (voort)jagen; in aller ijl zenden; haast maken met; ~ *matters* overijld te werk gaan; ∞ ~ *at* afschieten op, losstormen op, bestormen, losgaan op; ~ *down* afstormen, zich naar beneden storten; ~ *in* naar binnen stormen; ~ *into extremes* van 't ene uiterste in het andere vervallen; ~ *into print* er op los schrijven (in de krant); ~ *into a scheme* zich hals over kop begeven in; ~ *on* voortsnellen &; ~ *on one's fate* zijn noodlot tegemoet snellen; ~ *out* naar buiten snellen; ~ *past* voorbijsnellen, -rennen, -jagen; ~ *through* erdoor jagen [wetsontwerp]; ~ *upon* losstormen op; III sb vaart, haast; aanloop, bestorming², stormloop (op *on*); ren, geren o; grote drukte; stroom [v. emigranten &], hoop [mensen]; geraas o, geruis o; *make a* ~ *for* losstormen op; stormlopen om; *with a* ~ stormenderhand; IV als aj in: *the* ~ *hours* de uren van de grootste drukte, de spitsuren; ~ *order* $ spoedbestelling.

rusher ['rʌʃə] I bestormer; 2 F aanpakker.

rushlight ['rʌʃlait] nachtpitje o.

rushy ['rʌʃi] vol biezen; biezen-.

rusk [rʌsk] beschuit, beschuitje o.

russet ['rʌsit] I sb I roodbruin; 2 soort guldeling [appel]; II aj roodbruin.

Russia ['rʌʃə] I Rusland o; 2 juchtleer o (ook: ~ *leather*).

Russian ['rʌʃən] I sb I Rus; 2 Russisch o; II aj Russisch; ~ *salad* huzarensla.

Russo- ['rʌsou] Russisch-.

rust [rʌst] I sb roest°; II vi (ver)roesten; *fig* achteruitgaan (door nietsdoen); III vt doen (ver)roesten.

rustic ['rʌstik] I aj landelijk, boers; boeren-, land-; rustiek [v. bruggen &]; II sb landman boer².

rustically ['rʌstikəli] ad landelijk, boers.

rusticate ['rʌstikeit] I vi buiten (gaan) wonen; II vt I boers maken; 2 ⟿ tijdelijk verwijderen [v. d. universiteit].

rusticity [rʌs'tisiti] landelijk karakter o, landelijkheid, landelijke eenvoud; boersheid.

rustiness ['rʌstinis] roestigheid.

rustle ['rʌsl] I vi ritselen, ruisen; II vt doen ritselen, ritselen met; III sb geritsel o, geruis o.

rust-proof ['rʌstpru:f] roestvrij.   [ruis o.

rusty ['rʌsti] roestig, roestkleurig; verschoten; stijf, stram; krassend [stem]; *my French is a little* ~ moet opgehaald worden; *turn* ~ nijdig worden.

1 rut [rʌt] I sb wagenspoor o, spoor o, groef; *fig* sleur; II vt sporen maken in.

2 rut [rʌt] I sb bronst(tijd); II vi bronstig zijn.

Ruth [ru:θ] Ruth.

⚘ ruth [ru:θ] mededogen o.

Ruthenian [ru:'θi:njən] Roeteen(s).

ruthful ['ru:θful] meedogend.

ruthless(ly) ['ru:θlis(li)] meedogenloos, onbarmhartig, onmeedogend.

rutting ['rʌtiŋ] bronst.

rutty ['rʌti] vol sporen.

rye [rai] ♣ rogge.

ryegrass ['raigra:s] ♣ Engels raaigras o.

S

s [es] (de letter) s; **S.** = *South(ern)*; '**s** = *has, is, us*.

Sabaoth [sæ'beiəθ] in: *the Lord of* ~ B de Heer der Heerscharen.

Sabbatarian [sæbə'tɛəriən] I sb streng zondagsvierder; II als aj zondagsvierings-.

Sabbath ['sæbəθ] sabbat, rustdag; zondag.

Sabbath-breaker ['sæbəθbreikə] sabbat(s)-schender.

Sabbatical [sə'bætikl] van de sabbat, sabbat(s)-; ~ *year* sabbat(s)jaar o; ⟿ verlof jaar [o.

Sabine ['sæbain] Sabijn(s).

sable ['seibl] I sb I ♠ sabeldier o; 2 sabelbont o; 3 ▨ zwart o; II aj zwart, donker.

sabot ['sæbou] klomp.

sabotage ['sæbəta:ʒ] I sb sabotage; II vt & vi saboteren.

sabre ['seibə] I sb ⚔ (cavalerie)sabel; II vt neersabelen.

sabretache ['sæbətæʃ] ⚔ sabeltas.
sac [sæk] zak [in organisme].
saccharin ['sækərin] sacharine.
saccharine ['sækərain] I *aj* suikerhoudend, suikerachtig; *fig* suikerzoet; II *sb* sacharine.
sacerdotal [sæsə'doutəl] priesterlijk, priester-.
sacerdotalism [sæsə'doutəlizm] priestergeest.
1 sack [sæk] I *sb* 1 (grote) zak; 2 ⚓ „sak" [wijd dameskleed]; *get* (*give*) *the* ~ de bons krijgen (geven); II *vt* 1 in zakken doen; 2 S de bons geven; ontslaan.
2 sack [sæk] I *vi* plunderen; II *sb* plundering.
3 sack [sæk] *sb* ▯ sek: Spaanse wijn.
sackbut ['sækbʌt] ▯ schuiftrompet.
sackcloth [sækkləθ] zakkenlinnen *o*; *in* ~ *and ashes* B in zak en as.
sackful ['sækful] zakvol.
sacking ['sækiŋ] paklinnen *o* ‖ plundering.
sack-race ['sækreis] zaklopen *o*.
sacrament ['sækrəmənt] 1 *RK* sacrament *o* (des Altaars); 2 Avondmaal *o* [bij de protestanten]; *administer the last* ~*s RK* (ten volle) bedienen.
sacramental [sækrə'mentəl] sacramenteel, van het sacrament, offer-.
sacred ['seikrid] heilig[2], geheiligd, gewijd, geestelijk, kerk-; ~ *concert* kerkconcert *o*; *the* ~ *service* de godsdienstoefening; ~*from* gevrijwaard voor; veilig voor; ~ *to*... gewijd aan; ~ *to the memory of*... hier rust... [op grafstenen].
sacrifice ['sækrifais] I *sb* offerande, offer *o*; offering; *sell at a* ~ met verlies verkopen; *at any* ~ wat het ook koste; *at the* ~ *of*... met opoffering van...; II *vt* (op)offeren; ten offer brengen; III *vr* ~ *oneself* zich opofferen (voor anderen).
sacrificer ['sækrifaisə] offeraar, offerpriester.
sacrificial [sækri'fiʃəl] offer-.
sacrilege ['sækrilidʒ] kerkroof, heiligschennis[2].
sacrilegious [sækri'lidʒəs] (heilig)schennend.
sacrilegist [sækri'lidʒist] heiligschenner.
⚓ sacring ['seikriŋ] *RK* consecratie; wijding.
sacring-bell ['seikriŋbel] *RK* sanctusbel.
sacrist ['seikrist] sacristein.
sacristan ['sækristən] koster; sacristein.
sacristy ['sækristi] sacristie.
sacrosanct ['sækrousæŋkt] hoogheilig, bijzonder heilig; *fig* onaantastbaar.
§ sacrum ['seikrəm] heiligbeen *o*.
sad [sæd] *aj* 1 droevig, bedroefd, verdrietig, treurig; somber; 2 donker; ~ *bread* klef brood *o*; *a* ~ *coward* een grote, onverbeterlijke lafaard; *he writes* ~ *stuff* wat hij schrijft is dunnetjes.
sadden ['sædn] I *vt* bedroeven, somber maken; II *vi* bedroefd, somber worden.
saddle ['sædl] I *sb* 1 zadel *m* of *o*; 2 schraag; 3 rug-, lendestuk *o*; *put the* ~ *on the wrong horse* de verkeerde de schuld geven; II *vt* zadelen; ~ *with* opleggen, opschepen met; *be* ~*d with* opgescheept zitten met; III *vr* ~ *one-*

self with op zich nemen; IV *vi* (op)zadelen (ook: ~ *up*).
saddle-back ['sædlbæk] 1 zadel *m* of *o* [v. bergrug]; 2 zadeldak *o*; 3 ♣ mantelmeeuw.
saddle-backed ['sædlbækt] met een zadelrug.
saddle-bag ['sædlbæg] zadeltas, zadelzak.
saddle-bow ['sædlbou] (voorste) zadelboog.
saddle-cloth ['sædlkləθ] zadelkleed *o*, -dek *o*.
saddle-horse ['sædlhɔ:s] rijpaard *o*.
saddler ['sædlə] zadelmaker.
saddlery ['sædləri] 1 zadelmakerij; 2 zadelmakersartikelen.
saddle-tree ['sædltri:] zadelboom.
sadism ['sædizm] sadisme *o*.
sadist ['sædist] sadist.
sadistic [sæ'distik] sadistisch.
sadly ['sædli] *ad* 1 droevig, bedroefd, treurig; 2 P < bar, zeer, erg, danig, deerlijk.
sadness ['sædnis] droefheid, treurigheid.
safari [sə'fa:ri] jacht; jachtstoet [in Afrika]; expeditie.
safe [seif] I *aj* veilig, ongedeerd, behouden, gezond en wel (ook: ~ *and sound*); betrouwbaar, vertrouwd; $ solide; zeker; ~ *convoy* vrijgeleide *o*; ~ *custody* veilige of verzekerde bewaring; *a* ~ *winner* (*first*) die zeker de (eerste) prijs haalt; ~ *from* beveiligd (gevrijwaard) voor, buiten bereik van; *one is* ~ *in saying that*..., *it is* ~ *to say*... men kan gerust zeggen dat...; II *sb* 1 brandkast; 2 provisiekast.
safe-conduct ['seif'kɔndəkt] vrijgeleide *o*.
safe-deposit ['seifdi'pɔzit] kluis [v. e. bank]; ~ *box* safeloket *o*.
safeguard ['seifga:d] I *sb* vrijgeleide *o*; vrijwaring, waarborg, beveiliging, bescherming; II *vt* verzekeren, vrijwaren, waarborgen, beveiligen, beschermen.
safe-keeping ['seif'ki:piŋ] bewaring, hoede, veiligheid.
safely ['seifli] *ad* veilig, ongedeerd, behouden, gezond en wel; goed (en wel); gerust.
safety ['seifti] veiligheid, zekerheid.
safety-belt ['seiftibelt] redding(s)gordel; ⚙ ⚓ veiligheidsgordel.
safety-curtain ['seiftikə:t(i)n] brandscherm *o*.
safety-lamp ['seiftilæmp] veiligheidslamp.
safety-lane ['seiftilein] oversteekplaats.
safety-match ['seiftimætʃ] Zweedse lucifer.
safety-pin ['seiftipin] veiligheidsspeld.
safety-razor ['seiftireizə] veiligheidsscheermes *o*.
safety-valve ['seiftivælv] ⚙ veiligheidsklep[2].
saffron ['sæfrən] I *sb* saffraan; II *aj* saffraankleurig, -geel.
sag [sæg] I *vi* 1 verzakken, doorbuigen; (door)zakken, inzakken; (slap) hangen (ook: ~ *down*); 2 ⚓ (naar lij) afdrijven; 3 $ teruglopen, dalen; II *vt* doen doorzakken; III *sb* door-, verzakking, doorbuiging.
saga ['sa:gə] saga.
sagacious [sə'geiʃəs] scherpzinnig, schrander.

sagacity [sə'gæsiti] scherpzinnigheid, schranderheid.

1 **sage** [seidʒ] I *aj* wijs; II *sb* wijze, wijsgeer.

2 **sage** [seidʒ] *sb* ⚘ salie.

Sagittarius [sædʒi'tɛəriəs] ✱ de Schutter.

sago ['seigou] sago.

Sahara [sə'ha:rə] Sahara.

sahib ['sa:(h)ib] *IP* heer, mijnheer.

said [sed] V.T. & V.D. van *say*; (boven)genoemd, gezegd, voormeld.

sail [seil] I *sb* 1 ⚓ zeil° *o*, zeilen; zeiltocht; (zeil)schip *o*, -schepen; 2 wiek [v. molen]; *make* ~ zeil maken, (meer) zeilen bijzetten; *set* ~ onder zeil gaan; *take in* ~ zeil minderen, inbinden[2]; *a ten days' ~ from P* tien dagen varen van P; (*in*) *full* ~ met volle zeilen; *under* ~ onder zeil; II *vi* zeilen, stevenen; uitzeilen, (uit-, af)varen [ook stoomboot]; zweven; ~ *into* F aanpakken, onder handen nemen; III *vt* 1 laten zeilen; 2 (be)sturen; 3 bevaren [de zeeën]; 4 doorklieven [het luchtruim].

sailcloth ['seilkləθ] zeildoek *o* & *m*.

sailer ['seilə] zeiler, zeilschip *o*; *a fast* ~ ⚓ een snel lopend (stoom)schip *o*.

sailing ['seiliŋ] ⚓ zeilen *o*, varen *o* &; afvaart; *it's all plain* ~ het gaat van een leien dakje.

sailing-ship ['seiliŋʃip] ⚓ zeilschip *o*.

sailor ['seilə] 1 ⚓ matroos, zeeman; 2 matelot [hoed]; *a bad* (*good*) ~ iemand die veel (weinig) last van zeeziekte heeft.

sailorly ['seiləli] matrozen-, matrozenachtig.

sailorman ['seiləmæn] F matroos.

saint [seint] I *aj* sint, heilig; II *sb* heilige; *our departed* ~ onze dierbare overledene; *~'s day* heiligedag; *my ~'s day* mijn naamdag; III *vt* heilig verklaren, canoniseren; IV *vi* in: ~ (*it*) de vrome uithangen.

sainted ['seintid] heilig, heiligverklaard, gewijd; vroom; *our ~ father* vader zaliger.

sainthood ['sainthud] heiligheid; heiligen.

saintlike ['seintlaik] zie *saintly*.

saintliness ['seintlinis] heiligheid, vroomheid.

saintly ['seintli] als een heilige, heilig, vroom.

saintship ['seintʃip] heiligheid.

⊙ **saith** [seθ] zegt.

sake [seik] in: *for the ~ of* ter wille van; *for God's* ~ om godswil; *for old sake's* ~ uit oude genegenheid; *I am glad for your* ~ het doet mij genoegen voor u; *for the mere ~ of saying something* alleen maar om iets te zeggen.

Sal [sæl] F Saar, Saartje *o*.

salaam [sə'la:m] I *sb* diepe (oosterse) groet, buiging; II *vi* eerbiedig groeten, buigen als een knipmes.

salability [seilə'biliti] verkoopbaarheid.

salable ['seiləbl] 1 verkoopbaar; 2 gewild; ~ *value* verkoopwaarde.

salacious [sə'leiʃəs] 1 geil, wellustig; 2 gepeperd [verhaal].

salacity [sə'læsiti] geilheid, wellustigheid.

salad ['sæləd] salade, sla.

salad-days ['sæləddeiz] jeugd en jonge jaren.

salad-dressing ['sæləddresiŋ] slasaus.

salamander ['sæləmændə] 1 🐾 salamander; 2 vuurgeest; 3 roosterplaat [in de keuken].

sal-ammoniac [sælə'mouniæk] salmiak.

salaried ['sælərid] gesalarieerd, bezoldigd.

salary ['sæləri] I *sb* salaris *o*, bezoldiging, loon *o*; II *vt* salariëren, bezoldigen.

sale [seil] verkoop, verkoping, veiling; ~(*s*) uitverkoop, opruiming; ~ *of work* liefdadigheidsbazaar; *there is no ~ for it* het wordt niet verkocht, gaat niet; *for* ~ te koop; *on* ~ verkrijgbaar, te koop; *on ~ or return* $ in commissie.

saleable ['seiləbl] zie *salable*.

sale-price ['seilprais] $ 1 uitverkoopprijs; 2 veilingprijs.

sales-book ['seilzbuk] $ verkoopboek *o*.

salesgirl ['seilzgə:l] verkoopster.

salesman ['seilzmən] 1 verkoper; 2 tussenpersoon; 3 winkelbediende.

salesmanship ['seilzmənʃip] werkzaamheden (betrekking) van verkoper; verkoopkunde.

saleswoman ['seilzwumən] verkoopster.

Salian ['seiliən] 📖 Saliër.

Salic ['sælik] Salisch.

salicylic [sæli'silik] in: ~ *acid* salicylzuur *o*.

salient ['seiliənt] I *aj* (voor)uitspringend, uitstekend; *the ~ features* (*points*) de saillante, sterk uitkomende punten; II *sb* vooruitspringende punt, ⚔ saillant.

saline ['seilain, sə'lain] I *aj* zoutachtig, -houdend, zout; zout-; II *sb* [sə'lain] 1 saline, zoutpan; 2 zoutbron; 3 zoutoplossing; laxeerzout *o*.

salinity [sə'liniti] zout(ig)heid; zoutgehalte *o*.

Salisbury ['sɔ:lzbəri] Salisbury.

§ **saliva** [sə'laivə] speeksel *o*.

§ **salivary** ['sælivəri] speekselachtig, speeksel-.

1 **sallow** ['sælou] *sb* ⚘ waterwilg.

2 **sallow** ['sælou] I *aj* ziekelijk bleek, vuilgeel, vaal; II *vi* (& *vt*) vaal worden (maken).

sallowness ['sælounis] bleekheid &.

Sally ['sæli] F Saartje *o*; zie ook: *aunt*.

sally ['sæli] I *sb* 1 uitval; 2 (geestige) inval, kwinkslag; 3 uitstapje *o*; 4 uitbarsting, opwelling; *a ~ of youth* een jeugdige onbezonnenheid; II *vi* een uitval doen, te voorschijn komen (ook: ~ *out*); ~ *forth* (*out*) er op uitgaan.

salmon ['sæmən] I *sb* 1 🐟 zalm; 2 saumon: zalmkleur; II *aj* zalmkleurig, saumon.

salmon-trout ['sæməntraut] 🐟 zalmforel.

Salome [sə'loumi] Salome.

saloon [sə'lu:n] 1 zaal; salon; grote kajuit; 2 *Am* tapperij, bar; 3 zie *saloon-car*.

saloon-bar [sə'lu:nba:] bar in *public house* voor „beter" publiek.

saloon-car [sə'lu:nka:] 1 (gesloten) luxewagen [auto]; 2 salonwagen [v. trein].

saloon-keeper [sə'lu:nki:pə] *Am* tapper, herbergier met vergunning, slijter.

saloon-passenger [sə'lu:npæsindʒə] eerste-klaspassagier.

salsify ['sælsifi] ❦ preibladige boksbaard, blauwe morgenster; *black* ~ ❦ schorseneer.

salt [so:lt, solt] I *sb* 1 zout *o*; *fig* geestigheid; 2 F zeerob; ~*s* 1 Engels zout *o*; 2 reukzout *o*; *eat a man's* ~ 1 van iemand afhangen; 2 iemands gast zijn (ook: *eat* ~ *with a man*); *he is worth his* ~ men heeft iets aan hem; *faithful (true) to his* ~ trouw aan zijn broodheer (vrienden); II *aj* zout, zilt, gezouten; gepeperd [rekening]; gekruid [aardigheid]; III *vt* zouten²; met zout besprenkelen; pekelen; inzouten²; *fig* peperen [rekening]; ~ *down one's money* zijn geld oppotten; zie ook: *salted*.

salt-cellar ['so:ltselə] zoutvaatje *o*.

salted ['so:ltid] gezouten°; zout; ingezouten; *fig* gehard; gepeperd [rekening].

salter ['so:ltə] 1 (in)zouter; 2 zoutzieder.

salt-horse ['so:lt'ho:s] ⚓ pekelvlees *o*.

saltiness ['so:ltinis] zout(acht)ig-, ziltigheid.

saltish ['so:ltiʃ] zoutachtig, zoutig, zilt, brak.

salt-junk ['so:lt'dʒʌŋk] ⚓ pekelvlees *o*.

saltless ['so:ltlis] ongezouten, zouteloos².

salt-maker ['so:ltmeikə] zoutzieder.

salt-marsh ['so:ltma:ʃ] zouttuin, zoutmoeras *o*.

saltness ['so:ltnis] zoutheid, zoutte.

saltpetre ['so:ltpi:tə] salpeter.

salt-works ['so:ltwə:ks] zoutkeet, -ziederij.

salty ['so:lti] zout(acht)ig, zilt(ig); pittig, pikant.

salubrious [sə'l(j)u:briəs] gezond, heilzaam.

salubrity [sə'l(j)u:briti] gezondheid, heilzaamheid.

salutary ['sæljutəri] heilzaam, weldadig, zegenrijk; gezond.

salutation [sælju'teiʃən] groet, begroeting; groetenis (des engels).

salute [sə'l(j)u:t] I *vt* 1 (be)groeten (met *with²*); ⚔ & ⚓ salueren; 2 ⚔ kussen; II *vi* groeten; ⚔ het saluut geven, salueren; saluutschoten lossen; III *sb* 1 groet, begroeting; 2 ⚔ kus; 3 ⚔ saluut(schot) *o*; *take the* ~ ⚔ het saluut beantwoorden, de parade afnemen.

saluting-base [sə'l(j)u:tiŋbeis] defileerpunt *o*.

salvable ['sælvəbl] 1 gered² kunnende worden, te redden²; 2 te bergen.

salvage ['sælvidʒ] I *sb* berging; bergloon *o*; geborgen goed *o*; afvalstoffen, oude materialen; II *vt* bergen.

salvage steamer ['sælvidʒsti:mə] ⚓ bergingsvaartuig *o*.

salvation [sæl'veiʃən] zaligmaking, zaligheid, redding; *S*~ *Army* Leger *o* des Heils.

Salvationist [sæl'veiʃənist] I *sb* heilsoldaat, heilsoldate; II *aj* van het Leger des Heils.

1 salve [sa:v] I *sb* zalf, balsem; *fig* zalfje *o*, pleister (op de wonde); II *vt* ⚓ zalven; insmeren; *fig* sussen, verzachten; helen.

2 salve [sælv] *vt* ⚓ bergen [strandgoed].

salver ['sælvə] presenteerblad *o*.

salvo ['sælvou] voorbehoud *o*, uitvlucht ‖ ⚔

salvo *o*.

sal volatile [sælvə'lætili] vlugzout *o*.

salvor ['sælvə] ⚓ berger [v. strandgoed].

Sam [sæm] Sam.

Samaritan [sə'mæritən] I *sb* Samaritaan; *good* ~ barmhartige Samaritaan; II *aj* Samaritaans.

same [seim] zelfde, genoemde; gelijk; eentonig; *(the)* ~ $ het-, dezelve(n); *all the* ~ 1 (geheel) eender, precies hetzelfde; 2 niettemin, toch; ~ *to you!* F van 's gelijken.

sameness ['seimnis] gelijkheid; eentonigheid.

samlet ['sæmlit] ⚓ jonge zalm.

Samoa [sə'mouə] Samoa *o*.

Samoan [sə'mouən] Samoaan(s).

Samoyed ['sæmoujed] I *sb* 1 Samojeed; 2 samojeed [hond]; II *aj* Samojeeds.

sample ['sa:mpl] I *sb* 1 $ staal *o*, monster *o*; 2 proef; *fig* staaltje *o*; II *vt* 1 $ bemonsteren; monsters nemen van; 2 keuren, proeven; 3 ondervinding opdoen van.

sample-post ['sa:mplpoust] ⚓ in: *send by* ~ als monster (ver)zenden.

sampler ['sa:mplə] 1 wie monsters neemt; 2 merklap.

Samson ['sæmsn] Simson.

Samuel ['sæmjuəl] Samuel.

sanatorium [sænə'to:riəm] sanatorium *o*.

sanctification [sæŋktifi'keiʃən] heiligmaking, heiliging.

sanctified ['sæŋktifaid] geheiligd, heilig; zie ook: *sanctimonious*.

sanctify ['sæŋktifai] heiligen, heilig maken.

sanctimonious [sæŋkti'mouniəs] schijnheilig.

sanctimony ['sæŋktiməni] schijnheiligheid.

sanction ['sæŋkʃən] I *sb* 1 sanctie, goedkeuring, bekrachtiging; 2 $ homologatie; 3 sanctie, dwangmaatregel; II *vt* wettigen, bekrachtigen, sanctioneren; $ homologeren.

sanctity ['sæŋktiti] heiligheid, onschendbaarheid.

sanctuary ['sæŋktjuəri] 1 heiligdom *o*, Allerheiligste *o*; 2 asiel *o*, toevluchtsoord *o*; 3 [vogel-, wild] reservaat *o*.

sanctum ['sæŋktəm] heiligdom² *o*; ~ *sanctorum* B heilige *o* der heiligen.

sand [sænd] I *sb* zand *o*; zandbank; zandgrond; ~*s* zand *o*, zandkorrels; *the* ~*s* ook: 1 het strand; 2 de woestijn; *the* ~*s are running out* de tijd is bijna verstreken; het loopt ten einde; II *vt* 1 met zand bestrooien; 2 met zand (ver)mengen; 3 (doen) verzanden (ook: ~ *up*).

sandal ['sændl] sandaal ‖ sandelhout *o*.

sandalwood ['sændlwud] sandelhout *o*.

sand-bag ['sændbæg] I *sb* zandzak; II *vt* ⚔ met zandzakken barricaderen (versterken).

sand-bank ['sændbæŋk] zandplaat.

sander ['sændə] zandstrooier.

sanderling ['sændəliŋ] ⚓ drietenige strandloper.

sand-glass ['sændgla:s] zandloper.

sand-hill ['sændhil] duin, zandheuvel.

sandiness ['sændinis] zand(er)igheid.

sandman ['sændmən] zandmannetje *o*.

sandmartin ['sændma:tin] ⚘ oeverzwaluw.

sand-paper ['sændpeipə] I *sb* schuurpapier *o*;
II *vt* met schuurpapier (glad)wrijven.

sandpiper ['sændpaipə] ⚘ oeverloper.

sand-pit ['sændpit] zandgroeve; zandkuil.

sand-shoes ['sændʃu:z] strandschoenen.

sand-spout ['sændspaut] zandhoos.

sandstone ['sændstoun] zandsteen *o* & *m*.

sandwich ['sændwitʃ] I *sb* sandwich, belegd
boterhammetje *o*; ook: sandwichman; II *vt*
leggen, plaatsen of schuiven tussen; ~*ed between... and...* zo tussen... en...

sandwich-board ['sændwitʃbɔ:d] reclamebord *o*.

sandwich-man ['sændwitʃmæn] loper met reclamebord vóór en achter.

Sandy ['sændi] F 1 Sander; 2 F Schot.

sandy ['sændi] 1 zand(er)ig; 2 rossig, „hoogblond"; ~ *road* zandweg.

sane [sein] gezond (van geest); verstandig,
(goed) bij zijn verstand.

sang [sæŋ] V.T. van *sing*.

sangrail [sæn'greil] Heilige Graal.

sanguinary ['sæŋgwinəri] 1 bloeddorstig; 2
bloedig; zie ook: *bloody* I 2.

sanguine ['sæŋgwin] I *aj* volbloedig; bloedrood; bloed-; *fig* hoopvol, optimistisch; II *sb*
sanguine [rood krijt en tekening daarmee].

sanguineous [sæŋ'gwiniəs] sanguinisch, volbloedig; bloedrood, bloed-.

sanhedrim, sanhedrin ['sænidrim, -in] sanhedrin *o*: hoge raad der joden.

sanitary ['sænitəri] sanitair, gezondheids-; hygiënisch.

sanitation [sæni'teiʃən] sanering, hygiënische
verbetering; sanitaire inrichting; gezond-
heidswezen *o*.

sanity ['sæniti] gezondheid, gezonde opvatting, gezond verstand *o*.

sank [sæŋk] V.T. van *sink*.

sans [sænz] zonder.

Sanscrit, Sanskrit ['sænskrit] Sanskriet *o*.

Santa Claus ['sæntə'klɔ:z] het kerstmannetje:
Father Christmas.

1 sap [sæp] I *sb* ⚘ 1 (plante)sap *o*, vocht *o*; 2
spint *o*; 3 S hals, sul; II *vt* 1 het sap onttrekken aan; 2 *fig* ondermijnen, slopen.

2 sap [sæp] I *sb* ✗ sappe; sapperen *o*; *fig* ondermijning; II *vt* door middel van sappen
benaderen, ondergraven, ondermijnen[2]; III
vi sapperen.

3 sap [sæp] ⇔ S I *vi* blokken; II *sb* blokker;
karwei.

sapid ['sæpid] smakelijk.

sapidity [sə'piditi] smakelijkheid.

sapience ['seipiəns] wijsheid; eigenwijsheid.

sapient ['seipiənt] wijs; eigenwijs, wijsneuzig.

sapless ['sæplis] saploos; droog; *fig* futloos,
geesteloos, flauw.

sapling ['sæpliŋ] jong boompje *o*.

saponaceous [sæpə'neiʃəs] zeepachtig; *fig* zalvend; glad.

sapper ['sæpə] ✗ sappeur.

sapphire ['sæfaiə] I *sb* saffier *o* [stofnaam], saffier *m* [voorwerpsnaam]; II *aj* saffieren.

sappy ['sæpi] sappig°, saprijk; *fig* krachtig.

sap-wood ['sæpwud] ⚘ spint *o*.

saraband ['særəbænd] ♪ sarabande.

Saracen ['særəsən] Saraceen(s).

Sarah ['sɛərə] Sarah.

sarcasm ['sɑ:kæzm] sarcasme *o*.

sarcastic(ally) [sɑ:'kæstik(əli)] sarcastisch.

sarcophagi [sɑ:'kɔfədʒai] *mv* v. sarcophagus
[sɑ:'kɔfəgəs] sarcofaag.

sardine [sɑ:'di:n] 𝕵 sardine, sardientje *o*.

Sardinia [sɑ:'diniə] Sardinië *o*.

Sardinian [sɑ:'diniən] I *aj* Sardinisch; II *sb*
Sardiniër.

sardonic [sɑ:'dɔnik] sardonisch, bitter.

saree, sari ['sɑ:ri:] Hindoes vrouwenkleed *o*.

sarong [sə'rɔŋ] *Ind* sarong.

sartorial [sɑ:'tɔ:riəl] kleermakers-; van (in) de
kleding.

1 sash [sæʃ] sjerp, ceintuur.

2 sash [sæʃ] raam *o*, schuifraam *o*.

sash-cord ['sæʃkɔ:d] raamkoord *o*.

sash-door ['sæʃdɔ:] glazen deur.

sash-line ['sæʃlain] raamkoord *o*.

sash-window ['sæʃwindou] schuifraam *o*.

sassafras ['sæsəfræs] ⚘ sassafras.

Sassenach ['sæsənæx] *Sc* & *Ir* I *sb* Engelsman;
II *aj* Engels.

sat [sæt] V.T. & V.D. van *sit*.

Satan ['seitən] Satan.

satanic(ally) [sə'tænik(əli)] satanisch.

satanism ['seitənizm] satanische aard; duivel-
achtigheid; satanisme *o*.

satchel ['sætʃəl] (boeken-, school)tas, ransel.

1 sate [seit, sæt] ↖ zie *sat*.

2 sate [seit] *vt* zie 2 *satiate*.

sateen [sæ'ti:n] satinet *o* & *m*.

satellite ['sætilait] satelliet[2]; *fig* trawant; ~
town randgemeente, voorstad.

satiable ['seiʃiəbl] verzadigbaar.

1 satiate ['seiʃiit] *aj* ⊙ zie *satiated*.

2 satiate ['seiʃieit] *vt* verzadigen; ~*d* verzadigd, beu, zat (van *with*).

satiation [seiʃi'eiʃən] verzadiging.

satiety [sə'taiəti] verzadigdheid, zatheid; *to* ~
tot beu wordens toe.

satin ['sætin] I *sb* satijn *o*; II *aj* satijnen; III *vt*
satineren.

satinet(te) [sæti'net] satinet *o* & *m*.

satinwood ['sætinwud] satijnhout *o*.

satiny ['sætini] satijnachtig.

satire ['sætaiə] satire[2], hekelschrift *o*, hekeldicht *o*.

satiric(al) [sə'tirik(l)] satiriek, satirisch, heke-
lend.

satirist ['sætirist] satiricus, hekeldichter.

satirize ['sætiraiz] hekelen.

satisfaction [sætis'fækʃən] voldoening (over *at*‧

with), genoegdoening; bevrediging; genoegen *o*, tevredenheid; *give* ~ voldoen, naar genoegen zijn, genoegen doen; *make* ~ boete (eerherstel) doen; genoegdoening geven; *in* ~ *of* ter voldoening (kwijting) van; *to the* ~ *of* naar (ten) genoegen van; tot tevredenheid van.

satisfactorily [sætis'fæktərili] *ad* op bevredigende wijze, naar genoegen, voldoend(e).

satisfactory [sætis'fæktəri] *aj* voldoening schenkend, bevredigend, voldoend(e).

satisfy ['sætisfai] I *vt* 1 voldoen (aan), voldoening of genoegen geven, bevredigen, tevredenstellen; 2 verzadigen, stillen; 3 geruststellen; overtuigen (van *of*); *be satisfied that...* overtuigd zijn dat; *satisfied with* tevreden over (met); II *vr* ~ *oneself of the fact* zich overtuigen van het feit.

satrap ['sætræp] satraap[2].

satrapy ['sætrəpi] satrapie.

saturable ['sætʃərəbl] verzadigbaar.

saturate ['sætʃəreit] verzadigen, drenken; ~*d with* ook: doortrokken van.

saturation [sætʃə'reiʃən] verzadiging.

Saturday ['sætədi] zaterdag.

Saturn ['sætə:n] Saturnus.

saturnalia [sætə'neiliə] 1 ⨃ saturnaliën; 2 zwelgpartij(en), brasserij(en).

saturnalian [sætə'neiliən] 1 ⨃ van de saturnaliën; 2 ongebonden, teugelloos.

saturnine ['sætənain] 1 somber; 2 lood-.

satyr ['sætə] sater[2].

satyric [sə'tirik] saters-.

sauce [so:s] I *sb* 1 saus; 2 F brutaliteit; *give one* ~ F brutaliseren; *what is* ~ *for the goose is* ~ *for the gander* gelijke monniken, gelijke kappen; *serve with the same* ~ met gelijke munt betalen; II *vt* 1 sausen; *fig* kruiden[2]; 2 F brutaliseren.

sauce-boat ['so:sbout] sauskom.

sauce-box ['so:sbɔks] F brutaaltje *o*.

saucepan ['so:spən] steelpan.

saucer ['so:sə] schoteltje *o*; bordje *o*; *flying* ~ vliegende schotel.

saucily ['so:sili] *ad* F 1 brutaal; 2 chic.

sauciness ['so:sinis] F 1 brutaliteit; 2 chic.

saucy ['so:si] *aj* F 1 brutaal; 2 chic.

sauerkraut ['sauəkraut] zuurkool.

Saul [so:l] Saulus; Saul.

sauna ['saunə] sauna.

saunter ['so:ntə] I *vi* slenteren, drentelen; II *sb* kuier, toertje *o*, drenteling, drentelachtige gang.

saunterer ['so:ntərə] slenteraar, drentelaar.

§ saurian ['so:riən] I *aj* hagedisachtig; II *sb* hagedisachtig dier *o*, sauriër, saurus.

sausage ['sosidʒ] 1 saucijs, worst; 2 ⋉ S observatieballon; *German* ~ metworst.

sausage-roll ['sosidʒ'roul] saucijzebroodje *o*.

savage ['sævidʒ] I *aj* 1 wild, woest, wreed; 2 F woedend; II *sb* wilde(man), woestaard.

savageness ['sævidʒnis], **savagery** ['sævidʒri]

wildheid, woestheid, wreedheid.

savanna(h) [sə'vænə] savanne.

savant ['sævənt & Fr] geleerde.

1 **save** [seiv] I *vt* 1 redden, verlossen, zalig maken; 2 behouden, bewaren, behoeden (voor *from*); 3 (be)sparen; uitsparen; opsparen (ook: ~ *up*); ~ *appearances* de schijn redden; ~ *us!* God bewaar ons!; zie ook: *face*, *mark* &; II *vi* & *va* redden; sparen; III *sb sp* redden *o*; besparing.

2 **save** [seiv] I *prep* behalve, uitgezonderd; ~ *for* behalve; behoudens; II *cj* ⋇ tenzij.

save-all ['seivɔ:l] 1 profijtertje *o*; 2 lekbak.

saveloy ['sævilɔi] cervelaatworst.

saver ['seivə] 1 redder; 2 (be)spaarder.

saving ['seivin] I *aj* 1 reddend, zaligmakend; 2 spaarzaam, zuinig (met *of*); ~ *clause* voorbehoud *o*; *the one* ~ *feature* het enige lichtpunt, het enige dat in zijn voordeel te zeggen valt; II *sb* 1 besparing; 2 redding; 3 voorbehoud *o*; uitzondering; ~*s* opgespaarde *o*; spaargeld *o*, spaargelden; III *prep* ⋇ behoudens, behalve; ~ *your presence* met uw verlof.

savings-bank ['seivinzbænk] spaarbank.

Saviour ['seivjə] Redder, Heiland.

savory ['seivəri] ⚘ bonekruid *o*.

savour ['seivə] I *sb* 1 smaak, smakelijkheid; 2 aroma *o*, geur[2]; ⋇ reuk; II *vi* smaken[2]; rieken[2] (naar *of*); III *vt* smaak vinden in.

savouriness ['seivərinis] smakelijkheid, aroma *o*.

savoury ['seivəri] I *aj* smakelijk, geurig; II *sb* licht tussengerecht *o*.

Savoy [sə'vɔi] Savoye *o*.

savoy [sə'vɔi] ⚘ savooi(e)kool.

Savoyard [sə'vɔia:d] Savoyaard.

savvy ['sævi] S I *vt* snappen; II *sb* verstand *o*.

1 **saw** [so:] V.T. van 2 *see*.

2 **saw** [so:] *sb* gezegde *o*, spreuk.

3 **saw** [so:] I *sb* zaag; II *vt* zagen, af-, doorzagen; III *vi* 1 zagen; 2 zich laten zagen.

sawbill ['so:bil] ⚘ zaagbek.

sawbones ['so:bounz] J chirurg.

sawder ['so:də] zie onder *soft*.

sawdust ['so:dʌst] zaagsel *o*, zaagmeel *o*.

sawfish ['so:fiʃ] ⚲ zaagvis.

saw-horse ['so:ho:s] zaagbok.

saw-mill ['so:mil] zaagmolen, houtzagerij.

sawn [so:n] V.D. van 3 *saw*.

saw-pit ['so:pit] zaagkuil.

sawyer ['so:jə] zager.

Saxe- [sæks] Saksen-.

saxhorn ['sækshɔ:n] ♪ saxhoorn.

saxifrage ['sæksifridʒ] ⚘ steenbreek.

Saxon ['sæksn] I *aj* 1 Angelsaksisch; 2 Saksisch; II *sb* 1 Angelsaks; 2 Saks; 3 Angelsaksisch *o*; 4 Saksisch *o*.

Saxony ['sæksəni] Saksen *o*.

saxophone ['sæksəfoun] ♪ saxofoon.

saxophonist ['sæksəfounist] ♪ saxofonist.

say [sei] I *vt* zeggen, opzeggen; *that's* ~*ing*

a good deal dat is veel gezegd; dat wil wat zeggen!; never ~ die F geef het nooit op; before you can ~ knife F in een wip; ~ sixty pounds I $ zegge zestig pond; 2 laten we zeggen zestig pond; bijvoorbeeld zestig pond; ~ something I iets zeggen; 2 een goed woord spreken; een paar woorden zeggen; ~ the word zeg het maar; zie ook: word; what did you ~? wat zegt u?, wat blieft?; they (people) ~, it is said that... er wordt gezegd dat...; it ~s in the papers that... er staat in de krant dat...; that is not to ~ that... dat wil nog niet zeggen dat...; that's what it ~s zo staat het er; though I ~ it who shouldn't al zeg ik 't zelf; when all is said and done per slot van rekening; ∞ have little to ~ against one (something) weinig te zeggen hebben op, weinig weten aan te voeren tegen iemand (iets); he has little to ~ for himself hij zegt (beweert) niet veel, hij heeft niet veel te vertellen; it says much for... het getuigt van...; have you nothing to ~ for yourself? hebt u niets te zeggen te uwer verontschuldiging?; to ~ the least of it op zijn zachtst uitgedrukt; op zijn minst genomen; to ~ nothing of... nog gezwegen van..., ...nog daargelaten; ~ on! zeg op!, spreek!; ~ out hardop zeggen; ~ over (voor zichzelf) opzeggen; I will have nothing to ~ to him (this affair) ik wil met hem (met deze zaak) niets te maken hebben; what ~ you to a theatre? als we eens naar een theater gingen?; II vi & va zeggen; I can't ~ dat kan ik niet zeggen; you don't ~ (so)! och, is het waar?; maar dat meent u toch niet!, wat u zegt!; III als ij: I ~! F ~! zeg eens!; nee maar!; IV sb in: have a ~, have some ~ (in the matter) ook een woordje (iets) te zeggen hebben (in de zaak); let him have his ~ laat hem uitspreken; say one's ~ zeggen wat men op het hart heeft.

saying ['seiin] zeggen o, gezegde o, zegswijze, spreuk, spreekwoord o; it goes without ~ het spreekt van zelf; as the ~ is (goes) zoals men (het spreekwoord) zegt.

scab [skæb] I sb roof, korst; schurft; P boef; S onderkruiper [bij staking]; II vi korsten [met een roofje]; S onderkruipen.

scabbard ['skæbəd] schede.

scabbiness ['skæbinis] 1 schurftigheid; 2 F armzaligheid; gemeenheid.

scabby ['skæbi] 1 schurftig²; 2 F armzalig; gemeen.

§ **scabies** ['skeibii:z] schurft.

scaffold ['skæfəld] I sb steiger, stellage; schavot o; II vt van een steiger voorzien; schragen.

scaffolding ['skæfəldiŋ] stellage, steiger.

scalawag ['skæləwæg] deugniet, rakker, rekel; schobbejak.

1 **scald** [skɔ:ld] I vt broeien, schroeien; met heet water branden of wassen; licht koken; II sb brandwond(e).

2 **scald** [skɔ:ld] sb skald.

scalding, scalding-hot ['skɔ:ldiŋ, -'hɔt] gloeiend heet; heet [v. tranen].

1 **scale** [skeil] I sb weegschaal; the ~s (a pair of ~s) de (een) weegschaal; turn the ~ de doorslag geven; II vt wegen, halen [aan gewicht].

2 **scale** [skeil] I sb 1 schaal; ♪ (toon)schaal, toonladder; 2 maatstaf; 3 × talstelsel o; the social ~ de maatschappelijke ladder; on a large (small) ~ op grote (kleine) schaal; draw to ~ op schaal tekenen; II vt (met ladders) beklimmen; ~ down (up) (naar verhouding) verlagen (verhogen).

3 **scale** [skeil] I sb 1 schilfer, schub; 2 tandsteen o & m; aanslag, ketelsteen o & m; hamerslag o; the ~s fell from his eyes de schellen vielen hem van de ogen; II vt afschilferen, schubben, schrappen [vis]; pellen; het tandsteen verwijderen van, (af)bikken [ketel]; III vi (af)schilferen (ook: ~ off).

scaled [skeild] geschubd, schubbig, schub-.

scalene [skə'li:n] ongelijkzijdig [driehoek].

scaliness ['skeilinis] schilferigheid.

scaling-ladder ['skeiliŋlædə] × stormladder.

scallion ['skæljən] ⚘ sjalot.

scallop ['skɔləp] I sb 1 kamschelp; 2 schulpwerk o (~s), schulp; feston o & m; 3 schelp [bij diner &]; II vt 1 uitschulpen; festonneren; 2 in een schelp bakken.

scallywag ['skæliwæg] zie scalawag.

scalp [skælp] I sb 1 schedelhuid, scalp; 2 top; II vt scalperen.

scalpel ['skælpəl] ontleedmes o.

scaly ['skeili] 1 schubbig, schub-; 2 schilferig.

scamp [skæmp] I sb schelm, deugniet; II vt afroffelen [werk].

scamper ['skæmpə] I vi hollen, er vandoor gaan; II sb galopje o; holletje o; wandelritje o; at a ~ op een holletje.

scan [skæn] I vt 1 met kritische blik beschouwen, onderzoeken; 2 even doorkijken; 3 aftasten [bij televisie, radar]; 4 scanderen; II vi zich laten scanderen.

scandal ['skændl] 1 aanstoot, ergernis; 2 schandaal o, schande; 3 kwaadsprekerij, laster.

scandalize ['skændəlaiz] 1 ergernis wekken bij, ergernis geven; 2 bekletsen, belasteren; be ~d zich ergeren.

scandal-monger ['skændlmʌŋgə] kwaadspreker.

scandalous(ly) ['skændələs(li)] 1 ergernis gevend, ergerlijk, schandelijk; 2 lasterlijk.

Scandinavia [skændi'neivjə] Scandinavië o.

Scandinavian [skændi'neivjən] I aj Scandinavisch; II sb Scandinaviër.

scansion ['skænʃən] scansie.

scant [skænt] I aj krap toegemeten, gering; schraal, karig (met of); ~ of breath kort van adem; II vt krap houden, krap toemeten.

scantily ['skæntili] ad zie scanty.

scantiness ['skæntinis] schaarsheid &.

scantling ['skæntliŋ] 1 beetje o, weinigje o; 2 afmeting; 3 balk.

scanty ['skænti] aj schraal, krap (toegemeten), schriel, karig, dun, schaars, gering, weinig.

scapegoat ['skeipgout] zondebok.

scapegrace ['skeipgreis] deugniet, rakker.

§ **scapula** ['skæpjulə, mv scapulae 'skæpjuli:] schouderblad o.

scapular ['skæpjulə] I aj van 't schouderblad; II sb 1 RK scapulier o & m; 2 ♃ rugveer.

scapulary ['skæpjuləri] RK scapulier o & m.

1 **scar** [ska:] I sb litteken o; II vt een litteken geven, met littekens bedekken; III vi een litteken vormen; dichtgaan [v. wond].

2 **scar** [ska:] sb steile rots.

scarab ['skærəb] 1 kever; 2 scarabee.

scaramouch ['skærəmautʃ] hansworst.

scarce [skɛəs] I aj schaars, zeldzaam; make yourself ~! F maak dat je wegkomt!; II ad ⚚ & ☉ zie scarcely.

scarcely ['skɛəsli] ad nauwelijks, ternauwernood, pas; (toch) wel niet; ~... when... nauwelijks... of...; ~ anything bijna niets.

scarceness ['skɛəsnis] schaarsheid, zeldzaamheid.

scarcity ['skɛəsiti] schaarsheid, schaarste, zeldzaamheid, gebrek o (aan of).

scare [skɛə] I vt verschrikken, doen schrikken; afschrikken, doen terugschrikken (van from); ~d bang (voor of); ~ away wegjagen; II sb 1 plotselinge schrik, paniek; 2 bangmakerij.

scarecrow ['skɛəkrou] vogelverschrikker.

scaremonger ['skɛəmʌŋgə] alarmist.

scarf [ska:f] I sb sjerp; sjaal; das ‖ las(sing) [van hout]; II vt lassen [hout].

scarf-pin ['ska:fpin] dasspeld.

scarf-skin ['ska:fskin] opperhuid.

scarification [skɛərifi'keiʃən] insnijding; kerving; fig onbarmhartige hekeling.

scarify ['skɛərifai] insnijden; kerven; fig onbarmhartig hekelen.

scarlatina [ska:lə'ti:nə] ✝ roodvonk.

scarlet ['ska:lit] I sb scharlaken o; II aj scharlakenrood, scharlakens; vuurrood [v. blos]; ~ fever ✝ roodvonk; ~ hat kardinaalshoed; ~ runner ✿ pronkboon.

scarp [ska:p] I sb escarpe, glooiing, steile helling; II vt afschuinen, escarperen.

scarper ['ska:pə] S 'm smeren.

scary ['skɛəri] bang; vreesaanjagend.

scathe [skeið] I vt beschadigen, deren, terneerslaan, verpletteren; II sb in: without ~ ongedeerd.

scatheless ['skeiðlis] ongedeerd; zonder kleerscheuren.

scathing ['skeiðiŋ] vernietigend [kritiek &].

scatter ['skætə] I vt (ver)strooien, uit-, rondstrooien, verspreiden, uiteenjagen, verdrijven; II vi zich verspreiden, zich verstrooien, uiteengaan.

scatter-brained ['skætəbreind] ijlhoofdig.

scattering ['skætəriŋ] I a verstrooid, ver-

spreid; II sb verstrooiing, verspreiding; a ~ of... een handjevol...

scavenge ['skævin(d)ʒ] I vi bij de reinigingsdienst werken; het vuil op-, uithalen; II vt [de straat] vegen, [het vuil] opruimen, [riolen] uithalen.

scavenger ['skævin(d)ʒə] 1 straatveger; 2 aaskever.

scavenging ['skævin(d)ʒiŋ] reiniging(sdienst).

scenario [si'na:riou] scenario o.

scenarist [si'na:rist] scenarioschrijver.

scene [si:n] toneel° o, tafereel o, schouwspel o; decor o; plaats (van het onheil &); fig beeld o; scène°; the ~ is laid in..., the place of the ~ is... het stuk speelt in...; behind the ~s achter de schermen².

scenery ['si:nəri] 1 decoratief o, decor o, decors, toneeldecoraties; 2 (natuur)tonelen, natuurschoon o, natuur, landschap o.

scene-shifter ['si:nʃiftə] machinist [in een schouwburg].

scenic ['si:nik] 1 toneelmatig, toneel-; 2 van het landschap; 3 vol natuurschoon, schilderachtig.

scent [sent] I vt ruiken² [het wild], de lucht krijgen van; van geur vervullen; parfumeren; ~ out (op de reuk) ontdekken; II sb reuk, geur, parfum o & m; reukzin; lucht [v. wild]; spoor o; fig flair, fijne neus (voor for); get ~ of de lucht krijgen van²; on the (wrong) ~ op 't (verkeerde) spoor.

scent-bottle ['sentbɔtl] odeurflesje o.

scentless ['sentlis] zonder reuk, reukeloos.

sceptic ['skeptik] I sb scepticus, twijfelaar; II aj zie sceptical.

sceptical ['skeptikl] twijfelend (aan of), twijfelzuchtig, sceptisch.

scepticism ['skeptisizm] twijfelzucht.

sceptre ['septə] scepter, (rijks)staf.

schedule ['ʃedju:l; Am 'skedju:l] I sb cedel, lijst, inventaris, opgaaf, tabel, staat; dienstregeling; rooster, program o, schema o; ahead of ~ voor zijn tijd, te vroeg; behind ~ over (zijn) tijd, te laat; on ~ (precies) op tijd; ~ service vaste (geregelde) dienst; at (to) ~ time op de dienstregeling aangegeven tijd; op het vastgestelde uur; II vt op de lijst zetten, inventariseren; (tabellarisch) opgeven; vaststellen; be ~d to arrive moeten aankomen.

Scheldt [skelt] Schelde.

scheme [ski:m] I sb 1 schema o, stelsel o; ontwerp o, schets; programma o; plan° o; [pensioen] regeling; 2 voornemen o; II vt beramen; III vi plannen maken; intrigeren.

schemer ['ski:mə] plannenmaker; intrigant.

scheming ['ski:miŋ] I aj plannen makend, vol plannen; beramend; intrigerend; II sb plannen maken o, intrigeren o.

Schiedam [ski'dæm, 'ski:dæm] 1 Schiedam o; 2 schiedammer [jenever].

schism ['sizm] schisma o, scheuring.

schismatic [siz'mætik] I *aj* schismatiek; II *sb* scheurmaker.

schizophrenia [skitsou'fri:njə] schizofrenie.

schizophrenic [skitsou'frenik] schizofreen.

schnapps [ʃnæps] (Hollandse) jenever.

scholar ['skɔlə] geleerde; leerling; bursaal, beursstudent; *he is a good French* ~ kent zijn Frans (perfect).

scholarly ['skɔləli] van een geleerde, wetenschappelijk degelijk, gedegen.

scholarship ['skɔləʃip] 1 geleerdheid; wetenschap; kennis; wetenschappelijke degelijkheid, gedegenheid; 2 ☞ studiebeurs.

scholastic [skɔ'læstik] I *aj* scholastiek, schools; schoolmeesterachtig; universitair, hoogleraars-, schoolmeesters-; school-; ~ *agency* plaatsingsbureau *o* voor onderwijzers &; II *sb* 1 scholasticus, scholastiek geleerde; 2 *RK* scholastiek.

scholasticism [skɔ'læstisizm] scholastiek.

school [sku:l] I *sb* school°, leerschool²; schooltijd; schoolgebouw *o*, -lokaal *o*, leervertrek *o*; ook: examenlokaal *o*; Hogeschool; faculteit; *fig* richting (ook: ~ *of thought*); ~s (kandidaats)examen *o*; *lower* (*upper*) ~ (de) lagere (hogere) klassen [v. e. school]; *at* ~ op school; *in* ~ in de klas; II *vt* 1 onderwijzen, oefenen, dresseren; 2 de les lezen, vermanen; III *vi* scholen vormen [vissen].

school-board ['sku:lbɔ:d] schoolcommissie.

school-fellow ['sku:lfelou] schoolmakker.

school-house ['sku:l'haus] 1 schoolgebouw *o*; 2 huis van de *headmaster*.

schooling ['sku:liŋ] 1 (school)onderwijs *o*; school [in manege]; 2 schoolgeld *o*.

schoolmaster ['sku:lma:stə] 1 hoofdonderwijzer, schoolmeester², onderwijzer; 2 leraar.

school-miss ['sku:lmis] schoolmeisje *o*.

schoolmistress ['sku:lmistris] 1 (hoofd)onderwijzeres; 2 lerares.

school-room ['sku:lrum] schoollokaal *o*.

school-ship ['sku:lʃip] ⚓ opleidingsschip *o*.

school-teacher ['sku:lti:tʃə] onderwijzer(es).

schooner ['sku:nə] ⚓ schoener.

schottische [ʃɔ'ti:ʃ] Schottisch [dans].

sciatic [sai'ætik] van de heup, heup-.

sciatica [sai'ætikə] 🜪 ischias.

science ['saiəns] 1 wetenschap, kennis, kunde; 2 wis- en natuurkunde; 3 natuurwetenschap(pen); *with great* ~ 1 zeer kundig; 2 volgens de regelen der kunst.

science fiction ['saiənsfikʃən] science-fiction [fantastische romans, films & over ruimtevaart e.d.].

scientific [saiən'tifik] wetenschappelijk.

scientist ['saiəntist] natuurfilosoof, natuurkundige; man van de wetenschap, geleerde.

scimitar ['simitə] kromzwaard *o*.

scintilla [sin'tilə] vonkje *o*; *not a* ~ *of...* geen sprankje (zweempje, aasje)...

scintillate ['sintileit] vonkelen, flonkeren, flikkeren, schitteren, tintelen.

scintillation [sinti'leiʃən] vonkeling, flonkering, flikkering, schittering, tinteling.

scion ['saiən] ent, spruit², loot².

scissors ['sizəz] schaar; *a pair of* ~ een schaar.

sclerosis [skliə'rousis] 🜪 sclerose; *multiple* ~ multiple sclerose.

sclerotic [skliə'rɔtik] I *aj* hard; ~ *coat* (*membrane*) = II *sb* harde oogrok.

scoff [skɔf] I *sb* spot, bespotting, beschimping, schimp(scheut); II *vi* spotten (met *at*), schimpen (op *at*).

scoffer ['skɔfə] spotter, beschimper.

scold [skould] I *vi* kijven (op *at*); II *vt* bekijven, een standje maken; III *sb* feeks.

scolding ['skouldiŋ] standje *o*, uitbrander.

scollop ['skɔləp] zie *scallop*. [schans.

sconce [skɔns] 1 (arm)blaker; 2 F kop; 3 ✂

scone [skoun, skɔn] *Sc* soort broodje *o*.

scoop [sku:p] I *sb* 1 schop, emmer, schep(per), hoosvat *o*; spatel; (kaas)boor; haal [met een net], vangst; 2 S winst; buitenkansje *o* [voor berichtgever]; *at one* ~ met één slag; II *vt* (uit)scheppen, uithozen; uithollen; bijeenschrapen; S opstrijken, binnenhalen (ook: ~ *up*); scooper ['sku:pə] hozer, uitholler; schep. [*in*].

scoop-net ['sku:pnet] 1 sleepnet *o*; 2 schepnet *o*.

scoot [sku:t] P 'm smeren, vliegen. [*scooter.*

scooter ['sku:tə] step, autoped; zie ook: *motor scooterist* ['sku:tərist] scooter(be)rijder.

scope [skoup] 1 oogmerk *o*, doel *o*; strekking; 2 (speel)ruimte, vrijheid (van beweging); 3 gezichtskring, gebied *o*, terrein *o* van werkzaamheid; omvang; *give one ample* (*free, full*) ~ volle vrijheid laten; *within the* ~ *of this work* binnen het bestek van dit werk.

scorbutic [skɔ:'bju:tik] I *aj* aan scheurbuik lijdend, scheurbuik-; II *sb* scheurbuiklijder.

scorch [skɔ:tʃ] I *vt* (ver)schroeien, (ver)zengen; II *vi* 1 schroeien; 2 F woest rijden.

scorcher ['skɔ:tʃə] 1 iets, dat schroeit of verzengt; 2 F snikhete dag; 3 S geweldige uitbrander; baas, prachtstuk *o*; een... van hem ik jou daar; woest fietser; snellopend paard *o*.

score [skɔ:] I *sb* 1 kerf, keep, insnijding; (dwars)streep, lijn, striem; 2 rekening, gelag *o*; 3 *sp* aantal *o* behaalde punten, stand; 4 F succes *o*; rake zet; bof, tref; 5 twintig(tal *o*); 6 ♪ partituur; *four* ~ tachtig; ~*s of times* ook: talloze malen; *at* ~ dat het een aard heeft; *by* (*in*) ~*s* bij dozijnen, bij hopen; *on that* ~ dienaangaande, wat dat betreft; *on the* ~ *of* vanwege, wegens, op grond van; op het punt van; II *vt* (in)kerven, (in)kepen; strepen; onderstrepen [een woord]; aan-, optekenen; opschrijven; boeken [een succes]; *sp* behalen [punten], maken; ♪ op noten zetten; orkestreren; *we shall* ~ *that against you* dat zullen we onthouden; ~ *one off* iemand troeven, met iemand afrekenen; hem zijn... betaald zetten; ~ *out* doorhalen [een woord]; ~ *under* onderstrepen [een woord]; ~ *up* opschrijven, op rekening schrijven; III *va* & *vi* een punt (punten) maken of behalen; een voordeel behalen, succes hebben, het winnen (van *over*).

scoria ['skɔ:riə, *mv* **scoriae** 'skɔ:rii:] schuim *o* [van gesmolten metaal], slak.

scorn [skɔ:n] **I** *sb* verachting, versmading, hoon, (voorwerp *o* van) spot; *hold up to ~* aan de algemene verachting prijsgeven; **II** *vt* verachten, versmaden.

scornful(ly) ['skɔ:nful(i)] minachtend, smalend, honend.

Scorpio ['skɔ:piou] * de Schorpioen.

scorpion ['skɔ:pjən] ⚕ schorpioen.

scorzonera [skɔ:zə'niərə] ⚘ schorseneer.

Scot [skɔt] Schot.

scot [skɔt] ⏧ belasting; *pay ~ and lot* schot en lot betalen.

Scotch [skɔtʃ] **I** *aj* Schots; Ⓜ *~ tape Am* kleefband *o*; **II** *sb* Schots *o*; Schotse whisky; *the ~* de Schotten.

scotch [skɔtʃ] **I** *vt* **1** ✧ (in)snijden, kerven; **2** onschadelijk maken, de kop indrukken [gerucht], verijdelen ‖ vastzetten; **II** *sb* snede, kerf; streep ‖ blok, klamp, wig.

Scotchman ['skɔtʃmən] Schot.

scot-free ['skɔt'fri:] vrij van belasting; *fig* ongestraft, zonder letsel, vrij.

☉ **Scotia** ['skouʃə] Schotland *o*.

Scotland ['skɔtlənd] Schotland *o*; *~ Yard* het hoofdkwartier van de politie (inz. recherche) te Londen.

Scots [skɔts], **Scottish** ['skɔtiʃ] zie *Scotch*.

Scott [skɔt] in: *Great ~ ! F* goeie grutten!

scottie ['skɔti] *F* Schotse terriër.

scoundrel ['skaundrəl] schurk, deugniet.

scoundrelism ['skaundrəlizm] schurkerij.

scoundrelly ['skaundrəli] schurkachtig.

scour ['skauə] **I** *vt* schuren, wrijven; schoonmaken, zuiveren, reinigen; aflopen, afzoeken; doorkruisen; [de zee] schoonvegen; **II** *vi* snellen, vliegen, jagen; *~ (about)* (rond)zwerven, rondlopen; *~ away* er vandoor gaan; **III** *sb* schuren *o* &.

scourge [skə:dʒ] **I** *sb* **1** zweep, roede, gesel[2]; **2** plaag; **II** *vt* geselen, kastijden, teisteren.

scourger ['skə:dʒə] geselaar.

scouring ['skauərinj] schuren *o* &; *the ~s of the country* het uitvaagsel.

scout [skaut] **I** *sb* **1** spion; **2** verkenner; padvinder; **3** ⚭ studentenoppasser; **4** ± wegenwacht(er); **5** ⚓ verkenningsvaartuig *o*; **6** ✈ verkenningsvliegtuig *o*; *Chief S~* Hoofdverkenner; **II** *vt* verkenningen doen in, verkennen ‖ verachtelijk afwijzen, verwerpen; **III** *vi* op verkenning uitgaan (zijn).

scout car ['skautka:] ✕ verkenningswagen.

scouting ['skautiŋ] verkenning; padvinderij.

scout-master ['skautma:stə] **1** leider van een verkenningspatrouille; **2** hopman [v. padvinders].

scow [skau] ⚓ schouw.

scowl [skaul] **I** *vi* het voorhoofd fronsen; *~*

at (*on, upon*) boos, somber, dreigend aanzien of neerzien op; **II** *sb* dreigende blik.

scrag [skræg] **1** halsstuk *o* [v. schaap]; **2** S hals; **3** *F* scharminkel *o* & *m*.

scragged [skrægid], **scraggy** ['skrægi] mager, schriel.

scram [skræm] S 'm smeren.

scramble ['skræmbl] **I** *vi* **1** klauteren; scharrelen; **2** grabbelen (naar *for*); zich verdringen, vechten (om *for*); *throw to be ~d for* te grabbel gooien; *~ to one's feet (legs)* weer opkrabbelen; **II** *vt* **1** te grabbel gooien; **2** graaien; *~d eggs* roereieren; **III** *sb* **1** geklauter *o*; gescharrel *o*; **2** gegrabbel *o*; gedrang *o*; gevecht *o*, worsteling; *make a ~ for* grabbelen naar, vechten om; *throw it for a ~* te grabbel gooien.

scrap [skræp] **I** *sb* **1** brok *m* & *v* of *o*, brokje *o*, stukje *o*, snipper; (uit)knipsel *o*, plaatje *o*; brokstuk *o*; oud ijzer *o*, oudroest *o*, schroot *o*; afval *o* & *m*; **2** F ruzie; gevecht *o*; kloppartij; *~s* kliekjes; *a ~ of paper* „een vodje *o* papier"; **II** *vt* afdanken, buiten dienst stellen; slopen; **III** *vi* F een robbertje vechten, bakkeleien.

scrap-book ['skræpbuk] plakboek *o*.

scrape [skreip] **I** *vt* schrappen, afkrabben; schuren (langs), krassen op (viool); *~ acquaintance with one* met iemand „aanpappen"; *~ one's feet* **1** met de voeten schuifelen; **2** strijkages maken; *~ off* afschrapen; *~ out* uitschrapen, -krabben; *~ together (up)* bijeenschrapen; **II** *vi* & *va* schrapen[2], schuren; ♪ krassen; *he ~d through* hij sloeg er zich door, hij kwam er net (door); **III** *sb* **1** gekras *o*, gekrab *o*; **2** kras; **3** verlegenheid, moeilijkheid, knel; **4** strijkage; *be in a ~* in de knel zitten; *get into a ~* in moeilijkheid komen; *get one out of a ~* iemand (uit een moeilijkheid) helpen.

scraper ['skreipə] schraapijzer *o*, schrabber, krabber, schraper[2]; krasser.

scrap-heap ['skræphi:p] hoop oudroest, afval *o* & *m*, ouwe rommel.

scraping ['skreipiŋ] **I** *aj* schrapend[2]; **II** *sb* geschraap[2] *o*; schraperig *o*; *~s* **1** krabsel *o*; schraapsel *o*; samenraapsel *o*; **2** strijkages.

scrap-iron ['skræpaiən] oud ijzer *o*; oudroest *o*; schroot *o*.

scrapper ['skræpə] F vechtersbaas, bokser.

scrappily ['skræpili] *ad* zonder samenhang.

scrappiness ['skræpinis] gebrek *o* aan samenhang.

scrappy ['skræpi] *aj* uit stukjes en brokjes bestaand, fragmentarisch, onsamenhangend.

scratch [skrætʃ] **I** *vt* **1** krabben, schrammen; schrappen; doorhalen; (be)krassen; (be)krabbelen; (af)strijken [lucifer]; *~ one's head* **1** zich het hoofd krabben; **2** zich achter de oren krabben; ook: met de handen in 't haar zitten; *~ out (through)* uitkrabben; doorhalen [woord of letter]; *~ together (up)* bijeenschrapen, -scharrelen; **II** *vi* (zich) krabben, krassen; ~ *about for* ... bijeen-, opscharrelen; ~ *along* S door het leven scharrelen; **III** *sb* I schram, schrap, krab(bel), kras; gekras *o*, gekrab *o*; streep, meet; 2 pruik; *a* ~ *of the pen* een pennestreek; *Old Scratch* Heintje Pik; *from* ~ met (uit, van) niets; *bring one* (*up*) *to the* ~ tot de strijd dwingen; *come* (*up*) *to the* ~, *toe the* ~ I aan de streep gaan staan; 2 verschijnen, opkomen, zijn man staan; 3 ook: om het jawoord vragen; **IV** als *aj* bijeengeraapt, bijeengescharreld; geïmproviseerd; *sp* zonder voorgift; *a* ~ *pack* (*team*) een bijeengeraapt stel (zootje) *o*.

scratch-cat ['skrætʃkæt] krabbekat, kribbekat.
scratcher ['skrætʃə] krabber, krabijzer *o*.
scratchy ['skrætʃi] I krabbelig [schrift]; krassend [v. pen]; 2 ongelijk (roeiend).
scrawl [skrɔ:l] I *vi* & *vt* krabbelen, haastig schrijven; bekriebelen (ook: ~ *over*); **II** *sb* gekrabbel *o*, hanepoten, krabbel; F kattebel
scrawler ['skrɔ:lə] krabbelaar. [letje *o*.
scrawly ['skrɔ:li] krabbelig.
scream [skri:m] I *vi* gillen, gieren (van 't lachen, *with laughter*), krijsen, schreeuwen; *a* ~*ing farce* een allerdolste klucht; **II** *vt* gillen; ~ *out an order* uitgillen; **III** *sb* gil; *it was a* ~ S het was om te gieren.
screamer ['skri:mə] schreeuwer[2]; *it was a* ~ S het was om te gieren, het was allerdolst; zie ook: *stunner*.
screamingly ['skri:miŋli] gillend; *it was* ~ *funny* het was om te gieren.
screamy ['skri:mi] schreeuwend, schreeuwerig.
scree [skri:] (helling bedekt met) losse brokken steen (ook: ~*s*).
screech [skri:tʃ] I *vi* schreeuwen, gillen, krijsen; **II** *sb* schreeuw, gil.
screech-owl ['skri:tʃaul] ♫ kerkuil.
screed [skri:d] langgerekte redevoering, lange tirade; > lang artikel *o* & ‖ mal.
screen [skri:n] I *sb* I scherm[2] *o*, schut(sel) *o*, afschutting, koorhek, hor; beschutting, maskering, dekking; voorruit [v. auto]; 2 doek *o* [v. bioscoop]; 3 grove zeef; 4 rooster; 5 raster *o* & *m* [autotypie]; **II** *vt* I beschermen, beschutten (voor, tegen *from*); afschermen, afschutten; 2 maskeren, verbergen; dekken; 3 ziften°; 4 aan de tand voelen, onderzoek doen naar de bekwaamheid, gedragingen & van [kandidaten, gevangenen &]; 5 vertonen [film]; verfilmen.
screen actor ['skri:næktə] filmacteur.
screenings ['skri:niŋz] gezeefd grind *o* (steenkool &), ziftsel *o*.
screenplay ['skri:nplei] filmscenario *o*.
screen star ['skri:nsta:] filmster.
screen wiper ['skri:nwaipə] ruitewisser.
screw [skru:] I *sb* I schroef; draai (van een schroef); 2 ♘ effect *o*; 3 peperhuisje *o* [tabak]; 4 uitzuiger, vrek; 5 S cipier; 6 S loon *o*,

salaris *o*; 7 S oude knol; *there is a* ~ *loose* er is iets niet in de haak; *he has a* ~ *loose* F één van de vijf is bij hem op de loop; *put on* ~ ♘ effect geven; *put on the* ~ de duimschroeven aanzetten; **II** *vt* I (aan)schroeven, vastschroeven; 2 de duimschroeven aanzetten; 3 vertrekken [v. gezicht], verdraaien; 4 ♘ effect geven; ~ *down* vast-, dichtschroeven; ~ *out* afpersen; ~ *out time for*... tijd vinden om...; ~ *up* opschroeven, opvijzelen; aanschroeven; dichtschroeven; samenknijpen [de ogen], vertrekken [zijn gezicht]; *fig* opdrijven [huur]; ~ *up* (*one's*) *courage*, ~ *oneself up* zich vermannen; ~ *a person up to a thing* iemand tot iets aanzetten; **III** *vi* I (schroefsgewijs) draaien; 2 *fig* de dubbeltjes omkeren.
screwdriver ['skru:draivə] ✄ schroevedraaier.
screwed [skru:d] S sikker, aangeschoten.
screwjack ['skru:dʒæk] ✄ dommekracht, vijzel, krik.
screw propeller ['skru:prəpelə] ⚓ ✈ schroef.
screw steamer ['skru:sti:mə] ⚓ schroefboot.
scribble ['skribl] I *vi* & *vt* krabbelen, pennen; bekriebelen; **II** *sb* gekrabbel *o*, krabbelschrift *o*; F kattebelletje *o*.
scribbler ['skriblə] I krabbelaar; 2 prulschrijver, scribent.
scribbling-paper ['skribliŋpeipə] kladpapier *o*.
scribe [skraib] I schrijver, klerk, secretaris; 2 B schriftgeleerde.
scrimmage ['skrimidʒ] I *sb* kloppartij, worsteling (om de bal); schermutseling; **II** *vi* *sp* vechten (om de bal).
scrimshank ['skrimʃæŋk] S ✕ lijntrekken.
scrimshanker ['skrimʃæŋkə] S ✕ lijntrekker.
I ♦ **scrip** [skrip] tas; zak.
2 **scrip** [skrip] briefje *o*, bewijs *o* van storting, voorlopige obligatie, tijdelijk certificaat *o*, recepis *o* & *v*; F aandelen.
script [skript] I *sb* schrift *o*; geschrift *o*; handschrift *o*; manuscript *o* [v. toneelstuk], scenario *o* [v. film], 🖳 ✝ *TV* tekst; schrijfletter(s) [als lettertype]; drukschrift *o*; ☞ ingeleverd examenwerk *o*; *shooting* ~ draaiboek *o* [v. film]; **II** *vt* de tekst schrijven van.
script-girl ['skriptgə:l] script-girl [regiesecretaresse].
scriptural ['skriptʃərəl] bijbels, bijbel-.
Scripture ['skriptʃə] de H. Schrift, de Bijbel (ook: *Holy* ~, *the* ~*s*).
script-writer ['skriptraitə] scenarioschrijver [v. film], 🖳 ✝ *TV* tekstschrijver.
scrivener ['skrivnə] 𝕼 I (openbaar) schrijver; 2 geldmakelaar; 3 notaris, opmaker van contracten.
scrofula ['skrɔfjulə] klierziekte, scrofulose.
scrofulous ['skrɔfjuləs] klierachtig, klier-, scrofuleus.
scroll [skroul] I *sb* I rol, lijst; 2 krul; volute; **II** *vt* met krullen versieren.
scrounge [skraundʒ] S gappen; dalven.

scrub [skrʌb] I *sb* 1 stumper, stakker; dreumes; 2 in de groei belemmerde plant; 3 struikgewas *o; give one* (*it*) *a good* ~ F eens goed afboenen; II *vt* schrobben, schuren, (af)boenen.

scrubber ['skrʌbə] boender, schrobber.

scrubbiness ['skrʌbinis] armzaligheid &; zie *scrubby*.

scrubbing-brush ['skrʌbiŋbrʌʃ] zie *scrubber*.

scrubby ['skrʌbi] 1 armzalig; klein, miezerig, dwergachtig; 2 met struikgewas bedekt; 3 borstelig.

scruff [skrʌf] nek; *take one by the* ~ *of the neck* achter bij zijn nek(vel) pakken.

scrum(mage) ['skrʌm(idʒ)] zie *scrimmage*.

scruple ['skru:pl] I *sb* 1 zwarigheid, (gewetens)bezwaar *o*, scrupule; 2 scrupel *o* [= 20 grein]; *have* ~*s about* ...*ing* zich bezwaard voelen om..., bezwaar maken om...; *make no* ~ *to*... er geen been in zien om..., niet schromen om...; II *vt* zwarigheid maken, zich bezwaard gevoelen ten aanzien van; aarzelen (om *to*...); terugdeinzen voor.

scrupulosity [skru:pju'lɔsiti] nauwgezetheid, angstvalligheid, scrupulositeit.

scrupulous ['skru:pjuləs] nauwgezet, angstvallig, scrupuleus; *they were not* ~ *about* (*as to*)... ze namen het niet zo nauw op het stuk van...

scrutineer [skru:ti'niə] 1 onderzoeker, navorser; 2 stemopnemer.

scrutinize ['skru:tinaiz] nauwkeurig onderzoeken.

scrutiny ['skru:tini] 1 nauwkeurig onderzoek *o*; 2 gecontroleerde stemopneming.

scud [skʌd] I *vi* hard lopen, (weg)snellen, (voort)jagen; ⚓ lenzen; II *sb* 1 vaart, vlucht, wolkenjacht; 2 voorbijgaande bui.

scuff [skʌf] I *vi* sleepvoeten; II *vt* afslijten.

scuffle ['skʌfl] I *vi* plukharen, vechten; II *sb* kloppartij, verward handgemeen *o*.

scull [skʌl] I *sb* wrikriem; riem; II *vt* & *va* wrikken; roeien.

sculler ['skʌlə] 1 wrikker; 2 sculler.

scullery ['skʌləri] bij-, achterkeuken.

⚒ scullion ['skʌljən] vatenwasser, koksjongen.

sculp(t) [skʌlp(t)] F beeldhouwen.

sculptor ['skʌlptə] beeldhouwer.

sculptress ['skʌlptris] beeldhouwster.

sculptural ['skʌlptʃərəl] beeldhouw(ers)-, als gebeeldhouwd.

sculpture ['skʌlptʃə] I *sb* beeldhouwen *o*, beeldhouwkunst; beeld(houw)werk *o*; II *vt* beeldhouwen; uithouwen, -snijden.

scum [skʌm] metaalschuim *o*, schuim[2] *o; fig* heffe, uitschot *o*.

scummy ['skʌmi] met schuim bedekt, schuim-, schuimend.

scupper ['skʌpə] I *sb* spij-, spuigat *o*; II *vt* S in de pan hakken; in de grond boren.

scurf [skə:f] 1 roofje *o*; 2 roos [op het hoofd]; 3 schilfertjes; 4 ketelsteen *o* & *m*.

scurrility [skʌ'riliti] grofheid, gemeenheid.

scurrilous(ly) ['skʌriləs(li)] grof, gemeen.

scurry ['skʌri] I *vi* rennen, ijlen, hollen, jachten; II *sb* gedraaf *o*, geloop *o*, gejacht *o*, jacht; loopje *o*, holletje *o*.

scurvily ['skə:vili] *ad* schunnig, gemeen, min.

scurviness ['skə:vinis] schunnigheid, gemeenheid, minheid [v. behandeling].

scurvy ['skə:vi] I *aj* schunnig, gemeen, min; II *sb* 🦠 scheurbuik.

scut [skʌt] staartje *o* [v. konijn &].

scutcheon ['skʌtʃən] zie *escutcheon*.

1 scuttle ['skʌtl] *sb* kolenbak.

2 scuttle ['skʌtl] I *sb* luik *o*, (lucht)gat *o*; II *vt* gaten boren in [een schip om te laten zinken].

3 scuttle ['skʌtl] zie *scurry*; ~ (*out of it*) zich terugtrekken, gaan lopen.

Scylla ['silə] Scylla.

scythe [saið] I *sb* zeis; II *vt* maaien (met de zeis).

Scythia ['siθiə, 'siðiə] Scythië *o*.

Scythian ['siθiən, 'siðiən] I *sb* Scyth; II *aj* Scythisch.

⚒ 'sdeath ['zdeθ] voor de drommel!

sea [si:] zee; stortzee, zeetje *o*; zeewater *o*; *there is a* ~ *on* de zee gaat hoog; *at* ~ ter zee, op zee; *be at* ~ het mis hebben; in de war zijn; *beyond* ~(*s*) aan gene zijde van de oceaan; *by* ~ over zee; *by the* ~ aan zee; *by* ~ *and land* te land en ter zee; *on the* ~ 1 op zee; 2 aan zee gelegen; *go to* ~ naar zee gaan, zeeman worden; *put to* ~ in zee steken, uitvaren; *within the four* ~*s* binnen de grenzen van Groot-Brittannië.

seaboard ['si:bɔ:d] (zee)kust.

sea-born ['si:bɔ:n] uit de zee geboren.

sea-borne ['si:bɔ:n] over zee vervoerd, overzees, zee-.

sea-calf ['si:ka:f] 🦭 zeekalf *o*, zeehond.

sea-cow ['si:kau] 🦭 zeekoe.

sea-damaged ['si:dæmidʒd] $ door zeewater beschadigd.

sea-dog ['si:dɔg] 1 🐟 hondshaai; 🦭 zeehond; 2 ⚓ zeerob.

seadrome ['si:droum] ✈ drijvende luchthaven.

seafarer ['si:fɛərə] zeeman, zeevaarder.

seafaring ['si:fɛəriŋ] I *aj* zeevarend; ~ *man* zeeman; II *sb* varen *o*.

sea-front ['si:frʌnt] zeekant; strandboulevard.

sea-going ['si:gouiŋ] zeevarend; zee-.

sea-gull ['si:gʌl] 🐦 zeemeeuw.

sea-horse ['si:hɔ:s] 1 🐟 zeepaardje *o*; 2 🦭 walrus; 3 witgekuifde golf; 4 zeepaard *o*.

1 seal [si:l] I *sb* 🦭 zeehond, rob; robbevel *o*; II *vi* op de robbevangst gaan (zijn).

2 seal [si:l] I *sb* zegel[2] *o*, cachet *o*, lak; stempel[2] *o* & *m*; bezegeling; ✂ (af)sluiting; *leaden* ~ plombe; *Great Seal* Grootzegel *o*, Rijkszegel *o; put one's* ~ *to* zijn zegel hechten aan; *put* ~*s upon* (ver)zegelen; *set one's* ~ *to* zijn zegel hechten aan[2]; *set a* ~ *on* zijn stempel drukken op; *under* ~ 1 verzegeld; 2 gezegeld; *under (the)* ~ *of...* onder het zegel van...; **II** *vt* zegelen, lakken, sluiten, verzegelen (ook: ~ *down,* ~ *up*); bezegelen, stempelen; ~ *off* ✄ afgrendelen; ~ *up* ook: dichtsolderen, dichtplakken; *a* ~*ed book* een gesloten boek [*fig*].

sea-lane ['si:lein] ⚓ vaargeul.

sea-lawyer ['si:lɔ:jə] ⚓ > querulant.

sea-legs ['si:legz] zeebenen.

sealer ['si:lə] 1 (ver)zegelaar; 2 ijker ‖ robbejager; robbenschip *o*.

sea-level ['si:levl] zeespiegel.

sealing-wax ['si:liŋwæks] (zegel)lak *o & m*.

sea-lion ['si:laiən] ⚓ zeeleeuw.

seal-ring ['si:lriŋ] zegelring.

sealskin ['si:lskin] 1 robbevel *o*; 2 (mantel & van) seal(skin) *o* [= bont].

seam [si:m] **I** *sb* naad; litteken *o*; mijnader, dunne (kolen)laag; **II** *vt* aaneennaaien; met littekens tekenen; ~*ed nylons* nylons met naad.

seaman ['si:mən] zeeman, matroos.

seamanship ['si:mənʃip] zeemanschap *o*, zeevaartkunde.

sea-mark ['si:ma:k] zeebaak.

seamew ['si:mju:] ⚓ zeemeeuw.

seamless ['si:mlis] zonder naad, naadloos.

seamstress ['semstris] naaister.

seamy ['si:mi] vol naden; de naden latende zien; *the* ~ *side* de lelijke of ongunstige kant, de keerzijde van de medaille.

seance, séance ['seia:ns] seance.

sea-pie ['si:pai] ⚓ pastei of jachtschotel ‖ ⚓ scholekster.

sea-piece ['si:pi:s] zeegezicht *o*, zeestuk *o*.

sea-pink ['si:piŋk] ✿ strandkruid *o*.

sea-plane ['si:plein] ✈ watervliegtuig *o*.

seaport ['si:pɔ:t] zeehaven, havenstad (~ *town*).

sea-quake ['si:kweik] zeebeving.

sear [siə] **I** *aj* ⊙ droog, dor; **II** *vt* (doen) verdorren; schroeien, dichtschroeien, uitbranden; verschroeien[2]; *a* ~*ed heart (soul)* een verstokt hart *o*, een verstompte ziel; ~*ing words* striemende woorden; ~ *away* wegbranden; ~ *up* dichtschroeien.

sea-ranger ['si:rein(d)ʒə] zeeverkenster [padvindster].

search [sə:tʃ] **I** *vt* onderzoeken; doorzoeken, afzoeken, visiteren, fouilleren; peilen; ~ *out* uitvorsen; **II** *vi* zoeken; ~ *for* zoeken naar; ~ *into* onderzoeken; **III** *sb* doorzoeking, zoeken *o* &; visitatie, fouillering; onderzoek *o*; speurtocht; ~ *of the house* huiszoeking; ~ *was made for it* men zocht er naar; *in* ~ *of* op zoek naar, om... te vinden.

searcher ['sə:tʃə] (onder)zoeker; visiteur.

searching ['sə:tʃiŋ] **I** *aj* onderzoekend, doordringend; diepgaand, grondig; **II** *sb* onderzoek *o*; ~(*s*) *of heart* zie *heart-searching* **II**.

search-light ['sə:tʃlait] zoeklicht *o*.

search-party ['sə:tʃpa:ti] op zoek uitgezonden

troep of manschappen.

sea-room ['si:rum] ruime zee.

sea-rover ['si:rouvə] 1 zeeschuimer; 2 kaperschip *o*.

seascape ['si:skeip] zeegezicht *o*, zeestuk *o*.

sea-scout ['si:skaut] zeeverkenner [padvinder].

sea-shore ['si:'ʃɔ:] zeekust.

seasick ['si:sik] zeeziek.

seasickness ['si:siknis] zeeziekte.

seaside ['si:'said] **I** *sb* zeekant; *go to the* ~ naar een badplaats aan zee gaan; **II** als *aj* ['si:said] aan zee (gelegen); bad-.

season ['si:zn] **I** *sb* seizoen *o*; tijd; tijdperk *o*, jaargetijde *o*; *the Season* de Londense ,,season" of uitgaanstijd; *in* ~ tijdig, te rechter tijd, van pas; *in* ~ *and out of* ~ te pas en te onpas; *peas are in* ~ het is nu de tijd van de erwtjes; *out of* ~ te onpas, ontijdig; *they are out of* ~ het is er nu het seizoen niet voor; **II** *vt* toebereiden, kruiden[2], smakelijk maken; rijp laten worden, (goed) laten drogen; temperen; gewennen (aan het klimaat *to the climate*); *fig* konfijten (in *in*); **III** *vi* rijp worden, drogen.

seasonable ['si:znəbl] *aj* geschikt, gelegen; te rechter tijd, van pas (komend); ~ *weather* weer voor de tijd van het jaar.

seasonably ['si:znəbli] *ad* zie *seasonable*.

seasonal ['si:znəl] van het seizoen, seizoen-.

seasoned ['si:znd] belegen [wijn &]; *fig* gehard; beproefd; doorkneed; verstokt; doorgewinterd.

seasoning ['si:zniŋ] toebereiding; kruiderij[2].

season-ticket ['si:zn'tikit] abonnementskaart.

seat [si:t] **I** *sb* zitting; (zit)plaats; bank, stoel, ⊙ zetel; buitenplaats, buiten *o*; zit; kruis *o* [v. broek]; F zitvlak *o*; ~*s, please!* instappen!; *the* ~ *of war* het toneel van de oorlog; *have a good* ~ vast in 't zadel zitten; *keep one's* ~ blijven zitten; in het zadel blijven; *resign one's* ~ zijn mandaat neerleggen; *take a* ~ gaan zitten, plaats nemen; **II** *vt* (neer)zetten, doen zitten, laten zitten; plaatsen; van zitplaatsen voorzien; (zit)plaats bieden aan; van een zitting (kruis) voorzien [stoel, broek]; *be* ~*ed* zitten, zetelen; gelegen zijn; *be* ~*ed!* gaat u zitten!; **III** *vr* ~ *oneself* gaan zitten.

seat-belt ['si:tbelt] ✈ 🚗 veiligheidsgordel.

seating ['si:tiŋ] plaatsen *o*; stof voor zittingen [v. stoelen &]; ~ (*accommodation*) zitplaats(en).

sea-urchin ['si:ə:tʃin] zeeëgel.

sea-wall ['si:wɔ:l] zeewering.

seaward(s) ['si:wəd(z)] zeewaarts.

seaweed ['si:wi:d] zeegras *o*, zeewier *o*.

sea-wolf ['si:wulf] 1 ⚓ zeewolf; 2 viking, kaper.

seaworthy ['si:wə:ði] zeewaardig.

sebaceous [si'beiʃəs] vetachtig, vet-; ~ *gland* talgklier.

sebum ['si:bəm] talg.

secant ['si:kənt] **I** *aj* snijdend; **II** *sb* snijlijn.

secateur(s) ['sekətə:(z)] snoeischaar.
secede [si'si:d] zich terugtrekken, zich afscheiden (van *from*).
seceder [si'si:də] afvallige, afgescheidene.
secession [si'seʃən] afscheiding.
secessionist [si'seʃənist] voorstander van afscheiding.
seclude [si'klu:d] uit-, buitensluiten; afzonderen.
secluded [si'klu:did] afgezonderd.
seclusion [si'klu:ʒən] uitsluiting; afgesloten ligging; afzondering.

1 second ['sekənd] I *aj* tweede, ander; ~ *Chamber* 1 Tweede Kamer [buiten Engeland]; 2 Hogerhuis *o* [in Engeland]; ~ *cousin* achterneef, -nicht; *a* (*for the*) ~ *time* een tweede maal, nog eens; de tweede keer; *the* ~ *two* het tweede paar = het derde en vierde; *be* ~ *to none* voor niemand onderdoen; II *ad* in de tweede plaats; III *sb* 1 tweede, nummer twee; tweede prijs(winner); 2 ♪ tweede stem; 3 $ tweede soort; 4 secondant; getuige, helper; 5 seconde; ~ *of exchange* $ secunda [wissel]; IV *vt* bijstaan, helpen, ondersteunen; steunen [motie]; seconderen; ~ *words with deeds* daden laten volgen op wóorden.

2 second [si'kɔnd] *vt* ✕ à la suite plaatsen, detacheren.
secondary ['sekəndəri] I *aj* ondergeschikt, bijkomend; secundair, bij-; ~ *school* middelbare school; II *sb* afgevaardigde, gedelegeerde; satelliet.
second(-)best ['sekəndbest] minder volmaakt iets; *it's a* ~ men neemt er genoegen mee, behelpt er zich mee (bij gebrek aan beter); *my* ~ *suit* mijn door-de-weekse pak *o*; *come off* ~ ['sekənd'best] maar een tweede prijs krijgen; *fig* aan 't kortste eind trekken.
seconder ['sekəndə] steuner v. e. motie.
1 second-hand ['sekənd'hænd, + 'sekəndhænd] *aj & ad* uit de tweede hand, tweedehands, gebruikt, oud; ~ *bookseller* handelaar in oude boeken.
2 second-hand ['sekəndhænd] *sb* secondewijzer.
secondly ['sekəndli] ten tweede.
second-rate ['sekəndreit] tweederangs-.
seconds hand ['sekəndzhænd] secondewijzer.
second sight ['sekənd'sait] tweede gezicht *o*, helderziendheid.
secrecy ['si:krisi] geheimhouding, stilzwijgen *o*; heimelijkheid; geheim *o*; verborgenheid; eenzaamheid; *in* ~ in 't geheim.
secret ['si:krit] I *aj* geheim; geheimhoudend; heimelijk, verborgen; *in his* ~ *heart* in de grond van zijn hart; ~ *service* geheime (inlichtingen)dienst; II *sb* geheim *o*; *in* ~ in 't geheim, stilletjes; *be in the* ~ in het geheim ingewijd zijn.
secretarial [sekri'tɛəriəl] als (van) secretaris of secretaresse.
secretariat(e) [sekri'tɛəriət] secretariaat *o*; secretarie.

secretary ['sekritəri] 1 secretaris, geheimschrijver; 2 minister; 3 secretaire; 4 ✸ secretaris(vogel); *S*~ *of State* 1 minister; 2 *Am* inz.: Minister van Buitenlandse Zaken.
secretaryship ['sekritəriʃip] 1 secretarisambt *o*; 2 secretariaat *o*.
secrete [si'kri:t] 1 verbergen, (ver)helen (voor *from*); 2 afscheiden.
secretion [si'kri:ʃən] 1 verberging, heling; 2 afscheiding.
secretive [si'kri:tiv] geheimhoudend; heimelijk; geheimzinnig (doend).
secretly ['si:kritli] *ad* heimelijk; in 't geheim, stilletjes; in zijn hart, in stilte.
secretory [si'kri:təri] afscheidend, afscheidings-.
sect [sekt] sekte, gezindte.
sectarian [sek'tɛəriən] I *aj* sektarisch, sekte-; II *sb* sektariër, aanhanger van een sekte.
sectarianism [sek'tɛəriənizm] sektarisme *o*.
sectary ['sektəri] sektariër; ⱳ dissenter.
section ['sekʃən] snijding, sectie°; afdeling; paragraaf; gedeelte *o*, deel *o*; groep; traject *o*, baanvak *o*; (door)snede, profiel *o*.
sectional ['sekʃənəl] van een sectie, sectie-; groeps-; uit afzonderlijke delen bestaand.
sector ['sektə] 1 sector°; 2 hoekmeter.
secular ['sekjulə] I *aj* 1 seculair; wat zich over een eeuw of eeuwen uitstrekt; eeuwenoud, honderdjarig, eeuw-; 2 wereldlijk; seculier; leke(n)-; II *sb* 1 wereldlijk geestelijke; 2 leek.
secularity [sekju'læriti] wereldlijk karakter *o*; wereldsgezindheid.
secularization [sekjulərai'zeiʃən] secularisatie.
secularize [sekjuləraiz] seculariseren.
secure [si'kjuə] I *aj* zeker (van *of*); veilig (voor *against, from*), geborgen; goed vast(gemaakt), stevig; II *vt* in veiligheid brengen, (goed) vastmaken, -zetten, -binden, (op)sluiten; versterken [kisten &]; beveiligen, beschermen (voor *from*), verzekeren, waarborgen; zich verzekeren van, (zich) verschaffen, (ver)krijgen, de hand leggen op; III *vr* ~ *oneself against* zich verzekeren tegen, zich vrijwaren voor.
security [si'kjuəriti] veiligheid, geborgenheid; vertrouwen *o*; beveiliging, (onder)pand *o*, (waar)borg; *securities* ook: effecten, fondsen; *social* ~ sociale verzekering; *a* ~ *risk Am* een (politiek) onbetrouwbaar persoon.
Security Council [si'kjuəritikauns(i)l] Veiligheidsraad.
sedan [si'dæn] draagstoel (ook: ~ *chair*); sedan [auto].
sedate(ly) [si'deit(li)] bezadigd, kalm, rustig.
sedative ['sedətiv] kalmerend (middel *o*).
sedentariness ['sedntərinis] zittend leven *o*.
sedentary ['sedntəri] I *aj* zittend, op één plaats blijvend; een vaste woon- of standplaats hebbend; II *sb* thuiszitter.
sedge [sedʒ] ✿ zegge.

sediment ['sedimənt] neerslag, bezinksel *o*.

sedimentary [sedi'mentəri] sedimentair.

sedition [si'diʃən] opruiing; oproer *o*.

seditious [si'diʃəs] oproerig; opruiend.

seduce [si'dju:s] verleiden (tot *to, into*).

seducer [si'dju:sə] verleider.

seducible [si'dju:sibl] te verleiden.

seduction [si'dʌkʃən] verleiding; verleidelijkheid.

seductive [si'dʌktiv] verleidelijk.

sedulity [si'dju:liti] naarstigheid.

sedulous(ly) ['sedjuləs(li)] naarstig, ijverig, nijver, onverdroten.

1 see [si:] *sb* (aarts)bisschopszetel; (aarts)bisdom *o*; *Holy See* Heilige Stoel.

2 see [si:] I *vt* zien, gaan zien; 2 inzien, begrijpen, F snappen; 3 spreken, be-, opzoeken; ontvangen, te woord staan; 4 brengen [iemand naar huis]; 5 beleven, meemaken; 6 er voor zorgen (dat); *I ~!* ah juist!, jawel!, nu snap ik 't!; (*you*) *~?* F begrijp je?; *~ you again!* tot ziens!; *~ the back of...* 1 weg zien gaan; 2 afkomen [v. bezoeker]; *have seen better days* betere dagen gekend hebben; *~ a doctor* een dokter raadplegen; *~ life* zien wat er in de wereld te koop is; *~ things* F ze zien vliegen; *~ things differently* de zaak anders beschouwen, een andere kijk op de zaak hebben; zie ook: *fit* I; *I cannot ~ myself submitting to it* ik kan me niet voorstellen, dat ik me daaraan zou onderwerpen; II *vi* zien, kijken; ∞ *I'll ~ about it* ik zal er voor zorgen; ik zal er eens over denken; *~ after it* er voor zorgen; *~ after a place* naar een dienst omzien; *he does not ~ beyond his nose* hij ziet niet verder dan zijn neus lang is; *I ~ by (from) the papers that...* ik zie uit (in) de krant dat...; *~ one downstairs* naar beneden brengen; *~ one in* binnenlaten; *I must ~ into it* dat moet ik eens onderzoeken; *~ one off* iemand uitgeleide doen, wegbrengen; *~ out* [iemand] uitlaten; 2 [iets] doorzetten; *~ over the house* het huis zien; *~ through it (the thing)* de zaak doorzien; *~ one through* 1 iemand doorzien; 2 hem erdoor helpen; *~ the thing through* de zaak doorzetten; *~ to bed* naar bed brengen; *~ to the door* uitgeleide doen, uitlaten; *~ to it that...* er voor zorgen (toezien) dat...

seed [si:d] I *sb* zaad² *o*; zaadje *o*; pit [v. (sinaas)appel &]; *fig* ook: kiem; *go (run) to ~ in het zaad schieten; verwilderen [v. tuin &]; *fig* verlopen [zaak]; II *vi* in het zaad schieten; III *vt* 1 (be)zaaien; 2 het zaad (de pitten) halen uit; *~ the players sp* spelers van dezelfde kracht tegen elkaar laten uitkomen.

seed-bed ['si:dbed] zaaibed *o*; kweekplaats; *fig* broeinest *o*; haard [v. ziekte].

seed-cake ['si:dkeik] kruidkoek.

seed-corn ['si:dkɔ:n] zaaikoren *o*.

seedily ['si:dili] *ad* F sjofel(tjes), kaal.

seediness ['si:dinis] sjofelheid, kaalheid.

seedling ['si:dliŋ] zaaiplant, zaailing.

seed-plot ['si:dplot] zie *seed-bed*.

seed-potato ['si:dpəteitou] pootaardappel.

seedsman ['si:dzmən] zaadhandelaar.

seed-time ['si:dtaim] zaaitijd.

seed-vessel ['si:dvesl] zaadhuisje *o*.

seedy ['si:di] *aj* 1 vol zaad; in het zaad geschoten; kruidig; 2 F sjofel, verlopen, kaal, schabberig; 3 S onlekker, niet fiks, gammel

seeing ['si:iŋ] I *aj* ziende; II *cj* aangezien (ook: *~ that*); III *sb* zien *o*.

seek [si:k] I *vt* (op)zoeken°, trachten (te krijgen), streven naar, vragen [raad &]; *he ~s his enemy's life* hij staat zijn vijand naar het leven; *...of your own ~ing* die je zelf gezocht hebt; *~ out* (op)zoeken, opsporen; II *vi* zoeken; *~ after* zoeken; *much sought after* (zeer) gezocht, veel gevraagd; *~ for* zoeken (naar).

seeker ['si:kə] zoeker², onderzoeker.

seem [si:m] schijnen, toeschijnen, lijken; *it ~s to me* ook: mij dunkt, 't komt me voor.

seeming ['si:miŋ] I *sb* schijn; II *aj* ogenschijnlijk, schijnbaar.

seemingly ['si:miŋli] *ad* ogenschijnlijk, naar 't schijnt, in schijn, schijnbaar.

seemliness ['si:mlinis] betamelijkheid &.

seemly ['si:mli] 1 betamelijk, gepast; 2 bevallig.

seen [si:n] V.D. van 2 *see*.

seep [si:p] sijpelen.

seer [si:ə] ziener, profeet.

seesaw ['si:sɔ:] I *sb* wip(plank); wippen *o*; op- en neergaan *o*; *fig* slingeren *o*; II *vi* wippen; op- en neergaan; *fig* slingeren [in de politiek]; III *aj* op- en neergaand; *fig* slingerend.

seethe [si:ð] zieden², koken², in beroering (beweging) zijn².

segment ['segmənt] segment *o*.

segregate ['segrigeit] (*vi &*) *vt* (zich) afzonderen, afscheiden.

segregation [segri'geiʃən] afzondering, afscheiding, segregatie.

seignior ['si:njə] heer.

seigniory ['si:njəri] heerlijkheid.

seignorial [si:n'jɔ:riəl] heerlijk, v. d. landheer.

seine [sein] zegen [treknet].

seismic ['saizmik] aardbevings-.

seismograph ['saizməgra:f] seismograaf.

seismometer [saiz'məmitə] seismometer.

seize [si:z] I *vt* vatten, (aan)grijpen, (beet)pakken; in beslag nemen, beslag leggen op, (in bezit) nemen, bemachtigen, opbrengen [schip]; aantasten; bevangen; ⚓ sjorren; *~ the point* de aardigheid vatten; *~d by apoplexy* door een beroerte getroffen; *be (stand) ~d of* in het bezit zijn van; *~d with fear* door vrees aangegrepen; II *vi* in: *~ (up)on* (gretig) aangrijpen, zich meester maken van².

seizin ['si:zin] bezitneming, bezit *o*.

seizing ['si:ziŋ] grijpen *o* &, zie *seize*; ⚖ beslaglegging; ⚓ sjorring.

seizure ['si:ʒə] I bezitneming; 2 beslaglegging; arrestatie; 3 (plotselinge) aanval, beroerte; 4 overmeestering.

seldom ['seldəm] zelden.

select [si'lekt] I aj uitgekozen, uitgezocht, uitgelezen; keurig, fijn, chic; II vt (uit)kiezen, uitzoeken, selecteren.

selection [si'lekʃən] keur, keuze; selectie; ~s ook: uitgezochte stukken.

selective [si'lektiv] selectief.

selectivity [silek'tiviti] selectiviteit.

selector [si'lektə] kiezer; sp lid o van een keuzecommissie.

Selene [si'li:ni] Selene: de maan.

self [self] I aj ⊙ zelfde; II sb I (zijn) eigen persoon; ik(heid); 2 eigenliefde; the consciousness of ~ het zelfbewustzijn; love of ~ eigenliefde; my better ~ mijn beter ik; my former ~ wat ik was, de oude; he is quite his old ~ hij is weer helemaal de oude; his other (second) ~ zijn ander ik; my poor ~ mijn persoontje.

self-acting ['self'æktiŋ] automatisch.

self-adjusting ['selfə'dʒʌstiŋ] zichzelf stellend of regulerend.

self-appointed ['selfə'pointid] zich uitgevend voor [koning &]; zichzelf gesteld [taak].

self-assertion ['selfə'sɔ:ʃən] 't zich doen gelden; zelfbewustheid, aanmatiging.

self-binder ['self'baində] zelfbinder [maaimachine].

self-centred ['self'sentəd] egocentrisch.

self-collected ['selfkə'lektid] kalm.

self-conceit ['selfkən'si:t] verwaandheid.

self-conceited ['selfkən'si:tid] verwaand.

self-confidence ['self'kɔnfidəns] zelfvertrouwen o.

self-confident ['self'kɔnfidənt] op zichzelf vertrouwend, zelfbewust; zeker, overtuigd.

self-conscious ['self'kɔnʃəs] (met zijn figuur) verlegen, bleu.

self-contained ['selfkən'teind] I zich zelf genoeg zijnd, eenzelvig, gesloten; 2 op zich zelf staand; 3 vrij(staand); 4 ⚒ compleet.

self-denial ['selfdi'naiəl] zelfverloochening.

self-determination ['selfditə:mi'neiʃən] zelfbeschikking.

self-drive (car hire) ['selfdraiv/'ka:haiə)] autoverhuur zonder chauffeur.

self-effacement ['selfi'feismənt] het zichzelf wegcijferen.

self-engrossed ['selfin'groust] in zichzelf opgaand.

self-esteem ['selfis'ti:m] gevoel o van eigenwaarde, zelfgevoel o.

self-evident ['self'evidənt] vanzelfsprekend.

self-expression ['selfiks'preʃən] zelfuitdrukking, 't uitdrukken (uiten) van zijn gedachten &, zelfontplooiing.

self-government ['self'gʌvənmənt] zelfbestuur o.

self-help ['self'help] zelfwerkzaamheid.

self-important ['selfim'pɔ:tənt] gewichtig (doend), verwaand.

self-indulgent ['selfin'dʌldʒənt] genot-, gemakzuchtig.

self-interest ['self'int(ə)rest] eigenbelang o.

self-interested ['self'int(ə)restid] baatzuchtig.

selfish ['selfiʃ] zelfzuchtig, baatzuchtig, egoistisch.

selfishness ['selfiʃnis] zelfzucht, baatzucht, egoïsme o.

selfless ['selflis] onbaatzuchtig.

self-love ['self'lʌv] eigenliefde.

self-made ['self'meid, + 'selfmeid] eigengemaakt; a ~ man een selfmade man [wie zich door eigen krachten opgewerkt heeft].

self-opinion ['selfə'pinjən] ingebeeldheid, eigenwaan.

self-opinion(at)ed ['selfə'pinjən(eiti)d] ingebeeld, eigenwijs.

self-possessed ['selfpə'zest] kalm.

self-possession ['selfpə'zeʃən] zelfbeheersing.

self-praise ['self'preiz] eigen lof; ~ is no recommendation eigen lof (roem) stinkt.

self-preservation ['selfprezə'veiʃən] zelfbehoud o.

self-respect ['selfris'pekt] achting voor zichzelf.

self-righteous ['self'raitʃəs] eigengerechtig.

self-sacrifice ['self'sækrifais] zelfopoffering.

selfsame ['selfseim] zelfde. [ning.

self-satisfaction ['selfsætis'fækʃən] zelfvoldoe-

self-seeking ['self'si:kiŋ] I sb zelfzucht; II aj zelfzuchtig.

self-service ['self'sɔ:vis] zelfbediening.

self-styled ['self'staild] zich noemend, zogenaamd.

self-sufficiency ['selfsə'fiʃənsi] I zelfgenoegzaamheid; verwaandheid; 2 zelfstandigheid; autarkie.

self-sufficient ['selfsə'fiʃənt] I zelfgenoegzaam; verwaand; 2 zelfstandig; autarkisch.

self-supporting ['selfsə'pɔ:tiŋ] zichzelf bedruipend, in eigen behoeften voorziend.

self-taught ['self'tɔ:t] zelf geleerd; voor zelfonderricht; a ~ man een autodidact.

self-will ['self'wil] eigenzinnig-, koppigheid.

self-willed ['self'wild] eigenzinnig, koppig.

sell [sel] I vt I verkopen; verraden; 2 S beetnemen; 3 Am F aan de man brengen, ingang doen vinden, populair maken; ~ one a dog (a pup) S iemand een koopje geven; ~ by auction veilen; ~ off (uit)verkopen; ~ out I verkopen; liquideren; 2 F verraden; ~ up iemands boeltje laten verkopen; II vi & va verkopen, verkocht worden; ~ well (veel) aftrek vinden; ~ like hot cakes F weggaan als koek; ~ out to F gemene zaak maken met; III sb S bedotterij; koopje o.

seller ['selə] verkoper; best ~ best-seller: artikel (boek &) dat het meest verkocht wordt; ~s' market $ verkopersmarkt.

selvage, selvedge ['selvidʒ] zelfkant.

selves [selvz] *mv* v. *self* II.

semaphore ['semǝfɔ:] semafoor, seinpaal.

semblance ['semblǝns] schijn, gelijkenis, voorkomen *o*.

semester [si'mestǝ] semester *o*, halfjaar *o*.

semi ['semi] (in samenst.) half-.

semi-annual ['semi'ænjuǝl] halfjaarlijks.

semibreve ['semibri:v] ♪ hele noot.

semicircle ['semisǝ:kl] halve cirkel.

semicircular ['semi'sǝ:kjulǝ] halfrond.

semicolon ['semi'koulǝn] puntkomma *v* of *o*, kommapunt *v* & *o*.

semi-conductor ['semikǝn'dʌktǝ] halfgeleider.

semi-detached ['semidi'tætʃt] half vrijstaand.

semi-final ['semi'fainǝl] *sp* demi-finale.

semi-finished ['semi'finiʃt] zie *semi-manufactured*.

semilunar ['semi'l(j)u:nǝ] halvemaanvormig.

semi-manufactured ['semimænju'fæktʃǝd] in: ~ *article* halffabrikaat *o*.

seminal ['seminǝl] van het zaad; zaad-, kiem-, grond-; vol mogelijkheden voor de toekomst.

seminar ['semina:] ⇨ seminarie *o*.

seminarist ['seminǝrist] seminarist.

seminary ['seminǝri] seminarie *o*, kweekschool.

semi-official ['semiǝ'fiʃǝl] officieus.

semiquaver ['semikweivǝ] ♪ zestiende noot.

Semite ['semait] I *sb* Semiet; II *aj* Semitisch.

Semitic [si'mitik] Semitisch.

Semitism ['semitizm] Semitisme *o*.

semitone ['semitoun] ♪ halve toon.

semi-trailer ['semitreilǝ] ⇔ oplegger.

semivowel ['semivauǝl] halfklinker.

semolina [semǝ'li:nǝ] griesmeel *o*.

sempiternal [sempi'tǝ:nǝl] eeuwig(durend).

sempstress ['sem(p)stris] naaister.

senate ['senit] senaat, raad.

senator ['senǝtǝ] raadsheer; senator.

senatorial [senǝ'tɔ:riǝl] senatoriaal, senaats-.

send [send] I *vt* zenden, (uit)sturen, uit-, over-, af-, verzenden; jagen, schieten, slaan, gooien, trappen &; *these words sent him crazy* (*mad, off his head*) maakten hem dol; *the blow sent him tumbling* deed hem tuimelen; (*God*) ~ *her victorious* God make haar overwinnend; II *vi* zenden; ⚓ vooruitschieten [schip]; ∞ ~ *one about his business* iemand de laan uitsturen, iemand afpoeieren; ~ *along* 1 wegzenden; 2 in beweging brengen; 3 doorsturen [brief]; ~ *away* wegzenden; ~ *back* terugzenden; ~ *down* 1 naar beneden zenden; 2 wegzenden [student]; 3 naar beneden doen gaan [temperatuur]; ~ *for* laten halen (komen), ontbieden, zenden om; ~ *forth* uitzenden; verspreiden, afgeven [een lucht]; krijgen [bladeren]; ~ *in* inzenden; afgeven [kaartje]; ~ *in one's name* zich laten aandienen; ~ *off* 1 wegzenden; 2 verzenden; 3 uitgeleide doen [persoon]; ~ *on* doorzenden; ~ *out* (uit)zenden, rondzenden; verspreiden [lucht]; krijgen [bladeren]; ~ *round*

rond laten gaan [schaal &], (rond)zenden; ~ *up* 1 naar boven zenden; 2 de hoogte in doen gaan; 3 ⇔ naar de directeur zenden [leerling]; 4 afgeven [kaartje]; ~ *up one's name* zich laten aandienen; III *sb* golfbeweging, stuwkracht.

sender ['sendǝ] zender, af-, inzender.

send-off ['sen'dɔ:f] attentie of huldiging bij iemands vertrek; aanbeveling; begin *o*; *give one a* ~ feestelijk uitgeleide doen.

senescent [si'nesǝnt] oud wordend.

seneschal ['seniʃǝl] Ⓦ major domus.

senile ['si:nail] seniel, ouderdoms-.

senility [si'niliti] seniliteit, ouderdom(szwakte).

senior ['si:njǝ] I *aj* ouder, oudste (in rang), senior; hoog, hoger, hoofd- [v. ambtenaren, officieren &]; ~ *clerk* eerste bediende II *sb* oudere (persoon, leerling, officier); oudste in rang; *he is my* ~ (*by a year*) hij is (een jaar) ouder dan ik.

seniority [si:ni'ɔriti] 1 hogere ouderdom; 2 anciënniteit; *by* ~ naar anciënniteit.

senna ['senǝ] gedroogde senebladeren.

sensation [sen'seiʃǝn] 1 gewaarwording, gevoel *o*, aandoening; 2 opzien *o*, opschudding, sensatie; *cause* (*create, make*) *a* ~ opzien baren, opschudding teweegbrengen.

sensational [sen'seiʃǝnǝl] 1 gewaarwordings-, gevoelend; 2 sensationeel, opzienbarend.

sensationalism [sen'seiʃǝnǝlizm] zucht om sensatie te maken, sensatie(gedoe *o*).

sensation-monger [sen'seiʃǝnmʌŋgǝ] sensatieverwekker.

sense [sens] I *sb* 1 gevoel *o*, zin° (ook = betekenis); 2 verstand *o*; besef *o*; begrip *o*; 3 gevoelen *o*; *common* ~ gezond verstand *o*; ~ *of beauty* zin voor het schone, schoonheidsgevoel *o*; *he had the* (*good*) ~ *to...* hij was zo verstandig...; *there is no* ~ *in...* het heeft geen zin om...; *what is the* ~ *of...?* wat voor zin heeft het om...?; *it does not make* ~ dat heeft zó geen betekenis; *learn* ~ wel wijzer worden; *he lost his* ~*s* hij verloor zijn bezinning; *have you taken leave of your* ~*s*? ben je niet goed (wijs)?; *talk* ~ verstandig praten; *from a* ~ *of duty* uit plichtsgevoel; *in a* (*certain*) ~, *in some* ~ in zekere zin; *in every* ~ ook: in ieder opzicht; *in the narrow* ~ in engere zin; *no man in his* ~*s* niemand, die zijn zinnen goed bij elkaar heeft; *he is not quite in his* ~*s*, *not in his right* ~*s* hij is niet goed bij zijn zinnen; *a man of* ~ een verstandig man; *be out of one's* ~*s* 1 niet goed (bij zijn zinnen) zijn; 2 buiten zich zelf zijn; *be frightened out of one's* (*seven*) ~*s* half dood zijn van de schrik; *he came to his* ~*s* hij herkreeg zijn bezinning, hij kwam weer tot zich zelf; II *vt* gewaarworden, merken; begrijpen; *fig* ruiken [gevaar, bedrog &].

senseless ['senslis] 1 gevoel-, bewusteloos; 2 onverstandig; onzinnig, dwaas; 3 zinloos.

sense-organ ['sensɔ:gǝn] zintuig *o*.

sensibility [sensi'biliti] gevoeligheid, gevoel o, ontvankelijkheid; lichtgeraaktheid.

sensible ['sensibl] aj 1 gevoelig; 2 voel-, merkbaar, waarneembaar; 3 verstandig; 4 bij (volle) kennis; be ~ of zich bewust zijn van; gevoelig zijn voor.

sensibly ['sensibli] ad 1 gevoelig; 2 merkbaar; 3 verstandig; 4 ook: erg, zeer.

sensitive ['sensitiv] I aj (fijn)gevoelig, teergevoelig, gevoels-; ~ plant ✿ mimosa, kruidjeroer-mij-niet o; II sb overgevoelige.

sensitiveness ['sensitivnis] gevoeligheid.

sensitivity [sensi'tiviti] gevoeligheid.

sensitization [sensitai'zeiʃən] gevoelig maken o, sensibilisatie.

sensitize ['sensitaiz] gevoelig maken, sensibiliseren.

sensorial [sen'sɔ:riəl] zintuiglijk, gevoels-.

sensorium [sen'sɔ:riəm] zetel der gewaarwordingen.

sensory ['sensəri] zintuiglijk.

sensual ['senʃuəl] zinnelijk.

sensualism ['senʃuəlizm] zinnelijkheid.

sensualist ['senʃuəlist] zinnelijk mens.

sensuality [senʃu'æliti] zinnelijkheid.

sensualize ['senʃuəlaiz] verzinnelijken.

sensuous ['senʃuəs] van de zinnen; tot de zinnen sprekend, zin-.

sent [sent] V.T. & V.D. van send.

sentence ['sentəns] I sb vonnis o, oordeel o, uitspraak; (vol)zin; ⚒ (zin)spreuk; ~ of death doodvonnis o; under ~ of death ter dood veroordeeld; II vt vonnissen, veroordelen.

sententious(ly) [sen'tenʃəs(li)] 1 kernachtig, bondig; 2 > schoolmeesterachtig wijs.

sentient ['senʃiənt] gewaarwordend, gevoelhebbend; (ge)voelend; gevoels-.

sentiment ['sentimənt] 1 gevoel o; ook: gevoeligheid; 2 gevoelen o; mening; 3 toost.

sentimental [senti'mentəl] aj sentimenteel; op gevoelsoverwegingen gegrond, gevoels-.

sentimentalism [senti'mentəlizm] sentimentaliteit, sentimenteel gedoe o.

sentimentalist [senti'mentəlist] sentimenteel iemand.

sentimentality [sentimen'tæliti] overdreven gevoeligheid, sentimentaliteit.

sentimentalize [senti'mentəlaiz] I vi sentimenteel doen; II vt sentimenteel maken.

sentimentally [senti'mentəli] ad sentimenteel.

sentinel ['sentinəl] ✗ schildwacht.

sentry ['sentri] ✗ schildwacht.

sentry-box ['sentribɔks] ✗ schilderhuisje o.

sentry-go ['sentrigou] ✗ wacht, het schilderen; do ~ ✗ schilderen².

sepal ['sepəl] ✿ kelkblad o.

separability [sepərə'biliti] scheidbaarheid.

separable ['sepərəbl] scheidbaar.

1 separate ['sepərit] I aj (af)gescheiden, afzonderlijk, apart; go one's ~ road zijn eigen weg gaan; three ~ times drie verschillende keren;

II st overdruk, overdrukje o.

2 separate ['sepəreit] I vt scheiden, afscheiden, afzonderen, verdelen; [in factoren] ontbinden; II vi scheiden (van from), weg-, heengaan; uiteengaan, elk zijns weegs gaan; zich afscheiden, loslaten.

separately ['sepəritli] ad afzonderlijk, apart.

separation [sepə'reiʃən] afscheiding, scheiding, afzondering; ~ allowance kostwinnersvergoeding.

separatist ['sepərətist] I sb separatist: voorstander van afscheiding; afgescheidene; II aj separatistisch, van de separatisten.

separator ['sepəreitə] separator, afscheider.

separatum [sepə'reitəm] overdruk, overdrukje o.

sepia ['si:pjə] 1 sepia; 2 inktvis. [je o.

sepoy ['si:pɔi] ⚏ sipajer: inlands soldaat in het Britsindische leger.

September [sep'tembə] september.

septennial [sep'tenjəl] 1 zevenjarig; 2 zevenseptet(te) [sep'tet] ♪ septet o. [jaarlijks.

septic ['septik] septisch, bederf veroorzakend, rotting bevorderend. [jarig(e).

septuagenarian [septjuədʒi'nɛəriən] zeventig-**Septuagesima** [septjuə'dʒesimə] Septuagesima: 3de zondag vóór de vasten.

septum ['septəm] septum o: tussenschot o.

septuple ['septjupl] I aj zevenvoudig; II sb zevenvoud o; III vt verzevenvoudigen.

sepulchral [si'pʌlkrəl] graf-; begrafenis-.

sepulchre ['sepəlkə] I sb graf o; II vt ⊙ ter aarde bestellen, begraven; tot graf dienen.

sepulture ['sepəltʃə] teraardebestelling.

sequel ['si:kwəl] vervolg o; gevolg o, resultaat o; naspel o, nawerking.

sequence ['si:kwəns] volgorde, op(een)volging, (volg)reeks; gevolg o; (logisch) verband o; ◇ suite, volgkaarten; scène [v. film]; RK sequentie; ♪ sequens; gram overeenstemming (der tijden).

sequent ['si:kwənt] (opeen)volgend.

sequester [si'kwestə] I afzonderen; 2 ⚖ in bewaarderhand stellen; beslag leggen op; ~ed ook: afgelegen, eenzaam, teruggetrokken.

sequestrate [si'kwestreit] vt zie sequester 2.

sequestration [si:kwes'treiʃən] 1 afzondering; 2 beslaglegging, sekwestratie.

sequestrator ['si:kwestreitə] sekwester.

sequin ['si:kwin] 1 ⚏ zecchino [Venetiaans goudstuk]; 2 muntje o [als versiersel].

seraglio [se'ra:liou] serail o, harem.

seraph ['serəf] seraf(ijn).

seraphic [sə'ræfik] serafijns, engelachtig.

seraphim ['serəfim] mv v. seraph.

Serb [sə:b] I aj Servisch; II sb Serviër.

Serbia ['sə:bjə] Servië o.

Serbian ['sə:bjən] I aj Servisch; II sb 1 Serviër; 2 Servisch o. ⸱

sere [siə] zie sear.

serenade [seri'neid] I sb serenade; II vt een serenade brengen.

serene(ly) [si'ri:n(li)] helder, klaar, onbewolkt; onbewogen, vredig, kalm; doorluchtig.

serenity [si'reniti] helderheid, klaarheid; kalmte; doorluchtigheid.

serf [sɔ:f] lijfeigene, horige; *fig* slaaf.

serfage ['sɔ:fidʒ], **serfdom** ['sɔ:fdəm] lijfeigenschap, horigheid; *fig* slavernij.

serge [sɔ:dʒ] serge.

sergeant ['sa:dʒənt] 1 ✕ sergeant; 2 brigadier (van politie); 3 zie *serjeant*.

sergeant-major ['sa:dʒənt'meidʒə] ✕ sergeant-majoor.

serial ['siəriəl] I *aj* tot een reeks of serie behorende [vooral tijdschriften], in afleveringen verschijnend; ~ *number* volgnummer *o*; ~ *tale* feuilleton *o & m*; II *sb* feuilleton *o & m*.

serialist ['siəriəlist] feuilletonschrijver.

serially ['siəriəli] *ad* in serie; in afleveringen, als feuilleton.

seriatim [siəri'eitim] in geregelde volgorde; achter elkaar, punt voor punt.

sericulture ['serikʌltʃə] zijdeteelt.

series ['siəri:z] serie, reeks, opeenvolging.

serio-comic ['siəriou'kɔmik] half ernstig, half grappig; quasi ernstig.

serious ['siəriəs] *aj* ernstig (gemeend); bedenkelijk; serieus; vroom; *I am* ~ ik meen het; *matters begin to look* ~ het begint er bedenkelijk uit te zien.

seriously ['siəriəsli] *ad* ernstig, in (volle) ernst; *take* ~ ernstig (au sérieux) nemen.

serious-minded ['siəriəs'maindid] ernstig, serieus [v. personen].

seriousness ['siəriəsnis] ernst; ernstigheid, bedenkelijkheid.

serjeant ['sa:dʒənt] ⚏ advocaat van de hoogste rang; *common* ~ rechterlijk ambtenaar van de *City of London*; *Serjeant at arms* deurwaarder in het Hoger- en Lagerhuis.

sermon ['sɔ:mən] 1 preek²; 2 vermaning; *the Sermon on the Mount* de Bergrede.

sermonize ['sɔ:mənaiz] I *vi* prediken, > preken; II *vt* een preek houden tot, bepreken, kapittelen.

serous ['siərəs] wei-, waterachtig.

serpent ['sɔ:pənt] 1 slang²; 2 ♪ serpent [slangvormige hoorn].

serpent-charmer ['sɔ:pənttʃa:mə] slangenbezweerder.

serpentine ['sɔ:pəntain] I *aj* slangachtig, slangen-; *fig* kronkelend; ~ *windings* kronkelingen²; kronkelpaden [van de politiek]; II *sb* serpentijnsteen *o & m*; *the Serpentine* de Serpentinevijver in het Hyde Park; III *vi* zich slingeren, kronkelen.

serrate ['sereit], **serrated** [se'reitid] zaagvormig; ⚘ gezaagd.

serried ['serid] (aaneen)gesloten.

serum ['siərəm] serum *o*, bloedwei.

servant ['sɔ:vənt] 1 knecht, bediende, dienstbode, meid; dienaar, dienares; 2 ✕ oppasser; 3 beambte, ambtenaar; *general* ~, ~ *of*

all work meid alleen; *your (humble)* ~ uw dw. (onderdanige) dienaar; *the* ~*s' hall* de dienstbodenkamer.

servant-girl ['sɔ:vəntgə:l], **servant-maid** ['sɔ:vəntmeid] dienstmeisje *o*, -meid.

serve [sɔ:v] I *vt* dienen, bedienen, van dienst zijn; dienst(en) doen, dienstig zijn, baten, helpen, voldoende zijn voor; opdienen, opdoen [eten], schenken [drank]; behandelen; *sp* serveren [tennis &]; ⚓ bekleden, omwoelen [een touw]; ~ *him right, it* ~*s him right!* net goed!, zijn verdiende loon!; ~ *a need* in een behoefte voorzien; ~ *one's purpose* geschikt (goed) zijn voor iemands doel; *he (it) has* ~*d his (its) purpose* hij (het) heeft zijn dienst gedaan; ~ *no earthly purpose* nergens toe dienen; ~ *the purpose* aan het doel beantwoorden; ~ *the purpose of...* dienst doen als...; ~ *a sentence* zijn straf uitzitten; ~ *one's time* 1 zijn tijd uitdienen; 2 zijn straf uitzitten; ~ *the time* ⚘ de huik naar de wind hangen; ~ *one a trick* een poets bakken; *that will* ~ *his turn* dat is een koljie naar zijn hand; ~ *one an ill turn* iemand géén dienst doen; ~ *out* uitdelen [proviand], uitgeven [levensmiddelen]; ~ *one out* F met iemand afrekenen; ~ *out one's time* zijn tijd uitzitten (uitdienen); ~ *tea round* de thee ronddienen; ~ *up* opdienen; ~ *an attachment (a process, warrant, writ) upon one* ⚏ hem een exploot betekenen; ~ *with* voorzien van, bedienen van; [iemand een exploot] betekenen; II *vi* dienen°, dienst doen (als, tot *as, for*); serveren [tennis]; dienstig (gunstig) zijn; ~ *at table* tafeldienen; ~ *on a committee* in een commissie zitting hebben; III *sb* serveren *o* [tennis].

server ['sɔ:və] 1 (mis)dienaar; 2 presenteerblad *o*; schep [v. taart &]; couvert *o*, lepel en vork; 3 *sp* serveerder [tennis].

service ['sɔ:vis] I *sb* dienst, dienstbaarheid, nut *o*; bediening; verzorging, onderhoud *o* [v. auto, radio &]; service; (openbaar) bedrijf *o*; *sp* serveren *o*, beginslag [tennis]; ⚏ betekening; kerkdienst; kerkmuziek; (kerk)-formulier *o*; servies *o* ‖ ⚘ peerlijsterbes; *the* ~ ook: het leger, de vloot, de luchtmacht; *the* ~*s* de krijgsmacht, de strijdkrachten; *active* ~ ✕ actieve dienst; *the Junior S*~ het leger; *the Senior S*~ de marine; *social* ~ maatschappelijk werk *o*; *at your* ~ tot uw dienst; II als *aj* ✕ militair (bijv. ~ *aviation* militaire luchtvaart); dienst-; ~ *door* deur voor het personeel; III *vt* bedienen; verzorgen [auto].

serviceable ['sɔ:visəbl] dienstig, bruikbaar, nuttig, geschikt, praktisch.

service berry ['sɔ:visberi] ⚘ peerlijsterbes.

service-line ['sɔ:vislain] *sp* serveerlijn [tennis].

Serviceman ['sɔ:vismən] ✕ militair, gemobiliseerde; *National* ~ ✕ dienstplichtige; *radio s*~ radiomonteur.   [tion *o*.

service-station ['sɔ:vissteiʃən] ⚙ servicesta-

service-tree ['sə:vistri:] ⚘ peerlijsterbesseboom.

Servicewoman ['sə:viswumən] ✗ vrouwelijk lid van de strijdkrachten.

serviette [sə:vi'et] servet o.

servile ['sə:vail] slaafs, kruiperig; slaven-.

servility [sə:'viliti] slaafsheid, onderworpenheid.

⚓ **serving-man** ['sə:viŋmæn] (dienst)knecht.

⚓ **servitor** ['sə:vitə] dienaar, bediende.

servitude ['sə:vitju:d] dienstbaarheid, knechtschap o, slavernij; ⚖ servituut o.

sesame ['sesəmi] ⚘ sesamkruid o, -zaad o; open~ Sesam open u².

sessile ['sesail] ⚘ zittend, ongesteeld.

session ['seʃən] zitting, zittijd, sessie; be in ~ zitting houden.

sessional ['seʃənl] zittings-.

1 **set** [set] **I** vt zetten, plaatsen, stellen, leggen; brengen; richten, schikken, bezetten, afzetten, omboorden; opzetten [vlinders]; vatten, inzetten, planten, poten; gelijkzetten [klok]; klaarzetten; op elkaar klemmen [tanden, lippen]; vaststellen, bepalen; opgeven [vraagstuk, werk]; uitzetten [wacht, netten]; bijzetten [een zeil]; aanzetten [scheermes]; aangeven [toon, maat, pas]; ~ the table (de tafel) dekken; ~ going aan de gang brengen of maken; in omloop brengen [praatjes]; ~ one thinking iemand tot nadenken brengen; the novel is ~ in... de roman speelt in...; **II** vr in: ~ oneself against zich verzetten tegen; ~ oneself to... zich er op toeleggen, zijn best doen om...; **III** vi zich zetten [v. vrucht]; stollen, dik, hard, vast worden; ondergaan [zon]; fig tanen; (blijven) staan [jachthond]; zitten, vallen [v. kledingstuk]; gaan (in zekere richting); ∞~ about it er aan beginnen; how you ~ about it hoe je het aanpakt (doet); ~ afloat (afoot) aan de gang brengen; in omloop brengen [praatjes]; op touw zetten; ~ against plaatsen (stellen) tegenover; opzetten tegen; be ~ against... gekant zijn tegen...; ~ apart ter zijde zetten (leggen), afzonderen, reserveren, bestemmen (voor for); ~ aside ter zijde leggen, op zij zetten, buiten beschouwing laten; reserveren; buiten werking stellen, verwerpen, vernietigen; ~ at aanvallen, aanpakken; ~ the dog at the oxen ophitsen tegen; zie ook: defiance &; ~ at naught met voeten treden, niet tellen; ~ back terugzetten; achteruitzetten; ~ by ter zijde leggen; ~ one's watch by... zijn horloge gelijkzetten met...; ~ down 1 neerzetten; [iem. ergens] afzetten; 2 opschrijven, optekenen; ~ down as beschouwen als, houden voor; ~ down at £ 10.000 op... schatten (bepalen); ~ down for aanzien voor; ~ down to toeschrijven aan; ~ forth uiteenzetten, opsommen, vermelden; ~ forth (on one's journey) op reis gaan, er op uittrekken; ~ forward vooruitzetten; bevorderen; ~ free vrijlaten; ~ in intreden [jaargetij, reactie], invallen [duister-

nis]; ~ off uit-, afzetten [hoeken]; afscheiden; afzonderen [geld]; doen uitkomen [kleur &]; vertrekken; aan de gang maken; doen afgaan [vuurwapen], tot ontploffing brengen; goedmaken, compenseren; ~ off against stellen tegenover; laten opwegen tegen; ~ on aanzetten, op-, aanhitsen; aanvallen; be ~ on verzot zijn op; vastbesloten zijn tot; ~ out op reis gaan, zich op weg begeven, zich opmaken, vertrekken; uitzetten [een hoek]; klaarleggen, klaarzetten [theegerei]; uitstallen; uiteenzetten [redenen &], opsommen [grieven]; versieren (met with); ~ out in business een zaak beginnen; ~ (oneself) out to... het op aanleggen, zich ten doel stellen, trachten te...; ~ over [iets of iemand] aan het hoofd stellen over; ~ to aanpakken, van leer trekken, er op los gaan; ~ to... beginnen te...; ~ one's hand to... 1 zijn hand zetten onder...; 2 de hand aan het werk slaan...; aanpakken; ~ to work aan het werk zetten; aan het werk gaan; ~ up oprichten, opstellen, opzetten, (zich) vestigen, instellen, aanstellen, benoemen; zetten [ter drukkerij]; aanheffen [geschreeuw]; weer op de been helpen [zieke]; zich aanschaffen; uitrusten, voorzien (van with); aankomen met [eisen &]; ~ up for zich uitgeven voor, zich voordoen, opwerpen als; ~ up for oneself voor zichzelf beginnen, een eigen zaak beginnen (ook: ~ up on one's own account); ~ up in business [iemand] in een zaak zetten; een zaak beginnen; ~ upon zie ~ on; **IV** sb 1 (zich) zetten o; 2 verzakking [v. grond]; 3 zitten o [v. kledingstuk], snit; houding [v. hoofd &]; 4 richting [v. getij]; 5 ondergang [v. zon]; 6 ,,staan" o [v. jachthond]; 7 ⚘ stek, loot, zaailing; 8 stel o, spel o, servies o, (radio)toestel o, garnituur o, span o, ploeg, partij, reeks; 9 toneelschikking, toneel o; zetstuk o, decor o [v. film]; 10 kring, troep, > kliek, bende; ~ (of Lancers) quadrille; vier paren [voor de lanciers]; a ~ of teeth een (kunst)gebit o; make dead ~s at woedend aanvallen op; zie ook ↓.

2 **set** [set] aj gezet; zich vastgezet hebbend; strak, stijf, onveranderlijk; vast; bepaald; ~ fair bestendig [v. weer]; (all) ~ (kant en) klaar (voor for; om te to); they are hard ~ to zij hebben het hard; ~ piece groot stuk o [v. vuurwerk, verlichting &]; zetstuk o, decor o [v. film]; ~ scene toneelschikking, toneel o; ~ square tekendriehoek.

set-back ['setbæk, set'bæk] teruggang, instorting; tegenslag, fig klap.

set-down ['setdaun, set'daun] F standje o.

set-off ['seto:f, set'o:f] versiering; tegenhanger; tegenstelling; compensatie.

set-out ['setaut, set'aut] 1 begin o; 2 F vertoning; 3 P tuig o, plunje; 4 S omslag.

sett [set] 1 straatkei; 2 dassehol o.

settee [se'ti:] canapé, sofa.

setter ['setə] ♃ setter [hond].

setting ['setiŋ] I *aj* ondergaand; II *sb* zetten *o*; montering; omgeving; montuur *o* & *v*.

1 settle ['setl] *sb* zitbank met hoge leuning.

2 settle ['setl] I *vt* vestigen; installeren; vaststellen; vastzetten (op *on*); tot bedaren brengen; doen bezinken, klaren; in orde brengen, uitmaken, afdoen, vereffenen, schikken, regelen, bijleggen, uit de wereld helpen, oplossen, beklinken [zaak]; koloniseren [land]; bezorgen [zijn kinderen]; F zijn bekomst (zijn vet) geven; ~ (ook: ~ up) *accounts* afrekenen; II *vr* ~ *oneself* 1 zich vestigen; 2 gaan zitten, zich installeren; ~ *oneself to* zich zetten tot; III *vi* zich vestigen; zich (neer)zetten, gaan zitten; zich installeren; neerdalen; in-, beklinken [metselwerk]; (ver)zakken, bezinken [oplossingen]; vast worden; tot bedaren komen, bedaren; besluiten (tot *on*); afrekenen (ook: ~ *up*); ~ *down* zich vestigen; zich installeren; tot rust komen, bedaren; een geregeld leven gaan leiden, zich rangeren; ~ *down to married life* (gaan) trouwen (ook: ~ *down in life*); ~ *for* F genoegen nemen met, het houden op; ~ *in* zijn nieuwe woning betrekken; ~ *into shape* zich vormen; ~ *to work* zich aan 't werk zetten; ~ *with one* F met iemand afrekenen; zie ook ↓.

settled ['setld] gevestigd; afgedaan, uitgemaakt, in kannen en kruiken; vast [van overtuigingen &]; geregeld [van levenswijs]; bezorgd [= getrouwd]; op orde [na verhuizing].

settlement ['setlmənt] vestiging; regeling, vergelijk *o*, vereffening, afrekening, liquidatie; $ rescontre; schenking, jaargeld *o*, bezinking; verzakking; kolonisatie; volksplanting, nederzetting, kolonie; (instelling voor) maatschappelijk werk *o*; *he had made a* ~ *on her* hij had geld op haar vastgezet.

settler ['setlə] 1 kolonist; 2 beslissend woord *o*, dooddoener; 3 F afzakkertje *o*.

set-to [set'tu:] gevecht *o*; kloppartij; ruzie.

set-up ['set'ʌp] I *aj* 1 gebouwd; 2 F verwaand; II *sb* ['setʌp] structuur; regeling; organisatie.

seven ['sevn] zeven.

sevenfold ['sevnfould] zevenvoudig.

seven-league(d) ['sevnli:g(d)] in: ~ *boots* zevenmijlslaarzen.

seventeen ['sevn'ti:n, + 'sevnti:n] zeventien.

seventeenth ['sevn'ti:nθ] zeventiende (deel *o*).

seventh ['sevnθ] I *aj* zevende; II *sb* 1 zevende (deel *o*); 2 ♪ septime.

seventhly ['sevnθli] ten zevende.

seventieth ['sevntiiθ] zeventigste (deel *o*).

seventy ['sevnti] zeventig; *the seventies* de jaren van (18)70 tot (18)80; *in the (one's) seventies* ook: in de zeventig.

sever ['sevə] I *vt* scheiden°, afscheiden, afhouwen, afhakken, afsnijden, afscheuren, af-, verbreken, breken; II *vr* ~ *oneself from* zich

afscheiden van; III *vi* scheiden, van of uit elkaar gaan, breken.

several ['sevrəl] I *aj* verscheiden; onderscheiden; afzonderlijk; respectief; eigen; *they went their* ~ *ways* zij gingen elk huns weegs; II *pron* verscheidene, velen.

severally ['sevrəli] *ad* elk voor zich, ieder afzonderlijk, respectievelijk.

severance ['sevərəns] scheiding, af-, verbreking.

severe [si'viə] *aj* streng; hard; zwaar, ernstig; hevig.

severely [si'viəli] *ad* streng &; erg; *let...* ~ *alone* zich wel wachten te raken aan...

severity [si'veriti] (ge)strengheid &.

Seville ['sevil] Sevilla *o*.

sew [sou] naaien, aannaaien; brocheren [boek]; ~ *on* aannaaien; ~ *up* naaien (in *in*), dichtnaaien.

sewage ['sju:idʒ] rioolwater *o*.

1 sewer ['souə] *sb* naaier, naaister.

2 sewer ['sjuə] I *sb* riool *o* & *v*; II *vt* rioleren.

sewerage ['sjuəridʒ] 1 riolering; 2 rioolwater *o*.

sewing ['souiŋ] naaien *o* naaigoed *o*, naaiwerk *o*.

sewing-machine ['souiŋməʃi:n] naaimachine.

sewn [soun] V.D. van *sew*.

sex [seks] I *sb* 1 geslacht *o*, sekse, kunne; 2 seksualiteit; II als *aj* seksueel.

sexagenarian [seksədʒi'nɛəriən] zestigjarig(e).

Sexagesima [seksə'dʒesimə] Sexagesima: tweede zondag vóór de vasten.

sex appeal ['seksə'pi:l] aantrekkingskracht voor het andere geslacht.

sexless ['sekslis] geslachtloos.

sextain ['sekstein] zesregelig vers *o*.

sextant ['sekstənt] sextant.

sextet(te) [seks'tet] ♪ sextet *o*.

sexton ['sekstən] koster; klokkeluider; doodgraver [ook = kever].

sexton-beetle ['sekstənbi:tl] ❀ doodgraver.

sextuple ['sekstjupl] I *aj* zesvoudig; II *sb* zesvoud *o*; III *vt* verzesvoudigen.

sexual ['seksjuəl] geslachtelijk, seksueel.

sexuality [seksju'æliti] seksualiteit.

sh. = *shilling(s)*.

shabbily ['ʃæbili] *ad* kaal &, zie *shabby*.

shabbiness ['ʃæbinis] kaalheid &, zie *shabby*.

shabby ['ʃæbi] *aj* kaal, haveloos, armzalig; sjofel; schandelijk, gemeen, min.

shack [ʃæk] *Am* hut; J huisje *o*.

shackle ['ʃækl] I *sb* boei[2], kluister[2]; ⚒ beugel, koppeling; *fig* belemmering; II *vt* boeien[2], kluisteren[2]; ⚒ koppelen; *fig* belemmeren.

shad [ʃæd] ⚓ elft.

shaddock ['ʃædək] ❀ pompelmoes.

shade [ʃeid] I *sb* 1 schaduw; lommer *o*; 2 schim; 3 kap, stolp, scherm *o*; 4 (kleur)schakering[2], nuance, tint; zweem; *a* ~ *better, higher* (*paler* &) een tikje beter, hoger (bleker &); *keep in the* ~ zich op de achtergrond houden, zich schuilhouden; *put in the* ~, *cast* (*put, throw*) *into the* ~ in de schaduw stellen; *go down to the* ~*s* naar de andere wereld verhuizen; **II** *vt* schaduwen; beschaduwen, overschaduwen; in de schaduw plaatsen; van een (licht)scherm of kap voorzien; beschutten, beschermen; arceren; **III** *vi* in: ~ *off into* langzaam overgaan in [v. kleuren &].

shadiness ['ʃeidinis] schaduwrijkheid; *fig* verdacht voorkomen, optreden *o* &, zie *shady*.

shadow ['ʃædou] **I** *sb* 1 schaduw²; (schaduw)beeld *o*; afschaduwing; 2 geest, schim; 3 schijn, spoor *o*; *catch at* ~*s instead of substances* de schijn voor het wezen nemen; *without a* ~ *of doubt* zonder de minste twijfel; **II** *vt* over-, beschaduwen; als een schaduw volgen; afschaduwen (ook: ~ *forth*); *he is* ~*ed* hij wordt geschaduwd: al zijn gangen worden nagegaan.

shadowy ['ʃædoui] 1 schaduwachtig, beschaduwd, schaduwrijk; 2 schimachtig; 3 hersenschimmig.

shady ['ʃeidi] schaduwrijk, beschaduwd; *fig* het daglicht niet kunnende verdragen, verdacht, louche, niet zuiver; twijfelachtig; *the* ~ *side* de schaduwkant; *on the* ~ *side of fifty* boven de vijftig.

shaft [ʃɑ:ft] schacht°; pijl²; spies; straal [v. licht]; steel; lamoenboom; ✗ (drijf)as; mijnschacht; (lift)koker.

shag [ʃæg] 1 ruig haar *o*; 2 shag [tabak].

shaggily ['ʃægili] *ad* ruig, borstelig.

shagginess ['ʃæginis] ruigheid &.

shaggy ['ʃægi] *aj* ruig(harig), borstelig.

shagreen [ʃə'gri:n] segrijnleer *o*.

shah [ʃɑ:] sjah: koning van Perzië.

shake [ʃeik] **I** *vt* schudden, schokken²; *fig* doen wankelen; doen schudden (trillen, beven); heen en weer schudden; uitschudden, uitslaan; (van zich) afschudden; ~ *hands* elkaar de hand geven²; ~ *hands!* geef mij de hand (erop)!; ~ *hands with* de hand drukken; ~ *one's head* het hoofd schudden (over *at, over*); ~ *a leg* F de benen van de vloer laten gaan: een dansje doen; ~ *down* afschudden, uitspreiden (op de grond); ~ *off* (van zich) afschudden²; ~ *out* uitschudden, uitslaan; ~ *up* (op)schudden; wakker schudden, door elkaar schudden, aanporren; **II** *vi* schudden, beven; trillen [stem]; *fig* wankelen; ~! F geef mij de hand!; ~ *together* (goed) met elkaar opschieten; **III** *sb* schudden *o*; schok, beving; handdruk; trilling [v. stem]; ♪ triller; dekspaan; scheur in hout; *in a* ~, *in two* ~*s* (*of a lamb's tail*) F in een wip; *he is no great* ~*s* S hij is niet veel zaaks.

shake-down ['ʃeik'daun] kermisbed *o*.

shaken ['ʃeikn] V.D. van *shake*.

shaker ['ʃeikə] schudder.

Shak(e)spe(a)rian [ʃeiks'piəriən] (als) van Shakespeare.

shakily ['ʃeikili] *ad* zie *shaky*.

shakiness ['ʃeikinis] beverigheid &, zie *shaky*

shaking ['ʃeikiŋ] schudding; *give him a goo* ~ schud hem eens goed door elkaar.

shako ['ʃækou] ✗ sjako.

shaky ['ʃeiki] *aj* beverig, onvast², wankel² *fig* zwak(staand), onzeker, onsolide; waa men niet op aan kan; *look* ~ er niet best uit

shale [ʃeil] leisteen *o* & *m*. [zien

shall [ʃæl, ʃ(ə)l] 1 zal, zullen; 2 moet, moeten

shallop ['ʃæləp] ⚓ sloep.

shallot [ʃə'lɔt] ✿ sjalot.

shallow ['ʃælou] **I** *aj* ondiep, laag; *fig* opper vlakkig; **II** *sb* ondiepte, ondiepe plaats, zand bank; **III** *vi* (& *vt*) ondiep(er) worden (ma ken).

shallow-brained ['ʃæloubreind] oppervlakkig dom.

shallowness ['ʃælounis] ondiepte; *fig* opper vlakkigheid.

shalt [ʃælt, ʃ(ə)lt] zult.

shaly ['ʃeili] leisteenachtig.

sham [ʃæm] **I** *vt* veinzen (te hebben), voor wenden; **II** *vi* simuleren, maar zo doen, zich aanstellen; ~ *asleep* (*dead* &) zich slapend (dood &) houden; **III** *sb* voorwendsel *o* schijn(vertoning); komedie(spel *o*); kome diant, simulant; **IV** *aj* voorgewend, gefin geerd, nagemaakt, onecht, vals, schijn-; ~ *door* blinde deur.

shamble ['ʃæmbl] **I** *vi* sloffen, schuifelen; **II** *sb* sloffende gang.

shambles ['ʃæmblz] vleeshal; slachtplaats² slachtbank²; *fig* bloedbad *o*; ravage, ruïne.

shambling ['ʃæmbliŋ] **I** *aj* sloffend, schuife lend; **II** *sb* geslof *o*, schuifelende gang.

shame [ʃeim] **I** *sb* 1 schaamte°; 2 schande; *cry* ~ *upon* schande roepen over, schande spreken van; ~ *on you!, for* ~! foei, schaam u!; *to my* ~ tot mijn schande; *put to* ~ beschamen, beschaamd maken; **II** *vt* bescha men, beschaamd maken; ~ *one into...* hem door hem beschaamd te maken doen...

shamefaced ['ʃeimfeist] schaamachtig, be schaamd, beschroomd, verlegen.

shameful(ly) ['ʃeimful(i)] schandelijk.

shameless(ly) ['ʃeimlis(li)] schaamteloos.

sham fight ['ʃæmfait] schijngevecht *o*, spiegel gevecht *o*.

shammer ['ʃæmə] *fig* komediant; simulant.

shammy ['ʃæmi] gemsleder *o*, zeemleer *o*; zeem *m* & *o*.

shampoo [ʃæm'pu:] **I** *vt* shamponeren, sham pooën; **II** *sb* shampooing [hoofdwassing]; shampoo [haarwasmiddel].

shamrock ['ʃæmrɔk] 1 ✿ klaver; 2 klaverblad *o* [zinnebeeld van Ierland].

shandygaff ['ʃændigæf] half-om-half *o* & *m* van bier met gemberbier

Shanghai [ʃæŋ'hai] *sb* Shanghai(kip).

shanghai [ʃæŋ'hai] *vt* ⚓ dronken maken en dan als matroos laten aanmonsteren.

Shangri-La ['ʃæŋgri'laː] Shangri-La; *fig* verborgen paradijs *o*.

shank [ʃæŋk] been *o*; steel; schacht.

shan't [ʃɑːnt] samentrekking van *shall not*.

shantung [ʃæn'tʌŋ] shantoeng *o & m*.

shanty ['ʃænti] I hut; keet, loods, schuurtje *o*; 2 kit, kroeg ‖ ⚓ matrozenlied *o*.

shantytown ['ʃæntitaun] barakkenbuurt, blikdorp *o*, plakkerskamp *o*.

shape [ʃeip] I *vt* vormen, maken, modelleren, fatsoeneren; pasklaar maken; regelen, inrichten (naar *to*); ⚓ scheppen; ～ *a course for* ⚓ koers zetten naar; ～ *one's course accordingly* dienovereenkomstig handelen; II *vi* zich vormen; een zekere vorm aannemen; zich ontwikkelen; *it* ～*s well* het laat zich goed aanzien; het belooft veel; III *sb* vorm, gedaante, gestalte; leest; bol, blok *o*; model *o*; fatsoen *o*; pudding (uit een vorm); *take* ～ vaste vorm aannemen; *put into* ～ fatsoeneren[2].

...shaped [ʃeipt] ...vormig.

shapeless ['ʃeiplis] vormloos; wanstaltig.

shapely ['ʃeipli] goedgevormd, welgemaakt, bevallig.

shapen ['ʃeipn] ⚓ V.D. van *shape*.

shard [ʃɑːd] I scherf; 2 vleugelschild *o*.

I share [ʃɛə] I *sb* deel[2] *o*, aandeel[2] *o*; portie; ～ *and* ～ *alike* gelijk op delend; II *vt* delen (met *with*); verdelen; ～ *one comb* samen één kam hebben (gebruiken &); ～ *out* uit-, verdelen; III *vi* delen (in *in*), deelnemen (in, aan *in*).

2 share [ʃɛə] *sb* ploegschaar.

sharecropper ['ʃɛəkrɔpə] *Am* deelbouwer.

shareholder ['ʃɛəhouldə] aandeelhouder.

sharer ['ʃɛərə] deelhebber, deelnemer.

shark [ʃɑːk] I *sb* 1 🐟 haai; 2 *fig* gauwdief; afzetter; II *vi* afzetten, bedriegen.

sharp [ʃɑːp] I *aj* scherp°, spits, puntig; *fig* bits; bijtend; vinnig, hevig, snel; steil; scherpzinnig, slim; op de penning; schel; ♪ I dur; 2 vals; ～ *practices (tricks)* oneerlijke praktijken; ～*'s the word!* vlug wat!; *it was* ～ *work* het ging vlug in zijn werk; het moest allemaal vlug gebeuren; II *ad* scherp°; *fig* gauw, vlug; ～ *to time* precies op tijd; *at ten* ～ om 10 uur precies; III *sb* 1 ♪ kruis *o*, noot met een ♯; 2 S zie *sharper*; IV *vt* F afzetten; V *vi* [bij het spelen] bedriegen.

sharpen ['ʃɑːpn] I *vt* scherpen, scherp(er) maken, (aan)punten [potlood], slijpen; ♪ een halve toon verhogen of van een ♯ voorzien; *fig* verscherpen; II *vi* scherp(er) worden.

sharper ['ʃɑːpə] bedrieger, gauwdief, valse speler.

sharply ['ʃɑːpli] *ad* zie *sharp* I.

sharpness ['ʃɑːpnis] scherpte, scherpheid &.

sharp-set [ʃɑːp'set] I rammelend van de honger; 2 gebrand, uit (op *on*).

sharpshooter ['ʃɑːpʃuːtə] scherpschutter.

sharp-sighted [ʃɑːp'saitid] scherpziend, scherp van gezicht; scherpzinnig.

sharp-witted [ʃɑːp'witid] scherpzinnig.

shatter ['ʃætə] I *vt* verbrijzelen, versplinteren; *fig* vernietigen, de bodem inslaan [verwachtingen]; schokken [zenuwen]; *in a* ～*ed condition* in ontredderde toestand; II *vi* uiteenvallen, stuk gaan, versplinteren.

shave [ʃeiv] I *vt* scheren° (ook = strijken langs); afscheren; schaven; *fig* het vel over de oren halen; *get* ～*d* zich laten scheren; II *vi & va* zich scheren; ～ *through* er nog net doorglippen; III *sb* 1 scheren *o*; 2 schaafmes *o*; 3 sneetje *o*, flentertje *o*; 4 *fig* afzetterij, bedotterij; *it was a close (narrow, near)* ～ het was op het kantje af; *have a* ～ zich (laten) scheren.

⚓ shaven ['ʃeivn] geschoren.

shaver ['ʃeivə] 1 scheerder; scheerapparaat *o*; 2 F snuiter.

shaving ['ʃeiviŋ] scheren *o*; afschaafsel *o*; ～*s* krullen [bij het schaven]; *paper* ～*s* papierwol [snippers, stroken].

shaving-brush ['ʃeiviŋbrʌʃ] scheerkwast.

shaving-tackle ['ʃeiviŋtækl] scheergerei *o*.

shawl [ʃɔːl] sjaal.

shawm [ʃɔːm] schalmei.

she [ʃiː] I *pron* zij, ze, het [v. schepen &]; II *sb* 1 zij; wijfje *o*; 2 schone.

sheaf [ʃiːf] I *sb* schoof, bundel; II *vt* tot schoven of bundels binden.

shear [ʃiə] scheren [dieren, laken & *fig*]; knippen [staal]; *fig* het vel over de oren halen.

shearer ['ʃiərə] scheerder.

shears [ʃiəz] grote schaar.

sheath [ʃiːθ, *mv* ʃiːðz] 1 schede; 2 🌿 bladschede; 3 (vleugel)schild *o*.

sheathe [ʃiːð] 1 in de schede steken, opsteken, (in)steken; 2 ⚓ bekleden, dubbelen.

I sheave [ʃiːv] *sb* (katrol)schijf.

2 sheave [ʃiːv] *vt* tot schoven binden.

she-cat ['ʃiːkæt] kat[2]; *fig* feeks.

I shed [ʃed] *sb* loods, schuurtje *o*, keet; remise; (koe)stal; afdak *o*; hut.

2 shed [ʃed] I *vt* 1 vergieten, storten [bloed]; 2 laten vallen, afwerpen [horens &]; verliezen [het haar &]; wisselen [tanden]; 3 werpen, verspreiden [v. licht &]; II V.T. & V.D. van ～.

shedder ['ʃedə] storter; vergieter.

she-devil ['ʃiː'devl] duivelin.

sheen [ʃiːn] schittering, glans, luister.

sheeny ['ʃiːni] glinsterend, glanzend.

sheep [ʃiːp] 1 schaap *o*; schapen[2]; 2 schapeleer *o*; *the black* ～ *of the family* het schurftige schaap.

sheep-dog ['ʃiːpdɔg] herdershond.

sheep-faced ['ʃiːpfeist] zie *sheepish*.

sheep-fold ['ʃiːpfould] schaapskooi.

sheep-hook ['ʃiːphuk] herdersstaf.

sheepish(ly) ['ʃiːpiʃ(li)] schaapachtig, bedeesd.

sheep-run ['ʃiːprʌn] zie *sheep-walk*.

sheep's eye ['ʃiːpsai] in: *cast (make)* ～*s ai* lonkjes toewerpen, begerig kijken naar.

sheepskin ['ʃiːpskin] schapevel *o*, schaapsvacht, schapeleer *o*; perkament *o*.

sheep-station ['ʃiːpsteiʃən] *Austr* schapenfokkerij.

sheep-walk ['ʃiːpwɔːk] schapewei(de).

1 **sheer** [ʃiə] I *aj* 1 zuiver, rein, puur; louter, enkel; volslagen; 2 steil, loodrecht; 3 $ ragfijn, doorschijnend [weefsel]; *by* ~ *force* met geweld (alléén); II *ad* 1 steil, loodrecht; 2 totaal; pardoes.

2 **sheer** [ʃiə] I *vi* ⚓ gieren; (op zij) uitwijken; ~ *away* (*off*) ook: zich wegscheren; ~ *up* aangieren; II *vt* ⚓ (ver)scheren; III *sb* ⚓ zeeg; (*pair of*)~*s* mastbok.

sheet [ʃiːt] I *sb* 1 laken *o*, beddelaken *o*; doodskleed *o*; 2 blad *o* [papier]; vel *o*; > (nieuws)-blaadje *o*; 3 ✗ plaat [metaal]; 4 ⚓ schoot; *a* ~ *of fire* één vuurzee; *a* ~ *of ice* een ijsvlakte; *a* ~ *of needles* een brief naalden; *a* ~ *of snow* een sneeuwkleed *o*; *a* ~ *of water* een watervlak *o*; *between the* ~*s* F onder de wol; *in* ~*s* in losse vellen [v. boek]; *it rained in* ~*s* het regende pijpestelen; *with flowing* ~*s* ⚓ met gevierde schoten; II *vt* met lakens beleggen; bedekken, overtrekken, bekleden; *the* ~*ed rain* de in stromen neervallende regen.

sheet-anchor ['ʃiːtæŋkə] ⚓ plechtanker[2] *o*.

sheet-copper ['ʃiːtkɔpə] bladkoper *o*.

sheeting ['ʃiːtiŋ] 1 linnen *o* voor beddelakens; 2 bekleding; *waterproof* ~ hospitaallinnen *o*.

sheet-iron ['ʃiːtaiən] plaatijzer *o*.

sheet-lightning ['ʃiːtlaitniŋ] weerlicht *o* & *m*.

sheik(h) [ʃeik] sjeik.

shekel ['ʃekl] sikkel [Hebreeuws muntstuk en gewicht]; *the* ~*s* F de duiten.

sheldrake ['ʃeldreik], **shelduck** ['ʃeldʌk] ⚓ bergeend.

shelf [ʃelf] 1 plank [van rek]; boekenplank, vak *o*; 2 (blinde) klip; 3 (erts)laag; *continental* ~ vastelandsplat *o*, continentaal plat *o*; *laid* (*put*) *on the* ~ F 1 ter griffie gedeponeerd; 2 op stal gezet, afgedankt; *be left on the* ~ blijven zitten [v. meisje].

shelf paper ['ʃelfpeipə] kastpapier *o*.

shell [ʃel] I *sb* 1 schil, schaal, peul, bolster; 2 schelp, schulp, dop; huls, hulsel *o*; (dek)-schild *o*; 3 geraamte *o*; 4 romp [v. stoomketel]; 5 ✗ granaat [ook: granaten]; 6 ◊ lier; *high explosive* ~ ✗ brisantgranaat; *he is fresh from the* ~ hij komt pas kijken; *come out of one's* ~ „loskomen", ontdooien; II *vt* 1 schillen, doppen, pellen, ontbolsteren; 2 ✗ beschieten; ~ *out* 1 ✗ verjagen door beschieting; 2 F afdokken, afschuiven.

shellac [ʃeˈlæk, ˈʃelæk] I *sb* schellak *o* & *m*; II *vt* met schellak vernissen.

shell-almond ['ʃelaːmənd] kraakamandel.

shell-fish ['ʃelfiʃ] schelpdier *o*, schelpdieren; schaaldier *o*, schaaldieren; schelp- en schaaldieren.

shell-lime ['ʃellaim] schelpkalk. [dieren.

shell-proof ['ʃelpruːf] ✗ bomvrij.

shell-work ['ʃelwɔːk] schelpwerk *o*

shelly ['ʃeli] 1 vol schelpen; 2 schelp-.

shelter ['ʃeltə] I *sb* beschutting; onderdak *o*, schuilplaats, bescherming; wachthuisje *o* [voor bus of tram], (tram)huisje *o*; lighal; asiel *o*; (*air-raid*) ~ schuilgelegenheid, -kelder; *give* ~ beschutten, ook: huisvesting verlenen; *take* ~ een schuilplaats zoeken; schuilen; II *vt* beschutten, beschermen (voor *from*); huisvesting verlenen; III *vi* = IV *vr* in: ~ *oneself* schuilen, een schuilplaats zoeken, zich verschuilen[2].

shelve [ʃelv] I *vt* van planken voorzien; op een plank zetten; F ter griffie deponeren, (voorlopig) laten rusten; op stal zetten, afdanken; II *vi* (af)hellen, zacht aflopen.

shepherd ['ʃepəd] I *sb* schaapherder, herder[2]; II *vt* hoeden[2], (ge)leiden, loodsen.

shepherdess ['ʃepədis] herderin.

shepherd's-purse ['ʃepədzˈpəːs] ⚘ herderstasje *o*.

sherbet ['ʃəːbət] sorbet.

sherd [ʃəːd] zie *shard*.

sheriff ['ʃerif] 1 ◫ schout, drost; 2 hoge overheidspersoon in graafschap; 3 *Am* hoofd *o* van politie in graafschap.

sherry ['ʃeri] sherry [wijn].

Shetland ['ʃetlənd] Shetland *o*.

~ **shew** [ʃou] zie *show*.

shibboleth ['ʃibəleθ] sjibbolet[2] *o*; leuze.

shield [ʃiːld] I *sb* 1 schild[2] *o*; 2 wapenschild *o*; II *vt* beschermen (tegen *from*).

shift [ʃift] I *vt* veranderen, verwisselen; verruilen; verschikken, verleggen, (ver)schuiven; ⚓ 1 omleggen [het roer]; 2 verhalen [schip]; *he can* ~ *his food* S hij kan wat bergen!; ~ *one away* iemand „wegwerken"; ~ *off* 1 uitstellen; 2 van zich afschuiven; II *vi* zich verplaatsen, (van plaats) wisselen; omlopen [v. wind]; werken [v. lading]; zich verschonen; zich behelpen; draaien[2]; ~ (*about*) *in one's chair* zitten draaien [in zijn stoel]; *they must* ~ *for themselves* ze moeten zich zelf maar zien te redden; III *sb* 1 verandering, afwisseling; verschuiving; verhuizing; 2 (hulp)middel *o*, uitvlucht, list; 3 ploeg (werklieden); werktijd; *make the best* ~ *one can* zich maar zien te redden; *make* ~ *to* het zo schikken (aanleggen) dat...; *make* ~ *with anything* zich met alles weten te behelpen; *make* ~ *without it* het er maar zonder doen; *work double* ~*s* met twee ploegen.

shifting ['ʃiftiŋ] I *aj* veranderend, zich verplaatsend; ~ *sand* drijfzand *o*; II *sb* verandering, verplaatsing, verhuizing.

shiftless ['ʃiftlis] onbeholpen; onbekwaam.

shifty ['ʃifti] 1 gewiekst, sluw, doortrapt; 2 vindingrijk; 3 veranderlijk.

shilling ['ʃiliŋ] shilling; *take the* (*King's, Queen's*) ~ ✗ dienst nemen.

shilly-shally ['ʃiliʃæli] I *sb* weifelen *o*, besluiteloosheid, aarzeling; II als *aj* weifelend, besluiteloos; III *vi* weifelen.

shily ['ʃaili] *ad* schuw, schichtig &, zie 1 *shy* I.

shimmer ['ʃimə] I vi glinsteren; II sb glinstering.

shimmy ['ʃimi] I sb 1 F hemdje o; 2 shimmy [dans]; II vi de shimmy dansen.

shin [ʃin] I sb scheen; II vt 1 tegen de schenen schoppen; 2 klimmen in, opklimmen tegen; III vi in: ~ down a rope zich langs een touw naar beneden laten glijden; ~ up a tree klimmen in, opklimmen tegen een boom.

shin-bone ['ʃinboun] scheenbeen o.

shindy ['ʃindi] F herrie°, standje o, relletje o; ruzie; kick up a ~ herrie maken.

shine [ʃain] I vi schijnen, glimmen, blinken, stralen, schitteren[2] (van with), uitblinken; ~ out helder uitkomen; II vt 1 laten schijnen; 2 F doen glimmen (blinken), blank schuren; poetsen [schoenen]; III sb 1 zonneschijn; 2 glans; 3 schijnsel o; 4 zie ook: shindy; ~, sir? schoenen poetsen, meneer?; the ~ began to wear off het nieuwtje ging er af.

shiner ['ʃainə] 1 wie of wat blinkt of schittert; 2 S schoenpoetser; blinkend geldstuk o.

shingle ['ʃiŋgl] I sb dakspaan ‖ grind o, kiezelsteen; II vt met dakspanen dekken ‖ kortknippen.

shingles ['ʃiŋglz] ♀ gordelroos.

shingly ['ʃiŋgli] vol kiezels.

shin-guard ['ʃinga:d] scheenbeschermer.

shining ['ʃainiŋ] schijnend, schitterend.

shiny ['ʃaini] glimmend, blinkend.

ship [ʃip] I sb ⚓ schip o; S sp boot; ✈ kist [= vliegtuig]; ~ of the line ⚓ linieschip o; take ~ scheep gaan, zich inschepen (op in); II vt 1 inschepen, innemen, binnenkrijgen[2], overkrijgen [stortzeeën]; 2 aan boord nemen (hebben); plaatsen [mast, roer]; 3 aanmonsteren; 4 af-, verschepen, verzenden (ook: ~ off); ~ the oars de riemen inhalen, binnen (ook: buiten) boord leggen; III vi zich inschepen; aanmonsteren.

shipboard ['ʃipbɔ:d] in: on ~ aan boord.

ship-boy ['ʃipbɔi] scheepsjongen.

ship-breaker ['ʃipbreikə] scheepssloper.

ship-broker ['ʃipbroukə] 1 scheepsmakelaar; 2 cargadoor.

ship-builder ['ʃipbildə] scheepsbouwmeester.

ship-building ['ʃipbildiŋ] scheepsbouw; ~ yard scheepstimmerwerf.

ship-canal ['ʃipkənæl] scheepvaartkanaal o.

ship-chandler ['ʃiptʃa:ndlə] verkoper van scheepsbehoeften.

shipload ['ʃiploud] scheepsvracht, -lading.

ship-master ['ʃipma:stə] 1 kapitein op een koopvaardijschip; 2 soms: reder.

shipmate ['ʃipmeit] scheepsmaat.

shipment ['ʃipmənt] verscheping, verzending; zending; lading.

ship-owner ['ʃipounə] reder.

shipper ['ʃipə] verscheper, aflader, exporteur.

shipping ['ʃipiŋ] 1 in-, verscheping; 2 schepen [v. land, haven &]; 3 scheepvaart.

shipping-agent ['ʃipiŋeidʒənt] expediteur.

shipping-intelligence ['ʃipiŋintelidʒəns] scheepsberichten.

shipping-sample ['ʃipiŋsa:mpl] $ uitvalmonster o.

ship-shape ['ʃipʃeip] (keurig) in orde, in de puntjes, netjes; kant en klaar.

shipwreck ['ʃiprek] I sb schipbreuk; make ~ schipbreuk lijden[2]; II vt doen schipbreuk lijden, doen stranden[2]; be ~ed schipbreuk lijden[2]; the ~ed crew (mariners) de schipbreukelingen; III vi schipbreuk lijden.

shipwright ['ʃiprait] scheepstimmerman, scheepsbouwmeester.

ship-yard ['ʃipja:d] scheepstimmerwerf.

shire ['ʃaiə] graafschap o.

shirk [ʃə:k] I vt & vi verzuimen, ontduiken, ontwijken, zich onttrekken aan (zijn plicht), lijntrekken; II sb lijntrekker.

shirker ['ʃə:kə] lijntrekker.

shirt [ʃə:t] (over)hemd o; keep your ~ on P maak je niet dik; stripped to the ~ tot op het hemd uitgekleed; near is my ~ but nearer is my skin het hemd is nader dan de rok.

shirt-front ['ʃə:tfrʌnt] frontje o.

shirting ['ʃə:tiŋ] shirting o: hemdenlinnen o.

shirt-sleeve ['ʃə:tsli:v] hemdsmouw.

shirty ['ʃə:ti] P nijdig, woest.

1 shiver ['ʃivə] I sb splinter, scherf, schilfer; break (go) to ~s aan gruzelementen vallen; II vt versplinteren, verbrijzelen, aan gruzelementen slaan; ~ my timbers ⚓ God straffe mij; III vi aan gruzelementen vallen; versplinteren.

2 shiver ['ʃivə] I vi rillen, sidderen, huiveren; II sb (koude) rilling, siddering, huivering; give one the (cold) ~s doen rillen.

shivery ['ʃivəri] 1 rillerig, beverig, huiverig; griezelig; 2 bro(o)s, splinterig.

1 shoal [ʃoul] I sb school; menigte, hoop; in ~s bij hopen; II vi (samen)scholen.

2 shoal [ʃoul] I aj ondiep; II sb ondiepte, zandbank; III vi ondiep(er) worden.

shoaly ['ʃouli] ondiep, vol zandplaten.

1 shock [ʃɔk] I sb schok[2], botsing; schrik, (onaangename) verrassing, slag; ⚡ & ps shock; II vt schokken, een schok geven; ontzetten; aanstoot geven, ergeren; be ~ed at aanstoot nemen aan, zich ergeren over.

2 shock [ʃɔk] I sb stuik, hok o [hoop graanschoven]; II vt aan stuiken of hokken zetten.

3 shock [ʃɔk] sb bos haar, „pruik".

shock-absorber ['ʃɔkəbsɔ:bə] ⚙ schokbreker.

shocker ['ʃɔkə] 1 sensatieroman; 2 iets heel ergs; hopeloos geval o.

shock-headed ['ʃɔkhedid] met een ruige bos haar; S~ Peter Piet de Smeerpoes.

shocking ['ʃɔkiŋ] I aj aanstotelijk, stuitend, ergerlijk; afgrijselijk, gruwelijk; II ad in: ~ bad P miserabel (vervaarlijk) slecht.

shockingly ['ʃɔkiŋli] ad schandalig, schandelijk.

shock therapy ['ʃɔkθerəpi] shocktherapie.

shock treatment ['ʃɔktri:tmənt] shockbehandeling.

shock-troops ['ʃɔktru:ps] ✕ stoottroepen.

shod [ʃɔd] V.T. & V.D. van *shoe*.

shoddy ['ʃɔdi] I *sb* kunstwol; *fig* prullig imitatiegoed *o*; pretentieuze prulligheid; parvenu; II *aj* imitatie-; prullig, ondeugdelijk; parvenuachtig.

shoe [ʃu:] I *sb* 1 schoen; 2 hoefijzer *o*; 3 remschoen; 4 beslag *o*; *cast* (*throw*) *a* ~ een hoefijzer verliezen; *that's where the* ~ *pinches* daar wringt hem de schoen; *I wouldn't be in your* ~*s for anything* ik zou niet graag in uw plaats zijn; *step into a man's* ~*s* iemand in zijn betrekking of zaken opvolgen; II *vt* 1 schoeien; 2 beslaan.

shoeblack ['ʃu:blæk] schoenpoetser.

shoe-blacking ['ʃu:blækiŋ] schoensmeer *o* & *m*.

shoe-horn ['ʃu:hɔ:n] schoenhoorn.

shoeing-smith ['ʃu:iŋsmiθ] hoefsmid.

shoe-lace ['ʃu:leis] schoenveter.

shoe-latchet ['ʃu:lætʃit] B schoenriem.

shoe-leather ['ʃu:leðə] schoenle(d)er *o*.

shoe-lift ['ʃu:lift] schoenhoorn.

shoemaker ['ʃu:meikə] schoenmaker.

shoe-string ['ʃu:striŋ] schoenriem, -veter; *fig* smalle basis.

shone [ʃɔn] V.T. & V.D. van *shine*.

shoo [ʃu:] I *ij* sh!, ksh!; II *vt* wegjagen.

shook [ʃuk] V.T. van *shake*.

shoot [ʃu:t] I *vt* 1 af-, door-, neer-, uit-, verschieten; schieten; doodschieten; fusilleren; 2 storten [puin]; 3 (uit)werpen, -gooien; 4 (op)nemen, kieken; 5 F injecteren [morfine &]; ~ *the bolt* de grendel voorschuiven of wegschuiven; ~ *a bridge* onder een brug doorschieten; ~ *one's cuffs* zijn manchetten te voorschijn laten komen; ~ *a line* S veel praatjes hebben, opscheppen; ~ *one's linen* zie ~ *one's cuffs*; ~ *the moon* met de noorderzon vertrekken; ~ *a rapid* over een stroomversnelling heenschieten; *I'll be shot if...* ik mag doodvallen als...; II *vi* schieten° (ook = uitlopen); jagen; verschieten [sterren]; steken [v. pijn]; *go out* ~*ing* op jacht gaan; ∞ ~ *across the sky* langs de hemel schieten; ~ *ahead* vooruitschieten; ~ *ahead of* voorbijschieten; ~ *along* vooruitschieten; ~ *at* schieten op; toewerpen [een blik]; S *fig* afkammen; ~ *away* er op los schieten; verschieten [zijn kruit]; ~ *back the bolt* terugschuiven; ~ *forth* te voorschijn schieten; ~ *off* af-, wegschieten [een arm &]; ~ *off one's mouth* S kletsen, wauwelen; bulderen; ~ *out* 1 uitschieten; uitwerpen, (er) uitgooien; 2 uitsteken [rotsen &]; ~ *over* afjagen; ~ *over dogs* met honden jagen; ~ *up* 1 de hoogte in gaan² [ook v. prijzen]; de hoogte in schieten [bij het groeien]; 2 S terroriseren (door schietpartijen &), hevig vuren op; III *sb* 1 schoot, scheut; 2 schietwedstrijd; jacht(par-

tij); schietpartij; 3 waterstraal; waterval, stroomversnelling; 4 stortplaats; vuilnisbelt 5 glijbaan, helling, stortkoker, goot, stortbak, laadslurf; *the whole* ~ P de hele zooi.

shooter ['ʃu:tə] 1 schieter, schutter, jager; 2 vuurwapen *o*.

shooting ['ʃu:tiŋ] I *aj* schietend &; ~ *pains* ook: pijnlijke scheuten; ~ *star* verschietende of vallende ster; II *sb* 1 schieten *o*; schietpartij; 2 jacht, jachtrecht *o*, jachtterrein *o*; 3 pijnlijke scheut; *a* ~ *uitlopen o* [v. scheuten].

shooting-box ['ʃu:tiŋbɔks] jachthuis *o*.

shooting-brake ['ʃu:tiŋbreik] ⇌ combi.

shooting-gallery ['ʃu:tiŋgæləri] schiettent, -salon; schietbaan, schietlokaal *o*.

shooting-iron ['ʃu:tiŋaiən] F vuurwapen *o*.

shooting-licence [ʃu:tiŋlaisəns] jachtakte.

shooting-match ['ʃu:tiŋmætʃ] schietwedstrijd, prijsschieten *o*.

shooting-range ['ʃu:tiŋrein(d)ʒ] schietbaan.

shooting-stick ['ʃu:tiŋstik] zitstok.

shop [ʃɔp] I *sb* 1 winkel (ook = werkplaats); 2 atelier *o*; ~! Volk!; *the* ~ het „hok": de school, het kantoor, de zaak &; *he has come to the wrong* ~ hij is (daarvoor) aan het verkeerde kantoor; *keep* ~ op de winkel passen; *shut up* ~ (de winkel) sluiten²; *fig* zijn zaken aan kant doen; *sink* (*cut*) *the* ~ niet over het vak praten; *talk* ~ over het vak praten; *all over the* ~ S overal; *be all over the* ~ S helemaal in de war of de kluts kwijt zijn; II *vt* winkelen, boodschappen (inkopen) doen.

shop-assistant ['ʃɔpə'sistənt] winkelbediende, -juffrouw.

shop-front ['ʃɔpfrʌnt] winkelpui.

shop-girl ['ʃɔpgə:l] winkeljuffrouw.

shop-hand ['ʃɔphænd] winkelbediende.

shopkeeper ['ʃɔpki:pə] winkelier.

shoplifter ['ʃɔpliftə] winkeldief.

shopman ['ʃɔpmən] 1 winkelier; 2 winkelbediende.

shopper ['ʃɔpə] winkelbezoeker.

shopping ['ʃɔpiŋ] winkelen *o*, winkelbezoek *o*; *do one's* ~ (gaan) winkelen, boodschappen (inkopen) doen; ~ *bag* boodschappentas.

shoppy ['ʃɔpi] 1 winkeliers-, winkel-; 2 vak-, technisch.

shop-soiled ['ʃɔpsoild] verlegen, onfris.

shop-steward ['ʃɔpstjuəd] vertegenwoordiger van werknemers [in het bedrijf].

shop-walker ['ʃɔpwɔ:kə] winkelchef.

shop-worn ['ʃɔpwɔ:n] verlegen.

1 **shore** [ʃɔ:] V.T. van *shear*.

2 **shore** [ʃɔ:] *sb* kust, strand *o*, oever, wal; *n* ~ op de wal staand; *on* ~ aan land.

3 **shore** [ʃɔ:] I *sb* schoor, stut; II *vt* stutten.

shore-leave ['ʃɔ:li:v] ⚓ verlof *o* om te passagieren.

shoreward(s) ['ʃɔ:wəd(z)] landwaarts.

shorn [ʃɔ:n] V.D. van *shear*; ~ *of* beroofd van, ontdaan van.

short [ʃɔ:t] I *aj* & *ad* kort; te kort; kort aan-

gebonden, kortaf; klein [gestalte]; bros [ge-
bak]; S puur [dranken], niet met water aan-
gemengd; beknopt [leerboeken]; krap, karig;
te weinig; plotseling; ~ *bill* $ kortzichtwis-
sel; ~ *breath* ook: kortademigheid; ~ *delivery* manco o; *a* ~ *hour* & een klein uur o; ~
rib valse rib; ~ *weight* (gewichts)manco o; ~
wind kortademigheid; *be (come, fall)* ~ *of* 1
af (verwijderd) zijn van; 2 minder zijn dan;
3 te kort komen of hebben; 4 gebrek hebben aan; 5 niet beantwoorden aan, blijven
beneden; te kort schieten in, zie ook ↓; ~
of breath kortademig; *it is little* ~ *of a
miracle, nothing* ~ *of marvellous* het grenst
aan het wonderbaarlijke; *nothing* ~ *of his
ruin* niets minder dan (slechts) zijn ondergang; ~ *of money* niet goed bij kas; *be* ~
with one stroef zijn tegenover iemand; *cut* ~
af-, onderbreken; bekorten; *cut it* ~ het kort
maken; *fall* ~ ook: opraken; te kort schieten²; *go* ~ te kort komen, er te kort bij komen; *keep* ~ kort houden²; *run* ~ opraken;
run ~ *of provisions* door zijn provisie heen-
raken; *stop* ~ plotseling blijven stilstaan, ophouden, blijven steken; *stop* ~ *of* terugdeinzen voor; II *sb* korte lettergreep (klinker);
korte film, bijfilm; ~*s* korte broek; *for* ~
kortheidshalve; *in* ~ in het kort, kortom, in
één woord.

hortage ['ʃɔ:tidʒ] tekort o, schaarste, nood.
hortbread ['ʃɔ:tbred] bros gebak o, sprits.
hort-circuit ['ʃɔ:t'sə:kit] I *sb* 💥 kortsluiting;
II *vt* kortsluiting veroorzaken in; *fig* bekorten; uitschakelen; overspringen.
hort-circuiting ['ʃɔ:t'sə:kitiŋ] 💥 kortsluiting.
hortcoming [ʃɔ:t'kʌmiŋ] tekortkoming.
hort-dated ['ʃɔ:tdeitid] $ kortzicht- [wissel].
horten ['ʃɔ:tn] I *vt* korter maken, (be-, ver)-
korten, verminderen, beperken; ~ *sail* ⚓
zeil minderen; II *vi* kort(er) worden, korten,
afnemen.
hortening ['ʃɔ:tniŋ] vet o voor bros gebak.
horthand ['ʃɔ:thænd] I *sb* stenografie, kort-,
snelschrift o; *in* ~ stenografisch; II *aj* stenografisch; ~ *typist* stenotypist(e); ~ *writer*
stenograaf.
short-handed ['ʃɔ:t'hændid] gebrek aan personeel of werkvolk hebbend.
shorthorn ['ʃɔ:thɔ:n] 🐂 korthoorn(koe).
shortish ['ʃɔ:tiʃ] ietwat kort, krap, klein.
short-list ['ʃɔ:t'list] I *sb* voordracht; II *vt* op de
voordracht plaatsen.
short-lived ['ʃɔ:t'livd, + 'ʃɔ:tlivd] 1 niet lang
levend; 2 kortstondig.
shortly ['ʃɔ:tli] *ad* 1 kort (daarop); 2 binnenkort, weldra, spoedig; 3 kortaf.
shortness ['ʃɔ:tnis] kortheid &; ~ *of breath*
kortademigheid; ~ *of money* geldgebrek o.
short-range ['ʃɔ:trein(d)ʒ] korte-afstands-.
short-sighted ['ʃɔ:t'saitid] 1 bijziend; 2 kortzichtig.
short-spoken ['ʃɔ:t'spoukn] kortaf, kort van

stof, kort aangebonden.
short-tempered ['ʃɔ:t'tempəd] kort aangebonden, oplopend, heetgebakerd.
short-term ['ʃɔ:ttə:m] op korte termijn; voor
korte tijd.
short-time ['ʃɔ:ttaim] in: ~ *working* verkorting
der werktijden.
short-winded ['ʃɔ:t'windid] kortademig.
short-witted ['ʃɔ:t'witid] geborneerd, dom.
1 shot [ʃɔt] I *sb* 1 schot o; 2 ♂ stoot; slag [bij
tennis]; worp [bij cricket]; 3 schroot o; ko-
gel(s), hagel; 4 (scherp)schutter; 5 opname,
kiekje o; 6 F injectie [morfine &]; 7 S borrel;
8 aandeel o, gelag o, rekening; *big* ~ *Am* S 1
bendehoofd o; 2 kopstuk o, piet, hoge ome;
a long ~ een totaalopname [v. film]; *fig* wat
lang niet zeker is, zie ↓; *a* ~ *in the arm* ook:
een stimulans; *have a* ~ *at it* erop schieten;
het ook eens proberen, er ook een gooi naar
doen; *make a* ~ *at it* er naar raden, er een
slag naar slaan; *make a bad* ~ er naast zijn,
niet raden; *putting the* ~ *sp* kogelstoten o;
not by a long ~ S op geen stukken na; *like
a* ~ als de wind; op slag, direct; *be out of
* ~ buiten schot; II *vt* met een kogel (kogels)
laden of bezwaren.
2 shot [ʃɔt] V.T. & V.D. van *shoot*; ~ *silk*
changeantzijde.
shot-gun ['ʃɔtgʌn] jachtgeweer o; *a* ~ *marriage
Am* een gedwongen huwelijk o.
shot-hole ['ʃɔthoul] kogelgat o.
shot-proof ['ʃɔtpru:f] kogelvrij.
should [ʃud, ʃəd, ʃd] V.T. van *shall*, zou,
moest, behoorde; mocht.
shoulder ['ʃouldə] I *sb* schouder, schouderstuk
o; berm; *give (show, turn) the cold* ~ *to* met de
nek aanzien, negeren; *have broad* ~*s* een brede rug hebben; *put (set) one's* ~ *to the wheel*
zijn schouder onder iets zetten, de handen uit
de mouwen steken; *straight from the* ~ regelrecht; op de man af; ronduit; *stand* ~ *to* ~
schouder aan schouder staan; II *vt* op de
schouder(s) nemen; op zich nemen; met de
schouder duwen, (ver)dringen; ~ *arms!* ⚔
schouder 't geweer!; III *vi* in: ~ *along* zich
vooruitwerken.
shoulder-bag ['ʃouldəbæg] schoudertas.
shoulder-belt ['ʃouldəbelt] draagband.
shoulder-blade ['ʃouldəbleid] schouderblad o.
shoulder-knot ['ʃouldənɔnɔt] epaulet, nestel.
shoulder-strap ['ʃouldəstræp] 1 ⚔ schouderbedekking; schouderklep; 2 schouderbandje
o [aan hemd]; 3 draagriem.
shout [ʃaut] I *vi* roepen, juichen; schreeuwen;
~ *at one* schreeuwen tegen iemand; iemand
naroepen; ~ *for joy* het uitschreeuwen van
vreugde; ~ *with laughter* schaterlachen; II *vt*
uitroepen, hard toeroepen; ~ *him down* 1
hem overschreeuwen; 2 door schreeuwen beletten verder te spreken; ~ *victory at half-
time* te vroeg victorie kraaien; III *sb* geroep
o, gejuich o; schreeuw, kreet.

shouter ['ʃautə] roeper, juicher, schreeuwer.

shove [ʃʌv] I vt stoten, duwen, schuiven; ~ by op zij schuiven, ter zijde leggen; II vi stoten, duwen; ~ along vooruitdringen; ~ from shore, ~ off van wal steken, afzetten; III sb stoot, duw, duwtje o, zet, zetje o.

shovel ['ʃʌvl] I sb schop; II vt scheppen.

shovelboard ['ʃʌvlbɔːd] sjoelbak.

shovelful ['ʃʌvlful] schop(vol), schep.

shovel-hat ['ʃʌvl'hæt] schuithoed [v. geestelijke].

show [ʃou] I vt doen of laten zien, tonen, laten blijken, vertonen, draaien [een film], ten toon stellen, (aan)wijzen, 't [iemand] voordoen; aantonen, bewijzen; betonen; ~ a leg F uit (zijn) bed komen; ~ one about (over, round) the house iemand het huis laten zien; ~ one in, ~ one into the room binnenlaten; ~ off (beter) doen uitkomen; ~ off one's learning te koop lopen (geuren) met zijn geleerdheid; ~ one out iemand uitlaten; ~ up I duidelijk doen uitkomen; 2 duidelijk maken; ~ one up I iemand boven laten komen; 2 iemand aan de kaak stellen, ontmaskeren; II vr ~ oneself zich vertonen; zich (be)tonen; III vi & va zich (ver)tonen; uitkomen°; it will not ~ het zal niet te zien zijn; it ~s white het lijkt wit; this film is ~ing now draait nu; ~ against uitkomen tegen; ~ off zich aanstellen, poseren, „geuren"; ~ through er doorheen schijnen; ~ to better advantage beter uitkomen, beter tot zijn recht komen; ~ up zich vertonen, te voorschijn komen; (goed) uitkomen; ~ up badly een slecht figuur maken; IV sb vertoning; tentoonstelling; (praal)vertoon o, show, (schone) schijn; optocht, (toneel)voorstelling; S I komedie; 2 onderneming; geschiedenis, zaak, zaakje o; 3 kans; a ~ of gold een aanwijzing dat er goud zit (in de grond); a ~ of wild beasts een beestenspel o; there is a fine ~ of grain het koren staat mooi; you can get a much better ~ for your money heel wat méér voor uw geld; give away the ~ de zaak verraden, de boel verklappen; he hasn't a ~ S niet de minste kans; they are but there to make a ~ voor de schijn; make a fine ~ veel vertoon maken, goed uitkomen; heel wat lijken; make a poor ~ een armzalig figuur maken, helemaal niet uitkomen; make a ~ of ...ing laten merken dat...; net doen alsof...; make no ~ of... I niet te koop lopen met; 2 geen aanstalten maken om...; he made some ~ of resistance verzette zich maar voor de leus; by ~ of hands door het opsteken van de handen [bij stemmen]; (merely) for ~ voor de schijn, voor het oog, voor de leus; they are on ~ ze zijn geëxposeerd, uitgestald, te zien; under a (the) ~ of friendship onder de schijn van vriendschap; with some ~ of reason met enige grond.

show-bill ['ʃoubil] aanplakbiljet o.

show-box ['ʃoubɔks] kijkkast.

show-card ['ʃoukaːd] S I reclameplaat; 2 staal kaart.

show-case ['ʃoukeis] uitstalkast, vitrine.

show-down ['ʃoudaun] de kaarten op tafel leg gen[2]; krachtmeting; beslissende strijd.

I show ['ʃouə] sb vertoner.

2 shower ['ʃauə] I sb (stort)bui, regenbui douche; fig stort-, hagelbui, stroom; II v begieten, neer doen komen; ~ blessings & upon overstelpen met zegeningen &; III v I stortregenen; neerstromen, -komen; 2 douchen.

shower-bath ['ʃauəbaːθ] stortbad o, douche.

showery ['ʃauəri] regenachtig, buiig.

show-girl ['ʃougəːl] I mannequin; 2 figurante.

showily ['ʃouili] ad zie showy.

showiness ['ʃouinis] pracht; pronkzucht, opzichtigheid.

showing ['ʃouiŋ] tonen o &; vertoning, voorstelling°; figuur; aanwijzing, bewijs o; on your (own) ~ volgens uw eigen verklaring (voorstelling, zeggen).

showman ['ʃoumən] spullebaas [op de kermis]; directeur v. circus, revue, variété &.

shown [ʃoun] V.D. van show.

show-piece ['ʃoupiːs] spektakelstuk o; fig pronkstuk o.

show-place ['ʃoupleis] I toeristenplaats; 2 bezienswaardigheid.

show-room ['ʃourum] modelkamer, toonzaal.

show-up ['ʃou'ʌp] F ontmaskering.

show-window ['ʃouwindou] uitstalraam o, winkelraam o, etalage v.

showy ['ʃoui] aj prachtig, opvallend; pronkerig, opzichtig.

shrank [ʃræŋk] V.T. van shrink.

shrapnel ['ʃræpnəl] ✕ granaatkartets(en).

shred [ʃred] I sb lapje o, flard, snipper, stukje o; ziertje o; II vt klein snijden, snipperen.

shrew [ʃruː] I feeks, helleveeg; 2 ♨ spitsmuis.

shrewd(ly) [ʃruːd(li)] I schrander, scherp(zinnig), fijn; 2 bijtend, scherp; 3 sterk, vrij zeker [van vermoeden &].

shrewish ['ʃruːiʃ] kijfziek.

shrew-mouse ['ʃruːmaus] ♨ spitsmuis.

shriek [ʃriːk] I vi & vt gillen; ~ with laughter gieren (van het lachen); II sb gil.

shrift [ʃrift] ♙ biecht; absolutie; give short ~ to korte metten maken met.

shrike [ʃraik] ♙ klauwier.

shrill [ʃril] I aj schel, schril; II vi schel klinken; III vt ~ out uitgillen.

shrillness ['ʃrilnis] schelheid, schrilheid.

shrilly ['ʃrili] ad schel, schril.

shrimp [ʃrimp] I sb I garnaal; 2 F ukkie o; II v garnalen vangen.

shrimper ['ʃrimpə] garnalenvisser; -schuit.

shrine [ʃrain] I sb relikwieënkastje o; altaar o, heilige plaats, heiligdom o; II vt zie enshrine.

shrink [ʃriŋk] I vi krimpen[2], inkrimpen, op-, ineenkrimpen; verschrompelen; slinken; ~

back terugdeinzen; ~ *from* huiverig zijn bij (om), terugdeinzen voor; ~ *into oneself* zich in zichzelf terugtrekken; ~ *up* ineenkrimpen; *her heart shrunk within her* haar hart kromp ineen; **II** *vt* (doen) krimpen.

shrinkage ['ʃriŋkidʒ] (in)krimping[2]; slinking; vermindering [v. waarde &].

↖ **shrive** [ʃraiv] **I** *vt* biechten, de biecht afnemen; de absolutie geven; **II** *vi* biechten.

shrivel ['ʃrivl] *vt* & *vi* (doen) rimpelen of verschrompelen (ook: ~ *up*).

↖ **shriven** ['ʃrivn] V.D. van *shrive*.

shroud [ʃraud] **I** *sb* (doods)kleed *o*, lijkwa, *fig* sluier; ~s ♫ 1 (onder)want *o*; 2 hoofdtouwen; **II** *vt* in het doodskleed wikkelen; (om)hullen, bedekken, verbergen.

↖ **shrove** [ʃrouv] V.T. van *shrive*.

Shrovetide ['ʃrouvtaid] vastenavond.

Shrove Tuesday ['ʃrouv'tju:zdi] dinsdag voor de vasten, vastenavond.

1 **shrub** [ʃrʌb] struik, heester; boompje *o*.

2 **shrub** [ʃrʌb] rumpunch.

shrubbery ['ʃrʌbəri] heesterplantsoen *o*; bosje *o*.

shrubby ['ʃrʌbi] heesterachtig; vol struiken.

shrug [ʃrʌg] **I** *vt* & *vi* (de schouders) ophalen; ~ *off* zich met een schouderophalen afmaken van; **II** *sb* schouderophalen *o*; *give a* ~ de schouders ophalen.

shrunk [ʃrʌŋk] V.T. & V.D. van *shrink*.

shrunken ['ʃrʌŋkn] (ineen)gekrompen, verschrompeld.

shudder ['ʃʌdə] *vi* huiveren, rillen, sidderen; ~ *at* huiveren voor (bij); ~ *from* huiveren voor, terugdeinzen voor; *I* ~ *to think that* ik huiver bij de gedachte dat...; **II** *sb* huivering, rilling, siddering.

shuffle ['ʃʌfl] **I** *vt* (dooreen)schudden, (dooreen)mengen; schuiven; ~ *the cards* 1 de kaarten schudden (wassen); 2 mutaties tot stand brengen; ~ *one's feet* met de voeten schuifelen, sloffen; ~ *away* wegmoffelen; ~ *in* binnensmokkelen; ~ *off* van zich afschuiven; ~ *on one's clothes* zijn kleren aansmijten; ~ *up* bijeenscharrelen; samenflansen; **II** *vi* schuifelen; sloffen; wassen [de kaarten]; schuiven; staan draaien[2], *fig* uitvluchten zoeken; ~ *along* aan-, voortschuifelen; voortsjokken; **III** *sb* geschuifel *o*; schuifelende pas; schudden *o* of wassen *o* [v. de kaarten]; verandering van positie; gedraai[2] *o*, uitvlucht.

shuffler ['ʃʌflə] *fig* draaier.

shuffling ['ʃʌfliŋ] **I** *aj* schuifelend &; **II** *sb* geschuifel *o*; wassen *o* [v. de kaarten]; *fig* uitvlucht(en), gedraai *o*.

1 **shun** [ʃʌn] *vt* schuwen, (ver)mijden, (ont)vlieden.

2 **shun, 'shun** [ʃʌn] F verk. v. *attention!*, ✕ geef acht!

shunt [ʃʌnt] **I** *vt* op een zijspoor brengen[2], rangeren [trein]; ✕ shunten; *fig* op de lange baan schuiven; ~ *it on to him* schuif het hem

op zijn dak; **II** *vi* rangeren; **III** *sb* rangeren *o*; zijspoor *o*; ✕ shunt.

shunter ['ʃʌntə] rangeerder.

shunting ['ʃʌntiŋ] 1 rangeren *o* [v. trein]; 2 ✕ shunt; ~ *engine* rangeermachine; ~ *switch* rangeerwissel.

1 **shut** [ʃʌt] **I** *vt* sluiten, toedoen, dichtdoen, -maken, -trekken &; ~ *your head* P hou je kop dicht; ~ *down* dichtdoen, sluiten, stopzetten [ook: fabriek]; ~ *in* insluiten[2]; ~ *off* afsluiten [gas, water &], af-, stopzetten; afsnijden [discussies]; ~ *off from society* van alle omgang uitgesloten; ~ *out* af-, uitsluiten, buitensluiten[2] (van *from*); ~ *to* dichtdoen; ~ *up* sluiten; opsluiten [in gevangenis]; wegsluiten; F de mond snoeren; **II** *vr* ~ *itself* (zich) sluiten, dichtgaan; ~ *oneself up from* zich afzonderen van; **III** *vi* & *va* (zich) sluiten, dichtgaan; ~ *down* [fabriek] sluiten; invallen [duisternis]; ~ *up* (zich) sluiten; zijn mond houden; *the door* ~ *upon them* sloot zich achter hen.

2 **shut** [ʃʌt] V.T. & V.D. van 1 *shut*; als *aj* gesloten, dicht.

shut-down ['ʃʌt'daun] sluiting, stopzetting.

shutter ['ʃʌtə] **I** *sb* 1 sluiter; 2 sluiting, sluiter [v. kiektoestel]; 3 luik *o*, blind *o*; *put the* ~s *up* de luiken voorzetten; *fig* sluiten, opdoeken; **II** *vt* de luiken zetten voor.

shuttering ['ʃʌtəriŋ] 1 voorzetten *o* van de luiken; luiken; 2 bekisting [v. beton].

shuttle ['ʃʌtl] schietspoel.

shuttlecock ['ʃʌtlkɔk] pluimbal.

shuttle service ['ʃʌtlsə:vis] pendeldienst, heen- en weerdienst.

1 **shy** [ʃai] **I** *aj* schuw, beschroomd, verlegen; schichtig; *be* (*feel*) ~ *of* ...*ing* huiverig, bang zijn om te...; niet gul zijn met...; **II** *vi* schichtig, schuw worden (voor *at, from*), plotseling op zijde springen [v. paard]; terugschrikken (voor *at, from*); ~ *away from* ontwijken, vermijden; terugschrikken voor.

2 **shy** [ʃai] **I** *vt* smijten, gooien; **II** *sb* gooi, worp; *fig* veeg uit de pan, steek onder water; *have a* ~ *at* gooien naar; *fig* 1 een steek onder water (veeg uit de pan) geven; 2 het ook eens proberen.

shyer ['ʃaiə] schichtig paard *o*.

Shylock ['ʃailɔk] Shylock[2].

shyly ['ʃaili] *ad* schuw &, zie 1 *shy* I.

shyness ['ʃainis] schuwheid &.

si [si:] ♪ si.

Siam ['saiæm, sai'æm] Siam *o*.

Siamese [saiə'mi:z] Siamees (ook: Siamezen).

Siberia [sai'biəriə] Siberië *o*. [riër.

Siberian [sai'biəriən] **I** *aj* Siberisch; **II** *sb* Sibe-

§ **sibilant** ['sibilənt] **I** *aj* sissend; **II** *sb* sisklank.

§ **sibilate** ['sibileit] *vi* & *vt* met een sisklank (uit)spreken, sissen.

siblings ['sibliŋz] kinderen met hetzelfde ouderpaar, broer(s) en zuster(s).

sibyl ['sibil] sibille, profetes; waarzegster.

siccative ['sikɔtiv] **I** *aj* opdrogend; **II** *sb* siccatief *o* [middel].

Sicilian [si'siljən] Siciliaan(s).

Sicily ['sisili] Sicilië *o*.

1 **sick** [sik] in: ~ *him!* pak ze! [tegen hond].

2 **sick** [sik] **I** *aj* 1 ziek; 2 misselijk; zeeziek; beu (van *of*); 3 S het land hebbend (over *about*, *at*); 4 *Am* S gek; gemeen; ~ *headache* hoofdpijn met misselijkheid; *a* ~ *man* (*person*) een zieke; *as* ~ *as a horse* zo misselijk als een kat; *be* ~ ook: (moeten) overgeven, braken; *be* ~ *at heart* wee zijn om het hart; *be* ~ *for* smachten (hunkeren) naar; *be* ~ *of* misselijk (beu) zijn van; *be* ~ *of a fever* de koorts hebben; *turn* ~ misselijk worden; *turn one* ~ iemand misselijk maken; **II** *sb the* ~ de zieken; *200* ~ 200 zieken.

sick-bay ['sikbei] ⚓ ziekenboeg; ✂ ziekenverblijf *o*.

sicken ['sikn] **I** *vi* ziek, misselijk, beu worden; *be* ~*ing for something* 1 iets onder de leden hebben; 2 naar iets verlangen; **II** *vt* ziek, misselijk, beu maken.

sickening ['siknin] misselijk (makend), weerzinwekkend; beklemmend.

sickle ['sikl] sikkel.

sick-leave ['sikli:v] ziekteverlof *o*.

sickliness ['siklinis] ziekelijkheid; ongezondheid; bleekheid; weeheid.

sick-list ['siklist] lijst van de zieken; *be on the* ~ onder dokters handen zijn.

sickly ['sikli] ziekelijk²; ongezond²; bleek [v. maan &]; wee [v. lucht]; *a* ~ *smile* een flauw glimlachje *o*.

sickness ['siknis] ziekte, misselijkheid.

sick-pay ['sikpei] ziekengeld *o*.

side [said] **I** *sb* 1 zij(de), kant°; helling [v. berg, heuvel]; 2 kantje *o*, zijtje *o* [= bladzijde]; 3 ⚬⚬ effect *o*; 4 S air *o*, airs; 5 partij; 6 *sp* ploeg; *the bright* ~ de lichtzijde; *the dark* ~ de schaduwzijde; *the other* ~ 1 de andere kant; 2 de overzijde, de vijand; *there's another* ~ *to the picture* de medaille heeft een keerzijde; *this* ~ ook: aan deze kant (van); hier (in Engeland); *wrong* ~ *out* het binnenste buiten; *carry* (*have too much*) ~ zich airs geven, een toon aanslaan; *change* ~*s* van plaats verwisselen; van andere (politieke) richting kiezen; van standpunt veranderen; *put on* ~ 1 ⚬⚬ effect geven; 2 zich airs geven; *shake one's* ~*s* schudden van het lachen; *take* ~*s* partij kiezen (voor *with*); *at his* ~ aan zijn zijde, naast hem; *sword by* ~ met de sabel op zij; *by his* ~ naast hem; vergeleken bij hem; ~ *by* ~ zij aan zij, naast elkaar; ~ *by* ~ *with* naast; *from all* ~*s, from every* ~ van alle kanten; *on both* ~*s* aan (van) weerskanten; *there is much to be said on both* ~*s* er is veel vóór en veel tegen te zeggen; *on every* ~, *on all* ~*s* aan (van) alle kanten; *on my* ~ aan mijn zij, naast mij; op mijn hand; van

mijn kant; *on one* ~ 1 aan één kant; 2 op zij, scheef; *place* (*put*, *throw*) *on one* ~ 1 terzijde leggen; 2 op zij zetten; *on this* ~ aan deze kant, dezerzijds; *on the other* ~ aan (van) de andere kant; aan gene zijde, aan de overzijde (inz. van de Theems); *on the tallish* & ~ aan de lange kant; *to one* ~ op zij; ter zijde; **II** *vi* in: ~ *against* (*with*) partij kiezen tegen (voor).

side-arms ['saida:mz] ✖ op zijde gedragen wapens [sabel, revolver, bajonet &], ✂ zijdgeweren.

sideboard ['saidbɔ:d] buffet *o*, dressoir *o* & *m*.

side-box ['saidbɔks] zijloge.

sideburns ['saidbə:nz] *Am* bakkebaardjes.

side-car ['saidka:] zijspan *o* & *m*, zijspanwagen.

side-dish ['saiddiʃ] bij-, tussengerecht *o*. [gen.

side-drum ['saiddrʌm] ✖ kleine trom.

side-issue ['saidisju:] bijzaak.

sidelight ['saidlait] zijlicht *o*; *fig* zijdelingse illustratie, illustrerende eigenaardigheid; *drive on* ~*s* ⊷ met stadslicht(en) rijden.

side-line ['saidlain] 1 zijlijn; 2 bijkomstige bezigheid; 3 $ nevenbranche, -artikel *o*; *sit on the* ~*s* toeschouwer zijn, niet meedoen.

sidelong ['saidlɔn] zijdelings.

sidereal [sai'diəriəl] sterre(n)-.

side-saddle ['saidsædl] dameszadel *m* of *o*.

side-scene ['saidsi:n] coulisse.

side-show ['saidʃou] extra-kraampje *o*, -tent &; *fig* onderneming, & van minder belang; bijkomstigheid.

side-slip ['saidslip] **I** *vi* slippen [v. auto & ✈]; **II** *sb* 1 slippen *o* [v. auto]; ✈ (zij)slip; 2 ♣ afzetsel *o*.

side-step ['saidstep] **I** *sb* zijpas, zijstap; **II** *vt* & *vi* op zij, uit de weg gaan, ontwijken.

side-stroke ['saidstrouk] 1 zijslag [zwemmen]; 2 zijstoot.

sideswipe ['saidswaip] *Am* **I** *sb* veeg² (uit de pan); **II** *vt* een veeg² (uit de pan) geven.

side-track ['saidtræk] **I** *sb* wisselspoor *o*; **II** *vt* op een wisselspoor brengen; *fig* 1 voorlopig ter zijde leggen; 2 in een hoek duwen; 3 afleiden [v. onderwerp].

side-walk ['saidwɔ:k] *Am* trottoir *o*.

sideward(s) ['saidwəd(z)] zijwaarts.

sideways ['saidweiz] (van) terzijde, zijdelings.

side-wind ['saidwind] zijwind; *by a* ~ van ter zijde.

sidewise ['saidwaiz] zie *sideways*. [spoor *o*.

siding ['saidin] 1 partij kiezen *o*; 2 zij-, wisselsidle ['saidl] zijdelings lopen (schuiven).

siege [si:dʒ] belegering, beleg *o*; *lay* ~ *to* het beleg slaan voor; *raise the* ~ het beleg opbreken.

siesta [si'estə] siësta, middagslaapje *o*, -dutje *o*.

sieve [siv] **I** *sb* zeef; **II** *vt* zeven, ziften.

sift [sift] ziften, uitziften (ook: ~ *out*), uitpluizen; strooien; uithoren; ~ *the grain from the husk* het kaf van het koren scheiden.

siftings ['siftiŋz] ziftse *o*.
sigh [sai] I *vi* zuchten; ~ *for* smachten naar; II *vt* zuchten (ook: ~ *out*); III *sb* zucht.
sight [sait] I *sb* 1 (ge)zicht *o*, aanblik; vertoning; schouwspel *o*; bezienswaardigheid, merkwaardigheid; 2 vizier *o*, korrel [op een geweer]; 3 diopter *o* (kijkspleet); 4 F boel; *a jolly (long &)* ~ *better* F véél (een boel) beter; *her hat is a* ~! wat een gekke hoed, een hoed om te gieren!; *the roses are a* ~ *(to see)* zijn kostelijk om te zien; *what a* ~ *you are!* wat zie jij er uit!; *long* ~ verziendheid; *near* ~ bijziendheid; *short* ~ bijziendheid, kortzichtigheid; *catch (get a)* ~ *of* in 't oog (te zien) krijgen; *I hate the very* ~ *of him* ik kan hem niet zien (uitstaan); *lose* ~ *of* uit het oog verliezen; *take* ~ mikken; *take* ~*s* waarnemingen doen [op zee &]; *after* ~ $ na zicht; *at* ~ op het eerste gezicht, à vue [van vertalen &]; ♪ van het blad; $ op zicht; *at* ~ *of* op (bij) het gezicht van; *at first* ~ op het eerste gezicht; *at three days'* ~ $ drie dagen na zicht; *know by* ~ van aanzien kennen; *be in* ~ in zicht, in het gezicht, te zien zijn; *in his* ~ voor zijn ogen, waar hij bij is; in zijn ogen, naar zijn opinie; *on* ~ op het eerste gezicht; *be out of* ~ uit het gezicht (oog) verdwenen zijn; *out of her* ~ uit haar ogen, uit het oog, waar zij mij niet zien kon; *out of my* ~! (ga) uit mijn ogen!; *out of* ~, *out of mind* uit het oog, uit het hart; *lost to* ~ uit het gezicht verdwenen; *within* ~ in zicht; II *vt* te zien krijgen, in het oog (gezicht) krijgen, waarnemen; richten, stellen; *partially* ~*ed* onvolkomen ziend.
sight-draft ['saitdrɑ:ft] $ zichtwissel.
sightless ['saitlis] 1 blind; 2 ⊙ onzichtbaar.
sightly ['saitli] fraai, aangenaam voor het oog.
sight-seeing ['saitsi:iŋ] het bezichtigen van de bezienswaardigheden.
sight-seer ['saitsiə] toerist.
sigma ['sigmə] sigma, (Griekse) s.
sign [sain] I *sb* 1 teken *o*, wenk; kenteken *o*, voorteken *o*; wonderteken *o*; 2 (uithang)bord *o*; *illuminated* ~*(s)* lichtreclame; ~ *manual* (eigen) handtekening; *make no* ~ geen teken (van leven &) geven; *at the* ~ *of the Swan* in (de herberg &) het Zwaantje; *at his* ~ op een teken van hem, op zijn wenk; *in* ~ *of submission* ten teken van onderwerping; II *vt* 1 tekenen, ondertekenen; signeren; 2 een teken geven, door een teken te kennen geven; 3 *RK* een kruis maken over, bekruisen; ~ *away* schriftelijk afstand doen van; ~ *up* tekenen; engageren [spelers &]; III *vi* & *va* (onder)tekenen; ~ *in* tekenen bij aankomst; ~ *off* ※ ✝ eindigen, sluiten; S afnokken, ermee uitscheiden; ~ *on* ⚓ aanmonsteren; (een verbintenis) tekenen; stempelen [v. werklozen]; ~ *up* zich laten inschrijven, zich opgeven, tekenen.
signal ['signəl] I *sb* signaal *o*, teken *o*, sein *o*;

(the Royal Corps of) S~*s* ※ de Verbindingsdienst; II *vt* 1 seinen; 2 aankondigen, melden; 3 door een wenk te kennen geven, een wenk geven om te...; III *aj* schitterend, uitstekend, voortreffelijk, groot.
signal-box ['signəlbɔks] seinhuisje *o*.
signal-cabin ['signəlkæbin] seinhuisje *o*.
signal-gun ['signəlgʌn] seinschot *o*.
signalize ['signəlaiz] I *vt* doen uitblinken, onderscheiden; kenmerken; te kennen geven; de aandacht vestigen op; II *vr* ~ *oneself* zich onderscheiden.
signaller ['signələ] seiner.
signally ['signəli] *ad* zie **signal** III; ook: bijzonder, zeer; *fail* ~ het glansrijk afleggen.
signalman ['signəlmən] seinwachter; seiner.
signatory ['signətəri] I *aj* ondertekend hebbend; II *sb* (mede)ondertekenaar.
signature ['signətʃə] 1 hand-, ondertekening; 2 teken *o*, kenmerk *o*; 3 ♪ voortekening; 4 signatuur [op vel druks]; ~ *tune* ※ ✝ herkenningsmelodie.
sign-board ['sainbɔ:d] uithangbord *o*; (reclame)bord *o*.
signer ['sainə] ondertekenaar. [me)bord *o*.
signet ['signit] zegel *o*; ~*-ring* zegelring.
significance [sig'nifikəns] betekenis, gewicht *o*.
significant [sig'nifikənt] veelbetekenend; van betekenis; veelzeggend; *be* ~ *of* aanduiden, betekenen; kenmerkend zijn voor.
signification [signifi'keiʃən] betekenis°; aanduiding.
significative [sig'nifikətiv] (veel)betekenend; betekenis-; *be* ~ *of* betekenen, aanduiden.
signify ['signifai] I *vt* betekenen, beduiden; aanduiden; II *vi* van betekenis zijn; *it does not* ~ ook: het heeft niets te beduiden.
sign-language ['sainlæŋgwidʒ] gebarentaal.
signpost ['sainpoust] I *sb* 1 handwijzer, wegwijzer; 2 stok van uithangbord; II *vt* (door wegwijzers) aangeven.
silence ['sailəns] I *sb* (stil)zwijgen *o*, stilzwijgendheid; stilte; *there was* ~, *there fell a* ~ *a* ~ *fell* het werd stil; *keep* ~ zwijgen; stil zijn; *in* ~ ook: zwijgend; *pass over in* ~ stilzwijgend voorbijgaan; *pass into* ~ in vergetelheid geraken; *reduce to* ~ tot zwijgen brengen; ~ *gives consent* die zwijgt, stemt toe; II *vt* doen zwijgen, tot zwijgen brengen².
silencer ['sailənsə] geluid-, slagdemper, knalpot; *fig* afdoend antwoord *o*, dooddoener.
silent ['sailənt] *aj* (stil)zwijgend, stil; stom [v. letters]; geruisloos; *William the* S~ Willem de Zwijger; ~ *partner* $ stille vennoot; *be (become, fall, keep)* ~ zwijgen, zich stil houden.
silently ['sailəntli] *ad* 1 stil(letjes), in stilte; geruisloos; 2 (stil)zwijgend.
Silenus [sai'li:nəs] Silenus.
Silesia [sai'li:ziə] Silezië *o*. [ziër.
Silesian [sai'li:ziən] I *aj* Silezisch; II *sb* Silesilhouette [silu'et] I *sb* silhouet, schaduwbeeld *o*; II *vt* *be* ~*d* zich aftekenen.

silica ['silikə] kiezelaarde.

siliceous [si'liʃəs] kiezelachtig, kiezel-.

silk [silk] I *sb* 1 zijde; 2 zijden japon of toga; 3 F *King's (Queen's) Counsel*; ~*s* zijden stoffen, zijden kleren; *he has taken* ~ hij is *King's (Queen's) Counsel* geworden; II *aj* zijden; ~ *hat* hoge hoed; *you can't make a* ~ *purse out of a sow's ear* men kan geen ijzer met handen breken.

silken ['silkn] zijden², zijdeachtig zacht.

silkiness ['silkinis] (zijdeachtige) zachtheid²; *fig* lievigheid.

silkworm ['silkwə:m] zijderups. [lief.

silky ['silki] zijden, zijdeachtig zacht; *fig* poes-

sill [sil] drempel; vensterbank.

silliness ['silinis] onnozelheid &.

silly ['sili] I *aj* onnozel, dom, dwaas, kinderachtig, flauw, sullig; *the* ~ *season* de slappe tijd, komkommertijd; *go* ~ F gek worden; *knock* ~ P bewusteloos slaan; *look* ~ op zijn neus kijken; II *sb* F onnozele hals, sul; *don't be a* ~ F wees nu niet zo onnozel (flauw).

silo ['sailou] I *sb* silo; II *vt* inkuilen.

silt [silt] I *sb* slib *o*; II *vt* & *vi* (doen) dichtslibben, verzanden (ook: ~ *up*).

silvan ['silvən] zie *sylvan*.

silver ['silvə] I *sb* 1 zilver *o*; 2 zilvergeld *o*; 3 (tafel)zilver *o*; II *aj* zilveren, zilverachtig; III *vt* verzilveren; foeliën; (zilver)wit maken; IV *vi* (zilver)wit worden.

silver-fish ['silvəfiʃ] 1 ✴ zilvervisje *o*, suikergast, boekworm; 2 ✴ zilvervis.

silver-gilt ['silvə'gilt] I *aj* verguld; II *sb* verguld zilver *o*.

silver-leaf ['silvəli:f] bladzilver *o*.

silver-mounted ['silvəmauntid] met zilver beslagen (gemonteerd).

✴ **silvern** ['silvən] zilveren.

silverware ['silvəwɛə] zilverwerk *o*, tafelzilver *o*.

silverweed ['silvəwi:d] ✴ zilverschoon.

silvery ['silvəri] zilverachtig, zilveren, zilverwit, (zilver)blank, zilver-.

silviculture & zie *sylviculture* &.

Simeon ['simiən] Simeon.

§ **simian** ['simiən] I *aj* ape(n)-; II *sb* aap.

similar ['similə] I *aj* dergelijk, gelijksoortig; gelijk; overeenkomstig; gelijkvormig (aan *to*); II *sb* gelijke, evenknie.

similarity [simi'læriti] gelijkheid, gelijksoortigheid; overeenkomst(igheid); gelijkvormigheid.

similarly ['similəli] *ad* op dezelfde wijze, insgelijks, evenzo.

simile ['simili] gelijkenis, vergelijking.

similitude [si'militju:d] gelijkenis, gelijkheid, overeenkomst; evenbeeld *o*.

simmer ['simə] I *vi* eventjes koken, (op het vuur staan) pruttelen, sudderen; *fig* smeulen; zich verbijten; II *vt* zacht laten koken, laten sudderen; III *sb* gepruttel *o* [bij zacht koken].

Simon ['saimən] Simon; *the real* ~ *Pure* de ware jakob, je ware; *Simple* ~ onnozele hals.

simony ['saiməni] simonie.

simoom [si'mu:m] samoem [wind].

simper ['simpə] I *vi* dom geaffecteerd lachen; II *sb* dom geaffecteerd lachje *o*.

simple ['simpl] I *aj* 1 enkelvoudig; 2 eenvoudig, gewoon; 3 simpel, onnozel; ~ *honesty would forbid it* alleen maar (reeds) de eerlijkheid zou 't verbieden; *the* ~ *life* een eenvoudiger (minder weelderig) leven; II *sb* ✴ artsenijkruid *o*.

simple-hearted ['simpl'ha:tid] oprecht (van hart).

simple-minded ['simpl'maindid] eenvoudig.

simpleton ['simpltən] hals, onnozele bloed.

simplicity [sim'plisiti] 1 enkelvoudigheid, eenvoud(igheid); 2 onnozelheid.

simplification [simplifi'keiʃən] vereenvoudiging.

simplify ['simplifai] vereenvoudigen.

simply ['simpli] *ad* 1 eenvoudig, gewoonweg; 2 alleen (maar), enkel.

simulate ['simjuleit] veinzen, voorwenden (te hebben), (moeten) voorstellen, fingeren, (bedrieglijk) nabootsen.

simulation [simju'leiʃən] geveins *o*, simulatie; bedrieglijke nabootsing.

simulator ['simjuleitə] simulant.

simultaneity [simǝltə'ni:iti] gelijktijdigheid.

simultaneous(ly) [siməl'teinjəs(li)] gelijktijdig.

sin [sin] I *sb* zonde²; II *vi* zondigen²).

since [sins] I *ad* sedert, sinds(dien); *ever* ~ sindsdien, van toen af; sedert, vanaf 't ogenblik, dat...; *not long* ~, *many years* ~ geleden; II *prep* sedert, sinds, van... af; III *cj* sedert, sinds; aangezien.

sincere [sin'siə] *aj* oprecht, ongeveinsd, onvermengd, zuiver.

sincerely [sin'siəli] *ad* oprecht; *yours* ~ uw dienstwillige dienaar enz.

sincerity [sin'seriti] oprechtheid.

1 sine [sain] *sb* sinus.

2 sine ['saini] *prep* zonder; ~ *die* ['saini 'daii:] voor onbepaalde tijd.

sinecure ['sainikjuə] sinecure.

sinew ['sinju:] zenuw [= pees], spier.

sinewy ['sinjui] 1 zenig; 2 gespierd, sterk, fors.

sinful(ly) ['sinful(i)] zondig, verdorven; F schandelijk, schandalig.

sinfulness ['sinfulnis] zondigheid, verdorvenheid.

sing [siŋ] I *vt* zingen, bezingen; ~ *another song (tune)* uit een ander vaatje tappen; ~ *in* zingen [het jaar]; ~ *out* uitzingen; (uit)galmen; II *vi* zingen; fluiten [v. wind], gonzen [bijen en kogels]; tuiten, suizen [oren]; ~ *small* een toontje lager zingen; ~ *out* 1 hardop zingen; 2 hard roepen, F brullen.

Singapore [siŋgə'po:] Singapore *o*.

singe [sin(d)ʒ] (ver)zengen, (ver)schroeien; ~ *one's feathers (wings)* er slecht afkomen.

singer ['siŋə] zanger [ook = zangvogel].

Singhalese [siŋə'li:z] Singalees, Singalezen.

singing ['siŋiŋ] **I** *aj* 1 zingend &; 2 zangerig; **II** *sb* 1 zingen *o*; 2 (oor)suizen *o*; 3 zangkunst.

singing-bird ['siŋiŋbə:d] zangvogel.

single ['siŋgl] **I** *aj* 1 enkel; afzonderlijk; alleen; 2 enig; 3 eenpersoons; 4 ongetrouwd; vrijgezellen-; 5 eenvoudig; zie ook: *blessedness, combat* &; **II** *sb* 1 enkelspel *o*; 2 kaartje *o* enkele reis; **III** *vt* in: ~ *out* uitkiezen.

single-breasted ['siŋglbrestid] met één rij knopen.

single-engined ['siŋglendʒind] eenmotorig.

single-handed [siŋgl'hændid] 1 met (voor) één hand; 2 alléén.

single-hearted ['siŋgl'ha:tid] oprecht.

single-minded ['siŋgl'maindid] recht op zijn doel afgaand; oprecht.

singleness ['siŋglnis] 't enkel (alleen) zijn &; *fig* oprechtheid; ~ *of aim* het nastreven van één doel.

single-seater ['siŋglsi:tə] auto of vliegtuig voor één persoon.

singlestick ['siŋglstik] batonneerstok.

singlet ['siŋglit] borstrok, flanel *o*.

singly ['siŋgli] *ad* 1 afzonderlijk, één voor één; 2 alléén.

singsong ['siŋsɔŋ] **I** *aj* deunend, eentonig; **II** *sb* deun, dreun; F zangavondje *o*; **III** *vi* deunen; **IV** *vt* opdreunen.

singular ['siŋgjulə] **I** *aj* 1 enkelvoudig; 2 bijzonder, zonderling, eigenaardig; 3 enig (in zijn soort), zeldzaam; *the* ~ *number* het enkelvoud *o*; *in this we are not* ~ staan wij niet alléén; **II** *sb gram* enkelvoud *o*.

singularity [siŋgju'læriti] enkelvoudigheid; zonderlingheid, eigenaardigheid &.

Sinhalese [sinhə'li:z] Singalees, Singalezen.

sinister ['sinistə] 1 ⊘ linker; 2 onheilspellend; 3 ongunstig [uiterlijk]; 4 boosaardig.

sink [siŋk] **I** *vi* zinken, zakken, vallen, dalen; *fig* verflauwen, afnemen, achteruitgaan; neer-, verzinken, bezwijken, te gronde gaan, ondergaan; ~ *back* terugvallen; ~ *beneath* bezwijken onder; ~ *down* neerzinken, neerzijgen; ~ *home* inwerken; ~ *in* inzinken; *fig* in-, dóórwerken; ~ *into* verzinken in; neerzinken in; ~ *into the mind* (*memory*) zich in iemands geheugen prenten; *his heart sank* (*within him*) de moed begaf hem; ~ *or swim* erop of eronder; **II** *vt* doen zinken, tot zinken brengen; laten (doen) zakken of dalen, neerlaten; laten hangen [het hoofd]; graven, boren [put]; graveren [stempel]; $ amortiseren, delgen [schuld]; erdoor lappen [fortuin]; ~ *differences* laten rusten; ~ *one's name* zijn naam niet zeggen, incognito blijven; ~ *money in...* geld steken in; **III** *vr* in: ~ *oneself* zijn eigen belang (ik) op zij zetten; **IV** *sb* gootsteen (*kitchen* ~); zinkput²; riool *o* & *v*.

sinker ['siŋkə] zinklood *o*.

sinking ['siŋkiŋ] 1 (doen) zinken *o*; 2 $ amortisatie; *I feel a* ~ *of heart* ik voel mij beklemd om het hart.

sinking-fund ['siŋkiŋfʌnd] $ amortisatiefonds *o*.

sinless ['sinlis] zondeloos, onzondig.

sinner ['sinə] zondaar.

Sinn Feiner ['sin-, 'ʃin'feinə] aanhanger van de Ierse nationalistische *Sinn Fein*.

Sino- ['sinou] Chinees-.

sin-offering ['sinɔfəriŋ] zoenoffer *o*.

sinuosity [sinju'ɔsiti] bochtigheid; kronkeling, bocht.

sinuous ['sinjuəs] bochtig, kronkelig.

sip [sip] **I** *vt* met kleine teugjes drinken; lepp(er)en; **II** *vi* & *va* nippen (aan *at*); **III** *sb* teugje *o*.

siphon ['saifən] 1 hevel; 2 sifon.

sippet ['sipit] stukje brood *o* bij soep &.

sir [sə:] **I** *sb* 1 heer; 2 mijnheer; 3 *Sir* onvertaald vóór de doopnaam van een *baronet* of *knight*; **II** *vt* met mijnheer aanspreken, F mijnheren.

sirdar ['sə:da:] [in het Oosten] opperbevelhebber.

sire ['saiə] 1 (voor)vader; 2 (stam)vader [v. paard, hond]; 3 Sire [als aanspreking].

siren ['saiərən] sirene² [verleidster & misthoorn].

Sirius ['siriəs] ✶ Sirius, hondsster.

sirloin ['sə:lɔin] (runder)lendestuk *o*, harst.

sirocco [si'rɔkou] sirocco.

🙰 sirrah ['sirə] jij bengel, schurk, schavuit!

sisal ['saisəl] sisal.

siskin ['siskin] 🐦 sijsje *o*.

sissy ['sisi] 1 F zusje *o*; grietje *o*, doetje *o*; verwijfd type *o* (ook: ~ *pants*).

sister ['sistə] zuster°; *the three Sisters, the Sisters three* de Schikgodinnen.

sisterhood ['sistəhud] zusterschap.

sister-in-law ['sistərinlɔ:] schoonzuster.

sisterly ['sistəli] zusterlijk, zuster-.

Sistine ['sistain] Sixtijns.

sit [sit] **I** *vi* zitten, liggen; (zitten te) broeden; zitting houden; zitting hebben; poseren [voor portret]; ~*s the wind there?* komt (waait) de wind uit die hoek?; ~ *still* 1 stil zitten; 2 blijven zitten; ~ *tight* 1 nauw (aan het lijf) zitten [v. kledingstuk]; 2 S vast (in het zadel) zitten, zich kalm houden; zich niet roeren in een zaak; zich in zijn positie handhaven; op de uitkijk blijven; ~ *at home* thuis zitten (hokken); ~ *back* achterover (gaan) zitten; zijn gemak ervan nemen; geen deel meedoen, zich afzijdig houden, lijdelijk toezien; ~ *down* gaan zitten, zich zetten; aanzitten; ✗ het beleg slaan; ~ *down under the charge of* beschuldiging op zich laten zitten; ~ *for an examination* examen doen; ~ *in judgment* ten oordeel zitten, de vierschaar spannen; ~ *on* blijven zitten; ~ *on one's hands Am* zich onthouden van applaus; *fig* niets doen; *the* *coroner will* ~ *on the body* zal lijkschouwing houden; ~ *on the jury* zitting hebben in de jury; ~ *on a person* S iemand op zijn kop geven (zitten); *his principles* ~ *loosely on him* zijn principes staan hem niet in de weg; *her new dignity* ~*s well on her* misstaat haar niet, gaat haar goed af; ~ *out* 1 blijven zitten [gedurende een dans &], niet meedoen; 2 buiten zitten; ~ *under a preacher* geregeld onder zijn gehoor zijn (komen); ~ *up* recht-op (overeind) zitten, opzitten; overeind gaan zitten; opblijven; *make one* ~ *up* iemand vreemd doen opkijken, het hem eens goed zeggen of laten voelen; *he sat up at that* daar keek hij van op; ~ *up with a sick person* waken bij een zieke; ~ *upon* zie ~ *on*; II *vt* 1 zitten op; 2 neerzetten; *he can* ~ *a horse well* hij zit goed te paard; hij zit vast in het zadel; ~ *out a dance* blijven zitten onder een dans; ~ *out the piece* tot het eind toe bijwonen; ~ *out other visitors* langer blijven dan; III *vr* ○ & J in: ~ *oneself* (*down*) gaan zitten; IV *sb* zitten o; zit.

sit-down ['sitdaun] in: ~ *strike* bezettingssta-king.

site [sait] I *sb* 1 ligging; 2 plekje *o*; 3 (bouw)-terrein *o*; II *vt* terrein(en) verschaffen, plaat- ⚓ sith [siθ] dewijl, nademaal. [sen.

sitter ['sitə] I zitter; poserende; 2 🐦 broedende vogel, broedhen.

sitting ['sitiŋ] I *aj* zittend, zitting hebbend; *the* ~ *tenant* de tegenwoordige huurder; II *sb* 1 zitting, seance; 2 terechtzitting, zittijd; 3 vaste zitplaats [in kerk]; 4 broedtijd; broed-(sel) *o* eieren; *give one a* ~ voor iemand po-seren; *at one* ~, *at a* ~ ineens, achter elkaar.

sitting-room ['sitiŋrum] 1 huiskamer; 2 zit-plaats(en).

situate ['sitjueit] I *vt* situeren [gebeurtenis]; II *aj* ⚓ zie *situated*.

situated ['sitjueitid] gelegen, geplaatst; *awk-wardly* ~ in een lamme, moeilijke positie.

situation [sitju'eiʃən] ligging, stand; positie°; situatie, toestand; plaats, betrekking.

six [siks] zes; ~ *of one and half a dozen of the other* lood om oud ijzer, één potnat; *at* ~*es and sevens* overhoop, in de war.

sixfold ['siksfould] zesvoudig.

sixpence ['sikspəns] zesstuiver(stuk *o*).

sixpenny ['sikspəni] 1 van zes stuiver; 2 > dubbeltjes-.

sixpennyworth ['sikspen(iw)əθ] voor 6 stuiver.

sixteen ['siks'ti:n, + 'siksti:n] zestien.

sixteenth ['siks'ti:nθ, + 'siksti:nθ] zestiende.

sixth ['siksθ] zesde (deel *o*).

sixthly ['siksθli] ten zesde.

sixtieth ['sikstiiθ] zestigste (deel *o*).

sixty ['siksti] zestig; *the sixties* de jaren van (19)60 tot (19)70; *in the* (*one's*) *sixties* ook: in de zestig.

sizable ['saizəbl] tamelijk dik, groot &; flink, behoorlijk, van behoorlijke dikte.

sizar ['saizə] ⟳ student met een toelage.

1 **size** [saiz] I *sb* grootte; omvang, maat, num-mer *o*; afmeting, formaat *o*; kaliber *o*; ge-stalte; *they are all one* ~ (*of a* ~) van dezelfde grootte; *stones the* ~ *of*... ter grootte van, zo groot als...; *that's about the* ~ *of it* F zó is het, daar komt 't op neer; II *vt* sorteren (naar de grootte), rangschikken; op de juiste maat brengen; van pas maken; ~ *up* F taxeren, zich een oordeel vormen omtrent.

2 **size** [saiz] I *sb* lijmwater *o*; II *vt* lijmen, pla-neren.

sizeable zie *sizable*.

sized [saizd] van zekere grootte; *the same* ~ *pot* een pot van dezelfde grootte.

sizing ['saiziŋ] lijmen *o*, planeren *o*; lijm.

sizzle ['sizl] I *vi* sissen, knetteren; II *sb* gesis *o*, geknetter *o*.

1 **skate** [skeit] *sb* 🐟 vleet.

2 **skate** [skeit] I *sb* schaats; II *vi* schaatsen (rij-den); ~ *over thin ice* een kies onderwerp be-handelen.

skater ['skeitə] schaatsenrijder.

skating-rink ['skeitiŋriŋk] zie *rink* I.

skedaddle [ski'dædl] I *vi* F 'm smeren, opkras-sen, er vandoor gaan; II *sb* F vlucht.

skein [skein] 1 streng; 2 *fig* kluwen *o*; 3 vlucht wilde ganzen.

skeletal ['skelitəl] geraamte-, skelet-.

skeleton ['skelitən] I *sb* geraamte[2] *o*; skelet *o*; ⚔ kader *o*; *fig* schets, schema *o*; *a* ~ *at the feast* een omstandigheid of persoon die de vreugde bederft; *a* ~ *in the cupboard* een on-aangenaam familiegeheim *o*; II als *aj* be-perkt, klein [v. dienst, personeel &].

skeleton case ['skelitənkeis] $ krat *o*.

skeleton key ['skelitənki:] loper [sleutel].

skeleton map ['skelitənmæp] blinde kaart.

sketch [sketʃ] I *sb* schets[2]; II *vi* schetsen; III *vt* schetsen[2]; ~ *in* met een paar trekken aan-geven; ~ *out* uitstippelen.

sketchily ['sketʃili] *ad* zie *sketchy*.

sketchiness ['sketʃinis] schetsmatig karakter *o*, vluchtigheid; vaagheid, oppervlakkigheid.

sketchy ['sketʃi] *aj* schetsmatig, vluchtig; vaag, oppervlakkig.

skew [skju:] I *aj* scheef, schuin(s); II *sb* schuinte.

skewer ['skjuə] I *sb* vleespin; II *vt* met vlees-pinnen vaststeken.

ski [ski:, ʃi:] I *sb* ski; II *vi* skilopen, skiën.

skid [skid] I *sb* 1 remketting, remschoen; slof; slee; 2 slippen *o* [v. auto &]; *put on the* ~ ook: *fig* remmen; II *vt* 1 de remschoen aan-leggen; *fig* remmen; 2 laten glijden; doen slippen; III *vi* slippen, glijden.

skier ['ski:ə, 'ʃi:ə] skiloper, skiër.

skiff [skif] ⛵ skiff.

skiffle ['skifl] I *sb* soort Engelse jazz; II *vi* deze spelen.

ski-jump ['ʃi:-, 'ski:dʒʌmp] 1 skisprong; 2 springschans.

skilful(ly) ['skilful(i)] bekwaam, handig.
skill [skil] bekwaamheid, bedrevenheid; vakkundigheid.
skilled [skild] bekwaam, bedreven; vakkundig; ~ *labourers* geschoolde arbeiders, vakarbeiders.
skilly ['skili] gortwater o, dunne soep.
skim [skim] afschuimen, afromen, afscheppen (ook: ~ *off*); scheren of (heen)glijden (langs, over); vluchtig doorlópen.
skimmer ['skimə] schuimspaan.
skim-milk ['skim'milk] taptemelk.
skimp [skimp] I *vt* schrale maat toedienen, krap bedelen, beknibbelen, zuinig toemeten; II *vi* erg zuinig zijn, bezuinigen.
skimpiness ['skimpinis] schraal-, karigheid.
skimpy ['skimpi] schraal, karig, krap.
skin [skin] I *sb* huid [ook v. schip], vel o; leren zak; schil, pel [v. vruchten]; vlies o; *outer* ~ opperhuid; *true* ~ onderhuid; *he is only* ~ *and bone(s)* vel over been; *save one's* ~ zijn hachje bergen; *by* (*with*) *the* ~ *of one's teeth* net, op 't kantje af, met de hakken over de sloot; *I would not be in his* ~ ik zou niet graag in zijn vel steken, niet graag in zijn schoenen staan; *next* (*to*) *the* ~ op het blote lijf; *jump* (*leap*) *out of one's* ~ huizehoog springen [v. vreugde]; *come off with a whole* ~ het er heelhuids afbrengen; II *vt* I met een vel(letje) bedekken; 2 (af)stropen², villen², pellen; ontvellen; *keep your eyes* ~*ned* F hou je ogen open; III *vi* vervellen; dichtgaan (ook: ~ *over*).
skin-deep ['skin'di:p] niet dieper dan de huid gaand; niet diep zittend, oppervlakkig.
skin-dive ['skindaiv] *sp* duiken, onder water zwemmen.
skinflint ['skinflint] schrielhannes.
skinful ['skinful] zakvol; *when he has got his* ~ als hij het nodige op heeft.
skinner ['skinə] I vilder; 2 huidenkoper, pelshandelaar.
skinny ['skini] (brood)mager; huid-.
skip [skip] I *vi* (touwtje)springen, huppelen; ~ *over* = II *vt* overslaan [bij 't lezen]; III *sb* (touwtje)springen o; sprongetje o.
skipjack ['skipdʒæk] kniptor, springkever.
I skipper ['skipə] *sb* springer.
2 skipper ['skipə] I *sb* I ⚓ schipper [gezagvoerder]; 2 *sp* aanvoerder [v. elftal]; 3 S chef, baas; ✕ kapitein; II *v(t)* commanderen [een schip], (be)sturen.
skipping-rope ['skipiŋroup] springtouw o.
skirl [skə:l] I *vi* gillen; II *sb* gil, gegil o.
skirmish ['skə:miʃ] I *sb* schermutseling²; II *vi* I schermutselen²; 2 ✕ tirailleren.
skirmisher ['skə:miʃə] I schermutselaar; 2 ✕ tirailleur.
skirt [skə:t] I *sb* I slip, pand; 2 rand, zoom; 3 grens; 4 (vrouwen)rok; 5 middenrif o; II *vt* I omboorden, omzomen, begrenzen; 2 langs de rand, zoom of kust gaan, varen &;

3 *fig* ontwijken; III *vi* in: ~ *along* lopen langs, grenzen aan.
skirting(-board) ['skə:tiŋ(bə:d)] plint.
ski-run ['ski:-, 'ʃi:rʌn] skibaan, skiterrein o.
skit [skit] schimpscheut; parodie (op *upon*).
skittish ['skitiʃ] schichtig; grillig, dartel.
skittle ['skitl] kegel; ~*s* kegelspel o; ~*s!* F onzin! skittle-alley ['skitlæli] kegelbaan.   [zin!
skulduggery [skʌl'dʌgəri] *Am* kwade praktijken, oneerlijkheid, zwendel.
skulk [skʌlk] I *vi* I loeren, sluipen, gluipen; 2 zich verschuilen, zich schuil houden; 3 malengeren; II *sb* zie *skulker*.
skulker ['skʌlkə] I gluiper; 2 lijntrekker.
skull [skʌl] I schedel; 2 doodskop.
skull-cap ['skʌlkæp] kalotje o.
skunk [skʌŋk] I ♒ skunk *m*, stinkdier o; skunk o [bont]; 2 > smeerlap.
sky [skai] I *sb* I lucht, luchtstreek, hemel, uitspansel o; 2 hemelsblauw o; *in the* ~ aan de hemel; *praise* (*laud*) *to the skies* hemelhoog prijzen; *if the* ~ *falls we shall catch larks* als de hemel valt krijgen alle mensen een blauwe slaapmuts; II *vt* I [een bal] de lucht in gooien (schoppen); 2 [een schilderij] zeer hoog hangen.
sky-blue ['skai'blu:] *aj* (& *sb*) hemelsblauw (o).
skyey ['skaii] hemels(blauw), (hemel)hoog.
sky-high ['skai'hai] hemelhoog.
skylark ['skaila:k] I *sb* ♪ leeuwerik; II *vi* S stoeien, lolletjes uithalen.
skylight ['skailait] dakraam o, koekoek, vallicht o, schijn-, bovenlicht o, lantaarn.
sky-line ['skailain] I horizon; 2 silhouet.
sky-rocket ['skairɔkit] I *sb* vuurpijl; II *vi* snel stijgen [v. prijzen &].
skyscape ['skaiskeip] luchtgezicht o [schilderij].
sky-scraper ['skaiskreipə] wolkenkrabber.
sky-sign ['skaisain] lichtreclame.
skyward(s) ['skaiwəd(z)] hemelwaarts.
skyway ['skaiwei] ✈ luchtroute.
slab [slæb] I (marmer)plaat, platte steen; 2 schaal, schaaldeel o (ook: ~ *of timber*); 3 gedenksteen; 4 plak [kaas &], moot [vis].
slack [slæk] I *aj* slap², los; laks; loom (makend); ~ *lime* gebluste kalk; ~ *water* I doodtij o; 2 stil water o; II *sb* I loos [v. touw]; 2 kruis o [v. broek]; 3 doodtij o; stil water o; 4 F slappe tijd, komkommertijd, slapte; 5 gruiskolen; ~*s* lange broek, sportpantalon; III *vi* verslappen; slabakken (ook: ~ *off*); afnemen; vaart verminderen (ook: ~ *up*); IV *vt* blussen.
slack-baked ['slækbeikt] niet doorbakken.
slacken ['slækn] I *vt* (laten) verslappen, (ver)minderen; vertragen; vieren; II *vi* verslappen, slap worden, afnemen, (ver)minderen, vaart verminderen.
slacker ['slækə] F slabakker, treuzelaar.
slag [slæg] I *sb* slak(ken); *basic* ~ slakkenmeel o; II *vi* slakken vormen.

slain [slein] V.D. van *slay*; *be* ~ sneuvelen.
slake [sleik] lessen²; blussen [van kalk].
slalom ['sla:ləm] *sp* slalom [bij skiën].
slam [slæm] I *vt & vi* hard dichtslaan; ~ *down* neersmakken; II *sb* 1 harde slag, bons; 2 ◊ slem *o & m*.
slander ['sla:ndə] I *sb* laster; II *vt* (be)lasteren.
slanderer ['sla:ndərə] lasteraar.
slanderous(ly) ['sla:ndərəs(li)] lasterlijk.
slang [slæŋ] I *sb* 1 het buiten het algemeen beschaafd staand Engels; 2 jargon *o*, dieventaal; II *vi slang* gebruiken; schelden; ~*ing match* scheldpartij; III *vt* uitschelden.
slangily ['slæŋili] *ad slang*-achtig, plat.
slanginess ['slæŋinis] *slang*-achtigheid.
slangy ['slæŋi] *aj slang*-achtig, slang-, plat [v. taal &]; vol *slang*.
slant [sla:nt] I *vi* hellen, zijdelings of schuin (in)vallen of gaan; II *vt* doen hellen, schuin houden of zetten; III *aj* schuin; IV *sb* 1 helling; 2 F gezichtspunt *o*, kijk (op de zaak); *on the* ~ schuin.
slant-eyed ['sla:ntaid] scheefogig.
slanting(ly) ['sla:ntiŋ(li)] hellend, schuin.
slantwise ['sla:ntwaiz] hellend, schuin.
slap [slæp] I *vt* slaan, een klap geven, meppen; II *sb* klap, mep; *fig* veeg uit de pan; III *ad* pats, pardoes, vierkant; IV *aj* chic.
slap-bang ['slæp'bæŋ] I *ad* holderdebolder, pats, ineens; II *aj* ['slæpbæŋ] nonchalant.
slapdash ['slæp'dæʃ] zie *slap-bang*.
slapstick ['slæpstik] gooi- en smijt(toneel &); ruwe humor.
slap-up ['slæpʌp] S patent, (piek)fijn.
slash [slæʃ] I *vi* om zich heen slaan, hakken; ~ *at* slaan naar; II *vt* slaan, ranselen; snijden, japen; *fig* op zijn kop geven, afmaken [een schrijver &]; *Am* sterk verlagen [prijzen]; III *sb* 1 houw, jaap, snee, veeg²; 2 (mouw)split *o*.
slasher ['slæʃə] 1 bokser, vechtersbaas; 2 houwer, hakmes *o*; 3 F afbrekende kritiek.
slashing ['slæʃiŋ] I *aj* om zich heen slaand &; flink, kranig; vernietigend [v. kritiek]; II *sb* slaan *o* &.
slat [slæt] I *sb* lat [jalouzie]; II *vt* van latten voorzien.
1 slate [sleit] I *sb* lei *o* [stofnaam], lei *v* [voorwerpsnaam]; *he has a* ~ *loose* F het scheelt hem in zijn bovenkamer; II *aj* leien, leikleurig; III *vt* met leien dekken.
2 slate [sleit] *vt* F duchtig op zijn kop geven, afmaken.
slate-pencil ['sleitpens(i)l] griffel.
slater ['sleitə] leidekker.
slating ['sleitiŋ] bedaking, leien dakwerk *o* ‖ F afbrekende kritiek; *give one a sound* ~ er duchtig van langs geven.
slattern ['slætən] slons.
slatternliness ['slætənlinis] slonzigheid.
slatternly ['slætənli] slonzig.
slaty ['sleiti] leiachtig, lei-.

slaughter ['slɔ:tə] I *sb* slachten *o*, slachting²; bloedbad *o*; II *vt* slachten, afmaken, verslachteren ['slɔ:tərə] slachter. [moorden.
slaughter-house ['slɔ:təhaus] slachthuis *o*.
slaughterous ['slɔ:tərəs] moorddadig, bloedig.
Slav [sla:v] I *sb* Slaaf; II *aj* Slavisch.
slave [sleiv] I *sb* slaaf, slavin; *a* ~ *to*... de slaaf van...; II *vi* slaven, sloven.
slave-dealer ['sleivdi:lə] slavenhandelaar.
slave-driver ['sleivdraivə] slavendrijver².
slave-holder ['sleivhouldə] slavenhouder.
1 slaver ['sleivə] 1 slavenhandelaar; 2 slavenhaler [schip].
2 slaver ['slævə] I *sb* kwijl, gekwijl² *o*, gezever² *o*; II *vi* kwijlen; III *vt* bekwijlen.
slaverer ['slævərə] kwijlbaard; idioot.
slavery ['sleivəri] slavernij².
slave-trader ['sleivtreidə] zie 1 *slaver*.
slavey ['sleivi] F (dienst)meisje *o*, hit.
slavish ['sleiviʃ] slaafs².
Slavonia [slə'vouniə] Slavonië *o*.
Slavonian [slə'vouniən] I *aj* Slavonisch; II *sb* 1 Slaviniër; 2 Slavonisch *o*.
Slavonic ['slə'vonik] Slavisch.
slay [slei] doodslaan, doden, (neer)vellen, afmaken, slachten.
slayer ['sleiə] doodslager, doder.
sleazy ['sli:zi] slonzig; slecht, armzalig.
sled [sled] I *sb* slede, slee, sleetje *o*; II *vi* sleeën; III *vt* sleeën, per slee vervoeren.
1 sledge [sledʒ] zie *sled*.
2 sledge [sledʒ] *sb* ⚒ voorhamer (ook: ~*hammer*); ~*hammer blow* krachtige slag.
sleek [sli:k] I *aj* glad²; gladharig; glanzig; glimmend [v. gezondheid]; *fig* zalvend, liefdoënd; II *vt* glad maken (strijken).
sleep [sli:p] I *sb* slaap; *a little* ~ een slaapje *o*, dutje *o*; *have a* ~ slapen; *go to* ~ in slaap vallen; *put him to* ~ 1 naar bed brengen; 2 in slaap sussen; 3 S *knock-out* slaan; II *vi* slapen; inslapen; slaan [van tol]; *fig* rusten; ~ *on* dóórslapen; ~ *on (over) it* zich er eens op beslapen; ~ *out* buitenshuis slapen, niet intern zijn; III *vt* laten slapen; slaapgelegenheid hebben voor; ~ *the hours away* zoveel uren, zijn tijd verslapen; ~ *off the drink* zijn roes uitslapen.
sleeper ['sli:pə] 1 slaper²; slaapkop, -muts; 2 slaapwagen; 3 dwarsligger, biel [v. spoorweg]; (dwars)balk.
sleepily ['sli:pili] *ad* slaperig.
sleepiness ['sli:pinis] slaperigheid.
sleeping ['sli:piŋ] slapend &; *the Sleeping Beauty* de Schone Slaapster, Doornroosje *o*.
sleeping-bag ['sli:piŋbæg] slaapzak.
sleeping-car ['sli:piŋka:] slaapwagen.
sleeping-compartment ['sli:piŋkəmpa:tmənt] slaapcoupé.
sleeping-draught ['sli:piŋdra:ft] slaapdrank.
sleeping-partner ['sli:piŋ'pa:tnə] $ stille vennoot.
sleeping-sickness ['sli:piŋsiknis] slaapziekte.

leepless ['sli:plis] slapeloos.

sleep-walker ['sli:pwɔ:kə] slaapwandelaar.

sleepy ['sli:pi] *aj* I slaperig; slaapwekkend; slaap-; 2 beurs [peren].

sleepy-head ['sli:pihed] F slaapkop, -muts.

sleet [sli:t] I *sb* natte sneeuw of hagel met regen; II *vi* sneeuwen met regen.

sleeve [sli:v] I *sb* I mouw; 2 hoes [v. grammofoonplaat]; 3 ⚔ mof, voering [v. as]; *have (a plan &) in one's ~ (up one's ~)* achter de hand hebben, in petto hebben; *laugh in one's ~* in zijn vuistje lachen; II *vt* de mouw(en) zetten aan.

sleeveless ['sli:vlis] zonder mouwen.

sleeve-link ['sli:vliŋk] manchetknoop.

sleeve-valve ['sli:vvælv] ⚔ schuif(klep).

sleigh [slei] I *sb* (arre)slede, slee; II *vi* arren.

sleight [slait] handigheidje *o*, gauwigheidje *o*; vaardigheid, behendigheid, kunstgreep; *~ of hand* handhabiliteit², goochelarij².

slender ['slendə] slank, rank; spichtig, schraal, dun, mager, gering; zwak; *a man of ~ parts* een niet erg begaafd man.

slept [slept] V.T. & V.D. van *sleep*.

sleuth [slu:θ] I † spoor *o*; 2 bloedhond, speurhond²; *fig* detective *(~-hound)*.

1 slew [slu:] V.T. van *slay*.

2 slew [slu:] I *vt* & *vi* (om)draaien; II *sb* draai.

slice [slais] I *sb* I snee, sneetje *o*, schijf, schijfje *o*; plak [vlees &]; (aan)deel *o*; 2 visschep; spatel; vuurschop, riek; *a ~ of bread and butter* een (enkele) boterham; *a ~ of territory* een stuk *o* (lap) grond; II *vt* in sneetjes, dunne schijven of plakken snijden (ook: *~ up*); snijden.

slicer ['slaisə] I snijder; 2 snijmachine; schaaf [voor groenten &].

slick [slik] I *aj* glad², rad, vlug, vlot; II *ad* glad(weg); precies; vlak &.

slid [slid] V.T. & V.D. van *slide*.

slide [slaid] I *vi* glijden, glippen, slieren; schuiven; afglijden; uitglijden², een misstap doen; *let things (the world) ~* I Gods water over Gods akker laten lopen; 2 veel over zijn kant laten gaan; *~ over* losjes heenlopen over; II *vt* laten glijden; laten glippen; laten schieten, schuiven; III *sb* I glijden *o*; 2 glijbaan; 3 hellend vlak *o*; 4 lantaarnplaatje *o*; dia, diapositief *o*; objectglas *o*, voorwerpglaasje *o* [v. microscoop]; 5 schuif, schuifje *o*; 6 aardverschuiving, lawine; 7 glijbank in een roeiboot.

slide fastener ['slaidfa:snə] treksluiting.

slider ['slaidə] glijder; schuif; glijbank.

slide-rule ['slaidru:l] rekenliniaal, -lat.

slide-valve ['slaidvælv] zie *sliding valve*.

sliding ['slaidiŋ] glijdend &; glij-, schuif-; *~ rule* rekenliniaal, -lat; *~ scale* beweeglijke, veranderlijke (loon)schaal; *~ seat* glijbank; *~ valve* ⚔ schuifklep.

slight [slait] I *aj* licht, tenger; zwak, gering, onbeduidend; vluchtig; *not in the ~est* in het minst niet; II *sb* geringschatting, kleinering; *put (pass) a ~ on one* geringschatten, veronachtzamen; III *vt* geringschatten, buiten beschouwing laten; versmaden, op zij zetten, veronachtzamen.

slighting(ly) ['slaitiŋ(li)] geringschattend.

slightly ['slaitli] *ad* zie *slight* I; ook: lichtelijk, enigszins, ietwat, iets, een beetje.

slily ['slaili] *ad* zie *slyly*.

slim [slim] I *aj* slank; dun², schraal; II *vi* (& *vt*) een vermageringskuur doen (ondergaan), slank worden (maken).

slime [slaim] I *sb* slib *o*; slijm *o* & *m* [v. aal, slak]; II *vt* met slib bedekken, bezwadderen.

sliminess ['slaiminis] slibberigheid &.

slimy ['slaimi] slibberig, glibberig; *fig* vuil.

sling [sliŋ] I *vt* slingeren, zwaaien met; gooien; (op)hangen; ⚓ vastsjorren; *~ arms!* ⚔ over schouder... geweer!; *~ one's hook (it)* S er vandoor gaan; II *sb* I slinger; 2 verband *o*, draagband; 3 ⚔ riem [v. geweer &]; 4 ⚓ hanger, strop, lang e.

sling case ['sliŋkeis] foedraal *o* aan een riem.

slinger ['sliŋə] slingeraar.   [*off*]

slink [sliŋk] *vi* (weg)sluipen (ook: *~ away*,

slip [slip] I *vi* slippen, (uit)glijden, (ont)glippen; (weg)sluipen; *~ across* even overwippen; *~ along* S vooruitsnellen; *~ away* uitknijpen, wegsluipen (ook: *~ off*); voorbijvliegen [v. tijd]; *~ by* voorbijgaan; *~ from* ontglippen; *~ into*... binnensluipen; *~ into one's clothes* zijn kleren aanschieten; *~ (up)on*... uitglijden over...; II *vt* laten glijden, glippen, schieten²; laten vallen, loslaten; ontglippen, (vóór-, af)schuiven; *it had ~ped my memory* 't was mij ontschoten, door 't hoofd gegaan; *~ roses* stekken nemen van rozen; *~ off a ring* afschuiven [van de vinger]; *~ on* aanschieten [kleren]; III *sb* I uitglijding; 2 *fig* vergissing, abuis *o*; misstap; 3 aardverschuiving; 4 (kussen)sloop; onderrok, -lijfje *o*, -jurk; broekje *o*; 5 stek; *fig* telg; 6 koppelband; 7 strook papier, (druk)proefstrook; 8 ⚓ (scheeps)helling; *a ~ of a girl (boy, youth)* een spichtig meisje *o* &; *a ~ of the pen* een verschrijving; *a ~ of the tongue* een vergissing in het spreken, verspreking; *give the ~* [iemand] laten schieten, in de steek laten, ontkomen aan; *make a ~* zich vergissen.

slip-cover ['slipkʌvə] hoes.

slip-knot ['slipnɔt] schuifknoop.

slipover ['slipouvə] slip-over.

slipper ['slipə] I *sb* I pantoffel, muil, slof; 2 remschoen; II *vt* F met de slof geven; *~ed* met pantoffels of sloffen (aan).

slipperiness ['slipərinis] glibberig-, gladheid².

slippery ['slipəri] glibberig, glad².

slippy ['slipi] glibberig; S vlug.

slipshod ['slipʃɔd] met afgetrapte schoenen, sloffig; slordig.

slipslop ['slipslɔp] slobber; *fig* (sentimenteel) gewauwel *o*.

slipstream ['slipstri:m] ⚡ schroefwind, slip-stroom.

slipway ['slipwei] ⚓ (sleep)helling.

slit [slit] I *vt* (aan repen) snijden, spouwen, splijten; II *vi* splijten; III V.T. & V.D. van ~; IV *sb* lange snee, spleet, split *o*, spouw, sleuf, gleuf.

slit-eyed ['slitaid] spleetogig.

slither ['sliðə] F glibberen, slieren.

slithery ['sliðəri] F glibberig.

sliver ['slivə] I *sb* reepje *o*, flenter, splinter; II *vt* aan flenters snijden.

slobber ['slɔbə] I *vi* kwijlen; II *vt* bekwijlen, bemorsen; *fig* afraffelen, afknoeien; III *sb* kwijl, gekwijl² *o*, gezever² *o*.

slobbery ['slɔbəri] kwijlend; slobberig; slor-dig.

sloe [slou] ✤ slee(doorn), sleepruim.

slog [slɔg] I *vt* hard slaan, beuken; II *vi* er op lossaan (timmeren); ploeteren; III *sb* harde slag; kloppartij; geploeter *o*.

slogan ['slougən] strijdkreet, leus; slagzin; *shout* ~s ook: spreekkoren vormen.

sloop [slu:p] ⚓ sloep.

slop [slɔp] I *sb* sentimenteel gewauwel *o*; ~s vaat-, spoelwater *o*, vuil water *o*; spoelsel *o* ‖ flodderbroek, goedkope confectiekleding; II *vt* (neer)plassen; kwakken; III *vi* plassen; ~ *over* I overlopen, overstromen; 2 *fig* sentimenteel doen.

slop-basin ['slɔpbeisn] spoelkom.

slope [sloup] I *sb* schuinte, glooiing, helling; II *vi* glooien, hellen, schuin aflopen, lopen of vallen; III *vt* schuin houden; afschuinen, schuin snijden; doen hellen; ~ *arms!* ✕ over... geweer!

sloping ['sloupiŋ] glooiend, hellend, aflopend, schuin; scheef.

slop-pail ['slɔppeil] toiletemmer.

sloppily ['slɔpili] *ad* zie *sloppy*.

sloppiness ['slɔpinis] sopperigheid; slordig-heid; *fig* sentimentaliteit.

sloppy ['slɔpi] slobberig, sopperig, morsig; slodder(acht)ig, slordig; *fig* sentimenteel.

slop-shop ['slɔpʃɔp] winkel van goedkope con-fectiekleding.

slosh [slɔʃ] zie *slush*.

1 **slot** [slɔt] *sb* spoor *o* [van hert].

2 **slot** [slɔt] I *sb* gleuf, sleuf; sponning; II *vt* een gleuf of sponning maken in.

sloth [slouθ] I luiheid, vadsigheid, traagheid; 2 ✤ luiaard.

slothful ['slouθful] lui, vadsig, traag.

slot-machine ['slɔtməʃi:n] (verkoop)automaat.

slot-meter ['slɔtmi:tə] muntmeter.

slouch [slautʃ] I *vi* I slap (neer)hangen; 2 slun-gelen; II *vt* neerdrukken, over de ogen trek-ken [hoed]; ~*ed hat* flambard; III *sb* I neer-hangen *o*; 2 slungelige gang (houding); 3 S pummel; knoeier.

slouch hat ['slautʃʹhæt] flambard.

slouchy ['slautʃi] slungelig, slordig.

1 **slough** [slau] *sb* poel, modderpoel²; moeras² *o*; *the* ~ *of Despond* het moeras der moede-loosheid.

2 **slough** [slʌf] I *sb* I afgeworpen (slange)vel; 2 korst, roof [v. wonden]; II *vi* vervellen; af-vallen (ook: ~ *off*); III *vt* afwerpen.

1 **sloughy** ['slaui] modderig, moerassig.

2 **sloughy** ['slʌfi] met een korst bedekt.

Slovak ['slouvæk] Slowaak(s).

Slovakia [slou'vækiə] Slowakije *o*.

sloven ['slʌvn] slons, sloddervos.

Slovene ['slouvi:n] Sloween.

Slovenian [slou'vi:njən] Sloween(s).

slovenliness ['slʌvnlinis] slordig-, slonzigheid.

slovenly ['slʌvnli] slordig, slonzig.

slow [slou] I *aj* langzaam², langzaam werkend, traag, loom; niet gauw, niet vlug²; saai, ver-velend; ~ *and sure* langzaam maar zeker; *ten minutes* ~ 10 minuten achter; *he is* ~ *of speech* hij spreekt erg langzaam; *he is* ~ *to...* hij zal niet gauw...; *he was not* ~ *to see the difficulty* hij zag de moeilijkheid gauw ge-noeg; ~ *train* boemeltrein; II *ad* langzaam; *go* ~ I achter gaan of lopen [v. uurwerk]; 2 't kalmpjes aan doen; 3 een langzaam-aan-tactiek toepassen [v. werknemers]; III *vi* (de) vaart verminderen, afremmen² (ook: ~ *down, up*); IV *vt* vertragen, de snelheid verminde-ren van, langzamer laten lopen, afremmen² (ook: ~ *down, up*).

slow-coach ['sloukoutʃ] treuzelaar; slaapkop

slowly ['slouli] *ad* zie *slow* I.

slow-match ['sloumætʃ] lont.

slow-motion ['slou'mouʃən] in: ~ *picture* ver-traagde film.

slowness ['slounis] langzaamheid, traagheid &, zie *slow* I.

slow-paced ['slou'peist] langzaam, traag [v. gang].

slow-witted ['slou'witid] niet (erg) vlug.

slow-worm ['slouwə:m] hazelworm.

sloyd [slɔid] slöjd.

sludge [slʌdʒ] slobber, modder, slik *o*, halfge-smolten sneeuw of ijs.

sludgy ['slʌdʒi] slobberig, modderig, slikkerig.

slue [slu:] zie 2 *slew*.

slug [slʌg] I *sb* I slak (zonder huisje); *fig* lui-aard, leegloper; 2 (schroot)kogel; II *vi* slak-ken steken.

sluggard ['slʌgəd] luiaard, luilak.

sluggish ['slʌgiʃ] lui, traag.

sluice [slu:s] I *sb* sluis, spuisluis, spui *o*; sluis-water *o*; waterbuis; II *vt* uit-, doorspoelen, (af)spoelen, spuien, doen uitstromen; III *vi* in stromen neerkomen, vloeien of regenen.

sluice-gate ['slu:sgeit] sluisdeur.

slum [slʌm] I *sb* slop *o*, achterbuurt; II *vi* de sloppen en achterbuurten bezoeken.

slumber ['slʌmbə] I *vi* sluimeren²; II *sb* slui-mer(ing); ~s ook: slaap.

slumb(e)rous ['slʌmb(ə)rəs] slaperig (makend); sluimerend.

slum clearance ['slʌmkliərəns] krotopruiming.
slum dweller ['slʌmdwelə] krotbewoner.
slum dwelling ['slʌmdweliŋ] krotwoning.
slummy ['slʌmi] achterbuurtachtig, sloppen-.
slump [slʌmp] I *sb* $ plotselinge of grote prijsdaling, plotselinge vermindering van navraag, belangstelling of populariteit; malaise; II *vi* plotseling zakken, dalen [v. prijzen], afnemen in populariteit &; (zich laten) glijden, zakken, vallen; sjokken.
slung [slʌŋ] V.T. & V.D. van *sling*.
slunk [slʌŋk] V.T. & V.D. van *slink*.
slur [slə:] I *vt* 1 ✎ besmeuren, besmetten, bekladden; 2 licht of losjes heenlopen over (ook: ~ *over*); 3 laten ineenvloeien, wegmoffelen [v. letters in de uitspraak]; *fig* verdoezelen; 4 ♪ slepen; II *sb* 1 klad², smet², vlek²; 2 ♪ koppelboog; *cast* (*put*) *a* ~ *on* een smet werpen op.
slush [slʌʃ] 1 slobber, sneeuwslik o, brij, pap, blubber, modder; 2 *fig* klets, overdreven sentimentaliteit.
slushy ['slʌʃi] slobberig; *fig* wee, slap.
slut [slʌt] slons, sloerie, morsebel.
sluttish ['slʌtiʃ] slonzig, sloerieachtig.
sly [slai] *aj* sluw, listig, slim; schalks; *on the* ~ stiekem.
slyboots ['slaibu:ts] slimme vos, slimmerd.
slyly ['slaili] *ad* zie *sly*.
slyness ['slainis] sluwheid, listigheid, slimheid.
1 smack [smæk] *sb* ✎ smak [schip].
2 smack [smæk] I *sb* 1 smak, pats, klap; 2 knal [v. zweep]; 3 F flapzoen; *have a* ~ *at them* hun een veeg uit de pan geven; II *vt* smakken met, doen klappen of knallen; meppen; ~ *one's lips* 1 smakken met de lippen; 2 likkebaarden (bij *over*); III *vi* smakken, klappen, knallen; IV *ij* & *ad* pats!; pardoes, vierkant &.
2 smack [smæk] I *sb* smaakje o; geurtje o; tikje o, ietsje o, tintje o; II *vi* in: ~ *of* smaken naar; *fig* rieken naar, iets hebben van.
smacker ['smækə] S 1 flapzoen; 2 kanjer.
small [smɔ:l] I *aj* klein°, gering, weinig; min, kleingeestig, -zielig; dun [bier]; fijn, zwak [stem]; *look* ~ 1 er klein uitzien; 2 beteuterd of op zijn neus kijken; ~ *arms* ✕ handvuurwapenen; ~ *talk* gepraat o over koetjes en kalfjes, gewauwel o; ~ *wares* kramerijen, garen en band; II *sb* kleintje o [in schoppen &]; *the* ~ *of the back* het kruis; ~*s* 1 kniebroek; 2 ⚭ zie *responsions*; 3 F kleine was, lijfgoed o.
smallage ['smɔ:lidʒ] ♃ wilde selderij.
✎ small-clothes ['smɔ:lklouðz] kniebroek.
small-holder ['smɔ:lhouldə] kleine eigenaar.
smallish ['smɔ:liʃ] vrij klein.
small-minded ['smɔ:l'maindid] kleinzielig; min.
smallness ['smɔ:lnis] kleinte, kleinheid &.
smallpox ['smɔ:lpɒks] pokken.
small-scale ['smɔ:lskeil] op kleine schaal,
smalt [smɔ:lt] smalt.   [klein.

smart [sma:t] I *aj* 1 scherp, pijnlijk, vinnig; 2 wakker, pienter, flink, vlug, knap, gevat, snedig, geestig; 3 F keurig, chic; *the* ~ *people* (*set*) de lui van de bon ton; *say* ~ *things* geestigheden debiteren; *be* (*look*) ~ *!* vlug wat!; II *vi* zeer of pijn doen; lijden; *you shall* ~ *for this* daarvoor zul je boeten; ~*ing* ook: schrijnend; III *sb* schrijnende pijn.
smarten ['sma:tn] mooi maken, opknappen (ook: ~ *up*).
smart-money ['sma:tmʌni] 1 rouwkoop; 2 smartegeld o.
smash [smæʃ] I *vt* (hard) slaan; stukslaan, ingooien; stuk-, kapotsmijten, breken, vernielen; verbrijzelen, vermorzelen, totaal verslaan, vernietigen (ook: ~ *up*); ~ *up a car* een auto in de soep, in de prak rijden; ~*ed* F ook: failliet; II *vi* breken; stukvallen &; F over de kop gaan; vliegen, botsen (tegen *into*); III *sb* 1 smeet, smak, slag, botsing; 2 *sp* smash [harde slag bij tennis]; 3 bankroet o, krach, débâcle; *go* (*to*) ~ 1 kapotgaan; 2 F naar de bliksem gaan, $ over de kop gaan; IV *ad* pardoes, vierkant.
smasher ['smæʃə] S 1 vernietigende slag, verpletterend argument o; 2 prachtexemplaar o &.
smashing ['smæʃiŋ] 1 vernietigend [kritiek]; 2 S mieters, knal, denderend.
smash-up ['smæʃ'ʌp] botsing; verbrijzeling; vernietiging; *fig* débâcle, krach.
smattering ['smætəriŋ] in: *a* ~ *of...* een hap en een snap van...; een mondjevol o...
smear [smiə] I *vt* (in)smeren, besmeren, besmeuren, bezoedelen (met *with*); II *sb* vlek, smet, (vette) veeg; *Am* lastér.
smell [smel] I *sb* reuk, geur, lucht, luchtje o; *take a* ~ *at it* F ruik er eens aan; II *vt* ruiken; ruiken aan; ~ *a rat* lont ruiken; ~ *out* uitvorsen, achter iets komen; III *vi* 1 ruiken, rieken; 2 stinken; ~ *about* rondsnuffelen; ~ *at* ruiken aan; ~ *of* rieken naar².
smeller ['smelə] S neus.
smelliness ['smelinis] vieze lucht, stank.
smelling-bottle ['smeliŋbɒtl] reukflesje o.
smelling-salts ['smeliŋsɔ:lts] reukzout o.
smelly ['smeli] vies ruikend, stinkend.
1 smelt [smelt] *sb* ⚓ spiering.
2 smelt [smelt] V.T. & V.D. van *smell*.
3 smelt [smelt] *vt* [erts] (uit)smelten.
smelter ['smeltə] 1 smelter; 2 ijzersmelterij.
smew [smju:] ♈ nonnetje o, weeuwtje o.
smile [smail] I *vi* glimlachen, lachen (tegen, om *at*); ~ (*up*)*on* tegen-, toelachen; II *vt* lachen, glimlachend uitdrukken of te kennen geven; ~ *away* door lachen verdrijven; III *sb* glimlach.
smirch [smə:tʃ] I *vt* bevuilen, bekladden, besmeuren, bezoedelen; II *sb* (vuile) plek, veeg, klad²; *fig* smet.
smirk [smə:k] I *vi* gemaakt lachen, meesmuilen; II *sb* gemaakt lachje o, gemene grijns.

✼ smit [smit] V.T. & V.D. van *smite*.

smite [smait] I *vt* slaan, treffen; verslaan; kastijden; ~ *off* afslaan; ~ *together* ineenslaan; II *vi* slaan (tegen *against*); ~ *together* tegen elkaar slaan; ~ *upon the ear* het oor treffen; III *sb* slag.

smith [smiθ] smid.

smithereens [smiðə'ri:nz] gru(i)zelementen.

smithy ['smiði, 'smiθi] smederij, smidse.

smitten ['smitn] V.D. van *smite*; ~ *with* 1 getroffen door, geslagen met; 2 in verrukking over; F idolaat van [haar].

smock [smɔk] ✼ vrouwenhemd *o*; (boeren)-kiel.

smock-frock ['smɔkfrɔk] (boeren)kiel.

smocking ['smɔkiŋ] smokwerk *o*.

smog [smɔg] met rook vermengde mist.

smoke [smouk] I *sb* rook, damp, smook, walm; roken *o*; S rokertje *o*: sigaar, sigaret; *have a* ~ steek eens op; *there is no* ~ *without fire* geen rook zonder vuur; men noemt geen koe bont, of er is een vlekje aan; *end in* ~ in rook opgaan; II *vi* 1 roken, dampen; 2 walmen [v. lamp]; III *vt* roken; beroken; uitroken; ~ *away* verroken; ~ *out* door rook verdrijven; ~*d glasses* gekleurde bril.

smoke-black ['smoukblæk] lampzwart *o*.

smoke-dry ['smoukdrai] roken [vis].

smokeless ['smouklis] rookloos.

smoker ['smoukə] 1 roker°; 2 rookcoupé; 3 partij & waarop gerookt mag worden.

smoke-screen ['smoukskri:n] rookgordijn *o*.

smoke-stack ['smoukstæk] pijp · [v. locomotief].

smokiness ['smoukinis] rokerigheid; berooktheid.

smoking ['smoukiŋ] I *aj* rokend &; II *sb* roken *o*.

smoking-carriage ['smoukiŋkæridʒ] rookwagen.

smoking-jacket ['smoukiŋdʒækit] coin-de-feu, huisjasje *o*.

smoking-room ['smoukiŋrum] rookkamer.

smoky ['smouki] rokerig, walmig, walmend; berookt; rook-.

smooth [smu:ð] I *aj* glad, vlak, gelijk, effen, vloeiend; zacht; vlot [v. reis &]; *fig* vriendelijk, vleierig; II *ad* glad &; *go (run)* ~ ook: van een leien dakje gaan; III *vt* glad, vlak, gelijk of effen maken, gladstrijken, gladschaven; effenen; doen bedaren; bewimpelen [een misslag]; ~ *away* weg-, gladstrijken; ~ *down (out)* weg-, gladstrijken; effenen; ~ *over* effenen, uit de weg ruimen [moeilijkheden]; plooien; bemantelen.

smooth-bore ['smu:ðbɔ:] gladloops (geweer *o*, kanon *o*).

smoothe [smu:ð] zie *smooth* III.

smooth-faced ['smu:ðfeist] met een glad(geschoren) gezicht; glad; baardeloos; *fig* met een uitgestreken gezicht, (poes)lief.

smoothing-plane ['smu:ðiŋplein] gladschaaf.

smoothly ['smu:ðli] *ad* zie *smooth* I; ook: *fig* gesmeerd, vlot [gaan &].

smoothness ['smu:ðnis] gladheid &.

smooth-spoken ['smu:ðspoukn], smooth-tongued ['smu:ðtʌŋd] glad van tong, lief (pratend), mooipratend.

smote [smout] V.T. van *smite*.

smother ['smʌðə] I *sb* damp, rook, smook, walm, stof *o*; II *vt* smoren, doen stikken, verstikken (ook: ~ *up*); overdekken; dempen; onderdrukken [lach]; in de doofpot stoppen [schandaal]; III *vi* smoren, stikken.

smothery ['smʌðəri] broeierig, verstikkend.

smoulder ['smouldə] I *vi* smeulen²; II *sb* smeulend vuur *o*.

smudge [smʌdʒ] I *vt* bevlekken, bevuilen, besmeuren²; II *vi* smetten, vlekken, smerig worden; III *sb* veeg; vlek²; smet².

smudginess ['smʌdʒinis] smerigheid &.

smudgy ['smʌdʒi] vuil, smerig, smoezelig.

smug [smʌg] I *aj* (burgerlijk) net, brave-Hendrikachtig, zelfvoldaan; II *sb* zelfgenoegzame brave Hendrik, heilig boontje *o*.

smuggle ['smʌgl] smokkelen; ~ *away* ook: wegmoffelen; ~ *in* binnensmokkelen².

smuggler ['smʌglə] smokkelaar°.

smut [smʌt] I *sb* roet *o*, roetvlek; vuiltje *o*; vuiligheid, vuile taal; brand [in koren]; II *vt* vuil maken; bevuilen, bezoedelen.

smuttily ['smʌtili] *ad* vuil.

smuttiness ['smʌtinis] vuilheid.

smutty ['smʌti] *aj* vuil; brandig [koren].

snack [snæk] haastige maaltijd; hapje *o*; *go* ~*s* (met iemand) delen.

snack-bar ['snækba:] snelbuffet *o*.

snaffle ['snæfl] I *sb* trens; II *vt* de trens aanleggen; in toom houden.

snag [snæg] knoest, bult, stomp; boomstam in een rivier; *fig* moeilijkheid, kink in de kabel.

snagged ['snægd], snaggy ['snægi] knoestig.

snail [sneil] 1 ♠ huisjesslak; 2 ⚙ snekrad *o* [in uurwerk]; 3 *fig* „slak".

snail-paced ['sneilpeist] traag als een slak.

snail-shell ['sneilʃel] slakkehuis(je) *o*.

snail-wheel ['sneilwi:l] ⚙ snekrad *o*.

snake [sneik] I *sb* slang²; *there is a* ~ *in the grass* er schuilt een adder in het gras; *cherish (nourish, warm) a* ~ *in one's bosom* een adder aan zijn borst koesteren; II *vi* schuifelen, kruipen; kronkelen; III *vt* trekken, slepen, rukken.

snake-charmer ['sneiktʃa:mə] slangenbezweerder.

snaky ['sneiki] slangachtig²; vol slangen, slange(n)-.

snap [snæp] I *vi* happen; (af)knappen; knippen; klappen; dichtklappen; snauwen; II *vt* 1 doen (af)knappen, klappen, knallen; happen met; dichtklappen (ook: ~ *to*); afdrukken [vuurwapen]; (toe)snauwen; 2 F kieken; ∞ ~ *at* happen naar; afsnauwen; toebijten;

gretig aangrijpen; ~ one's fingers at... wat malen om...; ~ away wegsnappen; ~ off afknappen; afbijten; have one's head ~ped off afgesnauwd worden; ~ out snauwen; ~ out of it Am 't van zich afschudden, zich er overheen zetten; wakker worden; ~ up op-, wegvangen, op-, wegsnappen, wegkapen (voor iemands neus), weg-, oppikken [op uitverkoop &]; afsnauwen (ook: ~ up short); III sb 1 snap, hap, hapje o, beet, knap, klap, knip [met de vinger & slootje]; knak, knik, breuk, barst; 2 knapkoek; 3 F kiekje o; 4 fig gang, fut; a cold ~ plotseling invallend vorstweer o; IV als aj in: a ~ division een niet vooraf aangekondigde stemming.

snap-beetle ['snæpbi:tl] 🪲 kniptor.

snapdragon ['snæpdrægən] 1 kerstspelletje o waarbij men rozijnen uit brandende drank grijpt; 2 🌹 leeuwebek.

snappily ['snæpili] ad zie snappy.

snappish ['snæpiʃ] snibbig, bits.

snappy ['snæpi] aj 1 knappend; 2 F jeuïg, chic, pittig; zie ook: snappish; make it ~! F vlug wat!, opschieten!

snapshot ['snæpʃɔt] I sb 1 ⚔ schot o op de aanslag; 2 momentopname, kiek; II vt & vi kieken.

snare [snεə] I sb strik²; fig valstrik; II vt strikken [vogels]; fig verstrikken.

snarl [sna:l] I vi grauwen, snauwen, grommen (tegen at); II vt (toe)snauwen, grommen (ook: ~ out); III sb grauw, snauw, grom.

snarler ['sna:lə] grom-, knorrepot; bullebak.

snatch [snætʃ] I vt (weg)snappen, grissen, (weg)rukken², afrukken, (aan)grijpen; ~ away wegrukken²; ~ from ontrukken²; ~ off afrukken; ~ up grijpen; II vi ~ at grijpen naar; aangrijpen; III sb ruk, greep, korte periode; stukje o eten; ~ of sleep kort slaapje o; ~es of song brokken melodie; by ~es bij tussenpozen; make a ~ at grijpen naar, een greep doen naar.

snatchily ['snætʃili] ad zie snatchy.

snatchy ['snætʃi] aj onregelmatig, ongeregeld; bij tussenpozen, te hooi en te gras, zo nu en dan.

sneak [sni:k] I vi 1 gluipen, sluipen, kruipen; 2 S klikken; II vt S gappen; III sb 1 gluiper; kruiper; 2 S klikspaan; 3 S gauwdief.

sneakily ['sni:kili] ad zie sneaky.

sneaking ['sni:kiŋ] gluipend, gluiperig, kruiperig; in 't geheim gekoesterd, stil.

sneaky ['sni:ki] aj gluiperig.

sneer [sniə] I vi grijnslachen, spotachtig lachen; spotten (met at), sneeren; II vt in: ~ down door spot afmaken; III sb spottende grijns(lach), sarcasme o, sneer.

sneeze [sni:z] I vi niezen; it is not to be ~d at F het is niet mis; II sb niezen o.

1 snick [snik] I vt knippen; snijden; II sb knip, keep.

2 snick [snik] I vi een klik geven; II vt met een

klik opsteken; III sb klik.

sniff [snif] I vi snuiven; snuffelen; ~ at ruiken aan, besnuffelen; de neus optrekken voor; II vt opsnuiven (ook: ~ up); ruiken aan, besnuffelen; ruiken²; III sb snuivend geluid o, gesnuif o; gesnuffel o; a ~ of air een luchtje o.

sniffle ['snifl] I vi snotteren, grienen; snuiven; II sb gesnotter°, gegrien o; gesnuif o; the ~s verstopping [in de neus].

sniffy ['snifi] 1 F arrogant; 2 een luchtje hebbend.

snigger ['snigə] I vi giechelen, grinniken; II sb gegiechel o, gegrinnik o.

sniggle ['snigl] [aal] peuren.

snip [snip] I vt (af)snijden, (af)knippen; II vi snijden, knippen; III sb 1 sneetje o, knip; snipper, stukje o; 2 S kleermaker.

snipe [snaip] I sb 🐦 snip(pen); II vi 1 sp snippen schieten; 2 ⚔ verdekt opgesteld als scherpschutter tirailleren; ~ at ook: fig op de korrel nemen; III vt één voor één (weg)schieten.

sniper ['snaipə] ⚔ verdekt opgestelde scherpschutter, sluipschutter.

snippet ['snipit] snipper; stukje o; beetje o.

snippety ['snipiti] fragmentarisch, kort; snipperachtig; hakkelig [v. d. stijl].

snivel ['snivl] I vi snotteren, jengelen²; II sb 1 snot o & m; 2 gesnotter o; gejank o; 3 huichelarij.

sniveller ['snivlə] 1 snotteraar; 2 janker.

snob [snɔb] 1 ✂ ploert [in de studententaal]; 2 > poen, parvenu.

snobbery ['snɔbəri] snobisme o, poenigheid.

snobbish ['snɔbiʃ], snobby ['snɔbi] snobistisch, poenig.

snood [snu:d] Sc haarlint o.

snook [snu:k] in: cock (cut) a ~ at one S een lange neus maken tegen iemand.

snoop [snu:p] F rondneuzen; zijn neus in andermans zaken steken.

snooper ['snu:pə] F pot(te)kijker, bemoeial.

snooze [snu:z] I vi dutten; II sb dutje o.

snore [snɔ:] I vi snurken, ronken; II vt in: ~ away verslapen; III sb gesnurk o.

snorer ['snɔ:rə] snorker, snurker.

snort [snɔ:t] I vi snuiven, briesen, proesten, ronken [v. machine]; II vt in: ~ out uitproesten; briesen; III sb gesnuif o.

snorter ['snɔ:tə] 1 snurker; 2 S stormwind.

snout [snaut] 1 snoet, snuit; 2 tuit.

snow [snou] I sb sneeuw; ~s sneeuw²; sneeuwvelden; II vi (neer)sneeuwen; III vt besneeuwen, uitstrooien; ~ in insneeuwen; be ~ed under onder de sneeuw bedolven raken (zijn); overstelpt worden [met]; ~ up onder-, insneeuwen.

snowball ['snoubɔ:l] I sb 1 sneeuwbal°; 2 🌹 sneeuwbal, Gelderse roos; II vi (& vt) 1 met sneeuwballen gooien; 2 in steeds sneller tempo aangroeien, toenemen of zich uitbreiden.

snow-bound ['snoubaund] ingesneeuwd.

snow-drift ['snoudrift] sneeuwjacht; sneeuwbank.

snowdrop ['snoudrɔp] ✿ sneeuwklokje o.

snow-flake ['snouflei k] sneeuwvlok.

snowiness ['snouinis] sneeuwachtigheid, sneeuwwit voorkomen o.

snow-slip ['snouslip] sneeuwstorting.

snow-white ['snouwait] sneeuwwit.

snowy ['snoui] I sneeuwachtig, sneeuwwit; 2 besneeuwd; 3 sneeuw-.

snub [snʌb] I vt afsnauwen [iemand]; minachtend afwijzen, verwerpen [voorstel]; II sb snauw, (hatelijke) terechtwijzing; III aj stomp.

snub-nosed ['snʌbnouzd] met een stompe neus.

I **snuff** [snʌf] I sb I snuif; snuifje o; 2 zie ook: sniff; take ~ snuiven; be up to ~ S niet van gisteren zijn; II vi & vt I snuiven; 2 zie ook: sniff.

2 **snuff** [snʌf] I vt snuiten [kaars]; II sb snuitsel o.

snuff-box ['snʌfbɔks] snuifdoos.

snuffer ['snʌfə] snuiver.

snuffers ['snʌfəz] snuiter [voor kaars]; a pair of~ een snuiter.

snuffle ['snʌfl] I vi door de neus spreken, snuiven; II vt in: ~ out door de neus snuivend zeggen; III sb snuivend geluid o; the ~s verstopping [in de neus].

snuffy ['snʌfi] als snuif, snuif-; met snuif bemorst.

snug [snʌg] gezellig, lekker (beschut); knus; lie ~ I lekker liggen; 2 F zich gedekt houden.

snuggle ['snʌgl] I vi knus(sig) liggen; ~ up to one dicht bij iemand kruipen; II vt knuffelen.

so [sou] I ad zo; zó, (o) zo graag, zodanig; zulks, dat; Am zodat; would you be ~ kind as to...? zoudt u zo vriendelijk willen zijn...?; ~ as to be understood om verstaan te worden, zo dat men u verstaat, opdat men u verstaat; they are ~ many scoundrels 't zijn allemaal schurken; ~ that I zodat; 2 opdat; 3 als... maar; ~ there! nou weet je 't!, en daarmee uit!; ~ to say (speak) om zo te zeggen, bij wijze van spreken; ~ what? F nou... en?; o ja?, is 't heus?; if ~ zo ja; a dozen or ~ een twaalftal, ongeveer (plus minus) een dozijn; in 1550 or~ omstreeks 1550; ...or ~ says the professor tenminste... dat zegt de prof; why ~? waarom (dat)?; they were glad, and ~ were we en wij ook; I told you ~ ik heb het u wel gezegd; I believe (think) ~ ik geloof het, ik denk van wel; II cj dus, derhalve; ~ zo, als, indien.

soak [souk] I vt in de week zetten, weken, soppen; op-, inzuigen, opslurpen (ook: ~ in, up); doorweken, doordringen, drenken; ~ the rich de rijken plukken; ~ed in doortrokken van, ook: fig doorkneed in; ~ed (with rain) doornat; II vi in de week staan; ~ into trekken in, doordringen; III sb weken o; stortbui: in~ in de week.

soaker ['soukə] F stortbui.

soaking ['soukiŋ] I aj doorweekt, kletsnat (makend); ~ wet doornat; II sb I weken o; 2 F plasregen; nat pak o.

so-and-so ['souənsou] F dinges; hoe heet-ie (het) ook weer?

soap [soup] I sb I zeep; 2 F vleierij; II vt I (af)zepen, inzepen; 2 F honi(n)g om de mond smeren.

soap-boiler ['soupbɔilə] zeepzieder.

soap-box ['soupbɔks] zeepkist; ~ orator straatredenaar.

soap-bubble ['soupbʌbl] zeepbel[2].

soap-dish ['soupdiʃ] zeepbakje o.

soap-flakes ['soupfleiks] vlokkenzeep.

soapily ['soupili] ad zie soapy.

soap opera ['soupəpərə] melodrama o voor de radio of televisie.

soap-stone ['soupstoun] speksteen o & m.

soap-suds ['soupsʌdz] zeepsop o.   [derij.

soap-works ['soupwə:ks] zeepfabriek, zeepzie-

soapy ['soupi] aj I zeepachtig, zeep-; 2 S flikflooiend; zalvend.

soar [sɔ:] hoog vliegen, zweven; omhoog vliegen, de lucht ingaan[2], zich verheffen[2].

sob [sɔb] I vi snikken; II vt (uit)snikken (ook: ~ out); III sb snik.

sober ['soubə] I aj sober, matig; nuchter, verstandig; bedaard; bezadigd; stemmig; bescheiden; II vt (doen) bedaren, ontnuchteren; III vi bedaren (ook: ~ down), nuchter worden (ook: ~ up).

sober-minded ['soubə'maindid] bedaard, bezadigd, bezonnen.

soberness ['soubənis] soberheid &.

sobriety [sou'braiəti] soberheid, matigheid; nuchterheid; verstandigheid; bedaardheid; bezadigdheid; stemmigheid; bescheidenheid.

sobriquet ['soubrikei] scheld-, spotnaam, bijnaam.

sob-stuff ['sɔbstʌf] Am melodramatisch gedoe o; sentimenteel geschrijf o.

so-called ['sou'kɔ:ld] zogenaamd.

soccer ['sɔkə] F voetbal o [volgens de regels van de Association tegenover rugby].

sociability [souʃə'biliti] gezelligheid.

sociable ['souʃəbl] I aj I sociabel, geschikt voor de maatschappij; 2 gezellig; II sb S-vormige sofa; Am gezellige bijeenkomst.

social ['souʃəl] I aj maatschappelijk, sociaal; gezellig; van de (grote) wereld; ~ animals gezellig levende dieren; a ~ call een beleefdheidsbezoek o; ~ history cultuurhistorie; ~ intercourse gezellig verkeer o; II sb F (gezellig) avondje o.

socialism ['souʃəlizm] socialisme o.

socialist ['souʃəlist] I sb socialist; II aj socialistisch.

socialistic [souʃə'listik] socialistisch.

sociality [souʃi'æliti] gezelligheid.

socialization [souʃəlai'zeiʃən] socialisatie.

socialize ['souʃəlaiz] socialiseren.

society [sə'saiəti] I sb maatschappij; de samenleving; vereniging, genootschap o; de (grote) wereld; (iemands) gezelschap o; the S. of Jesus RK de Sociëteit van Jezus; II aj uit (van) de grote wereld.

sociological [sousiə'lɔdʒikl] sociologisch.

sociologist [sousi'ɔlədʒist] socioloog.

sociology [sousi'ɔlədʒi] sociologie.

1 sock [sɔk] sb 1 sok; 2 vilten binnenzool; 3 lichte toneellaars; fig blijspel o; pull up your ~s! S hou je taai!

2 sock [sɔk] S I vt slaan, meppen; smijten; II sb mep; give one ~s klop geven.

socket ['sɔkit] pijp [van kandelaar]; kas; holte [van oog, tand]; ✗ sok, mof; ▦ stopcontact o, contactdoos; (lamp)houder.

socket-joint ['sɔkitdʒɔint] kogelgewricht o.

sock-suspender ['sɔksəspendə] sokophouder.

socle ['sɔkl] sokkel.

Socrates ['sɔkrəti:z] Socrates.

Socratic [sɔ'krætik] socratisch.

1 sod [sɔd] ✗ V.D. van seethe.

2 sod [sɔd] I sb zode; cut the first ~ de eerste spade in de grond steken; under the ~ onder de (groene) zode: in het graf; II vt bezoden.

soda ['soudə] 1 soda; 2 soda-, spuitwater o.

sodality [sou'dæliti] broederschap, RK congregatie.

soda-water ['soudəwɔ:tə] soda-, spuitwater o.

sodden ['sɔdn] I aj doorweekt, doortrokken; nattig; pafferig [v. gezicht]; verzopen; II vt doorweken; III vi doorweekt worden.

sodium ['soudjəm] natrium o; ~-vapour lamp natriumlamp.

Sodom ['sɔdəm] Sodom o.

soever [sou'evə] in: how great ~ hoe groot

sofa ['soufə] sofa, canapé. [ook.

soffit ['sɔfit] binnenzijde [v. e. boog &].

soft [sɔ:ft] I aj zacht, week, slap [v. boord]; fig verwijfd, zoetsappig, sentimenteel; S sullig, onnozel; F verliefd (op on); ~ drinks niet-alcoholische dranken, frisdranken; ~ goods manufacturen; a ~ job S een makkelijk (lui) baantje o; ~ money papiergeld o; ~ sawder F vleierij; ~ soap I groene zeep; 2 F vleierij; his ~ spot zijn zwakke zijde; ~ wares manufacturen; II ad zacht(jes), zacht wat; III sb zachte o; a ~ S een onnozele, een halve gare.

soften ['sɔ:fn] I vi zacht, week worden, milder gestemd, vertederd worden (ook: ~ down); II vt zacht maken, verzachten, verminderen, lenigen, temperen, matigen; fig verwekelijken; vertederen, vermurwen (ook: ~ down).

softener ['sɔ:fnə] verzachter, verzachtend middel o, leniger [v. pijn &].

softening ['sɔ:fniŋ] I aj verzachtend &; II sb verzachting, verweking; leniging, tempering.

soft-headed ['sɔ:ft'hedid] onnozel.

soft-hearted ['sɔ:ft'ha:tid] weekhartig.

softish ['sɔ:ftiʃ] ietwat zacht, weekachtig.

softly ['sɔ:ftli] ad zachtjes &. zie soft I.

softness ['sɔ:ftnis] zachtheid &.

soft-spoken ['sɔ:ft'spoukn] 1 zacht (gezegd); 2 zacht, lief sprekend, vriendelijk.

software ['sɔ:ftwɛə] methoden bij gebruik v.e. computer, programmatuur.

softwood ['sɔ:ftwud] 1 zacht hout o; 2 ♣ naaldhout o; naaldboom.

softy ['sɔ:fti] F halve gare, sukkel, doetje o.

sogginess ['sɔginis] drassigheid &.

soggy ['sɔgi] 1 vochtig, drassig; 2 doorweekt.

soho [sou'hou] daar!

1 soil [sɔil] sb grond, bodem, land o; teelaarde; a child (son) of the ~ I een kind des lands; 2 een bebouwer van de grond.

2 soil [sɔil] I sb smet[2], vlek[2]; vuil o; II vt bezoedelen, besmetten, bevlekken, bevuilen; III vi smetten, vlekken.

sojourn ['sɔdʒə:n] I sb (tijdelijk) verblijf o, verblijfplaats; II vi (tijdelijk) verblijven, zich ophouden, vertoeven.

sojourner ['sɔdʒə:nə] verblijvende; gast.

Sol [sɔl] J Sol: de zon.

sol [sɔl] ♪ sol.

solace ['sɔləs] I sb troost, verlichting; II vt (ver)troosten, verlichten, lenigen.

solar ['soulə] van de zon, zonne-; ~ deity zonnegod; ~ eclipse zonsverduistering.

sold [sould] V.T. & V.D. van sell.

solder ['sɔldə] I sb soldeersel o; fig cement o & m; soft ~ zacht soldeersel o; fig vleierij; II vt solderen; fig cementeren.

soldier ['sould3ə] I sb ✗ soldaat, militair, krijgsman; old ~ oudgediende; II vi (als soldaat) dienen; soldaat spelen; ~ on doordienen; doorzetten.

soldier ant ['sould3ərænt] soldaat [mier].

soldierly ['sould3əli] krijgshaftig, soldaten-.

soldiership ['sould3əʃip] 1 militaire stand; 2 militaire bekwaamheid; 3 krijgskunde.

soldiery ['sould3əri] krijgsvolk o, soldatenbende, soldateska; the ~ de soldaten.

1 sole [soul] I sb zool; II vt zolen.

2 sole [soul] sb 🐟 tong.

3 sole [soul] aj enig.

solecism ['sɔlisizm] (taal)fout, F flater.

solely ['soulli] ad alleen, enkel, uitsluitend.

solemn ['sɔləm] plechtig, plechtstatig, deftig, ernstig.

solemnity [sɔ'lemniti] plechtigheid &.

solemnization [sɔləmnai'zeiʃən] (plechtige) viering, voltrekking.

solemnize ['sɔləmnaiz] (plechtig) vieren, voltrekken.

solicit [sə'lisit] vragen; verzoeken om; dingen naar.

solicitation [səlisi'teiʃən] aanzoek o, verzoek o.

solicitor [sə'lisitə] 1 verzoeker; 2 ⚖ procureur; rechtskundig adviseur; Solicitor General ⚖ ± Advocaat-Generaal.

solicitous [sə'lisitəs] bekommerd, bezorgd (omtrent about, concerning, for); begerig (naar of), verlangend, er op uit (om to).

solicitude [sə'lisitju:d] bekommernis, bezorgdheid, zorg, angst, kommer.

solid ['sɔlid] I *aj* 1 vast; stevig, hecht, sterk, flink, solide[2]; solidair; betrouwbaar; gezond, degelijk; 2 massief; 3 uniform [v. kleur]; 4 kubiek, stereometrisch; ~ *angle* lichaamshoek; ~ *contents* kubieke inhoud; ~ *geometry* stereometrie; *for two* ~ *hours* twee volle uren; *be* ~ *against (for)* eenstemmig tegen (voor) zijn; II *sb* (vast) lichaam *o*; ~*s* ook: vast voedsel *o*.

solidarity [sɔli'dæriti] solidariteit, saamhorigheid.

solidarize ['sɔlidəraiz] zich solidariseren.

solidary ['sɔlidəri] solidair.   [ken.

solidifiable [sə'lidifaiəbl] vast (hechter) te ma-

solidification [səlidifi'keiʃən] vast maken *o* of worden *o*.

solidify [sə'lidifai] I *vt* vast maken; hechter maken; II *vi* vast of hechter worden.

solidity [sə'liditi], **solidness** ['sɔlidnis] vastheid &.

soliloquize [sə'liləkwaiz] een alleenspraak hou-

soliloquy [sə'liləkwi] alleenspraak.   [den.

solitaire [sɔli'tɛə] 1 enkel gezette diamant of steen; 2 solitairspel *o*, patience *o*.

solitarily ['sɔlitərili] *ad* zie *solitary* I.

solitariness ['sɔlitərinis] eenzaamheid &.

solitary ['sɔlitəri] I *aj* eenzaam, verlaten, afgelegen, afgezonderd; op zich zelf staand; enig, enkel; eenzelvig; ~ *confinement* afzonderlijke opsluiting; II *sb* 1 kluizenaar; 2 S celstraf, cellulair.

solitude ['sɔlitju:d] eenzaamheid.

solo ['soulou] solo.

soloist ['soulouist] ♪ solist.

Solomon ['sɔləmən] Salomo[2].

solstice ['sɔlstis] zonnestilstand.

solubility [sɔlju'biliti] oplosbaarheid[2].

soluble ['sɔljubl] oplosbaar[2].

solution [sə'l(j)u:ʃən] oplossing[2]; solutie.

solvability [sɔlvə'biliti] 1 vermogen *o* om te betalen, $ soliditeit; 2 oplosbaarheid.

solvable ['sɔlvəbl] oplosbaar.

solve [sɔlv] oplossen.

solvency ['sɔlvənsi] vermogen *o* om te betalen, $ soliditeit, kredietwaardigheid.

solvent ['sɔlvənt] I *aj* 1 oplossend; 2 $ solvent, solvabel, solide; II *sb* oplosmiddel *o*.

sombre ['sɔmbə] somber, donker.

sombrero [sɔm'brɛərou] sombrero [hoed].

some [sʌm, səm] I *pron* enige, wat, iets, sommige(n); ~..., ~... sommigen..., anderen...; ~ *of these days* een dezer dagen; *if I find* ~ als ik er vind; *there are* ~ *who*... er zijn er die ...; II *aj* 1 enig(e); de een of ander, een, een zeker(e); ettelijke, wat, een beetje; 2 zowat, ongeveer, circa; *that's* ~ *hat* S dat is nog eens een hoed; III *ad* S 1 iets, een beetje; 2 niet gering ook, niet mis, énig.

somebody ['sʌmbədi] iemand; (een) zeker iemand; iemand van betekenis.

somehow ['sʌmhau] op de een of andere wijze, hoe dan ook, toch (ook: ~ *or other*).

someone, some one ['sʌmwʌn] zie *somebody*.

somersault ['sʌməsɔ:lt], **somerset** ['sʌməset] I *sb* salto-mortale, buiteling, duikeling; *turn a* ~ = II *vi* een salto-mortale & maken.

something ['sʌmθiŋ] I *sb* iets, wat; (het) een of ander; *a bishop or* ~ (een) bisschop of zoiets; ~ *or other* het een of ander, iets; *the five* ~ *train* de trein van 5 uur zoveel; *I am* ~ *of a doctor* ik ben zo'n stuk (een halve) dokter; *not for* ~ voor nog zoveel niet; *with* ~ *of impatience* enigszins ongeduldig; II *ad* ✎ iets, ietwat.

sometime ['sʌmtaim] I *ad* te eniger tijd; eens; soms; II als *aj* vroeger, voormalig, ex-.

sometimes ['sʌmtaimz, səm'taimz] somtijds, soms.

somewhat ['sʌmwɔt] enigszins, ietwat.

somewhere ['sʌmwɛə] ergens; *I will see him* ~ *first* ik zag hem nog liever... (in de hel).

somewhile ['sʌmwail] soms; een poosje.

somnambulism [sɔm'næmbjulizm] somnambulisme *o*, slaapwandelen *o*.

somnambulist [sɔm'næmbjulist] slaapwandelaar, somnambule.

somniferous [sɔm'nifərəs] slaapwekkend.

somnolence ['sɔmnələns] slaperigheid.

somnolent ['sɔmnələnt] slaperig.

son [sʌn] zoon; ~ *of a gun* P lammeling, beroerling.

sonant ['sounənt] stemhebbend(e letter).

sonata [sə'na:tə] ♪ sonate.

sonatina [sounə'ti:nə] ♪ sonatine.

song [sɔŋ] 1 zang, lied *o*; gezang *o*; 2 poëzie; *the usual* ~ F het oude liedje; *the Song of Songs* het Hooglied; *at (for) a* ~, *for an old* ~ F voor een appel en een ei; *not worth a* ~ *(an old* ~) F geen duit waard; *make a* ~ *(and dance) about* veel ophef (drukte) maken over.

song-bird ['sɔŋbə:d] zangvogel.

⊙ **songster** ['sɔŋstə] zanger.

⊙ **songstress** ['sɔŋstris] zangster; zangeres.

song-thrush ['sɔŋθrʌʃ] ♫ zanglijster.

sonic ['sɔnik] sonisch, geluids-.

soniferous [sou'nifərəs] klankvoortbrengend, klankoverbrengend.

son-in-law ['sʌninlɔ:] schoonzoon.

sonnet ['sɔnit] sonnet *o*, klinkdicht *o*.

sonneteer [sɔni'tiə] sonnettendichter.

sonny ['sʌni] F baasje! vadertje!

sonority [sə'nɔriti] sonoriteit, klankrijkheid.

sonorous(ly) [sə'nɔ:rəs(li)] sonoor, (helder) klinkend, klankrijk.

soon [su:n] spoedig, weldra, gauw; vroeg; *as (so)* ~ *as* zodra; *so* ~ *as (ever)* zodra, zo gauw als...; *I would just as* ~... *(as...)* ik mag net zo lief... als...; ~*er* vroeger; eer(der), liever; *no* ~*er... than...* nauwelijks... of...; ~*er said than done* zo gezegd zo gedaan; ~*er or later* vroeg of laat; *the* ~*er the better* hoe eer hoe beter.

soot [sut] I *sb* roet *o*; II *vt* met roet bedekken.

sooth [su:θ] I *sb* waarheid; *in* (*good*) ~ waarlijk, voorwaar; II *aj* waar.

soothe [su:ð] verzachten, kalmeren, sussen, stillen, bevredigen.

soother ['su:ðə] stillend, verzachtend middel *o*; troost(middel *o*).

soothing(ly) ['su:ðiŋ(li)] verzachtend, sussend.

soothsay ['su:θsei] waarzeggen, voorspellen.

soothsayer ['su:θseiə] waarzegger.

sootiness ['sutinis] roetachtigheid.

sooty ['suti] roetachtig, roet(er)ig, roet-.

sop [sop] I *sb* 1 sop *o*, sopje *o*; 2 omkoopmiddel *o*; voorlopige concessie (~ *to Cerberus*); II *vt* soppen, dopen.

Sophia [sə'faiə] Sofia *o*.

sophism ['sofizm] sofisme *o*, drogreden.

sophist ['sofist] sofist, drogredenaar.

sophistic(al) [sə'fistik(l)] sofistisch.

sophisticate [sə'fistikeit] I *vt* bederven, vervalsen; II *vi* de sofist spelen; III *sb* wereldwijs mens; < cynicus; verwend liefhebber.

sophisticated [sə'fistikeitid] ook: wereldwijs; < cynisch; geraffineerd; precieus [v. stijl]; ingewikkeld [v. techniek].

sophistication [səfisti'keiʃən] sofisme *o*, drogreden; vervalsing; wereldwijsheid, cynisme *o*; geraffineerdheid; precieuze aard; ingewikkeldheid.

sophistry ['sofistri] sofisterij; sofisme *o*.

Sophy ['soufi] Sofie.

soporific [soupə'rifik] slaapwekkend (middel *o*).

sopping ['sopiŋ] in: ~ *wet* druipnat.

soppy ['sopi] sopperig, kletsnat, doorweekt; *fig* flauw; F sentimenteel.

soprano [sə'pra:nou] ♪ sopraan.

sorb [so:b] ♣ sorbeboom, peerlijsterbes.

sorb-apple ['so:bæpl] ♣ peerlijsterbes.

sorbet ['so:bət] sorbet.

sorcerer ['so:sərə] tovenaar.

sorceress ['so:səris] tove(na)res, heks.

sorcery ['so:səri] toverij, hekserij.

sordid(ly) ['so:did(li)] smerig, vuil; laag; gierig.

sore [so:] I *aj* 1 pijnlijk[2], gevoelig, zeer; hevig; 2 't land hebbend (over *about*); kwaad, boos, nijdig (op *at*); *touch one on a ~ place* iemand in zijn zeer tasten; *a ~ point* (*subject*) een teer punt (onderwerp) *o*; *have a ~ throat* keelpijn hebben; II *ad* ✎ zeer; III *sb* rauwe, pijnlijke plek, zweer; zeer *o*; *reopen old ~s* 1 oude wonden openrijten; 2 F oude koeien uit de sloot halen.

sorely ['so:li] *ad* < zeer, erg, hard.

soreness ['so:nis] pijnlijkheid &; ook: ontstemming.

1 **sorrel** ['sorəl] *sb* ♣ zuring.

2 **sorrel** ['sorəl] I *aj* rosachtig; II *sb* 1 roodbruin *o*; 2 ♠ vos [paard].

sorrily ['sorili] *ad* zie *sorry*.

sorrow ['sorou] I *sb* droefheid, smart, leed- (wezen) *o*; II *vi* treuren, bedroefd zijn (over *at*, *for*, *over*).

sorrowful(ly) ['sorouful(i)] bedroefd, treurig.

sorry ['sori] *aj* bedroefd, bedroevend, ellendig, armzalig, miserabel; (*I am*) ~ 1 het spijt me; 2 ook: neem mij niet kwalijk, pardon!; *I am* (*feel*) ~ *for him* het spijt me voor hem; ik beklaag hem; *you will be ~ for it* het zal u berouwen.

sort [so:t] I *sb* soort; slag *o*; *all ~s* (*and conditions*) (van) allerlei slag; *all ~s of things* van alles (wat), alles en nog wat; *he is not a bad ~* F hij is geen kwaaie vent; *after a ~* in zekere zin, op zijn (haar) manier; *after his own ~* op zijn manier; *in a ~ of way* in zekere zin, op zijn (haar) manier; *a... of a ~* zo'n soort van...; *nothing of the ~* 1 niets van die(n) aard; 2 niets daarvan!; *of ~s* 1 in zijn soort; 2 een soort (van)...; *out of ~s* niet erg lekker; uit zijn humeur; ~ *of* F om zo te zeggen, als 't ware, enigermate, een beetje; II *vt* sorteren, rangschikken, uitzoeken (ook: ~ *out*); III *vi* in: ~ *well with* goed komen bij, stroken met.

1 **sorter** ['so:tə] *sb* sorteerder; sorteermachine.

2 **sorter** ['so:tə] zie *sort of*.

sortie ['so:ti:] ✕ uitval; ✈ vlucht van één vliegtuig naar vijandelijk gebied.

SOS [esou'es] draadloos noodsein *o*; *fig* noodkreet.

so-so ['sousou] zo-zo, niet bijzonder.

sot [sot] zuiplap, nathals.

sottish ['sotiʃ] 1 bezopen, dronken; 2 † zot, dwaas.

Soudan [su:'dæn] Soedan.

Soudanese [su:də'ni:z] Soedanees, Soedanezen.

sough [sʌf] I *sb* suizend geluid *o*; gesuis *o*, suizen *o*, zucht; II *vi* suizen, zuchten.

sought [so:t] V.T. & V.D. van *seek*.

soul [soul] ziel[2]; *not a ~* geen levende ziel; *a jolly ~* een leuke baas; *poor ~!* och arme!; *he is the ~ of kindness* de vriendelijkheid zelf; *from his very ~* uit de grond zijns harten; (*up*)*on my ~!* bij mijn ziel!; *she dared not call her ~ her own* zij durfde geen boe of ba te zeggen.

soulful ['soulful] zielvol, zielroerend, zielverheffend.

soulless ['soullis] zielloos.

1 **sound** [saund] I *aj* 1 gezond, gaaf, flink, vast, krachtig, sterk, grondig; 2 betrouwbaar, solide, degelijk; deugdelijk; goed [v. raad &]; II *ad* in: ~ *asleep* vast in slaap.

2 **sound** [saund] I *sb* geluid *o*, klank, toon; *to the ~ of music* op de tonen van de muziek; II *vi* klinken, luiden, weerklinken, galmen; *she ~ed pleased* ze deed alsof ze blij was, ze deed blij, ze leek blij; *it ~s a good idea* het lijkt een goed idee; III *vt* doen (weer)klinken, laten klinken; laten horen; uitspreken, uitbazuinen; kloppen op; ausculteren; ~ *an alarm* ✕ alarm blazen (slaan); ~ *one's* (*the*) *horn* 1 op

zijn (de) hoorn blazen; 2 toeteren, claxonneren [v. automobilist].

3 **sound** [saund] *sb* zeeëngte; *The Sound* de Sont ‖ zwemblaas.

4 **sound** [saund] I *vt* sonderen, peilen; loden; *fig* onderzoeken; uithoren; polsen; II *vi* onderduiken [v. walvis]; III *sb* sonde.

sound barrier ['saundbæriə] geluidsbarrière.

sound-board ['saundbɔ:d] 1 ♪ klankbodem²; 2 klankbord *o*.

sound broadcasting ['saundbrɔ:dka:stiŋ] (uitzending per) radio.

sound engineer ['saundendʒiniə] geluidsingenieur.

sounder ['saundə] ⸸ klopper ‖ ⚓ dieplood *o*.

sound film ['saundfilm] geluidsfilm.

1 **sounding** ['saundiŋ] *aj* klinkend², holklinkend; ~*-board* zie *sound-board*.

2 **sounding** ['saundiŋ] *sb* sonderen *o* &; ⚓ peiling, loding; ~*s* ⚓ diepte(n); *make (take)* ~*s* loden; *fig* poolshoogte nemen, zijn omgeving polsen.

sounding-lead ['saundiŋled] (diep)lood *o*.

sounding-line ['saundiŋlain] ⚓ loodlijn. [baar.

soundless ['saundlis] 1 geluidloos; 2 onpeil-

soundly ['saundli] *ad* 1 gezond; 2 flink, terdege, geducht; vast [in slaap].

soundness ['saundnis] gezondheid &, zie 1 *sound* I.

sound-post ['saundpoust] ♪ stapel [v. viool].

sound-proof ['saundpru:f] I *aj* geluiddicht; II *vt* geluiddicht maken.

sound track ['saundtræk] geluidsspoor *o* [v. geluidsfilm].

soup [su:p] soep; *be in the* ~ F in de soep zit-

soup-plate ['su:ppleit] soepbord *o*. [ten.

soupy ['su:pi] soepachtig, soeperig.

sour ['sauə] I *aj* zuur²; gemelijk, nors; naar [weer]; II *vt* & *vi* zuur maken (worden), verzuren; verbitteren.

source [sɔ:s] bron², *fig* oorsprong.

sourish ['sauəriʃ] zuurachtig, rins, zuur.

souse [saus] I *sb* 1 pekel(saus); 2 oren en poten van varkens in pekel; 3 onderdompeling; plons, geplons *o*; II *vt* 1 marineren, pekelen; 2 in-, onderdompelen; 3 (over)gieten; III *vi* plonzen; IV *ad* plons, pardoes.

soutane [su:'ta:n] *RK* soutane.

south [sauθ] I *ad* zuidelijk, zuidwaarts, naar het zuiden; ~ *of* ten zuiden van; II *aj* zuidelijk, zuid(er)-, zuiden-; III *sb* zuiden° *o*; zuidenwind; IV *vi* zich zuidelijk bewegen; * de meridiaan passeren.

south-east ['sauθ'i:st] zuidoost(en).

south-easter ['sauθ'i:stə] zuidoostenwind.

south-easterly ['sauθ'i:stəli] zuidoostelijk.

souther ['sauðə] zuidenwind.

southerly ['sʌðəli] zuidelijk.

southern ['sʌðən] zuidelijk, zuider-; *the S~ Cross* het zuiderkruis.

Southerner ['sʌðənə] zuiderling [van Zuid-Engeland; Zuid-Amerika, Zuid-China &].

southernmost ['sʌðənmoust] zuidelijkst.

southernwood ['sʌðənwud] ⚘ citroenkruid *o*.

southing ['sauðiŋ] zuidelijke richting.

South Sea ['sauθ'si:] Stille Zuidzee.

southward(s) ['sauθwəd(z)], **southwardly** [-wədli] zuidelijk, zuidwaarts.

south-west ['sauθ'west, ⚓ 'sau'west] zuidwest(en).

southwester ['sau'westə] 1 zuidwestenwind; 2 ⚓ zuidwester.

southwesterly ['sauθ'westəli, ⚓ 'sau'westəli] zuidwestelijk.

souvenir ['su:vəniə] souvenir *o*.

sou'wester ['sau'westə] ⚓ zuidwester.

sovereign ['sɔvrin] I *aj* soeverein², oppermachtig, opperst, hoogst, opper-; probaat [v. middel]; II *sb* (opper)heer, vorst, vorstin, soeverein [ook = geldstuk van 1 pond].

sovereignty ['sɔvrinti] soevereiniteit, opperheerschappij, oppergezag *o*, oppermacht.

Soviet ['souviət] sovjet.

1 **sow** [sau] *sb* 1 ⚒ zeug²; kelderpissebed; 2 gieteling, geus, schuitje *o* [tin &]; *have (get, take) the wrong* ~ *by the ear* mistasten, de verkeerde voorhebben.

2 **sow** [sou] *vt* zaaien², (uit)strooien, uit-, in-, bezaaien, bestrooien (met *with*).

sow-bug ['saubʌg] ⚘ kelderpissebed.

sower ['souə] 1 zaaier²; 2 zaaimachine.

sowing-machine ['souiŋməʃi:n] zaaimachine.

sown [soun] V.D. van 2 *sow*.

sow-thistle ['sauθisl] ⚘ melkdistel.

soy [sɔi] 1 (Japanse) soja; 2 sojaboon.

soya(-bean) ['sɔiə(bi:n)] sojaboon.

spa [spa:] minerale bron; badplaats.

space [speis] I *sb* ruimte, wijdte, afstand; plaats; spatie; tijdruimte, tijd, tijdje *o*; *for a* ~ een tijdje, een poos; *into* ~ ook: de lucht in, in het niet; II *vt* (meer) ruimte laten tussen, spatiëren (ook: ~ *out*).

spacecraft ['speiskra:ft] ruimtevaartuig *o*, ruimtevaartuigen.

space opera ['speisɔpərə] roman(s), film(s) & over ruimtevaartavonturen.

space ship ['speisʃip] ruimteschip *o*.

space travel ['speistrævl] ruimtevaart.

spacing ['speisiŋ] spatiëring.

spacious(ly) ['speiʃəs(li)] wijd, ruim, groot.

spade [speid] I *sb* 1 spade, schop; 2 ◇ schoppen; *call a* ~ *a* ~ het kind bij zijn naam noemen; II *vt* (om)spitten.

spade-work ['speidwə:k] graafwerk *o*; *fig* pionierswerk *o*.

spadices [spei'daisi:z] *mv* v. *spadix*.

spadix ['speidiks] ⚘ bloeikolf.

spaghetti [spə'geti] spaghetti.

Spain [spein] Spanje *o*.

spake [speik] ⸸ V.T. van *speak*.

spalpeen [spæl'pi:n] *Ir* 1 dagloner; 2 aankomende jongen; 3 > kerel, schoelje.

1 **span** [spæn] I *sb* span [Eng. lengtemaat = 9 inch]; spanne tijds; spanwijdte, spanning;

⚓ strop; **II** *vt* spannen, om-, over-, afspannen; overbruggen.

2 **span** [spæn] V.T. van *spin*.

spangle ['spæŋgl] **I** *sb* lovertje *o*; **II** *vt* met lovertjes versieren; ~*d* with ook: bezaaid met.

Spaniard ['spænjəd] Spanjaard.

spaniel ['spænjəl] **I** ♠ spaniël; 2 *fig* kruiperige vleier.

Spanish ['spæniʃ] **I** *aj* Spaans; ~ *castles* luchtkastelen; ~ *Main* kust en zee van Panama tot Amazone; **II** *sb* het Spaans.

spank [spæŋk] **I** *vt* voor de blote geven, ranselen; **II** *vi* er vandoor gaan, F 'm vegen (ook: ~ *along*); **III** *sb* klap, mep.

spanker ['spæŋkə] **I** ⚓ (grote) bezaan; 2 F kanjer, prachtexemplaar *o*; 3 hardloper.

spanking ['spæŋkiŋ] **I** *aj* F groot, stevig; flink; fiks; ook: heerlijk; **II** *ad* < in: ~ *fine* donders mooi; **III** *sb* pak *o* voor de broek; aframmeling.

spanner ['spænə] ⚒ schroefsleutel.

1 **spar** [spa:] *sb* spar, spier, rondhout *o* ‖ spaat *o*.

2 **spar** [spa:] **I** *vi* boksen (zonder dóór te stoten); met de armen uitslaan, er op los slaan; *fig* kibbelen; **II** *sb* boks-, kloppartij; *fig* kibbelpartij.

spare [spɛə] **I** *aj* I schraal, mager; 2 waarloos; extra-, reserve-; ~ (*bed*)*room* logeerkamer; ~ *cash* (*money*) geld over; ~ *hours* (*moments*) vrije (ledige) uren, verloren ogenblikken; **II** *sb* waarloos stuk *o*; ~*s* reservedelen; **III** *vt* I sparen, besparen; zuinig zijn met; ontzien [moeite]; verschonen van; 2 missen; 3 [iemand iets] geven, gunnen; ~ *the rod and spoil the child* wie de roede spaart, bederft zijn kind; *have enough and to* ~ meer dan genoeg (volop) hebben; *I have no time to* ~ geen tijd over; ~ *to...* ⚓ nalaten te...; **IV** *vr* ~ *oneself* zich ontzien; **V** *va* zuinig zijn.

sparely ['spɛəli] *ad* schraaltjes, mager, dun.

sparing(ly) ['spɛəriŋ(li)] spaarzaam, zuinig, karig, matig.

spark [spa:k] **I** *sb* I vonk, vonkje[2] *o*, sprank, sprankje *o*, sprankel, greintje *o*; 2 vrolijke Frans, zwierbol; galant; fat; *S*~*s* S marconist; **II** *vi* vonken, vonken spatten; **III** *vt* plotseling doen ontstaan of veroorzaken (ook: ~ *off*).

sparking ['spa:kiŋ] ※ vonkontsteking.

sparking-plug ['spa:kiŋplʌg] ※ bougie.

sparkle ['spa:kl] **I** *vi* sprankelen, vonken schieten, fonkelen, schitteren; tintelen; parelen, mousseren [v. wijn]; **II** *sb* sprank, sprankje *o*, vonk, vonkje *o*, gefonkel *o*, schittering, glans; tinteling[2]; pareling [van wijn].

sparklet ['spa:klit] I vonkje *o*; 2 Ⓜ koolzuurcapsule (voor sifon).

spark-plug ['spa:kplʌg] zie *sparking-plug*.

sparrer ['spa:rə] I bokser; 2 vechtersbaas.

sparring-match ['spa:riŋmætʃ] (vriendschappelijke) bokspartij.

sparring-partner ['spa:riŋpa:tnə] oefenpartner v. e. bokser.

sparrow ['spærou] ♠ mus.

sparrow-grass ['spærougra:s] P ♣ asperge.

sparrow-hawk ['spærouhɔ:k] ♠ sperwer.

sparry ['spa:ri] spaatachtig.

sparse(ly) ['spa:s(li)] dun (gezaaid[2]), verspreid; **Sparta** ['spa:tə] Sparta *o*. [schaars.

Spartan ['spa:tən] Spartaan(s).

spasm [spæzm] kramp, (krampachtige) trekking; *fig* vlaag.

spasmodic(ally) [spæz'mɔdik(əli)] krampachtig; *fig* ook: bij vlagen, onregelmatig.

spastic ['spæstik] spastisch (patiëntje *o*).

1 **spat** [spæt] *sb* zaad *o*, broed *o* van oesters.

2 **spat** [spæt] in: ~*s* slobkousen.

3 **spat** [spæt] V.T. & V.D. van 2 *spit*.

spate [speit] bandjir, hoogwater *o*; *fig* stroom, stortvloed; *a river in* ~ een onstuimig wassende rivier.

spathe [speið] ♣ bloeischede.

spatial ['speiʃəl] ruimte-, ruimtelijk.

spatter ['spætə] **I** *vt* doen spatten, bespatten; bekladden; **II** *vi* spatten; **III** *sb* (be)spatten *o*; spat.

⚓ **spatterdashes** ['spætədæʃiz] slobkousen.

spatula ['spætjulə] spatel.

spatulate ['spætjulit] spatelvormig.

spavin ['spævin] spat [v. paarden].

spawn [spɔ:n] **I** *sb* kuit, broed *o*; *fig* gebroed *o*, produkt *o*; zaad *o*; **II** (*vi* &) *vt* (eieren) leggen, (kuit) schieten; > produceren.

spawner ['spɔ:nə] 𝕊 kuiter.

speak [spi:k] **I** *vi* & *va* spreken [ook v. hond]; tegen elkaar spreken; sprekend zijn [v. gelijkenis]; ♪ aanspreken [v. instrument]; zich laten horen; *A* ~*ing* ☏ (u spreekt) met A.; *broadly* (*generally*) ~*ing* in het algemeen gesproken; ~ *about* spreken over; ~ *by the book* zich nauwkeurig uitdrukken; ~ *by the card* zich voorzichtig uitdrukken; ~ *for* spreken ten gunste van; getuigen van; *it* ~*s* (*well*) *for him* het pleit voor hem; ~ *for yourself!* laat mij er s.v.p. buiten; ~ *of* spreken over; *no harm* (*nothing*) *to* ~ *of* geen leed (niets) van betekenis; niets noemenswaardigs; ~ *out* I hardop (uit)spreken; 2 zeggen waar het op staat; vrijuit spreken; ~ *out!* spreek (op)!; ~ *to* I spreken tot (tegen, met, over), spreken [iemand]; 2 een standje maken; *I can* ~ *to his having been there* ik kan getuigen, dat hij er geweest is; *know one to* ~ *to* 'genoeg kennen om hem aan te spreken; ~ *up* I hardop spreken; 2 beginnen te spreken; vrijuit spreken; ~ *up for one* het voor iemand opnemen; ~ *with* zich laten met; **II** *vt* spreken; uitspreken, uitdrukken, spreken van; zeggen; ⚓ praaien; ~ *him fair* beleefd tegen hem zijn; *his conduct* ~*s him generous* kenschetst hem als edelmoedig; *certain ways which* ~ *the woman* waaruit de vrouw spreekt; zie ook: *speaking*.

speaker ['spi:kə] spreker; *the Speaker, Mr. S.* de voorzitter van het Lagerhuis.

speaking ['spi:kiŋ] **I** *aj* sprekend² & [portret]; spreek-; *English-*~ Engelssprekend, Engelstalig; ~ *acquaintance* iemand, die men voldoende kent om aan te spreken; *we are not on* ~ *terms* wij spreken elkaar niet (meer); *be on* ~ *terms with a man* zo familiaar met iemand zijn, dat men hem kan aanspreken; **II** als *sb* spreken *o*; *plain* ~ openhartigheid; duidelijke taal.

speaking-trumpet ['spi:kiŋtrʌmpit] scheepsroeper, spreektrompet².

speaking-tube ['spi:kiŋtju:b] spreekbuis.

spear [spiə] **I** *sb* speer, lans, spiets; elger; ⚓ scheutje *o*; speerdrager; **II** *vt* met een speer doorsteken, spietsen.

spear-head ['spiəhed] speerpunt; *fig* spits.

spearman ['spiəmən] speerdrager, -ruiter.

spearmint ['spiəmint] ⚓ pepermunt.

spear side ['spiəsaid] ⊞ zwaardzijde: mannelijke linie.

special ['speʃəl] **I** *aj* bijzonder, speciaal, extra-; **II** *sb* 1 bijzondere correspondent [v. dagblad]; 2 extratrein; 3 extra-editie [v. dagblad].

specialist ['speʃəlist] specialist [in vak &].

speciality [speʃi'æliti] specialiteit, bijzonder vak *o*; bijzonderheid; bijzonder geval *o*.

specialization [speʃəlai'zeiʃən] specialisering.

specialize ['speʃəlaiz] **I** *vt* nader of in bijzonderheden aangeven; voor een speciale functie bestemmen; specialiseren; **II** *vi* zich speciaal toeleggen (op *in*); zich specialiseren (in *in*).

specialty ['speʃəlti] specialiteit°.

specie ['spi:ʃi:] specie, contanten.

species ['spi:ʃi:z] soort(en), geslacht *o*, geslachten.

specific [spi'sifik] **I** *aj* soortelijk, specifiek, soort-; speciaal, bepaald, nauwkeurig, uitdrukkelijk; ~ *to...* eigen aan...; **II** *sb* specifiek middel *o*.

specifically [spi'sifikəli] *ad* zie *specific*.

specification [spesifi'keiʃən] specificatie, gedetailleerde opgave, nauwkeurige vermelding; ~(*s*) bestek *o*.

specify ['spesifai] specificeren, gedetailleerd opgeven, in bijzonderheden aangeven.

specimen ['spesimin] 1 specimen *o*, proef; staaltje *o*, voorbeeld *o*; 2 F exemplaar *o*, type *o*.

specious ['spi:ʃəs] schoonschijnend.

speck [spek] **I** *sb* smetje *o*, spatje *o*, vlekje *o*, spikkel, stofje *o*; **II** *vt* spikkelen, vlekken.

speckle ['spekl] **I** *sb* spikkel(ing); **II** *vt* (be-) spikkelen.

speckless ['speklis] vlekkeloos.

specs [speks] F bril [v. *spectacles*].

spectacle ['spektəkl] schouwspel *o*, vertoning, toneel(tje) *o*; (*pair of*) ~*s* bril; *make a* ~ *of oneself* zich blameren.

spectacled ['spektəkld] gebrild; bril-.

spectacular [spek'tækjulə] 1 op (toneel)effect berekend, opvallend, spectaculair, grandioos; 2 van vertoon houdend.

spectator [spek'teitə] toeschouwer.

spectral ['spektrəl] 1 spookachtig, spook-; 2 spectraal, van het spectrum.

spectre ['spektə] spook *o*, geest; spooksel *o*.

spectroscope ['spektrəskoup] spectroscoop.

spectrum ['spektrəm] spectrum *o*.

speculate ['spekjuleit] 1 peinzen, bespiegelingen houden (over *on*); 2 $ speculeren.

speculation [spekju'leiʃən] 1 bespiegeling, beschouwing; 2 $ speculatie.

speculative ['spekjulətiv] speculatief°, bespiegelend, beschouwend, zuiver theoretisch; ~ *builder* bouwspeculant.

speculator ['spekjuleitə] 1 bespiegelaar, bespiegelend wijsgeer; 2 $ speculant.

speculum ['spekjuləm] ⚕ speculum, spiegel.

sped [sped] V.T. & V.D. van *speed*.

speech [spi:tʃ] 1 spraak, taal; 2 rede(voering), toespraak; *free* ~ het vrije woord; *King's* (*Queen's*) *speech*, ~ *from the throne* troonrede.

speech-day ['spi:tʃdei] ⟺ dag van de prijsuitdeling.

speechify ['spi:tʃifai] > oreren, speechen.

speechless ['spi:tʃlis] sprakeloos, stom (van *with*).

speech-reading ['spi:tʃri:diŋ] liplezen *o*.

speech-trainer ['spi:tʃtreinə] logopedist.

speech-training ['spi:tʃtreiniŋ] logopedie: onderricht *o* in het spreken.

speed [spi:d] **I** *sb* spoed, snelheid, vaart, haast; versnelling; *good* ~ ⚔ voorspoed; (*at*) *full* ~ met volle kracht; in volle vaart, spoorslags; **II** *vi* zich spoeden, voortmaken, snellen, vliegen; (te) hard rijden; ~ *on* zich voortspoeden; ~ *up* er vaart achter zetten; **III** *vt* bespoedigen; bevorderen; doen snellen, doen vliegen; ~ *an engine* de vereiste snelheid geven; ~ *the parting guest* de vertrekkende het beste wensen; *God* ~ *you!* God zegene u!; ~ *up* bespoedigen, versnellen.

speed-boat ['spi:dbout] raceboot.

speedily ['spi:dili] *ad* spoedig, snel, vlug.

speediness ['spi:dinis] snelheid &.

speed limit ['spi:dlimit] (voorgeschreven) maximumsnelheid.

speedometer [spi:'dɔmitə] snelheidsmeter.

speed-skating ['spi:dskeitiŋ] hardrijden *o* op de schaats.

speed-up ['spi:dʌp] bespoediging, versnelling.

speedway ['spi:dwei] 1 (auto)snelweg; 2 *sp* speedway: sintelbaan voor motorrenners.

speedwell ['spi:dwel] ⚓ ereprijs.

speedy ['spi:di] *aj* spoedig, snel, vlug.

speleological [spi:liə'lɔdʒikl] speleologisch.

speleologist [spi:li'ɔlədʒist] speleoloog.

speleology [spi:li'ɔlədʒi] speleologie: grotten-, holenkunde.

1 spell [spel] **I** *sb* 1 betovering, bekoring; 2

toverformulier *o*; 3 tovermacht, -kracht; *cast*
(*throw*) *a* ~ *on* begoochelen; *be under a* ~
gebiologeerd zijn; **II** *vt* 1 spellen; 2 betekenen; ~ *out* (*over*) 1 (met moeite) spellen; 2
ontcijferen, uitvorsen; ~ *out* ook: 1 letter
voor letter zeggen (schrijven); 2 nauwkeurig
omschrijven, duidelijk aangeven (uiteenzetten); **III** *vi* spellen.
2 **spell** [spel] *sb* tijdje *o*, poos; periode; beurt;
at a ~ aan één stuk door, achtereen; *at* ~*s*
bij tijden; *by* ~*s* 1 om de beurt; 2 bij tussenpozen; *for a* ~ een tijdje.
spellbinder ['spelbaində] *Am* 1 boeiend spreker; 2 boeiende roman.
spellbound ['spelbaund] als betoverd, gebiologeerd, aan de grond genageld.
speller ['spelə] 1 speller; 2 spelboek *o*.
spelling ['speliŋ] spelling.
spelling bee ['speliŋbi:] spelwedstrijd.
spelling book ['speliŋbuk] spelboek *o*.
1 **spelt** [spelt] V.T. & V.D. van 1 *spell*.
2 **spelt** [spelt] *sb* ♣ spelt.
spelter ['speltə] $ zink *o*.
spend [spend] **I** *vt* uitgeven, besteden (aan *at,
in, on, over*); doorbrengen [tijd]; verbruiken,
verteren, verkwisten; **II** *vr* ~ *oneself* zich uitputten, afmatten; *the storm had spent itself*
was uitgeraasd; **III** *vi* uitgeven, uitgaven
doen; ~ *freely* kwistig zijn.
spender ['spendə] 1 wie geld uitgeeft; 2 doorbrenger.
spending ['spendiŋ] uitgeven *o* &; ~*s* uitgaven.
spending-money ['spendiŋmʌni] zakgeld *o*.
spending-power ['spendiŋpauə] koopkracht.
spendthrift ['spendθrift] **I** *sb* verkwister, doorbrenger; **II** als *aj* verkwistend.
spent [spent] **I** V.T. & V.D. van *spend*; **II** *aj*
verbruikt, uitgeput, op; mat [kogel].
sperm [spə:m] 1 sperma *o*, zaad *o*; 2 walschot *o*.
spermaceti [spə:mə'seti] walschot *o*.
sperm whale ['spə:mweil] cachelot, potvis.
♣ **spew** [spju:] **I** *vt* (uit)spuwen; **II** *vi* spuwen.
sphere [sfiə] 1 sfeer²; 2 bol; globe, hemelbol;
☉ hemel(gewelf *o*); 3 *fig* (werk)kring, arbeidsveld *o*, omvang, gebied *o*.
spherical ['sferikl] sferisch, bolrond, bol-; ~
triangle boldriehoek.
sphericity [sfi'risiti] bolvormigheid.
spheroid ['sfiərɔid] sferoïde.
sphinx [sfiŋks] sfinx.
sphinx-like ['sfiŋkslaik] sfinxachtig.
spice [spais] **I** *sb* specerij(en), kruiderij(en); *a*
~ *of*... een tikje...; **II** *vt* kruiden².
spicery ['spaisəri] specerij(en), kruiderij(en).
spicily ['spaisili] *ad* gekruid; *fig* pikant. [rie.
spiciness ['spaisinis] gekruidheid; *fig* pikante-
spick(-)and(-)span ['spikən'spæn] 1 (spik)-
splinternieuw (~ *new*); 2 piekfijn, keurig.
spicy ['spaisi] *ad* kruidig, gekruid, kruiden-,
specerij-; geurig, pikant², pittig²; *fig* kittig;
keurig, net.

spider ['spaidə] 1 spin, spinnekop; 2 soort
faëton op hoge spichtige wielen; treeft.
spider-monkey ['spaidəmʌŋki] ♠ slingeraap.
spidery ['spaidəri] spinachtig; spichtig.
spiffing ['spifiŋ] S „fijn".
spigot ['spigət] zwikje *o*, deuvik.
spike [spaik] **I** *sb* 1 aar; 2 punt, spijl [v. hek
&]; pen; 3 lange nagel; 4 tand [v. kam]; ~*s
sp* spikes: atletiekschoenen; **II** *vt* 1 (vast)spij-
keren; 2 (door)prikken; 3 ✗ vernagelen [ka-
non]; 4 van punten voorzien; ~*d helmet*
spikelet ['spaiklit] ♣ aartje *o*. [punthelm.
spikenard ['spaikna:d] nardus.
spiky ['spaiki] puntig, met punten; sprietig
[haar].
spile [spail] spil; staak; zwikje *o*.
1 **spill** [spil] *sb* 1 spil, spijl; 2 fidibus.
2 **spill** [spil] **I** *vt* storten, vergieten [bloed],
morsen [melk], omgooien [ook v. rijtuig],
afwerpen [ruiter]; **II** *vi* gemorst worden,
overlopen; **III** *sb* 1 (stort)bui; 2 val, tuimeling; *a* ~ *of milk* wat gemorste melk; *have a*
~ van het paard geworpen worden, omvallen [met rijtuig].
spiller ['spilə] storter, (bloed)vergieter.
spillikin ['spilikin] houtje *o*; ~*s* knibbelspel *o*.
spillway ['spilwei] overlaat.
spilt [spilt] V.T. & V.D. van 2 *spill*.
spin [spin] **I** *vt* 1 spinnen; uitspinnen²; laten
(doen) draaien; 2 S laten zakken [bij exa-
men]; 3 [een tol] opzetten; ~ *a yarn* S een
verhaal doen, (zitten) „bomen"; ~ *out* uitspinnen², *fig* rekken; **II** *vi* & *va* 1 spinnen; 2
(in de rondte) draaien; 3 ✈ in tolvlucht dalen; ~ *along* (*on one's bike*) (voort)peddе-
len, -rollen; ~ *round* ronddraaien; zich omdraaien; *I sent him* ~*ning* ik deed hem achteruit tollen; **III** *sb* 1 spinnen *o* of draaien *o*;
2 ✈ tolvlucht; 3 F (rij)toertje *o*, tochtje *o*; *go
for a* ~ een toertje gaan maken.
spinach ['spinidʒ] ♣ spinazie.
spinal ['spainl] ruggegraats-; ~ *column* ruggegraat; ~ *cord* (*marrow*) ruggemerg *o*.
spindle ['spindl] **I** *sb* spil, as; spoel, klos, spijl,
stang, pin; **II** *vi* spilvormig uitlopen.
spindle-legged ['spindllegd] met spillebenen.
spindle-legs ['spindllegz] spillebenen. [*legged*.
spindle-shanked ['spindlʃæŋkt] zie *spindle-*
spindle-tree ['spindltri:] ♣ kardinaalsmuts.
spin-drier ['spindraiə] centrifuge [v. wasauto-
maat].
spindrift ['spindrift] ⚓ nevel van schuim.
spin-dry ['spindrai] centrifugeren (en drogen).
spine [spain] 1 doorn; stekel; 2 ruggegraat;
rug.
spineless ['spainlis] zonder ruggegraat²; *fig*
slap, futloos.
spinet [spinit, spi'net] ♪ spinet *o*.
spinner ['spinə] 1 spinner; 2 spinmachine.
spinneret ['spinəret] spinklier, spinorgaan *o*.
spinney ['spini] bosje *o*.
spinning-dive ['spiniŋdaiv] ✈ tolvlucht.

spinning-jenny ['spiniŋdʒeni] ⚔ spinmachine.
spinning-mill ['spiniŋmil] spinnerij.
spinning-top ['spiniŋtɔp] draaitol.
spinning-wheel ['spiniŋwi:l] spinnewiel *o*.
spinosity [spai'nɔsiti] doornigheid, stekeligheid²; *fig* neteligheid.
spinbus ['spainəs] zie *spiny*.
spinster ['spinstə] jongedochter, oude vrijster; ⚔ ongehuwde vrouw.
spiny ['spaini] doornig; stekelig²; *fig* netelig.
spiracle ['spaiərəkl] luchtgat *o*, ademhalingsopening.
spiraea [spai'ri:ə] ❀ spirea.
spiral ['spaiərəl] **I** *aj* spiraalvormig, schroefvormig; kronkelend; ~ *staircase* wenteltrap; **II** *sb* spiraal; **III** *vi* zich spiraalsgewijs bewegen.
spirally ['spaiərəli] *ad* spiraalsgewijs.
spirant ['spaiərənt] spirant, schuringsgeluid *o*.
spire ['spaiə] **I** *sb* I (gras)spriet, spier; 2 punt; spits [v. toren]; 3 kronkeling; **II** *vi* zich verheffen.
spired ['spaiəd] I spits (toelopend); 2 van torenspitsen voorzien.
spirit ['spirit] **I** *sb* I geest° (ook = spook); (geest)kracht; moed, durf; bezieling, vuur *o*, fut; gevoel *o*, zin, aard, genie *o*; 2 spiritus, sterke drank; ~*s* I levensgeesten, bewustzijn *o*; stemming; 2 spiritualiën; brandewijn; *ardent* ~*s* geestrijke drank(en); *the choice* ~*s* de grote geesten; *the Holy Spirit* de Heilige Geest; ~ *of wine* wijngeest; *be in* (*high*) ~*s* opgeruimd zijn; *in the best of* ~*s* in de beste stemming; *in low* (*poor*) ~*s* neerslachtig; *in* (*the*) ~ in de geest; *the poor in* ~ de armen van geest; *he did it in a* ~ *of mischief* uit baldadigheid; *objections made in a captious* ~ uit vitzucht; *he took it in a wrong* ~ hij nam 't verkeerd op; *enter into the* ~ *of the thing* de situatie snappen (en ook meedoen); *out of* ~*s* neerslachtig; *with* ~ met (veel) animo, met vuur; **II** *vt* aanmoedigen, opmonteren (ook: ~ *up*); ~ *away* (*off*) wegmoffelen, -goochelen, -toveren, doen verdwijnen.
spirited(ly) ['spiritid(li)] bezield, geanimeerd; levendig, vurig; moedig; energiek; pittig.
spirit-lamp ['spiritlæmp] spirituslamp.
spiritless ['spiritlis] geesteloos, levenloos, moedeloos, futloos, duf.
spirit-level ['spiritlevl] luchtbelwaterpas *o*.
spirit-rapping ['spiritræpiŋ] geestenklopperij.
spirit-stove ['spiritstouv] spiritustoestel *o*; theelichtje *o*.
spiritual ['spiritjuəl] **I** *aj* geestelijk, geestes-; *sb* godsdienstig lied *o* (van negers).
spiritualism ['spiritjuəlizm] I spiritualistisch karakter *o*; 2 spiritualisme *o* (tegenover materialisme); 3 spiritisme *o*.
spiritualist ['spiritjuəlist] **I** *sb* I spiritualist; 2 spiritist; **II** *aj* zie *spiritualistic*.
spiritualistic [spiritjuə'listik] I spiritualistisch; 2 spiritistisch.

spirituality [spiritju'æliti] spiritualiteit; onstoffelijkheid.
spiritualization [spiritjuəlai'zeiʃən] vergeestelijking; verklaring in geestelijke zin.
spiritualize ['spiritjuəlaiz] vergeestelijken; in geestelijke zin verklaren.
spiritually ['spiritjuəli] *ad* geestelijk.
spirituous ['spiritjuəs] geestrijk, alcoholisch.
spirt [spə:t] zie *spurt*.
spiry ['spaiəri] I spiraalvormig, kronkelend; 2 zie *spired*.
I **spit** [spit] **I** *sb* I (braad)spit *o*; 2 landtong; **II** *vt* I aan het spit steken; 2 (door)steken.
2 **spit** [spit] **I** *vi* I spuwen, spugen; „blazen" [van kat]; spetteren; ~ *on* (*upon*) spuwen op²; **II** *vt* spuwen, spugen; ~ *out* uitspuwen, -spugen; *fig* er uit gooien; **III** *sb* spuug *o*, spog *o*, speeksel *o*; ~ *and polish* ✕ & ⚓ 't poetsen; *he is the* (*dead, living, very*) ~ *of his father* het sprekend evenbeeld van zijn vader.
3 **spit** [spit] *sb* spit *o* [steek met de spade].
spite [spait] **I** *sb* boosaardigheid, wrok, wrevel; (*in*) ~ *of* ten spijt van, in weerwil van, trots; *in* ~ *of me* (*myself*) tegen mijn wil, mijns ondanks; *out of* ~ uit wrok; *have a* ~ *against one* een wrok jegens iemand koesteren; iets tegen hem hebben; **II** *vt* ergeren; dwarsbomen.
spiteful(ly) ['spaitful(i)] I nijdig, boosaardig; 2 spijtig, hatelijk.
spitfire ['spitfaiə] driftkop, kribbekat.
spittle ['spitl] speeksel *o*, spuug *o*, spog *o*.
spittoon [spi'tu:n] kwispedoor *o* & *m*, spuwbak.
spitz [spits] ⚔ spits(hond).
spiv [spiv] S parasiterende leegloper, nietsnut.
splash [splæʃ] **I** *vt* bespatten, bemodderen; doen spatten; plekken; **II** *vi* spatten, plassen, klateren, kletsen, plonzen, ploeteren, plompen; **III** *sb* I geklater *o*, geplas *o*, geplons *o*, plons; 2 klets, kwak [verf &]; 3 plek; 4 **S** spuitwater *o*; *make a* ~ F opzien baren; geuren.
splash-board ['splæʃbɔ:d] spatbord *o*.
splasher ['splæʃə] spatbord *o*, -plaat, -zeiltje *o*.
splashy ['splæʃi] slijkerig; kladderig.
splatter ['splætə] **I** *vi* plassen; **II** *vt* sputteren.
splay [splei] **I** *vt* afschuinen; **II** *vi* schuin lopen; **III** *sb* afschuining; **IV** *aj* schuin; wijd uitstaand.
spleen [spli:n] I milt; 2 spleen *o*, zwaarmoedigheid, gemelijkheid.
spleenful ['spli:nful], **spleeny** ['spli:ni] zwaarmoedig, gemelijk.
splendid(ly) ['splendid(li)] prachtig, luisterrijk, schitterend, heerlijk.
splendour ['splendə] pracht, luister, schittering, glans, praal, heerlijkheid.
splenetic [spli'netik] zwaarmoedig, gemelijk.
§ **splenic** ['splenik] van de milt, milt-; ~ *fever* miltvuur *o*.
splice [splais] **I** *vt* splitsen (twee einden touw

samenvlechten) verbinden; II *sb* splitsing;
verbinding.

splint [splint] I *sb* spalk; splinter; spaan; II *vt*
spalken.

splint-bone ['splintboun] kuitbeen *o*.

splinter ['splintə] I *vt* versplinteren; II *vi* splinteren; III *sb* splinter.

splinter-bar ['splintəba:] zwengelhout *o*.

splintery ['splintəri] splinterig.

1 **split** [split] I *vt* splijten, splitten, spouwen,
klieven; samen delen; verdelen (ook: ~ *up*);
splitsen²; ~ *the difference* 't verschil delen;
~ *hairs* haarkloven; ~ *one's sides* zich krom
lachen; II *vi* splijten; barsten, scheuren; zich
splitsen² (ook: ~ *up*); ~ *on a rock* op een klip
stranden².

2 **split** [split] I V.T. & V.D. van I *split*; II als
aj gespleten, gesplitst; ~ *peas* spliterwten;
one ~ *second* (voor) een onderdeel van een
seconde, (voor) een ondeelbaar ogenblik; *a*
~ *soda* half flesje *o* spuitwater.

3 **split** [split] *sb* spleet, scheur(ing), splitsing,
breuk; S half flesje *o* (spuitwater) &.

splodge [splɔdʒ], **splotch** [splɔtʃ] I *sb* plek, smet,
klad, klodder; II *vt* volsmeren, bekladden,
plekken.

splurge [splə:dʒ] *sb* (& *vi*) F drukte, vertoon *o*

splutter ['splʌtə] zie *sputter*. [(maken).

spoil [spɔil] I *vi* bederven°; *he is ~ing for a*
fight hij hunkert er naar om er op los te gaan;
II *vt* 1 beroven, (weg)royen, (uit)plunderen;
ontroven (iemand iets, ~ *one of something*);
2 bederven°; verknoeien; verwennen; ~*ed*
paper ongeldig (gemaakt) (stem)biljet; III *sb*
1 buit° (gewoonlijk ~*s*); 2 ⚒ roof.

spoiler ['spɔilə] 1 bederver; 2 plunderaar.

spoil-sport ['spɔilspɔ:t] spelbederver.

spoilt [spɔilt] V.T. & V.D. van *spoil*.

1 **spoke** [spouk] I *sb* spaak, spork; II *vt* 1 van
spaken voorzien; 2 een spaak steken in.

2 **spoke** [spouk] V.T. van *speak*.

spoken ['spoukn] V.D. van *speak*.

spokesman ['spouksmən] woordvoerder.

spoliation [spouli'eiʃən] beroving, plundering.

spondee ['spɔndi:] spondee: — —.

sponge [spʌn(d)ʒ] I *sb* 1 spons²; 2 ⚒ (kanon)-
wisser; 3 *fig* ⚒ klaploper; *throw* (*chuck*) *up*
the ~ zich gewonnen geven; II *vt* 1 (af)spon-
sen (ook: ~ *down, over*), weg-, uit-, afwissen,
wissen; 2 op-, inzuigen (ook: ~ *up*); ~ *up*
opnemen met de spons; III *vi* 1 sponsen, wissen; 2 vocht opzuigen; 3 *fig* klaplopen; 4 rijzen [van deeg]; ~ *on one* op iemands zak lopen. [*o*.

sponge-cake ['spʌn(d)ʒkeik] Moskovisch gebak

sponge cloth ['spʌn(d)ʒklɔθ] badstof, frotté *o*.

sponge finger ['spʌn(d)ʒfiŋgə] lange vinger
[biscuit].

sponger ['spʌn(d)ʒə] klaploper.

sponginess ['spʌn(d)ʒinis] sponsachtigheid.

sponging-house ['spʌn(d)ʒiŋhaus] ▯ gijzel-
plaats.

spongy ['spʌn(d)ʒi] sponsachtig.

sponsor ['spɔnsə] I *sb* doopvader, peetoom;
doopmoeder, peettante; borg²; begunstiger;
bekostiger van een radio- of t.v.-programma
(bij wijze van reclame); *stand* ~ borg (peet)
zijn, borg blijven; II *vt* peet zijn over, ten
doop houden²; *fig* steunen; een radio- of t.v.-
programma bekostigen (bij wijze van reclame); ~*ed by* ook: gesteund door, ingediend
door, onder de auspiciën van.

sponsorship ['spɔnsəʃip] peetschap *o*; *fig* steun.

spontaneity [spɔntə'ni:iti] spontaneïteit.

spontaneous [spɔn'teinjəs] spontaan, ongedwongen; in 't wild groeiend, natuurlijk;
zelf-; ~ *combustion* zelfverbranding, zelfontbranding.

spoof [spu:f] I *sb* S bedrog *o*, verlakkerij; II *vt*
S verneuriën, verlakken.

spook [spu:k] spook *o*.

spooky ['spu:ki] spookachtig; spook-.

spool [spu:l] I *sb* ✂ spoel, klos; II *vt* spoelen.

spoon [spu:n] I *sb* lepel; *be born with a silver*
~ *in one's mouth* in een rijke familie zijn; 2
een zondagskind zijn; II *vi* S erg verliefd zijn;
vrijen; III *vt* 1 lepelen; 2 S het hof maken.

spoonbill ['spu:nbil] 🦢 lepelaar.

spoonerism ['spu:nərizm] grappige verwisseling van letters.

spoon-feed ['spu:nfi:d] met de lepel voeren of
ingeven; *fig* kunstmatig steunen.

spoonful ['spu:nful] (volle) lepel.

spoon-meat ['spu:nmi:t] lepelkost.

spoor [spuə] spoor *o* [van wild beest].

Sporades ['spɔrədi:z] *the* ~ de Sporaden.

sporadic [spə'rædik] sporadisch, hier en daar
voorkomend, verspreid.

spore [spɔ:] 🌱 spoor; kiem².

sporran ['spɔrən] *Sc* tas van de Hooglanders.

sport [spɔ:t] I *sb* spel *o*, vermaak *o*, tijdverdrijf
o; speling (der natuur); speelbal; scherts;
sport (ook: ~*s*); *he's a* ~ F een bovenste beste; *old* ~! F ouwe jongen!; *in* ~ voor de aardigheid; *make* ~ *of* belachelijk maken; voor
de gek houden; II *vi* aan sport doen; zich
ontspannen, zich verlustigen, spelen, dartelen, schertsen; III *vt* ten toon spreiden (stellen), vertonen; er op na houden, zich uitdossen in (met), F geuren met.

sportful ['spɔ:tful] speels, dartel, luchtig.

sporting ['spɔ:tiŋ] *aj* spelend, dartelend; jacht-,
jagers-, sport-; sportief; *a* ~ *chance* een eerlijke kans; een redelijke kans.

sportingly ['spɔ:tiŋli] *ad* 1 gekscherend, voor
de aardigheid; spelenderwijs; 2 sportief.

sportive(ly) ['spɔ:tiv(li)] zie *sporting(ly)*.

sportsman ['spɔ:tsmən] 1 liefhebber van jagen,
vissen, paarden &, jager; 2 sportief iemand.

sportsmanlike ['spɔ:tsmənlaik] sportief.

sportsmanship ['spɔ:tsmənʃip] 1 bedrevenheid
of liefhebberij in sport; 2 sportiviteit.

sportswoman ['spɔ:tswumən] aan sport doende
dame.

sporty ['spɔ:ti] zie *sportsmanlike*.

spot [spɔt] **I** *sb* vlek², smet, spat, spikkel, plek; plaats; druppel; moesje *o* [op das &]; ℁ acquit *o*; $ loco (ook: *on (the)* ~); *on the* ~ **1** ter plaatse, op de plaats (zelf wonend); **2** op staande voet; *be on the* ~ ook: present zijn²; *a* ~ *of...* F een beetje..., een stukje...; **II** *vt* **1** plekken, vlekken; bevlekken, bezoedelen, een smet werpen op; **2** met moesjes spikkelen; marmeren; **3** S ontdekken, [iets] snappen, [iemand] „schieten"; **4** verkennen; waarnemen; **III** *vi* plekken, vlekken.

spot cash ['spɔtkæʃ] $ contante betaling.

spotless(ly) ['spɔtlis(li)] smetteloos, vlekkeloos.

spotlight ['spɔtlait] zoeklicht *o*; bermlamp.

spot price ['spɔtprais] $ locoprijs.

spotted ['spɔtid] gevlekt, bont; *fig* bezoedeld; ~ *fever* nekkramp.

spotter ['spɔtə] **1** ✈ vuurleider; **2** wachter, herkenner van vliegtuigen; **3** *Am* spion, rechercheur.

spotty ['spɔti] gevlekt, gespikkeld, vlekkig; ongelijk(matig).

⊙ **spouse** [spauz] eega, echtgenoot, -genote.

spout [spaut] **I** *vt* **1** spuiten, spatten, gutsen; **2** F declameren; **II** *vt* **1** (uit)spuiten, opspuiten²; **2** F declameren; **III** *sb* spuit, pijp, tuit, (dak)goot; watersprong; dampstraal [v. walvis]; straal [v. bloed]; *up the* ~ S in de lommerd.

spouter ['spautə] **1** F declamator; volksredenaar; **2** ⚓ walvis.

sprain [sprein] **I** *vt* verrekken, verstuiken [de pols &]; **II** *sb* verrekking, verstuiking.

sprang [spræŋ] V.T. van *spring*.

sprat [spræt] 🐟 sprot; *throw a* ~ *to catch a whale* een spiering uitwerpen om een kabeljauw te vangen; *Jack Sprat* F peuter.

sprawl [sprɔ:l] **I** *vi* nonchalant, lomp (gaan) liggen; verspreid liggen; zich onregelmatig verspreiden; wijd uit elkaar lopen [v. schrift]; spartelen; *send him* ~*ing* hem tegen de grond slaan; **II** *vt* nonchalant uitstrekken; **III** *sb* nonchalante houding; spartelende beweging; verspreide uitgestrektheid.

1 spray [sprei] *sb* takje *o*, rijsje *o*; boeketje *o*; *a* ~ *of diamonds* een diamanten aigrette.

2 spray [sprei] **I** *sb* fijne druppeltjes, stofregen; sproeimiddel *o*; sproeier, vaporisator; **II** *vt* besproeien, bespuiten; afspuiten; sproeien, spuiten; verstuiven.

sprayer ['spreiə] sproeier, vaporisator.

spray-gun ['spreigʌn] ⚔ spuit(pistool *o*).

1 spread [spred] **I** *vt* (uit)spreiden, verspreiden, uit-, verbreiden, uitstrooien; spannen [zeil]; uitslaan [de vleugels]; ontplooien [vlag]; bedekken, beleggen, (be)smeren [brood]; ~ *the table* klaarzetten, opdissen; ~ *its tail* pronken [van pauw]; ~ *out* uitspreiden; ~ *the payment over 5 years* over 5 jaren verdelen, uitsmeren, uitstrijken; *a meadow* ~ *with daisies* met madeliefjes bezaaid; **II** *vi* zich uit-,

verspreiden, zich uit-, verbreiden, zich uitstrekken; *a* ~*ing tree* een breedgetakte boom; **III** *sb* **1** verbreiding, verspreiding; uitgestrektheid; omvang; spanning, vlucht [van vogel]; **2** ook: sprei, beddesprei & tafelkleed *o*; smeersel *o* [voor de boterham]; **4** S fuif, maal *o*; *a middle-aged* ~ F een buikje *o* op middelbare leeftijd.

2 spread [spred] V.T. & V.D. van **1** *spread*.

spread-eagle ['spred'i:gl] **I** *sb* ⊘ adelaar met uitgespreide vleugels; **II** *aj* ['spredi:gl] *Am* chauvinistisch.

spreader ['spredə] **1** verspreider; **2** uitstrooier²; **3** sproeier.

spree [spri:] F fuif, pretje *o*, lolletje *o*; *on a (on the)* ~ F aan de rol.

sprig [sprig] **1** takje *o*, twijgje *o*, rijsje *o*; **2** stift [spijkertje]; *a* ~ *of diamonds* een diamanten aigrette; *a* ~ *of (the) nobility* een adellijke spruit, een heertje *o* van adel.

sprigged [sprigd] met takjes.

spriggy ['sprigi] vol takjes.

sprightliness ['spraitlinis] kwiekheid &, zie *sprightly*.

sprightly ['spraitli] levendig, kwiek, opgewekt, vrolijk.

spring [spriŋ] **I** *vi* springen [ook = stukgaan], op-, ontspringen, voortspruiten (uit *from*); opkomen [gewassen], opschieten, verrijzen; veren; ~ *at* **1** springen naar; **2** toespringen op; ~ *away* wegspringen; ~ *back* terugspringen; ~ *down* naar beneden springen; ~ *from* ontspringen aan, voortkomen, -spruiten uit, afstammen van; *where did you* ~ *from?* waar kom jij zo opeens vandaan?; ~ *(in)to life* plotseling levend worden; opduiken; ~ *to* dichtslaan [deur]; ~ *to arms* te wapen snellen; ~ *up* opkomen, opduiken, opschieten, verrijzen, ontstaan, zich verheffen; ~ *upon one* toespringen op; **II** *vt* doen (op)springen; opjagen [wild]; laten springen [een paard, mijn &]; springen over; verend maken, van veren voorzien; plotseling aankomen met [eisen, theorieën &]; ~ *a leak* ⚓ een lek krijgen; ~ *a surprise (up)on a person* met een verrassing op het lijf vallen; **III** *sb* **1** sprong²; **2** lente; **3** bron², oorsprong; **4** veerkracht; **5** veer [van horloge &]; drijfveer²; *take a* ~ een sprong doen.

spring-balance ['spriŋ'bæləns] veerbalans.

spring-bed ['spriŋ'bed] springmatras.

spring-board ['spriŋbɔ:d] springplank.

springbok ['spriŋbɔk] *ZA* 🦌 springbok.

spring-chicken ['spriŋ'tʃikin] 🐥 piepkuiken *o*.

spring-clean ['spriŋkli:n] voorjaarsschoonmaak houden.

springe [sprin(d)ʒ] **I** *sb* (spring)strik [voor klein wild]; lus, valstrik; **II** *vt* strikken.

springer ['spriŋə] **1** springer; **2** 🐕 kleine patrijshond; springbok; dolfijn.

spring-head ['spriŋ'hed] bron²; *fig* oorsprong.

springiness ['spriŋinis] veerkracht, elasticiteit.

spring-like ['spriŋlaik] voorjaarsachtig, lente-.

spring-tide ['spriŋ'taid] 1 springvloed; 2 ['spriŋtaid] ⊙ lente(tijd).

spring-time ['spriŋtaim] lente.

spring water ['spriŋwɔ:tə] bron-, welwater o.

spring-wheat ['spriŋwi:t] zomertarwe.

springy ['spriŋi] veerkrachtig, elastisch.

sprinkle ['spriŋkl] I vt (be)sprenkelen, sprengen, (be)strooien; II vi stofregenen; III sb zie *sprinkling.*

sprinkler ['spriŋklə] strooier; sproeier; sproeiwagen.

sprinkling ['spriŋkliŋ] (be)sprenkeling; klein aantal o, kleine hoeveelheid, beetje o; *a pretty large ~ of...* heel wat...

sprint [sprint] I sb sprint [korte afstandswedstrijd]; II vi 1 sprinten; 2 'm smeren.

sprinter ['sprintə] deelnemer aan sprintwedstrijd.

sprit [sprit] ♣ spriet.

sprite [sprait] 1 geest; 2 fee, kabouter.

spritsail ['spritseil, ♣ 'spritsl] ♣ sprietzeil o.

sprocket ['sprɔkit] ✂ tand [v. tandrad].

sprout [spraut] I vi (uit)spruiten, uitlopen, opschieten (ook: ~ *up*); II vt doen uitspruiten of opschieten; III sb spruitje o, scheut; ~s spruitjes, spruitkool.

1 **spruce** [spru:s] sb ♣ sparreboom, spar.

2 **spruce** [spru:s] I aj net gekleed, knap, zwierig, opgedirkt; II vt net aankleden, opdirken (ook: ~ *up*); III vr ~ *oneself* zich opdirken, zich mooi maken.

spruce-fir ['spru:sfə:] ♣ sparreboom, spar.

sprue [spru:] ⨍ Indische spruw.

sprung [sprʌŋ] V.D. van *spring.*

spry [sprai] kwiek, wakker, monter.

spud [spʌd] I sb 1 wiedijzer o; 2 F prophandje o; propje o (mens); 3 P pieper: aardappel; II vt uitsteken [onkruid].

spue zie *spew.*

spume [spju:m] I sb schuim o; II vi schuimen.

spumous ['spju:məs], **spumy** ['spju:mi] schuimend, schuimachtig, schuim-.

spun [spʌn] V.T. & V.D. van *spin.*

spunk [spʌŋk] 1 F fut; 2 P lef o &.

spur [spə:] I sb 1 spoor [v. ruiter, haan, bloemblad &]; spoorslag², prikkel; 2 uitloper, tak [v. gebergte]; 3 hoofdwortel [v. boom]; 4 zijlijn [v. spoorweg]; *clap (put, set) ~s to* de sporen geven, aansporen; *win one's ~s* zijn sporen verdienen²; *on the ~ (of the moment)* op 't ogenblik (zelf); op staande voet, dadelijk; ex tempore; II vt sporen, de sporen geven [een paard]; aansporen (ook: ~ *on*); van sporen voorzien; III vi in: ~ *forward (on)* (spoorslags) voortjagen, ook: ~ *it.*

spurge [spə:dʒ] ♣ wolfsmelk.

spurious ['spjuəriəs] onecht, nagemaakt, vals.

spurn [spə:n] I vt (weg)trappen; versmaden, met verachting afwijzen; II sb versmading, verachting.

spurry ['spʌri] ♣ spurrie.

spurt [spə:t] I vi 1 sp spurten²; *fig* alle krachten bijzetten; 2 spuiten; 3 spatten [v. pen]; II vt spuiten; III sb gulp, plotselinge, krachtige straal; uitbarsting, vlaag; *sp* spurt.

sputter ['spʌtə] I vi spuwen onder 't spreken, sputteren; knetteren; rabbelen [in een taal]; ~ *at* sputteren tegen; II vt rabbelen, uitrammelen; III sb gesputter o, gerabbel o; geknetter o.

sputum ['spju:təm] sputum o, speeksel o.

spy [spai] I sb bespieder, spion; *be a ~ on* bespioneren; II vt in het oog krijgen, ontdekken; bespieden, verspieden; ~ *out* uitvorsen; verkennen; III vi spioneren; zitten gluren; ~ *at* bespioneren, begluren; ~ *into secrets* in geheimen zijn neus steken; achter geheimen zien te komen; ~ *(up)on* bespioneren, begluren.

spy-glass ['spaigla:s] (handverre)kijker.

spy-hole ['spaihoul] kijkgat o.

spying ['spaiiŋ] bespieden o &; spionage.

spy-mirror ['spaimirə] spionnetje o.

sq. = *square.*

squab [skwɔb] I aj dik (en vet); kaal [v. jonge vogels]; II sb 1 ♣ jonge duif; 2 F dikzak; 3 gevuld kussen o; 4 poef.

squabble ['skwɔbl] I vi kibbelen, krakelen; II sb gekibbel o, geharrewar o, krakeel o, ruzie.

squabbler ['skwɔblə] kibbelaar, krakeler.

squabby ['skwɔbi] kort en dik.

squad [skwɔd] 1 ✕ escouade, rot; 2 afdeling, groep, ploeg, > troep, kliek.

squad car ['skwɔdka:] politieauto.

squadron ['skwɔdrən] 1 ✕ eskadron o; 2 ♣ smaldeel o, eskader o; 3 ✈ squadron o.

squadron-leader ['skwɔdrənli:də] ✈ majoor.

squalid ['skwɔlid] smerig, vuil, goor; gemeen armoedig.

squalidity [skwɔ'liditi] smerigheid &.

squall [skwɔ:l] I sb 1 gil, schreeuw; 2 windvlaag, bui; *look out for ~s* op zijn hoede zijn; II vi & vt gillen, schreeuwen.

squaller ['skwɔ:lə] schreeuwer.

squally ['skwɔ:li] buiig, stormachtig.

squalor ['skwɔlə] vuil² o, vuilheid; armoede.

squamous ['skweiməs] schubbig, geschubd.

squander ['skwɔndə] verspillen, verkwisten, opmaken, er doorbrengen.

squandermania [skwɔndə'meiniə] spilzucht.

square [skwɛə] I sb 1 vierkant o, kwadraat o [ook getal]; 2 square, plein o; exercitie-, kazerneplein o; 3 blok o (huizen); 4 ruit [op dam- of schaakbord &], vak o, veld o; 5 sjaal, doek; luier; 6 hoek [v. boekband]; 7 ✕ carré o & m; 8 ✂ winkelhaak, tekenhaak; 9 S burgermannetje o, filister, conformist; *a ~ of carpet* een afgepast (vloer)kleed o, een karpet o; *form into ~* ✕ (zich) in carré opstellen; *act on the ~* eerlijk handelen (zijn); *out of ~* niet haaks; II aj vierkant°, vierkant uitgesneden; in het vierkant; recht(hoekig); *fig* eerlijk; quitte; S (klein)burgerlijk, conformistisch; ~ *dance* quadrille; *a* ~ *game* voor (tussen) vier man; *a* ~ *meal* een flink maal *o*; ~ *numbers* kwadraatgetallen; ~ *root* vierkantswortel; ~ *to* rechthoekig op; *get things* ~ de boel wat opruimen; *get* ~ *with* afrekenen met; III *ad* vierkant, recht(hoekig), *fig* eerlijk; IV *vt* I vierkant maken; kanten; 2 in het kwadraat verheffen; 3 ✖ in carré opstellen; 4 ⚓ vierkant brassen; 5 $ vereffenen; 6 *fig* in het reine (in orde) brengen (ook: ~ *up*); ~ *accounts with* afrekenen met[2]; ~ *the circle* de kwadratuur van de cirkel zoeken; ~ *one's practice with one's principles* in overeenstemming brengen met; V *vr* in: ~ *oneself* zich in postuur zetten (*for action, for boxing* &); VI *vi* & *va* kloppen (met *with*); zich in postuur zetten (ook: ~ *up*); ~ *up* afrekenen.

square-built ['skweəbilt] vierkant, breed.
squarely ['skweəli] *ad* vierkant[2]; eerlijk.
square-rigged ['skweərigd] ⚓ met razeilen.
square sail ['skweəseil] ⚓ razeil *o*.
squash [skwɔʃ] I *vt* kneuzen, tot moes maken; platdrukken, verpletteren[2]; *fig* de mond snoeren; smoren; vernietigen; II *vi* I platgedrukt worden; 2 dringen (in *into*); III *sb* I klets; kwak; 2 pulp, moes *o*; 3 gedrang *o*; 4 F kwast [limonade]; 5 *sp* soort raketspel *o* (ook: ~ *rackets*).
squash hat ['skwɔʃ'hæt] slappe hoed.
squashy ['skwɔʃi] glibberig week.
squat [skwɔt] I *vi* hurken, op de hurken gaan zitten; F (gaan) zitten (ook: ~ *down*); II *aj* gehurkt; gedrongen, kort en dik; III *sb* hurken *o*, hurkende houding.
squatter ['skwɔtə] I hurkend iemand; 2 *Austr* (vee)fokker; kolonist.
squaw [skwɔ:] vrouw [bij de Indianen].
squawk [skwɔ:k] I *vi* krijsen, schreeuwen; II *sb* gil, schreeuw, gekrijs *o*.
squeak [skwi:k] I *vi* I piepen°; 2 S klikken, de boel verraden; ~ *on* S verklikken; II *sb* piep, gilletje *o*, gepiep *o*; *it was a narrow* ~ net op het kantje.
squeaker ['skwi:kə] I pieper; 2 piepertje *o* [in pop]; 3 ♣ F jonge duif &; 4 S verklikker.
squeaky ['skwi:ki] piepend, pieperig, piep-; krakend [schoenen].
squeal [skwi:l] I *vi* I piepen°, gillen, janken; 2 S klikken, de boel verraden; ~ *on* S verklikken; II *vt* (uit)gillen; II *sb* piep, gil, gepiep *o*.
squealer ['skwi:lə] I pieper; 2 F jonge duif &; 3 S verklikker.
squeamish ['skwi:miʃ] (licht) misselijk; overdreven kieskeurig, angstvallig nauwgezet.
squeegee [skwi:'dʒi:] gummizwabber.
squeezable ['skwi:zəbl] (uit)geperst (geknepen &) kunnende worden.
squeeze [skwi:z] I *vt* drukken, druk uitoefenen op; (samen)persen, af-, uitpersen, (fijn-, uit)knijpen[2]; knellen [vinger]; pakken, omhelzen; dringen, duwen (in *into*); ~ *money out*

of... ...geld afpersen; ~ *one's way through...* zich een weg banen door; II *vi* drukken; dringen, duwen; zich laten drukken &; III *sb* (hand)druk; (was)afdruk; F pakkerd; *fig* druk; afpersing; $ (krediet)beperking; ◇ dwangpositie; *it was a (tight)* ~ 't was een heel gedrang; het spande, het was een harde dobber.
squeezer ['skwi:zə] I drukker; 2 pers [voor citroenen]; 3 drukje *o*.
squelch [skwel(t)ʃ] I *vi* plenzen; II *vt* verpletteren; tot zwijgen brengen; smoren [opstand].
squib [skwib] I voetzoeker; 2 schotschrift *o*.
squid [skwid] I pijlinktvis; 2 kunstaas *o*.
squill [skwil] ❦ zeeajuin.
squint [skwint] I *vi* scheel zijn of zien, loensen; ~ *at* F ook: kijken naar; ~ *towards* F bedenkelijk lijken op; II *sb* schele blik; F (schuin) oogje *o*; *have a* ~ *at it* F er een blik in (op) werpen; *have a fearful* ~ verschrikkelijk loensen; III *aj* scheel[2].
squinter ['skwintə] scheeloog, schele.
squint-eyed ['skwintaid] scheel, loens.
squire ['skwaiə] I *sb* I ⟨U⟩ schildknaap; 2 landedelman, (land)jonker; ~ *of dames* vrouwenridder; II *vt* I als schildknaap dienen, begeleiden; 2 chaperonneren.
squireen [skwaiə'ri:n] kleine grondbezitter.
squirm [skwə:m] zich kronkelen (als een worm), zich in allerlei bochten wringen; zitten draaien, liggen krimpen.
squirrel ['skwirəl] ⚭ eekhoorn.
squirt [skwə:t] I *vi* spuiten; II *vt* (uit)spuiten; III *sb* I spuit, spuitje *o*; 2 straal.
S.S. = *Steamship*.
St. I *Saint*; 2 *Street*.
st. = *stone*.
stab [stæb] I *vt* (door)steken; doodsteken; de doodsteek geven; ~ *him in the back* hem een steek in de rug toebrengen[2]; *the word* ~*bed him to the heart* dat woord trof hem tot in de ziel; II *vi* steken (naar *at*); III *sb* (dolk)steek.
stability [stə'biliti] stabiliteit, vastheid, duurzaamheid; standvastigheid.
stabilization [stæbilai'zeiʃən] stabilisering.
stabilize ['stæbilaiz] stabiliseren.
stabilizer ['stæbilaizə] stabilisator.
I **stable** ['steibl] *aj* stabiel, vast, duurzaam; standvastig.
2 **stable** ['steibl] I *sb* stal; II *vt* stallen.
stable-boy ['steiblbɔi] staljongen.
stable door ['steibl'dɔ:] staldeur; *lock the* ~ *after the horse (steed) is stolen* de put dempen, als het kalf verdronken is.
stable-keeper ['steiblki:pə] stalhouder.
stableman ['steiblmən] stalknecht.
stabling ['steibliŋ] stallen *o*; stalling.
staccato [stə'ka:tou] ♪ staccato.
stack [stæk] I *sb* hoop, stapel; (hooi)mijt; schoorsteen(pijp); boekenstelling, stapelkast;

✕ rot o [geweren]; II vt opstapelen; aan mijten zetten; ✈ op een bepaalde hoogte laten vliegen in afwachting van landing; ~ arms ✕ de geweren aan rotten zetten.

stadium ['steidiəm] I stadion o; 2 stadium o.

stad(t)holder ['stædhouldə] ⚭ stadhouder.

staff [sta:f] I sb I staf° (ook = personeel en ✕, docenten), stok [v. vlag]; 2 schacht; 3 ♪ notenbalk; 4 fig steun; on the ~ I tot het personeel behorend; 2 ✕ bij (van) de staf; the ~ of life het brood (des levens); II vt van personeel & voorzien.

staff-college ['sta:fkɔlidʒ] ✕ hogere krijgsschool.

staff-notation ['sta:fnouteiʃən] ♪ notenschrift o.

staff-officer ['sta:fɔfisə] ✕ stafofficier.

staff room ['sta:frum] o.a. ☞ docentenkamer.

stag [stæg] ♒ (mannetjes)hert o.

stag-beetle ['stægbi:tl] ❀ vliegend hert o.

stage [steidʒ] I sb I stellage, steiger; 2 toneel² o; 3 station o, pleisterplaats, etappe; traject o; 4 fig trap [ook v. raket], fase, stadium o; 5 F ook: diligence; at this ~ in dit stadium; ook: op dit ogenblik; by ~ met de diligence; by easy ~s met korte dagreizen; fig op zijn gemak; in ~s bij etappes, geleidelijk; go off the ~ aftreden², van het toneel verdwijnen²; be on the ~ I op het toneel zijn; 2 bij het toneel zijn; go on the ~ bij het toneel gaan; place (put) on the ~ opvoeren; monteren; II vt ten tonele voeren, opvoeren; ensceneren, monteren, in elkaar of op touw zetten.

stage-box ['steidʒbɔks] loge avant-scène.

stage-coach ['steidʒkoutʃ] diligence.

stage-craft ['steidʒkra:ft] toneelkunst.

stage-direction ['steidʒdirekʃən] toneelaanwijzing.

stage-door ['steidʒdɔ:] artisteningang.

stage-fever ['steidʒfi:və] toneelmanie.

stage-fright ['steidʒfrait] plankenkoorts.

stage-hand ['steidʒhænd] toneelknecht.

stage-manage ['steidʒmænidʒ] ensceneren, in elkaar of op touw zetten.

stage-management ['steidʒmænidʒmənt] regie.

stage-manager ['steidʒmænidʒə] regisseur.

stage-painter ['steidʒpeintə] toneelschilder.

stage-play ['steidʒplei] toneelspel o, -stuk o.

stage-player ['steidʒpleiə] toneelspeler.

stager ['steidʒə] oude (toneel)rot; oude vos.

stage-right ['steidʒrait] opvoeringsrecht o.

stage-struck ['steidʒstrʌk] met toneelambities (behept).

stage-version ['steidʒvə:ʃən] toneelbewerking.

stage-whisper ['steidʒwispə] hoorbaar gefluister.

stagey ['steidʒi] theatraal.   [ter o.

stagger ['stægə] I vi waggelen, wankelen², suizebollen; II vt I doen waggelen, wankelen of suizebollen; versteld doen staan; 2 zigzag of trapsgewijze plaatsen; op verschillende tijden doen vallen, spreiden [vakantie &]; that ~s belief dat is niet te geloven; it fairly ~ed them F daar stonden ze van te kijken; III sb I wan-

keling; 2 ✈ voorsprong [v. vleugel]; ~s duizeligheid; kolder, draaiziekte (blind ~s).

staggerer ['stægərə] F wat je versteld doet staan; puzzel, vraa waarop men niet weet te antwoorden.

staggering ['stægəriŋ] I waggelend; 2 [slag &] die je doet wankelen; waarvan je versteld staat.

staghound ['stæghaund] jachthond.

staginess ['steidʒinis] theatraal gedoe o.

staging ['steidʒiŋ] I stellage, steiger; 2 montering [v. toneelstuk], mise-en-scène.

stagnancy ['stægnənsi] stilstand.

stagnant ['stægnənt] stilstaand, stil.

stagnate ['stægneit] stilstaan, stagneren.

stagnation [stæg'neiʃən] stilstand, stagnatie.

stagy ['steidʒi] theatraal.

staid [steid] bezadigd, ernstig, stemmig.

stain [stein] I vt I (be)vlekken; bezoedelen, onteren; 2 (bont) kleuren, (be)drukken, beitsen; verven, (be)schilderen, branden [glas]; ~ed glass (windows) gebrandschilderde ramen; II vi vlekken, smetten, afgeven; III sb I vlek, smet, schandvlek, schande; 2 verf(stof), beits.

stainer ['steinə] verver, schilder, beitser.

stainless ['steinlis] vlekkeloos, smetteloos, onbesmet; roestvrij.

stain remover ['steinrimu:və] vlekkenwater o.

stair [steə] trede, trap; ~s trap; a pair of ~s een trap; below ~s beneden, bij de bedienden; down ~s (naar) beneden; up ~s (naar) boven.

stair-carpet ['steəka:pit] traploper.

staircase ['steəkeis] trap.

stair-rod ['steərɔd] traproede.

stairway ['steəwei] trap.

stake [steik] I sb I staak, paal; brandstapel²; fig martelaarschap o; 2 handaambeeld o; 3 aandeel o; inzet²; prijs²; pot (ook: ~s); be at ~ op het spel staan; at the ~ op de brandstapel; II vt I om-, afpalen, afbakenen, afzetten (ook: ~ off, out); stutten; 2 (in)zetten, op het spel zetten, in de waagschaal stellen, wedden, verwedden.

stake-holder ['steikhouldə] houder van de inzet.   [zet.

stalactite ['stæləktait] stalactiet.

stalagmite ['stæləgmait] stalagmiet.

1 stale [steil] I aj oudbakken, verschaald, muf, oud [ook = verjaard], afgezaagd [aardigheden], „op", overwerkt; II vt doen verschalen, zijn kracht doen verliezen, doen verflauwen [belangstelling]; III vi verschalen, zijn kracht verliezen, verflauwen, uitgeput raken.

2 stale [steil] I sb urine [v. paard]; II vi urineren.

stalemate ['steil'meit] I sb pat [schaakspel]; fig dood punt o, impasse; II vt pat zetten; fig vastzetten.

1 stalk [stɔ:k] sb I steel, stengel, [v. kool] stronk; 2 schacht.

2 **stalk** [stɔ:k] I *vi* 1 statig stappen, schrijden; 2 sluipen; II *vt* besluipen [hert]; III *sb* 1 besluipen *o*; 2 (statige) stap.

stalker ['stɔ:kə] sluipjager.

stalking-horse ['stɔ:kiŋhɔ:s] 1 (nagebootst) paard *o*, waarachter de jager zich verschuilt; 2 *fig* voorwendsel *o*, dekmantel, masker *o*.

stall [stɔ:l] I *sb* stal; kraam, stalletje *o*; afdeling [in restaurant], box; koorbank; stallesplaats; ✻ overtrokken vlucht, afglijden *o*; II *vt* stallen; vastzetten, doen vastlopen²; ✻ overtrekken, laten afglijden ‖ F van zich afschuiven, afschepen (ook: ~ *off*); III *vi* vastzitten, blijven steken [in modder], vastlopen²; ✻ in overtrokken toestand geraken, afglijden ‖ *Am* weifelen, dralen, (er om heen) draaien.

stallage ['stɔ:lidʒ] staangeld *o*, marktgeld *o*.

stall-holder ['stɔ:lhouldə] houder, -ster van een kraampje.

stallion ['stæljən] ♘ (dek)hengst.

stalwart ['stɔ:lwət] I *aj* flink, stoer, kloek, fors; standvastig, trouw; II *sb* in: *his* ~*s* zijn trouwe volgelingen, zijn getrouwen.

stamen ['steimen] ♣ meeldraad.

stamina ['stæminə] weerstandsvermogen *o*, uithoudingsvermogen *o*.

stammer ['stæmə] I *vi* & *vt* stotteren; stamelen; II *sb* gestotter *o*; gestamel *o*.

stammerer ['stæmərə] stotteraar; stamelaar.

stamp [stæmp] I *vt* 1 stampen (met, op); 2 stempelen² (tot *as*); zegelen, frankeren; *that* ~*s him* dat tekent hem; ~ *one's foot* stampvoeten; ~ ...*on the mind* ...inprenten; ~ *out* uittrappen; *fig* uitroeien, de kop indrukken [misbruiken &], dempen [opstand]; ♘ uitstampen; II *vi* stampen; III *sb* 1 stampen *o*; 2 stempel *m* [werktuig]; stempel² *o* & *m* = merk *o*, zegel *o*; (post)zegel *m*; 3 soort, slag *o*; 4 ♘ stamper.

stamp-duty ['stæmpdju:ti] zegelrecht *o*.

stampede [stæm'pi:d] I *sb* plotselinge schrik onder paarden of vee, waardoor deze op de loop gaan; sauve-qui-peut *o*; grote toeloop; II *vi* (& *vt*) plotseling (doen) schrikken en vluchten.

stamper ['stæmpə] 1 stamper; 2 stempel; 3 stempelaar.

stance [stæns] *sp* stand, houding.

1 **stanch** [sta:nʃ] *vt* stelpen.

2 **stanch** [sta:nʃ] *aj* zie *staunch*.

stanchion ['sta:nʃən] I *sb* ⚓ stut; II *vt* stutten.

stanchless ['sta:nʃlis] niet te stelpen.

stand [stænd] I *vi* staan; gaan staan; zich bevinden; (van kracht) blijven, doorgaan; blijven (staan); stilstaan, halt houden; standhouden; ⚓ koersen; kandidaat zijn; zijn; ~! halt!; ~ *and deliver!* je geld of je leven!; *he wants to know where he* ~*s* waar hij aan toe is, zijn (financiële) positie; ~ *clear* op zij gaan; ~ *easy!* ✻ op de plaats rust!; ~ *fast* (*firm*) stand houden, niet wijken; ~ *good*

van kracht zijn [v. opmerkingen &]; *he* ~*s six feet three is...* lang; *I have often stood his friend* mij een vriend voor hem betoond; *he* ~*s to win* hij heeft alle kans om te winnen; ~ *convinced* (*prepared* &) overtuigd & zijn; ∞ ~ *against* zich verzetten tegen, weerstaan; tegenwerken; bestand zijn tegen; ~ *aloof* zich op een afstand (afzijdig) houden; ~ *aside* op zij gaan (staan); *fig* zich afzijdig houden; ~ *at* staan op [zoveel graden &]; ~ *at £ 40 per head* komen op £ 40; ~ *at ease!* ✻ op de plaats rust!; ~ *at nothing* voor niets staan (terugdeinzen); ~ *away* op zij gaan (staan); ~ *back* achteruit gaan (staan); ~ *by* 1 er (als werkeloos toeschouwer) bijstaan; 2 zich gereed houden; ~ *by one* 1 (gaan) staan naast iemand; 2 iemand bijstaan, het opnemen voor hem; ~ *by one's convictions* vasthouden aan zijn overtuiging; ~ *down* 1 naar zijn plaats gaan, gaan zitten [v. getuige]; 2 zich terugtrekken; ~ *for staar* voor, betekenen², doorgaan voor; ~ *for nothing* niet gelden, niet meetellen; ~ *for Parliament* kandidaat zijn voor het Parlement; ~ *for free trade* (de zaak van) de vrijhandel voorstaan; *I wouldn't* ~ *for it* S ik zou 't niet nemen, ik ben er niet van gediend; ~ *from the shore* ⚓ van land afhouden; *the coat stood me in £ 4* kwam mij te staan op £ 4; ~ *in for* vervangen, waarnemen voor, invallen voor; ~ *in with* meedoen met; zich scharen aan de zijde van; ~ *off* 1 op zij treden; 2 zich op een afstand houden; 3 ⚓ afhouden [van land]; ~ *on ceremony* (erg) op de vormen staan (zijn); ~ *on one's defence* zich krachtig verdedigen; zie ook: ~ *upon*; ~ *out* uitstaan; uitsteken (boven *above, from*); [iem.] (duidelijk) voorstaan, (duidelijk &) uitkomen, afsteken, zich aftekenen (tegen *against*); zich onderscheiden; het uithouden; volhouden, blijven ontkennen; zich afzijdig houden, zich terugtrekken, niet meedoen; ~ *out against* zich verzetten tegen [eis &]; ~ *out for one's rights* voor zijn rechten opkomen; ~ *out to sea* ⚓ zee kiezen; ~ *over* 1 blijven liggen (voor een tijdje); blijven staan; wachten; 2 zich buigen over; ~ *to* staan bij; aan de zijde (gaan) staan van; blijven bij, zich houden aan; [het werk] aanpakken; ook: = ~ *to arms* ✻ in het geweer zijn; ~ *to it* stand houden; op zijn stuk blijven staan; volhouden (dat... *that...*); ~ *to sea* ⚓ in zee steken; ~ *together* schouder aan schouder staan; ~ *up* overeind (gaan) staan; gaan staan, verrijzen; opstaan, in opstand of in verzet komen (tegen *against*); ~ *up against* ook: stand houden tegen, weerstaan; ~ *up for one* het opnemen voor iemand; *up to one* het (durven) opnemen tegen iemand, hem staan; ~ *upon* staan op², gesteld zijn op; steunen op; ~ *with* aan de zijde staan van; ~ *well with one* 1 op goede voet staan met; 2

goed aangeschreven staan bij; **II** *vt* doen staan, (neer)zetten, plaatsen, opstellen; doorstaan, uitstaan, uithouden, verdragen, dulden; weerstaan; F trakteren (op); ~ *drinks* F rondjes geven; ~ *guard (sentry)* op (schild)wacht staan, de wacht houden; ~ *up a stick* overeind zetten; **III** *sb* stand, stilstand, halt *o*; (stand)plaats, positie, stelling; weerstand; standaard, statief *o*; rek *o*, rekje *o*; lessenaar; stalletje *o*, kraampje *o*; tribune; *make a* ~ blijven staan, halt houden; zich staande houden; weerstand bieden; *make a* ~ *against* stelling nemen (zich schrap zetten) tegen; *make a* ~ *for* opkomen voor; *take one's* ~ *post* vatten; gaan staan (bij de deur, *near the door*); *fig* zich baseren (op *upon*); *bring to a* ~ tot staan brengen, stil laten staan; *come to a* ~ tot staan komen, blijven (stil)staan.

standard ['stændəd] **I** *sb* 1 standaard, vlag, vaandel *o*, vaan; 2 maatstaf, norm, peil *o*, gehalte *o*; klasse; ⇔ klas; 3 stander, stijl, paal, (licht)mast; **II** als *aj* standaard-; staand; normaal-; ⚘ hoogstammig; ~ *clock* 1 staande klok; 2 normaaluurwerk *o*.

standard-bearer ['stændədbɛərə] vaandeldrager².

standardization [stændədai'zeiʃən] standaardisatie, normalisering.

standardize ['stændədaiz] standaardiseren, normaliseren.

stand-by ['stændbai] **I** *sb* steun, hulp, uitkomst; reserve; **II** *aj* in: *a* ~ *fabric* een sterk weefsel *o*; *a* ~ *train* een gereedstaande trein.

stander ['stændə] staande persoon.

standing ['stændiŋ] **I** *aj* staand; stilstaand; blijvend, vast; permanent; te velde staand; stereotiep; ~ *jump* sprong zonder aanloop; ~ *orders* 1 reglement *o* van orde; 2 algemene orders; **II** *sb* 1 staan *o*; staanplaats; 2 positie, stand, rang; 3 reputatie; 4 duur, anciënniteit; *men of good (high)* ~ zeer geziene, hooggeachte personen; *of long (old)* ~ al van oude datum, (al)oud.

standing-room ['stændiŋrum] staanplaats(en).

stand-off ['stændə:f] **I** *aj* zich op een afstand houdend, op afstand, stijf, uit de hoogte; **II** *sb* remise; kamp op.

standoffish ['stæn'də:fiʃ] zie *stand-off* I.

stand-pipe ['stændpaip] standpijp.

standpoint ['stændpɔint] standpunt *o*.

standstill ['stændstil] stilstand, (stil)staan *o*.

stand-up ['stændʌp] staand [v. boord &]; *a* ~ *fight* 1 een geregeld gevecht *o*; 2 een eerlijk gevecht *o*; *a* ~ *row* slaande ruzie.

stank [stæŋk] V.T. van *stink*.

stannary ['stænəri] tinmijn.

stannic ['stænik] tin-.

stanniferous [stæ'nifərəs] tinhoudend.

St. Anthony [snt'æntəni] St.-Antonius; ~*'s fire* ⚘ roos.

stanza ['stænzə] stanza, couplet *o*.

1 **staple** ['steipl] **I** *sb* hoofdprodukt *o*; hoofdbestanddeel *o*; *fig* hoofdschotel; stapelplaats, markt; vezel, draad [v. wol]; stapel: vezellengte; **II** *aj* stapel-; voornaamste, hoofd-; ~ *subject* hoofdvak *o*; **III** *vt* sorteren [wol]; *long (short)*-~*d* lang(kort)stapelig [v. katoen &].

2 **staple** ['steipl] **I** *sb* kram; niet [voor papieren]; **II** *vt* krammen, nieten.

staple-fibre ['steiplfaibə] stapelvezel.

stapler ['steiplə] 1 handelaar [in stapelwaren]; 2 (wol)sorteerder ‖ nietmachine.

star [sta:] **I** *sb* ster², gesternte *o*, sterretje *o* (***); kol [van paard]; *fig* geluksster; ~ *of Bethlehem* ⚘ vogelmelk; *a literary* ~ een ster aan de letterkundige hemel; *(you may) thank your* ~*s* je mag nog van geluk spreken; *the Stars and Stripes* de Amerikaanse vlag; **II** als *aj* prima, eersterangs; **III** *vt* 1 met sterren tooien; met een sterretje tekenen; 2 als „ster'' laten optreden; **IV** *vi* als „ster'' optreden (ook: ~ *it*).

starboard ['sta:bə:d, -bəd] **I** *sb* ♺ stuurboord; **II** *vt* (het roer) naar stuurboord omleggen.

starch [sta:tʃ] **I** *sb* 1 zetmeel *o*; 2 stijfsel *o*; 3 *fig* stijfheid; **II** *aj* stijf²; **III** *vt* stijven,

starched [sta:tʃt] gesteven, stijf².

starcher ['sta:tʃə] stijfster.

starchiness ['sta:tʃinis] 1 zetmeelachtigheid; 2 stijfheid².

starchy ['sta:tʃi] 1 zetmeelachtig; 2 vol stijfsel, gesteven; 3 stijf².

stare [stɛə] **I** *vi* grote ogen opzetten, staren; ~ *at (upon)* aanstaren; **II** *vt* in: ~ *down* (door aankijken) de ogen doen neerslaan; ~ *one in the face* iemand aanstaren, aangrijnzen; *it's staring you in the face* 1 't ligt voor je neus; 2 't is zo duidelijk als wat; **III** *sb* starre blik.

starfish ['sta:fiʃ] zeester.

star-gazer ['sta:geizə] sterrenkijker.

star-gazing ['sta:geiziŋ] sterrenkijkerij.

staring ['stɛəriŋ] **I** *aj* starend &; *fig* schel, hel [v. kleur]; **II** *ad* hel; (*stark*) ~ *mad* stapelgek; **III** *sb* gestaar *o*.

stark [sta:k] **I** *aj* 1 stijf, strak; grimmig; 2 naakt; bar; kras; ~ *lunacy (madness)* de (je) reinste krankzinnigheid; **II** *ad* absoluut, gans, geheel en al; ~ *blind* stekeblind; ~ *mad* stapelgek; ~ *naked* moedernaakt.

starless ['sta:lis] zonder sterren.

starlet ['sta:lit] sterretje *o*.   [*starlit*.

starlight ['sta:lait] **I** *sb* sterrenlicht *o*; **II** *aj* zie

starlike ['sta:laik] als een ster, sterren-.

starling ['sta:liŋ] ♫ spreeuw.

starlit ['sta:lit] door de sterren verlicht, vol sterren, sterren-.

starred [sta:d] gesternd; sterren-; met een sterretje getekend.

starry ['sta:ri] met sterren bezaaid; sterren-.

starry-eyed ['sta:riaid] zwijmelend, verheerlijkt.

star-shell ['sta:ʃel] ⚔ lichtgranaat.

star-spangled ['sta:spæŋgld] met sterren bezaaid; *the S~ Banner* de Amerikaanse vlag [ook: naam v. h. Am. volkslied].

start [sta:t] **I** *vi* (op)springen, (op)schrikken; beginnen; vertrekken; starten; in beweging komen; ontstaan [v. brand]; ⚔ aanslaan [v. motor]; **II** *vt* ⚔ aanzetten, aan de gang maken (helpen), in beweging brengen; laten vertrekken; starten; beginnen, beginnen met (aan, over); oprichten; te berde brengen; opperen; opjagen [wild]; veroorzaken, doen ontstaan [brand]; ~ *one laughing* iemand aan 't lachen maken; *it* ~*s gossip* het geeft maar aanleiding tot allerlei praatjes; ~ *life as a...* zijn loopbaan beginnen als...; ∞ ~ *aside* op zij springen; ~ *back* 1 achteruitspringen; terugdeinzen; 2 de terugreis aanvaarden; ~ *for* (op reis) gaan naar, vertrekken naar; ~ *from* vertrekken van; treden buiten; *fig* uitgaan van [onderstelling]; ~ *(as) from a dream* uit een droom opschrikken; ~ *from one's sleep* wakker schrikken; *to* ~ *from July 21st* met ingang van 21 juli; *the tears* ~*ed in his eyes* kwamen hem in de ogen; ~ *into life* (weer) beginnen te leven; ~ *off* 1 vertrekken; 2 beginnen; ~ *one off crying* iemand aan 't huilen maken; ~ *on* (to) *one's feet* opspringen; *they* ~*ed him on the subject of...* zij brachten hem aan 't praten over...; ~ *out* vertrekken; beginnen; *he was* ~*ed out of his reverie* hij schrok wakker uit zijn gemijmer; ~ *up* 1 opspringen [van zijn stoel]; 2 zich (plotseling) voordoen; *you have no right to be here, to* ~ *with* om te beginnen; **III** *sb* opspringen *o*, sprong, sprongetje *o*; plotselinge beweging (van schrik &); voorsprong, voordeel *o*; *sp* start, afrit; vertrek *o*; begin *o*; *a false* ~ *sp* een valse start; *fig* een verkeerd begin *o*; *get (have) the* ~ *of one's rivals* zijn mededingers vóór zijn; *get a good* ~ *in life* stevig in het zadel geholpen worden; *give a* ~ opspringen; *it gave me a* ~ ik schrok ervan, ik keek er van op; *give a* ~ *to* aan de gang helpen; *at the* ~ 1 in het begin; 2 bij het vertrek; *for a* ~ om te beginnen, vooreerst; *from* ~ *to finish* van het begin tot het einde, van a tot z; *get away (get off) to a bad* ~ slecht starten; *wake up with a* ~ met een schrik wakker worden.

starter ['sta:tə] starter: 1 persoon, die bij wedrennen het teken geeft voor de start; 2 persoon, die start, afrijdend paard *o*; 3 ⚔ aanzetter; ~ *button* ⚔ startknop.

starting ['sta:tiŋ] **I** *aj* schrikkend; schrikachtig; **II** *sb* 1 schrikken *o* &, zie *start* I & II; schrikachtigheid; 2 vertrek *o*; begin *o*.

starting gate ['sta:tiŋgeit] *sp* starthek *o*.

starting gear ['sta:tiŋgiə] ⚔ aanzetwerk *o*.

starting gun ['sta:tiŋgʌn] *sp* startpistool *o*; *fire the* ~ het startschot lossen.

starting place ['sta:tiŋpleis] *sp* start(plaats).

starting point ['sta:tiŋpoint] punt *o* van uitgang, uitgangspunt *o*, beginpunt *o*.

starting post ['sta:tiŋpoust] *sp* afrijpaal.

startle ['sta:tl] doen schrikken, doen ontstellen; verbazen, verrassen.

startler ['sta:tlə] 1 wie of wat doet schrikken &; 2 F verrassing, verbazing.

startling ['sta:tliŋ] verrassend, opzienbarend, verbluffend, ontstellend.

star turn ['sta:tə:n] bravourenummer *o*; gastrol.

starvation [sta:'veiʃən] **I** *sb* uithongering; hongerdood; verhongering, hongerlijden *o*; gebrek *o*; **II** als *aj* honger-; ~ *wage(s)* hongerloon *o*.

starve [sta:v] **I** *vi* 1 honger lijden, hongeren, verhongeren, van honger sterven; 2 gebrek lijden; kwijnen; ~ *for* hunkeren naar; ~ *to death* verhongeren; ~ *with cold* van kou omkomen; **II** *vt* 1 honger laten lijden, laten verhongeren; uithongeren; 2 gebrek laten lijden; doen kwijnen; ~ *into...* door honger dwingen tot...; ~ *of ... ...*onthouden; *the story is* ~*d of material* er is niet genoeg stof voor het verhaal; ~ *to death* uithongeren.

starveling ['sta:vliŋ] **I** *sb* 1 uitgehongerd dier *o* of mens; 2 hongerlijder; **II** *aj* 1 uitgehongerd, hongerig; 2 armoedig, ellendig.

state [steit] **I** *sb* 1 staat, toestand; stemming; 2 stand, rang; 3 staat, rijk *o*; 4 staatsie, praal, luister; *the States* F de Verenigde Staten; *the States General* de Staten-Generaal; *keep* ~ een grote staat voeren; *in* ~ in staatsie, in gala; officieel; in plechtige optocht; *what a* ~ *you are in!* wat zie jij er uit!; *he was in a great* ~ *of mind, in quite a* ~ *about it* hij was er helemaal van streek van; hij was niet meer te houden; *lie in* ~ op een praalbed (opgebaard) liggen; *live in* ~ een grote staat voeren; *...of* ~ staats-; staatsie-, gala, officieel; **II** als *aj* staats-; staatsie-, parade-, gala-, officieel; **III** *vt* aan-, opgeven, mededelen, (ver)melden, uiteenzetten [standpunt], constateren; *at* ~*d times* op vaste (bepaalde, afgesproken) tijden.

state-affair ['steitəfeə] staatszaak.

state-aid ['steiteid] rijkssubsidie.

state ball ['steitbɔ:l] hofbal *o*, galabal *o*.

state cabin ['steitkæbin] ⚓ luxehut.

state call ['steitkɔ:l] officieel bezoek *o*.

statecraft ['steitkra:ft] staatkunde.

State Department ['steitdipa:tmənt] *Am* Departement *o* van Buitenlandse Zaken.

state dinner ['steitdinə] galadiner *o*.

stateliness ['steitlinis] statigheid, deftigheid, grootsheid, luister.

stately ['steitli] statig, deftig, groots.

statement ['steitmənt] opgaaf, mededeling, vermelding, verklaring, uiteenzetting; bewering; staat, uittreksel *o* [v. e. rekening].

state-room ['steitrum] 1 praalkamer, staatsiezaal, mooie kamer; 2 ⚓ luxehut.

statesman ['steitsmən] staatsman.

statesmanlike ['steitsmənlaik] (beleidvol) als (van) een staatsman.

statesmanship ['steitsmənʃip] 1 (staatkundig) beleid o; 2 dienst als staatsman.

static ['stætik] I *aj* statisch, van het evenwicht; II *sb* 夆 ✝ luchtstoringen.

statics ['stætiks] 1 statica, leer van het evenwicht; 2 夆 ✝ luchtstoringen.

station ['steiʃən] I *sb* 1 (stand)plaats, post; 2 (spoorweg)station o; 3 (politie)bureau o; 4 *RK* statie [v. kruisweg]; 5 *Austr* veefokkerij; 6 *fig* positie, rang, stand; II *vt* stationeren, plaatsen.

stationary ['steiʃənəri] stationair, stilstaand, vast.

stationer ['steiʃənə] verkoper van (handelaar in) schrijfbehoeften; *a ∽'s* een kantoorboekhandel; *Stationers' Hall* Ⓤ registratiekantoor o voor het kopijrecht.

stationery ['steiʃənəri] schrijfbehoeften; zie ook: *office*.

station-house ['steiʃənhaus] politiepost.

station-master ['steiʃənma:stə] stationschef.

Ⓜ **station-wagon** ['steiʃənwægən] *Am* station wagon [ruime auto met houten carrosserie].

statist ['steitist] statisticus.

statistical [stə'tistikl] statistisch.

statistician [stætis'tiʃən] statisticus.

statistics [stə'tistiks] statistiek.

statuary ['stætjuəri] I *aj* beeldhouw(ers)-; II *sb* 1 beeldhouwerskunst; 2 beeld(houw)werk o; 3 beeldhouwer.

statue ['stætju:] standbeeld o, beeld o.

statued ['stætju:d] met standbeelden.

statuesque [stætju'esk] als (van) een standbeeld; plastisch; statig, majestueus.

statuette [stætju'et] (stand)beeldje o.

stature ['stætʃə] gestalte, grootte, formaat o.

status ['steitəs] staat [van zaken]; status, positie, rang, stand; 本本 rechtspositie.

status quo ['steitəs'kwou] status-quo.

statutable ['stætjutəbl] wettig; volgens de wet.

statute ['stætju:t] wet; statuut o; verordening.

Statute-book ['stætju:tbuk] verzameling der Eng. wetten; *place on the ∽* tot wet verheffen.

statute-labour ['stætju:tleibə] herendiensten.

statute-law ['stætju:tlɔ:] geschreven wet, geschreven recht o.

statutory ['stætjutəri] wets-, wettelijk (voorgeschreven); publiekrechtelijk; *∽ declaration* verklaring in plaats van de eed.

staunch [stɔ:nʃ, sta:nʃ] sterk, hecht; *fig* trouw; verknocht; betrouwbaar.

stave [steiv] I *sb* 1 duig; sport; 2 ♪ notenbalk; 3 strofe, vers o; II *vt ∽ (in)* in duigen doen vallen; een gat slaan in, inslaan, indrukken; *∽ off* afwenden, opschorten, van zich afzetten.

staves [steivz] ook *mv* v. *staff* I 3.

1 **stay** [stei] I *vi* blijven, wachten; verblijven,

wonen; logeren (bij *with*), *sp* het uit-, volhouden; *∽ away* wegblijven; zich schuilhouden; *∽ for an answer* op antwoord wachten; *∽ in* binnen-, thuisblijven; schoolblijven; *∽ on* (aan)blijven, doordienen [v. ambtenaar]; *∽ out* uitblijven; *∽ to dinner* blijven eten; *∽ up* opblijven (des nachts); *it has come to ∽, it is here to ∽* dat is voorgoed ingeburgerd, het heeft zich een blijvende plaats veroverd; II *vt* tegenhouden, stuiten [in zijn vaart]; opschorten; schragen, steunen (ook: *∽ up*), verankeren; *∽ the course (pace)* het uit-, volhouden; *∽ the night* (vannacht, 's nachts) blijven (logeren); *∽ one's stomach* de eerste honger stillen; III *sb* 1 verblijf o, stilstand, oponthoud o; belemmering, *fig* rem; 2 opschorting, uitstel o (van executie); 3 uithoudingsvermogen o; 4 steun; *make a ∽* [ergens] (ver)blijven; *time is never at a ∽* staat nooit stil.

2 **stay** [stei] *sb* ⚓ stag o; *the ship is (hove) in ∽s* gaat overstag.

stay-at-home ['steiəthoum] I *sb* huismus; II *aj* altijd thuiszittend, huiselijk.

stayer ['steiə] 1 blijver; 2 uit-, volhouder, atleet & die het lang kan volhouden.

stay-in ['steiin] in: *∽ strike* bezettingsstaking.

staying-power ['steiiŋpauə] uithoudingsvermogen o.

stay-lace ['steileis] korsetveter.

stays [steiz] (*pair of*) ∽ keurslijf o, korset o.

staysail ['steis(ei)l] ⚓ stagzeil o.

St. Bartholomew [sntba:'θɔləmju:] H. Bartholomeus; *Massacre of ∽* Bartholomeusnacht.

St. Bernard dog [snt'bə:nəddɔg] ♣ sint-bernardshond.

stead [sted] in: *stand one in good ∽* te stade komen; *in his ∽* in zijn plaats.

steadfast ['stedfəst] standvastig, onwrikbaar, trouw; vast.

steadily ['stedili] *ad* bestendig &; zie *steady* I.

steadiness ['stedinis] vastheid &.

steady ['stedi] I *aj* bestendig, vast, gestadig; geregeld, gelijkmatig; standvastig; oppassend, solide, kalm; *∽! kalm!; ∽ as she goes! ⚓* zo houden!; *go ∽* vaste verkering hebben; II *vt* 1 vastheid geven aan, vast, geregeld of bestendig maken; 2 kalmeren, tot bedaren brengen; *∽ your helm ⚓* houd je roer recht; III *vr* in: *∽ oneself* zich steunen; IV *vi* tot rust komen (ook: *∽ down*).

steady-going ['stedigouiŋ] kalm, bedaard; solide (levend).

steak [steik] 1 (runder)lapje o; 2 (vis)moot.

steal [sti:l] I *vt* stelen (ook: *∽ away*); *∽ a glance at...* steelsgewijs kijken naar; *∽ a march upon one* iemand ongemerkt vóórkomen; iemand een vlieg afvangen; *∽ the show* met het succes gaan strijken; het glansrijk winnen; *∽ one's thunder* zich andermans goed toeëigenen, iemands idee stilletjes overnemen; *∽ one's way into...* binnensluipen; II *vi* stelen; sluipen; ~ *away* (*in*, *out*) weg (binnen, naar buiten) sluipen; ~ *upon one* iemand besluipen; bekruipen [van lust &].

stealer ['sti:lə] steler, dief.

stealth [stelθ] sluipende manier; *by* ~ tersluiks, steelsgewijze, heimelijk, stilletjes.

stealthily ['stelθili] *ad* zie *by stealth*.

stealthiness ['stelθinis] heimelijkheid.

stealthy ['stelθi] *aj* sluipend; heimelijk.

steam [sti:m] **I** *sb* stoom, damp; *let off* ~ 1 ☆ stoom afblazen; 2 *fig* zijn gemoed luchten, zijn uitbundigheid botvieren; *put on* ~ 1 ☆ stoom maken; 2 *fig* alle krachten inspannen, er vaart achter zetten; (*at*) *full* ~ met volle stoom; *under her own* ~ op eigen kracht [v. stoomboot]; **II** *vt* stomen; ~*ed windows* beslagen vensters; **III** *vi* stomen, dampen.

steamboat ['sti:mbout] stoomboot.

steam-boiler ['sti:mbɔilə] stoomketel.

steam-engine ['sti:mendʒin] stoommachine.

steamer ['sti:mə] 1 stoomboot; 2 stoomkoker; 3 stoomketel; *by first* ~ met de eerste boot(gelegenheid).

steam-gauge ['sti:mgeidʒ] ☆ manometer.

steam-heat ['sti:mhi:t] **I** *sb* 1 ☆ warmte vereist om stoom te maken uit water van 0° C.; 2 centrale verwarming; **II** *vt* door stoom (centraal) verwarmen.

steam-navigation ['sti:mnævigeiʃən] stoomvaart.

steam-roller ['sti:mroulə] stoomwals.

steamship ['sti:mʃip] stoomschip *o*.

steamy ['sti:mi] vol stoom, stomend, dampend, dampig; beslagen [v. ruiten].

stearin ['stiərin] stearine.

steatite ['stiətait] speksteen *o* & *m*.

☉ **steed** [sti:d] (strijd)ros *o*.

steel [sti:l] **I** *sb* staal² *o*; staalmiddel *o*; wetstaal *o*; vuurslag *o*; balein [v. korset]; *cold* ~ het staal: het zwaard, de bajonet, de dolk; **II** *aj* stalen, van staal; **III** *vt* stalen², verstalen, hard maken, verharden, ongevoelig maken, pantseren (tegen *against*).

steel-clad ['sti:lklæd] gepantserd.

steeliness ['sti:linis] staalachtigheid.

steely ['sti:li] staalachtig, staalhard, stalen², staal-.

steelyard ['sti:lja:d] unster.

1 **steep** [sti:p] **I** *aj* steil; *fig* hoog [van prijs]; F kras, ongelofelijk; **II** *sb* steilte, helling.

2 **steep** [sti:p] **I** *vt* (onder)dompelen, indopen; (laten) weken; laten doortrekken, laten doordringen (van *in*), drenken; ~*ed in* ook: gedompeld in [slaap, ellende &]; doorkneed in [het Grieks &]; **II** *vi* weken; **III** *sb* weken *o*; bad *o*, loog; *in* ~ in de week.

steepen ['sti:pn] **I** *vi* steil(er) worden; [v. prijzen] hoger worden; **II** *vt* verhogen [prijzen].

steeper ['sti:pə] weekbak, loogkuip.

steeple ['sti:pl] (spitse) toren.

steeplechase ['sti:pltʃeis] steeple-chase: wedren of -loop met hindernissen.

steepled ['sti:pld] van torens voorzien.

steeplejack ['sti:pldʒæk] werkman voor herstellingen aan torens en hoge schoorstenen.

steepness ['sti:pnis] steilte.

1 **steer** [stiə] *sb* ⚶ stierkalf *o*, var; *Am* stier, os.

2 **steer** [stiə] **I** *vt* sturen, richten; ~ (*one's course*) *for* sturen (koers zetten) naar; **II** *vi* sturen, naar het roer luisteren; ~ *between*... doorzeilen tussen; ~ *clear of*... ontzeilen, vermijden.

steerage ['stiəridʒ] ⚓ 1 sturen *o*; stuurmanskunst; 2 tussendek *o*; ~ *passenger* tussendekspassagier.

steering-committee ['stiəriŋkə'miti] centrale commissie.

steering-gear ['stiəriŋgiə] stuurinrichting.

steering-wheel ['stiəriŋwi:l] stuurrad *o*.

steersman ['stiəzmən] ⚓ stuurman.

stellar ['stelə] van de sterren, sterren-.

stellate(d) ['steleit(id)] stervormig.

1 **stem** [stem] **I** *sb* 1 stam, stengel; *fig* (tak van) geslacht *o*; 2 steel [v. bloem, pijp, glas]; 3 schacht; 4 ⚓ boeg, voorsteven; *from* ~ *to stern* van voor tot achter; **II** *vt* strippen [tabak]; **III** *vi Am* in: ~ *from* afstammen van, voortspruiten uit.

2 **stem** [stem] *vt* stuiten², (in de loop) tegenhouden²; tegen... ingaan; ~ *the tide* ⚓ het tij doodzeilen.

stench [stenʃ] stank.

stencil ['stens(i)l] **I** *sb* stencil *o* & *m*, sjabloon, mal; **II** *vt* stencilen.

Sten-gun ['stengʌn] ⚔ stengun [automatisch geweer].

stenographer [ste'nɔgrəfə] stenograaf.

stenographic [stenə'græfik] stenografisch.

stenography [ste'nɔgrəfi] stenografie.

stentorian [sten'tɔ:riən] stentor-.

step [step] **I** *vi* stappen, treden, trappen, gaan; ~ *aside* ter zijde treden; *fig* zich terugtrekken; ~ *back* in het verleden teruggaan [in de geest]; ~ *between* tussenbeide komen (treden); ~ *in* binnentreden; (er) instappen; *fig* tussenbeide komen, zich in de zaak mengen, ingrijpen, optreden; ~ *into a large fortune* een fortuin erven (krijgen); ~ *off* (*with the left foot*) aantreden (met...); ~ *out* I naar buiten gaan; (er) uitstappen; 2 wat aanstappen; 3 ⚔ de pas verlengen; ~ *round* eens komen aanlopen; ~ *short* ⚔ de pas inhouden; zijn stap te kort nemen; ~ *up to him* naar hem toegaan; ~ *this way* hierheen als 't u belieft of = *come here*; **II** *vt* afstappen [een afstand &]; dansen [een menuet]; van treden (trappen) voorzien; trapsgewijs plaatsen; inzetten [mast]; ~ *up* ⚡ optransformeren; *fig* opvoeren [de produktie &]; **III** *sb* stap², pas, tred; voetstap; trede, sport, trap; step; *fig* promotie; ⚓ spoor *o* [v. mast]; ~*s* stappen &; ook: stoep, bordes *o*; trap(ladder); *it's a good* (*long*) ~ 't is een heel eind; *follow* *in the* ~s *of* de voetstappen drukken van; *keep* ~ *with* bijhouden[2], gelijke tred houden met; *take* ~s stappen doen [in een zaak]; ~ *by* ~ stap voor stap[2], voetje voor voetje[2]; *in* ~ in de pas; *out of* ~ uit de pas.

step-brother ['stepbrʌðə] stiefbroeder.

step-child ['steptʃaild] stiefkind *o*.

step-dance ['stepda:ns] stepdans.

step-daughter ['stepdɔ:tə] stiefdochter.

step-father ['stepfa:ðə] stiefvader.

Stephen ['sti:vən] Steven.

Stephenson ['sti:vənsn] Stephenson.

step-ladder ['steplædə] trap(ladder).

step-mother ['stepmʌðə] stiefmoeder.

step-motherly ['stepmʌðəli] stiefmoederlijk.

steppe [step] steppe.

stepping-stone ['stepiŋstoun] stap, stapje *o*; steen in beek of moeras om over te steken; middel *o* om vooruit te komen of een doel te bereiken, *fig* brug.

step-sister ['stepsistə] stiefzuster.

step-son ['stepsʌn] stiefzoon.

stereo ['stiəriou] stereo.

stereophonic [stiəriə'fɔnik] stereofonisch.

stereophony [stiəri'ɔfəni] stereofonie.

stereoscope ['stiəriəskoup] stereoscoop.

stereoscopic [stiəriəs'kɔpik] stereoscopisch.

stereotype ['stiəriətaip] I *sb* stereotiepplaat; II *vt* stereotyperen[2]; ~d stereotiep [*fig*].

sterile ['sterail] steriel, onvruchtbaar[2].

sterility [ste'riliti] steriliteit, onvruchtbaarheid[2].

sterilization [sterilai'zeiʃən] sterilisatie.

sterilize ['sterilaiz] onvruchtbaar maken, uitputten [land]; steriliseren [melk &].

steriliser ['sterilaizə] sterilisator.

sterlet ['stə:lit] 🐟 sterlet [kleine steur].

sterling ['stə:liŋ] 1 sterling; 2 echt, degelijk, voortreffelijk, uitstekend; *in* ~ $ in ponden; ~ *area* $ sterlinggebied *o*.

1 **stern** [stə:n] *aj* streng, bars, hard; *the* ~*er sex* het sterke geslacht.

2 **stern** [stə:n] *sb* 1 ⚓ achtersteven, spiegel, hek *o*; 2 staart; 3 achterste *o*.

sternmost ['stə:nmoust, -məst] achterst.

stern-post ['stə:npoust] ⚓ achtersteven.

stern-sheets ['stə:nʃi:ts] ⚓ stuurstoel.

§ **sternum** ['stə:nəm] borstbeen *o*.

stern-wheeler ['stə:nwi:lə] ⚓ hekwieler.

§ **stethoscope** ['steθəskoup] stethoscoop.

stevedore ['sti:vidɔ:] 1 sjouwerman; 2 stuwadoor.

stew [stju:] I *vt* stoven, smoren; II *vi* stoven, smoren; S blokken; *let him* ~ *in his own grease (juice)* laat hem in zijn eigen vet (sop) gaar koken; III *sb* 1 gestoofd vlees *o*; 2 kweekvijver; *Irish* ~ hutspot; *in a* ~ F in de penarie.

steward ['stjuəd] 1 rentmeester, administrateur, beheerder; 2 commissaris van orde; 3 ⚓ hofmeester, bottelier, kelner.

stewardess ['stjuədis] ⚓ hofmeesteres.

stewardship ['stjuədʃip] rentmeesterschap *o*; beheer *o*.

1 **stick** [stik] I *sb* 1 stok; wandelstok; staf; staaf; stokje *o*, rijsje *o*; 2 pijp [drop, lak &]; steel [v. asperge &]; *Am* S (marihuana)sigaret; 3 zethaak; 4 ♫ keu; 5 ♪ maatstokje *o*; 6 ⚓ mast; 7 F houten (of saaie) klaas; *a big* ~ een stok achter de deur; *my* ~s (*of furniture*) F mijn meubeltjes; *gather* ~s (*dry* ~s) hout sprokkelen.

2 **stick** [stik] *vt* 1 steken; doorsteken; besteken (met *with*); vaststeken; F vastzetten; zetten; 2 (op-, aan-, vast)plakken; 3 stokken, stokjes zetten bij [planten]; ~ *no bills!* verboden aan te plakken!; *she can't* ~ *him* F zij kan hem niet zetten; ~ *it* F het uithouden, volhouden; *they won't* ~ *that* dat zullen ze niet slikken; ~ *pigs* 1 varkens de keel afsteken; 2 op wilde zwijnen jagen met de speer; II *vr in:* ~ *oneself up* een air aannemen; III *vi* 1 blijven steken, (vast)kleven, blijven hangen of kleven, *fig* beklijven, blijven zitten°; F blijven; (vast)plakken[2]; 2 niet verder kunnen, vastzitten; 3 klemmen [v. deur &]; ~ *like a bur* iemand aanhangen als een klis; *the name* ~s (*to him*) *to this day* die naam is hem tot heden bijgebleven; ∾ ~ *at nothing* voor niets staan of terugdeinzen; ~ *by one* iemand trouw blijven; ~ *in* 1 inplakken; 2 (hier en daar) plaatsen [een woordje &]; 3 thuis blijven (hokken); *some of the money will* ~ *in* (*to*) *their fingers* zal aan hun vingers blijven hangen; ~ *in the mud* in de modder blijven steken; met niet zijn tijd meegaan; ~ *on* (*a horse*) in 't zadel blijven; *it stuck on his hands* 1 het bleef aan zijn handen plakken; 2 hij bleef er (op de verkoping) aan hangen; ~ *it on* 1 met spek schieten; 2 $ overvragen; ~ *a stamp on* er een postzegeltje op plakken; ~ *out* buiten blijven; uit-, vooruitsteken; naar buiten staan; in 't oog springen; stijfkoppig op zijn stuk blijven staan, volhouden; *it* ~s *out a mile* 't is zo duidelijk als wat; ~ *to* vasthouden aan; trouw blijven aan; kleven (plakken) aan; blijven bij [iets]; ~ *to the bottom* (*pan*) aanzetten; ~ *to one's friends* zijn vrienden trouw blijven; ~ *to one's word* (zijn) woord houden; ~ *together* aaneenplakken; eendrachtig blijven; ~ *up* opzetten [kegels &]; rechtop staan; ~ *up a mail-coach* aanhouden, overvallen; ~ *up for one* voor iemand opkomen; *a cake stuck* (*over*) *with almonds* met amandelen er op.

sticker ['stikə] 1 steker; (aan)plakker; 2 F echte „plakker"; aanhouder; 3 S moeilijkheid; $ onverkoopbaar artikel *o*.

stickiness ['stikinis] kleverigheid.

sticking-place ['stikiŋpleis] punt *o* waar de schroef & blijft steken; *screw... up to the* ~ zo hoog mogelijk, tot het uiterste.

sticking-plaster ['stikiŋpla:stə] hechtpleister.

sticking-point ['stikiŋpɔint] zie *sticking-place*.

stick-insect ['stikinsekt] ॐ wandelende tak.

stick-in-the-mud ['stikinðəmʌd] F oude pruik, conservatief; *Old* ~ Dinges.

stickit ['stikit] *Sc* I verknoeid; 2 mislukt.

stickleback ['stiklbæk] ॐ stekelbaars.

stickler ['stiklə] in: *a great ~ for...* wie erg gesteld is op..., een voorstander van...

stick-up ['stikʌp] I *aj* staand [v. boorden]; II *sb* in: ~*s* F vadermoorders.

sticky ['stiki] kleverig, plakkerig; klef [v. brood]; taai; moeilijk; beroerd; *come to a ~ end* lelijk te pas komen; *a ~ wicket* F een lastige positie.

sticky-fingered ['stikifiŋgəd] met lange vingers.

stiff [stif] stijf, stevig, strak, stram, stroef, onbuigzaam, stug; verstijfd; *fig* moeilijk [v. examens &]; streng [v. wet &]; taai, hevig [v. tegenstand]; $ vast [v. markt]; *that's a bit ~* S dat is (toch) een beetje kras; *a ~ price* een flinke (hoge) prijs; *the place is ~ with them* de stad is er van vergeven.

stiff-backed ['stifbækt] stijf in de rug; *fig* stijf, niet erg toeschietelijk.

stiffen ['stifn] I *vt* stijven; (doen) verstijven, stijf maken; *fig* moed inspreken; strenger maken [wetten]; II *vi* stijf worden, verstijven; $ vaster worden [v. markt].

stiff-necked ['stifnekt] hardnekkig, koppig.

1 stifle ['staifl] I *vt* verstikken, doen stikken, smoren, onderdrukken; II *vi* stikken, smoren.

2 stifle ['staifl] *sb* ◬ kniegewricht *o*.

stifle-joint ['staifldʒoint] ◬ kniegewricht *o*.

stifling(ly) ['staifliŋ(li)] verstikkend, smoor-.

stigma ['stigmə] I brandmerk² *o*; 2 ♣ stempel [v. stamper]; 3 *RK* & ◬ stigma *o*; 4 *fig* (schand)vlek.

stigmatization [stigmətai'zeiʃən] stigmatisatie; brandmerken² *o*.

stigmatize ['stigmətaiz] stigmatiseren; brandmerken².

stile [stail] stijl [aan deur]; overstap [voor hek].

stiletto [sti'letou] I stilet *o* [dolkje]; 2 priem.

stiletto heel [sti'letouhi:l] naaldhak.

stiletto-heeled [sti'letouhi:ld] met naaldhak.

1 still [stil] *sb* distilleerketel.

2 still [stil] I *aj* I stil; 2 niet mousserend [v. dranken]; ~ *life* stilleven *o*; II *sb* stilte; stilstaand beeld *o* [v. film], foto; III *vt* stillen, (doen) bedaren; tot bedaren brengen, kalmeren; IV *vi* ⊙ bedaren, verstillen.

3 still [stil] *ad* nog altijd, nog; altijd (nog), steeds; (maar) toch; ~ *not* nog altijd niet.

still-born ['stilbɔ:n] doodgeboren²; *the motion fell* ~ was een doodgeboren kind.

stillness ['stilnis] stilte.

still-room ['stilrum] I distilleerkamer; 2 provisiekamer.

stilly ['stili] I *aj* ⊙ stil; II *ad* stil(letjes).

stilt [stilt] stelt [ook ◬ = steltloper, -kluit; *on* ~*s* op stelten; *fig* hoogdravend.

stilted ['stiltid] op stelten; *fig* hoogdravend.

stiltedness ['stiltidnis] hoogdravendheid.

Stilton ['stiltən] Stiltonse kaas.

stimulant ['stimjulənt] I *aj* prikkelend, opwekkend; II *sb* stimulans, prikkel; ~*s* ook: stimulantia [opwekkende genotmiddelen, sterke dranken &].

stimulate ['stimjuleit] stimuleren, prikkelen, aansporen, aanzetten, aanwakkeren.

stimulation [stimju'leiʃən] prikkel(ing).

stimulative ['stimjuleitiv] I *aj* prikkelend, opwekkend; II *sb* prikkel.

stimulus ['stimjuləs] prikkel, aansporing.

sting [stiŋ] I *vt* & *vi* steken²; prikken, bijten [op de tong], branden [v. netels]; pijn doen²; *fig* (pijnlijk) treffen; kwellen; S afzetten; ~ *with envy* afgunstig maken; II *sb* angel, stekel, prikkel; steek, (gewetens)knaging; pijnlijke *o*.

stingaree ['stiŋgəri:] zie *sting-ray*.

sting-bull ['stiŋbul] ॐ pieterman.

stinger ['stiŋə] I stekel, angel; 2 stekelplant, stekend insekt *o* &; 3 *fig* bijtende kou; vinnige klap, hard schot *o*; bijtend antwoord *o*; vinnige uitbrander.

stingily ['stin(d)ʒili] *ad* zuinig, vrekkig.

stinginess ['stin(d)ʒinis] zuinigheid, vrekkigheid.

stinging-nettle ['stiŋiŋnetl] ♣ brandnetel.

stingless ['stiŋlis] zonder angel.

sting-ray ['stiŋrei] ॐ pijlstaartrog.

stingy ['stin(d)ʒi] *aj* vrekkig, zuinig.

stink [stiŋk] I *vi* stinken (naar *of*); II *vt* in: ~ *one out* door stank verdrijven; III *sb* stank²; ~*s* ⇔ F (natuur- en) scheikunde.

stint [stint] I *vt* beperken, karig toemeten; beknibbelen, bekrimpen, op rantsoen stellen; karig zijn met; *with no* ~*ed hand* met milde hand, royaal; II *vr* in: ~ *oneself* zich bekrimpen; ~ *oneself of* zich ontzeggen; III *vi* zich bekrimpen, zuinig zijn; IV *sb* I beperking, bekrimping, karigheid; toegedeelde portie; ◬ kleine strandloper; *without* ~ royaal.

stipend ['staipend] wedde, bezoldiging.

stipendiary [stai'pendjəri] I *aj* bezoldigd; II *sb* I bezoldigd ambtenaar; 2 bezoldigd politierechter.

stipple ['stipl] I *vt* puntéren; stippelen; II *sb* puntéring; stippeling.

stipulate ['stipjuleit] I *vt* stipuleren, bedingen, overeenkomen, bepalen; II *vi* in: ~ *for* stipuleren, bedingen.

stipulation [stipju'leiʃən] bedinging, overeenkomst; bepaling, beding *o*, voorwaarde.

stipulator ['stipjuleitə] wie bedingt &.

stir [stə:] I *vt* bewegen, in beweging brengen; verroeren; (om)roeren, roeren in, porren in, oppoken [het vuur]; *fig* aanporren [iemand]; aanzetten; gaande maken; ~ *one's blood* iemands bloed sneller doen stromen, iemand wakker maken, in vuur doen geraken; *without* ~*ring a finger* (*hand*) zonder een vinger uit te steken (om te helpen); ~ *one to frenzy* iemand razend maken; ~ *up* omroeren, roeren in, oppoken; *fig* 1 in beroering brengen; 2 aanporren, aanzetten; ~ *up mutiny (strife)* oproer (onenigheid) verwekken; **II** *vi* (zich) bewegen, zich (ver)roeren; in beweging komen of zijn; opstaan (des morgens); *not a breath is ~ring* er is (zelfs) geen zuchtje; *Mr. A is not ~ring yet* is nog niet bij de hand, nog niet op; *he didn't ~* hij bewoog zich niet, hij verroerde geen vin; hij gaf geen kik; ~ *abroad* (de deur) uitgaan, op straat komen (ook: ~ *out of the house*, ~ *out*); **III** *sb* beweging, geanimeerdheid; drukte; opschudding, beroering; *give it a ~* pook (roer) er eens in; *make a (great) ~* opschudding veroorzaken, opzien baren, (heel wat) sensatie maken; *he didn't make a ~* hij verroerde geen vin; hij gaf geen kik; *there was no ~ in the house* niets (niemand) bewoog zich, roerde zich.

tirless ['stə:lis] onbeweeglijk, bladstil.

tirrer ['stə:rə] 1 wie beweegt &, wie in beweging is; 2 roerder.

stirring ['stə:riŋ] **I** *aj* bewegend, roerend &; in beweging, actief; roerig; opwekkend; veelbewogen [tijden], sensationeel [v. gebeurtenissen]; **II** *sb* bewegen *o* &; beweging.

stirrup ['stirəp] stijgbeugel.

stirrup-cup ['stirəpkʌp] glaasje *o* op de valreep.

stitch [stitʃ] **I** *sb* steek°; *he had not a dry ~ on him* hij had geen droge draad aan zijn lijf; *a ~ in time saves nine* vóórzorg bespaart veel nazorg; **II** *vt* stikken; hechten, brocheren, (in)naaien; ~ *up* dichtnaaien; hechten [een wond]; **III** *vi* stikken.

stithy ['stiði] *prov* 1 aambeeld *o*; ✦ 2 smidse.

stiver ['staivə] ✦ stuiver; *not a ~* geen rooie cent.

stoat [stout] ♠ hermelijn.

stock [stɔk] **I** *sb* 1 blok *o*; stam; (geweer)lade; (anker-, wortel)stok; 2 geslacht *o*, familie; 3 fonds *o*, kapitaal *o*; effecten, aandelen, papieren; 4 veestapel, vee *o*; paarden; 5 (voorhanden) goederen, voorraad, inventaris; materiaal *o*; 6 afkooksel *o*, aftreksel *o*, bouillon; 7 stropdas; 8 *fig* stomkop; 9 ♣ violier; *~s* 1 ♦ effecten, staatspapieren, aandelen; 2 ♪ stapel; 3 ▥ blok *o* [straftuig]; *~s and dies* ✂ snijijzers; *lay in a ~ of...* een voorraad... opdoen; zich voorzien van...; *take ~* de inventaris opmaken; *I don't take ~ in his stories* ik heb geen fiducie in zijn verhalen; *take ~ of everything* alles opnemen [= 1 inventariseren & 2 bekijken]; *take ~ of one (all over)* iemand (van top tot teen) opnemen; *be in ~* goed voorzien zijn (van waren of geld); *have (keep) in ~* $ in voorraad hebben; *come of a good ~* van goede familie zijn; *have something on the ~s* iets op stapel hebben (staan); *out of ~* $ niet (meer) voor-

radig; **II** als *aj* & in samenst. traditioneel, stereotiep, vast [v. aardigheden, gezegden &]; **III** *vt* opdoen, inslaan [voorraad]; $ (in voorraad) hebben; (van voorraad of van het nodige) voorzien.

stockade [stə'keid] **I** *sb* palissade; **II** *vt* palissaderen.

stock-breeder ['stɔkbri:də] (vee)fokker.

stockbroker ['stɔkbroukə] $ commissionair, makelaar in effecten.

stockbroking ['stɔkbroukiŋ] $ effectenhandel.

stock-company ['stɔkkʌmpəni] 1 $ maatschappij op aandelen; 2 vast toneelgezelschap *o* met een repertoire.

stockdove ['stɔkdʌv] ♠ kleine houtduif.

stock exchange ['stɔkikstʃein(d)ʒ] $ (effecten)beurs.

stockfish ['stɔkfiʃ] stokvis.

stock-gillyflower ['stɔkdʒiliflauə] ♣ violier.

stock-holder ['stɔkhouldə] $ effectenbezitter; aandeelhouder.

stockiness ['stɔkinis] gezetheid.

stockinet ['stɔkinet] (elastiek) tricot *o*.

stocking ['stɔkiŋ] kous°.

stocking cap ['stɔkiŋkæp] gebreide muts.

stockinged ['stɔkiŋd] in: *in his ~ feet* op zijn kousen.

stock-in-trade ['stɔkin'treid] 1 $ (goederen)voorraad, inventaris; 2 (geestelijk) kapitaal *o*; gereedschap *o* [van werklieden].

stockist ['stɔkist] $ depothouder.

stock-jobber ['stɔkdʒɔbə] $ handelaar in effecten; hoekman.

stock-jobbing ['stɔkdʒɔbiŋ] $ effectenhandel; beursspeculatie.

stock-list ['stɔklist] $ beursnotering.

stockman ['stɔkmən] veeboer; veeknecht.

stock-market ['stɔkmɑ:kit] 1 veemarkt; 2 $ effecten-, fondsenmarkt.

stock-owner ['stɔkounə] 1 effectenbezitter; 2 veeboer.

stockpile ['stɔk'pail] **I** *vi* (& *vt*) een voorraad vormen (van); **II** *sb* gevormde (of te vormen) voorraad.

stock-raiser ['stɔkreizə] veefokker.

stock-rider ['stɔkraidə] *Austr* cowboy.

stockstill ['stɔk'stil] stok-, doodstil.

stock-taking ['stɔkteikiŋ] $ inventarisatie; ~ *sale* balansopruiming.

stock-whip ['stɔkwip] *Austr* cowboyzweep.

stocky ['stɔki] gezet, dik.

stock-yard ['stɔkjɑ:d] veebewaarplaats.

stodge [stɔdʒ] **I** (*vi* &) *vt* (zich) volproppen; **II** *sb* (onverteerbare) kost.

stodgily ['stɔdʒili] *ad* zie *stodgy*.

stodginess ['stɔdʒinis] 1 dikheid; zwaarheid; 2 onverteerbaarheid.

stodgy ['stɔdʒi] *aj* 1 dik; 2 zwaar op de maag liggend; 3 *fig* zwaar, moeilijk te verduwen.

stoic ['stouik] **I** *sb* stoïcijn; **II** *aj* stoïcijns.

stoical(ly) ['stouikəl(i)] stoïcijns

stoicism ['stouisizm] stoïcisme *o*.

stoke [stouk] I *vt* stoken [v. machine]; ~ *up* weer doen opvlammen; II *vi* stoken; *fig* schransen.

stoke-hold ['stoukhould], **stoke-hole** ['stoukhoul] stookplaats.

stoker ['stoukə] stoker [v. machine].

1 **stole** [stoul] *sb* stola°.

2 **stole** [stoul] V.T. van *steal*.

stolen [stouln] V.D. van *steal*.

stolid ['stolid] flegmatiek, onaandoenlijk.

stolidity [stɔ'liditi] flegma *o*, onaandoenlijkheid.

stomach ['stʌmək] I *sb* 1 maag; buik; 2 (eet)lust; *a man of his* ~ iemand zo trots als hij; *he had no* ~ *for the fight* hij had er geen lust in om te (gaan) vechten; II *vt* (kunnen) verduwen of zetten, slikken, verkroppen [beledigingen &].

stomacher ['stʌməkə] ⚌ borst [v. vrouwenkleed].

stomachic [stə'mækik] I *aj* maag-; II *sb* maagversterkend middel *o*.

stone [stoun] I *sb* 1 steen *o* & *m* [stofnaam], steen *m* [voorwerpsnaam], pit [v. vrucht]; 2 als gewicht: 6,35 kg; *leave no* ~ *unturned* niets (geen middel) onbeproefd laten, hemel en aarde bewegen; *throw* ~*s at* met stenen gooien; *fig* bekladden; II *aj* van steen, stenen; ~ *jar* kruik; III *vt* 1 met stenen gooien (naar), stenigen; 2 van stenen of pitten ontdoen; 3 met stenen beleggen, plaveien.

stone-blind ['stoun'blaind] stekeblind.

stone-cast ['stounka:st] steenworp.

stonechat ['stount∫æt] 🐦 roodborsttapuit.

stone-coal ['stounkoul] antraciet.

stone-cold ['stoun'kould] steenkoud.

stone-crop ['stounkrɔp] ⚘ muurpeper.

stone-curlew ['stounkə:lju:] 🐦 griel.

stone-cutter ['stounkʌtə] steenhouwer.

stone-dead ['stoun'ded] morsdood.

stone-deaf ['stoun'def] pot-, stokdoof.

stone-fruit ['stounfru:t] ⚘ steenvrucht.

stone-mason ['stounmeisn] steenhouwer.

stone-pit ['stounpit], **stone-quarry** ['stounkwɔri] steengroeve.

stone's-throw ['stounzθrou] steenworp.

stoneware ['stounwɛə] steengoed *o*.

stone-work ['stounwə:k] steen-, metselwerk *o*.

stonily ['stounili] *ad* zie *stony*.

stoniness ['stouninis] steenachtigheid &.

stony ['stouni] *aj* 1 steenachtig, stenig, stenen²; 2 *fig* onbewogen, ijskoud; 3 F blut (ook: ~*-broke*).

stood [stud] V.T. & V.D. van *stand*.

stooge [stu:dʒ] *Am* S 1 mikpunt *o* van spot; 2 handlanger, helper; *fig* werktuig *o*, stroman.

stook [stuk] zie 2 *shock*.

stool [stu:l] I *sb* 1 (kantoor)kruk, stoeltje *o* (zonder leuning), (voeten)bankje *o*, taboeretje *o*; 2 ⚘ stoel [v. bamboestruik &]; 3 stoelgang, ontlasting (ook: ~*s*); 4 zie *stool-*

pigeon; ~ *of repentance* zondaarsbankje *o*; *fall between two* ~*s* tussen twee stoelen in de as vallen; *go to* ~ ontlasting hebben; II *vi* ⚘ (uit)stoelen.

stool-pigeon ['stu:lpidʒən] 1 lokduif; 2 *fig* lokvogel, lokvink; 3 stille verklikker.

1 **stoop** [stu:p] I *vi* bukken, zich bukken, vooroverlopen, gebukt lopen; *fig* zich vernederen, zich verlagen (tot *to*); II *vt* (voorover) buigen; ~*ed by age* krom van ouderdom; III *sb* vorooverbuigen *o*, gebukte houding; *fig* nederbuigendheid; *have a slight* ~ wat gebukt lopen.

2 **stoop** [stu:p] *sb Am* stoep, bordes *o*, veranda.

stop [stɔp] I *vt* stoppen [een gat, lek &], dichtmaken, dichtstoppen, op-, verstoppen, versperren (ook: ~ *up*); stelpen [het bloeden]; vullen, plomberen [tand]; 2 stil laten staan [klok]; tot staan brengen, tegenhouden, aanhouden [iemand]; inhouden [loon &]; een eind maken aan [iets]; stopzetten [fabriek]; staken [werk &]; ophouden met, niet voortzetten; 3 interpungeren; ~ *a blow* een slag pareren; ~ *one's ears* de oren dichtstoppen; *fig* de oren sluiten; ~ *a man's mouth* 1 iemand de mond stoppen [door geld]; 2 iemand de mond snoeren; ~ *payment* niet verder betalen; $ zijn betalingen staken; *will you* ~ *supper?* blijven souperen?; ~ *thief!* houdt de dief!; ~ *thinking* ophouden met denken, niet meer denken; ~ *a person (from) thinking* iemand doen ophouden met (beletten te) denken; II *vi* stoppen [trein], stilhouden; blijven (stil)staan [horloge]; ophouden, uitscheiden; logeren, overblijven, blijven; *the matter will not* ~ *there* daar zal het niet bij blijven; ~ *at home* thuis blijven; ~ *at nothing* voor niets staan (terugdeinzen); *reform cannot* ~ *at this* kan het hier niet bij laten; ~ *away from school* van school wegblijven; ~ *for the sermon* blijven voor de preek; ~ *in bed* (in zijn bed) blijven liggen; ~ *out all night* uitblijven; ~ *up late* laat opblijven; ~ *with friends* bij familie (kennissen) logeren; III *sb* 1 stoppen *o* &; pauzering, pauze; oponthoud *o*; halte; ✈ tussenlanding(splaats); 2 leesteken *o*; 3 ✗ pen, pin; 4 ♪ register *o*, klep, gat *o*; 5 *gram* ontploffingsgeluid *o* [zoals *k, t, p*]; *full* ~ punt; *make a* ~ halt houden, ophouden, pauzeren; *put a* ~ *to* een eind maken aan; *be at a* ~ stilstaan, niet verder kunnen; *bring to a* ~ tot staan brengen; *come to a* ~ blijven (stil)staan, blijven steken; ophouden; een eind nemen; *come to a dead (full)* ~ 1 plotseling (geheel) ophouden, blijven steken; 2 ⚓ totaal stoppen; *without a* ~ 1 zonder ophouden; 2 zonder te stoppen [v. trein].

stopcock ['stɔpkɔk] (afsluit)kraan.

stop-gap ['stɔpgæp] I *sb* 1 stoplap; 2 bladvulling; 3 noodhulp; II *als aj* interim, tijdelijk vervangend, bij wijze van noodhulp.

stoppage ['stɔpidʒ] stoppen *o*, stopzetting, staking; op-, verstopping; ophouding, oponthoud *o*, stilstand; inhouding [v. loon]; *there is a ~ somewhere* het hokt ergens.

stopper ['stɔpə] I *sb* 1 stopper; 2 stop; II *vt* een stop doen op.

stopping-place ['stɔpiŋpleis] halte.

stopple ['stɔpl] I *sb* (glazen) stop; II *vt* met een stop dichtmaken.

stop-press ['stɔppres] ~ (*news*) laatste nieuws, nagekomen berichten.

stop-watch ['stɔpwɔtʃ] stophorloge *o*.

storage ['stɔ:ridʒ] 1 (op)berging, opslag; 2 pakhuisruimte, bergruimte; 3 pakhuishuur; *cold ~* (het opslaan in de) vries-, koelkamer; *put into cold ~* in de ijskast leggen [*fig*].

storage-accommodation ['stɔ:ridʒəkəmə'deiʃən] opslagruimte.

storage-battery ['stɔ:ridʒbætəri] ✗ accumulator.

store [stɔ:] I *sb* 1 (grote) voorraad, overvloed²; *fig* rijkdom; 2 magazijn *o*; *Am* winkel; [in Engeland] warenhuis *o*, winkel; 3 opslagplaats, meubelbewaarplaats; *cold ~* koelhuis *o*; ~*s* de bazaar, het warenhuis; de winkelvereniging; *set* (*great, little*) ~ *by* (soms *on, upon*) (veel, weinig) prijs stellen op; *in ~* 1 in voorraad; 2 in bewaring, opgeborgen; *be* (*lie, be laid up*) *in ~ for one* hem te wachten staan; *have something in ~* in voorraad hebben; nog te wachten of te goed hebben; in petto houden; II *vt* inslaan, opdoen; binnenhalen; opslaan [goederen]; provianderen, voorzien (van *with*); opbergen [meubels]; ~ (*up*) verzamelen; bewaren; *his memory* (*mind*) *was ~d with facts* hij had een hoop feiten in zijn hoofd.

store cattle ['stɔ:kætl] mestvee *o*.

store-cupboard ['stɔ:kʌbəd] provisiekast.

storehouse ['stɔ:haus] voorraadschuur, pakhuis *o*, magazijn² *o*; *fig* schatkamer.

storekeeper ['stɔ:ki:pə] 1 pakhuismeester; 2 magazijnmeester; 3 ⚓ proviandmeester; 4 warenhuishouder; 5 *Am* winkelier.

store-room ['stɔ:rum] 1 bergplaats, -ruimte; 2 provisiekamer.

store-ship ['stɔ:ʃip] ⚓ proviandschip *o*.

storesman ['stɔ:zmən] winkelier.

storey ['stɔ:ri] verdieping; woonlaag; *first ~* rez-de-chaussee; *second ~* eerste verdieping.

storied ['stɔ:rid] 1 in de geschiedenis vermeld, vermaard; 2 met taferelen uit de geschiedenis versierd ‖ met... verdiepingen [bijv. *a four-~ house* huis met drie verdiepingen].

storiette [stɔ:ri'et] verhaaltje *o*.

stork [stɔ:k] 🐦 ooievaar.

stork's bill ['stɔ:ksbil] 🌿 reigersbek.

storm [stɔ:m] I *sb* 1 storm², vlaag, aanval; onweersbui, onweer *o*; regenbui; 2 ✗ bestorming; *there was a ~* (*of wind*) het stormde; *a ~ in a tea-cup* een storm in een glas water;

the period of ~ and stress de „Sturm und Drang" periode; de tijd van strijd en woeling; *by ~* stormenderhand; II *vi* 1 stormen, bulderen, razen, woeden; 2 ✗ stormlopen; ~ *and swear* razen en tieren; ~ *at* uitvaren tegen; III *vt* ✗ aan-, losstormen op, bestormen.

stormily ['stɔ:mili] *ad* zie *stormy*. [men².

storminess ['stɔ:minis] stormachtigheid².

stormy ['stɔ:mi] *aj* stormachtig², onstuimig, storm-; ~ *petrel* 🐦 stormvogeltje *o*; *fig* voorbode van de storm, onrustzaaier.

story ['stɔ:ri] 1 geschiedenis; vertelling, verhaal *o*; legende; 2 leugentje *o*, jokkentje *o*; *short ~* ook: novelle; *the ~ goes that...* men zegt, dat...; *I have heard that ~ before* ja, dat kennen we!; *to make a long ~ short...* om kort te gaan...; *tell stories* jokken; *they are all in one ~* het is afgesproken werk; zie ook: *storey & storied*.

story-book ['stɔ:ribuk] vertelselboek *o*.

story-teller ['stɔ:ritelə] 1 verhaler, verteller; 2 jokkebrok, jokkenaar, jokker.

⚭ stoup [stu:p] 1 stoop; 2 *RK* wijwaterbak.

1 stout [staut] *sb* stout [donker bier].

2 stout [staut] *aj* kloek, dapper, flink; (zwaar)lijvig, corpulent, zwaar, dik, sterk, stevig, krachtig.

stout-hearted ['staut'ha:tid] kloekmoedig.

stoutish ['stautiʃ] nogal zwaarlijvig &.

stoutness ['stautnis] kloekheid &.

1 stove [stouv] *sb* 1 kachel, fornuis *o*; (toe)stel *o* [om op te koken &]; 2 stoof; 3 droogoven; 4 broeikas.

2 stove [stouv] V.T. & V.D. van *stave*.

stove-pipe ['stouvpaip] kachelpijp².

stow [stou] I *vt* stuwen, stouwen; leggen, bergen; (vol)pakken; ~ *away* wegleggen, (op)bergen; *fig* verorberen [v. eten]; ~ *that!* S kop dicht!, schei uit!; II *vi* in: ~ *away* als verstekeling(en) meereizen.

stowage ['stouidʒ] 1 stuwage; berging; 2 bergruimte, bergplaats; 3 stuwagegeld *o*.

stowaway ['stouəwei] blinde passagier, verstekeling.

St. Paul [sn(t)'pɔ:l] de H. Paulus; ~'s de St.-Pauluskerk (in Londen).

St. Peter [sn(t)'pi:tə] St.-Pieter, de H. Petrus; ~'s de St.-Pieterskerk.

straddle ['strædl] I *vi* wijdbeens lopen (staan), schrijlings zitten; *fig* op twee gedachten hinken, de kat uit de boom kijken; II *vt* schrijlings zitten op of staan boven; schrijlings plaatsen; III *sb* schrijlings staan, lopen of zitten *o*.

straddle-legged ['strædllegd] wijdbeens, schrijlings.

straggle ['strægl] (af)dwalen, zwerven, achterblijven; verstrooid staan, verspreid liggen.

straggler ['stræglə] 1 achterblijver; afgedwaalde; 2 🌿 wilde loot.

straggling ['strægliŋ] verstrooid, verspreid; onregelmatig (gebouwd &).

straggly ['strægli] wild opgeschoten.
straight [streit] I aj recht [niet krom], glad
[niet krullend]; fig eerlijk, fatsoenlijk; betrouwbaar; openhartig; in orde; op orde;
puur [v. drank]; ~ angle gestrekte hoek; ~
contest zie ~ fight; keep a ~ face ernstig blijven; ~ fight (verkiezings)strijd tussen twee
kandidaten; as ~ as an arrow zo recht als een
kaars; I gave it him ~ ik zei het hem ronduit;
get it ~ F 't goed begrijpen; put ~ 1 herstellen; 2 opruimen; weer in orde brengen; II ad
recht(op), rechtuit; regelrecht, rechtstreeks,
direct; fig eerlijk; go ~ ook: fig oppassen,
zich goed gedragen; ~ away (off) op staande voet, op stel en sprong; ~ on rechtuit,
rechtdoor; ~ out ronduit; III sb rechte eind
o [v. renbaan]; out of the ~ krom, scheef.
straighten ['streitn] recht maken, in orde brengen², op-, beredderen (ook: ~ out); ~ out
recht maken; recht trekken; ontwarren;
weer in orde brengen; ~ up opredderen, wat
opknappen; ~ oneself up zich oprichten.
straightforward [streit'fɔ:wəd] recht door zee
gaand, oprecht, rond(uit), eerlijk; zakelijk
[v. stijl, verhaal &], ongecompliceerd, (dood)-
eenvoudig, (dood)gewoon.
straightway ['streitwei] dadelijk.
strain [strein] I vt 1 spannen, (uit)rekken; (te
veel) inspannen [zijn krachten]; verrekken
[gewricht of spier]; geweld aandoen, verdraaien [feiten &]; forceren [stem]; drukken; 2 (uit)zijgen, filtreren; ~ out uitzijgen;
II vi 1 zich inspannen; trekken, rukken (aan
at); 2 doorzijgen; ~ after streven naar; jacht
maken op; III sb 1 spanning; inspanning,
streven o; overspanning; druk, belasting;
verdraaiing [v. de waarheid]; verrekking [v.
e. spier]; 2 geest, toon; karakter o, element o,
tikje o [van iets]; ras o; ⊙ wijs, melodie
(vooral ~s); there is a heroic ~ in his character iets heroïsch; put (too great) a ~ on oneself zich (te veel) inspannen; his letters are in
a different ~ in zijn brieven slaat hij een
andere toon aan; he is of a noble ~ van edele
stam (van edel ras); be on the ~ ingespannen
zijn, zich inspannen (om... to...); in gespannen toestand zijn².
strained [streind] gespannen [van verhoudin-
gen]; gedwongen, gemaakt, geforceerd; verdraaid, gewrongen.
strainer ['streinə] 1 zijgdoek; 2 vergiet o & v,
zeef.
strait [streit] I aj nauw, eng, bekrompen;
streng (in zijn opvatting); II sb 1 moeilijkheid, verlegenheid; 2 (zee-)engte, (zee)straat
(meest ~s); the Straits of Dover het Nauw
van Calais.
straiten ['streitn] nauw(er) maken; fig in verlegenheid brengen; we are ~ed for room wij
zijn eng behuisd; be in ~ed circumstances het
(financieel) niet breed hebben.
strait-jacket ['streit'dʒækit] dwangbuis o.

strait-laced ['streitleist] stijf geregen; preuts,
puriteins streng.
strait-waistcoat ['streit'weiskout] dwangbuis o.
1 strand [strænd] I sb strand o, kust, oever
(inz. ⊙); II vt doen stranden, op het strand
zetten; be ~ed stranden², schipbreuk lijden²;
fig blijven zitten (steken), niet verder kunnen;
III vi stranden.
2 strand [strænd] I sb streng [v. touw]; II vt
doen knappen [v. e. touw].
strange [strein(d)ʒ] aj vreemd, onbekend;
vreemdsoortig, ongewoon, zonderling, raar°;
feel ~ 1 zich nog niet thuis voelen; 2 zich
raar voelen; ~ to say vreemd genoeg.
strangely ['strein(d)ʒli] ad zie strange.
strangeness ['strein(d)ʒnis] vreemdheid &.
stranger ['strein(d)ʒə] vreemdeling, vreemde,
onbekende; the little ~ J de nieuwe wereldburger; I am a ~ here ik ben hier vreemd;
you are quite a ~ je laat je nooit zien; he is a
~ to fear alle vrees is hem vreemd; he is no
~ to me hij is mij niet vreemd, ik hoef mij
voor hem niet te generen.
strangle ['stræŋgl] worgen; smoren, onderdrukken.
stranglehold ['stræŋglhould] worgende greep².
strangler ['stræŋglə] worger.
strangles ['stræŋglz] goedaardige droes.
strangulated ['stræŋgjuleitid] dichtgesnoerd,
ingesnoerd; ⚡ beklemd [breuk].
strangulation [stræŋgju'leiʃən] 1 (ver)worging;
2 ⚡ beklemming [v. breuk].
strap [stræp] I sb riem, riempje o; drijfriem;
lus; band; aanzetriem; ⚔ beugel; ~s sous-
pieds; II vt 1 (met een riem) vastmaken (ook:
~ up); 2 (met een riem) slaan; 3 (op een
riem) aanzetten.
strap-hanger ['stræphæŋə] ,,lushanger''.
strappado [strə'peidou] I sb ⛿ wipgalg; II vt
wippen.
strapping ['stræpiŋ] I aj groot en sterk, stevig,
potig; II sb 1 vastmaken o met riemen; af-
ranseling (met riem); aanzetten o [v. scheer-
mes]; 2 riemwerk o.
Strasbourg ['stræzbə:g] Straatsburg.
strata ['stra:tə] mv v. stratum.
stratagem ['strætidʒəm] krijgslist, list.
strategic [strə'ti:dʒik] strategisch.
strategics [strə'ti:dʒiks] zie strategy.
strategist ['strætidʒist] strateeg.
strategy ['strætidʒi] strategie².
stratification [strætifi'keiʃən] laagsgewijze ligging, gelaagdheid, stratificatie.
stratify ['strætifai] in lagen leggen, tot lagen
vormen; stratified gelaagd.
stratosphere ['stræ-, 'stra:təsfiə] stratosfeer.
stratum ['stra:təm] (gesteente)laag.
stratus ['streitəs] laagwolk.
straw [strɔ:] I sb stro o; strohalm, strootje o;
rietje o; F strohoed; it is the last ~ that
breaks the camel's back de laatste loodjes
wegen het zwaarst; that's the last ~ dat is de

druppel die de emmer doet overlopen; dat is het toppunt; *catch at* (*cling to*) a ~ zich aan een strohalm vastklampen; *draw* ~s strootje trekken; *not worth a* ~ geen lor waard; II *aj* van stro, strooien, stro-.

strawberry ['strɔ:b(ə)ri] ‡ aardbei; ~ *mark* "wijnvlek", moedervlek.

straw-board ['strɔ:bɔ:d] strokarton o.

straw-bottomed ['strɔ:bɔtəmd] met strooien zitting [v. stoelen].

straw-built ['strɔ:bilt] van stro, stro-.

straw-coloured ['strɔ:kʌləd] strokleurig.

straw-cutter ['strɔ:kʌtə] hakselsnijder.

straw hat ['strɔ:'hæt] strohoed.

straw-vote ['strɔ:'vout] onofficiële stemming, proefstemming.

strawy ['strɔ:i] 1 stroachtig; 2 van stro.

stray [strei] I *vi* (rond)zwerven, (rond)dwalen, verdwalen, afdwalen; ~ *in* binnen komen lopen; ~ *into* afdwalen naar; verdwalen (soms: verlopen) in; II *aj* 1 afgedwaald; verdwaald; 2 sporadisch voorkomend; verspreid; ~ *cat* zwervende kat; ~ *current* ⚡ vagebonderende stroom; ~ *customer* toevallige klant; *a* ~ *instance* een enkel voorbeeld o of geval o; ~ *notes* losse aantekeningen; *a* ~ *b* i afgedwaald of verdwaald dier o; 2 zwerver.

streak [stri:k] I *sb* 1 streep; 2 ader, laag; *have a* ~ *of luck* veine hebben; *he has a* ~ *of superstition in him* hij is een tikje bijgelovig; II *vt* strepen.

streaked [stri:kt] 1 gestreept, geaderd; 2 doorregen [v. spek].

streakiness ['stri:kinis] gestreeptheid, geaderd voorkomen o, gestreept voorkomen o.

streaky ['stri:ki] zie *streaked*.

stream [stri:m] I *sb* stroom²; *fig* stroming; II *vi* 1 stromen; 2 wapperen.

streamer ['stri:mə] 1 wimpel; 2 lang lint o of lange veer; spandoek o & m; 3 serpentine; ~s noorderlicht o.

streamlet ['stri:mlit] stroompje o.

streamline ['stri:mlain] I *sb* stroomlijn; II *vt* stroomlijnen; III *aj* stroomlijn-, gestroomlijnd.

streamy ['stri:mi] 1 stromend; 2 rijk aan stromen.

street [stri:t] straat; *in Queer* ~ aan lagerwal, in geldverlegenheid; *er naar* (beroerd) aan toe; *in the* ~ 1 op straat; 2 $ op de nabeurs.

street arab ['stri:tærəb] straatjongen, boefje o.

streetcar ['stri:tka:] *Am* tram(wagen).

street-sweeper ['stri:tswi:pə] 1 veegmachine; 2 straatveger.

strength [streŋθ] sterkte, kracht, macht; ook: krachten; *Britain goes* (*grows*) *from* ~ *to* ~ Engeland gaat gestadig vooruit, wordt steeds beter; *they were there in* (*full*) ~ er was een flinke opkomst; *on the* ~ 💂 ingedeeld; *on the* ~ *of* op grond van, naar aanleiding van.

strengthen ['streŋθ(ə)n] I *vt* versterken, sterken; II *vi* sterk(er) worden.

strenuous ['strenjuəs] krachtig, energiek, ijverig; inspannend; moeilijk.

stress [stres] I *sb* 1 nadruk², klem(toon); accent o; 2 (in)spanning; ✗ spanning, druk; 3 kracht, gewicht o; *under* ~ *of circumstances* daartoe gedwongen door de omstandigheden; *under* (*a*) ~ *of weather* tijdens of ten gevolge van zwaar weer; II *vt* de nadruk leggen op²; ~*ed* beklemtoond.

stretch [stretʃ] I *vt* rekken, uithameren; uitrekken; uitstrekken, uitsteken, uitspreiden, (uit)spannen; *fig* overdrijven; geweld aandoen; ~ *one on the ground* iemand neervellen (leggen); ~ *the truth* het zo nauw niet nemen met de waarheid [= liegen]; II *vr* ~ *oneself* zich uitrekken [na slaap &]; zich uitstrekken; III *vt* & *va* zich uitstrekken, zich uitrekken; rekken; *fig* overdrijven, het met de waarheid zo nauw niet nemen; ~ *away* zich uitstrekken (naar *towards*); ~ *down to* reiken tot, zich uitstrekken tot aan; ~ *out* zich uitstrekken; aanstappen; IV *sb* 1 uit(st)rekking, spanning; inspanning; 2 uitgestrektheid; 3 (recht) eind o, stuk o [v. weg &]; 4 tijd, tijdje o, periode; S (één jaar) gevangenisstraf; *do a* ~ S (achter de tralies) zitten; *at a* ~ 1 als het nijpt, desnoods; 2 achtereen, aan één stuk door; *at full* ~ 1 helemaal uitgestrekt; 2 gespannen tot het uiterste; *by a* ~ *of the imagination* met wat fantasie; *by a* ~ *of language* door de taal geweld aan te doen; *on the* ~ (in)gespannen².

stretcher ['stretʃə] 1 rekker; spanraam o; 2 △ strekse steen; 3 draagbaar, brancard; 4 spoorstok [in roeiboot].

stretcher-bearer ['stretʃəbɛərə] 💂 ziekendrager, brancardier.

strew [stru:] (uit)strooien; bestrooien; bezaaien (met *with*).

strewn [stru:n] V.D. van *strew*.

stricken ['strikn] V.D. van *strike*; geslagen, getroffen; zwaar beproefd; diep bedroefd; *the* ~ *field* het bloedig slagveld; ~ *with fever* door koorts aangetast.

strickle ['strikl] strijkstok, strijkhout o.

strict(ly) ['strikt(li)] stipt, strikt, streng, nauwkeurig, nauwgezet.

stricture ['striktʃə] 1 (kritische) aanmerking; 2 ⚕ vernauwing; *make* (*offer*) ~s *on* kritiek uitoefenen op.

stridden ['stridn] V.D. van *stride*.

stride [straid] I *vi* schrijden, met grote stappen lopen; II *vt* ⊙ schrijden over; III *sb* schrede, (grote) stap; *at a* (*one*) ~ met één stap; *take something in one's* ~ iets en passant "nemen" of doen; *get into one's* ~ op dreef komen.

strident ['straidənt] krassend, schril, schel.

strideways ['straidweiz] schrijlings.

strife [straif] strijd, twist, tweedracht.

strike [straik] I *vt* slaan, slaan op (met, tegen,

in); aanslaan [een toon &]; inslaan [een weg]; stoten (met, op, tegen); aanslaan tegen; komen aan (op), aantreffen, vinden; treffen², opvallen, voorkomen, lijken; strijken [vlag]; afbreken [tent]; afstrijken [lucifer &]; *how does it ~ you?* 1 wat vind je er van?; 2 hoe bevalt het je, hoe vind je het?; ~ *one blind (dumb)* met blindheid (stomheid) slaan; *it ~s me as ridiculous* het lijkt mij belachelijk; ~ *an attitude* een gemaakte houding aannemen, poseren; ~ *a bargain* een koop sluiten; ~ *one a blow* iemand een slag toebrengen; ~ *camp* het kamp opbreken; ~ *a light* 1 een lucifer aanstrijken (aansteken); 2 vuur slaan; ~ *oil* petroleum aanboren; *fig* fortuin maken; ~ *a rock* op een rots stoten (lopen); ~ *work* (het werk) staken; II *vi* slaan; toeslaan; ✗ aanvallen; raken; inslaan [v. bliksem, projectiel]; aangaan, vuur vatten [v. lucifer]; wortel schieten; de vlag strijken [ook = zich overgeven); op een rots stoten; (het werk) staken; ∞ ~ *at* slaan naar, een slag toebrengen²; aangrijpen; ~ *at the root of* in de wortel aantasten; ~ *back* terugslaan; ~ *down* neerslaan; neervellen; ~ *for the village* op het dorp afgaan; ~ *in* naar binnen slaan [v. ziekten]; tussenbeide komen, invallen; ~ *in with* de partij kiezen van; zich schikken naar; overeenstemmen met; ~ *into a gallop* het op een galop zetten; ~ *into a road* een weg inslaan; ~ *terror into their hearts* hun hart met schrik vervullen; ~ *off* afslaan, afhouwen; schrappen, (van de lijst) afvoeren; laten vallen [prijs]; afdrukken [zoveel exemplaren]; uit zijn mouw schudden [opstellen &]; ~ *off to the right* rechts afslaan; ~ *out* van zich afslaan [bij 't boksen]; de armen uitslaan [bij 't zwemmen]; ~ *out his name* doorhalen, schrappen; ~ *out a new plan (line)* een nieuwe weg inslaan; ~ *through* doorstrepen [een woord]; ~ *through the forest* het bos doorzwerven; ~ *to the left* links afslaan; ~ *up* 1 ♪ beginnen te spelen, aanheffen, inzetten; 2 aangaan, sluiten [verbond &]; ~ *up an acquaintance with a person* met iemand aanpappen; ~ *up a conversation with* een gesprek beginnen met; ~ *upon an idea* op een idee komen; *struck with surprise* verbaasd; *struck with terror* door schrik bevangen; III *sb* 1 slag²; 2 ✗ aanval; 3 (werk)staking; 4 vondst [v. goud]; 5 strijkhout o; *the men on* ~ de stakers; *go on* ~ in staking gaan.
strike-breaker ['straikbreikə] stakingbreker.
strike-fund ['straikfʌnd] stakingskas.
strike-pay ['straikpei] stakingsuitkering.
striker ['straikə] 1 wie of wat slaat; 2 (werk)staker.
striking ['straikiŋ] 1 slaand, treffend, frappant, opvallend, merkwaardig, sensationeel; 2 stakend; 3 ✗ aanvals-; *the* ~ *parts (train)* het slagwerk [in klok].

string [striŋ] I *sb* band, koord o & v, touw o, touwtje o, bindgaren o, veter; snoer o, snaar; pees, vezel, draad; ris, sliert, reeks, rij; ~*s* ook: *fig* zekere voorwaarden; *the* ~*s* ♪ de strijkinstrumenten; de strijkers; *a bit (piece) of* ~ een touwtje o; *have two (more)* ~*s to one's bow* nog andere pijlen op zijn boog hebben; *pull the* ~*s* aan de touwtjes trekken (achter de schermen); *touch a* ~ een (zekere) snaar aanroeren; *touch the* ~*s* de snaren tokkelen; *have one on a* ~ iemand aan het lijntje hebben; II *vt* rijgen (aan *on*) [snoer &], snoeren; besnaren; (met snaren) bespannen; spannen [de zenuwen, de boog]; (af)risten, afhalen [bonen &]; ~ *out a list* langer maken, rekken; ~ *together* aaneenrijgen²; ~ *up* 1 *fig* (in)spannen; 2 F opknopen, ophangen; III *vi* draderig worden [van vloeistoffen]; ~ *out* achter elkaar te voorschijn komen.
string bag ['striŋ'bæg] boodschappennet o.
string-band ['striŋbænd] ♪ strijkorkest o.
stringed [striŋd] besnaard; snaar-, strijk-.
stirngency ['strindʒənsi] bindende kracht, strengheid [v. wetten of bepalingen]; klemmend karakter o [v. betoog]; $ nijpende schaarste [v. geldmarkt].
stringent ['strindʒənt] bindend, streng; klemmend; $ schaars, krap.
stringiness ['striŋinis] vezeligheid &.
stringy ['striŋi] vezelig, draderig, zenig.
strip [strip] I *vt* 1 (af)stropen, afristen, afhalen [bedden]; strippen [tabak], (naakt) uitkleden; leeghalen; ontmantelen; 2 ♣ ontakelen; ~ *bare (naked, to the skin)* 1 poedelnaakt ontkleden; 2 naakt uitschudden; ~ *of* ontbloten, beroven, ontdoen van; ~ *off* uittrekken, afrukken; afstropen; afristen &; losgaan; III *vi & va* zich uitkleden; zich laten afstropen, afristen &; losgaan; III *sb* 1 strook, reep; 2 beeldverhaal o.
stripe [straip] I *sb* 1 streep, ✗ chevron; 2 striem; II *vt* strepen; striemen.
striped [straipt] gestreept, streepjes-.
stripling ['stripliŋ] jonge borst, jongeling.
stripper ['stripə] 1 afstroper; stripper; 2 ✗ schilmachine, hennepbreker.
stripy ['straipi] gestreept, streepjes-.
strive [straiv] hard zijn best doen, zich inspannen (om *to*); streven (naar *after, for*); worstelen, strijden (tegen *with, against*); † wedijveren.
striven ['strivn] V.D. v. *strive*.
strode [stroud] V.T. v. *stride*.
1 **stroke** [strouk] I *sb* 1 slag; 2 trek, haal, streep, streek, schrap; 3 stoot; aanval [v. beroerte], beroerte (ook: ~ *of apoplexy*), verlamming (ook: ~ *of paralysis*); 4 *sp* slag(-roeier); *clever* ~ handige zet; *do a good* ~ *of business* een goede slag slaan; *a* ~ *of genius* een geniaal idee o & v; ~ *of lightning* bliksemslag; *a* ~ *of luck* een buitenkansje

o; *he has not done a* ～ *of work* hij heeft geen slag gedaan; *at a* (*one*) ～ met één slag; *be off one's* ～ I *sp* van slag zijn [v. roeier]; 2 *fig* de kluts kwijt (in de war) zijn; *it is on the* ～ *of five* op slag van vijven; II *vt* bij het roeien de slag aangeven.

2 **stroke** [strouk] I *vt* strelen, (glad)strijken, aaien; ～ *the wrong way* het land op jagen; II *sb* streling, aai.

stroll [stroul] I *vi* (rond)slenteren, kuieren, ronddwalen; ～*ing player* reizend, rondtrekkend toneelspeler; II *sb* toertje *o*; F kuier.

stroller ['stroulə] I slenteraar, wandelaar; 2 reizend, rondtrekkend (toneel)speler.

strong [strɔŋ] *aj* I sterk°, kras, krachtig, vurig; vast [v. markt]; 2 zwaar [drank of tabak]; 3 ransig [boter &]; *by the* ～ *arm* (*hand*) met geweld; ～ *language* krasse taal; grofheden; zie ook: *stronger*, *strongest*.

strong-bodied ['strɔŋ'bɔdid] sterk van lichaam, fors (gebouwd).

strong-box ['strɔŋbɔks] brandkast, geldkist.

stronger ['strɔŋgə] sterker.

strongest ['strɔŋgist] sterkst.

stronghold ['strɔŋhould] burcht, bolwerk[2] *o*.

strongish ['strɔŋiʃ] tamelijk sterk.

strongly ['strɔŋli] *ad* sterk &, zie *strong*.

strong-minded ['strɔŋ'maindid] van krachtige geest; energiek.

strongpoint ['strɔŋpɔint] ⚔ versterkt punt *o*, weerstandsnest *o*.

strong-room ['strɔŋrum] (brand- en inbraak-vrije) kluis.

strontium ['strɔnʃiəm] strontium *o*.

strop [strɔp] I *sb* I aanzet-, scheerriem; 2 ⚓ strop; II *vt* aanzetten [een scheermes].

strophe ['stroufi] strofe, vers *o*.

strophic ['strɔfik] strofisch.

strove [strouv] V.T. van *strive*.

⚓ **strow** [strou] zie *strew*.

struck [strʌk] V.T. & V.D. van *strike*.

structural ['strʌktʃərəl] van de bouw, structuur-, structureel.

structure ['strʌktʃə] I *sb* structuur, bouw[2]; gebouw[2] *o*, bouwsel *o*; II *vt* structureren.

struggle ['strʌgl] I *vi* I (tegen)spartelen; 2 worstelen (tegen *against*, *with*), kampen (met *with*); strijden; zich alle mogelijke moeite geven; ～ *in* (*through*) zich met moeite een weg banen naar binnen (door); ～ *through* ook: doorworstelen; *she* ～*d into* (*out of*) *her dress* ze kwam met moeite in (uit) haar japon; II *sb* worsteling, (worstel)strijd; pogingen; *the* ～ *for life* de strijd om het bestaan.

struggler ['strʌglə] I worstelende, worstelaar, strijder; 2 ook: streber.

struggling ['strʌgliŋ] worstelend, met moeite het hoofd boven water houdend.

strum [strʌm] I *vi* & *vt* tjingelen, trommelen (op); II *sb* getjingel *o*, getrommel *o*.

strumpet ['strʌmpit] slet, lichtekooi.

strung [strʌŋ] V.T. & V.D. van *string*.

I **strut** [strʌt] I *vi* deftig, trots stappen; II *vt* op en neer stappen op (over); III *sb* deftige, trotse stap.

2 **strut** [strʌt] I *sb* stut; II *vt* stutten.

strychnine ['strikniːn] strychnine.

stub [stʌb] I *sb* stronk [v. boom]; stomp, stompje *o*, peuk, peukje *o* [sigaar]; *Am* souche [v. cheque]; II *vt* [zijn teen &] stoten; ～ *out* uitdrukken [sigaret]; ～ *up* opgraven, rooien, uitroeien.

stubble ['stʌbl] stoppel(s)[2].

stubbly ['stʌbli] stoppelig, stoppel-.

stubborn(ly) ['stʌbən(li)] hardnekkig; halsstar-rig, onverzettelijk, weerspannig.

stubby ['stʌbi] I kort en dik, gezet; 2 vol stron-ken; 3 stoppelig.

stucco ['stʌkou] I *sb* pleisterkalk; pleisterwerk *o*; II *vt* stukadoren, pleisteren.

stuck [stʌk] V.T. & V.D. van 2 *stick*; als *aj* F I verbaasd; 2 verwaand; 3 bekocht.

stuck-up ['stʌk'ʌp] F verwaand, pedant.

I **stud** [stʌd] I *sb* tapeinde *o*; knop, knopje *o*, spijker; overhemdsknoopje *o*; II *vt* het knoopje steken in (door); (met knopjes) be-slaan, bezetten of versieren; ～*ded with* dicht bezet met; bezaaid met.

2 **stud** [stʌd] *sb* stoeterij; (ren)stal.

stud-book ['stʌdbuk] paardenstamboek *o*.

student ['stjuːdənt] student; beoefenaar; leer-ling [v. muziekschool]; minnaar van de stu-die; die (een speciale) studie maakt (van *of*), die zich interesseert (voor *of*).

stud-farm ['stʌdfɑːm] stoeterij.

stud-horse ['stʌdhɔːs] (dek)hengst.

studied ['stʌdid] *aj* I gestudeerd; 2 bestudeerd, gewild, gemaakt, opzettelijk.

studiedly ['stʌdidli] *ad* bestudeerd, gewild, ge-maakt; opzettelijk, met voordacht.

studio ['stjuːdiou] atelier *o* [v. kunstenaar]; studio.

studious ['stjuːdiəs] I ijverig, vlijtig, leerzaam, leergierig; 2 angstvallig, nauwgezet; 3 bestu-deerd; opzettelijk; *be* ～ *of* bedacht zijn op, er zich op toeleggen om, er naar streven om...; *be* ～ *to...* zich beijveren om...; alles doen om...

study ['stʌdi] I *sb* I studie°; bestudering; 2 ♪ etude; 3 studeerkamer; 4 *fig* streven *o*; ～ *of a head* studiekop [v. schilder]; *his face was a* ～ de moeite van het bestuderen waard; *in a brown* ～ in gedachten verzonken; II *vt* (be)-studeren; studeren in; rekening houden met [iemands belangen]; er naar streven (om *to...*); zich beijveren (om *to...*); ～ *out* uit-denken; ～ *up* leren, vossen [voor examen]; III *vi* studeren.

stuff [stʌf] I *sb* I stof; 2 materiaal *o*, goed *o*, goedje *o* [ook = medicijn], rommel; $ goe-deren; 3 S spul *o*; 4 F klets (ook: ～ *and non-sense*); *he is hot* ～ S hij is een kraan, niet mis, niet makkelijk; *it is poor* (*sorry*) ～ F het is dun, bocht *o* & *m*; *the* ～ S de „duiten"; *the* (*right*) ~ P goed spul *o* [v. drank &]; je ware; *he has the* ~ *in him of a capable soldier* hij is van het hout waarvan men goede soldaten maakt; *do one's* ~ S zijn werk doen; zich weren; II *vt* volstoppen², volproppen² (met *with*); farceren; (op)vullen; opzetten [dieren]; stoppen (in *into*); (dicht)stoppen (ook: ~ *up*); ~*ed*(-*up*) *nose* verstopte neus; ~*ed shirt* S drukkemaker, dikdoener; III *vi* & *va* zich volproppen (met eten).

stuffer ['stʌfə] opvuller; opzetter [v. dieren].

stuffiness ['stʌfinis] benauwdheid &.

stuffing ['stʌfiŋ] vulsel *o*, opvulsel *o*, farce; *take the* ~ *out of a person* F iemand uit het veld slaan.

stuffy ['stʌfi] 1 benauwd, dompig, bedompt, duf²; 2 S nijdig.

stultification [stʌltifi'keiʃən] belachelijk, krachteloos & maken *o*, zie *stultify*.

stultify ['stʌltifai] I *vi* belachelijk maken; krachteloos maken [uitspraken &]; verlammen; II *vr* ~ *oneself* zich belachelijk maken; zich tegenspreken.

stumble ['stʌmbl] I *vi* struikelen²; strompelen; ~ *across* zie ~ *upon*; ~ *along* voortstrompelen; ~ *at* zich stoten aan; aarzelen; ~ *for words* zoeken naar zijn woorden; ~ *on* zie ~ *upon*; ~ *over* struikelen over; ~ *through a recitation* hakkelend opzeggen; ~ *upon* tegen het lijf lopen, toevallig aantreffen of vinden; II *sb* struikeling², misstap.

stumbling-block ['stʌmbliŋblɔk] struikelblok *o*, hinderpaal; steen des aanstoots.

stump [stʌmp] I *sb* stomp, stompje *o*; stronk; stump: paaltje *o* [v. wicket]; doezelaar; ~*s* F onderdanen [benen]; *on the* ~ F de boer op [bij verkiezing]; II *vt* 1 doezelen; 2 *sp* er uit slaan [bij cricket]; 3 *fig* in verlegenheid brengen; ~ *up* S dokken [geld]; III *vi* stommelen, strompelen.

stumper ['stʌmpə] S vraag (antwoord *o*) om iemand vast te zetten.

stumpiness ['stʌmpinis] stompheid.

stumpy ['stʌmpi] stomp, afgestompt; kort en dik, gezet.

stun [stʌn] 1 bewusteloos slaan, bedwelmen, verdoven; 2 verbazen, verbluffen.

stung [stʌŋ] V.T. & V.D. van *sting*.

stunk [stʌŋk] V.T. & V.D. van *stink*.

stunner ['stʌnə] wie of wat verdoofd of verbluft; *he is a* ~ S hij is een kraan; *that story is a* ~ een reuzelollig verhaal *o*.

stunning ['stʌniŋ] bewusteloos makend &, zie *stun*; < verbluffend; fantastisch.

1 **stunt** [stʌnt] I *sb* S nummer *o* [v. vertoning]; toer", kunst, truc, foefje *o*, kunstje *o*; „beweging", manie, rage; ⚓ kunstvlucht; *do* ~*s* ⚓ kunstvliegen; II *vi* toeren doen, zijn kunsten vertonen; ⚓ kunstvliegen.

2 **stunt** [stʌnt] *vt* in de groei belemmeren.

stunted ['stʌntid] in de groei blijven steken, dwerg- (ook: ~ *in growth*).

stunter ['stʌntə] S kunstenmaker²; ⚓ kunstvlieger.

stupefaction [stju:pi'fækʃən] bedwelming, verdoving; (stomme) verbazing.

stupefy ['stju:pifai] verdoven, bedwelmen; verstompen; verbluffen.

stupendous(ly) [stju'pendəs(li)] verbazend, verbazingwekkend, kolossaal.

stupid ['stju:pid] I *aj* dom, stom, onzinnig; saai; (ver)suf(t); II *sb* F stommerik.

stupidity [stju'piditi] domheid &; stomheid.

stupidly ['stju:pidli] *ad* zie *stupid* I.

stupidness ['stju:pidnis] zie *stupidity*.

stupor ['stju:pə] verdoving, bedwelming, gevoelloosheid; stomme verbazing.

sturdily ['stə:dili] *ad* zie *sturdy*.

sturdiness ['stə:dinis] sterkte, stoerheid, stevigheid.

sturdy ['stə:di] *aj* sterk, stoer, stevig.

sturgeon ['stə:dʒən] ⚓ steur.

stutter ['stʌtə] I *vi* & *vt* stotteren, hakkelen; II *sb* gestotter *o*, gehakkel *o*.

stutterer ['stʌtərə] stotteraar, hakkelaar.

sty [stai] varkenshok² *o*, kot² *o* ‖ strontje *o* (op het oog).

Stygian ['stidʒian] van de Styx; donker als de hel.

style [stail] I *sb* 1 (schrijf)stift; 2 ⚓ stijl [v. stamper]; 3 stijl°, wijze, manier, (schrijf)trant; soort, genre *o*; 4 (volle) titel, (firma)naam; *free* ~ vrije slag [zwemmen]; *New* (*Old*) ~ Gregoriaanse (Juliaanse) tijdrekening; ~ *of writing* stijl, schrijftrant; *there is no* ~ *about her* zij heeft geen cachet; *in* ~, *in fine* (*good*) ~ 1 in stijl; 2 volgens de regelen der kunst; 3 in de puntjes; 4 met glans; *in* (*high*) ~ op grote voet; *under the* ~ *of* onder de firma...; II *vt* 1 noemen, betitelen; 2 stiliseren [japonnen].

stylet ['stailit] stilet *o*.

stylish(ly) ['stailiʃ(li)] naar de (laatste) mode, elegant, fijn, chic, zwierig.

stylist ['stailist] stilist.

stylistic [stai'listik] I *aj* stilistisch, stijl-; II *sb* stijlleer (ook: ~*s*).

stylize ['stailaiz] stileren.

styptic ['stiptik] bloedstelpend (middel *o*).

Styria ['stiriə] Stiermarken *o*.

Styx [stiks] Styx.

suable ['sju:əbl] ᵗᵗ in rechten vervolgbaar.

suasion ['sweiʒən] overreding.

suave(ly) ['sweiv(li)] minzaam, vriendelijk, lief, zacht.

suavity ['swæviti] minzaamheid &.

sub [sʌb] F verk. v. 1 *subaltern*; 2 *sub-editor*; 3 *sub-lieutenant*; 4 *submarine*; 5 *subscription*; 6 *substitute*; S voorschot *o*.

subacid ['sʌb'æsid] zurig; *fig* zuurzoet.

subaltern ['sʌbltən] I *aj* subaltern, ondergeschikt; lager; II *sb* 1 onderambtenaar; 2 ✗ officier beneden de rang van kapitein, jong luitenantje *o*.

subclass ['sʌbklɑ:s] onderklasse.
subcommittee ['sʌbkə'miti] subcommissie.
subconscious ['sʌb'kɔnʃəs] onderbewust.
subcontinent ['sʌb'kɔntinənt] subcontinent *o* [groot schiereiland, bv. India].
subcutaneous ['sʌbkju'teiniəs] onderhuids.
subdeacon ['sʌb'di:kən] onderdiaken.
subdean ['sʌb'di:n] onderdeken.
subdivide ['sʌbdi'vaid] **I** *vt* in onderafdelingen verdelen, onderverdelen; **II** *vi* in onderafdelingen gesplitst worden, zich weer (laten) verdelen.
subdivision ['sʌbdi'viʒən] onderafdeling; onderverdeling.
subdue [səb'dju:] onderwerpen, klein krijgen; beheersen [hartstochten], bedwingen; temperen [v. licht &]; ∼*d* ook: gedempt; stil, zacht, zich zelf meester; ingehouden.
sub-editor ['sʌb'editə] secretaris v. d. redactie.
sub-heading ['sʌb'hediŋ] ondertitel.
subjacent [sʌb'dʒeisənt] lager gelegen.
1 subject ['sʌbdʒikt] **I** *aj* onderworpen; ∼ *to* onderworpen aan; onderhevig aan, vatbaar voor; last hebbend van [duizelingen &]; afhankelijk van; ∼ *to the approval of...* behoudens de goedkeuring van...; ∼ *to such conditions as...* onder zodanige voorwaarden als...; **II** *sb* onderdaan; persoon, individu *o*; kadaver *o* [voor de snijkamer]; subject *o*; onderwerp° *o*; (leer)vak *o*; ♪ thema *o*; voorwerp *o* [van studie &]; aanleiding, motief *o*; *a* ∼ *for...* een voorwerp van...; *on the* ∼ *of...* ook: inzake..., over...
2 subject [səb'dʒekt] *vt* onderwerpen, blootstellen (aan *to*).
subjection [səb'dʒekʃən] onderwerping; afhankelijkheid; onderworpenheid.
subjective [səb'dʒektiv] **I** *aj* subjectief; onderwerps-; ∼ *case* = **II** *sb* eerste naamval.
subjectivity [sʌbdʒek'tiviti] subjectiviteit.
subject-matter ['sʌbdʒiktmætə] stof, onderwerp *o* [behandeld in een boek].
subject-picture ['sʌbdʒiktpiktʃə] genrestuk *o* [schilderij].
subjoin [sʌb'dʒɔin] toe-, bijvoegen.
subjugate ['sʌbdʒugeit] onder het juk brengen; (aan zich) onderwerpen.
subjugation [sʌbdʒu'geiʃən] onderwerping.
subjunctive [səb'dʒʌŋktiv] **I** *aj* in: ∼ *mood* aanvoegende wijs; **II** *sb* aanvoegende wijs.
sublease ['sʌb'li:s] **I** *sb* ondercontract *o*; onderverhuring, -verpachting; **II** *vt* onderverpachten, -verhuren.
sublessee ['sʌble'si:] onderhuurder, -pachter.
sublessor ['sʌb'lesɔ:] onderverhuurder, -verpachter.
sublet ['sʌb'let] onderverhuren; onderaanbesteden.
sub-lieutenant ['sʌble'tenənt] ⚓ luitenant ter zee 2e klasse.
1 sublimate ['sʌblimit] **I** *aj* gesublimeerd; **II** *sb* sublimaat *o*.

2 sublimate ['sʌblimeit] *vt* zie *sublime* **III**.
sublimation [sʌbli'meiʃən] sublimering; op-, verheffing, veredeling.
sublime [sə'blaim] **I** *aj* verheven, hoog, goddelijk (mooi); **II** *sb* verhevene *o*; **III** *vt* sublimeren; op-, verheffen, veredelen.
subliminal [sʌb'liminəl] subliminaal, onderbewust.
sublimity [sə'blimiti] sublimiteit, verhevenheid, hoogheid.
⊙ **sublunar** [səb'lu:nə], **sublunary** [səb'lu:nəri] ondermaans.
sub-machine gun ['sʌbmə'ʃi:ngʌn] ⚔ handmitrailleur.
submarine ['sʌbməri:n] **I** *aj* onderzees; **II** *sb* onderzeeboot, onderzeeër, duikboot.
submerge [səb'mə:dʒ] **I** *vt* onderdompelen, onder water zetten, overstromen[2], *fig* bedelven; *be* ∼*d* ook: ondergelopen zijn; **II** *vi* (onder)duiken; (weg)zinken.
submergence [səb'mə:dʒəns] onderdompeling; overstroming.
submersible [səb'mə:sibl] **I** *aj* onder water gezet (gelaten) kunnende worden; **II** *sb* ⚓ duikboot.
submersion [səb'mə:ʃən] onderdompeling; overstroming.
submission [səb'miʃən] onderwerping, voor-, overlegging; onderworpenheid, onderdanigheid, nederigheid.
submissive(ly) [səb'misiv(li)] onderdanig, nederig, onderworpen, ootmoedig, gedwee.
submit [səb'mit] **I** *vt* onderwerpen, voorleggen (ter beoordeling); overleggen; menen, de opmerking maken (dat *that*); **II** *vr* ∼ *oneself* zich onderwerpen; **III** *vi* zich onderwerpen (aan *to*).
sub-office ['sʌb'ɔfis] bijkantoor *o*.
1 subordinate [sə'bɔ:dinit] **I** *aj* ondergeschikt, ⚔ onderhebbend; ∼ *clause* bijzin; **II** *sb* ondergeschikte, ⚔ onderhebbende.
2 subordinate [sə'bɔ:dineit] *vt* ondergeschikt maken.
subordinating [sə'bɔ:dineitiŋ] *gram* onderschikkend [voegwoord].
subordination [səbɔ:di'neiʃən] ondergeschiktheid; *gram* onderschikking.
suborn [sə'bɔ:n] omkopen, verleiden.
subornation [sʌbɔ:'neiʃən] omkoping, verleiding.
subpoena [səb'pi:nə] **I** *sb* ⚖ dagvaarding; **II** *vt* ⚖ dagvaarden.
subscribe [səb'skraib] **I** *vt* schrijven onder; inschrijven voor, intekenen voor; ∼*d capital* $ geplaatst kapitaal *o*; *the sum was* ∼*d several times over* verscheidene malen voltekend; **II** *vi* (onder)tekenen, intekenen (op *for, to*); ∼ *to a newspaper* zich op een krant abonneren; *I cannot* ∼ *to that* ik kan die mening niet onderschrijven.
subscriber [səb'skraibə] **1** ondertekenaar; **2** intekenaar, abonnee.

subscription [səb'skripʃən] 1 onderschrift *o*; 2 ondertekening; 3 inschrijving, intekening; abonnement *o*; 4 contributie [als lid].

subsection ['sʌb'sekʃən] onderafdeling.

subsequent ['sʌbsikwənt] *aj* (later) volgend, later; ~ *to* volgend op, komend na; later dan.

subsequently ['sʌbsikwəntli] *ad* nadien.

subserve [səb'sə:v] dienen, dienstig zijn voor.

subservience, -cy [səb'sə:viəns(i)] 1 dienstigheid; 2 dienstbaarheid, ondergeschiktheid; 3 kruiperige onderdanigheid.

subservient [səb'sə:viənt] 1 dienstig; 2 dienstbaar, ondergeschikt; 3 kruiperig onderdanig; *be* ~ *to* dienstig zijn voor.

subside [səb'said] zinken, zakken, verzakken; tot bedaren komen, bedaren, gaan liggen [v. wind &], luwen; afnemen; **J** zich neerlaten of neervlijen [in armstoel &].

subsidence [səb'saidəns, 'sʌbsidəns] zinken *o*, zakken *o*; inzinking [bodem]; verzakking [gebouw]; gaan liggen *o* [wind].

subsidiary [səb'sidjəri] **I** *aj* 1 helpend, hulp-; 2 ondergeschikt; ~ *company* $ dochtermaatschappij; ~ *stream* zijrivier; ~ *troops* hulp-, huurtroepen; **II** *sb* helper, noodhulp, hulp-(middel *o*); $ dochtermaatschappij; *subsidiaries* ook: hulptroepen, huurtroepen.

subsidization [sʌbsidai'zeiʃən] subsidiëring.

subsidize ['sʌbsidaiz] subsidiëren, subsidie verlenen aan, geldelijk steunen.

subsidy ['sʌbsidi] subsidie.

subsist [səb'sist] **I** *vi* bestaan, leven (van *on*); blijven bestaan; **II** *vt* provianderen.

subsistence [səb'sistəns] (middel *o* van) bestaan *o*; (levens)onderhoud *o*, leeftocht.

subsoil ['sʌbsɔil] ondergrond.

subsonic ['sʌb'sɔnik] subsoon.

substance ['sʌbstəns] zelfstandigheid, stof; substantie, wezen *o*, wezenlijkheid; wezenlijke of zakelijke inhoud, hoofdzaak; voornaamste *o*; degelijkheid; vermogen *o*; *in* ~ in hoofdzaak; in wezen; *man of* ~ welgesteld man.

sub-standard ['sʌb'stændəd] onder de norm; ~ *film* smalfilm.

substantial [səb'stænʃəl] *aj* bestaand; wezenlijk, stoffelijk, werkelijk; degelijk, stevig, solide; welgesteld; aanzienlijk, flink.

substantiality [səbstænʃi'æliti] stoffelijkheid, wezenlijkheid, degelijkheid.

substantially [səb'stænʃəli] *ad* zie *substantial*; ook: in hoofdzaak; in wezen.

substantiate [səb'stænʃieit] verwezenlijken; met bewijzen staven.

substantiation [səbstænʃi'eiʃən] verwezenlijking; staving (met bewijzen), bewijs *o*.

substantive ['sʌbstəntiv] **I** *aj* 1 zelfstandig°; onafhankelijk; 2 ✕ effectief; 3 wezenlijk; **II** *sb* zelfstandig naamwoord *o*.

sub-station ['sʌb'steiʃən] ⚡ onderstation *o*.

substitute ['sʌbstitju:t] **I** *sb* 1 plaatsvervanger, substituut; 2 surrogaat *o*, vervangingsmiddel *o*; **II** *vt* vervangen, de plaats vervullen van; in de plaats stellen.

substitution [sʌbsti'tju:ʃən] substitutie, (plaats)-vervanging; *in* ~ *for* ter vervanging van.

substitutional [sʌbsti'tju:ʃənəl] (plaats)vervangend.

substratum ['sʌb'streitəm] substraat *o*; onderlaag, ondergrond.

substruction [səb'strʌkʃən], **substructure** ['sʌbstrʌktʃə] onderbouw, grondslag.

subtenant ['sʌb'tenənt] onderhuurder.

subtend [səb'tend] onderspannen.

subterfuge ['sʌbtəfju:dʒ] uitvlucht.

subterranean {sʌbtə'reiniən}, **subterraneous** [sʌbtə'reiniəs] ondergronds, onderaards; *fig* heimelijk.

✎ **subtil(e)** ['sʌtil, 'sʌbtil] zie *subtle*.

subtilize ['sʌ(b)tilaiz] **I** *vt fig* fijn uitspinnen; **II** *vi fig* haarkloven.

✎ **subtilty** ['sʌ(b)tilti] zie *subtlety*.

sub-title ['sʌbtaitl] ondertitel [v. boek, geschrift]; voettitel [v. film].

subtle ['sʌtl] *aj* ijl², subtiel, fijn; *fig* spitsvondig, listig.

subtlety ['sʌtlti] ijlheid², subtiliteit, fijnheid; *fig* spitsvondigheid, list(igheid); *subtleties* ook: finesses.

subtly ['sʌtli] *ad* zie *subtle*.

subtract [səb'trækt] aftrekken; ~ *from* aftrekken van; afdoen van, verminderen, verkleinen.

subtraction [səb'trækʃən] aftrekking, vermindering.

subtrahend ['sʌbtrəhend] aftrekker.

subtropical ['sʌb'trɔpikl] subtropisch.

subtropics ['sʌb'trɔpiks] subtropen.

suburb ['sʌbə:b] voorstad, buitenwijk.

suburban [sə'bə:bən] **I** *aj* voorstads-; *fig* kleinburgerlijk; **II** *sb* bewoner van een voorstad.

subvention [səb'venʃən] subsidie.

subversion [səb'və:ʃən] omverwerping².

subversive [səb'və:siv] omverwerpend²; revolutionair, subversief, *fig* ondermijnend; *be* ~ *of* omverwerpen, ondermijnen.

subvert [səb'və:t] omverwerpen, -gooien.

subway ['sʌbwei] 1 (perron)tunnel; 2 *Am* ondergrondse (elektrische spoorweg).

succeed [sək'si:d] **I** *vt* volgen op, komen na; opvolgen; **II** *vi* 1 opvolgen (ook: ~ *to*); volgen (op *to*); 2 succes hebben, goed uitvallen, (ge)lukken, slagen; *he* ~*ed in* ...*ing* hij slaagde er in te..., het gelukte hem te...; *nothing* ~*s with me* niets (ge)lukt mij.

success [sək'ses] succes *o*, welslagen *o*, goed gevolg *o*; (gunstige) afloop, uitslag; *meet with a great* ~ veel succes hebben.

successful [sək'sesful] succesvol, geslaagd, succes-; voorspoedig, gelukkig; *be* ~ *in* ...*ing* er in slagen om...

succession [sək'seʃən] 1 successie, opvolging, erf-, troonopvolging; 2 opeenhoping, reeks, volgreeks; 3 nakomelingschap; *in* ~ achtereen, achter elkaar, achtereenvolgens; *in* ~ *to* I als opvolger van; 2 na.

successive [sək'sesiv] *aj* (opeen)volgend, achtereenvolgend; *for three* ~ *days* drie dagen achtereen.

successively [sək'sesivli] *ad* achtereenvolgens, successievelijk.

successor [sək'sesə] (troon)opvolger.

succint(ly) [sək'siŋkt(li)] beknopt, bondig, kort.

succour ['sʌkə] I *vt* bijstaan, te hulp komen, helpen; II *sb* bijstand, steun, hulp.

succulence, -cy ['sʌkjuləns(i)] sappigheid².

succulent ['sʌkjulənt] I *aj* sappig²; ~ *plant* = II *sb* ♣ vetplant.

succumb [sə'kʌm] bezwijken (voor, aan *to*).

such [sʌtʃ] I *aj* zulk (een), zo('n), zodanig; van die(n) aard, dergelijk; ~ *a one* zo een, een dergelijke; *Mr.* ~ *a one* mijnheer zo en zo; *just* ~ *another* precies zo een; ~ *a thing* zoiets, iets dergelijks; *some* ~ *thing* iets van die(n) aard; ~ *are...* dat zijn...; ~ *money as I have* het geld dat ik heb; II *pron* zulks, dergelijke dingen; ~ *as* I zij die, die welke, degenen (dezulken) die; 2 zoals; *as* ~ als zodanig; ~ *and* ~ die en die; dit en dat; *all* ~ al dezulken.

suchlike ['sʌtʃlaik] dergelijk(e).

suck [sʌk] I *vt* zuigen (op, aan), in-, op-, uitzuigen²; *teach your grandmother to* ~ *eggs* het ei wil wijzer zijn dan de hen; ~ *in* op-, inzuigen, indrinken²; verzwelgen; ~ *up* op-, inzuigen; II *vi* zuigen; lens zijn [v. pomp]; ~ *at* zuigen op (aan); III *sb* zuigen *o*; zuiging; *give* ~ zogen; *have* (*take*) *a* ~ *at* eens zuigen aan.

sucker ['sʌkə] I zuiger; 2 zuigleer *o*; 3 zuigbuis; 4 🐟 zuignap; 5 🐋 zuigvis; jonge walvis; 6 speenvarken *o*; 7 ♣ uitloper; 8 S sul.

sucking ['sʌkiŋ] zuigend; *a* ~ *barrister* een advocaat in de dop; *a* ~ *dove* een onschuldig duifje *o*.

sucking-pig ['sʌkiŋpig] speenvarken *o*.

suckle ['sʌkl] zogen; *fig* grootbrengen.

suckling ['sʌkliŋ] I zuigeling; 2 🐟 nog zuigend dier *o*.

suction ['sʌkʃən] het (in)zuigen *o*; zuiging.

suction dredge(r) ['sʌkʃəndredʒ(ə)] zuigbaggermachine, zandzuiger.

suction-pump ['sʌkʃənpʌmp] zuigpomp.

Sudan(ese) zie *Soudan(ese)*.

sudarium [sju'dɛəriəm] zweetdoek (van de H. Veronica.

sudatorium [sju:də'tɔ:riəm] zweetbad *o*.

sudatory ['sju:dətəri] *aj* zweet-; II *sb* zweetbad *o*.

sudden ['sʌdn] *aj* schielijk, plotseling, onverhoeds; (*all*) *of a* ~, *on a* (*the*) ~ schielijk, plotseling, eensklaps, onverhoeds.

suddenly ['sʌdnli] *ad* plotseling, eensklaps.

suddenness ['sʌdnnis] schielijkheid, onverhoedsheid.

sudorific [sju:də'rifik] I *aj* zweetdrijvend; II *sb* zweetdrijvend middel *o*, zweetmiddel *o*.

suds [sʌdz] zeepsop *o*.

Sue [s(j)u:] F verk. v. *Susan* = Suze.

sue [s(j)u:] I *vt* in rechten aanspreken, vervolgen; verzoeken (om *for*); ~ *one for debt* wegens schuld laten vervolgen; II *vi* verzoeken; ~ *for damages* een eis tot schadevergoeding instellen.

suède [sweid] suède *o* & *v*.

suet ['s(j)u:it] niervet *o*.

Suez ['s(j)u:iz] Suez *o*.

suffer ['sʌfə] I *vt* 1 lijden; te lijden hebben; de dupe zijn van; ondergaan; dulden, uithouden, (ver)dragen, uitstaan; 2 laten, toelaten; *he* ~*ed himself to be deceived* hij liet zich bedotten; II *vi* lijden²; er onder lijden; de dupe zijn; boeten (ook: op het schavot); ~ *badly* (*severely*) het erg moeten ontgelden; ~ *for it* er voor boeten; het (moeten) ontgelden; ~ *from* lijden aan; te lijden hebben van; de dupe zijn van.

sufferable ['sʌf(ə)rəbl] uit te houden; te verdragen; te dulden, toelaatbaar.

sufferance ['sʌf(ə)rəns] toelating, (lijdelijke) toestemming, (negatief) verlof *o*; *be admitted on* ~ ergens geduld worden.

sufferer ['sʌf(ə)rə] 1 lijder, patiënt; 2 slachtoffer *o*; *they are the heaviest* ~*s* zij hebben er het meest bij verloren; *he was a* ~ *in the good cause* hij leed en streed voor de goede zaak.

suffering ['sʌf(ə)riŋ] I *aj* lijdend; II *sb* lijden *o*, nood; ~*s* lijden *o*.

suffice [sə'fais] I *vi* genoeg zijn, voldoende zijn, toereikend zijn; ~ *it to say that... we* kunnen volstaan met te zeggen dat...; II *vt* voldoende zijn voor.

sufficiency [sə'fiʃənsi] 1 genoeg om van te leven, voldoende hoeveelheid (voorraad); voldoend aantal *o*; 2 🔧 bekwaamheid.

sufficient [sə'fiʃənt] 1 genoeg, voldoend(e), toereikend (voor *for, to...*); 2 🔧 bekwaam; ~ *unto the day is the evil thereof* B elke dag heeft genoeg aan zijn eigen kwaad; ook: F geen zorgen voor de tijd.

suffix ['sʌfiks] I *sb* achtervoegsel *o*; II *vt* achtervoegen.

suffocate ['sʌfəkeit] I *vt* verstikken, smoren, doen stikken; II *vi* stikken, smoren.

suffocation [sʌfə'keiʃən] stikken *o*, verstikking; *hot to* ~ om te stikken.

Suffolk ['sʌfək] Suffolk *o*.

suffragan ['sʌfrəgən] I *aj* suffragaan, hulp-; ~ *bishop, bishop* ~ = II *sb* wijbisschop; onderhorige bisschop.

suffrage ['sʌfridʒ] 1 stem; kies-, stemrecht *o*; 2 goedkeuring; 3 smeekgebed *o*.

suffragette [sʌfrə'dʒet] suffragette.

suffuse [sə'fju:z] vloeien over, stromen langs [v. tranen]; overgieten, overspreiden, overdekken (met *with*).

suffusion [sə'fju:ʒən] 1 overgieting, overdekking; 2 blos, bloeduitstorting (onder de huid); 3 waas *o*, sluier.

sugar ['ʃugə] I *sb* 1 suiker; 2 F mooie woorden, vleierij; S splint *o*, geld *o*; *Am* F liefje *o*; ~ *and water* suikerwater *o*; II *vt* 1 suikeren, suiker doen in of bij; 2 F honi(n)g om de mond smeren (ook: ~ *up*); ~ *the pill* de pil vergulden; ~*ed words* suikerzoete woordjes.

sugar-basin ['ʃugəbeisn] suikerpot.

sugar-beet ['ʃugəbi:t] ⚇ suikerbiet.

sugar-candy ['ʃugə'kændi] kandijsuiker.

sugar-cane ['ʃugəkein] ⚇ suikerriet *o*.

sugar-coat ['ʃugəkout] met een suikerlaagje bedekken; *fig* versuikeren; ~ *the pill* de pil vergulden.

sugar-dredger ['ʃugədredʒə] suikerstrooier.

sugar-loaf ['ʃugəlouf] suikerbrood *o*.

sugar-plum ['ʃugəplʌm] suikerboon [snoep].

sugary ['ʃugəri] suiker(acht)ig, suikerzoet[2], suiker-.

suggest [sə'dʒest] I *vt* suggereren, doen denken aan, doen vermoeden; ingeven, inblazen, influisteren; aan de hand doen, opperen, voorstellen, in overweging geven, aanraden; II *vr* ~ *itself* zich vanzelf opdringen, vanzelf opkomen [v. gedachte], invallen.

suggestible [sə'dʒestibl] 1 suggestibel: voor suggestie vatbaar; 2 gesuggereerd & kunnende worden.

suggestion [sə'dʒestʃən] suggestie, ingeving, inblazing, influistering; aanduiding; wenk; voorstel *o*, aanraden *o*, idee *o* & *v*; *a* ~ *of*... iets dat doet denken aan...; *at my* ~ op mijn voorstel, na mijn uiteenzetting; *on the* ~ *of* op voorstel van.

suggestive [sə'dʒestiv] suggestief, ᵗeen aanwijzing bevattend, te denken, te vermoeden of te raden gevend; veelbetekenend; (nieuwe) gedachten wekkend; nieuwe gezichtspunten openend [v. boek &]; *be* ~ *of* doen denken aan, wijzen op.

suicidal [s(j)ui'saidl] zelfmoord(enaars)-; *it would be* ~ *to*... 't zou met zelfmoord gelijkstaan.

suicide ['s(j)uisaid] zelfmoord(enaar).

suit [s(j)u:t] I *sb* verzoek(schrift) *o*, aanzoek *o*; rechtsgeding *o*, proces *o*; ◊ kleur; kostuum *o*, pak *o* (kleren); stel *o*; ~ *of armour* wapenrusting; ~ *of mourning* rouwkostuum *o*; *long* ~ ◊ lange kleur; ...*is* (*not*) *his long* (*strong*) ~ ...is zijn fort (niet); II *vt* passen, voegen, geschikt zijn voor, gelegen komen, schikken; (goed) komen bij, (goed) bekomen; aanpassen (aan *to*); *he is hard to* ~ hij is moeilijk te voldoen; *the part does not* ~ *her* de rol ligt haar niet; *red does not* ~ *her* rood staat haar niet; *it* ~*ed my book* (*my game*, *my purpose*) het kwam net goed uit, het kwam in mijn kraam te pas; ~ *your own convenience* doe dat wanneer het u gelegen komt; *he is not* ~*ed for a lawyer* (*to be a lawyer*) hij deugt

niet voor advocaat; ~ *the action to the word* de daad bij het woord voegen; (*well*) ~*ed with servants* goede bedienden (dienstboden) hebbend; III *vr* ~ *oneself* naar eigen goeddunken handelen; zich voorzien; iets naar zijn gading vinden; IV *vi* & *va* gelegen komen; bijeenkomen, er bij komen [v. kleuren]; ~ *with* 1 overeenkomen met; 2 (goed) komen bij.

suitability [s(j)u:tə'biliti] gepastheid, voegzaamheid; geschiktheid.

suitable ['s(j)u:təbl] *aj* gepast, voegzaam, passend; geschikt.

suitably ['s(j)u:təbli] *ad* zie *suitable*.

suit-case ['s(j)u:tkeis] platte koffer.

suite [swi:t] 1 gevolg *o* [v. vorst &]; 2 serie, reeks, stel *o*; 3 ♪ suite; ~ (*of furniture*) ameublement *o*.

suited ['s(j)u:tid] geschikt (voor *for*, *to*); zie *suit*; *neatly* ~ met een keurig pak aan.

suitings ['s(j)u:tiŋz] kostuumstoffen.

suitor ['s(j)u:tə] 1 verzoeker; 2 partij in een proces; 3 vrijer, minnaar, pretendent.

sulk [sʌlk] I *vi* pruilen, mokken; het land hebben; II *sb* gepruil *o*, gemok *o*; landerigheid; *be in the* ~*s* het land hebben, (zitten) pruilen.

sulkily ['sʌlkili] *ad* pruilend &, zie *sulky* I.

sulkiness ['sʌlkinis] gemelijkheid &.

sulky ['sʌlki] I *aj* pruilend, gemelijk, bokkig, landerig; II *sb* sulky [rijtuigje].

sullen(ly) ['sʌlən(li)] gemelijk, knorrig, korzelig, boos; bokkig, zuur, nors; somber.

sullenness ['sʌlənnis] gemelijkheid &.

sully ['sʌli] besmeuren, bevlekken, bezoedelen.

sulphate ['sʌlfit] sulfaat *o*.

sulphur ['sʌlfə] I *sb* zwavel; II *aj* zwavelgeel; III *vt* (uit)zwavelen.

sulphurate ['sʌlfjureit] zwavelen.

sulphureous [sʌl'fjuəriəs] zwavelig, zwavelachtig, zwavel-; zwavelkleurig.

sulphuretted ['sʌlfjuretid] in: ~ *hydrogen* zwavelwaterstof.

sulphuric [sʌl'fjuərik] zwavelig; ~ *acid* zwavelzuur *o*.

sulphurize ['sʌlfjuraiz] zwavelen.

sulphurous ['sʌlfərəs], **sulphury** ['sʌlfəri] zie *sulphureous*.

sultan ['sʌltən] sultan.

sultana [sʌl'ta:nə] 1 sultane; 2 sultanarozijn.

sultanate ['sʌltənit] sultanaat *o*.

sultaness ['sʌltənis] sultane.

sultriness ['sʌltrinis] zwoelheid, drukkende hitte.

sultry ['sʌltri] zwoel, drukkend (heet).

sum [sʌm] I *sb* som°; S somma; bedrag *o*; ~ (*total*) totaal *o*; *the* ~ (*and substance*) *of*... de zakelijke inhoud van..., de kern [v. betoog &]; *he is good at* ~*s* vlug in 't rekenen; *in* ~ summa summarum, om kort te gaan; II *vt* samen-, optellen (ook: ~ *up*); ~ *up* opsommen, (kort) samenvatten, resumeren; ~ *one* up zich een opinie vormen omtrent zijn karakter &, hem peilen.

sumac(h) ['s(j)u:mæk] ♣ sumak, looiersboom.

summarily ['sʌmərili] *ad* summier(lijk), in het kort, beknopt; zonder complimenten.

summarize ['sʌmǝraiz] kort samenvatten.

summary ['sʌmǝri] I *aj* beknopt, kort; summier; snel; *do ~ justice on* volgens het standrecht vonnissen; korte metten maken met; II *sb* (korte) samenvatting, resumé *o*, kort begrip *o*, kort overzicht *o*.

1 **summer** ['sʌmǝ] I *sb* zomer² [ook: jaar]; II *vi* de zomer doorbrengen.

2 **summer** ['sʌmǝ] *sb* dwars-, schoorbalk.

summer-house ['sʌmǝhaus] tuinhuis *o*, prieel *o*.

summer lightning ['sʌmǝlaitniŋ] weerlicht *o* & *m*.

summerlike ['sʌmǝlaik], **summerly** ['sʌmǝli] zomerachtig, zomers, zomer-.

summersault, summerset zie *somersault*.

summer(-)time ['sʌmǝtaim] 1 zomerse tijd, zomertijd; 2 zomertijd.

summery ['sʌmǝri] zomers, zomer-.

summing-up ['sʌmiŋ'ʌp] samenvatting, resumé *o*.

summit ['sʌmit] top, kruin, toppunt² *o*.

summon ['sʌmǝn] sommeren, dagvaarden, bekeuren [iemand]; (op)ontbieden, (op)roepen, opeisen [een stad]; bijeenroepen [vergadering]; *~ up one's courage* zijn moed verzamelen, zich vermannen.

summoner ['sʌmǝnǝ] wie dagvaardt &.

summons ['sʌmǝnz] *mv* **summonses** ['sʌmǝnziz] I *sb* sommatie°, dagvaarding, oproep(ing); bekeuring; II *vt* 1 dagvaarden; 2 procesverbaal opmaken tegen.

sump [sʌmp] put; ⚒ zinkbak [v. motor].

sumpter ['sʌm(p)tǝ] pak-[paard, ezel &].

sumptuary ['sʌmptjuǝri] in: *~ laws* wetten tegen de weelde.

sumptuous ['sʌmptjuǝs] kostbaar, prachtig, rijk, weelderig.

sun [sʌn] I *sb* zon², zonneschijn; *his ~ is set* zijn geluksster (zijn roem) is aan het tanen; *take the ~* zich zonnen; ⚓ de zon schieten; *against the ~* tegen de zon in; *with the ~* in de richting van de zon; *rise with the ~* erg matineus zijn; II *vt* aan de zon blootstellen, in de zon drogen; III *vr ~ oneself* zich zonnen, zich koesteren in de zon; IV *vi* zich zonnen.

sun-bath ['sʌnba:θ] zonnebad *o*. [nen.

sun-bathe ['sʌnbeið] zonnebaden.

sun-bather ['sʌnbeiðǝ] zonnebader, -baadster.

sun-bathing ['sʌnbeiðiŋ] zonnebaden *o*.

sunbeam ['sʌnbi:m] zonnestraal.

sun-blind ['sʌnblaind] zonnescherm *o*, markies.

sunburn ['sʌnbǝ:n] verbrandheid door de zon, zonnebrand.

sunburnt ['sʌnbǝ:nt] (door de zon) verbrand, gebruind, getaand.

sundae ['sʌndei] soort vruchtenijs.

Sunday ['sʌndi] zondag; *his ~ best* zijn zondagse kleren.

Sunday school ['sʌndisku:l] zondagsschool.

sunder ['sʌndǝ] I *vt* (vaneen)scheiden², vaneenscheuren, afhouwen [een der ledematen], doorsnijden [een touw]; uiteenrukken²; II *vi* scheiden; breken.

sundew ['sʌndju:] ♣ zonnedauw.

sun-dial ['sʌndaiǝl] zonnewijzer.

sun-dog ['sʌndɔg] bijzon.

sundown ['sʌndaun] zonsondergang.

sundries ['sʌndriz] diversen, allerlei, allerhande zaken.

sundry ['sʌndri] diverse, allerlei; zie *all*.

sunflower ['sʌnflauǝ] ♣ zonnebloem.

sung [sʌŋ] V.D. van *sing*.

sun-glasses ['sʌngla:siz] zonnebril.

sun-glow ['sʌnglou] 1 verspreide, nevelige lichtkrans om de zon; 2 zonnegloed.

sun-god ['sʌngɔd] zonnegod.

sun-helmet ['sʌnhelmit] helmhoed.

sunk [sʌŋk] V.D. van *sink*.

sunken ['sʌŋkn] (in)gezonken, ingevallen [v. wangen], diepliggend [v. ogen]; hol [v. weg]; *with a ~ heart* versaagd; *~ rocks* blinde klippen.

sun-lamp ['sʌnlæmp] hoogtezonapparaat *o*.

sunless ['sʌnlis] zonder zon.

sunlight ['sʌnlait] zonlicht *o*, zonneschijn; *artificial ~* hoogtezon.

sunlit ['sʌnlit] door de zon verlicht, zonnig.

sunnily ['sʌnili] *ad* zonnig².

sunniness ['sʌninis] zonnigheid, zonneschijn².

sunny ['sʌni] *aj* zonnig².

sun-proof ['sʌnpru:f] niet verschietend.

sunrise ['sʌnraiz] zonsopgang.

sunset ['sʌnset] zonsondergang; *the ~ of life* de avond des levens.

sunshade ['sʌnʃeid] parasol, zonnescherm *o*; zonneklep.

sunshine ['sʌnʃain] zonneschijn²; zonnetje *o*.

sunshiny ['sʌnʃaini] zonnig².

sun-spot ['sʌnspɔt] zonnevlek.

sunstroke ['sʌnstrouk] zonnesteek.

sunstruck ['sʌnstrʌk] een zonnesteek (gekregen) hebbend.

sun tan ['sʌntæn] taankleur; *get a ~* bruin worden.

sunwise ['sʌnwaiz] met de zon mee.

sun-worship ['sʌnwǝ:ʃip] zonnedienst.

sup [sʌp] I *vi* het avondmaal gebruiken, des avonds eten, souperen; II *vt* 1 het avondmaal verschaffen; 2 te souperen hebben; III *sb* slokje *o*.

super ['s(j)u:pǝ] I *sb* F 1 figurant; 2 opziener; II als *aj* extra [kwaliteit]; *per yard ~* per vierkante yard; III als voorvoegsel: super-, reuze(n)-, buitengewoon.

superable ['s(j)u:pǝrǝbl] overkomelijk.

superabound [s(j)u:pǝrǝ'baund] in overvloed aanwezig zijn; *~ in (with)* overvloedig (ruim, rijkelijk) voorzien zijn van.

superabundance [s(j)u:pərə'bʌndəns] overvloed.

superabundant(ly) [s(j)u:pərə'bʌndənt(li)] overvloedig.

superadd [s(j)u:pə'ræd] (er) nog bijvoegen.

superaddition [s(j)u:pərə'diʃən] bijvoegen.

superannuate [s(j)u:pə'rænjueit] door ouderdom ongeschikt maken; op pensioen stellen; ~d ook: op stal gezet, afgedankt; verouderd, onbruikbaar (geworden).

superannuation [s(j)u:pərænju'eiʃən] pensionering; pensioen o.

superb(ly) [s(j)u'pə:b(li)] prachtig; F magnifiek.

supercargo ['s(j)u:pəka:gou] ♣ supercarga.

supercharge [s(j)u:pə'tʃa:dʒ] ✕ aanjagen [motor].

supercharger [s(j)u:pə'tʃa:dʒə] ✕ aanjager [v. motor].

supercilious(ly) [s(j)u:pə'siliəs(li)] trots, verwaand, laatdunkend.

supereminence [s(j)u:pə'reminəns] uitmuntendheid, voortreffelijkheid.

supereminent [s(j)u:pə'reminənt] aj alles overtreffend, boven alles uitmuntend.

supereminently [s(j)u:pə'reminəntli] ad uitmuntend; < ongemeen.

supererogation [s(j)u:pərerə'geiʃən] 't meer doen dan waartoe men verplicht is; *works of* ~ overtollige goede werken.

supererogatory [s(j)u:pəre'rɔgətəri] meer dan verplicht is; overtollig, overbodig.

superficial [s(j)u:pə'fiʃəl] aan de oppervlakte, oppervlakkig; vlakte-; ~ *foot* vierkante voet.

superficiality [s(j)u:pəfiʃi'æliti] oppervlakkigheid.

superficies [s(j)u:pə'fiʃi:z] oppervlakte.

superfine ['s(j)u:pə'fain] extrafijn, prima.

superfluity [s(j)u:pə'fluiti] overvloed(igheid), overtolligheid, overbodigheid.

superfluous [s(j)u:'pə:fluəs] overvloedig, overtollig, overbodig.

superheat [s(j)u:pə'hi:t] oververhitten.

superhighway ['s(j)u:pə'haiwei] *Am* autosnelweg.

superhuman [s(j)u:pə'hju:mən] bovenmenselijk.

superimpose [s(j)u:pərim'pouz] er boven op plaatsen; bovendien opleggen.

superintend [s(j)u:pərin'tend] I *vt* het toezicht hebben over; II *vi* surveilleren.

superintendence [s(j)u:pərin'tendəns] (opper)toezicht o.

superintendent [s(j)u:pərin'tendənt] opzicner, opzichter, inspecteur; ± commissaris (van politie); directeur; walbaas; *medical* ~ geneesheer-directeur.

superior [s(j)u'piəriə] I *aj* 1 superieur, voortreffelijk; 2 opper-; boven-, hoofd-, hoger, beter; 3 ♣ bovenstandig; *with a* ~ *air* met een (hooghartig) air; uit de hoogte; ~ *numbers* numerieke meerderheid, overmacht; *be* ~ *to*

staan boven°, overtreffen; verheven zijn boven; II *sb* superieur; meerdere; *he has no* ~ niemand is hem de baas, overtreft hem.

superiority [s(j)u:piəri'ɔriti] superioriteit, meerdere voortreffelijkheid; meerderheid; overmacht; voorrang, hoger gezag o.

superlative [s(j)u'pə:lətiv] I *aj* alles overtreffend; van de beste soort; hoogste; ~ *degree* = II *sb* overtreffende trap.

superlatively [s(j)u'pə:lətivli] *ad* 1 in de hoogste graad; < bovenmate, buitengemeen; 2 *gram* (als) superlatief.

superman ['s(j)u:pəmæn] „oppermens".

supermarket ['s(j)u:pə'ma:kit] supermarkt.

supermundane [s(j)u:pə'mʌndein] bovenaards. ○ **supernal** [s(j)u'pə:nəl] hemels.

supernatural(ly) [s(j)u:pə'nætʃrəl(i)] bovennatuurlijk.

supernumerary [s(j)u:pə'nju:mərəri] I *aj* boven het bepaalde getal, extra-; II *sb* surnumerair; figurant; extra-bediende; reservepaard o.

superphosphate [s(j)u:pə'fɔsfeit] superfosfaat o.

superpose ['s(j)u:pə'pouz] er boven op plaatsen; op elkaar plaatsen; plaatsen (op *on*, *upon*).

supersaturate ['s(j)u:pə'sætʃəreit] oververzadigen.

superscribe ['s(j)u:pə'skraib] het opschrift schrijven bij (op); adresseren.

superscription [s(j)u:pə'skripʃən] opschrift o; adres o [v. brief].

supersede [s(j)u:pə'si:d] in de plaats treden van, vervangen, verdringen; buiten werking stellen; afschaffen; af-, ontzetten.

supersession [s(j)u:pə'seʃən] vervanging; afschaffing; *in* ~ *of* ter vervanging van.

supersonic [s(j)u:pə'sɔnik] I *aj* 1 ultrasoon: met frequenties niet hoorbaar voor het menselijk oor; 2 supersonisch: sneller dan het geluid; II *sb* ~s ultrageluid o, ultrageluidssnelheid.

superstition [s(j)u:pə'stiʃən] bijgeloof o.

superstitious [s(j)u:pə'stiʃəs] bijgelovig.

superstructure ['s(j)u:pəstraktʃə] bovenbouw.

supertax ['s(j)u:pətæks] extrabelasting.

supervene [s(j)u:pə'vi:n] er tussenkomen, er bijkomen; intreden, zich voordoen.

supervention [s(j)u:pə'venʃən] bijkomen o, optreden o [v. verschijnsel], onverwachte tussenkomst [v. iets].

supervise [s(j)u:pə'vaiz] het toezicht hebben over, toezicht houden op.

supervision [s(j)u:pə'viʒən] opzicht o, toezicht o, surveillance, controle.

supervisor [s(j)u:pə'vaizə] opziener, opzichter, inspecteur.

supervisory [s(j)u:pə'vaizəri] van toezicht, toezicht uitoefenend.

1 **supine** [s(j)u:'pain] *aj* achterover(liggend); *fig* nalatig, laks, slap.

2 **supine** ['s(j)u:pain] *sb gram* supinum o.

supper ['sʌpə] avondeten o, avondmaal o, souper *o*; *have* ~ het avondmaal gebruiken, souperen.

supperless ['sʌpəlis] zonder avondeten.

supper-time ['sʌpətaim] etenstijd.

supplant [sə'pla:nt] verdringen.

supplanter [sə'pla:ntə] verdringer.

supple [sʌpl] **I** *aj* buigzaam, lenig², slap², soepel²; *fig* plooibaar, gedwee; **II** *vt* buigzaam, lenig & maken.

supplement ['sʌplimənt] **I** *sb* supplement *o*, aanvulling, bijvoegsel *o*; **II** *vt* ['sʌpliment] aanvullen.

supplemental [sʌpli'mentəl], ~ary [-əri] aanvullend; suppletoir; *be* ~ *to* aanvullen.

suppliant ['sʌpliənt] **I** *aj* smekend; **II** *sb* 1 smekeling; 2 rekwestrant.

supplicate ['sʌplikeit] **I** *vi* smeken (om *for*); **II** *vt* afsmeken; smeken (om).

supplication [sʌpli'keiʃən] smeking, bede.

supplicatory ['sʌplikeitəri] smekend, smeek-.

supplier [sə'plaiə] leverancier.

1 **supply** [sə'plai] **I** *vt* aanvullen; leveren, aanvoeren, verstrekken, verschaffen, bevoorraden, ravitailleren, voorzien (van *with*); ~ *a loss* een verlies vergoeden; ~ *the place* (*room*) *of* vervangen; ~ *the want of...* in de behoefte aan... voorzien; **II** *vi* & *va* ~ *for one* iemands plaats vervullen; **III** *sb* 1 levering, leverantie, verschaffing, verstrekking, bevoorrading, ravitaillering, voorziening, aanvoer; voorraad; 2 $ partij (goederen); 3 kredieten [op begroting]; budget *o*; 4 vervanger [v. dominee]; *supplies* 1 kredieten, gelden [op begroting]; 2 bevoorrading; ~ *and demand* vraag en aanbod; *in short* ~ in beperkte mate beschikbaar.

2 **supply** ['sʌpli] *ad* zie **supple** I.

supply pipe [sə'plaipaip] aanvoerbuis.

support [sə'pɔ:t] **I** *vt* (onder)steunen², stutten, ophouden, staande (drijvende) houden; onderhouden; uithouden, (ver)dragen, dulden; staven [theorie &]; volhouden [bewering &]; ~ *an actor* ter zijde staan [als medespeler]; ~ *a character* een rol dragen (spelen); **II** *vr* ~ *oneself* in zijn (eigen) onderhoud voorzien; **III** *sb* ondersteuning, onderstand, steun², hulp; (levens)onderhoud *o*; bestaan *o*, broodwinning; stut, steunsel *o*; onderstel *o*, statief *o*; ✕ steuntroepen (*troops in* ~); *in* ~ *of* tot steun van; ter ondersteuning van; tot staving van; *give* ~ *to* (zijn) steun verlenen aan, steunen².

supportable [sə'pɔ:təbl] draaglijk.

supporter [sə'pɔ:tə] steun, verdediger, voorstander, aanhanger, medestander; *sp* supporter; ⌀ schildhouder, -drager; (steun)band, bandage.

supposable [sə'pouzəbl] te veronderstellen, denkbaar.

suppose [sə'pouz] 1 (ver)onderstellen, aannemen; 2 vermoeden, menen, geloven, denken; ~ *we went for a walk* als we eens een wande-

lingetje gingen maken, he?; *we are* ~*d to be there at 4 o'clock* we moeten daar om 4 uur zijn; *their* ~*d friend* hun vermeende vriend.

supposedly [sə'pouzidli] *ad* vermoedelijk, zoals (naar) men meent (veronderstelt).

supposition [sʌpə'ziʃən] (ver)onderstelling, vermoeden *o*; *on the* ~ *that...* in de veronderstelling dat...; *except upon the* ~ *that...* tenzij wij aannemen dat...

supposititious [sʌpəzi'tiʃəs] ondergeschoven, onecht, vals.

suppress [sə'pres] onderdrukken°, bedwingen; achterhouden, weglaten, verzwijgen; verbieden [een krant &]; opheffen [kloosters].

suppression [sə'preʃən] onderdrukking; achterhouding, weglating, verzwijging; verbieden *o*; opheffing.

suppressor [sə'presə] onderdrukker &.

suppurate ['sʌpjureit] ▼ etteren.

suppuration [sʌpju'reiʃən] ▼ ettering.

supra ['s(j)u:prə] (hier)boven.

supremacy [s(j)u'preməsi] suprematie, oppermacht, oppergezag *o*, opperheerschappij.

supreme [s(j)u'pri:m] *aj* hoogst, allerhoogst, opper(st); oppermachtig; *at the* ~ *hour* (*moment*) op het laatste ogenblik; *rule* (*reign*) ~ oppermachtig zijn.

supremely [s(j)u'pri:mli] *ad* in de hoogste graad, < hoogst, uiterst.

⚓ surcease [sə:'si:s] **I** *sb* ophouden *o*, rust; **II** *vi* ophouden; **III** *vt* doen ophouden.

surcharge ['sə:tʃa:dʒ] **I** *sb* 1 overlading; overbelasting; 2 extrabetaling, -belasting; 3 toeslag; 4 ⚘ strafport *o* & *m*; (postzegel met) opdruk; 5 $ overvraging; **II** *vt* [sə:'tʃa:dʒ] overladen; overbelasten; extra laten betalen; overvragen; ~*d* ook: ⚘ met opdruk; ~*d steam* oververhitte stoom.

surcoat ['sə:kout] ⊞ opperkleed *o* (over de wapenrusting, 13de eeuw).

surd [sə:d] **I** *aj* 1 stemloos [medeklinkers]; 2 onmeetbaar [getal]; **II** *sb* 1 stemloze medeklinker; 2 onmeetbare grootheid.

sure [ʃuə, ʃɔ:] **I** *aj* 1 zeker°, onfeilbaar; 2 veilig; betrouwbaar; verzekerd (van *of, as to*); (*are you*) ~? bent u er zeker van?; *well, I'm* ~! heb ik van me leven!; *I am* ~ *I don't know* ik weet het waarachtig niet; *it is* ~ *to turn out well* het zal stellig slagen; *to be* ~ 1 (wel) zeker; 2 zeer zeker; 3 waarachtig!; *be* ~ *to come* verzuim niet te komen; *be* ~ *of* zeker zijn van; *make* ~ *of* zich verzekeren van, zich vergewissen van; er voor zorgen dat...; *for* ~ zeker, stellig; **II** *ad* (voor)zeker; *as* ~ *as eggs is eggs* (*as a gun, as I stand here*) zo zeker als 2 × 2 vier is; ~ *enough* zo zeker als wat; waarachtig, jawel.

sure-footed ['ʃuə'futid] vast op zijn voeten; *fig* betrouwbaar, solide.

surely ['ʃuəli] *ad* zeker, met zekerheid; toch (wel).

surety ['ʃuəti] 1 borg; borgtocht, borgstelling,

(onder)pand *o*; 2 ✸ zekerheid; *stand ~ for...* borg blijven voor; *of a ~* ✸ zeker(lijk).
suretyship ['ʃuətiʃip] borgstelling.
surf [sə:f] I *sb* branding [van de zee]; II *vi sp* zich laten voorttrekken over het water op een plank.
surface ['sə:fis] I *sb* oppervlakte; vlak *o*; (weg)dek *o*; buitenkant; *on the ~* aan de oppervlakte; op het eerste gezicht; *come (rise) to the ~* ook: (weer) bovenkomen; II als *aj* oppervlakkig, ogenschijnlijk; bovengronds; ⚓ oppervlakte-, bovenzees; *~ mail* ☊ geen luchtpost; III *vt* gladmaken; bedekken (met een laag...); IV *vi* ⚓ opduiken.
surfaceman ['sə:fismæn] wegwerker.
surf-board ['sə:fbɔ:d] plank voor *surf-riding*.
surfeit ['sə:fit] I *sb* overlading (van de maag); oververzadiging²; II *vt* [de maag] overladen, oververzadigen² (met *with*); III *vi* zich de maag overladen; te veel eten, zich overeten.
surfer ['sə:fə], **surf-rider** ['sə:fraidə] wie doet aan *surf-riding*.
surfing ['sə:fiŋ], **surf-riding** ['sə:fraidiŋ] *sp* het zich laten voorttrekken over het water op een plank.
surge [sə:dʒ] I *vi* golven, stromen, deinen; *~ by* voorbijrollen, -stromen; II *sb* golf, golven; golven *o*.
surgeon ['sə:dʒən] 1 chirurg; in Engeland ook: arts; 2 ✖ officier van gezondheid; 3 ⚓ scheepsdokter.
surgery ['sə:dʒəri] 1 chirurgie, heelkunde; 2 spreekkamer [v. dokter]; 3 ☞ operatie, ingreep; *attend morning ~* op het ochtendspreekuur aanwezig zijn; *have (undergo, be in) ~* geopereerd worden.
surgical ['sə:dʒikl] chirurgisch, heelkundig.
Surinam [suəri'næm] Suriname *o*.
surlily ['sə:lili] *ad* nors, bokkig.
surliness ['sə:linis] norsheid, bokkigheid.
surly ['sə:li] *aj* nors, bokkig.
surmise [sə:'maiz] I *sb* vermoeden *o*, gissing; II *vt* vermoeden, bevroeden, gissen.
surmount [sə:'maunt] 1 te boven komen, overwinnen; 2 klimmen over; 3 zich bevinden op; *~ed by (with)...* waarop (zich bevindt)...
surmountable [sə:'mauntəbl] overkomelijk, te overwinnen.
surname ['sə:neim] I *sb* 1 bijnaam; 2 achternaam, familienaam; II *vt* een bijnaam geven; *~d...* bijgenaamd...
surpass [sə:'pa:s] overtreffen, te boven gaan.
surpassable [sə:'pa:səbl] te overtreffen.
surpassing(ly) [sə:'pa:siŋ(li)] weergaloos.
surplice ['sə:plis] superplie *o*, koorhemd *o*.
surpliced ['sə:plist] met een koorhemd aan.
surplus ['sə:pləs] I *sb* surplus *o*, overschot *o*; II als *aj* overtollig; *~ population* overbevolking, bevolkingsoverschot *o*; *~ value* meerwaarde, overwaarde.
surprise [sə:'praiz] I *sb* verrassing (ook = overrompeling), verwondering, verbazing; *take*

by ~ verrassen (ook = overrompelen); II *vt* verrassen (ook = overrompelen), verwonderen, verbazen; *I'm ~d at you* dat verbaast mij van u [als verwijt].
surprise visit [sə'praizvizit] onverwacht bezoek *o*.
surprising [sə'praiziŋ] *aj* verbazingwekkend, verwonderlijk.
surprisingly [sə'praiziŋli] *ad* op verrassende wijze, verwonderlijk, verbazend.
surrender [sə'rendə] I *vt* overgeven, uit-, inleveren, afstand doen van, opgeven; II *vi* zich overgeven, capituleren; III *sb* overgeven *o*, overgave, capitulatie, uit-, inlevering, afstand.
surrender value [sə'rendəvælju:] $ afkoopwaarde [v. polis].
surreptitious(ly) [sʌrəp'tiʃəs(li)] heimelijk, clandestien, op slinkse wijze (verkregen).
surrogate ['sʌrəgit] plaatsvervanger [v. e. bisschop].
surround [sə'raund] omringen, omsingelen, omgeven, insluiten. [*o*.
surroundings [sə'raundiŋz] omgeving, milieu²
surtax ['sə:tæks] I *sb* extrabelasting, toeslag; II *vt* extra belasten.
surveillance [sə:'veiləns] toezicht *o*.
1 **survey** [sə:'vei] *vt* overzien; in ogenschouw nemen, inspecteren; onderzoeken; opnemen; opmeten; karteren (inz. uit de lucht).
2 **survey** ['sə:vei] *sb* overzicht *o*; inspectie; onderzoek *o*; opneming; opmeting; (lucht)kartering; $ expertise.
surveying [sə:'veiiŋ] overzien *o* &, zie 1 *survey*; landmeten *o*.
surveyor [sə:'veiə] 1 opzichter, inspecteur; 2 opnemer, landmeter; 3 expert (van Lloyd's).
surveyorship [sə:'veiəʃip] betrekking (ambt *o*) van *surveyor*.
survival [sə:'vaivəl] overleving; voortbestaan *o*; laatst overgeblevene; overblijfsel *o*.
survive [sə:'vaiv] I *vt* overléven; II *vi* nog in leven zijn, nog (voort)leven, nog bestaan, voortbestaan; in leven blijven.
survivor [sə:'vaivə] langstlevende; overgeblevene, geredde [na ramp].
survivorship [sə:'vaivəʃip] overleving.
Susan ['su:zən] Suzanna.
susceptibility [səsepti'biliti] 1 kwalijknemende aard; 2 ontvankelijkheid, vatbaarheid (voor *of*); (fijn)gevoeligheid (voor *to*).
susceptible [sə'septibl] 1 kwalijknemend; 2 ontvankelijk, vatbaar; (licht)gevoelig (voor *of, to*).
susceptive [sə'septiv] zie *susceptible* 2.
1 **suspect** [səs'pekt] *vt* vermoeden, argwanen; wantrouwen, verdenken.
2 **suspect** ['sʌspekt] I *aj* verdacht; II *sb* verdachte (persoon).
suspend [səs'pend] ophangen; onderbreken opschorten, schorsen; staken [betalingen & tijdelijk buiten werking stellen of intrekken

be ~ed hangen; zweven [in vloeistof]; *~ed animation* schijndood; *~ed sentence* ₮₮ voorwaardelijke veroordeling.

suspender [səs'pendə] ophanger &; (sok)ophouder, jarretelle; bretel (gew. *~s* bretels).

suspense [səs'pens] onzekerheid, spanning; opschorting; *in ~* in spanning, in het onzekere; onuitgemaakt.

suspension [səs'penʃən] ophanging; onderbreking, opschorting, schorsing, tijdelijke intrekking; *~ of arms* ⚔ wapenstilstand; *~ of payment* $ staking van betaling; *be in ~* zweven [in vloeistof].

suspension bridge [səs'penʃənbridʒ] hangbrug, kettingbrug.

suspensive [səs'pensiv] 1 onzeker, twijfelachtig; 2 opschortend.

suspensory [səs'pensəri] hangend; opschortend; hang-.

suspicion [səs'piʃən] achterdocht, wantrouwen *o*, argwaan, (kwaad) vermoeden *o*, verdenking; *a ~ of...* F een schijntje (ietsje)...; *have a ~ against (of) one* vermoeden hebben op (tegen) iemand.

suspicious(ly) [səs'piʃəs(li)] argwanend, achterdochtig, wantrouwig; verdacht.

sustain [səs'tein] (onder)steunen, dragen, schragen, aanhouden [een toon]; volhouden [beweging &]; kracht geven, staande houden, ophouden, gaande houden [belangstelling]; hooghouden [gezag]; doorstaan, verdragen, uithouden [honger &]; krijgen; oplopen; lijden [schade &]; *~ a part* een rol spelen; *~ the part* de rol volhouden.

sustained [səs'teind] samenhangend; ononderbroken, goed onderhouden [geweervuur], aanhoudend; volgehouden.

sustainer [səs'teinə] ondersteuner; steun.

sustaining [səs'teiniŋ] krachtig, krachtgevend, versterkend [v. voedsel].

sustenance ['sʌstinəns] (levens)onderhoud *o*, voeding, voedsel *o*.

sustentation [sʌsten'teiʃən] ondersteuning, steun; onderhoud *o*.

sutler ['sʌtlə] zoetelaar, marketentster.

suture ['sju:tʃə] I *sb* 1 naad [aan been]; 2 hechting [van wond]; II *vt* hechten.

suzerain ['s(j)u:zərein] suzerein, leenheer.

suzerainty ['s(j)u:zəreinti] suzereiniteit, opperleenheerschap *o*, opperheerschappij.

Suzy ['su:zi] F Suze.

svelte [svelt] slank.

swab [swɔb] I *sb* zwabber, wis(ser); ⚓ watje *o*, gaasje *o*; II *vt* (op)zwabberen, wissen (ook: *down*); *~ up* opnemen [vocht].

swabber ['swɔbə] zwabber².

Swabia ['sweibiə] Zwaben *o*.

Swabian ['sweibiən] I *aj* Zwabisch, van Zwaben; II *sb* 1 Zwaab; 2 Zwabisch *o*.

swaddle ['swɔdl] inbakeren.

swaddling bands, *~ clothes* ['swɔdliŋbændz, -klouðz] windsels; luiers; *fig* keurslijf *o*.

swag [swæg] S roof, buit.

swagger ['swægə] I *vi* braniën, snoeven; zwierig stappen; II *sb* branie, lef *o* & *m*; zwierige gang; III als *aj* chic.

swagger-cane ['swægəkein] badine [der Eng. soldaten].

swaggerer ['swægərə] opschepper, branie.

swaggering(ly) ['swægəriŋ(li)] opschepperig, branieachtig.

swain [swein] 1 jonge boer, boerenknecht; 2 jongeling; 3 J & ☉ vrijer, minnaar.

1 **swallow** ['swɔlou] *sb* 🐦 zwaluw.

2 **swallow** ['swɔlou] I *vt* in-, verzwelgen; slikken [ook van beledigingen, nieuwtjes &]; inslikken, doorslikken; opslokken² (ook: *~ down*), verslinden² (ook: *~ up*); *fig* terugnemen [woorden]; op zij zetten [zijn trots]; II *vi* slikken; III *sb* slik, slok.

swallowtail ['swɔlouteil] 1 🐦 zwaluwstaart [ook: ⚔ 🦋 ⚔]; 2 F rok [v. heer].

swallowtailed ['swɔlouteild] 1 met een zwaluwstaart, gevorkt; F in rok; *~ butterfly* 🦋 koninginnenpage; *~ coat* rok.

swam [swæm] V.T. van *swim*.

swamp [swɔmp] I *sb* moeras² *o*, drasland *o*; II *vi* in een moeras zinken; vol water lopen [v. e. boot]; III *vt* vol water doen of laten lopen; overstromen, overstelpen (met *with*); verpletteren, vernietigen, F inmaken [tegenstander]; verdringen.

swampy ['swɔmpi] moerassig, drassig, dras-.

swan [swɔn] 🐦 zwaan²; *fig* dichter; *a black ~* een witte raaf; *the Swan of Avon* de Zwaan van de Avon: Shakespeare.

swank [swæŋk] I *vi* S geuren, bluffen; II *sb* branie, bluf; III *aj* zie *swanky*.

swanker ['swæŋkə] S bluffer, geurmaker.

swanky ['swæŋki] S branieachtig, blufferig; chic.

swan's-down ['swɔnzdaun] zwanedons *o*.

swanskin ['swɔnskin] molton *o*.

swan song ['swɔnsɔŋ] zwanezang.

swap [swɔp] zie *swop*.

sward [swɔ:d] grasveld *o*.

🏹 **sware** [swɛə] V.T. van *swear*.

1 **swarm** [swɔ:m] I *sb* zwerm²; II *vi* zwermen, krioelen, wemelen (van *with*).

2 **swarm** [swɔ:m] *vi* (& *vt*) klauteren (in, op).

🏹 **swart** [swɔ:t] zwart, donker; bruin.

swarthiness ['swɔ:θinis] donkerheid &.

swarthy ['swɔ:θi] donker, getaand, gebruind.

swash [swɔʃ] I *vi* kletsen, plassen, plonzen [v. water]; slaan; II *vt* (neer)kwakken, -kletsen, -plonzen; III *sb* klets, plas, geklets *o*, geplas *o*.

swashbuckler ['swɔʃbʌklə] ijzervreter, snoever.

swastika ['swɔstikə] swastika, hakenkruis *o*.

swat [swɔt] F slaan, meppen; zie ook: *swot*.

swath [swɔ:θ] zwad *o*, zwade; *fig* rij.

swathe [sweið] I *vt* bakeren, (om-, in)zwachtelen, (om)hullen; II *sb* ⚓ zwachtel, (om)hulsel *o*; 2 zie *swath*.

sway [swei] I *vi* zwaaien, slingeren, wiegen;

overhellen; heersen; **II** *vt* 1 doen zwaaien (slingeren, wiegen, overhellen); hanteren [het zwaard], zwaaien [de scepter]; 2 regeren, beheersen, leiden; beïnvloeden; **III** *sb* zwaai; heerschappij, macht, overwicht *o*, invloed; *bear (hold)* ⁓ de scepter zwaaien, regeren, heersen.

swear [swɛə] **I** *vi* zweren, de eed doen (afleggen); vloeken; **II** *vt* 1 zweren, bezweren, onder ede beloven, een eed doen op; 2 doen zweren, beëdigen; *he was sworn a member* hij legde de eed als lid af; hij werd beëdigd; ⁓ *at* vloeken op [personen]; ⁓ *in* beëdigen, de eed afnemen; ⁓ *off* afzweren; ⁓ *to* zweren op; ⁓ *to it* er een eed op doen; ⁓ *one to secrecy* iemand onder ede laten beloven, dat hij zwijgen zal; **III** *sb* F vloekwoord *o*, vloek, vloeken *o*.

swearer ['swɛərə] 1 eedaflegger; 2 vloeker.
swear-word ['swɛəwə:d] vloekwoord *o*, vloek.

sweat [swet] **I** *sb* 1 zweet *o*, (uit)zweting; 2 F koeliewerk *o*; *in (all of) a* ⁓ door en door bezweet, zwetend; **II** *vi* 1 zweten², zitten zweten; *fig* zwoegen; 2 werken (onder het *sweating-system*); **III** *vt* doen zweten; (uit)zweten; *fig* uitzuigen [werklieden]; ⁓*ed labour* arbeid(ers) onder het *sweating-system*.

sweater ['swetə] 1 sweater: wollen sporttrui; 2 uitzuiger [v. werklieden].
sweatiness ['swetinis] zweterigheid.
sweating-bath ['swetiŋba:θ] zweetbad *o*.
sweating-system ['swetiŋsistim] hard laten werken *o* voor een hongerloon of exploiteren *o* van de huisindustrie.
sweat-shop ['swetʃɔp] werkplaats met onder het *sweating-system* werkende krachten.
sweaty ['sweti] zweterig, bezweet, zweet-.
Swede [swi:d] Zweed; *s*⁓ knolraap, koolraap.
Sweden ['swi:dn] Zweden *o*.
Swedish ['swi:diʃ] Zweeds; ⁓ *drill* heilgymnastiek.

sweep [swi:p] **I** *vi* 1 vegen; 2 strijken, vliegen, jagen, schieten; zwenken; 3 statig lopen (gaan &); 4 zich uitstrekken; 5 dreggen (naar *for*); **II** *vt* 1 (aan)vegen, weg-, op-, schoonvegen²; 2 afvissen, aflagen; afzoeken, (af)dreggen [rivier · &]; 3 strijken of slepen over; ⚓ bestrijken; opstrijken [winst]; 4 sleuren, meeslepen²; ⁓ *the board* met de hele winst (de hele inzet) gaan strijken; *this party swept the country* deze partij behaalde in het hele land een geweldige overwinning; *a war swept the country* een oorlog ging als een storm over het land; ⁓ *the horizon* de hele horizon omvatten; ⁓*ing it like a queen* met de zwier van een koningin; ⁓ *the seas* 1 de zee afzwerven; 2 de zee schoonvegen [v. vijanden]; ∞ ⁓ *across* vliegen, schieten over; ⁓ *one's hand across* met de hand strijken over; ⁓ *along* voortstuiven; meeslepen; meeslepen; ⁓ *away* wegvegen², -vagen, wegspoelen, wegstrijken; *the plain* ⁓*s away to the sea* de

vlakte strekt zich uit tot de zee; ⁓ *down* neerschieten; zich storten; meesleuren; *he* ⁓*s everything into his net* alles is van zijn gading; ⁓ *northward* zich naar het noorden uitstrekken; ⁓ *off* wegvagen, wegmaaien; meesleuren; *I was swept off my feet* F ik stond paf [toen...]; ⁓ *out of the room* de kamer uit zwieren; ⁓ *past* voorbijzwieren, voorbijwieren; ⁓ *up* opvegen; **III** *sb* 1 veeg, zwenking, zwaai, draai, bocht; (riem)slag; lange roeiriem; vaart; bereik *o*; uitgestrektheid; gebied *o*; oprit [vóór huis]; 2 F schoorsteenveger; 3 molenwiek; 4 zie *sweepstake(s)*; *the wide* ⁓ *of his intelligence (mind)* zijn veelomvattende geest; *make a clean* ⁓ eens terdege schoon schip maken, opruiming houden²; *at a* ⁓ met één slag.

sweeper ['swi:pə] veger; straat-, baanveger; ⚒ mijnenveger.
sweeping ['swi:piŋ] **I** *aj* vegend &; *a* ⁓ *generalization* een (te) algemene generalisatie; ⁓ *majority* verpletterende meerderheid; ⁓ *measure* radicale maatregel; ⁓ *plains* wijde, uitgestrekte vlakten; *at a* ⁓ *reduction* $ tegen zeer gereduceerde prijzen; **II** *sb* in: ⁓*s* veegsel *o*; *the* ⁓*s* het uitvaagsel².
sweep-net ['swi:pnet] strijknet *o*, sleepnet *o*.
sweepstake(s) ['swi:psteik(s)] *sp* wedren (wedstrijd, loterij &) met inleggelden, die in hun geheel aan de winners uitbetaald moeten worden.

sweet [swi:t] **I** *aj* & *ad* zoet², aangenaam, liefelijk, lief, lieftallig, bevallig, geurig, lekker; zacht [beweging]; vers, fris [lucht, eieren &]; F snoezig [v. kind, hoedje &]; *as* ⁓ *as a nut* F om door een ringetje te halen; ⁓ *sixteen* lieve schone(n) van 16 lentes; ⁓ *stuff* lekkers *o*, snoeperij(en), zoetigheid; *have a* ⁓ *tooth* een zoetekauw zijn; ⁓ *violet* welriekend viooltje *o*; *at your own* ⁓ *will* net zoals u (mijnheer &) verkiest; *he is* ⁓ *on her* hij is op haar verliefd; **II** *sb* zoetheid; zoete *o*; bonbon; zoetigheid; toetje *o*; lekkers *o*, snoep (ook: ⁓*s*); *my* ⁓ *!* liefje!; *the* ⁓*s and bitters* (*bitters and* ⁓*s*) *of life* 's levens zoet en zuur (lief en leed).
sweetbread ['swi:tbred] zwezerik.
sweet briar ['swi:t'braiə] ✿ egelantier.
sweeten ['swi:tn] **I** *vt* zoetmaken, zoeten, verzachten, verzoeten, veraangenamen; temperen [licht]; verversen [lucht]; luchten [de kamer]; **II** *vi* zoet(er) worden.
sweetener ['swi:tnə] wie of wat zoet maakt.
sweetening ['swi:tniŋ] zoetmiddel *o*, zoetstof; verzoeting &, zie *sweeten*.
sweet-flag ['swi:tflæg] ✿ kalmoes.
sweet-gale ['swi:tgeil] ✿ gagel.
sweetheart ['swi:tha:t] **I** *sb* geliefde; liefje *o*, meisje *o*; vrijer; (*my*) ⁓ *!* lieveling; **II** *vt* in: *go* ⁓*ing* uit vrijen gaan.
sweetie ['swi:ti] 1 F bonbon, zoetigheidje *o*; 2 S snoes liefje *o*.

sweetie-pie ['swi:tipai] S snoes; liefje o.

sweeting ['swi:tiŋ] sint-jansappel.

sweetish ['swi:tiʃ] zoetachtig, zoetig.

sweet john ['swi:t'dʒɔn] ✿ duizendschoon.

sweetly ['swi:tli] ad zie sweet I.

sweetmeat ['swi:tmi:t] bonbon; ~s suikergoed o, lekkers o.

sweet-natured ['swi:t'neitʃəd] zacht, goedaardig, lief.

sweetness ['swi:tnis] zoetheid &, zie sweet I.

sweet pea ['swi:t'pi:] ✿ riekende lathyrus.

sweet-scented ['swi:t'sentid], **sweet-smelling** ['swi:t'smeliŋ] welriekend, geurig.

sweet-tempered ['swi:t'tempəd] zie sweet-natured.

sweet-william ['swi:t'wiljəm] ✿ 1 muurbloem; 2 duizendschoon.

swell [swel] I vi zwellen, aan-, opzwellen, uitzetten; fig aangroeien, toenemen; zich opblazen; ~ into aangroeien tot; ~ out (up) opzwellen; ~ with pride zwellen (zich opblazen) van trots; II vt doen zwellen, fig opblazen, hovaardig maken; doen aangroeien of toenemen, verhogen, doen aan-, opzwellen; vergroten; ~ it S de grote heer uithangen; III sb 1 zwellen o, zwelling, deining; 2 S fat; grote meneer, piet; IV aj chic, fijn, prima.

swell-box ['swelbɔks] ♪ zwelkast [v. orgel].

swelled [sweld] (op)gezwollen; ~ head S verwaandheid; grootheidswaan(zin).

swelling ['sweliŋ] I aj zwellend &; II sb aan-, opzwellen o; gezwel o; buil.

swelter ['sweltə] I vi smoren, stikken van de hitte; II sb broei-, smoorhitte.

sweltering ['sweltəriŋ] broeiend, smoor-, snik-'heet, broei-.

swept [swept] V.T. & V.D. van sweep.

swept-back ['sweptbæk] in: ~ wing ✈ terugwijkende vleugel.

swerve [swə:v] I (vt &) vi (doen) afdwalen, (doen) afwijken, (doen) op zij gaan, F een schuiver (laten) maken [auto]; II sb afdwaling, afwijking; zwenking, zwaai.

swift [swift] I aj & ad snel, vlug, er vlug bij (om to...); ~ to anger gauw kwaad; II sb ✿ gierzwaluw; ✿ hagedis.

swift-footed ['swift'futid] snelvoetig, rap.

swiftly ['swiftli] ad snel, vlug.

swiftness ['swiftnis] snelheid, vlugheid.

swig [swig] I vt & vi S met grote teugen (leeg)drinken, zuipen; II sb S grote slok.

swill [swil] I vt (door)spoelen; met grote teugen drinken, inzwelgen; II vi zich bedrinken; III sb 1 spoelsel o; 2 spoeling; give it a ~ het uitspoelen.

swim [swim] I vi 1 zwemmen, drijven; 2 draaien (voor iemands ogen), duizelen; ~ into the room de kamer binnenzweven; ~ to the bottom, ~ like a stone drijven als een steen; ~ with the tide (stream) met de stroom meegaan; ~ with tears overlopen van tranen; II vt 1 zwemmen, af-, overzwemmen; 2 laten zwemmen; 3 om het hardst zwemmen met; III sb 1 zwemmen o; 2 visrijke plaats; be in the ~ F 1 op de hoogte zijn; 2 meedoen (met de grote wereld).

swimmer ['swimə] 1 zwemmer; 2 ✿ zwemvogel.

swimming ['swimiŋ] 1 zwemmen o; 2 draaiing, duizeling.

swimming-bladder ['swimiŋblædə] zwemblaas.

swimmingly ['swimiŋli] in: go on ~ van een leien dakje gaan, vlot marcheren.

swimming-pool ['swimiŋpu:l] zwembassin o.

swindle ['swindl] I vt oplichten; ~ one out of money iemand geld afzetten; II vi zwendelen; III sb zwendel(arij), oplichterij.

swindler ['swindlə] zwendelaar, oplichter.

swine [swain] I varken² o, zwijn² o; varkens, zwijnen; 2 fig smeerlap.

swine-herd ['swainhə:d] zwijnenhoeder.

swing [swiŋ] I vi schommelen, zwaaien, slingeren, bengelen²; hangen²; draaien; zwenken; ~ round zich omdraaien, draaien; ~ to dichtslaan [deur]; II vt 1 doen of laten schommelen &; 2 slingeren met, schommelen, zwaaien met; 3 (op)hangen; 4 draaien; 5 doen of laten zwenken; there is no room to ~ a cat je kunt je er niet wenden of keren; ~ the lead S lijntrekken; III sb 1 schommel; 2 schommeling, zwenking, zwaai; 3 slingering; 4 ritme o, „Schwung"; 5 „swing" [boksstoot & dansmuziek]; let him have (take) his ~ laat hem maar zijn gang gaan, laat hem maar naar hartelust...; in full ~ in volle gang; get into one's ~ op dreef komen.

swing-boat ['swiŋbout] luchtschommel.

swing-bridge ['swiŋbridʒ] draaibrug.

swing-door ['swiŋdɔ:] tochtdeur, klapdeur.

✿ swinge ['swin(d)ʒ] afranselen, tuchtigen.

swingeing ['swin(d)ʒiŋ] F < kolossaal.

swingle ['swiŋgl] I sb zwingel(stok); II vt [vlas] zwingelen.

swingle-bar ['swiŋglba:], **swingle-tree** [-tri:] zwenghout o.

swinish ['swainiʃ] zwijnachtig, zwijne(n)-.

swipe [swaip] I vt & vi hard slaan; II sb harde slag [cricket]; Am veeg² (uit de pan); ~s dunbier o.

swirl [swə:l] I (vt &) vi (doen) warrelen of draaien; II sb warreling, gewarrel o.

swish [swiʃ] I vi zwiepen; ruisen [v. zijde]; II vt zwiepen met; afranselen, met de roe geven; ~ off afslaan [met stokje]; III sb zwiepend geluid o &; geruis o [v. zijde].

Swiss [swis] I aj Zwitsers; ~ roll koninginnenrol [jamtaart]; II sb Zwitser; the ~ de Zwitsers.

switch [switʃ] I sb 1 teentje o; roede; karwats; 2 wissel [v. spoorweg]; 3 ⚡ schakelaar; knop; 4 valse vlecht of haarbos; 5 slag, tik; 6 verandering; II vt 1 uitkloppen; slaan, ranselen; 2 (plotseling) draaien, wenden, richten; op een ander spoor brengen; 3 ⚡ om-

schakelen; ~ *off* uitdraaien [el. licht]; ✻ uitschakelen, afzetten; *fig* op iets anders brengen, afleiden; ~ *on* ✻ inschakelen, aandraaien [el. licht], aanzetten; **III** *vi* 1 zwiepen; 2 draaien; ~ *over* ✻ overschakelen² (op *to*).
switchback ['switʃbæk] roetsjbaan; berg(spoor)weg met veel bochten.
switch-board ['switʃbɔːd] ✻ schakelbord *o.*
switchman ['switʃmən] wisselwachter.
✎ **Switzer** ['switsə] 1 Zwitser; 2 soldaat van de pauselijke lijfgarde.
Switzerland ['switsələnd] Zwitserland *o.*
swivel ['swivl] wartel; **II** *vi* & *vt* (laten) draaien.
swivel-chair ['swivltʃɛə] draaistoel.
swivel pin ['swivlpin] draaibout; ⇔ fuseepen.
swizzle-stick ['swizlstik] klopper (voor het doen bruisen van dranken).
swob zie *swab.*
swollen ['swouln] V.D. van *swell.*
swollen-headed ['swouln'hedid] verwaand, opgeblazen.
swoon [swuːn] **I** *vi* bezwijmen, in zwijm vallen, flauwvallen; **II** *sb* bezwijming, flauwte.
swoop [swuːp] **I** *vi* neerstrijken, neerschieten (ook: ~ *down*); ~ *down* (*up*)*on* neerschieten op, afschieten op; **II** *vt* neerschietend of in de lucht grijpen (ook: ~ *up*); **III** *sb* neerstrijken *o*, plotseling neerschieten *o; at a* ~ met één slag.
swop [swɔp] **I** *vt* & *vi* ruilen; **II** *sb* ruil.
sword [sɔːd] zwaard *o*, degen; ✗ sabel; *put to the* ~ over de kling jagen.
sword-belt ['sɔːdbelt] (degen)koppel.
swordbill ['sɔːdbil] ✻ degenkolibrie.
sword-blade ['sɔːdbleid] degenkling.
sword-cane ['sɔːdkein] degenstok.
sword-fish ['sɔːdfiʃ] ✻ zwaardvis.
sword-flag ['sɔːdflæg] ✿ gele lis.
sword-grass ['sɔːdgrɑːs] ✿ rietgras *o.*
sword-knot ['sɔːdnɔt] degenkwast.
sword-play ['sɔːdplei] schermen *o.*
swordsman ['sɔːdzmən] geoefend schermer.
swordsmanship ['sɔːdzmənʃip] schermkunst.
sword-stick ['sɔːdstik] degenstok.
sword-swallower ['sɔːdswolouə] degenslikker.
swore [swɔː] V.T. van *swear.*
sworn [swɔːn] **I** V.D. van *swear;* **II** als *aj* ook: beëdigd (in: ~ *broker, a* ~ *statement*); ~ *enemies* geslagen vijanden; ~ *friends* gezworen vrienden.
swot [swɔt] **I** *vi* S blokken; **II** *vt* blokken op; **III** *sb* 1 blokker; 2 geblok *o.*
swum [swʌm] V.D. van *swim.*
swung [swʌŋ] V.T. & V.D. van *swing.*
sycamore ['sikəmɔː] **I** 1 wilde vijgeboom; 2 ahornboom; 3 *Am* plataan.
sycophancy ['sikəfənsi] pluimstrijkerij.
sycophant ['sikəfənt] pluimstrijker.
sycophantic [sikə'fæntik] pluimstrijkend.
syllabic [si'læbik] syllabisch, lettergreep-.
syllable ['siləbl] lettergreep; *not a* ~ geen syllabe, geen woord.

syllabus ['siləbəs] syllabus; program *o* [v. cursus &]; kort overzicht *o* (der hoofdpunten).
syllogism ['silədʒizm] syllogisme *o*, sluitrede.
syllogistic(ally) [silə'dʒistik(əli)] syllogistisch, in de vorm van een sluitrede.
sylph [silf] sylfe [luchtgeest]; sylfide² [vrouwelijke luchtgeest; tenger meisje].
sylvan ['silvən] **I** *aj* bosachtig, bosrijk, bos-; landelijk; **II** *sb* bosgod.
sylvicultural [silvi'kʌltʃərəl] bosbouwkundig.
sylviculture ['silvikʌltʃə] bosbouwkunde.
sylviculturist [silvi'kʌltʃərist] bosbouwkundige.
symbol ['simbəl] **I** *sb* symbool *o*, zinnebeeld *o*, teken *o;* **II** *vt* zie *symbolize.*
symbolic(al) [sim'bɔlik(l)] symbolisch, zinnebeeldig.
symbolism ['simbəlizm] symbolisme *o*, symboliek.
symbolization [simbəlai'zeiʃən] symbolisering, zinnebeeldige voorstelling.
symbolize ['simbəlaiz] symboliseren, zinnebeeldig voorstellen.
symmetric(al) [si'metrik(l)] symmetrisch.
symmetry ['simətri] symmetrie.
sympathetic [simpə'θetik] medegevoelend, deelnemend, welwillend; sympathetisch; sympathisch; soms: sympathiek; ~ *strike* sympathiestaking, solidariteitsstaking.
sympathize ['simpəθaiz] 1 sympathiseren (met *with*); 2 medegevoelen (met *with*), deelnemen (in *in*), condoleren (iemand *with a person*).
sympathizer ['simpəθaizə] meevoelende vriend(in), sympathiserende.
sympathy ['simpəθi] 1 sympathie (voor *with*); 2 medegevoel *o*, deelneming; 3 condoleantie; 4 welwillendheid; *be in* ~ *with* welwillend staan tegenover, begrip hebben voor; *withdraw in* ~ zich terugtrekken uit solidariteit; *prices are going up in* ~ de prijzen stijgen overeenkomstig; *be out of* ~ *with* niet (meer) mogen, niet (meer) gesteld zijn op.
symphonic [sim'fɔnik] ♪ symfonisch.
symphony ['simfəni] ♪ symfonie°.
symposium [sim'pouzjəm] 1 symposion *o* [drinkgelag *o*; gastmaal *o*; wetenschappelijke bijeenkomst]; 2 artikelenreeks over hetzelfde onderwerp door verschillende schrijvers.
symptom ['sim(p)təm] symptoom *o*, (ziekte)verschijnsel *o*, (ken)teken *o.*
symptomatic [sim(p)tə'mætik] symptomatisch.
synagogue ['sinəgɔg] synagoge.
synchronism ['siŋkrənizm] gelijktijdigheid.
synchronization [siŋkrənai'zeiʃən] gelijktijdigheid; gelijkzetten *o* [v. horloges]; synchronisatie; *fig* gelijkschakeling.
synchronize ['siŋkrənaiz] **I** *vi* in tijd overeenstemmen; gelijktijdig zijn; **II** *vt* 1 synchronistisch rangschikken [gebeurtenissen]; 2 gelijkzetten [klokken]; synchroniseren; *fig* gelijkschakelen.
synchronous ['siŋkrənəs] gelijktijdig.

syncopate ['siŋkəpeit] syncoperen.

syncopation [siŋkə'peiʃən] syncopering.

syncope ['siŋkəpi] 1 syncope°; 2 weglating v. letter of lettergreep; 3 bezwijming.

syndic ['sindik] 1 syndicus, curator; 2 gemachtigde; *the Syndics* de Staalmeesters (van Rembrandt).

syndicalist ['sindikəlist] syndicalist.

1 **syndicate** ['sindikit] *sb* syndicaat *o*.

2 **syndicate** ['sindikeit] *vt* 1 tot een syndicaat of consortium verenigen; 2 door een (pers)-syndicaat laten publiceren.

syndrome ['sindrəmi] syndroom *o*.

synod ['sinəd] synode, kerkvergadering.

synonym ['sinənim] synoniem *o*.

synonymous [si'nɔniməs] synoniem, gelijkbetekenend, zinverwant.

synopsis [si'nɔpsis] overzicht *o*, kort begrip *o*.

synoptic [si'nɔptik] synoptisch, verkort, een overzicht gevende.

synoptical(ly) [si'nɔptikəl(i)] synoptisch; overzichtelijk samenvattend.

synovitis [sinou'vaitis] 💈 leewater *o*.

syntactic(al) [sin'tæktik(l)] syntactisch.

syntax ['sintæks] *gram* syntaxis, zinsbouw.

synthesis ['sinθisis] synthese, samenvoeging.

synthetic [sin'θetik] I *aj* synthetisch; ~ *resin* kunsthars *o* & *m*; II *sb* kunststof.

syphon ['saifən] zie *siphon.*

Syracuse ['sirəkju:z] Syracuse *o*.

syren ['saiərən] zie *siren.*

Syria ['siriə] Syrië *o*.

Syriac ['siriæk] Syrisch *o*.

Syrian ['siriən] I *aj* Syrisch; II *sb* Syriër.

syringa [si'riŋgə] 💈 (boeren)jasmijn.

syringe ['sirin(d)ʒ] I *sb* spuit, spuitje *o*; II *vt* spuiten, be-, in-, uitspuiten.

syrup ['sirəp] 1 siroop, stroopje *o*; 2 stroop.

syrupy ['sirəpi] siroopachtig, stroperig.

system ['sistim] 1 systeem *o*, stelsel *o*; inrichting; net *o* [v. spoorweg, verkeer &]; 2 constitutie, lichaam *o*; gesteldheid; gestel *o*.

systematic [sisti'mætik] systematisch, stelselmatig.

systematize ['sistimətaiz] systematiseren.

T

t [ti:] (de letter) t; *cross one's* ~*'s* de puntjes op de i's zetten [*fig*]; *to a* ~ net, precies, op een haar.

tab [tæb] leertje *o* aan een schoen, lus; nestel [v. veter]; tongetje *o*; label; pat [v. uniform]; oorklep; hangende mouw; tab [bij kaartsysteem].

tabard ['tæbəd] tabberd, tabbaard.

tabby ['tæbi] I *aj* tabijnen; gewaterd, gestreept; II *sb* tabijn *o*; gestreepte kat; kat²; oude vrijster; III *vt* moireren.

tabernacle ['tæbənækl] 1 tabernakel° *o* & *m*;

---

2 ⊞ loofhut, tent; 3 bedehuis *o* (der methodisten).

table ['teibl] I *sb* 1 tafel°; 2 tafelland *o*; 3 tabel; ~ *of contents* inhoud(sopgave); *keep a good* ~ 1 een goede tafel hebben; 2 een goede pot eten; *keep open* ~ open tafel houden; *the* ~*s are turned* 1 de bordjes zijn verhangen; 2 de zaak heeft een minder gunstige wending genomen; *sit at* ~ aan tafel zitten; tafelen; *the proposal was laid on the* ~ werd ter tafel gebracht; *the protest was laid on the* ~ ook: werd voor kennisgeving aangenomen; II *vt* ter tafel brengen, indienen [een motie]; *Am* voor kennisgeving aannemen.

tableau ['tæblou] tableau *o*.

table-centre ['teiblsentə] 1 tafelkleedje *o*; 2 pièce *o* de milieu.

table-cloth ['teiblklɔθ] 1 tafellaken *o*; 2 tafelkleed *o*.

table-cover ['teiblkʌvə] tafelkleed *o*.

tableland ['teibllænd] tafelland *o*, plateau *o*.

table-money ['teiblmʌni] tafelgeld *o*.

Table Mountain ['teiblmauntin] de Tafelberg.

table-runner ['teiblrʌnə] tafelloper.

table-spoon ['teiblspu:n] eetlepel.

tablet ['tæblit] 1 tablet; 2 (gedenk)tafel, -plaat; 3 ⊞ (was)tafeltje *o*; ~*s* memorandum *o*, notitieboekje *o*.

table-talk ['teibltɔ:k] tafelgesprek *o*, -gesprek.

table-tennis ['teibltenis] tafeltennis *o*. [ken.

table-top ['teibltɔp] tafelblad *o*.

table-turning ['teibltə:niŋ] tafeloptillen *o* [bij spiritistische seances].

taboo [tə'bu:] I *sb* taboe *o* & *m*; heiligverklaring, ban, verbod *o*; II *aj* heilig, onaantastbaar, verboden, taboe; III *vt* heilig-, onaantastbaar verklaren, verbannen (uit het gesprek), verbieden.

tabo(u)r ['teibə] ♪ handtrom.

tabouret ['tæbərit] 1 krukje *o*, stoeltje *o*, tabouret; 2 borduurraam *o*.

tabular ['tæbjulə] tafelvormig, als een tafel; tabellarisch; tabel-.

tabulate ['tæbjuleit] tafelvormig effenen; tabellarisch groeperen: tabellen maken van.

tachometer [tæ'kɔmitə] snelheidsmeter.

tacit(ly) ['tæsit(li)] stilzwijgend.

taciturn ['tæsitə:n] stil, zwijgend; *William the T.* Willem de Zwijger.

taciturnity [tæsi'tə:niti] stilzwijgendheid.

tack [tæk] I *sb* 1 spijkertje *o*; rijgsteek; aanhangsel *o*; 2 ⚓ hals [v. zeil]; koers, gang [v. schip]; S eten *o*, kost; 3 kleverigheid; *come down to brass* ~*s* spijkers met koppen slaan; *hard* ~ scheepsbeschuit; *soft* ~ 1 brood *o*; 2 lekker eten *o*; *change one's* ~, (*try another* ~, *get on a new* ~) het over een andere boeg gooien² (wenden); II *vt* 1 vastspijkeren (ook: ~ *down*); vastmaken (aan, *on, on to*), (aan)-hechten, rijgen; 2 💈 bij de wind ommenden; III *vi* ⚓ overstag gaan, laveren² (ook: ~ *about*), het over een andere boeg wenden².

tackle ['tækl] **I** *sb* 1 takel; talie; 2 tuig *o*, gerei *o*; **II** *vt* (vast)grijpen; *fig* (flink) aanpakken; **III** *vi* in: ~ *to* (flink) aanpakken, de handen uit de mouwen steken.

tacky ['tæki] kleverig ‖ *Am* slonzig, sjofel.

tact [tækt] tact.

tactful(ly) ['tæktful(i)] tactvol.

tactical ['tæktikl] tactisch.

tactician [tæk'tiʃən] tacticus.

tactics ['tæktiks] tactiek.

tactile ['tæktail] voelbaar, tastbaar; gevoels-.

tactless(ly) ['tæktlis(li)] tactloos.

tactual ['tæktjuəl] tast-; tastbaar.

tadpole ['tædpoul] kikkervisje *o*.

taffeta ['tæfitə] taf, taffetas.

taffrail ['tæfreil] ⚓ hekreling.

Taffy ['tæfi] F 1 David; 2 inwoner v. Wales.

tag [tæg] **I** *sb* malie, veter-, nestelbeslag *o*; nestel; lus [aan laars]; etiket *o*, label; (uit)einde *o*, rafel; aanhangsel *o*; punt of tip [v. staart]; citaat *o*; leus; stereotiep gezegde *o*; refrein *o*; *sp* krijgertje *o*; **II** *vt* aanhechten, aanhangen, vastknopen², vastbinden (aan *to*, *on to*); etiketteren; doen rijmen; ~ *together* ook: aaneenrijgen, aaneenflansen; **III** *vi* ~ *after* achternalopen.

tagrag ['tægræg] zie *ragtag*.

Tagus ['teigəs] Taag.

1 **tail** [teil] **I** *sb* staart°, vlecht; file, sleep; achterste (laatste) gedeelte *o*, (uit)einde *o*; nasleep; gevolg *o*; staartje² *o*; pand, slip [v. jas]; keerzijde [v. munt]; ~*s* F slipjas; rok; *at the* ~ *of* (onmiddellijk) achter, achter... aan; *be on a person's* ~ S iemand achternazitten; **II** *vt* 1 van een staart voorzien, een staart zetten aan; 2 van de staart ontdoen; van het steeltje ontdoen [vruchten]; *Am* S volgen, schaduwen; ~ (*on*) *to* vastmaken aan; voegen bij; **III** *vi* een staart vormen; achteraan slepen of komen; achter elkaar aan komen; ∞ ~ *after the others* op de hielen volgen; ~ *away* (*off*) één voor één afdruipen; minder worden, eindigen, uitlopen (in *into*); ~ *on to* (zich) aansluiten bij; achter... aan komen.

2 **tail** [teil] *sb* eigendom met beperkt erfrecht (ook: *estate in* ~).

tail-board ['teilbɔ:d] krat *o* [v. wagen].

tailcoat [teil'kout] 1 slip-, pandjesjas; 2 rok.

tailed [teild] gestaart, staart-.

tail end ['teil'end] (uit)einde *o*, achterstuk *o*, staartje *o*.

tailings ['teiliŋz] uitschot *o*.

tailless ['teillis] 1 zonder staart; 2 zonder slippen.

tail-light ['teillait] achterlicht *o*.

tailor ['teilə] **I** *sb* kleermaker; **II** *vi* kleermaker zijn; **III** *vt* maken [kleren]; kleren maken voor.

tailor-bird ['teiləbɔ:d] 🐦 snijdervogel.

tailoress ['teilɔris] kleermaakster.

tailoring ['teiləriŋ] kleermakersbedrijf *o*; kleermakerswerk *o*.

tailor-made ['teilə'meid] **I** *aj* door een kleermaker gemaakt; *fig* geknipt [voor een taak]; niet zelfgerold [v. sigaret]; **II** *sb* tailleur [damesmantelpak].

tailor-suit ['teiləs(j)u:t] tailleur [damesmantelpak].

tail-piece ['teilpi:s] 1 staartstuk *o* [v. viool]; 2 sluitvignet *o* [in boek].

tail-pocket ['teilpɔkit] achterzak.

taint [teint] **I** *sb* vlek²; *fig* besmetting, bederf *o*, smet; **II** *vt* besmetten, bederven, aansteken, bezoedelen.

'taint, 'tain't [teint] P het is (heeft) niet.

taintless ['teintlis] vlekkeloos, onbesmet, smetteloos, zuiver.

take [teik] **I** *vt* nemen° [ook = kieken & springen over]; aan-, in-, af-, op-, mee-, overnemen, ontlenen (aan *from*); benemen, beroven van ['t leven]; aanvaarden; opvolgen [advies]; in beslag nemen [tijd], er over doen [lang &]; in behandeling nemen; noteren, opschrijven; vangen; pakken [ook = op 't gemoed werken], krijgen [ziekten &], halen [slagen &], behalen; ontvangen; F incasseren [slagen, opmerkingen &]; inwinnen [inlichtingen]; vatten [ook = „snappen"]; opvatten, beschouwen (als *as*); houden (voor *for*), begrijpen; waarnemen, te baat nemen [gelegenheid]; gebruiken; drinken [thee &]; volgen [een cursus]; geven [een cursus]; inslaan [weg]; brengen, overbrengen, bezorgen, voeren, leiden; doen [sprong, examen &]; *if it* ~*s all summer* al gaat de hele zomer er mee heen; *it* ~*s so little to...* er is zo weinig voor nodig om...; *it* ~*s a good woman to...* 1 daar is een goede vrouw voor nodig; 2 men moet wel een goede vrouw zijn om...; *I* ~ *it that...* ik houd het er voor dat...; *I can* ~ *it* F ik kan er tegen, ik kan 't verdragen; ~ *it or leave it!* graag of niet!; ~ *it badly* het erg te pakken krijgen; ~ *it easy* het gemakkelijk opnemen; het zich gemakkelijk maken; het op zijn gemak doen; ~ *it hard* het zich erg aantrekken; ~ *it lying down* er zich bij neerleggen, er (maar) in berusten; ~ *boat* ⚓ scheep gaan, aan boord gaan; ~ *cover* ⚔ zich dekken; ~ *a drive* (*leap, ride, walk*) een rijtoertje & maken; ~ *a hand* (ook) meedoen; optreden; ~ *a boy's name* zijn naam opschrijven, ook: hem bekeuren; ~ *God's name in vain* B Gods naam ijdellijk gebruiken; ~ *the evening service* de avonddienst leiden; *these things* ~ *time* daar is veel tijd mee gemoeid; ~ *your time* haast u maar niet; ~ *the water* 1 te water gaan; 2 ⚓ van stapel lopen; ~ *the waters* de baden gebruiken; **II** *vr* in: ~ *oneself off* weggaan, zich wegpakken; **III** *vi & va* pakken°; succes hebben, inslaan [v. stuk]; aanbijten [vis]; ~ *ill* ziek worden; ~ *well* zich goed laten fotograferen; ∞ ~ *across* overzetten, overbrengen; ~ *after* aarden naar; ~ *away* af-, wegnemen; be-, ontnemen; mee (naar huis) nemen; ~ *back* terugnemen [ook woorden]; terugbrengen; terugvoeren [naar 't verleden]; ~ *down* afnemen; uit elkaar nemen, afbreken [huis]; losmaken [het haar]; naar tafel geleiden [dame]; op zijn plaats zetten [iemand], vernederen; innemen [drankje]; optekenen, opschrijven [het gehoorde]; zie ook: *peg*; *he ~s you for a tramp* hij houdt u voor een landloper; ~ *me for your husband* neem mij tot echtgenoot; ~ *from* af-, ontnemen; aftrekken van; verminderen, verkleinen; ~ *in* binnenbrengen, binnenleiden, naar tafel geleiden [een dame]; ontvangen [logeergasten]; in huis (op)nemen [iemand]; innemen [japon, zeilen]; slikken [verhaal]; beetnemen [iem.]; opvangen [woord]; opnemen [iemand, iets]; begrijpen, beseffen [de toestand]; er bij nemen; omvatten; ~ *in needlework* thuis naaiwerk aannemen; ~ *in a paper* op een krant geabonneerd zijn; ~ *into partnership* in de zaak opnemen; ~ *off* I beginnen [te lopen &], wegvliegen, ✈ opstijgen, starten; 2 af-, wegnemen, afdoen, afleggen, uittrekken [kleren], afzetten [hoofddeksel], wegvoeren, -brengen; ontlasten van [iets]; $ laten vallen [v. prijs]; nadoen, kopiëren; parodiëren; ~ *off your glass* drink eens uit; ~ *one's name off the list (off the books)* zich laten afschrijven; ~ *on* I aan boord nemen; 2 aannemen [een werkman, kleur &]; op zich nemen [verantwoordelijkheid &]; 3 't opnemen tegen, voor zijn rekening nemen; 4 „pakken", succes hebben, opgang maken; 5 F tekeergaan; ~ *out* nemen [patent &]; nemen of halen uit, te voorschijn halen; uitspannen [paarden]; wegmaken [vlek]; inlossen [pand]; uitgaan met; ten dans leiden [meisje]; ~ *it out of one* F I het hem betaald zetten; 2 het hem afleren; *the run had ~n it out of them* had hen (lelijk) aangepakt; ~ *over* overnemen [een zaak &]; de wacht aflossen[2], de leiding (het commando, de functies &) overnemen, opvolgen; een fusie aangaan met; ~ *over charge* de dienst overnemen; zijn dienst aanvaarden; ~ *one over the premises* iemand het gebouw rondleiden; ~ *over to* ⚔ ✝ verbinden met; ~ *one round* iemand rondleiden; ~ *to ...ing* gaan doen aan..., beginnen te...; ~ *to one's bed* gaan liggen [v. zieke]; ~ *to the boats* in de boten gaan; ~ *to the woods* de bossen ingaan; in de bossen gaan huizen; ~ *kindly to...* sympathie krijgen voor, gaan houden van; *he doesn't ~ kindly to it* hij moet er niet veel van hebben; ~ *up* opnemen°, opvatten°, optillen, oppakken [ook = arresteren]; aannemen [een houding]; innemen [plaats], betrekken [kwartieren]; aanvaarden [betrekking]; ter hand nemen; in beslag nemen [tijd & plaats]; onder handen nemen [iemand]; komen afhalen [met rijtuig]; onderweg opnemen [reizigers]; overnemen [refrein &]; ~

one up I iemands voorstel (weddenschap) aannemen; 2 zich voor iemand interesseren; 3 iemand in de rede vallen, terechtwijzen; ~ *one up roundly (sharply)* iemand duchtig onder handen nemen; ~ *the matter up with* er werk van maken bij [de politie &]; de zaak ter sprake brengen, aanhangig maken bij [de regering]; ~ *up the tale* vervolgen; ~ *up with* omgaan met, intiem(er) worden met; > 't aanleggen met, zich afgeven met; *that's what he could not ~ upon himself to say* dat verstoutte hij zich niet te zeggen; ~ *the audience with one* zijn publiek meeslepen, zie ook: *taken*; IV *sb* vangst; ontvangst, recette [van schouwburg]; (film)opname.

takeable ['teikəbl] genomen, gepakt & kunnende worden.   [zetting; slag, klap.

take-down ['teik'daun] vernedering, achteruit-

take-in ['teik'in] bedrog *o*, bedotterij.

taken ['teikn] V.D. van *take*; genomen; bezet [v. stoel &]; *be ~ ill* ziek worden; ~ *up with* in beslag genomen door; vol belangstelling voor; ~ *with* I overvallen door, te pakken hebbend [ziekte]; 2 ingenomen met, veel ophebbend met.

take-off ['teikɔ:f] I springplaats; 2 afzet [bij het springen]; 3 ✈ opstijging; (plaats van) vertrek *o*; start; 4 karikatuur.

take-over ['teikouvə] I *sb* overnemen *o* van de zaak &, zie *take over*; fusie (door overneming van aandelen); II *aj* in: ~ *bid* bod *o* om aandelen over te nemen.

taker ['teikə] I nemer, aannemer van een weddenschap; 2 $ afnemer; 3 veroveraar.

taking ['teikiŋ] I *aj* innemend, aanlokkelijk, aantrekkelijk, pakkend [melodie]; besmettelijk; II *sb* nemen *o* &; inneming; vangst; $ afname; ~*s* recette, ontvangsten.

talc [tælk] I talk [delfstof]; 2 $ mica *o* & *m*.

talcous ['tælkəs] talkachtig.

talcum ['tælkəm] zie *talc* I; ~ *powder* talkpoeder, -poeier *o* & *m*.

tale [teil] I verhaal *o*, vertelsel *o*; relaas *o*; 2 ⚘ aantal *o*, getal *o*; rekening, aandeel *o*; *a ~ of a tub* een praatje *o* voor de vaak; *full ~* voluit, in volle mate; *old wives' ~s* oudewijvenpraatjes; *it is the same ~ with all* altijd dezelfde geschiedenis; *if all ~s be true* als het waar is wat men zegt; *the ~ is that he...* het heet dat hij...; *the shepherd tells his ~* ☉ de herder telt zijn schapental; *these ... tell their ~* I leggen gewicht in de schaal; 2 behoeven geen nadere verklaring, zeggen voldoende, spreken een duidelijke taal; *tell ~s* klikken, uit de school klappen (ook: *tell ~s out of school*); *by ~* bij 't getal (aantal).

talebearer ['teilbɛərə] aanbrenger.

talebearing ['teilbɛəriŋ] aanbrengen *o*.

talent ['tælənt] talent° *o*, gave, begaafdheid.

talented ['tæləntid] van talent, talentvol.

tale-teller ['teiltelə] I verhaler, verteller; 2 verklikker.

talion ['tælian] wedervergelding.

talisman ['tæliz-, 'tælisman] talisman.

talk [tɔ:k] I vi praten, spreken, redekavelen; *now you are ~ing!* dat laat zich horen!; ~ *big* grootspreken, F opsnijden; II vr praten, spreken; spreken over, het hebben over; ~ *(scandal)* kwaadspreken; III vr in: ~ *oneself hoarse* zich hees praten; ~ *oneself out* uitgepraat raken; ∞ ~ *about* praten over, bepraten; ~ *at one* het in zijn gesprek op iemand gemunt hebben; ~ *away* er op los praten; ~ *away the evening (an hour or two)* verpraten; ~ *back* (brutaal) antwoorden; ~ *down* 1 omver praten, tot zwijgen brengen [in debat]; 2 ⚔ binnenpraten; ~ *down to* afdalen tot het niveau van [kinderen &]; ~ *from the point* (van het chapiter) afdwalen; ~ *one into...* iemand bepraten (overhalen) om...; ~ *of* praten over; ook: spreken van; ~(*ing) of...*, *what...?* van... gesproken, wat...?; ~ *the debate (motion) out* doodpraten; ~ *it out* het in den brede bespreken; ~ *one out of ...ing* iemand... uit zijn hoofd praten; afbrengen van...; ~ *over* bespreken; bepraten, overhalen; ~ *one round* F iemand overhalen, overreden; ~ *through one's hat* F zitten kletsen, doorslaan; ~ *to* praten tegen, spreken met; aanspreken², onder handen nemen, een strafpreek houden; ~ *to oneself* in zich zelf praten; ~ *up* in de hoogte steken; ~ *up!* (spreek) harder!; IV sb gepraat o, praat(s), praatje o; gesprek o, onderhoud o, bespreking; causerie; conversatie; *she is the ~ of the town* iedereen heeft 't over haar, zij gaat geweldig over de tong; *there was (some) ~ too of...* het praatje ging dat...; er was ook sprake van...; *as the ~ goes* naar (bij gerucht) verluidt; *he had all the ~ (to himself)* hij was alléén aan 't woord; *let us have a ~* laten wij eens wat praten; *at ~ of...* als er sprake is (was) van...; *hold (keep) one in ~* iemand aan de praat houden.

talkative ['tɔ:kativ] praatachtig, praatziek.

talkee-talkee ['tɔ:ki'tɔ:ki] F gepraat o, gewauwel o, klets; brabbeltaal.

talker ['tɔ:kə] prater; pocher, grootspreker.

talkie ['tɔ:ki] F sprekende film.

talking ['tɔ:kiŋ] I aj pratend; sprekend²; II sb praat, gepraat o, praten o; *do most of the ~* het hoogste (grootste) woord voeren (hebben).

talking-to ['tɔ:kiŋtu:] F vermaning.

tall [tɔ:l] I aj hoog; lang; groot [v. personen]; *fig* hoogdravend; opsnijderig; S kras; *a ~ sum* een kolossale som; ~ *talk* opsnijderij; II *ad* in: *talk ~* opsnijden.

tallboy ['tɔ:lbɔi] hoge commode.

tallish ['tɔ:liʃ] nogal lang &, zie *tall* I.

tallow ['tælou] I sb talk, kaarsvet o; II vt met talk besmeren; vet maken.

tallow-chandler ['tæloutʃa:ndlə] kaarsenmaker, kaarsenhandelaar.

tallow-dip ['tæloudip] vetkaars.

tallow-face ['tæloufeis] bleekneus.

tallow-faced ['tæloufeist] bleek.

tallowish ['tælouiʃ] talkachtig.

tallowy ['tæloui] talkachtig, talk-.

tally ['tæli] I sb kerfstok; kerf, keep; rits, aantal o, tal o [van vijf], getal o, tel; rekening; tegendeel o; andere helft; etiket o; *take ~ of* tellen; II vt inkepen, aankerven, aanstrepen, aanschrijven; natellen, controleren (ook: ~ *off*); III vi kloppen, overeenstemmen; ~ *with* passen bij; overeenkomen met, kloppen met.

tally-ho ['tæli'hou] I *ij* talaut!; II vi het talaut blazen of laten schallen [v. jagers].

Talmud ['tælmʌd] talmoed, talmud.

talon ['tælən] I klauw; 2 stok, talon.

taloned ['tælənd] van klauwen voorzien.

tamability [teimə'biliti] tembaarheid.

tamable ['teimabl] tembaar.

tamarind ['tæmərind] ⚘ tamarinde.

tamarisk ['tæmərisk] ⚘ tamarisk.

tambour ['tæmbuə] I sb 1 ⚒ trom(mel); 2 tamboereerraam o; II vt tamboereren.

tambourine [tæmbə'ri:n] tamboerijn, rinkelbom.

tame [teim] I vt temmen², tam maken² (ook: ~ *down*); F kleinkrijgen; II *aj* 1 getemd², tam², mak², gedwee; 2 slap, flauw, saai, vervelend, kleurloos.

tameable zie *tamable*.

tamely ['teimli] *ad* zie *tame* II.

tameness ['teimnis] tamheid² &.

tamer ['teimə] (dieren)temmer.

taming ['teimiŋ] temmen o &.

tam-o'-shanter [tæmə'ʃæntə] Schotse baret.

tamp [tæmp] aanstampen; stoppen.

tamper ['tæmpə] in: ~ *with* knoeien aan of met; peuteren (zitten) aan; heulen met [vijand]; „bewerken" [getuigen &]; het zo nauw niet nemen met, tornen aan.

tampon ['tæmpən] I sb tampon; II vt tamponneren.

tamtam ['tæmtæm] zie *tomtom*.

tan [tæn] I sb run, gemalen eikeschors, taan(kleur); *get a ~* bruin worden; II *aj* run-, taankleurig; III vt looien, tanen; ~ *a person('s hide)* F iemand de rug smeren; IV vi tanen; bruinen, bruin worden [door de zon].

tandem ['tændəm] tandem°.

tang [tæŋ] I sb 1 doorn [v. mes]; 2 bijsmaak, (na)smaak, smaakje o; scherpe lucht of geur; *fig* tikje o, ietsje o; 3 (onaangename) klank; II (vt &) vi (doen) klinken, tjanken.

tangent ['tændʒənt] tangens; *fly (go) off at a ~* plotseling een andere richting inslaan, van koers veranderen.

tangerine [tændʒə'ri:n] mandarijntje o.

tangibility [tændʒi'biliti] tastbaarheid, voelbaarheid.

tangible ['tændʒibl] tastbaar, voelbaar.

tangle ['tæŋgl] I vt in de war maken, verwikkelen; verwarren; verstrikken; II vi in de war raken; III *sb* warhoop; warboel, klit, knoop; wirwar; verwarring; *be in a* ~ in de war zijn.

tangly ['tæŋgli] verward, verwikkeld.

tango ['tæŋgou] I *sb* tango; II *vi* de tango dansen.

tank [tæŋk] I waterbak, reservoir *o*; 2 (petroleum)tank; 3 ✕ tank.

tankage ['tæŋkidʒ] I tankinhoud; 2 tankgeld *o*.

tankard ['tæŋkəd] drinkkan, flapkan.

tank-engine ['tæŋkendʒin] tenderlocomotief.

tanker ['tæŋkə] ⚓ tanker, tankschip *o*.

tank-steamer ['tæŋksti:mə] ⚓ tankschip *o*.

tan-mill ['tænmil] runmolen.

tannage ['tænidʒ] looien *o*.

I **tanner** ['tænə] looier.

2 **tanner** ['tænə] S sixpence(stukje *o*).

tannery ['tænəri] looierij.

tannic ['tænik] in: ~ *acid* looizuur *o*.

tannin ['tænin] tannine, looizuur *o*.

tan-pit ['tænpit] I looikuip; 2 looikuil.

tansy ['tænzi] ⚘ boerenwormkruid *o*.

tantalization [tæntəlai'zeiʃən] tantaluskwelling.

tantalize ['tæntəlaiz] tantaliseren.

Tantalus ['tæntələs] Tantalus; ~ *cup* tantalusbeker; *t*~ likeurkeldertje *o*.

tantamount ['tæntəmaunt] gelijkwaardig (aan *to*); *be* ~ *to* ook: gelijkstaan met.

tantrum ['tæntrəm] slecht humeur *o*; woedeaanval; *be in one's* ~*s* de bokkepruik ophebben.

tan-yard ['tænja:d] looierij. [ben.

I **tap** [tæp] I *sb* (houten) kraan; tap [ook ✕]; (soort) drank; brouwsel *o*; gelagkamer, tapperij; ☙ aftakking; *on* ~ I op de tap; aangestoken [v. vat]; 2 altijd beschikbaar; ter beschikking; II *vt* I een kraan slaan in, aan-, opsteken [een vat]; aanboren [bron &], exploiteren, aanspreken [voorraad]; aftappen (ook = afluisteren); ☙ aftakken; 2 ✕ tappen; ~ *a person* iemand (willen) uithoren; (*for money* geld) van iemand (willen) loskrijgen.

2 **tap** [tæp] I *vt* tikken, kloppen tegen, op of met; II *vi* in: ~ *at* tikken, kloppen tegen of op; III *sb* tikje *o*, klop [op deur]; *there was a* ~ *at the door* er werd geklopt, aangetikt.

tap-dance ['tæpda:ns] I *sb* tapdans; II *vi* een tapdans uitvoeren.

tap-dancer ['tæpda:nsə] tapdanser.

tape [teip] I *sb* I lint *o*; band *o* [stofnaam], band *m* [voorwerpsnaam]; ‡ strook papier; F telegrafisch koersbericht *o*; 2 meetband; 3 ⚘ lintworm; *breast the* ~ *sp* door de finish gaan; II *vt* I met een lint of band vastmaken; 2 opnemen met een bandrecorder; *have (got) him (it)* ~*d* S hem (het) doorhebben; *have (got) it* ~*d* ook: S het voor elkaar hebben.

tape-line ['teiplain], **tape-measure** ['teipmeʒə] meetband.

taper ['teipə] I *sb* I waspit; 2 ✎ kaars; 3 ☉ toorts, licht(je) *o*; 4 tapsheid; geleidelijke vermindering; II *aj* spits toelopend; taps; gelei-

delijk verminderend; III *vi* spits (taps) toelopen (ook: ~ *to a point*); ~ *off* geleidelijk verminderen; IV *vt* spits (taps) doen toelopen, (toe)spitsen.

tape-record ['teiprikɔ:d] opnemen met een bandrecorder.

tape recorder ['teiprikɔ:də] bandopnemer, bandrecorder.

tape recording ['teiprikɔ:diŋ] bandopname.

tapestried ['tæpistrid] behangen.

tapestry ['tæpistri] geweven behangsel *o*, wandtapijt *o*; tapisserie [v. stoel &].

tapeworm ['teipwə:m] lintworm.

tapioca [tæpi'oukə] tapioca.

tapir ['teipə] ⚛ tapir.

tapis ['tæpi] in: *upon the* ~ op het tapijt.

tap-room ['tæprum] gelagkamer.

tap-root ['tæpru:t] ⚘ pen-, hoofdwortel.

tapster ['tæpstə] tapper.

tap water ['tæpwɔ:tə] leidingwater *o*.

tar [ta:] I *sb* I teer; 2 F pikbroek, matroos; II *vt* (be)teren; ~ *and feather* met teer bestrijken en dan door de veren rollen [als straf]; ~*red with the same brush* met hetzelfde sop overgoten.

taradiddle ['tærədidl] F jokkentje *o*.

tarantula [tə'ræntjulə] tarantula [spin].

tarboosh [ta:'bu:ʃ] fez (met kwastje).

tar-brush ['ta:brʌʃ] teerkwast.

tardily ['ta:dili] *ad* traag, langzaam; laat.

tardiness ['ta:dinis] traagheid &.

tardy ['ta:di] *aj* traag, langzaam; laat, achterstallig; dralend, nalatig.

I **tare** [tɛə] $ I *sb* tarra; II *vt* tarreren.

2 **tare** [tɛə] *sb* ⚘ voederwikke; *the* ~*s* B het onkruid.

targe [ta:dʒ] ⛊ beukelaar, schild *o*.

target ['ta:git] I (schiet)schijf, mikpunt *o*; (gestelde, beoogde) doel[2] *o*; streefcijfer *o* (ook: ~ *figure*); 2 ⛊ beukelaar, schild *o*.

target-practice ['ta:gitpræktis] ✕ schijfschieten *o*.

tariff ['tærif] I *sb* tarief° *o*, toltarief *o*; II *vt* tariferen; belasten.

tariff-union ['tærifju:njən] tolverbond *o*.

tariff-wall ['tærifwɔ:l] tariefmuur.

tariff-war ['tærifwɔ:] tarievenoorlog.

tarlatan ['ta:lətən] tarlatan *o*.

tarmac ['ta:mæk] teermacadam *o* & *m*.

tarn [ta:n] bergmeertje *o*.

tarnish ['ta:niʃ] I *vt* laten aanlopen [metalen]; dof of mat maken; ontluisteren[2]; doen tanen; *fig* bezoedelen; II *vi* aanlopen [metalen]; dof of mat worden; tanen; III *sb* I ontluistering; dofheid; 2 bezoedeling, smet.

tarpaulin [ta:'pɔ:lin] I teerkleed *o*, (dek)zeil *o* [voor wagen]; ⚓ presenning; 2 matrozenhoed; 3 ⚓ pikbroek, matroos.

Tarquin ['ta:kwin] Tarquinius.

tarragon 'tærəgən] ⚘ dragon.

I **tarry** ['tæri] *vi* toeven, blijven, dralen; wachten (op *for*).

2 **tarry** ['ta:ri] *aj* teerachtig, geteerd.

§ **tarsal** ['ta:sl] in: ~ *bone* voetwortelbeentje *o*.

'arsier ['ta:siə] ♣ spookdier *o*.

§ **tarsus** ['ta:səs] voetwortel.

I **tart** [ta:t] **I** *sb* (vruchten)taart; taartje *o*; **S** licht meisje *o*; **II** *vt* in: ~ *up* **S** opdirken; opsmukken.

2 **tart** [ta:t] *aj* wrang, zuur; scherp, bits.

I **tartan** ['ta:tən] **I** *sb* Schots geruit goed *o*; Schotse plaid; **II** *aj* van tartan.

2 **tartan** ['ta:tən] ♣ tartaan: soort eenmaster.

Tartar ['ta:tə] **I** *sb* I Tartaar; 2 F driftkop; lastig perceel *o*; *catch a* ~ (meer dan) zijn man vinden; **II** *aj* Tartaars.

tartar ['ta:tə] I wijnsteen; 2 tandsteen *o & m*.

tartaric [ta:'tærik] wijnsteen-; ~ *acid* wijnsteenzuur *o*.

Tartarus ['ta:tərəs] Tartarus.

Tartary ['ta:təri] Tartarije *o*.

tartlet ['ta:tlit] taartje *o*.

tartly ['ta:tli] *ad* zie 2 *tart*.

tartness ['ta:tnis] wrangheid, zuurheid, scherpheid, scherpte, bitsheid.

task [ta:sk] **I** *sb* taak, huiswerk *o*; > karwei; *take one to* ~ iemand de les lezen, onder handen nemen; **II** *vt* een taak (werk) opgeven; hard laten werken; *it* ~*s our credulity* het vergt (te) veel van ons geloof; **III** *vr* ~ *oneself* zich inspannen.

taskmaster ['ta:skma:stə] opziener, meester.

taskmistress ['ta:skmistris] opzieneres, meesteres.

task-work ['ta:skwə:k] I opgegeven werk *o*; verplicht werk *o*; 2 stukwerk *o*.

Tasmania [tæz'meinjə] Tasmanië *o*.

tassel ['tæsl] I kwast, kwastje *o*; 2 lint *o*.

tasselled ['tæsld] met kwasten versierd.

tastable ['teistəbl] te proeven; ♣ smakelijk.

taste [teist] **I** *vt* proeven, smaken, ondervinden; ♣ smaak vinden in; **II** *vi* I proeven; 2 smaken; ~ *of* I smaken naar; 2 ♣ proeven; 3 *fig* smaken, ondervinden; **III** *sb* smaak°, bijsmaak, voorsmaak; (voor)proefje *o*; zweempje *o*, tikje *o*; neiging, voorliefde; *they are bad* ~ ze zijn smakeloos; *let me have a* ~ laat mij eens proeven; *in bad* ~ smakeloos; *in good* ~ I zoals het hoort; 2 smaakvol; *to* ~ naar believen, naar verkiezing; zoveel als je maar wilt; *is it to your* ~? naar uw zin?; *every man to his* ~! elk zijn meug!; *pungent to the* ~ scherp van smaak.

tasteful(ly) ['teistful(i)] I smakelijk; 2 smaakvol.

tasteless ['teistlis] smakeloos°.

taster ['teistə] I proever [van wijn, thee &]; 2 adviseur van een uitgever; 3 proefglaasje *o*; 4 kaasboor.

tastily ['teistili] *ad* smakelijk.

tasty ['teisti] *aj* smakelijk.

tat [tæt] frivolité maken.

tatter ['tætə] **I** *sb* lap, lomp, vod *o & v*, flard; *in* ~*s* aan flarden; **II** *vt* aan flarden scheuren, verscheuren.

tatterdemalion [tætədi'meiljən] haveloze vent, vagebond, schooier.

tatting ['tætiŋ] frivolité *o*.

tattle ['tætl] **I** *vi* snappen, babbelen; (uit de school) klappen; **II** *sb* gesnap *o*, gebabbel *o*.

tattler ['tætlə] I snapper, babbelaar; 2 klikspaan; 3 ♣ ruiter.

I **tattoo** [tə'tu:] **I** *sb* ✗ taptoe; *beat the devil's* ~ = **II** *vi* met de vingers trommelen of met de voeten op en neer wippen [van ongeduld &].

2 **tattoo** [tə'tu:] **I** *vt* tatoeëren; **II** *sb* tatoeëring.

I **tatty** ['tæti] *aj* **S** voddig; sjofel; gehavend.

2 **tatty** ['tæti] *sb* **IP** vochtige mat ter afkoeling voor deur of raam.

taught [tɔ:t] **V.T. & V.D.** van *teach*.

taunt [tɔ:nt] **I** *vt* beschimpen, honen, smaden; ~ *one with...* iemand zijn... smadelijk verwijten, voor de voeten werpen; **II** *sb* schimp(scheut), hoon, smaad, spot.

Taurus ['tɔ:rəs] ✳ de Stier [dierenriem].

taut [tɔ:t] strak, gespannen; kant; in goede toestand.

tauten ['tɔ:tn] **I** *vt* (strak) aanhalen; spannen; **II** *vi* zich spannen.

tautologic(al) [tɔ:tə'lɔdʒik(l)] tautologisch.

tautology [tɔ:'tɔlədʒi] tautologie.

tavern ['tævən] kroeg, herberg; logement *o*.

I **taw** [tɔ:] *sb* I knikkerspel *o*; 2 alikas, knikker.

2 **taw** [tɔ:] *vt* witlooien; touwen [zeem].

tawdrily ['tɔ:drili] *ad* zie *tawdry*.

tawdry ['tɔ:dri] *aj* smakeloos, opzichtig, opgedirkt.

tawer ['tɔ:ə] zeemtouwer.

tawniness ['tɔ:ninis] tanigheid.

tawny ['tɔ:ni] taankleurig, tanig, getaand, geelbruin; ~ *owl* ♣ bosuil.

tax [tæks] **I** *vt* belasten, schatting opleggen; veel vergen van, op een zware proef stellen; aanpakken [ook = onder handen nemen]; beschuldigen (van *with*); **II** *sb* (rijks)belasting; schatting; last, (zware) proef; *be a* ~ *on* veel vergen van; *value-added (added-value)* ~ belasting over de toegevoegde waarde, B.T.W.

taxability [tæksə'biliti] belastbaarheid.

taxable ['tæksəbl] belastbaar.

taxation [tæk'seiʃən] belasting.

tax-cart ['tækska:t] tweewielig wagentje *o*.

tax-collector ['tækskəlektə] ontvanger der belastingen.

tax-dodging ['tæksdɔdʒiŋ] belastingontduiking.

tax-farmer ['tæksfa:mə] pachter der belastin- [gen.

tax-free ['tæks'fri:] vrij van belasting.

taxi ['tæksi] **I** *sb* taxi; **II** *vi* I in een taxi rijden; 2 ≫ taxiën: rijden [bij opstijgen of landen].

taxi-cab ['tæksikæb] taxi.

taxidermist ['tæksidə:mist] dierenopzetter.

taxidermy ['tæksidə:mi] de kunst van dieren op te zetten.

taxi-driver ['tæksidraivə], **taximan** ['tæksimən] taxichauffeur.

taximeter [tæk'simitə] taxameter.

taxpayer ['tækspeiə] belastingbetaler.

tea [ti:] I *sb* 1 thee; 2 *Am* S marihuana; *high* ~ koud avondmaal *o* (met thee); *at* ~ bij (aan) de thee; *have people to* ~ mensen op de thee hebben; II *vi* thee drinken.

tea break ['ti:breik] theepauze.

tea-caddy ['ti:kædi] theekistje *o*.

tea-canister ['ti:kænistə] theebus.

teach [ti:tʃ] onderwijzen, leren, les geven (in), doceren; ~ *one manners* iemand mores leren; ~ *one (how) to...* iemand leren...

teachability [ti:tʃə'biliti] 1 mogelijkheid om iets te onderwijzen; 2 bevattelijkheid.

teachable ['ti:tʃəbl] 1 te onderwijzen, onderwezen kunnende worden; 2 aannemelijk, bevattelijk, leerzaam.

teacher ['ti:tʃə] onderwijzer(es), leraar, lerares, leerkracht, docent(e).

teaching ['ti:tʃiŋ] I *aj* onderwijzend; *a* ~ *hospital* een academisch ziekenhuis *o*; *a* ~ *post* een betrekking bij het onderwijs; II *sb* 1 onderwijs *o*; lesgeven *o*; 2 leer.

tea-cloth ['ti:klɔθ] 1 theetafelkleedje *o*; 2 theedoek.

tea-cosy ['ti:kouzi] theemuts.

tea-cup ['ti:kʌp] theekopje *o*.

tea-dealer ['ti:di:lə] theehandelaar.

tea-gown ['ti:gaun] losse (namiddag)japon.

teak [ti:k] 1 teak(boom) *m*, *Ind* djati(boom) *m*; 2 teak(hout) *o*, *Ind* djati(hout) *o*.

tea-kettle ['ti:ketl] theeketel.

teal [ti:l] ♫ taling(en) [kleine eend].

team [ti:m] I *sb* 1 span *o* [paarden &]; 2 ploeg [werklui, spelers], elftal *o* [voetballers]; groep [geleerden &]; II *vi in:* ~ *up* samenwerken.

team-spirit ['ti:mspirit] geest van saamhorigheid.

teamster ['ti:mstə] voerman; *Am* wegvervoerder.

team-work ['ti:mwə:k] samenwerking, *sp* samenspel *o*.

tea-party ['ti:pa:ti] theepartij.

tea-pot ['ti:pɔt] theepot.

1 **tear** [tiə] *sb* traan; *(all) in* ~s in tranen badend.

2 **tear** [tɛə] I *vt* scheuren, stuk-, verscheuren²; rukken of trekken aan; weg-, uiteenrukken, (open)rijten; ~ *one's hair* zich de haren uitrukken; II *vr in:* ~ *oneself away* zich (van de plaats) losrukken; III *vi* & *va* scheuren, stormen, vliegen; razen, tieren; ∞ ~ *it across* het door-, verscheuren; ~ *along* voortjagen, komen aanstuiven; ~ *at* rukken (trekken) aan; ~ *down* afscheuren, -rukken; omverhalen; ~ *down the hill* de heuvel afrennen; ~ *from* wegrukken van; ontrukken (aan); ~ *into the room* de kamer binnenstormen; ~ *off* afscheuren, -rukken; ~ *open* openscheuren,

openrukken; ~ *out* uitscheuren, uitrukken; ~ *to pieces* in stukken scheuren; ~ *up* door-, ver-, stukscheuren; opbreken [weg &]; ~ *up the stairs* de trap opvliegen; *torn up by the roots* ontworteld; IV *sb* scheur.

tearful ['tiəful] *aj* vol tranen; beschreid; huilerig; *become* ~ beginnen te schreien.

tearfully ['tiəfuli] *ad* schreiend, met tranen in de ogen.

tearing ['tɛəriŋ] I *aj* 1 gemakkelijk scheurend; 2 heftig, razend; *at a* ~ *pace* in onstuimige vaart; *in a* ~ *rage* razend en tierend (van woede); II *sb* scheuren *o*; *a sound of* ~ een scheurend geluid *o*.

tear-jerker ['tiədʒə:kə] *Am* larmoyante geschiedenis (vertoning &).

tearless ['tiəlis] zonder tranen.

tear-off ['tɛərɔ:f] in: ~ *calendar* scheurkalender.

tea-room(s) ['ti:rum(z)] lunchroom, theesalon.

tear-stained ['tiəsteind] beschreid.

tease [ti:z] I *vt* 1 plagen, kwellen, sarren, treiteren, pesten, judassen; 2 kaarden; ~ *out* ontwarren; II *sb* plaaggeest.

teasel ['ti:zl] I *sb* 1 ♠ kaardedistel, kaarde; 2 ⚔ kaardmachine; II *vt* kaarden.

teaser ['ti:zə] 1 plager, plaaggeest, kweller, treiteraar; 2 *fig* puzzel; moeilijke bal &; 3 kaarder.

tea-set ['ti:set] theeservies *o*.

tea-shop ['ti:ʃɔp] 1 lunchroom; 2 theewinkel.

tea-spoon ['ti:spu:n] theelepeltje *o*.

tea-strainer ['ti:streinə] theezeefje *o*.

teat [ti:t] 1 tepel, uier; 2 speen.

tea-table ['ti:teibl] theetafel.

tea-things ['ti:θiŋz] theegerei *o*, theegoed *o*.

tea-tray ['ti:trei] theeblad *o*.

tea-trolley ['ti:trɔli] theewagen.

tea-urn ['ti:ə:n] thee-urn.

tec [tek] S zie *detective* II.

tech [tek] S zie *technical school*.

technical ['teknikl] *aj* technisch; vak-; ~ *school* lagere nijverheidsschool.

technicality [tekni'kæliti] technisch karakter *o*; *the technicalities* 1 de technische finesses; 2 de vaktermen.

technically ['teknikəli] *ad* technisch.

technician [tek'niʃən], **technicist** ['teknisist] technicus.

technics ['tekniks] techniek.

technique [tek'ni:k] techniek.

technological [teknə'lɔdʒikl] technologisch.

technologist [tek'nɔlədʒist] technoloog.

technology [tek'nɔlədʒi] technologie.

tectonic [tek'tɔnik] I *aj* tektonisch; II *sb* in: ~s tektoniek.

Ted [ted] zie *Teddy* & *teddy boy*.

ted [ted] uitspreiden en keren [gras].

tedder ['tedə] hooischudder.

Teddy ['tedi] 1 F verk. v. *Edward* & *Theodore*; 2 S zie *teddy boy*.

teddy bear ['tedibɛə] teddybeer.

teddy boy ['tedibɔi] S nozem.

Te Deum ['ti:'di:əm] Te-Deum o.

tedious(ly) ['ti:diəs(li)] vervelend; saai.

tedium ['ti:diəm] verveling; saaiheid.

tee [ti:] I sb 1 doel o waarnaar een bal moet worden geslagen (geworpen &); 2 aardhoopje o vanwaar de bal wordt weggeslagen [golfspel]; II vt [de bal] op de tee plaatsen; III vi in: ~ off beginnen te spelen; fig beginnen.

teem [ti:m] vol zijn, krioelen, wemelen, overvloeien (van with).

teeming ['ti:miŋ] wemelend, overvol, boordevol (van with); vruchtbaar [brein &].

teen age ['ti:neidʒ] zie teens.

teen-age(d) ['ti:neidʒ(d)] (van, voor) tussen 12-20 jaar; ~ boy (girl) tiener.

teen-ager ['ti:neidʒə] tiener.

teens [ti:nz] jaren tussen het twaalfde en het twintigste.

teeny ['ti:ni] F (heel) klein.

teeth [ti:θ] mv v. tooth.

teethe [ti:ð] tanden krijgen.

teething ['ti:ðiŋ] het tanden krijgen; ~ ring bijtring; ~ troubles kinderziekten [fig].

teetotal [ti:'toutl] geheelonthouders-.

teetotalism [ti:'toutlizm] geheelonthouding.

teetotal(l)er [ti:'toutlə] geheelonthouder.

teetotum [ti:'toutəm] a-al-tolletje o.

§ tegument ['tegjumənt] 1 bedekking, bekleedsel o; 2 huid [v. zaad &].

tehee [ti:'hi:] I sb giegiechel o; II vi giechelen.

telecast ['telika:st] I vt & vi per televisie uitzenden; II V.T. & V.D. van telecast; III sb televisieuitzending.

telecommunication ['telikəmju:ni'keiʃən] telecommunicatie.

telegram ['teligræm] ‡ telegram o.

telegraph ['teligra:f] I sb ‡ telegraaf; II vt & vi telegraferen.

telegrapher [ti'legrəfə] ‡ 1 telegraferend persoon; 2 telegrafist.

telegraphese [teligra:'fi:z] telegramstijl.

telegraphic [teli'græfik] ‡ telegrafisch.

telegraphist [ti'legrəfist] ‡ telegrafist(e).

telegraphy [ti'legrəfi] ‡ telegrafie.

telemeter [ti'lemitə] afstandsmeter.

telepathic [teli'pæθik] telepathisch.

telepathist [ti'lepəθist] telepaat.

telepathy [ti'lepəθi] telepathie.

telephone ['telifoun] I sb ✆ telefoon; on the ~ 1 aangesloten (bij de telefoon); 2 aan de telefoon; 3 door de (per) telefoon; II vt & vi telefoneren.

telephone kiosk ['telifounkiosk] ✆ telefooncel.

telephonic [teli'fɔnik] ✆ telefonisch, telefoon-.

telephonist [ti'lefənist] ✆ telefonist(e).

telephony [ti'lefəni] ✆ telefonie.

teleprinter ['teliprintə] telex.

telescope ['teliskoup] I sb verrekijker, telescoop; II vt & vi ineenschuiven; in elkaar schuiven [spoorwagens bij een ongeluk &]; III va zich in elkaar laten schuiven.

telescope-table ['teliskoupteibl] uittrektafel.

telescopic [telis'kɔpik] telescopisch; ineenschuifbaar.

Ⓜ teletype ['telitaip] I sb teletype; II vt teletypen.

teleview ['telivju:] TV kijken.

televiewer ['telivju:ə] TV kijker.

televise ['telivaiz] per televisie uitzenden.

television [teli'viʒən] televisie; on ~ per televisie, voor de televisie.

televisor ['telivaizə] televisie(ontvang)toestel o of -zender.

tell [tel] I vt 1 vertellen, zeggen; mededelen, (ver)melden, onderrichten; verhalen; verklikken; 2 bevelen, gelasten; 3 tellen; 4 onderscheiden; (her)kennen; zien (aan by); ~ the clock op de klok (kunnen) kijken; ~ fortunes waarzeggen; ~ a story ook: een verhaal doen; ~ them apart ze uit elkaar houden; ~ one from the other ze van elkaar onderscheiden; ~ off 1 tellen; 2 aanwijzen [voor corvee &]; 3 S een standje maken; ~ over natellen; ~ that to the (horse-)marines F maak dat je grootje wijs; a hundred all told honderd in het geheel; have one's fortune told zich laten waarzeggen; II vi & va vertellen, verhalen, (het) zeggen; klikken, het oververtellen; effect maken, uitwerking hebben, zijn invloed doen gelden, indruk maken, pakken, (je) aanpakken; you never can ~ je kunt het niet weten; every shot (word) told elk schot (woord) had effect (was raak); I told you so! dat heb ik u wel gezegd!; ~ against pleiten tegen; ~ in his favour voor hem pleiten; ~ of ook: getuigen van; klikken van; don't ~ on me klik niet van me; the strain begins to ~ (up)on him begint hem aan te pakken; that won't ~ with him 1 dat maakt geen indruk op hem; 2 dat legt bij hem geen gewicht in de schaal.

tellable ['teləbl] zich latende zeggen.

teller ['telə] 1 verteller; 2 teller; 3 kassier.

telling(ly) ['teliŋ(li)] pakkend, krachtig, raak.

telling-off ['teliŋ'ɔ:f] S standje o, uitbrander.

telltale ['telteil] I sb aanbrenger; verklikker [ook ✂]; II als aj verraderlijk.

§ tellurian [te'ljuəriən] I aj van de aarde; II sb aardbewoner.

telly ['teli] F televisie.

telpher ['telfə] (bak, wagentje o & van) luchtkabel, zweefbaan.

telpherage ['telfəridʒ] vervoer o per luchtkabel of zweefbaan.

telpher line ['telfəlain], **telpherway** ['telfəwei] luchtkabel, zweefbaan.

temerarious [temə'rɛəriəs] vermetel, roekeloos.

temerity [ti'meriti] vermetelheid, roekeloosheid.

temper ['tempə] I vt temperen°, matigen; verzachten; doen bedaren; ♪ temperen; harden [ijzer]; blauw laten aanlopen [staal]; laten beslaan [kalk]; mengen; ~ justice with mercy genade voor recht laten gelden; **II** *sb* 1 temperament *o*, gemoedstoestand, geaardheid; stemming, (goed) humeur *o*; gemoedsrust, kalmte; slecht humeur *o*, boze bui; 2 vermenging; 3 (graad van) harding, vastheid; (*little*) ~*s* ook: aanvallen van humeurigheid; *he is a bad* (*horrid*) ~ hij heeft me het humeurtje well; *have a* (*quick*) ~ gauw kwaad worden, niets kunnen velen; *have* ~*s* (erg) humeurig zijn; *keep one's* ~ niet uit zijn humeur raken; bedaard blijven; *lose one's* ~ uit zijn humeur raken; ongeduldig of boos worden; *be in a* (*black*) ~ (verschrikkelijk) uit zijn humeur zijn; *get out of* ~ uit zijn humeur raken; zijn geduld verliezen.

temperament ['temp(ə)rəmənt] temperament *o*.

temperamental [temp(ə)rə'mentəl] *aj* 1 van het temperament; van nature, aangeboren; 2 met veel temperament; 3 grillig; onevenwichtig.

temperamentally [temp(ə)rə'mentəli] *ad* 1 met temperament; 2 uit het oogpunt van het temperament, van nature.

temperance ['temp(ə)rəns] gematigdheid; matigheid, onthouding [van sterke dranken]; ~ *beverages* alcoholvrije dranken; ~ *hotel* geheelonthoudershotel *o*; ~ *movement* drankbestrijding; ~ *society* matigheidsgenootschap *o*.

temperate ['temp(ə)rit] gematigd; matig.

temperature ['tempritʃə] 1 temperatuur, warmtegraad; 2 ⚡ verhoging; ~ *chart* ⚡ temperatuurlijst.

tempered ['tempəd] getemperd, gehard [van metalen]; gehumeurd, ...van aard.

tempest ['tempist] (hevige) storm[2].

tempest-tossed ['tempisttɔ:st] door de storm heen en weer geslingerd.

tempestuous(ly) [tem'pestjuəs(li)] stormachtig[2], onstuimig[2].

Templar ['templə] 1 tempelridder, tempelier; 2 juridisch student, jurist.

1 **temple** ['templ] 1 tempel; 2 (protestantse) kerk; *the Temple* (*the Inner and Middle* ~) gebouwencomplex *o* v. juristen te Londen.

2 **temple** ['templ] slaap [aan het hoofd].

templet ['templit] vormhout *o*, mal.

1 **temporal** ['tempərəl] **I** *aj* in: ~ *bone* slaapbeen *o*; **II** *sb* slaapbeen *o*.

2 **temporal** ['tempərəl] **I** *aj* tijdelijk; wereldlijk; zie ook: *lord* **I**; **II** *sb* iets tijdelijks; iets wereldlijks; ~*s* tijdelijke of wereldse zaken.

temporality [tempə'ræliti] tijdelijkheid; *temporalities* 1 tijdelijke inkomsten of bezittingen; 2 temporaliën: inkomsten van een geestelijke uit wereldlijke bezittingen.

temporarily ['temp(ə)rərili] *ad* voor een tijdje; tijdelijk, voorlopig.

temporariness ['temp(ə)rərinis] tijdelijkheid.

temporary ['temp(ə)rəri] *aj* tijdelijk, voorlopig; niet vast, niet blijvend, nood-.

temporization [tempərai'zeiʃən] temporiseren

o, geschipper *o*; gedraal *o*.

temporize ['tempəraiz] zich naar tijd en omstandigheden schikken, schipperen; tijd zoeken te winnen, dralen.

temporizer ['tempəraizə] wie de kat uit de boom kijkt, wie de huik naar de wind hangt; draler.

tempt [tem(p)t] verzoeken, in verzoeking brengen, bekoren; verleiden, (ver)lokken; *be* ~*ed to...* ook: in de verleiding komen om...

temptation [tem(p)'teiʃən] verzoeking, aanvechting, bekoring; verlokking, verleiding.

tempter ['tem(p)tə] verzoeker, verleider, bekoorder; *the* ~ de verzoeker: de satan.

tempting(ly) ['tem(p)tiŋ(li)] verleidelijk, aan-, verlokkelijk.

temptress ['tem(p)tris] verlokster, verleidster, bekoorster.

ten [ten] tien; tiental *o*; (*it is*) ~ *to one* tien tegen één.

tenability [tenə'biliti] houdbaarheid[2], verdedigbaarheid[2].

tenable ['tenəbl] gehouden kunnende worden, houdbaar[2], verdedigbaar[2].

tenacious [ti'neiʃəs] vasthoudend[2] (aan *of*); kleverig, taai[2]; sterk [v. geheugen]; hardnekkig; *be* ~ *of* vasthouden aan, niet (gauw) loslaten; ~ *of life* taai.

tenacity [ti'næsiti] vasthoudendheid[o], kleverigheid, taaiheid[2]; sterkte [v. geheugen]; hardnekkigheid.

tenancy ['tenənsi] huur, pacht.

tenant ['tenənt] **I** *sb* huurder, pachter; bewoner; ~ *at will* zonder huurcontract; **II** *vt* in huur hebben, (als huurder) bewonen.

tenantable ['tenəntəbl] bewoonbaar.

tenant farmer ['tenənt'fa:mə] pachter.

tenantless ['tenəntlis] onverhuurd, leegstaand, nog onbewoond.

tenantry ['tenəntri] gezamenlijke pachters, huurders.

tench [tenʃ] 🐟 zeelt.

1 **tend** [tend] *vi* zich uitstrekken, zich richten, zich bewegen, gaan of wijzen in zekere richting; ~ *to* strekken, bijdragen tot; een (de) neiging hebben tot (om...).

2 **tend** [tend] **I** *vt* passen op [winkel], zorgen voor, oppassen [zieken], hoeden [vee], weiden [lammeren]; bedienen [klanten &]; **II** *vi* ~ *upon* bedienen.

tendency ['tendənsi] neiging; strekking, tendens; *have a* ~ *to...* ook: aanleg hebben voor [tering &].

tendentious [ten'denʃəs] tendentieus.

1 **tender** ['tendə] *sb* 1 oppasser, -ster; 2 ⚓ tender, bootje *o* voor vervoer tussen (groter) schip en wal; voorraadschip *o*; 3 tender, kolenwagen [v. locomotief].

2 **tender** ['tendə] **I** *vt* aanbieden; indienen; **II** *vi* in: ~ *for* inschrijven op; **III** *sb* aanbieding, offerte; inschrijving(sbiljet *o*), betaalmiddel *o* (in: *legal* ~); *private* ~ onderhandse inschrij-

ving; *invite (receive)* ~*s for* aanbesteden; *by*
~ bij inschrijving.

3 **tender** ['tendə] *aj* te(d)er, zacht, mals; pijnlijk; (teer)gevoelig; liefhebbend; pril; ~ *of*
teergevoelig op het punt van; bezorgd voor;
bang om te...

1 **tenderer** ['tendərə] *aj* tederder &.

2 **tenderer** ['tendərə] *sb* inschrijver.

tenderfoot ['tendəfut] S groen, baar.

tender-hearted ['tendəha:tid] teerhartig.

tenderloin ['tendəloin] *Am* filet.

tenderly ['tendəli] *ad* zie 3 *tender.*

tenderness ['tendənis] te(d)erheid &.

tendinous ['tendinəs] peesachtig.

tendon ['tendən] pees.

tendril ['tendril] rank.

tenebrae ['tenibri:] *RK* donkere metten.

tenement ['tenimənt] pachtgoed *o*; woning,
huis *o*; kamer (voor één familie).

tenement-house ['tenimənthaus] huurkazerne.

tenet ['ti:net] 1 grondstelling; 2 leerstuk *o*,
leer.

tenfold ['tenfould] tienvoudig.

tenner ['tenə] S biljet *o* van 10 pond (dollar).

tennis ['tenis] tennis *o*.

tennis-court ['teniskɔ:t] tennisbaan.

tenon ['tenən] I *sb* ✂ pin, pen, tap; II *vt* met
een pin (pen, tap) lassen.

tenor ['tenə] 1 gang, loop, richting; verloop
o; 2 geest, zin, inhoud, strekking; 3 ♪ tenorstem, tenor; altviool; *of the same* ~ ook: gelijkluidend [documenten].

ten-pounder ['ten'paundə] tienponder.

1 **tense** [tens] *sb gram* tijd.

2 **tense** [tens] *aj* strak, gespannen[2]; spannend.

tenseness ['tensnis] strak-, gespannenheid[2].

tensile ['tensail] rekbaar; span-, trek-.

tension ['tenʃən] gespannen toestand; spanning[2]; inspanning; spankracht.

tensity ['tensiti] spanning.

tensor ['tensə] strekker [spier].

1 **tent** [tent] I *sb* tent; II *vt* van tenten voorzien; in tenten onderbrengen; ~*ed camp* tentenkamp *o*; III *vi* in tenten kamperen.

2 **tent** [tent] *sb* Spaanse wijn.

3 **tent** [tent] I *sb* wiek [v. pluksel]; II *vt* (met
een wiek) openhouden [wond].

tentacle ['tentəkl] 1 tastorgaan *o*; 2 vangarm.

tentative ['tentətiv] I *aj* proberend, bij wijze
van proef; voorzichtig, schuchter; voorlopig
[v. conclusie, cijfers &]; II *sb* poging.

tentatively ['tentətivli] *ad* al proberend; bij
wijze van proef; voorzichtig, schuchter; voorlopig.

tent-bed ['tentbed] ledikant *o* met hemel.

tenter ['tentə] spanraam *o*.

tenterhook ['tentəhuk] spanhaak; *be on* ~*s (on
the* ~*s of suspense)* in gespannen verwachting zijn, op hete kolen zitten.

tenth [tenθ] I *aj* tiende; II *sb* 1 tiende (deel *o*);
2 tiend; 3 ♪ decime.

tenthly ['tenθli] ten tiende.

tent-peg ['tentpeg] haring [v. tent].

tenuity [te'njuiti] fijnheid, dunheid, ijlheid,
schraalheid.

tenuous ['tenjuəs] fijn, dun, ijl, scrhaal.

tenure ['tenjuə] houden *o*; leenroerigheid;
eigendomsrecht *o*, bezit *o*; *during his* ~ *of
office* zolang hij het ambt bekleedt (bekleed-
de).

tepefy ['tepifai] I *vt* lauw maken; II *vi* lauw
worden.

tepid ['tepid] lauw[2].

tepidity [te'piditi] lauwheid.

terce [tə:s] zie *tierce.*

tercentenary [tə:sen'ti:nəri] driehonderdjarig(e
gedenkdag).

tergiversate ['tə:dʒivəseit] draaien, uitvluchten
zoeken, schipperen.

tergiversation [tə:dʒivə'seiʃən] draaierij, zoeken *o* van uitvluchten, geschipper *o*.

term [tə:m] I *sb* 1 grens; 2 term°, uitdrukking,
bewoording; 3 termijn; 4 🕪 zitting(stijd);
duur, tijd; 5 ☞ collegetijd, trimester *o*, kwartaal *o*; ~ *of abuse* scheldwoord *o*; ~*s* voorwaarden, condities, schoolgeld *o*, prijzen;
verstandhouding, voet waarop men omgaat
met iemand; *keep* ~*s with* op goede voet blijven met; *make* ~*s* tot een vergelijk komen;
het op een akkoordje gooien (met *with*); *set
a* ~ *to* ⚒ een eind maken aan; *at our usual*
~*s* tegen de gewone betalingsvoorwaarden;
for a ~ *of years* voor een bepaald aantal jaren; *in* ~*s of the highest praise* in de vleiend-
ste bewoordingen (uitgedrukt); *look on the
film in* ~*s of education* de film beschouwen
uit een opvoedkundig oogpunt of in verband
met de opvoeding; *on easy* ~*s* op gemakkelijke betalingsvoorwaarden; *on good* ~*s* op
goede voet; *on* ~*s of intimacy* op vertrouwelijke voet; *get on* ~*s with* op goede voet komen met; *bring to* ~*s* dwingen zekere voorwaarden aan te nemen; *come to* ~*s* tot een
vergelijk komen; het eens worden; zie ook:
speaking; II *vt* noemen.

termagant ['tə:məgənt] I *sb* feeks; II als *aj* kijfachtig.

terminable ['tə:minəbl] begrensbaar; te be-
eindigen; aflopend, opzegbaar.

terminal ['tə:minəl] I *aj* 1 grens-, eind-, uiterste; 2 in termijnen betaalbaar &; termijn-; 3
⚡ eindstandig; ~ *figure* grensbeeld *o*; II *sb* 1
eindpunt *o*, einde *o*, uiterste *o*; 2 eindstation
o; 3 ⚡ (pool)klem.

1 **terminate** ['tə:minit] *aj* opgaand [breuk].

2 **terminate** ['tə:mineit] I *vt* begrenzen; (be)-
eindigen, een eind maken aan; laten aflopen
[contract]; II *vi* eindigen, ophouden; aflopen
[contract]; ~ *in* eindigen in; uitlopen op; uitgaan op [klinker &].

termination [tə:mi'neiʃən] begrenzing, grens;
afloop, beëindiging; besluit *o*, slot *o*; einde
o; *gram* uitgang; *draw to a* ~ ten einde lopen;
put a ~ *to* een eind maken aan.

terminological [tə:minə'lɔdʒikl] terminologisch.

terminology [tə:mi'nɒlədʒi] terminologie.

terminus ['tə:minəs] 1 eind(punt) o; grenssteen, eindpaal²; eindstation o; 2 grensbeeld o.

termite ['tə:mait] termiet, witte mier.

term-time ['tə:mtaim] ⊶ collegetijd, trimester o.

tern [tə:n] ⚜ visdiefje o.

ternary ['tə:nəri] drietallig, -delig, -voudig.

Terpsichore [tə:p'sikəri] Terpsichore.

terrace ['teris] terras o; (straat met) rij huizen in uniforme stijl [in Eng.].

terraced ['terist] terrasvormig; met een terras of terrassen.

terra-cotta ['terə'kɔtə] I sb terracotta; II aj terra(cotta).

terrain ['terein] terrein o.

terrarium [te'rɛəriəm] terrarium o.

terrestrial [ti'restriəl] I aj aards; aard-; land-; ~ globe aardbol, (aard)globe; II sb aardbewoner.

terrible ['teribl] aj verschrikkelijk, vreselijk.

terribleness ['teriblnis] verschrikkelijkheid, vreselijkheid.

terribly ['teribli] ad zie terrible.

terrier ['teriə] ⚜ (fox-)terriër.

terrific(ally) [tə'rifik(əli)] schrikwekkend, verschrikkelijk, vervaarlijk, < vreselijk.

terrify ['terifai] schrik aanjagen; verschrikken, met schrik vervullen.

territorial [teri'tɔ:riəl] I aj territoriaal, van een grondgebied, land-, grond-; II sb soldaat van het territoriale leger.

territory ['teritəri] grondgebied o, gebied² o.

terror ['terə] schrik, vrees, angst; verschrikking; schrikbeeld o; you are a ~ F je bent toch verschrikkelijk!; the (Reign of) Terror het Schrikbewind, de Terreur; in ~ of bang zijnd, vrezend voor.

terrorism ['terərizm] schrikbewind o, terreur.

terrorist ['terərist] I sb terrorist; II aj terreur-, terroristisch.

terrorization [terərai'zeiʃən] terroriseren o.

terrorize ['terəraiz] terroriseren, voortdurend schrik aanjagen, een schrikbewind uitoefenen over.

terror-stricken ['terəstrikn], **-struck** [-strʌk] door schrik bevangen, van schrik verbijsterd.

terse(ly) ['tə:s(li)] kort, gedrongen.

tertian ['tə:ʃən] anderdaags(e koorts).

tertiary ['tə:ʃiəri] tertiair; van de derde rang, van de derde orde.

terzetto [tə:t'setou] ♪ terzet o.

tessellated ['tesəleitid] geruit, ingelegd, mozaïek-.

1 **test** [test] sb ⚜ schaal, schild o, pantser o.

2 **test** [test] I sb toets(steen); reagens o; criterium o; proef, beproeving; keuring; test; ⊶ proefwerk o; the acid (crucial) ~ de vuurproef, de toets(steen); intelligence (mental)

~(s) intelligentietest, psychotechnisch onderzoek o; put to the ~ op de proef stellen; de proef nemen met; stand the ~ de proef doorstaan; II vt toetsen (aan by), op de proef stellen, beproeven, keuren, controleren, onderzoeken [ook chemisch], testen (op for).

testacean [tes'teiʃiən] schelpdier o.

testaceous [tes'teiʃəs] schelp-.

testament ['testəmənt] testament° o.

testamentary [testə'mentəri] testamentair.

testamur [tes'teimə] ⚜ getuigschrift o.

testate ['testit] een testament nalatend.

testator [tes'teitə] testateur, erflater.

testatrix [tes'teitriks] testatrice, erflaatster.

test case ['testkeis] ⚜ proefproces o; fig (kracht)proef; toets(steen).

tester ['testə] keurder; proefmiddel o ‖ hemel van ledikant ‖ ⚄ schelling [30 cents].

test-flight ['testflait] ✈ proefvlucht.

test-glass ['testgla:s] reageerbuisje o.

testifier ['testifaiə] getuige.

testify ['testifai] I vi getuigen; getuigenis afleggen (van to); betuigen; II vt betuigen; getuigenis afleggen van.

testily ['testili] ad zie testy.

testimonial [testi'mounjəl] testimonium o, getuigschrift o; verklaring, attestatie; huldeblijk o.

testimony ['testiməni] getuigenis o & v, getuigenverklaring; bear ~ to getuigen van; call in ~ tot getuige roepen; in ~ whereof... tot getuigenis waarvan...

testiness ['testinis] kribbigheid &.

test-match ['testmætʃ] sp toetswedstrijd.

test-paper ['testpeipə] 1 reageerpapier o; 2 ⊶ proefwerk o.

test-pilot ['testpailət] ✈ invlieger.

test-tube ['testtju:b] reageerbuisje o.

testudo [tes'tju:dou] ⚄ schilddak o, stormdak o.

testy ['testi] aj kribbig, wrevelig, prikkelbaar.

tetanus ['tetənəs] ♀ tetanus: stijfkramp.

tetchy ['tetʃi] gemelijk, prikkelbaar, lichtgeraakt.

tether ['teðə] I sb tuier [om grazend dier aan vast te maken]; be at the end of one's ~ uitgepraat zijn; it is beyond my ~ daar kan ik niet bij; dat ligt buiten mijn bevoegdheid; II vt tuieren, vastbinden; fig in toom houden, aan banden leggen.

tetrad ['tetræd] vier(tal o).

tetragon ['tetrəgən] vierhoek.

tetragonal [te'trægənəl] vierhoekig.

tetrahedral [tetrə'hi:drəl] viervlakkig.

tetrahedron [tetrə'hi:drən] viervlak o.

tetralogy [te'trælədʒi] tetralogie.

tetrasyllabic [tetrəsi'læbik] vierlettergrepig.

tetrasyllable [tetrə'siləbl] vierlettergrepig woord o.

tetter ['tetə] ♀ huidziekte.

Teuton ['tju:tən] 1 Teutoon; Germaan; 2 Duitser.

Teutonic [tju:'tɒnik] I *aj* Teutoons; Germaans; Duits; II *sb* het Germaans.

text [tekst] tekst°; grootschrift *o*; *take... for a* ~ ...tot tekst nemen.

text-book ['tekstbuk] handboek *o*; leerboek *o*.

text-hand ['teksthænd] grootschrift *o*.

textile ['tekstail] I *aj* geweven; weef-; textiel; II *sb* geweven stof; ~*s* ook: textiel(goederen).

textual ['tekstjuəl] woordelijk, letterlijk; tekst-.

texture ['tekstʃə] weefsel *o*, structuur, bouw.

Thames [temz] Theems; *he will never set the* ~ *on fire* hij heeft het buskruit niet uitgevonden.

than [ðæn] dan [na vergrotende trap]; *a murder* ~ *which nothing could have been fouler* en niets had snoder kunnen zijn dan die moord; *a man* ~ *whom they had no better friend* en zij hadden geen betere vriend dan die man.

thane [θein] ꟿ I thaan, leenman; 2 baron.

thank [θæŋk] (be)danken, dankzeggen (voor *for*); ~ *God!* goddank!; ~ *you* I dank u; 2 alstublieft, graag; ~ *you for nothing* nee hoor, dank je lekker; *I'll* ~ *you for the potatoes* wilt u alstublieft de aardappelen even aanreiken?; *no,* ~ *you* dank u [bij weigering]; *you have (only) yourself to* ~ *(for that)* dat hebt u uzelf te wijten.

thankful(ly) ['θæŋkful(i)] dankbaar.

thankless(ly) ['θæŋklis(li)] ondankbaar.

thank-offering ['θæŋkɔfəriŋ] dankoffer *o*.

thanks [θæŋks] dank, dankzegging; ~ *(awfully)!* F wel bedankt!; ~ *to...* dank zij...; *give* ~ zijn dank betuigen, bedanken; danken [na de maaltijd]; *accept with* ~ dankbaar aannemen; *declined with* ~ onder dankbetuiging geweigerd; *received with* ~ in dank ontvangen.

thanksgiving ['θæŋks'giviŋ] dankzegging; ~ *day* dankdag.

I **that** [ðæt] I *pron* dat, die [aanwijzend], iets; zulk (een); ~'*s a dear!* nu (dan) ben je een beste!; ~'*s all!* dat is al! ook: daarmee basta!; *so that's* ~ F dat is in orde, klaar &; *all* ~ dat alles; *...and all* ~ *...en zo; is she all* ~ *perfect?* is ze zó volmaakt?; *I was not so foolish as (all)* ~ zó dwaas was ik niet; *in* ~ *(he...)* in zover als..., omdat...; *it turned out to be just (exactly, precisely)* ~ dat bleek het inderdaad (nu juist, juist wel, wel) te zijn; *like* ~ zo; *we,* ~ *is, John and I* wij, Jan en ik dus; *big to us,* ~ *is* groot voor ons althans; II als *ad* zó; *I will go* ~ *far* zo ver.

2 **that** [ðɔt, ðæt] *pron* dat, die, welke, wat.

3 **that** [ðɔt, ðæt] *cj* I dat; 2 opdat.

thatch [θætʃ] I *sb* stro *o*; riet *o*; rieten dak *o*; F dik hoofdhaar *o*; II *vt* met riet dekken; ~*ed roof* rieten dak *o*.

thatcher ['θætʃə] rietdekker.

thaumaturge ['θɔ:mətə:dʒ] wonderdoener.

thaumaturgic [θɔ:mə'tə:dʒik] wonderdoend.

thaumaturgy ['θɔ:mətə:dʒi] wonderdoenerij.

thaw [θɔ:] I *vi* dooien; ontdooien[2]; *fig* loskomen, een beetje in vuur geraken; II *vt* (doen) ontdooien[2] (ook: ~ *out*); III *sb* dooi.

thawy ['θɔ:i] dooiend, dooi-.

the [ðə, ði, ði:] de, het; (soms onvertaald); ~ *best... of* ~ *day* de beste... I van die tijd; 2 van onze tijd; *under* ~ *circumstances* onder deze omstandigheden; ~ *more...,* ~ *more...* hoe meer..., hoe meer...; ~ *more so because...* te meer nog omdat...

theatre ['θiətə] I schouwburg; 2 toneel[2] *o*; ✕ strijdtoneel *o*, -gebied *o*; 3 (gehoor)zaal [van universiteit &].

theatre-goer ['θiətəgouə] schouwburgbezoeker.

theatrical [θi'ætrikl] I *aj* theatraal, van het toneel; toneelmatig; toneel-: II als *sb* (*private*) ~*s* liefhebberijtoneel *o*.

Theban ['θi:bən] Thebaan(s).

Thebes [θi:bz] Thebe *o*.

thee [ði:] ⊙ u; *prov* jou (vierde naamval van *thou*).

theft [θeft] diefstal.

their [ðeə] hun, haar.

theirs [ðeəz] de of het hunne, hare.

theism ['θi:izm] theïsme *o*: geloof aan het bestaan van een God.

theist ['θi:ist] die aan een God gelooft.

theistic [θi:'istik] theïstisch.

them [ðem, (ð)əm] hen, hun, haar, ze; ~ *girls* P die meisjes.

thematic [θi'mætik] thematisch.

theme [θi:m] thema° *o*; onderwerp *o*; ⇔ opstel *o*; ~ *song* telkens terugkerende melodie [v. revue, film]; *fig* refrein *o*, leus.

themselves [ðəm'selvz] zich (zelf); (zij)zelf.

then [ðen] I *ad* dan, vervolgens, daarop, in die tijd, toenmaals, toen; bovendien; *before* ~ voordien; *by* ~ dan, tegen die tijd; toen; *from* ~ *(on, onwards)* van toen af; *till* ~ tot dan, tot die tijd; *not till (until)* ~... toen pas..., toen eerst...; ~ *and there* op staande voet; II *cj* dan, dus; *(but)* ~ *why did you take it?* maar waarom heb je 't dan (ook) genomen?; III *aj* toenmalig; van dat ogenblik.

thence [ðens] vandaar, daaruit, daardoor.

thenceforth ['ðens'fɔ:θ], **thenceforward** ['ðens-'fɔ:wəd] van die tijd af.

theocracy [θi'ɔkrəsi] theocratie: Godsregering.

theocrat ['θiəkræt] theocraat.

theocratic [θiə'krætik] theocratisch.

Theodore ['θiədɔ:] Theodorus.

theologian [θiə'loudʒiən] theoloog, godgeleerde.

theologic(al) [θiə'lɔdʒik(l)] godgeleerd.

theology [θi'ɔledʒi] godgeleerdheid.

theorem ['θiərem] theorema *o*, stelling.

theoretic [θiə'retik] I *aj* theoretisch; II *sb* ~*s* theorie.

theoretical [θiə'retikl] theoretisch.

theorist ['θiərist] theoreticus.

theorize ['θiəraiz] theoretiseren, theorieën verkondigen, redeneren (over *about*).

theory ['θiəri] theorie.

theosophic(al) [θiə'sɔfik(l)] theosofisch.

theosophist [θi'ɔsəfist] theosoof.

theosophy [θi'ɔsəfi] theosofie.

therapeutic [θerə'pju:tik] I *aj* therapeutisch, genezend; geneeskundig; II *sb* ~s therapie.

therapeutist [θerə'pju:tist] therapeut.

therapist ['θerəpist] fysiotherapeut; *occupational* ~ specialist voor arbeidstherapie.

therapy ['θerəpi] therapie.

there [ðɛə] I *ad* daar, aldaar, er; er-, daarheen; daarin; ~ *and back* heen en terug; ~ *you are!* ziedaar!; daar heb je (hebben we) 't!; *but* ~ *you are, but* ~ *it is* maar wat doe je eraan?; *but* ~, *you know what I mean* (maar) enfin, je weet wat ik bedoel; ~'*s a good boy!* dat is nog eens een brave jongen!; nu (dan) ben je een brave jongen!; *be all* ~ I goed bij (zijn verstand) zijn; wakker, pienter zijn; 2 van de bovenste plank zijn; *not all* ~ ook: F niet recht snik; *we have been* ~ *before* dat kennen we, dat is oude koek; II *ij* kom! kom!; daar; ~ *now!* och, och!, nee maar!; III *sb* in: *by* (*from, to*) ~ daarlangs, -vandaan, tot daar.

thereabout(s) ['ðɛərəbaut(s)] daar in de buurt, daaromtrent.

thereafter [ðɛə'ra:ftə] daarna; ~ daarnaar.

~ **thereat** [ðɛə'ræt] I daarop, daarover; 2 daarbij, bovendien.

thereby [ðɛə'bai] daarnevens, daarbij; daardoor; *in 1670 or* ~ of daaromtrent.

therefore ['ðɛəfɔ:] daarom, derhalve.

~ **therefrom** [ðɛə'frɔm] daarvan, daaruit.

~ **therein** [ðɛə'rin] daarin, hierin.

thereof [ðɛə'rɔv] hiervan, daarvan.

thereon [ðɛə'rɔn] daarop, daarna.

Theresa [ti'ri:zə] Theresia, Therese.

~ **thereto** [ðɛə'tu:] I daartoe; 2 daarenboven.

~ **thereunto** [ðɛə'rʌntu] zie *thereto*.

thereupon ['ðɛərə'pɔn] zie *thereon*.

~ **therewith** [ðɛə'wið] daarmede, daarop.

~ **therewithal** [ðɛəwi'ðɔ:l] I daarbij, daarmede; 2 daarenboven, bovendien.

§ **therm** [θə:m] warmteëenheid.

§ **thermal** ['θə:məl] hitte-, warmte-; warm.

§ **thermic** ['θə:mik] warmte-.

thermo-electricity ['θə:mouilek'trisiti] ⚡ thermo-elektriciteit.

thermometer [θə'mɔmitə] thermometer.

thermometric(al) [θə:mə'metrik(l)] thermometrisch.

thermonuclear ['θə:mou'nju:kliə] thermonucleair.

Thermopylae [θə:'mɔpili:] Thermopylae.

ⓜ **thermos** ['θə:mɔs] thermosfles (ook: ~ **thermostat** ['θə:məstæt] thermostaat. *flask*).

thesaurus [θi'sɔ:rəs] schatkamer[2]; lexicon *o*.

these [ði:z] *mv* v. *this* deze.

theses ['θi:si:z] *mv* v. thesis ['θi:sis] I stelling; 2

thesis, dissertatie.

Thespian ['θespiən] I *aj* van Thespis; *the* ~ *art* de dramatische kunst; II *sb* J acteur.

thews [θju:z] I spieren; 2 (spier)kracht.

thewy ['θjui] gespierd.

they [ðei] zij; ze, men; ~ *say* men zegt.

thick [θik] I *aj* I dik° [ook = intiem], dicht, dicht op elkaar staand, dicht bezet, vol; 2 F hard van kop; 3 S kras; *as* ~ *as peas* in dichte drommen, bij hopen; *they are as* ~ *as thieves* F het zijn dikke vrienden; ~ *of speech* zwaar van tong; II *ad* dik, dicht; *come* ~ *and fast, fast and* ~ elkaar snel opvolgen [slagen &]; III *sb* I dikke gedeelte *o*, dikte; 2 dikste (dichtste) gedeelte *o*; 3 hevigst *o*; 4 S botterik; *in the* ~ *of the fight* (*of it*) in het heetst van het gevecht; *through* ~ *and thin* door dik en dun.

thicken ['θikn] I *vt* verdikken, dik maken; binden [saus &]; op-, aanvullen; ~ *one's blows* zijn slagen sneller doen neerkomen; II *vi* dik(ker) worden; zich op-, samenhopen; *the plot* ~*s* het begint te spannen.

thicket ['θikit] kreupelbosje *o*, struikgewas *o*.

thickhead ['θikhed] dik-, stomkop, botterik.

thick-headed ['θik'hedid] dom.

thickish ['θikiʃ] dikachtig.

thick-lipped ['θik'lipt] diklippig.

thickly ['θikli] *ad* dik, dicht &.

thickness ['θiknis] dikte; laag; dichtheid.

thick-set ['θik'set] I *aj* I dicht (beplant); 2 vierkant, gedrongen; sterk gebouwd; II *sb* I dichte heg; 2 soort dik manchester *o*.

thick-skinned ['θik'skind] dikhuidig[2].

thick-skulled ['θik'skʌld] bot, dom.

thick-witted ['θik'witid] bot, stom.

thief [θi:f] dief; *set a* ~ *to catch a* ~ met dieven moet men dieven vangen.

thieve [θi:v] stelen, dieven.

thievery ['θi:vəri] dieverij, diefstal.

thieves [θi:vz] dieven; ~' *Latin* dieventaal.

thieving ['θi:viŋ] I *aj* stelend; diefachtig; II *sb* stelen *o*, dieverij.

thievish ['θi:viʃ] diefachtig.

thigh [θai] dij.

thigh-bone ['θaiboun] dijbeen *o*.

thigh-boot ['θaibu:t] lieslaars.

thill [θil] lamoen *o*.

thimble ['θimbl] vingerhoed.

thimbleful ['θimblful] (een) vingerhoed (vol).

thimblerig ['θimblrig] dopjesspel *o*.

thin [θin] I *aj* dun, dunnetjes; schraal, mager; zwak; schaars; ijl, doorzichtig; II *vt* dun(ner) & maken; (ver)dunnen; III *vi* dun(ner) & worden; uit elkaar gaan.

⊙ **thine** [ðain] uw; de of het uwe.

thing [θin] ding *o*, zaak; iets; *another* ~ I iets anders; 2 nog iets [vóór wij eindigen]; *and for another* ~... en daar komt nog bij dat...; *the dear* ~ die lieve snoes; die goeie ziel; *first* ~ *to-morrow* het eerste wat je morgen doet; *he doesn't know the first* ~ *about it* hij weet er geen sikkepit van; *first* ∼*s first* wat 't zwaarst is, moet 't zwaarst wegen; *a good* ∼ een goed, een voordelig zaakje *o*; *and a good* ∼ *too* en 't is maar gelukkig (goed) ook!; *too much of a good* ∼ te veel van het goede; *the great* ∼ de zaak (waar het op aankomt); *the latest* ∼ *in hats* het nieuwste (modesnufje) op 't gebied van hoeden; *old* ∼ *!* S ı ouwe jongen!; 2 lieve schat!; *an old* ∼ zo'n oud portret *o*; *the old* ∼ *over again* het oude liedje; *one* ∼ *at a time* géén twee dingen tegelijk; *poor* ∼ *!* och arme; (arme) stakker!; *an unusual* ∼ iets ongewoons; *that is the* ∼ dat is je ware; *I am not all (quite) the* ∼ F niet erg lekker; *the* ∼ *is to...* het is nu zaak om...; *that is not the same* ∼ dat is niet hetzelfde; *it is not quite the* ∼ het is niet bepaald netjes, niet je dat; *do the handsome* ∼ *by one* iemand royaal behandelen (belonen &); *know a* ∼ *or two* zijn weetje weten; *for one* ∼..., *for another* ... ten eerste ..., ten tweede...; zie ook: *things, soft* &.

things [θiŋz] dingen &; (de) zaken; allerlei dingen; lelijke dingen (praatjes); kleren, goed *o*, gerei *o*, F spullen, boeltje *o*; ...*and* ∼ ...en zo (meer); *I want my clean* ∼ ik moet mijn schoon goed hebben; *dumb* ∼ (redeloze) dieren; *good* ∼ lekkernij(en); *personal* ∼ persoonlijk eigendom *o*; *he knows* ∼ ı hij kent zijn zaakjes; 2 hij weet zijn weetje; *as* ∼ *are* zoals de zaken nu staan; *above (before, of) all* ∼ bovenal.

thingum ['θiŋəm], **-bob** [-bɔb], **-my** [-mi] F dinges, hoe-heet-ie-ook-weer?

think [θiŋk] I *vt* denken; geloven, menen, achten, houden voor, vinden; bedenken; zich denken, zich voorstellen; van plan zijn; ∼ *no harm* geen kwaad vermoeden; II *vi* & *vt* denken; nadenken; zich bedenken; *he is so altered now, you can't* ∼ daar hebt u geen idee van; *I don't* ∼ *!* F ı kan je (net) begrijpen!; 2 dat maak je mij niet wijs; ∼ *alike* dezelfde gedachte(n) hebben, sympathiseren; ∼ *differently* er anders over denken; *I thought so* dat dacht ik wel; *do you* ∼ *so?* vindt u?; *I rather* ∼ *so* dat zou ik menen; ∼ *twice before...* zich wel bedenken alvorens te...; ∼ *about* denken over; ∼ *of* denken van; denken aan; zich voorstellen; zich te binnen brengen; bedenken, vinden; ∼ *of ...ing* er over denken om te...; *to* ∼ *of his not knowing that!* verbeeld je dat hij dat niet eens wist!; ∼ *of it (that)!* denk eens aan!; ∼ *better of* een betere dunk krijgen van; ∼ *better of it* zich bedenken; ∼ *little (nothing) of* geen hoge dunk hebben van; heel gewoon vinden; geen been zien in...; ∼ *much of* een hoog idee hebben van; veel op hebben met; ∼ *no small beer of* F geen geringe dunk hebben van; ∼ *on* denken over; ∼ *out* uitdenken; overdenken, overwegen; doordenken, goed denken over; ∼ *over* nadenken over, overwegen; ∼ *to oneself* bij zichzelf denken; ∼ *up*

F uitdenken, verzinnen; III *sb* F gedachte; *give it a* ∼ F denk er eens over.

thinkable ['θiŋkəbl] denkbaar.

thinker ['θiŋkə] denker.

thinking ['θiŋkiŋ] I *aj* denkend; ∼ *faculty* denkvermogen *o*; II *sb* gedachte; mening, idee *o* & *v*; *way of* ∼ denkwijze; mening; *to my* ∼ naar mijn (bescheiden) mening.

thinly ['θinli] *ad* dun.

ı **thinner** ['θinə] *aj* dunner.

2 **thinner** ['θinə] *sb* verdunner.

thinness ['θinnis] dunheid, dunte.

thinning ['θiniŋ] verdunning; (uit)dunsel *o*; opengekapte plek; ∼*s* ook: dunsel *o*.

thinnish ['θiniʃ] ietwat dun (mager).

thin-skinned ['θin'skind] dun van vel; *fig* lichtgeraakt, gauw op zijn teentjes getrapt.

third [θə:d] I *aj* derde; ∼ *best* op twee na de beste; II *sb* ı derde deel *o*, derde *o*; 2 derde (man); 3 ¹/₆₀ seconde; 4 ♪ terts; ∼ *of exchange* $ tertia [wissel].

thirdly ['θə:dli] ten derde, in de derde plaats.

third-rate ['θə:d'reit, + 'θə:dreit] derderangs-, minderwaardig.

thirst [θə:st] I *sb* dorst² (naar *after, for, of*); *have a* ∼ *for...* dorsten naar...; II *vi* dorsten² (naar *for, after*).

thirstily ['θə:stili] *ad* dorstig.

thirstiness ['θə:stinis] dorstigheid.

thirsty ['θə:sti] *aj* dorstig, dorstend²; *be* ∼ dorst hebben; *be* ∼ *for* dorsten naar.

thirteen ['θə:'ti:n, + 'θə:ti:n] dertien.

thirteenth ['θə:'ti:nθ, + 'θə:ti:nθ] dertiende (deel *o*).

thirtieth ['θə:tiiθ] dertigste (deel *o*).   [(deel *o*).

thirty ['θə:ti] dertig; *the thirties* de jaren van (19)30 tot (19)40; *in the (one's) thirties* ook: in de dertig.

this [ðis] dit, deze, dat, die; ∼ *country* ook: ons land *o*; ∼ *day* heden, vandaag; ∼ *day week* vandaag over (of: vóór) een week; *(in) these days* in onze dagen; ∼ *evening* ook: vanavond; ∼ *(gewoonlijk these) three weeks* de laatste drie weken; ∼ *much* zoveel; *all* ∼ dit alles; *who's* ∼ *coming?* wie komt daar aan?; *he went to* ∼ *and that doctor* hij liep van de ene dokter naar de andere; *put* ∼ *and that together* het een met het andere in verband brengen; *before* ∼ voor dezen, al eerder; *he ought to be ready by* ∼ hij moest (moet) nu toch wel klaar zijn; *hold it like* ∼ zó; *to* ∼ *day* tot op heden.

thistle ['θisl] 🌿 distel.

thistledown ['θisldaun] distelpluis.

thistly ['θisli] distelig, vol distels.

thither ['ðiðə] I *ad* derwaarts, daarheen; II *aj* gene; *on the* ∼ *side* aan gene zijde.

thitherward(s) ['ðiðəwəd(z)] derwaarts.

tho' [ðou] zie *though*.

thole [θoul] dol, roeipen [aan een boot].

Thomas ['tɔməs] Thomas; ook = ∼ *Atkins* de Engelse soldaat; *a doubting* ∼ B een ongelovige Thomas.

thong [θɔŋ] riem.

§ **thoracic** [θɔː'ræsik] borst-.

§ **thorax** ['θɔːræks] 1 borst(kas); 2 ✵ borststuk o.

thorn [θɔːn] doorn, stekel; a ~ in one's flesh (side) B een doorn in het vlees; be on ~s op hete kolen zitten.

thorn-apple ['θɔːnæpl] ✿ doornappel.

thornback ['θɔːnbæk] ✿ (stekel)rog.

thorn-bush ['θɔːnbuʃ] doornstruik.

thorn-hedge ['θɔːnhedʒ] doornhaag.

thorny ['θɔːni] doornig, doornachtig, stekelig; met doornen bezaaid²; fig lastig, netelig.

thorough ['θʌrə] aj volmaakt, volledig; volkomen; ingrijpend, doortastend, grondig; flink, degelijk; echt, doortrapt.

thoroughbass ['θʌrəbeis] ♪ generale bas.

thoroughbred ['θʌrəbred] aj (& sb) volbloed (paard o &), raszuiver, rasecht; welopgevoed (persoon).

thoroughfare ['θʌrəfɛə] doorgang; hoofdverkeersweg, hoofdstraat; no ~! afgesloten rijweg [als opschrift].

thoroughgoing ['θʌrəgouiŋ] doortastend, radicaal; zie ook: thorough.

thoroughly ['θʌrəli] ad door en door, grondig; helemaal, geheel; degelijk, terdege, zeer, alleszins; echt [genieten].

thoroughness ['θʌrənis] volmaaktheid &, inz. degelijkheid, grondigheid.

thorough-paced ['θʌrəpeist] volmaakt, doortrapt, volleerd, aarts-.

those [ðouz] die, diegenen; ~ who zij die.

thou [ðau] ✎ & ⊙ gij.

though [ðou] I cj (al)hoewel, ofschoon, al; as ~ als(of); it wasn't as ~ he could... hij kon ook niet...; even ~ (zelfs) al...; what ~ the way is long? al is de weg lang, wat zou dat dan nog?; II als ad echter, evenwel, maar, toch; I thank you ~ intussen mijn dank; you don't mean to say that... "I do ~" zeker wil ik dat.

1 thought [θɔːt] V.D. & V.D. van think.

2 thought [θɔːt] sb gedachte(n), gepeins o; denken o; nadenken o, overleg o; opinie, idee o & v, inval; F ideetje o; ietsje o; give it a ~ er over denken; he had (some) ~s of ...ing hij dacht er half over om...; have second ~s zich nog eens bedenken; take ~ zich bedenken; take ~ for zorgen voor; take no ~ of (for) zich niet bekommeren om, zich niets aantrekken van; take ~ together (samen) beraadslagen; nothing can be further from my ~s daar denk ik niet over; on second ~s bij nader inzien, bij nadere overweging.

thoughtful ['θɔːtful] 1 (na)denkend; peinzend; 2 bedachtzaam; bezonnen; 3 te denken gevend; 4 attent; ~ of bedacht op; ~ of others attent voor anderen.

thoughtless ['θɔːtlis] gedachteloos; onnadenkend, onbedachtzaam, onbezonnen; onattent.

thought-out ['θɔːt'aut] doordacht, doorwrocht.

thought-reader ['θɔːtriːdə] gedachtenlezer.

thought-transference ['θɔːttrænsfərəns] gedachtenoverbrenging, telepathie.

thousand ['θauzənd] duizend; a ~ thanks duizendmaal dank; one in (of) a ~ één uit (de) duizend.

thousandfold ['θauzəndfould] duizendvoudig.

thousandth ['θauzəndθ] duizendste (deel o).

Thrace [θreis] Thracië o. [ciër.

Thracian ['θreiʃən] I aj Thracisch; II sb Thra-

thraldom ['θrɔːldəm] slavernij.

thrall [θrɔːl] I sb slaaf; slavernij; II aj in: ~ to verslaafd aan; III vt tot slaaf maken.

thrash [θræʃ] 1 afrossen, afranselen; (ver)slaan, het winnen van; 2 zie thresh 1; ~ out uitvorsen; ~ the thing out de zaak uitvissen, grondig behandelen.

thrasher ['θræʃə] zie thresher.

thrashing ['θræʃiŋ] 1 pak o ransel, goede rammeling; 2 zie threshing 1.

thread [θred] I sb draad² [ook v. schroef]; garen o; hang by a ~ aan een (zijden) draadje hangen; II vt de draad steken in; (aan)rijgen [kralen]; ~ one's way through... manoeuvreren door...

threadbare ['θredbɛə] kaal; fig afgezaagd.

thready ['θredi] dradig, dun als een draad.

threat [θret] (be)dreiging, dreigement o.

threaten ['θretn] I vt dreigen met; (be)dreigen; ~ed ook: dreigend; II vi dreigen (met with).

threatener ['θretnə] dreiger.

threatening ['θretniŋ] I aj (be)dreigend; ~ letter dreigbrief; II sb (be)dreiging, dreigement o.

three [θriː] drie; ~ times ~! driewerf hoera!

three-cornered ['θriː'kɔːnəd, + 'θriːkɔːnəd] 1 driekant, driehoekig; 2 waarin of waarbij drie personen betrokken zijn.

three-decker ['θriː'dekə] ⚓ driedekker.

threefold ['θriːfould] drievoudig.

three-forked ['θriː'fɔːkt, + 'θriːfɔːkt] driepuntig; ~ road driesprong.

three-handed ['θriː'hændid, + 'θriːhændid] 1 met drie handen; 2 door drie personen gespeeld.

three-headed ['θriː'hedid, + 'θriːhedid] driehoofdig.

three-legged ['θriː'legd, + 'θriːlegd] met drie poten.

three-master ['θriː'maːstə] ⚓ driemaster.

threepence ['θrepəns] driestuiver(stukje o).

threepenny ['θrepəni] driestuivers-; fig goedkoop, armoedig, zoveelste rangs-, dubbeltjes-; ~ bit driestuiverstukje o.

three-phase ['θriːfeiz] ⚡ draaistroom-.

three-ply ['θriː'plai] triplex; driedraads.

threescore ['θriː'skɔː] zestig (jaar).

threnody ['θriːnədi] klaaglied o, lijkzang.

thresh [θreʃ] 1 dorsen; 2 zie thrash 1.

thresher ['θreʃə] 1 dorser; 2 dorsmachine.

threshing ['θreʃiŋ] 1 dorsen o; 2 zie thrashing 1.

threshing-floor ['θreʃiŋflɔ:] dorsvloer.

threshold ['θreʃould] drempel; *on the ~ of a revolution* kort voor een revolutie.

threw [θru:] V.T. van *throw*.
~ **thrice** [θrais] driemaal, driewerf.

thrift [θrift] I zuinigheid, spaarzaamheid; 2 ⚘ Engels gras *o*; strandkruid *o*.

thriftily ['θriftili] *ad* zie *thrifty*.

thriftiness ['θriftinis] zuinigheid &.

thriftless ['θriftlis] niet zuinig, verkwistend.

thrifty ['θrifti] *aj* I zuinig, spaarzaam; 2 goed gedijend, tierig, voorspoedig.

thrill [θril] I *vt* doordringen, doortrillen, doortintelen, doorhuiveren, doen (t)rillen (van *with*); II *vi* trillen, rillen, tintelen, huiveren; ~ *along (over, through) one* doorhuiveren; ~ *to the beauties of nature* gevoelig zijn voor de schoonheden van de natuur; III *sb* (t)rilling, sensatie, huivering, schok.

thriller ['θrilə] thriller [sensatieroman, -film, -stuk *o*].

thrilling ['θriliŋ] ook: aangrijpend, spannend, interessant.

thrive [θraiv] goed groeien, gedijen, floreren, bloeien, vooruitkomen; ⚘ (welig) tieren; *he ~s on it* ook: het doet hem goed.

thriven ['θrivn] V.D. van *thrive*.

thriving ['θraiviŋ] I *aj* voorspoedig, florerend, bloeiend; II *sb* groei, gedijen *o*.

thro' [θru:] verk. van *through*.

throat [θrout] keel, strot; ingang, monding; *cut one another's ~* elkaar de keel afsnijden; *elkaar er onder werken*; *cut one's own ~* I zich de keel afsnijden; 2 *fig* zich zelf ruïneren; *force (thrust) it down one's ~* het iemand opdringen; *he lies in his ~* hij liegt dat hij barst; *the words stuck in my ~* de woorden bleven mij in de keel steken; *that is what sticks in his ~* dat kan hij maar niet verkroppen.

throatily ['θroutili] *ad* met een keelgeluid.

throatiness ['θroutinis] keelklankachtige aard.

throaty ['θrouti] *aj* I uit de keel komend, gutturaal, keel-; 2 zwaar van strot.

throb [θrɔb] I *vi* kloppen [van het hart, de aderen &], bonzen, trillen; II *sb* klop, klopping, geklop *o*, gebons *o*, trilling.

throe [θrou] (barens)wee, pijn [gewoonlijk mv.]; *in the ~s of...* ook: geschokt door.

thrombosis [θrɔm'bousis] ⚕ trombose.

throne [θroun] I *sb* troon; II *vt* ten troon verheffen; III *vi* tronen.

throng [θrɔŋ] I *sb* gedrang *o*, drom, menigte; II *vi* opdringen, elkaar verdringen²; toe-, samenstromen; III *vt* zich verdringen in (bij, om &); ~*ed* volgepropt, overvol.

☉ **throstle** ['θrɔsl] ⚘ lijster.

throttle ['θrɔtl] I *sb* I luchtpijp; keel; 2 ⚒ smoorklep; *(at) full ~* ⚒ met vol gas; II *vt* de keel dichtknijpen, doen stikken, verstikken, worgen, smoren°; ~ *(down)* ⚒ vaart verminderen van [auto &].

throttle-valve ['θrɔtlvælv] ⚒ smoorklep.

through [θru:] I *prep* door; uit; *all ~ his life* zijn hele leven door, gedurende zijn hele leven; II *ad* (er) door, uit, tot het einde toe, klaar; *all ~* de hele tijd door; ~ *and ~* door en door; van a tot z, nog eens en nog eens; III *als aj* doorgaand [treinen &].

through carriage ['θru:kærɪdʒ] doorgaand rijtuig *o*.

☉ **throughly** ['θru:li] door en door.

throughout [θru:'aut] I *ad* overal, (in zijn) geheel, van boven tot onder, door en door, in alle opzichten; aldoor, van het begin tot het einde; II *prep* in: ~ *the country* het hele land door (af), in (over) het hele land.

through passenger ['θru:pæsindʒə] doorgaande passagier of reiziger.

through ticket ['θru:tikit] doorgaand biljet *o*.

through traffic ['θru:træfik] doorgaand verkeer *o*.

through train ['θru:trein] doorgaande trein.

throve [θrouv] V.T. van *thrive*.

throw [θrou] I *vt* werpen°, gooien, smijten (met); toewerpen; uitwerpen; afwerpen; omver doen vallen, *fig* doen vallen [minister]; *sp* leggen [bij worstelen]; twijnen [zijde]; (op de schijf) vormen [bij pottenbakkers]; F geven [een fuif]; krijgen [een flauwte]; ~ *a chest* een hoge borst zetten; ~ *them idle* hen werkloos maken; II *vr* in: ~ *oneself* zich (neer)werpen; zich storten; ~ *oneself at a man's head (at a man)* zich aan iemand opdringen; een man nalopen [van een meisje]; ~ *oneself away* zich vergooien (aan *on*); ~ *oneself down* zich neer-, ter aarde werpen; ~ *oneself into a task* zich met hart en ziel wijden aan een taak; ~ *oneself on* een beroep doen op; III *vi & va* werpen, gooien &; ~ *about* om zich heen werpen of verspreiden; ~ *about one's arms* met de armen (uit)slaan; ~ *aside* terzijde werpen²; ~ *at* gooien naar; ~ *away* weggooien, verknoeien (aan *on*); verwerpen, afslaan [aanbod]; ~ *back* achterovergooien [het hoofd]; terugwerpen [leger]; terugkaatsen; achteruitzetten [in gezondheid &]; ~ *by* weggooien; ~ *down* neerwerpen, -gooien, omgooien, tegen de grond gooien; ~ *forth leaves* in het blad schieten; ~ *in* I er tussen gooien [een woordje &]; 2 op de koop toegeven; ~ *in one's lot with* het lot delen (willen) van, zich aan de zijde scharen van; ~ *into* werpen in; ~ *one's whole soul into...* zijn hele ziel leggen in...; ~ *into confusion (disorder)* in verwarring (in de war) brengen; ~ *in gear* ⚒ inschakelen; ~ *into raptures* in vervoering doen geraken; ~ *off* af-, wegwerpen; uitgooien [kledingstuk]; opleveren; op zijde zetten [schaamtegevoel &]; kwijtraken [ziekte]; breken met, laten schieten [een kennis]; op papier gooien, uit de mouw schudden [een gedicht &]; *sp* loslaten [honden]; (laten) beginnen; ~ *on* I werpen op; 2 aanschieten [kledingstuk]; ~

open openwerpen, openzetten [deur]; openstellen (voor *to*); ~ *out* er uit gooien [bij sorteren], uitschieten; aanbouwen [vleugel bij een huis]; uitslaan [benen]; uitzenden [warmte &]; uitstrooien, verspreiden [praatjes]; verwerpen [wetsvoorstel]; in de war brengen [acteur &]; opwerpen [vraagstukken], te berde brengen; ~ *one's chest* een hoge borst zetten; ~ *out of employment* (*work*) werkloos maken; ~ *out of gear* ⚒ afkoppelen; ~ *over* omvergooien; overboord gooien[2]; de bons geven; ~ *overboard* overboord gooien[2]; ~ *one's arms round...* de armen slaan om...; ~ *to* dichtgooien [deur]; ~ *together* bijeengooien; samenbrengen [personen]; ~ *up* opwerpen [batterij &]; omhoog gooien, ten hemel slaan [ogen], in de hoogte steken [de armen &]; (uit)braken; laten varen [plan]; er aan geven [betrekking]; neergooien [de kaarten]; *fig* (sterker) doen uitkomen [v. blankheid &]; ~ *up the game* het spel gewonnen geven; ~*n upon one's own resources*) op zich zelf aangewezen; ~*n upon the world* zonder eigen middelen; IV *sb* worp, gooi; *stake all on a single* ~ alles op één kaart zetten.

throw-back ['θroubæk] I atavistische terugkeer, atavistisch produkt *o*, atavisme *o*; 2 achteruitzetting.

thrower ['θrouə] I werper; 2 twijnder; 3 vormer [pottenbakker].

throw-in ['θrou'in] *sp* inworp.

thrown [θroun] V.D. van *throw*.

throw-off ['θrou'ɔ:f] begin *o*.

I **thrum** [θrʌm] *sb* eind *o* van de schering op een weefgetouw; dreum; franje; draad.

2 **thrum** [θrʌm] I *vi* & *vt* trommelen (op) [piano, tafel &]; tokkelen (op); II *sb* getrommel *o*; getokkel *o*; getjingel *o*.

thrush [θrʌʃ] 🐦 lijster‖ spruw; rotstraal.

thrust [θrʌst] I *vt* stoten, duwen, dringen; steken; werpen; *he* ~ *his company on* (*upon*) *me* hij drong zich aan mij op; II *vr* in: ~ *oneself forward* zich naar voren dringen; ~ *oneself in* binnendringen; zich indringen; ~ *oneself upon one* zich (aan iemand) opdringen; III *vi* dringen; ~ *at one with a knife* naar iemand met een mes steken; IV *sb* stoot, steek; duw; uitval; *the* ~ *and parry of debate* 't schermutselen (in een debat); V V.T. & V.D. van ~.

thruster ['θrʌstə] naar voren dringend jager; S streber.

thud [θʌd] I *sb* bons, plof, doffe slag; gebons *o*; II *vi* bonzen, ploffen.

thug [θʌg] I 🕸 (godsdienstige) moordenaar, worger [in Voor-Indië]; 2 bandiet.

Thule ['θju:li:] Thule *o*.

thumb [θʌm] I *sb* duim; *he holds me under his* ~ I hij heeft mij in zijn macht; 2 hij houdt mij onder de plak; 3 hij beduimelen; 2 met de duim drukken op; 3 knoeierig spelen (op); ~ *a lift* (*a ride*) S duimen (om te liften); lif-

ten.

thumb-nail ['θʌmneil] nagel van een duim; ~ *sketch* (miniatuur)krabbel.

thumbscrew ['θʌmskru:] I ⚒ vleugelschroef; 2 ⛓ duimschroef.

thumb-stall ['θʌmstɔ:l] duimeling.

thumb-tack ['θʌmtæk] punaise.

thump [θʌmp] I *vt* stompen, bonzen, bonken op, slaan (op); *fig* op zijn kop geven; II *vi* bonzen, bonken (op *against, at, on*), ploffen, slaan; III *sb* stomp, slag; plof, bons, gebonk *o*.

thumper ['θʌmpə] I wie hard slaat; 2 S kanjer; donderse leugen &.

thumping ['θʌmpiŋ] S kolossaal.

thunder ['θʌndə] I *sb* donder[2]; (ban)bliksem; donderend geweld *o*, gedonder *o*; *what the* ~ (*what in* ~) *brought you here?* wel alle donders hoe kom jij hier?; II *vi* donderen[2], fulmineren; III *vt* met donderend geweld doen weerklinken, er uit slingeren (ook: ~ *out*).

thunderbolt ['θʌndəboult] bliksemstraal; donderkeil; *fig* (ban)bliksem; donderslag.

thunderclap ['θʌndəklæp] donderslag.

thundercloud ['θʌndəklaud] onweerswolk.

thunderer ['θʌndərə] donderaar, dondergod.

thunderflash ['θʌndəflæʃ] rotje *o* [vuurwerk].

thundering ['θʌndəriŋ] donderend[2]; < F donders, weergaas, kolossaal.

thunderous ['θʌndərəs] donderend.

thunderstorm ['θʌndəstɔ:m] onweer *o*, onweersbui.

thunderstruck ['θʌndəstrʌk] I door de bliksem getroffen; 2 als door de bliksem getroffen, verbaasd.

thundery ['θʌndəri] onweerachtig.

thurible ['θjuəribl] wierookvat *o*.

Thursday ['θə:zdi] donderdag; *Holy* ~ I Witte Donderdag; 2 Hemelvaartsdag.

thus [ðʌs] *ad* dus, aldus, zo; ~ *far* tot zover, tot dusverre.

thusly ['ðʌzli], **thuswise** ['ðʌswaiz] J zo, aldus.

thwack [θwæk] zie *whack*.

thwart [θwɔ:t] I *ad* & *prep* ⚓ dwars; II *aj* dwars(liggend); III *sb* ⚓ doft; IV *vt* *fig* dwarsbomen, tegenwerken.

☉ **thy** [ðai] uw.

thyme [taim] 🌿 tijm.

thymy ['taimi] tijmachtig; tijm-; geurig.

§ **thyroid** ['θairɔid] schildvormig; ~ *gland* schildklier.

thyrsus ['θə:səs] Bacchusstaf.

☉ **thyself** [ðai'self] u (zelf).

tiara [ti'a:rə] tiara.

Tiber ['taibə] Tiber.

Tibet [ti'bet] Tibet *o*.

Tibetan [ti'bet(ə)n] Tibetaan(s).

§ **tibia** ['tibiə] scheenbeen *o*.

I **tick** [tik] I *vi* tikken; *what makes him* ~ wat hem bezielt; wat zijn geheim is; ~ *over* ⚒ stationair draaien [v. motor]; *fig* doordraaien; II *vt* I tikken; 2 aanstrepen; ~ *off* I aanstrepen; 2 S aanmerking maken op; ~ *out a* *message* tikken; **III** *sb* 1 tik, tikje *o*, getik *o*; 2 streepje *o*, merktekentje *o*; *in two* ~*s* in een wip; *to the* ~ op de seconde af.

2 **tick** [tik] **I** *sb* S krediet *o*; *give* ~ poffen; *on* ~ op de pof; *go (on)* ~ S op de pof kopen; **II** *vi & vt* poffen.

3 **tick** [tik] (bedde)tijk *o* [stofnaam], (bedde)-tijk *m* [voorwerpsnaam] ‖ teek ‖ S nulliteit.

ticker ['tikə] 1 wie of wat tikt; tikker [ook: automatische beurstelegraaf]; 2 S horloge *o*.

ticket ['tikit] **I** *sb* biljet *o*, kaart, kaartje *o*, plaatsbewijs *o*, toegangsbewijs *o*; bon; prijsje *o*: etiket *o*; lommerdbriefje *o*; loterijbriefje *o*, lot *o*; *Am* kandidatenlijst [bij verkiezing]; *the democratic* ~ het democratisch partijpro-gramma; *that's the* ~ F dat is je ware; **II** *vt* van een etiketje of kaartje voorzien; prijzen.

ticket-collector ['tikitkəlektə] controleur die de kaartjes inneemt.

ticket-holder ['tikithouldə] houder v. biljet &.

ticket-punch ['tikitpʌn(t)ʃ] controletang.

ticket-window ['tikitwindou] loket *o*.

ticking ['tikiŋ] (bedde)tijk *o* ‖ tikken *o*.

tickle ['tikl] **I** *vt* kietelen, kittelen[2], prikkelen, strelen; *it* ~*d them, they were* ~*d at it* het werkte op hun lachspieren; ze hadden er ple-zier in; **II** *vi* kietelen, kriebelen; **III** *sb* kitte-ling; gekietel *o*, gekriebel *o*.

tickler ['tiklə] F netelige of moeilijk te beant-woorden vraag.

ticklish(ly) ['tikliʃ(li)] kittelachtig; kittelorig; delicaat, netelig, kies, lastig.

tick-tack ['tiktæk] tiktak(ken).

tidal ['taidl] het getij betreffende; getij-; ~ *wave* vloedgolf[2].

tiddly-winks ['tidliwiŋks] vlooienspel *o*.

tide [taid] **I** *sb* 1 (ge)tij *o*, vloed; stroom; 2 ※ & ☉ tijd; *full* ~, *high* ~ hoog tij *o*, hoogwa-ter *o*; *low* ~ laag tij *o*; *neap* ~ doodtij *o*; *work double* ~*s* dag en nacht werken; **II** *vi* met de stroom (het getij) meevaren, -drijven; **III** *vt* op de stroom (het getij) meevoeren; ~ *over the bad times* de slechte tijd (helpen) doorko-men, over... heenkomen of -helpen.

tide-gate ['taidgeit] getijsluis.

tide-waiter ['taidweitə] 1 ↘ kommies; 2 *fig* iemand die zijn tijd afwacht.

tide-wave ['taidweiv] vloedgolf.

tidily ['taidili] *ad* zie *tidy* **I**.

tidiness ['taidinis] netheid, zindelijkheid.

tidings ['taidiŋz] tijding, bericht *o*, berichten, nieuws *o*.

tidy ['taidi] **I** *aj* 1 net(jes), zindelijk, proper; 2 aardig, flink; *put things (all)* ~ de boel aan kant doen; **II** *sb* 1 antimakassar; 2 opberg-mandje *o*; **III** *vt* aanvegen, opredderen, ,,doen'', opknappen (ook: ~ *up*).

tie [tai] **I** *vt* binden, verbinden; knopen, strik-ken; vastbinden, -knopen, -maken; veranke-ren [muur]; ~ *a knot* een knoop leggen; ~ *down* (vast)binden; ~ *one down* iemand de handen binden; ~ *up* opbinden [planten &];

(vast)binden, vastmaken, -leggen; meren [schip &]; dichtbinden; af-, onderbinden [ader]; verbinden [wonden &]; bijeenbinden [papieren &]; vastzetten [geld]; stilleggen [door staking &]; **II** *vr* in: ~ *oneself* zich binden; **III** *vi* binden, zich laten binden; kamp zijn, gelijk staan; ~ *up* aanleggen, ge-meerd worden [v. schip &]; ~ *up with* con-necties aanknopen met, zich inlaten met; verband houden met; **IV** *sb* band[2], knoop; das; bontje *o*; verbinding; △ verbindings-balk; ♪ boog; gelijkheid van de partijen [bij wedstrijden]; onbesliste wedstrijd; wedstrijd.

tie-beam ['taibi:m] △ bint *o*.

tie-pin ['taipin] dasspeld.

1 **tier** ['taiə] *sb* binder.

2 **tier** [tiə] **I** *sb* reeks, rij, rang [v. stoelen of zitplaatsen]; **II** *vt* in rijen opeenstapelen of schikken; **III** *vi* in rijen oplopen.

tierce [tiəs] 1 ♪ terts; 2 tierce [derde positie bij het schermen]; 3 driekaart; 4 driepijp (= ± 2 hl); 5 *RK* tertia.

tie-wig ['taiwig] korte pruik.

tiff [tif] **I** *sb* boze bui; ruzietje *o*; *take* ~ zich gebelgd, boos tonen; **II** *vi* zich gebelgd of boos tonen; kibbelen.

tiffany ['tifəni] zijden floers *o*.

tiffin ['tifin] **I** *sb* tiffin: lunch; rijsttafel; **II** *vi* lunchen; rijsttafelen.

tiger ['taigə] ⚎ tijger.

tiger-beetle ['taigəbi:tl] ❀ zandkever.

tigerish ['taigəriʃ] tijgerachtig, tijger-.

tiger-lily ['taigəlili] ❀ tijgerlelie.

tight [tait] **I** *aj* strak, nauw(sluitend), krap; ge-spannen; benauwd [op de borst]; (water)dicht; vast, stevig; straf; streng, scherp; vasthou-dend; niets loslatend; $ schaars [geld]; welge-vormd, knap; S dronken; *be in a* ~*place* F in 't nauw zitten; zie ook: *fit, squeeze* &; **II** *ad* strak &; *hold* ~ (zich goed) vasthouden; *hold one* ~ iemand kort houden; *sit* ~ zie *sit* **I**.

tighten ['taitn] **I** *vt* spannen, aan-, toehalen; aandraaien [schroef]; vaster omklemmen; samentrekken; ~ *up* strenger maken [wet &]; **II** *vi* (zich) spannen; strak(ker) worden.

tightener ['taitnə] spanner.

tight-fisted ['taitfistid] vasthoudend, gierig.

tight-fitting ['taitfitiŋ] nauwsluitend.

tight-laced ['taitleist] stijf ingeregen, ingepend; *fig* streng puriteins.

tightness ['taitnis] dichtheid &.

tights [taits] 1 spanbroek; 2 tricot [v. acroba-ten &], maillot.

tigress ['taigris] ⚎ tijgerin[2].

Tigris ['taigris] Tiger.

tike [taik] rekel[2], gladakker[2], smerige hond.

tilbury ['tilbəri] tilbury [sjees].

tile [tail] **I** *sb* (dak)pan; tegel; draineerbuis; F (hoge) hoed; *Dutch* ~*s* (blauwe) tegeltjes; *have a* ~ *loose (off)* F niet recht snik zijn; **II** *vt* 1 met pannen dekken; 2 met tegels bevloe-ren of bekleden.

tile-maker ['tailmeikə] pannenbakker.

tiler ['tailə] pannendekker.

tiling ['tailiŋ] dekken o [met pannen]; (pannen)dak o; betegeling.

1 **till** [til] *sb* geldlade [v. toonbank].

2 **till** [til] *vt* bedouwen, (be)ploegen.

3 **till** [til] *prep* tot, tot aan; ~ *now* tot heden, tot nog toe, tot dusverre; *not* ~ *the last century* pas in de vorige eeuw.

tillable ['tiləbl] bebouwbaar; beploegbaar.

tillage ['tilidʒ] 1 beploeging, bewerking van de grond; akkerbouw; 2 ploegland o.

1 **tiller** ['tilə] *sb* bebouwer, akkerman.

2 **tiller** ['tilə] I *sb* ⚘ wortelscheut, jonge tak, schoot, uitloper; II *vi* wortelscheuten uitzenden; uitlopen, uitstoelen.

3 **tiller** ['tilə] *sb* 1 ⚓ roerpen; helmstok; 2 handvat o.

tiller-rope ['tiləroup] ⚓ stuurreep, -touw o.

till-lifting ['tilliftiŋ] ladenlichten o.

till-money ['tilmʌni] kasgeld o.

till-sneak ['tilsni:k] ladenlichter.

1 **tilt** [tilt] I *sb* huif, dekzeil o, (zonne)tent; II *vt* met een zeil overdekken.

2 **tilt** [tilt] I *vi* 1 (over)hellen, schuin staan; wippen, kantelen; 2 met de lans stoten, een lans breken, toernooien; 3 ⚒ er op los stormen; ~ *at* steken naar; *fig* aanvallen; ~ *at the ring* ringsteken; ~ *over* hellen, schuin staan; omslaan; II *vt* doen (over)hellen, schuin zetten, op zijn kant zetten, kantelen, kippen, wippen; III *sb* 1 overhelling, schuine stand; 2 steekspel o, toernooi o; (*at*) *full* ~ in volle ren; *give it a* ~ op zijn kant zetten; schuin zetten [op het hoofd]; *have* (*run*) *a* ~ (*at*) een lans breken (met); *fig* [iemand] aanvallen.

tilter ['tiltə] 1 kampvechter [in toernooi]; 2 ringsteker.

tilth [tilθ] *zie tillage.*

tilt-roof ['tiltru:f] tentdak o.

tilt-yard ['tiltja:d] toernooiveld o.

timbal ['timbəl] ♪ keteltrom, pauk.

timber ['timbə] timmerhout o, (ruw) hout o; bomen; bos o; stam; balk; ⚓ spant o; *fig* materiaal o.

timbered ['timbəd] 1 houten; 2 met hout betimber line ['timbəlain] boomgrens. [groeid.

timber-merchant ['timbəmə:tʃənt] houtkoper.

timber-yard ['timbəja:d] houtopslagplaats.

timbre ['timbə, 'tæmbə] ♪ timbre o.

timbrel ['timbrəl] ♪ rinkelbom.

time [taim] I *sb* 1 tijd° [ook = uur]; 2 keer, maal; 3 ♪ maat, tempo o; ~ *will show* de tijd zal het leren; ~ *and tide wait for no man* men moet zijn tijd weten waar te nemen; *any* (*old*) ~ zie *at any* (*old*) ~; *the good old* ~*s* de goede oude tijd; *those were* ~*s!* dat was een andere tijd!; *all the* ~ de hele tijd, aldoor; ~ *and* (~) *again* telkens en telkens weer; herhaaldelijk; *a first* ~ (voor) de eerste keer; *my* ~ *is my own* ik heb de tijd aan mij;

but the ~ *is not yet* maar daarvoor is de tijd nog niet gekomen; ~ *was when*... er was een tijd dat...; ~ *is up!* de tijd (het uur) is om!, (het is) tijd!; *the* ~ *of day* het uur; *so that's the* ~ *of day!* F aha, is het zó laat!; *give* (*pass*) *the* ~ *of day* goedendag zeggen; *I got there* ~ *enough to...* F tijdig genoeg om...; ~ *out of mind, from* ~ *immemorial* sedert onheuglijke tijden; *this* ~ *to-morrow* morgen om deze tijd; *what* ~? wanneer?, (om) hoe laat?; *what* ~ ☉ terwijl, toen; *what a* ~ *these fellows are!* wat blijven die lui toch lang weg!, wat doen ze er toch lang over!; *what* ~ *is it, what's the* ~? hoe laat is het?; *beat* ~ de maat slaan; *do* ~ S zitten [in de gevangenis]; *have a lively* ~ *of it* het druk hebben; *we had a good* (*fine, high, rare*) *old* ~ F we hebben ons kostelijk geamuseerd; *keep* ~ 1 ♪ de maat houden; 2 ⚒ in de pas blijven; 3 op tijd binnenkomen [trein]; *keep good* ~ goed (gelijk) lopen [uurwerk]; *I shall not lose* ~ *to call on you* ik kom eens gauw aan; *make good* ~ een vlugge reis hebben [v. boot &]; ∞ *it's about* ~ het is nu zowat tijd; ~ *after* ~ keer op keer; *ride* (*run*) *against* ~ de kortst mogelijke tijd zien te maken [bij wedloop]; rijden (lopen) wat men kan; *speak* (*talk*) *against* ~ zo lang mogelijk aan het woord blijven; *work against* ~ werken dat de stukken er afvliegen; *ahead of one's* ~(*s*) zijn tijd vooruit; *two at a* ~ twee tegelijk; *for months at a* ~ maanden achtereen; *at all* ~*s* te allen tijde; *at no* ~ nooit; *at any* (*old*) ~ te allen tijde; wanneer ook (maar); te eniger tijd; ieder ogenblik; *at one* ~ 1 tegelijk; in één keer; 2 wel eens; *at one* ~ *he thought of...* er was een tijd, dat hij er over dacht om...; *at some* ~ *or other* te eniger tijd; *at the* ~ toen(tertijd), destijds; *at the* ~ *of* ten tijde van; *at the same* ~ 1 terzelfder tijd, tegelijk; tevens; 2 toch, niettemin; *at my* ~ *of day* (*of life*) op mijn leeftijd; *at this* ~ *of day* nu (nog); *at this* ~ *of* (*the*) *year* in deze tijd van het jaar; *at* ~*s* soms, nu en dan, wel eens; *before* (*one's*) ~ vóór de tijd, te vroeg; *behind* (*one's*) ~ over zijn tijd, te laat; *behind the* ~(*s*) bij zijn tijd ten achter; *by that* ~ dan (wel); *by the* ~ (*that*) tegen de tijd dat; *by this* ~ nu; *for a* ~ een tijdje, een tijdlang; *for the* ~ (*being*) voor het ogenblik, voorlopig; *from* ~ *to* ~ van tijd tot tijd; *in* ~ op tijd; bijtijds; mettertijd, na verloop van tijd; in de maat; *in the* ~ *of*... ten tijde van...; *in* ~(*s*) *to come* in de toekomst; *in* ~ *to the music* op de maat van de muziek; *in good* ~ 1 op tijd; bijtijds; 2 op zijn tijd, te zijner tijd; *in the mean* ~ ondertussen, middelerwijl; *in* (*less than*) *no* ~ in minder dan geen tijd; *in proper* ~ 1 te rechter tijd; 2 te zijner tijd; *the scientists of the* ~ 1 van deze tijd; 2 van die tijd; *on* ~ Am & $ op tijd; *on* (*short*) *full* ~ (niet) het volle aantal uren werkend; *out of*

~ 1 uit de maat; 2 te onpas komend; *to* ~ precies op tijd; *up to* ~ op tijd; **II** *vt* 1 (naar de tijd) regelen of berekenen, 't (juiste) ogenblik kiezen voor; 2 de duur of tijd bepalen van; 3 *sp* de tijd opnemen; dateren; 4 ♪ de maat slaan of aangeven bij; *the remark was not well* ~*d* kwam niet op het geschikte ogenblik.

time-bargain ['taimbɑ:gin] $ tijdaffaire.

time-clock ['taimklɔk] controleklok, prikklok.

time-expired ['taimikspaiəd] ✕ zijn tijd uitgediend hebbend.

time-exposure ['taimikspouʒə] tijdopname [fotogr.].

time-honoured ['taimənəd] traditioneel.

timekeeper ['taimki:pə] 1 tijdmeter, chronometer; 2 uurwerk *o*; 3 ♪ metronoom; 4 *sp* tijdopnemer; 5 tijdschrijver [in fabriek]; *he is a good* ~ hij is altijd op tijd; *my watch is a good* ~ mijn horloge loopt goed.

timeless ['taimlis] tijdeloos.

timeliness ['taimlinis] tijdigheid.

time-lock ['taimlɔk] klok-, uurslot *o*.

timely ['taimli] tijdig, op de juiste tijd of op het geschikte ogenblik komend, van pas; actueel.

timepiece ['taimpi:s] uurwerk *o*, pendule, klok [ook = horloge].

timer ['taimə] *sp* tijdopnemer.

time-server ['taimsə:və] wie de huik naar de wind hangt, weerhaan.

time-serving ['taimsə:viŋ] **I** *aj* de huik naar de wind hangend; **II** *sb* weerhanerij.

time-table ['taimteibl] 1 dienstregeling; 2 spoorwegboekje *o*; 3 (les)rooster; dagindeling; tijdschema *o*.

time-worn ['taimwɔ:n] aloud, (oud en) versleten; *fig* afgezaagd.

timid ['timid] beschroomd, bang, bedeesd, schuchter, verlegen; ~ *about* (*of*) ...*ing* bang, verlegen om te...

timidity [ti'miditi] beschroomdheid, schroom, bangheid, bedeesdheid, schuchterheid, verlegenheid.

timing ['taimiŋ] regelen *o* &; zie *time* **II**.

Timon ['taimən] Timon², mensenhater.

timorous ['timərəs] angst-, schroomvallig, bang, beschroomd; ⊙ vreesachtig.

timothy(-grass) ['timəθi(grɑ:s)] ♣ timotheegras *o*.

tin [tin] **I** *sb* 1 tin *o*; 2 blik *o*; blikje *o*, bus, trommel; ✕ eeteteltje *o*; 3 S geld *o*; **II** *aj* 1 tinnen; 2 blikken; ~ *god* godje *o* (in eigen oog); ~ *hat* ✕ stalen helm; ~ *tack* vertind spijkertje *o*; **III** *vt* 1 vertinnen; 2 inblikken; ~*ned meat* vlees *o* uit (in) blik; ~*ned music* F grammofoonmuziek.

tinctorial [tiŋk'tɔ:riəl] in: ~ *matter* verfstof, kleurstof.

tincture ['tiŋktʃə] **I** *sb* 1 tinctuur; 2 kleur; *fig* tintje *o*, tikje *o*; zweempje *o*; vernisje *o*; bijsmaak; **II** *vt* verven, kleuren², tinten².

tinder ['tində] tondel *o*; zwam *o*.

tinder-box ['tindəbɔks] tondeldoos.

tine [tain] tand [v. vork &]; tak [v. gewei].

tinfoil ['tinfoil] **I** *sb* bladtin *o*; stanniool *o*; foelie; zilverpapier *o*; **II** *vt* in bladtin verpakken; foeliën.

ting [tiŋ] **I** *sb* tingeling [van een bel]; **II** *vi* klinken; **III** *vt* doen klinken.

tinge [tin(d)ʒ] **I** *sb* kleur, tint, tintje *o*; *fig* zweem, tikje *o*, bijsmaakje *o*; **II** *vt* kleuren, tinten; ~*d with* met een tikje...

tingle ['tiŋgl] **I** *vi* tuiten, tintelen, prikkelen; **II** *sb* tuiting, tinteling, prikkeling.

tingling ['tiŋgliŋ] zie *tingle* **II**.

tininess ['taininis] kleinheid.

tinker ['tiŋkə] **I** *sb* 1 ketellapper; 2 knoeier, prutser; **II** *vt* (op)lappen (ook: ~ *up*); **III** *vi* prutsen (aan *at*, *with*).

tinkerer ['tiŋkərə] prutser.

tinkering ['tiŋkəriŋ] **I** *aj* prutsend, lap-; **II** *sb* gepruts *o*, prutsen *o*.

tinkle ['tiŋkl] **I** *vi* rinkelen, klinken, tingelen, tjingelen; **II** *vt* doen of laten rinkelen &; ♪ tokkelen (op); rammelen op [een piano]; **III** *sb* gerinkel *o*, getingel *o*, getjingel *o*.

tinkling ['tiŋkliŋ] getjingel *o*, rinkeling.

tinman ['tinmən] 1 tinnegieter; 2 blikslager.

tinner ['tinə] 1 tindelver; 2 vertinner; 3 blikslager.

tinny ['tini] 1 tinachtig, tin-; tinhoudend; 2 blikachtig, blik-; 3 schraal [v. geluid].

tin-opener ['tinoupnə] blikopener.

tin-ore ['tinɔ:] tinerts *o*.

tin-plate ['tinpleit] blik *o*.

tin-pot ['tinpɔt] F armoedig, miserabel.

tinsel ['tinsəl] **I** *sb* klatergoud² *o*; **II** als *aj* blinkend, schoonschijnend, vals; **III** *vt* met klatergoud versieren.

tin-smith ['tinsmiθ] blikslager.

tin-solder ['tinsɔldə] soldeertin *o*.

tint [tint] **I** *sb* tint; **II** *vt* tinten, kleuren.

tintinnabulation ['tintinæbju'leiʃən] gerinkel *o* (van bellen), getjingel *o*.

tinware ['tinwɛə] tinnegoed *o*; blikwerk *o*.

tiny ['taini] (heel) klein; miniem.

1 tip [tip] **I** *sb* tip, tipje *o*, top, topje *o*; (vleugel)spits; puntje *o* [v. sigaar], mondstuk *o* [v. sigaret]; beslag *o*, dopje *o*; ⚭ pomerans; *I had it on the* ~ *of my tongue* het lag mij op de tong; ik had het op mijn lippen; *he is a(n)...to the* ~*s of his fingers* op-en-top; **II** *vt* beslaan (met metaal), aan de punt voorzien (van *with*), omranden.

2 tip [tip] **I** *vt* schuin zetten of houden, doen kantelen; wippen, gooien; (aan)tikken; een fooi geven; S tippen, een tip geven; ~ *all nine* alle negen gooien [bij kegelen]; ~ *the beam* (*the scales*) de doorslag geven²; ~ *one the wink* S iemand een wenk geven (om hem te waarschuwen); ~ *a person for the job* iemand doodverven met het baantje; ~ *off one's grog* zijn grogje naar binnen wippen;

~ *a person off to a thing* S iemand een tip van iets geven; ~ *over* omkippen; ~ *up* schuin zetten; **II** *vi* & *va* 1 kippen, kantelen; 2 een fooi (fooien) geven; ~ *up* opwippen; **III** *sb* 1 tik, tikje *o*; 2 kipkar; 3 stortplaats; vuilnisbelt; steenberg, stort *o* & *m* [v. kolenmijn]; 4 F fooi; 5 F wenk, inlichting, tip; *the (a) straight* ~ een inlichting uit de beste bron; *give it a* ~ 't (een beetje) schuin zetten; *give us the* ~ *when...* waarschuw ons als...; *take the* ~ F iemands wenk begrijpen, de raad aan-
tip-car(t) ['tipka:(t)] kipkar. [nemen.
tipper ['tipə] 1 kolenstorter; kipkar; ⚒ kipper; 2 fooiengever.
tippet ['tipit] bontkraag; schoudermanteltje *o*.
tipple ['tipl] **I** *vi* pimpelen; **II** *sb* (sterke) drank.
tippler ['tiplə] pimpelaar, drinkebroer.
tipsily ['tipsili] *ad* 1 dronken; 2 als een beschonkene.
tipsiness ['tipsinis] aangeschoten toestand.
tipstaff ['tipsta:f] gerechtsdienaar.
tipster ['tipstə] *sp* verstrekker van tips.
tipsy ['tipsi] *aj* aangeschoten, beschonken.
tipsy-cake ['tipsikeik] maderacake.
tip-tilted ['tiptiltid] opgewipt, met opstaande punt; ~ *nose* wipneus.
tiptoe ['tiptou] **I** *sb* punt van de teen; *on* ~ op de tenen; *on the* ~ *of expectation* in gespannen verwachting; **II** *ad* op zijn (de) tenen; **III** *vi* op zijn (de) tenen lopen.
tiptop ['tip'top] **I** *sb* hoogste top; toppunt *o*, crème; **II** *aj* [tip'top, + 'tiptop] prima, bovenste beste, eerste klas; **III** *ad* opperbest.
tip-up ['tipʌp] in: ~ *seat* klapstoel.
tirade [ti'reid] tirade, heftige uitval.
1 tire ['taiə] **I** *sb* (wiel-, rad-, fiets)band; **II** *vt* een band (de banden) leggen om.
2 tire ['taiə] **I** *vt* vermoeien, moe maken; vervelen; ~ *out* afmatten; **II** *vi* moe worden; ~ *of it* 't moe (beu) worden.
3 ⚒ **tire** ['taiə] **I** *sb* (hoofd)tooi, dos; **II** *vt* tooien, uitdossen.
tired ['taiəd] vermoeid; moe; ~ *of* beu van; ~ *with* moe van.
tireless ['taiəlis] onvermoeid.
tiresome ['taiəsəm] vermoeiend, vervelend.
⚒ **tirewoman** ['taiəwumən] kamenier.
⚒ **tiring-room** ['taiəriŋrum] kleedkamer.
tiro zie *tyro*.
'tis [tis] verk. van *it is*.
tissue ['tisju:] 1 weefsel *o*; 2 zijdepapier *o*.
tissue-paper ['tisju:peipə] zijdepapier *o*.
1 tit [tit] tikje *o*; ~ *for tat* leer om leer; lik op [stuk.
2 tit [tit] ⚑ mees.
Titan ['taitən] **I** *sb* titan²; **II** *aj* titanisch.
titanic [tai'tænik] titanisch.
titbit ['titbit] lekkerbeetje *o*, lekker hapje *o*; *fig* interessant stukje *o*.
tithable ['taiðəbl] tiendplichtig.
tithe [taið] **I** *sb* tiende (deel *o*); tiend; **II** *vt* vertienden.
tithe-gatherer ['taiðgæðərə], **tither** ['taiðə]

tiendgaarder.
tithing ['taiðiŋ] vertiending; tiend.
titillate ['titileit] kittelen, strelen, prikkelen.
titillation [titi'leiʃən] kitteling, streling, prikkeling.
titivate ['titiveit] F opschikken, opdirken.
titlark ['titla:k] ⚑ graspieper.
title ['taitl] **I** *sb* 1 titel; 2 gehalte *o* [v. goud]; 3 (eigendoms)recht *o*, eigendomsbewijs *o*; aanspraak (op *to*); **II** *vt* 1 een titel verlenen (aan); 2 (be)titelen; ~*d* ook: met een (adellijke) titel; een titel voerend.
title-deed ['taitldi:d] eigendomsbewijs *o*.
title-page ['taitlpeidʒ] titelblad *o*.
titmouse ['titmaus] ⚑ mees.
titter ['titə] **I** *vi* giechelen; **II** *sb* gegiechel *o*.
tittle ['titl] tittel, jota; *to a* ~ precies, nauwkeurig; zie ook: *jot*.
tittlebat ['titlbæt] ⚑ stekelbaars.
tittle-tattle ['titltætl] **I** *sb* gebabbel *o*, gesnap *o*; **II** *vi* babbelen, snappen.
tittup ['titəp] **I** *vi* allerlei bokkesprongen maken; ~ *along* voorthuppelen; **II** *sb* bokkesprong; gehuppel *o*.
titular ['titjulə] **I** *aj* titulair, titel-; in naam; aan de titel verbonden; ~ *saint* patroon [v. e. kerk]; **II** *sb* 1 titularis; 2 persoon naar wie de kerk genoemd is.
titulary ['titjuləri] zie *titular*.
tizzy ['tizi] S geagiteerdheid; *in a* ~ geagiteerd, van de kook.
to [tu:, tu, tə] **I** *prep* te, om te; tot, aan; tot op; naar, tegen; jegens; voor; bij, in vergelijking met; volgens; op; onder; *brother* ~ *the king* broeder van de koning; *tender* ~ *weakness* teder bij zwakheid af; *at ten minutes* ~ *twelve* om 10 minuten vóór twaalf; *he sang* ~ *his guitar* hij begeleidde zijn zang met (op) de gitaar; *but* ~ *our story* maar om op ons verhaal terug te komen; *the first book* ~ *appear* het eerste boek dat verschijnt; *you will smile* ~ *recall* ...als je je herinnert; **II** *ad* in: *the door is* ~ de deur is dicht; ~ *and fro* heen en weer.
toad [toud] ⚑ pad; *fig* klier, kwal, kreng *o*.
toad-eating ['toudi:tiŋ] **I** *aj* pluimstrijkend; **II** *sb* pluimstrijkerij.
toadflax ['toudflæks] ⚑ vlasleeuwebek.
toadstool ['toudstu:l] paddestoel.
toady ['toudi] **I** *sb* pluimstrijker; **II** *vi* ~ *to* = **III** *vt* pluimstrijken.
toadyism ['toudiizm] pluimstrijkerij.
toast [toust] **I** *sb* 1 geroosterd brood *o*; 2 toost, (heil)dronk; *give (propose) a* ~ een dronk instellen; **II** *vt* 1 roosteren; warmen [voor het vuur]; 2 een toost instellen op; **III** *vi* toosten; **IV** *vr* ~ *oneself* zich warmen.
toaster ['toustə] 1 roostervork; (brood)rooster; 2 wie een dronk instelt.
toasting-fork ['toustiŋfɔ:k] roostervork.
toast-master ['toustma:stə] tafelceremoniemeester bij grote diners.

toast-rack ['toustræk] rekje *o* voor geroosterd brood.

tobacco [tə'bækou] tabak.

tobacconist [tə'bækənist] tabaksverkoper, sigarenhandelaar.

tobacco-pipe [tə'bækoupaip] tabakspijp.

Tobias [tə'baiəs] Tobias.

toboggan [tə'bɔgən] **I** *sb* tobogan; **II** *vi* met de tobogan glijden.

Toby ['toubi] 1 Tobias; 2 melkkan, bierpot in de vorm van een bekend persoon.

tocsin ['tɔksin] 1 alarmgelui *o*; 2 alarmklok.

to(-)day [tə-, tu'dei] vandaag, heden; tegenwoordig.

toddle ['tɔdl] **I** *vi* waggelend gaan, dribbelen; F tippelen; opstappen; ~ *round* 1 rondkuieren; 2 eens aanwippen; **II** *sb* kuier.

toddler ['tɔdlə] dribbelaar, kleuter, dreumes.

toddy ['tɔdi] 1 palmwijn; 2 grogje *o*.

to-do [tə'du:] F drukte, omslag.

toe [tou] **I** *sb* 1 teen; 2 neus [v. schoen]; 3 punt; *big* (*great*) ~ grote teen; *turn up one's* ~*s* S het hoekje omgaan; **II** *vt* 1 met de tenen aanraken; 2 een teen aanzetten [kous]; 3 S een schop geven; ~ *the line* (*the mark*) 1 met de tenen aan de streep (gaan) staan [bij wedstrijden]; 2 zich onderwerpen, gehoorzamen; *make a person* ~ *the line* iemand dwingen.

toe-cap ['toukæp] neus [v. schoen].

toehold ['touhould] steun voor de teen; *fig* geringe invloed; precaire positie, vooruitgeschoven stelling.

toff [tɔf] S piet, aristocraat, banjer.

toffee ['tɔfi] toffee.

tog [tɔg] **I** *sb* S plunje; ~*s* kleren; **II** *vt* uitdossen; ~*ged out* (*up*) netjes ,,aangedaan''.

toga ['tougə] toga, tabberd.

together [tə'geðə] samen, te zamen; bij, met of tegen elkaar; (te)gelijk; aan elkaar, aaneen; achtereen; ~ *with* (in vereniging) met, benevens.

toggery ['tɔgəri] S plunje.

toggle ['tɔgl] 1 ⚓ knevel; 2 dwarsstaaf.

toil [tɔil] **I** *vi* hard werken, zwoegen, ploeteren; ~ *and moil* werken en zwoegen, zich afbeulen; ~ *through* doorworstelen; **II** *sb* hard werk(en) *o*, gezwoeg *o* ‖ *in the* ~*s of*... in de netten (strikken) van.

toiler ['tɔilə] zwoeger.

toilet ['tɔilit] toilet² *o*; kaptafel, toilettafel.

toilet-paper ['tɔilitpeipə] toilet-, closetpapier *o*.

toilsome ['tɔilsəm] moeilijk, zwaar.

toil-worn ['tɔilwɔ:n] afgewerkt.

Tokay [tou'kei] tokayer(wijn, -druif).

token ['toukn] **I** *sb* (ken)teken *o*, aandenken *o*; blijk *o* (van *of*); bewijs *o*, bon; *by this* ~, *by the same* ~ 1 weshalve; 2 daarenboven, evenzeer; *more by* ~ ten bewijze daarvan; *in* ~ *o*) ten teken van, als blijk van; **II** als *aj* symbolisch; ~ *coin*, ~ *money* tekenmunt.

told [tould] V.T. & V.D. van *tell*.

Toledo [tə'li:dou] 1 Toledo *o*; 2 kling.

tolerable ['tɔlərəbl] *aj* te verdragen, duldbaar draaglijk; tamelijk, redelijk.

tolerably ['tɔlərəbli] *ad* draaglijk, tamelijk, redelijk, vrij.

tolerance ['tɔlərəns] 1 verdraagzaamheid; tolerantie; 2 remedie [v. munten]; 3 ✗ speling.

tolerant(ly) ['tɔlərənt(li)] verdraagzaam.

tolerate ['tɔləreit] tolereren, verdragen, lijden, toelaten, dulden, gedogen.

toleration [tɔlə'reiʃən] toelating, dulding; verdraagzaamheid, tolerantie.

1 **toll** [toul] · *sb* tol, tolgeld *o*, staan-, weg-, bruggegeld *o*; maalloon *o*; schatting; *the* ~ *of the road* de slachtoffers van het verkeer; *take* ~ *of* tol heffen van; *take a heavy* ~ *of the enemy* de vijand gevoelig treffen; *take a heavy* ~ *of human life* tal van slachtoffers maken; *take too great a* ~ *of* ook: te veel vergen van.

2 **toll** [toul] **I** *vt* & *vi* kleppen, luiden; **II** *sb* geklep *o*, gelui *o*; (klok)slag.

toll-call ['toulkɔ:l] ☎ interlokaal gesprek *o* over korte afstand.

toll-free ['toul'fri:] tolvrij.

toll-gatherer ['toulgæðərə] tolgaarder.

toll-man ['toulmən] 1 tolgaarder; 2 bruggeman.

toll-money ['toulmʌni] tolgeld *o*.

Tom [tɔm] F verk. v. *Thomas*; *t*~ mannetje *o* [v. sommige dieren]; kater; ~, *Dick, and Harry* Jan, Piet en Klaas; ~ *Thumb* Kleinduimpje; tompouce; ~ *Tiddler's ground* 1 eldorado *o*, luilekkerland *o*; 2 ook: betwist gebied *o*; *old* ~ ouwe klare; *peeping* ~ begluurder, loervogel.

tomahawk ['tɔməhɔ:k] **I** *sb* tomahawk: strijdbijl [v. Indiaan]; **II** *vt* met de tomahawk slaan of doden; *fig* afmaken.

tomato [tə'ma:tou] 🌿 tomaat.

tomb [tu:m] graf² *o*, (graf)tombe.

tombola ['tɔmbələ] tombola.

tomboy ['tɔmbɔi] robbedoes, wildzang.

tombstone ['tu:mstoun] grafsteen, zerk.

tom cat ['tɔm'kæt] kater.

tome [toum] (boek)deel *o*.

tomfool ['tɔm'fu:l] **I** *sb* grote gek, kwast; **II** *vi* gekke streken uithalen; **III** *aj* zot.

tomfoolery [tɔm'fu:ləri] gekheid; zotternij, onzin; flauwe kul.

Tommy ['tɔmi] F 1 verk. v. *Thomas*; 2 ✗ de Engelse soldaat (ook: ~ *Atkins*).

tommy ['tɔmi] S brood *o*; kost; *brown* ~ ✗ commiesbrood *o*.

tommy-gun ['tɔmigʌn] ✗ machinekarabijn.

tommy-rot ['tɔmi'rɔt] F klets, larie.

tom-noddy ['tɔm'nɔdi] domoor, sukkel.

to(-)morrow [tə-, tu'mɔrou] de dag van morgen; morgen; de volgende dag; ~ *come never* met sint-jut(te)mis.

tomtit ['tɔm'tit] 🐦 meesje *o*, pimpelmees.

tomtom ['tɔmtɔm] tamtam [handtrom].

1 ton [tʌn] ton (2240 Eng. ponden = ± 1016 kilo; ♨ 100 kub. voet; 954 liter); S 100 mijl per uur; ~s of money F hopen geld.

2 ton [tɔːn, tɔːŋ] bon ton; mode.

tonal ['tounəl] tonaal, toon-.

tonality [tou'næliti] 1 ♪ tonaliteit; toonaard; 2 tonaliteit: kleurschakering.

tone [toun] I sb toon°, klank; tint, schakering; spanning; stemming; take that ~ zo'n toon aanslaan; in a low ~ op zachte toon; with a ~ op zangerige toon; II vt stemmen; tinten; kleuren; ~ down lager stemmen; temperen, verzachten; ~ up hoger stemmen; opwerken [kleuren]; op hoger peil brengen; F opkikkeren; III vi harmoniëren; ~ down verflauwen; ~ to apricot zacht overgaan in, zwemen naar; ~ well with goed komen bij.

toneless ['tounlis] toonloos, klankloos, kleurloos; krachteloos, slap, zwak.

tongs [tɔŋz] tang; a pair of ~ een tang.

tongue [tʌŋ] 1 tong; 2 taal, spraak; 3 landtong; tongetje o [v. balans, gesp &]; klepel [v. klok]; lip [v. schoen]; find one's ~ de spraak terugkrijgen; beginnen te praten; give ~ aanslaan [hond]; hold one's ~ zijn (de) mond houden; he let his ~ run away with him hij kon zijn tong niet in toom houden; hij heeft zijn mond voorbijgepraat; be on the ~s of men op de tong rijden; ~ in cheek ironisch, spotachtig ongelovig, meesmuilend, doodtongued [tʌŋd] getongd. [leuk.

tongueless ['tʌŋlis] zonder tong; fig sprakeloos, stom.

tongue-tied ['tʌŋtaid] 1 niet kunnende of niet mogende spreken; 2 met zijn mond vol tanden, stom, sprakeloos.

tongue-twister ['tʌŋtwistə] moeilijk uit te spreken woord o of zin.

tonic ['tɔnik] I aj 1 tonisch, opwekkend, versterkend; 2 ♪ toon-; ~ accent klemtoon; ~ sol-fa ♪ Eng. zangmethode aan namen (niet aan noten) ontleend; II sb 1 tonicum o, versterkend (genees)middel o; tonic (ook: ~ water) [drank]; 2 ♪ tonica, grondtoon.

to(-)night [tə-, tu'nait] deze avond; hedenavond, vanavond; deze nacht.

tonnage ['tʌnidʒ] ♨ 1 tonnenmaat, scheepsruimte, laadruimte; 2 tonnegeld.

tonsil ['tɔnsil] (keel)amandel.

tonsillitis [tɔnsi'laitis] ☞ amandelontsteking.

tonsure ['tɔnʃə] I sb tonsuur, kruinschering; II vt de kruin scheren (van).

Tony ['touni] F verk. v. Anthony.

too [tu:] ook; te, al te; and... ~ en nog wel..., en ook nog...

took [tuk] V.T. & P V.D. van take.

tool [tu:l] I sb gereedschap o, werktuig² o; ~s ook: gereedschap o; II vt bewerken; III vi S rijden (ook: ~ along).

tool-box ['tu:lbɔks] gereedschapskist.

toot [tu:t] I vi (& vt) toet(er)en, blazen (op); II sb getoeter o.

tooter ['tu:tə] toeter, toethoorn; blazer.

tooth [tu:θ] I sb tand, kies; they fought ~ and nail zij vochten uit alle macht; zij verdedigden zich met hand en tand; in the teeth of trots, tegen... in; in the (very) teeth of the gale vlak tegen de storm in; cast (fling, throw) it in the teeth of... het... voor de voeten werpen, het... verwijten; II vt van tanden voorzien, tanden.

toothache ['tu:θeik] kies-, tandpijn.

tooth-brush ['tu:θbrʌʃ] tandenborstel.

toothed [tu:θt, tu:ðd] getand.

toothful ['tu:θful] in: a ~ een hapje o, een drupje o, een vingerhoed van iets.

toothless ['tu:θlis] tandeloos.

tooth-paste ['tu:θpeist] tandpasta.

toothpick ['tu:θpik] tandestoker.

tooth-powder ['tu:θpaudə] tandpoeder, -poeier o & m.

toothsome ['tu:θsəm] smakelijk, lekker.

toothy ['tu:θi] met vooruitstekende tanden, met veel (vertoon van) tanden.

tootle ['tu:tl] I vi & vt doedelen; toeteren; F wauwelen; II sb gedoedel o; getoeter o; F gewauwel o.

tootsy(-wootsy) ['tu:tsi('wu:tsi)] F 1 pootje o, voetje o; 2 lieveling, schat(tebout).

1 top [tɔp] I sb 1 top, kruin, spits, bovenstuk o, bovenste o, boveneinde o, hoofd o [v. tafel]; oppervlakte; dak o; kap; hemel [van een deklkant]; deksel o; blad o [v. tafel]; dop [v. vulpen]; 2 ♨ mars; 3 fig toppunt o; de (het) hoogste (eerste); big ~ S chapiteau o [circus(tent)]; ~s! 1 kappen [v. laarzen]; 2 kaplaarzen; 3 kamwol; (the) ~s! Am S prima, eersterangs; at the ~ bovenaan; be at the ~ of his class nummer één (van de klas) zijn; at the ~ of his speed zo hard mogelijk; be at the ~ of the tree F op de bovenste sport staan, de man zijn; at the ~ of his voice uit alle macht, zo hard hij kon; from ~ to bottom van boven tot onder; from ~ to toe van top tot teen; on ~ bovenaan; bovenop; daarbij; come out on ~ overwinnaar zijn, het winnen; on (the) ~ of... (boven)op; over... heen; behalve, bij; on ~ of this I had to... daarna moest ik nog...; come to the ~ boven (water) komen; give humours him to the ~ of his bent zij geeft hem in alles zo veel mogelijk zijn zin; II als aj bovenste, hoogste, eerste; prima; a ~ G ♪ een hoge g; III vt 1 bedekken; 2 beklimmen (tot de top); 3 hoger opschieten, langer zijn dan; fig overtreffen, uitmunten, zich verheffen boven; 4 toppen; ~ the list bovenaan staan; ~ the poll de meeste stemmen hebben; to ~ all, they... tot overmaat van ramp...; IV vi zich verheffen; ~ off (up) er een eind aan maken, besluiten; ~ up with eindigen met; to ~ up with I om te eindigen; 2 ook: tot overmaat van ramp.

2 top [tɔp] sb tol; sleep like a ~ slapen als een roos.

topaz ['toupæz] topaas *o* [stofnaam], topaas *m* [voorwerpsnaam].

top-boots [tɔp'bu:ts] kaplaarzen.

top-boy [tɔp'bɔi] ☞ primus.

top-coat [tɔp'kout] overjas.

top dog [tɔp'dɔg] F nummer één, baas.

topee ['toupi] *IP* (helm)hoed.

toper ['toupə] drinkebroer, zuiplap.

topgallant mast [tɔp'gælləntma:st] ⚓ bramsteng.

topgallant sail [tɔp'gælləntseil] ⚓ bramzeil *o*.

top-hat [tɔp'hæt] hoge hoed.

top-heavy [tɔp'hevi] topzwaar[2].

Tophet ['toufet] de hel.

top-hole [tɔp'houl] S prima, uitstekend.

topic ['tɔpik] onderwerp *o* (van gesprek).

topical ['tɔpikl] plaatselijk; van lokaal belang; actueel [onderwerp]; ~ *songs* coupletten.

topicality [tɔpi'kæliti] actualiteit.

top-knot ['tɔpnɔt] 1 kuif [v. een vogel]; 2 chignon; 3 haarstrik.

topman ['tɔpmən] 1 ⚓ marsgast; 2 zie *topsawyer* 1.

topmast ['tɔpmɑst] ⚓ (mars)steng.

topmost ['tɔpmoust] bovenste, hoogste.

topographer [tə'pɔgrəfə] plaatsbeschrijver.

topographic(al) [tɔpə'græfik(l)] topografisch, plaatsbeschrijvend.

topography [tə'pɔgrəfi] plaatsbeschrijving.

topper ['tɔpə] 1 F bovenste beste, kraan; 2 F hoge hoed.

topping ['tɔpiŋ] 1 hoog; 2 F prima, uitstekend, prachtig, heerlijk.

topple ['tɔpl] (*vt* &) *vi* (doen) tuimelen (ook: ~ *down, over*), (doen) omvallen[2].

topsail ['tɔpseil, 'tɔpsl] ⚓ marszeil *o*.

top-sawyer ['tɔp'sɔ:jə] 1 bovenste van twee zagers; 2 *fig* piet, bram, baas.

topside ['tɔpsaid] I *ad* bovenop; II *sb* bovenste *o*, bovenkant; ~*s* ⚓ bovenschip *o*.

top-soil ['tɔpsɔil] bovengrond.

top speed ['tɔp'spi:d] topsnelheid; (*at*) ~ in volle vaart, met volle kracht, zo hard mogelijk.

topsyturvy ['tɔpsi'tə:vi] I *ad* onderst(e)boven, op zijn kop[2]; II *aj* op zijn kop staand; *fig* averechts; III *sb* chaotische verwarring, verkeerde wereld; IV *vt* onderst(e)boven keren, op zijn kop zetten[2].

toque [touk] toque.

torch [tɔ:tʃ] toorts, fakkel; *electric* ~ elektrische zaklantaarn, staaflantaarn.

torch-bearer ['tɔ:tʃbɛərə] fakkeldrager, toortsdrager.

torch-light ['tɔ:tʃlait] fakkellicht *o*; ~ *procession* fakkel(op)tocht.

torch race ['tɔ:tʃreis] fakkelloop.

tore [tɔ:] V.T. van 2 *tear*.

toreador ['tɔ:riədɔ:] toreador.

1 **torment** ['tɔ:ment] *sb* foltering, kwelling, marteling, plaag.

2 **torment** [tɔ:'ment] *vt* folteren, kwellen, mar-

telen, plagen.

tormentor [tɔ:'mentə] kwelgeest, folteraar, pijniger, beul.

torn [tɔ:n] V.D. van 2 *tear*.

tornado [tɔ:'neidou] tornado, wervelstorm.

torpedo [tɔ:'pi:dou] I *sb* 1 𝕊 sidderrog; 2 ✕ torpedo; II *vt* torpederen[2].

torpedo-boat [tɔ:'pi:doubout] ⚓ torpedoboot; ~ *destroyer* ⚓ torpedojager.

torpedo-tube [tɔ:'pi:doutju:b] torpedolanceerbuis.

torpid ['tɔ:pid] stijf, verstijfd; in een staat van verdoving; loom, traag.

torpidity [tɔ:'piditi], **torpidness** ['tɔ:pidnis] zie *torpor*.

torpor ['tɔ:pə] verstijfdheid; verdoving; loomheid, traagheid.

torque [tɔ:k] 🕱 koppel *o*.

torrefaction [tɔri'fækʃən] branden *o* [v. koffie &], roosteren *o*, drogen *o*.

torrefy ['tɔrifai] branden [koffie &], roosteren, drogen.

torrent ['tɔrənt] (berg)stroom, (stort)vloed[2]; *in* ~*s* in (bij) stromen.

torrential [tɔ'renʃəl] in stromen neerkomend; ~ *rains* stortregens.

torrid ['tɔrid] brandend, verzengend, heet.

torridity [tɔ'riditi], **torridness** ['tɔridnis] brandende hitte, verzengend karakter *o*.

torsion ['tɔ:ʃən] (ver)draaiing, wringing.

torsion-balance ['tɔ:ʃənbæləns] torsiebalans.

torso ['tɔ:sou] torso, romp [v. standbeeld].

tort [tɔ:t] 🏛 onrecht *o*, benadeling.

tortious ['tɔ:ʃəs] 🏛 onrechtmatig.

tortoise ['tɔ:təs] 🐢 (land)schildpad.

tortoise-shell ['tɔ:təʃel] I *sb* 1 schildpad *o*; 2 F geel en bruin gestreepte kat; 3 🦋 vos; II *aj* schildpadden.

tortuosity [tɔ:tju'ɔsiti] bochtigheid, kronkeling, bocht, kromming; *fig* draaierij.

tortuous ['tɔ:tjuəs] bochtig, gekronkeld, kronkelig, gedraaid; *fig* zich met draaierijen ophoudend, niet recht door zee (gaand).

torture ['tɔ:tʃə] I *sb* foltering, pijniging; kwelling; verdraaiing; *put to (the)* ~ folteren, op de pijnbank leggen; II *vt* folteren, pijnigen, kwellen; verdraaien.

torturer ['tɔ:tʃərə] folteraar, pijniger; beul; verdraaier.

tory ['tɔ:ri] tory, koningsgezinde; thans: conservatief [in de politiek].

toryism ['tɔ:riizm] politiek conservatisme *o*.

tosh [tɔʃ] S klets, gezwam *o*, onzin.

toss [tɔs] I *vt* omhoog-, opgooien; (toe)gooien, -werpen; heen en weer slingeren; keren [hooi]; ~ *one's head* het hoofd in de nek werpen; *I'll* ~ *you for it (who has it)* we zullen er om opgooien; ~ *about* 1 heen en weer slingeren; 2 lichtvaardig ter sprake brengen; ~ *aside* op zij gooien; ~ *away* weggooien; ~ *one in a blanket* jonassen, sollen; ~ *off* ook: naar binnen slaan [borrel]; ~ *up* opgooien [geldstuk]; de lucht in gooien; **II** *vi* heen en weer rollen, woelen [in bed]; slingeren, heen en weer schudden, zwaaien of waaien; opgooien (om iets); ~ *about* woelen; **III** *sb* **1** opgooien *o*; *sp* toss, opgooi; worp [met dobbelstenen]; slinger(ing); **2** zie *toss-up; with a* ~ *of the head* het hoofd in de nek werpend.

tosser ['tɔsə] opgooier, werper.

toss-up ['tɔs'ʌp] in: *it's a* ~ een dubbeltje *o* op zijn kant, een toeval *o*, tref.

⊙ **tost** [tɔst] = *tossed.*

1 tot [tɔt] *sb* **1** F peuter; **2** S borreltje *o*.

2 tot [tɔt] **I** *sb* F optelling, (optel)som; **II** *vt* optellen (ook: ~ *up*); **III** *vi* oplopen; *it* ~s *up to...* het beloopt...

total ['toutl] **I** *aj* (ge)heel, gans, volslagen, totaal, gezamenlijk; **II** *sb* totaal *o*; gezamenlijk bedrag *o*; **III** *vt & vi* optellen; een totaal vormen van...; *the visitors* ~led *1200* het aantal bezoekers bedroeg 1200 (ook: ~ *up to*).

totalitarian [toutæli'tɛəriən] totalitair.

totalitarianism [toutæli'tɛəriənizm] totalitarisme *o*.

totality [tou'tæliti] totaal *o*, geheel *o*.

totalizator ['toutəlaizeitə] zie *totalizer.*

totalize ['toutəlaiz] op-, samentellen.

totalizer ['toutəlaizə] *sp* totalisator.

totally ['toutəli] *ad* totaal, helemaal. [voeren.

tote [tout] F zie *totalizer* ‖ *Am* F dragen; vertotem ['toutəm] totem: stamteken *o*.

tother ['tʌðə] verk. voor *the other.*

totter ['tɔtə] waggelen, wankelen; ~*ing to its fall* de ondergang nabij.

tottery ['tɔtəri] waggelend, wankel.

toucan ['tu:kæn] 🐦 toekan, pepervreter.

touch [tʌtʃ] **I** *vt* aanraken°, aanroeren²; raken; aankomen, komen aan; ♪ aanslaan, spelen (op); raken [ook v. lijnen], aangaan, betreffen; deren, aantasten, uitwerking hebben op; aandoen [ook v. schepen], roeren, treffen; toucheren° [geld &]; S in de wacht slepen; *there you* ~*ed him* daar hebt u een gevoelige snaar bij hem aangeraakt; *you can't* ~ *him* S **1** je haalt niet bij hem; **2** je kunt hem niets maken; *you* ~ *it there!* u slaat de spijker op de kop; ~ *bottom* **1** grond voelen; **2** het laagste punt bereiken; ~ *one's cap* (*hat*) tikken aan, aanslaan (voor *to*); salueren, groeten; ~ *glasses* klinken (met *with*); *you are* ~*ing pitch* je moet je er liever niet mee inlaten; ~ *the spot* de vinger leggen op de zere plek; *fig* ad rem zijn; ~ *wood* eventjes „afkloppen"; ~ *a person for...* F van iemand (trachten te) krijgen; ~ *in* aanbrengen [enkele trekjes]; ~ *off* **1** op het papier gooien, uit de mouw schudden; **2** doen afgaan [vuurwapen], doen losbarsten, ontketenen; ~ *up* opknappen, opwerken, bijwerken; retoucheren; ~ *up a horse* wat aanzetten [met de zweep]; ~ *up one's memory* iemands geheugen wat opfrissen; **II** *vi & va* elkaar aanraken of raken; ~ *at* ⚓ aandoen [haven]; ~

on a rock op een rots stoten; ~ (*up*)*on a painful subject* een pijnlijk onderwerp aanroeren; **III** *sb* aanraking; tikje² *o*, zweempje *o*; lichte aanval [v. ziekte]; ♪ aanslag; tastzin, gevoel *o*; voeling, contact *o*; streek [met penseel]; (karakter)trek, trekje *o*, cachet *o*; 🔌 toets(steen); *a* ~ *of romance* iets romantisch; *a* ~ *of the sun* een zonnesteek; *it was a near* ~ F het was op het kantje af; *find* ~ voeling krijgen; *keep* ~ *of* (*with*) voeling blijven houden met; *stand the* ~ de proef doorstaan; steekhoudend blijven (zijn); *at a* ~ bij de minste aanraking; *play at* ~ nalopertje spelen; *be in* ~ *with* voeling hebben met; *be out of* ~ *with* geen voeling (meer) hebben met; *it is soft to the* ~ het voelt zacht aan; *put to the* ~ op de proef stellen.

touchable ['tʌtʃəbl] aan te raken &; voelbaar, tastbaar, voor aandoening vatbaar.

touch-and-go ['tʌtʃən(d)'gou] **I** *aj* riskant; **II** *sb* in: *it was* ~ het was op het nippertje; het scheelde maar een haartje.

touched [tʌtʃt] F (van lotje) getikt; ~ *with* ook: met een tintje (tintje)...

toucher ['tʌtʃə] wie aanraakt &; *it was a near* ~ S het was er na aan toe.

touch-hole ['tʌtʃhoul] ⚒ zundgat *o*.

touchily ['tʌtʃili] *ad* zie *touchy.*

touchiness ['tʌtʃinis] lichtgeraaktheid &; zie *touchy.*

touching ['tʌtʃiŋ] **I** *aj* roerend, aandoenlijk; **II** *prep* aangaande, betreffende; *as* ~... wat... betreft.

touch last ['tʌtʃla:st] nalopertje *o*.

touch-line ['tʌtʃlain] *sp* zijlijn.

touch-me-not ['tʌtʃminɔt] **1** 🌱 springzaad *o*; **2** *fig* kruidje-roer-mij-niet *o*.

touch-needle ['tʌtʃni:dl] proefnaald.

touchstone ['tʌtʃstoun] toetssteen.

touch-up ['tʌtʃ'ʌp] in: *give it a* ~ het wat retoucheren, het wat opknappen.

touchwood ['tʌtʃwud] zwam *o*.

touchy ['tʌtʃi] *aj* lichtgeraakt, kittelorig, gauw op zijn teentjes getrapt, teergevoelig.

tough [tʌf] **I** *aj* **1** taai; stevig; moeilijk (te geloven); **2** *Am* hard, ongevoelig, ruw; misdadig, onguur, schurkachtig; **II** *sb* S jongen van de vlakte, boef.

toughen ['tʌfn] *vt* (& *vi*) taai(er) maken (worden).

toughish ['tʌfiʃ] een beetje taai.

toughness ['tʌfnis] taaiheid &.

toupee, toupet ['tu:pei] haartoer, toupet.

tour [tuə] **I** *sb* (rond)reis, toer, tochtje *o*; tournee; rondgang; *the grand* ~ 🔲 de grote reis [door Frankrijk, Italië & ter voltooiing van de opvoeding]; **II** *vi* (& *vt*) een (rond)reis maken (door); afreizen; op tournee gaan of zijn (met).

tourer ['tuərə], **touring-car** ['tuəriŋka:] toerauto.

tourism ['tuərizm] toerisme *o*.

tourist ['tuərist] **I** *sb* toerist; **II** *aj* toeristisch; ~ *agency* reisbureau *o*; ~ *class* toeristenklasse; ~ *industry* toerisme *o*; ~ *traffic* vreemdelingenverkeer *o*.

tournament ['tuənəmənt] 1 steekspel *o*, toernooi *o*; 2 concours *o* & *m*, ook: wedstrijd.

tourney ['tuəni] toernooi *o*.

tourniquet ['tuənikei] 𝕿 aderpers, schroefverband *o*.

tousle ['tauzl] in wanorde brengen, verfomfaaien; verfrommelen; stoeien met.

tout [taut] **I** *vi* 1 klanten lokken [voornamelijk voor hotels]; 2 spioneren [in de buurt van renstallen]; ~ *for custom(ers)* klanten werven of zien te krijgen; **II** *sb* 1 klantenlokker, runner [v. hotel &]; 2 spion van de renpaarden.

1 **tow** [tou] *sb* werk *o* [van touw].

2 **tow** [tou] **I** *vt* slepen°, boegseren; **II** *sb* slepen *o* of boegseren *o*; gesleept schip *o*; *take in* ~ op sleeptouw nemen².

towage ['touidʒ] 1 slepen *o* of boegseren *o*; 2 sleeploon *o*.

toward ['touəd] **I** *aj* leerzaam, gewillig; gunstig; veelbelovend; **II** *ad* op handen; aan de gang.

toward(s) [tə:d(z), tə'wɔ:d(z)] naar... toe; tegen; tegenover, jegens; omtrent; voor, met het oog op; *he has done much* ~ *it* hij heeft er veel toe bijgedragen.

towel ['tauəl] **I** *sb* handdoek; *throw in the* ~ zich gewonnen geven; **II** *vt* afdrogen [met handdoek]; **III** *vi* zich afdrogen.

towel-horse ['tauəlhɔ:s] handdoekenrekje *o*.

towel-rail ['tauəlreil] handdoekenrekje *o*.

1 **tower** ['tauə] *sb* ⚓ sleper.

2 **tower** ['tauə] **I** *sb* toren; burcht, kasteel *o*; *a* ~ *of strength* een „vaste burcht"; **II** *vi* zich verheffen, (hoog) uitsteken² (boven *above*, *over*); hoog opvliegen.

towered ['tauəd] van torens voorzien.

towering ['tauəriŋ] zeer hoog, hoog uitstekend boven; geweldig; *he was in a* ~ *passion (rage)* hij was geweldig boos.

tower wag(g)on ['tauəwægən] ⚒ montagewagen.

town [taun] 1 stad; gemeente; 2 Londen; ~ *and gown* ⟳ de burgerij en de hoogleraren en studenten; *come to* ~ **S** naam (fortuin) maken, succes hebben; *go to* ~ **S** 1 'm van katoen geven; 2 zie *come to* ~.

town-bred ['taunbred] stads-.

town clerk ['taun'kla:k] gemeentesecretaris.

town-council ['taun'kauns(i)l] gemeenteraad.

town councillor ['taun'kauns(i)lə] gemeenteraadslid *o*.

town crier ['taun'kraiə] stadsomroeper.

town hall ['taun'hɔ:l] stad-, raadhuis *o*.

town house ['taunhaus] huis *o* in de stad [tegenover het buiten].

townish ['tauniʃ] stads, steeds.

town major ['taun'meidʒə] ✗ plaatscommandant.

town-planner ['taunplænə] stedebouwkundige.

town-planning ['taunplæniŋ] **I** *sb* stedebouw; **II** *aj* stedebouwkundig.

townscape ['taunskeip] stadsgezicht *o*.

townsfolk ['taunzfouk] stedelingen.

township ['taunʃip] gemeente; dorp *o*; stadje *o*, stad.

townsman ['taunzmən] 1 stedeling; 2 stadgenoot.

townspeople ['taunzpi:pl] 1 mensen van de (= onze) stad; 2 stedelingen.

town talk ['taun'tɔ:k] stadspraatje *o*; *that's common* ~ men praat over niets anders.

towny ['tauni] **I** *aj* stads; **II** *sb* ✗ stadgenoot.

tow-path ['toupa:θ] jaagpad *o*.

tow-rope ['touroup] sleeptouw *o*, -tros.

toxic ['tɔksik] toxisch: vergiftig; vergiftigings-; vergift-.

toxicologist [tɔksi'kɔlədʒist] toxicoloog: vergiftenkenner.

toxicology [tɔksi'kɔlədʒi] toxicologie: vergiftenleer.

toxin(e) ['tɔksin] toxine, giftstof.

toxophilite [tɔk'sɔfilait] boogschutter.

toy [tɔi] **I** *sb* (stuk) speelgoed *o*; *fig* speelbal; beuzelarij; **II** *vi* spelen, beuzelen, mallen; ~ *with one's food* kieskauwen.

toy dog ['tɔidɔg] schoothondje *o*; hondje *o* [speelgoed].

toy-shop ['tɔiʃɔp] speelgoedwinkel.

1 **trace** [treis] *sb* streng [v. paard].

2 **trace** [treis] **I** *sb* 1 spoor° *o*, voetspoor *o*; 2 tracé *o* [v. fort]; **II** *vt* naspeuren, opsporen, volgen, nagaan; over-, natrekken; traceren, schetsen, (af)tekenen; afbakenen [weg], aangeven [gedragslijn]; neerschrijven [woorden]; ~ *his genealogy back to...* zijn geslacht (kunnen) nagaan tot...; ~ *out* 1 opsporen, nagaan; 2 uitstippelen, afbakenen; ~ *over* natrekken; ~ *a crime to...* een misdaad afleiden uit (van)...; een misdaad wijten aan...; ...schuld geven van een misdaad.

traceable ['treisəbl] na te gaan, naspeurbaar.

tracer ['treisə] 1 naspeurder; 2 ✗ spoorkogel, -granaat (ook: ~ *bullet*, ~ *shell*); 3 tracer [radioactieve isotoop].

tracery ['treisəri] 1 △ tracering, maaswerk *o*; 2 netwerk *o* [op vleugel van insekt &].

§ **trachea** [trə'ki:ə, *mv* **tracheae** trə'ki:i:] 1 luchtbuis [v. insekt]; 2 luchtpijp [v. mens].

§ **tracheal** [trə'ki:əl] van de luchtpijp.

tracing ['treisiŋ] 1 nasporen *o* &; 2 overgetrokken tekening; tracé *o*; tracering [als bouwk. versiering].

tracing-paper ['treisiŋpeipə] calqueerpapier *o*.

track [træk] **I** *sb* voetspoor *o*, wagenspoor *o*, spoor° *o*; baan°, pad *o*, weg; spoorlijn; rupsband [v. tractor]; *the beaten* ~ de platgetreden weg; *cover (up) one's* ~*s* zijn spoor uitwissen; *keep* ~ *of* volgen, nagaan, in 't oog houden; *make* ~*s* **S** 'm smeren; *make* ~*s for* **S** 1 afstevenen op; 2 nazetten; *follow in a* person' ~ iemands spoor volgen; *in one's* ~*s* S op de plaats [doodblijven]; onmiddellijk; *off the* ~ het spoor bijster; *run off the* ~ derailleren; *be on one's* ~ iemand op het spoor zijn; II *vt* 1 nasporen, opsporen; (het spoor) volgen; 2 ♣ slepen; ~ *down* opsporen; ~ *out* opsporen, nagaan.

track-clearer ['trækkliərə] baanruimer.

tracked [trækt] met rupsbanden [voertuig].

tracker ['trækə] 1 naspeurder, spoorzoeker, vervolger; 2 ♠ speurhond.

trackless ['træklis] 1 zonder spoor; 2 spoorloos; 3 ongebaand.

track suit ['træks(j)u:t] trainingspak *o*.

tract [trækt] uitgestrektheid, streek; [spijsverterings- &] kanaal *o*, [urine- &] wegen ‖ traktaatje *o*, verhandeling.

tractability [træktə'bilit]handelbaarheid &.

tractable ['træktəbl] *aj* handelbaar, volgzaam, meegaand, gezeglijk.

tractably ['træktəbli] *ad* zie *tractable*.

traction ['trækʃən] tractie, (voort)trekken *o*, trekkracht.

traction-engine ['trækʃənendʒin] straatlocomotief (voor zware lasten), tractor.

tractive ['træktiv] trekkend; trek-.

tractor ['træktə] 1 tractor; 2 ✈ vliegtuig *o* met trekschroef; ~ *screw* ✈ trekschroef.

trade [treid] I *sb* (koop)handel; ambacht *o*, beroep *o*, vak *o*, bedrijf *o*; zaken; ♣ vaart; *the* ~ 1 inz. de boekhandel; 2 wederverkopers; *the* ~*s* de passaatwinden; *by* ~ van beroep; *the Board of Trade* ± het ministerie van handel (en nijverheid); *Am* de kamer van koophandel; *every one to his* ~ schoenmaker, blijf bij je leest; II *vi* handel drijven (in *in*); ♣ varen (op *to*); ~ *on* uitbuiten, speculeren op; III *vt* verhandelen, (ver)ruilen (ook: ~ *away*); ~ *in Am* inruilen voor nieuw.

trade cycle ['treidsaikl] conjunctuur.

trade discount ['treid'diskaunt] $ rabat *o* (korting) aan wederverkopers.

trade dispute ['treiddis'pju:t] arbeidsgeschil *o*.

trade gap ['treidgæp] $ tekort op de handelsbalans.

trade list ['treidlist] $ prijscourant.

trade mark ['treidma:k] $ handelsmerk *o*.

trade name ['treidneim] $ 1 handelsnaam; 2 handelsmerknaam; 3 naam van de firma.

trade price ['treidprais] $ grossiersprijs.

trader ['treidə] 1 $ koopman, handelaar; 2 ♣ koopvaardijschip *o*.

trade-secret ['treidsi:krit] fabrieksgeheim *o*.

tradesman ['treidzmən] 1 neringdoende, winkelier; leverancier; 2 handwerksman; vakman.

tradespeople ['treidzpi:pl] *mv* v. *tradesman*.

trades-union ['treidz'ju:njən] vakvereniging.

tradeswoman ['treidzwumən] neringdoende, winkelierster.

trade-union ['treid'ju:njən] vakvereniging.

trade-unionism ['treid'ju:njənizm] vakverenigingswezen *o*, vakbeweging.

trade-unionist ['treid'ju:njənist] lid *o* van een vakvereniging, georganiseerde.

trade wind ['treidwind] passaat(wind).

trading ['treidiŋ] I *aj* handeldrijvend, handels-; ~ *company* handelmaatschappij; ~ *post* factorij; ~ *profit* $ bedrijfswinst; ~ *stamp* spaarzegel, waardezegel [v. winkel]; ~ *station* factorij; II *sb* nering, handel.

tradition [trə'diʃən] overlevering, traditie.

traditional [trə'diʃənəl] *aj* traditioneel, overgeleverd; de traditie volgend, traditiegetrouw.

traditionally [trə'diʃənəli] *ad* traditioneel, volgens de overlevering, traditiegetrouw.

traditionary [trə'diʃənəri] zie *traditional*.

traduce [trə'dju:s] (be)lasteren.

traducement [trə'dju:smənt] (be)lastering.

traducer [trə'dju:sə] lasteraar.

traffic ['træfik] I *vi* handel drijven (in *in*), *fig* sjacheren (in *in*); II *vt* verhandelen; versjacheren (ook: ~ *away*); III *sb* 1 (koop)handel; 2 verkeer *o*.

trafficator ['træfikeitə] richtingaanwijzer.

traffic-cop ['træfikkɔp] F verkeersagent.

traffic indicator ['træfik'indikeitə] richtingaanwijzer.

trafficker ['træfikə] handelaar.

tragedian [trə'dʒi:diən] 1 treurspeldichter; 2 treurspelspeler.

tragedy ['trædʒidi] tragedie[2], treurspel *o*; tragic ['trædʒik] tragisch, treurspel-. [giek.

tragical ['trædʒikl] tragisch.

tragi-comedy ['trædʒi'kɔmidi] tragikomedie.

tragi-comic ['trædʒi'kɔmik] tragikomisch.

trail [treil] I *sb* sleep, sliert; spoor *o*; staart [v. komeet &]; rank [ook als ornament]; pad *o*; *off the* ~ het spoor bijster; *on the* ~ op het spoor; II *vt* (achter zich aan) slepen; (het spoor) volgen; plattreden; ~ *one's coat(-tails)* uitdagend optreden; ruzie zoeken; III *vi* 1 slepen; 2 ♣ kruipen; 3 vervagen (ook: ~ *away*, *off*); ~ *along* zich voortslepen.

trailer ['treilə] 1 ♣ kruipplant; 2 trailer, aanhangwagen, oplegger; caravan; 3 trailer, voorfilm.

trailing-edge ['treiliŋdʒ] ✈ achterrand [v. vleugel].

train [trein] I *vt* 1 grootbrengen; opleiden, scholen; 2 oefenen, drillen, africhten, dresseren; *sp* trainen; leiden [bomen]; ✕ richten [geschut]; 3 ✎ trekken, slepen; 4 F per spoor afleggen; II *vi* 1 (zich) oefenen, (zich) trainen; 2 F per spoor reizen (ook: ~ *it*); III *sb* 1 sleep; nasleep; gevolg *o*; stoet; aaneenschakeling, reeks; staart [v. affuit of vogel, ster &]; ✕ loopvuur *o*; 2 (spoor)trein; ~ *of thought* gedachtengang; *by* ~ per spoor; *in* ~ aan de gang; *with... in its* ~ met als gevolg...; *bring in its* ~ na zich slepen.

train-bearer ['treinbɛərə] sleepdrager.

trained [treind] getraind, gedresseerd, geoefend, geschoold; ~ *dress* sleepjapon; ~ *nurse* (gediplomeerd) verpleegster.

trainee [trei'ni:] die in opleiding is, leerling.

trainer ['treinə] trainer, oefenmeester, dresseur, africhter, drilmeester; ✈ lestoestel o.

training ['treiniŋ] trainen o &, opleiding, scholing, dressuur, oefening, africhting; leiding [v. ooftbomen &]; *be in* ~ zich trainen, opgeleid worden.

training-camp ['treiniŋkæmp] oefenkamp o.

training-college ['treiniŋkɔlidʒ] kweekschool.

training-ship ['treiniŋʃip] opleidingsschip o.

train-load ['treinloud] treinlading, treinvol.

train-oil ['treinɔil] traan.

train-sick ['treinsik] trein-, wagenziek.

traipse [treips] zie *trapes*.

trait [trei] haal, toets, streek, trek.

traitor ['treitə] verrader (van *to*).

traitorous ['treitərəs] verraderlijk; trouweloos.

traitress ['treitris] verraadster.

Trajan ['treidʒən] Trajanus.

trajectory ['trædʒikt(ə)ri, trə'dʒektəri] baan [van projectiel], kogelbaan.

tram [træm] I *sb* I kolenwagen [in mijn]; 2 tramwagen, tram; II *vi* F trammen, per tram gaan (ook: ~ *it*).

tram-car ['træmka:] tramwagen.

trammel ['træməl] I *sb* (schakel)net o; ~*s* kluisters, ketenen, boeien, belemmeringen; II *vt* kluisteren, (in zijn bewegingen) hinderen, belemmeren.

tramp [træmp] I *vi* trappen, stappen, marcheren, F tippelen; rondtrekken, rondzwerven, vagebonderen; II *vt* trappen op; aflopen, afzwerven, F aftippelen; III *sb* I zware tred, gestamp o; 2 voetreis, zwerftocht; 3 vagebond, zwerver, landloper; 4 ✈ wilde boot, vrachtzoeker; *on the* ~ F op de tippel.

trample ['træmpl] I *vi* treden, trappen, trappelen; ~ *on* ook = *vt* met voeten treden[2] (ook: ~ *under foot*, ~ *down*), trappen op, vertreden, vertrappen; III *sb* gestap o, getrappel o.

tramway ['træmwei] tram(weg).

trance [tra:ns] I *sb* verrukking, geestvervoering, trance; schijndood; II *vt* verrukken.

tranquil ['træŋkwil] rustig, kalm.

tranquillity [træŋ'kwiliti] rust(igheid), kalmte.

tranquillization [træŋkwilai'zeiʃən] kalmering, bedaring.

tranquillize ['træŋkwilaiz] tot bedaren brengen, kalmeren.

tranquillizer ['træŋkwilaizə] rustmiddel o, rustpil, sedatief o.

transact [træn'zækt] I *vt* verrichten, (af)doen, verhandelen; *be* ~*ed* ook: plaatshebben; II *vi* I zaken doen; 2 transigeren.

transaction [træn'zækʃən] verrichting, afdoening, (handels)zaak; transactie; ~*s* ook: handelingen; *during these* ~*s* terwijl dit (alles) gebeurde.

transactor [træn'zæktə] uitvoerder, onderhandelaar.

transalpine ['træn'zælpain] aan gene zijde van de Alpen.

transatlantic ['trænzət'læntik] transatlantisch.

transcend [træn'send] uitsteken boven, te boven gaan, overtreffen, overschrijden.

transcendence, -cy [træn'sendəns(i)] I transcendentie; 2 voortreffelijkheid.

transcendent [træn'sendənt] I transcendentaal; 2 alles overtreffend, voortreffelijk.

transcendental(ly) [trænsen'dentəl(i)] transcendentaal.

transcribe [træns'kraib] overschrijven, afschrijven.

transcript ['trænskript] afschrift o, kopie[2].

transcription [træns'kripʃən] transcriptie, overschrijving; afschrift o.

transept ['trænsept] dwarsschip o [v. kerk].

1 **transfer** [træns'fə:] I *vt* overdragen, overbrengen, overhevelen; $ overmaken, overschrijven, overboeken, gireren; ver-, overplaatsen, overdrukken, calqueren; ~ *to* ook: overdragen aan, overschrijven op; II *vi* overgaan; overstappen (in *to*).

2 **transfer** ['trænsfə:] *sb* overdracht, overbrenging, overheveling; $ overschrijving [v. eigendom], overboeking, overmaking, remise; overplaatsing; ook: overgeplaatst militair &; overstapkaartje o; overdruk.

transferability [trænsfə:rə'biliti] overdraagbaarheid &.

transferable [træns'fə:rəbl] overgedragen & kunnende worden.

transferee [trænsfə'ri:] persoon aan wie iets overgedragen wordt; concessionaris.

transference ['trænsfərəns] overdracht, overbrenging.

transferor ['trænsfərɔ:] overdrager.

transfer-paper ['trænsfə:peipə] overdrukpapier o.

transfer-picture ['trænsfə:piktʃə] calqueerplaatje o.

transfiguration [trænsfigju'reiʃən] herschepping, gedaanteverandering; transfiguratie, verheerlijking.

transfigure ['træns'figə] van gedaante doen veranderen, herscheppen; verheerlijken.

transfix [træns'fiks] doorboren, doorsteken; *stand* ~*ed* als aan de grond genageld staan.

transfixion [træns'fikʃən] doorboring, doorsteking.

transform [træns'fɔ:m] om-, vervormen; van gedaante of vorm veranderen, (doen) veranderen; transformeren.

transformable [træns'fɔ:məbl] te veranderen (in *into*), vervormbaar.

transformation [trænsfɔ:'meiʃən] om-, vervorming, (vorm)verandering, gedaanteverwisseling; transformatie.

transformative [træns'fɔ:mətiv] transformerend, om-, ver-, hervormend.

transformer [træns'fɔ:mə] I vervormer; 2 ⚡ transformator.

transfuse [træns'fju:z] over-, ingieten, overbrengen; ~*d with* ook: doortrokken van.

transfusion [træns'fju:ʒən] overgieting; transfusie.

transgress [træns'gres] I *vt* overtreden, zondigen tegen, schenden, te buiten gaan, overschrijden; II *va* zondigen.

transgression [træns'greʃən] overtreding.

transgressor [træns'gresə] overtreder; zondaar.

tranship [træn'ʃip] overschepen, óverladen, overslaan.

transhipment [træn'ʃipmənt] overscheping, óverlading, overslag.

transience, -cy ['trænziəns(i)] korte duur, vergankelijkheid.

transient ['trænziənt] voorbijgaand, van korte duur, kortstondig, vergankelijk.

transistor [træn'zistə] transistor.

transit ['trænsit] I *sb* doorgang, doortocht, doorreis; doorvoer, transito *o*; vervoer *o*; overgang; *in* ~ gedurende het vervoer, onderweg [van goederen]; *pass in* ~ **S** in doorvoer passeren; transiteren.

transit-duty ['trænsitdju:ti] **S** doorvoerrechten.

transition [træn'siʒən] I *sb* overgang(speriode); II *aj* overgangs-.

transitional [træn'siʒənəl] overgangs-.

transitive ['trænsitiv] transitief, overgankelijk.

transitoriness ['trænsitərinis] vergankelijkheid &.

transitory ['trænsitəri] van voorbijgaande aard, kortstondig, vergankelijk, vluchtig.

transit-trade ['trænsittreid] **S** doorvoerhandel.

translatable [træns'leitəbl] vertaalbaar.

translate [træns'leit] I *vt* 1 overzetten, vertalen; omzetten [in de daad]; 2 overplaatsen [bisschop]; overbrengen; B ten hemel voeren (zonder dood); 3 veranderen; ~ *as* ook: uitleggen of opvatten als; II *vi* vertalen; zich laten vertalen.

translation [træns'leiʃən] 1 overzetting, vertaling, omzetting [in de daad]; 2 overplaatsing [v. bisschop &]; 3 overbrenging; 4 overdracht [v. eigendom].

translator [træns'leitə] vertaler.

translucence, -cy [træns'l(j)u:səns(i)] doorschijnendheid, helderheid.

translucent [træns'l(j)u:sənt] doorschijnend, helder.

transmarine [trænsmə'ri:n] overzees.

transmigrant ['trænsmigrənt] doorreizend landverhuizer.

transmigrate ['trænsmigreit, 'trænsmaigreit] overgaan in een ander lichaam, verhuizen.

transmigration [trænsmai'greiʃən] overgang, verhuizing, zielsverhuizing.

transmissibility [trænsmisə'biliti] overdraagbaarheid; overerfelijkheid.

transmissible [træns'misəbl] over te brengen &, overdraagbaar; overerfelijk.

transmission [træns'miʃən] 1 overbrenging [v. kracht], overzending, 🛰 ✝ uitzending; overdracht [v. bezit]; overlevering; doorlating [v.

licht]; voortplanting [v. geluid]; 2 🛰 versnellingsbak.

transmit [træns'mit] overbrengen, door-, overzenden, 🛰 ✝ uitzenden; overdragen (op *to*); overleveren (aan *to*); doorlaten [v. licht &]; voortplanten [v. geluid &].

transmittal [træns'mitəl] zie *transmission* 1.

transmitter [træns'mitə] 1 overbrenger; 2 ✝ seingever; 3 ☎ microfoon [v. telefoon]; 4 🛰 ✝ zender.

transmitting-station [træns'mitiŋsteiʃən] 🛰 ✝ zendstation *o*.

transmutable [træns'mju:təbl] verwisselbaar, veranderbaar, omzetbaar.

transmutation [trænsmju:'teiʃən] verwisseling, (vorm)verandering, omzetting.

transmute [træns'mju:t] verwisselen, veranderen, omzetten (in *into*).

transom ['trænsəm] 1 dwarsbalk; kalf *o*; 2 ventilatievenster *o* boven een deur.

transparency [træns'pɛərənsi] 1 doorzichtigheid[2]; 2 transparant *o*; 3 dia, diapositief *o*.

transparent [træns'pɛərənt] doorzichtig[2], transparant.

transpiration [trænspi'reiʃən] uitwaseming &.

transpire [træns'paiə] I *vt* uitwasemen, uitzweten; II *vi* doorzweten, uitwasemen; uitlekken, ruchtbaar worden.

transplant [træns'plɑ:nt] over-, verplanten, overbrengen, 🌱 transplanteren.

transplantation [trænspla:n'teiʃən] over-, verplanting, overbrenging, 🌱 transplantatie.

1 **transport** [træns'pɔ:t] *vt* transporteren, overbrengen, verplaatsen; vervoeren; deporteren; *fig* in vervoering brengen; ~*ed with joy* verrukt van vreugde; ~*ed with passion* ook: meegesleept door zijn hartstocht.

2 **transport** ['trænspɔ:t] *sb* transport *o*, overbrenging, vervoer *o*; vervoering, verrukking; vlaag [v. woede &]; gedeporteerde; transportschip *o*.

transportability [trænspɔ:tə'biliti] vervoerbaarheid.

transportable [træns'pɔ:təbl] vervoerbaar.

transportation [trænspɔ:'teiʃən] 1 transport *o*, vervoer *o*, overbrenging; 2 transportwezen *o*; 3 deportatie.

transporter [træns'pɔ:tə] 1 vervoerder; 2 transporteur.

transport plane ['trænspɔ:tplein] ✈ transportvliegtuig *o*.

transport worker ['trænspɔ:twɔ:kə] transportarbeider.

transpose [træns'pouz] verplaatsen, verschikken, omzetten, verwisselen; overbrengen [in de algebra]; ♪ transponeren.

transposition [trænspə'ziʃən] verplaatsing, verschikking, omzetting, verwisseling; overbrenging [in de algebra]; ♪ transpositie.

trans-ship [træns'ʃip] zie *tranship*.

transsubstantiation ['trænsəbstænʃi'eiʃən] transsubstantiatie.

transude [træn'sju:d] doorzweten; doorsijpelen; zweten (sijpelen) door... heen.

Transvaal ['trænzva:l] Transvaal(s).

transverse [trænsˈvɔ:s] (over)dwars.

Transylvania [træsilˈveinjə] Zevenburgen o.

1 **trap** [træp] I *sb* 1 val, (val)strik, voetangel, klem; strikvraag; knip; klep [v. duivenslag]; fuik; valdeur, luik o; ⚒ stankafsluiter; 2 F rijtuigje o op twee wielen; *fall* (*walk*) *into the* ~ in de val lopen; *lay* (*set*) ~*s before* (*for*) *one* iemand strikken spannen; II *vt* in de val laten lopen, vangen, (ver)strikken; ~*ped* ook: aan alle kanten ingesloten [door sneeuw, vuur].

2 **trap** [træp] I *vt* optuigen, (op)tooien; II *sb* in: ~*s* F spullen, boeltje o.

trapdoor ['træpdɔ:] 1 valdeur, luik o; 2 winkelhaak [scheur].

trapes [treips] I *sb* F slons; II *vi* rondsjouwen, -slenteren (ook: ~ *about*).

trapeze [trəˈpi:z] trapeze, zweefrek o.

trapezium [trəˈpi:ziəm] trapezium o.

trapper ['træpə] strikkenspanner; beverjager; pelsjager; trapper ‖ F rijtuigpaard o.

trappiness ['træpinis] verraderlijkheid.

trappings ['træpiŋz] 1 sjabrak; 2 opschik, tooi.

Trappist ['træpist] I *sb* trappist; II *aj* trappisten-.

trappy ['træpi] F verraderlijk.

trap-valve ['træpvælv] ⚒ valklep.

trash [træʃ] uitschot o, afval o & m; *fig* prul o, prullen, lor o & v, lorren, prulleboel, voddegoed o, bocht o & m; onzin, klets.

trashiness ['træʃinis] prulligheid &.

trashy ['træʃi] prullig, lorrig, voddig.

trauma ['trɔ:mə, *mv* **traumata** 'trɔ:mətə] trauma.

traumatic [trɔ:ˈmætik] traumatisch, wond-.

traumatism ['trɔ:mətizm] traumatische (door zware verwonding ontstane) toestand.

⚒ **travail** ['træveil] I *sb* 1 moeizame arbeid; 2 barensweeën; II *vi* zwoegen.

travel ['trævl] I *vi* 1 reizen; 2 op en neer, heen en weer gaan; zich verplaatsen, zich bewegen, gaan, lopen, rijden; zich voortplanten [licht, geluid &]; II *vt* afreizen, doortrekken, bereizen; afleggen [afstand]; laten trekken; III *sb* 1 reizen o; reis; 2 reisbeschrijving; 3 ⚒ slag [v. zuiger &]; *on his* ~*s* ook: op reis.

travel agency ['trævleidʒənsi] reisbureau o.

travel agent ['trævleidʒənt] reisagent.

travel association ['trævləsousiˈeifən] 1 reisvereniging; 2 vereniging voor vreemdelingenverkeer.

travelled ['trævld] bereisd.

traveller ['trævlə] reiziger; *a* ~*'s tale* jagerslatijn o, een leugen.

travelling ['trævliŋ] I *aj* reizend, reis-; ~ *allowance* reistoelage; ~ *companion* reisgenoot; ~ *crane* ⚒ loopkraan; II *sb* reizen o, reis.

travel-soiled ['trævlsoild], ~**stained** [-steind], ~**worn** [-wɔ:n] vuil van de reis, verreisd.

traverse ['trævəs] I *aj* dwars-; II *sb* dwarsbalk; dwarslat, -stuk o; dwarsgang; transversaal; ⚓ koppelkoers; III *vt* dwars overgaan; oversteken; doortrekken, (door)kruisen, doorsnijden, doorgaan; dwarsbomen; opkomen tegen, betwisten (bijv. ~ *the received opinions*).

travesty ['trævisti] I *vt* travesteren, parodiëren; II *sb* travestie, bespotting.

trawl [trɔ:l] I *sb* treil, sleepnet o; II *vi & vt* treilen, met het sleepnet vissen.

trawler ['trɔ:lə] schrobnetvisser, treiler.

trawl-net ['trɔ:lnet] treil, sleepnet o.

tray [trei] bak [in koffer &]; (schenk-, presenteer)blaadje o, -blad o; bakje o [v. penhouders &].

treacherous(ly) ['tretʃərəs(li)] verraderlijk.

treachery ['tretʃəri] verraad o; ontrouw.

treacle ['tri:kl] stroop.

treacly ['tri:kli] stroopachtig; *fig* stroperig.

tread [tred] I *vi* treden, trappen, lopen; ~ *on a person's corns* (*toes*) iemand op zijn tenen trappen; ~ *on the heels of...* op de hielen volgen; II *vt* betreden, bewandelen; lopen over; (uit)treden [druiven]; ~ *the boards* (*the stage*) 1 op de planken zijn; 2 bij het toneel zijn; ~ *a dangerous path* een gevaarlijk pad bewandelen; ~ *water* water treden (trappen); ~ *down* vasttrappen [v. aarde]; vertrappen; ~ *in* in de grond stampen; ~ *out* uittrappen [vuur &], dempen [opstand]; ~ *under foot* met voeten treden; III *sb* tred, schrede, stap; trede; zool, loopvlak o [v. band]; *soft to the* ~ zacht onder de voet.

treadle ['tredl] 1 trapper [van fiets of naaimachine]; 2 ♪ voetklavier o van het orgel, pedaal o & m.

treadmill ['tredmil] tredmolen.

treason ['tri:zn] verraad o, hoogverraad o, landverraad o.

treasonable ['tri:znəbl] (hoog-, land)verraderlijk.

treasonous ['tri:znəs] zie *treasonable*.

treasure ['treʒə] I *sb* schat(ten); *my* ~! schat(je)!; *she is a* ~ ook: ze is een juweel o; II *vt* op prijs stellen; op-; verzamelen; als een schat bewaren (ook: ~ *up*).

treasure-house ['treʒəhaus] schatkamer[2].

treasurer ['treʒərə] thesaurier; penningmeester.

treasurership ['treʒərəʃip] thesaurierschap o; penningmeesterschap o.

treasure trove ['treʒəˈtrouv] gevonden schat.

treasury ['treʒəri] 1 schatkamer, schatkist; 2 ± ministerie o van financiën; *the Treasury Board* de 5 à 7 hoge ambtenaren voor de financiën.

treasury bench ['treʒəribenʃ] ministersbank.

treasury note ['treʒərinout] muntbiljet o, zilverbon.

treat [tri:t] I *vt* behandelen°; onthalen, vergasten, trakteren (op *to*); II *vr* ~ *oneself to...* zich eens trakteren op; III *vi* onderhandelen (over *for*); trakteren; ~ *of* handelen over; behandelen [v. een geschrift]; IV *sb* onthaal *o*, traktatie², (een waar) feest *o*; *it is my* ~ ik trakteer; *stand* ~ trakteren.

treater ['tri:tə] I onthaler; 2 onderhandelaar; 3 verhandelaar.

treatise ['tri:tiz, -is] verhandeling (over *on*).

treatment ['tri:tmənt] behandeling°.

treaty ['tri:ti] (vredes)verdrag *o*, traktaat *o*, overeenkomst, contract *o*; *by private* ~ onderhands.

treaty port ['tri:tipɔ:t] verdraghaven.

treble [trebl] I *aj* drievoudig; driedubbel; ~ *clef* ♪ solsleutel; II *sb* 1 drievoudige *o*; 2 ♪ bovenstem, sopraan; III *vt* verdrievoudigen; IV *vi* zich verdrievoudigen.

trebly ['trebli] *ad* driedubbel, -voudig; driewerf.

tree [tri:] I *sb* 1 boom; 2 leest; 3 ✎ Kruis *o*; *be up a* ~ 1 in de knel zitten; 2 slecht bij kas zijn; II *vt* 1 in een boom jagen [dier &]; *fig* in het nauw brengen; 2 op de leest zetten; 3 met bomen beplanten.

tree-creeper ['tri:kri:pə] 🐦 boomkruiper.

tree line ['tri:lain] boomgrens.

trefoil ['tre-, 'tri:fɔil] 1 🌿 klaver; 2 klaverblad *o*.

trek [trek] I *sb ZA* „trek"; (lange, moeizame) tocht; II *vi* trekken, reizen.

trellis ['trelis] I *sb* traliewerk *o*, latwerk *o*, leilatten; II *vt* van traliewerk of leilatten voorzien; op latwerk leiden [bomen].

trellis-work ['treliswə:k] zie *trellis* I.

tremble ['trembl] I *vi* beven, siddern (van *with*); trillen [v. geluiden]; ~ *at* beven bij [de gedachte]; ~ *for* vrezen voor [iemands leven &]; zie ook: *balance* I; II *sb* beving, siddering, trilling [v. stem]; *the* ~*s* S de bibberatie; *he was all of a* ~ hij beefde over zijn hele lijf.

trembler ['tremblə] 1 bever; 2 ⚡ elektrische bel.

tremendous(ly) [tri'mendəs(li)] geducht, vervaarlijk, kolossaal; verschrikkelijk.

tremolo ['tremǝlou] ♪ tremolo; trilling.

tremor ['tremə] siddering, beving, huivering, trilling, rilling.

tremulous ['tremjuləs] sidderend, bevend, huiverend, trillend; beschroomd.

trench [trenʃ] I *vt* & *vi* (door)snijden; groeven; graven (in); diep omspitten; ~ *on* grenzen aan; ~ *on one's capital* zijn kapitaal aanspreken; ~ *upon the matter* de zaak raken; ~ (*up*)*on a man's rights* inbreuk maken op iemands rechten; II *sb* 1 greppel, sloot; 2 ✂ loopgraaf; 3 groef.

trenchancy ['trenʃənsi] scherpheid, bijtendheid; (pedante) beslistheid.

trenchant ['trenʃənt] snijdend², scherp²; bijtend, sarcastisch; beslist, doortastend.

trench-coat ['trenʃkout] (militaire) regenjas.

trencher ['trenʃə] 1 ✂ loopgraafmaker; 2 (houten) bord *o*, broodplank, schotel.

trencherman ['trenʃəmən] duchtig eter.

trench-warfare ['trenʃwɔ:fɛə] ✂ loopgravenoorlog.

trend [trend] I *vi* lopen, neigen, gaan of wijzen in zekere richting; zich uitstrekken (naar *towards*); II *sb* loop, gang, richting²; neiging, stroming; bocht; $ tendens.

trepan [tri'pæn] I *sb* trepaan: schedelboor; II *vt* trepaneren.

trepidation [trepi'deiʃən] trilling, siddering, beverigheid; zenuwachtige angst, opwinding.

trespass ['trespəs] I *vi* over een verboden terrein gaan; zich aan een overtreding schuldig maken, zondigen (tegen *against*); ~ (*up*)*on* misbruik maken van; *it would* ~ *on our space* het zou al te veel plaatsruimte vergen; ~ (*up*)*on one's time* (te veel) beslag leggen op iemands tijd; II *sb* overtreding; misbruik *o*; ✎ zonde, schuld.

trespasser ['trespəsə] overtreder; ~*s will be prosecuted* verboden toegang.

tress [tres] I *sb* lok, krul; vlecht; II *vt* vlechten.

trestle ['tresl] schraag, bok. [ten.

trestle table ['treslteibl] tafel op schragen.

Treves [tri:vz] Trier *o*.

trey [trei] *sp* drie.

triable ['traiəbl] beproefd of onderzocht of behandeld kunnende worden.

triad ['traiəd] 1 drietal *o*; 2 ♪ drieklank.

trial ['traiəl] 1 proef; 2 ⚖ berechting, openbare behandeling, onderzoek *o*; proces *o*; 3 beproeving, bezoeking; ~(*s*) proeftocht, -rit; proefstomen *o*; ✈ proefvlucht; ~ *for witchcraft* heksenproces *o*; *give it a* ~ er de proef mee nemen; het eens proberen; *make the* ~ het (eens) proberen; *stand* (*one's*) ~ terechtstaan (wegens *for*); *come up for* ~ vóórkomen [v. rechtszaak]; *on* ~ 1 toen de proef op de som genomen werd; 2 op proef; *be on* (*one's*) ~ terechtstaan; *put on* (*one's*) ~, *bring to* ~ voor (de rechtbank) doen komen; *put* (*subject*) *it to further* ~ er verder proeven mee nemen, het verder proberen.

trial flight ['traiəlflait] ✈ proefvlucht.

trial order ['traiələ:də] $ proefbestelling.

trial run ['traiəlrʌn] proefrit, proeftocht.

trial trip ['traiəltrip] proeftocht.

triangle ['traiæŋgl] 1 driehoek; 2 ♪ triangel.

triangular [trai'æŋgjulə] 1 driehoekig; 2 waarbij drie partijen betrokken zijn.

tribal ['traibəl] stam-.

tribe [traib] (volks)stam, geslacht *o*, klasse, familie; > soort, volk *o*, slag *o*.

tribesman ['traibzmən] lid *o* van een stam, stamgenoot.

tribulation [tribju'leiʃən] bekommernis, tegenspoed, kwelling, leed *o*.

tribunal [tri'bju:nəl] (buitenlandse) rechtbank; tribunaal *o*; rechterstoel.

tribunate ['tribjunit] tribunaat *o*.

tribune ['tribju:n] 1 Ⓤ (volks)tribuun; 2 tribune, spreekgestoelte *o*.

tributary ['tribjutəri] I *aj* 1 schatplichtig; 2 zij-; II *sb* 1 schatplichtige; 2 zijrivier.

tribute ['tribju:t] 1 schatting, cijns, tol; 2 hulde(betuiging); *lay... under* ~ een schatting opleggen; *pay a just* ~ *to...* een welverdiende hulde brengen aan...

tribute-money ['tribju:tmʌni] cijns.

1 **trice** [trais] in: *in a* ~ in een-twee-drie.

2 **trice** [trais] *vt* ~ (*up*) ⚓ trijsen, ophijsen.

tricentenary [traisen'ti:nəri] zie *tercentenary*.

§ **triceps** ['traiseps] I *aj* driehoofdig; II *sb* driehoofdige armspier.

trichina [tri'kainə] trichine.

trichinosis [triki'nousis] trichinose.

trichinous ['trikinəs] trichineus.

trichord ['traikɔ:d] I *aj* driesnarig; II *sb* ♪ driesnarig instrument *o*.

trick [trik] I *sb* 1 kunstje *o*; streek, poets, grap; handigheid, kunstgreep, kneep, list, foefje *o*, truc; hebbelijkheid, aanwensel *o*, maniertje *o*; 2 ◊ trek, slag; 3 ⚓ beurt om te roer te staan; *juggler's* ~*s* goochelkunstjes; *the* ~*s of the trade* de knepen of geheimen van het vak; *there is no* ~ *to it* 1 daar zit geen geheim achter; 2 daar is helemaal geen kunst aan; *...and the* ~ *is done* ...en klaar is Kees; *just that moment did the* ~ lapte het hem; *have got* (*know*) *the* ~ de slag er van te pakken hebben; *play* (*put*) *a* ~ *on one, play him a* ~ iemand een poets bakken; iemand parten spelen; *play* ~*s* streken uithalen; II *vt* bedriegen, bedotten; een koopje leveren, verrassen; ~ *one into* ...*ing* iemand weten te verlokken tot...; ~ *out* (*up*) optooien, (uit)-dossen; ~ *one out of...* iemand iets afhandig maken.

trick-cyclist ['triksaiklist] kunstrijder.

trickery ['trikəri] bedrog *o*, bedotterij.

trickily ['trikili] *ad* bedrieglijk &, zie *tricky*.

trickiness ['trikinis] bedrieglijkheid &.

trickish ['trikiʃ] zie *tricky*.

trickle ['trikl] I *vi* druppelen, sijpelen, vloeien, rollen, biggelen; *the news* ~*d into the camp* lekte uit in het kamp; ~ *out* wegdruppelen, uitlekken²; II *vt* doen druppelen &; III *sb* druppelen *o*; stroompje *o*, straaltje *o*.

trickster ['trikstə] bedrieger, bedotter.

tricksy ['triksi] snaaks, aardig.

tricky ['triki] *aj* bedrieglijk; listig; vol streken; verraderlijk; veel handigheid vereisend, ingewikkeld, lastig, netelig.

tricolour ['trikʌlə] I *aj* driekleurig; II *sb* driekleurige (Franse) vlag, driekleur.

tricoloured ['traikʌləd] driekleurig.

tricorn(e) ['traikɔ:n] I *aj* met drie hoorns; ~ *hat* = II *sb* driekantige hoed, steek.

tricycle ['traisikl] driewieler.

trident ['traidənt] drietand².

triduum ['traidjuəm] *RK* triduüm *o*.

tried [traid] beproefd (zie *try*).

triennial [trai'enjəl] I *aj* driejarig; driejaarlijks; II *sb* driejarige plant &.

trier ['traiə] 1 onderzoeker, beproever, rechter; 2 proef; 3 toetssteen.

trifle ['traifl] I *sb* 1 beuzeling, beuzelarij; kleinigheid [ook = fooitje, aalmoes]; bagatel; 2 soort van charlotte; *a* ~ *angry* een beetje boos; II *vi* zich met beuzelingen ophouden, beuzelen; futselen, spelen, spotten (met *with*); III *vt* in: ~ *away* verspillen, verbeuzelen.

trifler ['traiflə] beuzelaar.

trifling ['traifliŋ] beuzelachtig, onbeduidend, onbetekenend, onbelangrijk.

trigger ['trigə] I *sb* ⚔ trekker; II *vt* ~ (*off*) de stoot geven aan, te voorschijn roepen, teweegbrengen.

trigger-happy ['trigəhæpi] schietgraag.

trigonometric(al) [trigənə'metrik(l)] trigonometrisch. [driehoeksmeting.

trigonometry [trigə'nɔmitri] trigonometrie,

trilateral [trai'lætərəl] driezijdig.

Trilby ['trilbi] 1 Trilby; 2 deukhoed (~ *hat*).

trilingual [trai'liŋgwəl] drietalig.

trill [tril] I *vi* met trillende stem zingen, spreken; trillers maken; II *vt* trillend zingen of uitspreken (van de *r*); III *sb* trilling [v. d. stem]; ♪ triller; trilklank [als de Ned. *r*].

trillion ['triljən] 1 triljoen *o*; 2 *Am* biljoen *o*.

trilogy ['trilədʒi] trilogie.

trim [trim] I *aj* net(jes), keurig, (keurig) in orde, goed passend of zittend [kleren]; II *vt* in orde maken, gelijk-, bijknippen, -snoeien, -schaven, afsnuiten; opknappen; opmaken, garneren, afzetten; opsmukken, mooi maken; ⚓ de lading verdelen van [schip], stuwen [lading]; (op)zetten [zeilen]; tremmen [kolen]; *fig* onder handen nemen; ~ *the fire* het vuur wat oppoken en de haard aanvegen; ~ *one's jacket* iemand op zijn baadje geven; ~ *away* (*off*) wegsnoeien; ~ *in* inpassen; ~ *up* opknappen, mooi maken; III *vr* ~ *oneself up* zich mooi maken; IV *vi* liggen [v. schip]; *fig* laveren, schipperen; V *sb* gesteldheid, toestand; toe-, uitrusting; tooi, kostuum *o*; *in* (*perfect*) ~ (volmaakt) in orde; *in fighting* ~ klaar voor het gevecht, in gevechtsuitrusting; *fig* strijdvaardig; *in sailing* ~ zeilklaar; *in travelling* ~ 1 reisvaardig; 2 in staat om de vermoeienissen van de reis te verdragen.

trimeter ['trimitə] drievoetige versregel.

trimmer ['trimə] 1 optooier, opmaker; 2 lampenist; 3 tremmer; 4 *fig* weerhaan.

trimming ['trimiŋ] garneersel *o*, oplegsel *o*; *fig* geschipper *o*; F schrobbering; pak *o* (slaag).

trine [train] drievoudig.

Trinitarian [trini'teəriən] I *aj* drieëenheids-; II *sb* aanhanger van de leer v. d. drieëenheid.

trinity ['triniti] 1 drietal *o*, trio *o*; 2 drieëenheid; *T*~ 1 H. Drievuldigheid; 2 Drievuldigheidsdag; 3 *Trinity College*.

Trinity Sittings ['trinitisitiŋz] rᵰ zittingstijd van Pinksterdrie tot 12 aug., vroeger *Trinity term* (van 22 mei-12 juni).

trinket ['triŋkit] kleinood o, sieraad o.

trinomial [trai'noumiəl] 1 drienamig; 2 drieledig [in de algebra].

trio ['tri:ou] trio o.

triolet ['traiəlet] triolet.

trip [trip] I vi trippelen, huppelen; struikelen² (over over, on), een fout maken, een misstap doen; *catch one ~ping* iemand op een fout betrappen; II vt doen struikelen; een beentje zetten; de voet lichten; vangen, betrappen op een fout (meestal: ~ up); ⚓ lichten [anker]; III sb struikeling; trippelpas; misstap, fout; uitstapje o, tochtje o, reis, reisje o.

tripartite [trai'pa:tait] 1 driedelig, in drieën; 2 tussen drie partijen.

tripe [traip] darmen, pens; S snert; klets.

triplane ['traiplein] ✈ driedekker.

triple ['tripl] I aj drievoudig; driedubbel; driedelig; ~ *crown* (pauselijke) tiara; ~ *time* ♪ trippelmaat; II vt verdrievoudigen.

triplet ['triplit] 1 drietal o, trio o; 2 drieregelig versje o; 3 drieling; 4 ♪ triool.

1 **triplicate** ['triplikit] I aj 1 drievoudig; 2 in triplo uitgegeven, opgemaakt &; II sb triplicaat o; *in ~* in triplo.

2 **triplicate** ['triplikeit] vt verdrievoudigen.

triplication [tripli'keiʃən] verdrievoudiging.

tripod ['traipɔd] drievoet; statief o [v. fototoestel].

tripos ['traipɔs] ⇔ (lijst der geslaagden in) het „Honours Examination" te Cambridge voor de graad van B. A.

tripper ['tripə] 1 trippelaar; 2 plezierreiziger; *cheap ~s, day ~s* dagjesmensen.

triptych ['triptik] triptiek², drieluik o.

triptyque [Fr] triptiek [v. auto &].

trip-wire ['tripwaiə] struikeldraad.

trisect [trai'sekt] in drie gelijke delen verdelen [v. hoeken &].

trisection [trai'sekʃən] verdeling in drie gelijke delen [v. hoeken &].

trisyllabic(al) [traisi'læbik(l)] drielettergrepig.

trisyllable [trai'siləbl] drielettergrepig woord o.

trite(ly) [trait(li)] versleten, afgezaagd, alledaags, banaal, triviaal.

Triton ['traitn] Triton [zeegod]; triton; *he is a ~ among the minnows* hij is een reus onder de dwergen [naar *SH*].

triton ['traitn] 1 tritonshoorn; 2 watersalamander.

triturate ['tritjureit] vermalen, vergruizen.

trituration [tritju'reiʃən] vermaling, vergruizing.

triumph ['traiəmf] I sb triomf, zegepraal, zege, overwinning; ⬭ zegetocht; *a smile of ~* een triomfantelijk lachje o; II vi zegepralen, zegevieren, triomferen; victorie kraaien.

triumphal [trai'ʌmfəl] triomferend, triomf-, zege-; ~ *arch* triomfboog, ereboog, -poort; ~ *car,* ~ *chariot* zegewagen.

triumphant(ly) [trai'ʌmfənt(li)] triomferend, triomfantelijk, zegevierend, zegepralend.

triumpher ['traiəmfə] triomfator, overwinnaar.

triumvir [trai'ʌmvə:] ⬭ drieman.

triumvirate [trai'ʌmvirit] ⬭ driemanschap o.

triune ['traiju:n] drieënig.

trivet ['trivit] drievoet; treeft; zie ook: *right* I.

trivial ['triviəl] onbeduidend; alledaags; ~ *name* ⚘ volksnaam.

triviality [trivi'æliti] onbeduidendheid; alledaagsheid.

trivialize ['triviəlaiz] tot iets onbeduidends maken.

triweekly [trai'wi:kli] 3 maal per week of om de 3 weken verschijnend.

trochee ['trouki:] trochee: — ˘ .

trod [trɔd] V.T. & V.D. van *tread.*

trodden ['trɔdn] V.D. van *tread* [ook aj = platgetreden].

troglodyte ['trɔglədait] holbewoner.

Trojan ['troudʒən] I aj Trojaans; II sb 1 Trojaan; 2 held; 3 schelm.

1 **troll** [troul] I vt 1 laten rondgaan; 2 achter elkaar invallend zingen; galmen; II vi 1 rollen; 2 zingen; galmen; 3 vissen met gesleept aas; III sb ♪ canon.

2 **troll** [troul] sb kobold, aardgeest.

trolley ['trɔli] 1 rolwagentje o; lorrie; 2 contactrol; ~ *(car) Am* trolleytram.

trolley-bus ['trɔlibʌs] trolleybus.

trollop ['trɔləp] (straat)slet, sloerie.

trombone [trɔm'boun] ♪ trombone, schuiftrompet.

trombonist [trɔm'bounist] ♪ trombonist.

troop [tru:p] I sb 1 troep°, hoop, drom; 2 ⚔ half eskadron o; *3000 Scottish ~s* ⚔ een Schotse strijdmacht van 3000 man; 3000 Schotse militairen; II vi zich verzamelen, samenscholen, te hoop lopen (ook: ~ *together*); ~ *about* in troepen rondzwerven; ~ *away,* (*off*) troepsgewijs aftrekken; ~ *in* in troepen of drommen binnenkomen; ~ *to their standard* zich om het vaandel scharen; ~ *up* in scharen komen opzetten; III vt in: ~ *the colour(s)* ⚔ vaandelparade houden.

trooper ['tru:pə] 1 ⚔ cavalerist; 2 marechaussee te paard [in Australië]; 3 F cavaleriepaard o; 4 zie *troop-ship.*

troop-horse ['tru:phɔ:s] ⚔ cavaleriepaard o.

troop-ship ['tru:pʃip] ⚓ (troepen)transportschip o.

trope [troup] troop, redekunstige figuur.

trophied ['troufid] met zegetekenen versierd.

trophy ['troufi] tropee, trofee, zegeteken o.

tropic ['trɔpik] I sb keerkring; *the ~s* de tropen; II als aj tropisch, tropen-.

tropical ['trɔpikl] aj 1 tropisch, van de keerkringen, keerkrings-, tropen-; 2 figuurlijk, overdrachtelijk; ~ *year* zonnejaar o.

troposphere ['trɔpəsfiə] troposfeer.

trot [trɔt] I vi draven, op een drafje lopen, in draf rijden; F lopen; ~ *along!* F opgemarcheerd!; II vt in (de) draf brengen; laten draven; ~ *one off his legs (to death)* iemand zich

dood laten lopen; ~ *out* afdraven [paard]; op en neer laten draven; F op de proppen komen met; komen aanzetten met; doen optreden, zijn kunsten laten tonen; III *sb* 1 draf, drafje *o*; 2 F loopje *o*; *go for a* ~, *have a little* ~ 1 wat (gaan) ronddraven, een toertje gaan maken; 2 op stap gaan; *at a (the)* ~ 1 in draf; 2 op een drafje; *break into a* ~ het op een draf zetten; *fall into a* ~ in draf overgaan; *keep a person on the* ~ F iemand maar heen en weer laten draven, geen rust laten.

⚓ troth [trouθ, trɔθ] trouw; waarheid; *(in)* ~ waarlijk, ⊙ in trouwe.

trotter ['trɔtə] 1 (hard)draver; loper; 2 schapepoot, varkenspoot; 3 J voet.

trotting-match ['trɔtiŋmætʃ] harddraverij.

troubadour ['tru:bəduə] minnezanger.

trouble ['trʌbl] I *vt* last of moeite veroorzaken, lastig vallen, storen; verstoren, vertroebelen; verontrusten; verdriet, leed doen, kwellen; *don't* ~ *your head about it* breek je er het hoofd maar niet over, heb daar geen zorg over; *may I* ~ *you for the mustard?* wilt u zo goed zijn mij de mosterd te geven?; II *vr* ~ *oneself* zich moeite geven, de moeite nemen om...; zich bekommeren, zich het hoofd breken (over *about*); ~ *oneself with* ook: zich bemoeien met; III *vi* moeite doen; zich druk maken, zich het hoofd breken (over *about*); *I didn't* ~ *to answer* het was me de moeite niet eens waard om er op te antwoorden; IV *sb* 1 moeite, last, moeilijkheid, soesa, ongemak *o*, kwaal; ✗ storing, mankement *o*, defect *o*, pech; 2 leed *o*, verdriet *o*; zorg; 3 verwarring, onrust; ~*s* ook: onlusten; *no* ~ *(at all)!* het is de moeite niet, tot uw dienst!, geen dank!; *what's the* ~? wat scheelt er aan?; *give* ~ last (moeite) veroorzaken, moeite kosten; *make* ~ moeite veroorzaken, onrust verwekken, herrie maken; *take the* ~ *to...*, *be at the* ~ *to...* zich de moeite getroosten om...; *be in* ~ in verlegenheid zijn, in de zorg zitten; *get into* ~ in ongelegenheid geraken of brengen, zich moeilijkheden op de hals halen; *get into* ~ *with* het aan de stok krijgen met; *put to* ~ last (moeite) veroorzaken; *put oneself to the* ~ *of...* zich de moeite getroosten om... Zie ook: *troubled.*

troubled ['trʌbld] gestoord, verontrust; gekweld; ongerust, beangst; onrustig; veelbewogen [leven]; ~ *waters* 1 troebel water *o*; 2 onstuimige golven; ~ *with* last hebbend van [een ziekte].

trouble-maker ['trʌblmeikə] onruststoker.

trouble-shooter ['trʌblʃu:tə] *Am* storingzoeker; *fig* man voor lastige karweitjes.

troublesome ['trʌblsəm] moeilijk; lastig; vervelend.

trouble spot ['trʌblspɔt] haard van onrust.

⚓ troublous ['trʌbləs] beroerd, veelbewogen.

trough [trɔ:f] trog, bak; dieptepunt *o*; ~ *of the sea* golfdal *o*.

trounce [trauns] afrossen[2], afstraffen.

troupe [tru:p] troep [acteurs, acrobaten].

trouser ['trauzə] broek(spijp); *(pair of)* ~*s* broek; *go into* ~*s* de lange broek aankrijgen.

trousered ['trauzəd] met de (een) broek aan.

trousering ['trauzəriŋ] broekenstof.

trouser-leg ['trauzəleg] broekspijp.

trousseau ['tru:sou] uitzet [v. bruid].

trout [traut] ☙ forel(len).

troutlet ['trautlit] ☙ kleine forel.

⚓ trow [trou] denken, geloven; *what ails him, (I)* ~? wat scheelt hem toch?

trowel ['trauəl] 1 troffel; 2 schopje *o* [voor planten].

Troy [trɔi] Troje *o*.

troy [trɔi] gewicht *o* voor goud, zilver en juwelen (ook: ~ *weight*).

truancy ['tru:ənsi] spijbelen *o*.

truant ['tru:ənt] I *sb* spijbelaar; *play* ~ spijbelen; II *aj* spijbelend; *fig* (af)dwalend.

truce [tru:s] tijdelijke opschorting [van vijandelijkheden]; wapenstilstand; bestand *o*; ~ *of God* godsvrede; *a* ~ *to thy blasphemy!* ⚓ staak uw godslastering!

1 truck [trʌk] I *sb* 1 onderstel *o* [v. wagen]; steekwagentje *o*, lorrie; (vee)wagen [bij trein], open wagen; vrachtauto; 2 knop [vlaggestok]; II *vt* per truck vervoeren.

2 truck [trʌk] I *vi* (ruil)handel drijven, ruilen; II *vt* ruilen (tegen *against, for*); III *sb* 1 ruil(ing), (ruil)handel; 2 bocht *o & m*, rommel; *I'll have no* ~ *with* ik wil niets te maken hebben met.

truckle ['trʌkl] zich kruiperig onderwerpen, kruipen (voor *to*).

truck-shop ['trʌkʃɔp] winkel onder het *truck-system.*

truck-system ['trʌksistim] stelsel *o* van gedwongen winkelnering.

truculence ['trʌkjuləns] woestheid, grimmigheid, agressiviteit.

truculent ['trʌkjulənt] woest, grimmig, agressief.

trudge [trʌdʒ] I *vi* zich met moeite voortslepen; ~ *after one* achter iemand aansjokken; ~ *it* tippelen; II *vt* aftippelen [een weg]; III *sb* wandeling, tippel.

true [tru:] I *aj* waar, echt; oprecht; recht [lijn]; zuiver, juist; (ge)trouw (aan *to*); ~, *but...* 't is waar, maar...; *a* ~ *copy* eensluidend afschrift *o*; *it is also* ~ *of...* het geldt ook van...; II *vt* recht maken (zetten).

true-blue ['tru:'blu:] I *aj* echt, wasecht, onvervalst, oprecht; II *sb* oprechte ziel.

true-born ['tru:'bɔ:n] (ras)echt.

true-bred ['tru:'bred] rasecht.

true-hearted ['tru:'ha:tid] trouwhartig.

true-love ['tru:lʌv] zoetelief *o*.

trueness ['tru:nis] waarheid &, zie *true* I.

truffle ['trʌfl] truffel.

truffled ['trʌfld] getruffeerd.

truism ['tru:izm] stelling die geen betoog behoeft; waarheid als een koe; banaliteit.

truly ['tru:li] *ad* waarlijk, werkelijk; waar, trouw, oprecht; terecht; zie ook: *yours*.

1 **trump** [trʌmp] **I** *sb* 1 troef(kaart); 2 F bovenste beste (ook: *a regular ~*); *hold ~s* troeven in handen hebben; *fig* geluk hebben; *put one to his ~s* tot het uiterste brengen, iemand zijn laatste troef doen uitspelen; *turn up ~s* troef keren; *fig* boffen; meevallen; **II** *vt* (af)troeven, overtroeven² || *~ up* verzinnen; **III** *vi* troeven, troef spelen².

2 ⚹ **trump** [trʌmp] *sb* trompet; *the last ~, the ~ of doom* de bazuin des oordeels.

trump-card ['trʌmpkɑ:d] troefkaart².

trumpery ['trʌmpəri] **I** *sb* vodden, prullen; geklets *o*; **II** als *aj* prullig, waardeloos.

trumpet ['trʌmpit] **I** *sb* trompet, scheepsroeper, B bazuin; trompetgeschal *o*, getrompet *o*; *he blew his own ~* hij bazuinde zijn eigen lof uit; **II** *vt* met trompetgeschal aankondigen, trompetten, uitbazuinen; *~ forth one's praise* iemands lof trompetten (uitbazuinen); **III** *vi* op de trompet blazen, trompetten.

trumpet-call ['trʌmpitkɔ:l] trompetsignaal *o*.

trumpeter ['trʌmpitə] 1 ✕ trompetter; 2 ⚶ trompetvogel; trompetduif.

trumpet-player ['trʌmpitpleiə] ♪ trompettist.

truncate ['trʌŋkeit] (af)knotten; verminken.

truncation [trʌŋ'keiʃən] (af)knotting; verminking.

truncheon ['trʌnʃən] 1 commandostaf; 2 gummistok, wapenstok; stok.

trundle ['trʌndl] rollen; *~ a hoop* hoepelen.

trunk [trʌŋk] 1 stam [v. boom]; 2 romp [v. lichaam]; 3 schacht [v. zuil]; 4 koffer; 5 bagageruimte [v. auto]; 6 snuit [v. olifant]; slurf; 7 hoofdlijn [v. spoor, telegraaf of telefoon]; *~s* 1 zwembroek; broekje *o*; 2 ⍟ pofbroek.

trunk-call ['trʌŋkɔ:l] ☏ interlokaal gesprek *o*.

trunk-hose ['trʌŋkhouz] ⍟ pofbroek.

trunk-line ['trʌŋklain] hoofdlijn.

trunk-road ['trʌŋkroud] hoofdweg.

trunnion ['trʌnjən] tap [v. kanon &].

truss [trʌs] **I** *sb* 1 bundel, bos; voer *o* [van 56 pond hooi of 36 pond stro]; 2 bint *o*, hangwerk *o*; dakstoel; console; ⚓ rak *o*; breukband; **II** *vt* (op)binden; ✕ verankeren.

truss-bridge ['trʌsbridʒ] vakwerkbrug.

trust [trʌst] **I** *sb* (goed) vertrouwen *o*; hoop; $ krediet *o*; toevertrouwd pand *o* &; vereniging belast met de zorg voor... [monumenten &]; $ trust; *put* (*place, repose*) (*one's*) *~ in* vertrouwen stellen in; *the... in my ~* de mij toevertrouwde...; *hold in ~* in bewaring hebben; *buy on ~* op krediet kopen; *take everything on ~* alles op goed vertrouwen aannemen; **II** *aj* in: *~ money* toevertrouwd geld *o*; **III** *vt* vertrouwen (op); hopen (dat...); toevertrouwen; borgen, krediet geven; *~ me for that* daar kun je zeker van zijn; *you could not ~ a knife near him* je kon geen mes in zijn nabijheid laten liggen; *~ to* toevertrou-

wen (aan); *~ one with a thing* iemand iets toevertrouwen; het hem laten gebruiken &; **IV** *vr* in: *he did not ~ himself to...* hij waagde het niet te...; **V** *vi* vertrouwen; *~ in* vertrouwen op; *~ to luck* (*memory*) op zijn geluk (geheugen) vertrouwen.

trustee [trʌs'ti:] beheerder, gevolmachtigde, commissaris, curator; regent [v. weeshuis &].

trusteeship [trʌs'ti:ʃip] beheerderschap *o*; voogdij [over een gebied]; *T~ Council* Voogdijraad (van de Verenigde Naties).

trustful ['trʌstful] goed van vertrouwen, vol vertrouwen, vertrouwend.

trustiness ['trʌstinis] getrouwheid; betrouwbaarheid.

trusting ['trʌstiŋ] zie *trustful*.

trustworthy ['trʌstwə:ði] te vertrouwen, betrouwbaar.

trusty ['trʌsti] (ge)trouw, vertrouwd; betrouwbaar, beproefd.

truth [tru:θ] waarheid; waarheidsliefde; *in ~, ⚹ of a ~* in waarheid, inderdaad; *out of ~* niet haaks; *it is within the ~ to say...* het is niet te veel gezegd...

truthful ['tru:θful] *aj* waarheidlievend; waar; getrouw [beeld]; *to be quite ~* om de waarheid te zeggen.

truthfully ['tru:θfuli] *ad* naar waarheid.

truthfulness ['tru:θfulnis] waarheidsliefde; waarheid; getrouwheid.

try [trai] **I** *vt* 1 proberen, trachten, beproeven, het proberen met, de proef nemen met, op de proef stellen; 2 veel vergen van, aanpakken; 3 onderzoeken, berechten; 4 zuiveren [metalen]; koken [traan]; *be tried* ook: ⍟ terechtstaan (wegens *for, on a charge of*); *you must ~ your* (*very*) *best* je moet je uiterste best doen; *~ conclusions* (*a fall*) *with* zich meten met; *~ one's hand at...* proberen te...; *~ on* (aan)passen; *~ it on* F het maar eens proberen, zien hoever men (met iemand) kan gaan; *no use ~ing it on with me* dat (die kunsten) hoef je met mij niet te proberen; *~ out* proberen; de proef (proeven) nemen met; *~ over* proberen, dóórspelen; **II** *vi* (het) proberen; *~ and... probeer maar te...; ~ as I would* wat ik ook deed; *~ at* het proberen; *~ back* zie *hark back*; *I've tried hard for it* ik heb er erg (hard) mijn best voor gedaan; **III** *sb* F 1 poging; 2 *sp* recht *o* om goal te maken [bij rugby]; *have a ~ at it* (*for it*) het eens proberen.

trying ['traiiŋ] vermoeiend, moeilijk, lastig.

try-on ['traiɔn] F proberen *o*; proefballonnetje *o*.

trysail ['trais(ei)l] ⚓ gaffelzeil *o*.

⚹ **tryst** [trist] **I** *sb* (plaats van) bijeenkomst, afspraak, rendez-vous *o*; *break ~* op zich laten wachten, niet verschijnen; *keep* (*one's*) *~* op de afgesproken tijd ter plaatse verschijnen; **II** *vt* iemand rendez-vous geven; **III** *vi* in: *~ with* een ontmoeting afspreken met.

✎ **trysting-place** ['tristiŋpleis] plaats van bijeenkomst of ontmoeting, rendez-vous o.

try-your-strength machine [traijə'streŋθməʃiːn] ± hoofd o van Jut.

Tsar [tsaː] tsaar.

Tsarina [tsaː'riːnə] tsarina.

Tsarist ['tsaːrist] tsaristisch.

tsetse ['tsetsi] tseetseevlieg.

T-square ['tiːskweə] tekenhaak.

tub [tʌb] I sb 1 tobbe, ton, vat o, bak, (bad)-kuip; F (morgen)bad o; zitbad o; 2 J schuit [= schip]; roeiboot (om te oefenen); 3 S kansel; II vt 1 in de tobbe wassen, baden; 2 in tonnen overplanten of doen; III vi een zitbad nemen.

tuba ['tjuːbə] ♪ tuba.

tubby ['tʌbi] 1 holklinkend; 2 tonrond, buikig; a ~ fellow een potjerol o.

tube [tjuːb] I sb buis, pijp, koker; (verf)tube; (gummi)slang; binnenband; Am ⚡ (elektronen-, radio)buis; the ~ F de ondergrondse (elektrische spoorweg); II vt van buizen & voorzien; in een tube doen; III vi F met de ondergrondse (elektrische spoorweg) gaan (ook: ~ it).

tube-colours ['tjuːbkʌləz] tubeverf.

§ **tuber** ['tjuːbə] 1 ⚡ knol; 2 gezwel o.

§ **tubercle** ['tjuːbəːkl] tuberkel; knobbeltje o; knolletje o; gezwel o.

§ **tubercular** [tjuː'bəːkjulə] 1 knobbelachtig; 2 tuberculeus.

§ **tuberculosis** [tjubəː'kjuˈlousis] tuberculose.

§ **tuberculous** [tjuˈbəːkjuləs] tuberculeus.

tuberose ['tjuːbərous] ⚡ tuberoos; zie ook: tuberous.

§ **tuberosity** [tjuːbəˈrositi] knobbel, uitwas, knobbeligheid, zwelling.

§ **tuberous** ['tjuːbərəs] 1 knobbelig; 2 ⚡ knolvormig, knoldragend; knolachtig.

tub-frock ['tʌbfrɔk] wasbare jurk.

tubful ['tʌbful] tobbevol.

tubing ['tjuːbiŋ] 1 buiswerk o, stuk o buis, buizen; 2 (gummi)slang.

tub-thumper ['tʌbθʌmpə] S schetterend (kansel)redenaar.

tubular ['tjuːbjulə] tubulair, buisvormig, pijp-, koker-; ~ bells buisklokken; ~ boiler vlampijpketel; ~ bridge kokerbrug.

tuck [tʌk] I sb 1 plooi, opnaaisel o; omslag [aan broek]; 2 S snoep, lekkers o, eterij; II vt omslaan, opschorten; opstropen; innemen [japon]; instoppen, (weg)stoppen; ~ away wegstoppen; ~ in instoppen; innemen [japon]; F naar binnen slaan; ~ up 1 opschorten; opstropen; instoppen; 2 S opknopen.

✎ **tucker** ['tʌkə] chemisette, borstdoekje o.

tuck-in ['tʌk'in], **tuck-out** ['tʌk'aut] F goed, stevig maal o; smulpartij; have a ~ zich flink te goed doen.

tuck-shop ['tʌkʃɔp] snoepwinkeltje o.

Tudor ['tjuːdə] Tudor.

Tuesday ['tjuːzdi] dinsdag.

tufa ['t(j)uːfə], **tuff** [tʌf] tuf o, tufsteen o & m.

tuft [tʌft] I sb bosje o, kwastje o; kuif, sik; II vt met een bosje, kwastje of kuif versieren; III vi in bosjes groeien.

tufted ['tʌftid] met een bosje of kwastje; met kwastjes; gekuifd; met een sik.

tufty ['tʌfti] met of als een bosje of kwastje.

tug [tʌg] I vi trekken, rukken (aan at); II vt trekken aan; (voort)slepen; III sb 1 ruk; 2 sleepboot; the ~ (of war) het heetst van de strijd, het spannende moment; zie ook: tug-of-war; he gave it a ~ hij rukte (trok) er aan; I had a great ~ to... het was me een heel karwei om...

tug-boat ['tʌgbout] sleepboot.

tug-of-war ['tʌgəv'wɔː] touwtrekken o; zie ook: tug III.

tuition [tjuˈiʃən] 1 onderwijs o; 2 schoolgeld o.

tulip ['tjuːlip] ⚡ tulp.

tulle [t(j)uːl] I sb tule; II aj tulen.

tumble ['tʌmbl] I vi vallen, buitelen, duikelen, rollen, tuimelen[2]; II vt gooien; onderst(e)-boven gooien, in de war maken, verfomfaaien; doen tuimelen, neerschieten; S snappen; ∞ ~ about in het rond tollen, ombuitelen; ~ across one iemand tegen het lijf lopen; ~ along (komen) aantuimelen; ~ down omtuimelen; aftuimelen [van hoogte]; onderst(e)boven gooien; ~ in (komen) binnentuimelen; F naar kooi gaan; naar binnen gooien; ~ into bed zijn bed in rollen; ~ out er uit, naar buiten tuimelen; naar buiten gooien; ~ over omvertuimelen, omrollen, omgooien; dooreengooien; ~ to aanpakken [het werk]; S 1 snappen, begrijpen; 2 zich aanpassen aan [nieuwe omgeving &]; er mee op krijgen; III sb buiteling, tuimeling; get (have) a ~ een buiteling maken, tuimelen, een val doen; things are all in a ~ de boel ligt door elkaar, alles ligt overhoop.

tumbledown ['tʌmbldaun] bouwvallig; vervallen.

tumbler ['tʌmblə] buitelaar; duikelaartje o; tumbler [glas zonder voet]; tuimelaar = 1 soort duif; 2 onderdeel van een slot.

tumbrel ['tʌmbrəl], **tumbril** ['tʌmbril] 1 stortkar; mestkar; 2 ⚡ kruitwagen.

tumefaction [tjuːmiˈfækʃən] opzwelling.

tumefy ['tjuːmifai] (doen) zwellen.

tumescence [tjuˈmesəns] (op)zwelling, gezwollenheid[2].

tumescent [tjuˈmesənt] (op)zwellend, gezwollen[2].

tumid ['tjuːmid] gezwollen[2].

tumidity [tjuːˈmiditi] gezwollenheid[2].

tummy ['tʌmi] F maag, buik, buikje o.

tumour ['tjuːmə] tumor, gezwel o.

tumuli ['tjuːmjulai] mv v. tumulus.

tumult ['tjuːmʌlt] tumult o, rumoer o, lawaai o, spektakel o; beroering, oproer o, oploop.

tumultuary [tjuˈmʌltjuəri] (op)roerig, verward, woelig, onstuimig.

tumultuous [tju'mʌltjuəs] (op)roerig, onstuimig, woelig, rumoerig, verward.

tumulus ['tju:mjuləs] grafheuvel.

tun [tʌn] I *sb* ton, vat *o*; II *vt* in vaten (tonnen) doen.

tunable ['tju:nəbl] ♪ 1 te stemmen; 2 melodieus, welluidend.

tundra ['tʌndrə] toendra.

tune [tju:n] I *sb* toon, wijs, wijsje *o*, melodie, lied *o*, liedje *o*, deuntje *o*; stemming; *in ~* 1 zuiver gestemd; 2 in goede conditie; 3 goed gestemd; *play (sing) in ~* zuiver spelen (zingen); *be in ~ with one's surroundings* harmoniëren met de omgeving; *out of ~* 1 ontstemd[2], niet gestemd, van de wijs; 2 ♪ vals; 3 niet in goede conditie; *be out of ~ with* niet harmoniëren met, niet passen bij; *to the ~ of* 1 ♪ op de wijs van...; 2 F ten bedrage van (de kolossale som van); II *vt* stemmen [piano]; afstemmen; in overeenstemming brengen of doen harmoniëren (met *to*); ☉ aanheffen; ✕ stellen [machine], in orde brengen; *~ in* 📻✠ afstemmen (op *to*); *~ up* ♪ stemmen; ✕ stellen, in orde brengen; III *vi* samenstemmen; *~ up* ♪ (beginnen te) stemmen; J beginnen te spektakelen; *~ with* overeenstemmen, harmoniëren met.

tuneful ['tju:nful] melodieus, welluidend.

tuneless ['tju:nlis] 1 geen geluid gevend, zwijgend; 2 zonder melodie; onwelluidend.

tuner ['tju:nə] ♪ stemmer.

tungsten ['tʌŋstən] wolfra(a)m *o*.

tunic ['tju:nik] 1 tunica; 2 tuniek; 3 ✕ uniformjas; 4 ♣ rok, vlies *o*.

tunicle ['tju:nikl] RK tunica.

tuning-fork ['tju:niŋfɔ:k] ♪ stemvork.

Tunis ['tju:nis] Tunis *o*.

Tunisia [tju'niziə] Tunesië *o*.

Tunisian [tju'niziən] I *aj* Tunesisch; II *sb* Tunesiër.

tunnel ['tʌnl] I *sb* tunnel, gang; II *vt* trechtervormig uitgraven, tunnelvormig uithollen, een tunnel maken door of onder, (door)boren.

tunny ['tʌni] 🐟 tonijn.

tuny ['tju:ni] ♪ in 't gehoor liggend, pakkend.

tup [tʌp] ♣ ram.

turban ['tə:bən] tulband[2].

turbid ['tə:bid] drabbig, troebel.

turbidity [tə:'biditi] drabbigheid, troebelheid.

turbine ['tə:bin] turbine.

turbojet ['tə:boudʒet] turbinestraalbuis; turbinestraalvliegtuig *o* (ook: *~ aircraft*); turbinestraalmotor (ook: *~ engine*).

turboprop ['tə:bouprɔp] turbineschroef; schroefturbinevliegtuig *o* (ook: *~ aircraft*); schroefturbine (ook: *~ engine*).

turbot ['tə:bət] 🐟 tarbot.

turbulence ['tə:bjuləns] woeligheid, onstuimigheid, woeling.

turbulent(ly) ['tə:bjulənt(li)] woeilg, onstuimig, roërig.

tureen [t(j)u'ri:n] (soep)terrine.

turf [tə:f] I *sb* 1 zode; plag; gras *o*; renbaan, wedrennen; renpaardesport; 2 turf [in Ierland]; *be on the ~* aan renpaardesport doen of daarvan leven; II *vt* bezoden.

turfy ['tə:fi] 1 begraasd; met zoden bedekt; 2 turfachtig; 3 van de renbaan.

turgescence [tə:'dʒesəns] opzwelling, gezwollenheid[2]; *fig* opgeblazenheid.

turgescent [tə:'dʒesənt] (op)zwellend, gezwollen[2].

turgid ['tə:dʒid] opgezwollen, gezwollen[2]; *fig* opgeblazen, bombastisch.

turgidity [tə:'dʒiditi] gezwollenheid[2].

Turin [tjuə'rin] Turijn *o*.

Turk [tə:k] 1 Turk[2]; 2 > woesteling; *turn ~* 1 mohammedaan worden; 2 *fig* onhandelbaar worden.

Turkey ['tə:ki] I *sb* Turkije *o*; II als *aj* Turks; *~ carpet* smyrnatapijt *o*.

turkey ['tə:ki] 🦃 kalkoen.

turkey-cock ['tə:kikɔk] 🦃 kalkoense haan, kalkoen[2].

turkey-hen ['tə:kihen] 🦃 kalkoense hen.

turkey-poult ['tə:kipoult] jonge kalkoen.

Turkish ['tə:kiʃ] Turks; *~ carpet* smyrnatapijt *o*; *~ delight* toffeeachtige Turkse lekkernij; *~ towel* grove badhanddoek.

Turk's-head ['tə:kshed] 1 ragebol; 2 ⚓ Turkse knoop.

turmoil ['tə:mɔil] gisting; gewoel *o*, onrust, rumoer *o*; chaos.

turn [tə:n] I *vt* draaien; doen draaien, draaien aan; om-, open-, ronddraaien; (om)keren; doen (om)keren; (weg)sturen; op de vlucht drijven; (om)wenden, een zekere of andere wending (richting) geven; afwenden [slag]; omgaan, omzeilen; doen wentelen; omslaan [blad]; ✕ omtrekken; richten (op *to*); omwoelen; om-, verzetten, verleggen; veranderen; doen schiften, zuur doen worden, doen gisten, bederven; overzetten, vertalen; doen worden, maken; *~ one's brain* iemand het hoofd op hol brengen; zijn geestvermogens krenken; *he can ~ a compliment* hij kan een aardig complimentje maken; *~ the corner* de hoek omgaan (omkomen); *fig* het hoekje (de crisis) te boven komen; *~ the edge of...* 1 stomp maken, afstompen; 2 *fig* verzachten [v. opmerking]; *not ~ a hair* geen spier vertrekken; *~ a penny (an honest penny)* een cent, een eerlijk stuk brood verdienen; *~ 200 pounds* meer dan 200 pond halen (wegen); *it ~s my stomach* het doet mij walgen; *~ tail* rechtsomkeert maken, er vandoor gaan; *~ed forty* over de veertig (jaar oud); *a finely ~ed ankle (chin* &*)* een welgevormde enkel &; II *vi* draaien, (zich) omdraaien, (zich) omkeren, zich keren (wenden), afslaan [links, rechts]; zich richten; een keer nemen, keren, kenteren; (van kleur) veranderen; schiften, zuur worden gisten bederven; worden; ∞ *~*

about (zich) omkeren; *about* ~ *!* rechtsom... keert!; ~ *adrift* aan zijn lot overlaten; ~ *again!* keer terug!; ~ *against* (zich) keren tegen; ~ *aside* (zich) afwenden; *my stomach* ~*s at it* ik walg er van; ~ *away* (zich) afwenden, zich afkeren, weggaan; ~ *one away* iemand afwijzen, wegsturen, ontslaan, wegjagen; ~ *back* terugkeren; terugdraaien; omslaan; doen omkeren; ~ *down* neerdraaien [gas], zachter zetten [radio]; omvouwen [blad &], omslaan [kraag]; keren [een kaart]; afwijzen [kandidaat], geen notitie nemen van [iemand]; ~ *from* (zich) afwenden van; afbrengen van; wegsturen van; ~ *in* binnenlopen; F naar kooi gaan; naar binnen zetten of staan [v. tenen]; inleveren; ~ *it inside out* het binnenste buiten keren; ~ *into* inslaan [een weg]; veranderen in, omzetten in; overzetten of vertalen in; worden; *he was* ~*ed into the road* hij werd op straat gezet; ~ *off* (zijwaarts) afslaan; af-, uitdraaien, afsluiten [gas &], afzetten [de radio]; afwenden [gedachten]; de laan uitsturen [dienstbode &]; zich afmaken van; in elkaar of op papier zetten [artikel &]; ~ *on* draaien om²; afhangen van; lopen over [v. gesprek]; zich keren tegen; richten op; opendraaien, openzetten, aanzetten [de radio]; ~ *on one's heel* zich omdraaien; ~ *one's back on...* de rug toekeren, -draaien; ~ *on the waterworks* de fonteinen laten springen; *fig* F beginnen te huilen; ~ *out* naar buiten staan of zetten [tenen]; te voorschijn komen, uit de veren komen, uitlopen [v. stad], opkomen, uitrukken [v. brandweer]; ✕ in het geweer (doen) komen; uitdraaien; ~ *out* (*on strike*) het werk neerleggen, staken; *he* ~*ed out badly,* (*ill*) er is weinig van hem terechtgekomen; *it* ~*ed out well* het liep goed af, viel goed uit; *it* ~*ed out to be true* het bleek waar te zijn; ~ *one out* iemand aan de deur zetten, ,,wippen''; ~ *out one's pockets* het binnenste buiten keren; ~ *out a room* een kamer uithalen; ~ *out much work* veel produceren of presteren; ~ *over* 1 zich (nog eens) omkeren [in bed]; 2 omdraaien, omslaan [blad], doorbladeren; kantelen; omgooien; overdragen, overdoen; S een omzet hebben van, omzetten voor [£ 500]; ~ *something over in one's mind* iets overwegen; ~ *round* draaien, (zich) omdraaien; omdraaien: van mening, gedragslijn veranderen; draaien of winden om...; ~ *to* zich wenden (keren) tot, zijn toevlucht nemen tot; (zich) richten op; zijn aandacht richten op, zich (gaan) verdiepen in; zich toeleggen op; zich gaan bezighouden met, ter sprake brengen, komen te spreken over; aanpakken [het werk]; veranderen in; ~ *to advantage* (*profit*) partij trekken van, (weten te) profiteren van; ~ *a deaf ear to...* doof blijven voor...; *he can* ~ *his hand to anything* hij kan alles aanpakken; *he* ~*ed to his old trade* hij

vatte zijn oud beroep weer op; ~ *up* te voorschijn komen, (voor de dag) komen, (komen) opdagen, zich vertonen, zich opdoen, zich voordoen [gelegenheid, betrekking, &]; opdraaien [lamp], keren [kaart]; opzetten [kraag]; opslaan [bladzijde]; omslaan [broekspijpen]; omploegen; opgraven; ~ *up one's eyes* de ogen ten hemel slaan; ~*ed up nose* wipneus; ~ *upon* zie ~ *on*; III *sb* draai(ing), wending, zwenking, toer, omwenteling, omkering, (omme)keer, wisseling, keerpunt *o*, kentering²; kromming, bocht; winding, slag [v. touw of spiraal]; doorslag [balans]; ♪ ~ boven een noot, dubbelslag; toertje *o*, wandelingetje *o*; beurt; S nummer *o* [op programma]; dienst; (geestes)richting, aanleg, aard, slag *o*; soort; *one good* ~ *deserves another* de ene dienst is de andere waard; ~ *of expression* eigenaardige zinswending of zegswijze; *a* ~ *of one's trade* een vakgeheim *o*, een kneep; *do a* ~ een handje meehelpen; *do one a* ~ iemand een dienst bewijzen; *it gave me such a* ~ ik schrok me dood; *get a* ~ een beurt krijgen; *have a* ~ *for...* aanleg hebben voor, F genie hebben in...; *take a* (*favourable*) ~ een (gunstige) wending nemen; *take a* ~ *in the garden* wat op en neer lopen; *take a* ~ *to the left* links afslaan (afbuigen); *take one's* ~ *of duty* op zijn beurt invallen voor het werk (de wacht &); *take* ~*s* om de beurt de dienst waarnemen; elkaar afwisselen of aflossen; ~ *and* ~ *about* om de beurt; *at every* ~ telkens (weer), bij elke (nieuwe) gelegenheid; *by* ~*s* ook: beurtelings, afwisselend; *come in for one's* ~ aan de beurt komen; *in* ~ om de beurt; beurtelings, achtereenvolgens; *in his* ~ op zijn beurt; *in the* ~ *of a hand* in een wip; *be on the* ~ op het punt staan van te kenteren; op een keerpunt gekomen zijn; *out of* (*one's*) ~ niet op zijn beurt; vóór zijn beurt; *when it came to my* ~ toen ik aan de beurt kwam; *done to a* ~ F 1 precies gaar; 2 precies zoals 't moet.

turncoat ['təːnkout] iemand die zijn rokje heeft omgekeerd, afvallige, renegaat.

turn-down ['təːndaun] in: ~ *collar* omgeslagen, liggende boord *o* & *m*.

turner ['təːnə] (kunst)draaier.

turnery ['təːnəri] (kunst)draaien *o*; (kunst)draaierij; draaiwerk *o*.

turn indicator ['təːnindikeitə] ❧ bochtaanwijzer.

turning ['təːniŋ] draaien *o*; draai, bocht, kronkeling; kentering, keerpunt *o*; zijstraat; *take the* ~ *on the left* links afslaan.

turning-lathe ['təːniŋleið] ❀ draaibank.

turning-point ['təːniŋpoint] keerpunt² *o*.

turnip ['təːnip] ✿ raap, knol.

turnip-cabbage ['təːnipkæbidʒ] ✿ koolraap.

turnip-tops ['təːniptops] raapstelen.

turnkey ['təːnkiː] cipier.

turn-out ['tə:n'aut] uitrukken *o*, in het geweer komen *o* [v. wacht &]; opkomst [v. publiek]; wijze van voor den dag te komen kleding [v. persoon]; groep, nummer *o* [van vertoning of van optocht]; wisselspoor *o*; werkstaking; werkstaker; rijtuig *o*; produktie; *give the room a* ~ de kamer uithalen, een beurt geven.

turnover ['tə:'nouvə] omkanteling; omkering; ommekeer, kentering; $ omzet; verloop *o* [onder het personeel], mutatie(s), wisseling, aflossing; omslag [v. kledingstuk]; *apple* ~ appelflap.

turnpike ['tə:npaik] 1 tolhek *o*, slagboom; 2 tolweg.

turnpike-man ['tə:npaikmæn] tolgaarder.

turn-round ['tə:nraund] (tijd voor) aankomst, lossen, laden en vertrek [v. schepen &].

turnscrew ['tə:nskru:] ⚒ schroevedraaier.

turnspit ['tə:nspit] spitdraaier.

turnstile ['tə:nstail] draaiboom, tourniquet.

turn-table ['tə:nteibl] draaischijf.

turn-up ['tə:nʌp] I *aj* opstaand [kraag]; omgeslagen [broekspijp]; II *sb* 1 omslag [aan broekspijp]; 2 F buitenkansje *o*; 3 S herrie, ruzie.

turpentine ['tə:pəntain] terpentijn.

turpitude ['tə:pitju:d] laagheid.

turps [tə:ps] F terpentijn.

turquoise ['tə:kɔiz, 'tə:kwa:z] turkoois *o* [stofnaam], turkoois *m* [voorwerpsnaam].

turret ['tʌrit] 1 torentje *o*; 2 geschuttoren, -koepel; ~ *lathe* ⚒ revolverdraaibank.

turreted ['tʌritid] van torentjes voorzien; een toren hebbend; torenvormig.

turtle ['tə:tl] 1 ♒ zeeschildpad; 2 schildpadsoep; *turn* ~ omslaan, omkantelen.

turtle-dove ['tə:tldʌv] ♭ tortelduif.

turtle-neck ['tə:tlnek] met afstaande col [sweater &].

turtle-shell ['tə:tiʃel] schildpad *o*.

Tuscan ['tʌskən] Toscaan(s).

Tuscany ['tʌskəni] Toscane *o*.

⚒ **tush** [tʌʃ] I *ij* st!, pst!, stil!; bah!; och kom!; II *vi* st! & roepen.

tusk [tʌsk] I *sb* slagtand; tand [v. eg &]; II *vt* spietsen, doorboren [met de slagtanden].

tusked [tʌskt] met slagtanden.

tusker ['tʌskə] ♒ 1 (volwassen) olifant; 2 groot wild zwijn *o*.

tusky ['tʌski] met slagtanden.

tussle ['tʌsl] I *sb* worsteling, vechtpartij, strijd; II *vi* vechten (om *for*), bakkeleien.

tussock ['tʌsək] bosje *o* (gras), pol.

tut [tʌt] *ij* foei! bah!; kom, kom!

tutelage ['tju:tilidʒ] voogdij, voogdijschap *o*.

tutelar ['tju:tilə], **tutelary** ['tju:tiləri] beschermend; ~ *angel* beschermengel.

tutor ['tju:tə] I *sb* 1 leermeester, huisonderwijzer, gouverneur; 2 repetitor of de studie leidende assistent van een *College*; 3 ⚖ voogd; II *vt* 1 onderwijzen; dresseren; 2 bedillen.

tutoress ['tju:təris] leermeesteres, huisonderwijzeres, gouvernante; vrouwelijke *tutor*.

tutorial [tju:'tɔ:riəl] van een *tutor*.

tutorship ['tju:təʃip] leermeestersambt *o*, gouverneurschap *o*, betrekking van *tutor*.

tutu [tu:'tu:] tutu: balletrokje *o*.

tuwhit [tu'wit], **tuwhoo** [tu'hwu:] I *ij* (& *sb*) oehoe(geroep *o*); II *vi* oehoe roepen.

tux [tʌks] *Am* F smoking.

tuxedo [tʌk'si:dou] *Am* smoking.

twaddle ['twɔdl] I *vi* & *vt* wauwelen, bazelen, kletsen; II *sb* gewauwel *o*, gebazel *o*, klets.

twaddler ['twɔdlə] wauwelaar.

twaddly ['twɔdli] beuzelachtig, wauwel-.

⊙ **twain** [twein] twee; tweetal *o*; *in* ~ in tweeën.

twang [twæŋ] I *vi* tinkelen, jengelen, trillen [v. een snaar]; tokkelen (op *on*); II *vt* doen klinken of trillen; tokkelen (op); III *sb* jengelend geluid *o*, neusklank.

twangle ['twæŋgl] zie *twang*.

tweak [twi:k] I *vt* knijpen (in); rukken, trekken (aan); II *sb* kneep.

tweaker ['twi:kə] S katapult.

twee [twi:] S capricieus lief.

tweed [twi:d] tweed *o*: soort gekeperde wollen stof; ~s tweedpak *o*, -kostuum *o*.

tweedledum and tweedledee ['twi:dl'dʌm ən'twi:dl'di:] één potnat, een broertje en een zusje.

tweedy ['twi:di] in *tweeds* gekleed.

'tween [twi:n] zie *between*.

'tween-decks ['twi:ndeks] I *ad* ⚓ tussendeks; II *sb* ⚓ tussendek *o*.

tweeness ['twi:nis] S capricieuze liefheid.

tweeny ['twi:ni] F hulpdienstbode.

tweet [twi:t] I *vi* tjilpen; II *sb* getjilp *o*.

tweezers ['twi:zəz] (haar)tangetje *o*, pincet *o* & *m*.

twelfth [twelfθ] twaalfde (deel *o*).

Twelfth-day ['twelfθdei] Driekoningen(dag).

Twelfth-night ['twelfθnait] Driekoningenavond.

twelve [twelv] twaalf; *in* ~s in duodecimo.

twelvefold ['twelvfould] twaalfvoudig.

twelvemonth ['twelvmʌnθ] jaar *o*.

twentieth ['twentiiθ] twintigste (deel *o*).

twenty ['twenti] twintig; *the twenties* de jaren van (19)20 tot (19)30; *in the (one's) twenties* ook: in de twintig.

twentyfold ['twentifould] twintigvoudig.

twice [twais] twee keer, tweemaal, dubbel; ~ *over* twee keer.

twice-told ['twaistould] tweemaal verteld; *a* ~ *tale* een welbekende geschiedenis.

twiddle ['twidl] I *vt* draaien (met); ~ *one's thumbs* met de duimen draaien; met de handen in de schoot zitten; II *vi* in: ~ *with* draaien, spelen met.

1 **twig** [twig] *sb* takje *o*, twijg, wichelroede.

2 **twig** [twig] *vt* & *vi* F snappen.

twiggy ['twigi] vol takjes; als een takje.

twilight ['twailait] I *sb* schemering; schemeravond; schemerlicht *o*, schemer(donker² *o*); *at* ~ in de schemering; II als *aj* schemerig, schemerend, schemer-.

twill [twil] I *sb* keper; II *vt* keperen.

'twill [twil] = *it will.*

twin [twin] I *aj* tweeling-, paarsgewijs voorkomend, dubbel; ~ *sons* tweeling; II *sb* 1 tweeling; 2 dubbelganger, tegenhanger; ~*s* een tweeling.

twin beds ['twin'bedz] lits jumeaux.

twin-born ['twinbɔ:n] als tweeling geboren.

twin-brother ['twinbrʌðə] tweelingbroeder.

twine [twain] I *sb* 1 twijndraad *o* & *m*; bindgaren *o*, bindtouw *o*; 2 kronkel(ing), bocht; II *vt* twijnen, tweernen; strengelen, vlechten; III *vi* zich kronkelen; ~ *about* (*round*) omwinden, omstrengelen, zich slingeren of kronkelen om; IV *vr* in: ~ *itself* (*about, round*) zich slingeren om, omstrengelen.

twin-engined ['twinendʒind] ✈ tweemotorig.

twiner ['twainə] twijnder.

twinge [twin(d)ʒ] I *vt* steken, wroegen, pijn doen; II *sb* steek, kneep, pijn, scheut [v. pijn]; kwelling; wroeging.

twinkle ['twiŋkl] I *vi* tintelen, flikkeren, blinken; knippen [met de ogen]; tintelogen; II *vt* knippen met; III *sb* tinteling, flikkering; knip [met de ogen]; *in a* ~, *in the* ~ *of an eye* zie *twinkling* II.

twinkling ['twiŋkliŋ] I *aj* tintelend &; II *sb* tinteling &; *in a* ~, *in the* ~ *of an eye* in een oogwenk, in een wip.

twin-screw ['twinskru:] dubbelschroef(stoomboot).

twin set ['twinset] trui met vest [dameskleding].

twin-sister ['twinsistə] tweelingzuster.

twirl [twə:l] I *vi* (rond)draaien (ook: ~ *round*); II *vt* ronddraaien, doen draaien; draaien aan [snor &]; ~ *one's thumbs* zie *twiddle*; III *sb* draai(ing).

twist [twist] I *sb* draai², draaiing, verdraaiing²; verrekking; vertrekking; strengel, kronkel(ing), kromming; kronkel in de hersens; kink [in kabel]; wrong, wringing; ⚮ effect *o*; roltabak, rolletje *o* tabak; twist *o* [katoengaren], twist *m* [een dans]; ~*s and turns* bochten en kronkelingen; *give it a* ~ er een draai, kronkel of krul aan maken; de zaak verdraaien; II *vt* (ineen)draaien, winden, verdraaien²; verrekken; vertrekken; vlechten, twijnen, strengelen; wringen; ⚮ effect geven; spinnen [tabak]; III *vr* in: ~ *oneself* zich wringen; IV *vi* draaien, zich winden, kronkelen, slingeren; zich laten winden &; twisten [wijze van dansen].

twistable ['twistəbl] gedraaid & kunnende worden.

twister ['twistə] vlechter, twijnder; ⚮ trekbal.

twisty ['twisti] draaiend, kronkelend.

twit [twit] I *sb* berisping, verwijt *o*; II *vt* berispen (om, wegens *with*), verwijten.

twitch [twitʃ] I *vt* rukken, trekken (aan, met); ~ *off* afrukken; II *vi* zenuwachtig trekken; III *sb* rukje *o*, zenuwtrekking, steek [v. pijn].

twitter ['twitə] I *vi* 1 kwetteren, tjilpen; giechelen; 2 trillen [v. zenuwachtigheid]; II *sb* 1 gekwetter *o*, getjilp *o*; giegiechel *o*; 2 trilling [v. zenuwachtigheid]; *be all of a* ~ erg geagiteerd zijn.

'twixt [twikst] verk. van *betwixt*.

two [tu:] twee, tweetal *o*; *cut & in* ~ in tweeën snijden &; *in* ~ ~*s* F een-tweedrie; *put* ~ *and* ~ *together* 't een met 't ander in verband brengen.

two-edged ['tu:edʒd] tweesnijdend.

two-eyed ['tu:aid] met twee ogen.

two-faced ['tu:feist] met twee gezichten; *fig* dubbelhartig, onoprecht.

twofold ['tu:fould] tweevoudig, tweeledig, dubbel; *in a* ~ *way* 1 op twee manieren; 2 dubbel.

two-handed ['tu:hændid] 1 tweehandig; 2 voor twee handen; 3 voor twee personen; 4 handig.

two-leaved ['tu:li:vd] tweebladig. [dig.

two-part ['tu:pa:t] ♪ tweestemmig.

twopence ['tʌpəns] twee stuiver(s).

twopenny ['tʌpəni] van 2 stuivers, van weinig waarde of betekenis, dubbeltjes-.

twopenny-halfpenny ['tʌpəni'heipəni] van 12½ cent; *fig* zie *twopenny*.

two-piece ['tu:pi:s] deux-pièces.

two-seater ['tu:si:tə] 🚗 tweepersoonswagen, ✈ tweepersoonstoestel *o*.

twosome ['tu:səm] door twee personen uitgevoerd of gespeeld.

two-step ['tu:step] two-step [dans].

two-stroke ['tu:strouk] ⚙ tweetakt-.

two-way ['tu:wei] ⚙ tweewegs-; in twee richtingen; wederkerig, bilateraal [v. handel &]; ~ *radio* ⚡✚ zender en ontvanger; ~ *switch* ⚡ hotelschakelaar.

Tyburn ['taibə:n] Tyburn (vroeger galgeveld in Londen).

tycoon [tai'ku:n] *Am fig* magnaat.

tyke [taik] zie *tike.*

§ tympanic [tim'pænik] trommel-.

§ tympanitis [timpə'naitis] 🩺 ontsteking van het trommelvlies.

§ tympanum ['timpənəm] trommelvlies *o*.

type [taip] I *sb* 1 type *o*, toonbeeld *o*, voorbeeld *o*, zinnebeeld *o*; staaltje *o*; soort; 2 letter(type *o*), lettersoort, drukletter; zetsel *o*; *in* ~ gezet; II *vt* & *vi* typen, „tikken" [schrijfmachine]; ~ *out* „tikken" [een brief].

type-foundry ['taipfaundri] lettergieterij.

type-metal ['taipmetl] lettermetaal *o*, -specie.

type-script ['taipskript] machineschrift *o*; getypt manuscript *o*, getypt exemplaar *o*.

type-setter ['taipsetə] 1 letterzetter; 2 zetmachine.

typewrite ['taiprait] *vt* & *vi* (op de schrijfmachine) tikken, typen.

typewriter ['taipraitə] schrijfmachine.
typewritten ['taipritn] getypt, getikt.
typhlitis [ti'flaitis] blindedarmontsteking.
typhoid ['taifɔid] I *aj* tyfeus; (buik)tyfus-; II *sb* tyfeuze koorts, buiktyfus.
typhoon [tai'fu:n] tyfoon, taifoen.
typhous ['taifəs] tyfeus.
typhus ['taifəs] vlektyfus.
typical ['tipikl] typisch; typerend (voor *of*).
typification [tipifi'keiʃən] typering.
typify ['tipifai] typeren, (iemand) tekenen.
typing ['taipiŋ] typen *o*, tikken *o* [op de schrijf-machine].
typist ['taipist] typist(e).
typographer [tai'pɔgrəfə] typograaf.
typographic(al) [taipə'græfik(l)] typografisch; ~ *art* (boek)drukkunst.
typography [tai'pɔgrəfi] 1 typografie, boek-drukkunst; 2 druk.
tyrannic(al) [ti'rænik(l)] tiranniek.
tyrannicide [ti'rænisaid] 1 tirannenmoord; 2 tirannenmoordenaar.
tyrannize ['tirənaiz] I *vi* als tiran heersen, de dwingeland spelen (over *over*); ~ *over* tiran-niseren; II *vt* tiranniseren.
tyrannous ['tirənəs] tiranniek.
tyranny ['tirəni] tirannie, dwingelandij.
tyrant ['taiərənt] tiran, dwingeland, geweldenaar.
Tyre ['taiə] Tyrus *o*.
tyre ['taiə] I *sb* (wiel-, rad-, fiets)band; II *vt* een band (de banden) leggen om.
tyre trouble ['taiətrʌbl] bandepech.
tyro ['taiərou] aankomeling, nieuweling, be-ginneling, beginner, leerling.
Tyrol ['tirəl, ti'roul] (*the*) ~ Tyrol *o*.
Tyrolese [tirə'li:z] I *aj* Tyrools, Tyroler; II *sb* Tyroler; *the* ~ de Tyrolers.
Tyrrhenian [ti'ri:niən] Tyrrheens.

U

u [ju:] (de letter) u; U = 1 *universal* geschikt voor alle leeftijden [v. film]; 2 *upper* (*class*) van de betere standen (tegenover *non*-~ ge-woon).
U.A.R. = *United Arab Republic* Verenigde Arabische Republiek, V.A.R.
ubiquitous [ju'bikwitəs] alomtegenwoordig.
ubiquity [ju'bikwiti] alomtegenwoordigheid.
U-boat ['ju:bout] ♣ (Duitse) onderzeeboot.
udder ['ʌdə] uier.
ugh [ʌx, uh] bah!, foei!
uglification [ʌglifi'keiʃən] verlelijking.
uglify ['ʌglifai] lelijk maken, verlelijken.
uglily ['ʌglili] *ad* lelijk, op lelijke manier.
ugliness ['ʌglinis] lelijkheid.
ugly ['ʌgli] *aj* 1 lelijk°; bedenkelijk; dreigend; gevaarlijk; 2 F beroerd, gemeen.
uhlan ['u:la:n, 'u:lən] ✗ ulaan.

U.K. = *United Kingdom*.
ukase [ju'keiz] oekaze, decreet *o*.
Ukraine [ju'krein] (*the*) ~ Oekraine.
ulcer ['ʌlsə] zweer, *fig* kanker.
ulcerate ['ʌlsəreit] I *vi* zweren[2], verzweren; II *vt* doen zweren; ~*d eyelids* zwerende oog-leden.
ulceration [ʌlsə'reiʃən] zwering, verzwering; zweer[2].
ulcered ['ʌlsəd] tot een zweer geworden; zwe-rend, etterend.
ulcerous ['ʌlsərəs] vol zweren.
ullage ['ʌlidʒ] $ wan *o*.
ulna ['ʌlnə] ellepijp.
ulnar ['ʌlnə] van de ellepijp.
ulster ['ʌlstə] ulster [stof & overjas].
ult. = *ultimo*.
ulterior [ʌl'tiəriə] 1 aan gene zijde gelegen; 2 meer in de toekomst liggend, verder, later, nader, verborgen, heimelijk.
ultimate ['ʌltimit] *aj* (aller)laatste, uiterste, eind-, uiteindelijk.
ultimately ['ʌltimitli] *ad* uiteindelijk, ten slotte.
ultimatum [ʌlti'meitəm] ultimatum *o*.
ultimo ['ʌltimou] van de vorige maand.
ultra ['ʌltrə] ultra, uiterst (radicaal).
ultramarine [ʌltrəmə'ri:n] I *aj* 1 overzees; 2 ultramarijn, hemelsblauw; II *sb* ultramarijn *o*.
ultrasonic [ʌltrə'sɔnik] I *aj* zie *supersonic* I 1; II *sb* ~*s* ultrageluid *o*.
ululate ['ju:ljuleit] huilen [van hond of wolf]; jammeren.
Ulysses [ju'lisi:z] Ulysses.
umbel ['ʌmbəl] ♣ (bloem)scherm *o*.
umbellifer [ʌm'belifə] ♣ schermbloem.
umbelliferous [ʌmbe'lifərəs] ♣ schermdragend.
umber ['ʌmbə] omber, bergbruin *o*.
umbilical [ʌm'bilikl] navel-; *fig* centraal.
umbilicus [ʌm'bilikəs] navel.
umbra ['ʌmbrə] slag-, kernschaduw.
umbrage ['ʌmbridʒ] lommer *o*, schaduw; aan-stoot; ergernis; *give* ~ *to* aanstoot geven, ergeren; *take* ~ *at* aanstoot nemen aan, zich ergeren over.
umbrageous [ʌm'breidʒəs] 1 ☉ lommerrijk; 2 ✎ achterdochtig, argwanend.
umbrella [ʌm'brelə] 1 paraplu; 2 tuinparasol; 3 ✎ zonnescherm *o*.
umbrella-case [ʌm'breləkeis] paraplufoedraal *o*.
umbrella'd [ʌm'breləd] van een paraplu (van paraplu's) voorzien.
umbrella-stand [ʌm'breləstænd] paraplustan-der.
umpire ['ʌmpaiə] I *sb* scheidsrechter, arbiter; $ derde; II *vi* scheidsrechter zijn, arbitreren; III *vt* arbitreren bij.
umpteen ['ʌm'ti:n, + 'ʌmti:n] S zoveel (je wilt).
umpteenth ['ʌm'ti:nθ, + 'ʌmti:nθ] S zoveelste.
umptieth ['ʌmtiiθ] S zoveelste.
umpty ['ʌmti] S in: ~ *days* zoveel dagen.
UN = *United Nations*.

'un [ʌn, ən] P zie *one.*

unabashed ['ʌnə'bæʃt] onbeschaamd; niets verlegen; niet uit het veld geslagen.

unabated ['ʌnə'beitid] onverminderd, onverflauwd, onverzwakt.

unabbreviated ['ʌnə'bri:vieitid] onverkort.

unable ['ʌ'neibl] onbekwaam, niet in staat, niet kunnende; *be ∼ to...* niet kunnen...

unabridged ['ʌnə'bridʒd] onverkort.

unaccented ['ʌnək'sentid] 1 zonder toonteken; 2 zonder klemtoon (uitgesproken).

unacceptable ['ʌnək'septəbl] onaannemelijk, onaanvaardbaar; minder aangenaam, onwelkom.

unaccommodating ['ʌnə'kɔmədeitiŋ] niet inschikkelijk, niet meegaand.

unaccompanied ['ʌnə'kʌmpənid] 1 onvergezeld; 2 ♪ zonder begeleiding; ∼ *choir* ♪ a-capellakoor *o.*

unaccomplished ['ʌnə'kɔmpliʃt] onvolbracht, onvoltooid; onvervuld.

unaccountability ['ʌnəkauntə'biliti] 1 onverantwoordelijkheid; 2 onverklaarbaarheid.

unaccountable ['ʌnə'kauntəbl] *aj* 1 onverantwoordelijk; 2 onverklaarbaar.

unaccountably ['ʌnə'kauntəbli] *ad* op onverklaarbare wijze, om onverklaarbare redenen.

unaccounted ['ʌnə'kauntid] in: ∼ *for* 1 onverklaard; 2 onverantwoord; *five of the crew are ∼ for* omtrent het lot van vijf leden der bemanning is niets naders bekend.

unaccustomed ['ʌnə'kʌstəmd] ongewoon; ongebruikelijk; ∼ *to* niet gewend aan (om).

unacknowledged ['ʌnək'nɔlidʒd] niet erkend; overgenomen zonder te bedanken of zonder bronvermelding, niet bekend [v. misdaad].

unacquainted ['ʌnə'kweintid] onbekend.

unadaptable ['ʌnə'dæptəbl] niet aan te passen, niet pasklaar te maken, niet geschikt om te bewerken [roman &].

unadapted ['ʌnə'dæptid] niet pasklaar gemaakt; niet geschikt.

unadorned ['ʌnə'dɔ:nd] onversierd, onopgesmukt².

unadulterated [ʌnə'dʌltəreitid] onvervalst, zuiver, echt.

unadvisable ['ʌnəd'vaizəbl] onraadzaam, ongeraden.

unadvised ['ʌnəd'vaizd] *aj* onbedachtzaam, onberaden, onvoorzichtig.

unadvisedly ['ʌnəd'vaizidli] *ad* onverstandig genoeg; zie ook: *unadvised.*

unaffected ['ʌnə'fektid] 1 ongedwongen, ongekunsteld, niet geaffecteerd, natuurlijk; 2 niet beïnvloed, onaangedaan; ongeroerd.

unafraid ['ʌnə'freid] onbevreesd (voor *of*).

unaided ['ʌ'neidid] 1 niet geholpen; 2 zonder hulp (uitgevoerd); 3 bloot [v. oog].

unalarmed ['ʌnə'la:md] 1 niet gealarmeerd; 2 onbevreesd, niet verontrust.

unalienable ['ʌ'neiljənəbl] onvervreemdbaar.

unalienated ['ʌ'neiljəneitid] onvervreemd.

unallied ['ʌnə'laid] 1 niet verwant; 2 zonder bondgenoten.

unallowable ['ʌnə'lauəbl] niet toelaatbaar.

unallowed ['ʌnə'laud] 1 niet goedgekeurd; 2 ongeoorloofd, ongepermitteerd.

unalloyed ['ʌnə'lɔid] onvermengd.

unalterability ['ʌnɔ:ltərə'biliti] onveranderlijkheid.

unalterable ['ʌ'nɔ:ltərəbl] *aj* onveranderlijk.

unalterably ['ʌ'nɔ:ltərəbli] *ad* onveranderlijk.

unaltered ['ʌ'nɔ:ltəd] onveranderd.

unambiguous ['ʌnæm'bigjuəs] ondubbelzinnig.

unambitious ['ʌnæm'biʃəs] 1 niet eerzuchtig; 2 pretentieloos, bescheiden.

unamiable [ʌ'neimjəbl] onbeminnelijk.

unamusing ['ʌnə'mju:ziŋ] niet (erg) amusant, niet onderhoudend, onvermakelijk.

unanimated ['ʌ'nænimeitid] onbezield.

unanimity [ju:nə'nimiti] eenstemmigheid; eensgezindheid.

unanimous [ju'næniməs] eenstemmig; eensgezind.

unannounced ['ʌnə'naunst] onaangekondigd, onaangediend, onaangemeld.

unanswerable [ʌ'na:nsərəbl] 1 niet te beantwoorden; 2 onweerlegbaar.

unanswered [ʌ'na:nsəd] onbeantwoord.

unappalled ['ʌnə'pɔ:ld] onverschrokken.

unappealable ['ʌnə'pi:ləbl] ⟂ waaromtrent men niet in hoger beroep kan gaan.

unappeasable ['ʌnə'pi:zəbl] 1 niet te bevredigen &, onstilbaar; 2 onverzoenlijk.

unappeased ['ʌnə'pi:zd] onbevredigd.

unappreciable ['ʌnə'pri:ʃiəbl] niet te waarderen (appreciëren).

unappreciative ['ʌnə'pri:ʃiətiv] weinig of niet waarderend.

unapproachable ['ʌnə'proutʃəbl] ontoegankelijk, ongenaakbaar²; onvergelijkelijk.

unappropriated ['ʌnə'prouprieitid] 1 niet toegeëigend; 2 niet aangewezen (bestemd) voor een bepaald doel.

unapt ['ʌ'næpt] *aj* zie *inapt.*

unaptly ['ʌ'næptli] *ad* in: *not ∼* niet ongeschikt, wel ad rem.

unascertainable ['ʌnæsə'teinəbl] niet uit te maken of na te gaan.

unashamed ['ʌnə'ʃeimd] onbeschaamd; zonder zich te schamen.

unasked ['ʌ'na:skt] ongevraagd, ongenood.

unaspiring ['ʌnəs'paiəriŋ] oneerzuchtig, zonder pretentie.

unassailable ['ʌnə'seiləbl] onaantastbaar².

unassailed ['ʌnə'seild] onbetwist.

unassisted ['ʌnə'sistid] niet geholpen, zonder hulp; ongewapend.

unassuming ['ʌnə'sju:miŋ] niet aanmatigend, zonder pretentie(s), bescheiden.

unattached ['ʌnə'tætʃt] los(lopend), niet gebonden, niet verbonden.

unattainable ['ʌnə'teinəbl] onbereikbaar².

unattempted ['ʌnə'tem(p)tid] onbeproefd.

unattended ['ʌnə'tendid] niet vergezeld; zonder begeleiding; zonder toezicht; onbeheerd; ~ to I onverzorgd, niet opgepast; 2 $ niet uitgevoerd [v. bestelling].

unattractive ['ʌnə'træktiv] onaantrekkelijk.

unauthentic ['ʌnɔ:'θentik] niet authentiek.

unauthenticated ['ʌnɔ:'θentikeitid] 1 niet bekrachtigd; 2 welks echtheid niet bewezen is.

unauthorized ['ʌ'nɔ:θəraizd] niet geautoriseerd, onwettig, onbevoegd.

unavailable ['ʌnə'veiləbl] 1 niet ter beschikking staand; 2 ₤ ongeldig.

unavailing ['ʌnə'veiliŋ] vergeefs.

unavenged ['ʌnə'vendʒd] ongewroken.

unavoidable ['ʌnə'vɔidəbl] aj onvermijdelijk.

unavoidably ['ʌnə'vɔidəbli] ad onvermijdelijk.

unaware ['ʌnə'wɛə] niet wetend, het zich niet bewust zijnd; ~ of niet wetend van, niets merkend van; zie ook ↓.

unaware(s) ['ʌnə'wɛə(z)] zonder het te merken; onvoorziens, onverwachts, onverhoeds; catch (take) one ~ iemand overvallen, overrompelen.

unawed ['ʌ'nɔ:d] onbeschroomd.   [len.

unbacked ['ʌn'bækt] 1 onbereden [paard]; ongedresseerd; 2 waarop niet gewed is [paard]; 3 ongeholpen, ongesteund.

unbalance ['ʌn'bæləns] uit het (zijn) evenwicht brengen[2].

unbalanced ['ʌn'bælənst] 1 niet in evenwicht; 2 $ niet vereffend [v. rekeningen]; niet sluitend [v. begroting]; 3 onevenwichtig; 4 in de war, getroebleerd.

unballast ['ʌn'bæləst] van ballast ontdoen; ~ed zonder ballast.

unbaptized ['ʌnbæp'taizd] ongedoopt.

unbar ['ʌn'ba:] ontgrendelen[2], ontsluiten[2].

unbearable [ʌn'bɛərəbl] ondraaglijk, onuitstaanbaar.

unbearded ['ʌn'biədid] baardeloos.

unbeaten ['ʌn'bi:tn] 1 niet verslagen, ongeslagen; 2 onbetreden [weg], ongebaand.

unbecoming ['ʌnbi'kʌmiŋ] niet goed staand; niet mooi; geen pas gevend; onbetamelijk, ongepast (voor to).

unbegotten ['ʌnbi'gɔtn] ongeboren.

unbeknown ['ʌnbi'noun] in: ~ to me zonder dat ik er (iets) van wist (weet); zonder mijn voorkennis.

unbelief ['ʌnbi'li:f] ongeloof o.

unbelievable ['ʌnbi'li:vəbl] ongelooflijk.

unbeliever ['ʌnbi'li:və] ongelovige; an ~ in wie niet gelooft aan.

unbelieving ['ʌnbi'li:viŋ] ongelovig.

unbeloved ['ʌnbi'lʌvd] onbemind.

unbend ['ʌn'bend] I vt ontspannen[2], losmaken; ⚓ afslaan [zeil]; fig uit de plooi doen komen; II vi losser worden; zich ontspannen[2]; fig minder stijf worden, uit de plooi komen.

unbending ['ʌn'bendiŋ] 1 zich ontspannend; 2 onbuigzaam; niet toegevend; nooit uit de plooi komend.

unbeseeming ['ʌnbi'si:miŋ] onbetamelijk.

⊙ unbesought ['ʌnbi'sɔ:t] onafgesmeekt.

unbewailed ['ʌnbi'weild] onbetreurd.

unbias(s)ed ['ʌn'baiəst] onpartijdig, onbevooroordeeld.

unbidden ['ʌn'bidn] vanzelf; ongenood.

unbind ['ʌn'baind] ontbinden, losbinden, losmaken.

unblamable ['ʌn'bleiməbl] onberispelijk.

unbleached ['ʌn'bli:tʃt] ongebleekt.

unblemished ['ʌn'blemiʃt] onbevlekt, onbezoedeld, vlekkeloos, smetteloos.

unblest ['ʌn'blest] ongezegend; onzalig.

unblock ['ʌn'blɔk] $ deblokkeren.

unblushing(ly) ['ʌn'blʌʃiŋ(li)] schaamteloos, zonder blikken of blozen.

unbolt ['ʌn'boult] ontgrendelen.

unbonnet ['ʌn'bɔnit] I vi het hoofd ontbloten; II vt de muts (de hoed) afnemen.

unbooted ['ʌn'bu:tid] ongelaarsd.

unborn ['ʌn'bɔ:n] ongeboren.

unborrowed ['ʌn'bɔroud] 1 ongeleend; 2 niet ontleend.

unbosom ['ʌn'buzəm] I vt ontboezemen; II vr ~ oneself zijn hart eens uitstorten.

unbought ['ʌn'bɔ:t] ongekocht.

unbound ['ʌn'baund] 1 ongebonden; 2 niet opgebonden [haar], loshangend; 3 ontketend [hond &].

unbounded ['ʌn'baundid] onbegrensd.

unbrace ['ʌn'breis] losmaken, losgespen; ontspannen[2].

unbribable ['ʌn'braibəbl] onomkoopbaar.

unbridle ['ʌn'braidl] aftomen.

unbridled ['ʌn'braidld] afgetoomd; fig ongebreideld, tomeloos, onbeteugeld, teugelloos.

unbroken ['ʌn'broukn] aj 1 ongebroken, niet ge-, verbroken, onaan-, onafgebroken; 2 onafgericht.

unbrotherly ['ʌn'brʌðəli] onbroederlijk.

unbuckle ['ʌn'bʌkl] losgespen.

unburden ['ʌn'bɔ:dn] I vt ontlasten, verlichten; ~ one's heart zeggen wat men op het hart heeft; zijn hart eens uitstorten; II vr ~ oneself zie ~ one's heart.

unburied ['ʌn'berid] onbegraven.

unburned ['ʌn'bɔ:nd], unburnt ['ʌn'bɔ:nt] onaangebrand, ongebrand; niet verbrand.

unbusinesslike [ʌn'biznislaik] niet zoals het de zakenman betaamt, onpraktisch.

unbutton ['ʌn'bʌtn] losknopen; ~ed ook: ongegeneerd, ongedwongen.

uncage ['ʌn'keidʒ] uit de kooi laten.

uncalled ['ʌn'kɔ:ld] 1 ongeroepen; 2 $ niet ingevorderd; 3 niet afgehaald; 4 ongevraagd; ~ for door niets gewettigd, ongemotiveerd; ongewenst, niet vereist.

uncancelled ['ʌn'kænsəld] niet doorgehaald of geschrapt, niet ingetrokken (herroepen).

uncanny [ʌn'kæni] 1 angstwekkend, griezelig, F eng; 2 onvoorzichtig.

uncared for ['ʌn'kɛədfɔ:] 1 veronachtzaamd; verwaarloosd; 2 onverzorgd.

uncase ['ʌn'keis] uit 't foedraal, etui & doen; ontplooien [vlag].

unceasing(ly) [ʌn'si:siŋ(li)] onophoudelijk, zonder ophouden, voortdurend.

unceremonious(ly) ['ʌnseri'mounjəs(li)] zonder plichtplegingen, zonder complimenten, familiaar, ongegeneerd.

uncertain [ʌn'sə:t(i)n] onzeker, ongewis, onvast, onbestendig, veranderlijk, vaag.

uncertainty [ʌn'sə:t(i)nti] onzekerheid &.

unchain ['ʌn'tʃein] ontketenen, loslaten.

unchallengeable ['ʌn'tʃælin(d)ʒəbl] onwraakbaar, onaantastbaar, onomstotelijk.

unchallenged ['ʌn'tʃælin(d)ʒd] 1 ✕ niet aangeroepen; 2 onaangevochten, onbetwist; 3 ongewraakt.

unchangeability ['ʌntʃein(d)ʒə'biliti] onveranderlijkheid.

unchangeable [ʌn'tʃein(d)ʒəbl] onveranderlijk.

unchanged [ʌn'tʃein(d)ʒd] onveranderd.

unchanging [ʌn'tʃein(d)ʒiŋ] onveranderlijk.

uncharged ['ʌn'tʃa:dʒd] ongeladen.

uncharitable [ʌn'tʃæritəbl] liefdeloos, onbarmhartig.

uncharted ['ʌn'tʃa:tid] fig onbekend.

unchaste ['ʌn'tʃeist] onkuis.

unchastity ['ʌn'tʃæstiti] onkuisheid.

unchecked ['ʌn'tʃekt] onbeteugeld, ongebreideld; onbelemmerd; ongecontroleerd.

unchristened ['ʌn'krisnd] ongedoopt.

unchristian ['ʌn'kristjən] onchristelijk.

unchronicled ['ʌn'krɔnikld] onvermeld.

uncial ['ʌnʃiəl] I aj unciaal; II sb unciaalletter.

uncircumscribed ['ʌn'sə:kəmskraibd] niet (nader) omschreven, onbepaald.

uncivil ['ʌn'sivil] onbeleefd.

uncivilized ['ʌn'sivilaizd] onbeschaafd.

unclaimed ['ʌn'kleimd] niet opgeëist.

unclasp ['ʌn'kla:sp] I vt loshaken, open maken, openen; II vi zich ontsluiten.

uncle ['ʌŋkl] 1 oom; 2 S ome Jan; at my ~'s S bij ome Jan, in de lommerd; ~ Sam Broeder Jonathan [de U.S.A.].

unclean ['ʌn'kli:n] onrein, onzuiver, vuil.

uncleanliness ['ʌn'klenlinis] onreinheid.

uncleanly ['ʌn'klenli] onrein, onkuis.

uncleansed ['ʌn'klenzd] ongezuiverd.

unclench ['ʌn'klenʃ] ontsluiten.

unclerical ['ʌn'klerikl] niet (als) van een geestelijke.

unclipped ['ʌn'klipt] ongesnoeid; ongeknipt.

unclose ['ʌn'klouz] I vt ontsluiten, openen; fig onthullen, openbaren; II vi opengaan.

unclothed ['ʌn'klouðd] ongekleed.

unclouded ['ʌn'klaudid] onbewolkt.

uncock ['ʌn'kɔk] in: ~ a pistol de haan van een pistool in de rust zetten.

uncoil ['ʌn'kɔil] I vt afrollen, ontrollen; II vi zich ontrollen.

uncoined ['ʌn'kɔind] ongemunt.

uncollected ['ʌnkə'lektid] 1 niet verzameld; 2 niet geïnd; 3 niet tot bedaren of bezinning gekomen.

uncoloured ['ʌn'kʌləd] ongekleurd; fig onopgesmukt.

uncomely ['ʌn'kʌmli] niet welstaand, onbevallig, minder welvoeglijk.

uncomfortable [ʌn'kʌmfətəbl] ongemakkelijk; niet op zijn gemak; onbehaaglijk, onaangenaam; troosteloos.

uncommercial ['ʌnkə'mə:ʃəl] niet handeldrijvend; tegen de handelsgewoonten.

uncommitted ['ʌnkə'mitid] niet commissoriaal gemaakt; niet verpand; niet gebonden, aan niets gebonden.

uncommon(ly) [ʌn'kɔmən(li)] ongewoon; < ongemeen, bijzonder.

uncommunicative ['ʌnkə'mju:nikətiv] niet (bijzonder) mededeelzaam, gesloten.

uncompelled ['ʌnkəm'peld] ongedwongen.

uncomplaining ['ʌnkəm'pleiniŋ] gelaten.

uncomplimentary ['ʌnkəmpli'mentəri] niet (erg) complimenteus.

uncomplying ['ʌnkəm'plaiiŋ] oninschikkelijk.

uncompounded ['ʌnkəm'paundid] niet samengesteld, enkelvoudig.

uncompromising [ʌn'kɔmprəmaiziŋ] onveranderlijk van beginselen, van geen toegeven willende weten, onbuigzaam, star.

unconcealed ['ʌnkən'si:ld] niet verborgen, onverholen.

unconcern ['ʌnkən'sə:n] onbevangenheid, onbekommerd-, onverschilligheid, kalmte.

unconcerned ['ʌnkən'sə:nd] aj onbevangen, zich niets aantrekkend (van an at); onbekommerd (over about, as to, for), kalm, onverschillig; ~ in (with) geen belang hebbend bij.

unconcernedly ['ʌnkən'sə:nidli] ad zie unconcerned.

unconditional(ly) ['ʌnkən'diʃənəl(i)] 1 onvoorwaardelijk; 2 ✕ op genade of ongenade.

unconfessed ['ʌnkən'fest] 1 onbeleden; 2 RK niet gebiecht hebbend.

unconfined ['ʌnkən'faind] niet opgesloten, op vrije voeten; niet in bedwang gehouden; vrij, los; onbeperkt.

unconfirmed ['ʌnkən'fə:md] 1 onbevestigd; 2 zwak, onervaren; niet bevestigd, niet kerkelijk aangenomen.

unconformable ['ʌnkən'fɔ:məbl] niet overeenkomstig.

uncongenial ['ʌnkən'dʒi:niəl] niet verwant; niet sympathiek; onaangenaam.

unconnected ['ʌnkə'nektid] niet met elkaar in betrekking (staand), onsamenhangend; zonder familie.

unconquerable [ʌn'kɔŋkərəbl] niet te veroveren; onoverwinnelijk, onverwinbaar.

unconquered [ʌn'kɔŋkəd] niet veroverd; onoverwonnen.

unconscionable [ʌn'kɔnʃənəbl] aj onredelijk, onbillijk; onverantwoordelijk; onbehoorlijk.

unconscionably [ʌn'kɔnʃənəbli] ad onredelijk &; an ~ long time ongepermitteerd lang.

unconscious(ly) [ʌn'kɔnʃəs(li)] 1 onbewust, onkundig; 2 bewusteloos.

unconsciousness [ʌn'kɔnʃəsnis] 1 onbewustheid; 2 bewusteloosheid.

unconsecrated ['ʌn'kɔnsikreitid] ongewijd.

unconsidered ['ʌnkən'sidəd] buiten beschouwing gelaten; niet (erg) geacht; onoverlegd, ondoordacht, overijld.

unconstitutional ['ʌnkɔnsti'tju:ʃənəl] niet constitutioneel, ongrondwettig.

unconstrained ['ʌnkən'streind] aj ongedwongen.

unconstrainedly ['ʌnkən'streinidli] ad zie unconstrained.

unconstraint ['ʌnkən'streint] ongedwongenheid.

unconsumed ['ʌnkən'sju:md] onverteerd.

uncontaminated ['ʌnkən'tæmineitid] onbesmet[2], onbezoedeld.

uncontestable [ʌnkən'testəbl] onbetwistbaar.

uncontested ['ʌnkən'testid] onbetwist.

uncontrollable [ʌnkən'trouləbl] niet te controleren; niet te beheersen, onbedwingbaar, onbedaarlijk, onbestuurbaar, onhandelbaar; waarover men geen macht heeft.

uncontrolled [ʌnkən'trould] niet gecontroleerd; onbedwongen, onbeteugeld.

uncontroverted [ʌn'kɔntrəvə:tid] onbetwist.

unconverted ['ʌnkən'və:tid] onbekeerd.

unconvinced ['ʌnkən'vinst] niet overtuigd.

uncooked ['ʌn'kukt] ongekookt.

uncord ['ʌn'kɔ:d] losbinden, losmaken.

uncork ['ʌn'kɔ:k] ontkurken. [beterd.

uncorrected ['ʌnkə'rektid] onbestraft; onver-
uncorroborated ['ʌnkə'rɔbərəitid] niet (nader) bevestigd.

uncorrupt(ed) ['ʌnkə'rʌpt(id)] onbedorven, onvervalst.

uncounted ['ʌn'kauntid] ongeteld; talloos.

uncouple ['ʌn'kʌpl] afkoppelen; loskoppelen.

uncourteous ['ʌn'kɔ:tjəs, 'ʌn'kɔ:tjəs] onbeleefd, onhoffelijk, onheus.

uncourtliness ['ʌn'kɔ:tlinis] ongemanierdheid.

uncourtly ['ʌn'kɔ:tli] ongemanierd, lomp.

uncouth [ʌn'ku:θ] vreemd, zonderling; onhandig, lomp; ruw, ruig.

uncover [ʌn'kʌvə] I vt het deksel (de schaal &) afnemen van, ontbloten, blootleggen; ~ed 1 onoverdekt; 2 ✗ zonder dekking; II vi de hoed afzetten.

uncreated ['ʌnkri'eitid] ongeschapen.

uncritical(ly) ['ʌn'kritikəl(i)] onkritisch; kritiekloos.

uncropped ['ʌn'krɔpt] 1 ongeplukt, ongeoogst; 2 ongeknipt [v. het haar].

uncrossed ['ʌn'krɔst] 1 zonder kruis(je); niet kruisgewijs over elkaar; 2 niet gedwarsboomd.

uncrown ['ʌn'kraun] van de kroon beroven.

uncrowned ['ʌn'kraund] ongekroond.

unction ['ʌŋkʃən] zalving[2]; zalf, balsem; extreme ~ RK het H. oliesel.

unctuosity [ʌŋktju'ɔsiti] zalving.

unctuous ['ʌŋktjuəs] zalfachtig, vettig, vetachtig; fig zalvend, stichtelijk.

uncultivable ['ʌn'kʌltivəbl] onbebouwbaar.

uncultivated ['ʌn'kʌltiveitid] onbebouwd; onontgonnen, onontwikkeld [v. d. geest]; onbeschaafd.

uncultured ['ʌn'kʌltʃəd] onbeschaafd.

uncurbed ['ʌn'kə:bd] ongebreideld, ongetemd.

uncurl ['ʌn'kə:l] uit de krul (doen) gaan.

uncurtailed ['ʌnkə:'teild] niet be-, gekort; niet gekortwiekt; onverkort.

uncut ['ʌn'kʌt] ongesneden, ongeknipt; onaangesneden; onaf-, onopengesneden [boek]; onbehouwen; ongeslepen [glas].

undamaged ['ʌn'dæmidʒd] onbeschadigd.

undated ['ʌn'deitid] niet gedateerd.

undaunted [ʌn'dɔ:ntid] onversaagd, onverschrokken; niet afgeschrikt (door by).

undecayed ['ʌndi'keid] niet bedorven, niet vervallen, onverwelkt.

undecaying ['ʌndi'keiiŋ] onveranderlijk, onvergankelijk, onverwelkbaar.

undeceive ['ʌndi'si:v] beter inlichten, de ogen openen, ontgoochelen; ~ yourself on that point ook: maak u daaromtrent geen illusies.

undecided(ly) ['ʌndi'saidid(li), + 'ʌndisaidid-(li)] onbeslist; besluiteloos, weifelend.

undecidedness ['ʌndi'saididnis] onbeslistheid, besluiteloosheid, weifeling.

undecipherable ['ʌndi'saifərəbl] niet te ontcijferen.

undeclinable ['ʌndi'klainəbl] onverbuigbaar.

undecorated ['ʌn'dekəreitid] 1 niet gedecoreerd; 2 onversierd.

undefended ['ʌndi'fendid] onverdedigd.

undefiled ['ʌndi'faild] onbesmet, onbevlekt.

undefinable ['ʌndi'fainəbl] niet (nader) te definiëren.

undefined ['ʌndi'faind] onbepaald.

undeliverable ['ʌndi'livərəbl] ✻ onbestelbaar [v. poststukken].

undemonstrative ['ʌndi'mɔnstrətiv] gereserveerd, gesloten, terughoudend.

undeniable [ʌndi'naiəbl] aj onloochenbaar, niet te ontkennen; ontegenzeglijk; onmiskenbaar.

undeniably [ʌndi'naiəbli] ad zie undeniable.

undenominational ['ʌndinɔmi'neiʃənəl] niet confessioneel [v. scholen &], neutraal.

under ['ʌndə] I prep onder°, beneden, minder dan; volgens, krachtens, in het kader van; ~ corn bezaaid (bebouwd, beplant); he is ~ the doctor hij is onder dokters handen, de dokter gaat over hem; those ~ him ook: zijn ondergeschikten; II ad (er) onder, beneden; as ~ $ als hieronder aangegeven.

underbid ['ʌndə'bid] 1 minder bieden dan; 2 te weinig bieden.

underbidder ['ʌndə'bidə] op één na hoogste bieder.

underbred ['ʌndə'bred] I onopgevoed; 2 koudbloed-, niet volbloed.

under-carriage ['ʌndəkærɪdʒ] onderstel o.

underclothes ['ʌndəklouðz], **underclothing** ['ʌndəklouðiŋ] onderkleren.

undercover [ʌndə'kʌvə] Am geheim; heimelijk; verborgen; ~ man spion.

undercroft ['ʌndəkrɔ:ft] crypt(e), krocht.

undercurrent ['ʌndəkʌrənt] onderstroom[2].

I **undercut** [ʌndə'kʌt] vt I schuin afsnijden; ondergraven; dieper graven dan...; 2 fig onderkruipen.

2 **undercut** ['ʌndəkʌt] sb filet [v. vlees].

underdeveloped ['ʌndədi'veləpt] onderontwikkeld.

under do [ʌndə'du:] niet genoeg braden, niet gaar koken.

underdog ['ʌndədɔg] F onderliggende partij, verdrukte.

underdone [ʌndə'dʌn, + 'ʌndədʌn] niet gaar genoeg, niet genoeg gebraden.

underdose [ʌndə'dous] I vt een te kleine dosis geven; II vi een te kleine dosis nemen; III sb ['ʌndədous] te kleine dosis.

underdress [ʌndə'dres] (vi &) vt (zich) te weinig of te dun kleden.

I **underestimate** [ʌndə'restimeit] vt onderschatten, te laag aanslaan.

2 **underestimate** ['ʌndə'restimit] sb onderschatting, te lage schatting.

underestimation [ʌndəresti'meiʃən] zie 2 underestimate.

under-exposure ['ʌndəriks'pouʒə] onderbelichting [v. foto].

underfed ['ʌndə'fed] ondervoed.

underfeed ['ʌndə'fi:d] I vt te weinig voeden; II vi zich onvoldoende voeden.

underflow ['ʌndəflou] onderstroom[2].

underfoot [ʌndə'fut] onder de voet, onder de voeten; vertreden, vertrapt.

undergarment ['ʌndəga:mənt] onderkleed o.

undergo [ʌndə'gou] ondergaan; lijden.

undergraduate [ʌndə'grædjuit] I sb ⇔ student die zijn eerste graad nog niet behaald heeft; II als aj studenten-.

undergraduette [ʌndəgrædju'et] ⇔ meisjesstudent.

I **underground** [ʌndə'graund] ad onder de aarde, onder de grond; go ~ ondergronds gaan werken [v. organisatie], onderduiken.

2 **underground** ['ʌndəgraund] I aj onderaards, ondergronds; fig onderhands, geheim [intriges &]; II sb in: the ~ I de ondergrondse spoorweg; 2 de ondergrondse (beweging).

undergrown ['ʌndə'groun] niet volgroeid.

undergrowth ['ʌndəgrouθ] kreupelhout o.

I **underhand** [ʌndə'hænd] ad onder de hand, clandestien, tersluik(s).

2 **underhand** ['ʌndəhænd] aj onderhands [intriges], slinks, intrigerend.

underhanded [ʌndə'hændid] aj I te weinig personeel hebbend; 2 zie ook: 2 underhand.

underhandedly [ʌndə'hændidli] ad door slinkse middelen, op slinkse manier.

I **underlay** [ʌndə'lei] vt onderleggen, onderschragen.

2 **underlay** ['ʌndəlei] sb onderlegger.

underlayer ['ʌndə'leiə] onderlaag.

I **underlease** [ʌndə'li:s] vt onderverpachten, onderverhuren.

2 **underlease** ['ʌndəli:s] sb onderverhuring, onderverpachting.

underlet ['ʌndə'let] I onderverhuren; 2 onder de waarde verhuren.

underletter ['ʌndə'letə] onderverhuurder.

underlie [ʌndə'lai] liggen onder; schuilen onder of achter; ten grondslag liggen aan.

underline [ʌndə'lain] vt onderstrepen.

underlinen ['ʌndəlinin] (linnen) ondergoed o.

underling ['ʌndəliŋ] ondergeschikte; (min) sujet o; handlanger.

underlying [ʌndə'laiiŋ] in: the ~ cause de grondoorzaak, de fundamentele oorzaak; zie ook: underlie.

undermanned [ʌndə'mænd] onvoldoende bemand; met te weinig personeel, onderbezet.

undermentioned ['ʌndə'menʃənd] onderstaand.

undermine [ʌndə'main] ondermijnen[2].

undermost ['ʌndəmoust] onderste.

underneath [ʌndə'ni:θ] I prep onder, beneden; II ad hieronder, beneden, van onderen.

underpaid ['ʌndə'peid] slecht betaald.

underpay ['ʌndə'pei] I vt te weinig (loon) betalen; II sb ['ʌndəpei] zie underpayment.

underpayment ['ʌndə'peimənt] te geringe betaling (bezoldiging), te gering loon o.

underpin [ʌndə'pin] (onder)stutten.

underplot ['ʌndəplɔt] bijkomstige handeling [v. drama]; heimelijke intrige.

underpopulated ['ʌndə'pɔpjuleitid] onderbevolkt.

underprivileged [ʌndə'privilidʒd] niet alle rechten genietend.

underproduction ['ʌndəprə'dʌkʃən] te geringe produktie, onderproduktie.

underprop [ʌndə'prɔp] (onder)stutten.

underrate [ʌndə'reit] beneden de waarde schatten, onderschatten.

underrun [ʌndə'rʌn] lopen onder.

underscore [ʌndə'skɔ:] onderstrepen.

under-secretary ['ʌndə'sekritəri] ondersecretaris; ~ of state onderminister.

undersell [ʌndə'sel] I onder de prijs verkopen; 2 voor minder verkopen dan.

underset [ʌndə'set] (onder)stutten. [men.

undershoot ['ʌndə'ʃu:t] ✈ te vroeg neerko-

undershot ['ʌndəʃɔt] in: ~ wheel onderslagrad o [v. molen].

undersign [ʌndə'sain] (onder)tekenen.

under-sized ['ʌndə'saizd, + 'ʌndəsaizd] onder de maat, te klein.

underslip ['ʌndəslip] onderjurk.

underslung [ʌndə'slʌŋ] opgehangen onder...; krom [tabakspijp].

understaffed [ʌndə'sta:ft] met te weinig personeel, onderbezet.

understand [ʌndə'stænd] I vt verstaan, begrijpen; weten [te...]; opvatten; aannemen, (er uit) opmaken; vernemen, horen; *it passes me to ~ how...* het gaat mijn verstand te boven; *what did I ~ you to say?* wat hoorde ik u daar zeggen?; *I was given to ~* men gaf mij te verstaan; *they are understood to have...*, *it is understood that they have...* naar verluidt hebben zij...; *what do you ~ by that?* wat verstaat u daaronder?; II vi & va (het) begrijpen; *do you ~ about horses?* hebt u verstand van paarden? Zie ook: *understood.*

understandable [ʌndə'stændəbl] begrijpelijk, gemakkelijk verstaanbaar.

~ understanded [ʌndə'stændid] in: *~ of the people* verstaanbaar voor de mensen.

understanding [ʌndə'stændiŋ] I aj verstandig, schrander; II sb 1 verstand° o, begrip o; 2 verstandhouding; 3 afspraak, schikking; *on the (distinct) ~ that...* met dien verstande dat..., op voorwaarde dat...; *you must come to an ~ with him* u moet u met hem verstaan.

understandingly [ʌndə'stændiŋli] ad met verstand, met recht begrip.

understate [ʌndə'steit] vt te laag aan-, opgeven; *~ the fact* (nog) beneden de waarheid blijven.

understatement [ʌndə'steitmənt] te lage opgave; (nog) beneden de waarheid blijvende bewering.

understocked [ʌndə'stɔkt] onvoldoende voorzien (van het nodige).

understood [ʌndə'stud] V.T. & V.D. van *understand*; *an ~ thing* 1 een van zelf sprekend iets; 2 afgesproken werk; *make oneself ~* zich verstaanbaar maken.

understudy ['ʌndəstʌdi] I sb doublure [van acteur of actrice]; II vt [ʌndə'stʌdi] [een rol] instuderen om als vervanger van een der spelers te kunnen optreden of invallen; vervangen [een acteur of actrice].

undertake [ʌndə'teik] I vt ondernemen, op zich nemen; zich verbinden; zich belasten met; [een werk] aannemen; II vi F begrafenissen bezorgen.

undertaken [ʌndə'teikn] V.D. van *undertake.*

1 **undertaker** [ʌndə'teikə] 1 ondernemer; 2 aannemer.

2 **undertaker** ['ʌndəteikə] bezorger van begrafenissen; *~'s man* aanspreker.

1 **undertaking** [ʌndə'teikiŋ] 1 onderneming; 2 verbintenis; plechtige belofte.

2 **undertaking** ['ʌndəteikiŋ] begrafenisvak o.

undertenancy ['ʌndə'tenənsi] onderpacht, onderhuur.

undertenant ['ʌndə'tenənt] onderpachter, onderhuurder.

underthings ['ʌndəθiŋz] ondergoed o.

undertone ['ʌndətoun] 1 gedempte toon [ook v. kleuren], ondertoon; 2 tonische slapheid;

in an ~ met gedempte stem, zacht.

undertook [ʌndə'tuk] V.T. van *undertake.*

undertow ['ʌndətou] onderstroom.

undertrump [ʌndə'trʌmp] ondertroeven.

undervaluation ['ʌndəvælju'eiʃən] onderschatting; te lage schatting.

undervalue ['ʌndə'vælju:] onderschatten, onder de waarde schatten; te laag schatten.

undervest ['ʌndəvest] borstrok.

underwater ['ʌndəwɔ:tə] onderwater-, onder water.

underwear ['ʌndəwɛə] ondergoed o.

underwent [ʌndə'went] V.T. van *undergo.*

underwood ['ʌndəwud] kreupel-, hakhout o.

underworld ['ʌndəwə:ld] onderwereld[2].

underwrite [ʌndə'rait] I vt schrijven onder; tekenen voor, intekenen op [lening]; assureren, verzekeren; II vi assureren, assurantiezaken doen.

underwriter ['ʌndəraitə] assuradeur.

underwriting ['ʌndəraitiŋ] assurantie(zaken).

undescribed ['ʌndis'kraibd] onbeschreven.

undeserved ['ʌndi'zə:vd] aj onverdiend.

undeservedly ['ʌndi'zə:vidli] ad onverdiend.

undeserving ['ʌndi'zə:viŋ] het niet verdienend; *be ~ of...* niet verdienen.

undesigned ['ʌndi'zaind] aj onopzettelijk.

undesignedly ['ʌndi'zainidli] ad onopzettelijk.

undesigning(ly) ['ʌndi'zainiŋ(li)] argeloos.

undesirability ['ʌndizaiərə'biliti] ongewenst zijn (onwenselijke) o.

undesirable [ʌndi'zaiərəbl] I aj ongewenst, niet wenselijk; II sb ongewenst individu o.

undesired [ʌndi'zaiəd] niet gewenst.

undesiring [ʌndi'zaiəriŋ], **undesirous** [ʌndi'zaiərəs] geen wensen koesterend, niet verlangend (naar *of*).

undetected ['ʌndi'tektid] onontdekt.

undetermined ['ʌndi'tə:mind] onbeslist; onbepaald; niet besloten, onzeker.

undeterred [ʌndi'tə:d] onverschrokken.

undeveloped [ʌndi'veləpt] onontwikkeld; onontgonnen &.

undeviating [ʌn'di:vieitiŋ] niet afwijkend, onwankelbaar.

undid [ʌn'did] V.T. van *undo.*

undies ['ʌndiz] F (dames)ondergoed o.

undigested ['ʌndi-, 'ʌndai'dʒestid] onverteerd[2]; *fig* onverwerkt [v. het geleerde].

undignified [ʌn'dignifaid] niet in overeenstemming met zijn waardigheid, onwaardig [v. vertoning].

undiluted ['ʌndai'l(j)u:tid] onverdund; *fig* onvervalst, zuiver, puur.

undiminished [ʌndi'miniʃt] onverminderd.

undimmed [ʌn'dimd] onverduisterd[2].

undiscerned [ʌndi'sə:nd] onopgemerkt.

undiscerning [ʌndi'sə:niŋ] niet scherp onderscheidend, niet scherpziend.

undischarged [ʌndis'tʃa:dʒd] 1 niet ontslagen; 2 niet afgedaan, onbetaald; 3 $ niet gerehabiliteerd; 4 ✗ niet afgeschoten.

undisciplined [ʌn'disiplind] ongedisciplineerd, tuchteloos.

undiscoverable [ʌndis'kʌvərəbl] niet te ontdekken.

undiscovered [ʌndis'kʌvəd] onontdekt.

undiscriminating [ʌndis'krimineitiŋ] zie *undiscerning*.

undisguised [ʌndis'gaizd] onvermomd, onverkleed; *fig* onverbloemd, onverholen.

undismayed [ʌndis'meid] onverschrokken.

undisposed [ʌndis'pouzd] in: ~ *of* 1 waarover niet beschikt is; 2 niet begeven, onverkocht.

undisputed [ʌndis'pju:tid] onbetwist.

undissolved [ʌndi'zɔlvd] niet opgelost, onopgelost, niet ontbonden.

undistinguishable [ʌndis'tiŋgwiʃəbl] niet te onderscheiden.

undistinguished [ʌndis'tiŋgwiʃt] niet onderscheiden; zich niet (door niets) onderscheiden hebbend, onbekend, gewoon(tjes).

undisturbed [ʌndis'tə:bd] ongestoord, onverstoord.

undivided(ly) [ʌndi'vaidid(li)] onverdeeld.

undivulged [ʌndi'vʌldʒd] niet openbaar of ruchtbaar gemaakt; ononthuld.

undo [ʌn'du:] losmaken, losbinden, losrijgen, -knopen, -tornen &; openmaken [een pakje]; ongedaan maken, ongeldig maken, te niet doen; te gronde richten, in het verderf storten; vernietigen [hoop &].

undoer [ʌn'duə] verwoester; iemands ongeluk *o*.

undoing [ʌn'duiŋ] (iemands) verderf *o*, ongeluk *o*, ondergang; te niet doen *o* &, zie *undo*.

undomesticated [ʌndə'mestikeitid] niet aan het huiselijk leven gewend; niet getemd.

undone [ʌn'dʌn] 1 ongedaan; 2 ['ʌndʌn] niet gedaan; zie ook: *done, undo* &.

undoubted(ly) [ʌn'dautid(li)] ongetwijfeld; on(be)twijfelbaar.

undoubting [ʌn'dautiŋ] niet twijfelend.

undraped [ʌn'dreipt, + 'ʌndreipt] 1 zonder draperie; 2 onbekleed, naakt.

undreaded [ʌn'dredid] ongevreesd.

undreamed [ʌn'dremt, ʌn'dri:md] niet gedroomd, niet gedacht.

undress [ʌn'dres] I *vt* 1 ont-, uitkleden; 2 het verband afnemen van; II *vi* zich ont-, uitkleden; III *sb* 1 huisgewaad *o*, negligé *o*; 2 ✕ klein tenue *o* & *v*; IV als *aj* ['ʌndres] negligé-; ✕ klein tenue-.

undressed [ʌn'drest] 1 ongekleed; 2 onbereid, onaangemaakt [van sla &]; 3 onbehouwen [v. steen].

undried [ʌn'draid] on(op)gedroogd.

undrinkable [ʌn'driŋkəbl] ondrinkbaar.

undue ['ʌn'dju:] *aj* 1 onbehoorlijk, ongepast; bovenmatig, overdreven; 2 $ (nog) niet vervallen, niet verschuldigd.

undulate ['ʌndjuleit] I *vt* 1 (doen) golven; 2 ♪ doen trillen; II *vi* 1 golven; 2 ♪ trillen.

undulating ['ʌndjuleitiŋ] golvend[2].

undulation [ʌndju'leiʃən] 1 golving, golfbeweging; 2 ♪ vibreren *o* [van toon].

undulatory ['ʌndjuleitəri] golvend, golf-.

unduly ['ʌn'dju:li] *ad* onbehoorlijk; meer dan nodig was, al te (veel).

unduteous [ʌn'dju:tiəs], **undutiful** [ʌn'dju:tiful] oneerbiedig, ongehoorzaam; plichtvergeten.

undyed [ʌn'daid] ongeverfd.

undying [ʌn'daiiŋ] onsterfelijk, onvergankelijk, eeuwig.

unearned ['ʌn'nə:nd] 1 onverdiend; 2 arbeidsloos [v. inkomen]; 3 toevallig [v. waardevermeerdering].

unearth [ʌn'nə:θ] 1 opgraven; 2 rooien; 3 *sp* opjagen [een vos]; 4 aan het licht brengen; 5 F opdiepen.

unearthly [ʌn'nə:θli] niet aards, bovenaards; spookachtig; *at an* ~ *hour* op een onmogelijk (vroeg) uur.

uneasily [ʌ'ni:zili] *ad* zie *uneasy*.

uneasiness [ʌ'ni:zinis] 1 onbehaaglijkheid; 2 gedwongenheid, gegeneerdheid; 3 ongerustheid, onrust, bezorgdheid, angst (over *about, as to, over*); *be under no* ~ zich niet ongerust maken.

uneasy [ʌ'ni:zi] *aj* 1 niet gemakkelijk; 2 onbehaaglijk; 3 niet op zijn gemak, gedwongen, gegeneerd; 4 ongerust, bezorgd (over *about, as to, over*); 5 onrustig.

uneatable [ʌ'ni:təbl] oneetbaar.

uneaten [ʌ'ni:tn] (nog) niet opgegeten.

unedifying [ʌ'nedifaiiŋ] onstichtelijk.

uneducated [ʌ'nedjukeitid] onontwikkeld, onbeschaafd.

unembarrassed ['ʌnim'bærəst] ongedwongen; onbezwaard [v. eigendom].

unemotional [ʌni'mouʃənəl] onaandoenlijk.

unemployed [ʌnim'plɔid] 1 ongebruikt; 2 werkloos, zonder werk (zijnd); *the* ~ de werklozen.

unemployment [ʌnim'plɔimənt] werkloosheid; ~ *benefit* werkloosheidsuitkering.

unencumbered [ʌnin'kʌmbəd] onbelast, onbezwaard [v. eigendom]; zonder kinderen.

unending [ʌ'nendiŋ] eindeloos.

unendowed ['ʌnin'daud] 1 niet begaafd; 2 niet gesubsidieerd.

unendurable ['ʌnin'djuərəbl] ondraaglijk.

unenfranchised ['ʌnin'fræn(t)ʃaizd] niet stemgerechtigd, zonder stemrecht.

unengaged [ʌnin'geidʒd] niet geëngageerd; niet gebonden; niet verpand; niet besproken, niet bezet, vrij.

unengaging(ly) ['ʌnin'geidʒiŋ(li)] niet innemend.

unentertaining [ʌnentə'teiniŋ] niet onderhoudend, niet vermakelijk, vervelend.

unenviable [ʌ'nenviəbl] niet benijdenswaardig.

unenvied [ʌ'nenvid] onbenijd.

unequal [ʌ'ni:kwəl] *aj* ongelijk; ongelijkmatig, oneven; ~ *to the task* niet opgewassen tegen, niet berekend voor de taak.

unequalled [ʌ'ni:kwəld] ongeëvenaard.
unequally [ʌ'ni:kwəli] ad ongelijk; oneven.
unequivocal [ʌni'kwivəkl] ondubbelzinnig.
unerring [ʌ'nə:riŋ] aj nooit falend, nooit missend, onfeilbaar.
unerringly [ʌ'nə:riŋli] ad zonder zich (ooit) te vergissen, zonder te falen of te missen.
UNESCO of Unesco ['ju:neskou] = United Nations Educational, Scientific, and Cultural Organization.
unessential [ʌni'senʃəl] I aj niet essentieel, niet wezenlijk; II sb ～s niet tot het wezen van de zaak behorende dingen, bijkomstigheden, bijzaken.
unestablished [ʌnis'tæbliʃt] 1 ongevestigd; 2 niet vastgesteld.
uneven [ʌ'ni:vən] aj 1 oneven, ongelijk, oneffen; 2 ongelijkmatig.
unevenly [ʌ'ni:vənli] ad ongelijk(matig).
uneventful [ʌni'ventful] arm aan gebeurtenissen, kalm (verlopend).
unexacting [ʌnig'zæktiŋ] niet veeleisend.
unexampled [ʌnig'za:mpld] voorbeeldeloos.
unexceptionable [ʌnik'sepʃənəbl] waar niets tegen in te brengen valt, onaanvechtbaar, onberispelijk.
unexecuted [ʌ'neksikju:tid] onuitgevoerd.
unexercised [ʌ'neksəsaizd] ongeoefend.
unexhausted [ʌnig'zɔ:stid] onuitgeput.
unexpected(ly) [ʌniks'pektid(li)] onverwacht(s), onvoorzien(s).
unexplained ['ʌniks'pleind] onverklaard, onopgehelderd.
unexplored [ʌniks'plɔ:d] niet geëxploreerd.
unexposed [ʌniks'pouzd] niet blootgesteld.
unexpressed [ʌniks'prest] onuitgedrukt.
unextinguished [ʌniks'tiŋgwiʃt] onuitgeblust, ongedoofd.
unfadable [ʌn'feidəbl] niet verschietend [kleuren]; fig niet tanend.
unfaded [ʌn'feidid] onverwelkt; niet verschoten.
unfading [ʌn'feidiŋ] niet verschietend [kleuren]; onverwelkbaar.
unfailing(ly) [ʌn'feiliŋ(li)] nooit falend, onfeilbaar, zeker, onuitputtelijk [voorraad].
unfair(ly) [ʌn'fɛə(li)] onbillijk, oneerlijk.
unfairness [ʌn'fɛənis] onbillijkheid, oneerlijkheid.
unfaithful [ʌn'fei θful] ontrouw, trouweloos.
unfaltering(ly) [ʌn'fɔ:ltəriŋ(li)] onwankelbaar, zonder haperen of weifelen.
unfamiliar ['ʌnfə'miljə] 1 ongewoon; 2 niet vertrouwd of bekend (met with).
unfamiliarity ['ʌnfəmili'æriti] 1 ongewoonheid; 2 onbekendheid (met with).
unfashionable [ʌn'fæʃənəbl] niet naar de mode; niet chic.
unfashioned [ʌn'fæʃənd] ongevormd, ongefatsoeneerd, onbewerkt.
unfasten [ʌn'fa:sn] losmaken, openmaken.
unfathomable [ʌn'fæðəməbl] onpeilbaar², grondeloos², ondoorgrondelijk.
unfathomed [ʌn'fæðəmd] ongepeild, ondoorgrond.
unfavourable [ʌn'feivərəbl] aj ongunstig.
unfavourably [ʌn'feivərəbli] ad ongunstig; look ～ upon met geen gunstig oog aanzien.
unfeasible [ʌn'fi:zibl] ondoenlijk.
unfeathered [ʌn'feðəd] ongevederd.
unfed ['ʌn'fed] ongevoed(erd), ongespijsd.
unfeeling(ly) [ʌn'fi:liŋ(li)] ongevoelig, gevoelloos, wreed, hard(vochtig).
unfeigned [ʌn'feind] aj ongeveinsd.
unfeignedly [ʌn'feinidli] ad zie unfeigned.
unfelt [ʌn'felt] niet gevoeld.
unfeminine [ʌn'feminin] onvrouwelijk.
unfetter [ʌn'fetə] ontketenen, bevrijden.
unfettered [ʌn'fetəd] onbelemmerd, vrij.
unfilial [ʌn'filjəl] onkinderlijk.
unfilled [ʌn'fild] ongevuld, leeg; ～ in 1 oningevuld; 2 onbezet; ～ up 1 onopgevuld; 2 oningevuld.
unfinished [ʌn'finiʃt] onafgemaakt, onvoleind(igd), onafgewerkt, onvoltooid.
unfit [ʌn'fit] I aj ongeschikt, onbekwaam, ongepast (voor for); ～ to be trusted niet te vertrouwen; II vt ongeschikt maken.
unfitted [ʌn'fitid] ongeschikt (gemaakt); niet aangebracht, niet ingericht &.
unfitting [ʌn'fitiŋ] 1 niet (bij elkaar) passend; 2 onbetamelijk.
unfix [ʌn'fiks] losmaken; ～ bayonets ✕ bajonet af!
unfixed [ʌn'fikst] niet vastgemaakt &; zie ook: unsettled.
unflagging [ʌn'flægiŋ] onverslapt, onverflauwd; ～ zeal onverdroten ijver.
unflappable [ʌn'flæpəbl] S onverstoorbaar.
unflattering(ly) [ʌn'flætəriŋ(li)] weinig vleiend, allesbehalve vleiend.
unfledged ['ʌn'fledʒd] ❧ zonder veren, kaal; fig onervaren.
unflinching(ly) [ʌn'flinʃiŋ(li)] onwankelbaar, onwrikbaar, onversaagd.
unfold [ʌn'fould] I vt 1 ontvouwen², ontplooien², uitspreiden², openvouwen, openen; onthullen, openbaren; 2 uitlaten [uit schaapskooi]; II vi zich ontplooien, zich uitspreiden, opengaan.
unforced [ʌn'fɔ:st] ongedwongen.
unfordable [ʌn'fɔ:dəbl] ondoorwaadbaar.
unforeseen [ʌnfɔ:'si:n] onvoorzien.
unforgettable [ʌnfə'getəbl] onvergetelijk.
unforgivable [ʌnfə'givəbl] onvergeeflijk.
unforgiven [ʌnfə'givn] onvergeven.
unforgiving [ʌnfə'giviŋ] niets vergevend; onverzoenlijk.
unforgotten [ʌnfə'gɔtn] 1 onvergeten; 2 onvergetelijk.
unformed ['ʌn'fɔ:md] nog ongevormd²; niet in gelid opgesteld, onregelmatig geplaatst.
unfortified [ʌn'fɔ:tifaid] onversterkt.
unfortunate [ʌn'fɔ:tʃənit] I aj ongelukkig², niet gelukkig; II sb ongelukkige.

unfortunately [ʌn'fɔ:tʃənitli] *ad* ongelukkig, ongelukkigerwijze, helaas.

unfounded(ly) [ʌn'faundid(li)] ongegrond.

unframed ['ʌn'freimd] 1 ongevormd; 2 niet ingelijs', zonder lijst.

unfreeze [ʌn'fri:z] ontdooien; $ deblokkeren; ~ *wages* de loonstop opheffen.

unfrequent [ʌn'fri:kwənt] *aj* zeldzaam; *of* ~ *occurrence* zelden voorkomend.

unfrequented [ʌnfri'kwentid] onbezocht.

unfrequently [ʌn'fri:kwəntli] *ad* niet dikwijls, zelden; *not* ~ niet zelden.

unfriendliness [ʌn'frendlinis] onvriendschappelijkheid &.

unfriendly [ʌn'frendli] onvriendschappelijk, onvriendelijk, onaardig (voor *to*).

unfrock [ʌn'frɔk] de kiel & uittrekken; van het geestelijk kleed beroven.

unfrozen [ʌn'frouzn] onbevroren; ontdooid; $ gedeblokkeerd.

unfruitful [ʌn'fru:tful] onvruchtbaar.

unfulfilled [ʌnful'fild] onvervuld.

unfunded ['ʌnfʌndid] $ ongefundeerd.

unfurl [ʌn'fɔ:l] I *vt* uitspreiden, ontplooien, ontrollen; II *vi* zich ontplooien.

unfurnished ['ʌn'fɔ:niʃt] niet voorzien (van het nodige), inz. ongemeubileerd.

ungainliness [ʌn'geinlinis] onbevalligheid &.

ungainly [ʌn'geinli] onbevallig, lomp.

ungarnished [ʌn'ga:niʃt] ongegarneerd, ongestoffeerd; onopgesmukt.

ungear [ʌn'giə] ※ af-, ontkoppelen.

ungenerous [ʌn'dʒenərəs] onedelmoedig, onedel(aardig); niet royaal.

ungenial ['ʌn'dʒi:niəl] 1 niet of weinig groeizaam, guur [v. weer]; 2 onvriendelijk, onaangenaam.

ungenteel [ʌndʒen'ti:l] onnet, minder net.

ungentle ['ʌn'dʒentl] *aj* onzacht, ruw.

ungentlemanly [ʌn'dʒentlmənli] niet zoals het een gentleman betaamt.

ungently [ʌn'dʒentli] *ad* op onzachte, ruwe wijze.

unget-at-able ['ʌnge'tætəbl] niet te bereiken.

ungird [ʌn'gə:d] losgorden.

ungirt [ʌn'gə:t] ongegord, losgegord.

ungiving [ʌn'giviŋ] niet meegevend.

unglazed ['ʌn'gleizd] 1 onverglaasd; 2 zonder ruiten.

ungloved ['ʌn'glʌvd] zonder handschoenen

unglue ['ʌn'glu:] losmaken, -weken. [aan².

ungodliness [ʌn'gɔdlinis] goddeloosheid, verdorvenheid, zondigheid.

ungodly [ʌn'gɔdli] goddeloos, zondig.

ungovernable [ʌn'gʌvənəbl] niet te regeren, ontembaar, tomeloos.

ungraceful [ʌn'greisful] ongracieus, onbevallig, onsierlijk, plomp, lomp.

ungracious [ʌn'greiʃəs] ongracieus; onwillig; niet van harte komend; onheus, onvriendelijk; onaangenaam.

ungrammatical [ʌngrə'mætikl] ongrammatikaal, ontaalkundig.

ungrateful [ʌn'greitful] 1 ondankbaar [ook v. zaken]; 2 onaangenaam [v. zaken].

ungratified [ʌn'grætifaid] onbevredigd.

ungrounded [ʌn'graundid] ongegrond.

ungrudging [ʌn'grʌdʒiŋ] van harte komend, gaarne gegund, royaal.

unguarded [ʌn'ga:did] 1 onbewaakt; onvoorzichtig; 2 „sec" [in 't kaartspel].

unguent ['ʌŋgwənt] zalf, smeersel *o*.

unguessed [ʌn'gest] niet geraden; ongegist.

unguided [ʌn'gaidid] zonder gids of geleide.

unhackneyed [ʌn'hæknid] niet afgezaagd.

unhallow [ʌn'hælou] ontheiligen, ontwijden; ~*ed* ook: ongewijd, goddeloos; *my* ~*ed hands* ook: mijn schendige hand.

unhampered [ʌn'hæmpəd] onbelemmerd, ongehinderd.

unhandily [ʌn'hændili] *ad* onhandig.

unhandsome [ʌn'hænsəm] niet mooi, lelijk.

unhandy [ʌn'hændi] *aj* onhandig.

unhang [ʌn'hæŋ] afhangen; afnemen.

unhanged [ʌn'hæŋd] 1 onopgehangen²; 2 ongehangen.

unhappily [ʌn'hæpili] *ad* ongelukkig(erwijze).

unhappiness [ʌn'hæpinis] ongelukkig zijn *o*; verdrietigheid, ontevredenheid.

unhappy [ʌn'hæpi] *aj* ongelukkig²; verdrietig, ontevreden.

unharboured [ʌn'ha:bəd] onbeschut.

unharmed [ʌn'ha:md] onbeschadigd, ongekwetst, ongedeerd.

unharmonious(ly) [ʌnha:'mounjəs(li)] onwelluidend, niet harmonisch.

unharness [ʌn'ha:nis] 1 aftuigen, uitspannen [een paard]; 2 van het harnas ontdoen.

unhatched ['ʌn'hætʃt] onuitgebroed.

unhealthful [ʌn'helθful] ongezond.

unhealthily [ʌn'helθili] *ad* ongezond².

unhealthiness [ʌn'helθinis] ongezondheid².

unhealthy [ʌn'helθi] *aj* 1 ongezond²; 2 ✕ $ (levens)gevaarlijk, niet pluis.

unheard [ʌn'hə:d] niet gehoord, ongehoord; niet aangehoord; 𝑡𝑡 onverhoord; ~*-of* [ʌn'hɔ:dəv] ongehoord [iets].

unheeded [ʌn'hi:did] 1 on(op)gemerkt; 2 veronachtzaamd, miskend; in de wind geslagen [v. waarschuwing &].

unheeding [ʌn'hi:diŋ] onachtzaam, achteloos, zorgeloos; ~ *of* niet lettend op.

unhelpful [ʌn'helpful] onhulpvaardig; nutteloos, ondienstig.

unhesitating(ly) [ʌn'heziteitiŋ(li)] zonder aarzelen, niet aarzelend, vastberaden.

unhewn [ʌn'hju:n] onbehouwen, ruw.

unhidden [ʌn'hidn] niet verborgen.

unhindered [ʌn'hindəd] ongehinderd.

unhinge [ʌn'hin(d)ʒ] uit de hengsels lichten; uit zijn gewone doen brengen; *fig* overstuur maken.

unhitch [ʌn'hitʃ] los-, afhaken [de spreekbuis]; af-, uitspannen [de paarden].

unholily [ʌn'houlili] *ad* zie *unholy*.

unholiness [ʌn'houlinis] onheiligheid.

unholy [ʌn'houli] *aj* onheilig, onzalig, goddeloos; < vreselijk; *at an ~ hour* op een onmogelijk (vroeg) uur.

unhonoured [ʌ'nɔnəd] ongeëerd.

unhood [ʌn'hud] de kap afnemen.

unhook [ʌn'huk] af-, loshaken.

unhoped(-for) [ʌn'houpt(fɔ:)] niet verwacht.

unhorse [ʌn'hɔ:s] van het paard werpen.

unhoused [ʌn'hauzd] zonder huis.

unhung [ʌn'hʌŋ] V.T. & V.D. van *unhang*.

unhurt [ʌn'hə:t] onbezeerd, ongedeerd.

unhusk [ʌn'hʌsk] doppen.

unicorn [ʃu'nikɔ:n] eenhoorn.

unification [ju:nifi'keiʃən] unificatie.

uniform [ʃu:nifɔ:m] I *aj* uniform, een-, gelijkvormig; gelijkmatig, (steeds) gelijk, onveranderlijk; eensluidend [afschrift]; eenparig [v. beweging]; II *sb* uniform *o* & *v*; *in full~* in groot tenue; III *vt* 1 uniform maken; 2 uniformeren.

uniformity [ju:ni'fɔ:miti] uniformiteit, gelijkheid; een-, gelijkvormigheid; gelijkmatigheid; eenparigheid [v. beweging].

uniformly [ʃu:nifɔ:mli] *ad* uniform, zich gelijk blijvend, steeds op dezelfde manier.

unify [ʃu:nifai] één maken, uniëren, veren(ig)en; eenheid brengen in.

unilateral [ju:ni'lætərəl] 1 eenzijdig; 2 slechts ter eene bindend [v. contract].

unimaginable [ʌni'mædʒinəbl] ondenkbaar, onbegrijpelijk.

unimaginative [ʌni'mædʒinətiv] fantasieloos.

unimagined [ʌni'mædʒind] ongedacht.

unimpaired [ʌnim'pɛəd] ongeschonden, onverzwakt.

unimpassioned [ʌnim'pæʃənd] bedaard.

unimpeachable [ʌnim'pi:tʃəbl] onberispelijk; onaantastbaar, onbetwistbaar, onwraakbaar.

unimpeached [ʌnim'pi:tʃt] 1 niet beschuldigd; 2 onbetwist, ongewraakt.

unimpeded [ʌnim'pi:did] onbelemmerd, onverlet, ongehinderd.

unimportance [ʌnim'pɔ:təns] onbelangrijkheid.

unimportant [ʌnim'pɔ:tənt] onbelangrijk.

unimpressed [ʌnim'prest] 1 niet onder de indruk, onbewogen; 2 ongestempeld.

unimpressionable [ʌnim'preʃənəbl] weinig vatbaar voor indrukken.

unimpressive [ʌnim'presiv] weinig indruk makend.

unimprovable [ʌnim'pru:vəbl] onverbeterlijk.

unimproved [ʌnim'pru:vd] 1 onverbeterd; 2 onbewerkt, onbebouwd [van land].

uninflammable [ʌnin'flæməbl] niet ontvlambaar; onbrandbaar.

uninfluenced [ʌ'ninfluənst] niet beïnvloed.

uninfluential [ʃʌninflu'enʃəl] weinig (geen) invloed hebbend, zonder invloed.

uninformed [ʃʌnin'fɔ:md] niet op de hoogte (gebracht), onwetend.

uninforming [ʃʌnin'fɔ:miŋ] weinig zeggend, niets verklarend; niet leerrijk.

uninhabitable [ʌnin'hæbitəbl] onbewoonbaar.

uninhabited [ʌnin'hæbitid] onbewoond.

uninhibited [ʌnin'hibitid] ongeremd; ongedwongen; tomeloos.

uninitiated [ʌni'niʃieitid] oningewijd.

uninjured [ʌ'nin(d)ʒəd] onbenadeeld; ongeschonden, onbeschadigd, ongedeerd.

uninspired [ʌnin'spaiəd] onbezield, geesteloos.

uninspiring [ʌnin'spaiəriŋ] waar geen bezielende invloed van uitgaat, niet levendig, saai, tam, zwak.

uninstructed [ʌnin'strʌktid] niet onderwezen.

uninstructive [ʌnin'strʌktiv] 1 niet leerzaam.

uninsured [ʃʌnin'ʃuəd] onverzekerd.

unintelligent [ʌnin'telidʒənt] niet intelligent, weinig schrander.

unintelligibility [ʃʌnintelidʒi'biliti] onverstaanbaarheid, onbegrijpelijkheid.

unintelligible [ʃʌnin'telidʒibl] *aj* onverstaanbaar, onbegrijpelijk.

unintelligibly [ʃʌnin'telidʒibli] *ad* onverstaanbaar, onbegrijpelijk.

unintentional [ʃʌnin'tenʃənəl] onopzettelijk.

uninterested [ʌ'nintrestid] niet geïnteresseerd (bij), zonder belangstelling.

uninteresting [ʌ'nintrestiŋ] oninteressant.

unintermitted [ʃʌnintə'mitid] onafgebroken.

unintermittent(ly) [ʃʌnintə'mitənt(li)] onafgebroken, zonder tussenpozen.

uninterrupted(ly) [ʌnintə'rʌptid(li)] onafgebroken, zonder onderbreking.

uninvestigable [ʃʌnin'vestigəbl] onnaspeurlijk.

uninvited [ʌnin'vaitid] niet uitgenodigd, ongenood, ongevraagd.

uninviting [ʌnin'vaitiŋ] weinig aanlokkelijk of aantrekkelijk, weerzinwekkend.

union [ʃu:njən] aaneenvoeging, vereniging, verbinding; verbond *o*; unie; verbintenis [ook = huwelijk]; heling [v. wond]; vakvereniging, arbeidersvereniging; eendracht(igheid), eensgezindheid; district *o* belast met uitvoering van de armwetten; armenwerkhuis *o* van een *union*; *~ is strength* eendracht maakt macht.

unionism [ʃu:njənizm] arbeidersverenigingswezen *o*; unionistische gezindheid.

unionist [ʃu:njənist] I *sb* 1 unieman; 2 lid *o* v. arbeidersvereniging; II als *aj* unionistisch.

Union Jack [ʃu:njən'dʒæk] de Engelse unievlag.

union-workhouse [ʃu:njənwə:khaus] armenwerkhuis *o* (van een *union*).

unique [ju'ni:k] I *aj* énig (in zijn soort), uniek, ongeëvenaard; II *sb* unicum *o*.

uniquely [ju'ni:kli] *ad* enig (en alleen).

unison [ʃu:nizn] 1 eenklank; 2 gelijkheid van klank, gelijkluidendheid, overeenstemming; *in ~* 1 ♪ unisono; 2 *fig* gelijkgestemd, eenstemmig, eensgezind; *in ~ with* in harmonie met.

unit ['ju:nit] eenheid; onderdeel *o*, afdeling [v. leger, vloot &]; troep; stuk *o*, stel *o*, compleet toestel *o* &; ✗ aggregaat *o* [v. machines &]; $ aandeel *o*.

unitarian [ju:ni'tɛəriən] I *sb* unitariër [in de politiek & die slechts één persoon in God erkent]; II als *aj* unitaristisch.

unite [ju'nait] I *vt* aaneenvoegen, verbinden, verenigen; bijeenvoegen; II *vi* zich verenigen, zich verbinden (met *with*); ∼ *in* ...*ing* ook: samenwerken om te...

united [ju'naitid] *aj* verenigd, vereend, bijeen; eendrachtig; *the United Kingdom* het Verenigd Koninkrijk: Groot-Brittannië en Noord-Ierland; *United Nations (Organization)* (Organisatie der) Verenigde Naties; *the United States* de Verenigde Staten (van Amerika).

unitedly [ju'naitidli] *ad* verenigd, eendrachtig.

unity ['ju:niti] eenheid, eendracht(igheid), overeenstemming; *be at* ∼ eendrachtig zijn; eensgezind zijn; het eens zijn.

universal [ju:ni'və:səl] *aj* algemeen, universeel [ook = alzijdig]; wereld-; ∼ *legatee* universeel erfgenaam; ∼ *provider* leverancier van alle mogelijke waren.

universality [ju:nivə:'sæliti] algemeenheid; alzijdigheid; alomvattendheid.

universally [ju:ni'və:səli] *ad* algemeen [ook = alzijdig]; allerwegen.

universe ['ju:nivə:s] heelal *o*, wereld.

university [ju:ni'və:siti] I *sb* hogeschool, academie, universiteit; II als *aj* universiteits-, universitair, academisch.

unjointed [ʌn'dʒɔintid] 1 zonder geledingen; 2 ontwricht.

unjust [ʌn'dʒʌst] *aj* 1 onrechtvaardig, onbillijk; 2 onzuiver [weegschaal].

unjustifiable [ʌn'dʒʌstifaiəbl] niet te rechtvaardigen, niet te verdedigen, onverantwoordelijk.

unjustly [ʌn'dʒʌstli] *ad* zie *unjust*; *not* ∼ ook: niet ten onrechte.

unkempt ['ʌn'kemt] ongekamd; *fig* slordig, onverzorgd, niet onderhouden.

unkept ['ʌn'kept] 1 niet gehouden, niet onderhouden, niet bewaard; 2 ongevierd.

unkind [ʌn'kaind] *aj* onvriendelijk.

unkindly [ʌn'kaindli] I *aj* zie *unkind*; II *ad* onvriendelijk, (wat) onheus (was).

unknit [ʌn'nit] lostrekken, losmaken; [het voorhoofd] ontfronsen.

unknowable [ʌn'nouəbl] onkenbaar.

unknowing [ʌn'nouiŋ] *aj* 1 niet kennend; 2 onwetend, onkundig.

unknowingly [ʌn'nouiŋli] *ad* zonder het (zelf) te weten, zich niet daarvan bewust.

unknown ['ʌn'noun] I *aj* niet bekend, onbekend; ongekend; *he did it* ∼ *to me* buiten mijn weten; II *sb the* ∼ het of de onbekende.

unlace [ʌn'leis] losrijgen.

unlade [ʌn'leid] ontladen, afladen, lossen.

unladylike [ʌn'leidilaik] niet zoals 't een lady of een echte dame betaamt.

unlamented ['ʌnlə'mentid] onbeweend, onbeklaagd, onbetreurd.

unlatch [ʌn'lætʃ] van de klink doen.

unlawful ['ʌn'lɔ:ful] onwettig, onrechtmatig.

unlearn ['ʌn'lə:n] verleren, afleren.

unlearned 1 ['ʌn'lə:nid] niet geleerd [personen], ongeleerd; onwetend; 2 [ʌn'lə:nt] niet geleerd [lessen]; niet door studie verkregen.

unleash [ʌn'li:ʃ] loslaten [honden]; ontketenen.

unleavened ['ʌn'levnd] ongezuurd. [nen.

unless [ʌn'les] tenzij, indien... niet.

unlettable [ʌn'letəbl] onverhuurbaar.

unlettered ['ʌn'letəd] 1 niet gemerkt [met letters]; 2 ongeletterd [persoon].

unlicensed ['ʌn'laisənst] zonder verlof of vergunning, zonder patent, onbevoegd.

unlicked [ʌn'likt] ongelikt², onbehouwen.

unlighted [ʌn'laitid] 1 niet verlicht; 2 niet aangestoken.

unlike [ʌn'laik] niet gelijkend (op); ongelijk; verschillend van, anders dan; *they are (utterly)* ∼ ze lijken niet(s) op elkaar; *that is so* ∼ *him* daar is hij (helemaal) de man niet naar.

unlikelihood [ʌn'laiklihud], **unlikeliness** [ʌn'laiklinis] onwaarschijnlijkheid.

unlikely [ʌn'laikli] onwaarschijnlijk; *he is not* ∼ *to*... het is niet onwaarschijnlijk dat hij...

unlimber [ʌn'limbə] ✗ afleggen [kanon].

unlimited [ʌn'limitid] onbegrensd, onbepaald, onbeperkt, vrij; ongelimiteerd.

unlink [ʌn'liŋk] ontschakelen, losmaken.

unload [ʌn'loud] I *vt* ontlasten, ontladen, lossen; II *vi* afladen, lossen.

unlock [ʌn'lɔk] ontsluiten², opensluiten; van elkaar doen [de handen of vingers]; ∼*ed* ook: niet afgesloten, niet op slot.

unlooked-for [ʌn'luktfɔ:] onverwacht.

unloose(n) [ʌn'lu:s(n)] losmaken, vrijlaten.

unloved ['ʌn'lʌvd] onbemind.

unloveliness ['ʌn'lʌvlinis] onbeminnelijkheid &.

unlovely ['ʌnlʌvli] onbeminnelijk; onaantrekkelijk, niets mooi.

unluckily [ʌn'lʌkili] *ad* ongelukkig(erwijs).

unluckiness [ʌn'lʌkinis] ongeluk *o*; onvoorspoedigheid.

unlucky [ʌn'lʌki] *aj* ongelukkig°.

unmade ['ʌn'meid] I V.T. & V.D. van *unmake*; II *aj* 1 (nog) ongemaakt; 2 onopgemaakt [v. japon]; 3 ongebaand.

unmaidenly [ʌn'meidnli] onjonkvrouwelijk.

unmake ['ʌn'meik] te niet doen, vernietigen; ruïneren; afzetten [uit ambt &].

unman [ʌn'mæn] 1 verwijven; 2 ontmoedigen; 3 van manschappen beroven; ∼*ned* ook: onbemand [ruimtevaartuig, vlucht].

unmanageable [ʌn'mænidʒəbl] 1 niet te regeren; ♃ onbestuurbaar; 2 *fig* onhandelbaar; lastig; 3 onhandig [v. formaat].

unmanly [ʌn'mænli] onmannelijk.

unmannered [ʌn'mænəd] ongemanierd.

unmannerliness [ʌn'mænəlinis] ongemanierdheid, onhebbelijkheid.

unmannerly [ʌn'mænəli] ongemanierd, onhebbelijk, minder net.

unmarked ['ʌn'ma:kt] ongemerkt.

unmarketable [ʌn'ma:kitəbl] $ onverkoopbaar, incourant.

unmarried ['ʌn'mærid] ongehuwd.

unmask [ʌn'ma:sk] I vt het masker afrukken[2], ontmaskeren; II vi het masker afzetten.

unmasked [ʌn'ma:skt] 1 ontmaskerd; 2 ongemaskerd.

unmasted [ʌn'ma:stid] ⚓ zonder mast.

unmastered [ʌn'ma:stəd] onvermeesterd; onbedwongen.

unmatched ['ʌn'mætʃt] waarvan geen tweede is; ongeëvenaard, weergaloos, enig.

unmated [ʌn'meitid] ongepaard [dieren &].

unmeaning(ly) [ʌn'mi:niŋ(li)] nietsbetekenend, onbeduidend; nietszeggend.

unmeant [ʌn'ment] 1 niet (kwaad) gemeend; 2 onopzettelijk.

unmeasurable [ʌn'meʒərəbl] onmetelijk.

unmeditated ['ʌn'mediteitid] onoverdacht, niet vooraf bedacht of beraamd.

unmeet ['ʌn'mi:t] ongeschikt, ongepast.

unmentionable [ʌn'menʃənəbl] onnoembaar.

unmentioned [ʌn'menʃənd] onvermeld.

unmerchantable [ʌn'mə:tʃəntəbl] $ onverkoopbaar, incourant.

unmerciful [ʌn'mə:siful] 1 onbarmhartig (jegens to, upon); 2 F onmenselijk.

unmerited [ʌn'meritid] onverdiend.

unmindful [ʌn'maindful] in: ~ of zonder acht te slaan op, niets gevend om; niet indachtig aan, vergetend.

unmingled [ʌn'miŋgld] ongemengd.

unmistakable ['ʌnmis'teikəbl] aj onmiskenbaar, niet mis te verstaan.

unmistakably ['ʌnmis'teikəbli] ad zie unmistakable.

unmitigated [ʌn'mitigeitid] onverzacht, onverminderd; fig onvervalst, doortrapt; kolossaal; ~ rubbish je reinste kletspraat.

unmixed ['ʌn'mikst, + 'ʌnmikst] ongemengd, onvermengd.

unmodifiable [ʌn'mɔdifaiəbl] niet te wijzigen.

unmodified [ʌn'mɔdifaid] ongewijzigd.

unmolested [ʌnmə'lestid] niet gemolesteerd, ongehinderd, ongestoord.

unmoor [ʌn'muə] I vt ⚓ losmaken, losgooien; II vi losgooien.

unmortgaged [ʌn'mɔ:gidʒd] onbezwaard.

unmounted [ʌn'mauntid] 1 ✗ onbereden; 2 (nog) niet gemonteerd.

unmourned [ʌn'mɔ:nd] onbetreurd.

unmoved [ʌn'mu:vd] 1 onbewogen, ongeroerd; 2 onbeweeglijk; 3 standvastig.

unmusical [ʌn'mju:zikl] 1 onwelluidend; 2 niet muzikaal.

unmuzzle [ʌn'mʌzl] de muilband afdoen.

unnamed [ʌn'neimd] 1 ongenoemd; 2 naamloos, zonder naam.

unnatural [ʌn'nætʃrəl] aj 1 onnatuurlijk, ontaard; 2 tegennatuurlijk.

unnaturally [ʌn'nætʃrəli] ad onnatuurlijk.

unnavigable [ʌn'nævigəbl] onbevaarbaar.

unnecessarily [ʌn'nesisərili] ad zie unnecessary I.

unnecessariness [ʌn'nesisərinis] onnoodzakelijkheid.

unnecessary [ʌn'nesisəri] I aj niet noodzakelijk, onnodig, nodeloos; II sb in: unnecessaries niet noodzakelijke dingen.

unneeded [ʌn'ni:did] niet nodig, onnodig.

unneighbourly [ʌn'neibəli] onbuurschappelijk, niet zoals het goede buren betaamt.

unnerve [ʌn'nə:v] ontzenuwen, verlammen; [iemand] zijn zelfvertrouwen doen verliezen; van streek brengen.

unnoted [ʌn'noutid] onopgemerkt.

unnoticeable [ʌn'noutisəbl] niet merkbaar.

unnoticed [ʌn'noutist] onopgemerkt.

unnumbered [ʌn'nʌmbəd] ongeteld, talloos; ongenummerd.

UNO of **Uno** ['ju:nou] = United Nations Organization.

unobjectionable [ʌnəb'dʒekʃənəbl] onberispelijk; onaanstotelijk; it is ~ ook: er valt niets tegen in te brengen.

unobservable [ʌnəb'zə:vəbl] niet waarneembaar, niet te zien, onbemerkbaar.

unobservant [ʌnəb'zə:vənt] onoplettend, onopmerkzaam; be ~ of niet waarnemen, niet nakomen [v. regels &].

unobserved [ʌnəb'zə:vd] onopgemerkt.

unobstructed [ʌnəb'strʌktid] onbelemmerd.

unobtainable [ʌnəb'teinəbl] niet te (ver)krijgen.

unobtrusive [ʌnəb'tru:siv] niet in 't oog vallend; niet indringerig, bescheiden.

unoccupied [ʌ'nɔkjupaid] niets om handen hebbend, niet bezig; vrij, onbezet, leegstaand, onbewoond.

unoffending [ʌnə'fendiŋ] niet aanstotelijk; geen kwaad doend, onschuldig.

unofficial ['ʌnə'fiʃəl] niet officieel; ~ strike wilde staking.

unofficious ['ʌnə'fiʃəs] niet opdringerig.

unoften [ʌ'nɔ:fən] in: not ~ niet zelden.

unopened [ʌ'noupənd] ongeopend, onopengesneden.

unopposed [ʌnə'pouzd] 1 ongehinderd; 2 zonder verzet, zonder oppositie; 3 zonder tegenkandidaat.

unorganized [ʌ'nɔ:gənaizd] 1 niet georganiseerd; 2 onbewerktuigd, zonder organen.

unorthodox [ʌ'nɔ:θədɔks] 1 onrechtzinnig, ketters[2]; 2 ongewoon; 3 onecht.

unostentatious(ly) ['ʌnɔsten'teiʃəs(li)] zonder uiterlijk vertoon of kale drukte, eenvoudig, niet in 't oog vallend, bescheiden.

unowned ['ʌ'nound] 1 zonder eigenaar; onbeheerd; 2 niet erkend (toegegeven).

unpack ['ʌn'pæk] uitpakken, afladen.

unpaid ['ʌn'peid] 1 onbetaald; onbezoldigd; 2 ✆ ongefrankeerd; ~ for onbetaald.

unpaired [ʌn'pɛəd] ongepaard.
unpalatable [ʌn'pælətəbl] onsmakelijk, minder aangenaam [v. waarheden], onverkwikkelijk [debat].
unparalleled [ʌn'pærəleld] weergaloos, onge-evenaard.
unpardonable [ʌn'pa:dnəbl] onvergeeflijk.
unpardoned [ʌn'pa:dnd] 1 geen vergiffenis verkregen hebbende; 2 onvergeven.
unpardoning [ʌn'pa:dniŋ] niet vergevend.
unparliamentary ['ʌnpa:lə'mentəri] onparlementair°.
unpatriotic(ally) ['ʌnpætri'ɔtik(əli)] onvaderlandslievend.
unpaved ['ʌn'peivd, + 'ʌnpeivd] onbestraat, ongeplaveid.
unpeople [ʌn'pi:pl] ontvolken.
unpeopled [ʌn'pi:pld] ontvolkt; niet bevolkt.
unperceived [ʌnpə'si:vd] ongemerkt.
unperformed [ʌnpə'fɔ:md] niet uitgevoerd &; ongedaan, onverricht.
unpersuadable [ʌnpə'sweidəbl] niet over te halen, niet te overreden of te overtuigen.
unperturbed [ʌnpə'tə:bd] onverstoord.
unphilosophical [ʌnfilə'sɔfikl] niet filosofisch, onwijsgerig.
unpick [ʌn'pik] lostornen [naad].
unpin [ʌn'pin] losspelden.
unpitied [ʌn'pitid] onbeklaagd.
unplaced [ʌn'pleist] ongeplaatst.
unpleasant [ʌn'plezənt] onplezierig; onaangenaam, onbehaaglijk; *the police make themselves ~ to...* beginnen het de... weer lastig te maken.
unpleasantness [ʌn'plezəntnis] onaangenaamheid; onplezierigheid, onbehaaglijkheid.
unpleasing [ʌn'pli:ziŋ] niet behagend; onbehaaglijk, onaangenaam.
unpliant [ʌn'plaiənt] onbuigzaam.
unplumbed [ʌn'plʌmd] ongepeild².
unpocket [ʌn'pɔkit] uit zijn zak halen.
unpoetical [ʌnpou'etikl] niet poëtisch.
unpoised [ʌn'pɔizd] niet in evenwicht (gebracht), uit het evenwicht gebracht.
unpolished [ʌn'pɔliʃt] ongepolijst; *fig* onbeschaafd, ruw.
unpolluted [ʌnpə'l(j)u:tid] onbezoedeld, onbe-unpopular [ʌn'pɔpjulə] impopulair. [smet.
unpopularity [ʌnpɔpju'læriti] impopulariteit, onbemindheid.
unpractical [ʌn'præktikl] onpraktisch.
unpracticality [ʌnprækti'kæliti] onpraktisch karakter *o*; onpraktische aard.
unpractised [ʌn'præktist] 1 niet gebruikelijk; 2 ongeoefend, onervaren, onbedreven.
unprecedented [ʌn'presidentid] 1 zonder precedent; 2 zonder voorbeeld.
unpredictable [ʌnpri'diktəbl] niet te voorspellen, van te voren niet te zeggen, niet te voorzien; onberekenbaar.
unprejudiced [ʌn'predʒudist] 1 onbevooroordeeld; 2 niet benadeeld.

unpremeditated(ly) [ʌnpri'mediteitid(li)] niet vooraf bedacht of beraamd, onopzettelijk.
unprepared [ʌnpri'pɛəd] onvoorbereid.
unprepossessed ['ʌnpri:pə'zest] niet vooringenomen, onbevooroordeeld.
unprepossessing ['ʌnpri:pə'zesiŋ] niet (weinig) innemend, ongunstig [v. uiterlijk &].
unpresuming ['ʌnpri'zju:miŋ] bescheiden.
unpretending(ly) ['ʌnpri'tendiŋ(li)] zonder pretentie, bescheiden.
unpretentious [ʌnpri'tenʃes] zie *unpretending*.
unprevailing [ʌnpri'veiliŋ] niets batend, nutteloos.
unpriced ['ʌn'praist] niet geprijsd.
unprincipled [ʌn'prinsipld] zonder beginselen, beginselloos; gewetenloos.
unproductive [ʌnprə'dʌktiv] improduktief, weinig opleverend.
unprofitable [ʌn'prɔfitəbl] onvoordelig; nutteloos, waar men niets aan heeft.
unpromising [ʌn'prɔmisiŋ] weinig belovend.
unpronounceable [ʌnprə'naunsəbl] niet uit te spreken.
unproportioned [ʌnprə'pɔ:ʃənd] onevenredig.
unpropped [ʌn'prɔpt] niet onderstut, niet onderschraagd; van zijn steun beroofd.
unprotected ['ʌnprə'tektid] onbeschermd.
unprovable ['ʌn'pru:vəbl] onbewijsbaar.
unproved ['ʌn'pru:vd], unproven ['ʌn'pru:vn] onbewezen.
unprovided [ʌnprə'vaidid] niet voorzien (van *with*); ~ *for* onverzorgd.
unprovoked [ʌnprə'voukt] niet uitgelokt; zonder aanleiding.
unpublished [ʌn'pʌbliʃt] onuitgegeven; niet bekendgemaakt.
unpunctual [ʌn'pʌŋktjuəl] 1 niet stipt (op tijd); 2 niet accuraat.
unpunished [ʌn'pʌniʃt] ongestraft.
unqualified [ʌn'kwɔlifaid] 1 onbevoegd, ongeschikt; 2 onvermengd²; *fig* vol, volmondig, onverdeeld, absoluut.
unquenchable [ʌn'kwenʃəbl] on(uit)blusbaar, onlesbaar.
unquenched [ʌn'kwenʃt] on(uit)geblust, ongelest.
unquestionable [ʌn'kwestʃənəbl] *aj* ontwijfelbaar, onbetwistbaar.
unquestionably [ʌn'kwestʃənəbli] *ad* ontwijfelbaar, ontegenzeglijk.
unquestioned [ʌn'kwestʃənd] 1 niet ondervraagd; 2 ontwijfelbaar; onbetwist; vanzelfsprekend.
unquestioning [ʌn'kwestʃəniŋ] geen vragen stellend; onvoorwaardelijk, blind [vertrouwen].
unquiet [ʌn'kwaiət] onrustig, rusteloos.
unrationed [ʌn'ræʃənd] ongerantsoeneerd, bonloos, bonvrij.
unravel [ʌn'rævl] **I** *vt* (uit)rafelen; ontwarren, ontraadselen, ontknopen, oplossen; **II** *vi* (uit)rafelen; zich ontwarren, zich ontwikkelen.

unread [ʌn'red] I ongelezen; 2 onbelezen.

unreadable [ʌn'riːdəbl] onleesbaar, niet te lezen, niet gelezen kunnende worden.

unreadiness [ʌn'redinis] I ongereedheid; 2 onbereidwilligheid, onwilligheid.

unready [ʌn'redi] I niet gereed, niet klaar; 2 onbereidwillig, onwillig.

unreal [ʌn'riəl] onwezenlijk, onwerkelijk, irreëel.

unreason [ʌn'riːzn] dwaasheid, onverstandigheid.

unreasonable [ʌn'riːznəbl] *aj* onredelijk.

unreasonably [ʌn'riːznəbli] *ad* onredelijk.

unreasoned [ʌn'riːznd] onberedeneerd.

unreasoning [ʌn'riːzniŋ] niet (meer) redenerend of nadenkend.

unreclaimed [ʌn'ri'kleimd] niet opgeëist; onbekeerd; onontgonnen.

unrecognizable [ʌn'rekəgnaizəbl] onherkenbaar.

unreconciled [ʌn'rekənsaild] onverzoend.

unrecorded [ʌn'ri'kɔːdid] onvermeld.

unredeemable [ʌnri'diːməbl] onaflosbaar.

unredeemed [ʌnri'diːmd] niet vrijgekocht, niet af- of ingelost (v. panden); niet nagekomen; ~ *by* niet goedgemaakt door.

unreel [ʌn'riːl] afhaspelen, afrollen.

unrefined [ʌn'ri'faind] niet geraffineerd, ongezuiverd, ongelouterd; onbeschaafd.

unreflecting [ʌn'ri'flektiŋ] onnadenkend.

unreformable [ʌn'ri'fɔːməbl] niet voor hervorming of bekering vatbaar.

unreformed [ʌn'ri'fɔːmd] niet hervormd; onbekeerd; onverbeterd.

unrefreshed [ʌn'ri'freʃt] onverkwikt, niet verfrist, zich niet verfrist hebbend.

unrefuted [ʌnri'fjuːtid] onweerlegd.

unregarded [ʌn'ri'gɑːdid] veronachtzaamd, verwaarloosd.

unregenerate [ʌnri'dʒenərit] niet wedergeboren, zondig, verdorven.

unregistered [ʌn'redʒistəd] I niet geregistreerd, oningeschreven; 2 ⅋ onaangetekend.

unrelated [ʌn'ri'leitid] niet verwant.

unrelaxing [ʌnri'læksiŋ] niet verslappend of afnemend, onvermoeid.

unrelenting [ʌnri'lentiŋ] niet nalatend, nooit ophoudend; geen toegeven kennend, onverbiddelijk.

unreliability ['ʌnrilaiə'bilit] onbetrouwbaarheid.

unreliable [ʌnri'laiəbl] onbetrouwbaar.

unrelieved ['ʌnri'liːvd] ongeholpen, niet gelenigd; niet afgewisseld (door *by*); ~ *joy* louter vreugde.

unremembered ['ʌnri'membəd] vergeten.

unremitted ['ʌnri'mitid] I onvergeven; 2 onverzwakt; onverpoosd.

unremitting(ly) [ʌnri'mitiŋ(li)] zonder ophouden, aanhoudend, gestadig.

unremunerative [ʌnri'mjuːnərətiv] niet lonend.

unrepaid ['ʌnri'peid] niet terugbetaald; onbeloond, niet vergolden.

unrepealable ['ʌnri'pləbl] onherroepelijk.

unrepealed ['ʌnri'piːld] onherroepen.

unrepentant ['ʌnri'pentənt] geen berouw hebbend, onboetvaardig, verstokt.

unrepented ['ʌnri'pentid] niet berouwd.

unreplenished [ʌnri'pleniʃt] onaangevuld.

unrequested [ʌnri'kwestid] ongevraagd.

unrequited ['ʌnri'kwaitid] onbeloond; onbeantwoord [v. liefde].

unresented [ʌnri'zentid] niet kwalijk genomen; zonder wrok gedragen.

unreserved ['ʌnri'zɔːvd] *aj* niet gereserveerd[2], zonder voorbehoud gegeven (gezegd &), vrijmoedig, openhartig.

unreservedly ['ʌnri'zɔːvidli] *ad* zie *unreserved*, ook: zonder voorbehoud.

unresisting [ʌnri'zistiŋ] geen weerstand biedend.

unresolved [ʌnri'zɔlvd] I onopgelost; 2 (nog) niet besloten, besluiteloos.

unresponsive [ʌnris'pɔnsiv] geen antwoord gevend, op antwoord latende wachten; *fig* niet reagerend op aardigheden &, niet wakker te krijgen, onverschillig.

unrest ['ʌn'rest] onrust.

unrestful ['ʌn'restful] onrustig.

unresting ['ʌn'restiŋ] niet rustend.

unrestored [ʌnris'tɔːd] I niet hersteld; 2 niet teruggegeven.

unrestrained ['ʌnri'streind] oningehouden; onbeperkt, teugelloos; ongedwongen.

unrestricted ['ʌnri'striktid] onbeperkt, vrij.

unretentive ['ʌnri'tentiv] niet(s) vasthoudend, zwak [v. geheugen].

unretracted ['ʌnri'træktid] onherroepen.

unreturned ['ʌnri'tɔːnd] I onbeantwoord; 2 niet teruggegeven.

unrevealed [ʌnri'viːld] niet geopenbaard.

unrevenged ['ʌnri'vendʒd] ongewroken.

unrewarded ['ʌnri'wɔːdid] onbeloond.

unrewarding ['ʌnri'wɔːdiŋ] niet (de moeite) lonend, onbevredigend, niet geslaagd.

unriddle [ʌn'ridl] ontraadselen, oplossen.

unrig [ʌn'rig] ⚓ aftakelen.

unrighteous [ʌn'raitʃəs] onrechtvaardig.

unrip [ʌn'rip] openrijten, lostornen.

unripe ['ʌn'raip] onrijp.

unrivalled [ʌn'raivəld] I zonder mededinger; 2 weergaloos, ongeëvenaard.

unrobe [ʌn'roub] I *vt* uitkleden; ~*d* niet in ambtsgewaad; II *vi* zijn (ambts)gewaad afleggen.

unroll [ʌn'roul] I *vt* ontrollen, afrollen; II *vi* afrollen, zich ontrollen.

unroofed [ʌn'ruːft] zonder dak.

unroot [ʌn'ruːt] ontwortelen.

unruffled [ʌn'rʌfld] ongerimpeld, glad; *fig* onbewogen, onverstoord, onverstoorbaar (kalm), kalm, bedaard.

unruliness [ʌn'ruːlipis] onordelijkheid; lastigheid, weerbarstigheid, weerspannigheid.

unruly [ʌn'ru:li] onordelijk; lastig, weerbarstig, weerspannig.

unsaddle [ʌn'sædl] 1 afzadelen; 2 uit het zadel werpen.

unsafe [ʌn'seif] onveilig; onbetrouwbaar; gewaagd; onvast; gevaarlijk; onsolide, wrak.

unsaid ['ʌn'sed] ongezegd.

unsal(e)able [ʌn'seiləbl] onverkoopbaar.

unsalaried [ʌn'sælərid] onbezoldigd.

unsalted ['ʌn'sɔ:ltid] ongezouten.

unsanctified [ʌn'sæŋktifaid] ongeheiligd.

unsanctioned [ʌn'sæŋkʃənd] niet gesanctioneerd, onbekrachtigd; ongeoorloofd.

unsatisfactorily [ʌnsætis'fæktərili] ad op onvoldoende wijze, onvoldoende.

unsatisfactoriness [ʌnsætis'fæktərinis] onbevredigend karakter o; ontoereikendheid.

unsatisfactory [ʌnsætis'fæktəri] aj onbevredigend, onvoldoende.

unsatisfied ['ʌn'sætisfaid] onvoldaan, onbevredigd, ontevreden.

unsatisfying ['ʌn'sætisfaiiŋ] niet bevredigend, onvoldoend.

unsavoury [ʌn'seivəri] onsmakelijk[2], onaangenaam, onverkwikkelijk.

unsay ['ʌn'sei] herroepen.

unscalable [ʌn'skeiləbl] onbeklimbaar.

unscathed [ʌn'skeiðd] ongedeerd, onbeschadigd.

unscientific [ʌnsaiən'tifik] onwetenschappelijk.

unscreened [ʌn'skri:nd] 1 onbeschermd, onbeschut; 2 niet gezeefd.

unscrew [ʌn'skru:] losschroeven, losdraaien.

unscriptural [ʌn'skriptʃərəl] 1 onschriftuurlijk, onbijbels; 2 F onparlementair.

unscrupulous(ly) [ʌn'skru:pjuləs(li)] zonder scrupules; gewetenloos.

unseal [ʌn'si:l] ontzegelen, openen.

unsealed [ʌn'si:ld] ongezegeld; ontzegeld, open [v. enveloppe].

unseam [ʌn'si:m] (de naden) lostornen.

unsearchable [ʌn'sɔ:tʃəbl] ondoorgrondelijk, onnaspeurlijk.

unseasonable [ʌn'si:znəbl] aj ontijdig, ongelegen (komend), te onpas (gedaan &).

unseasonably [ʌn'si:znəbli] ad op een ongelegen tijd, te onpas.

unseasoned [ʌn'si:znd] ontoebereid, niet gezouten of gepeperd, niet ingemaakt; onervaren.

unseat [ʌn'si:t] 1 uit het zadel werpen; 2 van zijn zetel beroven.

unseated [ʌn'si:tid] 1 niet gezeten, niet zittend; 2 uit het zadel geworpen; 3 uit zijn zetel ontzet.

unseaworthy [ʌn'si:wɔ:ði] niet zeewaardig.

unseconded [ʌn'sekəndid] niet ondersteund.

unseeing [ʌn'si:iŋ] niet(s) ziend, onopmerkzaam.

unseemliness [ʌn'si:mlinis] 1 onbetamelijkheid; 2 onooglijkheid.

unseemly [ʌn'si:mli] 1 onbetamelijk; 2 onooglijk.

lijk.

unseen ['ʌn'si:n] I aj ongezien, onbezien(s); II als sb à vue vertaling; the ~ het ongeziene; the Unseen de Ongeziene (God).

unselfish(ly) ['ʌn'selfiʃ(li)] onzelfzuchtig, niet egoïstisch, onbaatzuchtig.

unsent [ʌn'sent] niet gezonden, niet verzonden; ~ for ongenood, niet ontboden.

unserviceable [ʌn'sə:visəbl] ondienstig, onbruikbaar.

unsettle [ʌn'setl] aan het wankelen brengen, onzeker maken, op losse schroeven zetten, in de war sturen [plannen &]; uit zijn doen brengen [iemand]; verwarren; krenken [verstand].

unsettled [ʌn'setld] onbestendig, weifelend; onvast [weer]; niet vastgesteld of afgedaan; niet tot rust gekomen; overstuur, verward, ontsteld; zie ook: unsettle.

unsew [ʌn'sou] lostornen.

unshackle [ʌn'ʃækl] ontboeien[2], ontkluisteren[2], vrijmaken, losmaken.

unshak(e)able [ʌn'ʃeikəbl] onwankelbaar, onwrikbaar.

unshaken [ʌn'ʃeikn] ongeschokt; onwrikbaar.

unshapely [ʌn'ʃeipli] onfraai, lelijk.

unshaved [ʌn'ʃeivd], unshaven [ʌn'ʃeivn] ongeschoren.

unsheathe [ʌn'ʃi:ð] uit de schede trekken.

unsheltered [ʌn'ʃeltəd] onbeschut.

unshielded [ʌn'ʃi:ldid] niet verdedigd, onbeschermd, onbeschut.

unship [ʌn'ʃip] ⚓ 1 ontschepen, lossen; 2 afnemen [roer], uitbrengen [de riemen].

unshipped [ʌn'ʃipt] nog niet verscheept.

unshod [ʌn'ʃɔd] 1 ongeschoeid [v. persoon]; 2 onbeslagen [v. een paard].

unshorn [ʌn'ʃɔ:n] ongeschoren [v. heg &].

unshrinkable [ʌn'ʃriŋkəbl] krimpvrij.

unshrinking(ly) [ʌn'ʃriŋkiŋ(li)] onversaagd.

unsighted [ʌn'saitid] 1 ⚓ niet in zicht; 2 ✕ niet van vizieren voorzien.

unsightliness [ʌn'saitlinis] onooglijkheid.

unsightly [ʌn'saitli] onooglijk, minder mooi of niet sierlijk, lelijk (staand).

unsinkable [ʌn'siŋkəbl] 1 niet zinkend; 2 niet tot zinken te brengen.

unskilful [ʌn'skilful] onbedreven, onbekwaam, onervaren.

unskilled ['ʌn'skild, + 'ʌnskild] 1 onbedreven; 2 geen vakkennis vereisend; ~ labour 1 werk dat geen vakkennis vereist; 2 ongeschoolde arbeidskrachten.

unslaked ['ʌn'sleikt] ongelest, ongeblust.

unsleeping [ʌn'sli:piŋ] altijd waakzaam.

unslept [ʌn'slept] in: ~ in onbeslapen.

unsling [ʌn'sliŋ] afhangen, losgooien.

unsociability ['ʌnsouʃə'biliti] ongezelligheid.

unsociable [ʌn'souʃəbl] ongezellig.

unsocial ['ʌn'souʃəl] onmaatschappelijk, niet sociaal voelend.

unsoiled [ʌn'sɔild] onbezoedeld, onbevlekt.

unsold ['ʌn'sould] onverkocht.

unsolder ['ʌn'sɔldə] het soldeersel losmaken; *come* ~*ed* losgaan, loslaten.

unsoldierly [ʌn'souldʒəli] niet krijgshaftig, niet zoals het de soldaat betaamt.

unsolicited [ʌnsə'lisitid] ongevraagd.

unsolicitous [ʌnsə'lisitəs] onbekommerd.

unsolvable [ʌn'sɔlvəbl] onoplosbaar.

unsolved [ʌn'sɔlvd] onopgelost[2].

unsophisticated [ʌnsə'fistikeitid] onvervalst, (nog) onbedorven, onervaren, eenvoudig, ongekunsteld.

unsought ['ʌn'sɔːt] ongezocht.

unsound [ʌn'saund] ongezond[2], niet gaaf; aangestoken, bedorven; ondeugdelijk, onsolide, onsterk; wrak, zwak; onbetrouwbaar; *of* ~ *mind* in zijn geestvermogens gekrenkt.

unsowed [ʌn'soud], **unsown** [ʌn'soun] I ongezaaid; 2 onbezaaid.

unsparing [ʌn'spɛəriŋ] *aj* niet op een cent ziend, niet karig; niets ontziend; *with an* ~ *hand* met milde hand; ~ *of* (*in*) *praise* kwistig met zijn lof.

unsparingly [ʌn'spɛəriŋli] *ad* met milde (kwistige) hand; niets ontziend.

unspeakable [ʌn'spiːkəbl] *aj* onuitsprekelijk; F afschuwelijk.

unspeakably [ʌn'spiːkəbli] *ad* onuitsprekelijk; F afschuwelijk.

unspecified [ʌn'spesifaid] ongespecificeerd.

unspent [ʌn'spent, + 'ʌnspent] onuitgegeven, onverbruikt, onverteerd, onuitgeput.

unspilt [ʌn'spilt] niet gestort [v. vloeistof].

unspoiled [ʌn'spɔild], **unspoilt** [ʌn'spɔilt] onbedorven[2].

unspoken [ʌn'spoukn] niet uitgesproken of gesproken, onvermeld.

unspotted [ʌn'spɔtid] onbevlekt[2].

unstable [ʌn'steibl] onvast; onbestendig.

unstaid [ʌn'steid] I onstandvastig; 2 onsolide [v. levenswandel].

unstained [ʌn'steind] I ongeverfd; 2 onbesmet.

unstamped ['ʌn'stæmpt, + 'ʌnstæmpt] I ongestempeld; 2 ongezegeld; 3 ongefrankeerd.

unstarched ['ʌn'staːtʃt] ongesteven.

unsteadily [ʌn'stedili] *ad* zie *unsteady* I.

unsteadiness [ʌn'stedinis] ongestadigheid &.

unsteady [ʌn'stedi] I *aj* ongestadig; onsolide [gedrag]; onzeker [v. h. vuren]; onvast; II *vt* ongestadig & maken.

unstick [ʌn'stik] losweken [v. 't gelijmde].

unstinted [ʌn'stintid], **unstinting** [ʌn'stintiŋ] onbekrompen, kwistig, onbeperkt.

unstirred [ʌn'stəːd] I onverroerd; 2 ongeroerd.

unstitch [ʌn'stitʃ] lostornen.

unstock [ʌn'stɔk] leeghalen.

unstocked [ʌn'stɔkt] zonder voorraad; leeggehaald.

unstop [ʌn'stɔp] openen, ontkurken.

unstopped [ʌn'stɔpt] niet gestopt &.

unstrained [ʌn'streind] ongedwongen.

unstrap ['ʌn'stræp] losgespen, losmaken.

unstressed ['ʌn'strest, + 'ʌnstrest] toonloos, zonder klemtoon.

unstring ['ʌn'striŋ] een snaar (snaren) afspannen van; ontspannen; afrijgen [kralen].

unstrung [ʌn'strʌŋ] ontspannen, verslapt; *his nerves are* ~ in de war. [laten.

unstuck [ʌn'stʌk] los; *come* ~ losgaan, los-

unstudied ['ʌn'stʌdid] I onbestudeerd; 2 niet (vooraf) bestudeerd, spontaan.

unsubdued ['ʌnsəb'dju:d] onoverwonnen, niet onderworpen, onbedwongen.

unsubstantial [ʌnsəb'stænʃəl] I onstoffelijk; 2 onsolide; 3 niet degelijk [kost &].

unsubstantiality ['ʌnsəbstænʃi'æliti] I onstoffelijkheid; 2 ondegelijkheid.

unsuccessful(ly) ['ʌnsək'sesful(i)] geen succes hebbend, niet geslaagd, niet gelukt, mislukt; *return* ~ onverrichter zake.

unsuitability [ʌns(j)u:tə'biliti] ongepastheid; ongeschiktheid.

unsuitable [ʌn's(j)u:təbl] I niet van dienst zijnd; 2 ongepast; ongeschikt.

unsuited [ʌn's(j)u:tid] ongeschikt (voor *for*), niet passend (bij *to*).

unsullied [ʌn'sʌlid] onbezoedeld, onbevlekt.

unsung [ʌn'sʌŋ] I ongezongen; 2 niet bezongen.

unsupported [ʌnsə'pɔːtid] I niet ondersteund; 2 niet gesteund; niet gestaafd.

unsure [ʌn'ʃuə] onzeker, onvast.

unsurpassable ['ʌnsə'paːsəbl] onovertrefbaar.

unsurpassed ['ʌnsə'paːst] onovertroffen.

unsusceptible ['ʌnsə'septibl] onvatbaar.

unsuspected ['ʌnsəs'pektid] I onverdacht; 2 onvermoed.

unsuspecting(ly) ['ʌnsəs'pektiŋ(li)] geen kwaad vermoedend, argeloos.

unsuspicious ['ʌnsəs'piʃəs] *aj* niet achterdochtig; ~ *of*... geen... vermoedend.

unsuspiciously ['ʌnsəs'piʃəsli] *ad* argeloos, geen kwaad vermoedend.

unsustainable [ʌnsəs'teinəbl] onhoudbaar.

unswathe [ʌn'sweið] ontzwachtelen.

unswayed ['ʌn'sweid] I onbeïnvloed; 2 niet beheerst.

unswept [ʌn'swept] on(aan)geveegd.

unswerving(ly) [ʌn'swəːviŋ(li)] niet afwijkend; onwankelbaar.

unsworn [ʌn'swɔːn] onbeëdigd.

unsympathetic ['ʌnsimpə'θetik] van geen deelneming (begrip) blijk gevend, onverschillig.

unsystematic(ally) ['ʌnsisti'mætik(əli)] onsystematisch, zonder systeem.

untainted [ʌn'teintid] onaangestoken; onbedorven; onbesmet, smetteloos, vlekkeloos.

untalked-of [ʌn'tɔːktɔv] niet besproken.

untam(e)able [ʌn'teiməbl] ontembaar.

untamed [ʌn'teimd] ongetemd.

untangle [ʌn'tæŋgl] ontwarren.

untanned [ʌn'tænd] ongelooid.

untarnished [ʌn'taːniʃt] ongevlekt, onbevlekt onbesmet, smetteloos.

untasted ['ʌn'teistid] ongeproefd.

untaught ['ʌn'tɔːt, + 'ʌntɔːt] ongeleerd.

untaxed ['ʌn'tækst] I onbelast, van belasting vrijgesteld; 2 niet beschuldigd.

unteach [ʌn'tiːtʃ] afleren.

unteachable [ʌn'tiːtʃəbl] hardleers; niet te leren.

untempted ['ʌn'tem(p)tid] niet verleid, niet verlokt.

untempting ['ʌn'tem(p)tiŋ] niet (erg) aanlokkelijk.

untenable [ʌn'tenəbl] onhoudbaar, onverdedigbaar°.

untenanted ['ʌn'tenəntid] onverhuurd; onbewoond; onbezet, leeg.

untended [ʌn'tendid] onopgepast, onverzorgd.

unterrified [ʌn'terifaid] onvervaard.

unthankful [ʌn'θæŋkful] ondankbaar.

unthinkable [ʌn'θiŋkəbl] ondenkbaar.

unthinking [ʌn'θiŋkiŋ] aj niet (na)denkend, onbezonnen, onbedachtzaam.

unthinkingly [ʌn'θiŋkiŋli] ad zonder er bij (na) te denken.

unthought-of [ʌn'θɔːtəv] onverwacht.

unthriftily [ʌn'θriftili] ad niet spaarzaam.

unthriftiness [ʌn'θriftinis] verkwisting.

unthrifty [ʌn'θrifti] aj niet spaarzaam, verkwistend; onvoorspoedig.

untidily [ʌn'taidili] ad onordelijk, slordig.

untidiness [ʌn'taidinis] onordelijkheid, slordigheid.

untidy [ʌn'taidi] aj onordelijk, slordig.

untie ['ʌn'tai] I vt losbinden, losknopen; losmaken; II vi zich laten losbinden &.

until [ən'til, ʌn'til] tot; totdat; not ~ 1007 pas (eerst) in 1007.

untiled [ʌn'taild] zonder pannen.

untilled [ʌn'tild] onbebouwd [ɣ. land].

untimeliness [ʌn'taimlinis] ontijdigheid.

untimely [ʌn'taimli] I aj ontijdig; vroegtijdig; ongelegen; II ad vóór zijn tijd.

untinged [ʌn'tin(d)ʒd] ongetint.

untired [ʌn'taiəd] onvermoeid.

untiring(ly) [ʌn'taiəriŋ(li)] onvermoeid.

untitled [ʌn'taitld] ongetiteld.

⚓ unto ['ʌntu] tot; aan; voor; naar; tot aan.

untold ['ʌn'tould] I onverteld; 2 ongeteld, tal-. loos; 3 zeer groot (veel).

untouched [ʌn'tʌtʃt] I onaangeraakt; ongerept; 2 fig onaangedaan, onbewogen.

untoward [ʌn'touəd] weerbarstig, weerspannig, eigenzinnig; verkeerd; ontaard; ongelukkig, ongunstig, onaangenaam.

untraceable [ʌn'treisəbl] onnaspeurlijk, niet na te gaan.

untraced [ʌn'treist] I niet op-, nagespoord; 2 onbetreden, ongebaand.

untrained ['ʌn'treind] I ongedrild, ongeoefend, ongedresseerd; 2 ⚥ vrij groeiend.

untrammelled [ʌn'træməld] onbelemmerd.

untranslatable ['ʌntrænz'leitəbl] onvertaalbaar.

untravelled ['ʌn'trævəld] onbereisd.

untried ['ʌn'traid] I onbeproefd; 2 ⚖ (nog) niet verhoord, (nog) niet behandeld.

untrimmed ['ʌn'trimd] ongegarneerd; onopgeschikt; niet bijgeknipt [haar].

untrod(den) [ʌn'trɔd(n)] onbetreden.

untroubled [ʌn'trʌbld] ongestoord; onbewogen; niet verontrust.

untrue [ʌn'truː] I niet zuiver, niet recht; 2 onwaar, onwaarachtig; ontrouw (aan to).

untrustworthiness [ʌn'trʌstwə:ðinis] onbetrouwbaarheid.

untrustworthy [ʌn'trʌstwə:ði] onbetrouwbaar.

untruth ['ʌn'truː'θ] onwaarheid.

untruthful [ʌn'truː'θful] leugenachtig.

untune [ʌn'tjuːn] ontstemmen.

unturned [ʌn'tə:nd] ongekeerd; zie stone.

untutored ['ʌn'tjuːtəd] ongeleerd, niet onderwezen, onbeschaafd, ongeoefend.

untwine [ʌn'twain] loswinden, losdraaien.

untwist [ʌn'twist] zie untwine.

unurged [ʌn'nə:dʒd] onaangespoord.

I unused [ʌn'ju:zd] ongebruikt, onbenut.

2 unused [ʌn'ju:st] in: ~ to niet gewend aan.

unusual(ly) [ʌn'ju:ʒuəl(i)] ongewoon.

unutterable [ʌ'nʌtərəbl] aj onuitsprekelijk, onzegbaar, onbeschrijflijk.

unutterably [ʌ'nʌtərəbli] ad onuitsprekelijk.

unvalued [ʌn'vælju:d] ongeschat; ongewaardeerd.

unvanquished [ʌn'væŋkwiʃt] onoverwonnen.

unvaried [ʌn'vɛərid] onveranderd, nooit veranderend, zonder afwisseling, eentonig.

unvarnished [ʌn'va:niʃt] niet gevernist; fig onopgesmukt [verhaal]; onverbloemd.

unvarying [ʌn'vɛəriiŋ] zie unvaried.

unveil [ʌn'veil] I vt ontsluieren, onthullen; ontdekken; II vi de sluier afleggen.

unversed [ʌn'və:st] onervaren, onbedreven.

unviolated [ʌn'vaiəleitid] ongeschonden.

unvisited [ʌn'vizitid] onbezocht.

unvoiced ['ʌn'vɔist] I niet uitgesproken; 2 stemloos [klank].

unwanted [ʌn'wɔntid] niet verlangd (gevraagd, nodig).

unwarily [ʌn'wɛərili] ad onvoorzichtig.

unwariness [ʌn'wɛərinis] onvoorzichtigheid.

unwarlike [ʌn'wɔːlaik] onkrijgshaftig.

unwarped [ʌn'wɔːpt] niet kromgetrokken; fig onbeïnvloed, onbevooroordeeld.

unwarrantable [ʌn'wɔrəntəbl] aj onverantwoordelijk; ongeoorloofd.

unwarrantably [ʌn'wɔrəntəbli] ad op onverantwoordelijke wijze.

unwarranted [ʌn'wɔrəntid] ongerechtigd; niet gewaarborgd; ongeoorloofd.

unwary [ʌn'wɛəri] aj onvoorzichtig; niet waakzaam, niet op zijn hoede zijnd.

unwashed ['ʌn'wɔʃt] ongewassen.

unwatered [ʌn'wɔːtəd] I onbesproeid, onbegoten; 2 niet met water aangelengd.

unwavering [ʌn'weivəriŋ] niet wankelend, niet aarzelend; onwrikbaar, standvastig.

unwearable [ʌn'wɛərəbl] niet te dragen.

unwearied [ʌn'wiərid] onvermoeid.

unwearying(ly) [ʌn'wiəriiŋ(li)] onvermoeid.

unwedded [ʌn'wedid] ongehuwd.

unwelcome [ʌn'welkəm] onwelkom; onaangenaam.

unwell ['ʌn'wel] niet wel, onwel, ongesteld, onpasselijk.

○ **unwept** ['ʌn'wept] onbeweend.

unwholesome(ly) [ʌn'houlsəm(li)] ongezond.

unwieldily [ʌn'wi:ldili] ad op logge & wijze.

unwieldiness [ʌn'wi:ldinis] logheid, zwaarte, lompheid, onbehouwenheid.

unwieldy [ʌn'wi:ldi] aj log, zwaar, lomp, onbehouwen, moeilijk te hanteren.

unwilling [ʌn'wiliŋ] aj onwillig; ongewillig; be (feel) ~ to... ongeneigd zijn om, geen lust hebben om..., niet willen...

unwillingly [ʌn'wiliŋli] ad onwillig; ongewillig; ongaarne; tegen wil en dank.

unwillingness [ʌn'wiliŋnis] on(ge)willigheid, onwil.

Unwin ['ʌnwin] Unwin.

unwind [ʌn'waind] I vt loswinden, loswikkelen, ontrollen; II vi zich loswinden &.

unwisdom ['ʌn'wizdəm] onverstandigheid.

unwise(ly) [ʌn'waiz(li)] onwijs, onverstandig.

unwished [ʌn'wiʃt] ongewenst.

unwitnessed [ʌn'witnist] ongezien, niet door getuigen bijgewoond of bevestigd.

unwitting [ʌn'witiŋ] onwetend, van niets wetend, onbewust; ~ to himself zonder dat hij er iets van wist (merkte).

unwomanly [ʌn'wumənli] onvrouwelijk.

unwonted(ly) [ʌn'wountid(li)] ongewoon; niet gewend.

unwooded [ʌn'wudid] zonder bomen of bossen, niet met bos begroeid.

unwooed [ʌn'wu:d] on(aan)gezocht; onbegeerd.

unworkable [ʌn'wə:kəbl] 1 niet exploitabel; 2 onuitvoerbaar, onpraktisch.

unworldly [ʌn'wə:ldli] onwerelds.

unworn [ʌn'wɔ:n] 1 ongedragen; 2 onversleten.

unworthily [ʌn'wə:ðili] ad onwaardig.

unworthiness [ʌn'wə:ðinis] onwaardigheid.

unworthy [ʌn'wə:ði] aj onwaardig.

unwound [ʌn'waund] V.T. & V.D. van unwind.

unwounded [ʌn'wu:ndid] ongewond.

unwrap ['ʌn'ræp] loswikkelen, openmaken.

unwrinkle [ʌn'riŋkl] ontrimpelen.

unwritable [ʌn'raitəbl] niet te schrijven.

unwritten ['ʌn'ritn] ongeschreven.

unwrought [ʌn'rɔ:t] ongewrocht; onbewerkt.

unwrung [ʌn'rʌŋ] ongewrongen.

unyielding [ʌn'ji:ldiŋ] niet meegevend; ontoegevend, onbuigzaam, onverzettelijk.

unyoke [ʌn'jouk] I vt het juk afnemen, uitspannen, bevrijden (van het juk); II vi het juk afwerpen², fig vrijaf nemen.

up [ʌp] I ad op, de hoogte in, in de hoogte, omhoog, boven, naar boven, overeind; he lives four (floors) ~ vier hoog; a hundred ~ sp honderd punten; he might have won with a better jockey ~ in de zadel; from my youth ~ van mijn prille jeugd; from 5 shillings ~ van 5 sh. en hoger; ~ there dáár(ginds), daarboven; ~ the rebels! leve de rebellen!; it is all ~ with him 't is gedaan met hem, F hij is voor de haaien; ~ with you! allo, op!; ~ and down op en neer, op en af (zie ook: up-and-down); look ~ and down overal kijken; look a person ~ and down iemand van het hoofd tot de voeten opnemen; ~ and down the country over (door) het hele land; be ~ op zijn [uit bed]; (in de lucht) opgestegen [vliegenier]; opgegaan zijn [voor examen]; $ hoger zijn [prijzen]; hoog staan [op de markt]; in de stad zijn [studenten]; aan de universiteit studeren; het woord hebben [redenaar]; zijn zetel ingenomen hebben [rechter]; om zijn [tijd]; aan de hand zijn [zaken]; the House is ~ 1 de Zitting is opgeheven; 2 de Kamer is op reces; the street is ~ is opgebroken; what's ~? wat is er aan 't handje?; be ~ and doing niet stilzitten, de handen uit de mouwen steken; be ~ against a formidable task voor een geweldige taak staan; be ~ for (re-)election zich (weer) kandidaat stellen; he is high ~ in the school heeft een hoog nummer; he is well ~ in that subject hij is heel goed (thuis) in dat vak; ~ to tot (aan, op); ~ to 7 days' leave hoogstens 7 dagen verlof; ~ to now tot op heden; he is ~ to no good hij voert niets goeds in zijn schild; he is ~ to some joke hij heeft de een of andere aardigheid in de zin; he is not ~ to much hij kan niet veel, betekent niet veel; be ~ to sample volgens monster zijn, aan het monster beantwoorden; he is not ~ to the task hij is niet voor de taak berekend; be ~ to a trick or two van wanten weten; I am ~ to what you mean ik begrijp (F snap) wel wat je bedoelt; what are you ~ to? wat voer jij nu uit?, wat moet dat nou?; it is ~ to us to... het is onze plicht..., het staat aan ons...; het is zaak dat wij...; I don't feel ~ to it ik voel er me niet sterk (flink) genoeg voor; go ~ to town naar de stad (toe) gaan; II prep op; ~ country het (binnen)land in; ~ a hill een heuvel op; ~ hill and down dale over heg en steg; ~ a tree in een boom, tegen een boom op; zie ook: tree; III vt 1 opnemen; 2 verhogen; IV vi P opstaan; ~ with one's fist P de vuist opheffen; V sb in: ~s and downs 1 terreingolvingen; 2 fig voor- en tegenspoed, wisselvalligheden.

up-and-down ['ʌpən'daun] aj van boven naar beneden, op en neer gaand; fig op-en-top; eerlijk.

upas ['ju:pəs] 1 ♣ oepas, antjar; 2 fig vergiftigende of verderfelijke invloed, pest.

upbear [ʌp'bɛə] (onder)schragen, -steunen.

upbraid [ʌp'breid] verwijten doen, een verwijt

maken (van *with*); ~ *one for* (*with*)... iemand.. verwijten.

upbringing ['ʌpbriŋiŋ] opvoeding.

1 **upcast** [ʌp'ka:st] *vt* omhoog werpen.

2 **upcast** ['ʌpka:st] I *sb* worp, gooi (omhoog); II *aj* naar boven gericht; naar boven geworpen; *with* ~ *eyes* ook: met ten hemel geslagen ogen.

up-country ['ʌp'kʌntri] I *ad* het binnenland in; II *aj* in het binnenland gelegen of wonend, van de binnenlanden.

up-date [ʌp'deit] bijwerken [een uitgave].

up-end [ʌp'end] overeind zitten, het onderste boven keren.

up-grade ['ʌpgreid] opwaartse helling; *fig* vooruitgang; *on the* ~ vooruitgaand; stijgend.

upheaval [ʌp'hi:vəl] opheffing (van de aardkorst); *fig* omwenteling; ontreddering.

upheave [ʌp'hi:v] (zich) opheffen.

upheld [ʌp'held] V.T. & V.D. van *uphold.*

uphill ['ʌp'hil, 'ʌphil, ʌp'hil] bergop; *fig* moeilijk, zwaar [werk &].

uphold [ʌp'hould] 1 ophouden, hooghouden, staande houden; handhaven; 2 (onder)steunen[2], *fig* verdedigen.

upholder [ʌp'houldə] 1 ophouder; 2 ondersteuner, steun; 3 handhaver, verdediger.

upholster [ʌp'houlstə] stofferen, bekleden.

upholsterer [ʌp'houlstərə] (behanger-)stoffeerder.

upholstery [ʌp'houlstəri] stoffering, bekleding; stoffeerderij.

upkeep ['ʌpki:p] (kosten van) onderhoud *o*, instandhouding.

upland ['ʌplənd] I *sb* hoogland *o*, bovenland *o*; II *aj* hooglands, bovenlands.

uplander ['ʌpləndə] hooglander, bergbewoner.

1 **uplift** [ʌp'lift] *vt* optillen, opheffen, verheffen[2], ten hemel heffen [de handen], ten hemel slaan [de ogen]; *it was not* ~*ing* het was niet hartverheffend.

2 **uplift** ['ʌplift] *sb* bodemverheffing; op-, verheffing [v. de ziel &].

upmost ['ʌpmoust] bovenst, hoogst.

upon [ə'pɔn] op &, zie *on.*

upper ['ʌpə] I *aj* opper, hoger, bovenste, boven-; II *sb* bovenleer *o* (ook: ~*s*).

upper circle ['ʌpə'sə:kl] tweede balkon *o* [v. schouwburg].

upper cut ['ʌpəkʌt] opstoot [bij boksen].

upper hand ['ʌpəhænd] over-, bovenhand; *get* (*take*) *the* ~ de bovenhand verkrijgen.

Upper House ['ʌpəhaus] Hogerhuis *o.*

upper leather ['ʌpəleðə] bovenleer *o.*

upper lip ['ʌpəlip] bovenlip; *keep a stiff* ~ 1 zich verbijten; 2 niet toegeven.

uppermost ['ʌpəmoust] bovenst, hoogst; *be* ~ de overhand hebben; *their* ~ *thought was for...* zij dachten in de eerste plaats aan...; *he says whatever comes* ~ hij zegt alles wat hem voor de mond komt.

upper storey ['ʌpə'stɔ:ri] bovenverdieping; *wrong in his* ~ van lotje getikt.

upper ten [ʌpə'ten] de hoogste kringen van de maatschappij (ook: ~ *thousand*).

uppish ['ʌpiʃ] uit de hoogte, hoog in zijn wapen. [taal.]

uppity ['ʌpiti] *Am* verwaand, met een air, brupraise [ʌp'reiz] 1 opheffen, ten hemel heffen; 2 oprichten; 3 opwekken.

uprear [ʌp'riə] 1 oprichten [ook = bouwen]; 2 opbeuren.

upright ['ʌp'rait, + ook ʌp'rait] I *aj* rechtopstaand, (kaars)recht, rechtstandig; *fig* rechtschapen; ~ *piano* ♪ pianino; ~ *writing* steilschrift *o*; II *ad* rechtop, overeind; III *sb* ['ʌprait] 1 staande balk, stijl; 2 verticale stand.

uprightly ['ʌpraitli] *ad* 1 rechtschapen; 2 rechtop.

uprightness ['ʌpraitnis] 1 rechtschapenheid; 2 rechtstandigheid.

uprise [ʌp'raiz] opstaan, (op)rijzen.

uprising [ʌp'raiziŋ] 1 stijging, helling; 2 opstaan *o*; 3 opstand, oproer *o.*

uproar ['ʌprɔ:] tumult *o*, lawaai *o*, rumoer *o*, misbaar *o.*

uproarious(ly) [ʌp'rɔ:riəs(li)] lawaaierig, rumoerig, stormachtig.

uproot [ʌp'ru:t] ontwortelen; uitroeien.

1 **upset** [ʌp'set] I *vt* omgooien, -smijten, omverwerpen[2]; *fig* in de war sturen, verijdelen [plannen]; van streek maken; ~ *the balance* het evenwicht verstoren; *be* ~ 1 omslaan, omvallen; 2 ontdaan, van streek zijn; II *vi* omslaan, omvallen; III *sb* [ook: 'ʌpset] 1 omkanteling; *fig* omverwerping [van gezag]; 2 verwarring; van streek makende onaangenaamheid; ruzie; stoornis [v. h. gestel], storing.

2 **upset** ['ʌpset] *aj* in: ~ *price* inzet.

upshot ['ʌpʃɔt] uitkomst, resultaat *o*, einde *o.*

upside ['ʌpsaid] bovenzijde; ~ *down* onderst(e)boven; op zijn kop (staand), verkeerd.

upstairs ['ʌp'stɛəz] I *ad* de trap op, naar boven, boven; II als *aj* ['ʌpstɛəz] in: ~ *room* bovenkamer.

upstanding [ʌp'stændiŋ] 1 (overeind) staand; 2 flink uit de kluiten gewassen.

upstart ['ʌpsta:t] I *sb* parvenu; II als *aj* parvenuachtig.

upstream ['ʌp'stri:m] I *ad* stroomopwaarts; II als *aj* ['ʌpstri:m] 1 tegen de stroom oproeiend &; 2 bovenstrooms gelegen.

upstroke ['ʌpstrouk] ophaal [bij 't schrijven].

upsurge ['ʌpsə:dʒ] opleving, (hoge) vlucht.

upswept ['ʌp'swept] omhooggebogen, omhooggeborsteld [haar].

uptake ['ʌpteik] 1 opnemen *o*; 2 ⚒ rookkanaal; *quick in the* ~ vlug (van begrip).

up-to-date ['ʌptə'deit] op de hoogte (van de tijd), „bij"; modern.

uptown ['ʌptaun] *Am* I *aj* in (van) de bovenstad; II *ad* [ʌp'taun] naar (in) de bovenstad.

up train ['ʌptrein] trein naar Londen.

upturn [ʌp'tə:n] opwerpen; omkeren; opslaan; ~ed ook: ten hemel geslagen.

upward ['ʌpwəd] I aj opwaarts; stijgend; II ad zie upwards.

upwards ['ʌpwədz] opwaarts, op, naar boven; ~ of boven de, meer dan; fifty guilders and ~ vijftig gulden en hoger (en meer, en daarboven).

Ural ['juərəl] Oeral.

uranium [juə'reinjəm] uranium o.

uranography [juərə'nogrəfi] uranografie: beschrijving van de sterrenhemel.

Urban ['ə:bən] Urbanus.

urban ['ə:bən] van de stad, stedelijk, stads-.

urbane(ly) [ə:'bein(li)] urbaan, welgemanierd, hoffelijk, wellevend, beschaafd.

urbanity [ə:'bæniti] urbaniteit, hoffelijke welgemanierdheid, wellevendheid.

urchin ['ə:tʃin] 1 kleuter, joch(ie) o; deugniet, rakker; 2 (zee)egel; 3 † kabouter.

urge [ə:dʒ] I vt aan-, voortdrijven; aandringen op; aanzetten, dringend verzoeken, dringend aanbevelen, aanmanen tot; aanvoeren; ~ one into ...ing iemand aanzetten om te...; ~ one on iemand aansporen; ~ the matter on de zaak dringend aanbevelen, er vaart achter zetten; ~ one to action iemand aanzetten tot handelen, wat aanporren; ~ it upon one het iemand op het hart drukken; II vr in: ~ itself upon one zich aan iemand opdringen [idee, plan &]; III sb (aan)drang.

urgency ['ə:dʒənsi] urgentie, dringende noodzakelijkheid; urgentieverklaring; (aan)drang.

urgent ['ə:dʒənt] aj urgent, dringend, dringend noodzakelijk, spoedeisend, ernstig; he was ~ with me for help hij drong bij mij aan om hulp.

urgently ['ə:dʒəntli] ad dringend, ernstig.

urger ['ə:dʒə] aandringer[2] &.

Uriah [ju'raiə] Uria.

uric ['juərik] in: ~ acid urinezuur o.

urinal ['juərinəl] 1 urinaal o [urineglas]; 2 urinoir o.

urinary ['juərinəri] urine-.

urinate ['juərineit] urineren.

urine ['juərin] urine, water o.

urn [ə:n] urn.

Ursa ['ə:sə] ✱ de Beer; ~ Major de Grote Beer; ~ Minor de Kleine Beer.

ursine ['ə:sain] bere(n)-.

Ursula ['ə:sjulə] Ursula.

Ursuline ['ə:sjulain] I sb ursuline; II aj ursulinen-.

us [ʌs, (ə)s] 1 ons, (aan) ons; 2 P wij.

U.S.A. = United States of America.

usable ['ju:zəbl] bruikbaar.

usage ['ju:zidʒ] gebruik o, gewoonte, $ usance, usantie; taalgebruik o; behandeling.

usance ['ju:zəns] $ uso.

1 use [ju:s] sb gebruik o, nut o; gewoonte; ritueel o; ~ and wont de zeden en gewoonten; be of (great) ~ van (veel) nut zijn, nuttig zijn; it is not (of) much ~ het haalt niet veel uit; they are not much ~ as... ze deugen niet erg voor..., je hebt er niet veel aan voor...; it is (of) no ~ het helpt niets, het baat niet(s), het geeft niets; it is (of) no ~ crying over spilt milk gedane zaken nemen geen keer; it is no ~ for you to go het geeft je niets of je gaat; what is the ~ (of it)? wat helpt (baat, geeft) het je?; I have no ~ for it ik kan het niet gebruiken; ook: ik moet er niets van hebben; make (a) good ~ of..., put it to a good ~ goed besteden, een goed (nuttig) gebruik maken van; for the ~ of ten gebruike van; in ~ in gebruik; in present ~ tegenwoordig in gebruik; put (take) into ~ in gebruik nemen, in dienst stellen; be of ~ nuttig (van nut) zijn; be of frequent ~ veel gebruikt worden; be out of ~ in onbruik (geraakt) zijn.

2 use [ju:z] vt gebruiken, bezigen, gebruik maken van, zich ten nutte maken; aanwenden; behandelen; ~ one roughly ruw behandelen of aanpakken; ~ great (one's best) efforts zijn (uiterste) best doen; ~ the sea (op zee) varen; ~ up verbruiken, (op)gebruiken, opmaken; uitputten; verslijten; ~d up „op"; zie ook: used.

used [ju:zd: gebruikte maar = placht: ju:st] ~ to gewoon aan; he is not what he ~ to be wat hij vroeger was; there ~ to be a mill there daar stond vroeger een molen.

useful(ly) ['ju:sful(i)] nuttig, dienstig, bruikbaar; S knap; zie ook: come in.

usefulness ['ju:sfulnis] nut o, nuttigheid, dienstigheid, bruikbaarheid.

useless ['ju:slis] nutteloos, onnut, onbruikbaar; S niets waard.

user ['ju:zə] gebruiker.

usher ['ʌʃə] I sb 1 portier; suppoost; 2 ceremoniemeester; 3 deurwaarder; 4 ondermeester; II vt binnenleiden, inleiden (ook: ~ in).

usherette [ʌʃə'ret] ouvreuse.

ushership ['ʌʃəʃip] 1 ambt o van ceremoniemeester; 2 ondermeesterschap o.

U.S.S.R. = Union of Soviet Socialist Republics.

usual ['ju:ʒuəl] aj gebruikelijk, gewoon; it is ~ to... het is de gewoonte om...; as ~, J as per ~ als gewoonlijk, gewoon.

usually ['ju:ʒuəli] ad gewoonlijk, doorgaans.

usufruct ['ju:sjufrʌkt] vruchtgebruik o.

usufructuary [ju:sju'frʌktjuəri] I aj van (een) vruchtgebruik(er); II sb vruchtgebruiker.

usurer ['ju:ʒərə] woekeraar.

usurious [ju:'zjuəriəs] woekerend, woeker-.

usurp [ju:'zə:p] wederrechtelijk in bezit nemen, zich toeëigenen of aanmatigen, overweldigen [v. troon].

usurpation [ju:zə:'peiʃən] wederrechtelijke inbezitneming, toeëigening of aanmatiging, overweldiging [v. troon].

usurper [ju:'zə:pə] usurpator, overweldiger.

usury ['ju:ʒəri] woeker(rente).
ut [ʌt, ut] ♪ ut, do, c.
utensil [ju'tens(i)l] gereedschap *o*, werktuig *o*; ~*s* ook: gerei *o*.
utilitarian [ju:tili'tɛəriən] I *aj* nuttigheids-; utilitaristisch; II *sb* utilitarist.
utilitarianism [ju:tili'tɛəriənizm] utilitarisme, nuttigheidsleer.
utility [ju'tiliti] I *sb* 1 nuttigheid, nut *o*; voorwerp *o* van nut; 2 utiliteit; (*public*) ~ (openbaar) nutsbedrijf *o*; II als *aj* standaard- [v. kleding, meubelen &].
utility-man [ju'tilitimæn] 1 utiliteit: acteur voor kleine rollen; 2 F duivelstoejager.
utilizable ['ju:tilaizəbl] bruikbaar.
utilization [ju:tilai'zeiʃən] benutting, nuttig gebruik *o*, nuttige aanwending.
utilize ['ju:tilaiz] benutten, nuttig besteden, goed gebruiken.
utmost ['ʌtmoust] uiterste, hoogste; *do one's* ~ 1 zijn uiterste best doen; 2 alles op haren en snaren zetten.
Utopia [ju'toupiə] denkbeeldige geluksstaat, ideaalstaat; utopie, hersenschim.
utopian [ju'toupiən] I *aj* utopisch, hersenschimmig; II *sb* utopist.
Utrecht ['ju:trekt] Utrecht(s).
1 **utter** ['ʌtə] *aj* volslagen, algeheel, uiterst.
2 **utter** ['ʌtə] *vt* uiten, uitspreken, uitdrukken; uitgeven, in omloop brengen [geld].
utterable ['ʌtərəbl] uit te spreken.
utterance ['ʌtərəns] uiting, uitspraak, uitlating; dictie, spreektrant, voordracht.
utterer ['ʌtərə] die uitspreekt, uitgeeft &.
utterly ['ʌtəli] *ad* volkomen, volslagen, ten enenmale.
uttermost ['ʌtəmoust] zie *utmost*.
§ **uvula** ['ju:vjulə] huig.
§ **uvular** ['ju:vjulə] van de huig ~ *r* huig-r.
uxorious [ʌk'sɔ:riəs] slaafs aan zijn vrouw gehecht of onderworpen.

V

v [vi:] (de letter) v; **V** = 5 [als Romeins cijfer]; **v.** = *versus*.
vacancy ['veikənsi] 1 (ledige) ruimte; leegte; gaping, hiaat; 2 ledigheid, wezenloosheid; 3 vacature; vacante betrekking; *fill a* ~ 1 een leegte vullen; 2 een vacature vervullen; *gaze (stare) into* ~ wezenloos voor zich uit staren.
vacant ['veikənt] *aj* 1 ledig[2], leeg(staand), open, onbezet, vrij, vacant; 2 nietszeggend; 3 gedachteloos, wezenloos; *fall* ~ openvallen [betrekking].
vacantly ['veikəntli] *ad* 1 leeg; 2 wezenloos.
vacate [və'keit] 1 ontruimen [huis]; neerleggen [betrekking], afstand doen van [troon]; 2 ₮₮ vernietigen.
vacation [və'keiʃən] 1 ontruiming; afstand; 2

vakantie; 3 ₮₮ vernietiging.
vaccinal ['væksinəl] vaccine-; vaccinatie-.
vaccinate ['væksineit] inenten, vaccineren.
vaccination [væksi'neiʃən] vaccinatie, (koepok)inenting.
vaccinator ['væksineitə] inenter.
vaccine ['væksin] I *aj* vaccine-; ~ *lymph* (*matter*) koepokstof; II *sb* vaccin *o*; vaccine: koepokstof.
vacillate ['væsileit] wankelen, weifelen, schommelen.
vacillation [væsi'leiʃən] wankeling, weifeling, schommeling.
vacillator ['væsileitə] weifelaar.
vacuity [væ'kjuiti] 1 ledigheid, (ledige) ruimte, leegte; 2 wezenloosheid.
vacuous ['vækjuəs] 1 leeg[2]; 2 wezenloos, dom.
vacuum ['vækjuəm] I *sb* vacuüm *o*, (lucht)le)dige ruimte; ~ *brake* vacuümrem; ~ (*cleaner-*) stofzuiger; ~ *flask* vacuümfles; ~ *valve* 1 luchtklep; 2 ﷼ elektronenbuis; II *vi* & *vt* stofzuigen.
vade-mecum ['veidi'mi:kəm] vademecum *o*.
vagabond ['vægəbənd] I *aj* 1 (rond)zwervend, heen en weer trekkend, vagebonderend; 2 liederlijk; II *sb* zwerver, B zwerveling; inz. vagebond; III *vi* (rond)zwerven, inz. vagebonderen (ook: ~ *it*).
vagabondage ['vægəbəndidʒ] landloperij, gezwerf *o*.
vagary [və'gɛəri] gril, kuur, nuk.
vagrancy ['veigrənsi] zwervend leven *o*, gezwerf *o*, landloperij.
vagrant ['veigrənt] I *aj* (rond)zwervend, rondtrekkend, vagebonderend[2]; afdwalend: II *sb* zwerver, landloper.
vague(ly) ['veig(li)] vaag, onbepaald, onbestemd, flauw.
vagueness ['veignis] vaagheid &, zie *vague*.
vain [vein] *aj* ijdel; nutteloos, vergeefs; *in* ~ 1 tevergeefs; 2 B ijdellijk.
vainglorious [vein'glɔ:riəs] ijdel; bluffend.
vainglory [vein'glɔ:ri] ijdelheid; gebluf *o*.
vainly ['veinli] *ad* (te)vergeefs; ijdellijk.
vainness ['veinnis] ijdelheid°, nutteloosheid.
valance ['væləns] 1 soort meubeldamast *o*; 2 valletje *o* [aan bedgordijnen].
○ **vale** [veil] dal *o*, vallei.
valediction [væli'dikʃən] vaarwel *o*, afscheid *o*; afscheidsgroet.
valedictory [væli'diktəri] afscheids-.
valence ['veiləns] valentie [in de scheik.].
Valenciennes [vælənsi'en] Valencienneskant.
Valentine ['væləntain] Valentijn; *St.* ~*'s Day* 14 februari; *valentine* 1 liefje of minnaar op 14 februari gekozen; 2 minnebriefje op 14 februari gezonden.
valerian [və'liəriən] ₮ valeriaan(wortel).
valet ['vælit] I *sb* kamerdienaar; lijfknecht, bediende; II *vi* als lijfknecht dienen; III *vt* als lijfknecht bedienen.
valetudinarian [vælitju:di'nɛəriən] I *aj* zieke-

lijk, sukkelend, zwak; **II** *sb* (ingebeelde) zieke, sukkelaar.

Valhalla [væl'hælə] in: *the* ~ het walhalla.

valiant(ly) ['væljənt(li)] dapper, kloekmoedig.

valid ['vælid] deugdelijk [argument]; ⚹ geldig, van kracht; ~ *in law* rechtsgeldig; *make* ~ ook: legaliseren.

validate ['vælideit] valideren, legaliseren, geldig maken of verklaren, bekrachtigen.

validation [væli'deifən] geldigverklaring, bekrachtiging.

validity [və'liditi] validiteit, deugdelijkheid [v. argument]; (rechts)geldigheid.

valise [və'li:z] I reiszak; 2 ✗ musette.

Valkyrie ['vælkiri, væl'kiəri] walkure.

valley ['væli] dal *o*, vallei.

valorous ['vælərəs] dapper, kloekmoedig.

valour ['vælə] dapperheid, kloekmoedigheid.

valuable ['væljuəbl] I *aj* kostbaar, waardevol, van waarde; 2 waardeerbaar; *not* ~ *in money* niet te schatten in geld; **II** *sb* in: ~*s* kostbaarheden, preciosa.

valuation [vælju'fən] schatting, waardering; *at a* ~ voor de geschatte waarde; *set too high a* ~ *on* te hoog schatten.

value ['vælju:] **I** *sb* I waarde, prijs; 2 lichtverdeling [op schilderij]; ~ *in account* $ waarde in rekening; ~ *in exchange* ruilwaarde;~ *received* $ waarde genoten; *get* (*good*) ~ *for one's money* waar voor zijn geld krijgen; *set* ~ *on* waarde hechten aan, prijs stellen op, waarderen; *of* ~ van waarde, waardevol, kostbaar; *to the* ~ *of* ter waarde van; **II** *vt* taxeren (op *at*), waarderen, schatten, (waard) achten; prijs stellen op; **III** *vr* in: ~ *oneself on* zich laten voorstaan op; **IV** *vi* in: ~ *on one* $ op iemand trekken; zie ook: *valued*.

valued ['vælju:d] geschat; gewaardeerd; *your* ~ (*favour*) $ uw geëerd schrijven *o*.

valueless ['vælju:lis] waardeloos.

valuer ['væljuə] taxateur, schatter.

valve [vælv] I klep; ventiel *o*; 2 schaal [v. schelp], schelp; 3 ⚹ ✝ lamp.

valvular ['vælvjulə] klep-.

vamoose [və'mu:s] S er vandoor gaan.

1 vamp [væmp] **I** *sb* I overleer *o*; voorstuk *o*; lap(werk *o*); 2 ♪ geïmproviseerd accompagnement *o*; **II** *vt* nieuwe voorschoenen zetten aan; (op)lappen (ook: ~ *up*); ~ *up* opknappen; in elkaar flansen, verzinnen; **III** *vi* ♪ improviserend accompagneren.

2 vamp [væmp] **I** *sb* S geraffineerde (vrouw); **II** *vt* 't hoofd op hol brengen, inpalmen; **III** *vi* de geraffineerde (vrouw) spelen.

vampire ['væmpaiə] vampier²; zie ook: 2.

vampire-bat ['væmpaiəbæt] vampier. [*vamp* I.

1 ⚒ van [væn] **I** *sb* wan; wiek; **II** *vt* wannen.

2 van [væn] **I** *sb* (verhuis)wagen, transportwagen; goederenwagen [van trein]; **II** *vt* per wagen vervoeren.

3 van [væn] *sb* ✗ & ⚓ voorhoede²; *fig* spits; *the* ~ ook: de voormannen.

Vancouver [væn'ku:və] Vancouver *o*.

vandal ['vændəl] **I** *sb* vandaal²; **II** als *aj* vandalen-.

vandalism ['vændəlizm] vandalisme *o*.

Vandyke [væn'daik] I Van Dyck; 2 keep, puntkraag à la Van Dyck.

vane [vein] I vaantje *o*, weerhaan; 2 (molen)wiek; 3 blad *o* [v. schroef]; 4 vlag [v. veer].

vanguard ['vænga:d] voorhoede², *fig*. spits.

vanilla [və'nilə] ⚹ vanille.

vanish ['vænif] verdwijnen; wegsterven; ~ *into nothing* in rook opgaan; ~*ing point* verdwijnpunt *o*.

vanity ['væniti] I ijdelheid; 2 zie *vanity bag*; *Vanity Fair* (de) kermis der ijdelheid.

vanity bag ['vænitibæg] damestasje *o*.

vanquish ['vænkwif] overwinnen; weerleggen, te niet doen [v. argumenten].

vanquisher ['vænkwifə] overwinnaar.

vantage ['va:ntidʒ] voordeel *o*; zie ook: *vantage-ground*.

vantage-ground ['va:ntidʒgraund] geschikt punt *o*, gunstige positie.

vapid ['væpid] verschaald; flauw, geesteloos.

vapidity [væ-, və'piditi] verschaaldheid; flauwheid, geesteloosheid.

vaporization [veipərai'zeifən] verdamping, verstuiving.

vaporize ['veipəraiz] (*vt* &) *vi* (doen) verdampen, verstuiven.

vaporizer ['veipəraizə] vaporisator, verstuiver.

vaporous ['veipərəs] dampig; vol damp; damp-; *fig* ijl, vaag, winderig.

vapour ['veipə] **I** *sb* damp, rook, uitwaseming, wasem; **II** *vi* I dampen, wasemen; 2 *fig* snoeven, opsnijden, pochen.

vapour bath ['veipəba:θ] dampbad *o*.

vapourer ['veipərə] snoever.

vapouring ['veipəriŋ] **I** *aj* winderig, snoevend; **II** *sb* gesnoef *o*; gewauwel *o*.

vapourish ['veipərif] zie *vapoury*.

vapour trail ['veipətreil] condensstreep.

vapoury ['veipəri] I dampend, waseming, wazig; 2 aan vapeurs lijdend, humeurig.

variability [vɛəriə'biliti] veranderlijkheid &.

variable ['vɛəriəbl] **I** *aj* veranderlijk, onbestendig, ongedurig; **II** *sb* veranderlijke grootheid; ~*s* veranderlijke winden.

variably ['vɛəriəbli] *ad* afwisselend, met afwisselend geluk.

variance ['vɛəriəns] verschil *o* (van mening), geschil *o*, onenigheid, tegenstrijdigheid; *be at* ~ het oneens zijn, in strijd zijn; *at* ~ *with* in strijd met, afwijkend van; *set at* ~ *with* opzetten tegen.

variant ['vɛəriənt] **I** *aj* I afwijkend; 2 veranderlijk; **II** *sb* variant°.

variation [vɛəri'eifən] variatie°; verandering, afwijking; ⚹ variëteit; *by way of* ~ voor de verandering.

varicose ['værikous] spatader-; ~ *vein* spatader, aderspat.

varied ['vɛərid] 1 gevarieerd, afwisselend, vol afwisseling of verscheidenheid; 2 verschillend; 3 veelzijdig.

variegate ['vɛərigeit] bont schakeren.

variegation [vɛəri'geiʃən] bonte schakering.

variety [və'raiəti] gevarieerdheid; bonte mengeling, verscheidenheid; verandering, afwisseling°; soort, variëteit; a ~ of crimes (of reasons) tal o van misdaden, allerlei redenen.

variety artist [və'raiətia:tist] variété-artiest.

variety company [və'raiətikʌmpəni] variëteitengezelschap o, variététroep.

variety entertainment [və'raiətientəteinmənt] variété-uitvoering.

variety hall [və'raiətihɔ:l] variététheater o.

variety show [və'raiətiʃou] variétévoorstelling.

various ['vɛəriəs] 1 verscheiden, onderscheiden; 2 afwisselend; verschillend, divers.

⚲ varlet ['va:lit] 1 page, bediende; 2 schelm.

varmint ['va:mint] P zie vermin; young ~! (kleine) deugniet!, rakker!

varnish ['va:niʃ] I sb vernis o & m, lak o & m, verglaassel o; fig vernisje o; glimp; II vt vernissen, (ver)lakken, verglazen; fig een glimp geven aan, bemantelen.

varnisher ['va:niʃə] vernisser, verlakker, verglazer.

varsity ['va:siti] F zie university.

vary ['vɛəri] I vt 1 variëren, afwisseling brengen in, afwisselen, verscheidenheid geven aan, veranderen, verandering brengen in; 2 ♪ variaties maken op; met variaties voordragen; II vi variëren, afwisselen, veranderen; afwijken, verschillen (van from).

§ vascular ['væskjulə] van de bloedvaten.

vase [va:z] vaas.

Ⓜ vaseline ['væsili:n] vaseline.

vasomotor ['veizou'moutə] vasomotorisch.

vassal ['væsəl] I sb Ⓠ leenman, leenhouder, vazal²; fig knecht, slaaf; II aj vazal(len)-.

vassalage ['væsəlidʒ] 1 Ⓠ leenmanschap o, leendienst; 2 fig (slaafse) dienstbaarheid.

vast [va:st] I aj ontzaglijk, groot, uitgestrekt; onmetelijk; omvangrijk, F kolossaal; II sb uitgestrekte vlakte, onmetelijkheid.

vastly ['va:stli] ad zie vast I; < kolossaal, enorm; verreweg, veel.

vastness ['va:stnis] ontzaglijkheid, grootte &.

vat [væt] I sb vat o, kuip; II vt in een vat of kuip doen.

Vatican ['vætikən] (van het) Vaticaan.

vaticinate [və'tisineit] voorspellen.

vaticination [vətisi'neiʃən] voorspelling.

vaudeville ['voudvil] vaudeville.

vault [vɔ:lt] I sb 1 gewelf o, verwelf o, kelder, kluis [v. bank]; 2 (voltigeurs)sprong; the ~ of heaven het hemelgewelf; II vt 1 (o)verwelven; 2 springen over, voltigeren over; III vi springen, voltigeren.

vaulter ['vɔ:ltə] springer, voltigeur.

vaulting-horse ['vɔ:ltiŋhɔ:s] springpaard o [in de gymnastiek].

vaunt [vɔ:nt] I vi pochen, snoeven; (zich be)roemen; II vt pochen op, (zich be)roemen op; III sb gepoch o, grootspraak, roem.

vaunter ['vɔ:ntə] pocher, snoever.

vavasour ['vævəsuə] Ⓠ achterleenman.

V.C. = Victoria Cross.

've [v] verk. v. have.

veal [vi:l] kalfsvlees o.

VE-day [vi:'i:dei] VE-dag [verk. v. Victory-in-Europe-day: 8 mei 1945].

veer [viə] I vi vieren, voor de wind omwenden; draaien; uitschieten [wind]; ~ about voor de wind omlopen; ~ aft ruimen [wind]; ~ round omlopen [wind]; (bij)draaien²; zwenken², fig een keer nemen; ~ and haul ⚓ (beurtelings) vieren en halen; II vt 1 vieren (ook: ~ away, ~ out); 2 doen draaien, wenden; III sb wending, draai.

veg [vedʒ] F voor vegetable(s).

vegetable ['vedʒitəbl] I aj plantaardig, planten-; groente-; ~ diet 1 plantaardig voedsel o; 2 plantaardig dieet o; ~ dish dekschaal; ~ earth (mould) teelaarde; ~ kingdom plantenrijk o; II sb 1 plant; 2 groente; ~s groente(n).

vegetal ['vedʒitəl] groei-; plantaardig; planten-.

vegetarian [vedʒi'tɛəriən] I sb vegetariër; II als aj vegetarisch.

vegetarianism [vedʒi'tɛəriənizm] vegetarisme o.

vegetate ['vedʒiteit] groeien [als planten]; fig vegeteren, een planteleven leiden.

vegetation [vedʒi'teiʃən] 1 (planten)groei, plantenrijk o; 2 vegetatie, vleeswoekering; 3 vegeteren o, planteleven o.

vegetative ['vedʒiteitiv] van de (planten)groei, groei-; groeiend; vegeterend.

vehemence ['vi:iməns] hevigheid, heftigheid, onstuimigheid, drift, geweld o.

vehement(ly) ['vi:imənt(li)] hevig, heftig, onstuimig, driftig, geweldig.

vehicle ['vi:ikl] 1 voertuig² o, (vervoer)middel o, vehikel o; 2 ook: voertaal.

vehicular [vi'hikjulə] tot voertuig dienend, vervoer-; ~ traffic verkeer o van rij- en voertuigen.

vehmic ['veimik, 'feimik] Ⓠ van het veemgericht; ~ tribunal veemgericht o.

veil [veil] I sb 1 sluier, voile [v. dame]; B voorhang; 2 gevoileerdheid [v. stem]; draw a (the) ~ over verder maar zwijgen over, met de mantel der liefde bedekken; raise the ~ de sluier oplichten; take the ~ de sluier aannemen; beyond the ~ aan gene zijde van het graf; under the ~ of onder de sluier van; onder de schijn (het mom) van; II vt met een sluier bedekken; fig (om)sluieren, bemantelen; ~ed in mystery in een waas van geheimzinnigheid gehuld; zie ↓.

veiled [veild] 1 gesluierd, met een voile voor; 2 gevoileerd [v. stem]; 3 fig bedekt; verkapt.

vein [vein] I sb 1 ader°; 2 (karakter)trek; stemming; I am not in the ~ for... niet in een stemming om...; *in the ~ of Arsène Lupin* in de trant van...; *he has a ~ of madness* er loopt een streep door bij hem; **II** *vt* I aderen; 2 marmeren.

veined [veind], **veiny** ['veini] dooraderd, (rijk) geaderd, aderrijk; gemarmerd.

velar ['vi:lə] **I** *aj* velair, van het zachte verhemelte; **II** *sb* velaire klank.

veld(t) [velt] *ZA* grasvlakte.

velleity [ve'li:iti] krachteloze wil; zwakke wilsuiting, bevlieging.

vellum ['veləm] velijn *o*, kalfsperkament *o*.

velocipede [vi'lɔsipi:d] vélocipède.

velocipedist [vi'lɔsipidist] vélocipèderijder.

velocity [vi'lɔsiti] snelheid.

velours [və'luə] velours *o* & *m*.

§ **velum** ['vi:ləm] zacht verhemelte *o*.

velvet ['velvit] **I** *sb* fluweel *o*; **II** *aj* fluwelen[2].

velveteen [velvi'ti:n] katoenfluweel *o*.

velveting ['velvitiŋ] fluwelen stof.

velvet-like ['velvitlaik] fluweelachtig.

velvety ['velviti] fluweelachtig, fluweel-.

venal ['vi:nəl] veil[2], te koop[2], omkoopbaar.

venality [vi'næliti] te koop zijn[2] *o*, veilheid, omkoopbaarheid.

vend [vend] verkopen, venten.

vendee [ven'di:] koper.

vender ['vendə] verkoper; leurder.

vendetta [ven'detə] bloedwraak.

vendibility [vendi'biliti] verkoopbaarheid.

vendible ['vendibl] **I** *aj* verkoopbaar; **II** *sb* in: ~*s* koopwaren.

vending machine ['vendiŋməʃi:n] verkoopautomaat.

vendor zie *vender*.

veneer [vi'niə] **I** *vt* fineren, met fineer beleggen; *fig* een vernisje geven aan; **II** *sb* fineer *o*; *fig* vernisje *o*.

venerable ['venərəbl] eerbiedwaardig, achtbaar, (zeer) eerwaardig.

venerate ['venəreit] (hoog) vereren.

veneration [venə'reiʃən] (grote) verering; *hold in* ~ hoog vereren.

venerator ['venəreitə] vereerder.

✣ venery ['venəri] jacht, jachtvermaak *o*.

Venetian [vi'ni:ʃən] **I** *aj* Venetiaans; ~ *blind* jaloezie; ~ *mast* vlaggemast; **II** *sb* I Venetiaan(se); 2 jaloezie.

Venezuela [veni'zwi:lə] Venezuela *o*.

vengeance ['vendʒəns] wraak; *with a* ~ F en goed (niet zuinig) ook, dat het een aard heeft (had), van je welste.

vengeful ['vendʒful] wraakgierig.

venial ['vi:niəl] vergeeflijk; ~ *sin RK* dagelijkse zonde [geen doodzonde].

veniality [vi:ni'æliti] vergeeflijkheid.

Venice ['venis] Venetië *o*.

venison ['ven(i)zn] hertevlees *o*.

venom ['venəm] venijn *o*, vergif(t)[2] *o*, gif(t) *o*.

venomous ['venəməs] venijnig[2], (ver)giftig[2].

venous ['vi:nəs] I aderlijk [v. bloed]; 2 geaderd.

vent [vent] **I** *sb* I luchtgat *o*, zundgat *o*, opening; uitweg; 2 split *o* [v. jas]; 3 ✕ speelruimte; *find ~* een uitweg vinden; zich uiten; *give ~ to* uiting, lucht geven aan, de vrije loop laten; **II** *vt* lucht, uiting geven aan, uiten, luchten; ruchtbaar maken; **III** *vr* in: ~ *itself* een uitweg vinden; zich uiten.

vent-hole ['venthoul] luchtgat *o*.

ventil ['ventil] ♪ ventiel *o*, klep.

ventilate ['ventileit] ventileren, de lucht verversen in, lucht geven; luchten[2]; *fig* ruchtbaar maken; in het openbaar bespreken en van alle kanten bekijken.

ventilation [venti'leiʃən] I ventilatie, luchtversing, luchten[2] *o*; 2 *fig* debat *o*, (openbare) discussie; *his ~s* zijn uitingen.

ventilator ['ventileitə] ventilator.

vent-peg ['ventpeg] zwik.

§ **ventral** ['ventrəl] buik-; ~ *fin* buikvin.

§ **ventricle** ['ventrikl] I ventrikel *o*, holte; 2 hartkamer (ook: ~ *of the heart*).

ventriloquism [ven'triləkwizm] (kunst van) buikspreken *o*.

ventriloquist [ven'triləkwist] buikspreker.

ventriloquize [ven'triləkwaiz] buikspreken.

ventriloquy [ven'triləkwi] buikspreken *o*.

venture ['ventʃə] **I** *sb* I waag(stuk *o*); risico *o* & *m*; hetgeen gewaagd wordt; avontuurlijke onderneming; speculatie; *at a* ~ op goed geluk; **II** *vt* wagen, op het spel zetten; ~ *to differ from...* zo vrij zijn van mening te verschillen met; *nothing* ~, *nothing have* wie niet waagt, die niet wint; **III** *vr* ~ *oneself* zich (aan iets) wagen; **IV** *vi* zich wagen; het (er op) wagen; ~ *on* (*upon*) *a few remarks* zich verstouten een paar opmerkingen te maken.

venturesome ['ventʃəsəm], **✣ venturous** ['ventʃərəs] waaghalzerig, stout, vermetel; gewaagd.

venue ['venju:] I plaats waar een misdaad is begaan of rechtsgebied *o* waar de zaak onderzocht moet worden; 2 F plaats (van bijeenkomst). **Venus** ['vi:nəs] Venus[2].

veracious [vi'reiʃəs] I waarheidlievend; 2 waarachtig, waar.

veracity [vi'ræsiti] waarheidsliefde, waarheid, geloofwaardigheid.

veranda(h) [və'rændə] veranda.

verb [və:b] werkwoord *o*.

verbal ['və:bəl] **I** *aj* I mondeling; 2 woordelijk, letterlijk; in woord(en), van woorden, woord(en)-, verbaal; 3 werkwoordelijk; **II** *sb* zelfstandig gebruikt werkwoord *o*.

verbalism ['və:bəlizm] I uitdrukking; 2 woordenzifterij.

verbalist ['və:bəlist] woordenzifter.

verbally ['və:bəli] *ad* zie *verbal* **I**.

verbatim [və:'beitim] woord voor woord, woordelijk.

verbena [və:'bi:nə] ✿ verbena.

verbiage ['və:biidʒ] omhaal van woorden, breedsprakigheid; > gekwebbel *o*.

verbose [və:'bous] breedsprakig, woordenrijk, wijdlopig.

verbosity [və:'bɔsiti] breedsprakigheid, woordenrijkheid, wijdlopigheid.

verdancy ['və:dənsi] groenheid².

verdant ['və:dənt] groen².

verdict ['və:dikt] ♂ uitspraak; vonnis o, beslissing, oordeel o; give one's ~ zijn oordeel uitspreken.

verdigris ['və:digris] kopergroen o.

verdure ['və:djə] groen o, groenheid, lover o.

verdurous ['və:djərəs] groen.

verge [və:dʒ] I sb 1 roede, spil, staf; 2 zuilschacht; 3 rand²; berm; on the ~ of op de rand van, op het punt om...; heel dicht bij; II vi hellen (naar to); neigen (naar to, toward); grenzen (aan on).

verger ['və:dʒə] 1 stafdrager; 2 koster.

veridical(ly) [vi'ridikəl(i)] waarachtig, geloofwaardig.

veriest ['veriist] overtr. trap van very. [ren.

verifiable ['verifaiəbl] te verifiëren, te controle-

verification [verifi'keiʃən] 1 verificatie; 2 proef (op de som); 3 bekrachtiging, bewijs o; in ~ of... om te bewijzen...; in ~ whereof... ten bewijze waarvan. [ger.

verifier ['verifaiə] 1 verificateur; 2 bekrachti-

verify ['verifai] 1 verifiëren, onderzoeken, nazien, nagaan; 2 waarmaken, bevestigen (in), bekrachtigen; 3 vervullen [voorwaarden]; be verified bewaarheid worden.

✵ verily ['verili] waarlijk, B voorwaar.

verisimilar [veri'similə] waarschijnlijk.

verisimilitude [verisi'militju:d] waarschijnlijkheid.

veritable ['veritəbl] aj waar(achtig), echt.

veritably ['veritəbli] ad waarlijk, werkelijk.

verity ['veriti] waarheid; of a ~ voorwaar.

verjuice ['və:dʒu:s] zuur sap o van onrijpe vruchten.

vermeil ['və:mil] 1 verguld zilver o; 2 goudvernis o & m; 3 ☉ vermiljoen o.

vermicelli [və:mi'seli] vermicelli.

vermicide ['və:misaid] wormmiddel o.

vermicular [və:'mikjulə] wormvormig, wormachtig, wormstrepig.

vermiculate [və:'mikjulit] wormvormig; wormstrepig.

vermiculation [və:mikju'leiʃən] 1 wormvormige versiering of inlegging; 2 wormvormige beweging; 3 wormstekigheid.

vermiform ['və:mifɔ:m] wormvormig.

vermifuge ['və:mifju:dʒ] wormmiddel o.

vermilion [və'miljən] I sb vermiljoen o; II aj vermiljoen(rood); III vt met vermiljoen kleuren, rood verven.

vermin ['və:min] ongedierte o; fig tuig o, ontuig o.

verminous ['və:minəs] 1 vol ongedierte; 2 van ongedierte.

vermouth ['və:məθ] vermout.

vernacular [və'nækjulə] I aj inlands, inheems,

vaderlands; ~ language = II sb 1 landstaal, moedertaal; 2 inlandse taal; 3 taal [v. e. bepaald vak &].

vernacularize [və'nækjuləraiz] in de landstaal overbrengen, „verdietsen".

vernal ['və:nəl] van de lente, lente-, voorjaars-; jeugd-; ~ equinox voorjaarsdag-en-nacht-evening; ~ grass ♣ reukgras o.

Verona [və-, vi'rounə] Verona o.

Veronese [verə'ni:z] I aj Veronees; II sb Veronees, Veronezen.

veronica [və'rɔnikə] 1 ♣ ereprijs; 2 RK aanschijndoek (met Jezus' aangezicht).

versatile ['və:sətail] 1 veranderlijk, ongestadig, onvast; 2 veelzijdig.

versatility [və:sə'tiliti] 1 veranderlijkheid, ongestadigheid; 2 veelzijdigheid.

verse [və:s] I sb 1 vers° o, versregel, strofe, couplet o; 2 poëzie; in ~ in dichtvorm; II vi verzen maken; III vt 1 (in verzen) bezingen; 2 op rijm brengen.

versed [və:st] ervaren, doorkneed, bedreven (in in), op de hoogte (van in).

versemonger ['və:smʌŋgə] verzenmaker, rijmelaar, pruldichter.

versicle ['və:sikl] (kort) vers o.

versification [və:sifi'keiʃən] versificatie, versbouw; rijmkunst.

versifier ['və:sifaiə] (be)rijmer, verzenmaker.

versify ['və:sifai] I vt berijmen, op rijm brengen; II vi verzen maken.

version ['və:ʃən] 1 overzetting; vertaling; 2 verhaal o of voorstellingswijze [v. een zaak], lezing; 3 bewerking [voor de film]; 4 versie [v. vliegtuig &].

verso ['və:sou] keer-, ommezijde, achterkant.

verst [və:st] werst [1,066 km].

versus ['və:səs] ♣ & sp tegen, contra.

vertebra ['və:tibrə, mv vertebrae 'və:tibri:] wervel.

vertebral ['və:tibrəl] gewerveld, wervel-.

vertebrate ['və:tibrit] I aj gewerveld; fig niet futloos, flink, krachtig; II sb ~s gewervelde dieren.

vertebrated ['və:tibreitid] zie vertebrate I.

vertex ['və:teks] top(punt o) hoogste punt o, zenit o, kruin.

vertical ['və:tikl] I aj 1 van het toppunt; 2 verticaal, rechtstandig, loodrecht; (op)staand, opwaarts [druk]; ~ angle tophoek; ~ angles overstaande hoeken; II sb 1 loodlijn; 2 verticaal vlak o; 3 tophoek; out of the ~ niet loodrecht

vertices ['və:tisi:z] mv ə. vertex.

vertiginous [və:'tidʒinəs] 1 draaiend, draaierig; 2 duizelingwekkend.

vertigo ['və:tigou, və:'taigou] duizeling.

✵ vertu zie virtu.

vervain ['və:vein] ♣ verbena.

verve [və:v] verve, gloed, geestdrift, bezieling, (kunstenaars)vuur o

very ['veri] I aj 1 waar, werkelijk, echt; 2 aller-;

the ~ *air you breathe* zelfs de lucht die men inademt; *the* ~ *best* de (het) allerbeste; *the* ~ *book I am looking for* precies (net, juist) het boek dat ik zoek; *he is a* ~ *child as to...* nog een echt kind; *that* ~ *day* diezelfde dag; *before our* ~ *eyes* vlak voor onze ogen; *for* ~ *joy* uit louter vreugd; *the* ~ *last* de allerlaatste; *its* ~ *mention* de blote vermelding daarvan; *for that* ~ *reason* juist daarom; *it is the* ~ *same* precies de (het)zelfde; *it is the* ~ *thing* het is precies (net) wat wij hebben moeten, F het is je ware; *his* ~ *thoughts* zijn intiemste gedachten; *practice is the* ~ *word* hét woord; *the veriest child could tell you* het onnozelste kind; **H** *ad* zeer, heel, erg; ~ *much* erg veel; erg, zeer.

vesica [vi'saikə] **⚥** & **♑︎** blaas.

vesical ['vesikl] blaas-.

vesicant ['vesikənt], **vesicatory** ['vesikeitəri] **I** *aj* blaartrekkend; **II** *sb* blaartrekkend middel *o*, trekpleister.

vesicle ['vesikl] blaasje *o*, blaar.

vesicular [vi'sikjulə] blaasachtig, blaasvormig, blaas-.

Vespasian [ves'peiʒiən] Vespasianus.

Vesper ['vespə] 1 avondster; 2 ☉ avond; *v*~*s RK* de vesper.

vesper-bell ['vespəbel] vesperklokje *o*.

vespiary ['vespiəri] wespennest *o*.

vessel ['vesl] 1 vat *o*; 2 **⚓** vaartuig *o*, schip *o*; *a chosen* ~ **B** een uitverkoren vat; *the weaker* ~ **B** het zwakke vat: de vrouw; *the* ~*s of wrath* **B** de vaten des toorns.

vest [vest] **I** *sb* 1 borstrok; 2 vest, vestje *o* [damesjapon]; 3 **⚜** kleed *o*; ☉ dracht; **II** *vt* 1 bekleden (met *with*); begiftigen; 2 **⚜** kleden; *be* ~*ed in* bekleed worden door [v. ambt], berusten bij [macht]; belegd zijn in [v. geld]; ~*ed interests* bestaande belangen; ~*ed rights* verkregen of oudere rechten; **III** *vi* **⚜** zich kleden; ~ *in* berusten bij [macht].

Vesta ['vestə] Vesta [godin]; *v*~ waslucifer.

vestal ['vestəl] **I** *aj* Vestaals, kuis, eerbaar; **II** *sb* Vestaalse maagd[2].

vestibule ['vestibju:l] 1 vestibule, voorhuis *o*, (voor)portaal *o*, voorhof *o*; 2 voorhof *o* [v. oor].

vestige ['vestidʒ] spoor° *o*, overblijfsel *o*.

vesting ['vestiŋ] veststof.

vestment ['vestmənt] kledingstuk *o*, kleed *o*, gewaad *o*; ambtsgewaad *o*; ~*s* paramenten [liturgische gewaden; altaarbedekking].

vestry ['vestri] 1 sacristie; 2 consistorie *o*; 3 ± kerkeraad.

vestry-clerk ['vestrikla:k] secretaris van de kerkeraad.

vestryman ['vestrimən] lid *o* van de kerkeraad.

☉ **vesture** ['vestʃə] **I** *sb* (be)kleding, kledingstuk *o*, kleed[2] *o*, gewaad *o*; bedekking, dek *o*; **II** *vt* (be)kleden.

vesturer ['vestʃərə] sacristiemeester.

Vesuvius [vi's(j)u:viəs] de Vesuvius.

vet [vet] **I** *sb* **F** verk. v. *veterinary surgeon* & *veteran*; **II** *vt* (veeartsenijkundig, geneeskundig) behandelen, keuren, onderzoeken, nazien.

vetch [vetʃ] **♣** wikke.

veteran ['vetərən] **I** *aj* oud, beproefd, ervaren; ~ *car* auto van vóór 1918; **II** *sb* oudgediende[2], veteraan; oudstrijder.

veterinarian [vetəri'nɛəriən] zie *veterinary*.

veterinary ['vetərinəri] **I** *aj* veeartsenijkundig; ~ *school* veeartsenijschool; ~ *surgeon* veearts; **II** *sb* veearts.

veto ['vi:tou] **I** *sb* 1 (recht *o* van) veto *o*; 2 verbod *o*, afkeurende uitspraak; *interpose one's* ~, *put a (one's)* ~ *on* zijn veto uitspreken over; **II** *vt* zijn veto uitspreken over, verbieden, verwerpen.

vex [veks] plagen, kwellen, irriteren, ergeren; verontrusten, in beroering brengen; *how* ~*ing!* wat vervelend!; *enough to* ~ *a saint* om een engel zijn geduld te doen verliezen; zie ook: *vexed*.

vexation [vek'seiʃən] verdrietelijkheid, kwelling, plaag, ergernis, plagerij.

vexatious [vek'seiʃəs] irriterend, hinderlijk, verdrietig, verdrietelijk, ergerlijk.

vexed [vekst] *aj* 1 geërgerd (over *at*); 2 landerig; 3 onrustig, bewogen; *a* ~ *question* een veelomstreden vraagstuk *o*.

vexedly ['veksidli] *ad* geërgerd.

vexer ['veksə] plager, kweller.

vexing(ly) ['veksiŋ(li)] irriterend, plagend &.

via ['vaiə] via, over.

viability [vaiə'biliti] levensvatbaarheid.

viable ['vaiəbl] levensvatbaar.

viaduct ['vaiədʌkt] viaduct.

vial ['vaiə] flesje *o*; *the* ~*s of one's wrath* de fiolen van zijn toorn.

viand ['vaiənd] spijs, gerecht *o*; ~*s* spijzen, levensmiddelen, mondkost.

viaticum [vai'ætikəm] 1 voorraad op reis; teerpenning; 2 *RK* (aan een stervende toegediende) teerspijze.

vibrant ['vaibrənt] vibrerend, trillend.

vibrate [vai'breit] (*vt* &) *vi* (doen) vibreren, trillen; schommelen, slingeren.

vibration [vai'breiʃən] vibratie, trilling, schommeling, slingering.

vibrator [vai'breitə] **▒** vibrator.

vibratory ['vaibrətəri] trillend, trillings-.

Vic [vik] **F** Victoria.

vicar ['vikə] 1 vicaris, plaatsvervanger; 2 predikant, dominee; ~ *apostolic RK* apostolisch vicaris; ~ *general* vicaris-generaal; *the Vicar of Christ* de Stedehouder Christi: de Paus.

vicarage ['vikəridʒ] 1 predikantsplaats; 2 pastorie.

vicarial [vai'kɛəriəl] predikants-.

vicariate [vai'kɛəriit] vicariaat *o*.

vicarious [vai'kɛəriəs] in de plaats van of voor een ander gedaan, geleden &; plaatsvervangend.

1 **vice** [vais] *sb* 1 ondeugd; gebrek *o*, fout; kuur [v. paard &]; 2 hansworst in de oude Engelse moraliteiten.

2 **vice** [vais] *sb* ℛ bankschroef; *gripped as in a* ~ als in een schroef geklemd.

3 **vice** [vais] *sb* F ondervoorzitter.

4 **vice** [vais] vice-, onder-, plaatsvervangend.

vice-admiral ['vais'ædmirəl] vice-admiraal.

vice-chancellor ['vais'tʃa:nsələ] 1 vice-kanselier; 2 ± rector magnificus.

vice-consul ['vais'kɔnsəl] vice-consul.

vicegerency ['vais'dʒerənsi] post van een plaatsvervanger.

vicegerent ['vais'dʒerənt] I *aj* plaatsvervangend; II *sb* plaatsvervanger; substituut; ☉ stedehouder [v. Christus].

vice-president ['vais'prezidənt] vice-president.

viceregal ['vais'ri:gəl] van de onderkoning.

vicereine ['vais'rein] echtgenote van de onderkoning.

viceroy ['vaisrɔi] onderkoning.

viceroyal ['vais'rɔiəl] onderkoninklijk.

viceroyalty ['vais'rɔiəlti] onderkoningschap *o*.

vice versa ['vaisi'və:sə] vice versa, omgekeerd.

vicinage ['visinidʒ] zie *vicinity*.

vicinity [vi'siniti] (na)buurschap, dicht liggen *o* (bij *to*²), nabijheid, buurt.

vicious(ly) ['viʃəs(li)] slecht, verdorven, bedorven; verkeerd, gebrekkig; vals [v. dieren]; boosaardig, venijnig [kritiek]; ~ *circle* vicieuze cirkel.

vicissitude [vi'sisitju:d] 1 lotswisseling, wisselvalligheid, wederwaardigheid; 2 afwisseling.

vicissitudinous [visisi'tju:dinəs] vol wederwaardigheden.

victim ['viktim] offerdier *o*, slachtoffer² *o*, *fig* dupe; *fall a* ~ *to* het slachtoffer worden van, ten offer vallen aan.

victimization [viktimai'zeiʃən] slachtoffer(s) maken *o*; bedriegerij; [na staking &] rancunemaatregelen, broodroof.

victimize ['viktimaiz] tot slachtoffer maken; bedriegen.

victor ['viktə] I *sb* overwinnaar; II als *aj* ☉ overwinnend, zegevierend.

Victoria [vik'tɔ:riə] Victoria; *the* ~ *Cross* het Victoriakruis.

victoria [vik'tɔ:riə] 1 victoria [rijtuig]; 2 ♀ victoria regia; 3 ♫ victoriaduif.

Victorian [vik'tɔ:riən] van (Koningin) Victoria, uit de tijd van Koningin Victoria; ~ *order* orde van Victoria.

victorious [vik'tɔ:riəs] *aj* overwinnend, zegevierend; *the* ~ *day* de dag van de overwinning; *be* ~ (*over*) zegevieren (over), overwinnen, 't winnen (van).

victoriously [vik'tɔ:riəsli] *ad* overwinnend, zegevierend, als overwinnaar(s).

victory ['viktəri] overwinning, zege, victorie; *gain a* (*the*) ~ *over* de overwinning behalen op.

victress ['viktris] overwinnares.

victual ['vitl] I *sb* kost; ~*s* victualiën, proviand; leeftocht; levensmiddelen; II *vt* provianderen; III *vi* proviand innemen (inslaan).

victualler ['vitlə] 1 leverancier van levensmiddelen; 2 ♣ proviandschip *o*; *licensed* ~ tapper met „vergunning".

victualling ['vitliŋ] levensmiddelenvoorziening, proviandering.

vie [vai] wedijveren (met *with*).

Vienna [vi'enə] I *sb* Wenen; II als *aj* Wener, Weens.

Viennese [vie'ni:z] I *aj* Wener, Weens; II *sb* 1 Wener(s); Weense(n); 2 Wenerdialect.

view [vju:] I *sb* 1 gezicht° *o*, uitzicht *o*, aanblik; aanzicht *o*; kijkje *o*; blik, kijk [op een zaak], mening, opvatting, inzicht *o*; overzicht *o*; beschouwing, bezichtiging; 2 oogmerk *o*; bedoeling; *his* (*sombre*) ~ *of life* zijn (sombere) kijk op het leven, zijn (sombere) levensopvatting; *have* ~*s upon* een oogje hebben op; ook: loeren op; *take a different* ~ *of the matter* de zaak anders beschouwen (zien), inzien, opvatten; *take the* ~ *that*... van mening zijn, zich op het standpunt stellen, dat...; *take long* (*short*) ~*s* niet kortzichtig (kortzichtig) zijn [*fig*]; *in* ~ in zicht, te zien, in het vooruitzicht; *with death in* ~ met de dood voor ogen; *in his* ~ 1 voor zijn ogen; 2 naar zijn opinie, naar zijn inzicht; *in* ~ *of*... 1 in het gezicht van; 2 met het oog op..., gezien..., gelet op...; *in full* ~ *of* ten aanschouwen van; *have in* ~ op het oog hebben, beogen; *keep in* ~ in het oog houden; *be on* ~ 1 te bezichtigen zijn, ter inzage liggen; 2 ook: poseren; *lost to* ~ uit het oog (verloren); *with a* ~ *to* met het oog op, ten einde, om; II *vt* (be)zien, beschouwen, bekijken, in ogenschouw nemen; bezichtigen; III *vi* TV kijken.

viewer ['vju:ə] 1 (be)schouwer; 2 opzichter; 3 TV kijker.

view-finder ['vju:faində] ℛ zoeker.

viewless ['vju:lis] ongezien, onzichtbaar.

view-point ['vju:pɔint] uitzichtpunt *o*; gezichtspunt *o*, standpunt *o*.

vigil ['vidʒil] vigilie, avond vóór een feestdag; ~*s* nachtwake; nachtelijke gebeden; *keep* ~ waken.

vigilance ['vidʒiləns] waakzaamheid; slapeloosheid; ~ *committee* comité *o* van waakzaamheid.

vigilant ['vidʒilənt] waakzaam.

vigilante [vidʒi'lænti] lid *o* van een comité van waakzaamheid.

vignette [vi'njet] vignet *o*; *fig* schets; tafereeltje *o*.

vigorous(ly) ['vigərəs(li)] krachtig, sterk, fors, flink, energiek; *fig* gespierd [v. stijl].

vigour ['vigə] kracht, sterkte; energie, forsheid; *fig* gespierdheid [v. stijl].

viking ['vaikiŋ] viking.

vile [vail] *aj* 1 slecht, gemeen; 2 verachtelijk, laag.

vilely ['vailli] *ad* zie *vile*.

vilification [vilifi'keiʃən] belastering, zwartmaking.

vilifier ['vilifaiə] lasteraar, zwartmaker.

vilify ['vilifai] (be)lasteren, zwart maken.

villa ['vilə] villa, buitenplaats.

village ['vilidʒ] I *sb* dorp *o*; II als *aj* dorps-.

villager ['vilidʒə] dorpeling, dorpsbewoner.

villain ['vilən] I schurk, schelm, snoodaard; 2 „verrajer" (ook *the heavy* ~ als toneelrol); 3 ✎ boer; 4 ⚓ zie *villein*.

villainage ['vilinidʒ] zie *villeinage*.

villainous ['vilənəs] laag, snood, gemeen.

villainy ['viləni] laagheid, schurkachtigheid, schurkerij, schurkenstreek.

villein ['vilin] ⚓ lijfeigene, horige, dorper.

villeinage ['vilinidʒ] ⚓ lijfeigenschap, horigheid.

vim [vim] F kracht, energie, vuur *o*, fut.

vinaceous [vai'neiʃəs] wijn-; wijnrood.

vinaigrette [vini'gret] I reukdoosje *o*, -flesje *o*; 2 azijnsaus.

Vincent ['vinsənt] Vincentius.

vindicate ['vindikeit] I handhaven, verdedigen; 2 bewijzen; rechtvaardigen; (van blaam) zuiveren.

vindication [vindi'keiʃən] I handhaving, verdediging; 2 rechtvaardiging; zuivering.

vindicative ['vindikeitiv] zie *vindicatory*.

vindicator ['vindikeitə] I verdediger; 2 rechtvaardiger.

vindicatory ['vindikeitəri] I verdedigend, rechtvaardigend; 2 wrekend, straffend.

vindictive [vin'diktiv] wraakgierig, -zuchtig, rancuneus.

vine [vain] ✿ I wijnstok; wingerd; 2 klimplant; rank.

vine-branch ['vainbra:n(t)ʃ] wijngaardrank.

vine-dresser ['vaindresə] wijngaardenier.

vine-fretter ['vainfretə] druifluis.

vinegar ['vinigə] I *sb* azijn; II *aj* zuur².

vinegary ['vinigəri] azijnachtig, azijn-; zuur².

vine-grub ['vaingrʌb] druifluis.

vine-leaf ['vainli:f] druiveblad *o*.

vine-louse ['vainlaus], **vine-pest** ['vainpest] druifluis.

vinery ['vainəri] druivenkas.

vineyard ['vinjəd, 'vinja:d] wijngaard.

viniculture ['vinikʌltʃə] wijnbouw.

vinous ['vainəs] wijnachtig; wijn-; *fig* door de fles geïnspireerd.

vintage ['vintidʒ] I druiven lezen *o*, wijnoogst; 2 (wijn)gewas *o*, jaargang [van wijn]; 3 F merk *o*, gehalte *o*, kwaliteit, soort.

vintage car ['vintidʒka:] auto uit de periode 1918-1930.

vintager ['vintidʒə] druivenlezer.

vintage year ['vintidʒjiə] goed wijnjaar *o*; *fig* goed jaar *o*, bijzonder jaar *o*.

✎ **vintner** ['vintnə] wijnkoper.

viny ['vaini] I druiven-; 2 wijnrijk.

viol ['vaiəl] ♪ viola.

viola [vai'oulə] ♪ altviool ‖ ['vaiələ] ✿ viool.

violable ['vaiələbl] schendbaar.

violate ['vaiəleit] geweld aandoen², schenden, verkrachten, onteren; verstoren.

violation [vaiə'leiʃən] schending, verkrachting, schennis, ontering; inbreuk; verstoring; *in* ~ *of the rules* met schending der regels.

violator ['vaiəleitə] schender.

violence ['vaiələns] I geweld *o*, gewelddadigheid, geweldpleging; 2 hevigheid; heftigheid; *do* ~ *to* geweld aandoen; *use* ~ *against* (*to, towards*) geweld aandoen, zich vergrijpen aan; *by* ~ met, door geweld; *die by* ~ een gewelddadige dood sterven; *robbery with* ~ diefstal met geweldpleging.

violent ['vaiələnt] I geweldig°, hevig, heftig, krachtig; hel [kleur]; 2 gewelddadig.

violet ['vaiəlit] I *sb* I ✿ viooltje *o*; 2 violet *o*; *African* ~ ✿ Kaaps viooltje *o*; II *aj* violet-(kleurig), paars.

violin [vaiə'lin] ♪ viool.

violinist [vaiə'linist] ♪ violist.

violist ['vaiəlist] ♪ altist.

violoncellist [vaiələn'tʃelist] ♪ cellist.

violoncello [vaiələn'tʃelou] ♪ violoncel.

V.I.P. ['vi:ai'pi:] = *very important person* **S** gewichtigheid, hoge (ome).

viper ['vaipə] adder²; *fig* slang, serpent *o*; ~'*s bugloss* ✿ slangekruid *o*.

viperish ['vaipəriʃ], **viperous** ['vaipərəs] adderachtig, adder-, giftig.

virago [vi'reigou] helleveeg, feeks, manwijf *o*.

Virgil ['və:dʒil] Vergilius, Virgilius.

Virgilian [və:'dʒiliən] Vergiliaans.

virgin ['və:dʒin] I *sb* maagd; *the* (*Blessed*) *Virgin* RK de Heilige Maagd; II *aj* I maagdelijk², onbevlekt, ongerept, rein, zuiver; 2 ongepijnd [honig]; gedegen [metaal]; *the Virgin Queen* Koningin Elizabeth I; ~ *wax* maagdenwas.

virginal ['və:dʒinəl] I *aj* maagdelijk²; *fig* rein, onbevlekt; II *sb* in: ~(*s*) ♪ virginaal *o* [soort klavecimbel].

Virginia [və'dʒiniə] I Virginië; 2 Virginia [in Amerika]; 3 virginiatabak; ~ *creeper* ✿ wilde wingerd.

Virginian [və'dʒiniən] I *aj* Virginisch; ~ *creeper* ✿ wilde wingerd; II *sb* Virginiër.

virginity [və:'dʒiniti] maagdelijke staat, maagdelijkheid.

Virgo ['və:gou] ✶ de Maagd [in de dierenriem].

virile ['virail] mannelijk, manmoedig.

virility [vi'riliti] mannelijk-, manmoedigheid.

virologist [vaiə'rolədʒist] ❦ viroloog.

virology [vaiə'rolədʒi] ❦ virologie.

virtu [və:'tu:] liefde voor de schone kunsten; *articles of* ~ curiosa, antiquiteiten.

virtual ['və:tjuəl] *aj* virtueel, feitelijk [hoewel niet in naam].

virtually ['və:tjuəli] *ad* virtueel, in de praktijk, praktisch, feitelijk, vrijwel, zo goed als.

virtue ['və:tju:] deugd°, deugdzaamheid; verdienste; kracht; *make a ~ of necessity* van de nood een deugd maken; *by (in) ~ of* krachtens; *in ~ whereof...* krachtens hetwelk (dewelke).

virtuosi [və:tju'ousi:] *mv* v. *virtuoso*.

virtuosity [və:tju'ositi] 1 virtuositeit; 2 kunstkenners, -minnaars.

virtuoso [və:tju'ousou] 1 virtuoos; 2 kunstkenner, -minnaar.

virtuous(ly) ['və:tjuəs(li)] deugdzaam, braaf.

virulence ['viruləns] kwaadaardigheid [v. ziekte], venijnigheid²; *fig* giftigheid.

virulent(ly) ['virulənt(li)] kwaadaardig [v. ziekte]; venijnig²; *fig* giftig.

virus ['vaiərəs] virus *o*, smetstof², vergif(t)² *o*; *fig* besmetting.

visa ['vi:zə] I *sb* visum *o*, tekening voor gezien; II *vt* viseren, (af)tekenen.

○ visage ['vizidʒ] gelaat *o*, aangezicht *o*.

visard ['vizəd] zie *visor* 1.

§ viscera ['visərə] inwendige organen; ingewanden.

§ visceral ['visərəl] visceraal: van de ingewanden.

viscid ['visid] kleverig. [den.

viscose ['viskous] viscose.

viscosity [vis'kositi] kleverigheid, taaiheid, § viscositeit.

viscount ['vaikaunt] burggraaf.

viscountcy ['vaikauntsi] burggraafschap *o*.

viscountess ['vaikauntis] burggravin.

viscountship ['vaikauntʃip], viscounty ['vaikaunti] burggraafschap *o*.

viscous ['viskəs] kleverig, taai, § viskeus.

visé ['vi:zei] zie *visa*.

visibility [vizi'biliti] zichtbaarheid; zicht *o*.

visible ['vizibl] I *aj* zichtbaar, (duidelijk) merkbaar of te zien; te spreken; II *sb* in: ~*s* zichtbare dingen.

visibly ['vizibli] *ad* zichtbaar, merkbaar, zienderogen.

Visigoth ['vizigoθ] Westgoot.

vision ['viʒən] I *sb* zien *o*, gezicht *o*, visie; verschijning, droomgezicht *o*, droom(beeld *o*), visioen *o*; II *vt* in een (zijn) droom zien.

visionary ['viʒənəri] I *aj* 1 visionair; 2 dromerig; droom-; hersenschimmig; II *sb* 1 visionair, ziener, dromer; 2 fantast.

visit ['vizit] I *vt* 1 bezoeken° (ook = teisteren); 2 bezichtigen, inspecteren; ~ *upon* doen neerkomen op, B wreken op; ~ *with* bezoeken met [straf, plagen &]; lastig vallen met, kwellen met; II *vi* visites maken, bezoeken afleggen; *be* ~*ing* te logeren zijn, maar dóórtrekkende zijnd; ~ *at a house* ergens aan huis komen; III *sb* 1 bezoek *o*, visite; 2 inspectie, visitatie; *flying* ~ bliksembezoek *o*; *be on a* ~ 1 op bezoek zijn; 2 (ergens) te logeren zijn.

visitant ['vizitənt] I *aj* bezoekend; II *sb* 1 bezoeker; 2 ♚ trekvogel.

visitation [vizi'teiʃən] 1 bezoek *o*; 2 visitatie;

3 bezoeking; ~ *of the sick* ziekenbezoek *o*; *the Visitation of the Sick* formulier *o* voor de ziekentroost; ~ *of the Virgin Mary* Maria's Visitatie [2 juli].

visiting-card ['vizitiŋka:d] visitekaartje *o*.

visiting committee ['vizitiŋkə'miti] commissie van toezicht.

visiting professor ['vizitiŋprə'fesə] gasthoogleraar.

visiting team ['vizitiŋ'ti:m] *sp* uitclub, gasten.

visitor ['vizitə] 1 bezoeker, bezoek *o*, logé; doortrekkende vreemdeling; 2 inspecteur; ~*s* bezoekers, bezoek *o*; ~*s' book* vreemdelingenboek *o*; ~*'s room* logeerkamer.

visor ['vaizə] 1 vizier *o* [v. helm]; ⚒ masker *o*; 2 klep [van pet]; ⊕ zonneklep.

visored ['vaizəd] 1 met een vizier; 2 met een klep; 3 ⚒ gemaskerd.

vista ['vistə] 1 uitzicht² *o*, verschiet² *o*, vergezicht² *o*; doorkijk; 2 laan.

Vistula ['vistjulə] Weichsel.

visual ['viʒuəl] gezichts-, visueel.

visualization [viʒuəlai'zeiʃən] aanschouwelijk maken *o*.

visualize ['viʒuəlaiz] 1 aanschouwelijk maken; 2 (zich) aanschouwelijk voorstellen.

vital ['vaitl] I *aj* 1 vitaal, levens-; essentieel, noodzakelijk, onmisbaar; 2 levensgevaarlijk; 3 = *of ~ importance* van vitaal (= het allerhoogste) belang; *the ~ parts* de edele delen; ~ *statistics* bevolkingsstatistiek; J biologische attractie (= buste, taille, heupen); *be ~ to* een levenskwestie zijn voor; II *sb* ~*s* edele delen.

vitality [vai'tæliti] 1 vitaliteit, levenskracht, leven *o*; 2 levensvatbaarheid.

vitalize ['vaitəlaiz] leven geven, bezielen.

vitally ['vaitəli] *ad* in hoge mate; ~ *important* van vitaal belang.

vitamin ['vaitəmin] vitamine.

vitiate ['viʃieit] bederven [bloed &]; *fig* onzuiver maken [oordeel]; ongeldig maken [contract].

vitiation [viʃi'eiʃən] bederf *o*; ongeldigmaking.

viticulture ['vitikʌltʃə] wijnbouw.

vitreous ['vitriəs] glazen, glasachtig, glas-; *the ~ body (humour)* het glaslichaam.

vitrification [vitrifi'keiʃən] glasmaking; verglazing.

vitrify ['vitrifai] I *vt* tot glas maken, verglazen; II *vi* glasachtig worden.

vitriol ['vitriəl] vitriool *o & m*, zwavelzuur *o*; *blue ~* kopervitriool *o & m*; *green ~* ijzervitriool *o & m*.

vitriolate ['vitriəleit] 1 in vitriool omzetten; 2 (met) vitriool in 't gezicht gooien.

vitriolic [vitri'olik] vitrioolachtig, vitriool-; *fig* bijtend, giftig, venijnig scherp.

vitriolize ['vitriəlaiz] zie *vitriolate*.

vituperate [vai'tju:pəreit] I *vt* schimpen op, schelden op, uitschelden; II *vi & va* schimpen, schelden.

vituperation [vaitju:pə'reiʃən] geschimp *o*, gescheld *o*, uitschelden *o*; scheldwoorden.

vituperative [vai'tju:pəreitiv] (uit)scheldend, schimpend, scheld-, schimp-.

vituperator [vai'tju:pəreitə] beschimper.

Vitus ['vaitəs] Veit; *St.* ~'s *dance* sint-vitusdans.

vivacious [vi'veiʃəs] levendig, opgewekt.

vivacity [vi'væsiti] levendigheid, opgewektheid.

vivarium [vai'vɛəriəm] 1 diergaarde; 2 aquarium *o*, vijver.

viva voce [vaivə'vousi] I *ad* & *aj* mondeling; II *sb* mondeling examen *o*.

vivid ['vivid] levendig°, helder.

vivify ['vivifai] weer levend maken, verlevendigen, bezielen.

§ viviparous [vi'vipərəs] levendbarend.

vivisect ['vivisekt] de vivisectie toepassen op, levend ontleden [v. dieren].

vivisection [vivi'sekʃən] vivisectie.

vixen ['viksn] 1 ♀ moervos, wijfjesvos; 2 *fig* feeks, helleveeg.

viz. [viz] namelijk, te weten.

vizard ['vizəd] zie *visor* 1.

vizier [vi'ziə] vizier.

VJ-day [vi:'dʒeidei] VJ-dag [verk. v. *Victory-over-Japan-day*: 2 sept. 1945].

vocable ['voukəbl] woord *o*.

vocabulary [və'kæbjuləri] 1 vocabulaire *o*, woordenlijst; 2 woordenschat, -voorraad.

vocal ['voukəl] 1 van de stem, stem-; 2 mondeling, (uit)gesproken, vocaal; 3 stemhebbend; 4 luid(ruchtig); weerklinkend (van *with*); ~ *c(h)ords* stembanden; ~ *music* ♪ zangmuziek; ~ *performer* zanger, -es.

vocalist ['voukəlist] zanger, zangeres.

vocalize ['voukəlaiz] 1 laten horen, uitspreken, zingen; 2 stemhebbend maken.

vocation [vou'keiʃən] 1 roeping; 2 beroep *o*; *a journalist by* ~ een journalist uit roeping; *he has no* ~ *to literature* hij voelt niet veel (roeping) voor de literatuur.

vocational [vou'keiʃənəl] beroeps-, vak-; ~ *guidance* voorlichting bij beroepskeuze.

vocative ['vokətiv] *gram* vocatief.

vociferate [vou'sifəreit] razen, tieren, schreeuwen, krijsen.

vociferation [vousifə'reiʃən] geschreeuw *o*, razen en tieren *o*, gekrijs *o*.

vociferous [vou'sifərəs] schreeuwend, razend en tierend, krijsend, luidruchtig; *a* ~ *applause* uitbundige toejuichingen.

vodka ['vodkə] wodka.

vogue [voug] trek, mode; populariteit; *he (it) has had a great* ~ is erg in trek geweest, heeft veel opgang gemaakt; *be in* ~, *be the* ~ in zwang zijn, (in de) mode zijn, bijzonder in trek zijn.

voice [vois] I *sb* 1 stem², geluid *o*; 2 spraak; *the active (passive)* ~ *gram* de bedrijvende (lijdende) vorm; *find (one's)* ~ zich (durven)

uiten; *give* ~ *to* uitdrukking geven aan, uiten, vertolken; *give a* ~ *to* medezeggenschap geven; *have a* ~ *in the matter* stem in het kapittel hebben; *have no* ~ *in the matter* er niets in te zeggen hebben; *in a loud* ~ met luider stem(me), hard(op); *in a low* ~ zachtjes; *be in* ~ (goed) bij stem zijn; *with one* ~ eenstemmig; II *vt* uiting geven aan, uiten; vertolken, verkondigen; ♪ stemmen [orgelpijpen]; stemhebbend maken [in de fonetiek]; III *vr* ~ *itself* zich uiten.

voiced [voist] met stem; stemhebbend.

voiceless ['voislis] stemloos°.

voice part ['voispa:t] ♪ zangpartij, zangstem.

voice-pipe ['voispaip] spreekbuis.

void [void] I *aj* 1 ledig, leeg; 2 vacant, onbezet; 3 nietig, ongeldig; *fall* ~ komen te vaceren; ~ *of* ontbloot van, vrij van, zonder; II *sb* (lege) ruimte; *fig* leegte; III *vt* 1 ledigen, (ont)ruimen; 2 lozen, ontlasten; 3 ✝ vernietigen, ongeldig maken.

voidable ['voidəbl] 1 geledigd, geruimd & kunnende worden; 2 ✝ vernietigbaar.

voidance ['voidəns] ledigen *o* &.

voile [voil] voile *o* & *m* [stofnaam].

vol. = *volume*.

volatile ['volətail] vervliegend, vluchtig²; wuft.

volatility [volə'tiliti] vluchtigheid; wuftheid.

volatilization [volætilai'zeiʃən] vervluchtiging.

volatilize [və'lætilaiz] I *vt* vluchtig maken, vervluchtigen; II *vi* vluchtig worden, vervluchtigen, vervliegen.

volcanic [vol'kænik] vulkanisch.

volcano [vol'keinou] vulkaan.

1 vole [voul] I *sb* ◇ vole: alle slagen; II *vi* ◇ vole maken, alle slagen halen.

2 vole [voul] *sb* ♀ veldmuis.

volition [vou'liʃən] het willen; wilsuiting; wil(skracht); *of my own* ~ uit eigen wil.

volitional [vou'liʃənəl] van de wil, wils-.

volitive ['volitiv] 1 willend; 2 een wil uitdrukkend; ~ *faculty* wilsvermogen *o*.

volley ['voli] I *sb* salvo² *o*; *fig* hagelbui, regen, stroom [v. scheldwoorden &]; *sp* terugslaan van bal, die nog niet op de grond is geweest; II *vt* in salvo's afschieten, lossen; *fig* uitbraken; *sp* terugslaan [bal, die nog niet op de grond is geweest]; III *vi* 1 salvovuur afgeven; 2 losbarsten.

volplane ['volplein] I *sb* ⊁ glijvlucht; II *vi* ⊁ glijden.

volt [voult] ⚡ volt ‖ volte, zwenking.

voltage ['voultidʒ] ⚡ spanning.

voltaic [vol'teiik] van Volta, voltaïsch; galvanisch; ~ *cell* galvanisch element *o*.

volte-face [volt'fa:s] volte-face².

voltmeter ['voultmi:tə] ⚡ voltmeter.

volubility [volju'biliti] radheid (van tong), woordenrijkheid.

voluble ['voljubl] *aj* vlug, rollend; rad (van tong), woordenrijk.

volubly ['voljubli] *ad* met grote radheid.

volume ['vɔljum] 1 boekdeel *o*, deel *o*; jaargang; bundel [gedichten]; 2 volume *o*, omvang [ook v. stem]; massa; ~s *of smoke* (*water*) rook(water)massa's; *speak* (*tell*) ~s boekdelen spreken.

voluminous [vɔ'lju:minəs] 1 volumineus, lijvig, omvangrijk; 2 uit vele boekdelen bestaande; *a* ~ *writer* schrijver van vele werken, die veel geschreven heeft.

voluntarily ['vɔləntərili] *ad* 1 vrijwillig, vrij; uit zich zelf; 2 moedwillig.

voluntariness ['vɔləntərinis] vrijwilligheid.

voluntary ['vɔləntəri] I *aj* 1 vrijwillig, vrij; 2 moedwillig; II *sb* ♪ fantasie, gefantaseerd voor-, tussen-, naspel *o* [voor orgel].

volunteer [vɔlən'tiə] I *sb* vrijwilliger; II *aj* vrijwillig, vrijwilligers-; III *vt* 1 (uit vrije beweging) aanbieden, vrijwillig op zich nemen; 2 opperen, geven, maken [opmerking &]; IV *vi* 1 zich aanbieden; 2 ✕ vrijwillig dienst nemen.

voluptuary [və'lʌptjuəri] wellusteling.

voluptuous(ly) [və'lʌptjuəs(li)] wellustig.

volute [və'lju:t] 1 krul, kronkel(ing); voluut, volute; 2 rolschelp.

vomit ['vɔmit] I *vi* & *vt* vomeren, braken, overgeven; uitbraken[2] (ook: ~ *up* of *out*); II *sb* (uit)braaksel *o*; braakmiddel *o*.

vomit-nut ['vɔmitnʌt] braaknoot.

voracious [və'reiʃəs] gulzig, vraatzuchtig.

voracity [və'ræsiti] gulzigheid, vraatzucht.

vortex ['vɔ:teks, *mv* **vortices** 'vɔ:tisi:z] 1 werveling; 2 wervel-, dwarrelwind; 3 draaikolk, maalstroom.

vortical ['vɔ:tikl] draaiend, draai-, wervel-.

Vosges [vouʒ] *the* ~ de Vogezen.

votaress ['voutəris] 1 aanhangster, volgelinge; liefhebster; 2 aanbidster, vereerster (van *of*).

votary ['voutəri] 1 aanhanger, volgeling; liefhebber; 2 aanbidder, vereerder (van *of*).

vote [vout] I *sb* stem, votum *o*; stemming [bij verkiezing]; stemrecht *o*; stembriefje *o*; *the Irish* ~ 1 de Ierse kiezers; 2 de op de Ieren uitgebrachte stemmen; *a* ~ *as to want of confidence* (*of no-confidence*) een votum *o* (motie) van wantrouwen; *take a* ~ tot stemming overgaan, laten stemmen; *on a* ~ bij stemming; *come to a* (*the*) ~ 1 in stemming komen; 2 tot stemming overgaan; *put to the* ~ in stemming brengen; II *vi* stemmen (tegen *against*, op, voor *for*); III *vt* 1 bij stemming verkiezen (tot), bij stemming aannemen (toestaan, aanwijzen), voteren; 2 stemmen op of voor; 3 J voorstellen; *they* ~*d him charming* ze verklaarden (vonden) hem charmant; ~ *down* 1 afstemmen [voorstel]; 2 overstemmen; ~ *one into the chair* tot voorzitter kiezen.

voter ['voutə] stemmer, kiezer.

voting ['voutiŋ] stemmen *o*.

voting-paper ['voutiŋpeipə] stembiljet *o*.

votive ['voutiv] votief.

vouch [vautʃ] I *vt* 1 getuigen, bevestigen, verklaren; getuigenis geven van; 2 de bewijsstukken overleggen bij; II *vi* in: ~ *for* instaan voor.

voucher ['vautʃə] 1 getuige; 2 bewijsstuk *o*, bewijs *o* (van toegang &); bon; reçu *o*; 3 declaratie.

vouchsafe [vautʃ'seif] 1 zich verwaardigen; 2 vergunnen, verlenen, toestaan; *he* ~*d no answer* (*reply*) hij verwaardigde zich niet te antwoorden.

vow [vau] I *sb* gelofte, eed; *take the* ~*s RK* de geloften afleggen; II *vt* 1 beloven, zweren, verzekeren; 2 (toe)wijden; ~ *a great vow* een dure eed zweren; III *vi* een gelofte doen.

vowel ['vauəl] klinker.

vox humana [vɔkshju'meinə] ♪ vox humana, regaal *o*.

voyage ['vɔiidʒ] I *sb* (zee)reis; II *vi* reizen; III *vt* bereizen, bevaren.

voyager ['vɔiidʒə] (zee)reiziger.

Vulcan ['vʌlkən] Vulcanus.

vulcanite ['vʌlkənait] eboniet *o*.

vulcanization [vʌlkənai'zeiʃən] vulcanisatie.

vulcanize ['vʌlkənaiz] vulcaniseren.

vulgar ['vʌlgə] I *aj* 1 vulgair, ordinair, gemeen, plat, grof; 2 algemeen, gewoon, volks-; ~ *era* christelijke jaartelling; ~ *fractions* gewone breuken; ~ *superstitions* volksbijgeloof *o*; *the* ~ *tongue* de volkstaal [tegenover het Latijn]; II *sb the* ~ het gemeen, het vulgus, de grote hoop.

vulgarian [vʌl'gɛəriən] ordinaire vent.

vulgarism ['vʌlgərizm] gemene uitdrukking, gemene spreekwijze; platheid, vulgarisme *o*.

vulgarity [vʌl'gæriti] vulgariteit, ordinaire *o*, platheid, grofheid.

vulgarization [vʌlgərai'zeiʃən] 1 vulgarisatie, popularisatie; 2 ordinair maken *o*.

vulgarize ['vʌlgəraiz] 1 vulgariseren, populariseren; 2 vergroven.

vulgarizer ['vʌlgəraizə] vulgarisator.

vulnerability [vʌlnərə'biliti] kwetsbaarheid[2].

vulnerable ['vʌlnərəbl] kwetsbaar[2].

vulnerary ['vʌlnərəri] I *aj* helend, genezend; II *sb* wondmiddel *o*, wondkruid *o*.

vulpine ['vʌlpain] vosachtig[2], slim als een vos, listig, sluw.

vulture ['vʌltʃə] ✽ gier[2]; *fig* grijpvogel, „haai".

vulturine ['vʌltʃərain], **vulturous** ['vʌltʃərəs] van de gier, gier(en)-; roofgierig.

vying(ly) ['vaiiŋ(li)] (met elkaar) wedijverend.

W

w ['dʌblju:] (de letter) w; **W.** = *West(ern)*.

W.A.A.F. = *Women's Auxiliary Air Force* (ook: **Waaf** [wæf]).

wabble ['wɔbl] zie **wobble**.

wad [wɔd] I *sb* prop [watten & van kanon];

pak *o*; vulsel *o*; rolletje *o* [bankbiljetten]; II *vt* met watten voeren, watteren; (op)vullen.

wadable ['weidəbl] doorwaadbaar.

wadding ['wɔdiŋ] watten, vulsel *o*, prop.

waddle ['wɔdl] I *vi* schommelend lopen, schommelen, waggelen; II *sb* schommelende, waggelende gang, schommelgang.

wade [weid] I *vi* waden (door *through*); ~ *in* aanvallen; beginnen; ~ *into* aanvallen; ~ *through* doorwaden, baggeren door; *fig* doorworstelen [boek]; II *vt* doorwaden; III *sb* waden *o*.

wader ['weidə] I wader; 2 ⚓ waadvogel; ~*s* baggerlaarzen, waterlaarzen.

wading-bird ['weidiŋbə:d] ⚓ waadvogel.

wafer ['weifə] I *sb* I wafel, oblie; 2 ouwel; *the consecrated* ~ de gewijde hostie; II *vt* met een ouwel toemaken.

1 **waffle** ['wɔfl] wafel.

2 **waffle** ['wɔfl] S I *sb* gedaas *o*, gezwam *o*; II *vi* dazen, zwammen.

waffle-iron ['wɔflaiən] wafelijzer *o*.

waft [wa:ft] I *vt* dragen, voeren, brengen, doen drijven [op de wind]; ~ *a kiss* een kus toewerpen; II *vi* drijven, zweven [op de wind]; *come* ~*ing along* komen aanzweven, aandrijven [ook in de lucht]; III *sb* ademtocht, zuchtje *o*, vleugje *o*.

1 **wag** [wæg] *sb* grappenmaker, schalk.

2 **wag** [wæg] I *vt* schudden, kwispelen met; bewegen; ~ *one's finger* de vinger dreigend heen en weer bewegen; ~ *one's head* het hoofd schudden; *the dog* ~*ged his tail* de hond kwispelstaartte; II *vi* zich bewegen, in beweging zijn; heen en weer gaan, schudden; *how* ~*s the world?* ⚓ hoe gaat het (in de wereld)?; *set tongues* ~*ging* de tongen in beweging brengen; III *sb* schudding, kwispeling.

1 **wage** [weidʒ] *sb* (arbeids)loon² *o*, huur; ~*s* loon² *o*.

2 **wage** [weidʒ] *vt* in: ~ *war* oorlog voeren.

wage-earner ['weidʒə:nə] loontrekker.

wager ['weidʒə] I *sb* weddenschap; *lay* (*make*) *a* ~ een weddenschap aangaan, wedden; II *vt* I verwedden, wedden om; 2 op het spel zetten; III *vi* wedden.

wage-rate ['weidʒreit] loonstandaard.

wages-board ['weidʒizbɔ:d] loonraad.

wagework ['weidʒwə:k] loonarbeid.

wageworker ['weidʒwə:kə] loonarbeider, -trekker, -dienaar.

waggery ['wægəri] grapjes, grap.

waggish ['wægiʃ] I schalks, snaaks; 2 wel van een grapje houdend.

waggle ['wægl] F zie 2 *wag*.

wag(g)on ['wægən] I wagen; 2 wagon.

wag(g)oner ['wægənə] I voerman; 2 vrachtrijder; *the Wag(g)oner* * de Voerman.

wag(g)onette [wægə'net] wagentje *o* of char-à-bancs met overlangse banken.

wagtail ['wægteil] ⚓ kwikstaartje *o*.

waif [weif] I onbeheerd goed *o*, strandgoed *o*; 2 dakloze, zwerver; ~*s and strays* verwaarloosde kinderen, daklozen en zwervelingen; schipbreukelingen der maatschappij; brokstukken, rommel.

wail [weil] I *vi* (& *vt*) (wee)klagen, jammeren (over, om), huilen, loeien; op een jammertoon uiten of zingen; II *sb* (wee)klacht, jammerklacht, -gehuil *o*, geloei *o*; ~ *of woe* weeklacht.

wailful ['weilful] klaaglijk, jammerlijk.

wailing ['weiliŋ] weeklacht, gejammer *o*.

wain [wein] wagen; *the Wain, Charles's Wain* * de Grote Beer.

wainscot ['weinskət] I *sb* I beschot *o*, lambrizering; 2 wagenschot *o*; II *vt* lambrizeren.

wainscoting ['weinskətiŋ] beschot *o*, lambrizering.

wainwright ['weinrait] wagenmaker.

waist [weist] I middel *o*, taille, leest; 2 lijfje *o*; blouse; 3 ⚓ kuil.

waist-band ['weistbænd] broeksband; rokband.

waist-belt ['weistbelt] I gordel; (gordel)riem [voor jongens]; 2 ⚔ koppel.

waistcoat ['weiskout] vest *o*; *sleeved* ~ mouwvest *o*.

waist-deep ['weist'di:p], **waist-high** ['weist'hai] tot aan het middel.

waist-line ['weistlain] taille.

wait [weit] I *vi* I wachten, afwachten; staan te wachten; 2 bedienen (aan tafel; *at table*); ~ *and see* (kalm) afwachten, de zaken eerst eens aanzien; ~ *for* afwachten, wachten op; ~ (*up*)*on* I bedienen; 2 zijn opwachting maken bij; 3 volgen op [v. zaken]; 4 ⚓ vergezellen [personen]; ~ *on events* de loop der gebeurtenissen afwachten; ~ *up for one* opblijven voor iemand; II *vt* I wachten op, afwachten; 2 wachten met; ~ *dinner* met het eten wachten; ~ *your time* beid uw tijd; III *sb* wachten *o*; tijd dat men wacht; oponthoud *o*; pauze; ~*s* kerstmismuzikanten; *lie in* ~ *for* op de loer liggen voor; loeren op. Zie ook: *waiting*.

waiter ['weitə] I wachtende; 2 kelner; 3 presenteerblad *o*.

waiting ['weitiŋ] I *aj* I (af)wachtend; 2 bedienend; *play a* ~ *game* de kat uit de boom kijken; II *sb* I wachten *o*; 2 bediening; *in* ~ I klaarstaand; 2 dienstdoend [kamerheren &]; zie ook: *lady*.

waiting-list ['weitiŋlist] wachtlijst.

waiting-maid ['weitiŋmeid] kamenier.

waiting-room ['weitiŋrum] wachtkamer.

waitress ['weitris] serveerster, serveuse, dienster, (buffet)juffrouw, kelnerin.

waive [weiv] I afzien van; 2 op zij zetten, laten varen, ter zijde stellen; ~ *aside* op zij zetten; negeren [opmerkingen &].

waiver ['weivə] ⚖ afstand [v. e. recht].

1 **wake** [weik] *sb* ⚓ kielwater *o*, (kiel)zog *o*; bellenbaan [v. torpedo]; *fig* spoor *o*; *in the* ~

of... (onmiddellijk) achter, na..., achter... aan (komend); *follow in the ~ of... ...*(op de voet) volgen.

2 wake [weik] **I** *vi* 1 ontwaken², wakker worden² (ook: *~ up*); 2 ✎ wakker zijn, waken; opstaan [uit de dood]; **II** *vt* wakker maken²; *fig* wakker schudden (ook: *~ up*); wekken², opwekken [uit de dood]; **III** *sb* 1 jaarfeest *o* v. d. kerkwijding; kermis (ook: *~s*); 2 *Ir* nachtwake [bij lijk]; 3 waken *o*.

wakeful ['weikful] waakzaam, wakend², wakker²; *~ nights* slapeloze nachten.

waken ['weikn] zie 2 *wake* **I** & **II**.

wake-robin ['weikrɔbin] ✿ gevlekte aronskelk.

waking ['weikiŋ] **I** *aj* wakend; *~ hours* uren dat men wakker is; **II** *sb* waken *o*.

wale [weil] **I** *sb* streep, striem; **II** *vt* striemen.

Waler ['weilə] Australisch paard *o*.

Wales [weilz] Wallis *o*, Wales *o*.

walk [wɔːk] **I** *vi* 1 lopen, gaan, stapvoets gaan, stappen; 2 wandelen; 3 slaapwandelen; 4 rondwaren, spoken; *the best (finest &)... that ~s* die er op twee benen rondloopt; **II** *vt* 1 lopen, lopend afleggen; 2 doen of laten lopen, stapvoets laten lopen; wandelen met, geleiden; 3 lopen in of over, op- en aflopen in (op); 4 betreden, bewandelen; *~ the earth* op aarde rondwandelen; *~ the hospitals* (als medisch student) de klinieken lopen; *~ the streets* op straat rondlopen (rondzwerven); ∞ *~ about* rondwandelen, rondlopen, omlopen, rondgaan, rondkuieren; rondwaren; *~ away* weggaan, wegkuieren; *~ away from* gemakkelijk achter zich laten; *~ away with* in de wacht slepen; *~ down* afdalen van, afgaan, aflopen, afkomen [heuvel &]; (*please*) *~ in* komt u binnen; *~ in one's sleep* slaapwandelen; *~ into him* S hem te lijf gaan; op hem afgeven; *~ into the food* S het eten geducht aanspreken; *~ off* weggaan; wegbrengen, -leiden; door lopen of wandelen verdrijven; *~ one off his legs* iemand zo laten lopen dat hij niet meer op zijn benen staan kan; *~ off with* I weggaan met; 2 S in de wacht slepen; *~ on* doorlopen, verder gaan; *he ~ed on air* hij voelde zich zo licht als zweefde hij; *~ out* het werk neerleggen; weglopen [uit een vergadering]; *~ out, be ~ing out* P verkering hebben; *~ out of* verlaten (bij wijze van protest); *~ out on* in de steek laten; *~ over (the course)* de wedren (verkiezing &) met gemak winnen; *~ over one* met iemand doen wat men wil; *~ one over the estate* rondleiden; *~ up* I naar boven gaan, binnengaan; 2 bovenkomen; *~ up to* toegaan naar, afkomen op; *~ with God* een godvruchtig leven leiden; **III** *sb* 1 gang, loop, loopje *o*; stapvoets rijden *o* of gaan *o*; toertje *o*, wandeling; 2 wandelweg, -plaats, (voet)pad *o*; weigrond; 3 wandel°; *fig* levenswandel; werkkring; gebied *o*, terrein *o*; 4 wijk [v. d. melkboer &]; *~ in life (of life)* werkkring; stand, positie; *at a ~*

stapvoets; *go for a ~* een wandelingetje gaan maken.

walkable ['wɔːkəbl] begaanbaar; af te leggen.

walker ['wɔːkə] 1 voetganger, wandelaar, loper; 2 ♀ loopvogel; *I'm not much of a ~* 1 ik loop niet veel; 2 ik ben niet erg goed ter been.

walkie-talkie ['wɔːkitɔːki] ✻ ✟ kleine draagbare zender en ontvanger, portofoon.

walking ['wɔːkiŋ] **I** *aj* lopend &; *~ gentleman* figurant; *~ lady* figurante; **II** *sb* 1 lopen *o* &; 2 wandeling.

walking-dress ['wɔːkiŋdres] wandelkostuum *o*.

walking-pace ['wɔːkiŋpeis] in: *at a ~* stapvoets.

walking-stick ['wɔːkiŋstik] wandelstok.

walk-out ['wɔːkaut] staking; weglopen *o* (uit de vergadering &).

walk-over ['wɔːk'ouvə] *sp* 1 wedren waarvoor maar één paard uitkomt; 2 race die een paard op zijn slofjes wint; *fig* gemakkelijke overwinning.

wall [wɔːl] **I** *sb* muur², wand; *~ of partition* scheidsmuur²; *~s have ears* de muren hebben oren; *give one the ~* iemand aan de huizenkant laten lopen; *take the ~ of* niet aan de huizenkant laten lopen; niet op zij gaan voor; *drive (push) to the ~* in het nauw brengen; *go to the ~* het onderspit delven, het loodje leggen; **II** *vt* ommuren (ook: *~ round*); *~ in* ommuren; *~ up* dichtmetselen, inmetselen.

wallaby ['wɔləbi] ♈ kleine kangoeroe.

Wallachia [wɔ'leikiə] Walachije *o*.

Wallachian [wɔ'leikiən] **I** *aj* Walachijs; **II** *sb* bewoner van Walachije.

wallah ['wɔlə] *IP* baas, kerel; bediende.

wallet ['wɔlit] 1 bedelzak, knapzak; ransel; 2 (zadel)tas; 3 (gereedschaps)tasje *o*; 4 portefeuille [voor bankbiljetten &].

wall-eye ['wɔːlai] glasoog *o* [v. paard].

wallflower ['wɔːlflauə] 1 ✿ muurbloem; 2 **F** muurbloempje *o* [op bal].

walling ['wɔːliŋ] muurwerk *o*, muren.

Wallonia [wɔ'louniə] Wallonië *o*.

Walloon [wɔ'luːn] Waal(s).

wallop ['wɔləp] S afrossen.

walloping ['wɔləpiŋ] **I** *aj* < kolossaal, reuzen-; **II** *sb* aframmeling.

wallow ['wɔlou] **I** *vi* zich (rond)wentelen; *fig* zich baden (in *in*); *~ in money* in het geld zwemmen; **II** *sb* 1 wenteling; rollende beweging; 2 wentelplaats [voor de karbouwen].

wallpaper ['wɔːlpeipə] behangsel(papier) *o*.

wall-rue ['wɔːlruː] ✿ muurvaren.

Wall Street ['wɔːlstriːt] het centrum van de geldhandel en effectenbeurs in New York.

wall-tree ['wɔːltriː] leiboom.

walnut ['wɔːlnʌt] (wal)noot; notehout *o*.

walrus ['wɔlrəs] ♈ walrus.

Walter ['wɔːltə] Wouter.

waltz [wɔːls] **I** *sb* wals; **II** *vi* walsen.

wan [wɔn] bleek, flets, pips, zwak, flauw.

wand [wɔnd] 1 roede; 2 staf, stok [van dirigent]; 3 toverstaf.

wander ['wɔndə] I *v* 1 (rond)zwerven, (rond)-dolen, dwalen; 2 afdwalen (van *from*); 3 raaskallen, ijlen (ook: ~ *in one's mind*); *the Wandering Jew* de Wandelende Jood; ~*ing kidney* wandelende nier; *his mind* ~*s, his wits are* ~*ing* hij ijlt; hij raaskalt[2]; ~ *from the point* afdwalen; II *vt* afzwerven; afreizen; III *sb* lopen *o*; *on the* ~ F op stap.

wanderer ['wɔndərə] 1 dwaler; 2 zwerver, zwerveling.

wandering ['wɔndəriŋ] I *aj* zwervend &, zie *wander*; II *sb* ~(*s*) 1 omzwerving; 2 afdwaling; 3 dwaling; 4 ijlen *o*.

wane [wein] I *vi* afnemen [v. d. maan]; *fig* tanen, verminderen; II *sb* afneming; *on the* ~ aan het afnemen (tanen).

wangle ['wæŋgl] I *vt* S loskrijgen, voor mekaar krijgen; knoeien met; II *sb* geknoei *o*, knoeierij.

want [wɔnt] I *sb* 1 nood, gebrek *o*, behoefte, armoede; 2 gemis *o*; *for* ~ *of* bij gebrek aan; *be in* ~ gebrek hebben, gebrek lijden; *be* (*stand*) *in* ~ *of* nodig hebben; II *vt* 1 nodig hebben, behoeven, moeten; hebben moeten; 2 willen, wensen, verlangen; 3 te kort komen, mankeren; *I* ~ *nothing better* ik verlang niets beters; ik verlang (wil) niets liever; *I don't* ~ *him to be disturbed* ik wil niet dat hij gestoord wordt; *you are* ~*ed* 1 men vraagt naar u; 2 de politie zoekt naar je; *it* (*there*) ~*s only...* er is alleen maar... (voor) nodig; *it* ~*s a quarter of* (*to*) *twelve* het is kwart voor twaalf; III *vi* gebrek lijden; *you shall* ~ *for nothing* u zult nergens gebrek aan hebben, het zal u aan niets ontbreken; zie ook ↓.

wanted ['wɔntid] 1 gevraagd [in advertentie]; gezocht, opsporing verzocht [door de politie]; 2 waaraan behoefte is.

wanting ['wɔntiŋ] I *aj* ontbrekend; *be* ~ ontbreken, mankeren, weg zijn; *he is never* ~ hij mankeert nooit (op het appel); *be* ~ *in* te kort schieten in; *what's* ~? wat wenst u?; *there were not* ~ *those who* het ontbrak niet aan dezulken die...; *be found* ~ te licht bevonden worden; II *prep* 1 zonder; 2 op... na; ~ *one* op één na.

wanton ['wɔntən] I *aj* 1 dartel, speels; uitgelaten, wild; 2 baldadig, brooddronken, moedwillig; 3 wellustig, wulps; II *sb* lichtekooi; lichtmis; III *vi* dartelen, stoeien, mallen.

wantonness ['wɔntənnis] dartelheid &, zie *wanton* I.

war [wɔ:] I *sb* oorlog; ~ *of nerves* zenuwenoorlog; ~ *of positions* ✕ stellingoorlog; *civil* ~ burgeroorlog; *a* ~ *to the knife* een strijd op leven en dood; *be at* ~ in oorlog zijn; oorlog hebben (met *with*); *go to* ~ 1 ten oorlog tijgen, ten strijde trekken; 2 oorlog maken; II *vi* oorlog voeren (tegen *against, on*); ~*ring* strijdend, (tegen)strijdig.

warble ['wɔ:bl] I *vi* & *vt* kwelen, kwinkeleren, zingen, slaan; II *sb* gekweel *o*, gekwinkeleer

o, gezang *o*, slag.

warbler ['wɔ:blə] 1 zanger; 2 ♫ tjiftjaf.

war-cry ['wɔ:krai] oorlogskreet, krijgsgeschreeuw *o*; *fig* krijgsleus, strijdleus.

ward [wɔ:d] I *sb* 1 ✎ bewaking, wacht, bescherming; hechtenis; voogdijschap *o*; 2 pupil [onder voogdij]; 3 pareren *o*; 4 (stads)wijk; zaal, afdeling [in ziekenhuis]; ~*s* ✕ werk *o* [v. slot]; tanden [v. sleutelbaard]; *casual* ~ asiel *o* voor daklozen; *the child is in* ~ *to him* hij is voogd over het kind; *be under* ~ 1 onder voogdij staan; 2 onder curatele staan; II *vt* 1 ✎ waken over, bewaken; beschermen; 2 ~ (*off*) afwenden, pareren.

war-dance ['wɔ:dɑ:ns] krijgsdans. [ren.]

warden ['wɔ:dn] bewaarder, opziener, voogd, hoofd *o* [v. *college*]; (herberg)vader, -moeder; *Am* directeur [v. gevangenis]; (*air-raid*) ~ blokhoofd *o* (van de luchtbescherming); (*traffic*) ~ verkeersassistent.

warder ['wɔ:də] cipier.

wardress ['wɔ:dris] vrouwelijke cipier.

wardrobe ['wɔ:droub] 1 kleerkast; 2 garderobe, kleren; ~ *trunk* kastkoffer.

ward-room ['wɔ:drum] ⚓ longroom.

wardship ['wɔ:dʃip] voogdij.

1 ware [wɛə] *sb* 1 waar, (steen)goed *o*, plateelwerk *o*, aardewerk *o*; 2 waren; *his* ~*s* zijn (koop)waar, zijn waren.

2 ware [wɛə] I *aj* 1 ✎ gewaar; 2 voorzichtig; II *vt* in: ~ *below!* pas op!, van onderen!

1 warehouse ['wɛəhaus] *sb* pakhuis *o*; magazijn *o*.

2 warehouse ['wɛəhauz] *vt* opslaan [in het magazijn].

warehouseman ['wɛəhausmən] pakhuisknecht, magazijnbediende.

warfare ['wɔ:fɛə] strijd, oorlog(voering).

war-head ['wɔ:hed] ✕ (lading)kop.

war-horse ['wɔ:hɔ:s] 1 strijdros *o*; 2 F vechtjas.

warily ['wɛərili] *ad* om-, voorzichtig, behoedzaam.

wariness ['wɛərinis] om-, voorzichtigheid, behoedzaamheid.

warlike ['wɔ:laik] krijgshaftig, oorlogszuchtig; oorlogs-; ~ *preparations* oorlogstoebereidse- ✎ [len.]

warlock ['wɔ:lɔk] tovenaar.

warm [wɔ:m] I *aj* 1 warm[2], vurig, heet; 2 verhit; 3 F er warmpjes inzittend, rijk; *get* ~ 1 warm worden; 2 zich branden [spelletjes]; *make things* (*it*) ~ *for one* iemand het vuur na aan de schenen leggen; in een lastig parket brengen; ~ *with wine* verhit door de wijn; *it was* ~ *work* het ging er heet toe; II *vt* (ver)warmen, warm maken[2]; ~ *one's jacket*, ~ *one* S iemand op zijn baadje geven; ~ *up* opwarmen; III *vr* ~ *oneself* zich warmen; IV *vi* warm worden (*fig* ook: ~ *up*); *he* ~*ed to the subject* (*to his theme*) hij raakte meer en meer in vuur; ~ *up* 1 warm worden [kamer]; 2 warmer worden [voor een zaak]; warmer gaan voelen (voor *towards*); V *sb* ⚔ jekker; *I must have a* ∼ F ik moet mij eens wat warmen.

warm-blooded ['wɔ:m'blʌdid] warmbloedig.

warm-hearted ['wɔ:m'ha:tid] hartelijk.

warming ['wɔ:miŋ] 1 warmen *o*, verwarming; 2 F afdroging, pak *o* ransel.

warming-pan ['wɔ:miŋpæn] 1 beddepan; 2 *fig* wie tijdelijk voor een ander een betrekking waarneemt.

warmly ['wɔ:mli] *ad* warm²; *fig* met warmte, met vuur.

war-monger ['wɔ:mʌŋgə] oorlogsophitser.

warmth ['wɔ:mθ] warmte².

warn [wɔ:n] waarschuwen (voor een gevaar *of a danger*; voor een persoon *against a person*); verwittigen, inlichten, aanzeggen.

warner ['wɔ:nə] waarschuwer.

warning ['wɔ:niŋ] *sb* waarschuwing, aanzegging; opzegging [v. dienst]; verwittiging, aankondiging; voorslag [v. klok]; *give (a month's)* ∼ (met een maand) de dienst (de huur) opzeggen; *take* ∼ *by his mistakes (from his fate)* spiegel u aan zijn fouten (lot).

warning(ly) ['wɔ:niŋ(li)] *aj* (& *ad*) waarschuwend.

War Office ['wɔ:rɔfis] Ministerie *o* van Oorlog.

warp [wɔ:p] I *vi* kromtrekken; II *vt* 1 doen kromtrekken; *fig* een verkeerde richting geven aan; verdraaien; 2 scheren [op weefgetouw]; 3 ⚓ verhalen, werpen; III *sb* 1 kromtrekking; 2 schering [weefgetouw]; 3 ⚓ werptros; 4 *fig* afwijking, vooroordeel *o*; ∼ *and weft*, ∼ *and woof* schering en inslag.

war-paint ['wɔ:peint] 1 oorlogsbeschildering [v. Indianen]; 2 F groot tenue *o* & *v*, gala *o*.

war-path ['wɔ:pa:θ] oorlogspad *o*; *be* (*go*) *on the* ∼, *enter the* ∼ ten strijde trekken.

war-plane ['wɔ:plein] ✈ oorlogsvliegtuig *o*.

war-profiteer ['wɔ:prɔfitiə] profiteur; oweeër.

warrant ['wɔrənt] I *sb* 1 volmacht, machtiging; ceel; bevelschrift *o*, mandaat *o* (tot betaling); bevel *o* tot inhechtenisneming; aanstelling; 2 rechtvaardiging; 3 garantie, waarborg; ∼ *of arrest* bevel(schrift) *o* tot aanhouding; ∼ *of attorney* procuratie of notariële volmacht; ∼ *of distress* bevel(schrift) *o* tot beslaglegging, dwangbevel *o*; *a* ∼ *is out against him* er is een bevelschrift tot aanhouding tegen hem uitgevaardigd; II *vt* machtigen, rechtvaardigen; garanderen, waarborgen, instaan voor; *he is a...*, *I* ∼ daar kunt u op aan.

warrantable ['wɔrəntəbl] gewettigd, verdedigbaar, te rechtvaardigen.

warrantee [wɔrən'ti:] aan wie iets gewaarborgd wordt.

warranter ['wɔrəntə] 1 volmachtgever; 2 waarborger.

warrant-officer ['wɔrəntəfisə] 1 ⚔ bij *warrant* aangestelde *non-commissioned* officier, onderofficier van de hoogste rang, onderluitenant; 2 ⚓ dekofficier.

warrantor ['wɔrəntə] zie *warranter.*

warranty ['wɔrənti] 1 waarborg, garantie; 2 bewijs *o*; 3 rechtvaardiging.

warren ['wɔrin] konijnenberg, -park *o*.

warrior ['wɔriə] krijgsman, krijger, soldaat.

Warsaw ['wɔ:sɔ:] Warschau *o*.

war-ship ['wɔ:ʃip] ⚓ oorlogsschip *o*.

war-strength ['wɔ:streŋθ] ⚔ oorlogssterkte.

wart [wɔ:t] wrat.

wart-grass ['wɔ:tgra:s] ♣ kroontjeskruid *o*.

wart-hog ['wɔ:thɔg] ≈ ZA wratzwijn *o*.

warty ['wɔ:ti] 1 wrattig; 2 vol wratten.

war-whoop ['wɔ:hu:p] zie *war-cry.*

wary ['wɛəri] *aj* omzichtig, behoedzaam, voorzichtig; op zijn hoede (voor *of*); *be* ∼ *of...* zich wel wachten om...

was [wɔz, wəz] V.T. van *be*, was.

wash [wɔʃ] I *vt* 1 wassen [ook erts], af-, uit-, schoonwassen; 2 spoelen [dek &], af-, om-, uitspoelen; 3 bespoelen, besproeien; 4 aan-, bestrijken, vernissen; ∼ *dirty linen in public* onaangename zaken in het openbaar behandelen; ∼ *one's hands of it* zijn handen wassen in onschuld; zich verder niets aantrekken van, zich niet meer (willen) bemoeien met; ∼ *one's hands of a person* zijn handen van iemand aftrekken; II *vr* in: ∼ *oneself* zich(zelf) wassen; III *vi* & *va* 1 wassen; 2 zich wassen; 3 zich laten wassen [stoffen], wasecht zijn; *that won't* ∼ F dat houdt geen steek; die vlieger gaat niet op; ∞ ∼ *ashore* aan land spoelen; ∼ *away* afwassen, uitwissen; wegspoelen, wegslaan; ∼ *down* (af)wassen, (schoon)spoelen; naar binnen spoelen; ∼ *off* afwassen; ∼ *out* uitwassen; ∼*ed out* schoon: flets, afgetakeld; ∼ *overboard* overboord spoelen; ∼ *up* afwassen, (om)spoelen; aanspoelen; IV *sb* 1 was; 2 wassing, spoeling, spoelsel *o*; spoelwater² *o* ook *fig* klets; 4 waterverf; kleurtje *o*, vernisje *o*; 5 toiletwatertje *o*; 6 kielwater *o*; 7 aanspoeling, aanspoelsel *o*; 8 golfslag; 9 gewassen tekening; *have a* ∼ zich (zijn handen) wassen, zich wat opfrissen; *at* (*in*) *the* ∼ in de was.

washable ['wɔʃəbl] wasbaar, wasecht.

wash-basin ['wɔʃbeisn] wasbak; vaste wastafel.

washboard ['wɔʃbɔ:d] 1 wasbord *o*; 2 ⚓ wasboord *o*, zetbord *o*.

washer ['wɔʃə] 1 wasser; 2 wasmachine; 3 ✗ sluitring; leertje *o* [v. kraan].

washerwoman ['wɔʃəwumən] wasvrouw.

wash-hand basin ['wɔʃhændbeisn] waskom, fonteintje *o*.

wash-hand stand ['wɔʃhændstænd] wastafel.

wash-house ['wɔʃhaus] washuis *o*.

washiness ['wɔʃinis] waterigheid &.

washing ['wɔʃiŋ] I *aj* wasecht; II *sb* wassen *o* &, wassig; was(goed *o*).

washing-machine ['wɔʃiŋməʃi:n] wasmachine; *automatic* ∼ wasautomaat.

washing-stand ['wɔʃiŋstænd] wastafel.

washing-tub ['wɔʃiŋtʌb] wastobbe.
washing-up bowl [wɔʃiŋˈʌpboul] afwasbakje o.
wash-leather ['wɔʃleðə] zeem, zeemleer o.
wash-out ['wɔʃaut] afwassing; uitspoeling; weggespoelde plek; *it is a* ~ **S** I het is een fiasco o, 'n sof; 2 er komt niks van.
washroom ['wɔʃrum] *Am* toilet o, W.C.
wash-stand ['wɔʃstænd] wastafel.
wash-tub ['wɔʃtʌb] zie *washing-tub.*
washy ['wɔʃi] I waterig[2], slap; 2 flets.
wasp [wɔsp] wesp.
waspish ['wɔspiʃ] I als (van) een wesp; 2 met een wespetaille; 3 *fig* opvliegend, bits.
wasplike ['wɔsplaik] als (van) een wesp, wespe-.
wasp-waist ['wɔspweist] wespetaille.
◆ wassail ['wɔsl, 'wæsl] I *sb* I heildronk; 2 drinkgelag o; 3 drinklied o; 4 gekruid bier o; II *vi* pimpelen, brassen.
◆ wassailer ['wɔslə] pimpelaar, drinkebroer.
○ **wast** [wɔst] waart, werdt (2de pers. enk. V.T. van *be*).
wastage ['weistidʒ] I verspilling, verbruik o, slijtage; 2 afval o & m; 3 $ bederf o v. gedeelte.
waste [weist] I *aj* I woest; onbebouwd; 2 ongebruikt; overtollig; 3 afval-; ~ *paper* scheurpapier o, oud papier o; ~ *products* afvalprodukten; ~ *steam* afgewerkte stoom; *lay* ~ verwoesten; *lie* ~ braak liggen[2]; II *vt* I verwoesten; 2 verteren, doen uitteren, verslijten, verbruiken; 3 verspillen, verkwisten, weggooien, verknoeien; *be* ~d ook: verloren gaan; *it is* ~d *on him* aan hem niet besteed; III *vi* I afnemen [door het gebruik], opraken, slijten; 2 verloren gaan; 3 (weg)kwijnen, ver-, uitteren (ook: ~ *away*); ~ *not, want not* die wat spaart, die wat heeft; IV *sb* I verwoesting; 2 verspilling; verkwisting; 3 vermindering, slijtage, verbruik o, verlies o; 4 afval o & m; poetskatoen o; 5 onbebouwd land o, wildernis, woestijn; woestenij; 6 ✿ afvoerpijp; ~ *of time* tijdverspilling; *wilful* ~ *makes woeful want* wie al zijn kost verslindt omtrent het middagmaal, vindt als het avond wordt de tafel bijster schraal; *go (run) to* ~ verloren gaan, verwilderen.
waste-bin ['weistbin] vuilnisvat o.
waste-book ['weistbuk] $ I kladboek o; 2 memoriaal o.
wasted ['weistid] I verwoest &; 2 vermagerd; *it is* ~ *labour* moeite tevergeefs.
wasteful ['weistful] verkwistend, niet zuinig, spilziek; ~ *of...* erg kwistig met...; veel... verbruikend.
waste-paper basket [weist'peipəbɑ:skit] prullenmand, papiermand.
waste-pipe ['weistpaip] ✿ afvoerpijp.
waster ['weistə] verkwister; zie ook: *wastrel.*
wastrel ['weistrəl] I afval o & m; 2 zwerverskind o; 3 schooier; 4 verkwister; 5 mislukkeling.

watch [wɔtʃ] I *sb* I waken o, wacht, ○ wake; waakzaamheid; 2 horloge o; *first* ~ ⚓ eerste wacht; *middle* ~ ⚓ hondewacht; *keep (a)* ~ de wacht houden; *keep (a)* ~ on een oogje houden op, letten op; *keep* ~ *over* de wacht houden over, bewaken; *set a* ~ *over one* iemand laten bewaken; *in the* ~*es of the night* in de slapeloze uren van de nacht; *on* ~ op wacht; *be on* ~ op wacht staan, de wacht hebben; *be on the* ~ *for* uitkijken naar; loeren op; ~ *and ward* (uiterste) waakzaamheid; *keep* ~ *and ward over* met de uiterste zorg bewaken; II *vi* waken, waakzaam zijn; wacht doen; toekijken; ~ *for* uitkijken naar; loeren op; ~ *out* goed uitkijken; ~ *over* een wakend oog houden op, waken over; bewaken; ~ *over your words!* pas op uw woorden!; ~ *with one* bij iemand waken; III *vt* I bewaken; 2 hoeden; 3 letten op, gadeslaan, in het oog houden, naogen, naloeren, volgen, kijken naar; ~ *your step! Am* pas op!; ~ *one's time* zijn tijd afwachten; ~ *one home* nakijken tot hij naar binnen gaat; ~ *the night out* de nacht doorwaken; ~ *one out* staan kijken tot hij (zij) naar buiten komt; ~ *through* I doorwaken; 2 tot het eind volgen.
watch-case ['wɔtʃkeis] horlogekast.
watch-chain ['wɔtʃtʃein] horlogeketting.
watch-dog ['wɔtʃdɔg] waakhond.
watcher ['wɔtʃə] I (be)waker; 2 bespieder; 3 waarnemer.
watchful ['wɔtʃful] waakzaam, waaks; *be* ~ *of* ook: een wakend oog houden op, waken over; voorzichtig zijn in.
watch-glass ['wɔtʃglɑ:s] horlogeglas o.
watch-guard ['wɔtʃgɑ:d] horlogebandje o.
watch-hand ['wɔtʃhænd] horlogewijzer.
watch-house ['wɔtʃhaus] wachthuis o.
watch-light ['wɔtʃlait] nachtlicht o.
watchmaker ['wɔtʃmeikə] horlogemaker.
watchman ['wɔtʃmən] (nacht)waker; B wachter.
watch-stand ['wɔtʃstænd] horlogestander.
watch-strap ['wɔtʃstræp] (lederen) horlogearmband.
watch-tower ['wɔtʃtauə] wachttoren.
watchword ['wɔtʃwɔ:d] wachtwoord[2] o.
water ['wɔ:tə] I *sb* water° o; ~*s* water o, wateren; ook: baden; ~ *bewitched* een slap brouwseltje o; ~ *on the brain (head)* een waterhoofd o; *he had* ~ *on one of his knees* hij had het water in de knie; *still* ~*s run deep* stille waters hebben diepe gronden; *it brings the* ~ *to your mouth* het doet je watertanden; *hold* ~ water bevatten; (water)dicht zijn; *fig* steek houden; *make* ~ I ⚓ water inkrijgen; 2 lek zijn; 3 wateren, urineren; *pour (throw) cold* ~ *on* een emmer koud water gieten over; *by* ~ te water, over zee, per scheepsgelegenheid; *be for all* ~*s* van alle markten thuis zijn, voor alles te gebruiken zijn; *be in deep* ~(*s*) in grote moeilijkheden zijn; *be in hot* ~ in de

knoei zitten; *be in low* ~ aan lagerwal zijn; *we are in smooth* ~ het water is nu weer kalm, wij hebben de storm achter de rug; *fig* we zijn boven jan; *get into hot* ~ in moeilijkheden geraken, het aan de stok krijgen (met *with*); *spend money like* ~ het geld bij handen vol uitgeven; *of the first* ~ van het zuiverste water²; *over the* ~ 1 over het water; 2 aan gene zijde van de oceaan; 3 aan gene zijde van de Theems; **II** *vt* 1 van water voorzien; bewateren, besproeien [v. rivier], bespoelen; aanlengen met water, in de week leggen [vlas]; begieten, water geven, drenken [paarden &]; wateren [stoffen]; 2 *fig* verwateren; nominaal vermeerderen van het kapitaal zonder nieuwe uitgifte van aandelen; ~ *down* verwateren; verzwakken, verzachten; **III** *vi* 1 wateren, tranen, lopen; 2 ♪ water innemen; *my mouth* ~*s* ik watertand (al).

water-bearer ['wɔ:təbɛərə] waterdrager; *the* W~ ✳ de Waterman.

water-borne ['wɔ:təbɔ:n] 1 vlot, drijvend; 2 te water vervoerd; 3 overzees.

water-bottle ['wɔ:təbɔtl] 1 karaf; 2 ✕ veldfles.

water-butt ['wɔ:təbʌt] regenton.

water-carriage ['wɔ:təkærɪdʒ] vervoer *o* te water.

water-carrier ['wɔ:təkæriə] zie *water-bearer*.

water-cart ['wɔ:təka:t] sproeiwagen.

water-chute ['wɔ:təʃu:t] watertobogan.

water-closet ['wɔ:təklɔzit] W.C.

water-cock ['wɔ:təkɔk] waterkraan.

water-colour ['wɔ:təkʌlə] waterverf(schilderij); *in* ~*s* in waterverf.

watercourse ['wɔ:təkɔ:s] waterloop.

watercress ['wɔ:təkres] ♣ waterkers.

water-diviner ['wɔ:tədivainə] roedeloper.

watered ['wɔ:təd] als water, verwaterd &; moiré [van zijde].

waterfall ['wɔ:təfɔ:l] waterval.

waterfowl ['wɔ:təfaul] ♣ watervogel(s).

water-front ['wɔ:təfrʌnt] waterkant; zie ook: *sea-front*.

water-gate ['wɔ:təgeit] 1 waterpoort; 2 vloeddeur [v. sluis].

water-gauge ['wɔ:təgeidʒ] peilglas *o*.

water-gruel ['wɔ:təgruəl] watergruwel.

water-hen ['wɔ:təhen] ♣ waterhoen *o*.

wateriness ['wɔ:tərinis] water(acht)igheid.

watering-can ['wɔ:təriŋkæn] gieter.

watering-cart ['wɔ:təriŋka:t] sproeikar.

watering-place ['wɔ:təriŋpleis] 1 wed *o*; 2 plaats waar men water inneemt; 3 badplaats [als Spa, Wiesbaden &].

watering-pot ['wɔ:təriŋpɔt] gieter.

watering-trough ['wɔ:təriŋtrɔ:f] drinkbak.

waterish ['wɔ:təriʃ] waterachtig.

water-level ['wɔ:təlevl] 1 waterstand; 2 waterpas *o*.

water-lily ['wɔ:təlili] ♣ waterlelie.

waterline ['wɔ:təlain] 1 watermerk *o*; 2 waterlijn.

waterlogged ['wɔ:təlɔgd] volgelopen met water, vol water; met water doortrokken.

Waterloo [wɔ:tə'lu:] Waterloo *o*.

waterman ['wɔ:təmən] 1 schuitevoerder; veerman; 2 *sp* roeier.

watermark ['wɔ:təma:k] **I** *sb* 1 watermerk *o*; 2 ♪ waterpeil *o*; waterlijn; **II** *vt* van het watermerk voorzien.

water-melon ['wɔ:təmelən] watermeloen.

water-plane ['wɔ:təplein] ✈ watervliegtuig *o*.

water-pot ['wɔ:təpɔt] 1 waterkan; 2 gieter.

waterproof ['wɔ:təpru:f] **I** *aj* waterdicht, waterproef; **II** *sb* waterdichte stof, jas of mantel; **III** *vt* waterdicht maken.

water-rate ['wɔ:təreit] kosten van waterverbruik.

waterscape ['wɔ:təskeip] watergezicht *o*.

watershed ['wɔ:təʃed] waterscheiding.

waterside ['wɔ:tə'said] waterkant.

water-ski ['wɔ:təʃi:, -ski:] **I** *sb* waterski; **II** *vi* waterskiën.

water-skier ['wɔ:təʃi:ə, -ski:ə] waterskiër.

water-spout ['wɔ:təspaut] 1 waterspuier, afvoerbuis; 2 waterhoos.

water-supply ['wɔ:təsəplai] wateraanvoer; watervoorziening.

water-tank ['wɔ:tətæŋk] waterbak, reservoir *o*.

watertight ['wɔ:tətait] waterdicht.

water-vole ['wɔ:təvoul] ♣ waterrat.

water-wave ['wɔ:təweiv] **I** *sb* watergolf; **II** *vt* watergolven [het haar].

waterway ['wɔ:təwei] 1 waterweg; 2 ♪ goot, watergang.

water-weed ['wɔ:təwi:d] ♣ waterpest.

water-wheel ['wɔ:təwi:l] 1 waterrad *o*; 2 scheprad *o*.

waterworks ['wɔ:təwə:ks] 1 waterleiding; 2 waterwerken; zie ook: *turn* **II**.

watery ['wɔ:təri] waterig², waterachtig, water-; regenachtig, regen-; *fig* soeperig; ~ *eye* 1 tranend oog *o*, traanoog *o*; 2 vochtig oog *o*; *find* (*meet with*) *a* ~ *grave* een (zijn) graf in de golven vinden.

watt [wɔt] ⚡ watt.

wattle ['wɔtl] **I** *sb* 1 horde; hordenwerk *o*; rijsje *o*, twijg; 2 ♣ lel; baard; 3 ♣ Australische acacia; **II** *vt* 1 met horden afzetten; 2 met teentjes vlechten.

wattled ['wɔtld] 1 gevlochten; 2 met lellen.

wattle-work ['wɔtlwə:k] hordenwerk *o*.

waul [wɔ:l] krollen [v. een kat].

wave [weiv] **I** *vi* 1 golven; 2 wapperen; 3 wuiven; **II** *vt* 1 (doen) golven, onduleren [haar]; 2 wateren [stoffen]; 3 zwaaien met, wuiven met; 4 toewuiven; ~ *aside* een wenk geven om op zij te gaan; *fig* op zijde schuiven of afwijzen, zich met een breed gebaar afmaken van; ~ *away* een wenk geven om op zij of weg te gaan; ~ *back* terugwenken; **III** *sb* golf²; wuivende handbeweging, gewuif *o*; *a* ~ *of crime* een vloedgolf van misdaden.

wave-band ['weivbænd] ✕ ‡ golfband.
wave-length ['weivləŋθ] ✕ ‡ golflengte.
wavelet ['weivlit] golfje o.
waver ['weivə] I onvast zijn; waggelen; wankelen, weifelen, aarzelen; schommelen; 2 flakkeren [v. licht]; *her voice ~ed* haar stem werd onvast, beefde.
waverer ['weivərə] weifelaar.
wavering ['weivəriŋ] I *aj* wankel(baar), wankelend, wankelmoedig; weifelend; II *sb* gewankel *o*, geweifel *o*, weifeling.
wavey ['weivi] ♃ sneeuwgans; zie ook *wavy*.
waviness ['weivinis] I gegolfd aanzien *o*; 2 golving.
waving ['weiviŋ] I *aj* golvend, gegolfd; II *sb* I golving; 2 gewuif *o*; 3 gewapper *o*.
wavy ['weivi] golvend, gegolfd.
1 wax [wæks] I *sb* I was; 2 oorsmeer *o*; 3 lak *o* & *m*; *in a terrible ~* S erg nijdig, razend; II als *aj* wassen; III *vt* met was bestrijken, in de was zetten, wassen.
2 wax [wæks] *vi* I wassen, toenemen, uitdijen; 2 worden; *~ and wane* wassen en afnemen [van de maan].
waxbill ['wæksbil] ♃ wevervogel.
wax-chandler ['wækstʃa:ndlə] (was)kaarsenmaker.
wax-cloth ['wækskləθ] I wasdoek *o* & *m*; 2 vloerzeil *o*.
waxen ['wæksn] I van was, wassen, was-; 2 wasgeel; 3 zo bleek als was.
wax-end ['wæksend] pikdraad *o* & *m* [stofnaam], pikdraad *m* [voorwerpsnaam].
waxiness ['wæksinis] wasachtigheid.
wax-light ['wækslait] waslicht *o*.
waxwing ['wækswiŋ] ♃ pestvogel.
waxwork ['wækswə:k] in was uitgevoerd boetseerwerk *o*; *~s* wassenbeelden(spel *o*).
waxy ['wæksi] I wasachtig; 2 S woedend.
way [wei] I *sb* I weg; baan; eind *o* (weegs), afstand; 2 vaart, gang; 3 richting, kant; 4 manier, wijze; handelwijze, gebruik *o*, gewoonte; > hebbelijkheid; *~s* I wegen &; 2 ⚓ stapelblokken; *~s and means* (de) geldmiddelen; de middelen en de manier waarop; *devise* (*find*) *~s and means* raad schaffen; *~ in* ingang; *~ out* uitgang; *fig* uitweg; *the ~ of the Cross RK* de kruisweg; *it's the ~ of the world* dat is 's werelds loop, zo gaat het in de wereld; *all the ~* (langs) de hele weg, (over) de hele afstand, dat hele eind, helemaal [van A naar B]; *any ~* hoe dan ook; in alle geval, toch; *both ~s* I op twee manieren; 2 *sp* zowel op de ene als op de andere partij houdend; *different ~s* op verschillende manieren; in verschillende richtingen; *either ~* in beide gevallen; hoe dan ook; *every ~* in alle opzichten; *his ~* zijn kant uit; *it is a long ~ about* (*round*) een heel eind om; *the narrow ~* B de enge weg; *it is only his ~* zo is hij nu eenmaal; *his own ~* I zijn eigen weg (gang, manier); 2 op zijn eigen manier; *allow him his*

own ~ I laat hem zijn eigen gang (maar) gaan; 2 geef hem zijn zin maar; *no ~ inferior to...* in genen dele minder dan...; *one ~ or another* op de een of andere manier; *he said nothing one ~ or another* (*the other*) hij zei helemaal niets; *one ~ or the other it has helped in* ieder geval heeft het geholpen; *it is the other ~ about* (*round*) het is (net) andersom; *our ~* I onze kant uit; 2 in ons voordeel; *the same ~* I op dezelfde manier; 2 hetzelfde [v. zieke]; *some ~* een eindje; *some ~ or other* op de een of andere manier; *that ~* I die kant uit, daar(heen); 2 op die manier, zó; *the ~ you did it* (op) de manier waarop je het gedaan hebt; *look the other ~* een andere kant uitkijken; *that is the ~ with...* zo gaat het met...; zo doen...; *this ~* deze kant uit, hier(heen); *this ~ and that* naar alle kanten, her- en derwaarts; *find a ~* een uitweg vinden, er raad op weten; *find one's ~ into...* binnendringen in, thuis raken in, zich inburgeren in; *get* (*have, be allowed*) *one's* (*own*) *~* zijn zin krijgen; *give ~* op zij gaan; wijken, zwichten (voor *to*); bezwijken (onder *under*); *her voice gave ~* liet haar in de steek; *give ~ to fear* zich door vrees laten overmannen; *go one's ~*(*s*) I op weg gaan; 2 zich op weg begeven, heengaan; *go the ~ of all flesh* (*of nature*) B de weg van alle vlees gaan; *go a great* (*long*) *~* I ver reiken; 2 veel bijdragen (tot *towards*); *a little... goes a long ~ with me* met een beetje... kan ik lang toekomen; *go a long ~ about* een heel eind omlopen; *go* (*live somewhere*) *London ~* de kant van Londen uit; *everything is going my ~* alles gaat naar mijn zin, alles loopt me mee; *have a little ~ of...* de hebbelijkheid hebben om...; *you can't have it both ~s* òf 't één òf 't andere, geen twee dingen tegelijk; *have it* (*all*) *one's own ~* vrij spel hebben, kunnen doen en laten wat men wil; *not know which ~ to turn* geen raad weten; *make ~* vooruitkomen, vorderen, opschieten; plaats maken (voor *for*); *make one's ~* gaan, zich begeven; zich een weg banen; zijn weg (wel) vinden [in de wereld]; *I don't see my ~* (*into all this, to do it*) ik weet niet hoe ik het aanpakken (aanleggen) moet, ik kan niet...; *take one's ~* zich op weg begeven (naar *to*); zijn eigen hoofd volgen; *he wants his own ~* hij wil altijd zijn zin hebben, zijn eigen hoofd volgen; *∞ across the ~* zie *over the ~*; *by ~ of* bij wijze van; via, over; *by ~ of apology* ook: ter verontschuldiging; *by ~ of a joke* voor de grap; *by ~ of London* via (over) Londen; *he is by ~ of being an artist* hij is zo half en half (zo'n stuk) artiest; *by ~ of having something to do* om iets te doen te hebben; *by the ~* onderweg; en *passant*; wat ik zeggen wil(de), tussen twee haakjes; *by a great* (*long*) *~* verreweg; *not by a great* (*long*) *~* lang niet, op geen stukken na; *in a ~*, *in one ~* in zekere zin, in zeker (één) opzicht; *she was quite in a* ∼ *about it* zij was er helemaal van overstuur; *be in a bad* ∼ er slecht aan toe zijn [v. patiënt]; slecht staan [v. zaken]; *in a fair* ∼ *to...* mooi op weg om...; *in a general* ∼ in 't algemeen; *be in a good* ∼ *of business* in een goede zaak zitten; *in a large* ∼ in het groot, op grote schaal; *in a small* ∼ in het klein, op kleine schaal; *live in a small* ∼ klein leven; *in a* ∼ *of speaking* bij wijze van spreken; in zekere zin; *in his* ∼ 1 op zijn weg; 2 op zijn manier; *it is all in my* ∼ dat is net in mijn lijn; *not in any* ∼, (*in*) *no* ∼ op generlei wijze, hoegenaamd niet; *be in the* ∼ 1 (de mensen) in de weg staan; 2 tegenwoordig zijn; *call in the* ∼ *of business* voor zaken; *what they want in the* ∼ *of dress* aan kleren; *be on the* ∼ op komst zijn, in aantocht zijn; *be on the* ∼ *out* aan het verdwijnen zijn; *drunk, or on the* ∼ *to it* dronken of aardig op weg om het te worden; *on their* ∼ *to* onderweg naar, op (hun) weg naar; *it is rather out of my* ∼ het is nogal buiten mijn weg; dat ligt niet zo op mijn weg; *out of the* ∼ uit de weg, uit de voeten; weg, absent [ook = verstrooid]; afgelegen; niet ter zake dienend, vergezocht; *go out of one's* ∼ van zijn weg afwijken; *go out of one's* ∼ *to...* 1 de moeite nemen om...; zich uitsloven om...; 2 het er op toeleggen om...; *put a person out of the* ∼ iemand uit de weg ruimen; *put things out of the* ∼ de boel aan kant doen, opruiming houden; *put oneself out of the* ∼ zich veel moeite getroosten; *over the* ∼ aan de overkant, hier(tegen)over; *under* ∼ 1 in beweging; aan de gang; begonnen; 2 ⚓ onder zeil; *get under* ∼ 1 in beweging komen; 2 gang, vaart krijgen; 3 beginnen; 4 ⚓ het anker lichten; II *ad Am* in: ∼ *back in A.* daarginds in A.; ∼ *back in 1910* reeds in 1910.

way-bill ['weibil] vrachtbrief.
wayfarer ['weifɛərə] zwerver, (voet)reiziger.
wayfaring ['weifɛəriŋ] reizend.
waylay [wei'lei] hinderlagen leggen, belagen, opwachten [om te overvallen].
waylayer [wei'leiə] belager.
wayless ['weilis] zonder weg(en), ongebaand.
wayside [wei'said] I *sb* kant van de weg; *by the* ∼ ook: aan de weg; II als *aj* ['weisaid] aan de kant van de weg (gelegen).
wayward ['weiwəd] eigenzinnig, dwars, verkeerd, in de contramine; grillig.
way-worn ['weiwo:n] moe van de reis.
we [wi:, wi] wij.
weak [wi:k] zwak°, slap², flauw; *his* ∼ *point* (*side*) zijn zwakke zijde; *the* ∼*er sex* het zwakke geslacht.
weaken ['wi:kn] I *vt* verzwakken², slapper maken, verdunnen; I *vi* zwak(ker) worden.
weakening ['wi:kniŋ] verzwakking.
weak-eyed ['wi:k'aid] zwak van gezicht.
weak-headed 'wi:k'hedid] zwakhoofdig.

weakish ['wi:kiʃ] nogal zwak, zwakkelijk.
weak-kneed ['wi:k'ni:d] zwak in de knieën; *fig* slap, niet flink.
weakling ['wi:kliŋ] zwakkeling.
weakly ['wi:kli] I *aj* zwak, ziekelijk; II *ad* 1 zwak, slap, flauw; 2 uit zwakte.
weak-minded ['wi:k'maindid] zwakhoofdig.
weakness ['wi:knis] 1 zwakheid, zwakke plaats; 2 zwakte, zwak *o*; *he has a* ∼ *that way* daarvoor heeft hij een zwak.
weak-spirited ['wi:k'spiritid] blohartig.
1 **weal** [wi:l] welzijn *o*, geluk *o*; ∼ *and woe* wel en wee.
2 **weal** [wi:l] zie *wale*.
weald [wi:ld] bosland *o*; *the Weald* het bosland van Kent, Surrey en Sussex.
wealth [welθ] rijkdom, weelde, pracht, schat, overvloed; wereld [van...]; *a man of* ∼ een gefortuneerd man, een rijk man.
wealthily ['welθili] *ad* rijk, rijkelijk.
wealthiness ['welθinis] rijkheid, rijkdom.
wealthy ['welθi] *aj* rijk.
wean [wi:n] spenen; ∼ *from* spenen van, af-, ontwennen, vervreemden van, onttroggelen, benemen.
weanling ['wi:nliŋ] I *sb* gespeend kind *o* of dier *o*; II als *aj* pas gespeend.
weapon ['wepən] wapen² *o*.
1 **wear** [wɛə] I *vt* 1 dragen [aan het lijf]; ook: (aan)hebben, vertonen; 2 (ver)slijten, af-, uitslijten; *I won't* ∼ *it* S ik bedank ervoor; II *vi* 1 (ver)slijten; afmatten; voorbijgaan [v. de tijd], lang vallen; 2 zich laten dragen; zich (goed) houden [in het gebruik]; *warranted to* ∼ gegarandeerd goed blijvend; ∼ *thin* slijten, dun worden; ∼ *well* zich goed houden [in het gebruik]; ∞ ∼ *away* weg-, ver-, uit-, afslijten; slijten [tijd &], verdrijven; (langzaam) voorbijgaan [tijd], omkruipen; ∼ *down* af-, verslijten; afmatten, uitputten; ∼ *down all opposition* alle tegenstand overwinnen; ∼ *off* af-, wegslijten; uit-, verslijten, er afgaan, verdwijnen; ∼ *on* (langzaam) voorbijgaan [tijd]; ∼ *out* afdragen, verslijten; uitslijten; afmatten, uitputten, uitmergelen, slijten [levensdagen &]; ∼ *through* omkrijgen [tijd]; III *sb* dragen *o*, gebruik *o*; dracht, kleding, kleren, goed *o*; soliditeit; slijtage; ∼ *and tear* slijtage; *the* ∼ *and tear of time* de tand des tijds; *these knickers are warm* ∼ zijn goed warm; *it has no* ∼ *in it* het is erg sleets; *there is a deal of* ∼ (*a great amount of* ∼) *in them* je kunt er lang mee toe; *for everyday* ∼ voor dagelijks gebruik [kledingstukken]; *have... in* ∼ (voortdurend) in gebruik hebben, dagelijks dragen; *of good* ∼ zich goed houdend in het gebruik, solide.
2 **wear** [wɛə] *vt & vi* ⚓ halzen.
3 **wear** [wiə] *sb* zie *weir*.
wearable ['wɛərəbl] draagbaar, te dragen.
wearer ['wɛərə] 1 drager; 2 slijter.
wearied ['wiərid] vermoeid, moe(de).

wearily ['wiərili] *ad* zie *weary* I.
weariness ['wiərinis] 1 vermoeidheid, moeheid; 2 verveling; zatheid.
wearing-apparel ['wɛəriŋəpærəl] kleren.
wearisome ['wiərisəm] 1 vermoeiend, lastig, moeizaam; 2 afmattend, vervelend.
weary ['wiəri] I *aj* 1 vermoeid, moe(de); 2 vermoeiend, moeizaam; 3 vervelend; ~ *and worn* moe en mat; ~ *of life* levensmoe; II *vt* 1 vermoeien, afmatten; 2 vervelen; ~ *out* afmatten, uitputten; III *vi* moe worden; *he will soon* ~ *of it* het zal hem gauw vervelen.
⚓ **weasand** ['wi:zənd] 1 luchtpijp; 2 strot.
weasel ['wi:zl] ⚓ wezel.
weather ['weðə] I *sb* we(d)er *o*; *make bad (good)* ~ ⚓ 1 slecht (goed) weer treffen [op zeereis]; 2 slecht (goed) vooruitkomen [schip]; *make heavy* ~ *of* zich druk maken over; *in all* ~*s* bij elke weersgesteldheid, weer of géén weer; *in this hot* ~ bij of met dit warme weer; *to* ~ *of* ⚓ te loevert van; *under the* ~ F er beroerd aan toe; II *vt* 1 aan de lucht blootstellen; 2 *fig* te boven komen; doorstaan [storm &]; ⚓ te boven zeilen; de loef afsteken[2]; ~ *(out) the gale* de storm doorstaan; III *vi* verweren.
weather-beaten ['weðəbi:tn] door het weer of door stormen geteisterd; verweerd.
weather-board ['weðəbɔ:d] 1 ⚓ loefzijde; 2 overnaadse plank [tegen inregenen], lekdorpel [v. raam of deur].
weather-bound ['weðəbaund] door het slechte weer opgehouden.
weather-bureau ['weðəbjuərou] meteorologisch instituut *o*.
weathercock ['weðəkɔk] weerhaan[2].
weather-conditions ['weðəkəndiʃənz] weersgesteldheid.
weathered ['weðəd] verweerd.
weather-eye ['weðərai] in: *keep one's* ~ *open* goed uitkijken, op zijn hoede zijn.
weather-forecast ['weðəfɔ:ka:st] weervoorspelling; weersverwachting.
weather-gauge ['weðəgeidʒ] ⚓ loef; *have the* ~ *of* de loef afsteken.
weather-glass ['weðəgla:s] weerglas *o*: barometer.
weather-house ['weðəhaus] weerhuisje *o*.
weathering ['weðəriŋ] 1 waterslag, afzaat; 2 verwering.
weathermost ['weðəmoust] ⚓ meest te loefwaart.
weather-proof ['weðəpru:f] I *aj* tegen het weer bestand; II *sb* waterdichte stof, regenjas; III *vt* waterdicht maken.
weather-prophet ['weðəprɔfit] weerprofeet.
weather-side ['weðəsaid] 1 ⚓ loefzijde; 2 windweather-tight** ['weðətait] (water)dicht. [kant.
weather-vane ['weðəvein] windwijzer.
weather-wise ['weðəwaiz] weerkundig.
weave [wi:v] I *vt & vi* weven, vlechten (in, tot *into*); II *sb* weefsel *o*, patroon *o*.

weaver ['wi:və] 1 wever; 2 ⚓ wevervogel
weaving ['wi:viŋ] weven *o*.
weaving-loom ['wi:viŋlu:m] weefgetouw *o*.
weaving-mill ['wi:viŋmil] weverij.
web [web] 1 web *o*; bindweefsel *o*; weefsel *o* 2 (zwem)vlies *o*; 3 vlag [v. veer]; 4 ⚔ wang.;
webbed [webd] met (zwem)vliezen.
webbing ['webiŋ] 1 weefsel *o*; 2 singelband *o* [stofnaam], singelband *m* [voorwerpsnaam].
web-eye ['webai] vlies *o* [op het oog].
web-footed ['webfutid] met zwempoten.
we'd [wi:d] verk. v. 1 *we had*; 2 *we would*.
wed [wed] trouwen (met), huwen (met); in de echt verbinden; *he* ~*ded industry to economy* bij paarde ijver aan zuinigheid; *be* ~*ded to systems* zich niet kunnen losmaken (vastzitten aan) stelsels; zie ook: *wedded*.
wedded ['wedid] getrouwd; ~ *happiness* huwelijksgeluk *o*; ~ *life* huwelijksleven *o*.
wedding ['wediŋ] 1 huwelijk *o*; 2 bruiloft.
wedding-breakfast ['wediŋbrekfəst] lunch na de trouwplechtigheid.
wedding-cake ['wediŋkeik] bruiloftstaart.
wedding-day ['wediŋdei] (verjaardag van de) trouwdag.
wedding-dinner ['wediŋdinə] bruiloftsmaal *o*.
wedding-ring ['wediŋriŋ] trouwring.
wedding-trip ['wediŋtrip] huwelijksreis.
wedge [wedʒ] I *sb* wig, keg; punt [v. taart]; *the thin end of the* ~ de dunne kant van de wig; *fig* de eerste stap of schrede, het begin; II *vt* een wig slaan in, keggen; ~ *in* indringen, -duwen, -schuiven; ~*d (in) between* ingeklemd, beklemd tussen.
Wedgwood ['wedʒwud] ~ *(ware)* aardewerk *o* van Wedgwood, † 1795.
wedlock ['wedlɔk] huwelijk *o*; *born in* ~ wettig, echt [v. een kind].
Wednesday ['wenzdi] woensdag.
wee [wi:] klein.
weed [wi:d] I *sb* 1 onkruid[2] *o*; zeegras *o*; 2 F tabak, sigaar; 3 knol [v. paard]; opgeschoten slungel; kerel van niks; ~*s* 1 onkruid *o*; zeegras *o*; 2 weduwenkleed *o*; *ill* ~*s grow apace (are sure to thrive)* onkruid vergaat niet; *she cast her* ~*s* ze zei de weduwstaat vaarwel (hertrouwde); II *vt* wieden, uitroeien, zuiveren (van *of*); ~ *out* wieden, uitroeien, verwijderen.
weeder ['wi:də] 1 wieder, -ster; 2 wiedijzer *o*.
weed-grown ['wi:dgroun] met onkruid bedekt.
weediness ['wi:dinis] het *weedy* zijn.
weeding-hook ['wi:diŋhuk] wiedijzer *o*.
weedy ['wi:di] 1 vol onkruid; als (van) onkruid; 2 *fig* opgeschoten; pieterig, miezerig; niet flink.
week [wi:k] week; *this day (to-day)* ~ 1 vandaag over een week; 2 acht dagen geleden; *a* ~ *of Sundays* F 1 zeven weken; 2 een hele tijd.
weekday ['wi:kdei] werkdag, door-de-weekse dag.

week-end ['wi:k'end] **I** *sb* weekend *o*; **II** *vi* weekenden.

week-ender ['wi:k'endə] iemand die op zijn weekenduitstapje is.

weekly ['wi:kli] **I** *ad* wekelijks, iedere week; **II** *aj* wekelijks, week-; **III** *sb* weekblad *o*.

⊙ **ween** [wi:n] wanen, menen.

weep [wi:p] **I** *vi* 1 wenen, schreien; 2 druppels afscheiden; tranen; ~ *for* bewenen; ~ *for* (*with*) *joy* van vreugde schreien; **II** *vt* bewenen, betreuren; ~ *tears of joy* vreugdetranen storten; **III** *vr* in: ~ *oneself out* zijn leed uitschreien; **IV** *sb* in: *have a bit of a* ~ een deuntje schreien.

weeper ['wi:pə] 1 schreier, klager; 2 huilebalk, klaagvrouw [bij begrafenis]; 3 rouwband, rouwfloers *o*, rouwsluier; ~*s* witte rouwman-
weeping ash ['wi:piŋ'æʃ] ✿ treures.   [chetten.
weeping willow ['wi:piŋ'wilou] ✿ treurwilg.

weever ['wi:və] 𝔖 pieterman.

weevil ['wi:v(i)l] 𝔛 kalander.

wee-wee ['wi:wi:] F **I** *sb* plasje *o*; **II** *vi* een plasje doen.

weft [weft] inslag(garen *o*); weefsel *o*.

weigh [wei] **I** *vt* 1 wegen², af-, overwegen; 2 ⚓ lichten; **II** *vi* & *va* 1 wegen², gewicht in de schaal leggen; zich (laten) wegen; 2 ⚓ het anker lichten; ∞ ~ *an argument against another* zien welk argument het zwaarst weegt; ~ *down* neerdrukken, doen doorbuigen; doen overslaan [de schaal]; opwegen tegen [argumenten &]; ~*ed down with cares* onder zorgen gebukt gaand; ~ *in* F komen aanzetten²; ~ *in a jockey sp* een jockey wegen vóór de wedren; ~ *out* af-, toewegen; ~ *out a jockey sp* een jockey wegen na de wedren; ~ (*heavy*) *upon one* iemand bezwaren [geheim &]; *that's the point that* ~*s with me* dat weegt (zeer) zwaar bij mij.

weighable ['weiəbl] weegbaar.

weighage ['weiidʒ] weegloon *o*.

weigh-beam ['weibi:m] unster.

weigh-bridge ['weibridʒ] weegbrug.

weigher ['weiə] weger.

weigh(ing)-house ['wei(iŋ)haus] waag.

weighing-machine ['weiiŋməʃi:n] weegtoestel *o*, bascule.

weight [weit] **I** *sb* gewicht² *o*, zwaarte; belasting; last; druk; ~*s and measures* maten en gewichten; *it is a* ~ *off my conscience* het is mij een pak van het hart; *putting the* ~ *sp* kogelstoten *o*; *put on* ~ zwaarder worden, aankomen; zie ook: *carry* I; **II** *vt* bezwaren, belasten, zwaarder maken.

weightily ['weitili] *ad* zwaar²; gewichtig².

weightiness ['weitinis] gewicht² *o*, gewichtigheid.

weightlessness ['weitlisnis] gewichtloosheid.

weight-lifter ['weitliftə] *sp* gewichtheffer.

weight-lifting ['weitliftiŋ] *sp* gewichtheffen *o*.

weight-throwing ['weitθrouiŋ] *sp* gewichtwerpen *o*.

weighty ['weiti] *aj* zwaarwegend²; zwaar², gewichtig², van gewicht.

weir [wiə] weer; waterkering, stuwdam.

weird [wiəd] **I** *sb* (nood)lot *o*; **II** *aj* onheilspellend; spookachtig, angstwekkend geheimzinnig, F „eng"; vreemd, zonderling; *the* ~ *sisters* de schikgodinnen.

weirdie ['wiədi] S excentriek.

welcome ['welkəm] **I** *ij* welkom; ~ *to A.!* welkom in A.!; **II** *sb* welkom *o*, welkomst, verwelkoming; ontvangst; *bid one* ~ iemand welkom heten; *give one a hearty* ~ iemand hartelijk welkom heten; hartelijk ontvangen [ook: ironisch]; **III** *aj* welkom²; verheugend; (*you are*) ~ tot uw dienst!; *you are* ~ *to it!* het is je (u) gegund hoor!, het is tot uw dienst!; *make one* ~ iemand welkom heten; *I'll do it for you and* ~ ik wil het graag voor u doen; *you may go and* ~ ga maar en we zullen er niet rouwig om zijn; **IV** *vt* verwelkomen, welkom heten, vriendelijk ontvangen²; toejuichen [besluit &]; *I* ~ *your visit* ook: ik verheug mij over uw bezoek, uw bezoek doet mij genoegen.

welcomeness ['welkəmnis] welkom zijn *o*.

welcomer ['welkəmə] 1 verwelkomer; 2 ook: (ontvangende) gastheer.

1 **weld** [weld] *sb* ✿ wouw.

2 **weld** [weld] **I** *vt* 𝔛 lassen, wellen, aaneensmeden²; **II** *sb* welnaad, las.

weldable ['weldəbl] 𝔛 lasbaar.

welder ['weldə] 𝔛 1 lasser; 2 lasapparaat *o*.

weldless ['weldlis] 𝔛 zonder las; zonder naad.

welfare ['welfɛə] welzijn *o*; *child* ~, *infant* ~ kinderzorg, zuigelingenzorg; ~ *centre* polikliniek; ~ *state* verzorgingsstaat; ~ *work* sociale voorzieningen; welzijnverzorging.

⊙ **welkin** ['welkin] uitspansel *o*, zwerk *o*.

1 **well** [wel] **I** *sb* 1 put, wel, bron(wel)², bronader²; 2 trappehuis *o*; 3 wagenbak; *the* ~ *ran dry* de bron [v. geld] hield op met vloeien; **II** *vi* (op)wellen², ontspringen² (ook: ~ *forth*, *up*, *out*).

2 **well** [wel] **I** *ad* wel, goed; *as* ~ 1 even goed; 2 eveneens, ook; *as* ~ *as* 1 net zo goed als; 2 zowel als; ~ *away* (*back*, *before daylight* &) een heel eind (een flink stuk) weg &; **II** *aj* 1 wel, (goed) gezond; 2 goed; *it is perhaps just as* ~ 't is misschien maar goed ook, nog zo verkeerd niet; ~ *and good* (opper)best; **III** *sb* wel(zijn) *o*; *let* ~ *alone* alle verandering is geen verbetering; **IV** *ij* wel!, goed!, (wel)nu!, nu ja!, enfin!.

welladay ['welə'dei] ⚔ & J ach en wee!

well-affected ['welə'fektid] welgezind.

well-balanced ['wel'bælənst] precies in evenwicht, evenwichtig; uitgebalanceerd².

well-behaved ['welbi'heivd] zich goed gedragend, oppassend.

well-being ['wel'bi:iŋ] welzijn *o*.

well-beloved ['welbi'lʌvd] (teer)bemind, dierbaar.

well-born ['wel'bɔ:n] van goede afkomst.

well-bred ['wel'bred], ook: + 'welbred] welop-gevoed, beschaafd.

well-conditioned ['welkən'diʃənd] 1 goedaar-dig; 2 in goede staat.

well-conducted ['welkən'dʌktid] 1 goed geleid, bestuurd of beheerd; 2 zich goed gedragend, oppassend.

well-descended ['weldi'sendid] van goede af-komst, van goede familie.

well-disposed ['weldis'pouzd] 1 goed geschikt of geordend; 2 welgezind.

well-doing ['wel'duiŋ] I aj rechtschapen; wel-doend; II sb goeddoen o.

well-favoured ['wel'feivəd] er knap uitziend.

well-fed ['wel'fed] goed gevoed, doorvoed.

well-found ['wel'faund] goed toe-, uitgerust.

well-founded ['wel'faundid] gegrond.

well-head ['welhed] bron(wel)².

well-heeled ['wel'hi:ld] F gefortuneerd, rijk, bij kas.

well-informed ['welin'fɔ:md] goed ingelicht, goed op de hoogte; gedocumenteerd [be-toog], knap.

Wellington ['weliŋtən] Wellington; *wellingtons* hoge rijlaarzen [tot aan de knieën].

well-intentioned ['welin'tenʃənd] goed bedoeld; welgemeend; goedgezind.

well-knit ['wel'nit] stevig gebouwd.

well-mannered ['wel'mænəd] welgemanierd.

well-meaning ['wel'mi:niŋ] welmenend.

well-meant ['wel'ment] welgemeend.

well-nigh ['welnai] bijna, nagenoeg, vrijwel.

well-off ['wel'ɔ:f] welgesteld.

well-pleased ['wel'pli:zd] in zijn schik.

well-room ['welrum] kurzaal.   [bouwd.

well-set ['wel'set] 1 goed geplaatst; 2 stevig ge-

well-spent ['wel'spent] goed besteed.

well-spoken ['wel'spoukn] 1 beschaafd (aange-naam) sprekend; 2 treffend gezegd.

well-spring ['welspriŋ] bron(wel)².

well-stocked ['wel'stɔkt] goed voorzien.

well-timed ['wel'taimd] juist op tijd komend, opportuun.

well-to-do ['weltə'du:] welgesteld.

well-tried ['wel'traid] beproefd.

well-turned ['wel'tə:nd] welgevormd; welgeko-zen [van bewoordingen].

well-wisher ['wel'wiʃə] begunstiger, vriend.

well-worn ['wel'wɔ:n] 1 veel gedragen; 2 ver-sleten, afgezaagd.

Welsh [welʃ] I aj van Wales; ~ *rabbit*, ~ *rare-bit* stukje o toost met gesmolten kaas; II sb 1 de taal van Wales; 2 *the* ~ de bewoners van Wales.

Welshman ['welʃmən] bewoner van Wales.

welt [welt] I sb 1 omboordsel o, rand [aan het bovenschoenleer]; 2 striem; II vt 1 omboor-den; 2 afranselen, striemen.

welter ['weltə] I vi zich wentelen², rollen [gol-ven]; II sb 1 wentelen o of rollen o; 2 verwar-ring, baaierd, chaos; mengelmoes o & v.

welter-race ['weltəreis] sp wedren met zware belasting; zie ↓.

welter-weight ['weltəweit] sp 1 extra-zware be-lasting van renpaard; 2 bokser tussen licht en middelzwaar gewicht.

wen [wen] wen, uitwas.

wench [wen(t)ʃ] meisje o; meid, deern.

wend [wend] I vt in: ~ *one's way* voortschrij-den; ~ *one's way homeward* zich naar huis begeven; II vi ✦ gaan.

went [went] V.T. van *go*.

wept [wept] V.T. & V.D. van *weep*.

were [wə:] V.T. van *be*: waren, ware, was.

we're [wiə] wij zijn.

wer(e)wolf ['wə:wulf] weerwolf.

wert [wə:t] V.T. 2e pers. enk. van *be*: waart.

Wesleyan ['wezliən] I aj van Wesley, metho-distisch; II sb Wesleyaan, methodist.

west [west] I sb westen o; westenwind; *the West* 1 het westen; 2 de West; II aj westelijk, westen-, wester-, west-; III ad westelijk, naar het westen; ~ *of...* ten westen van; *go* ~ S naar de bliksem gaan; verdwijnen.

westering ['westəriŋ] I aj naar het westen gaand, dalend; II sb westelijke koers.

westerling ['westəliŋ] westerling.

westerly ['westəli] westelijk, westen-.

western ['westən] I aj westelijk, westers; westen-, west-; II sb wild-westfilm, wild-west-verhaal o.

Westerner ['westənə] 1 westerling; 2 *Am* ie-mand uit de Westelijke Staten.

Westminster ['wes(t)minstə] Westminster o.

Westphalia [west'feiljə] Westfalen o.

westward(s) ['westwəd(z)] westwaarts.

wet [wet] I aj 1 nat, vochtig; regenachtig; 2 niet „drooggelegd" voor alcoholgebruik; ~ *to the skin*, ~ *through* doornat, kletsnat; *a* ~ *bargain* een met een dronk bezegelde koop; *a* ~ *blanket* 1 een emmer koud water; 2 een spelbederver; ~ *dock* dok o; ~ *goods* S natte of vochtige waren; ~ *paint!* (pas) geverfd!; II sb nat o, nattigheid, vocht o & v, vochtig-heid, neerslag, regen; S slokje o, borrel; ~ *or fine* (bij) regen of zonneschijn; III vt nat maken, bevochtigen; ~ *a bargain* een koop bedrinken; ~ *one's whistle* S de keel eens smeren.

wether ['weðə] ♣ hamel.

wetness ['wetnis] natheid.

wet-nurse ['wetnə:s] min.

wetting ['wetiŋ] bevochtiging; *a* ~ ook: een nat pak o.

wettish ['wetiʃ] nattig, vochtig.

whack [wæk] I vt F (af)ranselen, (ver)slaan; ~ *up* S 1 verdelen; 2 in elkaar flansen; II sb 1 F mep, (harde) slag; 2 S (aan)deel o.

whacker ['wækə] S 1 kokkerd, kanjer, knaap; 2 kolossale leugen.

whacking ['wækiŋ] I aj P flink, kolossaal, reu-zen-; II dd < kolossaal, verduiveld, donders; III sb rammeling, pak o slaag.

whale [weil] I *sb* 🐳 walvis; *very like a* ~ ja, ja, het mocht wat [naar *SH*]; II *vi* op de walvisvangst zijn (gaan).

whalebone ['weilboun] balein *o*.

whale-fishery ['weilfiʃəri] walvisvangst.

whaleman ['weilmən] walvisvaarder.

whale-oil ['weilɔil] walvistraan.

whaler ['weilə] walvisvaarder.

whaling ['weiliŋ] walvisvangst.

whaling gun ['weiliŋgʌn] harpoenkanon *o*.

wharf [wɔ:f] I *sb* ⚓ aanlegplaats, steiger; (afgesloten) kaai; II *vt* aan de kaai meren of lossen.

wharfage ['wɔ:fidʒ] kaaigeld *o*; kaairuimte.

wharfinger ['wɔ:fin(d)ʒə] kaaimeester.

wharf-porter ['wɔ:fpɔ:tə] kaailoper.

what [wɔt] I *pron* 1 vr agend: wat, wat voor (een), welk(e); ~ *day of the month is to-day?* de hoeveelste hebben we (vandaag)?; ~ *is your name?* hoe is uw naam?, hoe heet je?; ~ *is the hurry?* waarom zo'n haast?; ~*'s yours?* F wat zal 't zijn?, wat gebruik (neem) je?; *just* ~ *does this mean?* wat betekent dit eigenlijk?; *and (or)* ~ *have you* F en noem maar op; *I'll tell you* ~ ik zal u eens wat zeggen; ~ *about Johnson?* 1 hebt u nieuws over J., hoe staat het met J.?; 2 en J. dan?; ~ *for* F waarvoor, waarom?; *get* ~ *for* F er van langs krijgen; ~ *ho!* hela!; ~ *if we were to lose?* wat zou het dan nog als wij het verloren?; *and* ~ *not* en wat al niet; *en zo meer, enzovoort;* ~ *of...?* En hoe is het met...?; *well,* ~ *of it?* wel, wat zou dat?; 2 uitroepend: wat (een); II *pron* 1 betrekkelijk: wat, dat wat, hetgeen; al wat, al... dat; ~ *day...* ⊙ (op) de dag dat...; *the water is good,* ~ *there is of it* het water dat (voor zover het) er gevonden wordt, is goed; *that's* ~ *it is* dát is het, 't dát is het hem; *but* ~ F behalve wat, dan die...; of... niet; *not a day comes but* ~ *makes a change* F er komt geen dag die geen verandering brengt; 2 onbepaald: wat; ~ *between* (~ *with*)... *and...* deels door..., deels door...

what-d'ye-call-'em [wɔtdjə'kɔ:ləm] F hoe heetie ('t) ook weer.

⊙ **whate'er** [wɔ'tɛə] zie *whatever*.

whatever [wɔ'tevə] I *pron* wat (...toch); wat ook, al wat; II *aj* in: ~ *sum you may demand* welke som u ook eist; *there is no doubt* ~ hoegenaamd geen twijfel; *no one* ~ niemand wie dan ook.

what(-)not ['wɔtnɔt] 1 wat al niet; 2 etagère.

⊙ **whatso** ['wɔtsou] zie *whatever*.

whatsoever [wɔtsou'evə] zie *whatever*.

wheat [wi:t] tarwe.

wheatear ['wi:tiə] 🐦 tapuit, witstaart.

wheaten ['wi:tn] van tarwe, tarwe-.

wheedle ['wi:dl] flikflooien, vleien; ~ *one into ...ing* door lief praten er toe brengen om...; ~ *one out of a thing* iemand iets aftroggelen.

wheedler ['wi:dlə] flikflooier, pluimstrijker.

wheedling ['wi:dliŋ] I *aj* flikflooiend; II *sb* geflikflooi *o*.

wheel [wi:l] I *sb* wiel *o*, rad *o*, stuurrad *o*; spinnewiel *o*; rijwiel *o*; zon [van vuurwerk]; (pottenbakkers)schijf; ✕ zwenking; *turn* ~*s* rad slaan; *the fifth* ~ *to the coach* het vijfde rad aan de wagen[2]; *at the* ~ aan het stuurrad; *break on the* ~ radbraken; *everything went on (greased, oiled)* ~*s* alles ging alsof het gesmeerd was; *there are* ~*s within* ~*s* het is een ingewikkelde machinerie; *fig* het gaat over veel schijven; 't is erg gecompliceerd; II *vt* 1 per as vervoeren, kruien, (voort)rollen; 2 van wielen voorzien; 3 ✕ laten zwenken (ook: ~ *about, round*); ~ *one's flight* cirkelend vliegen [vogels]; III *vi* 1 draaien [om as], zwenken; 2 cirkelen; 3 F (wiel)rijden.

wheelbarrow ['wi:lbærou] kruiwagen.

wheel-base ['wi:lbeis] wielbasis, radstand.

wheel-chair ['wi:ltʃɛə] rol-, ziekenstoel.

wheel-drag ['wi:ldræg] remschoen.

wheeled [wi:ld] met (op) wielen; ~ *traffic* verkeer *o* per as.

wheeler ['wi:lə] 1 wielrijder; 2 wagenmaker; 3 achterpaard *o*.

wheel-horse ['wi:lhɔ:s] achterpaard *o*.

wheel-house ['wi:lhaus] ⚓ stuurhuis *o*.

wheelman ['wi:lmən] wielrijder.

wheel-rope ['wi:lroup] ⚓ stuurreep.

wheel-work ['wi:lwɔ:k] raderwerk *o*.

wheelwright ['wi:lrait] wagenmaker.

wheeze [wi:z] I *vi* hijgen, snuiven; II *sb* 1 gehijg *o*, gesnuif *o*; 2 S grap; truc.

wheeziness ['wi:zinis] kortademigheid.

wheezy ['wi:zi] kortademig, aamborstig; hijgend.

whelk [welk] wulk, kinkhoorntje *o*.

whelp [welp] I *sb* welp; jonge hond; kwajongen; II *vi* jongen; III *vt* werpen, ter wereld brengen.

when [wen] I *ad* wanneer; II *cj* 1 wanneer, als, toen; en toen, waarop; 2 terwijl [bij tegenstelling]; ~ *due* op de vervaltijd; ~ *there* als je daar bent (gekomen); III *pron* wanneer; *nowadays* ~ ... tegenwoordig, dat ..., nu...; *since (till)* ~? sedert (tot) wanneer?; *since* ~ (en) sedertdien; IV *sb* in: *the* ~ *and where* plaats en tijd.

whence [wens] I *ad* vanwaar; ook: waaruit; *from* ~ *is he?* waar is hij vandaan?; II als *sb* in: *we know neither our* ~ *nor our whither* wij weten niet waarvandaan wij komen, noch waarheen wij gaan.

whencesoever [wenssou'evə] waar ook vandaan, vanwaar ook.

⊙ **whene'er** [we'nɛə] zie *whenever*.

whenever [we'nevə] wanneer ook; telkens wanneer, telkens als.

whensoever [wensou'evə] zie *whenever*.

where [wɛə] I *ad* 1 waar; 2 waarheen; 3 ook: waarin; *one doesn't know* ~ *to have him* hij ontglipt je als een aal; ~ *is the use of trying?* wat geeft 't al of je 't probeert?; **II** *pron* waar, vanwaar; ~ *to?* waarheen?; *to* ~ naar een plaats waar; **III** *sb* in: *a better* ~ ⊙ betere gewesten.

whereabout ['wɛərə'baut] zie *whereabouts*.

whereabouts ['wɛərə'bauts] **I** *ad* waaromtrent; waar; **II** *sb* ['wɛərəbauts] plaats waar men zich bevindt, verblijfplaats, adres *o*.

whereas [wɛə'ræz] **1** terwijl (daarentegen); **2** nademaal, naardien, aangezien.

whereat [wɛə'ræt] waarop, waarover.

whereby [wɛə'bai] waarbij, waardoor.

⊙ **where'er** [wɛə'rɛə] zie *wherever*.

wherefore ['wɛəfɔ:] waarom, weshalve.

wherein [wɛə'rin] waarin.

whereinto [wɛə'rintu] waarin.

whereof [wɛə'rɔv] waarvan.

whereon [wɛə'rɔn] waarop.

wheresoever [wɛəsou'evə] waar ook.

whereto [wɛə'tu:] waartoe, waar naar toe.

⊙ **whereunto** [wɛərʌn'tu:] zie *whereto*.

whereupon [wɛərə'pɔn] zie *whereon*.

wherever [wɛə'revə] waar ook, overal waar; ~ *have you been?* F waar ben je toch geweest?

wherewith [wɛə'wið] waarmede.

wherewithal [wɛəwi'ðɔ:l] **I** *ad* waarmede; **II** *sb* ['wɛəwiðɔ:l] middelen.

wherry ['weri] **1** wherry [roeischuitje]; **2** veerboot.

whet [wet] **I** *vt* wetten, slijpen, scherpen[2]; *fig* prikkelen [eetlust]; **II** *sb* wetten *o*; *fig* prikkel; F borreltje *o*.

whether ['weðə] **I** *pron* ✎ welk(e) of wie van beide(n); **I** *cj* of; ~...*or* (*whether*)... hetzij..., hetzij..., of..., of...; ~ *or no* hoe 't ook zij; in alle geval; ~ *or no*(*t*) al of niet.

whetstone ['wetstoun] wet-, slijpsteen.

whetter ['wetə] **1** wetter, slijper; **2** slijpsteen; **3** F borreltje *o*.

whew [wu:] hoe!, ff!

whey [wei] hui, wei [v. melk].

which [witʃ] **1** welke, welk, wie; **2** die, dat, wat; *you can't tell* ~ *is* ~ men kan ze niet uit elkaar kennen; *the* ~ ✎ dewelke, hetwelk.

whichever [witʃ'evə], **whichsoever** [witʃsou'evə] welke (wie, welk, wat) ook.

whiff [wif] **I** *sb* **1** ademtocht, zuchtje *o*, vleugje *o*; wolkje *o*; haal, trekje *o* [aan sigaar of pijp]; **2** licht sigaartje *o*; **3** ⚓ lichte roeiboot; **II** *vi* **1** blazen, puffen; **2** stinken; **III** *vt* **1** uitblazen, wegblazen; **2** opsnuiven, ruiken.

whig [wig] Whig, liberaal.

whiggery ['wigəri], **whiggism** ['wigizm] beginselen der Whigs.

while [wail] **I** *sb* wijl, poos, tijd, tijdje *o*; *I have not seen him this long* ~ *past* lang niet; *the* ~ ondertussen, inmiddels, zo lang; ook: terwijl; *all the* ~ al die tijd; *for a* ~ (voor) een poosje, een tijdje; *not for a long* ~ (in) lang niet; *in a little* ~ binnenkort, weldra; zie ook: *worth* I; **II** *vt* in: ~ *away the time* de tijd

(aangenaam) verdrijven; **III** *cj* terwijl, zo lang (als); hoewel.

✎ **whiles** [wailz] terwijl.

whilom ['wailəm] **I** *ad* weleer, voorheen, eens; **II** *aj* vroeger, voormalig.

whilst [wailst] terwijl; *the* ~ zie *the while*.

whim [wim] gril, kuur, inval.

whimper ['wimpə] **1** drenzen, grienen [van kinderen]; zachtjes janken [v. hond]; **2** jammeren.

whimperer ['wimpərə] drenzer &.

whimsical ['wimzikl] grillig, vreemd.

whimsicality [wimzi'kæliti] grilligheid, vreemdheid.

whimsy ['wimzi] **1** gril, kuur; **2** grilligheid, vreemdheid.

whin [win] ✿ gaspeldoorn.

whinchat ['wintʃæt] ⤜ paapje *o*.

whine [wain] **I** *vi* temen, janken, jengelen, jeuzelen, jammeren; **II** *vt* janken & (ook: ~ *out*); **III** *sb* geteem *o*, gejank *o* &.

whinger ['wiŋə] hartsvanger, dolk.

whinny ['wini] **I** *vi* hinniken; **II** *sb* gehinnik *o*.

whip [wip] **I** *sb* **1** zweep; **2** F zweep; **3** *sp* hondenjongen [bij vossejacht]; **4** *fig* lid *o* van het Parlement, dat, voor belangrijke stemmingen, zijn medeleden oproept; oproeping van een *whip*; *give the* ~ de zweep er over leggen; *receive the* ~ met de zweep krijgen; **II** *vt* **1** zwepen, met de zweep geven, er van langs geven[2], slaan; S verslaan, 't winnen van; **2** kloppen [eieren]; **3** overhands naaien; **4** wippen; ~ *a stream* een rivier afvissen; ~*ped cream* slagroom; ~ *in* bijeenjagen [honden bij vossejacht]; *fig* bijeentrommelen [leden van de partij door *whips*]; ~ *off one's coat* uitgooien; ~ *the horses on* de zweep over de paarden leggen, voortzwepen; ~ *on one's coat* zijn jas aanschieten; ~ *out one's revolver* plotseling te voorschijn halen; ~ *over the pages* dóórvliegen; ~ *up* **1** doen opwippen, gooien; **2** oppikken; **3** er de zweep over leggen; *fig* opzwepen, aanzetten; **III** *vi* wippen; ~ *away* (*off, out*) wegwippen; ~ *up* opwippen.

whipcord ['wipkɔ:d] **1** zweepkoord *o*; **2** whipcord *o*, soort kamgaren *o*.

whip-hand ['wiphænd] hand die de zweep vasthoudt, rechterhand; *have the* ~ *of* (*over*) one de baas zijn over iemand.

whip-lash ['wiplæʃ] zweepslag, -koord *o*.

whipper ['wipə] geselaar.

whipper-in ['wipə'rin] **1** *sp* hondenjongen [bij vossejacht]; **2** in het Parlement = *whip*.

whipper-snapper ['wipəsnæpə] verwaande kwast; kereltje *o*, ventje *o*; F (snot)aap.

whippet ['wipit] ⚞ gekruiste hazewind.

whipping ['wipiŋ] zwepen *o*; pak *o* slaag, pak *o* [voor de broek].

whipping-boy ['wipiŋbɔi] *fig* zondebok.

whipping-post ['wipiŋpoust] geselpaal.

whipping-top ['wipiŋtɔp] zweeptol, drijftol.

whip-saw ['wipsɔ:] trekzaag.
whipstock ['wipstɔk] zweepstok.
whir [wə:] zie *whirr*.
whirl [wə:l] I *vt* snel ronddraaien, doen draaien, snorren, doen (d)warrelen; II *vi* snel (rond)draaien, snorren, (d)warrelen, wervelen; III *sb* (d)warreling, ge(d)warrel *o*; *fig* maalstroom; *my head is in a ~* alles draait mij voor de ogen.
whirligig ['wə:ligig] 1 draaitol; 2 draaimolen; 3 draaikever; *the ~ of time* de cirkelgang des tijds, het rad van avontuur.
whirligig beetle ['wə:ligigbi:tl] draaikever.
whirlpool ['wə:lpu:l] draaikolk, maalstroom.
whirlwind ['wə:lwind] wervelwind, dwarrelwind; zie ook: 1 *wind* I.
whirr [wə:] snorren, gonzen.
whisk [wisk] I *sb* 1 borstel; stoffer, kleine bezem; bosje *o* stro, sliert gras; 2 (eier)klopper; 3 veeg, slag; II *vt* 1 vegen, afborstelen, stoffen; 2 snel bewegen; met een vaartje vervoeren (rijden); 3 wippen; 4 kloppen [eieren]; ~ *away (off)* wegslaan; wegwissen; wegrukken; III *vi* zich snel bewegen; met een vaartje rijden, suizen, stuiven; ~ *into its hole* zijn hol inschieten.
whisker(s) ['wiskə(z)] bakkebaard(en), snor [bij dieren].
whiskered ['wiskəd] met bakkebaarden.
whisk(e)y ['wiski] whisky; ~ *and soda* whiskysoda.
whisper ['wispə] I *vi* fluisteren[2]; ~ *to* fluisteren met; II *vt* fluisteren[2], in-, toefluisteren; III *sb* gefluister *o*, fluistering; *in a ~, in ~s* fluisterend.
whisperer ['wispərə] fluisteraar.
whispering ['wispəriŋ] I *aj* fluisterend; ~ *campaign* fluistercampagne; ~ *dome (gallery)* fluistergewelf *o*, -galerij; ~ *tube* spreekbuis; II *sb* gefluister *o*.
whist [wist] whist *o*.
whistle ['wisl] I *vi* fluiten; ~ *for* fluiten (om); *you may ~ for it* je kunt er naar fluiten; II *vt* fluiten; ~ *off* door fluiten het sein tot vertrek geven voor; ~ *up* (iemand) fluiten om te komen; III *sb* 1 fluiten *o*, gefluit *o*; 2 fluit, fluitje *o*; *give a ~* fluiten.
whistler ['wislə] fluiter.
whistling ['wisliŋ] I *aj* fluitend; ~ *buoy* ⚓ brulboei; ~ *kettle* fluitketel; II *sb* fluiten *o*, gefluit *o*.
whit [wit] in: *every ~* in elk opzicht; *no ~, not a ~, never a ~* geen ziertje.
white [wait] I *aj* wit, blank[2]; spierwit, (doods)bleek; grijs [v. haar]; ⚓ ongeteerd [touw]; *fig* onbezoedeld, rein, zuiver; ~ *bear* ijsbeer; ~ *frost* rijp; ~ *heat* witte gloeihitte; ~ *horses* zie *horse*; ~ *iron* blik *o*; *a ~ lie* een leugentje *o* om bestwil; *a ~ man* 1 een blanke; 2 een eerlijke vent; 3 een echte man; ~ *money* zilvergeld *o*; ~ *night* slapeloze nacht; *stand in a ~ sheet* het boetekleed aanhebben; *mark the*

day with a ~ stone aanstrepen als bijzonder gelukkig; II *sb* 1 wit *o*; 2 witte *o*, witheid; 3 (ei)wit *o*; 4 (doel)wit *o*; 5 blanke; 6 🦋 witje *o*; ~*s* 1 wit *o* [der ogen]; witte partijen [van landschap]; 2 witte goederen; 3 wit flanel *o*; 4 bloem van meel; *turn up the ~s of one's eyes* de ogen ten hemel slaan; *in ~* in het wit; III *vt* ✎ wit maken; 2 witten; ~*d sepulchres* B witgepleisterde graven.
whitebait ['waitbeit] 𝕵 witvis.
white-collar ['wait'kɔlə] in: ~ *workers* kantoorpersoneel en (lagere) ambtenaren.
whitefish ['waitfiʃ] 𝕵 1 houting; wijting; 2 $ alle vis behalve zalm.
white friar ['wait'fraiə] karmeliet.
Whitehall ['waitɔ:l] Whitehall: de Regering(swijk) [in Londen].
white-handed ['wait'hændid] met blanke (reine) handen.
white-heart ['waitha:t] ⚘ knapkers.
white-hot ['wait'hɔt, ook + 'waithɔt] witgloeiend.
white lead ['wait'led] loodwit *o*.
white-lipped ['waitlipt] met (van vrees) bleke lippen; met bloedeloze lippen.
white-livered ['waitlivəd] laf.
whiten ['waitn] I *vt* wit maken, bleken; II *vi* wit worden, opbleken.
whiteness ['waitnis] witheid.
white paper ['wait'peipə] regeringsrapport *o*.
whitesmith ['waitsmiθ] blikslager.
whitethroat ['waitθrout] 🐦 grasmus.
whitewash ['waitwɔʃ] I *sb* 1 witkalk, witsel *o*; 2 *fig* verschoning, glimp, vergoelijking; $ rehabilitatie; II *vt* witten; *fig* schoonwassen; van blaam zuiveren; vergoelijken; $ rehabiliteren.
whitewasher ['waitwɔʃə] witter; *fig* schoonwasser.
whither ['wiðə] werwaarts, waar(heen).
whithersoever ['wiðəsou'evə] waar(heen) ook.
whitherward ['wiðəwəd] waarheen.
whiting ['waitiŋ] 𝕵 wijting‖ wit krijt *o*.
whitish ['waitiʃ] witachtig.
whitlow ['witlou] fijt [aan de vingers].
Whit Monday ['wit'mʌndi] Pinkstermaandag.
Whitsun ['witsn] Pinksteren; pinkster-.
Whitsunday ['wit'sʌndi] Pinksterzondag.
Whitsuntide ['witsntaid] Pinksteren.
whittle ['witl] I *sb* ✎ (knip)mes *o*; II *vt* snijden, snipperen, besnoeien[2]; ~ *away* wegsnijden; *fig* doen afnemen, verminderen, verkleinen, versnipperen; ~ *down* besnoeien [vrijheid].
Whit-Tuesday ['wit'tju:zdi] dinsdag na Pinksteren, F Pinksterdrie.
Whit week ['witwi:k] pinksterweek.
whiz(z) [wiz] I *vi* sissen, snorren, fluiten; II *sb* gesis *o*, gesnor *o*, gefluit *o*.
who [hu:, hu] wie; die; ~*'s ~ (and which is which)* wie allemaal; *know ~'s ~* de mensen (uit het publiek) kennen; ~ *goes (there)?* ✗ wie daar?; ~ *but he?* wie anders dan hij?

whoa [wou] *ij* ho!, hu! [tegen paard].
whodunit [hu:'dʌnit] F detectiveverhaal *o*.
whoever [hu:'evə] wie (dan) ook, al wie.
whole [houl] *aj* (ge)heel; gaaf; ongeschonden; gezond (en wel); ~ *meal* ongebuild meel *o*; ~ *milk* volle melk; *the* ~ *three* alle drie; *make* ~ *heel* (gezond) maken; *swallow it* ~ 't in zijn geheel inslikken; II *sb* geheel *o*; *the* ~ het geheel; (dat) alles; *the* ~ *of the day* de hele dag; *the* ~ *of us* wij allemaal; *as a* ~ in zijn geheel (genomen); *in* ~ *or in part* geheel of gedeeltelijk; (*up*)*on the* ~ over het geheel (genomen); in het algemeen.
whole-hearted ['houl'ha:tid] hartelijk, van ganser harte, met hart en ziel, oprecht, onverdeeld, onvermengd [sympathie &].
whole-hogger [houl'hogə] niets ten halve doende persoon, door dik en dun meegaand partijgenoot &.
whole-length ['houl'leŋθ] [portret, standbeeld] ten voeten uit.
whole-meal bread ['houlmi:lbred] volkorenbrood *o*.
wholeness ['houlnis] heelheid; gaafheid.
wholesale ['houlseil] I *sb* $ groothandel; *by* ~ in het groot; II als *aj* in het groot, en gros; *fig* op grote schaal; ~ *assertions* geen onderscheid makende beweringen; ~ *dealer* $ groothandelaar, grossier; *in a* ~ *manner* in 't groot, op grote schaal; ~ *prices* $ grossiersprijzen; III *ad* I $ in het groot; 2 op grote schaal.
wholesaler ['houlseilə] zie *wholesale dealer*.
wholesome ['houlsəm] gezond, heilzaam.
whole-time ['houltaim] in: ~ *job* volle betrekking; ~ *pupil* hele dagen schoolgaand.
whole-wheat bread ['houlwi:tbred] volkorenbrood *o*.
wholly ['houl(l)i] geheel, gans, totaal, ten enenmale, alleszins, volkomen, zeer.
whom [hu:m] wie, die.
whomever [hu:m'evə] (aan) wie ook.
whomsoever ['hu:msou'evə] zie *whomever*.
whoop [hu:p] I *sb* hoe-hoe, geroep *o*; gehuil *o*; II *vi* hoe-hoe-en, roepen, schreeuwen.
whoopee ['wu:pi:] S I *sb* jolijt, pret, lol; II *ij* hoera!, fijn!
whooper swan ['hu:pəswən] ♫ wilde zwaan.
whooping-cough ['hu:piŋkɔ:f] kinkhoest.
whop [wɔp] S (af)ranselen; verslaan.
whopper ['wɔpə] S kokkerd, kanjer, knaap, baas; leugen van je welste.
whopping ['wɔpiŋ] I *aj* S kolossaal, reuzen-; deksels; II *sb* rammeling.
whore [hɔ:] prostituée.
whorl [wə:l] I winding; 2 ♣ krans.
whortleberry ['wə:tlberi] ♣ blauwbes.
whose [hu:z] wiens, welks, welker, wier.
⊙ whoso ['hu:sou] wie ook, al wie.
whosoever [hu:sou'evə] al wie, wie ook.
why [wai] I *ad* & *cj* waarom; *that's* ~ daarom;. *for* ~ F waarom; ~ *so?* waarom?; II *ij*

wel, welnu; III *sb* waarom *o*, reden; *the* ~s *and wherefores* het waarom en waartoe, de reden(en).
wick [wik] wiek, pit [van een lamp].
wicked ['wikid] *aj* goddeloos, zondig, verdorven, slecht, ondeugend, snood, boos, gemeen; vals [van honden &]; *the* ~ *one* de boze; de duivel; *do your* ~ *worst* het ergste dat je kunt.
wickedly ['wikidli] *ad* zie *wicked*.
wickedness ['wikidnis] goddeloosheid &, zie *wicked*.
wicker ['wikə] I *sb* teen, rijs *o*, wilgetakje *o*; II *aj* van tenen, gevlochten, mande-, rieten.
wicker-bottle ['wikəbɔtl] mandefles.
wickered ['wikəd] omvlochten (met tenen).
wicker-work ['wikəwə:k] vlechtwerk *o*.
wicket ['wikit] I klinket *o*, deurtje *o*, poortje *o*, hekje *o*; 2 *sp* wicket *o* [bij cricket].
wicket-door ['wikitdɔ:], wicket-gate ['wikitgeit] poortje *o* [in grote deur], deur [in poort], hekje *o*.
wide [waid] I *aj* I wijd, wijd open, ruim, breed, uitgebreid, uitgestrekt, groot; 2 er naast, (de plank) mis; ~ *of* ver van; II *ad* wijd, wijd en zijd, wijd uiteen, wijdbeens; III *sb* wijde ruimte.
wide-angle ['waidæŋgl] groothoekig [v. lens].
wide-awake ['waidə'weik, + & *sb* 'waidəweik] I *aj* F klaar wakker; uitgeslapen[2]; *fig* wakker, pienter; II *sb* flaphoed.
widely ['waidli] *ad* zie *wide* I, ook: in brede kringen; ~ *known* wijd en zijd bekend.
widen ['waidn] I *vt* verwijden, verbreden, verruimen; II *vi* wijder of breder worden, zich verwijden.
wideness ['waidnis] wijdte, breedte, ruimte.
widening ['waidniŋ] I *aj* (steeds) wijder wordend, zich verbredend; II *sb* verwijding [v. de maag]; verbreding.
wide-spread ['waidspred] uitgestrekt; wijd uitgespreid; uitgebreid; algemeen verspreid, zeer verbreid.
widgeon ['widʒən] ♫ fluiteend, smient.
widow ['widou] I *sb* weduwe; II *vt* tot weduwe (weduwnaar) maken; ~ *of* beroven van.
widowed ['widoud] tot weduwe (weduwnaar) gemaakt; *in her* ~ *garments* in haar weduwenkleed.
widower ['widouə] weduwnaar.
widowerhood ['widouəhud] weduwnaarschap *o*.
widowhood ['widouhud] weduwstaat.
width [widθ] wijdte, breedte, baan [v. stuk goed]; *his* ~ *of outlook* zijn brede blik.
wield [wi:ld] I zwaaien, voeren, hanteren; 2 uitoefenen [heerschappij]; ~ *the sceptre* de scepter zwaaien[2].
wielder ['wi:ldə] hanteerder.
wieldy ['wi:ldi] gemakkelijk te hanteren of te regeren.
wife [waif] (huis)vrouw, echtgenote, gade; *my* ~ mijn vrouw; *the* ~ mijn vrouw.

wifely ['waifli] vrouwelijk, echtelijk.
wif(e)y ['waifi] F wijfje *o*, vrouwke *o*.
wig [wig] I *sb* pruik; II *vt* F een uitbrander geven.
wigged [wigd] gepruikt, met een pruik op.
wigging ['wigiŋ] F uitbrander, standje *o*.
wiggle-waggle ['wiglwægl] wiebelen, wriggelen.
✕ wight [wait] mens, vent, kerel.
wigwam ['wigwæm] wigwam.
wild [waild] I *aj* 1 wild, woest [ook = boos & onbebouwd]; heftig; dol; stormachtig; overdreven, buitensporig; 2 in 't wild gedaan; 3 verwilderd; ~ *flowers* in het wild groeiende bloemen, veldbloemen; ~ *life* in het wild levende dieren; *our* ~*est dreams* onze stoutste dromen; *it is the* ~*est nonsense* je reinste onzin; *be* ~ *about* 1 woest zijn over; 2 dol zijn op (met); ~ *for* brandend van verlangen om; ~ *with* 1 woest op [iemand]; 2 dol van [opwinding &]; *go* ~ 1 gek, dol worden; 2 ♣ verwilderen; ~ ♣ verwilderen, in 't wild groeien of opschieten; *run* ~ 1 in wilde staat rondlopen of leven; 2 ♣ verwilderen; II *ad* in 't wild; III *sb* woestenij; ~*s* woestenij, wildernis.
wild-cat ['waildkæt] in: ~ *company* zwendelmaatschappij; ~ *scheme* onbesuisd plan *o*.
wildebeest ['wildibi:st] *ZA* ♎ gnoe.
wilderness ['wildənis] woestijn, wildernis.
wild-fire ['waildfaiə] Grieks vuur *o*; *spread like* ~ zich als een lopend vuurtje verspreiden; zich razend snel uitbreiden.
wild-fowl ['waildfaul] wild gevogelte.
wild-goose [waild'gu:s] in: *a* ~ *chase* een dolle, dwaze onderneming.
wilding ['waildiŋ] ♣ 1 in het wild groeiende (plant); 2 wilde appel(boom), wildeling.
wildly ['waildli] *ad* zie *wild* I.
wild man ['waildmən] wildeman, wilde.
wildness ['waildnis] wildheid, woestheid.
wile [wail] I *sb* laag, list, kunstgreep, meestal ~*s* (slinkse) streken, kunsten; II *vt* (ver)lokken (tot *into*); ~ *away the time* de tijd (aangenaam) verdrijven.
wilful ['wilful] *aj* 1 moedwillig; 2 eigenzinnig; 3 met voorbedachten rade gepleegd.
wilfully ['wilfuli] *ad* 1 moedwillig, met opzet, opzettelijk; 2 eigenzinnig, koppig.
wilily ['wailili] *ad* listig(lijk).
wiliness ['wailinis] listigheid, loosheid.
will [wil] I *vi* hulpwerkw.: willen, wensen; zullen; *boys* ~ *be boys* jongens zijn nu eenmaal jongens; *he* ~ *get in my light* hij kan 't maar niet laten om mij in 't licht te gaan staan; *this* ~ *be Liverpool I suppose* dit is zeker Liverpool?; *thus he* ~ *sit for hours* zó pleegt hij urenlang te zitten; II *vt* zelfst. werkwoord: 1 willen (dat); 2 door zijn wil oproepen, suggereren [v. hypnotiseur]; 3 [bij laatste wil] vermaken; *God* ~*s all men to be saved* God wil dat alle mensen zalig worden;

~ *away* vermaken [bij testament]; III *sb* 1 wil, wens; 2 laatste wil, testament *o* (ook: *last* ~ *and testament*); *what's your* ~? wat wenst u dat er gedaan zal worden?; *where there's a* ~ *there's a way* wie wil, die kan; *get* (*have*) *one's* ~ zijn zin krijgen; *she has a* ~ *of her own* ze weet wat ze wil; *they had their* ~ *of their victim* zij handelden naar willekeur met hun slachtoffer; *if I could work my* ~ *on him* als ik wat over hem te zeggen had; *according to their own* (*sweet*) ~ *and pleasure* naar eigen goeddunken; *against my* ~ tegen mijn wil (zin), tegen wil en dank; *at* ~ naar eigen goeddunken; *at the* ~ *of...* op wens van, ingevolge de wil van; naar goedvinden van; *of his own free* ~ uit vrije wil; *with a* ~ met lust, uit alle macht, F van je welste; zie ook: *William* ['wiljəm] Willem.   [*would*.
willing ['wiliŋ] gewillig, bereidwillig, bereid; *God* ~ als God wil; ~ *or not* ~ of hij (zij) of niet; *I am quite* ~ *to...* ik wil wel (graag...).
willingly ['wiliŋli] *ad* gewillig, vrijwillig, bereidwillig, gaarne.
willingness ['wiliŋnis] gewilligheid, bereidwilligheid.
will-o'-the-wisp ['wiləðə'wisp] dwaallichtje *o*.
willow ['wilou] ♣ wilg.
willowherb ['wilouhə:b] ♣ wilgeroos.
willow-warbler ['wilouwɔ:blə] ♢ fitis.
willowy ['wiloui] 1 wilgachtig; 2 met wilgen begroeid; wilge(n)-; 3 *fig* slank als een wilg.
will-power ['wilpauə] wilskracht.
willy-nilly ['wili'nili] F of hij (zij) wil of niet, nolens volens.
1 wilt [wilt] I *vi* verwelken, kwijnen, kwijnend neerhangen, verslappen[2], slap worden[2]; II *vt* doen verwelken of kwijnen, verslappen, slap maken.
2 wilt [wilt] 2de pers. enk. van *will*.
wily ['waili] *aj* listig, slim, doortrapt.
wimple ['wimpl] kap [v. nonnen].
win [win] I *vt* 1 winnen°; voor zich winnen; verkrijgen, verwerven; [iemand iets] bezorgen, brengen; 2 verdienen; 3 behalen; bereiken; ~ *one's way* zich met moeite een weg banen; voortploeteren; II *vi* (het) winnen, zegevieren; ∞ ~ *over* overhalen; ~ *one's audience over*, ~ *them over to one's side* weten te winnen (voor zijn zaak), op zijn hand (weten te) krijgen; ~ *round* overhalen; ~ *through* er (door) komen; ~ *through all difficulties* alle moeilijkheden te boven komen; ~ *upon* meer en meer de sympathie winnen van; III *sb* overwinning, succes *o*.
wince [wins] I *vi* een griezel (huivering) door zijn leden voelen gaan, terugschrikken, ineenkrimpen [van pijn]; *without wincing* ook: zonder een spier te vertrekken; II *sb* griezel, huivering, rilling.
wincey ['winsi] katoenwollen stof.
winch ['win(t)ʃ] 1 ✕ winch, windas *o*, lier; 2 kruk of handvat *o*.

1 **wind** [wind, in poëzie: waind] **I** *sb* 1 wind°, windstreek; tocht; 2 lucht, reuk; 3 adem; *the* ~ 1 ♪ de blaasinstrumenten; de blazers [v. orkest]; 2 S de maagstreek [v. bokser]; *head* ~ tegenwind; *high* ~ krachtige wind; *it is an ill* ~ *that blows nobody good* geen ongeluk zo groot of er is een gelukje bij; *carry the* ~ de neus in de lucht steken [v. paard]; *find out how* (*where*) *the* ~ *blows* (*lies*) F zien uit welke hoek de wind waait; *gain* (*get*, *take*) ~ ruchtbaar worden; *gain the* ~ (*of a ship*) ♣ de loef afsteken; *get* ~ *of...* de lucht krijgen van...; *get* (*recover*) *one's* (*second*) ~ weer op adem komen; *lose one's* ~ buiten adem raken; *raise the* ~ F geld los krijgen; *sow the* ~ *and reap the whirlwind* wie wind zaait zal storm oogsten; *take* (*get*) *the* ~ *of...* de loef afsteken[2]; *have the* ~ *up* S in de rats zitten, 'm knijpen; *before the* ~ ♣ vóór de wind; *between* ~ *and water* ♣ tussen wind en water; *fig* ook: op een zeer gevaarlijke plaats; *close to the* ~ zie *near the* ~; *down the* ~ met de wind mee; *be in the* ~ op til zijn; aan 't handje zijn; *near the* ~ ♣ scherp bij de wind; *fig* op 't kantje af; *sail near the* ~ ook: *fig* bij het walletje langs zeilen; *it is talking to the* ~ het is voor dove oren gepreekt; *cast* (*fling, throw*) *to the* ~*s* overboord gooien [zijn fatsoen &]; *change with every* ~ *that blows* met alle winden meedraaien; **II** *vt* 1 in de wind hangen; laten doorwaaien; 2 op adem laten komen; 3 afdraven [paard]; 4 de lucht krijgen van; zie ook: 1 *winded*.
2 **wind** [waind] **I** *vi* wenden, wenden en keren (ook: ~ *and turn, turn and*~); draaien, (zich) kronkelen (om *round*); zich slingeren; ~ *up* 1 zich laten opwinden; 2 eindigen (met *with*, *by saying...*); 3 $ liquideren; **II** *vt* 1 (op)winden; (om)wikkelen; sluiten [in de armen] ‖ 2 blazen op [hoorn]; ~ *a blast* (*a call*) een stoot geven op de hoorn of op het bootsmansfluitje; ~ *one's way* zich kronkelend een weg banen; ~ *one's way* (*oneself*) *into* zich indringen in [vriendschap &]; ~ *off* afwinden; ~ *round* winden om, omstrengelen; ~ *up* 1 opwinden [garen, klok &]; ophalen; opdraaien; 2 $ afwikkelen, liquideren; 3 beëindigen [rede &].
windbag ['windbæg] windbuil, opsnijder.
wind-band ['windbænd] ♪ blaasorkest *o*.
wind-bound ['windbaund] ♣ door tegenwind opgehouden.
1 **winded** ['windid] V.T. & V.D. van 1 *wind* **II**; als *aj* ook: buiten adem.
2 **winded** ['waindid] V.T. & V.D. van 2 *wind* **II** 2.
winder ['waində] 1 ✄ winder; 2 ⚙ wikkelaar; 3 ⚘ slingerplant.
windfall ['windfɔ:l] 1 afval *o* & *m*, afgewaaid ooft *o*; 2 F meevallertje *o*, buitenkansje *o* [inz. erfenis].
⊙ **wind-flower** ['windflauə] ⚘ anemoon.

wind-gauge ['windgeidʒ] windmeter.
windhover ['windhɔvə] ⚐ torenvalk.
windily ['windili] *ad* winderig[2].
windiness ['windinis] winderigheid[2].
winding ['waindiŋ] **I** *aj* kronkelend, bochtig, kronkel-, draai-, wentel-; **II** *sb* kronkeling, bocht, draai, winding; ⚙ wikkeling.
winding-sheet ['waindiŋʃi:t] doodskleed *o*.
winding-staircase ['waindin'stɛəkeis], **winding-stairs** ['waindin'stɛəz] wenteltrap.
winding-up ['waindiŋ'ʌp] $ liquidatie.
wind-instrument ['windinstrumənt] ♪ blaasinstrument *o*.
wind-jammer ['windʤæmə] ♣ groot zeilschip
windlass ['windləs] windas *o*. [*o*.
windmill ['win(d)mil] windmolen; *fight* (*tilt at*) ~*s* tegen windmolens vechten.
window ['windou] venster *o*, raam *o*; loket *o*; *French* ~ openslaande glazen deur.
window-box ['windoubɔks] vensterbak [voor planten].
window-cleaner ['windoukli:nə] glazenwasser.
window-dresser ['windoudresə] etaleur.
window-dressing ['windoudresiŋ] etaleren *o*; *fig* misleidend mooi voorstellen *o*, voor de show.
windowed ['windoud] met vensters.
window-ledge ['windouledʒ] vensterbank.
window-pane ['windoupein] (venster)ruit.
window-sash ['windousæʃ] schuifraamkozijn *o*.
window-seat ['windousi:t] vensterbank.
window-shop ['windouʃɔp] etalages kijken.
window-shutter ['windouʃʌtə] vensterluik *o*.
window-sill ['windousil] vensterbank.
windpipe ['windpaip] luchtpijp.
windproof ['windpru:f] winddicht; ~ *jacket* windjak *o*.
windscreen ['windskri:n] windscherm *o*; voorruit [v. auto]; ~ *washer* ruitesproeier; ~ *wiper* ruitewisser.
wind-sock ['windsɔk] ✈ windzak.
Windsor ['winzə] Windsor *o*; ~ *chair* gepolijste zware houten stoel.
wind-spout ['windspaut] windhoos.
wind-swept ['windswept] door de wind gestriemd; winderig.
wind-up ['waind'ʌp] afwikkeling [van zaken], $ liquidatie; slot *o*, besluit *o*.
windward ['windwəd] **I** *aj* naar de wind gekeerd, bovenwinds; **II** *sb* ♣ loef(zijde); *to* ~ bovenwinds, te loever; *get to* ~ *of* de loef afsteken.
Windward Islands ['windwəd'ailəndz] *the* ~ de Bovenwindse Eilanden.
windy ['windi] *aj* winderig[2].
wine [wain] wijn.
winebottle ['wainbɔtl] wijnfles.
wine-carriage ['wainkæridʒ] schenkmandje *o*.
wine-cask ['wainka:sk] wijnvat *o*.
wine-list ['wainlist] wijnkaart.
wine-merchant ['wainmə:tʃənt] wijnkoper.
winepress ['wainpres] wijnpers.

wineskin ['wainskin] wijnzak.
wine-stone ['wainstoun] wijnsteen.
wine-vault ['wainvɔ:lt] wijnkelder.
wing [wiŋ] **I** *sb* vleugel; wiek [ook v. molen]; vlerk; coulisse; omgeslagen punt [v. boord]; spatbord *o* [v. auto]; ✈ groep vliegers; ~*s* ook: ✈ vink [insigne]; *take* ~ wegvliegen; F op de vlucht gaan; *on the* ~ vliegend, in de vlucht, in beweging; in omloop [geruchten]; op komst [gebeurtenissen]; gereed om te vertrekken; *under the* ~ *of* onder de vleugelen van; **II** *vt* van vleugels voorzien; vleugelen doen aanschieten, bevleugelen; in de vleugels schieten, F [iemand] aanschieten; ~ *the air* de lucht doorklieven [vogel]; ~ *its way home* naar huis vliegen; **III** *vi* vliegen (ook: ~ *it*).
wing-beat ['wiŋbi:t] vleugelslag.
wing-case ['wiŋkeis] vleugelschild *o*.
wing collar ['wiŋ'kɔlə] puntboord *o* & *m*.
wing-commander ['wiŋkəma:ndə] ✈ commandant v. e. groep, luitenant-kolonel.
winged [wiŋd] 1 gevleugeld; 2 aangeschoten.
wing-nut ['wiŋnʌt] ⚒ vleugelmoer.
wing-sheath ['wiŋʃi:θ] vleugelschild *o*.
wing-spread ['wiŋspred] 1 ✈ vleugelwijdte, -spanning; 2 vlucht [v. vogels].
wing-tip ['wiŋtip] ✈ vleugeltip.
Winifred ['winifrid] Winifred.
wink [wiŋk] **I** *vi* 1 knippen [met de ogen]; knipogen; 2 flikkeren; ~ *at* 1 een knipoogje geven; 2 door de vingers zien; **II** *vt* knippen met [ogen]; ~ *the other eye* F een oogje toedoen; **III** *sb* knipoogje *o*, oogwenk, wenk (van verstandhouding); *I could not get a* ~ *of sleep, I could not sleep a* ~ ik heb geen oog kunnen toedoen; *take forty* ~*s* F een dutje doen; *a* ~ *is as good as a nod to a blind horse* een goed verstaander heeft maar een half woord nodig.
winkle ['wiŋkl] **I** *sb* alikruik; **II** *vt* in: ~ *out* te voorschijn halen (brengen), uitpeuteren.
winklepicker ['wiŋklpikə] schoen met spitse punt.
winner ['winə] winner, winnende partij; winnend nummer *o* [v. loterij]; **S** succes *o*.
winning ['winiŋ] **I** *aj* winnend; *fig* innemend; *play a* ~ *game* gewonnen spel hebben; **II** *sb* 1 winnen *o*; winst, gewin *o*; ~*s* winst.
winning-post ['winiŋpoust] *sp* eindpaal.
winnow ['winou] wannen, ziften, schiften.
winnower ['winouə] 1 wanner; 2 wanmachine.
winsome ['winsəm] innemend, bekoorlijk.
winter ['wintə] **I** *sb* winter; **II** *vi* overwinteren; **III** *vt* de winter over houden.
winterly ['wintəli] zie *wint(e)ry*.
winter solstice ['wintəsɔlstis] winterzonnestilstand.
wint(e)ry ['wint(ə)ri] winterachtig, winters, winter-; koud, triest.
winy ['waini] 1 wijnachtig, wijn-; 2 onder de invloed van de wijn.
wipe [waip] **I** *vt* 1 vegen, schoon-, weg-, af-

vegen, afdrogen, af-, uitwissen; 2 **S** afranselen; ~ *away* (*off*) weg-, afvegen, afwissen; uitwissen[2]; ~ *off an account* (*a score*) een rekening vereffenen, een schuld delgen; ~ *out* uitvegen, uitwissen[2]; wegvagen; in de pan hakken, vernietigen; ~ *up* opvegen, opnemen; **II** *sb* 1 veeg; 2 klap; 3 *fig* veeg uit de pan; *give it a* ~ F veeg het eens even af.
wiper ['waipə] 1 veger, afveger; 2 (afneem)doek; 3 zakdoek.
wire ['waiə] **I** *sb* 1 draad *o* & *m* [stofnaam], draad *m* [voorwerpsnaam] [v. metaal]; staal-, ijzerdraad *o* & *m* [stofnaam], staal-, ijzerdraad *m* [voorwerpsnaam]; ✝ telegraafdraad; 2 ✝ telegram *o*; *private* ~ 1 particuliere telegraaf(lijn); 2 particulier telegram *o*; *pull the* ~*s* achter de schermen aan de touwtjes trekken; *by* ~ per draad, telegrafisch; **II** *vt* 1 met (ijzer)draad omvlechten of afsluiten, met ijzerdraad vastmaken; 2 aan de draad rijgen; 3 op (ijzer)draad monteren; 4 strikken [vogels]; 5 de (telegraaf- of telefoon)draden leggen in, bedraden; 6 ✝ telegraferen, seinen; ~ *in* afschieten (omrasteren) met vlechtwerk van ijzerdraad; ~ *off* afrasteren; **III** *vi* telegraferen, seinen.
wire broadcasting ['waiəbrɔ:dka:stiŋ] ❋ ✝ radiodistributie, draadomroep.
wire-cutter ['waiəkʌtə] draadschaar.
wiredraw ['waiədrɔ:] (draad)trekken, rekken[2]; slepende houden; verdraaien.
wiredrawer ['waiədrɔə] draadtrekker.
wiredrawn ['waiədrɔ:n] ⚒ getrokken; ~ *arguments* spitsvondige argumenten.
wire-edge ['waiə'redʒ] ⚒ braam.
wire-entanglement ['waiərintæŋglmənt] ✖ (prikkel)draadversperring.
wire-haired ['waiəhɛəd] draad-, ruwharig.
wireless ['waiəlis] **I** *aj* draadloos, radio-; ~ *operator* marconist, radiotelegrafist; ~ *set* radiotoestel *o*; **II** *sb* 1 draadloze telegrafie, radio; 2 draadloos bericht *o*; *on the* ~ zie *on the air*; *over the* ~ zie *over the air*; **III** *vi* & *vt* draadloos telegraferen.
wire mattress ['waiə'mætris] spiraalmatras.
wire-netting ['waiə'netiŋ] kippegaas *o*.
wire-puller ['waiəpulə] persoon die achter de schermen aan de touwtjes trekt.
wire-pulling ['waiəpuliŋ] (politieke) intriges achter de schermen.
wire recorder ['waiəri'kɔ:də] draadopneemtoestel *o*.
wire-rope ['waiə'roup] staaldraadtouw *o*, -kabel.
wire-wove ['waiəwouv] velijn(papier) *o*.
wirily ['waiərili] *ad* draadachtig, als van (ijzer)draad; taai.
wiriness ['waiərinis] draadachtigheid &, zie *wiry*.
wiring ['waiəriŋ] 1 draadvlechtwerk *o*; 2 (hoeveelheid) draad *o* & *m*, draden; 3 elektrische aanleg; bedrading; 4 ✝ telegraferen *o*.

wiry ['waiəri] *aj* draadachtig; van (ijzer)draad, draad-; *fig* mager en gespierd, taai.

⊙ **wis** [wis] in: *I* ~ ik weet.

wisdom ['wizdəm] wijsheid; verstandigheid.

wisdom-tooth ['wizdəmtu:θ] verstandskies.

1 **wise** [waiz] *aj* wijs, verstandig; ~ *woman* 1 tovenares; 2 waarzegster; 3 vroedvrouw; *I am none (not any) the ~r (for it)* nu ben ik nog even wijs; *no one will be the ~r* niemand zal er iets van merken, F daar kraait geen haan naar; *get ~ to Am* S achter [iets] komen, in de gaten krijgen, schieten; *put him ~ Am* S het hem aan 't verstand brengen; hem op de hoogte brengen.

2 **wise** [waiz] *sb* wijze; *in any ~* op de een of andere wijze; *(in) no ~* op generlei manier, geenszins; *in this ~* volgenderwijze, aldus.

wiseacre ['waizeikə] betweter, wijsneus.

wisecrack ['waizkræk] I *sb* F geestigheid; II *vi* F geestigheden debiteren.

wisely ['waizli] *ad* 1 wijs, verstandig; 2 wijselijk.

wish [wiʃ] I *vt* wensen, verlangen; *I ~ I could...* ik wou dat ik kon..., kon ik (het) maar; *I ~ him dead* ik wou dat hij dood was; ~ *one well* iemand alles goeds wensen, goed gezind zijn; ~ *one at the devil* iemand verwensen; *I ~ to Heaven you had not...* ik wou maar dat je (het) niet had...; II *vr* in: ~ *oneself dead* dood wensen te zijn; III *vi* wensen; verlangen (naar *for*); *if you ~* als je het wenst; *he has nothing left to ~ for* hij heeft alles wat hij verlangen kan; IV *sb* wens, verlangen *o*; *get (have) one's ~* 1 krijgen wat men verlangt; 2 zijn wens vervuld zien; *according to one's ~es* naar wens; *at his father's ~* 1 op zijn(s) vaders wens; 2 overeenkomstig de wens van zijn vader; *with every ~ to oblige you* hoe graag ik u ook ter wille zou zijn; *if ~es were horses, beggars might ride* van wensen alléén wordt niemand rijk.

wish bone ['wiʃboun] vorkbeen *o*.

wishful ['wiʃful] wensend, verlangend; ~ *thinking* wensdromen.

wishing-bone ['wiʃiŋboun] vorkbeen *o*.

wish-wash ['wiʃwɔʃ] spoelwater *o*; *fig* klets.

wishy-washy ['wiʃiwɔʃi] slap, flauw.

wisp [wisp] wis, bundel, bosje *o*, piek [haar]; *a ~ of a girl* een sprietig meisje *o*.

wispy ['wispi] 1 piekerig; 2 sprietig.

wist [wist] V.T. van 2 *wit*.

wistaria [wis'tɛəriə] ✿ blauweregen.

wistful(ly) ['wistful(i)] ernstig, peinzend; weemoedig, droefgeestig; smachtend.

1 **wit** [wit] *sb* 1 verstand *o*, vernuft *o*; 2 geestigheid); 3 geestig man; ~*s* verstand *o*, schranderheid; *he has his ~s about him* hij heeft zijn zinnen goed bij elkaar; *he has quick ~s* hij is erg vlug (schrander); *be at one's ~'s (~'s') end* ten einde raad zijn; *he lives by his ~s* hij moet op alle mogelijke manieren aan de kost zien te komen; *be out of one's ~s*

niet goed bij zijn zinnen zijn; *frighten one out of his ~s* iemand een doodsschrik op het lijf jagen; *it is past the ~ of man* dat gaat het menselijk verstand te boven.

2 **wit** [wit] *v(t)* ✎ weten; *to ~* te weten, namelijk, dat wil zeggen.

witch [witʃ] I *sb* (tover)heks[2]; feeks[2]; II *vt* beheksen, betoveren.

witchcraft ['witʃkra:ft] toverij, hekserij.

witch-doctor ['witʃdɔktə] toverdokter.

witch-elm ['witʃ'elm] ✿ zie *wych-elm*.

witchery ['witʃəri] hekserij, toverij, betovering, tovermacht.

witch-hazel ['witʃ'heizl] ✿ zie *wych-hazel*.

witching ['witʃiŋ] (be)toverend, tover-.

with [wið] met; bij; van, door; ~ *that* hiermee, hierop; *the deal is ~ you* het is aan u om te geven; *have you got it ~ you?* hebt u 't bij u?; *have you the girl ~ you?* is het meisje op uw hand?; *in ~ you!* naar binnen (jullie)!, er in!; ~ *God all things are possible* bij God is alles mogelijk; *be ~ it* S in zijn (= bij zijn).

✎ **withal** [wi'ðɔ:l] daarbij, tevens, mede, mee; met dat al, ondanks dat.

withdraw [wið'drɔ:] I *vt* terugtrekken; onttrekken; afnemen [v. school], intrekken [voorstel &]; terugnemen [geld, wissels, woorden &]; opvragen [bij een bank]; ~ *from* onttrekken aan; ~ *one's name from a society* zijn lidmaatschap opzeggen; II *vi* zich terugtrekken°, zich verwijderen, heengaan[2].

withdrawal [wið'drɔ:əl] terugtrekken *o* &, zie *withdraw*.

withdrawn [wið'drɔ:n] I V.D. van *withdraw*; II als *aj* ook: teruggetrokken; afgezonderd.

withe [wið, wið] (wilge)tak, -teen, wiepband.

wither ['wiðə] I *vt* doen verwelken, kwijnen of verdorren, doen vergaan; ~ *one with a look* iemand vernietigend aankijken; II *vi* verwelken, wegkwijnen, verdorren, verschrompelen, vergaan (ook: ~ *up*).

withered ['wiðəd] verwelkt, verdord; uitgedroogd, vermagerd.

withering ['wiðəriŋ] verdorrend; *fig* verpletterend, vernietigend; vernielend.

withers ['wiðəz] schoft [v. paard]; *wring one's ~* iemand in zijn zeer tasten [naar *SH*]; *my ~ are unwrung* dat raakt mij niet.

withheld [wið'held] V.T. & V.D. van *withhold*.

withhold [wið'hould] 1 terughouden; 2 onthouden, onttrekken; achterhouden.

within [wi'ðin] I *prep* binnen, (binnen) in; tot op; *from ~* van binnen; *to ~ a few paces* tot op een paar passen; *keep it ~ bounds* binnen de perken; ~ *himself* in (bij) zichzelf; *live ~ one's income (means)* zijn inkomen niet overschrijden; *immorality ~ the law* niet vallend onder de strafbepalingen van de wet; ~ *limits* binnen zekere grenzen, tot op zekere hoogte; ~ *the meaning of the Act* in de door deze wet daaraan toegekende betekenis van het woord; *the task was ~ his powers* ging zijn krachten niet te boven; ~ *these three days* in geen drie dagen; ~ *a trifle* op een kleinigheid na; II *ad* van binnen, binnen; ~ *and without* (van) binnen en (van) buiten.

without [wi'ðaut] I *prep* buiten, zonder; ~ *doors* buitenshuis; *I cannot be (do, go)* ~ ik kan er niet buiten (zonder); II *ad* (van) buiten, buiten (de deur); *from* ~ van de buitenkant; van buiten (af); III *cj* ↘ als niet, tenzij.

withstand [wið'stænd] weerstaan.

withstood [wið'stud] V.T. & V.D. van *withstand*.

withy ['wiði] zie *withe*.

witless ['witlis] onnozel, mal, gek.

witness ['witnis] I *sb* 1 getuige; 2 getuigenis *o* & *v*; ~ *for the defence* getuige à décharge; ~ *for the prosecution* getuige à charge; *bear* ~ getuigenis afleggen, getuigen (van *of, to*); *call* (*take*) *to* ~ tot getuige roepen; *in* ~ *whereof* tot getuige waarvan; II *vt* getuigen (van); getuige zijn van, bijwonen; (als getuige) tekenen; III *vi* getuigen (van *to*).

witness-box ['witnisbɔks] getuigenbank.

witticism ['witisizm] kwinkslag, aardigheid, geestigheid, mop.

wittily ['witili] *ad* geestig, op geestige manier.

wittiness ['witinis] geestigheid.

wittingly ['witiŋli] met voorbedachten rade; ~ (*and wilfully*) willens en wetens.

witty ['witi] *aj* geestig; ~ *things* geestigheden.

wivern ['waivə:n] zie *wyvern*.

wives [waivz] *mv* v. *wife*.

wizard ['wizəd] I *sb* tovenaar[2]; II *aj* betoverend; S mieters, jofel.

wizardry ['wizədri] tovenarij.

wizen ['wizn] verschrompeld, dor, droog.

wizened ['wiznd] zie *wizen*.

wizen-faced ['wiznfeist] verschrompeld.

woad [woud] 1 ♣ wede; 2 wedeblauw [verfstof waarmee de oude Britten zich beschilderden].

wo-back ['wou'bæk] ho, terug!

wobble ['wɔbl] I *vi* waggelen, wiebelen; schommelen[2]; weifelen[2]; II *sb* waggelen *o*, waggeling &; weifeling[2].

wobbler ['wɔblə] weifelaar.

wobbly ['wɔbli] waggelend, wiebelend, wankel, onvast; weifelend[2].

woe [wou] wee *o* & *v*; ~ *is me* wee mij; ~ *to thee!* wee u!; ~ *upon thee!* wee (kome over) u!; *his* ~*s* ook: zijn ellende, zijn leed *o*; *his tender* ~*s* zijn liefdesmart; *prophet of* ~ ongeluksprofeet; *tale of* ~ lijdensgeschiedenis.

woe-begone ['woubigɔn] in ellende gedompeld; ongelukkig, treurig.

woeful ['wouful] kommer-, zorgvol; pijnlijk, treurig, ongelukkig, droevig, ellendig.

woke [wouk] V.T. & V.D. van 2 *wake*.

woken ['woukn] V.D. van 2 *wake*.

wold [would] open heuvelland *o*.

wolf [wulf] I *sb* wolf°; *cry* ~ nodeloos alarm

maken; *keep the* ~ *from the door* zorgen dat men te eten heeft; II *vt* naar binnen schrokken (ook: ~ *down*), verslinden.

wolf cub ['wulfkʌb] jonge wolf; welp [padvinder].

wolf-dog ['wulfdɔg] wolfshond.

wolf-fish ['wulffiʃ] ☙ zeewolf.

wolf-hound ['wulfhaund] wolfshond.

wolfish ['wulfiʃ] wolfachtig, wolven-; *fig* vraatzuchtig.

wolfram ['wulfrəm] wolfra(a)m *o*.

wolf's-bane ['wulfsbein] ♣ wolfswortel.

wolf-spider ['wulfspaidə] tarantula.

Wolsey ['wulzi] (kardinaal) Wolsey.

wolverene [wulvə'ri:n] ♙ veelvraat.

wolves [wulvz] *mv* v. *wolf*.

woman ['wumən] I *sb* 1 vrouw; 2 kamenier; 3 > wijf *o*, mens *o*, schepsel *o*; (*daily*) ~ werkster; *my* ~ 1 F mijn kamenier; 2 P mijn vrouw (ook: *my old* ~); *old* ~! beste meid; *there is a* ~ *in it* er is een vrouw in 't spel; II als *aj* vrouwelijk, van 't vrouwelijk geslacht; ~ *author* schrijfster; ~ *friend* vriendin; ~ *suffrage* vrouwenkiesrecht *o*; ~ *teacher* onderwijzeres, lerares.

woman-hater ['wumənheitə] vrouwenhater.

womanhood ['wumənhud] vrouwelijke staat, vrouwelijkheid; vrouwen.

womanish ['wuməniʃ] vrouwachtig, verwijfd.

womanize ['wumənaiz] tot vrouw maken, verwijfd maken.

womankind ['wumən'kaind] het vrouwelijk geslacht, de vrouwen; *his* ~ zijn dames.

womanlike ['wumənlaik] vrouwelijk.

womanliness ['wumənlinis] vrouwelijkheid.

womanly ['wumənli] vrouwelijk; *a* ~ *woman* een echte vrouw.

womb [wu:m] schoot[2].

wombat ['wɔmbæt] ♙ wombat.

women ['wimin] *mv* v. *woman*; ~*'s magazine* damesblad *o*.

womenfolk ['wiminfouk] vrouwvolk *o*.

won [wʌn] V.T. & V.D. van *win*.

wonder ['wʌndə] I *sb* 1 wonder *o*; wonderwerk *o*; mirakel *o*; 2 verwondering, verbazing; (*it is*) *no* ~, *small* ~ *that* geen wonder dat...; *what* ~ *if* (*that*)... is het te verwonderen dat...; *the* ~ *is that*... wat mij verwondert is, dat...; ~*s will never cease* de wonderen zijn de wereld nog niet uit; *do* ~*s* wonderen verrichten; een wonderbaarlijke uitwerking hebben; *look all* ~ één en al verbazing zijn; *promise* ~*s* gouden bergen beloven; *work* ~*s* wonderen doen; *for a* ~, ~ *of* ~*s* wonder boven wonder, zowaar; *how in the name of* ~ *it is possible!* hoe is het in 's-hemelsnaam mogelijk! II *vi* zich verbazen, verbaasd zijn, zich verwonderen (over *at*); III *vt* nieuwsgierig zijn, benieuwd zijn, wel eens willen weten; zich afvragen; *I* ~ *if you could make it convenient...?* zoudt u het soms (misschien) kunnen schikken...?; *I* ~*ed whether*... ook: ik wist niet (goed), of...; *it made me ~ whether...* het deed bij mij de vraag opkomen of...; *I shouldn't ~* ook: het zou mij niet bevreemden; *I ~ed to see him there* het verbaasde mij; *can it be ~ed that...?* is het dan te verwonderen, dat...?

wonderful(ly) ['wʌndəful(i)] verwonderlijk, wonder(baar)lijk, wonder-; F prachtig, verrukkelijk, geweldig.

wondering(ly) ['wʌndəriŋ(li)] verwonderd, verbaasd, vol verbazing.

wonderland ['wʌndəlænd] wonderland *o*.

wonderment ['wʌndəmənt] verwondering, verbazing.

wonder-struck ['wʌndəstrʌk] verbaasd.

wonder-worker ['wʌndəwə:kə] 1 wonderdoener; 2 iets (middel *o*) dat wonderen doet.

wonder-working ['wʌndəwə:kiŋ] wonderdoend, miraculeus; een wonderbaarlijke uitwerking hebbend; verbazend.

⊙ **wondrous(ly)** ['wʌndrəs(li)] verwonderlijk, wonder-.

won't [wount] = *will not.*

wont [wount] **I** *aj* gewend, gewoon (aan, om *to*); **II** *vi* ⊙ gewend zijn; **III** *sb* gewoonte.

wonted ['wountid] gewoon.

woo [wu:] **I** *vt* vrijen om, het hof maken, dingen naar, zien te winnen, zien over te halen; **II** *vi & va* uit vrijen gaan (ook: *go ~ing*).

wood [wud] 1 hout *o*; 2 bos *o; the ~* ♪ de houten blaasinstrumenten; *(the) ~s* 1 (de) bossen; (het) bos; 2 (de) houtsoorten; *(wines) from the ~* (wijn) van het fust; *wine in the ~* wijn op fust; *he was out of the ~* 1 hij was nu uit de moeilijkheid; 2 hij was gered; *he cannot see the ~ for the trees* hij kan vanwege de bomen het bos niet zien.

woodbine ['wudbain] 1 ❦ wilde kamperfoelie; 2 F goedkope sigaret.

wood-chopper ['wudtʃɔpə] houthakker.

woodcock ['wudkɔk] ❧ houtsnip.

woodcut ['wudkʌt] houtsnede.

wood-cutter ['wudkʌtə] 1 houthakker; 2 houtsnijder.

wooded ['wudid] bebost, houtrijk, bosrijk.

wooden ['wudn] houten, van hout; *fig* houterig, stijf; stom, suf, onaandoenlijk; *~ head* stomkop, sufkop; *~ walls* oorlogsschepen; *~ ware* houten artikelen.

wood-engraving ['wudingreiviŋ] 1 houtsnijkunst; 2 houtsnede.

wooden-headed ['wudnhedid] dom, stom.

woodenness ['wudnnis] houterig-, stijfheid; stom-, sufheid, onaandoenlijkheid.

wood-fibre ['wudfaibə] houtvezel.

woodiness ['wudinis] houtachtigheid; bosachtigheid.

woodland ['wudlənd] **I** *sb* bosland *o*, bosgrond, bos *o*; **II** als *aj* bos-.

wood-louse ['wudlaus] 1 houtluis; 2 keldermot, pissebed.

woodman ['wudmən] 1 boswachter; 2 jager; 3 houthakker.

woodnotes ['wudnouts] gekwinkeleer *o*.

wood-nymph ['wudnimf] bosnimf.

woodpecker ['wudpekə] ❧ specht.

wood-pigeon ['wudpidʒən] ❧ houtduif.

woodruff ['wudrʌf] ❦ lievevrouwebedstro *o*.

woodsman ['wudzmən] bosbewoner; woudloper.

wood-sorrel ['wudsɔrəl] ❦ klaverzuring.

woodwards ['wudwədz] boswaarts.

wood-wind ['wudwind] ♪ houten blaasinstrumenten [v. orkest].

wood-wool ['wudwul] houtwol.

woodwork ['wudwə:k] houtwerk *o*.

woodworker ['wudwə:kə] houtbewerker.

wood-wren ['wudren] ❧ fluiter.

woody ['wudi] houtachtig, hout-; bosachtig, bos-.

wood-yard ['wudja:d] houttuin, houtopslagplaats.

wooer ['wu:ə] vrijer.

1 **woof** [wu:f] 1 inslag; 2 weefsel *o*.

2 **woof** [wuf] woef! [van hond].

wooing ['wu:iŋ] vrijen *o*, vrijage.

wool [wul] 1 wol; 2 F kroespruik [v. neger], J haar *o; draw (pull) ~ over a person's eyes* iemand zand in de ogen strooien.

wool-comber ['wulkoumə] wolkammer.

wool-fell ['wulfel] schapevacht.

wool-gathering ['wulgæðəriŋ] in: *his wits are ~* hij is erg verstrooid; *sb* verstrooidheid.

wool-growing ['wulgrouiŋ] **I** *aj* wolproducerend; **II** *sb* wolproduktie.

woollen ['wulən] **I** *aj* wollen, van wol; **II** *sb* wollen artikel *o; ~s* wollen goederen.

woollen-draper ['wuləndreipə] lakenkoper.

woolliness ['wulinis] wolligheid &.

woolly ['wuli] **I** *aj* 1 wollig, wolachtig, wol-; 2 ❦ voos [radijzen &], melig [peren]; 3 *fig* dof [stem]; vaag; **II** *sb* 1 wollen trui; 2 in: *woollies* F wollen onderkleren.

woolly-headed ['wulihedid] kroesharig.

woolpack ['wulpæk] baal wol.

woolsack ['wulsæk] 1 wolbaal; 2 zetel van de Lord Chancellor.

wool-stapler ['wulsteiplə] wolhandelaar.

wool-trade ['wultreid] wolhandel.

Woolwich ['wulidʒ] Woolwich *o*.

wop [wɔp] *Am* S Italiaan.

Worcester ['wustə] Worcester *o*; F Worcestersaus (ook: *~ sauce*).

word [wə:d] **I** *sb* 1 woord *o*, ✠ wachtwoord *o*, parool[2] *o*; 2 bericht *o*; bevel *o*, commando *o* (ook: *~ of command*); 3 motto *o; fair (fine) ~s butter no parsnips* praatjes vullen geen gaatjes; *the last ~ in ribbons* het nieuwste (modesnufje) op het gebied van linten; *my ~!* 1 sakkerloot!; 2 op mijn erewoord!; *quick is the ~* vlug zijn is de boodschap; *...is not the ~ for it* zegt nog niet genoeg; *a ~ to the wise* een goed verstaander heeft maar een half woord nodig; *a ~ with you* een woordje, alstublieft; *it is always a ~ and a blow with him* hij slaat er maar dadelijk op los (bij het minste woord); *he is as good as his ~* hij houdt altijd (zijn) woord; *he was better than his ~* hij deed meer dan hij beloofd had; *an honest man's ~ is as good as his bond* een man een man, een woord een woord; *bring ~ that...* melden dat...; *give the ~* ✕ I het parool geven; 2 het commando geven; *give the ~ to (for ...ing)* bevel geven dat..., om te...; *give (pass, pledge) one's ~* zijn woord geven; *give one a good ~, give him one's good ~* een goed w~ordje voor iemand doen; *I give you my ~ for it* I daarop geef ik u mijn woord; dat beloof ik u; 2 dat geef ik u op een briefje; *give ~s to...* onder woorden brengen; *have a ~ to say* iets te zeggen hebben; *I have not a ~ against him* ik heb niets op hem tegen (op hem aan te merken); *have no ~s to...* geen woorden kunnen vinden om...; *he hasn't a good ~ to say for anybody* hij heeft op iedereen wat aan te merken; *leave ~* een boodschap achterlaten (bij *with*); *send ~* een boodschap sturen (zenden), laten weten; *take one's ~ for it* iemand op zijn woord geloven; *take my ~ for it* neem dat van mij aan; ∞ *at his ~* op zijn woord (bevel) · *I take you at your ~* ik houd u aan uw wooi ł; *at the ~ given* op het gegeven commando, *at these ~s* bij deze woorden; *beyond ~s* ...méér dan woorden kunnen zeggen; *by ~ of mouth* mondeling; *~ for ~* woord voor woord; *too bad for ~s* onuitsprekelijk slecht, niet te zeggen hoe slecht; *pass (proceed) from ~s to deeds* van woorden tot daden komen; *in a (one) ~* in één woord, om kort te gaan; *to put it in so many ~s* ronduit gezegd; *in other ~s* met andere woorden; *on (with) the ~* op (bij) dat woord; *on the ~ of a soldier* op mijn erewoord als soldaat; *upon my ~* op mijn erewoord; **II** *vt* onder woorden brengen, formuleren, stellen, inkleden.

word-catching ['wɔ:dkætʃiŋ] woordenvitterij.

wordily ['wɔ:dili] *ad* woordenrijk, langdradig.

wordiness ['wɔ:dinis] woordenrijkheid, langdradigheid.

wording ['wɔ:diŋ] bewoording(en), inkleding, formulering, redactie [v. zin &].

wordless ['wɔ:dlis] sprakeloos, stom; zonder woorden.

word-perfect ['wɔ:d'pɔ:fikt] prompt zijn rol kennend, rolvast.

word-splitter ['wɔ:dsplitə] woordenzifter.

wordy ['wɔ:di] *aj* woordenrijk, langdradig; woorden-; *a ~ warfare* een woordenstrijd.

wore [wɔ:] V.T. van I *wear*.

work [wɔ:k] **I** *vi* I werken°; 2 gisten; in beweging zijn; 3 effect hebben, praktisch zijn, 't „doen", deugen, gaan; 4 een handwerkje doen; 5 zich laten bewerken; *the new system was made to ~* men liet het in werking treden; *~ eastward* ⚓ naar 't oosten opstomen;

~ loose zich loswerken [v. schroef, touw &]; **II** *vt* bewerken, bereiden, kneden [boter], maken; verwerken (tot *into*); uitvoeren [orders]; bewerken, aanrichten; doen; uitwerken, uitrekenen; laten werken [ook = laten gisten]; exploiteren [mijn &]; hanteren, manoeuvreren (werken) met, bedienen [geschut]; borduren[2]; *~ a change* een verandering teweegbrengen; *~ harm* kwaad doen; *~ a neighbourhood (district &)* afreizen, werken in [v. handelsreizigers, ook v. bedelaars]; *~ one's passage* ⚓ zijn passage met werken vergoeden; *~ one's way* zich een weg banen; *~ one's way from the ranks* zich van uit de gelederen opwerken; *~ loose* loswerken, losdraaien; *~ed shawl* geborduurde sjaal; *~ed by electricity* elektrisch gedreven; *wood easily ~ed* dat zich gemakkelijk laat bewerken; ∞ *~ against a cause* tegenwerken; *~ at* werken aan, bezig zijn aan; *~ at Greek* ook: Grieks doen [= studeren]; *~ away* flink (dóór)werken; *~ down* naar beneden gaan [koersen]; afzakken [kousen &]; *~ in* te pas brengen [citaat &]; *~ in one's cause* werken in iemands belang, iemands zaak voorstaan; *~ in with* I passen bij, samengaan met, te gebruiken zijn voor; 2 grijpen in [elkaar]; *~ one's audience into enthusiasm* tot geestdrift weten te brengen; *~ off* zich losmaken, losgaan; door werken verdrijven [hoofdpijn &]; door werken delgen [schuld]; zien kwijt te raken[2]; [v. ergernis &] afreageren (op *on*); *~ on* dóórwerken, verder werken; werken aan, bezig zijn aan [iets]; werken op, invloed hebben op [iemand]; werken voor [krant &]; draaien op, om [spil]; *~ out* zich naar buiten werken; uitkomen [som]; komen op... (*~ out at...*); zijn verloop hebben [plan &]; aan de dag treden [invloeden &]; uitwerken [plan &]; uit-, bewerken; door (met) werken verdienen [overtocht &]; verwezenlijken; *how it will ~ out* F hoe 't zal uitpakken; *~ out right in the end* wel terechtkomen op den duur; *~ out the same in the end* op hetzelfde neerkomen; *the mine is quite ~ed out* totaal uitgeput; *~ over* werken aan; overmaken [iets]; *~ round* draaien [v. wind]; *things will ~ round* het zal wel weer in orde komen; *~ through* F [programma] „afwerken"; *~ together* samenwerken; *~ towards* bevorderlijk zijn aan; *~ up* langzamerhand brengen (tot *to*); opwerken [ook = retoucheren]; (zich) omhoogwerken, er bovenop brengen [zaak]; aan-, ophitsen, aanwakkeren, opwinden; verwerken [grondstoffen], dooreenmengen, kneden; opgebruiken; bijwerken [achterstand]; zich inwerken in; *~ed up to the highest pitch* ten hoogste gespannen; *~ upon* zie *~ on*; *he is hard to ~ with* men kan moeilijk met hem werken of opschieten; **III** *vr* in: *~ oneself into favour* in de gunst zien te komen; *~ oneself into a rage* zich woedend

maken; **IV** *sb* werk *o*, arbeid, bezigheid; ~*s* ɪ
⚔ werk *o* [v. horloge]; 2 ⚒ vestingwerken;
3 werkplaats, fabriek &; (*Public*) *Works*
Openbare Werken; *have one's* ~ *cut out for
one* zijn handen vol hebben; *make sad* ~ *of...*
verknoeien; *make short* ~ *of...* korte metten
maken met...; *at* ~ aan het werk; werkend;
in exploitatie; *be in* ~ aan het werk zijn, werk
hebben, werken [tegenover 't werkloos zijn of
staken]; *in regular* ~ vast werk hebbend;
out of ~ zonder werk, werkloos; *go to* ~
aan het werk gaan; te werk gaan; *all* ~ *and
no play makes Jack a dull boy* leren en spelen
moeten elkaar afwisselen.

workability [wɔːkəˈbiliti] ɪ bewerkbaarheid; 2
bruikbaarheid; 3 exploitabele staat, renderend zijn *o*.

workable [ˈwɔːkəbl] ɪ bewerkt kunnende worden; 2 te gebruiken, bruikbaar; 3 exploitabel
[v. mijn &].

workaday [ˈwɔːkədei] daags, werk-; alledaags,
voor alle dagen.

work-bag [ˈwɔːkbæg] werkzak.

work-day [ˈwɔːkdei] werkdag.

worker [ˈwɔːkə] ɪ werker, bewerker; werkman,
arbeider; 2 🐝 werkbij, -mier; *a* ~ *of miracles*
een wonderdoener; *domestic* ~ dienstbode.

workhouse [ˈwɔːkhaus] ɪ werkhuis *o*; 2 soort
armenhuis *o*.

working [ˈwɔːkiŋ] **I** *aj* ɪ werkend; werk-, ar-
beids-; 2 werkzaam; 3 praktisch, bruikbaar;
II *sb* werken *o*; werking; bedrijf *o*, exploitatie; bewerking; *a disused* ~ een verlaten mijn,
groeve &; ~*s* werking, werk *o*; *the* ~*s of the
heart* de roerselen des harten.

working-bee [ˈwɔːkiŋbiː] werkbij.

working class [ˈwɔːkiŋklaːs] arbeidersklasse;
working-class family (*house* &) arbeidersge-
zin *o* (-woning &).

working-day [ˈwɔːkiŋdei] werkdag.

working-expenses [ˈwɔːkiŋikspensiz] bedrijfskosten, exploitatiekosten.

working-manager [ˈwɔːkiŋmænidʒə] bedrijfsleider.

working-order [ˈwɔːkiŋɔːdə] in: *be in* ~ klaar
zijn om in gebruik genomen te worden, in
orde zijn [v. machine].

working-party [ˈwɔːkiŋpaːti] ɪ werkploeg; 2
studiecommissie [voor een bedrijfstak].

working-plant [ˈwɔːkiŋplaːnt] ⚔ bedrijfsinstallatie.

working-stock [ˈwɔːkiŋstɔk] bedrijfsmateriaal
o.

workless [ˈwɔːklis] werkloos, zonder werk.

workman [ˈwɔːkmən] werkman, arbeider; *an
ill* ~ *quarrels with his tools* een slecht werkman geeft zijn gereedschap de schuld.

workmanlike [ˈwɔːkmənlaik] zoals het een
(goed) werkman betaamt; degelijk (afgewerkt); goed (uitgevoerd), bekwaam.

workmanship [ˈwɔːkmənʃip] af-, bewerking,
uitvoering; techniek, bekwaamheid; werk *o*;

we are of God's ~ wij zijn een werk van Gods
handen; *of good* ~ degelijk afgewerkt.

work-people [ˈwɔːkpiːpl] werkvolk *o*.

workshop [ˈwɔːkʃɔp] werkplaats.

work-shy [ˈwɔːkʃai] arbeidsschuw (element *o*).

works-manager [ˈwɔːksmænidʒə] bedrijfsleider.

work-to-rule [ˈwɔːktəˈruːl] modelactie.

workwoman [ˈwɔːkwumən] werkster, arbeidster.

world [wɔːld] wereld; *all the* ~ de hele wereld;
alles; *all the* ~ *and his wife* iedereen, Jan,
Piet en Klaas; *the next* (*other*) ~, *the* ~ *to
come* de andere wereld, het hiernamaals; *a* ~
of good heel veel (een hoop) goed; *they are a*
~ *too wide* veel te wijd; ~ *without end* tot in
der eeuwigheid amen; *begin the* ~ het leven
(zijn loopbaan) beginnen; *he would give the* ~
to... hij zou alles ter wereld willen geven
om...; *see the* ~ wat van de wereld zien;
think the ~ *of* een ontzettend hoge dunk hebben van; *not for the* ~ voor geen geld van de
wereld; *for all the* ~ *like...* precies (net) gelijk...; *what in the* ~? wat ter wereld?, in
's-hemelsnaam?, in godsnaam?; *bring into
the* ~ ter wereld brengen; *...is out of this* ~
Am ...is buitengewoon, zeldzaam (mooi &);
all over the ~ de hele wereld door; over de
hele wereld; *give to the* ~ de wereld insturen,
in het licht geven; *tired* & *to the* ~ **S** verschrikkelijk moe &.

world affairs [ˈwɔːldəfɛəz] internationale kwes-
ties.

world-famous [ˈwɔːldfeiməs] wereldberoemd.

worldliness [ˈwɔːldlinis] wereldsgezindheid,
wereldsheid.

worldling [ˈwɔːldliŋ] wereldling.

worldly [ˈwɔːldli] werelds, aards.

worldly-minded [ˈwɔːldliˈmaindid] wereldsgezind, werelds.

worldly-wise [ˈwɔːldliˈwaiz] wereldwijs.

world-shaking [ˈwɔːldʃeikiŋ] wereldschokkend.

world-wide [ˈwɔːldwaid] over de hele wereld
(verspreid), wereldomvattend, wereld-.

worm [wɔːm] **I** *sb* ɪ worm²; 2 *fig* aardworm;
3 ⚔ schroefdraad; 4 slang [v. distilleerkolf];
II *vi* kronkelen als een worm, kruipen; **III** *vt*
van wormen zuiveren; ~ *one's way into a
house* ergens weten in te sluipen; ~ *it out of
him* het al vissend uit hem krijgen; **IV** *vr* in:
~ *oneself into his confidence* (*favour, friendship*) zijn vertrouwen & door gekuip en ge-
kruip weten te winnen; ~ *oneself into a man's
secrets* ongemerkt achter iemands geheimen
komen.

worm-eaten [ˈwɔːmiːtn] wormstekig.

worm-hole [ˈwɔːmhoul] wormgat *o*.

worm-holed [ˈwɔːmhould] vol wormgaten.

wormwood [ˈwɔːmwud] ⚘ alsem².

wormy [ˈwɔːmi] ɪ wormachtig; wormvormig;
2 wormig, wormstekig, vol wormen.

worn [wɔːn] **V.D.** van ɪ *wear*; als *aj* ook: versleten (van *with*); doodop (van *with*); afgezaagd; ~ *with age* afgeleefd.

worn-out ['wɔː'naut] versleten; vermoeid, doodop, uitgeput, F gammel.

worried ['wʌrid] V.T. & V.D. van *worry*.

worriment ['wʌrimənt] F kwelling, zorg(en).

worrit ['wʌrit] P zie *worry*; *be* ~*ed* ergens over inzitten, zitten mieren, urmen.

worry ['wʌri] I *vt* 1 rukken aan, (heen en weer) slingeren, scheuren [met tanden]; 2 het lastig maken, geen rust laten, plagen, kwellen, ongerust maken; *don't* ~ *your head* heb maar geen zorg; ~ *the life out of a man* iemand (nog) doodplagen; ~ *out a problem* over een vraagstuk zo lang piekeren tot men het heeft; II *vr* in: ~ *oneself* zichzelf nodeloos plagen, kwellen; zich bezorgd maken; III *vi* 1 zich zorgen maken, zich bezorgd maken, zich druk maken; kniezen, tobben, piekeren (over *about*, *over*); 2 onrustig zijn [van vee &]; ~ *along (through)* zich er doorheen slaan; IV *sb* 1 geruk *o* &; 2 plagerij, kwelling; ongerustheid, bezorgdheid, zorg, soesa (meestal *worries*).

worse [wɔːs] erger, slechter; snoder; minder, lager [koers]; *none of your cheek, or it will be* ~ *for you* of het zal je heugen; *you could do* ~ *than...* u zou er bepaald niet verkeerd aan doen met te...; *to make matters (things)* ~ tot overmaat van ramp; ~ *follows (remains)* maar het ergste komt nog; *be the* ~ *for...* (schade) geleden hebben onder (door); achteruitgegaan zijn door, verloren hebben bij...; *be the* ~ *for drink* in kennelijke staat (van dronkenschap) zijn; *you will not be the* ~ *for...*, *you will be none the* ~ *for...* je zult er geen schade bij hebben als..., het zal u geen kwaad doen als...; *little the* ~ *for wear* 1 weinig geleden hebbend; 2 met weinig averij; *have the* ~, *be put to the* ~ het onderspit delven; *a change for the* ~ een verandering ten kwade, een verslechtering.

worsen ['wɔːsn] I *vt* 1 erger, slechter maken; 2 $ doen dalen [prijzen]; II *vi* 1 erger, slechter worden; 2 $ lager worden.

worship ['wɔːʃip] I *sb* 1 verering, aanbidding; 2 godsdienst(oefening), eredienst (*public* ~); 3 ⚓ hoogachting; *your Worship* Edelachtbare (Lord); UEdele; *have* ~ (hoog) in aanzien zijn; *place of* ~ bedehuis *o*; II *vt* aanbidden[2], vereren; III *vi* bidden, de godsdienstoefening bijwonen, ter kerke gaan.

worshipful ['wɔːʃipful] eerwaardig; achtbaar.

worshipper ['wɔːʃipə] 1 vereerder, aanbidder[2]; 2 biddende; *the* ~*s* ook: de kerkgangers, de biddende gemeente.

worst [wɔːst] I *aj* slechtst(e), ergst(e), snoodst(e); II *ad* het slechtst &; III *sb* in: *the* ~ het ergste (ook: *the* ~ *of it*); *if the* ~ *comes to the* ~ in het ergste geval; *let the* ~ *come to the* ~ laat komen wat wil; *let him do his* ~ hij mag het ergste doen dat hij bedenken kan; *at (the)* ~ in het allerergste geval; *when things are at*

the ~, *at their* ~ (*they are sure to mend*) als de nood het hoogst is, is Gods hulp nabij; *get the* ~ *of it, have the* ~ het onderspit delven, het afleggen; IV *vt* 1 het winnen van, het onderspit doen delven; 2 in de luren leggen; *be* ~*ed by* ook: het afleggen tegen.

1 **worsted** ['wɔːstid] V.T. & V.D. van *worst* IV.

2 **worsted** ['wustid] I *sb* kamgaren *o*; sajet; II *aj* kamgaren; sajetten.

wort [wɔːt] ⚕ kruid *o*.

worth [wɔːθ] I *aj* waard; *he is* ~ £ 10.000 *a year* hij heeft £ 10.000 per jaar inkomen; *the living is* ~ *so much* brengt zoveel op; *all he was* ~... al wat hij bezat; *he ran away for all he was* ~ zo hard hij kon; *it is* ~ *an inquiry* het is de moeite waard er naar te informeren; *it is* ~ *the trouble, it is* ~ (*our, your* &) *while* het is de moeite waard, het loont de moeite; *it is not* ~ *while* het is de moeite niet waard, het loont de moeite niet; *it is as much as your life is* ~ het kan u het leven kosten; *the prize is* ~ (*the*) *having* is het bezit wel waard; ~ *knowing* wetenswaardig; *not* ~ *mentioning* (*naming*) niet noemenswaard(ig); *the things* ~ *seeing* de bezienswaardigheden; II *sb* waarde; innerlijke waarde; deugdelijkheid; *give me a shilling's* ~ *of...* geef mij voor een shilling...; *a man of* ~ een man van verdienste.

worthily ['wɔːðili] *ad* 1 waardig; 2 terecht.

worthiness ['wɔːðinis] 1 waardigheid; 2 waarde, verdienste(n), deugdzaamheid.

worthless(ly) ['wɔːθlis(li)] waardeloos, van geen waarde, nietswaardig, verachtelijk.

worthlessness ['wɔːθlisnis] waardeloosheid &.

worthwhile ['wɔː.θwail] de moeite waard zijnd, waar men wat aan heeft, goed.

worthy ['wɔːði] I *aj* 1 waardig, waard; 2 achtenswaardig, verdienstelijk; ~ *of being recorded*, ~ *to be recorded* de vermelding waard; *not* ~ *of...* onwaardig; *not* ~ *to...* niet waard om...; II *sb* achtenswaardig man; F beroemdheid, sommiteit.

wot [wɔt] 1ste en 3de pers. enk. T.T. van 2 *wit*; weet &; *God* ~ dat weet God.

would [wud] (V.T. van *will*) 1 wilde, wou; 2 zou; *with hands that* ~ *shake in spite of me* die beefden zonder dat ik er iets aan doen kon; *he* ~ *sit there for hours* hij zat er vaak uren lang, hij placht daar uren te zitten; *I don't know who it* ~ *be* wie het zou kunnen zijn; ~ *you pass the salt?* zoudt u mij het zout even willen aanreiken?; ~ *God*, (*I*) ~ *to God I had died* gave God dat ik maar gestorven ware, was ik maar dood; *I* ~ *to heaven I was dead* was ik maar dood.

would-be ['wudbiː] 1 zogenaamd; 2 aanstaand, aankomend; ~ *contractors* reflectanten, gegadigden.

1 **wound** [waund] V.T. & V.D. van 2 *wind*.

2 **wound** [wuːnd] I *sb* wond(e), kwetsuur; II *vt* (ver)wonden, kwetsen[2].

wove [wouv] V.T. & V.D. van *weave*.

woven [wouv(ə)n] V.D. van *weave*.

wow [wau] F iets reusachtigs, geweldig succes *o*.

wove(n) paper ['wouv(n)peipə] velijnpapier *o*.

wrack [ræk] 1 wrak *o*; 2 aan land gespoeld zeegras *o*, zeewier *o*; zie *wreck & rack*.

W.R.A.F. = *Women's Royal Air Force*.

wraith [reiθ] geest, dubbelganger, schim[2].

wrangle ['ræŋgl] I *vi* kibbelen, kijven, krakelen; II *sb* gekibbel *o*, gekijf *o*, gekrakeel *o*.

wrap [ræp] I *vt* wikkelen, omslaan, (om)hullen[2], inpakken, oprollen; ~*ped in sleep (thought)* in slaap (gedachten) verzonken; ~*ped in his studies (pursuits)* geheel opgaand in zijn studie, in zijn werk; ~ *up* zie *wrap*; *be* ~*ped up in* geheel opgaan in, geheel vervuld zijn van; II *vi* in: ~ *up* zich inpakken; III *sb* (om)hulsel *o*; omslagdoek, sjaal; plaid; mantel, sortie.

wrappage ['ræpidʒ] zie *wrapping* 2.

wrapper ['ræpə] 1 inwikkelaar &; 2 peignoir; omslag, kaft *o* & *v*, wikkel [v. boter &]; dekblad *o* [v. sigaar]; kruisband [v. krant]; ~*s* ook: ingenaaid.

wrapping ['ræpiŋ] 1 in-, omwikkeling; 2 omhulsel[2] *o*; verpakking.

wrapping-paper ['ræpiŋpeipə] pakpapier *o*.

wrasse [ræs] ✠ lipvis.

wrath [rɔ:θ] toorn, gramschap.

wrathful(ly) ['rɔ:θful(i)] toornig, vergramd.

wreak [ri:k] ✎ wreken; ~ *one's rage upon* zijn woede koelen aan; ~ *vengeance on* wraak oefenen aan.

wreath [ri:θ, *mv* ri:ðz] 1 krans, guirlande; 2 kronkel, pluim [v. rook].

wreathe [ri:ð] I *vt* vlechten, strengelen; om-, ineenstrengelen, be-, omkransen; ~*d in smiles* één en al glimlach; II *vi* zich strengelen; kronkelen.

wreck [rek] I *sb* 1 verwoesting, vernieling, ondergang; 2 schipbreuk; 3 wrak[2] *o*, *fig* ruïne; 4 wrakgoederen, strandvond; *go to* ~ *and ruin* te gronde gaan; *make* ~ *of* verwoesten, te gronde richten; II *vt* 1 verwoesten, vernielen, te gronde richten, ruïneren; 2 doen verongelukken [trein]; 3 schipbreuk doen lijden[2]; *fig* doen mislukken; *be* ~*ed* schipbreuk lijden[2], vergaan, stranden; verongelukken [trein]; III *vi* schipbreuk lijden.

wreckage ['rekidʒ] 1 schipbreuk; 2 wrakhout *o*; 3 $ wrakgoederen; 4 puin *o*; overblijfselen, (brok)stukken, ravage.

wrecker ['rekə] 1 verwoester; 2 sloper; 3 berger; 4 strandjutter; 5 bergingswagen.

wrecking-association ['rekiŋəsousi'eiʃən] bergingsmaatschappij.

wreck-master ['rekma:stə] strandvonder.

wren [ren] ✿ winterkoninkje *o*; *Wren* lid v. d. *W.R.N.S.* ☆ Marva.

wrench [renʃ] I *sb* 1 ruk, draai; 2 verrekking, verstuiking; 3 verdraaiing; 4 schroefsleutel; 5 *fig* pijnlijke scheiding; *it was a great* ~ 't

viel hem (mij &) hard; II *vt* (ver)wringen, (ver)draaien[2], rukken; verrekken; ~ *from* ontwringen[2], ontrukken[2], rukken uit; ~ *off* afdraaien, afrukken; ~ *open* openrukken, -breken.

wrest [rest] verdraaien [feiten &], verwringen; ~ *from* af-, ontrukken, ontwringen, ontworstelen; afpersen, afdwingen.

wrestle ['resl] I *vi* worstelen (met *with*)[2]; II *vt* *sp* worstelen met; III *sb* worsteling; *sp* worstelwedstrijd.

wrestler ['reslə] worstelaar; kampvechter.

wrestling ['resliŋ] worstelen *o*. [strijd.

wrestling-match ['resliŋmætʃ] worstelwedwretch [retʃ] 1 ongelukkige stakker; 2 ellendeling, schelm; *poor* ~ *!* ook: och arme!

wretched ['retʃid] *aj* diep ongelukkig, ellendig; miserabel, armzalig, treurig.

wretchedly ['retʃidli] *ad* ellendig &.

wretchedness ['retʃidnis] ongelukkige, jammerlijke, ellendige toestand; ellende.

wriggle ['rigl] I *vi* wriggelen, wriemelen, kronkelen [als worm]; (zitten) draaien [op stoel]; ~ *out of it* zich er uit draaien; II *vt* wrikken; ~ *one's way* vooruitwriggelen; III *vr* ~ *oneself into...* zich weten in te werken (in te dringen) in...; IV *sb* wriggelende beweging; gewriemel *o*.

wring [riŋ] I *vt* wringen (uit *from, out of*); uitwringen; verdraaien [de Schrift]; persen, knellen, drukken; ~ *a man's hand* iemand de hand (hartelijk) drukken; ~ *one's hands* de handen wringen; ~ *the neck of...* de nek omdraaien; ~ *money from...* geld afpersen (afdwingen); ~ *the words from their true meaning* de woorden verdraaien; ~ *out* uitwringen; ~ *money out of...* geld afpersen (afdwingen); II *sb* wringing, wrong; *a* ~ *of the hand* een handdruk.

wringer ['riŋə] 1 wringer; 2 wringmachine.

wringing ['riŋiŋ] 1 wringend &; 2 F druipnat (ook: ~ *wet*).

wrinkle ['riŋkl] I *sb* 1 rimpel, plooi, kreuk; 2 idee *o* & *v*; wenk; truc; II *vt* rimpelen, plooien; III *vi* (zich) rimpelen, plooien.

wrinkly ['riŋkli] rimpelig; licht kreukelend.

wrist [rist] pols [handgewricht].

wristband ['ris(t)bænd] (vaste) manchet.

wristlet ['ristlit] 1 polsarmband; 2 S bracelet [handboei].

wrist(let) watch ['rist(lit)wɔtʃ] armbandhorloge *o*, polshorloge *o*.

1 **writ** [rit] 1 ✎ V.T. & V.D. van *write*; ~ *large* er dik op liggend.

2 **writ** [rit] *sb* 1 ✎ (ge)schrift *o*; 2 schriftelijk bevel *o*; sommatie, dagvaarding; ~ *of execution* deurwaardersexploot *o*; *Holy* ~ de Heilige Schrift; *their* ~ *runs throughout the country* zij hebben gezag in het hele land.

write [rait] I *vi* schrijven; *he* ~*s to say that...* hij schrijft (me) dat...; II *vt* schrijven; uitschrijven; volschrijven; *it is written that...* er staat geschreven, dat...; ~ *word that...* schrijven dat..., laten weten dat...; ∞ ~ *down* opschrijven, optekenen; afbreken [boek, schrijver &]; $ verminderen [een post &]; [laster &] door schrijven te niet doen; ~ *me down an ass if...* je kunt me gerust een ezel noemen als...; ~ *down too much* te zeer afdalen tot het peil der lezers; ~ *for* schrijven om [geld &]; ~ *for the papers* in de krant schrijven; ~ *home* naar huis schrijven; *nothing (something) to* ~ *home about* F niet veel zaaks (iets heel belangrijks); ~ *in* I (aan de redactie) schrijven; 2 invoegen, bijschrijven; *written in red ink* met rode inkt; ~ *into* schriftelijk vastleggen in, opnemen in [een contract &]; ~ *off* $ afschrijven; ~ *off for a fresh supply* om nieuwe voorraad schrijven; ~ *off verses* zo maar neerschrijven, uit zijn mouw schudden; ~ *out* uitschrijven, overschrijven, kopiëren; voluit schrijven; ~ *up* (neer)schrijven; in bijzonderheden beschrijven; uitwerken; bijwerken [rapport &]; $ bijhouden [boeken]; in de hoogte steken [een schrijver &]; **III** *vr* in: ~ *oneself Esquire* zich *Esquire* schrijven of tekenen; ~ *oneself down an ass* zich zelf een brevet van ezelachtigheid uitreiken; ~ *oneself out* zich als schrijver uitputten.

write-off ['raitɔ:f] $ afschrijving; S verlies *o*.

writer ['raitə] I schrijver°, auteur, schrijfster; 2 (kantoor)schrijver, klerk; 3 *Sc* procureur; *the (present)* ~ schrijver dezes; ~ *for the press* journalist; ~'*s cramp* schrijfkramp.

writership ['raitəʃip] I auteurschap *o*; 2 klerkenbaantje *o*; 3 *Sc* procureurschap *o*.

write-up ['raitʌp] F uitvoerig verslag *o*; reclame, opkammerij.

writhe [raið] **I** *vi* zich draaien, wringen of kronkelen, (ineen)krimpen; ~ *with shame* van schaamte vergaan; **II** *vt* verdraaien.

writing ['raitiŋ] schrijven *o*, geschrift *o*; schrift *o*; *his* ~(*s*) zijn werk *o* [v. letterkundige]; *the* ~ *on the wall* het (een) mene tekel, het (een) teken aan de wand; *in* ~ op schrift; schriftelijk; *put in* ~, *commit (consign) to* ~ op schrift brengen.

writing-case ['raitiŋkeis] schrijfmap.

writing-desk ['raitiŋdesk] schrijflessenaar.

writing-materials ['raitiŋmətiəriəlz] schrijfgereedschap *o*, schrijfgerei *o*.

writing-pad ['raitiŋpæd] I onderlegger, vloeimap; 2 schrijfblok *o*.

writ-server ['ritsə:və] deurwaarder.

written ['ritn] V.D. van *write*; geschreven; schriftelijk; ~ *language* schrijftaal; ~ *off* S verloren, naar de bliksem.

W.R.N.S. = *Women's Royal Naval Service* ± Marine-Vrouwenafdeling, Marva.

wrong [rɔŋ] **I** *aj* verkeerd; niet in de haak, niet in orde; mis; slecht; *have hold of the* ~ *end of the stick* I het bij het verkeerde eind hebben; 2 aan 't kortste eind trekken; ~ *people* mensen van geen stand; *on the* ~ *side of forty* over de veertig; zie ook: *side* I, *bed* I; *be* ~ ongelijk hebben; het mis hebben; verkeerd gaan [v. klok]; *what's* ~? wat scheelt (mankeert) er aan?; *it was* ~ *for her to...*, ~ *of her to...* het was verkeerd van haar...; *you were* ~ *to...* je hebt verkeerd gedaan met...; je hebt ten onrechte...; *something is* ~ *with him* er scheelt hem iets, hij heeft iets; *what's* ~ *with Mrs. X.?* I wat scheelt Mevr. X.?; 2 wat valt er op Mevr. X. aan te merken?; **II** *ad* verkeerd, mis, de verkeerde kant uit; *do* ~ verkeerd doen; slecht handelen; *go* ~ I defect raken; 2 in 't verkeerde keelgat komen; 3 *fig* mislopen, verkeerd uitkomen; de verkeerde weg opgaan; **III** *sb* iets verkeerds, onrecht *o*, kwaad *o*; grief; *his* ~*s* I het hem (aan)gedane onrecht; 2 zijn grieven; *do one (a)* ~ I iemand onrecht (aan)doen; 2 onbillijk beoordelen; *he had done no* ~ hij had niets verkeerds gedaan; *be in the* ~ ongelijk hebben; *put one in the* ~ iemand in het ongelijk stellen; **IV** *vt* I onrecht aandoen, verongelijken, te kort doen; 2 onbillijk zijn tegenover.

wrongdoer ['rɔŋduə] overtreder; zondaar.

wrongdoing ['rɔŋduiŋ] verkeerde handeling(en); overtreding; onrecht *o*.

wrongful(ly) ['rɔŋful(i)] I onrechtvaardig; onrechtmatig; 2 verkeerd.

wrong-headed ['rɔŋ'hedid] dwars, verkeerd, eigengereid, eigenzinnig.

wrongly ['rɔŋli] *ad* I verkeerd(elijk); 2 onrechtvaardig; 3 ten onrechte.

wrongness ['rɔŋnis] verkeerdheid.

wrong-timed ['rɔŋtaimd] niet op de geschikte of gelegen tijd komend, te onpas (gemaakt of gezegd).

wrote [rout] V.T. (& P V.D.) van *write*.

⊙ **wroth** [rouθ, rɔ:θ, rɔθ] vertoornd, woedend.

wrought [rɔ:t] **I** V.T. & V.D. van *work*; **II** als *aj* bewerkt, geslagen, gesmeed; ~ *iron* smeedijzer *o*.

wrought-up ['rɔ:t'ʌp] opgewonden, zenuwachtig (gemaakt), overprikkeld.

wrung [rʌŋ] V.T. & V.D. van *wring*.

wry [rai] *aj* scheef²; verdraaid; *with a* ~ *face* een scheef gezicht zettend, met een zuur gezicht; ~ *humour* galgehumor.

wryly ['raili] *ad* scheef², *fig* zuur.

wryneck ['rainek] I scheve hals; 2 ⚡ draaihals.

wryness ['rainis] scheefheid², verdraaidheid.

wych-elm ['witʃ'elm] ♣ bergiep.

wych-hazel ['witʃ'heizl] ♣ toverhazelaar.

wyvern ['waivə:n] ⊘ gevleugelde draak.

X

x [eks] (de letter) x; **X** = 10 [als Romeins cijfer]; [v. film] niet voor personen beneden 16 jaar; *double* ~ dubbel sterk bier.

Xanthippe [zæn'tipi] Xantippe; *fig* xantippe.
xenophobia [zenou'foubiə] vreemdelingenhaat.
Xerxes ['zə:ksi:z] Xerxes.
Xmas ['krisməs] = *Christmas*.
X-ray ['eks'rei] I *vt* met x-stralen (röntgenologisch) behandelen; doorlichten; II *aj* x-stralen-, röntgen-, röntgenologisch.
X-rays ['eks'reiz] röntgenstralen, x-stralen.
xylograph ['zailəgra:f] houtsnede, houtgravure [inz. van de 15e eeuw].
xylography [zai'ləgrəfi] houtsnijkunst.
xylophone ['zailəfoun] ♪ xylofoon.

Y

y [wai] (de letter) y.
yacht [jɔt] I *sb* ⚓ (zeil)jacht *o*; II *vi* zeilen in een jacht.
yachting ['jɔtiŋ] ⚓ zeilsport; ~ *cap* zeilpet.
yachtsman ['jɔtsmən] ⚓ 1 jachteigenaar; 2 zeiler in een jacht.
yah [ja:] hè [uitjouwend, honend], ja(wel), kan je begrijpen!, ja!, nou ja!, bah!
yahoo [jə'hu:] Yahoo: beestmens; boerenkinkel.
Yahveh ['ja:vei] Jahveh: Jehovah.
yak [jæk] ♠ jak: soort buffel.
yam [jæm] ♠ broodwortel.
yank [jæŋk] I *vt* rukken (aan); 2 (weg)grissen; 3 gooien; II *sb* ruk; por.
Yank [jæŋk] S zie *Yankee*.
Yankee ['jæŋki] I *sb* yankee; ~ *Doodle* 1 Amerikaans volkslied *o*; 2 F yankee; II als *aj* Amerikaans.
Yankeeism ['jæŋkiizm] 1 Amerikaanse (volks)-eigenaardigheid; 2 amerikanisme *o*.
yap [jæp] I *vi* keffen; II *sb* gekef *o*.
yapper ['jæpə] keffer.
1 yard [ja:d] 1 yard: Engelse el = 0,914 m; 2 ⚓ ra; ~ *of clay* F gouwenaar; *by the* ~ per el; *fig* tot in het oneindige.
2 yard [ja:d] (binnen)plaats, erf *o*; werf; emplacement *o*, terrein *o*; *the Yard* Scotland Yard.
yard-arm ['ja:da:m] ⚓ nok van de ra.
yardman ['ja:dmən] rangeerder [bij 't spoor].
yard-measure ['ja:dmeʒə] ellestok, el.
yard-stick ['ja:dstik], ~-wand ['wɔnd] ellestok, el; *fig* maatstaf.
yarn [ja:n] I *sb* 1 garen *o*, draad *o* & *m*; 2 S (matrozen)verhaal *o*; *have a* ~ *with one* met iem. een boom opzetten, een praatje maken; II *vi* S verhalen doen, „bomen".
yarrow ['jærou] ♠ duizendblad *o*.
yaw [jɔ:] ⚓ I *vi* gieren [v. een schip]; II *sb* gier; *give a* ~ gieren.
yawl [jɔ:l] ⚓ 1 jol; 2 klein zeiljacht *o*.
yawn [jɔ:n] I *vi* geeuwen, gapen²; II *vt* geeuwend zeggen; ~ *one's head off* zich dood zitten gapen van verveling; III *sb* geeuw, gaap.

yawner ['jɔ:nə]geeuwer, gaper.
yd. = *yard* [0,914 m].
1 ye [ji:] ⊙, ♥ & J gij, gijlieden.
2 ye [ji:, ði:] ♥ & J de, het.
yea [jei] I *ad* B ja; ja zelfs; II als *sb* in: *a vote of 48* ~*s to 20 nays* 48 stemmen vóór en 20 tegen.
yean [ji:n] werpen; [v. ooien] lammeren.
yeanling ['ji:nliŋ] lam *o*, geitje *o*.
year [jiə] *an year o; financial* ~ $ boekjaar *o*; *it may be* ~*s first* daar kunnen nog jaren mee heengaan; *put* ~*s on you* S je ziek (beroerd) maken; *at my* ~*s* op mijn jaren; ~ *by* ~ jaar aan (op) jaar; ieder jaar; *from* ~'*s end to* ~'*s end* jaar in, jaar uit; ~ *in,* ~ *out* jaar in, jaar uit; *in the* ~ *one* in het jaar nul; *in* ~*s* (al) op jaren; *far gone (stricken) in* ~*s* hoogbejaard; *of late* ~*s, of recent* ~*s* (in) de laatste jaren.
year-book ['jiəbuk] jaarboek *o*.
yearling ['jiəliŋ] I *sb* éénjarig dier *o*; hokkeling; II *aj* éénjarig, jarig; van één jaar.
year-long ['jiələŋ] 1 één jaar durend; 2 jarenlang.
yearly ['jiəli] jaarlijks, jaar-.
yearn [jə:n] reikhalzend verlangen, reikhalzen (naar *after, for*); er naar smachten (om *to*); ~ *to (towards) one* zich getrokken voelen tot.
yearning ['jə:niŋ] I *aj* verlangend, reikhalzend; II *sb* smachtend verlangen *o*.
year-old ['jiərould] (dier *o* & van) één jaar.
yeast [ji:st] gist.
yeasty ['ji:sti] gistig, gistend; schuimend, bruisend; *fig* luchtig, ondegelijk.
yell [jel] I *vi* gillen, 't uitschreeuwen (van *with*); II *vt* (uit)gillen, schreeuwen (ook: ~ *out*); ~ *down* door schreeuwen het spreken beletten; III *sb* gil, geschreeuw *o*.
yellow ['jelou] I *aj* geel; S laf, gemeen; ~ *fever* 1 gele koorts; 2 F goudkoorts; ~ *Jack* 1 gele vlag; 2 gele koorts; ~ *press* (chauvinistische) sensatiepers; ~ *soap* groene zeep; II *sb* geel *o*; III *vt* (& *vi*) geel maken (worden).
yellow-hammer ['jelouhæmə] ♠ geelgors.
yellowish ['jelouiʃ] geelachtig.
yellowy ['jeloui] geelachtig, gelig.
yelp [jelp] I *vi* keffen, janken; II *sb* gekef *o*, gejank *o*.
yelper ['jelpə] keffer, janker.
1 yen [jen] yen [Japanse munteenheid].
2 yen [jen] *Am* hevig verlangen *o* (naar *for*); verslaafdheid (aan *for*).
yeoman ['joumən] 1 kleine landeigenaar; eigenerfde; 2 ⚓ lijftrawant; onderkamerheer; 3 ⚓ maat; 4 ✗ soldaat v. d. *yeomanry*; ~ *of the guard* zie *beef-eater*.
yeomanly ['joumənli] als (van) een *yeoman*; koen; eenvoudig.
yeomanry ['joumənri] stand der *yeomen*; vrijwillige landmilitie te paard.
yeoman('s) service ['joumən(z)'sə:vis] in: *do* ~ hulp verlenen in de nood, krachtig en

trouw ter zijde staan; zich zeer verdienstelijk maken [jegens].

yes [jes] ja; ~, *Sir?* wel? wat belieft u?

yes-man ['jesmæn] *Am* F jabroer, jaknikker.

⊙ **yester** ['jestə] gisteren.

yesterday ['jestədi] gisteren; *the day before* ~ eergisteren.

○ **yester-night** ['jestə'nait] gisteravond.

○ **yester-year** ['jestə'jiə] het vorige jaar *o*.

yet [jet] I *ad* 1 (voorals)nog; tot nog toe; nu nog, nog altijd; 2 toch; 3 (nog) wel; 4 toch nog; *is he dead* ~? is hij al dood?; *have you done* ~? ben je nu klaar?; *ever* ~ ooit; *never* ~ nog nooit; *not* ~ nog niet; *not so long, nor* ~ *so wide* en ook niet zo breed; II *cj* maar (toch).

yew [ju:] 1 ♣ taxus(boom); 2 (boog van) taxushout.

Y.H.A. = *Youth Hostels Association.*

Yiddish ['jidiʃ] Jiddisch, Joods-Duits.

yield [ji:ld] I *vt* opbrengen, opleveren, afwerpen, voortbrengen, geven, verlenen, afstaan; overgeven [stad]; ~ *the palm to...* als zijn meerdere erkennen, onderdoen voor; ~ *the point* toegeven; ~ *precedence* de voorrang gunnen, laten voorgaan; ~ *up* opleveren; opgeven, afstaan; ~ *up the ghost* de geest geven; II *vr* in: ~ *oneself prisoner* zich gevangen geven; III *vi & va* 1 opleveren, geven; meegeven [bij druk]; 2 toegeven, zwichten; onderdoen (voor *to*); zich overgeven; ~ *largely* (*well*) een goed beschot opleveren; ~ *poorly* weinig opbrengen; ~ *to* ook: op zij gaan voor; wijken voor; IV *sb* 1 meegeven *o* [bij druk]; 2 opbrengst, produktie, oogst, beschot *o*.

yielder ['ji:ldə] wie toegeeft, zwicht &; *a hard* ~ die niet gemakkelijk toegeeft &.

yielding ['ji:ldiŋ] 1 produktief; 2 meegevend; toegeeflijk, meegaand, buigzaam.

y-level ['wailevl] waterpas *o* op voetstuk.

Y.M.C.A. = *Young Men's Christian Association.*

yob [jɔb] S hufter.

yodel ['joudl] I *vt & vi* jodelen; II *sb* gejodel *o*.

yoga ['jougə] yoga.

yogi ['jougi] yogi.

yogurt ['jouguət] yoghurt.

yoke [jouk] I *sb* juk° *o*, span *o* [ossen]; II *vt* het juk aandoen, aanspannen; onder het (één) juk brengen; verenigen, verbinden, koppelen; III *vi* bij elkaar passen.

yoke-fellow ['joukfelou] 1 makker, maat, lotgenoot; 2 ⊙ echtgenoot, echtgenote.

yokel ['jouk(ə)l] boerenlummel, -kinkel.

yoke-mate ['joukmeit] zie *yoke-fellow.*

yolk [jouk] 1 (eier)dooier; 2 wolvet *o*.

⊙ **yon** [jɔn] zie *yonder.*

yonder ['jɔndə] I *aj* ginds; II *ad* ginder, daarginds.

yore [jɔ:] in: *of* ~ voor dezen, voorheen; *in*

days of ~ in vroeger dagen.

Yorkshire ['jɔ:kʃə, 'jɔ:kʃiə] Yorkshire *o*; ~ *pudding* onder beslag gebakken vlees *o*; *come* ~ *over one* iemand bedotten.

you [ju:, ju] gij, u; gijlieden, ulieden, jelui, jullie; F jij, je, men.

young [jʌŋ] I *aj* jong²; *the night is yet* ~ het is nog vroeg in de nacht; *a* ~ *family* (een troep) kleine kinderen; ~ *lady* 1 jongedame; 2 (jonge)juffrouw [v. ongetrouwde dames]; *his* ~ *lady* zijn meisje *o*; ~ *man* jonge man, jongmens *o*; *her* ~ *man* haar vrijer; *a* ~ *one* een jong [v. dier]; *the* ~ *ones* 1 de kleinen; 2 de jongen; ~ *things* jonge dingen (meisjes); *his* ~ *woman* zijn meisje *o*; ~ *in crime* nog onervaren in de misdaad; II *sb* jongen [v. dier]; *the* ~ de jeugd.

younger ['jʌŋgə] jonger; *the* ~ *Pitt, Teniers the* ~ *Pitt* junior, de jongere (jongste) Teniers.

youngest ['jʌŋgist] jongst(e).

youngish ['jʌŋgiʃ] jeugdig, tamelijk jong.

youngling ['jʌŋliŋ] I *sb* 1 jongeling; jong meisje *o*; 2 jong dier *o*; II *aj* jong, jeugdig.

youngster ['jʌŋstə], ♣ **younker** ['jʌŋkə] jongeling, melkbaard; jong matroos; *the youngsters* het jonge volkje.

your [juə, jɔə, jə] uw; F je, jouw; ~ *Luther* &, een Luther &.

you're [juə, jɔə] staat voor *you are.*

yours ['juəz, jɔ:z] de of het uwe; de uwen; van u; ~ *of the 4th* uw schrijven van de 4de; ~ *is to hand* wij zijn in bezit van uw schrijven; *it is* ~ het is van (voor) u; *it is* ~ *to obey* het is uw plicht te gehoorzamen; ~ *truly* (*faithfully, sincerely* &) hoogachtend, geheel de uwe; ~ *truly* ook: J ondergetekende.

yourself [juə-, jɔ:'self] *mv* **yourselves** u, gij zelf, zelf; *you are not quite* ~ *to-night* je bent niet op dreef vanavond; *you'll soon be quite* ~ *again* je zult weer spoedig de oude zijn.

youth [ju:θ] 1 jeugd; jeugdigheid; 2 jongeling; jongelieden, jongelui.

youthful ['ju:θful] jeugdig.

youth hostel ['ju:θhɔstəl] jeugdherberg.

youth hosteller ['ju:θhɔstələ] bezoeker, -ster van een jeugdherberg.

yowl [jaul] I *vi* huilen, janken; II *sb* gehuil *o*, gejank *o*.

yucca ['jʌkə] ♣ yuca.

Yugoslav ['ju:gou'sla:v] I *sb* Joegoslaaf; II *aj* Joegoslavisch.

Yugoslavia ['ju:gou'sla:viə] Joego-Slavië *o*.

Yule [ju:l] kersttijd.

yule-log ['ju:llɔg] houtblok *o* voor het kerstvuur, kerstblok *o*.

Yule-tide ['ju:ltaid] kersttijd.

yum-yum ['jʌm'jʌm] F keurig, (piek)fijn, overheerlijk.

Y.W.C.A. = *Young Women's Christian Association.*

Z

z [zed] (de letter) z.
Zachariah [zækə'raiə], Zacharias [zækə'raiəs], Zachary ['zækəri] Zacharias.
⚹ zany ['zeini] pias[2], potsenmaker, hansworst.
zeal [zi:l] ijver, vuur o, dienstijver (ook: ~ of office).
Zealand ['zi:lənd] (van) Zeeland o.
zealot ['zelət] zeloot, ijveraar, dweper.
zealotry ['zelətri] zelotisme o.
zealous(ly) ['zeləs(li)] ijverig, vurig.
Zebedee ['zebidi:] B Zebedeus.
zebra ['zi:brə] 1 🐾 zebra; 2 zebrapad o (~ crossing).
zebu ['zi:bu:] 🐾 zeboe.
Zen [zen] Zen.
zenana [zi'na:nə] IP harem.
zenith ['ze-, 'zi:niθ] zenit o, toppunt o.
zephyr ['zefə] zefier, koeltje o, windje o.
Zeppelin ['zepəlin] zeppelin [luchtschip].
zero ['ziərou] 1 nul, nulpunt o; 2 begin o.
zest [zest] wat een gesprek & kruidt; smaak, genot o, lust, animo; add (give) a ~ to... jeuïgheid geven aan, kruiden.
Zeus [zju:s] Zeus, Jupiter.
zigzag ['zigzæg] I sb zigzag; in ~s zigzagsgewijze; II aj zigzagsgewijs lopend, zigzag-; III ad zigzagsgewijs; IV vi zigzagsgewijs lopen, gaan &.
zinc [ziŋk] I sb zink o; II vt 1 met zink bekleden; 2 galvaniseren.

zincograph ['ziŋkougra:f] I sb zinklichtdruk; II vt zinkografisch reproduceren.
zincography [ziŋ'kəgrəfi] zinkografie.
Zion ['zaiən] Sion o: Jeruzalem[2] o.
Zionism ['zaiənizm] zionisme o.
Zionist ['zaiənist] zionist(isch).
zip [zip] I ij z-p!; II sb gefluit o [van een geweerkogel]; III vi fluiten [v. kogels]; IV vt dichttrekken (ook: ~ up).
zip fastener, ~ fastening ['zipfa:snə, -fa:sniŋ], Ⓜ zipper ['zipə] ritssluiting.
zither(n) ['ziθə(n)] ♪ citer.
zodiac ['zoudiæk] zodiak, dierenriem.
zodiacal [zou'daiəkl] zodiakaal.
Zoe ['zoui] Zoë.
zonal ['zounəl] zonaal, zone-.
zone [zoun] I sb gordel[2], zone, luchtstreek, gebied o; II vt 1 omgorden; 2 verdelen in zones.
zoo [zu:] F dierentuin, diergaarde.
zoological [zouə'lədʒikl]; vóór garden: [z(u)-'lədʒikl] zoölogisch, dierkundig; ~ garden(s) dierentuin, diergaarde.
zoologist [zou'ələdʒist] zoöloog, dierkundige.
zoology [zou'ələdʒi] zoölogie, dierkunde.
zouave [zu'a:v] 1 zoeaaf; 2 (dames)zoeavenjakje.
⚹ zounds [zaunds] drommels!, potdorie!
Zuider Zee ['zaidə'zi:] Zuiderzee.
Zulu ['zu:lu:] Zoeloe.
Zurich ['z(j)uərik] Zürich.
§ zymotic [zai'mɔtik] gistings-

TWEEDE DEEL
NEDERLANDS—ENGELS

A

a [a.] *v* a; *hij kent geen ~ voor een b* he does not know A from B; *wie ~ zegt, moet ook b zeggen* in for a penny, in for a pound; *van ~ tot z* from A to Z; from beginning to end.

a = *are*.

à [a.] at [four guilders]; *tien ~ vijftien* from ten to fifteen; *vijf ~ zes* five or six.

aai [a:i] *m* caress, chuck (under the chin).

aaien ['a.jə(n)] *vt* stroke, caress, chuck (under the chin).

aak [a.k] *m & v* ⚓ (Rhine) barge.

aakschipper ['a.ksχipər] *m* bargemaster.

aal [a.l] *m* 🐟 eel; *hij is zo glad als een ~* he is as slippery as an eel.

aalbes ['a.lbɛs] *v* 🌿 (black, red, white) currant.

aalbessenjenever [-bɛsəjəne.vər] *m* black-currant gin.

aalbessestruik [-bɛsəstrœyk] *m* currant bush.

aalfuik ['a.lfœyk] *v* eel-basket, eel-pot.

aalgeer ['a.lge:r] *m* eel-spear.

aalkorf ['a.lkɔrf] *m* eel-basket, eel-pot.

aalmoes ['a.lmu.s] *v* alms, charity; *(om) een ~ vragen* ask for charity, ask for (an) alms.

aalmoezenier [a.lmu.zə'ni:r] *m* 1 [prison &] chaplain; 2 ✕ (army) chaplain, F padre; 3 ⚔ almoner.

aalscholver ['a.lsχɔlvər] *m* 🐦 cormorant.

aambeeld ['a.mbe.lt] = *aanbeeld*.

aambeien ['a.mbɛiə(n)] *mv* haemorrhoids, piles.

aamborstig [a.m'bɔrstəx] asthmatic, short-winded.

aamborstigheid [-hɛit] *v* asthma, shortness of breath.

aan [a.n] **I** *prep* on, upon, at; (als datief om-schrijving) to; *~ haar bed* at (by) her bed-side; *~ boord* on board; *~ de deur* at the door; *~ de muur* on the wall; zie verder ook: *boord, hemel &*; *ze zijn ~ het dineren (schrijven &)* they are dining (writing &); *...gulden ~ dubbeltjes* in twopenny bits; *...gul-den ~ maakloon* to the making; *wat men zo ~ kleren nodig heeft* what one wants in the way of dress; *met vleugels ~ zijn schouders* with wings to his shoulders; *een huis ~ de straat* a house skirting (fronting) the street; *(het is) ~ u* (it is) your turn, it is for you to play; it is up to you, it is your duty to...; *vier ~ vier* by

fours; zie ook: *dag &*; **II** *ad ~ zijn* 1 ♂ be in play; 2 (aan 't bewind zijn) be in power; 3 (v. boot &) be in; 4 (branden) be on, be lighted (lit, alight); 5 (begonnen zijn) have begun [of service, school &]; *het is erg ~ tussen hen* they are as thick as thieves; *er is niets ~* 1 there's nothing in it; 2 there's no difficulty about it; *daar is wel iets van ~* there's something in that; *daar is niets van ~* there's not a word of truth in it; *je jas ~!* on with your coat!; *~! vuur!* ✕ present... fire!

aanaarden ['a.na:rdə(n)] *vt* earth up.

aanbakken [-bakə(n)] *vi* stick to the pan [of food].

aanbeeld [-be.lt] *o* anvil°; *hij slaat altijd op hetzelfde ~* he is always harping on the same string.

aanbelangen [-bəlaŋə(n)] in: *wat dit aanbelangt* as to this, as regards this.

aanbellen [-bɛlə(n)] *vi* ring (the bell), give a ring.

aanbenen [-be.nə(n)] *vi* F step out, mend one's pace.

aanbesteden [-bɛstə.də(n)] *vt* invite tenders for, put out to contract.

aanbesteding [-dɪŋ] *v* putting out to contract, contract, (public) tender.

aanbevelen ['a.nbəve.lə(n)] **I** *vt* recommend, commend; *wij houden ons aanbevolen voor...* we solicit the favour of your...; **II** *vr zich ~* recommend oneself.

aanbevelenswaard(ig) [a.nbəve.ləns'va:rt, -'va:rdəx] recommendable.

aanbeveling ['a.nbəve.lɪŋ] *v* recommendation; zie ook: *aanbevelingsbrief*; *kennis van Frans strekt tot ~* knowledge of French (will be) an advantage; *het verdient ~* it is worth while (to...); *op ~ van...* at the recommenda-tion of...

aanbevelingsbrief [-lɪŋsbri.f] *m* letter of rec-ommendation (introduction).

aanbiddelijk [a.n'bɪdələk] **I** *aj* adorable; **II** *ad* adorably.

aanbidden [a.n'bɪdə(n)] *vt* adore², worship.

aanbidder [-dər] *m* **aanbidster** [-stər] *v* adorer [also of a girl], worshipper, admirer.

aanbidding [-dɪŋ] *v* adoration, worship.

aanbieden ['a.nbi.də(n)] **I** *vt* offer, ⊙ proffer [a gift, services &], tender [money, services]; present [a bill, a scene of... &]; hand in [a telegram]; *het is ons aangeboden* $ we got an offer of it; **II** *vr zich ~* 1 (personen) offer (oneself), volunteer; 2 (gelegenheid) offer (itself), present itself.

aanbieding [-dɪŋ] *v* offer, tender; (v. geschenk, wissel) presentation.

aanbijten ['a.nbɛitə(n)] *vi* bite², take the bait², rise to the bait².

aanbinden [-bɪndə(n)] *vt* tie (on), fasten.

aanblaffen [-blɑfə(n)] *vt* bark at, bay at.

aanblazen [-bla.zə(n)] *vt* blow²; fan² [the fire, discord]; stir up [the passions].

aanblijven [-blɛivə(n)] *vi* continue (remain) in office; stay on; *moet de deur ~?* is the door to be kept ajar?; *moet de lamp ('t vuur) ~?* is the lamp (the fire) to be kept burning?

aanblik [-blɪk] *m* sight, look, view, aspect; *bij de eerste ~* at first sight (glance).

aanbod [-bɔt] *o* offer; *een ~ doen* make an offer.

aanbonzen [-bɔnzə(n)] *vi* in: *~ tegen* bump up against.

aanboren [-bo:rə(n)] *vt* 1 bore [a well]; 2 strike [oil &]; 3 *fig* tap [other sources].

aanbotsen [-bɔtsə(n)] *vi* in: *~ tegen* knock (strike, bump) against.

aanbouw [-bɔu] *m* 1 annex(e); 2 building [of ships]; 3 cultivation [of land]; 4 growing [of potatoes]; *in ~* in course of construction, under construction.

aanbouwen [-bɔuə(n)] *vt* 1 add [by building]; 2 build [ships &]; 3 cultivate [the land]; 4 grow [potatoes].

aanbranden [-brɑndə(n)] *vi* burn, be burnt; *dat ruikt (smaakt) aangebrand* it has a burnt smell (taste).

aanbreien [-brɛiə(n)] *vt* in: *kousen ~* (re)foot stockings.

aanbreken [-bre.kə(n)] **I** *vt* break into [one's provisions, one's capital], cut into [a loaf], broach [a cask], open [a bottle]; **II** *vi* 1 (v. dag) break, dawn; 2 (v. nacht) fall; 3 (v. ogenblik, tijd) come; **III** *o* in: *bij het ~ van de dag* at daybreak, at dawn; *bij het ~ van de nacht* at nightfall.

aanbrengen [-brɛŋə(n)] *vt* 1 *eig* bring, carry (there); 2 (plaatsen) place, put up [ornaments], fix (up) [a thermometer], fit [a telephone in a room, to the wall]; 3 (maken) make [a passage in a wall], let [a door into a wall]; introduce [a change]; 4 (geven) yield [a profit]; bring [luck]; bring in [capital, members]; 5 (aangeven) denounce [a person to the police], inform on [one's own family], delate [an offence]; 6 (oververtellen) tell, disclose, reveal.

aanbrenger [-brɛŋər] *m* denunciator, informer; telltale.

aanbrengpremie ['a.nbrɛŋpre.mi.] *v* reward.

aandacht ['a.ndɑxt] *v* attention; *geen ~ schenken aan* pay no attention to...; *de ~ trekken* attract (catch) attention; *de ~ vestigen op* call (draw) attention to...; *zijn ~ vestigen op...* turn one's attention to...

aandachtig [a.n'dɑxtəx] *aj* (& *ad*) attentive(ly).

aandachtsstreep ['a.ndɑxtstre.p] *v* dash.

aandeel ['a.nde.l] *o* share°, portion, part; *~ aan toonder* share to bearer, bearer share; *~ op naam* registered (nominal, personal) share; *gewoon, preferent ~* ordinary, preference share; *voorlopig ~* scrip (certificate); *~ hebben in* have a share in, have part in; zie ook: *deel*.

aandeelbewijs [-bəvɛis] *o* share certificate.

aandeelhouder [-hou(d)ər] *m* shareholder.

aandelenkapitaal ['a.nde.lənkɑpi.ta.l] *o* share capital, capital stock.

aandenken [-dɛŋkə(n)] *o* memory, remembrance; (voorwerp) memento, souvenir, keepsake; *iemand in gezegend ~ houden* keep his memory green.

aandienen [-di.nə(n)] *vt* announce; *zich laten ~* send in (up) one's name (one's card).

aandikken [-dɪkə(n)] *vt* 1 (een lijn) thicken; 2 (iets) lay it on, underline it.

aandoen [-du.n] *vt* 1 put on [clothes]; 2 (veroorzaken) cause [trouble], give [pain]; 3 (aanpakken) affect [the mind &]; move [the heart &]; 4 (binnenlopen) call at [a port, a station &]; *zijn longen zijn aangedaan* his lungs are affected; *het doet (ons) vreemd aan* it strikes us as odd; *het deed (ons) zeer onaangenaam aan* it made a very unpleasant impression upon us. Zie ook: *aangedaan, proces &.*

aandoening [-du.nɪŋ] *v* affection°; emotion; *een ~ van koorts* ook: a touch of fever.

aandoenlijk [a.n'du.nlək] **I** *aj* 1 (v. verhaal, toneel) moving, touching, pathetic; 2 (v. gemoed) sensitive, impressionable; **II** *ad* movingly, touchingly, pathetically.

aandoenlijkheid [-hɛit] *v* 1 (v. verhaal) pathos; 2 (v. gemoed) sensitiveness.

aandraaien ['a.ndra.jə(n)] *vt* 1 turn on, turn, tighten [the screw²]; 2 switch on [the light].

aandragen [-dra.gə(n)] *vt* bring, carry.

aandrang [-drɑŋ] *m* 1 (aandrift) impulse; 2 ('t aandringen) pressure; urgency; insistence; *met ~* urgently, earnestly; *op ~ van* at the instance of; *uit eigen ~* of one's own accord.

aandraven [-dra.və(n)] *vi* in: *komen ~* come trotting on.

aandrentelen [-drɛntələ(n)] *vi* in: *komen ~* come sauntering along.

aandribbelen [-drɪbələ(n)] *vi* in: *komen ~* come toddling along.

aandrift [-drɪft] *v* impulse; instinct; *uit eigen ~* zie *aandrang.*

aandrijven [-drɛivə(n)] **I** *vt* drive on, prompt, press, press on, urge on; ✗ drive [a machine]; **II** *vi* be washed ashore; *komen* ~ come floating along.

aandrijving [-drɛiviŋ] *v* ✗ drive; *met elektrische* ~ ✗ electrically driven.

aandringen [-drɪŋə(n)] **I** *vi* press the matter, pursue one's point; ~ *op...* insist on; ~ *op... bij...* ook: be urgent with... for...; *bij hem* ~ *op betaling* press him for payment; **II** *o* insistence; *op* ~ *van* at the instance of.

aandrukken [-drűkə(n)] *vt* in: ~ *tegen* press against, press close to.

aanduiden [-dœydə(n)] *vt* 1 (wijzen) indicate, point out, show; 2 (aangeven) denote, designate, describe; 3 (getuigen van) be indicative of, signify, mark.

aanduiding [-dœydiŋ] *v* 1 indication, intimation; 2 designation, description.

aandurven [-dűrvə(n)] *vt* dare; *het niet* ~ not dare to do it; *durft hij het aan?* dare he do it?; *iemand* ~ dare to fight one; *een taak niet* ~ shrink from a task.

aanduwen [-dy.və(n)] *vt* push.

aaneen [a.n'e.n] together; *dagen* ~ for days together, at a stretch; *zes uren* ~ for six hours on end.

aaneenbakken [-bakə(n)] *vi* bake together.

aaneenbinden [-bɪndə(n)] *vt* bind (tie) together.

aaneengeschakeld [-gəsxa.kəlt] connected.

aaneengesloten [-gəslo.tə(n)] united; serried [ranks].

aaneengroeien [-gru.jə(n)] *vi* grow together.

aaneenhangen [-haŋə(n)] *vi* hang together; *het hangt als droog zand aaneen* it sticks together like grains of sand; *het hangt van leugens aaneen* it is a tissue of lies.

aaneenhechten [-hɛxtə(n)] *vt* join, fasten, connect together.

aaneenketenen [-ke.tənə(n)] *vt* chain (link) together.

aaneenkleven [-kle.və(n)] *vi* stick together.

aaneenklinken [-klɪŋkə(n)] *vt* rivet together.

aaneenknopen [-kno.pə(n)] *vt* tie together.

aaneenkoppelen [-kɔpələ(n)] *vt* couple together, couple[2] [railway-carriages, dogs, two people].

aaneenlassen [-lasə(n)] *vt* join together.

aaneenlijmen [-lɛimə(n)] *vi* glue together.

aaneennaaien [-na.jə(n)] *vt* sew together.

aaneenplakken [-plakə(n)] **I** *vi* stick together; **II** *vt* glue (paste) together.

aaneenrijgen [-rɛigə(n)] *vt* string [beads]; tack together [garments].

aaneenschakelen [-sxa.kələ(n)] *vt* link together, link up.

aaneenschakelend [-lənt] *gram* copulative.

aaneenschakeling [-lɪŋ] *v* concatenation, series.

aaneenschrijven [a.n'e.ns(x)rɛivə(n)] *vt* write in one.

aaneensluiten [-slœytə(n)] **I** *vi* fit; **II** *vr zich* ~ close the ranks; join hands, unite.

aaneensmeden -sme.də(n)] *vt* weld together.

aaneenvlechten [-vlɛxtə(n)] *vt* braid together, twist (twine) together.

aaneenvoegen [-vu.gə(n)] *vt* put together, join.

aanfluiting ['a.nflœytɪŋ] *v* mockery, farce; **B** byword.

aanfokken [-fɔkə(n)] *vt zie fokken.*

aangaan ['a.nga.n] **I** *vi* 1 (vuur &) light, catch, strike, take fire, burn; (licht) come on, go up; (voorstelling &) begin; 2 (te keer gaan) take on, carry on; *dat gaat niet aan* that won't do; ~ *bij iemand* call at a person's house, call on a person; ~ *op...* go up to..., make for...; **II** *vt* 1 enter into [a marriage, treaty &], contract [a marriage], conclude [a treaty], negotiate [a loan], lay [a wager &]; 2 concern, regard; *dat gaat u niet(s) aan* ook: that's none of your business, no business (no concern) of yours; *wat dat aangaat...* as regards (respects) this, as to that; as for that; *wat mij aangaat* so far as I am concerned, for my part, I for one; *wat gaat mij dat aan?* what's that to me?; *allen die het aangaat* all concerned.

aangaande [a.n'ga.ndə] concerning, as regards..., as to...

aangalopperen ['a.ngɑlɔpe:rə(n)] *vi* in: *komen* ~ come galloping along.

aangapen [-ga.pə(n)] *vt* gape at.

aangebedene [-gəbe.dənə] in: *zijn* ~ his adored (one).

aangebonden [-gəbòndə(n)] in: *kort* ~ short-tempered.

aangeboren [-gəbo:rə(n)] innate, inborn, congenital.

aangedaan [-gəda.n] moved, touched, affected.

aangehuwd [-gəhy:ut] allied (by marriage); ~*e broeder* brother-in-law; ~*e tante* aunt by marriage.

aangeleerd [-gəle.rt] acquired; taught.

aangelegd [-gəlɛxt] in: *humoristisch* ~ of a humorous turn; *religieus* ~ religiously minded; *zo is hij nu eenmaal* ~ he is made (built) that way.

aangelegen [-gəle.gə(n)] adjacent, adjoining.

aangelegenheid [a.ngə'le.gənhɛit] *v* matter, concern, affair, business.

aangenaam ['a.ngəna.m] **I** *aj* agreeable, pleasant; pleasing; gratifying; comfortable; ~ (*kennis te maken)!* pleased to meet you!; how do you do?; *het is mij* ~ *te horen* I am pleased to hear; *het geschenk was mij zeer* ~ it was very acceptable to me; **II** *sb* in: *het aangename van...* the amenities of... [such a life]; *het aangename met het nuttige verenigen* combine business with pleasure; **III** *ad* agreeably &.

aangenomen [-gəno.mə(n)] adoptive [child]; assumed [name]; contract, job [work]; zie ook: *aannemen.*

aangeschoten [-gəsxo.tə(n)] 1 (vogel) winged, wounded; 2 (dronken) F tipsy.

aangesloten [-gəslo.tə(n)] ~ *bij* affiliated to a

party]; on [the telephone]; *de ~en* 🐝 the subscribers.

aangespen [-gɛspə(n)] *vt* buckle on.

aangestoken [-gəsto.kə(n)] worm-eaten [apples]; unsound [fruit]; carious [teeth]; broached [casks].

aangetekend [-gətə.kənt] 🐝 registered; *~ verzenden* 🐝 send by registered post.

aangetrouwd [-gətrɑut] zie *aangehuwd*.

aangeven [-ge.və(n)] I *vt* 1 (aanreiken) give, hand, reach; 2 (aanwijzen) indicate [the direction]; mark [something on a map]; 3 (op 't stadhuis) notify [a disease], give notice of [a birth]; 4 (v. bagage) register; 5 (aan de douane) enter, declare; 6 🏛 give information of [something]; denounce, report [a person to the police]; *hebt u niets aan te geven?* anything to declare?; zie ook: *maat, pas, toon* &; II *vr zich ~* enter [for an examination], enter one's name; *zichzelf ~ bij de politie* give oneself up to the police.

aangever [-ge.və(r)] *m* 1 denunciator, informer; 2 $ declarant.

aangezicht [-gəzɪxt] *o* zie *gezicht*; *van ~ tot ~* face to face.

aangezichtspijn [-zɪxtspɛin] *v* face-ache.

aangezien [-gəzi.n] seeing that, since, as.

aangifte [-gɪftə] *v* notification [of birth &]; declaration [of goods, of one's income]; 🏛 information; *~ doen van* give notice of [a birth]; declare, enter [goods]; report [a theft].

aangiftebiljet [-gɪftəbɪljet] *o* form of return, tax form.

aanglijden [-glɛi(d)ə(n)] *vi* in: *komen ~* come sliding along.

aangluren [-gly:rə(n)] *vt* peep at; (verliefd) ogle.

aangolven [-gɔlvə(n)] *vi* in: *komen ~* come rolling on.

aangooien [-go.jə(n)] *vt* throw on [one's coat]; *het ~ tegen* throw (fling) it against.

aangorden [-gɔrdə(n)] I *vt* gird on [a sword]; II *vr zich ~* gird up one's loins.

aangrenzend [a.n'grɛnzənt] adjacent, adjoining.

aangrijnzen [ˈa.ngrɛinzə(n)] *vt* grin at [a person]; *de honger grijnst hen aan* hunger stares them in the face.

aangrijpen [-grɛipə(n)] *vt* 1 *eig* seize, take (seize, catch) hold of; 2 *fig* take, seize [the opportunity], seize upon [a pretext]; attack [the enemy]; tell upon [a man's health]; *aangegrepen door...* seized with [fear]; deeply moved by [the sight].

aangrijpend [a.n'grɛipənt] touching, moving, thrilling.

aangrijpingspunt [ˈa.ngrɛipɪŋspûnt] *o* 🔧 point of application.

aangroei [-gru:i] *m* zie *aanwas*.

aangroeien [-gru.jə(n)] *vi* grow, augment, increase.

aanhaken [-ha.kə(n)] *vt* hook on, hitch on [to].

aanhalen [-ha.lə(n)] *vt* 1 (gaan halen) fetch; 2 (aantrekken) tighten [a knot]; 3 (citeren) quote, cite [an author, his words, an instance]; instance [cases]; 4 (bij deling) bring down [a figure]; 5 (liefkozen) fondle, caress; 6 (in beslag nemen) seize [goods].

aanhalig [a.n'ha.ləx] coaxing.

aanhaligheid [-ləxhɛit] *v* coaxing ways.

aanhaling [ˈa.nha.lɪŋ] *v* 1 quotation, citation; 2 seizure [of goods].

aanhalingstekens [-lɪŋste.kəns] *mv* inverted commas, quotation marks, F quotes; *tussen ~ plaatsen* put (place) in inverted commas (quotation marks).

aanhang [ˈa.nhɑŋ] *m* adherents, following, party, followers, hangers-on.

aanhangen [-hɑŋə(n)] *vt* 1 adhere to, stick to, hang on to [a party]; 2 attach, hang [an ornament &]; zie ook: *klis*.

aanhanger [-hɑŋər] *m* adherent, follower, supporter, partisan.

aanhangig [a.n'hɑŋəx] pending; *~ maken* 1 🏛 lay [a matter] before a court; 2 bring in [a bill]; 3 take up [the matter with the government].

aanhangmotor [ˈa.nhɑŋmo.tər] *m* 1 ⚓ outboard motor; 2 (v. fiets) cycle motor.

aanhangsel [-hɑŋsəl] *o* appendix [to a book]; rider [of a document], codicil [of a will].

aanhangwagen [-va.gə(n)] *m* trailer.

aanhankelijk [a.n'hɑŋkələk] attached, devoted; *een ~ kind* a child strongly attached to its parents &, an affectionate child.

aanhankelijkheid [-hɛit] *v* attachment.

aanhebben [ˈa.nhɛbə(n)] *vt* have on, wear.

aanhechten [-hɛxtə(n)] *vt* affix, attach.

aanhechting [-tɪŋ] *v* affixing, attachment.

aanhef [ˈa.nhɛf] *m* beginning [of a letter]; opening words [of a speech].

aanheffen [-hɛfə(n)] *vt* intone [a psalm], strike up [a song], raise [a shout], set up [a cry].

aanhinken [-hɪŋkə(n)] *vi* in: *komen ~* come hobbling along.

aanhitsen [-hɪtsə(n)] *vt* incite, set on, egg on, instigate; *zijn hond ~ op (tegen)* set one's dog at; *iemand ~ tot...* incite one to...

aanhitser [-sər] *m* inciter, instigator.

aanhitsing [-sɪŋ] *v* incitement, instigation.

aanhollen [ˈa.nhɔlə(n)] *vi* in: *komen ~* come tearing on.

aanhoren [-ho:rə(n)] *vt* listen to; *het is hem aan te horen* you can tell by his accent (voice); *het is niet om aan te horen* you couldn't bear to hear it, I can't stand it; *ten ~ van* in the hearing of.

aanhouden [-hɑudə(n)] I *vt* 1 (niet afbreken) hold, sustain [a note]; 2 (niet laten doorgaan) stop [a man in the street &]; hold up [a ship]; apprehend, arrest [a thief]; seize, detain [goods]; 3 (behouden) keep on [servants &]; 4 (blijven doorgaan met) keep up [a correspondence &]; 5 (niet uitlaten) keep on [one's coat]; 6 (niet uitdoven) keep... burning; 7 (niet behandelen) hold over [an article, the matter till the next meeting]; **II** *vi* 1 (doorgaan, blijven duren) hold, last [of the weather], continue; 2 (volhouden) hold on²; *fig* persevere, ook: pursue one's point; 3 (aan een herberg &) stop; ~ *op* ⚓ make for.

aanhoudend [a.n'hɑudənt] **I** *aj* continual, continuous, incessant, persistent; **II** *ad* continually, continuously, incessantly, persistently.

aanhouder ['a.nhɑudər] *m* persevering person; *de* ~ *wint* perseverance kills the game.

aanhouding [-dɪŋ] *v* detainment, seizure [of goods, of a ship]; arrest, apprehension [of a thief], detention [of a suspect].

aanhuppelen ['a.nhŭpələ(n)] *vi* in: *komen* ~ come skipping, frisking, capering along.

aanijlen [-εilə(n)] *vi* in: *komen* ~ zie *aanjagen* II.

aanjagen [-ja.gə(n)] **I** *vt* hurry on; *aangejaagde motor* supercharged engine; zie ook: *schrik & vrees*; **II** *vi* in: *komen* ~ come hurrying on (along).

aanjager [-gər] *m* supercharger [of an engine].

aankap ['a.nkɑp] *m* 1 felling [of trees]; 2 timber reserve, lumber exploitation.

aankijken [-keikə(n)] *vt* look at; *het* ~ *niet waard* not worth looking at.

aanklacht [-klɑxt] *v* accusation, charge, indictment; *een* ~ *indienen tegen iemand* lodge a complaint against one, bring a charge against one.

aanklagen [-kla.gə(n)] *vt* accuse; ~ *wegens* accuse of, charge with, indict for.

aanklager [-gər] *m* 1 (in 't alg.) accuser; 2 ᵗ½ plaintiff; *openbaar* ~ public prosecutor.

aanklampen ['a.nklɑmpə(n)] *vt* board [a vessel]; F accost, buttonhole [a person].

aankleden [-kle.də(n)] **I** *vt* dress [a child &]; get up [a play]; **II** *vr zich* ~ dress (oneself).

aankleding [-dɪŋ] *v* dressing; get-up [of a play].

aankleve ['a.nkle.və] in: *met den* ~ *van dien* and the appurtenances thereof.

aankleven [-kle.və(n)] *vi* cling to²; adhere to, stick to, be attached to [friends, a party]; *de gebreken die ons* ~ the faults that flesh is heir to.

aankloppen [-klɔpə(n)] *vi* knock (rap) at the door; *bij iemand* ~ *om geld* (*hulp*) apply to a person for money (help).

aanknopen [-kno.pə(n)] *vt* tie on to; *een gesprek* ~ *met* enter into conversation with; *onderhandelingen* ~ enter into negotiations, open negotiations; *weder* ~ renew, resume.

aanknoping [-pɪŋ] *v* tying.

aanknopingspunt [-pɪŋspŭnt] *o* point of contact; ~ *voor een gesprek* starting point for a conversation.

aankomeling ['a.nko.məlɪŋ] *m* beginner, novice; ⊊ freshman; new-comer.

aankomen [-ko.mə(n)] **I** *vi* 1 *eig* come [of persons], arrive, come in [of a train &]; 2 (v. slag) go home; 3 (v. twist &) begin, start; 4 (toenemen in gewicht &) gain [8 oz. a week]; put on weight; *je moet eens* ~ just come round, drop in; *te laat* ~ be overdue; arrive (be) late; *ik zie* ~, *dat*... I foresee...; *ik heb 't wel zien* ~ I expected as much; *hij zal je zien* ~ F he'll see you further (first); *je moet er niet* ~ you must not touch it (them), (you should) leave it alone; ~ *bij iemand* zie *aangaan bij iemand*; ~ *in Londen* arrive in London; ~ *met een voorstel* come out (with, put forward a proposal; *daarmee kan je bij hem niet* ~ 1 it will hardly do for you to propose that to him; 2 that will be no good with him; *daarmee hoef je bij mij niet aan te komen* none of that for me; don't tell me!; ~ *op de plaats* arrive at (on) the spot; *op iemand* ~ come up to a person; *het zal er op* ~ now comes the tug of war; *het komt hier op geld aan* it is money that matters; *het komt op nauwkeurigheid aan* accuracy is the great thing; *op de kosten komt het niet aan* the cost will be no consideration; *het komt er niet op aan* 1 it doesn't matter; 2 that's neither here nor there; *het zal er maar op* ~ *om*... the great thing will be to...; *als het er op aankomt* when it comes to the trial; *als het er op aankomt om te betalen*... when it comes to paying...; *het maar laten* ~ *op een ander* leave things to another; *het er maar op laten* ~ let things drift, trust to luck, leave it to chance; *het laten* ~ *op het laatste ogenblik* put it off to the last minute; ~ *tegen de muur* strike (against) the wall; **II** *o* in: *er is geen* ~ *aan* it is (they are) not to be had.

aankomend [-ko.mənt] in: *een* ~ *bediende*, *kantoorbediende* a junior man, clerk; *een* ~ *meisje* a growing girl; an adolescent girl; *een* ~ *onderwijzer* 1 (nog opgeleid wordend) a future teacher; 2 (pas beginnend) a young teacher.

aankomst [-kòmst] *v* arrival; *bij* (*mijn*) ~ on (my) arrival.

aankondigen [-kòndəgə(n)] *vt* 1 (in 't alg.) announce; (per advertentie, bij wijze van reclame) advertise; (per aanplakbiljet) bill [a play &]; (officieel) notify; 2 (voorspellen) herald; forebode, portend; foreshadow [a major crisis, grave developments]; 3 (bespreken) notice, review [a book].

aankondiger [-gər] *m* announcer; harbinger.

aankondiging [-gɪŋ] *v* 1 announcement; (officieel) notification; notice; 2 (advertentiereclame) advertisement; 3 (bespreking) (press) notice, review [of a book]; *tot nadere* ~ until further notice.

aankoop ['a.nko.p] *m* purchase, acquisition.

aankopen [-ko.pə(n)] *vt* purchase, buy, acquire.

aankrijgen [-krɛigə(n)] *vt* get on [one's boots &]; get into [one's clothes].

aankruipen [-krœypə(n)] *vi* in: *komen* ~ come creeping along; *tegen iemand* ~ nestle close to one.

aankuieren [-kœyərə(n)] *vi* in: *komen* ~ come sauntering along.

aankunnen [-kŭnə(n)] I *vt* be (prove) a match for [another]; be equal to [a task]; be able to cope with [the demands]; *hij kan heel wat aan* 1 he can cope with a lot of work; 2 F he can manage heaps of food, a lot of drink, no end of money; II *vi* in: *de jas kan niet aan* I can't (you can't) put on that coat; *kan men op hem aan?* can one rely upon him?

aankwakken [-kvɑkə(n)] *vt* in: ~ *tegen* fling (dash) against.

aankweek [-kve.k] *m* zie *aankweking*.

aankweken [-kve.kə(n)] *vt eig* grow, raise, rear, cultivate²; *fig* foster [feelings of...].

aankweking [-kiŋ] *v* growing &; cultivation², culture.

aanlanden ['a.nlɑndə(n)] *vi* land; zie ook: *belanden*.

aanlassen [-lɑsə(n)] *vt* join; (met lasapparaat) weld.

aanlaten [-la.tə(n)] *vt* keep on [one's coat]; keep burning, not put out [a lamp &]; leave [the door] ajar.

aanleg [-lɛx] *m* 1 laying out, lay-out [of avenues, roads &]; construction [of a railway]; laying [of a cable]; installation [of electric plant]; 2 (natuurlijk talent) (natural) disposition, aptitude, talent, turn [for music &]; 3 (vatbaarheid) predisposition, tendency [to consumption]; 4 in instance; 5 (plantsoen) (pleasure) grounds; ~ *hebben voor* have a turn for [music &]; have a tendency, a predisposition [to consumption].

aanleggen [-lɛgə(n)] I *vt* 1 apply [a dressing, a standard]; place [a clinical thermometer]; 2 (tot stand brengen) lay out [a garden], construct [a railway, a road], build [a bridge], dig [a canal], install, put in [electric light]; lay [a fire]; make [a collection, a list]; 3 ✕ level [one's rifle] (at *op*); *het* ~ manage; *het (de zaak) handig* ~ manage things (the matter) cleverly; *het verkeerd* ~ set about it the wrong way; *het zó* ~ *dat...* manage to, contrive to...; *het zuinig* ~ be economical; *het* ~ *met een meisje* carry on (take up) with a girl; *hij legt het er op aan om straf te krijgen* he is bent upon getting punished; II *vi* 1 (stilhouden) stop [at an inn]; 2 (mikken) aim, take aim; *leg aan!* ✕ present!; ~ *op* aim at, take aim at.

aanlegger [-gər] *m* 1 originator [of a quarrel &], instigator [of a revolt], author [of a aplot!]; 2 constructor, builder [of roads, canals &].

anlegplaats ['a.nlɛxpla.ts] *v* **aanlegsteiger** [-stɛigər] *m* landing-stage.

aanleiding ['a.nlɛidiŋ] *v* occasion, inducement, motive; ~ *geven tot* give rise to, lead to, occasion; *bij de geringste* ~ on the slightest provocation; *naar* ~ *van* in pursuance of [our note]; with reference to, referring to [your letter]; having seen [your advertisement...]; in consequence of, on account of [his behaviour]; in connection with [your inquiry]; *zonder de minste* ~ without any [reason.

aanlengen [-lɛŋə(n)] *vt* dilute.

aanleren [-le:rə(n)] I *vt* learn [a trade &]; acquire [a habit]; II *vi* & *va* improve.

aanleunen [-lø.nə(n)] *vi* in: ~ *tegen* lean against; *zich iets laten* ~ take it [the compliment] as one's due; 2 sit down under an insult, lie down under an accusation.

aanliggend [-ligənt] adjacent, adjoining.

aanlijmen [-lɛimə(n)] *vt* glue on.

aanlokkelijk [a.n'lɔkələk] alluring, enticing, tempting, attractive.

aanlokkelijkheid [-hɛit] *v* alluringness &; charm, attraction.

aanlokken ['a.nlɔkə(n)] *vt* allure, entice, tempt.

aanlokking [-kiŋ] *v* allurement, enticement.

aanloop ['a.nlo.p] *m* run; ✕ rush; *fig* preamble; *een* ~ *nemen* take a run; *veel* ~ *hebben* be called on by many people; *sprong met (zonder)* ~ running (standing) jump.

aanloophaven [-ha.və(n)] *v* port of call.

aanlopen ['a.nlo.pə(n)] *vi* 1 (eens aankomen) call round, drop in [somewhere]; 2 (duren) last; *wat* ~ walk a little faster, mend one's pace, step out; *hij liep blauw (rood, paars) aan* he got purple in the face; ~ *bij iemand* call on a man, drop in upon one; ~ *op* walk towards; ~ *tegen* run up against [a wall]; run into [a man]; *er tegen* ~ F come to grief, get into trouble; *komen* ~ come walking on (along), come running on (along).

aanmaak [-ma.k] *m* manufacture, making.

aanmaakhout [-ma.khɑut] *o* kindling wood; *aanmaakhoutjes* kindlings.

aanmaken [-ma.kə(n)] *vt* 1 manufacture, make; 2 light [a fire]; 3 dress [salad]; 4 mix [colours].

aanmanen [-ma.nə(n)] *vt* exhort [to a course, to make haste], call upon [one to do his duty]; dun [for payment].

aanmaning [-niŋ] *v* warning, exhortation; dun [for payment].

aanmatigen ['a.nma.təgə(n)] *zich* ~ arrogate to oneself; assume; presume [to advise a person, to express an opinion].

aanmatigend [a.n'ma.təgənt] I *aj* arrogant, presumptuous, overbearing, overweening, assuming; II *ad* arrogantly, presumptuously, overbearingly.

aanmatiging ['a.nma.təgiŋ] *v* arrogance, presumption, overbearingness, assumingness.

aanmelden [-mɛldə(n)] I *vt* announce; II *vr zich* ~ announce oneself; apply [for a place]; zie verder: *zich aangeven*; *zich laten* ~ send in (up) one's name.

aanmelding [-dɪŋ] *v* 1 (bericht) announcement, notice; 2 (voor betrekking) application; 3 (voor wedstrijd &) entry.

aanmengen ['a.nmɛŋə(n)] *vt* mix.

aanmerkelijk [a.n'mɛrkələk] I *aj* considerable; II *ad* considerably.

aanmerken ['a.nmɛrkə(n)] *vt* (beschouwen, rekenen) consider; *heb jij er iets op aan te merken?* have you any fault to find with it?; *ik heb er niets (veel, weinig) op aan te merken* I have no (great, little) fault to find with it.

aanmerking [-kɪŋ] *v* 1 (opmerkzaamheid) consideration; 2 (onaangename opmerking) remark, observation; 3 (afkeuring) ☞ bad mark; ~ *maken op* find fault with; *geen* ~ *te maken hebben* have no fault to find (with it); *een* ~ *krijgen* 1 ☞ be put down; 2 be criticized; be blamed [officially]; *in* ~ *komen* be considered [for an appointment]; be eligible [for a pension]; *hij wenst voor die betrekking in* ~ *te komen* he wishes to submit his name for consideration; *niet in* ~ *komen* be left out of account (consideration), deserve (receive) no consideration; *hij komt niet in* ~ *voor die betrekking* his application is not considered; *in* ~ *nemen* take into consideration, consider (that...), take into account, make allowance for; *zijn leeftijd in* ~ *genomen...* considering his age; *alles in* ~ *genomen...* all things considered.

aanmeten ['a.nme.tə(n)] *vt* take one's measure for; *zich een jas laten* ~ have one's measure taken for a coat; *een aangemeten jas* a made-to-measure coat.

aanminnig [a.n'mɪnəx] charming, sweet.

aanminnigheid [-hɛit] *v* charm, sweetness.

aanmoedigen ['a.nmu.dəɣə(n)] *vt* encourage.

aanmoediging [-ɣɪŋ] *v* encouragement.

aanmonsteren ['a.nmònstərə(n)] I *vt* engage; II *vi* sign on [in a ship].

aanmunten [-mʉntə(n)] *vt* coin, mint, monetize.

aanmunting [-tɪŋ] *v* coinage, minting, monetization.

aannemelijk [a.'ne.mələk] 1 acceptable [present &]; plausible [excuse]; 2 teachable [child].

aannemelijkheid [a.'ne.mələkhɛit] *v* 1 acceptability; plausibility [of an excuse]; 2 teachability [of a child].

aanneming ['a.ne.məlɪŋ] *m* 1 (protestant) candidate for confirmation; confirmee; 2 *RK* first communicant.

aannemen ['a.ne.mə(n)] *vt* 1 take, accept, receive [it]; take in [the milk]; take delivery of [the goods]; 2 (opnemen als lid) admit [(as) a member], confirm [a baptized person], receive [into the Church]; 3 (niet weigeren) accept [an offer &]; 4 (niet verwerpen) adopt, carry [a motion], pass [a bill]; 5 (als waar) admit; 6 (onderstellen) suppose; 7 (in dienst nemen) take on, engage; 8 (zich geven) adopt, take on, assume [an

air]; 9 (v. werk) take in [sewing]; contract for [a work]; ~! waiter!; *aangenomen! agreed!; aangenomen dat...* assuming that..., supposing it to be...; ~ *om te...* undertake to...; *als regel* ~ *om...* make it a rule to...; *tot kind* ~ adopt as a child; *boodschappen* ~ take messages; *een godsdienst* ~ embrace a religion; zie ook: *gewoonte* & *rouw*; *goed van* ~ teachable [of a child &].

aannemer [-mər] *m* contractor; building contractor, (master) builder.

aannemersfirma [-mərsfɪrma.] *v* firm of (building) contractors.

aanneming [-mɪŋ] *v* 1 acceptance, adoption, admission; 2 confirmation [in the Protestant Church].

aanpak ['a.npɑk] *m* in: *de* ~ *van dit probleem* the approach to this problem.

aanpakken [-pɑkə(n)] I *vt* 1 eig seize, take (lay) hold of; tackle [a problem]; 2 (v. de gezondheid) tell upon [one]; *hoe wil je dat* ~? how are you going to set about it, tackle it?; *het goed* ~ go to work the right way; *iemand eens goed (flink)* ~ take one in hand vigorously; *iemand ruw* ~ handle one roughly; *het verkeerd* ~ go the wrong way to work; *iemand verkeerd* ~ manage one the wrong way; rub one the wrong way; *dat pakt je nogal aan* it rather tells upon you, takes it out of you, is a strain upon your health; II *va* in: *je moet (flink)* ~ you should bestir yourself.

aanpappen [-pɑpə(n)] *vi* in: *met iemand* ~ F strike up an acquaintance with a person, pick up with a person.

aanpassen [-pɑsə(n)] I *vt* try on [clothes]; ~ *aan* adapt to [the needs of...], adjust to [modern conditions]; II *vr zich* ~ *aan* adapt oneself to, adjust oneself to [circumstances, conditions].

aanpassing [-sɪŋ] *v* adaptation, adjustment.

aanpassingsvermogen [-sɪŋsfərmo.ɣə(n)] *o* adaptability.

aanplakbiljet ['a.nplɑkbɪljet] *o* placard, poster.

aanplakbord [-bòrt] *o* bill-board, notice-board.

aanplakken ['a.nplɑkə(n)] *vt* placard, post (up); paste (up); *verboden aan te plakken* stick no bills.

aanplakker [-plɑkər] *m* bill-sticker.

aanplakzuil [-plɑksœyl] *v* advertising pillar.

aanplant ['a.nplɑnt] *m* 1 (het planten) planting; 2 (plantage) plantation.

aanplanten [-plɑntə(n)] *vt* plant.

aanplanting [-tɪŋ] *v* zie *aanplant*.

aanporren ['a.npòrə(n)] *vt* rouse, shake up, prod.

aanporring [-rɪŋ] *v* rousing; stimulation.

aanprijzen ['a.npreizə(n)] *vt* recommend, commend highly, sound the praises of, preach up.

aanpunten [-pʉntə(n)] *vt* point, sharpen.

aanraden [-ra.də(n)] I *vt* advise; recommend; suggest; II *o* in: *op* ~ *van* on (at) the advice of, on (at) the suggestion of.

aanraken [-ra.kə(n)] *vt* touch.

aanraking [-kɪŋ] *v* touch, contact; *in ~ brengen met* bring into contact with; *in ~ komen met* come into touch with, be brought into contact with; *wij komen niet veel met hen in ~* we don't see much of them; *met de politie in ~ komen* get into trouble with the police.

aanrakingspunt [-kɪŋspŭnt] *o* point of contact.

aanranden ['a.nrɑndə(n)] *vt* assail, assault [s̟t̟ a woman criminally].

aanrander [-dər] *m* assailant, assaulter.

aanranding [-dɪŋ] *v* assault.

aanrecht ['a.nrɛxt] *o & m* dresser.

aanreiken ['a.nrɛikə(n)] *vt* reach, hand, pass.

aanrekenen [-re.kənə(n)] **I** *vt* count... to; *iemand iets ~* count it to him for a sin, score it against him (for a sin); **II** *vr in: zich iets als een eer ~* 1 take credit to oneself for...; 2 take it as an honour; zie ook: *verdienste*.

aanrennen [-rɛnə(n)] *vi in: komen ~* come galloping, running on; *~ op* rush at; *~ tegen* run into.

aanrichten [-rɪxtə(n)] *vt* 1 do [harm]; work [mischief]; cause, bring about [damage]; commit [ravages]; 2 give [a dinneꞇ-party].

aanrijden [-rɛi(d)ə(n)] **I** *vi in: komen ~* come riding (driving) on; *bij iemand ~* pull up at a man's house; *op iemand (iets) ~* ride (drive) in the direction of: *tegen iemand (iets) ~* run into...; **II** *vt* 1 bring in carts; 2 run into [a man]; *hij werd aangereden* he was knocked down [by a motor-car].

aanrijding [-(d)ɪŋ] *v* collision, smash.

aanrijgen ['a.nrɛigə(n)] *vt* baste [a dress]; string [beads].

aanristen [-rɪstə(n)] *vt* string [onions].

aanroeien [-ru.jə(n)] *vt* 1 come rowing along; 1 row faster; *~ tegen* row against.

aanroepen [-ru.pə(n)] *vt* invoke [God's name]; call, hail [a person, a cab, a ship]; call upon [one for help]; ⚔ challenge [a person].

aanroeping [-pɪŋ] *v* invocation; ⚔ challenge.

aanroeren ['a.nru:rə(n)] *vt* touch [a man &]; touch upon [a subject]; zie ook: *snaar*.

aanrollen ['a.nrɔlə(n)] **I** *vt* roll on; **II** *vi in: ~ tegen* roll against; *komen ~* come rolling on.

aanruisen [-rœysə(n)] *vi in: komen ~* come rustling along.

aanrukken [-rŭkə(n)] *vi* advance, march on; *~ op* march (move) upon; *laten ~* order [wine &].

aanschaffen [-sxɑfə(n)] **I** *vt* procure, buy, get; **II** *vr zich ~* procure, buy, get.

aanschaffing [-fɪŋ] *v* procuring &; purchase, acquisition.

aanschellen ['a.nsxɛlə(n)] *vi zie* aanbellen.

aanschieten [-sxi.tə(n)] **I** *vt* 1 (vogel) wing, wound; 2 (kleren &) slip on [one's coat]; *vleugelen ~* take wing; **II** *vi in: komen ~* come rushing on; *~ op* rush at.

aanschijn [-sxɛin] *o* 1 (schijn) appearance; 2 (gelaat) face, countenance.

aanschikken [-sxɪkə(n)] *vi* draw up to the table, sit down to table.

aanschouwelijk [a.n'sxɔuələk] **I** *aj* clear, graphic; *~ onderwijs* object teaching, object lessons; *~ maken* illustrate; **II** *ad* clearly, graphically.

aanschouwelijkheid [-hɛit] *v* clearness, graphicalness.

aanschouwen [a.n'sxɔuə(n)] *vt* behold; see; *ten ~ van* in the sight of, in the presence of.

aanschouwer [-ər] *m* beholder, spectator.

aanschouwing [-ɪŋ] *v* beholding. [*pen.*

aanschrappen ['a.ns(x)rɑpə(n)] *vt zie* aanstre-

aanschrijven [-s(x)rɛivə(n)] *vt* notify; summon; instruct; *ik sta goed (slecht) bij hem aangeschreven* I am in his good (bad) books.

aanschrijving [-vɪŋ] *v* notification, summons; instruction(s).

aanschroeven ['a.ns(x)ru.və(n)] *vt* 1 (schroeven aan) screw on; 2 (vaster schroeven) screw home.

aanschuifelen [-sxœyfələ(n)] *vi in: komen ~* come shuffling along.

aanschuiven [-sxœyvə(n)] **I** *vt* push on, shove on; **II** *vi zie* aanschikken & aanschuifelen.

aansjokken [-ʃɔkə(n)] *vi in: komen ~* come jogging (slouching) along; *~ achter* trudge after.

aansjouwen [-ʃɔuə(n)] **I** *vt* F *zie* aandragen 1; **II** *vi zie* aansjokken.

aanslaan [-sla.n] **I** *vt* 1 (vastslaan) put up [a notice]; 2 (vaster inslaan) drive home; 3 ♪ strike [a note], touch [a string]; 4 (schatten) estimate, rate; 5 (in de belasting) assess; *een huis ~* put up a house for sale; *te hoog ~* 1 (schatten) overestimate; 2 (in de belasting) assess too high; *te laag ~* 1 underestimate; 2 (in de belasting) assess too low; *voor 300 gulden (in de belasting) ~* assess in (at) 300 guilders; **II** *vi* 1 ⚔ salute; 2 (blaffen) give tongue; 3 ⚒ (v. motor) start; 4 dim, get covered over [with moisture]; fur [of a boiler]; *~ tegen* strike, beat (dash, flap &) against.

aanslag [-slɑx] *m* 1 ('t aanslaan) striking; ♪ (v. pianist) touch; 2 (op ruit) moisture; (in ketel) scale, fur; 3 (in belasting) assessment; 4 attempt [on a man's life], [bomb] outrage; *met het geweer in de ~* with one's rifle at the ready; *in de ~ brengen* cock [a rifle &].

aanslagbiljet [-bɪljɛt] *o* notice of assessment.

aanslepen ['a.nsle.pə(n)] *vt* drag along, haul along.

aanslibben [-slɪbə(n)] *vi* form a deposit.

aanslibbing [-bɪŋ] *v* accretion; alluvium.

aansloffen ['a.nslɔfə(n)] *vi in: komen ~* come shuffling along.

aansluipen [-slœypə(n)] *vi in: komen ~* sneak along, come stealing along.

aansluiten [-slœytə(n)] **I** *vt* 1 connect; link up; 2 ☎ put on, put through; *wilt u mij ~ met* *nummer X?* please would you put me on (put me through) to number X?; ~ *op het telefoonnet* link up with the telephone system; **II** *vi & va* join [of two roads]; correspond [of two trains]; ~ *!* close up!; ~ *op* be linked up with; **III** *vr* in: *zich* ~ unite, join hands; *zich* ~ *aan* join [a road]; *zich* ~ *bij* 1 join [a person, a party]; join in [a strike]; 2 become affiliated to (with) [a society]; 3 hold with [a speaker]; zie ook: *aangesloten*.

aansluiting [-tɪŋ] *v* 1 joining; junction; affiliation [to, with a society]; 2 connection [on the telephone]; communication; 3 connection, correspondence [of trains]; ~ *hebben* correspond [of trains]; ~ *krijgen* ✆ be connected, be put through; *de* ~ *missen* miss the connection; *in* ~ *op ons schrijven van...* referring to our letter of...

aansmeren ['a.nsme:rə(n)] *vt* smear; *iemand iets* ~ F palm (pass) a thing off on one.

aansmijten [-smɛitə(n)] *vt* in: ~ *tegen* dash, throw against; *zijn jas* ~ throw on, whip on one's coat.

aansnauwen [-snɔuə(n)] *vt* snarl at.

aansnellen [-snɛlə(n)] *vi* run up, hurry on; ~ *op* make a run for.

aansnijden [-snɛi(d)ə(n)] *vt* give the first cut to [a loaf]; cut into; *een onderwerp* ~ broach a subject.

aansnorren [-snɔrə(n)] *vi* in: *komen* ~ come roaring (whirring) along.

aanspannen [-spɑnə(n)] **I** *vt* put to [horses]; **II** *va* put the horses to.

aanspelden [-spɛldə(n)] *vt* pin on.

aanspijkeren [-spɛikərə(n)] *vt* nail on, nail to.

aanspoelen [-spu.lə(n)] **I** *vt* wash ashore [jetsam &]; wash up [matter against the shore]; **II** *vi* be washed ashore, be washed up.

aanspoeling [-spu.lɪŋ] *v* alluvion.

aansporen [-spo:rə(n)] *vt* spur (on) [a horse]; incite, urge, urge on [a person].

aansporing [-spo:rɪŋ] *v* incitement; stimulus; *op* ~ *van* at the instance (instigation) of.

aanspraak [-spra.k] *v* claim; title; ~ *hebben* have people to talk to [you]; ~ *hebben op* have a claim to, be entitled to; ~ *maken op* lay claim to.

aansprakelijk [a.n'spra.kələk] answerable, responsible, liable; ~ *stellen voor* hold responsible for; *zich* ~ *stellen voor* accept responsibility for.

aansprakelijkheid [-hɛit] *v* responsibility, liability.

aanspreken ['a.nspre.kə(n)] *vt* speak to, address [a man], accost [people in the street]; dun [one for debts]; *de fles (geducht)* ~ partake (too) freely of the bottle; *zijn kapitaal* ~ break into (trench on) one's capital; *een schotel (gerecht) geducht* ~ eat heartily of a dish; *iemand* ~ *met „Sir"* address one as "Sir"; *iemand* ~ *om schadevergoeding* claim damages from one, ⚓ sue one for damages;

iemand ~ *o v e r...* talk to one about...

aanspreker [-kər] *m* undertaker's man.

aanspringen ['a.nsprɪŋə(n)] *vi* in: ~ *op* rush upon, fly at; *komen* ~ come bounding along.

aanstaan [-sta.n] *vi* please || (v. deur) be ajar || (v. radio) be on; *het zal hem niet* ~ he will not be pleased with it, he will not like (fancy) it.

aanstaande ['a.nsta.ndə, a.n'sta.ndə] **I** *aj* next, (fort)coming; ~ *Kerstmis* next Christmas; ~ *moeders* expectant mothers; ~ *onderwijzers* prospective teachers; *zijn* ~ *schoonmoeder* his prospective mother-in-law, his mother-in-law to be; ~ *week* next week; *Kerstmis is* ~ Christmas is drawing near; **II** [a.n'sta.ndə] *m-v* in: *zijn* ~, *haar* ~ his fiancée, her fiancé, F his, her intended.

aanstalten ['a.nstɑltə(n)] in: *hij maakte* ~ *om te gaan slapen* he composed himself to sleep; *hij maakte* ~ *om weg te gaan* he made (ready) to leave.

aanstampen [-stɑmpə(n)] *vt* ram (down, in); tamp.

aanstappen [-stɑpə(n)] *vi* mend one's pace; step out; *op iemand* ~ step up to a person; *komen* ~ come striding along.

aanstaren [-sta:rə(n)] *vt* stare at, gaze at.

aanstekelijk [a.n'ste.kələk] infectious[2], contagious[2], catching[2].

aanstekelijkheid [-hɛit] *v* infectiousness[2], contagiousness[2].

aansteken ['a.nste.kə(n)] **I** *vt* 1 put on the spit, spit [meat]; 2 light [a lamp &]; kindle [a fire]; set fire to [a house]; 3 broach, tap [a cask]; 4 infect [with a disease]; **II** *vi & va* be infectious, be catching.

aansteker [-ste.kər] *m* lighter.

aanstellen [-stɛlə(n)] **I** *vt* appoint; ~ *tot* appoint, appoint to be [commander &]; **II** *vr zich* ~ pose, attitudinize; (te keer gaan) carry on; *zich dwaas (mal)* ~ make a fool of oneself.

aansteller [-lər] *m* poseur.

aanstellerig [a.n'stɛlərəx] **I** *aj* affected; **II** *ad* affectedly.

aanstellerij [a.nstɛlə'rɛi] *v* attitudinizing, posing, pose, make-believe.

aanstelling ['a.nstɛlɪŋ] *v* appointment [to office].

aansterken [-stɛrkə(n)] *vi* get stronger, regain (one's) strength.

aanstevenen [-ste.vənə(n)] *vi* in: *komen* ~ come sailing along; ~ *op* make for, bear down upon.

aanstichten [-stɪxtə(n)] *vt* instigate [some mischief]; hatch [a plot].

aanstichter [-tər] *m* instigator.

aanstichting [-tɪŋ] *v* in: *op* ~ *van* at the instigation of.

aanstippen [-stɪpə(n)] *vt* 1 tick off [items &]; 2 touch [a sore spot]; 3 touch (lightly) on [a subject].

aanstoken [-sto.kə(n)] *vt* zie *opstoken*.
aanstoker [-kər] *m* instigator, firebrand.
aanstommelen ['a.nstòmələ(n)] *vi* in: *komen* ~ come stumbling along.
aanstonds [-stònts] presently, directly, forth-with.
aanstoot [-sto.t] *m* offence, scandal; ~ *geven* give offence, create a scandal; scandalize people; ~ *nemen aan* take offence at, take exception at (to).
aanstormen [-stɔrmə(n)] *vi* in: *komen* ~ come rushing (tearing) on; ~ *op* rush upon (at).
aanstotelijk [a.n'sto.tələk] I *aj* offensive, scandalous, objectionable, obnoxious, shocking; II *ad* offensively &.
aanstotelijkheid [-hɛit] *v* offensiveness &.
aanstoten ['a.nsto.tə(n)] I *vt* 1 (iemand) nudge; jog; 2 (de deur) push to; II *vi* in: ~ *tegen* bump up against, strike against; *eens* ~ *touch* glasses.
aanstrepen [-stre.pə(n)] *vt* mark [a passage in a book]; tick off [items].
aanstrijken [-strɛikə(n)] *vt* 1 brush (over) [with paint], paint [with iodine]; 2 plaster [a wall]; 3 strike, light [a match].
aanstromen [-stro.mə(n)] *vi* zie *toestromen*.
aanstrompelen [-stròmpələ(n)] *vi* zie *aanstommelen*.
aanstuiven [-stœyvə(n)] *vi* zie *aanstormen*.
aansturen [-sty.rə(n)] *vi* in: ~ *op* make for, head for[2] [the harbour &]; *fig* lead up to [something]; aim at.
aansukkelen [-sŭkələ(n)] *vi* zie *aansjokken*.
aantal [-tɑl] *o* number.
aantasten [-tɑstə(n)] *vt* 1 (de vijand &) attack; 2 (gezondheid, metaal &) affect; 3 trench on [one's capital]; 4 injure [a man's honour].
aantekenboek(je) [-te.kənbu.k(jə)] *o* notebook, memorandum book.
aantekenen [-te.kənə(n)] I *vt* 1 note (down), write down; mark; record; 2 register [a letter]; zie ook: 2 *appel* & *protest*; II *va* have their names entered at the registry office; zie ook: *aangetekend*.
aantekengeld [-te.kəngɛlt] *o* 🖂 registration fee.
aantekening [-te.kənɪŋ] *v* 1 note; annotation; 2 🖂 registration; ~*en maken* take (make) notes.
aantekenrecht [-te.kənrɛxt] *o* 🖂 registration fee.
aantijgen [-tɛigə(n)] *vt* impute [a fault & to a man].
aantijging [-gɪŋ] *v* imputation.
aantikken ['a.ntɪkə(n)] *va* tap (at the door &), knock [before entering].
aantocht [-tɔxt] *m* in: *in* ~ *zijn* be approaching [of a thunderstorm &]; be on the way; ✕ be advancing, be marching on.
aantonen [-to.nə(n)] *vt* show, demonstrate, prove; point out; zie ook: *bewijzen*; ~*de wijs*

indicative (mood).
aantoonbaar [a.n'to.nba:r] demonstrable.
aantrappen ['a.ntrɑpə(n)] I *vt* tread down; II *vi* ride faster, ride ahead [on one's bicycle].
aantreden [-tre.də(n)] I *vi* ✕ 1 fall in, fall into line; line up, form up; 2 step off [with the left foot]; II *sb het* ~ ✕ the fall-in.
aantreffen [-trɛfə(n)] *vt* meet (with), find; come across, come upon.
aantrekkelijk [a.n'trɛkələk] I *aj* 1 (aanlokkelijk) attractive; 2 (lichtgeraakt) sensitive, touchy; II *ad* attractively.
aantrekkelijkheid [-hɛit] *v* 1 attractiveness, attraction, charm; 2 sensitiveness, touchiness.
aantrekken ['a.ntrɛkə(n)] I *vt* 1 attract[2], draw; 2 (vaster trekken) draw tighter, tighten; 3 put on [a coat, one's boots]; *zich aangetrokken voelen tot* feel attracted to(wards), feel drawn to(wards); II *vr* in: *zich iets (erg)* ~ take something (heavily) to heart; *zich iemands lot* ~ interest oneself in a person's behalf; *hij zal er zich niets* (F *geen lor, geen zier*) *van* ~ he won't care a bit (F a straw).
aantrekking [-kɪŋ] *v* attraction.
aantrekkingskracht [-kɪŋskrɑxt] *v* attractive power[2], (power of) attraction[2].
aantrippelen ['a.ntrɪpələ(n)] *vi* in: *komen* ~ come tripping along.
aanvaardbaar [a.n'va:rtba:r] acceptable.
aanvaarden [a.n'va:rdə(n)] *vt* accept [an offer, an invitation, the consequences], assume [a responsibility, the government, command]; take possession of [an inheritance &], take up [one's appointment]; enter upon, begin [one's duties]; set out on [one's journey]; *dadelijk (leeg) te* ~ with vacant possession, with immediate possession; *wanneer is het (huis) te* ~? when can I have possession?
aanvaarding [-dɪŋ] *v* acceptance; taking possession [of a house]; entering [upon one's duties]; *bij de* ~ *van mijn ambt* on my entrance into office.
aanval ['a.nvɑl] *m* 1 ✕ attack°, onset, charge; 2 assault [upon institutions, opinions &]; 3 attack [of fever &]; fit [of apoplexy &]; zie ook: *beroerte*.
aanvallen [-vɑlə(n)] I *vt* fall upon, set upon [the enemy], attack, assail, assault [a person &]; charge [with the bayonet]; II *vi* & *va* attack; (toetasten) fall to; ~ *op* fall upon, attack.
aanvallend [-lənt] I *aj* offensive; aggressive; ~ *verbond* offensive alliance; II *ad* in: ~ *optreden* act on the offensive.
aanvaller [-lər] *m* attacker, assailant, aggressor.
aanvallig [a.n'vɑləx] sweet, charming.
aanvalligheid [-hɛit] *v* sweetness, charm.
aanvalsoorlog ['a.nvɑlso:rlɔx] *m* war of aggression.
aanvalswapen [-va.pə(n)] *o* offensive weapon.
aanvang ['a.nvɑŋ] *m* beginning, commence-

ment; *een ~ nemen* commence, begin; *bij de ~* at the beginning; zie verder: *begin.*

aanvangen [-vɑŋə(n)] **I** *vi* commence, begin; **II** *vt* do; *zo heb ik het aangevangen* that is the way I set about it, managed it; *wat zullen wij nu ~?* what (are we) to do (with ourselves) now?; *wat zullen wij ermee ~?* what to do with it?; zie verder: *beginnen.*

aanvangssalaris [-vɑŋsa.la:rəs] *o* commencing salary.

aanvangssnelheid [-snɛlhɛit] *v* initial velocity.

aanvankelijk [a.n'vɑŋkələk] **I** *aj* initial; **II** *ad* in the beginning, at first, at the outset.

aanvaren ['a.nva:rə(n)] **I** *vi* in: *komen ~* come sailing along; *~ op* make for; *~ tegen* fall foul of, collide with, run into; **II** *vt* zie *~ tegen.*

aanvaring [-rɪŋ] *v* collision; *in ~ komen met* zie *aanvaren tegen.*

aanvatten ['a.nvɑtə(n)] catch (take, seize, lay) hold of; *iets (goed, verkeerd) ~* zie *aanpakken.*

aanvechtbaar [a.n'vɛxtba:r] contestable, debatable.

aanvechten ['a.nvɛxtə(n)] *vt* tempt.

aanvechting [-tɪŋ] *v* temptation.

aanvegen ['a.nve.ɣə(n)] *vt* sweep [the floor]; *de vloer met iemand ~* wipe the floor with a person.

aanverwant [-vərvɑnt] zie *verwant.*

aanvliegen [-vli.ɣə(n)] **I** *vt* in: *iemand ~* fly at [a person]; **II** *vi* in: *komen ~* come flying along; *~ op* fly at.

aanvlijen [-vlɛiə(n)] in: *zich ~ tegen* nestle against (up to).

aanvoegen [-vu.ɣə(n)] *vt* add, join; *~de wijs* subjunctive (mood).

aanvoelen [-vu.lə(n)] **I** *vt* feel; appreciate [the difficulty &]; **II** *vi* in: *zacht ~* feel soft, be soft to the touch (to the feel).

aanvoer [-vu:r] *m* supply, arrival(s).

aanvoerbuis [-bœys] *v* supply pipe.

aanvoerder [-dər] *m* 1 commander, leader; *sp* captain; 2 (v. komplot) ringleader.

aanvoeren ['a.nvu:rə(n)] *vt* 1 (aanbrengen) supply; bring, convey [to]; 2 (aanhalen) allege, put forward, advance [arguments], adduce [a proof], produce [reasons]; raise [objections to], cite [a saying, a case]; 3 (leiden) command; lead.

aanvoering [-rɪŋ] *v* leadership, command; *onder ~ van X* under the command of X.

aanvraag ['a.nvra.x] *v* demand, inquiry [for goods]; (verzoek) request; *op ~* [send] on application; [tickets to be shown] on demand.

aanvraagformulier [-fɔrmy.li:r] *o* form of application, application form.

aanvrage ['a.nvra.ɣə] = *aanvraag.*

aanvragen ['a.nvra.ɣə(n)] *vt* apply for, ask for.

aanvrager [-ɡər] *m* applicant.

aanvullen ['a.nvÿlə(n)] *vt* fill up [a gap];

replenish [one's stock]; amplify [a statement]; complete [a number], supplement [a sum]; supply [a deficiency]; *elkander ~* be complementary (to one another).

aanvulling [-lɪŋ] *v* replenishment [of stock]; amplification [of a statement]; completion [of a number]; supplement, new supply.

aanvullingsbegroting [-lɪŋsbəɡro.tɪŋ] *v* supplementary estimates.

aanvullingseksamen zie *aanvullingsexamen.*

aanvullingsexamen [-ɛksa.mə(n)] *o* supplementary examination.

aanvullingstroepen [-tru.pə(n)] *mv* ⚔ reserves.

aanvuren ['a.nvy:rə(n)] *vt* fire, stimulate, incite.

aanvuring [-rɪŋ] *v* stimulation, incitement.

aanwaaien ['a.nva.jə(n)] *vi* in: *hij is hier komen ~ uit Amerika* he has come over from America; *kennis zal niemand ~* there is no royal road to learning.

aanwaggelen [-vɑɣələ(n)] *vi* in: *komen ~* come waddling (staggering, tottering, reeling) along.

aanwakkeren [-vɑkərə(n)] **I** *vt* 1 (ongunstig) stir up, fan; 2 (gunstig) stimulate; **II** *vi* freshen [of the wind]; increase.

aanwas ['a.nvɑs] *m* 1 growth, increase; 2 (v. grond) accretion.

aanwassen [-vɑsə(n)] *vi* grow, increase.

aanwenden [-vɛndə(n)] *vt* use, employ, apply, bring to bear; *alles ~* do everything in one's power; *geld ten eigen bate ~* convert money to one's own use; *pogingen ~* make attempts.

aanwending [-dɪŋ] *v* use, employment, application.

aanwennen ['a.nvɛnə(n)] *vt* in: *zich een gewoonte (iets) ~* contract a habit, get (fall) into the habit of...

aanwensel [-vɛnsəl] *o* (ugly) habit, trick.

aanwentelen [-vɛntələ(n)] *vt* & *vi* zie *aanrollen.*

aanwerven [-vɛrvə(n)] *vt* zie *werven.*

aanwerving [-vɪŋ] *v* zie *werving.*

aanwezig [a.n've.zəx] 1 present; 2 (bestaand) extant; *de ~e voorraad* the stock on hand, the available stock; *de ~en* those present.

aanwezigheid [-hɛit] *v* 1 presence; 2 existence.

aanwijsstok ['a.nvɛistɔk] *m* pointer.

aanwijzen [-vɛizə(n)] *vt* 1 show, point out, indicate [it]; mark [80°]; register [10 miles an hour]; 2 (toewijzen) assign; 3 (voor bepaald doel) designate; *zij zijn op zich zelf aangewezen* they are thrown on their own resources; they are entirely dependent upon themselves; *hij is de aangewezen man* he is the one man to do it; *het aangewezen middel* the obvious thing; *de aangewezen weg* the proper way [to do it].

aanwijzend [a.n'vɛizənt] demonstrative [pronoun].

aanwijzer {'a.nvɛizər] *m* indicator.

aanwijzing [-zɪŋ] *v* 1 indication; 2 assignment, allocation; 3 direction [for use]; instruction;

4 (inz. voor de politie) clue (to *omtrent*); ~ *op een bank* $ order on a bank, draft, cheque.

aanwinnen ['a.nvɪnə(n)] *vt* reclaim [land].

aanwinning [-vɪnɪŋ] *v* reclamation [of land].

aanwinst [-vɪnst] *v* 1 (winst) gain; 2 (boeken &) acquisition, accession.

aanwippen [-vɪpə(n)] *vi* F drop in (upon one), pop in.

aanwrijven [-vrɛivə(n)] *vt* in: ~ *tegen* rub against; *iemand iets* ~ impute something to a person.

aanzeggen [-zɛɡə(n)] *vt* announce, notify, give notice of; *men zou 't hem niet* ~ he does not look it.

aanzegging [-ɡɪŋ] *v* announcement, notification, notice.

aanzeilen ['a.nzɛilə(n)] *vi* in: *komen* ~ come sailing along; come reeling along [of a drunken man]; ~ *op* ⚓ sail towards; zie verder: *aanvaren.*

aanzetriem [-zɛtri.m] *m* (razor-)strop.

aanzetsel [-zɛtsəl] *o* crust.

aanzetten [-zɛtə(n)] I *vt* 1 put... (on tò); 2 fit on [a piece]; sew (on) [a button]; put ajar [the door]; turn on, tighten [a screw]; ram [the charge]; put on [the brake]; whet [a knife], set, strop [a razor]; 3 start [an engine]; put on, turn on, switch on [the wireless]; urge on [a horse, a pupil]; incite [to revolt]; put [one] up [to a thing]; II *vi* 1 (v. spijzen) stick to the pan (to the bottom); 2 (v. ketel) fur; 3 (v. paarden) begin to draw; *komen* ~ come along; *komen* ~ *met* 1 *eig* come and bring; 2 *fig* come out with [a guess], bring forward [a proposal].

aanzetter [-tər] *m* 1 instigator; 2 ✹ starter.

aanzetwerk ['a.nzɛtvɛrk] *o* ✹ starting gear.

aanzeulen [-zø.lə(n)] *vt* & *vi* drag along.

aanzien [-zi.n] I *vt* look at; look (up)on, consider, regard; *wij zullen het nog wat* ~ we shall bear with it for the present; we'll take no steps for the present; *men kan het hem* ~ one can see it by his looks (by his face); he looks it; *iets niet kunnen* ~ be unable to bear the look of...; be unable to stand it; *zijn mensen* ~ have respect of persons; *ik zie er u niet minder om aan* I don't respect you the less for it; *iemand op iets* ~ suspect a person of a thing; *iemand (iets)* ~ *voor...* take one (it) for...; *(ten onrechte)* ~ *voor* mistake for; *waar zie je mij voor aan?* what (whom) do you take me for?; *zich goed (mooi) laten* ~ look promising, promise well; *het laat zich* ~ *dat...* there is every appearance that...; *naar het zich laat* ~, *zullen wij slecht weer krijgen* to judge from appearances, we are going to have bad weather; ~ *doet gedenken* out of sight, out of mind; zie ook: *nek;* II *o* 1 look, aspect; 2 (achting) consideration, regard; *zich het* ~ *geven van* assume an air of; *dat geeft de zaak een ander* ~ that puts another complexion

on the matter; *(zeer) in* ~ *zijn* be held in (great) respect; *ten* ~ *van* with respect to, with regard to; *een man van* ~ a man of note; *iemand van* ~ *kennen* know one by sight; *zonder* ~ *des persoons* without respect of persons.

aanzienlijk [a.n'zi.nlək] I *aj* 1 (groot) considerable [sums], substantial [loss]; 2 (voornaam) distinguished [people], notable, ...of note, of good (high) standing; II *ad* < considerably [better &].

aanzienlijkheid [-hɛit] *v* importance.

aanzijn ['a.nzɛin] *o* existence; *het* ~ *geven* give life (to); *het* ~ *verschuldigd zijn aan* owe one's life (existence) to; *in het* ~ *roepen* call into being (existence).

aanzitten [-zɪtə(n)] *vi* sit at table, sit down; *de aanzittenden, de aangezetenen* the guests.

aanzoek [-zu.k] *o* 1 request, application; 2 offer (of marriage), proposal; ~ *doen bij een meisje* propose to a girl.

aanzoeken [-zu.kə(n)] *vt* apply to [a person for...]; request.

aanzuiveren ['a.nzœyvərə(n)] *vt* pay, clear off [a debt], settle [an account], pay off [old scores].

aanzuivering [-rɪŋ] *v* clearing off, settlement, payment.

aanzwaaien ['a.nzva.jə(n)] *vi* in: *komen* ~ come swinging (reeling) along.

aanzwellen [-zvɛlə(n)] *vi* swell [into a roar].

aanzwemmen [-zvɛmə(n)] *vi* in: *komen* ~ come swimming along; ~ *op* swim towards.

aanzweven [-zve.və(n)] *vi* come floating (gliding) along.

aap [a.p] *m* monkey[2], ape [tailless]; *een* ~ *van een vent* a jackanapes; *in de* ~ *gelogeerd zijn* F be in a devil of a quandary; be up a tree; *toen kwam de* ~ *uit de mouw* then the cloven hoof came out.

aapachtig ['a.pɑxtəx] apish, ape-like, monkey-like.

aapje [-jə] *o* 1 *eig* little monkey; 2 (rijtuig) cab.

aapmens [-mɛns] *m* ape man.

aar [a:r] *v* ear [of corn] ‖ vein [blood-vessel].

aard [a:rt] *m* 1 (gesteldheid) nature, character, disposition; 2 (soort) kind, sort; *dat is zo de* ~ *van 't beestje* F he, she is, I am & made like that; *het ligt niet in zijn* ~ it is not in his nature, it is not in him; *het ligt in de* ~ *der zaak* it is in the nature of things; *uit de* ~ *der zaak* in (by, from) the nature of the case (of things); *van allerlei* ~ of all kinds, of every description; *de omstandigheden zijn van die* ~, *dat...* the circumstances are such that ...; *niets van die* ~ nothing of the kind; *goed van* ~ good-natured; *niet gezellig van* ~ not sociably inclined; *studeren (werken, zingen) dat het een* ~ *heeft* with a will, with a vengeance.

aardachtig ['a:rtɑxtəx] earthy.

aardappel ['a:rdɑpəl] *m* ♣ potato.

aardappelmeel [-me.l] *o* potato flour.

aardappelpuree [-py.re.] *v* mashed potatoes.

aardappelschillen [-sxɪlə(n)] *mv* potato peelings, potato parings.

aardappelziekte [-zi.ktə] *v* potato blight.

aardas ['a:rtɑs] *v* axis of the earth, earth's axis.

aardbei [-bɛi] *v* ♣ strawberry.

aardbeving [-be.vɪŋ] *v* earthquake.

aardbewoner [-bəvo.nər] *m* inhabitant of the earth.

aardbodem [-bo.dəm] *m* earth's surface, earth.

aardbol [-bəl] *m* (terrestrial) globe.

aarde ['a:rdə] *v* 1 earth; 2 (teel~) mould; *boven ~ staan* be above ground; *in goede ~ vallen* be well received [of a proposal &]; *onder de ~ rusten* be in one's grave; *ter ~ bestellen* inter; *ter ~ vallen (werpen)* fall (knock) to the ground, fall (knock) down.

aardedonker [-dòŋkər] I *aj* pitch-dark; II *o* pitch-darkness.

1 aarden ['a:rdə(n)] *aj* earthen; *~ pijp* clay pipe.

2 aarden ['a:rdə(n)] *vi* thrive [of a person, plant]; do well [of a plant]; *~ naar* take after; *ik kon er niet ~* I did not feel at home there.

3 aarden ['a:rdə(n)] *vt* ⚡ earth. [there.

aardewerk ['a:rdəverk] *o* earthenware, crockery, pottery.

aardgas ['a:rtgɑs] *o* natural gas.

aardgasbel [-bɛl] *v* natural gas reserve (field, deposit, pocket).

aardgordel ['a:rtgòrdəl] *m* zone.

aardhoop [-ho.p] *m* heap of earth, mound.

aardig ['a:rdəx] I *aj* 1 (lief, bevallig) pretty, nice; dainty; 2 (een aangename indruk makend) nice, pleasant; 3 (heus) nice, kind; 4 (grappig) witty, smart; 5 (tamelijk groot) fair; *een ~ kapitaaltje (sommetje)* a pretty capital, a tidy sum; *een ~e prater* a pleasant talker; *~ wat* 1 a goodish many; 2 a tidy sum; *dat vindt hij wel ~* he rather fancies it; *ik vind het niet ~ van je* I don't think it nice of you; II *ad* 1 nicely, prettily, pleasantly; 2 < pretty [cold &].

aardigheid [-hɛit] *v* 1 prettiness, niceness &; 2 jest, joke; *er is geen ~ aan* there is not much fun to be got out of it; *de ~ is er af* the gilt is off; *~ in iets hebben* 1 have a fancy for a thing; 2 take pleasure in a thing; *~ in iets krijgen* take a fancy to a thing; *uit ~*, *voor de ~* for fun, for the fun of the thing.

aardigheidje [-hɛicə] *o* F little present.

aardigjes [-jəs] *ad* F prettily.

aardje ['a:rcə] *o* in: *hij heeft een ~ naar zijn vaartje* he is a chip of(f) the old block.

aardklomp ['a:rtklòmp] *m* clod of earth.

aardkluit [-klœyt] *m* & *v* clod (lump) of earth.

aardkorst [-kòrst] *v* crust of the earth, earth's crust.

aardkunde [-kůndə] *v* geology. [crust.

aardlaag [-la.x] *v* layer (of earth).

aardleiding [-lɛidɪŋ] *v* ⚡ earth connection, earth wire.

aardmagnetisme [-mɑxne.tɪsmə] *o* terrestrial magnetism.

aardmannetje [-mɑnəcə] *o* gnome, goblin, brownie.

aardnoot [-no.t] *v* ♣ ground-nut.

aardolie [-o.li.] *v* petroleum. [earth.

aardoppervlakte [-òpərvlɑktə] *v* surface of the

aardpeer [-pe:r] *v* ♣ Jerusalem artichoke.

aardrijk [-rɛik] *o* earth.

aardrijkskunde ['a:rdrɛikskůndə] *v* geography.

aardrijkskundeboek [-bu.k] *o* geography book.

aardrijkskundeles [-lɛs] *v* geography lesson.

aardrijkskundig [a:rdrɛiks'kůndəx] I *aj* geographical [knowledge, Society &], geographic; II *ad* geographically.

aardrijkskundige [-dəgə] *m* geographer.

aards [a:rts] earthly[2] [paradise], terrestrial; worldly.

aardsatelliet ['a:rtsa.tɛli.t] *m* earth satellite.

aardschok [-sxɔk] *m* earthquake shock.

aardschors [-sxɔrs] *v* zie *aardkorst*.

aardsgezind ['a:rtsgə'zɪnt] worldly-minded.

aardsgezindheid [-hɛit] *v* worldly-mindedness.

aardslak ['a:rtslɑk] *v* slug.

aardstorting [-stɔrtɪŋ] *v* fall of earth.

aardverschuiving [-fərsxœyvɪŋ] *v* landslip, landslide.

aardworm [-vɔrm] *m* earthworm.

Aäron [a.'a:ròn] *m* Aaron.

aartsbedrieger ['a:rtsbə'dri.gər] *m* arrant cheat.

aartsbisdom ['a:rtsbɪsdòm] *o* archbishopric.

aartsbisschop ['a:rtsbɪsxòp] *m* archbishop.

aartsbisschoppelijk [a:rtsbɪ'sxòpələk] archiepiscopal.

aartsdom ['a:rts'dòm] as stupid as an ass, fearfully slow.

aartsengel ['a:rtsɛŋəl] *m* archangel.

aartshertog ['a:rtshɛrtòx] *m* archduke.

aartshertogdom [a:rts'hɛrtəxdòm] *o* archduchy.

aartshertogelijk [a:rtshɛrto.gə'lɪk] archducal.

aartshertogin [a:rtsherto.'gɪn] *v* archduchess.

aartsleugenaar ['a:rts'lø.gəna:r] *m* arrant liar, arch-liar.

aartslui ['a:rts'lœy] extremely lazy.

aartsluiaard [-a:rt] *m* inveterate idler.

aartsvader ['a:rtsfa.dər] *m* patriarch.

aartsvaderlijk [a:rts'fa.dərlək] *aj* (& *ad*) patriarchal(ly).

aartsvijand ['a:rtsfɛiɑnt] *m* arch-enemy.

aarzelen ['a:rzələ(n)] *vi* hesitate, waver; *zonder ~* without hesitation, unhesitatingly.

aarzeling [-lɪŋ] *v* hesitation, wavering.

aas [a.s] *o* 1 bait[2]; 2 (dood dier) carrion ‖ 3 *m of o* ace[2]. [crust.

aasgier ['a.sgi:r] *m* ⓛ (Egyptian) vulture.

aasje ['a.ʃə] *o* zie *ziertje*.

aaskever ['a.ske.vər] *m* carrion-beetle.

aasvlieg [-fli.x] *v* 1 bluebottle; 2 carrion-fly.

abattoir [a.bɑ'tva:r] *o* abattoir, slaughterhouse.

abc [a.be.'se.] *o* ABC², alphabet.
abc-boek [a.be.'se.bu.k] *o* primer, spelling book.
abces [ap'ses] *o* abscess.
abdij [ab'dɛi] *v* abbey.
abdijkerk [-kɛrk] *v* abbey church.
abdis [ab'dɪs] *v* abbess.
abdomen [ab'do.men] *o* abdomen.
abeel [a.'be.l] *m* ♣ abele.
Abel ['a.bəl] *m* Abel.
aberratie [a.bɛ'ra.tsi.] *v* aberration.
Abessijns [a.bɛ'sɛins] Abyssinian.
Abessinië [-'si.ni.ə] *o* Abyssinia.
Abessiniër [-'si.ni.ər] *m* Abyssinian.
ablatief ['abla.ti.f] *m* ablative.   [(ly).
abnormaal [apnɔr'ma.l] *aj* (& *ad*) abnormal-
abnormaliteit [apnɔrma.li.'tɛit] *v* abnormality.
A-bom ['a.bɔm] *v* A-bomb.
abonnee [abɔ'ne.] *m* 1 subscriber; 2 (o p h e t s p o o r) season-ticket holder.
abonnement [abɔnə'mɛnt] *o* subscription [to...]; zie ook: *abonnementskaart*.
abonnementsconcert [-'mɛntskɔ̀nsert] *o* subscription concert.
abonnementskaart [-ka:rt] *v* season-ticket.
abonnementskoncert zie *abonnementsconcert*.
abonnementsprijs [-prɛis] *m* **abonnementstarief** [-ta.ri.f] *o* subscription rate, rate of subscription.
abonnementsvoorstelling [-fo.rstɛlɪŋ] *v* subscription performance.
abonneren [abɔ'ne:rə(n)] *vr* zich ~ *op* subscribe to [a newspaper], for [a work]; *ik ben op de Times geabonneerd* I am a subscriber to the Times, I take in the Times.
à bout portant [a.bu.pɔr'tã] point-blank.
abracadabra [a.bra.ka.'da.bra.] *o*abracadabra.
Abraham, Abram ['a.bra.ham, 'a.bram] *m* Abraham; *in* ~*s schoot* B in Abraham's bosom; *fig* [be, live] in clover; zie ook: *weten*.
abrikoos [a.bri.'ko.s] *v* apricot.
absent [ap'sɛnt] 1 (a f w e z i g) absent; 2 (v e r s t r o o i d) absent-minded.
absenteïsme [apsɛnte.'ɪsmə] *o* absenteeism.
absentie [ap'sɛn(t)si.] *v* 1 absence; non-attendance; 2 absence (of mind), absent-mindedness.
absentielijst [-lɛist] *v* attendance register.
absint [ap'sɪnt] *o* & *m* absinth(e).
absolutie [apso.'ly.(t)si.] *v* absolution; *de* ~ *geven RK* absolve.
absoluut [apso.'ly.t] I *aj* absolute; II *ad* absolutely; ~ *niet* not at all, by no means, not by any means; ~ *niets* absolutely nothing.
absorberen [apsɔr̩'be:rə(n)] *vt* absorb².
absorptie [ap'sɔrpsi.] *v* absorption.
absoute [ap'su.tə] *v RK* absolution; *de* ~ *verrichten* pronounce (give) the absolution.
abstract [ap'strakt] 1 .abstract [art]; 2 (v e r s t r o o i d) abstracted.
abstractie [ap'straksi.] *v* abstraction.

abstraheren [apstra.'(h)e:rə(n)] *vt* abstract.
abstrakt(-) zie *abstract*(-).
absurd [ap'sŭrt] *aj* (& *ad*) absurd(ly), preposterous(ly).
absurditeit [apsŭrdi.'tɛit] *v* absurdity, preposterousness.
abt [apt] *m* abbot.
abuis [a.'bœys] *o* mistake, error; ~ *hebben* (*zijn*) be mistaken; *per* ~ by (in) mistake, erroneously, mistakenly.
abusief [a.by.'zi.f] wrong.
abusievelijk [aby.'zi.vələk] zie *per abuis*.
acacia [a.'ka.si.a.] *m* ♣ acacia.
academicus [a.ka.'de.mi.kŭs] *m* university man.
academie [a.ka.'de.mi] *v* academy, university, college.
academieburger [-bŭrgər] *m* college man, university man.
academieleven [-le.və(n)] *o* university life.
academiestad [-stat] *v* university town.
academietijd [-tɛit] *m* college days.
academievriend [-vri.nt] *m* college friend.
academisch [a.ka.'de.mi.s] academic; ~ *gevormd* college-taught, with a university education; ~*e graad* university degree; ~ *ziekenhuis* teaching hospital.
acanthus [a.'kantŭs] = *akant*.
acantus zie *acanthus*.
a-capella-koor [a.ka.'pɛla.ko:r] *o* ♪ unaccompanied choir.
acceleratie [akse.lə'ra.(t)si.] *v* ⚒ acceleration.
accent [ak'sɛnt] *o* accent°; stress²; *fig* emphasis [*mv* emphases].
accentuatie [aksɛnty.'a.(t)si.] *v* accentuation.
accentueren [-'e:rə(n)] *vt* accent; stress²; *fig* emphasize, accentuate.
accept [ak'sɛpt] *o* $ 1 acceptance [of a bill]; 2 (p r o m e s s e) promissory note.
acceptant [aksɛp'tant] *m* $ acceptor.
acceptatie [aksɛp'ta.(t)si.] *v* acceptance.
accepteren [aksɛp'te:rə(n)] *vt* accept; *niet* ~ refuse (acceptance of); $ dishonour [a bill].
accijns [ak'sɛins] *m* excise(-duty).
accijnsbiljet [-bɪljet] *o* permit.
accijnskantoor [-kanto:r] *o* excise-office.
accijnsplichtig [-plɪxtəx] excisable.
acclamatie [akla.'ma.(t)si.] *v* acclamation; *bij* ~ *aannemen* carry by (with) acclamation.
acclimatisatie [akli.ma.ti.'za.(t)si.] *v* acclimatization.
acclimatiseren [-'ze:rə(n)] I *vt* acclimatize; II *vi* become acclimatized.
acclimatiz- zie *acclimatis*-.
accolade [ako.'la.də] *v* 1 accolade [at bestowal of knighthood]; 2 } brace; ♪ accolade.
accommodatie [akɔmo.'da.(t)si.] *v* accommodation.
accommodatievermogen [-vərmo.gə(n)] *o* power of accommodation.
accompagnateur [akòmpana.'tø:r] *m* ♪ accompanist.

accompagnement [-ŋə'mɛnt] o ♪ accompaniment.

accompagneren [-'ɲe:rə(n)] vt ♪ accompany.

accoord(-) zie *akkoord(-)*.

accordeon [akɔrde.'ɔn] o & m ♪ accordion.

accordeonist [-ɔ'nɪst] m ♪ accordionist.

accorderen [akɔr'de:rə(n)] vi 1 agree; come to terms; 2 $ compound with one's creditors; 3 get on [well].

accountant [ɑ'kɑuntənt] m $ (chartered) accountant, auditor.

accrediteren [akre.di.'te:rə(n)] vt 1 accredit [to, at a court]; 2 $ open a credit [with a bank].

accres [ɑ'krɛs] o increase.

accu ['aky.] m zie *accumulator*.

accumulator [aky.my.'la.tər] m ⚡ accumulator, (storage) battery.

accuraat [aky.'ra.t] aj (& ad) accurate(ly), exact(ly), precise(ly).

accuratesse [aky.ra.'tɛsə] v accuracy, exactitude, precision.

accusatief ['aky.za.ti.f] m accusative.

acetaat [a.sə'ta.t] o acetate.

aceton [a.sə'tɔn] o & m acetone.

acetyleen [a.səti.'le.n] o acetylene.

ach [ɑx] ah!, alas!

Achilles [ɑ'xɪləs] m Achilles.

achilleshiel [-hi.l] m Achilles' heel[2].

achillespees [-pe.s] v Achilles tendon.

achromatisch [a.gro.'ma.ti.s] achromatic.

1 **acht** [ɑxt] eight.

2 **acht** [ɑxt] v attention, heed, care; ∼ *geven* (*slaan*) *op* pay attention to; *geef...* ∼! ⚔ attention, F 'shun; *in* ∼ *nemen* be observant of, observe [the rules, the law]; *zich in* ∼ *nemen* 1 be on one's guard; 2 take care of one's health (of oneself); *neem u in* ∼ be careful!; mind what you do!; *zich in* ∼ *nemen voor...* beware of..., be on one's guard against...

achtbaar ['ɑxtba:r] 1 respectable; 2 (vóór titels) honourable.

achtbaarheid [-hɛit] v respectability.

achteloos ['ɑxtəlo.s] aj (& ad) careless(ly), negligent(ly).

achteloosheid [ɑxtə'lo.shɛit] v carelessness, negligence.

achten ['ɑxtə(n)] I vt 1 esteem, respect; 2 (denken, vinden) deem, think, consider, judge; 3 (letten op) pay attention to; *men achtte de tijd gekomen om...* it was deemed time to...; *het beneden zich* ∼ *om...* think it beneath one to...; *ik acht het niet raadzaam* I don't think it advisable; *ik acht mij niet verantwoord dit te zeggen* I do not feel justified in saying this; II vr in: *zich gelukkig* ∼ deem (think) oneself fortunate.

achtenswaardig [ɑxtəns'va:rdəx] respectable.

achter ['ɑxtər] I prep behind, after, at the back of; *ik ben er* ∼ 1 (nu weet ik het) I've found it out; 2 (nu ken ik het) I've got into it; I've got the knack of it; II ad in: *hij is* ∼ 1 he is in the backroom; 2 *fig* he is behindhand

(in his studies, with his lessons); he is in arrear(s) (with his payments); *mijn horloge is* ∼ my watch is slow; *ten* ∼ in arrear(s) [with his payments]; behindhand [in his studies, with his lessons]; behind [with his work]; *ten* ∼ *bij zijn tijd* behind the times; *van* ∼ [attack] from behind; [low] at the back; [viewed] from the back; *van* ∼ *inrijden op* run into the back of, crash into the rear of [another train]; *van* ∼ *naar voren* [spell a word] backwards.

achteraan [ɑxtə'ra.n] behind, in the rear, at the back; *2de klas* ∼ 2nd class in rear of train.

achteraankomen [-ko.mən] vi come last, lag behind, bring up the rear; *ik kom achteraan met mijn gelukwens* I am very late with my congratulation.

achteraf [ɑxtə'rɑf] in the rear; [live] out of the way; ∼ *bekeken...* I looking at things after the event...; 2 after all [he is not a bad fellow]; ∼ *kan men dat gemakkelijk zeggen* after the event.

achteras ['ɑxtərɑs] v rear (hind, back) axle.

achterbaks [ɑxtər'bɑks] I aj underhand, backdoor; II ad underhand, behind one's back; *iets* ∼ *houden* keep it back.

achterbalkon ['ɑxtərbɑlkɔn] o 1 rear platform [of a tram-car]; 2 back balcony [of a house].

achterband [-bɑnt] m back tyre.

achterbank [-bɑŋk] back seat, rear seat.

achterblijven ['ɑxtərblɛivə(n)] vi 1 *eig* stay behind, remain behind; 2 (bij sterfgeval) be left (behind); 3 (bij wedstrijden &) fall (drop, lag) behind, be outdistanced; ☞ be backward.

achterblijver [-vər] m straggler, laggard.

achterb out['ɑxtərbɑut] m hind quarter.

achterbuur [-by:r] m back neighbour.   [slum.

achterbuurt [-by:rt] v back street, low quarter,

achterdeel [-de.l] v back part, hind part.

achterdek [-dɛk] o ⚓ poop, after-deck.

achterdeur [-dø:r] v backdoor; *een* ∼*tje openhouden* keep a backdoor (a loop-hole) open.

achterdocht [-dɔxt] v suspicion; ∼ *hebben* (*koesteren*) entertain suspicions, be suspicious; ∼ *krijgen* become suspicious; ∼ *opwekken (bij)* arouse suspicion (in the mind(s) of); *de* ∼ *wegnemen* remove suspicion.

achterdochtig [ɑxtər'dɔxtəx] aj (& ad) suspicious(ly).

achtereen [ɑxtə're.n] in succession, consecutively; at a stretch; *viermaal* ∼ four times running; *vier uur* ∼ four hours at a stretch (on end); *maanden* ∼ for months at a time, for months together.

achtereenvolgend [ɑxtəre.n'vɔlgənt] successive, consecutive.

achtereenvolgens [-gəns] successively, in succession, in turn, consecutively.

achtereind(e) ['ɑxtərɛint, -ɛində] o hind part, back part.

achteren ['ɑxtərə(n)] in: *naar* ~ backward(s); zie verder: *achter* II.

achtergaan ['ɑxtərɡa.n] *vi* lose, be slow; *mijn horloge gaat 5 minuten achter* is five minutes slow; *mijn horloge gaat per dag 5 minuten achter* loses five minutes a day.

achtergalerij [-ɡa.ləɾɛi] *v* back veranda(h).

achtergevel [-ɡe.vəl] *m* back-front.

achtergrond [-ɡrònt] *m* background²; *op de* ~ *blijven* keep (remain) in the background; *op de* ~ *raken* fall into the background.

achterhalen [ɑxtər'ha.lə(n)] *vt* 1 (inhalen) overtake; 2 (v. misdadiger &) arrest; 3 (v. voorwerpen) recover; 4 (v. fouten, gegevens) trace, detect.

achterhand ['ɑxtərhɑnt] *v* 1 (handwortel) carpus; 2 (v. paard) hind quarters.

achterheen [ɑxtər'he.n] in: *ik zou er flink* ~ *zitten* I should speed them up a little; *ze hebben er aardig* ~ *gezeten* F haven't they been punishing the food (wine &).

achterhoede ['ɑxtərhu.də] *v* rear(guard); *sp* defence.

achterhoedegevecht [-ɡəvɛxt] *o* ✗ rearguard action.

achterhoek [-hu.k] *m* outlying part.

achterhoofd [-ho.ft] *o* back of the head, § occiput; *gedachten in zijn* ~ thoughts at the back of his mind.

achterhoofdsbeen [-ho.ftsbe.n] *o* occipital bone.

achterhouden [-hɔudə(n)] *vt* keep back, hold back, withhold.

achterhoudend [ɑxtər'hɔudənt] close, secretive.

achterhoudendheid [-hɛit] *v* closeness, secretiveness.

achterhouding ['ɑxtərhɔudiŋ] *v* keeping back.

achterhuis [-hœys] *o* 1 (achterste gedeelte) back part of the house; 2 (gebouw) back premises.

achterin ['ɑxtə'rɪn] at the back [of the book, of the garden &].

Achter-Indië [ɑxtər'ɪndi.ə] *o* Further India.

achterkamer ['ɑxtərka.mer] *v* backroom.

achterkant [-kɑnt] *m* back.

achterkeuken [-kø.kə(n)] *v* back-kitchen.

achterklap [-klɑp] *m* backbiting, scandal.

achterkleindochter ['ɑxtərklɛindoxtər] *v* great-granddaughter.

achterkleinzoon [-zo.n] *m* great-grandson.

achterlader ['ɑxtərla.dər] *m* breech-loader.

achterland [-lɑnt] *o* hinterland.

achterlaten [-la.tə(n)] *vt* leave [a thing somewhere, with a person]; leave behind [after one's departure or death].

achterlating [-tɪŋ] *v* in: *met* ~ *van* leaving behind.

achterlicht ['ɑxtərlɪxt] *o* rear-light, tail-light, rear-lamp.

achterlijf [-lɛif] *o* abdomen [of insects].

achterlijk [-lək] 1 backward [= mentally deficient]; 2 behind the times; *school voor* ~*en* school for the mentally deficient.

achterlijkheid [-hɛit] *v* backwardness.

achterlopen ['ɑxtərlo.pə(n)] *vi* zie *achtergaan*.

achterna [ɑxtər'na.] after; behind.

achternaam ['ɑxtərna.m] *m* surname, family name.

achternagaan [ɑxtər'na.ɡa.n] &, zie *nagaan* &.

achterneef ['ɑxtərne.f] *m* grand-nephew; second cousin.

achternicht [-nɪxt] *v* grand-niece; second cousin.

achterom [ɑxtə'ròm] the back way about; behind; back; ~ *lopen* go round (at the back); ~ *zien* &, zie *omzien* &.

achterop [ɑxtə'ròp] behind, at the back; on the back [of an envelope]; *dat is* ~ F that's no good, that won't do; *ik ben* ~ *met mijn betaling* I am in arrear(s) with my payments.

achteropkomen [-ko.mə(n)] **achteroplopen** [-lo.pə(n)] *vt* overtake [one], catch [one] up, come up with.

achteropraken [-ra.kə(n)] zie *achterraken*.

achterover [ɑxtə'ro.vər] backward, on one's back.

achteroverdrukken [-drúkə(n)] F steal.

achterovergooien [-ɡo.jə(n)] *vt* zie *achteroverwerpen*.

achteroverleunen [-lø.nə(n)] *vi* lean back.

achteroverliggen [-lɪɡə(n)] *vi* lie back, recline.

achterovervallen [-vɑlə(n)] *vi* fall backwards.

achteroverwerpen [-vɛrpə(n)] *vt* 1 throw back [the head &]; 2 throw [one] on the back.

achterpaard ['ɑxtərpa:rt] *o* wheel-horse.

achterpand [-pɑnt] *o* back.

achterplaats [-pla.ts] *v* back-yard.

achterplecht [-plɛxt] *v* ⚓ poop.

achterpoort [-po:rt] *v* back-gate.

achterpoot [-po.t] *m* hind leg.

achterraken ['ɑxtəra.kə(n)] *vi* 1 drop (fall) behind, drop to the rear; 2 get behind with one's work (studies); *we raken achter bij de V.S.* we are falling behind the U.S.A.

achterruit [-rœyt] *v* ⚙ rear window.

achterschip ['ɑxtərsxɪp] *o* ⚓ stern.

achterspeler [-spe.lər] *m sp* back.

achterstaan [-sta.n] *vi* in: ~ *bij* be inferior to; *bij niemand* ~ ook: be second to none.

achterstaand [-t] (given) on the next page.

achterstallig [ɑxtər'stɑləx] outstanding; overdue; ~*e huur* back rent; ~*e rente* interest arrears; ~ *zijn* be in arrear(s) with one's payments; be behind with the rent; *het* ~*e* the arrears.

achterstand ['ɑxtərstɑnt] *m* arrears.

achterste [-stə] I *aj* hind(er)most,˙hind; II *o* 1 back part [of anything]; 2 posterior(s).

achterstel [-stɛl] *o* back [of a carriage].

achterstellen [-stɛlə(n)] *vt* put in the background; be unfair to [the poor]; slight [him]; ~ *bij* neglect for; postpone to.

achterstelling [-lɪŋ] *v* neglect, slighting; postponement (to *bij*); *met* ~ *van* to the neglect of.

achtersteven ['ɑxtərste.və(n)] *m* ⚓ 1 sternpost; 2 (achterschip) stern.

achterstevoren ['ɑxtərstə'vo:rə(n)] back to front.

achterstraat ['ɑxtərstra.t] *v* back street.

achterstuk [-stŭk] *o* back piece.

achtertrap [-trɑp] *m* backstairs.

achtertuin [-tœyn] *m* back-garden.

achteruit [ɑxtə'rœyt] I *ad* backward(s), back; ⚓ aft; [full speed] astern; ~ *daar!* stand back!; II 1 *o* & *m* back-yard; 2 *v* ↻ reverse.

achteruitboeren [-bu:rə(n)] *vi* F go downhill.

achteruitduwen [-dy.və(n)] *vt* push back.

achteruitgaan [-ga.n] *vi* go (walk) back(wards); *fig* go back [of civilization], decline [in vitality, prosperity], go down in the world; retrograde [in morals], fall off [in quality]; fall [of barometer]; *hard* ~ ook: sink fast.

1 achteruitgang ['ɑxtərœytgɑŋ] *m* rear-exit.

2 achteruitgang [ɑxtə'rœytgɑŋ] *m* going down, decline.

achteruitkijkspiegel [-kɛikspi.gəl] *m* (driving) mirror.

achteruitkrabbelen [-krɑbələ(n)] *vi* zie *terugkrabbelen.*

achteruitlopen [-lo.pə(n)] *vi* walk (go) backward(s).

achteruitrijden [-rɛi(d)ə(n)] I *vi* 1 ride (sit) with one's back to the engine (to the driver); 2 back, reverse [of motor-car]; II *vt* back, reverse [a motor-car].

achteruitschoppen [-sxòpə(n)] *vi* lash out, plunge.

achteruitschuiven [-sxœyvə(n)] *vt* push back.

achteruitslaan [-sla.n] *vi* zie *achteruitschoppen.*

achteruitspringen [-spriŋə(n)] *vi* jump back, start back.

achteruitzetten [-sɛtə(n)] *vt* 1 put (set) back [a watch]; 2 (financieel &) throw back; 3 (v. gezondheid) put back; 4 (verongelijken) slight.

achtervoegen ['ɑxtərvu.gə(n)] *vt* affix, add.

achtervoegsel [-vu.xsəl] *o* suffix.

achtervolgen [ɑxtər'vòlgə(n)] *vt* run after², pursue, dog; persecute.

achtervolging [-giŋ] *v* pursuit; persecution.

achterwaarts ['ɑxtərva:rts] I *aj* backward, retrograde; II *ad* backward(s), back.

achterwege [ɑxtər've.gə] in: ~ *blijven* fail to appear; ~ *houden* keep back; ~ *laten* omit, drop.

achterwerk ['ɑxtərvɛrk] *o* P posterior(s).

achterwiel [-vi.l] *o* back (hind, rear) wheel.

achterzak [-zɑk] *m* tail-pocket.

achterzij(de) [-zɛi(də)] *v* back.

achthoek ['ɑxthu.k] *m* octagon.

achthoekig ['ɑxthu.kəx] octagonal, octangular.

achting ['ɑxtiŋ] *v* esteem, regard, respect; *de* ~ *genieten van...* be held in esteem by...; ~ *hebben voor* hold in esteem; *in iemands* ~ *dalen (stijgen)* fall (rise) in a man's esteem; *met de*

---

meeste ~ zie *hoogachting.*

achtjarig ['ɑxtja:rəx] 1 of eight years, eight-year-old; 2 octennial (= lasting eight years)

achtlettergrepig [-lɛtərgre.pəx] octosyllabic.

achtregelig [-re.gələx] of eight lines, eight-line...

achtste ['ɑx(t)stə] eighth (part).

achttal ['ɑxtɑl] *o* (number of) eight.

achttien ['ɑxti.n] eighteen.

achttiende [-də] eighteenth (part).

achttiende-eeuws [-dəe:us] eighteenth-century.

achturendag [ɑxt'y:rə(n)dɑx] *m* eight-hour(s) day.

achtvlak ['ɑxtflɑk] *o* octahedron.

achtvlakkig [-flɑkəx] octahedral.

achtvoetig [-fu.təx] of eight feet, eight-footed.

achtvoud [-fout] *o* octuple.

achtvoudig [-foudəx] eightfold, octuple.

achtzijdig [-sɛidəx] eight-sided, octahedral.

acoliet [a.ko.'li.t] *m* acolyte.

aconiet zie *akoniet.*

a costi [a.'kosti.] $ at your place.

acquisiteur [ɑkvi.zi.'tø:r] *m* canvasser.

acquit [a.'ki.t] *o* ⚬₀ spot; ~ *geven* lead off.

acrobaat [a.kro.'ba.t] *m* acrobat.

acrobatiek [a.kro.ba.'ti.k] *v* acrobatics.

acrobatisch [a.kro.'ba.ti.s] *aj* (& *ad*) acrobatic(ally).

acrostichon [a.'krosti.xòn] *o* acrostic.

acteren [ɑk'te:rə(n)] *vi* & *vt* act.

acteur [ɑk'tø:r] *m* actor, player, > play-actor.

actie ['ɑksi.] *v* 1 ⚖ action°; lawsuit; 2 share [in a bank]; 3 action, acting [of an actor], action [of a play]; 4 agitation, campaign [in favour of]; drive [to raise funds &]; 5 ⚔ action; *een* ~ *instellen tegen* ⚖ bring an action against.

actief [ɑk'ti.f] I *aj* 1 active, energetic; 2 ⚔ with the colours; *actieve handelsbalans* $ favourable trade balance; II *ad* actively, energetically; III *o* in: ~ *en passief* $ assets and liabilities.

actieradius ['ɑksi.ra.di.ŭs] *m* radius of action.

activa [ɑk'ti.va.] *mv* $ assets.

activeren [ɑkti.'ve:rə(n)] *vt* activate.

activiteit [ɑkti.vi.'tɛit] *v* activity.

actrice [ɑk'tri.sə] *v* actress.

actualiteit [ɑkty.a.li.'tɛit] *v* topicality [of a theme]; timeliness; *een* ~ a topic of the day.

actuaris [ɑkty.'a:rɪs] *m* actuary.

actueel [ɑkty.'e.l] of present interest; topical [event, question, subject]; timely [article in the papers].

acuut [a.'ky.t] *aj* (& *ad*) acute(ly).

ad [ɑt] $ at |3 %|.

A.D. = *anno domini.*

Adam ['a.dɑm] *m* Adam; *de oude* ~ *afleggen* put off the old Adam.

adamsappel ['a.dɑmsɑpəl] *m* Adam's apple.

adamscostuum zie *adamskostuum.*

adamskostuum [-kəsty.m] *o* in: *in* ~ in a state of nature.

adat ['a.dɑt] *m Ind* custom, usage, customary law.

adder ['adər] *v* viper, adder; *een ~ aan zijn borst koesteren* nourish (cherish) a viper in one's bosom; *er schuilt een ~ onder het gras* there is a snake in the grass.

adder(en)gebroed ['adər(ə(n))gəbrut] *o* breed (B generation) of vipers.

addertong ['adərtòŋ] *v* I ♣ adder's-tongue; 2 *fig* backbiter.

adekwaat zie *adequaat.*

adel ['a.dəl] *m* nobility; *van ~ zijn* be of noble birth, belong to the nobility.

adelaar ['a.dəla:r] *m* ♣ eagle.

adelaarsblik [-la:rsblɪk] *m* eagle-eye.

adelaarsvaren [-fa:rə(n)] *v* ♣ bracken.

adelboek ['a.dəlbu.k] *o* peerage.

adelborst [-bòrst] *m* midshipman, F middy.

adelbrief [-bri.f] *m* patent of nobility.

adeldom [-dòm] *m* nobility.

adelen ['a.dələ(n)] *vt* ennoble[2], raise to the peerage.

adellijk ['a.dələk] I noble; nobiliary; 2 F high [of game], gamy; *~e titel* title of nobility.

adelstand ['a.dəlstɑnt] *m* nobility; *in (tot) de ~ verheffen* ennoble, raise to the peerage.

adeltrots [-tròts] *m* nobiliary pride.

adem ['a.dəm] *m* breath; *de ~ inhouden* hold one's breath; *~ scheppen* take breath; *buiten ~* out of breath, breathless; *buiten ~ geraken* get out of breath; *in één ~* in (one and) the same breath; *op ~ komen* recover one's breath; *op ~ laten komen* breathe; *van lange ~* long-winded.

adembenemend [-bə'ne.mənt] breath-taking.

ademen ['a.dəmə(n)] *vt & vi* breathe.

ademhalen ['a.dəmha.lə(n)] *vi* draw breath, breathe; *ruimer ~* breathe more freely, breathe again.

ademhaling [-lɪŋ] *v* respiration, breathing; *kunstmatige ~* artificial respiration.

ademhalingsoefening [-lɪŋsu.fənɪŋ] *v* respiratory exercise, breathing exercise.

ademhalingswerktuigen [-lɪŋsvɛrktœygə(n)] *mv* respiratory organs.

ademloos ['a.dəmlo.s] breathless[2].

adempauze [-pouzə] *v* breathing space, breathing spell, breathing time.

⊙ **ademtocht** [-tòxt] *m* breath.

adenoïde vegetaties [a.dəno.'i.də ve.gə'ta.-(t)si.s] *mv* ♣ adenoids.

adept [a.'dɛpt] *m* follower.

adequaat [a.de.'kva.t] *aj (& ad)* adequate(ly).

ader ['a.dər] *v* I (in het lichaam of hout) vein; 2 (v. erts &) vein, lode, seam.

aderen ['a.dərə(n)] *vt* vein, grain.

aderlaten ['a.dərla.tə(n)] *vt* bleed[2].

aderlating [-tɪŋ] *v* bleeding[2], blood-letting; *fig* drain on one's purse (resources &).

aderlijk ['a.dərlək] venous.

aderspat [-spat] *v* varicose vein.

aderverkalking [-vərkɑlkɪŋ] *v* arteriosclerosis.

adhesie [ɑt'he.zi.] *v* adhesion; *zijn ~ betuigen* give one's adhesion [to a plan].

adieu [a.'djø:] good-bye, F bye-bye.

ad interim [ɑt'ɪntərɪm] ad interim.

adjectief, adjektief ['ɑtjɛkti.f] *o* adjective.

adjudant [ɑtjy.'dɑnt] *m* ✕ adjutant; aide-de-camp, A.D.C. [to a general]; ✈ adjutant.

adjunct, adjunkt [ɑt'jûŋkt] *m* assistant, deputy, adjunct.

administrateur [ɑtmi.ni.stra.'tø:r] *m* I (in 't alg.) administrator; manager; 2 ⚓ purser; 3 (v. plantage) estate manager; 4 (boekhouder) book-keeper, accountant.

administratie [-'stra.(t)si.] *v* administration, management.

administratief [-stra.'ti.f] *aj (& ad)* administrative(ly).

administratiekosten [-'stra.(t)si.kəstə(n)] *mv* administrative expenses.

administreren [-'stre:rə(n)] *vt* administer, manage.

admiraal [ɑtmi.'ra.l] *m* ⚓ admiral; zie ook: *admiraalvlinder.*

admiraalschap [-sxɑp] *o* ⚓ admiralship.

admiraalsschip [-sxɪp] *o* ⚓ flagship.

admiraalsvlag [ɑtmi.'ra.lsflɑx] *v* ⚓ admiral's flag.

admiraalvlinder [-flɪndər] *m* ✾ red admiral.

admiraliteit [ɑtmi.ra.li.'tɛit] *v* admiralty.

admissie [ɑt'mɪsi.] *v* admission.

admissie-eksamen zie *admissie-examen.*

admissie-examen [-ɛksa.mə(n)] *o* entrance examination.

Adonis, adonis [a.'do.nɪs] *m* Adonis°.

adoniseren, adonizeren [a.do.ni.'ze:rə(n)] in: *zich ~* adonize oneself.

adoptant [a.dəp'tɑnt] *m* adopter.

adopteren [-'te:rə(n)] *vt* adopt.

adoptie [a.'dɔpsi.] *v* adoption.

ad rem [ɑt'rɛm] to the point.

adres [a.'drɛs] *o* I (op brief) address, direction; 2 (memorie) memorial, petition; *dan ben je aan 't verkeerde ~* you have come to the wrong shop; *dat was aan uw ~* F that was a hit at you, that was meant for you; *per ~* care of, c/o.

adresboek [-bu.k] *o* directory.

adreskaart [-ka:rt] *v* I (voor postpakket) dispatch note; 2 $ business card.

adreskaartje [-ka:rcə] *o* visiting-card, card.

adressant [a.drɛ'sɑnt] *m* I petitioner, applicant; 2 ✆ sender.

adresseermachine [-'se:rma.ʃi.nə] *v* addressing machine.

adresseren [-'se:rə(n)] I *vt* direct, address [a letter]; II *vr zich ~ aan* apply to.

adresstrook [a.'drɛstro.k] *v* label.

adresverandering [a.'drɛsfərɑndərɪŋ] *v* change of address.

Adriaan ['a.dri.ɑ.n] *m* Adrian.

Adriatische Zee [a.dri.'a.ti.sə'ze.] *v de ~* the Adriatic.

adspirant [atspi.'rant] = *aspirant*.
advent [at'vɛnt] *m* Advent.
adventzondag [-sòndαx] *m* Advent Sunday.
adverteerder [atvər'te:rdər] *m* advertiser.
advertentie [-'tɛnsi.] *v* advertisement, F ad.
advertentieblad [-blat] *o* advertiser.
advertentiebureau [-by.ro.] *o* advertising agency.
advertentiekosten [-kəstə(n)] *mv* advertising charges.
advertentiepagina [-pa.gi.na.] *v* advertisement page.
adverteren [atvər'te:rə(n)] *vt & va* advertise.
advies [at'vi.s] *o* 1 advice; 2 recommendation [of a commission]; *op ~ van* at (by, on) the advice of; *commissie van ~* advisory committee.
adviesbrief [-bri.f] *m* letter of advice.
adviescommissie, -kommissie [-kòmısi.] *v* advisory committee.
adviseren [atvi.'ze:rə(n)] *vt* 1 advice; 2 recommend [of a jury &].
adviserend [-rənt] advisory, consultative.
adviseur [atvi.'zø:r] *m* adviser, consultant; *wiskundig ~* actuary.
adviz- zie *advis-*.
advocaat [atvo.'ka.t] *m* 1 🏛 barrister(-at-law), counsel; ± solicitor, lawyer; *Sc* advocate; 2 (drank) zie *advocaatje*.
advocaat-generaal [-ge.nə'ra.l] *m* Solicitor-General.
advocaatje [atvo.'ka.cə] *o* egg nog, egg flip.
advocatenstreek [-'ka.tə(n)stre.k] *m & v* lawyer's trick.
advocaterij [-ka.tə'rɛi] *v* pettifoggery.
advoka- zie *advoca-*.
Aegeïsche Zee [e.'ge.i.sə'ze.] *v* Aegean Sea.
aëroclub ['a.e.ro.klŭp] *v* flying-club.
aërodynamica, -dynamika [a.e.ro.di.'na.mi.ka.] *v* aerodynamics.
aëroklub zie *aëroclub*.
af [αf] off; down; *~ en aan lopen* come and go; go to and fro; *~ en toe* off and on, now and then, now and again, occasionally; *A ~* exit A; *allen ~* exeunt all; *het (engagement) is ~* the engagement is off; *het (werk) is ~* the work is finished; *hij is ~* he is out [at a game]; *hij is minister ~* he is out (of office); *~!* down! [to a dog]; *hoeden ~!* hats off!; *links ~* to the left; *goed (slecht) ~ zijn* be well (badly) off; *bij zwart ~* off black; *op de minuut ~* to the minute &; *van... ~* from [a child, his childhood, that day &], from [two shillings] upwards; from [this day] onwards; *nu ben je van die... ~* now you are rid of that (those)...; *ze zijn van elkaar ~* they have separated; *je bent nog niet van hem ~!* you have not done with him yet; you haven't heard (seen) the last of him yet.
afbakenen ['αf.ba.kənə(n)] *vt* 1 (weg &) trace (out), mark out; 2 ⚓ (vaarwater) beacon; *duidelijk afgebakend* ook: clearly defined.

afbakening [-nıŋ] *v* 1 tracing (out), marking out; 2 ⚓ beaconing.
afbedelen ['αfbe.də.lə(n)] *vt* get (obtain) by begging; *iemand iets ~* beg it from one.
afbeelden [-be.ldə(n)] *vt* represent, portray, picture, paint, depict.
afbeelding [-dıŋ] *v* picture, portrait, representation, portraiture.
afbeeldsel ['αfbe.ltsəl] *o* image, portrait.
afbekken [-bekə(n)] *vt* zie *afsnauwen*.
afbellen [-bɛlə(n)] *vi* ring off; zie ook: *aftelefoneren*.
afbestellen [-bəstɛlə(n)] *vt* countermand, cancel [the order].
afbestelling [-lıŋ] *v* countermand, counter-order.
afbetalen ['αfbəta.lə(n)] *vt* pay off, pay (up); pay [£ 5] on account.
afbetaling [-lıŋ] *v* (full) payment; *~ in termijnen* payment by instalments; *£ 5 op ~ £ 5* on account; *op ~ kopen* buy on the instalment plan (system), on the hire-purchase system, F on the never-never.
afbetten ['αfbɛtə(n)] *vt* bathe [a wound].
afbeulen [-bø.lə(n)] I *vt* overdrive, fag out [one's servants], override [a horse]; II *vr zich ~* work oneself to the bone, work oneself to death.
afbidden [-bıdə(n)] *vt* 1 (trachten af te wenden) avert; 2 (bidden om) pray for, invoke.
afbijten [-bɛitə(n)] *vt* bite off [a bit]; clip [one's words]; zie ook: *bijten*.
afbikken [-bıkə(n)] *vt* chip (off).
afbinden [-bındə(n)] I *vt* 1 untie [one's skates]; 2 ligature [a vein], tie (up) [an artery]; II *va* untie one's skates.
afbladderen [-bladərə(n)] *vi* peel off, scale off.
afblazen [-bla.zə(n)] *vt* blow off [steam].
afblijven [-blɛivə(n)] *vi* in: *~ van iemand* keep one's hands off one; *~ van iets* let (leave) a thing alone; *~!* hands off!
afboeken [-bu.kə(n)] *vt* $ 1 (afschrijven) write off; 2 (overboeken) transfer [from one account to another]; 3 (afsluiten) close [an account].
afboenen [-bu.nə(n)] *vt* (droog) rub; (nat) scrub.
afborstelen [-bòrstələ(n)] I *vt* brush off [the dust]; brush [clothes, shoes, a person]; II *vr zich ~* brush oneself up.
afbraak [-bra.k] *v* 1 demolition; 2 old materials [of a house]; rubbish; *voor ~ verkopen* sell for its materials.
afbraakproduct zie *afbraakprodukt*.
afbraakprodukt [-pro.dŭkt] *o* breakdown product.
afbranden [-brandə(n)] I *vt* burn off [the paint]; burn down [a house]; II *vi* be burnt down.
afbreken [-bre.kə(n)] I *vt* 1 break (off) [a flower from its stalk]; demolish, pull down [a house], break down [a bridge; chemically];

take down [a booth, a scaffolding]; 2 break off [a sentence, engagement &], divide [a word], interrupt [one's narrative]; cut short [one's holidays]; 3 cut [a connection]; 4 sever [friendship, relations]; 5 *fig* demolish, cry down, pull to pieces [an author &], write down [a book, play &]; **II** *vi* 1 break (off) [of a thread]; 2 stop [in the middle of a sentence]; **III** *va* destroy, disparage; *hij is altijd aan het* ~ he is always crying (running) down people; **IV** *o* rupture, severance [of diplomatic relations].

afbrekend [-kənt] destructive [criticism].

afbreker [-kər] *m* demolisher².

afbreking [-kıŋ] *v* breaking off, rupture; interruption; demolition.

afbrekingsteken [-kıŋste.kə(n)] *o* break.

afbrengen ['afbrɛŋə(n)] *vt* (vlot maken) ⚓ get off; *het er goed* ~ get through very well, do well; *het er heelhuids* ~ come off with a whole skin; *het er levend* ~ get off (escape) with one's life; *het er slecht* ~ come off badly, do badly; *hij was er niet van af te brengen* he could not be dissuaded from it, we could not talk (reason) him out of it; *iemand van de goede (rechte) weg* ~ lead one away from the right course, lead one astray.

afbreuk [-brø.k] *v* in: ~ *doen aan* be detrimental to, detract from [his reputation]; *de vijand* ~ *doen* do harm to the enemy.

afbroddelen [-brɔdələ(n)] *vt* bungle, scamp [one's work].

afbrokkelen [-brɔkələ(n)] *vi* crumble (off, away).

afbrokkeling [-lıŋ] *v* crumbling (off, away).

afbuitelen ['afbœytələ(n)] *vi* tumble down.

afdak [-dɑk] *o* penthouse, shed.

afdalen [-dɑ.lə(n)] *vi* descend, come (go) down; ~ *in bijzonderheden* go (enter) into detail(s); ~ *tot* condescend to [inferiors]; descend to [the level of, doing something].

afdalend [-lənt] descending.

afdaling [-lıŋ] *v* 1 descent; 2 *fig* condescension.

afdammen ['afdɑmə(n)] *vt* dam up.

afdamming [-mıŋ] *v* damming up; dam.

afdanken ['afdɑŋkə(n)] *vt* disband [troops]; dismiss [an army, a servant &]; pay off [ship's crew]; superannuate [an official]; discard [a lover, clothes]; part with [a motorcar]; scrap [ships].

afdanking [-kıŋ] *v* disbanding [of troops]; dismissal [of a servant &].

afdeinzen ['afdɛinzə(n)] *vi* withdraw, retreat.

afdekken [-dɛkə(n)] *vi* clear the table.

afdelen [-de.lə(n)] *v* divide; classify.

afdeling [-lıŋ] *v* 1 ('t afdelen) division; classification; 2 (onderdeel) division, section, branch [of a party &]; 3 ✕ detachment [of soldiers], body [of horse], [landing] party; 4 (compartiment) compartment; 5 (van bestuur, winkel &) department; ward [in a

hospital]; [parliamentary] ± committee.

afdelingschef [-lıŋʃɛf] *m* head of a department.

afdingen ['afdıŋə(n)] **I** *vi* bargain, chaffer; beat down the price; **II** *vt* beat down; *ik wil niets* ~ *op zijn verdiensten* I have no wish to detract from his merits; *daar is niets op af te dingen* there is nothing to be said against it, it is unobjectionable.

afdoen [-du.n] *vt* 1 (kledingstukken &) take off; 2 (afvegen) clean, wipe, dust; 3 (afmaken) finish, dispatch, expedite [a business]; 4 (uitmaken) settle [a question]; 5 (verhandelen) $ sell; 6 (afbetalen) pay off, settle [a debt]; *hij heeft afgedaan* he has had his day; *hij heeft bij mij afgedaan* I have done with him; *veel* ~ *tot de zaak* matter much; *dat doet er niets aan toe of af* 1 it doesn't alter the fact; 2 that's neither here nor there; *iets van de prijs* ~, *er iets* ~ knock off something, take something off; *dit doet niets af van de waarde* this does not detract from the value.

afdoend ['afdu.nt] in: *dat is* ~(*e*) that settles the question; *een* ~ *argument (bewijs)* a conclusive argument (proof); ~*e maatregelen* efficacious (effectual, effective) measures.

afdoening ['afdu.nıŋ] *v* 1 disposal, dispatch [of the business on hand]; 2 settlement [of business]; payment [of a debt]; 3 $ sale.

afdraaien [-dra.jə(n)] *vt* 1 turn off [a tap, the gas]; 2 (er ~) twist off; 3 F (rammelend opzeggen) reel off, rattle off [one's lines]; 4 grind out [on a barrel-organ]; 5 run off [a stencil on a duplicating machine]; 6 show [a film]; 7 play [a gramophone record].

afdragen [-dra.ɡə(n)] *vt* 1 carry down [the stairs &]; 2 wear out [clothes]; 3 remit, hand over [money].

afdraven [-dra.və(n)] *vt* in: *een paard* ~ trot out a horse; *heel wat* ~ trot a good many miles.

afdreggen [-drɛɡə(n)] *vt* drag.

afdreigen [-drɛiɡə(n)] *vt* in: *iemand geld* ~ extort money from a man, blackmail a man.

afdreiging [-ɡıŋ] *v* blackmail.

afdrijven ['afdrɛivə(n)] **I** *vi* 1 float (drift) down [the river]; 2 (v. schip) drift (off), make leeway; 3 (onweer &) blow over; *met de stroom* ~ be borne down the stream; *fig* go with the stream; **II** *vt* drive (chase) down [the hill &].

afdringen [-drıŋə(n)] *vt* push off; hustle off.

afdrogen [-dro.ɡə(n)] *vt* dry, wipe (off).

afdroppelen [-drɔpələ(n)] = *afdruppelen*.

afdruipen [-drœypə(n)] *vi* 1 (vloeistoffen) trickle (drip) down; 2 (wegsluipen) F slink away, slink off [with one's tail between one's legs].

afdruk [-drŭk] *m* 1 (indruk) imprint, print; 2 (v. boek of gravure) impression; copy; 3 (v. foto) print.

afdrukken [-drŭkə(n)] *vt* 1 print (off) [a book]; 2 impress [on wax].

afdruksel ['afdrūksəl] o impression, impress, (im)print.

afdruppelen [-drūpələ(n)] vi drip (trickle) down.

afduwen [-dy.və(n)] I vt push off; II va push off, shove off.

afdwalen [-dva.lə(n)] vi I eig stray off, stray from the company; 2 fig stray (wander) from one's subject, depart from the question; (op verkeerde wegen) go astray.

afdwaling [-lıŋ] v I straying, wandering from the point; digression; 2 (fout) aberration.

afdwingen ['afdvıŋə(n)] vt compel, command [admiration, respect]; extort [a concession from].

afeten [-e.tə(n)] I vt eat off; browse [of cattle]; II vi finish one's dinner &.

affaire [a'fɛ:rə] v I (zaak) affair, business; 2 $ business; (transactie) transaction.

affectatie [afɛk'ta.(t)si.] v affectation.

affectie [a'fɛksi.] v affection.

affekt- zie affect-.

affiche [a'fi.ʃə] o & v poster, placard; play-bill [of a theatre].

affichekunst [-kūnst] v poster art.

afficheren [afi.'ʃe:rə(n)] vt post up, placard; fig show off, parade.

affiniteit [afi.ni.'tɛit] v affinity.

affreus [a'frø.s] I aj horrid, horrible; II ad horridly, horribly.

affront [a'frònt] o affront.

affronteren [afròn'te:rə(n)] vt affront.

affuit [a'fœyt] v ⚔ (gun-)carriage; [fixed] mounting.

afgaan ['afga.n] I vi I (afvaren) start, sail; 2 (v. vuurwapenen) go off; 3 (v. 't getij) recede, ebb; er ~ come off [of paint]; het gaat hem glad (handig, gemakkelijk) af it comes very easy to him; dat gaat hem goed af it [his new dignity &] sits well on him; bij de rij ~ take them in their order; ~ op iemand I walk up to a man, make for him [the enemy]; 2 fig rely on a man; recht op zijn doel ~ go straight to the point; ~ op praatjes trust what people say; ~ van leave [school, a person]; daar gaat niets van af there is no denying it; II vt go (walk) down [the stairs, a hill &].

afgebroken [-gəbro.kə(n)] broken off, broken, interrupted.

afgedragen [-dra.gə(n)] worn out.

afgeëxerceerd [-ɛksərse:rt] ⚔ trained [soldier]; ~ zijn have completed one's training.

afgeladen [-la.də(n)] in: de treinen waren ~ (vol) the trains were packed, crowded [with passengers].

afgelasten [-lastə(n)] vt countermand, cancel [a dinner, a football match], call off [a strike].

afgeleefd [-le.ft] decrepit, worn with age.

afgelegen [-le.gə(n)] distant, remote, outlying, out-of-the-way, sequestered.

afgelegenheid [-hɛit] v remoteness.

afgeleid ['afgələit] derived; ~ woord derivative; zie ook: afleiden.

afgelopen [-lo.pə(n)] past [year]; het ontbijt is ~ breakfast is over.

afgemat [-mat] tired out, worn out, exhausted.

afgemeten [-me.tə(n)] measured², formal, stiff; op ~ toon [speak] in measured tones, stiffly.

afgepast [-past] adjusted; ready-made [curtains &]; ~ geld the exact sum (money); met ~ geld betalen! no change given!, (in bus, tram) exact fare!

afgerond [-rònt] rounded (off).

afgescheiden [-sxɛidə(n)] separate; een ~ dominee a dissenting minister; ~ van apart from.

afgescheidene [-dənə] m I dissenter, nonconformist [in religion]; 2 separatist [in politics].

afgesloofd ['afgəslo.ft] fagged (out), worn out.

afgesloten [-slo.tə(n)] closed &; ~ rijweg! no thoroughfare.

afgestorven [-stərvə(n)] I aj deceased, dead; II sb de ~e the deceased, the defunct; de ~en the deceased, the dead.

afgetobd [-təpt] fagged out [with toil], care-worn [with care], exhausted [with suffering].

afgetrapt [-trapt] in: ~e schoenen boots down at heel; met ~e schoenen aan down at heel.

afgetrokken [-tròkə(n)] I abstract; 2 absent (-minded); in het ~e in the abstract.

afgetrokkenheid [-hɛit] v abstraction; absence of mind.

afgevaardigde ['afgəva:rdəgdə] m deputy, delegate, representative; het Huis van Afgevaardigden the House of Representatives [in Australia, U.S.A. &].

afgeven ['afge.və(n)] I vt I deliver up [what is not one's own]; hand [a parcel], hand in (over); leave [a card] on [a person], leave [a letter] with [a man]; issue [a declaration, a passport]; 2 (van zich geven) give off, give out [heat &], emit [a smell &]; een boodschap ~ deliver a message; een wissel ~ op... draw (a bill) on...; II vr in: zich ~ met een meisje take up with a girl; zich ~ met iets meddle with a thing; geef u daar niet mee af, met hem niet af have nothing to do with it, with him; III vi come off [of paint]; stain [of material]; ~ op iets (iemand) cry (run) down.

afgewerkt ['afgəvɛrkt] in: ~e stoom exhaust steam.

afgezaagd [-za.xt] I eig sawn off; 2 fig trite, stale, hackneyed, hard-worked.

afgezant [-zant] m ambassador; envoy; messenger.

afgezonderd [-zòndərt] secluded, retired, sequestered; ~ van separate from; ~ wonen live in an out-of-the-way place.

Afghaan(s) [af'ga.n(s)] Afghan.

Afghanistan [af'ga.ni.stan] o Afghanistan.

afgieten ['afgi.tə(n)] vt I (v. kooksel) pour off, strain off; 2 (v. gipsbeelden) cast.

afgietsel [-gi.tsəl] o (plaster) cast.

afgifte [-gıftə] v delivery; bij ~ on delivery.

afglijden [-glɛidə(n)] *vi* slide down (off), slip down (off); ⚡ stall; *fig* slide, drift [into chaos
afglippen [-glɪpə(n)] *vi* slip down (off). [&].
afgod [-gɔt] *m* idol², false god.
afgodendienaar [-go.də(n)di.na:r] *m* idolater.
afgodendienst [-di.nst] *m* afgoderij [ɑfgo.də-'rɛi] *v* idolatry, idol worship.
afgodisch [ɑf'go.di.s] *aj* (& *ad*) idolatrous(ly); ~ *liefhebben (vereren)* idolize.
afgodsbeeld ['ɑfgɔtsbe.lt] *o* idol.
afgodsdienst [-di.nst] = *afgodendienst*.
afgooien ['ɑfgo.jə(n)] *vt* throw down (off).
afgraven [-gra.və(n)] *vt* dig off; level.
afgrazen [-gra.zə(n)] *vt* graze, browse.
afgrendelen [-grɛndələ(n)] *vt* ✂ seal off [an area].
afgrijs(e)lijk [ɑf'grɛis(ə)lək] I *aj* horrible, horrid, ghastly; II *ad* horribly, horridly, ghastlily.
afgrijs(e)lijkheid [-hɛit] *v* horribleness, horridness, horror, ghastliness.
afgrijzen ['ɑfgrɛizə(n)] *o* horror; *een* ~ *hebben van* abhor.
afgrissen [-grɪsə(n)] *vt* snatch from.
afgrond [-grɔnt] *m* abyss², gulf², precipice².
afgunst [-gʉnst] *v* envy, jealousy.
afgunstig (op) [ɑf'gʉnstəx] envious (of), jealous (of).
afhaken ['ɑfha.kə(n)] *vt* unhook; uncouple [a railway carriage].
afhakken [-hɑkə(n)] *vt* cut off, chop off, lop off.
afhalen [-ha.lə(n)] *vt* 1 (naar beneden) fetch down; 2 (ophalen) collect [parcels]; 3 (personen) call for [a man at his house]; meet (at the station); take up [in one's car]; 4 (v. dieren) zie *afstropen* 1; *de bedden* ~ strip the beds; *bonen* ~ string beans; *laten* ~ send for; *wordt afgehaald* to be left till called for; *niet afgehaalde bagage* left luggage.
afhandelen [-hɑndələ(n)] *vt* settle, conclude, dispatch.
afhandeling [-lɪŋ] *v* settlement, dispatch.
afhandig [ɑf'hɑndəx] in: *iemand iets* ~ *maken* 1 trick (coax) one out of a thing; 2 F ease one of a thing, pilfer a thing from a person.
afhangen ['ɑfhɑŋə(n)] I *vt* unhang, unsling, take down; II *vi* hang down; depend²; ~ *van* depend (up)on, be dependent on; *dat zal er van* ~ that depends.
afhangend ['ɑfhɑŋənt] hanging, drooping.
afhankelijk [ɑf'hɑŋkələk] dependent (on *van*).
afhankelijkheid [-hɛit] *v* dependence (on *van*).
afhaspelen ['ɑfhɑspələ(n)] *vt* 1 reel off², unreel, wind off; 2 bungle [one's work].
afhebben [-hɛbə(n)] *vt* have finished, be done with.
afhechten [-hɛxtə(n)] *vt* cast off [a stocking].
afhellen [-hɛlə(n)] *vi* zie *hellen*.
afhelpen [-hɛlpə(n)] *vt* 1 help off, help down [from a horse &]; 2 rid, relieve, F ease [one of his money].
afhollen [-hɔlə(n)] *vt* rush down.

afhouden [-hɑudə(n)] I *vt* 1 keep [one's eyes] off, keep... from [evil courses &]; 2 deduct, stop [so much from a man's pay]; *van zich* ~ keep [one's enemies] at bay (at a distance); II *vi* ⚓ bear off; *van land* ~ ⚓ stand from the shore; *links (rechts)* ~ turn to the left (right).
afhouwen [-hɑuə(n)] *vt* cut off, hew off, chop off, lop off.
afhuren [-hy:rə(n)] *vt* hire [from].
afjagen [-ja.gə(n)] *vt* 1 drive away [from]; 2 overdrive, override, jade [a horse]; 3 *sp* shoot over [the moors].
afjakkeren [-jɑkərə(n)] *vt* override [a horse], overdrive, jade [one's servants], wear out [with work].
afkammen [-kɑmə(n)] *vt* 1 *eig* comb off; 2 *fig* zie *afmaken* 3.
afkanten [-kɑntə(n)] *vt* cant, bevel, square.
afkapen [-ka.pə(n)] *vt* filch (pilfer) from.
afkappen [-kɑpə(n)] *vt* cut off, chop off, lop off.
afkappingsteken [-pɪŋste.kə(n)] *o* apostrophe.
afkeer ['ɑfke:r] *m* aversion, dislike; *een* ~ *hebben van* have a dislike of (to), feel (have) an aversion to (for, from); dislike; *een* ~ *krijgen van* conceive (take) a dislike to, take an aversion to.
afkeren [-ke:rə(n)] I *vt* turn away [one's eyes]; avert [a blow]; II *vr zich* ~ turn away.
afkerig [ɑf'ke:rəx] averse; ~ *van* averse from (to); *iemand* ~ *maken van* make a person take an aversion to; ~ *worden van* take an aversion (a dislike) to.
afkerigheid [-hɛit] *v* aversion.
afketsen ['ɑfkɛtsə(n)] I *vi* glance off; *fig* fall through; II *vt* reject [an offer], defeat [a motion].
afkeuren [-kø:rə(n)] *vt* 1 (zedelijk) condemn, disapprove (of); 2 (niet aannemen) reject [a man] as unfit; 3 (buiten dienst stellen) condemn [a house as unfit to live in], scrap [ships &]; declare [meat] unfit for use; *hij is afgekeurd* he was rejected (not passed) by the doctor.
afkeurend [-rənt] I *aj* disapproving, [look] of disapproval; II *ad* disapprovingly.
afkeurenswaard(ig) [ɑfkø:rəns'va:rt, -'va:rdəx] condemnable, objectionable, censurable, blameworthy.
afkeuring ['ɑfkø:rɪŋ] *v* 1 disapprobation, disapproval, condemnation, censure; 2 ✂ rejection [by the Army doctor]; 3 ⚓ bad mark.
afkijken [-kɛikə(n)] I *vt* in: *iets van iemand* ~ learn from one by watching him; *de straat* ~ look down the street; II *va* ⚓ copy, crib.
afklaren [-kla:rə(n)] *vt* (vloeistof) clarify, clear.
afklauteren [-klɑutərə(n)] afklimmen [-klɪmə(n)] *vt* clamber (climb) down.
afkloppen [-klɔpə(n)] I *vt* (kleren &) flick [the dust] off; II *va* (uit bijgeloof) touch wood.

afkluiven [-klœyvə(n)] *vt* gnaw off, pick [a bone].

afknabbelen [-knabələ(n)] *vt* nibble off, nibble at.

afknagen [-kna.gə(n)] *vt* gnaw off.

afknappen [-knapə(n)] *vi* I *eig* snap (off); 2 *fig* have a breakdown.

afknippen [-knɪpə(n)] *vt* clip (off), cut (off); snip (off) [a piece].

afknipsel [-knɪpsəl] *o* clipping(s), cutting(s).

afknoeien [-knu.jə(n)] *vt* bungle [a job].

afknotten [-knɔtə(n)] *vt* I truncate [a cone]; 2 top [a tree].

afkoelen [-ku.lə(n)] I *vt* cool (down)²; II *vi* I cool (down)²; 2 (van het weer) grow cooler.

afkoeling [-lɪŋ] *v* I cooling (down)²; 2 fall in temperature.

afkoken ['afko.kə(n)] *vt* boil.

afkomen [-ko.mə(n)] I *vi* I (er af komen) come down; get off (his horse &); 2 (klaar-komen) get finished; 3 (officieel bekend worden) be published; *er goed* (*goedkoop of genadig, slecht*) ~ get off well (cheaply, badly); *er* ~ *met een boete* get off (be let off) with a fine; *er met ere* ~ come out of it with honour; *er met de schrik* ~ get off with a fright; ~ *op* make for; *ik zag hem op mij* ~ I saw him coming towards me, coming up to me; ~ *van* be derived from [Latin &]; *ik kon niet van hem* ~ I could not get rid of him; *ik kon niet van mijn waren* ~ I was left with my goods; II *vt* come down [the stairs &].

afkomst [-kòmst] *v* descent, extraction, origin, birth.

afkomstig [af'kòmstəx] in: ~ *uit* (*van*) coming from; a native of [Dublin]; *hij is uit A.* ~ he hails from A.; ~ *van* coming from [my father], emanating from [his pen]; *dat is van hem* ~ that proceeds from him; that comes from his pen.

afkondigen ['afkòndəgə(n)] *vt* proclaim, promulgate [a decree], publish [the banns], declare, call [a strike].

afkondiging [-gɪŋ] *v* proclamation, publication.

afkooksel ['afko.ksəl] *o* decoction.

afkoop [-ko.p] *m* buying off, redemption, ransom.

afkoopbaar [af'ko.pba:r] redeemable.

afkoopsom ['afko.psòm] *v* ransom, redemption money.

afkoopwaarde [-va:rdə] *v* surrender value.

afkopen ['afko.pə(n)] *vt* I buy (purchase) from; 2 (loskopen) buy off [a strike], ransom, redeem.

afkoppelen [-kɔpələ(n)] *vt* uncouple [railway carriages]; ⚔ disconnect, throw out of gear.

afkorten [-kòrtə(n)] *vt* shorten, abbreviate.

afkorting [-tɪŋ] *v* abbreviation.

afkrabben ['afkrabə(n)] *vt* scrape (scratch) off, scrape.

afkrabsel [-krapsəl] *o* scrapings.

afkrijgen [-krɛigə(n)] *vt* I (klaar krijgen) get finished; 2 (afnemen) take (down) [from the cupboard &]; *ik kon hem niet van zijn plaats* (*stoel*) ~ I could not get him away from where he stood, from his chair; *ik kon er geen cent* ~ I could not get off one farthing; *ik kon er de vlek niet* ~ I could not get the stain out.

afkruimelen [-krœymələ(n)] *vi* crumble off (away).

afkruipen [-krœypə(n)] *vt* creep down.

afkunnen [-kŭnə(n)] I *vi* (afgemaakt kunnen worden) get finished; *meer dan hij afkan* more than he can manage, more than he can handle (cope with); *je zult er niet meer* ~ you won't be able to back out of it, they won't let you off; *het zal er niet* ~ I'm sure we (they) can't afford it; *hij kan niet van huis af* he can't leave home; *hij kon niet van die man af* he couldn't get rid of that fellow; II *vt* in: *het alleen niet* ~ I be unable to manage the thing (things) alone; 2 be unable to cope with so much work alone; *het wel* ~ be able to manage it.

afkussen [-kŭsə(n)] *vt* kiss away [tears]; *laten wij het maar* ~ let us kiss and be friends.

aflaat [-la.t] *m RK* indulgence; *volle* ~ plenary indulgence.

afladen [-la.də(n)] *vt* unload, discharge.

aflaten [-la.tə(n)] I *vt* let down; II *vi* in: ~ *van* cease from, desist from, leave off ...ing.

afleggen [-lɛgə(n)] *vt* I lay down [a burden, arms &], take (put) off [one's cloak &]; 2 (voorgoed wegleggen) lay aside² [one's arrogance, mourning &]; 3 (lijk) lay out [a corpse]; 4 (doen) make [a declaration, a statement &]; 5 cover [a distance, so many miles]; *het* ~ have (get) the worst of it, be worsted, go to the wall; fail [of a student]; (sterven) die; *het* ~ *tegen* be unable to hold one's own against, be no match for; zie ook: *bezoek, eed &.*

aflegger [-gər] *m* I layer-out [of a corpse]; 2 ⚹ layer; 3 F cast-off coat, trousers &; ~*s* F ook: left-off clothing.

afleiden ['aflɛidə(n)] *vt* I (naar beneden) lead down; 2 (in andere richting) divert [the course of a river, one's attention]; distract [the mind]; 3 (trekken uit) derive [words from Latin &]; 4 (besluiten) deduce, infer, conclude [from one's words &].

afleiding [-dɪŋ] *v* I diversion [of water &]; derivation [of words]; distraction, diversion [of the mind, ook: = amusement]; 2 *gram* derivative.

afleidingsmaneuver = *afleidingsmanoeuvre.*

afleidingsmanoeuvre [-dɪŋsma.nœ.vər] *v & o* diversion.

afleren ['afle:rə(n)] *vt* I (iets) unlearn [the habit, the practice of]; 2 (iemand iets) break one of a habit; *ik heb het lachen afge-*

leerd 1 I have broken myself of the habit of laughing; 2 I have unlearned (been untaught) the practice of laughing; *ik zal het je ~ om...* I'll teach you to...

afleveren [-le.vərə(n)] *vt* deliver.

aflevering [-rɪŋ] *v* 1 delivery [of goods]; 2 number, part, instalment [of a publication].

aflezen ['afle.zə(n)] *vt* read (out); read [ook: the thermometer].

aflikken [-lɪkə(n)] *vt* lick [it] off; lick [one's fingers].

afloeren [-lu:rə(n)] *vt* in: *alles ~* spy out everything; zie ook: *afkijken*.

afloop [-lo.p] *m* 1 (v. gebeurtenis) end, termination; 2 (uitslag) issue, result; 3 (v. termijn) expiration; *ongeluk met dodelijke ~* fatal accident; *na ~ van het examen* when the examination is (was) over, after the examination; *na ~ van deze termijn* on expiry of this term.

aflopen [-lo.pə(n)] I *vi* 1 (naar beneden) run down; 2 (afhellen) slope; 3 (ten einde lopen) run out, expire [of a contract]; 4 (eindigen) turn out [badly &]; end; 5 (v. uurwerk) run down; go off [of alarum]; 6 (v. kaars) run, gutter; 7 ⚓ (v. schepen) leave the ways, be launched; *het zal gauw met hem ~* all will soon be over with him; *'t zal niet goed met je ~* you will come to grief; *hoe zal het ~?* what will be the end of it?; *op iemand ~* go (run) up to a man; *laten ~* launch [a vessel]; pay out [a cable]; let [the alarum] run down; terminate [a contract]; II *vt* 1 (naar beneden) run (walk, go) down [a hill &]; 2 (stuk lopen) wear [one's shoes &] out (by walking), wear down [one's heels]; 3 (doorlopen) beat, scour [the woods]; *fig* finish [a course]; pass through [a school]; 4 (plunderen) plunder [a vessel]; *alle huizen ~* run from house to house; *de stad ~* go through (search) the whole town; III *vr* in: *zich de benen ~* walk off one's legs.

aflopend [-pənt] sloping; outgoing [tide].

aflosbaar [af'lɔsba:r] redeemable, repayable.

aflossen ['aflɔsə(n)] *vt* 1 (iemand) ✕ relieve [the guard]; take a person's place; 2 (afbetalen) pay off [a debt], redeem [a bond, a mortgage]; *elkaar ~* take turns.

aflossing [-sɪŋ] *v* 1 (v. wacht &) relief; 2 (v. lening &) redemption.

aflossingstermijn [-sɪŋstɛrmɛin] *m* term of redemption.

afluisteren ['aflœystərə(n)] *vt* overhear, learn by listening; listen in to [telephone conversations].

afmaaien [-ma.jə(n)] *vt* mow, cut, reap [corn].

afmaken [-ma.kə(n)] I *vt* finish [a letter], complete [a building]; 2 (beëindigen, uitmaken) settle [the matter]; 3 (afgeven op) cut up, run down, pull to pieces [a book]; 4 (doden) kill, dispatch [a victim]; *het ~ met zijn meisje* break it (the engagement) off; II *vr*

zich van iets (met een grapje) ~ pass off the matter with a joke; *zich met een paar woorden van een kwestie ~* dismiss a question with a few words.

afmarche [-marʃ] = *afmars*.

afmarcheren [-marʃe:rə(n)] *vi* march off.

afmars [-mars] *m* & *v* marching off, march.

afmartelen [-martələ(n)] *vt* zie *martelen*.

afmatten [-matə(n)] *vt* fatigue, wear out, tire out.

afmattend [-tənt] fatiguing, tiring, trying.

afmatting [-tɪŋ] *v* fatigue, weariness.

afmeten ['afme.tə(n)] *vt* measure (off); *anderen naar zichzelf ~* judge others by oneself.

afmeting [-tɪŋ] *v* measurement; dimension.

afmikken ['afmɪkə(n)] *vt* in: *het ~* F nick it.

afmonsteren [-mònstərə(n)] I *vt* ⚓ pay off, discharge [the crew]; II *vi* be paid off.

afmonstering [-rɪŋ] *v* ⚓ paying off, discharge.

afname ['afna.mə] *v bij ~ van 100 stuks* when taking a hundred; zie *afneming*.

afneembaar [af'ne.mba:r] detachable, removable.

afnemen ['afne.mə(n)] I *vt* 1 take (away) [a book, his rights & from a man, a child from school]; take off [a bandage], take down [a picture &]; 2 (afzetten) take off [one's hat to a man]; 3 (schoonvegen) clean [the windows &]; 4 (kopen) $ buy; *de kaarten ~* cut; zie ook: *biecht, eed* &; II *vi* decrease, decline [of forces]; diminish [of stocks]; abate [of a storm]; wane [of the moon & *fig*]; draw in [of the days]; III *va* 1 cut [at cards]; 2 clear away, remove the cloth [after dinner].

afnemer [-mər] *m* client, buyer, purchaser.

afneming [-mɪŋ] *v* 1 decrease, diminution, abatement [of a storm], wane[2]; 2 deposition [from the Cross].

afneuzen ['afnø.zə(n)] *vt* in: *iemand iets ~* F zie *afloeren*.

afnokken *vi* F knock off.

aforisme [a.fo:'rɪsmə] *o* aphorism.

afpakken ['afpakə(n)] *vt* snatch (away) [something from].

afpalen [-pa.lə(n)] *vt* 1 fence off, enclose; 2 stake out.

afpassen [-pasə(n)] *vt* pace [a field &]; *geld ~* give the exact sum (money); zie ook: *afgepast*.

afpatrouilleren [-pa.tru.(l)je:rə(n)] *vt* ✕ patrol.

afpennen [-pɛnə(n)] *vt* F write; ☞ copy, crib.

afperken [-pɛrkə(n)] *vt* 1 (afbakenen) peg out, delimit; 2 (inperken) fence in.

afpersen [-pɛrsə(n)] *vt* extort [money & from]; force, draw [tears & from]; wring, wrest [a promise from].

afperser [-sər] *m* extortioner.

afpersing [-sɪŋ] *v* extortion, exaction; blackmail.

afpikken ['afpɪkə(n)] *vt* peck off; *fig* snatch away.

afpingelen [-pɪŋələ(n)] **I** *vi* haggle, chaffer; **II** *vt* beat down.

afplatten [-plɑtə(n)] *vt* flatten.

afplatting [-tɪŋ] *v* flattening.

afplukken ['ɑfplʊ̆kə(n)] *vt* pluck (off), pick, gather.

afpoeieren [-pu.jərə(n)] *vt* in: *iemand ~* send a person about his business; *ik laat mij niet ~* I won't be put off.

afpraten [-pra.tə(n)] *vt* in: *heel wat ~* talk a good deal.

afprijzen [-prɛizə(n)] *vt* mark down.

afraden [-ra.də(n)] *vt iemand... ~* advise one against..., dissuade him from...

afraffelen [-rɑfələ(n)] = *afroffelen*.

afraken [-ra.kə(n)] *vi* be broken off [of an engagement]; *~ van* (wegkomen) get away from; get off, get clear of [a dangerous spot &]; 2 (kwijtraken) get rid of [a person, wares]; *van de drank ~* drop the drink habit; *van elkaar ~* get separated; drift apart[2]; *van zijn onderwerp ~* wander from one's subject; *van de weg ~* lose one's way, lose oneself, go astray.

aframmelen [-rɑmələ(n)] *vt* 1 rattle off, reel off [one's lines]; 2 zie *afranselen*.

afranselen [-rɑnsələ(n)] *vt* F thrash, trounce, flog, whack.

afraspen [-rɑspə(n)] *vt* 1 (oneffenheden) rasp off; 2 (kaas &) grate.

afrasteren [-rɑstərə(n)] *vt* rail off (in), fence off

afrastering [-rɪŋ] *v* railing, fence. [(in).

afreageren ['ɑfre.a.ge:rə(n)] *vt* work off [one's bad temper on the servants &].

afreis ['ɑfrɛis] *v* departure.

afreizen [-rɛizə(n)] **I** *vi* depart, set out (on one's journey), leave (for *naar*); **II** *vt* travel all over [Europe &]; tour [the country].

afrekenen [-re.kənə(n)] **I** *vt* (aftellen) take off, deduct; **II** *vi* settle, square up; *ik heb met hem afgerekend* we have settled accounts[2]; I have squared accounts with him; I have settled with him.

afrekening [-nɪŋ] *v* settlement; statement (of account), account; *op ~... betalen* pay... on account.

afremmen ['ɑfrɛmə(n)] *vt & va* slow down[2].

afrennen [-rɛnə(n)] **I** *vt* tear down; **II** *vi* in: *~ op* rush up to; rush at.

africhten [-rɪxtə(n)] *vt* train [for a match &]; coach [for an examination]; break [a horse].

africhting [-tɪŋ] *v* training &.

afrijden ['ɑfrɛi(d)ə(n)] **I** *vi* ride (drive) off, ride (drive) away; *sp* start; **II** *vt* 1 (naar beneden rijden) ride (drive) down [a hill]; 2 (africhten) break in [a horse]; 3 (afjakkeren) override [one's horses]; *beide benen werden hem afgereden* both his legs were cut off [by a train].

afrijgen [-rɛigə(n)] *vt* unstring.

Afrika ['a.fri.ka.] *o* Africa.

Afrikaan [a.fri.'ka.n] *m* African.

Afrikaander [-'ka.ndər] *m ZA* Afrikander.

Afrikaans [-'ka.ns] African.

afrikaantje [-'ka.ncə] *o* ☙ African marigold.

afristen ['ɑfrɪstən] *vt* strip (off), string.

afrit [-rɪt] *m* 1 start [on horseback]; 2 slope [of a hill].

Afro-Aziatisch [a.fro.a.zi.'a.ti.s] Afro-Asian.

afroeien ['ɑfru.jə(n)] **I** *vi* row off (away); **II** *vt* row down [the river].

afroepen [-ru.pə(n)] *vt* call [the hours, a blessing upon]; call over [the names].

afroffelen [-rɔfələ(n)] *vt* bungle, scamp [one's work].

afrollen [-rɔlə(n)] **I** *vt* unroll, unreel; **II** *vi* in: *~ van...* roll down...

afromen [-ro.mə(n)] *vt* cream, skim [milk].

afronden [-rɔndə(n)] *vt* round, round off.

afronding [-dɪŋ] *v* rounding, rounding off.

afrossen ['ɑfrɔsə(n)] *vt* trounce, thrash, whack.

afrossing [-sɪŋ] *v* trouncing, thrashing, whacking.

afruimen ['ɑfrœymə(n)] **I** *vt* clear [the table]; **II** *va* clear away.

afrukken [-rʊkə(n)] *vt* tear away (off, down), snatch (away) [something from], pluck off.

afschaafsel [-sxa.fsəl] *o* shavings.

afschaduwen [-sxa.dy.və(n)] *vt* adumbrate, shadow forth.

afschaduwing [-vɪŋ] *v* adumbration, shadow.

afschaffen ['ɑfsxɑfə(n)] *vt* 1 (v. wet &) abolish; 2 (v. misbruik) do away with; 3 (v. de hand doen) part with, give up [one's car].

afschaffer [-fər] *m* (total) abstainer, teetotaller.

afschaffing [-fɪŋ] *v* abolition [of a law, decree]; giving up [of one's car &].

afschaffingsgenootschap [-fɪŋsɡəno.tsxɑp] *o* temperance society.

afschampen ['ɑfsxɑmpə(n)] *vi* glance off.

afschaven [-sxa.və(n)] *vt* 1 (met schaaf) plane (off); 2 (v. de huid) graze, abrade.

afschaving [-vɪŋ] *v* 1 planing [of a board]; 2 abrasion [of the skin].

afscheid ['ɑfsxɛit] *o* 1 (vertrek) parting, leave, leave-taking, farewell, adieu(s); 2 zie *ontslag*; *~ nemen* take (one's) leave, say goodbye; *~ nemen van* take leave of, say goodbye to, bid farewell to [someone]; *een glaasje tot ~ a* parting glass.

afscheiden ['ɑfsxɛidə(n)] **I** *vt* 1 separate; sever; mark off &, zie *scheiden*; 2 (uitscheiden) secrete; **II** *vr zich ~* 1 (v. personen) separate, secede; break away [of colonies &]; 2 (v. stoffen) be secreted.

afscheiding [-dɪŋ] *v* 1 (v. lokaliteit) separation; partition; 2 (v. vochten) secretion; 3 (v. partij) secession, separation; breakaway.

afscheidsbezoek ['ɑfsxɛitsbəzu.k] *o* farewell visit, farewell call.

afscheidsdronk [-drɔŋk] *m* parting cup.

afscheidsfuif [-fœyf] *v* F farewell party.

afscheidsgroet [-ɡru.t] *m* farewell, valediction.

afscheidskus [-kŭs] *m* parting kiss.

afscheidsmaal [-ma.l] *o* farewell dinner.

afscheidspreek [-pre.k] *v* valedictory sermon.

afscheidsreceptie [-rəsɛpsi.] *v* farewell reception.

afscheidsrede [-re.də] *v* valedictory address.

afscheidswoord [-vo:rt] *o* parting word.

afschenken ['afsxɛŋkə(n)] *vt* pour off, decant.

afschepen [-sxe.pə(n)] *vt* 1 *eig* ship [goods]; 2 *fig iemand* ~ F send one about his business; *iemand met mooie praatjes* ~ put one off with talk (fair words).

afscheppen [-sxɛpə(n)] *vt* skim [milk]; skim off [the cream, the fat].

afscheren [-sxe:rə(n)] *vt* 1 shave (off) [the beard]; 2 shear (off) [wool].

afschermen [-sxɛrmə(n)] *vt* zie *schermen*.

afschetsen [-sxɛtsə(n)] *vt* zie *schetsen*.

afscheuren [-sxø:rə(n)] I *vt* tear off; II *vr zich* ~ *van* tear oneself away from, break away from.

afschieten [-sxi.tə(n)] I *vt* 1 (vuurwapen) discharge, fire (off), let off; (pijl) shoot, let fly; 2 (wegschieten) shoot off; 3 (afdelen) partition off [a room]; curtain off [met een gordijn], board off [met planken]; II *vi* in: ~ *op iemand* rush at a person; ~ *van* slip (off) from.

afschijnen [-sxɛinə(n)] *vi* in: ~ *van* shine from, be reflected by.

afschijnsel [-sxɛinsəl] *o* reflection.

afschilderen [-sxɪldərə(n)] *vt* paint, depict, portray.

afschildering [-rɪŋ] *v* picture, portrayal, depiction.

afschilferen ['afsxɪlfərə(n)] *vi* & *vt* scale, peel (flake) off.

afschillen [-sxɪlə(n)] *vt* zie *schillen*.

afschoppen [-sxòpə(n)] *vt* & *vi* zie *aftrappen*.

afschraapsel [-s(x)ra.psəl] *o* scrapings.

afschrabben [-s(x)rabə(n)] **afschrapen** [-s(x)ra.pə(n)] **afschrappen** [-s(x)rapə(n)] *vt* scrape (off) [a carrot]; zie ook: *schrappen*.

afschrapsel [-s(x)rapsəl] *o* scrapings.

afschrift [-s(x)rɪft] *o* copy; *gewaarmerkt* ~ certified copy; exemplification; *een* ~ *maken van* make (take) a copy of.

afschrijven [-s(x)rɛivə(n)] I *vt* 1 finish [what one is writing]; 2 copy [from original or another's work]; 3 write off [so much for depreciation, as lost]; *iemand* ~ 1 put one off, write a message of excuse; 2 declare the deal off; II *va* in: *X. en Y. hebben afgeschreven* 1 X. and Y. have copied; 2 X. and Y. have written to excuse themselves; III *vr zich laten* ~ have one's name taken off the books [of a club &]; remove one's name from the list [of subscribers].

afschrijver [-vər] *m* copyist; zie ook: *naschrijver*.

afschrijving [-vɪŋ] *v* copying; $ writing off; ~ *voor waardevermindering* $ depreciation.

afschrik ['afs(x)rɪk] *m* horror; *een* ~ *hebben*

van hold in abhorrence, abhor; *tot* ~ *as a* deterrent.

afschrikken [-s(x)rɪkə(n)] *vt* deter [from going &]; discourage; scare [wild animals]; *hij laat zich niet gauw* ~ he is not easily daunted; *hij liet zich niet* ~ *door...* he was not to be deterred by...

afschrik(wek)kend [-kənt, afs(x)rɪk'vɛkənt] deterrent [effect]; forbidding [appearance]; *een* ~ *middel (voorbeeld)* a deterrent.

afschrobben [-'afs(x)ròbə(n)] *vt* zie *schrobben*.

afschroeven [-s(x)ru.və(n)] *vt* unscrew, screw off.

afschudden [-sxûdə(n)] *vt* shake off.

afschuieren [-sxœyərə(n)] *vt* zie *afborstelen*.

afschuimen [-sxœymə(n)] *vt* 1 skim [metals]; 2 scour [the seas].

afschuinen [-sxœynə(n)] *vt* bevel, chamfer.

afschuiven [-sxœyvə(n)] I *vt* push off, move away [a chair from...]; push back [a bolt]; *de schuld van zich* ~ shift (shove) the blame on another man's shoulders; II *vi* 1 slide (slip) down; 2 (betalen) S shell out.

afschuren [-sxy:rə(n)] *vt* scour (off); abrade [the skin].

afschutten [-sxûtə(n)] *vt* partition (off), screen (off).

afschuw [-sxy:u] *m* abhorrence, horror; *een* ~ *hebben van* hold in abhorrence, abhor.

afschuwelijk [af'sxy.vələk] I *aj* horrible, horrid, abominable, execrable; II *ad* horribly, abominably, execrably.

afschuwelijkheid [-hɛit] *v* horribleness &, abomination.

afslaan ['afsla.n] I *vt* 1 *eig* knock (beat, strike) off; 2 beat off [the enemy], repulse [an attack]; 3 (de bajonet) unfix; 4 (de thermometer) beat down; 5 (de prijs) reduce [the price], F knock down [a penny]; 6 (weigeren) refuse [a request], decline [an invitation], reject [an offer]; 7 (verkopen) sell by Dutch auction; *dat kan ik niet* ~, *dat sla ik niet af* F I won't (can't) say no to that; I can't (won't) refuse it; *hij slaat niets af dan vliegen* F nothing comes amiss to him; II *vi* 1 (afbuigen) turn off [to the right]; 2 (v. prijzen) go down; 3 (v. motor) cut out; *links, rechts* ~ (in het verkeer) turn left, right; *van een ladder* ~ dash down from a ladder; *(flink) van zich* ~ hit out.

afslachten [-slaxtə(n)] *vt* kill off, slaughter, massacre.

afslag [-slax] *m* 1 abatement, reduction [of prices]; 2 (sale by) Dutch auction; *bij* ~ *veilen (verkopen)* sell by Dutch auction.

afslager [-sla.gər] *m* auctioneer.

afslepen [-sle.pə(n)] *vt* drag down; ⚓ tow down.

afslijpen [-slɛipə(n)] *vt* grind off (down), polish[2].

afslijten [-slɛitə(n)] *vt* & *vi* wear down; wear off (out)[2].

afslingeren [-slɪŋərə(n)] *vt* hurl off, toss off.

afslonzen [-slònzə(n)] *vt* wear out through slovenliness.

afsloven [-slo.və(n)] *zich* ~ drudge, slave, toil and moil.

afsluitdam [-slœytdam] *m* dam.

afsluitdijk [-dɛik] *m* dam.

afsluiten [-slœytə(n)] I *vt* 1 lock [a door]; 2 (door sluiten versperren) lock up [a garden &]; block, close [a road]; 3 (insluiten) fence off [a garden]; 4 (buitensluiten) shut out [the light]; 5 (v. toevoer) turn off [the gas], cut off [the steam, the supply]; 6 (opmaken) $ balance [the books], close [an account]; 7 (tot stand brengen) conclude [a bargain, a contract]; effect [an insurance]; 8 (beëindigen) close [a period]; II *vr zich* ~ seclude oneself from the world (from society); zie ook: *afgesloten*.

afsluiting [-tɪŋ] *v* 1 (in 't alg.) closing; 2 (v. contract) conclusion; 3 (afsluitmiddel) barrier, partition, enclosure.

afsluitkraan [ˈafslœytkra.n] *v* ✕ stopcock.

afsmeken [ˈafsme.kə(n)] *vt* implore, invoke (on over).

afsmeking [-kɪŋ] *v* imploration, invocation.

afsmijten [ˈafsmɛitə(n)] *vt* throw off, fling off (down).

afsnauwen [-snɔuə(n)] *vt* snarl at, snap at, snub; *hij werd afgesnauwd* ook: he was snapped up short, he had his head snapped off.

afsnellen [-snɛlə(n)] I *vt* run (hurry, hasten, rush, dash) down; II *vi* in: ~ *op* rush at.

afsnijden [-snɛi(d)ə(n)] *vt* cut, cut off; pare [one's nails to the quick]; zie ook: 1 *pas*.

afsnijding [-dɪŋ] *v* cutting (off).

afsnoeien *vt* zie *snoeien*.

afsnoepen [-snu.pə(n)] *vt* in: *iemand iets* ~ F steal a march on a person.

afspannen [-spanə(n)] *vt* 1 unyoke [oxen]; unharness [a horse]; 2 (afmeten met hand) span.

afspatten [-spatə(n)] *vi* spurt off.

afspelen [-spe.lə(n)] I *vt* 1 finish; 2 wear out [an instrument]; II *vr* in: *het drama dat zich daar heeft afgespeeld* that was enacted there; *de gebeurtenissen spelen zich af in Londen* the events take place in London; *de handeling speelt zich af in Frankrijk* the scene is laid in France.

afspiegelen [-spi.ɡələ(n)] I *vt* reflect, mirror; II *vr zich* ~ be reflected, be mirrored [in a lake &].

afspiegeling [-lɪŋ] *v* reflection.

afspinnen [ˈafspɪnə(n)] *vt* spin off.

afspitten [-spɪtə(n)] *vt* dig, finish digging [a plot]; dig off [sods, a slope].

afsplijten [-splɛitə(n)] *vt* & *vi* split off.

afsplinteren [-splɪntərə(n)] *vi* splinter off.

afspoelen [-spu.lə(n)] *vt* wash, rinse; wash away.

afsponsen = **afsponzen** [-spònzə(n)] *vt* sponge (down, over).

afspraak [-spra.k] *v* agreement; appointment [to meet], engagement; arrangement, got-up thing [to deceive]; *dat was de* ~ *niet* F that was not in the bargain; *een* ~ *maken om...* make an arrangement to...; *agree upon ...ing*; *zich houden aan de* ~ stand by the agreement, stick to one's word; *tegen de* ~ contrary to (our) agreement; *volgens* ~ according to (our) agreement, as agreed; [meet] by appointment.

afspraakje [-jə] *o* F appointment, S date.

afspreken [ˈafspre.kə(n)] *vt* agree upon, arrange; *het was afgesproken voor de gelegenheid* it was preconcerted, got up (for the occasion); *de afgesproken plaats* the place agreed upon; *het was een afgesproken zaak* it was a got-up thing, an arranged (understood) thing, a concerted piece of acting; *afgesproken!* done!, that's a bargain!

afspringen [-sprɪŋə(n)] *vi* 1 (naar beneden) leap down, jump off; 2 (losgaan) come off, fly off; 3 (onderhandelingen) break down; 4 (koop) come to nothing; ~ *op* 1 spring at [a man]; 2 zie *afstuiten*.

afstaan [-sta.n] I *vt* cede [territory], yield [possession, one's place]; resign [office, a right &]; surrender [a privilege]; give up, hand over [property &]; II *vi* in: ~ *van* stand away (back) from.

afstammeling [-stamǝlɪŋ] *m* descendant; ~ *in de rechte lijn* lineal descendant; ~ *in de zijlinie* collateral descendant.

afstammen [-ma(n)] *vi* ~ *van* be descended from, spring from, come of [a noble stock], be derived from [Latin &].

afstamming [-mɪŋ] *v* descent [of man], [of Indian] extraction; derivation [of words].

afstammingsleer [-mɪŋsle:r] *v* descent theory.

afstand [ˈafstant] *m* 1 distance[2]; 2 (v. troon) abdication; 3 (v. recht) relinquishment; 4 (v. eigendom of recht) cession, surrender, renunciation; ~ *doen van* renounce, give up [a claim, right]; abdicate [a power, the throne]; cede [a property, right]; forgo [an advantage]; part with [property]; ~ *nemen* ✕ take distance; *op een* ~ at a (some) distance; *hij is erg op een* ~ he is very standoffish; *op een* ~ *blijven* zie *zich op een* ~ *houden*; *op een* ~ *houden* keep at a distance, keep [one] at arm's length; *zich op een* ~ *houden* keep at a distance; *fig* keep one's distance, keep aloof; *van* ~ *tot* ~ at regular distances, at intervals.

afstandsbediening [ˈafstantsbədi.nɪŋ] *v* ✕ remote control.

afstandsmarche [-marʃ] = *afstandsmars*.

afstandsmars [-mars] *m* & *v* ✕ route-march.

afstandsmeter [-me.tər] *m* ✕ range-finder.

afstandsrit [-rɪt] *m* long-distance ride (run).

afstappen [ˈafstapə(n)] I *vi* step down; get off [one's bike], alight [from one's horse], dismount; ~ *bij een vriend* put up with a friend; ~ *in een hotel* put up at a hotel; ~ *op iemand* step up to one; ~ *van het onderwerp* change (drop) the subject; II *vt* pace [the room].

afsteken [-ste.kə(n)] I *vt* 1 (met beitel) bevel; (met spa) cut; 2 (afbakenen) mark out; 3 (doen ontbranden) let off [fireworks]; *een bezoek* ~ F pay a visit; *een speech* ~ F make a speech; II *vi* 1 ⚓ push off [from the shore]; 2 contrast [with its surroundings]; *gunstig* ~ *bij* contrast favourably with; ~ *tegen* zie *zich aftekenen*.

afstel [-stɛl] *o* zie *uitstel*.

afstelbaar [af'stɛlba:r] ⚒ adjustable.

afstelen ['afste.lə(n)] *vt* steal [it] from, rob [one] of.

afstellen [-stɛlə(n)] *vt* ⚒ adjust.

afstelling [-lɪŋ] *v* ⚒ adjustment.

afstemmen ['afstɛmə(n)] *vt* 1 reject [a motion]; 2 ⚡ ⚓ tune (in) [a set]; ~ *op* 1 ⚡ ⚓ tune (in) to [a station]; 2 *fig* tune to; attune to [modern life &].

afstemming [-mɪŋ] *v* 1 rejection; 2 ⚡ ⚓ tuning (in).

afstempelen ['afstɛmpələ(n)] *vt* 1 (v. rekeningen &) stamp; 2 ℗ obliterate [stamps].

afstempeling [-lɪŋ] *v* 1 stamping [of shares &]; 2 ℗ obliteration [of stamps].

afstemschaal ['afstɛmsxa.l] *v* ⚡ ⚓ dial.

afsterven ['afstɛrvə(n)] *vi* die; *der wereld* ~ die to the world.

afstevenen [-ste.vənə(n)] *vi* in: ~ *op* zie *aanstevenen op*.

afstijgen [-stɛiɣə(n)] I *vi* get off (one's horse), dismount [from horseback]; II *vt* go down [a hill &].

afstoffen [-stɔfə(n)] *vt* dust.

afstompen [-stɔmpə(n)] I *vt* blunt[2]; *fig* dull, deaden; II *vi* become dull[2]; *fig* dull [of a faculty].

afstomping [-pɪŋ] *v* blunting[2]; *fig* dulling.

afstormen ['afstɔrmə(n)] *vt & vi* zie *afrennen*.

afstorten [-stɔrtə(n)] I *vt* hurl down; II *vr zich* ~ *van* hurl oneself down (from).

afstotelijk [af'sto.tələk] zie *afstotend*.

afstoten ['afsto.tə(n)] I *vt* 1 *eig* push down (off), knock off (down), thrust down; 2 (iemand) repel; II *va* repel, be repellent.

afstotend [af'sto.tənt] repelling, repellent, repulsive.

afstoting ['afsto.tɪŋ] *v* repulsion.

afstraffen [-strafə(n)] *vt* punish, chastise, correct; *fig* trounce, give a dressing-down.

afstraffing [-fɪŋ] *v* punishment; correction; *fig* trouncing, dressing-down.

afstralen ['afstra.lə(n)] *vt & vi* radiate [heat, joy &].

afstraling [-lɪŋ] *v* radiation; reflection.

afstrijken ['afstreikə(n)] *vt* strike [a match, bushel]; *een afgestreken theelepel* a level teaspoonful.

afstromen [-stro.mə(n)] *vi* stream, flow down.

afstrompelen [-strɔmpələ(n)] *vt* hobble down [the stairs].

afstropen [-stro.pə(n)] *vt* 1 *eig* strip (off) [the skin, a covering]; skin [an eel]; flay [a fox]; strip [a hare]; 2 *fig* ravage, harry [the country].

afstuderen [-sty.də:rə(n)] *vi* finish one's studies.

afstuiten [-stœytə(n)] *vi* rebound; ~ *op* 1 *eig* glance off [the cuirass], rebound from [a wall]; 2 *fig* be frustrated by, be foiled by [one's tenacity].

afstuiven [-stœyvə(n)] *vi* 1 (v. zaken) fly off; 2 (v. personen) rush (tear) down [the stairs &]; ~ *op* make a rush for, rush at.

afsturen [-sty:rə(n)] I *vi* in: ~ *op* make for; II *vt* send; *zij stuurden er de soldaten op af* they sent the troops; *van school* ~ send away from school.

aftakelen [-ta.kələ(n)] I *vt* unrig, dismantle [a ship]; II *vi* in: *hij is aan het* ~ F he is on the decline; *zij is aan het* ~ F she is going off; *hij ziet er erg afgetakeld uit* he looks rather a wreck.

aftakeling [-lɪŋ] *v* ⚓ unrigging &; *fig* decay.

aftakken ['aftakə(n)] *vt* ⚡ branch, tap.

aftakking [-kɪŋ] *v* ⚡ 1 (de tak) branch, tap; 2 ('t aftakken) branching, tapping.

aftands [af'tants] long in the tooth[2], *fig* ook: [a woman] past her prime.

aftapkraan ['aftapkra.n] *v* drain-cock.

aftappen ['aftapə(n)] *vt* draw (off); tap [a tree, telegraph or telephone wires, calls &], drain [a pond]; bottle [beer &].

aftasten [-tastə(n)] *vt* TV scan [a picture].

aftekenen [-te.kənə(n)] I *vt* 1 (natekenen) draw, delineate; 2 (met tekens aangeven) mark off; 3 (voor gezien) sign; II *vr* in: *zich* ~ *tegen* stand out against, be outlined against.

aftelefoneren [-te.ləfo.ne:rə(n)] *vt & va* countermand (put off) by telephone; *het* ~ phone an excuse.

aftelegraferen [-te.ləgra.fe:rə(n)] *vt & va* countermand by wire.

aftellen [-tɛlə(n)] *vt* 1 (tellen) count (off, out); 2 (bij spelen) count out; 3 (bij lancering) count down; 4 (aftrekken) deduct.

aftillen [-tɪlə(n)] *vt* lift down (off), lift.

aftobben [-tɔbə(n)] *zich* ~ weary oneself out, worry oneself.

aftocht [-tɔxt] *m* retreat[2]; *de* ~ *blazen* 1 *eig* ⚔ sound the retreat; 2 *fig* beat the retreat.

aftomen [-to.mə(n)] *vt* unbridle.   [off.

aftrap [-trap] *m sp* kick-off; *de* ~ *doen* kick

aftrappen [-trapə(n)] I *vt* kick down (off); *hem van de kamer* ~ kick him out of the room; II *vi* (bij voetbal) kick off; *van zich* ~ kick out.

aftreden [-tre.də(n)] I *vi* 1 *eig* step down; go off [the stage]; 2 (v. ministers &) resign (office), retire (from office); II *o zijn* ~ his resignation, his retirement.

aftredend [-dənt] retiring, outgoing.

aftrek ['aftrɛk] m 1 deduction; 2 $ (verkoop) sale, demand; *goede* ~ *vinden* meet with a large sale, find a ready market, sell well; *ze vinden weinig* ~ there is little demand for them; *na* (*onder*) ~ *van*... after deducting [expenses]; less [10%].

aftrekken [-trɛkə(n)] I *vt* 1 (neertrekken) draw off (down), pull (tear) off; 2 (v. geld) deduct; 3 (v. getal) subtract; 4 (v. vuurwapen) fire (off) [a gun]; ~ *van* 1 draw... from, pull away... from; 2 × subtract, take [5] from [10]; *iemands aandacht* ~ *van* divert (draw away) one's attention from; *zijn* (*de*) *handen van iemand* ~ wash one's hands of a man; II *vi* 1 × subtract; 2 (weggaan) withdraw, march off, ⚔ retreat; 3 (v. onweer) blow over; 4 (afschieten) pull the trigger; *de* ~*de wacht* ⚔ the old guard.

aftrekker [-kər] m × subtrahend.

aftrekking [-kɪŋ] *v* deduction; × subtraction.

aftreksel ['aftrɛksəl] o infusion, extract.

aftreksom [-sòm] *v* × subtraction sum.

aftrektal [-tal] o × minuend. ■

aftroeven [-tru.və(n)] *vt* trump; F (afranselen) thrash.

aftroggelen [-trɔgələ(n)] *vt* wheedle (coax) out of, trick [one] out of.

aftuigen [-tœygə(n)] *vt* 1 unharness [a horse]; 2 ⚓ unrig [a ship]; 3 *fig* F thrash; zie ook: *doorhalen* 4.

aftuimelen [-tœymələ(n)] *vt* tumble down.

afvaardigen ['afa:rdəgə(n)] *vt* delegate, depute; return [members of Parliament].

afvaardiging [-gɪŋ] *v* delegation, deputation.

afvaart ['afa:rt] *v* sailing, departure.

1 afval ['afal] m (afvalligheid v. geloof) apostasy; (in de politiek) defection.

2 afval ['afal] o & m (het afgevallene in 't alg.) waste (matter), refuse (matter), rubbish; (bij 't slachten) offal, garbage; (bij 't bewerken) clippings, cuttings, parings; (v. eten) leavings; (afgewaaide vruchten) windfall.

afvallen [-falə(n)] *vi* 1 (naar beneden) fall (off), tumble down; 2 (vervallen) fall away, lose flesh, lose [six pounds] (in weight); 3 (van geloof) apostatize; 4 (v. zijn partij) desert [one's party, one's friends &]; secede [from...]; 5 (bij spelen) drop out [of the race]; *er zal voor hem wel wat* ~ he is sure to have his pickings out of it; *iemand* ~ fall away from one; F let one down.

afvallig [a'faləx] apostate; unfaithful; ⊙ recreant.

afvallige [-ləgə] m-*v* (v. geloof) apostate; (v. partij) renegade, deserter.

afvalligheid [-ləxhɛit] *v* (v. geloof) apostasy; (v. partij) desertion, defection.

afvalproduct zie *afvalprodukt.*

afvalprodukt ['afalpro.dŭkt] o waste product.

afvalwedstrijd [-vɛtstrɛit] m *sp* eliminating

contest. [zie ook: *vlieg.*

afvangen ['afaŋə(n)] *vt* catch (snatch) from;

afvaren ['afa:rə(n)] I *vi* sail, depart, start, leave; II *vt* go down [the river].

afvegen ['afe.gə(n)] *vt* wipe (off); *haar handen* ~ *aan een schort* wipe her hands on an apron.

afvijlen ['afeilə(n)] *vt* file off, file down.

afvissen ['afɪsə(n)] *vt* fish (out), whip [a stream], draw [a pond].

afvliegen ['afli.gə(n)] *vi* fly off; fly down [the stairs]; ~ *op* fly at, dart at; *komen* ~ *op* come flying at.

afvloeien ['aflu.jə(n)] *vi* flow down, flow off; *fig* be discharged gradually.

afvloeiing [-jɪŋ] *v* flowing down, flowing off; *fig* gradual discharge.

afvoer ['afu:r] m 1 carrying off, discharge [of a liquid]; 2 conveyance, transport, removal [of goods]; 3 zie *afvoerbuis.*

afvoerbuis [-bœys] *v* outlet-pipe, waste-pipe.

afvoeren ['afu:rə(n)] *vt* 1 (afleiden) carry off [water]; 2 (vervoeren) convey, transport, remove; 3 (afschrijven) remove [a person's name from the list], strike off [the list].

afvoerkanaal ['afu:rka.na.l] o drainage canal; afvoerpijp [-pɛip] *v* zie *afvoerbuis.* [outlet.

afvorderen ['afərdərə(n)] *vt* demand, exact [from].

afvragen ['afra.gə(n)] I *vt* ask (for), demand; II *vr zich* ~ ask oneself; *zij vroegen zich af...* they wondered...

afvreten ['afre.tə(n)] *vt* browse, eat off.

afvriezen ['afri.zə(n)] *vi* freeze off.

afvuren ['afy:rə(n)] *vt* fire off, fire, discharge.

afwaaien ['afva.jə(n)] I *vi* be blown off; II *vt* blow off. [ward(s).

afwaarts [-va:rts] I *aj* downward; II *ad* downafwachten [-vaxtə(n)] I *vt* wait (stay) for, await [the shower]; abide [the consequences]; wait [one's turn]; bide [one's time]; *dat moeten we nog* ~, *dat dient men af te wachten* that remains to be seen; *zulke taal wacht ik niet van je af* such language I shall not stand from you; II *vi* wait (and see); *een* ~*de houding aannemen* assume an attitude of expectation; follow a wait-and-see policy, play a waiting game.

afwachting [-tɪŋ] *v* expectation; *in* ~ *van de dingen die komen zouden* in (eager) expectation of what was to come; *in* ~ *van een regeling* pending a settlement; *in* ~ *uwer berichten* awaiting your news.

afwandelen ['afvandələ(n)] *vt* walk down [a hill]; *veel* ~ walk a good deal.

afwas ['afvas] m washing up.

afwasautomaat [-o.to.-, ɔuto.ma.t] m (automatic) dishwasher.

afwasbakje [-bakjə] o washing-up bowl.

afwaskwast [-kvast] m dish-mop.

afwasmachine [-ma.ʃi.nə] *v* zie *afwasautomaat.*

afwassen ['afvasə(n)] I *vt* wash, wash off; (de vaat) wash up; II *va* wash up.

afwassing [-sɪŋ] *v* washing; ablution.
afwaswater ['afvɑsvɑ.tər] *o* dish-water.
afwateren ['afvɑ.tərə(n)] *vt & vi* drain.
afwatering [-rɪŋ] *v* drainage; drain.
afwateringsbuis [-rɪŋsbœys] *v* drain(-pipe).
afweer ['afveːr] *m* defence.
afweerkanon [-ka.nòn] *o* ✕ anti-aircraft gun.
afwegen ['afve.gə(n)] *vt* weigh; weigh out [sugar].
afweken [-ve.kə(n)] **I** *vt* remove by soaking; **II** *vi* come off.
afwenden [-vɛndə(n)] **I** *vt* turn away [one's eyes]; divert [the attention]; avert [a danger]; ward off, parry [a blow], stave off [a calamity, ruin]; **II** *vr zich* ~ turn away.
afwending [-dɪŋ] *v* diversion, turning away &.
afwennen ['afvɛnə(n)] *vt* in: *iemand iets* ~ break a person of the habit of ...ing; *zich iets* ~ get out of a (bad) habit, unlearn the habit (practice) of..., break oneself of a habit.
afwentelen [-vɛntələ(n)] *vt* roll off (down); *de schuld van zich* ~ shift the blame on to another.
afweren [-veːrə(n)] *vt* keep off; avert [danger]; ward off, parry [a blow].
afwerken [-vɛrkə(n)] *vt* finish, finish off, give the finishing touch(es) to; get (work) through [the programme]; zie ook: *afbeulen.*
afwerking [-kɪŋ] *v* finishing (off); finish.
afwerpen ['afvɛrpə(n)] *vt* cast off, throw off, shake off, fling off; throw down, hurl down; cast, shed [the horns, the skin]; ✂ drop [bombs, arms], parachute [a man, troops]; *fig* yield [profit, results]; zie ook: *masker.*
afweten [-ve.tə(n)] *vi* in: *het laten* ~ cry off.
afwezig [af've.zəx] absent [from school &]; away [from home], not at home; *de afwezige(n)* the absentee(s).
afwezigheid [-heit] *v* absence; non-attendance; *bij* ~ *van* in the absence of.
afwijken ['afveikə(n)] *vi* **1** (v. naald) deviate; **2** (v. lijn) diverge; **3** (v. weg) deflect [to the west]; **4** *fig* deviate [from a course, rule, a predecessor, the truth &]; wander [from the right path]; depart [from custom, a method, truth]; differ [from sample]; vary.
afwijkend [-kənt] deviating², divergent²; different [readings]; dissentient [views]; at variance [with the truth]; aberrant [forms].
afwijking [-kɪŋ] *v* deviation, deflection; divergence [from a course, line &]; departure [from a rule, a habit]; variation, difference [in a text]; *in* ~ *van* contrary to [this rule].
afwijzen ['afveizə(n)] *vt* refuse admittance to, turn away [intending visitors]; reject [a candidate, a lover, an offer]; refuse [a request]; decline [an invitation]; deny [a charge]; dismiss [a claim]; *afgewezen worden* fail [in an examination].
afwijzend [-zənt] in: *er werd* ~ *beschikt op zijn verzoek* his request met with a refusal.
afwijzing [-zɪŋ] *v* refusal, denial [of a request];

rejection [of a candidate, of an offer].
afwikkelen ['afvɪkələ(n)] *vt* unroll, unwind, wind off [a rope &]; *fig* wind up [a business], settle [affairs]; fulfil [a contract].
afwikkeling [-lɪŋ] *v* unrolling, unwinding; *fig* winding up [of a business]; settlement [of affairs]; fulfilment [of a contract].
afwimpelen ['afvɪmpələ(n)] *vt* **1** declare [it, the race &] off; **2** brush aside [a proposal].
afwinden [-vɪndə(n)] *vt* wind off, unwind, unreel.
afwinnen [-vɪnə(n)] *vt* win [a sum] from.
afwippen [-vɪpə(n)] *vt* skip down [a chair].
afwisselen [-vɪsələ(n)] **I** *vi* **1** (e l k a a r) alternate; **2** (verschillen) vary; **II** *vt* **1** (iemand) relieve [a person], take turns with [him]; **2** (iets) alternate, interchange; vary; *elkaar* ~ **1** (personen) relieve one another, take turns; **2** (zaken) succeed each other, alternate; *...afgewisseld door...* relieved by²...
afwisselend [af'vɪsələnt] **I** *aj* **1** (ongelijk) various; **2** (v o l afwisseling) varied, variegated; **3** (wisselend) alternate; *met* ~ *geluk* with varying success; **II** *ad* alternately, by turns, in turn.
afwisseling ['afvɪsəlɪŋ] *v* **1** (verandering) change, variation; **2** (verscheidenheid) variety; **3** (opeenvolging) alternation [of day and night], succession [of the seasons]; *ter* ~, *voor de* ~ for a change, by way of a change.
afwissen [-vɪsə(n)] *vt* wipe (off).
afwrijven [-vreivə(n)] *vt* rub (off).
afwringen [-vrɪŋə(n)] *vt* wrench off; *fig* wring (wrest, wrench) from, extort from.
afzadelen [-sa.dələ(n)] *vt & vi* unsaddle.
afzagen [-sa.gə(n)] *vt* saw off; zie ook: *afgezaagd.*
afzakken [-sakə(n)] **I** *vi* **1** (v. kleren) come down; **2** (v. bui) blow over; **3** (v. personen) withdraw, drop away; **II** *vt* in: *de rivier* ~ drop down the stream.
afzakkertje [-sakərcə] *o* F settler.
afzeggen [-sɛgə(n)] *vt* countermand; *het (laten)* ~ send an excuse; *iemand* ~ put one off.
afzeilen [-seilə(n)] **I** *vi* sail (away); ~ *op* make for; **II** *vt* sail down [the river].
afzenden [-sɛndə(n)] *vt* send (off), dispatch, forward, ship.
afzender [-dər] *m* sender, shipper; ~ *X.* From X.
afzending [-dɪŋ] *v* **1** sending; **2** $ dispatch, forwarding; shipment.
afzet ['afsɛt] *m* $ sale; ~ *vinden* zie *aftrek.*
afzetbaar [af'sɛtbaːr] removable, deposable.
afzetbaarheid [-heit] *v* removability.
afzetgebied ['afsɛtgəbi.t] *o* outlet, market.
afzetsel [-səl] *o* **1** ⚕ layer; **2** (neerslag) deposit; **3** (a a n j a p o n) trimming.
afzetten ['afsɛtə(n)] **I** *vt* **1** (afnemen) take off [one's hat]; take [from the fire]; **2** (uit v e r-voermiddel) put (set) down [a man at the

post office &], drop [a passenger]; 3 (doen bezinken) deposit [mud]; 4 (v. ledematen) cut off, amputate; 5 (afstoten) push off [a boat]; 6 (afpalen) peg out, stake out [an area]; 7 (afsluiten) block, close [a road]; (in de lengte) line [with soldiers]; (met touwen) rope off; 8 (omheinen) fence in; 9 (omboorden) set off [with pearls &], trim [a dress with...]; 10 (ontslaan) depose [a king], dismiss [a functionary], deprive [a clergyman]; 11 (verkopen) sell; 12 (stopzetten) ✶ shut off; switch off, turn off [the wireless]; stop [the alarum]; 13 (te veel laten betalen) fleece [one's customers]; *iemand ~ voor vijf gulden* swindle (cheat, do) one out of five guilders; *ik kon het niet van mij ~* I couldn't put away the thought from me, dismiss the idea, put it out of my head; *een stoel van de muur ~* move away a chair from the wall; **II** *vi* ♦ push off.

afzetter [-tər] *m* swindler, extortioner.

afzetterij [ɑfsɛtə'rɛi] *v* swindling, swindle.

afzetting ['ɑfsɛtɪŋ] *v* 1 dismissal [of a functionary], deprivation [of a clergyman], deposition [of a king]; 2 ⚕ amputation; 3 (bezinking) deposition; (bezinksel) deposit; (v. ijs, rijp) formation; 4 (afsluiting) [police] cordon.

afzichtelijk [ɑf'sɪxtələk] *aj* (& *ad*) hideous-(ly).

afzien ['ɑfsi.n] **I** *vt* look down [the road]; *heel wat moeten ~* have to go through quite a lot; *iemand iets ~* zie *afkijken*; *ik heb er de aardigheid (het nieuws &) afgezien* it has lost its charm for me; *in een uur een museum ~* go over a museum in an hour; **II** *vi* in: *~ van* 1 (afkijken) copy from [one's neighbour]; 2 (opgeven) relinquish, renounce, waive [a claim, a right &]; forgo, give up [an advantage, a right]; abandon, give up [the journey, the attempt]; *er van ~* cry off [from a bargain]; *afgezien van* apart from.

afzienbaar [ɑf'si.nba:r] in: *in (binnen) afzienbare tijd* in the near future, within a measurable time.

afzijdig [ɑf'sɛidəx] in: *zich ~ houden* hold aloof.

afzitten ['ɑfsɪtə(n)] *vi* alight, dismount.

afzoeken [-su.kə(n)] *vt* search, ransack [a room]; beat [the woods], scour [the country]; *de stad ~* hunt through the town.

afzoenen [-su.nə(n)] *vt* zie *afkussen*.

afzonderen [-sòndərə(n)] **I** *vt* separate (from *van*); set apart; put aside [money]; isolate [patients], segregate [the sexes]; **II** *vr zich ~* seclude oneself [from society], retire [from the world].

afzondering [-rɪŋ] *v* separation; isolation, retirement, seclusion [from the world]; privacy; *in ~* in seclusion.

afzonderlijk [ɑf'sòndərlək] **I** *aj* separate, private, special; *elk deel ~* each separate

volume; *~e gevallen* individual cases; **II** *ad* separately; individually; [dine] apart.

afzwemmen ['ɑfsvɛmə(n)] **I** *vi* swim off; **II** *vt* swim down [the river]; swim [a distance].

1 **afzweren** [-svɛ:rə(n)] *vt* swear off [drink, a habit &]; abjure [a heresy, cause]; forswear [a man's company]; renounce [the world].

2 **afzweren** [-svɛ:rə(n)] *vi* ulcerate away.

afzwering [-rɪŋ] *v* abjuration; renunciation.

afzwoegen ['ɑfsvu.ɡə(n)] *zich ~* toil and moil, drudge.

agaat [a.'ɡa.t] *m & o* agate.

agaten [-'ɡa.tə(n)] *aj* agate.

Agatha [a.'ɡa.ta.] *v* Agatha.

agave [a.'ɡa.və] *v* ♣ agave.

agenda [a.'ɡɛnda.] *v* 1 agenda, order-paper; 2 diary.

agent [a.'ɡɛnt] *m* 1 agent; 2 ~ (*van politie*) policeman, constable, officer.

agente [a.'ɡɛntə] *v* (van politie) policewoman, constable, officer.

agentschap [a.'ɡɛntsxap] *o* agency.

agentuur [a.ɡɛn'ty:r] *v* agency.

ageren [a.'ɡe:rə(n)] *vi* ~ *voor* (*tegen*) agitate for (against) [prohibition &].

aggregaat [ɑɡre.'ɡa.t] *o* 1 aggregate; 2 ✶ unit.

aggregatietoestand [-'ɡre.(t)si.tu.stɑnt] *m* state of matter.

agio ['a.ɡi.o.] *o* $ premium.

agitatie [a.ɡi.'ta.(t)si.] *v* agitation, flutter.

agitator [a.ɡi.'ta.tor] *m* agitator.

agiteren [a.ɡi.-, a.ʒi.'te:rə(n)] *vt* agitate; flutter, fluster, flurry.

Agnes ['ɑxnɛs] *v* Agnes.

agrariër [a'ɡra:ri.ər] *m* farmer.

agrarisch [-ri.s] in: *~e hervorming* land reform; *~e produkten* agricultural products, farm products.

agressie [a'ɡrɛsi.] *v* aggression.

agressief [aɡrɛ'si.f] *aj* (& *ad*) aggressive(ly).

agressiviteit [aɡrɛsi.vi.'teit] *v* aggressiveness.

agressor [a'ɡrɛsor] *m* aggressor.

ah! [a:] **aha!** [a.'ha.] aha!

ahorn(boom) [a.'hɔrn(bo.m)] *m* ♣ maple (tree).

a.h.w. [ɑlsɑt'va:rə] = *als het ware* as it were.

ai! [ai] zie *au!*

a.i. = *ad interim*.

aide-de-camp [ɛ.dədə'kã] *m* aide-de-camp, A.D.C.

aigrette [ɛ.'ɡrɛtə] *v* aigrette.

air [ɛ:r] *o* air; look, appearance; *een ~ aannemen, zich ~s geven* give oneself airs; F put on side; *hij heeft een zeker ~ over zich* he has a way with him.

ajakkes! [a.'jakəs] **ajasses!** [a.'jɑsəs] faugh!

ajour [a.'ʒu:r] open-work.

ajuin [a.'jœyn] *m* onion.

akademie(-) zie *academie(-)*.

akademisch zie *academisch*.

akant [a.'kɑnt] *m* acanthus.

akelei [a.kə'lɛi] *v* ♣ columbine.

akelig ['a.kələx] **I** *aj* dreary, dismal, lugubrious; *ik ben er nog ~ van* I still feel quite upset; *ik word er ~ van* it makes me (feel) sick; *wat ~ goedje!* what vile (nasty) stuff!; *dat ~e mens* F that hateful woman; *die ~e vent* F that rotten chap (fellow); *die ~e wind* that wretched wind; **II** *ad* < in: *~ geleerd &* awfully learned &.

akeligheid [-hɛit] *v* dreariness, dismalness; horrid thing.

Aken ['a.kə(n)] *o* Aix-la-Chapelle, Aachen.

akkefietje [akə'fi.cə] *o* F (bad) job, affair; ook: trifle.

akker ['akər] *m* field.

akkerbouw [-bɔu] *m* agriculture, farming, tillage [of the land].

akkermaalshout [-ma.lshɔut] *o* oak coppice.

akkerman [-man] *m* husbandman, tiller [of the field], ploughman.

akkerwinde [-vɪndə] *v* ☘ bindweed.

akkevietje [akə'vi.cə] = *akkefietje*.

akkl- zie *accl-*.

akkolade zie *accolade*.

akkommodatie zie *accommodatie*.

akkoord [a'ko:rt] **I** *o* 1 agreement, arrangement, settlement; 2 $ composition [with one's creditors]; 3 ♪ chord; *een ~ aangaan (sluiten, treffen)* come to an agreement; *het op een ~je gooien* compromise; compound [with one's conscience]; **II** *aj* correct; *~ bevinden* find correct; *~ gaan met* agree to [a resolution]; agree with [the last speaker]; *~!* agreed!

akkoordbevinding [-bəvɪndɪŋ] *v* acknowledgment; *bij ~* if found correct.

akkord- zie *accord-*.

akkre- zie *accre-*.

akku(-) zie *accu(-)*.

akkwisiteur zie *acquisiteur*.

akoestiek [aku'sti.k] *v* acoustics.

akolei = *akelei*.

akoliet zie *acoliet*.

akoniet [a.ko.'ni.t] *v* ☘ aconite; *o* (vergif) aconite.

akroba- zie *acroba-*.

aksent(-) zie *accent(-)*.

aksijns(-) zie *accijns(-)*.

akte ['aktə] *v* document; [legal] instrument; deed [of sale &]; diploma, certificate; *RK* act [of faith, hope, and charity, of contrition]; act [of a play]; *~ van bekwaamheid* teacher's certificate; *~ van oprichting* memorandum of association; *~ van overdracht (verkoop, vennootschap &)* deed of conveyance (sale, partnership &); *~ van overlijden* death certificate; *~ nemen van* take note of.

akte-eksamen zie *akte-examen*.

akte-examen [-ɛksa.mə(n)] *o* qualifying examination.

aktentas ['aktə(n)tas] *v* brief case, portfolio.

akteren zie *acteren*.

akteur zie *acteur*.

aktie(-) zie *actie(-)*.

aktiveren zie *activeren*.

aktiviteit zie *activiteit*.

aktrice zie *actrice*.

aktu- zie *actu-*.

akwarel zie *aquarel*.

1 **al**, **alle** [al, 'alə] **I** *aj* all; every; *alle dagen &*, every day &; *alle drie* all three of them; *er is alle reden om...* there is every reason to...; *~ het mogelijke* all that is possible; zie ook: *mogelijk* **II**; *~ het vee* all the cattle, the whole of the cattle; **II** *sb* *het ~* the universe; *zijn ~* his all (in all); *wij (gij, zij) allen* we (you, they) all, all of us (you, them), the whole of us (them); *gekleed en ~* dressed as he was; *met schil en ~* skin and all; *~ met ~* all in all; zie ook: *met*.

2 **al** [al] *ad* already, yet; *dat is ~ even moeilijk* quite as difficult; *'t wordt ~ groter* it is growing larger and larger; *~ lang* long before this; for a long time past; *~ (wel) zes maanden geleden* as long as six months ago; *dat is ~ zeer ongelukkig* very unfortunate indeed; *~ de volgende dag* the very next day; *~ in de 16e eeuw* as early as, as (so) far back as the 16th century; *hoe ver ben je ~?* how far have you got yet?; *zijn ze ~ getrouwd?* are they married yet?; *nu (toen)* ~ even now (then); *~ zingende* singing (all the while); as he sang; *zij zat ~ maar te zingen* she was singing all the while; *~ te zwaar* too heavy; *dat is ~ te* F that's quite too too; *niet ~ te wijd* not too wide; *u kunt het ~ of niet geloven* whether you believe it or not; *ik twijfelde of hij mij ~ dan niet gehoord had* I was in doubt whether he had heard me or not.

3 **al** [al] *cj* though, although, even if, even though; *~ is hij nog zo rijk* ook: he may be ever so rich, however rich he may be.

alarm [a.'larm] *o* 1 alarm; 2 commotion, uproar; *~ blazen* sound the (an) alarm; *~ maken* give the alarm; *loos ~ maken* make a false alarm; *~ slaan* beat the (an) alarm.

alarmeren [a.lar'me:rə(n)] *vt* give the alarm [to the soldiers], alarm [the population].

alarmerend [-'me:rənt] alarming.

alarmist [-mɪst] *m* alarmist[2]; *fig* scaremonger.

alarmklok [a.'larmklok] *v* alarm-bell.

alarmsignaal [-si.ɲa.l] *o* alarm(-signal).

alarmtoestel [-tu.stɛl] *o* alarm.

Albanees [alba.'ne.s] Albanian.

Albanië [al'ba.ni.ə] *o* Albania.

albast [al'bast] *o* alabaster.

albasten [-'bastə(n)] *aj* alabaster.

albatros ['alba.trɔs] *m* ♟ albatross.

albe ['albə] *v* *RK* alb.

albedil ['albədɪl] *m* fault-finder, caviller.

Albert(us) ['albərt, al'bertŭs] *m* Albert.

albino [al'bi.no.] *m* albino.

Albion ['albi.ɔn] *o* Albion [England].

Albrecht ['albrext] *m* zie *Albert(us)*.

album ['albŭm] *o* album.

alcali(-) zie *alkali*(-).

alchemie [alge.'mi.] zie *alchimie*.

alchemist [-'mɪst] zie *alchimist*.

alchimie [algi.'mi.] ν alchemy.

alchimist [-'mɪst] *m* alchemist.

alcohol ['alko.hǝl] *m* alcohol.

alcoholgehalte [-gǝhaltǝ] *o* alcoholic content.

alcoholhoudend [-houdǝnt] alcoholic.

alcoholisch [alko.'ho.li.s] alcoholic.

alcoholisme [alko.ho.'lɪsmǝ] *o* alcoholism.

alcoholvrij ['alko.hǝl'vrɛi] non-alcoholic.

aldaar [al'da:r] there, at that place; *de heer N.* ~ *Mr. N.* of that place.

aldoor ['aldo:r] continuously, incessantly, all the time.

aldra [al'dra.] soon, before long.

aldus [-'dŭs] 1 thus, in this way; 2 zie *dus*.

aleer [a'le:r] before, ⊙ ere; *voor en* ~ before.

Alexander [a.lɛk'sandǝr] *m* Alexander.

Alexandrië [-san'dri.ǝ] *o* Alexandria.

alexandrijn [-san'drɛin] *m* alexandrine.

alfabet ['alfa.bɛt] *o* alphabet².

alfabetisch [alfa.'be.ti.s] I *aj* alphabetical; II *ad* alphabetically, in alphabetical order.

alfabetiseren, alfabetizeren [alfa.be.ti.'ze:rǝ(n)] *vt* arrange alphabetically (in alphabetical order).

alfastralen ['alfa.stra.lǝ(n)] *mv* alpha rays.

Alfred ['alfrɛt] *m* Alfred.

algebra ['algǝbra.] ν algebra.

algebraïsch [algǝ'bra.i.s] *aj* (& *ad*) algebraic(ally).

algeheel ['algǝhe.l] zie *geheel*.

algemeen [algǝ'me.n] I *aj* 1 (allen of alles omvattend) universal [history, suffrage &], general [rule]; 2 (overal verspreid) general, common; 3 (openbaar) general, public; 4 (onbepaald) general, vague; *dat is thans erg* ~ that is very common now; II *ad* generally, universally; ~ *in gebruik* ook: in general (common) use; III *o in het* ~ in general, (up)on the whole; in a general way; *in Brabant, Vlaanderen en België in het* ~ and Belgium generally; *over het* ~ generally speaking, (up)on the whole.

algemeenheid [-hɛit] ν universality, generality; *algemeenheden* (vague) generalities.

Algerije [algǝ'rɛiǝ] *o* Algeria.

Algerijn(s) [-'rɛin(s)] Algerian.

Algiers [al'gi:rs] *o* Algiers.

Algoede ['al'gu.dǝ] *m de* ~ the All-bountiful.

alhier [al'hi:r] here, at this place; *de Heer N.* ~ 1 of this place; 2 local [on letters].

alhoewel [alhu.'vɛl] (al)though.

alias ['a.li.as] *ad* alias, otherwise (called).

alibi ['a.li.bi.] *o* alibi.

alikas ['a.li.kas] *m* ally.

alikruik [-krœyk] ν periwinkle, F winkle.

alinea [a.'li.ne.a.] ν paragraph.

alk [alk] ν 🐦 auk, razor-bill.

alkali [al'ka.li] *o* alkali.

alkalisch [-'ka.li.s] alkaline.

alkohol(-) zie *alcohol*(-).

alkoof [al'ko.f] ν alcove, recess [in a wall]

Allah ['ala.] *m* Allah.

allebei [alǝ'bɛi] both (of them).

alledaags [-'da.xs] 1 *eig* daily [wear], everyday [clothes], quotidian [fever]; 2 *fig* common, commonplace [topic], ordinary, plain [face], stale, trivial, trite [saying].

alledaagsheid [-hɛit] ν commonness, triteness, triviality.

allee [a'le.] ν avenue.

alleen [a'le.n] I *aj* 1 alone; single-handed; by oneself; 2 [feel] lonely; *de gedachte* ~ *is...* the mere (bare) thought; II *ad* only, merely; *hij is erg...,* ~ *kan hij zijn mond niet houden* only he never can keep his counsel; *ik dacht* ~ *maar dat...* I only thought...; *niet* ~..., *maar ook...* not only..., but also...

alleenhandel [-handǝl] *m* monopoly.

alleenheerschappij [-he:rsxapɛi] ν absolute monarchy (power, rule), autocracy.

alleenheerser [-he:rsǝr] *m* absolute monarch, autocrat.

alleenspraak [-spra.k] ν monologue, soliloquy.

alleenstaand [-sta.nt] single, isolated [case], detached [building].

alleenverkoop [-vǝrko.p] *m* $ sole sale, sole agency.

alleenvertegenwoordiger [-vǝrte.gǝnvo:rdǝgǝr] *m* $ sole agent.

alleenvertegenwoordiging [-gɪŋ] ν $ sole agency.

alleenzaligmakend [a'le.nza.lǝxma.kǝnt] in: *de* ~*e Kerk* the [Roman Catholic] Church outside of which there is no salvation.

allegaartje [alǝ'ga:rcǝ] *o* hotchpotch, medley.

allegorie [alǝgo:'ri.] ν allegory.

allegorisch [alǝ'go:ri.s] *aj* (& *ad*) allegoric(ally).

alleluja [alǝ'ly.ja.] = *halleluja*.

allemaal ['alǝma.l] all, one and all.

allemachtig [alǝ'maxtǝx] I *ij* (*wel*) ~*!* well I never!; by Jove!; II *ad* < awfully.

alleman [alǝ'man] everybody; zie ook: *Jan*.

allemansgading ['alǝmansga.dɪŋ] ν in: *dat is niet* ~ it is not for everybody's purse.

allemansvriend [-vri.nt] *m* in: *hij is een* ~ he is friends with everybody.

allen ['alǝ(n)] all (of them); zie 1 *al*.

allengs(kens) [a'lɛŋs(kǝns)] by degrees, gradually.

alleraardigst [alǝr'a:rdǝxst] *aj* (& *ad*) most charming(ly).

allerarmst [-'armst] very poorest.

allerbelachelijkst [-bǝ'laxǝlǝkst] *aj* (& *ad*) most ridiculous(ly).

allerbest [-'bɛst] I *aj* very best, best of all; ~*e vriend* dear(est) friend; *het* ~*e* the very best thing you can do (buy, get &); II *ad* best (of all); zie ook: *best*.

allerchristelijkst [-'krɪstǝlǝkst] most Christian.

allerdolst [-'dɔlst] I *aj* F screamingly funny; II *ad* in a screamingly funny way.

allereerst [ɑlər'eːrst] I *aj* very first; II *ad* first of all.

allerergst [-'ɛrxst] very worst, worst of all.

allergeen [ɑlɛr'geːn] *o* allergen.

allergenadigst [ɑlərgəˈnaːdəxst] *aj* (& *ad*) most gracious(ly).

allergeringst [-'rɪŋst] least (smallest) possible; *niet het ~e* not the least little bit.

allergie [ɑlɛr'giː] *v* 🌱 allergy.

allergisch [ɑ'lɛrgiːs] 🌱 allergic.

allerhande [ɑlər'hɑndə] of all sorts, all sorts (kinds) of.

Allerheiligen(dag) [-'hɛiləgə(n)(dɑx)] *m* All Saints' Day.

allerheiligst [-'hɛiləxst] most holy; *het Allerheiligste* 1 the Holy of Holies; 2 *RK* the Eucharist.

allerhoogst [-'hoːxst] very highest; supreme; *de Allerhoogste* the Most High.

Allerkinderen(dag) [-'kɪndərə(n)(dɑx)] *m* Innocents' Day.

allerkristelijkst zie *allerchristelijkst*.

allerlaatst [-'laːtst] I *aj* very last; II *ad* last of all.

allerlei [-'lɛi] I *aj* of all sorts, all sorts (kinds) of; II *o* 1 all sorts of things; 2 (in de krant) miscellaneous.

allerliefst [-'liːfst] I *aj* 1 best loved, most beloved, very dearest; 2 (aardig) charming, sweet; II *ad* most charmingly, sweetly; *het ~ hoor ik Wagner* best of all I like to hear W.

allermeest [-'meːst] most, most of all; *50 op zijn ~* 50 at the utmost.

allerminst [-'mɪnst] I *aj* (very) least, least possible; II *ad* least of all; zie ook: *minst*.

allernaast [-'naːst] very nearest; very next.

allernieuwst [-'niːust] very newest (latest).

allernodigst [-'noːdəxst] most necessary; *het ~e* 1 what is most needed; 2 the common (least dispensable) necessaries.

alleruiterst [-'œytərst] (very) utmost.

allerwegen [-'veːgə(n)] everywhere.

Allerzielen(dag) [-'ziːlə(n)(dɑx)] *m* All Souls' Day.

alles ['ɑləs] all, everything; *~ of niets* all or nothing; *dat is niet ~ F* it is anything but pleasant, it is no joke; *geld is niet ~* money is not everything; *zij was zijn ~* she was his all (in all); *~ te zamen genomen* on the whole, taking it all in all; *boven ~* above all; *~ op ~ zetten* go all out; *over ~ en nog wat spreken* talk about everything and anything, about one thing and another; *van ~* all sorts of things; *voor ~* above all; *veiligheid voor ~!* safety first!

allesbehalve [ɑləsbə'hɑlvə] anything but, not at all.

allesbeheersend [-'heːrsənt] predominating [idea &], of paramount importance.

allesetend ['ɑləse.tənt] omnivorous.

alleszins ['ɑləsɪns] in every respect, in every way, in all respects; highly, very, wholly.

alliage [ɑli.'a.ʒə] *v* & *o* alloy.

alliantie [ɑli'ɑn(t)si.] *v* alliance.

allicht [ɑ'lɪxt] (wellicht) probably, perhaps; *~, zeg!* of course!; *men kan er ~ eens heen gaan* one can at least go and see; zie ook: I *licht* II.

alligator [ɑli.'ga.tər] *m* 🐊 alligator.

allit(t)eratie [ɑli.tə'ra.(t)si.] *v* alliteration.

allit(t)ereren [-'reːrə(n)] *vi* alliterate; *~d* alliterative [verse].

allo! [ɑ'lo.] come on!, come along!

allonge [ɑ'lõʒə] *v* $ allonge, rider.

allooi [ɑ'loːi] *o* alloy; *fig* quality, kind, sort.

allopaat [ɑlo.'pa.t] *m* allopathist.

allopathie, allopatie [-pa.'ti.] *v* allopathy.

allopathisch, allopatisch [-'pa.ti.s] *aj* (& *ad*) allopathic(ally).

allure [ɑ'lyː.rə] *v* in: *~s* airs; *van (grote) ~* zie *van (groot) formaat*.

alluviaal [ɑly.vi.'a.l] alluvial.

alluvium [ɑ'ly.vi.ũm] *o* alluvium, alluvion.

almacht ['ɑlmɑxt] *v* omnipotence.

almachtig [ɑl'mɑxtəx] I *aj* almighty, omnipotent, all-powerful; *de Almachtige* the Almighty, the Omnipotent; II *ad* < zie *allemachtig*.

almanak ['ɑlma.nɑk] *v* almanac.

alme(d)e [ɑl'me.(də)] too, also, as well; *dat zijn ~ van de beste* these are among the best.

aloë ['a.lo.e.] *v* 🌱 aloe.

alom [ɑ'lòm] everywhere.

alomtegenwoordig [ɑlòmte.gə(n)'voːrdəx] omnipresent, ubiquitous.

alomtegenwoordigheid [-hɛit] *v* omnipresence, ubiquity.

alomvattend ['ɑlòmvɑtənt] all-embracing.

aloud [ɑl'ɔut] ancient, antique.

aloudheid [-hɛit] *v* antiquity.

1 **alpaca** ['ɑlpa.ka.] *v* (schaap) alpaca.

2 **alpaca** ['ɑlpa.ka.] *o* 1 (weefsel) alpaca; 2 (legering) German silver.

Alpen ['ɑlpə(n)] *mv de ~* the Alps.

alpen- ['ɑlpə(n)] Alpine [club, flora, hut, pass, peak, rose &].

alpha ['ɑlfa.] *v* alpha; *de Alpha en de Omega* the Alpha and Omega.

alpinist [ɑlpi.'nɪst] *m* Alpinist.

alpino(muts) [ɑl'pi.no.(mũts)] *m* (*v*) beret.

alras [ɑl'ras] (very) soon.

alreeds [-'re.ts] already.

alruin [-'rœyn] *v* 🌱 mandrake, mandragora.

als [ɑls] 1 (gelijk) like [a father &]; 2 (zoals: bij opsomming) (such) as [ducks, drakes &]; 3 (qua) as [a father]; as [president]; by way of [a tooth]pick]; 4 (alsof) as if [he wanted to say...]; 5 (wanneer) when, whenever; 6 (indien) if; 7 (vaak na comparatief) than; *rijk ~ hij is, kan hij dat betalen* being rich; *rijk ~ hij is, zal hij dat niet kunnen betalen* he may be ever so rich, however rich he may be; *~ het ware* as it were.

alsdan [ɑls'dɑn] then.

alsem ['alsəm] *m* wormwood[2].

alsjeblieft [alsjə'bli.ft] zie *alstublieft* en *asjeblief*(*t*).

alsmede [als'me.də] and also, as well as, and... as well, together with.

alsnog [-'nɔx] yet, still.

alsnu [-'ny.] now.

alsof [al'sɔf] as if, as though.

alstublieft [alsty.'bli.ft] 1 (overreikend) here is... [the key &], F here you are; 2 (verzoekend) (if you) please; 3 (toestemmend) yes, please; thank you.

alt [alt] *v* ♪ alto; (mannelijke) ook: countertenor; (vrouwelijke) ook: contralto.

altaar ['alta:r] *o & m* altar; *aan het* ~ at the altar; *ten* ~ *leiden* lead [her] to the altar.

altaardoek [-du.k] *m* altar-cloth.

altaarstuk [-stŭk] *o* altar-piece.

altegader, altemaal [altə'ga.dər] [-'ma.l] zie *allemaal*.

altemet(s) ['altəmɛt(s)] perhaps.

alternatief [alterna.'ti.f] *o*, *aj* alternative.

althans [al'tans] at least, at any rate, anyway.

altijd ['altɛit] always, ever; ~ *door* all the time, incessantly; ~ *en eeuwig* for ever (and ever); ~ *nog* always; *nog* ~ still; *nog* ~ *niet* not ...yet; ~ *weer* always, time and again; *voor* ~ for ever.

altijddurend [-dy:rənt] everlasting.

altijdgroen [-gru.n] ♣ evergreen; ~ *gewas* evergreen.

altoos ['alto.s] zie *altijd*.

altruïsme [altry.'ısmə] *o* altruism.

altruïst [-'ıst] *m* altruist.

altruïstisch [-'ısti.s] *aj* (& *ad*) altruistic(ally).

altsleutel ['altslø.təl] *m* ♪ alto clef.

altstem [-stɛm] *v* ♪ contralto (voice).

altviool [-fi.o.l] *v* ♪ viola, tenor violin.

altzangeres [-saŋərɛs] *v* ♪ contralto.

aluin [a'lœyn] *m* alum.

aluminium [aly.'mi.ni.ŭm] *o* aluminium.

Alvader ['alva.dər] *m* in: *de* ~ the All-father.

alvast [al'vast] zie *vast* II 2.

alvermogen ['alvərmo.gə(n)] *o* omnipotence.

alvermogend [-gənt] all-powerful, omnipotent.

alvertje ['alvərcə] *o* 𝔖 bleak.

alvleesklier ['alvle.skli:r] *v* pancreas.

alvorens [al'vo:rəns] before, previous to... [...ing].

alwaar [-'va:r] where; wherever.

alweder, alweer [-'ve.dər, -'ve:r] again, once again.

alwetend [-'ve.tənt] all-knowing, omniscient; *de Alwetende* the Omniscient.

alwetendheid [-hɛit] *v* omniscience.

alwijs [al'vɛis] all-wise; *de Alwijze* the All-wise.

alziend [al'zi.nt] all-seeing; *de Alziende* the All-seeing.

alzijdig ['alzɛidəx, al'zɛidəx] I *aj* all-sided, many-sided, universal, versatile; II *ad* in: ~ *ontwikkeld* of universal culture, versatile.

alzijdigheid [al'zɛidəxhɛit] *v* all-sidedness, universality [of mind], versatility.

alzo ['alzo., al'zo.] thus, in this manner, so.

amalgaam [a.mal'ga.m] amalgama [a.'mal-ga.ma.] *o* amalgam.

amalgamatie [a.malga.'ma.(t)si.] *v* amalgamation.

amalgameren [-'me:rə(n)] *vt* amalgamate.

Amalia [a.'ma.li.a.] *v* Amelia.

amandel [a.'mandəl] *v* 1 ♣ almond; 2 (klier) tonsil.

amandelontsteking [-òntste.kıŋ] *v* tonsillitis.

amandelpas, -pars, -pers [-pas, pars, -pɛrs] *o* almond paste.

amandelvormig [-vərməx] almond-shaped; ~*e ogen* ook: almond eyes; *met* ~*e ogen* almond-eyed.

amaniet [a.ma.'ni.t] *v* ♣ amanita.

amanuensis [a.ma.ny.'ɛnzıs] *m* assistant [in physics and chemistry].

amarant [a.ma.'rant] *v* & *o* amaranth.

amaril [a.ma.'rıl] *v* emery.

amateur [a.ma.'tø:r] *m* amateur.

amateur-fotograaf [-fo.to.'gra.f] *m* amateur photographer.

Amazone [a.ma.'zo:nə] *v* Amazon[2].

amazone [a.ma.'zo:nə] *v* 1 horsewoman; 2 (kostuum) riding habit.

ambacht ['ambaxt] *o* trade, (handi)craft; *op een* ~ *doen bij* apprentice [one] to; *timmerman van zijn* ~ a carpenter by trade; *het is met hem twaalf* ~*en en dertien ongelukken* he is a Jack-of-all-trades and master of none.

ambachtsheer ['ambaxtshe:r] *m* lord of the manor.

ambachtsheerlijkheid [-ləkhɛit] *v* ± manor.

ambachtsman ['ambaxtsmən] *m* artisan.

ambachtsonderwijs [-òndərvɛis] *o* technical instruction.

ambachtsschool ['ambaxtsxo.l] *v* ⚒ zie *nijverheidsschool*.

ambachtsvrouw ['ambaxtsfrou] *v* lady of the manor.

ambassade [amba.'sa.də] *v* embassy.

ambassaderaad [-ra.t] *m* counsellor of embassy.

ambassadeur [amba.sa.'dø:r] *m* ambassador.

ambassadrice [-'dri.sə] *v* ambassadress.

amber ['ambər] *m* amber.

ambergrijs [-grɛis] *o* ambergris.

ambiëren [ambi.'e:rə(n)] *vt* aspire after.

ambitie [am'bi.(t)si.] *v* 1 zeal; 2 soms: ambition.

ambitieus [ambi.(t)si.'ø.s] 1 zealous, full of zeal; 2 ambitious.

ambivalent [ambi.va.'lɛnt] ambivalent.

ambivalentie [-'lɛn(t)si.] *v* ambivalence.

Ambon ['ambòn] *o* Ambon.

Ambonees [ambò'ne.s] Ambonese.

ambrozijn [ambro.'zein] *o* ambrosia.

ambt [amt] *o* office, place, post, function.

ambtelijk ['amtələk] *aj* (& *ad*) official(ly).

ambteloos [-lo.s] out of office; ~ *burger* private citizen.

ambtenaar [-na:r] *m* official [in the Government service], [civil] officer, [Indian] civil servant, [public] functionary; ~ *van het Openbaar Ministerie* Counsel for the prosecution; ~ *van de burgerlijke stand* registrar.

ambtenares [amtǝna:'rɛs] *v* (woman) official.

ambtgenoot ['amtgeno.t] *m* colleague.

ambtsaanvaarding ['amtsa.nva:rdɪŋ] *v* entrance into office.

ambtsbezigheden [-be.zǝxhe.dǝ(n)] *mv* official duties.

ambtsbroeder [-bru.dǝr] *m* colleague.

ambtseed [-e.t] *m* oath of office.

ambtsgeheim [-gǝheim] *o* 1 official secret [of a minister &]; 2 professional secret [of a doctor]; *het* ~ 1 official secrecy; 2 professional secrecy.

ambtsgewaad [-gǝva.t] *o* official robes.

ambtshalve [amts'halvǝ] officially, by (in) virtue of one's office.

ambtsketen ['amtske.tǝ(n)] *v* chain of office.

ambtsmisdrijf [-mɪsdrɛif] *o* **ambtsovertreding** [-o.vǝrtre.dɪŋ] *v* misfeasance, abuse of power.

ambtspenning [-pɛnɪŋ] *m* badge.

ambtsperiode [-pe:ri.o.dǝ] *v* term of office.

ambtsplicht [-plɪxt] *m* & *v* official duty.

ambtsvervulling [-fɛrvülɪŋ] *v* discharge of one's duties.

ambtswoning [-vo.nɪŋ] *v* official residence.

ambtszegel ['amtse.gǝl] *o* official seal.

ambulance [amby.'lansǝ] *v* ambulance; field hospital.

amechtig [a.'mɛxtǝx] breathless, out of breath.

amechtigheid [-hɛit] *v* breathlessness.

amen ['a.mǝn, 'a.mɛn] (*o*) amen; ~ *zeggen op* say amen to.

amendement [amɛndǝ'mɛnt] *o* amendment (to).

amenderen [-'de:rǝ(n)] *vt* amend. [*op*].

Amerika [a.'me:ri.ka.] *o* America.

Amerikaan(s) [a.me:ri.'ka.n(s)] American.

amethist, ametist [amǝ'tɪst] *m* & *o* amethyst.

ameublement [a.mø.blǝ'mɛnt] *o* 1 *het* ~ the furniture; 2 *een* ~ a suite (set) of furniture.

amfibie [amfi.'bi.] *m* amphibian.

amfibietank [-tɛŋk] *m* ⚔ amphibious tank.

amfibievliegtuig [-vli.xtœyx] *o* ✈ amphibian.

amfibisch [am'fi.bi.s] amphibious [animal; ⚔ operation].

amfiteater(-) zie *amfitheater(-)*.

amfitheater [amfi.te.'a.tǝr] *o* amphitheatre.

amfitheatersgewijs, -gewijze [-tǝrsgǝ'vɛis, -gǝveizǝ] in tiers.

amicaal [ami.'ka.l] I *aj* friendly; II *ad* in a friendly way.

amice [a'mi.sǝ] (dear) friend.

amikaal zie *amicaal*.

aminozuur [a.'mi.no.zy:r] *o* amino acid.

ammonia [a'mo.ni.a.] *m* ammonia.

ammoniak [amo.ni.'ak] *m* ammonia.

ammonium [a'mo.ni.üm] *o* ammonium.

ammoniumsulfaat [-sülfa.t] *o* ammonium sulphate.

ammunitie [amy.'ni.(t)si.] *v* (am)munition.

amnestie [amnɛs'ti.] *v* amnesty; (*algemene*) ~ general pardon; ~ *verlenen* (*aan*) amnesty.

amok ['a.mok] *o* amuck; ~ *maken* run amuck.

amokmaker [-ma.kǝr] *m* amuck-runner.

Amor ['a.mǝr] *m* Cupid.

amortisatie [a.mǝrti.'za.(t)si.] *v* amortization, redemption.

amortisatiefonds [-fɔnts] *o* **-kas** [-kas] *v* sinking fund.

amortiseren [a.mǝrti.'ze:rǝ(n)] *vt* amortize, redeem.

amortz- zie *amortis-*.

amourette [a.mu.'rɛtǝ] *v* (love-)affair, amour.

amoureus [-'rø.s] amorous [disposition, looks, words]; amatory [interests, successes].

ampel ['ampǝl] I *aj* ample; II *ad* amply.

amper ['ampǝr] hardly, scarcely; barely [thirty].

ampère [am'pɛ:rǝ] *m* ampere.

ampèremeter [-me.tǝr] *m* ammeter.

ampère-uur [-y:r] *o* ampere-hour.

ampul [am'pül] *v* 1 ampulla [*mv* ampullae]; 2 (voor injectiestof) ampoule; 3 *RK* cruet.

amputatie [ampy.'ta.(t)si.] *v* amputation.

amputeren [-'te:rǝ(n)] *vt* amputate.

Amsterdammer [amstǝr'damǝr] *m* native (inhabitant) of Amsterdam.

Amsterdams [-'dams] Amsterdam.

amulet [amy.'lɛt] *v* amulet, talisman, charm.

amusant [amy.'zant] *aj* (& *ad*) amusing(ly).

amusement [amy.zǝ'mɛnt] *o* amusement, entertainment, pastime.

amusementsbedrijf [-'mɛntsbǝdrɛif] *o* entertainment industry.

amusementsfilm [-fɪlm] *m* entertainment film.

amuseren [amy.'ze:rǝ(n)] I *vt* amuse; II *vr zich* ~ enjoy (amuse) oneself; *amuseer je!* I hope you will enjoy yourself!, have a good time!

anachronisme [ana.grо.'nɪsmǝ] *o* anachronism.

anakronisme [-kro.'nɪsmǝ] = *anachronisme*.

analecta [ana.'lɛkta.] *mv* analects, analecta.

analfabeet [analfa.'be.t] *m* illiterate.

analfabetisme [-fa.be.'tɪsmǝ] *o* illiteracy.

analist [ana.'lɪst] *m* analyst, analytical chemist.

analogie [-lo.'gi.] *v* analogy; *naar* ~ *van* on the analogy of.

analoog [-'lo.x] analogous (to *aan*).

analyse [ana.'li.zǝ] *v* analysis [*mv* analyses].

analyseren [-li.'ze:rǝ(n)] *vt* analyse.

analyst zie *analist*.

analytisch [-'li.ti.s] I *aj* analytical [geometry &], analytic; II *ad* analytically.

analyzeren zie *analyseren*.

ananas ['ananas] *m* & *v* 🍍 pine-apple.

anarchie [anɑr'gi.] *v* anarchy.

anarchisme [-'gɪsmǝ] *o* anarchism.

anarchist [-'gɪst] *m* anarchist.

anarchistisch [-'gɪsti.s] 1 anarchist [theories &]; 2 (ordeloos) anarchic(al).

anatomie [ɑnɑto.'mi.] *v* anatomy.

anatomisch [-'to.mi.s] *aj* (& *ad*) anatomical-(ly).

anatoom [-'to.m] *m* anatomist.

anciënniteit [ɑnsi.ɛni.'tɛit] *v* seniority; *naar ~* by seniority.

Andalusië [ɑndɑ.'ly.zi.ə] *o* Andalusia.

Andalusiër [-zi.ər] *m* Andalusian.

Andalusisch [-zi.s] Andalusian.

ander ['ɑndər] I *aj* other [= different, second]; *een ~e dag* another day, some other day; *~e kleren aantrekken* change one's clothes; *hij was een ~ mens* he was a changed man; *de ~e week* next week; II als *pron* in: *een ~* another (man); *breng mij een ~(e)* bring me another (one); *ieder ~* any person other than yourself; *van boeken gesproken, ik heb nog wel ~e* I have (a few) other ones; *~en* others, other people; *om de ~* by turns, in turn; zie ook: *om*; *het ene verlies op het ~e* loss upon loss; *ten ~en* secondly; *ter ~e (zijde)* on the other hand.

anderdaags [-dɑ.xs] in: *~e koorts* tertian fever.

anderdeels [-de.ls] on the other hand.

anderhalf [-hɑlf] one and a half; *~ maal zo lang* one and a half times the length of..., half as long again; *~ uur* an hour and a half.

andermaal [-ma.l] (once) again, once more, a second time.

andermans [-mɑns] another man's, other people's.

anders ['ɑndərs] I *aj* other [than he is], different [from us]; II *pron* in: *iemand ~* anybody (any one) else, another (person), other people; *iets (niets) ~* something (nothing) else; *als u niets ~ te doen hebt* if you are not otherwise engaged; *wat (wie) ~?* what (who) else?; *dat is wat ~* that's another affair (matter); F that's another pair of shoes; *ik heb wel wat ~ te doen* I've other things to do; III *ad* 1 otherwise, differently; 2 at other times; 3 in other respects; *~ niet?* nothing else?, is that all?; *niet zo dikwijls als ~* not so often as at other times; *het is niet ~* it is no otherwise; *het kan niet ~ I* it cannot be done in any other way; 2 there's no help for it; *ik kan niet ~ I* can do no other; *ik kon niet ~ ook:* I could not help myself; *het kan niet ~ dan noodlottig zijn* it cannot be otherwise than fatal; *ik kan niet ~ dan erkennen dat...* I cannot but recognize that..., I can't help recognizing that...; *hoe vlug hij ~ is, dit...* quick(-witted) as he is at other times (as a rule) this...

andersdenkend [ɑndərs'dɛŋkənt] 1 of another opinion; 2 (in godsdienst) dissenting; *~en* 1 such as think (believe) otherwise; 2 dissentients.

andersgezind [-gə'zɪnt] otherwise-minded, dissenting.

andersom [-'òm] the other way about; *het is precies ~* zie *omgekeerd.*

anderszins ['ɑndərsɪns] otherwise.

anderzijds ['ɑndərzɛits] on the other hand.

Andes ['ɑndəs] *de ~* the Andes.

andijvie [ɑn'dɛivi.] *v* ♣ endive.

Andreas [ɑn'dre.ɑs] **Andries** ['ɑndri.s] *m* Andrew.

anekdote [ɑnɛk'do.tə] *v* anecdote.

anekdotisch [-ti.s] anecdotal.

anemoon [ɑnə'mo.n] *v* ♣ anemone.

anestesi- zie *anesthesi-.*

anesthesie [ɑnɛstə.'zi.] *v* anaesthesia.

anesthesist [-'zɪst] *m* anaesthetist.

angel ['ɑŋəl] *m* 1 sting [of a wasp]; 2 hook [fo fishing].

Angelen ['ɑŋələ(n)] *mv* Angles.

Angelsaks [ɑŋəl'sɑks] *m* Anglo-Saxon.

Angelsaksisch [-'sɑksi.s] *aj* & *o* Anglo-Saxon.

angelus ['ɑŋgəlʉs] *o* RK angelus.

angina [ɑŋ'gi.na.] *v* ♥ angina, quinsy; *~ pectoris* ['pɛkto:rɪs] angina pectoris.

anglicaan(s), anglikaan(s) [ɑŋgli.'ka.n(s)] Anglican.

angorakat [ɑŋ'go:ra.kɑt] *v* ♊ Angora cat.

angst [ɑŋst] *m* 1 fear, terror, uneasiness; 2 [mental] anguish, agony; 3 *ps* anxiety [complex, neurosis].

angstgeschrei ['ɑŋstgəs(x)rɛi] *o* cries of distress.

angstig ['ɑŋstəx] afraid [alléén predikatief!]; fearful; anxious [moment].

angstkreet ['ɑŋstkre.t] *m* cry of distress.

angstvallig [ɑŋst'fɑləx] I *aj* scrupulous; II *ad* scrupulously [precise], jealously [watchful of...].

angstvalligheid [-hɛit] *v* scrupulousness.

angstwekkend [ɑŋst'vɛkənt] alarming.

angstzweet ['ɑŋstsvе.t] *o* cold perspiration, cold sweat.

anijs [ɑ'nɛis] *m* anise.

anijszaad [ɑ'nɛisa.t] *o* ♣ aniseed.

aniline [ɑni.'li.nə] *v* aniline.

animeren [a.ni.'me:rə(n)] *vt* encourage, stimulate, urge (on); *een geanimeerd gesprek* an animated (a lively) conversation.

animo ['a.ni.mo.] *m* & *o* gusto, zest, spirit.

animositeit [a.ni.mo.zi.'tɛit] *v* animosity.

anisette [ɑni.'zɛtə] *v* anisette.

anjelier [ɑnjə'li:r] **anjer** ['ɑnjər] *v* ♣ pink, [red, white] carnation.

anker ['ɑŋkər] *o* 1 ⚓ anchor[2]; 2 (aan muur) brace, cramp-iron; 3 (v. magneet) armature; 4 (in horloge) anchor; 5 (maat) anker; *het ~ laten vallen* ⚓ drop anchor; *het ~ lichten* ⚓ weigh anchor; *het ~ werpen* ⚓ cast anchor; *ten ~ gaan (komen)* ⚓ come to anchor; *voor ~ liggen* ⚓ be (lie, ride) at anchor.

ankerboei [-bu:i] *v* ⚓ anchor-buoy.

ankeren ['ɑŋkərə(n)] *vi* ⚓ anchor, cast (drop) anchor.

ankergrond [-grònt] *m* ⚓ anchoring ground, anchorage.

ankerhorloge [-hɔrlo.ʒə] *o* lever watch.
ankerketting [-kɛtɪŋ] *m & v* ⚓ anchor chain.
ankerplaats [-pla.ts] *v* ⚓ anchorage.
ankertouw [-tɔu] *o* cable.
Anna ['ɑna.] *v* Anne, Ann, Anna.
annalen [ɑ'na.lə(n)] *mv* annals.
annex [ɑ'nɛks] in: *huis met ~e brouwerij* with brewery joined on to it.
annexatie [ɑnɛk'sa.(t)si.] *v* annexation.
annexeren [-'se:rə(n)] *vt* annex.
anno ['ɑno.] in the year.
anno Domini ['ɑno.'do.mi.ni.] in the year of our Lord.
annonce [ɑ'nõsə] *v* advertisement, F ad.
annonceren [ɑnõ'se:rə(n)] *vt* announce.
annoteren [ɑno.'te:rə(n)] *vt* annotate.
annuïteit [ɑny.i.'tɛit] *v* annuity.
annuleren [ɑny.'le:rə(n)] *vt* annul, cancel.
annulering [-rɪŋ] *v* annulment, cancellation.
anode [a.'no.də] *v* 🔌 anode.
anoniem [ɑno.'ni.m] *aj* (& *ad*) anonymous(ly).
anonimiteit [-ni.mi.'tɛit] *v* anonymity.
anonymus [ɑ'no.ni.mʉs] *m* anonymous writer.
anorganisch [ɑnɔr'ga.ni.s] inorganic [chemistry].
ansjovis [ɑn'ʃo.vɪs] *m* 🐟 anchovy.
antecedent [ɑntəsə'dɛnt] *o* 1 (logisch & *gram*) antecedent; 2 (ander geval) precedent; *zijn ~en* his antecedents, his record.
antedateren [-da.'te:rə(n)] *vt* antedate.
antediluviaal [-di.ly.vi.'a.l] **antediluviaans** [-'a.ns] antediluvian.
antenne [ɑn'tɛ.nə] *v* 🔌 ✝ aerial, antenna.
antibioticum [ɑnti.bi.'o.ti.kʉm] *o* antibiotic.
antichambreren [-ʃɑm'bre:rə(n)] *vi* cool one's heels; *~ bij* dance attendance upon.
antichrist zie *antikrist*.
antidateren [ɑnti.da.'te:rə(n)] = *antedateren*.
antiek [ɑn'ti.k] antique, old, J old-fashioned.
antikrist ['ɑnti.krɪst] *m* Antichrist.
antikwa- zie *antiqua-*.
antikwiteit = *antiquiteit*.
Antillen [ɑn'tɪlə(n)] *de ~* the Antilles; *de Grote (Kleine) ~* the Greater (Lesser) Antilles.
antilope [ɑnti.'lo.pə] *v* 🦌 antelope.
antimakassar [-ma'kɑsɑr] *m* antimacassar.
antimonium [-'mo.ni.ʉm] *o* antimony.
Antiochië [ɑnti.'o.gi.ə] *o* Antioch.
antipassaat [-pɑ'sa.t] *m* anti-trade (wind).
antipathie, antipatie [-pa.'ti.] *v* antipathy, dislike.
antipathiek, antipatiek [-pa.'ti.k] unlikeable [woman]; *zij is mij ~* I am antipathetic to her.
antipode [-'po.də] *m* antipode.
antiquaar [-'kʋa:r] *m* 1 antiquary, antiquarian, antique dealer; 2 second-hand bookseller, antiquarian bookseller.
antiquair [-'kɛ:r] zie *antiquaar* 1.
antiquariaat [-kʋa:ri.'a.t] *o* 1 (het vak) antiquarian bookselling; 2 (de winkel) second-hand bookshop, antiquarian bookshop.

antiquarisch [-'kʋa:ri.s] second-hand, antiquarian.
antiquiteit [-kvi.'tɛit] *v* 1 antiquity; 2 antique; *~en* antiquities, antiques.
antisemiet [-sə'mi.t] *m* anti-Semite.
antisemitisch [-'mi.ti.s] anti-Semitic.
antisemitisme [-mi.'tɪsmə] *o* anti-Semitism.
antiseptisch [ɑnti.'sɛpti.s] *aj* (& *ad*) antiseptic(ally).
antislip [-'slɪp] non-skid [tyre].
antistof ['ɑnti.stɔf] *v* antibody.
antitese zie *antithese*.
antithese [ɑnti.'te.zə] *v* antithesis.
antivriesmiddel [-'vri.smɪdəl] *o* anti-freeze.
Anton ['ɑntòn] *m* Anthony.
Antonia [ɑn'to.ni.a.] *v* Antonia.
Antonius [-ni.ʉs] **Antoon** ['ɑnto.n] *m* Anthony, F Tony.
antraciet [ɑntra.'si.t] *m & o* anthracite.
Antwerpen ['ɑntvɛrpə(n)] *o* Antwerp.
Antwerpenaar [-pəna:r] *m* native of Antwerp.
Antwerps ['ɑntvɛrps] Antwerp.
antwoord ['ɑntvo:rt] *o* 1 (op brief, vraag &) answer, reply; 2 (op een antwoord) rejoinder; *(geen) ~ geven* make (give) an (no) answer; *~ krijgen* have (receive) an answer, get a reply; *in ~ op* in reply (answer) to; *op ~ wachten* wait for a reply; *op ~ behoeft niet gewacht te worden* there is no answer.
antwoordcoupon [-ku.pòn] *m* 🖂 reply coupon.
antwoorden ['ɑntvo:rdə(n)] I *vt* answer, reply; rejoin, return, retort; II *va & vi* answer, reply; respond; (brutaal) talk back; *~ op* reply to, answer [a letter].
antwoordkoepon zie *antwoordcoupon*.
a° = *anno*.
aorta [a.'ɔrta.] *v* aorta.
A. P. [ɑmstərdɑms'pɛil] = *Amsterdams peil* Amsterdam watermark.
apanage [ɑpɑ'na.ʒə] *o & v* ap(p)anage.
apart [ɑ'pɑrt] I *aj* apart; separate; *een ~ ras* a race apart; II *ad* apart; separately; zie verder: *afzonderlijk*.
apartheid [ɑ'pɑrthɛit] *v* ZA apartheid: (race, racial) segregation.
apartheidspolitiek [-hɛitspo.li.ti.k] *v* ZA apartheid policy.
apartje [ɑ'pɑrcə] *o* private talk.
apathie, apatie [a.pa.'ti.] *v* apathy.
apathisch, apatisch [a.'pa.ti.s] *aj* (& *ad*) apathetic(ally).
apebroodboom ['a.pəbro.tbo.m] *m* 🌳 monkeybread tree, baobab.
apegapen ['a.pəga.pə(n)] in: *op ~ liggen* F be at one's last gasp.
apekool [-ko.l] *v* F gammon, bosh.
apekop [-kɔp] *m* F jackanapes, monkey.
apekuur [-ky:r] *v* monkey-trick.
apeliefde [-li.vdə] *v* blind love, foolish fondness.
ap- en dependenties ['ɑpɛndə.pɛn'dɛn(t)si.s] *mv* appurtenances.

apenkooi ['a.pə(n)ko:i] *v* monkey-house.

Apennijnen [apə'nɛinə(n)] *mv* Apennines.

apenootje ['a.pəno.cə] *o* peanut, monkey-nut.

apenspel ['a.pə(n)spɛl] *o* 1 monkey-show; 2 apish tricks.

aperij [a.pə'rɛi] *v* zie *apenspel* 2.

aperitief [a.pe.ri.'ti.f] *o* & *m* apéritif.

apin [a.'pɪn] *v* she-monkey, she-ape [tailless].

aplomb [a.'plõ] *o* aplomb, self-possession, coolness, assurance.

apocrief [a.po.'kri.f] apocryphal; ~*e boeken* apocrypha.

apodictisch, apodiktisch [a.po.'dɪkti.s] *aj* (& *ad*) apodictic(ally).

apokrief zie *apocrief*.

Apollo [a.'pɔlo.] *m* Apollo.

apologeet [a.po.lo.'ge.t] *m* apologist.

apologetiek [-ge.'ti.k] *v* apologetics.

apologetisch [-'ge.ti.s] *aj* (& *ad*) apologetic-(ally).

apologie [-'gi.] *v* apology°.

apostel [a.'pɔstəl] *m* apostle.

apostelschap [-sxap] **apostolaat** [a.pɔsto.'la.t] *o* apostolate, apostleship.

apostolisch [a.pɔs'to.li.s] apostolic.

apostrof [a.po.'strɔf] *v* apostrophe.

apote- zie *apothe-*.

apotheek [a.po.'te.k] *v* chemist's (shop), dispensary.

apotheker [-'te.kər] *m* (pharmaceutical, dispensing) chemist.

apothekeres [-te.kə'rɛs] *v* woman chemist.

apothekersassistent(e) [-te.kərsɑsi.s'tɛnt(ə)] *m(-v)* chemist's assistant, assistant chemist.

apothekersrekening [-'tekərsre.kənɪŋ] *v* chemist's bill; *fig* exorbitant bill.

apotheose [-te.'o.zə] *v* apotheosis.

apparaat [ɑpa.'ra.t] *o* apparatus, zie ook: *toestel*; *fig* [government, production &] machinery, machine; *huishoudelijke apparaten* domestic appliances.

apparatuur [-ra.'ty:r] *v* equipment.

appartement [ɑpartə'mɛnt] *o* apartment.

1 appel ['ɑpəl] *m* apple (ook = pupil of the eye); *door de zure ~ heen bijten* make the best of a bad job; *voor een ~ en een ei* F for a (mere) song; *de ~ valt niet ver van de boom* it runs in the blood; like father, like son; *een rotte ~ in de mand maakt al het fruit tot schand* one rotten apple will decay a bushel.

2 appel [ɑ'pɛl] *o* 1 🔀 appeal; 2 ✕ roll-call; parade; ~ *aantekenen* give notice of appeal,' lodge an appeal; ~ *houden* call the roll, take the roll-call; *ze goed onder ~ hebben* have them well in hand.

appelbeignet ['ɑpəlbɛɲe.] *m* apple fritter.

appelbladroller [-blɑtrɔlər] *m* 🦋 codling moth.

appelbol [-bɔl] *m* apple dumpling.

appelboom [-bo.m] *m* apple tree.

appelflap [-flɑp] *v* apple turnover.

appelflauwte [-flɔutə] *v* in: *een ~ krijgen* F go off into a fit.

appelgrauw [-grɔu] dapple-grey.

appellant [ɑpɛ'lɑnt] *m* 🔀 appellant.

appelleren [-'le:rə(n)] *vi* 🔀 appeal, lodge an appeal; ~ *aan* appeal to [reason, the passions].

appelmoes ['ɑpəlmu.s] *o* & *v* apple-sauce.

appelschimmel [-sxɪməl] *m* dapple-grey (horse).

appelsien [ɑpəl'si.n] *v* orange.

appeltaart ['ɑpəlta:rt] *v* apple-tart.

appeltje [-cə] *o* (small) apple; *een ~ met iemand te schillen hebben* F have a bone to pick with a man; *een ~ voor de dorst* a nest-egg; *een ~ voor de dorst bewaren* provide against a rainy day.

appelwijn [-vɛin] *m* cider.

appetijtelijk [ɑpə'tɛitələk] *aj* (& *ad*) appetizing-(ly).

applaudisseren [ɑplɔudi.'se:rə(n)] *vi* applaud, clap, cheer.

applaus [ɑ'plɔus] *o* applause.

apporteren [ɑpɔr'te:rə(n)] *vi* fetch and carry, retrieve.

appreciatie [ɑpre.si.'a.(t)si.] *v* appreciation.

appreciëren [-'e:rə(n)] *vt* appreciate, value.

appreteren [ɑprɛ'te:rə(n)] *vt* finish.

approvianderen [ɑpro.vi.ɑn'de:rə(n)] *vt* provision [a garrison &].

april [ɑ'prɪl] *m* April; *eerste ~* first of April; All Fools' Day.

aprilgek [-gɛk] *m* April fool.

aprilgrap [-grɑp] *v* first of April joke (hoax).

apropos [a.pro.'po:] I *ad* apropos, to the point; II *ij* by the way, by the bye; talking of...; III *o* & *m* in: *om op ons ~ terug te komen...* to return to our subject; *hij laat zich niet van zijn ~ brengen* F he is not to be put out.

Apulië [ɑ'py.li.ə] *o* Apulia.

aquaduct [a.kʋa.'dʏkt] *o* aqueduct.

aqualong ['a.kʋa.lòŋ] *v* *sp* aqualung.

aquarel [a.kʋa.'rɛl] *v* aquarelle, water-colour.

aquarium [a.'kʋa:ri.ũm] *o* aquarium.

ar [ɑr] *v* sleigh, sledge.

arabesk [a.ra.'bɛsk] *v* arabesque.

Arabië [a.'ra.bi.ə] *o* Arabia.

Arabier [a.ra.'bi:r] *m* Arab [man & horse].

Arabisch [a.'ra.bi.s] I *aj* Arabian [Desert, Sea &], Arab [horse, country, state, League]; (v. taal & getallen) Arabic; *Verenigde ~e Republiek* United Arab Republic; II *o* Arabic.

arak [a.'rɑk] *m* arrack, rack.

arbeid ['ɑrbɛit] *m* labour(s), work°, toil; *aan de ~ gaan* set to work; *aan de ~ zijn* be at work; ~ *adelt* there is nobility in labour and a pedigree of toil.

arbeidbesparend [-bəspa:rənt] labour-saving.

arbeiden ['ɑrbɛidə(n)] *vi* labour, work.

arbeider ['ɑrbɛidər] *m* worker, labourer, hand, operative, workman; *een ~ is zijn loon waard* a labourer is worthy of his hire.

arbeidersbeweging [-dərsbəve.gɪŋ] *v* labour movement.

arbeidersklas(se) [-klɑs(ə)] *v* working class.
arbeiderspartij [-pɑrtɛi] *v* labour party.
arbeiderswijk [-vɛik] *v* workmen's quarter.
arbeiderswoning [-vo.nɪŋ] *v* working-class house.
arbeidsbemiddeling ['ɑrbɛitsbəmɪdəlɪŋ] *v* (*bureau, dienst voor*) ~ zie *arbeidsbureau*.
arbeidsbeurs [-bø:rs] *v* zie *arbeidsbureau*.
arbeidsbureau [-by.ro.] *o* Labour Exchange, employment exchange; *het Internationaal A*~ the International Labour Bureau (Office).
arbeidscontract [-kòntrɑkt] *o* zie *arbeidsovereenkomst*.
arbeidscontractant [-kòntrɑktɑnt] *m* (in overheidsdienst) public servant appointed on agreement.
arbeidsdag [-dɑx] *m* working day.
arbeidskontrakt(-) zie *arbeidscontract*(-).
arbeidskracht [-krɑxt] *v* zie *werkkracht*.
arbeidsloon [ɑrbeits'lo.n] *o* wages.
arbeidsmarkt ['ɑrbɛitsmɑrkt] *v* labour market.
arbeidsovereenkomst [-o.vəre.nkòmst] *v* labour contract, labour agreement; *collectieve* ~ collective agreement; *het onderhandelen over een collectieve* ~ collective bargaining.
arbeidsreserve [-rəzɛrvə] *v* labour reserve.
arbeidsschuw ['ɑrbɛitsxy:u] work-shy.
arbeidster [-stər] *v* (woman) worker.
arbeidsterapie zie *arbeidstherapie*.
arbeidsterrein ['ɑrbɛitstɛrɛin] *o* field (sphere) of action.
arbeidstherapie [-te.ra.pi.] *v* 𝔉 occupational therapy.
arbeidstijd [-tɛit] *m* working hours.
arbeidsuur [-y:r] *o* working hour.
arbeidsveld [-fɛlt] *o* field (sphere) of action.
arbeidsverdeling [-fərde.lɪŋ] *v* division of labour.
arbeidsvermogen [-fərmo.gə(n)] *o* working power, energy; ~ *van beweging* kinetic (actual) energy; ~ *van plaats* potential energy.
arbeidsvraagstuk [-fra.xstűk] *o* labour question.
arbeidsweek [-ve.k] *v* working week.
arbeidswet [-vɛt] *v* labour act.
arbeidzaam [ɑr'beitsa.m] industrious.
arbeidzaamheid [-hɛit] *v* industry.
arbiter [ɑr'bi.tər] *m* arbiter, arbitrator; *sp* umpire.
arbitrage [ɑrbi.'tra.ʒə] *v* arbitration.
arbitrair [-'trɛ:r] arbitrary, high-handed.
Arcadië [ɑr'ka.di.ə] *o* Arcadia.
arcadisch [-di.s] Arcadian.
arceren [ɑr'se:rə(n)] *vt* hatch, shade.
archaïsme [ɑrgɑ.'ɪsmə] *o* archaism.
archeologie [ɑrge.o.l̩o.'gi.] *v* archaeology.
archeologisch [-'lo.gi.s] *aj* (& *ad*) archaeological(ly).
archeoloog [-'lo.x] *m* archaeologist.
archief [ɑr'gi.f] *o* 1 archives, records; 2 record office; 3 $ files.
archipel ['ɑrgi.-, 'ɑrʃi.pɛl] *m* archipelago.

architect [ɑrgi.-, ɑrʃi.'tɛkt] *m* architect.
architectonisch [-tɛk'to.ni.s] architectonic.
architectuur [-tɛk'ty:r] *v* architecture.
architekt(-) zie *architect*(-).
architraaf [ɑrgi.'tra.f] *v* architrave.
archivaris [-'va:rɪs] *m* archivist, keeper of the records.
Ardennen [ɑr'dɛnə(n)] *de* ~ the Ardennes.
arduin [-'dœyn] *o* freestone, ashlar.
arduinen [-'dœynə(n)] *aj* freestone, ashlar.
are ['a:rə] *v* are, 100 sq. m.
arena [a.'re.na.] *v* arena; bullring [fo: bullfights], ring [of circus].
arend ['a:rənt] *m* 🦅 eagle.
arendsblik ['a:rəntsblɪk] *m* eagle-eye.
arendsjong [-jòŋ] *o* 🦅 eaglet.
arendsnest [-nɛst] *o* eagle's nest, aerie, eyrie.
arendsneus [-nø.s] *m* aquiline nose.
arendsoog [-o.x] *o* zie *arendsblik*; *met arendsogen* eagle-eyed.
argeloos ['ɑrgəlo.s] 1 harmless, guileless, inoffensive; 2 unsuspecting.
argeloosheid [ɑrgə'lo.shɛit] *v* 1 harmlessness, guilelessness, inoffensiveness; 2 confidence.
Argentijn(s) [ɑrgɛn'tɛin(s)] Argentine.
Argentinië [ɑrgɛn'ti.ni.ə] *o* the Argentine, Argentina.
arglist ['ɑrxlɪst] *v* craft(iness), cunning, guile.
arglistig [ɑrx'lɪstəx] crafty, cunning, guileful.
arglistigheid [-hɛit] *v* zie *arglist*.
argon ['ɑrgòn] *o* argon.
Argonauten [ɑrgo.'noutə(n)] *mv* Argonauts.
argument [ɑrgy.'mɛnt] *o* argument, plea.
argumentatie [-mɛn'ta.(t)si.] *v* argumentation.
argumenteren [-'te:rə(n)] *vi* argue.
argusogen ['ɑrgűso.gə(n)] *mv met* ~ Argus-eyed.
argwaan ['ɑrxva.n] *m* suspicion, mistrust; ~ *hebben* zie verder: *achterdocht*.
argwanen [-va.nə(n)] *vt* suspect.
argwanend [ɑrx'va.nənt] *aj* (& *ad*) suspicious-(ly).
aria ['a:ri.a.] *v* ♪ air, aria.
Ariër ['a:ri.ər] *m* Aryan.
Arisch ['a:ri.s] Aryan.
aristocraat [ɑrɪsto.'kra.t] *m* aristocrat.
aristocratie [-kra.'(t)si.] *v* aristocracy.
aristocratisch [-'kra.ti.s] *aj* (& *ad*) aristocratic-(ally).
aristokra- zie *aristocra-*.
Aristoteles [ɑrɪs'to.təlɛs] *m* Aristotle.
ark [ɑrk] *v* ark; *de* ~*e Noachs* Noah's ark; ~ *des Verbonds* Ark of the Covenant.
1 arm [ɑrm] *m* arm [of a man, the sea, a balance &]; branch [of a river]; bracket [of a lamp]; *haar de* ~ *bieden* give (offer) her one's arm; *met een meisje aan de* ~ with a girl on his arm; ~ *in* ~ arm in arm; *iemand in de* ~ *nemen* enlist the aid of a man; use one's influence with a man; consult a man; *zich in de* ~*en werpen van* throw oneself into the arms of; *met open* ~*en ontvangen* receive

with open arms; *met de ~en over elkaar* with folded arms.

2 **arm** [arm] *aj* poor², indigent, needy; ook: penniless, dowerless [girls]; *zo ~ als Job* (F *als de mieren, als de straat, als een kerkrat*) as poor as Job (as a church mouse); *een ~e* a poor man, a pauper; *de ~en* the poor; *de ~en van geest* the poor in spirit; *~ aan* poor in; *van de ~en begraven worden* be buried by the parish.

armada [ar'ma.da.] *v* armada.

armatuur [arma.'ty:r] *v* armature.

armband ['armbant] *m* I bracelet; armlet; 2 armband, brassard [als distinctief].

armbandhorloge [-hɔrlo.ʒə] *o* wrist(let) watch.

armbestuur ['armbəsty:r] *o* I public assistance committee; 2 poor-law administration.

armelijk ['armələk] I *aj* poor, shabby; II *ad* poorly, shabbily.

armelui [armə'lœy] *mv* poor people, paupers.

armeluiskind [-'lœyskɪnt] *o* poor man's child.

armenbelasting ['armə(n)bəlastɪŋ] *v* **armengeld** [-gɛlt] *o* poor-rate.

armenhuis [-hœys] = *armhuis.*

Armenië [ar'me.ni.ə] *o* Armenia.

Armeniër [-ni.ər] *m* Armenian.

Armenisch [-ni.s] Armenian.

armenkas ['armə(n)kas] *v* fund for the poor.

armenwet [-vɛt] *v* poor-law.

armenzakje [-zakjə] *o* charity-bag, alms-bag.

armenzorg [-zɔrx] *v* poor-relief.

armezondaarsbankje [armə'zònda:rsbaŋkjə] *o* penitent form.

armezondaarsgezicht [-gəzɪxt] *o* in: *een ~ zetten* put on a hangdog look.

armhuis ['armhœys] *o* almshouse, workhouse, asylum.

Arminiaan(s) [armi.ni.'a.n(s)] Arminian.

armlastig [arm'lastəx] receiving outdoor relief; *~ worden* come upon the parish (the rates).

armleuning ['armlø.nɪŋ] *v* arm, arm-rest.

armmeester ['arme.stər] *m* relieving officer.

armoe(de) ['armu.(də)] *v* I poverty; pauperism; 2 paucity [of change &]; *vergulde ~* gilded misery; *het is daar ~ troef* they are in dire want; *in ~ zijn geld verteren* have but poor fun for one's money; *tot ~ geraken* (*vervallen*) be reduced to poverty; *uit ~* from poverty; *van ~ gingen wij naar bed* not knowing what to do with ourselves we went to bed.

armoedig [ar'mu.dəx] I *aj* poor, needy, poverty-stricken, shabby; *een ~e honderd gulden* a paltry 100 guilders; II *ad* poorly.

armoedigheid [-hɛit] *v* poverty; penury, poorness.

armoedje ['armu.cə] *o* F in: *mijn ~* what little I have, my few sticks of furniture.

armoedzaaier ['armu.tsa.jər] *m* F poor devil.

armsgat ['armsgat] *o* arm-hole.

armslag ['armslax] *m* elbow-room².

armslengte ['armslɛŋtə] *v* in: *op ~* at arm's length.

armstoel ['armstu.l] *m* arm-chair.

armvol [-vòl] *m* armful.

armwezen [-ve.zə(n)] *o* poor-relief.

armzalig [arm'za.ləx] pitiful, miserable; paltry, beggarly.

armzaligheid [-hɛit] *v* pitifulness &.

Arnold ['arnɔlt] *m* Arnold.

aroma [a'ro.ma.] *o* aroma, flavour.

aromatisch [aro.'ma.ti.s] aromatic.

aronskelk ['a:rònskɛlk] *m* 🌱 arum.

aroom [a'ro.m] = *aroma.*

arrangement [arãʒə'mɛnt] *o* ♪ arrangement.

arrangeren [-'ʒe:rə(n)] *vt* arrange°; get up.

arresle(d)e ['arəsle.(də)] *v* sleigh, sledge.

arrest [a'rɛst] *o* I (**vasthouding**) custody, arrest; 2 (**beslagname**) seizure; 3 (**besluit**) decision, judgment; *in ~* under arrest; *in ~ nemen* zie *arresteren* I; *in ~ stellen* place under arrest.

arrestant [arɛs'tant] *m* arrested person, prisoner; *u bent mijn ~* consider yourself under arrest.

arrestantenkamer [-'tantə(n)ka.mər] *v* detention room.

arrestatie [arɛs'ta.(t)si.] *v* arrest, apprehension.

arresteren [-'te:rə(n)] *vt* I arrest, take into custody, apprehend [an offender]; 2 confirm [the minutes].

arriveren [ari.'ve:rə(n)] *vi* arrive.

arrogant [aro.'gant] arrogant, presumptuous.

arrogantie [-'gan(t)si.] *v* arrogance, presumption.

arrondissement [aròndi.sə'mɛnt] *o* district.

arrondissementsrechtbank [-'mɛntsrɛxtbaŋk] *v* county court.

arsenaal [arsə'na.l] *o* arsenal.

arsenicum [ar'se.ni.kŭm] *o* arsenic.

arseniek [arse.'ni.k] = *arsenicum.*

artesisch [ar'te.zi.s] in: *~e put* artesian well.

Arthur ['artŭr] *m* Arthur.

articulatie [arti.ky.'la.(t)si.] *v* articulation.

articuleren [-'le:rə(n)] *vt* articulate.

artiest [ar'ti.st] *m* artist; (in circus e.d.) artiste, performer.

artikel [ar'ti.kəl] *o* I (in 't alg.) article; 2 (afdeling) section, clause [of a law]; 3 $ article, commodity.

artikelsgewijs, -gewijze [arti.kəlsgə'vɛis, -'vɛizə] each clause separately.

artikul- zie *articul-.*

artillerie [artilə'ri.] *v* ⚔ I artillery, ordnance; 2 gunnery; *rijdende ~* horse artillery.

artillerist [-'rɪst] *m* ⚔ artilleryman, artillerist, gunner.

Artis ['artɪs] *v* the Amsterdam Zoo.

artisjok [arti.'ʃɔk] *v* 🌱 artichoke.

artisticiteit [arti.sti.si.'tɛit] *v* artistry.

artistiek [-'sti.k] *aj* (& *ad*) artistic(ally).

arts [arts] *m* physician, general practitioner.

artsenij [artsə'nɛi] *v* medicine, physic.

artsenijbereidkunde [-bərɛitkŭndə] *v* pharmaceutics, pharmacy.

1 as [ɑs] *v* 1 axle, axle-tree [of a carriage]; 2 axis [of the earth & *fig*, *mv* axes]; 3 ✂ shaft; spindle; *per* ~ *vervoeren* convey by road; *verkeer per* ~ wheeled traffic; *vervoer per* ~ road transport.

2 as [ɑs] *v* ash [= powdery residue, also of a cigar], ashes [ook = remains of human body]; [hot] embers; cinders; ~ *is verbrande turf* if ifs and ans were pots and pans; *in de* ~ *leggen* lay in ashes, reduce to ashes; *uit zijn* ~ *verrijzen* rise from its ashes; zie ook: *rusten.*

asbak ['ɑsbɑk] *m* 1 (v. kachel &) ash-pan; 2 (vuilnisbak) ash-bin.

asbakje [-bɑkjə] *o* ash-tray.

asbelt [-bɛlt] *m* & *v* ash-pit, refuse dump.

asbest [ɑs'bɛst] *o* asbestos.

asblond ['ɑsblònt] ashy.

asceet [ɑ'se.t, ɑs'ke.t] *m* ascetic.

ascese [ɑ'se.zə, ɑs'ke.zə] *v* asceticism.

ascetisch [ɑ'se.ti.s, ɑs'ke.ti.s] *aj* (& *ad*) ascetic(ally).

ascorbinezuur [ɑskər'bi.nəzy:r] *o* ascorbic acid.

asem ['a.səm] *m* P & F breath; *geen* ~ *geven* keep silent.

asepsis [a.'sɛpsɪs] *v* asepsis.

aseptisch [-ti.s] aseptic.

asfalt ['ɑsfɑlt] *o* asphalt, bitumen.

asfalteren [ɑsfɑl'te:rə(n)] *vt* asphalt.

asfaltpapier ['ɑsfɑltpɑ.pi:r] *o* asphalt paper.

asgrauw ['ɑsgrɔu] ashen(-grey), ashy.

asiel [a.'zi.l] *o* asylum; home; shelter; *politiek* ~ political asylum.

asielrecht [-rɛxt] *o* right of asylum.

asjeblief(t) [ɑʃə'bli.f(t)] 1 (en of!) I should think so!, F you bet!; (nee maar!) well now!, my word!; 2 zie *alstublieft.*

askleur ['ɑsklø:r] *v* ash colour.

askleurig [-klø:rəx] ash-coloured.

asman [-mɑn] *m* dustman.

asociaal [a.so.si.'a.l] antisocial.

asperge [ɑs'pɛrʒə] *v* ✿ asparagus; *twee* ~*s* two sticks of asparagus.

aspirant [ɑspi.'rɑnt] *m* aspirant; applicant; candidate.

aspiratie [-'ra.(t)si.] *v* aspiration, ambition.

ⓜ **aspirine** [-'ri.nə] *v* aspirin.

asregen ['ɑsre.gə(n)] *m* rain of ashes.

assagaai, assegaai [ɑsə'ga:i] *v ZA* assegai.

Assepoester, assepoes(ter) ['ɑsəpu.s(tər)] *v* Cinderella[2].

assignaat [ɑsi.'ɲa.t] *o* assignat.

assignatie [-'ɲa.(t)si.] *v* $ draft, order.

assimilatie [ɑsi.mi.'la.(t)si.] *v* assimilation.

assimileren [-'le:rə(n)] *vt* assimilate.

assistent [ɑsi.s'tɛnt] *m* assistant.

assistente [-'tɛntə] *v* assistant, lady help.

assistentie [-'tɛn(t)si.] *v* assistance, help.

assistent-resident [-'tɛntre.zi.'dɛnt] *m* Ⓤ assistant-resident.

assisteren [-'te:rə(n)] *vt* & *va* assist.

associatie [ɑso.si.'a.(t)si.] *v* association; $ partnership.

associé [-si.'e.] *m* $ partner.

associëren [-si.'e:rə(n)] *zich*~ $ enter into partnership (with *met*).

assonantie [-'nɑn(t)si.] *v* assonance.

assonerend [-'ne:rənt] assonant.

assuradeur [ɑsy.rɑ.'dø:r] *m* insurer; ⚓ underwriter.

assurantie [-'rɑn(t)si.] *v* 1 [fire, marine] insurance; 2 assurance [of life or property].

assurantiekantoor [-kɑnto:r] & zie *verzekeringskantoor &.*

assureren [ɑsy.'rɛ:rə(n)] *vt* 1 insure, effect an insurance [against fire]; 2 assure [one's life].

Assyrië [ɑ'si:ri.ə] *o* Assyria.

Assyriër [-ri.ər] *m* Assyrian.

Assyrisch [-ri.s] *aj* & *o* Assyrian.

ast [ɑst] *m* = *eest.*

aster ['ɑstər] *v* ✿ aster.

astma ['ɑstmɑ.] *o* asthma.

astmalijder [-lɛidər] *m* asthmatic (patient).

astmatisch [ɑst'ma.ti.s] asthmatic.

astrakan ['ɑstra.kɑn] *o* astrakhan.

astrologie [ɑstro.lo.'gi.] *v* astrology.

astrologisch [-'lo.gi.s] *aj* (& *ad*) astrological(ly).

astroloog [-'lo.x] *m* astrologer.

astronomie [-no.'mi.] *v* astronomy.

astronomisch [-'no.mi.s] I *aj* astronomical [figures], astronomic; II *ad* astronomically.

astronoom [-'no.m] *m* astronomer.

Aswenteling ['ɑsʋɛntəlɪŋ] *v* rotation.

Aswoensdag [ɑs'ʋu.nsdɑx] *m* Ash Wednesday.

asyl(-) zie *asiel(-).*

atavisme [a.ta.'vɪsmə] *o* atavism, reversion.

atavistisch [-'vɪsti.s] atavistic.

ateïs- zie *atheïs-.*

atelier [ɑtəl'je.] *o* 1 studio [of an artist]; 2 workshop, work-room [of an artisan].

Atheens [a.'te.ns] Athenian.

atheïsme [a.te.'ɪsmə] *o* atheism.

atheïst [-'ɪst] *m* atheist.

atheïstisch [-'ɪsti.s] *aj* (& *ad*) atheistic(ally).

Athene [a.'te.nə] *o* Athens.

Athener [-nər] *m* Athenian.

Atlantische Oceaan [ɑtlɑnti.sə o.se.'a.n] *m* Atlantic (Ocean).

Atlas ['ɑtlɑs] *m* Atlas.

1 atlas ['ɑtlɑs] *m* atlas.

2 atlas ['ɑtlɑs] *o* (s t o f) satin.

atlasvlinder [-flɪndər] *m* atlas moth.

atleet [ɑt'le.t] *m* athlete.

atletiek [ɑtle.'ti.k] I *v* athletics, athleticism; II als *aj* athletic [club, contest &].

atletisch [ɑt'le.ti.s] *aj* (& *ad*) athletic(ally).

atmosfeer [ɑtmɔs'fe:r] *v* atmosphere.

atmosferisch [-'fe:ri.s] atmospheric.

atol [a.'tɔl] *o* atoll.

atomair [a.to.'mɛ:r] atomic.

atomisch [a.'to.mi.s] atomic.

atonaal [a.to.'na.l] *aj* (& *ad*) ♪ atonal(ly).

atonaliteit [-na.li.'tɛit] *v* ♪ atonality.
atoom [a.'to.m] *o* atom.
atoombom [-bòm] *v* atomic bomb, atom bomb.
atoomcentrale [-sɛntra.lə] *v* atomic power-station.
atoomenergie [-e.nɛrʒi.] *v* atomic energy.
atoomgeleerde [-gələ:rdə] *m* atomic scientist (physicist).
atoomgewicht [-gəvɪxt] *o* atomic weight.
atoomkanon [-ka.nòn] *o* ⚔ atomic gun.
atoomkern [-kɛrn] *v* atomic nucleus [*mv* nuclei].
atoomsplitsing [-splɪtsɪŋ] *v* atomic fission.
atoomtijdperk [-tɛitpɛrk] *o* atomic age.
atoomwapen [-va.pə(n)] *o* ⚔ atomic weapon.
atoomzuil [-zœyl] *v* atomic pile.
atrofie [a.tro.'fi.] *v* atrophy.
atrofiëren [a.tro.fi.'e:rə(n)] *vi* & *vt* atrophy.
attaché [ata.'ʃe.] *m* attaché.
attent [a'tɛnt] I (oplettend) attentive; 2 (vol attenties) considerate (to *voor*), thoughtful (of, for *voor*); *hem ~ maken op* draw his attention to.
attentie [a'tɛnsi.] *v* I attention; 2 consideration, thoughtfulness; *~s* attentions, assiduities.
attest [a'tɛst] *o* testimonial, certificate.
attestatie [atəs'ta.(t)si.] *v* attestation; testimonial, certificate; *~ de vita* life certificate.
attesteren [-'te:rə(n)] *vt* attest, certify.
Attica ['ɑti.ka.] *o* Attica.
Attisch ['ɑti.s] Attic.
attractie, attraktie [a'traksi.] *v* attraction.
attributief [ɑtri.by.'ti.f] attributive.
attribuut [ɑtri.'by.t] *o* attribute.
au! [ɑu] ow!
a.u.b. = *alstublieft.*
aubade [o.'ba.də] *v* ♪ aubade.
auctie ['ɔuksi.] *v* auction, (public) sale.
auctionaris [ɔuksi.o.'na:rəs] *m* auctioneer.
audiëntie [o.-, ɔudi.'ɛnsi.] *v* audience; *~ aanvragen bij* ask (request) an audience of; *~ houden* hold an audience; *~ verlenen* grant an audience; *op ~ gaan bij de minister* have an audience of the minister.
auditeur-militair [ɔudi.'tø:rmi.li.'tɛ:r] *m* ⚔ judge-advocate.
auditorium [o,-, ɔudi.'to:ri.ũm] *o* I auditory [= part of building & assembly of listeners]; 2 audience [= assembly of listeners].
auerhaan ['ɔuərha.n] *m* **auerhoen** [-hu.n] *o* 🦃 capercailzie, cock of the wood.
Augiasstal ['ɔugi.ɑstɑl] *m* Augean stable(s); *de ~ reinigen* cleanse the Augean stables.
augurk [ɔu'gↄrk] *v* 🥒 gherkin.
August ['ɔugy.st] *m* Augustus.
Augusta [ɔu'gústa.] *v* Augusta.
augustijn [ɔugũs'tɛin] *m* Augustinian, Austin friar.
Augustinus [-'ti.nũs] *m* Augustine; *de H. ~* ook: St. Austin.
augustus [ɔu'gústũs] *m* August; *A~* 𝔐 [the Roman emperor] Augustus.

aukti- zie *aucti-.*
aula ['ɔula.] *v* auditorium.
aureool [ɔure.'o.l] *v* aureole, halo.
Aurora [ɔu'ro:ra.] *v* Aurora.
auspiciën [ɔus'pi.si.ə(n)] *mv* in: *onder de ~ van* under the auspices of, sponsored by.
Australië [ɔus'tra.li.ə] *o* Australia.
Australiër [-li.ər] *m* Australian.
Australisch [-li.s] Australian.
autaar ['ɔuta:r] = *altaar.*
autarkie [ɔutɑr'ki.] *v* autarky, self-sufficiency.
autarkisch [ɔu'tɑrki.s] autarkic(al), self-sufficient.
autenti- zie *authenti-.*
auteur [o.'tø:r] *m* author.
auteurschap [-sxɑp] *o* authorship.
auteursrecht [o.'tø:rsrɛxt] *o* copyright.
authenticiteit [ɔutenti.si.'tɛit] *v* authenticity.
authentiek [-'ti.k] *aj* (& *ad*) authentic(ally).
autisme [ɔu'tɪsmə] *o ps* autism.
autistisch [-ti.s] *ps* autistic.
auto ['o.to., 'ɔuto.] *m* car, motor-car.
autoband [-bɑnt] *m* (automobile, motor) tyre.
autobewaker [-bəva.kər] *m* car attendant.
autobiograaf [ɔuto.bi.o.'gra.f] *m* autobiographer.
autobiografie [-gra.'fi.] *v* autobiography.
autobiografisch [-'gra.fi.s] autobiograpical.
autobus ['o.to.-, 'ɔuto.bũs] *m* & *v* motor-bus.
autocolonne [-ko.lɔnə] *v* motorcade.
autocraat [ɔuto.'kra.t] *m* autocrat.
autocratie [-kra.'(t)si.] *v* autocracy.
autocratisch [-'kra.ti.s] *aj* (& *ad*) autocratic(ally).
autodidact, autodidakt [-di.'dɑkt] *m* self-taught man.
autogarage ['o.to.-, 'ɔuto.ga.ra.ʒə] *v* (motor) garage.
autogeen [ɔuto.'ge.n] autogenous [welding].
autogiro ['ɔuto.gi:ro.] *m* ✈ autogiro.
autograaf [ɔuto.'gra.f] *m* autograph.
autogram [-'grɑm] *o* autograph.
autogrammenjager [-ə(n)ja.gər] *m* autograph hunter.
autokerkhof ['o.to.-, 'ɔuto.kɛrkhↄf] *o* dump for worn-out motor-cars, car dump.
autokolonne zie *autocolonne.*
autokra- zie *autocra-.*
automaat [o.to.-, ɔuto.'ma.t] *m* I automaton[2], robot[2]; 2 automatic machine, [cigarette, stamp, ticket &] machine, penny-in-the-slot machine, slot-machine.
automatiek [-ma.'ti.k] *v* self-service snack-bar, cafeteria.
automatisch [-'ma.ti.s] I *aj* automatic, self-acting; II *ad* automatically.
automatiseren [-ma.ti.'ze:rə(n)] *vt* automate.
automatisering [-'ze:rɪŋ] *v* automation.
automatizer- zie *automatiser-.*
automobiel [o.to.-, ɔuto.mo.'bi.l] *m* motor-car, *Am* automobile.

automobilisme [-bi.'lɪsmə] *o* motoring.
automobilist [-bi.'lɪst] *m* motorist.
automonteur ['o.to.-, 'ɔuto.mòntø:r] *m* motor mechanic.
autonomie [ɔuto.no.'mi.] *v* autonomy.
autonoom [-'no.m] autonomous.
auto-ongeluk ['o.to.-, 'ɔuto.òngəlŭk] *o* motor-car accident.
autopark [-pɑrk] *o* I (terrein) car park; 2 (de auto's) fleet of (motor-)cars.
autoped ('o.to.pɛt] *m* scooter.
autorisatie [ɔuto.ri.'za.(t)si.] *v* authorization.
autoriseren [-'ze:rə(n)] *vt* authorize.
autoritair [-'tɛ:r] authoritative; authoritarian [State].
autoriteit [-'tɛit] *v* authority°.
autoriz- zie *autoris-*.
autoscooter ['o.to.-, 'ɔuto.sku.tər] *m* I (scooter met carrosserie) cabin scooter; 2 (botsautootje op kermis) dodgem (car).
autotentoonstelling [-tɛnto.nstɛlɪŋ] *v* motor show.
autotocht [-tɔxt] *m* motor tour, motoring trip.
autoverhuur [-vərhy:r] *m* car hire; ~ *zonder chauffeur* self-drive (car hire).
autoverkeer [-vərke:r] *o* motor traffic.
autoweg [-vɛx] *m* motorway, motor road.
aval [a.'vɑl] *o* $ guarantee [of a bill]; *voor ~ tekenen* guarantee.
avaleren [a.va.'le:rə(n)] *vt* $ guarantee [a bill].
avances [a.'vãsəs] *mv* advances, approaches, overtures.
avant-garde [a.vã'gɑrdə] I *v* avant-garde; II *als aj* avant-garde.
avant-gardistisch [-gɑr'dɪsti.s] avant-garde.
avegaar ['a.vəgɑ:r] *m* 🪓 auger.
Ave-Maria [a.vəma:'ri.a.] *o* Ave Maria.
averechts ['a.vərexts] I *aj* inverted [stitch]; *fig* wrong [way, ideas &]; preposterous [means]; II *ad* wrongly, the wrong way; ~ *breien* purl.
averij [a.və'rɛi] *v* damage; ~ *grosse* general average; ~ *particulier* particular average; ~ *belopen* (*krijgen*) I suffer damage; 2 break down.
aviatiek [a.vi.a.'ti.k] *v* ✈ aviation, flying.
avond ['a.vònt] *m* evening, night; *de ~ des levens* the evening of life; *de ~ te voren* the evening (night) before; *de ~ vóór de slag* the eve of the battle; *des ~s, 's ~s* I (tijd) in the evening, at night; 2 (gewoonte) of an evening, at night; *bij ~* in the evening, at night; *te ~ of morgen* some day or other; *tegen de ~* towards evening; *'t wordt ~* night is falling.
avondbezoek [-bəzu.k] *o* evening call, evening visit.
avondblad [-blɑt] *o* evening paper.
avonddienst ['a.vəndi.nst] *m* evening service.
avondeten ['a.vònte.tə(n)] *o* supper.
avondgebed [-gəbɛt] *o* night prayers.
avondjapon [-ja.pòn] *m* evening gown.
avondje ['a.vònə] *o* evening (party); *een gezellig ~* a social evening; *een ~ uit* a night out.

avondjurk ['a.vəntjŭrk] *v* evening frock.
avondkleding [-kle.dɪŋ] *v* evening dress.
avondklok [-klɔk] *v* I evening bell; 2 ✕ curfew.
avondland [-lɑnt] *o* Occident.
avondlucht [-lŭxt] *v* evening air.
avondmaal [-ma.l] *o* supper, evening-meal; *Het Avondmaal* the Lord's Supper, Holy Communion; *Het Laatste Avondmaal* the Last Supper.
Avondmaalsbeker [-ma.lsbe.kər] *m* chalice, Communion cup.
Avondmaalsganger [-gɑŋər] *m* -ster [-stər] communicant.
avondmis ['a.vəntmɪs] *v RK* evening mass.
avondpost [-pɔst] *v* 🖃 evening mail, night's post.
avondrood [-ro.t] *o* afterglow, red evening-sky.
avondschemering [-sxe.mərɪŋ] *v* evening twilight.
avondschool [-sxo.l] *v* evening school, evening classes.
avondster [-stɛr] *v* evening star.
avondstond [-stònt] *m* evening (hour).
avondtoilet ['a.vəntvɑlɛt] *o* I zie *avondkleding*; 2 zie *avondjapon*.
avonturen [a.vòn'ty:rə(n)] *vt* risk, venture.
avonturenverhaal [-vərha.l] *o* adventure story.
avonturier [a.vònty.'ri:r] *m* adventurer.
avonturierster [-stər] *v* adventuress.
avontuur [a.vòn'ty:r] *o* adventure; *op ~ uitgaan* go in search of adventures.
avontuurlijk [-lək] I *aj* adventurous [life]; risky [plan &]; *een ~ leven* ook: a life of adventures; II *ad* adventurously.
à vue [a.'vy.] at sight.
axiaal [ɑksi.'a.l] axial.
axioma [ɑksi.'o.ma] *o* axiom.
azalea [a.'za.le.a.] *v* 🌿 azalea.
azen ['a.zə(n)] *vi* in: ~ *op* feed upon, prey upon², *fig* covet.
Aziaat [a.zi.'a.t] *m* Asian, Asiatic.
Aziatisch [-'a.ti.s] Asian, Asiatic.
Azië ['a.zi.ə] *o* Asia.
azijn [a.'zɛin] *m* vinegar.
azijnfles [a.'zɛinfles] *v* vinegar bottle.
azijnzuur [a.'zɛinzy:r] I *aj* acetous; II *o* acetic acid.
Azoren [a.'zo:rə(n)] *mv de ~* the Azores.
azuren [a.'zy:rə(n)] *aj* azure, sky-blue.
azuur [a.'zy:r] *o* azure, sky blue.

B

b [be.] *v* b.
ba [bɑ] *ij* zie *bah* & *boe*.
baadje ['ba.cə] *o* (sailor's) jacket; *iemand op zijn ~ geven* F dust (trim) one's jacket; *op zijn ~ krijgen* F get one's jacket dusted.
baadster ['ba.tstər] *v* (female) bather.

baai [ba:i] I v (inham) bay ‖ 2 m & o (stof) baize ‖ 3 m (tabak) cross-cut Maryland ‖ 4 m rode ~ F red wine.

baaien ['ba.jə(n)] aj baize.

baaierd ['ba.jərt] m chaos, welter.

baak [ba.k] v = baken.

Baäl ['ba.ɑl] m Baal.

baal [ba.l] v I (geperst) bale [of cotton &]; (gestort) bag [of rice &]; 2 ten reams [of paper].

baan [ba.n] v I path, way, road; 2 (renbaan) (race-)course, (running) track; 3 (loopbaan) orbit [of planet, (earth) satellite]; trajectory [of projectile]; 4 (lijnbaan) rope-walk; 5 (tennis~) court; 6 (v. spoorweg) track; 7 (v. autoweg) lane; 8 (ijs~) (skating) rink; 9 (glij~) slide; 10 (kegel~) alley; 11 (strook) breadth, width [of cloth &]; 12 zie baantje; zich ~ breken make (push, force) one's way; fig ook: gain ground; ruim ~ maken clear the way; in een ~ (om de aarde) brengen put into orbit, orbit [an artificial satellite]; in een ~ draaien (om de aarde) orbit (the earth); in een ~ (om de aarde) komen come into orbit; het gesprek in andere banen leiden turn the conversation into other channels; op de lange ~ schuiven put it off (indefinitely), postpone; op de ~ zijn be stirring; iemand van de ~ knikkeren F cut one out, bowl one out; dat is nu van de ~ that question has been shelved, that's off now.

baanbrekend ['ba.nbre.kənt] pioneer [work], epoch-making [discovery].

baanbreker [-kər] m pioneer, pathfinder.

baanderheer ['ba.ndərhe:r] m Ⓜ banneret.

baanschuiver ['ba.nsxœyvər] m track-clearer.

baantje ['ba.ncə] o I slide [on snow]; 2 F job; billet, berth; 't is me een ~! (it's) a nice job indeed!; een gemakkelijk (lui) ~ a soft job; ~ glijden have a slide, slide; ~ rijden skate up and down.

baantjesjager [-cəsja.gər] m place-hunter.

baanvak ['ba.nvɑk] o section of a (the) line.

baanveger [-ve.gər] m sweeper.

baanwachter [-vɑxtər] m signalman, flagman; (v. overweg) gate-keeper.

I **baar** [ba:r] m novice, greenhorn, ☞ fresh-man.

2 **baar** [ba:r] v I (golf) wave, billow ‖ 2 (lijk-~) bier; 3 (draag~) litter, stretcher ‖ 4 (staaf) bar, ingot ‖ 5 (zandbank) bar.

3 **baar** [ba:r] aj in: de bare duivel the devil him-self; al mijn ~ geld all my ready money, my cash; bare onzin rank nonsense; de bare zee the open sea.

baard [ba:rt] m beard [of man, animals, grasses &]; barb, wattle [of a fish]; feather [of a quill]; whiskers [of a cat]; whalebone, baleen [of a whale]; bit [of a key]; een ~ van een week a week's growth of beard; hij heeft de ~ in de keel his voice is breaking; iets in zijn ~ brommen mutter something in one's

beard; om 's keizers ~ spelen play for love; zie ook: 2 mop.

baardeloos ['ba:rdəlo.s] beardless.

baardig [-dəx] bearded. [self.

baarlijk [-lək] in: de ~e duivel the devil him-

baars [ba:rs] m ♋ perch, bass.

baas [ba.s] m I master; foreman [in a factory]; S boss; 2 (als aanspreking) P governor, mister; de ~ F the old man [at the office &]; ☞ the head; is de ~ thuis? P is your man [= husband] in?; een leuke ~ I a funny chap; 2 F a jolly buffer; het is een ~ hoor! what a whopper!; hij is de ~ (van het spul) F he runs the show; hij is een ~ he is a stunner, he is a dab (at in); zijn vrouw is de ~ the wife wears the breeches; de ~ blijven remain top dog; de ~ spelen lord it; om de inflatie de ~ te worden to get inflation under control; de socialisten zijn de ~ (geworden) the socialists are in control, have gained control; zij werden ons de ~ they got the better of us; ~ in (zijn) eigen huis zijn be master in one's own house; hij is mij de ~ (af) he has the pull over me; he is too many for me; er is altijd ~ boven ~ a man always finds his master; zijn eigen ~ zijn be one's own master.

baasje ['ba.ʃə] o F sonny; hij is een ~ hoor! he is a plucky little fellow!

baat [ba.t] v I (voordeel) profit, benefit; 2 (genezing) relief; te ~ nemen avail oneself of, take [the opportunity]; use, employ [means]; ~ vinden bij be benefited by, derive benefit from; zonder ~ without avail; zie ook: bate & I baten.

baatzucht ['ba.tsʉxt] v selfishness, self-interest.

baatzuchtig [ba.t'sʉxtəx] selfish, self-interest-ed.

babbel ['bɑbəl] m F I (tong) clapper; 2 (per-soon) chatterbox; 3 (babbeltje) chat.

babbelaar [-bəla:r] m I tattler; chatterbox, gossip; telltale; 2 (snoep) bull's-eye.

babbelachtig [-bəlɑxtəx] talkative.

babbelen [-bələ(n)] vi I chatter, babble, prattle; 2 talk (in class); 3 gossip; 4 tell tales.

babbelkous [-bəlkɔus] v zie babbelaar I.

babbelziek [-zi.k] talkative.

babbelzucht [-zʉxt] v talkativeness.

Babel ['ba.bəl] o Babel.

baboe ['ba.bu.] v native nurse or servant, IP ayah.

baby ['be.bi.] m baby.

babybox [-bòks] m playpen.

Babylon ['ba.bi.lòn] o Babylon.

Babyloniër [ba.bi'lo.ni.ər] m Babylonian.

Babylonisch [-'lo.ni.s] Babylonian [captivity, exile]; een ~e spraakverwarring a perfect Babel of tongues.

babysit(ter) ['be.bi.sɪt(ər)] m-v baby-sitter.

babysitten [-sɪtə(n)] vi baby-sit.

babyuitzet [-œytsɛt] m & ø baby linen, layette.

baccarat [bɑka.'ra.] o baccara(t).

bacchanaal [bɑga.'na.l] o bacchanal.

bacchante [bɑ'gɑntə] v Bacchante.
Bacchus ['bɑgŭs] m Bacchus.
bacil [bɑ'sɪl] m bacillus [mv bacilli].
bacillendrager [-'sɪlə(n)dra.gər] m ☞ (germ-) carrier.
back [bɛk] m sp back.
bacon ['bɛ.kən] o & m bacon.
bacove ['bako.və, bɑ'ko.və] v WI banana.
bacterie [bɑk'te:ri.] v bacterium [mv bacteria].
bacteriologie [-te.ri.o.lo.'gi.] v bacteriology.
bacteriologisch [-'lo.gi.s] aj (& ad) bacteriological(ly).
bacterioloog [-'lo.x] m bacteriologist.
bad [bɑt] o bath [= vessel, or room for bathing in]; een ~ nemen have (take) a bath [in the bathroom]; have (take) a bathe [in the sea, river]; de ~en gebruiken take (drink) the waters [at a spa].
badcostuum zie badkostuum.
baden ['ba.də(n)] I vi bathe[2]; in bloed ~ bathe in blood; II vt bath [a child]; III vr zich ~ bathe [= take a bath or bathe]; (zich) in tranen ~ be bathed in tears; (zich) in weelde ~ roll (wallow) in wealth.
bader ['ba.dər] m bather.
badgast ['bɑtgɑst] m visitor [at a watering place; at a seaside resort].
badgoed [-gu.t] o bathing things.
badhanddoek [-hɑndu.k] m bath towel.
badhandschoen [-hɑntsxu.n] m & v bath glove.
badhokje [-həkjə] o bathing box.
badhuis [-hœys] o badinrichting [-ɪnrɪxtɪŋ] v bathing establishment, baths.
badjas [-jɑs] m & v bathing wrap.
badje ['bɑcə] o bath [for the eye &].
badkachel ['bɑtkɑgəl] v geyser.
badkamer [-ka.mər] v bathroom.
badknecht [-knɛxt] m bath attendant. ·
badkoetsje [-ku.tʃə] o bathing machine.
badkostuum ['bɑtkəsty.m] o bathing costume.
badkuip [-kœyp] v bath, bath-tub.
badkuur [-ky:r] v bathing cure, course of waters; een ~ doen take the waters.
badmantel [-mɑntəl] m bathing wrap.
badmeester [-me.stər] m bath(s) superintendent.
badmuts [-mŭts] v bathing cap.
badpak [-pɑk] o bathing suit.
badplaats [-pla.ts] v (niet aan zee) watering place, spa; (aan zee) seaside resort.
badseizoen [-sɛizu.n] o bathing season.
badspons [-spòns] v bath sponge.
badstoel [-stu.l] m zie strandstoel.
badstof [-stɔf] v sponge cloth.
badvrouw [-frɔu] v bathing-woman.
badwater [-va.tər] o bath-water.
badzeep [-se.p] v bath soap.
badzout [-sɔut] o bath salts.
bagage [bɑ'ga.ʒə] v luggage; ook: (✕ en vooral Am) baggage.
bagagebureau [-by.ro.] o luggage office.
bagagedepot [-de.po.] o & m cloak-room.

bagagedrager [-dra.gər] m (luggage) carrier.
bagagenet [-nɛt] o (luggage) rack.
bagagereçu [-rəsy.] o luggage ticket.
bagageruimte [-rœymtə] v ✈ boot.
bagagewagen [-va.gə(n)] m luggage van.
bagatel [bɑgɑ'tɛl] v & o trifle, bagatelle; de minste ~ the merest trifle, a mere nothing.
bagatelliseren, bagatellizeren [bɑgɑtɛli.'ze:-rə(n)] vt make light of [a matter]; minimize [the gravity of..., its importance].
bagger ['bɑgər] v mud.
baggeren [-gərə(n)] I vt dredge; II vi in: door de modder ~ wade through the mud.
baggerlaarzen ['bɑgərlɑ:rzə(n)] mv waders.
baggermachine [-ma.ʃi.nə] v dredging machine, dredger.
baggerman [-mɑn] m dredger.
baggermolen [-mo.lə(n)] m dredger.
baggerschuit [-sxœyt] v mud-barge.
bah! [bɑ] bah!, pooh!, pshaw!, pah!; ugh! [I hate him!].
baisse ['bɛ.sə] v $ fall; à la ~ speculeren speculate for a fall, $ bear.
baissier [bɛ.si.'e.] m $ bear.
bajes ['bɑ.jəs] v P in de ~ in quod.
bajonet [bɑ.jo.'nɛt] v ✕ bayonet; ~ af! unfix bayonets!; aan de ~ rijgen bayonet; met gevelde ~ with fixed bayonets.
bajonetaanval [-a.nvɑl] m ✕ bayonet charge.
bajonetschermen [-sxɛrmə(n)] o ✕ bayonet exercise.
bajonetsluiting [-slœytɪŋ] v bayonet catch.
bak [bɑk] m I trough [for mortar &]; cistern, tank [for water]; bin [for dust]; bucket [of a dredging-machine]; basket [for bread]; tray [in a trunk]; body [of a carriage]; 2 ⚓ (mess-) kid [for food]; mess [table]; forecastle [part of ship]; 3 $ zie doos; 4 $ zie 2 mop.
bakbeest ['bɑkbe.st] o colossus, leviathan; een ~ van een kast F a great lumbering hulk of a cupboard.
bakboord [-bo:rt] o ⚓ port, ⚓ larboard; aan ~ to port; iemand van ~ naar stuurboord zenden send one from pillar to post.
Ⓜ bakeliet [bɑkə'li.t] o bakelite.
baken ['ba.kə(n)] o beacon; de ~s verzetten change one's policy; als het getij verloopt, verzet men de ~s one must go according to the times; de ~s zijn verzet times have changed.
bakenlicht [-lɪxt] o beacon light.
baker ['ba.kər] v monthly nurse, (dry-)nurse.
bakeren [-kərə(n)] I vt swaddle; II vr zich ~ bask [in the sun]; III vi in: uit ~ gaan go out nursing.
bakerkind ['ba.kərkɪnt] o infant in arms.
bakermat [-mɑt] v cradle[2] [of freedom], birthplace.
bakerpraat [-pra.t] m old wives' tales, gossip.
bakerrijmpje ['ba.kərɛimpjə] o nursery rhyme.
bakerspeld ['ba.kərspɛlt] v swaddling pin.
bakersprookje [-spro.kjə] o nursery tale.

bakfiets ['bɑkfi.ts] *m* & *v* carrier tricycle, carrier cycle.

bakje [-jə] *o* 1 tray; 2 F cup [of coffee]; 3 S zie *aapje* = rijtuig.

bakkebaard ['bɑkəba:rt] *m* whisker(s).

bakkeleien [bɑkə'lɛiə(n)] *vi* F tussle, be at loggerheads.

bakken ['bɑkə(n)] I *vt* bake [bread], fry [fish]; *iemand iets (een poets)* ~ play one a trick; II *va* 1 make bread; 2 S ≈ fail [in an examination]; III *vi* bake [bread]; *aan de pan* ~ stick to the pan; *het zal vannacht weer* ~ F it's going to freeze hard.

bakker [-kər] *m* baker.

bakkerij [bɑkə'rɛi] *v* 1 bakery, bakehouse; baker's shop; 2 baker's trade.

bakkersbedrijf ['bɑkərsbədrɛif] *o* zie *bakkerij*.

bakkersjongen [bɑkərs'jòŋə(n)] *m* baker's boy.

bakkerskar ['bɑkərskɑr] *v* baker's hand-cart.

bakkersknecht [bɑkərs'knɛxt] *m* baker's man.

bakkerstor ['bɑkərstər] *v* cockroach.

bakkerstrog [-trɔx] *m* kneading trough.

bakkerswinkel [-vɪŋkəl] *m* baker's shop.

bakkes ['bɑkəs] *o* P mug, phiz; *hou je* ~ *!* shut up!

bakkesje ['bɑkəʃə] *o* in: *een aardig* ~ F a pretty face.

bakove zie *bacove*.

bakoven ['bɑko.və(n)] *m* (baking) oven.

bakpoeder, -poeier [-pu.dər, -pu.jər] *o* & *m* baking powder.

baksel [-səl] *o* batch, baking.

baksteen ['bɑkste.n] *o* & *m* brick; *drijven (zinken) als een* ~ F float (sink) like a stone; *zakken als een* ~ fail ignominiously [in one's exam].

bakstenen [-ste.nə(n)] *aj* brick.

bakteri- zie *bacteri-*.

baktrog ['bɑktrɔx] *m* baker's trough.

bakvis [-fɪs] 1 *m eig* fry; 2 *v* (meisje) F flapper, teen-ager.

bakzeil [-sɛil] in: ~ *halen* ⚓ back the sails; *fig* draw in one's horns, climb down.

1 **bal** [bɑl] *m* ball [also of the foot], bowl; *de* ~ *misslaan* miss the ball; *fig* be beside (wide of) the mark.

2 **bal** [bɑl] *o* ball; ~ *masqué* masked ball.

balanceerstok [bɑlɑn'se:rstək] *m* balancing pole.

balanceren [-'se:rə(n)] *vt* & *vi* balance, poise.

balans [bɑ'lɑns] *v* 1 (weegschaal) balance, (pair of) scales; 2 ⚖ beam; 3 $ balance-sheet; *de* ~ *opmaken* 1 $ draw up the balance-sheet; 2 *fig* strike a balance.

balansopruiming [-òprœymɪŋ] *v* $ stock-taking sale.

balboekje ['bɑlbu.kjə] *o* (ball) programme, (dance) card.

balcostuum zie *balkostuum*.

baldadig [bɑl'da.dəx] *aj* (& *ad*) wanton(ly).

baldadigheid [-hɛit] *v* wantonness; *hij deed het uit louter* ~ he did it out of pure mischief.

baldakijn [bɑlda.'kɛin] *o* & *m* baldachin, canopy.

Balearische Eilanden [ba.le.'a:ri.sə 'ɛilɑndə(n)] Balearic Islands.

balein [ba.'lɛin] 1 *o* (v. walvis) whalebone, baleen; 2 *v* (v. korset) busk; *de* ~*en* ook: the steels [of a corset], the ribs [of an umbrella].

baleinen [-'lɛinə(n)] *aj* whalebone.

balg [bɑlx] *m* bellows [of a camera].

balie [ba.li.] *v* 1 tub ‖ 2 ⚖ bar; 3 (v. kantoor) counter; *tot de* ~ *toegelaten worden* be called to the bar.

baliekluiver [-klœyvər] *m* loafer.

Balinees [ba.li.'ne.s] Balinese [*mv* Balinese].

baljapon [ba'bɑlja.pòn] *m* ball dress, dance frock.

baljuw ['bɑljy:u] *m* bailiff.

baljuwschap [-skɑp] *o* bailiwick.

balk [bɑlk] *m* beam; ♪ staff, stave; ⌀ bend; *dat mag je wel met een krijtje aan de* ~ *schrijven* it is to be marked with a white stone; *het over de* ~ *gooien* make ducks and drakes of one's money; *het niet over de* ~ *gooien* be rather close-fisted.

Balkan ['bɑlkɑn] *m de* ~ the Balkans; *het* ~*schiereiland* the Balkan peninsula; *de* ~*staten* the Balkan States.

balken ['bɑlkə(n)] *vi* bray; *fig* bawl.

balkon [bɑl'kòn] *o* 1 (aan huis) balcony; 2 (v. tram) platform; 3 (in schouwburg) balcony, dress circle.

balkostuum [-kòsty.m] *o* ball dress.

ballade [bɑ'la.də] *v* 1 ballad; 2 [mediaeval French] ballade.

ballast ['bɑlɑst] *m* ballast; *al die* ~ *van geleerdheid* that lumber (rubbish) of learning.

ballasten [-lɑstə(n)] *vt* ballast.

ballen ['bɑlə(n)] I *vi* 1 ball (= grow into a lump); 2 play at ball; II *vt* ball; *de vuist* ~ clench, double one's fist.

ballenjongen [-jòŋə(n)] *m sp* ball boy.

ballerina [bɑlə'ri.na.] *v* ballerina.

ballet [bɑ'lɛt] *o* ballet.

balletdanser [-dɑnsər] *m* ballet dancer.

balletdanseres [-ɛs] *v* ballet dancer, ballet girl.

balletje ['bɑləcə] *o* 1 small ball; 2 force-meat ball; *een* ~ *over iets opgooien* fly a kite.

balletmeester [bɑ'lɛtme.stər] *m* ballet master.

balling ['bɑlɪŋ] *m* exile.

ballingschap [-skɑp] *v* exile, banishment.

ballistiek [bɑlɪs'ti.k] *v* ballistics.

ballistisch [bɑ'lɪsti.s] ballistic.

ballon [bɑ'lòn] *m* 1 (luchtbal) balloon; 2 (v. lamp) globe.

ballonband [-bɑnt] *m* balloon tire.

ballon captief [bɑlò kɑp'ti.f] *m* captive balloon.

ballongom [bɑ'lòngòm] *m* & *o* bubble gum.

ballonvaarder [-va:rdər] *m* balloonist.

ballonvaart [-va:rt] *v* balloon flight.

ballonversperring [-vərspɛrɪŋ] *v* ⚔ balloon barrage.

ballonwedstrijd [-vɛtstrɛit] *m* balloon race; (voor de jeugd) balloon Derby.

ballotage [balo.'ta.ʒə] *v* ballot(ing), voting by ballot.

balloteren [-'te:rə(n)] *vt* ballot, vote by ballot.

balorig [ba'lo:rəx] petulant; *er ~ van worden* get out of all patience with it.

balorigheid [-hɛit] *v* aggravation.

balsamiek [balsa.'mi.k] = *balsemiek*.

balsamine [-'mi.nə] = *balsemien*.

balschoen ['balsxu.n] *m* dancing shoe, pump.

balsem [-səm] *m* balm², balsam.

balsemachtig [-axtəx] balmy, balsamic.

balsemen ['balsəmə(n)] *vt* embalm².

balsemiek [balsə'mi.k] balsamic, balmy.

balsemien [-'mi.n] *v* ‡ balsam.

balseming ['balsəmɪŋ] *v* embalming, embalmment.

balspel ['balspɛl] *o* 1 playing at ball; 2 ball game.

balsturig [bal'sty:rəx] obstinate, refractory, intractable.

balsturigheid [-hɛit] *v* obstinacy, refractoriness, intractableness.

Baltisch ['balti.s] Baltic; *de ~e Zee* the Baltic.

balustrade [baly.'stra.də] *v* balustrade [of a terrace &]; banisters [of a staircase].

balzaal ['balza.l] *v* ball-room.

bamboe ['bambu.] *o* & *m*, *aj* bamboo.

ban [ban] *m* 1 (kerkelijk) excommunication; 2 (v. het H. Roomse Rijk) ban; *in de ~ doen* (kerkelijk) excommunicate; *fig* put (place) under a ban, proscribe, ostracize; *in de ~ van haar schoonheid* (germanisme) under the spell of her beauty.

banaal [ba.'na.l] banal, trite, commonplace.

banaan [ba.'na.n] *v* banana.

banaliteit [ba.na.li.'tɛit] *v* banality, platitude.

bananeschil [ba.'na.nəsxɪl] *v* banana skin.

banbliksem ['banblɪksəm] *m* anathema.

1 **band** [bant] *o* (stofnaam) tape; ribbon.

2 **band** [bant] *m* 1 tie [for fastening], tape [used in dressmaking and for parcels, documents]; fillet, braid [for the hair]; string [of an apron, bonnet &]; 2 (draagband) sling [for injured arm &]; truss [used in rupture]; 3 (om arm, hoed &) band; 4 (om te verbinden) bandage; 5 (v. ton) hoop; 6 (v. auto, fiets) tyre; 7 ⚬⚬ cushion; 8 (in de anatomie) ligament; 9 (v. boek) binding; 10 (boekdeel) volume; 11 ❈ ✝ [frequency, side] band; 12 *fig* tie [of blood, friendship], bond [of love, captivity &], link [with the people, with home]; [political] affiliation; *lopende ~* ✂ conveyor; assembly line; *aan de lopende ~* [murders, novels &] one after another; *magnetische ~* magnetic tape; *iemand aan ~en leggen* put a restraint on a person; *aan de ~ liggen* be tied up; *uit de ~ springen* kick over the traces.

bandafnemer ['bantafne.mər] *m* tyre lever.

bandelier [bandə'li:r] *m* shoulder-belt, bandoleer.

bandeloos ['bandəlo.s] *aj* (& *ad*) lawless(ly),

licentious(ly), riotous(ly).

bandeloosheid [bandə'lo.shɛit] *v* lawlessness &.

bandenfabriek ['bandə(n)fa.bri.k] *v* tyre factory.

bandepech ['bandəpɛx] *m* tyre trouble.

banderol [bandə'rɔl] *v* band [for cigar].

banderolleren [-rɔ'le:rə(n)] *vt* band [cigars].

bandiet [ban'di.t] *m* bandit, ruffian.

bandjir ['bandji:r] *m Ind* spate.

bandopname ['bantɔpna.mə] *v* tape recording.

bandopnemer, -recorder [-ɔpne.mər, -rikərdər] *m* tape recorder.

banen ['ba.nə(n)] *vt* in: *een weg ~* clear (break) a way; *de weg ~ voor* pave the way for; *zich een weg ~ door* make (force, push) one's way through; *zich al strijdend een weg ~* fight one's way.

bang [baŋ] **I** *aj* afraid [alléén predikatief]; fearful, timorous, timid [disposition &]; anxious [days, hours]; *~ voor* 1 afraid of [death, tigers &], in fear of [a person]; 2 afraid for, fearing for [one's life]; *ik ben ~ voor regen* I am afraid we are going to have rain; *daar ben ik niet ~ voor* I'm not afraid of that; *~ maken* frighten, make afraid; *~ zijn* be afraid; *~ zijn om...* be afraid to..., fear to...; *~ zijn dat* be afraid that, fear that; *wees maar niet ~!* ook: no fear!; zie ook: *dood*; *zo ~ als een wezel* as timid as a hare; **II** *ad* fearfully &.

bangerd ['baŋərt] **F bangerik** [-ərɪk] *m* **S** funk.

bangheid [-hɛit] *v* fear, anxiety, timorousness, timidity.

bangmakerij [baŋma.kə'rɛi] *v* intimidation.

banier [ba.'ni:r] *v* banner, standard.

banierdrager [-dra.gər] *m* standard-bearer.

banjir ['banji:r] = *bandjir*.

banjo ['banjo.] *m* ♪ banjo.

bank [baŋk] *v* 1 (zit~) bench, [garden] seat; 2 (in salon) settee; 3 ⌐ form [long, without back], desk [for one or two, with back]; 4 (kerkbank) pew; 5 (mist-, zandbank &) bank; 6 **S** bank; *~ der beschuldigden* dock; *~ der getuigen* box; *~ van lening* pawnbroker's shop; *de Nederlandse Bank* the Netherlands Bank; *de ~ houden* keep (hold) the bank.

bankbiljet ['baŋkbɪljɛt] *o* bank-note.

bankbreuk [-brø.k] *v* bankruptcy; *bedrieglijke ~* fraudulent bankruptcy.

bankdirecteur, -direkteur [-di.rəktø:r] *m* bank manager.

bankdisconto [-dɪskɔnto.] *o* bank rate.

banket [baŋ'kɛt] *o* 1 (gastmaal) banquet [= dinner with speeches &]; 2 (gebak) (fancy) cakes, pastry.

banketbakker [-bakər] *m* confectioner.

banketbakkerij [baŋkɛtbakə'rɛi] *v* confectioner's (shop).

banketteren [baŋkɛ'te:rə(n)] *vi* banquet, feast.

bankhouder ['baŋkhəudər] *m* 1 *sp* banker; 2 (v. pandhuis) pawnbroker.

bankier [baŋ'ki:r] *m* banker.

bankiershuis [-'ki:rshœys] *o* banking house.
bankinstelling ['baŋkɪnstelɪŋ] *v* banking house.
bankje [-jə] *o* 1 small bench, stool; 2 bank-note.
bankloper [-lo.pər] *m* bank messenger.
banknoot [-no.t] *v* bank-note.
bankoverval [-o.vərval] *m* bank raid.
bankpapier [-pa.pi:r] *o* paper currency.
bankreferentie [-rəfərən(t)si.] *v* bank reference.
bankrekening [-re.kənɪŋ] *v* bank(ing) account.
bankroet [baŋk'ru.t] *o* bankruptcy, failure; ~ *gaan* become a bankrupt, go bankrupt; *frauduleus* ~ fraudulent bankruptcy.
bankroetier [baŋkru.'ti:r] *m* bankrupt.
bankschroef ['baŋks(x)ru.f] *v* ✂ vice.
bankstel [-stɛl] *o* drawing-room suite.
bankvereniging [-fərə.nəgɪŋ] *v* banking company.
bankwerker [-vɛrkər] *m* ✂ fitter, bench hand.
bankwerkerij [baŋkvɛrkə'rɛi] *v* ✂ fitting shop.
bankwezen ['baŋkve.zə(n)] *o* banking.
banneling ['banəlɪŋ] *m* exile.
bannen ['banən] *vt* 1 (**verbannen**) banish[2], exile; 2 (**uitdrijven**) exorcise [evil spirits].
banvloek ['banvluk] *m* anathema, ban.
baptist [bap'tɪst] *m* baptist.
1 **bar** [bar] *m & v* bar.
2 **bar** [bar] I *aj* barren [tract of land]; inclement [weather]; biting [cold]; grim [face]; rough [manner]; *het is* ~ F it's quite too bad; II *ad* < awfully, very.
barak [ba.'rak] *v* ✕ hut; shed [for sick people]; *fig* hovel; ~*ken* ook: ✕ (army) hutments.
barbaar [bar'ba:r] *m* barbarian.
barbaars [-s] barbarous, barbaric, barbarian.
barbaarsheid [-hɛit] *v* barbarousness, barbarity.
Barbara ['barba.ra.] *v* Barbara.
Barbarije [barba.'rɛiə] *o* Barbary.
Barbarijs [-'rɛis] Barbary.
barbarisme [-'rɪsmə] *o* barbarism.
barbeel [bar'be.l] *m* 🐟 barbel.
barbier [bar'bi:r] *m* barber.
barbierswinkel [-'bi:rsvɪŋkəl] *m* barber's shop.
barbituraat [barbi.ty.'ra.t] *o* barbiturate.
barcarolle [barka.'rɔ:lə] *v* ♪ barcarol(l)e.
☉ **bard** [bart] *m* bard.
☉ **bardenzang** ['bardə(n)zaŋ] *m* bardic song.
baren ['ba:rə(n)] *vt* give birth to, bring forth, bear [into the world]; *angst* ~ cause uneasiness; *opzien* ~ create a stir; *zorg* ~ cause anxiety, give trouble; *de tijd baart rozen* time and straw make medlars ripe.
Barend ['ba:rənt] *m* Bernard.
barensnood ['ba:rənsno.t] *m* travail.
barensweeën [-ve.jə(n)] *mv* throes, pains of child-birth.
baret [ba.'rɛt] *v* 1 (student's, magistrate's] cap; 2 *RK* biretta; 3 [soldier's, woman's] beret.
Bargoens [bar'gu.ns] *o* (thieves') flash; *fig* jargon, gibberish, lingo, double Dutch.
barheid ['barhɛit] *v* barrenness, inclemency,

grimness &.
bariton ['ba.ri.tòn] *m* ♪ barytone, baritone.
bark [bark] *v* ⚓ bark, barque.
barkas [bar'kas] *v* ⚓ launch, longboat.
barkruk ['barkrŭk] *v* bar stool.
barmhartig [barm'hartəx] merciful, charitable.
barmhartigheid [-hɛit] *v* mercy, mercifulness, charity; *uit* ~ out of charity.
barnsteen ['barnste.n] *o & m* amber.
barnstenen [-ste.nə(n)] *aj* amber.
barok [ba.'rɔk] *aj, v* baroque.
barometer ['baro.me.tər, baro.'me.tər] *m* barometer.
barometerstand [-stant] *m* height of the barometer, barometer reading.
barometrisch [baro.'me.tri.s] *aj* (& *ad*) barometric(ally).
baron [ba'ròn] *m* baron.
barones [baro.'nɛs] *v* baroness.
baronie [baro.'ni.] *v* barony.
barrevoets ['barəvu.ts] barefoot.
barricade [bari.'ka.də] *v* barricade.
barricaderen [-ka.'de:rə(n)] *vt* barricade.
barrière [bari.'ɛ:rə] *v* barrier.
barrikade(-) zie *barricade(-)*.
bars [bars] I *aj* stern [look]; grim [aspect]; harsh, gruff, rough [voice]; II *ad* sternly &.
barsheid ['barsheit] *v* sternness &.
barst [barst] *m & v* crack, burst, flaw.
barsten ['barstə(n)] *vi* burst°, crack [of glass &]; split [of wood]; chap [of the skin]; *hij kan* ~! P he may go to hell!; *een* ~*de hoofdpijn* a splitting headache; *tot* ~*s toe vol* full to bursting.
Bartholomeusnacht [barto.lo.'me.ũsnaxt] *m* Massacre of St. Bartholomew.
Bartje(n)s ['barcə(n)s] *volgens* ~ F according to Cocker.
Bas [bas] *m* F zie *Bastiaan*.
bas [bas] I *v* (**instrument, stem**) bass; 2 *m* (**zanger**) bass.
basalt [ba.'zalt] *o* basalt.
basaltrots [-rɔts] *v* basaltic rock.
basaltzuil [-sœyl] *v* basaltic column.
bascule [bas'ky.lə] *v* weighing machine.
base ['ba.zə] *v* base.
baseren [ba.'ze:rə(n)] I *vt* in: ~ *op* base, found, ground on; II *vr* in: *zich* ~ *op* take one's stand on, base one's case on.
basilicum [ba.'zi.li.kũm] *o* 🌿 basil.
basiliek [ba.zi.'li.k] *v* basilica.
basilisk [-'lɪsk] *m* basilisk.
basis ['ba.zəs] *v* basis [of a government]; base [of a triangle, ✕]; *op brede* ~ broad-based, broadly based [government].
basisch ['ba.zi.s] basic.
basisindustrie ['ba.zəsɪndŭstri.] *v* basic industry.
basisloon [-lo.n] *o* basic wage.
Bask [bask] *m* Basque.
Baskisch ['baski.s] I *aj* Basque; II *o* Basque. -
baskuul [bas'ky.l] = *bascule*.

bas-reliëf [barəl'jef] *o* bas-relief, low relief.
bassen ['basə(n)] *vi* bay bark.
bassin [ba'sɛ̃.] *o* ⚓ basin.
bassist [ba'sɪst] *m* ♪ bass (singer).
bassleutel ['baslø.təl] *m* ♪ bass clef, F clef.
basstem ['bastɛm] *v* ♪ bass (voice).
bast [bast] *m* 1 bark, rind [of a tree]; bast (= inner bark); 2 pod, husk, shell [of pulse].
basta ['basta.] *ij* (*daarmee*) ~ ! and there's an end of it!, so there!, enough!
bastaard [-ta:rt] *m* (& *aj*) 1 bastard; 2 ♋ & ♀ mongrel; 3 ♀ hybrid; *tot* ~ *maken* bastardize.
bastaardij [basta:r'dɛi] *v* bastardy.
bastaardnachtegaal ['basta:rtnɑxtega.l] *m* ♫ hedge-sparrow.
bastaardras [-ras] *o* mongrel breed.
bastaardsatijnvlinder [-sa.tɛinvlɪndər] *m* ✳ brown-tail moth.
bastaardsuiker = *basterdsuiker.*
bastaardvloek [-flu.k] *m* mild oath.
bastaardwoord [-vo:rt] *o* loan-word.
basterd(-) ['bastərt] = *bastaard(-).*
basterdsuiker ['bastərtsœykər] *m* bastard sugar.
Bastiaan ['basti.a.n] *m* Sebastian.
bastion [basti.'òn] *o* ✕ bastion.
basviool ['basfi.o.l] *v* ♪ bass-viol, violoncello.
baszanger ['basaŋər] *m* ♪ bass (singer).
Bataaf(s) [ba'ta.f(s)] ⑪ Batavian.
bataat [ba'ta.t] *m* ♀ batata, sweet potato.
bataljon [batal'jòn] *o* ✕ battalion.
bataljonscommandant, -kommandant [-'jònskòmandant] *m* ✕ battalion commander,
†Batavia [ba'ta.vi.a.] *o* Batavia. [major.
Batavier [bata.'vi:r] *m* ⑪ Batavian.
bate ['ba.tə] *o* in: *ten* ~ *van* for the benefit of, in behalf of, in aid of.
1 **baten** ['ba.tə(n)] *mv* profits; *de* ~ *en lasten* the assets and liabilities; *de* ~ *en schaden* the profits and losses.
2 **baten** ['ba.tə(n)] *vt* avail; *niet(s)* ~ be of no use, of no avail; *wat baat het?* what's the use (the good)?; *wat baat het u?* what profit do you get from it?; what's the use?; *gebaat worden door*... profit by.
batig ['ba.təx] *in*: ~ *slot* $ credit balance, surplus.
batik ['ba.tɪk] *m* batik.
batikken [-tɪkə(n)] *vt & vi* batik.
batist [ba.'tɪst] *o* batiste, lawn.
batisten [-'tɪstə(n)] *aj* batiste, lawn.
batterij [batə'rɛi] *v* ✕ & ✺ battery; *van* ~ *veranderen* change front.
bauxiet [bouk'si.t] *o* bauxite.
baviaan [bavi.'a.n] *m* ♋ baboon.
bazaar [ba'za:r] *m* 1 (oosterse marktplaats) bazaar; 2 (warenhuis) stores; 3 (voor liefdadig doel) bazaar, fancy fair.
bazalt(-) zie *basalt(-).*
bazar [ba'zar] zie *bazaar.*
Bazel ['ba.zəl] *o* Basel, Basle.

bazelen ['ba.zələ(n)] *vi* twaddle, talk nonsense.
bazig ['ba.zəx] *aj* (& *ad*) masterful(ly).
bazin [ba.'zɪn] *v* mistress; *fig* virago.
bazuin [ba.'zœyn] *v* ♪ trombone; B trumpet.
bè! [bɛ:] baa.
beambte [bə'amtə] *m* functionary, official, employé.
beamen [-'a.mə(n)] *vt* say yes to, assent to.
beaming [-mɪŋ] *v* assent.
beangst [bə'aŋst] alarmed, uneasy, anxious.
beangstigen [-'aŋstəgə(n)] alarm.
beantwoorden [-'antvo:rdə(n)] *vt & vi* answer, reply to [a letter, speaker]; return [love &]; acknowledge [greetings]; *aan de beschrijving* ~ answer (to) the description; *aan het doel* ~ answer (fulfil) the purpose; *aan het monster* ~ correspond (come up) to sample.
beantwoording [-dɪŋ] *v* answering, replying; *ter* ~ *van* in answer (reply) to.
bearbeiden [bə'arbɛidə(n)] *vt* zie *bewerken.*
Beatrix ['be.a.trɪks] *v* Beatrix, Beatrice.
beauté [bo.'te.] *v* beauty.
bebakenen [bə'ba.kənə(n)] *vt* beacon.
bebakening [-nɪŋ] *v* 1 (de handeling) beaconing; 2 (de bakens) beacons.
bebloed [bə'blu.t] bloody, covered with blood.
beboeten [-'bu.tə(n)] *vt* fine, mulct.
bebossen [-'bòsə(n)] *vt* afforest.
bebossing [-sɪŋ] *v* afforestation.
bebouwbaar [bə'bouba:r] arable, tillable, cultivable.
bebouwd [-'bout] 1 built on [plot]; built up [area]; 2 cultivated [land], under cultivation; ~ *met graan* under corn.
bebouwen [-'bouə(n)] *vt* 1 build upon [a building plot]; develop [a housing estate]; 2 cultivate, till [the soil, the ground].
bebouwer [-ər] *m* cultivator, tiller.
bebouwing [-ɪŋ] *v* 1 building upon [a plot]; development [of the City of London]; 2 cultivation [of the ground], tillage [of the soil].
becijferen [bə'sɛifərə(n)] *vt* calculate, figure out.
becijfering [-rɪŋ] *v* calculation.
beconcurreren [bəkònky.'re:rə(n)] *vt* compete with.
becritiseren, becritizeren zie *bekritiseren.*
bed [bɛt] *o* bed²; ook: bedside; *het* ~ *houden* stay in bed; *in (zijn)* ~ in bed; *in* ~ *leggen, naar* ~ *brengen* put to bed; *naar* ~ *gaan* go to bed; *om zijn* ~ round his bedside; *op zijn* ~ on (in) his bed; *te* ~ in bed; *te* ~ *liggen met reumatiek* be laid up with rheumatism.
bedaagd [bə'da.xt] elderly.
bedaard [-'da:rt] *aj* (& *ad*) calm(ly), composed(ly), quiet(ly).
bedaardheid [-hɛit] *v* calmness, composure, quietness.
bedacht [bə'daxt] *in*: ~ *zijn op* think of, be mindful (thoughtful) of, be studious of; *niet* ~ *op* not prepared for.

bedachtzaam [-sa.m] *aj* (& *ad*) 1 (overleggend) thoughtful(ly); 2 (omzichtig) cautious(ly).

bedachtzaamheid [-hɛit] *v* 1 thoughtfulness; 2 cautiousness.

bedammen [bə'dɑmə(n)] *vt* dam up, dam in.

bedanken [-'dɑŋkə(n)] **I** *vt* 1 (dank betuigen) thank; 2 (afdanken) dismiss [a functionary]; **II** *vi & va* 1 (zijn dank uitspreken) return (render) thanks; 2 (niet aannemen) decline [the honour &]; 3 (aftreden) resign; 4 (voor tijdschrift, lidmaatschap) withdraw one's subscription, withdraw one's name [from the society]; *wel bedankt!* thank you very much!; ~ *voor een betrekking* 1 decline the offer of a post (place); 2 send in one's papers, resign; ~ *voor een uitnodiging* decline an invitation; *ze* ~ *er voor om...* catch them ...ing; **III** *o* in: *wegens het* ~ *van vele leden* on account of the withdrawal of many members.

bedankje [-'dɑŋkjə] *o* 1 acknowledgement, (letter of) thanks; 2 refusal; *ik heb er niet eens een* ~ *voor gehad* I've not even got a "thank you" for it; *het is geen* ~ *waard* no thanks!; *ik neem geen* ~ *aan* I'll not take "no" for an answer.

bedaren [bə'da:rə(n)] **I** *vi* calm down, quiet down, compose oneself; abate, subside [of a storm, tumult &]; **II** *vt* calm, quiet; appease, tranquillize, still; assuage, allay [pain]; *tot* ~ *brengen* zie *vt*; *tot* ~ *komen* zie *vi*.

bedauwen [-'dɑuə(n)] *vt* bedew.

beddedeken ['bɛdədə.kə(n)] *v* blanket.

beddegoed [-gu.t] *o* bedding, bed-clothes.

beddelaken [-la.kə(n)] *o* (bed-)sheet.

beddenwinkel [-vɪŋkəl] *m* bedroom furniture shop.

beddepan [-pɑn] *v* warming pan.

beddesprei [-sprɛi] *v* bed-spread, counterpane, coverlet.

beddetijk [-tɛik] 1 *o* (stof) ticking; 2 *m* (voorwerp) (bed)tick.

bedding ['bɛdɪŋ] *v* 1 bed [of a river]; 2 layer, stratum [of matter]; 3 ✕ platform [of a gun].

bede ['be.də] *v* 1 (gebed) prayer; 2 (smeekbede) supplication, appeal, entreaty; 3 (verzoek) prayer, request; *op zijn* ~ at his entreaty.

bedeelde [bə'de.ldə] *m-v* (parish) pauper.

bedeesd [-'de.st] timid, bashful, shy.

bedeesdheid [-hɛit] *v* timidity, bashfulness, shyness.

bedehuis ['be.dəhœys] *o* house (place) of worship.

bedekken [bə'dɛkə(n)] *vt* cover, cover up.

bedekking [-kɪŋ] *v* cover.

bedekt [bə'dɛkt] covered [with straw &]; veiled [hint]; *op* ~*e wijze* covertly.

bedektbloeiend [-blu.jənt] ~*e plant* ✿ cryptogam.

bedektelijk [bə'dɛktələk] covertly.

bedelaar ['be.dəla:r] *m* beggar, ☉ mendicant.

bedelaarsdeken [-la:rsde.kə(n)] *v* patchwork counterpane.

bedelaarsgesticht [-gəstɪxt] *o* beggars' home.

bedelaarster ['be.dəla:rstər] **bedelares** [be.də-la:'rɛs] *v* beggar, beggar-woman.

bedelarij [be.dəla:'rɛi] *v* begging, mendicancy, mendicity.

bedelarmband ['be.dəlɑrmbɑnt] *m* charm bracelet.

bedelbrief [-bri.f] *m* begging letter.

1 **bedelen** ['be.dələ(n)] **I** *vi* beg; beg (ask) alms, beg charity; *er om* ~ beg for it; **II** *vt* beg.

2 **bedelen** [bə'de.lə(n)] *vt* endow; *de armen* ~ bestow alms upon the poor; *bedeeld met aardse goederen* blessed with worldly goods; *bedeeld worden* zie *van de bedeling krijgen*.

bedeling [-lɪŋ] *v* 1 distribution (of alms); 2 *fig* order, dispensation; *in de* ~ *zijn*, *van de* ~ *krijgen* be on the parish; *in deze* ~, *onder de tegenwoordige* ~ in this dispensation, under the present dispensation.

bedeljongen ['be.dəljòŋə(n)] *m* beggar-boy.

bedelmeisje [-mɛiʃə] *o* beggar-girl.

bedelmonnik [-mònək] *m* mendicant friar.

bedelnap [-nɑp] *m* begging bowl.

bedelorde [-ɔrdə] *v* mendicant order.

bedelstaf [-stɑf] *m* beggar's staff; *tot de* ~ *brengen* reduce to beggary.

bedelven [bə'dɛlvə(n)] *vt* bury.

bedelvolk ['be.dəlvɔlk] *o* beggarly people, beggars.

bedelzak [-zɑk] *m* (beggar's) wallet.

bedenkelijk [bə'dɛŋkələk] **I** *aj* critical, risky [of operations &]; serious, grave [of cases &]; doubtful [of looks &]; *de zieke is* ~ in a critical condition; *dat ziet er* ~ *uit* things look serious; *een* ~ *gezicht zetten* put on a serious (doubtful) face; *een* ~*e overeenkomst vertonen met...* look suspiciously like...; **II** *ad* alarmingly [thin &]; suspiciously [alike].

bedenkelijkheid [-hɛit] *v* criticalness, riskiness.

bedenken [bə'dɛŋkə(n)] **I** *vt* 1 (niet vergeten) remember, bear in mind [that...]; 2 (overwegen) consider, take into consideration, reflect [that...]; 3 (uitdenken) think of, bethink oneself of, devise; invent, contrive, hit upon; 4 (een fooi & geven) remember [the waiter]; *als men bedenkt dat...* considering that...; *iemand goed* ~ make one (a) handsome present(s); *een vriend in zijn testament* ~ put a friend in one's will; *hem* ~ *met een gouden horloge* make him a present of a gold watch; **II** *vr* in: *zich* ~ 1 (nadenken) take thought; 2 (van gedachte veranderen) think better of it, change one's mind; *zich wel* ~ *alvorens te...* think twice before ...ing; *hij bedacht zich en...* he remembered himself and...; *bedenkt u zich niet?* don't you reconsider your decision?; *daar zal ik mij nog eens* *op* ~ as to that I shall take further thought; *zonder (zich te)* ~ without thinking, without hesitation.

bedenking [-kɪŋ] *v* consideration; *geen* ~*en!* no objections!; *geen* ~ *hebben tegen* have no objection to...; *het hun in* ~ *geven* leave it to their consideration; *iets in* ~ *houden* hold it over for further thought.

bedenktijd [bə'dɛŋktɛit] *m* time to consider.

bederf [bə'dɛrf] *o* corruption [of what is good, of language &]; decay [of a tooth &]; depravation [of morals]; vitiation [of the air, blood &]; taint [moral]; *aan* ~ *onderhevig* perishable; *tot* ~ *overgaan* zie *bederven* II.

bederfelijk [-'dɛrfələk] perishable [goods].

bederfelijkheid [-hɛit] *v* perishableness.

bederfwerend [bə'dɛrfvə:rənt] antiseptic.

bederven [bə'dɛrvə(n)] **I** *vt* spoil [a piece of work, a child &]; taint, vitiate [the air]; disorder [the stomach]; corrupt [the language &]; deprave [the morals]; ruin [one's prospects &]; mar [the effect]; **II** *vi* go bad; zie ook: *bedorven*.

bedevaart ['be.dəva:rt] *v* pilgrimage; *ter* ~ *gaan* go on pilgrimage.

bedevaartganger [-gaŋər] *m* pilgrim.

bedevaartplaats [-pla.ts] *v* place of pilgrimage.

bedgordijn ['bɛtgɔrdɛin] *o* & *v* bed-curtain.

bedienaar [bə'di.na:r] *m* minister [of the Word].

bediende [-'di.ndə] *m* I (man-)servant, man; 2 waiter, attendant [at hotel or restaurant]; 3 employee [of a firm]; 4 clerk [in an office]; 5 assistant [in a shop].

bedienen [bə'di.nə(n)] **I** *vt* I serve, attend to [customers]; 2 wait upon [people at table &]; 3 ✗ serve [the guns]; 4 ✗ work [a pump], operate [an engine]; *een stervende* ~ *RK* administer the last sacraments to a dying man; **II** *vr zich* ~ help oneself [at table]; *zich* ~ *van* I help oneself to [some meat &]; 2 avail oneself of [an opportunity]; use; **III** *vi* & *va* I wait [at table]; 2 serve (in the shop).

bediening [-nɪŋ] *v* I (ambt) office; 2 (in hotel &) attendance, service; waiting (at table); 3 *RK* administration of the last sacraments; 4 ✗ serving, service [of the guns]; zie ook: *bedieningsmanschappen*.

bedieningsmanschappen [-nɪŋsmɑnsxɑpə(n)] *mv* ✗ gunners; *de* ~ ook: the (gun) crew.

bedijken [bə'dɛikə(n)] *vt* dam up, dam in, embank.

bedijking [-kɪŋ] *v* embankment; dikes.

bedilal [bə'dɪlɑl] *m* fault-finder, caviller.

bedillen [bə'dɪlə(n)] *vt* censure, carp at.

bediller [-lər] *m* censurer, carping critic.

bedillerig, -ziek [-lərəx, bə'dɪlzi.k] *aj* (& *ad*) censorious(ly).

bedilzucht [bə'dɪlzʏxt] *v* censoriousness.

beding [bə'dɪŋ] *o* condition, proviso, stipulation; *onder één* ~ on one condition.

bedingen [-'dɪŋ(ə)n] *vt* stipulate; *...meer dan*

bedongen was ...more than what had been stipulated (bargained) for; *dat was er niet bij bedongen* that was not included in the bargain.

bediscussiëren, bediskussiëren [-dɪskÿsi.'e:-rə(n)] *vt* discuss.

bedisselen [-'dɪsələ(n)] *vt fig* arrange [matters].

bedjasje ['bɛtjɑʃə] *o* bed-jacket.

bedlegerig [bɛt'le.gərəx] bed-ridden, laid up, confined to one's bed.

bedoeïen [be.du.'i.n] *m* Bedouin [*mv* Bedouin].

bedoeld [bə'du.lt] in: *(de)* ~*e...* the... in question.

bedoelen [-'du.lə(n)] *vt* I (zich ten doel stellen) intend; 2 (een bedoeling hebben) mean; 3 (willen zeggen) mean (to say); *het was goed bedoeld* it was meant for the best, I (he) meant it kindly; *hij bedoelt het goed met je* he means well by you; *een goed bedoelde raad* a well-intentioned piece of advice; *ik heb er geen kwaad mee bedoeld!* it was meant for the best, no offence was meant!; *wat bedoelt u daarmee?* what do you mean by it?

bedoeling [-lɪŋ] *v* I (voornemen) intention, design, purpose, aim, ✍ intent; 2 (betekenis) meaning, purport; *het ligt niet in onze* ~ *om...* we have no intention to...; *met de beste* ~ with the best intentions; *zonder bepaalde* ~ unintentionally; *zonder kwade* ~ no offence being meant; no harm being meant.

bedompt [bə'dòmt] close, stuffy.

bedomptheid [-hɛit] *v* closeness, stuffiness.

bedorven [bə'dɔrvə(n)] in: ~ *inkt* bad ink; ~ *kaas* unsound cheese; ~ *kind* spoiled child; ~ *lucht* foul air; ~ *maag* disordered stomach; ~ *vis (vlees)* tainted fish (meat); ~ *zeden* depraved morals.

bedotten [-'dɔtə(n)] *vt F* take in, cheat.

bedotter [-tər] *m F* cheat.

bedotterij [bədɔtə'rɛi] *v F* take-in, trickery.

bedpan ['bɛtpɑn] zie *beddepan*.

bedrag [bə'drɑx] *o* amount; *ten* ~*e van* to the amount of.

bedragen [-'dra.gə(n)] *vt* amount to.

bedreigen [-'drɛigə(n)] *vt* threaten, menace.

bedreiging [-gɪŋ] *v* threat, menace.

bedremmeld [bə'drɛməlt] confused, perplexed.

bedremmeldheid [-hɛit] *v* confusion, perplexity.

bedreven [bə'dre.və(n)] skilful, skilled, experienced, practised, expert; ~ *in* versed in.

bedrevenheid [-hɛit] *v* skill, skilfulness, expertness; *zijn* ~ *in* his proficiency in.

bedriegen [bə'dri.gə(n)] **I** *vt* deceive, cheat, take in, impose upon; *hij heeft ons voor een grote som bedrogen* he has cheated us out of a large amount; *hij kwam bedrogen uit* his hopes were deceived, he was disappointed; **II** *vr in: u bedriegt u* you deceive yourself; *als mij niet bedrieg* if I am not mistaken; *ik heb mij in hem bedrogen* I find myself mistaken about him; **III** *va* cheat [at cards &].

bedrieger [-gər] *m* deceiver, cheat, impostor, fraud; *de* ~ *bedrogen* the biter bit.

bedriegerij [bədri.gə'rɛi] *v* deceit, deception, imposture, fraud.

bedrieglijk [bə'dri.gələk] I *aj* deceitful [people], fraudulent [artifices]; deceptive, fallacious, delusive [arguments &]; II *ad* fraudulently &.

bedrieglijkheid [-hɛit] *v* deceitfulness, fraudulence; deceptiveness, delusiveness, fallacy.

bedriegster [bə'dri.xstər] *v* zie *bedrieger*.

bedrijf [-'drɛif] *o* 1 (handeling) action, deed; 2 (beroep) business, trade; 3 (v. toneelstuk) act [of a play]; 4 (exploitatie) working; 5 (nijverheid) industry; 6 (dienst) [gas, railway &] service; 7 (onderneming) business, concern, undertaking, [chemical] works; *dat is zijn* ~ 1 that's his trade; 2 it is all his doing; *buiten* ~ (standing) idle; *in* ~ in (full) operation; *in* ~ *stellen* put into operation; *onder de bedrijven door* F in the meantime.

bedrijfsauto [bə'drɛifso.to., -ʌuto.] *m* commercial vehicle.

bedrijfsbelasting [-bəlɑstɪŋ] *v* trade tax.

bedrijfsinstallatie [-ɪnstɑlɑ.(t)si.] *v* working plant.

bedrijfskapitaal [-ka.pi.ta.l] *o* working capital.

bedrijfskosten [-kɔstə(n)] *mv* working expenses.

bedrijfsleider [-lɛidər] *m* works manager.

bedrijfsleiding [-lɛidɪŋ] *v* (industrial) management.

bedrijfsleven [-le.və(n)] *o* 1 (in 't alg.) economy; 2 (nijverheid) industry.

bedrijfsmateriaal [-ma.te:ri.a.l] *o* working stock, plant.

bedrijfsorganisatie, -organizatie [-ɔrga.ni.za.(t)si.] *v* 1 ('t organiseren) industrial organization; 2 (een lichaam) trade organization; *publiekrechtelijke* ~ statutory trade organization.

bedrijfsraad [-ra.t] *m* industrial council.

bedrijven [bə'drɛivə(n)] *vt* commit, perpetrate.

bedrijvend [-vənt] *gram* active.

bedrijver [-vər] *m* author, perpetrator.

bedrijvig [-vəx] active, busy, bustling.

bedrijvigheid [-hɛit] *v* 1 (drukte) activity, stir; 2 (vlijt) industry.

bedrinken [bə'drɪŋkə(n)] *zich* ~ ply oneself with drink, fuddle oneself.

bedroefd [-'dru.ft] I *aj* sad, sorrowful, afflicted, grieved; ~ *over* afflicted at; II *ad* < in: ~ *slecht* awfully bad; ~ *weinig* precious little (few).

bedroefdheid [-hɛit] *v* sadness, sorrow, grief.

bedroeven [bə'dru.və(n)] I *vt* give (cause) pain (to), afflict, grieve, distress; *het bedroeft mij dat*... I am grieved (distressed) to learn (see) that...; II *vr zich* ~ (over) grieve, be grieved (at it, to see &).

bedroevend [-vənt] sad, pitiable, deplorable.

bedrog [bə'drɔx] *o* deceit, deception, im-

posture, fraud; [optical] illusion; ~ *plegen* practise deception, cheat [at play &].

bedruipen [-'drœypə(n)] *vt* sprinkle; baste [meat]; *zich kunnen* ~ pay one's way, be self-supporting.

bedrukken [-'drŭkə(n)] *vt* print over.

bedrukt [-'drŭkt] 1 *eig* printed [cotton &]; 2 *fig* depressed, dejected.

bedruktheid [-hɛit] *v* depression, dejection.

bedsermoen ['bɛtsɛrmu.n] *o* curtain lecture.

bedsprei [-sprɛi] = *beddesprei*.

bedste(d)e [-ste.(də)] *v* cupboard-bed.

bedtijd ['bɛtɛit] *m* bedtime.

beducht [bə'dŭxt] in: ~ *voor* apprehensive of [a thing], apprehensive for [his safety].

beduchtheid [-hɛit] *v* apprehension, dread.

beduiden [bə'dœydə(n)] *vt* 1 (aanduiden, betekenen) mean, signify, portend; 2 (duidelijk maken) make clear [something to...], point out [the situation of... to...]; *het heeft niets te* ~ zie verder: *betekenen*.

beduimelen [-'dœymələ(n)] *vt* thumb; *beduimeld* well-thumbed [book].

beduusd [-'dy.st] F dazed, flabbergasted.

bedwang [-'dvɑŋ] *o* restraint, control; *goed in* ~ *hebben* have well in hand; *in* ~ *houden* hold (keep) in check; *zich in* ~ *houden* control oneself.

bedwelmd [-'dvɛlmt] stunned, stupefied; intoxicated.

bedwelmen [-'dvɛlmə(n)] *vt* stun, stupefy, drug; intoxicate.

bedwelmend [-mənt] stunning; stupefying; intoxicating [liquor]; ~ *middel* ook: narcotic, drug.

bedwelming [-mɪŋ] *v* stupefaction, stupor.

bedwingen [bə'dvɪŋə(n)] *vt* 1 restrain, subdue, control, check; *een oproer* ~ repress (quell) a rebellion; *zijn toorn* ~ contain one's anger; *zijn tranen* ~ keep back one's tears; II *vr zich* ~ contain oneself, restrain oneself.

beëdigd [bə'e.dəxt] 1 (v. personen) sworn (in); 2 (v. verklaring) sworn, on oath; ~ *getuigenis* sworn evidence; ~ *makelaar* sworn broker.

beëdigen [-'e.dəgə(n)] *vt* 1 (iemand) swear in [a functionary]; administer the oath to [the witnesses]; 2 (iets) swear to, confirm on oath.

beëdiging [-gɪŋ] *v* 1 swearing in [of a functionary]; 2 administration of the oath [to witnesses]; 3 confirmation on oath.

beëindigen [bə'ɛindəgə(n)] *vt* bring to an end, finish, conclude; terminate [a contract].

beëindiging [-gɪŋ] *v* conclusion; termination [of a contract].

beek [be.k] *v* brook, rill, rivulet.

beekje ['be.kjə] *o* brooklet, rill, runnel.

beeld [be.lt] *o* 1 (spiegelbeeld) image, reflection; 2 (afbeelding) image, picture, portrait; 3 (standbeeld) statue; 4 (zinnebeeld) image, symbol; 5 (redefiguur) figure (of speech), metaphor; *een ~ van een meisje* F a picture of a girl; *zich een ~ vormen van* form a notion of, image to oneself, realize; *Amsterdam in ~* Amsterdam in pictures; *naar Gods ~ (en gelijkenis) geschapen* created after (in) the image of God.

beeldbuis ['be.ltbœys] *v TV* cathode tube; *op de ~* F on the little screen.

beeldenaar ['be.ldəna:r] *m* effigy, head [of a coin].

beeldendienaar ['be.ldə(n)di.na:r] *m* image-worshipper.

beeldendienst [-di.nst] *m* image-worship.

beeldenstorm [-stɔrm] *m* iconoclasm.

beeldenstormer [-stɔrmər] *m* iconoclast.

beelderig ['be.ldərəx] F beautiful, lovely, sweet.

beeldhouwen ['be.lthəuə(n)] *vt* sculpture.

beeldhouwer [-ər] *m* sculptor.

beeldhouwerij [be.lthəuə'rɛi] *v* 1 sculptor's workshop; 2 sculpture.

beeldhouwkunst ['be.lthəukŭnst] *v* sculpture.

beeldhouwwerk [-vɛrk] *o* sculpture.

beeldig ['be.ldəx] = *beelderig.*

beeldje ['be.lcə] *o* image, figurine, statuette; *het (kind) is een ~* it is a perfect picture.

beeldradio ['be.ltra.di.o.] *m* zie *televisie.*

beeldrijk [-rɛik] full of images, vivid [style].

beeldroman [-ro.mɑn] *m* zie *beeldverhaal.*

beeldschoon ['be.lt'sxo.n] divinely beautiful.

beeldschrift [-s(x)rɪft] *o* picture-writing.

beeldsnijder [-snɛi(d)ər] *m* (wood-)carver.

beeldspraak [-spra.k] *v* figurative language; metaphor; *zonder ~* without a metaphor.

beeldstormer [-stɔrmər] = *beeldenstormer.*

beeldverhaal [-fərha.l] *o* (picture, comic) strip.

beeldwerk [-vɛrk] *o* zie *beeldhouwwerk.*

beeltenis ['be.ltənɪs] *v* image, portrait, likeness, effigy.

beemd [be.mt] *m* meadow, field, pasture, ⊙ lea.

been [be.n] *o* 1 leg; 2 (deel v. geraamte) bone; 3 (stofnaam) bone; *benen maken, de benen nemen* take to one's heels; *het ~ stijf houden* stand firm, F dig one's toes in, dig in one's heels; *er geen ~ in zien...* make no bones about ...ing, make nothing of ...ing; *∞ met één ~ in het graf staan* have one foot in the grave; *met het verkeerde ~ uit bed stappen* get out of bed on the wrong side; *op de ~ blijven* keep one's legs, keep (on) one's feet; *op de ~ brengen* levy, raise [an army]; *iemand op de ~ helpen* set (put) one on his legs; *de zaak op de ~ houden* keep the concern going; *zich op de ~ houden* zie *op de been blijven; weer op de ~ komen* get to one's feet again, recover one's legs; *op één ~ kan men niet lopen* two make a pair; *op zijn laatste benen lopen* be on one's last legs; *op eigen benen staan* stand on one's own legs (feet); *op de ~ zijn* 1 *eig* be on one's feet; 2 (op zijn) ook: be stirring; 3 (rondlopen) be about, be on

the move; 4 (na ziekte) be on one's legs, be about again; *vlug (wel) ter ~ zijn* be good on one's legs, be a good walker; *het zijn sterke benen die de weelde kunnen dragen* ± much wealth makes wit waver.

beenachtig ['be.nɑxtəx] bony, § osseous.

beenbreuk ['be.nbrø.k] *v* fracture of a bone; fracture of the leg.

beendergestel ['be.ndərɡəstɛl] *o* osseous system.

beendermeel [-me.l] *o* bone-dust.

beeneter ['be.ne.tər] *m* caries, necrosis.

beenkap [-kɑp] *v* legging.

beensplinter [-splɪntər] *m* splinter of a bone.

beentje [-cə] *o* (small) bone; *~ over doen* do the outside edge; *iemand een ~ lichten (zetten)* trip one up; *zijn beste ~ voorzetten* put one's best foot foremost.

beenwindsel [-vɪntsəl] *o* puttee.

beenzwart [-zvɑrt] *o* bone-black.

beer [be:r] *m* 1 (ursus) bear ‖ 2 (mannetjesvarken) boar ‖ 3 (schoor) buttress ‖ 4 (waterkering) dam ‖ 5 (valhamer) rammer ‖ 6 (mest) night-soil ‖ 7 S (schuld) debt; 8 (schuldeiser) creditor; *de Grote B~* the Great Bear; *de Kleine B~* the Lesser Bear; *op de ~ kopen, beren maken* S buy (go) on tick.

beërven [bə'ɛrvə(n)] *vt* inherit. [tick.]

beest [be.st] *o* 1 animal; 2 beast[2] [ook = cattle], brute[2] [ook = lower animal]; 3 S ⚥ fluke, fluky shot; *een ~ van een kerel* a brute (of a man).

beestachtig ['be.stɑxtəx] I *aj* beastly, bestial, brutal, brutish; II *ad* in a beastly way, bestially &; < beastly [drunk, dull, wet].

beestachtigheid [-hɛit] *v* beastliness, bestiality, brutishness, brutality.

beestenboel ['be.stə(n)bu.l] *m* F piggery; *een ~* 1 a beastly mess; 2 a downright orgy.

beestenmarkt [-mɑrkt] *v* cattle-market.

beestenspel [-spɛl] *o* menagerie.

beestenvoe(de)r [-vu:r, -vu.dər] *o* fodder.

beestenwagen [-va.ɡə(n)] *m* cattle-truck.

beestig ['be.stəx] I *aj* beastly; II *ad* < beastly.

1 **beet** [be.t] *m* 1 (handeling) bite; 2 (hapje) bit, morsel, mouthful; *hij heeft ~* he has a bite (got a rise).

2 **beet** [be.t] *v* = *biet.*

beethebben ['be.thɛbə(n)] *vt* in: *iemand ~* have got hold of one; zie ook: 1 *beet* & *beetnemen.*

beetje ['be.cə] *o* (little) bit, little; *het ~ geld dat ik heb* 1 the little money I have; 2 what money I have; *lekkere ~s* titbits, dainties; *alle ~s helpen* every little helps; *bij ~s* bit by bit, little by little.

beetkrijgen ['be.tkrɛiɡə(n)] *vt* zie *beetpakken.*

beetnemen [-ne.mə(n)] *vt* 1 (voor de gek houden) F roast, chaff [one]; 2 (bedotten) take [one] in; *je hebt je laten ~* you have been had (sold); *hij laat zich niet ~* he doesn't suffer himself to be deceived.

beetpakken [-pɑkə(n)] *vt* seize, take (get) hold of, grip, grasp.

beetwortel [-vòrtəl] *m* ❦ beet(root).
beetwortelsuiker [-sœykər] *m* beet(root) sugar.
beevaart ['be.va:rt] = *bedevaart*.
bef [bɛf] *v* bands.
befaamd [bə'fa.mt] noted, famous, renowned.
befaamdheid [-hɛit] *v* fame, renown.
begaafd [bə'ga.ft] gifted, talented.
begaafdheid [-hɛit] *v* gifts, talents.
1 **begaan** [bə'ga.n] **I** *vt* 1 (lopen over) walk (upon); tread; 2 (bedrijven) commit [mistakes, a crime], perpetrate [a crime]; **II** *va* in: *laat hem maar ~!* leave him alone (to do it)!
2 **begaan** [bə'ga.n] *aj* trodden, beaten [path]; *~ zijn met* feel sorry for, pity; *de begane grond* the (solid) ground; the ground level; *op de begane grond* [be] on a level with the ground, [live] on the ground floor.
begaanbaar [-ba:r] practicable, passable.
begeerlijk [bə'ge:rlək] 1 desirable; 2 eager, greedy.
begeerlijkheid [-hɛit] *v* 1 desirableness, desirability; 2 eagerness, greediness.
begeerte [bə'ge:rtə] *v* desire, wish; lust [= passionate desire]; avidity [= ardent desire].
begeleiden [bəgə'lɛidə(n)] *vt* accompany [a lady]; attend [a royal personage &]; (✠) escort, ⚓ convoy; *~d schrijven* covering letter.
begeleider [-dər] *m* 1 companion; 2 ♪ accompanist.
begeleiding [-dɪŋ] *v* accompaniment; *met ~ van...* ♪ to an (the) accompaniment of...
begenadigen [bəgə'na.dəgə(n)] *vt* 1 pardon, amnesty, reprieve; 2 bless [with].
begenadiging [-gɪŋ] *v* pardon, amnesty, reprieve.
begeren [bə'ge:rə(n)] **I** *vt* desire, wish, want, covet; **II** *o* in: *wat is er van uw ~?* what is your desire?
begerig [-rəx] desirous, covetous, eager, greedy; *~ naar* avid of, eager for, greedy of, ambitious of, avaricious of; *~ om te...* desirous to..., eager to...
begerigheid [-hɛit] *v* covetousness, eagerness, greediness, avidity.
begeven [bə'ge.və(n)] **I** *vt* 1 (weggeven) bestow [a place]; 2 (in de steek laten) forsake; *zou hij dat ambt te ~ hebben?* is the office in his gift?; *zijn benen begaven hem* his legs gave way; *zijn krachten ~ hem* his strength begins to fail him; *de ketting kan het ~* the chain can give; **II** *vr* in: *ik zou mij daar niet in ~* I should not embark in that sort of thing; *zich ~ in gevaar* go to meet danger; *zich in het huwelijk (in de huwelijkse staat) ~* marry; *zich ~ naar* go to, repair to, resort to; *zich naar huis ~* set out (start) for home; *zie ook: rust, weg &.*
begieten [bə'gi.tə(n)] *vt* water [plants], sprinkle, wet.

begiftigde [-'gɪftəgdə] *m-v* donee.
begiftigen [-'gɪftəgə(n)] *vt* endow [an institution]; *iemand ~ met...* endow one with..., confer... on a person.
begiftiger [-gər] *m* donor.
begiftiging [-gɪŋ] *v* endowment, donation.
begin [bə'gɪn] *o* beginning, commencement, outset, opening, start, inception, inchoation; *een ~ van brand* an outbreak of fire; *alle ~ is moeilijk* all beginnings are difficult; *een goed ~ is het halve werk* well begun is half done; *een verkeerd ~* a bad (false) start; *een ~ maken* make a beginning (a start); *een ~ maken met* begin, start [work &]; *bij het ~ beginnen* begin at the beginning; *in het ~* at (in) the beginning [of the year]; *at first* [all went well]; *al in het ~* at the (very) outset; *from the outset* [we could not hit it off]; *(in het) ~ (van) januari* at the beginning of January, early in January; *in den ~ne* B in the beginning; *van het ~ tot het einde* from beginning to end, from start to finish.
beginletter [-lɛtər] *v* initial.
beginneling [bə'gɪnəlɪŋ] *m* beginner, tyro, novice.
beginnen [-'gɪnə(n)] **I** *vt* begin, commence, start; *een school ~* open a school; *wat te ~?* what to do?; *wat ben ik begonnen!* why ever did I begin it!; *~ te drinken* 1 (feit) begin to drink, begin drinking; 2 (als gewoonte) take to drinking (drink); **II** *vi* begin; set in [of the winter]; start; *begin maar!* go it!; *zij zijn begonnen!* it is they who began!, they started it!; *aan iets ~* begin (up)on something, begin it; *hij zal gauw aan het Latijn ~* he will soon begin (with), start Latin; *daar begin ik niet aan* I have no idea of going in for that sort of thing; *met iets ~* begin with a thing; *~ met te zeggen dat...* begin by saying that...; *er is niets met hem te ~* 1 he is hard to work with, he is quite unmanageable; 2 nothing is to be done with him; *er is niets mee te ~* 1 it won't do; 2 I can make nothing of it; *om te ~...* to begin with...; *to start with...; men moet iets hebben om te ~* to start upon; *over iets ~ (te praten)* begin (start) on [a subjects, politics]; *van voren af aan ~* begin [it] over again; start afresh [in business]; *voor zich zelf ~* set up (start) for oneself.
beginner [-nər] *m* zie *beginneling*.
beginpunt [bə'gɪnpûnt] *o* starting point.
beginsalaris [-sa.la:rəs] *o* commencing salary.
beginsel [-səl] *o* principle; *de (eerste) ~en* the elements, the rudiments; *in ~* in principle; *uit ~* on principle.
beginselloos [-səlo.s] without principle(s); > unprincipled.
beginselloosheid [bəgɪnsə'lo.shɛit] *v* lack of principle(s); > unprincipledness.
beginselverklaring [bə'gɪnsəlvərkla:rɪŋ] *v* programme [of a party], [party] constitution,

statement (declaration) of policy, policy statement.

beginsnelheid [bə'ginsnelheit] *v* initial velocity.

beginstadium [-sta.di.ŭm] *o* initial stage.

begluren [bə'gly:rə(n)] *vt* spy upon; peep at; ogle [a girl].

begonia [bə'go.ni.a.] *v* ♣ begonia.

begoochelen [bə'go.gələ(n)] *vt* bewitch; delude.

begoocheling [-lɪŋ] *v* spell, glamour; delusion.

begraafplaats [bə'gra.fpla.ts] *v* burying-place, burial-place, cemetery, churchyard, grave-yard.

begrafenis [-'gra.fənɪs] *v* burial, interment, funeral.

begrafeniskosten [-kɔstə(n)] *mv* funeral expenses.

begrafenisonderneming [-òndərne.mɪŋ] *v* undertaker's business.

begrafenisplechtigheid [-plɛxtəxhɛit] *v* funeral ceremony.

begrafenisstoet [bə'gra.fənɪstu.t] *m* funeral procession.

begraven [bə'gra.və(n)] **I** *vt* bury, ⊙ inter, inhume, entomb; *levend* ~ bury alive; **II** *vr zich* ~ bury oneself [in one's books, in a [village].

begrensd [bə'grɛnst] limited. [village].

begrensdheid [-hɛit] *v* limitedness.

begrenzen [bə'grɛnzə(n)] *vt* limit, border, bound.

begrenzing [-zɪŋ] *v* limitation.

begrijpelijk [bə'grɛipələk] understandable, easily understood, comprehensible, intelligible.

begrijpelijkheid [-hɛit] *v* comprehensibility, intelligibility.

begrijpen [bə'grɛipə(n)] *vt* 1 (omvatten) grasp; 2 (verstaan) grasp, understand, comprehend, conceive; *5 is 6 maal op 30 begrepen* 5 is contained 6 times in 30; *alles er in begrepen* all included, inclusive (of everything); *het niet op iemand begrepen hebben* have no friendly feelings towards a man; *dat kun je* ~ *!* F not likely!, not if I know it!

begrinden [bə'grɪndə(n)] = *begrinten*.

begrinten [-'grɪntə(n)] *vt* gravel.

begrip [-'grɪp] *o* 1 (idee) idea, notion, conception; 2 (bevatting) comprehension, apprehension; *kort* ~ summary, epitome; *zich een* ~ *van iets vormen (maken)* form an idea (a notion) of something; *ik heb er geen flauw* ~ *van* I have not the faintest notion of it; *dat gaat mijn* ~ *te boven* it passes my understanding, it is beyond my comprehension, it is beyond me; ~ *hebben voor* appreciate [other people's problems], sympathize with [your difficulties], be understanding of [their point of view]; *volgens mijn* ~*pen* according to my notions of...

begripsverwarring [-'grɪpsfərvarɪŋ] *v* confusion of ideas.

begroeid [bə'gru:it] overgrown, grown over (with).

begroeten [bə'gru.tə(n)] *vt* salute, greet; *gaan*

~ (go and) pay one's respects to...; ~ *als redder* hail as a saviour; *met vreugde* ~ hail with delight.

begroeting [-tɪŋ] *v* salutation, greeting.

begroten [bə'gro.tə(n)] *vt* estimate (at *op*).

begroting [-tɪŋ] *v* estimate; *de* ~ the budget, the [Army, Navy, Air] estimates.

begrotingsdebat [-tɪŋsdəbat] *o* debate on the budget, budget debate.

begunstigen [bə'gŭnstəgə(n)] *vt* 1 favour; 2 (zedelijk steunen) countenance.

begunstiger [-gər] *m* patron.

begunstiging [-gɪŋ] *v* favour; patronage, preferential treatment; (als stelsel) favouritism; *onder* ~ *van*... favoured by..., under favour of [(the) night].

beha [be.'ha.] *m* bra.

behaaglijk [bə'ha.gələk] pleasant, comfortable.

behaaglijkheid [-hɛit] *v* pleasantness, comfort, comfortableness.

behaagziek [bə'ha.xsi.k] coquettish.

behaagzucht [-sŭxt] *v* coquettishness, coquetry.

behaard [bə'ha:rt] 1 hairy; 2 ♣ pilose.

behagen [bə'ha.gə(n)] **I** *vt* please; *het heeft de Almachtige behaagd*... the Almighty has been pleased to...; **II** *o* pleasure; ~ *scheppen in* find pleasure in, take delight (pleasure) in.

behalen [-'ha.lə(n)] *vt* obtain, gain, win, carry off; *daar is geen eer aan te* ~ zie 2 *eer* (*inleg-gen met iets*).

behalve [-'halvə] 1 (uitgezonderd) except, but, ⚓ save; 2 (met inbegrip van) besides, in addition to; *het is goed* ~ *dat de accenten weggelaten zijn* except that the accents are omitted, except for (but for) the omission of accents.

behandelen [-'handələ(n)] *vt* 1 (iemand) treat [well, ill]; deal [cruelly &] with (by), use [ill, like a dog &]; handle [kindly, roughly]; manage [by flattery]; attend [medically]; 2 (iets) handle, manipulate [an instrument]; treat [a sprained ankle]; treat of [a subject]; deal with [a case, a matter, a question]; ♫ hear [civil cases], try [criminal cases].

behandeling [-lɪŋ] *v* treatment [of a man, a patient]; [medical] attendance; handling [of an instrument]; discussion [of a bill]; ♫ hearing [of a civil case], trial [of a criminal case]; *de zaak is in* ~ the matter is being dealt with, under discussion; *wanneer zal de zaak in* ~ *komen?* when will the matter come up for discussion (be dealt with)?; *hij is onder* ~ he is under medical treatment.

behang [bə'haŋ] *o* zie *behangsel*.

behangen [-'haŋə(n)] *vt* hang [with festoons]; paper [a room].

behanger [-'haŋər] *m* paper-hanger; (behanger en stoffeerder) upholsterer.

behangerszaak [-sa.k] *v* upholstery (establishment).

behangsel [bə'haŋsəl] *o* (wall)paper, paperhangings.

behangselpapier [-pa.pi:r] o (wall)paper.

behartigen [bə'hɑrtəgə(n)] vt have at heart; iemands belangen ~ look after a man's interests.

behartiging [-gɪŋ] v promotion, care.

beheer [bə'he:r] o management, direction, administration; in eigen ~ under direct management; onder zijn ~ 1 under his management &; 2 during his administration.

beheerder [-dər] m manager, director, administrator; ~ van een failliete boedel trustee.

beheersen [-sə(n)] I vt command [one's passions], control [oneself], dominate [a man, the surrounding country], rule, govern, sway [a people &]; be master of [a language]; II vr zich ~ control oneself.

beheerser [-sər] m ruler, master.

beheersing [-sɪŋ] v command [of a language], control, dominion, sway, rule.

beheerst [bə'he:rst] 1 (kalm) self-possessed; 2 (gematigd) controlled.

beheksen [bə'hɛksə(n)] vt bewitch.

behelpen [-'hɛlpə(n)] zich ~ make shift, manage to get on; zich zeer moeten ~ have to make shift (to live).

behelzen [-'hɛlzə(n)] vt contain; ~de dat... to the effect that...

behendig [-'hɛndəx] aj (& ad) dext(e)rous(ly), deft(ly), adroit(ly).

behendigheid [-hɛit] v dexterity, deftness, adroitness.

behept [bə'hɛpt] in: ~ met affected (afflicted, troubled) with.

beheren [bə'he:rə(n)] vt manage [affairs], administer [an estate], conduct [a business].

behoeden [-'hu.də(n)] vt protect, guard, preserve (from voor).

behoeder [-dər] m protector, preserver.

behoedster [bə'hu.tstər] v protectress.

behoedzaam [-sa.m] I aj prudent, cautious, wary; II ad prudently, cautiously, warily.

behoedzaamheid [-hɛit] v prudence, caution, cautiousness, wariness.

behoefte [bə'hu.ftə] v want, need [of money, for quiet]; ~ hebben aan stand in need of, be in want of, want; zie ook: voorzien.

behoeftig [-təx] needy, indigent, destitute.

behoeftigheid [-hɛit] v neediness, indigence, destitution.

behoeve [bə'hu.və] in: ten ~ van for the benefit of, in behalf of, in aid of.

behoeven [-və(n)] vt want, need, require; men behoeft dat niet te herhalen there is no need to repeat it, it is not necessary to repeat it; er behoeft niet gezegd te worden, dat... there is no occasion (for me) to say that...

behoorlijk [bə'ho:rlək] I aj proper, fit(ting); decent [coat, salary &]; siz(e)able [piece, cupboard]; II ad properly, decently.

behoren [bə'ho:rə(n)] I vi 1 (toebehoren) belong to; 2 (betamen) be fit (proper); je

behoort (behoorde) te gehoorzamen you should (ought to) obey; ~ bij go with; bij elkaar ~ belong together; ~ onder de besten be among the best; ~ tot de vissen belong to (under) the fishes; II sb in: naar ~ as it should be, duly, properly, fittingly. Zie ook: toebehoren.

behoud [-'hout] o preservation [from injury or destruction]; conservation [of energy]; salvation [of the soul &]; retention [of a conquered town]; conservatism [in politics]; met ~ van zijn salaris while retaining his salary, on full pay, [holidays] with pay.

1 **behouden** [-'houdə(n)] vt keep, retain, preserve.

2 **behouden** [-'houdə(n)] aj safe, safe and sound.

behoudend [-dənt] conservative [party].

behoudens [-dəns] except for, but for; barring [mistakes &]; ~ nadere goedkeuring van... subject to the approval of...; ~ onvoorziene omstandigheden if no unforeseen circumstances arise; ~ zijn recht om... without prejudice to his right to...

behoudsman [bə'houtsmən] m conservative.

behoudzucht [-sŭxt] v conservatism.

behouwen [bə'houə(n)] vt hew.

behuild [-'hœylt] tear-stained [eyes].

behuisd [-'hœyst] in: klein (eng) ~ zijn be confined (cramped) for room, live at close quarters.

behuizing [-'hœyzɪŋ] v 1 housing; 2 house, dwelling.

behulp [-'hŭlp] in: met ~ van with the help (assistance) of [friends], with the aid of [crutches].

behulpzaam [-sa.m] helpful, ready to help; iemand ~ zijn (bij)... help, assist one (in)...; iemand de behulpzame hand bieden hold out a helping hand to a man, lend a person a helping hand.

behulpzaamheid [-hɛit] v helpfulness, readiness to help.

behuwdbroeder [bə'hy:utbru.dər] &, zie schoonbroeder &.

beiaard ['bɛia:rt] m chimes, carillon.

beiaardier [bɛia:r'di:r] m carillon player.

beide ['bɛidə] both; met ons (z'n) ~n zaten wij daar we two, the two of us; met ons ~n kunnen wij dat wel between us; een van ~(n) one of the two, either; geen van ~(n) neither; alle ~ both of them; wij, gij ~n both of us, both of you; ons ~r vriend our mutual friend.

⚡ **beiden** ['bɛidə(n)] vt abide, wait for; beid(t) uw tijd bide (wait) your time.

beiderlei ['bɛidərlɛi] of both sorts; op ~ wijs both ways, either way; van ~ kunne of both sexes, of either sex.

beiderzijds [-zɛits] on both sides.

Beier ['bɛiər] m Bavarian.

beieren [-ərə(n)] vi (& vt) chime, ring (the bells).

Beieren [-ərə(n)] o Bavaria.

Beiers [-ərs] **I** *aj* Bavarian; **II** *sb* Bavarian lager (beer).

beige ['bɛːʒə] *aj* & *o* beige.

beignet [bɛˈɲe.] *m* fritter.

beijveren [bəˈɛivərə(n)] in: *zich ~ om…* do one's utmost to…

beïnvloeden [-ˈɪnvlu.də(n)] *vt* influence, affect.

beitel ['bɛitəl] *m* chisel.

beitelen [-tələ(n)] *vt* chisel [a block of marble].

beits [bɛits] *m* & *o* mordant, stain.

beitsen ['bɛitsə(n)] *vt* stain.

bejaard [bəˈja:rt] aged.

bejaarden [bəˈja:rdə(n)] *mv* the aged, old people.

bejaardentehuis [-təhœys] *o* home for the aged, old people's home.

bejaardenzorg [-zɔrx] *v* care for the aged.

bejaardheid [-hɛit] *v* old age.

bejammeren [bəˈjamərə(n)] *vt* deplore, bewail, lament.

bejegenen [bəˈje.gənə(n)] *vt* use [ill &], treat [politely &]; *met scheldwoorden ~* receive with abuse.

bejegening [-nɪŋ] *v* treatment.

bek [bɛk] *m* mouth [of a horse &, also ⚔]; beak, bill [of a bird]; snout [of fish &]; jaws [of a vice]; bit [of pincers]; *een grote ~ hebben* P have plenty of jaw. Zie ook: *mond*.

bekaaid [bəˈka:it] in: *er ~ afkomen* fare badly, come away with a flea in one's ear.

bekaf ['bɛkaf] knocked up, done up, dog-tired.

bekampen [bəˈkampə(n)] *vt* zie *bestrijden*.

bekappen [-ˈkapə(n)] *vt* 1 hew [stone]; 2 roof in [a house].

bekapping [-pɪŋ] *v* roofing.

bekeerde [bəˈke:rdə] *m* zie *bekeerling*.

bekeerder [-dər] *m* converter.

bekeerling [-lɪŋ] *m* convert, proselyte.

bekend [bəˈkɛnt] 1 known; 2 (welbekend) well-known, noted, > notorious; familiar; *~ (zijn) in Amsterdam* (be) acquainted or known in A.; *~ met* acquainted with, familiar with; *het ~ maken* announce it, make it known, publish it; *iemand met iets ~ maken* acquaint one with a thing; *zich ~ maken* make oneself known; *~ worden* 1 (v. personen &) become known, rise to notice; 2 (v. geheim) become known, get about (abroad); *met iemand ~ worden* get acquainted with a person; *~ zijn* be known; *het is ~* it is a well-known fact; *het is algemeen ~* it is a matter of common knowledge; *~ zijn (staan) als…* be known (to fame) as…; *hij is ~ als de bonte hond* he is known all over the place; *ik ben hier (goed) ~* I know the place (well), I know this part; *ik ben hier niet ~* I am a stranger (to the place); *voor zover mij ~* to (the best of) my knowledge.

bekende [bəˈkɛndə] *m-v* acquaintance.

bekendheid [bəˈkɛnthɛit] *v* acquaintance, familiarity [with French, a fact &]; notoriety [of a person]; *het is van algemene ~* it is a matter of common knowledge.

bekendmaking [-ma.kɪŋ] *v* announcement, notice [in the papers]; publication [of an edict]; [official] proclamation.

bekennen [bəˈkɛnə(n)] **I** *vt* confess, own, acknowledge, avow [a fault]; *er was geen huis te ~* there was no sign of a house, there was not a house to be seen; *de moord ~* 🏛 confess to the murder; **II** *va* follow suit [at cards]; 🏛 plead guilty.

bekentenis [-ˈkɛntənɪs] *v* confession, avowal; *een volledige ~ afleggen* make a full confession.

beker ['be.kər] *m* cup, chalice, goblet, beaker, bowl; mug [of cocoa]; (v. dobbelstenen) dice-box.

bekeren [bəˈke:rə(n)] **I** *vt* convert[2]; reclaim [a sinner]; ook: proselytize; **II** *vr zich ~* (*tot andere godsdienst*) be onverted, become a convert; (v. zondaar) reform, repent.

bekering [-rɪŋ] *v* 1 (tot ander geloof) conversion; 2 (v. zondaar) reclamation.

bekeringsijver [-rɪŋsɛivər] *m* proselytizing zeal, proselytism.

bekerwedstrijd ['be.kərʋɛtstrɛit] *m sp* cup match, cup tie.

bekeuren [bəˈkø:rə(n)] *vt iemand ~* take a person's name, summons him.

bekeuring [-rɪŋ] *v* summons.

bekijk [bəˈkɛik] *o* in: *zij had veel ~s* she was looked at by everyone.

bekijken [-ˈkɛikə(n)] *vt* look at, view.

bekijven [-ˈkɛivə(n)] *vt* scold.

bekisting [-ˈkɪstɪŋ] *v* (v. beton) shuttering.

bekken ['bɛkə(n)] *o* 1 (schotel) bowl, basin; 2 (in 't lichaam) pelvis; 3 ♪ cymbal; 4 (v. rivier) (catchment) basin.

bekkeneel [bɛkəˈne.l] *o* skull.

bekkenist [-ˈnɪst] *m* ♪ cymballer.

beklaagde [bəˈkla.gdə] *m-v* 🏛 1 defendant [in civiele zaken]; 2 (the) accused; defendant, (the) prisoner [in criminele zaken].

bekladden [bəˈkladə(n)] *vt* bespatter, blot, daub; *fig* asperse, slander [a person].

beklag [-ˈklax] *o* complaint; *zijn ~ doen over… bij* complain of… to…; *zijn ~ indienen (bij)* lodge a complaint (with).

beklagen [-ˈkla.gə(n)] **I** *vt* (iets) lament, deplore; (iemand) pity, commiserate; **II** *vr zich ~* complain; *zich ~ over… bij…* complain of… to…; *je zult het je ~* you will be sorry for it.

beklagenswaard(ig) [bəkla.gənsˈva:rt, -ˈva:rdəx] lamentable, (much) to be pitied, pitiable, deplorable.

beklant [bəˈklant] in: *~e winkel* well-patronized shop.

bekleden [bəˈkle.də(n)] *vt* 1 (bedekken) clothe [the soul &], cover [chairs], drape, dress [a figure]; coat, line [with tin], face [with layer of other material]; metal, sheathe [a ship's sides]; ⚔ lag [a boiler with a strip of wood, felt]; 2 *fig* (innemen) hold, fill [a place], occupy [a post]; ∼ *met* clothe with, (in)vest with [power].

bekleder [-dər] *m* holder, occupant [of an office]; (geestelijke) incumbent.

bekleding [-dɪŋ] *v* 1 clothing, covering &; 2 investiture; 3 tenure [of office].

bekleedsel [bə'kle.tsəl] *o* covering.

beklemd [-'klɛmt] (benauwd) oppressed; ∼*e breuk* ⚕ strangulated hernia.

beklemdheid [-hɛit] *v* oppression.

beklemmen [bə'klɛmə(n)] *vt* oppress.

beklemming [-mɪŋ] *v* 1 oppression; 2 (v. breuk) ⚕ strangulation.

beklemtonen [bə'klɛmto.nə(n)] *vt* stress[2], *fig* emphasize.

bekletsen [-'klɛtsə(n)] *vt* F talk about.

beklijven [-'klɛivə(n)] *vi* remain, stick.

beklimmen [-'klɪmə(n)] *vt* climb [a tree], mount [a throne]; ascend [a mountain, the throne]; scale [a wall]; ✕ escalade [a rampart].

beklimming [-mɪŋ] *v* climbing, mounting, ascent, scaling; ✕ escalade.

beklinken [bə'klɪŋkə(n)] *vt* 1 rivet [with nails]; *fig* settle [an affair]; clinch [the deal, a question]; 2 drink to; *de zaak was spoedig beklonken* the matter was soon settled.

bekloppen [-'klɔpə(n)] *vt* 1 tap; 2 ⚕ percuss, sound.

beknabbelen [-'knɑbələ(n)] *vt* nibble (at), gnaw (at).

beknellen [-'knɛlə(n)] *vt* pinch; *bekneld zijn* be jammed.

beknibbelen [-'knɪbələ(n)] *vt* beat down [the price]; cut down [wages]; pinch [one for food], skimp, stint [a man in money, praise &.

beknopt [-'knɔpt] *aj* (& *ad*) concise(ly), brief-(ly), succinct(ly).

beknoptheid [-hɛit] *v* conciseness, briefness, brevity, succinctness.

beknorren [bə'knɔrə(n)] *vt* chide, scold.

beknotten [-'knɔtə(n)] *vt* curtail.

beknotting [-tɪŋ] *v* curtailment.

bekocht [bə'kɔxt] in: *ik voelde mij* ∼ I felt taken in (let down); *hij is er aan* ∼ he has paid too dear for it; *u bent er niet aan* ∼ you have got your money's worth; zie ook: *bekopen*.

bekoelen [-'ku.lə(n)] *vi* (& *vt*) cool (down)[2].

bekogelen [-'ko.gələ(n)] *vt* pelt [with eggs &].

bekokstoven [-'kɔksto.və(n)] *vt* F concoct.

bekomen [-'ko.mə(n)] I *vt* 1 (krijgen) get, receive, obtain; 2 (v. spijzen) agree with, suit; *dat zal je slecht* ∼ you will be sorry for it; *wel bekome het u!* much good may it do you!; II *vi* recover; *laat mij even* ∼ *!* let me recover my breath!

bekommerd [-'kɔmərt] *vi* concerned, anxious, solicitous; *zich* ∼ *maken over* trouble oneself about, worry about.

bekommerdheid [-hɛit] *v* concern, anxiety.

bekommeren [bə'kɔmərə(n)] in: *zich* ∼ *om*

(*over*) care about, trouble about, be anxious about.

bekommering, bekommernis [-'kɔmərɪŋ, -'kɔmərnɪs] *v* anxiety, solicitude, trouble, care.

bekomst [bə'kɔmst] in: *zijn* ∼ *eten* eat one's fill; *zijn* ∼ *hebben van iets* F be fed up with it.

bekonkelen [-'kɔŋkələ(n)] *vt* plot, scheme.

bekonkurreren zie *beconcurreren*.

bekoorlijk [-'ko:rlək] *aj* (& *ad*) charming(ly), enchanting(ly).

bekoorlijkheid [-hɛit] *v* charm, enchantment.

bekopen [bə'ko.pə(n)] *vt* in: *hij moest het met de dood* ∼ he had to pay for it with his life; zie ook: *bekocht*.

bekoren [-'ko:rə(n)] *vt* charm, enchant, fascinate; *RK* tempt.

bekoring [-'ko:rɪŋ] *v* charm, enchantment, fascination; *RK* temptation; *onder de* ∼ *komen van* fall under the spell of.

bekorten [-'kɔrtə(n)] I *vt* shorten [a distance]; abridge [a book]; cut short [a speech]; II *vr zich* ∼ make it short, be brief.

bekorting [-tɪŋ] *v* shortening, abridgement.

bekostigen [bə'kɔstəgə(n)] *vt* defray (bear) the cost of, pay the expenses of.

bekostiging [-gɪŋ] *v* defrayment.

bekrachtigen [bə'krɑxtəgə(n)] *vt* confirm [a statement]; ratify [a treaty]; sanction [a custom, a law].

bekrachtiging [-gɪŋ] *v* confirmation; ratification; sanction; [royal] assent.

bekransen [bə'krɑnsə(n)] *vt* crown with flowers, wreathe.

bekrassen [-'krɑsə(n)] *vt* scratch (all) over.

bekreunen [-'krø.nə(n)] *zich* ∼ zie *zich bekommeren*. [oneself.]

bekrimpen [-'krɪmpə(n)] *zich* ∼ stint (pinch)

bekritiseren, bekritizeren [-kri.ti.'ze:rə(n)] *vt* criticize, censure.

bekrompen [-'krɔmpə(n)] I *aj* 1 (personen, geest) narrow-minded, narrow; 2 (beginselen) hidebound; 3 confined [space]; 4 scanty [resources], slender [means], straitened [circumstances]; II *ad* in: ∼ *wonen* be cramped for room.

bekrompenheid [-hɛit] *v* narrow-mindedness, narrowness.

bekronen [bə'kro.nə(n)] *vt* 1 crown; 2 award a (the) prize to; zie ook: *bekroond*.

bekroning [-nɪŋ] *v* 1 crowning; 2 award.

bekroond [bə'kro.nt] in: ∼*e os* prize ox; *het* (*met een medaille*) ∼*e plan* the (medal-)winning scheme; *het* ∼*e portret* the prize-winning portrait; ∼*e verhandeling* prize essay.

bekruipen [-'krœypə(n)] *vt* in: *de lust bekroop hem om...* a desire to... came over him.

bekvechten ['bɛkfɛxtə(n)] *vi* wrangle, squabble.

bekwaam [bə'kʋa.m] *aj* capable, able, clever; fit.

bekwaamheid [-hɛit] *v* capability, ability, capacity, aptitude; skill, proficiency; *zijn bekwaamheden* his capacities (faculties, abilities, accomplishments).

bekwamen [bə'kva.mə(n)] I *vt* capacitate; qualify, fit [one for a post]; II *vr zich* ~ fit oneself, qualify [for a post]; *zich* ~ *voor een examen* read for an examination.

bekwijlen [-'kvɛilə(n)] *vt* beslaver, beslobber.

bel [bɛl] *v* 1 (v. metaal) bell; 2 (luchtblaasje) bubble; 3 (oorsieraad) ear-drop; zie ook: *kat*.

belabberd [bə'labərt] zie *beroerd*.

belachelijk [-'laɡələk] I *aj* ridiculous, ludicrous, laughable; ~ *maken* ridicule; *zich* ~ *maken* make oneself ridiculous, make a fool of oneself; II *ad* ridiculously.

beladen [-'la.də(n)] *vt* load, lade, burden².

belagen [-'la.ɡə(n)] *vt* waylay, lay snares for.

belager [-ɡər] *m* waylayer.

belanden [bə'landə(n)] *vi* land; *waar is mijn pen beland?* what has become of my pen?; *doen* ~ land.

belang [bə'laŋ] *o* 1 (voordeel) interest; 2 (belangrijkheid) importance; ~ *hebben bij een zaak* have an interest in it, be interested in it; *er* ~ *bij hebben om...* find it one's interest to...; ~ *stellen in* take an interest in, be interested in, interest oneself in; ~ *gaan stellen in* become interested in; *ik doe het in uw* ~ I do it in your interest; *het is in ons aller* ~ it is to the interest of all of us; *het is van* ~ it is important, it is of importance; *de zaak is van geen* ~ of no importance; *van het hoogste* ~ of the first importance; *van weinig* ~ of little consequence (moment).

belangeloos [-'laŋəlo.s] *aj* (& *ad*) disinterested(ly).

belangeloosheid [bəlaŋə'lo.shɛit] *v* disinterestedness.

belangenconflict [bə'laŋə(n)kònflikt] *o* conflict of interests.

belangengemeenschap [-ɡəme.nsxɑp] *v* community of interests.

belangenkonflikt zie *belangenconflict*.

belangensfeer [-sfe:r] *v* sphere of interests.

belanghebbende [bəlaŋ'hɛbəndə] *m-v* party concerned, party interested.

belangrijk [bə'laŋrɛik] I *aj* important, of importance; considerable [amount &]; II *ad* < considerably [better &].

belangrijkheid [-hɛit] *v* importance.

belangstellend [bə'laŋstɛlənt] I *aj* interested; II *ad* with interest.

belangstellenden [bəlaŋ'stɛləndə(n)] *mv* those interested.

belangstelling [bə'laŋstɛliŋ] *v* interest (in *voor*); *bewijzen (blijken) van* ~ marks of sympathy; *iemands* ~ *wekken* rouse interest one in; *hij weet de* ~ *te wekken* he knows how to create an interest; *met* ~ with interest.

belangwekkend [bəlaŋ'vɛkənt] interesting.

belast [bə'lɑst] in: ~ *en beladen* heavily laden; *een erfelijk* ~*e* a victim of heredity.

belastbaar [-ba:r] dutiable [at the customhouse], taxable [income, capital, profits],
assessable, rat(e)able [property].

belastbaarheid [-hɛit] taxability, ratability.

belasten [bə'lɑstə(n)] I *vt* 1 (last opleggen) burden; 2 ⚒ load; 3 (belasting opleggen) tax [subjects], rate [city people]; impose a tax on [liquors]; 4 $ debit [with a sum]; ... *met tien gulden* ~ ook: put ten guilders on...; *iemand met iets* ~ charge one with something; *belast zijn met (de zorg voor)* be in charge of; *erfelijk belast zijn* have a taint of heredity; II *vr zich* ~ *met* undertake, take upon oneself, charge oneself with.

belasteren [-'lɑstərə(n)] *vt* calumniate, slander, defame.

belastering [-riŋ] *v* calumniation, defamation.

belasting [bə'lɑstiŋ] *v* 1 (het belasten) burdening &; taxation [of subjects]; 2 ⚒ weight, load [on arch &]; 3 (schatting) tax(es) [for the government], rates [for local purposes]; duty [on petrol]; 4 (de dienst, de fiscus) inland revenue; ~ *op openbare vermakelijkheden* (public) entertainment tax, amusement tax; ~ *over de toegevoegde waarde* zie *B.T.W.*; ~ *heffen van* levy a tax (taxes) on; *in de* ~ *vallen* be liable to taxation.

belastingambtenaar [-ɑmtəna:r] *m* tax official, revenue official.

belastingbetaler [-bəta.lər] *m* taxpayer, ratepayer.

belastingbiljet [-biljet] *o* notice of assessment.

belastingconsulent [-kònzy.lɛnt] *m* tax consultant.

belastingdruk [-drük] *m* burden of taxation, tax burden.

belastingjaar [-ja:r] *o* fiscal year.

belastingkantoor [-kɑnto:r] *o* tax-collector's office.

belastingkonsulent zie *belastingconsulent*.

belastingontduiking [-òndœykiŋ] *v* tax-dodging.

belastingplichtig [bəlɑstiŋ'plixtəx] **belastingschuldig** [-'sxüldəx] *aj* taxable, ratable; ~*en* taxpayers, ratepayers.

belastingpolitiek [bə'lɑstiŋpo.li.ti.k] *v* taxation policy, fiscal policy.

belastingstelsel [-stɛlsəl] *o* system of taxation, tax system, fiscal system.

belastingzegel [-ze.ɡəl] *m* revenue stamp.

belboei ['bɛlbu:i] *v* ⚓ bell-buoy.

beledigen [bə'le.dəɡə(n)] *vt* insult, affront, offend, hurt [one's feelings], (grof) outrage.

beledigend [-ɡənt] offensive, insulting.

belediger [-ɡər] *m* offender.

belediging [-ɡiŋ] *v* (v. iemand) insult, affront; (v. gevoelens) offence, outrage; *een* ~ *aandoen* zie *beledigen*.

beleefd [bə'le.ft] I *aj* polite, civil, courteous; II *ad* politely &; *wij verzoeken u* ~ we kindly request you; ~ *maar dringend* gently but firmly.

beleefdelijk [bə'le.vdələk] politely, civilly, courteously.

beleefdheid [bə'le.ftheit] *v* politeness, civility, courteousness, courtesy; *de burgerlijke* ~ common politeness; *beleefdheden* civilities; compliments; *dat laat ik aan uw* ~ *over* I leave it to your discretion.

beleefdheidsbezoek [-heitsbəzu.k] *o* courtesy visit.

beleefdheidshalve [bəle.ftheits'halvə] out of compliment.

beleefdheidsvorm [bə'le.ftheitsfɔrm] *m* form of etiquette.

beleenbaar [bə'le.nba:r] pawnable.

beleg [bə'lɛx] *o* siege; *het* ~ *slaan voor* lay siege to; zie ook: *opbreken & staat.*

belegen [-'le.gə(n)] matured [cigars, wine &]; seasoned [timber &], ripe [cheese], stale [bread].

belegeraar [-gəra:r] *m* ✕ besieger.

belegeren [-rə(n)] *vt* ✕ besiege, lay siege to.

belegering [-rɪŋ] *v* ✕ siege.

belegeringsgeschut [-rɪŋsgəsxūt] *o* ✕ siege artillery.

beleggen [bə'lɛgə(n)] *vt* 1 cover, overlay [with a coating of...]; 2 $ invest [one's money in...]; 3 (bijeenroepen) convene, call [a meeting]; 4 (op touw zetten) arrange [a meeting].

belegger [-gər] *m* $ investor.

belegging [-gɪŋ] *v* covering &; $ investment.

beleggingsfondsen [-gɪŋsfònsə(n)] *mv* investment stock.

belegsel [bə'lɛxsəl] *o* trimming [of a gown].

belegstuk [-stūk] *o* lining piece.

beleid [bə'leit] *o* 1 prudence, discretion, generalship; 2 conduct, management; [foreign] policy.

beleidvol [-fòl] *aj* (& *ad*) prudent(ly), discreet(ly).

belemmeren [bə'lɛmərə(n)] *vt* hinder, impede, obstruct, stand in the way of; *in de groei belemmerd* stunted in growth.

belemmering [-rɪŋ] *v* hindrance, impediment, obstruction.

belendend [bə'lɛndənt] adjacent.

belenen [-'le.nə(n)] *vt* pawn; borrow money against [securities].

belening [-nɪŋ] *v* pawning; loan against security.

belet [bə'lɛt] *o* in: ~! don't come in!, occupied!; ~ *geven* not be at home [to visitors]; ~ *hebben* be engaged; *hij heeft* ~ he cannot receive you, he is not visible; ~ *krijgen* be denied; ~ *laten vragen* send to inquire if Mr. and Mrs. So-and-So are at home.

bel-etage ['bɛle.ta.ʒə] *v* first floor.

beletsel [bə'lɛtsəl] *o* hindrance, obstacle, impediment.

beletten [-'le.tə(n)] *vt* 1 (iets) prevent, put a stop to, stop [a nuisance]; 2 (met infinitief) hinder (prevent) from, preclude from.

beleven [-'le.və(n)] *vt* 1 live to see; 2 go through [many adventures, three editions]; *zijn 80ste verjaardag nog* ~ live to be eighty.

belevenis [-'le.vənıs] *v* experience.

1 belezen [-'le.zə(n)] *vt* (bannen) exorcise.

2 belezen [-'le.zə(n)] *aj* well-read.

belezenheid [-heit] *v* (range of) reading; *zijn grote* ~ his extensive (wide) reading.

Belg [bɛlx] *m* Belgian.

België ['bɛlgi.ə] *o* Belgium.

Belgisch [-gi.s] Belgian.

Belgrado ['bɛlgra.do.] *o* Belgrade.

belhamel ['bɛlha.məl] *m* bell-wether; *fig* ringleader; (deugniet) rascal.

belichamen [bə'lɪga.mə(n)] *vt* embody.

belichaming [-mɪŋ] *v* embodiment.

belichten [bə'lɪxtə(n)] *vt* 1 illuminate, throw (a) light on; 2 light [a picture]; 3 expose [in photography].

belichting [-tɪŋ] *v* 1 illumination, light; 2 lighting [of a picture]; 3 exposure [in photography].

belichtingsmeter [-tɪŋsme.tər] *m* exposure meter.

beliegen [bə'li.gə(n)] *vt* lie to [a person].

believen [-'li.və(n)] I *vt* please; *belieft u thee?* I shall I give you tea?; 2 do you like tea?; *wat belieft u?* 1 (in winkel) what can I get (do) for you?; 2 (bij niet verstaan) beg pardon?; *moeten wij wachten tot het u belieft iets te doen?* till you may be pleased to stir in the matter?; *neem wat u belieft* take what you like; II *o* in: *het staat aan uw* ~ we leave it to your own pleasure; *naar* ~ at pleasure, at will; [add sugar] to taste; *handel naar* ~ use your own discretion, please yourself.

belijden [-'leidə(n)] *vt* 1 confess [one's guilt]; 2 profess [a religion].

belijdenis [-dənıs] *v* 1 confession [of faith]; 2 (godsdienst) profession, creed, denomination; 3 (aanneming tot lidmaat) confirmation; *zijn* ~ *doen* be confirmed.

belijder [-dər] *m* confessor, professor [of a religion].

belijnen [bə'leinə(n)] *vt* zie *omlijnen.*

belknop ['bɛlknɔp] *m* bell-button, bell-push.

belladonna [bɛla.'dɔna.] *v* ⚕ belladonna.

bellefleur ['bɛləflø:r] *m* bellefleur apple.

bellen ['bɛlə(n)] I *vi* ring [the bell]; *er wordt gebeld* there is a ring (at the bell, at the door); II *vt* in: *de meid* ~ ring for the servant; zie ook: *opbellen.*

bellettrie [bɛlɛ'tri.] *v* belles-lettres, polite literature.

bellettrist [-'trist] *m* belletrist.   [(ally).

bellettristisch [-'trısti.s] *aj* (& *ad*) belletristic-

beloeren [bə'lu:rə(n)] *vt* watch, spy upon, peep at.

belofte [-'lòftə] *v* promise; ⚖ affirmation; *zijn* ~ *breken* break one's promise; *zijn* ~ *houden* keep one's promise; ~ *maakt schuld* promise is debt.

beloken [-'lo.kə(n)] in: ~ *Pasen* Low Sunday.

belommerd [-'lòmərt] shady.

belommeren [-'lòmərə(n)] *vt* shade.

belonen [bə'lo.nə(n)] *vt* reward; recompense, remunerate; requite.

beloning [-nɪŋ] *v* reward; recompense, remuneration; requital; *ter* ~ *van* as a reward for, in reward of, in return for; *een* ~ *uitloven* offer a reward.

beloop [bə'lo.p] *o* 1 (richting) course, way; 2 (bedrag) amount; *alles op zijn* ~ *laten* let things take their course, let things drift.

1 **belopen** [-'lo.pə(n)] *vi* amount to [of a sum].

2 **belopen** [-'lo.pə(n)] *aj* in: *met bloed* ~ bloodshot [eyes].

beloven [-'lo.və(n)] *vt* promise; *de oogst belooft veel* the crops are very promising, promise well; *het belooft mooi weer te worden* there is every promise of fine weather; ~ *en doen zijn twee, veel* ~ *en weinig geven, doet de gekken in vreugde leven* it is one thing to promise and another to perform.

Belt [bɛlt] *v* [the Great, the Little] Belt.

belt [bɛlt] *m* & *v* zie *asbelt*.

beluisteren [bə'lœystərə(n)] *vt* listen to [as an eavesdropper]; 業 ‡ listen in to [a broadcast].

belust [-'lŭst] in: ~ *zijn op* be eager for, have a longing for.

belustheid [-heit] *v* longing, > lust.

belvédère [bɛlvə'dɛ:rə] *m* belvedere.

bemachtigen [bə'mɑxtəgə(n)] *vt* make oneself master of, take possession of, possess oneself of, seize, secure.

bemachtiging [-gɪŋ] *v* taking possession of, seizing, seizure.

bemannen [bə'mɑnə(n)] *vt* man [a ship].

bemanning [-nɪŋ] *v* crew.

bemantelen [bə'mɑntələ(n)] *vt* cloak², *fig* veil, palliate; gloze over, gloss.

bemerken [bə'mɛrkə(n)] *vt* perceive, notice.

bemesten [-'mɛstə(n)] *vt* manure, dung, dress; (met kunstmest) fertilize.

bemesting [-tɪŋ] *v* manuring, dunging, dressing; (met kunstmest) fertilization.

bemiddelaar [bə'mɪdəla:r] *m* mediator, intercessor.

bemiddelaarster [-stər] *v* mediatrix.

bemiddeld [bə'mɪdəl.] in easy circumstances, well-to-do.

bemiddelen [-'mɪdələ(n)] *vt* mediate [a peace]; ~*d optreden* act as a mediator, mediate.

bemiddeling [-lɪŋ] *v* mediation; *door* ~ *van* through the agency (intermediary, medium) of...

bemiddelingsvoorstel [-lɪŋsfo:rstɛl] *o* proposal of mediation, mediatory proposal.

bemind [bə'mɪnt] (be)loved; *zich* ~ *maken* make oneself loved [by...], popular [with...].

beminde [-'mɪndə] *m-v* loved one, (well-)beloved, lover, sweetheart, betrothed.

beminnelijk [-'mɪnələk] 1 (passief) lovable; 2 (actief) amiable.

beminnelijkheid [-heit] *v* 1 lovableness; 2 amiability.

beminnen [bə'mɪnə(n)] *vt* be fond of, love, cherish.

beminnenswaard(ig) [bəmɪnəns'va:rt, -'va:rdəx] zie *beminnelijk*.

bemodderd [bə'mòdərt] muddy, mud-stained.

bemodderen [-dərə(n)] *vt* muddy, cover with mud.

bemoederen [bə'mu.dərə(n)] *vt* mother.

bemoedigen [bə'mu.dəgə(n)] *vt* encourage.

bemoediging [-gɪŋ] *v* encouragement.

bemoeial [bə'mu.jɑl] *m* busybody, meddler.

bemoeien [-'mu.jə(n)] in: *zich* ~ *met* meddle with, interfere with [what's not one's business]; *zich met zijn eigen zaken* ~ mind one's own business; *ik vroeg hem of hij er zich eens mee* ~ *wou* if he would interfere (take action, take a hand); *je moet je niet zo met alles* ~ you mustn't always be meddling.

bemoeienis [-'mu.jənɪs] **bemoeiing** [-'mu.jɪŋ] *v* 1 meddling, interference; 2 trouble; *ik heb er geen* ~ *mee* I have nothing to do with it.

bemoeilijken [-'mu.iləkə(n)] *vt* make difficult, hamper.

bemoeiziek [-'mu.izi.k] meddlesome.

bemoeizucht [-zŭxt] *v* meddlesomeness.

bemonsteren [bə'mònstərə(n)] *vt* $ sample; *bemonsterde offerte* sampled offer, offer with sample(s).

bemorsen [bə'mòrsə(n)] *vt* soil, dirty.

bemost [-'mòst] mossy, moss-grown.

ben [bɛn] *v* basket, hamper.

benadelen [bə'na.de.lə(n)] *vt* hurt, harm, injure, prejudice.

benadeling [-lɪŋ] *v* injury, prejudice.

benaderen [bə'na.dərə(n)] *vt* 1 (beslag leggen op) seize, confiscate; 2 (nabijkomen) approximate; 3 (schatten) estimate; 4 (iemand, een vraagstuk) approach.

benadering [-rɪŋ] *v* 1 (v. goederen &) seizure, confiscation; 2 (v. getallen &) approximation; *de* ~ *van een probleem* the approach to a problem; *bij* ~ approximately.

benaming [bə'na.mɪŋ] *v* denomination, name, appellation.

benard [-'nɑrt] critical; *in* ~*e omstandigheden* in straitened circumstances; *in deze* ~*e tijden* in these hard (trying) times.

benardheid [-heit] *v* embarrassment.

benauwd [bə'nɑut] 1 (vertrek) close, stuffy; 2 tight in the chest, oppressed; 3 (bang) fearful, timid, timorous; anxious [hours]; 4 (nauw) tight; *het is hier erg* ~ 1 it is very close here; 2 we are rather cramped for room; *hij kreeg het* ~ 1 his breathing became oppressed; 2 he was hard pressed; 3 he became afraid; *wees maar niet* ~*!* no fear!, don't be afraid!

benauwdheid [-heit] *v* 1 closeness; 2 tightness of the chest, (fit of) oppression; 3 anxiety, fear.

benauwen [bə'nɑuə(n)] *vt* oppress.

benauwend [-ənt] *aj* (& *ad*) oppressive(ly).

benauwing [-ɪŋ] v oppression.

bende ['bɛndə] v band [of rebels], troop [of children]; gang [of ruffians]; pack [of beggars]; *de hele* ~ the whole lot; *wat een* ~ *!* I (v. personen) what a (disorderly) crew!; 2 (v. toestand) what a mess!

beneden [bə'ne.də(n)] I *prep* below, beneath, under; *dat is* ~ *mij* that is beneath me; *hij staat* ~ *mij* he is under me, my inferior; *inkomens* ~ £ 200 incomes under £ 200; *ver* ~... *blijven* fall greatly short of... [expectations, the pre-war level]; II *ad* I downstairs, down; 2 below (ook = at the foot of the page); *wij wonen* ~ we live on the ground-floor; ~ (*aan de bladzijde*) at the foot (bottom) of the page, below; *naar* ~ downstairs; downward(s), down; [jump] on to the ground; *5de regel van* ~ from bottom.

benedenbuur [-by:r] m neighbour on the lower storey, ground-floor neighbour.

Beneden-Egypte [-e.'gɪptə] o Lower Egypt.

benedeneind(e) [-ɛint, -ɛində] o lower end, bottom.

benedenhuis [-hœys] o ground floor.

benedenkamer [-ka.mər] v ground-floor room.

benedenloop [-lo.p] m lower course [of a river].

benedenraam [-ra.m] o ground-floor window.

Beneden-Rijn [-rɛin] m Lower Rhine.

benedenstad [-stɑt] v lower town.

benedenste [-stə] lowest, lowermost, undermost, bottom.

benedenverdieping [-vərdi.pɪŋ] v ground floor.

Benedenwindse Eilanden [-vɪntsə 'ɛilandə(n)] *mv* Leeward Islands.

benedictie [be.nə'dɪksi.] v benediction.

benedictijn [be.nədɪk'tɛin] m Benedictine (monk).

Benedictus [-'dɪktŭs] m Benedict.

benedikt- zie *benedict-*.

beneficie [-'fi.si.] *onder* ~ *van inventaris* without prejudice.

benefiet [-'fi.t] o benefit performance, benefit night.

Benelux [be.nə'lŭks] v Benelux.

benemen [bə'ne.mə(n)] I *vt* take away; *het uitzicht* ~ obstruct the view; II *vr* in: *zich het leven* ~ take one's own life.

1 **benen** ['be.nə(n)] *aj* bone.

2 **benen** ['be.nə(n)] *vi* walk (quickly).

benepen [bə'ne.pə(n)] poor-spirited; smallminded; *met een* ~ *hart* with a faint heart; *met een* ~ *stemmetje* in a timid voice.

benepenheid [-hɛit] v poor-spiritedness; smallmindedness.

beneveld [bə'ne.vəlt] I foggy, misty, hazy; dim [of sight, intelligence]; 2 F (halfdronken) muzzy, fuddled.

benevelen [-vələ(n)] *vt* I befog, cloud, dim; 2 (door de drank) bemuse; F fuddle.

benevens [bə'ne.vəns] (together) with, besides, in addition to.

Bengaals [bɛŋ'ga.ls] Bengal; ~ *vuur* Bengal light(s).

Bengalees [-ga.'le.s] m Bengalese [*mv* Bengalese].

Bengalen [-'ga.lə(n)] o Bengal.

bengel ['bɛŋəl] m I clapper [of a bell]; 2 bell; 3 F pickle, naughty boy.

bengelen ['bɛŋələ(n)] *vi* dangle, swing [on the gallows].

benieuwd [bə'ni:ut] in: ~ *zijn* be curious to know; *zeer* ~ *zijn* be anxious to know; *ik ben er (niet)* ~ *naar* I am (not) curious to see (know &) it; zie ook: *benieuwen*.

benieuwen [-ni.və(n)] *vt* in: *het zal mij* ~ *of hij komt* I wonder if he is going to turn up.

benig ['be.nəx] bony, § osseous.

benijdbaar [bə'nɛitba:r] enviable.

benijden [-'nɛidə(n)] *vt* envy, be envious of; *beter benijd dan beklaagd* better envied than pitied.

benijdenswaard(ig) [bənɛidəns'va:rt, -'va:rdəx] enviable.

benijder [bə'nɛidər] m -ster [-'nɛitstər] v envious person.

Benjamin, benjamin ['bɛnja.mɪn] m Benjamin[2]; *de kleine jongen was benjamin af* the little boy's nose was put out of joint.

benodigd [bə'no.dəxt] required, necessary.

benodigdheden [-he.də(n)] *mv* needs, necessaries, requisites, materials.

benoembaar [bə'nu.mba:r] eligible.

benoembaarheid [-hɛit] v eligibility.

benoemd [bə'nu.mt] in: ~ *getal* concrete number.

benoemde [bə'nu.mdə] m appointee, nominee.

benoemen [-'nu.mə(n)] *vt* appoint, nominate; *hem* ~ *tot*... appoint him (to be)...

benoeming [-mɪŋ] v appointment, nomination; *zijn* ~ *tot*... his appointment to be (a)..., as (a)...

benoorden [bə'no:rdə(n)] (to the) north of, northward of.

bent [bɛnt] v set, clique, party.

bentgenoot ['bɛntɡəno.t] m partisan, fellow.

benul [bə'nŭl] o F notion.

benutten [-'nŭtə(n)] *vt* utilize, make use of, avail oneself of, turn to account.

B. en W. = *Burgemeester en Wethouders*, zie *burgemeester*.

benzeen [bɛn'ze.n] o benzene.

benzine [-'zi.nə] v I petrol, motor spirit; *Am* gasoline; 2 benzine [for cleaning clothes &].

benzinemotor [-mo.tər] m petrol engine.

benzinepomp [-pòmp] v petrol pump.

benzinestation [-sta.ʃòn] o filling station.

benzoë ['bɛnzo.e.] v benzoin.

beoefenaar [bə'u.fəna:r] m practitioner [of pugilism &]; student [of English]; cultivator [of the art of painting].

beoefenen [-nə(n)] *vt* study [a science, an art], cultivate [an art]; practise, follow [a profession]; practise [virtue].

beoefening [-nɪŋ] v study [of a science, an art], practice, cultivation [of an art].

beogen [bə'o.gə(n)] *vt* have in view, aim at.

beoordelaar [-'o:rde.la:r] *m* judge, critic, reviewer.

beoordelen [-lə(n)] *vt* judge of [a thing], judge [a man]; review, criticize [a book, play &]; *hem~naar...* judge him by...

beoordeling [-lıŋ] *v* 1 judg(e)ment; 2 (v. **boek** &) criticism, review.

beoorlogen [bə'o:rlo.gə(n)] *vt* wage (make) war on (against).

beoosten [-'o.stə(n)] (to the) east of, eastward of.

bepaalbaar [-'pa.lba:r] determinable, definable.

bepaald [-'pa.lt] I *aj* fixed [hour, price]; 2 (**duidelijk omlijnd**) definite [object], positive [answer], distinct [inclination]; 3 (**vaststaand**) stated [hours for...], appointed [times for...]; 4 *gram* definite [article]; *in ~e gevallen* in certain (particular, specific) cases; *het bij de wet ~e* the provisions enacted (laid down) by law; *niets ~s* nothing definite; II *ad* positively &, < decidedly [fine, impossible &]; *u moet ~ gaan* you should go by all means; you should make a point of going; *hij moet daar ~ iets mee op het oog hebben* I am sure he must have a definite object in view; *als je nu ~ gaan wilt, dan...* if you are determined on going, then...; *hij is nu niet ~ slim* he is not exactly clever.

bepaaldelijk [-'pa.ldələk] particularly, specifically.

bepaaldheid [-'pa.lthɛit] *v* definiteness, positiveness.

bepakken [-'pɑkə(n)] *vt* pack.

bepakking [-kıŋ] *v* ✕ pack.

bepalen [bə'pa.lə(n)] I *vt* 1 fix [a time, price], appoint [an hour for...], stipulate [a condition]; 2 (**bij besluit**) provide, lay down, decree, enact; 3 (**door onderzoek**) ascertain, determine [the weight &]; 4 (**omschrijven**) define [an idea]; 5 (**uitmaken**) decide, determine [the success]; *nader te ~* to be fixed, to be determined later on; II *vr zich ~ bij het gebeurde* restrict oneself to what has happened; *zich tot een paar opmerkingen ~* restrict (confine) oneself to a few remarks.

bepalend [-lənt] defining, determining; *~ lidwoord* definite article.

bepaling [-lıŋ] *v* 1 (v. **uur** &) fixing; 2 (v. **begrip**) definition; 3 (**in contract**) stipulation, clause; 4 (**in wet** &) provision, regulation; 5 (**door onderzoek**) determination; 6 *gram* adjunct.

bepantseren [bə'pɑn(t)sərə(n)] *vt* armour; *bepantserd* ook: armour-plated.

bepantsering [-rıŋ] *v* armour(ing), armour-plating.

beparelen [bə'pa:rələ(n)] *vt* ornament with pearls, pearl.

bepeinzen [-'pɛinzə(n)] *vt* meditate (on), muse (up)on.

beperken [-'pɛrkə(n)] I *vt* limit, restrict; cut down, curtail [expenses, output], reduce [the service]; modify, qualify [the sense of a word]; *de brand ~* localize the fire; II *vr zich ~* keep within bounds; be brief; *zich tot een paar opmerkingen ~* zie *bepalen* & *beperkt*.

beperkend [-kənt] limiting, restrictive [clause &].

beperking [-kıŋ] *v* limitation, restriction, restraint; reduction.

beperkt [bə'pɛrkt] limited [area, means, franchise, sense], confined [space], restricted [application]; *~e aansprakelijkheid* limited liability; *~ tot* limited to, restricted to.

beperktheid [-hɛit] *v* limitedness, limitation.

beplakken [bə'plɑkə(n)] *vt* paste (over).

beplanten [-'plɑntə(n)] *vt* plant.

beplanting [-tıŋ] *v* planting; plantation.

bepleisteren [bə'plɛistərə(n)] *vt* plaster (over).

bepleistering [-rıŋ] *v* plastering.

bepleiten [bə'plɛitə(n)] *vt* plead, advocate.

beploegen [-plu.gə(n)] *vt* plough.

bepoederen, bepoeieren [-'pu.dərə(n), -pu.-jərə(n)] *vt* powder.

bepoten [-'po.tə(n)] *vt* plant, set [with].

bepraten [-'pra.tə(n)] *vt* 1 (**iets**) talk about, discuss; 2 (**iemand**) talk... round; *iemand om...* talk one into ...ing; *zich laten ~* suffer oneself to be persuaded, to be talked into ...ing; *zij wordt door iedereen bepraat* she is the talk of the town.

beproefd [-'pru.ft] well-tried [system]; efficacious [remedy]; tried [friend]; *de zwaar ~e familie* the bereaved family; *wij worden zwaar ~* we are visited with many afflictions.

beproeven [-'pru.və(n)] *vt* 1 (**proberen**) try, attempt, endeavour [it]; 2 (**op de proef stellen**) try; visit [with affliction].

beproeving [-vıŋ] *v* trial, visitation, affliction.

beraad [bə'ra.t] *o* deliberation; *iets in ~ houden* hold it over for further consideration; *in ~ nemen* consider; *in ~ staan of...* be deliberating whether; *ik sta nog in ~ of ik het doen zal* I have not yet made up my mind; *na rijp ~* after mature deliberation.

beraadslagen [-sla.gə(n)] *vi* deliberate; *~ met* consult together with; *~ over* deliberate upon.

beraadslaging [-gıŋ] *v* deliberation, consultation.

1 **beraden** [bə'ra.də(n)] *aj* 1 well-advised; deliberate; 2 (**vastbesloten**) resolute.

2 **beraden** [bə'ra.də(n)] *zich ~ vr* 1 (**overleggen**) take thought; 2 (**v. gedachten veranderen**) change one's mind.

beradenheid [-hɛit] *v* resoluteness, resolution, deliberateness, firmness.

beramen [bə'ra.mə(n)] *vt* 1 (**bedenken**) devise [a plan]; plan [a journey &]; plot [his death]; 2 (**schatten**) estimate [at fifty pounds].

beraming [-mıŋ] *v* (**raming**) estimate.

berapen [bə'ra.pə(n)] *vt* roughcast.

berberis ['bɛrbərɪs] *v* ♣ barberry.

berde ['bɛrdə] *te* ~ *brengen* bring on the carpet, bring on the tapis, bring up, broach [a subject].

berechten [bə'rɛxtə(n)] *vt* 1 ⚖ try [a criminal]; adjudicate [a civil case]; 2 *RK* administer the last sacraments to.

berechting [-tɪŋ] 1 ⚖ trial [of a criminal]; adjudication [of a civil case]; 2 *RK* administration of the last sacraments.

beredderen [bə'rɛdərə(n)] *vt* arrange, put in order.

bereddering [-rɪŋ] *v* 1 arrangement; 2 (drukte) fuss, to-do.

bereden [bə're.də(n)] mounted [police].

beredeneerd [bərədə'ne:rt] reasoned [explanation &].

beredeneren [-'ne:rə(n)] *vt* reason about (upon), discuss, argue out.

berehuid ['be:rəhœyt] *v* bear's skin, bearskin.

bereid [bə'rɛit] ready, prepared, willing.

bereiden [-'rɛidə(n)] *vt* 1 prepare [the meals]; 2 dress [leather]; 3 give [a cordial welcome, a surprise].

bereider [-dər] *m* 1 preparer [of a meal]; 2 dresser [of leather].

bereiding [-dɪŋ] *v* 1 preparation [of a meal]; 2 dressing [of leather].

bereidvaardig [bərɛit'fa:rdəx] **bereidwillig** [-'vɪləx] I *aj* ready, willing; II *ad* readily, willingly.

bereidvaardigheid, bereidwilligheid [-hɛit] *v* readiness, willingness.

bereik [bə'rɛik] *o* reach², range²; *binnen ieders* ~ within the reach of all²; [price] within the means of all; *het is buiten mijn* ~ beyond (out of) my reach²; *onder het* ~ *van het geschut* ✕ within range of the guns.

bereikbaar [-ba:r] attainable, within (easy) reach.

bereikbaarheid [-hɛit] *v* attainability.

bereiken [bə'rɛikə(n)] *vt* reach², attain²; *fig* achieve; *we* ~ *er niets mee* F it does not get us anywhere, it gets us nowhere; *wat* ~ *we ermee?* F where does it get us?

bereiking [-kɪŋ] *v* reaching, attainment.

bereisd [bə'rɛist] (widely-)travelled.

bereizen [-'rɛizə(n)] *vt* travel over; visit, frequent.

berejacht ['be:rəjɑxt] *v* bear hunt(ing).

berekenbaar [bə're.kənba:r] calculable, computable.

berekend [-'re.kənt] in: ~ *op* calculated (meant) for; ~ *voor zijn taak* equal to (up to) his task.

berekenen [-'re.kənə(n)] *vt* 1 (uitrekenen) calculate, compute [the number]; 2 (aanrekenen) charge [five shillings]; ~ *op* calculate (compute, reckon) at [2 millions].

berekening [-nɪŋ] *v* calculation, computation.

berekuil ['be:rəkœyl] *m* bear-pit.

bereleider [-lɛidər] *m* bear-leader.

beremuts [-mûts] *v* ✕ bearskin (cap).

berg [bɛrx] *m* mountain², mount; ~*en hoog* mountain-high; *gouden* ~*en beloven* promise mountains of gold; *over* ~ *en dal* up hill and down dale; *dat doet mij de haren te* ~*e rijzen* that makes my hair stand on end; *de* ~ *heeft een muis gebaard* the mountain has brought forth a mouse.

bergachtig ['bɛrxɑxtəx] mountainous, hilly.

bergaf [bɛrx'ɑf] downhill.

bergamot [bɛrga.'mɔt] *v* bergamot (pear).

bergbeklimmer ['bɛrxbəklɪmər] *m* mountain climber, mountaineer.

bergbewoner [-vo.nər] *m* mountaineer, highlander [in Scotland].

bergen ['bɛrgə(n)] I *vt* 1 (leggen) put; 2 (opslaan) store, warehouse; 3 (bevatten) hold, contain; 4 (opnemen) accommodate [guests], put up [a friend for the night]; 5 ♣ (v. de zeilen) take in; 6 (strandgoederen) salve; 7 (een lijk, ruimtecapsule) recover; *hij kan heel wat* ~ F he can stow (put) away quite a lot; *hij is geborgen* F he is out of harm's way, out of the wood; II *vr zich* ~ get out of the way; *berg je!* hide yourself!; get away!; save yourself!; *niet weten zich te* ~ *van schaamte* not to know where to hide.

bergengte ['bɛrxɛŋtə] *v* defile.

berger ['bɛrgər] *m* salvor.

berggeest ['bɛrxge.st] *m* mountain spirit, gnome.

berghelling [-hɛlɪŋ] *v* mountain slope.

berghok [-hɔk] *o* shed.

berging ['bɛrgɪŋ] *v* 1 (v. strandgoederen) salvage; 2 (v. ruimtecapsule) recovery.

bergingsmaatschappij [-gɪŋsma.tsxɑpɛi] *v* salvage company.

bergingsvaartuig [-fa:rtœyx] *o* salvage steamer.

bergketen ['bɛrxke.tə(n)] *v* chain (range) of mountains, mountain range, mountain chain.

bergklimaat [-kli.ma.t] *o* mountain climate.

bergkloof [-klo.f] *v* cleft, gorge, chasm, ravine, gully.

bergkristal [-krɪstal] *o* rock-crystal.

bergland [-lɑnt] *o* mountainous country.

bergloon [-lo.n] *o* ♣ salvage (money).

berglucht [-lûxt] *v* mountain air.

bergmeer [-me:r] *o* mountain lake.

bergnimf [-nɪmf] *v* mountain nymph, oread.

bergop [bɛrx'ɔp] uphill.

bergpad ['bɛrxpɑt] *o* mountain path.

bergpas [-pɑs] *m* mountain pass.

bergplaats [-pla.ts] *v* depository; shed.

Bergrede [-re.də] *v* Sermon on the Mount.

bergrug [-rûx] *m* mountain ridge.

bergschoen [-sxu.n] *m* mountaineering boot.

Bergschot [-sxot] *m* Highlander.

bergspits [-spɪts] *v* mountain peak.

bergsport [-spɔrt] *v* mountaineering.

bergstelsel [-stɛlsəl] *o* mountain system.

bergstorting [-stɔrtɪŋ] *v* landslide, landslip.

bergstreek [-stre.k] *v* mountainous region.

bergtop [-tɔp] *m* mountain top.

bergwand [-vɑnt] *m* mountain side.

bericht [bə'rɪxt] *o* 1 (nieuws) news, tidings; 2 (nieuwtje) piece of intelligence; 3 (kennisgeving) message, notice, advice; communication; report; 4 (in krant) paragraph; ~ van ontvangst acknowledgement (of receipt); buitenlandse ~en foreign news, foreign intelligence; ~ krijgen receive (get) news, hear [from him]; ~ sturen (zenden) 1 (mondeling) send word; 2 (schriftelijk) write word.

berichten [-'rɪxtə(n)] *vt* let [us] know, send (write) word [whether...], inform [of your arrival], report; zie ook: ontvangst.

berichtgever [-'rɪxtge.vər] *m* informant [of a person]; reporter [of a newspaper].

beridderen [-'rɪdərə(n)] = beredderen.

berijdbaar [bə'rɛitba:r] 1 passable, practicable [of roads]; 2 ridable [of animals].

berijden [-'rɛidə(n)] *vt* ride over, drive over [a road]; ride [a horse].

berijder [-'rɛidər] *m* rider.

berijmen [-'rɛimə(n)] *vt* rhyme, versify, put into verse.

berijming [-mɪŋ] *v* rhyming, rhymed version.

berin [be:'rɪn] *v* she-bear.

berispelijk [bə'rɪspələk] blamable, reprehensible, censurable.

berispelijkheid [-hɛit] *v* blameworthiness, reprehensibleness, censurableness.

berispen [bə'rɪspə(n)] *vt* blame, reprove, rebuke, reprehend, reprimand, censure, admonish.

berisping [-pɪŋ] *v* reproof, rebuke, reprimand.

berk [bɛrk] **berkeboom** ['bɛrkəbo.m] *m* ♣ birch, birch tree.

berkehout ['bɛrkəhɔut] *o* birch-wood.

berken ['bɛrkə(n)] *aj* birchen.

Berlijn [bɛr'lɛin] *o* Berlin.

Berlijner [-'lɛinər] *m* Berliner.

Berlijns [-'lɛins] Berlin; ~ blauw Prussian blue.

berm [bɛrm] *m* (grass) verge [of a road]; (verhoogd) bank.

bermlamp ['bɛrmlɑmp] *v* spotlight.

Bern [bɛrn] *o* Berne.

Bernard(us) ['bɛrnɑrt, bɛr'nɑrdűs] *m* Bernard.

Berner ['bɛrnər] Bernese [Oberland]; Berne [Convention].

Bernhard ['bɛrnɑrt] *m* [Prince] Bernhard.

beroemd [bə'ru.mt] famous, renowned, illustrious, celebrated.

beroemdheid [-hɛit] *v* fame, renown, celebrity [ook = famous, well-known person].

beroemen [bə'ru.mə(n)] zich ~ boast, brag; zich ~ op boast of, pride oneself on, glory in; onze letterkunde kan zich ~ op vele grote werken our literature can boast many great works.

beroep [-'ru.p] *o* 1 (vak) profession, trade, business, calling, occupation; 2 𝚛̶𝚝̶ appeal; 3 (predikant) call; een ~ doen op appeal to [a person for a thing]; call on [his help]; in (hoger) ~ gaan appeal to a higher court, appeal against a decision; ...van ~ ...by profession, by trade, professional...; Anna N. zonder ~ ...(of) no occupation.

beroepen [-'ru.pə(n)] I *vt* call [a clergyman]; te ~ within call; (kerkelijk) ~ worden receive a call; II *vr* zich ~ op refer to [your evidence], plead [ignorance], invoke [article 34].

beroepsbezigheid [bə'ru.psbe.zəxhɛit] *v* professional duty.

beroepsgeheim [-gəhɛim] *o* professional secret; het ~ professional secrecy [in journalism &].

beroepshalve [-hɑlvə] by virtue of one's profession.

beroepskeuze [-kø.zə] *v* choice of a profession (of a career), vocational selection; voorlichting bij ~ vocational guidance.

beroepsofficier [-ɔfi.si:r] *m* ✕ regular officer.

beroepsspeler [bə'ru.pspe.lər] *m sp* professional (player).

beroepsziekte [bə'ru.psi.ktə] *v* occupational disease.

beroerd [bə'ru:rt] I *aj* P unpleasant, miserable, wretched, rotten; II *ad* < wretchedly [bad &].

beroeren [-'ru:rə(n)] *vt* stir, disturb, perturb.

beroering [-rɪŋ] *v* commotion, disturbance, perturbation; in ~ brengen zie beroeren; in ~ zijn be in a state of commotion.

beroerte [bə'ru:rtə] *v* stroke (of apoplexy), (apoplectic) fit, seizure; binnenlandse ~n intestine troubles; een (aanval van) ~ krijgen, door een ~ getroffen worden have an apoplectic fit (a stroke).

beroken [-'ro.kə(n)] *vt* 1 blacken with smoke; 2 fumigate.

berokkenen [-'rɔkənə(n)] *vt* cause, give; leed ~ bring misery upon; iemand schade ~ bring damage on a person.

berooid [-'ro:it] poor, indigent, beggarly; een ~e schatkist an empty treasury.

berookt [-'ro.kt] smoke-stained, smoky.

berouw [-'rɔu] *o* repentance, contrition, compunction, remorse; ~ hebben over (van) repent (of), regret, feel sorry for.

berouwen [-ə(n)] *vt* 1 (persoonlijk) repent (of), regret; 2 (onpersoonlijk) het zal u ~ you will repent it; 3 (als dreigement) you shall repent (rue) it, you will be sorry for it; die dag zal u ~ you will rue the day.

berouwhebbend [bə'rɔuhɛbənt] repentant, contrite.

berouwvol [-vɔl] zie berouwhebbend.

beroven [bə'ro.və(n)] *vt* rob [a traveller]; iemand van iets ~ rob, deprive a man of a thing; zich van het leven ~ take one's own life.

beroving [-vɪŋ] *v* robbery, deprivation.

berrie ['bɛri.] *v* (hand-)barrow; stretcher [for the wounded].

berst [bɛrst] = *barst*.

berucht [bə'rŭxt] notorious [burglar &]; disreputable, ...of ill repute [of persons, places &]; ~ *om* (*wegens*) notorious for.

beruchtheid [-hɛit] *v* notoriety, notoriousness, disreputableness.

beruiken [bə'rœykə(n)] *vt* smell at, sniff at.

berusten [-'rŭstə(n)] *vi* in: ~ *bij* rest with, be deposited with [of a document &]; be lodged in [of power], be vested in [of a right]; ~ *in iets* acquiesce in it; *in het onvermijdelijke* ~ reconcile oneself to what cannot be avoided, resign oneself to the inevitable (to one's lot); *in Gods wil* ~ submit to the will of God; *moeten we daar nu maar in* ~? are we to put up with it?; ~ *op* be based (founded) on, rest on [solid grounds], be due to [a misunderstanding].

berusting [-tɪŋ] *v* acquiescence, resignation, submission; *de stukken zijn onder zijn* ~ rest with him, are in his hands.

1 **bes** [bɛs] *v ♪* B flat.

2 **bes** [bɛs] *v ♣* berry [of coffee &]; ~*sen* [black, red, white] currants.

3 **bes** [bɛs] *v* old woman.

beschaafd [bə'sxa.ft] I *aj* 1 (niet barbaars) civilized [nations]; 2 (uiterlijk) well-bred [people], polished, refined [manners, society]; 3 (geestelijk) cultivated, educated, cultured; II *ad* refinedly.

beschaafdheid [-hɛit] *v* refinement, good breeding.

beschaamd [bə'sxa.mt] I *aj* ashamed, shamefaced, abashed; (schuchter) bashful; ~ *maken* make [one] feel ashamed; ~ *staan* be ashamed; ~ *doen staan* make [one] feel ashamed, put to shame; *wij werden in onze verwachtingen* (*niet*) ~ our hopes (expectations) were (not) falsified; ~ *zijn over* be ashamed of; II *ad* shamefacedly; (schuchter) bashfully.

beschaamdheid [-hɛit] *v* shame; (schuchterheid) bashfulness.

beschadigen [bə'sxa.dəgə(n)] *vt* damage.

beschadiging [-gɪŋ] *v* damage.

beschaduwen [bə'sxa.dy.və(n)] *vt* shade, overshadow.

beschamen [bə'sxa.mə(n)] *vt* 1 put to shame, put to the blush, confound [a man]; 2 falsify [one's expectations]; betray [our trust].

beschamend [-mənt] *v* humiliating, mortifying.

beschaming [-mɪŋ] *v* confusion, shame.

beschaven [bə'sxa.və(n)] *vt* plane; *fig* refine, polish, civilize.

beschaving [-vɪŋ] *v* civilization; culture, refinement.

bescheid [bə'sxɛit] *o* answer; *de* (*officiële*) ~*en* the (official) papers, documents; ~ *geven* give an answer, send word; *hetzelfde* ~ *krijgen* be told the same.

bescheiden [-'sxɛidə(n)] *aj* (& *ad*) modest(ly); unpretending(ly), unassuming(ly), unobtrusive(ly).

bescheidenheid [-hɛit] *v* modesty.

beschenken [bə'sxɛŋkə(n)] *vt* in: ~ *met* present with, bestow, confer [a title, a favour &] on, endow with [a privilege].

beschermeling(e) [-'sxɛrməlɪŋ(ə)] *m(-v)* protégé(e).

beschermen [-mə(n)] *vt* 1 (beschutten) protect, screen, shelter; 2 (begunstigen) patronize [a person], be a patron of [the arts]; *beschermd tegen de wind* sheltered (screened) from the wind; ~ *voor* protect from (against).

beschermend [-mənt] I *aj* 1 protecting [hand &]; protective [duties]; protectionist [system]; 2 patronizing [tone]; II *ad* 1 protectingly; 2 patronizingly.

beschermengel [bə'sxɛrmɛŋəl] *m* guardian angel.

beschermer [-'sxɛrmər] *m* protector; zie ook: *beschermheer*.

beschermgeest [-'sxɛrmge.st] *m* tutelary spirit, genius.

beschermheer [-he:r] *m* patron.

beschermheerschap [-he:rsxɑp] *o* patronage.

beschermheilige [-hɛiləgə] *m(-v)* patron(ess), patron saint.

bescherming [bə'sxɛrmɪŋ] *v* 1 (beschutting) protection; 2 (begunstiging) patronage; *in* ~ *nemen* take under one's protection [of the arts]; *Bescherming Bevolking* ± Civil Defence; *onder* ~ *van* under cover of [the night], under the auspices of [the municipality].

beschermster [-'sxɛrmstər] **beschermvrouw(e)** [-vrɔu(ə)] *v* 1 (schutsvrouw) protectress; 2 (begunstigster) patroness.

beschieten [-'sxi.tə(n)] *vt* 1 ⚔ fire at (upon), shell; 2 (bekleden) board, wainscot [a wall].

beschieting [-tɪŋ] *v* firing, shelling, bombardment.

beschijnen [bə'sxɛinə(n)] *vt* shine upon; light up.

beschikbaar [-'sxɪkba:r] available, at one's disposal.

beschikbaarheid [-hɛit] *v* availability.

beschikken [bə'sxɪkə(n)] I *vt* arrange, order; II *vi* in: *gunstig* (*ongunstig*) ~ *op* grant (refuse) [a request]; ~ *over* have the disposal of, have at one's disposal; dispose of [one's time]; command [a majority, 50 seats in the Lower House]; *u kunt over mij* ~ I am at your disposal; *u kunt over het bedrag* ~ $ you may value on me for the amount.

beschikking [-kɪŋ] *v* 1 disposal; 2 arrangement; 3 [ministerial] decree; *de* ~ *hebben over...* have the disposal of..., have at one's disposal; *bij* ~ *van de president* by order of the president; *het staat te uwer* ~ it is at your disposal; *ter* ~ *stellen van* place (put) at the disposal of; *ter* ~ *zijn* be available.

beschilderen [bə'sxɪldərə(n)] *vt* paint, paint over; *beschilderde ramen* stained-glass windows.

beschildering [-rɪŋ] *v* painting.

beschimmeld [bə'sxɪmǝlt] mouldy.

beschimmeldheid [-hɛit] *v* mouldiness.

beschimmelen [bə'sxɪmǝlǝ(n)] *vi* go (grow) mouldy.

beschimpen [-'sxɪmpǝ(n)] *vt* revile, rail at, taunt, jeer (at).

beschimper [-pǝr] *m* reviler, jeerer, scoffer.

beschimping [-pɪŋ] *v* reviling(s), jeering, scoff-(ing).

beschonken [bǝ'sxòŋkǝ(n)] drunk, intoxicated, tipsy.

beschonkenheid [-hɛit] *v* drunkenness, intoxication, tipsiness.

beschoren [bǝ'sxo:rǝ(n)] in: *het was mij ~ it* was allotted to me, it fell to my lot.

beschot [-'sxǝt] *o* 1 (**bekleedsel**) wainscoting; 2 (**afscheiding**) partition; 3 (**opbrengst**) produce, yield; *een ruim ~ opleveren* yield well.

beschouwelijk [-'sxǝuǝlǝk] contemplative.

beschouwen [-'sxǝuǝ(n)] *vt* look at, view, contemplate; consider, regard, envisage; *~ als* consider [it one's duty], regard as [confidential], look upon as [a crime], hold (to be) [responsible], take [him to be crazy, the news as true]; *(alles) wel beschouwd* after all, all things considered.

beschouwend [-ǝnt] contemplative, speculative.

beschouwer [-ǝr] *m* spectator, contemplator.

beschouwing [-ɪŋ] *v* 1 (**als handeling**) contemplation; viewing; 2 (**bespiegeling**) speculation, contemplation; 3 (**beoordeling, bespreking**) consideration; 4 (**denkwijze**) view; *bij nadere ~* on closer examination; *buiten ~ laten* leave out of consideration, leave out of account (out of the question), not take into consideration, ignore.

beschreid [bǝ's(x)rɛit] tear-stained.

beschrijven [-'s(x)rɛivǝ(n)] *vt* 1 (schrijven op) write upon; 2 describe, draw [a circle &]; 3 (schilderen) describe [a voyage &]; 4 (schriftelijk bijeenroepen) convoke [a meeting].

beschrijvend [-vǝnt] descriptive [style, geometry].

beschrijver [-vǝr] *m* describer.

beschrijving [-vɪŋ] *v* description; *het gaat alle ~ te boven* it beggars description.

beschrijvingsbiljet [-vɪŋsbɪljɛt] *o* form of return.

beschroomd [bǝ's(x)ro.mt] I *aj* timid, timorous, diffident, shy; II *ad* timidly.

beschroomdheid [-hɛit] *v* timidity, timorousness, diffidence, shyness.

beschuit [bǝ'sxœyt] *v* rusk, biscuit.

beschuldigde [-'sxűldǝgdǝ] *m-v* in: *de ~ the* accused.

beschuldigen [-'sxűldǝgǝ(n)] *vt* incriminate [a person]; accuse [other people], impeach [one of treason, heresy &]; indict [one for riot, as a rioter]; *~ van* accuse of [a fault, theft], charge with [carelessness, complicity], tax with [ingratitude], impeach of [high crime], indict for [riot].

beschuldigend [-gǝnt] accusatory.

beschuldiger [-gǝr] *m* accuser.

beschuldiging [-gɪŋ] *v* accusation, charge, indictment, impeachment; *een ~ inbrengen tegen iemand* bring a charge against a person.

beschutten [bǝ'sxűtǝ(n)] *vt* shelter², screen², protect²; *~ voor (tegen)* shelter from [heat, danger &], protect from (against) [danger, injury].

beschutting [-tɪŋ] *v* shelter, protection; *~ geven (verlenen)* give shelter [from heat, danger &]; *~ zoeken* take shelter [in a cave, under a tree, with friends; from the rain, dangers &].

besef [bǝ'sɛf] *o* 1 sense, notion; 2 realization [of the situation]; *geen flauw ~ hebben van* not have the faintest notion of; *hem tot het ~ brengen van* bring him to a sense of; *tot het ~ komen van* realize.

beseffen [-'sɛfǝ(n)] *vt* realize.

besje ['bɛʃǝ] *o* old woman.

besjeshuis ['bɛʃǝshœys] *o* old women's almshouse.

beslaan [bǝ'sla.n] I *vt* 1 ✕ (...slaan om) bind [a rammer], hoop [a cask], tire [a wheel]; (...slaan op) stud [a door with nails], mount [a pistol with silver], tip [a cane]; shoe [a horse]; 2 (kloppend roeren) beat up [the batter]; 3 take up [much room], occupy [much space, 300 pages], fill [the whole space]; II *vi* & *va* become steamy, get dim [of panes]; get covered over [with moisture].

beslag [-'slɔx] *o* 1 ✕ (als sieraad) mounting; (aan deur) ironwork, (iron, brass) fittings; (aan heipaal) binding; (aan ton) hoops, bands; (aan stok) tip, ferrule; (v. paard) (horse)shoes; (v. wiel) tire; 2 (v. deeg) batter; (voor brouwsel) mash; 3 ⚓ attachment; seizure; ⚓ embargo; *die zaak heeft haar ~* the matter is settled; *~ leggen op* levy a distress upon [one's goods], seize; ⚓ put (lay) an embargo on; *~ leggen op iemand(s tijd)* 1 (v. personen) trespass on a person's time; 2 (v. zaken) engross a person, take up all his time; *in ~ nemen* seize [goods smuggled]; *fig* take up [much time, much room]; engross [one's attention].

beslagen [bǝ'sla.gǝ(n)] 1 shod [of a horse]; 2 steamy, steamed [windows], dimmed with moisture [of glass]; furred, coated [tongue]; zie ook: *beslaan* & *ijs*.

beslaglegging [bǝ'slɔxlɛgɪŋ] *v* zie *beslag* 3.

beslapen [-'sla.pǝ(n)] *vt* sleep upon; *dit bed is al ~* has been slept in; *ik zal er mij op ~* I'll sleep on (over) it, I'll consult my pillow about it, I'll take counsel of my pillow.

beslechten [-'slɛxtə(n)] *vt* settle, compose [a quarrel].

beslechting [-tɪŋ] *v* settlement.

beslijkt, beslikt [bə'slɛikt, -'slɪkt] mud-stained.

beslissen [-'slɪsə(n)] **I** *vt* decide; (scheidsrechterlijk) arbitrate (upon); ~ *ten gunste van* decide for (in favour of); ~ *ten nadele van* decide against; **II** *va* decide.

beslissend [-sənt] **I** *aj* decisive [battle], final [match, trial], conclusive [proof], determinant [factor]; critical [moment]; casting [vote]; **II** *ad* decisively.

beslissing [-sɪŋ] *v* decision; *een* ~ *nemen* make a decision, come to a decision.

beslist [bə'slɪst] **I** *aj* decided, resolute, firm, peremptory, deliberate; **II** *ad* absolutely, decidedly [true &]; [act] resolutely, firmly; [speak] peremptorily.

beslistheid [-hɛit] *v* decision, resolution, firmness; peremptoriness.

beslommering [bə'slòmərɪŋ] *v* care, worry.

besloten [-'slo.tə(n)] resolved, determined; *ik ben* ~ I am resolved, I have made up my mind; ~ *vergadering* private meeting; ~ *jachttijd,* ~ *vistijd* close season, fence-season.

besluipen [-'slœypə(n)] *vt* 1 (op jacht) stalk [deer]; 2 *fig* steal upon [a man].

besluit [-'slœyt] *o* 1 (bij zichzelf) resolve; resolution, determination; decision; 2 (v. vergadering &) resolution [of a meeting]; decree [set forth by authority]; 3 (gevolgtrekking) conclusion; 4 (einde) conclusion, close; *Koninklijk* ~ Order in Council; *een* ~ *nemen* 1 (in vergadering) pass a resolution; 2 (v. persoon) take a resolution, make up one's mind; *een kloek* ~ *nemen* form a bold resolution; *een* ~ *trekken* draw a conclusion; *tot* ~ in conclusion, to conclude; *tot een* ~ *komen* come to a conclusion (resolution); *hij kan nooit tot een* ~ *komen* he cannot make up his mind.

besluiteloos [bə'slœytəlo.s] undecided, irresolute.

besluiteloosheid [-slœytə'lo.shɛit] *v* irresolution, indecision.

besluiten [bə'slœytə(n)] **I** *vt* 1 *eig* contain; enclose; 2 (eindigen) end, conclude [a speech]; 3 (gevolgtrekking maken) conclude, infer (from *uit*); 4 (een besluit nemen) decide, resolve, determine [to do, on doing]; *kunt u er niet toe* ~ *mee te gaan?* cannot you make up your mind to come too?; *dat heeft me doen* ~ *ook te gaan* that has decided me to go too; **II** *vi* in: ~ *met het volkslied* wind up with the national anthem; **III** *va* decide; *hij kan maar tot niets* ~ he cannot decide on anything; zie ook: *besloten.*

besmeren [bə'sme:rə(n)] *vt* besmear, smear, daub; spread [with butter], (met boter) butter [bread].

besmettelijk [-'smɛtələk] contagious[2], infectious[2], catching[2].

besmettelijkheid [-hɛit] *v* contagiousness, infectiousness.

besmetten [bə'smɛtə(n)] *vt* contaminate [body from body & morally], infect [the body & the mind]; pollute[2] [water], taint[2] [meat].

besmetting [-tɪŋ] *v* contagion, contamination, infection, pollution, taint.

besmeuren [bə'smø:rə(n)] *vt* besmear, besmirch[2], soil[2], stain[2].

besnaren [-'sna:rə(n)] *vt* string.

besneeuwd [-'sne:ut] covered with snow, snow-covered, snowy.

besnijden [-'snɛi(d)ə(n)] *vt* 1 cut, carve [wood]; 2 (besnoeien) clip.

besnoeien [-'snu.jə(n)] *vt* 1 prune, lop, dress [trees]; clip [hedges]; 2 *fig* cut down; retrench, curtail [expenses &].

besnoeiing [-snu.jɪŋ] *v* lopping, clipping; *fig* retrenchment, curtailment.

besnuffelen [-'snʉfələ(n)] *vt* smell at, sniff at.

bespannen [-'spɑnə(n)] *vt* ♪ string [a violin]; *een met vier paarden* ~ *wagen* drawn by four horses.

bespanning [-nɪŋ] *v* team.

besparen [bə'spa:rə(n)] *vt* economize [one's strength, money], save [money, trouble]; *dat leed werd haar bespaard* she was spared that grief; *zich* ~ save (spare) oneself [the trouble, the effort].

besparing [-rɪŋ] *v* saving; economy; *ter* ~ *van kosten* to save expenses.

bespatten [bə'spɑtə(n)] *vt* splash, (be)spatter.

bespelen [-'spe.lə(n)] *vt* play on [an instrument, a billiards table &], play [an instrument], touch [the lyre]; play in [a theatre].

bespeuren [-'spø:rə(n)] *vt* perceive, discover, descry.

bespieden [-'spi.də(n)] *vt* spy upon, watch.

bespieder [-dər] *m* spy, watcher.

bespieding [-dɪŋ] *v* spying, [bird] watching.

bespiegelend [bə'spi.gələnt] contemplative [life]; speculative [philosophy].

bespiegeling [-lɪŋ] *v* speculation, contemplation; ~*en houden over* speculate on.

bespijkeren [bə'spɛikərə(n)] *vt* stud [a door &] with nails; *met planken* ~ nail planks on to.

bespikkelen [-'spɪkələ(n)] *vt* speckle.

bespioneren [bɑspi.ò'ne:rə(n)] *vt* spy upon.

bespoedigen [bə'spu.dəgə(n)] *vt* accelerate [a motion], hasten, speed up [a work], expedite.

bespoediging [-gɪŋ] *v* acceleration [of a motion or process], hastening, speed-up [of a work].

bespoelen [bə'spu.lə(n)] *vt* wash, bathe [the shore &].

bespottelijk [-'spotələk] **I** *aj* ridiculous, ludicrous; ~ *maken* ridicule, deride; *zich* ~ *aanstellen* make a fool of oneself; **II** *ad* ridiculously.

bespottelijkheid [-hɛit] *v* ridiculousness &.

bespotten [bə'spotə(n)] *vt* mock, deride, ridicule.

bespotter [-tər] *m* mocker.

bespotting [-tıŋ] *v* mockery, derision, ridicule; *aan de ~ prijsgeven* hold up to ridicule (derision).

bespreekbureau [bə'spre.kby.ro.] *o* box-office.

besprek [bə'sprɛk] *met iemand in ~ zijn over* be negotiating with a man about...

bespreken [-'spre.kə(n)] *vt* 1 talk about, talk [it] over, discuss; 2 (**beoordelen**) review [a book &]; 3 (**vooruitnemen**) book [a berth, a place], secure, engage, reserve [seats], bespeak [a book at the library].

bespreking [-kıŋ] *v* 1 discussion [of some subject], talk; 2 review [of a book]; 3 booking [of seats].

besprenkelen [bə'sprɛŋkələ(n)] *vt* sprinkle.

besprenkeling [-lıŋ] *v* sprinkling.

bespringen [bə'sprıŋə(n)] *vt* leap (spring, pounce) upon.

besproeien [-'spru.jə(n)] *vt* water; irrigate [land].

besproeiing [-jıŋ] *v* watering; irrigation.

bespuiten [bə'spœytə(n)] *vt* squirt [water] upon; spray [an insecticide] on; play [the fire-engine] on.

bespuwen [-'spy.və(n)] *vt* spit upon, spit at.

besseboom ['bɛsəbo.m] *m* currant bush.

bessemerpeer [bɛsəmər'pe:r] *v* ⚒ (Bessemer) converter.

bessemerproces [-'pro.sɛs] *o* Bessemer process.

bessemerstaal [-'sta.l] *o* Bessemer steel.

bessengelei ['bɛsə(n)ʒəlɛi] *m* & *v* currant jelly.

bessenjenever [-jənə.vər] *m* black-currant gin.

bessesap ['bɛsəsɑp] *o* & *m* currant juice.

bessestruik [-strœyk] *m* currant bush.

1 **best** [bɛst] **I** *aj* 1 (**relatief**) best; 2 (**absoluut**) very good; *mij ~!* all right!, I have no objection; *hij is niet al te ~* he is none too well; *~e aardappelen* prime potatoes; *~e jongen* (my) dear boy; **II** *ad* best; very well; *ik zou ~ met hem willen ruilen* I shouldn't mind swapping with him; *het is ~ mogelijk* it is quite possible; *hij schrijft het ~* he writes best; **III** *sb* best; *dat kan de ~e gebeuren* the best are liable to err; ..., *dan ben je een ~e!* there is a good boy (a dear); *het ~e zal zijn...* the best thing (plan) will be...; *het ~e ermee!* all the best, good luck (to you)!; *het ~e met je verkoudheid* I hope your cold will soon be better; *zijn ~ doen* do one's best; *zijn uiterste ~ doen* do one's utmost, exert oneself to the utmost; *beter zijn ~ doen* try harder; *er het ~e van hopen* hope for the best; *iemand het ~e wensen* wish a person all the best; *op zijn ~* [Shakespeare] at his best; [fifty] at the utmost, at most, at best; *Juffrouw X zal iets ten ~e geven* Miss X is going to oblige the company; *God zal alles ten ~e keren (wenden)* God will order all for the best; *hij zal u ten ~e raden* he is sure to advise you for the best; *het is tot uw (eigen) ~* it is for your own good.

2 **best** [bɛst] *v* (**oude vrouw**) = 3 *bes*.

1 **bestaan** [bə'sta.n] *vi* be, exist; subsist [= continue to exist]; *hoe bestaat 't?* how is it possible?; *goed kunnen ~* have a fair competence; *~ in* consist in; *in den bloede ~* be a blood-relation of, be related to; *~ uit* consist of, be composed of; *~ van* live on (upon); *iemand van na(bij) ~* be near one in blood; *~ voor* live for.

2 **bestaan** [bə'sta.n] *o* 1 (**het zijn**) being, existence; 2 (**onderhoud**) subsistence; *een aangenaam ~* a pleasant life; *een behoorlijk ~* a decent living; *hij heeft een goed ~* he has a fair competency; *het vijftigjarig ~ herdenken van* commemorate the fiftieth anniversary of.

bestaanbaar [-ba:r] possible; *~ met* compatible with, consistent with.

bestaanbaarheid [-hɛit] *v* possibility; compatibility, consistency (with *met*).

bestaand [bə'sta.nt] existing, in existence, extant.

bestaansminimum [bə'sta.nsmi.ni.mŭm] *o* subsistence minimum.

1 **bestand** [bə'stɑnt] *aj* in: *~ zijn tegen* be able to resist, be proof against; *~ tegen het weer* weather-proof.

2 **bestand** [bə'stɑnt] *o* truce.

bestanddeel [bə'stɑnde.l] *o* element, component, (constituent) part, ingredient.

bestedeling(e) [bə'ste.dəlıŋ(ə)] *m(-v)* inmate of an almshouse.

bestedelingenhuis [-lıŋə)hœys] *o* alms-house.

besteden [bə'ste.də(n)] *vt* spend, pay [a certain sum]; *geld (tijd) ~ aan* spend money (time) on; *iemand in de kost ~ bij* put one out to board with; *het is aan hem niet besteed* it [the joke, advice &] is wasted (lost) on him; *goed (nuttig) ~* make (a) good use of; *slecht ~* make a bad use of.

bestek [bə'stɛk] *o* 1 (**bij aanneming**) △ specification(s); 2 ⚓ (dead) reckoning; 3 (**eetgerei voor één persoon**) cover; *het ~ opmaken* ⚓ determine the ship's position; *binnen het ~ van dit werk* within the scope of this work; *buiten iemands ~ vallen* lie beyond a person's scheme; *veel in een klein ~* much in a small compass; *in kort ~* in brief.

bestekamer [bɛstə'ka.mər] *v* convenience, w.c., privy.

bestel [bə'stɛl] *o* [new, old, present] order (of things), [Customs, totalitarian &] regime, [financial, army &] system, scheme; *wat een ~!* F what a fuss!

bestelauto [-o.to., -ɔuto.] *m* delivery van.

bestelbiljet, -briefje [-bıljɛt, -bri.fjə] *o* order-form.

besteldienst [-di.nst] *m* parcels delivery (service).

bestelen [bə'ste.lə(n)] *vt* rob.

bestelgoed [bə'stɛlgu.t] *o* zie *expresgoed*.

bestelhuis [-hœys] *o* forwarding agency, receiving office, parcels delivery company.

bestelkaart [-ka:rt] *v* order-form.
bestelkantoor [-kɑnto:r] *o* parcels office.
bestellen [bə'stɛlə(n)] *vt* 1 (regelen) order, arrange; 2 (bezorgen) deliver [letters &]; 3 (om te bezorgen) order [goods from], bespeak [new boots &]; 4 (ontbieden) send for [a man]; *bij wie bestelt u uw boeken?* from whom do you order your books?
besteller [-lər] *m* 1 ☙ postman; ‡ messenger; 2 (v. Van Gend & Loos) parcels delivery man, carman; 3 (kruier) porter; 4 $ person ordering goods.
bestelling [-lɪŋ] *v* 1 ☙ delivery; 2 $ order; ~*en aannemen (doen, uitvoeren)* $ receive (place, fill) orders; *ze zijn in* ~ $ they are on order; *op (volgens)* ~ (made) to order; *op* ~ *werkende kleermaker* bespoke tailor; *grote* ~*en op...* $ large orders for...
bestelloon [bə'stɛlo.n] *o* porterage.
bestelwagen [bə'stɛlvɑ.ɡə(n)] *m* delivery van.
bestemaatjes [bɛstə'ma.cəs] *ze zijn* ~ they are very thick together; *met iedereen* ~ *zijn* be hail-fellow-well-met with everybody.
bestemmen [bə'stɛmə(n)] *vt* destine; *bestemd naar* ⚓ bound for [Cadiz]; ~ *voor* destine for [some service]; appropriate, set apart [a sum for...]; appoint [a day for...]; *dat was voor u bestemd* that was intended (meant) for you.
bestemming [-mɪŋ] *v* 1 (place of) destination; 2 destination [of a book]; 3 [a man's] lot, destiny; *met* ~ *naar* ⚓ bound for.
bestempelen [bə'stɛmpələ(n)] *vt* stamp; ~ *met de naam van ...* designate as..., style..., describe as..., label as...
bestendig [-'stɛndəx] **I** *aj* continual, constant, lasting, steady; ~ *weer* settled weather, set fair; **II** *ad* continually, constantly.
bestendigen [-dəɡə(n)] *vt* continue, confirm [in office]; perpetuate [indefinitely].
bestendigheid [-dəxhɛit] *v* constancy.
bestendiging [-dəɡɪŋ] *v* continuance; perpetuation.
besterven [bə'stɛrvə(n)] *in: hij zal het nog* ~ *it* will be the death of him; *het woord bestierf op zijn lippen* the word died on his lips; *zie ook: bestorven.*
bestijgen [-'stɛiɡə(n)] *vt* ascend, climb [a mountain]; mount [the throne, a horse].
bestijging [-ɡɪŋ] *v* ascent, climbing, mounting.
bestikken [bə'stɪkə(n)] *vt* stitch, embroider.
bestoken [-'sto.kə(n)] *vt* batter, shell [a fortress]; harass [the enemy, press hard]; ~ *met vragen* ply (assail) with questions.
bestormen [-'stɔrmə(n)] *vt* storm, assault [a fortress], assail, bombard [people with questions]; besiege [with requests]; *de bank werd bestormd* there was a run (rush) on the bank.
bestormer [-mər] *m* stormer, assaulter.
bestorming [-mɪŋ] *v* storming, assault; rush [of a fortress, on a bank].
bestorven [bə'stɔrvə(n)] livid, pale; hung

[beef]; *dat ligt hem in de mond* ~ it is constantly in his mouth.
bestoven [-'sto.və(n)] 1 dusty; 2 ⚘ pollinated.
bestraffen [-'strɑfə(n)] *vt* punish.
bestraffing [-fɪŋ] *v* punishment.
bestralen [-'stra.lə(n)] *vt* shine upon, irradiate; ✟ ray.
bestraling [-lɪŋ] *v* irradiation; ✟ radiation
bestraten [bə'stra.tə(n)] *vt* pave.
bestrating [-tɪŋ] *v* (de handeling; de stenen) paving; (de stenen) pavement.
bestrijden [bə'strɛidə(n)] *vt* 1 (iemand) fight (against), combat, contend with; 2 (iets) fight (against), combat [abuses]; control [insects, diseases]; dispute, contest [a point], oppose [a proposal]; defray [the expenses], meet [the costs].
bestrijder [-dər] *m* fighter, adversary, opponent.
bestrijding [-dɪŋ] *v* fight [against cancer]; control [of insects, of diseases]; fighting; *ter* ~ *der kosten* to meet the costs, for the defrayment of expenses.
bestrijken [bə'strɛikə(n)] *vt* 1 spread (over) [with mortar &]; 2 ✕ cover, command, sweep, flank, enfilade; ~ *met* coat (spread) with.
bestrooien [-'stro.jə(n)] *vt* strew, sprinkle.
best-seller ['bɛstsɛlər] *m* best seller.
bestuderen [bəsty.'de:rə(n)] *vt* study.
bestudering [-rɪŋ] *v* study.
bestuiven [bə'stœyvə(n)] *vt* 1 (met stof) cover with dust; 2 ⚘ pollinate; 3 dust [crops with insecticide].
bestuiving [-vɪŋ] *v* ⚘ pollination.
besturen [bə'sty.rə(n)] *vt* govern, rule [a country]; administer, manage [affairs]; conduct [a business], run [a house]; direct [one's actions]; ✈ steer [a ship]; drive [a car]; ✈ pilot, fly [an aeroplane].
besturing [-rɪŋ] *v in: dubbele* ~ ✈ 🚗 dual control; *linkse (rechtse)* ~ 🚗 left-hand (right-hand) drive.
bestuur [bə'sty:r] *o* 1 government, rule; administration [of a lieutenant, vicegerent]; 2 (leiding) administration, management, direction, control [of an undertaking]; 3 (lichaam) board, governing body, committee, executive [of a party]; *het plaatselijk* ~ the local authorities.
bestuurbaar [-ba:r] dirigible [balloon]; manageable.
bestuurder [-dər] *m* 1 governor, director, administrator; 2 ✈ driver; 3 ✈ pilot.
bestuursambtenaar [bə'sty:rsɑmtəna:r] *m* administrative officer, civil servant.
bestuurskamer [-ka.mər] *v* board room, [Labour party, Conservative] committee room.
bestuurslid [-lɪt] *o* member of the board.
bestuurstafel [-ta.fəl] *v* board table.
bestuursvergadering [-fərɡa.dərɪŋ] *v* committee

meeting, meeting of the board, board meeting.

bestuursvorm [-fɔrm] *m* form of government.

bestwil ['bɛstvɪl] *om uw ~* for your good; *een leugentje om ~* a white lie.

besuikeren [bə'sœykərə(n)] *vt* sugar.

bèta ['bɛ.ta.] *v* beta.

betaalbaar [bə'ta.lba:r] payable; *~ stellen* make payable.

betaalbaarstelling [-stɛlɪŋ] *v* making payable.

betaald [bə'ta.lt] paid (for); *iemand iets ~ zetten* pay a person out, take it out of one.

betaaldag [bə'ta.ldɑx] *m* 1 day of payment; 2 pay-day.

betaalkantoor [-kɑnto:r] *o* **betaalkas** [-kɑs] *v* pay-office.

betaalmeester [-me.stər] *m* paymaster.

betaalmiddel [-mɪdəl] *o* circulating medium; *wettig ~* legal tender, legal currency.

betaalsrol [bə'ta.lsrɔl] *v* pay-bill, pay-roll.

betaalstaat [-'ta.lsta.t] *m* pay-sheet.

betalen [bə'ta.lə(n)] I *vt* pay [one's debts, the servants &], pay for [the drinks, flowers &, a fault]; *zij kunnen 't (best) ~* they can afford it; *wie zal dat ~?* who is to pay?; *zich goed laten ~* charge heavily; *~ met* pay with [ingratitude &]; pay in [gold]; *het is met geen geld te ~* money cannot buy it; II *va* pay, settle; *dat betaalt goed* it pays (you well); *ze ~ slecht* 1 they are not punctual in paying; 2 they underpay their workmen (employees &).

betaler [-lər] *m* payer.

betaling [-lɪŋ] *v* payment; *tegen ~ van...* on payment of.

betalingsbalans [bə'ta.lɪŋsbɑlɑns] *v* balance of payments.

betalingstermijn [-tɛrmɛin] *m* 1 term (of payment, for the payment of...); 2 instalment.

betalingsvoorwaarden [-fo:rva:rdə(n)] *mv* terms (of payment).

betamelijk [bə'ta.mələk] decent, becoming, seemly.

betamelijkheid [-hɛit] *v* decency, seemliness.

betamen [bə'ta.mə(n)] *vi* become, beseem; *het betaamt u niet...* ook: it is not for you to...

betasten [-'tɑstə(n)] *vt* handle, feel, 🖝 palpate.

betasting [-tɪŋ] *v* handling, 🖝 palpation.

bètastralen ['bɛ.ta.stra.lə(n)] *mv* beta rays.

bètatron [-tròn] *o* betatron.

⊙ **bete** ['be.tə] *v* in: *een ~ broods* a morsel of bread.

betegelen [bə'te.gələ(n)] *vt* tile.

betekenen [-'te.kənə(n)] *vt* 1 (willen zeggen) mean, signify, 2 (voorspellen) signify, portend, spell; 3 🖪 serve [a notice, writ] upon [a person]; *het heeft niet veel te ~* 1 it does not signify; 2 it is nothing much; *het heeft niets te ~* it does not signify (matter); it is of no significance (importance); *beloften (eden) ~ voor hem niets* promises (oaths) go for nothing with him; *wat moet dat hier ~?* what does it all mean?

betekening [-nɪŋ] *v* 🖪 (legal) notice, service (of writ).

betekenis [bə'te.kənis] *v* 1 meaning, sense, signification; acceptation [= aangenomen betekenis]; pregnancy [= volle betekenis]; 2 significance, importance, consequence; *het is van ~* it is significant; it is important; *van enige ~* of some significance (consequence); *het is van geen ~* it is of no importance (consequence), it does not signify; *mannen van ~* men of note.

betel ['be.təl] *v* 🖪 betel.

bête noire [bɛ.t'nva:r] *v* pet aversion.

beter ['be.tər] I *aj* better [weather &]; better (i.e. improved), well (i.e. recovered) [of a patient]; better-off [classes of society]; *hij is ~* 1 he is better, a better man [than his brother]; 2 he is better (= improved) [of a patient]; 3 he is well again, he is (has) recovered [of a patient]; *het ~ hebben* be better off; *het kan nog ~* you (he, they) can do better yet; *zij hopen het ~ te krijgen* they hope to better themselves; *~ maken* set right, put right [some defect &]; set up, bring round [a patient]; *dat maakt de zaak niet ~* that does not mend (improve) matters; *~ worden* 1 become (get) better, mend, improve [of the outlook &]; 2 be getting well (better) [after illness]; II *ad* better; III *sb* in: *als u niets ~s te doen hebt* if you are not better engaged.

1 **beteren** [bə'te:rə(n)] *vt* tar.

2 **beteren** ['be.tərə(n)] I *vi* become (get) better, mend, improve, recover [in health]; II *vt* in: *ik kan het niet ~* I cannot help it; *zijn leven ~* = III *vr zich ~* mend one's ways, reform.

beterhand [be.tər'hɑnt] *aan de ~ zijn* be getting better, F be on the mend.

beterschap ['be.tərsxɑp] *v* a change for the better, improvement [in health], recovery; *~!* I hope you will soon be well again!; *~ beloven* promise to behave better (in future).

beteugelen [bə'tø.gələ(n)] *vt* bridle, curb, check, keep in check, restrain.

beteugeling [-lɪŋ] *v* check(ing), curb, restraint, repression.

beteuterd [bə'tø.tərt] confused, perplexed, puzzled; *~ kijken* look blank, be taken aback.

beteuterdheid [-hɛit] *v* confusion, perplexity.

betichten [bə'tɪxtə(n)] *vt* in: *hem ~ van* accuse him of, charge him with, tax him with.

betichting [-tɪŋ] *v* accusation, imputation.

betimmeren [bə'tɪmərə(n)] *vt* line with wood.

betimmering [-rɪŋ] *v* woodwork [of a room].

betitelen [bə'ti.tələ(n)] *vt* title, entitle, style.

betiteling [-lɪŋ] *v* style, title.

Betje ['bɛcə] *v* Bess.

betogen [bə'to.gə(n)] I *vt* argue; II *vi* make a [public] demonstration, demonstrate.

betoger [-gər] *m* demonstrator.

betoging [-gɪŋ] *v* [public] demonstration.

betomen [bə'to.mə(n)] *vt* zie *beteugelen*.

beton [bə'tòn] *o* concrete; *gewapend* ~ reinforced concrete, ferro-concrete.

1 **betonen** [bə'to.nə(n)] *vt* accent; *fig* accentuate.

2 **betonen** [bə'to.nə(n)] I *vt* show [courage, favour, kindness], manifest [one's joy]; II *vr zich* ~ show oneself [grateful], prove oneself [equal to].

1 **betoning** [bə'to.nɪŋ] *v* accentuation.

2 **betoning** [bə'to.nɪŋ] *v* zie *betoon*.

betonmolen [bə'tònmo.lə(n)] *m* concrete mixer.

1 **betonnen** [bə'tònə(n)] *vt* buoy.

2 **betonnen** [bə'tònə(n)] *aj* concrete.

betonneren [-tò'ne:rə(n)] *vt* concrete.

betonning [-'tònɪŋ] *v* 1 (**de handeling**) buoying; 2 (**de tonnen**) buoys.

betoog [-'to.x] *o* argument(s); *dat behoeft geen* ~ it is obvious.

betoogkracht [-'to.xkrɑxt] *v* conclusive force, conclusiveness.

betoogtrant [-trɑnt] *m* argumentation.

betoon [bə'to.n] *o* demonstration, show, manifestation.

betoveren [-'to.vərə(n)] *vt* bewitch[2], enchant[2], cast a spell on[2], *fig* fascinate, charm.

betoverend [-rənt] bewitching, enchanting, fascinating, charming.

betovergrootmoeder ['bɛto.vərgro.tmu.dər] *v* great-great-grandmother.

betovergrootvader [-fa.dər] *m* great-great-grandfather.

betovering [bə'to.vərɪŋ] *v* enchantment, bewitchment, spell, fascination, glamour.

betraand [-'tra.nt] tearful, wet with tears.

betrachten [-'trɑxtə(n)] *vt* in: *de deugd* ~ practise virtue; *zijn plicht* ~ do one's duty.

betrachting [-tɪŋ] *v* practice.

betrappen [-'trɑpə(n)] *vt* catch, detect; *iemand op diefstal* ~ catch one (in the act of) stealing; *iemand op een fout* ~ catch one out (tripping); *op heter daad* ~ take in the (very) act; *iemand op een leugen* ~ catch one in a lie.

betreden [-'tre.də(n)] *vt* tread (upon), set foot upon (in); enter [a building, a room &]; *de kansel* ~ mount the pulpit.

betreffen [-'trɛfə(n)] *vt* concern, regard, touch, affect; *waar het zijn eer betreft* where his honour is concerned; *voor zover het... betreft* so far as... is (are) concerned; *wat mij betreft* as for me, as to me, I for one, personally; *wat dat betreft* as to that.

betreffende [-'trɛfəndə] concerning, regarding, with respect (regard) to, relative to.

betrekkelijk [-'trɛkələk] I *aj* relative [pronoun &]; comparative [poverty &]; *de daarop* ~*e bepalingen* the regulations relative to the subject; *alles is* ~ all things go by comparison; II *ad* relatively; comparatively.

betrekkelijkheid [-heit] *v* relativity.

betrekken [bə'trɛkə(n)] I *vt* 1 (**trekken in**) move into [a house]; 2 (**laten komen**) get, order [goods from X. &]; *iemand in iets* ~ involve (implicate) a person in an affair, mix him up in it; bring him into the discussion &; draw him into a conflict; II *vi* become overcast [of the sky], cloud over[2] [of the sky, a man's face]. Zie ook: *betrokken*.

betrekking [-kɪŋ] *v* 1 (**verhouding**) relation; relationship [of master and servant, between a great man and a scoundrel, with God]; 2 (**plaats**) situation, post, position, place; *diplomatieke* ~*en* diplomatic relations; *dat heeft daar geen* ~ *op* that does not relate to it, has no reference to it; that does not bear upon it; *het vraagteken heeft* ~ *op...* the question mark refers to...; *buiten* ~ out of employment; *in* ~ in employment; *in* ~ *staan met* have relations with; *in goede* ~ *staan met* be on good terms with; *zich in* ~ *stellen met* get into touch with, communicate with; *met* ~ *tot* with regard (respect) to, in (with) reference to.

betreuren [bə'trø:rə(n)] *vt* regret, deplore, lament, bewail, mourn for [a lost person], mourn [the loss of...]; *er zijn geen mensenlevens te* ~ no lives were lost.

betreurenswaard(ig) [bətrø:rəns'va:rt, -'va: r dəx] regrettable, deplorable, lamentable.

betrokken [bə'tròkə(n)] 1 (**lucht**) cloudy, overcast; 2 (**gelaat**) clouded, gloomy; *de* ~ *autoriteiten* the proper authorities; *bij (in) iets* ~ *zijn* be concerned in (with), be a party to, be mixed up with (in); be involved in [a bankruptcy]; *de* ~*e* $ the drawee [of a bill]; *de daarbij* ~*en* the persons concerned (involved).

betrouwbaar [-'trouba:r] reliable, trustworthy.

betrouwbaarheid [-heit] *v* reliability, reliableness, trustworthiness.

betrouwbaarheidsrit [-heitsrɪt] *m* reliability run.

betrouwen [bə'trouə(n)] I *vi* trust (in *op*); II *vt* entrust [to].

betten ['bɛtə(n)] *vt* bathe, dab.

betuigen [bə'tœygə(n)] *vt* testify [that..., to...]; certify, attest, declare [that...]; express [sympathy, one's regret &]; protest [one's innocence]; profess [friendship].

betuiging [-gɪŋ] *v* attestation; declaration; expression [of one's feelings]; protestation [of one's innocence]; profession [of friendship].

betweter ['bɛtve.tər] *m* wiseacre, pedant.

betweterij [bɛtve.tə'rɛi] *v* pedantry.

betwijfelen [bə'tveifələ(n)] *vt* doubt, question.

betwistbaar [-'tvɪstba:r] disputable, contestable [statements &], debatable [grounds], questionable [accuracy].

betwisten [bə'tvɪstə(n)] *vt* 1 (**iets**) dispute [a fact, every inch of ground], contest [a point], challenge [a statement]; 2 (**iemand iets**) dispute [a point] with; deny; *zij betwistten ons de overwinning* they disputed the victory with us.

beu [bø.] in: ~ (*van*) tired (sick) of.

beug [bø.x] v long line [for fishing].

beugel ['bø.gǝl] m guard [of a sword]; (trigger) guard [of a rifle]; ⚔ shackle [of a padlock]; ring, strap, brace; ⚓ gimbals [of a compass]; clasp [of lady's bag; on a bottle]; 🜨 (contact) bow [of an electric tramway]; zie ook: *stijgbeugel; dat kan niet door de ~ 1 (kan er niet mee door)* that cannot pass muster; *2 (is ongeoorloofd)* this cannot be allowed; *het kind liep in ~s* the child wore (leg) irons.

beugelsluiting [-slœytɪŋ] v clasp.

beugeltas [-tɑs] v wallet.

beugvisserij [bø.xfɪsǝ'rɛi] v long-line fishing.

1 beuk [bø.k] m & v △ (hoofd~) nave; (zij~) aisle.

2 beuk, beukeboom ['bø.k(ǝbo.m)] m ♣ beech, beech tree.

beukehout ['bø.kǝhǝut] o beech-wood, beech.

1 beuken ['bø.kǝ(n)] aj beech(en).

2 beuken ['bø.kǝ(n)] vt beat, batter, pummel, pommel; pound [with one's fists]; *de golven ~ het strand* the waves lash the shore (the beach); *er op los ~* pound away [at one].

beukenbos ['bø.kǝ(n)bɔs] o beech-wood.

beukenoot ['bø.kǝno.t] v beech-nut.

beukhamer ['bø.khɑ.mǝr] m maul, mallet.

beul [bø.l] m 1 hangman, executioner, F Jack Ketch; 2 brute, bully, torturer.

beuling ['bø.lɪŋ] m (black) pudding, sausage.

beulshanden ['bø.lshɑndǝ(n)] *door ~* by the hangman.

beulsknecht [-knɛxt] m hangman's assistant.

beunhaas ['bø.nhɑ.s] m interloper, pettifogger, dabbler.

beunhazen [-hɑ.zǝ(n)] vi dabble (in).

beunhazerij [bø.nhɑ.zǝ'rɛi] v dabbling, pettifoggery.

beuren ['bø.rǝ(n)] vt 1 lift (up) [a load]; 2 receive [money].

1 beurs [bø.rs] aj soft.

2 beurs [bø.rs] v 1 (v o o r g e l d) purse; 2 $ (g e b o u w) exchange; Bourse [on the Continent]; 3 (s t u d i e b e u r s) scholarship; *in zijn ~ tasten* put one's hand into one's pocket; *met zijn ~ te rade gaan* consult one's purse; *elkaar met gesloten beurzen betalen* settle on mutual terms; *naar de ~ gaan* go to 'Change; *op de ~, ter beurze* on 'Change; *hij studeert uit een ~* he is an exhibitioner; *het gaat uit een ruime ~* they spend money freely.

beursberichten ['bø:rsbǝrɪxtǝ(n)] mv $ quotations, stock-list.

beursgebouw [-gǝbǝu] o exchange building.

beursnotering [-no.te:rɪŋ] v $ stock-exchange quotation.

beursstudent ['bø:rsty.dɛnt] m ☞ scholar, exhibitioner.

beurstijd ['bø:rstɛit] m $ 'Change hours.

beursvacantie zie *beursvakantie*.

beursvakantie ['bø:rsfɑ.kɑnsi.] v $ bank holiday.

beurswaarde [-vɑ:rdǝ] v $ market value; ~n stocks and shares.

beurt [bø:rt] v turn; *een jongen een ~ geven* let a boy have his turn; *een kamer een ~ geven* F do a room; *een ~ krijgen* get one's turn; *een goede ~ maken* F make a good impression, score; *aan de ~ komen* come in for one's turn; *wie is aan de ~?* whose turn is it?; *om de ~, om ~en* by turns, in turn; *~ om ~* turn (and turn) about, by turns; *ieder op zijn ~* everyone in his turn; *te ~ vallen* fall to the share of, fall to; *vóór zijn ~* out of his turn.

beurtelings ['bø:rtǝlɪŋs] by turns, turn (and turn) about, in turn, alternately.

beurtzang ['bø:rtsɑŋ] m alternate singing; antiphon(y).

beuzelaar ['bø.zǝla:r] m -ster [-stǝr] v dawdler, trifler.

beuzelachtig ['bø.zǝlɑxtǝx] trifling, trivial, futile.

beuzelachtigheid [-hɛit] v triflingness, triviality, futility.

beuzelarij [bø.zǝla:'rɛi] v trifle.

beuzelen ['bø.zǝlǝ(n)] vi dawdle, trifle.

beuzeling [-lɪŋ] v trifle. [dle.

beuzelpraat ['bø.zǝlpra.t] m nonsense, twad-

bevaarbaar [bǝ'va:rba:r] navigable.

bevaarbaarheid [-hɛit] v navigableness, navigability.

bevallen [bǝ'vɑlǝ(n)] I vt please; *het zal u wel ~* I am sure you will be pleased with it, you will like it; *hoe is 't u ~?* how did you like it?; *dat (zaakje) bevalt mij niet* I don't like it; II vi be confined [of a child]; *zij moet ~* she is going to have a baby; *zij is ~ van een zoon* she gave birth to a son.

bevallig [-lǝx] graceful, charming.

bevalligheid [-hɛit] v grace, gracefulness, charm.

bevalling [bǝ'vɑlɪŋ] v confinement; *pijnloze ~* painless childbirth.

bevangen [-'vɑŋǝ(n)] vt seize; *de koude beving hem* the cold seized him; *door slaap ~* overcome with (by) sleep; *door vrees ~* seized with fear.

bevangenheid [-hɛit] v constraint [of his manner].

1 bevaren [bǝ'va:rǝ(n)] vt navigate, sail [the seas].

2 bevaren [bǝ'va:rǝ(n)] aj used (inured) to the sea; *~ matroos* able (experienced) sailor.

bevattelijk [-'vɑtǝlǝk] I aj 1 (v l u g) intelligent, teachable; 2 (v e r s t a a n b a a r) intelligible; II ad intelligibly.

bevattelijkheid [-hɛit] v 1 intelligence, teachability; 2 intelligibility.

bevatten [bǝ'vɑtǝ(n)] vt 1 (i n h o u d e n) contain, comprise; 2 (b e g r i j p e n) comprehend, grasp.

bevatting [-tɪŋ] v comprehension, (mental) grasp.

bevattingsvermogen [-tɪŋsfərmo.gə(n)] *o* zie *bevatting*.

bevechten [bə'vɛxtə(n)] *vt* fight (against), combat; *de zege ∼* gain the victory, carry the day.

bevederd [-'ve.dərt] feathered.

beveiligen [-'vɛiləgə(n)] *vt* secure, protect, safeguard; *beveiligd tegen (voor)* secure from (against) [attack], sheltered from [rain &].

beveiliging [-gɪŋ] *v* protection, safeguarding, shelter.

bevel [bə'vɛl] *o* order, command, injunction [= authoritative order]; *∼ tot aanhouding* ⇄ warrant (of arrest); *∼ tot huiszoeking* searchwarrant; *∼ geven om...* give orders to...; order [them] to...; *het ∼ voeren over* be in command of, command; *onder iemands ∼en staan* be under the command of; *op ∼* ɪ [cry, laugh] to order; 2 (op hoog bevel) by order; *op ∼ van* at (by) the command of, by order of.

1 **bevelen** [-'ve.lə(n)] *vt* order, command, charge, bid, enjoin; *wie beveelt hier, heeft hier te ∼?* who commands here?; *∼de toon* commanding tone.

2 **bevelen** [-'ve.lə(n)] *vt* commend [one's spirit into the hands of the Lord].

bevelhebber [bə'vɛlhɛbər] *m* commander.

bevelhebberschap [-sxəp] *o* commandership, command.

bevelschrift [bə'vɛls(x)rɪft] *o* warrant.

bevelvoerend [-vu:rənt] commanding, in command.

beven ['be.və(n)] *vi* tremble [with anger or fear]; shake [with fear or cold]; quiver [of the voice]; shiver [with cold]; shudder [with horror]; *∼ als een riet*, F *als een juffershondje* tremble like an aspen leaf.

bever ['be.vər] ɪ *m* 🐀 beaver; 2 *o* (stof) beaver.

beverig ['be.vərəx] trembling, shaky.

bevestigen [bə'vɛstəgə(n)] *vt* fix, fasten, attach [a thing to another]; 1 affirm [a declaration]; 2 confirm [a report]; corroborate, bear out [an opinion, a statement]; 3 consolidate [power]; 4 confirm [new members of a Church]; 5 induct [a new clergyman].

bevestigend [-gənt] I *aj* affirmative; II *ad* affirmatively, [answer] in the affirmative.

bevestiging [-gɪŋ] *v* ɪ (in de logica) affirmation; 2 (van bericht) confirmation; 3 (van macht, positie) consolidation; 4 (van lidmaten) confirmation; 5 (van predikant) induction.

bevind [bə'vɪnt] *naar ∼ (van zaken)* as may be required.

bevindelijk [-'vɪndələk] experimental.

bevinden [-'vɪndə(n)] I *vt* find [him guilty]; II *vr zich ∼* ɪ (ergens) be (found) [of things], be [of persons]; 2 (zus of zo) be, feel; *zich ergens ∼, zich in gevaar ∼* find oneself [somewhere]; be [in danger].

bevinding [-dɪŋ] *v* ɪ [mystical] experience; 2

finding [of a committee].

beving ['be.vɪŋ] *v* trembling, shivering, trepidation.

bevissen [bə'vɪsə(n)] *vt* fish [a water].

bevitten [-'vɪtə(n)] *vt* cavil at, carp at, criticize.

bevlekken [-'vlɛkə(n)] *vt* stain, spot, soil, defile, pollute.

bevlekking [-kɪŋ] *v* staining, soiling, defilement.

bevliegen [bə'vli.gə(n)] *vt* 🐦 fly [a route].

bevlieging [-gɪŋ] *v* F caprice; *een ∼ van edelmoedigheid* a fit of generosity.

bevloeien [bə'vlu.jə(n)] *vt* irrigate.

bevloeiing [-jɪŋ] *v* irrigation.

bevloeren [bə'vlu:rə(n)] *vt* floor.

bevloering [-rɪŋ] *v* flooring.

bevochtigen [bə'vɔxtəgə(n)] *vt* moisten, damp, wet.

bevochtiger [-gər] *m* damper.

bevochtiging [-gɪŋ] *v* moistening, wetting.

bevoegd [bə'vu.xt] competent, [fully] qualified; authorized, entitled; *de ∼e instanties* the appropriate authorities; *∼ om...* qualified to...; having power to...; *van ∼e zijde* from an authoritative source, [hear] on good authority.

bevoegdheid [-hɛit] *v* competence, competency; power [of the government, local officials &]; *...met de ∼ om...* qualified to [teach that language]; with power to [dismiss him].

bevoelen [bə'vu.lə(n)] *vt* feel, finger, handle.

bevolken [-'vɔlkə(n)] *vt* people, populate.

bevolking [-kɪŋ] *v* population; peopling.

bevolkingsbureau [-kɪŋsby.ro.] *o* register office.

bevolkingscijfer [bə'vɔlkɪŋsɛifər] *o* population figure, population returns.

bevolkingsdichtheid [bə'vɔlkɪŋsdɪxthɛit] *v* density of population, population density.

bevolkingsdruk [-drük] *m* pressure of population, population pressure.

bevolkingsgroep [-gru.p] *v* ɪ [poorest] section of the population; 2 [Jewish, Muslim] community.

bevolkingsoverschot -o.vərsxɔt] *o* surplus population.

bevolkingsregister [-rəgɪstər] *o* register (of population).

bevolkingsstatistiek [bə'vɔlkɪŋsta.tɪsti.k] *v* statistics of population, population statistics, vital statistics.

bevolkt [bə'vɔlkt] populated.

bevoordelen [-'vo:rde.lə(n)] *vt* favour.

bevooroordeeld [bəvo:r'o:rde.lt] prejudiced, prepossessed, bias(s)ed.

bevoorraden [bə'vo:ra.də(n)] *vt* supply.

bevoorrading [-dɪŋ] *v* supply, supplies (of food *met voedsel*; to the market, *van de markt*).

bevoorrechten [bə'vo:rɛxtə(n)] *vt* privilege, favour.

bevoorrechting [-tɪŋ] *v* ɪ (in 't alg.) favouring; 2 (als stelsel) favouritism.

bevorderaar [bə'vərdəra:r] *m* furtherer, promoter [of art &].

bevorderen [-rə(n)] *vt* further [a cause &]; advance, promote [plans, persons to a higher office]; prefer [a person to an office]; aid [digestion]; benefit [health]; *ik werd bevorderd, hij werd niet bevorderd* ⟋ I was moved up to a higher form, he missed his remove; ∼ *tot kapitein* ✕ promote (to the rank of) captain.

bevordering [-rɪŋ] *v* advancement, promotion [of plans, persons]; preferment [to an office]; furtherance [of a cause]; ⟋ remove.

bevorderlijk [bə'vərdərlək] ∼ *voor* conducive to, beneficial to, instrumental to.

bevrachten [-'vrɑxtə(n)] *vt* freight, charter [ships]; load.

bevrachter [-tər] *m* freighter, charterer.

bevrachting [-tɪŋ] *v* freighting, chartering.

bevragen [bə'vra.gə(n)] *te* ∼ *bij*... (for particulars) apply to...; information to be had at...'s, inquire at...'s; *hier te* ∼ inquire within.

bevredigen [-'vre.dəgə(n)] *vt* satisfy [appetite or want], gratify [a desire], appease [hunger]; *het bevredigt (je) niet* it does not give satisfaction.

bevredigend [-gənt] satisfactory, satisfying.

bevrediging [-gɪŋ] *v* satisfaction, gratification, appeasement.

bevreemden [bə'vre.mdə(n)] *vt* in: *het bevreemdt mij, dat hij 't niet deed* I wonder (am surprised to find) he...; *het bevreemdde mij* I wondered (was surprised) at it.

bevreemdend [-dənt] surprising.

bevreemding [-dɪŋ] *v* surprise.

bevreesd [bə'vre.st] afraid; ∼ *voor* 1 apprehensive of [the consequences, danger]; 2 apprehensive for [a person or his safety].

bevreesdheid [-ɦɛit] *v* apprehension, fear.

bevriend [bə'vri.nt] friendly [nations]; ∼ *met* on friendly terms with, a friend of; ∼ *worden met* become friends (friendly) with.

bevriezen [-'vri.zə(n)] I *vi* 1 freeze (over, up), congeal; 2 freeze to death; *ik bevries* I am freezing; *je bevriest hier* one freezes to death here; *laten* ∼ freeze [meat &]; II *vt* freeze.

bevriezing [-zɪŋ] *v* freezing (over, up), congelation.

bevrijd [bə'vrɛit] free, at liberty, liberated [from tyranny].

bevrijden [-'vrɛidə(n)] *vt* free, set free, set at liberty, deliver, liberate, rescue [from danger]; release [from confinement], emancipate [from a yoke].

bevrijder [-dər] *m* deliverer, liberator, rescuer.

bevrijding [-dɪŋ] *v* deliverance, liberation, rescue, release, emancipation.

bevrijdingsfeesten [-dɪŋsfe.stə(n)] *mv* liberation festivities.

bevrijdingsoorlog [-dɪŋso:rlɔx] *m* war of liberation.

bevroeden [bə'vru.də(n)] *vt* 1 suspect, surmise; 2 realize, apprehend.

bevroren [-'vro:rə(n)] frozen [meat; credits];

frost-bitten [buds]. [ize.

bevruchten [-'vrʏxtə(n)] *vt* impregnate; ⚥ fertil-

bevruchting [-tɪŋ] *v* impregnation; ⚥ fertilization.

bevuilen [bə'vœylə(n)] *vt* dirty, soil, foul, defile.

bewaarder [-'va:rdər] *m* keeper, guardian; (v. woning) care-taker.

bewaargeld [-gɛlt] *o* storage.

bewaargever [-ge.vər] *m* depositor.

bewaargeving [-ge.vɪŋ] *v* deposit.

bewaarheiden [-ɦɛidə(n)] *vt* verify; *bewaarheid worden* be verified; come true.

bewaarloon [-lo.n] *o* 1 zie *bewaargeld*; 2 cloak-room charges.

bewaarnemer [-ne.mər] *m* depositary.

bewaarplaats [-pla.ts] *v* depository, [furniture] repository, storehouse; [bicycle] shelter; zie ook: *kinderbewaarplaats*.

bewaarschool [-sxo.l] *v* infant school, kindergarten.

bewaarschoolonderwijzeres [-ɔ̀ndərvɛizəres] *v* infant-school teacher.

bewaken [bə'va.kə(n)] *vt* (keep) watch over, guard; *laten* ∼ set a watch over.

bewaker [-kər] *m* keeper, watch, guard.

bewaking [-kɪŋ] *v* guard, watch(ing), custody; *onder* ∼ under guard.

bewandelen [bə'vandələ(n)] *vt* walk, tread (upon); *het pad der deugd* ∼ tread (walk in) the path of virtue.

bewapenen [-'va.pənə(n)] *vt* arm.

bewapening [-nɪŋ] *v* armament.

bewapeningsindustrie [-nɪŋsɪndüstri.] *v* arms industry.

bewapeningswedloop [-nɪŋsvetlo.p] *m* arms race.

bewaren [bə'va:rə(n)] *vt* keep [a thing, a secret, one's balance]; preserve [fruit, meat &]; maintain, keep up [one's dignity]; ∼ *voor* preserve (defend, save) from, guard from (against); *voor nat te* ∼ to be kept dry!; *zich laten* ∼ keep [of food]; zie ook: *God, hemel*.

bewaring [-rɪŋ] *v* keeping, preservation, custody; *in* ∼ *geven* deposit [luggage, money &]; *het hem in* ∼ *geven* entrust him with the care of it; *in* ∼ *hebben* have in one's keeping, hold in trust; *hem in verzekerde* ∼ *nemen* take him into custody.

bewasemen [bə'va.səmə(n)] *vt* cover over with vapour, dim (cloud) with moisture.

bewateren [-'va.tərə(n)] *vt* water, irrigate.

beweegbaar [-'ve.xba:r] movable.

beweegbaarheid [-ɦɛit] *v* movableness.

beweeggrond [bə've.grɔnt] *m* motive, ground.

beweegkracht [-'ve.xkrɑxt] *v* motive power.

beweeglijk [-'ve.gələk] 1 movable; mobile [features]; 2 lively [children].

beweeglijkheid [-ɦɛit] *v* 1 movableness; mobility; 2 liveliness.

beweegreden [bə've.xre.də(n)] *v* motive, ground.

bewegen [bə've.gə(n)] **I** *vi* move; stir; **II** *vt* 1 move; stir; 2 (ontroeren) move, stir, affect; 3 (overhalen) move, induce [one to do it]; **III** *vr zich* ~ move, stir, budge; *zich in de hoogste kringen* ~ move in the best society (circles); *hij weet zich niet te* ~ he doesn't know how to behave, he has no manners.

beweging [-gɪŋ] *v* 1 (het bewegen v. iets) motion, F move; movement, stir(ring); 2 (het bewegen met iets) motion [of the arms], movement [of the lever]; 3 (drukte) commotion, agitation, stir, F bustle; 4 (lichaamsbeweging) exercise; 5 (des gemoeds) emotion; (*veel*) ~ *maken* create a commotion; make a stir; ~ *nemen* take exercise; *in* ~ *brengen* set (put) in motion, set going, ⚔ start; *fig* stir [people]; *in* ~ *houden* keep going; *in* ~ *komen* begin to move, start; *in* ~ *krijgen* set (get) going; *in* ~ *zijn* 1 be moving, be in motion, be on the move [of a person]; 2 be in commotion [of a town &]; *uit eigen* ~ of one's own accord.

bewegingloos [-lo.s] motionless.

bewegingsleer [bə've.gɪŋsle:r] *v* kinetics. [ment.

bewegingsoorlog [-o:rlɔx] *m* ✗ war of movebewegingsvrijheid** [-frɛiheit] *v* 1 freedom of movement; 2 ✗ 24 hours' leave.

bewenen [bə've.nə(n)] *vt* weep for, weep, deplore, lament, bewail, mourn, mourn for.

beweren [-'ve:rə(n)] *vt* 1 assert, contend, maintain, claim; 2 (wat onbewezen is) allege; 3 (meestal ten onrechte) pretend; *hij heeft niet veel te* ~ he has not much to say for himself; *hij heeft hier niets te* ~ he has no authority here.

bewering [-rɪŋ] *v* 1 assertion, contention; 2 (onbewezen) allegation.

bewerkelijk [bə'vɛrkələk] laborious, requiring or involving much labour, toilsome.

bewerken [-kə(n)] *vt* 1 work, dress, fashion, shape [one's material], till [the ground]; work up [materials]; 2 (omwerken) adapt [a novel for the stage]; (tot stand brengen) operate, effect, bring about; 4 (iemand) work, influence [a person]; > tamper with, prime [the witnesses]; *6de druk bewerkt door...* edited (revised) by...; ~ *tot* work up into.

bewerker [-kər] *m* cause [of a person's death], worker [of mischief]; compiler [of a book], adapter [of a novel], editor [of the revised edition].

bewerking [-kɪŋ] *v* 1 (het bewerken) working [of material], tillage [of the ground], operation [in mathematics], adaptation, dramatization [of a play]; version [of a film]; 2 (wijze van bewerken) workmanship [of a box &]; *in* ~ in preparation.

bewerkstelligen [bə'vɛrkstɛləgə(n)] *vt* bring about, effect.

bewerktuigd [-tœyxt] organized, organic [bodies].

bewerktuiging [-tœygɪŋ] *v* organization.

bewesten [bə'vɛstə(n)] (to the) west of, westward of.

bewieroken [-'vi:ro.kə(n)] *vt* incense[2]; *iemand* ~ shower praise on a person; adulate a person.

bewieroking [-kɪŋ] *v* incensing[2]; *fig* fulsome praise; adulation.

bewijs [bə'vɛis] *o* 1 proof, evidence, demonstration; 2 (bewijsgrond) argument; 3 (bewijsstuk) voucher; [doctor's, medical &] certificate; 4 (blijk) mark; ~ *van goed gedrag* certificate of good character (conduct); ~ *van herkomst* (*oorsprong*) certificate of origin; ~ *van lidmaatschap* certificate of membership; ~ *van Nederlanderschap* certificate of Dutch nationality; ~ *van ontvangst* receipt; ~ *van onvermogen* certificate of indigency; *ten bewijze waarvan* in support of which, in proof (in witness) whereof.

bewijsbaar [-ba:r] provable, demonstrable.

bewijsgrond [-grònt] *m* argument.

bewijskracht [-kraxt] *v* evidential force, conclusiveness, conclusive force, cogency [of an argument].

bewijslast [-last] *m* burden (onus) of proof.

bewijsmateriaal [-ma.te:ri.a.l] *o* evidence.

bewijsplaats [-pla.ts] *v* quotation in support, reference.

bewijsstuk [bə'vɛistŭk] *o* evidence; title-deed, title [as evidence of a right].

bewijsvoering [bə'vɛisfu:rɪŋ] *v* argumentation.

bewijzen [bə'vɛizə(n)] *vt* 1 (aantonen) prove, demonstrate [a proposition], establish [the truth of...], make out, make good [a claim, one's point], show [feeling, the presence of...]; 2 (betonen) show [favour], confer [a favour] upon, render [a service, the last funeral honours].

bewilligen [-'vɪləgə(n)] *vi* in: ~ *in* grant, consent to.

bewilliging [-gɪŋ] *v* consent, assent.

bewimpelen [bə'vɪmpələ(n)] *vt* disguise, cloak gloze over, palliate [an unpleasant fact].

bewind [-'vɪnt] *o* administration, government, rule; *het* ~ *voeren* hold the reins of government; *het* ~ *voeren over* rule (over); *aan het* ~ *komen* accede to the throne [of a king], come into power [of a minister]; *aan het* ~ *zijn* be in power.

bewindhebber [-hɛbər] *m* director, manager, administrator.

bewindsman [bə'vɪntsman] *m* ruler, statesman; authority; minister.

bewindvoerder [-'vɪntfu:rdər] *m* zie *bewindhebber*; *t's* receiver; trustee.

bewogen [-'vo.gə(n)] *fig* moved, affected; ~ *tijden* stirring times.

bewogenheid [-heit] *v* emotion; emotional quality.

bewolken [bə'vòlkə(n)] **I** *vt* cloud, becloud; **II** *vi* cloud over (up), become overcast.

bewolking [-kıŋ] *v* clouds.

bewolkt [bə'vòlkt] clouded, cloudy, overcast.

bewonderaar [bə'vòndəra:r] *m* -ster [-stər] *v* admirer.

bewonderen [-rə(n)] *vt* admire.

bewonderenswaard(ig) [bəvòndərəns'va:rt, -'va:rdəx] admirable.

bewondering [bə'vòndərıŋ] *v* admiration.

bewonen [-'vo.nə(n)] *vt* inhabit, occupy, live in, dwell in, reside in [a place].

bewoner [-nər] *m* inhabitant [of a country], tenant, inmate, occupant, occupier [of a house]; resident [and not a visitor]; denizen [of the forest, of the air &].

bewoning [-nıŋ] *v* inhabitation, occupation [of a house].

bewoonbaar [bə'vo.nba:r] (in)habitable.

bewoonbaarheid [-hɛit] *v* (in)habitableness, habitability.

bewoonster [bə'vo.nstər] *v* zie *bewoner*.

bewoording(en) [bə'vo:rdıŋ(ə(n))] *v* (*mv*) wording; *in algemene ~en* in general terms.

bewust [-'vũst] I conscious; 2 (bedoeld) in question; *ik was het mij niet ~* I was not conscious of that, I was unaware of it; *hij was het zich ten volle ~* he was fully aware of it; *zij werd het zich ~* she became conscious of it; *hij was zich van geen kwaad ~* he was not conscious of having done anything wrong; *~ of onbewust* wittingly or unwittingly; *heb je de ~e gezien?* F have you seen the person in question?

bewusteloos [-'vũstəlo.s] unconscious, senseless, insensible; *~ slaan* beat insensible, knock senseless.

bewusteloosheid [bəvũstə'lo.shɛit] *v* unconsciousness, senselessness, insensibillty.

bewustheid [bə'vũstheit] *v* consciousness.

bewustzijn [-sɛin] *o* consciousness, (full) knowledge; *het ~ verliezen* lose consciousness; *hij was bij zijn volle ~* he was quite conscious; *buiten ~* unconscious; *in het ~ van zijn onschuld* in the consciousness of his innocence; *weer tot ~ komen* recover (regain) consciousness.

bezaaien [bə'za.jə(n)] *vt* sow; *~ met* sow with²; *fig* strew with.

bezaan [-'za.n] *v* ⚓ miz(z)en.

bezaan(leer) [-(le:r)] *o* basan, basil, sheepskin.

bezaansmast [bə'za.nsmɑst] *m* ⚓ miz(z)enmast.

bezadigd [bə'za.dəxt] sedate, staid, dispassionate.

bezadigdheid [-hɛit] *v* sedateness [of mind], staidness.

bezegelen [bə'ze.gələ(n)] *vt* seal² [a person's fate].

bezeilen [-'zɛilə(n)] *vt* sail [the seas]; *er is geen land met hem te ~* he is quite unmanageable.

bezem ['be.zəm] *m* broom; (*v.* twijgen) besom; *nieuwe ~s vegen schoon* new brooms sweep clean.

bezembinder [-bındər] *m* broom-maker.

bezemsteel [-ste.l] *m* broomstick.

bezending [bə'zɛndıŋ] *v* consignment [of goods]; F batch, lot.

bezeren [-'ze:rə(n)] I *vt* hurt, injure; II *vr zich ~* hurt oneself.

bezet [-'zɛt] I taken, engaged [of a seat]; 2 (bezig) engaged, occupied, busy; 3 ⚔ occupied [of a town]; *alles ~!* full up!; *ik ben zó ~ dat...* I am so busy that...; *al mijn uren zijn ~* all my hours are taken up; *de rollen waren goed ~* the cast was an excellent one; *de zaal was goed ~* the house was well attended, there was a large audience; *~ met...* set with [diamonds &].

bezeten [-'ze.tə(n)] *aj* possessed; dominated [by an idea]; *als ~(en)* like mad.

bezetene [-'ze.tənə] *m-v* one possessed.

bezetten [-'zɛtə(n)] *vt* occupy [a town]; take [seats]; fill [a post]; cast [a piece, play]; *~ met* trim with [lace]. Zie ook: *bezet*.

bezetter [-tər] *m* occupier.

bezetting [-tıŋ] *v* 1 (het bezetten) occupation; 2 ⚔ garrison; 3 (v. toneelstuk) cast; 4 (v. orkest) strength; *in een stad ~ leggen* garrison a town.

bezettingsautoriteiten [-tıŋsəuto.ri.tɛitə(n)] *mv* ⚔ occupation authorities.

bezettingsleger [-le.gər] *o* ⚔ army of occupation.

bezettingsstaking [-tıŋsta.kıŋ] *v* stay-in strike, sit-down strike.

bezettingstroepen [-tıŋstru.pə(n)] *mv* ⚔ occupation troops.

bezettingszone [-tıŋzo:nə, -tıŋzo.nə] *v* ⚔ zone of occupation.

bezichtigen [bə'zıxtəgə(n)] *vt* have a look at, view, inspect; *te ~* on view.

bezichtiging [-gıŋ] *v* view(ing), inspection; *ter ~ zijn* be on view; lie out for inspection.

bezie ['be.zi.] *v* zie 2 *bes*.

bezield [bə'zi.lt] animated, inspired.

bezielen [-'zi.lə(n)] *vt* animate, inspire; *wat bezielt je toch?* F what possesses you?

bezielend [-lənt] inspiring [influence, leadership].

bezieling [-lıŋ] *v* animation, inspiration.

bezien [bə'zi.n] *vt* look at, view; *het staat te ~* it remains to be seen.

bezienswaard(ig) [bəzi.ns'va:rt, -'va:rdəx] worth seeing.

bezienswaardigheid [-hɛit] *v* curiosity; *de bezienswaardigheden* the sights [of a place], the things worth seeing.

bezig ['be.zəx] busy, at work, occupied, engaged; *de ~e bij* the busy bee; *is hij weer ~?* is he at it again?; *aan iets ~ zijn* have a thing in hand, be at work (engaged) on it; *hij is er druk aan ~* he is hard at work upon it, hard at it; *~ zijn met...* be busy ...ing.

bezigen ['be.zəgə(n)] *vt* use, make use of, employ.

bezigheid ['be.zəxhɛit] *v* occupation, employment; *bezigheden* pursuits, avocations; *ik heb bezigheden* I am engaged; *hij heeft geen bezigheden* he has no occupation, he has nothing to do.

bezighouden [-hɔudə(n)] *vt* in: *iemand ~* keep one busy; *het gezelschap (aangenaam) ~* entertain the company; *de kinderen nuttig ~* keep the children usefully occupied; *zich met iets ~* occupy (busy) oneself with a thing; *ik kan mij niet met u ~* I cannot attend to your business.

bezijden [bə'zɛidə(n)] in: *het is ~ de waarheid* it is beside the truth.

bezingen [-'zɪŋə(n)] *vt* sing (of), chant.

bezinken [-'zɪŋkə(n)] *vi* settle (down); *fig* sink [in the mind].

bezinksel [-'zɪŋksəl] *o* sediment, deposit, lees, dregs; residue.

bezinnen [-'zɪnə(n)] I *va* reflect; *bezint eer gij begint* look before you leap; II *vr zich ~* think, reflect; *zich lang ~* think long.

bezinning [-nɪŋ] *v* consciousness; *zijn ~ verliezen* lose one's senses; *weer tot ~ komen* come to one's senses again.

bezit [bə'zɪt] *o* possession; (t. o. schulden) assets; *fig* asset; $ holdings [of securities, sterling &]; *in het ~ geraken (komen) van* come into possession of, gain (get, obtain) possession of; *in ~ nemen* take possession of; *iemand in het ~ stellen van* put a person in possession of; *zich in het ~ stellen van* possess oneself of; *in het ~ zijn van* be in possession of, be possessed of; *wij zijn in het ~ van uw brief* we have your letter; *uit het ~ stoten* dispossess.

bezitneming [-ne.mɪŋ] *v* occupancy, occupation.

bezitster [-stər] *v* proprietress, owner.

bezittelijk [bə'zɪtələk] *gram* possessive [pronoun].

bezitten [bə'zɪtə(n)] *vt* possess, own, have, be possessed of; $ hold [securities]; *zijn ziel in lijdzaamheid ~* possess one's soul in patience; *de ~de klassen* the propertied classes.

bezitter [-tər] *m* possessor, owner, proprietor; $ holder [of securities].

bezitting [-tɪŋ] *v* possession; property; *~en en schulden* $ assets and liabilities.

bezocht [bə'zɔxt] visited &, zie *bezoeken*; (much) frequented [place]; *druk ~ ook:* numerously attended [meeting]; *goed ~* well-attended; *door spoken ~* haunted.

bezoedelen [-'zu.dələ(n)] *vt* soil, sully, contaminate, stain, pollute, defile, blemish, besmirch.

bezoedeling [-lɪŋ] *v* contamination, stain, pollution, defilement, blemish.

bezoek [bə'zu.k] *o* 1 (visite) visit, call; 2 (mensen) visitor(s), guests, company; 3 (aanwezig zijn) attendance; *een ~ afleggen (brengen)* make a call, pay a visit; *een ~ be-*

antwoorden return a call; *er is ~, we hebben ~* we (they) have visitors; *wij ontvangen vandaag geen ~* we are not at home to anybody to-day; *ik was daar op ~* I was on a visit there.

bezoekdag [-dɑx] *m* at-home day; visitors' (visiting) day [at a hospital &].

bezoeken [bə'zu.kə(n)] *vt* visit [a person, place, museum &, us with tribulations]; go (come) to see, call on, see [a friend, a man], call at [a house, the Jansens'], attend [church, school, a lecture &]; frequent [the theatres].

bezoeker [-kər] *m* visitor, caller, guest; frequenter [of a theatre].

bezoeking [-kɪŋ] *v* visitation, affliction, trial.

bezoektijd [bə'zu.ktɛit] *m* visiting time.

bezoekuur [-y:r] *o* visiting hour.

bezoldigen [bə'zɔldəgə(n)] *vt* pay, salary.

bezoldiging [-gɪŋ] *v* pay, salary, stipend.

bezondigen [bə'zɔndəgə(n)] *zich ~ sin; zich aan beleefdheid ~ doet hij niet* politeness is not his besetting sin.

bezonken [-zɔŋkə(n)] *fig* well-considered.

bezonnen [-zɔnə(n)] level-headed, sober-minded, staid, sedate.

bezorgd [-'zɔrxt] anxious, solicitous; *~ voor* anxious (uneasy, concerned) about, solicitous about (for); *zich ~ maken* worry (about over).

bezorgdheid [-hɛit] *v* anxiety, uneasiness, solicitude, concern, apprehension; worry.

bezorgen [bə'zɔrgə(n)] *vt* 1 (zorgen voor) look after [a man's business]; 2 (brengen) deliver [goods, letters &]; 3 (verschaffen) procure, get, find [a thing for a person]; gain, win [him many friends], earn [him a certain reputation]; 4 give, cause [trouble &]; *we kunnen het u laten~* you can have it delivered at your house; *voor de druk ~* edit; *hij is (goed) bezorgd* he is (well) provided for.

bezorger [-gər] *m* delivery-man; bearer [of a letter]; [milk &] roundsman.

bezorging [-gɪŋ] *v* delivery [of letters, parcels

bezorgloon [bə'zɔrxlo.n] *o* delivery fee. [&].

bezuiden [bə'zœydə(n)] (to the) south of, southward of.

bezuinigen [-'zœynəgə(n)] *vi* economize, retrench, reduce one's expenses, curtail expenses, reduce expenditure; *~ op* economize on.

bezuiniging [-gɪŋ] *v* economy, retrenchment, cut [in wages]; *~en maken* economize.

bezuinigingsmaatregel [-gɪŋsma.tre.gəl] *m* measure of economy, economy measure.

bezuren [bə'zy:rə(n)] *vt* in: *iets ~* suffer (pay dearly) for something.

bezwaar [bə'zva:r] *o* 1 difficulty, objection; scruple [= conscientious objection]; 2 (nadeel) drawback; *buiten ~ van de schatkist* at one's own expense; *bezwaren maken* 1 raise objections, object (to *tegen*); 2 make difficulties, have scruples about doing.

bezwaard [-'zva:rt] burdened[2]; *fig* oppressed; *voelt u zich ~?* is there anything weighing on your mind?, have you any grievance?; *~ met een hypotheek* encumbered (with a mortgage), mortgaged.

bezwaarlijk [-'zva:rlək] **I** *aj* difficult, hard; **II** *ad* with difficulty; *ik kan het ~ geloven* I can hardly believe it.

bezwaarschrift [-s(x)rıft] *o* objection.

bezwangerd [bə'zvaŋərt] in: *met geuren ~* laden (heavy) with odours.

bezwaren [-'zva:rə(n)] **I** *vt* burden[2], load[2], weight [with a load]; oppress, weigh (lie) heavy upon [the stomach, the mind], sit heavy on [the stomach]; *dat zal hem zeer ~* 1 it will be too heavy a charge upon him; 2 it will weigh too much upon his stomach; **II** *vr zich ~ over iets bij...* complain of a thing to... Zie ook: *bezwaard.*

bezwarend [-rənt] burdensome [tax], onerous [terms], aggravating [circumstances], damaging [facts].

bezweet [bə'zve.t] perspiring, in a sweat.

bezweren [-'zve:rə(n)] *vt* 1 (met eed) swear (to), make oath [that...]; 2 (bannen) exorcise, cónjure, lay [ghosts, a storm]; charm [snakes]; avert, ward off [a danger]; 3 cónjure up, raise [a ghost]; 4 (smeken) conjúre, adjure [one not to...].

bezwering [-rıŋ] *v* 1 swearing; 2 exorcism; 3 conjuration, adjuration.

bezweringsformulier [-rıŋsfərmy.li:r] *o* incantation, charm, spell.

bezwijken [bə'zvɛikə(n)] *vi* succumb [to wounds, to a disease, to temptation], give way, break down, collapse [also of things]; *~ onder de last* sink beneath the burden.

bezwijmen [-'zvɛimə(n)] *vi* faint (away), swoon.

bezwijming [-mıŋ] *v* fainting fit, faint, swoon.

bibberatie [bıbə'ra.(t)si.] *v de ~* the shivers.

bibberen ['bıbərə(n)] *vi* shiver [with cold], tremble [with fear].

bibliograaf [bi.bli.o.'gra.f] *m* bibliographer.

bibliografie [-gra.'fi.] *v* bibliography.

bibliografisch [-'gra.fi.s] bibliographical.

bibliote- zie *bibliothe-.*

bibliothecaris [-te.'ka:rıs] *m* librarian.

bibliotheek [-'te.k] *v* library.

bibliothekaris zie *bibliothecaris.*

bidbankje ['bıtbaŋkjə] *o* praying desk.

biddag ['bıdɑx] *m* day of prayer.

bidden ['bıdə(n)] **I** *vi* 1 pray [to God], say one's prayers; 2 (vóór 't eten) ask a blessing; 3 (na 't eten) say grace; *~ om* pray for; *iemand om een gunst ~* ask (entreat) a favour of one; *~ en smeken* beg and pray (implore); **II** *vt* pray [to God]; beg, entreat, implore [a person to...]; *de Hemel ~* pray to Heaven [that...]; *het onzevader ~* say (recite) the Our Father; *ga heen, bid ik u ...*I pray; *niet zo vlug, als (wat) ik u ~ mag* pray not so fast.

bidder [-dər] *m* 1 prayer; 2 undertaker's man.

bidet [bi.'dɛ.] *m & o* bidet.

bidplaats ['bıtpla.ts] *v* oratory, chapel.

bidprentje [-prɛncə] *o RK* 1 mortuary card; 2 devotional picture.

bidstoel [-stu.l] *m* prie-dieu (chair).

bidstond [-stònt] *m* prayer meeting; intercession service [for peace].

bidweek [-ve.k] *v* week of prayer.

biecht [bi.xt] *v* confession; *de ~ afnemen (horen)* hear confession, confess; *te ~ gaan* go to confession, confess.

biechteling(e) ['bi.xtəlıŋ(ə)] *m(-v)* confessant.

biechten [-tə(n)] *vt & vi* confess; *gaan ~* go to confession.

biechtgeheim ['bi.xtgəhɛim] *o* secret of the confessional.

biechtkind [-kınt] *o* confessant.

biechtstoel [-stu.l] *m* confessional (box).

biechtvader [-fa.dər] *m* confessor.

bieden ['bi.də(n)] **I** *vt* 1 (aanbieden) offer, present; 2 (op verkoping) bid; *vijf gulden ~ op* offer 5 guilders for; **II** *va* bid, make bids; *~ op* make a bid for; *meer ~ dan een ander* outbid one.

bieder [-dər] *m* bidder.

biefstuk ['bi.fstŭk] *m* rumpsteak.

biel [bi.l] *v* sleeper [under the rails].

bier [bi:r] *o* beer, ale.

bierbrouwer ['bi:rbrɔuər] *m* (beer-)brewer.

bierbrouwerij [bi:rbrɔuə'rɛi] *v* brewery.

bierfles ['bi:rflɛs] *v* beer-bottle.

bierglas [-glɑs] *o* beer-glass.

bierhuis [-hœys] *o* beerhouse, ale-house, pub.

bierkaai [-ka:i] *vechten tegen de ~* engage in a hopeless struggle.

bierkan [-kɑn] *v* beer-jug.

bierkruik [-krœyk] *v* beer-jug.

bierpomp [-pòmp] *v* beer-engine.

bierton [-tòn] *v* **-vat** [-vɑt] *o* beer-cask, beer-barrel.

bierwagen [-va.gə(n)] *m* brewer's cart, dray.

1 **bies** [bi.s] *v* ⚘ (bul)rush; *zijn biezen pakken* pack up one's traps, cut one's stick.

2 **bies** [bi.s] *v* 1 border; 2 piping [on trousers &].

bieslook ['bi.slo.k] *o* ⚘ chive.

biet [bi.t] *v* beet.

bietebauw ['bi.təbɔu] *m* bugbear, bugaboo, ogre.

biezen ['bi.zə(n)] *aj* rush, rush-bottomed [chair].

biezonder(-) zie *bijzonder(-).*

big [bıx] *v* 1 young pig, piglet, pigling; 2 ✕ *S* Johnny Raw.

biggelen ['bıgələ(n)] *vi* trickle; *tranen ~ langs haar wangen* tears trickle down her cheeks.

biggen ['bıgə(n)] *vi* farrow, cast [pigs].

1 **bij** [bɛi] *v* bee.

2 **bij** [bɛi] **I** *prep* by, with, near &; *~ zijn aankomst* on (at) his arrival; *~ de artillerie (marine)* in the artillery (navy); *~ avond* in the evening; *~ de Batavieren* with the

Batavians; *zijn broer was* ∼ *hem* his brother was with him; ∼ *zijn dood* at his death; ∼ *het dozijn* by the dozen; ∼ *een glas bier* over a glass of beer; ∼ *honderden* by (in) hundreds; [they came] in their hundreds; *dat is* ∼ *Europa* (∼ *Fichte*) *reeds vermeld* already mentioned under Europe (in Fichte); ∼ *al zijn geleerdheid*... with all his learning; ∼ *het lezen* when reading; ∼ *goed weer* if it is fine; *ik heb het niet* ∼ *mij* I've not got it with me; *er werd geen geld* ∼ *hem gevonden* I no money was found (up)on him; 2 no money was found in his house; ∼ *zijn leven* during his life; *hij is (iets)* ∼ *het spoor* he is (something) on (in) the railway; *er stond een streepje* ∼ *zijn naam* against his name; ∼ *ons* I with us; 2 in this country; ∼ *het vallen van de avond* at nightfall; ∼ *het venster* near (by) the window; *het is* ∼ *vijven* going on for five; ∼ *de zestig* close upon sixty; ∼ *Waterloo* near Waterloo; *de slag* ∼ *Waterloo* the battle of Waterloo; ∼ *deze woorden* at these words; **II** *ad* in: *hij is goed* ∼ he has (all) his wits about him, he is all there; *ik ben niet* ∼ I've got behind; *ik ben nog niet* ∼ I am still behind; *het boek is* ∼ is up to date; *de boeken zijn* ∼ \$ are posted up; *hij is er* ∼ he is present; *hij is er niet* ∼ he is not attending to what I say (to his work &); *je bent er* ∼ *!* F you are in for it!; *zonder mij was je er* ∼ *geweest* but for me you would have been done for.

bijaldien [bɛiɑl'di.n] in case, if.

bijbaantje ['bɛiba.ncə] *o* F by-job.

bijbank [-bɑŋk] *v* branch bank.

bijbedoeling [-bədu.lɪŋ] *v* zie *bijoogmerk*.

bijbehorend [-bəho:rənt] accessory; *met* ∼(*e*)... with... to match.

bijbel ['bɛibəl] *m* bible.

bijbelgenootschap [-ɡəno.tsxɑp] *o* bible society.

bijbelplaats [-pla.ts] *v* scriptural passage.

bijbels ['bɛibəls] *aj* biblical, of the bible, scriptural; ∼*e geschiedenis* sacred history.

bijbelspreuk ['bɛibəlsprø.k] *v* scriptural sentence.

bijbeltaal [-ta.l] *v* biblical language.

bijbeltekst [-tɛkst] *m* text from Scripture.

bijbelvast [-vɑst] well-read in Scripture.

bijbelverklaarder [-vərkla:rdər] *m* exegete.

bijbelverklaring [-vərkla:rɪŋ] *v* exegesis.

bijbelvertaling [-vərta.lɪŋ] *v* translation of the bible; *de Engelse* ∼ the English version of the Bible; (van 1611) the Authorized Version; (van 1884) the Revised Version.

bijbelwoord [-vo:rt] *o* 1 Scripture word; 2 *het* ∼ the sacred text; *volgens het* ∼ according to the words of the Bible.

bijbetalen ['bɛibəta.lə(n)] *vt* pay in addition, pay extra.

bijbetaling [-lɪŋ] *v* additional (extra) payment.

bijbetekenis ['bɛibətə.kənɪs] *v* by-meaning, connotation.

bijblad [-blɑt] *o* supplement [to a newspaper].

bijblijven [-blɛivə(n)] *vi* 1 (met lopen) keep pace; (met zijn tijd) keep up to date; 2 (in 't geheugen) remain, stick in a person's memory; *ik kan niet* ∼ I can't keep up (with you); *het is mij altijd bijgebleven* it has remained with me all along.

bijboek [-bu.k] *o* \$ accessory book.

bijboeken [-bu.kə(n)] *vt* \$ enter.

bijbrengen [-brɛŋə(n)] *vt* 1 (iets) bring forward [evidence], produce [proofs]; 2 (iemand) bring round, bring to, restore to consciousness; 3 *iemand iets* impart [knowledge] to, instil [it] into one's mind, teach [a pupil French].

bijdehand [bɛidə'hɑnt] *fig* smart, quick-witted, bright.

bijdehandje [-'hɑncə] *o* in: *het (hij) is een* ∼ F a smart little fellow; *zij is een* ∼ she is all there, there are no flies on her.

bijdehands [-'hɑnts] in: ∼ *paard* near (left) horse.

bijdoen ['bɛidu.n] *vt* F add.

bijdraaien [-dra.jə(n)] *vi* ⚓ heave to, bring to; *fig* come round.

bijdrage [-dra.ɡə] *v* contribution°; *een* ∼ *leveren tot* make a contribution to(wards).

bijdragen [-ɡə(n)] *vt* contribute [money to a fund &]; *zijn deel (het zijne)* ∼ ook: play one's part.

bijeen [bɛi'e.n] together.

bijeenbehoren [-bəho:rə(n)] *vi* belong together.

bijeenbrengen [-brɛŋə(n)] *vt* bring together [people]; collect [money], raise [funds].

bijeendoen [-du.n] *vt* put together.

bijeendrijven [-drɛivə(n)] *vt* drive together, round up.

bijeengaren [-ɡa:rə(n)] *vt* gather.

bijeenhouden [-houdə(n)] *vt* keep together.

bijeenkomen [-ko.mə(n)] *vi* 1 (v. personen) come together, meet, assemble; 2 (v. kleuren) go together, match.

bijeenkomst [-kòmst] *v* meeting, gathering, assembly.

bijeenleggen [-lɛɡə(n)] *vt* put together; *geld* ∼ club together [for some purpose].

bijeenrapen [-ra.pə(n)] *vt* scrape together, collect; *een bijeengeraapt zootje* a scratch lot.

bijeenroepen [-ru.pə(n)] *vt* call together, call, convene, convoke, summon.

bijeenroeping [-pɪŋ] *v* calling [of Parliament]; convocation, summons.

bijeenscharrelen [bɛi'e.nsxɑrələ(n)] *vt* F scratch up, scratch together, scrape together, pick up [a living].

bijeenschrapen [-s(x)ra.pə(n)] *vt* scrape together, scratch up [a living &].

bijeentellen [-tɛlə(n)] *vt* add up.

bijeentrommelen [-tròmələ(n)] *vt* drum up.

bijeenvoegen [-vu.ɡə(n)] *vt* join together, unite.

bijeenvoeging [-vu.ɡɪŋ] *v* junction, combination∼

bijeenzijn [-zɛin] *vi* be together.

bijeenzoeken [-zu.kə(n)] *vt* get together, gather, find.

bijeneter ['bɛiənə.tər] *m* 🐦 bee-eater.

bijenhouder ['bɛiə(n)həuder] *m* bee-keeper, bee-master, apiarist.

bijenkoningin [-ko.nəŋɪn] *v* queen-bee.

bijenkorf [-korf] *m* beehive.

bijenstal [-stɑl] *m* apiary.

bijenteelt [-te.lt] *v* apiculture.

bijenvolk [-vɔlk] *o* hive, swarm (of bees).

bijenwas [-vɑs] *m* & *o* beeswax.

bijenzwerm [-zvɛrm] *m* swarm of bees.

bijfiguur ['bɛifi.gy:r] *v* secondary figure [in drawing]; minor character [in novel &].

bijgaand [-ga.nt] enclosed, annexed; ~ *schrijven* the accompanying letter.

bijgebouw [-gəbəu] *o* outbuilding, outhouse, annex(e).

bijgedachte [-gədɑxtə] *v* 1 by-thought; 2 ulterior motive.

bijgeloof [-gəlo.f] *o* superstition.

bijgelovig [bɛigə'lo.vəx] *aj* (& *ad*) superstitious-(ly).

bijgelovigheid [-hɛit] *v* superstitiousness.

bijgeluid ['bɛigəlœyt] *o* accompanying noise, background noise.

bijgenaamd [-gəna.mt] nicknamed, surnamed.

bijgeval [bɛigə'vɑl] by any chance, perhaps; *als je* ~... if you happen (chance) to...

bijgevolg [-'vɔlx] in consequence, consequently.

bijgieten ['bɛigi.tə(n)] *vt* add, pour on (to).

bijhalen [-ha.lə(n)] *vt* bring near [things; of a field-glass &]; × bring down [figures]; *er* ~ bring (drag) in.

bijharken [-hɑrkə(n)] *vt* rake up [here and there].

bijhouden [-həudə(n)] *vt* (iemand, iets) keep up with, keep pace with [a person, it]; (zijn glas &) hold out [one's glass]; $ (de boeken) 1 keep up to date [the books]; 2 keep [the books]; (zijn talen &) keep up [one's French, German]; *er is geen* ~ *aan* it is impossible to cope with all the demands.

bijkaartje [-ka:rcə] *o* (in atlas) inset (map).

bijkantoor [-kɑnto:r] *o* 1 branch office; 2 ☛ sub-office.

bijkerk [-kɛrk] *v* chapel of ease.

bijkeuken [-kø.kə(n)] *v* scullery.

bijknippen [-knɪpə(n)] *vt* trim.

bijkok [-kɔk] *m* under-cook.

bijkomen [-ko.mə(n)] *vi* 1 (na flauwte) come to oneself again, come round; 2 (na ziekte) gain (in weight; four pounds &), put on weight, pick up flesh; *dat moest er nog* ~! that would be the last straw!

bijkomend [-mənt] in: ~*e* (*on*)*kosten* extra costs; ~*e omstandigheden* attendant circumstances.

bijkomstig [bɛi'kòmstəx] adventitious; of minor importance.

bijkomstigheid [-hɛit] *v* a mere accident.

bijkrabbelen ['bɛikrɑbələ(n)] *vi* F pick up.

bijl [bɛil] *v* axe, hatchet; *er met de grove (brede)* ~ *in hakken* go at it hard; lay it on.

bijlage ['bɛila.gə] *v* appendix, annex, enclosure.

bijlbundel ['bɛilbʉndəl] *m* ⏏ fasces (*mv*).

bijleggen ['bɛilɛgə(n)] *vt* 1 (leggen bij) add [to]; 2 (uitmaken) make up, accommodate, arrange, compose, settle [differences]; *het weer* ~ make it up again; *ik moet er nog (geld)* ~ I lose on it, I'm a loser by it.

bijlichten [-lɪxtə(n)] *vt* light.

bijltje ['bɛilcə] *o* little axe; *hij heeft het* ~ *er bij neergelegd* F he has hung up his fiddle, stuck his spoon in the wall; *ik heb (hij heeft) al lang met dat* ~ *gehakt* F I have been at it for ever so long, I am (he is) an old hand at it, he is an old stager.

bijmaan ['bɛima.n] *v* mock-moon.

bijna [-na.] almost, nearly, next to, all but; ~ *niet* hardly, scarcely; ~ *niets (niemand)* hardly anything (anybody).

bijnaam [-na.m] *m* 1 (tweede naam) surname; 2 (scheldnaam) nickname, sobriquet.

bijnier [-ni:r] *v* adrenal.

bijomstandigheid [-òmstɑndəxhɛit] *v* accessory circumstance.

bijoogmerk [-o.xmɛrk] *o* by-aim, by-end, by-design, ulterior purpose, hidden motive.

bijoorzaak [-o:rza.k] *v* secondary cause.

bijouterieën [bi.ʒu.tə'ri.ə(n)] *mv* jewel(le)ry.

bijouteriekistje [-kɪʃə] *o* jewel-case.

bijouteriewinkel [-vɪŋkəl] *m* jeweller's (shop).

bijpad ['bɛipɑt] *o* by-path.

bijpassen [-pɑsə(n)] *vt* pay in addition, pay extra.

bijpassend [-pɑsənt] ...to match.

bijproduct zie *bijprodukt*.

bijprodukt [-pro.dʉkt] *o* by-product.

bijrijder [-rɛi(d)ər] *m* driver's mate.

bijrivier [-ri.vi:r] *v* affluent, tributary (stream).

bijrol [-rɔl] *v* secondary part, minor rôle.

bijschenken [-sxɛŋkə(n)] *vt* add, pour on (to).

bijschikken [-sxɪkə(n)] *vt* & *vi* draw near.

bijschilderen [-sxɪldərə(n)] *vt* 1 paint in [figures &]; 2 touch up, work up [here and there].

bijschrift [-s(x)rɪft] *o* inscription, legend, motto; marginal note; postscript; letterpress [to an illustration].

bijschrijven [-s(x)rɛivə(n)] *vt* write up [the books]; *er was* ~ add something [in writing].

bijschuiven [-sxœyvə(n)] I *vt* draw (pull) up [one's chair to the table]; II *vi* close up.

bijslag [-slɑx] *m* extra allowance; zie ook: *toeslag* 1.

bijsmaak [-sma.k] *m* taste, flavour, tang[2]; *fig* tinge.

bijspringen [-sprɪŋə(n)] *vt* in: *iemand* ~ stand by one; help one with the needful.

bijstaan [-sta.n] *vt* assist, help, aid, succour.

bijstand [-stɑnt] *m* assistance, help, aid, succour; ~ *verlenen* lend assistance.

bijstelling [-stɛlɪŋ] *v* gram apposition.

bijster [-stər] I *aj* in: *het spoor ~ zijn* I *eig* be thrown off the scent; 2 *fig* have lost one's way; be at sea, be at fault; II *ad* < *hij is niet ~ knap* he is not particularly clever; *het is ~ koud* it is extremely cold.

bijstorten [-stortə(n)] *vt* make an additional payment of...

bijt [beit] *v* hole (made in the ice).

bijtanken ['beitɛŋkə(n)] *vi* refuel.

bijtellen [-tɛlə(n)] *vt* count in.

bijten ['beitə(n)] I *vt* bite²; *iemand iets in het oor ~* snap something in a person's ear; II *vi* bite²; *hij wou er niet in ~* F he did not bite; *in het stof (zand) ~* I bite the dust; 2 (ruiter) be unhorsed; *op zijn nagels ~* bite one's nails; *van zich af ~* show fight, not take it lying down.

bijtend [-tənt] biting, caustic, corrosive; *fig* biting, caustic, cutting, mordant, pungent, poignant; *~e spot* sarcasm.

bijtijds [bei'tɛits] in (good) time.

bijtmiddel ['beitmɪdəl] *o* mordant, caustic, corrosive.

bijtrekken ['bei-trɛkə(n)] I *vt* draw, pull [a chair &] near(er); join [an adjacent plot] on to [one's own garden &]; bring near [of a field-glass]; II *vi* in: *het zal wel* it is sure to tone down [to the colour of the surrounding part].

bijtring ['beit-rɪŋ] *m* teething ring.

bijv. [bei'vo:rbe.lt] = *bij voorbeeld, zie voorbeeld.*

bijvak ['beivak] *o* subsidiary subject.

bijval [-val] *m* approval, approbation, applause; *stormachtige ~ (in)oogsten* be received with a storm of applause; *~ vinden* meet with approval [proposal]; catch on [plays].

bijvallen [-valə(n)] *vt* in: *iemand ~* concur in (fall in with) a person's opinions (ideas &), agree with one.

bijvalsbetuiging(en) [-valsbetœygɪŋ(ə(n))] *v* (*mv*) applause; shouts of applause, cheers.

bijvegen ['beive.gə(n)] *vt* sweep up.

bijverdienste [-vərdi.nstə] *v* extra earnings.

bijvoeding [-vu.dɪŋ] *v* extra feeding.

bijvoegen [-vu.gə(n)] *v* add, join, subjoin, annex.

bijvoeging [-gɪŋ] *v* addition; *onder ~ van...* adding..., enclosing...

bijvoeglijk [bei'vu.gələk] I *aj* adjectival; *~ naamwoord* adjective; II *ad* adjectively.

bijvoegsel ['beivu.xsəl] *o* I addition; 2 supplement, appendix.

bijvullen [-vŭlə(n)] *vt* replenish, fill up.

bijwagen [-va.gə(n)] *m* I extra coach; 2 trailer [of a tram-car].

bijweg [-vɛx] *m* by-road, by-path.

bijwerk [-vɛrk] *o* I by-work, additional work; 2 subsidiary matter, accessories.

bijwerken [-vɛrkə(n)] *vt* I (iets) touch up [a picture], bring up to date [a book]; $ post up [the books]; make up [arrears]; 2 (een leer-

ling) coach; *bijgewerkt tot 1964* brought up to 1964.

bijwijlen [bei'veilə(n)] once in a while, now and then.

bijwonen ['beivo.nə(n)] *vt* be present at [some function], attend [divine service, a lecture, mass], witness [a scene].

bijwoord [-vo:rt] *o gram* adverb.

bijwoordelijk [bei'vo:rdələk] *aj* (& *ad*) adverbial(ly).

bijzaak ['beiza.k] *v* matter of secondary (minor) importance, accessory matter; *geld is ~* money is no object [with him].

bijzettafeltje [-zeta.fəlcə] *o* occasional table.

bijzetten [-zetə(n)] *vt* I place or put near (to, by); 2 (begraven) inter; 3 ⚓ set [a sail]; *kracht ~ aan* emphasize, add (lend) force to, press [a demand].

bijzetting [-tɪŋ] *v* interment.

bijziend [bei'zi.nt] near-sighted, myopic.

bijziendheid [-heit] *v* near-sightedness, myopia.

bijzijn ['beizein] *o* presence; *in het ~ van* in the presence of.

bijzin [-zin] *m gram* subordinate clause.

bijzit [-zit] *v* concubine.

bijzitter [-zitər] *m* I ☞ second examiner; 2 ⚖ assessor.

bijzon [-zon] *v* mock-sun, sun-dog.

bijzonder [bi.'zòndər] I *aj* particular, special, peculiar, strange; *in het ~* in particular, especially; II *ad* < particularly, exceptionally, uncommonly.

bijzonderheid [-heit] *v* particularity; particular, detail; peculiarity.

1 bik [bik] *o* & *v* chips (of stone).

2 bik [bik] *m* (kost, eten) P grub.

bikini [bi.'ki.ni.] *m* bikini.

bikkel ['bɪkəl] *m* knucklebone.

bikkelen [-kələ(n)] *vi* pay at knucklebones.

bikken ['bɪkə(n)] *vt* chip [a stone]; scale [a boiler] ‖ F (eten) eat.

bil [bil] *v* buttock [of a man]; rump [of oxen]; *voor de ~len geven* spank.

bilateraal [bi.la.te'ra.l] bilateral.

biljart [bɪl'jart] *o* I (het spel) billiards; 2 (de tafel) billiard(s) table; *~ spelen* play (at) billiards; *een partij ~* a game of billiards.

biljartbal [-bal] *m* billiard-ball.

biljarten [bɪl'jartə(n)] *v* play (at) billiards.

biljarter [-tər] *m* billiards player.

biljartkeu [bɪl'jartkø.] *v* billiard-cue.

biljartlaken [-la.kə(n)] *o* billiard-cloth.

biljartspel [-spel] *o* (game of) billiards.

biljartzaal [-sa.l] *v* billiard(s) room.

biljet [bɪl'jet] *o* I (kaart) ticket; 2 (bank~) (bank-)note; 3 (aanplak~) poster; 4 (strooi~) handbill.

biljoen [bil'ju.n] *o* billion.

billijk ['bɪlək] equitable, fair, just, reasonable; $ moderate [prices]; *het is niet meer dan ~* it is only fair.

billijken [-ləkə(n)] *vt* approve of.

billijkerwijs, -wijze [-kər'vɛis, -'vɛizə] in fairness, in justice.

billijkheid ['bɪləkhɛit] *v* equity, fairness, justice; reasonableness [of demands].

billijkheidshalve [bɪləkhɛits'halvə] zie *billijkerwijs*.

bilzekruid ['bɪlzəkrœyt] *o* ♣ henbane.

bimbam ['bɪmbɑm] ding-dong.

bimetallisme [bi.me.ta'lɪsmə] *o* bimetallism.

binden ['bɪndə(n)] **I** *vt* bind° [a book, sheaves, a prisoner], tie [a knot, one's hands]; tie up [a parcel]; thicken [soup, gravy]; make [brooms]; *die belofte bindt mij* I am tied by that promise; ~ *aan* tie to [a post &]; *de kinderen* ~ *mij aan huis* I am tied down to my home by the children; **II** *vr zich* ~ bind oneself, commit oneself.

bindend [-dənt] binding [on both parties].

binder [-dər] *m* binder.

binderij [bɪndə'rɛi] *v* zie *boekbinderij*.

bindgaren ['bɪntɡa:rə(n)] *o* string.

bindmiddel [-mɪdəl] *o* binder, cement²; *fig* link.

bindrijs [-rɛis] *o* osier.

bindsla [-sla.] *v* Cos lettuce, cos.

bindtouw ['bɪntəu] *o* string.

bindvlies ['bɪntfli.s] *o* conjunctiva.

bindweefsel [-ve.fsəl] *o* connective tissue.

binnen ['bɪnə(n)] **I** *prep* within; ~ *enige dagen* in a few days; ~ *veertien dagen* within a fortnight; **II** *ad* in: ~ *!* come in!; *wie is er* ~*?* who is inside (within)?; *hij is* ~ he is within (in, indoors); *fig* he is a made man; *naar* ~ *gaan* go (walk) in; *naar* ~ *gekeerd* [with the hairy side] in; [with his toes] turned in; *naar* ~ *zenden* send in; *te* ~ *schieten* flash upon one; *'t wilde me niet te* ~ *schieten* I could not remember it (think of it), I could not hit upon it; *van* ~ **1** (on the) inside; [it looks fine] within; 2 [it came] from within; *van* ~ *en van buiten* inside and out.

binnenbaan [-ba.n] *v sp* inside track.

binnenbal [-bɑl] *m* [football] bladder.

binnenband [-bɑnt] *m* (inner) tube.

binnenblijven [-blɛivə(n)] *vi* remain (keep) indoors.

binnenbrand [-brɑnt] *m* indoor fire.

binnenbrengen [-brɛŋə(n)] *vt* bring in, take in; ⚓ bring [a ship] into port.

binnendeur [-dø:r] *v* inner door.

binnendijk [-dɛik] *m* inner dike.

binnendijks [-dɛiks, bɪnə(n)'dɛiks] (lying) on the inside of a dike, on the landside of the dike.

binnendoor [bɪnə(n)'do:r] in: ~ *gaan* 1 take a short cut; 2 go through the house.

binnendringen ['bɪnə(n)drɪŋə(n)] **I** *vt* penetrate, invade; *een huis* ~ penetrate into a house; **II** *vi* force one's way into a (the) house.

binnengaan [-ɡa.n] *vi & vt* enter.

binnengaats [bɪnə(n)'ɡa.ts] ⚓ in the roads.

binnenhalen ['bɪnə(n)ha.lə(n)] *vt* gather in; zie ook: *inhalen*.

binnenhaven [-ha.və(n)] *v* 1 inner harbour; 2 inland port.

binnenhoek [-hu.k] *m* interior angle.

binnenhof [-həf] *o* inner court.

binnenhouden [-həundə(n)] *vt* 1 keep within doors [a patient]; 2 retain [food on one's stomach].

binnenhuis [-hœys] *o* interior.

binnenhuisarchitect [-ɑrɡi.-, -ɑrʃi.tɛkt] *m* interior decorator.

binnenhuisarchitectuur [-ɑrɡi.-, -ʃi.tɛkty:r] *v* interior decoration.

binnenhuisarchitekt(-) zie *binnenhuisarchitect*(-).

binnenhuisje ['bɪnə(n)hœyʃə] *o* interior.

binnenin [bɪnən'ɪn] on the inner side, inside, within.

binnenkamer ['bɪnə(n)ka.mər] *v* inner room.

binnenkant [-kɑnt] *m* inside.

binnenkomen [-ko.mə(n)] *vi* 1 (personen, trein, geld &) come in; get in(to the room), enter; 2 ⚓ come into port; *laat haar* ~ show (ask) her in.

binnenkomst [-kòmst] *v* entrance, entry, coming in.

binnenkort [bɪnə(n)'kòrt] before long, shortly.

binnenkrijgen ['bɪnə(n)krɛiɡə(n)] *vt* get down [food]; get in [outstanding debts]; *water* ~ 1 get water inside [of a drowned man]; 2 ⚓ make water.

binnenland [-lɑnt] *o* interior; *in binnen- en buitenland* at home and abroad.

binnenlands [-lɑnts] inland [letter, navigation], home [market, news]; home-made [products], interior, domestic, intestine [quarrels], internal [policy]; ~ *bestuur* ⑴ civil service; *ambtenaar bij het* ~ *bestuur* ⑴ civil servant; ~*e zaken* home affairs; zie ook: *ministerie &*.

binnenlaten [-la.tə(n)] *vt* let in, show in; admit.

binnenleiden [-lɛidə(n)] *vt* usher in.

binnenloodsen [-lo.tsə(n)] *vt* pilot [a ship] into port.

binnenlopen [-lo.pə(n)] **I** *vi* 1 run in; 2 ⚓ put into port; *even* ~ drop in for a minute; **II** *vt* 1 run into [a house]; 2 ⚓ put into [port].

binnenmeid [-mɛit] *v* ~*meisje* [mɛiʃə] *o* parlour-maid. [maid.

binnenmuur [-my:r] *m* inner wall.

binnenpad [-pɑt] *o* by-path.

binnenplaats [-pla.ts] *v* inner court, inner yard, courtyard [of a prison].

binnenrijden [-rɛi(d)ə(n)] *vi* ride, drive in(to a place).

binnenroepen [-ru.pə(n)] *vt* call in.

binnenrukken [-rŭkə(n)] *vi* march in(to the town &).

binnenscheepvaart [-sxe.pva:rt] *v* inland navigation.

binnenschipper [-sxɪpər] *m* bargeman, bargemaster.

binnenshuis [bɪnəns'hœys] indoors, within doors.

binnenskamers [-'ka.mərs] in one's room; *fig* in private, privately.

binnenslands [-'lɑnts] in the country, at home.

binnensluipen ['bɪnə(n)slœypə(n)] *vi* steal into [a house].

binnensmokkelen [-smɔkələ(n)] *vt* smuggle (in).

binnensmonds [bɪnəns'mònts] under one's breath; ~ *spreken* speak indistinctly.

binnenstad ['bɪnə(n)stɑt] *v* inner part of a town.

binnenstappen [-stɑpə(n)] *vi* step in(to the room).

binnenste [-stə] **I** *aj* inmost; **II** *o* inside; *in zijn* ~ in his heart of hearts.

binnenstebuiten [bɪnənstə'bœytə(n)] inside out.

binnenstomen ['bɪnə(n)sto.mə(n)] *vi* steam into the station; ⚓ steam into port.

binnenstormen [-stɔrmə(n)] *vi* rush (tear) in(to a house).

binnenstromen [-stro.mə(n)] *vi* stream (flow, pour) in; stream (flock, flow, pour) into the country &.

binnenstuiven [-stœyvə(n)] *vi* zie *binnenstormen*.

binnentarief [-ta.ri.f] *o* $ internal tariff.

binnentreden [-tre.də(n)] *vi* enter [the room].

binnentrekken [-trɛkə(n)] *vi* zie *binnenrukken*.

binnenvaart [-va:rt] *v* inland navigation.

binnenvallen [-vɑlə(n)] *vi* 1 ⚓ put into port; 2 invade [a country]; 3 drop in [on a friend].

binnenwaarts [-va:rts] **I** *aj* inward; **II** *ad* inward(s).

binnenwateren [-va.tərə(n)] *mv* inland waterways.

binnenweg [-vɛx] *m* by-path.

binnenwerk [-vɛrk] *o* 1 inside work; 2 works [of a watch]; 3 interior [of a piano]; 4 filler [for cigars].

binnenzak [-zɑk] *m* inside pocket.

binnenzee [-ze.] *v* inland sea.

binnenzeilen [-zɛilə(n)] *vi* sail in [of a ship].

binnenzij(de) [-zɛi(də)] *v* inside, inner side.

binnenzool [-zo.l] *v* insole.

binocle [bi.'nɔklə] *m* zie *toneelkijker*.

binomium [bi.'no.mi.ũm] *o* binomial; *het* ~ *van Newton* the binomial theorem.

bint [bɪnt] *o* tie-beam.

biochemie [bi.o.ge.'mi.] *v* biochemistry.

biograaf [bi.o.'gra.f] *m* biographer.

biografie [-gra.'fi.] *v* biography.

biografisch [-'gra.fi.s] *aj* (& *ad*) biographical(ly).

biologeren [-lo.'ge:rə(n)] *vt* mesmerize.

biologie [-lo.'gi.] *v* biology.

biologisch [-'lo.gi.s] *aj* (& *ad*) biological(ly).

bioloog [-'lo.x] *m* biologist.

bioscoop [bi.əs'ko.p] *m* picture-theatre, cinema.

bioscoopbezoeker [-bəzu.kər] *m* filmgoer.

bioscoopvoorstelling [-fo:rstɛlɪŋ] *v* cinema show.

bioskoop(-) zie *bioscoop(-)*.

Birma ['bɪrma.] *o* Burma.

Birmaan(s) [bɪr'ma.n(s)] Burmese [*mv* Burmese].

1 bis [bi.s] *ad* encore.

2 bis [bi.s] *v* ♪ B sharp.

bisambont ['bi.zɑmbònt] *o* musquash, musk-rat.

bisamrat [-rɑt] *v* ⚓ musk-rat, musquash.

Biscaje [bɪs'ka.jə] *o* Biscay; *de Golf van* ~ the Bay of Biscay.

biscuit [bɪs'kvi.] *o* & *m* biscuit.

bisdom ['bɪsdòm] *o* diocese; bishopric.

biskwie zie *biscuit*.

bismut ['bɪsmũt] *o* bismuth.

bisschop ['bɪsxòp] *m* bishop (ook = mulled) wine).

bisschoppelijk [bɪ'sxòpələk] episcopal.

bisschopsambt ['bɪsxòpsɑmt] *o* episcopacy.

bisschopsmijter [-mɛitər] *m* mitre.

bisschopsstaf ['bɪsxòpstaf] *m* crosier.

bisschopsstoel [-stu.l] *m* bishop's see.

bissectrice [bi.sɛk'tri.sə] *v* bisector, bisecting line.

bisseren [bi.'se:rə(n)] **I** *vt* encore; **II** *va* demand an encore.

bit [bɪt] *o* bit.

bits [bɪts] **I** *aj* snappish, snappy, acrimonious, tart; sharp; **II** *ad* snappishly &.

bitsheid ['bɪtsheit] *v* snappishness &, acrimony, tartness; sharpness.

bitter ['bɪtər] **I** *aj* bitter[2] (drink, disappointment, tone &]; sore [distress]; **II** *ad* bitterly; < bitter; *zij hebben het* ~ *arm* they are extremely poor; *het is* ~ *koud* it is bitter cold; ~ *slecht* shockingly (deplorably) bad; **III** *o* & *m* bitters; *een glaasje* ~ a (glass of) gin and bitters.

bitteren ['bɪtərə(n)] *vi* have gin and bitters.

bitterheid ['bɪtərheit] *v* bitterness[2], *fig* acerbity, acrimony.

bitterkoekje [-ku.kjə] *o* macaroon.

bittertje [-cə] *o* in: *een* ~ a gin and bitters.

bitterzout [-zəut] *o* magnesium sulphate, Epsom salt(s).

bitumen [bi.'ty.mən] *o* bitumen.

bitumineus [-ty.mi.'nø.s] bituminous.

bivak [bi.'vɑk] *o* ⚔ bivouac.

bivakkeren [biva'ke:rə(n)] *vi* ⚔ bivouac.

bizar [bi.'zɑr] **I** *aj* bizarre, grotesque, odd; **II** *ad* in a bizarre way, grotesquely.

bizon [bi.zòn] *m* ⚓ bison.

blaadje ['bla.cə] *o* 1 leaflet [= young leaf & part of compound leaf]; 2 sheet [of paper]; > (news)paper, rag; 3 tray [of wood or metal]; *bij iemand in (g)een goed* ~ *staan* be in a man's good (bad) books; *het* ~ *is omgekeerd* the tables are turned.

blaag [bla.x] *m-v* F naughty boy or girl, brat.

blaam [bla.m] *v* 1 blame, censure; 2 blemish; *hem treft geen* ~ no blame attaches to him; *iemand een* ~ *aanwrijven* cast a slur on one's reputation or character; *zich van alle* ~ *zuiveren* exculpate oneself.

blaar [bla:r] *v* 1 (zwelling) blister; 2 (bles) blaze, white spot; *blaren trekken* raise blisters.

blaas ['bla.s] *v* 1 (in lichaam) bladder; § vesica; 2 (in vloeistof) bubble.

blaasbalg ['bla.sbɑlx] *m* bellows; *een ~* a pair of bellows.

blaasinstrument ['bla.sɪnstry.mɛnt] *o* ♪ wind-instrument.

blaasje ['bla.ʃə] *o* 1 vesicle, bleb; 2 bubble.

blaaskaak ['bla.ska.k] *v* gas-bag, braggart.

blaaskaken [-ka.kə(n)] *vi* gas, swagger.

blaaskakerij [bla.ska.kə'rɛi] *v* gassing, swagger, braggadocio.

blaasorkest ['bla.sɔrkɛst] *o* ♪ wind-band.

blaaspijp [-pɛip] *v* blow-pipe.

blaasworm [-vɔrm] *m* bladder-worm.

blad [blɑt] *o* leaf [of a tree, of a book], sheet [of paper, metal], blade [of an oar, of a saw & ✄], top [of a table]; 2 tray [for glasses]; 3 (news)paper; *geen ~ voor de mond nemen* not mince one's words, not mince matters, call a spade a spade; *van het ~ spelen* play at sight.

bladaarde ['blata:rdə] *v* leaf-mould.

bladdeeg ['blade.x] = *bladerdeeg.*

bladderen [-dərə(n)] *vi* blister.

bladerdak ['bla.dərdak] *o* (roof of) foliage.

bladerdeeg [-de.x] *o* puff-paste.

bladerdos [-dɔs] *m* foliage.

bladeren ['bla.dərə(n)] *vi* turn over the leaves [of a book].

bladerloos ['bla.dərlo.s] leafless.

bladerrijk ['bla.dərɛik] leafy.

bladgoud ['blɑtɣout] *o* gold-leaf.

bladgroen [-ɣru.n] *o* leaf-green, § chlorophyll.

bladgroente [-ɣru.ntə] *v* greens, leafy vegetable.

bladknop [-knɔp] *m* ✿ leaf-bud.

bladkoper [-ko.pər] *o* sheet-copper, leaf-brass.

bladluis [-lœys] *v* plant-louse, green fly, aphis [*mv* aphides].

bladschede [-sxe.də] *v* ✿ leaf-sheath.

bladschijf [-sxɛif] *v* leaf-blade.

bladstand [-stɑnt] *m* ✿ arrangement of leaves.

bladsteel [-ste.l] *m* ✿ leaf-stalk.

bladstil ['blɑt'stɪl] in: *het was ~* there was a dead calm, not a leaf stirred.

bladtabak ['blata.bak] *m* leaf-tobacco.

bladtin ['blatɪn] *o* tinfoil.

bladvormig ['blɑtfɔrməx] leaf-like, leaf-shaped.

bladvorming [-fɔrmɪŋ] *v* foliation.

bladvulling [-fylɪŋ] *v* fill-up.

bladwijzer [-vɛizər] *m* 1 table of contents, index; 2 book-mark(er).

bladzij(de) [-sɛi(də)] *v* page.

bladzilver [-sɪlvər] *o* silver-leaf.

bladzink [-sɪŋk] *o* sheet-zinc.

blaffen ['blɑfə(n)] *vi* bark[2] (at *tegen*).

blaffer [-fər] *m* barker[2].

blaken ['bla.kə(n)] I *vt* burn [a town]; scorch [the grass]; II *vi* in: *~ van gezondheid* be in rude (F roaring) health; *~ van vaderlands-liefde* burn with patriotism.

blakend [-kənt] burning, ardent; *in ~e welstand* in rude (F roaring) health.

blaker [-kər] *m* flat candlestick.

blakeren [-kərə(n)] *vt* burn, scorch.

blamage [bla.'ma.ʒə] *v* disgrace (to *voor*).

blameren [-'me:rə(n)] I *vt* in: *iemand ~* bring shame upon a person; II *vr zich ~* dishonour oneself.

blanc-manger [blãmã'ʒe.] *o* & *m* blancmange.

blanco ['blɑŋko.] blank; *~ stemmen* abstain (from voting); *tien ~ stemmen* ten abstentions.

blank [blɑŋk] I *aj* white [ook = unstained, innocent], fair [skin]; naked [sword]; *~ schuren* scour bright; *de weiden staan ~* the meadows are flooded; II *o* (dominospel) blank.

blanke ['blɑŋkə] *m-v* white man (woman); *de ~n* the whites.

blanketsel [blɑŋ'kɛtsəl] *o* paint; face powder.

blanketten [-'kɛtə(n)] *zich ~* paint one's face; powder one's face.

blankheid ['blɑŋkhɛit] *v* whiteness, fairness.

blasé [bla.'ze.] blasé: cloyed with pleasure.

blaten ['bla.tə(n)] *vi* bleat.

blauw [blɔu] I *aj* blue; *~e druif* black grape; *iemand een ~ oog slaan* give one a black eye; *een ~e plek* a bruise; II *o* blue.

blauwachtig ['blɔuɑxtəx] bluish.

Blauwbaard, blauwbaard [-ba:rt] *m* Bluebeard.

blauwbekken [-bɛkə(n)] in: *staan ~* stand in the cold, be left to cool one's heels.

blauwbes [-bɛs] *v* ✿ bilberry, whortleberry.

blauwblauw [blɔu'blɔu] *iets ~ laten* leave matters as they are (were), let the matter rest.

blauwdruk ['blɔudrʉk] *m* blue print.

blauwen ['blɔuə(n)] I *vt* blue; II *vi* become blue.

blauweregen [blɔuə're.ɣə(n)] *m* ✿ wistaria.

blauwgeruit [-blɔuɣərœyt] blue-checked.

blauwheid [-hɛit] *v* blueness.

blauwkous [-kous] *v* bluestocking.

blauwogig [blɔu'o.ɣəx] blue-eyed.

blauwsel ['blɔusəl] *o* blue; *door het ~ haenl* blue.

blauwtje [-cə] *o* in: *een ~ lopen* F get the mitten, be jilted [by a girl].

blauwzuur [-zy:r] *o* Prussic acid.

blauwzwart [-'zvɑrt] bluish black, blue-black.

blazen ['bla.zə(n)] I *vi* blow°; (v. kat) spit; *hij is geblazen!* 1 he is (dead and) gone; 2 F the bird is flown; *de wind blies ons in het gezicht* the wind blew in our faces; *~ op* blow [the flute, a whistle]; sound, wind [the horn]; sound [the trumpet]; II *vt* blow [one's tea, the flute, glass &], blow, play [an instrument]; *ik blaas je sp* I huff you; *wie heeft u dat in het oor geblazen?* who has whispered that in your ear? Zie ook: *aftocht, alarm* &.

1 **blazer** ['bla.zər] *m* (persoon) blower; *de ~s* ♪ the wind.

2 **blazer** ['ble.zər] *m* (jasje) blazer.

blazoen [bla.'zu.n] *o* ⌀ blazon, coat of arms.

1 **bleek** [ble.k] *aj* pale, pallid, wan; *~ van toorn* pale with anger.

2 **bleek** [ble.k] *v* bleach-field.

bleekachtig ['ble.kɑxtəx] palish.

bleekgeel ['ble.k'ɣe.l] palish yellow, yellowish.

bleekgezicht [-ɣəzɪxt] *o* pale-face.

bleekgroen [-'gru.n] palish green.
bleekheid [-hɛit] v paleness, pallor.
bleekjes [-jəs] palish.
bleekmiddel [-mɪdəl] o bleaching agent.
bleekneus [-nø.s] m tallow-face.
bleekneusje [-nø.ʃə] o delicate child, sickly-looking child.
bleekpoeder, -poeier [-pu.dər, -pu.jər] o & m bleaching-powder.
bleekrood ['ble.k'ro.t] palish red, pink.
bleekveld ['ble.kfɛlt] o bleach-field.
bleekwater [-va.tər] o bleaching liquor.
bleekzucht [-sy̆xt] v chlorosis, green sickness.
bleekzuchtig [ble.k'sy̆xtəx] chlorotic.
blei [blɛi] v 🐟 white bream.
bleken ['ble.kə(n)] vt & vi bleach.
blende ['blɛndə] v blende.
bleren ['blɛ:rə(n)] vi bawl, howl.
bles [blɛs] 1 v blaze; 2 m horse with a blaze.
blesseren [blɛ'se:rə(n)] vt injure, wound, hurt.
blessure [-'sy:rə] = blessuur.
blessuur [-'sy:r] v injury, wound, hurt.
bleu [blø.] timid, shy, bashful, retiring.
bleuheid [blø.hɛit] v timidity, shyness, bash-
bliek [bli.k] m 🐟 zie blei & sprot. [fulness.
blieven ['bli.və(n)] zie believen.
blij(de) ['blɛi(də)] glad, joyful, joyous, cheerful, pleased, ☉ blithe; zo ~ als een engel as happy as a king; hij is er ~ mee he is delighted (happy) with it; ik ben er ~ om (over) I am glad of it; zich ~ maken met een dode mus have found a mare's nest.
blijdschap ['blɛitsxap] v gladness, joy, mirth.
blijgeestig [blɛi'ge.stəx] zie blijmoedig.
blijheid ['blɛihɛit] v gladness, joyfulness, joy.
blijk [blɛik] o token, mark, proof; ~ geven van give evidence (proof) of, show.
blijkbaar ['blɛikba:r] aj (& ad) apparent(ly), evident(ly), obvious(ly).
blijken ['blɛikə(n)] vi be evident, be obvious; het blijkt nu it is evident now; hij bleek de maker te zijn he turned out (proved) to be the maker; het is nodig gebleken te... it has been found necessary to...; het zal wel ~ uit de stukken it will appear (be apparent, be evident) from the documents; het moet nog ~ it remains to be seen; it is to be proved; doen ~ van give proof of; niet de minste aandoening laten ~ not betray (show) the least emotion; je moet er niets van laten ~ you must not appear to know anything about it.
blijkens [-kəns] as appears from, from.
blijmoedig [blɛi'mu.dəx] joyful, cheerful, jovial, merry, gay, glad, ☉ blithe.
blijmoedigheid [-hɛit] v joyfulness, cheerfulness.
blijspel ['blɛispɛl] o comedy.
blijspeldichter [-dɪxtər] m writer of comedies.
blijven ['blɛivə(n)] vi 1 remain [for weeks in Paris], stay [here!]; 2 (in een toestand) remain [faithful, fine, our friend]; go [unnoticed, unpunished]; 3 (overblijven) remain, be left [of former glory]; 4 (dood-

blijven) be killed, perish; 5 (doorgaan met) continue to..., keep ...ing; waar blijft hij toch? where can he be?; waar is het (hij) gebleven? what has become of it (him)?; waar zijn we gebleven? where did we leave off (stop?)?; waar was ik gebleven? where had I got to?; waar blijft nu de aardigheid? where does the fun (the joke) come in?; waar blijft het eten toch? where is dinner?; waar blijft de tijd! how time flies!; hij blijft lang, hoor! 1 how long he is staying!; 2 he is long in coming (back); blijf je het hele concert? are you going to sit out the whole concert?; 6 van 7 blijft 1 6 from 7 leaves 1; goed ~ keep [of food]; ~ eten 1 stay to dinner; 2 keep eating (feeding); ~ leven (live on); zie ook: hangen &; ∞ de overwinning bleef aan ons remained with us; hij blijft bij ons he is going to stay with us; alles blijft bij het oude everything remains as it was; ik blijf bij wat ik gezegd heb I stick to what I have said; hij blijft er bij, dat... he persists in saying that...; het blijft er dus bij dat... so it is settled that...; daarbij bleef het there the matter rested; blijf mij van 't lijf! hands off!; daarmee moet je mij van 't lijf ~! none of that for me!
blijvend [-vɔnt] lasting [peace, evidence]; enduring, abiding [value]; permanent [abode, wave].
blijver [-vər] m stayer.
1 blik [blɪk] m glance, look: zijn brede ~ his breadth of outlook; zijn heldere ~ 1 his bright look; 2 his keen insight; bij de eerste ~ at the first glance (blush); in één ~ at a glance; met één ~ overzien take it in at a (single) glance; een ~ slaan op cast a glance at.
2 blik [blɪk] o 1 (metaal) tin, tin plate, white iron; 2 (voorwerp) dustpan; tin [of meat] kreeft in ~ tinned (canned) lobster.
blikgroenten ['blɪkgru.ntə(n)] mv tinned (canned) vegetables.
blikje [-jə] o tin [of meat], can.
1 blikken ['blɪkə(n)] aj tin.
2 blikken ['blɪkə(n)] vi look, glance [at a thing]; zonder ~ of blozen without a blush.
blikopener ['blɪko.pənər] m tin-opener.
bliksem ['blɪksəm] m lightning; gemene ~ confounded scamp; wat ~! F what the hell!; als de ~ P (as) quick as lightning, like blazes; naar de ~ gaan P go to the devil, go to the dogs; laat hem naar de ~ lopen P let him go to hell.
bliksemafleider [-ɑflɛidər] m lightning conductor[2].
bliksembezoek [-bəzu.k] o flying visit.
bliksemen ['blɪksəmə(n)] vi lighten; (v. de ogen &) flash; het bliksemt it lightens, there is a flash of lightning; zie ook: donderen.
bliksemflits ['blɪksəmflɪts] m flash of lightning.
bliksems [-s] I aj in: die ~e kerel F that confounded fellow; II ad < deucedly; III ij the deuce!

bliksemschicht [-sxɪxt] *m* thunderbolt, flash of lightning.

bliksemsnel [-snɛl] quick as lightning, with lightning speed; lightning [victory &].

bliksemstraal [-stra.l] *m* & *v* flash of lightning.

blikslager ['blɪksla.gər] *m* tin-smith, white-smith.

blikvanger [-vaŋər] *m* eye-catcher.

blikwerk [-vɛrk] *o* tinware.

1 **blind** [blɪnt] *o* shutter.

2 **blind** [blɪnt] *aj* blind²; ~*e deur* blind (dead) door; ~*e gehoorzaamheid* blind obedience; ~ *geloof* (*vertrouwen*) implicit faith; ~*e kaart* skeleton map, blank map; ~*e klip* sunken rock; ~*e muur* blank (dead) wall; ~*e passagier* stowaway; ~*e steeg* blind alley; ~ *toeval* mere chance; ~ *aan één oog* blind of (in) one eye; ~ *voor het feit dat...*, blind to the fact that...; zie ook: *blinde*.

blinddoek ['blɪndu.k] *m* bandage.

blinddoeken [-du.kə(n)] *vt* blindfold.

blinde ['blɪndə] *m-v* 1 blind man, blind woman; 2 ◇ dummy; *in den* ~ at random; blindly; *met de* ~ *spelen* ◇ play dummy.

blindedarm [blɪndə'darm] *m* 1 caecum; 2 (= wormvormig aanhangsel) vermiform appendix.

blindedarmontsteking [-òntste.kɪŋ] *v* 1 appendicitis; 2 (van het caecum) typhlitis.

blindelings ['blɪndəlɪŋs] blindfold; blindly.

blindeman [-mən] *m* blind man.

blindemannetje [-manəcə] blindman's buff; ~ *spelen* play at blindman's buff.

blindeninstituut ['blɪndənɪnsti.ty.t] *o* asylum for the blind, blind institution, blind school.

blinderen [blɪn'de:rə(n)] *vt* blind; *geblindeerde auto's* ⚔ armoured cars.

blindering [-rɪŋ] *v* ⚔ armouring; armour.

blindganger ['blɪntgaŋər] *m* ⚔ dud.   [blind.

blindgeboren [-gəbo:rə(n)] blind-born, born

blindheid [-hɛit] *v* blindness; *met* ~ *geslagen* struck blind²; *fig* blindness.

blindvliegen [-fli.gə(n)] I *vi* ✈ fly blind; II *o* ✈ blind flying.

blinken ['blɪŋkə(n)] *vi* shine, gleam, glitter.

blo [blo.] bashful, timid.

bloc [blɔk] *en* ~ [ã'blɔk], [sell] in the lump; [tender their resignation] in a body; [reject proposals] in their entirety.

blocnote ['blɔkno.t] *m* block, writing-pad.

blode ['blo.də] = *blo.*

1 **bloed** [blu.t] *o* blood; *blauw* ~ blue blood; *kwaad* ~ *zetten* make bad blood; *nieuw* ~ (in een vereniging &) fresh blood; *het zit in het* ~ it runs in the blood; *een prins van den* ~*e* a prince of the blood (royal); *het* ~ *kruipt waar het niet gaan kan* blood is thicker than water.

2 **bloed** [blu.t] *m* simpleton; *arme* ~*en van kinderen* poor little things.

bloedaandrang ['blu.ta.ndraŋ] *m* congestion, rush of blood (to the head).

bloedarm [-arm] anaemic.

bloedarmoede [-armu.də] *v* anaemia.

bloedbaan [-ba.n] *v* blood-stream.

bloedbad [-bat] *o* blood- bath, carnage, massacre, (wholesale) slaughter; *een* ~ *aanrichten onder...* make a slaughter of..., massacre...

bloedbezinking [-bəzɪŋkɪŋ] *v* 🜍 sedimentation rate.

bloedbruiloft [-brœylɔft] *v* zie *Bartholomeusnacht.*

bloeddorst ['blu.dòrst] *m* thirst for blood, bloodthirstiness.

bloeddorstig [blu.'dòrstəx] bloodthirsty.

bloeddruk ['blu.drǔk] *m* [high, low] blood pressure.

bloedeigen ['blu.tɛigə(n)] very own.

bloedeloos ['blu.dəlo.s] bloodless.

bloedeloosheid [-hɛit] *v* bloodlessness.

bloeden ['blu.də(n)] *vi* bleed²; *uit zijn neus* ~ bleed at (from) the nose; *hij zal er voor moeten* ~ they will make him bleed for it.

bloeder [-dər] *m* 🜍 bleeder.

bloederig [-dərəx] bloody.

bloederziekte ['blu.dərzi.ktə] *v* 🜍 haemophilia.

bloedgeld ['blu.tgɛlt] *o* blood-money, price of blood.

bloedgetuige [-gətœygə] *m-v* martyr.

bloedgever [-ge.vər] *m* 🜍 blood donor.

bloedgroep ['blu.tgru.p] *v* blood group.

bloedhond [-hònt] *m* bloodhound.

bloedig ['blu.dəx] bloody, sanguinary.

bloeding [-dɪŋ] *v* bleeding, h(a)emorrhage.

bloedkleur ['blu.tklø:r] *v* blood colour.

bloedkoraal [-ko:ra.l] *o* & *v* red coral.

bloedlichaampje [-lɪga.mpjə] blood corpuscle.

bloedneus [-nø.s] *m* bleeding nose, blood-stained nose; *hem een* ~ *slaan* make his nose bleed.

bloedonderzoek [-òndərzu.k] *o* blood test.

bloedplakkaat [-plaka.t] *o* ⬜ sanguinary edict.

bloedplas [-plas] *m* pool of blood.

bloedproef [-pru.f] *v* blood test.

bloedraad [-ra.t] *m* ⬜ Council of Blood.

bloedrood [-ro.t] blood-red, scarlet.

bloedschande [-sxandə] *v* incest.

bloedsinaasappel [-si.na.sapəl] *m* blood orange.

bloedsomloop ['blu.tsòmlo.p] *m* circulation of the blood.

bloedspuwing ['blu.tspy.vɪŋ] *v* spitting of blood.

bloedstelpend [-stɛlpənt] styptic; ~ *middel* styptic.

bloedtransfusie [-transfy.zi.] *v* blood transfusion.

bloeduitstorting [-œytstòrtɪŋ] *v* extravasation of blood, effusion of blood.

bloedvat [-fat] *o* blood-vessel.

bloedvergieten [-fərgi.tə(n)] *o* bloodshed.

bloedvergiftiging [-fərgɪftəgɪŋ] *v* blood-poisoning.

bloedverlies [-fərli.s] *o* loss of blood.

bloedverwant [-fərvant] *m* ~*e* [-ə] *v* (blood-)relation, relative, kinsman, kinswoman.

bloedverwantschap [-sxɑp] *v* blood-relationship, consanguinity.

bloedvlek ['blu.tflɛk] *v* blood-stain.

bloedworst [-vòrst] *v* black pudding, blood sausage.

bloedwraak [-vra.k] *v* vendetta.

bloedziekte [-si.ktə] *v* ⚥ blood disease.

bloedzuiger [-sœygər] *m* leech, blood-sucker².

bloedzuiverend [-sœyvərənt] *v* blood-cleansing.

bloei [blu:i] *m* flowering; bloom², flower², *fig* prosperity; *in ～ staan* be in blossom; *in de ～ der jaren* in the prime of life; *in volle ～* in full blossom, in (full) bloom.

bloeien ['blu.jən] *vi* bloom, blossom, flower; *fig* flourish, prosper, thrive.

bloeiend [-jənt] *aj* blossoming, [early-, late-] flowering; *fig* flourishing, prosperous, thriving.

bloeikolf ['blu:ikɔlf] *v* ⚥ spadix [*mv* spadices].

bloeimaand [-ma.nt] *v* May.

bloeitijd [-tɛit] *m* flowering time, florescence; *fig* flourishing period.

bloeiwijze [-vɛizə] *v* ⚥ inflorescence.

bloem [blu.m] *v* I *eig* & *fig* flower; 2 (v. meel) flour; *～ van zwavel* flowers of sulphur.

bloembak ['blu.mbɑk] *m* flower-box.

bloembed [-bɛt] *o* flower-bed.

bloembekleedsels [-bəkle.tsəls] *mv* ⚥ perianth.

bloemblad [-blɑt] *o* ⚥ petal.

bloembodem [-bo.dəm] *m* ⚥ receptacle.

bloembol [-bɔl] *m* ⚥ (flower) bulb.

bloembollenkweker [-bɔllə(n)kve.kər] *m* zie *bollenkweker*.

bloemegeur ['blu.məgø:r] *m* fragrance (scent) of flowers.

bloemencorso ['blu.mə(n)kɔrso.] *m* & *o* floral procession.

bloemenhandel [-hɑndəl] *m* I flower trade; 2 flower shop, florist's shop.

bloemenhandelaar [-hɑndəla:r] *m* florist.

bloemenmand [-mɑnt] *v* flower-basket.

bloemenmeisje [-mɛiʃə] *o* flower-girl.

bloemenstalletje [-stɑləcə] *o* flower-stall.

bloementaal [-ta.l] *v* language of flowers.

bloementeelt [-te.lt] *v* floriculture.

bloementoonstelling [-tɛnto.nstɛliŋ] *v* flower-show.

bloemenwinkel [-viŋkəl] *m* flower shop, florist's shop.

bloemetje ['blu.məcə] *o* little flower, floweret; *de ～s buiten zetten* F go on the spree, be on a spree, paint the town red.

bloemig [-məx] I flowery [meadows]; 2 floury, mealy [potatoes].

bloemist [blu.'mɪst] *m* florist, floriculturist.

bloemisterij [-mɪstə'rɛi] *v* I floriculture; 2 florist's (garden, business, shop).

bloemkelk ['blu.mkɛlk] *m* ⚥ calyx.

bloemknop [-knɔp] *m* ⚥ flower-bud.

bloemkool ['blu.mko l] *v* ⚥ cauliflower.

bloemkooloor [-o:r] *o* cauliflower ear.

bloemkrans 'blu.mkrɑns] *m* garland, wreath (chaplet) of flowers.

bloemkroon [-kro.n] *v* ⚥ corolla.

bloemkweker [-kve.kər] *m* zie *bloemist*.

bloemkwekerij [blu.mkve.kə'rɛi] *v* zie *bloemisterij*.

bloemlezing ['blu.mle.ziŋ] *v* anthology.

bloemperk [-pɛrk] *o* flower-bed.

bloempje [-pjə] *o* I little flower, floweret; 2 § floret.

bloempot [-pɔt] *m* flowerpot.

bloemrijk [-rɛik] flowery²; *fig* florid.

bloemscherm [-sxɛrm] *o* ⚥ umbel.

bloemsteel [-ste.l] *～stengel* [-stɛŋəl] *m* flowerstalk.

bloemstuk [-stŭk] *o* I (v. bloemist) bouquet; 2 (schilderij) flower-piece.

bloesem ['blu.səm] *m* blossom, bloom, flower.

bloesemen [-səmə(n)] *vi* blossom, bloom, flower.

bloeze zie *blouse*.

blohartig [blo.'hɑrtəx] faint-hearted.

blohartigheid [-hɛit] *v* faint-heartedness.

bloheid ['blo.hɛit] *v* bashfulness, timidity.

blok [blɔk] *o* I block [of anything, also for chopping or hammering on], log [of wood]; billet [of firewood], chump (= short thick lump of wood), clog [to leg]; brick [= building block]; pig [of lead]; 2 bloc [of parties, of nations]; 3 × parallelepiped; *het ～* ⅏ the stocks; *een ～ aan het been hebben* be clogged; *dat is een ～ aan het been* it is a liability.

blokfluit ['blɔkflœyt] *v* ♪ recorder.

blokhoofd [-ho.ft] *o* (air-raid) warden.

blokhuis [-hœys] *o* I blockhouse [ook ✗], loghouse; 2 (v. spoorweg) signal-box.

blokkade [blɔ'ka.də] *v* blockade.

blokken (op) ['blɔkə(n) òp] *vi* plod (at), swot (at), sap (away at), mug (away at), grind (at).

blokkendoos ['blɔkə(n)do.s] *v* box of bricks.

blokker [-kər] *m* F plodder, swot.

blokkeren [blɔ'ke:rə(n)] *vt* blockade [a port]; block [a road &; $ an account]; F freeze [an account].

blokkering [-riŋ] *v* blockade [of a port]; blocking [of a road &; $ of an account]; F freezing [of an account].

blokletter ['blɔklɛtər] *v* block letter.

bloknoot zie *blocnote*.

blokstelsel [-stɛlsəl] *o* block system.

bloktin [-tɪn] *o* block tin.

blond [blònt] blond, fair, light.

blondheid ['blòntheit] *v* blondness, fairness, lightness.

blondine [blòn'di.nə] *v* blonde, fair-haired girl.

bloodaard ['blo.da:rt] *m* coward, dastard.

bloot [blo.t] **I** *aj* I naked, bare; 2 (alleen maar) bald, mere; *de blote feiten* the bald facts; *een ～ toeval* a mere accident; *met het blote oog* with the naked eye; *onder de blote hemel* in the open; *...op het blote lijf dragen* wear... next (next to) the skin; **II** *ad* barely, merely; *～ het feit dat...* the mere fact of...

blootgeven ['blo.tge.və(n)] *zich* ~ lay oneself open² [in fencing &]; *fig* commit oneself.

blootleggen [-legə(n)] *vt* lay bare², *fig* state, make known, uncover.

blootliggen [-lıgə(n)] *vi* lie bare, lie open.

blootshoofds ['blo.tsho.fts, blo.ts'ho.fts] bare-headed.

blootstaan ['blo.tsta.n] *vi* ~ *aan* be exposed to.

blootstellen [-stɛlə(n)] I *vt* expose; II *vr zich* ~ *aan* expose oneself to [wind and weather]; lay oneself open to [criticism].

blootsvoets ['blo.tsfu.ts, blo.ts'fu.ts] barefoot, barefooted.

blos [blɔs] *m* 1 blush [of embarrassment], flush [of excitement]; 2 bloom [of health].

blouse ['blu.zə] *v* blouse.

blozen ['blo.zə(n)] *vi* blush, flush, colour; *doen* ~ cause [one] to blush, make [one] blush; ~ *om* (*over*) blush at [a thing].

blozend [-zənt] I blushing; 2 ruddy, rosy.

blubber ['blŭbər] *m* 1 mud, slush; 2 zie *walvisspek*. [(ing).

bluf [blŭf] *m* brag(ging), boast(ing), swank-

bluffen ['blŭfə(n)] *vi* brag, boast, swank; ~ *op* boast of.

bluffer [-fər] *m* braggart, boaster, swanker.

blufferij [blŭfə'rɛi] *v* braggadocio, bragging, boasting.

blunder ['blŭndər] *m* blunder.

blusapparaat ['blŭsapa.ra.t] *o* fire-extinguisher.

blusmiddel [-mıdəl] *o* fire-extinguisher.

blussen ['blŭsə(n)] *vt* 1 extinguish, put out, ○ quench [a fire]; 2 slack, slake [lime].

blusser [-sər] *m* extinguisher.

blussing [-sıŋ] *v* extinction.

blut(s) [blŭt(s)] *aj* F finished, hard up, cleaned out; *iemand* ~ *maken* clean one out.

bluts [blŭts] *v* 1 (k n e u z i n g) bruise; 2 (d e u k) dent.

blutsen ['blŭtsə(n)] *vt* 1 (k n e u z e n) bruise; 2 (d e u k e n) dent.

blz. = *bladzijde*.

boa ['bo.a.] *m* boa [snake & fur necklet].

bobbel ['bɔbəl] *m* 1 bubble; 2 (g e z w e l) lump.

bobbelen ['bɔbələ(n)] *vi* bubble.

bobbelig [-ləx] lumpy.

bobslee ['bɔpsle.] *v* bob-sled, bob-sleigh.

bochel ['bɔχəl] *m* hump, hunch, humpback, hunchback; zie ook: *lachen*.

1 **bocht** [bɔxt] *o* & *m* (sorry) stuff, trash, rubbish.

2 **bocht** [bɔxt] *v* bend, turn(ing), winding [of a road, river &]; trend [of the coast]; flexion, curve [in a line]; bight [in a rope]; coil [of a cable]; bight [of the sea]; bay; *in de* ~ *springen* skip (the rope); *voor iemand in de* ~ *springen* take a person's part.

bochtaanwijzer ['bɔxta.nʋɛizər] *m* 🢒 turn indicator.

bochtig [bɔxtəx] winding, tortuous, sinuous.

bochtigheid [-heit] *v* tortuosity, sinuosity.

bockbier ['bɔkbi:r] *o* bock (beer).

bod [bɔt] *o* 1 S offer; 2 (o p v e r k o p i n g) bid; *hoger* ~, higher bid; *er waren er twee aan* ~ there were two bidders; *aan* ~ *komen* get a chance; *een* ~ *doen* make a bid; *een* ~ *doen naar* make a bid for².

bode ['bo.də] *m* 1 messenger²; 2 servant; 3 (v r a c h t r i j d e r) carrier; 4 (v. gemeente) beadle; 5 🢒 usher.

bodem ['bo.dəm] *m* 1 bottom [of a cask, the sea]; 2 [English] ground, soil, territory; 3 🢒 bottom, ship, vessel; *de* ~ *inslaan* stave in [a cask]; *fig* frustrate [plans]; dash [expectations] *op de* ~ *van de zee* at the bottom of the sea; *op hechte* ~ on firm ground, on a safe foundation; *op vreemde* ~ on foreign soil; *tot de* ~ *leegdrinken* drain to the dregs.

bodemen ['bo.dəmə(n)] *vt* bottom [a cask].

bodemerij [bo.dəmə'rɛi] *v* bottomry.

bodemrijbrief [-bri.f] *m* bottomry bond.

bodemgesteldheid ['bo.dəmgəsteltheit] *v* nature of the soil, soil conditions.

bodemkunde [-kŭndə] *v* soil science.

bodemloos [-lo.s] bottomless; *'t is een bodemloze put* it's like pouring money down a drain.

bodemonderzoek [-òndərzu.k] *o* soil research.

bodempensioen [-pɛnʃu.n] *o* basic (old-age) pension.

boe [bu.] bo!; *geen* ~ *of ba zeggen* not open one's lips; *zij durft geen* ~ *of ba zeggen* she dare not call her soul her own.

Boeddha, boeddha ['bu.da.] *m* Buddha.

Boeddhabeeld [-be.lt] *o* Buddha.

boeddhisme [bu.'dısmə] *o* Buddhism.

boeddhist [-'dıst] *m* Buddhist.

boeddhistisch [-'dısti.s] Buddhist [monk &], Buddhistic.

boedel ['bu.dəl] *m* (personal) estate, property, goods and chattels, movables; *de* ~ *aanvaarden* take possession of the estate; *de* ~ *beschrijven* make (draw up) an inventory.

boedelafstand [-afstant] *m* cession.

boedelbeschrijving [-bəs(x)rɛivıŋ] *v* inventory.

boedelscheiding [-sxɛidıŋ] *v* division of an estate, division of property.

boef [bu.f] *m* 1 knave, rogue, villain; 2 🢒 criminal, S crook; (t u c h t h u i s b o e f) convict, jail-bird.

boefachtig ['bu.faxtəx] *aj* (& *ad*) knavish(ly), roguish(ly).

boefje [-jə] *o* F gutter-snipe, street arab.

boeg [bu.x] *m* 1 🢒 bow(s); 2 (v. p a a r d) counter, chest; *het over een andere* ~ *wenden* (*gooien*) 🢒 change one's tack², try another tack²; *iets voor de* ~ *hebben* have to deal with [much work]; *wat wij nog voor de* ~ *hebben* the task in front of us, what lies ahead of us, what is ahead.

boeganker ['bu.xaŋkər] *o* 🢒 bower(-anchor).

boegseerlijn [bu.x'se:rlɛin] *v* 🢒 tow-line.

boegseren [-'se:rə(n)] *vt* tow [a boat].

boegspriet ['bu.xspri.t] *m* 1 🢒 bowsprit; 2 greasy pole.

boegsprietlopen [-lo.pǝ(n)] *vi sp* walk the greasy pole.

1 boei [bu:i] *v* (aan voeten) shackle, fetter; (aan handen) handcuff; *in ~en* in irons, in chains; *hem de ~en aandoen* handcuff him; *hem in de ~en sluiten* put him in irons.

2 boei [bu:i] *v ⚓* buoy; *met een kop als een ~* F as red as a beetroot.

boeien ['bu.jǝ(n)] *vt eig* fetter, shackle; put in irons; handcuff; *fig* captivate, enthral(l), fascinate, grip [the audience], arrest [the attention, the eye].

boeiend [-jǝnt] captivating, enthralling, fascinating, arresting, absorbing, engrossing, exciting.

boeienkoning ['bu.jǝ(n)ko.nɪŋ] *m* escapologist.

boeier ['bu.jǝr] *m ⚓* small yacht.

boek [bu.k] *o* 1 book; 2 quire [of paper]; *dat is voor mij een gesloten ~* that is a sealed book to me; *te ~ staan als...* be reputed (as)..., be reputed to be..., pass for...; *te ~ stellen* set down, record.

boekaankondiging [-a.nkòndǝgɪŋ] *v* book notice.

boekachtig [-ɑxtǝx] *aj* (& *ad*) bookish(ly).

boekanier [bu.ka.'ni:r] *m* buccaneer.

Boekarest ['bu.ka:rɛst] *o* Bucharest.

boekbeoordeling ['bu.kbǝo:rde.lɪŋ] *v* (book) review, criticism.

boekbinden [-bɪndǝ(n)] *o* bookbinding, bookbinder's trade.

boekbinder [-dǝr] *m* bookbinder.

boekbinderij [bu.kbɪndǝ'rɛi] *v* 1 bookbinding; 2 bookbinder's shop, bookbinding establishment.

boekdeel ['bu.kde.l] *o* volume; *dat spreekt boekdelen* that speaks volumes.

boekdrukken [-drŭkǝ(n)] *o* (book) printing.

boekdrukker [-kǝr] *m* (book) printer.

boekdrukkerij [bu.kdrŭkǝ'rɛi] *v* printing office.

boekdrukkunst ['bu.kdrŭkŭnst] *v* (art of) printing, typography.

boekelegger ['bu.kǝlɛgǝr] *m* book-mark(er).

boeken ['bu.kǝ(n)] *vt* book [an order]; enter (in the books), *fig* record, register; *succes ~* score a success; *in iemands credit (debet) ~* place [a sum] to a person's credit (debit); *op nieuwe rekening ~* carry to new account.

boekengeleerdheid [-gǝle:rthɛit] *v* book-learning.

boekenkast [-kɑst] *v* bookcase.

boekenkraam [-kra.m] *v* & *o* (second-hand) bookstall.

boekenliefhebber [-li.fhɛbǝr] *m* lover of books, book-lover.

boekenlijst [-lɛist] *v* list of books.

boekenmarkt [-mɑrkt] *v* book market.

boekenplank [-plɑŋk] *v* book-shelf.

boekenrek [-rɛk] *o* book-rack.

boekenstalletje [-stɑlǝcǝ] *o* (second-hand) bookstall.

boekensteun [-stø.n] *m* book-end.

boekentaal [-ta.l] *v* bookish language.

boekentas [-tɑs] *v* satchel.

boekenwijsheid [-vɛishɛit] *v* book-learning.

boekenworm, -wurm [-vǝrm, -vŭrm] *m* bookworm.

boekerij [bu.kǝ'rɛi] *v* library.

boeket [bu.'kɛt] *o* & *m* 1 bouquet, nosegay; 2 [bu.'kɛ] bouquet, aroma, flavour [of wine].

boekhandel ['bu.khɑndǝl] *m* 1 bookselling, book trade; 2 bookseller's shop, bookshop.

boekhandelaar [-hɑndǝla:r] *m* bookseller.

boekhouden [-hɔu(d)ǝ(n)] **I** *vi* $ keep the books; **II** *o* book-keeping; *dubbel (enkel) ~* book-keeping by double entry (by single entry); *Italiaans ~* book-keeping by double entry.

boekhouder [-hɔu(d)ǝr] *m* $ book-keeper.

boekhouding [-hɔudɪŋ] *v* $ book-keeping.

boekhoudmachine ['bu.khɔutma.ʃi.nǝ] *v* book-keeping machine.

boeking ['bu.kɪŋ] *v* $ entry.

boekjaar ['bu.kja:r] *o* financial (fiscal) year.

boekje [-jǝ] *o* small book, booklet; *ik zal een ~ van u opendoen* I'll let people know what (the) sort of man you are; *buiten zijn ~ gaan* F go beyond one's powers; exceed one's orders; *bij iemand in (g)een goed ~ staan* zie *blaadje*.

boekschuld [-sxŭlt] *v* $ book debt.

boekstaven [-sta.vǝ(n)] *vt* set down, record, chronicle.

boekverkoper [-fǝrko.pǝr] *m* bookseller.

boekverkoping [-fǝrko.pɪŋ] *v* book auction.

boekvink [-fɪŋk] *m* & *v* 🐦 chaffinch.

boekwaarde [-va:rdǝ] *v* $ book value.

boekweit [-vɛit] *v* **boekweiten** [-vɛitǝ(n)] *aj* 🌱 buckwheat.

boekwerk [-vɛrk] *o* book, work, volume.

boekwinkel [-vɪŋkǝl] *m* bookshop.

boekworm [-vǝrm] *m* bookworm.

boel [bu.l] *m* F in: *een ~* (quite) a lot, lots [of something]; *een ~ geld* a lot (lots) of money; *de hele ~* the whole lot; the whole thing; the whole show; *een (hele) ~ beter (meer)* a jolly sight better (more); *een hele ~ mensen* an awful lot of people; *het was een dooie (saaie) ~* it was a slow affair; *het was daar een goeie ~!* fine spread there!; *het was a regular beano; een mooie ~!* a pretty kettle of fish, a nice go (mess); *het is een vuile ~* it is a dirty mess.

boeltje ['bu.lcǝ] *o* F in: *zijn ~* his traps; *zijn ~ pakken* pack up one's traps.

boem [bu.m] *ij* bang!, boom!

boeman ['bu.mɑn] *m* bogey(-man), bugaboo.

boemel ['bu.mǝl] *aan de ~* F on the spree.

boemelaar [-mǝla:r] *m* F loose liver, rake.

boemelen [-mǝlǝ(n)] *vi* F 1 knock about; 2 go the pace, be on the spree.

boemeltrein [-mǝltrɛin] *m* F slow train.

boemerang [-mǝrɑŋ] *m* boomerang. [ber.

boender ['bu.ndǝr] *m* scrubbing brush, scrub-

boenen ['bu.nǝ(n)] *vt* scrub; rub; polish, beeswax.

boenlap ['bu.nlɑp] *m* polishing cloth, polishing rag.

boenwas [-vɑs] *m* & *o* beeswax.

boer [bu:r] *m* 1 farmer; (keuter~) peasant; (buitenman) countryman; 2 ◇ knave, jack; 3 *fig* boor, yokel; 4 (oprisping) belch; *een* ~ *laten* belch; *de* ~ *opgaan* 1 (v. kooplui) go round the country hawking; 2 (bij verkiezing) go on the stump.

Boer [bu:r] *m* ZA Boer.

boerderij [bu:rdə'rɛi] *v* farm; farm-house.

boeren ['bu:rə(n)] *vi* 1 farm, be a farmer; 2 (oprispen) belch; *hij heeft goed geboerd* he has managed his affairs well.

boerenarbeider [bu:rən'ɑrbɛidər] *m* farmhand.

boerenbedrijf ['bu:rə(n)bədrɛif] *o* farming.

boerenbedrog [-bədrɔx] *o* swindle, take-in.

boerenbond [-bònt] *m* farmers' union.

boerenbruiloft [bu:rə(n)'brœyləft] *v* country wedding.

boerendans [-'dɑns] *m* country dance.

boerendeern(e) [-'de:rn(ə)] *v* country girl, country lass.

boerendochter [-'dɔxtər] *v* farmer's daughter.

boerendorp [-'dɔrp] *o* (peasant) village.

boerendracht ['bu:rə(n)drɑxt] *v* peasant dress, country dress.

boerenerf [bu:rən'ɛrf] *o* 1 farmyard; 2 zie *boerenhoeve*.

boerenherberg [bu:rə(n)'hɛrbɛrx] *v* village inn.

boerenhoeve [-'hu.və] **boerenhofste(d)e** [-'hɔfste.(də)] *v* farmstead, farm, homestead.

boerenjongen [-'jòŋə(n)] *m* country lad; ~*s* F brandy and raisins.

boerenkermis [-'kɛrməs] *v* country fair.

boerenkiel [-'ki.l] *m* smock(-frock).

boerenkinkel [-'kɪŋkəl] *m* yokel, country lout.

boerenknecht [-'knɛxt] *m* farm-hand.

boerenkool [-'ko.l] *v* ⚘ kale, kail.

boerenkost ['bu:rə(n)kɔst] *m* country fare.

boerenleenbank [bu:rə(n)'le.nbɑŋk] *v* agricultural bank.

boerenmeid [-'mɛit] *v* 1 farm servant, farmer's maid; 2 country lass.

boerenmeisje [-'mɛiʃə] *o* country girl, country lass; ~*s* F brandy and apricots.

boerennachtegaal [-'nɑxtəga.l] *m* zie 1 *bastaardnachtegaal*; 2 *huismus* 1; 3 *kikvors*.

Boerenoorlog ['bu:rə(n)o:rlɔx] *m* Boer War.

boerenoorlog ['bu:rə(n)o:rlɔx] *m* peasants' war.

boerenopstand [-òpstɑnt] *m* peasant rising.

boerenplaats [bu:rə(n)'pla.ts] *v* farm(stead).

boerenpummel [-'püməl] *m* zie *boerenkinkel*.

boerenstand [-'stɑnt] *m* peasantry.

boerentaal ['bu:rə(n)ta.l] *v* country dialect.

boerentrots [-trɔts] *m* peasant's pride.

boerenvolk [-vɔlk] *o* countrypeople, peasantry.

boerenvrouw [bu:rə(n)'vrɔu] *v* countrywoman.

boerenwagen [-'va.gə(n)] *m* farm(er's) cart.

boerenwerk ['bu:rə(n)vɛrk] *o* farm work.

boerenwoning [bu:rə(n)'vo.nɪŋ] *v* farm-house.

boerenwormkruid [-'vɔrmkrœyt] *o* ⚘ tansy.

boerenzoon [-'zo.n] *m* farmer's son.

boerenzwaluw ['bu:rə(n)zva.ly:u] *v* ⚘ barn-swallow.

Boergondi- zie *Bourgondi-*.

boerin [bu:'rɪn] *v* 1 countrywoman; 2 farmer's wife.

boernoes ['bu:rnu.s] *m* burnous(e).

boers [bu:rs] rustic, boorish.

boersheid ['bu:rshɛit] *v* rusticity, boorishness.

boert [bu:rt] *v* bantering, jest, joke.

boerten ['bu:rtə(n)] *vi* banter, jest, joke.

boertig ['bu:rtəx] *aj* (& *ad*) jocular(ly).

boertigheid [-hɛit] *v* jocularity.

boete ['bu.tə] *v* 1 (boetedoening) penitence, penance; 2 (geldboete) penalty, fine, forfeit, mulct; ~ *betalen* pay a fine; ~ *doen* do penance; *50 £* ~ *krijgen* be fined £ 50; ~ *opleggen* impose a fine; *op* ~ *van* under (on) penalty of.

boetedag [-dɑx] *m* day of humiliation (and prayer).

boetedoening [-du.nɪŋ] *v* penance, penitential exercise.

boetekleed [-kle.t] *o* penitential robe (garment), hair-shirt; *het* ~ *aanhebben* stand in a white sheet.

boeteling(e) [-lɪŋ(ə)] *m(-v)* penitent.

boeten ['bu.tə(n)] I *vt* 1 (goedmaken) mend [nets, a fire]; atone [an offence], expiate [sin]; 2 ⊙ (voldoen aan) gratify [a desire]; *iets* ~ *met zijn leven* pay for it with one's life; II *vi* in: ~ *voor* expiate, atone for [an offence]; *hij zal ervoor* ~ he shall pay (suffer) for it.

boetpredikatie ['bu.tpre.di.ka.(t)si.] *v* penitential homily.

boetprediker [-pre.dəkər] *m* preacher of repentance.

boetpsalm [-psɑlm] *m* penitential psalm.

boetseerder [bu.t'se:rdər] *m* modeller.

boetseerklei [-klɛi] *v* modelling clay.

boetseren [bu.t'se:rə(n)] *vt* model.

boetvaardig [bu.t'fa:rdəx] contrite, penitent, repentant.

boetvaardigheid [-hɛit] *v* contriteness, contrition, penitence, repentance.

boevenstreek ['bu.və(n)stre.k] *m* & *v* villainy, roguish (knavish) trick, piece of knavery.

boeventaal [-ta.l] *v* flash language, thieves' slang (cant).

boeventronie [-tro.ni.] *v* hangdog face.

boezel(aar) ['bu.zəl(a:r)] *m* apron.

boezem ['bu.zəm] *m* 1 bosom; breast; 2 auricle [of the heart]; 3 bay [of the sea]; 4 reservoir [of a polder]; *er heerste verdeeldheid in eigen* ~ they were divided among themselves; *de hand in eigen* ~ *steken* search one's own heart, F look at home; *uit de* ~ *van de vergadering* from the (body of the) meeting.

boezemvriend [-vri.nt] *m* ~**in** [-vri.ndɪn] *v* bosom friend.

boezeroen [bu.zə'ru.n] *m* & *o* (workman's) blouse.

bof [bòf] *m* 1 (doffe slag) thud, bump; 2 🃏 (zwelling) mumps; 3 (geluk) stroke of luck, fluke; *op de* ~ at random, at haphazard; *wat een* ~ *!* such luck!

boffen ['bòfə(n)] *vi* be lucky, be in luck; *daar bof je bij* ! lucky for you!

boffer [-fər] *m* lucky dog.

bogaard ['bo.ga:rt] = *boomgaard*.

bogen ['bo.gə(n)] *vi* in: ~ *op* glory in, boast.

Boheems [bo.'he.ms] Bohemian.

bohème [bo.'hɛ.m] *v* Bohemia.

Bohemen [bo.'he.mə(n)] *o* Bohemia.

Bohemer [-mər] *m* Bohemian.

bohémien [bo.he.'miɛ̃] *m* Bohemian.

boiler ['bɔilər] *m* (hot-water) heater.

bok [bòk] *m* 1 ♉ (he-)goat; (v. ree &) buck; 2 (voor gymnastiek) vaulting buck; 3 (v. rijtuig) box; 4 ♂♀ rest; 5 (schraag) [sawyer's] jack; 6 (hijstoestel) derrick; 7 (brombeer) bear; 8 (fout) blunder, bloomer; *een* ~ *schieten* F make a blunder.

bokaal [bo.'ka.l] *m* goblet, beaker, cup, bumper.

bokken ['bòkə(n)] *vi* 1 (v. paard) buck, buckjump; 2 *fig* be sulky.

bokkepoot ['bòkəpo.t] = *bokspoot*.

bokkepruik [-prœyk] *v* in: *de* ~ *op hebben* F be in one's tantrums, be in a (black) temper.

bokkesprong [-spròŋ] *m* caper, capriole; ~*en maken* cut capers.

bokkewagen [-va.gə(n)] *m* goat-cart.

bokkig ['bòkəx] surly, churlish.

bokking ['bòkiŋ] *m* 1 (vers) bloater; 2 (gerookt) red herring; 3 F wigging.

boksbeugel ['bòksbø.gəl] *m* knuckle-duster.

boksen ['bòksə(n)] *vi* box.

bokser [-sər] *m* 1 boxer, prize-fighter; 2 ♉ boxer.

bokshandschoen ['bòkshantsxu.n] *m* & *v* boxing glove.

bokskampioen [-kampi.u.n] *m* boxing champion.

bokspartij [-partɛi] *v* boxing match.

bokspoot [-po.t] *m* goat's paw; *met bokspoten* goat-footed.

bokspringen ['bòkspriŋə(n)] *o* vaulting; zie ook: *haasje-over*.

bok-stavast [bòksta.'vast] *o* high cockalorum.

bokswedstrijd ['bòksvɛtstrɛit] *m* boxing match, prize-fight.

boktor ['bòktər] *v* capricorn beetle.

1 **bol** [bòl] *aj* convex [glasses]; bulging [sails]; chubby [cheeks]; ~ *staan* belly, bulge.

2 **bol** [bòl] *m* ball, sphere; globe [of a lamp]; bulb [of a plant & thermometer]; crown [of a hat]; *zijn* ~ F his pate; *hij is een* ~ he is a clever fellow, F a dab (at *in*); *het scheelt hem in zijn* ~ F he is crack-brained.

bolderik ['bòldərik] *m* ♠ corn-cockle.

boldriehoek [-dri.hu.k] *m* spherical triangle.

boldriehoeksmeting [bòl'dri.hu.ksme.tiŋ] *v* spherical trigonometry.

boleet [bo.'le.t] *m* ♠ boletus.

bolgewas ['bòlgəvas] *o* ♠ bulbous plant.

bolheid [-hɛit] *v* convexity.

bolhoed [-hu.t] *m* bowler (hat).

bolleboos [bòlə'bo.s] *m* F dab [at something]; *hij is een* ~ *in het zwemmen* he is a first-rate (crack) swimmer.

bollenkweker ['bòlə(n)kve.kər] *m* bulb-grower.

bollenteelt [-te.lt] *v* bulb-growing.

bollenveld [-vɛlt] *o* bulb-field.

bolletje ['bòləcə] *o* globule.

bol(punt)pen ['bòl(pŭnt)pɛn] *v* ball point pen, jotter.

bolrond ['bòl'rònt] convex; spherical.

bolsjevi- zie *bolsjewi-*.

bolsjewiek [bòlʃə'vi.k] *m* bolshevik, bolshevist.

bolsjewisme [-'vismə] *o* bolshevism.

bolsjewist [-'vist] *m* zie *bolsjewiek*.

bolsjewistisch [-'visti.s] bolshevik, bolshevist.

bolstaand ['bòlsta.nt] bellying, bulging [sails].

bolster [-stər] *m* 1 ♠ shell, husk, hull; 2 (peluw) bolster.

bolsteren [-stərə(n)] *vt* shell [nuts, almonds], husk [beans, peas], hull [walnuts].

bolus ['bo.lŭs] *m* bolus, ball, pill.

bolvorm ['bòlvorm] *m* spherical shape.

bolvormig ['bòlvorməx, bòl'vorməx] spherical, globular, bulb-shaped.

bolwangig ['bòlvaŋəx] chubby.

bolwerk [-vɛrk] *o* rampart, bastion; *fig* bulwark, stronghold [of liberty &].

bolwerken [-vɛrkə(n)] *vt* in: *het* ~ F manage.

bom [bòm] *v* 1 ⚔ bomb; 2 bung [of a cask]; 3 zie *bomschuit*; *de* ~ *is gebarsten* the storm has broken; *hij heeft een* ~ *duiten* F he has lots of money.

bomaanslag ['bòma.nslax] *m* bomb outrage.

bomaanval [-a.nval] *m* ⚔ bombing attack.

bombardement [bòmbardə'mɛnt] *o* bombardment° [also in nuclear physics]; (inz. ⚔) bombing; (inz. met granaten) shelling.

bombarderen [-'de:rə(n)] *vt* bombard° [also in nuclear physics]; (inz. ⚔) bomb; (inz. met granaten) shell; *met vragen* ~ bombard [one] with questions; *hem* ~ *tot...* F make him a... on the spur of the moment.

bombarie [bòm'ba:ri.] *v* F fuss, tumult; ~ *maken over iets* make a fuss about a thing.

bombariemaker [-ma.kər] *m* F noisy fellow.

bombast ['bòmbast] *m* bombast, fustian.

bombastisch [bòm'basti.s] *aj* (& *ad*) bombastic(ally).

bombazijn [bòmba.'zɛin] *o* bombasine.

bombazijnen [-'zɛinə(n)] bombasine.

bomen ['bo.mə(n)] I *vt* punt, pole [a boat]; II *vi* F yarn, spin a yarn, chat, have a chat.

bomgat ['bòmgat] *o* bung-hole.

bomijs [-ɛis] *o* cat-ice.

bominslag [-inslax] *m* ⚔ bomb hit.

bomkrater [-kra.tər] *m* bomb crater.

bommen ['bòmə(n)] *vi* boom; *'t kan mij niet* ~ P I don't care a rap, fat lot I care!

bommenlast [-last] *m* ⚡ bomb load.

bommenwerper [-vɛrpər] *m* ⚡ bomber.

bomscherf ['bòmsxɛrf] *v* fragment of a bomb, splinter of a bomb.

bomschuit [-sxœyt] *v* ⚓ bluff-bowed fishing boat.

bomvrij [-vrɛi] bomb-proof, shell-proof.

bon [bòn] *m* ticket [for soup &], check; voucher [for the payment of money]; coupon [of an agency, for meat &]; [book, gift] token; *op de* ~ [sell food &] on the ration; *iemand op de* ~ *zetten* 1 ✗ report a man; 2 (b e k e u r e n) take a person's name; *van de* ~ off the ration; *zonder* ~ coupon-free, without coupons, unrationed, [sell] off the ration.

bonboekje ['bònbu.kjə] *o* coupon-book; (v. distributie) ration-book.

bonbon [bõ'bõ] *m* bonbon, sweet, [chocolate, peppermint] cream; *een doos* ~*s* ook: a box of chocolates.

bond [bònt] *m* alliance, association, union, league, confederacy, confederation.

bondgenoot ['bòntgəno.t] *m* ally, confederate.

bondgenootschap [-sxap] *o* alliance, confederacy.

bondgenootschappelijk [bòntgəno.t'sxapələk] allied.

bondig ['bòndəx] *aj* (& *ad*) succinct(ly), concise(ly).

bondigheid [-hɛit] *v* succinctness, conciseness.

bondsdag ['bòntsdax] *m* federal diet.

bondskanselier [-kansəli:r] *m* federal chancellor; *de Duitse* ~ the Federal German Chancellor.

bondsraad [-ra.t] *m* Federal Council.

Bondsrepubliek [-re.py.bli.k] *v* in: *de* ~ *Duitsland* the Federal Republic of Germany.

bondsstaat ['bòntsta.t] *m* federal state.

bonekruid ['bo.nəkrœyt] *o* 🌿 savory.

bonensoep ['bo.nə(n)su.p] *v* bean-soup.

bonestaak ['bo.nəsta.k] *m* bean-stick, bean-pole[2].

bongerd ['bòŋərt] *m* orchard.

Bonifacius [bo.ni.'fa.si.ŭs] *m* Boniface.

bonis ['bo.nəs] *hij is een man in* ~ he is well off.

bonjour [bõ'ʒu:r] 1 (bij 't k o m e n of o n t m o e t e n) good morning, good day; 2 (bij 't w e g-g a a n) good-bye!

bonjouren [bõ'ʒu:rə(n)] *vt* in: *iemand er uit* ~ F bundle one off, out of the room &.

bonk [bòŋk] *m* lump; chunk; *hij is één* ~ *zenuwen* he is a bundle of nerves; *een* ~ *van een kerel* a hulking lump of a fellow.

bonken ['bòŋkə(n)] *vi* in: ~ *op* thump, belabour.

bonloos ['bònlo.s] zie *zonder bon*.

bonne ['bɔ:nə] *v* nurse, nursery-governess.

bonnefooi [bònə'fo:i] *op de* ~ at haphazard.

bonnetje ['bònəcə] *o* zie *bon*.

1 **bons** [bòns] *m* thump, bump, thud; ~*!*

bang!; *de* ~ *geven* F give the sack (boot, mitten, push), jilt; *de* ~ *krijgen* F get the sack (the boot, the push).

2 **bons** [bòns] *m* zie *bonze* 2.

1 **bont** [bònt] *aj* party-(parti-)coloured [dresses]; motley [assembly, crowd]; many-coloured, variegated [flowers]; spotted [cows]; piebald, pied [horses]; gay [colours]; colourful[2] [life, scene]; > gaudy [dress]; *een* ~ *hemd* a coloured shirt; *een* ~ *schort* a print apron; *in* ~*e rij* 1 in motley rows; 2 the gentlemen paired off with the ladies; *het te* ~ *maken* go too far; ~ *en blauw slaan* beat black and blue.

2 **bont** [bònt] *o* 1 fur; 2 printed cotton.

bonten ['bòntə(n)] *aj* fur, furry, furred.

bontheid ['bòntheit] *v* variegation.

bontjas [-jas] *m* & *v* fur coat.

bontje ['bòncə] *o* fur collar.

bontmantel ['bòntmantəl] *m* fur coat.

bontstel [-stɛl] *o* set of furs, fur set.

bontwerk [-vɛrk] *o* furriery.

bontwerker [-vɛrkər] *m* furrier.

bontwinkel [-vɪŋkəl] *m* fur store.

bonus ['bo.nŭs] *m* bonus.

bonusaandeel [-a.nde.l] *o* $ bonus share.

bon-vivant [bõvi.'vã] *m* gourmand; ·> free liver.

bonvrij ['bònvrɛi] zie *zonder bon*.

bonze ['bònzə] *m* 1 bonze [= Buddhist priest]; 2 *fig* F [trades-union, party] boss.

bonzen [-zə(n)] *vi* throb, thump [of the heart]; *op de deur* ~ knock at the door, batter the door; *tegen iemand (aan)* ~ bump (up) against a person.

boodschap ['bo.tsxap] *v* 1 message; errand; 2 (een inkoop) purchase; *de blijde* ~ the Gospel; *een blijde* ~ good news; *een* ~ *achterlaten (bij)* leave word (with); *de* ~ *brengen dat...* bring word that...; ~*pen doen* 1 be shopping [for oneself]; 2 run errands [for others]; *een* ~ *laten doen* send on an errand; *stuur hem maar even een* ~ just send him word.

boodschaploper [-lo.pər] *m* messenger, errand-boy.

boodschappen ['bo.tsxapə(n)] *vt* bring word, announce.

boodschappenlooper [-lo.pər] = *boodschaploper*.

boodschappenmand [-mant] *v* shopping basket.

boodschappennet [-nɛt] *o* string bag.

boodschappentas [-tas] *v* shopping bag.

boodschapper ['bo.tsxapər] *m* messenger.

boog [bo.x] *m* 1 [archer's] bow; 2 (v. gewelf) arch; 3 (v. cirkel) arc; 4 (bocht) curve; 5 ♪ tie; *de* ~ *kan niet altijd gespannen zijn* the bow cannot always be stretched (strung) zie ook: *pijl*.

booggewelf ['bo.gəvɛlf] *o* arched vault.

booglamp ['bo.xlamp] *v* [electric] arc-lamp.

booglicht ['bo.xlɪxt] *o* [electric] arc-light.

boogpees [-pe.s] v bowstring.
boograam [-ra.m] o arched window.
boogschot [-sxɔt] o bowshot.
boogschutter [-sxûtər] m archer, bowman.
boogsgewijs, -gewijze ['bo.xsgəvɛis, -vɛizə] archwise.
boogvenster ['bo.xfɛnstər] o arched window.
boogvormig [bo.xfɔrməx] arched.
boom [bo.m] m 1 ♀ tree; 2 ⚔ beam [of a plough, in a loom]; 3 ♨ punting pole; boom [for stretching the sail]; 4 (ter afsluiting) bar [of a door]; barrier; 5 (v. wagen) shaft; pole; *een ~ van een kerel, een kerel als een ~* a strapping fellow; *een ~ opzetten* have a chat, F spin a yarn; *hoge bomen vangen veel wind* high (huge) winds blow on high hills; *door de bomen het bos niet zien* not see the wood for the trees; *van de hoge ~ teren* spend one's money freely.
boomgaard ['bo.mga:rt] m orchard.
boomgrens [-grɛns] v tree line, timber line.
boomkikvors [-kɪkfɔrs] m tree-frog.
boomklever [-kle.vər] m ⚘ nuthatch.
boomkruiper [-krœypər] m ⚘ (tree-)creeper.
boomkweker [-kve.kər] m nurseryman.
boomkwekerij [bo.mkve.kə'rɛi] v 1 (als handeling) cultivation of trees; 2 (kweek-plaats) nursery.
boomloos ['bo.mlo.s] treeless.
boommarter ['bo.martər] m ♆ pine marten.
boompieper ['bo.mpi.pər] m ⚘ tree-pipit.
boomrijk [-rɛik] full of trees, abounding in trees, wooded.
boomschors [-sxɔrs] v (tree-)bark.
boomslang [-slaŋ] v tree-snake, tree-serpent.
boomstam [-stam] m stem, trunk, bole.
boomstomp [-stɔmp] **boomstronk** [-strɔŋk] m tree-stump.
boomtak [-tɑk] m branch, bough (of a tree).
boomvaren [-va:rə(n)] v ♀ tree-fern.
boomvrucht [-vrûxt] v tree-fruit.
boon [bo.n] v bean; *bruine bonen* kidney beans; *grote (roomse) bonen* broad beans; *witte bonen* white beans; *ik ben een ~ als het niet waar is* F I'm blest, I'll eat my hat if it is not true; *in de bonen zijn* be at sea.
boonkruid ['bo.nkrœyt] = bonekruid.
boonsoep [-su.p] = bonensoep.
boonstaak [-sta.k] = bonestaak.
boontje [-cə] o bean; *heilig ~* (little) saint; *~ komt om zijn loontje* the chicken will come (has come) home to roost; *zijn eigen ~s doppen* F manage one's own affairs.
boor [bo:r] v 1 brace and bit, wimble, gimlet, drill, borer; 2 taster [for cheese &].
boord [bo:rt] 1 m (rand) border [of a carpet &], edge [of a river]; brim [of a cup], bank [of a river]; 2 o & m (kraag) collar; 3 o & m ♨ board; *dubbele ~* double collar; *liggende ~* lay-down collar; *omgeslagen ~* turndown collar; *staande ~* stand-up collar; *overhemd met vaste ~* shirt with collar at-

tached; *aan ~ van de Vondel* on board the Vondel; *aan ~ brengen* put on board; *aan ~ gaan* go on board; *te Genua aan ~ gaan* take ship, embark at Genoa; *aan ~ hebben* have on board, carry [wireless]; *daarmee moet je mij niet aan ~ komen* zie aankomen; *aan ~ nemen* take on board; *een man over ~!* man overboard!; *over ~ gooien (werpen)* throw overboard[2], jettison[2]; fling [principles] to the winds; *over ~ slaan* be swept overboard; *van ~ gaan* go ashore, disembark.
boordeknoopje ['bo:rdəkno.pjə] o collar stud.
boorden ['bo:rdə(n)] vt border, edge, hem.
boordevol ['bo:rdəvɔl] filled to the brim, brim-
boordje ['bo:rcə] o zie boord 2. [ful.
boordlint ['bo:rtlɪnt] o tape.
boordschutter [-sxûtər] m ⚔ air-gunner.
boordsel [-səl] o edging. [plane.
boordvliegtuig [-fli.xtœyx] o ➤ carrier(-based)
boordwerktuigkundige [bo:rtvɛrktœyx'kûndəgə] m ➤ flight engineer.
booreiland ['bo:rɛilant] o drilling platform, drilling rig.
boorgat [-gɑt] o bore-hole.
boorhouder [-hɔudər] m ⚔ chuck.
boorijzer [-ɛizər] o bit.
boorinstallatie [-ɪnstɑla.(t)si.] v drilling plant.
boormachine [-ma.ʃi.nə] v boring machine drilling machine.
boormeester [-me.stər] m driller.
boortje [-cə] o gimlet.
boortoren [-to:rə(n)] m (drilling) derrick.
boorwater [-va.tər] o boracic water.
boorzalf [-zalf] v boracic ointment.
boorzuur [-zy:r] o bor(ac)ic acid.
boos [bo.s] I aj 1 (kwaad) angry, cross; 2 (kwaadaardig) malign, malicious [influence], malignant [ulcers]; 3 (slecht) bad [weather, dream], evil [days, spirits, tongues]; wicked [passions]; *het boze oog* the evil eye; *~ worden, zich ~ maken* become angry, lose one's temper (with *op*); *~ zijn om (over)* be angry at; *~ zijn op* be angry with; *zo ~ als wat* as cross as two sticks; II ad angrily &.
boosaardig [bo.'za:rdəx] aj (& ad) malicious-(ly), malign(ly).
boosaardigheid [-hɛit] v malice, malignity.
boosdoener ['bo.sdu.nər] m malefactor, evil-doer, culprit.
boosheid [-hɛit] v 1 anger; 2 malignity, wickedness.
booswicht [-vɪxt] m wretch, villain, criminal.
boot [bo.t] m & v ♨ boat; *toen was de ~ aan* F then the fat was in the fire; *laat je niet in de ~ nemen* F don't let yourself be fooled.
bootgelegenheid ['bo.tgəle.gənhɛit] v in: *per eerste ~* by the first available steamer, by first steamer.
bootreis [-rɛis] v boat-journey, boat-trip.
bootsgezel ['bo.tsgəzɛl] m sailor.
bootshaak [-ha.k] m boat-hook.
bootslengte [-lɛŋtə] v boat's length.

bootsman [-mɑn] *m* boatswain, F bo's'n.
bootsvolk [-fɔlk] *o* (ship's) crew.
boottocht ['bo.tɔxt] *m* boat-excursion.
boottrein ['bo.trɛin] *m* boat-train.
bootwerker ['bo.tʋɛrkər] *m* docker, dock labourer.
borax ['bo:rɑks] *m* borax.
bord [bɔrt] *o* 1 plate; (diep) soup-plate, (plat) dinner-plate, (houten) trencher; 2 (schoolbord) blackboard; (aanplak~, dam~ &) board; (inz. voor het verkeer & uithang~) sign.
bordeaux(wijn) [bɔr'do.(vɛin)] *m* Bordeaux (wine), (rode) claret.
Bordeauxse pap [bɔr'do.sə pɑp] *v* Bordeaux mixture.
bordendoek ['bɔrdə(n)du.k] *m* dish-cloth.
bordenrek [-rɛk] *o* plate-rack.
bordenwarmer [-vɑrmər] *m* plate-warmer.
bordenwasmachine [-vɑsmɑ.ʃi.nə] *v* (automatic) dishwasher.
bordenwasser [-vɑsər] *m* dishwasher.
borderel [bɔrdə'rɛl] *o* list, docket.
bordes [bɔr'dɛs] *o* flight of steps (outside the house).
bordje ['bɔrcə] *o* 1 (small) plate; 2 (notice-)board, sign; *de ~s zijn verhangen* the tables are turned.
bordpapier ['bɔrtpɑ.pi:r] *o* cardboard, pasteboard.
bordpapieren [-pi:rə(n)] *aj* cardboard, pasteboard.
borduren [bɔr'dy:rə(n)] *vi & vt* embroider[2].
borduurgaas [-'dy:rgɑ.s] *o* canvas.
borduurgaren [-gɑ:rə(n)] *o* embroidery thread.
borduurnaald [-nɑ.lt] *v* embroidery needle.
borduurpatroon [-pɑ.tro.n] *o* embroidery pattern.
borduurraam [bɔr'dy:rɑ.m] *o* embroidery frame.
borduursel [bɔr'dy:rsəl] **borduurwerk** [-vɛrk] *o* embroidery.
borduurwol [-vɔl] *v* crewel.
boren ['bo:rə(n)] *vt* bore, drill, pierce [a hole &], sink [a well]; *in de grond ~* ⚓ sink [a ship]; *fig* ruin [a person].
borg [bɔrx] *m* 1 (persoon) surety, guarantee, guarantor; 2 (zaak) security, guaranty; 3 ⚖ bail; *~ blijven (spreken, staan) voor* stand surety (⚖ go bail) for [a friend]; answer for, warrant, guarantee [the fulfilment of...]; *~ stellen* give security; *zich ~ stellen voor* zie *borg blijven.*
borgen ['bɔrgə(n)] *vi & vt* 1 buy on credit; 2 give credit; *~ baart zorgen* he that goes borrowing goes sorrowing.
borgsteller ['bɔrxstɛlər] *m* surety.
borgstelling [-stɛlɪŋ] *v* **borgtocht** [-tɔxt] *m* security; — bail; *onder ~ vrijlaten* ⚖ admit to bail.
boring ['bo:rɪŋ] *v* boring; (v. cilinder) bore; *~en* ook: drilling operations.

borrel ['bɔrəl] *m* drink, drop, dram, nip.
borrelaar ['bɔrəlɑ:r] *m* dram-drinker.
borrelen [-lən] *vi* 1 (bellen maken) bubble; 2 (borrels drinken) drink drams.
borrelfles ['bɔrəlflɛs] *v* gin-bottle.
borrelpraat [-prɑ.t] *m* club tittle-tattle, gossip.
borreluur [-y:r] *o* time for a drink.
1 borst [bɔrst] *v* 1 [right, left] breast, [broad] chest, ⊙ bosom; 2 brisket [of beef], breast [of veal]; 3 breast [of a dress, a coat, a shirt]; *een hoge ~ (op)zetten* throw out one's chest; *zich met de ~ toeleggen op* apply oneself to [mathematics &]; *het op de ~ hebben* be short-breathed; *uit volle ~* at the top of one's voice, lustily; *wij hebben nog heel wat voor de ~* zie *boeg.*
2 borst [bɔrst] *m* lad; *een jonge ~* a stripling; *een stevige ~* a strapping lad.
borstaandoening ['bɔrstɑ.ndu.nɪŋ] *v* chest affection.
borstbeeld [-be.lt] *o* 1 bust; 2 effigy [on a coin].
borstbeen [-be.n] *o* breast-bone, § sternum.
borstcrawl [-krɔ:l] *m* crawl.
borstel ['bɔrstəl] *m* 1 (voor kleren &) brush; 2 (stijve haren) bristle.
borstelen ['bɔrstələ(n)] *vt* brush.
borstelig [-ləx] bristly, bristling.
borstelmaker ['bɔrstəlmɑ.kər] *m* brushmaker.
borstharnas ['bɔrsthɑrnɑs] *o* breast-plate, cuirass.
borsttholte [-hɔltə] *v* cavity of the chest.
borstkas [-kɑs] *v* chest, § thorax.
borstkwaal [-kvɑ.l] *v* chest complaint, chest trouble.
borstlap [-lɑp] *m* 1 (kledingstuk) breast-cloth, stomacher, tucker; 2 (v. schermers) plastron.
borstlijder [-lɛidər] *m* ~es [bɔrstlɛidə'rɛs] *v* consumptive (patient).
borstmiddel [-mɪdəl] *o* pectoral (medicine).
borstplaat [-plɑ.t] *v* 1 ⚓ breast-plate, cuirass; 2 (suikergoed) baked fondant.
borstriem [-ri.m] *m* breast-strap.
borstrok [-rɔk] *m* (under)vest.
borstslag [-slɑx] *m* breast-stroke [in swimming].
borstspeld [-spɛlt] *v* brooch.
borstspier [-spi:r] *v* pectoral muscle.
borststuk [-stʉk] *o* 1 (v. geslacht beest) breast, brisket; 2 (v. harnas) breast-plate; 3 (v. insekt) thorax.
borstvin [-fɪn] *v* pectoral fin.
borstvlies [-fli.s] *o* pleura.
borstvliesontsteking [-ɔntste.kɪŋ] *v* pleurisy.
borstwering ['bɔrstve.rɪŋ] parapet°; ✕ ook: breast-work.
borstwijdte [-vɛitə] *v* chest measurement.
borstzak [-sɑk] *m* breast-pocket.
1 bos [bɔs] *m* bunch [of radishes, daffodils, keys], bottle [of hay], bundle [of grass, straw, papers &], truss [of straw]; tuft, shock [of hair].

2 **bos** [bòs] *o* wood.

bosachtig ['bòsɑxtəx] woody, woodlike, bosky.

bosanemoon [-a.nəmo.n] *v* ♣ wood anemone.

bosbeheer [-bəheːr] *o* forest administration.

bosbes [-bes] *v* ♣ bilberry, whortleberry.

bosbewoner [-bəvo.nər] *m* woodsman, forester.

bosbouw [-bou] *m* forestry.

bosbouwkunde [-kűndə] *v* sylviculture.

bosbouwkundig [bòsbou'kűndəx] sylvicultural.

bosbouwkundige [-'kűndəgə] *m* sylviculturist.

bosbouwschool ['bòsbousxo.l] *v* school of forestry.

bosbrand ['bòsbrɑnt] *m* forest-fire.

bosduif [-dœyf] *v* ♣ wood-pigeon, ring-dove; *kleine* ～ stockdove.

bosgod [-gòt] *m* sylvan deity, faun.

bosgodin [-go.dın] *v* wood-nymph.

bosgrond [-grònt] *m* woodland.

1 **bosje** ['bòʃə] *o* grove, thicket, shrubbery.

2 **bosje** ['bòʃə] *o* zie 1 bos.

Bosjesman ['bòʃəsmɑn] *m* Bushman.

boskant ['bòskɑnt] *m* edge (outskirts) of a (the) forest.

boskat [-kɑt] *v* wild cat.

bosmens [-mens] *m* I wild man of the forest; 2 orang-utan.

bosmier [-miːr] *v* zie *rode mier*.

bosneger [-ne.gər] *m WI* maroon.

Bosnië [-ni.ə] *o* Bosnia.

Bosniër [-ni.ər] *m* Bosnian.

bosnimf [-nımf] *v* wood-nymph.

Bosnisch [-ni.s] Bosnian.

Bosporus [-po:rus] *m* Bosp(h)orus.

bosproducten zie *bosprodukten*.

bosprodukten [-pro.dűktə(n)] *mv* forest products, forest produce.

bosrijk [-reik] woody, wooded.

bosschage [bòs'gɑ.ʒə] *o* bosket, grove.

bosuil ['bòsœyl] *m* ♣ tawny owl.

bosviooltje [-fi.o.lcə] *o* ♣ wood-violet.

boswachter [-vɑxtər] *m* forester.

bosweg [-vex] *m* forest road.

boswezen [-ve.zə(n)] *o* forest service.

1 **bot** [bòt] *eig* blunt [of a knife]; *fig* dull, obtuse, stupid [fellow]; blunt [answer], flat [refusal].

2 **bot** [bòt] in: ～ *vangen* draw a blank.

3 **bot** [bòt] 1 *m* ⚓ flounder ‖ 2 *v* ♣ bud.

4 **bot** [bòt] *o* bone.

botanicus ['bo.'ta.ni.kűs] *m* botanist.

botanie [bo.ta.'ni.] *v* botany.

botanisch [-'ta.ni.s] botanical.

botaniseertrommel [bo.ta.ni.'ze:rtròmməl] *v* botanical collecting box.

botaniseren [-'ze:rə(n)] *vi* botanize, herborize.

botanise- zie *botanise-*.

boter ['bo.tər] *v* butter; *het is ～ aan de galg gesmeerd* it's to no purpose; ～ *bij de vis* cash down; *met zijn neus in de ～ vallen* come at the right moment.

boterachtig [-ɑxtəx] buttery, butter-like.

boterbloem [-blu.m] *v* ♣ buttercup.

boterboer [-buːr] *m* butter-man.

boteren ['bo.tərə(n)] I *vt* butter [bread, parsnips]; II *vi* 1 make butter; 2 come [of the butter]; *het wil niet ～* F I am making no headway; *het botert niet tussen ons* F we don't hit it off together.

boterfabriek ['bo.tərfɑ.bri.k] *v* butter factory.

boterham ['bo.tərɑm] *m* & *v* (slice of, some) bread and butter; *zijn ～* (levensonderhoud) his bread and butter.

boterham(me)papier [-(ə)pa.piːr] *o* grease-proof paper.

boterhamtrommeltje [-tròmmələcə] *o* sandwich box.

boterhandel ['bo.tərhɑndəl] *m* butter trade.

boterhandelaar [-hɑndəla:r] *m* butter dealer.

boterletter [-letər] *v* almond-paste letter.

botermarkt [-mɑrkt] *v* butter market.

boterpot [-pòt] *m* butter pot, butter crock.

botersaus [-sous] *v* butter sauce.

boterspaan [-spa.n] *v* butter scoop.

boterton [-tòn] *v* butter cask.

botervaatje [-va.cə] *o* butter firkin.

botervat [-vat] *o* butter tub.

botervlootje [-vlo.cə] *o* butter-dish.

botheid ['bòtheit] *v* bluntness[2], dulness[2], obtuseness[2].

botje ['bòcə] *o* in: ～ *bij ～ leggen* club together.

botsautootje ['bòtso.to.cə, -ɑuto.cə] *o* dodgem car, dodgem.

botsen ['bòtsə(n)] *vi* in: ～ *tegen* 1 (v. voertuigen) collide with, crash into; 2 (anders) bump against, strike against, dash against.

botsing ['bòtsın] *v* collision[2]; *fig* clash; *in ～ komen met* collide with[2]; *fig* clash with.

bottelarij [bòtəla:'rei] *v* place for bottling; ⚓ store-room.

bottelen ['bòtələ(n)] *vt* bottle.

bottelier [bòtə'li:r] *m* 1 butler; 2 ⚓ steward.

botten ['bòtə(n)] *vi* bud.

botter [-tər] *m* ⚓ fishing boat.

botterik [-tərık] *m* blockhead.

bottine [bò'ti.nə] *v* boot, ✂ high-low.

botvieren ['bòtfi:rə(n)] *vt* in: *zijn hartstochten (lusten) ～ give rein to one's passions.

botweg ['bòtvex] bluntly; ～ *weigeren* refuse point-blank (flatly).

boud [bout] *aj* (& *ad*) bold(ly).

bouderen [bu.'de:rə(n)] *vi* sulk.

Boudewijn ['boudəvein] *m* Baldwin; [King] Baudouin [of the Belgians].

boudoir [bu.'dvɑ:r] *o* boudoir.

bouffante [bu.'fɑntə] *v* comforter, (woollen) muffler.

bougie [bu.'ʒi.] *v* 1 (wax) candle; 2 ⚡ bougie; 3 ⚙ sparking plug.

bouillon [bu.l'jòn] *m* broth, beef tea, clear soup.

bouillonblokje [-blòkjə] *o* beef cube.

boulevard [bu.lə'vɑ:r] *m* boulevard.

bouquet zie *boeket*.

Bourbons [bu:r'bòns] *aj* Bourbon.

bourgogne(wijn) [-'gɔ̀nǝ(vɛin)] *m* burgundy.
Bourgondië [-'gɔ̀ndi.ǝ] *o* Burgundy.
Bourgondiër [-di.ǝr] *m* Burgundian.
Bourgondisch [-di.s] *aj* Burgundian.
bout [bǝut] *m* 1 ⚒ bolt; [wooden] pin; 2 (v. strijkijzer) heater; box-iron ‖ 3 (v. dier) quarter, drumstick [of fowls].
bouw [bǝu] *m* 1 building, construction, erection [of houses]; 2 structure [of a crystal &], frame [of the body], build [of the body, a violin &]; 3 (v. land) cultivation, culture; *krachtig van* ~ of powerful build.
bouwbedrijf ['bǝubǝdreif] *o* building trade.
bouwdoos [-do.s] *v* box of bricks.
bouwen ['bǝuǝ(n)] **I** *vt* 1 build [a house], construct [sentences], frame [a plot, theory &]; 2 zie *verbouwen* 2; *zee* ~ plough the sea(s); **II** *vi* build; *op iemand (iets)* ~ rely on a man (on a thing).
bouwer [-ǝr] *m* builder; constructor.
bouwgrond [-grɔnt] *m* 1 building ground, building site, building plot; 2 zie *bouwland*.
bouwkunde [-kůndǝ] *v* architecture.
bouwkundig [bǝu'kůndǝx] architectural.
bouwkundige [-'kůndǝgǝ] *m* architect.
bouwkunst ['bǝukůnst] *v* architecture.
bouwland [-lɑnt] *o* arable land, farmland.
bouwmaatschappij [-ma.tsxɑpɛi] *v* building company.
bouwmaterialen [-ma.te:ri.a.lǝ(n)] *mv* building materials.
bouwmeester [-me.stǝr] *m* architect, builder.
bouwoorde [-ɔrdǝ] *v* order (of architecture), style (of building), architecture.
bouwplan [-plɑn] *o* building scheme, plan.
bouwpolitie [-po.li.(t)si.] *v* building inspectors.
bouwput [-půt] *m* excavation, excavated building-site.
bouwsteen [-ste.n] *m* building stone; *bouwstenen* materials [for an essay &].
bouwstijl [-steil] *m* zie *bouwoorde*.
bouwstoffen [-stofǝ(n)] *mv* materials.
bouwterrein [-tɛrein] *o* building-site, building-plot.
bouwtrant [-trɑnt] *m* zie *bouwoorde*. [plot.
bouwvak [-vɑk] *o* building trade.
bouwvakarbeider [-vɑkɑrbɛidǝr] **bouwvakker** [-vɑkǝr] *m* building-trade operative, building-trade worker.
bouwval [-vɑl] *m* ruin, ruins.
bouwvallig [bǝu'vɑlǝx] going to ruin, ruinous, tumbledown, dilapidated, ramshackle, crazy.
bouwvalligheid [-hɛit] *v* ruinous state, decay, craziness, dilapidation.
bouwwerk ['bǝuvɛrk] *o* building.
boven ['bo.vǝ(n) **I** *prep* above [par, criticism, one's station &]; [fly, hover] over; over, upwards of [fifty &]; beyond [one's means]; *de plaatsen* ~ *Amsterdam* above A.; ~ *de deur stond...* over the door; ~ *het lawaai (uit)* above the tumult (noise); *het gaat (stijgt)* ~ *het menselijke uit* it transcends the human; *hij stijgt hoog uit* ~ *zijn mededingers* he rises

high above his competitors; *hij is* ~ *de veertig* he is turned of forty, he is over forty; ~ *en behalve wat hij verdiende* over and above what he earned; **II** *ad* above (in one's room, in this book); upstairs; *hij is* ~ he is upstairs; *als* ~ as above; *naar* ~ up; *naar* ~ *gaan* go upstairs; *naar* ~ *kijken* look up(wards); *te* ~ *gaan* be above [one's strength]; surpass [everything], exceed [the amount]; zie ook: *begrip, beschrijving* &; *te* ~ *komen* surmount [difficulties]; *wij zijn het nu te* ~ we have got over it now; *van* ~ 1 from upstairs; 2 from above, from on high [comes all blessing]; *zoveelste regel van* ~ from top; *(spits) van* ~ at the top; *van* ~ *naar beneden* from the top downward; *van* ~ *tot beneden* from top to bottom.
bovenaan [bo.vǝn'a.n] at the upper end, at the top; ~ *op de lijst staan* be at the top (at the head) of the list, head the list.
bovenaards [bo.vǝn'a:rts] supermundane, supernatural, heavenly.
bovenaf [bo.vǝn'af] in: *van* ~ from above, from the top, from the surface.
bovenal [bo.vǝn'al] above all, above all things.
bovenarm ['bo.vǝnɑrm] *m* upper arm.
bovenbouw ['bo.vǝ(n)bǝu] *m* superstructure.
bovenbrengen [-brɛŋǝ(n)] *vt* take [one, it] up(stairs).
bovenbuur [-by:r] *m* upstairs neighbour.
bovendek [-dɛk] *o* ⚓ upper deck.
bovendeur [-dø:r] *v* upper (part of the) door.
bovendien [bo.vǝn'di.n] besides, moreover.
bovendorpel ['bo.vǝ(n)dɔrpǝl] **bovendrempel** [-drɛmpǝl] *m* lintel.
bovendrijven [-drɛivǝ(n)] *vi* float on the surface; *fig* prevail [of an opinion].
boveneind(e) [-ɛint, -ɛindǝ] *o* upper end, top, head [of the table]
bovengedeelte [-gǝde.ltǝ] *o* upper part.
bovengemeld [-gǝmɛlt] **bovengenoemd** [-gǝnu.mt] above(-mentioned).
bovengoed [-gu.t] *o* upper clothes, outer wear.
bovengronds [-grɔnts] overground, elevated [railway]; ⚒ overhead [wires]; surface [miner].
bovenhand [-hɑnt] *v* back of the hand; *de* ~ *krijgen* get (take) the upper hand.
bovenhelft [-hɛlft] *v* upper half.
bovenhuis [-hœys] *o* 1 upper part of a house; 2 upstairs flat.
bovenin [bo.vǝn'ɪn] at the top.
bovenkaak ['bo.vǝ(n)ka.k] *v* upper jaw.
bovenkamer [-ka.mǝr] *v* upper room, upstairs room; *het scheelt hem in zijn* ~ F he is wrong in the upper storey.
bovenkant [-kɑnt] *m* top, upper side.
bovenkleren [-kle:rǝ(n)] *mv* zie *bovengoed*.
bovenkomen [-ko.mǝ(n)] *vi* rise to the surface, come to the surface, come to the top [of the water]; come up(stairs); *laat hem* ~ show him up(stairs).

bovenlaag [-la.x] *v* upper layer.

bovenlaken [-la.kə(n)] *o* top sheet.

bovenlanden [-landə(n)] *mv* uplands.

bovenlast [-lɑst] *m* ⚓ deck-load, deck-cargo.

bovenle(d)er [-le:r, -le.dər] *o* upper leather, uppers.

bovenleiding [-leidɪŋ] *v* 💥 overhead wires.

bovenlicht [-lɪxt] *o* skylight.

bovenlijf [-leif] *o* upper part of the body.

bovenlip [-lɪp] *v* upper lip.

bovenloop [-lo.p] *m* upper course [of a river].

bovenmate [bo.və(n)'ma.tə] extremely, exceedingly.

Bovenmeer ['bo.və(n)me:r] *o* in: *het* ~ Lake Superior.

bovenmenselijk [bo.və(n)'mɛnsələk] *aj* (& *ad*) superhuman(ly).

bovennatuurlijk ['bo.vəna.ty:rlək] *aj* (& *ad*) supernatural(ly).

bovenop [bo.vən'ȯp] on (the) top; ~ *een omnibus* on top of an omnibus; *er* (*weer*) ~ *brengen* (*helpen*) I pull, bring [a patient] through (round), set [a patient] on his legs again; 2 set [a business man] on his feet again; *er weer* ~ *komen* pull through, pull round; *er* ~ *zijn* be a made man.

bovenover [-'o.vər] along the top.

bovenraam ['bo.və(n)ra.m] *o* upper window, upstairs window.

bovenrand [-rɑnt] *m* upper edge.

Boven-Rijn [-rein] *m* Upper Rhine.

bovenstaand [-sta.nt] *aj* above(-mentioned); *het* ~*e* the above.

bovenstad [-stɑt] *v* upper town.

bovenstandig ['bo.və(n)stɑndəx] 🌿 superior.

bovenste ['bo.vənstə] I *aj* uppermost, upper, topmost, top; *een* ~ *beste* F a regular trump; II *sb het* ~ the upper part, the top.

bovenstuk [-stŭk] *o* upper part, top.

boventand [-tɑnt] *m* upper tooth.

boventoon [-to.n] *m* overtone; *de* ~ *voeren* (pre)dominate.

bovenuit [bo.vən'œyt] in: *men hoorde zijn stem er* ~ above the noise (the tumult &).

bovenvenster ['bo.və(n)vɛnstər] *o* zie *bovenraam*.

bovenverdieping [-vərdi.pɪŋ] *v* upper storey, upper floor, top floor.

bovenvlak [-vlɑk] *o* upper surface.

Bovenwindse Eilanden [-vɪntsə 'eilɑndə(n)] *mv* Windward Islands.

bovenwoning [-vo.nɪŋ] *v* zie *bovenhuis* 2.

bovenzij(de) [-zɛi(də)] *v* zie *bovenkant*.

bovenzinnelijk [bo.və(n)'zɪnələk] *aj* (& *ad*) transcendental(ly).

bowl [bo.l] *m* I (kom) bowl; 2 (drank) (claret &) cup.

bowlen ['bo.lə(n)] *vi* bowl.

box [bȯks] *m* I (in stal) box; 2 (in garage) lock-up; 3 (v. kinderen) playpen; 4 ✆ (post-office) box.

boycot ['bȯikət] *m* boycott.

boycotten [-kȯtə(n)] *vt* boycott.

boze ['bo.zə] *m* in: *de B*~ the Evil One; *dat is uit den* ~ I it is of the devil; 2 it is wrong.

braadkip ['bra.tkɪp] *v* broiler hen, broiler.

braadoven [-o.və(n)] *m* roaster.

braadpan [-pɑn] *v* frying pan.

braadspit [-spɪt] *o* spit, broach.

braadvet [-fɛt] *o* dripping.

braadworst [-vȯrst] *v* roast sausage.

braaf [bra.f] I *aj* ± good, honest, > worthy [people]; honest and respectable [servant-girls]; ~! good (old) dog!; II *ad* well; ~ *drinken* drink heavily (freely); ~ *kunnen liegen* be a barefaced liar.

braafheid ['bra.fheit] *v* honesty.

I **braak** [bra.k] *aj* fallow; ~ *liggen* lie fallow².

2 **braak** [bra.k] *v* I breaking [into a house], burglary; 2 brake [for hemp].

braakland ['bra.klɑnt] *o* fallow (land).

braakmiddel [-mɪdəl] *o* emetic.

braaknoot [-no.t] *v* nux vomica, vomit-nut.

braaksel [-səl] *o* vomit.

braam [bra.m] *v* I 🔪 wire-edge, burr [of a knife] ‖ 2 🌿 *zie braambes*.

braambes ['bra.mbɛs] *v* blackberry.

braamstruik [-strœyk] *m* blackberry bush, bramble.

Brabander ['bra.bɑndər] *m* Brabant man.

Brabant [-bɑnt] *o* Brabant.

brabbelaar ['brabəla:r] *m* ~ster [-stər] *v* jabberer, sputterer.

brabbelen [-lə(n)] *vt* & *vi* jabber, sputter.

brabbeltaal ['brabəlta.l] *v* jabber(ing), gibberish, jargon.

braden ['bra.də(n), 'bra.jə(n)] I *vt* roast [on a spit], fry [in a pan], grill, broil [on a fire, on a gridiron], bake [in an oven]; II *vi* roast &.

Brahma ['bra.ma.] *m* Brahma.

brahmaan [bra.'ma.n] *m* Brahmin. [type.

braille(schrift) ['brajə(s(x)rɪft)] *o* Braille, raised

I **brak** [brak] *aj* brackish, saltish, briny.

2 **brak** [brak] *m* 🐕 beagle.

braken ['bra.kə(n)] I *vt* break [hemp] ‖ vomit² [blood, smoke &], belch forth [flames, smoke &]; II *vi* vomit.

brallen ['bralə(n)] *vi* brag.

bram [bram] *m* ⚓ topgallant sail.

bramsteng ['bramstɛŋ] *v* ⚓ topgallant mast.

brancard [brɑŋ'ka:r] *m* stretcher.

branche ['brãʃə] *v* branch [of business], line.

brand [brɑnt] *m* I *eig* fire, conflagration; 2 (brandstof) fuel, firing; 3 (in het lichaam) heat; 4 (uitslag) eruption; 5 (in het koren) smut, blight; ~! fire! *er is* ~ there is a fire; ~ *stichten* raise a fire; *in* ~ *raken* catch (take) fire; ignite; *in* ~ *schieten* set on fire; *in* ~ *staan* be on fire, be burning; *in* ~ *steken* set on fire, set fire to; ignite; *in de* ~ *zitten* F be in a scrape; *iemand uit de* ~ *helpen* help one out of a scrape.

brandalarm ['brɑnta.lɑrm] *o* fire-alarm, fire-call.

brandassurantie [-asy.ran(t)si.] *v* fire insurance.
brandbaar [-ba:r] combustible, inflammable.
brandbaarheid [-ba:rhɛit] *v* combustibility, inflammability.
brandblaar [-bla:r] *v* blister from a burn.
brandbom [-bòm] *v* ⚔ incendiary bomb, incendiary, fire bomb.
brandbrief [-bri.f] *m* incendiary letter; *fig* pressing letter.
branddeur ['brandø:r] *v* emergency door.
brandebourg [brandə'bu:r] *m* frog.
brandemmer ['brantɛmər] *m* fire-bucket.
branden ['brandə(n)] I *vi* burn, be on fire; *het brandt hem op de tong (om het te zeggen)* he is burning to tell the secret; ~ *van liefde* burn with love; ~ *van verlangen (om)*... be burning (dying) to...; II *vt* burn [wood, lime, charcoal]; brand [cattle]; roast [coffee]; scald [with hot liquid]; distil [spirits]; cauterize [a wound]; stain [glass].
brandend [-dənt] I *aj* burning [fire &]; lighted [candle, cigar]; ardent [love]; II *ad* in: ~ *heet* burning (scalding) hot.
brander [-dər] *m* 1 burner [of a lamp, of a gascooker &]; 2 distiller [of spirits]; 3 fire-ship.
branderig [-dərəx] in: *ik heb een ~ gevoel in mijn ogen* my eyes burn (smart); *een ~e lucht (smaak)* a burnt smell (taste).
branderij [brandə'rɛi] *v* distillery [of spirits].
brandewijn ['brandəvɛin] *m* (French) brandy.
brandgat ['brantgat] *o* burn.
brandgevaar ['-gəva:r] *o* danger from fire; fire-risk.
brandglas [-glas] *o* burning glass.
brandhaak [-ha.k] *m* fire-hook.
brandhout [-hout] *o* firewood.
brandijzer [-ɛizər] *o* 1 (voor wond) cauterizing iron; 2 (voor merk) branding iron.
branding ['brandɪŋ] *v* breakers, surf.
brandkast ['brantkast] *v* safe, strong-box.
brandklok [-klòk] *v* fire-bell.
brandkraan [-kra.n] *v* fire-cock, fire-plug.
brandladder [-ladər] *v* fire-ladder, fire-escape.
brandlucht [-lŭxt] *v* smell of fire, burnt smell.
brandmeester [-me.stər] *m* chief fireman.
brandmelder [-mɛldər] *m* fire-alarm.
brandmerk [-mɛrk] *o* brand, stigma.
brandmerken [-mɛrkə(n)] *vt* brand[2], *fig* stigmatize.
brandmuur [-my:r] *m* fire-proof wall.
brandnetel [-ne.təl] *v* 🌿 stinging nettle.
brandoffer [-ofər] *o* holocaust, burnt-offering.
brandplek [-plɛk] *v* burn.
brandpolis [-po.ləs] *v* fire-policy.
brandpunt [-pŭnt] *o* focus [*mv* foci] [of a lens]; *fig* focus [of interest]; centre [of civilization]; *in één ~ verenigen (brengen)* focus.
brandpuntsafstand [-pŭntsafstant] *m* focal distance.
brandschade [-sxa.də] *v* damage (caused) by fire.
brandschatten [-sxatə(n)] *vt* lay under contribution.

brandschatting [-tɪŋ] *v* contribution.
brandschel ['brantsxɛl] *v* fire-alarm.
brandscherm [-sxɛrm] *o* safety curtain, fire-curtain.
brandschilderen [-sxıldərə(n)] *vt* 1 (v. glas &) stain; 2 (emailleren) enamel; *gebrandschilderd raam* stained-glass window.
brandschoon ['brantsxo.n] 1 scrupulously clean; 2 J (niet dronken) quite sober.
brandsignaal ['brantsi.ɲa.l] *o* fire-signal, fire-call.
brandslang [-slaŋ] *v* fire-hose, hose pipe.
brandspiegel [-spi.gəl] *m* burning mirror.
brandspiritus [-spi:ri.tŭs] *m* methylated spirit.
brandspuit [-spœyt] *v* fire-engine; *drijvende ~* fire-float.
brandspuitgast [-gast] *m* fireman.
brandspuithuisje [-hœyʃə] *o* engine-house.
brandstapel ['brantsta.pəl] *m* (funeral) pile; *op de ~* at the stake; *tot de ~ veroordelen* condemn to the stake.
brandstichter [-stɪxtər] *m* incendiary, fire-raiser.
brandstichting [-stɪxtɪŋ] *v* arson, incendiarism, fire-raising.
brandstof [-stòf] *v* fuel, firing.
brandtrap [-trap] *m* fire-escape.
brandverf [-fɛrf] *v* enamel.
brandverzekering [-fərze.kərɪŋ] *v* fire insurance.
brandvrij [-frɛi] fire-proof.
brandwaarborgmaatschappij [-va:rbɔrxma.tsxapɛi] *v* fire-insurance company.
brandwacht ['brantvaxt] *v* fire-watch.
brandweer [-ve:r] *v* fire-brigade; fire service.
brandweerauto [-o.to., -outo.] *m* fire-car.
brandweerkazerne [-ka.zɛrnə] *v* (fire-)brigade premises; fire-station.
brandweerman [-man] *m* fireman.
brandweerpost [-pòst] *m* fire-station.
brandwond(e) ['brantvònt, -vòndə] *v* burn [from fire]; scald [from hot liquids].
branie ['bra.ni.] I *aj* bold, hardy, daring, plucky; II *m* 1 (durf) daring, pluck; (opschepperij) swank, swagger; 2 (durfal) dare-devil; (opschepper) swell, swanker; *de ~ uithangen* do the grand (the swell).
branieachtig [-axtəx] *aj* (& *ad*) swaggering(ly).
braniën ['bra.ni.ə(n)] *vi* swagger.
bras [bras] *m* ⚓ brace.
brasem ['bra.səm] *m* 🐟 bream.
braspartij ['braspartɛi] *v* orgy, revel.
brassen ['brasə(n)] I *vi* feast, revel ‖ II *vt* ⚓ brace.
brasser [-sər] *m* feaster, reveller.
brasserij [brasə'rɛi] *v* feasting, revel, orgy.
bravo [bra.'vo.] *ij* bravo! [to actor &], good!, well done!; hear, hear! [to orator].
Braziliaan(s) [brazi.li.'a.n(s)] Brazilian.
Brazilië [bra'zi.li.ə] *o* Brazil.
breed [bre.t] I *aj* broad [chest, street], wide [street, river, brim &]; *in den brede uiteenzetten* set forth at large, at length; II *ad* in: *het*

niet ~ hebben be in straitened circumstances, not be well off; *wie het ~ heeft, laat het ~ hangen* they that have plenty of butter can lay it on thick; zie ook: *opgeven, uitmeten* &.

breedgerand ['bre.tgərɑnt] broad-brimmed.

breedgeschouderd [-gəsxoudərt] broad-shouldered.

breedheid [-hɛit] *v* breadth², width².

breedsprakig [bre.t'spra.kəx] prolix, diffuse, verbose.

breedsprakigheid [-hɛit] *v* prolixity, diffuseness, verbosity.

breedte ['bre.tə] *v* breadth, width [of a piece of cloth]; [geographical] latitude; *dubbele ~* double width; *in de ~* in breadth; breadthwise, breadthways, broadwise.

breedtecirkel [-sɪrkəl] *m* parallel of latitude.

breedtegraad [-gra.t] *m* degree of latitude.

breedvoerig [bre.t'fu.rəx] I *aj* ample [discussion]; circumstantial [account]; II *ad* amply, at length, in detail.

breedvoerigheid [-hɛit] *v* ampleness.

breekbaar ['bre.kba:r] breakable, fragile, brittle.

breekbaarheid [-hɛit] *v* fragility, brittleness.

breekijzer ['bre.kɛizər] *o* crowbar, crow, jemmy.

breeuwen ['bre.və(n)] *vt* caulk.

breidel ['brɛidəl] *m* bridle, check, curb.

breidelen [-dələ(n)] *vt* bridle, check, curb.

breidelloos [-dələ.s] unbridled.

breien ['brɛiə(n)] *vi* & *vt* knit [stockings].

breigaren [-ga:rə(n)] *o* knitting cotton.

breikatoen [-kɑtu.n] *o* & *m* knitting cotton.

breikoker [-ko.kər] *m* knitting-needle case.

breikous [-kous] *v* knitting, stocking.

breimachine [-ma.ʃi.nə] *v* knitting machine.

brein [brɛin] *o* brain, intellect, mind; *elektronisch ~* electronic brain.

breinaald ['brɛina.lt] *v* knitting needle.

breipatroon [-pa.tro.n] *o* knitting pattern.

breipen [-pɛn] *v* knitting needle.

breister [-stər] *v* knitter; *de beste ~ laat wel eens een steek vallen* it is a good horse that never stumbles.

breiwerk [-vɛrk] *o* knitting.

breiwol [-vòl] *v* knitting wool.

brekebeen ['bre.kəbe.n] *m-v* duffer, bungler.

breken ['bre.kə(n)] I *vi* break, be broken; *~ door* break through [the enemy, the clouds]; *met iemand ~* break with a person; *met een gewoonte ~* I break oneself of a habit; 2 break through a practice; *uit de gevangenis ~* break out of prison; II *vt* break [a glass, one's fall, the law, resistance, a vow &], smash [a jug], fracture [a bone]; refract [the light]; zie ook: *hals* &.

breker [-kər] *m* breaker.

breking [-kɪŋ] *v* breaking; refraction [of light].

brekingshoek [-kɪŋshu.k] *m* angle of refraction.

brem [brɛm] *m* ♣ broom.

bremstruik ['brɛmstrœyk] *m* ♣ broom.

brengen ['brɛŋə(n)] *vt* 1 carry [in vehicle, ship, hand], convey [goods &]; put [one's handkerchief to one's nose]; see [a person home]; 2 (naar de spreker) bring; 3 (van de spreker af) take; *het ver ~* go far [in the world]; make one's way; *wat brengt u hier?* what brings you here?; *iemand aan het twijfelen ~* make one doubt; *iemand op iets ~* get a person on the subject, lead him up to it; *het gesprek ~ op* lead the conversation to the subject of; *het getal ~ op* raise the number to; *het zich te binnen ~* call it to mind, recall it; *iemand er toe ~ te...* bring (lead, get, induce) a person to...; *hij was er niet toe te ~* he couldn't be made to do it; *het tot generaal ~* rise to be a general; *het tot niets ~* come to nothing; *tot wanhoop ~* drive to despair; zie ook: *aanraking, bed* &.

brenger ['brɛŋər] *m ~ster* ['brɛŋstər] *v* bearer; *~ dezes* bearer.

bres [brɛs] *v* breach; *~ schieten* breach; *een ~ schieten in...* make a breach in...²; *in de ~ springen voor* stand in the breach for; *zich op de ~ stellen* mount the breach².

Bretagne [brə'tɑɲə] *o* Brittany.

bretels [-'tɛls] *mv* braces, suspenders.

Breton [-'tòn] *m* Breton.

Bretons [-'tòns] *aj* & *o* Breton.

breuk [brø.k] *v* burst, crack [in glass &]; break [with a tradition]; rupture [between friends]; fracture [of a leg, an arm], rupture [of a blood-vessel], hernia [of the intestines]; fraction [in arithmetics]; $ breakage; *gewone ~* vulgar fraction; *onechte ~* improper fraction; *repeterende ~* repeater, repeating fraction; *gemengd repeterende ~* mixed repeater; *zuiver repeterende ~* pure repeater; *samengestelde ~* complex fraction; *tiendelige ~* decimal fraction.

breukband ['brø.kbɑnt] *m* truss.

breve ['bre.və] *v* [papal] brief.

brevet [brə'vɛt] *o* patent, brevet, certificate.

brevier [-'vi:r] *o RK* breviary; *zijn ~ bidden (lezen)* recite one's breviary.

brevieren [-'vi:rə(n)] *vi RK* recite one's breviary.

bridge [brɪdʒ] *o* ◇ bridge.

bridgen ['brɪdʒə(n)] *vi* ◇ play bridge.

bridgespeler ['brɪdʒspe.lər] *m* ◇ bridge player.

brief [bri.f] *m* letter, epistle; *een ~ spelden* a paper of pins; *per ~* by letter.

briefgeheim ['bri.fgəhɛim] *o* privacy (secrecy) of correspondence.

briefhoofd [-ho.ft] *o* letter-head.

briefje [-jə] *o* note; *dat geef ik u op een ~* F I give you my word for it.

briefkaart [-ka:rt] *v* ✆ postcard; *~ met betaald antwoord* reply-postcard.

briefopener [-o.pənər] *m* letter opener.

brieford(e)ner [-ərd(ə)nər] *m* (letter) file.

briefport(o) [-pərt(o.)] *o* & *m* ✆ letter postage.

briefschrijver [-s(x)rɛivər] *m* letter-writer.

briefstijl [-stɛil] *m* epistolary style.
brieftelegram [-te.ləgram] *o* letter telegram.
briefvorm ['bri.fɔrm] *m* epistolary form.
briefweger ['bri.fʌe.gər] = *brieveweger*.
briefwisseling ['bri.fʌɪsəliŋ] *v* correspondence; ~ *houden* carry on (keep up) a correspondence.
bries [bri.s] *v* breeze.
briesen ['bri.sə(n)] *vi* snort [of horses], roar [of lions].
brievehoofd ['bri.vəho.ft] *o* letter-head.
brievenbesteller ['bri.və(n)bəstɛlər] *m* ⚓ postman.
brievenboek [-bu.k] *o* 1 letter-book; 2 model letter-writer.
brievenbus [-bʉs] *v* letter-box [of a house, at a post office], pillar-box [in the street].
brievenmaal [-ma.l] *v* ⚓ 1 post-bag; 2 mail.
brievenmandje [-maɲɔ] *o* letter basket.
brievenpost [-pɔst] *v* ⚓ mail.
brieventas [-tas] *v* letter-case.
brievenzak [-zak] *m* ⚓ letter-bag, post-bag.
brieveweger ['bri.vəʌe.gər] *m* letter-balance.
brigade [bri.'ga.də] *v* ✕ brigade.
brigadecommandant, -kommandant [-kòmandant] *m* ✕ brigadier.
brigadier [bri.ga.'di.r] *m* police sergeant.
brigantijn [bri.gan'tɛin] *v* ⚓ brigantine.
brij [brɛi] *m* 1 (voedsel) porridge; 2 (v. sneeuw, modder) slush; (v. papier &) pulp.
1 brik [brɪk] *v* 1 brig [ship] ‖ 2 break [carriage].
2 brik [brɪk] *o* & *m* brick [stone].
briket [bri.'kɛt] *v* briquette.
bril [brɪl] *m* 1 (pair of) spectacles; (ter bescherming tegen stof, scherp licht &) goggles; 2 seat [of a water-closet]; *blauwe (groene, zwarte)* ~ dark glasses, smoked glasses; *alles door een rooskleurige* ~ *bekijken* look at (view) things through rose-coloured spectacles.
briljant [brɪl'jant] I *aj* (& *ad*) brilliant(ly); II *m* brilliant.
brillantine [-jan'ti.nə] *v* brilliantine.
brilledoos ['brɪlədo.s] *v* spectacle-case.
brilleglas [-glas] *o* spectacle-glass.
brillehuisje [-hœyʃə] *o* spectacle-case.
brillekoker [-ko.kər] *m* spectacle-case.
brillen ['brɪlə(n)] *vi* wear spectacles.
brillenmaker [-ma.kər] *m* spectacle-maker.
brilmontuur ['brɪlmònty:r] *o* spectacle-frame.
brilslang [-slaŋ] *v* cobra.
brisantbom [bri.'zantbòm] *v* ✕ high explosive bomb.
brisantgranaat [-gra.na.t] *v* ✕ high explosive shell.
Brit [brɪt] *m* Briton, > Britisher.
brits [brɪts] *v* wooden couch; plank-bed.
Brits [brɪts] British.
Brittanje, Brittannië [brɪ'tani.ə] *o* Britain.
brocaat zie *brokaat*.
broche ['brɔʃə] *v* brooch.

brocheren [brɔ'ʃe.rə(n)] *vt* stitch, sew [a book].
brochure [-'ʃy:rə] *v* pamphlet, brochure.
broddelaar ['brɔdəla:r] *m* ~ster [-stər] *v* bungler.
broddelen [-lə(n)] *vi* bungle.
broddelwerk ['brɔdəlʌɛrk] *o* bungling, bungle.
brodeloos ['bro.dəlo.s] breadless; *iemand* ~ *maken* throw a person out of employment.
broed [bru.t] *o* brood, hatch; fry [of fish].
broedei ['bru.tɛi] *o* brood egg.
broeden ['bru.də(n)] *vi* brood, sit (on eggs); *op iets zitten* ~ brood over, meditate [schemes], hatch [a plot].
broeder ['bru.dər] *m* 1 brother; 2 (geestelijke) brother, friar; 3 (zieken~) male nurse; 4 (maçon) brother; *de Broeders* the Christian Brothers; ~*s in den Here* my brethren; *lustige* ~ jovial fellow; *Moravische* ~*s* Moravian Brethren; *een valse* ~ a false brother; *hij is de ware* ~ *ook niet* he is not the right sort; *de zwakke* ~*s* the weaker brethren.
broederhaat [-ha.t] *m* hatred between brothers.
broederkus [-kʉs] *m* fraternal (brotherly) kiss.
broederliefde [-li.vdə] *v* fraternal (brotherly) love.
broederlijk [-lək] I *aj* brotherly, fraternal; II *ad* fraternally.
broedermoord(enaar) [-mo:rt, -mo:rdəna:r] *v* fratricide.
broederplicht [-plɪxt] *m* & *v* brother's duty.
broederschap [-sxap] 1 *o* & *v* (eigenschap) fraternity, brotherhood; 2 *v* (vereniging) *RK* brotherhood, confraternity, sodality; ~ *sluiten met* fraternize with.
broederschool [-sxo.l] *v* school of the Christian Brothers.
broedertrouw [-trɔu] *v* fraternal fidelity.
broedertwist [-tʌɪst] *m* quarrel between brothers.
broedhen ['bru.thɛn] *v* brood-hen.
broedmachine [-ma.ʃi.nə] *v* incubator.
broedplaats [-pla.ts] *v* place for brooding.
broeds [bru.ts] wanting to brood, broody.
broedsel ['bru.tsəl] *o* zie *broed*.
broedtijd ['bru.tɛit] *m* brooding-time.
broeibak ['bru.ibak] *m* hotbed.
broeien ['bru.jə(n)] *vi* (v. de lucht) be sultry; (v. hooi) heat, get heated, get hot; *daar (er) broeit iets* there is some mischief brewing; *dat heeft al lang gebroeid* that has been smouldering for ever so long; *er broeit een onweer* a storm is gathering.
broeierig [-jərəx] stifling, sweltering.
broeikas ['bru.ikas] *v* hothouse, forcing-house.
broeinest [-nɛst] *o* hotbed[2].
broek [bru.k] *v* (pair of) trousers; *korte* ~ breeches, knickerbockers; shorts; *de vrouw heeft de* ~ *aan* the wife wears the breeches; *iemand achter de* ~ *zitten* F keep a person up to scratch; *voor de* ~ *geven* spank [a child]; *voor de* ~ *krijgen* be spanked.

broekje ['bru.kjə] o shorts; zo'n jong ~ F a whipper-snapper (of a young fellow).
broeksband ['bru.ksbɑnt] m waist-band.
broekspijp [-pɛip] v trouser-leg, trouser.
broekstof ['bru.kstəf] v trousering.
broekzak [-sɑk] m trouser(s) pocket.
broer [bru:r] = broeder.
broertje ['bru:rcə] o little brother; ik heb er een ~ aan dood I hate (detest) it; het is ~ en zusje it is six of one and half a dozen of the other.
broes [bru.s] v rose [of shower-bath, watering-can].
brok [brɔk] m & v & o piece, bit, morsel, lump, fragment; hij voelde een ~ in de keel he felt a lump in his throat.
brokaat [bro.'ka.t] o brocade.
brokje ['brɔkjə] o bit, morsel; een lekker ~ a titbit.
brokkelen ['brɔkələ(n)] vt & vi crumble.
brokkelig [-ləx] crumbly, friable, brittle.
brokken ['brɔkə(n)] vt break [bread]; zie ook: melk.
brokstuk ['brɔkstŭk] o fragment, piece, scrap.
brombas ['brɔmbɑs] m ♪ bourdon.
brombeer [-be:r] m growler, grumbler.
bromfiets [-fi:ts] m & v moped, motorized bicycle.
bromium [bro.mi.ŭm] o bromine.
brommen ['brɔmə(n)] vi 1 (v. insekten) drone, hum, buzz; 2 (v. personen) growl, grumble.
brommer [-mər] m zie brombeer, bromfiets, bromvlieg, brombas.
brommerig [-mərəx] grumpy, grumbling.
brompot ['brɔmpɔt] m zie brombeer.
bromtol [-tɔl] m humming-top.
bromvlieg [-vli.x] v bluebottle, flesh-fly.
bron [brɔn] v source[2], spring[2], well[2], fountain-head, fountain[2], ☉ fount; fig origin; ~ van bestaan means of living; ~ van inkomsten source of income (of revenue); uit goede ~ iets vernemen have it from a reliable source, on good authority.
bronader ['brɔna.dər] v source, spring, ☉ fount.
bronchitis [brɔn'gi.tιs] v bronchitis.
brons [brɔns] o bronze.
bronskleurig ['brɔnsklø:rəx] bronze-coloured.
bronsttijd [-tɛit] m rutting season.
bronwater ['brɔnʋa.tər] o 1 spring water; 2 mineral water.
bronzen [-zə(n)] I vt bronze; II aj bronze.
brood [bro.t] o bread; een ~ a loaf; ons dagelijks ~ our daily bread; het ~ des levens the bread of life; bij gebrek aan ~ eet men korstjes van pasteien one must put up with what one can get; wiens ~ men eet, diens woord men spreekt ± it is bad policy to quarrel with one's bread and butter; goed zijn ~ hebben make (earn) one's bread; goed zijn ~ hebben be well off; iemand het ~ uit de mond stoten take the bread out of a man's mouth; zijn ~ verdie-

nen earn one's bread (and cheese), make one's bread; iemand aan een stuk ~ helpen put a person in the way to earn a living; hij doet het om den brode he does it for his bread (and butter), for a living; iemand iets op zijn ~ geven F cast (fling, throw) it in a person's teeth.
broodbakker ['bro.tbɑkər] m baker.
broodbakkerij [bro.tbɑkə'rɛi] v 1 (bedrijf) bread-baking, baker's trade; 2 (gebouw) bakehouse, bakery, baker's shop.
broodbezorger ['bro.tbəzɔrgər] m baker's delivery-man.
broodboom [-bo.m] m bread-fruit tree.
brooddeeg ['bro.tde.x] o dough (for bread).
brooddronken [bro.'drɔŋkə(n)] aj (& ad) wanton(ly).
brooddronkenheid [-hɛit] v wantonness.
broodfabriek ['bro.tfa.bri.k] v bread-factory, bakery.
broodgraan [-gra.n] o bread grain.
broodje ['bro.cə] o roll; zoete ~s bakken eat humble pie.
broodkar ['bro.tkɑr] v bread-cart.
broodkorst [-kɔrst] v bread-crust.
broodkruimel [-krœyməl] m (bread-)crumb; de ~s steken hem F he rather fancies himself.
broodmager ['bro.t'ma.gər] as lean as a rake.
broodmand ['bro.tmɑnt] v bread-basket.
broodmes [-mɛs] o bread-knife.
broodnijd [-nɛit] m professional jealousy.
broodnodig ['bro.t'no.dəx] highly necessary.
broodpap ['bro.tpɑp] v bread-porridge.
broodplank [-plɑŋk] v bread-board.
broodrooster [-ro.stər] m & o bread-toaster.
broodschrijver [-s(x)rɛivər] m hack (writer).
broodsnijmachine [-snεima.ʃi.nə] v bread-slicer.
broodsuiker [-sœykər] m loaf-sugar.
broodtrommel ['bro.trɔməl] v bread-tin.
broodvrucht ['bro.tfrŭxt] v ⚘ bread-fruit.
broodwinner [-vɪnər] m bread-winner.
broodwinning [-vɪnɪŋ] v (means of) living, livelihood.
broodzak [-sɑk] m 1 bread-bag; 2 ⚔ haversack.
broom [bro.m] o 1 (element) bromine; 2 (geneesmiddel) potassium bromide.
broomkali [bro.m'ka.li.] m potassium bromide.
broomzilver ['bro.mzɪlvər] o silver bromide.
broomzilverpapier [-pa.pi:r] o bromide paper.
broomzuur ['bro.mzy:r] o bromic acid.
1 broos [bro.s] v buskin.
2 broos [bro.s] aj frail, brittle, fragile.
broosheid ['bro.shɛit] v frailty, brittleness, fragility.
bros [brɔs] crisp, brittle.
brosheid ['brɔshɛit] v crispness, brittleness.
brouilleren [bru.(l)'je:rə(n)] vt set at variance.
brouwen ['brɑuə(n)] I vt brew; fig brew, concoct, plot [evil, mischief] ‖ II vi speak with a burr.
brouwer [-ər] m brewer.

brouwerij [brɔuə'rɛi] *v* brewery; zie ook: 2 *leven*.

brouwersknecht [brɔuers'knɛxt] *m* brewer's man, drayman.

brouwerspaard [-'pa.rt] *o* dray-horse.

brouwerswagen [-'va.gə(n)] *m* dray.

brouwketel ['brɔuke.təl *m* brewing-copper.

brouwsel [-səl] *o* brew, concoction[2].

brug [brŭx] *v* 1 bridge; 2 parallel bars [gymnastics]; *over de ~ komen* F pay up; *flink over de ~ komen* come down handsomely.

brugbalans ['brŭxbalans] *v* weighing-machine.

brugboog [-bo.x] *m* arch [of a bridge].

brugdek [-dɛk] *o* roadway [of a bridge].

Brugge ['brŭgə] *o* Bruges.

bruggegeld [-gɛlt] *o* (bridge-)toll.   [head.

bruggehoofd [-ho.ft] *o* 1 abutment; 2 ✕ bridge-

bruggeman [-man] *m* zie *brugwachter*.

bruggenbouw ['brŭgə(n)bɔu] *m* bridge-building.

bruggewachter ['brŭgəvaxtər] = *brugwachter*.

brugleuning ['brŭxlø.nɪŋ] *v* railing; (v. steen) parapet.

Brugman [-man] in: *praten kunnen als ~* F have the gift of the gab.

brugpijler [-pɛilər] *m* pier, pillar.

brugwachter [-vaxtər] *m* bridge-man.

brui [brɔy] *m* in: *ik geef er de ~ van* I chuck the thing (the whole show).

bruid [brɔyt] *v* bride.

bruidegom ['brɔydəgòm] *m* bridegroom.

bruidsbed ['brɔytsbɛt] *o* bridal bed, nuptial couch.

bruidsboeket, -bouquet [-bu.kɛt] *o* & *m* wedding-bouquet.

bruidsdagen [-da.gə(n)] *mv* bridal days.

bruidsjapon [-ja.pòn] *m* wedding-dress, bridal gown.

bruidsjonker [-jònkər] *m* 1 bridesman, groomsman, best man; 2 bride's page.

bruidskleed [-kle.t] *o* zie *bruidsjapon*.

bruidskrans [-krans] *m* bridal wreath.

bruidsmeisje [-mɛiʃə] *o* bridesmaid.

bruidspaar [-pa.r] *o* bride and bridegroom; newly-married couple.

bruidsschat ['brɔytsxat] *m* dowry, dower, dot.

bruidssluier [-slœyər] *m* wedding-veil.

bruidsstoet [-stu.t] *m* wedding-procession.

bruidssuikers [-sœykərs] *mv* sugar(ed) almonds.

bruidstijd ['brɔytstɛit] *m* bridal days.

bruigom ['brɔygòm] = *bruidegom*.

bruikbaar ['brɔykba.r] serviceable, useful, fit for use; workable [definition, scheme].

bruikbaarheid [-hɛit] *v* serviceableness, usefulness, utility.

bruikleen ['brɔykle.n] *o* & *m* (free) loan; *in ~ afstaan* lend.

bruiloft ['brɔylòft] *v* wedding [ook: golden, silver &], wedding-party, ⊙ nuptials; *~ houden* celebrate one's wedding; have (attend) a wedding-party.

bruiloftsdag ['brɔylòftsdax] *m* wedding-day.

bruiloftsfeest [-fe.st] *o* wedding-party.

bruiloftsgast [-gast] *m* wedding-guest.

bruiloftsgedicht [-gədɪxt] **bruiloftslied** [-li.t] *o* wedding-song.

bruiloftsmaal [-ma.l] *o* wedding-banquet.

bruiloftstaart [-ta.rt] *v* wedding-cake.

bruin [brɔyn] **I** *aj* brown; tanned [by the sun]; (v. paard) bay; *~e beuk* ♣ copper beech; *~e suiker* brown sugar; *~ worden* (van huid door zon of kunstmatig) get a tan, tan; **II** *o* brown; zie ook: *bruintje*.

bruinachtig ['brɔynaxtəx] brownish.

bruinen ['brɔynə(n)] *vt* & *vi* brown; (van huid door zon of kunstmatig) tan.

bruineren [brɔyn'ne:rə(n)] *vt* burnish.

bruingeel ['brɔyn'ge.l] brownish-yellow.

bruinharig ['brɔynha:rəx] brown-haired.

bruinheid [-hɛit] *v* brownness.

bruinkool [-ko.l] *v* brown coal, lignite.

bruinogig [-o.gəx] brown-eyed.

bruinrood [-'ro.t] *o* brown-red, brownish-red

bruintje [-cə] *o* 1 bay horse; 2 Bruin [the bear]. *dat kan ~ niet trekken* F I cannot afford it.

bruinvis [-vɪs] *m* porpoise.

bruinzwart [-'zvart] brownish-black.

bruisen ['brɔysə(n)] *vi* effervesce, fizz [of drinks]; seethe, roar [of the sea].

bruispoeder, -poeier ['brɔyspu.dər, -pu.jər] *o* & *m* effervescent powder.

brulaap ['brŭla.p] *m* howling-monkey.

brulboei [-bu.i] *v* ⚓ whistling-buoy.

brullen ['brŭlə(n)] *vi* roar.

brunette [bry.'nɛtə] *v* brunette.

Brussel ['brŭsəl] *o* Brussels.

Brusselaar ['brŭsəla:r] *m* Brussels man.

Brussels [-səls] Brussels; *~e kant* Brussels lace; *~ lof* chicory.

brutaal [bry.'ta.l] **I** *aj* 1 (zich aan niets storend) bold, cool, confident; 2 (al te vrijmoedig) forward, pert, saucy, cheeky; impudent, impertinent; *zo ~ als de beul* F as bold as brass; *~ zijn tegen iemand* cheek (sauce) one, give a person lip; **II** *ad* coolly; forwardly &; *het ~ volhouden* brazen it out.

brutaaltje [-cə] *o* F impertinent girl, hussy.

brutaalweg [-vɛx] coolly.

brutaliseren [bry.ta.li.'ze:rə(n)] *vt* in: *iemand ~* give a person lip, cheek (sauce) one.

brutaliteit [-'tɛit] *v* forwardness &; cool confidence, effrontery, impudence, impertinence; *hij had de ~ om...* he had the cheek (con-

brutalizeren zie *brutaliseren*.   [science) to...

bruto ['bry.to.] gross [income, weight &].

bruusk [bry.sk] **I** *aj* brusque, abrupt, blunt, off-hand; **II** *ad* brusquely &.

bruuskeren [bry.s'ke:rə(n)] *vt* be abrupt with [a person]; *de zaak ~* precipitate things.

bruut [bry.t] *m* brute; *door ~ geweld* by sheer force.

B.T.W. [be.te.'ve.] *v* = *belasting over de toegevoegde waarde* added-value (value-added) tax.

budget ['bŭdʒɛt, bŭd'ʒɛt] *o* budget.

budgettair [bŭdʒɛ'tɛ:r] budgetary.

budgettering [-'te:rɪŋ] v budgeting.
buffel ['bŭfəl] m ☖ buffalo; *fig* (regular) bear.
buffelachtig [-ɑxtəx] churlish.
buffelle(d)er ['bŭfələ:r, -le.dər] o buff.
buffer ['bŭfər] m buffer.
bufferstaat [-sta.t] m buffer-state.
buffet [by.'fɛt] o 1 (meubel) sideboard, buffet; 2 (tapkast in station &) refreshment bar, buffet.
buffetjuffrouw [-jŭfrou] v barmaid.
buffetknecht [-knɛxt] m barman.
bugel ['by.gəl] m bugle.
bui [bœy] v 1 shower [of rain, hail or arrows, stones &], squall [of wind, with rain or snow]; 2 (gril) freak, whim; 3 fit [of humour, of coughing]; *bij ~en* by fits and starts; *in een goede ~ zijn* be in a good humour; *in een boze (kwade) ~ zijn* be in a (bad) temper, be out of humour; *in een royale ~ zijn* be in a generous mood.
buidel ['bœydəl] m bag, pouch [ook = purse].
buideldier [-di:r] o ☖ marsupial (animal).
buidelrat [-rɑt] v ☖ opossum.
buigbaar ['bœyxba:r] pliable, flexible, pliant.
buigbaarheid [-hɛit] v pliability, flexibility, pliancy.
buigen ['bœygə(n)] I vi bend, bow; curve; *hij boog en vertrok* he made his bow; ~ *als een knipmes* cringe and crawl; ~ *of barsten* bend or break; ~ *voor* bow to[2]; bow before [him]; II vt bend [a branch, the knee, a person's will], bow [the head, the back, a person's will]; III vr *zich* ~ bend (down), bow (down), stoop [of persons]; curve [of a line]; deflect, make a bend, trend [of a path &]; *zich naar het noorden* ~ deflect to the North.
buiging [-gɪŋ] v bow [of head or body]; curts(e)y [of a lady]; declension [of a word]; deflection [of a beam].
buigingsuitgang [-gɪŋsœytgɑŋ] m gram (in)-flexional ending.
buigingsvorm [-fɔrm] m gram (in)flexional form.
buigspier ['bœyxspi:r] v flexor.
buigtang [-tɑŋ] v pliers.
buigzaam [-sa.m] flexible, supple[2], pliant[2].
buigzaamheid [-hɛit] v flexibility, suppleness[2], pliancy[2].
buiig ['bœyəx] showery, gusty, squally.
buik [bœyk] m 1 belly [of man, animals & things], abdomen, > paunch; ⬤ stomach, F tummy; 2 bilge, bulge [of barrel &]; 3 bunt [of a sail]; *ik heb er mijn ~ vol van* P I am fed up with it.
buikband ['bœykbɑnt] m abdominal belt.
buikholte [-hɔltə] v abdominal cavity.
buikig ['bœykəx] big-bellied, bulging.
buikkramp ['bœykrɑmp] v gripes.
buiklanding ['bœyklɑndɪŋ] v ✈ belly landing.
buikpijn [-pɛin] v stomach ache, F tummy ache.
buikriem [-ri.m] m girth, belly-band; *de ~ aanhalen* tighten the belt[2].

buikspreken [-spre.kə(n)] I vi ventriloquize; II o ventriloquy, ventriloquism.
buikspreker [-spre.kər] m ventriloquist.
buiktyfus [-ti.fŭs] m enteric (fever), typhoid
buikvin [-fɪn] v ⬤ ventral fin.
buikvlies [-fli.s] o peritoneum.
buikvliesontsteking [-ɔntstə.kɪŋ] v peritonitis.
1 buil [bœyl] v swelling; lump, bump, bruise.
2 buil [bœyl] m bolter, bolting-machine ‖ zie ook: *buidel.*
builen ['bœylə(n)] vt bolt.
builenpest [-pɛst] v bubonic plague.
builkist ['bœylkist] v bolting-tub.
builmolen [-mo.lə(n)] m bolting-mill.
1 buis [bœys] o (kledingstuk) jacket.
2 buis [bœys] v tube [ook ⚡], pipe, conduit § duct.
buislamp [-lɑmp] v zie *fluorescentielamp.*
buisvormig [-fɔrməx] tubular. [loot.
buit [bœyt] m booty, spoils, prize, plunder,
buitelaar ['bœytəla:r] m tumbler.
buitelen [-lə(n)] vi tumble, fall head over heels.
buiteling [-lɪŋ] v tumble.
buiten ['bœytə(n)] I prep outside [the town], out of [the room, breath &], without [doors], beyond [one's reach, all question]; ~ *iets blijven, zich er ~ houden* keep out of a thing; *(niet)* ~ *iets kunnen* (not) be able to do without a thing; *iemand* ~ *iets laten* leave a person out of it; ~ *iets staan* be (entirely) out of it; ~ *(en behalve) zijn salaris* besides (over and above) his salary; ~ *mij was er niemand* there was no one except me, but me; *dat is* ~ *mij* I have nothing to do with it; *hei werd* ~ *mij om gedaan* it was done without me, behind my back; *hij was* ~ *zichzelf* he was beside himself; II ad outside, out, outdoors, out of doors, without; *hij is* ~ 1 he is outside; 2 he is in the country; *hij woont* ~ he lives in the country; *naar* ~ *!* (go) outside!; *naar* ~ *gaan* 1 go outside, leave the house; 2 go into the country; *naar* ~ *opengaan* open outwards; *zijn voeten naar* ~ *zetten* turn out one's toes; *te* ~ *gaan* exceed; *zich te* ~ *gaan aan* indulge too freely in, partake too freely of; *van* ~ [come, as seen] from without; [open] from the outside; *een meisje van* ~ a girl from the country, a country-girl; *van* ~ *gesloten* locked on the outside; *van* ~ *kennen* know by heart; *van* ~ *leren* learn by heart; *van* ~ *en van binnen* outside and in; III o country house, country seat.
buitenantenne [-ɑntɛ.nə] v 📻 ⚓ outside aerial.
buitenbaan [-ba.n] v sp outside track.
buitenband [-bɑnt] m (outer) cover.
buitenboordmotor [bœytə(n)'bo:rtmo.tər] m ⚓ outboard motor.
buitendeur ['bœytə(n)dø:r] v 1 outer door; 2 street-door.
buitendien [bœytə(n)'di.n] moreover, besides.
buitendijks ['bœytə(n)dɛiks, bœytə(n)'dɛiks] on the outside of the dike.

buitengaats [bœytə(n)'ga.ts] ⚓ outside.

buitengemeen [-gə'me.n] I aj extraordinary, uncommon, exceptional; II ad < extraordinarily, uncommonly, exceptionally.

buitengewoon [-gəvo.n] I aj extraordinary; ~ gezant envoy extraordinary; ~ hoogleraar extraordinary professor; buitengewone uitgaven extras; niets ~s nothing out of the common; zie ook: buitengemeen; II ad < extraordinarily, uncommonly.

buitengoed ['bœytə(n)gu.t] o country seat.

buitenhaven [-ha.və(n)] v outer harbour.

buitenhoek [-hu.k] m I exterior angle [of a △]; 2 outer corner [of the eye].

buitenhof [-həf] o outer court.

buitenissig [bœytə'nɪsəx] out-of-the-way.

buitenissigheid [-hɛit] v oddity.

buitenkans(je) ['bœytə(n)kɑns, -kɑnʃə] v (o) (stroke of) good luck, godsend, windfall.

buitenkant [-kɑnt] m outside, exterior.

buitenland [-lɑnt] o foreign country (countries); in het ~ abroad; naar het ~ abroad; uit het ~ from abroad.

buitenlander [-lɑndər] m foreigner.

buitenlands [-lɑnts] foreign [affairs &]; exotic [fruit]; een ~e reis a trip abroad; van ~ maaksel of foreign make, foreign-made.

buitenleven [-le.və(n)] o country-life.

buitenlucht [-lʏxt] v I open air; 2 country air.

buitenman [-mɑn] m countryman.

buitenmate [bœytə(n)'ma.tə] zie bovenmate.

buitenmens ['bœytə(n)mɛns] m countryman.

buitenmodel [bœytə(n)mo.'dɛl] ✕ non-regulation.

buitenmuur ['bœytə(n)my:r] m outer wall.

buitenom [bœytə'nòm] [go] round the house &.

buitenplaats ['bœytə(n)pla.ts] v country seat.

buitenpost [-pəst] m I ✕ outpost; 2 out-station.

buitenshuis [bœytəns'hœys] out of doors, outdoors; ~ slapen sleep out [of a servant or employé]; de was ~ laundry out.

buitenslands [-lɑnts] abroad, in foreign parts.

buitensluiten ['bœytə(n)slœytə(n)] vt exclude, shut out.

buitensluiting [-tɪŋ] v exclusion.

buitenspel [bœytə(n)'spɛl] sp offside.

buitensporig [-'spo:rəx] I aj extravagant, excessive, exorbitant [price]; II ad extravagantly, excessively, to excess.

buitensporigheid [-hɛit] v extravagance, excessiveness, exorbitance.

buitenstaander ['bœytə(n)sta.ndər] m outsider.

buitenste [-stə] outmost, outer(most), exterior.

buitentarief [-ta.ri.f] o $ external tariff.

buitentijds [bœytə(n)'tɛits] out of hours, out of season.

buitenverblijf ['bœytə(n)vərblɛif] o country house, country seat.

buitenwaarts [-va:rts] I aj outward; II ad outward(s).

buitenwacht [-vɑxt] v outpost; ik heb 't van de ~ I heard it from an outsider.

buitenweg [-vɛx] m country-road, rural road.

buitenwereld [-ve:rəlt] v outer (outside, external) world.

buitenwerk [-vɛrk] o I ✕ outwork; 2 outdoorwork.

buitenwijk [-vɛik] v suburb; de ~en ook: the outskirts.

buitenzak [-zɑk] m outside pocket, outer pocket.

buitenzij(de) [-zɛi(də)] v outside, exterior.

buitmaken ['bœytma.kə(n)] vt seize, take, capture.

buizerd ['bœyzərt] m 🐦 buzzard.

bukken ['bʏkə(n)] I vt bend [the head]; II vi stoop; duck [to avoid a blow]; gebukt gaand onder... bending under, bowed (weighed) down by; ~ voor bow to (before), submit to; III vr zich ~ stoop; duck.

buks [bʏks] v ✕ rifle.

buks(boom) ['bʏks(bo.m)] m 🌳 box (tree).

bukskin ['bʏkskɪn] o buckskin cloth.

I bul [bʏl] m (stier) bull.

2 bul [bʏl] v I (papal) bull; 2 🐍 diploma.

bulderbast ['bʏldərbast] m blusterer.

bulderen [-dərə(n)] vi boom [of cannon &], bluster, roar [of wind, sea, persons], bellow [of persons]; ~ tegen bellow at.

buldog [-dəx] m bulldog.

Bulgaar m Bulgaars [bʏl'ga:r(s)] aj & o Bulgarian.

Bulgarije [-ga:'rɛiə] o Bulgaria.

bulhond ['bʏlhònt] m zie buldog.

bulken [-kə(n)] vi low, bellow, bawl, roar; ~ van het geld F be rolling in money.

bulldozer ['bu.ldo.zər] m bulldozer.

bullebak ['bʏləbak] m bully, bear; bugbear, ogre.

bullebijter [-bɛitər] m bulldog; fig bully.

bullen ['bʏlə(n)] mv S things.

bulletin [by.lə'tɛ̃] o bulletin.

bult [bʏlt] m I hunch [of a man], hump [of man or camel]; 2 boss, lump [= swelling].

bultenaar ['bʏltəna:r] m hunchback, humpback.

bultig [-təx] I hunchbacked, humpbacked; 2 lumpy [old mattress].

bumper ['bʏmpər] m 🚗 bumper.

bundel ['bʏndəl] m bundle [of clothes, rods &], sheaf [of arrows, papers]; een ~ gedichten a volume of verse.

bundelen [-dələ(n)] vt gather, bring together, collect.

bunder [-dər] o hectare.

bungalow ['bʏŋga.lo.] m bungalow.

bungelen ['bʏŋələ(n)] vi dangle.

bunker ['bʏŋkər] m I bunker; 2 ✕ casemate, (klein) [concrete] blockhouse, pill-box, [German] bunker; (tegen luchtaanval) air-raid shelter; (v. duikboten) [U-boat] pen.

bunkeren [-kərə(n)] vi bunker, coal.

bunkerkolen [-kərko.lə(n)] mv bunker coal.

bunzing ['bʏnzɪŋ] m 🦡 polecat, fitchew.

burcht [bŭrxt] *m* & *v* castle, stronghold[2], citadel[2].

burchtheer ['bŭrxthe:r] *m* ⑪ castellan.

burchtvrouw(e) [-frɔu(ə)] *v* ⑪ chatelaine.

bureau [by.'ro.] *o* 1 (meubel) desk, writing-table; 2 (lokaal) bureau [*mv* bureaux], office; [police] station.

bureau-agenda [-a.ɡenda.] *v* desk diary.

bureau-ambtenaar [-amtəna:r] *m* office clerk.

bureauchef [-ʃef] *m* head-clerk.

bureaucraat [by.ro.'kra.t] *m* bureaucrat.

bureaucratie [-kra.'(t)si.] *v* bureaucracy, F red-tape.

bureaucratisch [-'kra.ti.s] *aj* (& *ad*) bureaucratic(ally).

bureaukosten [by.'ro.kɔstə(n)] *mv* office expenses.

bureaukra- zie *bureaucra-*. [penses.

bureaulamp [-lɑmp] *v* desk lamp.

bureaulist [by.ro.'lıst] *m* money-taker; clerk.

bureau-ministre [-mi.'ni.strə] *o* pedestal writing-table.

bureaustoel [by.'ro.stu.l] *m* desk chair.

bureauwerk [-verk] *o* office work, clerical work.

bureel [by.'re.l] *o* office, bureau.

burelist [-re.'lıst] zie *bureaulist*.

buren ['by:rə(n)] *vi* visit one's neighbour(s).

burengerucht [-ɡərŭxt] *o* disturbance; ~ *maken* cause a nuisance by noise.

burgemeester [bŭrɡə'me.stər] *m* 1 burgomaster [on the Continent]; 2 mayor [in England]; ~ *en wethouders* the burgomaster [in England: the mayor] and aldermen.

burgemeestersbuik [-tərsbœyk] *m* corporation, pot-belly.

burgemeesterschap [-tərsxɑp] *o* 1 burgomaster's office; 2 mayoralty.

burger ['bŭrɡər] *m* 1 citizen; commoner [not a nobleman]; J & ⚓ (niet in Eng.) burgher; 2 civilian [non-military man]; *in* ~ in plain clothes, ⚓ S in mufti; *agent in* ~ plain-clothes (police)man.

burgerbevolking [-bəvɔlkıŋ] *v* civil(ian) population.

burgerdeugd [-dø.xt] *v* civic virtue. [ulation.

burgerdochter [bŭrɡər'dɔxter] *v* middle-class girl.

burgerij [bŭrɡə'rɛi] *v* 1 (als stand) commonalty, commoners; 2 (de ingezetenen) citizens, citizenry [of Amsterdam &].

burgerjongen [bŭrɡər'jɔŋə(n)] *m* middle-class boy.

burgerkeuken ['bŭrɡərkø.kə(n)] *v* plain cooking.

burgerklas(se) [-klɑs(ə)] *v* middle class(es).

burgerkleren [-kle.rə(n)] *mv* plain (civilian) clothes; *in* ~ zie *burger*.

burgerkoning [-ko.nıŋ] *m* citizen king.

burgerkost [-kɔst] *m* plain fare.

burgerleven [-le.və(n)] *o* private life, civil life, civilian life; *een* ~ the life of a middle-class man.

burgerlieden [bŭrɡər'li.də(n)] *mv* (lower) middle-class people.

burgerlijk ['bŭrɡərlək] I *aj* 1 civil [engineering, law, rights &]; civic [functions], civilian [life]; 2 (v. de burgerstand) middle-class; 3 (niet fijn of voornaam) middle-class, plain, homely; zie ook: *ambtenaar, stand &*; II *ad* civilly [dead]; [live] plainly.

burgerluchtvaart [-lŭxtfa:rt] *v* civil aviation.

burgermaatschappij [-ma.tsxɑpɛi] *v* civil life.

burgerman [bŭrɡər'mɑn] *m* middle-class man.

burgermeisje [-'mɛiʃə] *o* middle-class girl.

burgeroorlog ['bŭrɡəro:rlɔx] *m* civil war.

burgerpakje [-pɑkjə] *o* ⚓ S civvies.

burgerplicht [-plıxt] *m* & *v* civic duty.

burgerpot [bŭrɡər'pɔt] *m* zie *bùrgerkost* & *bùrgerkeuken*.

burgerrecht ['bŭrɡərɛxt] *o* civic right, civil right, citizenship, freedom of a city; *dat woord heeft* ~ *verkregen* the word has been adopted into the language; *hem het* ~ *verlenen* make him free of the city; *zijn* ~ *verliezen* forfeit one's civil rights.

burgerschap [-sxɑp] *o* citizenship. [rights.

burgerschapsrechten [-sxɑpsrɛxtə(n)] *mv* civic

burgerstand [bŭrɡər'stɑnt] *m* middle classes.

burgervader [-'va.dər] *m* 1 father of the city, burgomaster; 2 mayor [in England].

burgervrouw [-'frɔu] *v* middle-class woman.

burgerwacht ['bŭrɡərvɑxt] *v* citizen guard, civic guard.

burgerzin [-zın] *m* civic spirit, civic sense.

burggraaf ['bŭrxgra.f] *m* (titel) viscount.

burggravin [bŭrxgra.'vın] *v* viscountess.

bursaal [bŭr'sa.l] *m* ⚙ scholar, exhibitioner.

1 bus [bŭs] *v* 1 (voor groenten &) tin, *Am* can; 2 (voor geld, brieven) (money-)box, (letter-)box; poor-box [in a church], collecting-box; 3 ⚒ bush, box; 4 (fonds) club; *dat klopt (sluit) als een* ~ that is as clear as daylight; it is perfectly logical; *een brief op de* ~ *doen* post a letter; *vlees uit de* ~ tinned (*Am* canned) meat.

2 bus [bŭs] *m* & *v* (autobus) bus.

buschauffeur ['bŭsʃo.fø:r] *m* bus driver.

busdienst [-di.nst] *m* bus service.

busdokter [-dɔktər] *m* club-doctor.

busgroente [-gru.ntə] *v* tinned (*Am* canned) vegetables.

bushalte [-hɑltə] *v* bus stop.

buskruit [-krœyt] *o* gunpowder; *hij heeft het* ~ *niet uitgevonden* F he will never set the Thames on fire; *opvliegen als* ~ fire up in a moment.

buskruitfabriek [-fa.bri.k] *v* powder-mill.

buskruitverraad [-fəra.t] *o* ⑪ gunpowder plot.

buslichting ['bŭslıxtıŋ] *v* ✉ collection.

buslijn [-lɛin] *v* bus line.

buspassagier [-pɑsa.ʒi:r] *m* bus passenger.

buspatiënt [-pa.si.ɛnt] *m* sick-club patient.

busstation [-'bŭsta.ʃɔn] *o* bus station.

buste ['by.stə] *v* bust, (v. vrouw vaak:) bosom.

bustehouder [-hɔudər] *m* brassière, bra.

butaan [by.'ta.n] *o* butane.
butler ['bütlər] *m* butler.
buur [by:r] *m* neighbour.
buurkind ['by:rkɪnt] *o* neighbour's child.
buurlieden [-li.də(n)] *mv* neighbours.
buurman [-man] *m* neighbour.
buurmeisje [-mɛiʃə] *o* girl (from) next door.
buurpraatje [-pra.cə] *o* neighbourly talk, gossip.
buurschap [-sxap] 1 *o* neighbourhood; ~ *houden* have (hold) neighbourly intercourse; 2 *v* = *buurtschap*.
buurt [by:rt] *v* 1 neighbourhood, vicinity; (wijk) quarter; 2 hamlet; *het is in de* ~ it is quite near; *een winkelier in de* ~ a neighbouring shopkeeper; *hier in de* ~ hereabout(s); near here; (*ver*) *uit de* ~ far off, a long way off; *blijf uit zijn* ~ don't go near him.
buurten ['by:rtə(n)] *vi* pay a visit to a neighbour.
buurtschap ['by:rtsxap] *v* hamlet. [bour.
buurtspoor [-spo:r] *o* local railway.
buurtverkeer [-fərke:r] *o* local service.
buurtweg [-vɛx] *m* by-way.
buurvrouw ['by:rvrəu] *v* neighbour, neighbour's wife. . [*beeld*.
b.v. [bɛi'vo:rbe.lt] = *bij voorbeeld* zie *voor-*
B.W. [bürgərlək 'vɛtbu.k] = *burgerlijk wetboek* zie *wetboek*.
Byzantijns [bi.zan'tɛins] Byzantine.
Byzantium [bi.'zan(t)si.ûm] *o* Byzantium.

C

c [se.] *v* c.
ca. ['sɪrka.] = *circa*.
cabaret [kaba'rɛ] *o* cabaret.
cabaretier [kabarɛ'tje.] *m* cabaret performer.
cabine [ka'bi.nə] *v* 1 cabin; 2 (v. vrachtauto) cab; 3 (v. bioscoop) operating room.
cabriolet [ka.bri.o.'lɛt] *m* cabriolet; ⇆ convertible.
cacao [ka'kəu] *m* cocoa.
cacaoboon [-bo.n] *v* cocoa-bean.
cacaoboter [-bo.tər] *v* cocoa-butter.
cacaopoeder, -poeier [-pu.dər, -pu.jər] *o* & *m* cocoa-powder.
cachemir(-) zie *kasjmier(-)*.
cachet [ka.'ʃɛ(t)] *o* 1 seal, signet; 2 (eigenaardige stempel) cachet, stamp [of distinction]; *een zeker* ~ *hebben* bear a distinctive stamp.
cachot [ka'ʃɔt] *o* lock-up, S clink; ⚔ cells.
cacofonie zie *kakofonie*.
cactus ['kaktûs] *m* 🌵 cactus [*mv* cacti].
cactusdahlia, -dalia [-da.li.a.] *v* 🌵 cactus dahlia.
cadans [ka.'dɑns] *v* ♪ cadence.
cadaver zie *kadaver*.
cadeau [ka.'do.] *o* present; *iemand iets* ~ *geven* give one something as a present, make one a present of a thing; *ik zou het niet* ~ *willen hebben* I would not have it at a gift.

cadet [ka.'dɛt] *m* ✖ cadet.
cadettenschool [ka.'dɛtə(n)sxo.l] *v* ✖ military school, cadet college.
caduc zie *kaduuk*.
caesuur zie *cesuur*.
café [ka'fe.] *o* café, coffee-house; (met vergunning) ± public house, **F** pub.
café-chantant [-ʃã'tã] *o* cabaret.
caféhouder [-həudər] *m* café proprietor; (met vergunning) ± public-house keeper, publican.
cafeïne [kafe.'i.nə] *v* caffeine.
cafeïnevrij [-vrɛi] caffeine-free, decaffeinated.
café-restaurant [ka'fe.resto:'rã] *o* café-restaurant.
cafetaria [ka.fə'ta:ri.a.] *v* cafeteria.
cahier [ka.'je.] *o* exercise-book.
caissière [kɛ.si.'ɛ:rə] *v* cashier.
caisson [kɛ'sõ] *m* caisson.
cake [ke.k] *m* cake.
calcinatie [kalsi.'na.(t)si.] *v* calcination.
calcineren [-'ne:rə(n)] *vt* & *vi* calcine.
calcium ['kalsi.ûm] *o* calcium.
calèche [ka'lɛʃ] *v* calash.
caleidoscoop [ka.lɛidəs'ko.p] *m* kaleidoscope.
caleidoscopisch [-'ko.pi.s] kaleidoscopic.
calico(t) ['ka.li.ko.] *o* calico.
Californië [kɑli.'fɔrni.ə] *o* California.
Californiër [-ni.ər] *m* **Californisch** [-ni.s] *aj* Californian.
calorie [kɑlo.'ri.] *v* calorie.
calorimeter [-ri.'me.tər] *m* calorimeter.
calorisch [ka'lo:ri.s] caloric.
calqueerlinnen [kal'ke:rlɪnə(n)] *o* tracing-cloth.
calqueerpapier [-pa.pi:r] *o* transfer paper, tracing-paper.
calqueerplaatje [-pla.cə] *o* transfer picture.
calqueren [kal'ke:rə(n)] *vt* trace, calk.
Calvarieberg [kal'va:ri.bɛrx] *m* (Mount) Ca.-
Calvijn [kal'vɛin] *m* Calvin. [vary.
calvinisme [-vi.'nɪsmə] *o* Calvinism.
calvinist [-'nɪst] *m* Calvinist.
calvinistisch [-'nɪsti.s] *aj* (& *ad*) Calvinistic-
camee [ka.'me.] *v* cameo. [(ally).
camelia [ka.'me.li.a.] *v* 🌹 camellia.
camera ['ka.mərə.] *v* camera; ~ *obscura* [-ɔp'sky:ra.] camera obscura.
camouflage [kamu.'fla.ʒə] *v* camouflage.
camouflagepak [-'fla.ʒəpak] *o* ✖ camouflage suit.
camoufleren [-'fle:re(n)] *vt* camouflage.
campagne [kam'paɲə] *v* ✖ campaign[2]; season [of opera]; working season [of a sugar factory]; *fig* ook: [export] drive.
camping ['kɛmpɪŋ] *m* camping site.
Canada ['ka.na.da.] *o* Canada.
Canadees [ka.na.'de.s] *m* & *aj* Canadian.
canaille [ka.'na(l)jə] *o* 1 (gespuis) rabble, mob, riff-raff; 2 (man) scamp; 3 (vrouw) vixen.
canapé [kana'pe.] *m* sofa.
canard [ka.'na:r] *m* canard, newspaper hoax.

Canarische Eilanden [ka.'na:ri.sə 'ɛilandə(n)] *mv* Canaries.

canasta [kɑ'nɑsta.] *o* canasta.

candelaber zie *kandelaber*.

candida- zie *kandida-*.

canneleren [kanə'le:rə(n)] *vt* channel, flute.

canon ['kɑ.nòn] *m* canon°.

canoniek [ka.no.'ni.k] *aj* (& *ad*) canonical(ly).

canonisatie [-ni.'za.(t)si.] *v* canonization.

canoniseren [-ni.'ze:rə(n)] *vt* canonize.

canoniz- zie *canonis-*.

cantarel zie *cantharel*.

cantate [kan'ta.tə] *v* ♪ cantata.

cantharel [kanta.'rɛl] *m* ♣ chanterelle.

cantine(-) zie *kantine(-)*.

cantor ['kɑntər] *m* cantor.

canvas ['kɑnvas] *o* canvas.

caoutchouc [ka'u.tʃu.k] *o* & *m* caoutchouc, india-rubber.

capabel [ka'pa.bəl] able.

capaciteit [ka.pa.si.'tɛit] *v* capacity; ability.

cape [ke.p] *v* cape.

capillair [kapi.'lɛ:r] capillary.

capillariteit [-la:ri.'tɛit] *v* capillarity.

capitonneren [kapi.tò'ne:rə(n)] *vt* pad.

Capitool [kapi.'to.l] *o* Capitol.

capitulatie [kapi.ty.'la.(t)si.] *v* capitulation, surrender (to *voor*).

capituleren [-'le:rə(n)] *vt* capitulate, surrender (to *voor*).

capriool [ka.pri.'o.l] *v* caper; *zijn (haar) capriolen* ook: his (her) antics; *capriolen maken* cut capers.

capsule [kap'sy.lə] *v* capsule.

captie ['kɑpsi.] *v* in: *~s maken* 1 raise captious objections; 2 recalcitrate.

capuchon [kapy.'ʃòn] *m* hood.

capucijn(-) zie *kapucijn(-)*.

carambole [karɑm'bo.l] *m* ⚭ cannon.

caramboleren [-bo.'le:rə(n)] *vi* ⚭ cannon [against, with].

caramel zie *karamel*.

caravan ['kɛrəvən] *m* caravan.

caravanterrein [-tɛrɛin] *o* caravan site.

carbid [kar'bi.t] *o* carbide.

carbidlamp [-lɑmp] *v* carbide lamp.

carbol [kar'bɔl] *o* & *m* carbolic acid.

carbolzeep [-ze.p] *v* carbolic soap.

carbolzuur [-zy:r] *o* zie *carbol*.

carboniseren, carbonizeren [karbo.ni.'ze:rə(n)] *vt* carbonize.

carbonpapier [kar'bònpa.pi:r] *o* carbon paper.

ⓜ **carborundum** [karbo.'rŭndŭm] *o* carborundum.

carburateur [karby.ra.'tø:r] **carburator** [kar-by.'ra.tər] *m* carburettor.

cardiograaf [kardi.o.'gra.f] *m* ⚕ cardiograph.

cardiogram [-'grɑm] *o* ⚕ cardiogram.

cardiologie [-lo.'gi.] *v* ⚕ cardiology.

cardioloog [-'lo.x] *m* ⚕ cardiologist.

cargadoor [karga.'do:r] *m* ship-broker.

cargalijst ['karga.lɛist] *v* $ manifest.

cargo ['kargo.] *m* $ cargo.

caricatu- zie *karikatu-*.

cariës ['ka:ri.ɛs] *v* caries.

carieus [ka.ri.'ø.s] carious.

carillon [kari.l'jòn] *o* & *m* carillon, chimes.

caritatief [ka.ri.ta.'ti.f] = *charitatief*.

carnaval ['karna.vɑl] *o* carnival.

Carrarisch [kɑ'ra:ri.s] in: ~ *marmer* Carrara marble.

carré [kɑ're.] *o* & *m* square.

carrière [kari.'ɛ:rə] *v* career; ~ *maken* make a career for oneself.

carrosserie [karɔsə'ri.] *v* coach-work, body.

carrousel [kɑru.'sɛl] *m* & *o* merry-go-round.

cartel zie 1 *kartel*.

carteren zie *karteren*.

cartering zie *kartering*.

Carthaags [kar'ta.xs] *aj* Carthager [-'ta.gər] *m* Carthaginian.

Carthago [-'ta.go] *o* Carthage.

cartoteek zie *cartotheek*.

cartotheek [karto.'te.k] *v* filing cabinet, card-index cabinet, card index.

cascade [kɑs'ka.də] *v* cascade.

casino [ka.'zi.no.] *o* casino.

cassa zie *kassa*.

cassatie [kɑ'sa.(t)si.] *v* ⚖ cassation, appeal; ~ *aantekenen* give notice of appeal.

casseren [kɑ'se:rə(n)] *vt* 1 reverse, quash [a judgment in appeal]; 2 ⚔ cashier [an officer].

casserole zie *kasserol*.

cassette [kɑ'setə] *v* 1 money-box; 2 casket [for jewels &]; 3 canteen [of cutlery], 4 box [for books]; 5 writing-desk.

castagnetten [kɑsta'nɛtə(n)] *mv* castanets.

Castiliaan *m* **Castiliaans** *aj* [kɑsti.li.'a.n(s)] Castilian.

Castilië [kɑs'ti.li.ə] *o* Castile.

castorolie ['kɑstoro.li] *v* castor oil.

casuaris zie *kasuaris*.

casueel [ka.zy.'e.l] *aj* (& *ad*) casual(ly), accidental(ly).

casu quo [ka.zy.'kvo.} or, as the case may be.

catacombe [kata.'kòmbə] *v* catacomb.

catalogiseren, catalogizeren [kata.lo.gi.'ze:-rə(n)] *vt* catalogue.

catalogus [kɑ'ta.logŭs] *m* catalogue.

catapult zie *katapult*.

cataract [kata.'rɑkt] *v* cataract.

catarre [ka.'tɑr] *v* catarrh.

catastrofaal [katastro.'fa.l] *aj* (& *ad*) catastrophic(ally), disastrous(ly).

catastrofe [-'stro.fə] *v* catastrophe, disaster.

catechetisch [katə'ge.ti.s] *aj* (& *ad*) catechetic-(ally).

catechisant [-gi.'zant] *m* catechumen.

catechisatie [-'za.(t)si.] *v* confirmation class-(es).

catechiseermeester [-'ze:rme.stər] *m* catechist.

catechiseren [-'ze:rə(n)] *vt* catechize.

catechismus [katə'gɪsmŭs] *m* catechism.

catechiz- zie *catechis-*.

categorie [-go:'ri.] *v* category.
categorisch [-'go:ri.s] *aj* (& *ad*) categorical(ly).
cateter zie *catheter*.
Catharina [kata:'ri.na.] *v* Catherine.
catheter [ka.'te.tər] *m* catheter.
causaal [kɔu'za.l] causal.
causaliteit [-za.li.'tɛit] *v* causality.
causatief ['kɔuza.ti.f] causative.
causerie [ko.zə'ri.] *v* causerie, talk; *een ~ houden* give a talk.
causeur [ko.'zø:r] *m* conversationalist.
cautie ['kɔutsi.] *v* zie *borgtocht*.
cavalcade [kaval'ka.də] *v* cavalcade.
cavalerie [kavalə'ri.] *v* ✕ cavalry, horse.
cavalerist [-'rist] *m* ✕ cavalryman, trooper.
cavalier [kaval'je.] *m* cavalier.
cavia ['ka.vi.a.] *v* ☙ guinea-pig.
cayennepeper [ka.'jɛ.nəpe.pər] *m* Cayenne pepper.
Cecilia [se.'si.li.a.] *v* Cecily.
cedel ['se.dəl] = *ceel*.
ceder ['se.dər] *m* cedar; *~ van de Libanon* cedar of Lebanon.
cederhout [-hɔut] *o* cedar-wood, **c**edar.
cederhouten [-hɔutə(n)] *aj* ceder.
cedille [se.'di.jə] *v* cedilla.
ceel [se.l] *v* & *o* 1 list; 2 $ (dock) warrant.
ceintuur [sɛn'ty:r] *v* belt, sash.
cel [sɛl] *v* cell; F zie ook: *celstraf* & *cello*.
celebrant [se.lə'brant] *m* RK celebrant, officiating priest.
celebreren [-'bre:rə(n)] *vt* & *vi* celebrate.
celebriteit [se.le.bri.'tɛit] *v* celebrity.
celibaat [se.li.'ba.t] *o* celibacy.
celibatair [-ba.'tɛ:r] *m* celibate, (old) bachelor.
cellist [sɛ'list] *m* ♪ violoncellist, cellist.
cello ['sɛlo., 'tʃɛlo.] *m* ♪ F 'cello.
ⓜ cellofaan [sɛlo.'fa.n] *o* cellophan**e**.
cellulair [sɛly.'lɛ:r] in: *~e opsluiting* solitary confinement.
ⓜ celluloid [-'lɔit] *o* celluloid.
cellulose [-'lo.zə] *v* cellulose.
Celsius ['sɛlsi.ûs] *m* Celsius; *20° ~* 20 degrees centigrade.
celstraf ['sɛlstraf] *v* solitary confinement.
celvormig [-vɔrmɔx] cellular.
celwagen [-va.gə(n)] *m* zie *gevangenwagen*.
celweefsel [-ve.fsəl] *o* cellular tissue.
cement [sə'mɛnt] *o* & *m* cement.
cementen [sə'mɛntə(n)] *aj* cement.
cementeren [səmɛn'te:rə(n)] *vt* cement.
censor ['sɛnsər] *m* censor, licenser [of plays].
censureren [sɛnzy.'re:rə(n)] *vt* censor [letters].
census ['sɛnzûs] *m* census.
censuur [sɛn'zy:r] *v* censorship; *onder ~ staan* be censored; *onder ~ stellen* censor.
cent [sɛnt] *m* cent (¹/₁₀₀ of a guilder); *~en* F money; *~en hebben* F have (the) dibs; *het is geen ~ waard* it is not worth a red cent; *het kan me geen ~ schelen* I don't care a cent; *tot de laatste ~* to the last farthing; zie ook *duit*.

centaur [sɛn'tour] *m* centaur.
centenaar ['sɛntəna:r] *m* hundredweight; quintal.
centenbak ['sɛntə(n)bak] *m* collecting-box.
centerboor ['sɛntərbo:r] *v* centrebit.
centeren ['sɛntərə(n)] *vi* & *vt sp* centre.
centiare ['sɛnti.a:rə] *v* centiare, square metre.
centigram [-gram] *o* centigramme.
centiliter [-li.tər] *m* centilitre.
centimeter [-me.tər] *m* centimetre.
centraal [sɛn'tra.l] I *aj* central; *met centrale verwarming* centrally heated; II *ad* centrally.
centraalstation [-sta.ʃòn] *o* central station.
centrale [sɛn'tra.lə] *v* 1 🏭 generating station, power-station; 2 ☎ exchange; 3 $ bureau, agency.
centralisatie [sɛntra.li.'za.(t)si.] *v* centralization.
centraliseren [-'ze:rə(n)] *vt* centralize.
centraliz- zie *centralis-*.
centrifugaal [sɛntri.fy.'ga.l] centrifugal.
centrifugaalmachine [-ma.ʃi.nə] *v* centrifugal machine.
centrifugaalpomp [-pòmp] *v* centrifugal pump.
centrifuge [sɛntri.'fy.ʒə] *v* 1 zie *centrifugaalmachine*; 2 (v. w a s a u t o m a a t) spin-drier.
centrifugeren [sɛntri.fy.'ʒe:rə(n)] *vt* (v. d. w a s) spin-dry.
centripetaal [sɛntri.pə'ta.l] centripetal.
centrum ['sɛntrûm] *o* centre.
ceramiek [se:ra.'mi.k] *v* ceramics.
ceramisch [se:'ra.mi.s] ceramic.
Cerberus ['sɛrbərûs] *m* Cerberus².
cerebraal [se:rə'bra.l] cerebral².
ceremonie [se:rəmo.'ni.] *v* ceremony.
ceremonieel [-ni.'e.l] I *aj* ceremonial; II in: *het ~* the ceremonial.
ceremoniemeester [se:rə'mo.ni.me.stər] *m* Master of (the) Ceremonies.
ceremonieus [se:rəmo.ni.'ø.s] *aj* (& *ad*) ceremonious(ly).
certificaat [sɛrti.fi.'ka.t] *o* certificate; *~ van aandeel* share certificate; *~ van oorsprong* certificate of origin.
certificeren [-fi.'se:rə(n)] *vt* certify.
certifikaat zie *certificaat*.
cervelaatworst [sɛrvə'la.tvòrst] *v* saveloy.
cessie ['sɛsi.] *v* cession.   [sign(ee).
cessionaris [sɛsi.o.'na:rəs] *m* cessionary, assessor.
cesuur [se.'zy:r] *v* caesura.
Ceylon [sɛi'lòn] *o* Ceylon.
chagrijn [ʃa'grɛin] *o* chagrin, vexation.   [ful.
chagrijnig [-'grɛinəx] chagrined, peevish, fret-
chagrijnle(d)er [-'grɛinle.dər, -le:r] = *segrijnle(d)er*.
chaise-longue [ʃɛ.zə'lõgə] *v* lounge.   [le(d)er.
Chaldea [gal'de.a.] *o* Chaldea.
Chaldeeër [-ər] *m* Chaldean, Chaldee.
Chaldeeuws [gal'de:us] Chaldaic, Chaldee.
Cham [gam] *m* Ham.
chambree [ʃam'bre.] *v* ✕ barrack-room.
champagne [ʃam'paɲə] *m* champagne, S fizz, bubbly.

champignon [ʃɑmpi.'ɲòn] *m* [edible] mushroom.
chantage [ʃɑn'ta.ʒə] *v* blackmail; ~ *plegen jegens* levy blackmail on, blackmail.
chaos ['ga.ɔs] *m* chaos; *orde scheppen in de* ~ make order out of chaos, reduce chaos to order.
chaotisch [ga.'o.ti.s] **I** *aj* chaotic; **II** *ad* chaotically.
chaperon [ʃɑpə'rõ] *m* **chaperonne** [-'rònə] *v* chaperon.
chaperonneren [-rò'ne:rə(n)] *vt* chaperon.
chapiteau [ʃɑpi.'to.] *o* **S** big top [circus tent].
chapiter [ʃɑ'pi.tər] *o* chapter; *nu wij toch aan dat* ~ *bezig zijn* as (now) we are upon the subject; *om op ons* ~ *terug te komen* to return to our subject; *iemand van zijn* ~ *brengen* head one off; *van* ~ *veranderen* change the subject.
char-à-bancs [ʃɑra.'bã] *m* char-à-banc.
charge ['ʃɑrʒə] *v* charge; *getuige à* ~ ⚖ witness for the prosecution.
chargeren [ʃɑr'ʒe:rə(n)] *vi* 1 ⚔ charge; 2 *fig* exaggerate, overact, overdraw.
charitas ['ga:ri.tɑs] *v* charity.
charitatief [ga:ri.ta.'ti.f] charitable.
charivari [ʃa:ri.'va:ri.] *o* watch-chain trinkets, charms.
charlatan ['ʃɑrla.tɑn] *m* charlatan, quack.
Charlotte [ʃɑr'lɔtə] *v* Charlotte.
charmant [ʃɑr'mɑnt] *aj* (& *ad*) charming(ly).
charme ['ʃɑrmə] *m* charm.
charmeren [ʃɑr'me:rə(n)] *vt* charm.
charter ['ʃɑrtər] *o* charter.
charteren ['ʃɑrtərə(n)] *vt* charter.
chartervliegtuig ['ʃɑrtərvli.xtœyx] *o* ✈ charter plane.
chartervlucht [-vlűxt] *v* ✈ charter flight.
Charybdis [gɑ'rɪbdɪs] *m* Charybdis.
chasseur [ʃɑ'sø:r] *m* page(-boy), buttons.
chassis [ʃɑ'si.] *o* 1 chassis [of a motor-car &]; 2 plate-holder [for a camera]; 3 frame [of a hotbed].
chaufferen [ʃo.'fe:rə(n)] *vi* drive [a car].
chauffeur [-'fø:r] *m* (in dienst bij iemand) chauffeur; (bestuurder) driver; zie ook: *autoverhuur*.
chauvinisme [ʃo.vi.'nɪsmə] *o* chauvinism.
chauvinist [-'nɪst] *m* chauvinist.
chauvinistisch [-'nɪsti.s] *aj* (& *ad*) chauvinistic(ally).
check(-) zie *cheque*(-).
chef [ʃɛf] *m* chief, head, **F** boss; ~ *de bureau* head-clerk; ~ *de cuisine*, ~*-kok* chef; ~ *van exploitatie* traffic manager; ~ *van de geneeskundige dienst* principal medical officer; ~ *van het protocol* head of protocol; ~*-staf* ⚔ Chief of Staff.
chemicaliën [ge.mi.'ka.li.ə(n)] *mv* chemicals.
chemicus ['ge.mi.kűs] *m* 1 chemist; 2 analytical chemist.
chemie [ge.'mi.] *v* chemistry.
chemisch ['ge.mi.s] *aj* (& *ad*) chemical(ly); ~ *reinigen* dry-clean; *'t* ~ *reinigen* dry-cleaning; ~*e wasserij* dry-cleaning works.
chemoterapie zie *chemotherapie*.
chemotherapie [ge.mo.te.ra.'pi.] *v* chemotherapy.
cheque [ʃɛk] *m* cheque.
chequeboek ['ʃɛkbu.k] *o* cheque-book.
chertepartij ['ʃɛrtəpɑrtɛi] *v* **$** charter-party.
cherub ['ge:rűp] **cherubijn** [ge:ry.'bɛin] *m* cherub.
chevron [ʃə'vròn] *m* ⚔ chevron, stripe.
chic [ʃi.k] **I** *aj* smart, stylish, fashionable [hotel]; **II** *ad* smartly &; **III** *m* smartness &; *de* ~ the smart set.
chicane [ʃi.'ka.nə] *v* chicane(ry).
chicaneren [ʃi.ka.'ne:rə(n)] *vi* chicane, quibble.
chicaneur [-'nø:r] *m* quibbler.
chicaneus [-'nø.s] captious.
chijl [gɛil] *v* chyle.
Chileen(s) [ʃi.'le.n(s)] Chilean.
Chili ['ʃi.li.] *o* Chile.
chilisalpeter ['ʃi.li.sɑlpe.tər] *m* & *o* Chile saltpetre.
chimpansee ['ʃɪmpɑnse.] *m* 🐾 chimpanzee.
China ['ʃi.na.] *o* China.
Chinees [ʃi.'ne.s] **I** *aj* Chinese, China; **II** *o het* ~ Chinese; **III** *m* Chinese; *de Chinezen* the Chinese; zie ook: *raar*.
chique [ʃi.k] zie *chic* **I** & **II**.
chirurg [ʃi.'rűrx] *m* surgeon.
chirurgie [ʃi.rűr'ʒi.] *v* surgery.
chirurgisch [ʃi'rűrgi.s] *aj* (& *ad*) surgical(ly).
chloor [glo:r] *m* & *o* chlorine.
chloraal [glo:'ra.l] *o* chloral.
chloroform [glo:ro.'fɔrm] *m* chloroform.
chloroformeren [-fɔr'me:rə(n)] *vt* (put under) chloroform.
chlorofyl [-'fi.l] *o* chlorophyll.
chocola(-) [ʃo.ko.'la.] = *chocolade*(-).
chocolaatje [ʃo.ko.'la.cə] *o* chocolate, **F** choc.
chocolade [-'la.də] *m* chocolate.
chocoladebonbon [-bõbõ] *m* chocolate cream.
chocoladekan [-kɑn] *v* ~**ketel** [-ke.təl] *m* chocolate-pot.
cholera ['go.ləra.] *v* (malignant) cholera.
cholera-epidemie [-e.pi.dəmi.] *v* cholera epidemic.
choleralijder [-lɛidər] *m* cholera patient.
cholerisch [go.'le:ri.s] choleric.
cholesterol [go.lɛstə'rɔl] *m* cholesterol.
choquant [ʃɔ'kɑnt] shocking.
choqueren [-'ke:rə(n)] *vt* shock.
choreograaf [go.re.o.'gra.f] *m* choreographer.
choreografie [-gra.'fi.] *v* choreography.
choreografisch [-'gra.fi.s] choreographic.
chrisma ['grɪsma., 'krɪsma.] *o* *RK* chrism.
christelijk ['krɪstələk] *aj* (& *ad*) Christian(ly).
christelijkheid [-hɛit] *v* Christianity.
christen ['krɪstə(n)] *m* Christian.
christendom [-dòm] *o* Christianity.
christenheid [-hɛit] *v* Christendom.

Christiaan ['krɪsti.a.n] *m* Christian.

christin [krɪs'tɪn] *v* Christian, Christian lady (woman).

Christina [-'ti.na.] *v* Christina.

Christoffel [-'tɔfəl] *m* Christopher.

Christus ['krɪstŭs] *m* Christ; *in 200 na* ~ in 200 A.D.; *in 200 voor* ~ in 200 B.C.

Christusbeeld [-be.lt] *o* image of Christ.

Christuskop [-kɔp] *m* Christ's head.

chromatisch [gro.'ma.ti.s] chromatic.

chromo ['gro.mo.] *m* chromolithograph, F chromo.

chromosoom [gro.mo.'zo.m] *o* chromosome.

chronisch ['gro.ni.s] **I** *aj* chronic; **II** *ad* chronically.

chronologie [gro.no.lo.'gi.] *v* chronology.

chronologisch [-'lo.gi.s] *aj* (& *ad*) chronological(ly).

chronometer [-'me.tər] *m* chronometer.

chroom [gro.m] *o* chromium.

chroomgeel ['gro.m'ge.l] *o* chrome yellow.

chroomle(d)er [-le:r, -le.dər] *o* chrome leather.

chroomstaal [-sta.l] *o* chrome steel.

chrysant [gri.'zant] *v* ✿ chrysanthemum.

chrysantemum zie *chrysanthemum*.

chrysanthemum [gri.'zante.mŭm] *v* ✿ chrysanthemum.

c.i. = *civiel-ingenieur*.

ciborie [si.'bo:ri.] *v RK* ciborium.

cicade [si.'ka.də] *v* ❀ cicada.

cichorei [si.go.'rɛi] *m* & *v* chicory.

cider ['si.dər] *m* cider.

cie. = *compagnie*.

cijfer ['sɛifər] *o* 1 figure; 2 cipher [in cryptography]; 3 ✍ mark; *Arabische (Romeinse)* ~*s* Arabic (Roman) numerals.

cijferen ['sɛifərə(n)] *vi* cipher.

cijferkunst ['sɛifərkŭnst] *v* arithmetic.

cijferlijst [-lɛist] *v* ✍ marks list.

cijferschrift [-s(x)rɪft] *o* 1 numerical notation; 2 cipher, code; *in* ~ in cipher.

cijfertelegram [-te.ləgram] *o* code message.

cijns [sɛins] *m* tribute, tribute-money.

cijnsbaar ['sɛinsba:r] **cijnsplichtig** [sɛins'plɪxtəx] tributary.

cikorei [si.ko.'rɛi] = *cichorei*.

cilinder [si.'lɪndər] *m* cylinder.

cilinderbureau [-by.ro.] *o* roll-top desk.

cilinderhorloge [-hɔrlo.ʒə] *o* lever-watch.

cilinderinhoud [-ɪnhout] *m* cubic capacity.

cilinderkop [-kɔp] *m* cylinder head.

cilindervormig [-vɔrməx] *aj* (& *ad*) cylindrical(ly).

cilindrisch [si.'lɪndri.s] *aj* (& *ad*) cylindrical(ly).

cimbaal [sɪm'ba.l] *v* ♪ cymbal.

cimbalist [sɪmba.'lɪst] *m* ♪ cymbalist.

cineac [si.ne.'ak] *m* newsreel theatre.

cineast [-'ast] *m* film maker.

cinema ['si.nəma.] *m* picture-theatre, cinema.

cinematograaf [si.nəma.to.'gra.f] *m* cinematograph.

cipier [si.'pi:r] *m* warder, jailer, gaoler, turnkey.

cipres [si.'prɛs] *m* ✿ cypress.

circa ['sɪrka.] about, some [5 millions], circa.

circulaire [sɪrky.'lɛ:rə] *v* circular letter, circular.

circulatie [-'la.(t)si.] *v* circulation; *in* ~ *brengen* put into circulation.

circulatiebank [-'la.(t)si.baŋk] *v* bank of issue.

circuleren [-'le:rə(n)] *vi* circulate; *laten* ~ circulate, send round [lists &].

circus ['sɪrkŭs] *o* & *m* circus.

circusartiest [-arti.st] *m* circus performer.

circusdirecteur, -direkteur [-di.rɛktø:r] *m* circus master.

circustent [-tɛnt] *v* circus tent.

cirkel ['sɪrkəl] *m* circle.

cirkelboog [-bo.x] *m* arc of a circle.

cirkelen ['sɪrkələ(n)] *vi* circle; ~ *om de aarde* circle the earth.

cirkelgang ['sɪrkəlgaŋ] *m* circular course; *fig* circle.

cirkellijn ['sɪrkəlɛin] *v* circular line.

cirkelomtrek ['sɪrkələmtrɛk] *m* circumference of a circle.

cirkelredenering [-rədə'ne:rɪŋ] *v* circular reasoning.

cirkelvormig [sɪrkəl'vɔrməx] circular.

cirkelzaag ['sɪrkəlza.x] *v* ✂ circular saw.

cis [si.s] *v* ♪ C sharp.

ciseleren [si.zə'le:rə(n)] *vt* chase.

citaat [si.'ta.t] *o* quotation.

citadel [si.ta.'dɛl] *v* ✕ citadel.

citer ['si.tər] *v* ♪ cither, zither(n).

citeren [si.'te:rə(n)] *vt* quote [a saying]; cite [book, author]; ⚖ cite, summon.

citroen [si.'tru.n] *m* & *v* lemon.

citroenboom [-bo.m] *m* lemon tree.

citroengeel [-ge.l] *aj* lemon-coloured.

citroenkleur [-klø:r] *v* lemon colour.

citroenkruid [-krœyt] *o* ✿ southernwood.

citroenlimonade [-li.mo.na.də] *v* lemonade.

citroenolie [-o.li.] *v* lemon oil.

citroenpers [-pɛrs] *v* lemon-squeezer.

citroensap [-sap] *o* lemon juice.

citroenschijfje [-sxɛifjə] *o* slice of lemon.

citroenschil [-sxɪl] *v* lemon peel.

citroenvlinder [-vlɪndər] *m* brimstone butterfly.

citroenzuur [-zy:r] *o* citric acid. [fly.

citrus ['si.trŭs] *m* ✿ citrus.

citrusvrucht [-frŭxt] *v* ✿ citrus fruit.

citybag ['sɪti.bɛk] *m* handbag.

civet [si.'vɛt] *o* civet.

civetkat [-kat] *v* ⚥ civet(-cat).

civiel [si.'vi.l] 1 (burgerlijk) civil; 2 (billijk) moderate, reasonable [prices].

civiel-ingenieur [-ɪnge.-, -ɪnʒəni.'ø:r] *m* civil engineer.

civiliseren, civilizeren [si.vi.li.'ze:rə(n)] *vt* civilize.

clandestien [klandɛs'ti.n] *aj* (& *ad*) clandestine(ly), secret(ly), illegal(ly); *een* ~*e zender* 📻 ⚡ a pirate transmitter.

Clara ['kla:ra.] *v* Clara, Clare.
classicaal zie *klassikaal.*
classicisme [klasi.'sɪsmə] *o* classicism.
classicus ['klasi.kŭs] *m* classicist.
classiek(-) zie *klassiek(-).*
classificatie [klasi.fi.'ka.(t)si.] *v* classification.
classificeren [-'se:rə(n)] *vt* classify, class.
clausule [klɔu'zy.lə] *v* clause, proviso.
clavecimbel zie *klavecimbel.*
Ⓜ**claxon** ['klaksòn] *m* klaxon.
claxonneren [klaksò'ne:rə(n)] *vi* sound the (one's) horn, hoot.
clearinginstituut ['kli:rɪŋɪnsti.ty.t] *o* clearing institute.
clematis [kle.'ma.tɪs] *v* ✿ clematis.
Clemens ['kle.mɛns] *m* Clement.
clementie [kle.'mɛn(t)si.] *v* clemency, leniency.
clerica- zie *klerika-.*
clerus ['kle:rŭs] *m* clergy.
cliché [kli.'ʃe.] *o* 1 plate [of type], block [of illustration]; 2 [photo] negative; 3 *fig* cliché, stereotyped phrase &.
cliënt [kli.'ɛnt] *m* 1 client [Ⓤ of a patrician &, r̄ḁ of a lawyer]; 2 $ customer [of a shop].
cliënteel [-ɛn'te.l] = *cliëntèle.*
cliëntèle [-ã'te:lə] *v* clientele, customers, clients.
climax ['kli.maks] *m* climax.
closet [klo.'zɛt] *o* water-closet.
closetbak [-bak] *m* lavatory basin, lavatory pan.
closetborstel [-bòrstəl] *m* lavatory brush.
closetpapier [-pa.pi:r] *o* toilet-paper.
closetpot [-pɔt] *m* lavatory bowl.
close-up [klo.'zŭp] *m* close-up.
clou [klu.] *m* feature, chief attraction.
clown [klɔun] *m* clown, funny-man.
clownachtig ['klɔunaxtəx] **clownesk** [klɔu'nɛsk] *aj* (& *ad*) clownish(ly).
club [klŭp] *v* club.
clubfauteuil ['klŭpfo.tœyj] *m* club (arm-)chair.
cm = *centimeter.*
Co. = *compagnon.*
coadjutor [ko.αt'jy.tər] *m* RK coadjutor.
coalitie [ko.a.'li.(t)si.] *v* coalition.
cobra ['ko.bra.] *v* 🐍 cobra.
cocaïne [ko.ka.'i.nə] *v* cocaine.
cochenille [kɔʃə'ni.(l)jə] *v* cochineal.
cockpit ['kɔkpɪt] *m* ✈ cockpit.
cocktail ['kɔkte.l] *m* cocktail.
cocktailjurk [-jŭrk] *v* cocktail dress.
cocktailpartij [-partei] *v* cocktail party.
cocon [ko.'kòn] *m* cocoon.
code ['ko.də] *m* code.
coderen [ko.'de:rə(n)] *vt* code.
codetelegram [-te.ləgram] *o* code message.
codewoord [- vo:rt] *o* code word.
codex ['ko.dɛks] *m* codex [*mv* codices].
codicil [ko.di.'sɪl] *o* codicil.
codificatie [ko.di.fi.'ka.(t)si.] *v* codification.
codificeren [-'se:rə(n)] *vt* codify.
coëducatie [ko.e.dy.'ka.(t)si.] *v* coeducation.
coëfficiënt [ko.ɛfi.si.'ɛnt] *m* coefficient.

coëxistentie [ko.ɛksi.s'tɛn(t)si.] *v* coexistence.
cognac [kò'ɲak] *m* cognac, brandy.
cognossement [kònɔsə'mɛnt] = *connossement*
cohesie [ko.'he.zi.] *v* cohesion.
cohort(e) [ko.'hort(ə)] *v* cohort.
coifferen [kvα'fe:rə(n)] *vt* dress (do) the hair.
coiffeur [-'fø:r] *m* hairdresser.
coiffeuse [-'fø.zə] *v* (lady) hairdresser.
coiffure [-'fy:rə] *v* coiffure, hair-style, hairdo.
cokes [ko.ks] *v* coke.
cokesfabriek ['ko.ksfa.bri.k] *v* cokery.
cokeskolen [-ko.lə(n)] *mv* coking coal.
cokesoven [-o.və(n)] *m* coke-oven.
colbert [kɔl'bɛːr] *o* & *m* 1 (jasje) jacket; 2 (kostuum) lounge-suit.
colbertcostuum zie *colbertkostuum.*
colbertkostuum [-kɔsty.m] *o* lounge-suit.
coliseum [ko.li'se.ŭm] *o* coliseum, colosseum.
collaborateur [kɔla.bo.ra.'tø:r] *m* collaborator.
collaboratie [-'ra.(t)si.] *v* collaboration.
collaboreren [-'re:rə(n)] *vi* collaborate.
collateraal [kɔla.tə'ra.l] *aj* (& *ad*) collateral-(ly).
collatie [kɔ'la.(t)si.] *v* collation.
collationeren [kɔla.(t)si.o.'ne:rə(n)] *vt* collate, check.
collectant [kɔlɛk'tant] *m* collector.
collecte [kɔ'lɛktə] *v* collection; *een ~ houden* make a collection.
collectebus [-bŭs] *v* collecting-box.
collecteren [kɔlɛk'te:rə(n)] **I** *vt* collect; **II** *va* make a collection.
collecteschaal [kɔ'lɛktəsxa.l] *v* collection-plate.
collectie [kɔ'lɛksi.] *v* collection.
collectief [kɔlɛk'ti.f] *aj* (& *ad*) collective(ly).
collega [kɔ'le.ga.] *m* colleague.
college [kɔ'le.ʒə] *o* 1 college [of cardinals &]; board [of guardians]; 2 ⇔ lecture; *~ geven* ⇔ give a course of lectures, lecture (on *over*); *~ lopen* ⇔ attend the lectures.
collegegelden [-gɛldə(n)] *mv* ⇔ lecture fees.
collegezaal [-za.l] *v* lecture-room, lecture-hall.
collegiaal [kɔle.gi.'a.l] *aj* (& *ad*) (in a) brother-ly (spirit).
colli ['kɔli.] *o* package, bale, bag, barrel &.
collier [kɔl'je.] *m* necklace.
collo ['kɔlo.] *o* = *colli.*
collodion [kɔ'lo.di.òn] **collodium** [kɔ'lo.di.ŭm] *o* collodion.
colonnade [ko.lə'na.də] *v* colonnade, portico.
colonne [ko.'lɔnə] *v* column; *vijfde ~* fifth column; *lid van de vijfde ~* fifth columnist.
coloradokever [ko.lo.'ra.do.ke.vər] *m* Colorado beetle.
coloriet zie *koloriet.*
colportage [kɔlpɔr'ta.ʒə] *v* colportage.
colporteren [-'te:rə(n)] *vt* hawk, peddle [wares]; *fig* retail, spread [a report].
colporteur [-'tø:r] *m* 1 $ canvasser; 2 hawker [of religious books &].
columbarium [ko.lŭm'ba:ri.ŭm] *o* columba-rium.

combattant [kòmba'tɑnt] *m* combatant.

combinatie [kòmbi.'na.(t)si.] *v* combination; $ combine.

combinatievermogen [-vɔrmo.gɔ(n)] *o* power of combining.

combine [kòm'bi.nɔ, -'bain] *v* combine.

combineren [kòmbi.'ne:rɔ(n)] *vt* combine.

comestibles [ko.mes'ti.blɔs] *mv* comestibles, provisions; table delicacies.

comfort [kô'fɔ:r, kòm'fɔ:r] *o* (conveniences conducive to) personal comfort.

comfortabel [kòmbfɔr'ta.bɔl] I *aj* (van huizen) commodious, supplied with all conveniences, with every comfort, comfortable; II *ad* conveniently, comfortably.

comité [kòmi.'te.] *o* committee.

commandant [kòman'dɑnt] *m* ✕ commandant, commander, officer in command; ⚓ captain.

commanderen [-'de:rɔ(n)] I *vt* order, command, be in command of; *hij commandeert iedereen maar* he orders people about; *zij laten zich niet ~* they will not be ordered about; II *vi* & *va* 1 command; be in command; 2 order people about.

commandeur [-'dø:r] *m* commander [of an order of knighthood].

commando [kò'mɑndo.] 1 *o* (word of) command; 2 *m* (speciale militaire groep) commando, 3 *m* (lid daarvan) commando; zie verder: *bevel.*

commandobrug [-brûx] *v* ⚓ (navigating) bridge.

commandostaf [-staf] *m* ✕ baton, truncheon.

commandotoren [-to:rɔ(n)] *m* ⚓ conning-tower.

comme il faut [kɔmi.l'fo.] correct, good form.

commensaal [kòmɔn'sa.l] *m* boarder.

commentaar [kòmen'ta:r] *m* & *o* commentary; comment; *~ overbodig* comment is needless; *~ leveren op* make comment on, comment (up)on.

commentariëren [-ta:ri.'e:rɔ(n)] *vt* comment upon.

commentator [-'ta.tɔr] *m* commentator.

commenteren [-'te:rɔ(n)] *vt* comment upon.

commercieel [kòmɛrsi.'e.l] *aj* (& *ad*) commercial'ly).

commies [kò'mi.s] *m* 1 (departmental) clerk; 2 (v. d o u a n e) custom-house officer.

commiesbrood [-bro.t] *o* ✕ ammunition bread.

commissariaat [kòmɪsa.ri.'a.t] *o* 1 commissionership; 2 police-station.

commissaris [-'sa:rɔs] *m* 1 commissioner; 2 (v. maatschappij) director; 3 (v. orde) steward; 4 (v. politie) superintendent of police, chief constable; *gedelegeerd ~* $ managing director; *Hoge C~* High Commissioner; *~ der Koningin* provincial governor.

commissie [kò'mɪsi.] *v* 1 committee, board; 2 $ commission; *~ van toezicht* board of visitors [of a school], visiting committee; *in ~* $ [sell] on commission; [send] on consignment.

commissiehandel [-hɑndɔl] *m* $ commission business.

commissieloon [-lo.n] *o* $ commission.

commissionair [kòmɪsi.o.'nɛ:r] *m* 1 $ commission-agent; 2 commissionaire, porter; *~ in effecten* $ stockbroker.

commissoriaal [kòmɪso:ri.'a.l] in: *iets ~ maken* refer it to a committee.

committent [kòmɪ'tɛnt] *m* principal.

commode [kò'mo.dɔ] *v* chest of drawers.

Commune [kò'my.nɔ] *v* Commune.

communicant [kòmy.ni.'kɑnt] *m RK* communicant.

communicatie [-'ka.(t)si.] *v* communication.

communiceren [-'se:rɔ(n)] *vi* 1 communicate; 2 *RK zie te communie gaan.*

communie [kò'my.ni.] *v* communion; *zijn ~ doen RK* receive Holy Communion for the first time; *te ~ gaan RK* go to Communion.

communiebank [-bɑŋk] *v* communion rail(s).

communiqué [kòmy.ni.'ke.] *o* communiqué.

communisme [kòmy.'nɪsmɔ] *o* communism.

communist [-'nɪst] *m* communist.

communistisch [-'nɪsti.s] communist [party, Manifesto], communistic [system].

compact [kòm'pɑkt] compact.

compagnie [kòmpa'ɲi.] *v* ✕ & $ company.

compagnieschap [-sxɑp] *v* $ partnership.

compagnon [kòmpa'ɲòn] *m* $ partner.

comparant [kòmpa:'rɑnt] *m* ⚖ appearer, party (to a suit).

compareren [-'re:rɔ(n)] *vi* appear (in court).

comparitie [-'ri.(t)si.] *v* appearance.

compensatie [-pɛn'za.(t)si.] *v* compensation.

compensatieslinger [-slɪŋɔr] *m* compensation-pendulum.

compenseren [kòmpɛn'ze:rɔ(n)] *vt* compensate, counterbalance, make up for.

competent [kòmpɔ'tɛnt] competent.

competentie [-'tɛn(t)si.] *v* competence; *het behoort niet tot mijn ~* it is out of my domain.

competitie [-'ti.(t)si.] *v sp* league.

compilatie [kòmpi.'la.(t)si.] *v* compilation.

compilator [-'la.tɔr] *m* compiler.

compileren [-'le:rɔ(n)] *vt* & *vi* compile.

compleet [kòm'ple.t] I *aj* complete; II *ad* completely.

complement [kòmplɔ'mɛnt] *o* complement.

complementair [-mɛn'tɛ:r] complementary.

complet [kɔm'plɛ] *m* & *o* ensemble.

completen [kòm'ple.tɔ(n)] *mv RK* complin(e)s.

completeren [kòmple.'te:rɔ(n)] *vt* complete.

complex [kòm'plɛks] *aj* & *o* complex.

complexie [-'plɛksi.] *v* constitution, nature.

complicatie [kòmpli.'ka.(t)si.] *v* complication.

compliceren [-'se:rɔ(n)] *vt* complicate.

compliment [kòmpli.'mɛnt] *o* compliment; *de ~en aan allemaal* best remembrances (love) to all; *de ~en aan Mevrouw* kind regards to Mrs...; *~ van mij, de ~en van mij en zeg dat...* give him (them) my compliments and say that...; *zonder ~* without (standing upon) ceremony; *zonder veel (verdere) ~en* [dismiss him] without more ado, off-hand; *zijn ~ af-steken* (*bij de dames*) pay one's respects to the ladies; *geen ~en afwachten van iemand* stand no nonsense from one; *de ~en doen* (*maken*) give (make, pay, send) one's compliments; *veel ~en hebben* be very exacting; put on airs; *iemand een* (*zijn*) ~ *maken over iets* compliment one (up)on something; *hij houdt van ~en maken* he is given to paying compliments.

complimenteren [-men'te:rə(n)] *vt* in: *iemand ~ compliment* one [on, upon something].

complimenteus [-men'tø.s] complimentary.

complimentje [-'mɛnсə] *o* compliment; ~*s* compliments; ~*s maken* turn compliments.

component [kɔmpo.'nɛnt] *m* component.

componeren [-'ne:rə(n)] *vt* & *vi* compose.

componist [-'nɪst] *m* composer.

compositie [-'zi.(t)si.] *v* composition°.

compost [kɔm'pɔst] *o* & *m* compost.

compote [kɔm'pɔ:t] *m* & *v* compote, stewed fruit.

compressor [kɔm'prɛsɔr] *m* ⚒ compressor.

compromis [kɔmpro.'mɪs, -'mi.] *o* compromise; *een ~ sluiten* compromise; *een ~voorstel* a compromise proposal.

compromitteren [kɔmpro.mi.'te:rə(n)] **I** *vt* compromise; **II** *vr zich ~* compromise oneself, commit oneself.

comptabiliteit [kɔmpta.bi.li.'tɛit] *v* I accountability; 2 accountancy; audit-office.

computer [kɔm'py.tər] *m* computer.

concaaf [kɔn'ka.f] concave.

concentratie [kɔnsɛn'tra.(t)si.] *v* concentration.

concentratiekamp [-kɑmp] *o* concentration camp.

concentratievermogen [-vɛrmo.ɡə(n)] *o* power(s) of concentration.

concentreren [kɔnsɛn'tre:rə(n)] **I** *vt* concentrate [troops, power, attention &, in chemistry], focus [one's attention &]; **II** *vr zich ~* concentrate.

concentrisch [kɔn'sɛntri.s] *aj* (& *ad*) concentric(ally).

concept [kɔn'sɛpt] *o* (rough) draft.

concept-reglement [-re.ɡlə'mɛnt] *o* draft regulations.

concern [kɔn'sɛrn] *o* concern.

concert [kɔn'sɛrt] *o* ♪ 1 concert; 2 recital [by one man]; 3 concerto [for solo instrument].

concerteren [kɔnsɛr'te:rə(n)] *vi* ♪ give a concert.

concertmeester [kɔn'sɛrtme.stər] *m* ♪ leader.

concertstuk [-stʉk] *o* ♪ concert piece.

concertvleugel [-flø.ɡəl] *m* ♪ concert grand.

concertzaal [-sa.l] *v* ♪ concert hall.

concertzanger [-sɑŋər] *m* ~**es** [-sɑŋərεs] *v* ♪ concert singer.

concessie [kɔn'sɛsi.] *v* concession; ~ *aanvragen* apply for a concession; ~*s doen* make concessions; ~ *verlenen* grant a concession.

concessieaanvraag, -aanvrage [-a.nvra.x, -vra.-

gə] v application for a concession.

concessiehouder [-hɔudər] **concessionaris** [kɔnsɛsi.o.'na:rəs] *m* concessionaire.

conciërge [kɔnsi.'ɛrʒə] *m* door-keeper, hall-porter, care-taker [of flats &].

concilie [kɔn'si.li.] *o* council [of prelates].

concilievader [-va.dər] *m RK* council father.

conclaaf [kɔŋ'kla.f] **conclave** [kɔŋ'kla.və] *o* conclave.

concluderen [-kly.'de:rə(n)] *vt* conclude (from *uit*).

conclusie [-'kly.zi.] *v* conclusion.

concordaat [-kɔr'da.t] *o* concordat.

concordantie [-kɔr'dɑn(t)si.] *v* (Bible) concordance.

concours [-'ku:rs] *o* & *m* match, competition; ~ *hippique* [-ku:ri.'pi.k] horse show.

concreet [-'kre.t] *aj* (& *ad*) concrete(ly).

concretiseren, concretizeren [-kre.ti.'ze:rə(n)] **I** *vt* shape [one's attitude, a plan]; **II** *vr zich ~* take shape.

concubinaat [-ky.bi.'na.t] *o* concubinage.

concubine [-ky.'bi.nə] *v* concubine.

concurrent [-ky.'rɛnt] **I** *aj* ordinary [creditor]; **II** *m* competitor, rival.

concurrentie [-'rɛn(t)si.] *v* competition, rivalry.

concurreren [kɔŋky.'re:rə(n)] *vi* compete [with...].

concurrerend [-'re:rənt] competitive [price]; rival [firms].

condensatie [kɔndɛn'sa.(t)si.] *v* condensation.

condensator [-'sa.tər] *m* condenser.

condenseren [-'se:rə(n)] *vi* & *vt* condense.

condensstreep [kɔn'dɛnstre.p] *v* ✈ vapour trail.

conditie [kɔn'di.(t)si.] *v* (voorwaarde) condition; *onze ~s zijn...* our terms are...; *in goede ~* [kept] in good repair [of a house &]; in good condition [of a horse &].

conditioneren [-di.(t)si.o.'ne:rə(n)] *vt* condition, stipulate.

condoléance [-do.le.'äsə] *v* condolence, sympathy.

condoléancebezoek [-bəzu.k] *o* call of condolence.

condoléancebrief [-bri.f] *m* letter of condolence, letter of sympathy.

condoleantie [kɔndo.le.'ɑn(t)si.] *v* condolence, sympathy.

condoleren [-do.'le:rə(n)] *vt* condole, express one's sympathy; *iemand ~* condole with a person (on a loss), sympathize with a person [in his loss].

condor ['kɔndər] *m* 🦅 condor.

conducteur [kɔndʉk'tø:r] *m* I (v. trein) guard; 2 (v. tram, bus) conductor.

conductrice [-'tri.sə] *v* conductress, F clippie.

conduitelijst [kɔn'dʋi.təlɛist] *v* ✗ confidential report.

conduitestaat [-sta.t] *m* zie *conduitelijst*.

confectie [kɔn'fɛksi.] *v* ready-made clothing, ready-made clothes.

confectiemagazijn [-ma.ga.zɛin] *o* ready-made shop.

confectiepakje [-pakjǝ] *o* ready-made suit.
confederatie [kònfe.dǝ'ra.(t)si.] *v* confederation, confederacy.
conferencier [kònfe.rãsi.'e.] *m* I (spreker) lecturer; 2 (v. cabaret) compere.
conferentie [kònfǝ'rɛn(t)si.] *v* conference, > palaver.
conferentietafel [-ta.fǝl]*v* conference table.
conferentiezaal [-za.l] *v* conference room.
confereren [kònfǝ're:rǝ(n)] *vi* confer (consult) together, hold a conference; ~ *over* confer upon.
confessie [-'fɛsi.] *v* confession.
confessioneel [-fɛsi.o.'ne.l] denominational [teaching &].
confetti [-'fɛti.] *m* confetti.
confidentie [-fi.'dɛn(t)si.] *v* confidence.
confidentieel [-fi.dɛn(t)si.'e.l] confidential.
confiscatie [-fɪs'ka.(t)si.] *v* confiscation, seizure.
confiserie [-fi.zǝ'ri.] *v* confectioner's shop.
confiseur [-fi.'zø:r] *m* confectioner.
confisqueren [-fɪs'ke:rǝ(n)] *vt* confiscate, seize.
confituren [-fi.'ty:rǝ(n)] *mv* preserves, jam.
conflict [-'flɪkt] *o* conflict; *in* ~ *komen met...* come into conflict with, conflict (clash) with.
conform [-'fɔrm] in conformity with.
conformisme [kònfǝr'mɪsmǝ] *o* conformity.
conformist [-'mɪst] *m* conformist.
conformistisch [-'mɪsti.s] conformist.
confrater [kòn'fra.tǝr] *m* colleague, confrère.
confrontatie [-fròn'ta.(t)si.] *v* confrontation.
confronteren [-'te:rǝ(n)] *vt* confront [with...]; *geconfronteerd met de werkelijkheid van een oorlog* faced with the reality of a war.
confuus [kòn'fy.s] confused, abashed, ashamed.
congé [kõ'ʒe.] *o & m* dismissal; *iemand zijn ~ geven* F give one the sack, dismiss him; *hij kreeg zijn ~* F he got the sack, he was dismissed.
congregatie [kòngre.'ga.(t)si.] *v* congregation; *RK ook:* sodality [for the laity].
congres [-'grɛs] *o* congress.
congreslid [-lɪt] *o* member of a (the) congress; (v. h. Am. Congres) Member of Congress, Congressman.
congressist [kòngrɛ'sɪst] *m* visitor to the congress.
congruent [kòngry.'ɛnt] congruent.
congruentie [-gry.'ɛn(t)si.] *v* congruence.
conjunctief ['kònjũŋkti.f] *m gram* subjunctive.
conjunctuur [kònjũŋk'ty:r] *v* conjuncture; $ economic (trade, business) conditions; state of the market, state of trade (and industry); (periode) trade cycle, business cycle.
connectie [kǝ'nɛksi.] *v* connection; ~*s hebben* have influence [with the minister].
connossement [kònǝsǝ'mɛnt] *o* $ bill of lading, B/L.
conrector ['kònrɛktǝr] *m* ≈ second master, vice-principal.
consacreren [kònsa.'kre:rǝ(n)] *vt RK* consecrate.

consciëntieus [-ʃɛnsi.'ø.s] *aj* (& *ad*) conscientious(ly).
conscriptie [-'skrɪpsi.] *v* conscription.
consecratie [-se.'kra.(t)si.] *v RK* consecration.
consecreren [-'kre:rǝ(n)] = *consacreren*.
consent [kòn'sɛnt] *o* consent; (biljet) permit.
consequent [-sǝ'kvɛnt] I *aj* (logically) consistent; II *ad* [act] consistently.
consequentie [-sǝ'kvɛn(t)si.] *v* I (logical) consistency; 2 (gevolg) consequence.
conservatief [-sɛrva.'ti.f] I *aj* conservative; II *m* conservative; III *ad* conservatively.
conservatisme [-'tɪsmǝ] *o* conservatism.
conservator [kònsɛr'va.tǝr] *m* custodian [of a museum].
conservatorium [-va.'to:riũm] *o* conservatoire, conservatory.
conserven [kòn'sɛrvǝ(n)] *mv* preserves.
conservenfabriek [-fa.bri.k] *v* preserving factory, canning factory, cannery.
conservenindustrie [-indũstri.] *v* preserving industry, canning industry.
conserveren [kònsɛr've:rǝ(n)] *vt* preserve, keep.
consideratie [kònsi.dǝ'ra.(t)si.] *v* consideration.
consignatie [-si.ɲa.(t)si.] *v* consignment; *in* ~ *zenden* $ send on consignment, consign.
consigne [-'si.ɲǝ] *o* I orders, instructions; 2 password.
consigneren [-si.'ɲe:rǝ(n)] *vt* I $ consign [goods]; 2 ⚔ confine [troops] to barracks.
consistorie [-sɪs'to:ri.] *o* I *RK* consistory; 2 *Prot* consistory, vestry.
consistoriekamer [-ka.mǝr] *v* vestry.
console [kòn'so:lǝ] *v* I △ console; 2 console table.
consolidatie [-so.li.'da.(t)si.] *v* consolidation.
consolideren [-'de:rǝ(n)] *vt* consolidate.
consonant ['kònso.nant] *v* consonant.
consorten [kòn'sɔrtǝ(n)] *mv* associates; *X en* ~ X and his associates, X and company.
consortium [-'sɔrtsi.ũm] *o* $ combine, syndicate, ring.
constant [-'stant] I *aj* constant; II *ad* constantly.
constante [-'stantǝ] *v* constant.
Constantijn ['kònstantein, kònstan'tein] *m* Constantine.
Constantinopel [kònstanti.'no.pǝl] *o* Constantinople.
Constanz ['kònstants] *o* Constance.
constateren [kònsta.'te:rǝ(n)] *vt* state; ascertain, establish [a fact]; ⚕ diagnose; *er werd geconstateerd dat...* ook: it was found that...
consternatie [-stǝr'na.(t)si.] *v* consternation, dismay.
constitueren [-sti.ty.'e:rǝ(n)] I *vt* constitute; II *vr zich tot...* ~ constitute themselves into...
constitutie [-'ty.(t)si.] *v* constitution.
constitutioneel [-ty.(t)si.o.'ne.l] *aj* (& *ad*) constitutional(ly).
constructeur [kònstrũk'tø:r] *m* designer.
constructie [-'strũksi.] *v* construction.

construeren [-stry.'e:rə(n)] *vt* construct.

consul ['kònzŭl] *m* consul.

consulaat [kònzy.'la.t] *o* consulate.

consulaat-generaal [-ge.nə'ra.l] *o* consulate general.

consulair [kònzy.'lɛ:r] consular.

consulent [-'lɛnt] *m* 1 adviser; 2 advisory expert.

consul-generaal ['kònzŭlge.nə'ra.l] *m* consul general.

consult [kòn'zŭlt] *o* consultation; ~ *houden* sit for consultation.

consultatie [kònzŭl'ta.(t)si.] *v* consultation.

consultatiebureau [-by.ro.] *o* health centre, (infant) welfare centre.

consulteren [kònzŭl'te:rə(n)] *vt* consult [a doctor]; ~*d geneesheer* consulting physician.

consument [kònzy.'mɛnt] *m* consumer.

consumentenbond [-'mɛntə(n)bònt] *m* consumers' association, consumers' union.

consumeren [-'me:rə(n)] *vt* consume.

consumptie [kòn'zŭmsi.] *v* 1 consumption; 2 food and drinks; *de* ~ *is er uitmuntend* the catering is excellent there.

consumptiegoederen [-gu.dərə(n)] *mv* consumer goods.

contact [-'takt] *o* contact, touch; ~ *hebben met* be in contact with, be in touch with; ~ *maken (nemen, opnemen) met* make contact with, contact [a person]; ~*en leggen* make contacts.

contactdraad [-dra.t] *m* contact wire.

contactlens [-lɛns] *v* contact lens.

contactsleuteltje [-slø.təlcə] *o* ignition key.

container [kòn'te.nər] *m* (freight) container.

contant [-'tant] **I** *aj* cash; *à* ~ for cash; ~*e betaling* cash payment; **II** *ad* in: ~ *betalen* pay cash; **III** *mv* ~*en* ready money, (hard) cash.

continent [-ti.'nɛnt] *o* continent.

continentaal [-ti.nɛn'ta.l] continental.

contingent [-tiŋ'gɛnt] *o* ⚔ contingent[2]; $ quota[2].

contingenteren [-tiŋgɛn'te:rə(n)] *vt* establish quotas for [imports], quota, limit by quotas.

contingentering [-'te:riŋ] *v* quota system, quota restriction, quota.

continubedrijf [kònti.'ny.bədrɛif] *o* continuous industry.

continueren [-ny.'e:rə(n)] *vt* & *vi* continue.

continuïteit [-ny.i.'tɛit] *v* continuity.

contra ['kòntra.] contra, versus, against.

contrabande [-bandə] *v* contraband (goods).

contrabas [-bas] *v* ♪ double-bass.

contrabezoek [-bəzu.k] *o* zie *tegenbezoek*.

contract [kòn'trakt] *o* contract.

contractant [-trak'tant] *m* contracting party.

contractbreuk [-'traktbrø.k] *v* breach of contract.

contracteren [-trak'te:rə(n)] *vi* & *vt* contract (for).

contractpolis [-'traktpo.ləs] *v* floating policy.

contractueel [-trakty.'e.l] **I** *aj* contractual; **II** *ad* by contract.

contradictie [-tra.'dıksi.] *v* contradiction.

contramerk ['kòntra.mɛrk] *o* 1 pass-out check (ticket); 2 countermark.

contramine [-mi.nə] *v* in: *in de* ~ *zijn* $ speculate for a fall; *hij is altijd in de* ~ he is always in the humour of opposition.

contrapunt [-pŭnt] *o* ♪ counterpoint.

contrarevolutie [-re.vo.ly.(t)si.] *v* counter-revolution.

contrariëren [kòntra:ri.'e:rə(n)] *vt* act (go) contrary to the wishes of, thwart the plans of.

contrasigneren [-si.'ɲe:rə(n)] *vt* countersign.

contrast [kòn'trast] *o* contrast.

contrasteren [-tras'te:rə(n)] *vi* contrast.

contribuant [-tri.by.'ant] *m* contributor.

contribueren [-by.'e:rə(n)] *vt* & *vi* contribute.

contributie [-'by.(t)si.] *v* 1 (belasting) contribution, tax; 2 (voor sociëteit &) subscription.

controle [kòn'tro:lə] *v* check(ing), supervision, control; ~ *uitoefenen op de...* check the...

controleboek [-bu.k] *o* check-book.

controleklok [-klòk] *v* time clock.

controleren [kòntro.'le:rə(n)] *vt* check, examine, verify, control; test; supervise.

controleur [-'lø:r] *m* 1 (in 't alg.) controller; 2 (aan schouwburg &) ticket inspector.

controverse [-'versə] *v* controversy.

conveniëren [kònve.ni.'e:rə(n)] *vi* suit; *het convenieert mij niet* I cannot afford it; *als het u convenieert* if it suits your convenience.

conventie [-'vɛn(t)si.] *v* convention.

conventioneel [-vɛn(t)si.o.'ne.l] *aj* (& *ad*) conventional(ly).

convergeren [-vɛr'ge:rə(n)] *vi* converge.

conversatie [-vər'za.(t)si.] *v* conversation; *hij heeft geen* ~ 1 he has no conversational powers; 2 he has no friends; *zij hebben veel* ~ they see much company.

conversatieles [-lɛs] *v* conversation lesson.

converseren [kònvər'ze:rə(n)] *vi* converse; ~ *met* associate with.

conversie [-'versi.] *v* conversion.

converteerbaar [-vɛr'te:rba:r] convertible.

converteren [-vɛr'te:rə(n)] *vt* convert [into...].

convertibiliteit [-vɛrti.bi.li.'tɛit] *v* convertibility.

convex [-'vɛks] convex.

convocatie [-vo.'ka.(t)si.] *v* 1 convocation; 2 notice (of a meeting).

convocatiebiljet [-bıljet] *o* notice.

convoceren [kònvo.'se:rə(n)] *vt* convene, convoke.

coöperatie [ko.o.pə'ra.(t)si.] *v* 1 co-operation; 2 co-operative stores.

coöperatief [-ra.'ti.f] co-operative.

coördinatie [ko.ərdi.'na.(t)si.] *v* co-ordination.

coördineren [-'ne:rə(n)] *vt* co-ordinate.

copie(-) zie *kopie*(-).

copiëren zie *kopiëren*.

copieus [-pi.'ø.s] **I** *aj* plentiful [dinner]; **II** *ad* in: ~*dineren* partake of a plentiful dinner.

copiist zie *kopiist*.

coquetterie zie *koketterie*.
cordon zie *kordon*.
Corinthe [ko:'rɪntə] *o* Corinth.
Corinthiër [-ti.ər] *m* Corinthisch [-ti.s] *aj* Corinthian.
Cornelis [kɔr'ne.ləs] *m* Cornelius.
corner ['kɔrnər] *m sp* & $ corner.
coronair [ko.ro.'nɛ:r] coronary [thrombosis &]
corporatie [kɔrpo:'ra.(t)si.] *v* corporate body, corporation.
corporatief [-ra.'ti.f] corporative.
corps [kɔ:r, kɔrps] *o* corps, body; zie ook: *studentencorps*; *het ~ diplomatique* the Diplomatic Corps, the Diplomatic Body; *het ~ leraren* the teaching staff; *en ~* in a body.
corpulent [kɔrpy.'lɛnt] corpulent, stout.
corpulentie [-'lɛn(t)si.] *v* corpulence, stoutness.
corpus zie *korpus*.
correct [kɔ'rɛkt] *aj* (& *ad*) correct(ly).
correctheid [-hɛit] *v* correctness.
correctie [kɔ'rɛksi.] *v* correction.
correctief [-rɛk'ti.f] *o* corrective.
corrector [-'rɛktər] *m* (proof-)reader, corrector.
correspondent [-rɛspɔn'dɛnt] *m* correspondent; [foreign] correspondence clerk.
correspondentie [-'dɛn(t)si.] *v* correspondence.
correspondentiekaart [-ka:rt] *v* correspondence card.
corresponderen [-'de:rə(n)] *vi* correspond.
corridor [kɔri.'dɔ:r] *m* corridor.
corrigeren [-ri.'ge:rə(n)] *vt* & *vi* correct[2].
corrupt [-'rŭpt] *aj* (& *ad*) corrupt(ly).
corruptie [-'rŭpsi.] *v* corruption.
corsage [-'sa.ʒə] *v* & *o* corsage.
Corsica ['kɔrsi.ka.] *o* Corsica.
Corsikaan(s) [kɔrsi.'ka.n(s)] Corsican.
corvee [kɔr've.] *v* I ✕ fatigue duty; fatigue party; 2 *het is een ~* it's quite a job.
cosinus ['ko.zi.nŭs] *m* cosine.
cosmetica [kɔs'me.ti.ka.] *mv* cosmetics.
cosm- zie *kosm-*.
costu- zie *kostu-*.
cotangens ['ko.taŋəns] *v* cotangent.
coterie [ko.tə'ri.] *v* coterie, clique, (exclusive) set.
cotillon [ko.ti.l'jòn] *m* cotillon.
couchette [ku.'ʃɛtə] *v* berth.
coulant [-'lɑnt] $ accommodating.
coulisse [-'lɪsə] *v* side-scene, wing; *achter de ~n* behind the scenes, in the wings.
couloir [-'lva:r] *m* lobby [of Lower House].
coup [ku.] *m* coup, stroke, move.
coupe [ku.p] *v* I cut [of dress]; 2 cup [as a drink].
coupé [ku.'pe.] *m* I (v. trein) compartment; 2 (rijtuig) coupé, brougham.
couperen [ku.'pe:rə(n)] I *vt* cut [the cards]; make cuts [in a play]; forestall [disagreeable consequences]; II *va* cut [the cards].
coupeur [-'pø:r] *m* coupeuse [-'pø.zə] *v* cutter.
couplet [-'plɛt] *o* stanza; ~*ten* topical songs.
coupon [-'pòn] *m* I $ coupon; 2 remnant [of dress-material], cutting.

couponblad [-blɑt] *o* coupon-sheet.
couponboekje [-bu.kjə] *o* book of coupons, book of tickets.
coupure [ku.'py:rə] *v* cut; *in ~s van £ 5, £ 10, £ 25* in denominations of £ 5, £ 10, £ 25.
1 courant [-'rɑnt] I *aj* current, marketable; II *o* in: *Nederlands ~* Dutch currency.
2 courant [-'rɑnt] *v* = *krant*.
coureur [ku.'rø:r] *m sp* (met auto) racing motorist, racing driver; (met motor) racing motor-cyclist; (met fiets) racing cyclist, racer.
courtage [ku.r'ta.ʒə] *v* $ brokerage.
couvert [ku.'vɛ:r] *o* I cover [of letter & plate, napkin, knife and fork]; 2 envelope; *onder ~* under cover.
couveuse [ku.'vø.zə] *v* incubator.
couveusekind [-kɪnt] *o* premature baby.
coveren ['kɔvərə(n)] *vt* retread [a tyre].
cowboy ['kɔubɔi] *m* cowboy.
cowboyfilm [-fɪlm] *m* cowboy film, western.
cowboypak(je) [-pɑk(jə)] *o* cowboy suit.
c.q. = *casu quo*.
craquelé [krakə'le.] *o* crackle.
crawl(slag) ['krɔ:l(slɑx)] *m* crawl(-stroke).
crayon [krei'òn] *o* & *m* crayon.
creatie [kre.'a.(t)si.] *v* creation.
creatief [-a.'ti.f] creative.
creativiteit [-a.ti.vi.'tɛit] *v* creativeness.
creatuur [-a.'ty:r] *o* creature.
crèche [krɛ:ʃ] *v* crèche, day-nursery.
credit ['kre.dɪt] *o* $ credit.
crediteren [kre.di.'te:rə(n)] *vt* in: *iemand ~ voor* place [a sum] to a person's credit, credit him with.
crediteur [-'tø:r] *m* $ creditor.
creditzijde ['kre.dɪtsɛidə] *v* $ credit side, Creditor side.
credo ['kre.do.] *o* credo [during Mass]; [Apostles', political] creed.
creëren [kre.'e:rə(n)] *vt* create [a part &].
crematie [kre.'ma.(t)si.] *v* cremation.
crematorium [-ma.'tɔ:ri.ŭm] *o* crematorium, crematory.
crème [krɛ:m] I *v* cream; II *aj* cream(-coloured).
cremeren [kre.'me:rə(n)] *vt* cremate.
creool(se) [kre.'o.l(sə)] *m(-v)* Creole.
creosoot [kre.o.'zo.t] *m* & *o* creosote.
crêpe [krɛ:p] *m* crêpe [ook = crêpe rubber].
creperen [krə'pe:rə(n)] *vi* P die [of animals].
Cresus ['kre.sŭs] *m* Croesus.
cricket ['krɪkət] *o* cricket.
criminaliteit [kri.mi.na.li.'tɛit] *v* I ('t misdadige) criminality; 2 (de misdaad collectief) crime; *het afnemen van de ~* the decrease in crime; zie ook: *jeugdcriminaliteit*.
crimineel [-'ne.l] I *aj* criminal; (de) *criminele jeugd* delinquent youth; II *ad* < awfully, beastly [drunk].
crinoline [kri.no.'li.nə] *v* crinoline, hoop petticoat, hoop.

crisis ['kri.zis] v crisis° [mv crises], critical stage, turning-point; (inz. economisch) depression, slump; (noodtoestand v. d. landbouw &) emergency; tot een ~ komen come to a crisis (a head).

crisismaatregel [-ma.tre.gəl] m emergency measure.

crisistijd [-tɛit] m time of crisis.

crisiswetgeving [-vɛtge.vɪŋ] v emergency legislation.

criterium [kri.'te:ri.ûm] criterion [mv criteria], test.

criticaster [kri.ti.'kastər] m criticaster.

criticus ['kri.ti.kûs] m critic.

critiseren, critizeren zie kritiseren.

crocus zie krokus.

Croesus ['krø.sûs] m Croesus.

1 croquet [kro.'kɛt] v (voedsel) croquette.

2 croquet ['krɔkət] o sp croquet.

croquethamer [-ha.mər] m sp croquet mallet.

cru [kry.] aj (& ad) crude(ly), blunt(ly).

crucifix ['kry.si.fɪks] o crucifix.

crypt(e) [krɪpt, 'krɪptə] v crypt.

c.s. = cum suis.

Cuba ['ky.ba.] o Cuba.

Cubaan m Cubaans [ky.'ba.n(s)] aj Cuban.

culinair [ky.li.'nɛ:r] culinary.

culminatie [kûlmi.'na.(t)si.] v culmination.

culminatiepunt [-pûnt] o culminating point².

culmineren [kûlmi.'ne:rə(n)] vi culminate².

cultiveren [-ti.'ve:rə(n)] vt cultivate.

cultureel [-ty.'re.l] cultural.

cultus ['kûltûs] m cult².

cultuur [kûl'ty:r] v 1 (beschaving) culture; 2 (teelt) culture, cultivation; 3 culture [= set of bacteria].

cultuurfilosoof, -filozoof [-fi.lo.zo.f] m social philosopher.

cultuurgeschiedenis [-gəsxi.dənıs] v social history.

cultuurhistoricus [-hısto:ri.kûs] m social historian.

cultuurhistorisch [-hısto:ri.s] socio-historical.

cultuurvolk [-vɔlk] o civilized nation.

cum laude [kûm'loudə] zie met lof.

cum suis [kûm'sy.ıs] and others.

cumulatief [ky.my.la.'ti.f] cumulative.

Cupido, cupido ['ky.pi.do.] m Cupid.

Curaçao [ky.ra.'sou] o Curaçao.

curaçao [ky.ra.'sou] m curaçao.

Curaçaos [-s] Curaçao.

curatele [ky.ra.'te.lə] v guardianship; onder ~ staan be in ward, be under guardianship; onder ~ stellen deprive of the management of one's affairs.

curator [ky.'ra.tər] m 1 guardian; curator, keeper [of a museum &]; 2 governor [of a school]; 3 ŧŧ trustee, official receiver [in bankruptcy].

curatorium [-ra.'to:ri.ûm] o board of governors [of a school].

1 curie ['ky:ri.] v RK Roman curia.

2 curie [ky.'ri.] v (v. radioactieve straling) curie.

curieus [ky.ri.'ø.s] curious, odd, queer.

curiositeit [-ri.o.zi.'tɛit] v curiosity.

cursief [kûr'si.f] I o italic type, italics; II aj in italics, italicized; III ad in italics.

cursiefletters [-lɛtərs] mv italics.

cursist [-'zıst] m follower of a course (of lectures).

cursiveren [-si.'ve:rə(n)] vt italicize, print in italics; wij ~ the italics are ours.

cursus ['kûrzəs] m course, curriculum; [evening] classes.

curve ['kûrvə] v curve.

custos ['kûstəs] m 1 keeper, custodian; 2 catch-word.

cybernetica, cybernetika [si.bɛr'ne.ti.ka.] v cybernetics.

cybernetisch [-'ne.ti.s] cybernetic.

cyclaam [si.'kla.m] v ❀ cyclamen.

Cycladen [si.'kla.də(n)] mv Cyclades.

cyclamen [-'kla.mə(n)] v ❀ cyclamen.

cyclonaal [-klo.'na.l] cyclonic(al).

cycloon [-'klo.n] m cyclone.

cycloop [-'klo.p] m cyclops.

cyclostyle [-klo.'sti.l] m cyclostyle.

cyclostyleren [-sti.'le:rə(n)] vt cyclostyle.

cyclotron [-'tròn] o cyclotron.

cyclus ['si.klûs] m cycle.

cylind- zie cilind-.

cynicus ['si.ni.kûs] m cynic.

cynisch ['si.ni.s] aj (& ad) cynical(ly).

cynisme [si.'nısmə] o cynicism.

cypers ['si.pərs] in: ~e kat ҡ Cyprian cat.

cypres zie cipres.

Cyprioot [si.pri.'o.t] m Cypriot, Cyprian.

Cyprisch ['si.pri.s] Cyprian, Cypriot.

Cyprus ['si.prûs] o Cyprus.

cyste ['kıstə] v cyst.

cytologie [si.to.lo.'gi.] v cytology.

D

d [de.] v d.

daad [da.t] v deed, act, action, feat, achievement; man van de ~ man of action; hij voegde de ~ bij het woord he suited the action to the word; zie ook: betrappen & raad.

daadwerkelijk [da.t'vɛrkələk] aj (& ad) 1 (werkelijk, metterdaad) actual(ly); 2 (krachtig) active(ly) [support &].

daags [da.xs] I aj daily; mijn ~e jas my everyday coat; II ad by day; des anderen ~, ~ daarna the next day; ~ te voren the day before; driemaal ~ three times a day.

daalder ['da.ldər] m half-crown.

Daan [da.n] m Dan.

daar [da:r] I ad there; II cj as (in vóórzin), because (in nazin).

daaraan ['da:ra.n, da:'ra.n] vert. aan dat.

daaraanvolgend [da:ra.n'vɔlgənt] following, next.

daarachter [ˌda:rɑxtər, da:'rɑxtər] behind it, at the back of that.

daarbeneden [da:rbəˈne.də(n)] 1 under it; 2 down there; ...van 21 jaar en ~ ...and under.

daarbij ['da:rbɛi, da:r'bɛi] 1 near it; 2 over and above this, besides, moreover, in addition, at that; 50 gedood, ~ 3 officieren including (among them, among whom) three officers; zij hebben ~ het leven verloren they have lost their lives in it.

daarbinnen [da:r'bɪnə(n)] within, in there.

daarboven [-'bo.və(n)] 1 up there, above; 2 over it; 50% en iets ~ and something over; sommen van £ 500 en ~ and upwards; God ~ God above, God on high.

daarbuiten [-'bœytə(n)] outside; zie verder: buiten.

daardoor ['da:rdo:r, da:r'do:r] 1 (plaatselijk) through it; 2 (oorzakelijk) by that, by so doing.

daarenboven [da:rən'bo.və(n)] moreover, besides.

daarentegen [-te.gə(n)] on the other hand, on the contrary; hij is..., zijn broer ~ is zeer... ook: whereas his brother is very...

daareven [da:ˈre.və(n)] zie daarnet.

daargelaten ['da:rgəla.tə(n)] leaving aside; dat ~ apart from that; nog ~ dat... let alone (not to mention) that.

daarginder, ~ginds [da:r'gɪndər, -'gɪn(t)s] over there; out there [in Africa &].

daarheen ['da:rhe.n, da:r'he.n] there, thither.

daarin ['da:rɪn] in there; in it (this, that).

daarlangs [da:r'lɑŋs] along that road (path, line &).

daarlaten ['da:rla.tə(n)] vt in: dat wil ik nog ~ this I'll leave out of consideration. Zie ook: daargelaten.

daarme(d)e ['da:rme.(də), da:r'me.(de)] with that.

daarna ['da:rna., da:r'na.] after that; in the second place.

daarnaar ['da:rna:r] by that, accordingly.

daarnaast [-na.st, da:r'na.st] beside it, at (by) the side of it.

daarnet [da:r'nɛt] just now.

daarnevens [-'ne.vəns] besides, over and above this.

daarom ['da:ròm, da:'ròm] therefore, for that reason; ~ ga ik er niet heen ook: that's why I am not going.

daaromheen [da:ròm'he.n] around (it); about it.

daaromstreeks ['da:ròmstre.ks] thereabouts.

daaromtrent [-trɛnt, da:ròm'trɛnt] I prep about that, concerning that; II ad thereabouts.

daaronder ['da:ròndər, da:r'ròndər] 1 under it; underneath, 2 among them; ~ ook mijn persoon including my humble self.

daarop ['da:ròp] 1 on it, on that; 2 there-upon, upon (after) this.

daaropvolgend [da:ròp'fɔlgənt] following, next.

daarover ['da:ro.vər, da:'ro.vər] 1 over it, across it; 2 about (concerning) that, on that subject.

daartegen [-te.gə(n), da:r'te.ge(n)] against that.

daartegenover [da:rte.gən'o.vər] opposite; ~ staat dat... but then..., on the other hand..., however...

daartoe ['da:rtu., da:r'tu.] for it, for that purpose, to that end.

daartussen [-tűsə(n), da:r'tűsə(n)] between (them), among them; en niets ~ and nothing in between.

daaruit [-œyt, da:'rœyt] out (of it), from that (this), thence.

daarvan [-vɑn, da:r'vɑn] 1 of that; 2 from that.

1 daarvoor ['da:rvo:r] for that; for it; ~ komt hij that is what he has come for.

2 daarvoor [da:r'vo:r] before (that), before it (them).

dactyloscopie [dɑkti.lo.sko.'pi.] v finger-print identification.

dactyloscopisch [-'sko.pi.s] finger-print [examination &].

dactylus [dɑkti.lűs] m dactyl.

dadel ['da.dəl] v ✲ date.

dadelboom [-bo.m] m date tree.

dadelijk ['da.dələk] I aj immediate, direct; II ad immediately, directly, instantly.

dadelijkheden [-he.də(n)] mv assault and battery; tot ~ komen come to blows.

dadelpalm ['da.dəlpɑlm] m date-palm.

dader ['da.dər] m perpetrator, author; delinquent.

dag [dɑx] m day; day-time; daylight; ~! F bye-bye!; ~ en nacht day and night; de jongste ~ the Day of Judgment; de oude ~ old age; de ~ des Heren the Lord's day [= Sunday]; de ~ van morgen to-morrow; dezer ~en the other day, lately; ook = één dezer ~en one of these (fine) days, some day soon; de ~ hebben be on duty (for the day); betere ~en gekend hebben have seen better days; 't wordt ~ day is breaking; het is kort ~ time is short; 't is morgen vroeg ~ we have to get up early to-morrow; ~ aan ~, day by day, day after day; morgen aan de ~ first thing to-morrow; het aan de ~ brengen bring it to light; aan de ~ komen come to light; aan de ~ leggen display, manifest, show; bij ~ by day; bij de ~ leven live by the day; (in) de laatste ~en during the last few days, lately, of late; in vroeger ~en in former days, formerly; ~ in ~ uit day in day out; later op de ~ later in the day(-time); op de ~ (af) to the (very) day; midden op de ~ 1 in the middle of the day; 2 in broad daylight; op een (goeie) ~, op zekere ~ one (fine) day; op zijn oude ~ in his old age; ten ~e van... in the days of...; van ~ tot ~ from day to day, day by day; van de ~ een nacht maken turn day into night; voor ~

en dauw at dawn, before daybreak; *iets voor de ~ halen* produce a thing, take it out, bring it out; *voor de ~ komen* appear, show oneself, turn up [of persons]; become apparent, show [of things]; *hij kwam er niet mee voor de ~* he didn't produce it [the promised thing], he didn't come out with it [his guess], he didn't put it [the idea] forward.

dagblad ['daxblat] *o* (daily) newspaper, daily paper, F daily.

dagbladcorrespondent, -korrespondent [-kɔrɛspɔndɛnt] *m* newspaper correspondent.

dagbladpers [-pɛrs] *v* daily press.

dagboek ['daxbu.k] *o* 1 diary; 2 $ day-book.

dagboot [-bo.t] *m & v* day-boat, day-steamer.

dagbrander [-brandər] *m* by-pass.

dagdief [-di.f] *m* idler.

dagdienst [-di.nst] *m* 1 day-service; 2 day-duty.

dagdieven [-di.vən] *vi* idle.

dagdieverij [daxdi.və'rɛi] *v* idling.

dagelijks ['da.gələks] I *aj* daily, everyday [clothes], * diurnal; *het ~ bestuur* 1 (v. gemeente) ± the mayor and aldermen; 2 (v. vereniging) the executive (committee); II *ad* every day, daily.

dagen ['da.gə(n)] I *vi* dawn; II *vt* summon, summons.

dag-en-nachtevening [daxɛ'naxte.vənɪŋ] *v* equinox.

dageraad ['da.gəra.t] *m* daybreak, dawn[2].

daghit ['daxhɪt] *v* day-girl.

dagindeling [-ɪnde.lɪŋ] *v* zie *dagverdeling*.

dagje ['daxjə] *o* day; *het er een ~ van nemen* make a day of it.

dagjesmensen [-jəsmɛnsə(n)] *mv* day trippers, cheap trippers.

dagkaart ['daxka:rt] *v* day-ticket.

daglicht [-lɪxt] *o* daylight, day; *dat kan het ~ niet verdragen* that cannot bear the light of day; *bij ~* by daylight; zie ook: 2 *licht*.

dagloner [-lo.nər] *m* day-labourer.

dagloon [-lo.n] *o* day's wage(s), daily wage(s).

dagmarche [-marʃ] = *dagmars*.

dagmars [-mars] *m & v* day's march.

dagmeisje [-mɛiʃə] *o* day-girl, daily help, F daily.

dagorde [-ɔrdə] *v* order of the day.

dagorder [-ɔrdər] *v & o* X order of the day.

dagpauwoog [-pɔuo.x] *m* peacock butterfly.

dagploeg [-plu.x] *v* day-shift.

dagregister [-rəgɪstər] *o* journal.

dagreis [-rɛis] *v* day's journey.

dagretour [-rətu:r] *o* day-return ticket.

dagschool [-sxo.l] *v* day-school.

dagschotel [-sxo.təl] *m & v* special dish for the

dagtaak [-ta.k] *v* day's work. [day.

dagtekenen [-te.kənə(n)] *vi & vt* date.

dagtekening [-nɪŋ] *v* date.

dagvaarden ['daxfa:rdə(n)] *vt* ⚖ cite, summon, summons, subpoena.

dagvaarding [-dɪŋ] *v* ⚖ summons, subpoena, writ.

dagverdeling ['daxfərde.lɪŋ] *v* division of the day; time-table.

dagverpleegster [-fərple.xstər] *v* day-nurse day-sister.

dagvlinder [-flɪndər] *m* (diurnal) butterfly.

dagwerk [-vɛrk] *o* daily work; *als..., dan had ik wel ~* there would never be an end of it.

dahlia ['da.li.a.] *v* ⚘ dahlia.

Dajak(ker) ['da.jak(ər)] *m* **Dajaks** ['da.jaks] *a* Dyak.

dak [dak] *o* roof; *een ~ boven zijn hoofd hebben* have a roof over one's head; *onder ~ brengen* give [one] shelter; *ik kon nergens onder ~ komen* nobody could take me in, give me house-room; *onder ~ zijn* be under cover [of a person]; *fig* be provided for; *iemand op zijn ~ komen* F take one to task; *dat krijg ik op mijn ~* F they'll lay it at my door; *van de ~en prediken* proclaim from the house-tops; *het gaat van een leien ~je* it goes smoothly (swimmingly), the thing goes on wheels (without a hitch).

dakbalk ['dakbalk] *m* roof-beam.

dakgoot [-go.t] *v* gutter.

dakkamertje ['daka.mərcə] *o* attic, garret.

dakloos ['daklo.s] homeless, roofless.

dakloze [-lo.zə] *m-v* waif; *de ~n* ook: the homeless.

dakpan [-pan] *v* (roofing) tile.

dakpijp [-pɛip] *v* gutter-pipe.

dakrand [-rant] *m* (onderste) eaves.

dakriet [-ri.t] *o* thatch.

dakspaan [-spa.n] *v* shingle.

dakspar [-spar] *m* rafter.

dakstoel [-stu.l] *m* truss.

dakstro [-stro.] *o* thatch.

daktuin [-tœyn] *m* roof garden.

daktylosko- zie *dactylosco-*.

dakvenster [-fɛnstər] *o* dormer-window, garret-window.

dakvilt [-fɪlt] *o* roof(ing) felt.

dakvorst [-fɔrst] *v* ridge [of a (the) roof].

dakwerk [-vɛrk] *o* roofing.

dal [dal] *o* valley, ⊙ vale; dale; dell, dingle.

dalen ['da.lə(n)] *vi* descend [of a balloon &]; sink, drop [of the voice], go down [of the sun, of prices &], fall [of prices, the barometer]; *de stem laten ~* drop (lower) one's voice.

dalia zie *dahlia*.

daling [-lɪŋ] *v* descent, fall, drop, decline.

Dalmatië [dal'ma.tsi.ə] *o* Dalmatia.

dalmatiek [dalma.'ti.k] *v* RK dalmatic.

Dalmatiër [dal'ma.tsi.ər] *m* **Dalmatisch** [-ti.s *aj* Dalmatian.

1 **dam** [dam] *m* dam, dike, causeway, barrage [to hold back water], weir [across a river]; *een ~ opwerpen tegen* cast (throw) up a dam against; *dam up[2], stem[2]* [the progress of evil].

2 **dam** [dam] *v* king [at draughts]; *~ halen* crown a man, go to king; *~ spelen* play at draughts.

Damascener [da.ma'se.nər] in: ~ *zwaard* Damascus blade.

damast [da.'mast] *o* **damasten** [-'mastə(n)] *aj* damask.

dambord ['dambərt] *o* draught-board.

dame ['da.mə] *v* 1 lady; 2 partner [at dance &].

damesblad ['da.məsblat] *o* women's magazine.

damescoupé [-ku.pe.] *m* ladies' compartment.

dameskapper [-kapər] *m* ladies' hairdresser.

dameskleding [-kle.dɪŋ] *v* ladies' wear.

dameskleermaker [-kle:rma.kər] *m* ladies' tailor.

damesmantel [-mantəl] *m* lady's coat.

damestasje [-taʃə] *o* lady's bag, vanity bag.

dameszadel [-sa.dəl] *o* & *m* side-saddle [for horse]; lady's saddle [for bicycle].

damhert ['damhɛrt] *o* ⚏ fallow-deer.

dammen ['damə(n)] *vi* play at draughts.

dammer [-mər] *m* draught-player.

damp [damp] *m* vapour, steam, smoke, fume.

dampbad ['dampbat] *o* vapour bath.

dampen ['dampə(n)] *vi* steam [of soup &], smoke; (*zitten*) ~ sit and smoke, blow clouds.

dampig [-pəx] 1 vaporous, vapoury, hazy; 2 (kortademig) broken-winded.

dampigheid [-heit] *v* 1 vaporousness, haziness; 2 broken wind.

dampkring ['dampkrɪŋ] *m* atmosphere.

dampkringslucht [-krɪŋslŭxt] *v* atmospheric(al) air.

damschijf ['damsxɛif] *v* (draughts)man.

damspel [-spɛl] *o* 1 draughts, game at (of) draughts; 2 draught-board and men.

dan [dan] I *ad* then; *zeg het,* ~ *ben je een beste vent* tell it, there's (that's) a good boy; *ik had* ~ *toch maar gelijk* so I was right after all; *ga* ~ *toch* do go; II *cj* than; *hij is te oud,* ~ *dat wij...* he is too old for us to...; *of hij komt,* ~ *of hij gaat* whether he comes or whether he goes.

dancing ['da.nsɪŋ] *m* dance hall, dancing-hall.

dandy ['dɛndi.] *m* dandy.

danig ['da.nəx] I *aj* < very great; *ik heb een* ~*e honger* I feel awfully hungry; II *ad* very much, greatly [disappointed], vigorously [defending themselves], badly, severely [hurt], sadly [disappointed], sorely [mistaken, afflicted].

dank [daŋk] *m* thanks; *geen* ~ ! don't mention it!; *zijn hartelijke* ~ *betuigen* express one's heartfelt thanks; *ik heb er geen* ~ *van gehad* much thanks I have got for it!; ~ *weten* thank; ~ *zij zijn hulp* thanks to his help; *Gode zij* ~ thank God; *in* ~ gratefully [accepted]; [received] with thanks; *in* ~ *terug* returned with thanks.

dankbaar ['daŋkba:r] *aj* (& *ad*) thankful(ly), grateful(ly).

dankbaarheid [-heit] *v* thankfulness, gratitude.

dankbetuiging ['daŋkbətœygɪŋ] *v* expression of thanks, letter of thanks, vote of thanks; *onder* ~ with thanks.

dankdag [-dax]*m* thanksgiving day.

danken ['daŋkə(n)] I *vt* thank; *te* ~ *hebben* owe, be indebted for [to one]; *hij heeft het zichzelf te* ~ he has only himself to thank for it; *dank u* 1 (bij weigering) no, thank you; 2 (bij aanneming) thank you; *dank u zeer* thank you very much, thanks awfully; *niet(s) te* ~ ! don't mention it!; II *vi* 1 give thanks; 2 say grace [after meals]; *daar dank ik voor* thank you very much.

dankfeest ['daŋkfe.st] *o* 1 thanksgiving feast; 2 harvest festival.

dankgebed [-gəbɛt] *o* 1 (prayer of) thanksgiving; 2 grace [before and after meals].

danklied [-li.t] *o* song of thanksgiving.

dankoffer [-ɔfər] *o* thank-offering.

dankzeggen [-sɛgə(n)] *vi* give thanks, render (return) thanks, thank [a person].

dankzegging [-sɛgɪŋ] *v* thanksgiving.

dans [dans] *m* dance; *de* ~ *ontspringen* have a narrow escape.

dansclub ['dansklŭp] *v* dancing-club.

dansen ['dansə(n)] *vi* dance°; *hij danst naar haar pijpen* he dances to her piping (to her tune).

danser [-sər] *m* ~es [dansə'rɛs] *v* dancer; partner [at a dance].

danseuse [dan'sø.zə] *v* dancer, ballet-dancer.

dansfiguur ['dansfi.gy:r] *v* & *o* dance figure.

danshuis [-hœys] *o* dance hall, dancing-hall.

dansje ['danʃə] *o* dance, F hop; *een* ~ *maken* have a dance, F shake a leg.

dansklub zie *dansclub.*

danskunst ['danskŭnst] *v* art of dancing.

dansles [-lɛs] *v* dancing-lesson.

danslokaal [-lo.ka.l] *o* dancing-room.

dansmeester [-me.stər] *m* dancing-master.

dansmuziek [-my.zi.k] *v* dance music.

danspartij [-partɛi] *v* dancing-party, dance, F hop.

danspas [-pas] *m* dancing-step, step.

dansschoen ['dansxu.n] *m* dancing-shoe, (dancing-)pump.

dansschool [-sxo.l] *v* dancing-school.

dansvloer ['dansflu:r] *m* dance floor.

danswijsje [-vɛiʃə] *o* dance tune.

danswoede [-vu.də] *v* rage (passion) for dancing.

danszaal ['dansa.l] *v* ball-room, dancing-room, dance hall.

dapper ['dapər] I *aj* brave, valiant, gallant, valorous; II *ad* bravely &; ~ *meedoen* join heartily in the game; *er* ~ *op los zingen* sing (away) lustily; *zich* ~ *houden* behave gallantly, bear oneself bravely.

dapperheid [-heit] *v* bravery, valour, gallantry.

dar [dar] *m* drone.

Dardanellen [darda.'nɛlə(n)] *de* ~ the Dardanelles.

darm [darm] *m* intestine, gut; ~*en* ook: bowels; *dikke* (*dunne*) ~ large (small) intestine.

darmkanaal ['darmka.na.l] *o* intestinal tube.

darmontsteking [-òntste.kɪŋ] *v* enteritis.

dartel ['dɑrtəl] I *aj* frisky, frolicsome; playful, skittish, sportive, sportful; wanton; II *ad* friskily &.

dartelen ['dɑrtələ(n)] *vi* frisk, frolic, gambol, sport; dally.

dartelheid ['dɑrtəlhɛit] *v* friskiness, playfulness, sportiveness; wantonness.

darwinisme [dɑrvi.'nɪsmə] *o* Darwinism.

darwinist [-'nɪst] *m* **darwinistisch** [-'nɪsti.s] *aj* Darwinian, Darwinist.

1 **das** [dɑs] *m* ≗ badger.

2 **das** [dɑs] *v* (neck-)tie; scarf; ✎ cravat; *hem de ~ omdoen* S do for him.

dashond ['dɑshònt] *m* ≗ badger-dog.

dasspeld ['dɑspɛlt] *v* tie-pin, scarf-pin.

dat [dɑt] I *aanw. vnmw.* that; *~ alles* all that; *~ moest je doen* that's what you ought to do; *~ zijn mijn vrienden* those are my friends; *het is je ~!* that's the stuff!; *het is nog niet je ~* not quite what it ought to be; *hij heeft niet ~* not even that much; II *betr. vnw.* that, which; III *cj* (that).

data ['da.ta.] *mv* data.

dateren [da.'te:rə(n)] *vt* & *vi* date (from *uit*).

datgene ['dɑtge.nə] that; *~ wat* that which.

datief ['da.ti.f] *m* dative.

dato ['da.to.] dated...; *twee maanden na ~* two months after date.

datum ['da.tûm] *m* date.

dauw [dɑu] *m* dew.

dauwdroppel, -druppel ['dɑudrəpəl, -drûpəl] *m* dew-drop.

dauwen ['dɑuə(n)] *vi* dew; *het dauwt* the dew is falling; *het begint te ~* it is beginning to dew.

dauwworm [-vɔrm] *m* ⚕ ringworm.

d.a.v. = *daaraanvolgend.*

daveren ['da.vərə(n)] *vi* thunder, resound; shake; *de zaal daverde van de toejuichingen* the house rang with cheers.

davit ['da.vɪt] *m* ⚓ davit.

dazen ['da.zə(n)] *vi* S waffle, talk rot.

d.d. = *de dato.*

de [də] the.

dealer ['di.lər] *m* dealer.

deballoteren [de.bɑlo.'te:rə(n)] *vt* blackball.

debat [də'bɑt] *o* debate, discussion.

debater [di.'be:tər] *m* debater.

debatteren [de.bɑ'te:rə(n)] *vi* debate, discuss; *~ over* debate (on), discuss.

debet ['de.bɛt] I *o* $ debit; II *aj* in: *u bent mij nog ~* you still owe me something; *ook hij is er ~ aan* he, too, is guilty of it.

debetpost [-pɔst] *m* $ debit item.

debetzijde [-sɛidə] *v* $ debit side, Debtor side.

debiel [de.'bi.l] I *aj* mentally deficient (defective); II *m-v* mental deficient (defective).

debiet [də'bi.t] *o* sale; *een groot ~ hebben* meet with (find. command) a ready sale, sell well.

debiliteit [de.bi.li.'tɛit] *v* mental deficiency.

debitant [de.bi.'tɑnt] *m* $ retail dealer, retailer.

debiteren [-'te:rə(n)] *vt* $ debit [a person with an amount]; retail [spirits, witticisms]; *een aardigheid ~* crack a joke.

debiteur [-'tø:r] *m* $ debtor.

deblokkeren [de.blɔ'ke:rə(n)] *vt* $ unblock, F unfreeze.

deblokkering [-rɪŋ] *v* $ unblocking, F unfreezing.

debrayeren [de.bra.'je:rə(n)] *vi* ⚙ declutch.

debutant(e) [-by.'tɑnt(ə)] *m* (-*v*) débutant(e).

debuteren [-'te:rə(n)] *vi* make one's début.

debuut [də'by.t] *o* début, first appearance [of an actor &].

decadent [de.ka.'dɛnt] decadent.

decadentie [-'dɛn(t)si.] *v* decadence.

decagram ['de.ka.grɑm] *o* decagramme.

decaliter [-li.tər] *m* decalitre.

decameter [-me.tər] *m* decametre.

decanaat [-'na.t] *o* deanship, deanery.

december [de.'sɛmbər] *m* December.

decennium [-'sɛni.ûm] *o* decennium, decade.

decent [-'sɛnt] I *aj* decent, seemly; II *ad* decently.

decentralisatie [-sɛntra.li.'za.(t)si.] *v* decentralization, devolution.

decentraliseren [-'ze:rə(n)] *vt* decentralize.

decentraliz- zie *decentralis-.*

deceptie [de.'sɛpsi.] *v* desillusion, disappointment.

decharge [-'ʃɑrɜə] *v* discharge; *~ verlenen* give a discharge; *getuige à décharge* ⚖ witness for the defence.

decibel ['de.si.bɛl] *m* decibel.

decideren [de.si.'de:rə(n)] *vt* & *vi* decide.

decigram ['de.si.grɑm] *o* decigramme.

deciliter [-li.tər] *m* decilitre.

decimaal [de.si.'ma.l] I *aj* decimal; II *v* decimal place; *tot in 5 decimalen* to 5 decimal places.

decimaalteken [-te.kə(n)] *o* decimal point.

decimeren [de.si.'me:rə(n)] *vt* decimate.

decimeter [de.si.me.tər] *m* decimetre.

declamatie [de.kla.'ma.(t)si.] *v* declamation, recitation.

declamator [-'ma.tor] *m* elocutionist, reciter.

declameren [-'me:rə(n)] *vt* & *vi* declaim, recite.

declaratie [-'ra.(t)si.] *v* declaration [of Paris, at custom-house], entry [at custom-house], voucher [for money]; expense account.

declareren [-'re:rə(n)] *vt* declare [one's intentions &, dutiable goods].

declinatie [de.kli.'na.(t)si.] *v* declination [of star, compass].

decoderen [de.ko.'de:rə(n)] *vt* decode.

decolleté [de.kɔlə'te.] *o* low neckline.

decor [de.'kɔ:r] *o* scenery, scenes, [film] set.

decorateur [de.ko:ra.'tø:r] *m* 1 (painter and) decorator, ornamental painter; 2 scenepainter.

decoratie [-'ra.(t)si.] *v* decoration [ook = order of knighthood, cross, star]; *de ~s* the scenery, the scenes.

decoratief [-ra.'ti.f] I *aj* decorative, ornamental; II *o* scenery, scenes.

decoratieschilder [-'ra.(t)si.sxɪldər] m zie *decorateur*.

decoreren [-'re:rə(n)] vt 1 decorate, ornament [a wall]; 2 decorate [a general &].

decorum [de.'ko:rǔm] o decorum; *het* ~ ook: the proprieties, the decencies.

decreet [də'kre.t] o decree.

decreteren [de.kre.'te:rə(n)] vt decree, ordain.

de dato [de.'da.to.] dated...

deduceren [de.dy.'se:rə(n)] vt deduce; infer.

deductief, deduktief [-dǔk'ti.f] aj (& ad) deductive(ly).

deeg [de.x] o dough, (v. gebak) paste.

deegachtig ['de.xɑxtəx] doughy.

deegroller [-rɔllər] m rolling-pin.

1 deel [de.l] o 1 part, portion, share; 2 (boek~) volume; 3 (deel van symfonie) movement; *ik heb er geen* ~ *aan* I am no party to it; *ik heb er geen* ~ *in* I have no share in it; *zijn* ~ *krijgen* come into one's own; come in for one's share [of vicissitudes &]; ~ *uitmaken van...* form part of...; be a member of...; *in allen dele* in every respect; *in genen dele* not at all, by no means; *ten* ~ *vallen* fall to one's lot (share); *ten dele* partly; *voor een groot* ~ to a large extent.

2 deel [de.l] v 1 deal, board; 2 threshing-floor.

deelachtig [de.'lɑxtəx] in: *hem iets* ~ *maken* impart it to him; *iets* ~ *worden* obtain, participate in [the grace of God].

deelbaar ['de.lba:r] divisible [number].

deelbaarheid [-hɛit] v divisibility.

deelgenoot [de.lgəno.t] m 1 sharer [of my happiness], partner; 2 $ partner.

deelgenootschap [-sxɑp] o partnership.

deelgerechtigd ['de.lgərɛxtəxt] entitled to a share.

deelhebber [-hɛbər] m 1 participant, participator; 2 $ partner, copartner, joint proprietor.

deelnemen [-ne.mə(n)] vi in: ~ *aan* participate in, take part in, join in [the conversation &], assist at [a dinner]; ~ *in* participate in, share in, share [a man's feelings].

deelnemend [-ne.mənt] feeling, sympathetic.

deelnemer [-mər] m 1 participant, participator, partner; 2 competitor, entrant, contestant [in a match &], entry [for a race meeting].

deelneming [-mɪŋ] v 1 sympathy, compassion, commiseration, concern, pity; 2 participation (in *aan*); entry [for sporting event &]; *iemand zijn* ~ *betuigen* zie *condoleren*.

deels [de.ls] in: ~..., ~... partly..., partly...; ~ *door...*, ~ *door...* what with..., what with...

deelsom ['de.lsòm] v division sum.

deeltal [-tɑl] o dividend.

deelteken [-te.kə(n)] o diaeresis; × division sign.

deeltje [-cə] o particle.

deelwoord [-vo:rt] o *gram* participle; *tegenwoordig* (*verleden*) ~ present (past) participle.

deemoed ['de.mu.t] m humility, meekness.

deemoedig [de.'mu.dəx] I aj humble, meek; II ad humbly, meekly.

deemoedigen [-dəgə(n)] I vt humble, mortify [a person]; II v zich ~ humble oneself.

deemoedigheid [-dəxhɛit] v humility, humbleness.

deemoediging [-dəgɪŋ] v humiliation, mortification.

Deen [de.n] m Dane.

Deens [de.ns] I aj Danish; II o *het* ~ Danish; III v *een* ~*e* a Danish woman.

deerlijk ['de:rlək] I aj sad, grievous, piteous, pitiful, miserable; II ad grievously, piteously &; ~ *gewond* badly wounded; *zich* ~ *vergissen* be greatly (sorely) mistaken.

deern(e) ['de:rn(ə)] v girl, damsel, lass, wench, hussy.

deernis ['de:rnɪs] v pity, commiseration, compassion; ~ *hebben met* take (have) pity on, pity.

deerniswaard(ig) [de:rnɪs'va:rt, -'va:rdəx] I aj pitiable; II ad pitiably.

deerniswekkend [-'vɛkənt] aj (& ad) pitiful(ly).

defect, defekt [də'fɛkt] I o defect, deficiency; [engine] trouble; II aj defective, faulty, [machinery] out of order; *er is iets* ~ there is something wrong [with the engine]; ~ *raken* get out of order, break down.

defensie [de.'fɛnsi.] v defence.

defensief [-fɛn'si.f] I aj defensive; II ad defensively; ~ *optreden* act on the defensive; III o defensive; *in het* ~ on the defensive.

deficit ['de.fi.sɪt] o deficit, deficiency.

defilé [de.fi.'le.] o 1 (bergpas) defile; 2 (voorbijmarcheren) march past.

defileren [-'le:rə(n)] vi defile; ~ (*voor*) march past.

definiëren [de.fi.ni.'e:rə(n)] vt define.

definitie [-'ni.(t)si.] v definition.

definitief [-ni.'ti.f] I aj definitive; final [agreement, decision], definite [answer, reductions]; permanent [appointment]; II ad definitively; finally; [coming, say] definitely; ~ *benoemd worden* be permanently appointed.

deflatie [de.'fla.(t)si.] v $ deflation.

deflatoir [de.fla.'tva:r] deflationary.

deftig ['dɛftəx] I aj grave [mien], dignified, stately [bearing], portly [gentlemen], distinguished [air], fashionable [quarters], genteel [people]; II ad gravely &; ~ *doen* assume a solemn and pompous air.

deftigheid [-hɛit] v gravity, stateliness, portliness.

degelijk ['de.gələk] I aj substantial [food]; solid [grounds &]; thorough [work &]; sterling [fellow, qualities]; sound [education, knowledge]; II ad thoroughly; *ik heb het wel* ~ *gezien* I did see it; *het is wel* ~ *waar* it is really true.

degelijkheid [-hɛit] v solidity, thoroughness, sterling qualities, soundness.

degen ['de.gə(n)] m sword; *de* ~*s kruisen* cross swords.

degene [də'ge.nə] he, she; ~n die those (they) who.

degeneratie [de.gənə'ra.(t)si.] v degeneracy, degeneration.

degenereren [-'re:rə(n)] vi degenerate.

degenkling ['de.gə(n)kliŋ] v sword-blade.

degenknop [-knɔp] m pommel.

degenkwast [-kʋast] m sword-knot.

degensche(d)e [-sxe.(də)] v sheath, scabbard.

degenslikker [-slɪkər] m sword-swallower.

degenstok [-stɔk] m sword-stick.

degenstoot [-sto.t] m sword thrust.

degradatie [de.gra.'da.(t)si.] v degradation; ✕ reduction to the ranks; ⚓ disrating; sp relegation.

degraderen [-'de:rə(n)] vt 1 degrade; reduce to a lower rank; 2 ✕ reduce to the ranks; ⚓ disrate; sp relegate.

deinen ['dɛinə(n)] vi heave.

deining [-nɪŋ] v swell; fig excitement, commotion.

dejeuner [de.ʒœ.'ne.] o 1 breakfast; 2 (t w e e d e o n t b i j t) lunch(eon).

dejeuneren [-'ne:rə(n)] vi 1 breakfast, have breakfast; 2 lunch, have lunch.

dek [dɛk] o 1 cover, covering; 2 bed-clothes; 3 horse-cloth; 4 ⚓ deck; aan ~ ⚓ on deck.

deka- zie deca-.

dekbalk ['dɛkbalk] m deck beam.

dekbed [-bɛt] o eider-down (quilt).

dekblad [-blɑt] o (v. s i g a a r) wrapper.

1 deken ['de.kə(n)] m dean.

2 deken ['de.kə(n)] v blanket; onder de ~s kruipen F turn in; ze liggen samen onder één ~ they act in collusion.

dekken ['dɛkə(n)] I vt cover [one's head, one's bishop, expenses, a debt, a horse &]; (m e t p a n n e n) tile, (m e t l e i) slate, (m e t r i e t) thatch; screen, shield [a functionary]; sp mark [an opponent]; gedekt zijn 1 be secured against loss; 2 be covered [of functionaries, soldiers &]; zich gedekt houden ✕ 1 keep one's covering; 2 S lie low; houd u gedekt! 1 be covered; 2 fig be careful!; zich gedekt opstellen ✕ take up a covered position; II vr zich ~ 1 cover oneself [put on one's hat]; 2 shield oneself, screen oneself [behind others]; 3 $ secure oneself against loss(es); 4 ✕ take cover; III va lay the cloth, set the table; ~ voor 20 personen, lay (covers) for twenty.

dekker [-kər] m roofer, (p a n n e n~) tiler, (l e i~) slater, (r i e t~) thatcher.

dekking [-kɪŋ] v cover; ✕ cover; fig cloak, shield, guard; ~ zoeken ✕ seek (take) cover (from voor).

dekkleed ['dɛkle.t] o cover.

dekkleur [-klø:r] v body-colour.

deklading [-kla.dɪŋ] v zie deklast.

deklam- zie declam-.

deklar- zie declar-.

deklast ['dɛklɑst] m ⚓ deck-cargo, deck-load.

deklinatie zie declinatie.

dekmantel ['dɛkmɑntəl] m cloak[2], fig cover; onder de ~ van... under the cloak (cover) of...

dekorat- zie decorat-.

dekoreren zie decoreren.

dekpassagier ['dɛkpɑsa.ʒi:r] m ⚓ deck-passenger.

dekreet zie decreet.

dekreteren zie decreteren.

dekriet ['dɛkri.t] o thatch.

dekschaal [-sxa.l] v vegetable dish.

dekschild [-sxɪlt] o wing-sheath.

deksel [-səl] o cover; lid; te ~!, wat ~! F the deuce!, the devil!

deksels [-səls] zie drommels.

deksteen [-ste.n] m slab [of a stone]; coping-stone, coping [of a wall].

dekstoel [-stu.l] m deck-chair.

dekstro [-stro.] o thatch.

dektennis [-tɛnəs] o deck tennis.

dekveren [-fe:rə(n)] mv ♃ coverts.

dekverf [-fɛrf] v body-colour.

dekzeil [-sɛil] o tarpaulin.

delegatie [de.la'ga.(t)si.] v delegation.

delegeren [-'ge:rə(n)] vt delegate.

delen ['de.lə(n)] I vt divide [a sum of money &], share [one's feelings]; split [the difference]; II vi divide; ~ in participate in, share in, share [a person's feelings]; ~ in iemands droefheid sympathize with a person; ~ met share with.

deler [-lər] m 1 (p e r s o o n) divider; 2 (g e t a l) divisor; (grootste) gemene ~ (greatest) common divisor.

Delfisch ['dɛlfi.s] Delphic [oracle], Delphian.

delfstof ['dɛlfstɔf] v mineral.

delfstoffenkunde [-stɔfə(n)kữndə] = delfstofkunde.

delfstoffenrijk [-rɛik] o mineral kingdom.

delfstofkunde [dɛlfstɔfkữndə] v mineralogy.

Delfts [dɛlfts] aj Delft.

delfts [dɛlfts] o delftware, delf(t).

delgen ['dɛlgə(n)] vt extinguish, amortize, pay off.

delging [-gɪŋ] v extinction [of a debt], amortization, payment.

deliberatie [de.li.bə'ra.(t)si.] v deliberation.

delibereren [-'re:rə(n)] vi deliberate.

delicaat [de.li.'ka.t] I aj delicate°, ticklish; II ad delicately, tactfully.

delicatesse [-ka.'tɛsə] v 1 delicacy°; 2 dainty (bit); ~n table delicacies.

delict [de.'lɪkt] o offence.

delika- zie delica-.

delikt zie delict.

deling ['de.lɪŋ] v 1 partition [of real property]; 2 ✕ division.

delinkwent zie delinquent.

delinquent [de.lɪŋ'kʋɛnt] I m delinquent, offender; II aj delinquent.

delirium [de.'li:ri.ữm] o delirium, delirium tremens.

delta ['dɛlta.] v delta.

deltaspier [-spi:r] *v* deltoid (muscle).

deltavleugel [-vlø.gəl] *m* delta wing.

deltavliegtuig(en) [-vli.xtœyx, -tœygə(n)] *o* (*mv*) delta-winged aircraft.

delven ['dɛlvə(n)] *vi* & *vt* dig.

delver [-vər] *m* digger.

demagogie [de.ma.go.'gi.] *v* demagogy.

demagogisch [-'go.gi.s] *aj* (& *ad*) demagogic-(ally).

demagoog [-'go.x] *m* demagogue.

demarcatie [de.mɑr'ka.(t)si.] *v* demarcation.

demarcatielijn [-lɛin] *v* line of demarcation, demarcation line, dividing line.

demarkatie(-) zie *demarcatie*(-).

dementi [de.mã'ti.] *o* denial, disclaimer; *een* ~ *geven* give the lie.

demi [də'mi.] *m* zie *demi-saison*.

demi-finale [-fi.'na.lə] *v sp* semi-final.

demi-saison [-sɛ'zõ] *m* spring overcoat; summer overcoat; autumn overcoat.

demobilisatie [de.mo.bi.li.'za.(t)si.] *v* ✕ demobilization.

demobiliseren [-'ze:rə(n)] *vt* ✕ demobilize.

demobiliz- zie *demobilis*-.

democraat [de.mo.'kra.t] *m* democrat.

democratie [-kra.'(t)si.] *v* democracy.

democratisch [-'kra.ti.s] *aj* (& *ad*) democratic-(ally).

demokra- zie *democra*-.

demon ['de.mòn] *m* demon.

demonisch [de.'mo.ni.s] **I** *aj* demoniac(al); **II** *ad* demoniacally.

demonstrant [-mòn'strɑnt] *m* demonstrator.

demonstratie [-'stra.(t)si.] *v* demonstration; display [by aircraft].

demonstreren [-'stre:rə(n)] *vt* & *vi* demonstrate.

demonteren [-'te:rə(n)] *vt* dismount [a gun]; ✕ dismantle [machines, mines].

demoralisatie [de.mo.ra.li.'za.(t)si.] *v* demoralization.

demoraliseren [-'ze:rə(n)] *vt* demoralize.

demoraliz- zie *demoralis*-.

dempen ['dɛmpə(n)] *vt* quench, smother [fire]; quell, crush, stamp out [a revolt]; damp [a furnace]; deaden [the sound]; fill up [a canal &]; subdue [light]; *met gedempte stem* in a muffled voice.

demper [-pər] *m* **I** ✕ damper; **2** ♪ mute.

demping [-pɪŋ] *v* filling up; quenching &.

den [dɛn] *m* ♣ fir, fir tree; *grove* ~ pine.

denappel ['dɛnɑpəl] = *denneappel*.

denderen ['dɛndərə(n)] *vi* rumble.

denderend [-rənt] *aj* & *ad* S smashing.

Denemarken ['de.nəmɑrkə(n)] *o* Denmark.

denim ['de.nɪm] *o* denim.

denkbaar ['dɛŋkba:r] imaginable, conceivable, thinkable.

denkbeeld [-be.lt] *o* idea, notion; *u kunt u er geen* ~ *van maken* (*vormen*) you cannot form an idea of it.

denkbeeldig [dɛŋk'be.ldəx] imaginary.

denkelijk ['dɛŋkələk] **I** *aj* probable, likely; **II** *ad*

probably; *hij zal* ~ *niet komen* he is not likely to come.

denken ['dɛŋkə(n)] *vi* & *vt* think; *...denk ik* ...I think, I suppose; *...zou ik* ~ I should think; ~ *aan iets* think of a thing; *daar is geen* ~ *aan* it is out of the question; *denk eens aan!* just think of it, fancy that!; *doen* ~ *aan* make [a person] think of; remind [them] of [his brother &]; *...dacht ik bij mijzelf* I thought to myself; *om iets* ~ think of a thing; *denk er om!* mind!; *over iets* ~ think about (of, on, upon) a thing; *ik denk er niet over* I wouldn't even dream of it; *ik zal er eens over* ~ I'll see about it; *ik denk er nu anders over* I now feel differently; *ik denk er heen te gaan* I think of going (there); *ik denk er het mijne van* I know what to think of it; *dat kun je* ~! fancy me doing that!, catch me!, not I!; *het laat zich* ~ it may be imagined.

denker [-kər] *m* thinker.

denkfout ['dɛŋkfɑut] *v* error of thought.

denkproces [-pro.sɛs] *o* thinking process, thought process.

denkvermogen [-fɑrmo.gə(n)] *o* faculty of thinking, thinking faculty; intellectual power.

denkwijs, -wijze [-vɛis, -vɛizə] *v* way of thinking, way(s) of thought, habit of thought.

denneappel ['dɛnəɑpəl] *m* ♣ fir-cone, fir-apple.

denneboom [-bo.m] *m* ♣ fir-tree.

dennehout [-hɑut] *o* fir-wood.

dennen ['dɛnə(n)] *aj* fir.

dennenaald ['dɛnəna.lt] *v* ♣ fir-needle.

dennenbos ['dɛnə(n)bòs] *o* fir-wood.

Dep. = *departement.*

departement [de.pɑrtə'mɛnt] *o* department, government office; ~ *van Binnenlandse Zaken* Home Office; ~ *van Buitenlandse Zaken* Foreign Office; ~ *van Marine* Navy Office; ~ *van Oorlog* War Office.

departementaal [-mɛn'ta.l] departmental.

dependance [de.pã'dãsə] *v* annex(e) [to a hotel].

deplorabel [-plo.'ra.bəl] pitiable.

deponeren [-po.'ne:rə(n)] *vt* put down [something]; deposit [a sum of money], lodge [a document with a person].

deportatie [-pər'ta.(t)si.] *v* deportation, transportation.

deporteren [-pər'te:rə(n)] *vt* deport, transport.

deposito [-'po.zi.to.] *o* $ deposit; *in* ~ on deposit.

depositobank [-bɑŋk] *v* deposit bank.

depot [de.'po.] *o* & *m* **I** ✕ depot; **2** $ depot.

depothouder [-hɑudər] *m* $ (sole) agent.

depreciatie [de.pre.si.'a.(t)si.] *v* depreciation.

depressie ['presi.] *v* depression.

deprimeren [-pri.'me:rə(n)] *vt* depress, dispirit.

Dept. = *departement.*

deputatie [-py.'ta.(t)si.] *v* deputation.

deraillement [de.rɑ(l)jə'mɛnt] *o* derailment.

derailleren [-'je:rə(n)] *vi* go (run) off the metals.

derangeren [de.rã'ʒe:rə(n)] **I** *vt* inconvenience; **II** *vr zich* ~ put oneself out, trouble.

derde ['dɛrdə] I *aj* third; ~ *man* 1 third person; 2 third player; *ten* ~ thirdly; II *sb* 1 third (part); 2 third person, third party; 3 third player.

derdehalf [-half] two and a half.

derdemachtsvergelijking [dɛrdə'maxtsfɛrgəlɛikɪŋ] *v* cubic equation.

derdemachtswortel ['dɛrdəmaxtsvòrtəl] *m* cube root.

derdendaags ['dɛrdə(n)da.xs] quartan [fever].

derderangs ['dɛrdəraŋs] third-rate.

deren ['de:rə(n)] *vt* harm, hurt, injure; *wat deert u?* what is the matter with you?; *wat deert 't ons?* what do we care?; *het deerde hem niet, dat...* it was nothing to him that...

dergelijk ['dɛrgələk] such, suchlike, like, similar; *en* ~*e* and the like; *iets* ~*s* something like it; some such thing, [say] something to that effect (in that strain).

derhalve [dɛr'halvə] therefore, consequently, so.

dermate ['dɛrma.tə] in such a manner, to such a degree.

dertien ['dɛrti.n] thirteen.

dertiende [-ti.ndə] thirteenth (part).

dertig [-təx] thirty.

dertiger [-təgər] *m* person of thirty (years).

dertigjarig [-təxja:rəx] of thirty years; *de D*~*e oorlog* the Thirty Years' War.

dertigste [-təxstə] thirtieth (part).

derven ['dɛrvə(n)] *vt* be (go) without, be deprived of, forgo [wages].

derving [-vɪŋ] *v* privation, want, loss.

derwaarts [-va:rts] thither, that way.

derwisj [-vi.ʃ] *m* dervish.

des [dɛs] of the, of it, of that; ~ *avonds* zie *avond*; ~ *te beter* all the better, so much the better; *hoe meer...,* ~ *te meer...* the more..., the more...

desa ['dɛsa.] *v Ind* village (community).

desalniettemin [dɛsalni.tə'mɪn] nevertheless, for all that.

desavoueren [de.za.vu.'e:rə(n)] *vt* repudiate, disavow.

desbetreffend ['dɛsbətrɛfənt] pertinent (relating, relative) to the matter in question.

desbevoegd [-bəvu.gt] competent.

desbewust [-bəvüst] conscious of it.

desem ['de.səm] *m* leaven.

desemen ['de.səmə(n)] *vt* leaven.

deserteren [de.zɛr'te:rə(n)] *vi* desert.

deserteur [-'tø:r] *m* deserter.

desertie [de.'zɛr(t)si.] *v* desertion.

desgelijks [dɛsgə'lɛiks] likewise, also, as well.

desgewenst [-'vɛnst] if so wished, if desired.

desillusie, desilluzie ['de.zi.ly.zi.] *v* disillusionment, disenchantment.

desinfecteermiddel [de.zɪnfɛk'te:rmɪdəl] *o* disinfectant.

desinfecteren [-'te:rə(n)] *vt* disinfect.

desinfectie [-'fɛksi.] *v* disinfection.

desinfectiemiddel [-mɪdəl] *o* disinfectant.

desinfekt- zie *desinfect-*.

desintegratie [de.zɪntə'gra.(t)si.] *v* disintegration.

deskundig [dɛs'kündəx] *aj* expert; ~*e, m-v* expert.

deskundigheid [-hɛit] expert knowledge, expertise.

desniettegenstaande, desniettemin [dɛsni.te.gən'sta.ndə, -tə'mɪn] for all that, nevertheless.

desnoods [dɛs'no.ts, 'dɛsno.ts] if need be, F at a pinch.

desolaat [de.zo.'la.t] disconsolate, ruined.

desondanks [dɛsòn'daŋks] nevertheless, for all that.

desorganisatie [de.zɔrga.ni.'za.(t)si.] *v* disorganization.

desorganiseren [-'ze:rə(n)] *vt* disorganize.

desorganiz- zie *desorganis-*.

despoot [dɛs'po.t] *m* despot.

despotisch [-'po.ti.s] *aj* (& *ad*) despotic(ally).

despotisme [-po.'tɪsmə] *o* despotism.

dessa zie *desa*.

dessert [dɛ'sɛrt] *o* dessert; *bij het* ~ at dessert.

dessertlepel [-le.pəl] *m* dessert-spoon.

dessin [dɛ'sɛ̃] *o* design, pattern.

destijds ['dɛstɛits] at the (that) time.

destil- [dɛstil-] = *distil-*.

desverkiezend(e) ['dɛsfərki.zənt, -zəndə] if so wished.

desverlangd [-laŋt] if desired.

deswege ['dɛsve.gə] for that reason, on that account.

detachement [de.taʃə'mɛnt] *o* ✕ detachment, draft, party.

detacheren [-'ʃe:rə(n)] *vt* detach, detail, draft (off).

detail [de.'tai] *o* detail; *en* ~ $ (by) retail; *in* ~*s* in detail; *in* ~*s treden* enter (go) into detail(s).

detailhandel [-handəl] *m* $ 1 retail trade; 2 retail business.

detailkwestie [-kvɛsti.] *v* matter of detail.

detaillist [de.tai'jɪst] *m* $ retailer, retail dealer.

detailprijs [de.'taipreis] *m* $ retail price.

detailverkoop [de.'taivərko.p] *m* $ retail sale.

detective [de.tɛk'ti.və] *m* detective.

detectiveroman [-ro.man] *m* detective novel; ~*s ook*: detective fiction.

detectiveverhaal [-vərha.l] *o* detective story, F whodunit.

determineren [de.tɛrmi.'ne:rə(n)] *vt* determine.

detineren [-ti.'ne:rə(n)] *vt* detain.

deugd [dø.xt] *v* virtue [ook = quality]; (good) quality; *lieve* ~! good gracious!

deugdelijk ['dø.xdələk] I *aj* sound, valid; II *ad* duly.

deugdelijkheid [-hɛit] *v* soundness, validity.

deugdzaam ['dø.xtsa.m] 1 virtuous [women]; 2 hard-wearing [stuff].

deugdzaamheid [-hɛit] *v* 1 virtuousness; virtue; 2 good quality.

deugen ['dø.gə(n)] *vi* be good, be fit; *niet* ~ be

good for nothing, be no good; *dit deugt niet* it is not any good, this won't do; *je werk deugt niet* ⇌ your work deugt niet; *als onderwijzer deugt hij niet* as a teacher he is inefficient; *hij deugt niet voor onderwijzer* he is unfit for a teacher.

deugniet ['dø.xni.t] *m* good-for-nothing, ne'er-do-well, rogue, rascal.

deuk [dø.k] *v* dent, dint.

deuken ['dø.kə(n)] *vt* dent, indent.

deukhoed ['dø.khu.t] *m* soft felt hat, Trilby (hat).

deun [dø.n] *m* tune, song, singsong, chant.

deuntje ['dø.ncə] *o* air, tune.

deur [dø:r] *v* door; *dat doet de ~ dicht* that puts the lid on it; *de ~ openzetten voor misbruiken* open the door to abuses; *iemand de ~ platlopen* be either coming or going; *de ~ uit!* to the door with him (with you)!; *ik ga (kom) de ~ niet uit* I never go out; *iemand de ~ uitzetten* put one to the door, turn one out; *iemand de ~ wijzen* show one the door; *aan de ~* at the door; *bij de ~* near (at) the door; *buiten de ~* out of doors; *in de ~* in his door, in the doorway; *met gesloten ~en* behind closed doors; 乜 in camera; *met open ~en* with open doors; 乜 in open court; *met de ~ in huis vallen* go straight to the point; *het gevaar staat voor de ~* the danger is imminent; *de winter staat voor de ~* winter is at hand.

deurbel ['dø:rbɛl] *v* door-bell.

deurklink [-kliŋk] *v* door-latch.

deurklopper [-klɔpər] *m* door-knocker.

deurknop [-knɔp] *m* door-handle, knob.

deurlijst [-lɛist] *v* door-frame.

deurmat [-mɑt] *v* door-mat.

deuropening [-o.pəniŋ] *v* doorway.

deurpost [-pɔst] *m* door-post.

deurslot [-slɔt] *o* door-lock.

deurstijl [-stɛil] *m* zie *deurpost*.

deurwaarder [-va:rdər] *m* process-server; usher.

deurwaardersexploot [-dərsɛksplo.t] *o* 乜 writ (of execution).

Deuteronomium [dø.təro.'no.mi.ũm] *o* Deuteronomy.

deux-pièces [dø.pi.'ɛ.s] *v* two-piece.

devaluatie [de.va.ly.'a.(t)si.] *v* devaluation.

devalueren [-'e:rə(n)] *vt* devaluate, devalue.

devies [də'vi.s] *o* device, motto; *deviezen* S (foreign) exchange, (valuta) (foreign) currency.

devoot [de.'vo.t] *aj* (& *ad*) devout(ly), pious(ly).

devotie [-'vo.(t)si.] *v* devoutness, piety.

⊙ **dewelke** [də'vɛlkə] who, which, that.

dewijl [də'vɛil] *cj* because, since, as.

dextrine [dɛks'tri.nə] *v* dextrin.

deze ['de.zə] this, these; *~ en gene* this one and the other; *~ of gene* somebody or other; this or that man; zie ook: *gene*; *de 10de ~r* the 10th inst.; *schrijver ~s* the present writer; *bij*

~n herewith, hereby; *in ~n* in this matter; *na (voor) ~n* after (before) this (date); *ten ~* in this respect.

dezelfde [də'zɛlvdə] the same; *precies ~* the very same.

dezerzijds ['de.zərzɛits] on this side.

dezulken [də'zűlkə(n)] such.

dhr. = *de heer*.

d.i. [dɑt'ɪs] that is, i.e.

dia ['di.a.] *m* transparency, slide.

diabetes [di.a.'be.təs] *m* diabetes.

diabeticus [-ti.kűs] *m* diabetic.

diabolisch [di.a.'bo.li.s] *aj* (& *ad*) diabolical(ly).

diabolo [-lo.] *m* diabolo.

diacones [di.a.ko.'nɛs] *v* 1 deaconess; 2 sick-nurse.

diaconessenhuis [-'nɛsə(n)hœys] *o* 1 home for deaconesses; 2 nursing-home.

diaconie [-'ni.] *v* Poor-law Board; *hij leeft (trekt) van de ~* he receives parish relief.

diadeem [di.a.'de.m] *m* & *o* diadem.

diafragma [di.a.'frɑxma.] *o* diaphragm.

diagnose [di.a.'gno.zə] *v* diagnosis; *de ~ stellen* diagnose the case.

diagnostiseren, diagnostizeren [-gnɔsti.'ze:rə(n)] *vt* diagnose.

diagonaal [di.a.go.'na.l] I *aj* (& *ad*) diagonal(ly); II *v* diagonal (line).

diagram [-'grɑm] *o* diagram.

diaken [di.'a.kə(n)] *m* deacon.

diakon- zie *diacon-*.

dialect [di.a.'lɛkt] *o* dialect.

dialectisch [-'lɛkti.s] 1 dialectal [word]; 2 dialectical [philosophy, materialism].

dialekt(-) zie *dialect(-)*.

dialoog [-'lo.x] *m* dialogue.

diamant [-'mɑnt] *m* & *o* diamond.

diamanten [-'mɑntə(n)] *aj* diamond.

diamantslijper [di.a.'mɑntslɛipər] *m* diamond-polisher.

diamantslijperij [di.a.'mɑntslɛipə'rɛi] *v* diamond-polishing factory.

diamantwerker [di.a.'mɑntvɛrkər] *m* diamond-worker.

diameter ['di.a.me.tər] *m* diameter.

diametraal [di.a.me.'tra.l] *aj* (& *ad*) diametrical(ly).

Diana [di.'a.na.] *v* Diana.

diapositief [di.a.po.zi.'ti.f] *o* transparency, slide.

diarree [di.a're.] *v* diarrhoea.

dicht [dɪxt] I *aj* 1 closed [doors, car]; 2 dense [clouds, fog, forests &], close [texture], thick [fog, woods], tight [ships]; *de deur was ~* the door was closed (shut); *hij is zo ~ als een pot* he is very close; II *ad* closely [interwoven]; densely [populated].

dichtader ['dɪxta.dər] *v* poetic vein.

dichtbevolkt [-bəvɔlkt] densely populated.

dichtbij [dɪxt'bɛi] close by, hard by, near.

dichtbinden ['dɪxtbɪndə(n)] *vt* tie up.

dichtbundel [-bŭndəi] *m* volume of verse.

dichtdoen ['dɪxtdu.n] *vt* shut, close.

dichtdraaien [-dra.jə(n)] *vt* turn off [a tap].

1 **dichten** ['dɪxtə(n)] *vt* & *vi* make verses; write poetry.

2 **dichten** ['dɪxtə(n)] *vt* stop (up), close [a dyke].

dichter [-tər] *m* poet.

dichteres [dɪxtə'rɛs] *v* poetess.

dichterlijk ['dɪxtərlək] I *aj* poetic(al); II *ad* poetically.

dichtgaan ['dɪxtga.n] *vi* 1 (v. deur &) shut, close; 2 (v. wonde) heal over (up), close.

dichtgooien [-go.jə(n)] *vt* slam [a door]; fill up [a ditch], fill in [a well].

dichtheid [-hɛit] *v* density.

dichthouden [-hǝu(d)ə(n)] *vt* keep closed (shut); hold [one's nose], stop [one's ears].

dichtknopen [-kno.pə(n)] *vt* button up.

dichtkunst [-kŭnst] *v* (art of) poetry, poetic art.

dichtmaat [-ma.t] *v* metre; *in* ~ in verse.

dichtmaken [-ma.kə(n)] *vt* close, stop [a hole]; shut [one's book], do up [her dress].

dichtmetselen [-mɛtsələ(n)] *vt* brick up, wall up, mure up.

dichtnaaien [-na.jə(n)] *vt* sew up.

dichtplakken [-plakǝ(n)] *vt* seal (up).

dichtregel [-re.gəl] *m* verse.

dichtschroeven [-s(x)ru.və(n)] *vt* screw down (up).

dichtschuiven [-sxœyvə(n)] *vt* shut.

dichtslaan [-sla.n] I *vt* slam, bang [a door]; II *vi* slam (to).

dichtslibben [-slɪbə(n)] *vi* silt up.

dichtspelden [-spɛldə(n)] *vt* pin up.

dichtspijkeren [-spɛikərə(n)] *vt* nail up; board up [a window].

dichtstoppen [-stɔpə(n)] *vt* stop.

dichtstuk [-stŭk] *o* piece of poetry, poem.

dichttrekken ['dɪxtrɛkə(n)] *vt* pull [the door] to, draw [the curtains].

dichtvorm ['dɪxtfɔrm] *m* poetic form; *in* ~ in verse.

dichtvouwen [-fɔuə(n)] *vt* fold up.

dichtvriezen [-fri.zə(n)] *vi* freeze over (up).

dichtwerk [-vɛrk] *o* poetical work, poem.

dictaat [dɪk'ta.t] *o* 1 dictation; 2 ('t gedicteerde) notes.

dictaatschrift [-s(x)rɪft] *o* notebook.

dictator [dɪk'ta.tər] *m* dictator.

dictatoriaal [-ta.to:ri.'a.l] *aj* (& *ad*) dictatorial-(ly).

dictatorschap [-'ta.tərsxap] *o* dictatorship.

dictatuur [-ta.'ty:r] *v* dictatorship.

dictee [-'te.] *o* dictation.

dicteermachine [-'te:rma.ʃi.nə] *v* dictating machine.

dicteersnelheid [-snɛlhɛit] *v* dictation speed.

dicteren [dɪk'te:rə(n)] *vt* & *vi* dictate.

dictie ['dɪksi.] *v* diction, utterance.

dictionaire [dɪkʃo.'nɛ:rə] *v* dictionary.

didactisch, didaktisch [di.'dɑkti.s]I *a* didactic; II *ad* didactically.

die [di.] I *aanw. vnw.* that, those; ~ *met de groene jas* the one in the green coat, he of the green coat; *Meneer* ~ *en* ~ (Mr.) So-and-so; *in* ~ *en* ~ *plaats* in such and such a place; II *betr. vnw.* which, who, that.

dieet [di.'e.t] *o* diet, regimen; ~ *houden, op* ~ *leven* be on a diet, diet oneself; *hem op* (*streng*) ~ *stellen* put him on a diet, diet him.

dief [di.f] *m* thief; *het is* ~ *en dieffesmaat* the one is as great a thief as the other; *kleine dieven hangt men op, en de grote laat men lopen* the law catches flies but lets hornets go free; *met dieven moet men dieven vangen* set a thief to catch a thief; *als een* ~ *in de nacht*, as (like) a thief in the night.

diefachtig ['di.faxtəx] thievish.

diefachtigheid [-hɛit] *v* thievishness.

diefstal [-stɑl] *m* tneft, robbery, ⚖ larceny.

diegene ['di.ge.nə] he, she; ~*n die* those who.

dienaangaande ['di.na.nga.ndə] with respect to that, F on that score.

dienaar ['di.na:r] *m* servant; *uw dienstwillige* ~ *H.* Yours faithfully H.

dienares(se) [di.na:'rɛs(ə)] *v* servant.

dienbak ['di.nbak] *m* (dinner-)tray.

diender [-dər] *m* policeman, constable; *dooie* ~ F stick.

dienen ['di.nə(n)] I *vt* serve [the Lord, two masters &]; *dat kan u niet* ~ that won't serve your purpose; *waarmee kan ik u* ~? 1 (bij dienstaanbieding) what can I do for you?; 2 (in winkel) what's your pleasure?; *om u te* ~ 1 at your service; 2 right you are!; II *vi* & *va* serve [in the army, navy], be in service [of girls &]; *gaan* ~ go (out) to service; *het dient te gebeuren* it ought to (must) be done; *deze dient om u aan te kondigen, dat...* the present is to let you know that...; ~ *als verontschuldiging* serve as an excuse; ~ *bij de artillerie* serve in the artillery; ~ *bij rijke mensen* serve with rich people; *nergens toe* ~ serve no earthly purpose, be no good; *waartoe zou het* ~? what's the good?; ~ *tot bewijs* serve as a proof; *tot niets* ~ zie *nergens toe dienen*; *laat u dit tot een waarschuwing* ~ let this be a warning to you; *iemand van advies* ~ advise a person; *iemand van antwoord* ~ 1 answer a person; 2 (iron.) serve one out; *van zo iet: ben ik niet gediend* none of that for me.

dienovereenkomstig [di.no.vərə.n'kòmstəx] accordingly.

dienst [di.nst] *m* service; *commissie van goede* ~*en* good offices commission (committee); *iemand een* ~ *bewijzen* do (render) one a service; *goede* ~*en bewijzen* do good service; *u hebt mij een slechte* ~ *bewezen* you have done me an ill service; ~ *doen* perform the duties of one's office; be on duty [of police &]; *die jas kan nog* ~ *doen*, may be useful yet; ~ *doen als...* serve as, serve for, do duty as...; *de* ~ *doen* officiate [of a clergyman]; ~ *hebben* 1 be on duty; 2 be in attendance [at court]; *geen* ~ *hebben* I be off duty [of a soldier, of a doctor &]; 2 be out of employment [of servants]; ~ *nemen* ✕ enlist; *de* ~ *opzeggen* give warning, give (a month's) notice; *de* ~ *weigeren* refuse its office [of a thing]; refuse to obey [of persons]; *een* ~ *zoeken* look out for a place; *de ene* ~ *is de andere waard* one good turn deserves another; *buiten* ~ I (v. persoon) off duty; retired [colonel &]; 2 (v. schip &) taken out of the service; 3 (als opschrift v. spoorwegrijtuig &) not to be used!; *buiten* ~ *stellen* lay up, scrap [a ship &]; *in* ~ *gaan* go into service; *in* ~ *hebben*, employ [600 men and women]; *in* ~ *komen* enter upon one's duties, take up office; ✕ enter the service [the army]; *in* ~ *nemen* take [one] into one's service (employ), engage [a servant &]; *in* ~ *stellen* put [a steamer] on the service; *in* ~ *treden* zie *in* ~ *komen*; *in* ~ *zijn* I be in service, be serving; 2 be on duty; 3 ✕ be in the army; *in mijn* ~ in my employ; *na de* ~ after (divine) service; *onder* ~ *gaan* ✕ enlist; *onder* ~ *zijn* ✕ be in the army; *ten* ~ *e van* for the use of...; *tot de (heilige)* ~ *toegelaten* admitted to holy orders; *tot uw* ~! don't mention it!; *het is tot uw* ~ it is at your service, at your disposal; *het zal u van* ~ *zijn* it will be of use to you; it will render you good service; *waarmee kan ik u van* ~ *zijn?* zie *dienen*; *zonder* ~ out of employment.

dienstaanbieding ['di.nsta.nbi.dɪŋ] *v* offer of service.

dienstauto [-ɔuto., -o.to.] *m* official (motor-)car.

dienstbaar [-ba:r] liable to service, subservient, menial; *(een volk)* ~ *maken* subjugate; ~ *maken aan* make subservient to.

dienstbaarheid [-ba:rhɛit] *v* servitude, subservience.

dienstbetoon [-bəto.n] *o* service(s) rendered.

dienstbetrekking [-bətrɛkɪŋ] *v* service.

dienstbode [-bo.də] *v* (domestic) servant, maid-servant.

dienstbodennood [-bo.dəno.t] *v* shortage of domestic servants.

dienstbodenvraagstuk [-bo.də(n)vra.xstűk] *o* servant problem.

dienstbrief [-bri.f] *m* (official) missive.

dienstdoend ['di.nsdu.nt] I in waiting [at court]; 2 ✕ on duty; 3 (waarnemend) acting; ~*e beambte* official in charge.

dienster ['di.nstər] *v* waitress.

dienstig [-stəx] serviceable, useful; ~ *voor* conducive to, beneficial to.

dienstijver ['di.nstɛivər] *m* (professional) zeal.

dienstjaar [-ja:r] *o* I financial year, fiscal year; 2 year of service, in: *dienstjaren* years of service, years in office.

dienstkleding [-kle.dɪŋ] *v* uniform.

dienstklopper [-klopər] *m* martinet.

dienstknecht [-knɛxt] *m* servant, man-servant.

⊙ **dienstmaagd** [-ma.xt] *v* servant, handmaid

dienstmeid [-mɛit] *v* (maid-)servant.

dienstmeisje [-mɛiʃe] *o* servant-girl.

dienstpersoneel [-pɛrso.ne.l] *o* servants.

dienstplicht [-plixt] *m* & *v* compulsory (military) service; *algemene* ~ general conscription.

dienstplichtig [di.nst'plixtəx] liable to (military) service; ~*e m* conscript.

dienstregeling ['di.nstre.gəlɪŋ] *v* time-table, 🚋 (& *Am*) schedule.

dienstreis [-reis] *v* official journey, tour.

diensttijd ['di.nstɛit] *m* I (v. iedere dag) working-hours, hours of attendance; 2 (v. iemands loopbaan) term of office; 3 ✕ period of service.

dienstvaardig [di.nst'fa.rdəx] obliging.

dienstvaardigheid [-hɛit] *v* obligingness.

dienstverrichting ['di.nstfərɪxtɪŋ] *v* (corps of) porters.

dienstweigeraar [-vɛigəra:r] *m* ✕ conscientious objector.

dienstweigering [-rɪŋ] *v* refusal to obey orders.

dienstwillig [di.nst'vɪləx] obliging; *Uw* ~*e* zie *dienaar*.

dienstwoning ['di.nstvo.nɪŋ] *v* official residence.

dienstzaak [-sa.k] *v* ~*zaken* [-sa.kə(n)] *mv* official business.

diensvolgens [di.ns'volgəns] = *dienvolgens*.

dientafeltje ['di.nta.fəlcə] *o* dinner-wagon, dumb-waiter.

dientengevolge [di.ntɛngə'volgə] in consequence, hence, as a result.

dienvolgens [di.n'volgəns] accordingly, consequently.

I **diep** [di.p] I *aj* deep [water, bow, mourning, colour, sleep, sigh &], profound [interest, secret, bow]; *in* ~*e gedachten* deep in thought; II *ad* deeply, profoundly; ~ *gevallen* fallen low; ~ *in de dertig* well on in the thirties; ~ *in de nacht* far into the night, very late in the night; ~ *in de schulden* deep in debt; III *als o in: in het* ~*ste van zijn hart* in the depths of his heart, in his heart of hearts.

2 **diep** [di.p] *o* deep; canal; channel of a harbour; *het grondeloze* ~ ⊙ the unfathomed deep.

diepbedroefd ['di.pbədru.ft] deeply afflicted.

diepdenkend ['di.pdɛnkənt] deep-thinking.

diepgaand ['di.pga.nt] searching [inquiry]; profound [difference]; ⚓ with a deep draught.

diepgang [-gɑn] *m* ⚓ draught; *fig* depth; *een* ~ *hebben van 10 voet* draw 10 feet of water.

diepliggend [-lɪgənt] sunken, deep-set [eyes].

dieplood [-lo.t] *o* sounding-lead, deep-sea lead.

diepte [-tə] *v* deep (= the sea); depth²; *fig* deepness, profoundness; *naar de* ~ *gaan* go to the bottom.

dieptebom [-təbòm] *v* depth-charge.

dieptepsychologie [-psi.go.lo.gi.] *v* depth psychology.

dieptepunt [-pŭnt] *o* lowest point; ... *heeft het* ~ *bereikt* ...is at its lowest ebb.

diepvries ['di.pfri.s] deep-freeze [vegetables &].

diepvrieskast [-kɑst] *v* deep-freeze.

diepvrieskluis [-klœys] *v* deep-freezer.

diepzee-expeditie ['di.pse.ɛkspədi.(t)si.] *v* deep-sea expedition.

diepzeeonderzoek [-òndərzu.k] *o* deep-sea research.

diepzinnig [di.p'sɪnəx] *aj* (& *ad*) deep(ly), profound(ly), abstruse(ly).

diepzinnigheid [-hɛit] *v* depth, profoundness, profundity, abstruseness.

dier [di:r] *o* animal, beast.

dierbaar ['di:rba:r] dear, beloved, dearly beloved; *mijn ∼ste wens* my dearest wish.

dierbaarheid [-hɛit] *v* dearness.

dierenarts ['di:rənɑrts] *m* veterinary surgeon.

dierenbescherming ['di:rə(n)bəsxɛrmɪŋ] *v* protection of animals; *de ∼* the Society for the Prevention of Cruelty to Animals.

dierenbeul [-bø.l] *m* zie *dierenkweller*.

dierenepos [di:rəne.pɔs] *o* beast epic.

dierenfabel ['di:rə(n)fa.bəl] *v* beast fable, animal fable.

dierenkweller [-kvɛlər] *m* tormentor of animals.

dierenriem [-ri.m] *m* ✳ zodiac.

dierenrijk [-rɛik] *o* animal kingdom.

dierentemmer [-tɛmər] *m* tamer (of wild beasts).

dierentuin [-tœyn] *m* zoological garden(s), F zoo.

dierenvriend [-vri.nt] *m* animal lover.

dierenwereld [-ve.rəlt] *v* animal world, § fauna.

diergaarde ['di:rga:rdə] *v* zoological garden(s), F zoo.

dierkunde [-kûndə] *v* zoology.

dierkundig [di:r'kûndəx] zoological.

dierkundige [-dəɡə] *m* zoologist.

dierlijk ['di:rlək] animal [fat, food, magnetism &], bestial [instincts], brutal, brutish [lusts].

dierlijkheid [-hɛit] *v* animality; bestiality, brutality.

diersoort ['di:rsoːrt] *v* species of animals.

1 ⚡**dies** [di.s] *ad* therefore, consequently; *en wat ∼ meer zij* and so on, and so forth.

2 **dies** ['di.ɛs] *m* ⚲ ± Founders' Day, [Oxford University] Commemoration.

diesel-elektrische trein ['di.zələ.lɛktri.sətrɛin] *m* Diesel electric train.

dieselmotor [-mo.tər] *m* Diesel engine.

dieselolie [-o.li.] *v* Diesel oil.

diëtist [di.e.'tɪst] *m* dietician.

diets [di.ts] *iemand iets ∼ maken* zie *wijsmaken*.

Diets [di.ts] *o* (mediaeval) Dutch.

dievegge [di.'vɛɡə] *v* (female) thief.

dieven ['di.və(n)] *vt* steal, pilfer, thieve.

dievenbende [-bɛndə] *v* gang of thieves.

dievenhol [-həl] *o* thieves' den.

dievenlantaarn, -lantaren [-lɑnta.rən] *v* dark lantern, bull's-eye.

dieventaal [-ta.l] *v* zie *boeventaal*.

dievenwagen [-va.ɡə(n)] zie *gevangenwagen*.

dieverij [di.və'rɛi] *v* theft, robbery, thieving.

differentiaal [dɪfərɛn(t)si.'a.l] *v* × differential.

differentiaalrekening [-re.kənɪŋ] *v* × differential calculus.

differentieel [dɪfərɛn(t)si.'e.l] I *aj* as in: *differentiële rechten* differential duties; II *v* ✕ differential.

diffuus [di.'fy.s] diffuse.

difterie [dɪftə'ri.] **difteritis** [-'ri.tɪs] *v* diphtheria.

diftong [dɪf'tòŋ] *v* diphthong.

digestie [di.'ɡɛsti.] *v* digestion.

diggel ['dɪɡəl] *m* potsherd; *aan ∼en vallen* fall to smithereens.

dignitaris [dɪɡni.'ta:rəs] *m* dignitary.

dij [dɛi] *v* thigh.

dijbeen ['dɛibe.n] *o* thigh-bone, § femur.

dijk [dɛik] *m* dike, bank, dam; *aan de ∼ zetten* get rid of [a functionary].

dijkbestuur ['dɛikbəsty:r] *o* board of inspection of dikes.

dijkbreuk [-brø.k] *v* bursting of a dike.

dijkgraaf [-ɡra.f] *m* dike-reeve.

dijkschouw [-sxɔu] *m* inspection of a dike (o dikes).

dijkwerker [-vɛrkər] *m* dike-maker, diker.

dijkwezen [-ve.zə(n)] *o* all that concerns the dikes.

dijspier ['dɛispi:r] *v* thigh muscle.

dik [dɪk] I *aj* thick°, big, bulky, burly, stout; *∼ en vet* plump; *Karel de Dikke* Charles the Fat; *de ∼ke dame* the fat lady; *een ∼ke honderd gulden* a hundred guilders odd; *∼ke melk* curdled milk; *een ∼ uur* a good hour; *∼ke vrienden* great (close, fat) friends; *ze zijn ∼ke vrienden* they are very thick (together); *een ∼ke wang* a swollen cheek; *∼ke wangen* plump cheeks; *∼ke woorden* big words; *maak je niet ∼* F don't get excited, S keep your hair on; *∼ worden* grow fat, gather flesh; II *ad* thickly; *het er ∼ opleggen* lay it on thick; *de... ligt er ∼ op* the... is laid on thick; *er ∼ in zitten* be a warm man; III *o* thick (part); grounds [of coffee]; *door ∼ en dun met iemand meegaan* go through thick and thin with a man.

dikbuik ['dɪkbœyk] *m* F fatty.

dikbuikig [dɪk'bœykəx] big-bellied, corpulent.

dikheid ['dɪkhɛit] *v* thickness, corpulency, bigness.

dikhuidig [dɪk'hœydəx] *aj* thick-skinned[2], pachydermatous[2]; *∼e dieren, ∼en* thick-skinned quadrupeds, pachyderms.

dikkerd ['dɪkərt] *m* zie *dikzak*.

dikkop ['dɪkɔp] *m* 1 thickhead; 2 ♉ tadpole.

dikta- zie *dicta-*.

dikte ['dɪktə] *v* thickness, bigness &; 🌾 swelling.

diktee zie *dictee*. [ing.]

dikteren zie *dicteren*.

diktie zie *dictie*.

dikwerf ['dɪkvɛrf] zie *dikwijls*.

dikwijls [-vəls] often, frequently.

dikzak [-sɑk] *m* big fellow, F fatty.

dilemma [di.'lɛma.] *o* dilemma; *iemand voor een ∼ stellen* place a man on the horns of a dilemma.

dilettant(e) [-lɛ'tɑnt(ə)] *m(-v)* dilettante [*mv* dilettanti], amateur.
dilettanterig [-tərəx] *aj* (& *ad*) amateurish(ly).
dilettantisme [di.lɛtɑn'tɪsmə] *o* dilettantism, amateurishness.
diligence [di.li.'ʒãsə] *v* stage-coach, coach.
dille ['dɪlə] *v* 🌿 dill.
diluviaal [di.ly.vi.'a.l] diluvial.
diluvium [-'ly.vi.ũm] *o* diluvium.
dimensie [di.'mɛnsi.] *v* dimension.
dimlicht ['dɪmlɪxt] *o* in: *met ~(en) rijden* 🚗 drive on dipped headlights.
dimmen ['dɪmə(n)] *vt* & *vi* dim [the headlights].
Dina ['di.na.] *v* Dinah.
diner [di.'ne.] *o* dinner, dinner party.
dineren [-'ne:rə(n)] *vi* dine.
ding [dɪŋ] *o* thing; *een aardig~!* a bright young thing [of a girl]; *het is een heel ~* F it is not an easy thing; *alle goede ~en in drieën* third time is lucky.
dingen ['dɪŋə(n)] *vi* chaffer, bargain, haggle; *~ naar* compete for, try to obtain [a post &]; *~ naar de gunst van* court the favour of; *~ naar de hand van een meisje* sue for the hand of a girl.
dinges ['dɪŋəs] *mijnheer ~* Mr. Thingumbob, Mr. So-and-so, Mr. What-d'ye-call-'em.
dingsigheidje [dɪŋsəxɦɛicə] *o* F gadget, trifle.
dinsdag ['dɪnsdɑx] *m* Tuesday.
dinsdags [-s] I *aj* Tuesday; II *ad* on Tuesdays.
diocees [di.o.'se.s] *o* diocese.
diocesaan [-se.'za.n] *aj* & *m* diocesan.
diocese [-'se.zə] *v = diocees*.
dioptrie [di.ɔp'tri.] *v* diopter.
diorama [di.o.'ra.ma.] *o* diorama.
diploma [di.'plo.ma.] *o* certificate, diploma.
diplomaat [-plo.'ma.t] *m* diplomatist, diplomat.
diplomatie [-ma.'t)si.] *v* diplomacy, diplomatics.
diplomatiek [-ma.'ti.k] **diplomatisch** [-'ma.ti.s] *aj* (& *ad*) diplomatic(ally).
diplomeren [-'me:rə(n)] *vt* certificate; *gediplomeerd verpleegster* ook: qualified (trained) nurse.
direct [di.'rɛkt] I *aj* direct; II *ad* directly, at once.
directeur [-rək'tø:r] *m* director, managing director [of a company]; manager [of a theatre]; governor [of a prison]; superintendent [of a hospital]; 🏤 postmaster; principal, headmaster [of a school]; ♪ (musical) conductor, choir-master.
directeur-generaal [-tø:rge.nə'ra.l] *m* director-general [of the B.B.C., of Unesco &]; *~ der Posterijen* 🏤 Postmaster General.
directeurschap [-'tø:rsxɑp] *o* directorship, directorate.
directie [di.'rɛksi.] *v* board; management.
directief [di.rɛk'ti.f] *o* directive.
directiekeet [di.'rɛksi.ke.t] *v* building shed.
Directoire [di.rɛk'tva:r] *het ~* the Directory [1795-99].

directoire [di.rɛk'tva:r] *m* knickers.
directoraat [-to.'ra.t] *o* directorate.
directrice [di.rɛk'tri.sə] *v* directress; manageress [of a hotel], (lady-)principal, headmistress [of a school]; superintendent, matron [of a hospital].
direkt(-) zie *direct(-)*.
dirigeerstok [di.ri.'ge:rstɔk] *m* ♪ baton, conductor's wand.
dirigent [-'gɛnt] *m* (musical) conductor [of an orchestra], (v. koor) choir-master.
dirigeren [-'ge:rə(n)] *vt* direct [troops]; ♪ conduct [an orchestra].
Dirk [dɪrk] *m* Derrick.
1 **dis** [di.s] *v* ♪ D sharp.
2 ⊙ **dis** [dɪs] *m* table, board.
disagio ['dɪsa.gi.o.] *o* $ discount.
discant [dɪs'kɑnt] *m* ♪ descant, treble, soprano.
discipel [dɪ'si.pəl] *m* disciple [of Christ, of any leader of thought &]; pupil [of a school].
disciplinair [-si.pli.'nɛ:r] disciplinary.
discipline [-'pli.nə] *v* discipline.
disciplineren [-pli.'ne:rə(n)] *vt* discipline.
discobar [dɪsko.bɑr] *m* & *v* record shop.
disconteerbaar [dɪskòn'te:rba:r] $ discountable.
disconteren [-'te:rə(n)] *vt* $ discount.
disconto [dɪs'kònto.] *o* $ (rate of) discount, (bank) rate.
discontobank [-bɑŋk] *v* $ discount-bank.
discoteek zie *discotheek*.
discotheek [dɪsko.'te.k] *v* record library.
discours [dɪs'ku:rs] *o* conversation.
discrediet zie *diskrediet*.
discreet [dɪs'kre.t] I *aj* modest [behaviour]; considerate [handling of the business]; discreet [person]; II *ad* modestly; considerately; discreetly.
discretie [-'kre.(t)si.] *v* 1 modesty; considerateness; 2 (geheimhouding) secrecy; 3 (goedvinden) discretion.
discriminatie [dɪskri.mi.'na.(t)si.] *v* discrimination.
discus ['dɪskʊs] *m* discus, disc, disk.
discussie [dɪs'kʊsi.] *v* discussion, debate, argument.
discussiëren [-kʊsi.'e:rə(n)] *vi* zie *discuteren*
discuswerpen ['dɪskʊsʋɛrpə(n)] *o* throwing the discus.
discuswerper [-pər] *m* discus thrower.
discuteren [dɪsky.'te:rə(n)] *vi* discuss, argue; *met iemand ~* argue with a person; *over iets ~* discuss, talk over, ventilate a subject.
⊙ **disgenoot** ['dɪsgəno.t] *m* neighbour at table, fellow-guest; *de disgenoten* the guests.
disharmonie [-hɑrmo.ni.] *v* disharmony, discord.
diskonter- zie *disconter-*. [cord.
diskot(h)eek zie *discot(h)eek*.
diskrediet ['dɪskrədi.t] *o* discredit; *in ~ brengen* bring into discredit, bring (throw) discredit on, discredit.
diskreet zie *discreet*.
diskretie zie *discretie*.

disku- zie *discu-*.

diskwalificatie [dɪskva.li.fi.'ka.(t)si.] *v* disqualification.

diskwalificeren [-'se:rə(n)] *vt* disqualify.

diskwalifikatie zie *diskwalificatie*.

dispache [dɪs'pa.ʃ] *v* $ average adjustment.

dispacheur [-pa.'ʃø:r] *m* $ average adjuster.

dispensatie [-pen'za.(t)si.] *v* dispensation (*from* van).

dispenseren [-'ze:rə(n)] *vt* in: *iemand ~ van...* dispense one from...

disponeren [dɪspo.'ne:rə(n)] *vi* in: ~ *op* $ value on; ~ *over* dispose of.

disponibel [-'ni.bəl] available, at one's disposal.

dispositie [-'zi.(t)si.] *v* disposition, disposal.

disputeren [dɪspy.'te:rə(n)] *vi* dispute, argue.

dispuut [-'py.t] *o* dispute, disputation, argument.

disqualifi- zie *diskwalifi-*.

dissel ['dɪsəl] *m* 1 pole [of a carriage] ‖ 2 [carpenter's] adze.

disselboom [-bo.m] *m* pole.

dissertatie [dɪsər'ta.(t)si.] *v* dissertation; ⇔ thesis [*mv* theses] [for a degree].

dissonant [dɪso.'nɑnt] *m* ♩ discord; *dat was de enige ~* that was the only discordant note.

distantiëren [dɪstɑn(t)si.'e:rə(n)] *zich ~ van* ⚔ detach oneself from [the enemy]; *fig* move away from, dissociate oneself from [those views &].

distel ['dɪstəl] *m & v* ✿ thistle.

distelvink [-vɪŋk] *m & v* ♌ goldfinch.

distillaat [dɪstɪ'la.t] *o* distillate.

distillateur [-la.'tø:r] *m* distiller.

distillatie [-'la.(t)si.] *v* distillation.

distilleerderij [-le:rdə'rɛi] *v* distillery.

distilleerkolf [-'le:rkɔlf] *v* receiver of a still.

distilleertoestel [-'le:rtu.stɛl] *o* still.

distilleren [-'le:rə(n)] *vt* distil. [badge.]

distinctief, distinktief [-tɪŋk'ti.f] *o* (distinctive)

distribueren [-tri.by.'e:rə(n)] *vt* distribute; (in tijden van oorlog of schaarste) ration.

distributie [-'by.(t)si.] *v* distribution; (in tijden van oorlog of schaarste) rationing.

distributiekantoor [-kɑnto:r] *o* ± food office.

district, distrikt [dɪs'trɪkt] *o* district.

dit [dɪt] this; *~ alles* all this; *~ zijn mijn kleren* these are my clothes; *bij ~ en dat* F by the holy poker!

ditje ['dɪcə] *o* in: *~s en datjes* 1 customary banalities; 2 trifles, knick-knacks; *wij praatten over ~s en datjes* we were talking about (of) this and that, about one thing and another.

ditmaal ['dɪtma.l] this time, for this once.

dito ['di.to.] ditto, do.

divan ['di.vɑn] *m* couch, divan.

divers [di.'vɛrs] various; *~en* sundries, miscellaneous (articles, items, news &).

dividend [di.vi.'dɛnt] *o* $ dividend.

dividendbewijs [-bəvɛis] *o* $ dividend coupon.

divisie [di.'vi.zi.] *v* division°.

divisiecommandant, -kommandant [-kòmɑndɑnt] *m* ⚔ divisional commander.

Djakarta [dja.'kɑrta.] *o* Jakarta.

djati ['djɑti.] *o* *Ind* teak(-wood).

djioe-djitsoe zie *jioe-jitsoe*.

dm = *decimeter*.

do [do.] *v* ♪ do

dobbelaar ['dɔbəla:r] *m* dicer, gambler.

dobbelen [-lə(n)] *vi* dice, play dice, gamble.

dobbelspel ['dɔbəlspɛl] *o* dice-playing, game at dice.

dobbelsteen [-ste.n] *m* die [*mv* dice]; cube [of bread &].

dobber ['dɔbər] *m* float [of a fishing-line]; *een harde ~ hebben om...* have a great tug to...

dobberen ['dɔbərə(n)] *vi* bob (up and down), float; *fig* fluctuate [between hope and fear].

docent [do.'sɛnt] *m* teacher.

docentenkamer [-'sɛntə(n)ka.mər] *v* common room, staff room.

doceren [-'se:rə(n)] *vi & vt* teach.

doch [dɔx] but.

docht [dɔxt] = *doft*.

dochter ['dɔxtər] *v* daughter.

dochtermaatschappij [-ma.tsxɑpɛi] *v* $ subsidiary company.

doctor [dɔktər, -tər] *m* doctor.

doctoraal [dɔkto.'ra.l] *o* final examination for a degree.

doctoraat [-'ra.t] *o* doctorate, doctor's degree.

doctorandus [-'rɑndŭs] *m* candidate for the doctorate (for a doctor's degree).

doctoreren [-'re:rə(n)] *vi* graduate, take one's degree.

doctores [-'rɛs] *v* (lady, woman) doctor.

doctrinair [dɔktri.'nɛ:r] doctrinaire.

document [do.ky.'mɛnt] *o* document.

documentair [-mɛn'tɛ:r] documentary.

documentaire [-'tɛ:rə] *v* documentary (film).

documentatie [-'ta.(t)si.] *v* documentation.

documenteren [-'te:rə(n)] *vt* document.

dode [do.də] *m-v* dead man, dead woman; *de ~ ook:* the deceased; *de ~n* the dead; *een ~* a dead man (body); *één ~* one dead, one killed; *het aantal ~n* the number of lives lost [in an accident].

dodelijk [-lək] I *aj* mortal [blow], fatal [wounds]; deadly [hatred]; lethal [weapons]; II *ad* mortally, fatally [wounded]; deadly [dull].

doden ['do.də(n)] *vt* kill², slay, put (do) to death; *fig* mortify [the flesh]; *de tijd ~* kill time.

dodenakker ['do.dənɑkər] *m* God's acre, cemetery.

dodencel ['do.də(n)sɛl] *v* condemned cell, deathcell.

dodendans [-dɑns] *m* death-dance, Dance of Death [by Dürer].

dodenmasker [-mɑskər] *o* death-mask.

dodenrijk [-rɛik] *o* realm of the dead.

doder ['do.dər] *m* killer.

dodijnen [do.'dɛinə(n)] *vt* dandle.

doean- zie *douan-*.

doedelen ['du.dələ(n)] *vi* 1 ♪ play the bagpipe; 2 tootle.

doedelzak [-dəlzɑk] *m* ♪ bagpipe, (bag)pipes.

1 **doek** [du.k] *m* 1 cloth; 2 (omslagdoek) shawl; *hij had zijn arm in een ~* he wore his arm in a sling; *uit de ~en doen* disclose.

2 **doek** [du.k] 1 *o* & *m* cloth [of woven stuff]; ⚓ sail; 2 *o* canvas [of a painter]; curtain [of theatre]; screen [of cinema].

doekje ['du.kjə] *o* 1 (piece of) cloth, rag; 2 fichu; *~ voor het bloeden* palliative; *er geen ~s om winden* not mince matters.

doekspeld [-spɛlt] *v* brooch.

doel [du.l] *o* target°, mark; *sp* goal; *fig* mark, aim, goal, purpose, object; design; *het ~ heiligt de middelen* the end justifies the means; *zijn ~ bereiken* gain (attain, secure, achieve) one's object; *zijn ~ missen* miss one's aim; *het ~ voorbijstreven* overshoot the mark, defeat its own object; *met het ~ om...* for the purpose of ..ing, with a view to...; with intent to... [steal]; *ten ~ hebben* be intended to... [ensure his safety &]; *zich ten ~ stellen* make it one's object to...; *het is voor een goed ~* for a good intention; *dat was genoeg voor mijn ~* that was enough for my purpose.

doelbewust [-bə'vʉst] purposeful.

doeleinde [-ɛində] end, purpose.

doelen ['du.lə(n)] *vi* in: *~ op* aim at, allude to; *dat doelt op mij* it is aimed at me.

doelgemiddelde ['du.lgəmɪdəldə] *o sp* goal average.

doellijn ['du.lɛin] *v sp* goal line.

doelloos [-lo.s] *aj* (& *ad*) aimless(ly).

doelloosheid [-hɛit] *v* aimlessness.

doelman ['du.lmɑn] *m sp* zie *doelverdediger*.

doelmatig [du.l'ma.təx] I *aj* appropriate (to the purpose), suitable, efficient; II *ad* appropriately &.

doelmatigheid [-hɛit] *v* suitability, efficiency.

doelpaal ['du.lpa.l] *m sp* goal post.

doelpunt [-pʉnt] *o sp* goal.

doelpunten [-pʉntə(n)] *vi sp* score a goal.

doelstelling [-stɛlɪŋ] *v* aim.

doeltreffend [du.l'trɛfənt] efficient, effective, to the purpose.

doelverdediger ['du.lvərde.dəgər] *m sp* goalkeeper.

doelwit [-vɪt] *o* zie *doel*.

doemen ['du.mə(n)] *vt* in: *ten vure ~* condemn to the flames; *tot mislukking gedoemd* doomed to failure.

doen [du.n] I *vt* 1 (in het alg.) do [harm, a service &]; 2 (vóór infinitief) make [one go, people laugh]; 3 (steken, wegbergen) put [it in one's pocket &]; 4 (opknappen) do [one's hair, a room]; 5 (opbrengen, kosten) be worth, be [2 guilders a pound]; 6 (maken) make [a journey], take [a walk &]; 7 (uitspreken) make [a promise, vow],

take [an oath]; 8 (ter herhaling van het werkw.) do [of onvertaald: he will cheat you, as he has (done) me]; zie ook: *afbreuk, dienst, groet, keus* &; *het ~* (v. machine) work, go; *die vaas doet het* produces its effect; *dat doet het hem* F that's what does it; it works; *geld doet het hem* it's money makes the mare to go; *het doet er niet(s) toe* it does not matter; that is neither here nor there, no matter; *hij kan het er mee ~* F he can take his change out of that; *hij doet het om het geld* he does it for the money; *hij doet het er om* he does it on purpose; *het is hem er om te ~ aan te tonen, dat...* he is concerned to show that...; *het is hem alleen om het geld te ~* it is only money that he is after; *het zijne ~* play one's part; *iets ~* do something; *als je hem iets durft te ~* if you dare hurt (touch) him; *als ik er iets aan kan ~* if I can do anything about it; *ik zal zien of ik er iets aan kan ~* I'll see about it; *ik kan er niets aan ~* 1 I can do nothing about it (in the matter), 2 I cannot help it; *er is niets aan te ~* there is no help for it; *je moet hem niets ~, hoor!* mind you don't hurt (touch) him; *zij hebben veel te ~* 1 they have a lot of work to do; 2 they do a roaring business; *wat doet het buiten?* what is the weather doing?; *wat doet het er toe?* F what does it matter?; *wat doet dat huis?* what's the rent of the house?; *wat doet hij?* what is his business (trade, profession)?; *wij hebben wel wat beters te ~* we have better things to do; II *vi* do; *wat is hier te ~?* what is doing here?, what's up?; *~ alsof...* pretend to, make as if, make believe to; *je doet maar!* P (do) as you please; *je moet maar ~ alsof je thuis was* make yourself at home!; *hij doet maar zo* he is only pretending (shamming); *daaraan heeft hij verkeerd (wijs) gedaan* he has done wrong (wisely) to...; *onverschillig ~* feign indifference; *vreemd ~* act (behave) strangely; *doe wel en zie niet om* do well and shame the devil; *doe zoals ik* do as I do; *zij ~ niet aan postzegels verzamelen* they don't go in for collecting stamps; *ik kan daar niet aan ~* I can't occupy myself with that; *zij ~ in wijnen* they deal in wines; *hij had gedaan met eten (schrijven)* he had finished (done) dinner (writing &); *wij hadden met hem te ~* we pitied him; *pas op, als je met hem te ~ hebt* when dealing with him; *...je zult met mij te ~ krijgen* you shall have to do with me; *als je... dan krijg je met mij te ~* ...we shall get into a row; *hoe lang doe je over dat werk?* how long does it take you?; *daar is heel wat over te ~ geweest* there has been a lot of talk about it, it has made a great stir. Zie ook: *doende & gedaan*; III *o* doing(s); *hij weet ons ~ en laten* he knows all our doings; *er is geen ~ aan* it cannot be done; *in betere ~* in better circumstances, better situated, better off; *in goede(n) ~ zijn* be well-to-do; well off, in easy circumstances; *hij is niet in zijn gewone* ~ he is not his usual self; *niets v a n ~ hebben met* have nothing to do with; *dat is al heel aardig v o o r zijn* ~ for him; zie ook ↓.

doende ['du.ndə] doing; *ik ben er mee ~* I am busy at (with) it; *al ~ leert men* practice makes perfect.

doeniet ['du.ni.t] *m* do-nothing, idler.

doenlijk ['du.nlək] practicable, feasible.

doenlijkheid [-hɛit] *v* practicableness, feasibility.

does [du.s] *m* ♋ poodle.

doetje ['du.cə] *o* F silly, softy.

doezel ['du.zəl] **doezelaar** [-zəla:r] *m* stump.

doezelen [-zələ(n)] *vt* stump.

doezelig [-ləx] I hazy, hazily outlined; 2 zie *soezerig.*

dof [dòf] dull [of colour, light, sound, mind &]; dim [light]; lacklustre [eyes], lustreless [parts]; dead [gold].

doffer ['dòfər] *m* ♌ cock-pigeon.

dofheid ['dòfhɛit] *v* dullness, dimness, lack of lustre.

doft [dòft] *v* thwart, (rower's) bench.

dofwit ['dòf'vɪt] dull white.

dog [dòx] *m* ♋ mastiff, bulldog.

doge ['do.gə] *m* doge.

dogma ['dòxma.] *o* dogma.

dogmaticus [dòx'ma.ti.kũs] *m* dogmatist.

dogmatiek [-ma.'ti.k] *v* dogmatics.

dogmatisch [-'ma.ti.s] *aj* (& *ad*) dogmatic(ally).

dok [dòk] *o* ♋ dock; *drijvend ~* floating dock.

dokgelden ['dòkgɛldə(n)] *mv* dock-dues.

dokken ['dòkə(n)] I *vt* dock, put into dock; II *vi* dock, go into dock; zie ook: *opdokken.*

doksaal [dòk'sa.l] *o* = *oksaal.*

dokter ['dòktər] *m* doctor, physician; *hij is onder ~s handen* he is under the doctor.

dokteren [-tərə(n)] *vi* 1 (v. dokter) practise; 2 (v. patiënt) be under the doctor; ~ *aan* tinker at.

dokteres [-'rɛs] *v* woman doctor.

doktersassistente ['dòktərsasi.stɛntə] *v* receptionist.

doktersrekening [-re.kənɪŋ] *v* doctor's bill.

doktersvisite [-fi.zi.tə] *v* doctor's visit.

dokument(-) zie *document(-).*

dokwerker ['dòkvɛrkər] *m* dock labourer, docker.

1 **dol** [dòl] I *aj* mad; frantic, wild; *is het niet ~?* isn't it ridiculous?; *een ~le hond* a mad dog; *~le schroef* screw that won't bite; *hij is ~ met haar* he is wild about her; *hij is ~ op erwtensoep* he is very fond of pea-soup; *iemand ~ maken* drive one mad (wild); ~ *worden* run mad; *het is om ~ te worden* it is enough to drive you mad; II *ad* madly; *het is ~ goedkoop* ridiculously cheap; *~veel van iets houden* be mad about it; *hij is ~ verliefd* he is madly in love (with her), he is mad on her; III *o* in: *door het ~le heen zijn* be mad (frantic) with joy, be wild.

2 **dol** [dòl] *m* ♋ thole.

dolblij ['dòl'blɛi] mad with joy, overjoyed.

dolboord ['dòlbo:rt] *o* ♋ gunwale, gunnel.

doldriest ['dòldri.st] *aj* (& *ad*) reckless(ly).

dolen ['do.lə(n)] *vi* 1 wander (about), roam, rove, ramble; 2 err [be mistaken].

dolfijn [dòl'fɛin] *m* ♒ dolphin.

dolgraag ['dòlgra.x] in: *~!* with the greatest pleasure!, ever so much!; *ik zou het ~ willen* I should like it of all things.

dolheid [-hɛit] *v* wildness, madness, frenzy.

dolik ['do.lək] *v* ♣ cockle, corn-cockle, darnel.

dolk [dòlk] *m* dagger, poniard, stiletto, dirk.

dolkmes ['dòlkmɛs] *o* bowie-knife.

dolksteek [-ste.k] **dolkstoot** [-sto.t] *m* stab (with a dagger), stab[2] [in the back].

dollar ['dòlar] *m* dollar.

dollekervel [dòlə'kɛrvəl] *m* ♣ hemlock.

dolleman ['dòləman] *m* madman, madcap.

dollemanspraat [-manspra.t] *m* mad (foolish) talk.

dollemanswerk [-vɛrk] *o* in: *het is ~* it is sheer madness, a mad thing to do.

dollen ['dòlə(n)] *vi* lark.

dolletjes ['dòləcəs] F in: *het was ~* it was a scream.

dolman ['dòlman] *m* dolman.

dolomiet [do.lo.'mi.t] *o* dolomite.

dolzinnig [dòl'zɪnəx] mad, frantic.

dolzinnigheid [-hɛit] *v* madness, frenzy.

1 **dom** [dòm] I *aj* stupid, dull; *een ~me streek* a stupid (silly, foolish) thing; *hij is nog zo ~ niet (als hij er uitziet)* he is not such a fool as he looks; *hij houdt zich van den ~me* he pretends ignorance; II *ad* stupidly.

2 **dom** [dòm] *m* cathedral (church); *de Keulse ~* Cologne Cathedral.

3 **dom** [dòm] *m* (titel) dom.

domaniaal [do.ma.ni.'a.l] domanial.

domein [do.'mɛin] *o* domain[2], crown land, demesne; *publiek ~* public property.

domheer ['dòmhe:r] *m* canon, prebendary.

domheid [-hɛit] *v* stupidity, dullness; *domheden ook:* stupid (silly, foolish) things.

domicilie [do.mi.'si.li.] *o* domicile; *~ kiezen* choose one's domicile.

domiciliëren [-si.li.'e:rə(n)] *vt* domicile.

dominant [do.mi.'nant] *v* ♪ dominant.

dominee ['do.mi.ne.] *m* clergyman; minister [esp. in Nonconformist & Presbyterian Churches]; vicar, rector [in Church of England]; > parson; [Lutheran] pastor; *~ W. Brown* the Reverend W. Brown; *~ Niemöller* Pastor Niemöller *ja, ~!* yes, sir!

domineren [do.mi.'ne:rə(n)] I *vt* dominate (over), lord it over, command; II *vi* (pre)dominate ‖ play (at) dominoes.

dominiaal [-ni.'a.l] Dominion...

dominicaan [-ni.'ka.n] *m* Dominican.

dominicanes [-ni.ka.'nɛs] *v* Dominican nun.

Dominicus [do.'mi.ni.kũs] *m* Dominic.

dominika- zie *dominica-.*

domino ['do.mi.no.] 1 *m* domino; 2 *o sp* dominoes.

dominospel [-spɛl] *o* 1 (game of) dominoes; 2 set of dominoes.

dominosteen [-ste.n] *m* domino.

domkapittel ['dòmka.pɪtəl] *o* (dean and) chapter.

domkerk [-kɛrk] *v* cathedral (church).

domkop [-kɔp] *m* blockhead, dunce, duffer, dolt, numskull.

dommekracht ['dòməkrɑxt] *v* ✗ jack.

dommel ['dòməl] *m* in *in de* ~ *zijn* be in a doze.

dommelen ['dòmələ(n)] *vi* doze, drowse.

dommelig [-ləx] dozy, drowsy.

dommeling [-lɪŋ] *v* doze, drowse.

dommerik ['dòmɛrɪk] **domoor** ['dòmo:r] *m* zie *domkop*.

dompelaar ['dòmpəla:r] *m* 1 🐦 diver; 2 ✗ plunger; 3 ⚡ immersion heater.

dompelen [-lə(n)] I *vt* plunge[2], dip, duck, immerse; II *vr zich* ~ *in* plunge into.

dompertje ['dòmpərcə] *o* extinguisher.

dompig [-pɑx] close, stuffy.

domproost [-pro.st] *m* dean.

domtoren [-to:rə(n)] *m* cathedral tower.

domweg [-vɛx] stupidly, without thinking.

donateur [do.na.'tø:r] *m* donor.

Donau ['do.nɑu] *m* Danube.

donder ['dòndər] *m* thunder[2]; *wat* ~ *moet jij hier?* P what the thunder do you want here?; *als door de* ~ *getroffen* thunderstruck.

donderaar [-dəra:r] *m* 1 thunderer[2]; 2 S bully.

donderbui ['dòndərbœy] *v* thunderstorm.

donderbus [-bûs] *v* ⊠ blunderbuss.

donderdag [-dɑx] *m* Thursday.

donderdags [-dɑxs] I *aj* Thursday; II *ad* on Thursdays.

donderen ['dòndərə(n)] I *vi* thunder[2] [against abuses, in one's ears], fulminate[2]; II *vt* 1 S dragoon, rag, bully; 2 P fling.

donderend [-rənt] thundering[2], thunderous[2].

dondergod ['dòndərgɔt] *m* thunder-god, thunderer.

donderjagen [-ja.gə(n)] *vi* P ballyrag.

donderpad [-pɑt] *v* zie *kikkervisje*.

donders [-s] I *aj* devilish, confounded; II *ad* < deucedly; ~ *blij (groot)* thundering glad (great); III *ij* the deuce!

donderslag [-slɑx] *m* thunderclap, peal of thunder; *een* ~ *uit heldere hemel* a bolt from the blue.

donderwolk [-vòlk] *v* thundercloud.

Don Juan [dõȝy.'ã, dòn'gu.ɑn] *m* Don Juan[2], lady-killer.

donker ['dòŋkər] I *aj* dark[2], obscure, gloomy, sombre, dusky, dim, ☉ darksome, darkling; *het ziet er* ~ *voor hem uit* it is a dark outlook for him; II *ad* darkly; *hij keek* ~ he looked gloomy; *hij ziet alles* ~ *in* he takes a gloomy view of things; III *o* in: *het* ~ the dark; *bij* ~ at dark; *in het* ~ in the dark[2]; *in het* ~ *tasten* 1 grope (walk) in darkness; 2 be in the dark

[about the future &]; *na* ~ after dark; *vóór* ~ before dark.

donkerblauw [-'blɑu] dark-blue, deep-blue.

donkerbruin [-'brœyn] dark-brown, deep-brown.

donkergeel [-'ge.l] deep-yellow.

donkerheid [-hɛit] *v* darkness, obscurity.

donkerrood [dòŋkə'ro.t] dark-red, deep-red.

donor ['do.nər] *m* donor.

Don Quichotte [dònki.'ʃɔt, -'go.tə] *m* Don Quixote.

donquichotterie [-tə'ri.] *v* (piece of) quixotry.

dons [dòns] *o* down, fluff; zie ook: *poederdons*.

donsachtig ['dònsɑxtəx] downy, fluffy.

donzen ['dònzə(n)] *aj* down; zie ook: *donzig*.

donzig [-zəx] downy, fluffy.

dood [do.t] *aj* dead [also of capital, weight &]; *zo* ~ *als een pier* as dead as a door-nail; *de dode hand* mortmain; *een dode stad* a dead-alive town; *ze lieten hem voor* ~ *liggen* they left him for dead; *zich* ~ *drinken* drink oneself to death; *zich* ~ *houden* sham dead; *ik lach me* ~*!* it is too killing; zie ook: *kniezen* &; *iemand* ~ *verklaren* send a person to Coventry; II *m & v* death; ~ *en verderf* death and destruction; *het is de* ~ *in de pot* it is a dead-alive business; *er uitziend als de* ~ *van Yperen* ghastly white, wretchedly thin; *de een zijn* ~ *is de ander zijn brood* one man's meat is another man's poison; *de* ~ *vinden* meet one's death; *de* ~ *in de golven vinden* find a watery grave; *hij is er (zo bang) als de* ~ *voor* he is mortally afraid of it; *hij heeft het gehaald bij de* ~ *af* he has been at death's door; *na de* ~ after death; *om de* ~ *niet!* F not for anything!; by no means, not at all [stupid &]; *dat zou ik om de* ~ *niet willen* not for the life of me; *op de* ~ *liggen* be at the point of death, be dying; *hij is ten dode opgeschreven* he is doomed (to death); *ter* ~ *brengen* put to death; *tot in de* ~ *getrouw* faithful unto death; *uit de* ~ *opstaan* rise from the dead.

doodaf ['do.t'ɑf] dead-beat, knocked up.

doodarm [-'ɑrm] very poor, as poor as Job, as poor as a church mouse.

doodbedaard [-bə'da:rt] quite calm, as cool as a cucumber.

doodbidder [-bɪdər] *m* undertaker's man.

doodbijten [-bɛitə(n)] *vt* bite to death.

doodbloeden [-blu.də(n)] *vi* bleed to death; *fig* fizzle out, die down.

dooddoener ['do.du.nər] *m* F (mere) silencer, clincher.

dooddrukken [-drûkə(n)] *vt* press (squeeze) to death.

doodeenvoudig ['do.te.n'voudəx] I *aj* very easy, as easy as lying, quite simple; II *ad* simply.

doodeerlijk [-e:rlək] honest to the core.

doodgaan ['do.tga.n] *vi* die.

doodgeboren [-gəbo:rə(n)] still-born[2]; *fig* foredoomed to failure; *het boek was een* ~ *kindje* the book fell still-born from the press.

doodgemakkelijk [do.tgǝ'mɑkǝlǝk] quite easy.

doodgewoon [-gǝ'vo.n] **1** *aj* quite common; ordinary; F common or garden; **II** *ad* simply.

doodgoed ['do.tgu.t] kind to a fault.

doodgooien [-go.jǝ(n)] *vt* kill by throwing stones at...; *iemand ~ met geleerde woorden* knock one down with learned words.

doodgraver [-gra.vǝr] *m* **1** grave-digger; **2** ⚏ sexton-beetle.

doodhongeren [-hòŋǝrǝ(n)] *vi & vt* starve to death.

doodjammer ['do.t'jamǝr] in: *het is ~* it is a great pity.

doodkalm [-kɑlm] zie *doodbedaard*.

doodkist [-kɪst] *v* coffin.

doodkloppertje [-klɔpǝrcǝ] *o* death-watch.

doodleuk [-lø.k] quite coolly, as cool as a cucumber.

doodliggen [-lɪgǝ(n)] *vt* overlie [a child].

doodlopen [-lo.pǝ(n)] **I** *vi* have a dead end [of a street]; **II** *vr zich ~* tire oneself out with walking.

doodmaken [-ma.kǝ(n)] *vt* kill, do to death.

doodmartelen [-mɑrtǝlǝ(n)] *vt* torture to death.

doodmoe(de) [-mu.(dǝ)] dead-tired, dead-beat, tired to death.

doodnuchter [-nǖxtǝr] quite sober; zie ook: *doodleuk*.

doodongelukkig [-òŋgǝ'lǖkǝx] utterly miserable.

doodonschuldig [-òn'sxǖldǝx] as innocent as a lamb.

doodop ['do.t'òp] zie *doodaf*.

doodpraten ['do.tpra.tǝ(n)] *vt* talk out [a bill].

doods [do.ts] deathly, deathlike [silence], dead, dead-alive [town].

doodsakte ['do.tsɑktǝ] *v* death certificate.

doodsangst [-ɑŋst] *m* **1** (dodelijke angst) mortal fear; **2** (angst des doods) death agony.

doodsbang [-'bɑŋ] mortally afraid [of...].

doodsbed [-bɛt] *o* death-bed.

doodsbeenderen [-be.ndǝrǝ(n)] *mv* (dead man's) bones.

doodsbenauwd [-bǝnɑut] mortally afraid [of...].

doodsbericht [-bǝrɪxt] *o* announcement of a person's death; obituary (notice).

doodsbleek [-ble.k] deathly pale.

doodschieten ['do.tsxi.tǝ(n)] *vt* shoot (dead).

doodschoppen [-sxòpǝ(n)] *vt* kick to death.

doodsgevaar ['do.tsgǝva:r] *o* peril of death, danger of life, deadly danger.

doodsheid [-hɛit] *v* deadness, deathliness.

doodshemd [-hɛmt] *o* shroud, winding-sheet.

doodshoofd [-ho.ft] *o* death's-head, skull.

doodskist [-kɪst] = *doodkist*.

doodskleed [-kle.t] *o* **1** (lijkwade) shroud, winding-sheet; **2** (doodkistkleed) pall.

doodskleur [-klø:r] *v* livid colour.

doodsklok [-klòk] *v* death-bell, passing-bell, knell.

doodskloppertje [-klɔpǝrcǝ] = *doodkloppertje*.

doodskop [-kòp] *m* F zie *doodshoofd*.

doodslaan ['do.tsla.n] *vt* kill, slay [a man], beat to death; *fig* silence [one in a discussion].

doodslag [-slɑx] *m* homicide, manslaughter.

doodsoorzaak ['do.tso:rza.k] *v* cause of death.

doodsschrik ['do.ts(x)rɪk] *m* mortal fright; *iemand een ~ op het lijf jagen* frighten a person out of his wits.

doodsslaap [-sla.p] *m* sleep of death.

doodssnik [-snɪk] *m* last gasp.

doodsstrijd [-strɛit] *m* death-struggle, agony.

doodsstuip [-stœyp] *v* spasm of death.

doodsteek [-ste.k] *m* death-blow[2], finishing stroke[2].

doodsteken [-ste.kǝ(n)] *vt* stab (to death).

doodstil [-stɪl] stock-still; still as death; [listen] dead silent; *hij stond ~* he stood as still as a statute.

doodstraf [-strɑf] *v* capital punishment, death penalty.

doodsverachting ['do.tsfǝrɑxtɪŋ] *v* contempt for death.

doodsvijand [-fɛiɑnt] *m* mortal enemy.

doodszweet ['do.tsve.t] *o* death-sweat, sweat of death.

doodtij ['do.'tɛi] *o* slack water; neap(-tide).

doodtrappen ['do.trɑpǝ(n)] *vt* kick to death.

doodvallen ['do.tfɑlǝ(n)] *vi* fall (drop) down dead.

doodverven [-fɛrvǝ(n)] *vt* in: *met een betrekking gedoodverfd worden* be popularly designated for a place (post); *hij werd ermee gedoodverfd* it was attributed to him.

doodvonnis [-fònǝs] *o* sentence of death, death-sentence; *het ~ uitspreken over* pass sentence of death on.

doodvriezen [-fri.zǝ(n)] *vi* freeze (be frozen) to death.

doodwerken [-vɛrkǝ(n)] *zich ~* work oneself to death.

doodwond(e) [-vònt, -vòndǝ] *v* mortal wound.

doodzeilen [-sɛilǝ(n)] *vt* in: *het tij ~* stem the tide.

doodziek [-si.k] mortally ill. [tide.]

doodzonde [-sòndǝ] *v* mortal sin, deadly sin.

doodzwijgen [-svɛigǝ(n)] *vt* not talk about, ignore.

doof [do.f] deaf; *zo ~ als een kwartel* as deaf as a post; *~ aan één oor* deaf of (in) one ear; *aan dat oor was hij ~* he was deaf on that side; *~ voor* deaf to; *~ blijven voor...* turn a deaf ear to...; *Oostindisch ~ zijn* sham deafness.

doofachtig ['do.fɑxtǝx] somewhat deaf.

doofheid [-hɛit] *v* deafness.

doofpot [-pòt] *m* extinguisher; *iets in de ~ stoppen* hush up a thing.

doofstom [do.f'stòm] deaf and dumb.

doofstomheid [-hɛit] *v* deaf-muteness.

doofstomme [do.f'stòmǝ] *m-v* deaf-mute.

doofstommeninstituut [-mǝnɪnsti.ty.t] *o* institution for the deaf and dumb.

dooi [do:i] *m* thaw.

dooien ['do.jǝ(n)] *vi* thaw; *het dooit* it is thawing; *het begint te ~* the thaw is setting in.

dooier ['do.jər] *m* yolk.

dooiwe(d)er ['do:ive:r, -ve.dər] *o* thaw.

doolhof ['do.lhɔf] *m* labyrinth, maze.

doolweg [-vɛx] *m* wrong way; *op ~en geraken* go astray.

doop [do.p] *m* baptism, christening; *de ~ ontvangen* be baptized, be christened; *ten ~ houden* hold (present) at the font.

doopakte ['do.pɑktə] *v* certificate of baptism.

doopbekken ['do.bɛkə(n)] *o* (baptismal) font.

doopboek [-bu.k] *o* register of baptisms.

doopceel ['do.pse.l] *v & o* certificate of baptism; *iemands ~ lichten* lay bare a man's past.

doopdag [-dɑx] *m* christening day.

doopfeest [-fe.st] *o* christening feast.

doopformulier [-fɔrmy.li:r] *o* service for baptism.

doopgelofte [-gələftə] *v* baptismal vow(s).

doopgetuige [-gətœygə] *m-v* sponsor.

doopgoed [-gu.t] *o* christening robes.

doopheffer [-hɛfər] *m* godfather.

doophefster [-hɛfstər] *v* godmother.

doophek [-hɛk] *o* baptistery screen.

doopjurk [-jürk] *v* christening robe.

doopkapel [-ka.pɛl] *v* baptistery.

doopkind [-kɪnt] *o* godchild.

doopkleed [-kle.t] *o* christening robe.

doopmaal [-ma.l] *o* christening feast.

doopmoeder [-mu.dər] *v* godmother.

doopnaam [-na.m] *m* Chirstian name.

doopplechtigheid ['do.plɛxtəxhɛit] *v* christening ceremony, (v. s c h i p &) naming ceremony.

doopregister ['do.prəgɪstər] *o* register of baptisms.

doopsel [-səl] *o* baptism.

doopsgezinde ['do.psgəzɪndə] *m-v* Mennonite.

doopvader ['do.pfa.dər] *m* godfather.

doopvont [-fònt] *v* (baptismal) font.

doopwater [-va.tər] *o* baptismal water.

1 **door** [do:r] I *prep* through; by; *het ene jaar ~ het andere* one year with another; *~ alle eeuwen* through all ages; *~ heel Europa* throughout Europe, all over Europa; *~ mij geschreven* written by me; *ik rende ~ de gang* I ran along the corridor; *ik liep ~ de kamer* I walked across the room; *~ de stad* through the town; *~ de week* during the week; II *ad* through; *ik ben het boek ~* I have got through the book; *de dag (het jaar) ~* throughout the day (the year); *iemands hele leven ~* all through a man's life, all his life; *ze zijn er ~* they have got through; *de verloving is er ~* the engagement has come off; *~ en ~ eerlijk* thoroughly honest; *iets ~ en ~ kennen* know a thing thoroughly; *~ en ~ nat* wet through, wet to the skin.

2 **door** [do:r] *m = dooier*.

dooraderd [do:r'a.dərt] veined.

doorbabbelen ['do:rbɑbələ(n)] *vi* go on talking, talk on.

doorbakken [do:r'bɑkə(n)] well-baked [bread]; *niet ~* slack-baked.

doorberekenen ['do:rbəre.kənə(n)] *vt* pass on [the higher prices to the consumer]; *de verhoging ~ in de prijzen* pass the increase on in higher prices.

doorbijten ['-bɛitə(n)] *vt* bite through.

doorbladeren [-bla.dərə(n)] *vt* turn over the leaves of [a book], examine cursorily, skim.

doorboren [do:r'bo:rə(n)] *vt* 1 (met iets puntigs) pierce, perforate; 2 (met een wapen) transfix [with a lance], run through [with a sword], stab [with a dagger]; 3 (met kogels) riddle [with bullets]; 4 (met zijn blikken) transfix [him].

doorbraak ['do:rbra.k] *v* bursting [of a dike]; breach [in a dike]; ⚔ break-through.

doorbraden [-bra.də(n)] *vt* roast well (thoroughly).

doorbranden [-brɑndə(n)] I *vi* 1 burn on; 2 burn through; *de lamp is doorgebrand* 🔌 the bulb has burnt out; *de zekering is doorgebrand* 🔌 the fuse has blown; II *vt* burn through.

1 **doorbreken** [-bre.kə(n)] I *vt* break [a piece of bread &]; break through [the enemy]; run [a blockade]; II *vi & va* burst [of a dike, an abscess], break through [of the sun].

2 **doorbreken** [do:r'bre.kə(n)] *vt* break through.

doorbrengen ['do:rbrɛŋə(n)] *vt* pass [one's days], spend [days, money]; run through [a fortune].

doorbrenger [-brɛŋər] *m* spendthrift.

doorbuigen [-bœygə(n)] *vi* bend, give way, sag.

doordacht [do:r'dɑxt] well-considered, well thought-out.

doordansen ['do:rdɑnsə(n)] I *vi* dance on: II *vt* dance through [the room].

doordat [do:r'dɑt] because, on account of; *~ hij niet...* by (his) not having...

1 **doordenken** [-'dɛŋkə(n)] *vt* consider fully, think out.

2 **doordenken** ['do:rdɛŋkə(n)] I *vt* think out [a thought]; II *vi* think things out.

door-de-weeks [do:rdə've.ks] weekday [clothes, morning, name &]; *een ~e dag* a weekday.

doordien [do:r'di.n] because, since, as.

doordienen ['do:rdi.nə(n)] *vi* stay on, continue in office.

doordoen [-du.n] *vt* blot out, cross out, strike out.

doordraaien [-dra.jə(n)] *vi* continue turning.

doordraaier [-dra.jər] *m* F fast fellow.

doordraven [-dra.və(n)] *vi* trot on; *fig* rattle on.

doordraver [-dra.vər] *m* rattle.

doordrijven [-drɛivə(n)] *vt* force through [measures]; *zijn wil (zin) ~* carry one's point, have one's own way.

doordrijver [-vər] *m* self-willed whole-hogger.

doordrijverij [do:rdrɛivə'rɛi] *v* obstinate assertion of one's will.

doordringbaar ['-drɪnba:r] penetrable [by shot &]; pervious, permeable [to a fluid].

doordringbaarheid [-hɛit] *v* penetrability; perviousness, permeability.

1 **doordringen** ['do:rdrɪŋə(n)] *vi* penetrate [into something]; *het zal niet tot hem* ~ he won't be able to realize it.

2 **doordringen** [do:r'drɪŋə(n)] *vt* pierce, penetrate, pervade; zie ook: *doordrongen*.

doordringend [do:r'drɪŋənt] penetrating [odour], piercing [cold, wind, looks, cry], searching [cold], strident [sound], permeating [light].

doordringendheid [-hɛit] *v* piercingness; searchingness; (power of) penetration.

doordrongen [do:r'drɔŋə(n)] in: ~ *van* penetrated by [a sense of...]; impressed with [the thruth]; imbued with [his own importance].

doordrukken ['do:rdrŭkə(n)] I *vi* 1 press through; 2 continue pressing; 3 go on printing; II *vt* push through.

dooreen [do:'re.n] pell-mell, in confusion; ~ *genomen* on an average.

dooreengooien [-go.jə(n)] *vt* jumble together, F make hay of [papers &].

dooreenhalen [-ha.lə(n)] *vt* zie *dooreengooien* & *dooreenhaspelen*.

dooreenhaspelen [-haspələ(n)] *vt* mix up, muddle up.

dooreenlopen [-lo.pə(n)] *vi* 1 flow together; 2 run together; intermingle.

dooreenschudden [-sxŭdə(n)] *vt* shake up; *je wordt dooreengeschud in de trein* one is jolted.

dooreenstrengelen [-strɛŋələ(n)] *vt* intertwine.

dooreenweven [-ve.və(n)] *vt* interweave.

dooreten ['do:re.tə(n)] *vt* continue (go on) eating.

doorgaan [-ga.n] I *vi* 1 (verder gaan) go (walk) on; 2 (voortgang hebben) come off, take place; 3 (doorbreken) break [of an abscess]; 4 (blijven gelden) hold (good); *ga (nu) door!* go on!; *de koop gaat niet door* the deal is off; *er* ~ pass through [the ring &]; go through, pass [of a bill], be carried [of a motion]; *er van* ~ bolt, take to one's heels; *de paarden gingen er vandoor* the horses bolted, ran away; *ik ga er vandoor, hoor!* F I am off!; ~ *met* go on with [his studies]; go on, continue, keep [doing something]; *op (over) iets* ~ pursue the subject; ~ *voor* be considered, be thought (to be), pass for; *zij wilden hem laten* ~ *voor de prins* they wanted to pass him off as the prince; II *vt* go through [the street, accounts], pass through [the doorway]; Zie ↓.

doorgaand [-ga.nt] in: ~*e biljetten* through tickets; ~ *rijtuig* 1 through carriage; 2 corridor carriage; ~*e trein* through (non-stop) train; ~ *verkeer* through traffic.

doorgaans [-ga.ns] generally, usually, normally, commonly.

doorgang [-gaŋ] *m* passage, way, thoroughfare; *geen* ~ no thoroughfare; ...*zal geen* ~ *hebben* ...will not take place.

doorgestoken [-gəsto.kə(n)] pierced; zie ook: *kaart*.

doorgeven ['do:rge.və(n)] *vt* pass, pass [it] on.

doorgewinterd [-gəvɪntərt] seasoned [soldier &].

doorgloeien [do:r'glu.jə(n)] *vt* inflame, fire.

doorgraven ['do:rgra.və(n)] *vt* dig through, cut (through).

doorgraving [-vɪŋ] *v* digging (through); cutting [of the Isthmus of Suez].

doorgronden [do:r'grɔndə(n)] *vt* fathom [a mystery], get to the bottom of [a thing], see into [the future], see through [a person].

doorhakken ['do:rhakə(n)] *vt* cut (through), cleave.

doorhalen [-ha.lə(n)] *vt* 1 (doortrekken) pull through [a cord]; 2 (doorstrepen) strike (cross) out [a word]; 3 (blauwen) blue; (stijven) starch; 4 (over de hekel halen) haul over the coals [a person]; slate, slash, cut up [a book, an author]; *hij zal het er wel* ~ he is sure to pull through; *de dokter kan hem er niet* ~ the doctor can't pull him through; *het wetsvoorstel er* ~ carry the bill

doorhaling [-ha.lɪŋ] *v* erasure, cancellation.

doorhebben [-hɛbə(n)] *vt* see through [a person, it], realize [it].

doorheen [do:r'he.n] through; *ik ging er* ~ I went through [the ice].

doorhelpen ['do:rhɛlpə(n)] *vt* help (*fig* see) through.

doorhollen [-hɔlə(n)] I *vi* hurry on; II *vt* hurry through [the country], gallop through [a book].

doorhuiveren [do:r'hœyvərə(n)] *vt* thrill.

doorjagen ['do:rja.gə(n)] *vt* in: *zijn goed er* ~, zie *lappen*; *een wetsvoorstel er* ~ rush a bill through.

doorkijk [-kɛik] *m* vista.

doorkijken [-kɛikə(n)] *vt* look over, look (go) through [a list], glance through [the newspapers].

doorklieven [do:r'kli.və(n)] *vt* cleave.

doorklinken [-'klɪŋkə(n)] *vt* ring through [the house &].

doorknagen ['do:rkna.gə(n)] *vt* gnaw through.

doorkneed [do:r'kne.t] in: *hij is* ~ *in...* he is versed, well-read in [history], steeped in [the philosophy of...], seasoned in [a science].

doorknippen [do:r'knɪpə(n)] *vt* cut (through).

doorkoken [-ko.kə(n)] I *vt* boil thoroughly; II *vi* keep boiling.

doorkomen [-ko.mə(n)] I *vt* pass, get through[2]; *er was geen* ~ *aan* you couldn't get through [the crowd]; *hij zal er wel* ~ he is sure to pass [his exam]; *zijn tandjes zullen gauw* ~ it will soon cut its teeth; *de zon zal gauw* ~ the sun will soon break through.

doorkrijgen [-krɛigə(n)] *vt* get through; pull through [a candidate]; get down [one's food]; carry [a bill].

doorkruipen [-krœypə(n)] *vt* creep through.

doorkruisen [do:r'krœysə(n)] *vt* cross [the mind], traverse [the streets]; intersect [the country, of railways], scour [the seas, a forest]; *fig* thwart [a person's plans].

doorlaat ['do:rla.t] *m* culvert.

doorlaten [-la.tə(n)] *vt* let [one, it] through, pass [a candidate], transmit [the light].

doorlekken [-lɛkə(n)] *vt* leak through.

doorleven [do:r'le.və(n)] *vt* go (pass) through [moments of..., dangers &].

doorlezen ['do:rle.zə(n)] I *vt* read through, go through, peruse; II *vi* read on, go on reading.

doorlezing [-le.zɪŋ] *v* reading, perusal.

doorlichten [-lɪxtə(n)] *vt* ☧ X-ray.

doorlichting [-lɪxtɪŋ] *v* ☧ X-ray examination.

doorloop [-lo.p] *m* passage.

1 **doorlopen** [-lo.pə(n)] I *vi* go (walk, run) on; keep going (walking, running); ∼ (*mensen*)! pass along!, move on!; *loop door!* get along (with you)!; *loop wat door!* hurry up a bit!; II *vt* 1 go (walk, run) through [a wood]; 2 go through [a piece of music, accounts]; run over [the contents]; 3 wear out [one's shoes] by walking; *doorgelopen voeten* sore feet.

2 **doorlopen** [do:r'lo.pə(n)] *vt* walk through; pass through [a school].

doorlopend ['do:rlo.pənt] I *aj* continuous [performance]; II *ad* ∼ *genummerd* consecutively numbered; [do:r'lo.pənt] continuously.

doorluchtig [do:r'lʏxtəx] illustrious; (most) serene.

doorluchtigheid [-hɛit] *v* illustriousness; *Zijne Doorluchtigheid* His Serene Highness.

doormaken ['do:rma.kə(n)] *vt* go (pass) through [a crisis &].

doormarche [-marʃ] = *doormars*.

doormarcheren [-marʃe:rə(n)] I *vi* march on; II *vt* march through.

doormars [-mars] *m* & *v* ✕ màrch(ing) through.

doormidden [do:r'mɪdə(n)] in half, [break] in two; [tear it] across.

doorn [do:rn] *m* 1 thorn, prickle, spine; 2 tang [of a knife]; *dat is hem een* ∼ *in het oog* it is an eyesore to him, a thorn in his side.

doornachtig ['do:rnaxtəx] thorny, spinous.

doornappel [-apəl] *m* ☧ thorn-apple.

doornat ['do:rnat] wet through, wet to the skin.

doornenkroon ['do:rnə(n)kro.n] *v* crown of thorns.

doornhaag ['do:rnha.x] *v* thorn-hedge, hawthorn hedge.

doornig ['do:rnəx] thorny[2].

Doornroosje ['do:rnro.ʃə] *v* & *o* the Sleeping Beauty.

doornstruik [-strœyk] *m* thorn-bush.

doorploegen [do:r'plu.gə(n)] *vt* plough [the sea].

doorpraten ['do:rpra.tə(n)] *vi* go on talking, talk on.

doorpriemen [do:r'pri.mə(n)] *vt* pierce.

doorprikken ['do:rprɪkə(n)] *vt* prick.

doorratelen ['do:rra.tələ(n)] *vi* rattle on.

doorregen [do:'re.gə(n)] *aj* streaked, streaky [bacon].

doorregenen ['do:re.gənə(n)] *vi* rain on.

doorreis ['do:reis] *v* passage (journey) through; *op mijn* ∼ *door A.* on my way through A.

1 **doorreizen** [-rɛizə(n)] *vi* go on.

2 **doorreizen** [do:'rɛizə(n)] *vt* travel through.

doorrennen ['do:rɛnə(n)] I *vi* race along; II *vt* race through[2] [the fields, a curriculum].

doorrijden [-rɛidə(n)] I *vi* ride (drive) on; *wat* ∼ ride (drive) faster; II *vt* ride (drive) through [the country].

doorrijhoogte [-rɛiho.xtə] *v* headroom.

doorrit [-rɪt] *m* passage.

doorroeien [-ru.jə(n)] *vi* row on, continue rowing.

doorroeren [-ru:rə(n)] *vt* stir.

doorroken [-ro.kə(n)] I *vt* smoke thoroughly; *een pijp* ∼ colour a pipe; II *vi* go on smoking.

doorrollen [-rɔlə(n)] I *vi* continue rolling; *er* ∼ F escape (pass) by the skin of one's teeth; II *vt* roll through.

doorschemeren ['do:rsxe.mərə(n)] *vi* shine (show) through; *laten* ∼ hint, give to understand.

doorscheuren [-sxø:rə(n)] *vt* rend, tear (up).

1 **doorschieten** [-sxi.tə(n)] I *vi* continue to shoot (fire); II *vt* shoot through.

2 **doorschieten** [do:r'sxi.tə(n)] *vt* 1 riddle [with shot]; 2 interleave [a book].

doorschijnen ['do:rsxɛinə(n)] *vi* shine (show) through.

doorschijnend [do:r'sxɛinənt] translucent, diaphanous.

doorschijnendheid [-hɛit] *v* translucency.

doorschrappen ['do:rs(x)rapə(n)] *vt* cross (strike) out, cancel.

doorschrijven [-s(x)rɛivə(n)] *vi* write on, continue writing.

doorschudden [-sxʏdə(n)] *vt* shake thoroughly; shake (up) [a mixture][2]; shuffle [the cards].

doorschutten [-sxʏtə(n)] *vt* lock through [a vessel].

doorseinen [-sɛinən] *vt* ☧ transmit [a message].

doorsijpelen [-sɛipələ(n)] *vi* ooze through, percolate.

doorslaan [-sla.n] I *vi* 1 *eig* go on beating; 2 (v. balans) dip; 3 (v. machine) race; 4 ✕ (v. zekering) blow (out); 5 *fig* run on [in talking]; 6 S (v. medeplichtige) squeal; *wat ben je aan 't* ∼!, ook: how your tongue runs!; *de balans doen* ∼ turn the scale[2]; II *vt* sever [something] with a blow; beat up [eggs]; ✕ punch [a metal plate]; ✕ blow [a fuse]; zie ook: *doorschrappen*; III *vr* in: *zich er* ∼ zie *slaan*.

doorslaand [-sla.nt] in: ∼ *bewijs*, conclusive proof.

doorslag [-slax] *m* 1 (vergiet) colander, strainer; 2 (drevel) punch; 3 (kopie) carbon copy; 4 turn of the scale; *dat gaf de* ∼ that's what turned the scale.

doorslaggevend [-slɑɣe.vənt] decisive [importance, proof, factor], deciding [factor, voice].

doorslagpapier [-slɑxpa.pi:r] o copy(ing) paper.

doorslapen [-sla.pə(n)] vi sleep on, sleep without a break.

doorslepen [-sle.pə(n)] vt drag (pull) through².

doorslijten [-slɛitə(n)] vt & vi wear through.

doorslikken [-slɪkə(n)] vt swallow (down).

doorslippen [-slɪpə(n)] vi slip through.

doorsluipen [-slœypə(n)] vi steal through.

doorsmelten [-smɛltə(n)] I vi ⚡ blow (out); II vt ⚡ blow [a fuse].

doorsmeren [-sme.rə(n)] vt 🚗 grease.

doorsne(d)e [-sne.(də)] v [longitudinal, transverse] section; profile; diameter; in ~ (gemiddeld) on an (the) average.

doorsneeprijs [-sne.prɛis] m $ average price.

doorsnellen [-snɛlə(n)] I vt rush through; II vi rush on.

1 **doorsnijden** [-snɛi(d)ə(n)] vt cut (through).

2 **doorsnijden** [do:r'snɛi(d)ə(n)] vt cut, traverse, intersect, cross; elkaar ~ intersect.

doorsnuffelen [-'snʉfələ(n)] vt ransack, rummage (in).

doorspekken [-'spɛkə(n)] vt lard², fig interlard.

doorspelen ['do:rspe.lə(n)] I vi play on; II vt ♪ play over.

doorspoelen [-spu.lə(n)] vt rinse (through) [stockings &]; flush [a drain]; fig wash down [one's food].

doorspreken [-spre.kə(n)] vi speak on, go on speaking.

doorstaan [do:r'sta.n] vt stand [the wear and tear, the test]; sustain [a siege, hardships, a comparison]; go through [many trials], endure [pain]; weather [the storm].

doorstappen ['do:rstɑpə(n)] vi zie aanstappen

1 **doorsteken** [-ste.kə(n)] vt pierce [the dikes], prick [a bubble]; zie ook: kaart.

2 **doorsteken** [do:r'ste.kə(n)] vt run through, stab, pierce.

doorstoten ['do:rsto.tə(n)] I vt thrust (push) through; II vi ⚇ play a follow.

doorstrepen [-stre.pə(n)] vt zie doorschrappen.

doorstromen [do:r'stro.mə(n)] vt stream (flow, run) through.

doorstuderen ['do:rsty.de:rə(n)] vi continue one's studies.

doorsturen [-sty:rə(n)] vt zie doorzenden.

doortasten [-tɑstə(n)] vi push on, go ahead, take strong action.

doortastend [do:r'tɑstənt] I aj thoroughgoing, energetic; II ad energetically.

doortimmerd [do:r'tɪmərt] solidly built.

doortintelen [-'tɪntələ(n)] vt thrill.

Doortje ['do:rcə] o & v Dolly.

doortocht [-tɔxt] m passage, march through; zich een ~ banen force one's way through.

doortrappen [-trɑpə(n)] vi pedal on.

doortrapt [do:r'trɑpt] thorough-paced, consummate.

doortraptheid [-hɛit] v wiliness, cunning.

1 **doortrekken** ['do:rtrɛkə(n)] vt I pull through [a thread in sewing]; 2 pull asunder [a string]; 3 go through, march through [the streets]; 4 continue [a line], extend [a railway]; de W.C. ~ flush the toilet, pull the plug.

2 **doortrekken** [do:r'trɛkə(n)] vt permeate, pervade, imbue, soak; zie ook: doortrokken.

doortrekkend ['do:rtrɛkənt] passing through [a town].

doortrokken [do:r'trɔkə(n)] permeated [with a smell], imbued [with a doctrine], steeped [in prejudice], soaked [in, with].

doorvaart ['do:rva:rt] v passage.

doorvaarthoogte [-ho.xtə] v headway, headroom.

doorvaren ['do:rva.rə(n)] I vi sail on; pass [under a bridge]; II vt pass through.

doorvechten [-vɛxtə(n)] vi fight on.

doorvijlen [-vɛilə(n)] vt file through.

doorvlechten [do:r'vlɛxtə(n)] vt interweave, intertwine, interlace.

doorvliegen ['do:rvli.ɣə(n)] I vt fly through [the country]; run over [the contents]; gallop through [a curriculum]; II vi ✈ fly on [to Paris].

doorvoed [do:r'vu.t] well-fed.

doorvoer ['do:rvu:r] m $ transit.

doorvoeren [-vu:rə(n) vt I $ convey [goods] in transit; 2 carry through, follow out [a principle].

doorvoerhandel [-vu:rhɑndəl] m $ transit trade.

doorvoerrechten [-vu:rɛxtə(n)] mv $ transit duties.

doorvracht [-vrɑxt] v $ through freight.

doorvreten [-vre.tə(n)] I vt eat through; II vi go on feeding.

doorwaadbaar [do:r'va.tba:r] fordable.

doorwaaien ['do:rva.jə(n)] in: zich laten ~ let the wind blow through you.

doorwaden [do:r'va.də(n)] vt wade through, ford [a river].

doorwaken [-'va.kə(n)] vt watch through [the night]; doorwaakte nachten wakeful nights.

doorwandelen ['do:rvɑndələ(n)] I vi walk on; II vt walk through.

doorweekt [do:r've.kt] soaked, sodden, soppy.

doorweken [-'ve.kə(n)] vt soak, steep.

doorwerken ['do:rvɛrkə(n)] I vi work on, keep working; II vt work through.

doorweven [do:r've.və(n)] vt interweave [with...].

doorworstelen [-'vɔrstələ(n)] vt struggle (toil, plough, wade) through [a book].

doorwrocht [-'vrɔxt] elaborate.

doorzagen ['do:rza.ɣə(n)] I vt saw through; iemand ~ F bore a person stiff; II vi saw on.

doorzakken [-zɑkə(n)] vi sag; doorgezakte voet fallen arch.

doorzenden [-zɛndə(n)] vt send on [something]; forward [letters]; transmit [a memorial to the proper authority].

doorzetten [-zɛtə(n) I vt carry (see) ...through,

see [a thing] out, go on with [it]; **II** *va* persevere, F carry on, S stick it.

doorzettingsvermogen [-zɛtɪŋsfərmo.ɡə(n)] *o* perseverance.

doorzeven [do:r'ze.və(n)] *vt* riddle [with bullets].

doorzicht ['do:rzɪxt] *o* penetration, discernment, insight.

doorzichtig [do:r'zɪxtəx] transparent.

doorzichtigheid [-hɛit] *v* transparency.

1 **doorzien** [do:r'zi.n] *vt* see through [a man &].
2 **doorzien** ['do:rzi.n] *vt* zie *doorkijken*.

doorzijpelen ['do:rzɛipələ(n)] = *doorsijpelen*.

doorzoeken [do:r'zu.kə(n)] *vt* search, go through [a man's pockets], ransack [a house], rummage [a desk].

doorzwelgen [do:rzvɛlɡə(n)] *vt* swallow; gulp down.

doorzwerven [do:r'zvɛrvə(n)] *vt* ramble (wander, rove, roam) through.

doos [do.s] *v* box, case; *in de* ~ **S** in quod; *uit de oude* ~ antiquated; *dat is er een uit de oude* ~ F that is a Joe Miller.

doosvrucht ['do.sfrŭxt] *v* ♣ capsular fruit, capsule.

dop [dɔp] *m* 1 shell [of an egg], husk [of some seeds], pod [of peas], cup [of an acorn]; 2 top, cap [of a fountain-pen]; cover [of a tobacco-pipe]; button [of a foil]; 3 (bolhoed) billycock; *hoge* ~ **S** top-hat; *een advocaat in de* ~ **F** a budding (sucking) lawyer; *hij is pas uit de* ~ just out of the shell; *kijk uit je* ~*pen* **S** keep your eyes open.

dopeling ['do.pəlɪŋ] *m* child (person) to be baptized.

dopen [-pə(n)] *vt* 1 baptize, christen [a child, a church bell, a ship], name [a ship]; 2 dip; sop [bread in water]; *hij werd Jan gedoopt* he was christened John.

doper [-pər] *m* baptizer; *Johannes de D*~ John the Baptist.

doperwt ['dopər(v)t] *v* ♣ green pea.

dophoed [-hu.t] *m* billycock.

doppen ['dɔpə(n)] I *vt* shell [eggs, peas]; husk [corn]; **II** *vi* **S** in: ~ *voor* cap [= take off one's hat to a man].

dopper ['dɔpər] *m* zie *doperwt*.

dor [dɔr] barren, arid, dry.

doren ['do:rən] = *doorn*.

dorheid ['dɔrhɛit] *v* barrenness, aridity, dryness.

Doriër ['do:ri.ər] *m* Dorian.

Dorisch [-ri.s] Dorian, Doric.

Dorothea [do:ro.'te.a.] *v* Dorothy.

dorp [dɔrp] *o* village.

dorpel ['dɔrpəl] *m* threshold.

dorpeling [-pəlɪŋ] *m* villager.

dorper [-pər] *m* ᴇ ⚱ villein; 2 rustic, boor.

dorps [dɔrps] countrified, rustic.

dorpsbewoner ['dɔrpsbəvo.nər] *m* villager.

dorpsgeestelijke [-ɡe.stələkə] *m* country parson.

dorpsherberg [-hɛrbɛrx] *v* country inn, village inn.

dorpsjeugd [-jø.xt] *v* youth of the village.

dorpskerk [-kɛrk] *v* village church.

dorpskermis [-kɛrməs] *v* country fair.

dorpsmeisje [-mɛiʃə] *o* country lass, country girl.

dorpspastoor [-pasto:r] *m* village priest.

dorpspastorie [-pasto:ri.] *v* country rectory.

dorpsplein [-plɛin] *o* village square.

dorpsschool ['dɔrpsxo.l] *v* village school.

dorsen ['dɔrsə(n)] *vt & vi* thresh.

dorser [-sər] *m* thresher.

dorsmachine ['dɔrsma.ʃi.nə] *v* threshing machine.

dorst [dɔrst] *m* thirst[2]; *de* ~ *naar roem* the thirst for glory; ~ *hebben* be thirsty; ~ *krijgen* get thirsty.

dorsten ['dɔrstə(n)] *vi* be thirsty; *fig* thirst (for, after).

dorstig [-stəx] thirsty.

dorstigheid [-hɛit] *v* thirstiness, thirst.

dorstverwekkend [-fərvɛkənt] producing thirst.

dorsvlegel ['dɔrsfle.ɡəl] *m* flail.

dorsvloer [-flu:r] *m* threshing-floor.

dos [dɔs] *m* attire, raiment, dress.

doseren [do.'ze:rə(n)] *vt* dose.

dosering [-rɪŋ] *v* dosage.

dosis ['do.zəs] *v* dose, quantity.

dossier [dɔsi.'e.] *o* dossier, file.

dot [dɔt] *m & v* knot [of hair, worsted &], tuft [of grass]; *een* ~ *van een kind (hoedje)* a duck of a child (of a hat); *wat een* ~*!* what a dear!

dotterbloem ['dɔtərblu.m] *v* ♣ marsh marigold.

douairière [du.ɛ.ri.'ɛ:rə] *v* dowager.

douane [du.'a.nə] *v* customs house, customhouse; *de* ~ ook: the Customs.

douanebeambte [-bəamtə] *m* customs officer, custom-house officer.

douaneformaliteiten [-fərma.li.tɛitə(n)] *mv* customs formalities.

douanekantoor [-kanto:r] *o* customs house, custom-house.

douaneloods [-lo.ts] *v* customs shed.

douaneonderzoek [-ɔndərzu.k] *o* customs examination.

douanerechten [-rɛxtə(n)] *mv* customs (duties).

douanetarief [-ta.ri.f] *o* customs tariff.

douane-unie [-y.ni.] *v* customs union.

douaneverklaring [-vərkla:rɪŋ] *v* customs declaration.

douanezegel [-ze.ɡəl] *o* customs seal.

doublé [du.'ble.] *o* gold-(silver-)plated work.

doubleren [-'ble:rə(n)] I *vt* 1 double [a part, a rôle]; 2 ⟳ repeat [a class]; **II** *vi* ◇ double.

doublet [-'blɛt] *o* 1 double [of stamps; ◇]; 2 doublet [of words].

doublure [-'bly:rə] *v* understudy [of an actor].

douceurtje [-'sø:rcə] *o* tip, gratuity.

douche ['du.ʃə] *v* douche, shower(-bath); *een koude* ~ a cold douche [*fig*].

douchecel [-sɛl] *v* shower cabinet.

douchen ['du.ʃə(n)] *vi* take a shower, shower.

douw(en) ['dɔu(ə(n))] F zie *duw(en)*.

dove ['do.və] *m-v* deaf man, deaf woman &.

dovekool [-ko.l] dead coal.

doveman [-man] *m* deaf man; *je zult aan een* ~s *deur kloppen* you will find no hearing, your entreaty will fall on deaf ears.

doven ['do.və(n)] *vt* extinguish, put out.

dovenetel [do.və'ne.təl] *v* ✿ dead-nettle.

dovig ['do.vəx] somewhat deaf.

dozijn [do.'zɛin] *o* dozen; *bij het* ~ [sell them] by the dozen; [pack them] in dozens; *drie (vier &)* ~ three (four &) dozen; *enige* ~*en* some dozens.

Dr. = *doctor*.

draad [dra.t] *m* thread [of cotton, screw & *fig*]; fibre, filament [of plant or root]; wire [of metal]; filament [of electric bulb]; string [of French beans]; grain [of wood]; *een* ~ *in een naald steken* thread a needle; *de (rode)* ~ *die er doorheen loopt* the (leading) thread running through it; *de draden in handen hebben* hold the clue, have got hold of the threads [of the mystery]; *de* ~ *kwijt zijn* have lost the thread (of one's argument &); *geen droge* ~ *aan 't lijf hebben* not have a dry thread (stitch) on one; *de* ~ *weer opvatten* take up the thread (of one's narrative); *alle dagen een draadje, is een hemdsmouw in 't jaar* many a little makes a mickle; *aan een zijden* ~*(je) hangen* hang by a thread; *(kralen) aan een* ~ *rijgen* thread beads; *met (op) de* ~ with the grain; *per* ~ ✝ by wire; *tegen de* ~ against the grain²; *versleten tot op de* ~ threadbare; *voor de* ~ *komen* F speak up.

draadharig [-ha.rəx] wire-haired [terrier].

draadloos [-lo.s] ✝ wireless.

draadnagel [-na.gəl] *m* wire-nail.

draadomroep [- òmru.p] *m* ▦ ✝ wire broadcasting.

draadschaar [-sxa.r] *v* wire-cutter.

draadtang ['dra.taŋ] *v* pliers, nippers.

draadtrekker [-trɛkər] *m* wire-drawer.   [mill.

draadtrekkerij [dra.trekə'rɛi] *v* wire-drawing

draadvormig ['dra.tfɔrməx] thread-like.

draadwerk [-vɛrk] *o* 1 filigree; 2 wire-work.

1 **draagbaar** ['dra.xba:r] *aj* bearable; portable [loads]; wearable [clothes].

2 **draagbaar** ['dra.xba:r] *v* litter, stretcher.

draagbalk ['dra.xbɑlk] *m* beam, girder.

draagband [-bɑnt] *m* strap; sling [for arm].

draagkoets [-ku.ts] *v* palanquin.

draagkracht [-krɑxt] *v* ability to bear [something, also financial loads]; carrying-capacity [of a ship]; range [of guns, of the voice].

draaglijk ['dra.gələk] I *aj* 1 tolerable [= endurable & fairly good], bearable; 2 passable, rather decent, middling; II *ad* tolerably.

draagloon ['dra.xlo.n] *o* porterage.

draagraket [-ra.ket] *v* carrier rocket.

draagriem [-ri.m] *m* strap.

draagstoel [-stu.l] *m* ⬚ sedan (chair).

draagvermogen [-fərmo.gə(n)] *o* zie *draagkracht*.

draagvlak [-flɑk] *o* ≫ airfoil.

draagwijdte [-vɛitə] *v* 1 ✖ range; 2 *fig* bearing, full significance [of one's words].

draai [dra:i] *m* turn; twist [of a rope], turning, winding [of the road]; ~ *(om de oren)* F box on the ear; *hij gaf er een* ~ *aan* he gave it a twist; *zijn* ~ *hebben* F be as pleased as Punch (about it); *zijn* ~ *nemen* execute a right-about [*fig*]; *hij nam zijn* ~ *te kort* he took too short a bend.

draaibaar ['dra:iba:r] revolving.

draaibank [-bɑŋk] *v* ✄ lathe.

draaiboek [-bu.k] *o* shooting script, continuity.

draaiboom [-bo.m] *m* turnstile.

draaibord [-bɔrt] *o* wheel of fortune.

draaibrug [-brʏx] *v* swing-bridge.

draaideur [-dø:r] *v* revolving door.

draaien ['dra.jə(n)] *vi* 1 *eig* turn [in all directions], spin [quickly round], whirl [rapidly round and round in orbit or curve], twist [spirally], gyrate [in circle or spiral], revolve, rotate [on axis], shift, veer [from one position to another, round to the East &]; 2 *fig* shuffle, prevaricate, tergiversate; *zitten te* ~ wriggle [on a chair]; *het (alles) draait mij, mijn hoofd draait* my head swims; *in deze bioscoop draait de film* this cinema is showing the film; *de fabriek draait (volop, op volle toeren)* the factory is working (to capacity), is running (at full capacity), is in full swing; *blijven* ~ keep going [*fig*]; *alles draait om dat feit* everything turns (hinges, pivots) on that fact; *om de zaak heen* ~ beat about the bush; II *vt* turn [the spit, a wheel, ivory &]; roll [a cigarette, pills]; wind [round one's finger]; zie ook: *orgel* &; *een nummer* ~ ☎ dial; *hij weet alles zo te* ~ *dat...* he gives things a twist so that...; III *vr zich* ~ turn [to the right, left].

draaiend [-jənt] turning &; rota(to)ry [motion].

draaier [-jər] *m* 1 turner [in wood, ivory &]; 2 *fig* shuffler, prevaricator; 3 (halswervel) axis.

draaierig [-jərəx] giddy, dizzy.

draaierij [dra.jə'rɛi] *v* 1 turnery, turner's shop; 2 *fig* shuffling, prevarication, tergiversation; *met* ~*en omgaan* prevaricate, be a shuffler.

draaihals ['dra:ihɑls] *m* 🐦 wryneck.

draaihek [-hɛk] *o* turnstile.

draaiing ['dra.jɪŋ] *v* turn(ing); rotation.

draaikever ['dra:ike.vər] *m* whirligig (beetle).

draaikolk [-kɔlk] *m* & *v* whirlpool, eddy, vortex².

draaikooi [-ko:i] *v* turning-cage.

draailicht [-lɪxt] *o* revolving-light.

draaimolen [-mo.lə(n)] *m* roundabout, merry-go-round, whirligig.

draaiorgel [-ɔrgəl] *o* barrel-organ.

draaipunt [-pʏnt] *o* turning-point; centre of rotation.

draaischijf [-sxɛif] *v* 1 turn-table [of a railway; of a gramophone]; 2 ☏ dial; 3 (potter's) wheel.

draaispil [-spɪl] *v* ⚓ capstan.

draaispit [-spɪt] *o* spit.

draaistoel [-stu.l] *m* revolving-chair.

draaistroom [-stro.m] *m* ⚡ rotary current, three-phase current; (in samenst.) three-phase [motor &].

draaitol [-təl] *m* spinning-top; *fig* weathercock.

draaitoneel [-to.ne.l] *o* revolving stage.

draaiwerk [-vɛrk] *o* turner's work, turnery.

draaiziekte [-zi.ktə] *v* (blind) staggers.

draak [dra.k] *m* 1 🜨 dragon[2]; 2 S sensational play; *de ~ steken met* poke fun at [a man], make fun of [the regulations].

drab [drɑp] *v* & *o* dregs, lees; sediment.

drabbig ['drabəx] turbid, dreggy.

drabbigheid [-hɛit] *v* turbidity, dregginess.

drachme ['drɑxmə] *v* & *o* (gewicht) dram, drachm; (munt) drachma.

dracht [drɑxt] *v* 1 (last) charge, load; 2 (klederdracht) dress, costume; 3 (etter) matter; 4 (draagwijdte) range; *een ~ slagen* a sound thrashing.

drachtig ['drɑxtəx] pregnant; with young.

drachtigheid [-hɛit] *v* pregnancy.

draconisch [dra.'ko.ni.s] draconian.

drad(er)ig ['dra.d(ər)əx] thready, stringy; ropy [of liquids].

dradigheid [-hɛit] *v* threadiness &.

1 draf [drɑf] *m* trot; *in volle ~* at full trot; *op een ~* at a trot.

2 draf [drɑf] *m* (veevoeder) draff, hog-wash.

dragen ['dra.gə(n)] I *vt* bear [a load, arms, a name, the cost, interest &], wear [a beard, clothes, spectacles, diamonds, a look of... &], carry [something, arms, a watch, interest, one's head high]; support [the roof, a character, part]; II *vi* & *va* 1 bear [of the ice, a tree]; 2 discharge [of a wound]; 3 ✂ carry [of fire-arms]; *~de vruchtbomen* fruit-trees in (full) bearing.

drager [-gər] *m* bearer[2], carrier, porter.

dragonder [dra.'gòndər] *m* dragoon; *een ~ (van een wijf)* F a virago.

draineerbuis [drɛ'ne:rbœys] *v* drain(age) pipe.

draineren [-'ne:rə(n)] *vt* drain.

drainering [-rɪŋ] *v* drainage, draining.

drakebloed ['dra.kəblu.t] *o* dragon's blood.

drakebloedboom [-bo.m] *m* 🜨 dragon tree.

drakonisch zie *draconisch*.

dralen ['dra.lə(n)] *vi* linger, tarry; dawdle; *zonder ~* without (further) delay.

draler [-lər] *m* dawdler, laggard, loiterer.

drama ['dra.ma.] *o* drama.

dramatisch [dra.'ma.ti.s] *aj* (& *ad*) dramatic(ally).

dramatiseren [-ma.ti.'ze:rə(n)] *vt* dramatize.

dramatisering [-rɪŋ] *v* dramatization.

dramatize- zie *dramatise-*.

drang [drɑŋ] *m* pressure, urgency, impulse,

urge; *onder de ~ der omstandigheden* under (the) pressure of circumstances.

drank [drɑŋk] *m* 1 drink, beverage; 2 ☕ draught, potion; *sterke ~* strong drink, spirits, liquor; *aan de ~ zijn* be given to drink, be addicted to liquor.

drankbestrijder ['drɑŋkbəstrɛidər] *m* teetotaller.

drankbestrijding [-dɪŋ] *v* temperance movement.

drankduivel ['drɑŋkdœyvəl] *m de ~* the demon drink.

drankhuis [-hœys] *o* public house, P pub.

drankje [-jə] *o* medicine, draught, potion.

drankmisbruik [-mɪsbrœyk] *o* excessive drinking.

drankoffer [-ɔfər] *o* drink-offering, libation.

drankverbod [-fərbɔt] *o* prohibition.

drankverbruik [-fərbrœyk] *o* drink consumption.

drankverkoop [-fərko.p] *m* sale of intoxicants.

drankverkoper [-ko.pər] *m* liquor-seller.

drankwet ['drɑŋkvɛt] *v* liquor law.

drankwinkel [-vɪŋkəl] *m* gin-shop, liquor-shop.

drankzucht [-sʉxt] *v* dipsomania.

drankzuchtige [drɑŋk'sʉxtəgə] *m-v* dipsomaniac.

draperen [dra.'pe:rə(n)] *vt* drape.

draperie [dra.pə'ri.] *v* drapery.

drasland ['drɑslɑnt] *o* marshland, swamp.

drassig ['drɑsəx] marshy, swampy, soggy.

drassigheid [-hɛit] *v* marshiness.

drastisch ['drɑsti.s] I *aj* drastic; II *ad* drastic- [ally.

draven ['dra.və(n)] *vi* trot.

draver [-vər] *m* trotter.

draverij [dra.və'rɛi] *v* trotting-match.

dreef [dre.f] *v* 1 alley, lane; 2 field, region; *iemand op ~ helpen* help one on; *op ~ komen* get into one's swing, get into one's stride; *op ~ zijn* be in the vein; be in splendid form.

dreg [drɛx] *v* drag, grapnel.

dreganker ['drɛxɑŋkər] *o* ⚓ grapnel.

dregge ['drɛgə] *v* = *dreg*.

dreggen ['drɛgə(n)] *vi* drag (for *naar*).

dreigbrief ['drɛixbri.f] *m* threatening letter.

dreigement [drɛigə'mɛnt] *o* threat, menace.

dreigen ['drɛigə(n)] *vi* & *vt* threaten, menace; *hij dreigde in het water te vallen* he was in danger of falling into the water; *het dreigt te regenen* it looks like rain; *er dreigt een onweer* a storm is threatening; *er dreigt oorlog* it threatens war; *er dreigt een staking* a strike is threatened.

dreigend [-gənt] I *aj* threatening, menacing [looks, dangers &]; imminent, impending [perils]; lowering [clouds]; ugly [situation]; *de ~e hongersnood (staking* &) the threatened famine (strike &); II *ad* threateningly, menacingly.

dreiging [-gɪŋ] *v* threat, menace.

dreinen [-nə(n)] *vi* whine, whimper, pule.

drek [drɛk] *m* dirt, muck; (uitwerpselen) droppings.

drempel ['drɛmpəl] *m* threshold.

drenkbak ['drɛŋkbak] *m* watering-trough.

drenkeling ['drɛŋkəlıŋ] *m* I drowned person; 2 drowning person.

drenken [-kə(n)] *vt* water [cattle, horses &]; drench [the earth]; ~ *in* steep (soak) in.

drenkplaats ['drɛŋkpla.ts] *v* watering-place.

drentelaar ['drɛntəla:r] *m* saunterer.

drentelen [-lə(n)] *vi* saunter.

drenzen ['drɛnzə(n)] *vi* zie *dreinen*.

dresseerder [drɛ'se:rdər] *m* trainer, (v. paard) horse-breaker.

dresseren [-'se:rə(n)] *vt* break (in) [horses], train [dogs], break in [schoolboys]; *gedresseerde olifanten* performing elephants.

dressuer [-'sø:r] *m* zie *dresseerder*.

dressoir [-'sva:r] *o* & *m* sideboard.

dressuur [-'sy:r] *v* breaking in² [of horses, schoolboys], training [of animals].

dreumes ['drø.məs] *m* mite, toddler.

dreun [drø.n] *m* I (v. geluid) drone, rumble, roar(ing), boom; 2 (bij opzeggen) sing-song, chant; 3 P (opstopper) bash, biff; *op een* ~ in monotone.

dreunen ['drø.nə(n)] *vi* drone, rumble, roar, boom; (*doen*) ~ shake [the house].

drevel ['dre.vəl] *m* ✂ drift, punch.

drevelen [-vələ(n)] *vt* ✂ drift, punch.

dribbel ['drıbəl] *m* I zie *dribbelaar*; 2 *sp* dribble.

dribbelaar ['drıbəla:r] *m* toddler.

dribbelen [-bələ(n)] *vi* I toddle; trip; 2 *sp* dribble.

dribbelpasjes ['drıbəlpaʃəs] *mv* tripping steps.

drie [dri.] three; zie ook: *ding &*.

driearmig ['dri.arməx] with three arms, three-armed.

driedaags [-da.xs] three days'...

driedekker [-dɛkər] *m* I ⚓ three-decker; 2 ✈ triplane; 3 *fig* virago.

driedelig [-de.ləx] tripartite; three-piece [suit].

driedik [-dık] threefold, three-ply.

driedimensionaal [dri.di.mɛnsi.o.'na.l] three-dimensional.

driedraads ['dri.dra.ts] three-ply.

driedubbel [-dübəl] treble, triple, threefold.

Drieëenheid [dri.'e.nhɛit] *v* (Holy) Trinity.

drieënig [-'e.nəx] triune.

drieërlei ['dri.ərlɛi] of three sorts.

driehoek [-hu.k] *m* triangle; (tekengereedschap) set square.

driehoekig [-hu.kəx] triangular, three-cornered.

driehoeksmeting [-hu.ksme.tıŋ] *v* trigonometry.

driehonderdjarig [-hòndərtja:rəx] in: ~*e gedenkdag* tercentenary.

driehoofdig [-ho.vdəx] three-headed [monster], triceps [muscle].

driejaarlijks [-ja:rləks] triennial.

driejarig [-ja:rəx] of three years, three-year-old.

driekant(ig) [-kant(əx)] three-cornered.

drieklank [-klaŋk] *m* ♪ triad.

driekleur [-klø:r] *v* tricolour.

driekleurendruk [dri.'klø:rə(n)drük] *m* three-colour printing.

driekleurig ['dri.klø:rəx] three-coloured.

Driekoningen [dri.'ko.nəŋə(n)] *m* Twelfth-night, Epiphany.

driekwartsmaat ['dri.kvartsma.t] *v* ♪ three-four time.

drieledig [-le.dəx] threefold.

drielettergrepig [-lɛtərgre.pəx] trisyllabic; ~ *woord* trisyllable.

drieling [-lıŋ] *m* triplets.

drieluik [-lœyk] *o* triptych.

driemaandelijks [-ma.ndələks] quarterly; *een* ~ *tijdschrift* a quarterly.

drieman [-man] *m* triumvir.

driemanschap [-sxap] *o* triumvirate.

driemaster ['dri.mastər] *m* ⚓ three-master.

driemotorig [-mo.to:rex] ✈ three-engined.

driepuntslanding [-püntslandıŋ] *v* ✈ three-point landing.

drieregelig [-re.gələx] of three lines, three-line..; ~ *vers* triplet.

driespan [-span] *o* team of three horses (oxen).

driesprong [-spròŋ] *m* three-forked road.

driest [dri.st] *aj* (& *ad*) audacious(ly), bold(ly).

driestemmig ['dri.stɛməx] ♪ for three voices, three-part.

driestheid ['dri.sthɛit] *v* audacity, boldness.

drietal ['dri.tal] *o* (number of) three, trio.

drietalig [-ta.ləx] trilingual.

drietallig [-taləx] ternary.

drietand [-tant] *m* trident.

drietandig [-tandəx] three-pronged [fork].

drieversnellingsnaaf [-vərsnɛlıŋsna.f] *v* three-speed hub.

drievoet [-vu.t] *m* tripod, trivet.

drievoetig [-vu.təx] three-footed, three-legged.

drievoud [-vout] *o* treble; *in* ~ in triplicate.

drievoudig [-voudəx] triple, threefold.

Drievuldigheid [dri.'vüldəxhɛit] *v* (Holy) Trinity.

Drievuldigheidsdag, -zondag [-hɛitsdax, -hɛit-sòndax] *m* Trinity Sunday.

driewerf ['dri.vɛrf] three times, thrice.

driewieler [-vi.lər] *m* tricycle.

driezijdig [-zeidəx] three-sided, trilateral.

drift [drıft] *v* I drove [of oxen], flock [of sheep]; 2 ⚓ drift [of a ship]; 3 (woede, hartstocht) passion; *in* ~ in : fit of passion; *in* ~ *geraken* lose one's temp·r; *op* ~ ⚓ adrift.

driftbui ['drıftbœy] *v* fit of temper.

driftig ['drıftəx] I *aj* I (opvliegend) passionate, quick-tempered, hasty; (woedend) angry; 2 ⚓ adrift; ~ *worden*, *zich* ~ *maken* fly into a passion; II *ad* passionately; angrily.

driftigheid [-hɛit] *v* passionateness, quick temper, hastiness of temper.

driftkop ['drıftkəp] *m* hothead, spitfire, F tartar.

drijfas ['drɛifɑs] *v* ✂ driving shaft.
drijfbeitel [-bɛitəl] *m* ✂ chasing-chisel.
drijfhamer [-ha.mər] *m* ✂ chasing-hammer.
drijfhout [-hɔut] *o* drift-wood.
drijfijs [-ɛis] *o* drift ice, floating ice.
drijfjacht [-jɑxt] *v* drive, battue.
drijfkracht [-krɑxt] *v* 1 ✂ motive power; 2 *fig* driving force, moving power.
drijfnat [-nɑt] soaking wet, sopping wet.
drijfriem [-ri.m] *m* ✂ driving-belt.
drijfstang [-stɑŋ] *v* ✂ connecting-rod.
drijftol [-tɔl] *m* whipping-top.
drijfveer ['drɛife:r] *v* moving spring[2]; *fig* mainspring, incentive, motive; *wat was zijn ~ tot die daad?* by what motive was he actuated?
drijfwerk ['drɛifvɛrk] *o* 1 chased work, chasing; 2 ✂ driving-gear.
drijfwiel [-vi.l] *o* ✂ driving-wheel.
drijfzand [-sɑnt] *o* quicksand(s).
drijven ['drɛivə(n)] I *vi* 1 float [on or in liquid], swim [on the surface]; 2 (meegevoerd worden) drift; 3 F (nat zijn) be soaking wet; II *vt* 1 drive[2], propel[2], impel[2], *fig* actuate, prompt [to an action]; 2 chase (gold, silver]; *een zaak ~* run a business, *het te ver ~* carry it [economy, the thing] too far; *iemand in de engte ~* press one hard; *het tot het uiterste ~* push things to the last extremity (to an extreme); *iemand tot het uiterste ~* drive one to extremities; III *va* be fanatically zealous [in some cause].
drijver [-vər] *m* 1 driver, drover [of cattle]; 2 beater [of game]; 3 chaser [in metal]; 4 *fig* zealot, fanatic; 5 ✂ & ⚓ float.
1 **dril** [drɪl] *m* (boor) drill.
2 **dril** [drɪl] *v* (vleesnat) jelly.
3 **dril** [drɪl] *o* (weefsel) drill.
drilboor ['drɪlbo:r] *v* drill.
drillen ['drɪlə(n)] *vt* 1 ✂ drill; 2 drill [soldiers &]; ☞ cram [pupils for an examination].
drilmeester ['drɪlme.stər] *m* ✗ drill-sergeant[2].
drilschool [-sxo.l] *v* F cramming-school.
dringen ['drɪŋə(n)] I *vi* push, crowd, throng; *de tijd dringt* time presses; *~ door* pierce, penetrate; force (push) one's way through [the crowd]; *~ in* zie *binnendringen*; II *vt* push, crowd; press [against something]; *wanneer het hart (u) tot spreken dringt* when your heart urges (prompts) you to speak; *ze drongen hem de straat op* they hustled him out into the street; III *vr* in: *zich in iemands geheimen ~* penetrate into a person's secrets.
dringend [-ŋənt] *aj* (& *ad*) urgent(ly), pressing(ly).
drinkbaar ['drɪŋkba:r] drinkable.
drinkbak [-bɑk] *m* drinking-trough, watering-trough.
drinkbakje [-jə] *o* (bird's) trough.
drinkbeker ['drɪŋkbe.kər] *m* cup, goblet.
drinkebroer [-əbru:r] *m* toper, tippler.
drinken ['drɪŋkə(n)] I *vt* drink [water &]; have, take [a glass of wine with a person]; II *vi*

drink; *op iemands gezondheid ~* drink (to) one's health; *veel (zwaar) ~* drink deep; III *va* drink; IV *o* drinking [is bad]; beverage, drink(s).
drinker [-ər] *m* (great) drinker, toper, tippler.
drinkgelag [-ɡəlɑx] *o* drinking-bout, carousal.
drinkgeld [-ɡɛlt] *o* 1 ⚒ drink-money; 2 gratuity, tip.
drinkglas [-ɡlɑs] *o* drinking-glass, tumbler.
drinklied [-li.t] *o* drinking-song.
drinkwater [-va.tər] *o* drinking-water.
drinkwatervoorziening [-vo:rzi.nɪŋ] *v* water-supply.
○**droef** [dru.f] sad, afflicted.
○**droefenis** ['dru.fənɪs] *v* grief, sorrow, affliction.
droefgeestig [dru.f'ɡe.stəx] melancholy, gloomy, wistful.
droefgeestigheid [-hɛit] *v* melancholy, gloominess.
droefheid ['dru.fhɛit] *v* sadness, affliction, sorrow.
droes [dru.s] *m* 1 (goedaardige) strangles; 2 (kwade) glanders.
droesem ['dru.səm] *m* dregs, lees.
droesemig [-səməx] dreggy, turbid.
droevig [-vəx] sad [man]; pitiful, sorry [sight]; mournful, rueful [countenance].
drogbeeld ['drɔxbe.lt] *o* illusion, phantom.
droge ['dro.ɡə] in: *op het ~* on dry land.
drogen [-ɡə(n)] I *vt* dry; wipe; II *vi* dry.
drogerij [dro.ɡə'rɛi] *v* drying-place; *~en* drugs.
drogist [-'ɡɪst] *m* druggist, drysalter.
drogisterij [-ɡɪstə'rɛi] *v* druggist's (shop).
drogreden ['drɔxre.də(n)] *v* sophism.
drogredenaar [-dəna:r] *m* sophist.
drom [drɔm] *m* crowd, throng.
dromedaris [dro:mə'da:rɑs] *m* ♋ dromedary.
dromen ['dro.mə(n)] *vi* & *vt* dream[2].
dromer [-mər] *m* dreamer.
dromerig [-mərəx] I *aj* dreamy; II *ad* dreamily.
dromerij [dro.mə'rɛi] *v* day-dreaming, reverie.
drommel ['drɔməl] *m* deuce, devil; *arme ~* poor devil; *wat ~!* what the deuce!; *om de ~ niet!* not for Joe!; *hij is om de ~ niet dom* he is by no means stupid.
drommels [-s] I *aj* devilish, deuced, confounded; II *ad* < devilish; III *ij* the deuce!
drommen ['drɔmə(n)] *vi* throng, crowd [around a person, to the city].
dronk [drɔŋk] *m* draught, drink [of water &]; *een ~ instellen* propose a toast.
dronkaard ['drɔŋka:rt] **dronkelap** ['drɔŋkəlɑp] *m* drunkard.
dronkemanspraat ['drɔŋkəmɑnspra.t] *m* drunken twaddle.
dronkemanswaanzin [-va.nzɪn] *m* delirium tremens.
dronken [-kə(n)] [predikatief] drunk; [attributief] drunken, tipsy.
dronkenschap ['drɔŋkənsxɑp] *v* drunkenness, inebriety.

droog [dro.x] **I** *aj* dry² [bread, cough, humour &], arid² [ground, subject &]; parched [lips]; *fig* dry-as-dust; *het zal wel ~ blijven* the fine (dry) weather will continue; *geen ~ brood verdienen* not earn enough for one's bread and cheese; *hij is nog niet ~ achter de oren* he is only just out of the shell; *het droge* zie *droge*; **II** *ad* drily², dryly².

droogdoek ['dro.xdu.k] *m* rubbing-cloth.

droogdok [-dɔk] *o* ⚓ dry-dock, graving-dock.

droogheid [-hɛit] *v* dryness, aridity.

droogje [-jə] *o* in: *op een ~ zitten* F have nothing to drink.

droogjes [-jəs] zie *droogweg*.

droogkamer [-ka.mər] *v* drying-room.

droogkomiek [-ko.'mi.k] **I** *m* man of dry humour; **II** *aj* full of quiet fun (dry humour); **III** *ad* with dry humour, drily, dryly.

droogleggen ['dro.xlɛgə(n)] *vt* 1 drain [a marsh]; reclaim [a lake]; 2 *fig* make [a country] dry.

drooglegging [-lɛgɪŋ] *v* draining; reclaiming [of a lake]; *fig* making dry [of a country].

drooglijn [-lɛin] *v* clothes-line.

drooglopen [-lo.pə(n)] *vi* run dry.

droogmachine [-ma.ʃi.nə] *v* drying-machine.

droogmaken [-ma.kə(n)] *vt* dry [what is wet]; zie ook: *droogleggen*.

droogmaking ['dro.xma.kɪŋ] *v* zie *drooglegging*.

droogoven [-o.vən] *m* (drying-)kiln.

droogpruimer [-prœymər] *m* F dry old stick.

droogrek [-rɛk] *o* drying-rack; clothes-horse.

droogscheerapparaat [-sxe:rɑpa.ra.t] *o* dry shaver.

droogstok [-stɔk] *m* clothes-stick.

droogstoppel [-stɔpəl] *m* zie *droogpruimer*.

droogte [-tə] *v* 1 dryness, drought; 2 shoal, sand-bank.

droogvoets ['dro.xfu.ts] dry-shod.

droogweg [-vɛx] drily, dryly, with dry humour.

droogzolder [-sɔldər] *m* drying-loft.

droom [dro.m] *m* dream; *dromen zijn bedrog* dreams are deceptive; *uit de ~ helpen* undeceive.

droombeeld ['dro.mbe.lt] *o* vision.

droomboek [-bu.k] *o* dream-book.

droomgezicht [-gəzıxt] *o* vision.

droomuitlegger [-œytlɛgər] *m* interpreter of dreams.

1 **drop** [drɔp] *m* 1 drop; 2 drip(ping) [of water from the roof].

2 **drop** [drɔp] *v* & *o* liquorice, licorice.

droppel ['drɔpəl] &, *m* = *druppel* &.

drops [drɔps] *mv* drops.

dropwater ['drɔpva.tər] *o* licorice-water.

drossen ['drɔsə(n)] *vi* run away.

Drs. = *doctorandus*.

druide [dry.'i.də] *m* druid.

druif [drœyf] *v* grape; *de druiven zijn zuur* the grapes are sour.

druifhyacint ['drœyfhi.a.sınt] *v* ⚘ grape hyacinth.

druifluis [-lœys] *v* vine-pest, phylloxera.

druilen ['drœylə(n)] *vi* mope, pout.

druiler [-lər] *m* mope, moper.

druilerig [-lərəx] moping [person]; drizzling [weather].

druiloor [-lo:r] *m-v* mope, moper.

druilorig [drœyl'o:rəx] *aj* (& *ad*) moping(ly).

druipen ['drœypə(n)] *vi* 1 drip; 2 S be plucked (ploughed) [at an exam]; *van het bloed* drip with blood; *ze hebben hem laten ~ S* he has been plucked (ploughed).

druipnat ['drœypnɑt] dripping (wet).

druipneus [-nø.s] *m* 1 running nose; 2 sniveller.

druipstaarten [-sta:rtə(n)] *vi* in: *~d weglopen*, zie *afdruipen 2*.

druipsteen [-ste.n] *m* stalactite [hanging from roof of cave], stalagmite [rising from floor].

druiveblad ['drœyvəblɑt] *o* vine-leaf.

druivenat [-nɑt] *o* grape-juice.

druivenkas ['drœyvə(n)kɑs] *v* vinery.

druivenkwekerij [-kve.kərɛi] *v* 1 grape culture; 2 grapery.

druivenlezen [-le.zə(n)] *o* grape-gathering, vintage.

druivenlezer [-le.zər] *m* grape-gatherer, vintager.

druivenoogst [-o.xst] *m* grape-harvest, vintage.

druivenpers [-pɛrs] *v* wine-press.

druivenplukker [-plûkər] *m* zie *druivenlezer*.

druiventros [-trɔs] *m* bunch (cluster) of grapes.

druivepit ['drœyvəpıt] *v* grape-stone.

druivesuiker [-sœykər] *m* grape-sugar, glucose.

1 **druk** [drük] **I** *aj* 1 (v.plaatsen) busy [street], crowded [meeting], bustling [town], lively [place]; 2 (v. personen) busy, bustling, fussy; lively, noisy [children]; 3 (v. versiering) loud, noisy [patterns]; *een ~ gebruik maken van...*, make a frequent use of...; *een ~ gesprek* a lively conversation; *een ~ke handel* a brisk trade; *de ~ke uren* the busy hours, the rush hours; *~ verkeer* heavy traffic [on the road]; *een ~ke zaak* a well-patronized business; *het is mij hier te ~* things are too lively for me here; *het ~ hebben* be (very) busy; *zij hadden het ~ over hem* he was made the general theme of their conversation; *ze hebben het niet ~ in die winkel* there is not much doing in that shop; *zich ~ maken* get excited; bother (about *om*, *over*); *hij maakt het zich niet ~* he takes things easy; **II** *ad* busily; *~ bezochte vergadering* well-attended meeting; *~ bezochte winkel* well-patronized shop; zie ook: *bezig*.

2 **druk** [drük] *m* 1 pressure² [of the hand, of the atmosphere &, also = oppression]; squeeze [of the hand]; *fig* burden [of taxation]; 2 print(ing), [small] print, type; [5th] impression, edition; *~ uitoefenen op* bring pressure to bear upon [a person]; *in ~ verschijnen* appear in print.

drukfeil ['drükfɛil] **drukfout** [-fɔut] *v* misprint, printer's error, typographical error.

drukinkt [-ɪŋ(k)t] *m* printer's (printing) ink.

drukkajuit ['drŭkajœyt] *v* ✵ pressure cabin.

drukken ['drŭkə(n)] I *vt* 1 press²; squeeze, *fig* weigh (heavy) upon, oppress [one], depress [the market]; 2 print [books, calico &]; *dat drukt hem* (*zeer*) it weighs (heavy) on his mind; *iemand aan zijn borst* (*het hart*) ~ press a person to one's breast (heart); *iemand in zijn armen* ~ clasp a person in one's arms; *de hoed diep in de ogen* ~ pull one's hat over one's eyes; II *vi* press; pinch [of shoes]; ~ *op* press (on); *fig* weigh (heavy) upon; *op de knop* ~ press the button; *op een lettergreep* ~ stress a syllable.

drukkend [-kənt] burdensome [load], heavy [air]; oppressive [load, heat], close, stifling [atmosphere], sultry [weather].

drukker [-kər] *m* printer.

drukkerij ['drŭkə'rɛi] *v* printing-office.

drukking ['drŭkɪŋ] *v* pressure.

drukknoopje ['drŭkno.pjə] *o* press-button, press-stud.

drukknop [-knɔp] *m* push-button [of bell].

drukkosten [-kɔstə(n)] *mv* cost of printing.

drukkunst [-kŭnst] *v* (art of) printing, typography.

drukletter ['drŭklɛtər] *v* 1 type; 2 (*tegenover* s c h r ij f l e t t e r) print letter.

drukpan [-pɑn] *v* pressure-cooker.

drukpers [-pɛrs] *v* printing-press, press.

drukproef [-pru.f] *v* proof [for correction].

drukraam [-ra.m] *o* printing-frame.

drukte [-tə] *v* stir, bustle; [seasonal] pressure; fuss; *veel* ~ *over iets maken* make a noise (a great fuss) about a thing.

druktemaker [-təma.kər] *m* F zie *opschepper*.

drukwerk [-vɛrk] *o* printed matter; *een* ~ ✍ a printed paper; *als* ~ *verzenden* send as printed matter.

drup [drŭp] *m* = 1 drop.

druppel ['drŭpəl] *m* drop (of water).

druppelbuisje [-bœysə] *o* dropper.

druppelen ['drŭpələ(n)] *vi* drop; *'t druppelt* drops of rain are falling; *het water druppelt van het dak* the water is dripping (trickling) from the roof.

druppelflesje [-pəlflɛsə] *o* dropping-bottle.

druppelsgewijs, -gewijze [drŭpəlsgə'vɛis, -'vɛizə] by drops.

Ds. ['do.mi.ne.] in: ~ *W. Brown* the Reverend W. Brown, the Rev.W. Brown.

D-trein ['de.trɛin] *m* corridor train.

dubbel ['dŭbəl] I *aj* double; twofold; dual; ~*e bodem* false bottom; *de* ~*e hoeveelheid* double the quantity; ~ *e schroef* twin-screw; II *ad* doubly; ~ *en dwars verdiend* more than deserved; ~ *zo groot* (*lang* & *als*) twice the size (length &) (of); ~ *zien* see double; III *m* in: *een* ~*e* a duplicate [of a stamp], a double [at dominoes].

dubbelganger [-gɑŋər] *m* double.

dubbelhartig [dŭbəl'hɑrtəx] double-faced, double-hearted.

dubbelhartigheid [-hɛit] *v* double-dealing, duplicity.

dubbelkoolzure soda [dŭbəlko.lzy:rə so.da.] *m* & *v* bicarbonate of soda.

dubbelloops ['dŭbəlo.ps] double-barrelled.

dubbelpunt ['dŭbəlpŭnt] *v* & *o* colon.

dubbelspel [-spɛl] *o* *sp* double [at tennis]; *dames- (heren-)* ~ ladies' (men's) doubles; *gemengd* ~ mixed doubles.

dubbelspoor [-spo:r] *o* double track.

dubbeltje [-cə] *o* twopence; *een* ~ a twopenny bit; *het is een* ~ *op zijn kant* it is a mere toss-up; it will be touch and go; *een* ~ *tweemaal omkeren* look twice at one's money.

dubbelzinnig [dŭbəl'zɪnəx] *aj* (& *ad*) ambiguous(ly), equivocal(ly).

dubbelzinnigheid [-hɛit] *v* ambiguity.

dubieus [dy.bi.'øs] dubious, doubtful; *dubieuze vordering* $ doubtful (bad) debt.

dubio ['dy.bi.o.] in: *hij stond in* ~ he was in two minds.

dubloen [dy.'blu.n] *m* doubloon.

duchten ['dŭxtə(n)] *vt* fear, dread, apprehend.

duchtig [-təx] I *aj* fearful, strong; II *ad* < fearfully, terribly.

duel [dy.'ɛl] *o* duel, single combat.

duelleren [-ɛ'le:rə(n)] *vt* fight a duel, duel.

duet [-'ɛt] *o* ♪ duet.

duf [dŭf] fusty, stuffy; *fig* fusty, musty.

duffel ['dŭfəl] *o* duffels [-s] *aj* duffel.

dufheid ['dŭfhɛit] *v* fustiness, stuffiness; *fig* fustiness, mustiness.

duidelijk ['dœydələk] I *aj* clear, plain, distinct, obvious, explicit; II *ad* clearly &.

duidelijkheid [-hɛit] *v* clearness, plainness &.

duidelijkheidshalve [dœydələkhɛits'hɑlvə] for the sake of clearness.

duiden ['dœydə(n)] I *vi* in: ~ *op iets* point to it; II *vt* interpret; *ten kwade* ~ zie *kwalijk nemen*.

duiding [-dɪŋ] *v* interpretation.

duif [dœyf] *v* 🐦 pigeon, dove²; *de gebraden duiven vliegen een mens niet in de mond* don't think the plums will drop into your mouth while you sit still.

duifje ['dœyfjə] *o* (small) pigeon; *mijn* ~! my dove!

duig [dœyx] *v* stave; *in* ~*en vallen* drop to pieces; *fig* fall through, miscarry [of plans &]; *in* ~*en doen vallen* stave in; *fig* cause to fall through, make [plans] miscarry.

duik [dœyk] *m* dive.

duikbommenwerper ['dœykbɔmə(n)vɛrpər] *m* ✵ dive-bomber.

duikboot [-bo.t] *m* & *v* ⚓ submarine, [German] U-boat.

duikbril [-brɪl] *m* *sp* diving goggles.

duikelaar ['dœykəla:r] *m* 1 diver; 2 (poppetje) tumbler.

duikelen [-lə(n)] *vi* 1 tumble, fall head over heels; 2 *fig* fall flat.

duikeling [-lɪŋ] v 1 (in de lucht) somersault; 2 (val) tumble; *een ~ maken* zie *duikelen*.

duiken ['dœykə(n)] vi dive, plunge, dip; *in elkaar gedoken* huddled (up), hunched (up); *in zijn stoel gedoken* ensconced in his chair; *onder de tafel ~* duck under the table.

duiker [-kər] m 1 diver (ook ♘); 2 ⚔ culvert.

duikerklok [-klək] v diving-bell.

duikerpak [-pak] o diving-dress, diving-suit.

duikertoestel [-tu.stɛl] o diving-apparatus.

duiking ['dœykɪŋ] v dive, diving, plunge; dip [of the horizon].

duikmasker ['dœykmaskər] o sp face mask.

duiksport [-spɔrt] v sp skin-diving.

duikvlucht [-flʏxt] v ✈ dive.

duim [dœym] m 1 thumb [of the hand]; 2 inch = 2¹/₂ cm; 3 ⚔ hook [also of a door]; *ik heb hem onder de ~* he is under my thumb.

duimafdruk ['dœymafdrʏk] m thumb-print.

duimbreed [-bre.t] o in: *geen ~* not an inch.

duimeling ['dœyməlɪŋ] m thumb-stall.

duimelot [-əlɔt] m thumb.

duimpje [-pjə] o thumb; *iets op zijn ~ kennen* have a thing at one's finger-ends.

duimschroef [-s(x)ru.f] v thumbscrew; *(iemand) de duimschroeven aanzetten* put on the thumbscrews; *fig* put on the screw.

duimstok [-stək] m (folding) rule.

duin [dœyn] v & o dune.

duingrond ['dœyngrɔnt] m dune-soil.

Duinkerken [-kɛrkə(n)] o Dunkirk.

Duinkerker [-kɛrkər] I m native of Dunkirk; II aj in: *~ kapers* Dunkirk privateers.

duinroos [-ro.s] v ✿ Scotch rose.

Duins [-s] o The Downs.

duinwater [-va.tər] o water from the dunes.

duinwaterleiding [-lɛidɪŋ] v water system from the dunes.

duinzand ['dœynzant] o sand (of the dunes).

duister ['dœystər] I aj dark², obscure², dim²; gloomy²; *fig* mysterious; II o het *~* the dark; zie ook: *donker*; III ad darkly &.

duisterheid [-hɛit] v darkness², obscurity.

duisterling [-lɪŋ] m obscurant(ist).

duisternis [-nɪs] v darkness, dark, obscurity.

duit [dœyt] m & v 🄠 doit; *hij heeft geen* (F *rooie*) *~* he has not a penny to bless himself with; *een hele ~ kosten* cost a pretty penny; *ook een ~ in 't zakje doen* contribute one's mite; put in a word; *~en hebben* F have (the) dibs; *op de ~en zijn* F be close-fisted; zie ook: *cent*.

duitblad ['dœytblat] o ✿ frog-bit.

duitendief ['dœytə(n)di.f] m money-grubber.

Duits [dœyts] I aj German; 🄠 Teutonic [Order of Knights]; II sb *het ~* German; *een ~e* a German woman.

Duitser ['dœytsər] m German.

Duitsland ['dœytslant] o Germany.

duiveboon ['dœyvebo.n] v ✿ zie tuinboon.

duiveëi [-vɛi] o pigeon's egg.

duivel ['dœyvəl] m devil² demon fiend; *een* *arme ~* a poor devil; *de ~ en zijn moer* the devil and his dam; *voor de ~, zul je... ?* in the name of thunder, shall you...?; *what ~ is dat nou?* what the deuce have we here?; *de ~ hale me, als... (the)* deuce take me, if...; *het is of de ~ er mee speelt* the devil is in it; *loop naar de ~!* go to hell!; *iemand naar de ~ wensen* wish one at the devil; *de ~ in hebben* F have one's monkey up; *als je van de ~ spreekt, trap je op zijn staart* talk of the devil and he is sure to appear.

duivelachtig [-axtəx] devilish, fiendish, diabolic(al).

duivelbanner ['dœyvəlbanər] ~**bezweerder** [-bəzve:rdər] m exorcist.

duivelbanning [-nɪŋ] ~**bezwering** [-zve:rɪŋ] v exorcism.

duivelin [dœyvə'lɪn] v she-devil.

duivels ['dœyvəls] I aj devilish, diabolic(al), fiendish; (woedend) furious; *het is om ~ te worden* it would vex a saint; *het is een ~e kerel* he is a devil of a fellow; *die ~e kerel* that confounded fellow; *het is een ~ werk* it is a devilish business, the devil and all of a job; II ad diabolically; < devilish, deuced(ly); III ij the deuce, the devil!

duivelskind [-kɪnt] o imp, child of Satan.

duivelskunstenaar [-kʏnstəna:r] m magician, sorcerer.

duivelskunstenarij [dœyvəlskʏnstəna:'rɛi] v devilish arts, magic.

duivelstoejager [dy.vəls'tu.ja.gər] m F factotum.

duivelswerk ['dœyvəlsvɛrk] o devilish work.

duiveltje [-vəlcə] o (little) devil, imp; *een ~ in een doosje* a Jack-in-the-box.

duivenhok ['dœyvə(n)hək] **duivenkot** [-kət] o pigeon-house, dovecote.

duivenmelker [-mɛlkər] m pigeon-fancier.

duivenpost [-pɔst] v pigeon-post.

duivenslag [-slax] o pigeon-loft.

duiventil [-tɪl] v pigeon-house, dovecote.

duizelen ['dœyzələ(n)] vi grow dizzy (giddy); *ik duizel* I feel dizzy (giddy); *het (hoofd) duizelt mij* my head swims, my brain reels.

duizelig [-ləx] dizzy, giddy.

duizeligheid [-ləxhɛit] v dizziness, giddiness [of persons], swimming of the head.

duizeling [-lɪŋ] v vertigo, fit of giddiness, swimming of the head; *een ~ overviel hem* he was seized (taken) with giddiness.

duizelingwekkend [dœyzəlɪŋ'vekənt] dizzy, giddy, vertiginous.

duizend ['dœyzənt] a (one) thousand.

duizendblad [-blat] o ✿ milfoil, yarrow.

duizend-en-een-nacht [dœyzəntɛne.'naxt] m the Arabian Nights(' Entertainments), a Thousand and One Nights.

duizenderhande ['dœyzəndərhandə] ~**erlei** [-lɛi] a thousand different sorts of, of a thousand sorts.

duizendjarig ['dœyzəntja:rəx] of a thousand ·

years, millennial; *het ~ rijk* the millennium.
duizendknoop [-kno.p] *m* 🌸 knot-grass.
duizendkunstenaar [-künstəna:r] *m* magician, sorcerer.
duizendpoot [-po.t] *m* centipede.
duizendschoon [-sxo.n] *v* 🌸 sweet william.
duizendste [-stə] thousandth (part).
duizendstemmig [-stɛmax] many-voiced, myriad-voiced.
duizendtal ['dœyzəntal] *o* a thousand.
duizendvoud ['dœyzəntfout] *o* multiple of a thousand.
duizendvoudig [dœyzənt'foudəx] a thousand-fold.
duizendwerf ['dœyzəntvɛrf] a thousand times.
dukaat [dy.'ka.t] *m* ducat.
dukdalf [dy.k'dalf] *m* ⚓ dolphin.
duldeloos ['dúldəlo.s] unbearable, intolerable.
dulden ['dúldə(n)] *vt* bear, suffer, endure [pain]; stand, tolerate [practices, actions]; *het (Jan) niet ~* not tolerate it (John); *zij ~ hem daar, hij wordt geduld, méér niet* he is there on sufferance.
dun [dún] **I** *aj* thin[2], slender [waists]; small [ale], washy [beer], clear [soup], rare [air]; *het is ~* 1 it is a poor performance, poor stuff; 2 it is mean; **II** *ad* thinly [spread, inhabited].
dundoek ['dúndu.k] *o* bunting, flag.
dundrukpapier [-drŭkpa.pi:r] *o* thin paper, India paper.
dunheid [-hɛit] *v* thinness[2]; rareness [of the air].
dunk [dŭŋk] *m* opinion; *een grote (hoge) ~ hebben van...* have a high opinion of...; *geen hoge ~ hebben van...* have but a poor opinion of...; *have no opinion of...*
dunken ['dŭŋkə(n)] *vi* think; *mij dunkt* I think, it seems to me; *mij dacht* I thought; *wat dunkt u?* what do you think?
dunnen ['dúnə(n)] **I** *vt* thin (out); *gedunde gelederen* depleted ranks; **II** *vi* thin.
dunnetjes ['dúnəcəs] **I** *ad* thinly; zie ook: *overdoen*; **II** *aj* in: *het is ~* zie dun.
dunsel [-səl] *o* thinnings.
dunte [-tə] *v* zie *dunheid*.
duo ['dy.o.] 1 *o* ♪ duet ‖ 2 *m* (v. motorfiets) pillion.
duopassagier [-pasa.ʒi:r] *m* pillion-rider.
duozitting [-zitiŋ] *v* pillion.
dupe ['dy.pə] *m-v* dupe, victim; *ik ben er de ~ van* I am to suffer for it.
duperen [dy.'pe:rə(n)] *vt* fail, disappoint, trick.
duplicaat [-pli.'ka.t] *o* duplicate.
dupliek [-'pli.k] *v* rejoinder.
duplikaat zie *duplicaat*.
duplo ['dy.plo.] in: *in ~* in duplicate; *in ~ opmaken* draw up in duplicate, duplicate.
duren ['dy.rə(n)] *vi* last, endure; *het duurde uren voor hij...* it was hours before...; *dat kan niet blijven ~* this cannot go on (continue) for ever; *wat duurt 't lang voor jij komt* what a time you are!; *het duurde lang eer hij kwam*

he was (pretty) long in coming; *het zal lang ~ eer...* it will be long before...; *het duurt mij te lang* it is too long for me; *zo lang als het duurde* while (as long as) it lasted.
durf [dúrf] *m* daring, F pluck.
durfal ['dúrfal] *m* dare-devil.
durfniet [-ni.t] *m* coward.
durven ['dúrvə(n)] *vt* dare; *dat zou ik niet ~ beweren* I should not venture (be bold enough) to say such a thing, I am not prepared to say that.
dus [dús] **I** *ad* thus, in that way; **II** *cj* consequently, so, therefore; *we zien ~, dat...* ook: we see, then, that...
dusdanig ['dúsda.nəx] **I** *aj* such; **II** *ad* in such a way (manner), so.
dusver(re), in: *tot ~* [tə'dúsfɛr] so far, hitherto, up to the present, up to this time, up to now.
dut [dút] *m* doze, snooze, nap.
dutje ['dúcə] *o* zie *dut*; *een ~ doen* take a nap.
dutten [-tə(n)] *vi* doze, snooze, take a nap, have forty winks; *zitten ~* doze.
1 **duur** [dy:r] *m* duration; continuance; length [of service, of a visit]; life [of an electric bulb]; *op den ~* in the long run, in the end; *van korte ~* of short duration; short-lived; *van lange ~* of long standing; of long duration; long-lived; *het was niet van lange ~* it did not last long.
2 **duur** [dy:r] **I** *aj* dear, expensive, costly; *hoe ~ is dat?* how much is it?, what is the price?; *een dure eed zweren* swear a solemn oath; *het is mijn dure plicht* it is my bounden duty; **II** *ad* dear(ly); *het zal u ~ te staan komen* you shall pay dearly for this; *~ verkopen* $ sell dear; *fig* sell [one's life] dearly.
duurbaar ['dy:rba:r] = *dierbaar*.
duurkoop [-ko.p] dear.
duurte [-tə] *v* dearness, expensiveness.
duurtetoeslag [-tətu.slax] *m* cost-of-living allowance.
duurzaam [-za.m] durable, lasting [peace]; hard-wearing, that wears well [stuff].
duurzaamheid [-hɛit] *v* durability, durableness.
duvelstoejager [dy.vəls'tu.ja.gər] *m* F factotum.
duw [dy:u] *m* push, thrust, shove.
duwen ['dy.və(n)] *vt & vi* push, thrust, shove.
duwschroef ['dy:us(x)ru.f] *v* 🚢 pusher screw.
duwtje [-cə] *o* nudge, shove, prod; *iemand een ~ geven*, ook: nudge one.
D.V. [de.o.'vo.lɛntə] = *deo volente* God willing.
dw. [di.nst'viləgə] = *dienstwillige*.
dwaalbegrip ['dva.lbəgrip] *o* false notion, fallacy.
dwaalgeest [-ge.st] *m* wandering (erring) spirit.
dwaalleer ['dva.le:r] *v* false doctrine, heresy.
dwaallicht [-lıxt] *o* will-o'-the-wisp.
dwaalspoor ['dva.lspo:r] *o* wrong track; *iemand op een ~ brengen* lead one astray; *op een ~ geraken* go astray.
dwaalster [-stɛr] *v* planet.

dwaalweg [-vex] *m* wrong way, zie verder: *dwaalspoor*.

dwaas [dva.s] I *aj* foolish, silly; ~ *genoeg heb ik*... I was fool enough to...; zie ook: *aanstellen*; II *ad* foolishly, in a silly way; III *m* fool.

dwaasheid ['dva.sheit] *v* folly, foolishness.

D-wagen ['de.va.gə(n)] *m* corridor carriage.

dwalen ['dva.lə(n)] *vi* 1 roam, wander; 2 (een verkeerd inzicht hebben) err; ~ *is menselijk* to err is human.

dwaling [-lɪŋ] *v* error.

dwang [dvaŋ] *m* compulsion, constraint, coercion.

dwangarbeid ['dvaŋarbɛit] *m* compulsory labour; ɬ penal servitude.

dwangarbeider [-arbɛidər] *m* convict.

dwangbevel [-bəvɛl] *o* ɬ warrant, writ; distress warrant [for non-payment of rates].

dwangbuis [-bœys] *o* strait-waistcoat.

dwangmaatregel [-ma.tre.gəl] *m* coercive measure.

dwangmiddel [-mɪdəl] *o* 1 means of coercion; 2 forcible means.

dwangnagel [-na.gəl] *m* hang-nail, agnail.

dwangpositie [-po.zi.(t)si.] *v* 1 ◊ squeeze; 2 *fig* embarrassing situation.

dwangsom [-sòm] *v* penal sum.

dwangvoorstelling [-vo:rstɛlɪŋ] *v* obsession, fixed idea.

dwarrelen ['dvarələ(n)] *vi* whirl.

dwarreling [-lɪŋ] *v* whirl(ing).

dwarrelwind ['dvarəlvɪnt] *m* whirlwind.

dwars [dvars] 1 transverse, (in samenst.) cross...; 2 *fig* cross-grained, wrong-headed, contrary; ~ *door... heen*, ~ *over* (right) across the...; ~ *oversteken* cross [the street]; *iemand de voet* ~ *zetten, iemand* ~ *zitten* cross (thwart) a person; *dat zit hem* ~ (*in de maag*) that sticks in his gizzard, that annoys him.

dwarsbalk ['dvarsbalk] *m* cross-beam.

dwarsbomen [-bo.mə(n)] *vt* cross, thwart.

dwarsdal [-dal] *o* transverse valley.

dwarsdoorsne(d)e [-do:rsne.(də)] *v* cross-section.

dwarsdraads [-dra.ts] cross-grained.

dwarsdrijven [-drɛivə(n)] *vi* take the opposite course (or view).

dwarsdrijver [-vər] *m* cross-grained (perverse) fellow.

dwarsdrijverij [dvarsdrɛivə'rɛi] *v* contrariness, perverseness.

dwarsfluit ['dvarsflœyt] *v* ♪ German flute.

dwarsgang [-gaŋ] *m* transverse passage.

dwarsheid [-hɛit] *v* zie *dwarsdrijverij*.

dwarshout [-hout] *o* cross-beam.

dwarskijker [-kɛikər] *m* F spy; ~ *bij een examen* second examiner.

dwarslat [-lat] *v* 1 cross-lath; 2 *sp* cross-bar.

dwarsligger [-lɪgər] *m* sleeper [under the rails].

dwarslijn [-lɛin] *v* zie *dwarsstreep*.

dwarsnaad [-na.t] *m* cross-seam.

dwarsscheeps [dvar'sxe.ps] ⚓ abeam.

dwarsschip ['dvarsxɪp] *o* transept [of a church].

dwarssne(d)e [-sne.(də)] *v* cross-section.

dwarsstraat [-stra.t] *v* cross-street.

dwarsstreep [-stre.p] *v* cross-line, transverse line.

dwarsweg ['dvarsvex] *m* cross-road.

dwarswind [-vɪnt] *m* cross-wind.

dwaselijk ['dva.sələk] foolishly.

dweepachtig ['dve.paxtəx] I *aj* fanatical [in religious matters]; F gushing [in sentimental matters]; II *ad* fanatically; F gushingly.

dweepster [-stər] *v* zie *dweper*.

dweepziek [-si.k] 1 fanatical; 2 F gushingly enthusiastic.

dweepzucht [-sʉxt] *v* fanaticism.

dweil [dvɛil] *m* floor-cloth, mop, swab.

dweilen ['dvɛilə(n)] *vt* mop (up), swab.

dwepen ['dve.pə(n)] *vi* be fanatical; ~ *met* be enthusiastic about [poetry], be dotingly fond of [music], gush about [professor X], be a devotee of [Wagner], rave about [a girl].

dwepend [-pənt] zie *dweepachtig*.

dweper [-pər] *m* 1 fanatic; 2 enthusing zealot, devotee, enthusiast.

dweperij [dve.pə'rɛi] *v* 1 fanaticism; 2 F gushing enthusiasm.

dwerg [dverx] *m* dwarf, pygmy.

dwergachtig ['dverxaxtəx] dwarfish, dwarf, pygmean.

dwergmuis [-mœys] *v* harvest-mouse.

dwegpalm [-palm] *m* dwarf-palm.

dwergvolk [-fòlk] *o* pygmean race.

dwingeland ['dvɪŋəlant] *m* tyrant.

dwingelandij [dvɪŋəlan'dɛi] *v* tyranny.

dwingen ['dvɪŋə(n)] I *vt* compel, force, constrain, coerce; *hij laat zich niet* ~ he doesn't suffer himself to be forced; *dat laat zich niet* ~ you can't force it; II *vi* be tyrannically insistent [of a child]; *om iets* ~ be insistent on getting it; *dat kind kan zo* ~ always wants to have its own way.

dwingend [-ŋənt] coercive [measures]; compelling [reasons].

dwinger [-ŋər] *m* -ster [-stər] *v* tyrant.

dwingerig [-ŋərəx] tyrannic, insistent.

d.w.z. [dɑtvɪl'zɛgə(n)] = *dat wil zeggen* that is (to say).

dynamica [di.'na.mi.ka.] *v* dynamics.

dynamiet [-na.'mi.t] *o* dynamite.

dynamietaanslag [-a.nslax] *m* dynamite outrage.

dynamietpatroon [-pa.tro.n] *v* dynamite cartridge.

dynamika zie *dynamica*

dynamisch [di.'na.mi.s] dynamic.

dynamo [-mo.] *m* dynamo.

dynastie [di.nas'ti.] *v* dynasty.

dynastiek [-'ti.k] I *aj* dynastic; II *ad* dynastically.

dysenterie [di.zɛntə'ri.] *v* dysentery.

E

e [e.] *v* e.

e.a. [ɛn'ɑndərə(n)] = *en andere(n)* and others, and other things.

eau de cologne [o.dəko.'lònə] *v* eau de Cologne.

eb, ebbe [ɛp, 'ɛbə] *v* ebb, ebb-tide; ~ *en vloed* ebb-tide and flood-tide, ebb and flow.

ebbeboom ['ɛbəbo.m] *m* ebony tree.

ebbehout [-həut] *o* ebony.

ebbehouten [-ən] *aj* ebony.

ebben ['ɛbə(n)] *vi* ebb, flow back; *de zee ebt* the tide ebbs, is ebbing, is going out.

eboniet [e.bo.'ni.t] *o* ebonite, vulcanite.

ecarteren [e.kɑr'te:rə(n)] *vi* play at écarté.

echappement [e.ʃɑpə'mɛnt] *o* 🔧 escapement.

echec [e.'ʃɛk] *o* check, rebuff, repulse, failure; ~ *lijden* 1 (v. persoon) meet with a rebuff; 2 (v. regering &) be defeated; 3 (v. onderneming) fail.

echelon [e.ʃə'lòn] *m* ✕ echelon.

echo ['ɛxo.] *m* echo.

echoën [-ə(n)] *vi* & *vt* (re-)echo.

echolood [-lo.t] *o* echo sounder.

1 echt [ɛxt] I *aj* authentic [letters], real [roses &], genuine [butter &], legitimate [children]; true(-born) [Briton]; regular [blackguards]; out-and-out [boys]; *dat is nou ~ eens een man* he is a real man; II *ad* < really; *hij was ~ kwaad* P he was regular angry; *het is ~ waar* it is really true.

2 echt [ɛxt] *m* marriage, matrimony, wedlock; *in de ~ treden, zich in de ~ begeven* marry; zie ook: *verbinden, verenigen.*

echtbreekster ['ɛxtbre.kstər] *v* adulteress.

echtbreken [-bre.kə(n)] *vi* commit adultery.

echtbreker [-bre.kər] *m* adulterer.

echtbreuk [-brø.k] *v* adultery.

echtelieden ['ɛxtəli.də(n)] *mv* married people; *de ~* the married couple.

echtelijk [-lək] *conjugal* [rights]; matrimonial [happiness]; married [state].

echten ['ɛxtə(n)] *vt* legitimate [a child].

echter ['ɛxtər] however, nevertheless.

echtgenoot ['ɛxtgəno.t] *m* husband, spouse.

echtgenote [-no.tə] *v* wife, spouse, lady.

echtheid ['ɛxthɛit] *v* authenticity [of a picture], genuineness.

echting ['ɛxtɪŋ] *v* legitimation.

echtpaar ['ɛxtpa:r] *o* (married) couple.

echtscheiding [-sxɛidɪŋ] *v* divorce.

echtverbintenis ['ɛxtfərbɪntənɪs] echtvereniging [-fəre.nəgɪŋ] *v* marriage.

eclatant [e.kla.'tɑnt] signal, striking [case &].

eclips [e.'klɪps] *v* eclipse.

eclipseren [e.klɪp'se:rə(n)] I *vt* eclipse; II *vi* F abscond.

economie [e.ko.no.'mi.] *v* 1 economy; 2 (wetenschap) economics; zie ook: *leiden.*

economisch [-'no.mi.s] I *aj* 1 economic; 2 (zui-

nig) economical; II *ad* economically.

economiseren, economizeren [-no.mi.'ze:rə(n)] *vi* economize.

econoom [-'no.m] *m* economist.

eczeem [ɛk'se.m] eczema [-'se.ma.] *o* eczema.

e.d. [ɛn'dɛrgələkə] = *en dergelijke* zie *dergelijk.*

edammer [e.'dɑmər] *m* Edam cheese.

edel ['e.dəl] I *aj* 1 noble[2] [birth, blood, features, thoughts &]; 2 precious [metals, stones]; 3 vital [parts, organs]; *de ~en* the nobility; ⨅ the nobles; II *ad* nobly.

edelaardig [e.dəl'a:rdəx] noble-minded.

edelaardigheid [-hɛit] *v* noble-mindedness.

edelachtbaar [e.dəl'ɑxtba:r] honourable, worshipful; *Edelachtbare* Your Honour; Your Worship.

edeldenkend ['e.dəldɛŋkənt] high-minded.

edelgesteente [-gəste.ntə] *o* precious stone, gem.

edelheid [-hɛit] *v* nobleness, nobility; *Hare (Zijne) Edelheid* Her (His) Grace.

edelhert [-hɛrt] *o* 🦌 red deer.

edelknaap [-kna.p] *m* page.

edellieden ['e.dəli.də(n)] *mv* noblemen, nobles.

edelman ['e.dəlmɑn] *m* nobleman, noble.

edelmoedig [e.dəl'mu.dəx] I *aj* generous, noble(-minded); II *ad* generously, nobly.

edelmoedigheid [-hɛit] *v* generosity, noble-mindedness.

edelsteen ['e.dəlste.n] *m* zie *edelgesteente.*

edelvrouw [-vrəu] *v* noblewoman.

Eden ['e.də(n)] *o* Eden.

edict, edikt [e.'dɪkt] *o* edict [of Nantes & decree.

Edinburg ['e.dənbŭrx] *o* Edinburgh.

editie [e.'di.(t)si.] *v* edition, issue.

edoch [e.'dɔx] but, however, yet, still.

Eduard ['e.dy.ɑrt] *m* Edward, F Ned.

eed [e.t] *m* oath; *de ~ afnemen* administer the oath to, swear in [a functionary]; *een ~ doen (afleggen)* take (swear) an oath; *een ~ doen om... swear* [never] to...; *daarop heeft hij een ~ gedaan* 1 he has sworn it; 2 he has affirmed it on his oath; *onder ede* [declared] on oath.

eedaflegging ['e.tɑflɛgɪŋ] *v* taking an (the) oath.

eedafneming [-ɑfne.mɪŋ] *v* swearing in.

eedbreuk [-brø.k] *v* violation of one's oath, perjury.

eedgenoot [-gəno.t] *m* confederate.

eedgenootschap [-sxɑp] *o* confederacy.

eedsaflegging ['e.tsɑflɛgɪŋ] = *eedaflegging.*

⊙ eega(de) ['e:ga.(də)] *m-v* spouse.

eekhoorn, eekhoren ['e.kho:rən] *m* 🐿 squirrel.

eelt [e.lt] *o* callosity.

eeltachtig ['e.ltɑxtəx] callous, horny [hands].

eeltigheid [-hɛit] *v* callosity.

eeltig ['e.ltəx] callous, horny [hands].

eeltknobbel ['e.ltknɔbəl] *m* callosity.

1 een [ən] a, an; ~ *vijftig* some fifty.

2 een [e.n] I *telw.* one; *het was ~ en al modder* all mud; ~ *en ander* the things mentioned;

het ∼ *en ander* a few things; *de ene na de andere*... one... after another; *de (het)* ∼ *of andere* one or other, some; *het* ∼ *of ander* I *aj* some; 2 *sb* something or other; *in* ∼ *of andere vorm* in one shape or another; *die ene dag* I (only) that one day; 2 that day of all others; ∼-*twee-drie* in two twos, in two shakes; *ze zijn van* ∼ *grootte (leeftijd)* they are of a size (of an age); ∼ *voor* ∼ one by one, one at a time; II *v* one; *drie enen* three ones.

eenakter ['e.nɑktər] *m* one-act play.

eenarmig [-ɑrməx] one-armed.

eenbladig [-bla.dəx] ♣ one-leaved [calyx].

eend [e.nt] *v* I ♣ duck; 2 *fig* goose, ass.

eendagsvlieg ['e.ndɑxsfli.x] *v* ephemeron, may-fly.

eendebout ['e.ndəbout] *m* leg (wing) of a duck.

eendeëi [-ɛi] *o* duck's egg.

eendejacht [-jɑxt] *v* duck-shooting.

eendekker ['e.ndɛkər] *m* ✈ monoplane.

eendekroos ['e.ndəkro.s] *o* ♣ duckweed.

eendemossel [-mòsəl] *v* barnacle.

eendenkom ['e.ndə(n)kòm] *v* duck-pond.

eendenkooi [-ko:i] *v* decoy.

eender ['e.ndər] I *aj* F equal; the same; *het is mij* ∼ F it is all the same (all one) to me; II *ad* equally; ∼ *gekleed* dressed alike.

eendracht [-drɑxt] *v* concord, union, unity, harmony; ∼ *maakt macht* union is strength.

eendrachtig [e.n'drɑxtəx] I *aj* united [efforts], harmonious, concerted [views]; II *ad* unitedly, as one man, [act] in unity, in concert, [work together] harmoniously.

eendvogel ['e.ntfo.ɡəl] *m* duck.

eenheid ['e.nhɛit] *v* I (als maat) unit; 2 (als eigenschap) oneness, uniformity [of purpose]; 3 (als deugd) unity; *de drie eenheden* the three (dramatic) unities.

eenheidsfront [-hɛitsfrònt] *o* united front.

eenheidsprijs [-prɛis] *m* unit price.

eenhoofdig [e.nho.vdəx] monarchical; *een* ∼*e regering* a monarchy.

eenhoorn, eenhoren [-ho:rən] *m* unicorn.

eenjarig ['e.nja:rəx] I of one year, one-year-old [child]; 2 ♣ annual; 3 ⚥ yearling.

eenkennig [e.n'kɛnəx] shy, timid.

eenkennigheid [-hɛit] *v* shyness, timidity.

eenlettergrepig ['e.nlɛtərɡre.pəx] monosyllabic, of one syllable; ∼ *woord* monosyllable.

eenling [-lɪŋ] *m* individual.

eenmaal [-ma.l] I once; 2 one day; ∼, *andermaal, derdemaal!* going, going, gone!; ∼ *is geenmaal* once is no custom; zie ook: I *zo* I.

eenmotorig [-mo.to:rəx] ✈ single-engined.

eenogig [-o.ɡəx] one-eyed.

eenoog [-o.x] *m-v* one-eyed person; *in het land der blinden is* ∼ *koning* in the kingdom of blind men the one-eyed is king.

eenparig [e.n'pa:rəx] I *aj* I unanimous [in opinion]; 2 uniform [velocity]; II *ad* I unanimously, with one accord; 2 uniformly [accelerated].

eenparigheid [-hɛit] *v* I unanimity; 2 uniformity.

eenpersoons ['e.npərso.ns] for one person, single [room, bed]; single-seater [car, aeroplane].

eenre [-rə] in: *ter* ∼ of the one part.

eenrichtingsverkeer [e.n'rɪxtɪŋsvərke:r] *o* one-way traffic; *straat voor* ∼ one-way street.

eens [e.ns] I once, one day (evening), once upon a time; 2 one day [you will...]; 3 just [go, fetch, tell me &]; ∼ *voor al* once for all; *de* ∼ *beroemde schoonheid* the once famous beauty; *hij bedankte niet* ∼ he did not so much as (not even) thank us; ∼ *zoveel* as much (many) again; *het* ∼ *worden* come to an agreement [about the price &]; *wij zijn het* ∼ (*met elkaar*) we are at one, we agree; *die twee zijn het* ∼ there is an understanding between them; they are hand in glove; *ik ben het met mijzelf niet* ∼ I am in two minds about it; *wij zijn het er over* ∼ *dat*... we are of one mind as to..., we are agreed that...; *daarover zijn allen het* ∼ there is only one opinion about that.

eensdeels ['e.nsde.ls] in: ∼...*anderdeels*... partly... partly...; for one thing... for another...

eensgezind [e.nsɡə'zɪnt] I *aj* unanimous, of one mind, at one, in harmony; II *ad* unanimously, [act] in harmony, in concert.

eensgezindheid [-hɛit] *v* unanimousness, unanimity, union, harmony.

eensklaps ['e.nsklɑps] all at once, suddenly, all of a sudden.

eensluidend [-lœydənt] of the same tenor; ∼ *afschrift* a true copy.

eenspan ['e.nspɑn] *o* one-horse carriage.

eenstemmig ['e.nstɛməx] I *aj* ♪ for one voice; [e.n'stɛməx] *fig* unanimous; ∼*e liederen* unison songs; II *ad* with one voice, unanimously.

eenstemmigheid [e.n'stɛməxhɛit] *v* unanimity, harmony.

eentje ['e.ncə] *o* one; *je bent me er* ∼ F you are a one; *er* ∼ *pakken* F have one; *in (op) mijn* ∼ by myself.

eentonig [e.n'to.nəx] I *aj* monotonous² [song]: *fig* humdrum, dull [life &]; II *ad* monotonously.

eentonigheid [-hɛit] *v* monotony-; *fig* sameness.

eenvormig [e.n'vɔrməx] uniform.

eenvormigheid [-hɛit] *v* uniformity.

eenvoud ['e.nvout] *m* zie *eenvoudigheid*; *in alle* ∼ without ceremony, in all simplicity.

eenvoudig [e.n'voudəx] I *aj* simple [sentence, dress, style, people], plain [food, words]; homely [fare, entertainment &]; II *ad* simply; *ik vind het* ∼ *schande* I think it a downright shame; *ga* ∼ *en zeg niets* (just) go and say nothing.

eenvoudigheid [-hɛit] *v* simplicity, plainness, homeliness; *in zijn* ∼ in his simplicity.

eenzaam ['e.nza.m] I *a* solitary, lonely, lone-

(some); desolate, retired; *het is hier zo ~* 1 it is (one is, one feels) so lonely here; 2 the place is so lonely; *een eenzame* a solitary; II *ad* solitarily; *~ leven* lead a solitary (secluded) life, live in solitude.

eenzaamheid [-hɛit] *v* solitariness, loneliness, solitude; retirement; *in de ~* in solitude.

eenzelvig [e.n'zɛlvəx] I *aj* solitary, keeping oneself to oneself, self-contained; II *ad* in: *~ leven* lead a solitary (secluded) life.

eenzelvigheid [-hɛit] *v* solitariness.

eenzijdig [e.n'zɛidəx] I *aj* one-sided [views]; partial [judgments]; unilateral [disarmament]; II *ad* one-sidedly, partially; [disarm] unilaterally.

eenzijdigheid [-hɛit] *v* one-sidedness, partiality.

1 **eer** [e:r] *ad* & *cj* before, sooner; rather; *~ dat* before; *hoe ~ hoe liever* the sooner the better.

2 **eer** [e:r] *v* honour; credit; *de ~ aandoen om...* do [me] the honour to...; *op een manier de hun weinig ~ aandeed* (very) little to their honour (credit); *een schotel ~ aandoen* do justice to a dish; *~ bewijzen* do (render) honour to; *iemand de laatste ~ bewijzen* render the last honours to a person; *ik heb de ~ u te berichten...* I have the honour to inform you..., I beg to inform you...; *ik heb de ~ te zijn* I am; *je hebt er alle ~ van* you have all credit of it; *de ~ aan zich houden* save one's honour; *~ inleggen met iets* gain credit by a thing; *dat kwam zijn ~ te na* that he felt as a disparagement to his honour; *er een ~ in stellen te...* make it a point of honour to...; *be proud to...; ere wie ere toekomt* honour to whom (where) honour is due; *ere zij God!* glory to God; *dat bent u aan uw ~ verplicht* you are in honour bound to...; *in (alle) ~ en deugd* in honour and decency; *in ere houden* honour; *iemands aandenken in ere houden* hold a person's memory in esteem; *met ere* with honour, with credit, honourably, creditably; *met militaire ~ begraven* bury with military honours; *te zijner ere in* (to) his honour; *ter ere van de dag* in honour of the day; *ter ere Gods* for the glory of God; *acceptatie ter ere* $ acceptance for honour; *tot zijn ~ zij het gezegd* to his credit be it said; *zich iets tot een ~ rekenen* consider it an honour; take credit (to oneself) for ...ing; *het zal u tot ~ strekken* it will be a credit to you, do you credit, reflect honour on you.

eerbaar ['e:rba:r] chaste, virtuous, modest, honest.

eerbaarheid [-hɛit] *v* chastity, virtue, modesty, honesty.

eerbetoon ['e:rbəto.n] *o* **eerbetuiging** [-tœyɡiŋ] *v* respect, reverence.

eerbewijs [-vɛis] *o* (mark of) honour, homage.

eerbied [-bi.t] *m* respect, reverence.

eerbiedig [e:r'bi.dəx] *aj* (& *ad*) respectful(ly), deferential(ly), reverent(ly).

eerbiedigen [-'bi.dəɡə(n)] *vt* respect.

eerbiedigheid [-'bi.dəxhɛit] *v* respect, deference, devotion.

eerbiediging [-'bi.dəɡiŋ] *v* respect.

eerbiedwaardig [e:rbi.t'va:rdəx] respectable, venerable.

eerbiedwekkend [-'vɛkənt] imposing.

eerder ['e:rdər] zie 1 *eer*; *nooit ~* never before.

eergevoel [-ɡəvu.l] *o* sense of honour.

eergierig [e:r'ɡi:rəx] *aj* (& *ad*) ambitious(ly).

eergierigheid [-hɛit] *v* ambition.

eergisteren ['e:rɡistərə(n)] the day before yesterday.

eergisternacht ['e:rɡistərnɑxt] the night before last.

eerherstel [-hɛrstɛl] *o* rehabilitation.

eerlang ['e:rlɑŋ, e:r'lɑŋ] before long, shortly.

eerlijk ['e:rlɛk] I *aj* honest [people], fair [fight, dealings], honourable [burial, intentions]; *~!* honour bright!; *~ duurt het langst* honesty is the best policy; II *ad* honestly, fair(ly); *~ delen!* divide fairly!; *~ gezegd...* to be honest, honestly [I don't trust him]; *~ spelen* play fair; *~ zijn brood verdienen* make an honest living; *~ of oneerlijk* by fair means or foul; *~ waar* it is the honest truth.

eerlijkheid [-hɛit] *v* honesty, probity, fairness.

eerloos ['e:rlo.s] infamous.

eerloosheid [-hɛit] *v* infamy.

eermetaal ['e:rme.ta.l] = *eremetaal*.

eerroof ['e:rro.f] *m* defamation.

eerrovend ['e:rro.vənt] defamatory.

eerrover [-vər] *m* defamer.

eershalve [e:rs'hɑlvə] for honour's sake.

eerst [e:rst] I *aj* first [aid, principles, hours, class &]; early [times]; prime [minister]; premier [theatre]; first-rate [singers &]; leading [shops]; initial [difficulties, expenses]; chief [clerk]; *een ~e deugniet* a downright rascal; *de ~e de beste jongen* the (very) first boy you meet, the next boy; *hij is niet de ~e de beste* he is not everybody; *in de ~e zes maanden niet* not for six months yet; *de ~e steen* the foundation-stone; *de ~en van de stad* the upper ten of the town; *hij is de ~e van zijn klas* he is at the top of his class; *het ~e dat ik hoor* the first thing I hear; *de ~e..., de laatste...* the former..., the latter...; *in het ~* at first; *ten ~e* first, in the first place; *ook:* firstly; *voor het ~* for the first time; II *ad* first; *ook:* at first; *beter dan ~* better than before (than he used to); *~ was hij zenuwachtig* I at first [when beginning his speech] he was nervous; 2 [long ago] he used to be nervous; *als ik maar ~ eens weg ben, dan...* when once away, I...; *~ gisteren is hij gekomen* he came only yesterday; *~ gisteren heb ik hem gezien* not before (not until) yesterday; *~ in de laatste tijd* but (only) recently; *~ morgen* not before to-morrow; *~ nu (nu ~)* only now [do I see it]; *doe dat het ~* do it first thing; *hij kwam het ~* he was the first to come, he was first.

eerstaanwezend ['e:rsta.nʋe.zənt] senior.

eerstbeginnende [e:rstbə'gınəndə] *m-v* beginner, tyro.

eerstdaags ['e:rsda.xs, e:rs'da.xs] in a few days, one of these days.

eerstejaars(student) ['e:rstəja:rs(ty.dɛnt)] *m* ⚲ first-year student.

eersteling ['e:rstəlɪŋ] *m* first-born [child]; firstling [of cattle]; *fig* first-fruits; *het is een* ~ it is a "first" book (picture &).

eersterangs [-raŋs] first-rate, first-class.

eerstesteenlegging [e:rstə'ste.nlɛgɪŋ] *v* laying of the foundation-stone.

eerstgeboorte [e:rstgə'bo:rtə] *v* primogeniture.

eerstgeboorterecht [-rɛxt] *o* birthright.

eerstgeborene [e:rstgə'bo:rənə] *m-v* first-born.

eerstgenoemde [-gə'nu.mdə] in: *(de)* ~ the first-mentioned, the former.

eerstkomend [-'ko.mənt] eerstvolgend [-'fɔlgənt] next, following.

eertijds ['e:rtɛits] formerly, in former times.

eervergeten ['e:rvərge.tə(n)] devoid of all honour, lost to all sense of honour, infamous.

eervol [-vɔl] I *aj* honourable; creditable; II *ad* honourably; creditably.

eerwaard [e:r'va:rt] *aj* reverend; *uw* ~e Your Reverence.

eerwaardig [-'va:rdəx] venerable.

eerwaardigheid [-hɛit] *v* venerableness.

eerzaam ['e:rza.m] honourable, honest, modest.

eerzucht [-zŭxt] *v* ambition.

eerzuchtig [e:r'zŭxtəx] *aj* (& *ad*) ambitious(ly).

eest [e.st] *m* oast, oast-house, kiln.

eesten ['e.stə(n)] *vt* kiln-dry.

eetbaar ['e.tba:r] fit to eat, eatable, edible, esculent; *eetbare waren* eatables, victuals.

eetbaarheid [-hɛit] *v* eatableness, edibility.

eetgerei ['e.tgərɛi] *o* dinner-things.

eethuis [-hœys] *o* eating-house.

eetkamer [-ka.mər] *v* dining-room.

eetketeltje [-ke.təltʃə] *o* ⚔ mess-tin.

eetkeuken [-kø.kə(n)] *v* dining-kitchen.

eetlepel [-le.pəl] *m* table-spoon.

eetlust [-lŭst] *m* appetite; *dat heeft mij* ~ *gegeven* it has given me an appetite.

eetservies [-sɛrvi.s] *o* dinner-set, dinner-service.

eetster [-stər] *v* eater.

eetstokje [-stɔkjə] *o* chopstick.

eettafel ['e.ta.fəl] *v* dining-table.

eetwaren ['e.tva:rə(n)] *mv* eatables, victuals.

eetzaal [-sa.l] *v* dining-room.

eeuw [e:u] *v* century, age; *de gouden* ~ the golden age; *de* ~ *van Koningin Elizabeth* the age of Queen Elizabeth; *in geen* ~ not for ages.

eeuwenheugend ['e.və(n)hø.gənt] eeuwenoud ['e.vənout] centuries old, age-old.

eeuwfeest ['e:ufe.st] eeuwgetij [-gətɛi] *o* centenary.

eeuwig ['e.vəx] I *a* eternal, everlasting, perpetual; *ten* ~*en dage, voor* ~ for ever; II *ad* for ever; < eternally; *het is* ~ *jammer* it is a thousand pities.

eeuwigdurend [-dy:rənt] zie *eeuwig.*

eeuwigheid [-hɛit] *v* eternity; *ik heb een* ~ *gewacht* I have been waiting for ages; *nooit in der* ~ never; *ik heb je in geen* ~ *gezien* I have not seen you for ages.

eeuwwisseling ['e:uvɪsəlɪŋ] *v* turn of the century; *bij de* ~ at the turn of the century.

effect [ɛ'fɛkt] *o* 1 effect; 2 ♂ side; *nuttig* ~ ⚒ efficiency; *een bal* ~ *geven* ♂ put side on a ball; ~ *hebben* take effect; *dat zal* ~ *maken* that will produce quite an effect; ~ *sorteren* have the desired effect; zie ook: *effecten.*

effectbejag [-bəjax] *o* straining after effect, claptrap.

effecten [ɛ'fɛktə(n)] *mv* stocks, securities.

effectenbeurs [-bø:rs] *v* stock exchange.

effectenhandel [-hɑndəl] *m* stock-jobbing.

effectenhandelaar [-hɑndəla:r] *m* stock-jobber.

effectenmakelaar [-ma.kəla:r] *m* stock-broker.

effectief [ɛfɛk'ti.f] I *aj* effective, real; *in effectieve dienst* on active service; II *ad* really; III *o* in: *het* ~ ⚔ the effective.

effekt(-) zie *effect(-).*

effen ['ɛfə(n)] smooth, even, level [ground]; plain [colour, material]; unruffled [countenance]; settled [account].

effenen ['ɛfənə(n)] *vt* smooth (down, over, out), level, make even; *fig* smooth [the way for one]; zie ook: *vereffenen.*

effenheid [-hɛit] *v* smoothness, evenness.

effening ['ɛfənɪŋ] *v* levelling, smoothing.

eg [ɛx] *v* harrow, drag.

Egeïsche Zee [e.'ge.i.sə'ze.] *v* Aegean Sea.

egel ['e.gəl] *m* ⚲ hedgehog.

egelantier [e.gəlɑn'ti:r] *m* ✿ eglantine, sweet briar.

egge ['ɛgə] = *eg.*

eggen ['ɛgə(n)] *vt & vi* harrow, drag.

eglantier [e.glɑn'ti:r] zie *egelantier.*

egocentrisch [e.go.'sɛntri.s] self-centred.

egoïsme [-'ɪsme] *o* egoism.

egoïst [-'ɪst] *m* egoist.

egoïstisch [-'ɪsti.s] *aj* (& *ad*) selfish(ly), egoistic(ally).

Egypte [e.'gɪptə] *o* Egypt.

Egyptenaar [-təna:r] *m* Egyptian.

Egyptisch [-ti.s] Egyptian; ~*e duisternis* Egyptian darkness.

E.H.B.O. [e.ha.be.'o.] = *Eerste Hulp bij Ongelukken* first-aid (association); ~*-post* first-aid station.

1 ei [ɛi] *o* egg; *gebakken* ~ fried egg; *het* ~ *van Columbus* the egg of Columbus; *het* ~ *wil wijzer zijn dan de hen!* teach your grandmother to suck eggs!; *een half* ~ *is beter dan een lege dop* half a loaf is better than no bread; *zij kozen eieren voor hun geld* they came down a peg or two.

2 ei! [ɛi] *ij* ah!, indeed!

e.i. = *elektrotechnisch ingenieur* zie *elektrotechnisch*.

eiber ['ɛibər] *m* ⚥ zie *ooievaar*.

eiderdons ['ɛidərdòns] *o* eider(-down).

eidereend [-e.nt] **eidergans** [-gɔns] *v* eider (-duck).

eierboer ['ɛiərbu:r] *m* egg-man.

eierdans [-dɑns] *m* egg-dance.

eierdooier [-do.jər] *m* yolk (of egg), egg-yolk.

eierdop [-dɔp] *m* egg-shell.

eierdopje [-dɔpjə] *o* egg-cup.

eierklopper [-klɔpər] *m* egg-whisk, egg-beater.

eierkoek [-ku.k] *m* egg-cake.

eierkolen [-ko.lə(n)] *mv* ovoids.

eierleggend [-lɛgənt] egg-laying, § oviparous.

eierlepeltje [-le.pəlcə] *o* egg-spoon.

eierpoeder, -**poeier** [-pu.dər, -pu.jər] *o* & *m* dried egg(s).

eierpruim [-prœym] *v* egg-plum.

eierrekje ['ɛiərɛkjə] *o* egg-rack.

eiersaus ['ɛiərsous] *v* egg-sauce.

eierschaal [-sxa.l] *v* egg-shell.

eierstok [-stɔk] *m* ovary.

eierwinkel [-vɪŋkəl] *m* egg-shop.

eigen ['ɛigə(n)] 1 (in iemands bezit) own, of one's own, private, separate; 2 (aangeboren) proper to [mankind], peculiar to [that class]; 3 (eigenaardig) peculiar; 4 (intiem) friendly, familiar, intimate; 5 (zelfde) the (very) same, [his] very...; ~ *broeder van...* own brother to...; *zijn* ~ *dood sterven* die one's natural death; *hij heeft een* ~ *huis* a house of his own; *in zijn* ~ *huis* in his own house; *zijn vrouws* ~ *naam* his wife's maiden name; *met de hem* ~ *...* with his characteristic...; *ik ben hier al* ~ I am quite at home here; *hij was zeer* ~ *met ons* he was on terms of great intimacy with us; *zich iets* ~ *maken* make oneself familiar with a thing.

eigenaar ['ɛigəna:r] *m* owner, proprietor; *van* ~ *verwisselen* change hands.

eigenaardig [ɛigə'na:rdəx] *aj* (& *ad*) peculiar(-ly), singular(ly).

eigenaardigheid [-hɛit] *v* peculiarity.

eigenares [ɛigəna:'rɛs] *v* owner, proprietress.

eigenbaat ['ɛigə(n)ba.t] *v* self-interest, self-seeking.

eigenbelang [-bəlɑŋ] *o* self-interest, personal interest.

eigendom [-dòm] 1 *o* (bezitting) property; 2 *m* (recht) ownership [of the means of production]; *bewijs van* ~ title(-deed); *in* ~ *hebben* be in possession of, own.

eigendomsrecht [-dòmsrɛxt] *o* 1 ownership; 2 proprietary right(s) [of an estate]; 3 copyright [of a publisher].

eigendunk [-dũŋk] *m* self-conceit.

eigendunkelijk(heid) [ɛigə(n)'dũŋkələk(hɛit)] zie *eigenmachtig(heid)*.

eigenerfde ['ɛigənerfdə] = *eigengeërfde*.

eigengebakken [-gəbakə(n)] home-made.

eigengeërfde ['ɛigə(n)gəerfdə] *m* freeholder.

eigengemaakt [-gəma.kt] home-made.

eigengerechtig [-gərɛxtəx] self-righteous.

eigengereid [-gərɛit] opinionated, self-willed, stubborn.

eigenhandig [ɛigə(n)'hɑndəx] [done] with one's own hands; [written] in one's own hand; [to be delivered] "by hand"; ~ *geschreven brieven aan...* apply in own handwriting to...; ~ *geschreven stuk* autograph.

eigenliefde ['ɛigə(n)li.vdə] *v* self-love, love of self.

eigenlijk [-lək] I *aj* proper, properly so called; actual, real, true; zie ook: *zin*; II *ad* properly speaking; really, actually; *wat betekent dit* ~? just what does this mean?; *wat is hij nu* ~? what is he exactly?; *wat wil je nu* ~? what in point of fact do you want?; ~ *niet* not exactly; *kunnen we dat* ~ *wel tolereren?* can we really tolerate this?

eigenmachtig [ɛigə(n)'mɑxtəx] I *aj* arbitrary, high-handed; II *ad* arbitrarily, high-handedly.

eigenmachtigheid [-hɛit] *v* arbitrariness, high-handedness.

eigennaam ['ɛigəna.m] *m* proper name.

eigenschap ['ɛigə(n)sxɑp] *v* 1 property [of bodies]; 2 quality [of persons], attribute [of God].

eigentijds [-tɛits] contemporary.

eigenwaan [-va.n] *m* conceitedness, presumption.

eigenwaarde [-va:rdə] *v* in: *gevoel van* ~ feeling of one's own worth, self-esteem.

eigenwijs [ɛigə(n)'vɛis] self-conceited, opinionated.

eigenwijsheid [-hɛit] *v* self-conceit, opinionatedness.

eigenzinnig [ɛigə(n)'zɪnəx] self-willed, wayward, wilful.

eigenzinnigheid [-hɛit] *v* self-will, waywardness, wilfulness.

eik [ɛik] *m* oak.

eikebast ['ɛikəbɑst] *m* zie *eikeschors*.

eikeblad [-blɑt] *o* oak-leaf.

eikeboom [-bo.m] *m* oak-tree.

eikehout [-hout] *o* oak, oak-wood.

eikehouten [-houtə(n)] *aj* oak, oaken.

eikekrans [-krɑns] *m* wreath of oak-leaves.

eikekroon [-kro.n] *v* crown of oak-leaves, oak-crown.

eikel ['ɛikəl] *m* ⚥ acorn.

eikeloof ['ɛikəlo.f] *o* oak-leaves.

eiken ['ɛikə(n)] *aj* oak, oaken.

eikenbos [-bòs] *o* oak-wood.

eikeschors ['ɛikəsxɔrs] *v* oak-bark; (gemalen) tan.

⚥ eilaas, eilacie [ɛi'la.s, ɛi'la.si.] *ij* alas!, alack!

eiland ['ɛilɑnt] *o* island, isle; *het* ~ *Wight* the Isle of Wight.

eilandbewoner [-bəvo.nər] *m* islander.

eilandengroep ['ɛilɑndə(n)gru.p] *v* group of islands.

eilandenrijk [-rɛik] *o* island empire.

eilandenzee [-ze.] *v* archipelago.

eilieve [ɛi'li.və] *ij* pray.

eind [ɛint] *o* 1 end² [ook = death]; [happy] ending; close, termination, conclusion; (uiteinde) end, extremity; 2 (stuk) piece [of wood]; bit [of string]; length [of sausage]; zie ook: *eindje*; 3 in: ~ (*weegs*) part of the way; *het is een heel* ~ it is a good distance (off), a long way (off); *maar een klein* ~ only a short distance; *dat is het* ~ *van het lied* that is the end (of it all); *zijn* ~ *voelen naderen* feel one's end drawing near; *aan het andere* ~ *van de wereld* miles away; *er komt geen* ~ *aan* there is no end to it; *komt er dan geen* ~ *aan?* shall we never see (hear) the last of it?; *er moet een* ~ *aan komen* it must stop; *hij kwam treurig aan zijn* ~ he came to a sad end; *aan alles komt een* ~ all things must have an end; *een* ~ *maken aan iets* make an end of it, put an end (a stop) to it; *aan het kortste* (*langste*) ~ *trekken* have the worst (better) end of the staff; *wij zijn nog niet aan het* ~ the end is not yet; *het bij het rechte* ~ *hebben* be right; *iets bij het verkeerde* ~ *aanpakken* begin at the wrong end; *het bij het verkeerde* ~ *hebben* have got hold of the wrong end of the stick, be wrong; *in het* ~ at last, eventually; *het loopt op een* ~ things are coming to an end (drawing to a close); *het loopt op een* ~ *met hem* his end is drawing near; *te dien* ~*e* to that end, with that end in view, for that purpose; *tegen het* ~ towards the end (close); *ten* ~*e...* in order to...; *ten* ~*e brengen* bring to an end (conclusion); *ten* ~*e lopen* come to an end, draw to an end (to a close), expire [of a contract]; *ten* ~*e raad zijn* be at one's wits' (wit's) end; *tot het* ~ (*toe*) till the end; *tot een goed* ~*e brengen* bring the matter to a favourable ending, bring [things] to a happy conclusion; *van alle* ~*en van de wereld* from all parts of the world; *ze stelen, daar is het* ~ *van weg* there is no end to it; *zonder* ~ without end, endless(ly); *het* ~ *zal de last dragen* the end will bear the consequences; ~ *goed al goed* all's well that ends well.

eindbeslissing ['ɛintbəslɪsɪŋ] *v* **eindbesluit** ['ɛintbəslœyt] *o* final decision.

eindcijfer [-sɛifər] *o* 1 final figure; 2 ⬦ final mark; 3 (totaal) grand total.

einddiploma ['ɛindi.plo.ma.] *o* (school) leaving certificate, (v. middelbare school) ± General Certificate of Education, G.C.E.

einddoel [-du.l] *o* final purpose, ultimate object.

einde ['ɛində] = *eind*.

eindeksamen zie *eindexamen*.

eindelijk [-lək] finally, at last, ultimately, in the end, at length.

eindeloos [-lo.s] I *aj* endless, infinite, interminable; II *ad* infinitely, without end.

eindeloosheid [ɛində'lo.shɛit] *v* endlessness, infinity.

einder ['ɛindər] *m* horizon.

eindexamen ['ɛintɛksa.mə(n)] *o* final examination, (school) leaving examination.

eindig ['ɛindəx] finite.

eindigen [-dəgə(n)] I *vi* end, finish, terminate, conclude; ~ *in* end in; ~ *met te geloven dat...* end in believing that...; ~ *met te zeggen* end with (by) saying that...; ~ *op een k* end in a k; II *vt* end, finish, conclude, terminate.

eindje ['ɛincə] *o* end, bit, piece; *een* ~ *sigaar* a cigar-end, a cigar-stub; *ga je een* ~ *mee?* will you accompany me part of the way?; *de* ~*s aan elkaar knopen* make (both) ends meet.

eindkamp ['ɛintkɑmp] *m* last fight, last heat; *sp* final (match).

eindletter [-lɛtər] *v* final letter.

eindlettergreep [-gre.p] *v* final syllable.

eindoorzaak ['ɛinto:rza.k] *v* final cause.

eindoverwinning [-o.vərvɪnɪŋ] *v* final victory.

eindpaal [-pa.l] *m sp* winning-post.

eindproduct zie *eindprodukt*.

eindprodukt [-pro.dükt] *o* finished product, end product.

eindpunt [-pünt] *o* terminal point, end; [bus, tramway, railway] terminus.

eindresultaat [-re.zülta.t] *o* (end, final) result, upshot.

eindrijm [-rɛim] *o* final rhyme.

eindsnelheid [-snɛlhɛit] *v* final velocity.

eindspel [-spɛl] *o* end game [at chess].

eindspurt [-spürt] *m sp* finishing spurt.

eindstation [-sta.ʃòn] *o* terminal station, terminus.

eindstreep [-stre.p] *v sp* finishing line.

eindwedstrijd [-vɛtstrɛit] *m* final match, final.

eipoeder, **-poeier** ['ɛipu.dər, -pu.jər] *o & m* dried egg(s).

eirond [-rònt] egg-shaped, egg-like, oval.

eis [ɛis] *m* demand, requirement; claim; *de gestelde* ~*en* the requirements; ~ *tot schadevergoeding* claim for damages; *de* ~*en voor het toelatingsexamen* the requirements of the entrance examination; *een* ~ *instellen* 𝑟𝑡 institute proceedings; *een* ~ *inwilligen* meet a claim; *hogere* ~*en stellen* make higher demands (on *aan*); *hem de* ~ *toewijzen* 𝑟𝑡 give judgment in his favour; *aan de gestelde* ~*en voldoen* come up to (meet) the requirements; *naar de* ~ as required, properly.

eisen ['ɛisə(n)] *vt* demand, require, claim.

eiser [-sər] *m* ~**es** [ɛisə'rɛs] *v* 1 claimant; 2 𝑟𝑡 plaintiff.

eivol ['ɛivòl] crammed.

eivormig [-vormǝx] zie *eirond*.

eiwit [-vɪt] *o* white of egg, glair; § albumen; protein.

eiwithoudend [-houdǝnt] albuminous.

eiwitstof [-stǝf] *v* albumen; protein.

e.k. = *eerstkomend*.

eklip- zie *eclip-*.

ekono- zie *econo-*.
eksamen(-) zie *examen*(-).
eksamineren zie *examineren*.
ekseem zie *eczeem*.
eksemplaar zie *exemplaar*.
eksku- zie *excu-*.
ekster ['ɛkstər] *v* ♘ magpie.
eksteroog [-o.x] *o* corn [on toe].
ekwat- zie *equat-*.
ekwipage [e.kʋi.'pa.ʒə] = *equipage*.
ekwivalent = *equivalent*.
el [ɛl] *v* yard [English]; ell [Dutch].
elan [e.'lã] *o* elan, dash, impetuousness.
eland ['e.lɑnt] *m* ♔ elk.
elasticiteit [e.lɑsti.si.'tɛit] *v* elasticity, springiness.
elastiek [-'ti.k] *o* elastic.
elastieken [-'ti.kə(n)] *aj* elastic.
elastiekje [-'ti.kjə] *o* (piece of) elastic; (ringvormig) rubber ring.
elastisch [e.'lɑsti.s] I *aj* elastic, springy; II *ad* elastically.
elders ['ɛldərs] elsewhere; *ergens* ~ somewhere else; *nergens* ~ nowhere else; *overal* ~ everywhere (anywhere) else.
eldorado [ɛldo.'ra.do.] *o* El Dorado.
electr- zie *elektr-*.
elegant [e.lə'gɑnt] *aj* (& *ad*) elegant(ly), stylish(ly).
elegantie [-'gɑn(t)si.] *v* elegance.
elegie [e.le.'gi.] *v* elegy.
elegisch [e.'le.gi.s] elegiac.
electricien [e.lɛktri.'ʃɛ̃] *m* electrician.
elektriciteit [-si.'tɛit] *v* electricity.
elektriciteitsvoorziening [-si.'tɛitsfo:rzi.niŋ] *v* electricity supply.
elektrificatie [-fi.'ka.(t)si.] *v* electrification.
elektrificeren [-fi.'se:rə(n)] *vt* electrify.
elektrifikatie zie *elektrificatie*.
elektrisch [e.'lɛktri.s] *aj* (& *ad*) electric(ally).
elektriseermachine [e.lɛktri.'ze:rma.ʃi.nə] *v* electrical machine.
elektriseren [-'ze:rə(n)] *vt* electrify.
elektrisering [-'ze:riŋ] *v* electrification.
elektrize- zie *elektrise-*.
elektrode [e.lɛk'tro.də] *v* electrode.
elektromagneet [e.'lɛktro.mɑx'ne.t] *m* electromagnet.
elektromagnetisch [-mɑx'ne.ti.s] electro-magnetic.
elektromonteur [-mòn'tø:r] *m* electrician.
elektron [e.'lɛktròn] *o* electron.
elektronenmicroscoop, -mikroskoop [e.lɛk-'tro.nə(n)mi.krɔsko.p] *m* electron microscope.
elektronica, elektronika [-'tro.ni.ka.] *v* electronics.
elektronisch [-'tro.ni.s] electronic.
elektroscoop, elektroskoop [e.lɛktrɔs'ko.p] *m* electroscope.
elektrotechnicus [e.lɛktro.'tɛxni.kŭs] *m* electrical engineer.

elektrotechniek [-tɛx'ni.k] *v* electrical engineering.
elektrotechnisch [-'tɛxni.s] electrical; ~ *ingenieur* electrical engineer.
elektroterapie zie *elektrotherapie*.
elektrotherapie [-te.ra.'pi.] *v* electrotherapy.
element [e.lə'mɛnt] *o* I element[2]; 2 ♔ cell; *in zijn* ~ *zijn* be in one's element.
elementair [-mɛn'tɛ:r] I *aj* elementary; II *ad* elementarily.
Eleonora [e.le.o.'no:ra.] *v* Eleanor.
elevator [e.lə'va.tər] *m* elevator.
I elf [ɛlf] *v* (natuurgeest) elf.
2 elf [ɛlf] eleven.
elfde ['ɛlvdə] eleventh (part).
elfendertigst [ɛlfən'dɛrtəxst] *op zijn* ~ at a snail's pace.
elft [ɛlft] *m* ♔ shad.
elftal ['ɛlftɑl] *o* (number of) eleven; *sp* eleven.
elfuurtje [ɛlf'y:rcə] *o* elevenses.
elger ['ɛlgər] *m* eel-spear.
Elia [e.'li.a.] *m* B Elijah.
Elias ['e.li.ɑs] *m* Elias.
eliminatie [e.li.mi.'na.(t)si.] *v* elimination.
elimineren [-'ne:rə(n)] *vt* eliminate.
elite [e.'li.tə] *v* elite, pick, flower (of society).
elixer, elixir [e.'lɪksər] *o* elixir.
Elizabeth [e.'li.za.bɛt] *v* Elizabeth.
elk [ɛlk] I *aj* every; each; any; II *sb* everybody; ~ *en een iegelijk* one and all.
elkaar, elkander [ɛl'ka:r, -'kɑndər] each other, one another; *achter* ~ I one after the other, in succession; 2 at a stretch; *bij* ~ *is het 200 gld.* together; *door* ~ (*genomen*) on an (the) average; *door* ~ *liggen* lie pell-mell; *met* ~ together; *naast* ~ side by side; [four, five, six] abreast; *onder* ~ zie *onder* I; *op* ~ one on top of the other; *met de benen over* ~ (with) legs crossed; *uit* ~ zie *uiteen*; *van* ~ *gaan* separate; *fig* drift apart; *voor* ~ *willen ze 't niet weten* they (are)..., but they won't let it appear; *'t is voor* ~ it's settled; *het voor* ~ *krijgen* manage (it).
elkeen [ɛlk'e.n] every man, everyone, everybody.
elleboog ['ɛləbo.x] *m* elbow; *het achter zijn* ~ *hebben* be a slyboots; *de ellebogen vrij hebben* have elbow-room; *zijn ellebogen hangen erdoor* he is out at elbows.
ellemaat [-ma.t] *v* I ell, yard; 2 tape-measure.
ellende [ɛ'lɛndə] *v* misery, miseries, wretchedness.
ellendeling [-dəliŋ] *m* wretch, miscreant.
ellendig [-dəx] I *aj* miserable, wretched [feeling, weather]; II *ad* miserably &.
ellendigheid [-hɛit] *v* miserableness, wretchedness.
ellenlang ['ɛlə(n)lɑŋ] many yards long; *fig* long-drawn.
ellepijp ['ɛləpɛip] *v* ulna.
ellestok [-stɔk] *m* yard-stick.
ellewaren [-ʋa:rə(n)] *mv* soft goods.

ellewinkel [-vɪŋkəl] *m* draper's shop.

ellips [ɛ'lɪps] *v* ellipsis [of word]; ellipse [oval].

elliptisch [ɛ'lɪptɪs.] I *aj* elliptic(al); II *ad* elliptie-

elmsvuur ['ɛlmsfy:r] *o* St. Elmo's fire. [cally.

1 els [ɛls] *v* [shoemaker's] awl, bradawl.

2 els [ɛls] *m* ❀ alder.

Els(je) [ɛls, 'ɛlʃə] *v* (*o*) Elsie.

Elysisch [e.'li.zi.s] Elysian.

Elyzees [e.li.'ze.s] Elysian [fields].

Elzas ['ɛlzas] *m* Alsace.

Elzas-Lotharingen [-'lo.ta:rɪŋə(n)] *o* Alsace-Lorraine.

Elzasser ['ɛlzasər] *m* Elzassisch [-si.s] *aj* Alsa-

elzeboom ['ɛlzəbo.m] *m* alder-tree. [tian.

elzehout [-hout] *o* alder-wood.

elzekatje [-kacə] *o* alder-catkin.

elzen ['ɛlzə(n)] *aj* alder.

email [e.'ma.j] *o* enamel.

emailleren [e.ma(l)'je:rə(n)] *vt* enamel.

emailleur [-'jø:r] *m* enameller. [tion.

emancipatie [e.mansi.'pa.(t)si.] *v* emancipa-

emanciperen [-'pe:rə(n)] *vt* emancipate.

emballage [amba'la.ʒə] *v* packing.

emballeren [-'le:rə(n)] *vt* pack (up).

emballeur [-'lø:r] *m* packer.

embargo [ɛm'bargo.] *o* embargo; *onder ~ leggen* lay an embargo on, embargo.

embleem [-'ble.m] *o* emblem.

emblemata [-'ble.ma.ta.] *mv* emblems.

embolie [-bo.'li.] *v* embolism.

embryo ['ɛmbri.o.] *o* embryo.

embryonaal [ɛmbri.o.'na.l] embryonic.

emeritaat [e.me.ri.'ta.t] *o* superannuation; *zijn ~ aanvragen* ask for one's pension.

emeritus [e.'me:ri.tūs] emeritus, retired.

emier = *emir*.

emigrant [e.mi.'grant] *m* 1 (landverhuizer) emigrant; 2 (uitgewekene) [political] exile.

emigrantenregering [-'grantə(n)rəge:rɪŋ] *v* government in exile.

emigratie [-'gra.(t)si.] *v* emigration.

emigreren [-'gre.rə(n)] *vi* emigrate.

Emilie [e.mi.'li.] *v* Emily.

eminent [e.mi.'nɛnt] *aj* (& *ad*) eminent(ly).

eminentie [-'nɛn(t)si.] *v* eminence.

emir ['e.mi:r] *m* emir, ameer.

emissie [e.'mɪsi.] *v* issue [of shares].

Emmaüsgangers ['ɛmousgaŋərs] *mv* men of Emmaus.

emmer ['ɛmər] *m* pail, bucket.

emolumenten [e.mo.ly.'mɛntə(n)] *mv* emoluments, perquisites, > pickings (of office).

emotie [e.'mo.(t)si.] *v* emotion.

empathie, empatie [ɛmpa.'ti.] *v* empathy.

emplacement [ampla.sə'mɛnt] *o* emplacement [of gun]; railway-yard.

emplooi [ɛm'plo:i] *o* 1 employ, employment; 2 part, rôle.

employé [amplva'je.] *m* employé, employee.

emulsie [e.'mūlzi.] *v* emulsion.

en [ɛn] and; *èn..., èn...* both... and...

enakskind ['e.nakskɪnt] *o* son of Anak.

encadreren [anka.'dre:rə(n)] *vt* 1 frame; 2 ✕ officer [a battalion]; enroll [recruits].

enclave [ɛn'kla.və] *v* enclave.

encycliek [ɛnsi.'kli.k] *v* encyclical (letter).

encyclopedie [an-, ɛnsi.klo.pe.'di.] *v* (en)cyclopaedia.

encyclopedisch [-'pe.di.s] encyclopaedic.

end [ɛnt] = *eind*.

endeldarm ['ɛndəldarm] *m* rectum.

endossant [andə'sant] *m* $ endorser.

endossement [-sə'mɛnt] *o* $ endorsement.

endosseren [-'se:rə(n)] *vt* $ endorse.

enenmale in: *ten ~* [tɛn'e.nənma.lə] entirely, wholly, utterly, totally, completely, absolutely.

energie [e.nɛr'ʒi.] *v* 1 energy; 2 power [from coal, water].

energiebron [-brɔn] *v* source of power, power source.

energiek [e.nɛr'ʒi.k] *aj* (& *ad*) energetic(ally).

enerlei ['e.nərlɛi] of the same kind; *zie ook: eender.*

enerzijds [-zɛits] on the one side.

enfin [ã'fɛ̃] in short...; *~!* well, ...; *maar ~* anyhow, anyway, but there,...

eng [ɛŋ] 1 (nauw) narrow [passage, street &]; tight [coat &]; 2 (akelig) F creepy, eerie, weird, uncanny; *zie ook: behuisd.*

engagement [anga.ʒə'mɛnt] *o* engagement [ook: betrothal].

engagementsring [-'mɛntsrɪŋ] *m* engagement ring.

engagementstijd [-'mɛntstɛit] *m* time of one's betrothal.

engageren [anga.'ʒe:rə(n)] I *vt* engage; II *vr* *zich ~* become engaged (to *met*).

engel ['ɛŋəl] *m* angel[2]; *mijn reddende ~* my saviour.

engelachtig [-axtəx] *aj* (& *ad*) angelic(ally).

engelachtigheid [-hɛit] *v* angelic nature.

Engeland ['ɛŋəlant] *o* (aardrijksk.) England; (staatk. thans meestal) Britain; ⊙ Albion.

Engelbert, Engelbrecht ['ɛŋəlbɛrt, -brɛxt] *m* Gilbert.

engelbewaarder [-bəva:rdər] *m* guardian angel.

engelenbak ['ɛŋələ(n)bak] *m* F gallery [of a theatre].

engelengeduld [-gədūlt] *o* angelic patience.

engelenhaar [-ha:r] *o* angel hair [for Christmas tree].

engelenkoor [-ko:r] *o* angelic choir, angel choir.

engelenkopje [-kɔpjə] *o* cherub's head, angel's head.

engelenmis [-mis] *RK* mass of the angels.

engelenschaar [-sxa:r] *v* host of angels.

engelenzang [-zaŋ] *m* hymn of angels.

engelin [ɛŋə'lin] *v* angel.

engelrein ['ɛŋəlrɛin] angelically pure, of angelic purity.

engels ['ɛŋəls] *aj* angelic [salutation].

Engels ['ɛŋəls] **I** *aj* English [language, girl]; (staatk. thans meestal) British [army, navy, consul]; (in samenst.) Anglo[-Dutch trade]; *de* ~*e Kerk* the Anglican Church; the Church of England; ~*e pleister* court-plaster; ~*e sleutel* ✶ monkey-wrench; ~*e ziekte* rachitis, rickets; *lijdend aan* ~*e ziekte* rickety; ~ *zout* Epsom salt(s); **II** *o het* ~ English; **III** *v een* ~*e* an Englishwoman; *zij is een* ~*e* ook: she is English; **IV** *mv de* ~*en* the English, the British.

Engelsgezind [-gəzɪnt] Anglophil(e).

Engelsman [-mɑn] *m* Englishman, Briton.

Engelstalig [-ta.ləx] English-speaking [countries, South Africans], English-language [churches, press].

engeltje ['ɛŋəltə] *o* (little) angel, cherub.

engelwortel [-vortəl] *m* ✿ angelica.

engerd ['ɛŋərt] *m* horrible fellow.

engerling ['ɛŋərlɪŋ] *m* grub of the cockchafer.

enghartig [ɛŋ'hɑrtəx] *aj* (& *ad*) narrow-minded(ly).

engheid ['ɛŋhɛit] *v* narrowness, tightness.

en gros [ã'gro.] $ wholesale.

engte ['ɛŋtə] *v* 1 strait²; defile, narrow passage; 2 ('t eng zijn) narrowness; zie ook: *drijven*.

enig ['e.nəx] **I** *aj* sole [heir], single [instance], only [child], unique [specimen]; *een* ~*e vent* F a fellow of his kind unique; *dat (vaasje) is* ~! F that is something unique; *dat (die) is* ~ F that's a good one, that is capital!; *het was* ~! S it was quite too delightful!; *het is* ~ *in zijn soort* it is (of its kind) unique; *de* ~*e*... ook: the one and only...; *de* ~*e die*... the one man who..., the only one to...; *het* ~*e dat hij zei* the only thing he said; **II** *pron* some, any; ~*en hunner* some of them; ~*en zeggen dit*..., *anderen dat*... some (some people) say this...; some (others, other people) that...; **III** *ad* in: ~ *en alleen omdat*... uniquely because...

enigerlei [e.nəgər'lɛi] any, of some sort.

enigermate [-'ma.tə] in a measure, in some degree.

eniggeboren ['e.nəgəbo:rə(n)] only-begotten.

enigzins [e.nəx'sɪns] somewhat, a little, slightly, rather; *als u ook maar* ~ *moe bent* if you are tired at all.

enkadreren zie *encadreren*.

1 **enkel** ['ɛŋkəl] *m* ankle; *tot aan de* ~*s* up to the ankles, ankle-deep.

2 **enkel** [ɛŋkəl] **I** *aj* single; ~*e reis* single (journey); ~*e stoomboten* a few steamers; zie ook: *keer* &; **II** *ad* only, merely.

enkeling ['ɛŋkəlɪŋ] *m* individual.

enkelspel ['ɛŋkəlspɛl] *o sp* single [at tennis]; *dames-* (*heren-*)~ ladies' (men's) singles.

enkelspoor [-spo:r] *o* single track.

enkelvoud [-vout] *o gram* singular (number).

enkelvoudig [ɛŋkəl'voudəx] 1 singular [number]; 2 simple [tenses].

enorm [e.'nɔrm] *aj* (& *ad*) enormous(ly), huge(ly).

enormiteit [e.nɔrmi.'tɛit] *v* enormity.

enquête [ɑŋ'kɛ.tə] *v* inquiry, investigation.

enquêtecommissie, -kommissie [-kòmɪsi.] *v* commission (committee, board) of inquiry.

ensceneren [ɑnsε'ne:rə(n)] *vt* stage.

enscenering [-rɪŋ] *v* (abstract) staging²; (concreet) setting.

ensemble [ã'sãblə] *o* ensemble, [theatrical] company.

ent [ɛnt] *v* graft.

entameren [ɑnta.'me:rə(n)] *vt* attack, tackle deal with, address oneself to [a task].

enten ['ɛntə(n)] *vt* 1 graft [upon]; 2 zie *inenten*.

enter [-tər] *m* grafter.

enterbijl [-bɛil] *v* ⚓ boarding-axe.

enteren ['ɛntərə(n)] *vt* ⚓ board.

enterhaak ['ɛntərha.k] *m* ⚓ grappling-iron.

entering ['ɛntərɪŋ] *v* ⚓ boarding.

enthoesias- zie *enthousias-*.

enthousiasme [ɑntu.zi.'ɑsmə] *o* enthusiasm.

enthousiast [-zi.'ɑst] **I** *m* enthusiast; **II** *aj* (& *ad*) enthusiastic(ally).

enting ['ɛntɪŋ] *v* grafting.

entmes ['ɛntmɛs] *o* grafting knife.

entoesias- zie *enthousias-*.

entousias- zie *enthousias-*.

entre-deux [ãtrə'dø.] *o* & *m* [lace] insertion.

entree [ɑn'tre.] *v* 1 (toelating) entrance, admittance, admission; 2 (binnentreden) entrance, [ceremonial] entry; 3 (plaats) entrance, (entrance-)hall; 4 (toelatingsprijs) entrance-fee [of a club], admission [of a theatre], *sp* gate-money [received at football match]; 5 (schotel) entrée; ~ *betalen* pay for admission; *zijn* ~ *maken* enter; *fig* make one's bow; *tegen* ~ at a charge; *vrij* ~ admission free.

entreebiljet [-bɪljɛt] *o* (admission) ticket.

entrepot [ɑntrə'po.] *o* $ bonded warehouse; *in* ~ *opslaan* bond [goods].

entresol [-'sɔl] *m* mezzanine (floor).

envelop(pe) [ɑnvə'lɔp] *v* envelope.

enz., enzovoort(s) [ɛnzo.'vo:rt(s)] etc., and so on.

eolusharp ['e.o.lüshɑrp] *v* Aeolian harp.

epaulet [e.po.'lɛt] *v* 1 ✕ epaulet(te); 2 shoulder-knot.

epicentrum [e.pi.'sɛntrüm] *o* epicentre.

epicurist [e.pi.ky.'rɪst] *m* epicure, epicurean.

epicuristisch [-'rɪsti.s] epicurean.

epidemie [e.pi.də'mi.] *v* epidemic.

epidemisch [-'de.mi.s] **I** *aj* epidemic(al); **II** *ad* epidemically.

epigram [-'grɑm] *o* epigram.

epikur- zie *epicur-*.

epilepsie [e.pi.lɛp'si.] *v* epilepsy.

epilepticus [-'lɛpti.küs] *m* epileptic.

epileren [-'le:rə(n)] *vt* depilate.

epiloog [-'lo.x] *m* epilogue.

episch ['e.pi.s] **I** *aj* epic; **II** *ad* epically.

episcopaal [e.pɪsko.'pa.l] *aj* episcopal, *de episcopalen* the episcopalians.

episcopaat [-'pa.t] o episcopacy.

episko- zie *episco-*.

episode [e.pi.'zo.də] v episode.

episodisch [-'zo.di.s] *aj* (& *ad*) episodic(ally).

epistel [e.'pɪstəl] o *of m* epistle.

epos ['e.pɔs] o epic, epic poem, epopee.

equator [e.'kva.tər] *m* equator.

equatoriaal [e.kva.to.ri.'a.l] equatorial.

equipage [e.ki.'pa.ʒə] v ı ⚓ crew; 2 carriage; ～ houden keep a carriage.

equipe [e.'ki.p] v *sp* team, side.

equipement [e.ki.pə'mɛnt] o ⚔ equipment.

equivalent [e.kvi.va.'lɛnt] o equivalent.

er [ɛr] there; ～ zijn ～ die nooit... there are people who never...; hoeveel heb ie ～ how many have you (got)?; ik heb ～ nog twee I have (still) two left; ik ken ～ zo I know some like that; zie ook: worden &.

era ['e:ra.] v era.

eraf [ɛr'af] off it, from it.

erbarmelijk [ɛr'barmələk] I *aj* pitiful, pitiable, miserable, wretched, lamentable; II *ad* pitifully &.

erbarmen [-mə(n)] *vr* zich ～ over have pity (mercy) on.

erbarming [-mɪŋ] v pity, compassion.

erbij [ɛr'bɛi] in addition.

ere ['e:rə] = 2 *eer*.

ereambt, erebaantje ['e.rəamt, -ba.ncə] o post of honour.

ereburger [-bûrgər] *m* freeman.

ereburgerschap [-sxap] o freedom [of a city].

eredegen ['e:rəde.gə(n)] *m* sword of honour; presentation sword.

eredienst [-di.nst] *m* (public) worship.

erediploma [-di.plo.ma.] o award of honour.

erekroon [-kro.n] v crown of honour.

erekruis [-krœys] o cross of merit.

erelid [-lɪt] o honorary member.

eremedaille [-mədaljə] v medal of honour.

eremetaal [-məta.l] o medal of honour.

eremiet [e:rə'mi.t] = *heremiet*.

eren ['e:rə(n)] *vt* honour, revere.

erepalm ['e:rəpalm] *m* palm of honour.

ereplaats [-pla.ts] v place of honour.

erepoort [-po:rt] v triumphal arch.

erepost [-pɔst] *m* post of honour.

ereprijs [-prɛis] *m* prize ‖ 🌸 speedwell, veronica.

eresabel [-sa.bəl] *m* zie *eredegen*.

ereschuld [-sxûlt] v debt of honour².

ereteken [-te.kə(n)] o mark (badge) of honour.

eretitel [-ti.təl] *m* title of honour, honorary title.

erevoorzitter [-vo:rzɪtər] *m* honorary president.

erevoorzitterschap [-sxap] o honorary presidency.

erewacht ['e:rəvaxt] v guard of honour.

erewijn [-ʋɛin] *m* cup of honour.

erewoord [-vo:rt] o ı word of honour; 2 ⚔ parole; op mijn ～ upon my word; op zijn ～ vrijlaten ⚔ liberate on parole.

erezuil [-zœyl] v column in honour [of...]; *fig* lasting memorial.

erf [ɛrf] o grounds; premises; *Ind* compound; (v. boerderij) (farm)yard.

erfdeel ['ɛrfde.l] o portion, heritage.

erfdochter [-dɔxtər] v heiress.

erfelijk ['ɛrfələk] hereditary; zie ook: *belast*.

erfelijkheid [-hɛit] v heredity.

erfenis ['ɛrfənɪs] v inheritance, heritage, legacy [of the past, of the war].

erfgenaam ['ɛrfgəna.m] *m* heir.

erfgename [-gəna.mə] v heiress.

erfgerechtigd [-gərextəxt] heritable.

erfgoed [-gu.t] o inheritance, estate; vaderlijk ～ patrimony.

erflaatster [-la.tstər] v testatrix.

erfland [-lant] o hereditary land.

erflater [-la.tər] *m* testator.

erflating [-la.tɪŋ] v bequest; legacy.

erfleen [-le.n] o ⚏ hereditary fief.

erfoom [-o.m] *m* uncle from whom one expects to inherit.

erfopvolging [-ɔpfɔlgɪŋ] v succession.

erfpacht [-paxt] v ı (de verbintenis) hereditary tenure, long lease; 2 (het geld) ground-rent; in ～ on long lease.

erfpachter [-paxtər] *m* long-lease tenant.

erfprins [-prɪns] *m* hereditary prince.

erfprinses [-prɪnsɛs] v hereditary princess.

erfrecht [-rɛxt] o hereditary law; ～en hereditary right(s).

erfschuld [-sxûlt] v debt(s) payable by the heirs.

erfstuk [-stûk] o heirloom.

erftante [-tantə] v aunt from whom one expects to inherit.

erfvijand ['ɛrfɛiant] *m* hereditary enemy.

erfvijandschap [-sxap] v hereditary enmity.

erfzonde ['ɛrfsɔndə] v original sin.

erg [ɛrx] I *aj* bad, ill, evil; het is ～ it is (very) bad; de zieke is ～ vandaag he is (very) bad to-day; II *ad* badly; < badly, very (much), sorely [needed], severely [felt]; ～ denken van iemand think evil of a man; ik heb het ～ nodig I want it very badly; zie ook: *erger* & *ergst*; III o in: voor ik er ～ in had before I was aware of it; hij had er geen ～ in he was not aware of any harm (of it); hij deed het zonder ～ quite unintentionally.

ergdenkend [ɛrx'dɛŋkənt] suspicious.

ergdenkendheid [-hɛit] v suspiciousness.

ergens ['ɛrgəns] somewhere; zo ～ if anywhere; ～ bij, op &, vert. bij, op & iets.

erger ['ɛrgər] worse; al ～ worse and worse; ～ worden grow worse; om ～ te voorkomen to prevent worse following.

ergeren [-gərə(n)] I *vt* ı annoy; 2 scandalize; B offend; het ergert mij it annoys (vexes) me; zij ergerde iedereen she scandalized the whole town (village); II *vr* zich ～ take offence [at something], be indignant [with a person].

ergerlijk [-gərlək] I *aj* ı annoying, provoking, irksome, vexatious, aggravating; 2 offensive, shocking, scandalous; II *ad* offensively &.

ergernis [-gərnɪs] *v* 1 annoyance, vexation; 2 umbrage, offence, scandal; *tot mijn grote ~* to my great annoyance; *tot ~ van iedereen* to the great scandal of everybody.

ergo ['ɛrgo.] ergo, therefore, consequently.

ergst [ɛrxst] worst; *op het ~e voorbereid* prepared for the worst; *op zijn ~* at (the) worst, at its worst; zie ook: *geval*.

erica ['e:ri.ka.] *v* ☙ heath.

Eriemeer ['e:ri.me:r] *o het ~* Lake Erie.

erika zie *erica*.

erkennen [ɛr'kɛnə(n)] *vt* acknowledge [to be...], recognize [a government]; admit, own, confess, avow; *een erkende handelaar* a recognized dealer; *een erkende instelling* ook: an approved institution.

erkenning [-nɪŋ] *v* acknowledg(e)ment, recognition [of a government]; admission [of a fact].

erkentelijk [ɛr'kɛntələk] *aj* (& *ad*) thankful-(ly), grateful(ly).

erkentelijkheid [-hɛit] *v* thankfulness, gratitude.

erkentenis [ɛr'kɛntənɪs] *v* zie *erkenning* & *erkentelijkheid*.

erker ['ɛrkər] *m* 1 (vierkant) bay-window; 2 (rond) bow-window; 3 (aan bovenverdieping) oriel window.

ermitage [ɛrmi.'ta.ʒə] = *hermitage*.

Ernst [ɛrnst] *m* Ernest.

ernst [ɛrnst] *m* earnestness, earnest, seriousness, gravity [of the situation]; *is het u ~?* are you serious?; *het wordt nu ~* things are getting serious now; *in ~* in earnest, earnestly, seriously; *in alle (volle) ~* in good (full, sober) earnest; *u moet het niet in ~ opvatten* don't take it seriously.

ernstig ['ɛrnstəx] I *aj* earnest [wish, word]; serious [look, matter, rival, wound &], grave [concern, fault, symptom]; serious-minded [persons]; solemn [look]; II *ad* earnestly &; badly [wounded].

eroderen [e.ro.'de:rə(n)] *vt* erode.

eronder [ɛr'ɔndər] under it (them).

erop [ɛr'ɔp] on it (them); *~ of eronder* sink or swim, kill or cure.

erosie [e.'ro.zi.] *v* erosion.

erotisch [e.'ro.ti.s] *aj* (& *ad*) erotic(ally).

erts [ɛrts] *o* ore.

ertsader ['ɛrtsa.dər] *v* mineral vein, lode.

ertsboot [-bo.t] *m* & *v* ⚓ ore carrier.

Ertsgebergte [-gəbɛrxtə] *o* Erzgebirge.

eruit [ɛr'œyt] out, outside.

1 **ervaren** [ɛr'va:rə(n)] *vt* experience.

2 **ervaren** [ɛr'va:rə(n)] *aj* experienced, expert, skilled, practised [in...].

ervarenheid [-hɛit] *v* experience, skill.

ervaring [ɛr'va:rɪŋ] *v* experience; *uit eigen ~* from one's own experience

erve ['ɛrvə] = *erf*.

1 **erven** ['ɛrvə(n)] *mv* heirs; *de ~ X* X heirs.

2 **erven** ['ɛrvə(n)] I *vt* inherit; II *va* come into

money.

erwt [ɛrvt, ɛrt] *v* ☙ pea.

erwtenblazer ['ɛr(v)tə(n)bla.zər] *m* pea-shooter.

erwtensoep [-su.p] *v* pea-soup.

erwtepeul ['ɛr(v)təpø.l] *v* pea-pod.

1 **es** [ɛs] *v* ♪ E flat.

2 **es** [ɛs] *m* ☙ ash, ash-tree.

escadrille [ɛska.'dri.(l)jə] *m* & *o* ✈ flight.

escorte [ɛs'kɔrtə] *o* ✕ escort.

escorteren [ɛskɔr'te:rə(n)] *vt* ✕ escort.

Esculaap [ɛsky.'la.p] *m* Aesculapius.

esculaap [ɛsky.'la.p] *m fig* Aesculapius; *onze ~ F* our medico.

esdoorn, -doren ['ɛsdo:rən] *m* ☙ maple (tree).

eskader [ɛs'ka.dər] *o* ✕ squadron.

eskadron [ɛska.'drɔn] *o* ⚔ squadron.

Eskimo ['ɛski.mo.] *m* Eskimo.

Eskulaap, eskulaap zie *Esculaap, esculaap*.

Esopus [e.'zo.pɥs] *m* Aesop.

esp [ɛsp] *m* ☙ aspen.

espagnolet [ɛspaɲo.'lɛt] *v* = *spanjolet*.

espeblad ['ɛspəblat] *o* aspen leaf.

espeboom [-bo.m] *m* aspen.

espen ['ɛspə(n)] *aj* aspen.

esplanade [ɛspla.'na.də] *v* esplanade.

essaaieren, essayeren [ɛsa.'je:rə(n)] *vt* & *vi*

essayeur [-'jø:r] *m* assayer. [assay.

essehout ['ɛsəhɔut] *o* ash-wood.

essehouten [-hɔutə(n)] *aj* ashen.

essen ['ɛsə(n)] *aj* ash.

essence [ɛ'sɑ̃sə] *v* essence.

essentieel [ɛsɛnsi.'e.l] I *aj* (& *ad*) essential(ly); II *o* in: *het essentiële* what is essential; the quintessence, gist [of the matter].

estafette [ɛsta.'fɛtə] 1 *m* courier; 2 *v* (wedstrijd) relay.

estafetteloop [-lo.p] *m sp* relay race.

este- zie *esthe-*.

estheet [ɛs'te.t] *m* aesthete.

esthetica, esthetika [-'te.ti.ka] *v* aesthetics.

esthetisch [-'te.ti.s] *aj* (& *ad*) aesthetic(ally).

Estland ['ɛstlɑnt] *o* Esthonia.

Estlander [-lɑndər] *m* **Estlands** [-lɑnts] *aj* Esthonian.

estrade [ɛs'tra.də] *v* (raised) platform, dais.

estrik ['ɛstrɪk] *m* flag(-stone).

etablissement [e.ta.bli.sə'mɛnt] *o* establishment.

etage [e.'ta.ʒə] *v* floor, stor(e)y.

etagère [e.ta.'ʒɛ:rə] *v* what-not, bracket.

etagewoning [e.'ta.ʒəvo.nɪŋ] *v* flat.

etalage [e.ta.'la.ʒə] *v* 1 ('t raam, de ruimte) shop-window, show-window; 2 ('t uitgestalde) display; *~s kijken* window-shop.

etalagemateriaal [-ma.te:ri.a.l] *o* display material(s).

etalagewedstrijd [-vɛtstreit] *m* window-dressing competition.

etaleren [[-'le:rə(n)] I *vt* display; II *va* do the window-dressing; III *o het ~* (the) window-dressing.

etaleur [-'lø:r] *m* window-dresser.

etappe [e.'tɑpə] *v* 1 halting-place; 2 stage [in

route]; 3 ✗ supply-depot; *in* ∼*n* by stages; *in twee* ∼*n* in two stages.

etappedienst [-di.nst] *m* ✗ supply service, rear service.

etappegebied [-gəbi.t] *o* ✗ rear.

eten ['e.tə(n)] I *vt* eat; *ik heb vandaag nog niets gegeten* I have had no food to-day; *wat* ∼ *we vandaag?* what have we got for dinner to-day?; II *vi* 1 eat; 2 have dinner; *je moet komen* ∼ come and eat your dinner; *kom je bij ons* ∼? will you come and dine with us?; III *o* food; *het* ∼ the food; *het* ∼ *staat op tafel* dinner (supper) is on the table; *hij laat er* ∼ *en drinken voor staan* it is meat and drink to him; *na den* ∼ after dinner; *onder den* ∼ during dinner; *iemand te(n)* ∼ *vragen* invite one to dinner; *hij is hier ten* ∼ he is dining with us; *voor den* ∼ before dinner; *zonder* ∼ *naar bed gaan* go to bed without supper.

etenskast ['e.tənskɑst] *v* store-cupboard, pantry.

etenstijd [-tɛit] *m* dinner-time, meal-time.

etensuur [-y:r] *o* dinner-hour.

etentje ['e.tɔncə] *o* dinner, F feed, S blow-out.

1 **eter** ['e.tər] *m* eater.

2 **eter** ['e.tər] *m* (**stofnaam**) zie *ether*.

eterij [e.tə'rɛi] *v* F eatables, food, S grub.

eterisch zie *etherisch*.

etgras, etgroen ['ɛtgrɑs, -gru.n] *o* after-grass, aftermath.

ether ['e.tər] *m* ether; *door (in, uit) de* ∼ ✻✚ over (on, off) the air.

etherisch [e.'te:ri.s] *aj* (& *ad*) ethereal(ly).

ethica, ethika ['e.ti.ka.] *v* ethics.

Ethiopië [e.ti.'o.pi.ə] *o* Ethiopia.

Ethiopiër [-pi.ər] *m* **Ethiopisch** [-pi.s] *aj* Ethiopian.

ethisch ['e.ti.s] I *aj* ethical; II *ad* ethically.

etica, etika zie *ethica*.

etiket [e.ti.'kɛt] *o* label [on a bottle, notebook &].

etiketteren [-kɛ'te:rə(n)] *vt* label.

etiquette [-'kɛtə] *v* etiquette.

etisch zie *ethisch*.

etmaal ['ɛtma.l] *o* (space of) 24 hours.

etnisch ['ɛtni.s] I *aj* ethnic(al); II *ad* ethnically.

etnograaf [ɛtno.'gra.f] *m* ethnographer.

etnografie [-gra.'fi.] *v* ethnography.

etnografisch [-'gra.fi.s] *aj* (& *ad*) ethnographic-(ally).

etnologie [-lo.'gi.] *v* ethnology.

etnologisch [-'lo.gi.s] *aj* (& *ad*) ethnological-(ly).

etnoloog [-'lo.x] *m* ethnologist.

être ['ɛ:tər] *o* F being; *een vervelend* ∼ a bore, a tedious fellow.

ets [ɛts] *v* etching.

etsen ['ɛtsə(n)] *vt* & *vi* etch.

etser [-sər] *m* etcher.

etskunst ['ɛtskûnst] *v* (art of) etching.

etsnaald [-na.lt] *v* etching-needle.

ettelijke ['ɛtələkə] a number of, some, several.

etter ['ɛtər] *m* matter, pus, purulent discharge.

etterachtig [-ɑxtəx] purulent.

etterbuil [-bœyl] *v* abscess, gathering.

etteren ['ɛtərə(n)] *vi* fester, suppurate, ulcerate, run.

ettergezwel ['ɛtərgəzvɛl] *o* abscess, gathering.

etterig ['ɛtərəx] purulent.

etter(vorm)ing ['ɛtər(vɔrm)ıŋ] *v* suppuration.

etude [e.'ty.də] *v* ♪ study.

etui [e.'tvi.] *o* case, etui, etwee.

etymologie [e.ti.mo.lo.'gi.] *v* etymology.

etymologisch [-'lo.gi.s] *aj* (& *ad*) etymological-(ly).

etymoloog [-'lo.x] *m* etymologist.

eucharistie [œyga:rıs'ti.] *v* RK Eucharist.

eucharistisch [-'rıstı.s] *RK* Eucharistic.

Euclides [œy'kli.dɛs] *m* Euclid.

eufemisme [œyfe.'mısmə] *o* euphemism.

eufemistisch [-ti.s] *aj* (& *ad*) euphemistic(ally).

eufonie [œyfo.'ni.] *v* euphony.

eufonisch [-'fo.ni.s] *aj* (& *ad*) euphonic(ally).

euforie [œyfo.'ri.] *v* euphoria.

Eufraat ['œyfra.t] *m* Euphrates.

eugenetica, eugenetika [œyge.'ne.ti.ka.] *v* eugenics.

eugenetisch [-'ne.ti.s] eugenic.

Europa [ø:'ro.pa.] *o* Europe.

Europeaan [ø:ro.pe.'a.n] *m* **Europees** [-'pe.s] *aj* European.

euvel ['ø.vəl] I *ad* in: ∼ *duiden* (*opnemen*) take amiss, take in bad part; *duid 't mij niet* ∼ don't take it ill of me; ∼*e moed* insolence; II *o* evil, fault.

euveldaad [-da.t] *v* evil deed, crime.

Eva ['e.va.] *v* Eve.

evacuatie [e.va.ky.'a.(t)si.] *v* evacuation.

evacué(e) [-ky.'e.] *m*(-*v*) evacuee.

evacueren [-ky.'e:rə(n)] *vt* 1 evacuate [a place]; 2 invalid home, send home [wounded soldiers].

evangelie [e.vɑn'ge.li.] *o* gospel; *het* ∼ *van Johannes* the Gospel according to St. John; *het is nog geen* ∼ *wat hij zegt* it is not gospel truth what he says.

evangeliedienaar [-di.na:r] *m* minister of the Gospel.

evangelieprediker [-pre.dəkər] *m* evangelist.

evangelieprediking [-pre.dəkıŋ] *v* preaching of the Gospel.

evangeliewoord [-vo:rt] *o* gospel.

evangelisatie [e.vɑnge.li.'za.(t)si.] *v* evangelization, mission work.

evangelisch [e.vɑn'ge.li.s] *aj* (& *ad*) evangelic-(ally).

evangeliseren [e.vɑnge.li.'ze:rə(n)] *vt* evangelize.

evangelist [e.vɑnge.'lıst] *m* evangelist.

evangelizatie zie *evangelisatie*.

evangelizeren zie *evangeliseren*.

even ['e.və(n)] I *aj* even [numbers, numbered]; ∼ *of oneven* odd or even; *het is mij om het* ∼ it is all the same (all one) to me; *om het* ∼ *wie* no matter who; II *ad* 1 (gelijk) equally;

2 (eventjes) just; ~... als... as... as...; *overal*
~ *breed* of uniform breadth; *een* ~ *groot*
aantal an equal number; *zij zijn* ~ *groot* 1
they are equally tall; 2 they are of a size; *haal*
eens ~... just go and fetch me...; *wacht* ~
wait a minute (bit).

evenaar ['e.vəna:r] *m* 1 equator; 2 index,
tongue [of a balance].

evenals [-ɑls] (just) as, (just) like.

evenaren [e.və'na:rə(n)] *vt* equal, match, be a
match for, come up to.

evenbeeld ['e.və(n)be.lt] *o* image, picture.

eveneens [e.vən'e.ns] also, likewise, as well.

evenement [e.vənə'mɛnt] *o* event.

evenknie ['e.və(n)kni.] *v* equal.

evenmatig [e.və(n)'ma.təx] proportional; ~
deel aliquot part.

evenmens ['e.və(n)mɛns] *m* fellow-man.

evenmin [-mɪn, e.və(n)'mɪn] no more; ~ *te*
vertrouwen als... no more to be trusted than...;
en zijn broer ~ nor his brother either.

evennaaste ['e.vəna.stə, e.və'na.stə] *m* fellow-
man.

evennachtslijn ['e.vənɑxtslɛin] *v* equator.

evenredig [e.və(n)'re.dəx] I *aj* proportional
[numbers, representation]; *omgekeerd* ~ *met*
inversely proportional to; *recht* ~ *met* directly proportional to; II *ad* proportionally.

evenredigheid [-hɛit] *v* proportion.

eventjes ['e.və(n)cəs] just, only just, (just) a
minute.

eventualiteit [e.vɛnty.a.li.'tɛit] *v* contingency;
possibility.

eventueel [-'e.l] I *aj* contingent [expenses];
possible [defeat]; potential [buyer]; *eventuele*
onkosten worden vergoed any expenses will
be made good; *de eventuele schade wordt ver-*
goed the damage, if any, will be made good;
II *ad* this being the case; *mocht hij* ~ *weige-*
ren... in the event of his refusing...

evenveel [e.və(n)'ve.l] as much, as many.

evenwel [-'vɛl] nevertheless, however.

evenwicht ['e.və(n)vɪxt] *o* equilibrium, balance,
(equi)poise; *het* ~ *bewaren* keep one's balance; *het* ~ *herstellen* redress (restore) the
balance; *het* ~ *verliezen* lose one's balance;
het ~ *verstoren* upset the balance; *in* ~ in
equilibrium, evenly balanced; *in* ~ *brengen*
bring into equilibrium, equilibrate, balance;
in ~ *houden* keep in equilibrium, balance.

evenwichtig [e.və(n)'vɪxtəx] 1 well-balanced[2];
2 *fig* level-headed.

evenwichtsleer ['e.və(n)vɪxtsle:r] *v* statics.

evenwijdig [e.və(n)'vɛidəx] parallel; ~*e lijn*
parallel (line).

evenwijdigheid [-hɛit] *v* parallelism.

evenzeer [e.və(n)'ze:r] as much.

evenzo [-'zo.] likewise; ~ *groot als*... (just) as
large as...; *zijn broer* ~ his brother as well,
his brother too.

everzwijn ['e.vərzvɛin] *o* 🐗 wild boar.

evolutie [e.vo.'ly.(t)si.] *v* evolution.

evolutieleer [-le:r] *v* theory of evolution.

ex [ɛks] ex, late, past, sometime [president &]

exact [ɛk'sɑkt] exact [sciences]; precise.

examen [ɛk'sa.mə(n)] *o* examination F exam
~ *afleggen* undergo an examination; ~ *af*
nemen examine; *ik ga* ~ *doen* I am going i
for an examination; *ik moet* ~ *doen* I mus
go up for (my) examination, take my ex
amination, sit for an examination; *voor zij*
~ *slagen* pass (one's examination).

examencommissie [-kòmɪsi.] *v* examinin
board, examination board.

examengeld [-gɛlt] *o* examination fee.

examenopgaaf, **-opgave** [-òpga.f, -ga.və]
examination paper.

examenvak [-vɑk] *o* examination subject.

examenvrees [-vre.s] *v* examination fright.

examinandus [ɛksa.mi.'nɑndŭs] *m* examinee.

examinator [-'na.tor] *m* examiner.

examineren [-'ne:rə(n)] *vt & vi* examine (on *in*).

excellent [ɛksə'lɛnt] *aj* (& *ad*) excellent(ly).

excellentie [-'lɛn(t)si.] *v* excellency; *Ja*, *Ex-*
cellentie Yes, Your Excellency.

excentriciteit [ɛksɛntri.si.'tɛit] *v* eccentricity,
oddity.

1 **excentriek** [ɛksɛn'tri.k] *aj* (& *ad*) eccentric-
(ally).

2 **excentriek** [ɛksɛn'tri.k] *o* 🔧 eccentric [gear].

exceptie [ɛk'sɛpsi.] *v* exception; ⚖ demurrer,
bar.

excerperen [ɛksɛr'pe:rə(n)] *vt* make an abstract
of.

excerpt [ɛk'sɛrpt] *o* abstract.

exces [ɛk'sɛs] *o* excess.

exclusief [ɛkskly.'zi.f] *aj* (& *ad*) 1 exclusive-
(ly); 2 (niet inbegrepen) exclusive of...,
excluding..., ...not included, ...extra.

excommunicatie [ɛkskòmy.ni.'ka.(t)si.] *v* excommunication.

excommuniceren [-'se:rə(n)] *vt* excommunicate.

excursie [ɛks'kŭrzi.] *v* excursion.

excuseren [ɛksky.'ze:rə(n)] I *vt* excuse; II *vr*
zich ~ 1 excuse oneself; 2 send an excuse.

excuus [-'ky.s] *o* 1 excuse, apology; 2 pardon;
hij maakte zijn ~ he apologized; *ik vraag u*
~ I beg your pardon.

executant [ɛkse.ky.'tɑnt] *m* ♪ executant, performer.

executeren [-'te:rə(n)] *vt* in: *iemand* ~ 1 (terechtstellen) execute a person; 2 ⚖ sell a
person's goods under execution.

executeur [-'tø:r] *m* executor.

executeur-testamentair [-tɛsta.mɛn'tɛ:r] *m* zie
executeur.

executie [ɛksə'ky.(t)si.] *v* execution°; *bij* ~ *la-*
ten verkopen ⚖ sell under execution.

executiepeloton [-pəlo.tòn] *o* ✕ firing-party,
firing-squad.

executoir, executoor [-ky.'to:r, -'tva:r] ⚖
executory.

executoriaal [-ky.to.ri.'a.l] in: *executoriale*
verkoop ⚖ distress sale, compulsory sale.

executrice [-ky.'tri.sə] v executrix.
exegese [ɛksə'ge.zə] v exegesis.
exemplaar [ɛksəm'pla:r] o specimen; copy [of a book &].
exerceren [ɛksər'se:rə(n)] vi & vt ✕ drill; aan het ~ at drill.
exercitie [-'si.(t)si.] v ✕ drill.
exercitieterrein [-tɛrɛin] o ✕ parade(-ground).
existentialisme [ɛksi.stɛn(t)si.a.'lismə] o existentialism.
existentialist [-'list] m existentialist.
existentialistisch [-'listi.s] existentialist.
existentie [ɛksi.s'tɛn(t)si.] v existence.
existentieel [-tɛn'(t)si.e.l] existential.
exkommuni- zie excommuni-.
exkursie zie excursie.
ex-libris [ɛks'li.bris] o ex-libris [ook mv], bookplate.
exorbitant [ɛksɔrbi.'tant] aj (& ad) exorbitant-(ly).
exotisch [ɛk'so.ti.s] I aj exotic; II ad exotically.
expansie [ɛks'pansi.] v expansion.
expansief [-pan'zi.f] expansive.
expansiepolitiek [-'panzi.po.li.ti.k] v policy of expansion.
expediëren [ɛkspe.di.'e:rə(n)] vt $ forward, send, dispatch, ship [goods].
expediteur [-di.'tø:r] m $ forwarding-agent, shipping-agent.
expeditie [-'di.(t)si.] v 1 ✕ expedition; 2 $ forwarding, dispatch, shipping [of goods].
expeditiekantoor [-kanto:r] o $ forwarding-office.
expeditiekorps [-kɔrps] o ✕ expeditionary corps.
expeditiekosten [-kɔstə(n)] mv $ forwarding-charges.
experiment [ɛkspe.ri.'mɛnt] o experiment.
experimenteel [-mɛn'te.l] aj (& ad) experimental(ly).
experimenteren [-'te:rə(n)] vi experiment.
expert [ɛks'pɛ:r] m expert; (schatter) appraiser; surveyor [of Lloyd's &].
expertise [-per'ti.zə] v 1 appraisement, survey; 2 certificate of survey.
exploderen [ɛksplo.'de:rə(n)] vi explode.
exploitant [-plva'tant] m owner [of a mine &], operator [of air service].
exploitatie [-'ta.(t)si.] v I exploitation[2], working, operation [of air service]; in ~ in working order.
exploitatiekosten [-kɔstə(n)] mv working-expenses, operating costs.
exploitatiemaatschappij [-ma.tsxapɛi] v operating company, development company.
exploiteren [ɛksplva'te:rə(n)] vt exploit[2], work [a mine], run [hotel], operate [air service]; fig ook: trade on [a man's credulity].
exploot [ɛks'plo.t] o ♣ writ; iemand een ~ betekenen serve a writ upon one.
explosie [-'plo.zi.] v explosion.
explosief [-plo.'zi.f] explosive.

exponent [-po.'nɛn] m exponent, index.
export [-'pɔrt] m $ export(ation), exports.
exporteren [-pɔr'te:rə(n)] vt $ export.
exporteur [-'tø:r] m $ exporter.
exporthandel [ɛks'pɔrthandəl] m $ export trade.
exposant [ɛkspo.'zant] m exhibitor.
exposeren [-'ze:rə(n)] vt exhibit, show.
expres [ɛks'prɛs] I aj in: ~se bestelling ⅋ express delivery; II ad [do] on purpose; III m zie exprestrein.
expresgoed [-gu.t] o parcels; als ~ by passenger train.
expresse [-'prɛsə] v ⅋ express-delivery letter.
exprestrein [-'prɛstrɛin] m express (train).
extase [-'ta.zə] v ecstasy, rapture; in ~ enraptured; in ~ geraken go into ecstasies [over a thing]; in ~ zijn be in an ecstasy.
extatisch [-'ta.ti.s] aj (& ad) ecstatic(ally).
extaze zie extase.
ex-tempore [ɛks'tɛmpo.rə] o extempore recitation &.
extern [-'tɛrn] I aj non-resident [master]; ~e leerlingen day-pupils, day-scholars; II m mv in: de ~en the day-pupils, day-boys.
externaat [-tɛr'na.t] o day-school.
extra ['ɛkstra.] extra, special, additional.
extraatje [-cə] o F extra.
extrablad [-'blat] o special edition.
extraboot [-'bo.t] m & v special steamer.
extract, extrakt [ɛk'strakt] o extract.
extranummer ['ɛkstra.'nŭmər] o supplement, special number.
extratrein [-'trɛin] m special train.
extrawerk [-'vɛrk] o extra work.
extremist [ɛkstre.'mist] m extremistisch [-'misti.s] aj extremist.
Ezau ['e.zɔu] m B Esau.
ezel ['e.zəl] m 1 ♐ ass[2], donkey; 2 easel [of a painter]; een ~ stoot zich geen tweemaal aan dezelfde steen once bitten twice shy, the burnt child dreads the fire.
ezelachtig [-axtəx] asinine[2], fig stupid.
ezelachtigheid [-ɦɛit] v (asinine) stupidity.
ezeldrijver ['e.zəldrɛivər] m ass-driver.
ezelin [e.zə'lin] v she-ass.
ezelinnemelk [-'linəmɛlk] v ass's milk.
ezelsbrug ['e.zəlsbrŷx] v aid (in study &).
ezelsdom [-'dɔm] zie ezelachtig.
ezelskop [-kɔp] m 1 ass's head; 2 fig dunce, as s
ezelsoor [-o:r] o 1 ass's ear; 2 dog's-ear [of a book].
ezelsveulen [-vø.lə(n)] o 1 ass's foal; 2 fig dunce, ass.
ezel(s)wagen ['e.zəl(s)va.gə(n)] m donkey-cart.

F

f [ɛf] v f; f. = florijn, gulden.
fa [fa.] v ♪ fa, f.

fa. = *firma.*

faam [fa.m] *v* fame; reputation [as a scholar].

fabel ['fa.bəl] *v* fable²; *fig* myth.

fabelachtig [-ɑxtəx] *aj* (& *ad*) fabulous(ly).

fabeldichter [-dɪxtər] *m* fabulist.

fabelen ['fa.bələ(n)] *vi* fable.

fabelleer [-le:r] *v* mythology.

fabricage, fabricatie [fa.bri.'ka.ʒə, -'ka.(t)si.] *v* manufacture.

fabriceren [-'se:rə(n)] *vt* manufacture; *fig* fabricate [lies &].

fabriek [fa.'bri.k] *v* manufactory, factory; works, mill; (*Am*) plant.

fabrieken [-'bri.kə(n)] *vt* make.

fabrieksarbeider [fa.'bri.ksɑrbɛidər] *m* (factory-)hand, factory-worker, mill-hand.

fabrieksarbeidster [-ɑrbɛitstər] *v* woman factory-worker.

fabrieksbaas [fa.'bri.ksba.s] *m* foreman.

fabrieksgebouw [-gəbɔu] *o* factory-building.

fabrieksgeheim [-gəhɛim] *o* trade secret.

fabrieksgoed [-gu.t] *o* manufactured goods.

fabrieksjongen [-jòŋə(n)] *m* factory boy.

fabrieksmeisje [-mɛiʃə] *o* factory girl.

fabrieksmerk [-mɛrk] *o* trade mark.

fabrieksnijverheid [-nɛivərhɛit] *v* manufacturing industry.

fabrieksprijs [-prɛis] *m* manufacturer's price.

fabrieksschip [fa.'bri.ksxɪp] *o* ⚓ factory ship.

fabrieksschoorsteen [-sxo:rste.n] *m* factory-chimney.

fabrieksstad [-stɑt] *v* manufacturing town.

fabrieksterrein [fa.'bri.kstɛrɛin] *o* factory site.

fabriekswerk [-vɛrk] *o* machine-made article(s).

fabrikaat [fa.bri.'ka.t] *o* make; *auto van Frans* ~ French-made car.

fabrikage zie *fabricage.*

fabrikant [-'kɑnt] *m* 1 manufacturer; 2 factory-owner, mill-owner.

fabrikatie zie *fabricatie.*

fabrikeren [-'ke:rə(n)] = *fabriceren.*

fabuleus [fa.by.'lø.s] *aj* (& *ad*) fabulous(ly).

face-à-main [fa.sa.'mɛ̃] *m* lorgnette.

facet [fa.'sɛt] *o* facet.

facie ['fa.si.] *o* & *v* face, **F** phiz, **P** mug.

faciliteit [fa.si.li.'tɛit] *v* facility.

facsimile [fɑk'si.mi.le.] *o* facsimile.

factie ['fɑksi.] *v* faction.

factoor [fɑk'to:r] *m* $ factor, agent.

factor ['fɑktər] *m* factor².

factorij [fɑkto:'rɛi] *v* $ factory, trading-post.

factotum [fɑk'to.tɵm] *o* factotum.

factureren [-ty.'re:rə(n)] *vt* $ invoice.

facturist [-ty.'rɪst] *m* $ invoice clerk.

factuur [-'ty:r] *v* $ invoice.

factuurbedrag [-bədrɑx] *o* $ invoice amount.

factuurprijs [-prɛis] *m* $ invoice price.

facultatief [fa.kɵlta.'ti.f] facultative, optional [subjects].

faculteit [-'tɛit] *v* faculty; *de medische* ~ the faculty of medicine.

faecaliën [fe.'ka.li.ən] *mv* faeces.

faeces ['fe.tsəs] *mv* faeces.

faëton ['fa.e.tòn] *m* phaeton.

fagot [fa.'gɔt] *m* ♪ bassoon.

faience [fa.'jäsə] *v* faience.

failleren [fa(l)'je:rə(n)] *vi* fail, become a bankrupt.

failliet [fa'ji.t] **I** *o* 1 failure, bankruptcy; *m* 2 bankrupt; **II** *aj* in: ~*e boedel*, ~*e massa* bankrupt's estate; ~ *gaan* zie *failleren*; ~ *verklaren* adjudge (adjudicate) bankrupt.

faillietverklaring [-fərkla:rɪŋ] *v* adjudication order.

faillissement [fɑji.sə'mɛnt] *o* failure, bankruptcy; (*zijn*) ~ *aanvragen* file one's petition (in bankruptcy); *in staat van* ~ (*verkerend*) in bankruptcy.

faillissementsaanvraag, -aanvrage [-'mɛntsa.nvra.x, -a.nvra.gə] *v* petition (in bankruptcy).

failissementswet [-vɛt] *v* Bankruptcy act.

faki(e)r ['fa.ki:r] *m* fakir.

fakkel ['fɑkəl] *v* torch; ⚡ flare.

fakkeldrager [-dra.gər] *m* torch-bearer.

fakkelloop ['fɑkələ.p] *m* torch race.

fakkel(op)tocht ['fɑkəl'(òp)tɔxt] *m* torch-light procession.

fakt- zie *fact-.*

fakult- zie *facult-.*

falanks zie *falanx.*

falanx ['fa.lɑŋks] *v* phalanx.

falen ['fa.lə(n)] *vi* fail, miss, make a mistake, err.

faliekant ['fa.li.kɑnt] wrong; ~ *uitkomen* go wrong.

falsaris [fɑl'sa.rɪs] *m* falsifier, forger.

falset [-'sɛt] *m* & *o* ♪ falsetto.

fameus [fa.'mø.s] **I** *aj* famous; *het is* ~! **F** it is enormous!; *een* ~ *diner* a rare dinner, a rattling fine (good) dinner; **II** *ad* [enjoy oneself] splendidly, gloriously.

familiaar [fa.mi.li.'a:r] **I** *aj* familiar, informal; *al te* ~ too free (and easy); ~ *met iemand zijn* be on familiar terms with one; **II** *ad* familiarly, informally, in a family way.

familiariteit [-a:ri.'tɛit] *v* familiarity; *zich* ~*en veroorloven jegens* take liberties with [a person].

familie [fa.'mi.li.] *v* family, relations; *de Koninklijke* ~ the royal family; *de* ~ X the X family; *zijn* ~ his relations; **F** his people; *ik ben* ~ *van hem* I am related to him; *van goede* ~ of a good family; ~ *en kennissen* relatives and friends.

familieaangelegenheden [-a.ngələ.gənhe.də(n)] *mv* family affairs; *van huis voor* ~ away on family business.

familieband [-bɑnt] *m* family tie.

familieberichten [-bərɪxtə(n)] *mv* births, marriages and deaths [column].

familiebetrekking [-bətrɛkɪŋ] *v* relationship, kindred; *zijn* ~*en* his relations.

familiedrama [-dra.ma.] *o* domestic drama.

familiefeest [-fe.st] *o* family feast.

familiegraf [-grɑf] *o* family vault.
familiekring [-krɪŋ] *m* family circle, domestic circle.
familiekwaal [-kʋa.l] *v* family complaint.
familieleven [-le.və(n)] *o* family life.
familielid [-lɪt] *o* member of the family, relation, relative.
familienaam [-na.m] *m* 1 surname; 2 family name.
familieomstandigheden [-òmstɑndəxhe.də(n)] *mv* family circumstances.
familiepension [-păsi.õ] *o* private boarding-house, private hotel.
familieraad [-ra.t] *m* family council.
familieregering [-rǝge:rɪŋ] *v* family government.
familiestuk [-stŭk] *o* family piece, heirloom.
familietrek [-trɛk] *m* family feature.
familietrots [-trɔts] *m* family pride.
familietwist [-tʋɪst] *m* family quarrel.
familiewapen [-ʋa.pǝ(n)] *o* ⊘ family arms.
familieziek [-zi.k] fond of one's relations.
fanaticus [fa.'na.ti.kŭs] *m* fanatic.
fanatiek [fa.na.'ti.k] I *aj* fanatical; II *ad* fanatically.
fanatiekeling [-'ti.kǝlɪŋ] *m* fanatic.
fanatisme [-'tɪsmǝ] *o* fanaticism.
fanfare [fã'fa:rǝ] *v* ♪ 1 fanfare, flourish; 2 (korps) brass band.
fanfarekorps [-kɔrps] *o* ♪ brass band.
fantaseren [fɑnta.'ze:rǝ(n)] I *vt* 1 invent [things]; 2 ♪ improvise; II *vi* 1 indulge in fancies, imagine things; 2 ♪ improvise.
fantasie [-'zi.] *v* phantasy, fancy, [rich] imagination.
fantasieartikel [-ɑrti.kǝl] *o* fancy-article.
fantasiehoed [-hu.t] *m* felt hat.
fantasiepak [-pak] *o* suit of dittos.
fantasiestof [-stɔf] *v* dress-material in fancy shades.
fantast [fɑn'tɑst] *m* fantast, phantast.
fantastisch [-'tɑsti.s] *aj* (& *ad*) fantastic(ally).
fantazeren zie *fantaseren.*
fantazie(-) zie *fantasie(-).*
farao ['fa:ra.o.] *m* Pharaoh.
farce ['fɑrsǝ] *v* 1 farce, mockery ‖ 2 stuffing [in cookery].
farceren [fɑr'se:rǝ(n)] *vt* stuff. [cookery].
Farizeeën [fa.ri.'ze.ǝ(n)] *mv* Pharisees.
farizeeër [-'ze.ǝr] *m* pharisee, hypocrite.
farizees [-'ze.s] **farizeïsch** [-'ze.i.s] *aj* (& *ad*) pharisaic(ally).
farmaceut [fɑrma.'sœyt] *m* (pharmaceutical) chemist.
farmaceutisch [-'sœyti.s] *aj* (& *ad*) pharmaceutical(ly).
farmacie [-'si.] *v* pharmacy.
Faröer ['fa:rø̆ǝr] *mv* Faroes, Faroe Islands.
fascineren [fɑsi.'ne:rǝ(n)] *vt* fascinate.
fascisme [fɑ'sɪsmǝ] *o* fascism.
fascist [-'sɪst] *m* fascist II [-'sɪsti.s] *aj* fascist.
fase ['fa.zǝ] *v* phase; stage; vgl. *stadium.*
fat [fɑt] *m* dandy, swell, fop, nut, knut.
fataal [fa.'ta.l] *aj* (& *ad*) fatal(ly).

fatalisme [-ta.'lɪsmǝ] *o* fatalism.
fatalist [-'lɪst] *m* fatalist.
fatalistisch [-'lɪsti.s] *aj* (& *ad*) fatalistic(ally).
fata morgana ['fa.ta.mɔr'ga.na.] *v* fata morgana, mirage.
fatsoen [fɑt'su.n] *o* 1 (vorm) fashion, form, shape, make, cut; 2 (decorum) decorum, (good) manners; 3 (naam) respectability; *zijn ~ houden* behave (decently); *zijn ~ op-houden* keep up appearances; *met (goed) ~* decently; *erg op zijn ~ zijn* be a great stickler for the proprieties; *uit zijn ~ zijn* be out of shape; *voor zijn ~* for the sake of decency, to keep up appearances.
fatsoeneren [-su.'ne:rǝ(n)] *vt* fashion, shape, model.
fatsoenlijk [-'su.nlǝk] I *aj* 1 (net) respectable [people]; reputable [neighbourhood]; decent [behaviour]; 2 (would-be aanzienlijk) genteel; *~e armen* deserving poor; *~e armoede* gilded poverty, shabby gentility; II *ad* respectably; decently.
fatsoenlijkheid [-hɛit] *v* 1 respectability; decency; 2 gentility.
fatsoenshalve [fɑt'su.nshɑlvǝ] for decency's sake.
fatterig ['fɑtǝrǝx] *aj* (& *ad*) foppish(ly).
fatterigheid [-hɛit] *v* dandyism, foppishness.
fatum ['fa.tŭm] *o* fate.
faun [fɔun] *m* faun.
fauna ['fɔuna.] *v* fauna.
fausset [fo.'sɛt] = *falset.*
fauteuil [fo.'tœyj] *m* 1 arm-chair, easy chair; 2 fauteuil, stall [in theatre].
favoriet [fa.vo.'ri.t] I *aj* favourite; II *m* favourite; *hij is ~* he is the favourite.
fazant [fa.'zɑnt] *m* 🐦 pheasant.
fazantehaan [fa.'zɑntǝha.n] *m* 🐦 cock-pheasant.
fazantehen [-hɛn] *v* 🐦 hen-pheasant.
fazantehok [-hɔk] *o* pheasantry.
fazantejacht [-jɑxt] *v* pheasant shooting.
fazantenpark [fa.'zɑntǝ(n)pɑrk] *o* pheasant preserve.
faze zie *fase.*
februari [fe.bry.'a:ri.] *m* February.
federaal [fe.dǝ'ra.l] federal.
federalist [-ra.'lɪst] *m* federalist.
federatie [-'ra.(t)si.] *v* federation.
fee [fe.] *v* fairy.
feeënland ['fe.ǝ(n)lɑnt] *o* fairyland.
feeërie [fe.ǝ'ri.] *v* fairy play.
feeëriek [-'ri.k] fairy-like.
feeks [fe.ks] *v* vixen, termagant, shrew, virago.
feest [fe.st] *o* feast, festival, festivity, fête; (feestje, fuif) party; *een waar ~* a treat.
feestartikelen ['fe.stɑrti.kǝlǝ(n)] *mv* articles for fêtes.
feestavond [-a.vɔnt] *m* festive evening, festive night.
feestcommissie [-kòmɪsi.] *v* entertainment committee.
feestdag [-dɑx] *m* 1 feast-day, festive day,

festal day, fête-day; [national, public] holiday; 2 [church] holy-day; *roerende ~en* movable feasts; *op zon- en feestdagen* on Sundays and holidays.

feestdis [-dɪs] *m* festive board.

feestdos [-dɔs] *m* festive (festal) attire.

feestdronk [-drɔ̀ŋk] *m* toast, sentiment.

feestdrukte [-drŭktə] *v* festive bustle.

feestelijk ['fe.stələk] *aj* (& *ad*) festive(ly), festal(ly); *dank je ~* thank you very much.

feestelijkheid [-hɛit] *v* festivity; merry-making, rejoicings; *met grote ~* amid much festivity.

feesten ['fe.stə(n)] *vi* feast, make merry, celebrate.

feestgave ['fe.stɤa.və] *v* festive gift.

feestgenoot [-ɤəno.t] *m* guest, feaster.

feestgewaad [-ɤəva.t] *o* festive attire, festal dress.

feestje ['fe.ʃə] *o* little fête, merry-making, (fuif) party.

feestkommissie zie *feestcommissie.*

feestlied ['fe.stli.t] *o* festive song.

feestmaal(tijd) [-ma.l(tɛit)] *o* (& *m*) banquet.

feestmarche [-marʃ] = *feestmars.* ♦

feestmars [-mɑrs] *m* & *v* ♪ festive march.

feestneus [-nø.s] *m* false nose.

feestprogramma [-pro.ɤrɑma.] *o* program of (the) festivities.

feestrede [-re.də] *v* speech of the day.

feestredenaar [-re.dəna:r] *m* speaker of the day.

feeststemming [-stɛmɪŋ] *v* festive mood.

feestterrein ['fe.stɛrɛin] *o* festive grounds.

feestvieren ['fe.stfi:rə(n)] *vi* feast, make merry, celebrate.

feestviering [-rɪŋ] *v* feasting, celebration of a (the) feast, feast, festival.

feestvreugde ['fe.stfrø.ɤdə] *v* festive joy, festive mirth.

feil [feil] *v* fault, error, mistake.

feilbaar ['fɛilba:r] fallible, liable to error.

feilbaarheid [-hɛit] *v* fallibility.

feilen ['fɛilə(n)] *vi* err, make a mistake.

feilloos [-lo.s] *aj* (& *ad*) faultless(ly).

feit [fɛit] *o* fact.

feitelijk ['fɛitələk] I *aj* actual, real; *~e gegevens* factual data; II *ad* in point of fact, in fact [you are right]; virtually [the same case].

feitelijkheden [-he.də(n)] *mv* assault and battery.

feitenmateriaal ['fɛitə(n)ma.te:ri.a.ɹ] *o* body of facts, factual material, factual evidence.

fel [fɛl] I *aj* fierce [heat &]; *zij zijn er ~ op* they are very keen on it; II *ad* fiercely [burning].

felheid ['fɛlhɛit] *v* fierceness.   [ing].

felicitatie [fe.li.si.'ta.(t)si.] *v* congratulation.

felicitatiebrief [-bri.f] *m* letter of congratulation.

feliciteren [fe.li.si.'te:rə(n)] I *vt* congratulate (on *met*); II *va* offer one's congratulations.

femelaar [fe.mə.la:r] *m ~ster* [-stər] *v* canter, canting hypocrite, sniveller.

femelarij [fe.mə.la:'rɛi] *v* cant(ing), snivel(ling).

femelen ['fe.mələ(n)] *vi* cant, snivel.

feminisme [fe.mi.'nɪsmə] *o* feminism.

feminist [-'nɪst] *m* feminist.

Fenicië [fe.'ni.si.ə] *o* Phoenicia.

Feniciër [-si.ər] *m* **Fenicisch** [-si.s] *aj* Phoenician.

feniks ['fe.nɪks] *m* phenix, phoenix.

fenol [fe.'nɔl] *o* phenol.

fenomeen [fe.no.'me.n] *o* phenomenon [*mv* phenomena].

fenomenaal [-me.'na.l] *aj* (& *ad*) phenomenal(ly).

feodaal [fe.o.'da.l] = *feudaal.*

ferm [fɛrm] I *aj* 1 (flink, dik) goodly [piece], stout [legs]; 2 (flink, degelijk) sound [drubbing], thorough [overhaul]; fine [boy]; notable [housekeeper]; 3 (v. karakter) energetic; spirited; II *ad* soundly, thoroughly.

festijn [fɛs'tɛin] *o* feast, banquet.

festival ['fɛsti.vɑl] *o* (musical) festival.

festiviteit [fɛsti.vi.'tɛit] *v* festivity.

festoen [fɛs'tu.n] *o* & *m* 1 (guirlande) festoon [of flowers &]; 2 zie *feston.*

feston [-'tòn] *o* & *m* (geborduurde rand) scallop.

festonneren [fɛstò'ne:rə(n)] *vt* scallop [handkerchiefs &]; buttonhole [lace].

fêteren [fe.'te:rə(n)] *vt* fête, make much of.

fetisch zie *fetisj.*

fetisj ['fe.ti.ʃ] *m* fetish.

feudaal [fø.'da.l] Ⓤ feudal.

feuilleton [fœyjə'tòn] *o* & *m* 1 serial (story); 2 feuilleton.

feuilletonist [-tò'nɪst] **feuilletonschrijver** [-'tòns(x)reivər] *m* serialist, serial writer.

fez [fɛs] *m* fez, tarboosh.

fiasco, fiasko [fi.'ɑsko.] *o* fiasco; *~ maken* be a failure.

fiat ['fi.ɑt] I *o* fiat; II *ij* done!; that's a bargain.

fiatteren [fi.ɑ'te:rə(n)] *vt* 1 give one's fiat to; 2 pass for press.

fiber ['fi.bər] *o* & *m* fibre.

fibrine [fi.'bri.nə] *v* fibrin.

fiche ['fi.ʃə] *o* & *v* 1 (penning) counter, fish, marker; 2 (v. kaartsysteem) index card, filing card.

fichesdoos ['fi.ʃəsdo.s] *v* card-index box.

fictie ['fɪksi.] *v* fiction.

fictief [fɪk'ti.f] fictitious [names], fictive [characters, persons], imaginary [profits].

fideel [fi.'de.l] I *aj* jolly, jovial; II *ad* jovially.

fiduciair [fi.dy.si.'ɛːr] fiduciary.

fiducie [-'dy.si.] *v* confidence, trust; *niet veel ~ hebben in* not have much faith in.

fiedel ['fi.dəl] *m* F fiddle.

fiedelen ['fi.dələ(n)] *vi* & *vt* F fiddle.

fielt [fi.lt] *m* rogue, rascal, scoundrel.

fieltachtig ['fi.ltɑxtəx] rascally, scoundrelly.

fieltenstreek ['fi.ltə(n)stre.k] *m* & *v* knavish trick, piece of knavery.

fielterig [-tərəx] zie *fieltachtig.*

fier [fi:r] I *aj* proud, high-spirited; II *ad* proudly.

fierheid ['fi:rhɛit] v pride.
fiets [fi.ts] m & v (bi)cycle, F bike.
fietsband ['fi.tsbant] m (cycle-)tyre.
fietsbel [-bɛl] v bicycle-bell, cycle-bell.
fietsbenodigdheden [-bəno.dəxthe.də(n)] mv cycle accessories.
fietsbroek [-bru.k] c cycling knickers; (kort) cycling shorts.
fietsen ['fi.tsə(n)] vi cycle, F bike; wat gaan ~ F go for a spin.
fietsenhok [-hɔk] o bicycle shed.
fietsenrek [-rɛk] o bicycle stand.
fietsenstalling [-stalɪŋ] v cycle-store.
fietser ['fi.tsər] m cyclist.
fietshok ['fi.tshɔk] = fietsenhok.
fietsketting [-kɛtɪŋ] m & v bicycle chain.
fietslamp [-lamp] **fietslantaarn, -lantaren** [-lanta:rən] v cycle-lamp.
fietspad [-pat] o cycling-track, cycle-track.
fietspomp [-pòmp] v inflator, cycle-pump.
fietsrek [-rɛk] = fietsenrek.
fietstas [-tas] v cycle-bag.
fietstocht [-tɔxt] m cycling-tour, F spin.
figurant [fi.gy.'rant] m super, walking gentleman.
figurante [-'rantə] v super, walking lady.
figuratief [-ra.'ti.f] f figurative.
figureren [-'re:rə(n)] vi figure.
figuur [fi.'gy:r] v & o figure [of the body, decorative, geometrical, emblematical, historical, in dancing, in grammar, of speech]; [illustrative] diagram; character [in drama, in history]; een droevig (goed) ~ maken (slaan) cut (make) a poor (good) figure; zijn ~ redden save one's face.
figuurlijk [-lək] aj (& ad) figurative(ly).
figuurzaag [-za.x] v fret-saw.
figuurzagen [-za.gə(n)] I vi do fretwork; II o fretwork.
fijn [fɛin] I aj 1 (scherp) fine [point, tooth, ear, gold, distinctions], fine-toothed [comb]; 2 (v. kwaliteit) choice [food, wines]; exquisite [taste]; 3 (v. onderscheiding) nice [difference], delicate [ear for music], subtle [distinction], shrewd [remarks]; 4 (orthodox) precise, > godly [people]; 5 (voornaam, chic) smart [people], swell [neighbourhood, clothes]; (dat is) ~! good!, F capital!, famous!, S ripping!; wat ben jij ~ vandaag! what a swell you are to-day!; een ~ heer 1 a swell gentleman; 2 (ironisch) a nice gentleman; II o in: het ~e van de zaak the ins and outs of the matter; III ad finely; het is ~ koud 1 the cold is biting; 2 it is nice and cold.
fijngebouwd ['fɛingəbout] of delicate build.
fijngevoelig [fɛingə'vu.ləx] aj (& ad) delicate-(ly), sensitive(ly).
fijngevoeligheid [-hɛit] v delicacy, sensitiveness.
fijnhakken ['fɛinhakə(n)] vt cut (chop) small, mince.
fijnheid [-hɛit] v fineness, choiceness, delicacy,

nicety [of taste], subtlety.
fijnigheden ['fɛinəxhe.də(n)] mv finesses, subtleties, niceties.
fijnkauwen ['fɛinkəuə(n)] vt masticate.
fijnknijpen [-knɛipə(n)] vt squeeze.
fijnkorrelig [-kərələx] fine-grained.
fijnmaken [-ma.kə(n)] vt pulverize, crush.
fijnmalen [-ma.lə(n)] vt grind (down).
fijnproever [-pru.vər] m gastronomer; fig connoisseur.
fijnstampen [-stampə(n)] vt crush, bray, pound, pulverize.
fijnstoten [-sto.tə(n)] vt zie fijnstampen.
fijntjes [-cəs] smartly, cleverly, [guess] shrewdly, [remark] slyly; zie ook: fijn III.
fijnwrijven [-vrɛivə(n)] vt rub (grind) down, bray, pulverize.
fijt [fɛit] v & o 🐍 whitlow.
fiks [fɪks] I aj good, sound; een ~e klap a smart (hard) blow; II ad well, soundly, thoroughly.
fiktie(-) zie fictie(-).
filantroop [fi.lan'tro.p] m philanthropist.
filantropie [-tro.'pi.] v philanthropy.
filantropisch [-'tro.pi.s] aj (& ad) philanthropic(ally).
filatelie [fi.la.tə'li.] v philately.
filatelist [-'lɪst] m philatelist.
filatelistisch [-'lɪsti.s] philatelic.
fil d'écosse [fi.lde.'kɔs] o lisle thread; kousen van ~ lisle stockings.
file ['fi.lə] v row, file, line, queue.
fileren [fi.'le:rə(n)] vt fillet [fish].
filet [-'lɛ] m & o fillet [of fish &], undercut [of beef].
filharmonisch [fɪlhar'mo.ni.s] philharmonic.
filiaal [fi.li.'a.l] o branch establishment, branch office, branch.
filiaalbedrijf [-bədrɛif] o zie grootwinkelbedrijf.
filigraan, filigrein [fi.li.'gra.n, -'grɛin] o filigree.
filippica, filippika [fi.'lɪpi.ka.] v philippic.
Filippijnen zie Philippijnen.
filippine [fi.li.'pi.nə] v philippine.
filister [-'lɪstər] m philistine.
Filistijn [-lɪs'tɛin] m Philistine.
film [fɪlm] m film°.
filmacteur, -akteur ['fɪlmaktø:r] m film actor.
filmen ['fɪlmə(n)] vt film.
filmindustrie ['fɪlmɪndüstri.] v film industry.
filmjournaal [-ʒu:rna.l] o newsreel.
filmkeuring [-kø:rɪŋ] v 1 film censorship; 2 (de commissie) board of film censors.
filmkunst [-künst] v film art.
filmoperateur [-o.pəra.tø:r] m 1 (die opneemt) cameraman; 2 (die vertoont) projectionist.
filmoteek zie filmotheek.
filmotheek [fɪlmo.'te.k] v film library.
filmster ['fɪlmster] v film star, screen star.
filmsterretje [-stɛrəcə] o film starlet.
filmstudio [-sty.di.o.] m film studio.
filmtijdschrift [-tɛits(x)rɪft] o film magazine.
filmtoestel [-tu.stɛl] o cine-camera.

filologie [fi.lo.lo.'gi.] *v* philology.
filologisch [-'lo.gi.s] *aj* (& *ad*) philological(ly).
filoloog [-'lo.x] *m* philologist.
filosoferen [fi.lo.zo.'fe:rə(n)] *vi* philosophize.
filosofie [-so.'fi.] *v* philosophy.
filosofisch [-'so.fi.s] *aj* (& *ad*) philosophical- (ly).
filosoof [-'so.f] *m* philosopher.
filozo- zie *filoso-*.
filter ['fɪltər] *m* & *o* filter, percolator.
filtersigaret [-si.ga:rɛt] *v* filter-tip cigarette.
filtraat [fɪl'tra.t] *o* filtrate.
filtreerkan [-'tre:rkɑn] *v* percolator.
filtreermachine [-ma.ʃi.nə] *v* filtering-machine.
filtreerpapier [-pa.pi:r] *o* filter(ing)-paper.
filtreertoestel [-tu.stɛl] *o* filtering-apparatus.
filtreren [fɪl'tre:rə(n)] *vt* filter, filtrate; (v. k o f f i e) percolate.
Fin [fɪn] *m* Finn.
finaal [fi.'na.l] I *aj* final; complete, total; *finale uitverkoop* wind-up sale; II *ad* quite [impossible].
finale [-'na.lə] *v* 1 ♪ finale; 2 *sp* final.
finalist [-na.'lɪst] *m sp* finalist.
financieel [-nɑnsi.'e.l] *aj* (& *ad*) financiel(ly).
financiën [-'nɑnsi.ə(n)] *mv* 1 finances; 2 (f i n a n c i e w e z e n) finance.
financier [-nɑn'si:r] *m* financier.
financieren [-nɑn'si:rə(n)] *vt* finance.
financiewezen [-'nɑnsi.veːzə(n)] *o* finance.
fineer [fi.'ne:r] *o* veneer.
fineren [-'ne:rə(n)] *vt* 1 refine [gold]; 2 veneer [wood].
finesse [-'nɛsə] *v* finesse, nicety; *de ~s (van een zaak)* ook: the ins and outs.
fingeren [fɪŋ'ge:rə(n)] *vt* feign, simulate; zie ook: *gefingeerd*.
finish ['fɪnɪʃ] *m sp* finish.
finishen [-ə(n)] *vi sp* finish.
Finland ['fɪnlɑnt] *o* Finland.
Fins [fɪns] Finnish.
fiool [fi.'o.l] *v* phial; *de fiolen des toorns* the vials of wrath; *hij laat fiolen zorgen* he lets things drift.
firma ['fɪrma.] *v* 1 style [of a firm]; 2 firm, house (of business).
firmament [fɪrma.'mɛnt] *o* firmament, sky.
firmanaam ['fɪrma.na.m] *m* $ firm, style.
firmant [fɪr'mɑnt] *m* $ partner.
firn [fi:rn] *m* névé.
fis [fi.s] *v* ♪ F sharp.
fiscaal [fɪs'ka.l] fiscal.
fiscus ['fɪskűs] *m* treasury, exchequer, inland revenue.
fisk- zie *fisc-*.
fistel ['fɪstəl] *v* fistula.
fitis ['fi.tɪs] *m* 🐦 willow-warbler.
fitter ['fɪtər] *m* (gas-)fitter.
fitting [-tɪŋ] *m* fitting.
fixatief [fi.ksa.'ti.f] *o* 1 fixative; 2 (v o o r h e t h a a r) fixature.
fixeerbad [fi.k'se:rbɑt] *o* fixing-bath.

fixeermiddel [-mɪdəl] *o* fixer.
fixeren [fi.k'se:rə(n)] *vt* 1 fix; 2 fix [a person with one's eyes, stare at [her].
fjord [fjɔrt] *m* fiord, fjord.
fl. = *florijn, gulden*.
flacon [fla.'kòn] *m* 1 flask; 2 scent-bottle.
fladderen ['flɑdərə(n)] *vi* flit [of bats &]; flutter, hover [from flower to flower].
flageolet [flaʒo.'lɛt] *m* ♪ flageolet.
flageolettonen [-'leto.nə(n)] *mv* ♪ harmonics.
flagrant [fla.'grɑnt] glaring [error, injustice &].
flair [flɛ:r] *m* & *o* flair.
flakkeren ['flɑkərə(n)] *vi* flicker, waver.
flakon zie *flacon*.
flambard [flɑm'ba:r] *m* slouch hat, wide- awake.
flambouw [-'bɔu] *v* torch.
flamingant [fla.mɪŋ'gɑnt] *m* Flamingant.
flamingo [fla.'mɪŋgo.] *m* 🐦 flamingo.
flanel(len) [fla.'nɛl, -'nɛlə(n)] *o* (& *aj*) flannel.
flanelletje [-'nɛləcə] *o* flannel vest.
flaneren [-'ne:rə(n)] *vi* stroll, lounge, saunter, laze about.
flaneur [-'nø:r] *m* lounger, saunterer, idler.
flank [flɑŋk] *v* flank, side; *in de ~ vallen* ✕ take in flank; *rechts (links) uit de ~!* ✕ by the right (the left).
flankaanval ['flɑŋka.nvɑl] *m* ✕ flank attack[2].
flankeren [flɑŋ'ke:rə(n)] *vt* flank[2].
flankverdediging ['flɑŋkfɛrde.dəgɪŋ] *v* ✕ flank defence.
flansen ['flɑnsə(n)] *vt* in: *in elkaar ~* F knock together.
flap [flɑp] I *m* slap, box [on the ear]; II *ij* flop!
flaphoed ['flɑphu.t] *m* zie *flambard*.
flappen ['flɑpə(n)] *vi* flap; zie ook: *uitflappen*.
flapuit [flɑp'œyt] *m* F blab(ber).
flarden ['flɑrdə(n)] *mv* rags, tatters; *aan ~* [be] in tatters, in rags, [tear] to rags.
flat [flɛt] *m* flat; zie ook: *flatgebouw*.
flater ['fla.tər] *m* F blunder, S howler.
flatgebouw ['flɛtgəbɔu] *o* apartment building, block of flats.
flatteren [flɑ'te:rə(n)] *vt* flatter; *de balans ~* cook the balance-sheet; *het flatteert u niet* it [the photo] doesn't flatter you; *een geflatteerd portret* a flattering portrait.
flatteus [-'tø.s] *aj* (& *ad*) flattering(ly).
flauw [flɔu] I *aj* 1 faint, weak [resistance, notions, light, of heart, with hunger]; 2 insipid [food, remarks], mild [jokes], vapid [conversation]; 3 dim, pale [outline]; 4 $ flat [of the market]; 5 poor-spirited [fellows]; *hij heeft er geen ~ begrip van* he has not got the faintest notion of it; *ik had er een ~ vermoeden van* I had an inkling of it; *dat is ~ van je* (how) silly!; II *ad* faintly, dimly.
flauwerd, flauwerik ['flɔuərt, -ərɪk] *m* 1 (k i n d e r a c h t i g) silly; 2 (b a n g) F funk.
flauwhartig [flɔu'hɑrtəx] faint-hearted.
flauwhartigheid [-hɛit] *v* faint-heartedness.
flauwheid ['flɔuhɛit] *v* faintness, insipidity.

flauwigheid, flauwiteit [-əxhɛit, fləui.'tɛit] v silly thing, silly joke.

flauwte ['fləutə] v swoon, fainting fit, faint.

flauwtjes [-cəs] faintly.

flauwvallen [-valə(n)] vi go off in a swoon, have a fainting fit, swoon, faint.

fleemkous ['fle.mkəus] fleemster [-stər] v coaxer.

fleer [fle:r] m box on the ear.

flegma ['flɛxma.] o phlegm, stolidity.

flegmatiek [flɛxma.'ti.k] aj (& ad) phlegmatic(ally), stolid(ly).

flemen ['fle.mə(n)] vi coax.

flemer [-mər] m coaxer.

flemerij [fle.mə'rɛi] v coaxing.

flens [flɛns] m ✂ flange.

flensje ['flɛnʃə] o thin pancake.

flenter [-tər] m flake; thin slice; ribbon, strip.

fles [flɛs] v bottle; Leidse ~ Leyden jar; op de ~ gaan S go to pot, come a mucker; (veel) van de ~ houden be fond of the bottle.

flessebier ['flɛsəbi:r] o bottled beer.

flessemand [-mant] v bottle-basket.

flessemelk [-mɛlk] v milk in bottles, bottled milk.

flessenrek ['flɛsə(n)rɛk] o bottle-rack.

flessentrekker [-trɛkər] m S sharper, swindler.

flessentrekkerij [flɛsə(n)trɛkə'rɛi] v S swindle, swindling.

flets [flɛts] pale, faded, washy.

fletsheid ['flɛtshɛit] v paleness, fadedness, washiness.

fleur [flø:r] m & v bloom, flower, prime; in de ~ van zijn leven (zijner jaren) in the prime of life; in volle ~ in full bloom.

fleurig ['flø:rəx] blooming; fig bright, gay.

fleurigheid [-hɛit] v bloom; fig brightness, gaiety.

flikflooien ['flɪkflo.jə(n)] vt & vi flatter, cajole, wheedle, fawn on [a man].

flikflooier [-jər] m flatterer, fawner, cajoler, wheedler.

flikflooierij [flɪkflo.jə'rɛi] v cajolery, wheedling, fawning.

flikje ['flɪkjə] o chocolate drop.

flikken ['flɪkə(n)] vt patch, cobble [shoes].

flikker [-kər] m I caper, cobbler ‖ 2 caper; een ~ slaan cut a caper.

flikkeren [-kərə(n)] vi flicker, glitter, twinkle.

flikkering [-rɪŋ] v flicker(ing), glittering, twinkling.

flikkerlicht ['flɪkərlɪxt] o flash-light.

flink [flɪŋk] I aj 1 (v. zaken) good [walk, telling-off, number, size &], considerable [sum], substantial [progress]; goodly [size, volumes], sizable [desk, table], generous [piece], thorough [overhaul], sound [drubbing], smart [rap, pace &]; 2 (v. personen) fine [boy, lass, woman]; sturdy, stout, lusty, robust, strapping, stalwart, hardy, doughty [fellows], notable [housekeeper]; hij is niet ~ 1 he is not strong; 2 he is not energetic

enough; hij is nog ~ he is still going strong; wees nou een ~e jongen! be a brave chap now!; II ad soundly, vigorously, thoroughly; iemand ~ aframmelen give one a good (sound) drubbing; ~ eten eat heartily (well); hij kan ~ lopen he is a good walker; het regent ~ it is raining hard; zij zongen er ~ op los they sang lustily; ik heb hem ~ de waarheid gezegd I have given him a piece of my mind, I have taken him up roundly.

flinkgebouwd ['flɪŋkgəbəut] strongly built, well set-up.

flinkheid [-hɛit] v thoroughness; spirit.

flinkweg [flɪŋk'vɛx] without mincing matters.

flintglas ['flɪntglas] o flint-glass.

flirt [flœ:rt] 1 m-v (persoon) flirt; 2 (handeling) flirtation.

flirten ['flœ:rtə(n)] vi flirt.

flits [flɪts] m flash.

flitsen ['flɪtsə(n)] vi flash.

flitslamp ['flɪtslamp] v flash lamp, (klein) flash bulb.

flitslicht [-lɪxt] o flash-light.

flitslichtfotografie [-fo.to.gra.'fi.] v flash-light photography.

flitspuit ['flɪtspœyt] v spray.

flodderbroek ['flɔdərbru.k] v floppy trousers.

flodderen [-dərə(n)] vi 1 flounder (splash) through the dirt; 2 hang loosely, flop.

flodderig [-rəx] floppy; baggy.

floep [flu.p] ij cloop!, pop!

floers [flu:rs] o (black) crape; fig veil.

floks zie flox.

flonkeren ['flɔŋkərə(n)] vi sparkle, twinkle.

flonkering [-kərɪŋ] v sparkling, twinkling.

flonkerlicht [-kərlɪxt] o sparkling light.

flora ['flo.ra.] v flora.

Florentijn m Florentijns [flo:rɛn'tɛin(s)] aj Florentine.

floreren [-'re:rə(n)] vi flourish, prosper, thrive.

floret [-'rɛt] 1 v & o (degen) foil ‖ 2 o zie floretzij(de).

floretzij(de) [-sɛi(də)] v floss silk.

florijn [flo:'rɛin] m florin.

Floris ['flo:rəs] m Floris.

florissant [flo:ri.'sant] flourishing, prospering, thriving.

flottielje [flɔ'ti.ljə] v ⚓ flotilla.

flox [flɔks] m ✿ phlox.

fluïdum ['fly.i.dŭm] o aura.

fluisteraar ['flœystəra:r] m whisperer.

fluistercampagne [-tərkampanə] v whispering campaign.

fluisteren [-tərə(n)] vt & vi whisper; het iemand in het oor ~ whisper it in his ear; er wordt gefluisterd dat... it is whispered that...

fluisterend [-rənt] whisperingly, in a whisper.

fluistergewelf ['flœystərgəvɛlf] o whispering gallery.

fluistering [-tərɪŋ] v whispering, whisper.

fluit [flœyt] v flute; op de ~ spelen ♪ play (on) the flute.

fluiteend ['flœyte.nt] *v* zie *smient*.

fluiten ['flœytə(n)] I *vi* whistle [on one's fingers, of a bullet, the wind &]; ♪ play (on) the flute; warble, sing [of birds]; hiss [in theatre]; *je kan er naar* ∼ F you may whistle for it; II *vt* whistle [a tune].

fluitenkruid [-krœyt] *o* ❁ cow parsley.

fluiter ['flœytər] *m* 1 whistler; 2 ❧ woodwarbler.

fluitglas ['flœytglɑs] *o* flute(-glass).

fluitist [flœy'tɪst] *m* ♪ flute-player, flautist, flutist.

fluitje ['flœycə] *o* whistle.

fluitketel ['flœytke.təl] *m* whistling kettle.

fluitregister [-rəgɪstər] *o* ♪ flute-stop.

fluitschip [-sxɪp] *o* ⚓ flute, fluyt [fly-boat].

fluitspel [-spɛl] *o* ♪ flute-playing.

fluitspeler [-spe.lər] *m* ♪ flute-player, flautist, flutist.

fluks [flŭks] quickly.

fluor ['fly.ər] *o* fluorine.

fluorescentie [fly.o.rɛ'sɛn(t)si.] *v* fluorescence.

fluorescentielamp [-lɑmp] *v* fluorescent lamp.

fluorescerend [fly.o.rɛ'se.rənt] fluorescent.

fluoride [fly.o.'ri.də] *o* fluoride.

fluorideren [-de:rə(n)] *vt* fluoridate.

fluoridering [-rɪŋ] *v* fluoridation.

fluweel [fly.'ve.l] *o* velvet.

fluweelachtig [-ɑxtəx] velvety.

fluwelen [fly.'ve.lə(n)] *aj* velvet; *met* ∼ *handschoenen* [handle one] with kid gloves.

flux de bouche [fly.də'bu.ʃ] *o* flow of words, gift of the gab.

fnuiken ['fnœykə(n)] *vt* clip (the wings of)[2]; *iemands trots* ∼ lower one's pride.

fnuikend [-kənt] pernicious.

foedraal [fu.'dra.l] *o* case, sheath, cover.

foef [fu.f] *v* foefje ['fu.fjə] *o* dodge, trick.

foei! [fu:i] fie!, fy!, for shame!

foelie ['fu.li.] *v* 1 mace [of nutmeg]; 2 (tin)-foil [of a looking-glass].

foeliën [-li.ə(n)] *vt* tinfoil.

foeliesel [-li.səl] *o* (tin)foil.

foerage [fu:'ra.ʒə] *v* ⚔ forage.

foerageren [-ra.'ʒe:rə(n)] *vi* ⚔ forage.

foerier [-'ri:r] *m* ⚔ quartermaster-sergeant.

foeteren ['fu.tərə(n)] *vi* F storm and swear; grumble (at *over*).

fok [fɔk] *v* 1 ⚓ foresail; 2 specs: spectacles.

fokkemast ['fɔkəmɑst] *m* ⚓ foremast.

fokken [-kə(n)] *vt* breed, rear [cattle].

fokker [-kər] *m* (cattle-)breeder, stock-breeder.

fokkerij [fɔkə'rɛi] *v* 1 (cattle-)breeding, stock-breeding; 2 (stock-)farm.

foksia ['fɔksi.a.] *v* ❁ fuchsia.

fokvee ['fɔkfe.] *o* breeding-cattle.

folder ['fo.ldər] *m* folder.

foliant [fo.li.'ɑnt] *m* folio (volume).

foliëren [-'e:rə(n)] *vt* foliate, page.

folio ['fo.li.o.] *o* folio; *in* ∼ in folio; *een gek in* ∼ a fool of fools.

folklore ['fɔlklo:rə, 'fo.klɔ:r] *v* folklore.

folteraar ['fɔltəra:r] *m* torturer, tormentor.

folterbank [-tərbɑŋk] *v* rack.

folteren [-tərə(n)] *vt* put to the rack[2]; *fig* torture, torment.

foltering [-tərɪŋ] *v* torture, torment.

folterkamer ['fɔltərka.mər] *v* torture chamber.

foltertuig [-tœyx] *o* instruments of torture.

fond [fõ] *o* & *m* background; *fig* bottom; *er zit een goed* ∼ *in hem* he is an honest fellow at bottom; *à* ∼ thoroughly; *au* ∼ fundamentally [he is right]; [a nice man] at bottom.

fondament [fònda.'mɛnt] *o* foundation(s).

fondant [-'dɑnt. -'dã] *m* fondant.

fondement [fòndə'mɛnt] = *fondament*.

fonds [fònts] *o* 1 $ fund, stock; 2 club; *zijn* ∼*en zijn gerezen* his shares have risen.

fondsdokter ['fòntsdɔktər] *m* panel doctor.

fondsenmarkt ['fòntsə(n)mɑrkt] *v* $ stock-market.

fondspatiënt ['fòntspa.si.ɛnt] *m* panel patient.

fondspractijk zie *fondsprɑktijk*.

fondspraktijk [-prɑkteik] *v* panel practice.

foneem [fo.'ne.m] *o* phoneme.

fonetiek [-ne.'ti.k] *v* phonetics.

fonetisch [-'ne.ti.s] *aj* (& *ad*) phonetic(ally).

fonkelen ['fòŋkələ(n)] *vi* sparkle, scintillate.

fonkeling [-lɪŋ] *v* sparkling, scintillation.

fonkelnieuw [fòŋkəl'ni:u] spick-and-span new, bran(d)-new.

fonograaf [fo.no. gra.f] *m* phonograph.

fontein [fòn'tɛin] *v* fountain[2].

fonteintje [-cə] *o* (wall) wash-basin.

fooi [fo:i] *v* tip, gratuity; *fig* pittance; *hem een* ∼ *(een shilling* ∼*) geven* tip him (a shilling).

fooienstelsel ['fo.jə(n)stɛlsəl] *o* tipping system.

foppen ['fɔpə(n)] *vt* fool, cheat, gull, hoax.

fopperij [fɔpə'rɛi] *v* hoax, trickery.

foppertje ['fɔpərcə] *o* fopspeen ['fɔpspe.n] *v* (baby's) comforter, dummy.

forceren [fɔr'se:rə(n)] *vt* force [a man, one's voice, a door, locks, defences].

forel [fo.'rɛl] *v* ⚮ trout.

forens [-'rɛns] *m* non-resident, ± suburban, (*Am*) commuter.

forensentrein [-'rɛnzə(n)trɛin] *m* suburban train, (*Am*) commuter train.

forenzen [-'rɛnzə(n)] I *vi* (*Am*) commute; II = *mv* v. *forens*.

formaat [fɔr'ma.t] *o* format, size[2]; *...van (groot)* ∼ [individuals] of large calibre, of great stature, [problems] of great magnitude, major [figures, problems]; *een denker van Europees* ∼ a thinker of European stature.

formaatzegel [-se.gəl] *o* stamped paper.

formaliteit [fòrma.li.'tɛit] *v* formality.

formatie [-'ma.(t)si.] *v* 1 formation; 2 ⚔ establishment; *boven de* ∼ ⚔ supernumerary; *in* ∼ *vliegen* ⚡ fly in formation.

formeel [-'me.l] I *aj* formal; II *ad* formally; ∼ *weigeren* flatly refuse.

formeren [-'me:rə(n)] *vt* form.

formering[-'me:rɪŋ] *v* formation.

formule [-'my.lə] *v* formula.

formuleren [-my.'le:rən] *vt* formulate [a wish], word [a notion].

formulering [-'le:rɪŋ] *v* formulation, wording.

formulier [-'li:r] *o* 1 form [to be filled up]; 2 formulary [for belief or ritual].

fornuis [fɔr'nœys] *o* kitchen-range, [electric, gas] cooker.

fors [fɔrs] I *aj* robust [fellows], strong [voice, wind, style], vigorous [style]; II *ad* strongly, vigorously.

forsgebouwd ['fɔrsgəbɑut] strongly built.

forsheid [-hɛit] *v* robustness, strength, vigour.

1 **fort** [fɔrt] *o* ✕ fort.

2 **fort** [fɔ:r] [Fr] *o & m* forte, strong point.

fortificatie, fortifikatie [fɔrti.fi.'ka.(t)si.] *v* ✕ fortification.

fortuin [-'tœyn] 1 *v* fortune [goddess]; 2 *o* fortune [= wealth]; ~ *maken* make one's fortune; *zijn* ~ *zoeken* seek one's fortune.

fortuinlijk [-lək] lucky.

fortuintje [-cə] *o* 1 small fortune; 2 piece of good fortune, windfall.

fortuinzoeker [-zu.kər] *m* fortune-hunter, adventurer.

forum ['fo.rũm] *o* forum; *voor het* ~ *der publieke opinie brengen* bring before the bar of public opinion.

fosfaat [fɔs'fa.t] *o* phosphate.

fosfor ['fɔsfɔr] *m & o* phosphorus.

fosforbom [-bɔm] *v* ✕ phosphoric bomb.

fosforescentie [fɔsfo.rɛ'sɛn(t)si.] *v* phosphorescence.

fosforesceren [-'se:rə(n)] *vi* phosphoresce.

fosforescerend [-'se:rənt] phosphorescent.

fosforzuur ['fɔsfɔrzy:r] *o* phosphoric acid.

fossiel [fɔ'si.l] I *aj* fossil; II *o* fossil.

foto ['fo.to.] *v* photo; (in krant &) picture.

fotoalbum [-ɑlbũm] *o* photograph album.

fotocopie [fo.to.ko.'pi.] *v* photocopy.

fotocopiëren [-pi.'e:rə(n)] *vt* photocopy.

fotogeniek [fo.to.ge.'ni.k] photogenic.

fotograaf [-'gra.f] *m* photographer.

fotograferen [-gra.'fe:rə(n)] *vt & va* photograph; *zich laten* ~ have one's photo taken.

fotografie [-'fi.] *v* 1 (de kunst) photography; 2 (beeld) photo(graph).

fotografisch [fo.to.'gra.fi.s] *aj* (& *ad*) photographic(ally).

fotogravure [-gra.'vy:rə] *v* photogravure.

fotokopi- zie *fotocopi-*.

fotomodel ['fo.to.mo.dɛl] *o* cover-girl.

fotomontage [-mɔnta.ʒə] *v* 1 (de handeling) photo composing; 2 (het geheel) composite picture.

fototoestel [-tu.stɛl] *o* camera.

fotowedstrijd [-vɛtstrɛit] *m* photographic competition.

fouilleren [fu.(l)'je:rə(n)] *vt* search [a suspect].

fouillering [-rɪŋ] *v* search.

fourage(-) zie *foerage(-)*.

fout [fɑut] I *v* fault; mistake, error, blunder;

(*ik kom*) *zonder* ~ without fail; II *aj* (& *ad*) wrong(ly).

foutief [fou'ti.f] *aj* (& *ad*) wrong(ly).

foutloos ['fɑutlo.s] *aj* (& *ad*) faultless(ly).

foyer [fʋa'je.] *m* foyer, lobby.

fraai [fra:i] I *aj* beautiful, handsome, pretty, nice, fine; *een* ~*e hand schrijven* write a fair hand; *dat is* ~*!* (ironisch) that is nice (of you); II *ad* beautifully &.

fraaiheid ['fra:ihɛit] *v* beauty, prettiness &.

fraaiigheid ['fra.jəxhɛit] *v* fine thing.

fraaitjes ['fra:icəs] prettily, nicely; (ironisch) properly.

fractie ['frɑksi.] *v* 1 fraction; 2 [political] group; party.

fractioneel [frɑksi.o.'ne.l] fractional.

fragment [frɑx'mɛnt] *o* fragment.

fragmentarisch [-mɛn'ta:ri.s] I *aj* fragmentary, scrappy [knowledge]; II *ad* fragmentarily, scrappily.

frak [frɑk] *m* dress-coat.

frakt- zie *fract-*.

framboos [frɑm'bo.s] *v* ♣ raspberry.

frambozesap [-'bo.zəsɑp] *o* raspberry juice.

frambozestruik [-strœyk] *m* raspberry bush.

frame [fre.m] *o* frame.

Française [frɑn'sɛ:zə] *v* Frenchwoman.

Francisca [-'sɪska.] *v* Frances.

franciscaan [-sɪs'ka.n] *m* Franciscan.

franciscanes [-sɪska.'nɛs] *v* Franciscan nun.

Franciscus [-'sɪskũs] *m* Francis, F Frank.

francisk- zie *francisc-*.

franco ['frɑnko.] 1 ✆ post-free, post-paid, postage paid; 2 ⚓ carriage paid; free [on board &].

franc-tireur [frɑ̃ti.'rø:r] *m* ✕ franc-tireur, sniper.

franje ['frɑnə] *v* fringe; *fig* frills.

Frank [frɑŋk] *m* Frank [ook ◻].

1 **frank** [frɑŋk] I *aj* frank; ~ *en vrij* frank and free; II *ad* frankly.

2 **frank** [frɑŋk, frã] *m* franc.

frankeerkosten [frɑŋ'ke:rkɔstə(n)] *mv* ✆ postage [of a letter], carriage [of a parcel].

frankeermachine [-ma.ʃi.nə] *v* franking machine.

frankeerwaarde [-va:rdə] *v* ✆ postal value.

Frankenland ['frɑŋkə(n)lɑnt] *o* Franconia.

frankeren [frɑŋ'ke:rə(n)] *vt* ✆ prepay; (postzegels opplakken) stamp [a letter]; *gefrankeerd* post-paid; *gefrankeerde enveloppe* stamped envelope; *onvoldoende gefrankeerd* understamped.

frankering [-rɪŋ] *v* ✆ prepayment, postage; ~ *bij abonnement* ✆ paid.

franko zie *franco*.

Frankrijk ['frɑŋkrɛik] *o* France.

1 **Frans** [frɑns] *m* Francis, Frank; *een vrolijke* ~ F a gay dog.

2 **Frans** [frɑns] I *aj* French; II *o het* ~ French; *daar is geen woordje* ~ *bij* F that is plain English; III *v een* ~*e* a Frenchwoman; IV *mv de* ~*en* the French.

Fransman ['frɑnsmɑn] *m* Frenchman.
Fransoos [frɑn'so.s] *m* F Frenchy.
Franstalig ['frɑnsta.ləx] French-speaking.
frappant [frɑ'pɑnt] *aj* (& *ad*) striking(ly).
frapperen [-'pe:rə(n)] *vt* 1 (treffen) strike; 2 (koud maken) ice [drinks].
frase ['fra.zə] *v* phrase.
fraseren [fra.'ze:rə(n)] *vt* & *vi* phrase.
frater ['fra.tər] *m* (Christian) brother, friar.
fratsen ['frɑtsə(n)] *mv* caprices, whims, pranks.
fratsenmaker [-ma.kər] *m* buffoon.
fraude ['frɑudə] *v* fraud [on the revenue].
frauderen [frɑu'de:rə(n)] *vi* practise fraud(s).
frauduleus [-dy.'lø.s] *aj* (& *ad*) fraudulent(ly).
fraze(-) zie *frase*(-).
Frederik ['fre.dərək] *m* Frederick, F Fred.
Frederika [fre.də'ri.ka.] *v* Frederica.
freem zie *frame*.
frees [fre.s] *v* ⚒ (milling) cutter.
freesmachine ['fre.sma.ʃi.nə] *v* ⚒ milling machine.
fregat [frə'gɑt] *o* ⚓ frigate.   [chine.
fregatvogel [-fo.gəl] *m* ⚓ frigate(-bird).
frekwent(-) zie *frequent*(-).
frequent [fre.'kvɛnt] *aj* (& *ad*) frequent(ly).
frequentatief [fre.kvɛnta.'ti.f] *gram* frequentative (verb).
frequenteren [-'te:rə(n)] *vt* frequent.
frequentie [fre.'kvɛn(t)si.] *v* frequency.
frequentiemodulatie [-mo.dy.la.(t)si.] *v* ✳ ✚ frequency modulation.
fresco ['frɛsko.] *o* fresco.
fresia ['fre.zi.a.] *v* ✿ freesia.
fresko zie *fresco*.
fret [fret] 1 *o* ⚓ ferret ‖ 2 *m* ⚒ auger.
fretten ['frɛtə(n)] *vi* ferret.
freule ['frœ:lə] *v* honourable miss (lady); *ja-wel*, ~ ! yes, Miss.
frezen ['fre.zə(n)] *vt* ⚒ mill.
frezer [-zər] *m* ⚒ miller.
friemelen ['fri.mələ(n)] *vi* fumble.
fries [fri.s] 1 *v* & *o* △ frieze ‖ 2 *o* (stof) frieze.
Fries [fri.s] I *aj* Frisian; II *o het* ~ Frisian; III *m* Frisian; IV *v een* ~*e* a Frisian woman.
Friesland ['fri.slɑnt] *o* Friesland.
friet [fri.t] *v* = *frites*.
Friezin [fri.'zɪn] *v* Frisian (woman).
frikadel [frɪka.'dɛl] *v* minced-meat ball.
fris [frɪs] I *aj* fresh [morning, complexion, wind &], refreshing [drinks]; cool [room]; *een* ~ *meisje* a girl as fresh as a rose; *ik voel me niet erg* ~ zie *lekker*; *zo* ~ *als een hoentje* F as fit as a fiddle, as fresh as paint; II *ad* freshly, fresh.
frisdrank ['frɪsdrɑŋk] *m* soft drink.
friseerijzer [fri.'ze:rɛizər] *o* ~*tang* [-tɑŋ] *v* curling-tongs.
friseren [-'ze:rə(n)] *vt* crisp, curl, F friz(z).
friseur [-'zø:r] *m* hairdresser.
friseuse [-'zø.zə] *v* (lady) hairdresser.
frisheid ['frɪsheit] *v* freshness; coolness.
frisjes ['frɪʃəs] a little fresh.
frisuur [fri.'zy:r] *v* coiffure, hairdo.

frites [fri.ts] *mv* French fried potatoes, (potato) chips.
Frits [frɪts] *m* Fritz.
frivoliteit [fri.vo.li.'tɛit] *v* frivolity.
frivool [-'vo.l] *aj* (& *ad*) frivolous(ly).
frize- zie *frise*-.
frizuur zie *frisuur*.
fröbelen ['frø.bələ(n)] *vi* do kindergarten work.
fröbelschool [-bəlsxo.l] *v* kindergarten.
frommelen ['fròmələ(n)] *vt* rumple, crumple.
frons [fròns] *v* frown, wrinkle.
fronsen ['frònzə(n)] *vt* in: *het voorhoofd* (*de wenkbrauwen*) ~ frown, knit one's brows.
front [frònt] *o* front, façade; frontage [= 1 front of a building &; 2 extent of front &; 3 exposure]; (in kolenmijn) (coal-)face; ~ *maken naar de straat* front (towards) the street; ~ *maken tegen zijn vervolgers* front one's pursuers; *aan het* ~ ✕ at the front; *met het* ~ *naar...* fronting...; *voor het* ~ ✕ in front of the line (of the troops).
frontaal [fròn'ta.l] *in*: ~ *tegen elkaar botsen* collide head-on; *frontale botsing* head-on collision.
frontaanval ['frònta.nvɑl] *m* ✕ frontal attack.
frontispice, frontispies [fròntɪs'pi.s] *o* frontispiece.
frontje ['frònɕə] *o* front, F dick(e)y.
frontverandering ['fròntfərɑndərɪŋ] *v* ✕ change of front².
frotté [fro'te.] *o* sponge cloth.
fruit [frœyt] *o* fruit.
fruiten ['frœytə(n)] *vt* fry.
fruithandel ['frœythɑndəl] *m* fruit trade.
fruithandelaar [-hɑndəla:r] *m* fruiterer.
fruitig ['frœytəx] fruity [wine].
fruitmand ['frœytmɑnt] *v* fruit basket.
fruitmarkt [-mɑrkt] *v* fruit market.
fruitschaal [-sxa.l] *v* fruit dish.
fruitvrouw [-frɑu] *v* fruit-woman, fruit seller.
fruitwinkel [-vɪŋkəl] *m* fruit shop, fruiterer's shop.
frustratie [fry.s'tra.(t)si.] *v* frustration.
frustreren [-'tre:rə(n)] *vt* frustrate.
fuchsia ['fỳksia.] = *foksia*.
fuga ['fy.ga.] *v* ♪ fugue.
fuif [fœyf] *v* S spread, spree, beano; *een* ~ *geven* throw a party.
fuik [fœyk] *v* trap; *in de* ~ *lopen* walk (fall) into the trap.
fuiven ['fœyvə(n)] I *vi* feast, celebrate, revel, make merry; II *vt* feast [a person (with *op*)], treat (to *op*).
fulmineren [fỳlmi.'ne:rə(n)] *vi* fulminate, thunder; ~ *tegen* declaim (inveigh) against.
functie ['fỳŋksi.] *v* function; *in* ~ *treden* enter upon one's duties; *in* ~ *zijn* be in function; *in zijn* ~ *van* in his capacity of.
functionaris [fỳŋksi.o.'na:rəs] *m* functionary, office-holder, official.
functioneren [-'ne:rə(n)] *vi* function.
fundament [fỳnda.'mɛnt] *o* foundation(s).

fundamenteel [-mɛn'te.l] *aj* (& *ad*) fundamental(ly).

funderen [fŭn'de:rə(n)] *vt* found [a debt].

fundering [-rɪŋ] *v* foundation.

funest [fy.'nɛst] *v* fatal, disastrous.

fungeren [fŭŋ'ge:rə(n)] *vi* officiate; ~ **als** act as, perform the duties of.

fungerend [-rənt] acting, in charge, pro tem.

funkti- zie *functi-*.

furie ['fy:ri.] *v* fury².

furore [fy.'ro:rə] *v* furore; ~ **maken** create a furore.

fuselier [fy.zə'li:r] *m* ⚔ 1 fusilier; 2 ⚒ private (soldier).

fuseren [-'ze:rə(n)] *vt* & *vi* zie *fusioneren*.

fusie ['fy.zi.] *v* amalgamation, fusion; *een ~ aangaan, een ~ tot stand brengen tussen* amalgamate, fuse.

fusilleren [fy.zi.(l)'je:rə(n)] *vt* shoot (down).

fusioneren [fy.zi.ò'ne:rə(n)] *vt* & *vi* amalgamate, fuse.

fust [fŭst] *o* cask, barrel; *leeg ~* empty boxes, dummies; *wijn op ~* wine in the wood.

fut [fŭt] *m* & *v* spirit, spunk; *de ~ is eruit* he has no kick (snap, pep) left in him.

futiliteit [fy.ti.li.'tɛit] *v* futility.

futloos ['fŭtlo.s] spiritless.

futselaar [-sə.la:r] *m* trifler, fribbler.

futselarij [fŭtsəla:'rɛi] *v* trifling, fribbling.

futselen ['fŭtsələ(n)] *vi* trifle, fribble.

futselwerk [-səlvɛrk] *o* trifling work, fiddle-faddle.

futurisme [fy.ty.'rɪsmə] *o* futurism.

futurist [-'rɪst] *m* futuristisch [-i.s] *aj* futurist.

fuut [fy.t] *m* 🦆 grebe.

fysica ['fi.zi.ka.] *v* physics, natural science.

fysicus [-kŭs] *m* physicist.

fysiek [fi.'zi.k] **I** *aj* (& *ad*) physical(ly); **II** *o* physique, physical structure.

fysiologie [fi.zi.o.lo.'gi.] *v* physiology.

fysiologisch [-'lo.gi.s] *aj* (& *ad*) physiological(ly).

fysioloog [-'lo.x] *m* physiologist.

fysisch ['fi.zi.s] *aj* (& *ad*) physical(ly).

G

g [ge.] *v* g.

1 gaaf [ga.f] *v* = *gave*.

2 gaaf [ga.f] *aj* 1 *eig* sound, whole, entire; 2 *fig* pure, perfect, flawless [technique, work of art &].

gaafheid ['ga.fhεit] *v* 1 *eig* soundness, wholeness; 2 *fig* purity, perfectness, flawlessness.

gaai [ga.i] *m* 1 🐦 jay; 2 *sp* popinjay [to shoot at].

gaaike(n) ['ga:ikə(n)] *o* mate.

gaal [ga.l] *v* (in weefsel) thin place.

gaan [ga.n] **I** *vi* 1 (in velerlei bet.) go°; 2 (vóór infinitieven) go and..., go to...; *ga*

hem bezoeken go and see him; *ik ging hem bezoeken* I went to see him; *hij ging jagen* he went (out) shooting; ~ *liggen* zie *liggen*; *willen wij ~ lopen?* shall we walk it?; *zij zullen het op prijs ~ stellen* they will come to appreciate it; *wij ~ verhuizen* we are going to move; *hij is ~ wandelen* he has gone for a walk; *ik ga, hoor!* I am off; *ik ga al* I am going; *ze zien hem liever ~ dan komen* they like his room better than his company; *daar ga je!, daar gaat-ie!* F here goes!; *...en hij ging* and off he went, [saying...] he left, he walked away; *hoe gaat het (met u)?* how are you?, how do you do?; *hoe gaat het met uw broer (voet &)?* how is your brother (your foot &)?; *hoe gaat het met uw proces (werk)?* how is your lawsuit (your work) getting on?; *het zal hem niet beter ~* he will fare no better; *het gaat hem goed* he is doing well; *het ging hem niet goed* things did not go well with him; *hoe is het?, het gaat nogal* pretty middling; *hoe is het met je...?* o, *het gaat (wel)* fairly well; *het stuk ging 150 keer* the play had a run of 150 nights; *dat boek zal wel (goed) ~* will sell well; *als alles goed gaat* if everything goes off (turns out) well; *onze handel gaat goed* our trade is going; *deze horloges ~ goed* 1 these watches go well, keep good time; 2 these watches sell well; *de zee ging hoog* there was a heavy sea on; zie ook: *hoog*; *het (dat) gaat niet* that won't do, it can't be done; *het stuk zal wel ~* the play is sure to take on; *zijn zaken ~ niet* he isn't doing well; *het zal niet ~* F no go!, S nothing doing!; *het gaat slecht* things are going badly; *het ging slecht* things went off badly; *het ging hem slecht* he was doing badly; *zij gingen verder* they walked on; *ga verder!* go on!; *het ging verkeerd* things turned out badly; *opdat het u wel ga* that you may do well; *zo gaat het* that's the way of things; *zo is het gegaan* that is how it came about; *het zal wel ~* it will go all right; *het ga zoals het gaat* come what may; ∞ *dat gaat boven alles* that surpasses everything; that comes first (of all); *er gaat niets boven...* there is nothing like... [a good cigar &]; *het ging mij door de leden* the shock went through me; zie ook: *doorgaan*; *de weg gaat langs een kanaal* runs along a canal; *met de nieuwe meid gaat het niet* our new servant is no good; *met de pen gaat het nog niet* I (he &) cannot yet manage a (his) pen; *met de trein ~* go by train (by rail); *naar de bioscoop ~* go to the pictures; *waar ~ ze naar toe?* F where are they going?; *daar gaat het (niet) om* that is (not) the question; *daar gaat het juist om* that's just the point; *het gaat om uw toekomst* your future is at stake; *5 gaat 6 keer op 30* 5 into 30 goes 6 times; *6 op de 5 gaat niet* 6 into 5 will not go; *er ~ er 12 op een pond* 12 go to a (the) pound; *de kurk gaat niet op de fles* the cork does not fit the bottle; *over Brussel ~* go via (by way of) Brussels; *welke dokter gaat over hem?* under which doctor is he?; *de dokter gaat over vele patiënten* the doctor attends many patients; *het gesprek gaat over...* the conversation is about (on) [war, peace &]; *wij ~ tot A.* we are going as far as A.; *zij gingen tot 1000 gulden* they went as high as 1000 guilders; *uit eten ~* dine out; *uit werken ~* go out to work; **II** *vt* go, zie *gang &*; **III** *vr* in: *zich moe ~* tire oneself (out) with walking; **IV** *o* going, walking; *het ~ valt hem moeilijk* he walks with difficulty; *onder het ~* as he (she, we, they) went; when going.

gaande ['ga.ndə] going; *de ~ en komende man* comers and goers; *~ houden* keep going; *de belangstelling ~ houden* keep the interest from flagging; *~ maken* stir, arouse, move [one's pity]; provoke [one's anger]; *wat is er ~?* what is going on?, what is the matter?

gaanderij [ga.ndə'rɛi] *v* gallery.

gaandeweg ['ga.ndəvɛx] gradually, by degrees, little by little.

gaans [ga.ns] in: *een uur ~* an hour's walk.

gaap [ga.p] *m* yawn; *de ~* the gapes.

gaar [ga:r] I done [meat]; 2 *fig* clever, knowing [fellows]; *juist ~* done to a turn; *niet ~* underdone [meat]; *te ~* overdone.

gaarheid ['ga:rhɛit] *v* state of being done.

gaarkeuken [-kø.kə(n)] *v* eating-house.

gaarne [-nə] willingly, readily, gladly; with pleasure; *~ doen* I like to...; 2 be quite willing to...; *iets ~ erkennen* admit it frankly; *dat wil ik ~ geloven* I can quite (well) believe it; zie ook: *mogen &, graag* II.

gaas [ga.s] *o* gauze; (kippe~) wire-netting.

gaasachtig ['ga.saxtəx] gauzy.

gaatje ['ga.cə] *o* (small) hole.

gabardine [ga.bar'di.nə] *v* gaberdine.

gade ['ga.də] I *m* husband, consort; 2 *v* wife, consort.

gadeslaan [-dəsla.n] *vt* observe, watch.

gading [-dɪŋ] *v* liking; *alles is van hun ~* nothing comes amiss to them; *het is niet van mijn ~* it is not what I want.

gaffel ['gafəl] *v* I pitchfork, fork; 2 ⚓ gaff.

gaffelvormig [-vɔrməx] forked.

gaffelzeil [-zɛil] *o* ⚓ trysail.

gage ['ga.ʒə] *v* I wage(s); 2 ⚔ pay.

gal [gal] *v* gall, bile; *zijn ~ uitbraken* vent one's bile [on a person]; *de ~ loopt hem over his blood is up; iemands ~ doen overlopen* stir (up) one's bile.

gala ['ga.la.] *o* gala; full dress; *in ~* in full dress, [dine] in state.

gala-avond [-a.vənt] *m* gala night.

galabal [-bal] *o* state ball.

galadiner [-di.ne.] *o* state dinner.

galakleding [-kle.dɪŋ] *v* full dress.

galakoets [-ku.ts] *v* state coach.

galant [ga.'lant] I *aj* (& *ad*) gallant(ly); II *m* intended, betrothed, fiancé.

galanterie [-lantə'ri.] *v* gallantry; *~ën* fancy-goods.

galanterie(ën)winkel [(-ə(n))vɪŋkəl] *m* fancy-goods shop.

galantine [ga.lan'ti.nə] *v* galantine.

galappel ['galapəl] *m* gall-nut.

galavoorstelling ['ga.la.vo:rstɛlɪŋ] *v* gala performance.

galblaas ['galbla.s] *v* gall-bladder.

galei [ga.'lɛi] *v* ⚓ galley.

galeiboef [-bu.f] **galeislaaf** [-sla.f] *m* galley-slave.

galerij [ga.lə'rɛi] *v* gallery°; *Ind* veranda(h).

galg [galx] *v* gallows, gallows-tree; *op moord staat de ~* murder is a hanging matter; *tot de ~ veroordelen* sentence to death on the gallows; *voor ~ en rad (voor de ~) opgroeien* be heading straight for the gallows.

galgeaas ['galgəa.s] *o* gallows-bird; rogue, rascal.

galgebrok [-brɔk] *m* zie *galgeaas*.

galgehumor [-hy.mər] *m* grim humour.

galgemaal [-ma.l] *o* last meal, parting meal.

galgestrop [-strɔp] *m* & *v* zie *galgeaas*.

galgetronie [-tro.ni.] *v* gallows-face.

Galicië [ga'li.si.ə] *o* Galicia.

Galiciër [-si.ər] *m* **Galicisch** [-si.s] *aj* Galician.

Galilea [ga.li.'le.a.] *o* Galilee.

Galileeër [-'le.ər] *m* **Galilees** [-'le.s] *aj* Galilean.

galjoen [gal'ju.n] *o* ⚓ galleon.

gallen ['galə(n)] *vt* take the gall from [a fish].

gallicisme [gali.'sɪsmə] *o* gallicism.

Gallië ['gali.ə] *o* Gaul.

Galliër [-li.ər] *m* Gaul.

gallig ['galəx] bilious[2].

galligheid [-hɛit] *v* biliousness[2].

Gallisch ['gali.s] Gallic, Gaulish.

galm [galm] *m* sound, resounding, reverberation.

galmen ['galmə(n)] *vi* I sound, resound; 2 bawl, chant [of persons].

galnoot ['galno.t] *v* gall-nut.

galon [ga.'lɔn] *o* & *m* (gold or silver) lace, braid, galloon.

galonneren [-lɔ'ne.rə(n)] *vt* lace, braid.

galop [ga.'lɔp] *m* I gallop; 2 (dans) galop; *korte ~* canter; *in ~* at a gallop; *in volle ~* (at) full gallop.

galopperen [-lɔ'pe.rə(n)] *vi* I gallop [of a horse]; 2 galop [of a dancer].

galsteen ['galste.n] *m* gall-stone, bile-stone.

galvanisch [gal'va.ni.s] galvanic.

galvaniseren [-va.ni.'ze.rə(n)] *vt* galvanize.

galvanisme [-va.'nɪsmə] *o* galvanism.

galvanizeren zie *galvaniseren*.

galwesp ['galvɛsp] *v* gall-fly.

galziekte [-zi.ktə] **-zucht** [-zŭxt] *v* bilious complaint.

gambiet [gam'bi.t] *ρ* gambit.

gamma ['gama.] *v* & *o* I ♪ gamut, scale; 2 (letter) gamma.

gammastralen [-stra.lə(n)] *mv* gamma rays.

gammel ['gɑməl] F 1 (vervallen, wrak) ram-shackle; 2 (versleten, afgeleefd) worn out; 3 (slap, lusteloos) seedy.

1 **gang** [gɑŋ] m 1 [subterranean] passage [of a house], corridor [of a house]; 2 alley [= narrow street]; 3 gallery [of a mine].

2 **gang** [gɑŋ] m 1 (v. persoon) gait, walk; 2 (v. hardloper, paard) pace; 3 (v. auto, trein &) speed, rate; 4 (v. zaak) progress; 5 (v. ziekte, geschiedenis) course, march; 6 (v. maaltijd) course; 7 ✕ (v. machine) running, working; 8 ✕ (v. schroef) thread; 9 (in het schermen) pass; ~ van zaken course of things; er zit ~ in (de handeling) it is full of go; ga uw ~! I please yourself!; 2 (toe maar!) go on!; ✕ S carry on!; hij gaat zijn eigen ~ he goes his own way; laat hem zijn ~ maar gaan let him have his way; alles gaat weer zijn gewone ~ things go on as usual; ~ maken sp spurt; iemands ~en nagaan watch a person; ik zal u die ~ sparen I'll spare you that walk; zich een ~ sparen F save shoe-leather; aan de ~ blijven go on, continue (working &); aan de ~ brengen (helpen, maken) set going, start; aan de ~ gaan get going, set to work; aan de ~ zijn 1 (v. persoon) be at work; 2 (v. voorstelling &) have started, be in progress; wat is er aan de ~? what is going on?; hij is weer aan de ~ he is at it again; in volle ~ zijn be in full swing²; op ~ brengen set going, start; op ~ houden keep going; op ~ komen get going; op ~ krijgen get going.

gangbaar ['gɑŋba:r] current; ~ zijn pass [of coins]; be still available [of tickets]; $ have a ready sale [of articles].

gangbaarheid [-hɛit] v currency.

gangboord ['gɑŋbo:rt] o & m ⚓ gangway.

Ganges ['gɑŋəs] m Ganges.

gangklok ['gɑŋklɔk] v hall-clock.

gangloper [-lo.pər] m corridor-carpet.

gangmaker [-ma.kər] m sp pace-maker.

gangpad [-pɑt] o 1 path; 2 gangway.

gangspil [-spɪl] o ⚓ capstan.

gangster ['gɛŋstər] m gangster.

gannef ['gɑnəf] m crook; rogue.

ganneven [-nəvə(n)] vt & vi S lift, steal.

1 **gans** [gɑns] v 🐦 goose²; Moeder de G~ Mother Hubbard, Mother Goose; sprookjes van Moeder de G~ Mother Goose's tales.

2 **gans** [gɑns] I aj whole, all; ~ Londen the whole of London [was burnt down]; all London [was at the races]; II ad wholly, entirely; ~ niet not at all.

ganselijk ['gɑnsələk] zie 2 gans II.

gansje ['gɑnʃə] o 🐦 gosling, little goose².

ganzebloem ['gɑnzəblu.m] v ✿ ox-eye (daisy).

ganzebout [-bɔut] m leg or wing of a goose.

ganzeëi [-ɛi] o goose-egg.

ganzelever [-le.vər] v goose-liver.

ganzenbord ['gɑnzə(n)bɔrt] o (royal) game of goose.

ganzenborden [-bɔrdə(n)] vi play the game of goose.

ganzenhoeder [-hu.dər] m gooseherd.

gapen ['gɑ.pə(n)] vi gape [in amazement, also of oysters, chasms, wounds]; yawn [from hunger, drowsiness]; een ~de afgrond a yawning abyss (precipice); er gaapte een diepe klove tussen hen a wide gap yawned between them.

gaper [-pər] m gaper, yawner.

gaping [-pɪŋ] v gap, hiatus.

gappen ['gɑpə(n)] vt & vi S nab, filch, pilfer.

gapper [-pər] m S pilferer.

garage [gɑ.'ra.ʒə] v garage.

garagehouder [-hɔudər] m garage keeper, garage proprietor.

garanderen [-rɑn'de:rə(n)] vt warrant, guarantee.

garant [-'rɑnt] m guarantor.

garantie [-'rɑn(t)si.] v guarantee, warrant, security.

garantiebewijs [-bəvɛis] o warranty.

garantiefonds [-fɔnts] o guarantee fund.

garantieprijs [-prɛis] m guaranteed price.

gard [gɑrt] v rod.

garde ['gɑrdə] v guard; de koninklijke ~ the Royal Guards; de oude ~ the old guard.

gardenia [gɑr'de.ni.a.] v ✿ gardenia.

garderobe [-də'ro:bə] v 1 wardrobe; 2 cloakroom [in a theatre, railway station &].

garderobejuffrouw [-jüfrɔu] v cloak-room attendant.

gareel [gɑ.'re.l] o harness, (horse-)collar; in het ~ in harness².

1 **garen** ['gɑ:rə(n)] o thread, yarn; ~ en band haberdashery; wollen ~ worsted.

2 **garen** ['gɑ:rə(n)] aj thread.

3 **garen** ['gɑ:rə(n)] vt zie vergaren.

garen-en-bandwinkel [gɑ:rənɛn'bɑntvɪŋkəl] m haberdashery.

garf [gɑrf] v sheaf; in garven binden sheave.

garnaal [gɑr'na.l] m shrimp.

garnalegeheugen [-'na.ləgəhø.gə(n)] o memory like a sieve.

garnalenpasteitje [-'na.lə(n)pɑstɛicə] o shrimp pie.

garnalenvangst [-vɑŋst] v shrimping.

garnalenvisser [-vɪsər] m shrimper.

garneersel [gɑr'ne:rsəl] o trimming.

garneren [-'ne:rə(n)] vt trim [a dress, hat &], garnish [a dish].

garnering [-rɪŋ] v trimming.

garnituur [gɑrni.'ty:r] o 1 trimming [of a gown]; 2 set of jewels; 3 set of mantelpiece ornaments.

garnizoen [-'zu.n] o ✕ garrison; ~ leggen in een plaats garrison a town; hij lag te G. in ~ he was garrisoned at G.

garnizoensarts [-'zu.nsɑrts] m ✕ regimental surgeon.

garnizoenscommandant, -kommandant [-kòmandant] m ✕ town major.

garnizoensleven [-le.vǝ(n)] o ⚔ life in a garrison.

garnizoensplaats [-pla.ts] v ⚔ garrison town.

garstig ['gɑrstǝx] rancid.

garstigheid [-heit] v rancidness.

garve ['gɑrvǝ] = garf.

garven [-vǝ(n)] vt sheave, sheaf.

gas [gɑs] o gas; ~ geven open (out) the throttle, step on the gas.

gasaanval ['gɑsa.nvɑl] m ⚔ gas attack.

gasachtig [-ɑxtǝx] 1 gaseous [body &]; 2 gassy [smell].

gasautomaat [-o.to.-, ǝuto.ma.t] m 1 (meter) slot (gas)-meter; 2 (geiser) gas-heater.

gasbrander [-brɑndǝr] m gas-burner.

gasbuis [-bœys] v gas-pipe.

gascokes ['gɑsko.ks] v gas-coke.

gasfabriek [-fa.bri.k] v gas-works.

gasfitter [-fɪtǝr] m gas-fitter.

gasfornuis [-fǝrnœys] o gas-cooker.

gasgeiser, -geizer [-geizǝr] m gas-heater.

gasgenerator [-ge.nǝra.tǝr] m gas producer.

gasgloeilicht [-glu:ilɪxt] o incandescent gas-light.

gashaard [-ha:rt] m gas-fire.

gashouder [-houdǝr] m gas-holder, gasometer.

gaskachel [-kɑɣǝl] v gas-stove.

gaskamer [-ka.mǝr] v gas-chamber [for executing human beings]; lethal chamber [for killing animals].

gaskomfoor [-kɔmfo:r] o gas-ring.

gaskooks zie gascokes.

gaskraan [-kra.n] v gas-tap.

gaslaan ['ga.sla.n] = gadeslaan.

gaslamp ['gɑslɑmp] v gas-lamp.

gaslantaarn, -lantaren [-lɑnta:rǝn] v gas-light, gas-lamp.

gasleiding [-lɛidɪŋ] v 1 gas-main [in the street]; 2 gas-pipes [in the house].

gaslek [-lɛk] o escape of gas.

gaslicht [-lɪxt] o gas-light.

gaslucht [-lʏxt] v smell of gas, gassy smell.

gasman [-mɑn] m gasman.

gasmasker [-mɑskǝr] o gas-mask.

gasmeter [-me.tǝr] m gas-meter.

gasmotor [-mo.tǝr] m gas-engine.

gasontploffing [-ɔntplɔfɪŋ] v gas-explosion.

gaspedaal [-pǝda.l] o & m accelerator (pedal).

gaspeldoorn, -doren [-pǝldo:rǝn] m ✿ whin.

gaspit [-pɪt] v gas-burner; (gasarm) gas-bracket.

gasrekening [-re.kǝnɪŋ] v gas-bill.

gassen ['gɑsǝ(n)] vt ⚔ gas.

gasslang ['gɑslɑŋ] v gas-tube.

gasstel [-stɛl] o zie gasfornuis en gaskomfoor.

gast [gɑst] m guest; visitor; stevige ~ robust fellow; bij iemand te ~ zijn be a person's guest.

gasteren [gɑs'te:rǝ(n)] vi star it, be starring.

gastheer ['gɑsthe:r] m host.

gasthoogleraar [-ho.xle:ra:r] m visiting professor.

gasthuis [-hœys] o hospital. [sor.

gastmaal [-ma.l] o feast, banquet.

gastoestel ['gɑstu.stɛl] o zie gasstel.

gastreren [gɑs'tre:rǝ(n)] vi feast, banquet.

gastrisch ['gɑstri.s] gastric.

gastrol ['gɑstrol] v star-part.

gastronomie [gɑstro.no.'mi.] v gastronomy.

gastronomisch [-'no.mi.s] gastronomic(al).

gastronoom [-'no.m] m gastronomer.

gasturbine ['gɑsty.rbi.nǝ] v ⚙ gas-turbine.

gastvoorstelling ['gɑstfo:rstɛlɪŋ] v starring-performance.

gastvrij [-frɛi] I aj hospitable; II ad hospitably.

gastvrijheid [gɑst'frɛiheit] v hospitality.

gastvrouw ['gɑstfrou] v hostess.

gasverbruik ['gɑsfǝrbrœyk] o gas-consumption.

gasverlichting [-fǝrlɪxtɪŋ] v gas-lighting.

gasvlam [-flɑm] v gas-flame.

gasvormig ['gɑsfɔrmǝx] gasiform, gaseous.

gasvorming ['gɑsfɔrmɪŋ] v gasification.

gat [gɑt] o hole, opening, gap [in a wall &]; een ~ F a dog-hole of a place; een ~ in de dag slapen sleep all the morning; een ~ in de lucht slaan stand aghast; een ~ stoppen stop a gap; een ~ maken om het andere te stoppen rob Peter to pay Paul; zich een ~ in het hoofd vallen break one's head; ergens geen ~ in zien not see a way out of it, not see one's way to... [do something]; iets in de ~en hebben F have got wind of a thing; have twigged it; iemand in de ~en hebben F have found out a person; hem in de ~en houden F keep one's eye on him; in de ~en krijgen F get wind of [a thing]; spot [a person].

gauw [gou] I aj 1 (v. beweging) quick, swift; 2 (v. verstand) quick; ik was hem te ~ af I was too quick for him; II ad quickly, quick; soon; ~ wat! be quick!; ik kom ~ I'm coming soon; dat zal hij niet zo ~ weer doen he won't do that again in a hurry; zo ~ hij mij zag as soon as he saw me.

gauwdief ['goudi.f] m thief, pilferer, pickpocket.

gauwdieverij [goudi.vǝ'rɛi] v thieving.

gauwigheid ['gouǝxheit] v quickness[2], swiftness; in de ~ 1 in a hurry; 2 in my hurry.

gave ['ga.vǝ] v gift[2].

gazel(le) [-'zɛl(ǝ)] v ⚛ gazelle.

gazen ['ga.zǝ(n)] aj gauze.

gazeus [ga.'zø.s] aerated [drinks], fizzy [lemonade].

gazon [-'zɔn] o lawn, green.

ge [gǝ] zie gij.

geaard °) [gǝ'a.rt] disposed.

geaardheid [-heit] v disposition, temper, nature.

geabonneerde [gǝabɔ'ne:rdǝ] m-v zie abonnee.

geaccidenteerd [-ɑksi.dɛn'te:rt] uneven, hilly [ground].

°) Samengestelde woorden met ge-, die hier niet gevonden worden, zoeke men onder het grondwoord zelf, b.v. **geaccrediteerd** bij **accrediteren**, enz.

geacht [-'αxt] respected, esteemed; *G~e heer* Dear Sir; *uw ~ schrijven* your esteemed letter, your favour.

geaderd [-'α.dərt] veined [skin, marble &].

geadresseerde [-adrɛ'se:rdə] *m-v* addressee; consignee [of goods].

geaffecteerd [-afɛk'te:rt] *aj (& ad)* affected(ly).

geaffecteerdheid [-hɛit] *v* affectedness, affectation.

geaffekteerd(-) zie *geaffecteerd(-).*

geagiteerd [-a.ʒi.'te:rt] agitated, flustered, fluttered, flurried, nervous, in a flutter.

Geallieerden [-αli.'e:rdə(n)] *mv* Allied Powers.

gearmd [-'αrmt] arm in arm.

gebaand [-'ba.nt] beaten [road].

gebaar [-'ba:r] *o* gesture², gesticulation; *gebaren maken* gesticulate, make gestures.

gebaard [-'ba:rt] bearded.

gebabbel [-'babəl] *o* prattle, tattle, chit-chat, gossip.

gebak [-'bαk] *o* pastry, cake(s), confectionery.

gebakje [-jə] *o* pastry (ook = *~s*), tart(let).

gebalk [gə'bαlk] *o* braying, bray.

gebaren [-'ba:rə(n)] *vi* gesticulate.

gebarenspel [-'ba:rə(n)spɛl] *o* I gesticulation, gestures; pantomime, dumb-show.

gebarentaal [-ta.l] *v* sign-language.

gebas [gə'bαs] *o* bark(ing).

gebazel [-'ba.zəl] *o* twaddle, balderdash.

gebed [-'bɛt] *o* prayer; *het ~ des Heren* the Lord's Prayer; *een ~ doen* say a prayer, pray.

gebedel [-'be.dəl] *o* begging.

gebedenboek [-'be.də(n)bu.k] *o* prayer-book.

gebeente [-'be.ntə] *o* bones.

gebeft [-'bɛft] with bands.

gebeier [-'bɛiər] *o* chiming, ringing.

gebekt [-'bɛkt] in: *goed ~ zijn* F have the gift of the gab; zie ook: *vogeltje.*

gebel [-'bɛl] *o* ringing.

gebelgd [-'bɛlxt] incensed, offended (at *over*).

gebelgdheid [-hɛit] *v* being incensed &, resentment; anger.

gebenedijd [gəbe.nə'dɛit] blessed.

gebergte [-'bɛrxtə] *o* (chain of) mountains.

gebeten [-'be.tə(n)] in: *~ zijn op iemand* have a grudge (spite) against one.

gebeuk [-'bø.k] *o* beating, battering &, zie 2 *beuken.*

gebeurde [-'bø:rdə] *het ~* what (had) happened, the happenings, the occurrence(s).

gebeuren [-'bø:rə(n)] *vi* happen, chance, occur, come about, come to pass, be; *het is me gebeurd, dat...* it has happened to me that...; *er ~ rare dingen* I strange things happen; 2 things come about (so) strangely; *wanneer zal het ~?* when is it to come about (come off, be)?; *dat zal me niet weer ~* that will not happen to me again; *wat er ook ~ moge* happen (come) what may; *het moet ~!* it must be done!; *wat ermee gebeurde, is onbekend* what happened to it is unknown.

gebeurlijk [-'bø:rlək] what may (is likely to) happen, possible.

gebeurlijkheid [-hɛit] *v* possibility, contingency; *verdere gebeurlijkheden afwachten* await developments.

gebeurtenis [gə'bø:rtənIs] *v* event, occurrence; *een blijde ~* a happy event.

gebeuzel [-'bø.zəl] *o* dawdling, trifling.

gebied [-'bi.t] *o* territory, dominion; area; [mining] district, [arctic] region; ⚖ jurisdiction; *fig* domain, sphere, department, province, field, range; *op het ~ van de kunst* in the domain (field, realms) of art; *dat behoort niet tot mijn ~* that is not within my province.

gebieden [-'bi.də(n)] I *vt* command, order, bid; II *vi* command, order; *~ over* command.

gebiedend [-dənt] imperious; imperative [necessity]; *de ~e wijs gram* the imperative (mood).

gebieder [-dər] *m* ruler, master, lord.

gebiedster [gə'bi.tstər] *v* ruler, mistress, lady.

gebiesd [-'bi.st] in: *oranje ~* orange-piped.

gebint(e) [gə'bInt(ə)] *o* cross-beams.

gebit [-'bIt] *o* I (echt) set of teeth, teeth; 2 (vals) set of artificial teeth, denture; 3 (v. ijzer) bit [of horses].

geblaas [-'bla.s] *o* blowing; (v. kat) spitting.

geblaat [-'bla.t] *o* bleating.

gebladerte [-'bla.dərtə] *o* foliage, leaves.

geblaf [-'blαf] *o* bark(ing).

geblaseerd [-bla.'ze:rt] blasé: cloyed with pleasure.

geblaseerdheid [-hɛit] *v* satiety.

gebliksem [gə'blIksəm] *o* I lightning; 2 **P** zie *gedonder 2.*

gebloemd [-'blu.mt] flowered.

geblok [-'blɔk] *o* S plodding, swotting, sapping.

geblokt [-'blɔkt] chequered.

gebluf [-'blúf] *o* boast(ing), brag(ging).

gebocheld [-'bɔxəlt] I *aj* hunchbacked, humpbacked; II *m-v ~e* hunchback, humpback.

gebod [-'bɔt] *o* command; *de ~en* I the [ten] commandments; 2 (huwelijksafkondiging) the banns.

geboefte [-'bu.ftə] *o* riff-raff, rabble.

gebogen [-'bo.gə(n)] bent, zie ook: *buigen.*

gebom [-'bɔm] *o* booming; ding-dong.

gebonden [-'bɔndə(n)] bound [books]; tied [hands &]; latent [heat]; thick [porridge]; *~ stijl* poetic style, verse; *je bent zo ~* it is such a tie.

gebondenheid [-hɛit] *v* state of being tied down; latency; thickness.

gebons [gə'bɔns] *o* thumping &, zie *bonzen.*

geboomte [-'bo.mtə] *o* trees.

geboorte [-'bo.rtə] *v* birth; *bij de ~* at birth; *een Fransman van ~* a Frenchman by birth, [he is] French-born; *een Groninger van ~* a native of Groningen.

geboorteakte [-αktə] *v* birth-certificate.

geboortedag [-dαx] *m* birthday.

geboortedatum [-da.tüm] *m* date of birth, birth-date.

geboortegrond [-grònt] *m* native soil.

geboortejaar [-ja:r] *o* year of a person's birth.

geboorteland [-lɑnt] *o* native land (country), (officieel) country of birth.

geboortencijfer [gə'bo:rtə(n)sɛifər] *o* birth-rate.

geboortenoverschot [-o.vərsxɔt] *o* excess of births.

geboortenregeling [-re.gəlɪŋ] *v* family planning, birth control.

geboortenregister [-rəgɪstər] *o* register of births.

geboorteplaats [gə'bo:rtəpla.ts] *v* birth-place, place of (one's) birth.

geboorterecht [-rɛxt] *o* birthright.

geboortestad [-stɑt] *v* native town.

geboortig [gə'bo:rtəx] in: ~ *uit A.* born in (at) A., a native of A.

geboren [-'bo:rə(n)] born; *hij is een ~ Fransman* he is a Frenchman by birth; *hij is een ~ Groninger* he is a native of Groningen; *Mevrouw A., ~ B.* Mrs. A., née B., maiden name B.; ~ *en getogen* born and bred.

geborgen [-'bɔrgə(n)] secure.

geborgenheid [-hɛit] *v* security.

geborneerd [gəbər'ne:rt] limited, narrow-minded, narrow.

geborrel [-'bɔrəl] *o* 1 (opborrelen) bubbling; 2 (drinken van borrels) tippling.

gebouw [-'bɔu] *o* building, edifice², structure², *fig* fabric.

Gebr. [-'bru.dərs] = *Gebroeders.*

gebraad [-'bra:t] *o* roast, roast meat.

gebrabbel [-'brɑbəl] *o* gibberish, jabber.

gebraden [-'bra.də(n), -'bra.jə(n)] roasted [potatoes], roast [meat].

gebrand [-'brɑnt] burnt &; zie *branden;* ~ *zijn op* be hot (keen) on [a thing]; be agog [to know...].

gebras [-'brɑs] *o* feasting &.

gebreid [-'brɛit] knitted; ~*e goederen* knitted goods, knitwear, hosiery.

gebrek [-'brɛk] *o* 1 (tekort) want, lack, shortage (of *aan);* 2 (armoede) want [= poverty]; 3 (fout) defect, fault, shortcoming; 4 (lichaams~) infirmity; ~ *hebben* zie ~ *lijden;* ~ *hebben aan* be in want of, be short of; *aan niets ~ hebben* want for nothing; ~ *lijden* suffer want, be in want; *er is ~ aan steenkolen* there is a famine in coal; *geen ~ aan klachten* no lack (want) of complaints; *bij ~ aan...* for want of...; in default of; *bij ~ aan iets beters* for lack of something better; *bij ~ daaraan* failing that, in the absence of such; *in ~e blijven te...* fail to...; *in ~e blijven te betalen* default; *uit ~ aan* for want of; *hij heeft de ~en zijner deugden* he has the defects of his qualities.

gebrekkelijk [-'brɛkələk] infirm, crippled.

gebrekkelijkheid [-hɛit] *v* infirmity.

gebrekkig [gə'brɛkəx] I *aj* 1 (v. personen) invalid [by injury], infirm [through age]; 2 (v.

---

zaken) defective [machines], faulty [English]; II *ad* in: *zich ~ uitdrukken* express oneself badly (imperfectly, poorly); murder the King's English.

gebrekkigheid [-hɛit] *v* defectiveness, faultiness.

gebrild [gə'brɪlt] spectacled.

gebroddel [-'brɔdəl] *o* bungling &.

gebroed [-'bru.t] *o* brood.

gebroeders [-'bru.dərs] *mv* brothers; *de ~ P.* the P. brothers, $ P. Brothers, P. Bros.

gebroken [-'bro.kə(n)] broken²; ~ *getal* fractional number, fraction; ~ *rib* 🍞 ook: fractured rib.

gebrom [-'bròm] *o* 1 buzz(ing), humming &; growling [of a dog, of a person]; *fig* grumbling.

gebrouilleerd [-bru.(l)'je:rt] not on the best of terms.

gebruik [-'brœyk] *o* 1 use [of cosmetics, opium &]; 2 employment [of special means]; 3 consumption [of food]; 4 custom, usage, habit, practice [followed in various countries]; ~ *maken van* use, make use of [a thing]; avail oneself of [an offer, opportunity]; *een goed ~ maken van* make good use of [a thing], put [it] to good use, turn [one's time] to good account; *veel ~ maken van* make a great use of; *buiten ~* out of use; *in ~ (hebben)* (have) in use; *in ~ nemen (stellen)* put into use; *naar aloud ~* according to time-honoured custom; *ten ~e van* for the use of; *voor dagelijks ~* for everyday use, for daily wear.

gebruikelijk [-'brœykələk] usual, customary.

gebruikelijkheid [-hɛit] *v* usage.

gebruiken [gə'brœykə(n)] *vt* 1 use, make use of, employ [means]; 2 partake of, take [food, a drink, the waters]; 3 (verbruiken) consume; *hij kan (van) alles...* he has a use for everything; *ik kan het (hem) niet ~* I have no use for it (for him); *Gods naam ijdellijk ~* B take God's name in vain; *zal u wat ~?* are you going to take some refreshment?; *wat zal u ~?* what will you have?, F what's yours?

gebruiker [-kər] *m* user.

gebruiksaanwijzing [gə'brœyksa.nʋɛizɪŋ] *v* directions for use.

gebruiksvoorwerp [-vo:rʋɛrp] *o* article (thing) of use, useful object.

gebruikswaarde [-va:rdə] *v* utility.

gebruind [gə'brœynt] sunburnt, tanned.

gebruis [-'brœys] *o* 1 effervescence; 2 seething, roaring.

gebrul [-'brŭl] *o* roaring².

gebulder [-'bŭldər] *o* rumbling, booming &; ook: roar.

gebulk [-'bŭlk] *o* lowing, bellowing &.

gecharmeerd [-ʃɑr'me:rt] in: ~ *zijn op (van)* be taken with.

gecommitteerde [gəkòmi.'te:rdə] *m* delegate.

gecompliceerd [-kòmpli.'se:rt] complicated [affair]; complex [character, problem, situation &]; compound [fracture].

gecompliceerdheid [-ɦɛit] *v* complexity.

geconsigneerde [gəkònsi.'ɲe:rdə] *m* $ consign-
ee.

gedaagde [-'da.ɡdə] *m-v* 🔧 defendant.

gedaan [-'da.n] done, finished; ~ *geven* dismiss; ~ *krijgen* get the sack [of servants]; *ik
kan niets van hem* ~ *krijgen* I have no influence with him; *het is met hem* ~ it is all
over (P all up) with him; zie ook: *doen*.

gedaante [-tə] *v* shape, form, figure; *in de* ~
van... in the shape of...; *zich in zijn ware* ~
vertonen show oneself in one's true colours;
onder beiderlei ~*n* in both kinds; *van* ~
veranderen change one's shape; *van* ~ *verwisselen* 1 change one's shape; 2 ook: be
subject to metamorphosis [of insects].

gedaanteverwisseling [-vərʋisəliŋ] *v* metamorphosis.

gedaas [ɡə'da.s] *o* F balderdash, tosh.

gedachte [-'dɑxtə] *v* thought, idea; reflection;
notion; ~*n zijn tolvrij* thought is free; *de* ~
daaraan the thought of it; *de* ~ *dat ik zo iets
zou kunnen doen* the idea of my doing such a
thing; *geen* ~ *hebben op iets* have no thought
of it; not think of it; *ik had betere* ~*n van u*
I had a better opinion of you; *ik heb mijn
eigen* ~*n daarover* I have an idea of my own
about it; *hoge* ~*n hebben van* have a high idea
of; *zijn* ~*n erbij houden* keep one's mind on
what one is doing; *zijn* ~*n erover laten gaan*
give one's mind to the subject; just give a
thought to the matter; *waar zijn uw* ~*n?* what
are you thinking of?; *bij de* ~ *aan de dood*
when thinking of death; *in* ~*n* in thought;
ik zal het in ~ *houden* I'll remember it; *in* ~*n
verzonken* lost in thought; *in* ~*n zijn* be (deep)
in thought; *op de* ~ *komen* hit upon the idea;
hoe is hij op die ~ *gekomen?* what can have
suggested the idea to him?; *tot andere* ~*n
komen* come to think differently about the
matter; *hij kwam tot betere* ~*n* better thoughts
came to him; *dat is mij uit de* ~ *gegaan* it has
gone out of my mind; *dat moet je je maar uit
de* ~*n zetten* you must put it out of your
mind; *van* ~ *veranderen* change one's mind,
think better of it; *van* ~ *zijn om...* think of
...ing, mean to...

gedachteloos [-lo.s] *aj* (& *ad*) thoughtless(ly).

gedachteloosheid [gədɑxtə'lo.sɦɛit] *v* thoughtlessness.

gedachtenassociatie [gə'dɑxtə(n)ɑso.si.a.(t)si.] *v*
association of ideas, thought association.

gedachtengang [-gɑŋ] *m* train (line) of thought.

gedachtenis [-'dɑxtənis] *v* 1 (herinnering)
memory, remembrance; 2 (voorwerp ter
herinnering) memento, souvenir, keepsake;
ter ~ *van* in memory of.

gedachtenlezen [-'dɑxtə(n)le.zə(n)] *o* thought-
reading.

gedachtenlezer [-le.zər] *m* thought-reader,
mind reader.

gedachtenloop [-lo.p] *m* zie *gedachtengang*.

gedachtenoverbrenging [-o.vərbreŋiŋ] *v* thought-
transference.

gedachtenreeks [-re.ks] *v* train of thoughts.

gedachtenwisseling [-ʋisəliŋ] *v* exchange of
views.

gedachtig [gə'dɑxtəx] mindful (of); *wees mijner*
~ remember me [in your prayers].

gedans [-'dɑns] *o* dancing.

gedast [-'dɑst] cravatted.

gedaver [-'da.vər] *o* booming &.

gedecideerd [-de.si.'de:rt] *aj* (& *ad*) firm(ly),
decided(ly), resolute(ly).

gedecolleteerd [-de.kolə'te:rt] low-necked
[dress], [woman] in a low-necked dress.

gedeelte [-'de.ltə] *o* part, section; instalment;
bij ~*n* [pay] in instalments; *voor een groot*
~ largely; *voor het grootste* ~ for the most
(greater, better) part.

gedeeltelijk [-lək] I *aj* partial; ~*e betaling* part-
payment; II *ad* partly, in part.

gedegen [gə'de.gə(n)] 1 native [gold]; 2 (grondig) thorough [enquiry]; (degelijk) sound
[knowledge]; (wetenschappelijk~) scholarly [study].

gedegenereerd [-de.gənə're:rt] degenerate; *een*
~*e* a degenerate.

gedekolleteerd zie *gedecolleteerd*.

gedelegeerde [-de.lə'ge:rdə] *m* delegate.

gedenkbladen [-'deŋkbla.də(n)] *mv* zie *gedenk-
boeken*.

gedenkboek [-bu.k] *o* memorial book; ~*en*
annals, records.

gedenkdag [-dɑx] *m* anniversary.

gedenken [gə'deŋkə(n)] *vt* remember [in one's
prayers], commemorate.

gedenkjaar [gə'deŋkja:r] *o* memorial year.

gedenknaald [-na.lt] *v* memorial needle, obelisk.

gedenkpenning [-peniŋ] *m* commemorative
medal.

gedenkplaat [-pla.t] *v* (memorial) plaque.

gedenkrol [-rol] *v* annals, record.

gedenkschrift [-s(x)rift] *o* memoir.

gedenksteen [-ste.n] *m* memorial tablet (stone).

gedenkstuk [-stük] *o* memorial, monument.

gedenktafel [-ta.fəl] *v* memorial tablet.

gedenkteken [-te.kə(n)] *o* monument, memorial.

gedenkwaardig [gədeŋk'va:rdəx] memorable.

gedenkwaardigheid [-ɦɛit] *v* memorableness.

gedenkzuil [gə'deŋksœyl] *v* commemorative
column.

gedeponeerd [-de.po.'ne:rt] registered [trade
mark].

gedeporteerde [-de.pər'te:rdə] *m* deportee.

gedeputeerde [-de.py.'te:rdə] *m* deputy, delegate.

gedesillusioneerd [-de.zi.ly.si.o.'ne:rt] disillu-
sioned.

gedetailleerd [-de.tɑ'je:rt] I *aj* detailed; II *ad* in
detail.

gedetineerde [-de.ti.'ne:rdə] *m* prisoner.

gedicht [-'dixt] *o* poem.

gedienstig [-'di.nstəx] **I** *aj* obliging, > obsequious; ~*e geest* servant; *de een of andere* ~*e geest* F some officious meddler; **II** *ad* obligingly &; **III** *v* in: *onze* ~*e* J our domestic treasure.

gedienstigheid [-hɛit] *v* obligingness, > obsequiousness.

gedierte [gə'di:rtə] *o* 1 (dieren) animals, beasts; 2 (ongedierte) vermin.

gedijen [-'dɛiə(n)] *vi* thrive, prosper, flourish.

geding [-'dɪŋ] *o* ½½ lawsuit, action, cause, case; *fig* controversy; *in het* ~ *zijn* be in question.

gedisponeerd [-dɪspo.'ne:rt] in: *ik ben er niet toe* ~ I am not in the mood for it.

gedistilleerd [-dɪstɪ'le:rt] *o* spirits.

gedistingeerd [-dɪstɪŋ'ge:rt] distingué, distinguished; refined [taste].

gedobbel [-'dɔbəl] *o* gambling², dicing.

gedocumenteerd [-do.ky.mɛn'te:rt] well-documented [report &]; $ documentary [draft].

gedoe [-'du.] *o* doings, bustle; *het hele* ~*(tje)* F the whole affair, the whole business.

gedogen [-'do.gə(n)] *vt* suffer, permit, allow, tolerate.

gedokumenteerd zie *gedocumenteerd*.

gedonder [-'dɔndər] *o* 1 *eig* thunder; 2 P trouble, botheration; skylarking.

gedonderjaag [-ja.x] *o* P ballyragging.

gedraaf [gə'dra.f] *o* trotting (about).

gedraai [-'dra:i] *o* turning; wriggling; *fig* shuffling.

gedraal [-'dra.l] *o* lingering, tarrying, delay.

gedrag [-'drax] *o* [moral] conduct, behaviour, bearing; [outward] demeanour, deportment [also in chemical expirement].

gedragen [gə'dra.gə(n)] *zich* ~ behave, conduct oneself; *zich netjes* ~ behave (oneself).

gedragingen [-gɪŋə(n)] *mv* zie *gedrag*.

gedragscijfer [gə'draxsɛifər] *o* ⌒ conduct mark.

gedragslijn [gə'draxslɛin] *v* line of conduct, line of action, course.

gedragsregel [-re.gəl] *m* rule of conduct.

gedrang [gə'draŋ] *o* crowd, throng, crush; *in het* ~ *komen* get in a crowd; *fig* be hard pressed; suffer, be neglected [of discipline &].

gedrentel [-'drɛntəl] *o* sauntering.

gedreun [-'drø.n] *o* droning &.

gedribbel [-'drɪbəl] *o* toddling; tripping.

gedrocht [-'drɔxt] *o* monster.

gedrochtelijk [-'drɔxtələk] *aj* (& *ad*) monstrous(ly).

gedrochtelijkheid [-hɛit] *v* monstrosity.

gedrongen [gə'drɔŋə(n)] 1 compact, terse [style]; 2 thick-set [body]; *wij voelen ons* ~ *te...* we feel prompted to...

gedrongenheid [-hɛit] *v* compactness, terseness.

gedruis [gə'drœys] *o* roar, roaring.

gedrukt [-'drŭkt] 1 printed [books, cottons &]; 2 depressed, dejected, in low spirits; 3 $ depressed, weak [of the market].

gedruktheid [-hɛit] *v* depression, dejection.

geducht [gə'dŭxt] **I** *aj* formidable, redoubtable,

feared; < tremendous [ook = huge]; **II** *ad* fearfully, tremendously.

geduld [-'dŭlt] *o* patience, forbearance; ~ *overwint alles* patience overcomes all things; ~ *hebben* (*oefenen*) have (exercise) patience; *be patient* [under trials]; *heb nog wat* ~ *met mij en ik zal...* have patience with me, and I shall...; *wij verloren ons* ~ we lost patience; *mijn* ~ *is op, mijn* ~ *is ten einde* my patience is at an end; *met* ~ with patience, patiently.

geduldig [-'dŭldəx] *aj* (& *ad*) patient(ly).

gedupeerde [-dy.'pe:rdə] *m-v* sufferer, victim.

gedurende [-'dy:rəndə] *prep* during, for, ook: pending; over; ~ *twee dagen* for two days (at a stretch); ~ *de laatste vijf jaar* over the last five years; ~ *het onderzoek* pending the inquiry; *het gebeurde* ~ *de vakantie* it happened during the holidays.

gedurig [-'dy:rəx] *aj* (& *ad*) continual(ly), incessant(ly).

geduw [-'dy:u] *o* pushing, hustling, elbowing.

gedwarrel [-'dʋarəl] *o* whirling, whirl.

gedwee [-'dʋe.] **I** *aj* pliant, meek, submissive.; **II** *ad* meekly, submissively.

gedweeheid [-hɛit] *v* pliancy, meekness, submissiveness.

gedweep [gə'dʋe.p] *o* fanaticism; F gushing enthusiasm.

gedwing [-'dʋɪŋ] *o* insistency, insistent begging.

gedwongen [-'dʋɔŋə(n)] **I** *aj* forced [avowal, laugh, loan &]; enforced [absence, idleness]; constrained [manner]; compulsory [service]; **II** *ad* forcedly &; [laugh] in a strained manner; *hij deed het* ~ he did it under compulsion.

gedwongenheid [-hɛit] *v* forcedness, constraint.

geëerd [gə'e:rt] honoured; *uw* ~*e letteren* your (esteemed) favour [of the...]; *uw* ~*e orders* $ your valued orders.

geef [ge.f] *te* ~ for nothing; *het is te* ~ it is dirt-cheap.

geefster ['ge.fstər] *v* giver, donor.

geel [ge.l] **I** *aj* yellow; **II** *sb* yellow; *het* ~ *van een ei* the yolk.

geelachtig ['ge.lɑxtəx] yellowish.

geelfilter [-filtər] *m* & *o* yellow filter.

geelgors [-gɔrs] *v* 🔬 yellow-hammer, yellowbunting.

geelheid [-hɛit] *v* yellowness.

geelkoper [-ko.pər] *o* brass.

geelkoperen [-ko.pərə(n)] *aj* brass.

geelzucht [-zŭxt] *v* jaundice.

geen [ge.n] no, none, not any, not one; ~ *ander kan dat* nobody else, no other; ~ *cent* not a (red) cent, not a (single) farthing; ~ *één* not (a single) one; *hij kent* ~ *Engels* he doesn't know (any) English; ~ *enkel geval* not a single case; ~ *geld meer* no money left; ~ *geld en ook* ~ *soldaten* no money nor soldiers either; *hij heet* ~ *Jan* he isn't called J.; *dat is* ~ *spelen* (*vechten* &) that is not playing the game, that is not (what you call) fighting; ~ *hunner* none (neither) of them.

geëndosseerde [gəəndə'se:rdə] *m* $ endorsee.

geëngageerd [-āga.'ʒe:rt] engaged; *de ~en* the engaged couple(s).

geenszins [ge.n'sɪns] not at all, by no means.

geep [ge.p] *v* 🐟 garfish.

geer [ge:r] *v* gore, gusset.

Geertje ['ge:rcə] *v* Gerty.

Geertruida [ge:r'trœyda.] *v* Gertrude.

geest [ge.st] *m* 1 (tegenover lichaam) spirit°, mind, intellect; 2 (geestigheid) wit; 3 (onlichamelijk wezen) spirit, ghost, spectre, phantom, apparition; [good, evil] genius; *de ~ des tijds* the spirit of the age; *~ van wijn* spirit(s) of wine; *boze ~en* evil spirits; *zijn boze ~* his evil genius; *zijn goede ~* his good genius; *er heerste een goede ~* a good spirit prevailed; *een grote ~* a great mind; *hoe groter ~, hoe groter beest* the greater the intellect, the worse the man; *de Heilige G~* the Holy Ghost; *vliegende ~* ammonia; *de ~ geven* breathe one's last, give up the ghost; *in de ~ was ik bij u* in (the) spirit; *in die ~ is het boek geschreven* that is the strain in which the book is written; *in die ~ handelen* act along these lines; *hij maakte nog een paar opmerkingen in deze ~* in the same strain, to the same effect; *naar de ~ zowel als naar de letter* in (the) spirit as well as in (the) letter; *voor de ~ brengen* (*roepen, halen*) call to mind, call up before the (our minds); *het komt mij voor de ~* it comes to my mind; *het staat mij nog voor de ~* it is still present to my mind; *voor de ~ zweven zie zweven*; *de ~ is gewillig, maar het vlees is zwak* B the spirit is willing, but the flesh is weak.

geestdodend [ge.s'do.dənt] dull, stupefying.

geestdrift ['ge.sdrɪft] *v* enthusiasm; *in ~ brengen* rouse to enthusiasm; enrapture; *in ~ geraken* become enthusiastic.

geestdriftig [ge.s'drɪftəx] *aj* (& *ad*) enthusiastic(ally).

geestdrijver ['ge.sdreɪvər] *m* fanatic.

geestdrijverij [ge.sdreɪvə'rei] *v* fanaticism.

geestelijk ['ge.stələk] I *aj* 1 (niet stoffelijk) spiritual [comfort]; 2 (van het verstand) intellectual, mental [gifts]; 3 (niet werelds) sacred [songs]; religious [orders], clerical, ecclesiastical [duties]; *~e zaken* things spiritual; II *ad* mentally [handicapped].

geestelijke [-lekə] *m* clergyman, divine; *RK* priest.

geestelijkheid [-lekheit] *v* clergy.

geesteloos [-lo.s] spiritless, insipid, dull.

geestenbezweerder ['ge.stə(n)bəzve:rdər] *m* exorcist; necromancer.

geestenbezwering [-bəzve:rɪŋ] *v* exorcism; necromancy.

geestenrijk [-reik] *o* geestenwereld [-ve:rəlt] *v* spirit world.

geestenziener [-zi.nər] *m* ghost-seer, visionary.

geestesgaven ['ge.stəsga.və(n)] *mv* intellectual

gifts, mental powers, (mental) parts.

geestesgesteldheid [-gəsteltheit] *v* mental condition, state of mind, mentality.

geesteskind [-kɪnt] *o* brain child.

geestesoog [-o.x] *o* mind's eye.

geestesproduct zie *geestesprodukt*.

geestesprodukt [-pro.dŭkt] *o* brain child.

geestesrichting [-rɪxtɪŋ] *v* spiritual bent.

geestestoestand [-tu.stant] *m* zie *geestesgesteldheid*.

geestesziek ['ge.stəsi.k] mentally sick.

geesteszieke [-si.kə] *m-v* mental patient.

geesteziekte [-si.ktə] *v* mental sickness, illness (disease) of the mind.

geestgrond(en) ['ge.stgrònt(-də(n))] *m* (*mv*) grounds along the foot of the dunes.

geestig ['ge.stəx] I *aj* witty, smart; II *ad* wittily, smartly.

geestigheid [-heit] *v* wit, wittiness; *geestigheden* witty things, witticisms.

geestkracht ['ge.stkraxt] *v* energy, strength of mind.

geestrijk [-reik] witty; *~e dranken* spirituous liquors, spirits.

geestverheffend [-fərhɛfənt] elevating (the mind).

geestvermogens [-fərmo.gəns] *mv* intellectual faculties, mental powers.

geestverrukking [-fərŭ.kɪŋ] *v* rapture, trance.

geestverschijning [-fərsxeinɪŋ] *v* apparition, phantom.

geestvervoering [-vu:rɪŋ] *v* exaltation, rapture.

geestverwant [-vant] I *aj* congenial; II *m* congenial (kindred) spirit; [political] supporter.

geestverwantschap [-sxap] *v* congeniality of mind.

geeuw [ge:u] *m* yawn.

geeuwen ['ge.və(n)] *vi* yawn.

geeuwer [-vər] *m* yawner.

geëvacueerde [gəe.va.ky.'e:rdə] *m-v* evacuee.

geëvenredigd [-e.vən're.dəxt] proportioned; *~ aan* proportioned (proportional, commensurate) to.

geëxalteerd [-ɛksal'te:rt] over-excited, overstrung.

gefailleerde [-fal'je:rdə] *m* bankrupt.

gefemel [-'fe.məl] *o* cant(ing).

gefingeerd [-fɪŋ'ge:rt] fictive, fictitious [name], feigned; *~e factuur* $ pro forma invoice.

gefladder [-'fladər] *o* fluttering, flutter, flitting.

gefleem [-'fle.m] gefliflooi [-'flɪkflo:i] *o* coaxing, wheedling.

geflikker [-'flɪkər] *o* twinkling, twinkle, flashing, flash.

geflirt [-'flœ:rt] *o* flirting, flirtation.

geflonker [-'flònkər] *o* sparkling, sparkle, twinkling, twinkle.

gefluister [-'flœystər] *o* whisper(ing), whispers.

gefluit [-'flœyt] *o* whistling [of a person, an engine]; warbling, singing [of birds]; hissing, catcalls [in theatre &].

geforceerd [-fər'se:rt] forced.

gefortuneerd [-fɔrty.'ne:rt] rich, wealthy; *de ~en* the rich.

gegadigde [-'ga.dəgdə] *m-v* party interested; intending purchaser; would-be contractor; applicant, candidate.

gegalm [-'galm] *o* 1 sound, resounding; 2 bawling; [monotonous] chant.

gegeneerd [-ʒə'ne:rt] embarrassed, uneasy.

gegeneerdheid [-hɛit] *v* embarrassment, uneasiness.

gegeven [gə'ge.və(n)] I *aj* given; II *o* datum [*mv* data]; fundamental idea, subject [of a play &].

gegiechel [-'gi.gəl] *o* giggling, titter(ing).

gegier [-'gi:r] *o* scream(ing).

gegil [-'gɪl] *o* screaming, yelling, screams, yells.

geglaceerd [-gla.'se:rt] 1 glazed [cardboard]; 2 iced [fruits].

geglansd [-'glɑnst] glazed.

gegoed [-'gu.t] well-to-do, well-off, in easy circumstances; *de meer ~en* those better-off.

gegoedheid [-hɛit] *v* wealth, easy circumstances.

gegolfd [gə'gɔlft] 1 undulating [hair]; 2 corrugated [iron].

gegons [-'gɔns] *o* buzz(ing), hum(ming) [of insects]; whirr(ing) [of wheels &].

gegoochel [-'go.gəl] *o* juggling[2].

gegooi [-'go:i] *o* throwing.

gegoten [-'go.tə(n)] cast [steel, iron].

gegrabbel [-'grɑbəl] *o* grabbling, scrambling, scramble [for money &].

gegradueerde [-gra.dy.'e:rdə] *m-v* graduate.

gegrinnik [-'grɪnək] *o* snigger, chortle.

gegroefd [-'gru.ft] grooved [beams]; fluted [columns].

gegrom [-'grɔm] *o* grumbling, growling[2].

gegrond [-'grɔnt] well-grounded, well-founded, just; *dit zijn ~e redenen om dankbaar te zijn* these are strong reasons for gratitude.

gegrondheid [-hɛit] *v* justice; soundness.

gehaaid [gə'ha:it] F knowing, wily.

gehaast [-'ha.st] hurried [work]; *~ zijn* be in a hurry.

gehaat [-'ha.t] hated, hateful, odious.

gehakt [-'hɑkt] *o* minced meat; *bal(letje) ~* minced-meat ball.

gehalte [-'hɑltə] *o* grade [of ore], alloy [of gold or silver], proof [of alcohol], percentage [of fat], standard[2]; *van degelijk ~* of (sterling) quality; *van gering ~* low-grade [ore]; *fig* of a low standard.

gehamer [-'ha.mər] *o* hammering.

gehandschoend [-'hɑntsxu.nt] gloved, wearing gloves.

gehard [-'hɑrt] 1 hardened, hardy [of body]; 2 tempered [steel]; *~ tegen* inured to.

gehardheid [-hɛit] *v* hardiness, inurement.

geharnast [gə'hɑrnɑst] 1 in armour; 2 *fig* fierce.

geharrewar [-'hɑrəvɑr] *o* bickering(s), squabble(s).

gehaspel [-'hɑspəl] *o* 1 bungling; 2 trouble; zie ook: *geharrewar.*

gehavend [-'ha.vənt] battered, dilapidated damaged.

gehecht [-'hɛxt] attached; *~ aan* attached to.

gehechtheid [-hɛit] *v* attachment.

geheel [gə'he.l] I *aj* whole, entire, complete; *~ Engeland* the whole of England, all England; *gehele getallen* whole numbers; *de gehele mens* the entire man; *de gehele stad* the whole town; zie verder *heel*; II *ad* wholly; entirely, completely, all [alone, ears &]; *~ (en al)* completely, quite; III *o* whole; *een ~ uitmaken (vormen)* form a whole; *in 't ~...* in all...; *in 't ~ niet* not at all; *in 't ~ niets* nothing at all; *in zijn ~* [the Church &] in its entirety; [swallow it] whole; [look on things] as a whole; *over het ~ (genomen)* (up)on the whole.

geheelonthouder [-ònthoudər] *m* total abstainer, teetotaller.

geheelonthouding [-dɪŋ] *v* total abstinence, teetotalism.

geheim [gə'hɛim] I *aj* secret [door, session, understanding &]; clandestine [trade]; occult [sciences]; private [ballots &]; *het moet ~ blijven* it must remain a secret, it must be kept (a) secret; *je moet het ~ houden (voor hen)* keep it (a) secret (from them); *wat ben je er ~ mee!* how secret(ive) (mysterious) you are about it!; *voor mij is hier niets ~* there are no secrets from me here; II *o* secret, mystery; *publiek ~* open secret; *het ~ bewaren* keep the secret; *in 't ~* in secret, secretly, in secrecy.

geheimenis [-ənɪs] *v* mystery.

geheimhoudend [gə'hɛimhoudənt] secret, secretive, close.

geheimhouding [-houdɪŋ] *v* secrecy.

geheimmiddel [-mɪdəl] *o* secret remedy, arcanum [*mv* arcana].

geheimschrift [-s(x)rɪft] *o* cipher, cryptography.

geheimschrijver [-s(x)rɛivər] *m* (private) secretary.

geheimzegel [-ze.gəl] *o* privy seal.

geheimzinnig [gəhɛim'zɪnəx] I *aj* mysterious; *hij is er erg ~ mee* he is very mysterious about it; II *ad* mysteriously.

geheimzinnigheid [-hɛit] *v* mysteriousness, mystery.

gehelmd [gə'hɛlmt] helmeted.

gehemelte [-'he.məltə] *o* palate.

geheugen [gə'hø.gə(n)] *o* memory; *iets in het ~ houden* keep something in mind.

geheugenis [-gənɪs] *v* memory.

geheugenwerk [gə'hø.gə(n)vɛrk] *o* a matter of memory.

gehijg [gə'hɛix] *o* panting, gasping.

gehinnik [-'hɪnək] *o* neighing, whinnying.

gehobbel [-'hɔbəl] *o* jolting.

gehoest [-'hu.st] *o* coughing.

gehol [-'hɔl] *o* running.

gehoor [-'ho:r] *o* 1 (zintuig) hearing; 2 (toehoorders) audience, auditory; 3 (geluid) sound; *een goed*~ a good ear for music; *geen* ~ no ear for music; ~ *geven aan de roepstem van...* give ear to the call of..., obey the call of...; ~ *geven aan een verzoek* comply with a request; ~ *krijgen* get (obtain) a hearing; *ik klopte, maar ik kreeg geen* ~ I I could not make myself heard; 2 ook: there was no answer; ~ *verlenen* give an audience, receive in audience; *ik was onder zijn* ~ I sat under him (that clergyman); *op het* ~ *spelen* ♪ play by ear; *ten gehore brengen* ♪ play, sing.

gehoorbuis [-bœys] *v* 1 acoustic duct [of the ear]; 2 ear-trumpet [for deaf people].

gehoorgang [-ɡɑŋ] *m* auditory canal.

gehoornd [ɡə'ho:rnt] horned.

gehoororganen [-'ho:rɔrɡə.nə(n)] *mv* auditory organs.

gehoorzaal [-za.l] *v* auditory, auditorium.

gehoorzaam [-za.m] *aj* (& *ad*) obedient(ly).

gehoorzaamheid [-za.mhɛit] *v* obedience; *iemand de* ~ *opzeggen* refuse to obey any longer; *tot* ~ *brengen* bring to obedience.

gehoorzamen [-za.mə(n)] I *vt* obey; *niet* ~ refuse obedience, disobey; *hij weet zich te doen* ~ he knows how to enforce obedience; II *vi* obey; ✗ obey orders; ~ *aan* obey, be obedient to; ~*d aan* in obedience to...

gehoorzenuw [-ze.ny:u] *v* auditory nerve.

gehorend = *gehoornd*.

gehorig [ɡə'ho:rəx] noisy, not soundproof.

gehots [-'hɔts] *o* jolting.

gehouden [-'hɑudə(n)] in: ~ *zijn om...* be bound to...

gehoudenheid [-hɛit] *v* obligation.

gehucht [ɡə'hŭxt] *o* hamlet.

gehuichel [-'hœyɡəl] *o* dissembling, hypocrisy.

gehuicheld [-ɡəlt] feigned, sham F put on.

gehuil [ɡə'hœyl] *o* howling [of dogs &], crying [of a child].

gehuisvest [-'hœysfɛst] lodged, housed.

gehumeurd [-hy.'mø:rt] in: *goed* ~ good-tempered; *slecht* ~ ill-tempered.

gehuppel [-'hŭpəl] *o* hopping, skipping, frisking.

gehuwd [-'hy:ut] *aj* married; ~*en* married people.

geigerteller ['ɡɛiɡərtɛlər] *m* Geiger counter.

geijkt [ɡə'ɛikt] in: ~*e termen* current (standing) expressions.

geil [ɡeil] 1 rank [of the soil]; 2 lascivious, lewd [of persons].

geilheid ['ɡeilhɛit] *v* 1 rankness; 2 lasciviousness, lewdness.

geïllustreerd [ɡəilŭs'tre:rt] illustrated.

gein [ɡɛin] *m* P (grappigheid, plezier) fun; (grap) joke.

geïndosseerde [ɡəindɔ'se:rdə] = *geëndosseerde*.

geïnteresseerd [-intərɛ'se:rt] interested; [watch something] with interest; *de* ~*en* the persons interested, those concerned.

geïnterneerde [-intɛr'ne:rdə] *m* internee; *de* ~*n* ook: the interned.

geintje ['ɡɛincə] *o* P joke, lark, prank.

geiser ['ɡɛizər] *m* geyser°.

geit [ɡɛit] *v* 1 (soortnaam) goat; 2 (vrouwelijk dier) she-goat.

geitele(d)er ['ɡɛitələ:r, -le.dər] *o* goatskin.

geitemelk [-mɛlk] *v* goat's milk.

geitenhoeder ['ɡɛitə(n)hu.dər] *m* goatherd.

geitenmelker [-mɛlkər] *m* 🐦 nightjar, goatsucker.

geitevel ['ɡɛitəvɛl] *o* goatskin.

geitje ['ɡɛicə] *o* 🐐 kid.

geizer ['ɡɛizər] zie *geiser*.

gejaag [ɡə'ja.x] *o* hunting; *fig* driving, hurrying.

gejaagd [-'ja.xt] I *aj* hurried, agitated, nervous; II *ad* hurriedly.

gejaagdheid [-hɛit] *v* hurry, agitation.

gejacht [ɡə'jɑxt] *o* hurry(ing), hustling, hustle.

gejammer [-'jɑmər] *o* lamenting, lamentation(s).

gejank [-'jɑŋk] *o* yelping, whining, whine.

gejodel [-'jo.dəl] *o* yodelling.

gejoel [-'ju.l] *o* shouting, shouts.

gejok [-'jɔk] *o* fibbing, story-telling.

gejouw [-'jou] *o* hooting, booing.

gejubel [-'jy.bəl] **gejuich** [-jœyx] *o* cheering, cheers, shouting, shouts.

1 **gek** [ɡɛk] I *aj* 1 (krankzinnig) mad, crazy, crack-brained, cracked; 2 (onwijs) mad, foolish [pranks], nonsensical, silly [remarks]; 3 (vreemd) odd, funny, queer, curious; 4 (bespottelijk) funny, queer; *dat is* ~ that is funny; that is queer; *het is nog zo* ~ *niet* that's not so dusty; *zo iets* ~*s* such a funny (queer) thing; ~ *genoeg, hij...* oddly enough, he...; *te* ~ *om los te lopen* too ridiculous; *die gedachte maakt je* ~ the thought is enough to drive you mad; ~ *opzien* (staan kijken) look foolish, sit up [at being told that...]; ~ *worden* go (run) mad; ~ *worden op...* run mad after...; *dat ziet er* ~ *uit* it is awkward; *zich* ~ *zoeken* seek till one is half crazy; *hij is* ~ *met dat kind* he is mad about the child; *hij is* ~ *op zeldzame postzegels* he is mad after (about, on) rare stamps; ~ *van woede* mad with rage; *het* ~*ke (van het geval) is, dat...* the odd thing is, that...; II *ad* like a madman; foolishly, oddly, funnily.

2 **gek** [ɡɛk] *m* 1 (krankzinnige) madman, lunatic; 2 (dwaas) fool; 3 (modegek) fop; 4 (schoorsteenkap) cowl, chimney-cap; *hij is een grote* ~ he is a downright fool; *een halve* ~ a half-mad fellow; *ouwe* ~ old fool; *de* ~ *scheren* (steken) *met iemand* zie *voor de gek houden*; *de* ~ *steken met iets* make sport of a thing; poke fun at a thing; *iemand voor de* ~ *houden* make a fool of one; *iemand voor* ~ *laten lopen* I let one walk about like an object; 2 send one on a fool's errand; *voor* ~ *spelen* play the fool; *als een* ~ *staan kijken* look foolish; *ik heb als een* ~ *moeten vliegen* (lopen) I had to run like mad; *de* ~*ken krijgen*

de kaart fools have fortune; *één ~ kan meer*
vragen dan honderd wijzen kunnen beantwoor-
den one fool can ask more than ten wise men
can answer.

gekabbel [gə'kabəl] *o* babbling, babble [of a
brook]; *het ~ der golfjes* the lap of the wave-
lets.

gekakel [-'ka.kəl] *o* cackling[2], cackle[2].

gekamd [-'kɑmt] crested [waves, birds &, ook
⊘].

gekanker [-'kaŋkər] *o* S grousing, grumbling.

gekant [-'kɑnt] in: *~ tegen* set against, opposed to, hostile to.

gekanteeld [-kɑn'te.lt] crenellated.

gekarteld [-'kɑrtəlt] 1 milled [coins]; 2 ⚥
crenate(d).

gekef [-'kɛf] *o* yapping.

gekeperd [-'ke.pərt] twilled.

gekerm [-'kɛrm] *o* groaning, groans, lamen-
tation(s).

gekeuvel [-'kø.vəl] *o* chat, chit-chat, tattle,
gossip.

gekheid ['gɛkhɛit] *v* folly, foolishness, foolery,
madness; *Gekheid!* Fiddlesticks!; *het is geen*
~ 1 I am not joking; 2 it is no joke, no jesting
matter; *uit ~* for a joke, in joke; *alle ~ op*
een stokje, zonder ~ joking apart; *~ maken*
joke; *je moet hier geen ~ uithalen!* no
foolery here!; *hij verstaat geen ~* he cannot
take a joke; *hij verstaat geen ~ op dat punt*
he is not to be trifled with as to that.

gekibbel [gə'kɪbəl] *o* bickering(s), squabbling.

gekietel [-'ki.təl] = *gekittel*.

gekijf [-'kɛif] *o* quarrelling, wrangling, dispute.

gekir [-'kɪr] *o* cooing.

gekittel [-'kɪtəl] *o* tickling, titillation.

gekken ['gɛkə(n)] *vi* jest, joke.

gekkenhuis [-hœys] *o* madhouse, lunatic asylum.

gekkennummer [-nŭmər] *o* eleven.

gekkenpraat [-pra.t] *m* foolish talk, nonsense.

gekkenwerk [-vɛrk] *o* (a piece of) folly.

gekkin [gɛ'kɪn] *v* foolish woman, fool.

gekko ['gɛko.] *m* ♈ gecko.

geklaag [gə'kla.x] *o* complaining, complaints.

geklad [-'klɑt] *o* daubing.

geklap [-'klɑp] *o eig* 1 clapping [of hands]; 2
cracking [of a whip]; *fig* prattle, tattle.

geklapper [-'klɑpər] *o* chattering [of the teeth].

geklater [-'kla.tər] *o* splash(ing).

gekleed [-'kle.t] dressed [persons, dolls]; *ge-*
klede jas frock-coat; *dat staat (niet) ~* it is
(not) dressy; *fig* it is (not) the thing.

geklep [-'klɛp] *o* tolling [of bells]; clatter [of
pigeon's wings]; clapping [of storks].

geklepper [-'klɛpər] *o* clatter(ing); zie ook: *ge-*
klep.

geklets [-'klɛts] *o* smacking, *fig* twaddle.

gekletter [-'klɛtər] *o* clattering &; zie *kletteren*.

gekleurd [-'klø.rt] coloured; *~ glas* stained
glass; *~e platen* colour plates.

geklik [-'klɪk] *o* tale-telling.

geklikklak [-'klɪklak] *o* click-clack.

geklok [-'klɔk] *o* clucking [of a hen].

geklop [-'klɔp] *o* 1 knocking [at a door]; 2
throbbing [of the pulse].

geklots [-'klɔts] *o* dashing [of the waves].

geknaag [-'kna.x] *o* gnawing.

geknabbel [-'knɑbəl] *o* nibbling, munching.

geknars [-'knɑrs] *o* gnashing [of the teeth],
grinding.

geknetter [-'knɛtər] *o* crackling.

gekneusd [-'knø.st] bruised.

gekneveld [-'kne.vəlt] moustached; zie ook:
knevelen.

geknies [-'kni.s] *o* fretting, moping.

geknipt [-'knɪpt] in: *~ voor* cut out for [a
teacher], tailor-made for [the job].

geknoei [-'knu:i] *o* bungling &; zie ook: *ge-*
konkel.

geknor [-'knɔr] *o* grumbling; grunting, grunt.

geknutsel [-'knŭtsəl] *o* pottering; zie ook:
knutselwerk.

gekommitteerde zie *gecommitteerde*.

gecompliceerd(-) zie *gecompliceerd(-)*.

gekonkel [-'kɔ̀ŋkəl] *o* intriguing, plotting, intrigues.

geconsigneerde zie *geconsigneerde*.

gekoppeld [-'kɔpəlt] coupled.

gekout [-'kout] *o* talk, chat(ting).

gekraai [-'kra:i] *o* crowing[2].

gekraak [-'kra.k] *o* creaking; *met een luid ~*
with a loud crash.

gekrabbel [-'krɑbəl] *o* 1 scratching; 2 *zijn ~*
his scrawl, his scribbling.

gekrakeel [-kra.'ke.l] *o* quarrelling, wrangling.

gekras [-'krɑs] *o* croaking, screeching;
scratching [of a pen].

gekreun [-'krø.n] *o* groaning, groans, moan-
(ing).

gekriebel [-'kri.bəl] *o* 1 tickling; 2 zie *kriebel-*
schrift.

gekrieuwel [-'kri.vəl] *o* tickling.

gekrijs [-'krɛis] *o* screeching.

gekrioel [-kri.'u.l] *o* swarming.

gekroesd [-'kru.st] crisped, crisp, fuzzy.

gekromd [-'krɔmt] curved.

gekscheren ['gɛksxe:rə(n)] *vi* jest, joke, banter;
~ met poke fun at; *hij laat niet met zich ~*
he is not to be trifled with; *zonder ~* joking
apart.

gekuch [gə'kŭx] *o* coughing.

gekuifd [-'kœyft] crested [waves]; tufted
[birds].

gekuip [-'kœyp] *o* zie *gekonkel*.

gekunsteld [-'kŭnstəlt] artificial, mannered,
affected.

gekunsteldheid [-hɛit] *v* artificiality, mannerism.

gekus [gə'kŭs] *o* kissing.

gekwaak [-'kva.k] *o* quack-quack, quacking
[of ducks]; croaking [of frogs or ravens].

gekwebbel [-'kvɛbəl] *o* F jawing, chattering.

gekweel [-'kve.l] *o* warbling.

gekwezel [-'kve.zəl] *o* zie *gefemel*.

gekwijl [-'kveil] *o* drivelling[a], slobber.

gekwispel [-'kvispəl] *o* (tail-)wagging.

gelaagd [-'la.xt] stratified.

gelaagdheid [-heit] *v* stratification.

gelaarsd [gə'la:rst] booted; *de ~e kat* Puss in Boots.

gelaat [-'la.t] *o* countenance, face.

gelaatkunde [-kűndə] *v* physiognomy.

gelaatkundige [gəla.t'kűndəgə] *m* physiognomist.

gelaatskleur [gə'la.tsklø:r] *v* complexion.

gelaatstrek [-trɛk] *m* feature.

gelaatsuitdrukking [-œytdrűkɪŋ] *v* facial expression.

gelach [gə'lɑx] *o* laughter, laughing.

gelag [gə'lɑx] *o* in: *het ~ betalen* pay for the drinks; *fig* pay the piper; *het is een hard ~* it is hard lines, a hard case, rather a wrench.

gelagkamer [-ka.mər] *v* bar-room, tap-room.

gelamenteer [gəla.mən'te:r] *o* lamenting, lamentations.

gelang [-'lɑŋ] *naar ~* [their action was] in keeping; *naar ~...* according as... [we are rich or poor], as... [we grow older, we...]; *naar ~ van* in proportion to, according to; *naar ~ van omstandigheden* according to the circumstances of the case; as circumstances may require.

gelasten [-'lɑstə(n)] *vt* order, charge, instruct.

gelastigde [-'lɑstəgdə] *m* proxy, delegate, deputy.

gelaten [-'la.tə(n)] *aj* (& *ad*) resigned(ly).

gelatenheid [-heit] *v* resignation.

gelatine [ʒəla.'ti.nə] *v* gelatine.

gelatineachtig [-ɑxtəx] gelatinous.

gelatinepudding [-pűdɪŋ] *m* jelly.

geld [gɛlt] *o* money; *(af)gepast ~* zie *afgepast*; *gereed ~* ready money, cash; *klein ~* change, small coin; *slecht ~* bad (base) coin; *de nodige ~en* the necessary moneys; *er is geen ~* there is no money stirring; *goed ~ naar kwaad ~ gooien* throw good money after bad; *zijn ~ in het water gooien (smijten)* throw away one's money; *het ~ groeit mij niet op de rug* do you think I am made of money?; *~ hebben* have some money, have private means; *~ hebben als water* have tons of money; *dat zal ~ kosten* it will cost a pretty penny; *~ slaan* coin money; *~ slaan uit* make money (capital) out of...; *~ stukslaan* make the money fly; *heb je al ~ terug?* have you got your change?; *~en toestaan voor...* vote money towards...; *~ verdienen als water* coin money; *duizend gulden aan ~* in cash; *een meisje met ~* a moneyed girl; *zijn... te ~e maken* convert one's... into cash, realize; *van zijn ~ leven* live on one's capital (private means); *voor geen ~ van de wereld* not for the world; *voor ~ of goede woorden* for love or money; *een meisje zonder ~* a moneyless (dowerless) girl; *geen ~ geen Zwitsers* nothing for nothing; *~ is de ziel van de negotie* money is the sinews of war; *het ~ moet rollen* money is round, it will roll; *~ verzoet de arbeid ±* money makes labour(s) sweet.

geldadel ['gɛlta.dəl] *m* moneyed aristocracy.

geldbelegging [-bəlɛgɪŋ] *v* investment.

geldbeurs [-bø:rs] *v* purse.

geldboete [-bu.tə] *v* (money-)fine.

geldbuidel [-bœydəl] *m* money-bag.

gelddorst ['gɛldɔrst] *m* thirst for money.

geldduivel [-dœyvəl] *m* 1 demon of money; 2 (vrek) money-grubber.

geldelijk ['gɛldələk] I *aj* monetary [matters]; pecuniary [considerations], financial [support]; money [contributions, reward]; II *ad* financially.

gelden ['gɛldə(n)] I *vi* 1 (kosten) cost, be worth; 2 (v. kracht zijn) be in force, obtain, hold (good); 3 (betrekking hebben op) concern, apply to, refer to; *dat geldt niet* that does not count; *dat geldt van ons allen* it holds good with regard to all of us; *het geldt mij méér dan al het andere (dan schatten)* it outweighs all the rest with me; *mijn eerste gedachte gold hem* my first thought was of him; *zulke redenen ~ hier niet* do not hold in this case; *zulke redenen ~ bij mij niet* carry no weight with me; *die wetten ~ hier niet* do not hold (good), cannot be applied here; *zijn invloed doen (laten) ~* assert one's influence, make one's influence felt; *zich doen ~* 1 (v. personen) assert oneself; 2 (v. zaken) assert itself, make itself felt; *dat laat ik ~* I grant (admit) that; II *onpersoonlijk* in: *wie geldt het hier?* who is aimed at?; *het geldt hier te...* the great point is...; *het geldt uw leven* your life is at stake; *als het... geldt* when it is a question of...; *wanneer het u zelf geldt* when you are concerned.

Gelderland ['gɛldərlɑnt] *o* Guelders.

Gelders ['gɛldərs] Guelders.

Geldersman [-mɑn] *m* native of Guelders.

geldgebrek ['gɛltgəbrɛk] *o* want of money; *~ hebben* be short of money.

geldhandel [-hɑndəl] *m* money-trade.

geldhandelaar [-dəla.r] *m* money-broker.

geldig ['gɛldəx] valid; *~ voor de wet* valid in law; *~ voor een maand na de dag van afgifte* valid (available) for a month after the day of issue.

geldigheid [-heit] *v* validity.

geldigheidsduur [-heitsdy:r] *m* period of validity.

geldkist ['gɛltkɪst] *v* strong-box.

geldkistje [-kɪʃə] *o* cash-box.

geldkwestie [-kvesti.] *v* question of money.

geldla(de) [-la.(də)] *v* cash-drawer, till.

geldlening [-le.nɪŋ] *v* loan.

geldloterij [-lo.tərɛi] *v* money-lottery.

geldmagnaat [-mɑxna.t] *m* financial magnate.

geldman [-mɑn] *m* financier, capitalist.

geldmarkt [-mɑrkt] *v* money-market.

geldmiddelen [-mɪdələ(n)] *mv* pecuniary resources, means; *zijn* ~ ook: his finances.

geldnood [-no.t] *m* shortage of money; *in* ~ *zijn* be short of money.

geldsanering [-sa.neːrɪŋ] *v* currency reform.

geldschaarste [-sxaːrstə] *v* scarcity of money.

geldschieter [-sxi.tər] *m* money-lender.

geldsom [-sòm] *v* sum of money.

geldsoort [-soːrt] *v* kind of money, coin.

geldstuk [-stük] *o* coin.

geldswaarde ['gɛltsvaːrdə] *v* money value, value in money, monetary value.

geldswaardige papieren [gɛlts'vaːrdəgəpa.'piːrə(n)] *mv* valuable papers, securities.

geldtrommel ['gɛltròməl] *v* cash-box.

geldverlegenheid ['gɛltfərle.gə(n)hɛit] *v* pecuniary embarrassment, pecuniary difficulties.

geldverspilling [-fərspɪlɪŋ] *v* waste of money.

geldvoorraad [-foːra.t] *m* stock of money.

geldwezen [-ve.zə(n)] *o* finance. [prise.

geldwinning [-vɪnɪŋ] *v* money-making enter-

geldwisselaar [-vɪsəla:r] *m* money-changer.

geldwolf [-vòlf] *m* money-grubber.

geldzaak [-sa.k] *v* money affair; money matter.

geldzak [-sak] *m* money-bag².

geldzending [-sɛndɪŋ] *v* remittance.

geldzorgen [-sɔrgə(n)] *mv* money troubles (worries).

geldzucht [-süxt] *v* love of money.

geldzuchtig [gɛlt'süxtəx] covetous, money-grubbing.

geldzuivering ['gɛltsœyvərɪŋ] *v* currency reform.

geleden [gəˈle.də(n), -ˈle.jə(n)] past; *het is lang* ~ it is long since, long ago, a long time ago.

gelederen [-ˈle.dərə(n)] *mv* zie **gelid**.

geleding [-ˈle.dɪŋ] *v* 1 articulation, joint [of the bones]; 2 ✂ joint; 3 indentation [of coastline]; 4 *fig* section [of the people].

geleerd [-ˈleːrt] learned; *dat is mij te* ~ that is beyond me, beyond my comprehension.

geleerde [-ˈle.rdə] *m-v* 1 learned man, scholar; learned woman, scholar; 2 [atomic] scientist.

geleerdheid [-ˈleːrthɛit] *v* learning, erudition.

gelegen [-ˈle.gə(n)] 1 lying, situated; 2 convenient; *het is er zó mee* ~ that is how matters stand; *als het u* ~ *komt* if it suits your convenience, at your convenience; *net* ~ at an opportune moment, just in time; *het komt mij niet* ~ it is not convenient (to me) just now; *daar is veel aan* ~ it is of great importance; *daar is niets aan* ~ it is of no consequence; *ik laat mij veel aan hem* ~ *liggen* I interest myself in him; *te* ~ *er tijd* zie **tijd**.

gelegenheid [-hɛit] *v* opportunity; occasion; *er was* ~ *om te dansen* there was a place for dancing-purposes; *de* ~ *aangrijpen om...* seize the opportunity to... (for..., of ...ing); *iemand (de)* ~ *geven om...* give (afford) one an opportunity to... (for ...ing); *de* ~ *hebben om...* have an opportunity to... (of ...ing); *(de)* ~ *krijgen* get, find, be given an oppor-

tunity (to, of, for); *wanneer hij er de* ~ *toe zag* when he saw his opportunity; *een* ~ *voorbij laten gaan* miss an opportunity; *als de* ~ *zich aanbiedt* when the opportunity offers, when occasion arises; *bij* ~ 1 on occasion, occasionally [I go there]; 2 at the first opportunity [I mean to do it]; *bij een andere* ~ on some other occasion; *bij deze* ~ on this occasion; *bij de een of andere* ~ as opportunity occurs; *bij de eerste* ~ at (on) the first opportunity; *bij de eerste* ~ *vertrekken* sail by first steamer, leave by the next train; *bij elke (iedere)* ~ on every occasion, on all occasions; *bij feestelijke gelegenheden* on festive occasions; *bij voorkomende* ~ when opportunity offers, when occasion arises; *bij gelegenheden ben ik in het zwart* for social events I wear black; *bij* ~ *van zijn huwelijk* on the occasion of his marriage; *iemand in de* ~ *stellen om...* give one an opportunity to...; *in de* ~ *zijn om...* have opportunities to...; *per eerste* ~ zie *bij de eerste* ~; *ter* ~ *van* on the occasion of; *de* ~ *maakt de dief* opportunity makes the thief.

gelegenheidsgedicht [-hɛitsgədɪxt] *o* occasional verses.

gelegenheidsgezicht [-gəzɪxt] *o* face put on for the occasion.

gelegenheidsstuk [-hɛitstük] *o* occasional piece.

gelei [ʒəˈlɛi] *m & v* 1 (voor vlees &) jelly; 2 (v. vruchten) preserve(s), jelly, jam; *paling in* ~ jellied eel(s).

geleiachtig [-axtəx] jelly-like.

geleibiljet [gəˈlɛibɪljɛt] *o* permit.

geleibrief [-briːf] *m* safe-conduct.

geleide [-də] *o* 1 guidance, care, protection; 2 ✕ escort; 3 ⚓ convoy; *mag ik u mijn* ~ *aanbieden?* may I offer to accompany you (to see you home)? *onder* ~ *van* 1 (v. gasten &) escorted by; 2 (v. jongedames) chaperoned by.

geleidehond [-hònt] *m* guide-dog (for the blind).

geleidelijk [gəˈlɛidələk] I *aj* gradual; II *a* gradually, by degrees, little by little.

geleidelijkheid [-hɛit] *v* gradualness.

geleiden [gəˈlɛidə(n)] *vt* 1 lead, conduct, accompany [persons]; 2 conduct [electricity, heat].

geleider [-dər] *m* 1 leader, conductor, guide; 2 (warmte, elektr.) conductor.

geleiding [-dɪŋ] *v* 1 (abstract) leading, conducting; conduction [of electricity, heat]; (concreet) conduit, pipe, ▒ wire.

geleidingsvermogen [-dɪŋsfərmo.gə(n)] *o* conductivity.

geleidraad [gəˈlɛidra.t] *m* ▒ conducting-wire.

geleidster [gəˈlɛitstər] *v* leader, conductress, guide.

gelen ['ge.lə(n)] I *vt* make yellow; II *vi* grow yellow.

geletterd [gəˈlɛtərt] lettered², literary; ~*e ma* of letters; *de* ~*en* ook: the literati.

geleuter [-'lø.tər] *o* rot, drivel, twaddle.

gelezen [-'le.zə(n)] read; *het ~e* the things (books &) read.

gelid [-'lɪt] *o* 1 joint [of, in the body]; 2 ✗ rank, file; *de gelederen der liberalen* the ranks of the liberals; *dubbele (enkele) gelederen* ✗ double (single) files; *in ~ opstellen* ✗ align; *zich in ~ opstellen* ✗ draw up; *uit het ~ zie lid*; *uit het ~ treden* leave the ranks, ✗ fall out.

geliefd [-'li.ft] 1 beloved, dear; 2 zie *geliefkoosd*.

geliefde [-'li.vdə] *m-v* sweetheart, beloved, [his] lady-love, [her] lover.

geliefhebber [-'li.fhɛbər] *o* amateurism, dilettantism, dabbling [in politics &].

geliefkoosd [-ko.st] favourite.

1 **gelieven** [gə'li.və(n)] *mv* lovers.

2 **gelieven** [gə'li.və(n)] *vt* please; *gelieve mij te zenden* please send me; *dat gelief jij te zeggen* you are pleased to say so.

gelig ['ge.ləx] yellowish.

gelijk [gə'lɛik] I *aj* 1 (hetzelfde) similar, identical [things]; [they are] alike, equal, even [quantities]; 2 (gelijkwaardig) equivalent; 3 (effen) even, level, smooth; *~ en gelijkvormig* congruent [triangles]; *dat is mij ~* it is all the same to me; *mijn horloge is ~* my watch is right; *bent u ~?* have you got the right (exact) time?; *wij zijn ~* we are even (quits); *40 ~!* forty all!, [bij tennis] deuce!; *~ spel sp* draw; *twee en drie is ~ aan vijf* two and three equal (make) five; *zich ~ blijven* act consistently; *ze zijn ~ in grootte (jaren)* they are of a size, of an age; *~ van hoogte* of the same height; zie ook: *mate, munt* &; II *ad* 1 (evenmatig) equally; 2 (eender) alike, similarly; 3 (in gelijke porties) equally, evenly; 4 (tegelijkertijd) at the same time; III *cj* as, ✎ like; IV *o* right; *iemand ~ geven* grant that one is right; *~ hebben* be right; *soms*: be in the right; *hij heeft groot ~ dat hij het niet doet* he is quite right not to do it; *hij wil altijd ~ hebben* he always wants to know better; *~ krijgen* be put in the right; *iemand in het ~ stellen* declare that a person is right; decide in his favour; *de uitkomst heeft hem in het ~ gesteld* has proved him right, has justified him; zie ook: *gelijke*.

gelijkbenig [gəlɛik'be.nəx] isosceles [triangle].

gelijkbetekenend [-bə'te.kənənt] synonymous.

gelijke [gə'lɛikə] *m-v* equal; *hij heeft zijns ~ niet* there is no one like him, he has no equal; *van 's ~n!* (the) same to you!

gelijkelijk [-kələk] equally; zie verder *gelijk* II.

gelijken [-kə(n)] I *vt* be like, resemble, look like; II *vi ~ op* be like &; zie ook: 2 *lijken*.

gelijk- en gelijkvormigheid [gəlɛik ɛn gəlɛik-'fərməxhɛit] *v* congruence.

gelijkenis [gə'lɛikənɪs] *v* 1 (overeenkomst) likeness, resemblance (to *met*), similitude; 2 parable.

gelijkgerechtigd [gəlɛikgə'rɛxtəxt] having equal rights, equal.

gelijkgerechtigdheid [-hɛit] *v* equality.

gelijkgezind [gəlɛikgə'zɪnt] of one mind, likeminded.

gelijkheid [gə'lɛikhɛit] *v* 1 equality; 2 parity [among members of a church]; 3 similarity, likeness; 4 evenness, smoothness [of a path, road]; zie ook: *voet*.

gelijkhoekig [gəlɛik'ʰu.kəx] equiangular.

gelijkknippen [-'lɛiknɪpə(n)] *vt* trim.

gelijklopend [gə'lɛiklo.pənt] 1 (v. lijnen) parallel; 2 (v. uurwerken) keeping good time.

gelijkluidend [gəlɛik'lœydənt] 1 ♪ consonant; homonymous [words]; 2 of the same tenor, identical [clauses]; *~ afschrift* true copy.

gelijkluidendheid [-hɛit] *v* 1 ♪ consonance; 2 conformity.

gelijkmaken [gə'lɛikma.kə(n)] I *vt* 1 equalize [quantities]; 2 level [with], raze [to the ground]; II *vi sp* equalize.

gelijkmaker [-kər] *m sp* equalizer.

gelijkmaking [-kɪŋ] *v* equalization; levelling.

gelijkmatig [gəlɛik'ma.təx] I *aj* equal, equable, even [temper &], uniform [size, acceleration]; II *ad* equally, equably, evenly, uniformly.

gelijkmatigheid [-hɛit] *v* equability, equableness, evenness, uniformity.

gelijkmoedig [gəlɛik'mu.dəx] I *aj* of equable temperament; II *ad* with equanimity.

gelijkmoedigheid [-hɛit] *v* equanimity.

gelijknamig [gəlɛik'na.məx] of the same name; having the same denominator [of fractions]; ☷ similar [poles]; *~ maken* reduce to a common denominator [of fractions].

gelijkrichter [gə'lɛikrɪxtər] *m* ☷ ✝ rectifier.

gelijkschakelen [-sxa.kələ(n)] *vt fig* synchronize.

gelijkschakeling [-lɪŋ] *v fig* synchronization.

gelijkslachtig [gəlɛik'slɑxtəx] homogeneous.

gelijkslachtigheid [-hɛit] *v* homogeneousness.

gelijksoortig [gəlɛik'so:rtəx] homogeneous, similar.

gelijksoortigheid [-hɛit] *v* homogeneousness, similarity.

gelijkspelen [gə'lɛikspe.lə(n)] *vi sp* draw (a game).

gelijkstaan [-sta.n] *vi* be equal, be on a level; *~ met* be equal to, be equivalent to, be tantamount to, amount to [an insult &]; be on a level (on a par) with [a minister &].

gelijkstellen [-stɛlə(n)] *vt* put on a level (on a par); *met Europeanen ~* assimilate [natives] with (to) Europeans.

gelijkstelling [-stɛlɪŋ] *v* equalization; levelling; assimilation.

gelijkstroom [-stro.m] *m* ☷ direct current.

gelijkteken [-te.kə(n)] *o* sign of equality.

gelijktijdig [gəlɛik'tɛidəx] I *aj* simultaneous, synchronous; *~e schrijvers* contemporary writers; II *ad* simultaneously.

gelijktijdigheid [-hɛit] *v* simultaneousness, simultaneity, synchronism.

gelijkvloers [gəlɛik'flu:rs] on the ground floor.

gelijkvormig [-'fɔrməx] of the same form, similar.

gelijkvormigheid [-hɛit] *v* similarity.

gelijkwaardig [gəlɛik'va:rdəx] equal in value, equivalent; equal [members, partners].

gelijkwaardigheid [-hɛit] *v* equivalence; equality [between the sexes].

gelijkzetten [gə'lɛiksɛtə(n)] *vt* in: *de klok* ∼ set the clock (right); ∼ *met* set by; *hun horloges met elkaar* ∼ synchronize their watches.

gelijkzijdig [gəlɛik'sɛidəx] equilateral [triangles].

gelik [gə'lık] *o* licking.

gelinieerd [-li.ni.'e:rt] ruled.

gelispel [-'lıspəl] *o* lisping, lisp.

gelobd [-'lɔpt] lobed, lobate.

geloei [-'lu:i] *o* lowing, bellowing; roaring, roar; wail [of sirens].

gelofte [-'lɔftə] *v* vow [of poverty], promise; *de* ∼ *afleggen RK* take the vow; *een* ∼ *doen* make a vow.

gelonk [-'lɔŋk] *o* ogling.

geloof [-'lo.f] *o* 1 (kerkelijk) faith, belief, creed; 2 (niet kerkelijk) belief, credit, credence; trust; *de twaalf artikelen des* ∼*s* the Apostles' Creed; *het* ∼ *verzet bergen* faith will remove mountains; *een blind* ∼ *hebben in* have an implicit faith in; ∼ *hechten (slaan) aan* give credence to, give credit to, believe; *het verdient geen* ∼ it deserves no credit; ∼ *vinden* be credited; *op goed* ∼ on trust.

geloofsartikel [gə'lo.fsɑrti.kəl] *o* article of faith.

geloofsbelijdenis [-bəlɛidənıs] *v* confession of faith, profession of faith, creed.

geloofsbrieven [-bri.və(n)] *mv* 1 letters of credence, credentials [of an ambassador]; 2 documentary proof of one's election.

geloofsdwang [-dvaŋ] *m* coercion (constraint) in religious matters, religious constraint.

geloofsgenoot [-gəno.t] *m* co-religionist.

geloofsgeschil [-gəsxıl] *o* religious difference.

geloofsijver [-ɛivər] *m* religious zeal.

geloofsleer [-le:r] *v* doctrine (of faith).

geloofsovertuiging [-o.vərtœygıŋ] *v* religious conviction.

geloofspunt [-pűnt] *o* doctrinal point.

geloofstwist [-tvıst] *m* religious quarrel.

geloofsvervolging [-fərvɔlgıŋ] *v* religious persecution.

geloofsverzaker [-fərza.kər] *m* apostate, renegade.

geloofsverzaking [-kıŋ] *v* apostasy.

geloofsvrijheid [gə'lo.fsfrɛihɛit] *v* religious liberty.

geloofswaarheid [-va:rhɛit] *v* religious truth.

geloofszaak [gə'lo.fsa.k] *v* matter of faith.

geloofwaardig [gəlo.f'va:rdəx] I *aj* credible [of

things]; trustworthy, reliable [of persons]; II *ad* credibly.

geloofwaardigheid [-hɛit] *v* credibleness, credibility, trustworthiness, reliability.

geloop [gə'lo.p] *o* running.

geloven [-'lo.və(n)] *vi* & *vt* 1 believe; 2 (menen) believe, think, be of opinion; *je kunt niet* ∼ *hoe...* you can't think (imagine) how...; *geloof dat maar!* you can take it from me!; *dat geloof ik!* I should think so!, I dare say; *ze* ∼ *het wel* they couldn't care less; *iemand op zijn woord* ∼ believe one on his word, take his word for it; ∼ *aan spoken* believe in ghosts; *hij moest eraan* ∼ there was no help for it, he had to...; *mijn jas moest er aan* ∼ my coat had to go; ∼ *in God* believe in God.

gelovig [-vəx] *aj* 1 believing; 2 earnest [Christian, prayer]; *de* ∼*en* the faithful, the believers.

gelovigheid [-hɛit] *v* 1 faith; 2 earnestness.

gelui [gə'lœy] *o* ringing, tolling, peal of bells, chime.

geluid [-'lœyt] *o* sound, noise.

geluiddempend [-'lœydɛmpənt] sound-deadening.

geluiddicht [-dıxt] soundproof.

geluidgevend [-'lœytge.vənt] sounding.

geluidloos [-lo.s] soundless.

geluidsband [gə'lœytsbɑnt] *m* recording tape.

geluidsbarrière [-bɑri.ɛ.rə] *v* sound barrier, sonic barrier.

geluidsfilm [-fılm] *m* sound film, sound picture.

geluidsgolf [-gɔlf] *v* sound wave.

geluidsingenieur [-ınʒəni.ø:r, -ınge.ni.ø:r] *m* sound engineer.

geluidsinstallatie [-ınstɑla.(t)si.] *v* sound equipment.

geluidsknal [-knɑl] *m* sonic boom, sonic bang.

geluidsleer [-le:r] *v* acoustics.

geluidsopname [-ɔpna.mə] *v* sound recording.

geluidssignaal [gə'lœytsi.ɲa.l] *o* sound signal.

geluidssnelheid [-snɛlhɛit] *v* sonic speed, speed of sound.

geluidsspoor [-spo:r] *o* sound track.

geluidsstrilling [gə'lœytstrılıŋ] *v* sound vibration.

geluier [gə'lœyər] *o* idling, lazing, laziness.

geluimd [-'lœymt] in the mood [for...], in the humour [to...]; *goed (slecht)* ∼ *in a good (bad) temper.*

geluk [-'lűk] *o* 1 (als gevoel) happiness, felicity [= intense happiness]; 2 (zegen) blessing; 3 (gunstig toeval) fortune, (good) luck, chance; 4 (succes) success; *dat is nu nog eens een* ∼ that is a piece of good fortune, indeed; ∼ *ermee!* I wish you joy of it!; *het* ∼ *dient u* you are always in luck; *meer* ∼ *dan wijsheid* there you were (I was) more lucky than wise; *zijn* ∼ *beproeven* try one's luck; ∼ *hebben* be fortunate, be in luck; *het* ∼ *hebben om...* have the good fortune to...; *hij mag nog van* ∼ *spreken* he may think himself lucky;

bij ~ by chance; *op goed* ~ (*af*) at a venture, at random, at haphazard.

gelukaanbrengend [-a.nbrɛŋənt] bringing luck, lucky.

gelukje [-jə] *o* piece (stroke) of good fortune, windfall.

gelukken [gə'lŭkə(n)] *vi* succeed; *alles gelukt hem* he is successful in everything; *als het gelukt* if the thing succeeds; *het gelukte hem...* he succeeded in ...ing; *het gelukte hem niet...* ook: he failed to...

gelukkig [-kəx] I *aj* 1 (v. gevoel) happy; 2 (v. kans) lucky, fortunate; 3 (goed gekozen &) felicitous; *een* ~*e dag* 1 a happy day; 2 a lucky day; *een* ~*e gedachte* a happy thought; *een* ~ *huwelijk* a happy marriage; ~ *in het spel, ongelukkig in de liefde* lucky at play (at cards), unlucky in love; *wie is de* ~*e?* who is the lucky one?; II *ad* 1 (beperkend) [live] happily; 2 (zinsbepalend) zie: *gelukkigerwijze*; ~! thank goodness!

gelukkigerwijs, -wijze [gəlŭkəgər'vɛis, -'vɛizə] fortunately, happiƚy, luckily.

geluksdag [gə'lŭksdax] *m* zie *gelukkige dag*.

gelukskind [-kɪnt] *o* favourite (spoiled child) of fortune, F lucky dog.

geluksnummer [-nŭmər] *o* lucky number.

gelukspop [-pòp] *v* mascot.

geluksster [gə'lŭkstɛr] *v* lucky star.

gelukstelegram [gə'lŭkste.ləgram] *o* greetings telegram.

geluksvogel [-fo.gəl] *m* F lucky bird (dog).

gelukwens [gə'lŭkvɛns] *m* congratulation.

gelukwensen [-vɛnsə(n)] *vt* congratulate (on *met*); wish [a person] good luck; wish [a person] joy (of it *ermee*).

gelukzalig [gəlŭk'sa.ləx] blessed, blissful; *de* ~*en* the blessed.

gelukzaligheid [-hɛit] *v* blessedness, bliss, felicity, beatitude.

gelukzoeker [gə'lŭksu.kər] *m* adventurer, fortune-hunter.

gemaakt [-'ma.kt] I *aj* 1 made; ready-made, ready-to-wear [clothes]; 2 affected, prim, finical [ways]; II *ad* affectedly, primly.

gemaaktheid [-hɛit] *v* affectation, primness.

1 **gemaal** [gə'ma.l] *o* 1 (het malen) grinding; 2 (in polder) pumping-engine; 3 *fig* F worry, bother.

2 **gemaal** [gə'ma.l] *m* (echtgenoot) consort, spouse.

gemachtigde [-'maxtəgdə] *m* proxy, deputy; (v. postwissel) endorsee.

gemak [-'mak] *o* 1 (gemakkelijkheid) ease, facility; 2 (rustigheid) ease; 3 (gerief) comfort, convenience; *hou je* ~! 1 I don't move; 2 keep quiet!; *zijn* ~ (*ervan*) *nemen* take one's ease; *met* ~ easily; *een huis met vele* ~*ken* a house with many conveniences; *op zijn* ~ at ease; *niet op zijn* ~ ill at ease; *hij had het op zijn* ~ *kunnen doen* he might have... and done it easily; *doe het op uw* ~

take it easy; take your time; *op zijn* ~ *gesteld* easy-going; *op zijn* ~ *winnen* have a walkover [of a race-horse]; *iemand op zijn* ~ *zetten* put one at ease; *zit je daar op je* ~? are you quite comfy there?; *van zijn* ~ *houden* love one's ease, like one's comforts; *van alle moderne* ~*ken voorzien* fitted with all modern conveniences; *voor 't* ~ for convenience (' sake).

gemakkelijk [-'makələk] I *aj* easy [sums, chairs &]; commodious [house]; comfortable [armchairs]; *zij hebben het niet* ~ they are not having an easy time; *hij is wat* ~ he likes to take his ease (to take things easy); *hij is niet* ~, *hoor!* he is an ugly customer to deal with; he is hard to please; *het zich* ~ *maken* make oneself comfortable, take one's ease; take things easy; *neem een van die* ~*e stoelen* take one of those easy chairs; II *ad* [done] easily, at one's ease, with ease; conveniently [arranged], comfortably [settled]; ~ *te bereiken van...* within easy reach of...; *zit je daar* ~? are you comfortable there?; *die stoel zit* ~ that is an easy chair.

gemakkelijkheid [-hɛit] *v* facility, ease, easiness, commodiousness, comfortableness.

gemakshalve [gəmaks'halvə] for convenience (' sake).

gemakzucht [-'maksŭxt] *v* love of ease.

gemakzuchtig [-mak'sŭxtəx] easy-going.

gemalin [-ma.'lɪn] *v* consort, spouse, lady.

gemaniëreerd [gəma.ni:'re:rt] mannered.

gemaniëreerdheid [-hɛit] *v* mannerism.

gemarineerd [gəma:ri.'ne:rt] marinaded [herring].

gemarmerd [-'marmərt] marbled. [ring].

gemartel [-'martəl] *o* tormenting, torturing.

gemaskerd [-'maskərt] masked; ~ *bal* masked ball; *de* ~*en* the masked persons.

gematigd [-'ma.təxt] I *aj* moderate [claims]; measured [terms, words]; temperate [zones]; *de* ~*en* the moderates; II *ad* moderately.

gematigdheid [-hɛit] *v* 1 moderation; 2 temperateness.

gemauw [gə'mou] *o* mewing.

gember ['gɛmbər] *m* ginger.

gemberbier [-bi:r] *o* ginger ale, ginger beer.

gemeen [gə'me.n] I *aj* 1 (algemeen) common, public; 2 (gemeenschappelijk) common, joint; 3 (gewoon) common, ordinary; 4 (ordinair) common, vulgar, low; 5 (slecht in zijn soort) bad, inferior, vile; 6 (min) mean, base, scurvy; 7 (zedenkwetsend, vuil) obscene, foul, smutty; *een gemene jaap* an ugly gash; *die gemene jongens* 1 those vulgar boys; 2 those mean (bad) boys; *de gemene man* the common man, the man in the street; *een gemene streek* a dirty trick; *gemene taal* foul language, foul talk; *een gemene vent* a shabby fellow, a blackguard, a scamp; *de gemene zaak* the public cause, zie ook: *zaak*; ~ *hebben met* have in common with; *iets* ~ *maken* make it common property; II *ad* basely, meanly &; < beastly [cold &]; **III** *o* rabble, mob.

gemeend [-'me.nt] serious.

gemeengoed [-me.n'gu.t] *o* common property.

gemeenheid [-'me.nhɛit] *v* **I** meanness, baseness &; 2 F mean action, shabby trick.

gemeenlijk [-lək] commonly, usually.

gemeenplaats [-pla.ts] *v* commonplace [expression], platitude.

gemeenschap [-sxɑp] *v* **I** (aanraking) *eig* connection, communication², *fig* commerce, intercourse; 2 (maatschap) fellowship, community; communion [of saints]; 3 (gemeenschappelijkheid) community [of interests]; ~ hebben met have intercourse with [persons]; communicate with [a passage &]; in~ van goederen in community of goods.

gemeenschappelijk [gəme.n'sxɑpələk] **I** *aj* common [friend, market, room]; joint [property, interests, statement]; voor ~e kosten (rekening) on joint account; **II** *ad* in common, jointly; ~ optreden act in concert, act together.

gemeenschappelijkheid [-hɛit] *v* community.

gemeenschapsgevoel [gə'me.nsxɑpsgəvu.l] *o* communal sense.

gemeenslachtig [-me.n'slɑxtəx] of common gender.

gemeente [-'me.ntə] *v* **I** (burgerlijke) municipality; 2 (kerkelijke) parish; 3 (kerkgangers) congregation.

gemeenteambtenaar [-ɑmtəna:r] *m* municipal official.

gemeentebelasting [-bəlɑstɪŋ] *v* (town) rates.

gemeentebestuur [-bəsty:r] *o* municipality.

gemeentehuis [-hœys] *o* municipal hall.

gemeentelijk [-lək] municipal.

gemeentenaren [-na:rə(n)] *mv* inhabitants.

gemeenteraad [-ra.t] *m* town (municipal) council.

gemeenteraadslid [-ra.tslɪt] *o* town councillor.

gemeenteraadsverkiezing [-ra.tsfərki.zɪŋ] *v* municipal election.

gemeentereiniging [-rɛinəgɪŋ] *v* municipal scavenging department.

gemeenteschool [-sxo.l] *v* municipal school.

gemeentesecretaris, -sekretaris [-se.krəta:rəs] *m* town clerk.

gemeenteverordening [-vərərdənɪŋ] *v* by-law.

gemeentewerken [-vɛrkə(n)] *mv* municipal works.

gemeentewet [-vɛt] *v* Municipal Corporations Act.

gemeenzaam [gə'me.nza.m] familiar; ~ met familiar with.

gemeenzaamheid [-hɛit] *v* familiarity.

gemeld [gə'mɛlt] (above-)said, above-mentioned.

gemelijk ['ge.mələk] peevish, sullen, fretful, crusty, morose; de ~e ouderdom crabbed age.

gemelijkheid [-hɛit] *v* peevishness, sullenness &.

gemenebest [gəme.nə'bɛst] *o* commonwealth.

gemengd [-'mɛŋt] mixed, miscellaneous; ~e berichten, ~ nieuws miscellaneous news; ~ genot qualified pleasure; ~ getal mixed number; ~ gezelschap mixed company; ~ huwelijk mixed marriage; voor ~ koor ♪ for mixed voices.

gemeubileerd [-mø.bi.'le:rt] furnished.

gemiauw [-mi.'əu] *o* mewing.

gemiddeld [-'mɪdəlt] **I** *aj* average, mean; **II** *ad* on an average, on the average.

gemiddelde [-dəldə] *o* average.

gemijmer [gə'mɛimər] *o* reverie, musing, meditation.

gemijterd [-'mɛitərt] mitred.

gemis [-'mɪs] *o* want, lack; een ~ vergoeden make up for a deficiency; het ~ aan... the lack of...

gemodder [-'mòdər] *o* messing in the mud; *fig* bungling; wat een ~! what a mess!

gemoed [-'mu.t] *o* mind, heart; in ~e in (all) conscience; de ~eren waren verhit feeling was running high.

gemoedelijk [-'mu.dələk] **I** *aj* kind(-hearted), good-natured; heart-to-heart [talk]; **II** *ad* kind-heartedly, kindly, good-naturedly; ~ met iemand spreken have a heart-to-heart talk with one.

gemoedelijkheid [-hɛit] *v* kind-heartedness, good nature.

gemoedereerd [gəmu.də're:rt] F coolly, serenely.

gemoedsaandoening [-'mu.tsa.ndu.nɪŋ] *v* emotion.

gemoedsaard [-a:rt] *m* nature, disposition.

gemoedsbezwaar [-bəzva:r] *o* conscientious scruple.

gemoedsgesteldheid [-gəstɛlthɛit] *v* frame of mind, temper, disposition.

gemoedsleven [-le.və(n)] *o* inner life.

gemoedsrust [-rŭst] *v* peace of mind, tranquillity (of mind), serenity.

gemoedsstemming [gə'mu.tstɛmɪŋ] *v* mood; zie ook: gemoedsgesteldheid.

gemoedstoestand [gə'mu.tstu.stɑnt] *m* state of mind, disposition of mind, temper.

gemoeid [gə'mu:it] in: ...is er mee ~ ...is at stake; ...is involved; daar is veel... mee ~ it takes a lot of...

gemok [-'mək] *o* sulking.

gemompel [-'mòmpəl] *o* mumbling, muttering, murmur.

gemopper [-'məpər] *o* grumbling, S grousing.

gemor [-'mər] *o* murmuring, grumbling.

gemorrel [-'mərəl] *o* fumbling.

gemors [-'mòrs] *o* messing.

gems [gɛms] *v* ♣ chamois.

gemsle(d)er ['gɛmsle:r, -le.dər] = gemzele(d)er.

gemummel [gə'mŭməl] *o* mumbling.

gemunt [-'mŭnt] coined; op wie heb je het ~? who do you aim at?, who is it meant for

gemurmel [-'mŭrməl] *o* purl(ing), gurgling, murmur(ing).

gemutst [-'mŭtst] in: *goed (slecht)* ~ in a good (bad) temper.

gemzele(d)er ['gɛmzəle:r, -le.dər] *o* chamois, shammy (leather).

genaakbaar [gə'na.kba:r] accessible², approachable².

genaakbaarheid [-ɛit] *v* accessibility, approachableness.

genaamd [gə'na.mt] named, called.

genade [-'na.də] *v* grace [of God], mercy [from our fellow-men]; *ɪ̆z* pardon; *geen* ~! ✕ no quarter!; *goeie (grote)* ~! F good gracious!; *Uwe Genade* Your Grace; ~ *voor recht laten gelden* temper justice with mercy; *(geen)* ~ *vinden in de ogen van...* find (no) favour in the eyes of...; *aan de* ~ *van... overgeleverd zijn* be at the mercy of..., be left to the tender mercies of...; *door Gods* ~ by the grace of God; *weer in* ~ *aangenomen worden* be restored to grace (to favour); *om* ~ *bidden (smeken)* pray (cry) for mercy; *zich op* ~ *of ongenade overgeven* surrender at discretion; *een kunstenaar van Gods* ~ an artist by the grace of God; *van anderer* ~ *afhangen* be dependent upon the bounty of others; *zonder* ~ without mercy.

genadebrood [-bro.t] *o* bread of charity, bread of dependence; *hij eet het* ~ he eats the bread of charity, he lives upon charity.

genademiddel [-mɪdəl] *o* means of grace; *de* ~*en der Kerk RK* the sacraments.

genadeoord [-o:rt] *o RK* place of pilgrimage.

genadeslag [-slɑx] *m* finishing stroke, deathblow.

genadetroon [-tro.n] *m* throne of mercy.

genadig [gə'na.dəx] **I** *aj* merciful, gracious; *een* ~ *knikje* a gracious (condescending) nod; *God zij ons* ~ God have mercy upon us; *wees hem* ~ be merciful to him; **II** *ad* 1 mercifully; 2 graciously, patronizingly, condescendingly.

genaken [-'na.kə(n)] *vt & vi* approach, draw near; *hij is niet te* ~ he is inaccessible (unapproachable).

gênant [ʒə'nɑnt] embarrassing, awkward.

gendarme [ʒã'dɑrm(ə)] *m* gendarme.

gendarmerie [-dɑrmə'ri.] *v* gendarmerie.

gene ['ge.nə] that, the former; *aan* ~ *zijde van de rivier* beyond the river; *Napoleon en Wellington! * ~ *de... van Frankrijk, deze de... van Europa* the former..., the latter...

genealogie [ge.ne.a.lo.'gi.] *v* genealogy.

genealogisch [-'lo.gi.s] *aj* (& *ad*) genealogical(ly).

genealoog [-'lo.x] *m* genealogist.

geneesheer [gə'ne.she:r] *m* physician, doctor; ~*-directeur* medical superintendent.

geneeskracht [-krɑxt] *v* curative power, healing power.

geneeskrachtig [gəne.s'krɑxtəx] curative, healing [properties]; medicinal [springs], officinal [herbs].

geneeskunde [gə'ne.skŭndə] *v* medicine, medical science.

geneeskundig [-ne.s'kŭndəx] *aj* (& *ad*) medical(ly); *(gemeentelijke)* ~*e dienst* public health department; *arts van de (gemeentelijke)* ~*e dienst* medical officer of health.

geneeskundige [-dəgə] *m* zie *geneesheer*.

geneeslijk [gə'ne.sələk] curable.

geneeslijkheid [-ɛit] *v* curability.

geneesmiddel [gə'ne.smɪdəl] *o* remedy, medicine, physic.

geneeswijze [-vɛizə] *v* curative (medical) method.

genegen [gə'ne.gə(n)] inclined, disposed (to...); *iemand* ~ *zijn* feel favourably (friendly) disposed towards a person.

genegenheid [-hɛit] *v* inclination, affection.

geneigd [gə'nɛixt] in: ~ *om te (tot)...* inclined, disposed, apt to..., < prone to...

geneigdheid [-hɛit] *v* inclination, disposition, aptness, proneness, propensity.

1 **generaal** [ge.nə'ra.l] *aj* general; *generale bas* ♪ thoroughbass; zie ook: *repetitie*.

2 **generaal** [ge.nə'ra.l] *m* ✕ general.

generaal-majoor [-ra.lma.'jo:r] *m* ✕ majorgeneral.

generaalschap [-'ra.lsxɑp] *o* ✕ generalship.

generaliseren [-ra.li.'ze:rə(n)] *vi* generalize.

generalisering [-rɪŋ] *v* generalization.

generalissimus [ge.nəra.'lisi.mŭs] *m* ✕ generalissimo.

Generaliteit [-li.'tɛit] *v* ⚏ States General.

generalize- zie *generalise*-.

generatie [ge.nə'ra.(t)si.] *v* generation.

generator [-tər] *m* generator, [gas] producer.

generatorgas [-gɑs] *o* producer gas.

generen [ʒə'ne:rə(n)] **I** *vt* incommode, inconvenience; *geneer ik u?* am I in the way?; **II** *vr zich* ~ feel embarrassed; *geneer je maar niet!* 1 don't be shy! (there's plenty more); 2 don't stand on ceremony; *geneer u maar niet voor mij* never (don't) mind me; *zij geneerden zich het aan te nemen* they were nice about accepting it; *zij* ~ *zich zo iets te doen* they think shame of doing a thing like that.

generfd [gə'nɛrft] ⚶ nervate.

generhande, generlei ['ge.nərhɑndə, -lɛi] no manner of, no... whatever.

geneselijk(-) = *geneeslijk*(-).

Genesis, genesis ['ge.nəsɪs] *v* Genesis, genesis.

genetica, genetika [ge.'ne.ti.ka.] *v* genetics.

genetisch [-ti.s] *aj* (& *ad*) genetic(ally).

☉ **geneugte** [gə'nø.xtə] *v* pleasure, delight, delectation.

geneurie [-'nø:ri.] *o* humming.

Genève [ʒə'nɛ:və] *o* Geneva; *het meer van* ~ the Lake of Geneva.

genezen [gə'ne.zə(n)] **I** *vt* cure² [a patient, malaria], heal [wounds, the sick], restore [people] to health; *iemand* ~ *van...* cure² one of...; **II** *vi* get well again [of persons, wounds];

heal [of wounds]; recover (from *van*) [of persons].

genezing [-zıŋ] *v* cure, recovery, healing.

geniaal [ge.ni.'a.l] I *aj* [man, stroke, work] of genius; brilliant [idea, general]; II *ad* with genius; brilliantly.

genialiteit [-a.li.'tɛit] *v* genius.

1 **genie** [ʒə'ni.] *o* genius; *een* ~ a man of genius.

2 **genie** [ʒə'ni.] *v de* ~ ⚔ the Royal Engineers.

geniep [gə'ni.p] *in het* ~ in secret, secretly, on the sly, stealthily; > in a sneaky way.

genieperig, geniepig [-'ni.pərəx, -pəx] I *aj* sneaky, sneaking; II *ad* zie *in het geniep*.

geniepigerd [-pəgərt] *m* sneak.

geniepigheid [-pəxhɛit] *v* sneakiness.

genies [gə'ni.s] *o* sneezing.

geniesoldaat [ʒə'ni.sɔlda.t] *m* ⚔ engineer.

genietbaar [gə'ni.tba:r] enjoyable.

genieten [-'ni.tə(n)] I *vt* enjoy [a man's favour, poor health]; *een goede opvoeding genoten hebben* have received a good education; *een salaris* ~ receive (be in receipt of) a salary; II *vi* in: ~ *van* enjoy [one's dinner, the performance]; III *va* enjoy it.

genieter [-tər] *m* epicurean, sensualist.

genieting [-tıŋ] *v* enjoyment.

genietroepen [ʒə'ni.tru.pə(n)] *mv* ⚔ engineers.

genitief ['ge.ni.ti.f] *m* genitive.

genius [-ni.ús] *m* genius [*mv* genii].

genocide [ge.no.'si.də] *v* genocide.

genodigde [gə'no.dəgdə] *m-v* person invited, guest.

genoeg [-'nu.x] enough, sufficient(ly); ~ *hebben van iemand* have had enough of a person; ~ *hebben van alles* have enough of everything; *meer dan* ~ more than enough, enough and to spare; ~ *zijn* suffice, be sufficient; *zo is het* ~ ook: that will do; *vreemd* ~, *hij...* oddly enough, he...; *het moet u* ~ *zijn, dat ik...* you ought to be satisfied with the assurance that I...; *men kan niet voorzichtig* ~ *zijn* one cannot be too careful.

genoegdoening [-du.nıŋ] *v* satisfaction, reparation.

genoegen [gə'nu.gə(n)] *o* pleasure, delight; satisfaction; *u zult er* ~ *van beleven* it (he) will give you satisfaction; *dat zal hem* ~ *doen* he will be pleased (with it), be pleased (satisfied) to hear it; *dat doet mij* ~ I am very glad to hear it; *wil je mij het* ~ *doen bij mij te eten?* will you do me the pleasure (the favour) of dining with me?; *zijn* ~ *eten* eat one's fill; *wij hebben het* ~ *u mede te delen* we have pleasure in informing you...; *met wie heb ik het* ~ *(te spreken)?* may I ask whom I have the pleasure of speaking to?; *daarmee neem ik* ~ your assurance satisfies me; *daarmee neem ik geen* ~ I won't put up with that; ~ *scheppen in, (zijn)* ~ *vinden in* take (a) pleasure in; *met* ~ with pleasure; *met alle* ~ I shall be delighted!; *was het naar* ~? were

you satisfied with it (with them)?; *neem er van naar* ~ take as much (many) as you like; *ik kon niets naar zijn* ~ *doen* I couldn't possibly please (satisfy) him in anything; *als het niet naar* ~ *is* if it does not give satisfaction; *ten* ~ *van...* to the satisfaction of...; *adieu, tot* ~ *!* F good-bye!; I hope we shall meet again!; *tot mijn* ~ to my satisfaction; *hij reist voor zijn* ~ for pleasure.

genoeglijk [-g(ə)lək] I *aj* pleasant, agreeable, enjoyable; contented; II *ad* pleasantly; contentedly.

genoeglijkheid [-hɛit] *v* pleasantness, agreeableness; contentedness.

genoegzaam [gə'nu.xsa.m] *aj* (& *ad*) sufficient-

genoegzaamheid [-hɛit] *v* sufficiency. [(ly).

genoemd [gə'nu.mt] 1 named, called; 2 [the person] mentioned, (the) said person.

genoot [-'no.t] *m* fellow, companion, associate.

genootschap [-sxap] *o* society, association.

genot [gə'nɔt] *o* 1 joy, pleasure, delight; 2 enjoyment; 3 usufruct; ~ *verschaffen* afford pleasure; *onder het* ~ *van...* while enjoying...

genotmiddel [-mıdəl] *o* luxury.

genotrijk [-rɛik] **genotvol** [-fɔl] delightful.

genotziek [-si.k] pleasure-loving.

genotzoeker [-su.kər] *m* pleasure seeker.

genotzucht [-süxt] *v* love of pleasure.

genre ['ʒãrə] *o* genre, kind, style.

genreschilder [-sxıldər] *m* genre painter.

genrestuk [-stük] *o* genre piece.

gent [gɛnt] *m* 🦢 gander.

Gent [gɛnt] *o* Ghent.

gentiaan [gɛntsi.'a.n] *v* 🌿 gentian.

Genua ['ge.ny.a.] *o* Genoa.

Genuees [ge.ny.'e.s] Genoese [*mv* Genoese].

geoefend [gə'u.fənt] practised, trained, expert.

geograaf [ge.o.'gra.f] *m* geographer.

geografie [-gra.'fi.] *v* geography.

geografisch [-'gra.fi.s] I *aj* geographical; II *ad* geographically.

geologie [-lo.'gi.] *v* geology.

geologisch [-'lo.gi.s] *aj* (& *ad*) geological(ly).

geoloog [-'lo.x] *m* geologist.

geoorloofd [gə'o:rlo.ft] lawful, allowed, permitted, admissible, allowable.

George ['ʒɔ:rʒə] *m* George.

Georgië [-ʒi.ə] *o* Georgia.

gepaard [gə'pa:rt] 1 in pairs, in couples, coupled; 2 🌿 geminate; *dat gaat* ~ *met...* that is attended by..., that is coupled with...; that involves...; *en de daarmee* ~ *gaande...* the ... attendant upon it, [old age] and its attendant... [ills].

gepakt [-'pakt] ~ *en gezakt* all ready to depart.

gepantserd [-'pan(t)sərt] armoured; ~*e vuist* mailed fist; ~ *tegen* proof against.

gepareld [-'pa:rəlt] pearled.

geparenteerd [-pa.rɛn'te:rt] related (to *aan*).

gepast [-'past] I *aj* fit, fitting, proper, suitable, becoming; ~ *geld* zie *afgepast*; II *ad* fitly &.

gepastheid [-hɛit] *v* fitness, propriety, suitability, becomingness.

gepatenteerd [-pa.tɛn'te:rt] patented; *fig* arrant [liar].

gepeins [-'pɛins] *o* musing, meditation(s), pondering; *in diep* ~ *verzonken* absorbed in thought, in a brown study.

gepeld [-'pɛlt] peeled.

gepensioneerde [-pɛnsi.o.'ne:rdə] *m-v* pensioner.

gepeperd [-'pe.pərt] peppered, peppery[2]; *fig* 1 highly seasoned [stories], spiced [jests]; 2 salt, exorbitant [bills], stiff [prices].

gepeupel [-'pø.pəl] *o* mob, populace, rabble.

gepeuter [-'pø.tər] *o* picking; fumbling.

gepieker [-'pi.kər] *o* brooding.

gepiep [-'pi.p] *o* chirping, squeaking.

gepikeerd [-pi.'ke:rt] I *aj* piqued (at *over*); *hij is* ~ he is in a fit of pique; *gauw* ~ touchy; II *ad* with a touch of feeling.

gepikeerdheid [-hɛit] *v* pique.

gepimpel [gə'pɪmpəl] *o* toping, tippling.

gepingel [-'pɪŋəl] *o* haggling &.

geplaag [-'pla.x] *o* teasing &.

geplas [-'plɑs] *o* splashing, splash.

geploeter [-'plu.tər] *o* splashing; *fig* drudging.

gepoch [-'pɔx] *o* boasting, brag(ging).

geporteerd [-pɔr'te:rt] biassed (in favour of *voor*).

geposeerd [-po.'ze:rt] staid, steady, sober.

gepraat [-'pra.t] *o* talk, tattle.

gepreek [-'pre.k] *o* preaching, sermonizing, lecturing.

geprevel [-'pre.vəl] *o* muttering, mumbling.

geprikkeld [-'prɪkəlt] irritated; *...zei hij* ~ ...he said irritably.

geprikkeldheid [-hɛit] *v* irritation.

gepromoveerde [gəpro.mo.'ve:rdə] *m-v* graduate.

gepronk [-'prɔŋk] *o* ostentation.

geprononceerd [-pro.nòn'se:rt] pronounced[2].

gepruikt [-'prœykt] periwigged.

gepruil [-'prœyl] *o* pouting, sulkiness.

gepruts [-'prûts] *o* pottering.

gepruttel [-'prûtəl] *o* 1 simmering [of a kettle]; 2 grumbling [of a person].

geraakt [-'ra.kt] hit, touched; *fig* piqued, offended.

geraaktheid [-hɛit] *v* pique, irritation.

geraamte [gə'ra.mtə] *o* skeleton [of animal or vegetable body]; carcass [of ship]; shell [of a house]; frame, framework [of anything].

geraas [-'ra.s] *o* noise, din, hubbub, clamour, roar.

geraaskal [-kɑl] *o* raving(s).

geraden [gə'ra.də(n), -ra.jə(n)] in: *iets* ~ *achten* think it advisable; *het is je* ~ 1 you had better not; 2 you had better do it.

geraffineerd [-rɑfi.'ne:rt] 1 refined[2] [sugar; taste]; 2 (sluw) clever; *een* ~*e schelm* a consummate, thorough-paced rogue.

geraken [-'ra.kə(n)] *vi* get, come to, arrive,

attain; zie ook: *raken*; *in gesprek* ~ get into conversation; *in iemands gunst* ~ win a person's favour; *in verval* ~ fall into decay; *onder dieven* ~ fall among thieves; *te water* ~ fall into the water; *tot zijn doel* ~ attain one's end.

gerammel [-'rɑməl] *o* clanking, rattling.

gerand [-'rɑnt] edged [lace]; rimmed [glasses]; bordered [parterres]; milled [coins].

geranium [-'ra.ni.ũm] *v ❋* geranium.

gerant [ʒe:'rã] *m* manager.

Gerard ['ge:rɑrt] *m* Gerard.

geratel [gə'ra.təl] *o* rattling.

geravot [-ra.'vɔt] *o* romping.

1 **gerecht** [-'rɛxt] *aj* just, condign [punishment], righteous [ire]; ~*e hemel!* good Heavens!

2 **gerecht** [-'rɛxt] *o* 1 *rₜ* court (of justice), tribunal; 2 course; [egg &] dish; *voor het* ~ *dagen* summon; *voor het* ~ *moeten verschijnen* have to appear in court.

gerechtelijk [-'rɛxtələk] I *aj* judicial [sale, murder]; legal [adviser]; ~*e geneeskunde* forensic medicine; II *ad* judicially; legally; *iemand* ~ *vervolgen* proceed against one, bring an action against one.

gerechtigd [-təxt] authorized, qualified, entitled.

gerechtigheid [-təxhɛit] *v* justice.

gerechtsbode [gə'rɛxtsbo.də] *m* usher.

gerechtsdag [-dɑx] *m* court-day.

gerechtsdienaar [-di.na:r] *m* zie *politieagent*.

gerechtshof [-hɔf] *o* court (of justice).

gerechtskosten [-kɔstə(n)] *mv* legal charges; costs.

gerechtszaal [gə'rɛxtsa.l] *v* court-room.

geredelijk [gə're.dələk] readily.

geredeneer [-re.də'ne:r] *o* reasoning, arguing.

gereed [gə're.t] ready [money, to do something]; ~ *houden* hold ready, hold in readiness; *zich* ~ *houden* hold oneself in readiness, stand by [to assist a person]; ~ *leggen* put in readiness, lay out; ~ *liggen* be (lie) ready; (*zich*) ~ *maken* make (get) ready, prepare; ~ *staan* be (stand) ready; ~ *zetten* put ready, set out [the tea-things], lay [dinner].

gereedheid [-hɛit] *v* readiness; *in* ~ *brengen* put in readiness, get ready.

gereedschap [-sxɑp] *o* tools, instruments, implements, utensils.

gereedschapskist [-sxɑpskɪst] *v* tool-box, tool-chest.

gereformeerd [gəre.fɔr'me:rt] Calvinist; *de* ~*en* the Calvinists.

geregeld [-'re.gəlt] I *aj* regular, orderly, fixed; ~*e veldslag* pitched battle; II *ad* regularly.

geregeldheid [-hɛit] *v* regularity.

gerei [gə'rɛi] *o* things [for tea &], tackle [for shaving &].

gereis [-'rɛis] *o* travelling.

gerekt [-'rɛkt] long-drawn(-out), long-winded; *ietwat* ~ ook: lengthy.

gerektheid [-hɛit] *v* long-windedness, lengthiness.

1 geren ['ge:rə(n)] I *vi* slant; II *vt* gore.

2 geren [gə'rɛn] *o* running.

gerenommeerd [-re.nò'me:rt] famous, renowned.

gerepatrieerde [-re.pa.tri.'e:rdə] *m-v* repatriate.

gereserveerd [-re.zɛr've:rt] reserved².

gereserveerdheid [-hɛit] *v* reserve.

gereutel [gə'rø.təl] *o* [dying man's] death-rattle.

geriatrie [ge.ri.a.'tri.] *v* geriatrics.

geribd [gə'rɪpt] ribbed.

gericht [-'rɪxt] *o* in: *het jongste* ~ judgment-day.

gerief [-'ri.f] *o* convenience, comfort; *veel* ~ *bieden* offer many comforts; *ten gerieve van...* for the convenience of...

gerief(e)lijk [-'ri.fələk] *aj* (& *ad*) commodious(ly), convenient(ly), comfortable (comfortably).

gerief(e)lijkheid [-hɛit] *v* commodiousness, convenience, accommodation.

gerieven [gə'ri.və(n)] *vt* accommodate, oblige [persons].

gerij [-'rɛi] *o* 1 riding, driving; 2 noisy bustle of cars and carriages.

gerijmel [-'rɛiməl] *o* rhyming.

gering [-'rɪŋ] small, scanty, inconsiderable, slight, trifling, low; *van niet* ~*e bekwaamheid* of no mean ability; *een* ~*e dunk hebben van* have a poor opinion of; *een* ~*e kans* a slender chance; *met* ~ *succes* with scant success.

geringd [-'rɪŋt] ringed.

geringheid [-'rɪŋhɛit] *v* smallness, scantiness.

geringschatten [-sxɑtə(n)] *vt* hold cheap, have a low opinion of, disparage.

geringschattend [-tənt] *aj* (& *ad*) slighting(ly).

geringschatting [-tɪŋ] *v* disdain, disregard, slight.

gerinkel [gə'rɪŋkəl] *o* jingling.

geritsel [-'rɪtsəl] *o* rustling, rustle.

Germaan [gɛr'ma.n] *m* Teuton.

Germaans [-'ma.ns] Teutonic, Germanic.

Germanië [-'ma.ni.ə] *v* Germany.

germanisme [-ma.'nɪsmə] *o* germanism.

gerochel [gə'roɣəl] *o* death-rattle; ruckle.

geroddel [-'rɔdəl] *o* talk, gossip.

geroep [-'ru.p] *o* calling, shouting, shouts, call.

geroerd [-'ru:rt] touched; moved [person].

geroezemoes [-'ru.zəmu.s] *o* bustle; buzz(ing).

geroffel [-'rɔfəl] *o* roll, rub-a-dub [of a drum].

gerokt [-'rɔkt] zie *in rok*.

gerol [-'rɔl] *o* rolling.

gerommel [-'ròməl] *o* rumbling [of a cart, of thunder].

geronk [-'ròŋk] *o* snoring [of a sleeper]; snorting [of an engine], drone [of aircraft], zie *ronken*.

geronnen [-'rònə(n)] curdled [milk], clotted [blood].

gerontologie [ge.rònto.lo.'gi.] *v* gerontology.

geroutineerd [gəru.ti.'ne:rt] (thoroughly) experienced.

Gerrit ['gɛrət] *m* Gerard.

gerst [gɛrst] *v* barley.

gerstekorrel ['gɛrstəkɔrəl] *m* barleycorn.

gerstemeel [-me.l] *o* barley-meal.

gerstenat [-nɑt] *o* beer.

gerstewater [-va.tər] *o* barley-water.

gerstkorrel ['gɛrstkɔrəl] = *gerstekorrel*.

gerucht [gə'rŭxt] *o* rumour, report; noise; *e loopt een* ~ *dat...* it is rumoured that...; ~ *maken* make a noise; *het (een)* ~ *verspreide (dat)...* spread a rumour, noise it abroad (that)...; *bij* ~*e* [know] by (from) hearsay *in een kwaad* ~ *staan* be in bad repute; *hij voor geen klein* ~(*je*) *vervaard* he is no easily frightened.

geruchtmakend [-ma.kənt] sensational.

geruim [gə'rœym] in: *een* ~*e tijd* a long time a considerable time.

geruis [-'rœys] *o* noise [of moving thing], rustling, rustle [of a dress, leaf], murmur [of stream], rushing [of a torrent].

geruisloos [-lo.s] *aj* (& *ad*) noiseless(ly), silent (ly).

geruit [gə'rœyt] checked, chequered.

gerust [-'rŭst] I *aj* quiet; easy; *u kunt er* ~ *o zijn, dat...* you may rest assured that...; *wee daar maar* ~ *op* make your mind easy o that score; II *ad* [sleep] quietly; *ik durf* ~ *beweren, dat...* I venture to say that...; *u kun er* ~ *heengaan* without fear; *zij kunnen* ~ *wegblijven* they may stay away and welcome *u kunt* ~ *zeggen, dat...* you may say with clear conscience that...; *wij kunnen dat* ~ *zeggen* we may safely say that.

gerustheid [-hɛit] *v* peace of mind, tranquillity

geruststellen [-stɛlə(n)] *vt* set [a person's mind at ease, reassure [a man].

geruststellend [-lənt] reassuring.

geruststelling [-lɪŋ] *v* reassurance.

gesar [gə'sar] *o* teasing &.

geschal [-'sxɑl] *o* shouting, sound [of voices] clangour [of the winding of a horn].

geschapen [-'sxa.pə(n)] created; *het staat slech* ~ *met...* ...is in a pitiful condition (state).

gescharrel [-'sxɑrəl] *o* scraping &, zie *scharrelen*.

geschater [-'sxa.tər] *o* burst (shout) of laughter; *hun* ~ their peals of laughter.

gescheiden [-'sxɛidə(n)] separated [gardens] divorced [women]; [living] apart.

geschel [-'sxɛl] *o* ringing.

gescheld [-'sxɛlt] *o* abuse (of *op*).

geschenk [-'sxɛŋk] *o* present, gift; *iets ten* ~ *geven* make a present of a thing, presen (one) with a thing.

geschenkbon [-bòn] *m* gift voucher.

geschenkzending [-sɛndɪŋ] *v* gift parcel.

gescherm [gə'sxɛrm] *o* fencing, zie *schermen*.

geschermutsel [-sxɛr'mŭtsəl] *o* ⚔ skirmishing.

escherts [-'sxɛrts] o joking, jesting.

eschetter [-'sxɛtər] o flourish, blare; *fig* bragging.

escheurd [-'sxø:rt] torn [books, clothes &].

eschiedboeken [-'sxi.tbu.kə(n)] *mv* annals, records.

eschieden [-'sxi.də(n)] *vi* happen, come to pass, occur, chance; befall, take place; *Uw wil geschiede* Thy will be done!

eschiedenis [-dənɪs] *v* history; story; *de hele* ~ F the whole affair; *een mooie* ~! a pretty story!, a pretty kettle of fish!; *het is weer de oude* ~ it is the old story over again; *een rare* ~ a queer story; *het is een saaie (taaie)* ~ it is a flat affair, a tedious business; *dat zal spoedig tot de* ~ *behoren* that will soon be a thing of the past.

eschiedenisboek [-bu.k] o history book.

eschiedenisleraar [-le:ra:r] *m* history master.

eschiedenisles [-lɛs] *v* history lesson.

eschiedkunde [gə'sxi.tkŭndə] *v* history.

eschiedkundig [gəsxi.t'kŭndəx] *aj* (& *ad*) historical(ly).

eschiedkundige [-dəgə] *m* historian.

eschiedrol [gə'sxi.trɔl] *v* record, archives.

eschiedschrijver [-s(x)rɛivər] *m* historical writer, historian.

eschift [gə'sxɪft] F dotty, crack-brained.

eschikt [gə'sxɪkt] I *aj* fit [person, to do..., to be..., for...]; able, capable, efficient [man, servant &]; suitable, suited [to or for the purpose], appropriate [to the occasion]; eligible [candidate], proper [time, way]; *een* ~*e baas* F a decent chap; II *ad* fitly.

eschiktheid [-hɛit] *v* fitness, capability, ability; suitability.

eschil [gə'sxɪl] o difference, dispute, quarrel.

eschilpunt [-pŭnt] o point (matter) at issue, point of difference.

eschimp [gə'sxɪmp] o scoffing, abuse.

eschipper [-'sxɪpər] o trimming, time-serving, temporizing, temporization.

eschitter [-'sxɪtər] o glitter(ing).

eschok [-'sxɔk] o jolting, shaking.

eschommel [-'sxɔ̀məl] o swinging &.

eschooi [-'sxo:i] o begging.

eschoold [-'sxo.lt] trained [voices &], skilled [labourers].

eschop [-'sxɔ̀p] o kicking.

eschraap [-'s(x)ra.p] o I scraping [on the violin]; 2 throat-clearing; 3 *fig* money-grubbing.

eschreeuw [-'s(x)re:u] o cry, cries, shrieks, shouts; *veel* ~ *en weinig wol* much ado about nothing.

eschrei [-'s(x)rɛi] o weeping, crying.

eschrift [-'s(x)rɪft] o writing.

eschrijf [-'s(x)rɛif] o scribbling, writing.

eschubd [-'sxŭpt] scaled, scaly.

eschuifel [-'sxœyfəl] o shuffling, scraping [of feet].

eschut [-'sxŭt] o ⚔ artillery, guns, ordnance; *grof* ~ heavy artillery, heavy guns[2]; *licht* ~

light artillery; *een stuk* ~ a piece of ordnance; *het zware* ~ the heavy guns.

geschutkoepel [-ku.pəl] *m* ⚔ (gun-)turret.

geschutpark [-pɑrk] o ⚔ artillery park.

geschutpoort [-po:rt] *v* ⚓ port-hole.

geschuttoren [gə'sxŭto:rə(n)] *m* ⚔ (gun-) turret.

geschutvuur [gə'sxŭtfy:r] o ⚔ gun-fire.

gesel ['ge.səl] *m* scourge[2] [of war, of God], lash[2] [of satire], whip.

geselaar [-səla:r] *m* scourger[2], lasher[2], whipper.

geselbroeder [-səlbru.dər] *m* flagellant.

geselen [-sələ(n)] *vt* scourge[2], lash[2], flagellate, whip; *ɪ̈ɪ̈* flog.

geseling [-səlɪŋ] *v* scourging[2], lashing[2], flagellation, whipping; *ɪ̈ɪ̈* flogging.

geselkoord [-səlko:rt] o & *v* lash.

geselpaal [-pa.l] *m* whipping-post.

geselroede [-ru.də] *v* scourge[2], lash[2].

geselslag [-slɑx] *m* lash.

geselstraf [-strɑf] *v* lashing, whipping; *ɪ̈ɪ̈* flogging.

gesis [gə'sɪs] o hissing.

gesitueerd [gəsi.ty.'e:rt] in: *goed (beter)* ~ well-(better-)off; *een goed* ~ *gezin* a comfortably placed family.

gesjachel [gə'ʃɑxəl] gesjacher [-'ʃɑxər] o bartering; traffic.

gesjochten [-'ʃɔxtə(n)] P done for, down and out.

gesjouw [-'ʃou] o toiling &.

geslaagd [-'sla.xt] successful.

1 geslacht [-'slɑxt] o I (generatie) generation; 2 (familie) race, family [of men], lineage; genus [*mv* genera] [of animals, plants]; 3 (kunne) [male, female] sex; 4 *gram* [masculine, feminine, neuter] gender; *het andere* ~ the opposite sex; *het komend* ~ the coming race; *het menselijk* ~ the human race, mankind; *het opkomend* ~ the rising generation; *het schone* ~ the fair sex; *het sterke* ~ the sterner sex; *het zwakke* ~ the weaker sex.

2 geslacht [-'slɑxt] o killed meat, butcher's meat.

geslachtelijk [-'slɑxtələk] *aj* (& *ad*) sexual(ly).

geslachtkunde [-'slɑxtkŭndə] *v* genealogy.

geslachtloos [-lo.s] sexless [beings].

geslachtsboom [gə'slɑxtsbo.m] *m* genealogical tree, pedigree.

geslachtsnaam [-na.m] *m* family name.

geslachtsregister [-rəgɪstər] o genealogical register.

geslachtswapen [-va.pən] o ⊘ family arms.

geslagen [gə'sla.gə(n)] beaten; ~ *goud* beaten gold; ~ *vijanden* open (declared) enemies.

gesleep [-'sle.p] o dragging.

geslenter [-'slɛntər] o sauntering, lounging.

geslepen [-'sle.pə(n)] I *aj* sharp, whetted [knives]; cut [glass]; *fig* cunning, sly; II *ad* cunningly, slyly.

geslepenheid [-hɛit] v cunning, slyness.
geslof [gə'slɔf] o shuffling.
gesloof [-'slo.f] o drudgery.
gesloten [-'slo.tə(n)] I shut [doors], closed [doors, books, to traffic]; (o p s l o t) locked; 2 ✕ serried [ranks], close [formation]; 3 fig uncommunicative, close; ~ jachttijd close season, fence-season.
geslotenheid [-hɛit] v uncommunicativeness, closeness.
gesluierd [gə'slœyərt] I veiled [lady]; 2 fogged [plate].
gesmaal [-'sma.l] o reviling, scoffing, contumely.
gesmak [-'smak] o smacking [of lips].   [ly.
gesmeek [-'sme.k] o supplication(s), entreaty.
gesmoes [-'smu.s] o whispering; F underhand dealings.
gesmul [-'smŭl] o feasting, banqueting.
gesnap [-'snap] o (tittle-)tattle, prattle, small talk.
gesnater [-'sna.tər] o chatter(ing).
gesnauw [-'snɔu] o snarling, snubbing.
gesnik [-'snɪk] o sobbing, sobs.
gesnoef [-'snu.f] o boasting, boast, bragging.
gesnor [-'snɔr] o whirr(ing).
gesnork [-'snɔrk] o snoring; zie ook: snorkerij.
gesnotter [-'snɔtər] o snivelling.
gesnuffel [-'snŭfəl] o ferreting, rummaging.
gesoes [-'su.s] o dozing.
gesp [gɛsp] m & v buckle, clasp.
gespannen [gə'spanə(n)] bent [of a bow]; ♪ taut, tight [rope]; strained² [relations], tense² [situation &]; zie ook: verwachting & voet.
gespartel [-'spartəl] o sprawling, floundering.
gespeel [-'spe.l] o playing.
gespeend [-'spe.nt] in: ~ van deprived of, devoid of, without.
gespekt [-'spɛkt] well-lined [purse].
gespen ['gɛspə(n)] vt buckle.
gespierd [gə'spi:rt] muscular, sinewy, brawny; fig nervy, nervous [English].
gespierdheid [-hɛit] v muscularity; fig nervousness.
gespikkeld [gə'spɪkəlt] speckled.
gespin [-'spɪn] o I spinning; 2 purring [of a cat].
gespoord [-'spo:rt] spurred.
gespot [-'spɔt] o mocking, jeering, scoffing &.
gesprek [-'sprɛk] o conversation, talk; ☏ call; fig dialogue [of the Church with the State]; in ~ ☏ number engaged; een ~ voeren hold a conversation.
gespuis [-'spœys] o rabble, riff-raff, scum.
gestaag, gestadig [-'sta.x, -'sta.dəx] I aj steady, continual, constant; II ad steadily, constantly.
gestadigheid [-'sta.dəxhɛit] v steadiness, constancy.
gestalte [-'staltə] v figure, shape, stature, size.
gestamel [-'sta.məl] o stammering.
gestamp [-'stamp] o I stamping; 2 ♪ pitching [of a steamer].

gestand [-'stant] in: zijn woord ~ doen redeem one's promise (word, pledge), keep one's word.
geste ['ʒɛstə] v gesture².
gesteen [gə'ste.n] o moaning, groaning.
gesteente [-tə] o I (precious) stones; 2 stone rock; vast ~ solid rock.
gestel [gə'stɛl] o system, constitution.
gesteld [-'stɛlt] in: ~ dat het zo is supposing to be the case; de ~e machten (overheid) th powers that be, the constituted authorities het is er zó mee ~ that's how the matte stands; op iets ~ zijn be fond of [a goo dinner, of a friend]; stand on [getting thing well done &]; be a stickler for [ceremony].
gesteldheid [-hɛit] v state, condition, situatio [of affairs]; nature [of the soil &].
gestemd [gə'stɛmt] I ♪ tuned; 2 fig disposed ik ben er niet toe ~ I am not in the vein fo it; gunstig ~ zijn jegens be favourably di posed towards.
gesternte [-'stɛrntə] o star, constellation, stars onder een gelukkig ~ geboren born under lucky star.
gesteun [-'stø.n] o zie gesteen.
1 gesticht [-'stɪxt] o (in 't alg.) establishmen institution; (voor daklozen &) asylun home, workhouse.
2 gesticht [-'stɪxt] aj I founded; 2 fig edified hij was er niets ~ over he was not pleased a all about it.
gesticulatie [gɛsti.ky.'la.(t)si.] v gesticulation.
gesticuleren [-'le:rə(n)] vi gesticulate.
gestikul- zie gesticul-.
gestoei [gə'stu:i] o romping.
☉ gestoelte [-'stu.ltə] o seat, chair.
gestoffeerd [-stɔ'fe:rt] (partly) furnished [rooms].
gestommel [-'stòməl] o clutter(ing).
gestotter [-'stɔtər] o stuttering, stammering.
gestreept [-'stre.pt] striped.
gestrekt [-'strɛkt] stretched; in ~e draf (a full gallop; ~e hoek straight angle.
gestreng [-'strɛŋ] zie 2 streng
gestroomlijnd [-'stro.mlɛint] streamlined.
gestructureerd, gestruktureerd [-strŭkty.'re:r structured.
gestudeerd [-sty.'de:rt] college-taught [persons].
gesuf [-'sŭf] o day-dreaming, dozing.
gesuis [-'sœys] o soughing &; zie ook: suizin
gesukkel [-'sŭkəl] o I pottering &; 2 ailing.
getaand [-'ta.nt] tawny, tanned.
getabberd [-'tabərt] robed.
getakt [-'takt] branched, branchy, branching.
getal [-'tal] o number; in groten ~e in (grea numbers; ten ~e van to the number of.. ...in number.
getalm [-'talm] o lingering, loitering, dawdlin
getalsterkte [-'talstɛrktə] v numerical strengt
getand [-'tant] I toothed; 2 § dentate; 3 ♪ toothed, cogged.

getapt [-'tapt] 1 drawn [beer]; skimmed [milk]; 2 *fig* S popular [with the boys &].

geteem [-'te.m] *o* drawl(ing), whine, whining.

getekend [-'te.kənt] drawn, signed; ~e *m-v* one marked by nature.

geteut [-'tø.t] *o* dawdling, loitering.

getier [-'ti:r] *o* noise, clamour, vociferation.

'etij [-'tɛi] *o* 1 (e b b e en v l o e d) tide [high or low]; 2 = *getijde*; *dood* ~ neap tide; zie ook: *baken*.

getijbal [-bal] *m* ⚓ tide-ball.

◯ getijde [-də] *o* 1 (t ij d r u i m t e) season; 2 = *getij*; *de* ~*n RK* the hours.

getijdenboek [-də(n)bu.k] *o RK* breviary.

getijgerd [gə'tɛigərt] spotted, speckled, striped.

getijhaven [gə'tɛiha.və(n)] *v* tidal harbour.

getijrivier [-ri.vi:r] *v* tidal river.

getijstroom [-stro.m] *m* tidal current.

getijtafel [-ta.fəl] *v* tide-table.

getik [gə'tik] *o* ticking [of a clock]; tapping [at a door]; click(ing) [of an engine &].

getikt [-'tikt] F a bit cracked, cracky, crack-brained.

getimmer [-'timər] *o* carpentering.

getimmerte [-tə] *o* structure.

getintel [gə'tintəl] *o* sparkling &.

getiteld [-'ti.təlt] titled [person]; [book &] entitled.

getjilp [-'tjilp] *o* chirping, twitter.

getjingel [-'tjiŋəl] *o* tinkling.

getob [-'tɔp] *o* 1 bother, worry; 2 toiling, drudgery.

getoet(er) [-'tu.t(ər)] *o* tooting, tootling, hoot-(ing).

getokkel [-'tɔkəl] *o* ♪ thrumming.

getouw [-'tɔu] *o* gear, loom; zie ook: *touw*.

getralied [-'tra.li.t] grated, latticed, barred.

getrappel [-'trapəl] *o* stamping, trampling.

getreur [-'trø:r] *o* pining, mourning.

getreuzel [-'trø.zəl] *o* dawdling, loitering, lingering.

getrippel [-'tripəl] *o* tripping &.

getroebleerd [-tru.'ble:rt] deranged, touched, a bit cracked.

getrommel [-'trɔməl] *o* 1 drumming, rattle of drums; 2 strumming [on a piano].

getroost [-'tro.st] composed.

getroosten [-'tro.stə(n)] *zich* ~ bear patiently, put up with; *zich een grote inspanning* ~ make a great effort; *zich moeite* ~ spare no pains.

getroubleerd zie *getroebleerd*.

getrouw [-'trɔu] zie 1 *trouw*; *zijn* ~*en* his trusty followers, his stalwarts, his henchmen.

getto ['gɛto.] *o* ghetto.

getuige [gə'tœygə] *m & v* 1 ⚖ witness; 2 (b ij h u w e l ij k) best man; 3 (b ij d u e l) second; ~ *mijn armoede* witness my poverty; *schriftelijke* ~*n* written references; *ik zal u goede* ~*n geven* I'll give you a good character; *iemand tot* ~ *roepen* call (take) a person to witness; ~ *zijn van* be a witness of, witness.

getuigen [-(n)] I *vt* testify to, bear witness [that...]; II *vi* appear as a witness, give evidence; *dat getuigt t e g e n...* that is what testifies against...; ~ *v a n* attest to..., bear witness to...; *dat getuigt van zijn...* that testifies to his..., that bears testimony to his...; ~ *v o o r* testify in favour of; *dat getuigt voor hem* that speaks in his favour.

getuigenbank [-baŋk] *v* witness-box.

getuigenbewijs [-bəvɛis] *o* proof by witnesses, oral evidence.

getuigengeld [-gɛlt] *o* conduct money.

getuigenis [gə'tœygənis] *o & v* evidence, testimony; ~ *afleggen van* bear witness to, give evidence of; ~ *dragen van* bear testimony (evidence) to.

getuigenverhoor [-'tœygə(n)vərho:r] *o* examination (hearing) of the witnesses.

getuigenverklaring [-kla:riŋ] *v* deposition, testimony, evidence.

getuigschrift [gə'tœyxs(x)rift] *o* certificate, testimonial; [servant's] character.

getwist [-'tvist] *o* quarrelling, wrangling, bickering(s).

geul [gø.l] *v* gully, channel.

geur [gø:r] *m* smell, odour, fragrance, flavour, aroma, perfume, scent; *in* ~*en en kleuren* in detail.

geuren ['gø:rə(n)] *vi* 1 smell, be fragrant, give forth scent (perfume); 2 S swank; ~ *met* F show off [one's learning], sport, S flash [a gold watch].

geurig [-rəx] sweet-smelling, odoriferous, fragrant.

geurigheid [-hɛit] *v* perfume, smell, fragrance.

geurmaker ['gø:rma.kər] *m* S swanker.

1 **geus** ['gø.s] *m* ◻ Beggar: Protestant.

2 **geus** ['gø.s] *v* ⚓ jack.

geuzenpenning ['gø.zə(n)pɛniŋ] *m* ◻ Beggars medal.

gevaar [gə'va:r] *o* danger, peril, risk; *het gele* ~ the yellow peril; *er is geen* ~ *bij* there is no danger; *daar is geen* ~ *voor* no danger (no fear) of that; ~ *voor brand* danger of fire; *een* ~ *voor de vrede* a danger to peace; ~ *lopen om...* run the risk of ...ing; *b u i t e n* ~ out of danger [of a patient &]; *in* ~ *brengen* endanger, imperil; *in* ~ *verkeren* be in danger (peril); *o p* ~ *af van u te beledigen* at the risk of offending you; *z o n d e r* ~ without danger, without (any) risk.

gevaarlijk [-lək] I *aj* dangerous, perilous, risky, hazardous; *het* ~*e ervan* the danger of it; II *ad* dangerously &.

gevaarlijkheid [-hɛit] *v* dangerousness &.

gevaarte [gə'va:rtə] *o* colossus, monster, leviathan.

gevaarvol [-vɔl] perilous, hazardous.

geval [gə'val] *o* 1 case; 2 ⚖ affair; *in* ~ *van* in case of [need], in the event of [war]; *in allen* ~*le* in any case, at all events; at any rate, anyhow; *in het ergste* ~ if the worst comes to the worst; *in geen* ~ in no case, not on any account, on no account; *in uw ~ zou ik*... if it were my case I should...; *van ~ tot ~* individually; *voor het ~ dat...* in case... [you should...].

gevallen [-'valə(n)] *vi* happen; *zich laten ~* put up with.

gevangen [-'vaŋə(n)] captive; zie *geven* II.

gevangenbewaarder [-bəva:rdər] *m* warder, jailer, turnkey.

gevangene [gə'vaŋənə] *m-v* prisoner, captive.

gevangenenkamp [-nə(n)kamp] = *gevangenkamp.*

gevangenhouden [gə'vaŋə(n)həu(d)ə(n)] *vt* détain.

gevangenhouding [-dɪŋ] *v* detention.

gevangenis [gə'vaŋənɪs] *v* 1 (gebouw) prison, jail, gaol; 2 (straf) imprisonment, gaol; *de ~ ingaan* be sent to prison.

gevangeniskleren [-kle:rə(n)] *mv* prison clothes.

gevangeniskost [-kɔst] *m* prison food.

gevangenisstraf [gə'vaŋənɪstraf] *v* imprisonment.

gevangeniswezen [gə'vaŋənɪsve.zə(n)] *o* prison system.

gevangenkamp [gə'vaŋə(n)kamp] *o* prison camp, prisoners' camp.

gevangenmaken [-ma.kə(n)] *vt* take captive, catch.

gevangennemen [gə'vaŋəne.mə(n)] *vt* 1 ⚖ apprehend, capture; 2 ✕ take prisoner, take captive.

gevangenneming [-ne.mɪŋ] *v* apprehension, capture.

gevangenschap [gə'vaŋə(n)sxap] *v* captivity, imprisonment.

gevangenwagen [-va.gə(n)] *m* prison van.

gevangenzetten [-zɛtə(n)] *vt* put in prison, imprison.

gevangenzetting [-zɛtɪŋ] *v* imprisonment.

gevangenzitten [-zɪtə(n)] *vi* be in prison (in jail).

gevankelijk [gə'vaŋkələk] in: *~ wegvoeren* ⚖ take away in custody; ✕ march off under guard.

gevat [-'vat] quick-witted [debater]; ready [answer], clever, smart [retort].

gevatheid [-hɛit] *v* quick-wittedness, ready wit, quickness at repartee, smartness.

gevecht [gə'vɛxt] *o* ✕ fight, combat, battle, action, engagement; *de ~en duren nog voort* ✕ the fighting still goes on; *buiten ~ stellen* ✕ put out of action, disable.

gevederd [gə've.dərt] feathered.

gevederte [-dərtə] *o* feathers.

geveins [gə'vɛins] *o* dissembling, dissimulation.

geveinsd [-'vɛinst] feigned, simulated, hypocritical.

geveinsdheid [-hɛit] *v* dissembling, dissimulation, hypocrisy.

gevel ['ge.vəl] *m* front, façade.

gevelbreedte [-bre.tə] *v* frontage.

gevelspits [-spɪts] *v* geveltop [-tɔp] *m* gable.

geven ['ge.və(n)] **I** *vt* give [money, a cry]; mak a present of [it], present with [a thing]; afford yield, produce; give out [heat]; ◇ deal [the cards]; *mag ik u wat kip ~?* may I help yo to some chicken?; *geef mij nog een kopje* le me have another cup; *geef mij maar Amster dam* commend me to Amsterdam; *dat zal we niets ~* it will be of no avail, it will be no us (no good); *het geeft 50%* it yields 50 per cent. *rente (interest) ~* bear interest; *welk stuk wordt er gegeven?* what is on (to-night)?; *ee toneelstuk ~* produce (put on) a play; *ik ga hem veertig jaar* I took him to be forty; *he geeft je wat of je al...* it is no use telling him (to tell him); *wat geeft het?* how much does i yield?; *wat geeft het je?* what's the use (th good)?; *wat moet dat ~?* what will be th end of it?; zie ook: *brui, cadeau, gewonnen les, rekenschap, vuur* &; *God gave dat het nie gebeurt* God grant that it does not happen *gave God dat ik hem nooit gezien had!* would to God I had never seen him!; *we moesten he er aan ~* we had to give it up; *er een ander uitleg aan ~* put a different construction (up)on it; *niets ~ om ~* not care for; *veel ~ om* care much for; *weinig ~ om* not mind [privations], make little of [pains]; **II** *vr zich ~ zoals men is* give oneself in one's true character; *zich gevangen ~* give oneself up [to justice], surrender; zie ook: *gewonnen;* **III** *vi & va* 1 give; 2 (bij 't kaarten) deal; *~ en nemen* give and take; *u moet ~* ◇ it is your deal, the deal is with you; *er is verkeera gegeven* ◇ there was a misdeal; *geef hem!* let him have it!; *te denken ~* give food for thought; *wie spoedig geeft, geeft dubbel* he gives twice who gives quickly.

gever [-vər] *m* giver, donor; ◇ dealer.

gevest [gə'vest] *o* hilt.

gevestigd [-'vestəxt] fixed [opinion]; *zijn ~e reputatie* his (old-, well-)established reputation.

gevierd [-'vi:rt] fêted, made much of.

gevind [-'vɪnt] 1 🐟 finned, finny; 2 🌿 pinnate.

gevingerd [-'vɪŋərt] fingered, § digitate.

gevit [-'vɪt] *o* cavilling, fault-finding &.

gevlamd [-'vlamt] flamed [tulips]; watered [silk].

gevlei [-'vlɛi] *o* flattering &.

gevlekt [-'vlɛkt] spotted, stained.

gevleugeld [-'vlø.gəlt] winged[2].

gevlij [-'vlɛi] *iemand in 't ~ zien te komen* try to ingratiate oneself with a person.

gevloek [-'vlu.k] *o* cursing, swearing.

gevloekt [-'vlu.kt] accursed, cursed.

gevoeglijk [-'vu.g(ə)lək] decently; *wij kunnen nu ~...* we may as well.

gevoeglijkheid [-hɛit] *v* decency, propriety.

gevoel [gə'vu.l] *o* 1 (als aandoening) feeling, sensation, sentiment, sense; F feel; 2 (als zin) feeling, touch; *het ~ voor het schone* the sense of beauty; *met* ~ with expression, with much feeling; *op het* ~ by the feel; [read] by touch; *zacht op het* ~ soft to the feel (touch).

gevoelen ['vu.lə(n)] I *vt zie voelen*; II *o* feeling; opinion; *edele* ~*s* noble sentiments; *naar mijn* ~ in my opinion; *wij verschillen van* ~ we are of a different opinion [about this], we differ.

gevoelig [-lək] I *aj* 1 (veel gevoel hebbend) feeling, susceptible, impressionable, sensitive [people]; 2 (lichtgeraakt) touchy; 3 (pijnlijk) tender [feet]; 4 (hard) smart [blow]; severe [cold &]; 5 (in de fotografie) sensitive [plates]; *een* ~*e nederlaag* a heavy defeat; ~ *op het punt van een* eer sensitive about honour; ~ *voor* sensitive to [kindness]; *zijn voor* ook: appreciate [a person's kindness]; ~ *maken* sensitize [a plate &]. Zie ook: *snaar*; II *ad* feelingly.

gevoeligheid [-hɛit] *v* sensitiveness; tenderness; *gevoeligheden kwetsen* wound (offend) susceptibilities.

gevoelloos [gə'vu.lo.s] unfeeling; insensible [to emotion]; ~ *maken* anaesthetize.

gevoelloosheid [-hɛit] *v* unfeelingness; insensibility.

gevoelsleven [gə'vu.lsle.və(n)] *o* emotional (inner) life.

gevoelsmens [-mɛns] *m* emotional man.

gevoelswaarde [-va:rdə] *v* emotional value.

gevoelszenuw [gə'vu.lse.ny:u] *v* sensory nerve.

gevoelszin [-sɪn] *m* sense of touch (feeling).

gevoelvol [gə'vu.lvɔl] *aj* (& *ad*) feeling(ly).

gevogelte ['vo.gəltə] *o* birds, fowl(s), poultry.

gevolg ['vɔlx] *o* 1 (personen) followers, suite, train, retinue; 2 (uit oorzaak) consequence, result; effect [of the wars on the nations]; ~ *geven aan een opdracht* carry an order into effect; ~ *geven aan een wens* comply with a wish, carry out (fulfil) a wish; *met goed* ~ with success, successfully; *ten* ~*e hebben* cause [a man's death &], result in [a big profit], bring [misery] in its train; *ten* ~*e van* in consequence of, as a result of, owing to; *zonder* ~ 1 without his suite; 2 without success, unsuccessful(ly).

gevolgaanduidend [-a.ndœydənt] *gram* consecutive.

gevolglijk [gə'vɔlgələk] consequently.

gevolgtrekking [-'vɔlxtrɛkɪŋ] *v* conclusion, deduction, inference; *een* ~ *maken* draw a conclusion (from *uit*).

gevolmachtigde [-'vɔlmɑxtəgdə] *m* plenipotentiary [of a country]; proxy [in business].

gevonkel [-'vɔŋkəl] *o* sparkling.

gevorderd [-'vɔrdərt] advanced, late; *op* ~*e leeftijd* at an advanced age; *op een* ~ *uur* at a late hour.

gevorkt [-'vɔrkt] forked, § furcated.

gevraag [-'vra.x] *o* asking, inquiring, questioning.

gevraagd [-'vra.xt] asked, requested, $ in request.

gevreesd [-'vre.st] dreaded.

gevuld [-'vʊlt] well-lined [purse]; full [figure].

gewaad [-'va.t] *o* garment, dress, garb, attire.

gewaagd [-'va.xt] hazardous, risky.

gewaagdheid [-hɛit] *v* hazardousness, riskiness.

gewaand [gə'va.nt] supposed, pretended, feigned.

gewaardeerd [-va:r'de:rt] valued [friends, help].

gewaarworden [-'va:rvərdə(n)] *vt* become aware of, perceive, notice; find out, discover.

gewaarwording [-dɪŋ] *v* 1 (aandoening) sensation; 2 (vermogen) perception.

gewag [gə'vax] ~ *maken van zie gewagen.*

gewagen [-'va.gə(n)] *vi* in: ~ *van* mention, make mention of.

gewalm [-'valm] *o* smoking.

gewandel [-'vandəl] *o* walking.

gewapend [-'va.pənt] armed [soldiers, peace, eye].

gewapenderhand [-va.pəndər'hant] by force of arms.

gewapper [-'vapər] *o* fluttering.

gewarrel [-'varəl] *o* whirl(ing).

gewas [-'vas] *o* 1 growth, crop(s), harvest; 2 plant.

gewatteerd [-va'te:rt] wadded [quilt].

gewauwel [-'vouəl] *o* twaddle, drivel, (tommy-)rot.

geweeklaag [-'ve.kla.x] *o* lamentation(s).

geween [-'ve.n] *o* weeping, crying.

geweer [-'ve:r] *o* gun, rifle, ✎ musket; *in 't* ~ up in arms; *in 't* ~ *komen* ✕ 1 turn out [of the guard]; 2 stand to [of a company in the field]; *over...* ~*!* ✕ slope... arms!; zie ook: *presenteren &.*

geweerfabriek [-fa.bri.k] *v* small-arms factory.

geweerkogel [-ko.gəl] *m* (rifle) bullet.

geweerkolf [-kɔlf] *v* rifle butt.

geweerloop [-lo.p] *m* (gun-)barrel.

geweermaker [-ma.kər] *m* gunsmith, gunmaker.

geweerrek [gə've:rɛk] *o* arm-rack.

geweerriem [-ri.m] *m* rifle-sling.

geweerschot [gə've:rsxɔt] *o* gun-shot, rifle-shot.

geweervuur [-vy:r] *o* rifle-fire, musketry, fusillade.

gewei [gə'vɛi] *o* (horens) horns, antlers [of a deer].

gewei(de) [gə'vɛi(də)] 1 (ingewanden) bowels, entrails; 2 (uitwerpselen) droppings.

geweifel [-'vɛifəl] *o* wavering, hesitation.

geweld [-'vɛlt] *o* 1 (main) force, violence; 2 noise; ~ *aandoen* do violence to[2], *fig* strain, stretch the truth &]; *zich zelf* ~ *aandoen* do violence to one's nature (one's feelings); *zich* ~ *aandoen om (niet) te...* make an effort (not) to...; ~ *gebruiken* use force, use violence; *met* ~ by (main) force, by violence; *hij wou er met alle* ~ *heen* he wanted to go by all means; *hij wou met alle ~ voor ons betalen* he insisted on paying for us.

gewelddaad [-'vɛlda.t] *v* act of violence.

gewelddadig [-vɛl'da.dəx] *aj* (& *ad*) violent(ly).

gewelddadigheid [-hɛit] *v* violence.

geweldenaar [gə'vɛldəna:r] *m* tyrant, oppressor.

geweldenarij [-vɛldəna:'rɛi] *v* tyranny, oppression.

geweldig [-'vɛldəx] **I** *aj* violent, powerful, mighty, enormous, < terrible; *ze zijn ~! F* they are wonderful (marvellous, stunning)!; **II** *ad* < dreadfully, terribly, awfully.

geweldpleging [gə'vɛltple.gɪŋ] *v* violence.

gewelf [-'vɛlf] *o* vault, arched roof, archway; *het ~ des hemels* the vault of heaven.

gewelfd [-'vɛlft] vaulted, arched.

gewemel [-'ve.məl] *o* swarming &.

gewend [-'vɛnt] accustomed; *~ aan* accustomed to, used to; *~ zijn om...* be in the habit of ...ing; *ben je hier al ~?* do you feel at home here?; *hij is niet veel ~* he is not used to better things; *jong ~, oud gedaan* as the twig is bent the tree is inclined.

gewennen [-'vɛnə(n)] *vt* & *vi* zie *wennen* en *gewend*.

gewenst [-'vɛnst] wished(-for), desired; desirable.

gewerveld [gə'vɛrvəlt] vertebrate.

gewest [-'vɛst] *o* region, province; *betere ~en* better lands, the fields of heavenly bliss.

gewestelijk [-'vɛstələk] regional, provincial.

geweten [-'ve.tə(n)] *o* conscience; *een rekbaar, ruim ~ hebben* have an elastic conscience; *het met zijn ~ overeenbrengen* reconcile it to one's conscience; *iets op zijn ~ kebben* have something on one's conscience; *heel wat op zijn ~ hebben* have a lot to answer for; *zonder ~* zie *gewetenloos* **I**.

gewetenloos [-lo.s] **I** *aj* unscrupulous, unprincipled; **II** *ad* unscrupulously.

gewetenloosheid [gəve.tə(n)'lo.shɛit] *v* unscrupulousness, unprincipledness.

gewetensangst [gə've.tənsaŋst] *m* pangs of conscience.

gewetensbezwaar [-bəzva:r] *o* (conscientious) scruple, conscientious objection.

gewetensdwang [-dvaŋ] *m* moral constraint.

gewetensgeld [-gɛlt] *o* conscience money.

gewetensvraag [-fra.x] *v* question of conscience.

gewetensvrijheid [-frɛiheit] *v* freedom of conscience.

gewetenswroeging [-vru.gɪŋ] *v* stings (pangs, qualms, twinges) of conscience, compunction(s).

gewetenszaak [gə've.tənsa.k] *v* matter of conscience; *van iets een ~ maken* make something a matter of conscience.

gewettigd [-'vɛtəxt] justified, legitimate.

geweven [-'ve.və(n)] wòven; textile [fabrics].

gewezen [-'ve.zə(n)] late, former, ex-.

gewicht [gə'vɪxt] *o* weight[2], *fig* importance; *dood (eigen) ~* dead weight; *(geen) ~ hechten aan* attach (no) importance (weight) to; *~ in de schaal leggen* weigh in the scale (in the balance); *zijn ~ in de schaal werpen* throw the weight of one's (his) influence into the scale; *bij het ~ verkopen* sell by weight; *een man van ~* a man of weight; *een zaak van groot ~* a matter of great weight (moment, importance).

gewichtheffen [-hɛfə(n)] *o sp* weight-lifting.

gewichtheffer [-hɛfər] *m sp* weight-lifter.

gewichtig [gə'vɪxtəx] weighty, momentous, of weight, important; *~ doen* assume consequential airs; *~ doend* consequential, pompous, self-important.

gewichtigheid [-hɛit] *v* weightiness, importance.

gewichtloosheid [gə'vɪxtlo.shɛit] *v* weightlessness.

gewichtseenheid [gə'vɪxtse.nhɛit] *v* unit of weight.

gewichtsverlies [-fərli.s] *o* loss of weight.

gewichtwerpen [gə'vɪxtvɛrpə(n)] *o sp* weight-throwing.

gewiebel [gə'vi.bəl] *o* wobbling.

gewieg(el) [-'vi.x, -'vi.gəl] *o* rocking.

gewiekst [-'vi.kst] S knowing, sharp, deep.

gewiekstheid [-'vi.kst] *v* S knowingness &.

gewiekt [gə'vi.kt] winged.

gewijd [gə'vɛit] consecrated [Host], sacred [music &].

gewijsde [-'vɛisdə] *o ɪ* final judgment; *in kracht van ~ gaan ɪ* become final.

gewild [-'vɪlt] **1** in request, in demand, in favour, much sought after, popular; **2** studied [= affected].

gewillig [-'vɪləx] **I** *aj* willing; **II** *ad* willingly.

gewilligheid [-hɛit] *v* willingness.

gewinzucht [gə'vɪnzʉxt] *v* zie *winzucht*.

gewis [-'vɪs] *aj* (& *ad*) certain(ly), sure(ly).

gewisheid [-hɛit] *v* certainty, certitude.

gewoel [gə'vu.l] *o* stir, bustle, turmoil.

gewonde [-'vɔndə] *m-v* wounded person; *de ~n* the wounded.

gewonnen [-'vɔnə(n)] won; *zo ~ zo geronnen* light(ly) come, light(ly) go; *het ~ geven* give it up, give up the point; *zich ~ geven* yield the point [in an argument]; own defeat, throw up the sponge; zie ook: *spel*.

gewoon [-'vo.n] **I** *aj* **1** (gewend) accustomed; customary, usual, wonted; **2** (niet buitengewoon) common [people, cold]; ordinary [shares, members]; plain [people]; [professor] in ordinary; *het is heel ~* quite common, nothing out of the common; *~ raken aan* get accustomed (used) to; *~ zijn aan* be accustomed (used) to...; *~ zijn om...* be in the habit of ...ing; *hij was ~ om...* ook: he used to...; **II** *ad* commonly; simply; [everything is going on] as usual; *het was ~ verrukkelijk F* it was simply ravishing.

gewoonheid [-hɛit] v commonness.

gewoonlijk [-lək] usually, as a rule, normally; *als* ~ as usual.

gewoonte [-tə] v 1 (gebruik) custom, use, usage; 2 (aanwensel) habit, wont; 3 (aangewende handelwijze) practice; *ouder* ~ as usual; *dat is een* ~ *van hem* that is a custom with him, a habit of his; *een* ~ *aannemen* contract a habit; *die* ~ *afleggen* get out of that habit; *zoals de* ~ *is, als naar* ~, *volgens* ~ as usual, according to custom; *tegen zijn* ~ contrary to his wont; *tot een* ~ *vervallen* fall into a habit; *alleen uit* ~ from (sheer force of) habit; ~ *is een tweede natuur* use is a second nature.

gewoonterecht [-rɛxt] o common law.

gewoonweg [gə'vo.nvɛx] simply.

geworden [-'vɔrdə(n)] come to hand; *het is mij* ~ it has come to hand; *ik zal het u doen* (*laten*) ~ I'll let you have it; *iemand laten* ~ let one have his way.

gewricht [-'vrixt] o joint, articulation.

gewrocht [-'vrɔxt] o work, masterpiece, creation.

gewroet [-'vru.t] o rooting &; *fig* insidious agitation, intrigues.

gewrongen [-'vrɔ̀ŋə(n)] distorted.

gewurm [-'vʉrm] o toiling and moiling.

Gez. = *gezusters*.

gezaag [-'za.x] o sawing; *fig* scraping [on a violin].

gezag [-'zɑx] o authority, power; ~ *hebben* (*voeren*) *over* command; *op eigen* ~ on one's own authority.

gezaghebbend [-hɛbənt] authoritative.

gezaghebber [-hɛbər] m director, administrator.

gezagvoerder [-fu:rdər] m ⚓ master, captain; ✈ chief pilot, captain.

gezakt [gə'zɑkt] 1 (in zakken gedaan) bagged; 2 ⚻ plucked; zie ook: *gepakt*.

gezalfde [-'zɑlfdə] m [the Lord's] anointed.

gezamenlijk [-'za.mələk] I *aj* joint; aggregate, total [amount]; complete [works of Scott &]; II *ad* jointly, together.

gezang [-'zɑŋ] o 1 (het zingen) singing; warbling [of birds]; 2 (het te zingen of gezongen lied) song; 3 (kerkgezang) hymn.

gezangboek [-bu.k] o hymn-book.

gezanik [gə'za.nək] o bother, botheration.

gezant [-'zɑnt] m 1 minister; 2 (ambassadeur, afgezant) ambassador, envoy; *pauselijk* ~ (papal) nuncio.

gezantschap [-sxɑp] o embassy, legation.

gezegd [gə'zɛxt] above-said, above-mentioned, said; *de eigenlijk* ~*e...* the... proper; ~*e X* (the) said X.

gezegde [-'zɛgdə] o 1 saying, expression, phrase, saw, dictum; 2 *grɛ n* predicate.

gezegeld [-'ze.gəlt] 1 sealed [envelope]; 2 stamped [paper].

gezegend [-'ze.gənt] blessed; ~ *met...* ook: happy in the possession of...

gezeglijk [-'zɛgələk] biddable, docile, amenable.

gezeglijkheid [-hɛit] v docility.

gezel [gə'zɛl] m 1 mate, companion, fellow; 2 workman, journeyman [baker &].

gezellig [-'zɛləx] I *aj* 1 (v. persoon) companionable, sociable, convivial; 2 (v. vertrek &) snug, cosy; 3 (gezellig levend) social, gregarious [animals]; ~*e bijeenkomst* social meeting; *een* ~*e boel* a pleasant affair; II *ad* companionably &.

gezelligheid [-hɛit] v companionableness, sociability, conviviality; snugness, cosiness; *voor de* ~ for company.

gezellin [gəzɛ'lɪn] v companion, mate.

gezelschap [-'zɛlsxɑp] o company°, society; *ons* (*het Koninklijk &*) ~ *begaf zich naar...* our (the royal &) party went to...; *besloten* ~ private party, club; *iemand* ~ *houden* bear (keep) a person company; *in* ~ *van* in (the) company of, in company with, accompanied by; *wil jij van het* ~ *zijn?* will you be of the party?; *hij is zijn* ~ *waard* he is good company.

gezelschapsbiljet [-sxɑpsbiljɛt] o party ticket.

gezelschapsdame [-da.mə] v (lady-)companion.

gezelschapsreis [-rɛis] v conducted party tour.

gezelschapsspel [gə'zɛlsxɑpspɛl] o round game.

gezet [gə'zɛt] 1 set [hours]; 2 corpulent, thickset, stout, stocky.

gezeten [-'ze.tə(n)] in: ~ *boer* well-to-do farmer.

gezetheid [-'zɛthɛit] v corpulence, stoutness, stockiness.

gezicht [-'zɪxt] o 1 (vermogen) (eye)sight; 2 (aangezicht) face; 3 (uitdrukking) looks, countenance; 4 (het geziene) view, sight; 5 (visioen) vision; ~*en trekken* pull (make) faces (at *tegen*); *bij* (*op*) *het* ~ *van...* at sight of; *in het* ~ *van de kust* in sight of the coast; *in het* ~ *komen* heave in sight; *in het* ~ *krijgen* catch sight of, sight; *hem in het* ~ *uitlachen* laugh in his face; *hem in zijn* ~ *zeggen* tell him to his face; *op het eerste* ~ at first sight; *zo op het eerste* ~ *is het...* on the face of it, it is...; *uit het* ~ *verdwijnen* disappear, vanish (from sight); *uit het* ~ *verliezen* lose sight of; *uit het* ~ *zijn* be out of sight; *hem van* ~ *kennen* know him by sight; *scherp van* ~ sharp-sighted.

gezichtsbedrog [gə'zɪxtsbədrɔx] o optical illusion.

gezichtseinder [-ɛindər] m horizon.

gezichtshoek [-hu.k] m optic (visual) angle.

gezichtsindruk [-ɪndrʉk] m visual impression.

gezichtskring [-krɪŋ] m horizon, ken.

gezichtsorgaan [-ɔrga.n] o organ of sight.

gezichtspunt [-pʉnt] o point of view, viewpoint.

gezichtsveld [-fɛlt] o field of vision.

gezichtsvermogen [-fərmo.gə(n)] o visual faculty, visual power; *zijn* ~ his eyesight.

gezichtszenuw [gə'zɪxtse.ny:u] *v* optic nerve.

gezien [gə'zi.n] esteemed, respected; *hij is daar niet ~* he is not liked there; *~... in view of...* [the danger &]; *mij niet ~ /* F nothing doing! gezin [-'zɪn] *o* family, household; *het grote ~* the large family.

gezind [-'zɪnt] inclined, disposed; *...-minded; iemand goed (slecht) ~ zijn* be kindly (unfriendly) disposed towards a person.

gezindheid [-hɛit] *v* 1 inclination, disposition; 2 persuasion.

gezindte [gə'zɪntə] *v* persuasion, sect.

gezinsbeperking [-'zɪnsbəpɛrkɪŋ] *v* family planning.

gezinshelpster [-hɛlpstər] *v* home help.

gezinshoofd [-ho.ft] *o* 1 head of the family; 2 householder.

gezinsleven [-le.və(n)] *o* family life.

gezinsverzorgster [-fərzɔrxstər] *v* homemaker, visiting housekeeper.

gezinsvoogd [-fo.xt] *m* family guardian.

gezocht [gə'zɔxt] 1 in demand, in request, sought after [articles, wares]; 2 (niet natuurlijk) studied, affected; 3 (vergezocht) far-fetched.

gezochtheid [-hɛit] *v* 1 (navraag) demand, request; 2 studiedness, affectation.

gezoek [gə'zu.k] *o* seeking, search.

gezoem [-'zu.m] *o* buzz(ing), hum(ming).

gezoen [-'zu.n] *o* kissing.

gezond [-'zɔnt] I *aj* healthy[2] [having or promoting health, also morally]; wholesome[2] [promoting health, also morally]; sound[2] [body, mind, policy &]; *fig* sane [judgment, views]; [alléén predikatief] [a man] in good health; *uw ~ verstand* your common sense; *de zaak is ~* F the business is safe; *~ en wel* fit and well, safe and sound; *zo ~ als een vis* as fit as a fiddle; *~ naar ziel en lichaam* sound in body and mind; *~ van lijf en leden* sound in life and limb; *~ bidden* heal by prayer; *~ blijven* keep fit; *~ maken* restore to health, cure; *weer ~ worden* recover (one's health); II *ad* [live] healthily; [reason] soundly[2].

gezondbidden [-bɪdə(n)] *o* faith-healing.

gezondbidder [-bɪdər] *m* faith-healer.

gezondheid [-hɛit] *v* health; healthiness &; *fig* soundness; *~ is de grootste schat* health is better than wealth; *op iemands ~ drinken* drink a person's health; *op uw ~!* your health!; *voor zijn ~* for health.

gezondheidsattest [-hɛitsɑtɛst] *o* health certificate.

gezondheidscommissie [-kɔmisi.] *v* 1 Board of Health, Health Committee; 2 Medical Board.

gezondheidsdienst [-di.nst] *m* public health service, health department.

gezondheidskommissie zie *gezondheidscommissie*.

gezondheidsleer [-le:r] *v* hygiene, hygienics. sanitary science.

gezondheidsmaatregel [-ma.tre.gəl] *m* sanitary measure.

gezondheidsredenen [-re.dənə(n)] *mv* considerations of health; *om ~* 1 for reasons of health; 2 on the ground of ill health.

gezondheidstoestand [-tu.stɑnt] *m* (state of) health; *de ~ der... is uitstekend* the... are in excellent health.

gezouten [gə'zɔutə(n)] salt° [food]; [predikatief] salted.

gezucht [-'zűxt] *o* sighing, sighs.

gezusters [-'zűstərs] *mv* sisters; *de ~ D.* the D. sisters.

gezwam [-'zvɑm] *o* S vapouring, hot air, tosh.

gezwel [-'zvɛl] *o* swelling, growth, tumour.

gezwendel [-'zvɛndəl] *o* swindling.

gezwets [-'zvɛts] *o* bragging, boasting, S gas.

gezwind [-'zvɪnt] I *aj* swift, quick; *met ~e pas* at the double; II *ad* swiftly, quick(ly).

gezwindheid [-hɛit] *v* swiftness, quickness, celerity.

gezwoeg [gə'zvu.x] *o* drudging, drudgery, toiling.

gezwollen [-'zvɔlə(n)] swollen [cheeks]; *fig* stilted [language]; bombastic [speech], turgid [style].

gezwollenheid [-hɛit] *v* swollen state; *fig* turgidity [of style].

gezworen [gə'zvo:rə(n)] sworn [friends, enemies]; *een ~e* a juror, a juryman; *de ~en* the G.G. = *gouverneur-generaal*. [jury.]

Ghana ['ga.na.] *o* Ghana.

Ghanees [ga.'ne.s] Ghanaian.

gids [gɪts] *m* guide[2], (boek) ook: guide-book; *Gids voor Londen* Guide to London.

giechelen ['gi.xələ(n)] *vi* giggle, titter.

giek [gi.k] *m* ⚓ gig.

gienje ['gi.njə] *m* guinea.

1 gier [gi:r] *m* 🐦 vulture.

2 gier [gi:r] *v* (mest) liquid manure.

gierbrug ['gi:rbrűx] *v* flying-bridge.

1 gieren ['gi:rə(n)] *vi* scream; (v. wind) howl; *het was om te ~* F it was screamingly funny.

2 gieren ['gi:rə(n)] *vi* ⚓ yaw, sheer.

gierig [-rəx] I *aj* miserly, niggardly, stingy, avaricious, close-fisted; II *ad* stingily, avariciously.

gierigaard [-rəga:rt] *m* miser, niggard.

gierigheid [-rəxhɛit] *v* avarice, miserliness, stinginess.

gierpont ['gi:rpɔnt] *v* flying-bridge.

gierst [gi:rst] *v* 🌱 millet.

giervalk ['gi:rvɑlk] *m* & *v* 🐦 gerfalcon.

gierzwaluw [-zva.ly:u] *v* 🐦 swift.

gietbeton ['gi.tbətɔn] *o* poured concrete.

gietbui [-bœy] *v* downpour.

gietcokes [-ko.ks] *v* foundry coke.

gieteling ['gi.təlɪŋ] *m* 🐦 pig of iron.

gieten [-tə(n)] I *vt* 1 pour [water]; 2 found [guns], cast [metals &], mould [candles &]; II *vi* in: (*het regent dat*) *het giet* it is pouring, it is raining cats and dogs.

gieter [-tər] *m* 1 watering-can, watering-pot; 2 founder, caster [of metals].

gieterij [gi.tə'rɛi] *v* foundry.

gietijzer ['gi.tɛizər] *o* cast iron.

gietkooks zie *gietcokes*.

gietsel ['gi.tsəl] *o* casting.

gietstaal [-sta.l] *o* cast steel.

gietstuk [-stŭk] *o* casting.

gietvorm [-fɔrm] *m* casting-mould.

gietwerk [-vɛrk] *o* cast work.

gif [gɪf] *o* = 1 *gift*.

gifbeker [-be.kər] = *giftbeker*.

gifblaas [-bla.s] = *giftblaas*.

gifgas [-gɑs] = *giftgas*.

gifklier [-kli:r] = *giftklier*.

gifmenger [-mɛnər] -mengster [-mɛnstər] = *giftmenger*, *-mengster*.

gifplant [-plɑnt] = *giftplant*.

gifslang [-slɑŋ] = *giftslang*.

1 gift [gɪft] *o* 1 (in 't alg.) poison²; 2 (v. dier) venom²; 3 (v. ziekte) virus².

2 gift [gɪft] *v* (geschenk) gift, present, donation, gratuity.

giftand ['gɪftɑnt] = *gifttand*.

giftbeker ['gɪftbe.kər] *m* poisoned cup.

giftblaas [-bla.s] *v* venom bag.

giftgas [-gɑs] *o* poison-gas.

giftig ['gɪftəx] 1 poisonous, venomous²; *fig* virulent; 2 F waxy [= angry].

giftigheid [-hɛit] *v* 1 poisonousness, venomousness²; *fig* virulence; 2 F anger.

giftklier ['gɪftkli:r] *v* poison-gland, venom gland.

giftmenger [-mɛnər] *m* ~mengster [-mɛnstər] *v* poisoner.

giftplant [-plɑnt] *v* poisonous plant.

giftslang [-slɑŋ] *v* poisonous snake.

gifttand ['gɪftɑnt] *m* poison-fang.

gif(t)vrij ['gɪf(t)frɛi] non-poisonous.

gij [gɛi] you, ⊙ ye; ⊙ [alléén enkelv.] thou.

gijlieden [gɛi'li.də(n)] you, F you fellows, you people.

gijzelaar ['gɛizəla:r] *m* hostage; prisoner for debt.

gijzelen [-lə(n)] *vt* imprison for debt.

gijzeling [-lɪŋ] *v* imprisonment for debt.

gijzelkamer ['gɛizəlka.mər] *v* ⒰ 1 (v. de staat) debtors' prison; 2 sponging-house.

gil [gɪl] *m* yell; shriek, scream.

gild [gɪlt] *o* gilde ['gɪldə] *o* & *v* ⒰ guild, corporation, craft.

gildebroeder ['gɪldəbru.dər] *m* ⒰ freeman of a guild.

gildehuis [-hœys] *o* ⒰ guildhall.

gillen ['gɪlə(n)] *vi* yell, shriek, scream; *het was om te ~!* it was a scream.

ginder ['gɪndər] over there.

ginds [gɪnts] I *aj* yonder, ⊙ yon; *~e boom* the tree over there; *aan ~e kant* on the other side, over the way, over there; II *ad* over there.

ginnegappen ['gɪnəgapə(n)] *vi* giggle, snigger.

gips [gɪps] *o* 1 (mengsel) plaster (of Paris); 2 (mineraal) gypsum; *in het ~ liggen* lie in plaster.

gipsafgietsel ['gɪpsafgi.tsəl] *o* plaster cast.

gipsbeeld [-be.lt] *o* plaster image, plaster figure.

1 gipsen ['gɪpsə(n)] *aj* plaster.

2 gipsen ['gɪpsə(n)] *vt* plaster.

gipsmodel ['gɪpsmo.dɛl] *o* plaster cast.

gipsverband [-fərbɑnt] *o* plaster of Paris dressing.

gipsvorm [-fɔrm] *m* plaster mould.

giraf(fe) [ʒi:'raf(ə)] *v* ⒮ giraffe, ⚹ camelopard.

gireren [gi:'re:rə(n)] *vt* $ transfer.

giro ['gi:ro.] *m* $ clearing.

girobank [-bɑŋk] *v* $ clearing-bank.

girobiljet [-bɪljɛt] *o* transfer form.

Girondijn [gi:ròn'dɛin] *m* ⒰ Girondist.

girorekening ['gi:ro.re.kənɪŋ] *v* $ transfer account.

gis [gɪs] *v* guess, conjecture; *op de ~* at random.

gispen ['gɪspə(n)] *vt* blame, censure.

gisping [-pɪŋ] *v* blame, censure.

gissen ['gɪsə(n)] I *vt* guess, conjecture, surmise; II *vi* guess; *~ naar iets* guess at a thing; *~ doet missen* guess twice and guess worse.

gissing [-sɪŋ] *v* guess, conjecture; estimation; *het is maar een ~* F it is mere guesswork; *naar ~* at a rough guess (estimate).

gist [gɪst] *m* yeast, barm.

gisten ['gɪstə(n)] *vi* ferment², work; *het had al lang gegist* things had been in a ferment for a long time already.

gisteren ['gɪstərə(n)] yesterday; *hij is niet van ~* he was not born yesterday; *de Times van ~* yesterday's (issue of the) Times; *gister(en)-avond* last night, yesterday evening; *gister(en)-morgen* yesterday morning.

gisting [-tɪŋ] *v* working, fermentation², ferment² [ook = agitation, excitement]; *in ~ verkeren* be in a ferment².

git [gɪt] *o* & *v* jet.

gitaar [gi.'ta:r] *v* ♪ guitar.

gitaarspeler [-spe.lər] *m* ♪ guitarist.

gitten ['gɪtə(n)] *aj* (made of) jet.

gitzwart [-svɑrt] jet-black.

glaasje ['gla.ʃə] *o* 1 (small) glass; 2 slide [of a microscope]; *hij heeft te diep in het ~ gekeken* F he has had a drop too much; *een ~ nemen* have a glass.

glacé [gla.'se.] I *aj* kid; II *o* kid (leather).

glacé(handschoen) [gla.'se.(hɑntsxu.n)] *m* kid glove.

glaceren [gla.'se:rə(n)] *vt* glaze [tiles]; ice, frost [pastry, cakes].

glad [glɑt] I *aj* *eig* slippery [roads, ground]; sleek [hair]; *eig & fig* smooth [surface, chin, skin, style, verse &]; glib [tongue]; *fig* cunning, cute, clever; *een ~de ring* a plain ring; *dat is nogal ~* F that goes without saying; II *ad* smooth(ly); *~ lopen* run smooth(ly); *je hebt het ~ mis* you are quite wrong;

ik ben het ~ *vergeten* I have clean forgotten it; *dat was* ~ *verkeerd* that was quite wrong.
gladakker ['glɑdɑkər] *m* 1 *Ind* pariah dog; 2 *fig* (schurk) rascal, scamp; 3 (slimmerd) sly dog, slyboots.
gladdigheid [-dɔxhɛit] *v* zie *gladheid.*
gladgeschoren ['glɑtgəsxo:rə(n)] clean-shaven.
gladharig [-ha:rəx] sleek-haired, smooth-haired.
gladheid [-hɛit] *v* smoothness², slipperiness.
gladiator [glɑdi.'a.tɔr] *m* gladiator.
gladiolus [-'o.lũs] **gladiool** [-'o.l] *v* 🌿 gladiolus [*mv* gladioli].
gladjanus ['glɑtja.nũs] *m* P slyboots, artful dodger.
gladloops [-lo.ps] smooth-bore [gun].
gladmaken [-ma.kə(n)] *vt* smooth, polish.
gladschaaf [-sxa.f] *v* 🔧 smoothing-plane.
gladstrijken [-strɛikə(n)] *vt* smooth (out)².
gladweg [-'vɛx] clean [forgotten]; [refuse] flatly.
gladwrijven [-vrɛivə(n)] *vt* polish.
glans [glɑns] *m* 1 shine [of boots], gloss [of hair], lustre²; *fig* gleam [in his eye]; glory, splendour, brilliancy, glamour; 2 polish; *hij is met* ~ *geslaagd* he has passed with flying colours, with honours.
glansbordpapier ['glɑnsbɔrtpa.pi:r] *o* glazed cardboard.
glansloos [-lo.s] lustreless [stuff], lacklustre [eyes].
glansperiode [-pe:ri.o.də] *v* heyday.
glanspunt [-pũnt] *o* acme, height, high light.
glansrijk [-rɛik] I *aj* splendid, glorious, radiant, brilliant; II *ad* gloriously, brilliantly.
glanzen ['glɑnzə(n)] I *vi* gleam, shine; II *vt* gloss [cloth]; glaze [paper]; burnish [steel &]; polish [marble, rice]; brighten [metal].
glanzend [-zənt] gleaming, glossy.
glanzig [-zəx] shining, glossy, glittering.
glas [glɑs] *o* 1 glass; 2 chimney [of a lamp]; *zes glazen* ⚓ six bells; *zijn eigen glazen ingooien* cut (bite) off one's nose to spite one's face, stand in one's own light, quarrel with one's bread and butter; *onder* ~ *kweken* grow under glass.
glasachtig ['glɑsɑxtəx] glass-like, glassy, vitreous.
glasblazen ['glɑsbla.zə(n)] I *vi* blow glass; II *o* glass-blowing.
glasblazer [-zər] *m* glass-blower.
glasblazerij [glɑsbla.zə'rɛi] *v* glass-works.
glasdicht ['glɑsdɪxt] glazed.
glasfabriek [-fa.bri.k] *v* glass-works.
glashandel [-hɑndəl] *m* glass-trade.
glashelder [-hɛldər] clear as glass; *fig* crystal-clear.
glasindustrie [-ɪndũstri.] *v* glass industry.
glasoven [-o.və(n)] *m* glass-furnace.
glasruit [-rœyt] *v* window-pane.
glasscherf ['glɑsxɛrf] *v* piece of broken glass.
glasschilder ['glɑsxɪldər] *m* stained-glass artist,

glass-painter.
glasschilderen [-dərə(n)] *o* glass-painting.
glasslijper ['glɑslɛipər] *m* glass-grinder.
glassnijder [-snɛi(d)ər] *m* glass-cutter.
glasverzekering ['glɑsfərze.kərɪŋ] *v* plate-glass insurance.
glasvezel [-fe.zəl] *v* glass fibre.
glaswerk [-vɛrk] *o* 1 glass-work, (table) glassware, glasses, glass things; 2 glazing [windows &].
glauberzout ['glouberzout] *o* Glauber's salt.
glazen ['gla.zə(n)] *aj* (of) glass, glassy; ~ *deur* glass door, glazed door; *een* ~ *oog* a glass eye.
glazendoek [-du.k] *m* glass-cloth.
glazenier [gla.zə'ni:r] *m* zie *glasschilder.*
glazenkast ['gla.zə(n)kɑst] *v* glazed cabinet, glazed cupboard.
glazenmaker [-ma.kər] *m* 1 (mens) glazier; 2 (insekt) dragon-fly.
glazenmakersdiamant [-ma.kərsdi.a.mɑnt] *m* & *o* glazier's diamond.
glazenspuit [-spœyt] *v* window-cleaning syringe.
glazenwasser [-vɑsər] *m* window-cleaner.
glazenwasserij [gla.zə(n)vɑsə'rɛi] *v* window-cleaning company.
glazig ['gla.zəx] glassy; waxy [potato].
glazuren [gla.'zy:rə(n)] *vt* glaze.
glazuur [-'zy:r] *o* 1 glaze [of pottery]; 2 enamel [of teeth].
gletscher zie *gletsjer.*
gletsjer ['glɛtʃər] *m* glacier.
gleuf [gløf] *v* groove, slot, slit.
glibberen ['glɪbərə(n)] *vi* slither, slip.
glibberig [-rəx] slithery, slippery.
glibberigheid [-hɛit] *v* slitheriness, slipperiness.
glijbaan ['glɛiba.n] *v* slide.
glijbank [-bɑnk] *v* sliding-seat [in a gig].
glijboot [-bo.t] *m* & *v* hydroplane (motorboat).
glijden [-(d)ə(n)] *vi* glide [over the water &]; slide [on ice]; slip [over a patch of oil, from one's hands, off the table]; *zullen we wat gaan* ~? shall we go for a slide?; *laten* ~ slide [a drawer &]; slip [a coin into his hand]; run [one's fingers over, one's eyes along...]; *zich laten* ~ slip [off one's horse]; slide [down the banisters]; *door de vingers* ~ slip through one's fingers; *over iets heen* ~ slide over a delicate subject.
glijvlucht [-vlũxt] *v* 🛩 volplane, glide.
glimlach ['glɪmlɑx] *m* smile.
glimlachen [-lɑgə(n)] *vi* smile; ~ *over* (*tegen*) smile at.
glimmen ['glɪmə(n)] *vi* 1 shine; glimmer, gleam; 2 glow [under the ashes]; *haar neus glimt* her nose is shiny.
glimmend [-mənt] shining, shiny.
glimmer [-mər] *o* mica.
glimp [glɪmp] *m* glimpse; glimmer [of hope &]; *hij gaf er een* ~ *aan* he varnished it over; *een* ~ *van waarheid* some colour of truth.

glimworm ['glɪmvɔrm] *m* glow-worm, fire-fly.

glinsteren ['glɪnstərə(n)] *vi* glitter, sparkle, shimmer, glint.

glinstering [-rɪŋ] *v* glittering, glitter, sparkling, sparkle, shimmering, shimmer, glint.

glippen ['glɪpə(n)] *vi* slip; *er door* ~ slip through.

globaal [glo.'ba.l] I *aj* rough; broad [picture]; II *ad* roughly, in the gross.

globe ['glo.bə] *v* globe.

globetrotter [-trɔtər] *m* globe-trotter.

gloed [glu.t] *m* blaze, glow; *fig* ardour, fervour, verve; *in* ~ *geraken* warm up [to one's subject].

gloednieuw ['glu.tni:u] brand-new.

gloeidraad ['glu:idra.t] *m* ※ filament.

gloeien ['glu.jə(n)] I *vi* 1 (v. metalen) glow, be red-hot (white-hot); 2 (v. wangen &) burn; ~ *van* glow (be aglow) with, burn with, be aflame with; II *vt* bring to a red (white) heat.

gloeiend [-jənt] I *aj* glowing; red-hot [iron]; burning [cheeks]; *fig* ardent; ~*e kolen* hot (live) coals; II *ad* ~ *heet* 1 burning hot; 2 (v. metalen) red-hot; 3 (v. water) scalding hot.

gloeihitte ['glu:ihɪtə] *v* red (white) heat; intense heat.

gloeiing ['glu.jɪŋ] *v* glowing, incandescence.

gloeikousje ['glu:ikɔuʃə] *o* incandescent mantle.

gloeilamp [-lɑmp] *v* glow-lamp, bulb.

gloeilicht [-lɪxt] *o* incandescent light.

gloeioven [-o.və(n)] *m* heating furnace.

glooien ['glo.jə(n)] *vi* slope.

glooiend [-jənt] sloping.

glooiing [-jɪŋ] *v* slope.

gloren ['glo:rə(n)] *vi* 1 glimmer; 2 dawn; *bij het* ~ *van de dag* at peep of day, at dawn.

glorie [-ri.] *v* glory, lustre, splendour.

glorierijk [-rɛik] glorieus [glo:ri'ø.s] *aj* (& *ad*) glorious(ly).

glos [glɔs] *v* gloss; ~*sen maken op* gloss [a text]; *fig* comment on, gloss upon.

glossarium [glɔ'sa:ri.ũm] *o* glossary.

glosse ['glɔsə] = *glos*.

glucose [gly.'ko.zə] *v* glucose.

gluipen ['glœypə(n)] *vi* sneak, skulk.

gluiper(d) [-pər(t)] *m* sneak, skulking fellow.

gluiperig [-pərəx] *aj* (& *ad*) sneaking(ly).

glunder ['glʏndər] I *aj* genial; buxom [lass]; II *ad* genially.

glunderen [-dərə(n)] *vi* F beam (with geniality).

gluren ['gly:rə(n)] *vi* peep, > leer.

glycerine [gli.sə'ri.nə] *v* glycerine.

gniffelen ['gnɪfələ(n)] *vi* F chuckle.

gnoe [gnu.] *m* ♣ gnu, wildebeest.

gnuiven ['gnœyvə(n)] *vi* F chuckle.

goal [go.l] *m sp* goal.

gobelin [go.bə'lɛ̃] *o* & *m* gobelin, Gobelin tapestry.

God [gɔt] *m* God; ~ *betere het!* (God) save the mark!; ~ *bewaar me* God forbid!, save us!;

~ *weet waar* Heaven (Goodness) knows where; *zo* ~ *wil* God willing; ~ *zij gedankt* thank God.

god [gɔt] *m* god.

goddank [gɔ'dɑŋk] thank God!

goddelijk ['gɔdələk] *aj* divine [providence, beauty], heavenly; II *ad* divinely.

goddelijkheid [-hɛit] *v* divineness, divinity.

goddeloos [gɔdə'lo.s] I *aj* godless, impious, ungodly, wicked, unholy; *een* ~ *kabaal* a dreadful (infernal) noise; II *ad* 1 godlessly, impiously; 2 < dreadfully.

goddeloosheid [gɔdə'lo.shɛit] *v* godlessness, ungodliness, impiety, wickedness.

godendienst ['go.də(n)di.nst] *m* idolatry.

godendom [-dɔm] *o* (heathen) gods.

godendrank [-drɑŋk] *m* nectar.

godenleer [-le:r] *v* mythology.

godenspijs [-spɛis] *v* ambrosia.

Godfried ['gɔtfri.t] *m* Godfrey, Geoffrey, Jeffrey.

godgans(elijk) [gɔt'gɑns(ələk)] in: *de* ~*e dag* the livelong day, the whole blessed day.

godgeklaagd [gɔtgə'kla.xt] in: *het is* ~ it is a crying shame.

godgeleerd ['gɔtgələ:rt] theological.

godgeleerde [-le:rdə] *m* theologian, divine.

godgeleerdheid [-le:rthɛit] *v* theology.

godgevallig [-vɑləx] pleasing to God.

godheid ['gɔthɛit] *v* 1 divinity, godhead; 2 deity.

godin [go.'dɪn] *v* goddess.

godlasterend ['gɔtlɑstərənt] zie *godslasterlijk*.

godloochenaar [-lo.gəna:r] *m* atheist.

godloochening [-nɪŋ] *v* atheism.

Godmens ['gɔtmɛns] *m* God-man.

godsakker ['gɔtsɑkər] *m* God's acre, churchyard.

godsdienst [-di.nst] *m* 1 religion; 2 divine worship.

godsdiensthaat [-ha.t] *m* religious hatred.

godsdienstig [gɔts'di.nstəx] I *aj* religious [people]; devotional [literature]; II *ad* religiously.

godsdienstigheid [-hɛit] *v* religiousness, piety.

godsdienstijver ['gɔtsdi.nstɛivər] *m* religious zeal.

godsdienstleraar [-le:ra:r] *m* religious teacher.

godsdienstoefening [-u.fənɪŋ] *v* divine service.

godsdienstonderwijs [-ɔndərvɛis] *o* religious teaching.

godsdienstonderwijzer [-ɔndərvɛizər] *m* religious teacher.

godsdienstoorlog [-o:rlɔx] *m* religious war.

godsdienstplechtigheid [-plɛxtəxhɛit] *v* religious ceremony (rite).

godsdienstplicht [-plɪxt] *m* & *v* religious duty.

godsdiensttwist ['gɔtsdi.nstvɪst] *m* religious dissension.

godsdienstvrijheid ['gɔtsdi.nstfrɛihɛit] *v* religious liberty, freedom of religion.

godsdienstwaanzin [-va.nzɪn] *m* religious mania.

godsgericht ['gɔtsgərɪxt] o 1 judgment of God; 2 zie godsoordeel.

Godsgezant [-gəzɑnt] m divine messenger.

godshuis [-hœys] o 1 house of God, place of worship; 2 charitable institution, almshouse.

godslasteraar [gɔts'lɑstəra:r] m blasphemer.

godslastering [-tərɪŋ] v blasphemy.

godslasterlijk [-tərlək] aj (& ad) blasphemous-(ly).

godsnaam ['gɔtsna.m] in ~ ga heen! for Heaven's sake go!; ga in ~ go in the name of God; in ~ dan maar all right! [I'll go]; waar heb je 't in ~ over? what on earth are you talking about?

godsoordeel ['gɔtso:rde.l] o Ⓦ (trial by) ordeal.

godspenning [-pɛnɪŋ] m earnest-money.

godsvrede [-fre.də] m truce of God.

godsvrucht [-frʏxt] v piety, devotion.

godswil [-vɪl] om ~ for Heaven's sake; F goodness gracious.

godvergeten ['gɔtfərge.tə(n)] I aj God-forsaken [country, place]; graceless [rascal]; II ad < infernally, infamously.

godvrezend [-'fre.zənt] God-fearing, pious.

godvruchtig [gɔt'frʏxtəx] aj (& ad) devout(ly), pious(ly).

godvruchtigheid [-hɛit] v devotion, piety.

godzalig [gɔt'sa.ləx] godly.

godzaligheid [-hɛit] v godliness.

1 **goed** [gu.t] I aj 1 (niet slecht) good; 2 (niet verkeerd) right, correct; 3 (goedhartig) kind; een ~ eind a goodly distance; een ~ jaar 1 a good year [for fruit]; 2 a round (full) year; een ~ rekenaar a clever (good) hand at figures; een ~ uur a full (a good) hour; hij is een ~e veertiger he is (has) turned forty; ~ volk honest people; de Goede Week Holy Week; ~! good!; die is ~! that's a good one!; mij ~! all right!; net ~! serve him (you, them) right!; nu, ~! well!, all right!; ook ~! just as well!; al te ~ is buurmans gek all lay goods on a willing horse; (alles) ~ en wel (all) well and good [but...]; wij zijn ~ en wel aangekomen safe and sound; dat is maar ~ ook! and a (very) good thing (it is), too!; ~ zo! well done!, good business that!; het zou ~ zijn als... it would be a good thing if...; hij is niet ~ 1 he is not well; 2 he is not in his right mind; ben je niet ~? are you mad?; hij was zo ~ niet of hij moest... he had to... whether he liked it or not; wees zo ~ mij te laten weten... be so kind as to, be kind enough to...; zou u zo ~ willen zijn mij het zout aan te reiken? ook: would you mind passing the salt?; hij is zo ~ als dood he is as good as (all but) dead, nearly dead; zo ~ als niemand next to nobody; zo ~ als zeker next to certain, all but certain, almost certain; ze moeten maar weer ~ worden make it up (again); hij is ~ af zie af; hij is ~ in talen zie in; hij is weer ~ op haar he is friends with her again; ~ voor ...gld. good for... guilders; hij

is ~ voor zijn evenmens kind to his fellowmen; hij is er ~ voor he is good for it [that sum]; hij is nergens ~ voor he is a good-fornothing sort of fellow, he is no good; het is ergens (nergens) ~ voor it serves some (no) purpose; daar ben ik te ~ voor I am above that; hij is er niet te ~ voor he is not above that; zich te ~ doen do oneself well; zij deden zich te ~ aan mijn wijn they were having a go at my wine; nog iets te ~ hebben (van) I have something in store; 2 have an outstanding claim against [one]; ik heb nog geld te ~ money is owing to me; ik heb nog geld van hem te ~ he owes me money; ten ~e be invloed influenced for good; verandering ten ~e change for the good (for the better); u moet het mij ten ~e houden you must not take it ill of me; dat zal u ten ~e komen it will benefit you; jullie hebt ~ praten it is all very well for you to say so; zie ook: houden, uitzien &; ik wens u alles ~s I wish you well; niets dan ~s nothing but good; II ad well; ~ wat geld a good deal of money; zo ~ en zo kwaad als hij kon as best he might; het is ~ te zien it is easily seen; men kan net zo ~...; one might just as well...; hij kan ~ leren he is good at learning; hij kan ~ rekenen he is good at sums; hij kan ~ schaatsen he is a clever skater; het smaakt ~ it tastes good; zie ook: goede.

2 **goed** [gu.t] o 1 (het goede) good; 2 (kledingstukken) clothes, things; 3 (reisgoed) luggage, things; 4 (gerei) things; 5 (koopwaar) wares, goods; 6 (bezitting) goods, property, possession; 7 (landgoed) estate; 8 (stoffen) stuff, material [for dresses]; ~ en bloed life and property; de strijd tussen ~ en kwaad the struggle between good and evil; meer ~ dan kwaad more good than harm; aardse ~eren worldly goods; ik kan geen ~ bij hem doen I can do no good in his eyes; gestolen ~ gedijt niet ill-gotten goods seldom prosper; het hoogste ~ the highest good; het kleine ~ F the small fry; onroerend ~ real property, real estate, immovables; roerend ~ personal property, movables; schoon ~ a change of linen; clean things; vaste ~eren zie onroerend ~; vuil ~ dirty linen; mijn warm ~ my warm things; dat zoete ~ that (sort of) sweet stuff.

goedaardig [gu.'da:rdəx] I aj 1 (v. mensen) good-natured, benignant; 2 (v. ziekten) benign [tumour], mild [form of measles]; II ad good-naturedly, benignantly.

goedaardigheid [-hɛit] v good nature [of a person, an animal]; benignity, mildness [of a disease].

goedbloed ['gu.tblu.t] m een (Joris) ~ F a soft Johnny, a nincompoop.

goeddeels ['gu.de.ls] for the greater part.

goeddoen [-du.n] vi do good.

goeddunken [-dʏŋkə(n)] vi think fit; II o

approbation ; *naar* ~ as you think fit, at discretion; at your own pleasure.

goede [-də, -jə] good; *het* ~ *doen* do what is right; *te veel van het* ~ too much of a good thing.

goedemiddag [gu.də'mɪdɑx] good afternoon!

goedemorgen [gu.də'mɔrgə(n)] good morning!

goedenacht [gu.də'nɑxt] good night!

goedenavond [gu.dən'a.vənt] (bij komst) good evening!; (bij vertrek) good night!

goededag [gu.dən'dɑx] (bij komst) good day!; (bij afscheid) good-bye!; ~ *zeggen* (in het voorbijgaan) say good morning, give the time of day; (bij vertrek) bid farewell, say good-bye.

goederen ['gu.dərə(n)] *mv van* 2 *goed.*

goederenbureau [-by.ro.] *o* goods office.

goederenhandel [-hɑndəl] *m* goods trade.

goederenkantoor [-kɑnto:r] *o* goods office.

goederenloods [-lo.ts] *v* goods shed.

goederenstation [-sta.ʃɔ̀n] *o* goods station.

goederentrein [-trɛin] *m* freight train, goods train.

goederenverkeer [-vərke:r] *o* goods traffic.

goederenvervoer [-vərvu:r] *o* carriage of goods.

goederenvoorraad [-vo:ra.t] *m* stock(-in-trade).

goederenwagen [-va.gə(n)] *m* goods van [of a train].

goederhand ['gu.dərhɑnt] *van* ~ from a good source.

goedertieren [gu.dər'ti:rə(n)] merciful, clement.

goedertierenheid [-hɛit] *v* mercy, clemency.

goedgeefs [gu.t'ge.fs] liberal, open-handed.

goedgeefsheid [-hɛit] *v* liberality, open-handedness.

goedgehumeurd [gu.tgəhy.'møːrt] in a good temper.

goedgelovig [-'lo.vəx] credulous.

goedgelovigheid [-hɛit] *v* credulity.

goedgezind [gu.tgə'zɪnt] friendly.

goedgunstig [-'gʏnstəx] kind.

goedgunstigheid [-hɛit] *v* kindness.

goedhartig [gu.t'hɑrtəx] I *aj* good-natured, kind-hearted; II *ad* good-naturedly, kind-heartedly.

goedhartigheid [-hɛit] *v* good nature, kind-heartedness.

goedheid ['gu.thɛit] *v* goodness, kindness; *hemelse* ~! good heavens!; *wilt u de* ~ *hebben...* will you have the kindness to..., will you be so kind as to...

goedig ['gu.dəx] *aj* (& *ad*) good-natured(ly).

goedigheid [-hɛit] *v* good nature.

goedje ['gu.cə] *o* F in: *dat* ~ that (sort of) stuff.

goedkeuren ['gu.tkø:rə(n)] *vt* 1 approve (of) [a measure]; 2 pass [a person, play, film]; ✕ pass [him] fit (for service).

goedkeurend [-rənt] *aj* (& *ad*) approving(ly).

goedkeuring [-rɪŋ] *v* 1 approbation, approval; assent; 2 ⌧ good mark; *zijn* ~ *hechten aan* approve of; *zijn* ~ *onthouden (aan),* not approve (of); *onder nadere* ~ *van* subject to

the approval of; *ter* ~ *oorleggen* submit for approval.

goedkoop [gu.t'ko.p] I *aj* cheap[2]; ~ *is duurkoop* cheap goods are dearest in the long run; cheap bargains are dear; II *ad* cheap(ly).

goedkoopte [-tə] *v* cheapness.

goedlachs [gu.t'lɑxs] fond of laughter, easily amused; *zij is erg* ~ she laughs very easily.

goedleers [-'le:rs] teachable, docile.

goedmaken ['gu.tma.kə(n)] *vt* 1 (verbeteren) put right, repair [a mistake]; 2 (aanvullen, inhalen, herstellen) make good, make up for [a loss]; *het weer* ~ make (it) up again.

goedmoedig [gu.t'mu.dəx] zie *goedhartig.*

goedpraten ['gu.tpra.tə(n)] *vt* in: *iets* ~ gloze (varnish) it over, explain it away.

goedschiks [-sxɪks] with a good grace, willingly; ~ *of kwaadschiks* willy-nilly.

goedsmoeds [gu.ts'mu.ts] 1 with a good courage; 2 of good cheer.

goedvinden ['gu.tfɪndə(n)] I *vt* think fit, approve of; *hij zal 't wel* ~ he won't mind; II *o* approval; *met* ~ *van...* with the consent of...; *met onderling* ~ by mutual consent; *doe (handel) naar eigen* ~ use your own discretion.

goedwillig [gu.t'vɪləx] I *aj* willing; II *ad* willingly.

goedwilligheid [-hɛit] *v* willingness.

goedzak ['gu.tsɑk] *m* zie *goeierd.*

goegemeente [gu.gə'me.ntə] *v* in: *de* ~ the man in the street.

goeierd ['gu.jərt] *m* F 1 good fellow; 2 > juggins, simpleton.

goevern- zie *gouvern-.*

gok [gɔk] *m* F gamble.

gokken ['gɔkə(n)] *vi* F gamble.

gokker [-kər] *m* F gambler.

gokkerij [gɔkə'rɛi] *v* F gamble, gambling.

1 **golf** [gɔlf] *v* 1 wave° [ook ✳✝], billow; stream [of blood]; 2 (inham) bay, gulf.

2 **golf** [gɔlf] *o* sp golf.

golfbaan ['gɔlfba.n] *v* sp golf-link.

golfbeweging [-bəve.gɪŋ] *v* undulatory motion, undulation.

golfbreker [-bre.kər] *m* breakwater.

golfdal [-dɑl] *o* trough (of the sea).

golfkarton [-kɑrtɔ̀n] *o* corrugated cardboard.

golflengte [-lɛŋtə] *v* wave-length.

golfslag [-slɑx] *m* dash of the waves.

golfstok [-stɔk] *m* sp golf-club.

Golfstroom [-stro.m] *m* Gulf-stream.

Golgotha ['gɔlgo.ta.] *o* Golgotha.

Goliath ['go.li.ɑt] *m* Goliath.

golven ['gɔlvə(n)] *vt* & *vi* wave, undulate.

golvend [-vənt] waving, wavy [hair], undulating [countryside]; § undulatory; rolling [fields]; flowing [robes].

golving [-vɪŋ] *v* waving, undulation.

gom [gɔ̀m] *m* & *o* gum; *Arabische* ~ gum arabic; zie ook: *vlakgom.*

gomachtig ['gɔ̀mɑxtəx] gummy.

gombal [-bɑl] *m* gum, gum-drop.
gomboom [-bo.m] *m* gum-tree.
gomelastiek [gòme.lɑs'ti.k] *o* (india-)rubber.
gomelastieken [-'ti.kə(n)] *aj* rubber.
gomhars ['gòmhɑrs] *o* & *m* gum-resin.
gommen ['gòmə(n)] *vt* gum.
Gomorr(h)a [go.'mɔra.] *o* Gomorrah.
gondel ['gòndəl] *v* gondola.
gondelier [gòndə'li:r] *m* gondolier.
gong [gòŋ] *m* gong.
goniometrie [go.ni.o.me.'tri.] *v* goniometry.
gonje ['gònjə] *m* gunny.
gonzen [-zə(n)] *vi* buzz, hum, drone, whirr; *het gonst van geruchten* the air buzzes with rumours.
goochelaar ['go.gəla:r] *m* juggler, conjurer.
goochelarij [go.gəla.'rɛi] *v* juggling, jugglery.
goochelen ['go.gələ(n)] *vi* juggle², conjure, perform conjuring tricks; ∼ *met cijfers* juggle with figures.
goochelkunst ['go.gəlkŭnst] *v* 1 juggling art, prestidigitation; 2 zie ook: *goocheltoer.*
goocheltoer [-tu:r] *m* juggling (conjuring) trick.
goochem ['go.gəm] F knowing, shrewd, all there.
goochemerd [-gəmərt] *m* F slyboots.
gooi [go:i] *m* cast, throw; *een* ∼ *naar iets doen* 1 have a try at it; 2 make a bid for it.
gooien ['go.jə(n)] I *vt* fling, cast, throw; *iets in het vuur* ∼ throw (fling, toss) it into the fire; *iemand met iets* ∼ throw (pitch, shy) a thing at a person; *iemand met stenen* ∼ pelt one with stones; *iets naar iemand* ∼ toss (throw) a thing to a man; *op papier* ∼ dash off [an article &]; *het (de schuld) op iemand* ∼ lay the blame (for it) on a person; *het op iets anders* ∼ turn the talk to something else; zie ook: *balk* & *boeg*; II *va* throw; *jij moet* ∼ it is your turn to throw; *gooi jij ook eens* have a throw, too.
goor [go:r] dingy, *fig* nasty.
goorheid ['go:rhɛit] *v* dinginess; *fig* nastiness.
goospenning ['go.spɛniŋ] *m* earnest-money.
goot [go.t] *v* gutter, gully, kennel, drain.
gootsteen ['go.tste.n] *m* (kitchen) sink.
gootwater [-va.tər] *o* gutter-water; slops.
gordel ['gordəl] *m* girdle [round waist], belt² [of leather, of forts], ⊙ zone.
gordeldier [-di:r] *o* ⚥ armadillo.
gordelriem [-ri.m] *m* belt.
gordelroos [-ro.s] *v* ⚕ shingles.
gorden ['gordə(n)] I *vt* gird; II *vr zich ten strijde* ∼ gird (up) oneself for the fight.
gordiaans [gordi.'a.ns] in: *de* ∼*e knoop* the Gordian knot; zie ook: *knoop.*
gordijn [-'dɛin] *o* & *v* curtain [of window, in theatre]; (op rollen) blind; *het ijzeren* ∼ the iron curtain.
gordijnkoord [-ko:rt] *o* & *v* curtain-cord.
gordijnrail [-re.l] *v* curtain-rail.
gordijnring [-riŋ] *m* curtain-ring.
gordijnroe(de) [-ru.(də)] *v* curtain-rod, curtain-pole.

gorgeldrank ['gorgəldrɑŋk] *m* gargle.
gorgelen [-gələ(n)] *vi* gargle.
gorilla [go.'rila.] *m* ⚥ gorilla.
gors [gors] *v* ⚥ bunting.
gort [gort] *m* groats, grits; (speciaal) barley; (pap) gruel.
gossie(mijne)! ['gosi.('mɛinə)] *ij* P law!, gee!
Goten ['go.tə(n)] *mv* Goths.
gotiek [go.'ti.k] *v* Gothic (style), Gothicism.
gotisch ['go.ti.s] Gothic; ∼*e letter* Gothic letter, black letter.
Gotisch ['go.ti.s] *o* Gothic.
goud [gout] *o* gold; *het is* ∼ *waard* it is worth its weight in gold; *het is alles geen* ∼ *wat er blinkt* it is not all gold that glitters.
goudachtig ['goutɑxtəx] gold-like, golden.
goudblond [-blònt] golden.
goudbrocaat zie *goudbrokaat.*
goudbrokaat ['goutbro.ka.t] *o* gold-brocade.
goudbrons [-bròns] *o* gold-bronze.
gouddelver ['goudɛlvər] *m* gold-digger.
gouddorst [-dòrst] *m* thirst for (of) gold, lust of gold, gold-thirst.
gouddraad [-dra.t] *m* & *o* 1 gold-wire; 2 gold-thread.
gouddruk [-drŭk] *m* gold-printing.
gouden ['gou(d)ə(n)] gold, golden²; ∼ *bril* gold-rimmed spectacles; ∼ *standaard* gold standard.
goudenregen [gou(d)ə(n)'re.gə(n)] *m* ♣ laburnum.
gouderts ['goutɛrts] *o* gold-ore.
goudfazant [-fa.zɑnt] *m* ⚥ golden pheasant.
goudgeel [-ge.l] gold-coloured, golden.
goudgeld [-gɛlt] *o* gold coin, gold.
goudglans [-glɑns] *m* golden lustre.
goudgraver [-gra.vər] *m* gold-digger.
goudhoudend [-houdənt] gold-bearing, auriferous.
goudkever [-ke.vər] *m* rose-beetle, leaf-beetle.
goudkleur [-klø:r] *v* gold colour.
goudkleurig [-klø:rəx] golden, gold-coloured.
goudklomp [-klòmp] *m* nugget of gold.
goudkoord [-ko:rt] *o* & *v* gold-lace.
goudkoorts [-ko:rts] *v* gold-fever.
goudkorrel [-korəl] *m* grain of gold.
goudland [-lɑnt] *o* 1 gold-country; 2 $ gold-block country.
goudle(d)er [-le:r, -le.dər] *o* gilt leather.
goudle(de)ren [-le:rə(n), -le.dərə(n)] *aj* gilt-leather.
goudmijn [-mɛin] *v* gold-mine².
goudpoeder, -poeier [-pu.dər, -pu.jər] *o* & *m* gold-powder.
goudrenet [-rənɛt] *v* golden rennet.
Gouds [gouts] Gouda [cheese].
goudsbloem ['goutsblu.m] *v* ♣ marigold.
goudschaal ['goŭtsxa.l] *v* gold-balance, gold-scales, assay-balance; *zijn woorden op een* ∼ *wegen* weigh one's every word.
goudsmid [-smit] *m* goldsmith.
goudstuk [-stŭk] *o* gold coin.

goudveld [-fɛlt] o gold-field.
goudvink [-fɪŋk] m & v ♭ bull-finch.
goudvis [-fɪs] m 1 🐟 goldfish; 2 S ~(je) oofy girl.
goudviskom [-fɪskòm] v globe (for goldfish), goldfish bowl.
goudvoorraad [-fo:ra.t] m gold stock(s).
goudvulling [-fűlɪŋ] gold filling.
goudwerk [-vɛrk] o gold-work, gold-plate.
goudwerker [-vɛrkər] m worker in gold.
goudzoeker [-su.kər] m gold-seeker.
gouvernante [gu.vər'nɑntə] v governess.
gouvernement [-nə'mɛnt] o government.
gouvernementsambtenaar [-'mɛntsɑmtənɑ:r] m government officer (official, servant).
gouvernementsdienst [-di.nst] m government service; in ~ in the government service.
gouverneur [gu.vər'nø:r] m 1 governor; 2 (onderwijzer) tutor.
gouverneur-generaal [-nø:rge.nə'ra.l] m governor-general.
gouverneurschap [-'nø:rsxɑp] o 1 governorship; 2 (v. onderwijzer) tutorship.
gouw [gou] v district, province.
gouwe ['gouə] v ♣ (lesser) celandine; stinkende (grote) ~ greater celandine.
gouwenaar [-nɑ:r] m long clay, F churchwarden.
Govert ['go.vərt] m Geoffrey.
graad [gra.t] m 1 degree°; 2 (rang) rank, grade, degree; 3 (van bloedverwantschap) remove; 14 graden vorst 14 degrees of frost; een ~ halen take one's [university] degree; bij o graden at zero; in graden verdelen graduate; in zekere ~ to a certain degree; in de hoogste ~ to the last (utmost) degree; lui in de hoogste ~ lazy to a degree; op 52 graden noorderbreedte en 16 graden westerlengte in latitude 52° north and in longitude 16° west.
graadboog ['gra.tbo.x] m protractor, graduated arc.
graadmeter [-me.tər] m graduator.
graadverdeling [-fərde.lɪŋ] v graduation.
graaf [gra.f] m 1 earl [in England]; 2 count [on the Continent].
graaflijk = grafelijk.
graafmachine ['gra.fma.ʃi.nə] v excavator.
graafschap [-sxɑp] o 1 (gebied) county, shire; 2 countship, earldom.
graafwerk [-vɛrk] o digging, excavation(s).
graafwesp [-vɛsp] v digger-wasp.
graag [gra.x] I aj eager; II ad gladly, readily, willingly; with pleasure; hij doet het ~ he likes to do it, he likes it; ik zou niet ~ I would not care to; wil je nog wat...? heel ~ thank you!; ~ of niet take it or leave it!; zie ook: gaarne.
graagte ['gra.xtə] v eagerness, appetite.
graaien ['gra.jə(n)] vt & vi P grab, grabble.
graal [gra.l] m (Holy) Grail.
graalridder ['gra.lrɪdər] m Knight of the Round Table.

graan [gra.n] o corn, grain; granen cereals.
graanbeurs ['gra.nbø:rs] v corn-exchange.
graanbouw [-bou] m corn-growing.
graangewassen [-gəvɑsə(n)] mv cereals.
graanhandel [-hɑndəl] m corn-trade.
graanhandelaar [-hɑndəla:r] m corn-dealer.
graankorrel [-kərəl] m grain of corn.
graanmarkt [-mɑrkt] v corn-market.
graanoogst [-o.xst] m grain-crop(s), cereal crop.
graanpakhuis [-pɑkhœys] o granary.
graanschuur [-sxy:r] v granary².
graanzolder [-zɔldər] m corn-loft.
graat [gra.t] v fish-bone, bone; rood (niet zuiver) op de ~ 1 not fresh [of fish]; 2 fig S not the clean potato; unorthodox [in politics], S not sound on the goose; 3 F a red [= a socialist, communist]; van de ~ vallen 1 lose flesh; 2 faint; 3 be faint with hunger.
grabbel ['grɑbəl] te ~ gooien throw [among children] to be scrambled for; zijn eer te ~ gooien throw away one's honour; zijn geld te ~ gooien make ducks and drakes of one's money [fig].
grabbelen [-bələ(n)] vi scramble [for a thing], grabble [in...].
gracht [grɑxt] v 1 canal [in a town]; 2 ditch, moat [round a town]; ik woon op een ~ I live in a canal street.
gracieus [gra.si.'ø.s] aj (& ad) graceful(ly).
graderen [gra.'de:rə(n)] vt graduate.
gradueel [-dy.'e.l] [difference] of (in) degree.
gradueren [gra.dy.'e:rə(n)] vt 1 graduate; 2 ∽ confer a degree upon.
graecus ['gre.kűs] m Greek scholar, Grecian.
graf [grɑf] o grave, ⊙ tomb, sepulchre; witgepleisterde graven B whited sepulchres; het Heilige Graf the Holy Sepulchre; zijn eigen ~ graven dig one's own grave; een ~ in de golven vinden find a watery grave; hij sprak aan het ~ he spoke at the graveside; dat zal hem in het ~ brengen that will bring him to his grave; het geheim met zich meenemen in het ~ carry the secret with one to the grave; hij zou zich in zijn ~ omkeren he would turn in his grave; ten grave dalen sink into the grave; ten grave dragen bear one to burial; dit zal hem ten grave slepen it will bring him to his grave; tot aan het ~ till death.
grafelijk ['gra.fələk] 1 of a count, of an earl; 2 like a count, like an earl; zie graaf.
grafheuvel ['grafhø.vəl] m 1 grave-mound; 2 🏛 barrow.
grafiek [gra.'fi.k] v 1 (kunst) graphic arts; 2 (voorstelling) graph, diagram.
grafiet [gra.'fi.t] o graphite, plumbago.
grafisch ['gra.fi.s] I aj graphic; ~e voorstelling graph, diagram; II ad graphically.
grafkapel ['grafka.pɛl] v mortuary chapel.
grafkelder [-kɛldər] m family vault.
grafkrans [-krɑns] m (funeral) wreath.

grafkuil [-kœyl] *m* grave.
graflegging [-lɛgɪŋ] *v* interment, sepulture; *de ~ van Christus* the Entombment of Christ.
graflucht [-lŭxt] *v* sepulchral smell.
grafmonument [-mo.ny.mɛnt] *o* mortuary monument.
grafologie [gra.fo.lo.'gi.] *v* graphology.
grafoloog [-'lo.x] *m* graphologist.
grafschennis [-sxɛnəs] *v* desecration of graves (a grave).
grafschrift [-s(x)rɪft] *o* epitaph.
grafsteen [-ste.n] *m* gravestone, tombstone.
grafstem [-stɛm] *v* sepulchral voice.
graftombe [-tòmbə] *v* tomb.
grafwaarts [-va:rts] to the grave.
grafzerk [-sɛrk] *v* zie *grafsteen*.
gram [grɑm] *o* gramme.
grammatica [grɑ'ma.ti.ka.] *v* grammar.
grammaticaal [-ma.ti.'ka.l] *aj* (& *ad*) grammatical(ly).
grammatika(-) zie *grammatica*(-).
grammofoon [grɑmo.'fo.n] *m* gramophone.
grammofoonmuziek [grɑmo.'fo.nmy.zi.k] *v* gramophone music, recorded music.
grammofoonnaald [grɑmo.'fo.na.lt] *v* gramophone needle.
grammofoonplaat [grɑmo.'fo.npla.t] *v* gramophone record.
gramschap ['grɑmsxɑp] *v* anger, wrath.
gramstorig [grɑm'sto:rəx] angry, wrathful.
1 granaat [gra.'na.t] *m* 1 (steen) garnet; 2 ✿ pomegranate.
2 granaat [gra.'na.t] *v* 1 ✕ shell; (hand) grenade; 2 ✿ pomegranate.
3 granaat [gra.'na.t] *o* (stofnaam) garnet.
granaatappel [-ɑpəl] *m* ✿ pomegranate.
granaatboom [-bo.m] *m* ✿ pomegranate.
granaatkartets [gra.na.tkɑr'tɛts] *v* ✕ shrapnel.
granaatscherf [-'na.tsxɛrf] *v* splinter of a shell.
granaattrechter [-'na.trɛxtər] *m* ✕ shell hole, shell crater.
granaatvuur [-'na.tfy:r] *o* ✕ shell fire.
grandioos [grɑndi.'o.s] grandiose, grand.
graniet [gra.'ni.t] *o* granite.
granietblok [-blɔk] *o* block of granite.
granieten [gra.'ni.tə(n)] *aj* granite.
granuleren [gra.ny.'le:rə(n)] *vt* granulate.
grap [grɑp] *v* joke, jest; *een mooie ~!* a pretty go!; *dat zou me een ~ zijn!* I wouldn't that be fun (some fun); 2 that would be a pretty go!; *daar zal je ~pen van beleven* there will be some fun now; *een ~ hebben met hem* play a joke on him; *~pen maken* joke, cut jokes; *~pen uithalen* play tricks; *je moet hier geen ~pen uithalen* you must not play off your (any) jokes here, don't come your tricks over me; *hij maakte er een ~(je) van* he laughed it off; *voor de ~* in (for) fun, by way of a joke.
grapjas ['grɑpjɑs] *m* zie *grappenmaker*.
grappenmaker ['grɑpə(n)ma.kər] *m* wag, jøker, buffoon.
grappenmakerij [grɑpə(n)ma.kə'rɛi] *v* drollery,

waggery.
grappig ['grɑpəx] I *aj* funny, droll, comic, facetious; jocose, jocular; comical; *het ~ste was* the best joke of all was; II *ad* funnily, drolly, comically, facetiously; jocosely, jocularly.
grappigheid [-hɛit] *v* fun, drollery, comicality, facetiousness; jocosity, jocularity.
gras [grɑs] *o* grass; *Engels ~* ✿ sea-pink, thrift; *hij laat er geen ~ over groeien* he doesn't let the grass grow under his feet; *iemand het ~ voor de voeten wegmaaien* cut the grass from under a person's feet.
grasachtig ['grɑsaxtəx] grass-like, grassy.
grasbaan [-ba.n] *v sp* grass-court [for lawn-tennis]; grass-track [for racing].
grasboter [-bo.tər] *v* grass-butter, May-butter.
grasduinen [-dœynə(n)] *vi* in: *ergens in ~* browse [among books &, in a book].
grasetend [-e.tənt] grass-eating, § herbivorous.
grasgewas [-gəvɑs] *o* 1 grass crop; 2 graminaceous plant.
grasgroen [-gru.n] as green as grass, grass-green.
grashalm [-hɑlm] *m* grass-blade, blade of grass.
grasje ['grɑʃə] *o* blade of grass.
grasland ['grɑslɑnt] *o* grass-land.
graslinnen [-lɪnə(n)] *o* grass-cloth.
grasmaaier [-ma.jər] *m* 1 (persoon) grass-mower; 2 zie *grasmaaimachine*.
grasmaaimachine [-ma:ima.ʃi.nə] *v* lawn-mower.
grasmaand [-ma.nt] *v* April.
grasmachine [-ma.ʃi.nə] *v* lawn-mower.
grasmus [-mŭs] *v* ✿ whitethroat.
grasperk [-pɛrk] *o* grass-plot, lawn.
grasrijk [-reik] grassy.
grasrol [-rɔl] *v* garden-roller.
grasroller [-ər] *m* garden-roller.
graspriet ['grɑspri.t] *m* blade of grass.
grasveld ['grɑsfɛlt] *o* grass-field, greensward; lawn, grass-plot.
grasvlakte [-flɑktə] *v* grassy plain, prairie.
graszode ['grɑso.də] *v* (turf) sod.
gratie ['gra.(t)si.] *v* 1 (genade) pardon, grace; 2 (bevalligheid) grace; *~ verlenen (aan)*, pardon; *verzoek om ~* appeal for mercy; *bij de ~ Gods* by the grace of God; *weer in de ~ komen* be restored to grace; *in de ~ trachten te komen bij* ingratiate oneself with; *bij iemand in de ~ zijn* be in favour with a person, be in a person's good books; *bij iemand uit de ~ zijn* be out of favour with a person, be no longer in his good books.
gratificatie, gratifikatie [-ti.fi.'ka.(t)si.] *v* bonus, gratuity.
gratig ['gra.təx] bony.
gratis [-təs] I *aj* gratis, free (of charge); *~ monster* $ free sample; II *ad* gratis, free (of charge).
1 grauw [grou] *m* growl, snarl.
2 grauw [grou] *o* rabble, mob.

3 **grauw** [grɔuʃ] *aj* grey; *fig* drab.
grauwachtig ['grɔuɑxtəx] greyish, grizzly.
grauwen [-ə(n)] *vi* snarl; ~ **en snauwen** growl and grumble, snap and snarl.
grauwheid ['grɔuhɛit] *v* greyness.
grauwtje [-cə] *o* F donkey.
graveel [gra.'ve.l] *o* gravel, calculus.
graveerder [-'ve:rdər] *m* engraver.
graveerkunst [-kũnst] *v* art of engraving.
graveernaald [-na.lt] *v* ~**staal** [-sta.l] *o* ~**stift** [stift] *v* engraving-needle, burin.
graveerwerk [-vɛrk] *o* engraving.
graven ['gra.və(n)] I *vt* dig [a hole, pit, well &]; ⚒ burrow [a hole]; sink [a mine, a well]; II *vi* dig, ⚒ burrow.
's-Gravenhage [s(x)ra.vən'ha.gə] *o* The Hague.
graver ['gra.vər] *m* digger.
graveren [gra.'ve:rə(n)] *vt & vi* engrave.
graveur [-'vø:r] *m* engraver.
gravin [-'vɪn] *v* countess.
gravure [-'vy:rə] *v* engraving, plate.
grazen ['gra.zə(n)] *vi* graze, pasture, feed.
grazig [-zəx] grassy.
greep [gre.p] *m* I (**het grijpen**) grip, grasp; > clutch; 2 *v* handful [of salt &]; 3 (**handvat**) grip [of a weapon &], clutch [of a crane], handle [of a tool &], pull [of a bell], hilt [of a sword], haft [of a dagger]; *een gelukkige* ~ a lucky hit; *hier en daar een* ~ *doen in...* dip into the subject here and there; *een* ~ *doen naar* make a grab at; *fig* make a bid for [power].
gregoriaans [gre.go:ri.'a.ns] Gregorian.
Gregorius [-'go:ri.ũs] *m* Gregory.
greineren [grɛi'ne:rə(n)] *vt* granulate.
greintje ['grɛincə] *o* particle, atom, spark; *geen* ~ *ijdelheid* not a grain of vanity; *geen* ~ *verschil* not a bit of difference.
grenadier [grənɑ.'di:r] *m* ⚔ grenadier.
grenadine [-'di.nə] *v* grenadine.
grendel ['grɛndəl] *m* bolt [of a door, of a rifle &].
grendelen [-dələ(n)] *vt* bolt.
grenehout ['gre.nəhout] *o* deal.
grenen [-nə(n)] *aj* deal.
grens [grɛns] *v* I limit, boundary; 2 (**beperking**) bound; 3 (**politieke scheiljn**) frontier, border; (**natuurlijke scheiljn**) border; *alles heeft zijn grenzen* there are limits (to everything); *de grenzen te buiten gaan* go beyond all bounds, exceed all bounds; *zijn... kent geen grenzen* his... knows no bounds; *binnen zekere grenzen* within certain limits; *binnen de grenzen blijven van...* keep within the bounds of...; *op de* ~ *van* on the verge of [*fig*]; *over de* ~ *zetten* conduct across the frontier.
grensbewoner ['grɛnsbəvo.nər] *m* frontier inhabitant, borderer.
grensgebied [-gəbi.t] *o* borderland[2], confines[2]; frontier area.
grensgeschil [-gəsxɪl] *o* frontier dispute.

grensgeval [-gəvɑl] *o* border-line case.
grenskantoor [-kɑnto:r] *o* frontier customhouse.
grensland [-lɑnt] *o* borderland.
grenslijn [-lɛin] *v* frontier line; *fig* boundary line.
grenspaal [-pa.l] *m* boundary post, landmark.
grensrechter [-rɛxtər] *m sp* linesman.
grensregeling [-re.gəlɪŋ] *v* frontier settlement.
grensrivier [-ri.vi:r] *v* boundary river.
grensscheiding ['grɛnsxɛidɪŋ] *v* line of demarcation.
grensstad [-stɑt] *v* frontier town.
grensstation [-sta.ʃɔn] *o* frontier station.
grenssteen [-ste.n] *m* boundary stone.
grensvesting ['grɛnsfɛstɪŋ] *v* ⚔ frontier fortress.
grenswaarde [-va:rdə] *v* I × ultimate value; 2 $ marginal utility [of an article].
grenswacht [-vɑxt] *v* ⚔ frontier guard.
grenzeloos ['grɛnzəlo.s] boundless, unlimited.
grenzen [-zə(n)] *vi* in: ~ *aan* border on, abut on; *fig* border on (upon), verge on (upon); *dit land grenst ten noorden aan...* is bounded on the North by...
greppel ['grɛpəl] *v* trench, ditch, drain.
gretig ['gre.təx] I *aj* avid [of], eager [for], greedy [of]; II *ad* avidly, eagerly, greedily.
gretigheid [-hɛit] *v* avidity, eagerness, greediness.
grief [gri.f] *v* grievance; (**onrecht**) wrong.
Griek [gri.k] *m* Greek[2].
Griekenland ['gri.kə(n)lɑnt] *o* Greece.
Grieks [gri.ks] I *aj* I (**echt Grieks**) Greek; 2 (**naar Grieks model**) Grecian; II *o* Greek.
griel [gri.l] *v* ⚯ stone-curlew.
griend [gri.nt] *v* low willow-ground.
grienen ['gri.nə(n)] *vi* F cry, snivel, blubber, whimper.
griep [gri.p] *v* influenza, F flu.
griepepidemie ['gri.pe.pi.dəmi.] *v* influenza epidemic.
gries [gri.s] *o* middlings.
griesmeel ['gri.sme.l] *o* semolina.
griesmeelpudding [-'pũdɪŋ] *m* semolina pudding.
Griet [gri.t] *v* Peg, Meg(gy).
1 **griet** [gri.t] *v* ⚯ brill.
2 **griet** [gri.t] *m* ⚯ godwit.
3 **griet** [gri.t] *v* (**meisje**) P gal, piece.
4 **griet** [gri.t] *grote* ~ *!* F great Scott!
Grietje ['gri.cə] *v & o* F Meggy, Peggy, Madge.
grieve ['gri.və] = *grief*.
grieven [-və(n)] *vt* grieve, offend.
grievend [-vənt] grievous, bitter.
griezel [-zəl] *m* I (**oorzaak van afkeer**) horror; 2 zie *rilling*; 3 zie *ziertje*.
griezelen [-zələ(n)] *vt* shiver, shudder; ~ *bij de gedachte* shiver (shudder) at the thought; *ik griezel ervan* it makes me shudder.
griezelfilm [-zəlfɪlm] *m* horror film.
griezelig [-zələx] gruesome, creepy.
griezeligheid [-hɛit] *v* gruesomeness.
grif [grɪf] readily.

griffel ['grɪfəl] v slate-pencil.
griffeldoos [-do.s] v **griffelkoker** [-ko.kər] m pencil-case.
griffen ['grɪfə(n)] vt grave (on in), inscribe (on in).
griffie [-fi.] v record office; ter ~ deponeren shelve [a proposal &].
griffier [grɪ'fi:r] m clerk (of the court), recorder, registrar.
griff(i)oen [-f(i.)'u.n] m griffin.
grifheid ['grɪfhɛit] v readiness.
grifweg [-vɛx] zie grif.
grijnen ['grɛinə(n)] = grienen.
grijns [grɛins] v grin, grimace.
grijnslach ['grɛinslɑx] m grin, sneer.
grijnslachen [-lɑgə(n)] vi laugh sardonically, grin.
grijnzen ['grɛinzə(n)] vi grin, grimace, make wry faces.
grijpemmer ['grɛipəmər] m grab (bucket).
grijpen ['grɛipə(n)] I vt 1 (omvatten) catch, seize, lay hold of, grasp; 2 (naar zich toe) snatch; 3 (in zijn klauw) clutch; II vi in: in elkaar ~ ✕ gear into one another; ~ naar grab (snatch, grasp) at [it]; reach for [his revolver &]; take up [arms]; om zich heen ~ spread [of flames]; III o in: je hebt ze maar voor het ~ they are as plentiful as blackberries; ze zijn niet voor het ~ they are not found every day.
grijper [-pər] m ✕ grab.
grijpstaart ['grɛipsta:rt] m prehensile tail.
grijpstuiver [-stœyvər] m trifle.
grijs [grɛis] grey; grey-haired, grey-headed; fig hoary [antiquity]; ~ worden zie grijzen.
grijsaard ['grɛiza:rt] m grey-haired man, old man.
grijsachtig ['grɛisɑxtəx] greyish, grizzly.
grijsheid [-hɛit] v greyness, hoariness[2].
grijzen ['grɛizə(n)] vi grow (become, go, turn) grey.
gril [grɪl] v caprice, whim, freak, fancy.
grillig ['grɪləx] I aj capricious, whimsical, crotchety, freakish, fitful, fickle; II ad capriciously &.
grilligheid [-hɛit] v capriciousness, caprice, whimsicality, whimsicalness, fitfulness.
grimas [gri.'mɑs] v grimace, wry face; ~sen maken grimace, make wry faces, pull faces.
grime [gri.m] v make-up [of actors].
grimeren [gri.'me:rə(n)] I vt make up; II vr zich ~ make up.
grimlach ['grɪmlɑx] m grin.
grimlachen [-lɑgə(n)] vi grin.
grimmig ['grɪməx] aj (& ad) grim(ly), truculent(ly).
grimmigheid [-hɛit] v grimness, rage.
grind [grɪnt] o gravel.
grindweg ['grɪntvɛx] m gravel-road, gravelled road.
grinniken ['grɪnəkə(n)] vi snigger; chortle.
grint(-) zie grind(-).

grissen ['grɪsə(n)] vt P grab, snatch.
groef [gru.f] = groeve.
groei [gru:i] m growth; in de ~ zijn be growing; op de ~ gemaakt made with a view to growing requirements.
groeien ['gru.jə(n)] vi grow; iemand boven (over) het hoofd ~ 1 outgrow a person; 2 fig get beyond a person's control; ~ in exult in [the misfortunes of others &]; uit zijn kracht ~ outgrow one's strength.
groeikoorts ['gru:iko:rts] v growing-pains.
groeikracht [-krɑxt] v vegetative faculty, vigour.
groeisnelheid [-snɛlhɛit] v rate of growth.
groeizaam [-za.m] favourable to vegetation; ~ weer growing weather.
groen [gru.n] I aj green[2], verdant; het werd hem ~ en geel voor de ogen his head began to swim; II 1 o (als kleur) green; (levend) verdure, greenery; 2 m greenhorn; ⟨⟩ freshman, fresher.
groenachtig ['gru.nɑxtəx] greenish.
groenen ['gru.nə(n)] vi grow green.
groenend [-nənt] growing green, verdant.
groenheid ['gru.nhɛit] v greenness[2], verdancy.
groenig ['gru.nəx] greenish.
Groenland ['gru.nlɑnt] o Greenland.
Groenlander [-lɑndər] m Greenlander.
Groenlandvaarder [-lɑntfa:rdər] m whaler.
groente [-tə] v 1 (ongekookt) greens, vegetables, green stuff; 2 (gekookt) vegetables.
groenteboer [-bu:r] m greengrocer.
groentemarkt [-mɑrkt] v vegetable market.
groentesoep [-su.p] v vegetable soup.
groentetuin [-tœyn] m kitchen-garden, vegetable garden.
groentevrouw [-vrou] v greengrocer('s wife).
groentewinkel [-vɪŋkəl] m greengrocer's (shop).
groentijd ['gru.ntɛit] m ⟨⟩ noviciate.
groenvink [-vɪŋk] m & v ♭ greenfinch.
groenvoe(de)r [-vu:r, -vu.dər] o green fodder.
groep [gru.p] v group; zie ook: groepje.
groeperen [gru.'pe:rə(n)] I vt group; II vr zich ~ group themselves.
groepering [-rɪŋ] v grouping.
groepje ['gru.pjə] o (little) group [of people], cluster, clump [of trees]; bij ~s in groups.
groepsgewijs, -gewijze ['gru.psgəvɛis, -vɛizə] in groups.
groet [gru.t] m greeting, salutation, salute; de ~en aan allemaal! best love to all!; hij laat de ~en doen he begs to be remembered to you; he sends his love; met vriendelijke ~en with kind(est) regards.
groeten ['gru.tə(n)] I vt greet, salute; gegroet, hoor! 1 good-bye!; 2 (sarcastisch) good afternoon!; groet hem van mij kindly remember me to him; II va salute, raise (take off) one's hat, touch one's cap.
groetenis [-tənɪs] v salutation.
groeve [-və] v groove, channel, flute [in a

column]; furrow² [between two ridges; in the skin]; pit [for marl], quarry [for stones]; *bij de (geopende)* ~ at the graveside, at the open grave.

groeven [-və(n)] *vt* groove.

groezelig [-zələx] dingy, grubby, dirty.

groezeligheid [-hɛit] *v* dinginess, dirtiness.

grof [grɔf] **I** *aj* 1 (niet fijn) coarse [bread, cloth, hair, salt, features &]; rough [work]; large-toothed [comb]; 2 (niet bewerkt) crude [oar]; 3 (niet glad) coarse [hands], rough [towels]; 4 (laag) deep [voice]; 5 *fig* coarse [language], rude, abusive [words, terms]; crude [style]; gross [injustice, insult, ignorance], big [lies &]; *dadelijk* ~ *worden* become rude (abusive) at once; **II** *ad* coarsely &; ~ *liegen* lie barefacedly; ~ *spelen* play high; ~ *geld verdienen* make big money; ~ *(geld) verteren* spend money like water.

grofgebouwd ['grɔfɡəbout] large-limbed, large of limb.

grofgrein [-grɛin] *o* grogram.

grofheid [-hɛit] *v* coarseness &; *grofheden* ook: rude things.

grofkorrelig [-kɔrələx] coarse-grained.

grofsmid [-smit] *m* blacksmith.

grog, grok [grɔk] *m* grog.

grol [grɔl] *v* antic.

grom [grɔm] *m* growl.

grommen ['grɔmə(n)] *vi* grumble, growl (at *tegen*).

grompot ['grɔmpɔt] *m* F grumbler, grumbletonian.

grond [grɔnt] *m* 1 (aarde) ground, earth, soil; 2 (land) land; 3 (onderste) ground, bottom; 4 (grondslag) ground, foundation, substratum [of truth]; 5 *fig* (reden) ground, reason; *vaste* ~ firm ground; *vaste* ~ *onder de voeten hebben* be on firm ground; ~ *hebben (krijgen, voelen, vinden)* feel ground, touch ground; *de* ~ *leggen tot...* lay the foundation(s) of...; ~ *verliezen* lose ground; *ik voelde geen* ~ I was out of my depth; *aan de* ~ *raken (zitten)* ⚓ run (be) aground; *boven de* ~ above ground; *hij had wel door de* ~ *willen zinken* he wished he might sink into the ground; *iets in de* ~ *kennen* know a thing thoroughly; *in de* ~ *is hij eerlijk* he is an honest fellow at bottom; *in de* ~ *hebt u gelijk* fundamentally you are right; *onder de* ~ under ground, underground; *op* ~ *van...* on the ground of..., on the score of..., on the strength of...; *op* ~ *van het feit, dat...* on the ground(s) that...; *op goede* ~ on good grounds; *op de* ~ *gooien* throw down; *op de* ~ *vallen* fall to the ground; *te* ~ *gaan* go to rack and ruin, be ruined; *te* ~*e richten* bring to ruin, ruin, wreck; *tegen de* ~ *gooien* throw (dash) to the ground; *uit de* ~ *zijns harten* from the bottom of his heart; *van alle* ~ *ontbloot* without any foundation; *een dichter van de koude* ~ a would-be poet; *groenten*

van de koude ~ open-grown vegetables; *van de* ~ *komen* get off the ground.

grondbeginsel ['grɔntbəɡinsəl] *o* fundamental (basic) principle, root principle; *de* ~*en* the elements, rudiments, fundamentals.

grondbegrip [-bəɡrip] *o* fundamental (basic) idea.

grondbelasting [-bəlastiŋ] *v* land-tax.

grondbestanddeel [-bəstande.l] *o* fundamental part.

grondbezit [-bəzit] *o* landed property.

grondbezitter [-bəzitər] *m* landed proprietor, landholder.

gronddienst ['grɔndi.nst] *m* ✈ ground organization. [*ter.*

grondeigenaar ['grɔntɛiɡəna:r] zie *grondbezit-*

grondeigendom [-ɛiɡəndɔm] *o* zie *grondbezit.*

grondel(ing) ['grɔndəl(iŋ)] *m* 🐟 gudgeon.

grondeloos [-lo.s] bottomless, unfathomable.

grondeloosheid [grɔndə'lo.shɛit] *v* bottomless depth.

gronden ['grɔndə(n)] *vt* ground [a painting]; *fig* ground, found, base [one's belief &].

grondgebied ['grɔntɡəbi.t] *o* territory.

grondgedachte [-daxtə] *v* leading thought, root idea.

grondgesteldheid [-stɛlthɛit] *v* nature (condition) of the soil.

grondig ['grɔndəx] **I** *aj* 1 *fig* thorough [cleaning, overhaul, knowledge], profound [study]; 2 *eig* earthy [taste]; **II** *ad* thoroughly.

grondigheid [-hɛit] *v* 1 *fig* thoroughness; 2 *eig* earthiness [of taste].

grondijs ['grɔntɛis] *o* ground-ice.

grondkleur [-klø:r] *v* 1 (verf) ground-colour, priming; 2 (kleur) primary colour.

grondlaag [-la.x] *v* bottom layer.

grondlasten [-lastə(n)] *mv* land-tax.

grondlegger [-lɛɡər] *m* founder.

grondlegging [-lɛɡiŋ] *v* foundation.

grondlijn [-lɛin] *v* base.

grondnevel [-ne.vəl] *m* ground mist.

grondnoot [-no.t] *v* ground-nut.

grondoorzaak [-o:rza.k] *v* original (first, root) cause.

grondpersoneel [-pɛrso.ne.l] *o* ✈ ground staff.

grondregel [-re.ɡəl] *m* fundamental rule, principle, maxim.

grondslag [-slax] *m* foundation(s)²; *fig* basis; *ten* ~ *liggen aan* underlie.

grondsoort [-so:rt] *v* kind of soil.

grondsop [-sɔp] *o* grounds, dregs.

grondstelling [-stɛliŋ] *v* axiom [in geometry]; principle, maxim.

grondstof [-stɔf] *v* raw material; element.

grondstrijdkrachten [-strɛitkraxtə(n)] *mv* ✕ ground forces.

grondtal ['grɔntal] *o* base.

grondtoon [-to.n] *m* ♪ keynote².

grondverf ['grɔntfɛrf] *v* ground-colour, priming.

grondverven [-fɛrvə(n)] *vt* ground, prime.

grondverzakking [-fərzɑkıŋ] v subsidence.
1 grondvesten [-fɛstə(n)] mv foundations.
2 grondvesten [-fɛstə(n)] vt found, lay the foundations of.
grondvester [-fɛstər] m founder.
grondvesting [-fɛstıŋ] v foundation.
grondvlak [-flɑk] o base [of cube].
grondvorm [-fɔrm] m primitive form.
grondwaarheid [-vaːrhɛit] v fundamental truth; de grondwaarheden the basic truths.
grondwater [-vaːtər] o (under)ground water.
grondwerk [-vɛrk] o earthwork.
grondwerker [-vɛrkər] m navvy.
grondwet [-vɛt] v fundamental law, constitution.
grondwetsherziening [-vɛtshɛrziːnıŋ] v revision of the Constitution.
grondwettelijk [grɔnt'vɛtələk] grondwettig [-'vɛtəx] aj (& ad) constitutional(ly).
grondwoord ['grɔntvoːrt] o radical.
grondzee [-seː.] v ground-swell.
grondzeil [-sɛil] o ground sheet.
Groningen ['groː.nəŋə(n)] o Groningen.
Groninger [-nəŋər] I aj Groningen; II m Groningen man.
Gronings [-nəŋs] I aj Groningen; II o Groningen dialect.
groot [groː.t] I aj 1 (omvang) large, big; (emotioneel) great, big [trees]; 2 (uitgestrekt) great, large, vast; 3 (v. gestalte) tall; 4 (niet meer klein) grown-up; 5 (v. betekenis) great [men, scoundrels]; great [powers, question], grand [entrance, dinner]; major [crisis, operations &]; een grote eter a big (great) eater; een ~ kwartier a good quarter of an hour; een ~ man a great man; een grote man a tall man; de grote mast ⚓ the mainmast; de Grote Oceaan the Pacific (Ocean); de grote weg the high road, the highway, the main road; ~ worden grow (up), grow tall; wat ben je ~ geworden! how tall you have grown!; II ad large; ~ leven live in grand style; III sb de groten the great ones (of the earth); het grote what is great; ~ en klein big and small; groot (groten) en klein(en) great and small; in het ~ 1 in grand style, on a large scale; in a large way; 2 $ wholesale; iets ~s something great (grand), a great thing.
grootbedrijf ['groː.tbədrɛif] o large-scale industry; het ~ ook: the big industries.
grootboek [-buːk] o 1 $ ledger; 2 Great Book of the Public Debt.
grootbrengen [-brɛŋə(n)] vt bring up, rear.
Groot-Brittannië [groː.brı'tɑnjə] o Great Britain.
grootdoen ['groː.duːn] vi give oneself airs, F swagger.
grootdoener [-duː.nər] m F swaggerer.
grootdoenerij [groː.du.nə'rɛi] v F swagger.
grootgrondbezit [groː.t'grɔntbəzıt] o large ownership.

groothandel ['groː.thɑndəl] m $ wholesale trade.
groothandelaar [-dəlaːr] m $ wholesale dealer.
grootheid ['groː.thɛit] v greatness, largeness, bigness, tallness, fig grandeur, magnitude², quantity; ~ van ziel magnanimity; algebraïsche grootheden algebraic magnitudes; een onbekende ~ an unknown quantity².
grootheidswaan(zin) [-hɛitsvaː.n(zın)] m megalomania; lijder aan ~ megalomaniac.
groothertog ['groː.thɛrtɔx] m grand duke.
groothertogdom [-dɔm, groː.t'hɛrtɔxdɔm] o grand duchy [of Luxembourg].
groothertogin [groː.thɛrto.'gın] v grand duchess.
groothoekig ['groː.thu.kəx] in: ~e lens wide-angle lens.
groothouden [-hou(d)ə(n)] zich ~ not let it appear, be brave.
grootindustrie [-ındústri.] v de ~ the big industries.
grootindustrieel [-e.l] m captain of industry.
grootje ['groː.cə] o F granny; je ~! Walker!; maak dat je ~ wijs F you tell that to your grandmother.
grootkruis ['groː.tkrœys] o grand cross.
grootma(ma) [-ma.(ma.)] v grandmother.
grootmeester [-me.stər] m Grand Master [Mason; of an order of knighthood; of chess]; fig past master.
grootmeesterschap [-sxɑp] o Grand Mastership [of chess].
grootmoe(der) ['groː.tmu.(dər)] v grandmother.
grootmoedig [groː.t'mu.dəx] magnanimous, generous.
grootmoedigheid [-hɛit] v magnanimity, generosity.
grootmogol ['groː.tmo.gɔl] m Great Mogul.
Groot-Nederland [groː.t'ne.dərlɑnt] o Greater Holland.
grootouders ['groː.toudərs] mv grandparents.
grootpa(pa) [-pa.(pa.)] m F grandfather, granddad.
groots [groː.ts] I grand, grandiose, noble, majestic; ambitious [plans]; 2 (trots) proud, haughty.
grootscheeps [groː.t'sxe.ps] I aj grand; ambitious [attempt]; large-scale [programme]; II ad in grand style; on a large scale.
grootschrift ['groː.ts(x)rıft] o text-hand.
grootsheid ['groː.tshɛit] v 1 grandeur, grandiosity, nobleness, majesty; 2 (trots) pride, haughtiness.
grootspraak ['groː.tspra.k] v boast(ing), brag(ging).
grootsprakig [groː.t'spra.kəx] grandiloquent.
grootspreken ['groː.tspre.kə(n)] vi boast, brag.
grootspreker [-kər] m boaster, braggart.
grootsteeds [groː.t'ste.ts] in: ~e manieren city manners.
grootte ['groː.tə] v bigness, largeness, greatness, size, extent; magnitude [of stars, an offer]; in deze ~ of this size; op de ware ~

full-size(d); *een... ter ~ van* ...the size of...; *van dezelfde ~ zijn* be of a size; *van de eerste ~* of the first magnitude².

grootvader ['gro.tfa.dər] *m* grandfather.

grootvizier [-fi.zi:r] *m* grand vizier.

grootvorst [-fərst] *m* grand duke.

grootvorstendom [-fərstə(n)dòm] *o* grand duchy.

grootvorstin [-fərstɪn] *v* grand duchess.

grootwaardigheidsbekleder [gro.t′va:rdəx-heitsbəkle.dər] *m* high dignitary.

grootwinkelbedrijf ['gro.tvɪŋkəlbədreif] *o* 1 (collectief) multiple shop organization, chain; 2 (één winkel daarvan) multiple shop, chain store.

grootzeil [-seil] *o* ⚓ mainsail.

gros [grɔs] *o* 1 gross [= 12 dozen]; 2 gross, mass, main body; *het ~ ook*: the majority.

groslijst ['grɔsleist] *v* list of candidates.

grosse ['grɔsə] *v* engrossment, engrossed document.

grosseren [grɔ′se:rə(n)] *vt* engross. [ment.

grossier [-′si:r] *m* $ wholesale dealer.

grossierderij [-si:rdə′rei] *v* $ 1 wholesale trade; 2 wholesale business.

grossiersprijs [-′si:rspreis] *m* $ wholesale price, trade price.

grot [grɔt] *v* grotto, cave.

grotelijks ['gro.tələks] greatly, in a large measure.

grotendeels [-tənde.ls] for the greater part, for the most part; largely [depend on].

grotesk [gro.′tɛsk] *aj* (& *ad*) grotesque(ly).

groteske [-′tɛskə] *v* grotesque.

grovelijk ['gro.vələk] grossly, coarsely, rudely.

gruis [grœys] *o* 1 coal-dust; 2 grit [of stone].

gruiskolen ['grœysko.lə(n)] *mv* slack.

gruize(le)menten [grœyzə(lə)′mɛntə(n)] = gruze(le)menten.

grut [grʏt] *o* in: *het kleine ~* F the small fry.

grutten ['grʏtə(n)] *mv* groats, grits.

grutter ['grʏtər] *m* grocer.

grutterij [grʏtə′rei] *v* grocer's (shop).

grutterswaren ['grʏtərsva:rə(n)] *mv* groceries.

grutto ['grʏto.] *m* ⚓ godwit.

gruwel ['gry.vɛl] *m* 1 (gevoel) abomination; 2 (daad) atrocity, horror; *het is mij een ~* it is my abomination.

gruweldaad [-da.t] *v* atrocity.

gruwelijk ['gry.vələk] I *aj* abominable, horrible, atrocious; II *ad* abominably, horribly, atrociously, < awfully.

gruwelijkheid [-heit] *v* horribleness, atrocity.

gruwelkamer ['gry.vəlka.mər] *v* chamber of horrors.

gruwelstuk [-stʏk] *o* atrocity.

gruwen [-və(n)] *vi* shudder; *~ bij de gedachte* shudder at the thought; *~ van iets* abhor a thing.

gruwzaam ['gry:uza.m] horrible.

gruwzaamheid [-heit] *v* horribleness.

gruze(le)menten [gry.zə(lə)′mɛntə(n)] *aan ~ to* shivers.

guano [gy.′a.no.] *m* guano.

guerillaoorlog [gɛ′ri.lja.o:rlɔx] *m* guer(r)illa (warfare).

guerillastrijder [-streidər] *m* guer(r)illa.

guichelheil ['gœygəlheil] *o* ✿ (scarlet) pimpernel.

guillotine [gi.(l)jo.′ti.nə] *v* guillotine.

guillotineren [-ti.′ne:rə(n)] *vt* guillotine.

Guinea [gi.′ne.a.] *o* Guinea.

Guineeër [-′ne.ər] *m* Guinean.

Guinees [-′ne.s] Guinean; *~ biggetje* ['bɪgəcə guinea-pig.

guinje ['gi.njə] zie *gienje*.

guirlande [gi:r′landə] *v* garland, festoon, wreath.

guit [gœyt] *m* rogue².

guitenstuk ['gœytə(n)stʏk] *o* guiterij [gœytə-′rei] *v* roguish trick.

guitig ['gœytəx] *aj* (& *ad*) roguish(ly), arch-(ly).

guitigheid [-heit] *v* roguishness, archness.

gul [gʏl] I *aj* 1 open-handed, generous, liberal; 2 frank, open, open-hearted, genial; II *ad* 1 generously, liberally; 2 frankly, genially.

1 **gulden** ['gʏldə(n)] *aj* golden.

2 **gulden** ['gʏldə(n)] *m* guilder, florin.

gulhartig [gʏl′hartəx] zie *gul* I 2.

gulhartigheid [-heit] *v* zie *gulheid* 2.

gulheid ['gʏlheit] *v* 1 open-handedness, generosity, liberality; 2 frankness, openness, open-heartedness, geniality.

gulp [gʏlp] *v* gulp [of blood].

gulpen ['gʏlpə(n)] *vi* gush, spout.

gulzig [-zəx] I *aj* gluttonous, greedy; II *ad* gluttonously, greedily.

gulzigaard [-zəga:rt] *m* glutton.

gulzigheid [-zəxheit] *v* gluttony, greediness, greed.

gum [gʏm] = *gom*.

gummi ['gʏmi.] *o* & *m* (india-)rubber.

gummiband [-bant] *m* rubber tyre [of a carriage].

gummihak [-hak] *v* rubber heel.

gummihandschoen [-hantsxu.n] *m* & *v* rubber glove.

gummioverschoen [-o.vərsxu.n] *m* galosh.

gummispons [-spòns] *v* rubber sponge.

gummistok [-stɔk] *m* (rubber) truncheon.

gunnen ['gʏnə(n)] *vt* 1 grant; 2 not grudge, not envy; *het is je gegund* you are welcome to it.

gunning [-nɪŋ] *v* allotment.

gunst [gʏnst] I *v* favour; $ favour, patronage, custom, goodwill; *een ~ bewijzen* do a favour; *in de ~ komen bij* get into favour with; *weer bij hem in de ~ komen* get into his good books again; *in de ~ trachten te komen bij* ingratiate oneself with; *in de ~ staan bij iemand* be in favour with a person, be in a person's good books; *ten ~e van...* 1 in favour of...; 2 in behalf of...; *uit de ~ geraken* fall out of favour (with *bij*); *uit de ~ zijn*

be in disfavour; II *ij* goodness gracious!
gunstbejag ['gŭnstbəjɑx] *o* favour-hunting.
gunstbetoon [-to.n] *o* marks of favour.
gunstbewijs [-vɛis] *o* mark of favour, favour.
gunsteling(e) ['gŭnstəliŋ(ə)] *m(-v)* favourite.
gunstig [-stəx] I *aj* favourable, propitious, auspicious; *het geluk was ons* ~ fortune (fate) favoured us; II *ad* favourably; ~ *bekend* enjoying a good reputation.
gut! [gŭt] *ij* zie *gunst* II.
guts [gŭts] *v* ✂ gouge.
1 **gutsen** ['gŭtsə(n)] *vt* ✂ gouge.
2 **gutsen** ['gŭtsə(n)] *vi* gush, spout [of blood]; stream, run [of sweat].
guttapercha [gŭta.'pɛrtʃa.] *m* & *o* gutta-percha.
guur [gy:r] bleak, raw, inclement, damp and chilly.
guurheid ['gy:rhɛit] *v* bleakness, inclemency.
Guyana [gi.'a.na.] *o* Guiana.
gymnasiaal [gɪmna.zi.'a.l] grammar-school...
gymnasiast [-na.zi'ɑst] *m* pupil of a grammar-school.
gymnasium [-'na.zi.ŭm] *o* grammar school.
gymnast [-'nɑst] *m* gymnast.
gymnastiek [-nɑs'ti.k] *v* gymnastics, physical training, P.T.
gymnastiekleraar [-le:ra:r] *m* physical training master, P.T. master.
gymnastiekles [-lɛs] *v* gymnastic lesson.
gymnastieklokaal [-lo.ka.l] *o* gymnasium.
gymnastiekschoen [-sxu.n] *m* gymnasium shoe, F gym shoe.
gymnastiekschool [-sxo.l] *v* gymnasium.
gymnastiekuitvoering [-œytfu:rɪŋ] *v* gymnastic display.
gymnastiekvereniging [-fəre.nəgɪŋ] *v* gymnastic club.
gymnastiekwerktuigen [-vɛrktœygə(n)] *mv* gymnastic apparatus.
gymnastiekzaal [-sa.l] *v* gymnasium.
gymnastisch [gɪm'nɑsti.s] gymnastic.
gymnastiseren, gymnastizeren [-nɑsti.'ze:rə(n)] *vi* do gymnastics.

H

h [ha.] *v* h.
H. = *heilige*.
ha! [ha.] *ij* ha!, oh!, ah!; ~ *die Jan* hullo John!
Haag, Den ~ [dən'ha.x] The Hague.
haag [ha.x] *v* hedge, hedgerow; lane [of people, of soldiers].
haagappel ['ha.xɑpəl] *m* ✿ haw, hawthorn berry.
haagbeuk [-bø.k] *m* ✿ hornbeam.
haagdoorn, -doren [-do:rən] = *hagedoorn*.
Haags [ha.xs] (of The) Hague.
haai [ha:i] *m* 🐟 shark; *fig* vulture, kite; *naar de* ~*en gaan* F go to Davy Jones's locker;

hij is voor de ~*en* F he is going to the dogs.
haak [ha.k] *m* 1 hook [for catching hold or for hanging things upon, also fish-hook &]; 2 cradle [of desk telephone]; 3 picklock [for opening locks &]; 4 (winkel~) square; *haken en ogen* hooks and eyes; *fig* difficulties, squabbles, bickerings; *aan de* ~ *slaan* hook²; *(niet) in de* ~ (not) right.
haakbus ['ha.kbŭs] *v* 🔫 arquebus.
haakgaren [-ga:rə(n)] *o* crochet cotton.
haakje [-jə] *o* (in de drukkerij) bracket, parenthesis: (); *tussen (twee)* ~*s* between brackets; *fig* in parentheses; *tussen twee* ~*s, heb je ook...?* by the way, have you...?
haakkruis [-krœys] = *hakenkruis*.
haaknaald, -pen [-na.lt, -pɛn] *v* crochet-hook.
haaks [ha.ks] square; *niet* ~ out of square.
haakvormig ['ha.kfɔrməx] hook-shaped, hooked.
haakwerk [-vɛrk] *o* crochet-work, crocheting.
haal [ha.l] *m* stroke [in writing]; *aan de* ~ *gaan* F take to one's heels, run away.
haam [ha.m] *o* collar [of a horse].
haan [ha.n] *m* cock; *daar zal geen* ~ *naar kraaien* nobody will be the wiser; *zijn* ~ *kraait daar koning* he is (the) cock of the walk, he has it all his own way; *de rode* ~ *laten kraaien* set the house & ablaze; *de* ~ *overhalen* cock a gun; *de gebraden* ~ *uithangen* F do the grand.
haantje ['ha.ncə] *o* young cock, cockerel; *hij is een* ~ he is a young hotspur; *hij is* ~ *de voorste* he is (the) cock of the walk.
1 **haar** [ha:r] 1 *bez. vnmw.* her; their; 2 *pers. vnmw.* (3de nmv.) (to) her; (to) them; (4de nmv.) her; them; *het is van* ~ it is hers.
2 **haar** [ha:r] *o* hair [of the head &]; *hij is geen* ~ *beter* he is no whit better; *geen* ~ *op mijn hoofd dat er aan denkt* I don't even dream of doing such a thing; ~ *op de tanden hebben* be able to look after oneself; *het scheelde maar een* ~*, geen* ~ it was a near thing, it was touch and go; *zijn wilde haren verliezen* sow one's wild oats; *elkaar in het* ~ *vliegen* come to loggerheads; *elkaar in het* ~ *zitten* be at loggerheads; *iets met de haren erbij slepen* drag it in; *op een* ~ to a hair; *alles op haren en snaren zetten* leave no stone unturned; *tegen het* ~ against the hair, the wrong way.
haarband ['ha:rbɑnt] *m* fillet, head-band.
haarborstel [-bòrstəl] *m* hairbrush.
haarbos [-bòs] *m* 1 tuft of hair; 2 (haardos) shock of hair.
haarbreed [-bre.t] *o* hair's-breadth, hair-breadth.
haarbuisje [-bœysjə] *o* capillary vessel (tube).
haard [ha:rt] *m* 1 hearth, fireside, fireplace; 2 stove; 3 *fig* focus [*mv* foci], seat [of the fire], centre [of resistance]; *eigen* ~ *is goud waard* home is home be it (n)ever so homely, there is no place like home; *aan de huiselijke* ~*, bij de* ~ by (at) the fireside.

haardijzer ['ha:rtɛizər] *o* I fender [to keep coals from rolling into room]; 2 fire-dog [for supporting burning wood].

haardkleedje [-kle.cə] *o* hearth-rug.

haardos ['ha:rdɔs] *m* (head of) hair.

haardplaat ['ha:rtpla.t] *v* hearth-plate.

haardracht ['ha:rdrɑxt] *v* coiffure, hairdo.

haardroger [-dro.ɡər] *m* hair drier.

haardscherm ['ha:rtsxɛrm] *o* fire-screen.

haardstede [-ste.də] *v* hearth, fireside.

haardstel [-stɛl] *o* (set of) fire-irons.

haardvuur ['ha:r] *o* fire on the hearth.

haarfijn ['ha:rfɛin] I *aj* I as fine as a hair; 2 *fig* minute [account], subtle [distinction]; II *ad* minutely, [tell] in detail.

haargroei [-gru:i] *m* growth of the hair.

haargroeimiddel [-mɪdəl] *o* hair-grower, hair-restorer.

haarkam ['ha:rkɑm] *m* hair-comb.

haarkloven [-klo.və(n)] *vi* split hairs.

haarklover [-vər] *m* hair-splitter.

haarkloverij [ha:rklo.və'rɛi] *v* hair-splitting.

haarknippen ['ha:rknɪpə(n)] *o* hair-cutting.

Haarlemmer ['ha:rləmər] I *aj* Haarlem; II *m* Haarlem man, native of Haarlem.

Haarlems [-ləms] Haarlem.

haarlint [-lɪnt] *o* hair-ribbon.

haarlok [-lɔk] *v* lock of hair.

haarloos [-lo.s] hairless, without hair.

haarnetje [-nɛcə] *o* hair-net.

haarolie [-o.li.] *v* hair-oil, oil for the hair.

haarpijn [-pɛin] *v* F a head.

haarspeld [-spɛlt] *v* hairpin.

haarspeldbocht [-bɔxt] *v* hairpin bent.

haarvat ['ha:rvɑt] *o* capillary vessel.

haarverf [-vɛrf] *v* hair-dye.

haarvlecht [-vlɛxt] *v* [woman's] plait, braid; [girl's] pigtail [hanging from the back].

haarwassing [-vɑsɪŋ] *v* shampoo.

haarwater [-va.tər] *o* hair-wash.

haarwortel [-vòrtəl] *m* root of a hair.

haas [ha.s] *m* I ₤ hare; 2 (stuk vlees) fillet, tenderloin, undercut [of beef].

haasje-over [ha.ʃə'o.vər] *o* leap-frog.

I **haast** [ha.st] *v* haste, speed, hurry [= undue haste]; *er is ~ bij* it is urgent; *er is geen ~ bij* there is no hurry; *~ hebben* be in a hurry; *~ maken* make haste, be quick; *in ~* in a hurry; *waarom zo'n ~?* what's the hurry?

2 **haast** [ha.st] *ad* I zie bijna; 2 *kom je ~?* are you coming soon (yet)?

haasten ['ha.stə(n)] I *vt* hurry; II *vr zich ~* hasten, make haste; *haast u langzaam!* make haste slowly!; *haast je (wat)!* hurry up!; *haast je rep je...* F in a hurry.

haastig [-təx] I *aj* hasty, hurried; *~e spoed is zelden goed* more haste, less speed; II *ad* hastily, in haste, in a hurry, hurriedly.

haastigheid [-hɛit] *v* hastiness, hurry.

haat [ha.t] *m* hatred (of tegen), ⊙ hate.

haatdragend [ha.'dra.ɡənt] resentful, rancorous .

haatdragendheid [-hɛit] *v* resentfulness, rancour.

habijt [ha.'bɛit] *o* habit.

habitué [ha.bi.ty.'e.] *m* regular customer (visitor), patron.

Habsburg ['hɑpsbürx] *o* Hapsburg.

hachee [hɑ'ʃe.] *m* & *o* hash [of warmed-up meat].

hachelijk ['hɑɡələk] precarious, critical, dangerous, perilous.

hachelijkheid [-hɛit] *v* precariousness, critical situation.

hachje ['hɑxjə] *o* in: *bang voor zijn ~* anxious to save one's skin; *zijn ~ er bij inschieten* not be able to save one's skin.

haft [hɑft] *o* mayfly, ephemeron.

hagedis [ha.ɡə'dɪs] *v* ₤ lizard.

hagedoorn, -doren ['ha.ɡədo.rən] *m* ⚘ hawthorn.

hagel ['ha.ɡəl] *m* I hail; 2 *om te schieten* (small) shot.

hagelbui [-bœy] *v* shower of hail, hailstorm; *een ~ van stenen* a shower of stones.

hagelen ['ha.ɡələ(n)] *vi* hail; *het hagelde kogels* volleys of shot pattered down.

hagelkorrel ['ha.ɡəlkɔrəl] *m* I hailstone; 2 grain of shot.

hagelschade [-sxa.də] *v* damage (caused) by hail.

hagelslag [-slɑx] *m* I hailstorm; 2 damage (caused) by hail.

hagelsteen [-ste.n] *m* hailstone.

hagelwit [-vɪt] white as snow.

Hagenaar ['ha.ɡəna:r] *m* inhabitant of The Hague.

hageprediker [-pre.dəkər] *m* ⨀ hedge-priest.

hagepreek [-pre.k] *v* ⨀ hedge-sermon.

I **hak** [hɑk] *v* I hoe, mattock, pickaxe; 2 heel; *schoenen met hoge (lage, platte) ~ken* high-heeled (low-heeled, flat-heeled) shoes.

2 **hak** [hɑk] *m* cut [of wood]; *iemand een ~ zetten* play one a nasty trick; *van de ~ op de tak springen* jump (skip) from one subject to another.

hakbijl ['hɑkbɛil] *v* I hatchet; 2 (v. slager) chopper, cleaver.

hakblok [-blɔk] *o* chopping-block.

hakbord [-bɔrt] *o* chopping-board.

haken ['ha.kə(n)] I *vt* I hook, hitch [to..., on to...]; 2 (handwerken) crochet; II *va* I hook, hitch; 2 (handwerken) do crochet-work; *in een struik blijven ~* be caught in a bush; III *vi* in: *~ naar* hanker after, long for, yearn for (after).

hakenkruis [-krœys] *o* swastika.

hakhout ['hɑkhout] *o* copse, coppice

hakkelaar ['hɑkəla:r] *m* stammerer.

hakkelen [-lə(n)] *vi* stammer, stutter.

hakken ['hɑkə(n)] *vt* & *vi* cut, chop, hack, hew, hash, mince [to pieces]; *op iemand zitten ~* peck, nag at a person; *waar gehakt wordt vallen spaanders* ± you can't make an omelette without breaking eggs; zie ook: *in-hakken, pan* &.

hakketeren [hɑkə'te:rə(n)] *vi* bicker, squabble.

hakmes ['hɑkmɛs] *o* chopping-knife, cleaver.

haksel, hakstro [-səl, -stro.] *o* chopped straw, chaff.

hakselmachine [-səlma.ʃi.nə] *v* straw-cutter, chaff-cutter.

hakvrucht ['hɑkfrŭxt] *v* ☘ root crop.

hal [hɑl] *v* hall; (covered) market.

halen ['ha.lə(n)] I *vt* fetch, draw, pull; get; run [the comb through one's hair, one's pen through the name]; *laten ~* send for; *een akte ~* obtain (secure) a certificate (a diploma); *hij zal de dag niet meer ~* he won't last out the night; *een dokter ~* go for (call in) a doctor; *hij zal het wel ~* he's sure to pull through; *de post ~* 1 fetch the mail; 2 be in time for the post; *het zal nog geen 10 stuivers ~* it will not even fetch 10 pence; *de trein ~* catch the train; *daar is niets te ~* nothing to be got there; *worden jullie (straks) gehaald?* is anybody coming for you?; *een huis tegen de grond ~* pull down a house; *zijn beurs uit de zak ~* pull out one's purse; *waar haalt hij het vandaan?* where does he get it?; zie ook: *hals* &; II *va* 1 ⚓ pull; 2 draw (raise) the curtain; *dat haalt niet bij...* that is not a patch (up)on..., that cannot touch it.

half [hɑlf] I *aj* half; *halve cirkel* semicircle; *~ één* half past twelve; *~ Engeland* one half of England; *~ geld* half the money, half price; *een halve gulden* 1 (waarde) half a guilder; 2 (geldstuk) a half-guilder; *een ~ jaar* half a year, six months; *~ maart* mid-March; *tot ~ maart* until the middle of March; *een halve toon ♪* a semitone; zie ook: *verstaander* &; *het slaat ~* the half-hour is striking; II *o* half; *twee en een ~* two and a half; *twee halven* two halves; *ten halve iets doen* do a thing by halves; *ten halve omkeren* turn when half-way; III *ad* half; *~ te geef* half for nothing; *dat is mij maar ~ naar de zin* not altogether to my liking; *iets maar ~ verstaan* understand only half of it; *hij is niet ~ zo...* not half so...

halfaap ['hɑlfa.p] *m* ⚓ half-ape.

halfbakken [hɑlf'bɑkə(n)] half-baked².

halfbloed ['hɑlfblu.t] I *aj* half-bred; II *m-v* half-breed, half-caste, half-blood.

halfbroe(de)r [-bru:r, -bru.dər] *m* half-brother.

halfdek [-dɛk] *o* ⚓ quarter-deck.

halfdonker [hɑlf'dòŋkər] *o* semi-darkness.

halfdood ['hɑlfdo.t] half-dead.

1 **half-en-half** [hɑlfɛn'hɑlf] *ad* in: *ik denk er ~ over om...* I have half a mind to...

2 **half-en-half** [hɑlfɛn'hɑlf] *o* & *m* = *half-om-half*.

halffabrikaat ['hɑlffa.bri.ka.t] *o* semi-manufactured article.

halfgaar [-ga:r] half-done, half-baked; *fig* dotty.

halfgeleider [-gəlɛidər] *m* semi-conductor.

halfgod [-gət] *m* demigod.

halfheid [-hɛit] *v* half-heartedness, irresolution.

halfjaarlijks ['hɑlfja:rləks, hɑlf'ja:rləks] I *aj* half-yearly, semi-annual; II *ad* every six months.

halfje ['hɑlfjə] *o* F 1 half a glass; 2 [Dutch] half-cent.

halfklinker [-klɪŋkər] *m* semivowel.

halfleer [-le:r] *o* half calf; *halfleren band* half binding.

halflinnen [-lɪnə(n)] *o* half cloth.

halfluid [-lœyt] in an undertone, under one's breath.

halfmaandelijks ['hɑlfma.ndələks] I *aj* fortnightly; II *ad* every fortnight.

half-om-half [hɑlfòm'hɑlf] *o* & *m* half-and-half.

halfrond ['hɑlfrònt] *o* hemisphere.

halfschaduw [-sxa.dy:u] *o* penumbra.

halfslachtig [hɑlf'slɑxtəx] amphibious; *fig* half-hearted.

halfslachtigheid [-hɛit] *v* half-heartedness, irresolution.

halfsleets, halfsleten ['hɑlfsle.ts, -sle.tə(n)] half-worn.

halfstok [hɑlf'stək] at half-mast, half-mast high.

halfvasten [-'vɑstə(n)] *m* mid-Lent.

halfwas [-vɑs, hɑlf'vɑs] *m-v* apprentice.

halfweg ['hɑlfvɛx] halfway.

halfwijs [-vɛis] half-witted.

halfzuster [-sŭstər] *v* half-sister.

halleluja [hɑlə'ly.ja.] *o* hallelujah.

hallo [hɑ'lo.] *ij* hullo!

hallucinatie [hɑly.si.'na.(t)si.] *v* hallucination.

halm [hɑlm] *m* stalk, blade.

hals [hɑls] *m* 1 neck [of body, bottle, garment &]; 2 tack [of a sail]; 3 (*onnozele*) *~* simpleton; *zijn (de) ~ breken* break one's neck; *dat zal hem de ~ breken* that will be his undoing; *iemand o m ~ brengen* make away with a person; *iemand om de ~ vallen* fling one's arms round a person's neck, fall upon a person's neck; *zich iets o p de ~ halen* bring something on oneself, incur [punishment &], catch [a disease, a cold &]; *~ over kop* head over heels, [rush] headlong [into...], [run] helter-skelter; in a hurry.

halsader ['hɑlsa.dər] *v* jugular (vein).

halsband [-bɑnt] *m* collar.

halsboord [-bo:rt] *o* & *m* neckband [of a shirt].

halsbrekend [-bre.kənt] breakneck.

halsdoek [-du.k] *m* neckerchief, scarf.

halsketting [-kɛtɪŋ] *m* & *v* neck-chain, necklace.

halsklier [-kli:r] *v* jugular gland.

halskraag [-kra.x] *m* collar [of a coat &].

halslengte [-lɛŋtə] *v* [win by a] neck.

halsmisdaad [-mɪsda.t] *v* capital crime.

halssieraad ['hɑlsi:ra.t] *o* neck-ornament.

halsslagader [-slɑxa.dər] *v* carotid (artery).

halssnoer [-snu:r] *o* necklace, necklet.

halsstarrig [hɑl'stɑrəx] **I** *aj* headstrong, stubborn, obstinate; **II** *ad* stubbornly, obstinately.

halsstarrigheid [-hɛit] *v* stubbornness, obstinacy.

halster ['hɑlstər] *m* halter.

halswervel ['hɑlsvɛrvəl] *m* cervical vertebra.

halszaak ['hɑlsa.k] *v* capital crime.

halt [hɑlt] halt; ∼ *houden* make a halt, halt, make a stand, stop; ∼ *laten houden* ✗ halt [soldiers]; call a halt [on the march]; ∼ *! 1* ✗ halt!; 2 stop!; ∼ *...wie daar!* ✗ stand!, who goes there?

halte ['hɑltə] *v* wayside station [of railway]; stopping-place, stop [of tramway or bus].

halter [-tər] *m* dumb-bell, (la n g) bar-bell.

halvemaan [hɑlvə'ma.n] *v* half-moon, crescent.

halvemaantje [-'ma.ncə] *o* crescent roll.

halvemaanvormig [-ma.n'vɔrməx] semilunar, crescent-shaped.

halveren [hɑl've:rə(n)] *vt* halve.

halverhoogte ['hɑlvərho.xtə] halfway up.

halvering [hɑl've:rɪŋ] *v* halving.

halverwege [hɑlvər've.gə] halfway.

halzen ['hɑlzə(n)] *vi* ⚓ wear, veer.

ham [hɑm] *v* ham.

Hamburg ['hɑmbürx] *o* Hamburg.

Hamburger [-bürgər] **I** *aj* Hamburg; **II** *m* Hamburger.

hamel ['ha.məl] *m* ♈ wether.

hamer [-mər] *m* hammer, (van hout ook:) mallet; *onder de* ∼ *brengen* bring to the hammer; *onder de* ∼ *komen* come under the hammer, be sold by auction; *tussen* ∼ *en aanbeeld* between the devil and the deep sea.

hameren [-mərə(n)] *vi* & *vt* hammer.

hamerhaai ['ha.mərha:i] *m* ♓ hammer-head shark.

hamerslag [-slɑx] 1 *m* blow (stroke) of a hammer, hammer stroke, hammer blow[2]; 2 *o* hammer-scale, scale.

hamster ['hɑmstər] *v* ♈ hamster.

hamsteraar [-stəra:r] *m* (food-)hoarder.

hamsteren [-rə(n)] *vi* & *vt* hoard (food).

hand [hɑnt] *v* hand; *de* ∼*en staan hem verkeerd* he is very unhandy; *de vlakke* ∼ the flat of the hand; *iemand de* ∼ *drukken* (*geven, schudden*) shake hands with a man; *iemand de* ∼ *op iets geven* shake hands on (over) it; *de* ∼ *hebben in iets* have a hand in it; *de* ∼ *houden aan iets* enforce [a regulation &]; *iemand de* ∼ *boven het hoofd houden* extend one's protection to a person; *de* ∼*en ineenslaan* clasp one's hands; *fig* join hands; *de* ∼*en in-eenslaan van verbazing* throw up one's hands in wonder; *iemand de vrije* ∼ *laten* leave (give, allow) a person a free hand; *de laatste* ∼ *leggen aan het werk* put the finishing touches to the work; *de* ∼ *leggen op* lay hands on; *de* ∼ *lenen tot iets* lend oneself to a thing, be a party to it; *de* ∼ *lichten met* let oneself off lightly from the labour of ...ing, make light

of...; *zijn* ∼ *niet omdraaien voor iets* make nothing of ...ing; *de* ∼ *opheffen tegen iemand* lift (raise) one's hand against a person; *de* ∼ *ophouden* 1 hold out one's hand; 2 *fig* beg; *de* ∼*en aan het werk slaan* set to work; *de* ∼ *aan zich zelf slaan* lay violent hands on oneself; *de* ∼*en uit de mouwen steken* put one's shoulder to the wheel; *geen* ∼ *uitsteken om...* not lift (stir) a finger to...; *de* ∼*en vol hebben* have (have got) one's hands full, have one's work cut out; *de* ∼ *vragen van een meisje* ask her hand in marriage; *ik wil mijn* ∼ *niet onder dat stuk zetten* I won't put my hand to that paper; *geen* ∼ *voor ogen kunnen zien* not be able to see one's hand before one; *aan de* ∼ *van deze gegevens* on the basis of these data; *aan de* ∼ *van voorbeelden* from examples; ∼ *aan* ∼ hand in hand; *iemand iets aan de* ∼ *doen* procure (find, get) a thing for a person; suggest [a means] to him; *aan de betere* ∼ *zijn* zie *beterhand*; *wat is er aan de* ∼? what is up?; *er is iets aan de* ∼ there is something afoot; *aan* ∼*en en voeten binden* bind hand and foot; *iets a c h t e r de* ∼ *hebben* have something up one's sleeve; *iets (altijd) bij de* ∼ *hebben* have it at hand, ready (to hand), hardy; *al vroeg bij de* ∼ up early; *nog niet bij de* ∼ *zijn* not be stirring; zie ook: *bijdehand*; *met de degen in de* ∼ sword in hand; zie ook: *hoed*; *wij hebben dat niet in de* ∼ these things are beyond (out of) our control; ∼ *in* ∼ hand in hand; *in* ∼*en komen* (*vallen*) *van...* fall into the hands of...; *iets in* ∼*en krijgen* get hold of a thing; *in andere* ∼*en overgaan* change hands; *iemand iets in* ∼*en spelen* smuggle it into a man's hands; *iemand in de* ∼ *werken* play the game of a person; *iets in de* ∼ *werken* promote a thing; *in* ∼*en zijn van* be in the hands of; *de krant is in* ∼*en* the paper is in hands; *De heer X. in* ∼*en* by hand; *met de* ∼ *gemaakt* hand-made, made by hand; *met de* ∼*en in het haar zitten* be at one's wit's (wits') end; *met de* ∼*en in de schoot zitten* sit with folded hands; *met de* ∼ *op het hart* in all conscience; hand on heart [they affirmed]; *met beide* ∼*en aangrijpen* jump at [a proposal], seize [the opportunity] with both hands; *met lege* ∼*en* empty-handed; *met de* ∼ *over het hart strijken* strain a point; *met* ∼ *en tand* tooth and nail; *iemand naar zijn* ∼ *zetten* manage one (at will); *niets o m* ∼*en hebben* have nothing to do; *onder de* ∼ meanwhile; *iets onder* ∼*en hebben* have a work in hand, be at work on a thing; *iemand onder* ∼*en nemen* take one in hand, take one to task; *iemand o p de* ∼*en dragen* make much of a person; *het publiek op zijn* ∼*en hebben* have the audience with one; *op iemands* ∼ *zijn* be on a person's side, side with a person; *op* ∼*en zijn* be near at hand, be drawing near; *op* ∼*en en voeten* on all fours; ∼ *o v e r* ∼ hand over hand; ∼ *over*∼

toenemen spread, be rampant; *een voorwerp ter* ~ *nemen* take it in one's hands; *een werk ter* ~ *nemen* take (put) it in hand; *iemand iets ter* ~ *stellen* hand it to a person; *uit de eerste (tweede)* ~ (at) first (second) hand; *uit de vrije* ~ by hand; *uit de* ~ *geschilderd* painted by hand; *iets uit zijn* ~*en geven* trust it out of one's hands; *uit de* ~ *verkopen* sell by private contract; *van goeder* ~ [learn] on good authority; *van hoger* ~ [a revelation] from on high; [an order] from high quarters, from the government; [hear] on high authority; *iets van de* ~ *doen* dispose of, part with, sell a thing; *goed van de* ~ *gaan* sell well; *van de* ~ *wijzen* refuse [a request], decline [an offer], reject [a proposal]; *van* ~ *tot* ~ from hand to hand; *van de* ~ *in de tand* from hand to mouth; *voor de* ~ *liggen* be obvious; *het zijn twee* ~*en op één buik* they are hand in (and) glove; *als de éne* ~ *de andere wast, worden ze beide schoon* one hand washes another; *veel* ~*en maken licht werk* many hands make light work.

handappel ['hɑntɑpəl] *m* eating apple.

handarbeider [-ɑrbɛidər] *m* manual worker.

handbagage [-bɑgɑ.ʒə] *v* hand-luggage.

handbal [-bɑl] 1 *m* (bɑl) handball; 2 *o* (spel) handball.

handboeien [-bu.jə(n)] *mv* handcuffs, manacles.

handboek [-bu.k] *o* manual, handbook, textbook.

handbreed [-bre.t] *o* **handbreedte** [-bre.tə] *v* hand's breadth.

handdoek ['hɑndu.k] *m* towel; ~ *op rol* roller-towel.

handdoekenrek(je) [-du.kə(n)rɛk(jə)] *o* (los) towel-horse, (vast) towel-rail.

handdruk ['hɑndrŭk] *m* hand pressure; handshake; *een* ~ *wisselen* shake hands.

1 **handel** ['hɑndəl] *m* 1 trade, commerce; > traffic²; 2 (zaak) business; ~ *en wandel* conduct, life; ~ *drijven* do business, trade [with...]; *in de* ~ *brengen* put on the market; *in de* ~ *gaan* (zijn) go into (be in) business; *niet in de* ~ 1 [goods] not supplied to the trade; 2 privately printed [pamphlets].

2 **handel** ['hɛndəl] *o* & *m* ⚒ handle.

handelaar ['hɑndəlɑ:r] *m* merchant, dealer, trader.

handelbaar ['hɑndəlbɑ:r] tractable, manageable, docile.

handelbaarheid [-hɛit] *v* tractability, manageability, docility.

handeldrijvend ['hɑndəldrɛivənt] trading.

handelen [-dələ(n)] *vi* 1 (doen) act; 2 (handel drijven) trade, deal; ~ *in hout* deal (trade) in timber; ~ *naar (een beginsel)* act on (a principle); *op de Levant* ~ trade to the Levant; *over een onderwerp* ~ treat of (deal with) a subject.

handeling [-dəlɪŋ] *v* 1 action, act; 2 action [of a play]; *H*~*en der Apostelen* Acts of the Apostles; *de* ~*en van dit genootschap* the Proceedings (Transactions) of this Society; *Handelingen van het Engels Parlement* Hansard.

handelmaatschappij ['hɑndəlmɑ.tsχɑpɛi] *v* trading-company.

handelsadresboek ['hɑndəlsɑ.drɛsbu.k] *o* commercial directory.

handelsagent [-ɑ.gɛnt] *m* commercial agent.

handelsartikel [-ɑrti.kəl] *o* article of commerce, commodity.

handelsbalans [-bɑlɑns] *v* $ balance of trade, trade balance; *tekort op de* ~ trade gap.

handelsbelang [-bələŋ] *o* commercial interest.

handelsberichten [-bərɪxtə(n)] *mv* commercial news.

handelsbetrekkingen [-bətrɛkɪŋə(n)] *mv* commercial relations.

handelsbrief [-bri.f] *m* business letter.

handelscorrespondent [-kɔrɛspɔndɛnt] *m* correspondence clerk.

handelscorrespondentie [-dɛn(t)si.] *v* commercial correspondence.

handelscrisis [-kri.zɪs] *v* commercial crisis.

handelsgebruik [-gəbrœyk] *o* commercial custom, business practice, trade usage.

handelsgeest [-ge.st] *m* commercial spirit.

handelshaven [-ha.və(n)] *v* commercial port.

handelshogeschool [-ho.gəsxo.l] *v* commercial university.

handelshuis [-hœys] *o* business house, firm.

handelskennis [-kɛnəs] *v* commercial practice.

handelskorrespondent(-) zie *handelscorrespondent(-)*.

handelskrediet ['hɑndəlskrədi.t] *o* trade credit.

handelskrisis zie *handelscrisis*.

handelsmaatschappij ['hɑndəlsmɑ.tsχɑpɛi] = *handelmaatschappij*.

handelsman [-mɑn] *m* business man.

handelsmerk [-mɛrk] *o* trade mark.

handelsonderneming [-ɔ̀ndərne.mɪŋ] *v* commercial enterprise (undertaking), business concern.

handelsovereenkomst [-o.vərə.nkɔ̀mst] *v* commercial agreement, trade agreement.

handelspolitiek [-po.li.ti.k] *v* commercial policy.

handelsrecht [-rɛxt] *o* commercial law, law merchant.

handelsreiziger [-rɛizəgər] *m* commercial traveller.

handelsrekenen [-re.kənə(n)] *o* commercial arithmetic.

handelsschool ['hɑndəlsxo.l] *v* commercial school.

handelsstad [-stɑt] *v* commercial town.

handelstarief ['hɑndəlstɑ.ri.f] *o* commercial tariff.

handelsterm [-tɛrm] *m* business term.

handelsvaartuig [-fa.rtœyx] *o* trading-vessel.

handelsverdrag [-fərdrɑx] *o* treaty of commerce, commercial treaty, trade treaty.

handelsvloot [-flo.t] *v* merchant fleet.

handelsvriend [-fri.nt] *m* business friend, correspondent.

handelsvrijheid [-frɛihɛit] *v* freedom of trade.

handelsweg [-vɛx] *m* trade route.

handelswereld [-ve:rɛlt] *v* commercial world.

handelswet [-vɛt] *v* commercial law.

handelswetboek [-bu.k] *o* mercantile code.

handelszaak ['hɑndɛlsa.k] *v* business concern, business.

handelwijs, -wijze [-vɛis, -vɛizə] *v* proceeding, method, way of acting.

handen ['hɑndə(n)] *vi* in: *een spade die mij handt* a spade easy to hand; *een werkje dat mij handt* a job to suit me.

handenarbeid ['hɑndə(n)ɑrbɛit] *m* 1 manual labour; 2 sloyd, manual training, handicraft.

hand- en spandiensten [hɑntɛn'spɑndi.nstə(n)] *mv* statute-labour; ~ *verlenen aan (verrichten voor) de vijand* aid and abet the enemy.

handgebaar ['hɑntgəba:r] *o* gesture, motion of the hand.

handgeklap [-gəklɑp] *o* hand-clapping, applause.

handgeld [-gɛlt] *o* earnest-money, handsel.

handgemeen [-gəme.n] I *aj* in: ~ *worden* come to blows, engage in a hand-to-hand fight; ~ *zijn* be engaged in a hand-to-hand fight; II *o* mêlée, hand-to-hand fight.

handgranaat [-gra.na.t] *v* ✕ (hand-)grenade.

handgreep [-gre.p] *m* 1 (greep) grasp, grip; 2 (handigheid) knack; 3 (truc) trick.

handhaven [-ha.və(n)] I *vt* maintain, vindicate [one's rights]; II *vr zich* ~ hold one's own, keep one's ground.

handhaver [-vər] *m* maintainer.

handhaving [-vɪŋ] *v* maintenance.

handig ['hɑndəx] I *aj* handy, clever, skilful, adroit, deft; II *ad* cleverly, skilfully, adroitly &.

handigheid [-hɛit] *v* handiness, skill, adroitness; ~*je* trick.

handje ['hɑɲə] *o* (little) hand; *ergens een ~ van hebben* have a little way of ...ing; *een ~ helpen* lend a (helping) hand; *is er iets aan 't ~?* F anything on?

handkar ['hɑntkɑr] *v* barrow, hand-cart, push-cart.

handkijker [-kɛikər] *m* 1 palmist; 2 opera-glass.

handkijkerij [hɑntkɛikəˈrɛi] *v* palmistry.

handkoffer ['hɑntkòfər] *m* hand bag, portmanteau; (platte) suit-case.

handkus [-kûs] *m* kiss on the hand.

handlanger [-lɑŋər] *m* helper, > accomplice.

handleiding [-lɛidɪŋ] *v* manual, guide.

handlichting [-lɪxtɪŋ] *v* emancipation.

handomdraai [-òmdra:i] *m* in: *in een* ~ in a twinkling, off-hand.

handoplegging [-òplɛgɪŋ] *v* imposition (laying on) of hands.

handpalm [-pɑlm] *m* palm of the hand.

handpeer [-pe:r] *v* eating pear.

handrem [-rɛm] *v* hand-brake.

handschoen [-sxu.n] *m* & *v* glove; gauntlet [ꟷ & also for driving, fencing &]; *de* ~ *opnemen* take up the gauntlet; *iemand de* ~ *toewerpen* throw down the gauntlet (the glove); *met de* ~ *trouwen* marry by proxy.

handschrift ['hɑnts(x)rɪft] *o* 1 handwriting; 2 manuscript.

handslag [-slɑx] *m* slap (with the hand); *iets op (met, onder)* ~ *beloven* slap hands upon it.

handspaak [-spa.k] *v* handspike.

handspiegel [-spi.gəl] *m* hand-mirror, hand-glass.

handtas ['hɑntɑs] *v* handbag.

handtastelijk [hɑn'tɑstələk] palpable, evident, obvious; ~ *worden* become agressive; ~ paw [a girl].

handtastelijkheden [-he.də(n)] *mv* assault and battery, blows.

handtekenen ['hɑnte.kənə(n)] *o* free-hand drawing.

handtekening [-nɪŋ] *v* signature.

handvat, ~**sel** ['hɑntfɑt, -səl] *o* nandle.

handvest [-fɛst] *o* charter [of the United Nations]; covenant [of the League of Nations].

handvol [-fòl] *v* handful.

handvuurwapenen [-fy:rva.pənə(n)] *mv* ✕ small arms.

handwagen [-va.gə(n)] zie *handkar*.

handwerk [-vɛrk] *o* 1 trade, (handi)craft; 2 (als produkt) hand-made...; *fraaie* ~*en* fancy-work; *nuttige* ~*en* plain needlework; *vrouwelijke* ~*en* needlework.

handwerkje [-jə] *o* (piece of) fancy-work.

handwerksman ['hɑntvɛrksmɑn] *m* artisan.

handwijzer [-vɛizər] *m* signpost, finger-post.

handwortel [-vòrtəl] *m* carpus.

handzaag [-sa.x] *v* hand-saw.

handzaam [-sa.m] tractable, manageable; (te hanteren) handy.

hanebalk ['hɑ.nəbɑlk] *m* purlin, tie-beam; *onder de* ~*en* in the garret.

hanegekraai [-gəkra:i] *o* cock-crow(ing).

hanekam [-kɑm] *m* 1 cock's comb; 2 ♣ cocks' comb; 3 (zwam) chanterelle.

hanengevecht ['hɑ.nə(n)gəvɛxt] *o* cock-fight(ing).

hanepoot ['hɑ.nəpo.t] *m* (letter) pot-hook-(slecht schrift) scrawl.

haneveer [-ve:r] *v* cock's feather.

hang(a)ar [hã'ga:r] *m* hangar.

hangbrug ['hɑŋbrüx] *v* suspension bridge.

hangen ['hɑŋə(n)] I *vt* hang; *ik laat me* ~ *als...* F hang me if...!; II *va* hang; *het was tussen* ~ *en wurgen* it was a tight squeeze; III *vi* hang; *het hangt als droog zand (van leugens) aan elkaar* zie *aaneenhangen*; *aan iemands lippen* ~ hang on one's lips; *aan een spijker* ~ be hung from a nail; *aan een touw* ~ hang by a rope; *hij is daar blijven* ~ he has stuck there; *blijven* ~ *aan* be caught in [a branch &]; *hij is eraan blijven* ~ he was stuck with

it; *er zal weinig van blijven* ~ very little of it
will stick in the memory; *het hoofd laten* ~
hang one's head; *de lip laten* ~ hang its lip
[of a child], pout; *sta daar niet te* ~ don't
stand idling (lazing) there; zie ook: *draad,
klok* &.

hangend [-ŋənt] hanging; pending [question];
~*e het onderzoek* pending the inquiry.

hanger [-ŋər] *m* 1 hanger; 2 ear-drop, pendant.

hangerig [-ŋərəx] listless, languid.

hangkast [-kɑst] *v* hanging wardrobe.

hangklok [-klɔk] *v* hanging clock.

hanglamp [-lɑmp] *v* hanging lamp.

hanglip [-lɪp] *v* hanging lip.

hangmat [-mɑt] *v* hammock.

hangoor [-o:r] *o* lop-ear.

hangop [-ɔp] *m* curds.

hangslot [-slɔt] *o* padlock.

hangsnor [-snɔr] *v* drooping moustache(s).

hangwangen [-vɑŋə(n)] *mv* baggy cheeks.

hannesen ['hɑnəsə(n)] *vi* F 1 (kletsen) jaw,
yarn; 2 (beuzelen) dawdle.

Hannover [hɑ'no.vər] *o* Hanover.

Hannoveraan(s) [-no.və'ra.n(s)] Hanoverian.

hans [hɑns] *m* simpleton, Simple Simon.

hansop [hɑn'sɔp] *m* combination night-dress.

hansworst [hɑns'vɔrst] *m* buffoon, merry-
andrew, Punch.

hansworsterij [-vɔrstə'rɛi] *v* buffoonery.

hanteren [hɑn'te:rə(n)] *vt* handle [one's tools],
ply [the needle], wield [a weapon, the blue
pencil].

Hanze ['hɑnzə] *v* Hanse, Hanseatic League.

Hanzestad [-stɑt] *v* Hanse town.

Hanzeverbond [-vərbɔnt] *o* zie *Hanze*.

hap [hɑp] *m* 1 ('t happen) bite; 2 (mondvol)
bite, morsel, bit; *in één* ~ at one bite, at one
mouthful.

haperen ['ha.pərə(n)] *vi* 1 (bij 't spreken)
falter, stammer; 2 stick; *hapert er iets aan?*
anything wrong (the matter)?; *het hapert hem
aan geduld* he wants patience; *zonder* ~ without a hitch.

hapering [-rɪŋ] *v* 1 hitch; 2 hesitation [in repeating one's lesson].

hapje ['hɑpjə] *o* bit, bite, morsel.

happen ['hɑpə(n)] *vi* snap; bite; ~ *in* bite; ~
naar snap at.

happig [-pəx] in: (*niet erg*) ~ *op iets zijn* (not)
be keen upon a thing, (not) be eager for it.

happigheid [-hɛit] *v* keenness, eagerness [to do
something].

hard [hɑrt] I *aj* hard[2] [stone, winter, fight,
work &]; harsh [words]; loud [voice]; hard-
boiled [eggs]; *het is* ~ (*voor een mens*) *als*...
it is hard lines upon a man if...; II *ad* hard,
[treat a person] hardly, harshly; [talk] loud;
< greatly; ...*is* ~ *nodig* ..is badly needed;
't gaat ~ *tegen* ~ it is pull devil, pull baker;
zo ~ *zij konden, om het* ~*st*, as hard (loud,
fast &) as they could, they... their hardest
(loudest &).

hardboard ['ha.rdbɔ.rt] *o* hardboard.

harddraven ['hɑrtdra.və(n)] *vi* run in a trotting-match; run.

harddaaver [-vər] *m* trotter.

harddraverij [hɑrtdra.və'rɛi] *v* trotting-match.

harden ['hɑrdə(n)] *vt* harden[2], temper [steel];
het niet kunnen ~ not be able to stick it.

hardhandig [hɑrt'hɑndəx] *aj* (& *ad*) rough(ly),
rude(ly), harsh(ly).

hardhandigheid [-hɛit] *v* roughness &.

hardheid ['hɑrthɛit] *v* hardness, harshness.

hardhorend [hɑrt'ho:rənt] **hardhorig** [-rəx] dull
(hard) of hearing.

hardhorendheid, hardhorigheid [-'ho:rəntheit,
-'ho:rəxhɛit] *v* dullness (hardness) of hearing.

hardleers [hɑrt'le:rs] dull, unteachable.

hardloopwedstrijd ['hɑrtlo.pvɛtstreit] *m* foot-
race.

hardlopen [-lo.pə(n)] *o* running.

hardloper [-pər] *m* runner, racer.

hardnekkig [hɑrt'nɛkəx] I *aj* obstinate, stubborn [people &], persistent; rebellious [dis-
eases]; II *ad* obstinately &.

hardnekkigheid [-hɛit] *v* obstinacy, stubbornness, persistency.

hardop [hɑrt'ɔp] [dream, read, speak, say]
aloud.

hardrijden ['hɑrtrɛi(d)ə(n)] *o* racing; ~ *op de
schaats* speed-skating.

hardrijder [-(d)ər] *m* racer; ~ *op de schaats*,
speed-skater.

hardrijderij [hɑrtrɛi(d)ə'rɛi] *v* skating-match.

hardsteen ['hɑrtste.n] *o* & *m* freestone, ashlar.

hardstenen [-ste.nə(n)] *aj* freestone, ashlar.

hardvallen [-fɑlə(n)] *vt* in: *iemand* ~ *over*... be
hard on a man for...; zie ook: *vallen* I.

hardvochtig [hɑrt'fɔxtəx] I *aj* hard-hearted,
callous; II *ad* hard-heartedly, callously.

hardvochtigheid [-hɛit] *v* hard-heartedness,
callousness.

hardzeilerij [hɑrtsɛilə'rɛi] *v* sailing match,
(sailing) regatta.

harem ['ha:rəm] *m* harem, seraglio.

haren ['ha:rə(n)] *aj* hair [shirt].

harent [-rənt] in: *te(n)* ~ at her home; ~*halve*
for her sake; ~*wege* as for her; *van* ~*wege*
on her behalf, in her name; *om* ~*wil(le)* for
her sake.

harerzijds ['ha:rərzeits] on her part, on her
behalf.

harig ['ha:rəx] hairy; § pilose.

harigheid [-hɛit] *v* hairiness; § pilosity.

haring ['ha:rɪŋ] *m* 1 ⚓ herring; 2 (v. tent)
tent-peg; *als* ~*en in een ton* F like sardines in
a box.

haringhaai [-ha:i] *m* ⚓ porbeagle.

haringkaken [-ka.kə(n)] *o* curing of herrings.

haringkaker [-ka.kər] *m* herring-curer.

haringsla [-sla.] *v* herring-salad.

haringtijd [-tɛit] *m* herring-season, herring-
time.

harington [-tɔn *v* herring-barrel.

haringvangst [-vaŋst] *v* 1 herring-fishery; 2 catch of herrings.

haringvisser [-vısər] *m* herring-fisher.

haringvisserij [ha:rıŋvısə'rɛi] *v* herring-fishery.

hark [hɑrk] *v* 1 rake; 2 ~ *van een vent* stick; muff.

harken ['hɑrkə(n)] *vt* & *vi* rake.

harkerig [-kərəx] I *aj* stiff, wooden; II *ad* stiffly.

harlekijn [hɑrlə'kɛin] *m* harlequin, buffoon.

harlekinade [-ki.'na.də] *v* harlequinade.

harmonica(-) zie *harmonika(-)*.

harmonie [hɑrmo.'ni.] *v* 1 harmony°; 2 zie *harmonieorkest*.

harmonieleer [-le:r] *v* ♪ theory of harmony, harmonics.

harmonieorkest [-ɔrkɛst] *o* ♪ wood-wind and brass band.

harmoniëren [hɑrmo.ni.'e:rə(n)] *vi* harmonize (with *met*).

harmonika [hɑr'mo.ni.ka.] *v* ♪ accordion.

harmonikatrein [-trɛin] *m* corridor-train.

harmonisch [-'mo.ni.s] I *aj* 1 harmonious; 2 harmonic [progression &]; II *ad* 1 harmoniously; 2 harmonically.

harmonium [-'mo.ni.ũm] *o* ♪ harmonium.

harnas ['hɑrnɑs] *o* 1 cuirass, armour: *iemand in het ~ jagen* put a person's back up; *iemand tegen zich in het ~ jagen* set a man against oneself; *hen tegen elkaar in het ~ jagen* set them by the ears.

harp [hɑrp] *v* 1 ♪ harp; 2 riddle (= sieve).

harpenaar ['hɑrpənɑ:r] *m* harper, harp-player.

harpenist(e) [hɑrpə'nɪst(ə)] = *harpist(e)*.

harpij [hɑr'pɛi] *v* harpy².

harpist(e) [-'pɪst(ə)] *m* (*v*) ♪ (lady) harpist.

harpoen [-'pu.n] *m* harpoon.

harpoeneren [-pu.'ne:rə(n)] *vt* harpoon.

harpoenier [-'ni:r] *m* harpooner.

harpoenkanon [hɑr'pu.nka.nòn] *o* harpoon gun, whaling gun.

harpspeelster ['hɑrpspe.lstər] *v* (lady) harpist.

harpspel [-spɛl] *o* harp-playing.

harpspeler [-spe.lər] *m* harpist.

harrewarren ['hɑrəvɑrə(n)] *vi* bicker, wrangle, squabble.

harrewarrerij [hɑrəvɑrə'rɛi] *v* bickering(s), wrangle(s), squabble(s).

hars [hɑrs] *o* & *m* resin.

harsachtig ['hɑrsɑxtəx] resinous.

harst [hɑrst] *m* sirloin.

hart [hɑrt] *o* heart², (**kern** ook:) core; *het ~ hebben om...* have the heart to...; *hij heeft het ~ op de rechte plaats* his heart is in the right place; *het ~ op de tong hebben* wear one's heart upon one's sleeve; *geen ~ hebben voor zijn werk* not have one's heart in the work; *een goed ~ hebben* be kind-hearted; *zijn ~ luchten* give vent to one's feelings, speak one's mind; *zijn ~ ophalen aan iets* eat (read &) one's fill of...; *iemand een ~ onder de riem steken* hearten one; *dat zal hem aan het ~*

gaan it will go to his heart; *dat ligt mij na aan het ~* it is very near my heart; *in zijn ~ gaf hij mij gelijk* in his heart (of hearts); *in zijn ~ is hij...* at heart he is...; *hij is een... in ~ en nieren* he is a... to the backbone; *met ~ en ziel* heart and soul; *hij is een man naar mijn ~* he is a man after my own heart; *het wordt mij wee om het ~* I am sick at heart; *iemand iets op het ~ binden* (*drukken*) enjoin something upon a person, urge a person to... [do something]; *iets op het ~ hebben* have something on one's mind; *zeggen wat men op het ~ heeft* speak freely; *hij kon het niet over zijn ~ krijgen om...* he could not find it in his heart to...; *uw welzijn gaat mij ter ~e* I have your welfare at heart; *ter ~e nemen* lay it to heart; *dat is mij uit het ~ gegrepen* (*gesproken*) this is quite after my heart; *van zijn ~ geen moordkuil maken* speak freely; *van ~e, hoor!* my heart-felt congratulations; *van ganser ~e* [love a person] with all one's heart; [thank a person] whole-heartedly, from one's heart; *het ~ klopte mij in de keel* my heart was in my mouth; *waar het ~ van vol is, vloeit de mond van over* out of the abundance of the heart, the mouth speaketh.

hartaandoening ['hɑrta.ndu.nıŋ] *v* cardiac affection.

hartaanval [-a.nvɑl] *m* heart attack.

hartader [-a.dər] *v* great artery, aorta; *fig* artery.

hartboezem [-bu.zəm] *m* auricle (of the heart).

hartbrekend [hɑrt'bre.kənt] heart-breaking, heart-rending.

hartebloed ['hɑrtəblu.t] *o* heart's blood, life-blood. [blood.

hartedief [-di.f] *m* darling.

harteleed [-le.t] *o* grief, heartache.

hartelijk [-lək] I *aj* hearty, cordial; *de ~e groeten van allen* kindest love (regards) from all; II *ad* heartily, cordially.

hartelijkheid [-ləkhɛit] *v* heartiness, cordiality.

harteloos ['hɑrtəlo.s] *aj* (& *ad*) heartless(ly).

harteloosheid [hɑrtə'lo.shɛit] *v* heartlessness.

hartelust ['hɑrtəlüst] *m* in: *naar ~* to one's heart's content; *naar ~ eten* eat one's fill.

harten ['hɑrtə(n)] *v* ◇ hearts; *~aas* [hɑrtən'a.s] &, ace of hearts.

hartepijn ['hɑrtəpɛin] *v* grief, heartache.

hartewens [-vɛns] *m* heart's desire.

hartgrondig [hɑrt'gròndəx] I *aj* whole-hearted, cordial; II *ad* whole-heartedly, cordially.

hartig ['hɑrtəx] 1 salt; 2 hearty; *een ~ woordje met iemand spreken* have a heart-to-heart talk with a person.

hartigheid [-hɛit] *v* 1 saltness; 2 heartiness.

hartje ['hɑrcə] *o* (little) heart; *mijn ~!* dear heart!; *in het ~ van Rusland* in the centre of Russia; *in het ~ van de winter* in the dead of winter; *in het ~ van de zomer* in the height of summer.

hartkamer ['hɑrtka.mər] *v* ventricle (of the heart).

hartklep [-klɛp] v I cardiac valve; 2 ⚒ suction-valve.

hartklopping [-klɔpɪŋ] v palpitation (of the heart).

hartkramp [-krɑmp] v spasm of the heart.

hartkwaal [-kva.l] v disease of the heart, heart disease, heart trouble.

hartlijder [-lɛidər] ~**patiënt** [-pa.si.ɛnt] m heart sufferer, cardiac patient.

hartroerend [hɑrt'ru:rənt] I aj pathetic, moving; II ad pathetically.

hartsgeheim ['hɑrtsgəhɛim] o secret of the heart.

hartslag ['hɑrtslɑx] m heart-beat, pulsation of the heart.

hartsterkend [-stɛrkənt] tonic.

hartsterking [-kɪŋ] v zie hartversterking.

hartstocht ['hɑrtstɔxt] m passion.

hartstochtelijk [hɑrts'tɔxtələk] v passionate(ly).

hartstochtelijkheid [-hɛit] v passionateness.

hartstreek ['hɑrtstre.k] v cardiac region.

hartsvanger ['hɑrtsfɑŋər] m cutlass, hanger.

hartsvriend(in) [-fri.nt, -fri.ndɪn] m (v) bosom friend.

hartverheffend [hɑrtfər'hɛfənt] uplifting, exalting.

hartverlamming ['hɑrtfərlɑmɪŋ] v paralysis of the heart, heart failure.

hartverscheurend [hɑrtfər'sxø:rənt] heart-rending.

hartversterking ['hɑrtfərstɛrkɪŋ] v cordial, S pick-me-up.

hartvervetting [-fərvɛtɪŋ] v fatty degeneration of the heart.

hartverwarmend [-fərvɑrmənt] heart-warming.

hartvormig [-fɔrməx] heart-shaped.

hartzakje [-sɑkjə] o pericardium.

hartzeer [-se:r] o heartache, heart-break, grief.

haspel ['hɑspəl] m reel.

haspelaar [-pəla:r] m reeler, winder; fig bungler.

haspelen [-pələ(n)] I vt reel, wind; II vi reel, wind; fig I bungle; 2 bicker, wrangle.

hatelijk ['ha.tələk] I aj spiteful, invidious, hateful, odious, malicious, ill-natured; II ad spitefully.

hatelijkheid [-hɛit] v spitefulness, invidiousness, hatefulness, spite, malice; een ~ a gibe.

haten ['ha.tə(n)] vt hate.

hater [-tər] m hater.

hausse [ho.s] v S rise, (sterk, snel) boom; à la ~ speculeren buy for a rise, S bull.

haussier [ho.si.'e.] m S bull.

hautain [o.'tɛ̃] I aj haughty; II ad haughtily.

haut-reliëf [o:rəli.'ɛf] o high relief.

havannasigaar [ha.'vɑna.si.gɑ:r] v Havana.

have ['ha.və] v property, goods, stock; ~ en goed goods and chattels; levende ~ live-stock, cattle; tilbare ~ movables, personal property.

haveloos [-lo.s] aj (& ad) ragged(ly).

haveloosheid [ha.və'lo.shɛit] v raggedness.

haven ['ha.və(n)] v harbour, port², (meest *fig*) haven; (bassin en omgeving) docks, dock.

havenarbeider [-ɑrbɛidər] m dock labourer, docker.

havendam [-dɑm] m mole, jetty, pier.

havenen ['ha.vənə(n)] vt batter, ill-treat; damage.

havengeld(en) ['ha.və(n)gɛlt, -gɛldə(n)] o (mv) harbour dues, dock dues.

havenhoofd [-ho.ft] o jetty, pier, mole.

havenkantoor [-kɑnto:r] o harbour office.

havenlicht [-lɪxt] o harbour light.

havenloods [-lo.ts] m harbour pilot.

havenmeester [-me.stər] m harbour master.

havenplaats [-pla.ts] v (sea)port.

havenpolitie [-po.li.(t)si.] v harbour police.

havenstad [-stɑt] v seaport town, port town, port.

havenstaking [-sta.kɪŋ] v dock strike.

havenwerken [-vɛrkə(n)] mv harbour-works.

haver ['ha.vər] v oats.

haver(de)gort [-gɔrt, ha.vərdə'gɔrt] m groats.

haverkist ['ha.vərkɪst] v oat-chest; erop zitten als een bok op de ~ be down on it like lightning.

haverklap [-klɑp] m in: om de ~ at every moment, on the slightest provocation.

havermeel [-me.l] o oatmeal.

havermout [-mout] m I rolled oats; 2 (als pap) oatmeal porridge.

haverstro [-stro.] o oat-straw.

haverveld [-vɛlt] o oat-field.

haverzak [-zɑk] m I oat-bag; 2 nose-bag [of a horse].

havik ['ha.vək] m 🦅 hawk, goshawk.

haviksneus [-vəksnø.s] m hawk-nose, aquiline nose; met een ~ hawk-nosed.

hazardspel [ha.'za:rspɛl] o game of chance (of hazard).

hazejacht ['ha.zəjɑxt] v hare-hunting, hare-shooting.

hazelaar ['ha.zəla:r] m hazel(-tree).

hazeleger [-le.gər] o form of a hare.

hazelip [-lɪp] v harelip.

hazelnoot ['ha.zəlno.t] v (hazel-)nut, filbert.

hazelworm [-vɔrm] m blind-worm, slow-worm.

hazepad ['ha.zəpɑt] o in: het ~ kiezen take to one's heels.

hazepeper [-pe.pər] m jugged hare.

hazeslaap [-sla.p] m dog-sleep, cat-nap.

hazevel [-vɛl] o hare-skin.

hazewind [ha.zə'vɪnt] m 🦮 greyhound.

H-bom ['ha.bòm] v H-bomb.

h.b.s. [ha.be.'ɛs] = hogereburgerschool.

h.c. = honoris causa.

he [he.] hey! ha!, ah! oh! o! I say!; ⚓ ahoy!

hebbelijkheid ['hɛbələkhɛit] v (bad) habit, trick.

hebben ['hɛbə(n)] I vt have; wij ~ nu Engels, straks Frans we are doing English now; ik kan je hier niet ~ I have no use for you here; daar heb ik je! I had you there; daar heb je hem weer! there he is again!; daar heb j bijv.

XYZ... there is...; *daar heb je het nou!* there
you are!; zie ook: *dorst, gelijk, nodig, spijt* &;
ik heb 't I've got it; *het gemakkelijk* ~ have
an easy time of it; *het goed* ~ be well off, be
in easy circumstances; *het hard* ~ have a
hard time of it; *hij weet niet hoe hij het heeft*
he doesn't know whether he is standing on
his head or on his heels; *het rustig* ~ be
quiet; *het in de buik (in de ingewanden)* ~
suffer from intestine troubles; *het over
iemand (iets)* ~ be talking about a person
(thing); *het tegen iemand* ~ be talking to a
person; *hij zal iets aan zijn voet* ~ there will
be something the matter with his foot; *je hebt
er niet veel aan* it is (they are) not much use;
daar hebt u niets aan 1 it is nothing for you;
2 it will not profit you; *zijn boeken (stok &)
niet bij zich* ~ not have... with one; *hij heeft
wel iets van zijn vader* he looks (is) somewhat
like his father; *hij heeft niets van zijn vader*
he is nothing like his father; *het heeft er wel
iets van* it looks like it; *hebt u er iets tegen?*
have you any objection?; *hij heeft iets tegen
mij* he owes me a grudge; *als ma er niets tegen
heeft* if ma sees no objection, if ma doesn't
mind; *ik heb niets tegen hem* I have nothing
against him; *daar moet ik niets van* ~ I don't
hold with that; *hij moest niets* ~ *van...* he
didn't take kindly to... he didn't hold with...
he didn't like...; he wasn't having any (of
it), he said; *wat heb je toch?* what is the matter
with you?; *je moet wat* ~ 1 you deserve what
for; 2 there must be something the matter
with you; *wat heb je eraan?* what is the use
(the good) of it?; *ik weet niet wat ik aan hem
heb* I cannot make him out; *iets niet kunnen*
~ not be able to stand it; *ik moet nog geld
van hem* ~ he is still owing me; *ik wil (moet)
mijn...* ~ I want my...; *ik wil het niet* ~ I
won't allow it; II *va* have; ~ *is* ~, *maar
krijgen is de kunst* possession is nine points
of the law; III *o* in: *zijn hele* ~ *en houden* all
his belongings.

hebberig [-bərəx] F zie *hebzuchtig*.

Hebreeër [he.'bre:ər] *m* Hebrew.

Hebreeuws [-'bre:us] *aj* & *o* Hebrew.

hebzucht ['hɛpsʉxt] *v* greed, covetousness,
cupidity.

hebzuchtig [hɛp'sʉxtəx] greedy, grasping, covetous.

1 **hecht** [hɛxt] *o* 1 handle, haft; 2 hilt; *het* ~ *in
handen hebben* be at the helm.

2 **hecht** [hɛxt] *aj* solid, firm, strong.

hechten ['hɛxtə(n)] I *vt* 1 (vastmaken)
attach, fasten, affix; 2 (vastnaaien) stitch
up, suture [a wound]; 2 *fig* attach [impor-
tance, a meaning to...]; zie ook: *goedkeuring*
&; II *vi* & *va* in: ~ *aan iets* believe in [a
method &]; *erg* ~ *aan de vormen* be very
particular about forms; III *vr zich* ~ *aan
iemand (iets)* become (get) attached to a
person (thing).

hechtenis [-tənɪs] *v* custody, detention; *in* ~
nemen take into custody, arrest, apprehend;
in ~ *zijn* be under arrest; *uit de* ~ *ontslaan*
free from custody.

hechtheid ['hɛxtheit] *v* solidity, firmness,
strength.

hechting ['hɛxtɪŋ] *v* suture.

hechtpleister ['hɛxtpleistər] *v* sticking-plaster,
adhesive plaster.

hectare [hɛk'ta:rə] *v* hectare.

hectograaf [-to.'gra.f] *m* hectograph.

hectograferen [-gra.'fe:rə(n)] *vt* hectograph.

hectogram ['hɛkto.grɑm] *o* hectogramme.

hectoliter [-li.tər] *m* hectolitre.

hectometer [-me.tər] *m* hectometre.

heden ['he.də(n)] I *ad* to-day, this day; ~/ F
dear me!; ~ *over 8 dagen* this day week; ~
over 14 dagen this day fortnight; ~ *ten dage*
nowadays; *tot* ~ up to the present, to this
day; II *o het* ~ the present.

hedenavond [he.də'na.vɔnt] this evening, to-
night.

hedendaags ['he.də(n)da.xs, he.də(n)'da.xs]
modern, present, present-day, contemporary;
de ~*e dames* the ladies of to-day.

hedenmiddag [he.də(n)'mɪdɑx] this afternoon.

hedenmorgen [-'mɔrgə(n)] this morning.

hedennacht [he.də'nɑxt] to-night.

hederik ['he.dərək] *m* = *herik*.

heel [he.l] I *aj* whole, entire; *dat is een* ~
besluit that is quite a decision; *de hele dag*
all day, the whole day; *hij is een hele heer
(held &)* he is quite a gentleman (hero &);
langs de hele oever all along the bank; *het
kost hele sommen* large sums, lots of money;
het was een ~ *spektakel* a regular row; *hij
blijft soms hele weken weg* for weeks together; II *ad* quite; ~ *en al* wholly, totally,
entirely, altogether, quite; ~ *niet* not at all;
~ *goed (mooi &)* very good (fine &); ~ *iets
anders* quite a different thing; ~ *in de verte*
far, far away; zie ook: *geheel.*

heelal [he.'lɑl] *o* universe.

heelbaar ['he.lba:r] curable; that can be healed.

heelhuids ['he.lhœyts] with a whole skin, unscathed. [scathed.

heelkunde ['he.lkʉndə] *v* surgery.

heelkundig [he.l'kʉndəx] *aj* (& *ad*) surgical(ly).

heelkundige [-dəgə] *m* surgeon.

heelmeester ['he.lme.stər] *m* surgeon; *zachte*
~*s maken stinkende wonden* desperate ills
call for desperate remedies.

heelster [-stər] *v* receiver.

heem [he.m] *o* farmyard.

heemkunde ['he.mkʉndə] *v* local lore.

heemraad [-ra.t] *m* dike-reeve.

heemraadschap [-sxɑp] *o* office of a dike-reeve.

heemst [he.mst] *v* ♣ marsh mallow.

heen [he.n] I away; ~ *en terug* there and back;
~ *en weer* to and fro; *waar moet dat* ~? 1
where are you going to?; 2 *fig* what are we
coming to?; *waar ik* ~ *wilde* 1 where I
wanted to go to; 2 *fig* what I was driving at.

heen- en terugreis [he.nɛntə'rūxrɛis] *v* journey there and back, ⚓ voyage out and home.

heengaan ['he.nga.n] **I** *vi* go away, leave, go; pass away [= die]; *daar gaan weken mee heen* it will take weeks (to do it), it will be weeks before...; **II** *o* departure [also of a minister &]; ☉ passing away, death.

heenkomen [-ko.mə(n)] *o* in: *een goed ~ zoeken* seek safety in flight.

heenlopen [-lo.pə(n)] *vi* run away; *ergens over ~* make light of it; scamp one's work &; *loop heen!* F get along with you!

heenreis [-rɛis] *v* outward journey, ⚓ voyage out.

heenrijden [-rɛi(d)ə(n)] *vi* ride (drive) away.

heensnellen [-snɛlə(n)] *vi* run away.

heenstappen [-stapə(n)] *vi* stride off; *over iets ~* 1 *eig* step across it; 2 *fig* ignore it, not mind it; *hij stapte over die bezwaren heen* he brushed aside these objections.

heenvlieden [-vli.də(n)] *vi* fleet.

heenweg [-vɛx] *m* way there.

heenzetten [-zɛtə(n)] in: *zich ~ over iets* get over a thing.

1 **heer** [he:r] *m* 1 (v. stand) gentleman; 2 (gebieder) lord; 3 (meester) master; 4 (cavalier) partner; 5 ◇ king; *de Heer* the Lord; *de ~ S.* Mr. S.; *de heren Kolff & Co.* Messrs. Kolff & Co.; *die heren* those gentlemen; *Heer der Heerscharen* Lord God of Hosts; *de ~ des huizes* the master of the house; *de heren der schepping* the lords of creation; *wel Here, Here!* Lord!, Heavens!; *~ en meester zijn* be master; *de grote ~ uithangen* zie *uithangen*; *met grote heren is het kwaad kersen eten* the weakest always goes to the wall; *de ~ zo knecht* like master, like man; *nieuwe heren, nieuwe wetten* new lords, new laws; *niemand kan twee heren dienen* nobody can serve two masters; *strenge heren regeren niet lang* a tyrant never reigns long.

2 **heer** [he:r] *o* in: *dat ~ >* that gent; *een raar ~* F a queer chap, a rum customer.

3 **heer** [he:r] *o* (leger) host.

heerbaan ['he:rba.n] *v* high road.

heerlijk [-lək] **I** *aj* 1 (v. een heerlijkheid) manorial, seignorial [rights]; 2 (prachtig) glorious; splendid; lovely; 3 (v. smaak, geur &) delicious, delightful, divine; **II** *ad* deliciously; gloriously.

heerlijkheid [-hɛit] *v* 1 (eigendom) manor, seigniory; 2 (pracht) splendour, magnificence, glory, grandeur.

heeroom ['he:ro.m] *m* F the parish priest.

heerschap [-sxap] *o* in: *zeg eens, ~...* I say, my man...?; *dat ~* that gent.

heerschappij [he:rsxɑ'pɛi] *v* mastery, dominion, rule, lordship, empire; *elkaar de ~ betwisten* contend (struggle) for mastery; *~ voeren* bear sway, rule, lord it.

heerscharen [-sxa:rə(n)] *mv* hosts; zie ook: 1 *heer*.

heersen ['he:rsə(n)] *vi* 1 rule, reign; 2 (v. ziekte &) reign, prevail, be prevalent; *~ over* rule (over).

heersend [-sənt] ruling, prevailing, prevalent; *de ~e godsdienst* the prevailing religion; *~e smaak* the reigning fashion; *de ~e ziekte* the prevalent (prevailing) disease.

heerser [-sər] *m* **heerseres** [he:rsə'rɛs] *v* ruler°.

heerszucht ['he:rsʉxt] *v* ambition for power, lust of power.

heerszuchtig [he:r'sʉxtəx] imperious, ambitious of power.

heerszuchtigheid [-hɛit] *v* imperious spirit, ambition for power.

heertje ['he:rcə] *o* dandy, (k)nut, > gent.

heerweg [-vɛx] *m* high road.

hees [he.s] *aj* (& *ad*) hoarse(ly).

heesheid ['he.shɛit] *v* hoarseness.

heester ['he.stər] *m* ♣ shrub.

heet [he.t] **I** *aj* hot²; torrid [zone]; *~ van de naald (van de pan)* piping hot; *~ zijn op iets* be hot (keen) on a thing; *in het ~st van de strijd* in the thick of the fight; **II** *ad* hotly; *het zal er ~ toegaan* it will be hot work there.

heetgebakerd [he.tgə'ba.kərt] hasty, quick-tempered.

heethoofd ['he.tho.ft] *m-v* hothead.

heethoofdig [he.t'ho.vdəx] hot-headed.

heethoofdigheid [-hɛit] *v* hot-headedness.

heetwatertoestel [he.t'va.tərtu.stɛl] *o* (hot-water) heater.

hef [hɛf] = *heffe*.

hefboom ['hɛfbo.m] *m* ⚒ lever.

hefbrug [-brʉx] *v* lift(ing)-bridge.

heffe ['hɛfə] *v* dregs; scum [of the people].

heffen [-fə(n)] *vt* raise, lift; levy [taxes on].

heffing [-fiŋ] *v* levying; levy; *~ ineens* capital levy.

hefschroefvliegtuig ['hɛfs(x)ru.fli.xtœyx] *o* ⚙ helicopter.

heft [hɛft] *o* = 1 *hecht*.

heftig ['hɛftəx] *aj* (& *ad*) vehement(ly), violent(ly).

heftigheid [-hɛit] *v* vehemence, violence.

heftruck ['hɛftrʉk] *m* lift truck.

hefvermogen ['hɛfərmo.gə(n)] *o* lifting capacity, lifting power.

heg [hɛx] *v* hedge; zie ook: *steg*.

hegemonie [he.gəmo.'ni.] *v* hegemony.

hegge ['hɛgə] = *heg*.

heggerank [-rɑŋk] *v* ♣ (white) bryony.

heg(ge)schaar ['hɛx-, 'hɛgəsxa:r] *v* hedge shears, hedge clippers.

1 **hei** [hɛi] *ij* ho!, hey!, hallo!; *~ daar!* ho!, I say!

2 **hei** [hɛi] *v* ⚒ rammer; pile-driver.

3 **hei** [hɛi] *v* = *heide*.

heibaas ['hɛiba.s] *m* ram-master.

heibezem [-be.zəm] *m* heather broom.

heiblok [-blɔk] *o* rammer, ram, monkey.

heibrand [-brɑnt] = *heidebrand*.

heide [-də] *v* 1 (veld) heath, moor; 2 ♣ heather;

heideachtig [-ɑxtəx] I heathy; 2 ♣ heathery.
heidebrand [-brɑnt] *m* heath fire.
heidegrond [-grònt] *m* heath, moor, moorland.
heidehoni(n)g [-ho.nıŋ] *m* heather honey.
heidekruid [-krœyt] *o* ♣ heather.
heidemaatschappij [-ma.tsxɑpɛi] *v* heath exploitation company.
heiden ['hɛidə(n)] *m* I heathen, pagan; (tegenover jood) Gentile; 2 (zigeuner) gipsy.
heidendom [-dòm] *o* heathenism, paganism.
heidens [-dəns] *aj* heathen, pagan; heathenish; een ~ leven F an infernal noise.
heideontginning [-dəòntgınıŋ] *v* reclaiming of moorland.
heideveld [-vɛlt] *o* heath, moor.
heidin [hɛi'dın] *v* zie *heiden*.
heien ['hɛiə(n)] *vt* ram, drive (in) [a pile], pile [the ground].
heigrond [-grònt] = *heidegrond*.
heiig [-əx] hazy.
heiigheid [-hɛit] *v* haziness.
heikruid ['hɛikrœyt] = *heidekruid*.
heil [hɛil] *o* welfare, good; (geestelijk) salvation; ~ u! hail to thee!; veel ~ en zegen! a happy New Year!; ergens geen ~ in zien expect no good from, not believe in...; zijn ~ in de vlucht zoeken seek safety in flight.
Heiland ['hɛilɑnt] *m* Saviour.
heilbede ['hɛilbe.də] *v* prayer for the wellbeing.
heilbot [-bòt] *m* ◎ halibut.
heildronk [-dròŋk] *m* toast, health; een ~ instellen propose a toast.
heilgymnastiek [-gımnɑsti.k] *v* Swedish gymnastics.
heilig ['hɛiləx] I *aj* I (v. personen & zaken) holy; 2 (v. zaken) sacred; de H~e Elizabeth St. (Saint) Elizabeth; het is mij ~e ernst I am in real earnest; het H~e Land the Holy Land; in de ~e overtuiging dat... honestly convinced that...; de H~e Stad the Holy City; niets is hem ~ nothing is sacred to (from) him; haar wens is mij ~ her wish is sacred with me; hij (dat) is nog ~ bij he (it) is a paragon in comparison with; ~ verklaren canonize; het Heilige der Heiligen[2] the Holy of Holies[2]; II *ad* sacredly; ~ verzekeren assure solemnly; zich ~ voornemen om... make a firm resolution to...
heiligbeen [-be.n] *o* sacrum.
heiligdag [-dɑx] = *heiligedag*.
heiligdom [-dòm] *o* I (plaats) sanctuary; F sanctum [= den]; 2 (voorwerp) relic.
heilige ['hɛiləgə] *m-v* saint; de ~n der laatste dagen the latter-day saints; de ~ spelen (uithangen) saint it; zie ook: heilig I.
heiligedag [-dɑx] *m* saint's day, holy day.
heiligen [-gə(n)] *vt* sanctify [a place, us]; hallow [God's name]; keep holy [the Sabbath &]; consecrate [the host]; geheiligd zij Uw naam hallowed be thy name.
heiligenbeeld [-be.lt] *o* image of a saint, holy

image.
heiligenverering [-vəre:rıŋ] *v* worship of saints.
heiligheid ['hɛiləxhɛit] *v* holiness, sacredness, sanctity; Zijne Heiligheid (de Paus) His Holiness.
heiliging [-ləgıŋ] *v* sanctification.
heiligmakend ['hɛiləxma.kənt] sanctifying [grace].
heiligmaking [-ma.kıŋ] *v* sanctification.
heiligschendend, -schennend [-sxɛn(d)ənt] *aj* (& *ad*) sacrilegious(ly).
heiligschenner [-sxɛnər] *m* sacrilegist.
heiligschennis [-sxɛnəs] *v* sacrilege, profanation.
heiligverklaring [-fərkla:rıŋ] *v* canonization.
heilloos ['hɛilo.s] I fatal, disastrous; 2 wicked.
Heilsleger ['hɛilsle.gər] *o* Salvation Army.
heilsoldaat ['hɛilsòlda.t] *m* ~soldate [-da.tə] *v* Salvationist.
heilstaat [-sta.t] *m* ideal state.
heilwens [-vɛns] *m* congratulation.
heilzaam [-za.m] I *aj* beneficial, salutary, wholesome; II *ad* salutarily, wholesomely.
heilzaamheid [-hɛit] *v* beneficial influence, salutariness, wholesomeness.
heimachine ['hɛima.ʃi.nə] *v* ⚒ pile-driver.
heimelijk ['hɛimələk] *aj* (& *ad*) secret(ly), clandestine(ly).
heimelijkheid [-hɛit] *v* secrecy.
heimwee ['hɛimve.] *o* home-sickness, nostalgia; ~ hebben be home-sick (for naar).
Hein [hɛin] *m* Harry; magere ~, vriend ~ F the old gentleman with the scythe: Death.
heinde ['hɛində] in: ~ en ver far and near, far and wide.
heining ['hɛinıŋ] *v* enclosure, fence.
Heintje ['hɛincə] *m* & *o* Harry; ~ Pik Old Scratch.
heipaal ['hɛipa.l] *m* pile.
heisa ['hɛisa.] *ij* huzza!
heitje ['hɛicə] *o* zie *kwartje*; ~ karweitje bob-a-job.
heiveld [-vɛlt] = *heideveld*.
heiwerk [-vɛrk] *o* piling, pile-work.
hek [hɛk] *o* I [lath, wire] fence; 2 [iron] railing(s); [level crossing, entrance] gate; 3 [choir] screen; 4 *sp* hurdle; 5 ⚓ stern; het ~ is van de dam it is Liberty Hall.
hekel ['he.kəl] *m* hackle; *fig* dislike; ik heb een ~ aan hem I dislike (hate) him; een ~ krijgen aan take a dislike to; over de ~ halen criticize; satirize.
hekelaar [-kəla:r] *m* ~ster [-stər] *v* hackler; *fig* censorious (captious) critic.
hekeldicht ['he.kəldıxt] *o* satire.
hekeldichter [-dıxtər] *m* satirist.
hekelen ['he.kələ(n)] *vt* hackle; *fig* criticize; satirize.
hekeling [-lıŋ] *v* hackling; *fig* lashing criticism.
hekelschrift ['he.kəls(x)rıft] ~vers [-vɛ:rs] *o* satire.
hekkesluiter 'hɛkəslœytər] *m* last comer.

heks [hɛks] *v* hag, witch²; *fig* vixen, shrew.
heksen ['hɛksə(n)] *vi* use witchcraft, practise sorcery; *ik kan niet ~* I am no wizard.
heksendans [-dɑns] *m* witches' dance.
heksenketel [-ke.təl] *m* witches' cauldron.
heksenproces [-pro.sɛs] *o* trial for witchcraft.
heksensabbat [-sɑbɑt] *m* witches' sabbath.
heksentoer [-tu:r] *m* in: *het was een ~* it was a devil of a job; *dat is zo'n ~ niet* there's nothing very difficult about that.
heksenwerk [-vɛrk] *o* sorcery, witchcraft, witchery; *dat is zo'n ~ niet* zie *heksentoer*.
hekserij [hɛksə'rɛi] *v* sorcery, witchcraft, witchery.
heksluiter ['hɛkslœytər] = *hekkesluiter*.
hekt- zie *hect-*.
hekwerk ['hɛkvɛrk] *o* railing(s), trellis-work.
1 hel [hɛl] *v* hell².
2 hel [hɛl] *aj* bright, glaring.
hela! ['he.la.] *ij* hallo!
helaas! [he.'la.s] *ij* alas!; unfortunately.
held [hɛlt] *m* hero; *een ~ zijn* in be good at...
heldendaad ['hɛldə(n)da.t] *v* heroic deed, exploit.
heldendicht [-dɪxt] *o* heroic poem, epic, epopee.
heldendichter [-dɪxtər] *m* epic poet.
heldendood [-do.t] *m & v* heroic death; *de ~ sterven* die heroically.
heldenmoed [-mu.t] *m* heroism; *met ~* heroically.
heldenrol [-rəl] *v* heroic part, part of a hero.
heldenschaar [-sxa:r] *v* band of heroes.
heldenstuk [-stük] *o* heroic deed, exploit.
heldentenor [-təno:r] *m* heroic tenor.
heldentijd [-tɛit] *m* heroic age.
heldenverering [-vəre:rɪŋ] *v* hero worship.
heldenzang [-zɑŋ] *m* epic song.
helder ['hɛldər] I *aj* 1 clear, bright, lucid; serene; 2 clean; II *ad* 1 clearly, brightly, lucidly; serenely; 2 cleanly; *~ rood* bright red.
helderdenkend [-dɛŋkənt] clear-headed.
helderheid [-hɛit] *v* 1 clearness &, clarity, lucidity; 2 cleanness.
helderziend [hɛldər'zi.nt] 1 clear-sighted; 2 clairvoyant; *een ~e* a clairvoyant.
helderziendheid [-hɛit] *v* 1 clear-sightedness; 2 clairvoyance.
heldhaftig [hɛlt'hɑftəx] I *aj* heroic; II *ad* heroically.
heldhaftigheid [-hɛit] *v* heroism.
heldin [hɛl'dɪn] *v* heroine.
helemaal ['he.ləma.l, he.lə'ma.l] wholly, totally, entirely, quite, altogether; *~ achterin* right at the back; *kom je ~ van A.?* have you come all the way from A.?; *~ niet* not at all.
1 helen ['he.lə(n)] *vi* (& *vt*) (v. wonden) heal.
2 helen ['he.lə(n)] *vt* receive [stolen goods].
1 Helena ['he.lənɑ.] *v* Helen [of Troy].
2 Helena [he.'le.na.] *v* Helen [non-classical person]; [St.] Helena.
heler ['he.lər] *m* receiver; *de ~ is net zo goed*

als de steler the receiver is as bad as the thief.
helft [hɛlft] *v* half; *zijn betere ~* his better half; *de ~ van 10 is 5* the half of 10 is 5; *voor de ~ van het geld* for half the money; *de ~ ervan is rot* half of it is rotten, half of them are rotten; *ik verstond niet de ~ van wat hij zei* one half (what) he said; *meer dan de ~* more than one half (of them); *de ~ minder* less by half; *maar tot op de ~* only half.
Helgoland ['hɛlgo.lɑnt] *o* Heligoland.
helhond [-hònt] *m* hell-hound, Cerberus.
Helicon ['he.li.kòn] *m* Helicon.
helicopter zie *helikopter*.
helihaven ['he.li.ha.və(n)] *v* ✈ heliport.
Helikon zie *Helicon*.
helikopter [he.li.'kɔptər] *m* ✈ helicopter.
1 heling ['he.lɪŋ] *v* (genezing) healing.
2 heling ['he.lɪŋ] *v* receiving [of stolen goods].
heliograaf [he.li.o.'gra.f] *m* heliograph.
heliotroop [-'tro.p] *v* ❀ heliotrope, turnsole.
heliport ['he.li.pɔrt] *m* ✈ heliport.
helium ['he.li.üm] *o* helium.
Hellas ['hɛlɑs] *o* Hellas, Greece.
hellebaard ['hɛləba:rt] *v* halberd.
hellebaardier [hɛləba:r'di:r] *m* halberdier.
Helleen [hɛ'le.n] *m* Hellene.
Helleens [-'le.ns] Hellenic.
hellen ['hɛlə(n)] *vi* incline, slant, slope, shelve.
hellend [-lɔnt] slanting, sloping, inclined, zie ook: 1 *vlak* III.
hellepijn ['hɛləpɛin] *v* torture of hell.
Hellespont [-spònt] *m* Hellespont.
helleveeg [-ve.x] *v* hell-cat, termagant, shrew.
helling ['hɛlɪŋ] *v* 1 incline, declivity, slope; 2 gradient [of railway]; 3 ⚓ slipway, slips.
hellingshoek [-lɪŋshu.k] *m* gradient.
1 helm [hɛlm] *v* ❀ bent-grass.
2 helm [hɛlm] *m* 1 helmet, ⊙ casque; 2 (v. duiker) headpiece; 3 (v. distilleerkolf) head; 4 (bij geboorte) caul; *met de ~ geboren* born with a caul.
helmdraad ['hɛlmdra.t] *m* ❀ filament.
helmhoed [-hu.t] *m* sun-helmet, pith helmet.
helmknop [-knɔp] *m* ❀ anther.
helmkruid [-krœyt] *o* ❀ figwort.
helmstok [-stɔk] *m* ⚓ tiller, helm.
helmteken [-te.kə(n)] *o* ⊘ crest.
heloot [he.'lo.t] *m* helot.
helpen ['hɛlpə(n)] I *vt* 1 (hulp verlenen) help, aid, assist, succour; 2 (baten) avail, be of avail, be of use; 3 (bedienen) attend to [customers]; *wordt u geholpen?* are you being attended to?; *waarmee kan ik u ~?* what can I do for you? *zo waarlijk helpe mij God almachtig!* so help me God!; *dat zal u niets ~* that won't be much use, will be of no avail; *wat zal het ~?* of what use will it be? what will be the good (of it)?; *hij kan het niet ~* it is not his fault; *iemand aan iets ~* help to, procure, get; *er is geen ~ aan* it can't be helped; *iemand (aan) bij zijn sommen ~* help him to do his sums; *iemand met geld ~* assist one

with money; *iemand uit zijn bed* ~ help one out of bed; **II** *vi* help; avail, be of avail, be of use; *help!* help!; *het helpt al* it is some good already; **II** *vi* help; avail, be of avail, be of use; *help!* help!; *het helpt al* it is some good already; *alles helpt* everything is helpful; *het helpt niet* it's no good, it's no use, it is of no avail; *aspirine helpt tegen de hoofdpijn* is good for a headache; **III** *vr zich* ~ help oneself.

helper [-pər] *m* ~**ster** ['hɛlpstər] *v* helper, assistant.

hels [hɛls] **I** *aj* hellish, infernal, devilish; *iemand* ~ *maken* F drive one wild; *hij was* ~ F he was in a wax; ~*e machine* infernal machine; ~*e steen* lunar caustic; **II** *ad* < infernally, devilish(ly).

Helvetië [hɛl've.tsi.ə] *o* Helvetia.

Helvetiër [-tsi.ər] *m* **Helvetisch** [-ti.s] *aj* Helvetian.

1 **hem** [hɛm] *pers. voornw.* him; *het is van* ~ it is his.

2 **hem!** [hɛm] *ij* hem!

hemd [hɛmt] *o* shirt; chemise [of a woman]; *hij heeft geen* ~ *aan zijn lijf* he has not a shirt to his back; *iemand hɛ:* ~ *van het lijf vragen* pester a person with questions; *het* ~ *is nader dan de rok* charity begins at home; *in zijn* ~ *staan* cut a sorry figure [*fig*]; *iemand in zijn* ~ *laten staan* make a person look foolish; *tot op het* ~ *toe nat* wet to the skin; *iemand tot op het* ~ *uitkleden* strip one naked.

hemdsknoop ['hɛmtskno.p] *m* shirt-button.

hemdsmouw [-mɔu] *v* shirt-sleeve; *in zijn* ~*en* in his shirt-sleeves.

hemel ['he.məl] *m* 1 (der gelukzaligen) heaven; 2 (uitspansel) sky, firmament, heavens; 3 (dak) canopy [of throne]; tester [of bed]; *goeie (lieve)* ~*!* good heavens!; ~ *beware ons!* God forbid!; *de* ~ *geve dat hij...!* would to God he...! ~ *en aarde bewegen* move heaven and earth; *de sterren aan de* ~ the stars in the sky; *in de* ~ in heaven; *in de* ~ *komen* go to heaven; *tussen* ~ *en aarde* in mid-air; *als de* ~ *valt zijn alle mussen dood* if the sky falls pots will be broken; zie ook: *bloot, schreien* &.

hemelbol [-bɔl] *m* celestial globe.

hemelgewelf [-gəvɛlf] *o* vault of heaven, firmament.

hemelhoog [-ho.x] **I** *aj* sky-high, reaching (towering) to the skies; **II** *ad* sky-high, to the skies; *iemand* ~ *verheffen* exal (laud) one to the skies.

hemeling ['he.məlıŋ] *m* 1 celestial, inhabitant of Heaven; 2 S Celestial [= Chinaman].

hemellichaam [-məlıɡa.m] *o* heavenly body.

hemellicht [-məlıxt] *o* luminary, celestial light.

hemelpoort [-məlpo:rt] *v* gate of Heaven.

hemelrijk [-rɛik] *o* kingdom of Heaven.

hemels ['he.məls] **I** *aj* celestial, heavenly [Father &]; *het Hemelse Rijk* the Celestial Empire [China]; **II** *ad* celestially, heavenly; divinely [beautiful &].

hemelsblauw [-blɔu] sky-blue, azure.

hemelsbreed [-bre.t] in: *een* ~ *verschil* a big difference; *er is een* ~ *verschil tussen hen* they are as wide asunder as the poles; ~ *100 km* 100 km as the crow flies.

hemelsbreedte [-bre.tə] *v* celestial latitude.

hemelsnaam [-na.m] in: *in 's-* ~, zie *godsnaam.*

hemelstreek ['he.məlstre.k] *v* climate, ⊙ clime; zone.

hemeltergend [he.məl'tɛrɡənt] crying to heaven, crying.

hemeltje ['he.məlcə] *ij* good heavens!

hemelvaart [-va:rt] *v* Ascension (of J.C.).

Hemelvaartsdag [-va:rtsdɑx] *m* Ascension Day.

hemelvuur [-vy:r] *o* 1 celestial fire; 2 lightning.

hemelwaarts [-va:rts] heavenward, towards Heaven.

hemmen ['hɛmə(n)] *vi* hem [to call attention], clear one's throat.

1 **hen** [hɛn] *v* 🐦 hen.

2 **hen** [hɛn] them; ~ *die* those who.

hendel = 2 *handel.*

Hendrik ['hɛndrək] *m* Henry; *brave* ~ smug.

Hendrika [hɛn'dri.ka.] *v* Henrietta, F Harriet.

Henegouwen ['he.nəgɔuə(n)] *o* Hainault.

Henegouws [-gɔus] *o* of Hainault.

henen ['he.nə(n)] = *heen.*

hengel ['hɛŋəl] *m* fishing-rod.

hengelaar ['hɛŋəla:r] *m* angler.

hengelen [-lə(n)] **I** *vi* angle; *naar een complimentje* ~ be angling (fishing) for a compliment; **II** *o het* ~ angling.

hengelroe(de) ['hɛŋəlru.(də)] *v* fishing-rod.

hengelsnoer [-snu:r] *o* fishing-line.

hengsel ['hɛŋsəl] *o* 1 handle, bail; 2 hinge [of a door].

hengselmand [-mɑnt] *v* hand-basket.

hengst [hɛŋst] *m* stallion, stud-horse.

hengsten ['hɛŋstə(n)] *vi* S zie *blokken.*

hennep ['hɛnəp] *m* 🌿 hemp.

hennepbraak [-bra.k] *v* hemp-brake.

hennepen ['hɛnəpə(n)] hempen, hemp.

hennepolie ['hɛnəpo.li.] *v* hempseed oil.

hennepteelt [-te.lt] *v* hemp-growing.

hennepzaad [-sa.t] *o* hempseed.

hens [hɛns] *alle* ~ *aan dek* ⚓ all hands on deck.

her [hɛr] in: ~ *en der* here and there, hither and thither; *van eeuwen* ~ ages old; *jaren* ~ ages since.

herademen [hɛr'a.dəmə(n)] *vi* breathe again.

herademing [-mıŋ] *v fig* relief.

heraldiek [he:rɑl'di.k] **I** *v* heraldry; **II** *aj* heraldic.

heraldisch [-'rɑldi.s] *aj* heraldic.

heraut [he:'rɔut] *m* herald².

herbarium [hɛr'ba:ri.ǔm] *o* herbarium.

herbebossen ['hɛrbəbɔsə(n)] *vt* reafforest.

herbebossing [-sıŋ] *v* reafforestation.

herbenoemen ['hɛrbənu.mə(n)] *vt* reappoint.

herbenoeming [-mıŋ] *v* reappointment.

herberg ['hɛrbɛrx] *v* inn, public house, F pub, tavern.

herbergen [-bɛrgə(n)] *vt* accommodate, lodge.

herbergier [hɛrbɛr'giːr] *m* innkeeper, landlord, host.

herbergierster [-stər] *v* landlady, hostess.

herbergmoeder ['hɛrbɛrxmu.dər] *v* ~vader [-fa.dər] *m* warden (of a youth hostel).

herbewapenen ['hɛrbəva.pənə(n)] (*zich*) ~ rearm.

herbewapening [-nɪŋ] *v* rearmament.

herboren [hɛr'boːrə(n)] born again, regenerate.

herbouw ['hɛrbɔu] *m* rebuilding.

herbouwen [hɛr'bɔuə(n)] *vt* rebuild.

Hercules ['hɛrky.lɛs] *m* Hercules.

herculisch [hɛr'ky.li.s] Herculean.

herdenken [hɛr'dɛŋkə(n)] *vt* I commemorate; 2 (herinneren aan) recall.

herdenking [-kɪŋ] *v* commemoration; *ter* ~ *van* in commemoration of.

herdenkingszegel [-se.ɣəl] commemorative stamp.

herder ['hɛrdər] *m* I (v. schapen) shepherd, (v. vee) herdsman, (meest in samenst.) [swine-]herd; 2 (geestelijke) shepherd, pastor; 3 zie *herdershond*; *de Goede Herder* the Good Shepherd.

herderin [hɛrdə'rɪn] *v* shepherdess.

herderlijk ['hɛrdərlək] pastoral; ~ *ambt* pastorate, pastorship; ~ *schrijven* pastoral (letter).

herdersambt ['hɛrdərsɑmt] *o* pastorship, pastorate.

herdersdicht [-dɪxt] *o* pastoral (poem), bucolic.

herdersfluit [-flœyt] *v* shepherd's pipe.

herdershond [-hònt] *m* shepherd's dog, sheepdog; *Duitse* ~ Alsatian.

herdersknaap [-kna.p] *m* shepherd's boy.

herdersleven [-le.və(n)] *o* shepherd's life, pastoral life.

herderslied [-li.t] *o* pastoral (song).

herdersstaf ['hɛrdərstɑf] *m* I sheep-hook, [shepherd's] crook; 2 [bishop's] crosier.

herderstas ['hɛrdərstɑs] *v* shepherd's pouch.

herderstasje [-tɑʃə] *o* ✲ shepherd's-purse.

herdersvolk [-fòlk] *o* pastoral people.

herderszang ['hɛrdərsɑŋ] *m* pastoral (song), eclogue.

herdoop ['hɛrdo.p] *m* rebaptism.

herdopen [hɛr'do.pə(n)] *vt* rebaptize.

herdruk ['hɛrdrŭk] *m* reprint, new edition; *in* ~ reprinting.

herdrukken [hɛr'drŭkə(n)] *vt* reprint.

hereboer ['he:rəbu:r] *m* gentleman-farmer.

hereksamen zie *herexamen*.

heremiet [he:rə'mi.t] *m* hermit.

heremijntijd! [-mə(n)'tɛit] *ij* Good heavens!

herendienst ['he:rə(n)di.nst] *m* forced labour; statute labour.

herenhuis [-hœys] *o* I manor-house; 2 gentleman's house.

herenigen [hɛ're.nəgə(n)] *vt* reunite.

hereniging [-ɣɪŋ] *v* reunion.

herenkleding ['he:rə(n)kleˌdɪŋ] *v* gentlemen's [clothing.

herenleven(tje) [-le.vən(cə)] *o* in: *een* ~ *hebben* live like a prince, live like fighting-cocks.

herexamen ['hɛrɛksa.mə(n)] *o* re-examination.

herfst [hɛrfst] *m* autumn, *Am* fall.

herfstachtig ['hɛrfstɑxtəx] autumnal.

herfstbloem [-blu.m] *v* autumnal flower.

herfstdag ['hɛrfsdɑx] *m* autumn day, day in autumn.

herfstdraden [-dra.də(n)] *mv* air-threads, gossamer.

herfstlandschap ['hɛrfstlɑntsxɑp] *o* autumn landscape.

herfstmaand [-ma.nt] *v* autumn month, September.

herfstnacht [-nɑxt] *m* night in autumn.

herfsttijd ['hɛrfstɛit] *m* autumn time.

herfsttijloos [-tɛilo.s] *v* ✲ meadow saffron.

herfstwe(d)er ['hɛrfstve:r] *o* autumn(al) weather.

hergeven [hɛr'ge.və(n)] *vt* I give again; 2 ◊ deal again.

hergroeperen ['hɛrgru.pe:rə(n)] *vt* regroup.

hergroepering [-rɪŋ] *v* regrouping.

herhaald [hɛr'ha.lt] repeated; ~*e malen* repeatedly, again and again.

herhaaldelijk [-'ha.ldələk] repeatedly, again and again.

herhalen [-'ha.lə(n)] I *vt* repeat, say (over) again, reiterate; (kort) recapitulate; II *vr* *zich* ~ repeat oneself (itself).

herhaling [-lɪŋ] *v* repetition; *bij* ~ again and again; repeatedly; *in* ~*en vervallen* repeat oneself.

herhalingscursus, -kursus [-lɪŋskŭrzəs] *m* refresher course.

herhalingsoefening [-u.fənɪŋ] *v* recapitulatory exercise; ~*en* ✕ (military) training [of reservists].

herhalingsonderwijs [-òndərvɛis] *o* continuation classes.

herijk ['hɛrɛik] *m* regauging.

herijken [hɛr'ɛikə(n)] *vt* regauge.

herik ['he:rək] *m* ✲ charlock.

herinneren [hɛr'ɪnərə(n)] I *vt* in: *aan iets* ~ recall a thing; *iemand aan iets* ~ remind one of a thing; II *vr zich* ~ (re)call to mind, recollect, remember, recall; *voor zover ik mij herinner* to the best of my recollection, as far as I can remember.

herinnering [-rɪŋ] *v* I memory; remembrance, recollection, reminiscence; 2 (aandenken) souvenir, memento, keepsake; 3 (geheugen opfrissing) reminder; *iemand iets in* ~ *brengen* remind one of a thing; *ter* ~ *aan* in remembrance of.

herinneringsmedaille [-rɪŋsmədaljə] *v* commemorative medal.

herinneringsvermogen [-fərmo.ɣə(n)] *o* memory.

herkansing [hɛr'kɑnsɪŋ] *v* *sp* supplementary heat.

herkauwen [hɛr'kɔuə(n)] *vt* & *vi* ruminate, chew the cud; *fig* repeat (the same thing).

herkauwend [-ənt] ~ *dier* ruminant.
herkauwer [-ər] *m* ⚲ ruminant.
herkauwing [-ıŋ] *v* rumination. [able.
herkenbaar [hɛr'kɛnba:r] recognizable, know-
herkennen [-'kɛnə(n)] *vt* know again, recognize (by *aan*); *ik herkende hem aan zijn stem*
ook: I knew him by his voice.
herkenning [-nıŋ] *v* recognition.
herkenningsmelodie [-nıŋsme.lo.di.] *v* 🎵 ✝
signature tune.
herkenningsteken [-te.kə(n)] *o* mark of recognition; identification mark, ⚓ marking.
herkeuren [hɛr'kø:rə(n)] *vt* examine again, re-
examine.
herkeuring [-rıŋ] *v* (medical) re-examination.
herkiesbaar [hɛr'ki.sba:r] re-eligible, eligible
for re-election; *zich niet* ~ *stellen* not seek
re-election.
herkiezen [-'ki:zə(n)] *vt* re-elect.
herkiezing [-zıŋ] *v* re-election.
herkomst ['hɛrkòmst] *v* origin.
herkomstig [hɛr'kòmstəx] zie *afkomstig*.
herkrijgen [-'krɛigə(n)] *vt* get back, recover,
regain, recuperate [one's health, vigour].
herkrijging [-gıŋ] *v* recovery, recuperation.
herleidbaar [hɛr'lɛitba:r] reducible.
herleidbaarheid [-hɛit] *v* reducibility.
herleiden [hɛr'lɛidə(n)] *vt* reduce, convert.
herleiding [-dıŋ] *v* reduction, conversion.
herleidingstabel [-dıŋsta.bɛl] *v* reduction table,
conversion table.
herleven [hɛr'le.və(n)] *vi* revive, return to life,
live again; *doen* ~ revive, bring to life again.
herleving [-vıŋ] *v* revival.
herlezen [hɛr'le.zə(n)] *vt* re-read, read (over)
again.
herlezing [-zıŋ] *v* re-reading, second reading.
Herman ['hɛrmɑn] *m* Herman.
Hermandad [-dɑt] *m* Hermandad; *de heilige* ~
fig the police, the law.
hermelijn [hɛrmə'lɛin] *I m* ⚲ ermine [white],
stoat [red]; *2 o* (bont) ermine.
hermelijnen [-'lɛinə(n)] *aj* ermine. [(ally).
hermetisch [hɛr'me.ti.s] *aj* (& *ad*) hermetic-
hermitage [hɛrmi.'ta.ʒə] *v* hermitage.
hernemen [-'ne.mə(n)] *vt I* take again [some-
thing]; ⚔ retake, recapture [a fortress], take
up [the offensive] again; *2* resume, reply.
herneming [-mıŋ] *v* retaking, recapture.
hernhutter ['hɛrnhűtər] *m* Moravian brother
[*mv* Moravian brethren].
hernia ['hɛrni.a.] *v* ✝ (inz. v. tussenwervel-
schijf) slipped disc; (anders) § hernia.
hernieuwen [hɛr'ni.və(n)] *vt* renew.
hernieuwing [-vıŋ] *v* renewal.
Herodes [he:'ro.dɛs] *m* Herod.
herolek [he:ro.'i.k] *aj* (& *ad*) heroic(ally).
Ⓜ **heroïne** [he:ro.'i.nə] *v* heroin.
heropenen [hɛr'o.pənə(n)] *vt* re-open.
heropening [-nıŋ] *v* re-opening.
heropvoeden ['hɛròpvu.də(n)] *vt* re-educate.
heropvoeding [-dıŋ] *v* re-education.

heroveren [hɛr'o.vərə(n)] *vt* reconquer, recapture, retake, recover [from the enemy].
herovering [-rıŋ] *v* reconquest, recapture.
herrie ['hɛri.] *v I* noise, din, uproar, racket,
hullabaloo; *2* row; ~ *hebben* have a row, be
at odds; ~ *krijgen* get into a row; ~ *maken*,
~ *schoppen* kick up a row (a shindy).
herriemaker [-ma.kər] ~**schopper** [-sxòpər] *m*
F noisy fellow; rowdy.
herrijzen [hɛ'rɛizə(n)] *vi I* rise again; *2* rise
(from the dead).
herroepbaar [-'ru.pba:r] revocable, repealable.
herroepen [-'ru.pə(n)] *vt* recall, revoke [a decision, errors]; recant [a statement], repeal,
annul [a law], retract [a promise].
herroeping [-pıŋ] *v* recall, revocation, repeal,
recantation, retraction.
berschapen [hɛr'sxa.pə(n)] transformed, turned
[into].
herschatten [-'sxatə(n)] *vt* revalue.
herschatting [-tıŋ] *v* revaluation.
berscheppen [hɛr'sxɛpə(n)] *vt* recreate, create
anew, regenerate, transform, turn (into *in*).
herschepping [-pıŋ] *v* recreation, regeneration,
transformation.
herscholen [hɛr'sxo.lə(n)] *vt* retrain.
herscholing [-lıŋ] *v* retraining.
hersenarbeid ['hɛrsənɑrbɛit] *m* brain-work.
hersenbloeding ['hɛrsə(n)blu:dıŋ] *v* cerebral
haemorrhage.
hersencel [-sɛl] *v* brain cell.
hersenen ['hɛrsənə(n)] = *hersens*.
hersengymnastiek ['hɛrsə(n)gımnɑsti.k] *v* mental gymnastics; (vraagspel) quiz.
hersenloos [-lo.s] brainless.
hersenontsteking [-òntste.kıŋ] *v* encephalitis.
hersenpan [-pɑn] *v* brain-pan, § cranium.
hersens ['hɛrsəns] *mv* brain [as organ], brains
[as matter & intelligence]; (grote) ~ § cerebrum; *de kleine* ~ the cerebellum; *hoe krijgt
hij het in zijn* ~? how does he get it into his
head?; *dat zal hij wel uit zijn* ~ *laten* he will
not even dare to think of doing such a thing.
hersenschim ['hɛrsə(n)sxım] *v* idle fancy, chimera.
hersenschimmig [-sxıməx] *aj* (& *ad*) chimeric-
al(ly).
hersenschors [-sxòrs] *v* brain cortex.
hersenschudding [-sxűdıŋ] *v* concussion (of the
brain).
hersenspoeling [-spu.lıŋ] *v* brainwashing.
hersenverweking [-vərve.kıŋ] *v* softening of the
brain.
hersenvlies [-vli.s] *o* cerebral membrane.
hersenvliesontsteking [-òntste.kıŋ] *v* meningitis.
hersenweefsel ['hɛrsə(n)ve.fsəl] *o* brain tissue.
hersenwerk [-vɛrk] *o* brain-work.
hersenziekte [-zi.ktə] *v* brain disease.
herstel [hɛr'stɛl] *o* reparation, repair [of what
is broken], recovery [after illness, of business,
of prices &], restoration [of confidence, of
order, of a building], re-establishment [of

one's health], $ rally [of shares]; redress [of grievances]; reinstatement [of an official].

herstelbaar [-ba:r] repairable, reparable, remediable, restorable, retrievable.

herstelbetalingen [-bəta.lɪŋə(n)] *mv* reparations.

herstellen [hɛr'stɛlə(n)] **I** *vt* repair, mend [shoes &], remedy [an evil]; correct [mistakes], right [a wrong], redress [grievances], set [it] right, make good [the damage, the loss &], retrieve [a loss, an error &]; restore [order, confidence]; re-establish [authority]; reinstate [an official]; *in zijn eer* ~ rehabilitate; *een gebruik in ere* ~ revive a custom; **II** *va* recover [from an illness]; *herstel!* ✕ as you were!; **III** *vr zich* ~ recover oneself; recover [from].

herstellende [-ləndə] *m-v* convalescent.

hersteller [-lər] *m* repairer, restorer.

herstelling [-lɪŋ] *v* repairing, repair, restoration, re-establishment, recovery; ~*en doen* make repairs.

herstellingsoord [hɛr'stɛlɪŋso:rt] *o* (plaats, streek) health-resort; (inrichting) sanatorium; (tehuis voor herstellenden) convalescent home.

herstellingswerkplaats [-vɛrkpla.ts] *v* repair-shop.

herstemmen [hɛr'stɛmə(n)] *vi* vote again.

herstemming [-mɪŋ] *v* second ballot.

hert [hɛrt] *o* deer, stag; *vliegend* ~ 🪲 stag-beetle.

hertebout ['hɛrtəbout] *m* haunch of venison.

hertejacht [-jɑxt] *v* stag-hunting; deer-stalking.

hertele(d)er [-le.dər, -le:r] = *hertsle(d)er*.

hertenkamp ['hɛrtə(n)kɑmp] *m* deer-park.

hertevlees ['hɛrtəvle.s] *o* venison.

hertog ['hɛrtɔx] *m* duke.

hertogdom [-dòm] *o* duchy.

hertogelijk [hɛr'to.gələk] ducal.

's-Hertogenbosch [s(h)ɛrto.gən'bòs] *o* Bois-le-duc.

hertogin [hɛrto.'gɪn] *v* duchess.   [Duc.

hertrouw ['hɛrtrou] *m* remarriage.

hertrouwen [hɛr'trouə(n)] *vi* remarry, marry again.

1 **hertshoorn** ['hɛrtsho:rən] *o* & *m* (stofnaam) hartshorn.

2 **hertshoorn, -horen** [-ho:rən] *m* (voorwerp) stag's horn.

hertsle(d)er [-le.dər, -le:r] *o* deerskin.

heruitzenden ['hɛrœytsɛndə(n)] *vt* 📺 📻 re-broadcast.

heruitzending [-dɪŋ] *v* 📺 📻 rebroadcast.

hervatten [hɛr'vɑtə(n)] *vt* resume [work]; repeat [a visit].

hervatting [-tɪŋ] *v* resumption.

herverdeling ['hɛrvərde.lɪŋ] *v* redistribution.

herverkaveling [-vərka.vəlɪŋ] *v* redistribution.

herverzekeren ['hɛrvərze.kərə(n)] *v* reinsure.

herverzekering [-rɪŋ] *v* reinsurance.

hervormd [hɛr'vɔrmt] *aj* reformed; *de* ~*en* the Protestants.

hervormen [-'vɔrmə(n)] *vt* reform.

hervormer [-mər] *m* reformer.

hervorming [-mɪŋ] *v* 1 (v. d. maatschappij &) reform; 2 (v. de kerk) reformation.

Hervormingsdag [-mɪŋsdɑx] *m* Reformation Day.

herwaarderen ['hɛrva:rde:rə(n)] *vt* $ revalue.

herwaardering [-rɪŋ] *v* $ revaluation.

herwaarts ['hɛrva:rts] hither, this way.

herwinnen [hɛr'vɪnə(n)] *vt* regain [one's footing, consciousness]; win back [money]; recover [a loss, lost ground]; retrieve [a battle].

herwissel ['hɛrvɪsəl] *m* $ re-exchange, redraft.

herzien [hɛr'zi.n] *vt* revise [a book, a treaty &]; reconsider [a policy]; review [a lawsuit].

herziener [-'zi.nər] *m* reviser.

herziening [-nɪŋ] *v* revision [of a book, a treaty &]; reconsideration [of a policy]; review [of a lawsuit].

Hessen ['hɛsə(n)] *o* Hesse.

Hessisch ['hɛsi.s] Hessian.

het [hɛt, ət] the, it; he, she; *3 shilling* ~ *pond* 3 sh. a pound; *3 shilling* ~ *stuk* 3 sh. each.

1 **heten** ['he.tə(n)] *vt* heat [= make hot].

2 **heten** ['he.tə(n)] **I** *vt* 1 name, call; 2 🔪 order, bid; *dat heet ik knap!* that's what I call clever; **II** *vi* be called, be named; *hoe heet het?* what is it called?; *hoe heet hij?* what is his name?; *vraag hem hoe hij heet* go and ask his name; *het heet dat hij... is* it is reported (said) that he...; *zoals het heet* as the saying is; *zo waar ik... heet* as truly as my name is...; *hij heet Jan naar zijn vader* he is called John after his father.

heterogeen [he.təro.'ge.n] *aj* (& *ad*) heterogeneous(ly).

hetgeen [hɛt-, ət'ge.n] that which, what; which.

hetwelk [-'vɛlk] which.

hetzelfde [-'sɛlvdə] the same.

hetzij [-'sɛi] *cj* 1 (nevenschikkend) either... or; 2 (onderschikkend) whether ... or.

heug [hø.x] *tegen* ~ *en meug* reluctantly, against one's wish.

heugel ['hø.gəl] *m* 1 pot-hook; 2 🔪 rack.

heugen [-gə(n)] in: *het heugt mij* I remember; *dat zal u* ~ you won't forget that in a hurry.

heugenis [-gənɪs] *v* remembrance, recollection, memory.

heuglijk [-gələk] memorable; joyful, pleasant.

heul [hø.l] *m* 1 🌺 poppy; 2 *o* comfort.

heulbol ['hø.lbòl] *m* 🌺 poppy-head.

heulen ['hø.lə(n)] *vi* in: ~ *met* be in league with, be in collusion with.

heulsap ['hø.lsɑp] *o* opium.

heulzaad [-za.t] *o* poppy-seed, mawseed.

heup [hø.p] *v* hip; *hij heeft 't op de* ~*en* F he is in one of his tempers.

heupbeen ['hø.pbe.n] *o* hip-bone.

⊙ **heur** [hø:r] zie 1 *haar*.

heus [hø.s] **I** *aj* 1 courteous, kind; 2 real, live; **II** *ad* 1 (hoffelijk) courteously, kindly; 2 < really; *ik heb het zelf gezien,* ~ *!* really, truly; *Heus?* really? have you though?

heusheid ['hø.shɛit] v courtesy, kindness.

heuvel ['hø.vəl] m hill.

heuvelachtig [-ɑxtəx] hilly.

heuvellandschap ['høvəlɑntsxɑp] o hilly landscape.

heuveltop [-vəltɔp] m hill top.

hevel ['he.vəl] m siphon.

hevelbarometer [-bɑro.me.tər] m siphon barometer.

hevig ['he.vəx] I aj vehement, violent [storm &], severe, heavy [fighting], intense [heat, pain]; II ad vehemently; violently; < greatly; badly [bleeding &].

hevigheid [-ɛit] v vehemence, violence, intensity, severity.

hexameter [hɛk'sa.me.tər] m hexameter.

H.H. ['he:rən] = heren gentlemen.

hiaat [hi.'a.t] m & o hiatus, gap.

hiel [hi.l] m heel; op de ~en zitten be close upon his heels; nauwelijks heb ik de ~en gelicht, of... no sooner have I turned my back than...; zijn ~en laten zien show a clean pair of heels.

hielbeen ['hi.lbe.n] o heel-bone.

hiep, hiep, hoera! [hi.phi.phu.'ra.] ij hip, hip, hurrah!

hier [hi:r] ad here; ~ en daar here and there; wel ~ en daar! the deuce!, by Jove!; ~ en daar over spreken talk about this and that; ~ te lande in this country; ~ ter stede in this town.

hieraan [hi:r'a.n, 'hi:.ra.n] to this; by this &.

hierachter [hi:r'ɑxtər, 'hi:.rɑxtər] I behind (this); 2 hereafter, hereinafter [in deeds &].

hiërarchie [hi:rɑr'gi.] v hierarchy.

hiërarchisch [-'rɑrgi.s] aj (& ad) hierarchical(ly).

hierbeneden [hi:rbə'ne.də(n)] down here, here below.

hierbij [hi:r'bɛi, 'hi:rbɛi] I herewith, enclosed; 2 hard by; 3 hereby, herewith [I declare].

hierbinnen [hi:r'bɪnə(n)] within this place or room, within.

hierboven [-'bo.və(n)] up here, above.

hierbuiten [-'bœytə(n)] outside (this).

hierdoor [hi:r'do:r, 'hi:rdo:r] I by this; 2 through here.

hierheen [hi:r'he.n, 'hi:rhe.n] I hither, here; 2 this way.

hierin [hi:r'ɪn, 'hi:rɪn] in here, herein, in this.

hierme(d)e [hi:r'me.(də), 'hi:rme.(də)] with this.

hierna [hi:r'na., 'hi:rna.] after this, hereafter.

hiernaar ['hi:rna:r] after this, from this.

hiernaast [hi:r'na.st] next door.

hiernamaals [-'na.ma.ls] I ad hereafter, in the beyond; II o in: het ~ the hereafter.

hiernevens [-'ne.vəns] enclosed, annexed.

hiërogliefen = hiëroglyfen.

hiëroglifisch = hiëroglyfisch.

hiëroglyfen [hi:ro.'gli.fə(n)] mv hieroglyphics.

hiëroglyfisch [-fi.s] hieroglyphic.

hierom ['hi:ròm] I round this; 2 for this reason.

hieromtrent ['hi:ròmtrɛnt, hi:ròm'trɛnt] I about this, on this subject; hereabout(s).

hieronder ['hi:ròndər, hi:r'òndər] I underneath, below; 2 at foot [of the page]; 3 among these.

Hiëronymus [hi:'ro.ni.mũs] m Jerome, Hieronymus.

hierop ['hi:ròp, hi:r'òp] upon this, hereupon.

hierover ['hi:ro.vər] I opposite, over the way; 2 on (about) this subject, about this.

hiertegen [-te.gə(n), hi:r'te.gə(n)] against this.

hiertoe [-tu., hi:r'tu.] for this purpose; tot ~ thus far, so far.

hiertussen [-tũsə(n), hi:r'tũsə(n)] between these.

hieruit [-œyt, hi:r'œyt] from this, hence.

hiervan [-vɑn, hi:r'vɑn] of that, about this, hereof.

hiervoor [-vo:r] I for this, in exchange, in return (for this); 2 [hi:r'vo:r] before (this).

hieuwen ['hi.və(n)] vt ⚓ heave.

hij [hɛi, i.] he; is het een ~ of een zij? a he or a she?

hijgen ['hɛigə(n)] vt pant, gasp (for breath); ~ naar pant for (after) [fig].

hijsblok ['hɛisblɔk] o pulley-block.

hijsen ['hɛisə(n)] vt hoist [a sail, a flag &], pull up; run up [a flag].

hijstoestel ['hɛistu.stɛl] o ⚒ hoisting apparatus, hoist.

hijstouw [-təu] o hoisting rope.

hik [hɪk] m hiccup, hiccough.

hikken ['hɪkə(n)] vi hiccup, hiccough.

hilariteit [hi.la:ri.'tɛit] v hilarity.

hinde ['hɪndə] v 🦌 hind, doe.

hinder ['hɪndər] m hindrance, impediment, obstacle; ik heb er geen ~ van it does not hinder me.

hinderen [-dərə(n)] I vt hinder, impede, incommode, inconvenience, trouble; het hindert mij bij mijn werk it hinders me in my work; dat hinderde hem that's what annoyed him; II va hinder, be in the way; dat hindert niet it does not matter.

hinderlaag [-də:rla.x] v ambush, ambuscade; een ~ leggen lay an ambush; in ~ leggen place in ambush; in ~ liggen lie in ambush; in een ~ lokken ambush; in een ~ vallen be ambushed.

hinderlijk [-lək] annoying, troublesome [persons]; inconvenient [things].

hindernis [-nɪs] v hindrance, obstacle; wedren met ~sen obstacle race.

hinderpaal [-pa.l] m obstacle, impediment, hindrance; iemand hinderpalen in de weg leggen put (throw) obstacles in a man's way; alle hinderpalen uit de weg ruimen remove all obstacles.

hinderwet [-vɛt] v nuisance act.

Hindoe ['hɪndu.] m Hindoes ['hɪndu.s] aj Hindu, Hindoo.

hinkelbaan ['hɪŋkəlba.n] v hop-scotch.

hinkelen [-kələ(n)] vi hop, play at hop-scotch.
hinken [-kə(n)] vi 1 limp, walk with a limp; 2 hop, play at hop-scotch; ~ op twee gedachten halt between two opinions.
hinkspel ['hɪŋkspɛl] o hop-scotch.
hink-stap-sprong [-stɑpsprɔ̀ŋ] m sp hop-step-and-jump.
hinniken ['hɪnəkə(n)] vi neigh, whinny.
hippisch ['hɪpi.s] equestrian.
hippodroom [hɪpo.'dro.m] m & o hippodrome.
historicus [hɪs'to:ri.kŭs] m historian. [nis.
historie [-'to:ri.] v history, story; zie geschiede-
historieschrijver [-s(x)rɛivər] m historiographer.
historisch [hɪs'to:ri.s] I aj historical [novel, materialism &], historic [building, event, monument, procession]; 't is ~! it actually happened; II ad historically.
hit [hɪt] m ♔ pony, nag.
hitte ['hɪtə] v heat[2].
hittegolf [-golf] v heat-wave.
hittepetit [-pətɪt] v F chit.
H.K.H. [ha:rəko.nəŋkləkə'ho.xhɛit] = Hare Koninklijke Hoogheid.
hl = hectoliter.
H.M. [ha:rə'ma.jəstɛit] = Hare Majesteit.
h'm! [hŭm] ij ahem!
ho! [ho.] ij ho!; zie ook: hei!
H.O. = hoger onderwijs, zie onderwijs.
hobbel ['hɔbəl] m knob; bump.
hobbelen [-bələ(n)] vi 1 rock (to and fro), jolt [in a cart]; 2 ride on a rocking-horse.
hobbelig [-bələx] rugged, uneven, bumpy.
hobbeligheid [-hɛit] v ruggedness, unevenness.
hobbelpaard ['hɔbəlpa:rt] o rocking-horse.
hobby ['hɔbi.] m hobby.
hobo ['ho.bo.] m ♪ oboe, hautboy.
hoboïst [ho.bo.'ɪst] m ♪ oboist, oboe-player.
hockey ['hɔki.] o sp hockey.
hocus-pocus [ho.kŭs'po.kŭs] m & o hocus-pocus, hanky-panky; ~ pas! hey presto!
hoe [hu.] how; ~! ik mijn huis verkopen what, I sell my house!; ~ dan ook anyhow, anyway; ~ zo? how so?, what do you mean?; ~ langer, ~ erger worse and worse; ~ meer..., ~ minder... the more..., the less...; ~ rijk hij ook zij however rich he may be, he may be ever so rich; ~ het ook zij however that may be; zij weet ~ de mannen zijn she knows what men are like; ik zou gaarne weten ~ of wat I should like to know where I stand; het ~ en wat weet hij niet he does not know the rights of the case.
hoed [hu.t] m 1 (voor heer) hat; 2 (voor dame) hat, bonnet; hoge ~ tall hat, top-hat, silk hat; de ~ afnemen (voor iem.) raise (take off) one's hat (to a person); daar neem ik mijn (de) ~ voor af I take off my hat to that; met de ~ in de hand 1 hat in hand; 2 fig cap in hand.
hoedanig [hu.'da.nəx] how, what.
hoedanigheid [-hɛit] v quality; in zijn ~ van... in his capacity as..., in his capacity of...

hoede ['hu.də] v guard; care, protection; onder zijn ~ nemen take under one's protection; (niet) op zijn ~ zijn be on (off) one's guard (against voor).
hoedeborstel [-bòrstəl] m hat-brush.
hoededoos [-do.s] v hat-box, [lady's] band-box.
hoedelint [-lɪnt] o hatband.
hoeden ['hu.də(n)] I vt guard, take care of, tend [flocks], keep, herd, watch, look after [the cattle]; II vr zich ~ voor beware of, guard against [mistakes].
hoedenfabriek [-fa.bri.k] v hat-manufactory.
hoedenfabrikant [-fa.bri.kɑnt] m hatter.
hoedenmaakster [-ma.kstər] v milliner.
hoedenmaker [-ma.kər] m hatter.
hoedenwinkel [-vɪŋkəl] m hat-shop.
hoedepen ['hu.dəpɛn] v hat-pin.
hoeder ['hu.dər] m keeper[2], fig guardian; (v. vee) herdsman; (meest in samenst.) [swine-]herd; mijns broeders ~ B my brother's keeper.
hoedje ['hu.cə] o (little) hat; onder één ~ spelen met be in league with; nu is hij onder een ~ te vangen he sings small now.
hoef [hu.f] m hoof.
hoefbeslag ['hu.fbəslɑx] o 1 shoeing; 2 shoes.
hoefblad [-blɑt] o ♣ coltsfoot.
hoefgetrappel [-gətrɑpəl] o clatter of hoofs.
hoefijzer [-ɛizər] o horseshoe, shoe.
hoef(ijzer)magneet [-mɑxne.t] m horseshoe magnet.
hoefnagel ['hu.fna.gəl] m horseshoe nail.
hoefsmederij [hu.fsme.də'rɛi] v farriery; farrier's shop.
hoefsmid ['hu.fsmɪt] m shoeing-smith, farrier.
hoefstal [-stɑl] m frame.
hoegenaamd ['hu.gəna.mt] in: ~ niets absolutely nothing, nothing whatever, nothing at all.
hoegrootheid [hu.'gro.thɛit] v quantity, size.
hoek [hu.k] m 1 angle [between meeting lines or planes], corner [enclosed by meeting walls]; 2 hook, fish-hook; de Hoek van Holland the Hook of Holland; iemand in een ~ drijven drive one into a corner; een jongen in de ~ zetten put a boy in the corner; in alle ~en en gaten in every nook and corner; om de ~ round the corner; ga de ~ om go round the corner; onder een ~ van at an angle of [40°]; op de ~ at (on) the corner; hij kan zo aardig uit de ~ komen he can come out with a joke (witty remark &) quite unexpectedly; hij kwam flink uit de ~ he came down handsomely; zie ook: wind.
hoekhuis ['hu.khœys] o corner house.
hoekig ['hu.kəx] angular[2], fig rugged. [ness.
hoekigheid [-hɛit] v angularity[2], fig rugged-
hoekje ['hu.kjə] o corner; bij het ~ van de haard at the fireside; het ~ omgaan F kick the bucket; het ~ te boven zijn have turned the corner.

hoekkast ['hu.kɑst] v corner cupboard.

hoekplaats ['hu.kpla.ts] v corner-seat.

hoekpunt [-pŭnt] o angular point.

hoeksteen [-ste.n] m corner-stone².

hoektand [-tɑnt] m canine (tooth), eye-tooth.

hoen [hu.n] o ⚥ hen, fowl.

hoenderachtig ['hu.ndəraxtəx] ⚥ gallinaceous.

hoenderdief [-di.f] m poultry-thief.

hoenderei [-ei] o hen's egg.

hoenderhof [-həf] m poultry-yard.

hoenderhok [-hək] o poultry-house.

hoendermarkt [-mɑrkt] v poultry-market.

hoenderpark [-pɑrk] o poultry-farm.

hoenderrek ['hu.ndərek] o hen-roost.

hoenders ['hu.ndərs] mv (barn-door) fowls, poultry.

hoentje [-cə] o chicken, pullet.

hoepel ['hu.pəl] m hoop [of a cask].

hoepelen [-pələ(n)] vi play with a (the) hoop, trundle a hoop.

hoepelrok ['hu.pəlrək] m hoop-petticoat, crinoline.

hoepelstok [-stək] m hoop-stick.

hoera! [hu.'ra.] ij hurrah, F hurray; driemaal ∼ voor... three cheers for...

hoes [hu.s] v cover, dust sheet; (v. grammofoonplaat) sleeve.

hoest [hu.st] m cough.

hoestbui ['hu.stbœy] v fit of coughing.

hoestdrankje [-drɑŋkjə] o cough mixture.

hoesten ['hu.stə(n)] vi cough.

hoestmiddel ['hu.stmidəl] o cough remedy.

hoestpastille [-pɑsti.jə] v cough lozenge.

hoeve ['hu.və] v farm, farmstead, homestead.

hoeveel ['hu.ve.l, hu.'ve.l] how much [money], how many [books].

hoeveelheid [hu.'ve.lhɛit] v quantity, amount.

hoeveelste [-stə] in: de ∼ keer? how many times (have I told you)?; de ∼ van de maand hebben wij? what day of the month is it?; de ∼ bent u? what is your number?

hoeven ['hu.və(n)] zie behoeven.

hoever(re) [hu.'ver(ə)] in: in ∼ how far.

hoewel [-'vɛl] cj although, though.

hoezee [-'ze.] ij hurrah, huzza!

hoezeer [-'ze:r] however much.

1 hof [həf] m garden.

2 hof [həf] o court [of arbitration, cassation &]; het ∼ maken pay one's court (addresses) to, make love to; aan het ⚭ at court.

hofarts ['həfɑrts] m court physician.

hofbal [-bɑl] o court ball, state ball.

hofbeambte [-bəɑmtə] m court official.

hofdame [-da.mə] v court lady, maid of honour.

hofdichter [-dɪxtər] m poet laureate.

hofetiquette [-e.ti.kɛtə] v court etiquette.

hoffelijk ['həfələk] I aj courteous; II ad courteously.

hoffelijkheid [-hɛit] v courteousness, courtesy.

hofhouding ['həfhɔudɪŋ] v court, household.

hofje [-jə] o 1 almshouse; 2 court.

hofjonker [-jòŋkər] m page.

hofkapel [-ka.pɛl] v 1 chapel royal; 2 ♪ court band.

hofkapelaan [-kɑpəla.n] m court chaplain.

hofkliek [-kli.k] v court clique.

hofkring [-krɪŋ] m in: in ∼en in court circles.

hoflakei [-la.kɛi] m court servant, royal footman.

hofleven [-le.və(n)] o court life.

hofleverancier [-le.vərɑnsi:r] m purveyor to His (Her) Majesty, by appointment (to His Majesty, to Her Majesty).

hofmaarschalk [-ma:rsxɑlk] m court marshal.

hofmeester [-me.stər] m ⚓ steward.

hofmeesteres [həfme.stə'res] v ⚓ stewardess.

hofmeier ['həfmeiər] m majordomo.

hofnar [-nɑr] m court jester, court fool.

hofprediker [-pre.dəkər] m court chaplain.

hofrouw [-rɔu] m court mourning.

hofstad [-stɑt] v court capital, royal residence.

hofste(de) [-ste.(də)] v homestead, farmstead, farm.

hogepriester ['ho.gəpri.stər] m high priest, pontiff.

hogepriesterlijk [ho.gə'pri.stərlək] pontifical.

hogepriesterschap [-sxɑp] o pontificate.

hoger ['ho.gər] higher.

hogereburgerschool [ho.gərə'bŭrgərsxo.l] v secondary school.

hogerhand [ho.gər'hɑnt] v in: van ∼ zie hand.

Hogerhuis ['ho.gərhœys] o Upper House, House of Lords.

hogerop [ho.gə'ròp] higher; ∼ willen have higher aspirations, be ambitious.

hogeschool [ho.gə'sxo.l] v university; aan de ∼ in the University; op de ∼ at college.

hok [hək] o kennel [for dogs], sty [for pigs], pen [for sheep, poultry], [pigeon-, poultry-] house, cage [for lions], hutch [for rabbits], shed [for coals &]; S den [= room]; quod [= prison]; het ∼ S the shop [= one's school]; een ∼ (van een kamer) a poky little room, a hole.

hokje ['həkjə] o compartment; pigeon-hole [for papers]; cubicle [of bathing establishment &].

1 hokken ['həkə(n)] vi come to a standstill; er hokt iets there's a hitch somewhere; het gesprek hokte the talk hung for a time.

2 hokken ['həkə(n)] vi in: bij elkaar ∼ huddle together; zij ∼ altijd thuis they are sad stay-at-homes.

hokus-pokus zie hocus-pocus.

hokvast ['həkfɑst] in: hij is (erg) ∼ he is a (sad) stay-at-home.

1 hol [həl] o cave [under ground], cavern; hole [of an animal], den, lair [of wild beast]; fig hole, den.

2 hol [həl] m in: op ∼ gaan bolt; hem het hoofd op ∼ brengen turn his head; zijn hoofd is op ∼ it has turned his head.

3 hol [həl] I aj hollow² [stalks, cheeks, phrases,

tones], empty² [vessels, phrases], cavernous [eyes], concave [lenses]; ~le weg sunken road; ~le zee rough sea; in het ~le (in het ~st) van de nacht at dead (in the dead) of night; II ad hollow.

hola ['ho.la.] holla, hold on, stop!

holbewoner ['hɔlbəvo.nər] m cave-dweller, troglodyte.

holderdebolder [hɔldərdə'bɔldər] head over heels, helter-skelter; ~ door elkaar pell-mell.

holemens ['ho.ləmɛns] m cave-man.

holenkunde ['ho.lə(n)kŭndə] v speleology.

holenkunst [-kŭnst] v cave-art.

holheid ['hɔlhɛit] v hollowness², emptiness².

holklinkend [-klɪŋkənt] hollow(-sounding).

Holland ['hɔlant] o Holland.

Hollander [-landər] m Dutchman; vliegende ~ 1 ⚓ Flying Dutchman; 2 sp (boy's) racer; de ~s the Dutch.

Hollands [-lants] I aj Dutch; II o het ~ Dutch; III v een ~e a Dutchwoman.

hollen ['hɔlə(n)] vi run; het is altijd ~ of stilstaan met hem he is always running into extremes; een ~d paard a runaway horse.

holletje [-ləcə] o scamper; op een ~ at a scamper.

hologig ['hɔlo.gəx] hollow-eyed.

holrond [-rònt] concave.

holster ['hɔlstər] m holster.

holte [-tə] v hollow [of the hand, in the ground &], cavity [in a solid body], socket [of the eye, of the hip], pit [of the stomach].

holwangig [-vaŋəx] hollow-cheeked.

hom [hòm] v 𝔛 milt, soft roe.

homeopaat [ho.me.o.'pa.t] m homoeopathist, homoeopath.

homeopathie [-pa.'ti.] v homoeopathy.

homeopathisch [-'pa.ti.s] aj (& ad) homoeopathic(ally).

homeopati- zie homeopathi-.

homerisch [ho.'me:ri.s] Homeric.

Homerus [-rŭs] m Homer.

hommel ['hòmǝl] v 1 (dar) drone; 2 bumble-bee.

hommeles [-mǝlǝs] in: het is ~ tussen hen F there is a row, they are at odds.

homoeopa- zie homeopa-.

homogeen [ho.mo.'ge.n] aj (& ad) homogeneous(ly).

homogeniteit [-ge.ni.'tɛit] v homogeneity, homogeneousness.

homologatie [-lo.'ga.(t)si.] v sanction.

homologeren [-lo.'ge:rə(n)] vt sanction.

homoniem [-'ni.m] I o homonym; II aj homonymous.

homp [hòmp] v hunk, lump, chunk [of bread &].

hompelen ['hòmpələ(n)] vi hobble, limp.

hond [hònt] m dog², hound²; jonge ~ puppy, pup; jij stomme ~! you mooncalf!; vliegende ~ flying-fox; blaffende ~en bijten niet his bark is worse than his bite; men moet geen slapende ~en wakker maken let sleeping dogs lie; de ~ in de pot vinden go without one's dinner; wie een ~ wil slaan, kan licht een stok vinden it is easy to find a staff to beat a dog; veel ~en zijn der hazen dood nobody can hold out against superior numbers.

hondebaantje ['hòndəba.ncə] o F dog's job, rotten job.

hondebrood [-bro.t] o dog-biscuit.

hondehaar [-ha:r] o dog's hair.

hondehok [-hok] o (dog-)kennel.

hondekar [-kar] v cart drawn by dogs.

hondeketting [-kɛtɪŋ] m & v dog-chain.

hondeleven [-le.və(n)] o dog's life.

hondenasiel, -asyl ['hòndə(n)a.zi.l] o home for dogs.

hondenbelasting [-bəlastɪŋ] v dog-tax.

hondententoonstelling [-tɛnto.nstɛlɪŋ] v dog-show.

hondepenning ['hòndəpenɪŋ] m dog-licence badge.

honderas [-ras] o breed of dogs.

honderd ['hòndərt] a (one) hundred; alles is in het ~ everything is at sixes and sevens; alles loopt in het ~ everything goes awry (wrong); de boel in het ~ laten lopen make a muddle (a mess) of it; vijf ten ~ five per cent.; ~ uit praten talk nineteen to the dozen.

honderddelig [-de.ləx] 1 of a hundred volumes; 2 centesimal [balance]; centigrade [scale].

honderdduizend [-dœyzənt] a (one) hundred thousand; ~en hundreds of thousands.

honderderlei ['hòndərdərlei] a hundred and one.

honderdjarig ['hòndərtja:rəx] aj a hundred years old, centenary, centennial, secular; ~ bestaan, ~ gedenkfeest centenary; een ~e a centenarian.

honderdste [-stə] hundredth (part).

honderdtal ['hòndərtal] o (a, one) hundred.

honderdvoud ['hòndərtfout] o centuple.

honderdvoudig [hòndərt'foudəx] a hundred-fold, centuple.

hondevel ['hòndəvel] o dogskin.

hondevlees [-vle.s] o dog's meat.

hondewacht [-vaxt] v ⚓ middle watch.

hondeweer [-ve:r] o F beastly weather.

hondewerk [-vɛrk] o beastly job.

hondeziekte [-zi.ktə] v distemper.

hondezweep [-zve.p] v dog-whip.

honds [hònts] I aj currish [fellow]; brutal [treatment &]; II ad brutally.

hondsdagen ['hòntsda.gə(n)] mv dog-days.

hondsdolheid [hònts'dòlhɛit] v rabies, canine madness; (bij mens) hydrophobia.

hondsdraf ['hòntsdraf] v 🌿 ground-ivy.

hondshaai [-ha.i] m 𝔛 dog-fish.

hondsheid [-hɛit] v currishness; brutality; zie **hondsroos** [-ro.s] v 🌿 dog-rose. [honds.

hondsster ['hòntstər] v ✶ dog-star.

hondsvot ['hòntsfòt] v & o P rascal, scoundrel, scamp.

honen ['ho.nə(n)] *vt* jeer at, taunt, insult.
honend [-nənt] scornful, contumelious.
Hongaar [hŏ'ga:r] *m* Hongaars [hŏ'ga:rs] *aj* & *o* Hungarian.
Hongarije [-ga:'rɛiə] *o* Hungary.
honger ['hòŋər] *m* hunger; ~ *is de beste kok*, ~ *maakt rauwe bonen zoet* hunger is the best sauce; ~ *is een scherp zwaard* a hungry belly has no ears; ~ *hebben* be hungry; *ik heb een* ~ *als een paard* I'm as hungry as a hunter; ~ *krijgen* get hungry; ~ *lijden* starve; *van* ~ *sterven* die of hunger.
hongerdood [-do.t] *m* & *v* death from hunger.
hongeren ['hòŋərə(n)] *vi* hunger, be hungry.
hongerig [-rəx] hungry.
hongerigheid [-hɛit] *v* hungriness.
hongerkunstenaar ['hòŋərkŭnstəna:r] *m* fasting champion.
hongerkuur [-ky:r] *v* hunger cure.
hongerlijder [-lɛi(d)ər] *m* starveling.
hongerloon [-lo.n] *o* starvation wages.
hongersnood ['hòŋərsno.t] *m* famine.
hongerstaker ['hòŋərsta.kər] *m* hunger striker.
hongerstaking [-kiŋ] *v* hunger strike; *in* ~ *gaan* go on hunger strike.
honi(n)g ['ho.niŋ] *m* honey; *iemand* ~ *om de mond smeren* F butter one up.
honi(n)gachtig [-axtəx] honeyed.
honi(n)gbij [-bɛi] *v* honey-bee.
honi(n)gdauw [-dəu] *m* honeydew.
honi(n)graat [-ra.t] *v* honeycomb.
honi(n)gzeem [-ze.m] *o* & *m* virgin honey.
honi(n)gzoet [-zu.t] as sweet as honey, honeysweet[2]; *fig* honeyed, mellifluous [words].
honk [hòŋk] *o* home, *sp* goal, base; *bij* ~ *blijven* I stay near; 2 *fig* keep to the point; *van* ~ *gaan* leave home; *van* ~ *zijn* be absent, be away from home.
honkbal ['hòŋkbɑl] *o* baseball.
honneurs [hò'nø:rs] *mv* honours; *de* ~ *waarnemen* do the honours [of the house].
honorair [ho.no.'rɛ:r] honorary.
honorarium [-'ra:ri.ŭm] *o* fee.
honoreren [-'re:rə(n)] *vt* I pay; 2 $ honour [a bill]; *niet* ~ $ dishonour [a bill].
honoris causa [ho.'no:ris'kəuza.] honorary; *hij werd tot doctor* ~ *benoemd* the honorary degree was conferred upon him, he was given the honorary degree of doctor of laws &.
hoofd [ho.ft] *o* head°; chief, leader; heading [of a paper, an article]; headline(s) [of an article]; ~ *van school* headmaster; *een* ~ *groter* taller by a head; ~ *links (rechts)!* ⚔ eyes... left (right)!; *zijn* ~ *is er mee gemoeid* it may cost him his head; *het* ~ *bieden aan* make head against, stand up to [a person], brave, face [dangers &], meet [a difficulty], cope with, deal with [this situation]; bear up against [misfortunes]; *zich het* ~ *breken over* trouble one's head (oneself) about a thing; *een goed* ~ *hebben voor wiskunde* have a good head for mathematics; *het* ~ *vol hebben van...*

have one's head full of...; *het* ~ *hoog houden* carry (hold) one's head high; *het* ~ *opsteken* raise its head (their heads); *de* ~*en bij elkaar steken* lay (put) their heads together; *zijn* ~ *stoten* meet with a rebuff [*fig*]; *het* ~ *verliezen* lose one's head; *met opgeheven* ~*e* keep one's head; *het* ~ *in de nek werpen* bridle up; *veel aan het* ~ *hebben* have lots of things to attend to; *aan het* ~ *staan van* be at the head of; be in charge of [a prison &]; *niet wel bij het (zijn)* ~ *zijn* not be in one's right mind; *wat ons boven het* ~ *hangt* what is hanging over our heads; *dat is mij door het* ~ *gegaan* it has slipped my memory; it has completely gone out of my head; *iets in zijn* ~ *halen* get (take) something into one's head; *iets in zijn* ~ *hebben* have something in one's mind; *hoe kon hij het in zijn* ~ *krijgen?* how could he get it into his head?; *zich een gat in het* ~ *vallen* break one's head; *met opgeheven* ~*e* with head erect; *met het* ~ *tegen de muur lopen* run one's head against a wall; *iemand iets naar het (zijn)* ~ *gooien* throw it at a person's head; *fig* fling it in his teeth; *iemand beledigingen naar het* ~ *slingeren* hurl insults at a person; *het zal op uw* ~ *neerkomen* be it on your head(s); *iets over het* ~ *zien* overlook a thing; *3 gulden per* ~ 3 guilders per head; *uit* ~*e van* on account of, owing to; *uit dien* ~*e* on that account, for that reason; *iets uit zijn* ~ *kennen (leren, opzeggen)* know (learn, say) a thing by heart; *berekeningen uit het* ~ *maken* make calculations in one's head; *uit het* ~ *spelen* play from memory; *van het* ~ *tot de voeten* from head to foot, from top to toe, all over; *van het* ~ *tot de voeten gewapend* armed cap-a-pie (to the teeth); *iemand voor het* ~ *stoten* rebuff a person; ~ *voor* ~ individually; *zoveel* ~*en, zoveel zinnen* (so) many men, (so) many minds.
hoofdagent ['ho.fta.gɛnt] *m* I $ general agent; 2 ± police sergeant.
hoofdakte [-aktə] *v* headmaster's certificate.
hoofdaltaar [-altaːr] *o* & *m RK* high altar.
hoofdambtenaar [-amtəna:r] *m* higher official, senior officer.
hoofdarbeider [-arbɛidər] *m* brain-worker.
hoofdartikel [-arti.kəl] *o* leading article, leader.
hoofdbeginsel [-bəginsəl] *o* chief principle.
hoofdbestanddeel [-bəstande.l] *o* main constituent.
hoofdbestuur [-bəsty:r] *o* managing committee, governing body.
hoofdbewerking [-bəverkiŋ] *v* × elementary operation.
hoofdbewoner [-bəvo.nər] *m* principal occupier.
hoofdboekhouder [-bu.khəudər] *m* head bookkeeper.
hoofdbreken [-bre.kə(n)] *o* trouble, care, worry.
hoofdbrekend [-bre.kənt] puzzling.
hoofdbron [-bròn] *v* head-spring, chief source.

hoofdbuis [-bœys] *v* main (tube).
hoofdbureau [-by.ro.] *o* 1 head-office [of a company]; 2 police office.
hoofdcommissaris [-kòmɪsa:rəs] *m* (chief) commissioner (of police).
hoofdconducteur [-kòndŭktø:r] *m* guard.
hoofddader ['ho.fda.dər] *m* chief culprit.
hoofddeksel [-dɛksəl] *o* head-gear.
hoofddoek [-du.k] *m* kerchief, turban [of a native].
hoofddoel [-du.l] *o* main object, principal aim.
hoofdeigenschap ['ho.ftɛigənsxɑp] *v* 1 principal quality (property); 2 × main proposition.
hoofdeind(e) [-ɛint, -ɛində] *o* head [of a bed &].
hoofdelijk ['ho.vdələk] per capita; *~e stemming* voting by roll-call; zie ook: *omslag, onderwijs.*
hoofdeloos [-lo.s] headless.
hoofdfiguur ['ho.ftfi.gy:r] *v* principal figure.
hoofdfilm [-fɪlm] *m* feature film, main film, big film.
hoofdgebouw [-gəbɑu] *o* main building.
hoofdgeld [-gɛlt] *o* capitation, poll-tax, head-money.
hoofdhaar [-ha:r] *o* hair of the head.
hoofdig ['ho.vdəx] obstinate, headstrong.
hoofdigheid [-hɛit] *v* obstinacy, head-strongness.
hoofdingang ['ho.ftɪngɑŋ] *m* main entrance.
hoofdingenieur [-ɪnʒəni.ø:r, -ɪnge.ni.ø:r] *m* chief engineer.
hoofdinhoud [-ɪnhɑut] *m de ~* the sum and substance (of...).
hoofdinspecteur, -inspekteur [-ɪnspɛktø:r] *m* chief inspector.
hoofdkaas [-ka.s] *m* (pork) brawn.
hoofdkantoor [-kɑnto:r] *o* head-office, headquarters.
hoofdkerk [-kɛrk] *v* cathedral (church).
hoofdknik [-knɪk] *m* nod of the head.
hoofdkommissaris zie *hoofdcommissaris.*
hoofdkondukteur zie *hoofdconducteur.*
hoofdkraan [-kra.n] *v* ⚒ main cock.
hoofdkussen [-kŭsə(n)] *o* pillow.
hoofdkwartier [-kvɑrti:r] *o* ⚔ headquarters; *het grote ~* ⚔ general headquarters, G.H.Q.
hoofdleiding [-lɛidɪŋ] *v* 1 general management; 2 (v. gas, water &) main.
hoofdletter [-lɛtər] *v* capital (letter).
hoofdlijn [-lɛin] *v* main line, trunk-line [of a railway]; *de ~en* the main features.
hoofdmaaltijd [-ma.ltɛit] *m* main meal.
hoofdmacht [-mɑxt] *v* ⚔ main body.
hoofdman [-mɑn] *m* chief.
hoofdofficier [-ɔfi.si:r] *m* ⚔ field-officer.
hoofdonderwijzer [-òndərvɛizər] *m* head-teacher.
hoofdpersoon [-pərso.n] *m* principal person, central figure; *de hoofdpersonen (van de roman)* the principal characters.
hoofdpijn [-pɛin] *v* headache; *~ hebben (krijgen)* have (get) a headache.
hoofdplaats [-pla.ts] *v* 1 principal town; 2 (hoofdstad) capital.
hoofdpostkantoor [-pɔstkɑnto:r] *o* ✉ head post office; (in Londen) General Post Office.
hoofdprijs [-prɛis] *m* first prize [in a lottery].
hoofdpunt [-pŭnt] *o* main point.
hoofdredacteur, -redakteur [-rədɑktø:r] *m* chief editor, editor-in-chief.
hoofdregel [-re.gəl] *m* principal rule.
hoofdrekenen [-re.kənə(n)] *o* mental arithmetic.
hoofdrol [-rɔl] *v* principal part (rôle), leading part.
hoofdschotel [-sxo.təl] *m* & *v* principal dish; *fig* principal feature.
hoofdschudden [-sxŭdə(n)] *o* shaking (shake) of the head.
hoofdschuldige [-sxŭldəgə] *m-v* chief culprit.
hoofdsieraad [-si:ra.t] *o* ornament for the head.
hoofdsjaal [-ʃa.l] *m* headscarf.
hoofdsom [-sòm] *v* 1 ('t totaal) sum total; 2 ('t kapitaal) principal.
hoofdstad [-stɑt] *v* capital city, capital, metropolis; (v. provincie, graafschap) chief town, county town.
hoofdstel [-stɛl] *o* head-stall.
hoofdstraat [-stra.t] *v* principal street, main street, (main) thoroughfare.
hoofdstuk [-stŭk] *o* chapter; *eerste (tweede &) ~* chapter the first (the second &), chapter one (two &).
hoofdtelwoord ['ho.ftɛlvo:rt] *o* cardinal number.
hoofdtooi [-to:i] *m* head-dress.
hoofdtoon [-to.n] *m* 1 main stress; 2 ♪ keynote[2].
hoofdtrek [-trɛk] *m* principal trait (characteristic), main feature; *in ~ken* in outline.
hoofdvak ['ho.ftfɑk] *o* principal subject.
hoofdverband [-fərbɑnt] *o* bandage for the head.
hoofdverdienste [-fərdi.nstə] *v* 1 main source of income; 2 chief merit.
hoofdvereiste [-ɛistə] *o* & *v* chief requisite.
hoofdverkeersweg [-ke:rsvɛx] *m* arterial road.
hoofdverkenner [-kɛnər] *m* Chief Scout.
hoofdverpleegster [-ple.xstər] *v* head-nurse, sister in charge.
hoofdwassing ['ho.ftvɑsɪŋ] *v* washing of the head, shampoo(ing).
hoofdweg [-vɛx] *m* main road, main route.
hoofdwond(e) [-vònt, -vòndə] *v* wound in the head, head wound.
hoofdwortel [-vòrtəl] *m* ⚘ main root, tap-root.
hoofdzaak [-sa.k] *v* main point, main thing; *hoofdzaken* ook: essentials; *in ~* in the main, on the whole, substantially.
hoofdzakelijk [ho.ft'sa.kələk] principally, chiefly, mainly.
hoofdzetel ['ho.ftse.təl] *m* principal seat, headquarters.
hoofdzin [-sɪn] *m gram* principal sentence.

hoofdzonde [-sòndə] *v* capital sin.

hoofs [ho.fs] courtly.

hoofsheid ['ho.fsheit] *v* courtliness.

hoog [ho.x] I *aj* high [favour, hills, jump, opinion, temperature, words &]; tall [tree, glass], lofty [roof]; senior [officers]; *een hoge g ♪* a top G; *hoge druk* high pressure; *onder hoge druk* at high pressure; *het hoge noorden* the extreme North; *~ en droog* high and dry; *het is mij te ~* that is above me, above my comprehension; *de sneeuw ligt ~* the snow lies deep; *~ staan* be high [of prices]; *hij woont twee* (*drie* &) *~* two stairs up; II *m een hoge* S a bigwig; *God in den hoge* God on high; *uit den hoge* from on high; III *ad* [play, sing] high; highly [paid, placed].

hoogachten ['ho.xaxtə(n)] *vt* (hold in high) esteem, respect; *~d, uw dw. dr...* Yours truly...

hoogachting [-axtiŋ] *v* esteem, respect, regard; *met* (*de meeste*) *~* Yours truly.

hoogaltaar ['ho.xalta:r] *o* & *m* high altar.

hoogbejaard [-bəja:rt] very old, far gone (stricken) in years.

hoogblond [-blònt] sandy.

hoogconjunctuur [-kònjũŋkty:r] *v* boom.

hoogdekker [-dɛkər] *m* ❦ high-wing monoplane.

hoogdravend [ho.x'dra.vənt] I *aj fig* high-sounding, highfalutin(g), high-flown, grandiloquent, pompous; II *ad* pompously.

hoogdravendheid [-hɛit] *v* grandiloquence, pompousness.

Hoogduits ['ho.xdœyts] *aj* & *o* (High) German.

hoogedelgeboren [-e.dəlgəbo:rə(n)] *~gestreng* [-streŋ] right honourable.

hoogeerwaard [-e:rva:rt] right reverend.

hoogfrekwent zie *hoogfrequent.*

hoogfrequent [-fre.kvɛnt] high-frequency.

hooggaand ['ho.ga.nt] high; *~e ruzie hebben* have high words; *~e zee* heavy sea.

hooggeacht [-gəaxt] (highly) esteemed; *H~e heer* Dear Sir.

hooggebergte [-bɛrxtə] *o* high mountains.

hooggeboren [-bo:rə(n)] high-born.

hooggeëerd [-e:rt] highly honoured.

hooggeleerd [-le:rt] very learned; *een ~e* a University professor.

hooggelegen [-le.gə(n)] high.

hooggeplaatst [-pla.tst] highly placed, high-placed.

hooggeschat [-sxat] (highly) valued.

hooggespannen [-spanə(n)] high-strung, high.

hooggestemd [-stɛmt] high-pitched.

hooghartig [ho.x'hartəx] proud, haughty; *op zijn ~e manier* in his highty-tighty (off-hand) manner.

hooghartigheid [-hɛit] *v* haughtiness.

hoogheid ['ho.xhɛit] *v* highness; height; grandeur; *Zijne Hoogheid* His Highness.

hooghouden [-həu(d)ə(n)] *vt* uphold, maintain.

hoogkonjunktuur zie *hoogconjunctuur.*

hoogland [-lant] *o* highland.

Hooglanden [-landə(n)] *mv* Highlands.

Hooglander [-landər] *m* Highlander.

Hooglands [-lants] Highland.

hoogleraar [ho.x'le:ra:r] *m* (University) professor.

hoogleraarsambt [-ra:rsamt] *o* professorship.

Hooglied ['ho.xli.t] *o* in: *het ~ van Salomo* the Song of Solomon, the Song of Songs, the Canticles.

hooglijk [-lək] highly, greatly.

hooglopend [-lo.pənt] zie *hooggaand.*

hoogmis [-mis] *v RK* high mass.

hoogmoed [-mu.t] *m* pride, haughtiness; *~ komt voor de val* pride will have a fall.

hoogmoedig [ho.x'mu.dəx] I *aj* proud, haughty; II *ad* proudly, haughtily.

hoogmoedswaan(zin) ['ho.xmu.tsva.n(zin)] *m* zie *grootheidswaan(zin).*

hoogmogend [ho.x'mo.gənt] *aj* high and mighty; *Hunne Hoogmogenden* Their High Mightinesses.

hoognodig ['ho.xno.dəx] very (highly) necessary, urgently needed, much-needed; *het ~e* what is strictly necessary.

hoogoven [-o.və(n)] *m* ❦ blast-furnace.

hoogrood [-ro.t] 1 bright red; 2 flushed [face &].

hoogschatten [-sxatə(n)] *vt* esteem highly.

hoogschatting [-tiŋ] *v* esteem.

hoogspanning ['ho.xspaniŋ] *v* ⚡ high tension.

hoogspannings-... [-niŋs] ⚡ high-tension...

hoogspringen ['ho.xspriŋə(n)] *o sp* high jump.

hoogst [ho.xst] I *aj* highest, supreme; top [class, prices &]; *op zijn* (*het*) *~ zijn* be at its height [of quarrel, storm &]; *op zijn* (*het*) *~* at (the) most; *ten ~e* 1 at (the) most; 2 highly, greatly, extremely; *een boete van ten ~e £ 5* a fine not exceeding £ 5; II *ad* highly, very, greatly, extremely.

hoogstaand ['ho.xsta.nt] of high standing, eminent, distinguished, superior, high-minded.

hoogstaangeslagene [ho.xst'a.ngəsla.gənə] *m-v* highest tax-payer.

hoogsteigen ['ho.xstɛigə(n)] *in ~ persoon* in his own proper person.

hoogstens ['ho.xstəns] at (the) most, at the utmost, at the outside, at best.

hoogstwaarschijnlijk [ho.xstva:r'sxɛinlək] I *a* highly probable; II *ad* most probably.

hoogte ['ho.xtə] *v eig* 1 (*het hoog zijn*) height [of a hill &], altitude [of the stars, above the sea-level]; 2 (*verhevenheid*) height, elevation, eminence; *fig* height; $ highness [of prices]; ♪ pitch [of the voice]; level [in social, moral & intellectual matters]; *de ~ hebben* (*krijgen*) F be (get) drunk; *geen ~ van iets hebben* F not understand it; *daar kan ik geen ~ van krijgen* F it is above my comprehension; *de ~ ingaan* rise²; *fig* go up, look up [of prices]; *~ verliezen* ❦ lose altitude; *in de ~ steken* cry up [a book &]; *op de ~ van Gibral-*

tar ⚓ off Gibraltar; *op dezelfde* ~ *als...* on a level with, on a par with; *op geringe (grote)* ~ [fly] at low (high) altitude; *op de* ~ *blijven* keep oneself posted (up); keep abreast of the times; *iemand op de* ~ *brengen* post one (up); *iemand op de* ~ *houden* keep one posted (informed); *iemand op de* ~ *stellen van* inform a person of; *zich op de* ~ *stellen van iets* acquaint oneself with a thing; *op de* ~ *van zijn tijd zijn* be well abreast of the times; *op de* ~ *van de Franse taal* familiar with the French language; *goed op de* ~ *van iets zijn* be well-informed, be well-posted on a subject; *tot op zekere* ~ to a certain extent; *iemand uit de* ~ *behandelen* treat a person loftily, in an off-hand manner; *uit de* ~ *neerzien op* look down upon; *uit de* ~ *zijn* be uppish.

hoogtecirkel [-sırkǝl] *m* zie *breedtecirkel*.
hoogtegrens [-grɛns] *v* ᴣ ceiling.
hoogtelijn [-lɛin] *v* 1 perpendicular [in a triangle]; 2 contour line [in a map].
hoogtemeter [-me.tǝr] *m* altimeter.
hoogtepunt [-pŭnt] *o* culminating point[2]; *fig* height, pinnacle, zenith; *op het* ~ *van zijn roem* at the height of his glory.
hoogterecord, **-rekord** [-rǝkɔ:r, -rǝkɔrt] *o* ᴣ altitude record.
hoogteroer [-ru:r] *o* ᴣ elevator.
hoogtevrees [-vre.s] *v* height fear; ~ *hebben* be afraid of heights.
hoogtezon [-zòn] |*v* artificial sunlight; (a p p a r a a t) sun-lamp.
hoogtij ['ho.xtɛi] in: ~ *vieren* reign supreme, run riot, be rampant.
hoogtijd [-tɛit] *m* 1 festival, feast; 2 *RK* Holy Communion.
hoogtijdag [-tɛidɑx] *m* great day [of the Christian year &], holy day [in Islam's calendar &].
hooguit [-œyt] zie *hoogstens*.
hoogveen [-fe.n] *o* peat-moor.
hoogverraad [-fǝra.t] *o* high treason.
hoogverraderlijk [ho.xfǝ'ra.dǝrlǝk] treasonable.
hoogvlakte ['ho.xflɑktǝ] *v* plateau, table-land.
hoogvliegend [-fli.gǝnt] high-flying, soaring.
hoogvlieger [-gǝr] *m* 1 ☝ high-flying pigeon; 2 *fig* flier.
hoogwaardig [ho.x'va:rdǝx] venerable, emi-
hoogwaardigheid [-hɛit] *v* eminence. [nent.
hoogwaardigheidsbekleder [-hɛitsbǝkle.dǝr] *m* dignitary.
hoogwater [ho.x'va.tǝr] *o* high water, high tide.
hooi [ho:i] *o* hay; *te veel* ~ *op zijn vork nemen* bite off more than one can chew; have too many irons in the fire; *te* ~ *en te gras* by fits and starts, occasionally.
hooiberg ['ho:ibɛrx] *m* haystack, hayrick.
hooibouw [-bɑu] *m* haymaking, hay harvest.
hooien ['ho.jǝ(n)] *vt* make hay.
hooier [-jǝr] *m* haymaker.

hooikist ['ho:ikɪst] *v* haybox.
hooikoorts [-ko:rts] *v* hay fever.
hooiland [-lɑnt] *o* hayfield.
hooimaand [-ma.nt] *v* July.
hooimijt [-mɛit] *v* haystack.
hooioogst [-o.xst] *m* hay harvest.
hooiopper [-òpǝr] *m* haycock.
hooischelf [-sxɛlf] *v* haystack.
hooischudder [-sxŭdǝr] *m* tedder.
hooischuur [-sxy:r] *v* haybarn.
hooitijd [-tɛit] *m* hay(making) time, hay harvest.
hooivork [-vɔrk] *v* hayfork.
hooiwagen [-va.gǝ(n)] *m* 1 hay cart; 2 ᴂ daddy-long-legs.
hooizolder [-zɔldǝr] *m* hayloft.
hoon [ho.n] *m* contumely, insult, taunt, scorn.
hoongelach ['ho.ngǝlɑx] *o* scornful laughter.
1 **hoop** [ho.p] *m* 1 heap[2], pile [of things]; 2 heap, crowd, multitude [of people]; F lot [of trouble &]; *de grote* ~ the multitude, the masses; *bij hopen* in heaps; *geld bij hopen* heaps (lots) of money; *bij de* ~ *verkopen* sell in the lump; *te* ~ *lopen* gather in a crowd.
2 **hoop** [ho.p] *v* hope, hopes; *weinig* ~ *geven* hold out little hope; ~ *hebben* have a hope, have hopes [of...]; *er is weinig* ~ *op* there is little hope of this; *in de* ~ *dat* in the hope that; *op* ~ *van...* hoping for...; *tussen* ~ *en vrees* between fear and hope.
hoopvol ['ho.pfòl] hopeful.
hoorapparaat ['ho:rɑpa.ra.t] *o* hearing aid, ear aid, deaf-aid.
hoorbaar [-ba:r] I *aj* audible; II *ad* audibly.
hoorbaarheid [-hɛit] *v* audibleness, audibility.
hoorbuis ['ho:rbœys] *v* ear-trumpet.
hoorder [-dǝr] *m* hearer, listener, auditor.
1 **hoorn** ['ho:rǝn] *m* horn [on head of cattle, deer, snails & the moon]; wind-instrument of the hunter &]; ᴂ bugle; ☎ (luister~) receiver; (spreek~) mouthpiece; ~ *van overvloed* horn of plenty; *zijn* ~*s opsteken* show one's teeth.
2 **hoorn** ['ho:rǝn] *o* (s t o f n a a m) horn.
hoornaar ['ho:rǝna:r] *m* hornet.
hoornachtig ['ho:rǝnɑxtǝx] horny.
hoornblazer [-bla.zǝr] *m* 1 horn-blower; 2 ᴂ bugler.
hoornen ['ho:rǝnǝ(n)] *aj* horn.
hoorngeschal ['ho:rǝngǝsxɑl] *o* 1 sound of horns; 2 trumpet sound.
hoornig ['ho:rǝnǝx] horny.
hoornsignaal ['ho:rǝnsi.ɲa.l] *o* ᴂ bugle call.
hoornvee [-ve.] *o* horned cattle, horned beasts.
hoornvlies [-vli.s] *o* cornea.
hoornvliestransplantatie [-trɑnsplɑnta.(t)si.] *v* corneal grafting.
hoorspel ['ho:rspɛl] *o* zie *luisterspel*.
hoortoestel [-tu.stɛl] *o* zie *hoorapparaat*.
hoos [ho.s] *v* water-spout, wind-spout.
hoosvat ['ho.sfat] *o* scoop, bailer.
1 **hop** [hòp] *v* ⚘ hop, hops.

2 **hop** [hɔp] *m* 🐦 hoopoe.

3 **hop!** [hɔp] *ij* gee-up!

hopakker ['hɔpakər] *m* hop-field.

hope ['ho.pə] *v* = 2 *hoop*.

hopelijk [-lək] *ad* it is to be hoped (that...).

hopeloos [-lo.s] *aj* (& *ad*) hopeless(ly), desperate(ly).

hopeloosheid [ho.pə'lo.shɛit] *v* hopelessness, desperateness.

hopen ['ho.pə(n)] **I** *vt* hope (for); *het beste* ~ hope for the best; **II** *vi* hope; ~ *op* hope for.

hopman ['hɔpman] *m* 1 ㉿ chief, captain; 2 (padvinderij) scout-master.

hoppe ['hɔpə] *v* = 1 *hop*.

hoppen ['hɔpə(n)] *vt* hop.

hopsa! ['hɔpsa.] *ij* hey-day!

hor [hɔr] *v* wire-blind, screen.

Horatius [ho:'ra.tsi.ǔs] *m* Horace; *van* ~ Horatian.

horde ['hɔrdə] *v* 1 horde, troop, band ‖ 2 hurdle; *de Gouden H~* ㉿ the Golden Horde.

hordenloop [-(n)lo.p] *m sp* hurdle-race, hurdles.

1 **horen** ['ho:rə(n)] **I** *vt* 1 hear; 2 (vernemen) hear, learn; *ik heb niets meer van hem gehoord* I have not heard from him, I had no news from him; *heb je nog wat van hem gehoord?* heard [any news] about him?; *gaan* ~ *wat er is* go and hear what is up; *een geluid laten* ~ utter (produce) a sound; *wie zal zich nu eens laten* ~? who is going to oblige now?; *dat laat zich* ~ 1 that is plausible enough, there is something in that; 2 now you're talking!; *het is niet te* ~ it cannot be heard; *ik heb het* ~ *zeggen* I have heard it said; *ik heb het van* ~ *zeggen* I had it from hearsay; **II** *vi* & *va* hear; *je krijgt, hoor!* do you hear!; *hoor eens, wat...?* (I) say, what...?; *hoor eens, dat gaat niet!* look here, that won't do!; ~ *naar* listen to [advice]; *hij wil er niet van* ~ he will not hear of it; *wie niet* ~ *wil, moet voelen* he who will not be taught must suffer; ~*de doof zijn* be like those who having ears hear not, sham deafness; **III** *o* in: *het was een leven dat* ~ *en zien je verging* it was a noise fit to raise the dead; ~ *en zien verging ons* we were bewildered.

2 **horen** ['ho:rə(n)] *zie behoren* I & *wat* II.

3 **horen** ['ho:rən] *m* = 1 *hoorn*.

horenblazer, -geschal, -signaal, -vee = *hoornblazer, -geschal, -signaal, -vee.*

horige ['ho:rəɣə] *m* ㉿ serf, villain.

horizon(t) ['ho:ri.zòn(t)] *m* horizon, sky-line; *aan (onder) de* ~ on (below) the horizon.

horizontaal [ho:ri.zòn'ta.l] *aj* (& *ad*) horizontal(ly); (bij kruiswoordraadsel) across.

horlepijp ['hɔrləpi.p] *v* hornpipe.

horloge [hɔr'lo.ʒə] *o* watch; *3 uur op mijn* ~ by my watch.

horlogebandje [-baɲcə] *o* watch-guard.

horlogeglas [-glas] *o* watch-glass.

horlogekast [-kast] *v* watch-case.

horlogeketting [-kɛtɪŋ] *m* & *v* watch-chain.

horlogemaker [-ma.kər] *m* watch-maker.

horlogesleutel [-slø.təl] *m* watch-key.

horlogestander [-standər] *m* watch-stand.

horlogeveer [-ve:r] *v* watch-spring.

horlogezak [-zak] *m* watch-pocket.

hormo(o)n [hɔr'mo.n, -'mən] *o* hormone.

horoscoop, horoskoop [ho:rɔs'ko.p] *m* horoscope; *iemands* ~ *trekken* cast a person's horoscope, cast one's nativity.

horrelvoet ['hɔrəlvu.t] *m* clubfoot.

hort [hɔrt] *m* jerk, jolt, jog, push; *met* ~*en en stoten* by fits and starts.

horten ['hɔrtə(n)] *vi* jolt, be jerky[2].

hortend [-tənt] jerky[2].

hortensia [-'tɛnzi.a.] *v* 🌿 hydrangea.

hortus ['hɔrtʉs] *m* botanical garden.

horzel ['hɔrzəl] *v* horse-fly, hornet, gad-fly.

hosanna [ho.'zana.] *o* hosanna.

hospes ['hɔspəs] *m* landlord.

hospita [-pi.ta.] *v* landlady.

hospitaal [-pi.ta.l] *o* hospital, infirmary.

hospitaallinnen [-pi.ta.linə(n)] *o* waterproof sheeting.

hospitaalridder [-pi.ta.lrɪdər] *m* (Knight) Hospitaller.

hospitaalschip [-sxɪp] *o* ⚓ hospital ship.

hospitaalsoldaat [-sɔlda.t] *m* ⚔ hospital orderly.

hospitaaltrein [-trɛin] *m* ⚔ hospital train.

hospitant [hɔspi.'tant] *m* 1 temporary student; 2 gentleman attending a lesson as a visitor.

hospiteren [-'te:rə(n)] *vi* ⇌ attend a lesson as a visitor.

hospitium [-'pi.(t)si.ǔm] *o* hospice, hostel.

hossen ['hɔsə(n)] *vi* jig.

hostie ['hɔsti.] *v* host.

hot [hɔt] *ij* gee-up!; ~ *en haar* right and left; ~ *en haar door elkaar* higgledy-piggledy.

hotel [ho.'tɛl] *o* hotel.

hotelbedrijf [-bədrɛif] *o* hotel trade.

hotelhouder [-hɔu(d)ər] *m* hotel-keeper.

hotelrat [-rat] *v* S hotel thief.

hotelschakelaar [-sxa.kəla:r] *m* ⚡ two-way switch.

hotsen ['hɔtsə(n)] *vi* jolt, bump, shake.

Hottentot ['hɔtəntɔt] *m* Hottentots [-tɔts] *aj* Hottentot.

1 **hou** [hɔu] *ij* stop!, ho!

2 **hou** [hɔu] ~ *en trouw* loyal and faithful.

houdbaar ['hɔutba:r] (verdedigbaar) tenable; *boter die (niet)* ~ *is* butter that will (not) keep.

houdbaarheid [-hɛit] *v* 1 tenability; 2 (v. eetwaren) keeping qualities.

houden ['hɔu(d)ə(n)] **I** *vt* 1 (vasthouden) hold; 2 (inhouden) hold, contain; 3 (er op nahouden) keep [pigs, an inn, servants]; 4 (behouden) keep [the change]; 5 (vieren) keep, observe, celebrate [a feast]; 6 (nakomen) keep [a promise]; 7 (uitspreken) make, deliver [a speech &], give [an address]; *hij was niet te* ~ he could not be checked, he could not be kept quiet; *houdt de dief!* stop thief!; *5 ik houd er 3* carry three; zie ook: *bed, kamer, steek &*; *ik houd het met u* I hold with you; *wij moeten het aan de gang ~* we must keep the thing going; *het aan zich ~* reserve it to oneself; *je moet ze bij elkaar ~* you should keep them together; *hen er buiten ~* keep them out of it; *ik kan u niet in dienst ~* I can't continue you in my service; *in ere ~* zie *eer*; *een stuk (brief &) onder zich ~* keep it (back); *ik kan ze maar niet uit elkaar ~* I can't tell them apart, I can't tell which is which; *u moet die jongens van elkaar ~* keep these boys apart; *ik houd hem voor een vriend* I consider him to be a friend; *ik hield hem voor een Amerikaan* I (mis)took him for an American; *ik houd het voor onvermijdelijk* I regard it as inevitable; *ik houd het voor een slecht teken* I consider it a bad sign; *ik houd het ervoor dat...* I take it that...; *waar houdt u mij voor?* what do you take me for?; *zich ~ voor* consider oneself [a better man]; *iets voor zich ~* keep it [the money &] for oneself; *keep it [the secret] to oneself*; *hij kan niets vóór zich ~* he can't keep his counsel; II *va & vi* hold; keep; *links (rechts) ~!* keep (to the) left (right)!; *het zal erom ~ of...* it will be touch and go whether...; *met iets zitten te ~* zie *zitten*; *op de favoriet ~* back the favourite; *van iets ~* like a thing, be fond of a thing; *veel van iemand ~* be fond of one, love one; III *vr zich ~ alsof...* make as if..., pretend to...; *zich doof ~* pretend not to hear, sham deafness; *zich goed ~* I (v. per-sonen) keep one's countenance, control oneself; 2 (v. zaken) keep [of apples]; wear well [of clothes]; 3 (v. weer) hold; *zich goed ~ (voor zijn leeftijd)* carry one's years well; *hij kon zich niet meer goed ~* he could not help laughing (crying); *hou je goed!* I keep well!; 2 never say die!; *zich ver ~ van* hold aloof from [a question &]; *zich ziek ~* pretend to be ill; *zich ~ aan* stick to [the facts &], abide by [a decision], keep [a strict diet, a treaty &]; *zich aan iemands woord ~* take one at his word; *ik weet nu waar ik mij aan te ~ heb* I now know where I stand; zie ook: *been &*; IV *o zie hebben* III.

houder [-dər] *m* holder, keeper, bearer.

houding [-dɪŋ] *v* I bearing, carriage, posture, attitude; 2 ✗ position of "attention"; *de ~ aannemen* ✗ come to attention; *een (ge-maakte) ~ aannemen* strike an attitude; *een dreigende (gereserveerde) ~ aannemen* assume a threatening (guarded) attitude; *om zich een ~ te geven* in order to save his face; *in de ~ staan* ✗ stand at attention.

hout [hout] *o* wood; timber; piece of wood; *de Haarlemmer Hout* the Haarlem Wood; *alle ~ is geen timmerhout* every reed will not make a pipe; *dat snijdt geen ~* that does not hold good.

houtaankap ['houta.nkap] *m* I felling of trees 2 timber reserve, lumber exploitation.

houtachtig [-axtəx] woody, § ligneous.

houtazijn [-a.zɛin] *m* wood-vinegar.

houtbewerker [-bəverkər] *m* woodworker.

houtduif [-dœyf] *v* ♐ wood-pigeon.

houten ['houtə(n)] *aj* wooden [shoes, leg &].

houterig [-tərəx] wooden².

houterigheid [-hɛit] *v* woodenness².

houtgravure ['houtgra.vy:rə] *v* wood engraving.

houthakker [-hakər] *m* wood-cutter.

houthandel [-handəl] *m* timber trade.

houthandelaar [-handəla:r] *m* timber merchant.

houthaven [-ha.və(n)] *v* timber port.

houtje ['houcə] *o* bit of wood; *op (zijn) eigen ~* F on one's own hook, off one's own bat; *we moesten op een ~ bijten* F we had nothing (little) to eat.

houtkoper ['houtko.pər] *m* timber merchant.

houtlijm [-lɛim] *m* joiner's glue.

houtloods [-lo.ts] *v* wood-shed.

houtluis [-lœys] *v* wood-louse.

houtmijt [-mɛit] *v* I stack of wood; 2 (brand-stapel) pile.

houtpulp [-pʉlp] *v* wood pulp.

houtrijk [-rɛik] woody, well-wooded.

houtschuur [-sxy:r] *v* wood-shed.

houtskool ['houtsko.l] *v* charcoal.

houtskooltekening [-te.kənɪŋ] *v* charcoal draw-ing.

houtsne(d)e ['houtsne.(də)] *v* woodcut.

houtsnijder [-snɛi(d)ər] *m* I wood-cutter; 2 wood-carver.

houtsnijkunst ['houtsnɛikʉnst] *v* I wood-cut-ting; 2 wood-carving.

houtsnip ['houtsnɪp] *v* ♐ woodcock.

houtsoort [-so:rt] *v* kind of wood.

houtspaander [-spa.ndər] *m* chip of wood.

houtteer ['houte:r] *m & o* wood tar.

houtveiling ['houtfɛilɪŋ] **houtverkoping** [-fər-ko.pɪŋ] *v* timber sale.

houtvester [-fɛstər] *m* forester.

houtvesterij [houtfɛstə'rɛi] *v* forestry.

houtvezel [-fe.zəl] *v* wood-fibre.

houtvlot [-flot] *o* (timber) raft.

houtvlotter [-flɔtər] *m* raftsman.

houtvrij [-frɛi] free from wood-pulp.

houtwaren [-va.rə(n)] *mv* wooden ware.

houtwerk [-vɛrk] *o* woodwork.

houtwol [-vɔl] *v* wood-wool.

houtworm [-vɔrm] *m* wood-worm.

houtzaagmolen [-sa.xmo.lə(n)] *m* saw-mill.

houtzager [-sa.gər] *m* wood-sawyer.

houtzagerij [houtsa.gə'rɛi] *v* saw-mill.

houtzolder ['houtsɔldər] *m* wood-loft.

houvast [hou'vast] *o* handhold; *fig* hold; *dat geeft ons enig ~* that's something to go by (to go on).

houw [hou] *m* cut, gash.

houweel [hou've.l] *o* pickaxe, mattock.

houwen ['houə(n)] *vi* hew, hack, cut; zie ook: *slaan.*

houwer [-ər] *m* 1 broadsword; 2 hewer.

houwitser [hou'vɪtsər] *m* ✕ howitzer.

hovaardig [ho.'va:rdəx] I *aj* proud, haughty; II *ad* proudly, haughtily.

hovaardigheid [-hɛit] *v* pride, haughtiness.

hovaardij [ho.va:r'dɛi] *v* zie *hovaardigheid*.

hoveling ['ho.vəlɪŋ] *m* courtier.

hovenier [ho.və'ni:r] *m* gardener.

hozen ['ho.zə(n)] *vi* & *vt* scoop, bail (out), bale.

H.S. [hɛiləɣə's(x)rɪft] = *Heilige Schrift*.

hs. ['hɑnts(x)rɪft] = *handschrift*.

hu! [hy.] *ij* 1 (vooruit) gee!; 2 (stop) whoa!; 3 (v. afgrijzen) ugh!

hugenoot ['hy.ɣəno.t] *m* Huguenot.

Hugo ['hy.ɣo.] *m* Hugo, Hugh.

hui [hœy] *v* whey.

Huib(ert) [hœyp, 'hœybərt] *m* Hubert.

huichelaar ['hœyɣəla:r] *m* ~ster [-stər] *v* hypocrite, dissembler.

huichelachtig ['hœyɣəlɑxtəx] *aj* (& *ad*) hypocritical(ly).

huichelarij [hœyɣəla:'rɛi] *v* hypocrisy, dissembling, dissimulation.

huichelen ['hœyɣələ(n)] I *vt* simulate, feign, sham; II *vi* dissemble, play the hypocrite.

huid [hœyt] *v* skin [of human or animal body], hide [raw or dressed], fell [with the hair]; *een dikke (harde)* ~ *hebben* be thick-skinned; *iemand de* ~ *vol schelden* call one everything under the sun; *men moet de* ~ *van de beer niet verkopen, voordat men hem geschoten heeft* sell not the bear's skin before you have caught him; *zijn* ~ *wagen* risk one's life; *met* ~ *en haar* bodily; *op de blote* ~ next (to) the skin; *iemand op zijn* ~ *geven (komen)* F tan a person's hide.

huidarts ['hœytɑrts] *m* skin doctor.

huidenkoper ['hœydə(n)ko.pər] *m* fellmonger.

huidig [-dəx] present [age], modern, present-day [difficulties, knowledge, needs]; *ten* ~*en dage* nowadays; *nog ten* ~*en dage* to this day.

huidje ['hœycə] *o* skin, film.

huidkleur ['hœytklø:r] *v* colour, complexion.

huidklier [-kli:r] *v* skin-gland.

huidontsteking [-òntste.kɪŋ] *v* inflammation of the skin.

huiduitslag [-œytslɑx] *m* eruption (of the skin), skin eruption.

huidziekte [-si.ktə] *v* skin disease.

huif [hœyf] *v* 1 (hoofddeksel) coif; 2 (v. wagen) hood, awning, tilt.

huifkar ['hœyfkɑr] *v* tilt-cart, hooded cart.

huifwagen [-va.ɣə(n)] *m* covered wag(g)on.

huig [hœyx] *v* uvula.

huik [hœyk] *v* ꟼ hooded cloak; *de* ~ *naar de wind hangen* (trim to the times and) hang one's cloak to the wind.

huilbui ['hœylbœy] *v* fit of crying (of weeping).

huilebalk ['hœyləbɑlk] *m* cry-baby.

huilebalken [-bɑlkə(n)] *vi* whimper, whine.

huilen ['hœylə(n)] *vi* 1 (schreien) cry, weep; 2 (v. dier) howl, whine; 3 (v. wind) howl; *het is om (van) te* ~ I could cry!; ~ *met de wolven in het bos* cry with the wolves in the wood; *het* ~ *stond hem nader dan het lachen* he felt like crying.

huilerig [-lərəx] tearful.

huis [hœys] *o* house, home; *het* ~ *des Heren* the house of God; *het* ~ *der Koningin* the Royal Household; *het Koninklijk* ~ the Royal family; *het* ~ *van Oranje* the house of Orange; *men kan huizen op hem bouwen* one can always depend on him; *er is geen* ~ *met hem te houden* there is no doing anything with him; *ik kom bij hen aan* ~ I am on visiting terms with them; *ik kom veel bij hen aan* ~ I see a good deal of them; *(dicht) bij* ~ near home; *bezigheden in* ~ activities in the home; *er is geen brood in* ~ there is no bread in the house; *wij gaan naar* ~ we are going home; *naar* ~ *zenden* send home; *te mijnen huize* at my house; *ten huize van*... at the house of...; *hij is van* ~ he is away from home; *hij is van goeden huize* he comes of a good family; *van* ~ *gaan* leave home; *van* ~ *komen* come from one's house; *van* ~ *tot* ~ from house to house; *van* ~ *uit is hij*... originally he is a...; *van* ~ *en hof verdreven* driven out of house and home; *elk* ~ *heeft zijn kruis* there is a skeleton in every cupboard.

huisapoteek zie *huisapotheek*. [chest.

huisapotheek [-a.po.te.k] *v* (family) medicine

huisarrest [-ɑrest] *o* confinement in one's home; ~ *hebben* 1 ✕ be confined to quarters; 2 be confined to one's house.

huisarts [-ɑrts] *m* family doctor, general practitioner.

huisbaas [-ba.s] *m* landlord.

huisbakken [hœys'bɑkə(n)] home-made; *fig* prosaic, pedestrian.

huisbediende ['hœysbədi.ndə] *m-v* indoor servant.

huisbel [-bɛl] *v* street-door bell.

huisbewaarder [-bəva:rdər] *m* ~ster [-stər] *v* care-taker.

huisbezoek [-bəzu.k] *o* domiciliary visit, home visiting, home visitation.

huisbraak [-bra.k] *v* house-breaking.

huisbrand [-brɑnt] *m* domestic fuel.

huisbrandkolen [-ko.lə(n)] *mv* domestic coal.

huisdeur ['hœysdø:r] *o* street-door.

huisdier [-di:r] *o* domestic animal.

huisdokter [-dòktər] *m* family doctor.

huiseigenaar [-ɛiɡəna:r] *m* 1 house-owner; 2 (huisbaas) landlord.

huiselijk ['hœysələk] I *aj* domestic, household; home, homy; ~*e aangelegenheden* family affairs; domestic affairs; ~*e kring* domestic circle; *het* ~ *leven* home life; ~ *man* man of domestic habits, a home-loving man; ~*e plichten* household duties; II *ad* in a homely manner, informally.

huiselijkheid [-hɛit] *v* domesticity.

huisgenoot ['hœysgəno.t] *m* housemate, inmate; *de huisgenoten* the inmates, the whole family.

huisgewaad [-gəva.t] *o* indoor dress.

huisgezin [-gəzɪn] *o* household, family.

huisgoden [-go.də(n)] *mv* household gods.

huisheer [-he:r] *m* 1 landlord; 2 master of the house.

huishoudboek [-hɔutbu.k] *o* housekeeping book.

huishoudelijk [hœys'hɔudələk] 1 economical, thrifty; 2 domestic, household; *zaken van~e aard* domestic affairs; *voor~ gebruik* for household purposes; *~e uitgaven* household expenses; *~e vergadering* private meeting.

huishoudelijkheid [-hɛit] *v* economy.

huishouden ['hœyshɔudə(n)] I *vi* keep house; *vreselijk ~ (onder)* make (play) havoc (with, among); II *o* 1 household, establishment, family; 2 housekeeping; *een ~ van Jan Steen* a house where everything is at sixes and sevens; *het ~ doen* keep house.

huishoudgeld [-hɔutgɛlt] *o* housekeeping money.

huishouding [-hɔudɪŋ] *v* 1 housekeeping; 2 household, family.

huishoudkunde [-hɔutkŭndə] *v* domestic economy.

huishoudschool [-sxo.l] *v* domestic science school, school of domestic economy.

huishoudschort [-sxɔrt] *v & o* overall.

huishoudster [-stər] *v* housekeeper.

huishoudzeep [-se.p] *v* household soap.

huishuur ['hœyshy:r] *v* rent.

huisjapon [-ja.pòn] *m* house-frock.

huisjas [-jɑs] *m & v* house-coat, coat for home wear.

huisje ['hœyʃə] *o* 1 small house, cottage; 2 (v. slak) shell; 3 (v. bril) case.

huisjesmelker ['hœyʃəsmɛlkər] *m* rack-renter.

huisjesslak ['hœyʃəslɑk] *v* snail.

huisjongen ['hœysjòŋə(n)] *m Ind* (indoor) boy.

huiskamer [-ka.mər] *v* sitting-room, living-room.

huiskapel [-ka.pɛl] *v* 1 private chapel; 2 ♪ private band.

huiskapelaan [-kɑpəla.n] *m* domestic chaplain.

huisknecht [-knɛxt] *m* 1 man-servant, footman; 2 boots [of an hotel].

huiskrekel [-kre.kəl] *m* house-cricket.

huislijk(-) = *huiselijk(-)*.

huislook [-lo.k] *o* ♣ houseleek.

huismiddel [-mɪdəl] *o* domestic remedy.

huismoeder [-mu.dər] *v* mother of a' (the) family.

huismus [-mŭs] *v* 1 ♣ (house-)sparrow; 2 *fig* stay-at-home.

huisnummer [-nŭmər] *o* number (of the house).

huisonderwijs [-òndərvɛis] *o* private tuition.

huisonderwijzer [-vɛizər] *m* private teacher, tutor.

huisorde ['hœysərdə] *v* 1 rules of the house; 2 family order [of knighthood].

huisraad [-ra.t] *o* (household) furniture, household goods.

huisschilder ['hœysxɪldər] *m* house-painter.

huissleutel [-slø.təl] *m* latchkey, house-key.

huisvader ['hœysfa.dər] *m* father of a (the) family.

huisvesten [-fɛstə(n)] *vt* house, lodge, take in.

huisvesting [-tɪŋ] *v* lodging, accommodation, housing; *~ verlenen* zie *huisvesten*.

huisvestingsbureau [-tɪŋsby.ro.] *o* housing office.

huisvlijt ['hœysflɛit] *v* 1 home industry; 2 (uit liefhebberij) home handicrafts.

huisvlijttentoonstelling [-flɛitɛnto.nstɛlɪŋ] *v* home industries show.

huisvredebreuk [-fre.dəbrø.k] *v* disturbance of domestic peace.

huisvriend [-fri.nt] *m* family friend.

huisvrouw [-frou] *v* housewife.

huisvuil [-fœyl] *o* household refuse.

huiswaarts [-va:rts] homeward(s); *~ gaan* go home.

huiswerk [-vɛrk] *o* 1 (v. bedienden) housework; 2 ⬗ home tasks, homework.

huiszoeking ['hœysu.kɪŋ] *v* house search; *er werd~ gedaan* the house was searched.

huiszwaluw [-sva.ly:u] *v* ♣ (house-)martin.

huiveren ['hœyvərə(n)] *vi* shiver [with cold or fear], shudder [with horror]; *ik huiverde bij de gedachte* I shuddered to think of it; *hij huiverde er voor* he shrank from it.

huiverig [-rəx] shivery, chilly; *~ om zo iets te doen* shy of doing such a thing.

huiverigheid [-rəxhɛit] *v* chilliness; *fig* scruples.

huivering [-rɪŋ] *v* shiver(s), shudder; *een ~ voer mij door de leden* a shudder went through me.

huiveringwekkend [hœyvərɪŋ'vɛkənt] horrible.

huizehoog ['hœyzəho.x] I *aj* mountainous [seas]; II *ad* in: *~ springen (van vreugde)* jump (leap) out of one's skin; *~ uitsteken boven* rise head and shoulders above.

huizen ['hœyzə(n)] *vi* house, live.

huizenkant [-kɑnt] *m* in: *de ~ houden* take the wall.

huizenrij [-rɛi] *v* row of houses.

hulde ['hŭldə] *v* homage; tribute; *~ brengen* do (pay) homage [to a man]; pay a tribute [to a man of merit].

huldebetoon [-bəto.n] *o* homage.

huldeblijk [-blɛik] *o* tribute, testimonial.

huldigen ['hŭldəgə(n)] *vt* do (pay) homage to[2]; hold [an opinion], believe in [a method].

huldiging [-ɡɪŋ] *v* homage.

huldigingseed ['hŭldəgɪŋse.t] *m* oath of allegiance.

hullen ['hŭlə(n)] I *vt* envelop, wrap (up); *fig* shroud [in mystery]; II *vr zich ~* wrap oneself (up) [in a cloak].

hulp [hŭlp] *v* help, aid, assistance; succour,

relief; *eerste ~ bij ongelukken* first aid; *~ in de huishouding* lady help; *~ en bijstand* aid and assistance; *te ~ komen* come (go) to [a man's] aid, come to the rescue [of the crew &]; *te ~ roepen* call in; *te ~ snellen* hasten (run) to the rescue; *zonder* without anyone's help (assistance), unaided, unassisted.

hulpbank ['hŭlpbɑŋk] *v* loan-office.

hulpbehoevend [hŭlpbə'hu.vənt] infirm; *hij is ~ ook:* he is an invalid.

hulpbetoon ['hŭlpbəto.n] *o* assistance; *(dienst van) maatschappelijk ~* National Assistance (Board).

hulpboek [-bu.k] *o* $ auxiliary book.

hulpbron [-brɔn] *v* resource.

hulpdienst [-di.nst] *m telefonische ~* telephone emergency service [in Britain: (Telephone) Samaritans].

hulpeloos ['hŭlpəlo.s] *aj* (& *ad*) helpless(ly).

hulpeloosheid [hŭlpə'lo.shɛit] *v* helplessness.

hulpgebouw ['hŭlpgəbəu] *o* temporary structure.

hulpgeroep [-gəru.p] *o* cry for help. [ture.

hulpkantoor [-kɑnto:r] *o* sub-office.

hulpkerk [-kɛrk] *v* chapel of ease.

hulpkruiser [-krœysər] *m ⚓* auxiliary cruiser.

hulpleger [-le.gər] *o ✕* auxiliary army.

hulplijn [-lɛin] *v* I (meetkunde) auxiliary line; 2 ♪ ledger-line.

hulpmiddel [-mɪdəl] *o* expedient, make-shift; *fotografische ~en* photographic aids; *zijn ~en ook:* his resources.

hulpmotor [-mo.tər] *m* auxiliary motor, auxiliary engine; *rijwiel met ~* motor-assisted bicycle, powered pedal-cycle.

hulppost ['hŭlpɔst] *m* aid post. [office.

hulppostkantoor [-pɔstkɑnto:r] *o ⚲* sub-(post)

hulpprediker [-pre.dəkər] *m* curate.

hulpstuk ['hŭlpstŭk] *o ✕* accessory; (v. stofzuiger) attachment; (v. buizen) fitting.

hulptroepen [-tru.pə(n)] *mv ✕* auxiliaries, auxiliary troops.

hulpvaardig [hŭlp'fa:rdəx] willing to help, helpful.

hulpvaardigheid [-hɛit] *v* willingness to help.

hulpverlening ['hŭlpfərle.nɪŋ] *v* assistance; relief work.

hulpwerkwoord [-vɛrkʋo:rt] *o* auxiliary (verb).

hulpwetenschap [-ʋe.tənsxɑp] *v* auxiliary science.

huls [hŭls] *v* I ✿ pod, husk, shell; 2 ✕ (cartridge-)case; 3 (straw) case [for bottle]; 4 carton (cardboard) end [of cigarette].

hulsel ['hŭlsəl] *o* zie *omhulsel*.

hulst [hŭlst] *m* ✿ holly.

1 **hum** [hŭm] *o* F zie *humeur*.

2 **hum!** [hŭm] *ij* zie *h'm*.

humaan [hy.'ma.n] *aj* (& *ad*) humane(ly).

humaniora [hy.ma.ni.'o:ra.] *mv* humanities.

humanisme [hy.ma.'nɪsmə] *o* humanism.

humanist [-'nɪst] *m* humanist.

humanistisch [-'nɪsti.s] humanistic. [manity.

humaniteit [hy.ma.ni.'tɛit] *v* humaneness, hu-

humeur [hy.'mø:r] *o* humour, mood, temper; *in zijn ~* in a good humour; *niet in zijn ~, uit zijn ~* out of humour, in a (bad) temper.

humeurig [-'mø:rəx] moody, subject to moods, having tempers.

humeurigheid [-hɛit] *v* moodiness.

hummel ['hŭməl] *m* **hummeltje** [-cə] *o* F (little) tot, mite.

hummen ['hŭmə(n)] = *hemmen*.

humor ['hy.mər] *m* humour.

humoreske [hy.mo:'rɛskə] *v* piece of humorous writing; 2 ♪ humoresque.

humorist [-'rɪst] *m* humorist.

humoristisch [-'rɪsti.s] *aj* (& *ad*) comic(ally), humorous(ly).

humus ['hy.mŭs] *m* humus, vegetable mould.

Hun [hŭn] *m* Hun[2].

hun [hŭn] their, them; *het ~ne, de ~nen* theirs.

hunebed ['hy.nəbɛt] *o* [the Borger] Hunebed, ± dolmen, cromlech.

hunkeren ['hŭŋkərə(n)] *vi* hanker; *~ naar* hanker after; *ik hunker er naar hem te zien* I am longing (anxious) to see him.

hunnent ['hŭnənt] in: *te(n) ~* at their house; *~halve* for their sake(s); *~wege* as for them; *van ~wege* on their behalf, in their name; *om ~wil(le)* for their sake(s).

hunnerzijds ['hŭnərzɛits] on their part, on their behalf.

huppelen ['hŭpələ(n)] *vi* hop, skip.

hups [hŭps] kind; nice.

huren ['hy.rə(n)] *vt* hire, rent [a house &]; hire, engage [servants]; ⚓ charter [a ship].

1 **hurken** ['hŭrkə(n)] *op zijn ~en* squatting.

2 **hurken** ['hŭrkə(n)] *vi* squat (down).

hussiet [hŭ'si.t] *m* Hussite.

hut [hŭt] *v* I cottage, cot, hut, hovel; 2 ⚓ cabin [of a ship].

hutbagage ['hŭtbaga.ʒə] *v* ⚓ cabin-luggage.

hutjongen [-jòŋə(n)] *m* ⚓ cabin-boy.

hutkoffer [-kòfər] *m* ⚓ cabin-trunk.

huts(e)pot ['hŭts(ə)pɔt] *m* hotchpotch, hodge-podge.

huur [hy:r] *v* I rent, rental, hire; 2 (loon) wages; 3 (huurtijd) lease; *in ~* on hire; *auto's te ~* cars for hire; *huis te ~* house to let; *te ~ of te koop* to be let or sold.

huurauto ['hy:ro.to., -ɔuto.] *m* hire(d) car.

huurbordje [-bɔrcə] *o* "to let" sign.

huurceel [-se.l] *v* & *o* **huurcontract** [-kòntrɑkt] *o* lease.

huurder [-dər] *m* hirer; (v. huis) tenant, lessee.

huurgeld [-gɛlt] *o* rent.

huurhuis [-hœys] *o* rented house, hired house; house to let.

huurkazerne [-ka.zɛrnə] *v* tenement house.

huurkoetsier [-ku.tsi:r] *m* hackney-coachman, cabman.

huurkontrakt zie *huurcontract*.

huurkoop [-ko.p] *m* hire-purchase (system); *in ~* on the hire-purchase system.

huurling [-lɪŋ] *m* hireling, mercenary.

huurpenningen [-pɛnɪŋə(n)] *mv* rent.
huurprijs [-prɛis] *m* rent.
huurrijtuig ['hy:reitœyx] *o* hackney-carriage, cab.
huurster ['hy:rstər] *v* hirer; (v. **huis**) tenant.
huurtijd [-tɛit] *m* term of lease, lease.
huurtroepen [-tru.pə(n)] *mv* ✕ mercenary troops, mercenaries.
huurverhoging [-vərho.gɪŋ] *v* rent increase.
huurverlaging [-vərla.gɪŋ] *v* rent reduction.
huurwaarde [-va:rdə] *v* rental (value).
huurwet [-vɛt] *v* Rent Act.
huwbaar ['hy:uba:r] marriageable; nubile.
huwbaarheid [-hɛit] *v* marriageable age; nubility.
huwelijk ['hy.vələk] I *o* marriage, matrimony, wedlock, wedding; *een ~ aangaan (sluiten)* contract a marriage; *een rijk ~ doen* marry a fortune; *in het ~ treden* marry; *een meisje ten ~ vragen* ask a girl in marriage, propose to a girl; II *aj* in: *de ~e staat* the married state.
huwelijksaankondiging ['hy.vələksa.nkòndəgɪŋ] *v* wedding-notice.
huwelijksaanzoek [-a.nzu.k] *o* offer (of marriage), proposal.
huwelijksadvertentie [-atfərtɛnsi.] *v* matrimonial advertisement.
huwelijksafkondiging [-afkòndəgɪŋ] *v* 1 public notice of (a) marriage; 2 (kerkelijk) banns.
huwelijksband [-bant] *m* marriage bond.
huwelijksbelofte [-bələftə] *v* promise of marriage.
huwelijksbootje [-bo.cə] *o* Hymen's boat; *in het ~ stappen* F join in Hymen's bands.
huwelijksbureau [-by.ro.] *o* matrimonial agency, marriage bureau.
huwelijkscontract [-kòntrakt] *o* marriage settlement, marriage articles.
huwelijksfeest [-fe.st] *o* wedding, wedding-feast, wedding-party.
huwelijksgeluk [-gəlŭk] *o* wedded happiness.
huwelijksgift [-gift] *v ~goed* [-gu.t] *o* marriage portion, dowry.
huwelijkskontrakt zie *huwelijkscontract*.
huwelijksleven [-le.və(n)] *o* married life.
huwelijksplicht [-plɪxt] *m & v* conjugal duty.
huwelijksreis [-rɛis] *v* wedding-trip, honeymoon (trip).
huwelijkstrouw [-trou] *v* conjugal fidelity.
huwelijksvoorwaarden [hy.vələks'fo:rva:rdə(n)] *mv* marriage settlement.
huwen ['hy.və(n)] *vt & vi* marry, wed; *~ met* marry; *gehuwd met een Duitser* married to a German.
huzaar [hy.'za:r] *m* ✕ hussar.
huzarensla [-'za:rə(n)sla.] *v* Russian salad.
hyacint [hi.a.'sɪnt] *v ✿* hyacinth.
hybridisch [hi.'bri.di.s] hybrid.
hydra ['hi.dra.] *v* hydra.
hydraat [hi.'dra.t] *o* hydrate.

hydraulica, hydraulika [-'drɔuli.ka.] *v* hydraulics.
hydraulisch [-'drɔuli.s] *aj* (& *ad*) hydraulic(ally).
hydro-electrisch zie *hydro-elektrisch*.
hydro-elektrisch [-dro.e.'lɛktri.s] hydro-electric.
hyena [hi.'e.na.] *v ⚥* hyena.
hygiëne [-gi.'e.nə] *v* hygiene, sanitary science.
hygiënisch [-ni.s] *aj* (& *ad*) hygienic(ally).
hygrometer [hi.gro.'me.tər] *m* hygrometer.
hymne ['hɪmnə] *v* hymn.
hyperbolisch [hi.pər'bo.li.s] *aj* (& *ad*) hyperbolical(ly).
hyperbool [-'bo.l] *v* hyperbole.
hypergevoelig ['hi.pərgəvu.ləx] hypersensitive.
hypermodern [-mo.dɛrn] hypermodern.
hypertensie [hi.pər'tɛnzi.] *v* hypertension.
hypertrofie [hi.pərtro.'fi.] *v* hypertrophy.
hypnose [hɪp'no.zə] *v* hypnosis.
hypnotisch [-'no.ti.s] *aj* (& *ad*) hypnotic(ally).
hypnotiseren [-no.ti.'ze:rə(n)] *vt* hypnotize.
hypnotiseur [-ti.'zø:r] *m* hypnotist.
hypnotisme [-'tɪsmə] *o* hypnotism.
hypnotize- zie *hypnotise-*.
hypochonder [hi.po.'gòndər] *m* hypochondriac.
hypochondrie [-gòn'dri.] *v* hypochondria.
hypochondrisch [-'gòndri.s] *aj* (& *ad*) hypochondriac(ally).
hypocriet [-'kri.t] *m* hypocrite.
hypocrisie [hi.po.kri.'zi.] *v* hypocrisy.
hypocritisch [hi.po.'kri.ti.s] *aj* (& *ad*) hypocritical(ly).
hypokri- zie *hypocri-*.
hypotecair zie *hypothecair*.
hypoteek(-) zie *hypotheek(-)*.
hypotekeren zie *hypothekeren*.
hypotenusa [-tə'ny.za.] *v* hypotenuse.
hypotese zie *hypothese*.
hypotetisch zie *hypothetisch*.
hypothecair [-te.'kɛ:r] in: *~e schuld* mortgage debt.
hypotheek [-'te.k] *v* mortgage; *met een ~ bezwaard* mortgaged.
hypotheekakte [-akta] *v* mortgage deed.
hypotheekbank [-baŋk] *v* mortgage bank.
hypotheekbewaarder [-bəva:rdər] *m* registrar of mortgages.
hypotheekgever [-ge.vər] *m* mortgagor.
hypotheekhouder, ~nemer [-houdər, -ne.mər] *m* mortgagee.
hypothekeren [hi.po.te.'ke:rə(n)] *vt* mortgage.
hypothese [-'te.zə] *v* hypothesis [*mv* hypotheses].
hypothetisch [-'te.ti.s] *aj* (& *ad*) hypothetic(ally).
hysterica [hɪs'te:ri.ka.] *v* **hystericus** [-kŭs] *m* hysteric.
hysterie [hɪstə'ri.] *v* hysteria.
hysterisch [-'te:ri.s] *aj* (& *ad*) hysterical(ly).

I

i [i.] *v* i.

ia [i.ʹa.] (v. ezel) hee-haw.

iaën [-ə(n)] *vi* hee-haw.

ib. zie *ibid.*

Iberië [i.ʹbe:ri.ə] *o* Iberia.

Iberiër [-ri.ər] *m* Iberisch [-ri.s] *aj* Iberian.

ibid. [ʹi.bi.dɛm] = *ibidem* in the same place.

ibis [ʹi.bɪs] *m* 🐦 ibis.

id. = *idem*.

ideaal [i.de.ʹa.l] I *aj* ideal; II *ad* ideally; III *o* ideal; *een ~ van een echtgenoot* an ideal husband.

idealiseren [-a.li.ʹze:rə(n)] *vt* & *va* idealize.

idealisme [-a.ʹlɪsmə] *o* idealism.

idealist [-a.ʹlɪst] *m* idealist.

idealistisch [-a.ʹlɪsti.s] *aj* (& *ad*) idealistic(ally).

idealizeren zie *idealiseren*.

idee [i.ʹde.] *o* & *v* idea, thought, notion; *precies mijn ~!* quite my opinion!; *~ hebben op...* have a fancy for...; *je hebt er geen ~ van* you have no notion of it; *een hoog ~ hebben van* have a high opinion of; *er niet het minste (flauwste) ~ van hebben* not have the least idea; *ik heb zo'n ~ dat...* I have a notion that...; *naar mijn ~* in my opinion; *op 't ~ komen om...* get it into one's head to...

ideëel [i.de.ʹe.l] ideal.

idee-fixe [i.de.ʹfi.ks] *o* & *v* fixed idea.

idem [ʹi.dəm] the same, ditto, do.

identiek [i.dɛn.ʹti.k] identical.

identificatie [-ti.fi.ʹka.(t)si.] *v* identification.

identificeren [-fi.ʹse:rə(n)] I *vt* identify; II *vr zich ~* prove one's identity.

identifikatie zie *identificatie*.

identiteit [i.dɛnti.ʹtɛit] *v* identity.

identiteitsbewijs [-ʹtɛitsbəvɛis] *o* **identiteitskaart** [-ʹtɛitska:rt] *v* identity card.

identiteitsplaatje [-pla.cə] *o* ✗ identity disk.

idiomatisch [i.di.o.ʹma.ti.s] *aj* (& *ad*) idiomatic(ally).

idioom [-ʹo.m] *o* idiom.

idioot [-ʹo.t] I *aj* (& *ad*) idiotic(ally), foolish-(ly); II *m* idiot, fool.

idiotisme [-o.ʹtɪsmə] *o* 1 idiocy; 2 *gram* idiom.

idylle [i.ʹdɪlə] *v* idyl(l).

idyllisch [-li.s] *aj* (& *ad*) idyllic(ally).

ieder [ʹi.dər] every; each; any; *een ~* everyone; anyone.

iedereen [i.də.ʹre.n] everybody, everyone.

~iegelijk [ʹi.gələk] in: *een ~* everybody; zie ook: *elk* II.

iemand [ʹi.mant] somebody, someone; anybody, anyone; a man, one; *zeker ~* "Somebody".

iemker [ʹi.mkər] = *imker*.

iep, iepeboom [i.p, ʹi.pəbo.m] *m* elm, elm-tree.

iepen [ʹi.pə(n)] *aj* elm.

iepziekte [ʹi.psi.ktə] *v* (Dutch) elm disease.

Ier [i:r] *m* Irishman; *de ~en* the Irish.

Ierland [ʹi:rlant] *o* Ireland, ☉ Hibernia, Erin.

Iers [i:rs] I *aj* Irish; II *o het ~* Irish; III *v een ~e* an Irishwoman.

iet [i.t] zie I *niet* II.

iets [i.ts] I *voornw.* something, anything; *er is ~, een zeker ~ in zijn stem dat...* there is a (certain) something in his voice; II *ad* 1 (bevestigend) somewhat, a little; 2 (vragend & ontkennend) any.

ietsje [ʹi.tʃə] *o* in: *een ~ beter* a shade better; *een ~ korter* a thought shorter; *met een ~...* with something of...

ietwat [ʹi.tvat] zie *iets* en *ietsje*.

iezegrim [ʹi.zəgrɪm] *m* surly fellow, crab, grumbler.

iezegrimmig [-grɪməx] surly, crabbed.

ijdel [ʹɛidəl] I *aj* 1 vain [= empty, useless & conceited]; 2 idle; II *ad* 1 vainly; 2 idly.

ijdelheid [-hɛit] *v* vanity, vainness; *~ der ijdelheden* B vanity of vanities.

ijdeltuit [-tœyt] *v* F Miss Vain.

ijdeltuiterij [ɛidəltœytəʹrɛi] *v* frivolity.

ijdeltuitig [ʹɛidəltœytəx] frivolous.

ijk [ɛik] *m* verification and stamping of weights and measures.

ijken [ʹɛikə(n)] *vt* gauge, verify and stamp; zie ook: *geijkt*.

ijker [-kər] *m* gauger; inspector of weights and measures.

ijkkantoor [ʹɛikanto.r] *o* gauging-office.

ijkmaat [ʹɛikma.t] *v* standard measure.

ijkmeester [-me.stər] *m* zie *ijker*.

1 ijl [ɛil] *in aller ~* at the top of one's speed, with all speed, in hot haste.

2 ijl [ɛil] *aj* thin, rarefied, rare; *~e lucht* rarefied air; *de ~e ruimte* (vacant) space.

ijlbode [ʹɛilbo.də] *m* courier, express messenger.

ijlen [ʹɛilə(n)] *vi* 1 hasten, hurry (on), speed; 2 rave, wander, be delirious; *de patiënt ijlt* the patient is wandering in his (her) mind.

ijlgoed [ʹɛilgu.t] *o* in: *als ~* by fast goods service.

ijlheid [-hɛit] *v* thinness, rarity.

ijlhoofdig [ɛilʹho.vdəx] 1 light-headed; delirious; 2 feather-brained, feather-headed.

ijlhoofdigheid [-hɛit] *v* 1 light-headedness; deliriousness; 2 thoughtlessness.

ijlings [ʹɛilŋs] hastily, in hot haste.

ijs [ɛis] *o* ice; ice-cream; *het ~ breken* break the ice; *hij waagt zich op glad ~* he is treading on dangerous ground; *beslagen ten ~ komen* be fully prepared (for...); *niet over één nacht ~ gaan* not move in too hurried a manner.

ijsafzetting [ʹɛisafsetɪŋ] *v* icing.

ijsbaan [-ba.n] *v* skating-rink, ice-rink.

ijsbeer [-be:r] *m* 🐻 polar bear, white bear.

ijsberen [-be:rə(n)] *vi* S walk (pace) up an down.

ijsberg [-bɛrx] *m* iceberg.

ijsbloemen [-blu.mə(n)] *mv* frostwork.

ijsbreker [-bre.kər] *m* ice-breaker.

ijsclub [-klŭp] *v* skating-club.

ijsco [-ko.] *m* ice.

ijscoman [-ko.man] *m* ice-cream vendor.

ijsdam [-dam] *m* ice-dam, ice-jam.

ijselijk ['eisələk] I *aj* horrible, frightful, shocking, terrible, dreadful; II *ad* horribly &.

ijselijkheid [-heit] *v* horror, enormity; heinousness.

ijsfabriek ['eisfa.bri.k] *v* ice-factory, ice-works.

ijsgang [-gaŋ] *m* breaking up and drifting of the ice.

ijsglas [-glas] *o* frosted glass.

ijsheiligen [-heiləgə(n)] *mv* Ice Saints.

ijshockey [-həki.] *o sp* ice-hockey.

ijsje ['eiʃə] *o* ice, ice-cream.

ijskast ['eiskast] *v* refrigerator, icebox, F fridge; in *de* ~ *zetten* (*leggen, bergen*) keep on ice [*fig*].

ijskegel [-ke.gəl] *m* icicle.

ijskelder [-keldər] *m* ice-house.

ijsklub zie *ijsclub.*

ijskoud [-kout, -'kout] I *aj* cold as ice, icy-cold², icy², frigid²; *ik werd er* ~ *van* a chill came over me; II *ad* icily², frigidly²; F zie *doodleuk.*

ijskristal ['eiskristal] *o* ice crystal.

IJsland [-lant] *o* Iceland.

IJslander [-landər] *m* Icelander.

IJslands [-lants] I *aj* Icelandic; ~ *mos* Iceland moss (lichen); II *o* Icelandic.

ijslolly [-loli.] *m* iced lollipop, ice lolly.

ijsmachine [-ma.ʃi.nə] *v* freezing-machine, freezer.

ijsnaald [-na.lt] *v* ice-needle.

ijspegel [-pe.gəl] *m* icicle.

ijspudding [-pŭdɪŋ] *m* ice-pudding.

ijssalon ['eisa.lòn] *m* & *o* ice-cream parlour.

ijsschol, ijsschots [-sxol, -sxots] *v* floe (flake) of ice, ice-floe.

ijsspoor [-spo:r] *o* ice-spur, crampon.

ijstijd ['eisteit] *m* ice-age, glacial age.

ijsveld [-felt] *o* ice-field.

ijsventer [-fentər] *m* ice-cream vendor.

ijsvlakte [-flaktə] *v* ice-plain, ice-field, sheet of ice, ice-floe.

ijsvogel [-fo.gəl] *m* 🐦 kingfisher. [ice.

ijsvorming [-fərmɪŋ] *v* ice formation.

ijsvrij [-frei] ice-free.

ijswafel [-va.fəl] *v* ice-cream wafer.

ijswater [-va.tər] *o* iced water, ice-water.

ijszak ['eisak] *m* ice-bag.

ijszee [-se.] *v* polar sea, frozen ocean; *de Noordelijke IJszee* the Arctic (Ocean); *de Zuidelijke IJszee* the Antarctic (Ocean).

ijver ['eivər] *m* diligence, zeal, ardour.

ijveraar [-vəra:r] *m* ~*ster* [-stər] *v* zealot.

ijveren [-vərə(n)] *vi* be zealous; ~ *tegen* declaim against, preach down; ~ *voor*... be zealous for (in the cause of)...

ijverig [-vərəx] I *aj* diligent, zealous, assiduous, fervent; II *ad* zealously &; *hij was* ~ *bezig aan zijn werk* he was intent upon his work.

ijverzucht ['eivərzŭxt] *v* jealousy, envy.

ijverzuchtig [eivər'zŭxtəx] *aj* (& *ad*) jealou (ly), envious(ly).

ijzel ['eizəl] *m* glazed frost.

ijzelen [-zələ(n)] in: *het ijzelt* there is a glaz frost.

ijzen [-zə(n)] *vi* shudder, shiver [with fea horror]; *ik ijsde er van* it sent a shudd through me.

ijzer ['eizər] *o* iron [ook = branding-iron flat-iron for smoothing]; zie ook: *hoefijze oorijzer; men moet het* ~ *smeden, als het he is* strike the iron while it is hot; *men kan ge* ~ *met handen breken* you cannot make a si purse out of a sow's ear.

ijzerachtig [-axtəx] iron-like, irony, § ferrug nous.

ijzerdraad [-dra.t] *o* & *m* (iron) wire.

ijzeren ['eizərə(n)] *aj* iron².

ijzererts ['eizərerts] *o* iron ore.

ijzergieterij [eizərgi.tə'rei] *v* iron foundry, iro works.

ijzerhandel ['eizərhandəl] *m* iron trade, iro mongery.

ijzerhandelaar [-handəla:r] *m* ironmonger.

ijzerhard [-hart] as hard as iron, iron-hard.

ijzerhoudend [-houdənt] ferruginous [eart water].

ijzerhout [-hout] *o* ironwood.

ijzermijn [-mein] *v* iron mine.

ijzerroest ['eizəru.st] *m* & *o* rust (of iron).

ijzersmederij [eizərsme.də'rei] *v* forge.

ijzersmelterij [-smeltə'rei] *v* iron-smeltin works.

ijzersterk ['eizərsterk] strong as iron, iron.

ijzertijd [-teit] *m* iron age.

ijzervijlsel [-veilsəl] *o* iron filings.

ijzervitriool [-vi.tri.o.l] *o* & *m* copperas.

ijzervreter [-vre.tər] *m* fire-eater, swashbuc ler.

ijzerwaren [-va:rə(n)] *mv* hardware, iro mongery.

ijzerwerk [-verk] *o* ironwork.

ijzerwinkel [-vɪŋkəl] *m* ironmonger's shop.

ijzig ['eizəx] icy; zie ook: *ijzingwekkend.*

ijzing [-zɪŋ] *v* shudder(ing).

ijzingwekkend [eizɪŋ'vekənt] gruesome, a palling; zie ook: *ijselijk.*

ik [ɪk] I *het* ~ the ego; *zijn eigen* ~ his ow self; *mijn tweede* ~ my other self.

ikheid ['ɪkheit] *v de* ~ the ego; *zijn* ~ his ow self.

Ilias ['i.li.as] *v* Iliad.

illegaal [ɪle.'ga.l] underground, clandestine.

illegaliteit [-ga.li.'teit] *v* resistance movemen

illuminatie [ɪly.mi.'na.(t)si.] *v* illumination.

illumineerglaasje [-'ne:rgla.ʃə] *o* lampion fairy-light.

illumineren [-'ne:rə(n)] *vt* illuminate.

illusie [i.'ly.zi.] *v* illusion; *hem de* ~ (*zijn* ~ *benemen*, disillusion(ize) him, undeceive him *zich* ~*s maken over* have illusions about.

illusoir [i.ly.ˈzvaːr] illusory; *dit maakt de amb-*
telijke voorschriften ~ this makes official
regulations nugatory, this makes nonsense of
official regulations.
illuster [i.ˈly.stər] illustrious.
illustratie [-ˈstra.(t)si.] v illustration.
illustrator [-ˈstra.tər] m illustrator.
illustreren [-ˈstreːrə(n)] vt illustrate.
illuzie zie *illusie.*
Illyrië [ɪˈliːri.ə] o Illyria.
Illyriër [-ri.ər] m Illyrisch [-ri.s] aj Illyrian.
imitatie [i.mi.ˈta.(t)si.] v imitation.
imitatiele(d)er [-le.dər, -leːr] o imitation
ɪeather.
imiteren [i.mi.ˈteːrə(n)] vt imitate.
imker [ˈi.mkər] m bee-keeper, bee-master,
immer [ˈɪmər] ever. [apiarist.
immermeer [ɪmərˈmeːr] ever, evermore.
immers [ˈɪmərs] I *ad ik heb het* ~ *gezien* I have
seen it, haven't I?; *hij is* ~ *thuis?* he is in,
isn't he?; II *cj* for; *men moet altijd zijn best*
doen ~ *vlijt alleen kan...* for it is only industry that...
immigrant [ɪmi.ˈgrɑnt] m immigrant.
immigratie [-ˈgra.(t)si.] v immigration.
immigreren [-ˈgreːrə(n)] vi immigrate.
immoraliteit [ɪmo:ra.li.ˈtɛit] v immorality.
immoreel [-ˈre.l] aj (& ad) immoral(ly).
immortelle [ɪmərˈtɛlə] v ✿ immortelle, everlasting.
immuniteit [ɪmy.ni.ˈtɛit] v immunity.
immuun [ɪˈmy.n] immune; ~ *maken* render
immune [from...], immunize [from...].
impasse [ɪmˈpasə] v deadlock; *in een* ~ at a
deadlock; *uit de* ~ *geraken* solve (break, end)
the deadlock.
imperatief [ɪmpərə.ˈti.f] I aj (& ad) imperative-
(ly); II m de ~ the imperative (mood).
imperiaal [-peːri.ˈa.l] I o & v imperial [on
carriage]; II aj imperial, [British] Empire
[policy].
imperialisme [-a.ˈlɪsmə] o imperialism.
imperialist [-a.ˈlɪst] m imperialist.
imperialistisch [-a.ˈlɪsti.s] aj (& ad) imperi-
alist(ically).
imperium [ɪmˈpeːri.ữm] o empire.
imponderabilia [ɪmpòndərə.ˈbi.li.a.] mv im-
ponderables.
imponeren [-po.ˈneːrə(n)] vt impress (forcibly),
awe.
imponerend [-rənt] imposing, impressive.
impopulair [-po.py.ˈlɛːr] unpopular.
impopulariteit [-la.ri.ˈtɛit] v unpopularity.
import [ˈɪmpərt] m $ import(ation).
importeren [ɪmpərˈteːrə(n)] vt $ import.
importeur [-ˈtøːr] m $ importer.
importhandel [ɪmˈpɔrthɑndəl] m $ import
trade.
imposant [ɪmpo.ˈzɑnt] imposing, impressive.
impresario [-prɛˈsaːri.o.] m impresario.
impressie [-ˈprɛsi.] v impression.
improduktief zie *improduktief.*

improduktief [-pro.dũkˈti.f] unproductive.
improvisatie [-vi.ˈza.(t)si.] v improvisation, impromptu.
improvisator [-ˈza.tor] m improvisator.
improviseren [-ˈzeːrə(n)] vt & vi improvise,
extemporize, speak extempore.
improviz- zie *improvis-.*
impuls [ɪmˈpữls] m impulsion, impulse; 💥
pulse.
impulsief [-pữlˈzi.f] aj (& ad) impulsive(ly).
in [ɪn] prep in; into; at; on; ~ *de commissie*
zitting hebben be on the committee; ~ *Arn-*
hem at Arnhem; ~ *Londen* in London; ~
Parijs at Paris, in Paris; *twee plaatsen* ~ *een*
vliegtuig [reserve] two seats on a plane; *goed*
~ *talen* good at languages; *14 km* ~ *het uur*
to the hour; ~ *de veertig* forty odd; *hij is* ~ *de*
veertig he is turned (of) forty; ~ *geen drie*
weken not for three weeks; ~ *het Zwaantje* at
the sign of the Swan; ~ *zijn* S 1 (in trek) be
in; 2 (g oed bij) be with it.
in abstracto [ɪnɑpˈstraktə.] in the abstract.
inachtneming [ɪnˈɑxtne.mɪŋ] v observance; *met*
~ *van* having regard to, regard being had to.
inademen [ˈɪna.dəmə(n)] vt breathe (in), inhale,
inspire.
inademing [-mɪŋ] v breathing (in), inhalation,
inspiration.
inauguratie [ɪnɑugyːˈra.(t)si.] v inauguration.
inaugureel [-ˈre.l] aj inaugural [address].
inaugureren [-ˈreːrə(n)] vt inaugurate.
inbaar [ˈɪnbaːr] collectable [bills, debts].
inbakeren [-ba.kərə(n)] I vt swaddle [an in-
fant]; II vr *zich* ~ muffle (wrap) oneself up.
inbeelden [-be.ldə(n)] *zich* ~ imagine, fancy;
zich heel wat ~ rather fancy oneself.
inbeelding [-dɪŋ] v 1 imagination, fancy; 2
(self-)conceit.
inbegrepen [ˈɪnbəgre.pə(n)] zie *met inbegrip*
van...; *niet* ~ exclusive of...
inbegrip [-grɪp] *met* ~ *van* including, inclusıve
of [charges], [charges] included.
inbeslagneming [ɪnbəˈslɑxne.mɪŋ] v ⚖ seizure,
attachment.
inbezitneming [-ˈzɪtne.mɪŋ] v taking possession
[of].
inbezitstelling [-stɛlɪŋ] v handing over; ⚖
delivery.
inbijten [ˈɪnbɛitə(n)] vi bite into, corrode.
inbijtend [-tənt] corrosive.
inbinden [ˈɪnbɪndə(n)] I vt bind [books]; *laten*
~ have [books] bound; II vi *fig* climb down.
inblazen [-bla.zə(n)] vt blow into; *fig* prompt,
suggest; *nieuw leven* ~ breathe new life into.
inblazer [-zər] m prompter, instigator.
inblazing [-zɪŋ] v prompting(s), instigation,
suggestion.
inblij(de) [ˈɪnˈblɛi(də)] very glad, as pleased as
Punch.
inblikken [ˈɪnblɪkə(n)] vt can, tin.
inboedel [-bu.dəl] m furniture, household ef-
fects.

inboeken [-bu.kə(n)] *vt* $ book, enter.

inboeten [-bu.tə(n)] *vt* in: *veel aan invloed* ∼ lose much in influence; *er het leven bij* ∼ pay for it with one's life.

inboezemen [-bu.zəmə(n)] *vt* inspire with [courage], strike [terror] into; *dat kan mij geeu belangstelling* ∼ it does not interest me.

inboezeming [-mɪŋ] *v* inspiration.

inboorling ['ɪnboːrlɪŋ] *m* native.

inborst [-bòrst] *v* character, nature, disposition.

inbraak [-bra.k] *v* house-breaking, burglary.

inbraakverzekering [-fərze.kərɪŋ] *v* burglary insurance.

inbraakvrij [-frɛi] burglar-proof.

inbranden ['ɪnbrandə(n)] *vt* burn (in).

inbreken [-bre.kə(n)] *vi* break into a house, commit burglary; *er is bij ons ingebroken* our house has been broken into.

inbreker [-kər] *m* house-breaker, burglar.

inbreng ['ɪnbrɛŋ] *m* capital brought in [to undertaking]; dowry [of woman to husband].

inbrengen [-ə(n)] *vt* bring in, gather in [the crops]; bring in [capital]; *je hebt hier niets in te brengen* you have nothing to say here; *daar kan ik niets tegen* ∼ 1 I can offer no objection; 2 it leaves me without a reply.

inbreuk ['ɪnbrø.k] *v* infringement [of rights], infraction [of the law], encroachment [on rights]; ∼ *maken op* infringe [the law, rights], encroach upon [rights].

inbuigen [-bœygə(n)] *vt* bend inward.

inburgeren [-bűrgərə(n)] *vt* naturalize; II *vr* in: *hij heeft zich hier ingeburgerd* he has struck root here; *die woorden hebben zich ingeburgerd* these words have found their way into the language.

incarnaat zie *inkarnaat.*

incarnaten zie *inkarnaten*

incarnatie [ɪnkɑr'na.(t)si.] *v* incarnation.

incarneren [-'ne:rə(n)] *vt* incarnate.

incasseerder [ɪnkɑ'se:rdər] *m* collector.

incasseren [-'se:rə(n)] *vt* cash [a bill], collect [debts]; *fig* F take [a blow, a hiding].

incassering [-rɪŋ] *v* encashment, collection.

incasso [ɪn'kɑso.] *o* $ collection [of bills, debts &].

incassobank [-baŋk] *v* debt-collecting agency.

incassokosten [-kɔstə(n)] *mv* $ collecting-charges.

incident [ɪnsi.'dɛnt] *o* incident.

incidenteel [-dɛn'te.l] *aj* (& *ad*) incidental(ly).

incluis [ɪn'klœys] included.

inclusief [-kly.'zi.f] inclusive of..., including...

incognito [ɪn'kɔxni.to.] incognito, F incog.

incompleet [-kòm'ple.t] incomplete.

in concreto [ɪnkòn'kre.to.] in the concrete.

inconsequent [-kònsə'kvɛnt] *aj* (& *ad*) inconsistent(ly).

inconsequentie [-'kvɛn(t)si.] *v* inconsistency.

inconveniënt [ɪnkònve.ni.'ɛnt] *o* drawback.

incourant [ɪnku.'rɑnt] $ unsalable, unmarketable [articles]; unlisted [securities].

indachtig [-'dɑxtəx] mindful of...; *wees mijner* ∼ remember me.

indammen ['ɪndɑmə(n)] *vt* embank, dam.

indecent [ɪnde.'sɛnt] indecent, shocking.

indelen ['ɪnde.lə(n)] *vt* 1 divide; (in klassen) class(ify), group; (in graden) graduate; 2 ⚔ incorporate (in, with *bij*).

indeling [-lɪŋ] *v* 1 division; classification, grouping; graduation; 2 ⚔ incorporation.

indemniteit [ɪndɛmni.'tɛit] *v* indemnity.

indenken ['ɪndɛŋkə(n)] in: *zich ergens* ∼ try to realize it, think oneself into the spirit of...; *zich iets* ∼ imagine it.

inderdaad [ɪndər'da.t] indeed, really.

inderhaast [-'ha.st] in a hurry, hurriedly.

indertijd [-'tɛit] at the time.

indeuken ['ɪndø.kə(n)] *vt* dent, indent [a hat &].

index [-dɛks] *m* index, table of contents; *op de* ∼ *plaatsen* place on the index.

indexcijfer [ɪndɛksɛifər] *o* $ index figure.

India ['ɪndi.a.] *o* India.

Indiaan [ɪndi.'a.n] *m* (Red) Indian.

Indiaans [-'a.ns] *aj* Indian; *de* ∼*e* the Indian woman.

Indiaas ['ɪndi.a.s] Indian.

indicateurpaardekracht [ɪndi.ka.'tø:rpa:rdə- kraxt] *v* indicated horsepower, i.h.p.

Indië ['ɪndi.ə] *o* ⚏ 1 (British) India; 2 the (Dutch) Indies, the East Indies.

indien [ɪn'di.n] if, in case.

indienen ['ɪndi.nə(n)] *vt* present [the bill, a petition to...]; tender [one's resignation]; bring in, introduce [a bill, a motion]; move [an address]; lodge [a complaint]; make [a protest].

indiening [-nɪŋ] *v* presentation [of a petition &]; introduction [of a bill in Parliament].

indienstreding [ɪn'di.nstre.dɪŋ] *v* entrance upon one's duties; ∼ 1 *juli* duties (to) commence on July 1.

Indiër ['ɪndi.ər] *m* Indian.

indigestie [ɪndi.'gɛsti.] *v* indigestion.

indigo ['ɪndi.go.] *m* indigo.

indigoblauw [-blɔu] indigo-blue.

indijken ['ɪndɛikə(n)] *vt* dike, dike (dam) in, embank.

indijking [-kɪŋ] *v* diking, embankment.

indirect, indirekt ['ɪndi.rɛkt] *aj* (& *ad*) indirect- (ly).

Indisch [-di.s] Indian.

Indischgast, ∼**man** [-gɑst, -mɑn] *m* Indian, colonial.

indiscreet [ɪndɪs'kre.t] *aj* (& *ad*) indiscreet(ly).

indiscretie [-'kre.(t)si.] *v* indiscretion.

indiskre- zie *indiscre-*.

individu [ɪndi.vi.'dy.] *o* individual: *een min* ∼ a bad character; *dat* ∼*!* > that specimen!

individualiteit [-dy.a.li.'tɛit] *v* individuality.

individueel [-dy.'e.l] *aj* (& *ad*) individual(ly).

Indo ['ɪndo.] *m* Eurasian, half-caste.

Indo-China [ɪndo.'ʃi.na.] *o* Indo-China.

Indo-europeaan [-ø:ro.pe.'a.n] *m* 1 (Indogermaan) Indo-European; 2 (halfbloed) Eurasian.

Indo-europees [-'pe.s] 1 (**Indogermaans**) Indo-European; 2 (van gemengd bloed) Eurasian.

Indogermaan [ɪndo. gɛr'ma.n] *m* Indo-European.

Indogermaans [-'ma.ns] *aj* & *o* Indo-Germanic.

indolent [ɪndo.'lɛnt] *aj* (& *ad*) indolent(ly).

indolentie [-'lɛn(t)si.] *v* indolence.

indommelen ['ɪndòmələ(n)] *vi* zie *indutten*.

indompelen [-dòmpələ(n)] *vt* plunge in, dip in, immerse.

indompeling [-lɪŋ] *v* immersion.

Indonesië [ɪndo.'ne.zi.ə] *o* Indonesia.

Indonesiër [-zi.ər] *m* Indonesisch [-zi.s] *aj* Indonesian.

indopen ['ɪndo.pə(n)] *vt* dip in(to).

indos- [ɪndɔs-] = *endos-*.

indraaien ['ɪndra.jə(n)] *vt* screw in; *zich ergens* ∼ F worm oneself into a post.

indrijven [-drɛivə(n)] I *vt* drive into; II *vi* float into.

indringen [-drɪŋə(n)] I *vi* penetrate (into), enter by force; II *vr zich* ∼ *bij iemand* 1 obtrude oneself upon a person (upon a man's company); 2 insinuate oneself into a person's favour.

indringer [-ŋər] *m* intruder.

indringerig [ɪn'drɪŋərəx] *aj* (& *ad*) intrusive-(ly), obtrusive(ly).

indrinken ['ɪndrɪŋkə(n)] *vt* drink (in), imbibe.

indrogen [-dro.ɣə(n)] *vi* dry up.

indroppelen [-drɔpələ(n)] = *indruppelen*.

indruisen [-drœysə(n)] *vi* in: ∼ *tegen* run counter to [all conventions], interfere with [one's interests], clash with [a previous statement], be at variance with [truth], be contrary to [laws, customs &].

indruk [-drŭk] *m* impression[2]; imprint; ∼ *maken* make an impression; *de* ∼ *maken van...* give an impression of...; *onder de* ∼ *komen* be impressed (by, with *van*); *hij was nog onder de* ∼ he had not got over it yet.

indrukken [-drŭkə(n)] *vt* push in, stave in [something]; impress, imprint [a seal &].

indrukwekkend [ɪndrŭk'vekənt] impressive, imposing.

indruppelen ['ɪndrŭpələ(n)] I *vi* drip in; II *vt* drip in, instil(l).

induceren [ɪndy.'se:rə(n)] *vt* induce.

inductie [ɪn'dŭksi.] *v* induction.

inductief [-dŭk'ti.f] *aj* (& *ad*) inductive(ly).

inductieklos [-'dŭksi.klɔs] *m* & *v* ⚡ induction coil.

inductiestroom [-stro.m] *m* ⚡ induced current.

inductor [ɪn'dŭktɔr] *m* ⚡ inductor.

induktie(-) zie *inductie* (-).

industrialiseren [ɪndŭstri.a.li.'ze:rə(n)] *vt* industrialize.

industrialisering [-rɪŋ] *v* industrialization.

industrializ- zie *industrialis-*.

industrie [ɪndŭs'tri.] *v* industry.

industriearbeider [-ɑrbɛidər] *m* industria worker.

industriecentrum [-sɛntrŭm] *o* industrial centre.

industriediamant [-di.a.mɑnt] *m* & *o* industrial diamond.

industrieel [ɪndŭstri.'e.l] I *aj* (& *ad*) industrial-(ly); II *m* industrialist, manufacturer.

industriegebied [ɪndŭs'tri.ɡəbi.t] *o* industrial area.

industrieschool [-sxo.l] *v* technical school.

industriestad [-stɑt] *v* industrial town.

industrieterrein [-tɛrɛin] *o* industrial estate.

indutten ['ɪndŭtə(n)] *vi* doze off, drop off, go to sleep.

induwen [-dy.və(n)] *vt* push in, push into, shove in.

ineendraaien [ɪn'e.ndra.jə(n)] *vt* twist together.

ineenfrommelen [-frɔmələ(n)] *vt* crumple up.

ineengedoken [-ɡədo.kə(n)] zie *duiken*.

ineengrijpen [-ɡrɛipə(n)] *vi* interlock.

ineenkrimpen [-krɪmpə(n)] *vi* writhe, shrink, cringe.

ineenkronkelen [-krɔŋkələ(n)] *zich* ∼ coil up, curl up.

ineenlopen [-lo.pə(n)] *vi* run into each other [of colours]; communicate [of rooms].

ineens [ɪn'e.ns] all at once; ∼ *te betalen* payable in one sum.

ineenschuiven [ɪn'e.nsxœyvə(n)] *vt* telescope (into each other).

ineenslaan [-sla.n] *vt* strike together; zie ook: *hand*.

ineenstorten [-stɔrtə(n)] *vi* collapse[2].

ineenstorting [-stɔrtɪŋ] *v* collapse[2].

ineenstrengelen [-strɛŋələ(n)] *vt* intertwine, interlace.

ineenvloeien [-vlu.jə(n)] *vi* flow together, run into each other [of colours].

ineenzakken [-zɑkə(n)] *vi* collapse.

inenten ['ɪnɛntə(n)] *vt* vaccinate, inoculate.

inenter [-tər] *m* vaccinator, inoculator.

inenting [-tɪŋ] *v* [smallpox] vaccination, [yellow fever] inoculation.

infaam [ɪn'fa.m] infamous.

infamie [-fa.'mi.] *v* infamy.

infant [-'fɑnt] *m* infante.

infante [-'fɑntə] *v* infanta.

infanterie ['ɪnfɑntəri.] *v* ⚔ infantry, foot.

infanterist [-rɪst] *m* ⚔ infantryman, footsoldier.

infecteren [ɪnfɛk'te:rə(n)] *vt* infect[2].

infectie [-'fɛksi.] *v* infection[2].

infectieziekte [-zi.ktə] *v* infectious disease.

infekt- zie *infect-*.

inferieur [-fe:ri.'ø:r] *aj* inferior (= lower in rank & of poor quality); *een* ∼*e* one of inferior rank, an inferior, a subordinate.

inferioriteit [-o:ri.'tɛit] *v* inferiority.

infiltrant [ɪnfɪl'trɑnt] *m* infiltrator.

infiltratie [-'tra.(t)si.] *v* infiltration.

infiltreren [-'tre:rə(n)] *vi* & *vt* infiltrate.

inflatie [-'fla.(t)si.] *v* inflation.

inflatoir [-fla.'tva:r, -fla.'to:r] inflationary.

influenceren [-fly.ɛn'se:rə(n)] *vt* influence, affect.

influenza [-'ɛnza.] *v* influenza, F flu.

influisteren ['ɪnflœystərə(n)] *vt* whisper [in a man's ear], prompt, suggest.

influistering [-rɪŋ] *v* whispering, prompting, suggestion.

informatie [ɪnfor'ma.(t)si.] *v* 1 information; 2 inquiry; ∼*s geven* give information; ∼*s inwinnen* make inquiries.

informatiebureau [-by.ro.] *o* inquiry-office.

informeren [ɪnfor'me:rə(n)] *vt* inquire [after it], make inquiry (inquiries) [about it]; ∼ *bij* inquire of [a person].

infrarood ['ɪnfra.ro.t] infra-red.

infrastructuur, -struktuur [-strŭkty:r] *v* ✕ infrastructure.

infusiediertje [-'fy.zi.di:rcə] *o* infusorian; ∼*s* infusoria.

ingaan ['ɪnga.n] I *vi* enter, go (walk) into; *dat artikel zal er wel* ∼ F is sure to catch on; ∼ *op 1 januari* to date (take effect, run) from January 1; *(dieper)* ∼ *op iets* go into the subject; *op een aanbod* ∼ take up an offer; *op een offerte* ∼ entertain an offer; *op een verzoek* ∼ comply with a request; *ik ging er niet op in* I did not go (enter) into it; I did not press the matter; ∼ *tegen* zie *indruisen*; II *vt* enter; *de eeuwigheid* ∼ pass into eternity; *zijn zeventigste jaar* ∼ enter upon one's seventieth year; *de nacht* ∼ enter the night; *de wijde wereld* ∼ go out into the world.

ingang [-gɑŋ] *m* entrance, way in, entry; ∼ *vinden* find acceptance, F go down (with the public); *met* ∼ *van 6 sept.* as from Sept. 6, with effect from Sept. 6.

ingebeeld [-gəbe.lt] 1 imaginary; 2 (self-)conceited, presumptuous; ∼*e zieke (ziekte)* imaginary invalid (illness).

ingeboren ['ɪngəbo:rə(n)] innate.

ingehouden [-hou(d)ə(n)] subdued [force], pent-up [rage].

ingekankerd [-kɑŋkərt] inveterate [hatred].

ingeland [-lɑnt] *m* landholder in a polder.

ingelegd [-lext] 1 tessellated, mosaic, inlaid [floors, table]; 2 zie *ingemaakt*.

ingemaakt [-ma.kt] preserved, potted [foods, vegetables], pickled [pork].

ingemeen [-me.n] vile.

ingenieur [ɪnʒəni.'ø:r, ɪnʒe.-] *m* engineer.

ingenieus [-ge.ni.'ø.s] *aj* (& *ad*) ingenious(ly).

ingenomen ['ɪngəno.mə(n)] 1 taken; 2 in: ∼ *met iets zijn* be taken with a thing; *ik ben er zeer mee* ∼ I am highly pleased with it; *hij is zeer met zichzelf* ∼ he rather fancies himself.

ingenomenheid [ɪngə'no.mənhɛit] *v* satisfaction; ∼ *met zichzelf* self-complacency; *met* ∼ *begroeten* welcome (hail) with satisfaction.

ingeroest ['ɪngəru.st] *fig* inveterate, deep-rooted.

ingeschapen [-sxa.pə(n)] innate, inborn.

ingeschreven [-s(x)re.və(n)] inscribed; ∼ *leerlingen* pupils on the books (on the rolls); ∼ *veelhoeken* inscribed polygons; ∼*e* entrant.

ingesloten [-slo.tə(n)] enclosed; zie ook: *inbegrepen*.

ingesneden [-sne.də(n)] indented [coast-line].

ingespannen [-spɑnə(n)] I *aj* strenuous [work]; hard [thinking]; intent [gaze]; II *ad* strenuously [working]; [think] hard; intently [listening, looking at].

ingetogen [-to.gə(n)] *aj* (& *ad*) modest(ly).

ingetogenheid [ɪngə'to.gənhɛit] *v* modesty.

ingeval [ɪngə'val] in case.

ingevallen ['ɪngəvalə(n)] hollow [cheeks], sunken [eyes].

ingeven [-ge.və(n)] *vt* administer [medicine]; *fig* prompt, suggest [a thought, a word]; inspire with [an idea, hope &], dictate [by fear].

ingeving [-vɪŋ] *v* prompting, suggestion, inspiration; *als bij* ∼ as if by inspiration; *naar de* ∼ *van het ogenblik handelen* act on the spur of the moment.

ingevolge [ɪngə'volgə] in pursuance of, pursuant to, in compliance with, in obedience to.

ingevroren ['ɪngəvro:rə(n)] ice-bound, frost-bound, frozen in.

ingewand(en) [-vɑnt, -vɑndə(n)] *o* (*mv*) bowels, intestines, entrails.

ingewijd [-vɛit] initiated; *een* ∼*e* an initiate, an insider.

ingewikkeld [ɪngə'vɪkəlt] intricate, complicated, complex.

ingewikkeldheid [-hɛit] *v* intricacy, complexity.

ingeworteld ['ɪngəvòrtəlt] deep-rooted, inveterate.

ingezetene [-ze.tənə] *m-v* inhabitant, resident.

ingezonden [-zòndə(n)] sent in; ∼ *mededeling* paragraph advertisement; ∼ *stuk* letter to the editor (to the press).

ingieten ['ɪngi.tə(n)] *vt* pour in, infuse.

inglijden [-glɛidə(n)] *vi* slide in (into).

inglippen [-glɪpə(n)] *vi* slip in (into).

ingooien [-go.jə(n)] *vt* in: *de glazen* ∼ smash (break) the windows; zie ook: *glas*.

ingraven [-gra.və(n)] *zich* ∼ ✕ dig (oneself) in; burrow [of a rabbit].

ingrediënt [ɪngre.di.'ɛnt] *o* ingredient.

ingreep ['ɪngre.p] *m* 🟙 operation, surgery.

ingriffen [-grɪfə(n)] *vt* engrave.

ingrijpen [-grɛipə(n)] *vi* encroach [upon a man's authority]; *de regering moest* ∼ had to intervene.

ingrijpend [ɪn'grɛipənt] radical, far-reaching [change].

ingroeien ['ɪngru.jə(n)] *vi* grow in (into).

inhakken [-hɑkə(n)] I *vt* hew in, break open; II *vi* in: *op de vijand* ∼ pitch into the enemy; *dat zal er* ∼ F it will run into a lot of money.

inhalatie [ɪnha.'la.(t)si.] *v* inhalation.

inhalatietoestel [-tu.stɛl] *o* inhaler.

inhalen ['ɪnha.lə(n)] *vt* I (naar binnen trekken) take in [sails]; haul in [a rope]; get in, gather in [crops]; inhale [smoke, air]; 2 (binnenhalen) receive in state [a prince &]; 3 (achterhalen) come up with, overtake, catch up[2]; ♪ overhaul; 4 (bijwerken) make up for [lost time]; *de achterstand ∼* make up arrears, make up leeway; *∼ verboden* ⚠ no overtaking.

inhaleren [ɪnha.'le:rə(n)] *vt* & *va* inhale.

inhalig [ɪn'ha.ləx] greedy, grasping, covetous.

inhaligheid [-hɛit] *v* greed, covetousness.

inham ['ɪnhɑm] *m* creek, bay, bight.

inhameren [-ha.mərə(n)] *vt* hammer in, hammer home.

inhebben [-hɛbə(n)] *vt* hold, contain, ♪ carry.

inhechtenisneming [ɪn'hɛxtənɪsne.mɪŋ] *v* apprehension, arrest.

inheems [-'he.ms] native, indigenous [population, products], home-bred [cattle], home [produce, market], endemic [diseases].

inheien ['ɪnhɛiə(n)] *vt* drive in [piles].

inhollen [-hɔlə(n)] *vi* rush in(to), come tearing in(to).

inhoud [-hout] *m* contents [of a book &]; tenor, purport [of a letter]; content [of a cube], capacity [of a vessel]; *korte ∼* abstract, summary; *een brief van de volgende ∼* ook: to the following effect.

inhouden [-hou(d)ə(n)] I *vt* I (bevatten) contain, hold; 2 (tegenhouden) hold in, rein in [a horse]; hold [one's breath]; check, restrain, keep back [one's anger, tears]; retain [food]; 3 (afhouden) deduct [a month's salary], stop [allowance, pocket-money]; *dit houdt niet in, dat...* this does not imply that...; *de pas ∼* step short; II *vr zich ∼* contain (restrain) oneself.

inhouding [-dɪŋ] *v* retention [of food]; stoppage [of wages], deduction [of salary].

inhoudsmaat ['ɪnhoutsma.t] *v* measure of capacity.

inhoudsopgaaf, -opgave [-òpga.f, -ga.və] *v* table of contents.

inhouwen ['ɪnhɔuə(n)] *vt* & *vi* zie *inhakken*.

inhuldigen [-hûldəgə(n)] *vt* inaugurate, install.

inhuldiging [-gɪŋ] *v* inauguration, installation.

inhumaan [ɪnhy.'ma.n] inhumane.

inhuren ['ɪnhy:rə(n)] *vt* hire again.

initiaal [i.ni.(t)si.'a.l] *v* initial.

initiatief [-a.'ti.f] *o* initiative; *het particulier ∼* private enterprise; *geen ∼ hebben* be lacking initiative; *het ∼ nemen* take the initiative; *op ∼ van.* at (on) the initiative of; *op eigen ∼ handelen* act on one's own initiative.

injagen ['ɪnja.gə(n)] *vt* drive in(to); *iemand de dood∼* send a person to his death.

injectie [ɪn'jɛksi.] *v* injection.

injectienaald [-na.lt] *v* hypodermic needle.

injectiespuitje [-spœycə] *o* hypodermic syringe.

injektie(-) zie *injectie(-)*.

inkankeren ['ɪnkɑŋkərə(n)] *vi* eat into, corrode; become inveterate; zie ook: *ingekankerd.*

inkapselen [-kɑpsələ(n)] *vt* encyst, encapsulate[2].

inkarnaat [ɪŋkɑr'na.t] *o* carnation, pink.

inkarnaten [-'na.tə(n)] *aj* pink, flesh-coloured.

inkarnatie zie *incarnatie.*

inkarneren zie *incarneren.*

inkasse- zie *incasse-.*

inkeer ['ɪnke:r] *m* repentance; *tot ∼ komen* repent.

inkelderen [-kɛldərə(n)] *vt* cellar.

inkepen [-ke.pə(n)] *vt* indent, notch, nick.

inkeping [-ke.pɪŋ] *v* indentation, notch, nick.

inkeren [-ke:rə(n)] *vi* in: *tot zich zelf ∼* retire into oneself; search into one's own heart; repent.

inkerven [-kɛrvə(n)] *vt* zie *inkepen.*

inkijken [-kɛikə(n)] I *vi* look in [at the window]; *mag ik bij u ∼?* may I look on with you?; II *vt* glance over [a letter], look into [a book].

inklaren [-kla:rə(n)] *vt* $ clear [goods].

inklaring [-rɪŋ] *v* $ clearance, clearing.

inkleden ['ɪnkle.də(n)] *vt* I clothe[2] [ook = word]; 2 *RK* give the habit to [a postulant].

inkleding [-dɪŋ] *v* clothing[2] [ook = wording].

inklimmen ['ɪnklɪmə(n)] *vi* climb in(to).

inkluis zie *inclusis.*

inkoken ['ɪnko.kə(n)] *vt* & *vi* boil down.

inkomen [-ko.mə(n)] I *vi* enter, come in; *∼de rechten* import duties; *daar kan ik ∼* F I can enter into your feelings, I can see that; *daar komt niets van in* F that's out of the question altogether; II *o* income.

inkompleet zie *incompleet.*

inkomst ['ɪnkòmst] *v* entry; *∼en* income [of a person]; revenue [of a State]; *∼en en uitgaven* receipts and expenditure.

inkomstenbelasting [-kòmstə(n)bəlastɪŋ] *v* income tax.

inkon- zie *incon-.*

inkoop ['ɪnko.p] *m* purchase; *inkopen doen* make purchases, buy things; go (be) shopping.

inkoopboek [-bu.k] *o* $ bought book.

inkoop(s)prijs ['ɪnko.p(s)prɛis] *m* cost price.

inkopen ['ɪnko.pə(n)] *vt* I buy, purchase; 2 (terugkopen) buy in; II *vr zich ∼* (in een zaak) buy oneself into a business.

inkoper [-pər] *m* purchaser, $ buyer [for business house].

inkorten ['ɪnkòrtə(n)] *vt* shorten, curtail.

inkorting [-tɪŋ] *v* shortening, curtailment.

inkrijgen ['ɪnkrɛigə(n)] *vt* get in; *ik kon niets ∼* I could not get down a morsel; zie ook: *water.*

inkrimpen [-krɪmpə(n)] I *vi* shrink; contract; *het getal... was ingekrompen tot...* had dwindled (down) to...; II *vr zich ∼* retrench (curtail) one's expenses, draw in.

inkrimping [-pɪŋ] *v* shrinking [of bodies]; contraction [of credit]; dwindling [of numbers]; curtailment, retrenchment.

inkruipen ['ɪnkrœypə(n)] *vi* creep into, creep in[2].

inkt [ɪŋ(k)t] *m* ink; *Oostindische* ~ Indian ink.
inktachtig ['ɪŋ(k)tɑxtəx] inky.
inkten ['ɪŋ(k)tə(n)] *vt* ink.
inktfles ['ɪŋ(k)tfles] *v* ink-bottle.
inktgummi [-gŭmi.] *o & m* ink-eraser.
inktkoker [-ko.kər] *m* inkstand, ink-well.
inktlap [-lɑp] *m* penwiper.
inktpot [-pɔt] *m* inkpot, ink-well.
inktpotlood [-pɔtlo.t] *o* copying-pencil, indelible pencil.
inktstel [-stɛl] *o* inkstand.
inktvis [-fɪs] *m* ink-fish, cuttle-fish, squid.
inktvlek [-flɛk] *v* blot of ink, ink-stain.
inkuilen ['ɪnkœylə(n)] *vt* ensilage, ensile, clamp [potatoes].
inkwartieren [-kvɑrti:rə(n)] *vt* ✕ billet, quarter.
inkwartiering [-rɪŋ] *v* billeting, quartering; *wij hebben* ~ we have soldiers billeted on us.
inlaag ['ɪnla.x] = *inlage*.
inlaat [-la.t] *m* ✕ inlet.
inlaatklep [-klɛp] *v* ✕ inlet valve.
inladen ['ɪnla.də(n)] *vt* 1 load [goods]; ⚓ put on board; ship [goods]; 2 ✕ entrain [soldiers].
inlage [-la.gə] *v* zie *inleg* 2.
inlander [-lɑndər] *m* native.
inlands [-lɑnts] home, home-grown, home-made [products], home-bred [cattle]; native, indigenous [tribes]; *een* ~*e* a native woman.
inlassen [-lɑsə(n)] *vt* insert, intercalate.
inlassing [-sɪŋ] *v* insertion, intercalation.
inlaten ['ɪnla.tə(n)] I *vt* let in, admit; II *vr zich* ~ *met iemand* have dealings with a person; *ik wil er mij niet mee* ~ I will have nothing to do with it; *u hoeft u niet met mijn zaken in te laten* you need not concern yourself with (in) my affairs.
inleg [-lɛx] *m* 1 (v. rok) tuck; 2 (aan geld) entrance money [of member]; stake(s) [wagered]; deposit [in a bank].
inlegeren [-'le.gərə(n)] *vt* ✕ garrison, quarter.
inleggeld [-lɛgɛlt] *o* zie *inleg* 2.
inleggen [-lɛgə(n)] *vt* lay in, put in [something]; inlay [wood with ivory &]; preserve [fruit &], pickle [pork]; deposit [money at a bank]; stake [at cards &]; put on [an extra train]; take in [a dress].
inlegger [-gər] *m* depositor.
inlegvel ['ɪnlɛxfɛl] *o* supplementary sheet.
inlegwerk [-vɛrk] *o* inlaid work, marquetry, mosaic.
inleiden [-lɛidə(n)] *vt* introduce, usher in [a person]; open [the subject].
inleidend [-dənt] introductory, opening, preliminary.
inleider [-dər] *m* speaker appointed (invited) to introduce the discussion (to open the subject), lecturer of the evening.
inleiding [-dɪŋ] *v* introduction; introductory lecture; preamble, exordium.
inleveren ['ɪnle.vərə(n)] *vt* deliver up [arms];

send in, give in, hand in [documents]; give in [their exercises].
inlevering [-rɪŋ] *v* delivery; giving in, handing in.
inlichten ['ɪnlɪxtə(n)] *vt* inform; ~ *over* (*omtrent*) give information about.
inlichting [-tɪŋ] *v* information; ~*en geven* give information; ~*en inwinnen* zie *inwinnen*; ~*en krijgen* get (obtain) information.
inlichtingendienst [-tɪŋə(n)di.nst] *m* intelligence service.
inliggend ['ɪnlɪgənt] enclosed.
inlijsten [-lɛistə(n)] *vt* frame.
inlijven [-lɛivə(n)] *vt* incorporate (in, with *bij*); annex (to *bij*).
inlijving [-vɪŋ] *v* incorporation; annexation.
inlopen ['ɪnlo.pə(n)] I *vi* 1 (ingaan) enter [a house]; drop in [(up)on a person *bij iemand*]; turn into [a side-street]; 2 (inhalen, winnen) gain (on *op*); *hij zal er niet* ~ he is not going to walk into the trap; *iemand er laten* ~ take a person in; *hij wilde me er laten* ~ he wanted to catch me; II *vt in: de achterstand* ~ I make up arrears; 2 *sp* gain on one's competitors; *een deur* ~ burst in a door; *een motor* ~ ✕ run in an engine.
inlossen [-lɔsə(n)] *vt* redeem.
inlossing [-sɪŋ] *v* redemption.
inluiden ['ɪnlœydə(n)] *vt* ring in[2].
inmaak [-ma.k] *m* preservation; *onze* ~ our preserves.
inmaakfles [-flɛs] *v* preserving-bottle.
inmaakglas [-glɑs] *o* preserving-jar.
inmaakpot [-pɔt] *m* preserving-jar.
inmaaktijd [-tɛit] *m* preserving-season.
inmaken ['ɪnma.kə(n)] *vt* 1 preserve, pickle; 2 F *sp* overwhelm [by 10 goals to 2].
inmenging [-mɛnɪŋ] *v* meddling, interference, intervention.
inmetselen [-mɛtsələ(n)] *vt* wall up, immure.
inmiddels [ɪn'mɪdəls] in the meantime, meanwhile.
innaaien ['ɪna.jə(n)] *vt* sew, stitch [books]; *ingenaaid* paper-backed.
innemen [-ne.mə(n)] *vt* 1 (naar binnen halen) take in [chairs, cargo, sails &]; ship [the oars]; 2 (nemen, gebruiken) take [physic]; 3 (beslaan) take (up), occupy [space, place]; 4 (veroveren) ✕ take, capture [a town]; *fig* captivate, charm; 5 (opzamelen) collect [tickets]; 6 (innaaien) take in [a garment]; *brandstof* (*benzine*) ~ fuel, fill up; *kolen* ~ coal; *water* ~ water; *de mensen tegen zich* ~ prejudice people against oneself; *de mensen voor zich* ~ prepossess people in one's favour; zie ook: *ingenomen*.
innemend [ɪ'ne.mənt] taking, winning, prepossessing, engaging, attractive, endearing [ways].
innemendheid [-hɛit] *v* charm, endearing ways.
inneming ['ɪne.mɪŋ] *v* taking, capture [of a town].

innen ['ɪnə(n)] *vt* collect [debts, bills], cash [a cheque], get in [debts]; *te* ~ *wissel* bill receivable.

innerlijk [-nərlək] **I** *aj* inner [life], inward [conviction], internal [feelings], intrinsic [value]; **II** *ad* inwardly; internally.

innig [-nəx] **I** *aj* heartfelt [thanks, words], tender [love], close [co-operation, friendship], earnest, fervent; **II** *ad* [love] tenderly, dearly; closely [connected], earnestly, fervently.

innigheid [-hɛit] *v* heartfelt affection, tenderness, earnestness, fervour.

inning ['ɪnɪŋ] *v* collection [of debts, bills], cashing [of a cheque].

inningskosten ['ɪnɪŋskɔstə(n)] *mv* $ collecting-charges.

inoogsten ['ɪno.xstə(n)] *vt* reap².

inpakken [-pɑkə(n)] **I** *vt* pack (up), wrap up; *zal ik het voor u* ~? shall I wrap it up (F do it up) for you?; **II** *vr zich* ~ wrap (oneself) up; **III** *va* pack; *hij kan wel* ~ F he may go home and eat coke!

inpakker [-kər] *m* packer.

inpalmen ['ɪnpɑlmə(n)] *vt* haul in [a rope]; *fig* appropriate [something]; *iemand* ~ F get round a person.

inpassen [-pɑsə(n)] *vt* fit in, fit [conditions] into [the framework of a treaty].

inpekelen [-pe.kələ(n)] *vt* pickle, salt.

inpennen [-pɛnə(n)] *vt zie* **inrijgen**.

inpeperen [-pe.pərə(n)] *vt* pepper; *ik zal het hem* ~ I'll make him pay for it.

inperken [-pɛrkə(n)] *vt* **1** fence in; **2** restrict.

inpersen [-pɛrsə(n)] *vt* press in(to), squeeze in(to).

in petto [ɪn'pɛto.] in reserve, in store; F up one's sleeve.

inpikken ['ɪnpɪkə(n)] *vt* F **1** nip up, bag; run in [a man]; **2** *het (iets)* ~ set about it, manage it.

inplakken [-plɑkə(n)] *vt* paste in.

inplanten [-plɑntə(n)] *vt* implant², *fig* inculcate.

inplanting [-tɪŋ] *v* implantation², *fig* inculcation.

inpolderen ['ɪnpɔldərə(n)] *vt* reclaim.

inpoldering [-rɪŋ] *v* reclamation.

inpompen ['ɪnpɔmpə(n)] *vt* pump into; *lessen* ~ F cram (lessons).

inprenten [-prɛntə(n)] *vt* imprint, impress, stamp, inculcate [something] on [him].

inproppen [-prɔpə(n)] *vt* cram in(to).

inquisiteur [ɪŋkvi.zi.'tø:r] *m* inquisitor.

inquisitie [-'zi.(t)si.] *v* inquisition.

inregenen ['ɪnre.gənə(n)] *vi* rain in.

inrekenen [-re.kənə(n)] *vt* **1** bank (up) [a fire]; **2** run in [a drunken man].

inrichten [-rɪxtə(n)] **I** *vt* **1** (regelen) arrange; **2** (meubileren) fit up, furnish; *ingericht als...* fitted up as a... [bedroom &]; *een goed ingericht huis* a well-appointed home; *bent u al ingericht?* are you settled in yet?; **II** *vr zich* ~ furnish one's house, set up house.

inrichting [-tɪŋ] *v* **1** (regeling) arrangement;

lay-out; **2** (meubilering) furnishing, fitting up; **3** (meubels) furniture; **4** (stichting, gebouw) establishment, institution; **5** 🔧 apparatus, appliance, device.

inrij ['ɪnrɛi] *m* way in, entrance; *verboden* ~ ! no entry!

inrijden [-(d)ə(n)] *vt* ride (drive) into [a town]; break in [a horse]; 🔧 run in [a motor-car]; ~ *op* run into, crash into [another train]; *op elkaar* ~ collide.

inrijgen ['ɪnrɛigə(n)] **I** *vt* lace in; **II** *vr zich* ~ lace oneself in; *het zich* ~ tight-lacing.

inrit [-rɪt] *m zie* **inrij**.

inroepen [-ru.pə(n)] *vt* invoke [one's aid].

inroeping [-pɪŋ] *v* invocation.

inroesten ['ɪnru.stə(n)] *vi* rust; zie ook: *ingeroest*.

inrollen [-rɔlə(n)] *vi* roll in(to).

inruilen [-rœylə(n)] *vt* exchange [for...].

inruiling [-lɪŋ] *v* exchange.

inruimen ['ɪnrœymə(n)] *vt* in: *plaats* ~ make room (for).

inrukken [-rŭkə(n)] **I** *vt* ✕ march into [a town]; **II** *vi* ✕ march back to barracks; (v. brandweer &) withdraw; *laten* ~ ✕ dismiss; *ingerukt mars!* ✕ dismiss!; *ruk in!* P hop it!

inschakelen [-sxa.kələ(n)] **I** *vt* 🔧 throw into gear; ⚡ switch on; *fig* bring in [workers], call in [a detective &], include [in the Government]; **II** *va* 🚗 let in the clutch.

inschenken [-sxɛŋkə(n)] *vt* & *vi* pour out.

inschepen [-sxe.pe(n)] **I** *vt* embark, ship; **II** *vr zich* ~ (*naar*) embark, take ship (for).

inscheping [-pɪŋ] *v* embarkation, embarking.

inscherpen [-sxɛrpə(n)] *vt* in: *iemand iets* ~ inculcate, impress it upon a person.

inscherping [-pɪŋ] *v* inculcation.

inscheuren ['ɪnsxø:rə(n)] *vt* & *vi* tear.

inschieten [-sxi.tə(n)] **I** *vt* put into the oven [loaves]; *er geld bij* ~ lose money over it; *er het leven bij* ~ lose one's life in the affair; **II** *vr zich* ~ ✕ range.

inschikkelijk [ɪn'sxɪkələk] obliging, compliant, complaisant, accommodating.

inschikkelijkheid [-hɛit] *v* obligingness, complaisance, compliance.

inschikken ['ɪnsxɪkə(n)] *vi* close up, sit or stand closer.

inschrijven [-s(x)rɛivə(n)] **I** *vt* inscribe; book, enrol(l), register [items, names &]; enter [names, students, horses]; *zich laten* ~ enrol(l) oneself, enter one's name; **II** *vi* send in a tender; ~ *op aandelen* apply for shares; ~ *op een boek* (*op een lening*) subscribe for a book (to a loan); *voor de bouw van een nieuwe school* ~ tender for a new school.

inschrijver [-vər] *m* subscriber [to a charity, a loan &]; applicant [for shares]; tenderer; *laagste* ~ holder of the lowest tender.

inschrijving [-vɪŋ] *v* **1** enrolment, registration [of names &]; **2** (voor tentoonstelling &) entry; **3** (op lening &) subscription; **4**

(op aandelen) application; 5 (bij aanbesteding) (public) tender; *de ~ openen* call for tenders; *bij ~* by tender.

inschrijvingsbiljet [-vɪŋsbɪljɛt] *o* 1 tender [for a work]; 2 $ form of application.

inschuiftafel ['ɪnsxœyfta.fəl] *v* telescope table.

inschuiven [-sxœyvə(n)] **I** *vt* push in, shove in; **II** *vi* zie *inschikken*.

inscriptie [ɪn'skrɪpsi.] *v* inscription.

insect(-) zie *insekt(-)*.

insekt [-'sɛkt] *o* insect.

insektenpoeder, **-poeier** [ɪn'sɛktə(n)pu.dər, -pu.jər] *o* & *m* insect powder.

insekticide [ɪnsɛkti.'si.də] *v* insecticide.

inseminatie [ɪnse.mi.'na.(t)si.] *v* *kunstmatige ~* artificial insemination.

insgelijks [ɪnsɡə'lɛiks] likewise, in the same manner; *het beste met u! Insgelijks!* (the) same to you!

insigne [ɪn'si.ɲə] *o* badge; *de ~s,* ook: the insignia (of office).

insijpelen ['ɪnsɛipələ(n)] *vi* trickle in.

insinuatie [ɪnsi.ny.'a.(t)si.] *v* insinuation, innuendo.

insinueren [-'e:rə(n)] *vt* insinuate.

inskriptie zie *inscriptie*.

inslaan ['ɪnsla.n] **I** *vt* 1 (slaan in...) drive in [a pole]; 2 (stukslaan) beat in, dash in, smash [the windows]; 3 (opdoen) lay in (up) [provisions]; 4 (betreden) take [a road]; *een vat de bodem ~* stave in a cask; zie ook: *bodem; iemand de hersens ~* knock a person's brains out; **II** *vi* 1 (v. bliksem, projectiel) strike; 2 *fig* go home [of a remark, speech &]; make a hit [of a play &].

inslag [-slɑx] *m* 1 woof; zie ook: *schering*; 2 supply, provisions; 3 ✕ (van projectiel) striking; 4 *fig* tendency, strain [of mysticism].

inslapen [-sla.pə(n)] *vi* fall asleep; *fig* pass away.

inslepen [-sle.pə(n)] *vt* drag in(to).

inslikken [-slɪkə(n)] *vt* swallow.

inslokken [-slɔkə(n)] *vt* swallow, gulp down.

inslorpen [-slɔrpə(n)] = *inslurpen*.

insluimeren [-slœymərə(n)] *vi* fall into a slumber, doze off.

insluipen [-slœypə(n)] *vi* steal in, sneak in; *fig* slip in, creep in.

insluiping [-pɪŋ] *v* stealing in.

insluiten [-tən] *vt* lock in [oneself, a person], lock up [a thief]; enclose [a meadow, a letter]; hem in, surround [a field &]; invest [a town]; include, involve, comprise, embrace [the costs for..., everything]; *dit sluit niet in, dat...* this does not imply that...

insluiting [-tɪŋ] *v* enclosure, investment; inclusion.

inslurpen ['ɪnslʏrpə(n)] *vt* gulp down.

insmeren [-sme:rə(n)] *vt* grease, smear, oil.

insmijten [-smɛitə(n)] *vt* throw in, smash, break.

insneeuwen [-sne.və(n)] *vi* snow in; *inge-*

sneeuwd zijn be snowed up, be snow-bound.

insnijden [-snɛi(d)ə(n)] *vt* cut into, incise.

insnijding [-(d)ɪŋ] *v* 1 incision [with a lancet 2 indentation [of the coast-line].

insnuiven ['ɪnsnœyvə(n)] *vt* sniff in, inhale.

insolvent [ɪnsɔl'vɛnt] $ insolvent.

insolventie [-'vɛn(t)si.] *v* $ insolvency.

insoppen ['ɪnsɔpə(n)] *vt* dip in, sop.

inspannen [-spanə(n)] **I** *vt* put [the horses] t *fig* exert [one's strength]; strain [every nerve **II** *vr zich ~* exert oneself, endeavour, do one utmost [to do something].

inspannend [ɪn'spanənt] strenuous [work].

inspanning ['ɪnspanɪŋ] *v* exertion; effort; *m ~ van alle krachten* using every effort.

in spe [ɪn'spe.] prospective, ...to be.

inspecteren [ɪnspɛk'te:rə(n)] *vt* inspect, exam ine.

inspecteur [-'tø:r] *m* inspector.

inspectie [ɪn'spɛksi.] *v* inspection.

inspectiereis [-rɛis] *v* tour of inspection.

inspectrice [ɪnspɛk'tri.sə] *v* woman inspecto inspectress.

inspekt- zie *inspect-*.

inspelen ['ɪnspe.lə(n)] **I** *vt* play [an instrument for some time; **II** *vr zich ~* get one's hand in

inspiratie [ɪnspi:'ra.(t)si.] *v* inspiration.

inspireren [-'re:rə(n)] *vt* inspire.

inspraak ['ɪnspra.k] *v* dictate, dictates [of th heart].

inspreken [-spre.kə(n)] *vt* in: *moed ~* inspir with courage, hearten.

inspringen [-sprɪŋə(n)] *vi* 1 (v. hoek) re-enter 2 (v. huis) stand back from the street; *voo hem ~* take his place; *doen ~* indent [a line]

inspuiten [-spœvtə(n)] *vt* inject.

inspuiting [-tɪŋ] *v* injection.

instaan ['ɪnsta.n] *vt* in: *~ voor de echthei* guarantee the genuineness; *voor iemand ~* answer for a man; *~ voor iets (voor de waar heid)* vouch for it (for the truth).

installateur [ɪnstɑla.'tø:r] *m* ⚡ electrician.

installatie [-'la.(t)si.] *v* 1 installation [of a functionary], inauguration, enthronement [o a bishop], induction [of a clergyman]; 2 [electric] installation; 3 plant [in industria process].

installatiekosten [-kɔstə(n)] *mv* cost of installation.

installeren [ɪnstɑ'le:rə(n)] *vt* 1 install [an official], enthrone [a bishop], induct [a clergyman], inaugurate [a new governor]; 2 install [electric light].

instampen ['ɪnstampə(n)] *vt* ram in; *het iemana ~* hammer (drum, pound) it into his head.

instandhouding [ɪn'stɑnthəudɪŋ] *v* maintenance, preservation, upkeep.

instantie [-stɑnsi.] *v* 1 ⚖ instance, resort; 2 (overheidsorgaan) [education, civil, military &] authority, [international &] agency; *in eerste (laatste) ~* in the first instance (in the last resort).

instappen ['ɪnstɑpə(n)] *vi* step in(to); *de conducteur roept:* ~! (take your) seats, please!; *wij moesten* ~ we had to get in.

insteken [-ste.kə(n)] *vt* put in; *een draad* ~ thread a needle.

instellen [-stɛlə(n)] *vt* 1 adjust [instruments], focus [a microscope &]; 2 set up [a board]; institute [an inquiry, proceedings &]; establish [a passenger-service]; zie ook: *dronk* &.

instelling [-lɪŋ] *v* 1 institution; 2 *fig* & *ps* attitude.

instemmen ['ɪnstɛmə(n)] *vi* in: ~ *met* agree with [an opinion]; approve of [a plan].

instemming [-mɪŋ] *v* agreement; approval [of a plan].

instinct [ɪn'stɪŋkt] *o* instinct.

instinctief [-stɪŋk'ti.f] **instinctmatig** [-stɪŋkt-'ma.təx] I *aj* instinctive; II *ad* instinctively, by instinct.

instinkt(-) zie *instinct(-).*

institutioneel [ɪnsti.ty.(t)si.o.'ne.l] institutional [investor &].

instituut [ɪnsti.'ty.t] *o* 1 institute, institution; 2 boarding-school.

instoppen ['ɪnstɔpə(n)] I *vt* tuck in [a child in bed]; stuff [the shawl &] in; *er van alles* ~ put in all sorts of things; *de kinderen er eerst* ~ pack off the children to bed first; II *vr zich* ~ tuck oneself up.

instormen [-stɔrmə(n)] *vi* rush (tear) in (into); ~ *op* rush upon (at).

instorten [-stɔrtə(n)] I *vi* fall (tumble) down, fall in, collapse [of a house]; relapse [of patients]; II *vt* pour into; *fig* infuse [the grace of God].

instorting [-tɪŋ] *v* collapse[2], *fig* downfall; relapse [of patient]; infusion [of grace].

instoten ['ɪnsto.tə(n)] *vt* push in (into), knock in, smash.

instromen [-stro.mə(n)] *vt* flow in, stream in, pour in (into).

instructeur [ɪnstrŭk'tø:r] *m* instructor, ⚔ drill-sergeant.

instructie [-'strŭksi.] *v* 1 instruction [= teaching & direction]; 2 ⚖ preliminary inquiry into the case; ~ *geven* instruct, direct [him].

instrueren [-stry.'e:rə(n)] *vt* 1 instruct; 2 ⚖ prepare [a case].

instrukt- zie *instruct-.*

instrument [-'mɛnt] *o* instrument.

instrumentaal [-mɛn'ta.l] ♪ instrumental.

instrumentatie [-mɛn'ta.(t)si.] *v* ♪ instrumentation.

instrumentenbord [-'mɛntə(n)bɔrt] *o* ⚒ instrument panel, dash-board.

instrumenteren [-mɛn'te:rə(n)] *vt* ♪ instrument.

instrumentmaker [-'mɛntma.kər] *m* instrument-maker.

instuderen ['ɪnsty.de:rə(n)] *vt* practise [a sonata], study [a rôle], rehearse [a play &]; *ze zijn het stuk aan het* ~ the play is in rehearsal.

instuif [-stœyf] *m* open-house party, get-together; informal reception.

instuiven [-stœyvə(n)] *vi* fly in (into), rush in (into).

insturen [-sty:rə(n)] *vt* 1 steer in(to); 2 send in(to).

insubordinatie [-sy.bɔrdi.'na.(t)si.] *v* (act of) insubordination.

Ⓜ **insuline** [ɪnsy.'li.nə] *v* insulin.

intact, intakt [ɪn'tɑkt] intact, unimpaired.

integendeel [-'te.gənde.l] on the contrary.

integraal [-tə'gra.l] integral.

integraalrekening [-re.kənɪŋ] *v* integral calculus.

integratie [ɪntə'gra.(t)si.] *v* integration.

integrerend [ɪntə'gre:rənt] integral.

integriteit [-te.gri.'tɛit] *v* integrity.

intekenaar ['ɪnte.kəna:r] *m* subscriber.

intekenbiljet [-kənbɪljet] *o* subscription form.

intekenen [-kənə(n)] *vt* subscribe [to a work]; ~ *voor 50 gulden* subscribe 50 guilders (to *op*).

intekening [-kənɪŋ] *v* subscription.

intekeningslijst [-nɪŋslɛist] = *intekenlijst.*

intekenlijst ['ɪnte.kənlɛist] *v* subscription list.

intellect [ɪntə'lɛkt] *o* intellect.

intellectueel [ɪntɛlɛkty.'e.l] I *aj* (& *ad*) intellectual(ly); II *m* intellectual.

intellekt(-) zie *intellect(-).*

intelligent [-li.'gɛnt] *aj* (& *ad*) intelligent(ly).

intelligentie [-'gɛn(t)si.] *v* intelligence.

intelligentiekotiënt zie *intelligentiequotiënt.*

intelligentiequotiënt [-ko.ʃɛnt] *o* intelligence quotient, I.Q.

intelligentietest [-tɛst] *m* intelligence test.

intendance [ɪntɛn'dãsə] *v* ⚔ Army Service Corps.

intendant [-'dɑnt] *m* intendant; ⚔ A.S.C. officer.

intens [ɪn'tɛns] *aj* (& *ad*) intense(ly).

intensief [-tɛn'si.f] *aj* (& *ad*) intensive(ly).

intensiteit [-tɛn'si.'tɛit] *v* intensity.

intensiveren [-'ve:rə(n)] *vt* intensify.

intensivering [-rɪŋ] *v* intensification.

intentie [ɪn'tɛnsi.] *v* intention.

intercommunaal [ɪntərkòmy.'na.l] zie *interlokaal.*

intercontinentaal [-kònti.nɛn'ta.l] intercontinental.

interdict, interdikt [-'dɪkt] *o* interdict.

interen ['ɪnte.rə(n)] I *vi* eat into one's capital; II *vt* in: *50 gulden* ~ be 50 guilders to the bad.

interessant [ɪntərə'sɑnt] *aj* (& *ad*) interesting(ly); *het* ~*e* the interesting part of the case; *iets* ~*s* something interesting; *veel* ~*s* much of interest.

interesse [-'rɛsə] *v* interest.

interesseren [-rə'se:rə(n)] I *vt* interest; *er (zwaar) bij geïnteresseerd* zijn (closely, deeply) interested in it; II *vr zich* ~ *voor iemand* interest oneself in a man's behalf; *zich voor iets* ~ take an interest in a thing, feel an interest for a thing; be curious about a thing.

interest ['ɪntərɛst] *m* interest; *met* ~ *terugbetalen* return with interest[2]; ~ *op* ~ at compound interest; *op* ~ *plaatsen* put out at interest; *tegen* ~ at interest.

interestrekening [-re.kənɪŋ] *v* 1 $ interest-account; 2 × calculation of interest.

interferentie [ɪntərfə'rɛn(t)si.] *v* interference [of vibrations, waves].

intergeallieerd [-gəali.'e:rt] inter-allied.

interieur [ɪnte:ri.'ø:r] *o* interior.

interkerkelijk [ɪntər'kɛrkələk] interdenominational.

interkommunaal zie *intercommunaal*.

interkontinentaal zie *intercontinentaal*.

interlandwedstrijd [-'lɑntvɛtstrɛit] *m* international contest.

interlokaal [-lo.'ka.l] I *aj* in: ~ *gesprek* 🕿 trunk call; II *ad* 🕿 by trunk call.

intermezzo [-'mɛdzo.] *o* intermezzo[2].

intermitterend [-mɪ'te:rənt] intermittent.

intern [ɪn'tɛrn] I *aj* 1 internal [questions, affairs &]; 2 (inwonend) resident; ~*e leerling* boarder; ~ *onderwijzer* resident master; ~*e patiënt* in-patient; ~ *zijn* live in; II *mv de* ~*en* the boarders.

internaat [-tɛr'na.t] *o* ⊃ boarding-school.

internationaal [ɪntərna.(t)si.o.'na.l] international.

Internationale [-'na.lə] *v* International.

internationaliseren, internationalizeren [-na.li.-'ze:rə(n)] *vt* internationalize.

interneren [-'ne:rə(n)] *vt* intern.

internering [-rɪŋ] *v* internment.

interneringskamp [-rɪŋskɑmp] *o* internment camp.

interpellant [ɪntərpə'lɑnt] *m* interpellator, questioner.

interpellatie [-'la.(t)si.] *v* interpellation, question.

interpelleren [-'le:rə(n)] *vt* interpellate, ask a question.

interplanetair [ɪntərpla.ne.'tɛ:r] interplanetary.

interpolatie [ɪntərpo.'la.(t)si.] *v* interpolation.

interpoleren [-'le:rə(n)] *vt* interpolate.

interpretatie [ɪntərprə'ta.(t)si.] *v* interpretation.

interpreteren [-'te:rə(n)] *vt* interpret.

interpunctie [ɪntər'pũ ksi.] *v* punctuation.

interpungeren [-pũ ŋ'ge:rə(n)] *vt* punctuate.

interpunktie zie *interpunctie*.

interrumperen [ɪntərũm'pe:rə(n)] *vt* interrupt.

interruptie [-'rũpsi.] *v* interruption.

interval ['ɪntərvɑl] *o* ♪ interval.

interveniënt [ɪntərve.ni.'ɛnt] *m* intervener; $ acceptor for honour.

interveniëren [-'e:rə(n)] *vi* intervene; $ accept a bill for honour.

interventie [ɪntər'vɛn(t)si.] *v* intervention; $ acceptance for honour.

interview [ɪntər'vju.] *o* interview.

interviewen [-ə(n)] *vt* interview.

interviewer [-ər] *m* interviewer.

interzonaal [ɪntərzo.'na.l] interzonal.

intiem [ɪn'ti.m] I *aj* intimate; ~*e bijzonderheden* inner details; *zij zijn zeer* ~ *(met elkaar)*

they are on very intimate terms; II *ad* intimately.

intijds [-'tɛits] in good time (season).

intimidatie [-ti.mi.'da.(t)si.] *v* intimidation.

intimideren [-'de:rə(n)] *vt* intimidate, browbeat, cow.

intimiteit [ɪnti.mi.'tɛit] *v* intimacy.

intimus ['ɪnti.mũs] *m* intimate (friend), F chum.

intocht ['ɪntoxt] *m* entry; *zijn* ~ *houden* make one's entry.

intomen [-to.mə(n)] *vt* curb, rein in [one's horse]; *fig* check, restrain.

intonatie [-to.'na.(t)si.] *v* intonation.

intoneren [-'ne:rə(n)] *vt* intone.

intransitief ['ɪntrɑnsi.ti.f] *aj* (& *ad*) intransitive-(ly).

intrappen [-trɑpə(n)] *vt* kick in (open).

intrede [-tre.də] *v* entrance, entry; beginning [of winter].

intreden [-də(n)] *vi* enter; set in [of thaw]; fall [of silence]; *zijn ...ste jaar* ~ enter upon one's ...th year; *de dood is onmiddellijk ingetreden* death was instantaneous.

intree ['ɪntre.] = *intrede*.

intreepreek [-pre.k] *v* first sermon.

intrek ['ɪntrɛk] *m* in: *zijn* ~ *nemen* put up at [a hotel], take up one's abode [somewhere].

intrekbaar [-ba:r] retractable.

intrekken ['ɪntrɛkə(n)] I *vt* 1 draw in, retract[2] [claws, horns &]; *fig* withdraw [a grant, a sanction, money], retire [notes, bonds]; revoke [a decree], cancel [a permission]; 2 march into [a town]; II *vi* move in [into a house]; zie ook: *zijn intrek nemen*.

intrekking [-kɪŋ] *v* withdrawal, cancellation, revocation, retractation.

intrest(-) ['ɪntrest] = *interest(-)*.

intreurig ['ɪn'trø:rəx] very sad.

intrigant(e) [ɪntri.'gɑnt(ə)] *m*(-*v*) intriguer, schemer, plotter.

intrige [-'tri.gə] *v* 1 intrigue; 2 plot [of a drama].

intrigeren [-tri.'ge:rə(n)] I *vi* intrigue, plot, scheme; II *vt* in: *dat intrigeert mij* that's what puzzles me.

intrinsiek [ɪntrɪn'si.k] *aj* (& *ad*) intrinsic(ally).

introducé [ɪntro.dy.'se.] *m* guest.

introduceren [-dy.'se:rə(n)] *vt* introduce.

introductie, introduktie [-'dũksi.] *v* introduction.

introïtus [ɪn'tro.i.tũs] *m* & *o RK* Introit.

intronisatie, intronizatie [ɪntro.ni.'za.(t)si.] *v* enthronization, enthronement.

intuïtie [ɪnty.'i.(t)si.] *v* intuition.

intuïtief [-i.'ti.f] *aj* (& *ad*) intuitive(ly).

intussen [ɪn'tũsə(n)] meanwhile, in the meantime.

inundatie [i.nũn'da.(t)si.] *v* inundation.

inunderen [-'de:rə(n)] *vt* inundate.

invaart [ɪn'va:rt] *v* entrance [of a harbour].

inval [-vɑl] *m* 1 invasion [of a country], irruption, incursion [into a place], [police] raid [on a café]; 2 fancy, sally of wit; *een gelukkige* ~

a happy thought; *wonderlijke* ~ freak, whim; *het is daar de zoete* ~ they keep open house there; *ik kwam op de* ~ it occurred to me, the thought flashed upon me; *een* ~ *doen in* invade [a country]; raid [a café].

invalide [ɪnva.'li.də] I *aj* invalid, disabled [soldier]; II *m* invalid, disabled soldier.

invalidenhuis [-'li.də(n)hœys] *o* army pensioners' home.

invalidenwagentje [-va.gəncə] *o* invalid chair, invalid vehicle.

invaliditeit [ɪnva.li.di.'tɛit] *v* disablement, disability.

invaliditeitsrente [-'tɛitsrɛntə] *v* disability pension.

invaliditeitswet [-vɛt] *v* disabled pensions act.

invallen ['ɪnvalə(n)] *vi* 1 (v. huis) tumble down, fall in; 2 (v. licht) fall; 3 (v. nacht) fall; 4 (v. vorst &) set in; 5 ♪ join in; 6 (bij spel, in het gesprek) cut in; 7 (in dienst) deputize; 8 (v. gedachten) come into one's head; 9 (v. wangen) fall in; *het viel mij in* it occurred to me, the thought flashed upon me; *het wou mij niet* ~ I could not hit upon it, I could not remember it; ~ *in een land* invade a country; ~ *voor een collega* deputize for a colleague; *bij* ~*de duisternis* at dark; ~*de lichtstralen* incident rays.

invaller [-lər] *m* substitute, *sp* deputizer, reserve.

invalshoek ['ɪnvɑlshu.k] *m* angle of incidence.

invaren [-va:rə(n)] *vi* sail in (into).

invasie [ɪn'va.zi.] *v* invasion.

inventaris [-vɛn'ta:rəs] *m* inventory; *de* ~ *opmaken* draw up an inventory, take stock.

inventarisatie [-ta:ri.'za.(t)si.] *v* stock-taking.

inventariseren [-'ze:rə(n)] *vt* draw up an inventory of, take stock of.

inventarisuitverkoop [ɪnvɛn'ta:rəsœytfərko.p] *m* stock-taking sale.

inventarizatie zie *inventarisatie*.

inventarizeren zie *inventariseren*.

investeren [-vɛs'te:re(n)] *vi* & *vt* $ invest.

investering [-rɪŋ] *v* $ investment.

investituur [ɪnvɛsti.'ty:r] *v* investiture.

invetten ['ɪnvɛtə(n)] *vt* grease, oil.

invitatie [ɪnvi.'ta.(t)si.] *v* invitation.

invitatiekaart [-ka:rt] *v* invitation card.

invite [ɪn'vi.t] *v* ◊ call (for trumps), lead.

invité [-vi.'te.] *m* guest.

inviteren [-'te:rə(n)] *vt* invite [to dinner, to tea &].

invlechten ['ɪnvlɛxtə(n)] *vt* plait in, intertwine; entwine; *fig* put in, insert [a few remarks].

invliegen [-vli.gə(n)] I *vi* fly into; fly in; *er* ~ be caught, walk into the trap [*fig*]; II *vt* ✈ test [a machine].

invlieger [-gər] *m* ✈ test pilot.

invloed ['ɪnvlu.t] *m* influence; effect [of the war, of the slump], impact [of the war, of western civilization &]; *zijn* ~ *bij* his influence with; *zijn* ~ *aanwenden bij* use one's influence with;

~ *hebben op* 1 have an influence upon (over); 2 affect [the results]; ~ *uitoefenen* exercise (an) influence; *onder de* ~ *staan van* be influenced by; *onder de* ~ *zijn van* be under the influence of; *onder de* ~ *van sterke drank* under the influence of drink.

invloedrijk [-rɛik] influential.

invloedssfeer ['ɪnvlu.tsfe:r] *v* sphere of influence.

invochten ['ɪnvɔxtə(n)] *vt* damp [the washing].

invoegen ['ɪnvu.gə(n)] *vt* put in, insert, intercalate.

invoeging [-gɪŋ] *v* **invoegsel** [-vu.xsəl] *o* insertion.

invoer ['ɪnvu.r] *m* $ importation, import; (de goederen) imports; *de* ~ *verlagen en de uitvoer verhogen* reduce imports and increase exports.

invoerartikel [-ɑrti.kəl] *o* article of import, importation; ~*en* ook: imports.

invoeren ['ɪnvu.rə(n)] *vt* 1 $ import; 2 introduce.

invoerhandel ['ɪnvu.rhɑndəl] *m* import trade.

invoerhaven [-ha.və(n)] *v* import harbour.

invoering ['ɪnvu.rɪŋ] *v* introduction.

invoerpremie ['ɪnvu.rpre.mi.] *v* $ bounty on importation.

invoerrechten ['ɪnvu.rɛxtə(n)] *mv* $ import duties.

invoerverbod ['ɪnvu.rvərbɔt] *o* $ import prohibition.

invoervergunning [-gŭnɪŋ] *v* $ import licence.

invorderaar ['ɪnvɔrdəra:r] *m* collector.

invorderbaar [ɪn'vɔrdərba:r] collectable.

invorderen ['ɪnvɔrdərə(n)] *vt* collect [money].

invordering [-rɪŋ] *v* collection.

invreten ['ɪnvre.tə(n)] *vi* eat into, corrode; ~*d* corrosive.

invreting [-tɪŋ] *v* corrosion.

invriezen ['ɪnvri.zə(n)] *vi* be frozen in.

invrijheidstelling [ɪn'vrɛihɛitstɛlɪŋ] *v* liberation, release.

invullen ['ɪnvŭlə(n)] *vt* fill up [a ballot-paper]; fill in [a cheque &]; *een formulier* ~ ook: complete a form.

invulling [-lɪŋ] *v* filling up, filling in.

inwaaien ['ɪnva.jə(n)] *vi* blow in [of snow, rain].

inwaarts [-va:rts] I *aj* inward(s); II *ad* inward(s).

inwachten [-vɑxtə(n)] *vt* await [a reply]; *sollicitaties worden ingewacht* applications are invited.

inwendig [ɪn'vɛndəx] I *aj* inward, interior, internal [parts]; inner [man]; home [mission]; *voor* ~ *gebruik* to be taken interiorly (inwardly); II *ad* inwardly, internally; on the inside; III *o het* ~*e* the interior (part, parts).

inwerken ['ɪnvɛrkə(n)] I *vi* in: ~ *op* act (operate) upon, affect, influence; II *vr* in: *ik moet er mij nog* ~ I want to post myself (thoroughly) up.

inwerking [-kɪŋ] *v* action, influence.

inwerkingtreding [ɪn'vɛrkɪŋtre.dɪŋ] *v* coming into force.

inwerpen ['ɪnvɛrpə(n)] *vt* throw in, smash.

inweven [-ve.və(n)] *vt* weave in, interweave.

inwijden [-vɛidə(n)] *vt* consecrate [a church]; inaugurate [a building]; initiate [adepts]; *iemand in 't geheim* ~ initiate one in(to) the secret.

inwijding [-dɪŋ] *v* consecration [of church &]; inauguration [of a public building &]; initiation [of adepts].

inwikkelen ['ɪnvɪkələ(n)] *vt* wrap (up).

inwilligen [-vɪləgə(n)] *vt* grant.

inwilliging [-gɪŋ] *v* granting.

inwinnen ['ɪnvɪnə(n)] *vt* in: *inlichtingen* ~ (*omtrent*) gather information, make inquiries (about); inquire (of *bij*); zie ook: *raad*.

inwippen [-vɪpə(n)] *vi* whip into; *ik zag hem zijn hut* ~ I saw him whip inside (nip into) his cabin.

inwisselen [-vɪsələ(n)] *vt* change; ~ *voor* exchange for.

inwisseling [-lɪŋ] *v* changing, (ex)change.

inwonen ['ɪnvo.nə(n)] *vi* live in; ~ *bij* live (lodge) with; ~*d geneesheer* house-physician; *een* ~*d onderwijzer* a resident master.

inwoner [-nər] *m* inhabitant, resident; (h u u r der) lodger.

inwoning [-nɪŋ] *v* I lodging; 2 (d o o r woningtekort) sharing of a house; *plaats van* ~ place of residence; zie ook: *kost*.

inworp ['ɪnvɔrp] *m sp* throw-in.

inwortelen [-vòrtələ(n)] *vi* take root, become deeply rooted.

inwrijven [-vrɛivə(n)] *vt* rub in(to), rub.

inz. = *inzonderheid*.

inzaaien [-za.jə(n)] *vt* sow.

inzage ['ɪnza.gə] *v* inspection; ~ *nemen van* inspect, examine [reports &]; *ter* ~ on approval [of books &]; open to inspection [of letters]; *de stukken liggen ter* ~ *ten kantore van*... the reports may be seen at the office of...

inzake [ɪn'za.kə] in the matter of, on the subject of, re [your letter], concerning, [crisis] over [Korea &].

inzakken [-'ɪnzakə(n)] *vi* sink down, sag.

inzamelaar [-za.məla:r] *m* collector, gatherer.

inzamelen [-lə(n)] *vt* collect, gather, ⊙ garner.

inzameling [-lɪŋ] *v* collection, gathering; *een* ~ *houden* make a collection.

inzegenen ['ɪnze.gənə(n)] *vt* bless, consecrate.

inzegening [-nɪŋ] *v* blessing, consecration.

inzeilen ['ɪnzɛilə(n)] *vi* sail into, enter [the harbour].

inzenden [-zɛndə(n)] *vt* send in.

inzender [-dər] *m* I (e x p o s a n t) exhibitor; 2 contributor, writer [of a letter to the editor]; 3 sender.

inzending [-dɪŋ] *v* I exhibit [for a show]; 2 contribution [to a periodical]; entry [for a competition]; 3 sending in.

inzepen ['ɪnze.pə(n)] *vt* soap [before washing], lather [before shaving].

inzet [-zɛt] *m* I stake, stakes [in games]; 2 upset price [at auction]; 3 *fig* employment [of troops, workmen]; devoting [of one's life to a cause], devotion.

inzetten [-zɛtə(n)] I *vt* set in [the sleeves of a frock]; put in [window-panes &]; insert [a piston &]; set [diamonds &]; stake [money at cards &]; start [a house at auction for...]; ♪ start [a hymn]; launch [an attack]; *fig* employ [troops, workmen]; devote [one's energies, one's life, oneself to one's country &]; II *vi & va* I ♪ begin to play (to sing &); 2 *sp* put down one's stake(s), stake one's money, stake [heavily]; *de zomer zet goed in* summer starts well.

inzetter [-tər] *m* first bidder.

inzicht ['ɪnzɪxt] *o* I (b e g r i p) insight; 2 (m e n i n g) view; 3 (b e o o r d e l i n g) judg(e)ment; *naar mijn* ~ in my view; *naar zijn* ~(*en*) *handelen* act according to one's (own) lights.

inzien [-zi.n] I *vt* look into, glance over [a newspaper, a letter], skim [a book]; see [the danger, one's error]; *'t ernstig* ~ take a grave view of things; II *o* in: *bij nader* ~ on reflection, on second thoughts; *mijns* ~*s* in my opinion (view), to my thinking.

inzinken [-zɪŋkə(n)] *vi* sink² (down); *fig* decline.

inzinking [-kɪŋ] *v* sinking, decline; ♀ (w e d e r i n s t o r t i n g) relapse; *ps* [mental, nervous] breakdown.

inzitten ['ɪnzɪtə(n)] *vi* in: *ik zit er erg mee in* I am in an awful fix; *hij zit er niets mee in* he doesn't bother about that; *hij zat er over in* F he was worried about it; *hij zit er warmpjes in* he is a warm man.

inzittend [-tənt] in: *de* ~*en* the occupants.

inzoet ['ɪn'zu.t] intensely sweet.

inzonderheid [ɪn'zòndərhɛit] especially.

inzouten ['ɪnzoutə(n)] *vt* salt.

inzuigen [-zœygə(n)] *vt* suck in, suck up, imbibe.

inzwachtelen [-zvaxtələ(n)] *vt* swathe, bandage.

inzwelgen [-zvɛlgə(n)] *vt* swallow, gulp down.

ion [i.'òn] *o* ion.

ionenteorie zie *ionentheorie*.

ionentheorie [i.'o.nə(n)te.o.ri.] *v* ionic theory.

Ionië ['jo.ni.ə] *o* Ionia.

Ioniër [-ni.ər] *m* Ionian.

ionisatie [i.o.ni.'za.(t)si.] *v* ionization.

Ionisch ['jo.ni.s] I *aj* Ionian [Islands, Sea], Ionic [order]; II *o* Ionic.

ioniseren [i.o.ni.'ze:rə(n)] *vt* ionize.

ioniz- zie *ionis-*.

ionosfeer [i.o.no.'sfe:r] *v* ionosphere.

i.p.v. = [ɪn'pla.tsfɑn] = *in plaats van* instead of.

Ir. [ɪnʒə-, ɪnge.ni.'ø:r] = *ingenieur*.

Iraaks [i:'ra.ks] Iraqi.

Iraans [-'ra.ns] Iranian.

Irak ['i:rɑk] *o* Iraq.

Irakees [i:ra.'ke.s] *m* Iraqi.

Iran ['i:rɑn] *o* Iran.
Iraniër [i:'ra.ni.ər] *m* Iranian.
Irene [-'re.nə] *v* Irene.
iris ['i:rıs] *v* iris.
ironie [i:ro.'ni.] *v* irony.
ironisch [i:'ro.ni.s] *aj* (& *ad*) ironical(ly).
irreëel [ıre.'e.l] unreal.
irrigatie [ıri.'ga.(t)si.] *v* irrigation.
irrigatiekanaal [-ka.na.l] *o* irrigation canal.
irrigatiewerken [-vɛrkə(n)] *mv* irrigation works.
irrigeren [ıri.'ge:rə(n)] *vt* & *va* irrigate.
irriteren [-'te:rə(n)] *vt* irritate.
Isabella [i.za.'bɛla.] *v* Isabella.
ischias ['ısxi.ɑs] *v* sciatica.
islam ['ıslɑm] *m de* ~ Islam.
islamiet [ısla.'mi.t] *m* Islamite.
islamitisch [-'mi.ti.s] Islamitic, Islamic.
Ismaël ['ısma.ɛl] *m* Ishmael.
Ismaëliet [ısma.e.'li.t] *m* Ishmaelite.
isobaar [i.zo.'ba:r] *m* isobar.
isolatie [-'la.(t)si.] *v* I isolation; 2 ※ insulation.
isolatieband, -lint [-bɑnt, -lınt] *o* insulating tape.
isolator [-'la.tor] *m* insulator.
isoleerbankje [-'le:rbɑnkjə] *o* ※ insulating stool.
isolement [-lə'mɛnt] *o* isolation.
isoleren [-'le:rə(n)] *vt* I isolate; 2 ※ insulate.
isolering [-'le:rıŋ] *v* I isolation; 2 ※ insulation.
isoterm zie *isotherm*. [tion.
isotherm [-'tɛrm] *m* isotherm.
isotoop [-'to.p] *m* isotope.
Israël ['ısra.ɛl] *o* Israel.
Israëli [ısra.'e.li.] *m* Israeli.
Israëliet [ısra.e.'li.t] *m* Israelite.
Israëlisch [ısra.'e.li.s] Israeli.
Israëlitisch [ısra.e.'li.ti.s] Israelitish.
Istrië ['ıstri.ə] *o* Istria.
Italiaan [i.ta.li.'a.n] *m* Italian.
Italiaans [-'a.ns] I *aj* Italian; II *o het* ~ Italian; III *v een* ~*e* an Italian woman (lady).
Italië [i.'ta.li.ə] *o* Italy.
ivoor [i.'vo:r] *m* of *o* ivory.
ivoren [i.'vo:rə(n)] *aj* ivory.
Iwriet [i.'vri.t] *o* (modern) Hebrew.
Izaäk ['i.zɑk] *m* Isaac.
Izabel [i.za.'bɛl] zie *Isabella*.
izegrim(-) zie *iezegrim*(-).

J

j [je.] *v* j.
ja [ja.] I *ad* I yes; 2 (versterkend) indeed, nay, ✸ yea; 3 (aarzelend) m-yes; ~, ~! yes, yes!, well, well!; *is hij uit?, ik meen (van)* ~ did he go out? I think he did; has he gone out? I think he has; ~ *zeggen* say yes; *hij zei van* ~ he said yes; *op alles* ~ *en amen zeggen*

say yes and amen to everything; *met* ~ *be- antwoorden* answer in the affirmative; II *o* [yes.
jaaglijn ['ja.xlɛin] *v* towing-line.
jaagpaard [-pa:rt] *o* towing-horse.
jaagpad [-pɑt] *o* tow-path.
jaagschuit [-sxœyt] *v* tow-boat.
Jaap [ja.p] *m* James, Jim
jaap [ja.p] *m* cut, gash, slash.
jaar [ja:r] *o* year; *het* ~ *onzes Heren* the year of our Lord, the year of grace; *de jaren nog niet hebben om...* not be old enough to...; *eens of tweemaal 's* ~*s* once or twice a year; *in het* ~ *nul* F in the year one; ~ *in* ~ *uit* year in year out; *met de jaren* with the years; *na* ~ *en dag* after many years; *òm het andere* ~ every other year; ~ *op* ~ year by year; *op jaren komen* be getting on in years; *op jaren zijn* be well on in years; *vandaag over een* ~ this day twelvemonth; *sinds* ~ *en dag* for years and years; *van* ~ *tot* ~ from year's end to year's end; every year; *een jongen van mijn jaren* a boy my age; *nog vele jaren na dezen!* many happy returns of the day!
jaarbeurs ['ja:rbø:rs] *v* industries fair, trade fair, [Leipzig &] fair.
jaarboek [-bu.k] *o* year-book, annual; ~*en* annals.
jaarcijfers [-sɛifərs] *mv* annual returns.
jaardag [-dɑx] *m* anniversary.
jaardienst [-di.nst] *m RK* annual (commemoration) mass, year's mind.
jaarfeest [-fe.st] *o* annual feast, anniversary.
jaargang [-gɑŋ] *m* I set of the year's numbers, file, volume [of a periodical]; 2 vintage [of wine].
jaargeld [-gɛlt] *o* I pension; 2 annuity.
jaargetij(de) [-gətɛi(də)] *o* season.
jaarkring [-krıŋ] *m* I annual cycle [in almanac]; 2 ✿ annual ring [of a tree].
jaarlijks [-lɔks] I *aj* yearly, annual; II *ad* yearly, annually, every year.
jaarloon [-lo.n] *o* (annual) salary.
jaarmarkt [-mɑrkt] *v* (annual) fair.
jaarrekening ['ja:re.kənıŋ] *v* annual account.
jaartal ['ja:rtɑl] *o* year [in chronology], date.
jaartelling [-tɛlıŋ] *v* era.
jaarverslag [-vərslɑx] *o* annual report.
jaarwedde [-vɛdə] *v* (annual) salary.
jaarwisseling [-vısəlıŋ] *v* turn of the year; *bij de* ~ at the turn of the year.
jabot [ʒa.'bo.] *m* & *o* jabot, frill.
jabroer ['ja.bru:r] *m* man who says yes and amen to everything, *Am* F yes-man.
I jacht [jɑxt] *v* hunting, shooting, chase; pursuit[2]; ~ *maken op* hunt [elephants &]; give chase to [a ship], be in pursuit of[2]; ~ *maken op effect* strain after effect; *op de* ~ *gaan* go (out) shooting (hunting); *op* ~ *naar* on the hunt for.
2 jacht [jɑxt] *o* ⚓ yacht. [licence.
jachtakte ['jɑxtɑktə] *v* shooting-licence, game-

jachtbommenwerper [-bòmə(n)vɛrpər] *m* ✈ fighter-bomber.
jachtbuis [-bœys] *o* shooting-jacket.
jachtbuks [-bŭks] *v* hunting-rifle.
jachten ['jɑxtə(n)] *vt & vi* hurry, hustle.
jachtgeweer ['jɑxtgəve:r] *o* (sporting-)gun.
jachtgrond [-grònt] *m* hunting-ground.
jachthond [-hònt] *m* sporting-dog, hound.
jachthoorn, -horen [-ho:rən] *m* hunting-horn.
jachthuis [-hœys] *o* hunting-box.
jachtmes [-mes] *o* hunting-knife.
jachtopziener [-òpsi.nər] *m* gamekeeper.
jachtpaard [-pa:rt] *o* hunter.
jachtpartij [-pɑrtɛi] *v* 1 hunting-party, hunt; 2 shooting-party, shoot.
jachtrecht [-rɛxt] *o* shooting-rights.
jachtschotel [-sxo.təl] *m & v* hotpot.
jachtstoet [-stu.t] *m* hunting-party.
jachtterrein ['jɑxtɛrɛin] *o* zie *jachtveld.*
jachttijd [-tɛit] *m* shooting-season.
jachtveld ['jɑxtfɛlt] *o* hunting-field, hunting-ground; *particulier* ∼ preserve.
jachtvermaak [-fərma.k] *o* pleasures of the chase.
jachtvlieger [-fli.gər] *m* ✈ fighter pilot.
jachtvliegtuig [-fli.xtœyx] *o* ✈ fighter.
jachtwet [-vɛt] *v* game-act.
Jacob ['ja.kəp] *m* James, B Jacob.
Jacoba [ja.'ko.ba.] *v* Jacqueline.
jacobijn(s) zie *jakobijn(s).*
Jacobus [-'ko.bŭs] *m* James [apostle, king], Jacob [patriarch].
jacquet [ʒa.'kɛt] *o & v* morning-coat, cutaway (coat).
jagen ['ja.gə(n)] I *vt* 1 hunt [wild animals, game]; shoot [hares, game]; chase [deer &]; 2 *fig* drive, hurry on [one's servants &]; *zich een kogel door het hoofd* ∼ put a bullet through one's head; *de vijanden uit het land* ∼ drive the enemy out of the country; II *va & vi* 1 hunt, shoot; 2 race, rush, tear; *de* ∼ *de wolken* the scudding clouds; ∼ *naar eer* hunt after honours; ∼ *op hazen* hunt the hare; zie ook: *lijf, vlucht &.*
jager [-gər] *m* 1 hunter, sportsman; 2 ✗ rifleman; 3 ✈ fighter; 4 driver of a towing-horse; *de* ∼*s* ✗ ook: the Rifles.
jageres [ja.gə'rɛs] *v* huntress.
jagermeester ['ja.gərme.stər] *m* huntsman; zie ook: *opperjager(meester).*
jagerslatijn [-gərsla.tɛin] *o* tall story (stories).
jagerstaal [-ta.l] *v* sportsman's language.
jagerstas [-tɑs] *v* game-bag.
jaguar ['ja.gy.ɑr] *m* ≛ jaguar.
1 **jak** [jɑk] *o* jacket; *iemand het* ∼ *uitvegen, op zijn* ∼ *komen* dust a person's jacket.
2 **jak** [jɑk] *m* ≛ yak.
jakhals ['jɑkhɑls] *m* ≛ jackal.
jakkeren ['jɑkərə(n)] *vi* tear (along), race, drive furiously.
jakkes! ['jɑkəs] *ij* faugh!, bah!
jakobijn [-ko. bɛin] *m* **jakobijns** [-'bɛins] *aj*

Jacobin.
jaloers [ja.'lu:rs] I *aj* jealous, envious (of *op*); II *ad* jealously, enviously.
jaloersheid [-hɛit] *v* jealousy.
jaloezie [ʒa.lu.'zi.] *v* 1 (jaloersheid) jealousy; 2 (blind) Venetian blind, (sun-)blind.
jam [ʒɛm] *m & v* jam.
Jamaica [ja.'maika.] *o* Jamaica.
jambe ['jɑmbə] *v* iambus, iamb.
jambisch [-bi.s] iambic.
jammer ['jɑmər] *o & m* misery; *het is* ∼ it is a pity; *het is eeuwig* ∼ it is a thousand pities; *hoe* ∼ *!* what a pity!, the pity of it!
jammeren [-mərə(n)] *vi* lament, wail.
jammerklacht ['jɑmərklɑxt] *v* lamentation.
jammerlijk [-lək] I *aj* miserable, pitiable, piteous, pitiful, woeful, wretched; II *ad* miserably, piteously, woefully, wretchedly.
jampot ['ʒɛmpòt] *m* jam-jar, jam-pot.
Jan [jɑn] *m* John; ∼ (en) *alleman* all the world and his wife; ∼ *Compagnie* John Company; ∼ *Klaassen* merry-andrew, Jack Pudding; ∼ *Klaassen en Katrijn* Punch and Judy; ∼, *Piet en Klaas* Tom, Dick, and Harry; ∼ *Rap en zijn maat* tagrag and bobtail; *boven* ∼ *zijn* F have got round the corner.
janboel ['jɑnbu.l] *m* F muddle, mess.
janhagel [jɑn'ha.gəl] 1 *o* rabble; 2 *m* kind of biscuit.
janhen [-'hɛn] *m* zie *keukenpiet.*
janitsaar [ja.ni.t'sa:r] *m* janizary.
janken ['jɑŋkə(n)] *vi* yelp, whine, squeal.
janklaassen [jɑn'kla.sə(n)] *m* (gekheid) tomfoolery; (drukte) fuss.
janklaassenspel [-spɛl] *o* Punch and Judy show.
janmaat ['jɑnma.t] *m* S Jack, Jack-tar.
janplezier [jɑnplə'zi:r] *m* char-à-banc.
Jans [jɑns] *v* F Jane.
jansalie [jɑn'sa.li.] *m* stick-in-the-mud.
jansalieachtig [-ɑxtəx] stick-in-the-mud.
Jansje ['jɑnʃə] *v & o* Janet.
Jantje ['jɑɲɕə] *o* F Johnnie, Jack; *de j*∼*s* ⚓ S the Jacks, the bluejackets; *zich met een j*∼ *van-leiden van iets afmaken* shirk the difficulty; *een* ∼ *Sekuur* a punctilious fellow.
januari [ja.ny.'a:ri.] *m* January.
Janus ['ja.nŭs] *m* Janus.
jan-van-gent [jɑnvɑn'gɛnt] *m* ≛ gannet.
Jap [jɑp] *m* F Jap.
Japan [ja.'pɑn] *o* Japan.
Japannees [-pɑ'ne.s] *m & aj* Japanese, F Jap, *mv* Japanese.
Japanner [-pɑnər] *m* Japanese, F Jap, *mv* Japanese.
Japans [-pɑns] I *aj* Japanese; II *o het* ∼ Japanese; III *v een* ∼*e* a Japanese woman (lady).
japen ['ja.pə(n)] *vt* gash, slash.
japon [ja.'pòn] *m* dress, gown.
japonstof [-stɔf] *v* dress material.
jarenlang ['ja.rə(n)lɑŋ] I *aj* of years, of many years' standing; II *ad* for years (together).

jargon [ʒɑr'gõ] *o* jargon.

jarig ['ja:rəx] I *aj* a year old; *zij is vandaag ~* it is her birthday to-day; II *m-v* in: *de ~e* the person celebrating his (her) birthday.

jarretel(le) [ʒɑrə'tɛl] *v* suspender.

jas [jɑs] *m & v* coat; (ja s j e) jacket.

jaskraag ['jɑskra.x] *m* coat-collar.

jasmijn [jɑs'mɛin] *v* ♣ 1 jasmine, jessamine; 2 mock-orange.

jaspanden ['jɑspɑndə(n)] *mv* coat-tails.

jaspis ['jɑspɪs] *m & o* jasper.

1 **jassen** ['jɑsə(n)] *vt* F peel [potatoes].

2 **jassen** ['jɑsə(n)] *vi* ◇ play "jas allemand".

jasses [-səs] zie *jakkes*.

jaszak ['jɑsɑk] *m* coat-pocket.

Java ['ja.va.] *o* Java.

Javaan [ja.'va.n] *m* Javanese, *mv* Javanese.

Javaans [-'va.ns] I *aj* Javanese; II *o het ~* Javanese; III *v een ~e* a Javanese woman.

jawel [ja.'vɛl] yes; indeed.

jawoord ['ja.vo:rt] *o* consent; *het ~ gɛven* say yes; *om het ~ vragen* ask in marriage.

J. C., J. Chr. [je.zűs'krɪstűs] = *Jezus Christus*.

je [jə] I *pers. vnmw.* you; II *bez. vnmw.* your; *het is ~ pudding* it is *the* pudding; *dat is ~ van hèt* that's absolutely it.

jee [je.] *ij* gee!, oh dear!

jegens ['je.ɡəns] *prep* towards,[to; [honest] with.

Jehova [je.'ho.va.] *m* Jehovah; *~'s getuigen* Jehovah's Witnesses.

jekker ['jɛkər] *m* jacket.

jelui [jə'lœy] zie *jullie*.

jenever [jə'ne.vər] *m* gin, Hollands.

jeneverbes [-bɛs] *v* ♣ juniper berry.

jeneverfles [-flɛs] *v* gin-bottle.

jeneverlucht [-lűxt] *v* smell of gin.

jenevermoed [-mu.t] *m* pot-valour, Dutch courage.

jeneverneus [-nø.s] *m* F bottle-nose.

jeneverstoker [-sto.kər] *m* gin-distiller.

jeneverstokerij [jəne.vərsto.kə'rɛi] *v* gin-distillery.

jengelen ['jɛŋələ(n)] *vi* whine.

Jeremia [je.rə'mi.a.] *m* Jeremiah.

jeremiade [-mi.'a.də] *v* jeremiad.

Jeremias [-'mi.ɑs] *m* Jeremiah.

jeremiëren [-mi.'e:rə(n)] *vi* lament.

Jeronimus [je.'ro.ni.műs] *m* Hieronymus, Jerome.

Jeruzalem [-'ry.za.lɛm] *o* Jerusalem.

Jesaja [jə'za.ja.] *m* B Isaiah.

Jetje ['jɛcə] *o & v* Harriet.

jeugd [jø.xt] *v* youth. [ment.

jeugdbeweging ['jø.xtbəve.ɡɪŋ] *v* youth move-

jeugdcriminaliteit [-kri.mi.na.li.tɛit] *v* juvenile delinquency.

jeugdherberg [-hɛrbɛrx] *v* youth hostel.

jeugdig ['jø.ɡdəx] *aj* (& *ad*) youthful(ly).

jeugdigheid [-hɛit] *v* youthfulness, youth.

jeugdkriminaliteit zie *jeugdcriminaliteit*.

jeugdorganisatie, -organizatie ['jø.xtɔrɡa.ni.-za.(t)si.] *v* youth organization.

jeugdverkeersbrigade ['jø.xtfər'ke:rsbri.ga.də] *v* school safety patrol [in U.S.A.; not in Britain].

jeugdverkeersbrigadiertje [-di:rcə] *o* patrol member [in U.S.A.; not in Britain].

jeugdvriend ['jø.xtfri.nt] *m ~in* [-fri.ndɪn] *v* friend of one's youth.

jeugdzonde [-sòndə] *v* youthful indiscretion.

jeuk [jø.k] *m* itching, itch.

jeuken ['jø.kə(n)] *vi* itch; *de handen jeukten mij* (*om*) I was itching (to); *mijn maag jeukt* I feel a gnawing at my stomach.

jeukerig [-kərəx] itchy, itching.

jeukerigheid [-hɛit] *v* itchiness.

jeukpoeder, -poeier ['jø.kpu.dər, -pu.jər] *o & m* itching-powder.

jeukte [-tə] *v* itch, itching.

jezuïet [je.zy.'i.t] *m* Jesuit.

jezuïetenklooster [-'i.tə(n)klo.stər] *o* Jesuit convent.

jezuïetenorde [-ɔrdə] *v* order of Jesuits.

jezuïetenpater [-pa.tər] *m* father of the Society of Jesus.

jezuïtisch [je.zy.'i.ti.s] *aj* (& *ad*) Jesuitical(ly).

jezuïtisme [-i.'tɪsmə] *o* Jesuitism.

Jezus ['je.zűs] *m* Jesus; *~ Christus* Jesus Christ.

Jhr. = *jonkheer*.

jicht [jɪxt] *v* gout.

jichtaanval ['jɪxta.nvɑl] *m* attack (fit) of gout.

jichtig ['jɪxtəx] gouty.

jichtigheid [-hɛit] *v* goutiness.

jichtknobbel ['jɪxtknɔbəl] *m* chalk-stone.

jichtlijder [-lɛidər] *m* gouty sufferer (patient).

jichtpijnen [-pɛinə(n)] *mv* gouty pains.

jij [jɛi] you.

jioe-jitsoe [ji.u.'jɪtsu.] *o* jiu-jitsu.

Jkvr. = *jonkvrouw* 2.

jl. = *jongstleden*.

Job [jɔp] *m* Job.

jobsbode ['jɔpsbo.də] *m* Job's post.

jobsgeduld [-ɡədűlt] *o* the patience of Job.

jobstijding [-tɛidɪŋ] *v* Job's news.

jobsvriend [-fri.nt] *m* Job's comforter.

joch [jɔx] **jochie** ['jɔɡi.] *o* F boy, kid.

jockey ['dʒɔki.] *m* jockey.

jodelen [jo.dələ(n)] *vi & vt* yodel.

jodenbuurt ['jo.də(n)by.rt] *v* Jewish quarter, Jews' quarter; ghetto.

jodendom [-dòm] *o* 1 (de leer) Judaism: 2 (de joden) Jews, Jewry.

jodenhaat [-ha.t] *m* Jew-hatred.

jodenjongen [-jòŋə(n)] *m* Jew-boy, Jewish boy.

jodenkerk [-kɛrk] *v* synagogue; *het leek wel een ~* there was a frightful row (a terrible racket).

jodenkers, ~kriek [-kɛrs, -kri.k] *v* ♣ winter-cherry.

jodenlijm [-lɛim] *m* S spittle.

jodentaal [-ta.l] *v* Jewish jargon, Yiddish.

jodenvervolging [-vərvɔlɡɪŋ] *v* persecution of the Jews, Jew-baiting.

jodide [jo.'di.də] *o* iodide.
jodin [jo.'dɪn] *v* Jewess.
jodium ['jo.di.ũm] *o* iodine.
jodiumtinctuur, -tinktuur [-tɪŋkty:r] *v* tincture of iodine.
jodoform [jo.do.'fɔrm] *m* iodoform.
Joegoslaaf [ju.go.'sla.f] *m* Yugoslav.
Joego-Slavië [-'sla.vi.ə] *o* Yugoslavia.
Joegoslavisch [-vi.s] Yugoslav.
joelen ['ju.lə(n)] *vi* shout.
jofel ['jo.fəl] F fine, splendid, capital, S topping.
joghurt zie *yoghurt*.
Joh. [jo.'hanəs] = (*evangelie van*) *Johannes* John.
Johan [jo.'han] *m* John.
Johanna [-'hana.] *v* Jane, Joan.
Johannes [-'hanəs] *m* John.
johannesbrood [-bro.t] *o* 🌿 carob.
johannieter [jo.ha'ni.tər] *m* Knight of St. John.
jok [jɔk] *m* jest, joke.
joken ['jo.kə(n)] = *jeuken*.
jokkebrok ['jɔkəbrɔk] *m-v* fibber, story-teller.
jokken ['jɔkə(n)] *vi* F fib, tell fibs, tell stories.
jokkentje ['jɔkəncə] *o* F fib, story.
jokker ['jɔkər] *m* F fibber, story-teller.
jokkernij [jɔkər'nɛi] *v* joke, jest.
jokster ['jɔkstər] *v* zie *jokker*.
jol [jɔl] *v* ⚓ 1 yawl, jolly-boat; 2 (**kleinere**) dinghy.
jolig ['jo.ləx] jolly, merry.
joligheid [-hɛit] *v* jolliness.
jolijt [jo.'lɛit] *v* & *o* fun, frolics.
Jonas ['jo.nas] *m* Jonah[2].
jonassen [-nasə(n)] *vt* toss [a person] in a blanket.
Jonathan [-na.tan] *m* Jonathan; *broeder* ~ brother Jonathan, Uncle Sam.
jong [jɔŋ] I *aj* young; ~*e kaas* new cheese; *van* ~*e datum* of recent date; *de* ~*ste berichten* the latest news; *de* ~*ste gebeurtenissen* recent events; *de* ~*ste oorlog* the late war; ~*ste vennoot* junior partner; II *o* young one, [wolf's, bear's &] cub; *de* ~*en* the young ones, the young of...; ~*en krijgen* (*werpen*) litter.
jongedame [jɔŋə'da.mə] *v* young lady.
jongedochter [-'dɔxtər] *v* 1 girl; 2 spinster.
jongeheer [-'ne:r] *m* young gentleman; (*de*) ~ *Karel* Master Charles.
jongejuffrouw [-'jũfrou] *v* young lady; (*de*) ~ *Marie* Miss Mary; *een oude* ~ an old maid.
jongeling ['jɔŋəlɪŋ] *m* young man, youth, lad.
jongelingschap [-sxap] *v* 1 youth, adolescence; 2 young men, youths.
jongelui [jɔŋə'lœy] *mv* young people, young men.
jongeman [-'man] *m* young man.
1 jongen ['jɔŋə(n)] *m* 1 boy, lad; 2 (**vrijer**) boy friend, F sweetheart; ~, ~*!* dear, dear!, oh dear!; *zo ouwe* ~ */* F old boy!
2 jongen ['jɔŋə(n)] *vi* bring forth young (ones), litter, kitten [of cat], calve [of cow], foal [of

mare], yean [of ewe], whelp [of lion], pig [of sow].
jongensachtig [-jɔŋənsaxtəx] *aj* (& *ad*) boyish-(ly).
jongensgek [-gɛk] *v* girl fond of boys.
jongensjaren [-ja:rə(n)] *mv* (years of) boyhood.
jongenspak [-pak] *o* boy's suit.
jongensschool ['jɔŋənsxo.l] *v* boys' school.
jongensstreek [-stre.k] *m* & *v* boyish trick.
jonger ['jɔŋər] I *aj* younger, junior; II *mv de* ~*en* the younger generation; *de* ~*en van Jezus* Jesus' disciples.
jongetje ['jɔŋəcə] *o* little boy.
jonggeborene [jɔŋə'bo:rənə] *m-v* newborn child.
jonggehuwden [-'hy:udə(n)] *mv de* ~ the newly-married couple, F the newly-weds.
jonggezel [-'ʒɛl] *m* bachelor, single man.
jongleren [jɔŋ'le:rə(n)] *vi* juggle.
jongleur [-'lø:r] *m* juggler.
jongmaatje [jɔŋ'ma.cə] *o* 1 apprentice; 2 ship-boy.
jongmens [-'mɛns] *o* young man.
jongs [jɔŋs] in: *van* ~ *af* from one's childhood up.
jongst [jɔŋst] youngest; zie *jong*; *onze* ~*e* our baby.
jongstleden ['jɔŋstle.də(n), jɔŋst'le.də(n))] last; *de 12de maart* ~ on March 12th last.
jonk [jɔŋk] *m* ⚓ junk.
jonker ['jɔŋkər] *m* (young) nobleman; (country-)squire.
jonkheer ['jɔŋkhe:r] *m* "jonkheer".
jonkheid [-hɛit] *v* youth.
jonkman [-man] *m* young man; bachelor.
jonkvrouw [-frou] *v* 1 maid; 2 (**freule**) honourable miss (lady).
jonkvrouwelijk [jɔŋk'frouələk] maidenlike, maiden(ish), maidenly.
1 jood [jo.t] *m* Jew.
2 jood [jo.t] *o* (**jodium**) iodine.
joodkali [jo.t'ka.li.] *m* potassium iodide.
joods [jo.ts] *l* Jewish [life &]; 2 Judaic [law].
jool [jo.l] *m* F fun, frolic, jollity, jollification; ⟶ [students'] rag.
Joost [jo.st] *m* Just(us); *dat mag* ~ *weten* F goodness knows.
Jordaan [jɔr'da.n] *m de* ~ the (river) Jordan.
Jordaans [-'da.ns] Jordanian.
Jordanië [-'da.ni.ə] *o* Jordan.
Jordaniër [-'da.ni.ər] *m* Jordanian.
Joris ['jo.rəs] *m* George; ~ *Goedbloed* [jo:rəs-'gu.tblu.t] F soft Johnny, nincompoop.
jota ['jo.ta.] *v* iota.
jou [jou] 1 you; 2 your; *is het van* ~*?* is it yours?
jour [ʒu:r] *m* at-home day, at-home; ~ *houden* be at home, receive.
journaal [-'na.l] *o* 1 journal [ook $]; 2 ⚓ log-book; 3 (**film**) newsreel.
journaliseren [-na.li.'ze:rə(n)] *vt* $ journalize.

journalist [-'ltst] *m* journalist, newspaperman, pressman.

journalistiek [-lɪs'ti.k] **I** *v* journalism; **II** *aj* journalistic.

journalizeren zie *journaliseren.*

jouw [jou] *bez. voornw.* your.

jouwen ['jouə(n)] *vi* hoot, boo.

joviaal [ʒo.vi.'a.l] **I** *aj* genial; **II** *ad* genially.

jovialiteit [-a.li.'tɛit] *v* geniality.

Jozef ['jo.zəf] *m* Joseph[2]; *de ware* ∼ F Mr. Right.

jr. ['jy.ni.ər] = *junior.*

jubel ['jy.bəl] *m* jubilation.

jubelen [-bələ(n)] *vi* jubilate, be jubilant, exult; ∼ *van vreugde* shout for joy.

jubelfeest ['jy.bəlfe.st] *o* jubilee.

jubeljaar [-ja:r] *o* jubilee year.

jubelkreet [-kre.t] *m* shout of joy.

jubeltoon [-to.n] *m* accent of jubilation.

jubelzang [-zaŋ] *m* paean.

jubilaris [jy.bi.'la:rəs] *m* person celebrating his jubilee; F hero of the feast.

jubileren [-'le:rə(n)] *vi* ɪ jubilate, be jubilant; 2 celebrate one's jubilee.

jubileum [-'le.ŭm] *o* jubilee.

juchtle(d)er [-'jŭxtle:r, -le.dər] *o* Russia leather.

juchtleren [-le:rə(n)] *aj* Russia leather.

Juda ['jy.da.] *m* Judah.

Judas, judas ['jy.das] *m* Judas[2].

judaskus [-kŭs] *m* Judas kiss.

judaslach [-lɑx] *m* Judas smile.

judaspenning [-penɪŋ] *m* 🌱 honesty.

judassen ['jy.dɑsə(n)] *vt* tease, nag, badger.

judasstreek [-dɑstre.k] *m* & *v* Judas trick.

Judea [jy.'de.a.] *o* Judea.

judo ['jy.do.] *o sp* judo.

judoka [-ka.] *m sp* judoka.

juf [jŭf] *v* F zie *juffrouw*; *de* ∼ nurse, nannie, nanny.

juffer ['jŭfər] *v* ɪ young lady, miss; 2 ⚓ pole, beam; 3 paving-beetle, rammer.

jufferachtig [-ɑxtəx] missish.   [beven.

juffershondje [jŭfərs'hòncə] *o* toy dog; zie ook: **juffertje** ['jŭfərcə] *o* missy.

juffertje-in-'t-groen [jŭfərcəɪnət'gru.n] *o* 🌱 love-in-a-mist.

juffie ['jŭfi.] *o* F missy.

juffrouw ['jŭfrɔu] *v* miss, (young) lady; (als aanspreking) ɪ miss; 2 madam; ∼ *Laps* ɪ (ongetrouwd) Miss Laps; 2 (getrouwd) Mrs. Laps; *de* ∼ the young lady; *onze* ∼ ɪ our nurse; 2 our teacher; ∼ *van gezelschap* lady-companion.

juichen ['jœygə(n)] *vi* shout, jubilate; ∼ *over* exult at (in); *de* ∼*de menigte* the cheering crowd.

juichkreet, juichtoon ['jœyxkre.t, -to.n] *m* shout of joy, cheer.

juist [jœyst] **I** *aj* exact, correct, right, precise; *het* ∼*e midden* the happy (golden) mean; *het* ∼*e woord* the right word; ∼, *dat is het* right, exactly; *zeer* ∼ very well; hear! hear! [to an orator]; **II** *ad* just; exactly; *ik wou* ∼... I was just going to...; *zeer* ∼ *gezegd* that's it exactly; ∼ *wat ik hebben moet* the precise (the very) thing I want; ∼ *daarom* for that very reason; *waarom* ∼ *zo'n vent?* why he of all people?; *waarom* ∼ *hier?* why here of all places?

juistheid ['jœysthɛit] *v* exactness, exactitude, correctness, precision.

jujube [ʒy.'ʒy.bə] *m* & *v* jujube.

juk [jŭk] *o* yoke; beam [of balance]; *een* ∼ *ossen* a yoke of oxen; *het* ∼ *afschudden* (*afwerpen*) shake (throw) off the yoke; *onder het* ∼ *brengen* bring under the yoke.

jukbeen ['jŭkbe.n] *o* cheek-bone.

juli ['jy.li.] *m* July.

Julia [-lia.] *v* Julia, [Romeo and] Juliet.

Juliaan [jy.li.'a.n] *m* Julian.

Juliaans [-'a.ns] *aj* Julian.

Juliana [-'a.na.] *v* Juliana.

Julisch ['jy.li.s] Julian [Alps].

Julius [-li.ŭs] *m* Julius.

jullie ['jŭli.] you, F you fellows, you people.

jun. = *junior.*

juni ['jy.ni.] *m* June.

junior [-ni.ər] junior; *P.* ∼, ook: the younger P.

Juno [-no.] *v* Juno[2].

Jupiter, ☉ **Jupijn** [-pi.tər, jy.'pɛin] *m* Jupiter, Jove.

juridisch [jy:'ri.di.s] juridical; legal [adviser, aspect, ground].

jurisdictie, jurisdiktie [-rɪs'dɪksi.] *v* jurisdiction.

jurist [-'rɪst] *m* ɪ jurist, barrister, lawyer; 2 law-student.

juristerij [jy:rɪstə'rɛi] *v* legal quibbling.

jurk [jŭrk] *v* frock, dress, gown.

jury ['ʒy:ri.] *v* jury.

jurylid [-lɪt] *o* ɪ member of the jury; 2 🜨 juror.

jus [ʒy.] *m* gravy.

juskom ['ʒy.kòm] *v* gravy-boat.

juslepel [-le.pəl] *m* gravy-spoon.

Justinianus [jŭsti.ni.'a.nŭs] *m* Justinian.

justitie [-'ti.(t)si.] *v* justice; judicature; *de* ∼, ook: the law; the police [are after him].

justitieel [-ti.si.'e.l] judicial.

Jut [jŭt] *m* Jutlander, Jute; *hoofd van* ∼ [ho.ft-fɑn'jŭt], *kop van* ∼ [kɔpfɑn'jŭt] try-your-strength machine.

jut [jŭt] *v* mouille-bouche pear.

jute ['jy.tə] *v* jute.

jutefabriek [-fa.bri.k] *v* jute mill.

jutezak [-zɑk] *m* gunny bag.

Jutland ['jŭtlɑnt] *o* Jutland.

jutter ['jŭtər] *m* zie *strandjutter.*

juweel [jy.'ve.l] *o* jewel[2], gem[2]; *een* ∼ *van een vrouw* a jewel of a woman.

juwelen [jy.'ve.lə(n)] *aj* jewelled.

juwelenkistje [-kɪʃə] *o* jewel-box, jewel-case.

juwelier [jy.və'li:r] *m* jeweller.

juwelierswinkel [-'li:rsvɪŋkəl] *m* jeweller's (shop).

K

k [ka.] v k.
ka [ka.] v = kaai.
kaag [ka.x] v ⚓ Dutch flat barge.
kaai [ka:i] v quay, wharf; embankment [along river]; de menigte op de ~ the crowd on the quayside.
kaaigeld ['ka:igɛlt] o quayage, wharfage.
kaaiman [-mɑn] m cayman, caiman, alligator.
kaaimeester [-me.stər] m wharfinger.
kaaimuur [-my:r] m quay wall. [porter.
kaaiwerker [-vɛrkər] m wharf-labourer, wharf-
kaak [ka.k] v 1 jaw, jaw-bone; 2 gill [of fish]; 3 mandible [of an insect]; aan (op) de ~ stellen (put into the) pillory, denounce, expose, show up; met beschaamde kaken shamefaced.
kaakbeen ['ka.kbe.n] o jaw-bone.
kaakje [-jə] o biscuit.
kaaksbeen ['ka.ksbe.n] = kaakbeen.
kaakslag ['ka.kslɑx] m slap in the face.
kaal [ka.l] eig 1 (mens) bald; 2 (vogel) callow, unfledged; 3 (boom) leafless, bare; 4 (kleren) threadbare; 5 (velden, hei) barren; 6 (muren) bare, naked; fig shabby; zo ~ als een rat as poor as a church mouse; er ~ afkomen come away with a flea in one's ear, fare badly; ~ vreten eat bare.
kaalgeknipt ['ka.lgəknipt] close-cropped [heads].
kaalheid [-hɛit] v baldness [of head]; bareness [of wall &]; threadbareness, shabbiness[2] [of a coat]; barrenness [of a tract of land].
kaalhoofdig [ka.l'ho.vdəx] baldheaded.
kaalhoofdigheid [-hɛit] v baldness.
kaalkop ['ka.lkɔp] m baldpate, baldhead.
kaam [ka.m] v kaamsel ['ka.msəl] o mould.
kaan [ka.n] v ⚓ barge.
kaantjes ['ka.ncəs] mv greaves, cracklings.
kaap [ka.p] v cape, headland; de Kaap de Goede Hoop the Cape of Good Hope; ter ~ varen ⚓ privateer.
Kaapkolonie ['ka.pko.lo.ni.] v Cape Colony.
Kaaps [ka.ps] Cape...
Kaapstad ['ka.pstɑt] v Cape Town.
kaapstander [-stɑndər] m ⚓ capstan.
kaapvaarder [-fa:rdər] m ⚓ privateer.
kaapvaart [-fa:rt] v ⚓ privateering.
kaar [ka:r] v basket.
kaard(e) ['ka:rdə, ka:rt] v card.
kaardebol [-dəbɔl] m ⚓ teasel.
kaardedistel [-dədistəl] m & v ⚓ teasel.
kaarden [-də(n)] vt card [wool].
kaarder [-dər] m kaardster ['ka:rtstər] v carder.
kaardwol ['ka:rtvɔl] v carding wool.
kaars [ka:rs] v 1 [tallow, wax] candle; [wax] taper; 2 ⚓ blowball, (dandelion) clock; bij de ~ by candlelight; in de ~ vliegen burn one's wings.
kaarsenfabriek ['ka:rsə(n)fa.bri.k] v candle-factory.

kaarsenmaker [-ma.kər] m candle-maker.
kaarsepit ['ka:rsəpit] v candle-wick.
kaarsesnuiter [-snœytər] m (pair of) snuffers.
kaarslantaarn, -lantaren ['ka:rslɑntɑːrən] v candle-lantern.
kaarslicht [-lixt] o candlelight; bij ~ by candle-light.
kaarsrecht [-rɛxt] bolt upright.
kaarssnuiter ['ka:rsnœytər] = kaarsesnuiter.
kaarssterkte ['ka:rstɛrktə] v candle-power.
kaarsvet ['ka:rsfɛt] o tallow.
kaart [ka:rt] v 1 (speelkaart, naamkaart, voor aantekeningen &) card; 2 (zee-kaart) chart; 3 (landkaart) map; 4 (toegangskaart) ticket; een doorgestoken ~ a put-up job; goede ~en hebben have a good hand; alle ~en in handen hebben hold all the cards; iemand de ~ leggen tell a person's fortunes by the cards; de ~ van het land kennen know the lie of the land; ~ spelen play (at) cards; open ~ spelen lay one's cards on the table; act above-board, be frank; in ~ brengen map [a region], chart [a coast]; iemand in de ~ kijken look at a person's cards; zich in de ~ laten kijken show one's hand; in iemands ~ spelen play into a person's hands, play his game; op ~ brengen card-index [addresses &]; alles op één ~ zetten stake one's all on one (a single) throw, put all one's eggs in one basket.
kaartavondje ['ka:rta.vɔncə] o card-party.
kaartclub [-klῠp] v card(-playing) club.
kaarten ['ka:rtə(n)] vi play (at) cards.
kaartenbakje [-bɑkjə] o card-tray.
kaartenhuis [-hœys] o house of cards; als een ~ in elkaar vallen come down like a house of cards.
kaartenkamer [-ka.mər] v ⚓ chart-room.
kaartenkast [-kɑst] v card-index cabinet.
kaartje ['ka:rcə] o 1 (naam) card; 2 (trein &) ticket; zijn ~ afgeven (bij) leave one's card (upon); een ~ leggen F have a game of cards.
kaartklub zie kaartclub.
kaartlegster ['ka:rtlɛxstər] v fortune-teller (by cards).
kaartspel [-spɛl] o 1 ('t spelen) card-playing, cards; 2 (een partij) game at (of) cards; 3 (soort van spel) card game; 4 (pak kaarten) pack of cards.
kaartspeler [-spe.lər] m card-player.
kaartsysteem [-si.ste.m] o card-index (system).
kaas [ka.s] m cheese; zich de ~ niet van het brood laten eten fight back; hij heeft er geen ~ van gegeten F he doesn't understand anything about it.
kaasachtig ['ka.sɑxtəx] cheesy, cheese-like, § caseous.
kaasbereiding [-bərɛidiŋ] v cheese-making.
kaasboer [-bu:r] m 1 cheese-maker; 2 (ver-koper) cheesemonger.
kaasbolletje [-bɔləcə] o (hoed) bowler, S billy-cock.

kaasboor [-bo:r] *v* cheese-taster.
kaashandel [-hɑndəl] *m* cheese-trade.
kaashandelaar [-dələ:r] *m* cheesemonger.
kaasjeskruid ['ka.ʃəskrœyt] *o* 🌿 mallow.
kaaskoper ['ka.sko.pər] *m* cheesemonger.
kaaskorst [-kɔrst] *v* cheese-rind, rind of cheese.
kaaslucht [-lʉxt] *v* cheesy smell.
kaasmade [-ma.də] *v* cheese-maggot.
kaasmaker [-ma.kər] *m* cheese-maker.
kaasmarkt [-mɑrkt] *v* cheese-market.
kaasmes [-mɛs] *o* cheese-cutter.
kaaspakhuis [-pɑkhœys] *o* cheese warehouse.
kaaspers [-pɛrs] *v* cheese-press.
kaasstof ['ka.stɔf] *v* casein.
kaasstolp [-stɔlp] *v* cheese-cover.
kaasvorm ['ka.sfɔrm] *m* cheese-mould.
kaaswinkel [-vɪŋkəl] *m* cheese-shop.
Kaatje ['ka.cə] *v* & *o* Kitty, Kate.
kaatsbaan ['ka.tsba.n] *v* Dutch hand-tennis court.
kaatsbal [-bɑl] *m* hand-ball.
kaatsen ['ka.tsə(n)] *vi* play at ball; *wie kaatst moet de bal verwachten* if you play at bowls you must look for rubbers.
kaatser [-sər] *m* hand-tennis player.
kaatsnet ['ka.tsnɛt] *o* racket.
kaatsspel ['ka.tspɛl] *o* Dutch tennis.
kabaai [ka.'ba.i] *m Ind* cabaya, kabaya.
kabaal [ka.'ba.l] *o* noise, din, F hubbub, racket; ∼ *maken* (*schoppen, trappen*) F kick up a row (a shindy).
kabaja [ka.'ba.ja.] = *kabaai*.
kabaret(-) zie *cabaret(-)*.
kabbelen ['kɑbələ(n)] *vi* ripple, babble, purl, lap.
kabbeling [-lɪŋ] *v* rippling, babble, lapping, purl.
kabel ['ka.bəl] *m* ⚓ & ✝ cable.
kabelballon [-bɑlòn] *m* captive balloon.
kabelbericht [-bərɪxt] *o* ✝ cable-message, cablegram, cable.
kabelen ['ka.bələ(n)] *vt* ✝ cable.
kabelgaren ['ka.bəlga:rə(n)] *o* ⚓ rope-yarn.
kabeljauw [kɑbəl'jəu] *m* 🐟 cod, cod-fish.
kabeljauwvangst [-vɑŋst] *v* cod-fishing.
kabeljauwvisser [-vɪsər] *m* cod-fisher.
kabeljauwvisserij [-vɪsə'rɛi] *v* cod-fishery.
kabellengte ['ka.bəlɛŋtə] *v* ⚓ cable's length.
kabelschip ['ka.bəlsxɪp] *o* ⚓ cable-ship.
kabelspoorweg [-spo:rvɛx] *m* cable-railway; telpher line.
kabeltelegram [-te.ləgrɑm] *o* zie *kabelberieht*.
kabeltouw [-təu] *o* ⚓ cable.
kabine zie *cabine*.
kabinet [kɑbi.'nɛt] *o* 1 cabinet; closet; 2 water-closet, w.c.; 3 picture-gallery, museum, ⚘ cabinet; 4 cabinet, government.
kabinetformaat [-fɔrma.t] *o* cabinet-size.
kabinetscrisis [kɑbi.'nɛtskri.zɪs] *v* cabinet crisis.
kabinetsformateur [-fɔrma.tø:r] *m* cabinet-maker.

kabinetskrisis zie *kabinetscrisis*.
kabinetskwestie [-kvɛsti.] *v* cabinet question; *de* ∼ *stellen* ask for a vote of confidence.
kabinetsraad [-ra.t] *m* cabinet-council.
kabouter [kɑ'boutər] *m* elf, gnome, brownie.
kaboutermannetje [-mɑnəcə] *o* zie *kabouter*.
kabriolet zie *cabriolet*.
kachel ['kɑgəl] *v* stove; *elektrisch* ∼*tje* electric fire.
kachelpijp [-pɛip] *v* 1 stove-pipe; 2 S chimney-pot hat.
kachelsmid [-smɪt] *m* stove-maker.
kadans zie *cadans*.
kadaster [ka.'dɑstər] *o* 1 land registry; 2 Offices of the Land registry.
kadastraal [-dɑs'tra.l] cadastral.
kadaver [ka.'da.vər] *o* (dead) body; 🐎 subject.
kade ['ka.də] = *kaai*.
kadegeld [-gɛlt] = *kaaigeld*.
kademuur [-my:r] = *kaaimuur*.
kader ['ka.dər] *o* ✕ (regimental) cadre, skeleton [of a regiment]; *fig* framework; *binnen het* ∼ *van* within the framework of [this organiza-tion]; *in het* ∼ *van* in connexion with [the reorganization, the exhibition]; under [this agreement, a scheme].
kaderoefeningen [-u.fənɪŋə(n)] *mv* ✕ skeleton drill.
kadet zie *cadet*.
kadetje [ka.'dɛcə] *o* French roll [of bread].
kadettenschool zie *cadettenschool*.
kadewerker ['ka.dəverkər] = *kaaiwerker*.
kaduuk [ka'dy.k] used up.
kaf [kɑf] *o* chaff; *het* ∼ *van het koren scheiden* separate chaff from wheat, sift the grain from the husk; *als* ∼ *voor de wind* like chaff before the wind.
Kaffer ['kɑfər] *m* Kaffir.
kaffer ['kɑfər] boor, lout.
kaft [kɑft] *o* & *v* wrapper, cover, jacket.
kaftan ['kɑftɑn] *m* caftan.
kaften [-tə(n)] *vt* çover [a book].
kaftpapier ['kɑftpa.pi:r] *o* wrapping-paper.
Kaïn ['ka.ɪn] *m* Cain[2].
Kaïnsteken ['ka.ɪnste.kə(n)] *o* brand (mark) of Cain.
kajak ['ka.jɑk] *m* kayak.
kajuit [ka.'jœyt] *v* cabin; *eerste* ∼ saloon.
kajuitsjongen [-'jœytsjòŋə(n)] *m* ⚓ cabin-boy.
kakebeen ['ka.kəbe.n] = *kaakbeen*.
kakelaar [-kəla:r] *m* cackler, chatterer.
kakelaarster [-stər] *v* cackler, chatterer, chat-terbox.
kakelbont ['ka.kəl'bònt] motley, variegated, chequered.
kakelen ['ka.kələ(n)] *vi* cacle[2], *fig* gabble chatter.
kakement [ka.kə'mɛnt] *o* jaw.
kaken ['ka.kə(n)] *vt* cure [herrings].
kaker [-kər] *m* herring-curer.
kaketoe ['kɑkətu.] *m* 🦜 cockatoo.
kaki ['ka.ki.] *o* khaki.

kakkerlak ['kakərlak] *m* 🦗 cockroach, black-beetle.

kakofonie [ka.ko.fo.'ni.] *v* cacophony.

kaktus(-) zie *cactus(-)*.

kalander [ka.'landər] *m* 🦗 weevil ‖ *v* ⚔ calender.

kalanderen [-'landərə(n)] *vt* calender.

kal(e)bas [ka.lə'bas] *v* ⚗ calabash, gourd.

kalefaten [ka.lə'fa.tə(n)] **kalefateren** [-tərə(n)] = *kalfaten, kalfateren*.

kaleidosko- zie *caleidosco-*.

kalender [ka.'lɛndər] *m* calendar.

kalenderjaar [-ja:r] *o* calendar year.

kales [ka.'lɛs] *v* calèche, calash.

kalf [kalf] *o* 1 🐄 calf; 2 (bovendrempel) lintel; 3 *fig* calf; *een ~ van een jongen* a calf, a booby; *als het ~ verdronken is, dempt men de put* when the steed is stolen, the stable door is locked; *het gouden ~ aanbidden* worship the golden calf.

kalfaten [kal'fa.tə(n)] **kalfateren** [-tərə(n)] *vt* ⚓ caulk.

kalfsbiefstuk ['kalfsbi.fstŭk] *m* veal steak.

kalfsborst [-bòrst] *v* breast of veal.⭑

kalfsbout [-bout] *m* joint of veal.

kalfsgehakt [-gəhakt] *o* minced veal.

kalfskarbonade [-karbo.na.də] *v* veal cutlet.

kalfskop [-kɔp] *m* calf's head.

kalfskotelet [-ko.tələt] *v* veal cutlet.

kalfslapje [-lapjə] *o* veal collop.

kalfsle(d)er [-le:r, le.dər] *o* calf, calfskin, calfleather; *in kalfsleren band* bound in calf.

kalfslever [-le.vər] *v* calf's liver.

kalfsnier [-ni:r] *v* calf's kidney.

kalfsoester [-u.stər] *v* veal collop.

kalfsoog [-o.x] *o* 1 calf's eye; 2 poached egg.

kalfsvel [-fɛl] *o* calf's skin, calfskin; *het ~ volgen* follow the drum.

kalfsvlees [-fle.s] *o* veal.

kalfszweŗerik ['kalfsve.zərɪk] *m* sweetbread.

1 **kali** ['ka.li.] *m* potassium.

2 **kali** ['ka.li.] *m Ind* river.

kaliber [ka.'li.bər] *o* calibre[2], bore.

kalief [ka.'li.f] *m* caliph.

kalifaat [-li.'fa.t] *o* caliphate.

kalium ['ka.li.ŭm] *o* potassium.

kalk [kalk] *m* 1 lime; 2 (gebluste) slaked lime; 3 (ongebluste) quicklime; 4 (metsel) mortar; 5 (pleister) plaster.

kalkaarde ['kalka:rdə] *v* calcareous earth.

kalkachtig [-axtəx] limy, calcareous.

kalkbak [-bak] *m* hod.

kalkbrander [-brandər] *m* lime burner.

kalkbranderij [kalkbrandə'rei] *v* limekiln.

kalkeer- zie *calqueer-*.

kalkei ['kalkɛi] *o* preserved egg.

kalken ['kalkə(n)] *vt* 1 lime [skins &]; roughcast, plaster [a wall]; 2 S chalk, write.

kalkeren zie *calqueren*.

kalkhoudend ['kalkhoudənt] calcareous, calciferous.

kalklicht [-lɪxt] *o* limelight.

kalkoen [kal'ku.n] *m* 🦃 turkey; *~se haan* turkey-cock; *~se hen* turkey-hen.

kalkoven ['kalko.və(n)] *m* limekiln.

kalkput [-pŭt] *m* lime pit.

kalksteen [-ste.n] *o & m* limestone.

kalkwater [-va.tər] *o* lime water.

kalm [kalm] I *aj* calm, quiet, composed; *~!* easy!, steady!; *~ en bedaard* calm and quiet, cool and collected; II *ad* calmly &.

kalmeren [kal'me:rə(n)] I *vt* calm, soothe, appease, tranquillize; II *vi* calm down, compose oneself; *~d middel* sedative, tranquillizer.

kalmoes ['kalmu.s] *m* ⚘ sweet flag.

kalmpjes ['kalmpjəs] calmly; *~ aan!* easy!, steady!

kalmte ['kalmtə] *v* calm, calmness, composure.

kalori- zie *calori-*.

kalotje [ka.'lɔcə] *o* 1 (v. heer) skull-cap; 2 (van geestelijke) calotte.

Kalvarieberg zie *Calvarieberg*.

kalven ['kalvə(n)] *vi* calve.

kalverachtig [-vəraxtəx] calf-like.

kalverliefde [-li.vdə] *v* calf-love.

kam [kam] *m* comb [for the hair]; crest [of a cock, helmet, hill &]; bridge [of violin]; ⚔ cam, cog [of wheel]; *de ~ opsteken* elevate (erect) one's crest[2], *fig* bristle up; *allen over één ~ scheren* lump them all together, treat all alike.

kamee zie *camee*. [ships].

kameel [ka.'me.l] *m* 🐪 camel [also for raising

kameeldrijver [-dreivər] *m* camel-driver.

kameelhaar [-ha:r] *o* camel's hair.

kameleon [ka.me.le.'òn] *o & m* 🦎 chameleon[2].

kamelia zie *camelia*.

kamen ['ka.mə(n)] *vi* grow mouldy.

kamenier [ka.mə'ni:r] *v* (lady's) maid.

kamer ['ka.mər] *v* 1 room, chamber; 2 chamber [of a gun]; 3 ventricle [of the heart]; *donkere ~* dark room; *de Eerste Kamer* the first chamber; [in England] the Upper House; *gemeubileerde ~s* furnished apartments; *de Tweede Kamer* the second chamber; [in England] the Lower House; *de Kamer van Koophandel* the Chamber of Commerce; *de ~ bijeenroepen* convoke the House; *~s te huur hebben* have apartments (rooms) to let; *zijn ~ houden* keep one's room; *de ~ ontbinden* (openen, sluiten) dissolve (open, prorogue) the Chamber; *hij woont op ~s* he lives in lodgings; *ik woon hier op ~s* I am in rooms here; *hij is niet op zijn ~* he is not in his room.

kameraad [ka.mə'ra.t] *m* comrade, mate, fellow, companion, F chum, S pal.

kameraadschap [-sxap] *v* companionship, (good-)fellowship, comradeship.

kameraadschappelijk [ka.məra.t'sxapələk] I *aj* friendly, F chummy; II *ad* in a friendly manner.

kamerarrest ['ka.mərarɛst] *o* confinement to one's room; *~ hebben* J have to keep one's room.

kamerbewoner [-bəvo.nər] *m* ~bewoonster [-vo.nstər] *v* lodger.
kamerdebat [-dəbat] *o* Parliamentary debate.
kamerdeur [-dø:r] *v* room-door.
kamerdienaar [-di.na:r] *m* 1 valet, man(-servant); 2 (aan 't hof) groom (of the chamber), chamberlain.
kamergymnastiek [-gɪmnɑsti.k] *v* indoor gymnastics.
kamerheer [-he:r] *m* chamberlain, gentleman in waiting [at court].
kamerhuur [-hy:r] *v* room-rent.
kamerjapon ['ka.mərja.pòn] *m* ~jas [-jɑs] *m* & *v* dressing-gown.
kamerlid [-lɪt] *o* member of the chamber, member of Parliament [in England].
kamermeisje [-mɛiʃə] *o* chambermaid.
kamermuziek [-my.zi.k] *v* ♪ chamber music.
kamerontbinding [-òntbɪndɪŋ] *v* dissolution of the chamber(s).
kamerorkest [-ərkɛst] *o* ♪ chamber orchestra.
kamerplant [-plɑnt] *v* indoor plant.
kamerpot [-pɔt] *m* chamber (pot).
kamerscherm, -schut [-sxɛrm, -sxũt] *o* draught-screen.
kamertemperatuur [-tɛmpəra.ty:r] *v* room temperature.
kamerverhuurder [-vərhy:rdər] *m* ~ster [-stər] *v* lodging-house keeper.
kamerverslag [-vərslɑx] *o* in: de ~en the reports of the Parliamentary debates.
kamerzetel [-ze.təl] *m* seat (in Parliament).
kamfer ['kɑmfər] *m* camphor.
kamferboom [-bo.m] *m* camphor-tree.
kamferen ['kɑmfərə(n)] *vt* camphorate.
kamferspiritus [-fərspi:ri.tũs] *m* camphorated spirits.
kamgaren ['kɑmga:rə(n)] *o* & *aj* worsted.
kamhagedis [-ha.gədɪs] *v* ⚘ iguana.
kamig ['ka.məx] *v* mouldy.
kamille [ka.'mɪlə] *v* ⚘ camomile.
kamilletee zie kamillethee.
kamillethee [-te.] *m* camomile tea.
kamizool [ka.mi.'zo.l] *o* camisole.
kammen ['kɑmə(n)] I *vt* comb; card [wool]; II *vr zich* ~ comb one's hair.
kammer [-mər] *m* comber, carder [of wool].
1 kamp [kɑmp] *o* ✂ camp².
2 kamp [kɑmp] *m* combat, fight, struggle, contest.
3 kamp [kɑmp] *aj* in: ~ geven yield, S throw up the sponge; zij waren ~ the race (the sports &) ended in a tie (in a draw).
kampanje [kɑm'pɑɲə] *v* ⚓ poop(-deck).
kampcommandant ['kɑmpkòmɑndɑnt] *m* camp commandant.
kampeercentrum [kɑm'pe:rsɛntrũm] *o* zie kampeerterrein.
kampeerder [-'pe:rdər] *m* camper.
kampeerterrein [-'pe:rtɛrɛin] *o* camping ground, camping site.
kampeerwagen [-va.gə(n)] *m* caravan.

kampement [kɑmpə'mɛnt] *o* 1 encampment, camp; 2 (kantonnement) cantonment.
kampen ['kɑmpə(n)] *vi* fight, combat, struggle, contend, wrestle; te ~ hebben met have to contend with; ~ om fight (contend) for.
kamperen [kɑm'pe:rə(n)] I *vt* (en)camp; II *vi* camp, be (lie) encamped, camp out.
kamperfoelie [kɑmpər'fu.li.] *v* ⚘ honeysuckle; wilde ~ woodbine.
kampernoelie [-'nu.li.] kampernoelje [-'nu.ljə] ⚘ mushroom.
kampioen [kɑmpi.'u.n] *m* champion°.
kampioenschap [-sxɑp] *o sp* championship.
kampkommandant zie kampcommandant.
kampong ['kɑmpòn] *m Ind* kampomp.
kampplaats ['kɑmpla.ts] *v* field of battle, battle-field, arena.
kamprechter ['kɑmprɛxtər] *m* umpire.
kampstrijd [-strɛit] *m* match; *fig* struggle.
kampvechter [-fɛxtər] *m* fighter, wrestler; champion.
kampvuur [-fy:r] *o* camp-fire.
kampwacht [-vɑxt] *v* camp guard.
kamrad ['kɑmrɑt] *o* ⚙ cog-wheel.
kamvormig ['kɑmvɔrməx] comb-shaped.
kamwol [-vòl] *v* combing-wool.
1 kan [kɑn] *v* 1 jug, can, mug, tankard; 2 litre; het is in ~nen en kruiken the matter (everything) is settled, fixed (up).
2 kan [ka.n] *m* (oosterse titel) khan.
kanaal [ka.'na.l] *o* 1 (gracht) canal; 2 (vaargeul, TV, fig) channel; het Kanaal the Channel.
kanaalgeld [-gɛlt] *o* canal dues.
Kanaän ['ka.na.ɑn] *o* Canaan.
Kanaäniet [ka.na.a.'ni.t] *m* Canaanite.
kanalisatie [ka.na.li.'za.(t)si.] *v* canalization.
kanaliseren [-'ze:rə(n)] *vt* canalize.
kanaliz- zie kanalis-.
kanapee zie canapé.
kanarie [ka.'na:ri.] *m* ⚘ canary.
kanariegeel [-ge.l] canary-yellow.
kanariekooi [-ko:i] *v* canary-bird cage.
kanarievogel [-vo.gəl] *m* ⚘ canary(-bird).
kanariezaad [-za.t] *o* ⚘ canary-seed.
kandeel [kɑn'de.l] *v* caudle.
kandelaar ['kɑndəla:r] *m* candlestick.
kandelaber [kɑndə'la.bər] *m* candelabra.
kandidaat [kɑndi.'da.t] *m* candidate [for appointment or honour]; applicant [for an office]; iemand ~ stellen nominate a person, put him up; zich ~ stellen 1 become a candidate; 2 contest a seat in Parliament, stand for [Amsterdam]; ~ in de letteren Bachelor of Arts; ~ in de rechten Bachelor of Laws.
kandidaatseksamen zie kandidaatsexamen.
kandidaatsexamen [-'da.tsɛksa.mə(n)] *o* littlego, smalls.
kandidaatstelling [-stɛlɪŋ] *v* nomination.
kandidatuur [kɑndi.da.'ty:r] *v* candidature, candidateship, nomination.
kandij [kɑn'dɛi] *v* candy.

kandijsuiker [-sœykər] *m* sugar-candy.
kaneel [ka.'ne.l] *m & o* cinnamon.
kaneelboom [-bo.m] *m* cinnamon-tree.
kaneelolie [-o.li.] *v* oil of cinnamon.
kangoeroe ['kɑŋgu:ru.] *m* 🐾 kangaroo.
kanjer ['kɑɲər] *m* a big one, spanker, whopper.
kanker ['kɑŋkər] *m* 🎗 cancer; 🎗 canker; *fig* canker.
kankeraar [-kəra:r] *m S* grouser, grumbler.
kankerachtig [-kərɑxtəx] cancerous, cancroid.
kankerbestrijding ['kɑŋkərbəstrɛidɪŋ] *v* fight against cancer.
kankeren ['kɑŋkərə(n)] *vi* 1 cancer; 2 *fig* canker; 3 *S* grouse, grumble.
kankergezwel ['kɑŋkərgəzvɛl] *o* cancerous tumour, cancerous growth.
kankerlijder [-lɛidər] *m* cancer patient.
kankeronderzoek [-òndərzu.k] *o* cancer research.
kanneleren zie *canneleren*.
kannibaal [kɑni.'ba.l] *m* cannibal.
kannibaals [-'ba.ls] cannibalistic.
kano ['ka.no.] *m* ⚓ canoe.
kanoën [-ə(n)] *vi* canoe.
kanon [ka.'nòn] *o* gun, cannon.
kanongebulder [-gəbŭldər] *o* roar (booming) of guns.
kanoni- zie *canoni-*.
kanonnade [ka.nò'na.də] *v* ⚔ cannonade.
kanonneerboot [-'ne:rbo.t] *m & v* ⚓ gun-boat.
kanonneren [-nò'ne:rə(n)] *vt* ⚔ cannonade.
kanonnevlees [ka.'nònəvle.s] *o* cannon-fodder.
kanonnier [-nò'ni:r] *m* ⚔ gunner.
kanonschot [ka.'nònsxòt] *o* ⚔ cannon-shot.
kanonskogel [-'nònsko.gəl] *m* ⚔ cannon-ball.
kanonvuur [-'nònvy:r] *o* ⚔ gun-fire, cannonade.
kanosport ['ka.no.spòrt] *v* canoeing.
kanovaarder [-va:rdər] *m* canoeist.
kans [kɑns] *v* chance, opportunity; *iemand een ~ geven* give one a chance; *~ hebben om...* have a chance of ...ing; *hij heeft goede ~en* he stands a good chance; *weinig ~ hebben om...* stand little chance of ...ing; *de ~ krijgen om...* get a chance of ...ing; *de ~ lopen om...* run the risk of ...ing; *de ~ schoon zien om...* see one's chance (opportunity) to...; *de ~ waarnemen* seize the opportunity; *de ~ wagen* take one's chance; *als hij ~ ziet om...* when he sees his chance to...; *ik zie er geen ~ toe* I don't see my way to do it, I can't manage it; *er is alle ~ dat...* there is every chance that...; *daar is geen ~ op* there is no chance of it; *de ~ keerde* the (my, his &) luck was turning; *de ~en staan gelijk* the odds are even.
kansel ['kɑnsəl] *m* pulpit; *hij wordt voor de ~ opgeleid* he is intended for the Church.
kanselarij [kɑnsəla:'rɛi] *v* chancery, chancellery.
kanselarijstijl [-stɛil] *m* official style. [lery.]
kanselier [kɑnsə'li:r] *m* chancellor.
kanselrede ['kɑnsəlre.də] *v* pulpit oration, homily.

kanselredenaar [-re.dəna:r] *m* pulpit orator.
kanselstijl [-stɛil] *m* pulpit style.
kanselwelsprekendheid [-vɛlspre.kənthɛit] *v* pulpit eloquence, homiletics.
kansrekening ['kɑnsre.kənɪŋ] *v* calculus of probabilities.
kansspel ['kɑnspɛl] *o* game of chance.
1 **kant** [kɑnt] *m* 1 side [of a road, of a bed &]; border [of the Thames &]; edge [of the water, of a forest]; brink [of a precipice]; margin [of a printed or written page]; 2 side, direction; 3 aspect [of life]; *dat raakt ~ noch wal* that is neither here nor there; *die ~ moet het uit met...* that way... ought to tend; *een andere ~ uitkijken* look the other way; *aan de ~ van de weg* at the side of the road, by the roadside; *aan de andere ~ moeten wij niet vergeten dat...* on the other hand (but then) we should not forget that...; *aan de veilige...* on the safe side; *dat is weer aan ~* that job is jobbed; *de kamer aan ~ doen* straighten up (do) the room, put things tidy; *de theeboel aan ~ doen* put the tea-things on one side; *zijn zaken aan ~ doen* retire from business; *naar alle ~en uitzien* look in every direction; *een vaatje op zijn ~ zetten* cant (tilt) a cask; *het is een dubbeltje op zijn ~* zie *dubbeltje*; *veel over zijn ~ laten gaan* not be so very particular (about...); *van alle ~en* on every side, from every quarter; *de zaak van alle (verschillende) ~en bekijken* look at the question from all sides (from different angles); *van die ~ bekeken...* looked at from that point...; *van welke ~ komt de wind?* from which side does the wind blow?; *iemand van ~ helpen (maken)* put one out of the way; *zich van ~ maken* make away with oneself; zie ook: 1 *zijde*.
2 **kant** [kɑnt] *m* (s t o f n a a m) lace.
3 **kant** [kɑnt] *aj* neat; *~ en klaar* all ready; cut and dried; ready to hand.
kantarel zie *cantharel*.
kantate zie *cantate*.
kanteel [kɑn'te.l] *m* crenel, battlement.
kantelen ['kɑntələ(n)] I *vt* (wentelen) turn over, overturn; (op z'n kant zetten) cant, tilt; II *vi* topple over, overturn, turn over; ⚓ capsize; *niet ~!* this side up.
1 **kanten** [-tə(n)] I *vt* cant, square; II *vr zich ~ tegen* oppose.
2 **kanten** [-tə(n)] *aj* lace.
kantharel zie *cantharel*.
kantig ['kɑntəx] angular.
kantine [kɑn'ti.nə] *v* canteen.
kantinewagen [-va.gə(n)] *m* mobile canteen.
kantje ['kɑɲcə] *o* F page, side [of note-paper]; *het was op het ~ af*, F it was a near (close) thing, it was touch and go; *op het ~ af geslaagd* got through by the skin of his teeth; *'t was op het ~ van onbeleefd* it was sailing near the wind.
kantklossen ['kɑntklòsə(n)] *o* pillow lace-making.

kantlijn [-lɛin] v 1 marginal line; 2 edge [of a cube &].

kanton [kɑn'tòn] o canton.

kantongerecht [-gərɛxt] o district court.

kantonnement [kɑntònə'mɛnt] o ✕ cantonment.

kantonneren [-'ne:rə(n)] vt ✕ canton.

kantonrechter [kɑn'tònrɛxtər] m justice of the peace.

kantoor [kɑn'to:r] o office; ∼ van afzending forwarding office; ∼ van ontvangst delivery office; daar ben je aan het rechte (verkeerde) ∼ you have come to the right (wrong) shop; op een ∼ in an office; ten kantore van... at the office of...

kantoorbediende [-bədi.ndə] m-v (office) clerk.

kantoorbehoeften [-bəhu.ftə(n)] mv stationery.

kantoorboek [-bu.k] o office book.

kantoorboekhandel [-hɑndəl] m stationer's (shop).

kantoorboekhandelaar [-hɑndəla:r] m stationer.

kantoorklerk [kɑn'to:rklɛrk] m clerk [in bank, office &].

kantoorkruk [-krük] v office stool.

kantoorloper [-lo.pər] m (office) messenger.

kantoormachine [-ma.ʃi.nə] v office machine; ∼s ook: office machinery.

kantoormeubelen [-mø.bələ(n)] mv office furniture.

kantoorpersoneel [-pɛrso.ne.l] o office staff, clerical staff, clerks.

kantoorstoel [-stu.l] m office chair.

kantooruren [-y:rə(n)] mv office hours.

kantoorwerkzaamheden [-vɛrksa.mhe.də(n)] mv office work.

kanttekening ['kɑnte.kənɪŋ] v marginal note.

kantwerk ['kɑntvɛrk] o lace-work.

kantwerkster [-vɛrkstər] v lace-maker.

kanunnik [ka.'nǚnɪk] m canon.

kanvas zie canvas.

kap [kɑp] v 1 (hoofdbedekking) coif, cap [of a cloak], hood [of a cowl]; 2 (v. voertuig) hood; 3 (v. schoorsteen) cowl; 4 (v. molen) cap; 5 (v. lamp) shade; 6 (v. laars) top; 7 (v. huis) roof, roofing; 8 (v. muur) coping; 9 ✗ bonnet [of motor-car engine], cowl(ing) [of aircraft engine]; cap, cover.

kapaciteit zie capaciteit.

kapdoos ['kɑpdo.s] v dressing-case.

kapel [ka.'pɛl] v 1 chapel [house of prayer]; 2 ♪ band; 3 🦋 butterfly.

kapelaan [kɑpə'la.n] m chaplain, RK curate, assistant priest.

kapelmeester [ka.'pɛlme.stər] m (military) bandmaster.

kapen ['ka.pə(n)] I vi 1 ⚓ privateer; 2 S filch, pilfer; II vt 1 ⚓ capture; 2 S filch, pilfer.

kaper [-pər] m ⚓ privateer, raider; er zijn ∼s op de kust the coast is not clear; 2 there are rivals in the field.

kaperbrief [-bri.f] m letter of marque (and reprisal).

kaperkapitein [-ka.pi.tɛin] m ⚓ (captain of a) privateer.

kaperschip [-sxɪp] o ⚓ privateer, raider.

kapitaal [kɑpi.'ta.l] I aj capital [letter]; een ∼ huis a fine (substantial) house; II o capital; ∼ en interest principal and interest.

kapitaalbelegging [-bəlɛgɪŋ] v investment (of capital).

kapitaalgoederen [-gu.dərə(n)] mv capital goods.

kapitaalheffing [-hɛfɪŋ] v capital levy.

kapitaalkrachtig [kɑpi.ta.l'krɑxtəx] with a considerable capital at one's back.

kapitaalmarkt [kɑpi.'ta.lmɑrkt] v capital market.

kapitaalvlucht [-vlǚxt] v flight of capital.

kapitaalvorming [-vɔrmɪŋ] v capital formation.

kapitalisatie [kɑpi.ta.li.'za.(t)si.] v capitalization.

kapitaliseren [-ta.li.'ze:rə(n)] vt capitalize.

kapitalisme [kɑpi.ta.'lɪsmə] o capitalism.

kapitalist [-'lɪst] m capitalist.

kapitalistisch [-'lɪsti.s] I aj capitalist [country, society], capitalistic [production]; II ad capitalistically.

kapitalizatie zie kapitalisatie.

kapitalizeren zie kapitaliseren.

kapiteel [kɑpi.'te.l] o capital [of a column].

kapitein [-'tɛin] m ✕ & ⚓ captain; ⚓ master; ∼-luitenant-ter-zee commander; ∼-vlieger flight-lieutenant.

kapiteinsrang [-'tɛinsrɑŋ] m ✕ rank of captain.

kapitonneren zie capitonneren.

Kapitool [kɑpi.'to.l] o Capitol.

kapittel [-'pɪtəl] o chapter.

kapittelen [-tələ(n)] vt in: iemand ∼ lecture one, read one a lecture.

kapittelheer [-tɛlhe:r] m canon.

kapittelkerk [-kɛrk] v minster.

kapitul- zie capitul-.

kapje ['kɑpjə] o 1 little cap; 2 circumflex; 3 crusty end [of a loaf].

kaplaars [-la:rs] v top-boot.

kaplaken [-la.kə(n)] o ⚓ primage.

kapmantel [-mɑntəl] m dressing-jacket.

kapmes [-mɛs] o chopper, cleaver.

kapoen [ka.'pu.n] m 🐔 capon.

kapok [-'pòk] m kapok.

kapokboom [-bo.m] m kapok-tree.

kapot [ka.'pòt] F broken, out of order, gone to pieces [of a tool &]; in holes [of a coat &]; ik ben ∼ I am fairly knocked up; ik ben er ∼ van I am dreadfully cut up by it; ∼ gaan go to pieces; ∼ gooien smash; ∼ maken spoil, put out of order, break.

kapotjas [-jɑs] m & v capote, greatcoat.

kapotje [ka.'pòcə] o (lady's) bonnet.

kappen ['kɑpə(n)] I vt 1 chop [wood]; cut (down), fell [trees], mince [meat]; 2 dress [the hair]; II vi & va 1 chop &; 2 dress the hair; III vr zich ∼ dress one's hair.

kapper [-pər] *m* hairdresser.
kapper(boom) [-(bo.m)] *m* ✿ caper-bush.
kappersaus [-səus] *v* caper sauce.
kappersbediende ['kapərsbədi.ndə] *m-v* hairdresser's assistant.
kapperswinkel [kapərs'vɪŋkəl] *m* hairdresser's shop.
kapriool zie *capriool*.
kapseizen ['kapsɛizə(n)] *vi* ⚓ capsize.
kapsel [-səl] *o* coiffure, hairdo, hair-style.
kapspiegel [-spi.gəl] *m* toilet-glass.
kapster [-stər] *v* (lady) hairdresser.
kapstok [-stɔk] *m* 1 (aan muur) row of pegs; 2 (in gang) hat-rack, hat-stand, hall-stand; 3 (één haak) peg.
kaptafel [-ta.fəl] *v* dressing-table.
kaptie zie *captie*.
kapucijn [ka.py.'sɛin] *m* Capuchin.
kapucijner [-'sɛinər] *m* ✿ marrowfat (pea).
kapverbod ['kapfərbɔt] *o* felling prohibition.
kar [kar] *v* cart [on 2 or 4 wheels]; F (fiets) bike; (auto) car.
kar. = *karaat*.
karaat [ka.'ra.t] *o* carat; *18-~s* 18-carat [gold].
karabijn [ka.ra.'bɛin] *v* carbine.
karabinier [-bi.'ni:r] *m* carabineer.
karaf [ka.'raf] *v* 1 water-bottle; 2 decanter [for wine].
karakter [ka.'raktər] *o* 1 (aard) character; nature; 2 (letterteken) character.
karaktereigenschappen [-ɛigənsxapə(n)] *mv* qualities of character.
karakterfout [-fəut] *v* defect of character.
karakteriseren [ka.raktəri.'ze:rə(n)] *vt* characterize.
karakteristiek [-rɪs'ti.k] **I** *aj* characteristic; **II** *ad* characteristically; **III** *v* characterization.
karakterizeren zie *karakteriseren*.
karakterloos [ka.'raktərlo.s] characterless.
karakterloosheid [ka.raktər'lo.shɛit] *v* lack of character.
karaktertrek [ka.'raktərtrek] *m* trait of character, feature.
karaktervorming [-vərmɪŋ] *v* character-building.
karambol(-) zie *carambole*(-).
karamel [ka.ra.'mɛl] *v* caramel.
karavaan [ka.ra.'va.n] *v* caravan.
karavaanweg [-vex] *m* caravan-route.
karbied(-) zie *carbid*(-).
karbies [kar'bi.s] *v* shopping basket.
karbol(-) zie *carbol*(-).
karbonade [karbo.'na.də] *v* chop, cutlet.
karbonkel [-'bɔŋkəl] *m* & *o* carbuncle.
karbonpapier zie *carbonpapier*.
karbouw [kar'bəu] *m* ⛰ *Ind* (water) buffalo.
karbur- zie *carbur-*.
kardinaal [kardi.'na.l] **I** *m* cardinal; **II** *aj* cardinal [point, error].
kardinaalschap [-sxap] *o* cardinalship.
kardinaalshoed [kardi.'na.lshu.t] *m* cardinal's hat.

1 **kardoes** [kar'du.s] *m* ⛰ poodle.
2 **kardoes** [kar'du.s] *v* ✕ cartridge.
karekiet [ka:rə'ki.t] = *karkiet*.
Karel ['ka:rəl] *m* Charles; ~ *de Grote* Charlemagne; ~ *de Stoute* Charles the Bold.
karig ['ka:rəx] **I** *aj* scanty, frugal [meal], sparing [use]; (niet) ~ *zijn met* (not) be chary (sparing) of; **II** *ad* scantily, frugally, sparingly, with a sparing hand.
karigheid [-hɛit] *v* scantiness, frugality, sparingness.
karikaturiseren, **-zeren** [kari.ka.ty:ri.'ze:rə(n)] *vt* caricature.
karikatuur [kari.ka.'ty:r] *v* caricature.
karikatuurtekenaar [-te.kəna:r] *m* caricaturist.
karkas [kar'kas] *o* & *v* carcass, carcase, skeleton.
karkiet [kar'ki.t] *m* ✿ reed-warbler.
karmeliet [karmə'li.t] *m* Carmelite (friar).
karmelietes [-məli.'tɛs] *v* Carmelite (nun).
karmijn [kar'mɛin] *o* carmine.
karmozijn [-mo.'zɛin] *o* **karmozijnen** [-'zɛinə(n)] *aj* crimson.
karmozijnrood [-ro.t] *aj* & *o* crimson.
karn [karn] *v* churn.
karnaval zie *carnaval*.
karnemelk ['karnəmɛlk] *v* buttermilk.
karnen [-nə(n)] *vt* churn.
karnpols, **karnstok** ['karnpɔls, -stɔk] *m* dasher.
karnton [-tòn] *v* churn.
Karolinger [ka.ro.'lɪŋər] *m* **Karolingisch** [-'lɪŋi.s] *aj* ⛰ Carlovingian.
karos [ka.'rɔs] *v* coach, state carriage.
Karpaten [kar'pa.tə(n)] Carpathians.
karper ['karpər] *m* ⛰ carp.
karpet [kar'pɛt] *o* (square of) carpet.
karrepaard ['karəpa:rt] *o* cart-horse.
karrespoor [-spo:r] *o* rut, cart track.
karrevracht [-vraxt] *v* cart-load.
karspoor ['karspo:r] = *karrespoor*.
1 **kartel** [kar'tɛl] *o* cartel.
2 **kartel** ['kartəl] *m* (kerf) notch.
karteldarm [-darm] *m* colon.
kartelen ['kartələ(n)] *vt* notch; mill [coins].
kartelrand [-təlrant] *m* milled edge.
karteren [kar'te:rə(n)] *vt* map; (in z. ✍) survey.
kartering [-rɪŋ] *v* mapping; (in z. ✍) survey-(ing).
kartets(en) [kar'tɛts, -'tɛtsə(n)] *v* (mv) ✕ grape-shot.
kartetsvuur [-fy:r] *o* ✕ grape-shot fire.
karton [kar'tòn] ⌒ cardboard, pasteboard; *een* ~ a cardboard box, a carton.
kartonnagefabriek [-tò'na.ʒəfa.bri.k] *v* cardboard factory.
kartonnen [kar'tònə(n)] *aj* cardboard, pasteboard.
kartonneren [-tò'ne:rə(n)] *vt* bind in boards [books]; *gekartonneerd* (in) boards.
kartonnering [-rɪŋ] *v* (binding in) boards [of books].

kartot(h)eek zie *cartot(h)eek.*

kartuizer [kɑr'tœyzər] *m* Carthusian (monk).

karwats [kɑr'vɑts] *v* horsewhip, riding-whip.

karwei [kɑr'vɛi] *v* & *o* job; *op ~ gaan* go out jobbing; *op ~ zijn* be on the job.

karweitje [-cə] *o* job; *(allerlei) ~s* odd jobs; *het is me een ~* F it is a nice job.

karwij [-'vɛi] *v* ✿ caraway.

kas [kɑs] *v* I (ter invatting) case [of a watch], socket [of a tooth]; 2 *(voor druiven &)* hothouse, glass-house; 3 $ cash; pay-office; (pay-)desk; 4 [unemployment &] fund; *'s lands ~* the exchequer, the coffers of the State; *de ~ houden* keep the cash; *de ~ opmaken* make up the cash; *wel bij ~ zijn* be in cash, be in funds, have plenty of money; *slecht (niet) bij ~ zijn* be short of cash, be out of funds, be hard up; *geld in ~* cash in hand.

kasboek ['kɑsbu.k] *o* $ cash-book.

kasdruiven [-drœyvə(n)] *mv* hothouse grapes.

kasgeld [-gɛlt] *o* $ till-money, cash (in hand).

kasjmier ['kɑʃmi:r] *o* cashmere.

kasjmieren [-mi:rə(n)] *aj* cashmere.

kasmiddelen ['kɑsmɪdələ(n)] *mv* $ cash (in

Kasper [-pər] *m* Jasper. [hand).

Kaspische Zee [kɑspi.sə'ze.] *v* Caspian (Sea).

kasplant ['kɑsplɑnt] *v* hothouse plant.

kasregister [-rəgɪstər] *o* $ cash-register.

kassa ['kɑsa.] *v* $ I cash; 2 cash-desk, (pay-)desk; box-office [of cinema &]; *per ~* $ net cash.

kassaldo ['kɑsɑldo.] *o* cash balance.

kassatie zie *cassatie.*

kassen ['kɑsə(n)] *vt* set [in gold &].

kasseren zie *casseren.*

kasserol [kɑsə'rɔl] = *kastrol.*

kassian [kɑsi.'ɑn] *o Ind* compassion, pity; ~*!* poor fellow!, poor dear!, poor thing!

kassier [kɑ'si:r] *m* I cashier, (v. bank ook:) teller; 2 banker.

kassiersboekje [-'si:rsbu.kjə] *o* $ bank-book, pass-book.

kassierskantoor [-kɑnto:r] *o* $ banking-office.

kast [kɑst] *v* I cupboard [for crockery, provisions &]; wardrobe [for clothes]; chest [for belongings]; book-case [for books]; press [in a wall]; cabinet [for valuables]; 2 S diggings, room; quod, prison; 3 case [of a watch &]; *hem in de ~ zetten* S put him in quod; *hem op de ~ jagen* S rile him.

kastanje [kɑs'tɑɲə] *v* ✿ chestnut; *wilde ~* horse-chestnut; *voor iemand de ~s uit vuur halen* pull the chestnuts out of the fire for one, be made a cat's-paw of.

kastanjeboom [-bo.m] *m* chestnut-tree.

kastanjebruin [-brœyn] chestnut, auburn.

kastanjetten zie *castagnetten.*

kaste ['kɑstə] *v* caste.

kasteel [kɑs'te.l] *o* I castle, ✗ citadel; 2 *sp* castle, rook [in chess].

kastegeest ['kɑstəge.st] *m* spirit of caste, caste-

feeling.

kastekort ['kɑstəkɔrt] *o* $ deficit, deficiency.

kastelein [kɑstə'lɛin] *m* innkeeper, landlord, publican.

kastenmaker ['kɑstə(n)ma.kər] *m* cabinet-maker.

kastenstelsel [-stɛlsəl] *o* caste system.

kastijden [kɑs'tɛi(d)ə(n)] *vt* chastise, castigate, punish.

kastijding [-dɪŋ] *v* chastisement, castigation.

kastje ['kɑʃə] *o* (small) cupboard; (sierlijk) cabinet; (v. leerling, voetballer &) locker; *van het ~ naar de muur sturen* send from pillar to post.

kastkoffer ['kɑstkɔfər] *m* wardrobe trunk.

kastoor [kɑs'to:r] *o* beaver.

kastoren [-'to:rə(n)] *aj* beaver.

kastpapier ['kɑstpa.pi:r] *o* shelf-paper.

kastrol [kɑs'trɔl] *v* casserole.

kasuaris [ka.zy.'a:rəs] *m* 🦤 cassowary.

kasueel zie *casueel.*

kat [kɑt] *v* 🐱 cat[2], tabby; *de ~ de bel aanbinden* bell the cat; *als een ~ in een vreemd pakhuis* like a fish out of water; *een ~ in de zak kopen* buy a pig in a poke; *de ~ uit de boom kijken* see which way the cat jumps, sit on the fence; *de ~ in het donker knijpen* saint it in public and sin in secret; *als de ~ weg is, dansen de muizen* when the cat's away the mice will play; *zij leven als ~ en hond* they live like cat and dog; *~ en muis sp* cat and mouse.

katachtig ['kɑtɑxtəx] catlike, § feline[2].

katafalk [ka.ta.'fɑlk] *v* catafalque.

katakombe zie *catacombe.*

katalogiseren zie *catalogiseren.*

katalysator [ka.ta.li.'za.tər] *m* catalyst.

katapult ['kɑtəpʏlt] *m* catapult.

katar zie *catarre.*

katarakt zie *cataract.*

katastrof- zie *catastrof-.*

katech- zie *catech-.*

kateder zie *katheder.*

katedraal zie *kathedraal.*

kategori- zie *categori-.*

kater ['ka.tər] *m* I tom cat, tom; 2 S *een ~ hebben* have a head, a hang-over.

katheder [ka.'te.dər] *m* chair.

kathedraal [-te.'dra.l] I *aj* cathedral; II *v* cathedral (church).

kathode [ka.'to.də] *v* ⚡ cathode.

kathodestraal [-stra.l] *m* & *v* ⚡ cathode ray.

kathodestraalbuis [-bœys] *v* ⚡ cathode-ray tube.

katholicisme [ka.to.li.'sɪsmə] *o* Roman Catholicism.

katholiek [-'li.k] *m* & *aj* Roman Catholic; *de Katholieke Actie RK* the Catholic Action.

katje ['kɑcə] *o* I kitten; 2 ✿ catkin; *zij is geen ~ om zonder handschoenen aan te pakken* F she can look after herself; *bij nacht zijn alle ~s grauw* in the dark all cats are grey.

katjesspel [-spɛl] *o* kittenish romps; *dat loopt op~uit* F it will end in mischief.

katode(-) zie *kathode*(-).

katoen [ka.'tu.n] *o* & *m* cotton; *hem van ~ geven* F let oneself go, put some vim into it; *hun van ~ geven* F give them hell.

katoenachtig [-ɑxtəx] cottony.

katoenbaal [-ba.l] *v* bale of cotton.

katoenboom [-bo.m] *m* cotton-tree.

katoenbouw [-bou] *m* cotton-growing.

katoendrukker [-drûkər] *m* calico-printer.

katoendrukkerij [ka.tu.ndrûkə'rɛi] *v* calico-printing factory.

katoenen [ka.'tu.nə(n)] *aj* cotton; *~ stoffen* cotton fabrics, cottons.

katoenfabriek [ka.'tu.nfa.bri.k] *v* cotton-mill.

katoenfabrikant [-fa.bri.kɑnt] *m* cotton manufacturer.

katoenfluweel [-fly.ve.l] *o* cotton velvet, velveteen.

katoenmarkt [-mɑrkt] *v* cotton market.

katoenpitten [-pɪtə(n)] *mv* cotton seeds.

katoenspinner [-spɪnər] *m* cotton-spinner.

katoenspinnerij [ka.tu.nspɪnə'rɛi] *v* cotton-mill.

katoentje [ka.'tu.ncə] *o* print (dress); *~s* cotton prints.

katoenverver [-vɛrvər] *m* cotton-dyer.

katoenwever [-ve.vər] *m* cotton-weaver.

katoenweverij [ka.tu.nve.və'rɛi] *v* cotton-mill.

katoli- zie *katholi-*.

Katrien [ka.'tri.n] **Katrijn** [ka.'trɛin] *v* Catherine, Kate, Kitty.

katrol [-'trɔl] *v* pulley.

katrolschijf [-sxɛif] *v* sheave.

kattebak ['kɑtəbak] *m* 1 cat's box; 2 dickey (-seat) [of a carriage].

kattebelletje [-bɛləcə] *o* F (hasty) scribble, scrawl.

Kattegat [-gɑt] *Het ~* the Cattegat.

kattekwaad [-kʋa.t] *o* naughty tricks, mischief.

kattemuziek [-my.zi.k] *v* 1 caterwauling; 2 ♪ rough music.

kattengeslacht ['kɑtə(n)gəslɑxt] *o* cat tribe.

katterig ['kɑtərəx] S chippy, having a "head".

katterigheid [-hɛit] *v* S chippiness.

kattestaart ['kɑtəsta:rt] *m* 1 ≗ cat's tail; 2 ❀ purple loosestrife.

kattevel [-vel] *o* catskin.

kattig ['kɑtəx] catty, cattish.

katuil ['kɑtœyl] *m* ≗ barn-owl.

katvis [-fɪs] *m* small fry.

katzwijm [-sʋɛim] *in ~ liggen* be in a fainting fit; *in ~ vallen* faint.

Kaukasiër [kɔu'ka.zi.ər] *m* **Kaukasisch** [-zi.s] *aj* Caucasian.

Kaukasus ['kɔuka.zûs] *m* Caucasus.

kausa- zie *causa-*.

kautie zie *cautie*.

kauw [kɔu] *v* ≗ jackdaw, daw.

kauwen ['kɔuə(n)] I *vi* chew, masticate; *~ op*

chew; II *vt* chew, masticate.

kauwgom [-gɔm] *m* & *o* chewing gum.

kauwspier [-spi:r] *v* masticatory muscle.

kavaleri- zie *cavaleri-*.

kavalkade zie *cavalcade*.

kavel ['ka.vəl] *m* $ lot, parcel.

kavelen [-vələ(n)] *vt* $ lot (out), parce out, divide into lots.

kaveling [-vəlɪŋ] *v* $ 1 lotting (out), parcelling out; 2 lot, parcel.

kaviaar [ka.vi.'a:r] *m* caviar(e).

kazemat [ka.zə'mɑt] *v* ✕ casemate.

kazen ['ka.zə(n)] *vi* curdle.   [rack.

kazerne [ka.'zɛrnə] *v* ✕ barracks, ook: bar-

kazerneplein [-plɛin] *o* ✕ barrack-square.

kazerneren [ka.zɛr'ne:rə(n)] *vt* ✕ barrack.

kazernetaal [ka.'zɛrnəta.l] *v* ✕ barrack-room language.

kazernewoning [-vo.nɪŋ] *v* tenement house.

kazuifel [ka.'zœyfəl] *m* RK chasuble.

K.B. [ka.'be.] = *Koninklijk Besluit*.

kedive [ke.'di.və] *m* khedive.

Kee [ke.] *v* F Cornelia.

keel [ke.l] *v* throat; *een ~ opzetten* set up a cry; *iemand bij de ~ grijpen* seize one by the throat; *het woord bleef mij in de ~ steken* the word stuck in my throat; *iemand naar de ~ vliegen* fly at a person's throat; *het hangt mij de ~ uit* F I am fed up with it.

keelaandoening ['ke.la.ndu.nɪŋ] *v* throat affection.

keelader [-a.dər] *v* jugular vein, jugular.

keelgat [-gɑt] *o* gullet; *het kwam in het verkeerde ~* it went down the wrong way.

keelgeluid [-gəlœyt] *o* guttural sound.

keelholte [-hɔltə] *v* pharynx.

keelklank [-klɑnk] *m* guttural (sound).

keelontsteking [-ɔntste.kɪŋ] *v* inflammation of the throat, quinsy.

keelpijn [-pɛin] *v* pain in the throat; *~ hebben* have a sore throat.

keelspiegel [-spi.gəl] *m* laryngoscope.

keelziekte [-zi.ktə] *v* disease of the throat.

keep [ke.p] *v* notch, nick, indentation.

keeper ['ki.pər] *m* sp goal-keeper.

keer [ke:r] *m* 1 turn; 2 time; *de ziekte heeft een goede (gunstige) ~ genomen* the illness has taken a favourable turn; *(voor) deze ~* this time; *twee ~* twice; *de twee keren dat hij...* the two times that he...; *een ~ of drie* two or three times; *drie ~* three times, thrice; *een enkele ~* once in a while, occasionally; *de laatste ~* (the) last time; *de volgende ~* next time; *in één ~* at one time, at a blow, at a draught &; *op een ~* one day (one evening &); *~ op ~* time after time; *voor deze ene ~* for this once.

keerdam [ke:rdɑm] *m* barrage, weir.

keerkoppeling [-kɔpəlɪŋ] *v* ✕ reverse gear.

keerkring [-krɪŋ] *m* tropic.

keerkringslanden [-krɪŋslɑndə(n)] *mv* tropical countries.

keerpunt [-pŭnt] o turning-point [in career], crisis.

keervers [-vɛ:rs] o burden [of a song].

keerweer [-ve:r] m blind alley.

keerzij(de) [-zɛi(də)] v reverse, back; fig seamy side; de ∼ van de medaille the other side of the picture [fig]; aan de ∼ on the back.

Kees [ke.s] m Cornelius.

kees [ke.s] 1 ₪ Dutch Patriot; 2 zie keeshond.

keeshond ['ke.shònt] m Pomeranian (dog).

keet [ke.t] v 1 salt-works; 2 shed; ∼ hebben P have (great) fun; ∼ maken P kick up a row.

keffen ['kɛfə(n)] vi yap².

keffer [-fər] m yapper².

keg [kɛx] v wedge.

kegel ['ke.gəl] m 1 cone [in geometry]; 2 skittle, ninepin [game]; 3 (ijskegel) icicle.

kegelaar [-gəla:r] m player at skittles.

kegelbaan [-gəlba.n] v skittle-alley, bowling-alley.

kegelbal [-bɑl] m skittle-ball.

kegelen ['ke.gələ(n)] vi play at skittles, at nine-pins.

kegelsnede [-gəlsne.də] v conic section.

kegelspel [-spɛl] o (game of) skittles, nine-pins.

kegelvlak [-vlɑk] o conical surface.

kegelvormig [-vɔrməx] I aj conical; II ad conically.

kegge ['kɛgə] = keg.

kei [kɛi] m 1 boulder; 2 (ter bestrating) paving-stone, [round] cobble(-stone); 3 fig F zie bolleboos.

keihard ['kɛihɑrt] stone-hard; een ∼ schot a fierce shot; een ∼e vrouw a hard-boiled woman; de radio stond ∼ aan the radio was full on, was on at full blast.

keilen ['kɛilə(n)] vt fling, pitch; steentjes over het water ∼ make ducks and drakes.

keisteen [-ste.n] m zie kei 1 & 2.

keizer ['kɛizər] m emperor; geeft den ∼, wat des ∼s is B render unto Caesar the things which are Caesar's; waar niets is verliest de ∼ zijn recht the King looseth his right where nought is to be had.

keizerin [kɛizə'rɪn] v empress.

keizerlijk ['kɛizərlək] aj (& ad) imperial(ly).

keizerrijk [-zərɛik] o empire.

keizerschap ['kɛizərsxɑp] o emperorship.

keizerskroon [-zərskro.n] v imperial crown.

keker [ke.kər] v chick-pea.

kelder ['kɛldər] m cellar; vault [of a bank]; naar de ∼ gaan 1 ⚓ go to the bottom; 2 fig go to the dogs.

kelderdeur [-dø:r] v cellar-door.

kelderen ['kɛldərə(n)] I vt lay up, cellar, store (in a cellar); II vi S slump [of shares].

keldergat ['kɛldərgɑt] o air-hole, vent-hole.

keldergewelf [-gəvɛlf] o cellar-vault.

kelderkeuken [-kø.kə(n)] v basement kitchen.

kelderluik [-lœyk] o trap-door, cellar-flap.

keldermeester [-me.stər] m cellarman; (v. klooster) cellarer.

keldermot [-mɔt] kelderpissebed [-pɪsəbɛt] v sow-bug.

kelderraam ['kɛldəra.m] o cellar-window.

kelderruimte [-rœymtə] v cellarage.

keldertrap ['kɛldərtrɑp] m cellar stairs.

keldervenster [-vɛnstər] o cellar-window.

kelderverdieping [-vɔrdi.pɪŋ] v basement.

kelderwoning [-vo.nɪŋ] v basement.

kelen ['ke.lə(n)] vt cut the throat of, kill.

kelk [kɛlk] m 1 cup, chalice; 2 ♣ calyx.

kelkblad ['kɛlkblɑt] o ⚘ sepal.

kelkvormig [-fɔrməx] cup-shaped.

kelner ['kɛlnər] m waiter; ⚓ steward.

kelnerin [kɛlnə'rɪn] v waitress.

Kelt [kɛlt] m Celt.

Keltisch ['kɛlti.s] Celtic.

kemel ['ke.məl] m ⚌ camel.

kemelshaar [-məlsha:r] o camel's hair.

kemphaan ['kɛmpha.n] m 1 ♆ ruff; ('t wijfje) reeve; 2 fig fighter, F bantam.

kenbaar ['kɛnba:r] knowable; ∼ maken make known.

kenbaarheid [-hɛit] v knowableness.

kengetal ['kɛngətɑl] o ☏ distinctive number.

kenmerk [-mɛrk] o 1 distinguishing mark; 2 characteristic, feature.

kenmerken [-mɛrkə(n)] I vt characterize, mark; II vr zich ∼ door be characterized by.

kenmerkend [-kənt] characteristic (of voor).

kennelijk ['kɛnələk] I aj obvious; in ∼e staat van dronkenschap under the influence of drink, intoxicated, drunk; II ad clearly, obviously.

kennen ['kɛnə(n)] vt know, be acquainted with; dat ∼ we! F I've heard that story before!; ken u zelven know thyself; geen... van... ∼ not know... from...; zijn lui ∼ know with whom one has to deal; hij kent geen vrees he knows no fear; te ∼ geven give to under-stand, hint; een wens te ∼ geven intimate a wish; ik ken hem aan zijn gang (manieren, stem) I know him by his gait (manners, voice); iemand niet in iets ∼ act without his knowledge; ze uit elkaar ∼ know them apart; zich doen ∼ als... show oneself a...; zich laten ∼ show oneself in one's true colours; laat je nou niet ∼ aan een gulden don't give yourself away in the matter of a poor guilder; iemand leren ∼ get acquainted with a person, come (learn) to know a per-son; zij wilden hem niet ∼ they cut him.

kenner [-nər] m connoisseur, (good) judge (of van).

kennersblik [-nərsblɪk] m look of a connois-seur; met ∼ with the eye of a connoisseur.

kennis ['kɛnəs] 1 v [theoretical or practical] knowledge [of a thing]; acquaintance [with persons & things]; 2 m-v (persoon) ac-quaintance; ∼ is macht knowledge is power; ∼ dragen van have knowledge (cognizance) of; ~ *geven van* give notice of; ~ *hebben aan iemand* be acquainted with a person; (*geen*) ~ *hebben van* have (no) knowledge of; ~ *maken met iemand* make a man's acquaintance; *nader* ~ *maken met iemand* improve a man's acquaintance; ~ *maken met iets* get acquainted with a thing; ~ *nemen van* take cognizance (note) of, acquaint oneself with; *bij* ~ *zijn* be conscious; *weer bij* ~ *komen* regain consciousness; *buiten* ~ *zijn* be unconscious, have lost consciousness; *dat is buiten mijn* ~ *gebeurd* without my knowledge; *met elkaar in* ~ *brengen* make acquainted with each other; *iemand in* ~ *stellen met* (*van*) acquaint one with, inform him of; *met* ~ *van zaken* with (full) knowledge; *wij zijn onder* ~*en* we are among acquaintances (friends) here; *iets ter* (*algemene*) ~ *brengen* give (public) notice of a thing; *ter* ~ *komen van* come to the knowledge of.

kennisgeving [-ge.vɪŋ] *v* notice, [official] notification; *voor* ~ *aannemen* lay [a petition] on the table; *het zal voor* ~ *aangenomen worden* the Government (the Board &) do not intend (propose) to take notice of it.

kennismaking [-ma.kɪŋ] *v* getting acquainted, acquaintance; *bij de eerste* (*nadere*) ~ on first (nearer) acquaintance; *op onze* ~! to our better acquaintance!; *ter* ~ $ on approval.

kennisneming [-ne.mɪŋ] *v* (taking) cognizance, examination, inspection.

kennisteorie zie *kennistheorie*.

kennistheorie [-te.o.ri.] *v* theory of knowledge.

kenschetsen ['kɛnsxɛtsə(n)] *vt* characterize.

kenspreuk [-sprø.k] *v* motto.

kentaur [kɛn'tɔur] = *centaur*.

kenteken ['kɛnte.kə(n)] *o* distinguishing mark, badge, token.

kentekenen [-te.kənə(n)] *vt* characterize.

kentekenplaat [-te.kə(n)pla.t] *v* registration plate. [*telen.*]

kenteren ['kɛntərə(n)] *vi* turn; zie ook: *kankentering* [-tərɪŋ] *v* 1 turn (of the tide), turning (of the tide); 2 change [of the monsoon(s)]; *er komt een* ~ *in de publieke opinie* the tide of popular feeling is on the turn.

kenvermogen ['kɛnvərmo.gə(n)] *o* cognition.

kepen ['ke.pə(n)] *vt* notch, nick.

keper [-pər] *m* twill; *op de* ~ *beschouwen* examine carefully; *op de* ~ *beschouwd* on close inspection.

keperen [-pərə(n)] *vt* twill.

kepie ['ke.pi.] *m* ✕ képi.

keramiek [ke.ra.'mi.k] = *ceramiek.*

Kerberus ['kɛrbərűs] = *Cerberus.*

kerel ['ke:rəl] *m* fellow, chap.

1 **keren** ['ke:rə(n)] *vt* (vegen) sweep, clean.

2 **keren** ['ke:rə(n)] I *vt* 1 (omkeren) turn [a coat, one's face in a certain direction &]; ◇ turn up [a card]; 2 (tegenhouden) stem, stop, arrest; *hooi* ~ make (toss, ted) hay; II

vi turn; *in zichzelf* ~ retire within oneself; *in zichzelf gekeerd* retiring; *beter ten halve gekeerd, dan ten hele gedwaald* he who stops halfway is only half in error; III *vr zich* ~ turn; *zich tegen iedereen* ~ turn against everybody; *zich ten goede* (*kwade*) ~ turn out well (badly); *zich tot God* ~ turn to God.

kerf [kɛrf] *v* notch, nick.

kerfmes ['kɛrfmɛs] *o* cutting-knife.

kerfstok [-stɔk] *m* tally; *hij heeft veel op zijn* ~ his record is none of the best.

kerk [kɛrk] *v* [established] church; [dissenting] chapel; *de* ~ *in het midden laten* pursue a give-and-take policy; *hoe laat begint de* ~? at what o'clock does divine service begin?; *in de* ~ *aᵗ* (in) church; in the church; *na* ~ after church; *naar de* ~ *gaan* 1 (om te bidden) go to church; 2 (als toerist) go to the church.

kerkban ['kɛrkban] *m* excommunication.

kerkbank [-bank] *v* pew.

kerkbestuur [-bəsty:r] *o* church government; *het* ~ zie *kerkeraad.*

kerkbezoek [-bəzu.k] *o* church attendance.

kerkboek [-bu.k] *o* 1 church-book, prayer-book; 2 parish register.

kerkconcert [-kònsɛrt] *o* church concert.

kerkdag ['kɛrkdɑx] *m* church-day.

kerkdeur [-dø.r] *v* church-door.

kerkdief [-di.f] *m* church-robber.

kerkdienst [-di.nst] *m* divine service.

kerkelijk ['kɛrkələk] ecclesiastical; *een* ~*e begrafenis* a religious burial; *een* ~ *feest* a church festival; *het* ~ *jaar* the Christian year; ~ *recht* zie *kerkrecht*; *de* ~ *Staat* the Ecclesiastical States; *de* ~*e tucht* church discipline.

kerker ['kɛrkər] *m* dungeon, prison.

kerkeraad [-kəra.t] *m* church council; consistory [Lutheran].

kerkeren [-kərə(n)] *vt* imprison, incarcerate.

kerkerhol ['kɛrkərhəl] *o* dungeon.

kerkering [-kərɪŋ] *v* imprisonment, incarceration.

kerkerlucht [-kərlűxt] *v* dungeon air.

kerkezakje ['kɛrkəzakjə] *o* collection-bag.

kerkgang ['kɛrkgɑŋ] *m* going to church.

kerkganger [-gɑŋər] *m* -gangster [-gɑŋstər] *v* church-goer.

kerkgebouw [-gəbou] *o* church(-building).

kerkgebruik [-gəbrœyk] *o* rite.

kerkgenootschap [-gəno.tsxap] *o* communion, denomination.

kerkgeschiedenis [-gəsxi.dənɪs] *v* ecclesiastical history, church history.

kerkgezang [-gəzaŋ] *o* 1 (het zingen) church-singing; 2 (lied) (church-)hymn.

kerkgoed [-gu.t] *o* church property.

kerkhervormer [-hɛrvormər] *m* reformer.

kerkhervorming ['[-mɪŋ] *v* reformation.

kerkhof ['kɛrkhɔf] *o* churchyard, graveyard, cemetery; *op het* ~ in the churchyard.

kerkklok [-klɔk] *v* 1 church-clock; 2 church-bell.

kerkkoncert zie *kerkconcert*.

kerklatijn ['kɛrkla.tɛin] *o RK* Church Latin.

kerkleer [-le:r] *v* doctrine of the church.

kerkleraar [-le:ra:r] *RK* Doctor of the Church.

kerklied [-li.t] *o* (church-)hymn.

kerkmeester [-me.stər] *m* churchwarden.

kerkmuziek [-my.zi.k] *v* church music.

kerkplechtigheid [-plɛxtəxhɛit] *v* church ceremony.

kerkportaal [-pɔrta.l] *o* church-porch.

kerkraam [-ra.m] *o* church-window.

kerkrecht [-rɛxt] *o* canon law.

kerkroof [-ro.f] *m* church-robbery.

kerks [kɛrks] F churchy.

kerkschender ['kɛrksxɛndər] *m* sacrilegious person.

kerkschennis [-sxɛnəs] *v* sacrilege.

kerksieraad [-si:ra.t] *o* church-ornament.

kerkstijl [-stɛil] *m* church-style.

kerkstoel [-stu.l] *m* prie-dieu (chair).

kerktijd [-tɛit] *m* church-time; *na ~* after church; *onder ~* during the service.

kerktoren [-to:rə(n)] *m* church-tower, (spitse) church-steeple.

kerkuil [-œyl] *m* 🦉 barn-owl.

kerkvader [-fa.dər] *m* Father (of the Church).

kerkvergadering [-fərga.dərɪŋ] *v* church-meeting, synod.

kerkvervolger [-vɔlgər] *m* persecutor of the Church.

kerkvervolging [-gɪŋ] *v* persecution of the Church.

kerkvoogd ['kɛrkfo.xt] *m RK* prelate; *Prot* churchwarden.

kerkvorst [-fɔrst] *m* prince of the church.

kerkwijding [-vɛidɪŋ] *v* consecration of a church.

kerkzakje [-sakjə] = *kerkezakje*.

kermen ['kɛrmə(n)] *vi* moan, groan.

kermis ['kɛrməs] *v* fair, kermesse, kermis; *het is niet alle dagen ~* Christmas comes but once a year; *het is ~ in de hel* it's rain and shine together; *hij kwam van een koude ~ thuis* F he came away with a flea in his ear.

kermisbed [-bɛt] *o* shake-down.

kermisgast [-gɑst] *m* 1 visitor of the fair; 2 (spullebaas) showman.

kermisklant [-klɑnt] *m* showman.

kermisspel ['kɛrməspɛl] *o* show at a fair, booth.

kermistent ['kɛrməstɛnt] *v* booth.

kermisterrein [-tɛrɛin] *o* fair ground.

kermisvolk [-fɔlk] *o* showmen.

kermiswagen [-va.gə(n)] *m* caravan.

kermisweek [-ve.k] *v* week of the fair.

kern [kɛrn] *v* kernel [of a nut]; stone [of a peach], § [of atom, cell] nucleus [*mv* nuclei]; *fig* heart, core, kernel, pith; *een ~ van waarheid* a nucleus of truth; *de ~ van de zaak* the heart (core, pith, kernel) of the matter; *de harde ~ van...* the hard core of...

kernachtig ['kɛrnɑxtəx] I *aj* pithy, terse; II *ad*

pithily, tersely.

kernachtigheid [-hɛit] *v* pithiness, terseness.

kernenergie ['kɛrne.nɛrʒi.] *v* nuclear energy, nuclear power.

kernenergiecentrale [-sɛntra.lə] *v* nuclear power-station.

kernfysica ['kɛrnfi.zi.ka.] *v* nuclear physics.

kernfysicus [-fi.zi.kűs] *m* nuclear physicist.

kernfysika zie *kernfysica*.

kerngedachte [-gədɑxtə] *v* central idea.

kerngezond [-gəzònt] 1 (v. personen) in perfect good health; 2 (v. zaken) thoroughly sound.

kernhout [-hout] *o* heart-wood.

kernkop [-kɔp] *m* ⚔ nuclear war-head.

kernkwestie [-kʏɛsti.] *v* central question.

kernprobleem [-pro.ble.m] *o* central problem.

kernreactor, -reaktor [-re.ɑktər] *m* nuclear reactor.

kernsplitsing [-splɪtsɪŋ] *v* nuclear fission.

kernspreuk [-sprø.k] *v* pithy saying, aphorism.

kernvak [-vɑk] *o* ⇨ key subject.

kernwapen [-va.pə(n)] *o* ⚔ nuclear weapon.

kerrie ['kɛri.] *m* curry, curry-powder.

kers [kɛrs] *v* 1 (vrucht) cherry; 2 🌿 cress; *~en op brandewijn* cherry brandy.

kersebloesem ['kɛrsəblu.səm] *m* cherry blossom.

kerseboom [-bo.m] *m* cherry tree.

kerseboomgaard [-ga:rt] *m* cherry orchard.

kersehout ['kɛrsəhout] *o* cherry-wood.

kersehouten [-houtə(n)] *aj* cherry-wood.

kersenpluk ['kɛrsə(n)plűk] *m* cherry picking.

kersenplukker [-plűkər] *m* cherry picker.

kersentijd [-tɛit] *m* cherry season, cherry time.

kersepit ['kɛrsəpɪt] *v* 1 cherry stone; 2 S nob: head.

kerspel ['kɛrspəl] *o* parish.

kerstavond ['kɛrsta.vənt] *m* 1 (24 dec.) Christmas Eve; 2 (25 dec.) Christmas evening.

kerstblok [-blɔk] *o* yule-log, yule-block.

kerstboom [-bo.m] *m* Christmas tree.

kerstdag [-dɑx] *m* Christmas Day; *eerste ~* Christmas Day; *tweede ~* the day after Christmas Day, Boxing Day; *in de ~en* at Christmas, during Christmas time.

kerstenen ['kɛrstənə(n)] *vt* christianize.

kerstening [-nɪŋ] *v* christianization.

kerstfeest ['kɛrstfe.st] *o* Christmas(-feast).

kerstgeschenk [-gəsxɛŋk] *o* Christmas present, Christmas box.

Kerstkind(je) [-kɪnt, -kɪŋcə] *o* Christ child, infant Jesus [in the crib].

kerstkribbe [-krībə] *v* Christmas crib.

kerstlied [-li.t] *o* Christmas carol.

kerstmannetje [-mɑnəcə] *o het ~* Father Christmas, Santa Claus.

Kerstmis [-mɪs] *m* Christmas, Xmas.

kerstnacht [-nɑxt] *m* Christmas night.

kerstnummer [-nűmər] *o* Christmas number

kerstroos [-ro.s] *v* 🌿 Christmas rose.

kerstspel [-spɛl] *o* Nativity play.

kerststalletje [-stɑlǝcǝ] *o* stable of Bethlehem.

kersttijd ['kɛrstɛit] *m* Christmas time, yule (tide).

kerstvacantie zie *kerstvakantie*.

kerstvakantie ['kɛrstfa.kɑn(t)si.] *v* Christmas holidays.

kerstversiering [-fǝrsi:rɪŋ] *v* Christmas decoration.

kerstweek [-ve.k] *v* Christmas week.

kerstzang [-sɑŋ] *m* Christmas carol.

kersvers ['kɛrs.'fɛrs] quite new, quite fresh; ~ *van school* straight (fresh) from school.

kervel ['kɛrvǝl] *m* ♣ chervil.

kerven [-vǝ(n)] *vt* carve, cut, notch, slash.

kerver [-vǝr] *m* carver, [tobacco] cutter.

ketel ['ke.tǝl] *m* 1 (voor keuken) kettle, ca(u)ldron, copper; 2 ⚒ boiler.

ketelbikker [-bɪkǝr] *m* scaler.

keteldal [-dɑl] *o* basin, circus.

ketelhuis [-hœys] *o* boiler-house, boiler-room.

ketellapper ['ke.tǝlɑpǝr] *m* tinker.

ketelmaker ['ke.tǝlma.kǝr] *m* boiler-maker.

ketelmuziek [-my.zi.k] *v* F rough music.

ketelsteen [-ste.n] *o* & *m* (boiler-)scale, fur.

keteltrom [-tròm] *m* ♪ kettledrum.

keten ['ke.tǝ(n)] *v* chain², *fig* bond; *in* ~*en slaan* chain.

ketenen [-tǝnǝ(n)] *vt* chain, enchain, shackle.

ketsen ['kɛtsǝ(n)] *vi* miss fire, misfire [of a gun].

ketter ['kɛtǝr] *m* heretic.

ketteren [-tǝrǝ(n)] *vi* swear, rage.

ketterij [kɛtǝ'rɛi] *v* heresy.

ketterjacht ['kɛtǝrjɑxt] *v* heresy hunt.

ketterjager [-ja.gǝr] *m* heresy hunter.

ketters ['kɛtǝrs] *aj* heretical.

kettervervolging [-vǝrvɔlgɪŋ] *v* persecution of heretics.

ketting ['kɛtɪŋ] *m* & *v* 1 chain [of metal links]; 2 warp [in weaving].

kettingbotsing [-bòtsɪŋ] *v* chain crash, pile-up.

kettingbreuk [-brø.k] *v* continued fraction.

kettingbrief [-bri.f] *m* chain letter.

kettingbrug [-brüx] *v* chain bridge.

kettingdraad [-dra.t] *m* warp.

kettingganger [-gɑŋǝr] *m* chained convict.

kettinghandel [-hɑndǝl] *m* speculative trade.

kettinghandelaar [-hɑndǝla:r] *m* speculative dealer.

kettinghond [-hònt] *m* watch-dog.

kettingkast [-kɑst] *v* gear-case, chain-case.

kettingkogel [-ko.gǝl] *m* ⚔ chain-shot.

kettingloos [-lo.s] chainless.

kettingmolen [-mo.lǝ(n)] chain pump.

kettingreactie, -reaktie [-re.ɑksi.] *v* chain reaction.

kettingregel [-re.gǝl] *m* chain rule.

kettingslot [-slòt] *o* chain lock.

kettingsteek [-ste.k] *m* chain stitch.

kettingwinkel [-vɪŋkǝl] *m* chain store.

kettingzij(de) [-zɛi(dǝ)] *v* thrown silk.

keu [kø.] *v* (billiard-)cue.

keuken ['kø.kǝ(n)] *v* 1 kitchen; 2 (spijsberei-

ding) cooking; *koude* ~ cold dishes.

keukendoek [-du.k] *m* kitchen-towel.

keukenfornuis [-fornœys] *o* kitchen-range.

keukengerei [-gǝrei] *o* kitchen-utensils, kitchenware.

keukenkast [-kɑst] *v* kitchen-cupboard.

keukenmeid [-mɛit] *v* cook; *tweede* ~ kitchenmaid.

keukenpiet [-pi.t] *m* man interfering in household affairs.

keukenprinses [-prɪnsɛs] *v* F cook.

keukenstroop [-stro.p] *v* molasses.

keukentafel [-ta.fǝl] *v* kitchen-table.

keukenwagen [-va.gǝ(n)] *m* kitchen-car.

keukenzout [-zɔut] *o* kitchen-salt.

Keulen ['kø.lǝ(n)] *o* Cologne; ~ *en Aken zijn niet op één dag gebouwd* Rome was not built in a day.

Keuls [kø.ls] Cologne; ~ *aardewerk* stoneware, glazed earthenware.

keur [kø:r] *v* 1 (keus) choice; selection; 2 (merk) hallmark; 3 (verordening) by-law; *eerst in de boot*, ~ *van riemen* first come, first served; ~ *van spijzen* choice viands (food); zie ook: 2 *kust*.

keurbende ['kø:rbɛndǝ] *v* picked (body of) men.

keurder [-dǝr] *m* zie *keurmeester*.

keuren ['kø:rǝ(n)] *vt* assay [gold, silver]; [medically] examine [recruits]; inspect [food &]; taste [wine &]; *hij keurde mij geen blik waardig* he didn't deign to look at me.

keurig [-rǝx] I *aj* choice, nice, exquisite, trim; II *ad* choicely &; *het past u* ~ it fits (suits) you to a nicety, to a T.

keurigheid [-rǝxhɛit] *v* choiceness, nicety.

keuring [-rɪŋ] *v* assay(ing) [of gold &]; (medical) examination; inspection [of food].

keuringsdienst [-rɪŋsdi.nst] *m* ~ *voor waren* food inspection department.

keuringsraad [-ra.t] *m* medical board.

keurkorps ['kø:rkɔrps] *o* picked (body of) men.

keurmeester [-me.stǝr] *m* assayer [of gold &]; inspector [of food &]; judge.

keurslijf ['kø:rslɛif] *o* bodice, stays; *het* ~ *der vormen* the trammels of convention.

keurteken ['kø:rte.kǝ(n)] *o* hallmark, stamp.

keurtroepen [-tru.pǝ(n)] *mv* picked men.

keurvorst [-vɔrst] *m* elector.

keurvorstelijk [-vɔrstǝlǝk] electoral.

keurvorstendom [-stǝ(n)dòm] *o* electorate.

keurvorstin [-stɪn] *v* electress.

keus [kø.s] = *keuze*.

keuterboer ['kø.tǝrbu:r] *m* small farmer.

keuvelaar ['kø.vǝla:r] *m* chatterer.

keuvelaarster [-stǝr] *v* gossip, chatterbox.

keuvelarij ['kø.vǝla:'rɛi] *v* chat.

keuvelen ['kø.vǝlǝ(n)] *vi* chat.

keuze ['kø.zǝ] *v* choice, selection; *een ruime* ~ a large assortment, a wide choice; *een* ~ *doen* make a choice; *u hebt de* ~ the choice lies with you; *als mij de* ~ *gelaten wordt* if I am given the choice; *iemand de* ~ *laten tussen*...

en... leave one to choose between... and...;
bij ~ by selection; *naar* ~ at choice; *een
leervak naar* ~ an optional subject; *een... of
een..., naar* ~ a(n)... or a(n)... to choice; *naar
(ter)* ~ *van...* at the option of...; *uit vrije* ~
from choice.

keuzecommissie, -kommissie [-kòmɪsi.] *v* selection committee.

keuzevak [-vɑk] *o* ☞ optional subject.

kever ['ke.vər] *m* beetle.

kg = *kilogram*.

kibbelaar ['kɪbəlɑ:r] *m* bickerer, wrangler, squabbler.

kibbelachtig [-ɑxtəx] quarrelsome.

kibbelarij [kɪbəlɑ:'rɛi] *v* bickering(s), wrangle, squabble.

kibbelen ['kɪbələ(n)] *vi* bicker, wrangle, squabble [about].

kibbelpartij ['kɪbəlpɑrtɛi] *v* squabble.

kiek [ki.k] *m* snap(shot).

kiekeboe ['ki.kəbu.] bo-peep; ~ *! bo!*; ~ *spelen* play (at) bo-peep.

1 **kieken** ['ki.kə(n)] *o* 🐥 chicken.

2 **kieken** ['ki.kə(n)] *vt* F snapshot, snap, take.

kiekendief [-di.f] *m* 🦅 harrier, kite.

kiektoestel ['ki.ktu.stɛl] *o* camera.

1 **kiel** [ki.l] *m* blouse, smock(-frock).

2 **kiel** [ki.l] *v* ⚓ keel; *de* ~ *leggen van een schip* lay down a ship.

kielen ['ki.lə(n)] *vt* ⚓ keel, careen, heave down.

kielhalen ['ki.lhɑ.lə(n)] *vt* ⚓ 1 careen; 2 (als straf) keelhaul.

kielvlak [-vlɑk] *o* 🐟 fin.

kielwater [-vɑ.tər] *o* ⚓ wake, dead water, track.

kielzog [-zɔx] *o* ⚓ wake; *in iemands* ~ *varen* follow in his wake.

kiem [ki.m] *v* germ²; *in de* ~ *smoren* nip in the bud.

kiemcel ['ki.msɛl] *v* germ-cell.

kiemen ['ki.mə(n)] *vi* germinate².

kieming [-mɪŋ] *v* germination.

kiemvrij ['ki.mvrɛi] germ-free.

kien [ki.n] quine [at lotto].

kienen ['ki.nə(n)] *vi* play at lotto.

kienspel ['ki.nspɛl] *o* lotto.

kieperen ['ki.pərə(n)] I *vt* F chuck; II *vi* F tumble.

kier [ki:r] *m* & *v* narrow opening; (reet) chink; *op een* ~ *staan* (zetten) be (set) ajar.

1 **kies** [ki.s] *v* molar (tooth), tooth, grinder.

2 **kies** [ki.s] *o* (stofnaam) pyrites.

3 **kies** [ki.s] I *aj* delicate [subject]; considerate [man]; II *ad* [treat a subject] with delicacy; [act] considerately.

kiescollege ['ki.skɔlə.ʒə] *o* electoral college.

kiesdeler [-de.lər] *m* quota.

kiesdistrict, -distrikt [-dɪstrɪkt] *o* constituency, borough; ward.

kiesgerechtigd [-gərɛxtəxt] qualified to vote.

kiesheid [-hɛit] *v* delicacy, considerateness.

kiesheidshalve [ki.shɛits'hɑlvə] from motives (considerations) of delicacy.

kieskauwen ['ki.skɔuə(n)] *vi* toy with one's food.

kieskauwer [-ər] *m* reluctant eater.

kieskeurig [ki.s'kø:rəx] dainty, nice, (over)-particular, fastidious, squeamish.

kieskeurigheid [-hɛit] *v* daintiness &.

kieskollege zie *kiescollege*.

kieskring ['ki.skrɪŋ] *m* electoral district.

kiespijn [-pɛin] *v* toothache.

kiesrecht [-rɛxt] *o* franchise.

kiesschijf ['ki.sxɛif] *v* ☎ dial.

kiesstelsel [-stɛlsəl] *o* electoral system.

kiestoon ['ki.sto.n] *m* ☎ dialling tone.

kiesvereniging [-fərə.nəgɪŋ] *v* electoral association.

kieswet [-vɛt] *v* electoral law, ballot act.

kiet [ki.t] zie *quitte*.

kietelen ['ki.tələ(n)] *vt* & *vi* tickle.

kieuw [ki:u] *v* gill.

kieuwdeksel ['ki:udɛksəl] *o* gill-cover.

kieuwholte [-hɔltə] *v* gill-opening.

kieuwspleet [-sple.t] *v* gill-cleft, gill-split.

kievi(e)t ['ki.vi.t] *m* 🐦 lapwing, pe(e)wit.

kievi(e)tsei ['ki.vi.tsɛi] *o* lapwing's egg, F plover's egg.

1 **kiezel** ['ki.zəl] *o* & *m* (stofnaam) gravel.

2 **kiezel** ['ki.zəl] *m* (steentje) pebble.

kiezelaarde [-a:rdə] *v* siliceous earth, silica.

kiezelsteen [-ste.n] *m* pebble.

kiezelweg [-vɛx] *m* gravelled road.

kiezelzand [-zɑnt] *o* gravel.

kiezen ['ki.zə(n)] I *vt* choose, select; elect [as a representative]; pick [one's words]; *hij is gekozen tot lid van...* he has been elected a member of...; *kiest Jansen!* vote for J.; zie ook: *hazepad, kwaad, partij, zee* &; II *va* 1 choose; 2 vote; *je moet* ~ *of delen* you must make your choice, you will have to do one thing or the other.

kiezentrekker [-trɛkər] *m* tooth-drawer, dentist.

kiezer ['ki.zər] *m* constituent, voter, elector.

kiezeres [ki.zə'rɛs] *v* electress, woman voter.

kiezerscorps, -korps ['ki.zərskɔ:r, -kɔrps] *o* electorate.

kiezerslijst [-lɛist] *v* list (register) of voters.

kijf [kɛif] *buiten* ~ beyond dispute, indisputably.

kijfachtig ['kɛifɑxtəx] quarrelsome. [ably.

kijflust [-lʏst] *m* quarrelsomeness.

kijfster [-stər] *v* quarrelsome woman.

kijk [kɛik] *m* view, outlook; *mijn* ~ *op het leven* my outlook on life; *zijn* ~ *op de zaak* his view of the case; *ik heb daar een andere* ~ *op* I take a different view of the thing; *hij heeft een goede* ~ *op die dingen* he is a good judge of such things; *er is geen* ~ *op* it is out of the question; *hij loopt er mee te* ~ he makes a show of it; *te* ~ *zetten* place on view; *het is te* ~ it is on show, on view.

kijkdag ['kɛikdɑx] *m* show-day, view-day; ~ *twee dagen vóór de verkoop* on view two days prior to sale.

kijken ['kɛikə(n)] *vi* 1 look, F peep; 2 *TV* view, look in (at TV); *kijk, kijk!* 1 (bevelend) look (there)!; 2 (ironisch) ah!, indeed!; *kijk eens aan!* look here!; *wij zullen eens gaan ~* we shall go and have a look; *ga eens ~ of...* just go and see if...; *ik zal eens komen ~* I am coming round one of these days; *hij komt pas ~* F he is only just out of the shell; *er komt heel wat bij ~* it is rather a bit of a job; *alles wat daarbij komt ~* all that is involved; *staan ~* stand and look; *daar sta ik van te ~* that's a surprise to me; *~ naar* 1 look at [a thing]; 2 look after [the children]; 3 watch [television, a play, the boat-race]; *laat naar je ~!* P be your age!; *laat hem naar zijn eigen ~* let him look at home; *~ op* look at [his watch &]; *zij ~ op geen gulden of wat* they are not particular about a few guilders; *de... kijkt hem de ogen uit* ...looks through his eyes; *~ staat vrij* a cat may look at a king; II *vr* in: *zich blind ~* look till one goes blind.

kijker [-kər] *m* 1 (persoon) looker-on, spectator; *TV* (tele)viewer, television viewer; 2 (kijkglas) spy-glass, telescope; opera-glass; (dubbele) binoculars; (veld) field-glasses; *een paar heldere ~s* a pair of bright eyes (F peepers).

kijkgat ['kɛikɡat] *o* peep-hole, spy-hole.
kijkgeld [-ɡɛlt] *o* television licence fee.
kijkgraag [-ɡra.x] curious.
kijkje ['kɛikjə] *o* look, glimpse, view; *een ~ gaan nemen* go and have a look.
kijkkast ['kɛikast] *v* (rarekiek) raree-show, peep-show.
kijkspel ['kɛikspɛl] *o* 1 (op kermis) show at a fair, booth; 2 (spektakelstuk) show-piece; 3 *TV* television play.
kijven ['kɛivə(n)] *vi* quarrel, wrangle; *~ op* scold.
kijver [-vər] *m* quarrelsome fellow, wrangler.
kik [kɪk] *m* in: *hij gaf geen ~* he did not utter a sound.
kikhalzen ['kɪkhalzə(n)] = *kokhalzen*.
kikken ['kɪkə(n)] *vi* in: *je hebt maar te ~ en...* F you need only say the word, and...; *je mag er niet van ~* you must not breathe a word of it to anyone.
kikker ['kɪkər] *m* ⚓ frog.
kikkerdril [-drɪl] *v* zie *kikkerrit*.
kikkerland [-lant] *o* frogland [= Holland].
kikkerrit ['kɪkərit] *o* frog-spawn.
kikkervisje [-vɪʃə] *o* tadpole.
kikvors ['kɪkfɔrs] *m* frog.
kikvorsman [-man] *m* frogman.
1 **kil** [kɪl] *v* channel.
2 **kil** [kɪl] *aj* chilly.
kilheid ['kɪlhɛit] *v* chilliness.
kilo, kilogram ['ki.lo.(ɡram)] *o* kilogramme.
kiloliter [-li.tər] *m* kilolitre.
kilometer [-me.tər] *m* kilometre.
kilometerteller [-tɛlər] *m* mileage recorder.
kilometervreter [-vre.tər] *m* S road-hog.

kilowatt ['ki.lo.vat] *m* ⚡ kilowatt.
kilowattuur [-y:r] *o* ⚡ kilowatt-hour.
kim [kɪm] *v* 1 rim [of a cask]; 2 ⚓ bilge; 3 horizon.
kimduiking ['kɪmdœykɪŋ] *v* dip (of the horizon).
kimme ['kɪmə] = *kim*.
kimono [ki.'mo.no.] *m* kimono.
kin [kɪn] *v* chin.
kina ['ki.na.] *m* cinchona, quinquina.
kinabast [-bast] *m* cinchona, Jesuits' bark, Peruvian bark.
kinaboom [-bo.m] *m* cinchona(-tree).
kinacultuur [-kúlty:r] *v* cinchona cultivation.
kinadruppels [-drúpəls] *mv* quinine drops.
kinakultuur zie *kinacultuur*.
kinaplantage [-planta.ʒə] *v* cinchona plantation.
kinawijn [-vɛin] *m* quinine wine.
kind [kɪnt] *o* child, babe, baby, infant; *mijn papieren ~eren* my literary babes (infants); *hij is zo onschuldig als een pasgeboren ~* he is as innocent as the babe unborn; *ik ben geen ~ meer* I'm not a kid any longer; *ik ben er als ~ in huis* I am treated like one of the family; *hij is een ~ des doods* he is a dead man; *hij werd het ~ van de rekening* he had to pay the piper; *hij is een ~ van zijn tijd* he is the child of his age; *hij noemt altijd het ~ bij zijn naam* he always calls a spade a spade; *~ noch kraai hebben* be alone in the world.
⊙**kindeke(n)** ['kɪndəkə(n)] *o* infant; *het ~ Jezus* the infant Jesus.
kinderachtig ['kɪndəraxtəx] I *aj* childish, puerile, babyish; II *ad* childishly.
kinderachtigheid [-hɛit] *v* childishness, puerility.
kinderaftrek ['kɪndəraftrɛk] *m* relief in respect of each child.
kinderarbeid [-arbɛit] *m* child-labour.
kinderarts [-arts] *m* children's doctor.
kinderbedje [-bɛcə] *o* child's bed, cot.
kinderbeul [-bø.l] *m* bully.
kinderbewaarplaats [-bəva:rpla.ts] *v* crèche, day nursery.
kinderbijbel [-bɛibəl] *m* bible for children.
kinderbijslag [-bɛislax] *m* family allowance.
kinderboek [-bu.k] *o* children's book.
kinderdief [-di.f] *m* kidnapper.
kinderdokter [-dɔktər] *m* children's doctor.
kinderdoop [-do.p] *m* infant baptism.
kindergek [-ɡɛk] *m* lover of children.
kindergoed [-ɡu.t] *o* child's clothes, babies' clothes.
kinderhand [-hant] *v* child's hand; *een ~ is gauw gevuld* small hearts have small desires.
kinderjaren [-ja:rə(n)] *mv* (years of) childhood, infancy.
kinderjuffrouw [-júfrəu] *v* nursery-governess, F nannie, nanny.
kinderkamer [-ka.mər] *v* nursery.
kinderkost [-kɔst] *m* children's food; *dat is geen ~* that is no milk for babes.
kinderleed [-le.t] *o* childish grief.

kinderliefde [-li:vdə] *v* 1 love of (one's) children; 2 (voor de ouders) filial love.

kinderlijk [-lək] childlike, childish; filial [love].

kinderlijkheid [-hɛit] *v* naïveté.

kinderloos ['kɪndərlo.s] childless.

kinderloosheid [-hɛit] *v* childlessness.

kindermeel ['kɪndərme.l] *o* infants' food.

kindermeid [-mɛit] *v* ~**meisje** [-mɛiʃə] *o* nurse-maid, nurse-girl.

kindermoord [-mo:rt] *m & v* child-murder, infanticide; *de* ~ *te Bethlehem* the massacre of the Innocents.

kinderpistooltje [-pi.sto.lcə] *o* toy pistol.

kinderpokken [-pɔkə(n)] *mv* smallpox.

kinderpraat [-pra.t] *m* childish talk[2], baby talk[2].

kinderpsychologie [-psi.go.lo.gi.] *v* child psychology.

kinderpsycholoog [-psi.go.lo.x] *m* child psychologist.

kinderrechtbank ['kɪndərəxtbaŋk] *v* ⚥ juvenile court.

kinderrechter [-rɛxtər] *m* ⚥ juvenile court magistrate.

kinderrijmpje [-rɛimpjə] *o* nursery rhyme.

kinderschoen ['kɪndərsxu.n] *m* child's shoe; *de* ~*en ontwassen zijn* be past a child; *nog in de* ~*en staan* (*steken*) be still in its infancy.

kinderspeelgoed [-spe.lgu.t] *o* children's toys.

kinderspel [-spɛl] *o* child's play[2]; childhood game, children's game.

kindersprookje [-spro.kjə] *o* nursery tale.

kinderstem [-stɛm] *v* child's voice; ~*men* children's voices.

kindersterfte [-stɛrftə] *v* infant mortality.

kinderstoel [-stu.l] *m* baby-chair, high chair.

kindertaal [-ta.l] *v* children's talk[2].

kinderuurtje [-y:rcə] *o* children's hour.

kinderverlamming [-vərlamɪŋ] *v* 🜊 infantile paralysis, poliomyelitis, F polio.

kinderverzorging [-vərzɔrgɪŋ] *v* child welfare.

kinderverzorgster [-vərzɔrxstər] *v* child welfare worker.

kindervoedsel [-vu.tsəl] *o* infants' food.

kindervriend [-vri.nt] *m* ~**in** [-vri.ndɪn] *v* lover of children.

kinderwagen [-va.gə(n)] *m* baby-carriage, perambulator, F pram.

kinderweegschaal [-ve.xsxa.l] *v* baby-balance.

kinderwereld [-ve:rəlt] *v* children's world.

kinderwerk [-vɛrk] *o* child's work.

kinderwet [-vɛt] *v* Children Act [of 1908].

kinderzegen [-ze.gə(n)] *m* children, the blessing of parenthood.

kinderziekenhuis [kɪndər'zi.kə(n)hœys] *o* children's hospital.

kinderziekte ['kɪndərzi.ktə] *v* children's complaint; ~(*n*) growing pains, teething troubles [*fig*].

kinderzorg [-zɔrx] *v* child welfare.

kindje ['kɪncə] *o* (little) child, baby, babe; *het* ~ *Jezus* the infant Jesus.

kindlief ['kɪntli.f] dear child, my child.

kinds [kɪnts] doting; ~ *worden* become childish; ~ *zijn* be in one's dotage.

kindsbeen ['kɪntsbe.n] *van* ~ *af* from a child.

kindsdeel [-de.l] **kindsgedeelte** [kɪntsgə'de.ltə] *o* (child's) portion.

kindsheid ['kɪntshɛit] *v* 1 (ouderdom) second childhood, dotage; 2 (jeugd) childhood, infancy.

kindskind [-kɪnt] *o* grandchild; *onze* ~*eren* our children's children.

kineast [ki.ne.'ɑst] = *cineast*.

kinema(-) ['ki.nəma.] = *cinema*(-).

kinine [ki.'ni.nə] *v* quinine.

kininepil [-pɪl] *v* quinine pill.

kink [kɪŋk] *v* twist, kink; *er is een* ~ *in de kabel* there is a hitch somewhere.

kinkel ['kɪŋkəl] *m* lout, clown, bumpkin.

kinkelachtig [-ɑxtəx] *aj* (& *ad*) loutish(ly), clownish(ly).

kinketting ['kɪŋkɛtɪŋ] *m & v* curb(-chain).

kinkhoest ['kɪŋkhu.st] *m* (w)hooping-cough.

kinnebak ['kɪnəbak] *v* mandible, jaw-bone.

kiosk [ki.'ɔsk] *v* kiosk.

kip [kɪp] *v* (levend) hen, fowl; (op tafel) chicken; *er als de* ~*pen bij zijn* be on it like a bird, be quick to...; *met de* ~*pen op stok gaan* go to bed with the birds.

kipkar ['kɪpkar] *v* tip-car(t), dumping-cart.

kiplekker [-lɛkər] as fit as a fiddle.

kippeborst ['kɪpəbɔrst] *v* chicken-breast; *fig* pigeon-breast.

kippeboutje [-boucə] *o* drumstick.

kippeëi [-ɛi] *o* hen's egg.

kippegaas [-ga.s] *o* wire-netting.

kippen ['kɪpə(n)] *vt* tip up.

kippendief [-di.f] *m* poultry stealer.

kippenfokkerij [kɪpə(n)fɔkə'rɛi] *v* 1 poultry farming; 2 poultry farm.

kippenhok ['kɪpə(n)hɔk] *o* hen-house, poultry house.

kippenloop [-lo.p] *m* chicken-run, fowl-run.

kippenmesterij [kɪpə(n)mɛstə'rɛi] *v* broiler [house.

kipper ['kɪpər] *m* ⬥ tipper.

kippesoep ['kɪpəsu.p] *v* chicken-broth.

kippevel [-vɛl] *o* fig goose-flesh; *ik krijg er* ~ *van* it makes my flesh creep.

kippevoer [-vu:r] *o* poultry food.

kippig ['kɪpəx] F short-sighted.

kippigheid [-hɛit] *v* F short-sightedness.

kipwagen ['kɪpva.gə(n)] *m* tip-car(t), dumping-cart.

kirren ['kɪrə(n)] *vi* coo. [drakes.

kiskassen ['kɪskasə(n)] *vi* make ducks and

kist [kɪst] *v* 1 case, chest, box; 2 (doodkist) coffin.

kistdam ['kɪsdɑm] *m* coffer-dam.

kisten ['kɪstə(n)] *vt* coffin.

kistenmaker [-ma.kər] *m* 1 box-maker; 2 coffin-maker.

kistje ['kɪʃə] *o* 1 box [of cigars]; 2 (schoen) S beetle-crusher.

kit [kɪt] v & o lute [clay or cement].

kits [kɪts] v ⚓ ketch.

kittelen ['kɪtələ(n)] vt & vi tickle, titillate.

kittelig [-ləx] ticklish.

kitteling [-lɪŋ] v tickling, titillation.

kittelorig [kɪtə'lo:rəx] touchy, ticklish, thin-skinned.

kittelorigheid [-hɛit] v touchiness, ticklishness.

kitten ['kɪtə(n)] vt lute.

kittig [-təx] F smart, spruce.

klaaggeschrei ['kla.ɡəs(x)rɛi] o lamentation.

klaaglied ['kla.xli.t] o lament, lamentation; ~eren lamentations [of Jeremiah].

klaaglijk ['kla.ɡələk] plaintive, mournful.

klaagschrift ['kla.xs(x)rɪft] o plaint.

klaagstem [-stɛm] v plaintive voice.

klaagster [-stər] v 1 complainer; 2 ⚖ plaintiff.

klaagtoon [-to.n] m plaintive tone; op een ~ ook: in a querulous tone.

klaagzang [-saŋ] m dirge, threnody.

klaar [kla:r] I aj 1 (helder) clear; evident; 2 (gereed) ready; finished; ~! ready!; done!; ~ is Kees! F that's done!, that job is jobbed; en ~ is Kees! and there you are!; ik ben ~ met ontbijten (met eten &) I have finished (my) breakfast, I have finished eating; klare jenever plain (neat, raw) Hollands; dat is zo ~ als een klontje that is as clear as daylight; II ad clearly; ~ wakker broad awake, wide awake.

klaarblijkelijk [kla:r'blɛikələk] I aj clear, evident, obvious; II ad clearly &; ~ had hij niet... he clearly (evidently &) had not...

klaarblijkelijkheid [-hɛit] v evidence, obviousness.

klaarhebben ['kla:rhɛbə(n)] vt have (got) ready; altijd een antwoord ~ be always ready with an answer.

klaarheid [-hɛit] v clearness, clarity; tot ~ brengen clear up.

klaarkomen [-ko.mə(n)] vi klaarkrijgen [-krɛiɡə(n)] vt get ready.

klaarleggen [-lɛɡə(n)] vt put in readiness, lay out.

klaarlicht [-lɪxt] in: op ~e dag in broad daylight.

klaarliggen [-lɪɡə(n)] vi lie ready.

klaarmaken [-ma.kə(n)] I vt get ready, prepare; een drankje ~ prepare a potion; iemand ~ voor een examen coach one for an examination; medicijn (een recept) ~ make up a prescription; II vr zich ~ get ready.

klaar-over [kla:r'o.vər] m zie jeugdverkeersbrigadiertje.

klaarspelen [-spe.lə(n)] vt in: het ~ manage (it), cope; ook: pull it off.

klaarstaan [-sta.n] vi be ready; altijd voor iemand ~ be at one's beck and call.

klaarstomen [-sto.mə(n)] vt S cram [pupils].

Klaartje [-cə] o & v Clara.

klaarzetten [-zɛtə(n)] vt lay [dinner &]; set out [the tea-things].

Klaas [kla.s] m Nicholas; ~ Vaak [kla.s'fa.k] F the Dustman.

klaas [kla.s] m in: een houten ~ a stick.

klabak [kla.'bak] m S bobby, cop, copper.

klacht [klaxt] v 1 complaint; lamentation; 2 ⚖ indictment, complaint; een ~ tegen iemand inbrengen (indienen) lodge a complaint against one.

klachtenboek ['klaxtə(n)bu.k] o complaint-book.

klad [klat] 1 v (vlek) blot, stain, blotch; 2 o (ontwerp) rough draught, rough copy; iemand een ~ aanwrijven put (cast) a slur upon a person; de ~ erin brengen spoil the trade; bij de ~den krijgen F catch hold of a person; in het ~ schrijven make a rough copy.

kladblok ['klatblɔk] o scribbling-pad.

kladboek [-bu.k] o S waste-book.

kladden ['kladə(n)] vi 1 stain, blot; 2 fig daub.

kladje ['klacə] o rough draught; rough copy.

kladpapier ['klatpa.pi:r] o scribbling-paper.

kladschilder [-sxɪldər] m dauber.

kladschilderen [-dərə(n)] vi daub.

kladschilderij [-dərɛi] o & v daub.

kladschrift ['klats(x)rɪft] o rough-copy book.

kladschrijver [-s(x)rɛivər] m scribbler.

kladschuld [-sxʏlt] v trifling debt.

kladwerk [-vɛrk] o 1 rough copy; 2 zie kladschilderij.

klagen ['kla.ɡə(n)] vi complain; lament; ~ bij complain to; ~ over complain of; hij heeft geen ~ he has no cause for complaint; zie ook: nood, steen &.

klagend [-ɡənt] aj (& ad) plaintive(ly).

klager [-ɡər] m 1 complainer; 2 ⚖ plaintiff.

klakhoed ['klakhu.t] m crush-hat, opera-hat.

klakkeloos ['klakələ.s] aj (& ad) gratuitous(ly).

klakson(-) zie claxon(-).

klam [klam] clammy, damp, moist.

klamboe ['klambu.] m Ind mosquito-curtain, mosquito-net.

klamboegoed [-bu.ɡu.t] o Ind mosquito-netting.

klamheid ['klamhɛit] v clamminess, dampness, moistness.

klamp [klamp] m & v clamp, cleat.

klampen ['klampə(n)] vt clamp.

klandestien zie clandestien.

klandizie [klan'di.zi.] v clientele, custom, goodwill.

klank [klaŋk] m sound, ring; zijn naam heeft een goede ~ he enjoys a good reputation; dat zijn maar ijdele ~en idle words.

klankbeeld ['klaŋkbe.lt] o (radio) feature.

klankbodem [-bo.dəm] m ♪ sound-board.

klankbord [-bɔrt] o sound-board, sounding-board.

klankleer [-le:r] v phonetics.

klankloos [-lo.s] toneless.

klanknabootsing [-na.bo.tsɪŋ] v onomatopoeia.

klankrijk [-rɛik] sonorous, rich [voice].

klankrijkheid [-hɛit] *v* sonorousness, sonority.

klankverandering [ˈklɑŋkfərɑndərɪŋ] *v* sound-change.

klankverschuiving [-fərsxœyvɪŋ] *v* 1 shifting of sound; 2 permutation of consonants.

klankwet [-vɛt] *v* phonetic law.

klant [klɑnt] *m* customer[2], client.

klap [klɑp] *m* slap, smack, blow; (geluid) clap; *iemand een ~ geven, iemand ~pen geven (om de oren)* strike one a blow, box a person's ears; *iemand een ~ in het gezicht geven* give one a slap in the face[2]; *~pen krijgen* have one's ears boxed, have one's face slapped; *fig* be hard hit, suffer heavy losses; *geen ~* zie (*geen*) *steek*.

klapband [ˈklɑbɑnt] *m* blow-out.

klapbankje [-bɑŋkjə] *o* tip-up seat.

klapbes [-bɛs] *v* ♃ gooseberry.

klapbrug [-brʉx] *v* leaf-bridge.

klapcamera [ˈklɑpka.mər.a.] *v* folding-camera.

klapdeur [-dø:r] *v* swing-door.

klapekster [-ɛkstər] *v* 1 ♆ grey shrike; 2 *fig* gossip.

klaphek [-hɛk] *o* swing-gate.

klaplopen [-lo.pə(n)] *vi* sponge (on *bij*), cadge.

klaploper [-pər] *m* sponger, cadger, parasite.

klaploperij [klɑplo.pəˈrɛi] *v* sponging, cadging.

klappei [klɑˈpɛi] *v* gossip.

klappeien [-ə(n)] *vi* gossip.

klappen [ˈklɑpə(n)] I *vi* 1 clap, smack; 2 tell (tales); *in de handen ~* clap one's hands; *met de zweep ~* crack one's whip; *uit de school ~* tell tales; II *vt* in: *zijn hakken tegen elkaar ~* click one's heels; III *o* in: *het ~ van de zweep kennen* know the ropes.

1 klapper [-pər] *m* 1 tattler; telltale; 2 clapper [of a mill]; 3 index; 4 (vuurwerk) cracker; *~s* ♪ castanets.

2 klapper [-pər] *m* ♃ coco-nut.

klapperboom [-bo.m] *m* ♃ coco-nut tree.

klapperdop [-dəp] *m* ♃ coco-nut shell.

klapperen [ˈklɑpərə(n)] *vi* clack, rattle; chatter [of teeth]; flap [of sails, shutters &].

klapperman [ˈklɑpərmɑn] = *klepperman*.

klappernoot [-no.t] *v* ♃ coco-nut.

klapperolie [-o.li.] *v* ♃ coco-nut oil.

klappertanden [-tɑndə(n)] *vi* in: *hij klappertandt* his teeth chatter.

klappertuin [-tœyn] *m* coco-nut plantation.

klappervezel [-ve.zəl] *v* coco-nut fibre.

klapperwater [-va.tər] *o* coco-nut milk.

klaproos [ˈklɑpro.s] *v* ♃ (corn-)poppy.

Klaproosdag [-dɑx] *m* Poppy Day.

klapstoel [-stu.l] *m* folding chair; tip-up seat.

klapstuk [-stʉk] *o* rib-piece.

klaptafel [-ta.fəl] *v* folding table.

klapwieken [-vi.kə(n)] *vi* clap (flap) the wings.

klapzoen [-su.n] *m* smack.

Klara [ˈkla:ra.] *v* Clare.

klare [ˈkla:rə] *m* in: *een ~* a glass of Hollands.

klaren [ˈkla:rə(n)] I *vt* 1 clear, clarify, fine [liquids]; 2 clear [goods at the custom-house,

♺ the anchor]; *hij zal 't wel ~* he'll manage; II *vi* clear; *het begint te ~* the weather begins to clear up.

klarinet [kla:ri.ˈnɛt] *v* ♪ clarinet, clarionet.

klarinettist [-nɛˈtɪst] *m* ♪ clarinettist.

klaring [ˈkla:rɪŋ] *v* 1 clearing, clarification [of liquids]; 2 clearance [at custom-house].

klaroen [kla:ˈru.n] *v* ♪ clarion.

klas [klɑs] = *klasse*.

klasboek [ˈklɑsbu.k] = *klasseboek*.

klasgenoot [-gəno.t] = *klassegenoot*.

klasleraar [-le:ra:r] = *klasseleraar*.

klaslerares [-le:ra:rɛs] = *klasselerares*.

klaslokaal [-lo.ka.l] = *klasselokaal*. [*wijzer*.

klasonderwijzer [-ɔ̀ndərʋeizər] = *klasseonder-*

klasse [ˈklɑsə] *v* 1 class [of animals, goods &]; 2 ☞ class, [in secondary schools] form, [in elementary schools] standard; [overcrowded] class-room; *alle ~n aflopen* ☞ do all one's classes; *in de ~ ~* ☞ in class.

klasseboek [-bu.k] *o* ☞ homework book.

klassegenoot [-gəno.t] *m* ☞ class mate, form mate.

klassejustitie [-jʉsti.(t)si.] *v* class-justice.

klasseleraar [-le:ra:r] *m* ☞ form master.

klasselerares [-le:ra:rɛs] *v* ☞ form mistress.

klasselokaal [-lo.ka.l] *o* ☞ class-room.

klassement [klɑsəˈmɛnt] *o* *sp* [general] classification, classified results.

klassenhaat [ˈklɑsə(n)ha.t] *m* class-hatred.

klassenloos [-lo.s] classless.

klassenstrijd [-strɛit] *m* class-war(fare).

klasseonderwijzer [ˈklɑsəɔ̀ndərʋeizər] *m* ☞ class teacher.

klasseregering [-ra:ge:rɪŋ] *v* class-government.

klasseren [klɑˈse:rə(n)] *vt* classify, class.

klassering [-rɪŋ] *v* classification.

klassicisme zie *classicisme*.

klassiek [klɑˈsi.k] I *aj* classic [simplicity], classical [music]; II *ad* classically.

klassieken [-ˈsi.kə(n)] *mv de ~* the classics.

klassifi- zie *classifi-*.

klassikaal [-si.ˈka.l] I *aj* classical, class; *~ onderwijs* class-teaching; II *ad* in class.

klateren [ˈkla:tərə(n)] *vi* splash [of water].

klatergoud [-tərgout] *o* tinsel[2], Dutch gold.

klauteraar [ˈklɔutəra:r] *m* clamberer, climber.

klauteren [-rə(n)] *vi* clamber, scramble.

klauw [klɔu] *m & v* 1 claw [of beast, bird & > man]; talon [of bird of prey]; *fig* clutch, paw; 2 ♺ fluke [of an anchor].

klauwen [ˈklɔuə(n)] *vt & vi* claw.

klauwier [klɔuˈi:r] *m* ♆ shrike.

klauwplaat [ˈklɔupla.t] *v* ♺ chuck.

klavecimbel [kla.vəˈsɪmbəl] *m & o* ♪ harpsichord.

klaver [ˈkla.vər] *v* ♃ clover, trefoil, shamrock; zie ook: *klaveren*.

klaverblad [-blɑt] *o* 1 clover-leaf; 2 *fig* trio; 3 (voor verkeer) cloverleaf.

klaveren [ˈkla.vərə(n)] *v* ◇ clubs; *~aas* &, ace of clubs.

klavertjevier [kla.vərcə'vi:r] *o* = klavervier 2.

klaverveld ['kla.vərvelt] *o* clover-field.

klavervier [kla.vər'vi:r] *v* I ◊ four of clubs; 2 ♣ four-leaved clover.

klaverzaad ['kla.vərza.t] *o* clover-seed.

klaverzuring [-zy:rɪŋ] *v* ♣ wood-sorrel.

klavier [kla.'vi:r] *o* I keyboard; 2 piano.

kleden ['kle.də(n)] I *vt* dress, clothe; *dat kleedt haar (niet) goed* it is (not) becoming; II *vr zich* ~ dress.

klederdracht [-dərdrɑxt] *v* costume.

kledij [kle.'dɛi] *v* clothes.

kleding [kle.dɪŋ] *v* clothes, dress, attire.

kledingindustrie [-ɪndŭstri.] *v* clothing industry.

kledingmagazijn [-ma.ga.zɛin] *o* (ready-made) clothes shop.

kledingstuk [-stŭk] *o* article of clothing, article of dress, garment.

kleed [kle.t] *o* I garment, garb, dress; 2 carpet [on the floor]; 3 table-cover; *het geestelijk* ~ the cloth.

kleedje ['kle.cə] *o* I rug [on the floor]; table-centre; 2 [girl's] frock.

kleedkamer ['kle.tka.mər] *v* dressing-room; changing-room [for football-players &]; robing-room [of judges].

kleefband ['kle.fbɑnt] *o* adhesive tape.

kleefkruid [-krœyt] *o* ♣ cleavers.

kleefpleister [-plɛistər] *v* zie hechtpleister.

kleefstof [-stɔf] *v* gluten.

kleerborstel ['kle.rbɔrstəl] *m* clothes-brush.

kleerhanger [-hɑŋər] *m* coat-hanger; (voor japon) dress-hanger.

kleerkast [-kɑst] *v* wardrobe, clothes-press.

kleerkoop [-ko.p] **kleerkoper** [-ko.pər] *m* old-clothesman.

kleermaakster [-ma.kstər] *v* tailoress.

kleermaker [-ma.kər] *m* tailor.

kleermot [-mɔt] *v* clothes-moth.

kleerscheuren [-sxə:rə(n)] *er zonder* ~ *afkomen* get off with a whole skin.

kleerwinkel [-vɪŋkəl] *m* (ready-made) clothes shop.

klef [klɛf] I (v. brood) doughy; 2 (v. sneeuw) sticky; 3 (v. handen) clammy.

klefheid ['klɛfhɛit] *v* doughiness &.

klei [klɛi] *v* clay.

kleiaarde ['klɛia:rdə] *v* clay.

kleiachtig [-ɑxtəx] clayey.

kleiduif [-dœyf] *v sp* clay pigeon.

kleigrond [-grɔnt] *m* clay-soil, clay-ground.

kleilaag [-la.x] *v* clay-layer.

klein [klɛin] I *aj* little, small; petty; (v. gestalte, afstand) short; (van minder belang) minor [accident, officials, strike &]; slight [improvement, mistake &]; *een* ~ *beetje* a tiny bit; *de* ~*ste bijzonderheden* the minutest details; *een* ~*e boer* a small farmer; ~*e druk* small print; ~*e stappen* short steps; ~*e uitgaven* petty expenses; *in een* ~ *uur* in less than an hour; ~ *maar dapper* small but plucky; ~

maar rein small but good; II *sb* in: ~ *en groot* zie groot III; *de* ~*e* the little one, the baby; *in het* ~ in a small way, on a small scale; [an ocean] in miniature; $ by retail; *de wereld in het* ~ the world in a nutshell; *wie het* ~*e niet eert, is het grote niet weerd* who will not keep a penny shall never have many; III *ad* small; *zich* ~ *voelen* feel small.

Klein-Azië [klɛin'a.zi.ə] *o* Asia Minor.

kleinbedrijf ['klɛinbədreif] *o* small-scale industry; *het* ~ ook: the small industries.

kleinbeeldcamera [-be.ltka.məra.] *v* miniature camera.

kleinburgerlijk [klɛin'bŭrgərlək] *fig* narrow-minded, low-brow, S square.

kleindochter ['klɛindɔxtər] *v* grand-daughter.

Kleinduimpje [klɛin'dœympjə] *o* Tom Thumb.

kleinduimpje [klɛin'dœympjə] *o* hop-o'-my-thumb.

kleineren [klɛi'ne:rə(n)] *vt* belittle, disparage.

kleinering [-rɪŋ] *v* belittlement, disparagement.

kleingeestig [klɛin'ge.stəx] small-minded, narrow-minded.

kleingeestigheid [-hɛit] *v* small-mindedness, narrow-mindedness.

kleingeld [klɛin'gɛlt, 'klɛingɛlt] *o* (small) change, small coin.

kleingelovig [klɛingə'lo.vəx] of little faith.

kleingelovigheid [-hɛit] *v* little faith.

kleingoed ['klɛingu.t, klɛin'gu.t] *o* I small fry [of children]; 2 smalls [at the baker's].

kleinhandel ['klɛinhɑndəl] *m* $ retail trade.

kleinhandelaar [-dəla:r] *m* $ retail dealer, retailer.

kleinhartig [klɛin'hɑrtəx] zie kleinmoedig.

kleinheid ['klɛinhɛit] *v* smallness, littleness, minuteness.

kleinigheid ['klɛinəxhɛit] *v* small thing, trifle.

kleinindustrie ['klɛinɪndŭstri.] *v de* ~ the small industries.

kleinkind [-kɪnt] *o* grandchild.

kleinkrijgen [-krɛigə(n)] *vt* in: *iemand* ~ bring one to heel, subdue (tame) one.

kleinmaken [-ma.kə(n)] *vt* chop small; *een bankbiljet* ~ change a banknote.

kleinmoedig [klɛin'mu.dəx] faint-hearted, pusillanimous.

kleinmoedigheid [-hɛit] *v* faint-heartedness, pusillanimity.

kleinood ['klɛino.t] *o* jewel², gem², trinket.

kleinsteeds [klɛin'ste.ts] provincial, parochial.

kleinsteedsheid [-hɛit] *v* provinciality, parochialism.

kleinte ['klɛintə] *v* smallness, minuteness.

kleintje [-cə] *o* little one, baby; *op de* ~*s passen* take care of the pence [fig]; *veel* ~*s maken een grote* many a little makes a mickle; *voor geen* ~ *vervaard* zie gerucht.

kleinzerig [klɛin'ze:rəx] easily hurt, touchy.

kleinzerigheid [-hɛit] *v* touchiness.

kleinzielig [klɛin'zi.ləx] small-minded, petty [excuse &]; *hoe* ~ *!* how shabby!

kleinzieligheid [-hɛit] *v* small-mindedness, pettiness, shabbiness.

kleinzoon ['klɛinzo.n] *m* grandson.

kleiweg ['klɛivɛx] *m* clay-road.

1 **klem** [klɛm] *v* I (val) catch, (man)trap; 2 ✂ bench-clamp; 3 🔆 terminal; 4 (ziekte) lockjaw; 5 (nadruk) stress[2], accent, emphasis; *in de ~ zitten* zie *knel* I; *met ~ spreken* speak with emphasis; *met ~ van redenen* with cogent reasons.

2 **klem** [klɛm] *aj* in: *~ lopen, raken, zijn, zitten* jam, get jammed; *~ zetten* jam.

klementie zie *clementie*.

klemhaak ['klɛmha.k] *m* clip, holdfast.

klemmen ['klɛmə(n)] I *vt* pinch [one's finger]; clench, set [one's teeth], tighten [one's lips], clasp [one's arms round...], a person to one's breast]; II *vi* stick, jam [of a door].

klemmend [-mənt] cogent [reasons].   [screw.

klemschroef ['klɛms(x)ru.f] *v* ✂ clamping-

klemtoon [-to.n] *m* stress, accent; emphasis.

klemtoonteken [-te.kə(n)] *o* stress-mark.

klep [klɛp] *v* I flap [of a pocket]; 2 ✂ leaf [of a sight]; 3 peak [of a cap]; 4 ✂ valve; 5 damper [of a stove]; 6 ♪ key [of a horn].

klepel ['kle.pəl] *m* clapper, tongue.

kleppen ['klɛpə(n)] *vi* I clack, clap; 2 toll [of a bell].

klepper [-pər] *m* I watchman; 2 steed; *~s* ♪ castanets.

klepperen [-pərə(n)] *vi* clack, clap; clatter [of a stork].

klepperman [-pərmɑn] *m* watchman.

kleptomaan [klɛpto.'ma.n] *m* kleptomaniac.

kleptomanie [-ma.'ni.] *v* kleptomania.

klepveer ['klɛpve:r] *v* ✂ valve-spring.

kleren ['kle:rə(n)] *mv* clothes; *de ~ maken de man (niet)* it is (not) the fine coat makes the fine gentleman; *het raakt mijn koude ~ niet* F it leaves me perfectly cold; *het gaat je niet in je koude ~ zitten* F it takes it out of you; *iemand in de ~ steken* clothe one.

klerenhanger [-hɑŋər] = *kleerhanger*.

klerenkast [-kɑst] = *kleerkast*.

klerenkoop [-ko.p] = *kleerkoop*.

klerenkoper [-ko.pər] = *kleerkoper*.

klerenwinkel [-vɪŋkəl] = *kleerwinkel*.

klerikaal [kle:ri.'ka.l] *aj* clerical; *de ~en* the clericalists.

klerikalisme [-ka.'lɪsmə] *o* clericalism.

klerk [klɛrk] *m* clerk.

klerkenbaantje ['klɛrkə(n)ba.ncə] *o* clerical billet, clerkship.

klerkenwerk [-vɛrk] *o* clerical work.

klerus zie *clerus*.

1 **klets** [klɛts] *v* smack, slap [in the face]; splash [of water]; *fig* F drivel; *~!* rats!, rot!

2 **klets!** [klɛts] *ij* slap!, flap!, smack!, bang!

kletsen ['klɛtsə(n)] I *vi* I splash [against something]; 2 F talk nonsense (rot); talk; II *vt* in: *iets in het water ~* dash it into the water.

kletser [-sər] *m* F zie *kletskous* & *kletsmeier*.

kletskous ['klɛtskous] *v* chatterbox.

kletsmeier [-mɛiər] *m* F twaddler.

kletsnat [-nɑt] soaking wet, sopping wet.

kletspraat [-pra.t] *m* zie *klets*; *~ verkopen* talk rot.

kletstafel [-ta.fəl] *v* club-table.

kletteren ['klɛtərə(n)] *vi* clatter, pelt, patter [of hail, rain]; clash [of arms].

kleumen ['klø.mə(n)] *vi* feel chilled, shiver.

kleumer [-mər] *m* chilly person.

kleums [klø.ms] chilly.

kleur [klø:r] *v* I (in 't alg.) colour, hue; 2 (v. gezicht) complexion; 3 ◊ suit; 4 *fig* colour; *~ bekennen* I ◊ follow suit; 2 *fig* show one's colours; *een ~ hebben als een bellefleur* have rosy cheeks; *een ~ krijgen* colour, blush; *met (in) levendige (donkere) ~en afschilderen* paint in bright (dark) colours; *politici van allerlei ~* of all colours.

kleurbad ['klø:rbɑt] *o* toning-bath.

kleurboek [-bu.k] *o* painting-book.

kleurdoos [-do.s] *v* paint-box, box of paints.

kleurecht [-ɛxt] zie *kleurhoudend*.

kleuren ['klø:rə(n)] I *vi* colour, blush; II *vt* colour; (foto) tone.

kleurenblind [-blɪnt] colour-blind.

kleurenblindheid [-blɪnthɛit] *v* colour-blindness.

kleurencombinatie [-kòmbi.na.(t)si.] *v* combination of colours.

kleurendia [-di.a.] *m* colour transparency, colour slide.

kleurendruk [-drʉk] *m* colour-printing; *in ~* in colour.

kleurenfilm [-fɪlm] *m* colour film, film in colour.

kleurenfoto [-fo.to.] *v* colour photograph.

kleurenfotografie [-fo.to.gra.fi.] *v* colour photography, photochromy.

kleurenkombinatie zie *kleurencombinatie*.

kleurenmengeling [-mɛŋəlɪŋ] *v* blending of colours.

kleurenpracht [-prɑxt] *v* orgy of colour(s).

kleurenspectrum, -spektrum [-spɛktrʉm] *o* chromatic spectrum.

kleurenspel [-spɛl] *o* play of colours.

kleurentelevisie [-te.lə.vi.zi.] *v* colour television.

kleurfilter ['klø:rfɪltər] *m* & *o* colour filter.

kleurhoudend [-houdənt] fast-dyed.

kleurig ['klø:rəx] colourful, gay.

kleuring [-rɪŋ] *v* colouring, coloration.

kleurkrijt ['klø:rkrɛit] *o* coloured chalk.

kleurling [-lɪŋ] *m* coloured man, man of colour.

kleurlinge [-lɪŋə] *v* coloured woman.

kleurloos [-lo.s] colourless[2] [cheeks &]; *fig* drab.

kleurloosheid [-lo.shɛit] *v* colourlessness[2]; *fig* drabness.

kleurmenging [-mɛŋɪŋ] *v* colour-blending.

kleurpotlood [-pɔtlo.t] *o* coloured pencil.

kleurrijk ['klø:rɛik] coloured, colourful.

kleurschakering ['klø:rsxa.ke:rɪŋ] *v* 1 shade, hue, tinge; 2 colour gradation.

kleursel [-səl] *o* colour(ing).

kleurstof [-stɔf] *v* colouring matter, pigment; *~fen* dye-stuffs.

kleurtje [-cə] *o* colour.

kleuter ['klø.tər] *m* little one, F (tiny) tot, toddler, kid, kiddy.

kleuterklas(se) [-klɑs(ə)] *v* infant class.

kleuterschool [-sxo.l] *v* infant school.

kleuterzorg [-zɔrx] *v* infant welfare.

kleven ['kle.və(n)] *vi* stick, adhere, cling, ↘ cleave; *~ aan* stick & to; *daar kleeft geen schande aan* no disgrace attaches to it; *daar kleeft een smet op* it is blotted with a stain.

kleverig [-vərəx] sticky, gluey, viscous.

kleverigheid [-hɛit] *v* stickiness, viscosity.

kliek [kli.k] *v* clique, set, coterie, junto.

kliekjes ['kli.kjəs] *mv* scraps, leavings, leftovers.

kliekjesdag [-dɑx] *m* left-over day.

kliënt(-) zie *cliënt*(-).

klier [kli:r] *v* 1 gland; 2 zie *kliergezwel*; *een ~ (van een vent)* P a rotter.

klierachtig ['kli:rɑxtəx] 1 glandular; 2 scrofulous.

kliergezwel [-gəzvɛl] *o* scrofulous tumour.

klierlijder [-leidər] *m* scrofulous patient.

klierziekte [-zi.ktə] *v* scrofulous disease, scrofula.

klieven ['kli.və(n)] *vt* cleave; *de golven ~* cleave (plough) the waves (the waters).

klif [klɪf] *o* cliff.

1 **klikken** ['klɪkə(n)] I *vi* tell (tales); *van iemand ~* tell upon one; II *vt* tell; *je moet het niet aan moeder ~* you must not tell mother.

2 **klikken** ['klɪkə(n)] *vi* click [of cameras].

klikker [-kər] *m* telltale, F sneak.

klikklakken [-klɑkə(n)] *vi* clack, click-clack.

klikspaan ['klɪkspa.n] *v* F zie *klikker*.

klim [klɪm] *m* climb; *een hele ~* a bit of a climb.

klimaat [kli.'ma.t] *o* climate.

klimaatregeling [-re.gəlɪŋ] *v* air-conditioning.

klimatologie [kli.ma.to.lo.'gi.] *v* climatology.

klimboon ['klɪmbo.n] *v* 🌱 runner(-bean).

klimmen ['klɪmə(n)] *vi* climb, ascend, mount; *in een boom ~* climb (up) a tree; *klim maar op de canapé (op mijn knie)* climb on to the sofa (on to my knee); *bij het ~ der jaren* as we advance in years.

klimmend [-mənt] climbing; *met ~e aandacht* with growing attention.

klimmer [-mər] *m* climber.

klimming [-mɪŋ] *v* climbing.

klimop ['klɪmɔp] *m & o* 🌱 ivy.

klimpaal [-pa.l] *m* climbing-pole.

klimpartij [-pɑrtɛi] *v* climb.

klimplant [-plɑnt] *v* 🌱 climbing-plant, climber.

klimroos [-ro.s] *v* 🌱 rambler.

klimvogel [-vo.gəl] *m* 🐦 climber.

kling [klɪŋ] *v* blade [of a sword]; *over de ~*

jagen put to the sword.

klingelen ['klɪŋələ(n)] *vi* jingle, tinkle.

kliniek [kli.'ni.k] *v* clinic; *ik volgde de ~ aan de hospitalen* I walked the hospitals.

klinisch ['kli.ni.s] clinical.

klink [klɪŋk] *v* latch [of door]; *op de ~* on the latch; *de deur op de ~ doen* latch the door; *de deur van de ~ doen* unlatch the door.

klinkdicht ['klɪŋkdɪxt] *o* sonnet.

klinken ['klɪŋkə(n)] I *vi* 1 (geluid geven) sound, ring; 2 (aanstoten) clink (touch) glasses; *een diner dat (een stem die) klonk als een klok* a number one dinner, a voice as clear as a bell; *bekend (in de oren) ~* sound familiar; II *vt* ↘ rivet, clinch[2].

klinkend [-kənt] sounding; resounding [reply, victory]; *~e munt* $ hard cash.

klinker [-kər] *m* 1 vowel [sound or letter]; 2 △ clinker, brick; 3 ↘ riveter.

klinkerbestrating [-bəstra.tɪŋ] *v* brick pavement.

klinkerpad [-pɑt] *o* brick path.

klinkerweg [-vex] *m* brick-paved road.

klinkhamer ['klɪŋkha.mər] *m* ↘ riveting-hammer.

klinkklaar ['klɪŋkla:r] in: *dat is klinkklare onzin* it is sheer (rank, pure) nonsense; *het was ~ water* it was mere water.

klinkklank [-klɑŋk] *m* clinkum-clankum.

klinknagel ['klɪŋkna.gəl] *m* ↘ rivet.

klip [klɪp] *v* rock, reef; *tegen de ~pen op liegen* F lie as fast as a horse can trot; *tussen de ~pen door zeilen* steer clear of the rocks.

klipachtig ['klɪpɑxtəx] rocky.

klipgeit [-geit] *v* 🐐 chamois.

klipper ['klɪpər] *m* ⚓ clipper.

klipzout ['klɪpsɔut] *o* rock-salt.

klis [klɪs] *v* 1 🌿 bur(r); 2 tangle; *als een ~ aan iemand hangen* stick to one like a bur(r).

kliskruid ['klɪskrœyt] **klissekruid** ['klɪsəkrœyt] *o* 🌿 burdock.

klit [klɪt] *v* zie *klis*.

klodder ['klɔdər] *m* clot [of blood], blob, blotch, daub [of paint].

klodderaar [-dəra:r] *m* dauber.

klodderen [-rə(n)] *vt* daub [paint].

1 **kloek** [klu.k] I *aj* brave, stout, bold; *twee ~e delen* two substantial volumes; II *ad* bravely, stoutly, boldly.

2 **kloek** [klu.k] *v* = 2 *klok*.

kloekheid ['klu.khɛit] *v* bravery, courage, vigour.

kloekmoedig [klu.k'mu.dəx] stout-hearted, valiant, courageous.

kloekmoedigheid [-hɛit] *v* stout-heartedness, bravery, courage, valour.

1 **klok** [klɔk] *ij* cluck!

2 **klok** [klɔk] *v* zie *klokhen*.

3 **klok** [klɔk] *v* 1 (uurwerk) clock; 2 (torenbel) bell; 3 (glazen stolp) bell-jar, bell-glass; *hij heeft de ~ horen luiden, maar hij weet niet waar de klepel hangt* he has heard

about it, but he does not know what to make of it; *hij hangt alles aan de grote ~* he noises everything abroad; *hij kan op de ~ kijken* he can tell the clock; *op de ~ af* to the minute; *een man van de ~* a punctual man; *het is betalen wat de ~ slaat* pay(ing) is the order of the day.

klokgebrom ['klɔkgəbròm] *o* booming (peal) of bells.

klokgelui [-gəlœy] *o* bell-ringing, peals, chiming.

klokhen [-hɛn] *v* ♣ mother hen.

klokhuis [-hœys] *o* ♣ core [of an apple].

klokje [-jə] *o* 1 (uurwerk) small clock; 2 ♣ harebell, bluebell; *het ~ van gehoorzaamheid* time to go to bed; *zoals het ~ thuis tikt, tikt het nergens* there's no place like home.

klokke ['klɔkə] in: *~ zes* on the stroke of six, at six o'clock precisely.

klokkeluider [-lœydər] *m* bell-ringer.

klokken ['klɔkə(n)] *vi* cluck [of hens], gobble [of turkeys], gurgle [of a liquid] ‖ flare [of a skirt]; *een ~de rok* a flared skirt.

klokkengieter [-gi.tər] *m* bell-founder.

klokkengieterij [klɔkə(n)gi.tʼrɛi] *v* 1 ('t gieten) bell-founding; 2 (werkplaats) bell-foundry.

klokkenspel ['klɔkə(n)spɛl] *o* carillon, chimes.

klokkenspeler [-spe.lər] *m* carillon player.

klokketoren ['klɔkəto:rə(n)] *m* bell-tower, steeple, belfry.

klokketouw [-tɔu] *o* bell-rope.

klokluider ['klɔklœydər] = *klokkeluider.*

klokrok [-rɔk] *m* flared skirt.

kloksein [-sɛin] *~signaal* [-si.ɲa.l] *o* bell-signal.

klokslag [-slɑx] *m* in: *met ~ van vieren* on the stroke of four.

klokslot [-slɔt] *o* time-lock.

klokspijs [-spɛis] *v* bell-metal.

klokvormig [-fɔrməx] bell-shaped.

klomp [klòmp] *m* 1 (klodder) lump; 2 (voetbekleding) clog, wooden shoe, sabot; *een ~ goud* a nugget of gold.

klompenmaker ['klòmpə(n)ma.kər] *m* clog-maker.

klont [klònt] *m & v* clod [of earth]; lump [of sugar &].

klonter ['klòntər] *m* clot [of blood].

klonterachtig [-ɑxtəx] clotty.

klonteren ['klòntərə(n)] *vi* clot.

klonterig [-rəx] clotted, clotty.

klonterigheid [-hɛit] *v* clottiness.

klontje ['klòncə] *o* lump [of sugar].

klontjessuiker [-sœykər] *m* lump-sugar.

kloof [klo.f] *v* 1 (van de aarde) cleft, chasm, gap; 2 (aan de handen) chap; 3 *fig* gap; *de ~ dempen (overbruggen) tussen hen* bridge (over) the gap (gulf) between them; *de ~ verbreden* widen the gap (gulf).

klooster ['klo.stər] *o* 1 (in 't alg.) cloister; 2 monastery [for men]; 3 convent [for women];

in het ~ gaan go into a convent; go into a monastery.

kloosterachtig [-ɑxtəx] cloistral, conventual, monastic.

kloosterbroeder [-bru.dər] *m* 1 conventual, friar; 2 lay brother.

kloostercel [-sɛl] *v* convent cell; monastery cell.

kloostergelofte [-gəlɔftə] *v* monastic vow.

kloostergewaad [-gəva.t] *o* monastic dress, convent habit.

kloostergoed [-gu.t] *o* goods (estate) belonging to a monastery.

kloosterkapel [-ka.pɛl] *v* cloister-chapel.

kloosterkerk [-kɛrk] *v* conventual church, monastic church.

kloosterlatijn [-la.tɛin] *o* Low Latin.

kloosterleven [-le.və(n)] *o* monastic life, convent life.

kloosterlijk [-lək] cloistral, conventual, monastic.

kloosterling [-lɪŋ] *m* monk; *~en* ook: conventuals.

kloosterlinge [-lɪŋə] *v* nun.

kloostermoeder [-mu.dər] *v* prioress, abbess, Mother (Lady) Superior.

kloosterorde [-ɔrdə] *v* monastic order.

kloosterregel ['klo.stərə.gəl] *m* monastic rule.

kloosterschool ['klo.stərsxo.l] *v* monastic school, convent school.

kloostervader [-va.dər] *m* prior, abbot, Father Superior.

kloosterwezen [-ve:zə(n)] *o* monasticism, monachism.

kloosterzuster [-zűstər] *v* nun.

klop [klɔp] *m* knock, tap, rap; *iemand ~ geven* F give one a flogging (a dressing), beat one, lick one; *~ krijgen* F be beaten.

klopgeest ['klɔpge.st] *m* rapping spirit.

klopjacht [-jɑxt] *v* battue; round-up [by police].

kloppartij ['klɔpartɛi] *v* scuffle, affray, scrap, set-to.

kloppen ['klɔpə(n)] **I** *vi & va* knock, rap [at a door], tap [on the shoulder], pat [on the head]; beat, throb, palpitate [of the heart]; *er wordt geklopt* there is a knock (at the door); *binnen zonder ~!* please walk in!; *de cijfers ~ niet* the figures do not balance; *dat klopt niet met wat u gisteren zei* that does not tally (square, fit in) with what you said yesterday; *de boel ~d maken* square things; **II** *vt* beat [a carpet]; beat up [eggs]; break [stones]; *iemand ~* F beat one, lick one; *geld ~ uit* make money out of...; *iemand iets uit de zak ~* do a person out of something.

klopper [-pər] *m* 1 (door-)knocker; 2 (carpet-)beater; 3 ✠ sounder.

klopping [-pɪŋ] *v* beat(ing), throb(bing), palpitation, pulsation.

klos [klɔs] *m & v* 1 bobbin, spool, reel; 2 ▓ coil.

kloset(-) zie *closet(-).*

kloskant ['klɔskɑnt] *m* bobbin lace.

klossen ['klɔsə(n)] *vi* clump.

klots [klɔts] *m* ⚇ kiss.

klotsen ['klɔtsə(n)] *vi* 1 dash [of the waves]; 2 ⚇ kiss.

klove ['klo.və] = *kloof*.

kloven ['klo.və(n)] *vt* cleave [diamonds]; chop [wood].

klown(-) zie *clown*(-).

klub(-) zie *club*(-).

klucht [klŭxt] *v* farce.

kluchtig ['klŭxtəx] I *aj* comical, droll, farcical, odd; II *ad* comically &.

kluchtigheid [-hɛit] *v* comicalness, drollery, oddness, oddity.

kluchtspel ['klŭxtspɛl] *o* farce.

kluif [klœyf] *v* bone (to pick); (als gerecht) knuckle; *dat is een hele ~ F* that is a tough proposition.

kluis [klœys] *v* 1 (v. kluizenaar) hermitage; cell; 2 (van een bank) strong-room, vault, safe-deposit.

kluisgat ['klœysɡɑt] *o* ⚓ hawse-hole.

kluister ['klœystər] *v* fetter, shackle; ~*s* shackles, trammels.

kluisteren [-tərə(n)] *vt* fetter, shackle; *aan het bed gekluisterd* confined to one's bed, bedridden; *aan haar ziekenstoel gekluisterd* pinned to her chair.

1 kluit [klœyt] *m & v* clod, lump; *hij is uit de ~en gewassen* F he is a tall, spanking fellow.

2 kluit [klœyt] *m* 🐦 avocet.

kluitje ['klœycə] *o* (small) clod, lump; *iemand met een ~ in het riet sturen* put one off with fair words, fob one off with promises.

kluiven ['klœyvə(n)] *vt & vi* pick, gnaw, nibble; *iets om aan te ~* something to gnaw; *fig* a tough proposition.

kluiver [-vər] *m* ⚓ jib.

kluizenaar [-zənɑ:r] *m* hermit, recluse.

kluizenaarsleven [-nɑ:rslе.və(n)] *o* life of a hermit.

1 klungel ['klŭŋəl] *v* zie *lor*.

2 klungel ['klŭŋəl] *m-v* F bungler, muff.

klungelen ['klŭŋələ(n)] *vi* F 1 (knoeien) bungle (one's task), muff it; 2 (beuzelen) dawdle.

kluppel ['klŭpəl] = *knuppel*.

kluppelen [-pələ(n)] = *knuppelen*.

kluts [klŭts] *v* in: *de ~ kwijt raken* F be put out; *de ~ kwijt zijn* F be at sea, be all abroad.

klutsen ['klŭtsə(n)] *vt* beat up [eggs].

kluwen ['kly.və(n)] *o* ball [of yarn, wool, string], clew.

km = *kilometer*.

knaagdier ['knɑ.xdi:r] *o* rodent.

knaap [knɑ.p] *m* 1 (jongen) boy, lad, youth, youngster, fellow; 2 S (kokkerd) whopper.

knabbelen ['knɑbələ(n)] *vt* nibble, munch; ~ *aan* nibble at.

knagen ['knɑ.ɡə(n)] *vi* gnaw²; ~ *aan* gnaw (at)².

knaging [-ɡɪŋ] *v* gnawing; ~*en van het geweten* pangs (qualms, twinges) of conscience.

knak [knɑk] *m* crack, snap; *fig* blow, injury, damage; *de handel een ~ geven* cripple (the) trade; *zijn gezondheid heeft een ~ gekregen* his health has received a shock.

knakken ['knɑkə(n)] I *vi* snap [of a flower]; crack [of the finger-joints]; II *vt* break [a flower]; injure, impair, shake [a man's health].

knakworst ['knɑkvɔrst] *v* frankfurter (sausage).

knal [knɑl] *m* crack, bang, pop, detonation, report.

knalbonbon ['knɑlbõbõ] *m* cracker.

knaleffect, -effekt [-ɛfɛkt] *o* claptrap.

knalfuif [-fœyf] *v* S smashing party.

knalgas [-ɡɑs] *o* detonating gas.

knalgoud [-ɡəut] *o* fulminating gold.

knalkwik [-kvɪk] *o* fulminating mercury.

knallen ['knɑlə(n)] *vi* crack [of a rifle, a whip], bang [of a gun], pop [of corks], fulminate [of gold &].

knalpoeder, -poeier ['knɑlpu.dər, -pu.jər] *o* fulminating powder.

knalpot [-pɔt] *m* silencer.

knalsignaal [-si.ɲa.l] *o* detonating signal, detonator.

knalzilver [-zɪlvər] *o* fulminating silver.

1 knap [knɑp] *m* crack, snap.

2 knap [knɑp] I *aj* 1 (v. uiterlijk) handsome, comely, good-looking; smart; 2 (v. verstand) clever, able, capable; *een ~ meisje* a pretty girl; *een ~pe vent* 1 a handsome fellow; 2 a clever fellow; ~ *in 't Engels* well up in English; II *ad* 1 cleverly, ably; 2 < pretty; ~ *donker* pretty dark.

knapheid ['knɑphɛit] *v* 1 good looks; 2 cleverness, ability, skill.

knapjes [-jəs] cleverly; *zij kwam ~ voor de dag* she was neatly dressed.

knapkers [-kɛrs] *v* white-heart cherry.

knappen ['knɑpə(n)] I *vi* crack, go crack; (v. vuur) crackle; *het touw zal ~* the string will snap; II *vt* crack [a bottle].

knappend [-pənt] crackling [fire], crunchy, crisp [biscuit].

knapperd [-pərt] *m* F clever fellow, clever one.

knapzak [-sɑk] *m* knapsack.

knarpen ['knɑrpə(n)] *vi* crunch.

knarsen [-sə(n)] *vi* creak, grate; grind [also of a door]; *op de tanden ~* gnash one's teeth.

knarsetanden [-sətɑndə(n)] *vi* gnash one's teeth.

knauw [knɔu] *m* F bite; *fig* zie *knak*.

knauwen ['knɔuə(n)] *vi* gnaw, munch.

knecht [knɛxt] *m* man-servant, servant, man.

knechten ['knɛxtə(n)] *vt* enslave.

knechting [-tɪŋ] *v* enslavement.

knechtschap ['knɛxtsxɑp] *o* servitude.

kneden ['kne.də(n)] *vt* knead²; *fig* mould [one like wax].

kneedbaar ['kne.tba:r] kneadable, fictile; *fig* mouldable.

kneedmachine [-ma.ʃi.nə] *v* kneading-machine.

kneep [kne.p] *v* 1 *eig* pinch; mark of a pinch; 2 *fig* dodge, trick; *daar zit 'm de* ~ there's the rub; *de knepen kennen* know the tricks of the trade (the ropes).

knekelhuis [ˈkne.kəlhœys] *o* charnel-house, ossuary.

knel [knɛl] I *v* in: *in de* ~ *zitten* F be in a scrape; II *aj* in: ~ *raken*, ~ *zitten* jam, get jammed.

knellen [ˈknɛlə(n)] I *vt* pinch, squeeze; II *va* & *vi* pinch.

knellend [-lənt] *fig* oppressive.

knelpunt [ˈknɛlpŭnt] *o* bottle-neck[2].

knerpen [ˈknɛrpə(n)] *vi* crunch.

knetteren [ˈknɛtərə(n)] *vi* crackle.

kneu [knø.] *v* 🐦 linnet.

kneuterig [ˈknø.tərəx] *aj* (& *ad*) F snug(ly).

kneuzen [ˈknø.zə(n)] I *vt* bruise, contuse; II *vr* *zich* ~ get bruised.

kneuzing [-zɪŋ] *v* bruise, contusion.

knevel [ˈkne.vəl] *m* moustache [of a man]; whiskers [of an animal].

knevelaar [-vəla:r] *m* extortioner.

knevelarij [kne.vəla:ˈrɛi] *v* extortion.

knevelen [ˈkne.vələ(n)] *vt* 1 (met koorden) pinion, tie; 2 *fig* extort money from [people]; gag, muzzle [the press].

knibbelaar *m* ~ster *v* [ˈknɪbəla:r(stər)] haggler.

knibbelarij [knɪbəla:ˈrɛi] *v* haggling.

knibbelen [ˈknɪbələ(n)] *vi* 1 haggle; 2 *sp* play at spillikins.

knibbelspel [-bəlspɛl] *o sp* spillikins.

knie [kni.] *v* knee; *de* ~(*ën*) *buigen* bend (bow) the knee(s); *door de* ~*ën gaan* give way, go down, knuckle under (to voor); *iets onder de* ~ *hebben* have mastered a subject; *op de* ~*ën vallen* drop on one's knees; *voor iemand op de* ~*ën vallen* go down on one's knees to a person; *een kind over de* ~ *leggen* lay a child over one's knee; *tot aan de* ~*ën* knee-deep [in the water].

kniebroek [ˈkni.bru.k] *v* knickerbockers, knee-breeches, smalls.

kniebuiging [-bœygɪŋ] *v* genuflexion; *diepe* ~ deep knee-bend [in gymnastics].

kniegewricht [-ɣəvrɪxt] *o* knee-joint.

kniekous [-kous] *v* knee-length stocking.

knielen [ˈkni.lə(n)] *vi* kneel, go down on one's knees, bend the knee; ~ *voor* kneel to [*fig*]; *geknield* kneeling, on one's knees.

knielkussen [ˈkni.lkŭsə(n)] *o* hassock.

kniepees [ˈkni.pe.s] *v* hamstring.

knieschijf [-sxɛif] *v* knee-cap, knee-pan, § patella.

kniesoor [ˈkni.zo:r] *m-v* mope.

knieval [ˈkni.val] *m* prostration; *een* ~ *doen voor* bow the knee before, go down on one's knees to.

kniezen [ˈkni.zə(n)] *vi* fret, mope; *zich dood* ~ fret (mope) oneself to death; *er over* ~ fret about it.

kniezer [-zər] *m* zie *kniesoor*.

kniezerig [-zərəx] **kniezig** [-zəx] fretful.

knijp [knɛip] *v* pinch; *in de* ~ *zitten* F be in a scrape.

knijpbril [ˈknɛipbrɪl] *m* pince-nez, folders.

knijpen [ˈknɛipə(n)] I *vt* pinch[2], *fig* squeeze; *hij kneep mij in mijn neus* he tweaked my nose; *hij kneep het kindje in de wang* he pinched the child's cheek; II *vi* & *va* pinch.

knijper [-pər] *m* 1 (voorwerp) clip; (voor de was) clothes-peg, clothes-pin; 2 (persoon) niggard, skinflint.

knijpkat [ˈknɛipkat] ~lamp [-lamp] ~lantaarn, ~lantaren [-lanta:rən] *v* hand-dynamo torch.

knijptang [-taŋ] *v* pincers, nippers.

knik [knɪk] *m* 1 (buiging) nod, bob; 2 (breuk) crack; 3 (kromming) bend.

knikkebollen [ˈknɪkəbələ(n)] *vi* niddle-noddle; doze.

knikken [-kə(n)] *vi* nod; *hij knikte van ja* he nodded assent; *hij knikte van neen* he shook his head; *zijn knieën knikten* his legs gave way, his knees shook.

knikker [-kər] *m* marble; *kale* ~ bald pate.

knikkeren [-kərə(n)] *vi* play at marbles; zie ook: *baan*.

knikkerspel [-kərspɛl] *o* game of marbles.

1 knip [knɪp] *m* 1 (insnijding) cut, snip; 2 fillip [with finger and thumb], flip, flick; *hij is geen* ~ *voor de neus waard* he is not worth a straw.

2 knip [knɪp] *v* (voorwerp) catch [of a door]; snap [of a bag, of a bracelet]; trap [to catch birds].

knipbeugel [ˈknɪpbø.ɣəl] *m* snap [of a purse].

knipbeurs [-bø:rs] *v* ~je [-jə] *o* purse (with a snap).

knipje [-jə] *o* 1 (ergens in) (little) cut; 2 (ergens aan) catch [of a door], snap [of a purse].

knipkaart [-ka:rt] *v* card, ticket book.

knipmes {-mɛs] *o* clasp-knife.

knipogen [-o.ɣə(n)] *vi* wink, blink; ~ *tegen* wink at.

knipoogje [-o.xjə] *o* F wink (of the eyes); *iemand een* ~ *geven* wink at a person.

knippatroon [ˈknɪpa.tro.n] *o* paper pattern.

knippen [-pə(n)] I *vt* 1 cut [the hair]; cut out [a dress]; punch [tickets]; clip [tickets, coupons]; trim [one's beard]; pare [one's nails]; 2 flip, flick (off) [the ashes]; 3 S pinch, nab [a thief]; *zich laten* ~ have one's hair cut; *je moet mijn haar kort* ~ crop my hair short; *het uit de Times* ~ cut it from the Times; II *va* cut (out); III *vi* met de ogen ~ blink; *met de vingers* ~ snap one's fingers.

knipperbol [ˈknɪpərbol] *m* flashing beacon.

knipperen [ˈknɪpərə(n)] *vi* in: *met de ogen* ~ blink.

knipperlicht [ˈknɪpərlɪxt] *o* flashing light.

knippersignaal [-si.ɲa.l] *o* intermittent signal.

knipsel [ˈknɪpsəl] *o* cutting(s), clipping(s).

kniptor [-tər] v snap-beetle.

knobbel ['knɔbəl] m bump [on the skull, swelling caused by blow]; knob [at end or surface of a thing]; knot [in animal body], knurl [= knot, knob]; ☘ tubercle.

knobbelig [-bələx] knotty, knobby.

knobbeligheid [-hɛit] v knottiness, knobbiness.

knoedel ['knu.dəl] m 1 (gerecht) dumpling; 2 (k n o t) knot, bun [of hair].

knoei [knu:i] m muddle; wij zitten in de ~ F we are in a fine mess! we are in the soup!

knoeiboel ['knu:ibu.l] m mess.

knoeien ['knu.jə(n)] vi 1 eig mess, make a mess; 2 fig bungle, blunder [over one's work]; engage in underhand dealings; ~ aan iets meddle (mess) with a thing; met as ~ mess ashes about; ~ met de boter adulterate butter.

knoeier [-jər] m ~ster ['knu:istər] v bungler, dabbler, botcher; swindler; intriguer.

knoeierij [knu.jə'rɛi] v eig messing, mess; fig underhand dealings, intrigue(s); jobbery.

knoeiwerk ['knu:ivɛrk] o bungling, bungle.

knoest [knu.st] m knot, knag, knurl, gnarl.

knoestig ['knus.təx] knotty, knaggy, gnarled, gnarly.

knoestigheid [-hɛit] v knottiness, gnarliness, nodosity.

knoet [knu.t] m knout.

knoflook ['knɔflo.k] o & m ☘ garlic.

knok [knɔk] = knook.

knokig ['kno.kəx] bony.

knokkel ['knɔkəl] m knuckle.

knokken [-kə(n)] vi F scrap, have a scrap.

knokploeg ['knɔkplu.x] v strong-arm squad.

knol [knɔl] m 1 ☘ tuber [of potatoes &]; 2 (k n o l r a a p) turnip; 3 jade [of a horse]; 4 turnip [= watch]; iemand ~len ✦voor citroenen verkopen gull a person, take a person in.

knolachtig ['knɔlɑxtəx] ☘ tuberous.

knollenland ['knɔlə(n)lɑnt] o turnip field.

knolraap ['knɔlra.p] v Swedish turnip, swede.

knolselderij [-sɛldərɛi] m ☘ turnip-rooted celery.

knolzaad [-za.t] o ☘ turnip seed.

knook [kno.k] m & v bone.

knoop [kno.p] m 1 knot; 2 ☘ node, joint; 3 button; stud [of collar &]; de blauwe ~ the blue ribbon; de (gordiaanse) ~ doorhakken cut the (Gordian) knot; een ~ leggen tie a knot; een ~ in zijn zakdoek leggen make a knot in one's handkerchief; zoveel knopen lopen ⚓ run (make) so many knots; een ~ losmaken untie (undo) a knot; daar zit 'm de ~ there's the rub.

knooplaars ['kno.pla:rs] v button-boot.

knooppunt ['kno.pŭnt] o junction.

knoopsgat ['kno.psɡɑt] v buttonhole.

knop [knɔp] m knob [of a stick, door &]; pommel [of a saddle, a sword]; button, push [of an electric bell]; switch [of electric light]; ☘ bud.

knopehaak ['kno.pəha.k] m button-hook.

knopen ['kno.pə(n)] vt 1 net [a purse]; make [nets]; 2 knot, tie, button; het in zijn oor ~ make a mental note of it.

knoppen ['knɔpə(n)] vi ☘ bud.

knor [knɔr] m grunt [of a pig]; ~ren krijgen F get a scolding.

knorhaan ['knɔrha.n] m 🐟 gurnet, gurnard.

knorren ['knɔrə(n)] vi 1 grunt [of pigs]; 2 fig grumble, growl; 3 scold; ~ op scold.

knorrepot [-rəpɔt] m grumbler, growler.

knorrig [-rəx] grumbling, growling, F grumpy.

knorrigheid [-hɛit] v grumbling (growling) disposition, F grumpiness.

knot [knɔt] v knot [of silk, hair].

knots [knɔts] v club, bludgeon.

knotsslag ['knɔtslɑx] m bludgeon stroke.

knotsvormig ['knɔtsfɔrməx] club-shaped.

knotten ['knɔtə(n)] vt 1 pollard [a willow], head down [a tree]; 2 truncate [a cone]; 3 fig curtail [power].

knotwilg ['knɔtʋɪlx] m ☘ pollard-willow.

knuffelen ['knŭfələ(n)] vt F hug, cuddle.

knuist [knœyst] m & v F fist, paw; blijf eraf met je ~en! paws off!

knul [knŭl] m F dolt; booby, mug; een goeie ~ F a good fellow.

knuppel ['knŭpəl] m 1 cudgel, club, bludgeon; 2 ✄ S joy-stick; 3 fig lout; dat was een ~ in het hoenderhok der Liberalen that was a bomb-shell thrown into the ranks of the Liberals.

knuppelen [-pələ(n)] vt cudgel.

knus [knŭs] aj (& ad) snug(ly).

knusjes ['knŭʃəs] F snugly.

knutselaar ['knŭtsəla:r] m handy-man, potterer.

knutselen [-sələ(n)] vi potter, do small jobs, do some trifling work; in elkaar ~ put together.

knutselwerk [-səlvɛrk] o pottering, trifling work.

koalitie zie coalitie.

kobalt [ko.'bɑlt] o cobalt.

kobaltblauw [-bləu] o & aj cobalt-blue.

kobra zie cobra.

Kobus ['ko.bŭs] m F Jim(my).

koddebeier ['kɔdəbɛiər] m gamekeeper.

koddig ['kɔdəx] I aj droll, odd, comical; II ad drolly.

koddigheid [-hɛit] v drollery, oddity, comicality.

kode(-) zie code(-).

kodifi- zie codifi-.

koe [ku.] v cow; oude ~ien uit de sloot halen rake up old stories; geen oude ~ien uit de sloot halen let bygones be bygones; men noemt geen ~ bont of er is een vlekje aan there is no smoke without fire; de ~ bij de horens vatten (pakken) take the bull by the horns, grasp the nettle; men kan nooit weten hoe een ~ een haas vangt a cow may catch a hare.

koëdukatie zie coëducatie.

koëfficiënt zie coëfficiënt.

koehandel ['ku.hɑndəl] *m* horse-trading, bargaining, jobbery.

koehoorn, -horen [-ho:rən] *m* cow's horn.

koe(ie)huid [-(jə)hœyt] *v* cow's hide.

koeiekop [-jəkɔp] *m* cow's head.

koeieoog [-jəo.x] *o* cow's eye.

koeiestaart [-jəsta:rt] *m* cow's tail.

koeiestal [-jəstɑl] *m* cowshed, cowhouse, byre.

koeioneren [ku.jò'ne:rə(n)] *vt* P bully.

koek [ku.k] *m* 1 cake; 2 gingerbread; *ze gaan als ~* F they sell like hot cakes; *ze zijn ~ en ei* F they are hand and (in) glove; *alles voor zoete ~ opeten* F swallow everything.

koekbakker ['ku.kbɑkər] *m* confectioner.

koekdeeg [-de.x] *o* gingerbread paste.

koekeloeren [ku.kə'lu:rə(n)] *vi* peer; *zitten ~* be day-dreaming, sit and stare.

koeken ['ku.kə(n)] *vi* cake.

koekenbakker [-bɑkər] = *koekbakker.*

koekepan ['ku.kəpɑn] *v* frying-pan.

koekje [ku.kjə] *o* (sweet) biscuit.

koekjestrommel [-jəstròməl] *v* biscuit barrel, biscuit tin.

koekkraam ['ku.kra.m] *v* & *o* gingerbread stall.

koekoek ['ku.ku.k] *m* 1 🐦 cuckoo; 2 △ skylight; *het is altijd ~ één zang met hem* he is always harping on the same string.

koekoeksbloem [-ku.ksblu.m] *v* 🌷 1 ragged robin; 2 red campion.

koekoeksklok [-klɔk] *v* cuckoo clock.

koel [ku.l] I *aj* cool², *fig* cold [reception]; *in ~en bloede* in cold blood, cold-bloodedly; II *ad* coolly.

koelbak ['ku.lbɑk] *m* cooler.

koelbloedig [ku.l'blu.dəx] I *aj* cold-blooded, cool; II *ad* cold-bloodedly, in cold blood.

koelbloedigheid [-hɛit] *v* cold-bloodedness, coolness.

koeldrank ['ku.ldrɑŋk] *m* cooling-draught, F cooler.

koelen ['ku.lə(n)] I *vt* cool; zie ook: *woede* &; II *vi* cool (down).

koelheid ['ku.lhɛit] *v* coolness²; *fig* coldness.

koelhuis ['ku.lhœys] *o* cold store.

koelie ['ku.li.] *m* coolie.

koeliewerk [-vɛrk] *o fig* donkey work, drudgery.

koelinrichting ['ku.lɪnrɪxtɪŋ] *v* refrigerator, refrigerating plant.

koelkamer [-ka.mər] *v* cold store; cooling-room.

koelkast [-kɑst] *v* refrigerator. [room.

koelkelder [-kɛldər] *m* cooling-cellar.

koelmiddel [-mɪdəl] *o* coolant.

koeloven [-o.və(n)] *m* annealing furnace.

koelschip [-sxɪp] *o* ⚓ refrigerator ship.

koelte [-tə] *v* coolness, F cool [of the evening].

koeltje [-cə] *o* breeze.

koeltjes [-cəs] coolly, coldly.

koelvat [-vɑt] *o* cooler.

koelwagen [-va.ɡə(n)] *m* refrigerator car.

koemelk ['ku.mɛlk] *v* cow's milk.

Koen [ku.n] *m* zie *Koenraad.*

koen [ku.n] I *aj* bold, daring, hardy; II *ad* boldly.

koenheid ['ku.nhɛit] *v* boldness, daring, hardihood.

Koenraad [-ra.t] *m* Conrad.

koeoog ['ku.o.x] = *koeieoog.*

koepel ['ku.pəl] *m* 1 △ dome, cupola; 2 (tuinhuisje) summer-house.

koepeldak [-dɑk] *o* dome-shaped roof, dome.

koepelgewelf [-ɡəvɛlf] *o* dome-shaped vault, dome.

koepelkerk [-kɛrk] *v* dome-church.

koepelvormig [-vɔrməx] dome-shaped.

koeplet zie *couplet.*

koepokinenting ['ku.pɔkɪnɛntɪŋ] *v* vaccination.

koepokken [-pɔkə(n)] *mv* cowpox.

koepokstof [-pɔkstɔf] *v* vaccine (lymph).

koepon(-) zie *coupon(-).*

Koerd [ku:rt] *m* Kurd.

koeren ['ku:rə(n)] *vi* coo.

koerier [ku:'ri:r] *m* courier.

koers [ku:rs] *m* 1 ⚓ course; 2 $ quotation, price; rate (of exchange); 3 *fig* course, line of action; *~ zetten naar* shape one's course for, make for; *uit de ~ raken* be driven off one's course; *van ~ veranderen* change course.

koersbericht ['ku:rsbərɪxt] *o* $ market report.

koersdaling [-da.lɪŋ] *v* $ fall in prices.

koersen ['ku:rsə(n)] *vi* ⚓ zie *koers zetten.*

koerslijst ['ku:rslɛist] *v* $ list of quotations.

koersnotering [-no.te:rɪŋ] *v* $ (market) quotation.

koersverandering [-fərɑndərɪŋ] *v* change of course², *fig* new orientation.

koersverschil [-fərsxɪl] *o* $ difference in price.

koerswaarde [-va:rdə] *v* $ market value.

koes(t) [ku.s(t)] quiet; *~! down, dog!*; *zich ~ houden* F be (keep)) mum, lie low (and say nothing).

koestaart ['ku.sta:rt] = *koeiestaart.*

koestal [-stɑl] = *koeiestal.*

koesteren ['ku.stərə(n)] I *vt* cherish [children, plants, feelings, a design to..., &], entertain [feelings &]; II *vr zich ~* bask.

koet [ku.t] *m* 🦤 coot.

koeteren ['ku.tərə(n)] *vi* jabber, talk gibberish.

koeterwaals [ku.tər'va.ls] *o* double Dutch, gibberish, lingo.

koeterwalen [-'va.lə(n)] zie *koeteren.*

koetje ['ku.cə] *o* (small) cow; *over ~s en kalfjes praten* talk about this and that, about one thing and another, about things in general.

koets [ku.ts] *v* coach, carriage.

koetshuis ['ku.tshœys] *o* coach-house.

koetsier [ku.t'si:r] *m* driver, coachman.

koetspaard ['ku.tspa:rt] *o* coach-horse.

koetspoort [-po:rt] *v* carriage gateway.

koevoet ['ku.vu.t] *m* ⚒ crowbar.

koffer ['kòfər] *m* 1 box [for articles of value], trunk [for travelling], (kleiner) (hand-)bag, portmanteau, (suit-)case; 2 ⚓ (~ruimte) boot.

koffergrammofoon [-gramo.fo.n] *m* portable gramophone.

koffie ['kɔfi.] *m* coffee; ~ *drinken* I take (have) coffee; 2 lunch; *op de* ~ *komen* catch it [*fig*]; *dat is geen zuivere* ~ F there is something fishy about it, it looks suspicious.

koffiebaal [-ba.l] *v* coffee bag.

koffiebes [-bes] *v* coffee-berry.

koffieblad [-blɑt] *o* 1 ☙ coffee-leaf; 2 (om te presenteren) coffee-tray.

koffieboom [-bo.m] *m* coffee-tree.

koffieboon [-bo.n] *v* coffee-bean, coffee-nib.

koffiebrander [-brɑndər] *m* coffee-roaster.

koffiebranderij [-brɑndərɛi] *v* coffee-roasting factory.

koffiebruin [-brœyn] coffee-brown, coffee-coloured.

koffiecultuur [-kύlty:r] *v* coffee-growing.

koffiedik [-dɪk] *o* coffee-grounds; *zo helder als* ~ as clear as mud.

koffiedrinken [-drɪŋkə(n)] *o* lunch.

koffie-extract, koffie-extrakt [-ɛkstrɑkt] *o* coffee essence.

koffiefilter [-fɪltər] *m* & *o* coffee-percolator.

koffiehuis [-hœys] *o* 1 (zonder vergunning) coffee-house; 2 (met vergunning) (licensed) café.

koffiekamer [-ka.mər] *v* refreshment-room.

koffiekan [-kɑn] *v* coffee-pot.

koffieketel [-ke.təl] *m* coffee-kettle.

koffiekopje [-kɔpjə] *o* coffee-cup.

koffiekultuur zie *koffiecultuur*.

koffieland [-lɑnt] *o* coffee-plantation.

koffiemolen [-mo.lə(n)] *m* coffee-mill.

koffieplantage [-plɑnta.ʒə] *v* coffee-plantation.

koffieplanter [-plɑntər] *m* coffee-planter.

koffiepot [-pɔt] *m* coffee-pot.

koffieservies [-sɛrvi.s] *o* coffee-service, coffee-set.

koffiesurrogaat [-sύro.ga.t] *o* coffee-substitute.

koffietafel [-ta.fəl] *v* lunch.

koffietijd [-tɛit] *m* lunch time.

koffietuin [-tœyn] *m* coffee-plantation.

koffiewater [-va.tər] *o* water for coffee.

kogel ['ko.gəl] *m* ball [of a cannon & ⚔]; bullet [for small arms]; *de* ~ *is door de kerk* the die is cast; *de* ~ *krijgen* be shot; *tot de* ~ *veroordelen* sentence to be shot.

kogelbaan [-ba.n] *v* ⚔ trajectory.

kogelflesje [-flɛʃə] *o* globe-stoppered bottle.

kogelgat [-gɑt] *o* bullet hole.

kogelgewricht [-gəvrɪxt] *o* ball-and-socket joint.

kogelkussen [-kύsə(n)] **kogellager** ['ko.gəlɑ.gər] *o* ⚙ ball-bearing.

kogelregen [-re.gə(n)] *m* shower (hail) of bullets.

kogelrond [-rònt] globular, spherical.

kogelslingeren [-slɪŋərə(n)] *o sp* throwing the hammer.

kogelstoten [-sto.tə(n)] *o sp* putting the weight.

kogelvanger [-vaŋər] *m* ⚔ butt.

kogelvormig [-vɔrməx] globular, spherical.

kogelvrij [-vrɛi] bullet-proof, shot-proof.

kohesie zie *cohesie*.

kohier [ko.'hi:r] *o* register.

kohort(e) zie *cohort(e)*.

kok [kɔk] *m* cook; (die maaltijden uitzendt) caterer; *het zijn niet allen* ~*s die lange messen dragen* all are not hunters that blow the horn; *veel* ~*s bederven de brij* too many cooks spoil the broth.

kokarde [ko.'kɑrdə] *v* cockade.

koken ['ko.kə(n)] I *vi* boil; ~ *van kwaadheid* boil (seethe) with rage; II *va* in: *zij kan goed* ~ she can cook well; *wie kookt voor u?* who does your cooking?; III *vt* boil [water &]; cook [food].

1 **koker** [-kər] *m* boiler.

2 **koker** [-kər] *m* case, sheath; tube; quiver [for arrows]; *dat komt niet uit uw* ~ that bolt came never out of your bag.

kokerij [ko.kə'rɛi] *v* cookery.

kokerjuffer ['ko.kərjύfər] *v* ⚘ caddis-fly.

kokervrucht [-vrύxt] *v* ☙ follicle.

kokerworm [-vərm] *m* ⚘ caddis.

koket [ko.'kɛt] *aj* (& *ad*) coquettish(ly).

kokette [-'kɛtə] *v* coquette, flirt.

koketteren [-kɛ'te:rə(n)] *vi* coquette, flirt[2].

koketterie [-tə'ri.] *v* coquetry.

kokhalzen ['kòkhɑlzə(n)] *vi* retch, keck, heave; *tegen iets* ~ keck at it.

koking [ko.kɪŋ] *v* boiling, ebullition.

kokker(d) ['kɔkər(t)] *m* F bouncer, spanker, whopper; *een* ~ *van een neus* a conk.

kokmeeuw ['kɔkme:u] *v* ⚘ black-headed gull.

kokon zie *cocon*. [mire-crow.

kokosboom ['ko.kɔsbo.m] *m* coco-nut tree.

kokosmat [-mɑt] *v* coco-nut mat.

kokosnoot [-no.t] *v* coco-nut.

kokosolie [-o.li.] *v* coco-nut oil.

kokospalm [-pɑlm] *m* coco-nut palm.

kokosvezel [-fe.zəl] *v* coco-nut fibre.

kokoszeep ['ko.kəse.p] *v* coco-soap.

koksjongen ['kɔksjòŋə(n)] *m* cook's boy.

koksmaat [-ma.t] *m* ⚓ cook's mate.

kol [kɔl] 1 *v* (heks) witch, sorceress; 2 *m* star [of a horse].

kolbak ['kɔlbɑk] *m* ⚔ busby.

kolbert(-) zie *colbert*(-).

1 **kolder** ['kɔldər] *m* (harnas) Ⓦ jerkin.

2 **kolder** ['kɔldər] *m* 1 (paardeziekte) (blind) staggers; 2 (onzin) (wild) nonsense; *hij heeft de* ~ *in de kop* the temper is on him; he is in a mad frenzy.

kolen ['ko.lə(n)] *mv* coal, coals; *ik zat op hete* ~ I was kept on thorns, on pins and needles; *vurige* ~ *op iemands hoofd stapelen* B heap coals of fire upon a person's head.

kolenaak [-a.k] *m* & *v* coal-barge.

kolenbak [-bɑk] *m* coal-box.

kolenbedding [-bedɪŋ] *v* coal-seam.

kolenbekken [-bɛkə(n)] *o* coal basin.

kolenbrander [-brɑndər] *m* charcoal-burner.

kolendamp [-damp] *m* carbon monoxide.

kolendrager [-dra.gər] *m* coal-heaver.

kolenemmer ['ko.lɔnɛmər] *m* coal-scuttle; zie ook: *kolenbak*.

kolenfront ['ko.lə(n)frònt] *o* coal-face.

kolengruis [-grœys] *o* coal-dust.

kolenhandelaar [-handəla:r] *m* coal-merchant, coalmonger.

kolenhok [-hɔk] *o* coal-hole; (s c h u u r) coal-shed.

kolenkit [-kɪt] *v* coal-scuttle.

kolenlaag [-la.x] *v* layer (bed) of coals, coal-stratum.

kolenman [-man] *m* coalman.

kolenmijn [-mɛin] *v* coal-mine, coal-pit, col-liery.

kolennood ['ko.lɔno.t] *m* coal famine, famine in coal.

kolenschip ['ko.lə(n)sxɪp] *o* ⚓ collier.

kolenschop [-sxòp] *v* coal-shovel, coal-scoop.

kolenschuur [-sxy:r] *v* coal-shed.

kolenstation [-sta.ʃòn] *o* coaling station.

kolenstof [-stɔf] *o* coal-dust.

kolentip [-tɪp] *m* coal-tip.

kolenvoorraad [-vo:ra.t] *m* coal-supply.

kolenvuur [-vy:r] *o* coal-fire.

kolenwagen [-va.gə(n)] *m* I coal-truck; 2 (v. l o c o m o t i e f) tender.

kolenzak [-zak] *m* coal bag.

kolenzeef [-ze.f] *v* coal-screen.

kolf [kɔlf] *v* I bat, club; 2 "kolf"-stick; 3 butt(-end) [of a rifle]; 4 receiver [of a retort]; 5 ♣ spadix [*mv* spadices].

kolfbaan ['kɔlfba.n] *v sp* mall.

kolfbal [-bal] *m sp* "kolf"-ball.

kolfje [-jə] *o* in: *dat is een ~ naar zijn hand* F that's the very thing he wants.

kolfplaat [-pla.t] *v* ⚒ butt-plate.

kolfspel [-spɛl] *o* game of "kolf".

kolibrie [ko.li.'bri., 'ko.li.bri.] *m* ⚐ hum-ming-bird.

koliek [ko.'li.k] *o & v* colic.

kolk [kɔlk] *m & v* I pit, pool; abyss, gulf; eddy, whirlpool; 2 chamber [in a canal].

kolken ['kɔlkə(n)] *vi* eddy, whirl.

kollabor- zie *collabor-*.

kollat- zie *collat-*.

kolleg- zie *colleg-*.

kollekt- zie *collect-*.

kolom [ko.'lòm] *v* column².

kolombijntje [ko.lòm'bɛincə] *o* sponge-cake.

kolonel [ko.lo.'nɛl] *m* ⚔ colonel.

kolonelsrang [-'nɛlsraŋ] *m* ⚔ colonel's rank.

koloniaal [ko.lo.ni.'a.l] I *aj* colonial; *koloniale waren* colonial produce, groceries; II *m* ⚔ colonial soldier.

kolonie [-'lo.ni.] *v* colony, settlement.

kolonisatie [-lo.ni.'za.(t)si.] *v* colonization, settlement.

kolonisator [-ni.'za.tər] *m* colonizer.

koloniseren [-ni.'ze:rə(n)] *vt & vi* colonize, settle.

kolonist [-'nɪst] *m* colonist, settler.

koloniza-, kolonize- zie *kolonisa-, kolonise-*.

kolonn- zie *colonn-*.

koloriet [ko.lo.'ri.t] *o* coloration, colouring.

kolos [ko.'lòs] *m* colossus, leviathan.

kolossaal [ko.lɔ'sa.l] I *aj* colossal; (i r o n i s c h) huge, tremendous; II *ad* colossally, < hugely, tremendously.

kolporteren zie *colporteren*.

kolven ['kɔlvə(n)] *vi* play "kolf".

kolver [-vər] *m* "kolf"-player.

kom [kòm] *v* basin, bowl; *de ~ van de ge-meente* the centre; *bebouwde ~* built-up area.

komaan! [kòm'a.n] come!; well.

komaf [-'af] *m* F descent, origin; *van goede ~* of a respectable family; *van minne ~* of low descent.

kombin- zie *combin-*.

kombuis [kòm'bœys] *v* ⚓ caboose, cook's galley.

komediant [ko.me.di.'ant] *m* comedian; *hij is een echte ~* he is always acting a part.

komedie [ko.'me.di.] *v* I comedy; 2 (g e b o u w) theatre; *het is allemaal maar ~* it's all sham, it's mere make-believe, it is mere acting.

komediespel [-spɛl] *o* comedy; *het is maar ~* zie *komedie*.

komediestuk [-stŭk] *o* (stage-)play.

komeet [ko.'me.t] *v* ✳ comet.

komen [ko.mə(n)] *vi* come; *och kom!* zie *och*; *ik kom al!* (I'm) coming!; *er komt regen* we are going to have rain; *hij zal er wel ~* he is sure to get there (to succeed); *wij kunnen er niet ~* we cannot make both ends meet; *er moge van ~ wat wil* come what may; *hoe komt het dat...?* how comes it that..., how is it that...?; *hij wist niet hoe het gekomen was* how it had come about; *er kwam maar geen geld* no money was forthcoming; *wij moeten maar afwachten wat er ~ zal* await (further) developments; *is het zo ver gekomen dat...?* has it come to this (to such a pass) that...?; *wie eerst komt, eerst maalt* first come, first served; *ik zal hem laten ~* I'll send for him; *ik zal het laten ~* I'll order it; *~ te spreken over* get talking about; *als ik zou ~ te vallen* if I should fall; *fig* if I should (come to) die; *hoe kwam je het boek te verliezen?* how did you happen to lose the book?; *kom ze halen* come and fetch them; *ik kom u vertellen dat...* I have come to tell you that...; *wie is dat ~ zeggen?* who has brought word of it?; *u moet ~ zien* come and see, come and have a look (at things); *hij kwam naast me zitten* he sat down by my side; *hij kwam naast mij te zitten* he happened to have his seat next to mine; *dat zal duur ~* it will come expensive; zie ook: 2 *duur* II; *hoe hoog komt dat?* what does it come to?; *hoe hoog komt u dat te staan?* what does it stand you in?; *er mee aan de deur ~* hawk them along the houses; *hoe zal ik aan het geld ~?* how am I to come by (get) the money?; *eerlijk aan iets* ~ come by it honestly; *hoe kom je daaraan?* I how have you come by it?; 2 how did you get knowledge of it?; *achter iets* ~ find it out; *zal je bij me* ~? will you come to me?; *ik kom dadelijk bij je* I'll join you directly; *wij* ~ *niet meer bij hen* we don't visit at their house any more; *hoe kom je erbij?* what makes you think so?; *bij elkaar* ~ come together, meet; *de kleuren* ~ *niet bij elkaar* don't match; *daarbij komt dat zij...* added to this they...; *er door* ~ get through[2]; *ik kon niet in mijn jas* ~ I could not get into my coat; *in de kamer* ~ come into the room, enter the room; *hij kwam naar mij toe* he came up to me; *hij komt om iets* he has come for something or other; *op hoeveel komt dat beeldje?* how much is that figure?; *het komt op 5 sh. per persoon* it comes to five shillings per head; *ik kon niet op mijn fiets, mijn paard* ~ I could not get on to my bicycle, my horse; *ik kan er niet op* ~ I cannot think of it, remember it, recall it; *zie ook: gedachte, idee, inval; ik kon er niet toe* ~ I could not bring myself to do it; *hoe bent u daartoe gekomen?* how came you to do it?; *tot iemand* ~ come to one; *tot zichzelf* ~ come to one's senses; *wat zal ervan regeling* ~ come to, arrive at, reach a settlement; *zij* ~ *uit een dorp* they are from a village; *die woorden* ~ *uit het Grieks* are derived from Greek; *dat komt van het vele lezen* that comes of reading so much; *van lezen (werken &) zal vandaag niets* ~ there will be no reading (working &) to-day; *wat zal ervan* ~? what is it going to end in?; *er zal niets van* ~ nothing will come of it; *waar kom jij vandaan?* I where do you come from?; 2 where do you hail from, where are you from?

komenijswinkel [ko.mə'nɛisvɪnkəl] *m* grocer's shop, grocery, chandler's shop.

komfoor [kɔm'fo:r] *o* chafing-dish, brazier; zie ook: *gaskomfoor* en *theelichtje*.

komfort = *comfort*.

komfortabel zie *comfortabel*.

1 **komiek** [ko.'mi.k] I *aj* comical, funny, droll; II *ad* in a comical (funny) way.

2 **komiek** [ko.'mi.k] *m* (low) comedian, clown, funny-man.

komijn [ko.'mɛin] *m* cum(m)in.

komijnekaas [-'mɛinəka.s] *m* cumin-seed cheese.

komisch ['ko.mi.s] *aj* comic [film, opera], comical; *het* ~*e is dat*... the funny part of the matter is that...

komitee zie *comité*.

komkommer [kɔm'kɔmər] *v* ✷ cucumber.

komkommersla [-sla.] *v* sliced-cucumber salad.

komkommertijd [-tɛit] *m* S dull (dead, silly) season; *de* ~ ook: the slack.

komma ['kɔma.] *v* & *o* comma; *0,5 = nul* ~ *vijf* decimal five.

kommandant zie *commandant*.

kommande- zie *commande-*.

kommando(-) zie *commando*(-).

kommapunt [kɔma.'pǔnt] *v* & *o* semicolon.

kommensaal zie *commensaal*.

komment- zie *comment-*.

kommer ['kɔmər] *m* I solicitude; 2 trouble, affliction, sorrow, grief.

kommerlijk [-lək] needy, pitiful.

kommerloos [-lo.s] free from cares, untroubled.

kommernis [-nɪs] *v* solicitude, anxiety, concern.

kommervol [-vòl] distressful, wretched.

kommetje ['kɔmətɔ] *o* (small) cup, mug.

kommi- zie *commi-*.

kommode zie *commode*.

kommuni- zie *communi-*.

kompagn- zie *compagn-*.

kompakt zie *compact*.

kompar- zie *compar-*.

kompas [kɔm'pas] *o* compass.

kompasbeugel [-bø.gəl] *m* gimbals.

kompashuisje [-hœyʃə] *o* binnacle.

kompasnaald [-na.lt] *v* needle (of a compass).

kompasroos [-ro.s] *v* compass-card.

kompens- zie *compens-*.

kompet- zie *compet-*.

kompil- zie *compil-*.

kompleet zie *compleet*.

komplement(-) zie *complement*(-).

komplete- zie *complete-*.

kompli- zie *compli-*.

komplot [kɔm'plɔt] *o* plot, intrigue, conspiracy.

komplotteren [-plɔ'te:rə(n)] *vi* plot, intrigue, conspire.

kompon- zie *compon-*.

kompositie zie *compositie*.

kompost zie *compost*.

kompres [kɔm'prɛs] I *aj* solid [composition]; II *ad* closely [printed]; III *o* compress.

kompressor zie *compressor*.

kompromi- zie *compromi-*.

komptabiliteit zie *comptabiliteit*.

komst [kɔmst] *v* coming, arrival; ☉ advent [of Christ; of the motor-car and the aeroplane]; *op* ~ *zijn* be coming, be drawing near, be on the way.

Kon. = *Koninklijk*.

koncentr- zie *concentr-*.

koncept(-) zie *concept*(-).

koncert(-) zie *concert*(-).

koncessie(-) zie *concessie*(-).

kond ['kɔnt] in: ~ *doen* make known.

kondens- zie *condens-*.

konditi- zie *conditi-*.

kondole- zie *condole-*.

kondor zie *condor*.

kondschap ['kɔntsxap] *v* information, intelligence.

kondschappen [-sxapə(n)] *vt* send word, inform of.

kondschapper [-pər] *m* messenger.
kondukt- zie *conduct-*.
konfe- zie *confe-*.
konfektie(-) zie *confectie(-)*.
konfidenti- zie *confidenti-*.
konfijten [kòn'fɛitə(n)] *vt* preserve, candy.
konfiskatie zie *confiscatie*.
konfiskeren zie *confisqueren*.
konflikt zie *conflict*.
konfr- zie *confr-*.
konfuus zie *confuus*.
kongeraal ['kòɲəra.l] *m* 🐟 conger-eel.
Kongo ['kòŋgo.] *m* Congo.
Kongolees [kòŋgo.'le.s] I *aj* Congolese; II *m* Congolese; *de Kongolezen* the Congolese.
kongr- zie *congr-*.
kongsi(e) ['kòŋsi.] *v* I kongsee, (secret) society; 2 $ combine, ring, trust; 3 clique.
konijn [ko.'nɛin] *o* rabbit, F bunny.
konijnehok [-'nɛinəhòk] *o* rabbit-hutch.
konijnehol [-həl] *o* burrow.
konijnejacht [-jɑxt] *v* rabbit-shooting.
konijnenberg [-'nɛinə(n)bɛrx] *m* (rabbit-) warren.
konijnenplaag [-pla.x] *v* rabbit pest.
konijnevel [ko.'nɛinəvɛl] *o* I rabbit's skin, rabbit-skin; (als bont) cony.
konijneziekte [-zi.ktə] *v* rabbit disease, § myxomatosis.
koning ['ko.nɪŋ] *m* king°; *de ~ der dieren* the king of beasts; *hij is de ~ te rijk* he is very happy.
koningin [ko.nə'ɣɪn] *v* queen°; *~-moeder* queen mother; *~-regentes* queen regent; *~-weduwe* queen dowager.
koninginnedag [-'ɣɪnədɑx] *m* the Queen's feast [in the Netherlands].
koninginnepage [-nə(n)pa.ʒə] *m* 🦋 swallow-tailed butterfly.
koningsarend ['ko.nɪŋsa:rənt] *m* 🦅 royal eagle.
koningschap ['ko.nɪŋsxɑp] *o* royalty, kingship.
koningsdochter ['ko.nɪŋsdɔxtər] *v* king's daughter.
koningsgezind [-ɣəzɪnt] *aj* royalist; *~e, m-v* royalist.
koningsgezindheid [-hɛit] *v* royalism.
koningshuis ['ko.nɪŋshœys] *o* royal house.
koningskaars [-ka:rs] *v* 🌿 mullein.
koningskind [-kɪnt] *o* royal child.
koningskroon [-kro.n] *v* royal crown.
koningsmoord [-mo:rt] *m* & *v* regicide.
koningsmoordenaar [-mo:rdəna:r] *m* regicide.
koningstijger [-tɛiɣər] *m* royal tiger.
koningstitel [-ti.təl] *m* title of king, regal title.
koningstroon [-tro.n] *m* royal throne.
koningsvaren [-fa:rə(n)] *v* 🌿 osmund.
koningszoon ['ko.nɪŋso.n] *m* king's son.
koninkje [-nəŋkjə] *o* petty king, kingling, kinglet.
koninklijk ['ko.nəŋklək] I *aj* royal, regal, kingly, kinglike; *van ~e afkomst* ook: royally descended; II *ad* royally, regally, in regal splendour; in a kingly way.
koninkrijk ['ko.nɪŋkrɛik] *o* kingdom; *het ~ Denemarken* the Kingdom of Denmark; *het ~ der hemelen* the Kingdom of Heaven.
konjunkt- zie *conjunct-*.
konkelaar ['kòŋkəla:r] *m* *~ster* [-stər] *v* plotter, intriguer, schemer.
konkelarij [kòŋkəla:'rɛi] *v* plotting, intriguing, scheming, machination(s).
konkelen ['kòŋkələ(n)] *vi* plot, intrigue, scheme.
konklaaf zie *conclaaf*.
konklu- zie *conclu-*.
konkord- zie *concord-*.
konkre- zie *concre-*.
konkurr- zie *concurr-*.
konnektie zie *connectie*.
konrektor zie *conrector*.
konsakreren zie *consacreren*.
konsekr- zie *consecr-*.
konsekwent(-) zie *consequent(-)*.
konsent zie *consent*.
konservati- zie *conservati-*.
konservator zie *conservator*.
konserve- zie *conserve-*.
konsideratie zie *consideratie*.
konsignatie zie *consignatie*.
konsigneren zie *consigneren*.
konsistorie(-) zie *consistorie(-)*.
konskriptie zie *conscriptie*.
konsolid- zie *consolid-*.
konsonant zie *consonant*.
konsoorten [kòn'so:rtə(n)] = *consorten*.
konsorten zie *consorten*.
konstabel [kòn'sta.bəl] *m* ⚓ gunner.
konstant(-) zie *constant(-)*.
konstat- zie *constat-*.
konsternatie zie *consternatie*.
konstit- zie *constit-*.
konstru- zie *constru-*.
konsu- zie *consu-*.
konta- zie *conta-*.
konterfeiten [kòntər'fɛitə(n)] *vt* portray, picture.
konterfeitsel [-'fɛitsəl] *o* portrait, likeness.
kontin- zie *contin-*.
kontradiktie zie *contradictie*.
kontrakt(-) zie *contract(-)*.
kontrariëren zie *contrariëren*.
kontrast(-) zie *contrast(-)*.
kontribu- zie *contribu-*.
kontrole(-) zie *controle(-)*.
konveniëren zie *conveniëren*.
konventi- zie *conventi-*.
konver- zie *conver-*.
konvoceren zie *convoceren*.
konvokatie(-) zie *convocatie(-)*.
konvooi [kòn'vo:i] *o* convoy.
konvooieren [-vo.'je:rə(n)] *vt* convoy.
kooi [ko:i] *v* I cage [for birds, lions &]; 2 fold, pen [for sheep]; 3 decoy [for ducks]; 4 ⚓ berth, bunk; *naar ~ gaan* F turn in.

kooieend ['ko:ie.nt] *v* 🐦 decoy-duck.
kooien ['ko.jə(n)] *vt* 1 cage, put into a cage; 2 fold, pen.
kooivogel ['ko:ivo.gəl] *m* cage-bird.
kook [ko.k] *v* in: *aan de ~ brengen* bring to the boil; *aan de ~ zijn* be on the boil; *van de ~ zijn* 1 be off the boil; 2 *fig* be upset.
kookboek ['ko.kbu.k] *o* cookery book.
kookcursus ['ko.kûrzəs] *m* course of cookery, cooking classes.
kookfornuis ['ko.kfornœys] *o* cooking-range, cooker.
kookhitte [-hıtə] *v* boiling-heat.
kookkachel ['ko.kagəl] *v* cooking-stove.
kookkunst [-kûnst] *v* cookery, art of cooking, culinary art.
kookkursus zie *kookcursus*.
kookles ['ko.klɛs] *v* cookery lesson.
kookplaat [-pla.t] *v* (electric) hot-plate.
kookpunt [-pûnt] *o* boiling-point.
kooks zie *cokes*.
kooksel ['ko.ksəl] *o* boiling.
kooksfabriek zie *cokesfabriek*.
kookskolen zie *cokeskolen*.
kooksoven zie *cokesoven*.
kookster ['ko.kstər] *v* cook, F cooky.
kooktoestel [-tu.stɛl] *o* cooker, cooking-apparatus.
1 kool [ko.l] *v* 🌱 cabbage; *de ~ en de geit sparen* temporize; *iemand een ~ stoven* play one a trick; *het is allemaal ~* S it is all gammon.
2 kool [ko.l] *v* 1 (steenkool) coal; 2 (v. hout) charcoal; 3 (element & 🧪) carbon; zie ook: *kolen*.
koolaak ['ko.la.k] = *kolenaak*.
koolbak [-bak] = *kolenbak*.
koolbekken [-bɛkə(n)] = *kolenbekken*.
koolblad [-blat] *o* 🌱 cabbage-leaf.
koolbrander [-brandər] = *kolenbrander*.
kooldamp [-damp] = *kolendamp*.
kooldraad [-dra.t] *m* 🧪 (carbon) filament.
kooldrager [-dra.gər] = *kolendrager*.
koolemmer [-ɛmər] = *kolenemmer*.
koolgruis [-grœys] = *kolengruis*.
koolhandelaar [-handəla:r] = *kolenhandelaar*.
koolhok [-hɔk] = *kolenhok*.
koolhydraat [-hy.dra.t] *o* carbohydrate.
koolkit [-kıt] = *kolenkit*.
koollaag [-la.x] = *kolenlaag*.
koolland ['ko.lant] *o* cabbage-field.
koolmees ['ko.lme.s] *v* 🐦 great tit(mouse).
koolmijn [-mɛin] = *kolenmijn*.
koolraap [-ra.p] *v* 1 🌱 Swedish turnip, swede; 2 (boven de grond) kohlrabi, turnip-cabbage.
koolrabi [ko.l'ra.bi.] *v* zie *koolraap* 2.
koolschip ['ko.lsxıp] = *kolenschip*.
koolschop [-sxɔp] = *kolenschop*.
koolspits [-spıts] *v* 🧪 carbon(-point), crayon.
koolstation [-sta.ʃòn] = *kolenstation*.
koolstof [-stɔf] *v* carbon.
koolstronk [-strɔ̀ŋk] *m* stalk of cabbage.

koolteer [-te:r] *m* & *o* coal-tar.
kooltip [-tıp] = *kolentip*.
kooltje-vuur [ko.lcə'vy:r] *o* 🌱 pheasant's eye.
koolwagen ['ko.lva.gə(n)] = *kolenwagen*.
koolwaterstof [ko.l'va.tərstɔf] *v* carburetted hydrogen.
koolwitje ['ko.lvıcə] *o* 🦋 cabbage butterfly.
koolzaad [-za.t] *o* rapeseed.
koolzak [-zak] = *kolenzak*.
koolzeef [-ze.f] = *kolenzeef*.
koolzuur [-zy:r] *o* carbonic acid.
koolzwart [-zvart] coal-black.
koon [ko.n] *v* cheek.
koop [ko.p] *m* bargain, purchase; *een ~ sluiten* strike a bargain; *op de ~ toe* into the bargain; *te ~* for sale, on sale; *te ~ bieden* offer for sale; *te ~ lopen met zijn geleerdheid* show off (air) one's learning; *niet met zijn gevoelens te ~ lopen* not wear one's heart upon one's sleeve; *weten wat er in de wereld te ~ is* know what is going on in the world.
koopakte ['ko.paktə] *v* purchase deed.
koopbriefje [-bri.fjə] *o* $ bought note.
koopcontract [-kòntrakt] *o* contract of sale.
kooöperatie(-) zie *coöperatie*(-).
koophandel [-handəl] *m* trade, commerce.
koopje [-jə] *o* 1 (great) bargain, dead bargain; 2 bad bargain, sell; *iemand een ~ geven* (*leveren*) S let one in for a bad thing, sell one a pup; *daaraan heb ik een ~* 1 that's a (real) bargain; 2 that's a bad bargain, a sell; *een ~ snappen* S be disappointed; get sold; *op een ~* on the cheap.
koopkontrakt zie *koopcontract*.
koopkracht [-kraxt] *v* purchasing power, buying power; (v. h. publiek) spending power.
koopkrachtig [ko.p'kraxtəx] with a great purchasing power.
kooplust ['ko.plûst] *m* inclination (desire) to buy.
kooplustig [ko.p'lûstəx] eager to buy, fond of buying.
koopman ['ko.pman] *m* merchant; dealer; (street) hawker.
koopmansboek [-mansbu.k] *o* account book.
koopmanschap [-mansxap] *v* trade, business; *~ drijven* carry on trade.
kooppenningen ['ko.pɛnıŋə(n)] *mv* purchase money.
koopprijs [-preis] *m* purchase price.
koopsom ['ko.psòm] *v* purchase money.
koopstad [-stat] *v* commercial town.
koopvaarder [-fa:rdər] *m* zie *koopvaardijschip*.
koopvaardij [ko.pfa:r'dɛi] *v* merchant service.
koopvaardijschip [-sxıp] *o* merchantman.
koopvaardijvloot [-vlo.t] *v* merchant fleet, merchant navy.
koopvrouw ['ko.pfrɔu] *v* tradeswoman; (vegetable &) woman.
koopwaar [-va:r] *v* merchandise, commodities, wares.
koopziek [-si.k] eager to buy.

koopzucht [-sŭxt] *v* eagerness to buy.

koor [ko:r] *o* 1 (zangers) choir; 2 (tegen-over solo; rei) chorus; 3 (plaats) choir, chancel; *in* ~ in chorus.

koorbank ['ko:rbaŋk] *v* choir-stall.

koord [ko:rt] *o* & *v* cord, string, rope; *de* ~*en van de beurs in handen hebben* hold the purse-strings; *op het slappe* ~ *dansen* walk on the slack rope; *op het slappe* ~ *moeten komen* S have to show one's paces.

koorddanser ['ko:rtdansar] *m* ~es [ko:rtdan-sə'rɛs] *v* rope-dancer, rope-walker.

koorde ['ko:rdə] *v* chord.

koördin- zie coördin-.

koordirecteur, -direkteur ['ko:rdi.rəktø:r] *m* choirmaster.

koordirigent [-di.ri.'gɛnt] *m* choral conductor.

koordje [-cə] *o* (bit of) string.

koorgezang [-gəzaŋ] *o* ♪ choral song(s), choral singing.

koorhek [-hɛk] *o* choir-screen.

koorhemd [-hɛmt] *o* RK surplice.

koorkap [-kap] *v* RK cope.

koorknaap [-kna.p] *m* RK 1 chorister, choir-boy; 2 (misdienaar) altar-boy.

koorstoel [-stu.l] *m* choir-stall.

koorts [ko:rts] *v* fever; *de gele* ~ yellow fever; *hete* ~ burning ague; *koude* ~ ague; *(de)* ~ *hebben* have a (the) fever; *de* ~ *krijgen* be taken with the fever.

koortsaanval ['ko:rtsa.nval] *m* attack (fit) of fever.

koortsachtig [-axtəx] I *aj* feverish[2]; II *ad* fever-ishly[2].

koortsdrank [-draŋk] *m* febrifuge potion.

koortsgloed [-glu.t] *m* fever-heat.

koortsig ['ko:rtsəx] feverish.

koortsigheid [-hɛit] feverishness.

koortslijder ['ko:rtslɛidər] *m* ~es [ko:rtslɛidə-'rɛs] *v* fever patient.

koortsmiddel [-mɪdəl] *o* febrifuge.

koortsthermometer zie *koortsthermometer*.

koortsthermometer [-tɛrmo.me.tər] *m* clinical thermometer.

koortsvrij [-frɛi] free from fever.

koorwerk ['ko:rvɛrk] *o* ♪ choral work.

koorzang [-zaŋ] *m* ♪ zie *koorgezang*.

koorzanger [-zaŋər] *m* ♪ chorister.

Koos [ko.s] *m* James, Jim.

Koosje ['ko.ʃə] *v* & *o* Jacqueline.

koosjer ['ko.ʃər] = *kousjer*.

koot [ko.t] *v* 1 (v. mens) knuckle-bone; 2 (v. paard) pastern.

kootbeen ['ko.tbe.n] *o* knuckle-bone.

kootgewricht [-gəvrɪxt] *o* pastern-joint.

kootje ['ko.cə] *o* phalanx [*mv* phalanges].

kop [kɔp] *m* 1 head [of a person, a nail &], F knob, pate; *fig* head, brains; headline [of newspaper article]; 2 cup [for coffee, tea]; 3 bowl [of a pipe]; 4 🝪 cupping-glass; 5 litre; 6 crest [of a wave]; 7 ⚔ war-head [of rocket, torpedo]; *een schip met 1000* ~*pen* with a thousand souls; *een goede* ~ *hebben* have a good head [for names &]; *geen* ~ *hebben* have no head; *(hou je)* ~ *dicht!* P shut your head!; *iets de* ~ *indrukken* nip it in the bud, stamp out, quell [a rebellion]; *de* ~ *nemen*, sp take the lead; *zijn* ~ *tonen* be obstinate; ~*pen zetten* cup [a patient]; *aan de* ~ *liggen*, sp lead; *op de* ~ *af* exactly [five]; *iemand op zijn* ~ *geven* F let a person have it; *op zijn* ~ *krijgen* F catch it; *al ging hij op zijn* ~ *staan* though he should do anything; *de wereld staat op zijn* ~ the world has turned topsyturvy; *iets op de* ~ *tikken* 1 F pick it up [at a sale]; 2 S nab it; *de dingen op hun* ~ *zetten* stand things on their head; *hij laat zich niet op zijn* ~ *zitten* F he doesn't suffer himself to be sat upon; *over de* ~ *gaan* S come a cropper; *over de* ~ *schieten* come a cropper; *zonder* ~ *of staart* without either head or tail; without beginning or end; zie ook: *hoofd*.

kopbal ['kɔpbal] *m* sp header.

kopeke [ko.'pe.kə] *m* kopeck.

kopen ['ko.pə(n)] I *vt* buy[2], purchase; *wat koop ik er voor?* F what good can it do me?, what's the good of that?; II *va* buy; *wij* ~ *niet bij hen* we don't deal with them.

Kopenhagen [ko.pən'ha.gə(n)] *o* Copenhagen.

1 **koper** ['ko.pər] *m* buyer, purchaser.

2 **koper]** *o* copper; *geel* ~ brass; *rood* ~ copper.

koperachtig [-axtəx] coppery; brassy.

koperdraad [-dra.t] *o* & *m* brass-wire.

1 **koperen** ['ko.pərə(n)] *aj* copper, brass.

2 **koperen** ['ko.pərə(n)] *vt* copper.

kopererts ['ko.pərɛrts] *o* copper-ore.

kopergeld [-gɛlt] *o* coppers, copper coin.

kopergieter [-gi.tər] *m* brass-founder.

kopergieterij [ko.pərgi.tə'rɛi] *v* brass-foundry.

kopergoed ['ko.pərgu.t] *o* copper utensils.

kopergravure [-gra.vy:rə] *v* copperplate.

kopergroen [-gru.n] *o* verdigris.

koperkleur [-klø:r] *v* copper colour, brass colour.

koperkleurig [-klø:rəx] copper-coloured, brass-coloured.

kopermijn [-mɛin] *v* copper-mine.

koperpletterij [ko.pərplɛtə'rɛi] *v* copper-mill.

koperrood ['ko.pəro.t] I *aj* copper-coloured; II *o* copperas.

koperslager ['ko.pərsla.gər] *m* copper-smith, brazier.

koperslagerij [ko.pərsla.gə'rɛi] *v* brass-shop.

kopersmarkt ['ko.pərsmarkt] *v* $ buyers' market.

koperwerk ['ko.pərvɛrk] *o* brass-ware.

koperwiek [-vi.k] *v* 🐦 redwing.

kopie [ko.'pi.] *v* copy [of a letter]; replica [of work of art]; *voor* ~ *conform* a true copy.

kopieboek [-bu.k] *o* $ letter-book.

kopieerinkt [ko.pi.'e.rɪŋ(k)t] *m* copying-ink.

kopieermachine [-ma.ʃi.nə] *v* copying machine.

kopieerpapier [-pa.pi:r] *o* copying-paper.

kopieerpers [-pɛrs] *v* copying-press.

kopiëren [ko.pi.ˈe:rə(n)] *vt* copy; engross [a deed].

kopieus zie *copieus.*

kopiist [ko.pi.ˈɪst] *m* transcriber, copyist [of documents]; copying-clerk [in an office &].

kopij [ko.ˈpɛi] *v* copy; *er zit ~ in* it makes good copy, there is a story in it.

kopijrecht [-rɛxt] *o* copyright.

kopje [ˈkɔpjə] *o* 1 head; 2 cup; 3 *ZA* kopje [hill]; 4 headline [of an article]; *wat een lief ~!* what a sweet face!; *~ duikelen* turn over and over; *~-onder doen, ~-onder gaan* take a header, get a ducking; *iemand een ~ kleiner maken* F behead a person.

kopklep [-klɛp] *v* 🔧 overhead valve.

koplamp [-lɑmp] *v* head-lamp.

koplicht [-lɪxt] *o* headlight.

1 **koppel** [ˈkɔpəl] *o* couple [of eggs]; brace [of partridges]; 🔧 couple [of forces]; ♪ coupler [of organ].

2 **koppel** [ˈkɔpəl] *m* belt [of a sword]; leash [for dogs].

koppelen [ˈkɔpələ(n)] *vt* couple [chains &]; leash [hounds]; join [words].

koppeling [-lɪŋ] *v* coupling; (v. auto ook:) clutch.

koppelriem [ˈkɔpəlri.m] *m* ⚔ belt.

koppelstang [ˈkɔpəlstaŋ] *v* 🔧 coupling-rod; connecting-rod [of an engine].

koppelteken [-te.kə(n)] *o gram* hyphen.

koppelwerkwoord [-vɛrkvo:rt] *o* copula.

koppelwoord [-vo:rt] *o gram* copulative.

koppen [ˈkɔpə(n)] *vt* 1 (koppen zetten) cup; 2 (bij voetbal) head [the ball].

koppensnellen [-snɛlə(n)] *o* head-hunting.

koppensneller [-lər] *m* head-hunter.

koppig [ˈkɔpəx] I *aj* 1 headstrong, obstinate [people]; 2 heady [of liquors]; II *ad* obstinately.

koppigheid [-hɛit] *v* 1 obstinacy [of people]; 2 headiness [of liquors].

kopra [ˈko.pra.] *v* copra.

kopschuw [ˈkɔpsxy:u] shy; *~ worden* jib.

kopspijker [-spɛikər] *m* tack; hobnail [for boots].

kopstation [-sta.ʃɔn] *o* terminus [*mv* termini].

kopstuk [-stûk] *o* headpiece; *de ~en van de partij* F the big men of the party.

Kopt [kɔpt] *m* Copt.

koptelefoon [ˈkɔpte.ləfo.n] *m* headphone(s), earphone(s).

Koptisch [ˈkɔpti.s] Coptic.

kopzorg [ˈkɔpsɔrx] *v* worry; *zich ~(en) maken* worry (about *over*).

1 **koraal** [ko:ˈra.l] *o* ♪ (gezang) choral(e).

2 **koraal** [ko:ˈra.l] *o* (de stof) coral.

3 **koraal** [ko:ˈra.l] *v* (voorwerp) bead.

4 **koraal** [ko:ˈra.l] *m* ♪ (zanger) chorister, choir-boy.

koraalachtig [-ɑxtəx] coralline.

koraalbank [-bɑŋk] *v* coral-reef.

koraaldier [-di:r] *o* coral polyp.

koraaleiland [-ɛilɑnt] *o* coral island.   [song.

koraalgezang [-gəzɑŋ] *o* ♪ choral song, plain-

koraalmos [-mòs] *o* coral moss, coralline.

koraalmuziek [-my.zi.k] *v* ♪ choral music.

koraalrif [-rɪf] *o* coral reef.

koraalvisser [-vɪsər] *m* coral fisher, coral diver.

koralen [ko:ˈra.lə(n)] *aj* coral, coralline.

koran [ˈko:rɑn] *m* Koran, Alcoran.

kordaat [kɔrˈda.t] I *aj* bold, resolute, firm; II *ad* boldly &.

kordaatheid [-hɛit] *v* boldness &.

kordon [kɔrˈdòn] *o* cordon [of police &].

Korea [ko.ˈre.a.] *o* Korea.

Koreaan [ko.re.ˈa.n] *m* **Koreaans** [ko.re.ˈa.ns] *aj* Korean.

koren [ˈko:rə(n)] *o* corn, grain; *het is ~ op zijn molen* that is just what he wants.

korenaar [-a:r] *v* ear of corn.

korenbeurs [-bø:rs] *v* corn-exchange.

korenblauw [-blɑu] cornflower blue.

korenbloem [-blu.m] *v* 🌸 cornflower, blue-bottle.

korenhalm [-hɑlm] *m* corn-stalk.

korenland [-lɑnt] *o* 1 cornfield; 2 corn-country, corn-growing country.

korenmaat [-ma.t] *v* corn-measure; zie ook:

korenmarkt [-mɑrkt] *v* corn-market.   [2 *licht.*

korenmolen [-mo.lə(n)] *m* corn-mill.

korenschoof [-sxo.f] *v* sheaf of corn.

korenschuur [sxy:r] *v* granary².

korenveld [-vɛlt] *o* cornfield.

korenwan [-vɑn] *v* winnow.

korenwanner [-vɑnər] *m* winnower.

korenzolder [-zɔldər] *m* corn-loft, granary.

koreogra- zie *choreogra-.*

korf [kɔrf] *m* basket, hamper; hive [for bees].

korfbal [ˈkɔrfbɑl] *o sp* [Dutch] "korfbal"; [British] basket-ball.

korhaan [ˈkɔrha.n] *m* 🐦 black-cock.

korhoen [-hu.n] *o* 🐦 grey-hen; *korhoenders* grouse.

korist [ko.ˈrɪst] *m* ♪ chorus-singer.

koriste [-ˈrɪstə] *v* ♪ chorus-girl.

1 **kornet** [kɔrˈnɛt] *m* ⚔ cornet, ensign.

2 **kornet** [kɔrˈnɛt] *v* ♪ cornet.

kornoelje [-ˈnu.ljə] *v* 🌸 cornel, dogberry.

kornuit [-ˈnœyt] *m* comrade, companion.

korporaal [-po:ˈra.l] *m* ⚔ corporal.

korporatie(-) zie *corporatie(-).*

korps [kɔrps] *o* (army) corps; zie ook: *muziekkorps, politiekorps, studentenkorps* &.

korpulent(-) zie *corpulent(-).*

korpus [ˈkɔrpûs] *o* body.

korrekt(-) zie *correct(-).*

korrel [ˈkɔrəl] *m* 1 grain; 2 zie *vizierkorrel.*

korrelen [-rələ(n)] *vt* grain, granulate.

korrelig [-ləx] granular.

korreling [-lɪŋ] *v* granulation, graining.

korreltje [ˈkɔrəlcə] *o* grain, granule; *met een ~ zout* with a grain of salt.

korrespond- zie *correspond-*.
korrigeren zie *corrigeren*.
korrupt(-) zie *corrupt(-)*.
korset [kɔr'sɛt] *o* corset, (pair of) stays.
korst [kɔrst] *v* crust [of bread]; rind [of cheese]; scab [on a wound].
korstachtig ['kɔrstɑxtəx] **korstig** ['kɔrstəx] crusty.
korstigheid ['kɔrstəxhɛit] *v* crustiness.
korstmos ['kɔrstmòs] *o* 🌿 lichen.
kort [kòrt] **I** *aj* short, brief; ~ *en bondig* short and concise, short and to the point; clear and succinct; ~ *en dik* thick-set, squat; ~ *en goed* in a word, in short; *alles* ~ *en klein slaan* smash everything to atoms; *om* ~ *te gaan* to be brief, to make a long story short; *iemand* ~ *houden* 1 keep a person short (on short allowance); 2 keep him on a tight rein; *het* ~ *maken* make it short; *ik zal* ~ *zijn* I will be brief; ~ *van memorie zijn* have a short memory; ~ *van stof zijn* be brief, be short-spoken; *in* ~*e woorden* in a few words; *na* ~*er of langer tijd* sooner or later; *sedert* ~ lately, recently; *te* ~ *doen aan iemands ver-diensten* derogate from a man's merits; *iemand te* ~ *doen* wrong one; *ik heb hem nooit een stuiver te* ~ *gedaan* I never wronged him of a penny; *geld te* ~ *komen* be short of money; *ik kom een paar gulden te* ~ I am a few guilders short; *er niet bij te* ~ *komen* profit by it, get something out of it; *te* ~ *schieten* fall short of the mark; *te* ~ *schieten in...* be lacking in...; be deficient in...; *er is 20 gulden te* ~ there are twenty guilders short; **II** *o* in: *in het* ~ in brief, briefly; **III** *ad* brief-ly, shortly; ~ *aangebonden* zie *aangebonden*; ~ *daarna (daarop)* shortly after; ~ *geleden* lately, recently.
kortademig [kòrt'a.dəməx] asthmatic, short of breath.
kortademigheid [-hɛit] *v* shortness of breath, asthma.
kortaf [kòrt'af] **I** *aj* curt; *hij was erg* ~ *tegen me* he was very short with me; **II** *ad* curtly.
kortbenig [kòrt'be.nəx] short-legged.
kortegolfontvanger [kòrtə'gɔlfòntfɑŋər] *m* 📻 ✝ short-wave receiver.
kortegolfzender [-sɛndər] *m* 📻 ✝ short-wave transmitter.
kortelas [kòrtə'lɑs] *v* cutlass.   [long ago.
kortelings ['kòrtəliŋs] a short time ago, not
korten ['kòrtə(n)] **I** *vt* shorten [a string, the hours]; clip, crop [the hair]; deduct from [wage]; beguile [the time]; **II** *vi* grow shorter; *de dagen* ~ the days are shortening (drawing in).
kortheid ['kòrtheit] *v* shortness, brevity, suc-cinctness.
kortheidshalve [kòrtheits'hɑlvə] for the sake of brevity; [called Tom] for short.
korthoornvee ['kòrtho:rnve.] *o* short-horned cattle, shorthorns.

korting ['kòrtiŋ] *v* 1 deduction [from wages]; 2 $ discount, rebate, allowance; ~ *voor con-tant* $ cash discount.
kortjan [kòrt'jɑn] *m* jack-knife.
kortom [kòrt'tòm] in short, in a word, in fine.
kortoren ['kòrto:rə(n)] *vt* crop the ears of.
kortsluiting [-slœytiŋ] *v* 📻 short-circuit, short-circuiting.
kortstaart [-sta:rt] *m* bobtail.
kortstaarten [-sta:rtə(n)] *vt* dock (the tail of).
kortstapelig [-sta.pələx] short-stapled.
kortstondig [kòrt'stòndəx] of short duration, short-lived.
kortstondigheid [-hɛit] *v* shortness, brevity.
kortswijl ['kòrtsvɛil] *v* sport, fun, banter; *uit* ~ for fun, in jest, in sport.
kortweg ['kòrtvɛx] curtly, summarily; ~, *ik wil niet* to make a long story short, I will not.
kortwieken [-vi.kə(n)] *vt* clip the wings of; *iemand* ~ clip a person's wings.
kortzicht [-sɪxt] *o* in: *wissel op* ~ $ short (-dated) bill.
kortzichtig [kòrt'sɪxtəx] near-sighted, short-sighted[2].
kortzichtheid [-hɛit] *v* near-sightedness, short-sightedness[2].
korvee(-) zie *corvee(-)*.
korven ['kòrvə(n)] *vt* put into a basket (bas-kets); hive [bees].
korvet [kɔr'vɛt] *v* ⚓ corvette.
korzelig ['kɔrzələx] **I** *aj* crabbed, crusty; **II** *ad* crabbedly.
korzeligheid [-hɛit] *v* crabbedness, crustiness.
kosmetiek [kɔsme.'ti.k] *v* cosmetic.
kosmisch ['kɔsmi.s] cosmic [rays].
kosmografie [kòsmo.gra.'fi.] *v* cosmography.
kosmonaut [-mo.'nɑut] *m* cosmonaut.
kosmopoliet [-mo.po.'li.t] *m* cosmopolite, cos-mopolitan.
kosmopolitisch [-'li.ti.s] cosmopolitan.
kosmos ['kɔsmɔs] *m* cosmos.
kost [kɔst] *m* board, food, fare, victuals; liveli-hood; ~ *en inwoning* board and lodging, bed and board; *degelijke* ~ substantial fare; *dat is oude* ~ that is old news; *dat is geen* ~ *voor kinderen* no food for children; *fig* no milk for babes; *volle* ~ full board; *dat is zware* ~ heavy food; *fig* strong meat; *iemand de* ~ *geven* feed one; *zijn* ~ *verdienen, aan de* ~ *komen* earn one's keep, make a living; (*een jongen*) *in de* ~ *doen* put out to board; *bij een leraar in de* ~ boarded out with a teacher; *iemand in de* ~ *nemen* take one in to board; *in de* ~ *zijn bij* be boarding with; *wat doet hij voor de* ~? what does he do for a living?; *zonder* ~ without food; zie ook: *koste* & 2 *kosten*.
kostbaar ['kɔstba:r] 1 expensive, costly, dear [objects of art]; 2 precious [gems]; 3 valuable [furniture, time]; 4 sumptuous [banquets].
kostbaarheid [-hɛit] *v* expensiveness; costliness; sumptuousness; *kostbaarheden* valuables.

kostbaas ['kɔstba.s] *m* landlord.

koste ['kɔstə] in: *te mijnen* ~ [he lives] at my expense; [I learned it] to my cost; *ten* ~ *van zijn gezondheid* at the cost of his health; *ten* ~ *leggen aan* spend [money &] on.

kostelijk [-lək] I *aj* exquisite, delicious [food]; splendid, glorious; *die is* ~*!* that is a good one!; II *ad* splendidly.

kostelijkheid [-hɛit] *v* exquisiteness &.

kosteloos ['kɔstəlo.s] I *aj* free, gratis; II *ad* free of charge, gratis.

1 kosten ['kɔstə(n)] *vt* cost; *wat kost het?* how much is it?, what do you charge for it?; *het kan hem zijn betrekking* ~ it is as much as his place is worth; *het zal mij twee dagen* ~ it will take me two days; *al kost het mij het leven* even if it cost my life; *het kostte vijf personen het leven* it cost the lives of five persons; *het zal u veel moeite* ~ it will give you a lot of trouble; *het koste wat het wil* cost what it may, at any cost (price); *tegen de* ~*de prijs* at cost price.

2 kosten ['kɔstə(n)] *mv* expense(s), cost, ⚹ costs [of a lawsuit]; *veel* (*grote*) ~ *besteden aan* spend a good deal of money on; ~ *maken* go to expense, spend money; *op eigen* ~ at his (her) own expense; *op mijn* ~ at my (own) expense; *iemand op* (*hoge*) ~ *jagen* put one to (great) expense; *op* ~ *van ongelijk* at the loser's risk.

kostenberekening [-bərə.kənɪŋ] *v* calculation of expense; $ cost-accounting, costing.

koster ['kɔstər] *m* verger, sexton.

kostganger ['kɔstɣaŋər] *m* boarder.

kostgeld [-ɣɛlt] *o* board.

kosthuis [-hœys] *o* boarding-house.

kostjuffrouw [-jəfrɔu] *v* landlady.

kostkind [-kɪnt] *o* boarder.

kostprijs [-prɛis] *m* $ cost-price; prime cost.

kostschool [-sxo.l] *v* boarding-school.

kostschoolhouder [-hɔudər] *m* boarding-school master.

kostumeren [kɔsty.'me:rə(n)] *vt* & *vr* dress up (as a...); *gekostumeerd bal* fancy(-dress) ball.

kostuum [kɔs'ty.m] *o* 1 costume [of a lady]; suit [of a man]; 2 (voor gekostumeerd bal) fancy dress.

kostuumnaaister [-na:istər] *v* dressmaker.

kostwinner ['kɔstvɪnər] *m* bread-winner.

kostwinnersvergoeding [-nərsfərɣu.dɪŋ] *v* separation allowance.

kostwinning [-nɪŋ] *v* livelihood.

kot [kɔt] *o* pen [for sheep]; kennel [for dogs]; sty [for pigs]; S quod [= prison].

kotelet [ko.tə'lɛt] *v* cutlet, chop; ~*ten* (= *bakkebaarden*) mutton-chop whiskers.

kotiënt zie *quotiënt*.

kotter ['kɔtər] *m* ⚓ cutter.

kou [kɔu] *v* cold; *een* ~ *in het hoofd* a cold in the head; ~ *vatten* catch (a) cold; *wat doe je in de* ~*?* F ± why did (do) you rush in where angels fear to tread?

koud [kɔut] I *aj* cold[2]; frigid [zone]; *het* ~ *hebben* be cold; *ik werd er* ~ *van* it made my blood run cold; *hij is er om* ~ he is done for (dead); *het laat mij* ~ it leaves me cold; II *ad* coldly[2].

koudbloedig ['kɔutblu.dəx] cold-blooded[2].

koude ['kɔudə] *v* = *kou*.

koudegolf [-ɣɔlf] *v* cold-wave.

koudheid ['kɔuthɛit] *v* coldness.

koudjes ['kɔucəs] I *aj* coldish; II *ad* coldly.

koudmakend ['kɔutma.kənt] cooling; ~ *mengsel* freezing mixture.

koudvuur [kɔut'fy:r] *o* gangrene.

koukleum ['kɔuklø.m] *m-v* F chilly person.

kous [kɔus] *v* stocking; zie ook: *kousje*; *een* ~ *maken* S make a stocking; *met de* ~ *op de kop thuiskomen* come away with a flea in one's ear; *op zijn* ~*en* in his stockinged feet.

kouseband ['kɔusəbant] *m* garter.

kousenwinkel [-(n)vɪŋkəl] *m* hosier's shop.

kousje ['kɔuʃə] *o* 1 wick [of a lamp]; 2 (incandescent) mantle.

kousier ['kɔuʃər] kosher[2].

kout [kɔut] *m* talk, chat.

kouten ['kɔutə(n)] *vi* talk, chat.

1 kouter [-tər] *m* talker.

2 kouter [-tər] *o* coulter [of a plough].

kouwelijk ['kɔuələk] chilly, sensitive to cold.

kozak [ko.'zak] *m* Cossack.

kozijn [ko.'zɛin] *o* window-frame.

kraag [kra.x] *m* collar [of linen, of a coat]; tippet [of fur]; (geplooid) ruff; *bij de* ~ *pakken* seize [one] by the collar, collar [one].

kraagje ['kra.xjə] *o* collaret(te).

kraai [kra:i] *m* 🐦 crow; *bonte* ~ hooded crow; *de* ~*en zullen het uitbrengen* ± murder will out.

kraaien ['kra.jə(n)] *vi* crow.

kraaienest ['kra.jənɛst] *o* crow's nest°.

kraaienmars ['kra.jə(n)mars] *m* & *v* in: *de* ~ *blazen* S go west, kick the bucket.

kraaiepootjes ['kra.jəpo.cəs] *mv* crow's-feet.

kraak [kra.k] *m* crack, cracking.

kraakamandel ['kra.ka.mandəl] *v* shell-almond.

kraakbeen [-be.n] *o* gristle, cartilage.

kraakstem [-stɛm] *v* grating voice.

kraakzindelijk [-sɪndələk] spotlessly clean.

1 kraal [kra.l] *v* (bolletje) bead.

2 kraal [kra.l] *v* (omsloten ruimte) kraal.

kraaloogjes ['kra.lo.xjəs] *mv* beady eyes.

kraam [kra.m] *v* booth, stall, stand; *de hele* ~ F the whole concern; *dat komt niet in zijn* ~ *te pas* that does not suit his book (his purpose, his game).

kraaminrichting ['kra.mɪnrɪxtɪŋ] *v* maternity home, lying-in hospital.

kraampje [-pjə] *o* booth [at a fair].

kraamverpleegster [-vərple.xstər] *v* maternity nurse.

kraamverzorgster [-vərzɔrxstər] *v* monthly nurse.

kraamvrouw [-vrɔu] *v* lying-in woman.

1 **kraan** [kra.n] *v* I (aan vat &) tap, cock; 2 ⚔ (om te hijsen) crane, derrick.

2 **kraan** [kra.n] *m* S dab, stunner, nailer; *hij is een ∼ in...* he is a dab at...

3 **kraan** [kra.n] *m* 🐦 zie *kraanvogel.*

kraanbalk ['kra.nbalk] *m* ⚓ cat-head.

kraandrijver [-dreivər] *m* crane-driver.

kraangeld [-gɛlt] *o* S cranage.

kraanvogel [-vo.gəl] *m* 🐦 crane.

kraanwagen [-va.gə(n)] *m* breakdown lorry.

krab [krap] *v* (schram) scratch.

krab(be) [krap, 'krabə] *v* (dier) crab.

krabbekat ['krabəkat] *v* scratch-cat.

krabbel ['krabəl] *v* scratch [with the nails]; scrawl, scribble [with a pen]; thumb-nail sketch [by an artist].

krabbelaar [-bəla:r] *m* scratcher; scrawler.

krabbelen [-bələ(n)] I *vi* scratch; scrawl, scribble; II *vt* scratch; scrawl, scribble [a few lines].

krabbelig [-bələx] scrawled, crabbed [writing].

krabbelschrift [-bəls(x)rɪft] *o* crabbed writing; *zijn ∼* ook: his scrawl(s).

krabben [-bə(n)] I *vi* scratch [with the nails]; II *vt* scratch; scrape; *iemand in zijn gezicht ∼* scratch a person's face; III *vr zich ∼* scratch (oneself); *zich achter de oren ∼* scratch one's head.

krabber [-bər] *m* scratcher; scraper.

krabijzer ['krapɛizər] *o* scraping-iron, scraper.

krabsel [-səl] *o* scrapings.

krach [krax] *m* S crash, smash.

kracht [kraxt] *v* energy, power, strength, force, vigour; *∼ en stof* matter and force; *de ∼ der gewoonte* the force of habit; *zijn ∼en beproeven (aan...)* try one's hand (at...); *∼ bijzetten aan...* zie *bijzetten*; *∼ van wet hebben* have the force of law; *Carré heeft goede ∼en* good artistes; *zijn ∼en herkrijgen (herstellen)* regain one's strength; *al zijn ∼en inspannen* exert one's utmost strength; *zijn ∼en wijden aan* devote one's energy to; *mannen in de ∼ van hun leven* in their prime, in the prime of life; *met alle ∼* with might and main; *met halve ∼* ⚓ ease her!, half speed; *met volle ∼* full speed [ahead!]; *(weer) op ∼en komen* regain strength, recuperate; *uit ∼ van* in (by) virtue of; *van ∼ zijn* in force; *van ∼ worden* come into force; *God geeft ∼ naar kruis* God tempers the wind to the shorn lamb.

krachtbron ['kraxtbrɔn] *v* source of power.

krachtdadig [krag'da.dəx] I *aj* strong, powerful, energetic; efficacious; II *ad* strongly &.

krachtdadigheid [-hɛit] *v* energy; efficacy.

krachteloos ['kraxtəlo.s] I *v. (v. persoon)* powerless, nerveless, impotent; 2 *(v. wet &)* invalid; *∼ maken* enervate [of the body]; invalidate, annul, make null and void [of laws &].

krachteloosheid [kraxtə'lo.shɛit] *v* powerlessness, impotence; invalidity.

krachtens ['kraxtəns] in (by) virtue of.

krachtig [-təx] I *aj* 1 (lichaam) strong, robust; 2 (middelen &) strong, powerful, forceful, potent; 3 (maatregelen &) strong, energetic, vigorous; 4 (taal, stijl) strong, powerful, forcible; 5 (voedsel) nourishing; II *ad* strongly, energetically.

krachtinstallatie ['kraxtɪnstala.(t)si.] *v* (electric) power plant.

krachtlijn [-lɛin] *v* line of force.

krachtoverbrenging [-o.vərbrɛŋɪŋ] *v* transmission of power.

krachtproef [-pru.f] *v* trial of strength.

krachtseenheid ['kraxtse.nhɛit] *v* dynamic unit.

krachtsinspanning [-ɪnspanɪŋ] *v* exertion, effort.

krachtveld ['kraxtfɛlt] *o* field of force.

krachtverspilling [-fərspɪlɪŋ] *v* waste of energy.

krak [krak] I *ij* crack; *∼ zei het ijs* crack went the ice; II *m* crack.

krakeel [kra.'ke.l] *o* quarrel, wrangle.

krakelen [-'ke.lə(n)] *vi* quarrel, wrangle.

krakeler [-lər] *m* quarreller, wrangler.

krakeling ['kra.kəlɪŋ] *m* cracknel.

kraken [-kə(n)] I *vi* crack [of the ice], creak, squeak [of boots]; II *vt* crack [nuts &].

kralensnoer ['kra.lə(n)snu:r] *o* bead necklace.

kram [kram] *v* cramp(-iron), staple; clasp [of a bible].

kramer ['kra.mər] *m* pedlar, hawker.

kramerij [kra.mə'rɛi] *v* small wares.

krammen ['kramə(n)] *vt* cramp, clamp.

kramp [kramp] *v* cramp, spasm; *hij kreeg de ∼* he was seized with cramp.

krampachtig [kram'paxtəx] *aj (& ad)* spasmodic(ally), convulsive(ly).

kramphoest ['kramphu.st] *m* spasmodic cough.

kranig ['kra.nəx] I *aj* brave; *hij is een ∼e kerel* he is a stunner (a ripper); *een ∼ soldaat* a dashing soldier; *dat is een ∼ stukje* that is a fine feat; II *ad* in dashing (gallant) style; *∼ voor de dag komen* make a fine show; *zij hebben zich ∼ gehouden* they bore themselves splendidly.

kranigheid [-hɛit] *v* cranerie, dash.

◯ **krank** [krank] sick, ill.

◯ **kranke** ['krankə] *m-v* sick person, patient.

◯ **krankheid** ['krankhɛit] *v* illness, sickness.

krankzinnig [krank'sɪnəx] I *aj* insane, lunatic, mad, crazy; II *ad* very [expensive, high].

krankzinnige [-nəgə] *m-v* lunatic, madman, mad woman.

krankzinnigengesticht [-nəgə(n)gəstɪxt] *o* lunatic asylum, mad-house.

krankzinnigenverpleegster [-vərple.xstər] *v* mental nurse.

krankzinnigheid [krank'sɪnəxhɛit] *v* insanity, lunacy, madness, craziness.

krans [krans] *m* wreath, garland, crown; zie ook: *kransje.*

kransje ['kranʃə] *o* (v. personen) club, circle.

kransslagader ['kranslaxa.dər] *v* coronary artery.

krant [krant] *v* (news)paper.

kranteartikel ['krɑntəɑrti.kəl] *o* newspaper article.

krantebericht [-bərɪxt] *o* newspaper report, (newspaper) paragraph.

kranteknipsel [-knɪpsəl] *o* press cutting.

krantenhanger ['krɑntə(n)hɑŋər] *m* newspaper hanger.

krantenjongen [-jòŋə(n)] *m* newsboy.

krantenkiosk [-ki.ɔsk] *v* newspaper-kiosk, news-stand.

krantenman [-mɑn] *m* newsman.

krantenpapier [-pa.pi:r] *o* newsprint, news-paper.

krantenverkoper [-vərko.pər] *m* newsvendor, newsman.

1 krap [krɑp] *v* 1 (meekrap) madder ‖ 2 clasp [of a book] ‖ 3 pork-cutlet.

2 krap [krɑp] I *aj* tight, narrow, skimpy; *het geld is* ~ money is tight; II *ad* tightly, narrowly, skimpily; *zij hebben het maar* ~ they are in straitened circumstances; ~ *meten* give short measure; *wij zitten hier* ~ we are cramped for room.

krapjes ['krɑpjəs] zie 2 *krap* II.

1 kras [krɑs] I *aj* 1 (v. persoon & maatregel) strong, vigorous; 2 (v. bewering &) stiff, steep; *dat is (wat al te)* ~ F that's a bit stiff (steep, thick); *hij is nog* ~ *voor zijn leeftijd* he is still hale and hearty (still going strong); II *ad* strongly, vigorously; *dat is nogal* ~ *gesproken* that is strong language.

2 kras [krɑs] *v* scratch.

krassen ['krɑsə(n)] I *vi* scratch; scrape [of a pen, on violin]; screech [of owl], croak, caw [of raven]; grate [of voice], jar [of sounds, upon a person's ears]; II *vt* scratch [a name in soft stone].

krat [krɑt] *o* 1 tail-board [of a carriage &]; 2 $ crate, skeleton case.

krater ['kra.tər] *m* crater.

kratermeer [-me:r] *o* crater-lake.

kratervormig [-vɔrməx] crater-shaped, crater-like.

krates ['kra.təs] *m* hunchback.

kraton ['kra.tòn] *m Ind* kraton [= palace-fort].

krats [krɑts] *v* F trifle.

krauw [krou] *v* scratch.

krauwen ['krouə(n)] *vt* scratch.

kreat- zie *creat-*.

krediet [krə'di.t] *o* $ credit; *op* ~ on credit.

kredietbank [-bɑŋk] *v* credit bank.

kredietbrief [-bri.f] *m* letter of credit.

kredietinstelling [-ɪnstɛlɪŋ] *v* credit establishment.

kredietstelsel [-stɛlsəl] *o* credit system.

kredietwaardig [krədi.t'va:rdəx] solvent, creditworthy.

kredietwaardigheid [-hɛit] *v* solvency, creditworthiness.

kreeft [kre.ft] *m & v* 1 (zoetwater) crayfish, crawfish; 2 (zee) lobster; *de Kreeft* ∗ Cancer.

kreeftegang ['kre.ftəgɑŋ] *m* in: *hij gaat de* ~ he is going backward.

kreeftesla [-sla.] *v* lobster salad.

kreeftskeerkring ['kre.ftske:rkrɪŋ] *m* tropic of Cancer.

kreek [kre.k] *v* creek, cove.

kreet [kre.t] *m* cry, scream, shriek.

kregel(ig) ['kre.gəl(əx)] I *aj* peevish; ~ *maken* irritate; II *ad* peevishly.

kregeligheid [-hɛit] *v* peevishness.

krek [krɛk] P exactly, quite (so).

krekel ['kre.kəl] *m* (house-)cricket.

krematie zie *crematie*.

kremeren zie *cremeren*.

kreng [krɛŋ] *o* carrion; *fig* beast [of a master &].

krengen ['krɛŋə(n)] *vt* ♣ careen, heave down, heel.

krenken ['krɛŋkə(n)] *vt* hurt, offend, injure; *iemands gevoelens* ~ wound a person's feelings; *geen haar op uw hoofd zal gekrenkt worden* not a hair of your head shall be touched; *iemands goede naam* ~ injure a man's reputation; *zijn geestvermogens zijn gekrenkt* he is of unsound mind; *op gekrenkte toon* in a hurt tone.

krenkend [-kənt] I *aj* injurious, offensive, insulting, wounding; II *ad* injuriously, offensively.

krenking [-kɪŋ] *v* injury[2], *fig* mortification.

krent [krɛnt] *v* (dried) currant.

krentenbrood ['krɛntə(n)bro.t] *o* currant-bread; *een* ~ a currant-loaf.

krentenbroodje [-bro.cə] *o* currant-bun.

krentenkoek [-ku.k] *m* currant-cake.

krenterig ['krɛntərəx] I *aj* F mean, niggling, niggardly; II *ad* meanly.

krenterigheid [-hɛit] *v* meanness, niggardliness.

kreo- zie *creo-*.

kreperen zie *creperen*.

Kreta ['kre.ta.] *o* Crete.

Kretenzer [kre.'tɛnzər] *m* Cretan.

kreuk, ~**el** [krø.k, 'krø.kəl] *v* crease, rumple.

kreukelen [-kələ(n)] *vt & vi* crease, rumple, crumple.

kreukelig [-kələx] creased, crumpled.

kreuken [-kə(n)] zie *kreukelen*.

kreukvrij ['krø.kfrɛi] crease-resistant, wrinkle-proof.

kreunen ['krø.nə(n)] *vi* moan, groan.

kreupel ['krø.pəl] *aj* lame; ~ *lopen* walk with a limp, limp; *een* ~*e* a lame person, a cripple.

kreupelbos [-bòs] *o* thicket, brake, underwood.

kreupelheid [-hɛit] *v* lameness.

kreupelhout [-hout] *o* underwood, undergrowth.

krib(be) [krɪp, 'krɪbə] *v* 1 (voederbak) manger, crib; 2 (slaapstee) cot; 3 (waterkering) groyne.

kribbebijter [-bɛitər] *m* crib-biter; *fig* crosspatch.

kribbebijtster [-bɛitstər] *v* shrew, scratch-cat.

kribbig ['krɪbəx] I *aj* peevish, testy; II *ad* peevishly, testily.

kriebel ['kri.bəl] *m* itch(ing); *je krijgt er de ~ van F* zie *je wordt er kriebelig van.*

kriebelen [-bələ(n)] *vi & vt* tickle; zie ook: *krabbelen.*

kriebelig [-ləx] ticklish; *je wordt er ~ van F* it irritates you, it gets your dander up; zie ook: *krabbelig.*

kriebeling [-lɪŋ] *v* tickling.

kriebelschrift ['kri.bəls(x)rɪft] *o* zie *krabbelschrift.*

kriek [kri.k] *v* black cherry; zie ook: *lachen.*

krieken ['kri.kə(n)] *vi* chirp; *bij het ~ van de dag* at day-break, at peep of day.

kriel [kri.l] I *o* small potatoes (apples); small fry; 2 *m-v* pygmy, midget.

krielen ['kri.lə(n)] *vi* zie *krioelen.*

krielhaan ['kri.lha.n] *m* ☙ dwarf-cock.

krielhen [-hɛn] **krielkip** [-kɪp] *v* **krieltje** [-cə] *o* ☙ dwarf-hen.

krieuwel ['kri.vɒl] *m* zie *kriebel.*

krieuwelen [-vələ(n)] *vi & vt* zie *krioelen & kriebelen.*

○ **krijg** [krɛix] *m* war; *~ voeren* make war, wage war (on *tegen*).

krijgen ['krɛixə(n)] *vt* get [something]; receive, obtain [books, money &]; acquire [a reputation]; catch [a thief, measles &]; receive [a hurt]; have [a boy, a girl, a holiday]; have [a beard] coming; put forth, send out [leaves]; *kan ik een boek ~?* can I have a book?; *hoeveel krijgt u van me?* how much do I owe you?, how much is it?; *~ ze elkaar?* do they get married (in the end)?; *ik zal je ~!* I'll make you pay for it!; *ik kan het niet dicht (open) ~* I cannot shut it (open it); *het koud (warm) ~* begin to feel cold (hot); *het te horen (te zien) ~* get to hear of it, get to see it; *ik zal trachten hem te spreken te ~* I'll try to see him; *het uit hem ~* get it out of him; draw it from him; *het zijne ~* come by one's own; *er genoeg van ~* have (got) enough of it; *ik kan hem er niet toe ~* I cannot get him to do it, make him do it; *het is niet meer te ~* not to be had any more; zie ook: *benauwd, gelijk, kwaad, lek, doorkrijgen* &.

krijger [-ɡər] *m* warrior.

krijgertje [-cə] *o* in: *~ spelen* play tag.

krijgsartikelen ['krɛixsarti.kələ(n)] *mv* ✕ articles of war.

krijgsbanier [-ba.ni:r] *v* banner of war.

krijgsbazuin [-ba.zœyn] *v* war-trumpet.

krijgsbedrijf [-bədreif] *o* feat of arms, exploit.

krijgsbehoeften [-bəhu.ftə(n)] *mv* military supplies, munitions of war.

krijgsbeleid [-bəlɛit] *o* military skill; tactics.

krijgsbende [-bɛndə] *v* band of soldiers.

krijgsdienst [-di.nst] *m* military service.

krijgseer [-e:r] *v* [leave a fortress with all] the honours of war.

krijgsgebruik [-ɡəbrœyk] *o* custom of war.

krijgsgeschreeuw [-s(x)re:u] *o* war-cry, war-whoop(s).

krijgsgevangene [-vaŋənə] *m* prisoner of war.

krijgsgevangenschap [-vaŋənsxap] *v* captivity.

krijgsgod ['krɛixsɡɔt] *m* war-god, god of war [Mars].

krijgsgodin [-ɡo.dɪn] *v* goddess of war [Bellona].

krijgshaftig [krɛixs'haftəx] martial, warlike.

krijgshaftigheid [-heit] *v* martial spirit, warlike appearance.

krijgsheld ['krɛixshɛlt] *m* military hero.

krijgskans [-kans] *v* chance(s) of war.

krijgskas [-kas] *v* military chest.

krijgsknecht [-knɛxt] *m* soldier.

krijgskunde [-kůndə] *v* art of war.

krijgskundig [krɛixs'kůndəx] *aj* military; *~e* military expert.

krijgslied ['krɛixsli.t] *o* warlike (military) song.

krijgslist [-lɪst] *v* stratagem, ruse of war.

krijgsmacht [-maxt] *v* (military) forces.

krijgsman [-man] *m* warrior, soldier.

krijgsmanseer [-manse:r] *v* I [a person's] military honour; 2 [bury with] military honours.

krijgsraad [-ra.t] *m* I council of war; 2 ✕ court-martial; *~ houden* hold a council of war.

krijgsroem [-ru.m] *v* military fame (glory).

krijgsschool ['krɛixsxo.l] *v* military school (college); *hogere ~* staff-college.

krijgstocht ['krɛixstɔxt] *v* military expedition, campaign.

krijgstoneel [-to.ne.l] *o* seat (theatre) of war.

krijgstrompet [-trɔmpet] *v* trumpet of war.

krijgstucht [-tůxt] *v* military discipline.

krijgsverrichting [-fərɪxtɪŋ] *v* military operation.

krijgsvolk [-fɔlk] *o* soldiers, soldiery, military.

krijgsvoorraad [-fo:ra.t] *m* military stores.

krijgswet [-vet] *v* martial law.   [ence.

krijgswetenschap [-ve.tənsxap] *v* military sci-

krijgswezen [-ve.zə(n)] *o* military system.

krijs [krɛis] *m* scream, shriek, screech, cry.

krijsen ['krɛisə(n)] *vi & vt* scream, shriek, screech, cry.

krijt [krɛit] *o* I chalk; 2 (om te tekenen) crayon; *in het ~ staan (bij)* be in debt (to); *in het ~ treden* enter the lists; *met dubbel ~ schrijven* charge double.

krijtachtig ['krɛitaxtəx] chalky, § cretaceous.

krijtbakje [-bakjə] *o* chalk-box.

krijtberg [-bɛrx] *m* chalk-hill.

1 **krijten** ['krɛitə(n)] I *vi* cry, weep; II *vt* cry, scream.

2 **krijten** ['krɛitə(n)] *vt* ⚬⚬ chalk [one's cue].

krijtgebergte ['krɛitɡəbɛrxtə] *o* chalk-hills.

krijtje ['krɛicə] *v* piece of chalk; zie ook: *balk.*

krijtrots ['krɛitrɔts] *v* chalk-cliff.

krijtstreep [-stre.p] *v* chalk-line.

krijttekening ['krɛite.kənɪŋ] *v* crayon drawing

krijtwit ['krɛitvɪt] I *o* chalk-dust, whiting; II *a* as white as chalk, chalk-white.

krik [krɪk] *v* ✗ jack.
Krim [krɪm] *De* ~ *v* the Crimea.
krimin- zie *crimin-*.
Krimoorlog ['krɪmoːrlɔx] *m de* ~ the Crimean War.
1 **krimp** [krɪmp] *m* in: *geen* ~ *hebben* be well-off; *geen* ~ *geven* not yield.
2 **krimp** [krɪmp] *aj* in: ~ *snijden* crimp [fish].
krimpen ['krɪmpə(n)] **I** *vi* 1 (v. stof) shrink; 2 ⚓ (v. wind) back; *van koude* ~ shiver with cold; ~ *van de pijn* writhe with pain; **II** *vt* shrink [cloth].
krimping [-pɪŋ] *v* shrinking; shrinkage.
krimpvis ['krɪmpfɪs] *m* crimped fish.
krimpvrij [-frɛi] unshrinkable.
kring [krɪŋ] *m* circle, ring, ⊙ orb; *blauwe* ~*en onder de ogen* dark rings under the eyes; *de hogere* ~*en* the upper circles.
kringetje ['krɪŋəcə] *o* circlet, ring; ~*s blazen* blow rings of smoke.
kringloop ['krɪŋloːp] *m* circular course; *fig* circle, cycle [of life and death].
krinkel ['krɪŋkəl] *m* crinkle.
krinkelen [-kələ(n)] *vi* crinkle.
krioelen [kri.'u.lə(n)] *vi* swarm; ~ *van* crawl with, swarm with, bristle with.
krip [krɪp] *o* crape.
1 **kris** [krɪs] *v Ind* creese.
2 **kris** [krɪs] in: ~ *en kras door elkaar* higgledy-piggledy; zie ook: *zweren*.
krisis(-) zie *crisis(-)*.
krisma ['krɪsma.] = *chrisma*.
krissen ['krɪsə(n)] *vt Ind* stab with a creese.
kristal [krɪs'tal] *o* crystal.
kristalachtig [-ɑxtəx] crystalline.
kristalhelder [-hɛldər] (as clear as) crystal, crystal-clear.
kristallen, kristallijnen [krɪs'talə(n), -ta'leinə(n)] *aj* crystal(line).
kristallisatie [-tali.'za.(t)si.] *v* crystallization.
kristalliseren [-'zeːrə(n)] *vt, vi* & *vr* crystallize (into *tot*).
kristalliz- zie *kristallis-*.
kristalstelsel [krɪs'talstelsəl] *o* system of crystallization.
kristalwater [-va.tər] *o* water of crystallization.
kristelijk zie *christelijk*.
kristen(-) zie *christen(-)*.
kristin zie *christin*.
Kristus(-) zie *Christus(-)*.
kritiek [kri.'ti.k] **I** *aj* critical; *een* ~ *ogenblik* a critical (crucial) moment; **II** *v* 1 criticism (of *op*); 2 critique [in art or literature], review [of books]; ~ *hebben op* be critical of [a plan &]; ~ *uitoefenen* (*op*) pass criticism (on...), criticize...; *beneden* ~ below criticism, beneath contempt.
kritiekloos [-loːs] *aj* (& *ad*) uncritical(ly).
kritikaster zie *criticaster*.
kritisch ['kri.ti.s] *aj* (& *ad*) critical(ly); ~ *staan tegenover* be critical of [a plan &].
kritiseren, kritizeren [kri.ti.'zeːrə(n)] *vt* 1

criticize, censure [= criticize unfavourably]; 2 review [books].
Kroaat [kro.'a.t] *m* Croat, Croatian.
Kroatië ['-'a.tsi.ə] *o* Croatia.
Kroatisch [-'a.ti.s] Croatian.
krocht [krɔxt] *v* 1 (crypt) crypt, undercroft [under a church]; 2 (spelonk) cavern.
kroeg [kru.x] *v* public house, pub, pot-house.
kroegbaas, kroeghouder ['kru.xba.s, -həudər] *m* publican.
kroegloper [-lo.pər] *m* pub-loafer.
kroep [kru.p] *m* croup.
1 **kroes** [kru.s] *m* 1 cup, pot, mug, noggin [for drinking]; 2 crucible [for melting].
2 **kroes** [kru.s] *aj* frizzled, frizzy, fuzzy, woolly.
kroeskop ['kru.skɔp] *m* curly-pate, curly-head, fuzzy head, frizzly head.
kroezen ['kru.zə(n)] *vi* curl, friz(z), crisp.
kroken ['kro.kə(n)] = *kreuken*.
kroket zie 1 *croquet*.
krokodil [-ko.'dɪl] *m* & *v* crocodile.
krokodillele(d)er [-'dɪlələ:r, -le.dər] *o* crocodile leather; *tas van* ~ crocodile bag.
krokodilletranen [-tra.nə(n)] *mv* crocodile tears.
krokus ['kro.küs] *m* ❀ crocus.
krol [krɔl] = *krul*.
krollen ['krɔlə(n)] *vi* (cater)waul.
krom [krɔm] crooked, curved; ~*me benen* bandy-legs, bow-legs; *een* ~*me lijn* a curved line, a curve; *een* ~*me neus* a hooked nose; *een* ~*me rug* a crooked back, a crook-back; ~ *van de reumatiek* doubled up with rheumatism.
krombenig ['krɔmbe.nəx] bandy-legged, bow-legged.
kromheid [-heit] *v* crookedness.
kromhout [-həut] *o* ⚓ knee.
kromliggen [-lɪgə(n)] *vi* F stint (pinch) oneself.
kromlopen [-lo.pə(n)] *vi* 1 (v. persoon) walk with a stoop, stoop; 2 (v. weg &) curve.
kromme ['krɔmə] *v* curve.
krommen [-mə(n)] *vi, vt* & *vr* bow, bend, curve.
kromming [-mɪŋ] *v* bend, curve.
krompasser ['krɔmpasər] *m* callipers.
krompraten [-pra.tə(n)] *vi* 1 murder the King's English; 2 lisp.
kromstaf [-staf] *m* crosier, crook.
kromte [-tə] *v* crookedness; curve, bend.
kromtrekken [-trɛkə(n)] *vi* warp.
kromzwaard [-zva.rt] *o* 1 scimitar; 2 (kort) falchion.
kronen ['kro.nə(n)] *vt* crown²; *hem tot koning* ~ crown him king.
kroniek [kro.'ni.k] *v* chronicle; (in krant) [sports, theatrical] column, [financial &] news.
kroniekschrijver [-s(x)rɛivər] *m* chronicler; (v. e. krant) reporter.
kroning ['kro.nɪŋ] *v* crowning, coronation.
kroningsdag [-nɪŋsdɑx] *m* coronation day.
kroningseed [-e.t] *m* coronation oath.

kroningsfeest [-fe.st] o coronation feast.

kroningsplechtigheid [-plɛxtəxhɛit] v coronation ceremony.

kronisch ['kro.ni.s] = chronisch.

kronkel ['krɔnkəl] m twist, coil.

kronkeldarm [-darm] m ileum.

kronkelen ['krɔnkələ(n)] vi & vr wind, twist; meander [of a river].

kronkelig [-ləx] winding, sinuous, meandering.

kronkeling [-lɪŋ] v winding; coil; § convolution.

kronkelpad ['krɔnkəlpat] o winding path; fig devious (circuitous) way.

kronologie [kro.no.lo.'gi.] = chronologie.

kronologisch [-'lo.gi.s] = chronologisch.

kronometer ['kro.no.me.tər] = chronometer.

kroon [kro.n] v I (v. vorst) crown; 2 (v. 't hoofd) crown, top; 3 (licht) chandelier, lustre; 4 ♣ corolla; de ~ neerleggen abdicate, resign the crown; iemand de ~ van het hoofd nemen rob one of his honour; iemand de ~ opzetten crown one; de ~ spannen bear the palm; dat spant de ~ that caps everything; iemand naar de ~ steken vie with a person; de ~ op het werk zetten crown it all.

kroondomein ['kro.ndo.mɛin] o demesne of the crown, crown land.

kroonjuwelen [-jy.ve.lə(n)] mv crown jewels.

kroonkurk [-kürk] v crown cork.

kroonlijst [-leist] v cornice.

kroonluchter [-lüxtər] m chandelier, lustre.

kroonprins [-prɪns] m prince royal, crown prince; (in England) Prince of Wales.

kroonprinses [-prɪnsɛs] v princess royal, crown princess.

kroonsieraden [-si:ra.də(n)] mv regalia.

kroontje [-cə] o ∅ coronet.

kroonvormig [-vɔrməx] crown-shaped.

kroos [kro.s] o ♣ duckweed.

kroost [kro.st] o offspring, progeny, issue.

kroot [kro.t] v ♣ beetroot.

I krop [krɔp] m I crop, gizzard, craw; 2 (als ziekte) goitre.

2 krop [krɔp] m head [of cabbage, lettuce].

kropduif ['krɔpdœyf] v 🐦 cropper, pouter.

kropgezwel [-gəzvɛl] o goitre.

I kroppen ['krɔpə(n)] vi head [of salad].

2 kroppen ['krɔpə(n)] vt cram [a bird]; hij kan het niet ~ zie verkroppen.

kropper [-pər] m zie kropduif.

kropsalade, -sla ['krɔpsa.la.də, -sla.] v cabbage-lettuce.

krot [krɔt] o hovel, den; wat een ~! what a hole!

krotbewoner ['krɔtbəvo.nər] m slum dweller.

krotopruiming [-òprœymɪŋ] v slum clearance.

krotwoning [-vo.nɪŋ] v slum dwelling.

kruid [krœyt] o ♣ herb; simple [medicinal herb]; daar is geen ~ voor gewassen there is no cure for it.

kruidachtig ['krœytɑxtəx] herbaceous.

kruidboek [-bu.k] o herbal.

kruiden ['krœydə(n)] vt season[2], spice[2]; sterk gekruid highly seasoned[2], spicy[2].

kruidenaftreksel [-ɑftrɛksəl] o decoction of herbs.

kruidenazijn [-a.zɛin] m aromatic vinegar.

kruidenier [krœydə'ni:r] m grocer.

kruideniersbediende [-'ni:rsbədi.ndə] m grocer's assistant, grocery assistant.

kruideniersvak [-fɑk] o grocer's trade.

kruidenierswaren [-va:rə(n)] mv groceries.

kruidenierswinkel [-vɪŋkəl] m grocer's (shop), grocery shop.

kruidentee zie kruidenthee.

kruidenthee [krœydə(n)te.] m herb tea.

kruidenwijn [-vɛin] m spiced wine.

kruiderijen [krœydə'rɛiə(n)] mv spices.

kruidig ['krœydəx] spicy.

kruidje-roer-mij-niet [krœycə'ru:rməni.t] o I ♣ sensitive plant; 2 fig touch-me-not.

kruidkoek ['krœytku.k] m spiced gingerbread.

kruidkunde [-kündə] v botany.

kruidkundige [krœyt'kündəgə] m botanist, herbalist.

kruidnagel ['krœytna.gəl] m ♣ clove.

kruidnagelolie [-o.li.] v oil of cloves.

kruidnoot ['krœytno.t] v nutmeg.

kruien ['krœyə(n)] I vi I trundle a wheelbarrow; 2 drift [of ice]; de rivier kruit the river is full of drift-ice; II vt wheel [in a wheelbarrow].

kruier [-ər] m porter.

kruiersloon [-ərslo.n] o porterage.

kruik [krœyk] v stone bottle, jar, pitcher; warme ~ hot-water bottle; de ~ gaat zo lang te water tot zij breekt so often goes the pitcher to the well that it comes home broken at last.

kruim [krœym] v & o crumb [inner part of bread].

kruimel ['krœyməl] m crumb.

kruim(el)en [-m(əl)ə(n)] vi & vt crumble.

kruimelig [-mələx] I crumbly; 2 floury, mealy [potatoes].

kruin [krœyn] v (v. berg, hoofd &) crown; top.

kruinschering ['krœynsxe:rɪŋ] v tonsure.

kruipen ['krœypə(n)] vi I crawl[2], creep[2]; 2 ♣ creep, trail; 3 fig cringe [to a person].

kruipend [-pənt] I crawling[2], creeping[2]; 2 ♣ creeping, trailing; 3 🦎 reptile, reptilian; 4 fig cringing; ~ dier reptile, reptilian.

kruiper [-pər] m fig cringer.

kruiperig [-pərəx] cringing.

kruiperij [krœypə'rɛi] v cringing (to voor).

kruippakje ['krœypɑkjə] o crawlers.

kruis [krœys] o I (in het alg.) cross; 2 (lichaamsdeel) small of the back [of man]; croup [of animals], crupper [of horse]; 3 (v. broek) seat; 4 ♪ sharp; 5 ⚓ (v. anker) crown; 6 fig cross [= trial, affliction, nuisance]; ~ of munt heads or tails; ~en en mollen ♪ sharps and flats; een ~ slaan make the sign of the cross, cross oneself.

kruisafneming ['krœysɑfne.mɪŋ] *v* deposition from the Cross, descent from the Cross.

kruisband [-bɑnt] *m* (postal) wrapper; *onder ~ & by* book-post.

kruisbeeld [-be.lt] *o* crucifix.

kruisbes [-bɛs] *v ☇* gooseberry.

kruisboog [-bo.x] *m* ⬜ cross-bow.

kruisdood [-do.t] *m & v* death on the cross.

kruiselings ['krœysəlɪŋs] crosswise, cross-ways.

kruisen [-sə(n)] I *vt* 1 cross [the arms]; 2 crucify [a criminal]; 3 cross [animals, plants]; *elkaar ~* cross, cross each other [of letters &]; *ge-kruist ras* cross-breed; II *vi ⚓* cruise; III *vr zich ~* cross oneself.

kruiser [-sər] *m ⚓* cruiser.

kruisgang ['krœysgɑŋ] *m ⌂* cloister.

kruisgewijs, -gewijze [-gəvɛis, -vɛizə] cross-wise, crossways.

kruishout [-hout] *o* cross-beam; *aan het ~* (up)on the cross.

kruisigen ['krœysəgə(n)] *vt* crucify.

kruisiging [-gɪŋ] *v* crucifixion.

kruising ['krœysɪŋ] *v* 1 cross-breeding [of animals]; 2 cross-breed; cross [between... and...]; 3 crossing [of roads].

kruisje ['krœyʃə] *o* (small) cross, obelisk (†); *zij heeft de drie ~s achter de rug* she is turned (of) thirty.

kruiskerk ['krœyskɛrk] *v* cruciform church.

kruisnet [-nɛt] *o* square fishing-net.

kruispunt [-pʉnt] *o* 1 (point of) intersection; 2 crossing [of a railway &].

kruisraam [-ra.m] *o* cross-bar window.

kruisridder [-rɪdər] *m* knight oi the Cross.

kruissnarig ['krœysna:rəx] *♪* overstrung [piano].

kruissnede [-sne.də] *v* crucial incision.

kruissnelheid [-snɛlhɛit] *v* cruising speed.

kruisspin [-spɪn] *v* cross-spider.

kruissteek [-ste.k] *m* cross-stitch.

kruisteken ['krœyste.kə(n)] *o RK* sign of the cross.

kruistocht [-tɔxt] *m* 1 ⬜ crusade²; 2 ⚓ cruise.

kruisvaarder [-fa:rdər] *m* ⬜ crusader.

kruisvaart [-fa:rt] *v* ⬜ crusade.

kruisverband [-fərbɑnt] *o* 1 ⌂ cross-bond; 2 ☇ cross-bandage.

Kruisverheffing [-fərhɛfɪŋ] *v* Exaltation of the Cross.

kruisverhoor [-fərho:r] *o* cross-examination.

Kruisvinding [-fɪndɪŋ] *v* Invention of the Cross.

kruisvormig [-fərməx] cross-shaped, cruciform.

kruisvuur [-fy:r] *o* cross-fire².

kruisweg [-vɛx] *m* 1 cross-road; 2 *RK* Way of the Cross; *de ~ bidden RK* do the Stations (of the Cross).

kruiswoorden [-vo:rdə(n)] *mv* words spoken on the Cross.

kruiswoordraadsel [-vo:rtra.tsəl] *o* crossword puzzle.

kruit [krœyt] *o* powder, gunpowder; *hij heeft*

al zijn ~ verschoten he has fired his last shot.

kruitdamp ['krœytdɑmp] *m* gunpowder smoke.

kruithoorn, -horen [-ho:rən] *m* powder-horn, powder-flask.

kruithuis [-hœys] *o* powder-magazine.

kruitkamer [-ka.mər] *v* powder-room.

kruitlucht [-lʉxt] *v* smell of gunpowder.

kruitmagazijn [-ma.ga.zɛin] *o* powder-magazine.

kruitmolen [-mo.lə(n)] *m* powder-mill.

kruitschip [-sxɪp] *o* gunpowder ship.

kruittoren ['krœyto:rə(n)] *m* powder-magazine.

kruiwagen ['krœyva.gə(n)] *m* wheelbarrow; *hij heeft goede ~s* he has powerful patrons (influence).

kruizemunt [krœyzə'mʉnt] *v ☇* mint.

1 **kruk** [krʉk] *v* 1 crutch [for cripples]; 2 handle [of a door]; 3 ✂ crank; 4 perch [for birds]; 5 stool, tabouret.

2 **kruk** [krʉk] *m* bungler; duffer.

krukas ['krʉkɑs] *v* ✂ crank-shaft.

krul [krʉl] *v* 1 (haar) curl; 2 (hout) shaving; 3 (bij 't schrijven) flourish, scroll; *er zit geen ~ in dat haar* the hair doesn't curl; *de ~ is er uit* it is out of curl; *~len zetten* make curls.

krulhaar ['krʉlha:r] *o* curly hair.

krulijzer [-ɛizər] *o* curling-iron.

krullebol ['krʉləbəl] **krullekop** [-kɔp] *m* curly-head, curly-pate.

krullen [-lə(n)] I *vi* curl; II *vt* curl, crisp, friz(z) [the hair].

krullenjongen [-jòŋə(n)] *m* 1 carpenter's apprentice; 2 *fig* factotum.

krulletter ['krʉlətər] *v* flourished letter.

krullig [-ləx] curly.

krultabak ['krʉlta.bak] *m* curly tobacco.

krultang [-taŋ] *v* curling-tongs.

krysant [kri.'zant] = *chrysant*.

krysantemum zie *krysanthemum*.

krysanthemum [kri.'zantəmʉm] = *chrysanthemum*.

kub. = *kubiek*.

kubiek [ky.'bi.k] cubic; *de ~e inhoud* the solid contents.

kubiekwortel [-vòrtəl] *m* cube root.

kubus ['ky.bʉs] *m* cube.

kuch [kʉx] *m* cough ‖ *o* zie *commiesbrood*.

kuchen ['kʉγə(n)] *vi* cough.

kucher [-gər] *m* cougher.

kudde ['kʉdə] *v* herd [of cattle], flock [of sheep].

kuddedier [-di:r] *o fig* herd animal.

kuier ['kœyər] *m* F stroll, walk.

kuieren [-ərə(n)] *vi* F stroll, walk.

kuif [kœyf] *v* tuft, crest [on a bird's head]; forelock [on a man's head].

kuifeend ['kœyfe.nt] *v 🐦* tufted duck.

kuifleeuwerik [-le.vərək] *m 🐦* tufted lark.

kuiken ['kœykə(n)] *o 🐦* chicken; *fig* ninny, simpleton.

kuil [kœyl] *m* 1 pit, hole; [potato] clamp; 2 ⚓

waist; *wie een ~ graaft voor een ander, valt er zelf in* harm watch, harm catch.

kuilen ['kœylə(n)] *vt* zie *inkuilen.*

kuiltje ['kœylcə] *o* hole; dimple [in the cheek]; *met ~s in de wangen* with dimpled cheeks.

kuilvoer [-vu:r] *o* ensilage.

kuip [kœyp] *v* tub, vat; zie ook: *vlees.*

kuipbad ['kœypbat] *o* tub-bath.

kuipen ['kœypə(n)] *vi* cooper; *fig* intrigue.

kuiper [-pər] *m* cooper; *fig* intriguer.

kuiperij [kœypə'rɛi] *v* cooper's trade, coopery; *fig* intrigue.

kuiphout ['kœyphout] *o* staves.

kuis [kœys] *aj* (& *ad*) chaste(ly), pure(ly).

kuisen ['kœysə(n)] *vt* chasten, purify.

kuisheid ['kœyshɛit] *v* chastity, purity.

kuit [kœyt] *v* I ℣ roe, spawn [female hard roe]; 2 calf [of the leg]; *~ schieten* spawn.

kuitbeen ['kœytbe.n] *o* splint-bone.

kuitbroek [-bru.k] *v* zie *kniebroek.*

kuitenflikker ['kœytə(n)flɪkər] *m* in: *een ~ slaan* cut a caper.

kuiter [-tər] **kuitvis** ['kœytfɪs] *m* ℣ spawner.

kukeleku! [ky.kələ'ky.] cock-a-doodle-doo!

kul [kŭl] *m flauwe ~* F nonsense, rot.

kulas [ky.'las] *v* ⚔ breech [of a gun].

kulmin- zie *culmin-.*

kultiveren zie *cultiveren.*

kultureel zie *cultureel.*

kultuur(-) zie *cultuur(-).*

kumulatief zie *cumulatief.*

kunde ['kŭndə] *v* knowledge.

kundig [-dəx] able, clever, skilful.

kundigheid [-hɛit] *v* skill, knowledge, learning; *kundigheden* accomplishments.

kunne ['kŭnə] *v* sex.

kunnen ['kŭnə(n)] I *vi* & *vt* be able; *het kan (niet)* it can(not) be done; *hij kan tekenen* he can draw; *hij kan het gedaan hebben* he may have done it; *hij kan het niet gedaan hebben* he cannot have done it; *hij kan het weten* he ought to know; *tot hij niet meer kon* until he was spent; *zo kon hij uren zitten* thus he would sit for hours; *ik kan er niet bij* I cannot reach it; *fig* that's beyond me (above me); *het kan er mee door* it may pass; *hij kan daar niet tegen* he can't stand it [being laughed at]; *it* [that food] *does not agree with him;* II *o* [technical] prowess.

kunst [kŭnst] *v* I art; 2 trick; *beeldende ~en* plastic arts; *de schone ~en* the fine arts; *de vrije ~en* the liberal arts; *de zwarte ~* necromancy, the black art; *geen ~en alsjeblieft!* none of your games!; *~en maken* perform feats; *je moet hier geen ~en uithalen!* none of your tricks here!; *zijn ~en vertonen* show what one can do; *hij verstaat de ~ om...* he knows how to..., he has a knack of ...ing; *dat is geen ~* that's not difficult; *dat is nu juist de ~* that's the art of it; *met ~ en vliegwerk* by hook or by crook.

kunstarm ['kŭnstarm] *m* artificial arm.

kunstbeen [-be.n] *o* artificial leg.

kunstbloem [-blu.m] *v* artificial flower.

kunstboek [-bu.k] *o* art book.

kunstboter [-bo.tər] *v* margarine.

kunstbroeder [-bru.dər] *m* fellow-artist.

kunstcriticus [-kri.ti.kŭs] *m* art critic.

kunstdraaier [-dra.jər] *m* (ivory-)turner.

kunstdrukpapier [-drŭkpa.pi:r] *o* art paper.

kunsteloos [-kŭnstəlo.s] *aj* (& *ad*) artless(ly).

kunstenaar [-na:r] *m* artist.

kunstenaarschap [-sxap] *o* artistry.

kunstenares [kŭnstəna:'rɛs] *v* artist.

kunstenmaker ['kŭnstə(n)ma.kər] *m* acrobat; (goochelaar) juggler.

kunstgebit ['kŭnstgəbɪt] *o* set of artificial teeth, denture.

kunstgenootschap [-no.tsxap] *o* art society.

kunstgenot [-not] *o* artistic pleasure.

kunstgeschiedenis [-sxi.dənɪs] *v* history of art, art history.

kunstgevoel [-vu.l] *o* artistic feeling.

kunstgewrocht [-vrɔxt] *o* product (work) of art.

kunstgreep ['kŭnstgre.p] *m* artifice, trick, knack.

kunsthandel [-handəl] *m* I fine-art repository. picture-shop, print-(seller's) shop; 2 dealing in works of art, art trade.

kunsthandelaar [-handəla:r] *m* art dealer.

kunsthars [-hars] *o* & *m* synthetic resin.

kunsthistoricus [-hɪsto:ri.kŭs] *m* art historian, historian of art.

kunsthistorisch [-hɪsto:ri.s] of art history, [a work] on art history, art-historical [studies].

kunstig ['kŭnstəx] *aj* (& *ad*) ingenious(ly).

kunstigheid [-hɛit] *v* ingeniousness.

kunstijsbaan ['kŭnstɛisba.n] *v* (ice) rink.

kunstje ['kŭnʃə] *o* trick, knack, dodge; *~s met de kaart* card-tricks.

kunstkabinet ['kŭnstka.bi.nɛt] *o* art gallery.

kunstkenner [-kɛnər] *m* connoisseur.

kunstkoper [-ko.pər] *m* art dealer.

kunstkritiek [-kri.ti.k] *v* art criticism.

kunstle(d)er [-le:r, -le.dər] *o* artificial leather.

kunstlicht [-lɪxt] *o* artificial light.

kunstliefhebber [-li.fhɛbər] *m* lover of art (of the arts), art-lover.

kunstlievend [kŭnst'li.vənt] art-loving; *~e leden van een vereniging* paying members.

kunstmaan ['kŭnstma.n] *v* earth satellite.

kunstmatig [kŭnst'ma.təx] *aj* (& *ad*) artificial-(ly).

kunstmest ['kŭnstmɛst] *m* artificial manure, fertilizer.

kunstmeststof [-mɛstəf] *v* (artificial) fertilizer.

kunstmiddel [-mɪdəl] *o* artificial means.

kunstminnend [kŭnst'mɪnənt] art-loving.

kunstnijverheid ['kŭnstneivərhɛit, kŭnst'neivərhɛit] *v* industrial arts, arts and crafts.

kunstoog ['kŭnsto.x] *o* artificial eye.

kunstproduct zie *kunstprodukt.*

kunstprodukt [-pro.dŭkt] *o* art product, work of art.

kunstrechter [-rɛxtər] *m* art critic.
kunstregel [-re.ɣəl] *m* rule of art.
kunstrijden [-rɛi(d)ə(n)] *o* in: ~ *op de schaats* figure-skating.
kunstrijder [-rɛi(d)ər] *m* 1 (te paard) equestrian, circus-rider, performer; 2 (op schaatsen) figure-skater.
kunstrubber [-rŭbər] *m* & *o* synthetic rubber.
kunstschatten [-sxɑtə(n)] *mv* art treasures.
kunstschilder [-sxɪldər] *m* painter, artist.
kunststof [ˈkŭnstɔf] *v* synthetic.
kunststuk [-stŭk] *o* tour de force, feat, performance.
kunsttand [ˈkŭnstɑnt] *m* artificial tooth.
kunstterm [-tɛrm] *m* technical term.
kunstvaardig [kŭnstˈfaːrdəx] *aj* (& *ad*) skilful(ly).
kunstvaardigheid [-hɛit] *v* skill. [ful(ly).
kunstveiling [ˈkŭnstfɛilɪŋ] *v* art sale.
kunstverlichting [-fərlɪxtɪŋ] *v* artificial lighting.
kunstverzameling [-fərzaːməlɪŋ] *v* art collection.
kunstvezel [-fe.zəl] *v* man-made fibre, synthetic fibre.
kunstvliegen [-fli.ɣə(n)] I *vi* ✈ stunt; II *o* ✈ stunt-flying.
kunstvlieger [-fli.ɣər] *m* ✈ stunter.
kunstvlucht [-flŭxt] *v* ✈ stunt.
kunstvoorwerp [-foːrʋɛrp] *o* object of art.
kunstvorm [-fɔrm] *m* form of art, art form.
kunstwaarde [-vaːrdə] *v* artistic value.
kunstwerk [-vɛrk] *o* work of art.
kunstwol [-vɔl] *v* artificial wool; shoddy.
kunstzij(de) [-sɛi(də)] *v* artificial silk, rayon.
kunstzin [-sɪn] *m* artistic sense.
kunstzinnig [kŭnstˈsɪnəx] artistic
kunstzinnigheid [-hɛit] *v* artistry.
kuras [ky:ˈras] *o* ✖ cuirass.
kurassier [-raˈsi:r] *m* ✖ cuirassier.
kuratele zie *curatele*.
kurieus zie *curieus*.
kuriositeit zie *curiositeit*.
1 kurk [kŭrk] *o* & *m* (stofnaam) cork.
2 kurk [kŭrk] *v* (voorwerp) cork.
kurkachtig [ˈkŭrkɑxtəx] corky.
kurkboom [-bo.m] *m* cork-tree.
kurkdroog [-dro.x] bone-dry.
kurkeik [-ɛik] *m* cork-oak.
1 kurken [ˈkŭrkə(n)] *vt* cork.
2 kurken [ˈkŭrkə(n)] *aj* cork.
kurketrekker [-kətrɛkər] *m* corkscrew; ~s F corkscrew curls.
kurs- zie *curs-*.
kus [kŭs] *m* kiss.
kushandje [ˈkŭshɑnɕə] *o* in: *een* ~ *geven* kiss one's hand to, blow a kiss to.
1 kussen [ˈkŭsə(n)] *vt* kiss.
2 kussen [ˈkŭsə(n)] *o* cushion; (beddekussen) pillow; *op het* ~ *blijven* remain in office; *op 't* ~ *komen* come into office; *op 't* ~ *zitten* be in office.
kussensloop [-slo.p] *v* & *o* pillow-case, pillow-slip.

1 kust [kŭst] *v* coast, shore.
2 kust [kŭst] *te* ~ *en te keur* in plenty, of every description.
kustbatterij [ˈkŭstbɑtərɛi] *v* ✖ coastal battery, shore battery.
kustbewoner [-bəʋo.nər] *m* inhabitant of the coast.
kustboot [-bo.t] *m* & *v* ⚓ coasting-vessel, coaster.
kuster [ˈkŭstər] *m* ⚓ coaster.
kustgebied [ˈkŭstɣəbi.t] *o* littoral, coastal region.
kustlicht [-lɪxt] *o* coast-light.
kustlijn [-lɛin] *v* coast-line.
kustplaats [-pla.ts] *v* coast town.
kuststreek [-stre.k] *v* coastal region.
kuststrook [-stro.k] *v* coastal strip.
kustvaarder [-fa:rdər] *m* ⚓ coasting-vessel, coaster.
kustvaart [-fa:rt] *v* ⚓ coasting trade, coastwise trade.
kustverlichting [-fərlɪxtɪŋ] *v de* ~ the coast-lights.
kustvisser [-fɪsər] *m* inshore fisherman.
kustvisserij [kŭstfɪsəˈrɛi] *v* inshore fishery.
kustvlakte [ˈkŭstflɑktə] *v* coastal plain.
kustwacht [-vɑxt] *v* coast-guard.
kustwachter [-vɑxtər] *m* coast-guard(sman).
kustwateren [-va.tərə(n)] *mv* coastal waters.
kuur [ky:r] *v* 1 whim, freak, caprice; 2 ⚕ cure; *een* ~ *doen* (*volgen*) take a cure; take a course of waters.
kw = *kilowatt*.
kwaad [kva.t] I *aj* 1 (slecht) bad, ill, evil; 2 (boos) angry; *dat is* (*lang*) *niet* ~ that is not (half) bad; *het te* ~ *krijgen* feel queer, be on the point of breaking down or fainting; *het te* ~ *krijgen met...* get into trouble with [the police &]; *zich* ~ *maken,* ~ *worden* become (get) angry, fly into a passion; ~ *zijn op iemand* be angry with a person; II *ad* in: *het niet* ~ *hebben* not be badly off; *zij ziet er niet* ~ *uit* she is not bad to look at; III *o* 1 (wat slecht is) wrong, evil; 2 (nadeel, letsel) harm, wrong, injury; *een noodzakelijk* ~ a necessary evil; ~ *brouwen* brew mischief; ~ *doen* do wrong; *niemand zal u* ~ *doen* nobody will harm you; *het heeft zijn goede naam veel* ~ *gedaan* it has done his reputation much harm; *dat kan geen* ~ there is no harm in that; *ten kwade beïnvloed* influenced for evil; zie ook: *duiden; van* ~ *tot erger vervallen* go from bad to worse; *van twee kwaden moet men het minste kiezen* of two evils choose the lesser.
K. v. K. [ka.mərvɑnˈko.phɑndəl] = *Kamer van Koophandel* Chamber of Commerce.
kwaadaardig [kva.ˈda:rdəx] 1 ill-natured, malicious [people, reports]; 2 malignant [growth, tumour], virulent [diseases].
kwaadaardigheid [-hɛit] *v* 1 malice, ill-nature; 2 malignancy, virulence.

kwaaddoener ['kva.du.nər] *m* malefactor.

kwaadheid ['kva.theit] *v* anger.

kwaadschiks [-sxɪks] unwillingly; zie ook: *goedschiks*.

kwaadspreekster [-spre.kstər] *v* zie *kwaadspreker*.

kwaadspreken [-spre.kə(n)] *vi* talk scandal; ~ *van* speak ill of, slander.

kwaadsprekend [-kənt] slanderous, backbiting.

kwaadspreker [-kər] *m* backbiter, slanderer, scandal-monger.

kwaadsprekerij [kva.tspre.kə'rɛi] *v* backbiting, slander(ing), scandal.

kwaadwillig [-'vɪləx] malevolent, ill-disposed.

kwaadwilligheid [-heit] *v* malevolence.

kwaal [kva.l] *v* complaint, disease, evil, ill.

kwab [kvap] *v* lobe; dewlap [of cow].

kwabaal ['kvapa.l] *m* 🐟 burbot.

kwabbe ['kvabə] = *kwab*.

kwabbig [-bəx] flabby [cheeks].

kwadraat [kva.'dra.t] I *o* square; 2 *duim in het* ~ 2 inches square; *een ezel in het* ~ a downright ass; II *aj* square.

kwadraatgetal [-gətal] *o* square number.

kwadrant [kva.'drant] *o* quadrant.

kwadratuur [kva.dra.'ty:r] *v* quadrature; *de* ~ *van de cirkel* the squaring of the circle.

kwajongen [kva.'jòŋə(n)] *m* mischievous (naughty) boy.

kwajongensachtig [-'jòŋənsaxtəx] boyish, mischievous.

kwajongensstreek [kva.'jòŋə(n)stre.k] *m & v* monkey-trick.

kwak [kvak] I *ij* flop!; II *m* 1 (geluid) flop, thud; 2 (hoeveelheid) dab [of soap &].

kwaken ['kva.kə(n)] *vi* quack[^2]; croak [of frogs].

kwaker ['kva.kər] *m* Quaker.

kwakkel ['kvakəl] *m & v* 🐦 quail.

kwakkelen ['kvakələ(n)] *vi* be ailing.

kwakkelwinter ['kvakəlvɪntər] *m* lingering "off-and-on" winter.

kwakken ['kvakə(n)] I *vt* dump, plump, flop, dash (down); II *vi* bump.

kwakzalver ['kvaksalvər] *m* quack (doctor); *fig* charlatan.

kwakzalverachtig [-axtəx] quackish.

kwakzalverij [kvaksalvə'rɛi] *v* quackery; charlatanry.

kwakzalversmiddel ['kvaksalvərsmɪdəl] *o* quack medicine.

kwal [kval] *v* jelly-fish; *een* ~ *van een vent* P a rotter.

kwalificatie [kva.li.fi.'ka.(t)si.] *v* qualification.

kwalificeren [-'se:rə(n)] *vt* qualify.

kwalifikatie zie *kwalificatie*.

kwalijk ['kva.lək] I *aj* bad [joke], ill [effects], evil [consequences], ugly [business]; II *ad* 1 ill, amiss; 2 hardly, scarcely; *iets* ~ *nemen* take it amiss, take it in bad part; *neem me niet* ~ (I) beg (your) pardon; excuse me; sorry!; *neem het hem niet* ~ don't take it ill of

him; *ik kan 't hem niet* ~ *nemen* I cannot blame him; *dat zou ik u* ~ *kunnen zeggen* I could hardly tell you; ~ *riekend* evil-smelling; ~ *verborgen* ill-concealed.

kwalijkgezind [-gə'zɪnt] 1 evil-minded; 2 ill-disposed.

kwalitatief [kva.li.ta.'ti.f] *aj* (& *ad*) qualitative(ly).

kwaliteit [-'tɛit] *v* 1 quality, capacity; 2 $ quality, grade.

kwansuis [kvan'sœys] for the look of the thing; *hij kwam* ~ *eens kijken* for form's sake; *hij deed* ~ *of hij mij niet zag* he pretended (feigned) not to see me.

kwant [kvant] *m* blade, fellow, chap.

kwantitatief [kvanti.ta.'ti.f] *aj* (& *ad*) quantitative(ly).

kwantiteit [-'tɛit] *v* quantity.

kwantum zie *quantum*.

kwart [kvart] 1 *o* fourth (part), quarter; 2 *v* ♪ (noot) crotchet; (interval) fourth; ~ *over vieren* a quarter past four; ~ *voor vieren* a quarter to four.

kwartaal [kvar'ta.l] *o* quarter (of a year), three months; *per* ~ quarterly.

kwartaalstaat [-sta.t] *m* quarterly list.

kwarteeuw ['kvarte:u] *v* quarter of a century, quarter-century.

kwartel ['kvartəl] *m & v* 🐦 quail.

kwartelkoning [-ko.nɪŋ] *m* 🐦 landrail, corncrake.

kwartet [kvar'tɛt] *o* ♪ quartet(te).

kwartfinale ['kvartfi.na.lə] *v sp* quarter-final.

kwartier [kvar'ti:r] *o* quarter (of an hour, of the moon, of a town); *geen* ~ *geven* give (grant) no quarter.

kwartiermaker [-ma.kər] *m* ⚔ quartermaster.

kwartiermeester [-me.stər] *m* ⚔ & ⚓ quartermaster; ~-*generaal* ⚔ quartermaster-general.

kwartiermuts [-mũts] *v* ⚔ forage-cap.

kwartje ['kvarcə] *o* quarter of a guilder.

kwartjesvinder [-cəsfɪndər] *m* S sharper.

kwartnoot ['kvartno.t] *v* ♪ crotchet.

kwarto ['kvarto.] *o* quarto; *in* ~ in quarto, [4to.

kwarts ['kvarts] *o* quartz.

kwartslag ['kvartslax] *m* quarter turn.

kwartslamp ['kvartslamp] *v* quartz lamp.

kwasi zie *quasi*.

1 kwast [kvast] *m* F lemon-squash [a drink].

2 kwast [kvast] *m* 1 brush [of a painter]; [dish] mop; tassel [of a curtain, cushion]; 2 knot [in wood]; 3 *fig* coxcomb, fop, fool.

kwasterig ['kvastərəx] *aj* (& *ad*) foppish(ly), coxcombical(ly).

kwasterigheid [-heit] *v* foppery, coxcombry.

kwastig ['kvastəx] knotty, gnarled.

kwatertemperdag zie *quatertemperdag*.

kwatrijn [kva.'trein] *o* quatrain.

kwebbel ['kvebəl] *v* F chatterbox.

kwebbelen [-bələ(n)] *vi* F chatter.

kwee [kve.] *v* ~ **kweeappel** ['kve.apəl] *m* 🌿 quince.

1 **kweek** [kʋe.k] *v* ⚇ couch-grass.
2 **kweek** [kʋe.k] *m* culture.
kweekbed ['kʋe.kbɛt] *o* seed-bed.
kweekgras [-grɑs] *o* ⚇ couch-grass.
kweekplaats [-pla.ts] *v* nursery².
kweekschool [-sxo.l] *v* training-college (for teachers), (teachers') seminary; *fig* nursery.
kweepeer ['kʋe.pe:r] *v* ⚇ quince.
kwekeling ['kʋe.kəliŋ] *m* -e [-ə] *v* 1 pupil; 2 ⚲ pupil-teacher.
kweken [-kə(n)] *vt* grow, cultivate² [plants], raise [vegetables]; *fig* foster, breed [discontent]; *gekweekte champignons* cultivated mushrooms; *gekweekte rente* accrued interest.
kweker [-kər] *m* grower; nurseryman.
kwekerij [kʋe.kə'rɛi] *v* nursery.
kwelder ['kʋɛldər] *v* land on the outside of a dike.
kwelduivel ['kʋɛldœyvəl] *m* zie *kweller*.
kwelen ['kʋe.lə(n)] *vi* & *vt* warble, carol.
kwelgeest ['kʋɛlge.st] *m* zie *kweller*.
kwellen ['kʋɛlə(n)] I *vt* vex, tease, torment, plague, trouble; II *vr zich* ~ torment oneself.
kweller [-lər] *m* tormentor, teaser.
kwelling [-liŋ] *v* vexation (of spirit), torment, trouble.
kwelwater ['kʋɛlʋa.tər] *o* seeping water.
kwerulant zie *querulant*.
kwestie ['kʋɛsti.] *v* question, matter; *een* ~ *van smaak* a matter of taste; *een* ~ *van tijd* a question of time; *zij hebben* ~ they have a quarrel; *geen* ~ *van!* that's out of the question!; *buiten de* ~ outside the question; *buiten* ~ beyond (without) question; *de zaak in* ~ the matter in question; the point at issue.
kwestieus [kʋɛsti.'ø.s] doubtful, questionable.
kwets [kʋɛts] *v* ⚇ damson.
kwetsbaar ['kʋɛtsba:r] vulnerable.
kwetsbaarheid [-hɛit] *v* vulnerability.
kwetsen ['kʋɛtsə(n)] *vt* injure², wound², hurt², *fig* offend.
kwetsing [-siŋ] *v* hurt², injury².
kwetsuur [kʋɛt'sy:r] *v* injury, wound, hurt.
kwetteren ['kʋɛtərə(n)] *vi* 1 twitter; 2 (v. personoon) chatter.
kwezel ['kʋe.zəl] *v* sanctimonious person.
kwezelaar [-zəla:r] *m* sanctimonious person.
kwezelachtig [-zəlɑxtəx] santimonious.
kwezelarij [kʋe.zəla:'rɛi] *v* sanctimoniousness.
kwezelen ['kʋe.zələ(n)] *vi* be sanctimonious.
kwibus ['kʋi.bŭs] *m* coxcomb, fool, prig, fop.
kwiek [kʋi.k] F lively, bright, sprightly, spry.
kwijl [kʋɛil] *v* & *o* slaver, slobber.
kwijlen ['kʋɛilə(n)] *vi* slaver, slobber, drivel, dribble.
kwijnen ['kʋɛinə(n)] *vi* 1 languish², pine [of persons]; wither, droop [of flowers &]; 2 *fig* flag [of a conversation].
kwijt [kʋɛit] in: *ik ben het* ~ 1 I have lost it; 2 I am rid of it; 3 it has slipped my memory;

die zijn we lekker ~ he is (that is) a good riddance; *hij is zijn verstand* ~ he is off his head; ~ *raken* (*worden*) lose; get rid of.
kwijten ['kʋɛitə(n)] *vr* in: *zich* ~ *van* acquit oneself of [an obligation, a duty, a task], discharge [a responsibility, a debt].
kwijting [-tiŋ] *v* discharge.
kwijtschelden ['kʋɛitsxɛldə(n)] *vt* remit [punishment, a debt, a fine &]; *iemand het bedrag* ~ let a person off the payment of the amount; *voor ditmaal zal ik het u* ~ I will let you off for this once.
kwijtschelding [-diŋ] *v* remission [of sins, debts]; (free) pardon, amnesty.
kwik [kʋik] *o* mercury, quicksilver.
kwikbad ['kʋikbat] *o* mercurial bath.
kwikbak [-bak] *m* mercury trough.
kwikbarometer [-baro.me.tər] *m* mercurial barometer.
kwikkolom ['kʋiko.lòm] *v* mercurial column.
kwiklamp ['kʋiklamp] *v* mercury lamp.
kwikmijn [-mɛin] *v* quicksilver mine.
kwikoxyde [-ɔksi.də] *o* oxide of mercury.
kwikstaart [-sta:rt] *m* ⚲ wagtail.
kwiktermometer zie *kwikthermometer*.
kwikthermometer [-tɛrmo.me.tər] *m* mercurial thermometer.
kwikvergiftiging [-fərgiftəgiŋ] *v* mercurial poisoning.
kwikzilver [-silvər] *o* mercury, quicksilver.
kwikzilverachtig [-axtəx] mercurial².
kwinkeleren [kʋiŋkə'le:rə(n)] *vi* warble, carol.
kwinkslag ['kʋiŋkslax] *m* witticism, quip, jest, joke.
kwint [kʋint] *v* ♪ fifth.
kwintaal [kʋin'ta.l] *o* 1 quintal [100 kilograms]; hundredweight [100 or 112 lb.].
kwintessens ['kʋintɛsɛns] *v* quintessence.
kwintet [kʋin'tɛt] *o* ♪ quintet(te).
kwispedoor [kʋispə'do:r] *o* & *m* spittoon.
kwispel(staart)en ['kʋispəl(sta:rt)ə(n)] *vi* wag the tail.
kwistig ['kʋistəx] *aj* (& *ad*) lavish(ly), liberal(ly); ~ *met* lavish of [money]; liberal in [bestowing titles].
kwistigheid [-hɛit] *v* lavishness, prodigality, liberality.
kwitantie [kʋi.'tɑn(t)si.] *v* receipt.
kwitantieboekje [-bu.kjə] *o* book of receipts.
kwiteren [kʋi.'te:rə(n)] *vt* receipt.
kwotum zie *quotum*.
kwu = *kilowattuur*.

L

l [ɛl] *v* l.
1 **la** [la.] *v* ♪ la.
2 **la** [la.] *v* = *lade*.
laadbak ['la.tbak] *m* ⚙ body, platform.
laadboom [-bo.m] *m* ⚓ derrick.

laadkist [-kɪst] v (freight) container.
laadruim [-rœym] o cargo-hold.
laadruimte [-rœymtə] v ⚓ cargo-capacity, tonnage.
laadstation [-sta.ʃɔ̀n] o ⛽ filling station.
laadsteiger [-stɛigər] m loading-berth.
laadstok [-stɔk] m ✗ ramrod, rammer.
laadvermogen [-fərmo.gə(n)] o carrying-capacity.

1 **laag** [la.x] I aj low²; fig base, mean; lage druk low pressure; II ad [sing, fly] low; fig basely, meanly; ~ denken van think meanly of; ~ neerzien op look down upon; ~ vallen fall low²; fig sink low; zie ook: 1 lager.

2 **laag** [la.x] v 1 (dikte) layer, § stratum [mv strata], bed; course [of bricks]; coat [of paint]; 2 (hinderlaag) ambush, snare; de vijand de volle ~ geven give the enemy a broadside; iemand de volle ~ geven let one have it; iemand lagen leggen lay snares for one, set traps for one.

laag-bij-de-gronds [-bɛidə'grònts] pedestrian.
laagdekker ['la.xdɛkər] m ✈ low-wing monoplane.
laagfrekwent zie laagfrequent.
laagfrequent [-fre.kvɛnt] low-frequency.
laaghartig [la.x'hartəx] aj (& ad) base(ly), vile(ly), mean(ly).
laagheid ['la.xhɛit] v 1 lowness; 2 fig baseness, meanness; laagheden, mean things.
laagland [-lɑnt] o lowland.
laagspanning [-spɑnɪŋ] v ⚡ low tension.
laagspannings... [-nɪŋs] ⚡ low-tension...
laagte [la.xtə] v lowness; in de ~ down below.
laagtij [-tɛi] o low tide.
laagveen [la.x'fe.n] o bog.
laagvlakte ['la.xflɑktə] v low-lying plain.
laagwater [la.x'va.tər] o low tide; bij ~ at low tide.
laai(e) [la.i, 'la.jə] in: in lichte(r) ~ in a blaze, ablaze.
laakbaar ['la.kba:r] condemnable, blamable, blameworthy, censurable, reprehensible.
laakbaarheid [-hɛit] v blamableness &.
laan [la.n] v avenue; iemand de ~ uitsturen F send one about his business, send one packing.
laantje ['la.ncə] o alley. [ing.
laars [la.rs] v boot; halve ~ half-boot; hoge ~ jackboot.
laarzeknecht ['la.rzəknɛxt] m bootjack, jack.
laarzenmaker ['la.rzə(n)ma.kər] m bootmaker.
laat [la.t] I aj late; hoe ~? what time?, at what o'clock; hoe ~ is het? what's the time?, what time is it?, what o'clock is it?; is 't zo ~? F so that's the time of day!, that's your little game!; is het weer zo ~? are you (is he) at it again?; hoe ~ heb je het? what time do you make it?; op de late avond late in the evening; de trein is een uur te ~ the train is an hour late (overdue); II ad late; u komt te ~ 1 you are late [I expected you at noon]; 2 you are too late [to be of any help]; tot ~ in de nacht to a late hour; ~ op de dag late in the day; beter ~ dan nooit better late than never.
laatbloeiend ['la.tblu.jənt] 🌸 late-flowering.
laatdunkend [la.'dűŋkənt] self-conceited, overweening, overbearing, arrogant.
laatdunkendheid [-hɛit] v self-conceit, arrogance.
laatje ['la.cə] o (little) drawer; aan het ~ zitten F handle the cash; dat brengt geld in het ~ it brings in money.
laatst [la.tst] I aj 1 last, final; 2 (jongst) latest, (most) recent; 3 (van twee) latter [part of May]; het ~e artikel 1 the last article [in this review]; 2 the last-named article [is sold out]; zijn ~e artikel I his latest [most recent] article; 2 his last article [before his death]; in de ~e jaren of late (of recent) years; de ~e (paar) maanden the last few months; de ~e drie weken these three weeks; II sb in: de ~e the last-named, the latter; dit ~e this last, the latter [is always a matter of difficulty]; de ~en zullen de eersten zijn B the last shall be first; op het ~ at last, finally; op zijn ~ at (the) latest; ten (langen) ~e at last; tot het ~ to (till) the last; III ad lately, the other day; ~ op een middag the other afternoon.
laatstelijk ['la.tstələk] last, lastly, finally.
laatstgeboren ['la.tstgəbo:rə(n)] last-born.
laatstgenoemd [-gənu.mt] aj last-named, latter; ~e the latter.
laatstleden [-le.də(n)] zie jongstleden.
labberdaan [lɑbər'da.n] m salt cod.
label ['le.bəl] m label.
labiel [la.'bi.l] unstable.
laborant [la.bo.'rɑnt] m laboratory worker.
laboratorium [-ra.'to:ri.űm] o laboratory.
laboreren ['re:rə(n)] vi labour (under aan).
Labrador ['la.bra.dɔr] o Labrador.
labyrint [la.bi:'rɪnt] o labyrinth, maze.
lach [lɑx] m laugh, laughter; in een ~ schieten burst out laughing, laugh outright.
lachbek ['lɑxbɛk] = lachebek.
lachbui [-bœy] v fit of laughter.
lachebek ['lɑgəbɛk] m in: zij is een ~ she laughs very easily.
lachen ['lɑgə(n)] I vi laugh; in zich zelf ~ laugh to oneself; ~ o m iets laugh at (over) a thing; ik moet om je ~ you make me laugh; ik moet erom ~ it makes me laugh; tegen iemand ~ smile at a person; het is niet om te ~ it is no laughing matter; ik kon niet spreken van het ~ I could hardly speak for laughing; hij lachte als een boer die kiespijn heeft he laughed on the wrong side of his mouth; wie het laatst lacht, lacht het best he laughs best who laughs last; II vt in: zich een aap (bochel, bult, kriek, ongeluk, puist, stuip, tranen, ziek) ~ split one's sides with laughing.
lachend [-gənt] I aj laughing, smiling; II ad laughing(ly), with a laugh.
lacher [-gər] m in: de ~s op zijn hand hebben (krijgen) have the laugh on one's side.

lachgas ['lɑɣɑs] *o* nitrous oxide, laughing-gas.
lachkramp ['lɑxkrɑmp] *v* convulsions of laughter.
lachlust [-lŭst] *m* inclination to laugh, risibility; *de ~ opwekken* provoke (raise) a laugh.
lachspier ['lɑxspi:r] *v* in: *op de ~en werken* provoke (raise) a laugh.
lachstuip [-stœyp] *v* convulsion of laughter.
lachwekkend [lɑx'vɛkənt] ludicrous, ridiculous, laughable.
laconiek [la.ko.'ni.k] *aj* (& *ad*) laconic(ally).
lacune [-'ky.nə] *v* vacancy, void, gap.
ladder ['lɑdər] *v* ladder.
ladderen ['lɑdərə(n)] *vi* ladder [of stocking].
lade ['la.də] *v* I drawer; till [of a shop-counter]; 2 stock [of a rifle].
laden ['la.də(n)] I *vt* I (wagen) load; 2 (schip) load, lade; 3 (vuurwapen) load, charge; 4 ⚡ charge; *de verantwoording op zich ~* undertake the responsibility; II *vi* & *va* load, take in cargo; *~ en lossen* load and discharge, discharge and load.
ladenlichter [-tər] *m* till-sneak.
lader [-dər] *m* loader.
lading [-dɪŋ] *v* I cargo; load [of a waggon]; 2 ✕ & ⚡ charge; *~ innemen* take in cargo, load; *het schip is in ~* the ship is (in) loading.
laf [lɑf] I *aj* I (flauw) insipid[2]; 2 (lafhartig) cowardly; II *ad* I insipidly[2]; 2 in a cowardly manner.
lafaard ['lafa:rt] *m* coward, poltroon.
lafbek [-bɛk] *m* I milksop, fool; 2 coward.
lafenis ['la.fənɪs] *v* refreshment, comfort, relief.
lafhartig [lɑf'hɑrtəx] zie *laf 2.*
lafhartigheid [-hɛit] *v* zie *lafheid 2.*
lafheid ['lɑfhɛit] *v* I insipidity[2]; 2 cowardice, cowardliness.
I **lager** ['la.ɣər] lower, inferior; *de ~e akte* the lower certificate; *een ~e ambtenaar* a minor official; zie ook: *onderwijs.*
2 **lager** ['la.ɣər] *o* ⚒ bearing(s).
lager(bier) [(-bi:r)] *o* lager beer, F lager.
Lagerhuis [-hœys] *o* Lower House, House of Commons.
lagune [la.'ɣy.nə] *v* lagoon.
lak [lɑk] *o* & *m* I (verf) lacquer; lac [produced by insect]; varnish [for the nails]; 2 (zegel~) sealing-wax; 3 (~zegel) seal; *het is allemaal ~ F* it's all humbug; *daar heb ik ~ aan!* P fat lot I care!; *ik heb ~ aan hem* he can go to the devil.
lakei [la.'kɛi] *m* footman, lackey, > flunkey.
I **laken** ['la.kə(n)] *vt* blame, censure.
2 **laken** ['la.kə(n)] *o* I (stof) cloth; 2 (v. bed) sheet; *dan krijg je van hetzelfde ~ een pak* you will be served with the same sauce; *hij deelt de ~s uit F* he runs (bosses) the show.
lakenfabriek [-fa.bri.k] *v* cloth manufactory.
lakenfabrikant [-fa.bri.kɑnt] *m* clothier, cloth manufacturer.
lakenhal(le) [-hɑl(ə)] *v* Cloth Hall.
lakenhandel -hɑndəl] *m* cloth trade.

lakenhandelaar [-hɑndəla:r] **~koper** [-ko.pər] *m* cloth merchant, clothier.
lakenpers [-pɛrs] *v* cloth-press.
lakens [-s] *aj* cloth.
lakenscheerder [-sxe:rdər] *m* cloth shearer.
lakenverver [-vɛrvər] *m* cloth dyer.
lakenvolder [-vòldər] **~voller** [-vòlər] *m* fuller.
lakenwever [-ve.vər] *m* cloth weaver.
lakenweverij [la.kə(n)ve.və'rɛi] *v* I cloth weaving; 2 cloth manufactory.
lakenwinkel ['la.kə(n)vɪŋkəl] *m* draper's(shop).
lakken ['lɑkə(n)] *vt* I seal [a letter &]; 2 lacquer, japan, varnish.
lakmoes ['lɑkmu.s] *o* litmus.
lakmoespapier [-pa.pi:r] *o* litmus paper.
lakoniek zie *laconiek.*
laks [lɑks] lax, slack, indolent.
lakschoen ['lɑksxu.n] *m* patent leather shoe.
laksheid ['lɑkshɛit] *v* laxness, laxity, slackness, indolence.
lakvernis ['lɑkfərnɪs] *o* & *m* lac varnish, lacquer.
lakwerk [-vɛrk] *o* I lacquer; 2 japanned goods, lacquered ware.
I **lam** [lɑm] *o* lamb; *Lam Gods,* Lamb of God.
2 **lam** [lɑm] *aj* I (verlamd) paralysed, paralytic; 2 (onaangenaam) tiresome, provoking; *what is dat ~,* (*een ~me boel, geschiedenis)!* how provoking!; *wat een ~me vent!* what a tiresome fellow!; *de handel ~ slaan* paralyse (cripple) trade; *iemand ~ slaan* beat one to a jelly; *dat is het ~me ervan* that is the mischief of it; *een ~me* a paralytic.
I **lama** ['la.ma.] *m* lama [priest].
2 **lama** ['la.ma.] *m* ⚏ llama, lama.
lambrekijn [lɑmbrə'kɛin] *m* lambrequin.
lambrizeren [-bri.'ze:rə(n)] *vt* wainscot, panel.
lambrizering [-rɪŋ] *v* wainscot(ing), panelling, dado.
lamenteren [la.mən'te:rə(n)] *vi* lament.
lamheid ['lɑmhɛit] *v* paralysis; *met ~ geslagen* paralysed.
lamlendig [lɑm'lɛndəx] I *aj* miserable; II *ad* miserably.
lammeling ['lɑməlɪŋ] *m* miserable fellow; *jij ~!* P (you) son of a gun!, blighter!
lammenadig [lɑmə'na.dəx] P I (futloos) weak, limp, spineless; 2 (niet wel) seedy; 3 (beroerd) wretched.
lammeren ['lɑmərə(n)] *vi* lamb.
lammergier [-mərɣi:r] *m* ⚏ lammergeyer.
lamoen [la.'mu.n] *o* (pair of) shafts, thill.
lamp [lɑmp] *v* lamp; ⚡ bulb; ⚡⚕ valve; *lelijk tegen de ~ lopen F* get into trouble, come to grief.
lampeglas ['lɑmpəɣlɑs] *o* lamp-chimney.
lampekap [-kɑp] *v* lamp-shade.
lampenist [lɑmpə'nɪst] *m* lamp-man.
lampepit ['lɑmpəpɪt] *v* lamp-wick.
lampetkan [lɑm'pɛtkɑn] *v* ewer, jug.
lampetkom [-kòm] *v* wash-basin, wash-hand basin.

lamphouder ['lɑmphəudər] *m* lamp-holder.
lampion [lɑmpi.'òn] *m* Chinese lantern.
lampist [-'pɪst] = *lampenist*.
lamplicht ['lɑmplɪxt] *o* lamplight.
lampolie [-o.li.] *v* lamp-oil.
lamprei [lɑm'prɛi] *v* 𝔖 lamprey.
lampzwart ['lɑmpsvɑrt] *o* lamp-black, smoke-black.
lamsbout ['lɑmsbəut] *m* leg of lamb.
lamskotelet [-ko.tələt] *v* lamb cutlet.
lamsvlees [-fle.s] *o* lamb.
lanceerinrichting [lɑn'se:rɪnrɪxtɪŋ] *v* launcher.
lanceerterrein [-tɛrɛin] *v* launching site.
lanceertoren [-to:rə(n)] *m* launching pad.
lanceren [lɑn'se:rə(n)] *vt* launch² [a missile, a torpedo, a new enterprise]; set afloat, float [an affair, a rumour]; start [a report].
lancering [-rɪŋ] *v* [missile, space] launching.
lancet [lɑn'sɛt] *o* lancet.
lancetvisje [-fɪʃə] *o* 𝔖 lancelet.
lancetvormig [-fɔrməx] lanceolate.
land [lɑnt] *o* 1 (tegenover zee) land; 2 (staat) country; nation; 3 (tegenover stad) country; 4 (akker) field; 5 (landbezit) estate; ~ *en volk* land and people; *het* ~ *van belofte* B the promised land; *de Lage Landen* the Low Countries; *een stuk* ~ a piece of ground; *een stukje* ~ an allotment; *het* ~ *hebben* S 1 be annoyed; 2 have a fit of the blues; *het* ~ *hebben aan iemand* S hate the fellow; *ik heb er het* ~ *over* S 1 I am hating myself for it; 2 I cannot stomach it; *het* ~ *krijgen* S become annoyed, get the hump; *het* ~ *krijgen aan iemand (iets)* S come to hate a person (a thing); *iemand het* ~ *op jagen* S give a person the hump, rile a person; *aan* ~ ashore, ook: on land; *aan* ~ *gaan* go ashore; *aan* ~ *komen* land, come ashore; *iemand aan* ~ *zetten* put one ashore; *de zomer is in het* ~ summer has come in; *naar* ~ to the shore; *op het* ~ *wonen* live in the country; *over* ~ by land, overland; *te* ~ *en te water* [transportation] by land and sea; *onze strijdkrachten te* ~ *en te water (ter zee)*, our land-forces and naval forces; *de strijdkrachten te* ~, *ter zee en in de lucht* the armed forces on land, at sea and in the air; *hier te* ~*e* in this country; *waar zal hij te* ~ *komen?* what is to become of him?; *een meisje van het* ~ a country lass.
landaanwinning ['lɑnta.nvɪnɪŋ] *v* reclamation of land, (land) reclamation.
landaard [-a:rt] *m* 1 national character; 2 nationality.
landadel [-a.dəl] *m* country nobility.
landarbeider [-ɑrbɛidər] *m* agricultural labourer (worker).
landauer ['lɑndəuər] *m* landau.
landaulet(te) [lɑndo.'lɛt(ə)] *v* landaulet(te).
landbouw ['lɑntbəu] *m* agriculture; *de kleine* ~ small farming.
landbouwbank [-bɑŋk] *v* rural bank.

landbouwbedrijf [-bədrɛif] *o* agriculture.
landbouwconsulent [-kònzy.lɛnt] *m* consulting agriculturist.
landbouwer [-ər] *m* farmer, agriculturist.
landbouwgereedschappen [-gərə.tsxɑpə(n)] *mv* agricultural implements.
landbouwkonsulent zie *landbouwconsulent*.
landbouwkrediet [-krədi.t] *o* agricultural credit.
landbouwkunde [-kŭndə] *v* agriculture, husbandry.
landbouwkundig [lɑntbɔu'kŭndəx] agricultural.
landbouwkundige [-dəgə] *m* agriculturist.
landbouwmachine ['lɑntbɔuma.ʃi.nə] *v* agricultural machine; ~*s* ook: farm(ing) machinery, agricultural machinery.
landbouwonderneming [-òndərne.mɪŋ] *v* agricultural enterprise.
landbouwonderwijs [-òndərvɛis] *o* agricultural education, agricultural instruction.
landbouwproducten zie *landbouwprodukten*.
landbouwprodukten [-pro.dŭktə(n)] *mv* agricultural produce (products), farm products (produce).
landbouwproefstation [-'pru.fsta.ʃòn] *o* agricultural experiment-station.
landbouwschool [-sxo.l] *v* agricultural college.
landbouwstreek [-stre.k] *v* agricultural district.
landbouwtentoonstelling [-tɛnto.nstɛlɪŋ] *v* agricultural show.
landbouwtractor, ~traktor [-trɑktər, -trɛktər] *m* agricultural tractor, farm tractor.
landbouwwerktuig [-vɛrktœyx] *o* agricultural implement, farming implement.
landbouwwerkzaamheden [-sa.mhe.də(n)] *mv* work in the fields.
landdag ['lɑndɑx] *m* diet; *de Poolse* ~ the Polish Diet; *een Poolse* ~ a regular bear-garden [*fig*].
landedelman ['lɑnte.dəlmɑn] *m* country gentleman, squire.
landeigenaar [-ɛigəna:r] *m* landed proprietor.
landelijk ['lɑndələk] 1 (v. h. platteland) rustic, rural, country...; 2 (v. h. gehele land) national.
landelijkheid [-hɛit] *v* rusticity. [land.
landen ['lɑndə(n)] I *vt* land, disembark; II *vi* **landengte** ['lɑntɛntə] *v* isthmus.
land- en volkenkunde [lɑntɛn'vɔlkə(n)kŭndə] *v* geography and ethnography.
landenwedstrijd ['lɑndə(n)vɛtstrɛit] *m* international contest.
land- en zeemacht [lɑntɛn'ze .mɑxt] *v* Army and Navy.
landerig ['lɑndərəx] F in the blues, blue.
landerigheid [-hɛit] *v* F blue devils, the blues.
landerijen [lɑndə'rɛiə(n)] *mv* landed estates.
landgenoot ['lɑntgəno.t] *m* (fellow-)countryman, compatriot.
landgenote [-gəno.tə] *v* (fellow-)countrywoman.
landgoed ['lɑntgu.t] *o* country-seat, estate, manor.

landgrens [-grɛns] *v* land-frontier.
landheer [-he:r] *m* landlord, lord of the manor.
landhonger [-hòŋər] *m* land-hunger.
landhoofd [-ho.ft] *o* abutment.
landhuis [-hœys] *o* country-house, villa, cottage.
landhuishoudkunde [lɑnt'hœyshɔutkŭndə] *v* rural economy.
landhuishoudkundige [lɑnthœyshɔut'kŭndəgə] *m* rural economist.
landhuur ['lɑnthy:r] *v* land-rent.
landing ['lɑndıŋ] *v* 1 landing [of troops &]; 2 disembarkation [from ship]; ✈ landing, descent.
landingsbaan ['lɑndıŋsba.n] *v* ✈ runway.
landingsbrug [-brŭx] *v* 1 landing-stage; 2 gangway.
landingsgestel [-gɛstɛl] *o* ✈ (under-)carriage.
landingsplaats [-pla.ts] *v* landing-place.
landingsstrook ['lɑndıŋstro.k] *v* ✈ airstrip.
landingstroepen ['lɑndıŋstru.pə(n)] *mv* ⚔ landing-forces.
landingsvaartuig(en) [-fa:rtœyx, -tœygə(n)] *o* (*mv*) ⚓ landing-craft.
landjonker ['lɑntjòŋkər] *m* (country-)squire.
landkaart [-ka:rt] *v* map.
landklimaat [-kli.ma.t] *o* continental climate.
landkrab [-krɑp] *v* 1 ♋ land-crab; 2 S zie *landrat* 2.
landleger [-le.gər] *o* ⚔ land-forces.
landleven [-le.və(n)] *o* country-life.
landloper [-lo.pər] *m* vagabond, vagrant, tramp.
landloperij [lɑntlo.pə'rɛi] *v* vagabond. ⳩⳩, vagrancy, tramping.
landmacht ['lɑntmɑxt] *v* ⚔ land-forces; *de ~ ook:* the Army.
landman [-mɑn] *m* countryman; (landbouwer) farmer.
landmeten [-me.tə(n)] *o* surveying.
landmeter [-me.tər] *m* surveyor.
landmijn [-mɛin] *v* ⚔ land-mine.
landouw [lɑn'dɔu] *v* field, region.
landpaal ['lɑntpa.l] *m* boundary mark.
landraad [-ra.t] *m* ⳝ district joint court.
landrat [-rɑt] *v* 1 ♋ land-rat; 2 *fig* landlubber.
landreis [-rɛis] *v* journey (by land).
landrente [-rɛntə] *v* land-revenue.
landrot [-rɔt] = *landrat*.
landschap [-sxɑp] *o* landscape.
landschapschilder [-sxɪldər] *m* landscape painter, landscapist.
landschapschilderkunst [-kŭnst] *v* landscape painting.
landschildpad ['lɑntsxɪltpɑt] *v* land tortoise.
landsdienaar ['lɑntsdi.na.r] *m* public servant.
landsdrukkerij [lɑntsdrŭkə'rɛi] *v* government printing-office, H. M. Stationery Office.
landsheer ['lɑntshe:r] *m* sovereign lord, monarch.
landsknecht [-knɛxt] *m* ⳝ lansquenet.
landsman [-mɑn] *m* (fellow-)countryman.
landstaal [-ta.l] *v* vernacular (language).

landstorm ['lɑntstɔrm] *m* ⚔ "landsturm".
landstormer [-stɔrmər] *m* ⚔ soldier of the "landsturm".
landstreek [-stre.k] *v* region, district, quarter.
landstrijdkrachten [-strɛitkrɑxtə(n)] *mv* ⚔ land-forces.
landsverdediging ['lɑntsfərde.dəgıŋ] *v* 1 defence of the country, national defence; 2 *de ~* the land defences.
landsvrouwe [-frɔuə] *v* sovereign lady.
landtong ['lɑntòŋ] *v* spit of land.
landverhuizer ['lɑntfərhœyzər] *m* emigrant.
landverhuizing [-hœyzıŋ] *v* emigration.
landverraad ['lɑntfəra.t] *o* high treason.
landverrader [-ra.dər] *m* traitor to one's country.
landverraderlijk [lɑntfə'ra.dərlək] treasonable.
landvliegtuig ['lɑntfli.xtœyx] *o* ✈ land-plane.
landvolk [-fòlk] *o* countrypeople.
landvoogd [-fo.xt] *m* governor (of a country).
landvoogdes [lɑntfo.g'dɛs] *v* governess (of a country).
landwaarts ['lɑntva:rts] landward(s); *meer ~* more inland.
landweer [-ve:r] *v* ⚔ territorial army.
landweg [-vɛx] *m* 1 (door een land) country-road, rural road, (country-)lane; 2 (over land en niet over zee) overland route.
landwijn [-vɛin] *m* country wine, wine of the country.
landwind [-vɪnt] *m* land-wind, land-breeze.
landwinning [-vɪnıŋ] *v* zie *landaanwinning*.
landzij(de) [-sɛi(də)] *v* land-side.
lang [lɑŋ] I *aj* long; (v. gestalte) tall, high; *hij is 5 voet ~* he is five feet in height; *de tafel is 5 voet ~* the table is five feet in length; *~ en slank* tall and slim; *zo ~ als hij was viel hij* he fell at full length; *een ~ gezicht (zetten)* (pull) a long face; *hij is nogal ~ van stof* he is rather long-winded; *het is zo ~ als het breed is* it is as broad as it is long, it is six of one and half a dozen of the other; *~ worden* 1 (v. persoon) grow tall; 2 (v. dag) zie lengen; II *ad* long; *ik heb het hem ~ en breed verteld* I've told him the whole thing at great length; *hoe ~?* how long [am I to wait]?; *twee jaar ~* for two years; *zijn leven ~ al his life*; *ben je hier al ~?* have you been here long?, zie ook: 2 *al*; *dat is ~ niet slecht* not half bad; *~ niet sterk genoeg* not strong enough by a long way; *~ niet zo oud (als je zegt)* nothing like so old; *bij ~ niet zo...* not nearly so; *hoe ~er hoe beter* 1 the longer the better; 2 better and better; *hoe ~er hoe meer* more and more; *waarom heb je in zo ~ niet geschreven?* why have you not written me for so long?; *ik heb hem in ~ niet gezien* I've not seen him for a long time; *op zijn ~st* at (the) most; *sedert ~* for a long time.
langarmig ['lɑŋɑrməx, lɑŋ'ɑrməx] long-armed.
langbenig ['lɑŋbe.nəx, lɑŋ'be.nəx] long-legged, leggy.

langdradig [-'dra.dəx] long-winded, prolix.

langdradigheid [-hɛit] *v* long-windedness, prolixity.

langdurig [laŋ'dy:rəx] long [illness &], prolonged [applause], protracted; [connection, quarrel &] of long standing.

langdurigheid [-hɛit] *v* long duration, length.

lange-afstandsbommenwerper [laŋə'afstəntsbömə(n)vɛrpər] *m* ⚘ long-range bomber.

lange-afstandsloper [-lo.pər] *m sp* long-distance runner.

lange-afstandsrace [-re.s] *m sp* long-distance race.

lange-afstandsraket [-ra.kɛt] *v* long-range rocket.

langgerekt ['laŋgərɛkt, laŋgə'rɛkt] long-drawn (-out) [sound &]; protracted, lengthy [negotiations &].

langharig ['laŋha:rəx, laŋ'ha:rəx] long-haired.

langjarig ['laŋja:rəx] of many years' standing.

langoor ['laŋo:r] *m & m-v* F long-ear(s) [= ass & human being].

langpootmug [-po.tmʏx] *v* crane-fly, daddy-long-legs.

langs [laŋs] I *prep* along [the river]; past [the house]; by [this route]; II *ad hij ging* ~ he went past, he passed; *er van* ~ *geven* let one have it, give one what for; *er van* ~ *krijgen* catch it, get what for.

langslaper ['laŋsla.pər] *m* lie-abed.

langspeelplaat [-spe.lpla.t] *v* long-play(ing) record, F long player, L.P.

langstapelig [-sta.pələx] long-stapled.

langstlevende ['laŋstle.vəndə, laŋst'le.vəndə] *m-v* longest liver, survivor.

langszij(de) [laŋ'sɛi(də)] ⚓ alongside.

languit ['laŋœyt] (at) full length.

langverwacht [-vərvaxt] long-expected.

langwerpig [-'vɛrpəx] oblong; ~ *rond* oval.

langwerpigheid [-hɛit] *v* oblong form.

langwijlig [laŋ'vɛiləx] tedious, long-winded, prolix.

langzaam ['laŋza.m] I *aj* slow², tardy, lingering; ~ *maar zeker* slow and sure; II *ad* 1 slowly; 2 ⚓ easy [ahead, astern]; ~ *werkend vergif* slow poison; ~ *maar zeker* slowly but surely; ~ *aan!* easy!, steady!; ~ *aan dan breekt het lijntje niet* easy does it; ~*aan-actie* (-staking &) go-slow movement (strike &), F go-slow.

langzaamheid [-hɛit] *v* slowness, tardiness.

langzamerhand [laŋza.mər'hant] gradually, by degrees, little by little.

langzicht ['laŋzɪxt] *o* in: *wissel op* ~ $ long (-dated) bill.

lankmoedig [laŋk'mu.dəx] *v* long-suffering, patient.

lankmoedigheid [-hɛit] *v* long-suffering, patience.

lans [laŋs] *v* lance; *met gevelde* ~ lance in rest; *een* ~ *breken met* break a lance with; *een* ~ *breken voor* intercede for [a person]; advocate [measures &].

lansier [lan'si:r] *m* ⚔ lancer.

lansknecht ['lansknɛxt] = *landsknecht*.

lanssteek ['lanste.k] *m* lance-cut.

lantaarn [lan'ta:rən] *v* 1 (tot verlichting) lantern; 2 (v. fiets &) lamp; 3 (lichtkoepel) skylight.

lantaarnopsteker [- òpste.kər] *m* lamplighter.

lantaarnpaal [-pa.l] *m* lamp-post.

lantaarnplaatje [-pla.cə] *o* lantern-slide.

lantaren(-) = *lantaarn*(-).

lanterfanten ['lantərfantə(n)] *vi* idle, laze (about), loaf.

lanterfanter [-tər] *m* idler, loafer.

Lap [lap] *m* Lapp, Laplander.

lap [lap] *m* 1 piece [of woven material]; rag, tatter [of cloth, paper]; 2 (om te verstellen) patch; 3 (om te wrijven) cloth; 4 (overgebleven stuk goed) remnant; 5 (stuk) patch [of arable land]; slice [of meat]; 6 S (klap) lick, slap; box [on the ears]; 7 *sp* (baanronde) lap; *de leren* ~ the shammy (leather); *dat werkt op hem als een rode* ~ *op een stier* it is a red rag to him; *er een* ~ *op zetten* put a patch upon it, patch it; *de* ~*pen hangen erbij* it is in rags (in tatters).

lapel [la.'pɛl] *m* lapel.

lapje ['lapjə] *o* (small) patch &; ~*s* (vlees) collops; *iemand voor het* ~ *houden* F pull a person's leg.

Lapland [-lant] *o* Lapland. [Lapp.

Laplander [-landər] *m* Laplander, Lapponian,

Laplands [-lants] Lappish, Lapponian.

lapmiddel [-mɪdəl] *o* expedient, palliative.

lappen ['lapə(n)] *vt* 1 patch, piece; mend [clothes &]; 2 *sp* lap [a competitor]; *hij zal het hem wel* ~ F leave him alone, he'll do (manage) it; *wie heeft mij dat gelapt?* F who has played me that trick?; *dat lap ik aan mijn laars!* P fat lot I care!; *een waarschuwing aan zijn laars* ~ ignore a warning; *iemand er bij* ~ S cop a man; *hij heeft me er voor 100 gld. bijgelapt* S he has landed me for a hundred guilders; *alles er door* ~ F run through a fortune &.

lappendag [-dax] *m* remnant day.

lappendeken [-de.kə(n)] *v* patchwork quilt.

lappenmand [-mant] *v* remnant basket; *in de* ~ *zijn* F be laid up, be on the sick-list.

lapwerk ['lapvɛrk] *o* patchwork²; *fig* tinkering.

lardeerpriem [lar'de:rpri.m] *m* larding-pin.

lardeerspek [-spɛk] *o* lard.

larderen [lar'de:rə(n)] *vt* lard.

larf [larf] = *larve*.

larie ['la:ri.] *v* F nonsense, fudge; fiddlesticks!

lariks(boom) ['la:rɪks(bo.m)] *m* larch.

larve ['larvə] *v* larva [*mv* larvae], grub [of insects].

las [las] *v* ⚒ weld, joint, seam, scarf.

lasapparaat ['lasapa.ra.t] *o* ⚒ welder.

lassen ['lasə(n)] *vt* ⚒ weld [iron]; joint [a wire]; scarf [timber].

lasser [-sər] *m* ⚒ [electric] welder.
lasso [-so.] *m* lasso.
1 **last** [lɑst] *m* 1 (opgeladen vracht) load², burden²; 2 (zwaartedruk) load², burden², weight²; 3 (lading) load, ⚓ cargo; 4 (overlast) trouble, nuisance; 5 (bevel) order, command; ~*en* charges, rates and taxes; *baten en* ~*en* assets and liabilities; ~ *hebben van* be incommoded by [the neighbourhood of...]; be troubled with, suffer from [a complaint], be subject to [fits of dizziness]; ~ *veroorzaken* incommode, cause (give) trouble; *in* ~ *hebben om...* be charged to...; *op* ~ *van...* by order of...; *op zware* ~*en zitten* be heavily encumbered; *ten* ~*e komen van* (*de gemeente*) be chargeable to (the parish); *iemand iets ten* ~*e leggen* charge one with a thing, lay it to his charge; *iemand tot* ~ *zijn* 1 incommode a person; 2 be a burden on a person; *zich van een* ~ *kwijten* acquit oneself of a charge.
2 **last** [lɑst] *o* & *m* ⚓ last [= 2 tons].
lastbrief [ˈlɑstbri.f] *m* mandate.
lastdier [ˈlɑsdi:r] *o* beast of burden, pack-animal.
lastdrager [-dra.gər] *m* porter.
laster [ˈlɑstər] *m* slander, calumny, defamation.
lasteraar [-təra:r] *m* slanderer, calumniator, defamer.
lastercampagne [-tərkɑmpɑɲə] *v* campaign of calumny (of slander), F smear campaign.
lasteren [-rə(n)] *vt* slander, calumniate, defame; *God* ~ blaspheme (God).
lastering [-rɪŋ] *v* slander, calumny.
lasterlijk [ˈlɑstərlək] **I** *aj* 1 slanderous; defamatory, libellous; 2 blasphemous; **II** *ad* 1 slanderously; 2 blasphemously.
lasterpraatjes [-pra.cəs] *mv* slanderous talk, slander. [scandal.
lastertaal [-ta.l] *v* slander.
lastertong [-tòn] *v* scandal-monger.
lastgever [ˈlɑstge.vər] *m* principal.
lastgeving [-ge.vɪŋ] *v* mandate, commission.
lasthebber [-hɛbər] *m* mandatary.
lastig [ˈlɑstəx] **I** *aj* 1 (moeilijk uit te voeren) difficult, hard; 2 (moeilijk te regeren) troublesome, unruly; 3 (vervelend) annoying; awkward; 4 (veeleisend) exacting, hard to please; 5 (ongemakkelijk) inconvenient; *wat zijn jullie vandaag weer* ~*!* what nuisances you are to-day!; *de kinderen zijn helemaal niet* ~ the children give no trouble; *een* ~ *geval* a difficult case; *een* ~*e vent* 1 a difficile fellow; 2 a troublesome customer; ~ *vallen* importune, molest [a person]; *dat zal u niet* ~ *vallen* it will not be difficult for you; *het spijt mij dat ik u* ~ *moet vallen*, ook: I am sorry to be a nuisance but...; **II** *ad* with difficulty; *dat zal* ~ *gaan* that will hardly be possible.
lastigheid [-hɛit] *v* troublesomeness &.
lastlijn [ˈlɑstlein] *v* ⚓ loadline, Plimsoll's mark.

lastpost [-pɔst] *m* 1 (v. zaken) nuisance; 2 (v. personen) nuisance; *die* ~*en van jongens* ook: those troublesome boys.
lat [lɑt] *v* 1 lath; 2 (v. e. jaloezie) slat; 3 ⚔ cavalry sword.
latafel [ˈla.ta.fəl] *v* chest of drawers.
1 **laten** [ˈla.tə(n)] **I** *hulpww.* let; ~ *we gaan!* let us go!; *laat ik u niet storen* do not let me disturb you; **II** *zelfst.ww.* 1 (laten in zekere toestand) leave [things as they are]; 2 (nalaten) omit, forbear, refrain from [telling &]; leave off, give up [drinking, smoking]; 3 (toelaten) let [one do a thing], allow, permit, suffer [one to ...]; 4 (toewijzen) let have; 5 (gelasten) make, have [one do a thing]; get, cause [one to...]; ~ *bouwen* have... built; *wij zullen het* ~ *doen* we shall have (get) it done; *het laat zich niet beschrijven* it cannot be described, it defies (beggars) description; *het laat zich denken* it may be imagined; *het laat zich verklaren* it can be explained; *laat dat!* don't!; stop it!; *je had het maar moeten* ~ you should have left it undone; *hij kan het niet* ~ he cannot desist from it; *als je mij maar tijd wilt* ~ if only you allow me time; *ver achter zich* ~ leave far behind, outdistance; throw into the shade; *wij zullen het hier bij* ~ we'll leave it at that; *hij zal het er niet bij* ~ he is not going to let the matter rest, to lie down under it; *ik kan het u niet voor minder* ~ I can't let you have it for less; *wij zullen dat* ~ *voor wat het is* we'll let it rest; *ik weet niet waar hij het* (*al dat eten*) *laat* I don't know where he puts it; *waar heb ik mijn boek gelaten?* where have I put my book?; *waar heb je het geld gelaten?* what have you been and done with the money?; zie ook: *vallen, weten, zien* &.
2 **laten** [ˈla.tə(n)] *vt* let blood, bleed.
latent [la.ˈtɛnt] latent.
later [ˈla.tər] **I** *aj* later; **II** *ad* later; later on.
lateraal [la.təˈra.l] lateral.
lathyrus [ˈla.ti:rŭs] *m* ♣ sweet pea.
Latijn [la.ˈtɛin] *o* Latin.
Latijns [-ˈtɛins] Latin; ~-*Amerika* Latin America; ~-*Amerikaans* Latin-American; ~*e school* grammar-school.
lating [ˈla.tɪŋ] *v* blood-letting, bleeding.
latinisme [la.ti.ˈnɪsmə] *o* latinism.
la.inist [-ˈnɪst] *m* latinist.
latrine [la.ˈtri.nə] *v* latrine.
latuw [ˈla.ty:u] *v* ♣ lettuce.
latwerk [ˈlɑtvɛrk] *o* lath-work, lathing; (v. leibomen) trellis.
latyrus zie *lathyrus*.
laudanum [ˈlɔu̯da.nŭm] *o* laudanum.
Laura [ˈlɔu̯ra.] *v* Laura.
Laurens [-rəns] *m* Laurence, Lawrence.
laurier [lɔu̯ˈri:r] *m* ♣ laurel, bay.
laurierblad [-blɑt] *o* ♣ laurel-leaf, bay-leaf.
laurierboom [-bo.m] *m* ♣ laurel(-tree), bay (-tree).

laurierkers [ˈlɔuriːrˈkɛrs] *v* ♣ laurel-cherry, bay-cherry.

lauw [lɔu] lukewarm[2]; tepid; *fig* half-hearted.

lauwer [ˈlɔuər] *m* laurel, bay; *~en behalen* win (reap) laurels; *op zijn~en rusten* rest on one's laurels.

lauweren [-ərə(n)] *vt* crown with laurels, laurel.

lauwerkrans [-ərkrɑns] *m* wreath of laurels.

lauwheid [ˈlɔuhɛit] *v* lukewarmness, tepidness, tepidity; *fig* half-heartedness.

lava [ˈla.va.] *v* lava.

lavastroom [-stro.m] *m* torrent of lava, lava flow.

laven [ˈla.və(n)] I *vt* refresh; II *vr zich* ~ refresh oneself; *zich aan die bron* ~ drink from that source.

lavendel [la.ˈvɛndəl] *v* ♣ lavender.

lavendelolie [-o.li.] *v* oil of lavender.

lavendelwater [-va.tər] *o* lavender water.

laveren [la.ˈveːrə(n)] *vi* ⚓ tack[2] (about), beat up against the wind; *fig* manoeuvre.

laving [ˈla.vɪŋ] *v* refreshment.

lawaai [la.ˈvaːi] *o* noise, din, tumult, uproar, hubbub.

lawaaibestrijding [-bəstrɛidɪŋ] *v* noise abatement.

lawaaien [la.ˈva.jə(n)] *vi* make a noise.

lawaai(er)ig [-j(ər)əx] I *aj* noisy, uproarious, loud; II *ad* noisily, uproariously, loudly.

lawaaimaker [la.ˈva:ima.kər] *m* 1 noisy fellow; 2 blusterer.

lawine [la.ˈvi.nə] *v* avalanche.

laxeermiddel [lɑkˈseːrmɪdəl] *o* laxative.

laxeren [lɑkˈseːrə(ən)] *vi* open the bowels.

lazaret [la.za.ˈrɛt] *o* lazaretto.

Lazarus [ˈla.za.ra.rŭs] *m* Lazarus.

lazuren [la.ˈzyːrə(n)] *aj* azure.

lazuur [-ˈzyːr] *o* lapis lazuli.

lab, lebbe [lɛp, ˈlɛbə] *v* rennet.

lebmaag [ˈlɛpma.x] *v* rennet-stomach.

lector [ˈlɛktər] *m* ⟱ (university) lecturer, reader.

lectoraat [lɛktoˈra.t] *o* ⟱ lectureship, readership.

lectuur [-ˈtyːr] *v* reading; reading-matter.

ledematen [ˈle.də.ma.tə(n)] *mv* limbs.

ledenlijst [ˈle.də(n)lɛist] *v* list (register) of members.

ledenpop [-pòp] *v* lay figure, manikin; *fig* puppet.

leder [ˈle.dər] = 3 *leer*.

lederachtig [-ɑxtəx] = *leerachtig*.

lederen [ˈle.dərə(n)] = 2 *leren*.

lederhuid [ˈle.dərhœyt] = *leerhuid*.

lederwaren [-va:rə(n)] = *leerwaren*.

lederwerk [-vɛrk] = *leerwerk*.

ledig [ˈle.dəx] = *leeg*.

ledigen [-dəgə(n)] *vt* empty.

lediggang [-dəgɑŋ] *m* idleness.

ledigganger [-dəgɑŋər] *m* idler.

ledigheid [ˈle.dəxhɛit] *v* 1 (het ledig zijn) emptiness; 2 (lediggang, nietsdoen) idle-

ness; ~ *is des duivels oorkussen* idleness is the parent of vice.

ledikant [le.di.ˈkɑnt] *o* bedstead.

leed [le.t] *o* 1 (lichamelijk) harm, injury; 2 (v. de ziel) affliction, grief, sorrow; *het doet mij* ~ I am sorry (for it); *u zal geen* ~ *ge-schieden* you shall suffer no harm.

leedvermaak [ˈle.tfərma.k] *o* enjoyment of others' mishaps.

leedwezen [-ve.zə(n)] *o* regret; *met* ~ with regret; regretfully; *tot mijn* ~ *kan ik niet...* I regret not being able to..., to my regret.

leefbaar [ˈle.fba:r] *aj* liveable.

leefregel [-re.gəl] *m* regimen, diet.

leeftijd [-tɛit] *m* lifetime; age; *op die* ~ at that age; *op hoge* ~ at a great age; *op* ~ *komen* be getting on in years; *op* ~ *zijn* be well on in life; *een jongen van mijn* ~ a boy my age; *zij zijn van dezelfde* ~ they are of an age.

leeftijdsgrens [-tɛitsgrɛns] *v* age limit.

leeftijdsgroep [-gru.p] *v* age group.

leeftijdsverschil [-fərsxɪl] *o* difference of age.

leeftocht [ˈle.ftɔxt] *m* provisions, victuals.

leefwijze [-vɛizə] *v* manner of life, style of living.

leeg [le.x] 1 (niets inhoudend) empty[2]; vacant[2]; 2 (nietsdoend) idle.

leegdrinken [ˈle.xdrɪŋkə(n)] *vt* empty, finish [one's glass].

leegganger [ˈle.gɑŋər] = *ledigganger*.

leeghalen [ˈle.xha.lə(n)] *vt* clear out; (plunde-ren) strip.

leegheid [-hɛit] *v* emptiness.

leeghoofd [-ho.ft] *o* & *m-v* empty-headed person.

leeglopen [-lo.pə(n)] *vi* 1 idle (about), loaf; 2 empty, become empty; go flat [of a balloon, a tyre]; *laten* ~ empty [a cask]; deflate [a balloon, a tyre]; drain [a pond].

leegloper [-lo.pər] *m* idler, loafer.

leegmaken [-ma.kə(n)] *vt* empty.

leegplunderen [-plūndərə(n)] *vt* loot; strip.

leegpompen [-pòmpə(n)] *vt* pump dry; *fig* drain (dry).

leegstaan [-sta.n] *vi* be empty, stand empty, be uninhabited (unoccupied).

leegte [-tə] *v* emptiness[2], *fig* void, blank.

leek [le.k] *m* layman[2]; F outsider [in art &]; *de leken ook:* the laity.

leem [le.m] *o* & *m* loam, clay, mud.

leemachtig [ˈle.mɑxtəx] loamy.

leemgrond [-grònt] *m* loamy soil.

leemkuil [-kœyl] *m* loam-pit.

leemte [-tə] *v* gap, lacuna [*mv* lacunae], hiatus, deficiency.

Leen [le.n] *v* Helen, Nell, Nelly.

leen [le.n] *o* ⟱ fief, feudal tenure; *in* ~ *hebben* 1 have it lent to one; 2 ⟱ hold in feud; *mag ik dat van u te* ~ *hebben?* will you favour me with the loan of it?; *te* ~ *geven* lend; *te* ~ *vragen* ask for the loan of.

leenbank [ˈle.nbɑŋk] *v* loan-office.

Leendert ['le.ndərt] *m* Leonard.

leendienst [-di.nst] *m* ⑴ feudal service, vassalage.

leen- en pachtwet [le.nɛn'pɑxtvɛt] *v* Lend-Lease (Act).

leengoed ['le.ngu.t] *o* ⑴ feudal estate; *vrij* ~ freehold.

leenheer [-he:r] *m* ⑴ feudal lord, liege (lord).

leenman [-mɑn] *m* ⑴ vassal.

leenplicht [-plɪxt] *m* & *v* ⑴ feudal duty.

leenplichtig [le.n'plɪxtəx] ⑴ liege.

leenrecht ['le.nrext] *o* ⑴ feudal right.

leenroerig [le.n'ru:rəx] ⑴ feudal, feudatory.

leenroerigheid [-hɛit] *v* ⑴ feudality.

leenstelsel ['le.nstɛlsəl] *o* ⑴ feudal system.

leentjebuur [-cəby:r] in: ~ *spelen* F borrow (right and left).

leenvorst [-vorst] *m* ⑴ feudal prince.

leenwoord [-vo:rt] *o* loan-word.

leep [le.p] I *aj* sly, cunning, shrewd, long-headed; II *ad* slyly, shrewdly, cunningly.

leepheid ['le.phɛit] *v* slyness, cunning.

1 leer [le:r] *v* (l a d d e r) ladder.

2 leer [le:r] *v* 1 (leerstelsel) doctrine; teaching [of Christ]; 2 (t h e o r i e) theory; 3 (h e t l e e r l i n g z ij n) apprenticeship; *dit zij u tot een* ~ let this be a lesson to you; *in de* ~ *doen bij* bind apprentice to; *in de* ~ *zijn* serve one's apprenticeship [with], be bound apprentice [to a goldsmith].

3 leer [le:r] *o* (s t o f n a a m) leather; ~ *om* ~ tit for tat; *van* ~ *trekken* F draw one's sword; go at it (at them); *van een andermans* ~ *is het goed riemen snijden* it is easy to cut thongs out of another man's leather.

leerachtig ['le:rɑxtəx] leathery.

leerbereider [-bərɛidər] *m* leather-dresser, currier.

leerboek [-bu.k] *o* text-book; lesson-book.

leerdicht [-dɪxt] *o* didactic poem.

leerfilm [-fɪlm] *m* instructional film.

leergang [-gɑŋ] *m* course, course of lectures.

leergeld [-gɛlt] *o* premium; ~ *betalen* learn it to one's cost [*fig*].

leergierig [le:r'gi:rəx] eager to learn, studious.

leergierigheid [-hɛit] *v* eagerness to learn, studiousness.

leergraag ['le:rgra.x] studious, docile.

leerhuid [-hœyt] *v* true skin.

leerjaren ['le:rja:rə(n)] *mv* (years of) apprenticeship; ⌖ zie ook: *studiejaar*.

leerjongen [-jòŋə(n)] *m* apprentice.

leerkracht [-krɑxt] *v* teacher.

leerling [-lɪŋ] *m* 1 pupil, disciple; 2 zie *leerjongen*.

leerling-verpleegster [le:rlɪŋvər'ple.xstər] *v* student nurse, probationer.

leerling-vlieger [-'vli.gər] *m* ✈ aircraft apprentice.

leerlooien ['le:rlo.jə(n)] *va* tan; *het* ~ tanning.

leerlooier [-jər] *m* tanner.

leerlooierij [le:rlo.jə'rɛi] *v* tannery.

leermeester ['le:rme.stər] *m* teacher, master, tutor.

leermeisje [-mɛiʃə] *o* apprentice.

leermiddelen [-mɪdələ(n)] *mv* educational appliances.

leerplan [-plɑn] *o* curriculum [*mv* curricula].

leerplicht [-plɪxt] *m* & *v* compulsory education.

leerplichtig [le:r'plɪxtəx] liable to compulsory education.

leerrede ['le:re.də] *v* sermon, homily.

leerrijk [-rɛik] instructive, informing.

leerschool ['le:rsxo.l] *v* school; *een harde* ~ *doorlopen* go (pass) through the mill.

leerstellig [le:r'stɛləx] 1 dogmatic; 2 doctrinaire.

leerstelling ['le:rstɛlɪŋ] *v* tenet, dogma.

leerstoel [-stu.l] *m* chair [of Greek History &, in college or university].

leerstof [-stɔf] *v* subject-matter of tuition.

leerstuk [-stʉk] *o* dogma, tenet.

leertijd [-tɛit] *m* 1 time of learning; pupil(l)age; 2 (term of) apprenticeship.

leertje [-cə] *o* ⚒ (v. k r a a n) washer.

leervak [-vɑk] *o* subject (taught).

leerwaren [-va:rə(n)] *mv* leather goods.

leerwerk [-vɛrk] *o* leather-work, leather goods.

leerwijze [-vɛizə] *v* method of teaching.

leerzaam [-za.m] I *aj* 1 (v. p e r s o o n) docile, teachable, studious; 2 (v. b o e k &) instructive; II *ad* instructively.

leerzaamheid [-hɛit] *v* 1 docility, teachableness [of persons]; 2 instructiveness [of books].

leesbaar ['le.sba:r] legible [writing]; readable [novels].

leesbaarheid [-ba:rhɛit] *v* legibility; readableness.

leesbeurt [-bø:rt] *v* 1 (o p s c h o o l) turn to read; 2 (l e z i n g) lecture.

leesbiblioteek zie *leesbibliotheek*.

leesbibliotheek [-bi.bli.o.te.k] *v* lending-library.

leesboek [-bu.k] *o* reading-book, reader.

leesgezelschap [-gəzɛlsxɑp] *o* ~*kring* [-krɪŋ] *m* reading-club.

leesles [-lɛs] *v* reading lesson.

leeslust [-lʉst] *m* eagerness to read.

leesoefening [-u.fənɪŋ] *v* reading exercise.

leesonderwijs [-òndərvɛis] *o* instruction in reading.

leesportefeuille [-pɔrtəfœyjə] *m* book and magazine portfolio [of a reading-club].

leesstof ['le.stɔf] *v* reading-matter.

leest [le.st] *v* 1 (v. l i c h a a m) waist; 2 (v. s c h o e n m a k e r) last; (om te rekken) (boot-)tree; *we zullen dat op een andere* ~ *moeten schoeien* we shall have to put it on a new footing; *op dezelfde* ~ *schoeien* cast in the same mould; *op socialistische* ~ *geschoeid* organized on socialist lines; *op de* ~ *zetten* put on the last. Zie ook: *schoenmaker*.

leestafel ['le.sta.fəl] *v* reading-table.

leesteken [-te.kə(n)] o punctuation mark, stop.
leestrommel [-tròmel] v book-box [of a reading-club].
leeswijzer [-ʋeizər] m book-mark(er).
leeswoede [-vu.də] v mania for reading.
leeszaal ['le.sa.l] v reading-room.
leeuw [le:u] m 𝕩 lion²; *de Leeuw* ✳ Leo.
leeuwachtig ['le:uaxtəx] lion-like, leonine.
leeuwebek ['le.ʋəbɛk] m 1 𝕩 lion's mouth; 2 🌺 snapdragon.
leeuwedeel [-de.l] o lion's share.
Leeuwehart [-hɑrt] o in: *Richard* ∼ Richard the Lion-hearted.
leeuwehok [-hɔk] o lion's cage.
leeuwehuid [-hœyt] v lion's skin.
leeuwejacht [-jɑxt] v lion-hunt(ing).
leeuwekuil [-kœyl] m lions' den.
leeuwemanen [-ma.nə(n)] mv lion's mane.
leeuwemoed [-mu.t] m courage of a lion; *met* ∼ *bezield* lion-hearted [man].
leeuwentemmer ['le.ʋə(n)tɛmər] m lion-tamer.
leeuwerik ['le.ʋərək] m 🐦 (sky)lark.
leeuwin [le.'ʋɪn] v 𝕩 lioness.
leeuwtje ['le:ucə] o 1 little lion; 2 Maltese dog.
leewater ['le.va.tər] o housemaid's knee, synovitis.
lef [lɛf] o & m S 1 pluck, courage; 2 swagger; *als je* ∼ *hebt* if you dare.
legaat [lə'ɡa.t] 1 o legacy, bequest; 2 m (v. paus) legate.
egalisatie [le.ga.li.'za.(t)si.] v legalization, authentication.
legaliseren [-'ze:rə(n)] vt legalize, authenticate.
legalis- zie *legalis-*.
legataris [le.ga.'ta:rəs] m legatee.
legateren [-'te:rə(n)] vt bequeath.
legatie [lə'ɡa.(t)si.] v legation.
legen ['le.ɡə(n)] = *ledigen*.
legendarisch [le.ɡɛn'da:ri.s] legendary, fabled.
legende [lə'ɡɛndə] v legend; *fig* myth.
leger ['le.ɡər] o 1 𝕩 army²; 🐾 & *fig* host; 2 bed; form [of a hare]; lair [of wild animals]; haunt [of a wolf]; *Leger des Heils* Salvation Army.
legeraalmoezenier [-a.lmu.zəni:r] m 𝕩 army chaplain, F padre.
legerafdeling [-ɑfde.lɪŋ] v 𝕩 unit.
legerbende [-bɛndə] v 𝕩 band of soldiers.
legerbericht [-bərɪxt] o 𝕩 army bulletin.
legercommandant [-kòmɑndɑnt] m 𝕩 commander-in-chief.
1 **legeren** ['le.ɡərə(n)] vi be laid [with storms, of corn-fields].
2 **legeren** ['le.ɡərə(n)] vt, vi & vr 𝕩 encamp [of troops].
3 **legeren** [lə'ɡe:rə(n)] vt alloy [metals].
legerhoofd ['le.ɡərho.ft] o 𝕩 army commander.
1 **legering** [-ɡərɪŋ] v 𝕩 encampment.
2 **legering** [lə'ɡe:rɪŋ] v alloy [of metals].
legerkommandant zie *legercommandant*.
legerkorps ['le.ɡərkɔrps] o 𝕩 army corps.

legerleiding [-lɛidɪŋ] v 𝕩 (army) command.
legermacht [-mɑxt] v 𝕩 army.
legerplaats [-pla.ts] v 𝕩 camp.
legerpredikant [-pre.di.kɑnt] m 𝕩 army chaplain, F padre.
legerscharen [-sxa:rə(n)], mv 𝕩 hosts, army.
⊙ **legerstede** [-ste.də] v couch, bed.
legertent [-tɛnt] v 𝕩 army tent.
legertrein [-trɛin] **legertros** [-trɔs] m 𝕩 baggage (of an army), train (of an army).
leges ['le.ɡɛs] mv legal charges, fee.
leggen ['lɛɡə(n)] I vt 1 lay, put, place [a thing somewhere]; lay [eggs]; 2 sp throw [in wrestling]; II va lay [of hens].
legger [-ɡər] m layer.
leghen ['lɛxhɛn] v 🐦 layer, laying hen.
legio ['le.ɡi.o.] legion; *die zijn* ∼ their name (number) is legion.
legioen [le.ɡi.'u.n] o legion.
legitimatie [le.ɡi.ti.'ma.(t)si.] v legitimation.
legitimatiekaart [-ka:rt] v identity card.
legitimeren [le.ɡi.ti.'me:rə(n)] I vt legitimate; II vr zich ∼ prove one's identity.
legkaart ['lɛxka:rt] v zie *legprent*.
legkip [-kɪp] v 🐦 layer, laying hen.
legprent [-prɛnt] v jigsaw puzzle.
legpuzzel, -puzzle [-pūzəl] m jigsaw puzzle.
leguaan [le.ɡy.'a.n] m 1 𝕩 iguana; 2 🍮 pudding.
lei [lɛi] v & o slate; *met een schone* ∼ *beginnen* start with a clean slate.
leiband ['lɛibɑnt] m leading-string(s); *aan de* ∼ *lopen* be in leading-strings².
leiboom [-bo.m] m espalier, wall-tree.
leidekker [-dɛkər] m slater.
Leiden [-də(n)] o Leyden; *toen was* ∼ *in last* 1 then there was a great to-do; 2 then we (they &) were in a fix.
leiden [-də(n)] I vt lead [a person, a party, a solitary life &]; conduct [visitors, matters, a meeting]; guide [us, the affairs of state &], direct [one's actions, a rehearsal &]; *zich laten* ∼ *door...* be guided by...; *bij (aan) de hand* ∼ lead by the hand; *leid ons niet in verzoeking (RK in bekoring)*, lead us not into temptation; *die weg leidt naar...* that road leads (conducts) to...; *dat leidt tot niets* that leads nowhere (to nothing); *geleide economie* planned economy; *geleid projectiel* 𝕩 guided missile; II va sp lead [by ten points &].
leidend [-dənt] leading persons, principle &]; guiding [motive, ground &]; executive [capacity in business and industry].
leider [-dər] m leader [of a party, some movement &]; director [of institution &]; [spiritual] guide; [sales, works] manager.
leiderschap [-sxɑp] o leadership.
leiding ['lɛidɪŋ] v 1 (abstract) leadership, conduct, guidance, direction, management; sp lead; 2 (concreet) conduit, pipe, 🔌 wire; ∼ *geven aan* lead; *de* ∼ *hebben* be in control; sp lead; *de* ∼ *(op zich) nemen* take the lead;

ik vertrouw hem aan uw ~ *toe* I entrust him to your guidance; *onder* ~ *van...* under the guidance of...; [orchestra] conducted by, [a delegation] led by, [a committee] headed by...

leidingwater [-*v*a.tər] *o* tap water, company's water.

leidmotief ['lɛitmo.ti.f] *o* ♪ Leitmotiv, leading motive[2].

leidraad ['lɛidra.t] *m* guide; guide-book.

Leids [lɛits] (of) Leyden.

leidsel ['lɛitsəl] *o* rein.

leidsman ['lɛitsman] *m* leader, guide[2].

leidstar ['lɛitstar] *v fig* guiding star; ☉ lode-star.

1 **leidster** [-stɛr] *v* = *leidstar*.

2 **leidster** [-stər] *v* (geleidster, leidsvrouw) leader; guide; conductress.

leidsvrouw ['lɛitsfrou] *v* guide.

leien ['lɛiə(n)] *aj* slate; *een* ~ *dakje* a slate roof; zie ook: *dak*.

leigrauw ['lɛigrou] slate-grey.

leigroef, -groeve [-gru.f, -gru.və] *v* slate quarry.

leikleurig [-klø:rəx] slate-coloured.

leiplaat [-pla.t] *v* ⚒ baffle plate.

leisel [-səl] = *leidsel*.

lek [lɛk] I *o* leak [in a vessel]; leakage, escape [of gas]; puncture [in a bicycle tire]; *een* ~ *krijgen* spring a leak; *een* ~ *stoppen* stop a leak[2]; II *aj* leaky; ~*ke band* punctured tire; ~ *zijn* be leaky, leak; ⚓ make water.

lekebroeder ['le.kəbru.dər] *m* lay brother.

lekenapostolaat ['le.kə(n)a.pɔsto.la.t] *o* apostolate of the laity, lay apostolate.

lekendom [-dòm] *o* laity.

lekezuster ['le.kəzўstər] *v* lay sister.

lekkage [lɛ'ka.ʒə] *v* leakage, leak.

lekken ['lɛkə(n)] *vi* leak, be leaky, have a leak ‖ lick [of flame]; *de* ~*de vlammen* ook: the lambent flames.

lekker ['lɛkər] I *aj* 1 (v. smaak) nice, delicious, good; 2 (v. reuk) nice, sweet; 3 (v. weer) nice, fine; *ik vind 't niet* ~ I don't like it; *hij was zo* ~ *als kip* F he was as pleased as Punch; *ik ben weer zo* ~ *als kip* F I am as fit as a fiddle; *ik voel me niet* ~ F I feel out of sorts; *iemand* ~ *maken* 1 S butter one up; 2 set one agog; ~, *dat je nu ook eens straf hebt!* serve you right!; ~ *is maar een vinger lang* what is sweet cannot last long; *geef ons wat* ~*s* give us something toothsome (to eat); *het is wat* ~*s!* a nice job, indeed!; II *ad* nicely; *heb je* ~ *gegeten?* 1 did you enjoy your meal?; 2 did you have a nice meal?; *ik doe het* ~(*tjes*) *niet* catch me doing it!; *dat heb je nou eens* ~(*tjes*) *mis* yah, out you are!; *het is hier* ~ *warm* it is nice and warm here.

lekkerbeetje [-be.cə] *o* titbit; ~*s* ook: dainties.

lekkerbek [-bɛk] *m* gourmand, epicure, dainty feeder.

lekkernij [lɛkər'nɛi] *v* dainty, titbit.

lekkers ['lɛkərs] *o* sweets, sweetmeats, goodies.

lekkertjes ['lɛkərcəs] zie *lekker*.

leksteen ['lɛkste.n] *m* filtering-stone.

lekt- zie *lect-*.

lel [lɛl] *v* 1 lobe [of the ear]; 2 wattle, gill [of a cock]; 3 uvula [of the throat].

lelie ['le.li.] *v* ⚜ lily.

lelieachtig [-ɑxtəx] lily-like, liliaceous.

lelieblank [-blɑŋk] as white as a lily, lily-white.

lelietje-van-dalen [-cəvɑn'da.lə(n)] *o* ⚜ lily of the valley.

lelijk ['le.lək] I *aj* ugly[2] [houses, faces, rumours &]; plain [girls]; nasty [smell &]; ~ *als de nacht* as ugly as sin; *dat is* ~, *ik heb mijn sleutel verloren* that's awkward; *dat staat u* ~ it does not become you[2]; *dat ziet er* ~ *uit* that's a bad outlook; II *ad* uglily; badly; ~ *vallen* have a bad fall.

lelijkaard ['le.ləka:rt] **lelijkerd** [-ləkərt] *m* F ugly person.

lelijkheid ['le.ləkhɛit] *v* ugliness, plainness.

1 **lemen** ['le.mə(n)] *vt* loam, cover (coat) with loam.

2 **lemen** ['le.mə(n)] *aj* loam, mud [hut]; ~ *voeten* feet of clay.

lemmer, lemmet ['lɛmər, 'lɛmət] *o* blade [of a knife].

Lena ['le.na.] *v* Helen, Nell, Nelly.

lende ['lɛndə] *v* loin.

lendepijn [-pɛin] *v* lumbar pain, lumbago.

lendestuk [-stўk] *o* sirloin [of beef].

lendewervel [-vɛrvəl] *m* lumbar vertebra.

lenen ['le.nə(n)] I *vt* (aan iemand) lend (to), (van iemand) borrow (of, from); II *vr* in: *zich* ~ *tot...* lend oneself (itself) to...

lener [-nər] *m* (aan iemand) lender, (van iemand) borrower.

leng [lɛŋ] *m* 🐟 ling ‖ *o* ⚓ sling.

lengen ['lɛŋə(n)] *vi* become longer, lengthen, draw out [of the days].

lengte ['lɛŋtə] *v* 1 length; 2 (v. persoon) height; 3 (aardrijksk.) longitude; *door* ~ *van tijd* in course of time; *in de* ~ *doorzagen* lengthwise, lengthways; *3 m in de* ~ 3 metres in length; *in zijn volle* ~ (at) full length.

lengteas [-ɑs] *v* longitudinal axis.

lengtecirkel [-sɪrkəl] *m* meridian.

lengtedal [-dɑl] *o* longitudinal valley.

lengtegraad [-gra.t] *m* degree of longitude.

lengtemaat [-ma.t] *v* linear measure.

lenig ['le.nəx] lithe, supple, pliant.

lenigen [-nəgə(n)] *vt* alleviate, relieve, assuage.

lenigheid [-nəxhɛit] *v* litheness, suppleness, pliancy.

leniging [-nəgɪŋ] *v* alleviation, relief, assuagement.

lening ['le.nɪŋ] *v* loan; *een* ~ *sluiten* contract a loan; *een* ~ *uitschrijven* issue a loan; *een* ~ *verstrekken* make a loan.

leningfonds [-fònts] *o* loans fund.

1 **lens** [lɛns] *v* lens [of a camera &].

2 **lens** [lɛns] *aj* empty; *de pomp is* ~ the pump sucks; *hij is* ~ S he is cleaned out.

lensvormig ['lɛnsfɔrməx] lens-shaped, § lenticular.

lente ['lɛntə] v spring².

lenteachtig [-ɑxtəx] spring-like.

lentebode [-bo.də] m harbinger of spring.

lentedag [-dɑx] m day in spring, spring-day.

lentelied [-li.t] o vernal song, spring-song.

lentelucht [-lŭxt] v spring-air.

lentemaand [-ma.nt] v month of spring; March; de lentemaanden the spring-months.

lentemorgen [-mɔrgə(n)] m spring-morning.

lentenachtevening [-'nɑxte.vənɪŋ] v vernal equinox.

lentetijd [-tɛit] m spring-time.

lentewe(d)er [-ve:r] o spring-weather.

lentezang [-zɑŋ] m spring-song.

lentezon [-zòn] v spring-sun.

lenzen ['lɛnzə(n)] vt empty.

Leonard(a) ['le.o.nɑrt, le.o.'nɑrda.] m (v) Leonard(a).

Leopold ['le.o.pɔlt] m Leopold.

lepel ['le.pəl] m 1 (om te eten) spoon; (om op te scheppen) ladle; 2 (volle lepel) spoonful; 3 ear [of a hare].

lepelaar ['le.pəla:r] m ⚓ spoonbill.

lepelblad ['le.pəlblɑt] o bowl [of a spoon].

lepelen ['le.pələ(n)] I vi use one's spoon; II vt spoon; ladle.

lepelvormig ['le.pəlvɔrməx] spoon-shaped.

leperd ['le.pərt] m slyboots, cunning fellow.

leppen, lepperen ['lɛpə(n), -pərə(n)] vi & vt sip, lap, lick.

lepra ['le.pra.] v leprosy.

lepralijder, leproos [-lɛidər, le.'pro.s] m leper.

leprozenhuis [le.'pro.zə(n)hœys] o leper hospital.

leprozenkolonie [-ko.lo.ni.] v leper settlement, leper colony.

leraar ['le:ra:r] m 1 ⚓ teacher; 2 (geestelijke) minister; ~ in natuur- en scheikunde science master.

leraarsambt ['le:ra:rsɑmt] o 1 ⚓ teachership; 2 (kerkelijk) ministry.

leraarsbetrekking [-bətrɛkɪŋ] v teaching-post.

leraarskamer [-ka.mər] v (masters') common room, staff room.

leraren ['le:ra:rə(n)] vi & vt 1 teach; 2 preach.

lerares [le:ra:'rɛs] v (woman) teacher, mistress; ~ in natuur- en scheikunde science mistress.

1 leren ['le:rə(n)] I vi learn; II vt teach [a person]; learn [lessons &]; ~ lezen learn to read; iemand ~ lezen teach one to read; wacht, ik zal je ~! I'll teach you!

2 leren ['le:rə(n)] aj leather.

lering [-rɪŋ] v 1 instruction; 2 zie catechisatie; ~en wekken, voorbeelden trekken example is better than precept.

les [lɛs] v lesson; ~ geven give lessons, teach; ~ hebben be having one's lesson; de onderwijzer heeft ~ is in class; we hebben vandaag geen ~ no lessons to-day; iemand de ~ lezen lecture one; ~ nemen (bij)... take lessons

(from)...; onder de ~ during lessons.

lesgeld ['lɛsgɛlt] o lesson-money, fee.

lesje ['lɛʃə] o lesson; iemand een ~ geven teach one a lesson.

leslokaal ['lɛslo.ka.l] o class-room.

lesrooster ['lɛsro.stər] m & o time-table.

lessen ['lɛsə(n)] vt quench, slake [one's thirst].

lessenaar ['lɛsəna:r] m desk; reading-desk, writing-desk.

lessenrooster ['lɛsə(n)ro.stər] = lesrooster.

lest [lɛst] last; ~ best the best is at the bottom; ten langen~e at long last.

lestoestel ['lɛstu.stɛl] o ✈ trainer.

lesuur [-y:r] o lesson; per ~ betalen pay by the lesson.

leswagen [-va.gə(n)] m ⚗ learner car.

Let [lɛt] m Latvian.

letaal [le.'ta.l] lethal.

letargi- zie lethargi-.

lethargie [le.tɑr'gi.] v lethargy.

lethargisch [-'tɑrgi.s] I aj lethargic; II ad lethargically.

Lethe ['le.tə] v Lethe.

Letland ['lɛtlɑnt] o Latvia.

Lets [lɛts] Latvian.

letsel ['lɛtsəl] o injury, hurt, [bodily] harm; damage; een ~ krijgen receive an injury; zonder~ unharmed.

1 letten ['lɛtə(n)] vi in: let wel! mind!, mark you!; ~ op attend to, mind, pay attention to; take notice of; op de kosten zal niet gelet worden the cost is no consideration; let op mijn woorden mark my words; gelet op... in view of...

2 letten ['lɛtə(n)] vt in: wat let me of ik... what prevents me from ...ing.

letter ['lɛtər] v letter, character, type; een dode ~ blijven remain a dead letter; de fraaie ~en belles lettres; uw geëerde ~en van... your favour of... [the 25th inst.]; met grote ~ in big letters; kleine ~ small letter; met kleine ~ (gedrukt) in small type; in de ~en studeren study literature; naar de ~ to the letter.

letterdief [-di.f] m plagiarist.

letterdieverij [lɛtərdi.və'rɛi] v plagiarism; ~ plegen plagiarize.

letteren ['lɛtərə(n)] vt letter, mark.

lettergieter ['lɛtərgi.tər] m type-founder.

lettergieterij [lɛtərgi.tə'rɛi] v type-foundry.

lettergreep ['lɛtərgre.p] v syllable.

letterkast [-kɑst] v type-case.

letterknecht [-knɛxt] m literalist.

letterknechterij [lɛtərknɛxtə'rɛi] v literalism.

letterkunde ['lɛtərkŭndə] v literature.

letterkundig [lɛtər'kŭndəx] literary.

letterkundige [-dəgə] m man of letters, literary man.

letterlievend ['lɛtərli.vənt] in: ~ genootschap literary society.

letterlijk [-lək] I aj literal; II ad literally, to the letter; zij werden ~ gedecimeerd they were literally decimated.

lettermetaal [-məta.l] *o* type-metal.
letterraadsel ['lɛtəra.tsəl] *o* word-puzzle.
letterschrift ['letərs(x)rɪft] *o* writing in characters.
letterslot [-slɔt] *o* letter-lock.
lettersoort [-so:rt] *v* (kind of) type.
letterspecie, letterspijs [-spe.si., -spɛis] *v* type-metal.
letterteken [-te.kə(n)] *o* character.
lettertje [-cə] *o* in: *een ~ schrijven* F write a few lines, drop a line.
letterwijs [-vɛis] in: *iemand ~ maken* post one up.
letterwoord [-vo:rt] *o* initial word.
letterzetten [-zɛtə(n)] *vi* compose; *het ~ ook:* type-setting.
letterzetter [-zetər] *m* compositor, type-setter
letterzetterij [lɛtərzetə'rɛi] *v* composing room.
letterzetter [-zetər] *m* compositor, type-setter.
letterzifterij [lɛtərzɪftə'rɛi] *v* hair-splitting.
leugen ['lø.ɡə(n)] *v* lie, falsehood; *dat is een grote* (*grove*) *~ that is a big lie; hij is aan de eerste ~ niet gebarsten* that is not his first lie; *al is de ~ nog zo snel, de waarheid achterhaalt haar wel* liars have short memories.
leugenaar ['lø.ɡəna:r] *m ~ster* [-stər] *v* liar.
leugenachtig ['lø.ɡənaxtəx] lying, mendacious, untruthful, false.
leugenachtigheid [-hɛit] *v* mendacity, falseness.
leugentaal ['lø.ɡə(n)ta.l] *v* lying, lies.
leugentje [-cə] *o* fib; *onschuldig ~* white lie.
leuk [lø.k] I *aj* 1 (onbewogen) cool, dry, sly [fellow]; 2 (grappig) arch [way of telling &], amusing, funny [story]; 3 (aardig, prettig) jolly; *dat zal ~ zijn* that will be great fun, won't it be jolly!; *ik vind het erg ~ !* (I think it) fine!; *het was erg ~ !* such fun!; *hij vond het niets ~* he did not much like it; *die is ~, zeg !* that's a good one; *zo ~ als wat, zei hij...* with the coolest cheek he said; *het ~ste is dat...* the richest point about the story is that...; *zich ~ houden* not let on; II *ad* in a dry way, archly; amusingly.
leuk(a)emie [lœyke.'mi.] *v* 𝔽 leuk(a)emia.
leuk(a)emisch [-'ke.mi.s] 𝔽 leuk(a)emic.
leukerd ['lø.kərt] *m* funny chap.
leukweg ['lø.kvex] in his dry (sly) way.
leunen ['lø.nə(n)] *vi* lean (on *op*; against *tegen*).
leuning [-nɪŋ] *v* 1 rail; banisters, handrail [of a staircase]; parapet [of a bridge]; 2 back [of a chair]; arm(-rest) [of a chair].
leun(ing)stoel ['løn(ɪŋ)stu.l] *m* arm-chair.
leurder ['lø:rdər] *m* hawker.
leuren ['lø:rə(n)] *vi* hawk; *~ met* hawk.
leus [lø.s] *v* watchword, catchword, slogan; *voor de ~* for the look of the thing.
leut(e) [lø.t(ə)] *v* 1 fun; 2 P coffee; *voor de ~* for fun.
leuteraar ['lø.təra:r] *m* 1 (kletser) twaddler, driveller; 2 (talmer) dawdler.
leuteren [-rə(n)] *vi* 1 (kletsen) twaddle, drivel;

2 (talmen) dawdle.
leuterpraat ['lø.tərpra.t] *m* twaddle, drivel.
leutig ['lø.təx] jolly.
Leuven ['lø.və(n)] *o* Louvain.
Leuvens [-vəns] *aj* Louvain.
leuze ['lø.zə] = *leus*.
Levant [lə'vant] *m* Levant.
Levantijn(s) [-van'tɛin(s)] Levantine.
1 leven ['le.və(n)] *vi* live; *leve... !* three cheer for... [France]; hurrah for... [the holidays &]; *leve de koning!* long live the king!; *~ en laten ~* live and let live; *wie dan leeft, die dar zorgt* sufficient unto the day is the evil thereof; *van brood alleen kan men niet ~* we cannot live by bread alone; *van gras ~* live (feed) on grass; *daar kan ik niet van ~* I cannot subsist (live) on that; *alleen voor... ~* live only for...
2 leven ['le.və(n)] *o* 1 life; 2 (levend deel) the quick; 3 (rumoer) noise; *toen kwam er ~ in de brouwerij* F then things began to hum; *wa ~ in de brouwerij brengen* make things hum; *er komt ~ in de brouwerij* things are beginning to hum; *er zit geen ~ in* there is no life (spirit) in it; *wel, al m'n ~ !* well I never!; *een ander* (*nieuw*) *~ beginnen* begin a new life, turn over a new leaf; *zijn ~ beteren* mend one's ways; *~ geven aan* give life to, put life into [a statue], *zie ook: schenken*; *geen ~ hebben* lead a wretched life; *het ~ laten* lose one's life; *~ maken* make a noise; *bij zijn ~* during his life, in his lifetime, in life; *bij ~ en welzijn* if I have life; *nog in ~ zijn* be still alive; *in ~ notaris te...* in his lifetime; *Mère..., in het ~ Mej. S.* in the world Miss S.; *in het ~ blijven* remain (keep) alive, live; *in het ~ houden* keep alive; *in het ~ roepen* bring (call) into being (existence), create; *naar het ~ getekend* drawn from (the) life; *om het ~ brengen* kill, do to death; *om het ~ komen* lose one's life, perish; *een strijd op ~ en dood* a fight to the death, a life-and-death struggle; *uit het ~ gegrepen* taken from life; *van mijn ~ heb ik zoiets niet gezien* never in my life; *nooit van mijn ~ !* never!; *wel heb je van je ~ !* well I never!; *voor het ~ benoemd* (*gekozen*) for life; *zolang er ~ is, is er hoop* as long as there is life there is hope.
levend [-vənt] alive [alleen predikatief!]; living; quickset [hedge]; *de ~e talen* the modern languages; *de ~en en de doden* the quick and the dead; *~ maken* (*worden*) bring (come) to life; *iemand ~ verbranden* burn a person alive.
levendbarend [-ba:rənt] viviparous.
levendig ['le.vəndəx] I *aj* lively, animated [discussion], vivid [imagination], vivacious [person], keen [interest], $ active [market], brisk [demand]; II *ad* in a lively manner; *ik kan mij ~ voorstellen* I can well imagine.
levendigheid [-dəxheit] *v* liveliness, vivacity.
levenloos ['le.və(n)lo.s] lifeless, inanimate.

evenmaker [-ma.kər] *m* noisy fellow.
evensadem ['le.vənsa.dəm] *m* breath of life, life-breath.
evensader [-a.dər] *v* life-blood artery, fountain of life; *fig* life artery.
evensavond [-a.vənt] *m* evening of life.
evensbehoeften [-bəhu.ftə(n)] *mv* necessaries of life.
evensbehoud [-hout] *o* preservation of life.
evensbericht [-rıxt] *o* biographical notice; (v. overledene) obituary (notice).
evensbeschrijving [-s(x)rɛivıŋ] *v* biography, life.
evensbron ['le.vənsbròn] *v* source of life, life-spring.
evensdoel [-du.l] *o* aim of life, aim in life.
evensduur [-dy:r] *m* length of life, duration of life, life.
evenselixer, -elixir [-e.lıksər] *o* elixir of life.
evensgeesten [-ge.stə(n)] *mv* vital spirits; *iemands ~ weer opwekken* bring a person to life again; *de ~ waren geweken* life was extinct.
evensgevaar [-gəva:r] *o* danger (peril) of life; *in ~* in peril of one's life; *met ~* at the peril (risk) of one's life.
evensgevaarlijk [le.vənsgə'va:rlək] dangerous to life, involving risk of life, perilous.
evensgezel(lin) ['le.vənsgəzɛl(ın)] *m(-v)* partner for life.
evensgroot [-gro.t] life-sized, life-size, as large as life; *meer dan ~* larger than life.
evensgrootte [-gro.tə] *v* life size.
evenshouding [-houdıŋ] *v* attitude to life.
evenskracht [-kraxt] *v* vital power, vitality.
evenskrachtig [le.vəns'kraxtəx] 1 full of life; 2 zie *levensvatbaar.*
evenskwestie ['le.vənskvɛsti.] *v* zie *levensvraag.*
evenslang [-laŋ] for life, lifelong; *tot ~e gevangenschap veroordeeld worden* be sentenced to imprisonment for life.
evenslicht [-lıxt] *o* in: *het ~ aanschouwen* see the light; *hem het ~ uitblazen* put out his light.
evensloop [-lo.p] *m* course of life, career.
evenslot [-lòt] *o* lot in life, fate.
evenslust [-lûst] *m* love of life, animal spirits.
evenslustig [le.vəns'lûstəx] cheerful, vivacious, sprighty, buoyant.
evensmiddelen ['le.vənsmıdələ(n)] *mv* provisions, victuals; foodstuffs, food(s).
evensmiddelenbedrijf [-bədrɛif] *o* food shop.
evensmoe(de) ['le.vənsmu.(də)] life-weary, weary of life.
evensmoeheid [-hɛit] *v* weariness of life.
evensomstandigheden ['le.vənsòmstandəxhe.-də(n)] *mv* circumstances in life, living conditions.
evensonderhoud [-òndərhout] *o* livelihood, sustenance; *kosten van ~* cost of living, living costs.
evensopvatting [-òpfatıŋ] *v* conception (view)

of life.
levenspad [-pat] *o* path of life.
levenspositie [-po.zi.(t)si.] *v* position for life.
levensproces [-pro.sɛs] *o* life process.
levensruimte [-rœymtə] *v* living space.
levensstandaard ['le.vənstanda:rt] *m* standard of life, standard of living, living standard.
levensteken ['le.vənste.kə(n)] *o* sign of life.
levensvatbaar [le.vəns'fatba:r] viable, capable of living.
levensvatbaarheid [-hɛit] *v* viability, vitality.
levensverzekering ['le.vənsfərze.kərıŋ] *v* life-assurance, life-insurance; *een ~ sluiten* take out a life-policy, insure one's life.
levensverzekering(s)maatschappij [-(s)ma.t-sxapɛi] *v* life-insurance (life-assurance) company.
levensvoorwaarde ['le.vənsfo:rva:rdə] *v* condition of life; *fig* vital condition.
levensvraag [-fra.x] *v* vital question, life-and-death question, question of life and death.
levensvreugde [-frø.gdə] *v* joy of life, delight in life.
levenswandel [-vandəl] *m* conduct in life, life.
levensweg [-vɛx] *m* path of life.
levenswerk [-vɛrk] *o* life-work.
levenswijze [-vɛizə] *v* mode of life, way of living; conduct.
levenszee ['le.vənse.] *v* ocean of life.
leventje ['le.vəncə] *o* F life; *dat was me een ~!* 1 what a jolly life we had of it!; 2 (ironisch) what a life!; *toen had je het lieve ~ gaande* then there was the devil to pay.
levenwekkend [-vɛkənt] life-giving, vivifying.
lever ['le.vər] *v* liver.
leverancier [le.vəran'si:r] *m* 1 furnisher, contractor, supplier, purveyor, dealer; 2 provider, caterer; *de ~s* ook: the tradesmen.
leverantie [-'ran(t)si.] *v* supply(ing), purveyance.
leverbaar ['le.vərba:r] 1 (afteleveren) deliverable, ready for delivery; 2 (te verschaffen) available; *beperkt ~* in short supply.
leveren ['le.vərə(n)] *vt* 1 (afleveren) deliver; 2 (verschaffen) furnish, supply [goods]; contribute [an article to a newspaper]; *achterhoedegevechten ~* fight rearguard actions; *er zijn hevige gevechten geleverd* there was heavy fighting, heavy fighting took place; *(aan) iemand brandstoffen ~* supply a person with fuel; *het bewijs ~ dat...* prove that...; *stof ~ tot* give rise to; *hij heeft prachtig werk geleverd* he has done splendid work; *hij zal het hem wel ~* F he is sure to manage it; *wie heeft me dat geleverd?* who has played me that trick?
levering [-rıŋ] *v* 1 (aflevering) delivery; 2 (verschaffing) supply.
leveringscondities [-rıŋskòndi.(t)si.s] *mv* zie *leveringsvoorwaarden.*
leveringscontract [-kòntrakt] *o* delivery contract.

leveringsdatum [-da.tŭm] *m* delivery date.
leveringskondities zie *leveringscondities*.
leveringskontrakt zie *leveringscontract*.
leveringstermijn [-tɛrmɛin] *m* time (term) of delivery.
leveringstijd [-tɛit] *m* delivery period, delivery time.
leveringsvoorwaarden [-fo:rva:rdə(n)] *mv* terms of delivery.
leverkleurig ['le.vərklø:rəx] liver-coloured.
leverpastei [-pastɛi] *v* liver pie.
levertijd [-tɛit] *m* zie *leveringstijd*.
levertraan [-tra.n] *m* cod-liver oil.
leverworst [-vòrst] *v* liver sausage.
leverziekte [-zi.ktə] *v* liver disease, disease of the liver.
leviet [lə'vi.t] *m* Levite; *iemand de ~en lezen* read a person a lecture.
levitisch [-'vi.ti.s] Levitical.
lexicograaf [lɛksi.ko.'gra.f] *m* lexicographer.
lexicografisch [-'gra.fi.s] *aj* (& *ad*) lexicographical(ly).
lexicon ['lɛksi.kòn] *o* lexicon.
lexikogra- zie *lexicogra-*.
lezen ['le.zə(n)] I *vi* read [ook = give a lecture]; II *vt* I read [books]; 2 glean, gather [ears of corn]; *...stond op zijn gezicht te ~* ...was depicted in his face; *het boek laat zich gemakkelijk ~* reads easily, makes easy reading; zie ook: *les, mis &*.
lezenaar [-zəna:r] *m* reading-desk, lectern.
lezenswaard(ig) [le.zəns'va:rt(-'va:rdəx)] readable, worth reading.
lezer ['le.zər] *m* **lezeres** [le.zə'rɛs] *v* I reader; 2 gleaner, gatherer [of grapes &].
lezing ['le.zɪŋ] *v* I (v. barometer &) reading; 2 (interpretatie) version; 3 (voorlezing) lecture; *een ~ houden* give a lecture, lecture (on *over*).
liaan [li.'a.n] **liane** [li.'a.nə] *v* ⚘ liana, liane.
Lias ['li.as] *o* (gesteente) lias.
lias [li.'as] *v* file.
Libanees [li.ba.'ne.s] I *aj* Lebanese; II *m* Lebanese; *de Libanezen* the Lebanese.
Libanon ['li.ba.nòn] *m* Lebanon.
liberaal [li.bə'ra.l] I *aj* (& *ad*) liberal(ly); II *m* liberal.
liberalisme [-ra.'lɪsmə] *o* liberalism.
liberaliteit [-ra.li.'tɛit] *v* liberality.
libertijn [li.bɛr'tɛin] *m* libertine.
Libië ['li.bi.ə] *o* Libya.
Libiër [-bi.ər] *m* **Libisch** [-bi.s] *aj* Libyan.
libretto [li.'brɛto.] *o* libretto, book (of words).
licentie [li.'sɛn(t)si.] *v* licence; *in ~ vervaardigd* manufactured under licence.
licentiehouder [-houdər] *m* licensee.
lichaam ['lɪga.m] *o* body°, frame; *naar ~ en ziel* in body and mind.
lichaamsarbeid ['lɪga.msarbɛit]- *m* bodily labour.
lichaamsbeweging [-bəve.gɪŋ] *v* (bodily) exercise.

lichaamsbouw [-bou] *m* build, stature, frame.
lichaamsdeel [-de.l] *o* part of the body.
lichaamsgebrek [-gəbrɛk] *o* bodily defect.
lichaamsgestel [-gəstɛl] *o* constitution.
lichaamsgewicht [-gəvɪxt] *o* body weight.
lichaamskracht [-krɑxt] *v* bodily strength, force.
lichaamsoefening [-u.fənɪŋ] *v* bodily exercise.
lichaamstoestand [-tu.stɑnt] *m* bodily condition.
lichaamszwakte ['lɪga.msvɑktə] *v* (corporal) debility.
lichamelijk [lɪ'ga.mələk] I *aj* corporal [punishment], corporeal [being]; bodily [harm &]; physical [culture, education, work]; II *ad* corporally, physically.
I **licht** [lɪxt] I *aj* I (niet donker) light[2] [materials], light-coloured [dresses], bright [day]; fair [hair]; 2 (niet zwaar[2]) light [weight, bread, work, sleep, troops, step]; slight [wound, repast, cold]; mild [beer, tobacco]; *het wordt al ~* it is getting light; *~ in het hoofd* light-headed; II *ad* I lightly, slightly; 2 easily; zie ook: *allicht*; *~ gewond* slightly wounded; *het ~ opnemen* make light of it; *men vergeet ~ dat...* one is apt to forget that...; *het wordt ~ een gewoonte* it tends to become a habit.
2 **licht** [lɪxt] *o* light[2]; *fig* luminary; *~ en schaduw* light(s) and shade(s)[2]; *hij is geen ~* he is no great light (luminary); *je bent me ook een ~!* what a shining light you are! *er gaat mij een ~ op* now I begin to see light; *er ging mij een ~ op* a light burst upon me; *~ geven* give off light; *iemand het ~ in de ogen niet gunnen* grudge one the light of his eyes; *wij zullen eens wat ~ maken* (met lucifers) we'll strike a light; (door lamplicht) we'll have the lamp(s) lighted; (elektrisch) we'll turn (switch) on the light; *het ~ schuwen* shun the light; *iemand het ~ uitblazen* put a person's light out; *(een helder) ~ werpen op* throw (shed) (a bright) light upon; *zijn ~ onder de korenmaat zetten* hide one's light under a bushel; *het ~ zien* see the light; *aan het ~ brengen* bring to light, reveal; *aan het ~ komen* come (be brought) to light; *een boek in het ~ geven* publish a book; *zichzelf in het ~ staan* stand in one's own light; *iets in een gunstig (ongunstig) ~ stellen* place (put) it in a favourable (unfavourable) light; paint it in bright (dark) colours; *iets in een helder ~ stellen* throw light upon a subject; *iets in een heel ander ~ zien* see something in a totally different light; *tegen het ~ houden* hold (up) to the light; *tussen ~ en donker* in the twilight, F between the lights; *ga uit het ~* stand out of my light.
lichtbak ['lɪxtbak] *m* I (als reclame) illuminated sign; 2 (van stropers) light.
lichtbeeld [-be.lt] *o* lantern view.
lichtblauw [-blou] light blue.

lichtboei [-bu:i] *v* ⚓ light-buoy.
lichtboog [-bo.x] *m* ⚡ electric arc.
lichtbron [-bròn] *v* source of light.
lichtbruin [-brœyn] light brown.
lichtbundel [-bŭndəl] *m* pencil of rays, beam of light.
lichtdruk ['lixdrŭk] *m* phototype.
lichtecht ['lixtext] fast.
lichteffect, -effekt [-ɛfɛkt] *o* effect(s) of light, light-effect(s).
lichtekooi ['lixtəko:i] *v* prostitute.
lichtelijk [-lək] somewhat, a little, slightly.
1 **lichten** ['lixtə(n)] *vt* 1 (oplichten) lift, raise; 2 ⚓ weigh [anchor]; raise [a sunken ship]; 3 📬 clear [the letter-boxes]; zie ook: *doopceel, hand, hiel, voet &*.
2 **lichten** ['lixtə(n)] *vi* 1 (licht geven) give light, shine; 2 (licht worden) get light, dawn; 3 (weerlichten) lighten; *het ~ v. d. zee* the phosphorescence of the sea.
lichtend [-tənt] luminous, shining [example]; phosphorescent.
lichter [-tər] *m* ⚓ lighter.
lichtergeld [-tərgɛlt] *o* ⚓ lighterage.
lichtfakkel ['lixtfakəl] *v* 🔥 flare.
lichtgas [-gɑs] *o* illuminating gas, coal-gas.
lichtgeel [-ge.l] light yellow.   [(ly).
lichtgelovig [lixtgə'lo.vəx] *aj* (& *ad*) credulous-
lichtgelovigheid [-hɛit] *v* credulousness, credulity.
lichtgeraakt [lixtgə'ra.kt] quick to take offence, touchy.
lichtgeraaktheid [-hɛit] *v* touchiness.
lichtgevend ['lixtge.vənt] luminous.
lichtgevoelig [-gəvu.ləx] light-sensitive.
lichtgewapend [-gəva.pənt] ✗ light-armed.
lichtgrijs [-grɛis] light grey.
lichtgroen [-gru.n] light green.
lichthartig [lixt'hɑrtəx] light-hearted.
lichthartigheid [-hɛit] *v* light-heartedness.
lichtheid ['lixthɛit] *v* lightness; easiness.
lichting ['lixtiŋ] *v* 1 📬 collection; 2 ✗ draft, levy; *de ~ 1955* ✗ the 1955 class.
lichtinstallatie ['lixtinstala.(t)si.] *v* (electric) light-plant.
lichtjaar [-ja:r] *o* light-year.
lichtkegel [-ke.gəl] *m* cone of light.
lichtkever [-ke.vər] *m* fire-fly, glow-worm.
lichtkogel [-ko.gəl] *m* Very light.
lichtkrans [-krɑns] *m* 1 wreath of light, halo [round a saint's head, round sun or moon]; 2 [round the sun] corona.
lichtkring [-kriŋ] *m* luminous circle.
lichtkroon [-kro.n] *v* chandelier, lustre.
lichtmast [-mɑst] *m* light standard, lamp standard.
lichtmatroos [-ma.tro.s] *m* ordinary seaman.
lichtmeter [-me.tər] *m* 1 photometer; 2 (v. camera) lightmeter.
Lichtmis [-mis] *m* (feest) Candlemas.
lichtmis [-mis] *m* (persoon) libertine, rake, debauchee.

lichtnet [-nɛt] *o* ⚡ (electric) mains.
lichtpistool [-pi.sto.l] *o* flare pistol.
lichtpunt [-pŭnt] *o* 1 luminous point; *fig* bright spot; 2 ⚡ connection.
lichtreclame, -reklame [-rəkla.mə] *v* illuminated sign(s).
lichtrood [-ro.t] light red, pink.
lichtscherm [-sxɛrm] *o* shade, screen.
lichtschip [-sxip] *o* ⚓ lightship.
lichtschuw [-sxy:u] shunning the light²; *~e elementen* shady characters.
lichtspoorkogel [-spo:rko.gəl] *m* ✗ tracer bullet.
lichtsterkte [-stɛrktə] *v* luminosity, light intensity; *de ~ is...* the candle-power is...
lichtstraal [-stra.l] *m* & *v* ray of light, beam of light.
lichtvaardig [lixt'fa:rdəx] *aj* (& *ad*) rash(ly).
lichtvaardigheid [-hɛit] *v* rashness.
lichtzijde ['lixtsɛidə] *v* bright side.
lichtzinnig [lixt'sinəx] *aj* (& *ad*) frivolous(ly).
lichtzinnigheid [-hɛit] *v* levity, frivolity.
lid [lit] *o* 1 (v. lichaam) limb; (v. vereniging) member; (v. vinger) phalanx [*mv* phalanges]; (v. stengel) internode; (v. wetsartikel) paragraph; (v. vergelijking) term; 2 (gewricht) joint; 3 (v. verwantschap) degree, generation; 4 (deksel) lid [of the eye]; *~ worden van* join [a club]; *een arm weer in het ~ zetten* reduce; *een ziekte onder de leden hebben* be sickening for something; *over al zijn leden beven* tremble in every limb; *tot in het vierde ~* to the fourth generation; *mijn arm is uit het ~* out (of joint), dislocated; *~ (leden)-staat (staten)* member state(s).
lidmaatschap ['litma.tsxɑp] *o* membership.
lidwoord [-vo:rt] *o gram* article.
lied [li.t] *o* song; [church] hymn; ☉ lay [of a minstrel].
liedboek ['li.tbu.k] = *liederboek.*
lieden ['li.də(n)] *mv* people, folks, men.
liederboek ['li.dərbu.k] *o* book of songs, songbook.
liederlijk [-lək] **I** *aj* dissolute, debauched; F wretched, beastly; *~e taal* coarse language; **II** *ad* dissolutely; F < abominably, horribly.
liederlijkheid [-ləkhɛit] *v* dissoluteness, debauchery.
liedje ['li.cə] *o* ditty, (street-)ballad, song, tune; *het is altijd hetzelfde (oude) ~* it is always the same (old) song; *een ander ~ zingen* change one's tune [*fig*]; *het ~ van verlangen zingen* dawdle at bedtime for a few moments' grace [of children].
liedjeszanger ['li.cəsaŋər] *m* ballad-singer.
1 **lief** [li.f] **I** *aj* 1 (bemind) dear, beloved; 2 (beminnelijk) amiable; 3 (aanminnig) F sweet, pretty; 4 (aardig voor anderen) nice; 5 (vriendelijk) kind; 6 (ironisch) nice, fine; *maar mijn lieve mensen...* but my dear people...; *dat is erg ~ van hem* very kind

(nice) of him; ...*meer dan me* ~ *is* ...more than I care for; II *ad* amiably, sweetly, nicely, kindly; ~ *doen* do the amiable; *iets voor* ~ *nemen* put up with a thing; *ik wou net zo* ~... I would just as soon...; zie ook: *liefst* en *liever*.

2 lief [li.f] *o* (geliefde) love, sweetheart; *'s levens* ~ *en leed* the sweets and bitters of life; *hun* ~ *en leed* their weal and woe.

liefdadig [li.f'da.dəx] I *aj* charitable; II *ad* charitably.

liefdadigheid [-hɛit] *v* charity.

liefdadigheidsconcert [-hɛitskònsɛrt] *o* charity concert.

liefdadigheidsinstelling [-ɪnstɛlɪŋ] *v* charitable institution.

liefdadigheidskoncert zie *liefdadigheidsconcert*.

liefdadigheidsvoorstelling [-fo:rstɛlɪŋ] *v* charity performance.

liefde ['li.vdə] *v* love; (christelijke) charity; *kinderlijke* ~ filial piety; *de* ~ *voor de kunst* the love of art; ~ *tot God* love of God; *uit* ~ for (out of, from) love; *een huwelijk uit* ~ a love-match; *oude* ~ *roest niet* old love never dies.

liefdebetuiging [-bətœygɪŋ] = *liefdesbetuiging*.

liefdeblijk [-blɛik] *o* token of love.

liefdebrief [-bri.f] = *liefdesbrief*.

liefdedienst [-di.nst] *m* act of charity (of kindness).

liefdegave [-ga.və] *v* alms, charity.

liefdegeschiedenis [-gəsxi.dənɪs] = *liefdesgeschiedenis*.

liefdegift [-gɪft] *v* alms, charity.

liefdeloos [-!o.s] loveless, uncharitable.

liefdeloosheid [li.vdə'lo.shɛit] *v* lovelessness, uncharitableness.

liefderijk ['li.vdəreik] I *aj* charitable; II *ad* charitably.

liefdesbetuiging ['li.vdəsbətœygɪŋ] *v* profession of love.

liefdesbrief [-bri.f] *m* love-letter.

liefdesgeschiedenis [-gəsxi.dənɪs] *v* 1 love-story; 2 love-affair.

liefdesmart ['li.vdəsmart] *v* pangs of love.

liefde(s)verklaring [-də(s)fərkla:rɪŋ] *v* declaration (of love).

liefdevol ['li.vdəvòl] full of love, loving.

liefdewerk [-vɛrk] *o* charitable deed, good work.

liefdezuster [-zŭstər] *v* sister of charity.

liefdoenerij [li.fdu.nə'rɛi] *v* F demonstrative affection.

liefelijk ['li.fələk] I *aj* lovely, sweet; II *ad* in a lovely manner, sweetly.

liefelijkheid [-hɛit] *v* loveliness, sweetness; *liefelijkheden* (feline) amenities.

liefhebben ['li.fhɛbə(n)] *vt* love, cherish.

liefhebbend [-bənt] loving, affectionate; *uw* ~*e*... yours affectionately.

liefhebber [-bər] *m* -ster ['li.fhɛpstər] *v* 1 amateur, lover; 2 zie *gegadigde*; *hij is een* ~ *van roken* he is fond of smoking; *hij is daar geen*

~ *van* he doesn't like it.

liefhebberen ['li.fhɛbərə(n)] *vi* do amateu work; dabble [in politics &].

liefhebberij [li.fhɛbə'rɛi] *v* fad, hobby.

liefheid ['li.fhɛit] *v* amiability, sweetness.

liefje [-jə] *o* sweetheart, beloved one, darling.

liefkozen [-ko.zə(n)] *vt* caress, fondle.

liefkozing [-ko.zɪŋ] *v* caress.

liefkrijgen [-krɛigə(n)] *vt* get (grow) to lik grow fond of.

lieflijk(-) [-lək] = *liefelijk(-)*.

liefst [li.fst] I *aj* dearest, favourite; II *a* rather; *wat heb je 't* ~? which do you lik best, which do you prefer?; ~ *die soo* preferably [that sort], ...for preference; ~ *niet* rather not.

liefste ['li.fstə] I *m* sweetheart, lover; 2 sweetheart, beloved.

lieftallig [li.f'talax] I *aj* sweet, lovable, am able; II *ad* sweetly, lovably, amiably.

lieftalligheid [-hɛit] *v* sweetness, amiability.

liegen ['li.gə(n)] I *vi & va* lie, tell lies, te stories; *lieg er nu maar niet om* don't lie abou it; *hij liegt alsof het gedrukt is* he lies like conjurer; *als ik lieg, dan lieg ik in commiss* if it is a lie, you have the tale as cheap as II *vt* in: *dat lieg je, je liegt het* that's a lie *iemand iets heten* ~ give one the lie.

lier [li:r] *v* 1 ♪ lyre; ↘ (orgeltje) hurd gurdy; 2 ⚓ winch.

lierdicht ['li:rdɪxt] *o* lyric poem.

lierdichter [-dɪxtər] *m* lyric poet. '

liereman ['li:rəman] *m* hurdy-gurdy man.

lierzang ['li:rzaŋ] *m* lyric poem, lyric.

Lies [li.s] *v* Eliza.

lies [li.s] *v* groin.

liesbreuk ['li.sbrø.k] *v* inguinal hernia.

Liesje ['li.Jə] *o & v* Lizzie, Lizzy.

lieslaars ['li.sla:rs] *v* thigh boot.

lieveheersbeestje [li.və'he:rsbe.Jə] *o* ladybird.

lieveling ['li.vəlɪŋ] *m* darling, favourite, pe love.

lievelingsdichter [-lɪŋsdɪxtər] *m* favourite poe

lievemoederen [li.və'mu.dərə(n)] in: *daar hel* *geen* ~ *aan F* there is no help for it.

liever ['li.vər] I *aj* dearer; sweeter &; II *a* rather; *ik heb dit huis* ~ I like this hous better, I prefer this house [to that]; *hij zou* *sterven dan*... he would rather die than...; *i* *zou er* ~ *niet heengaan* I had rather not ge *je moest maar* ~ *naar bed gaan* you'd (yo had) better go to bed; *je moest daar* ~ *nie heengaan* you had better not go; *niets* ~ *vei langen* (*wensen, willen*) *dan*..., want nothin better than...; *je kunt stuivers krijgen, als* *dat* ~ *hebt* if you'd rather; ~ *niet!* I'd rathe not!

lieverd [-vərt] *m* darling.

lieverdje [-vərcə] *o* in: *je bent me een* ~! you're a nice one!

lieverlede [li.vər'le.də] *van* ~ gradually, b degrees, little by little.

evevrouwebedstro [li.vəvrəuə'bɛtstro.] *o* **♣** woodruff.

evigheid ['li.vəxhɛit] *v* (feline) amenity.

flafje ['lɪflafjə] *o* kickshaw.

ft [lɪft] *m* lift, (*Am*) elevator; *een* ~ *geven (krijgen)* give (get) a lift; *een* ~ *vragen* F thumb a lift.

ften ['lɪftə(n)] *vi* F hitch-hike.

fter [-tər] *m* F hitch-hiker.

ftjongen ['lɪftjòŋə(n)] *m* lift-boy.

ftkoker [-ko.kər] *m* lift-shaft.

ga ['li.ga.] *v* league.

gdag ['lɪxdax] *m* **♣** lay-day.

ggeld ['lɪgɛlt] *o* **♣** 1 dock dues; 2 zie *overliggeld.*

ggen [-gə(n)] *vi* lie [also of troops]; be situated; *de lonen* ~ *lager* wages are lower; *dat werk ligt me niet* the job does not suit me, it's not in my line; *altijd* ~ *te zeuren* always be bothering; *blijven* ~ remain; *hij zal enige dagen moeten blijven* ~ he will have to lie up for a couple of days; *morgen vroeg blijf ik wat (langer)* ~ F I'll remain in bed a little longer; *hij is gaan* ~ 1 he has gone to bed; 2 he has taken to his bed; *ga daar* ~ lie down there; *de wind is gaan* ~ the wind has abated; *laat dat* ~! leave it there!, leave it alone!; *hij heeft het lelijk laten* ~ he has made a mess of it; *die stad ligt aan een rivier* is situated on a river; *hij ligt al 8 dagen aan (met) die ziekte* he has been laid up with it for a week; *dat ligt nog maar aan u* the issue lies with you; *als 't aan mij lag* if I had any say in the matter; *aan mij zal het niet* ~ it will be through no fault of mine; *waar ligt het aan, dat...?* what may be the cause (of it)?; *in zijn bed* ~ lie (be) in bed; *het huis ligt op een heuvel* stands on a hill; *het huis ligt op het oosten* it has an eastern aspect, it faces east; *de wagen ligt vast op de weg* the car holds the road well; *hij lag te bed* he was in bed; zie *ook: bedoeling &.*

ggend [-gənt] lying, recumbent [position &]; turn-down [collar].

gging [-gɪŋ] *v* 1 situation, lie [of a house], [geographical] position; 2 bedding [of soldiers &].

ghal ['lɪxhɑl] *v* (open-air) shelter.

gkuur [-ky:r] *v* rest-cure.

gplaats [-pla.ts] *v* **♣** berth.

gstoel [-stu.l] *m* reclining-chair, lounge-chair.

guster [li.'gűstər] *m* **♣** privet.

i [lɛi] *v* **♣** lee; *aan* ~ alee, on the lee-side.

idelijk ['lɛidələk] *aj* (& *ad*) passive(ly).

idelijkheid [-hɛit] *v* passiveness, passivity.

iden ['lɛi(d)ə(n)] I *vt* suffer, endure, bear; *dorst* ~ suffer thirst; *iemand wel mogen* ~ rather like one; *ik mag* ~ *dat hij...* I wish he may...; II *vi* suffer; *nu kan 't wel* ~ we can afford it now; ~ *aan hoofdpijn* suffer from headaches; *erg* ~ *aan*, ook: suffer a great deal *trom...*, be a martyr to...; ~ *onder iets* suffer

under something; *zij* ~ *er het meest onder* they are the greatest sufferers; *te* ~ *hebben van* suffer from; III *o* suffering(s); *het* ~ *van Christus* the Passion of Christ; *na* ~ *komt verblijden* after rain comes sunshine; *uit zijn* ~ *verlossen* put out of (his) misery.

lijdend [-dənt] suffering; *gram* passive; *de* ~*e partij* the suffering party, the sufferer; *de* ~*e partij zijn* be the loser; *de* ~*e vorm van het werkwoord* the passive voice.

lijdensbeker [-dənsbe.kər] *m* cup of bitterness; *de* ~ *ledigen* ook: drain the bitter cup.

lijdensgeschiedenis [-gəsxi.dənis] *v* Passion [of Christ]; *het is een hele* ~ it is a long tale of misery (of woe).

lijdenskelk [-kɛlk] *m* zie *lijdensbeker.*

lijdenspreek [-pre.k] *v* Passion sermon.

lijdensweek [-ve.k] *v* Holy Week.

lijdensweg [-vɛx] *m* way of the Cross; *fig* [long] martyrdom.

lijder ['lɛidər] *m* ~*es* [lɛidə'rɛs] *v* sufferer, patient.

lijdzaam ['lɛitsa.m] I *aj* patient, meek; II *ad* patiently, meekly.

lijdzaamheid [-hɛit] *v* patience, meekness.

lijf [lɛif] *o* body; *het aan den lijve ondervinden (voelen)* learn what it feels like, feel it personally; *in levenden lijve* in the flesh; *hier is hij in levenden lijve* here he is as large as life; *niet veel om 't* ~ *hebben* be no great matter, amount to very little; *iemand een schrik (de koorts) op het* ~ *jagen* give one such a turn; *iemand op het* ~ *vallen* take one unawares; *over zijn hele* ~ *beven* tremble in every limb; *iemand te* ~ *gaan* go at one; *iemand tegen het* ~ *lopen* run up against [a friend], tumble across [a person]; *dat zal je wel uit je* ~ *laten* F you jolly well won't do it; *zich... van het* ~ *houden* keep... at arm's length.

lijfarts ['lɛifɑrts] *m* personal physician, physician in ordinary.

lijfblad [-blɑt] *o* favourite paper.

lijfeigene [-ɛigənə] *m-v* serf.

lijfeigenschap [-gənsxɑp] *v* bondage, serfage.

lijfelijk ['lɛifələk] in: *mijn* ~*e zoon* my own son.

lijfgoed ['lɛifgu.t] *o* body-linen.

lijfje [-jə] *o* bodice.

Lijfland [-lɑnt] *o* Livonia.

Lijflander [-lɑndər] *m* **Lijflands** [-lɑnts] *aj* Livonian.

lijfrente [-rɛntə] *v* (life-)annuity.

lijfrentetrekker [-trɛkər] *m* annuitant.

lijfsbehoud ['lɛifsbəhout] *o* preservation of life.

lijfsdwang [-dvɑŋ] *m* arrest for debt.

lijfsgevaar [-gəva:r] *o* danger of life.

lijfsieraad ['lɛifsi:ra.t] *o* personal ornament.

lijfspreuk [-sprø.k] *v* motto, favourite maxim.

lijfstraf [-strɑf] *v* corporal punisment.

lijftocht [-tɔxt] *m* subsistence.

lijfwacht [-vɑxt] *v* bodyguard, life-guard.

lijk [lɛik] *o* 1 corpse, (dead) body; [anatomical] subject; 2 **♣** leech [of a sail].

lijkachtig ['lɛikɑxtəx] cadaverous.

lijkauto [-ɔuto., -ɔ.to.] *m* motor-hearse.

lijkbaar [-ba:r] *v* bier.

lijkbezorger [-bəzɔrgər] *m* undertaker.

lijkbidder [-bɪdər] *m* undertaker's man.

lijkdienst [-di.nst] *m* funeral service; service for (the burial of) the dead.

lijkdrager [-dra.gər] *m* bearer [at a funeral].

1 **lijken** ['lɛikə(n)] *vt* in: *dat kon mij* ~ that's what I should like.

2 **lijken** ['lɛikə(n)] *vi* 1 be (look) like; 2 seem, appear; *het lijkt alsof*... it looks as if...; *het lijkt wel dat ze*... it would appear that they...; *ofschoon het heel wat leek* though it made a great show; *zij zijn niet wat zij* ~ they are not what they appear (to be); *het is niet zo gemakkelijk als het lijkt* it is not so easy as it looks; *dat lijkt maar zo* it only seems so; *het lijkt er niet naar, dat ze*... there is no appearance of their ...ing; *het lijkt naar niets* it is below contempt; *zij* ~ *op elkaar* they look like each other, they resemble each other; *zij* ~ *(niet) veel op elkaar* they are (not) very like; *zij* ~ *op elkaar als twee druppels water* they are as like as two peas; *ik lijk wel doof vandaag* I seem (to be) deaf today; *dat portret lijkt goed (niet)* it is a good (poor) likeness.

lijkenhuis [-hœys] *o* mortuary.

lijkkist ['lɛikɪst] *v* coffin.

lijkkleed [-kle.t] *o* 1 (over de kist) pall; 2 (kledingstuk) shroud, winding-sheet.

lijkkleur [-klø:r] *v* livid (cadaverous) colour.

lijkkleurig [-klø:rəx] livid, cadaverous.

lijkkoets [-kut.s] *v* hearse.

lijkopening ['lɛiko.pənɪŋ] *v* autopsy, dissection.

lijkplechtigheden [-plɛxtəxhe.də(n)] *mv* funeral ceremonies, obsequies.

lijkrede [-re.də] *v* funeral oration (speech).

lijkschouwer [-sxɔuər] *m* coroner.

lijkschouwing [-sxɔuɪŋ] *v* post-mortem (examination).

lijkstaatsie [-sta.(t)si.] *v* ~ **stoet** [-stu.t] *m* burial procession, funeral procession, funeral.

lijkverbranding [-fərbrɑndɪŋ] *v* cremation.

lijkwa(de) [-va.(də)] *v* shroud.

lijkwagen [-va.gə(n)] *m* hearse, funeral car.

lijkzang [-sɑŋ] *m* funeral song, dirge.

lijm [lɛim] *m* glue; (vogellijm) lime.

lijmen ['lɛimə(n)] *vt* glue; *hij liet zich niet* ~ there was no possibility of talking him over.

lijmerig [-mərəx] 1 sticky, gluey; 2 *fig* drawling [voice]; ~ *spreken* speak with a drawl, drawl.

lijmfabriek ['lɛimfa.bri.k] *v* glue factory.

lijmketel [-ke.təl] *m* glue-boiler.

lijmkwast [-kʋast] *m* glue-brush.

lijmpot [-pɔt] *m* glue-pot.

lijmroede [-ru.də] ~ **stang** [-stɑŋ] *v* ~ **stok** [-stɔk] *m* lime-twig.

lijmwater [-va.tər] *o* size.

lijn [lɛin] *v* 1 line [also of a railway &]; 2 (koord) cord, rope; *de* ~ *trekken* S swing the lead; *één* ~ *trekken* pull together, take the same line; *honden aan de* ~ dogs on the leash; *in grote* ~ *en* broadly outlined; *dat ligt niet in mijn* ~ that is not in my line; *met* ~ *3* by number 3 bus, (tram) by number 3 car; *op één* ~ *staan* be on a level; *op één* ~ *stellen met* bring (put) on a level with; *voor de (slanke)* ~ for the figure.

lijnbaan ['lɛinba.n] *v* rope-walk.

lijnboot [-bo.t] *m* & *v* ⚓ liner.

lijndraaier [-dra.jər] *m* rope-maker.

lijnen ['lɛinə(n)] *vt* rule.

lijnkoek ['lɛinku.k] *m* linseed cake, oilcake.

lijnolie [-o.li.] *v* linseed oil.

lijnrecht [-rɛxt] I *aj* straight, perpendicular, diametrical; *in* ~ *e tegenspraak met* in flat contradiction with; II *ad* straightly, perpendicularly, diametrically; ~ *staan tegenover* be diametrically opposed to.

lijnslager [-sla.gər] *m* rope-maker.

lijntekenen [-te.kənə(n)] *o* geometrical drawing.

lijntje [-cə] line; *ik heb hem aan 't* ~ F I have him in my power; *iemand aan het* ~ *houden* F keep one on a string; *met een zacht (zoet)* ~ F with soothing words.

lijntrekken [-trɛkə(n)] *vi* S swing the lead.

lijntrekker [-kər] *m* S shirker.

lijntrekkerij [lɛintrɛkə'rɛi] *v* S shirking.

lijnvliegtuig ['lɛinvli.xtœyx] *o* ✈ air liner.

lijnwaad [-va.t] *o* linen.

lijnwerker [-ʋɛrkər] *m* ✝ & ✆ lineman.

lijnzaad [-za.t] *o* linseed.

lijs [lɛis] *v* dawdler, slow-coach; *een lange* ~ a maypole.

lijst [lɛist] *v* list, register; frame [of a picture]; △ cornice, moulding; *in een* ~ *zetten* frame [a picture]; *op de* ~ *zetten* enter on the list.

lijsten ['lɛistə(n)] *vt* frame [a picture].

lijstenmaker [-ma.kər] *m* frame-maker.

lijster ['lɛistər] *v* 🐦 thrush, throstle; *grote* ~ missel-thrush; *zwarte* ~ zie **merel**.

lijsterbes [-bɛs] *v* 1 (vrucht) mountain-ash berry, rowan berry; 2 (boom) zie ↓.

lijsterbesseboom [-bɛsəbo.m] *m* mountain-ash, rowan.

lijstwerk ['lɛistʋɛrk] *o* framework; △ moulding.

lijvig ['lɛivəx] corpulent; voluminous, bulky, thick.

lijvigheid [-hɛit] *v* corpulency; voluminousness, bulkiness, thickness.

lijwaarts ['lɛiva.rts] ⚓ leeward.

lijzig ['lɛizəx] drawling, slow.

lijzigheid [-hɛit] *v* drawling, slowness.

lijzij(de) ['lɛizɛi(də)] *v* ⚓ leeside.

lik [lɪk] *m* 1 lick [with the tongue]; 2 S box on the ears; ~ *op stuk geven* give tit for tat.

likdoorn ['lɪkdo.rən] *m* corn.

likdoornsnijder [-snɛi(d)ər] *m* corn cutter.

likdoren(-) = *likdoorn(-)*.

likeur [li.'kø:r] *v* liqueur.

likeurglaasje [-gla.ʃə] *o* liqueur glass.

likeurstoker [-sto.kər] *m* liqueur distiller.

likeurtje [-cə] *o* liqueur.

likkebaarden ['lɪkəba:rdə(n)] *vi* lick one's lips (one's chops).

likkebroer [-bru:r] *m* gourmand.

likken ['lɪkə(n)] *vi & vt* lick.

likwidateur zie *liquidateur*.

likwidatie zie *liquidatie*.

likwideren zie *liquideren*.

likwiditeit zie *liquiditeit*.

lil [lɪl] *o & m* jelly, gelatine.

lila ['li.la.] lilac.

lillen ['lɪlə(n)] *vi* tremble.

Lilliput ['lɪli.pūt] *o* Lilliput.

lilliputachtig [-pūtɑxtəx] Lilliputian.

Lilliputter, lilliputter [-pūtər] *m* Lilliputian[2].

Limburg ['lɪmbŭrx] *o* Limburg.

Limburger [-bŭrgər] *m* Limburg man.

Limburgs [-bŭrxs] Limburg(er); ~e kaas Limburger cheese; ~e klei loess.

limiet [li.'mi.t] *v* limit; (v. veiling) reserve (price).

limiteren [-mi.'te:rə(n)] *vt* limit; (op veiling) put a reserve price on.

limoen [-'mu.n] *m* lemon.

limoenboom [-bo.m] *m* lemon-tree.

limonade [li.mo.'na.də] *v* lemonade.

limousine [li.mu.'zi.nə] *v* limousine.

linde ['lɪndə] *v* lime-tree, lime, linden, lindentree.

lindebloesem [-blu.səm] *m* lime-tree blossom.

lindeboom [-bo.m] *m* zie *linde*.

lindehout [-hœut] *o* lime-wood.

lindenlaan ['lɪndə(n)la.n] *v* lime-tree avenue, lime avenue.

lindetee zie *lindethee*.

lindethee ['lɪndəte.] *m* lime-flower tea.

lingerie [lɛʒə'ri.] *v* lingerie.

liniaal [li.ni.'a.l] *v & o* ruler.   [line.

linie ['li.ni.] *v* line; de ~ passeren ⚓ cross the

liniëren [li.ni.'e:rə(n)] *vt* rule.

linieschip ['li.ni.sxɪp] *o* ⚓ ship of the line.

linietroepen [-tru.pə(n)] *mv* ✕ troops of the line.

linker ['lɪŋkər] left; ⊘ sinister.

linkerachterpoot [lɪŋkər'ɑxtərpo.t] *m* near hind-leg.

linkerarm ['lɪŋkərɑrm] *m* left arm.

linkerbeen [-be.n] *o* left leg.

linkerhand [-hɑnt] *v* left hand; de ~ ook: the left.

linkerkant [-kɑnt] *m* left side; aan de ~ ook: on the left-hand side; naar de ~ to the left.

linkervleugel [-vlø.gəl] *m* left wing.

linkervoorpoot [lɪŋkər'vo:rpo.t] *m* near foreleg.

linkerzij(de) ['lɪŋkərzɛi(də)] *v* left(-hand) side; de Linkerzijde the (parliamentary) Left.

links [lɪŋks] **I** *aj* 1 (tegenover rechts, ook in de politiek) left; 2 (met de linkerhand) left-handed[2]; 3 (onhandig) *fig* gauche, awkward, clumsy; een ~e regering a

left-wing government; **II** *ad* 1 to (on, at) the left; 2 *fig* in a left-handed way, in a gauche way, awkwardly, clumsily; de... ~ laten liggen leave the... on the left; iemand ~ laten liggen give one the cold shoulder, cold-shoulder one; naar ~ to the left.

linksaf [lɪŋks'ɑf] to the left.

linksbinnen [-'bɪnə(n)] *m sp* inside left.

linksbuiten [-'bœytə(n)] *m sp* outside left.

linksheid ['lɪŋksheit] *v* left-handedness[2]; *fig* gaucherie, awkwardness, clumsiness.

linksom [lɪŋks'òm] to the left; ~...keert! ✕ left... turn!

linnen ['lɪnə(n)] *o & aj* linen; ~ (boek)band cloth binding; in ~ (gebonden) (in) cloth.

linnengoed [-gu.t] *o* linen.

linnenhandel [-hɑndəl] *m* linen-trade.

linnenjuffrouw [-jŭfrəu] *v* linen-maid.

linnenkamer [-ka.mər] *v* linen-room.

linnenkast [-kɑst] *v* linen-cupboard.

linnenmeid [-mɛit] *v* linen-maid.

linnennaaister ['lɪnəna:istər] *v* seamstress.

linnenwever ['lɪnə(n)ve.vər] *m* linen-weaver.

linnenweverij [lɪnə(n)ve.və'rɛi] *v* linen-weaver's trade; linen-factory.

linnenwinkel ['lɪnə(n)vɪŋkəl] *m* linen-draper's shop.

linoleum [li.'no.le.ŭm] *o & m* linoleum, F lino.

lint [lɪnt] *o* ribbon.

lintje ['lɪncə] *o* ribbon; een ~ krijgen S obtain an order of knighthood.

lintjesregen [-cəsre.gə(n)] *m* S shower of birthday honours.

lintworm ['lɪntvɔrm] *m* tapeworm.

lintzaag [-sa.x] *v* ✕ band-saw.

linze ['lɪnzə] *v* lentil.

lip [lɪp] *v* lip; aan iemands ~pen hangen zie hangen; zich op de ~pen bijten bite one's lips; het lag mij op de ~pen 1 I had it on the tip of my tongue; 2 the word was going to escape my lips; over iemands ~pen komen pass a person's lips.

lipbloemig ['lɪpblu.məx] ⚘ labiate; ~en la-liplezen [-le.zə(n)] *o* lip-reading.   [biates.

lippenstift ['lɪpə(n)stɪft] *v* lipstick.

lipvis ['lɪpfɪs] *m* 𝕳 wrasse.

lipvormig [-fɔrməx] lip-shaped, labial.

liquidateur [li.kvi.da.'tø:r] *m* liquidator.

liquidatie [-'da.(t)si.] *v* 1 liquidation, winding-up; 2 settlement [on Stock Exchange].

liquide [li.'ki.də] liquid.

liquideren [li.kvi.'de:rə(n)] **I** *vt* liquidate, wind up [one's affairs]; **II** *vi* go into liquidation.

liquiditeit [-di.'tɛit] *v* liquidity.

lire ['li:rə] *v* lira.

1 lis [lɪs] *m & o* ⚘ iris, blue flag, yellow flag.

2 lis [lɪs] *v* = *lus*.

lisdodde ['lɪsdodə] *v* ⚘ reed-mace.

lispelen ['lɪspələ(n)] *vi* lisp.

Lissabon ['lɪsa.bòn] *o* Lisbon.

list [lɪst] *v* 1 (abstract) craft, cunning; 2 (concreet) trick, stratagem, ruse.

listig ['lɪstəx] I *aj* sly, cunning, crafty, wily, subtle; II *ad* slyly &.

listigheid [-ɦeit] *v* slyness, cunning, subtlety.

listiglijk [-lək] slyly &.

litanie [li.ta.'ni.] *v* litany.

liter ['li.tər] *m* litre.

literair [li.tə're:r] literary.

literair-historicus [-ɦɪsto:ri.kŭs] *m* literary historian, historian of literature.

literair-historisch [-ɦɪsto:ri.s] of literary history, [a work] on literary history.

literator [li.tə'ra.tər] *m* literary man, man of letters.

literatuur [li.tərɑ.'ty:r] *v* literature°.

literatuurgeschiedenis [-ɡəsxi.dənɪs] *v* literary history, history of literature.

lithograaf [li.to.'ɡra.f] *m* lithographer.

lithograferen [-ɡra.'fe:rə(n)] *vt* lithograph.

lithografie [-ɡra.'fi.] *v* I (kunst) lithography; 2 (plaat) lithograph.

lithografisch [-'ɡra.fi.s] *aj* (& *ad*) lithographic(ally).

litogra- zie *lithogra-*.

Litouwen ['li.təuə(n)] *o* Lithuania.

Litouwer [-ər] *m* Litouws [-s] Lithuanian.

lits-jumeaux [li.ʒy.'mo.] *o* double bed, twin bedstead.

litteken ['lɪte.kə(n)] *o* scar, cicatrice.

littera- = *litera-*.

liturgie [li.tŭr'ɡi.] *v* liturgy.

liturgisch [-'tŭrɡi.s] *aj* (& *ad*) liturgical(ly).

Livius ['li.vi.ŭs] *m* Livy.

Livorno [li.'vorno.] *o* Leghorn.

livrei [li.'vrɛi] *v* livery.

livreibediende [-bədi.ndə] *m* livery servant, man in livery.

livreiknechtje [-knɛxjə] *o* page(-boy).

livreirok [-rɔk] *m* livery coat.

l.l. = *laatstleden*.

L.O. [la.ɡər'ɔndərvɛis] = *lager onderwijs*.

lob [lɔp] *v* 🙾 lobe.

lobbes ['lɔbəs] *m* goeie ~ F good-natured fellow.

lobbesachtig [-ɑxtəx] good-natured.

locali- zie *lokali-*.

loco ['lo.ko.] $ (on) spot; ~ *Amsterdam* $ ex warehouse Amsterdam; ~ *station* $ free station.

loco-burgemeester ['lo.ko.bŭrɡəmə.stər] *m* deputy mayor.

locomobiel [lo.ko.mo.'bi.l] *m* portable (movable) engine.

locomotief [-mo.'ti.f] *v* engine, locomotive.

lodderig ['lɔdərəx] drowsy.

I loden ['lo.də(n), 'lo.jə(n)] I *aj* lead, leaden²; *met* ~ *schoenen* with leaden feet; II *vt* I (in lood vatten) lead; 2 (in de bouwkunde) plumb; 3 🙾 (peilen) sound; III *va* 🙾 take soundings.

2 loden ['lo.dən] I *m* & *o* (stofnaam) loden; II *aj* loden [rain-coat].

Lodewijk ['lo.dəvɛik] *m* Lewis.

loef [lu.f] *v* 🙾 luff; *de* ~ *afsteken* (*afwinnen*) 🙾 get to windward of; *fig* outdo.

loefwaarts ['lu.fva:rts] 🙾 to windward.

loefzij(de) [-sɛi(də)] *v* 🙾 windward side, weather-side.

loeien ['lu.jə(n)] *vi* I low, moo [of cows], bellow [of bulls]; 2 roar [of the wind]; 3 wail [of sirens].

loens [lu.ns] squint-eyed; ~ *kijken* squint.

loensen ['lu.nzə(n)] *vi* squint.

loep [lu.p] *v* magnifying glass, magnifier, lens; reading glass; *onder de* ~ *nemen* examine [*fig*].

loer [lu:r] *v* in: *op de* ~ *liggen* lie in wait, lie on the look-out, keep a sharp look-out.

loeren ['lu:rə(n)] *vi* peer, spy; ~ *op iemand* lie in wait for one; *op een gelegenheid* ~ watch one's opportunity.

loeven ['lu.və(n)] *vi* 🙾 luff.

loever(t) [lu.vər(t)] *o* in: *te* ~ 🙾 to windward.

I lof [lɔf] *m* praise, laudation, eulogy; *God* ~! praise be to God!, thank God!; *eigen* ~ *stinkt* self-praise is no recommendation; *zijn eigen* ~ *verkondigen* blow one's own trumpet; *de* ~ *verkondigen* (*zingen*) *van* sing the praises of; *boven alle* ~ *verheven* beyond all praise; *met* ~ *promoveren* take an honours degree; *zij spraken met veel* ~ *over hem* they were loud in praise of him.

2 lof [lɔf] *o* 🎇 zie *loof* & *Brussels*.

3 lof [lɔf] *o* *RK* benediction, evening service.

lofdicht ['lɔfdɪxt] *o* panegyric, laudatory poem.

loffelijk ['lɔfələk] I *aj* laudable, commendable, praiseworthy; II *ad* laudably, commendably &.

loffelijkheid [-ɦeit] *v* laudableness &.

loflied ['lɔfli.t] *o* hymn (song) of praise, ⊙ paean.

Lofodden [lo.'fòdə(n)] *de* ~ the Lofoten (Islands).

lofpsalm ['lɔfpsɑlm] *m* psalm (hymn) of praise.

lofrede [-re.də] *v* laudatory speech, panegyric.

lofredenaar [-re.dəna:r] *m* panegyrist.

lofspraak [-spra.k] *v* praise, commendation.

loftrompet [-'trɔmpet] *v* in: *de* ~ *steken over* trumpet forth the praises of..., sing (sound) a man's praises.

loftuiting [-tœytɪŋ] *v* praise, commendation.

lofwaardig [lɔf'va:rdəx] zie *loffelijk*.

lofzang ['lɔfsɑŋ] *m* I hymn (song) of praise, panegyric; 2 doxology.

I log [lɔx] I *aj* heavy [gait], unwieldy [person], cumbrous, cumbersome [mass]; II *ad* heavily.

2 log [lɔx] *v* 🙾 log.

log. = *logaritme*.

logaritme [lo.ɡa.'rɪtmə] *v* logarithm.

logaritmentafel [-(n)ta.fəl] *v* table of logarithms.

logboek ['lɔxbu.k] *o* logbook.

loge ['lo.ʒə] *v* I lodge [of freemasons]; 2 box [in a theatre]; *in de* ~ in the masonic hall.

logé [lo.'ʒe.] *m* guest, visitor; *betalend* ~ paying guest.

logeergast [-'ʒeːrɡɑst] *m* guest, visitor.

logeerkamer [-'ʒeːrkɑ.mər] *v* spare (bed)room, visitor's room, guest-room.

logement [-ʒə'mɛnt] *o* inn, hotel.

logementhouder [-hɑudər] *m* innkeeper, hotel-keeper.

logen ['loːɡə(n)] *vt* steep in lye, § lixiviate.

logenstraffen [-strɑfə(n)] *vt* give the lie to, belie [hopes, a statement]; falsify [an assumption].

logeren [lo.'ʒeːrə(n)] I *vi* stay, stop; *ik logeer bij mijn oom* I am staying at my uncle's (with my uncle); *u kunt bij ons* ~ you can stay with us; *ik ben daar te* ~ I am on a visit there; *we hebben mensen te* ~ *ook*: we have visitors; *ze gaan* ~ *in de Zon* they are going to put up at the Sun hotel; II *vt* put [one] up.

loggen ['lɔɡə(n)] *vi* ♺ heave the log.

logger [-ɡər] *m* ♺ lugger.

logheid ['lɔxhɛit] *v* heaviness, unwieldiness &.

logica ['lo.gi.ka.] *v* logic.

logies [lo.'ʒi.s] *o* lodging, accommodation; ♺ quarters; ~ *en ontbijt* bed and breakfast.

logika zie *logica*.

logisch ['lo.gi.s] I *aj* logical; *dat is nogal* ~ F of course, that goes without saying; *het* ~*e van het geval* the logic of the case; II *ad* logically.

logistiek [lo.gɪs'ti.k] I *aj* logistic; II *v* logistics.

logopae- zie *logope-*.

logopedie [lo.go.pe.'di.] *v* speech-training.

logopedisch [-'pe.di.s] speech-training [lessons].

logopedist [-pe.'dɪst] *m* speech-trainer.

lok [lɔk] *v* lock, curl.

lokaal [lo.'ka.l] I *aj* local; II *o* room, hall.

lokaalspoorweg [-spoːrvɛx] *m* district railway.

lokaaltrein [-trɛin] *m* local (train).

lokaas ['loːka.s] *o* bait, allurement, decoy.

lokalisatie [lo.ka.li.'za.(t)si.] *v* localization.

lokaliseren [-'zeːrə(n)] *vt* localize.

lokaliteit [lo.ka.li.'tɛit] *v* locality; (vertrek, zaal) room, hall.

lokaliz- zie *lokalis-*.

lokduif ['lɔkdœyf] *v* ♊ stool-pigeon.

lokeend [-e.nt] *v* ♊ decoy(-duck).

loket [lo.'ket] *o* 1 (station) ticket-office, booking-office, ticket-window; 2 (schouwburg) (box-)office, (box-office) window; 3 (postkantoor e.d.) counter; 4 pigeon-hole [of a cabinet]; 5 (safe-deposit) box; *aan het* ~ at the counter, [sell] over the counter.

loketbeambte [-bəɑmtə] *m*-*v* booking-clerk [at railway station], counter clerk [at post office].

loketkast [-kɑst] *v* set of pigeon-holes, filing cabinet.

lokfluitje ['lɔkflœycə] *o* bird-call.

lokken ['lɔkə(n)] *vt* lure, allure, entice, decoy.

lokmiddel ['lɔkmɪdəl] *o* enticement, bait, lure.

lokomo- zie *locomo-*.

lokspijs ['lɔkspeis] *v* bait, lure.

lokstem [-stem] *v* enticing voice, siren voice.

lokvink [-fɪŋk] *m* & *v* decoy-bird, decoy[2].

lokvogel [-fo.ɡəl] *m* zie *lokvink*.

lol [lɔl] *v* P fun, lark(s); ~ *maken* make fun.

lolletje ['lɔləcə] *o* P lark; *het was geen* ~ it was no fun.

lollig [-ləx] 1 *aj* P jolly, funny; *het was zo* ~ *!* it was such fun!; *het is niks* ~ it is not a bit amusing; II *ad* funnily.

lolly ['lɔli.] *m* lollipop.

Lombardije [lɔmbɑr'dɛiə] *o* Lombardy.

Lombok ['lɔmbɔk] *o* Lombok.

lombok ['lɔmbɔk] *v* *Ind* red pepper.

lommer ['lɔmər] *o* 1 shade; 2 foliage.

lommerd ['lɔmərt] *m* pawnbroker's shop, pawnshop; *in de* ~ at the pawnbroker's; S at my uncle's; *in de* ~ *zetten* take to the pawnbroker's.

lommerdbriefje [-bri.fjə] *o* pawn ticket.

lommerdhouder [-hɑudər] *m* pawnbroker.

lommerrijk ['lɔmərɛik] shady, shadowy.

1 lomp [lɔmp] *v* rag, tatter.

2 lomp [lɔmp] I *aj* 1 (van vorm) ungainly; 2 (onhandig) clumsy, awkward; 3 (grof) hulking; 4 (vlegelachtig) rude, unmannerly; II *ad* clumsily &.

lompengaarder ['lɔmpə(n)ga.rdər] *m* rag-picker.

lompenkoopman [-ko.pmɑn] *m* ragman, dealer in rags.

lomperd ['lɔmpərt] *m* boor, lout.

lompheid ['lɔmphɛit] *v* 1 ungainliness; 2 clumsiness, awkwardness; 3 rudeness.

Londen ['lɔndə(n)] *o* London.

Londenaar [-dəna.r] *m* Londoner.

Londens [-dəns] London.

lonen ['lo.nə(n)] *vt* pay; *het loont de moeite (niet)* it is (not) worth while.

lonend [-nənt] paying, remunerative.

long [lɔŋ] *v* lung.

longaandoening ['lɔŋa.ndu.nɪŋ] *v* pulmonary affection.

longader [-a.dər] *v* pulmonary vein.

longkanker [-kɑŋkər] *m* lung cancer.

longkruid [-krœyt] *o* ♣ lungwort.

longontsteking [-ɔntste.kɪŋ] *v* pneumonia.

longroom [-ru.m] *m* ♺ ward-room.

longslagader [-slɑxa.dər] *v* pulmonary artery.

longtering [-te.rɪŋ] *v* pulmonary consumption, phthisis.

lonk [lɔŋk] *m* ogle; *iemand* ~*jes toewerpen* ogle a person.

lonken ['lɔŋkə(n)] *vi* ogle.

lont [lɔnt] *v* (slow) match, fuse; ~ *ruiken* smell a rat; *de* ~ *in het kruit steken (werpen)* put the torch to the powder-magazine.

loochenaar ['lo.gəna.r] *m* denier.

loochenen [-nə(n)] *vt* deny.

loochening [-nɪŋ] *v* denial.

lood [lo.t] *o* 1 lead; 2 (dieplood) sounding-lead, lead; 3 (schietlood) plumb-line; 4 (gewicht) decagramme; *het is* ~ *om oud ijzer* it is six of one and half a dozen of the other; *in het* ~ plumb, upright; *glas in* ~

in ~ *gevatte ruitjes* leaded lights; *met* ~ *in de schoenen* with leaden feet; *uit het* ~ out of plumb; *hij was uit het* ~ *geslagen* he was taken aback; he was thrown off his balance.

looderts ['lo.tɛrts] *o* lead-ore.

loodgieter [-gi.tər] *m* plumber.

loodgieterij [lo.tgi.tə'rɛi] *v* lead-works; plumbery (= plumber's shop & plumbing).

loodglans ['lo.tglɑns] *o* lead glance.

loodglit [-glɪt] *o* litharge.

loodhoudend [-həudənt] plumbic.

loodje ['lo.cə] *o* 1 small lump of lead; 2 (plombe) lead seal; *de laatste* ~*s wegen het zwaarst* it is the last straw that breaks the camel's back; *hij moest het* ~ *leggen* he had to pay the piper; he got the worst of it.

loodkleur ['lo.tklø:r] *v* lead colour, leaden hue.

loodkleurig [-klø:rəx] lead-coloured, leaden.

loodlijn [-lɛin] *v* 1 perpendicular (line); 2 ⚓ sounding-line; *een* ~ *oprichten (neerlaten)* erect (drop) a perpendicular.

loodmijn [-mɛin] *v* lead-mine.

loodrecht [-rɛxt] *aj* (& *ad*) perpendicular(ly).

1 **loods** [lo.ts] *v* shed; (aangebouwd) lean-to; ⚓ hangar.

2 **loods** [lo.ts] *m* ⚓ pilot.

loodsboot ['lo.tsbo.t] *m* & *v* ⚓ pilot-boat.

loodsen ['lo.tsə(n)] *vt* pilot².

loodsgeld ['lo.tsgɛlt] *o* pilotage (dues).

loodsmannetje [-mɑnəcə] *o* 🐟 pilot-fish.

loodswezen [-ve.zə(n)] *o* pilotage.

loodvergiftiging ['lo.tfərgɪftəgɪŋ] *v* lead poisoning.

loodwit [-vɪt] *o* white lead, § ceruse.

loodwitfabriek [-fa.bri.k] *v* white-lead works.

loodzwaar ['lo.tsva:r] heavy as lead, leaden.

loof [lo.f] *o* foliage, leaves; [potato] tops, (inz. gedroogd als stro) haulm.

loofboom ['lo.fbo.m] *m* foliage tree.

loofhut [-hʉt] *v* tabernacle.

Loofhuttenfeest [-hʉtə(n)fe.st] *o* Feast of Tabernacles.

loofrijk [-rɛik] leafy.

loofwerk [-vɛrk] *o* △ leaf-work, foliage.

loog [lo.x] *v* & *o* lye.

loogbak [lo.xbɑk] *m* lye-trough.

loogkuip [-kœyp] *v* steeper.

loogwater [-va.tər] *o* lye.

looien ['lo.jə(n)] *vt* tan.

looiër [-jər] *m* tanner.

looierij [lo.jə'rɛi] *v* 1 tannery, tan-yard; 2 tanner's trade.

looikuip ['lo:ikœyp] *v* tan vat.

looistof [-stəf] *v* tannin.

looizuur [-zy:r] *o* tannic acid.

look [lo.k] *o* & *m* 🌿 garlic, leek.

loom [lo.m] slack, dull, slow, heavy; languid; *met lome schreden* with leaden feet.

loomheid ['lo.mhɛit] *v* slackness, dul(l)ness, slowness, heaviness, lassitude, languor.

loon [lo.n] *o* 1 wages, salary, pay; 2 reward, recompense; *hij kreeg* ~ *naar werken* he got

his due; *hij heeft zijn verdiende* ~ it serves him right.

loonactie, -aktie ['lo.nɑksi.] *v* agitation for higher wages.

loonarbeid [-ɑrbɛit] *m* wagework.

loonbelasting [-bəlɑstɪŋ] *v* pay-as-you-earn income-tax, P.A.Y.E.

loondienst [-di.nst] *m* wage-earning; *personen in* ~ employed persons; *werk in* ~ paid labour; *werk in* ~ *verrichten* work for wages.

looneis [-ɛis] *m* wage(s) demand, wage claim, pay claim.

loonlijst [-lɛist] *v* wage(s) sheet.

loonpeil [-pɛil] *o* wage level, level of wages.

loonpolitiek [-po.li.ti.k] *v* wages policy.

loonronde [-rɔndə] *v* wage round.

loonschaal [-sxa.l] *v* wage scale; *glijdende* ~ sliding scale (of wages).

loonslaaf [-sla.f] *m* wage-slave, drudge, hack.

loonstandaard [-stɑnda:rt] *m* rate of wages, wage rate.

loonstelsel [-stɛlsəl] *o* wage(s) system.

loonstop [-stəp] *m* wage freeze; *een* ~ *afkondigen* freeze wages.

loonsverhoging ['lo.nsfərho.gɪŋ] *v* rise in wages.

loonsverlaging [-la.gɪŋ] *v* wages reduction.

loontrekker ['lo.ntrɛkər] *m* wage-earner.

loonwet [-vɛt] *v* [iron] law of wages.

loonzakje [-zɑkjə] *o* pay-packet.

loop [lo.p] *m* 1 (het lopen) run; 2 (gang v. persoon) walk, gait; 3 (v. zaken) course; trend, march [of events]; 4 (v. geweer) barrel; *'s werelds* ~ the way of the world; *het recht moet zijn* ~ *hebben* the law must take its course; *de vrije* ~ *laten aan...* let... take their (own) course; give free course to...; *een andere* ~ *nemen* take a different turn; *in de* ~ *van de dag* in the course of to-day, during today; *in de* ~ *der jaren* over the years; *in de* ~ *der tijden* in the course of ages (of time); *iets in zijn* ~ *stuiten* arrest (check) ...in its (their) course; *op de* ~ *gaan* cut and run, run for it, take to one's heels; bolt [also of a horse]; *op de* ~ *zijn* be on the run.

loopbaan ['lo.pba.n] *v* career.

loopgraaf [-gra.f] *v* ✕ trench.

loopgravenoorlog [-gra.vəno:rlɔx] *m* trench warfare.

loophek [-hɛk] *o* playpen.

loopje [-jə] *o* 1 run; 2 ♪ run, passage; 3 (kunstgreep) trick; *met iemand een* ~ *nemen* make a fool of one, pull a person's leg.

loopjongen [-jɔ̀ŋə(n)] *m* errand-boy, messenger boy.

loopkat [-kɑt] *v* ✕ crab. [boy.

loopkraan [-kra.n] *v* ✕ travelling crane.

loopmeisje [-mɛiʃə] *o* errand-girl.

looppas ['lo.pɑs] *m* ✕ double time; *in de* ~ at the double.

loopplank [-plɑŋk] *v* ⚓ gangway.

looprek ['lo.prɛk] *o* playpen.

looptijd [-tɛit] *m* $ currency [of a bill].

loopvlak [-flɑk] *o* tread [of a tyre].

loopvogel [-fo.gəl] *m* 🐦 walker.

loos [lo.s] 1 (slim) cunning, crafty, wily; 2 (niet echt) dummy [doors &], false [bottom, alarm].

loosheid ['lo.shɛit] *v* cunning, craftiness, wiliness.

loot [lo.t] *v* 🌱 shoot; *fig* scion, offspring.

lopen ['lo.pə(n)] I *vi* 1 (gaan) walk; 2 (hard lopen) run; 3 (zich bewegen) go [of machines, clocks &], run [of rivers, wheels &]; 4 (etteren) run; 5 *fig* run [of a contract, lease &]; *zullen we* ~? shall we walk?; *loop !* get along with you!; *die treinen ~ niet* these trains are not run; *het liep anders* things turned out differently; *mijn horloge loopt goed* my watch goes well, is a good time-keeper; *de twist liep hoog* the dispute ran high; *gaan ~* run away [also of visitors]; *zullen we wat gaan ~?* shall we go for a walk?; *hij laat alles maar ~* he lets things slide (drift); *we zullen hem maar laten ~* better leave him alone; give him the go-by; *men liet het metaal in een vorm ~* they ran the metal into a mould; *zijn vingers over de toetsen laten ~* run one's fingers over the keys; *zij ~ te bedelen* they go about begging; *het loopt in de duizenden* it runs into thousands; *het loopt in de papieren* zie *papier*; zie ook: *inlopen*; *het loopt naar twaalven* it is getting on for twelve o'clock; *hij loopt naar de vijftig* he is getting on for fifty; *de gracht loopt om de stad* goes round the town; *op een mijn & ~* 🛳 strike a mine &; *waar loopt het over?* what is it about?; *de weg loopt over A.* goes via A.; *je zult er tegen aan ~* you will get into trouble; II *vt* run; *zich moe ~* tire oneself out with walking (with running); III *o het is een uur ~(s)* it is an hour's walk; *onder het ~* while walking; *het op een ~ zetten* 1 break into a run; 2 take to one's heels.

lopend [-pənt] running [dogs, boys, bills &]; current [year]; *de zevende van de ~e maand* the seventh inst. (= instant); ~ *schrift* cursive; *zich als een ~ vuurtje verspreiden* spread like wild-fire; *de ~e zaken* current affairs, the business of the day; *rekeningen ~e over de laatste drie jaren* covering the last three years.

loper [-pər] *m* 1 (in 't alg.) runner; 2 (krantenrondbrenger) newsman; 3 (v. bank &) messenger; 4 (schaakspel) bishop; 5 (tapijt) carpet; 6 (tafelkleedje) table-runner; 7 (sleutel) master-key, pass-key.

lor [lɔr] *o & v* rag; *het is een ~* it is a dud; it is mere trash, rubbish; *een ~ van een roman* a rubbishy novel; *geen ~* not a straw.

lorgnet [lɔr'nɛt] *v & o* eye-glasses, pince-nez.

lork(eboom) ['lɔrk(əbo.m)] *m* 🌲 larch.

lorre ['lɔrə] *m o* Poll(y) [= parrot].

lorrie ['lɔri.] *v* lorry, trolley, truck.

lorrig ['lɔrəx] trashy, rubbishy, trumpery.

1 **los** [lɔs] I *aj* loose[2] [screw, dress, money,

style, reports &]; detached [sentences]; ~*se aantekeningen* stray notes; ~ *arbeider* casual labourer, odd hand; ~*se bloemen* cut flowers; ~ *kruit* powder; ~*se nummers (v. e. krant)* [I have] occasional (odd) numbers, a few stray copies; single copies [not sold]; *...wordt niet ~ verkocht* ...is not sold loose; ~ *werkman* zie ~ *arbeider*; II *ad* loosely[2]; ~ *!* let go!; *erop ~ gaan* go at [them, him]; *erop ~ leven* go the pace; live from hand to mouth; *erop ~ slaan* hit out, pitch into [them].

2 **los** [lɔs] *m* 🐾 lynx.

losbandig [-'bandəx] licentious, dissolute, profligate.

losbandigheid [-hɛit] *v* licentiousness, dissoluteness, profligacy, libertinism.

losbarsten ['lɔsbarstə(n)] *vi* break out, burst, explode; (v. bui, storm) break.

losbarsting [-stɪŋ] *v* outbreak, burst, explosion.

losbladig [lɔs'bla.dəx] loose-leaf...

losbol ['lɔsbɔl] *m* loose liver, profligate, rake.

losbranden [-brandə(n)] *vt* fire off, discharge.

losbranding [-dɪŋ] *v* ✕ discharge.

losbreken ['lɔsbre.kə(n)] *vi* break loose, break away; (v. bui, storm) break.

losdag [-dax] *m* 🛳 discharging-day.

losdraaien [-dra.jə(n)] *vt* unscrew, loosen [a screw].

losgaan [-ga.n] *vi* get loose; zie ook: 1 *los* II.

losgeld [-gɛlt] *o* 1 ransom; 2 $ landing-charges.

losgespen [-gɛspə(n)] *vt* unbuckle.

loshaken [-ha.kə(n)] *vt* unhook.

loshangen [-haŋə(n)] *vi* hang loose, dangle; ~*d haar* 1 unloosened hair; 2 (slordig) dishevelled hair

losheid [-hɛit] *v* looseness[2].

losjes ['lɔʃəs] loosely.

losknopen ['lɔskno.pə(n)] *vt* 1 unbutton; 2 untie.

loskomen [-ko.mə(n)] *vi* 1 get loose [of a person &]; 2 *fig* come out of one's shell, come out; 3 ✈ get off the ground, take off.

loskopen [-ko.pə(n)] *vt* buy off, ransom, redeem.

loskrijgen [-krɛigə(n)] *vt* 1 get loose; 2 *fig* extract [money, a promise from a person]; *geld zien los te krijgen* try to raise money.

loslaten [-la.tə(n)] I *vt* let loose, let go of [my hand], release; abandon [a policy]; *hij laat niets los* he is very reticent; *de gedachte laat mij niet meer los* the thought haunts me; II *vi & va* 1 let go; 2 come off [of paint &]; *laat los !* let go!; *hij laat niet los* he holds on like grim death.

loslating [-tɪŋ] *v* release.

loslippig [lɔs'lɪpəx] indiscreet.

loslippigheid [-hɛit] *v* indiscretion.

losloon ['lɔslo.n] *o* landing-charges.

loslopen [-lo.pə(n)] *vi* be at liberty; ~*de honden* unattached dogs; *dat zal wel ~* F it is sure to come right.

losmaken [-ma.kə(n)] I *vt* loosen, untie, unbind, **undo** [a knot]; dislodge [a stone &]; *fig* disengage [moneys]; disjoin [what was united]; II *vr zich* ~ disengage (free) oneself; *zich* ~ *van...* dissociate oneself from [a company], break away from.

losplaats [-pla.ts] *v* ⚓ discharging-berth.

losprijs [-preis] *m* ransom[2].

losraken [-ra.kə(n)] *vi* get loose.

losrijgen [-reigə(n)] *vt* unlace.

losrukken [-rükə(n)] I *vt* zie *losscheuren*; II *vr zich* ~ *(van)* zie *losscheuren*.

löss [lœs] *v* loess.

losscheuren [ˈlɔsxø:rə(n)] I *vt* tear loose; tear (away) from; II *vr zich* ~ *(van)* tear oneself away (from), break away (from).

losschroeven [-s(x)ru.və(n)] *vt* unscrew.

lossen [ˈlɔsə(n)] I *vt* 1 (v. goederen) unload; 2 (v. vuurwapen) discharge; fire [a shot at him]; II *vi* unload, break bulk.

losser [-sər] *m* unloader.

lossing [-sɪŋ] *v* unloading, discharge.

losspelden [ˈlɔspɛldə(n)] *vt* unpin.

losspringen [-sprɪŋə(n)] *vi* spring loose (open).

losstormen [-stɔrmə(n)] *vi* in: ~ *op* rush upon.

lostijd [ˈlɔstɛit] *m* time for unloading.

lostornen [-tɔrnə(n)] *vt* unsew, rip (open).

lostrekken [-trɛkə(n)] *vt* pull loose, tear loose.

loswerken [-vɛrkə(n)] I *vt* & *vi* work loose; II *vr zich* ~ work loose, disengage oneself.

loswerpen [-vɛrpə(n)] *vt* ⚓ cast off [ropes].

lot [lɔt] *o* 1 (noodlot) fate, destiny, lot; 2 (levenslot) lot; 3 (loterijbriefje) lottery-ticket; *dat is een* ~ *uit de loterij* F it's a chance in a thousand; *iemand aan zijn* ~ *overlaten* abandon (leave) one to his fate, leave him to his own devices.

loteling [ˈlo.təlɪŋ] *m* conscript.

loten [-tə(n)] *vi* 1 draw lots; 2 draw [for the militia].

loterij [lo.təˈrɛi] *v* lottery.

loterijbriefje [-bri.fjə] *o* lottery-ticket.

lotgenoot [ˈlɔtɡəno.t] *m* companion in distress.

lotgeval [-ɡəval] *o* adventure.

Lotharingen [ˈlo.ta:rɪŋə(n)] *o* Lorraine.

loting [ˈlo.tɪŋ] *v* 1 drawing of lots; 2 ✕ drawing for the militia; *in de* ~ *vallen* become a conscript.

lotion [lo.ˈʃɔn] *v* lotion.

Lotje [ˈlɔcə] *v* Charlotte; *van lotje getikt* crackbrained.

lotto [ˈlɔto.] *o* lotto.

lotus [ˈlo.tüs] *m* ⚘ lotus.

louche [lu.ʃ] shady.

Louis [lu.ˈi.] *m* Louis.

Louise [lu.ˈi.zə] *v* Louisa.

loupe zie *loep*.

louter [ˈloutər] pure, mere; ~ *leugens* only (nothing but) lies; ~ *onzin* sheer nonsense; *de* ~*e waarheid* the naked truth, nothing but the truth.

louteren [-tərə(n)] *vt* purify, refine.

loutering [-rɪŋ] *v* purification, refining.

louwmaand [ˈlouma.nt] *v* January.

loven [ˈlo.və(n)] *vt* praise, laud, extol, glorify; ~ *en bieden* haggle, chaffer, bargain.

lover [-vər] *o* foliage.

lovertje [-vərcə] *o* spangle.

loyaal [lva̍ˈja.l] *aj* (& *ad*) loyal(ly).

loyaliteit [-ja.li.ˈtɛit] *v* loyalty.

lozen [ˈlo.zə(n)] *vt* 1 drain, void [water]; 2 heave [a sigh]; 3 get rid of [a person].

Luc. = *Lucas*.

Lucas [ˈly.kɑs] *m* Luke.

lucht [lüxt] *v* 1 (gas) air; 2 (uitspansel) sky; 3 (reuk) smell, scent[2]; ~ *geven aan zijn gevoelens (verontwaardiging)* give vent to one's feelings, vent one's indignation; *de* ~ *krijgen van iets* get wind (scent) of it, scent it; *er is onweer aan de* ~ there is thunder in the air[2], there is a storm brewing[2]; *in de* ~ in the air; *dat hangt nog in de* ~ it is still (somewhat) in the air; *in de* ~ *vliegen* be blown up; *het zit in de* ~ it is in the air; *in de* ~ *zitten kijken* stare into the air (into vacancy); *in de open* ~ in the open (air); *dat is uit de* ~ *gegrepen* it is an invention, it is without any foundation; *uit de* ~ *komen vallen* drop from the skies.

luchtaanval [ˈlüxta.nvɑl] *m* ✕ air attack, air raid.

luchtafweer [-ɑfve:r] *m* ✕ 1 zie *luchtverdediging*; 2 zie *luchtafweergeschut*.

luchtafweergeschut [-ɡəsxüt] *o* ✕ anti-aircraft artillery.

luchtalarm [ˈlüxta.lɑrm] *o* air-raid warning, alert.

luchtballon [-bɑlɔn] *m* balloon.

luchtband [-bɑnt] *m* tyre, pneumatic tyre.

luchtbasis [-ba.zɑs] *v* ✕ air base.

luchtbed [-bɛt] *o* air mattress.

luchtbel [-bɛl] *v* bubble.

luchtbelwaterpas [-bɛlva.tərpɑs] *o* spirit level.

luchtbescherming [-bəsxɛrmɪŋ] *v* ✕ air-raid precautions, A.R.P., Civil Defence, C.D.

luchtbombardement [-bɔmbɑrdəmɛnt] *o* ✕ aerial bombardment.

luchtbrug [-brüx] *v* ✈ air-lift.

luchtbuis [-bœys] *v* 1 air-pipe; 2 (luchtpijp) trachea [*mv* tracheae].

luchtcartering zie *luchtkartering*.

luchtdicht [ˈlüxdɪxt] I *aj* air-tight; II *ad* hermetically.

luchtdoelgeschut [-du.lɡəsxüt] *o* ✕ anti-aircraft artillery.

luchtdoop [-do.p] *m* in: *ik onderging de* ~ it was my first flight.

luchtdruk [-drük] *m* 1 atmospheric pressure; 2 air-pressure, blast [of an explosion].

luchten [ˈlüxtə(n)] *vt* air[2], ventilate[2]; *fig* vent; *zijn geleerdheid* ~ air one's learning; *zijn gemoed (hart)* ~ relieve one's feelings; *de kamers* ~ air the rooms; *ik kan hem niet* ~ *of zien* I hate the very sight of him.

luchter [-tər] *m* 1 chandelier; 2 candlestick.

luchtfoto ['lŭxtfo.to.] *v* air (aerial) photograph, air (aerial) view.

luchtgat [-gɑt] *o* air hole, vent(-hole).

luchtgekoeld [-gǝku.lt] air-cooled.

luchtgesteldheid [-gǝstɛltheit] *v* 1 condition of the air; 2 climate.

luchthartig [lŭxt'hɑrtǝx] *aj* (& *ad*) light-hearted(ly).

luchthartigheid [-heit] *v* light-heartedness.

luchthaven ['lŭxtha.vǝ(n)] *v* airport; *drijvende* ~ seadrome.

luchtig [lŭxtǝx] I *aj* 1 well-aired; 2 (dun, licht) airy[2] [costumes &]; light [bread]; II *ad* airily, lightly.

luchtigheid [-heit] *v* airiness, lightness, levity.

luchtje ['lŭxjǝ] *o* faint air; breath of air; *er is een* ~ *aan* F it smells; *fig* it is a bit fishy; *een* ~ *scheppen* take an airing; *een* ~ *gaan scheppen* go out for a breath of air.

luchtkartering ['lŭxtkɑrte:rɪŋ] *v* air (aerial) survey.

luchtkasteel [-kɑste.l] *o* airy castle; *luchtkastelen bouwen* build castles in the air.

luchtklep [-klɛp] *v* ✕ air valve.

luchtkoeling [-ku.lɪŋ] *v* air-cooling; *motor met* ~ air-cooled engine.

luchtkoker [-ko.kǝr] *m* air shaft.

luchtkussen [-kŭsǝ(n)] *o* air-cushion.

luchtkussenvoertuig [-vu:rtǝyx] *o* Ⓜ hovercraft (ook *mv*).

luchtkuur ['lŭxtky:r] *v* open-air treatment.

luchtlaag [-la.x] *v* layer of air.

luchtlanding [-lɑndɪŋ] *v* air-borne landing.

luchtlandings... [-s] air-borne [troops &].

luchtledig [lŭxt'le.dǝx] I *aj* void of air; ~*e ruimte* vacuum; II *o* vacuum.

luchtlijn ['lŭxtlein] *v* ✈ air line.

luchtmacht [-mɑxt] *v* ✈ air force.

luchtnet [-nɛt] *o* ✈ air network.

luchtoorlog [-o:rlɔx] *m* ✈ aerial warfare.

luchtpijp [-pɛip] *v* windpipe, § trachea [*mv* tracheae].

luchtpomp [-pɔmp] *v* air-pump.

luchtpost [-pɔst] *v* ✆ air mail.

luchtpostblad [-pɔstblɑt] *o* ✆ air letter.

luchtrecht [-rɛxt] *o* ✆ air-mail fee.

luchtregeling [-re.gǝlɪŋ] *v* air-conditioning.

luchtreis [-rɛis] *v* voyage by air, air voyage, air journey.

luchtreiziger [-rɛizǝgǝr] *m* 1 ✈ air-traveller; 2 ✎ zie *luchtschipper*.

luchtruim [-rœym] *o* 1 atmosphere; [the conquest of] the air; 2 [national, Dutch &] air space.

luchtschip [-sxɪp] *o* airship.

luchtschipper [-sxɪpǝr] *m* aeronaut, balloonist.

luchtschommel [-sxɔmǝl] *m* & *v* swing-boat.

luchtschroef [-s(x)ru.f] *v* ✈ airscrew, propeller.

luchtspiegeling [-spi.gǝlɪŋ] *v* mirage, fata morgana.

luchtspoorweg [-spo:rvɛx] *m* elevated (overhead) railway.

luchtstewardess [-stju.ǝrdɛs] *v* ✈ air hostess.

luchtstoringen [-sto:rɪŋǝ(n)] *mv* atmospherics.

luchtstreek [-stre.k] *v* climate, zone.

luchtstrijdkrachten [-strɛitkrɑxtǝ(n)] *mv* ✕ air force.

luchtstroom [-stro.m] *m* air current.

luchtvaart [-fa:rt] *v* aeronautics, aviation.

luchtvaartgezind [-gǝzɪnt] air-minded.

luchtvaartmaatschappij [-ma.tsxɑpɛi] *v* air (-line) company, aviation company.

luchtverdediging ['lŭxtfǝrde.dǝgɪŋ] *v* ✕ air defence.

luchtverkeer [-ke:r] *o* aerial traffic, air traffic.

luchtverschijnsel [-sxɛinsǝl] *o* atmospheric phenomenon.

luchtverversing [-vɛrsɪŋ] *v* ventilation.

luchtvervoer [-vu:r] *o* ✈ air transport.

luchtvloot ['lŭxtflo.t] *v* air fleet.

luchtwaardig [lŭxt'va:rdǝx] airworthy.

luchtweerstand ['lŭxtve:rstɑnt] *m* air resistance.

luchtweg [-vɛx] *m* 1 ✈ air route; 2 air-passage; ~*en* bronchia.

luchtwortel [-vɔrtǝl] *m* ⚘ aerial root.

luchtziek [-si.k] air-sick.

luchtziekte [-si.ktǝ] *v* air-sickness.

Lucifer ['ly.si.fɛr] *m* Lucifer.

lucifer ['ly.si.fɛr] *m* match; *Zweedse* ~ safety match.

lucifersdoosje [-fɛrsdo.ʃǝ] *o* match-box.

lucifersstandaard [-fɛrstɑnda:rt] *m* match-stand.

lucratief [ly.kra.'ti.f] lucrative.

luguber [ly.'gy.bǝr] lugubrious, lurid.

1 lui [lœy] I *aj* lazy, idle, slothful; *liever* ~ *dan moe zijn* F be born tired; II *ad* lazily.

2 lui [lœy] *mv* F people.

luiaard ['lœya:rt] *m* 1 lazy-slugbones, gard; 2 🦥 ai, sloth.

luid [lœyt] I *aj* loud; II *ad* loud(ly).

1 luiden ['lœydǝ(n)] I *vi* sound; *hoe luidt de brief?* how does the letter run?; *zoals de uitdrukking luidt* as the phrase has it (goes); II *va* sound, ring, peal, chime [for a birth], toll [for a death]; III *vt* ring, peal, chime, toll.

2 luiden ['lœydǝ(n)] *mv* in: *de kleine* ~ the little people, the small fry, the small man.

luidens [-dǝns] *prep* according to.

luidkeels ['lœytke.ls] aloud, at the top of one's voice.

luidruchtig [lœyt'rŭxtǝx] I *aj* loud, noisy, boisterous; II *ad* loudly, noisily, boisterously.

luidruchtigheid [-heit] *v* loudness, noisiness, boisterousness.

luidspreker ['lœytspre.kǝr] *m* 📻 loud-speaker.

luidsprekerinstallatie [-insta'la.(t)si.] *v* loud-speaker system, public-address system.

luier ['lœyǝr] *v* (baby's) napkin, F nappy.

luieren [-ǝrǝ(n)] *vi* be idle, idle, laze.

luiermand ['lœyǝrmɑnt] *v* 1 baby-linen basket; 2 layette, baby linen, baby clothes.

luiersfoel [-stu.l] *m* easy chair.

luifel ['lœyfǝl] *v* penthouse; (glass) porch [at hotel door &], awning [over railway platform].

luiheid ['lœyhɛit] *v* laziness, idleness, sloth.

luik [lœyk] *o* 1 (aan raam) shutter; 2 (in vloer) trapdoor; 3 ⚓ hatch; 4 (v. schilderij) panel.

Luik [lœyk] *o* Liége.

luilak ['lœylak] *m* lazy-bones.

luilakken [-lakə(n)] *vi* idle, laze.

luilekkerland [lœy'lɛkərlant] *o* land of plenty.

luim [lœym] *v* 1 humour, mood; 2 whim, caprice; freak; *in een goede* (*kwade*) ∼ *zijn* be in a good (bad) temper (humour).

luimig ['lœymax] I *aj* 1 humorous; 2 capricious; II *ad* 1 humorously; 2 capriciously.

luimigheid [-hɛit] *v* 1 humorousness, humour; 2 capriciousness.

luipaard ['lœypa.rt] *m* ♋ leopard.

luis [lœys] *v* louse [*mv* lice].

luister ['lœystər] *m* lustre, splendour, resplendence, pomp (and splendour); ∼ *bijzetten* grace.

luisteraar [-təra:r] *m* 1 listener; 2 eavesdropper; 3 📻† listener(-in).

luisterapparaat [-tərapa.ra.t] *o* listening apparatus.

luisterbijdrage [-bɛidra.gə] *v* 📻† (listener's) licence fee.

luisteren ['lœystərə(n)] *vi* 1 listen; 2 📻† listen (in); 3 obey; *wie luistert aan de wand, hoort zijn eigen schand* listeners hear no good of themselves; *naar iemand* ∼ listen to a person; ∼ *de naar de naam Fox* answering to the name of Fox; *naar het roer* ∼ ⚓ answer the helm.

luisterpost ['lœystərpost] *m* listening-post.

luisterrijk ['lœystərɛik] I *aj* splendid, magnificent, glorious; II *ad* splendidly, magnificently, gloriously.

luisterspel ['lœystərspɛl] *o* 📻† radio play.

luistervergunning [-vərgǔnɪŋ] *v* 📻† (wireless) receiving licence.

luistervink [-vɪŋk] *m* ♋ *v* eavesdropper.

luistervinken [-vɪŋkə(n)] eavesdrop, play the eavesdropper.

luit [lœyt] *v* ♪ lute.

luitenant ['lœytənant] *m* ✕ lieutenant; ∼ *-terzee 2e klasse* ⚓ sub-lieutenant.

luitenant-generaal [lœytənantge.nə'ra.l] *m* ✕ lieutenant-general.

luitenant-kolonel [-ko.lo.'nɛl] *m* ✕ lieutenant-colonel; ⚔ wing commander.

luitjes ['lœycəs] *mv* F people, folks.

luitspeler ['lœytspe.lər] *m* lute-player.

luiwagen ['lœyva.gə(n)] *m* scrubbing-brush.

luiwammes [-vaməs] *m* F zie *luilak*.

lukken ['lǔkə(n)] *vi* succeed; zie *gelukken*.

lukraak ['lǔkra.k] at random, hit or miss.

lukratief zie *lucratief*.

lumineus [ly.mi.'nø.s] luminous, brilliant, bright.

lummel ['lǔməl] *m* lout, lubber.

lummelachtig [-axtəx] loutish, lubberly.

lummelen ['lǔ.mələ(n)] *vi* laze (about).

lummelig [-ləx] zie *lummelachtig*.

lunapark ['ly.na.park] *o* amusement park, fun fair.

lunch [lǔnʃ] *m* lunch(eon).

lunchen ['lǔnʃə(n)] *vi* lunch, have lunch.

lunchpakket ['lǔnʃpakɛt] *o* luncheon-basket.

lunchroom [-ru.m] *m* tea-room(s), tea-shop.

luns [lǔns] *v* linchpin.

lupine [ly.'pi.nə] *v* ♣ lupine.

lupus ['lu.pǔs] *m* ♀ lupus.

lurken ['lúrkə(n)] *vi* P suck.

lus [lǔs] *v* 1 (in tram) strap; 2 (v. schoen) tag; 3 (v. touw) noose; 4 (als ornament) loop.

lust [lǔst] *m* 1 inclination, liking, mind; 2 desire, appetite; 3 delight; 4 lust [of the flesh]; *een* ∼ *voor de ogen* a feast for the eyes; ∼ *hebben*... have a mind to..., feel inclined to...; *ik heb er geen* ∼ *in* I have no mind to, I don't feel like it; *het is mijn* ∼ *en mijn leven* that is meat and drink to me; *ja, een mens zijn* ∼ *is een mens zijn leven* my mind to me a kingdom is; *zij*... *dat het een* ∼ *is* with a will.

lusteloos ['lǔstəlo.s] I *aj* listless, apathetic; $ dull [market]; II *ad* listlessly, apathetically.

lusteloosheid [lǔstə'lo.shɛit] *v* listlessness, apathy, dullness.

lusten ['lǔstə(n)] I *vt* like; ...*gaarne* ∼ be a lover of...; *zij* ∼ *dat niet* they don't like it; *hij zal ervan* ∼ he is going to catch it (hot); II *onpersoonlijk ww.* in: *het lust me niet om*... I do not feel inclined to...

luster ['ly.stər] *m* lustre.

lusthof ['lǔsthof] *m* pleasure-ground; *fig* (garden of) Eden.

lustig ['lǔstəx] I *aj* merry, cheerful; ☉ blithe, blithesome; II *ad* merrily, cheerfully, ☉ blithely; < lustily.

lustoord ['lǔsto:rt] *o* delightful spot, pleasure-ground.   [ground.

lustre ['ly.stər] *o* lustre.

lustrum ['lǔstrǔm] *o* lustrum, lustre.

Luther ['ly.tər] *m* Luther.

lutheraan [ly.tə'ra.n] *m* Lutheran.

luthers ['ly.tərs] *aj* Lutheran.

luttel ['lǔtəl] small, little; few.

luwen ['ly.və(n)] *vi* abate, die down [of a storm, of wind]; calm down, quiet down [of excitement]; cool down [of friendship].

luwte ['ly.utə] *v* lee.

luxe ['ly.ksə] *m* luxury.

luxeartikel [-arti.kəl] *o* article of luxury; ∼ *en* ook: luxury goods.

luxeauto [-o.to., -ʌuto.] *m* luxury car.

luxebrood [-bro.t] *o* fancy bread.

luxe-editie [-e.di.(t)si.] *v* de luxe edition.

luxehut [-hǔt] *v* ⚓ state cabin.

Luxemburg ['lǔksəmbǔrx] *o* Luxembourg.

Luxemburger [-bǔrgər] *m* inhabitant of Luxembourg.

Luxemburgs [-bǔrxs] Luxembourg.

luxueus [ly.ksy.'ø.s] *aj* (& *ad*) luxurious(ly).

luzerne [ly.'zɛrnə] *v* ♣ lucern(e).

lyceum [li.'se.ũm *o* 1 ▯ lyceum; 2 ☞ secondary school.

lyddiet [lɪ'di.t] *o* lyddite.

lymf(e) [lɪmf, 'lɪmfə] *v* lymph.

lynchen ['lɪnʃə(n)] *vt* lynch.

lynx [lɪŋks] *m* ♋ lynx.

Lyon [li.'òn] *o* Lyons.

lyriek [li.'ri.k] *v* 1 lyric poetry, lyrics; 2 lyricism.

lyrisch ['li:ri.s] I *aj* lyrical [account, verses], lyric [poetry]; II *ad* lyrically.

Ⓜlysol [li.'zɔl] *o* & *m* lysol.

M

m [ɛm] *v* m.

m = *meter* metre(s).

ma [ma.] *v* mamma.

maag [ma.x] *v* stomach.

maagd [ma.xt] *v* maid(en), virgin; *de H(eilige) Maagd* the (Holy) Virgin; *de Maagd van Orleans* the Maid of Orleans.

maagdelijk ['ma.gdələk] maidenly, maiden; virgin [forest].

maagdelijkheid [-hɛit] *v* maidenhood, virginity.

maagdenpalm ['ma.gdə(n)palm] *m* ♣ periwinkle.

maagholte ['ma.xhɔltə] *v* pit of the stomach.

maagkanker [-kɑŋkər] *m* cancer of the stomach.

maagkramp [-krɑmp] *v* stomach cramp, spasm of the stomach.

maagkwaal [-kʋa.l] *v* stomach complaint.

maagpijn [-pɛin] *v* stomach ache.

maagsap [-sɑp] *o* gastric juice.

maagstreek [-stre.k] *v* gastric region.

maagzweer [-sʋe:r] *v* stomach ulcer.

maaidorser ['ma:idɔrsər] *m* **maaidorsmachine** [-'dɔrsma.ʃi.nə] *v* combine.

maaien ['ma.jə(n)] *vt* & *vi* mow [grass &]; reap [grain]; cut [corn &].

maaier [-jər] *m* mower, reaper.

maailand ['ma:ilɑnt] *o* mowing-field.

maaimachine [-ma.ʃi.nə] *v* mowing-machine; reaping-machine [for grain].

maaitijd [-tɛit] *m* mowing-time.

maak [ma.k] *in de(n)* ~ under repair; *ik heb een jas in de(n)* ~ I am having a coat made.

maakloon ['ma.klo.n] *o* charge for making.

maaksel [-səl] *o* make.

maakster [-stər] *v* maker.

1 maal [ma.l] *v* & *o* (keer) time; *een*~ once; zie ook: *eenmaal; een enkele* ~ once in a while; *twee*~ twice; *drie*~ three times; *vier*~ four times.

2 maal [ma.l] *v* ✉ mail, post-bag.

3 maal [ma.l] *o* (maaltijd) meal.

maalstroom ['ma.lstro.m] *m* whirlpool, vortex[2], maelstrom.

maaltand [-tɑnt] *m* molar (tooth), grinder.

maalteken [-te.kə(n)] *o* multiplication sign.

maaltijd [-tɛit] *m* [hot] meal, repast.

maan [ma.n] *v* moon; *afnemende* ~ waning moon; *nieuwe* ~ new moon; *volle* ~ full moon; *wassende* ~ waxing moon; *naar de* ~ ~ *gaan* F go to the dogs; *loop naar de* ~ go to the devil; *alles is naar de* ~ all is gone (lost).

maanbrief ['ma.nbri.f] *m* dunning-letter.

maand [ma.nt] *v* month.

maandag ['ma.ndɑx] *m* Monday; *een blauwe* ~ F a very short time; ~ *houden* take Monday off.

maandags [-dɑxs] I *aj* Monday; II *ad* on Mondays.

maandblad ['ma.ntblɑt] *o* monthly (magazine).

maandelijks ['ma.ndələks] I *aj* monthly; II *ad* monthly, every month.

maandgeld ['ma.ntgɛlt] *o* monthly pay, monthly wages, monthly allowance.

maandschrift [-s(x)rɪft] *o* monthly (review).

maandstaat [-sta.t] *m* monthly returns.

maanlicht ['ma.nlɪxt] *o* moonlight.

maansteen [-ste.n] *m* moonstone.

maansverduistering ['ma.nsfərdœystərɪŋ] *v* eclipse of the moon, lunar eclipse.

maanvormig ['ma.nvɔrməx] moon-shaped.

maanziek [-zi.k] moon-struck, B lunatic.

1 maar [ma:r] I *cj* but; II *ad* but, only, merely; *pas* ~ *op* do be careful; *kon ik het* ~*!* I wish I could; III *o* but; *er komt een* ~ *bij* there is a but; *geen maren!* no buts!; IV *ij* but!; ~, ~, *hoe heb ik het nou* dear me!

2 maar [ma:r] *v* = *mare*.

maarschalk ['ma:rsxɑlk] *m* marshal.

maarschalksstaf [-stɑf] *m* (field-)marshal's baton.

maart [ma:rt] *m* March.

Maarten ['ma:rtə(n)] *m* Martin.

maarts [ma:rts] (of) March; *de* ~*e buien* April showers.

maas [ma.s] *v* mesh [of a net]; stitch [in knitting &]; *hij kroop door de mazen* he slipped through the meshes.

Maas [ma.s] *v* Meuse. [egg.

maasbal ['ma.sbɑl] *m* darning-ball, darning-

1 maat [ma.t] *v* 1 (afemeting) measure, size; 2 (waarmee men meet) measure; 3 ♪ time, measure; (concreet) bar; 4 (verskunst) metre, measure; *maten en gewichten* weights and measures; *de* ~ *aangeven* ♪ mark (the) time; ~ *7 hebben* take size 7; ~ *houden* 1 keep within bounds; 2 ♪ keep time; *geen* ~ *houden* go beyond all bounds; overdo it; *geen* ~ *weten te houden* not be able to restrain oneself; *iemand de* ~ *nemen* (*voor een jas*) measure a person (take his measure) for a coat; *de* ~ *slaan* ♪ beat time; *dat maakte de* ~ *vol* then the cup was full; F that put the lid on; *bij de* ~ *verkopen* sell by measure; *in de* ~ ♪ in time; *in die mate dat...* to the extent that...; *in gelijke mate* in the same measure.

equally; *in hoge mate* in a large measure, highly, greatly, extremely; *in de hoogste mate* highly, exceedingly, to a degree; *in mindere mate* to a less extent; *in meerdere of mindere mate* more or less; *in ruime mate* in a large measure, to a large extent; largely, amply; *in zekere mate* in a measure; *met mate* in moderation; *alles met mate* there is a measure in all things; *met twee maten meten* have two weights and measures; *naar ~ (gemaakt)* (made) to measure, made to order; *naar de mate van mijn vermogens* as far as lies within my power; *onder de ~ blijven* 1 *eig* be undersized [of conscripts]; 2 *fig* fall short of what is expected (required), not be up to (the) standard; *op ~* to measure; *op de ~ van de muziek* in time to the music; *uit de ~ ♪* out of time.

2 maat [ma.t] *m* mate, comrade, companion, partner.

maatafdeling ['ma.tafde.lɪŋ] *v* bespoke department.

maatglas [-glɑs] *o* measuring glass.

1 maatje ['ma.cə] *o* mate; *zij zijn goede ~s* they are as thick as thieves; *met iedereen goede ~s zijn* be hail-fellow-well-met with everybody.

2 maatje ['ma.cə] *o* F mammy.

3 maatje ['ma.cə] *o* decilitre.

maatjesharing ['ma.cəsha:rɪŋ] *m* ⚓ matie.

maatregel ['ma.tre.gəl] *m* measure; *halve ~en* half measures; *~en treffen* take measures.

maatschappelijk [ma.t'sxapələk] **I** *aj* social; *~ kapitaal* registered capital; *~ werk* social work; *~ werk(st)er* social worker; **II** *ad* socially.

maatschappij [-sxa'pɛi] *v* 1 (samenleving) society; 2 (genootschap) society; 3 $ company; *~ op aandelen* joint-stock company; *in de ~* in society.

maatschoenmaker ['ma.tsxu.nma.kər] *m* bespoke shoemaker.

maatslag [-slɑx] *m* ♪ beat.

maatstaf [-staf] *m* measuring-rod, standard[2]; *fig* measure; gauge, criterion; *naar deze ~* (measured) by this standard; at this rate; *een andere ~ aanleggen* apply another standard.

maatstok [-stɔk] *m* 1 rule; 2 ♪ (conductor's) baton.

maatstreep [-stre.p] *v* 1 ♪ bar; 2 grade mark.

maatwerk [-vɛrk] *o* goods (shoes, clothes) made to measure (to order).

macaber [ma'ka.bər] macabre.

macadam [mɑka.'dɑm] *o* & *m* macadam.

macadamiseren, macadamizeren [-da.mi.'ze:-rə(n)] *vt* macadamize.

macadamweg [-'dɑmvɛx] *m* macadam road.

macaroni [mɑka.'ro.ni.] *m* macaroni.

Macedonië [ma.sə'do.ni.ə] *o* Macedonia.

Macedoniër [-ni.ər] *m* Macedonisch [-ni.s] *aj* Macedonian.

machiavellistisch [mɑki.a.vɛ'lɪsti.s] Machiavellian.

machinaal [ma.ʃi.'na.l] *aj* (& *ad*) [act] mechanical(ly), automatic(ally); *~ vervaardigd* machine-made.

machinatie [-'na.(t)si.] *v* machination.

machine [ma.'ʃi.nə] *v* engine, machine[2]; *de ~* 1 the (steam-)engine; 2 the (sewing-)machine; *~s* ook: machinery.

machinebouw [-bəu] *m* engine building.

machinefabriek [-fa.bri.k] *v* engineering-works.

machinegeweer [-gəve:r] *o* ⚔ machine-gun.

machinekamer [-ka.mər] *v* engine-room.

machinenaaister [-na:istər] *v* machinist.

machineolie [-o.li.] *v* machine oil.

machinepistool [-pi.sto.l] *o* ⚔ machine pistol.

machinerie(ën) [ma.ʃi.nə'ri., -'ri.ə(n)] *v(mv)* machinery.

machineschrift [ma.'ʃi.nəs(x)rɪft] *o* type-script.

machineschrijven [-s(x)rɛivə(n)] *o* typewriting.

machinetekenaar [-te.kəna:r] *m* engineering draughtsman.

machinetekenen [-te.kənə(n)] *o* mechanical drawing.

machinist [ma.ʃi.'nɪst] *m* 1 engine-driver [of a train]; engineer [of a ship]; 2 scene-shifter [in a theatre]; *eerste ~ ⚓* chief engineer.

macht [mɑxt] *v* power, might; ⚔ force(s); *de hemelse (helse) ~en* the heavenly (hellish) powers; *vaderlijke (ouderlijke) ~* paternal authority; *de ~ der gewoonte* the force of habit; *een ~ mensen* a power of people; *geen ~ hebben over zich zelf* not be able to control oneself, not be master of oneself; *ik ben niet bij ~e dit te doen* I am not able to do it; it does not lie in my power to do it; *het gaat boven mijn ~*, *het staat niet in mijn ~* it is beyond my power, it is not in my power; *het in zijn ~ hebben om...* have the power to... (the power of ...ing); *iemand in zijn ~ hebben* have a person in one's power, have him at one's mercy; *18 in de 3de ~ verheffen* raise 18 to the third power; *met alle ~* with all his (their) might; *uit alle ~* all he (she, they) could, to the utmost of their power, [shout] at the top of one's voice.

machteloos ['mɑxtəlo.s] powerless, impotent [fury]; *~ staan tegenover...* be powerless against.

machteloosheid [mɑxtə'lo.shɛit] *v* powerlessness, impotence.

machthebber ['mɑxthɛbər] *m* man in power; *de ~s* ook: those in power.

machtig ['mɑxtəx] **I** *aj* 1 powerful, mighty; 2 (zwaar te verteren) rich [food]; *iets ~ worden* get hold of a thing; *een taal ~ zijn* have mastered a language, have a language at one's command; *dat is mij te ~* that is too much for me; **II** *ad* powerfully; < mightily, P mighty; *hij is ~ rijk* awfully rich.

machtigen [-təgə(n)] *vt* empower, authorize.

machtiging [-gɪŋ] *v* authorization.

machtspolitiek ['mɑxtspo.li.ti.k] *v* power politics.

machtspreuk ['mɑxtsprø.k] *v* peremptory sentence.

machtsverheffing ['mɑxtsfərhɛf ɪŋ] *v* involution.

machtsvertoon [-fərto.n] *o* display of power.

machtswellust [-vɛlűst] *m* lust for power.

made ['ma.də] *v* maggot, grub.

madeliefje [ma.də'li.fjə] *o* ✿ daisy.

madera [ma.'de:ra.] *m* Madeira.

madonna [ma.'dɔna.] *v* madonna.

madriga(a)l [ma.dri.'ga.l] *o* madrigal.

Maecenas [me.'se.nɑs] *m* Maecenas.

maecena- zie *mecena-*.

magazijn [ma.ga.'zɛin] *o* 1 warehouse, storehouse; 2 store(s) [= shop]; 3 magazine [of rifle].

magazijnbediende [-bədi.ndə] *m* warehouseman.

magazijnmeester [-me.stər] *m* storekeeper.

Magda ['mɑgda.] *v* Maud.

Magdalena [mɑgda.'le.na.] *v* Magdalen(e).

mager ['ma.gər] lean² [body, frame, person, meat, years]; thin² [boy & programme]; gaunt [person]; meagre [fare, soil, wages]; poor [cheese, ore, lime]; *de ~e jaren* the lean years.

magerheid [-hɛit] *v* leanness, thinness.

magertjes [-cəs] poorly, scantily.

magie [ma.'gi.] *v* magic art, [black, white] magic.

magiër ['ma.gi.ər] *m* magus [*mv* magi], magician, ✸ mage.

magisch [-gi.s] I *aj* magic [power]; II *ad* magically.

magistraal [ma.gɪs'tra.l] masterly [work].

magistraat [-'tra.t] *m* magistrate.

magistratuur [-tra.'ty:r] *v* magistracy; *de ~ ook:* the robe.

magnaat [mɑx'na.t] *m* magnate.

magneet [-'ne.t] *m* magnet; (v. motor) magneto.

magneetband [-bɑnt] *m* magnetic tape.

magneetijzer [-ɛizər] *o* magnetic iron.

magneetkracht [-krɑxt] *v* magnetic force.

magneetnaald [-na.lt] *v* magnetic needle.

magneetsteen [-ste.n] *m* lodestone.

magnesia [mɑx'ne.zi.a.] *v* magnesia.

magnesium [-zi.űm] *o* magnesium.

magnesiumlicht [-lɪxt] *o* magnesium light.

magnetisch [mɑx'ne.ti.s] I *aj* magnetic; II *ad* magnetically.

magnetiseren [-ne.ti.'ze:rə(n)] *vt* magnetize.

magnetiseur [-ti.'zø:r] *m* magnetizer.

magnetisme [-'tɪsmə] *o* magnetism.

magnetize- zie *magnetise-*.

magnificat [ma'ɲi-, mɑx'ni.fi.kɑt] *o RK* magnificat.

magnifiek [mɑɲi.'fi.k] *aj* (& *ad*) magnificent(ly), splendid(ly).

magnolia [mɑx'no.li.a.] *v* ✿ magnolia.

Magyaar(s) [ma.gi.'a:r(s)] Magyar.

mahonie(hout) [ma.'ho.ni.(hout)] *o* mahogany.

mahoniehouten [-houtə(n)] *aj* mahogany.

mail [me.l] *v* ✉ mail.

mailboot ['me.lbo.t] *m* & *v* ⚓ mail-steamer.

maillot [ma.'jo.] *m* tights.

mailpapier ['me.lpa.pi:r] *o* foreign note-paper.

mailzak [-zak] *m* ✉ mail-bag.

maïs, mais [mais] *m* ✿ maize, Indian corn.

maïskolf, maiskolf ['maiskɔlf] *v* corncob.

maïsmeel, maismeel [-me.l] *o* corn flour.

maïsvlokken, maisvlokken [-fləkə(n)] *mv* corn flakes.

Ⓜ maizena [mai'ze.na.] *m* maizena.

majesteit ['ma.jəstɛit] *v* majesty; *Zijne Majesteit* His Majesty; *Jawel, Majesteit!* Yes, Your Majesty.

majesteitsschennis [-sxɛnəs] *v* lese-majesty.

majestueus [ma.jəsty.'ø.s] I *aj* majestic; II *ad* majestically.

majeur ['ma.jø:r] *v* ♪ major.

majolica, majolika [ma.'jo.li.ka.] *o* & *v* majolica. [jolica.

majoor [ma.'jo:r] *m* ⚔ major. [jolica.

mak [mɑk] tame, gentle, meek, manageable.

makadam(-) zie *macadam(-)*.

makelaar ['ma.kəla:r] *m* $ broker; *~ in assurantiën* insurance broker; *~ in effecten* stockbroker; *~ in vaste goederen* (real) estate agent.

makelaarsloon [-la:rslo.n] *o* $ brokerage.

makelarij [ma.kəla.'rɛi] *v* $ brokerage.

makelij [ma.kə'lɛi] *v* make, workmanship.

maken ['ma.kə(n)] *vt* 1 make [boots &]; 2 (doen zijn) make, render [happy], drive [mad]; 3 (opwerpen) make, raise [objections &]; 4 (uitmaken) make [a difference]; 5 (doen) make [a journey &], do; 6 (repareren) mend, repair; 7 ⇔ do [sums, translations &]; 8 (vormen) form [an idea of...]; 9 (innemen) make [water]; *hij kan je ~ en breken* he can make or mar you; *maak dat je wegkomt!* be off!, get out!; *wat moet ik daarvan ~?* what am I to make (think) of it?; *dat maakt zoveel* that amounts to..., that makes..; *niemand kan mij wat ~* no one can touch me; *hoe maak je het?* how are you?, how do you do?; *hij maakt het goed* he is (doing) well; *hij zal het niet lang meer ~* he is not long for this world; *hij maakt het er ook naar* he has (only) himself to thank for it; *dat heeft er niets mee te ~* that has nothing to do with it, it is neither here nor there; *je hebt hier niets te ~* you have no business here; *ik wil er niets mee te ~ hebben* I will have nothing to do with it, no hand in the matter; *ik wil niet met de vent te ~ hebben* I will have nothing to say to the fellow; I will have no dealings with that fellow; *ik wil niets meer met hem te ~ hebben* I have done with him; *ik heb hem de thema doen ~* I've made him do the exercise; *ik ga mij een jas laten ~* I'm having a coat made; *zij ~ ɱij aan het lachen* they make me laugh; *zich boos ~* become (get) angry.

maker [-kər] *m* maker, author.

makheid ['mɑkhɛit] *v* tameness, gentleness, meekness.

makker ['mɑkər] *m* mate, comrade, companion.

makreel [ma.'kre.l] *m* 🐟 mackerel.

1 **mal** [mɑl] *m* model, mould, gauge; stencil.

2 **mal** [mɑl] I *aj* 1 foolish; silly; 2 fond (of *met, op*); *het is een ~le geschiedenis* 1 it is a funny story; 2 that is queer, it is an awkward affair; *ben je ~?* are you mad?; *iemand voor de ~ houden* make a fool of one; II *ad* foolishly; *doe niet zo ~* don't play the giddy goat; zie ook: *aanstellen*.

malaga ['ma.la.ga.] *m* Malaga (wine).

malaise [ma.'lɛ:zə] *v* $ depression, slump.

malaria [ma.'la:ri.a.] *v* malaria.

malarialijder [-lɛidər] *m* malaria(l) patient.

malariamug [-mŭx] *v* malaria mosquito, anopheles.

malcontent [mɑlkòn'tɛnt] I *aj* discontented; II *sb de ~en* the malcontents.

Maleier [ma.'lɛiər] *m* Malay.

Maleis [-'lɛis] I *aj* Malay; II *o het ~* Malay; III *v een ~e* a Malay woman.

1 **malen** ['ma.lə(n)] *vt* grind [of corn, coffee]; crush [sugar-cane].

2 **malen** ['ma.lə(n)] *vi* in: *wat maal ik erom?* F what do I care!, who cares?; *daar maalt hij over* that is what his mind is running on; *hij is ~de* he is mad (crazy); zie ook: *zaniken*.

malheid ['mɑlhɛit] *v* foolishness.

malheur [mɑ'lø:r] *o* mishap.

malie ['ma.li.] *v* 1 ring [of a coat of mail]; 2 tag [of a string]; 3 mall [kind of game].

maliebaan [-ba.n] *v* 🎱 mail.

maliënkolder ['ma.li.ə(n)kɔldər] *m* 🎱 coat of mail, hauberk.

malieveld ['ma.li.vɛlt] *o* 🎱 mail.

maling ['ma.lɪŋ] *v* in: *~ aan iets hebben* F not care (a damn &) about a thing; *iemand in de ~ nemen* F make a fool of one.

malkontent zie *malcontent*.

mallejan [mɑlə'jɑn] *m* truck.

mallemolen ['mɑləmo.lə(n), mɑlə'mo.lə(n)] *m* merry-go-round.

mallen ['mɑlə(n)] *vi* fool, dally.

mallepraat ['ma.ləpra.t] *m* nonsense; fiddle-sticks!

malligheid ['mɑləxhɛit] *v* foolishness, folly; *allerlei malligheden* foolish things.

malrove ['mɑlro.və] *v* 🌿 horehound.

mals [mɑls] tender [meat]; soft, mellow [pears &]; *hij is lang niet ~* he is rather severe.

malsheid ['mɑlshɛit] *v* tenderness; softness, mellowness.

Malta ['mɑlta.] *o* Malta.

Maltezer [mɑl'te.zər] *aj* & *m* Maltese.

maluwe, malve ['ma.ly.və, 'mɑlvə] *v* 🌿 mallow(s).

malversatie [mɑlvər'za.(t)si.] *v* malversation.

mama [ma'ma.] *v* mamma.

mammeluk [mɑmə'lŭk] *m* Mameluke.

mammoet ['mɑmu.t] *m* 🦴 mammoth.

mammon ['mɑmòn] *m de ~* mammon.

man [mɑn] *m* 1 man; 2 (echtgenoot) husband; *een ~ van zijn woord zijn* be as good as one's word; *een ~ van zaken* a business man; *zes ~ en een korporaal* ✕ six men and a corporal; *duizend ~* ✕ a thousand troops; *1000 ~ infanterie* ✕ a thousand foot; *de kleine ~* the little man[2], *fig* the small man; *een stuiver de ~* a penny a head; *als één ~ to* a man, as one man; *hij is er de ~ niet naar om...* he is not the man to..., it is so unlike him...; *~ en paard noemen* give chapter and verse; *~ en vrouw* husband and wife; *zijn ~ staan* be able to hold one's own; *zijn ~ vinden* meet (find) one's match; *aan de ~ brengen* sell [goods]; marry off [daughters]; *met ~ en macht werken* work all out; *met ~ en muis vergaan* 🚢 go down with all hands (on board); *op de ~ af* iemand iets vragen point-blank; *per ~* [so much] a head; *een gevecht van ~ tegen ~* a hand-to-hand fight; *tot op de laatste ~* to the last man; *een ~ een ~, een woord een woord* an honest man's word is as good as his bond; zie ook: *mans*.

manachtig ['mɑnɑxtəx] mannish, masculine.

manche [mɑnʃ] *v sp* heat [of a contest, match]; game [at whist, bridge].

Manchester ['mɛnʃəstər] *o* Manchester.

manchester [mɑn'ʃestər, 'mɛnʃəstər] *o* (stof) corduroy.

manchet [mɑn'ʃet] *v* 1 cuff; 2 (vast) wrist-band.

manchetknoop [-kno.p] *m* cuff-link.

manco ['mɑnko.] *o* $ shortage; short delivery.

mand [mɑnt] *v* basket, hamper; *hij viel door de ~* he had to own up.

mandaat [mɑn'da.t] *o* 1 mandate; 2 power of attorney, proxy; 3 warrant to pay; *zijn ~ neerleggen* resign one's seat [in Parliament].

mandaatgebied [-gəbi.t] *o* mandated territory.

mandarijn [mɑnda.'rɛin] *m* mandarin.

mandarijntje [-cə] *o* 🍊 tangerine.

mandataris [mɑnda.'ta:rəs] *m* mandatary, mandatory.

mandefles ['mɑndəflɛs] *v* 1 wicker-bottle; 2 carboy [for acids]; 3 demijohn.

mandement [mɑndə'mɛnt] *o RK* pastoral letter (from the bishop(s)).

mandenmaken ['mɑndə(n)ma.kə(n)] *o* basket-making.

mandenmaker [-ma.kər] *m* basket-maker.

mandewerk ['mɑndəʋerk] *o* basket-ware, wicker-work.

mandoline [mɑndo.'li.nə] *v* ♪ mandolin(e).

mandvol ['mɑntfòl] *v* basketful, hamperful.

manege [ma.'ne.ʒə] *v* manege, riding-school.

manegepaard [-pa:rt] *o* riding-school horse.

1 **manen** ['ma:nə(n)] *vt* dun [a debtor for payment].

2 **manen** ['ma.nə(n)] *mv* mane [of horse].

maner [-nər] *m* dun(ner).

maneschijn ['ma.nəsxɛin] *m* moonlight.

maneuver = *manoeuvre*.

maneuvreren = *manoeuvreren*.

manga ['maŋga.] ⚘ mango.

mangaan [maŋ'ga.n] *o* manganese.

mangaanerts [-ɛrts] *o* manganese ore.

mangat ['maŋgat] *o* ⚒ manhole.

1 **mangel** ['maŋəl] *o* want, default.

2 **mangel** ['maŋəl] *m* mangling-machine, mangle.

1 **mangelen** ['maŋələ(n)] *vt* mangle [linen].

2 **mangelen** ['maŋələ(n)] *vi zie ontbreken*.

mangelkamer ['maŋəlka.mər] *v* mangling-room.

mangelwortel [-vòrtəl] *m* ⚘ mangel-wurzel.

mango ['maŋgo.] = *manga*.

manhaftig [man'haftəx] I *aj* virile, manful, manly, brave; II *ad* manfully.

manhaftigheid [-hɛit] *v* manliness, courage.

maniak [ma.ni.'ak] *m* 1 maniac; 2 (zonder-ling) faddist, crank.

maniakaal [-a.'ka.l] maniacal.

manicure [-'ky:rə] I *m-v* (persoon) manicure, manicurist; 2 *v* (de handeling) manicure; (stel werktuigen) manicure set.

manicuren [-'ky:rə(n)] *vt* manicure.

manie [ma.'ni.] *v* mania, craze, rage, fad.

manier [ma.'ni:r] *v* manner, fashion, way; *goede* ∼en good manners; *wat zijn dat voor* ∼*en?* where *are* your manners?; *dat is geen* ∼ (*van doen*) that is not as it should be; *hij kent geen* ∼*en ook*: his manners are bad; *bij* ∼ *van spreken* in a manner of speaking; *op deze* ∼ in this manner (way); after this fashion; *op de een of andere* ∼ (in) one way or another; *op alle* (*mogelijke*) ∼*en* in every possible way.

maniërisme [-ni:'rısmə] *o* mannerism.

manifest [ma.ni.'fɛst] I *o* manifesto; ⚓ manifest; II *aj* manifest, evident, palpable [error].

manifestant [-fɛs'tant] *m* demonstrator.

manifestatie [-'ta.(t)si.] *v* manifestation, demonstration.

manifesteren [-'te:rə(n)] *vi* manifest, demonstrate.

manilla [ma.'nıla.] *v* manilla.

manillahennep [-hɛnəp] *m* ⚘ Manil(l)a hemp.

manillasigaar [-si.ga:r] *v* manilla (cigar).

maniok [ma.ni.'ɔk] *m* manioc.

manipel [ma.'ni.pəl] *m RK* maniple.

manipulatie [ma.ni.py.'la.(t)si.] *v* manipulation.

manipuleren [-'le:rə(n)] *vt* manipulate.

mank [maŋk] lame, crippled; ∼ *gaan* limp; *aan een euvel* ∼ *gaan* have a defect.

mankement [maŋkə'mɛnt] *o* defect, trouble.

mankeren [-'ke:rə(n)] *vi* fail; *hij mankeert nooit* he never fails to put in an appearance; *er* ∼ *er vijf* 1 five are wanting (missing); 2 five are absent; there are five absentees; *wat mankeert je?* what's the matter with you[2]?; what

possesses you?; *er mankeert wat aan* there is something wrong; *ik mankeer niets* I'm all right; *ik zal niet* ∼ *u bericht te zenden* I shall not fail to send you word; *zonder* ∼ without fail.

mankracht ['mankraxt] *v* man-power. [fail.

manlief [-li.f] F hubby; ∼ *!* my dear!

manlijk(heid) [-lək(hɛit)] = *mannelijk(heid)*.

manmoedig [man'mu.dəx] I *aj* manful, manly, brave; II *ad* manfully.

manmoedigheid [-hɛit] *v* manliness, bravery, courage.

manna ['mana.] *o* manna.

mannelijk ['manələk] 1 male; masculine [ook *gram*]; 2 (moedig) manly.

mannelijkheid [-hɛit] *v* manliness, masculinity, manhood.

mannenklooster ['manə(n)klo.stər] *o* monastery.

mannenkoor [-ko:r] *o* 1 male voice choir; 2 male choir, men's choral society.

mannenkracht [-kraxt] *v* manly strength.

mannenmoed [-mu.t] *m* manly courage.

mannenstem [-stɛm] *v* male voice, man's voice.

mannentaal [-ta.l] *v* manly (virile) language.

mannequin [manə'kɛ̃] *v* mannequin, (fashion) model.

mannetje ['manəcə] *o* 1 little man, manikin; 2 male, ⚥ cock; ∼ *en wijfje* male and female.

mannetjesolifant ['manəcəso.li.fant] *m* ⚏ bull-elephant.

mannetjesputter [-pûtər] *m* F 1 ⚥ male gold-finch; 2 *fig* whopper, plucky fellow.

manoeuvre [ma.'nœ.vər] *v* & *o* manoeuvre[2].

manoeuvreren [ma.nø.'vre:rə(n)] *vi* manoeuvre[2].

manometer [ma.no.'me.tər] *m* manometer, pressure gauge.

mans [mans] *hij is* ∼ *genoeg* he is man enough; *hij is heel wat* ∼ he is very strong.

manschap ['mansxap] *v* ⚓ (bemanning) crew; *de* ∼*pen* ⚔ the men.

manshoogte ['mansho.xtə] *v* man's height.

manskleding [-kle.dɪŋ] *v* male attire, man's dress.

manslag ['manslax] *m* homicide; manslaughter [through negligence].

manslengte ['manslɛŋtə] *v zie manshoogte*.

manspersoon [-pərso.n] *m* male person, male, man.

mansvolk [-fɔlk] = *manvolk*.

mantel ['mantəl] *m* 1 (in 't alg. en kort of zonder mouwen) cloak, mantle; 2 (v. vrouwen en lang) coat; 3 $ (v. effect) certificate; 4 ⚔ jacket; *iets met de* ∼ *der liefde bedekken* cover it with the cloak of charity, draw a veil over it.

manteljas [-jas] *m* & *v* cloak with cape.

mantelmeeuw [-me:u] *v* ⚥ black-backed gull, saddle-back.

mantelorganisatie, -organizatie [-ɔrga.ni.za.(t)si.] *v* periphery organization, front (organization).

mantelpak [-pak] o coat and skirt.
mantille [man'ti.ljə] v mantilla.
Mantsjoe ['mantʃu.] m Manchu.
Mantsjoerije [mantʃu.'rεiə] o Manchuria.
manuaal [ma.ny.'a.l] o ♪ manual, keyboard.
manufacturen [-fak'ty:rə(n)] mv drapery, soft goods, (linen-)draper's goods.
manufacturier [-fakty:'ri:r] m (linen-)draper.
manufactuurzaak [-fak'ty:rza.k] v drapery business.
manufakt- zie manufact-.
manuscript [ma.nũs'kript] o manuscript.
manusje-van-alles ['ma.nũʃəvan'aləs] o F general utility man, Jack-of-all-trades.
manuskript zie manuscript.
manuur ['many:r] o man-hour.
manvolk [-vɔlk] o menfolk, men.
map [map] v I (omslag voor papieren) folder; 2 (tekenportefeuille) portfolio.
maquette [ma.'kεtə] v model.
maraboe ['ma:ra.bu.] m ⅏ marabou.
maraskijn [marəs'kεin] m maraschino.
marathonloop, maratonloop ['ma:ra.tònlo.p] m sp Marathon (race).
Marc. = Marcus.
marchanderen [marʃan'de:rə(n)] vi bargain, chaffer, haggle.
marche [marʃ] = 2 mars.
marcheorde ['marʃɔrdə] = marsorde.
marcheorder [-ɔrdər] = marsorder.
marcheren [mar'ʃe:rə(n)] vi march; goed ~ go well [fig].
marchetempo ['marʃtεmpo.] = marstempo.
marchetenue [-təny.] = marstenue.
marchevaardig [marʃ'fa:rdəx] = marsvaardig.
marconist [marko.'nist] m ‡ wireless operator.
Marcus ['markũs] m Mark.
⊙ mare ['ma:rə] v news, tidings, report.
marechaussee [marəʃo.'se.] I v constabulary; 2 m member of the constabulary.
maretak(ken) ['ma:rətak, -takə(n)] m(mv) ⅌ mistletoe.
Margaretha [marga.'re.ta.] v Margaret.
margarine [-'ri.nə] v margarine.
margarinefabriek [-fa.bri.k] v margarine factory.
marge ['marʒə] v margin.
marginaal [margi.'na.l] marginal.
Margriet [mar'gri.t] v zie Margaretha.
margriet [mar'gri.t] v ⅌ ox-eye (daisy).
Maria [ma:'ri.a.] v Mary, Maria.
Maria-altaar [-alta:r] o RK Lady-altar.
Mariabeeld [-be.lt] o image of the Virgin (Mary).
Maria-Boodschap [ma:ri.a.'bo.tsxap] v Lady Day, Annunciation Day [March 25th].
mariadistel [ma:'ri.a.dɪstəl] m & v ⅌ milkthistle.
Maria-Hemelvaart [ma:ri.a.'he.məlva:rt] v RK Assumption.
Maria-Lichtmis [-'lɪxtmɪs] m Candlemas.

Maria-ten-Hemelopneming [-tεn'he.mələpne.mɪŋ] v RK Assumption.
Marie(tje) [ma:'ri.(cə)] v Mary, Moll, Poll Polly.
marihuana [mari.hy.'a.na.] v marijuana.
marine [ma:'ri.nə] v ⚓ navy; bij de ~ in the navy.
marineblauw [-blou] o navy blue.
marineren [ma:ri.'ne:rə(n)] vt marinade, pickle.
marinewerf [ma:'ri.nəvεrf] v naval dockyard.
marinier [-ri.'ni:r] m ⚓ marine.
marionet [ma.ri.o.'nεt] v puppet[2], marionette.
marionettenspel [-'nεtə(n)spεl] o puppet show.
marionettenteater zie marionettentheater.
marionettentheater [-te.a.tər] o puppet theatre.
maritiem [ma.ri.'ti.m] naval.
marjolein [marjo.'lεin] v ⅌ marjoram.
mark [mark] m (munt) mark.
markant [mar'kant] striking [case], outstanding [example].
Marken ['markə(n)] o Marken [in Holland]; de ~ the Marches [in Italy].
markeren [mar'ke:rə(n)] I vt mark; de pas ~ mark time[2]; II vi feather, mark [of a dog].
marketentster [-kə'tεntstər] v ✕ sutler, canteen-woman.
markeur [-'kø:r] m (billiard-)marker.
I markies [-'ki.s] m marquis, marquess.
2 markies [-'ki.s] v (zonnescherm) awning, sunshade.
markiezin [-ki.'zɪn] v I marchioness; 2 [French] marquise.
markizaat [-'za.t] o marquisate.
markt [markt] v I market; 2 (plaats) market (place); aan de ~ komen come into the market; aan de ~ zijn be upon the market; naar de ~ gaan go to market; onder de ~ verkopen sell below market-price, undersell; op de ~ in the market place [eig]; op de ~ brengen (F gooien) put (throw) on the market; ter ~ brengen put on the market, market; van alle ~en thuis zijn be an all-round man; be for all waters.
marktanalyse ['marktana.li.zə] v market research.
marktbericht [-bərɪxt] o $ market report.
marktdag ['marktdax] m market day.
markten [-tə(n)] vi go to market, go marketing.
marktgeld ['marktgεlt] o market dues.
marktkoopman [-ko.pman] m market trader.
marktkraam [-kra.m] v & o market stall, booth.
marktplaats [-pla.ts] v I market place, market; 2 market town.
marktplein [-plεin] o market square.
marktprijs [-prεis] m market price, ruling price; market quotation [of stocks].
marktvrouw [-frou] v market-woman.
marmelade [marmə'la.də] v marmalade.
marmer ['marmər] o marble.
marmerachtig [-axtəx] marbly.
I marmeren ['marmərə(n)] aj marble[2] [halls,

arms &]; marbly [cheeks]; marble-tiled [floor]; marble-topped [table &].

2 **marmeren** ['mɑrmərə(n)] *vt* marble.

marmergroef, -groeve ['mɑrmərgru.f, -gru.və] *v* marble-quarry.

marmerslijper [-sleipər] *m* marble polisher.

marmot [mɑr'mɔt] *v* ⚓ 1 marmot; 2 (cavia) guinea-pig.

marokijn [ma:ro.'kɛin] *o* morocco(-leather).

marokijnen [-'kɛinə(n)] *aj* morocco.

Marokkaan(s) [ma:rɔ'ka.n(s)] Moroccan.

Marokko [ma:'rɔko.] *o* Morocco.

Mars [mɑrs] *m* Mars.

1 **mars** [mɑrs] *v* 1 (v. marskramer) (pedlar's) pack; 2 ⚓ top; *grote* ~ ⚓ main-top; *hij heeft heel wat in zijn* ~ he is a man of great parts.

2 **mars** [mɑrs] *m* & *v* ⚔ march; ~, *de deur uit!* begone!; *op* ~ on the (their) march.

Marseille [mɑr'sɛijə] *o* Marseilles.

marsepein ['mɑrsəpɛin] *m* & *o* marchpane, marzipan.

marsgast ['mɑrsgɑst] *m* ⚓ topman.

marskramer [-kra.mər] *m* pedlar, hawker.

marsorde ['mɑrsɔrdə] *v* ⚔ order of march.

marsorder [-dər] *v* ⚔ marching orders.

marssteng ['mɑrstɛŋ] *v* ⚓ topmast.

marstempo ['mɑrstɛmpo.] *o* 1 ⚔ rate of march; 2 ♪ march-time.

marstenue [-təny.] *o* & *v* ⚔ marching-kit, marching-order.

marsvaardig [mɑrs'fa.rdəx] ⚔ ready to march.

marszeil ['mɑrsɛil] *o* ⚓ topsail.

martelaar ['mɑrtəla:r] *m* martyr.

martelaarschap [-la:rsxɑp] *o* martyrdom.

martelaarskroon [-la:rskro.n] *v* martyr's crown.

martelares [mɑrtəla.'rɛs] *v* martyr.

marteldood ['mɑrtəldo.t] *m* & *v* martyrdom; *de* ~ *sterven* die a martyr.

martelen [-tələ(n)] *vt* torment, torture, martyr.

marteling [-lɪŋ] *v* torture, [one long] martyrdom.

marteltuig ['mɑrtəltœyx] *o* instrument(s) of torture.

marter ['mɑrtər] *m* ⚓ marten.

Martha ['mɑrta.] *v* Martha.

martiaal [mɑrtsi.'a.l] *aj* (& *ad*) martial(ly).

Martinus [mɑr'ti.nʉs] *m* Martin.

marxisme [mɑrk'sɪsmə] *o* Marxism.

marxist(isch) [-'sɪst(i.s)] *m* (& *aj*) Marxist.

mascotte [mɑs'kɔtə] *v* mascot.

masker ['mɑskər] *o* 1 mask²; 2 (v. insekt) larva [*mv* larvae], grub; *iemand het* ~ *afrukken* unmask a person; *het* ~ *afwerpen* throw off (drop) the mask; *onder het* ~ *van vroomheid* under the show of piety.

maskerade [mɑskə'ra.də] *v* masquerade, pageant.

1 **maskeren** ['mɑskərə(n)] *vt* mask.

2 **maskeren** [mɑs'ke:rə(n)] *vt* mask.

massa ['mɑsa.] *v* 1 mass; crowd; 2 $ bankrupt's estate; *de grote* ~ the masses [the

lower orders]; *bij* ~'s in heaps; *in* ~ *produceren* mass-produce; *in* ~ *verkopen* sell by the lump.

massaal [mɑ'sa.l] mass..., wholesale.

massa-artikel ['mɑsa.arti.kəl] *o* mass-produced article.

massacommunicatie [-kòmy.ni.ka.(t)si.] *v* mass communication.

massacommunicatiemiddel [-mɪdəl] *o* mass medium [*mv* mass media].

massage [mɑ'sa.ʒə] *v* massage.

massagraf ['mɑsa.grɑf] *o* mass grave, common grave.

massakommunikatie(-) zie *massacommunicatie(-)*.

massaproductie zie *massaproduktie*.

massaproduktie ['mɑsa.pro.dʉksi.] *v* mass production.

massapsychologie [-psi.go.lo.gi.] *v* mass psychology.

masseren [mɑ'se:rə(n)] *vt* massage.

masseur [-'sø:r] *m* masseur.

masseuse [-'sø.zə] *v* masseuse.

massief [mɑ'si.f] solid [gold, silver], massive [building].

mast [mɑst] *m* 1 ⚓ & ✗ mast; 2 ☀ [power] pylon; 3 (gymnastiek) pole.

mastbos ['mɑstbòs] *o* fir-wood; *de haven is een* ~ a forest of masts (and yards).

masten ['mɑstə(n)] *vt* ⚓ mast.

mastiek [mɑs'ti.k] *m* & *o* mastic.

mastklimmen ['mɑstklɪmə(n)] *o* pole-climbing.

mastodont [mɑsto.'dònt] *m* ⚓ mastodon.

1 **mat** [mɑt] *v* mat; *zijn* ~*ten oprollen* F pack up.

2 **mat** [mɑt] *m* Spanish piastre.

3 **mat** [mɑt] *aj* tired, faint, weary [patient, voice &]; dead, dull [tone, colour]; mat [gold], spent [cannon-ball].

4 **mat** [mɑt] *aj* checkmate.

matador [ma.ta.'do:r] *m* matador; *fig* dab (at in).

mate ['ma.tə] *v* zie 1 *maat*.

mateloos ['ma.təlo.s] I *aj* measureless, boundless, immense; II *ad* immensely.

matelot [ma.tə'lo.] *m* sailor-hat, boater.

matemati- zie *mathemati-*.

materiaal [ma.te:ri.'a.l] *o* material(s); *rollend* ~ rolling-stock.

materialisme [-a.'lɪsmə] *o* materialism.

materialist [-a.'lɪst] *m* materialist.

materialistisch [-a.'lɪsti.s] *aj* (& *ad*) materialistic(ally).

materie [ma.'te:ri.] *v* matter.

materieel [-te:ri.'e.l] I *aj* material; II *ad* materially; III *o* material(s); *rollend* ~ rolling-stock.

matesis zie *mathesis*.

matglas ['mɑtglɑs] *o* ground glass.

matheid [-ɦeit] *v* weariness, dul(l)ness, languor.

mathematicus [ma.te.'ma.ti.kʉs] *m* mathematician.

mathematisch [-'ma.ti.s] *aj* (& *ad*) mathematical(ly).

mathesis [ma.'te.sɪs] *v* mathematics.

Mathilde [ma.'tɪldə] *v* Mathilda.

matig ['ma.təx] I *aj* moderate [sum, income & smoker]; moderate, temperate, sober, abstemious, frugal [man]; reasonable [prices]; II *ad* moderately &; ~ *gebruiken* make a moderate use of; *maar* ~ *tevreden* not particularly pleased.

matigen [-təgə(n)] I *vt* moderate, temper, modify; zie ook: *gematigd*; II *vr* in: *kunt u u niet wat* ~? can't you restrain yourself, keep your temper a bit?

matigheid ['ma.təxhɛit] *v* moderation, temperance, soberness, abstemiousness, frugality.

matigheidsgenootschap [-hɛitsgəno.tsxap] *o* temperance society.

matiging ['ma.təgɪŋ] *v* moderation, modification.

matinee [ma.ti.'ne.] *v* matinée, afternoon performance.

matineus [-'nø.s] *aj* in: ~ *zijn* be an early riser.

matras [ma.'tras] *v* & *o* mattress.

matrassenmaker [-trasə(n)ma.kər] *m* mattress-maker.

matriarchaat [ma.tri.ar'ga.t] *o* matriarchy.

matrijs [ma.'trɛis] *v* matrix.

matrone [ma.'tro:nə] *v* matron.

matroos [ma.'tro.s] *m* sailor.

matrozenkraag [-'tro.zə(n)kra.x] *m* sailor collar.

matrozenlied [-li.t] *o* sailor's song, chanty, shanty.

matrozenpak(je) [-pak(jə)] *o* sailor suit.

matteklopper ['matəklopər] *m* carpet-beater.

matten ['matə(n)] *vt* mat, rush [chairs].

mattenbies [-bi.s] *v* ✿ bulrush.

mattenmaker [-ma.kər] *m* mat-maker.

Matth. = *Mattheus* Matt.

Mattheus [ma'te.ŭs] *m* Matthew.

Mattheuspassie [-pasi.] *v* Matthew Passion.

Matthias, Matthijs [ma'ti.as, -'tɛis] *m* Matthias.

matwerk ['matvɛrk] *o* matting.

Mauretanië [mourə'ta.ni.ə] *o* Mauretania.

Maurits ['mourɪts] *m* Maurice.

mausoleum [mauzo.'le.ŭm] *o* mausoleum.

mauve ['mo.və] mauve.

mauwen ['mouə(n)] *vi* mew.

m.a.w. [mɛtandərə'vo:rdə(n)] = *met andere woorden* in other words.

maximaal [maksi.'ma.l] maximum [use &].

maxime [-'si.mə] *v* maxim.

Maximiliaan [-si.mi.l'ja.n] *m* Maximilian.

maximum ['maksi.mŭm] *o* maximum.

maximumprijs [-prɛis] *m* maximum price.

maximumsnelheid [-snɛlhɛit] *v* I speed limit [for motor-cars &]; 2 ✂ top speed.

mayonaise [ma.jo.'nɛ:zə] *v* mayonnaise.

mazelen ['ma.zələ(n)] *mv* measles.

mazen ['ma.zə(n)] *vt* darn.

mazurka [ma.'zŭrka.] *m* & *v* ♪ mazurka.

Mc. = *Marcus*.

me [mə] (to) me.

mecanicien [me.ka.ni.si.'ɛ̃] *m* mechanic.

mecenaat [me.se.'na.t] *o* patronage.

mecenas [me.'se.nas] *m* Maecenas.

mechanica [me.'ga.ni.ka.] *v* mechanics.

mechaniek [me.ga.'ni.k] *v* & *o* mechanism; action, works [of a watch]; *een treintje met* ~ a clockwork train.

mechanika zie *mechanica*.

mechanisch [-'ga.ni.s] *aj* (& *ad*) mechanical(ly).

mechaniseren [-ga.ni.'ze:rə(n)] *vt* mechanize.

mechanisering [-rɪŋ] *v* mechanization.

mechanisme [me.ga.'nɪsmə] *o* zie *mechaniek*.

mechanize- zie *mechanise-*.

Mechelen ['mɛgələ(n)] *o* Mechlin, Malines.

Mechels ['mɛgəls] *aj* Mechlin; ~*e kant* Mechlin (lace).

medaille [mə'da(l)jə] *v* medal.

medailleur [-da(l)'jø:r] *m* medallist.

medaillon [-'jòn] *o* I △ medallion; 2 (halssieraad) locket; 3 (illustratie) inset.

I mede ['me.də] *v* = I *mee*.

2 mede ['me.də] = 2 *mee*.

medeaansprakelijk [-a.nspra.kələk] jointly liable (responsible).

medearbeider [-arbɛidər] *m* fellow-worker.

medebrengen [-brɛŋə(n)] = *meebrengen*.

medebroeder ['me.dəbru.dər] *m* brother, colleague.

medeburger [-bŭrgər] *m* fellow-citizen.

mededeelbaar [me.də'de.lba:r] communicable.

mededeelhebber [-'de.lhɛbər] *m* copartner.

mededeelzaam [-'de.lza.m] I (in het geven) open-handed, liberal; 2 (in het zeggen) communicative, expansive.

mededeelzaamheid [-hɛit] *v* I liberality; 2 communicativeness.

mededelen ['me.dədə.lə(n)] *vt* announce, state; *hem iets* ~ communicate it to him, impart it to him, inform him of it.

mededeling [-de.lɪŋ] *v* communication, information, announcement, statement; *een* ~ *doen* make a communication (a statement).

mededingen [-dɪŋə(n)] *vi* compete; ~ *naar* compete for.

mededinger [-ŋər] *m* rival, competitor.

mededinging [-ŋɪŋ] *v* competition, rivalry.

mededirecteur, -direkteur ['me.dədi.rɛktø:r] *m* joint manager, joint director, co-director.

mededogen ['me.dədo.gə(n)] *o* compassion, pity.

medeëigenaar ['me.dəɛigəna:r] *m* joint owner, part-owner.

medeërfgenaam [-ɛrfgəna.m] *m* joint heir.

medeërfgename [-ɛrfgəna.mə] *v* joint heiress.

medefirmant [-fɪrmant] *m* copartner.

medegaan [-ga.n] = *meegaan*.

medegevangene ['me.dəgəvaŋənə] *m-v* fellow-prisoner.

medegevoel ['me.dəgəvu.l] o sympathy, fellow-feeling.

medehelper ['me.dəhɛlpər] m ~ster [-stər] v assistant.

medeklinker [-klɪŋkər] m consonant.

medeleerling ['me.dəle:rlɪŋ] m school-fellow, fellow-student.

medeleven [-le.və(n)] = meeleven.

medelid [-lɪt] o fellow-member.

medelijden [-lɛidə(n)] o compassion, pity; ~ hebben met have (take) pity on, feel pity for, pity; het ~ opwekken rouse a man's pity; uit ~ 1 out of pity [for him]; 2 in pity [of his misery].

medelijdend [me.də'lɛidənt] aj (& ad) compassionate(ly).

medelijdendheid [-hɛit] v compassionateness.

medemens ['me.dəmɛns] m fellow-man.

medeminnaar [-mɪna:r] m ~ares [me.dəmɪna:-'rɛs] v rival.

Meden ['me.də(n)] mv de ~ the Medes.

medeondertekenaar ['me.dəɔndərte.kəna:r] m co-signatory.

medepassagier [-pɑsa.ʒi:r] m fellow-passenger.

medeplichtig [[me.də'plɪxtəx] accessory; ~ aan accessory to; hij is eraan ~ he is an accomplice.

medeplichtige [-təgə] m-v accomplice, accessory.

medeplichtigheid [-təxhɛit] v complicity (in aan).

medereiziger ['me.dəreizəgər] m fellow-passenger, fellow-traveller.

medeschepsel ['me.dəsxɛpsəl] o fellow-creature.

medeschuldeiser [-sxûltɛisər] m fellow-creditor.

medeschuldige [-sxûldəgə] m-v accomplice.

medeslepen [-sle.pə(n)] = meeslepen.

medespeler [-spe.lər] m fellow-player, partner.

medestander [-stɑndər] m supporter, partisan.

medestudent [-sty.dɛnt] m fellow-student.

medevennoot [-vɛno.t] m copartner.

medewerken [-vɛrkə(n)] = meewerken.

medewerker [-vɛrkər] m 1 co-operator, co-worker; 2 [author's] collaborator, part-author; contributor [to a periodical].

medewerking [-vɛrkɪŋ] v co-operation; zijn ~ verlenen co-operate, contribute; met ~ van... with the co-operation of.

medeweten [-ve.tə(n)] o knowledge; met ~ van... with the knowledge of...; zonder zijn ~ without his knowledge, unknown to him.

medezeggenschap [me.də'zɛgənsxɑp] v & o right of say; participation [in industrial enterprise], (workers') co-management; ~ hebben have a say [in the matter].

medicament [me.di.ka.'mɛnt] o medicament. medicine.

medicijn [-'sɛin] v medicine, physic; ~en gebruiken take physic; in de ~en studeren study medicine; student in de ~en medical student.

medicijnflesje [-flɛʃə] o medicine bottle.

medicijnkastje [-kɑʃə] o medicine cupboard.

medicinaal [me.di.si.'na.l] medicinal.

medicus ['me.di.kûs] m 1 medical man, physician, doctor; 2 medical student.

Mediër ['me.di.ər] m Mede.

medikament zie medicament.

medio ['me.di.o.] in: ~ mei (in) mid-May; tot ~ mei until the middle of May.

medisch ['me.di.s] aj (& ad) medical(ly).

meditatie [me.di.'ta.(t)si.] v meditation.

mediteren [-'te:rə(n)] vi meditate.

medium ['me.di.ûm] o medium.

1 mee [me.] v 1 ♀ (meekrap) madder; 2 (honingdrank) mead.

2 mee [me.] also, likewise, as well; ~ van de partij zijn make one, too; hij is ~ van de rijksten among the richest; alles ~ hebben have everything in one's favour.

meebrengen ['me.brɛŋə(n)] vt bring along with one; bring[2]; fig entail; carry [responsibilities].

meedelen [-de.lə(n)] = mededelen.

meedingen [-dɪŋə(n)] = mededingen.

meedoen [me.du.n] vi join [in the game, in the sport &], take part [in aan]; doe je mee? will you make one?; daar doe ik niet aan mee I will be no party to that.

meedogend [me.'do.gənt] aj (& ad) compassionate(ly).

meedogenloos [me.'do.gənlo.s] aj (& ad) pitiless(ly), merciless(ly), ruthless(ly), relentless(ly).

meegaan ['me.ga.n] vi go (along) with [one], accompany [one]; ik ga met u mee 1 I'll accompany you; 2 I concur in what you say, I agree with you; met zijn tijd ~ move with the times; deze schoenen gaan langer mee these shoes last longer.

meegaand [me.'ga.nt] yielding, accommodating, pliable, compliant.

meegaandheid [-hɛit] v compliance, complaisance, pliability.

meegeven ['me.ge.və(n)] I vt give (along with); II vi yield, give way, give.

meegevoel [-gəvu.l] = medegevoel.

meehelpen [-hɛlpə(n)] vi assist, bear a hand.

meekomen [-ko.mə(n)] vi come along [with one].

meekrap ['me.krɑp] v madder.

meekrapwortel [-vòrtəl] m madder-root.

meekrijgen ['me.krɛigə(n)] vt in: zij zal veel ~ she will get a fair dowry; wij konden hem niet ~ he could not be persuaded to join us.

meekunnen [-kûnə(n)] vi in: hij kan niet mee met de anderen he can't keep up with the others; deze schoenen kunnen lang mee these shoes last long.

meel [me.l] o 1 meal; 2 (gebuild) flour.

meelachen ['me.lɑgə(n)] vi join in the laugh.

meelachtig ['me.lɑxtəx] mealy, farinaceous.

meeldauw [-dɔu] m mildew.

meeldraad [-dra.t] m ♀ stamen.

meeleven ['me.le.və(n)] I va enter into the

feelings & of..., sympathize with... [you]; **II**
o sympathy.

meelfabriek ['me.lfa.bri.k] *v* flour mill.

meelhandel [-hɑndəl] *m* flour trade.

meelhandelaar [-hɑndəla:r] *m* flour merchant.

meeligger ['me.lɪgər] *m* ⚓ ship steering the
same course; ⛴ following car.

meelij ['me.lɛi] = *medelijden.*

meelkost ['me.lkɔst] *m* farinaceous food.

meelopen ['me.lo.pə(n)] *vi* walk (run) along
with; *het loopt hem altijd mee* he is always
lucky (in luck).

meeloper [-lo.pər] *m* hanger-on; fellow-traveller [of a political party].

meelspijs ['me.lspeis] *v* farinaceous food.

meelworm [-vɔrm] *m* meal-worm.

meelzak [-zɑk] *m* meal-bag, meal-sack.

meemaken ['me.ma.kə(n)] *vt* in: *veel ~* go
through a great deal; *hij heeft zes veldtochten
meegemaakt* he has been through six cam-
paigns.

meenemen [-ne.mə(n)] *vt* take away, take
(along) with; *dat is altijd meegenomen* F that
is so much gained.

meepraten [-pra.tə(n)] *vi* join in the conversation; *hij wil ook ~* he wants to put in his
oar too (to put in a word); *daar kan ik van
~* I know something about it.

1 **meer** [me:r] more; *iets ~* something more;
iets ~ dan... a little upward of...; *niemand ~
(dan 100 gulden)?* any advance (on a hundred
guilders)?; *niet ~* no more, no longer; *hij is
niet ~* he is no more; *zij is niet jong ~* she is
not young any longer, she is not so young as
she was; *niet ~ dan drie* no more than three;
het is niet ~ dan natuurlijk it is only natural;
niets ~ of niets minder dan... neither more
nor less than...; *er is niets ~* there is nothing
left; *te ~ daar...* the more so as...; *een reden
te ~* all the more reason, an added (additional) reason; *wat ~ is* what is more; *~ en
~* more and more; zie ook: *dies, geen, onder,
woord* &.

2 **meer** [me:r] *o* lake.

meerboei ['me.rbu:i] *v* ⚓ mooring-buoy.

meerder [-dər] more, greater, superior; *~e* (=
verscheidene) several; *mijn ~en* my bet-
ters, ⚔ my superiors.

meerderen [-dərə(n)] *vi* increase.

meerderheid [-hɛit] *v* 1 majority; 2 (geestelijk) superiority.

meerderjarig [me:rdər'ja:rəx] of age; *~ worden* come of age, attain one's majority; *~
zijn* of age.

meerderjarigheid [-hɛit] *v* majority.

meerderjarigverklaring [-fərkla:rɪŋ] *v* emancipation.

meerekenen ['me.re.kənə(n)] *vt* count (in);
include (in the reckoning); *...niet meegerekend* exclusive of...

meerijden [-rɛi(d)ə(n)] *vi* drive (ride) along with;
iemand laten ~ give one a lift.

meerkoet ['me:rku.t] *m* ⚘ coot.

meermaals ['me:rma ls] **meermalen** [-ma.lə(n)]
more than once, repeatedly.

meerman ['me:rmɑn] *m* merman.

meermast [-mɑst] *m* mooring-mast.

meermin [-mɪn] *v* mermaid.

meerschuim [-sxœym] *o* **meerschuimen**
[-sxœymə(n)] *aj* meerschaum.

meerstemmig ['me:rstɛmmax] ♪ (to be) sung in
parts; *~ gezang* part-singing; *~ lied* part-
song, glee.

meervoud [-vout] *o gram* plural.

meervoudig [-vɔudəx, me:r'vɔudəx] plural.

meervoudsuitgang ['me:rvɔutsœytgɑŋ] *m* plural
ending.

meervoudsvorm [-fɔrm] *m* plural form.

meervoudsvorming [-fɔrmɪŋ] *v* formation of the
plural.

meerwaarde ['me:rva:rdə] *v* surplus value.

mees [me.s] *v* ⚘ titmouse, tit.

meeslepen ['me.sle.pə(n)] *vt* drag (carry) along
(with one); *meegesleept door...* carried away
by [his feelings &].

meeslepend [me.'sle.pənt] stirring [speech &].

meesmuilen ['me.smœylə(n)] *vi* smirk, laugh
with one's tongue in one's cheek.

meespelen [-spe.lə(n)] *vi* 1 play too; 2 join in
the game; *deze acteur speelt niet mee* this
actor is not in the cast.

meespreken [-spre.kə(n)] *vi* zie *meepraten.*

meest [me.st] **I** *aj* most; *de ~e vergissingen*
most mistakes; **II** *sb* in: *de ~en* I most of
them; 2 most people; *hij heeft het ~* he has
got most; *op zijn ~* at (the) most; **III** *ad* I
mostly; 2 most[-hated man, widely read
book]; *hij schrijft het ~* he writes most; *waarvan hij het ~ hield* which he liked best.

meestal [me.s'tɑl] mostly, usually.

meestbegunstigd ['me.stbəgɲnstəxt] most
favoured.

meestbegunstiging [me.stbə'gɲnstəgɪŋ] *v* most-
favoured-nation treatment.

meestbegunstigingsclausule [-gɪŋsklɔuzy.lə] *v*
most-favoured-nation clause.

meestbiedende [me.st'bi.dəndə] *m-v* highest
bidder.

meestendeels ['me.stəndə.ls] for the most
(greater) part.

meestentijds [-tɛits] most times, mostly.

meester ['me.stər] *m* master°; *~ timmerman* &
master carpenter &; *Meester in de rechten* ±
doctor juris, (in Eng., zonder proefschrift) LL.B., Bachelor of Laws; *Mr. Luns*
Dr. Luns; *hij is een ~ in dat vak* he is a master of his craft (of his trade); *men kon de
brand niet ~ worden* they could not get the
fire under control; *de toestand ~ zijn* have the
situation (well) in hand; *de bestuurder was de
wagen niet meer ~* the driver had lost control
of the car; *hij is het Engels (volkomen) ~* he
has a thorough command of English; *hij is
zich zelf geen ~* he has no control over him-

self; *zich van iets* ~ *maken* take possession of a thing; *zijn* ~ *vinden* meet one's master, meet more than one's match.

meesteres [me.stə'rɛs] *v* mistress.

meesterhand ['me.stərhɑnt] *v* master('s) hand.

meesterknecht [me.stər'knɛxt] *m* foreman.

meesterlijk ['me.stərlək] I *aj* masterly; II *ad* in a masterly way.

meesterschap [-sxɑp] *o* mastership, mastery.

meesterstuk [-stük] *o* masterpiece.

meesterwerk [-vɛrk] *o* masterpiece.

meesterzanger [-zɑŋər] *m* master-singer.

meesttijds [mes.s'tɛits] = *meestentijds*.

meet [me.t] *v* in: *van* ~ *af* from the beginning.

meetbaar ['me.tba:r] measurable, mensurable.

meetbaarheid [-ba:rhɛit] *v* measurableness, mensurability.

meetband [-bɑnt] *m* measuring-tape.

meetellen ['me.tɛlə(n)] I *vt* count (in), include; *...niet meegeteld* exclusive of...; II *vi* count; ~ *voor pensioen* count towards pension; *hij telt niet mee* he does not count.

meetinstrument ['me.tɪnstry.mɛnt] *o* measuring-instrument.

meetkunde [-kündə] *v* geometry.

meetkundig [me.t'kündəx] *aj* (& *ad*) geometrical(ly).

meetkundige [-dəgə] *m* geometrician.

meetronen ['me.tro.nə(n)] *vt* coax along, lure on.

meetstok ['me.tstək] *m* measuring-rod.

meeuw [me:u] *v* 𝄢 (sea-)gull, seamew.

meevallen ['me.vɑlə(n)] *vi* turn out (end) better than was expected, exceed expectations; *het valt niet mee* it is rather more difficult & than one expected; *hij valt erg mee* he improves on acquaintance.

meevaller [-lər] *m* F piece of good luck, windfall.

meevechten ['me.vɛxtə(n)] *vi* join in the fight.

meevieren [-vi:rə(n)] *vt* join in the celebration of.

meevoelen [-vu.lə(n)] *vi* in: *met iemand* ~ sympathize with a man, share his feelings.

meevoeren [-vu:rə(n)] *vt* carry along.

meewarig [me.'va:rəx] *aj* (& *ad*) compassionate(ly).

meewarigheid [-hɛit] *v* compassion.

meewerken ['me.vɛrkə(n)] *vi* co-operate; contribute [to a paper].

meezitten [-zɪtə(n)] *vi* in: *het zat hem niet mee* luck was against him, he was unlucky.

mefisto [me.'fɪsto.] *m* Mephistopheles.

mefistofelisch [-fɪsto.'fe.li.s] Mephistophelian.

megafoon [me.ga.'fo.n] *m* megaphone.

mei [mɛi] *m* May.

meiboom ['mɛibo.m] *m* maypole.

meid [mɛit] *v* I (maid-)servant, servant-girl, maid; 2 F girl; *...dan ben je een beste* ~ there's a good girl; *tweede* ~ parlour maid; ~ *alleen* maid-of-all-work, F general.

meidenpraatjes ['mɛidə(n)pra.cəs] *mv* servants'

gossip.

meidoorn, -doren ['mɛido:rən] *m* 𝄢 hawthorn.

meier ['mɛiər] *m* I farmer; 2 ⚏ sheriff, bailiff.

meierij [mɛiə'rɛi] *v* ⚏ jurisdiction of a sheriff, bailiwick.

meikers ['mɛikɛrs] *v* May cherry.

meikever [-ke.vər] *m* cockchafer, May-bug.

meimaand [-ma.nt] *v* month of May.

meinedig [mɛin'e.dəx] perjured, forsworn.

meinedige [-dəgə] *m-v* perjurer.

meinedigheid [-dəxhɛit] *v* perjury.

meineed ['mɛine.t] *m* perjury; *een* ~ *doen* perjure (forswear) oneself, commit perjury.

meisje ['mɛiʃə] *o* I girl; 2 (bediende) servant-girl, girl; 3 (verloofde) fiancée, F sweetheart.

meisjesachtig ['mɛiʃəsɑxtəx] girlish.

meisjesgek [-gɛk] *m* boy (man) fond of girls.

meisjesgezicht [-gəzɪxt] *o* girl's face.

meisjesnaam [-na.m] *m* I girl's name; 2 (v. getrouwde vrouw) maiden name.

meisjesschool ['mɛiʃəsxo.l] *v* girls' school; *middelbare* ~ ± girls' high school.

meisjesstem [-stɛm] *v* girlish (girl's) voice.

meisjesstudent [-sty.dɛnt] *v* girl student.

meistreel ['mɛistre.l] = *minstreel*.

mej. = *mejuffrouw*.

mejuffrouw [mə'jüfrou] zie *juffrouw*.

mekaniek [me.ka.'ni.k] = *mechaniek*.

mekanisme [-'nɪsmə] = *mechanisme*.

Mekka ['mɛka.] *o* Mecca.

Mekkaganger [-gɑŋər] *m* Mecca pilgrim.

melaats [mə'la.ts] leprous.

melaatse [-'la.tsə] *m-v* leper.

melaatsheid [-'la.tshɛit] *v* leprosy.

melancholie [me.lɑŋko.'li.] *v* melancholy.

melancholiek [-ko.'li.k] melancholy.

melancholisch [-'ko.li.s] melancholy.

Melanesië [me.la.'ne.zi.ə] *o* Melanesia.

Melanesiër [-zi.ər] *m* **Melanesisch** [-zi.s] *aj* Melanesian.

melange [me.'lãʒə] *m* & *o* blend.

melasse [mə'lɑsə] *v* molasses.

melden ['mɛldə(n)] I *vt* mention, make mention of; inform of, state, report; II *vr zich* ~ report (oneself); *zich ziek* ~ report sick; *zich* ~ *bij de politie* report to the police.

melding [-dɪŋ] *v* mention; ~ *maken van* make mention of, mention; report [70 arrests].

mêleren [mɛ'le:rə(n)] *vt* I mix [goods, ingredients]; blend [coffee, tea &]; 2 ◇ shuffle [cards].

melig ['me.ləx] I mealy [potatoes]; 2 woolly [pears].

meligheid [-hɛit] *v* mealiness.

meliniet [me.li.'ni.t] *o* melinite.

melk [mɛlk] *v* milk; *hij heeft niets in de* ~ *te brokken* he doesn't command any influence.

melkachtig ['mɛlkɑxtəx] milky, § lacteous, lactescent.

melkbaard [-ba:rt] *m* milksop, greenhorn.

melkbezorger [-bəzɔrgər] *m* milk roundsman.

melkboer [-bu:r] *m* I milkman; 2 zie *zuivel-*
melkbus [-bŭs] *v* milk-churn, milk-can. [*boer.*
melkchocola(de) [-ʃo.ko.la.(də)] *m* milk chocolate.
melkdistel [-dɪstəl] *m* & *v* ♣ sow-thistle.
melkemmer [-ɛmər] *m* milk-pail.
melken ['mɛlkə(n)] *vi* & *vt* milk.
melker [-kər] *m* milker.
melkerij [mɛlkə'rɛi] *v* dairy, dairy-farm.
melkfles ['mɛlkflɛs] *v* milk-bottle.
melkgevend [-ɡe.vənt] giving milk, milch...
melkhuis [-hœys] *o* dairy, milk-house.
melkinrichting [-ɪnrɪxtɪŋ] *v* dairy.
melkkan ['mɛlkɑn] *v* milk-jug.
melkkoe [-ku.]` *v* milch-cow[2], [good, bad]
milker.
melkkoker [-ko.kər] *m* milk-boiler.
melkkost [-kɔst] *m* milk-food.
melkkuur [-ky:r] *v* milk-cure.
melkmachine ['mɛlkma.ʃi.nə] *v* milking machine.
melkmeid [-mɛit] *v* ~meisje [-mɛiʃə] *o* milkmaid.
melkmuil [-mœyl] *m* milksop, greenhorn.
melkpoeder, -poeier [-pu.dər, -pu.jər] *o* & *m*
powdered milk, milk-powder.
melksalon [-sa.lòn] *m* & *o* milk bar, creamery.
melkspijs [-spɛis] *v* milk-food.
melkster [-stər] *v* milker.
melktand [-tɑnt] *m* milk-tooth.
melkvee [-fe.] *o* milch cattle, dairy cattle.
melkwagen [-va.ɡə(n)] *m* I milk-cart; 2 🚋
milk lorry; 3 (v. trein) milk van.
melkweg [-vex] *m* ✳ Milky Way, § galaxy.
melkwegstelsel [-stɛlsəl] *o* ✳ galaxy.
melkwit ['mɛlkvɪt] milk-white.
melkzuur [-sy:r] *o* lactic acid.
melodie [me.lo.'di.] *v* melody, tune, ⊙ strain.
melodieus, melodisch [-di.'ø.s, me.'lo.di.s] *aj*
(& *ad*) melodious(ly), tuneful(ly).
melodrama [me.lo.'dra.ma.] *o* melodrama.
melodramatisch [-dra.'ma.ti.s] *aj* (& *ad*) melo-
dramatic(ally).
meloen [ma'lu.n] *m* & *v* ♣ melon.
memoires [me.'mva:rəs] *mv* memoirs.
memorandum [me.mo:'rɑndŭm] *o* memorandum.
memoreren [-'re:rə(n)] *vt* recall (to mind).
memoriaal [-ri.'a.l] *o* memorandum book; $
wastebook; daybook.
memorie [me.'mo:ri.] *v* I (geheugen) memory; 2 (geschrift) memorial; ~ *van antwoord*
memorandum in reply; ~ *van toelichting*
explanatory memorandum, explanatory
statement; *pro* ~ pro memoria.
memoriseren, memorizeren [-mo:ri.'ze:rə(n)] *vt*
I commit to memory; 2 memorize.
men [mɛn] one, people, man, a man, they, we,
you, F a fellow; ~ *hoort* we hear; ~ *zegt* they
say, it is said; ~ *zegt dat hij...* he is said to...;
~ *heeft het mij gezegd* I was told so; *wat zal*
~ *ervan zeggen?* what will the world say?;

wat ~ *er ook van zegge* in spite of anything
people may say; ~ *leeft daar zeer goedkoop*
it is very cheap living there.
menage [mə'na.ʒə] *v* ✗ messing, mess.
menageketel [-ke.təl] *m* ✗ mess-kettle.
menagemeester [-me.stər] *m* ✗ mess sergeant.
menagerie [me.na.ʒə'ri.] *v* menagerie.
meneer [mə'ne:r] *m* F zie *mijnheer.*
menen ['me.nə(n)] *vt* I (bedoelen) mean (to
say); 2 (denken) think, feel, suppose; *hoe
meent u dat?, wat meent u daarmee?* what do
you mean (by that)?; *dat zou ik* ~ *!* I should
think so!; *zo heb ik het niet gemeend!* no
offence (was) meant!, I didn't mean it thus!;
hij meent het he is in earnest, he is quite
serious; *hij meent het goed* he means well; *het
goed (eerlijk) met iemand* ~ mean well by a
man, be well-intentioned towards a person.
menens [-nəns] *het is* ~ it is serious.
menestreel ['me.nəstre.l] = *minstreel.*
mengbak ['mɛŋbɑk] *m* mixing-basin.
mengeling ['mɛŋəlɪŋ] *v* mixture.
mengelmoes ['mɛŋəlmu.s] *o* & *v* medley, mishmash, hodge-podge, jumble.
mengelwerk [-vɛrk] *o* miscellany.
mengen ['mɛŋə(n)] I *vt* mix, blend [tea], alloy
[metals], mingle, intermingle; II *vr zich* ~ *in*
meddle with, interfere in; *meng u er niet in*
don't interfere; *zich in het gesprek* ~ join in
the conversation; *zich onder de menigte* ~
mix with the crowd.
menger ['mɛŋər] *m* mixer.
menging ['mɛŋɪŋ] *v* mixing, mixture, blending.
mengsel ['mɛŋsəl] *o* mixture.
menie ['me.ni.] *v* red lead.
meniën [-ə(n)] *vt* red-lead, paint with red lead.
menig ['me.nəx] many (a).
menigeen ['me.nəxe.n] many a man, many a
one.
menigerhande [-nəɡər'hɑndə] ~lei [-'lɛi] of
many kinds, various.
menigmaal ['me.nəxma.l] many a time, repeatedly, often.
menigte ['me.nəxtə] *v* multitude, crowd; *een*
~ *feiten* a great number (a host) of facts.
menigvuldig [me.nəx'fŭldəx] I *aj* manifold, frequent, multitudinous; II *ad* frequently.
menigvuldigheid [-hɛit] *v* multiplicity, frequency, abundance.
menigwerf ['me.nəxvɛrf] zie *menigmaal.*
mening ['me.nɪŋ] *v* opinion; *de openbare* ~
public opinion; *de openbare* ~ *in Frankrijk*
French opinion; *als zijn* ~ *te kennen geven
dat...* give it as one's opinion that...; *zijn* ~
zeggen I give one's opinion; 2 speak one's
mind; *bij zijn* ~ *blijven* stick to one's opinion;
in de ~ *dat...* in the belief that...; *in de* ~ *verkeren dat...* be under the impression that...;
naar mijn ~ in my opinion, to my mind; *naar
mijn bescheiden* ~ in my humble opinion;
van ~ *zijn dat...* be of opinion that...; *ik ben
van* ~ *dat... ook:* it is my opinion that...; *van*

dezelfde ~ zijn be of the same opinion; *ik ben van een andere ~* I am of a different opinion, I think differently.

meningitis [me.nɪŋ'gi.tɪs] *v* ♎ meningitis.

meningsverschil ['me.nɪŋsfərsxɪl] *o* difference (of opinion).

menist [mə'nɪst] *m* Mennonite.

mennen ['mɛnə(n)] *vt & vi* drive.

menner [-nər] *m* driver.

mennoniet [mɛnoˈni.t] *m* Mennonite.

mens [mɛns] *m* 1 man; 2 *o* > woman; *de ~ man*; *~ en dier* man and beast; *half ~, half dier* half human, half animal; *geen ~* nobody, no one, not anybody; *Maar ~!* but my good soul!; *de ~en* people, mankind; *er waren maar weinig ~en* there were but few people; *wij ~en* we men (and women); *wees ~!* be human!; *leraren zijn ook ~en* 1 teachers are men too; 2 even teachers are but human; *wij zijn allemaal ~en* we are all human; *de grote ~en* the grown-ups; *als de grote ~en spreken, moeten de kinderen zwijgen* children should be seen and not heard; *dat ~!* that person!; *het oude ~* the old woman; *zo'n goed ~* such a good soul; *de oude ~ afleggen* put off the old man; *wij krijgen ~en* we are going to have company; *de inwendige ~ versterken* refresh one's inner man; *(niet) onder de ~en komen* (not) mix in society, (not) go into company.

mensaap ['mɛnsa.p] *m* anthropoid (ape).

mensdom [-dòm] *o het ~* mankind.

menselijk ['mɛnsələk] human.

menselijkerwijs, -wijze [mɛnsələkər'vɛis, -'vɛizə] in: *~ gesproken* humanly speaking.

menselijkheid ['mɛnsələkheit] *v* humanity.

menseneter [-sənə.tər] *m* man-eater, cannibal.

mensengedaante ['mɛnsə(n)gəda.ntə] *v* human shape.

mensenhaat [-ha.t] *m* misanthropy.

mensenhater [-ha.tər] *m* misanthrope.

mensenheugenis [-høgənıs] *v* in: *bij (sedert, sinds) ~* within living memory.

mensenkenner [-kɛnər] *m* judge of men.

mensenkennis [-kɛnəs] *v* knowledge of men.

mensenkind [-kɪnt] *o* human being.

mensenleeftijd [-le.ftɛit] *m* lifetime.

mensenliefde [-li.vdə] *v* philanthropy; humanity.

mensenmaatschappij [-ma.tsxɑpɛi] *v* human society.

mensenmassa [-mɑsa.] *v* crowd (of people).

mensenoffer [-ɔfər] *o* human sacrifice.

mensenras [-rɑs] *o* human race.

mensenschuw [-sxy:u] shy, unsociable.

mensenschuwheid [-sxy:uheit] *v* shyness.

mensenverstand [-vərstɑnt] *o* human understanding.

mensenvlees [-vle.s] *o* human flesh.

mensenvrees [-vre.s] *v* fear of men.

mensenvriend [-vri.nt] *m* philanthropist.

mensheid ['mɛnsheit] *v* 1 mankind; 2 human

nature.

menslievend [mɛns'li.vənt] *aj (& ad)* philanthropic(ally), humane(ly).

menslievendheid [-heit] *v* philanthropy, humanity.

menswaardig [mɛns'va.rdəx] fit for a human being; *een ~ loon* a living wage.

menswording ['mɛnsvərdɪŋ] *v* incarnation.

mentaliteit [mɛnta.li.'tɛit] *v* mentality.

menthol, mentol [mɛn'tɔl] *m* menthol.

mentor [mɛntɔr] *m* mentor.

menu [mə'ny.] *o & m* menu, bill of fare.

menuet [me.ny.'ɛt] *o & m* ♪ minuet.

mep [mɛp] *m & v* F blow, slap.

meppen ['mɛpə(n)] *vt* F slap, smack, strike.

Mercurius [mɛr'ky:ri.ũs] *m* Mercury.

merel ['me.rəl] *m & v* ☙ blackbird.

meren ['me.rə(n)] *vt* ⚓ moor [a ship].

merendeel [-de.l] *o het ~* the greater part, the majority [of countries], most of them.

merendeels [-de.ls] for the greater part, mostly.

merg [mɛrx] *o* 1 marrow [in bones]; 2 ♎ pith; 3 *fig* pith; *dat gaat door ~ en been* it pierces you to the very marrow, that sets one's teeth on edge; *een vrijhandelaar in ~ en been* a free-trader to the backbone.

mergachtig ['mɛrxɑxtəx] marrowy, marrow-like.

mergel ['mɛrgəl] *m* marl.

mergelachtig [-ɑxtəx] marly.

mergelgroef, -groeve [-gru.f, -gru.və] *v* marl-pit.

mergelsteen [-ste.n] *o & m* marlstone.

mergpijp ['mɛrxpɛip] *v* marrow-bone.

meridiaan [me:ri.di.'a.n] *m* meridian.

meridiaanshoogte [-di.'a.nsho.xtə] *v* meridian altitude.

merinos ['me:ri.nɔs] *o* merino.

merinosschaap ['me:ri.nɔsxa.p] *o* ☙ merino.

merk [mɛrk] *o* mark; brand [of cigars]; [registered] trade mark; make [of a bicycle, motor-car &]; hall-mark [on metals]; *een fijn ~* a choice brand; *fig* a specimen.

merkartikel ['mɛrkɑrti.kəl] *o* proprietary article; *~en* ook: branded goods.

merkbaar [-ba:r] I *aj* perceptible, noticeable, appreciable, marked [difference]; II *ad* perceptibly, noticeably, appreciably, markedly [different].

merkelijk ['mɛrkələk] I *aj* considerable; II *ad* considerably.

merken [-kə(n)] I *vt* 1 (met een merk) mark [goods]; 2 (bemerken) perceive, notice; *je moet niets laten ~* don't let it appear that you know anything.

merkgaren ['mɛrkga:rə(n)] *o* marking-thread.

merkijzer [-ɛizər] *o* marking-iron.

merkinkt [-ɪŋ(k)t] *m* marking-ink.

merklap [-lɑp] *m* sampler.

merknaam [-na.m] *m* brand name.

merkteken [-te.kə(n)] *o* mark, sign, token.

merkwaardig [mɛrk'va.rdəx] I *aj* remarkable

noteworthy, curious; **II** *ad* remarkably, curiously.

merkwaardigheid [-hɛit] *v* remarkableness, curiosity; *de merkwaardigheden van de stad* the sights of the town.

merkzij(de) ['mɛrksɛi(də)] *v* marking-silk.

Merovinger [me.ro.'viŋər] *m* **Merovingisch** [-ŋi.s] *aj* Merovingian.

merrie ['mɛri.] *v* mare.

merrieveulen [-vø̈.lə(n)] *o* filly.

mes [mɛs] *o* knife; *zijn ∼ snijdt aan beide (twee) kanten* he reaps a twofold advantage from it; *iemand het ∼ op de keel zetten* put a knife to a person's throat; *hij was juist onder het ∼ S* he was just being examined.

mesalliance [me.zɑli.'ɑ̃sə] *v* misalliance.

mesje ['mɛʃə] *o* (small) knife; blade [of a safety-razor].

Mesopotamië [me.zo.po.'ta.mi.ə] *o* Mesopotamia.

messelegger ['mɛsəlɛgər] *m* knife-rest.

messenmaker ['mɛsə(n)ma.kər] *m* cutler.

messenmakerij [mɛsə(n)ma.kə'rɛi] *v* cutlery.

messenslijper ['mɛsə(n)slɛipər] *m* knife-grinder.

Messiaans [mɛsi.'a.ns] Messianic.

Messias [mɛ'si.ɑs] *m* Messiah.

messing ['mɛsiŋ] *o* brass. [thrust.

messteek [mɛsˑte.k] *m* cut with a knife, knife-

mest [mɛst] *m* dung, manure, dressing, fertilizer.

mesten ['mɛstə(n)] *vt* **I** (land) dung, dress, manure; 2 (dieren) fatten.

mesthoop ['mɛstho.p] *m* dunghill.

mesties [mɛs'ti.s] *m-v* mestizo.

mestkever ['mɛstke.vər] *m* dung-beetle.

mestput [-pŭt] *m* dung-pit.

meststof [-stɔf] *v* manure, fertilizer.

mestvaalt [-fa.lt] *v* dunghill.

mestvarken [-fɑrkə(n)] *o* fattening pig.

mestvee [-fe.] *o* fat cattle.

mestvork [-fɔrk] *v* dung-fork.

mestwagen [-va.gə(n)] *m* dung-cart.

met [mɛt] **I** *prep* with; (*u spreekt*) *∼ X* ☎ X speaking; *∼ dat al* for all that; *∼ de boot, de post, het spoor* by steamer, by post, by rail; *∼ inkt, ∼ potlood* [written] in ink, in pencil; *∼ de dag* every day; *de man ∼ de hoge hoed* the man in the top-hat; *∼ de hoed in de hand* hat in hand; *de man ∼ de lange neus* he of the long nose; *∼ 1 januari* on January 1st; *∼ Pasen zal ik komen* at Easter; *∼ 10% toenemen* increase by 10%; *wij waren ∼ ons vijven* there were five of us, we were five; *∼ ons allen hadden we één…* between us we had one…; **II** *ad* at the same time, at the same moment.

metaal [me.'ta.l] *o* metal.

metaalachtig [-ɑxtəx] metallic.

metaalbewerker [-bəvɛrkər] *m* metal-worker.

metaaldraad [-dra.t] *o* & *m* **I** ⚒ metallic wire; 2 ⚒ metal filament.

metaaldraadlamp [-dra.tlɑmp] *v* metal filament lamp.

metaalgieter [-gi.tər] *m* founder.

metaalgieterij [me.ta.lgi.tə'rɛi] *v* foundry.

metaalglans [me.'ta.lglɑns] *m* metallic lustre.

metaalhoudend [-hɔudənt] metalliferous.

metaalindustrie [-ɪndŭstri.] *v* metallurgical industry.

metaalklank [-klɑŋk] *m* metallic ring.

metaalslak [-slɑk] *v* slag [*mv* slag], scoria [*mv* scoriae].

metaalvoorraad [-vo:ra.t] *m* bullion.

metaalwaren [-va:rə(n)] *mv* metalware.

metafoor [me.ta.'fo:r] *v* metaphor.

metaforisch [-'fo:ri.s] *aj* (& *ad*) metaphorical-(ly).

metafysica, metafysika [-'fi.zi.ka.] *v* metaphysics.

metafysisch [-'fi.zi.s] *aj* (& *ad*) metaphysical-(ly).

metalen [me.'ta.lə(n)] *aj* metal.

metamorfose, metamorfoze [me.ta.mər'fo.zə] *v* metamorphosis.

meteen [mɛ'te.n] **I** at the same time; 2 mmediately; presently; *tot ∼ !* so long!

meten ['me.tə(n)] **I** *vt* measure, gauge; *iemand met de ogen ∼* measure a person with one's eyes; *zie ook:* **I** *maat*; **II** *vr* in: *zich met iem. ∼* measure one's strength (oneself) against one; *zich niet kunnen ∼ met…* be no match for.

meteoor [me.te.'o:r] *m* meteor.

meteoorsteen [-ste.n] *m* meteoric stone.

meteorologie [me.te.o:ro.lo.'gi.] *v* meteorology.

meteorologisch [-'lo.gi.s] *aj* (& *ad*) meteorological(ly).

meteoroloog [-'lo.x] *m* meteorologist.

1 meter ['me.tər] *m* **I** metre; 2 (gas) meter; 3 (persoon) measurer.

2 meter ['me.tər] *v* godmother.

meterhuur [-hy:r] *v* meter-rent.

meteropnemer [-ὸpne.mər] *m* meter-reader.

meteropneming [-mɪŋ] *v* **meterstand** ['me.tərstɑnt] *m* meter-reading.

metgezel ['mɛtgəzɛl] *m* ∼lin [mɛtgəzɛ'lɪn] *v* companion, mate.

methode [me.'to.də] *v* method.

methodisch [-'to.di.s] *aj* (& *ad*) methodical-(ly).

methodist [-to.'dɪst] *m* Methodist.

methodistisch [-'dɪsti.s] Methodist.

Methusalem [me.'ty.za.lɛm] *m* Methuselah.

meting ['me.tɪŋ] *v* measuring, measurement.

metod- zie *method-.*

metriek [me.'tri.k] **I** *aj* metric; *het ∼e stelsel* the metric system; **II** *v* metrics, prosody.

metrisch ['me.tri.s] *aj* (& *ad*) metrical(ly).

metropolitaan [me.tro.po.li.'ta.n] *m* metropolitan (bishop).

metrum ['me.trŭm] *o* metre.

metselaar ['mɛtsəla:r] *m* bricklayer.

metselen ['mɛtsələ(n)] **I** *vi* lay bricks; **II** *vt* lay the bricks of, build [a wall &].

metselkalk ['mɛtsəlkɑlk] *m* ~**specie** [-spe.si.] *v* mortar.

metselsteen [-ste.n] *o* & *m* brick.

metselwerk [-vɛrk] *o* brickwork, masonry.

metten ['mɛtə(n)] *mv* matins; *donkere* ~ *RK tenebrae*; *korte* ~ *maken met...* make short work of...

metterdaad [mɛtər'da.t] actually.

mettertijd [-'tɛit] in course of time.

metterwoon [-'vo.n] in: *zich* ~ *vestigen* take up (fix) one's abode, establish oneself, settle.

metworst ['mɛtvɔrst] *v* German sausage.

meubel ['mø.bəl] *o* piece (article) of furniture; *onze* ~*en* our furniture.

meubelen [-bələ(n)] *vt* furnish.

meubelfabriek ['mø.bəlfa.bri.k] *v* furniture factory.

meubelfabrikant [-fa.bri.kɑnt] *m* furniture manufacturer.

meubelmagazijn [-ma.ga.zɛin] *o* furniture store.

meubelmaker [-ma.kər] *m* furniture-maker, joiner.

meubelmakerij [mø.bəlma.kə'rɛi] *v* furniture-making (works).

meubelstuk ['mø.bəlstŭk] *o* piece (article) of furniture.

meubilair [mø.bi.'lɛ:r] *o* furniture.

meubileren [-'le:rə(n)] *vt* furnish, fit up.

meubilering [-rɪŋ] *v* 1 furnishing; 2 furniture.

meug [mø.x] *m* liking; *elk zijn* ~ everyone to his taste; zie ook: *heug*.

meute ['mø.tə] *v* pack [of hounds].

mevr. = *mevrouw*.

mevrouw [mə'vrɒu] *v* 1 lady; 2 (als aanspreking zonder naam) madam; ~ *L.* Mrs. L.; *mijn* ~, *zei de meid, is...* P my missus; *ja* ~! yes, madam!; *Is* ~ *thuis?* Is your mistress at home?, is Mrs... in?

Mexicaan(s) [mɛksi.'ka.n(s)] Mexican.

Mexico ['mɛksi.ko.] *o* Mexico.

m.h.d. 1 [mɛthɑrtələkə'dɑŋk] = *met hartelijke dank* with thanks; 2 [mɛthɑrtələkə'de.lne.mɪŋ] = *met hartelijke deelneming* with sympathy.

1 mi [mi.] *v* ♪ mi.

2 mi [mi.] *m* (spijs) noodles.

m.i. [mɛins'ɪnzi.ns] = *mijns inzien* zie *inzien*.

miasma [mi.'ɑsma.] *o* miasma [*mv* ook: miasmata].

miauw [mi.'ɒu] miaow, mew.

miauwen [-ə(n)] *vi* miaow, mew, miaul ~.

mica ['mi.ka.] *o* & *m* mica.

Michaël ['mi.ga.ɛl] **Michel** [mi'ʃɛl] **Michiel** [mi.'gi.l] *m* Michael.

microbe [mi.'kro.bə] *v* microbe.

microfoon [-kro.'fo.n] *m* microphone; *voor de* ~ *spreken* speak on the radio (on the wireless, on the air); *voor de* ~ *treden,* go (come) to the microphone.

microscoop [-krɔs'ko.p] *m* microscope.

microscopisch [-'ko.pi.s] *aj* (& *ad*) microscopic(ally).

middag ['mɪdɑx] *m* 1 midday, noon; 2 (na ~) afternoon; *na de* ~ in the afternoon; *voor de* ~ before noon, in the morning; *'s (des)* ~*s* 1 at noon; 2 in the afternoon; *om vier uur 's* ~*s*, ook: at 4 p.m.

middagdienst [-di.nst] *m* afternoon service.

middagdutje [-dŭcə] *o* zie *middagslaapje*.

middageten [-e.tə(n)] *o* midday-meal, dinner

middaghoogte [-ho.xtə] *v* meridian altitude.

middaglijn [-lɛin] *v* meridian.

middagmaal [-ma.l] *o* midday-meal, dinner.

middagmalen [-ma.lə(n)] *vi* dine.

middagrust [-rŭst] *v* afternoon-rest.

middagslaapje [-sla.pjə] *o* afternoon nap, siesta.

middagvoorstelling [-fo:rstɛlɪŋ] *v* afternoon performance.

middel ['mɪdəl] *o* 1 (v. h. lichaam) waist, middle; 2 (voor een doel) means, expedient; medium [*mv* media]; 3 (tot genezing) remedy; *ruime* ~*en* ample funds; ~*en van bestaan* means of subsistence; *door* ~ *van* 1 by means of; 2 through [the post &]; *het* ~ *is erger dan de kwaal* the remedy is worse than the disease.

middelaar ['mɪdəla:r] *m* mediator.

middelaarschap [-sxɑp] *o* mediatorship.

middelares [mɪdəla:'rɛs] *v* mediatrix.

middelbaar ['mɪdəlba:r] middle, medium; average; *middelbare grootte* middling size; *van middelbare grootte* medium-sized, middle-sized; *op middelbare leeftijd* in middle life, in middle age; *van middelbare leeftijd* middle-aged; zie ook: *onderwijs, tijd* &.

middeleeuwen [-e.və(n)] *mv* middle ages.

middeleeuwer [-e.vər] *m* mediaeval man; *de* ~*s* the mediaevals.

middeleeuws [-e:us] mediaeval.

middelerwijl [mɪdələr'vɛil] meanwhile, in the meantime.

middelevenredig ['mɪdəle.vənre.dəx] in: *de* ~*e* the mean proportional.

middelgewicht [-gəvɪxt] *o sp* middle-weight.

middelgroot [-gro.t] medium(-sized).

middelkleur [-klø:r] *v* intermediate colour.

Middellandse Zee ['mɪdəlɑntsə'ze.] *v* Mediterranean.

middellijk ['mɪdələk] *aj* (& *ad*) indirect(ly), mediate(ly).

middellijn [-lɛin] *v* 1 central line; 2 diameter.

middelmaat ['mɪdəlma.t] *v* medium size; *de gulden* ~ the golden mean.

middelmatig [mɪdəl'ma.təx] **I** *aj* moderate; middling; mediocre, indifferent; **II** *ad* moderately; in a mediocre way; indifferently.

middelmatigheid [-hɛit] *v* mediocrity.

middelpunt ['mɪdəlpŭnt] *o* centre².

middelpuntvliedend [mɪdəlpŭnt'fli.dənt] centrifugal.

middelpuntzoekend [-'su.kənt] centripetal.

middelschot ['mɪdəlsxɔt] *o* partition [in a room].

middelsoort [-so:rt] *v* medium (quality, size &).

middelste [-stə] middle, middlemost.

middelstuk [-stŭk] *o* middle piece.

middelvinger [-vɪŋər] *m* middle finger.

middelvoet [-vu.t] *m* metatarsus.

middelvoetsbeentje [-vu.tsbe.ncə] *o* metatarsal bone.

midden ['mɪdə(n)] I *o* middle [of the day, month, of summer], midst [of dangers], centre [of the town]; *het ~ houden tussen...* keep the happy mean between...; be something between... and...; *iets in het ~ brengen* put something forward; *iets in het ~ laten* leave it as it is; *hij is niet meer in ons ~* he is no longer in our midst; *te ~ van* I in the midst of [pleasures]; 2 among [friends]; *iemand uit ons ~* one from our own number; one of ourselves; *zij kozen iemand uit hun ~* they selected one from among themselves; II *ad* in: *~ in de kamer* in the middle of the room; *~ in de winter* in the depth of winter; *~ onder mijn werk* in the middle of my work.

Midden-Amerika [mɪdəna.'me:ri.ka.] *o* Central America.

middendekker ['mɪdə(n)dɛkər] *m* ✈ mid-wing monoplane.

middendoor [mɪdə(n)'do:r] 1 [go] down the middle; 2 in two, [tear it] across.

Midden-Europa [-ø:'ro.pa.] *o* Central Europe.

middengewicht ['mɪdə(n)gəvɪxt] = *middelgewicht.*

middengolf [-gɔlf] *v* ⚡ medium wave.

middenhersenen [-hɛrsənə(n)] *mv* mid-brain.

middenin [-'ɪn] in the middle.

middenkleur [-klø:r] = *middelkleur.*

Midden-Oosten [-'o.stə(n)] *o* Middle East.

middenpad ['mɪdə(n)pat] *o* (in bus &) gangway; (in kerk) aisle; (in tuin) central path.

middenrif [-rɪf] *o* midriff, diaphragm.

middenschot [-sxɔt] = *middelschot.*

middensoort [-so:rt] = *middelsoort.*

middenspel [-spɛl] *o* middle game [at chess].

middenspeler [-spe.lər] *m sp* half-back.

middenstand ['mɪdə(n)stɑnt] *m* middle class(es); (winkeliers) tradespeople, shopkeepers.

middenstander [-stɑndər] *m* middle-class man; (winkelier) tradesman, shopkeeper.

middenstandsvereniging [-stɑntsfərə.nəgɪŋ] *v* traders' association.

middenstuk [-stŭk] = *middelstuk.*

middenvinger [-vɪŋər] = *middelvinger.*

middenvoet(-) [-vu.t] = *middelvoet(-).*

middenvoor [mɪdə(n)'vo:r] *m sp* centre forward.

middenweg ['mɪdə(n)vɛx] *m* middle course, middle way; *de gulden ~* the golden mean; *de ~ bewandelen* tread the middle way, steer a middle course.

middenzwaard [-zva:rt] *o* ⚓ centreboard.

middenzwaardjacht [-jɑxt] *o* ⚓ centreboard yacht.

middernacht [mɪdər'nɑxt] *m* midnight.

middernachtelijk [-'nɑxtələk] midnight.

middernacht(s)mis [-'nɑxt(s)mɪs] *v RK* midnight mass.

midhalf [mɪt'ha.f] *m sp* centre half.

midscheeps [-'sxe.ps] ⚓ amidships.

midvoor [-'fo:r] = *middenvoor.*

Miek [mi.k] **Miep** [mi.p] *v* F Polly, Moll(y).

Mien(tje) [mi.n, 'mi.ncə] *v & o* Minnie.

mier [mi:r] *v* ant; *rode ~* red ant.

miereneter ['mi:rə(n)e.tər] *m* 🐜 ant-eater.

mierenhoop [-ho.p] *m* ant-hill.

mierenleeuw [-le:u] *m* ant-lion.

mierennest ['mi:rənɛst] *o* ants' nest, ant-hill.

mierik(s)wortel ['mi:rɪk(s)vòrtəl] *m* 🌿 horseradish.

Mies [mi.s] *v* F Mary.

Mietje ['mi.cə] *v* F Polly, Molly, Moll.

miezerig ['mi.zərəx] dull [weather]; measly, scrubby.

migraine [mi.'grɛ:nə] *v* migraine, sick headache.

migrainestift [-stɪft] *v* menthol cone.

Mij. [ma.tsxɑ'pɛi] = *Maatschappij* Company, Co.

mij [mɛi] (to) me; *dat is van ~* it is mine.

mijden ['mɛidə(n)] *vt* shun, avoid, fight shy of.

mijl [mɛil] *v* mile (1609 metres); league (on land: 4827, at sea: 5700 metres); *de ~ op zeven* a roundabout way.

mijlpaal ['mɛilpa.l] *m* milestone[2], milepost; *fig* landmark.

mijmeraar ['mɛiməra:r] *m* (day-)dreamer, muser.

mijmeren [-rə(n)] *vi* dream, muse; brood (on *over*).

mijmering [-rɪŋ] *v* musing; day-dream.

1 **mijn** [mɛin] my; *de (het) ~e* mine; *ik en de ~en* I and mine; *ik wil er het ~e van hebben* I want to know what is what; *het ~ en dijn* mine and thine; *zie ook: denken* &.

2 **mijn** [mɛin] *v* mine.

mijnaandeel ['mɛina.nde.l] *o* $ mining-share.

mijnarbeid [-ɑrbeit] *m* miner's work, mining.

mijnbouw [-bou] *m* **mijnbouwkunde** [-boukŭndə] *v* mining.

mijnbouwkundig [mɛinbou'kŭndəx] mining.

mijnbouwmaatschappij ['mɛinbouma.tsxɑpei] *v* mining-company.

mijnen ['mɛinə(n)] *vt* buy at a public sale.

mijnenlegger [-lɛgər] *m* ⚓ mine layer.

mijnent ['mɛinənt] in: *te(n) ~* at my house; *~halve* for my sake; *~wege* as for me; *van ~wege* on my behalf, in my name; *om ~wil(le)* for my sake.

mijnenveger ['mɛinə(n)ve.gər] *m* ⚓ mine sweeper.

mijnenveld [-velt] *o* mine field.

mijnerzijds ['mɛinərzeits] on my part.

mijngang ['mɛingɑŋ] *m* gallery of a mine.

mijngas [-gɑs] *o* fire-damp.

mijnheer [mə'ne:r] *m* I gentleman; 2 (aanspreking zonder naam) sir; (met naam)

Mr.; *Is* ~ *thuis?* is Mr... (your master) at home?

mijnhout ['mɛinhɑut] *o* pitwood, pit-props.

mijningenieur [-inʒəni.ø:r, -inɡe.ni.ø:r] *m* mining-engineer.

mijnlamp [-lɑmp] *v* safety-lamp, Davy.

mijnramp [-rɑmp] *v* mining-disaster.

mijnschacht [-sxɑxt] *v* shaft [of a mine].

mijnwerker [-vɛrkər] *m* miner.

mijnwezen [-ve.zə(n)] *o* mining.

1 **mijt** [mɛit] *v* mite [insect].

2 **mijt** [mɛit] *v* stack [of hay &].

mijten ['mɛitə(n)] *vt* stack.

mijter ['mɛitər] *m* mitre.

mik [mik] *v* (brood) loaf.

mika zie *mica.*

mikado [mi.'ka.do.] *m* mikado.

mikken ['mikə(n)] *vi* take aim, aim (at *op*).

mikpunt ['mikpʏnt] *o* aim; *fig* butt, target; *het* ~ *van hun aardigheden* their laughing-stock.

mikro- zie *micro-.*

Milaan [mi.'la.n] *o* Milan.

Milanees [-la.'ne.s] *m* & *aj* Milanese.

mild [milt] I *aj* 1 (zacht) soft, genial [weather &]; 2 (niet streng) lenient [sentence]; 3 (vrijgevig) liberal, generous, free-handed, open-handed; 4 (overvloedig) bountiful; *de* ~*e gever* the generous donor; ~ *met* free of, liberal of; *met* ~*e hand* lavishly; II *ad* liberally, generously.

milddadig [mil'da.dəx] I *aj* charitable; liberal, generous; II *ad* charitably; liberally, generously.

milddadigheid [-hɛit] *v* charity; liberality, generosity.

mildheid ['milthɛi *v* 1 liberality, generosity; 2 leniency [of a sentence].

milicien [mi.li.'ʃɛ] *m* ✕ conscript, recruit.

milieu [mi.l'jø.] *o* milieu, environment, surroundings.

militair [mi.li.'tɛ:r] I *aj* military [profession, service &]; ~*e luchtvaart* & service aviation &; II *m* military man, soldier; serviceman; *de* ~*en* the military, the troops.

militarisme [-ta.'rismə] *o* militarism.

militaristisch [-ta.'risti.s] militarist.

militie [mi.'li.(t)si.] *v* ✕ militia.

miljard [mil'jɑrt] *o* milliard, thousand million; (*Am*) billion.

miljardair [-jɑr'dɛ:r] *m* multimillionaire; (*Am*) billionaire.

miljoen [mil'ju.n] *o* a (one) million.

miljoenennota [-'ju.nəno.ta.] *v* F budget.

miljoenenrede [-'ju.nə(n)re.də] *v* F budget speech.

miljoenste [-'ju.nstə] millionth (part).

miljonair [-jo.'nɛ:r] *m* millionaire.

millibar ['mili.bɑr] *m* millibar.

milligram [-grɑm] *o* milligramme.

millimeter [-me.tər] *m* millimetre.

millimeteren [-me.tərə(n)] *vt* crop (close).

milt [milt] *v* spleen.

miltvuur ['miltfy:r] *o* anthrax.

mimiek [mi.'mi.k] *v* mimicry, mimic art.

mimisch ['mi.mi.s] mimic.

1 ⊙**min** [min] *v* (liefde) love.

2 **min** [min] *v* (zoogster) nurse, wet-nurse.

3 **min** [min] I *aj* mean, base; *dat is* (*erg*) ~ *van hem* that is very mean (shabby) of him; *het examen was* ~ a poor performance; *de zieke is* ~ the patient is very poorly, very low; *hij is mij te* ~ beneath contempt for me; *zo* ~ *mogelijk* as little as possible; II *ad* less; ~ *of meer* more or less; somewhat; 7 ~ 5, 7 less 5, 7 minus 5.

Mina ['mi.na.] *v* Mina, Minnie.

minachten ['minɑxtə(n)] *vt* hold in contempt, disdain.

minachtend [-tənt] *aj* (& *ad*) contemptuous(ly), disdainful(ly).

minachting [-tiŋ] *v* contempt, disdain.

minaret [mi.na:'rɛt] *v* minaret.

minder ['mindər] I *aj* less, fewer; inferior [quantity]; *de* ~*e goden* the lesser gods; *de* ~*e man* the small man; *de* ~*e stand* the lower orders; *dat is* ~ that is of less importance; ~ *worden* grow less; *de zieke wordt* ~ is getting low; *ik heb ze wel voor* ~ *verkocht* I've sold them for less; II *ad* less.

minderbroeder [-bru.dər] *m* Franciscan friar.

mindere ['mindərə] *m* inferior; *hij is de* ~ *van zijn broer* he is inferior to his brother; *een* ~ ✕ a private; *de* ~*n* ✕ the rank and file.

minderen [-rə(n)] *vi* 1 diminish, decrease; 2 (bij breien) narrow.

minderheid ['mindərhɛit] *v* 1 minority; 2 (geestelijk) inferiority.

mindering [-dəriŋ] *v* diminution, diminishing; *in* ~ *van de hoofdsom* to be deducted from the principal; *in* ~ *brengen* deduct.

minderjarig [mindər'ja:rəx] under age.

minderjarige [-rəɡə] *m-v* one under age, minor; *rt* infant.

minderjarigheid [-rəxhɛit] *v* minority, nonage; *rt* infancy.

minderwaardigheid [mindər'va:rdəx] inferior.

minderwaardigheid [-hɛit] *v* inferiority.

minderwaardigheidscomplex [-hɛitskòmplɛks] *o* inferiority complex.

minderwaardigheidsgevoel [-ɡəvu.l] *o* sense of inferiority.

mine ['mi.nə] ~(*s*) *maken om*... make a show of ...ing, make as if..., offer to...

mineraal [mi.nə'ra.l] *o* mineral.

mineraalwater [-va.tər] *o* mineral water.

mineralogie [mi.nəra.lo.'ɡi.] *v* mineralogy.

mineraloog [-'lo.x] *m* mineralogist.

Minerva [mi.'nɛrva.] *v* Minerva.

mineur [mi.'nø:r] 1 *m* ✕ miner; 2 *v* ♪ minor; *in* ~ *♪* in a minor key.

miniatuur [mi.ni.a.'ty:r] *v* miniature.

miniatuurschilder [-sxildər] *m* miniature painter.

miniem [mi.'ni.m] small, trifling, negligible.

minimaal [mi.ni.'ma.l] minimum.

minimum ['mi.ni.mŭm] *o* minimum; *in een ~ van tijd* in less than no time.

minirok [-rək] *m* miniskirt.

minister [mi.'nɪstər] *m* minister, secretary; *Eerste ~* Prime Minister, Premier; *~ van Binnenlandse Zaken* Secretary of State for Home Affairs, Home Secretary [in Eng.]; Minister of the Interior; *~ van Buitenlandse Zaken* Secretary of State for Foreign Affairs, Foreign Secretary [in Eng.]; Minister for Foreign Affairs, Foreign Minister; [U.S.] Secretary of State; [Australian] Minister of External Affairs; *~ van Defensie* Minister of Defence; *~ van Financiën* Chancellor of the Exchequer [in Eng.]; Minister of Finance; *~ van (Landbouw, Nijverheid en) Handel* President of the Board of Trade [in Eng.]; Minister of (Agriculture, Industry and) Commerce; *~ van Justitie* Lord High Chancellor [in Eng.]; Minister of Justice; *~ van Koloniën* Ⓤ Secretary of State for the Colonies [in Eng.]; *~ van Luchtvaart* Air Minister; *~ van Marine* First Lord of the Admiralty [in Eng.]; Minister of Marine; *~ van Onderwijs* Minister of Education; *~ van Oorlog* Secretary of State for War, War Secretary [in Eng.]; Minister of War; *~ van Staat* Minister of State; *~ van Waterstaat* First Commissioner of Works [in Eng.]; Minister of Public Works.

ministerie [mi.ni.s'te:ri.] *o* ministry, department, Office; *~ van Binnenl. Zaken* Home Office [in Eng.]; Ministry (Department) of Home Affairs (the Interior); *~ van Buitenlandse Zaken* Foreign Office [in Eng.]; Ministry of Foreign Affairs; [U.S.] State Department; *~ van Defensie* Ministry of Defence; *~ van Financiën* the Treasury [in Eng.]; Finance Department; *~ van (Landbouw, Nijverheid en) Handel* Board of Trade; *~ van Justitie* Department of Justice; *~ van Koloniën* Ⓤ Colonial Office [in Eng.]; *~ van Luchtvaart* Air Ministry; *~ van Marine* the Admiralty [in Eng.]; Ministry (Department) of the Navy; *~ van Onderwijs* Ministry of Education; *~ van Oorlog* War Office [in Eng.]; Ministry of War; *~ van Waterstaat* Board of Works [in Eng.]; Ministry of Public Works; *het ~ Drees* the Drees government; *het Openbaar ~* the Public Prosecutor.

ministerieel [-te.ri.'e.l] ministerial.

minister-president [mi.'nɪstərpre.zi.'dɛnt] *m* prime minister, premier.

ministerraad [-təra.t] *m* cabinet council.

ministerschap [-tərsxap] *o* ministry.

minlijk ['mɪnlək] = *minnelijk.*

minnaar ['mɪna:r] *m* lover. [tress.

minnares [mɪna:'rɛs] *v* love, paramour, mis-

minnarij [-'rɛi] *v* amour, love-affair, intrigue.

1 **minne** ['mɪnə] *v* = 1 *min*; *het in der ~ schikken* settle the matter amicably.

2 **minne** ['mɪnə] *v* = 2 *min*.

minnebrief [-brif] *m* love-letter.

minnedicht [-dɪxt] *o* love-poem.

minnedichter [-dɪxtər] *m* love-poet.

minnedrank [-drɑŋk] *m* love-potion, philtre.

minnekozen [-ko.zə(n)] *vi* bill and coo.

minnelied [-li.t] *o* love-song.

minnelijk [-lək] amicable, friendly; *bij ~e schikking* amicably.

minnen ['mɪnə(n)] *vt & vi* love.

minnenijd ['mɪnənɛit] *m* jealousy.

minnepijn [-pɛin] *v* love pains, tender woes.

minnetjes [-cəs] poorly.

minnezang [-zɑŋ] *m* love-song.

minnezanger [-zɑŋər] *m* minstrel, troubadour.

minoriet [mi.no:'ri.t] *m* Minorite.

Minotaurus [-'tourŭs] *m* Minotaur.

minst [mɪnst] I *aj* least, fewest; smallest; slightest; *niet de ~e moeite* not the least trouble; II *ad* least; *de ~ gevaarlijke plaats* the least dangerous place; III *sb* in: *de ~e zijn* yield; *het ~(e)* (the) least; *waar men ze het ~ verwacht* where they least expect them; *het ~* the least [you can expect &]; *hij eet het ~* he eats least (of all); *als u ook maar in het ~ vermoeid bent* if you are tired at all; *in het ~ niet* not in the least, not at all, by no means; *op zijn ~* 1 at the least; 2 at least [he might have...]; *ten ~e* at least.

minstens ['mɪnstəns] at least; at the least; *~ even... als...* as least as... as...; *~ tien* ten at the least; *zij is ~ veertig* she is forty if she is a day; *Moet ik er heen? Minstens!* that's the (very) least (thing) you can do.

minstreel ['mɪnstre.l] *m* minstrel.

minteken [-te.kə(n)] *o* × minus sign.

minus ['mi.nŭs] minus. [tiny.

minuscuul, minuskuul [mi.nŭs'ky.l] very small,

minutieus [mi.ny.(t)si.'ø.s] I *aj* minute; II *ad* minutely.

1 **minuut** [mi.'ny.t] *v* minute; *het is 3 minuten vóór half zeven* it is 27 minutes pas six; *het is 3 minuten over half zeven* it is 27 minutes to seven; *op de ~* to the minute.

2 **minuut** [mi.'ny.t] *v* minute [= draft].

minuutschoten [-sxo.tə(n)] *mv* minute guns.

minuutwijzer [-ʋɛizər] *m* minute-hand.

minvermogend [mɪnvər'mo.gənt] poor, indigent.

minzaam ['mɪnza.m] I *aj* affable, friendly, suave; II *ad* affably.

minzaamheid [-hɛit] *v* affability, friendliness, suavity.

mirabel(pruim) [mi:ra.'bɛl(prœym)] *v* mirabelle (plum).

miraculeus [mi:ra.ky.'lø.s] *aj* (& *ad*) miraculous(ly).

mirakel [-'ra.kəl] *o* miracle.

mirakuleus zie *miraculeus.*

mirre ['mɪrə] *v* myrrh.

mirt(e) [mɪrt, 'mɪrtə] **mirteboom** ['mɪrtəbo.m] *m* myrtle.

mirtekrans ['mɪrtəkrɑns] *m* myrtle wreath.

1 mis [mɪs] *v* I *RK* mass; 2 (**jaarmarkt**) fair; *stille ~* low mass; *de ~ bijwonen* attend mass; *de ~ (be)dienen* serve the mass; *de ~ doen* celebrate mass; *de ~ horen* hear mass; *de ~ ~ lezen (opdragen)* read (say) mass, celebrate mass.

2 mis [mɪs] *ad* (& *aj*) amiss, wrong; *het ~ hebben* be wrong, be mistaken; *je hebt het ~ als je dat denkt* you are under a mistake; *je hebt het niet zo ver ~* you are not far out; *dat heb je ~!* that's your mistake!; *~ poes!* out you are!; *dat is ~* that's a miss; *dat was gisteren niet ~* that was *some* yesterday; *het is weer ~ met hem* things are going wrong again with him; *dat was lang niet ~* that was not half bad; *hij is lang niet ~* he is all there.

misbaar [-'ba:r] *o* uproar, clamour, hubbub.

misbaksel ['mɪsbɑksəl] *o fig* monster.

misboek [-bu.k] *o RK* missal.

misbruik [-brœyk] *o* abuse, misuse; *~ maken van* take (an unfair) advantage of, abuse [kindness]; trespass on [a person's time]; *~ maken van sterke drank* indulge too freely in liquor; *~ van macht* abuse of power; *~ van vertrouwen* breach of trust.

misbruiken [mɪs'brœykə(n)] *vt* misuse, make a bad use of [time], take (an unfair) advantage of, abuse [a person's kindness].

misdaad ['mɪsda.t] *v* crime, misdeed, misdoing, offence.

misdadig [mɪs'da.dəx] I *aj* criminal, guilty; II *ad* criminally.

misdadiger ['mɪsda.dəgər] *m* criminal, malefactor.

misdadigheid [mɪs'da.dəxhɛit] *v* criminality.

misdeeld [-'de.lt] in: *niet ~ zijn van...* not be wanting in...; *de ~en* the poor, the dispossessed.

misdienaar ['mɪsdi.na:r] *m RK* server, acolyte.

misdoen [mɪs'du.n] I *vi* offend, sin; II *vt* in: *wat heb ik misdaan?* what wrong have I done?

misdragen [-'dra.gə(n)] *zich ~* misbehave, misconduct oneself.

misdrijf ['mɪsdrɛif] *o* misdemeanour, crime, offence.

misdrijven [mɪs'drɛivə(n)] *vt* do wrong.

misdruk ['mɪsdrŭk] *m* spoilt sheet(s).

misduiden [mɪs'dœydə(n)] *vt* misinterpret, misconstrue; *misduid het mij niet* don't take it ill of me.

mise-en-scène [mi.zǎ'sɛːnə] *v* setting, staging, get-up.

miserabel [mi.zə'ra.bəl] I *aj* miserable, wretched, rotten; II *ad* miserably, wretchedly.

misère [mi.'zɛːrə] *v* misery.

misgaan ['mɪsga.n] *vi* go wrong; *het gaat mis met hem* he is going to the dogs.

misgewaad [-gəva.t] *o RK* vestments.

misgewas [-gəvɑs] *o* bad crop, failure of crops.

misgooien [-go.jə(n)] *vi* miss [in throwing].

misgreep [-gre.p] *m* mistake, error, slip.

misgrijpen [-grɛipə(n)] *vi* miss one's hold.

misgunnen [mɪs'gŭnə(n)] *vt* in: *iemand iets ~* grudge (envy, begrudge) one a thing.

mishagen [-'ha.gə(n)] I *vi* displease; II *o* displeasure.

mishandelen [-'hɑndələ(n)] *vt* ill-treat, ill-use, maltreat, mishandle.

mishandeling [-lɪŋ] *v* ill-treatment, ill-usage.

miskelk ['mɪskɛlk] *m RK* chalice.

miskennen [mɪs'kɛnə(n)] *vt* fail to appreciate; *een miskend genie* an unrecognized genius.

miskenning [-nɪŋ] *v* lack of appreciation.

misleiden [mɪs'lɛidə(n)] *vt* mislead, deceive, impose on.

misleidend [-dənt] misleading, deceptive.

misleider [-dər] *m* deceiver, impostor.

misleiding [-dɪŋ] *v* deception, deceit, imposture.

mislopen ['mɪslo.pə(n)] I *vi* 1 miss one's way; go wrong; 2 *fig* go wrong, fail, miscarry, turn out badly; II *vt* miss; *zijn carrière ~* miss one's vocation; *dat ben ik net misgelopen* I just missed it; *zij zijn elkaar misgelopen* they missed each other.

mislukkeling [mɪs'lŭkəlɪŋ] *m* social misfit, failure, wastrel.

mislukken [-kə(n)] *vi* miscarry, fail; *het mislukte haar...* she did not succeed... (in ...ing); *doen ~* wreck [a plan &]; *zie ook: mislukt.*

mislukking [-kɪŋ] *v* failure, miscarriage.

mislukt [mɪs'lŭkt] unsuccessful, abortive [attempt &].

mismaakt [-'ma.kt] mis-shapen, deformed, disfigured.

mismaaktheid [-'ma.kthɛit] *v* deformity.

mismaken [-'ma.kə(n)] *vt* disfigure, deform.

mismoedig [-'mu.dəx] I *aj* discouraged, disheartened, dejected, despondent, disconsolate; *~ maken* discourage, dishearten; II *ad* dejectedly, despondently, disconsolately.

mismoedigheid [-hɛit] *v* discouragement, despondency, dejection.

misnoegd [mɪs'nu.xt] I *aj* displeased, discontented, dissatisfied; *de ~en* the malcontents; II *ad* discontentedly.

misnoegdheid [-hɛit] *v* discontentedness, dissatisfaction, discontent, displeasure.

misnoegen [mɪs'nu.gə(n)] *o* displeasure.

misoffer ['mɪsɔfər] *o RK* sacrifice of the Mass.

misoogst [-o.xst] *m* crop failure, failure of crops.

mispas [-pɑs] *m* false (wrong) step[2].

mispel [-pəl] *v ♃* medlar.

misplaatst [mɪs'pla.tst] [thing] out of place; misplaced [faith, confidence], mistaken [zeal].

mispunt ['mɪspŭnt] *o* 1 ⚭ miss; 2 S (**deugniet**) good-for-nothing fellow, rotter; (**onaangenaam mens**) beast.

misraden [-ra.də(n)] *vi* guess wrong; *misgeraden!* your guess is wrong.

misrekenen [-re.kənə(n)] I *vi* miscalculate; II *vr* *zich ~* [mɪs're.kənə(n)] be out in one's calculations.

misrekening ['mɪsre.kənɪŋ] v miscalculation.

missaal [mɪ'sa.l] o RK missal.

misschien [mɪ'sxi.n] perhaps, maybe.

misschieten ['mɪsxi.tə(n)] vi miss, miss the mark, miss one's aim.

misschot [-sxɔt] o miss.

misselijk ['mɪsələk] I aj sick, queasy, qualmish, squeamish; fig sickening, disgusting, loath-some; je wordt er ~ van it makes you sick; II ad disgustingly, loathsomely.

misselijkheid [-hɛit] v nausea, sickness, queasiness, squeamishness; fig loathsomeness.

missen ['mɪsə(n)] I vi miss; dat kan niet ~ it is bound to happen, you can't fail to see it, hit it &;II vt 1 (niet hebben) miss; lack [the courage]; 2 (niet nodig hebben) dispense with, do without; ik mis mijn boek (mijn bril &) my book & is missing; zijn doel ~ zie doel; wij kunnen dat niet ~ 1 we can't spare it; 2 we cannot do without it; zij kunnen hem ~ als kiespijn they prefer his room to his company; zij kunnen het slecht ~ they can't well afford it; het kan niet gemist worden they can't do without it; de trein (de boot) ~ miss the train (the steamer); het zal zijn uitwerking niet ~ it will not fail to produce its effect.

missie ['mɪsi.] v mission.

missiehuis [-hœys] o mission-house.

missiewerk [-vɛrk] o missionary work.

missionair [mɪsi.o.'nɛ:r] missionary.

missionaris [-'na:rəs] m missionary.

missioneren [-'ne:rə(n)] vi missionize.

missive [mɪ'si.və] v missive.

misslaan ['mɪsla.n] vt & vi miss; zie ook: 1 bal.

misslag [-slɑx] m miss; fig error, fault.

misstaan [mɪ'sta.n] vi suit ill, be unbecoming.

misstand ['mɪstɑnt] m abuse.

misstap [-stɑp] m wrong step, false step, mis-step; slip; een ~ begaan (doen) make a false step².

misstappen [-stɑpə(n)] vi make a false step, miss one's footing.

misstoot [-sto.t] m miss; ⚇ miss, miscue.

misstoten [-sto.tə(n)] vi miss one's thrust; ⚇ give a miss.

mist [mɪst] m fog; (nevel) mist.

mistasten ['mɪstɑstə(n)] vi fail to grasp; fig make a mistake.

mistbank ['mɪstbɑŋk] v fog bank.

mistel ['mɪstəl] m ♣ mistletoe.

mistellen ['mɪstɛlə(n)] vt & vi miscount, count wrong, make a mistake in counting.

misten ['mɪstə(n)] vi be foggy, be misty.

misthoorn, -horen ['mɪstho:rən] m fog-horn, siren.

mistig ['mɪstəx] foggy, misty.

mistigheid [-hɛit] v fogginess, mistiness.

mistlamp ['mɪstlɑmp] v 🚗 fog lamp.

mistroostig [mɪs'tro.stəx] disconsolate, dejected, sad.

mistroostigheid [-hɛit] v disconsolateness dejection, sadness.

mistrouwen ['mɪstrəuə(n)] I vt distrust, mis-trust; II o distrust, mistrust.

mistrouwend, mistrouwig [mɪs'trəuənt, -əx] aj (& ad) distrustful(ly).

mistsignaal ['mɪstsi.ɲa.l] o fog-signal.

misvatting ['mɪsfɑtɪŋ] v misconception, mis-understanding, misapprehension.

misverstaan [-fɔrsta.n] vt misunderstand, mis-apprehend, misconstrue.

misverstand [-fərstɑnt] o misunderstanding, misapprehension.

misvormd [mɪs'fɔrmt] mis-shapen, deformed, disfigured.

misvormen [mɪs'fɔrmə(n)] vt deform, disfigure.

misvorming [-'fɔrmɪŋ] v deformation, dis-figuration.

mitaine [mi.'tɛ:nə] v mitten, mitt.

mitrailleren [mi.trɑ(l)'je:rə(n)] vt machine-gun.

mitrailleur [-'jø:r] m machine gun.

mitrailleursnest [-'jø:rsnɛst] o ✕ machine-gun nest.

mitrailleurvuur [-'jø:rvy:r] o ✕ machine-gun fire.

mits [mɪts] cj provided (that).

mitsdien [-'di.n] therefore, consequently.

mitsgaders [-'ga.dərs] together with.

mm = millimeter millimetre(s).

M.M.H.H. [mɛinə'he:rə(n)] = mijne heren gentlemen.

M.O. [mɪdəlba:r'ɔndərvɛis] = Middelbaar Onderwijs.

Moabiet [mo.a.'bi.t] m Moabitisch [-'bi.ti.s] aj Moabite.

mobiel [mo.'bi.l] mobile; ~ maken ✕ mobilize.

mobilisatie [mo.bi.li.'za.(t)si.] v ✕ mobiliza-tion.

mobiliseren [-'ze:rə(n)] vt & vi mobilize.

mobiliz- zie mobilis-.

mobilofoon [mo.bi.lo.'fo.n] m radiotelephone.

modaal [mo.'da.l] aj (& ad) modal(ly).

modaliteit [-da.li.'tɛit] v modality.

modder ['mɔdər] m mud, mire, ooze.

modderbad [-bɑt] o mud-bath.

modderen ['mɔdərə(n)] vi dig in the mud; fig muddle.

modderig [-rəx] muddy, miry, oozy.

modderigheid [-hɛit] v muddiness, miriness.

modderpoel ['mɔdərpu.l] m slough, quagmire, puddle.

modderschuit [-sxœyt] v mud-scow, mud-boat.

moddersloot [-slo.t] v muddy ditch.

mode ['mo.də] v fashion, mode; de ~ aan-geven set the fashion; ~ worden become the fashion; in de ~ komen come into fashion, become the vogue; in de ~ zijn be the fashion, be in fashion; het is erg in de ~ it is all the fashion, F it is quite the go; naar de laatste ~ gekleed, dressed in (after) the latest fashion; uit de ~ raken (zijn) go (be) out of fashion.

modeartikel [-ɑrti.kəl] o 1 fancy-article; 2 fash-ionable article; ~en fancy-goods.

modeblad [-blɑt] o fashion paper.

modegek [-gɛk] *m* fop, dandy.
modejournaal [-ʒu:rna.l] *o* fashion paper.
model [mo.'dɛl] I *o* model, pattern, cut; (v. pijp &) shape; (v. sigaret) size; II *aj* model...; ✕ regulation...
modelactie, -aktie [-ɑksi.] *v* een ~ a work-to-rule; een ~ voeren work to rule.
modelboerderij [-bu:rdɛrɛi] *v* model farm.
modelflat [-flɛt] *m* show-flat.
modelkamer [-ka.mər] *v* show-room.
modelleren [mo.dɛ'le:rə(n)] *vt* model, mould.
modelleur [-'lø:r] *m* modeller.
modeplaat ['mo.dəpla.t] *v* fashion-plate, fashion-sheet.
modepop [-pòp] *v* (vrouw) doll; (man) fop, dandy.
moderator [mo.də'ra.tər] *m* moderator.
modern [mo.'dɛrn] modern; > modernist.
moderniseren [mo.dɛrni.'ze:rə(n)] *vt* modernize.
modernisering [-rɪŋ] *v* modernization.
modernize- zie *modernise-*.
modeshow ['mo.dəʃo.] *m* fashion (dress, mannequin) parade, fashion show, dress show.
modevak [-vɑk] *o* millinery.
modewinkel [-vɪŋkəl] *m* milliner's shop.
modezaak [-za.k] *v* fashion business, fashion house.
modieus [mo.di.'ø.s] I *aj* fashionable; II *ad* fashionably; ~ gekleed dressed in the height of fashion.
modiste [mo.'dɪstə] *v* milliner, modiste; dressmaker.
modulatie [mo.dy.'la.(t)si.] *v* modulation.
moduleren [-'le:rə(n)] *vi* & *vt* modulate.
1 moe [mu.] *aj* tired, fatigued, weary; ik ben ~ I'm tired; zo ~ als een hond dog-tired; ik ben het werken ~ I am tired of work; ik ben ~ van het werken I am tired with working; ~ maken tire, fatigue.
2 moe [mu.] *v* F zie *moeder*.
moed [mu.t] *m* courage, heart, spirit; de ~ der wanhoop the courage of desperation; iemand ~ geven put some heart into a man; goede ~ hebben be of good heart; de treurige ~ hebben om... have the conscience to...; ~ houden keep (a good) heart; de ~ opgeven, verliezen of laten zinken lose courage, lose heart; ~ scheppen (vatten) take (pluck up) courage, take heart; je kunt begrijpen, hoe het mij te ~e was how I felt; wel te ~e of good cheer, cheerful; in arren ~e in anger.
moede ['mu.də] zie 1 moe & moed.
moedeloos [-lo.s] out of heart, without courage, spiritless, despondent, dejected.
moedeloosheid [mu.də'lo.shɛit] *v* despondency, dejectedness, dismay.
moeder ['mu.dər] *v* 1 mother; 2 (v. gesticht) matron; (v. jeugdherberg) warden; ~ natuur dame nature; de Moeder Gods Our Lady; ~ de vrouw F the wife, P the missus, my old Dutch.

moederaarde [mu.dər'a:rdə] *v* mother earth.
moederdag ['mu.dərdɑx] *m* Mother's Day.
moederhart [-hɑrt] *o* mother's heart.
moederhuis [-hœys] *o* parent house, mother institution.
moederkerk [-kɛrk] *v* mother church.
moederklok [-klɔk] *v* master clock.
moederland [-lɑnt] *o* mother country.
moederliefde [-li.vdə] *v* maternal love.
moederlijk [-lək] I *aj* maternal, motherly; II *ad* maternally.
moederloos [-lo.s] motherless.
Moedermaagd [-ma.xt] *v* Virgin Mother, Holy Virgin.
moedermaatschappij [-ma.tsxɑpɛi] *v* $ parent company.
moedermoord(enaar) [-mo:rt, -mo:rdəna:r] *m* matricide.
moedernaakt [-na.kt] stark naked.
moederschap [-sxɑp] *o* motherhood, maternity.
moederschip [-sxɪp] *o* ⚓ mother ship, parent ship; ⚔ (aircraft, seaplane) carrier.
moederskant ['mu.dərskɑnt] zie *moederszijde*.
moederskindje ['mu.dərskɪncə] *o* F mother's darling, molly-coddle.
moederszijde ['mu.dərseidə] van ~ [related] on the (one's) mother's side; maternal [grandfather].
moedertaal ['mu.dərta.l] *v* mother tongue, native tongue.
moedervlek [-vlɛk] *v* mole, birth-mark.
moedervreugde [-vrø.gdə] *v* mother's joy, maternal joy.
moederziel [-zi.l] ~ alleen quite alone.
moedig ['mu.dəx] *aj* (& *ad*) courageous(ly), ,brave(ly); spirited(ly).
moedwil ['mu.tvɪl] *m* wantonness, petulance; uit ~ wantonly, wilfully.
moedwillig [mu.t'vɪləx] *aj* (& *ad*) mischievous(ly), wanton(ly).
moedwilligheid [-hɛit] *v* wantonness, wilfulness.
moeheid ['mu.hɛit] *v* fatigue, weariness, lassitude.
moei [mu:i] *v* aunt.
moeien [mu.jə(n)] *vt* trouble, give trouble; moei mij er niet in don't mix me up in it; zie ook: gemoeid & bemoeien.
moeilijk ['mu:ilək] I *aj* difficult, hard, troublesome; een ~e taak a difficult (arduous) task; ~e toestand trying situation; ~e tijden hard (trying) times; II *ad* with difficulty, hardly; not easily; het zal ~ gaan om... it will be difficult to...; ik kan ~ anders I can hardly do otherwise.
moeilijkheid [-hɛit] *v* difficulty, trouble, scrape; in ~ (in moeilijkheden) komen get into trouble; in moeilijkheden verkeren be in trouble, be in a scrape; $ be involved.
moeite ['mu:itə] *v* 1 (moeilijkheid) trouble; difficulty; 2 (inspanning) trouble, pains, labour; 't was vergeefse ~ it was labour lost; ~ doen take pains, exert oneself, try; alle ~

doen om... do one's utmost to...; *doet u maar geen (verdere)* ∼ don't give yourself any trouble, please don't trouble; ∼ *geven (veroorzaken)* give trouble; *zich* ∼ *geven* 1 take trouble [to do something]; 2 take pains, exert oneself, try; *zich (veel)* ∼ *geven om...* trouble (oneself) to...; *ook:* be at (great) pains to...; *zich de* ∼ *geven om...* take the trouble to...; *zich niet eens de* ∼ *geven om...* not even trouble to...; ∼ *hebben om te leren* learn with difficulty; *de* ∼ *nemen zie zich de* ∼ *geven; het gaat in één* ∼ *door, het is één* ∼ it is all in the day's work; *met (de grootste)* ∼ with (the utmost) difficulty; *hoeveel is 't voor de* ∼? how much for your trouble?; *zonder veel* ∼ without much difficulty; *zie ook:* 3 *waard &.*

moeizaam [-za.m] I *aj* laborious, wearisome, hard; II *ad* laboriously.

moeke ['mu.kə] *v* & *o* F mammy, mummy.

moer [mu:r] *v* 1 mother, dam [of animals]; 2 ✂ nut, female screw; 3 lees, dregs, sediment [of liquids].

moeras [mu:'rɑs] *o* marsh, morass², swamp, fen, bog.

moeraskoorts [-ko:rts] *v* paludal fever, malaria.

moerassig [mu:'rɑsəx] marshy, swampy, boggy, **moerassigheid** [-hɛit] *v* marshiness.

moerasspirea [mu:'rɑspi:re.a.] *m* ⚘ meadowsweet.

moerbei ['mu:rbɛi] *v* ⚘ mulberry.

moerbeiboom [-bo.m] *m* mulberry-tree.

moerbes ['mu:rbɛs] = *moerbei*.

moerschroef [-s(x)ru.f] *v* ✂ nut, female screw.

moersleutel [-slø.təl] *m* ✂ monkey-wrench, spanner.

1 **moes** [mu.s] *v* F zie *moesje* 2.

2 **moes** [mu.s] *o* 1 stewed greens or fruit; 2 mash, pulp; *tot* ∼ *maken* squash; *iemand tot* ∼ *slaan* beat one to a jelly, make mincemeat of one.

moesappel ['mu.sɑpəl] *m* cooking-apple.

moeselien [mu.sə'li.n] zie *mousseline*.

moesje ['mu.ʃə] *o* 1 patch, beauty-spot [of woman]; spot [on dress materials] ‖ 2 (moeder) mummy, mammy.

moeskruid ['mu.skrœyt] *o* greens, pot-herbs, vegetables.

moesson ['mu.sòn] *m* monsoon.

moestuin ['mu.stœyn] *m* kitchen garden.

moeten ['mu.tə(n)] *vi* & *vt* be compelled, be obliged, be forced; *wat moet je?* what do you want?; *ik moet gaan* I have to go, I must go; *hij moest gaan* 1 he had to go; 2 he should go, he ought to go; *ik zal* ∼ *gaan* I shall have to go; *ze* ∼ *het zien* they can't fail to see it; *we moesten wel lachen* we could not help laughing; *de cholera moet er heersen* the cholera is said to reign there; *hij moet gezegd hebben, dat...* he is reported to have said that...; *daar moet je... voor zijn* it takes a... to...; *als het*

moet if it cannot be helped, if there is no help for it, if it has to be done; under pressure of necessity; *het moet!* it has to be done!; ∼ *is dwang* must is for the king.

moetje ['mu.cə] *o* in: *het is een* ∼ F it is a case of [must.

Moezel ['mu.zəl] *v* Moselle.

moezel(wijn) ['mu.zəl(vɛin)] *m* moselle.

moezen ['mu.zə(n)] *vt* mash.

1 **mof** [mòf] *v* 1 (voor de handen) muff; 2 ✂ sleeve, socket.

2 **mof** [mòf] *m* (scheldnaam) S Jerry.

moffelen ['mòfələ(n)] *vt* enamel.

moffeloven ['mòfəlo.və(n)] *m* ✂ muffle-furnace.

mogelijk ['mo.gələk] I *aj* possible, eventual; *alle* ∼*e dingen* all sorts of things; *alle* ∼*e hulp* all the assistance possible; *op alle* ∼*e manieren* in every possible way; *alle* ∼ *middelen* all means possible, all possible means; *alle* ∼*e moeite* every possible effort; *met de grootst* ∼*e strengheid* with the utmost possible severity; *zo slecht* ∼ as bad as bad can be; *het is mij niet* ∼ I cannot possibly do it; II *sb* in: *ik heb al het* ∼*e gedaan* all that is possible; all my possible; all I can do (could do); III *ad* possibly; *zo* ∼... if possible; *zo spoedig* ∼ as soon as possible; ∼ *weet hij het* it is possible that he knows it.

mogelijkheid ['mo.gələkhɛit] *v* possibility; eventuality; *de* ∼ *bestaat* there is a possibility; *met geen* ∼ *kunnen wij...* we cannot possibly...

mogen ['mo.gə(n)] I *hulpww.* be allowed, be permitted; *zij* ∼ *komen* they may come; *ze zullen niet* ∼ *komen* they will not be allowed to come; *als zij komen mochten* if they should come; *dat mag niet* that is not allowed; *...het mocht wat!* ...not they!, nothing doing!; II *vt* like; *zij* ∼ *hem niet* they don't like him; *ik mag hem gaarne (wel)* I like him very much, I rather like him.

mogendheid ['mo.gənthɛit] *v* power; *de grote mogendheden* the great powers.

mogol [mo.'gɔl] *m* Mogul.

mohair [mo.'hɛ:r] *o* mohair.

Mohammed ['mo.hɑmɛt, mo.'hɑmɛt] *m* Mohammed.

mohammedaan(s) [mo.hɑmə'da.n(s)] *m* (& *aj*) Mohammedan.

Mohikanen [mo.hi.'ka.nə(n)] *mv* in: *de laatste der* ∼ the last of the Mohicans.

moiré [mva're.] *o* moire, watered silk; II *aj* moiré.

moker ['mo.kər] *m* maul, sledge.

mokeren [-kərə(n)] *vt* hammer, strike with a maul.

Mokerhei [mo.kər'hɛi] *v* Mook heath; *ik wou dat hij op de* ∼ *zat* I wish he were at (in) Jericho.

mokka(koffie) ['mɔka.(kɔfi.)] *m* Mocha coffee, **mokken** ['mɔkə(n)] *vi* sulk. [mocha.

1 **mol** [mɔl] *m* ♌ mole.

2 **mol** [mɔl] *v* ♪ flat, minor key; *b-*∼ B flat.

Moldavië [məl'da.vi.ə] o Moldavia.
Moldaviër [-vi.ər] m Moldavisch [-vi.s] aj Moldavian.
moleculair [mo.ləky.'lɛ:r] molecular.
molecule [-'ky.lə] molekuul [-'ky.l] v & o molecule.
molen ['mo.lə(n)] m I mill; 2 ⚒ (voor beton e.d.) mixer.
molenaar ['mo.lənɑ:r] m miller.
molenbeek ['mo.lə(n)be.k] v mill-race.
molenpaard [-pa:rt] o mill-horse.
molenrad [-rɑt] o mill-wheel.
molensteen [-ste.n] m millstone.
molentje [-cə] o I little mill; 2 (kinderspeelgoed) paper wheel; hij loopt met ~s he has bats in the belfry.
molentrechter [-trɛxtər] m mill-hopper.
molenvang [-vɑŋ] v stay of a mill.
molenvliegtuig [-vli.xtœyx] o ✈ autogiro.
molenwiek [-vi.k] v wing of a mill, sail, vane.
molest [mo.'lɛst] o war risks ‖ ~ aandoen molest.
molestatie [mo.lɛs'ta.(t)si.] v molestation.
molesteren [-'te:rə(n)] vt molest.
molestrisico [mo.'lɛstri.zi.ko.] o $ war risk.
molestverzekering [-fərze.kəriŋ] v war-risk insurance.
molière [mo.li.'ɛ:rə] m lace-up shoe.
molleval ['mɔləvɑl] v mole-trap.
mollevel [-vɛl] o moleskin.
mollig ['mɔləx] I plump [arms, legs], chubby [cheeks]; 2 ♪ mellow [tones].
molligheid [-hɛit] v I plumpness, chubbiness; 2 ♪ mellowness.
molm [mɔlm] m & o I mould; 2 (v. turf) peat dust.
molmachtig ['mɔlmɑxtəx] worm-eaten.
molmen ['mɔlmə(n)] vi moulder.
moloch ['mo.lɔx] m Moloch.
molsalade ['mɔlsa.la.də] = molsla.
molshoop ['mɔlsho.p] m mole-hill.
molsla ['mɔlsla.] v ⚘ dandelion.
molton ['mɔltɔn] o swanskin.
Molukken [mo.'lŭkə(n)] de ~ the Moluccas.
mom [mɔm] v & o mask; onder de (het) ~ van under the show (mask, cloak) of.
mombakkes ['mɔmbɑkəs] o mask.
moment [mo.'mɛnt] o moment°.
momenteel [-men'te.l] I aj momentary; II ad at the moment.
momentopname [mo.'mɛntɔpna.mə] v instantaneous photograph, snapshot.
mommelen ['mɔmələ(n)] = mummelen.
mompelen ['mɔmpələ(n)] vi & vt mutter, mumble.
monarch [mo.'nɑrx] m monarch.
monarchaal [-nɑr'ga.l] aj (& ad) monarchical(ly).
monarchie [-'gi.] v monarchy.
monarchist [-'gɪst] m monarchist.
monarchistisch [-'gɪsti.s] monarchist [party].
mond [mɔnt] m mouth; orifice; muzzle [of a

gun]; een grote ~ hebben talk big; de (zijn) ~ houden hold one's tongue; hij kan zijn ~ niet houden he can't keep his (own) counsel [fig]; geen ~ opendoen not open one's lips; een grote ~ opzetten tegen iemand give one lip; iemand de ~ snoeren stop a person's mouth, silence him; iedereen heeft er de ~ vol van they talk of nothing else; bij ~e van by (through) the mouth of; iemand woorden in de ~ leggen put words into a person's mouth; met open ~ staan kijken stand open-mouthed, stand gaping (at naar); met de ~ vol tanden staan have nothing to say for oneself, be dumbfounded; met twee ~en spreken blow hot and cold; iemand naar de ~ praten toady to a man; uit zijn eigen ~ from his own mouth; als uit één ~ unanimously; iemand de woorden uit de ~ nemen take the words out of a man's mouth; hij zegt alles wat hem voor de ~ komt he says whatever comes uppermost; zijn ~ staat nooit stil he never stops talking.
mondain [mɔn'dɛ:n] mundane; fashionable [hotel &].
mondbehoeften ['mɔntbəhu.ftə(n)] mv provisions, victuals.
mondeling ['mɔndəliŋ] I aj oral, verbal; ~e afspraak verbal agreement; ~ bericht verbal message; ~ examen oral examination; ~e getuigen verbal references; II als o in: mijn ~ my viva voce; III ad orally, verbally, by word of mouth.
mond- en klauwzeer [mɔntən'klɔuze:r] o foot-and-mouth disease.
mondharmonica zie mondharmonika.
mondharmonika ['mɔntharmo.ni.ka.] v ♪ mouth-organ.
mondhoek [-hu.k] m corner of the mouth.
mondholte [-hɔltə] v cavity of the mouth.
mondig ['mɔndəx] of age; zie verder: meerder-
mondigheid [-hɛit] v majority.   [jarig.
monding ['mɔndiŋ] v mouth.
mondje ['mɔncə] o (little) mouth; ~ dicht! mum's the word!; niet op zijn ~ gevallen zijn have a ready tongue; have plenty to say for oneself.
mondjesmaat ['mɔncəsma.t] v scanty measure; het is ~ we are on short commons; ~ toebedelen dole out in driblets.
mondjevol ['mɔncəvɔl] o in: hij kent een ~ Frans he has a smattering of French.
mondkost ['mɔntkɔst] m provisions, victuals.
mondspoeling [-spu.liŋ] v mouth-wash.
mondstuk [-stŭk] o mouthpiece; chase [of a gun]; tip [of a cigarette]; met kurken ~ cork-tipped [cigarette]; zonder ~ plain [cigarette].
mondvol [-fɔl] m mouthful.
mondvoorraad [-fo:ra.t] m provisions.
mondwater [-va.tər] o mouth-wash.
monetair [mo.ne.'tɛ:r] monetary.
Mongolië [mɔŋ'go.li.ə] o [Inner, Outer] Mongolia.

Mongool [-'go.l] *m* Mongol, Mongolian.

Mongools [-'go.ls] Mongolian.

monitor ['mo.ni.tər] *m* monitor.

monnik ['mònək] *m* monk, friar; *gelijke ~en, gelijke kappen* what is sauce for the goose is sauce for the gander.

monnikenklooster ['mònəkə(n)klo.stər] *o* monastery.

monnikenleven [-le.və(n)] *o* monastic life.

monnikenorde [-ərdə] *v* monastic order.

monnikenwerk [-vɛrk] *o* monkish work; *~ doen* flog a dead horse.

monnikskap ['mònəkskap] *v* 1 cowl, monk's hood; 2 🌸 monk's-hood, aconite.

monnikspij [-pei] *v* (monk's) frock.

monocle [mo.'nəkəl] *m* (single) eye-glass, monocle.

monografie [mo.no.gra.'fi.] *v* monograph.

monogram [-'gram] *o* monogram, cipher.

monoliet [-'li.t] *m* monolith.

monoloog [-'lo.x] *m* monologue.

monomaan [-'ma.n] *m* monomaniac.

monomanie [-ma.'ni.] *v* monomania.

monopolie [-'po.li.] *o* monopoly.

monopoliseren, monopolizeren [-po.li.'ze:rə(n)] *vt* monopolize.

Monroeleer [mòn'ro.le:r] *v* Monroe Doctrine.

monseigneur [mõsɛ̃'ɲø:r] *m RK* monsignor.

monster ['mònstər] *o* 1 monster; 2 $ sample; pattern; *~ zonder waarde* $ sample of no value (without value); *als ~ verzenden* $ send by sample post; *volgens ~* $ up to sample, as per sample.

monsterachtig [-axtəx] *aj* (& *ad*) monstrous-(ly).

monsterachtigheid [-hɛit] *v* monstrosity.

monsterboek ['mònstərbu.k] *o* $ pattern-book, book of samples.

monsterbriefje [-bri.fjə] *o* $ sampling order.

monsteren ['mònstərə(n)] *vt* 1 (inspecteren) muster; 2 zie *aanmonsteren*.

monstering [-riŋ] *v* ✕ muster, review.

monsterkaart ['mònstərka:rt] *v* $ sample-card, pattern-card.

monsterkamer [-ka.mər] *v* sample-room.

monsterkoffer [-kòfər] *m* $ sample-case.

monsterrol [-stərəl] *v* 1 ✕ & ⚓ muster-roll; 2 ⚓ list of the crew, ship's articles.

monsterzakje [-stərzakjə] *o* $ sample-bag.

monstrans [mòn'strans] *m* & *v RK* monstrance.

montage [mòn'ta.ʒə] *v* 1 ✕ mounting, fitting up, erecting, assembly; 2 (v. film) editing, (v. drukwerk &) montage, (v. foto) composing.

montagebouw [-bou] *m* prefabrication, prefabricated house construction.

montagelijn [-lein] *v* assembly line.

montagewagen [-va.gə(n)] *m* tower wagon.

montagewerker [-vɛrkər] *m* assembler.

montagewerkplaats [-vɛrkpla.ts] *v* assembly room.

montagewoning [-vo.niŋ] *v* prefabricated house, F prefab.

Montenegrijn(s) [mòntənə'grɛin(s)] *m* (& *aj*) Montenegrin.

Montenegro [-'ne.gro.] *o* Montenegro.

monter ['mòntər] I *aj* brisk, lively, cheerful; II *ad* briskly, cheerfully.

monteren [mòn'te:rə(n)] *vt* mount [a picture]; fit up, erect [apparatus], assemble [a motorcar &]; stage [a play].

montering [-'te:riŋ] *v* mounting [of a picture, a play]; staging [of a play]; zie ook: *montage*.

monteur [-'tø:r] *m* mounter; erector, fitter [of machine]; (in garage &) mechanic.

montuur [-'ty:r] *o* & *v* frame, mount; setting [of a jewel]; *bril met hoornen ~* horn-rimmed glasses, glasses with horn rims.

monument [mo.ny.'mɛnt] *o* monument.

monumentaal [-mɛn'ta.l] monumental.

mooi [mo:i] I *aj* handsome, fine, beautiful, pretty; *een ~e hand schrijven* write a fair hand; *een ~e jongen!* a fine fellow!; *mijn ~e pak* my Sunday best; *~ zo!* good!; *dat is niet ~ van u* it is not nice of you; *daar ben je ~ mee!* a lot of good that will do you!; *wat ben je ~!* what a swell you are!; *wel, nu nog ~er!* well I never!; *dat is wat ~s!* a pretty kettle of fish!, fine doings these!, here is a nice go!; *ze hebben wat ~s van je verteld!* fine things they say of you!; II 1 als *m* in: *je bent me een ~e!* you are a nice one!; 2 als *o* in: *het ~ste van alles is...* the best of it all is that...; III *ad* handsomely, finely, beautifully; < pretty, badly; *hij heeft u ~ beetgehad* he had you there, and no mistake; *ze hebben hem niet ~ behandeld* he has been unhandsomely treated; *zich ~ maken* prink (smarten) oneself up; *dat staat u niet ~* it does not become you²; *~ zitten* beg [of a dog].

mooiheid ['mo:ihɛit] *v* handsomeness, fineness, beauty, prettiness.

mooiprater [-pra.tər] *m* coaxer, flatterer.

mooipraterij [mo:ipra.tə'rɛi] *v* coaxing, flattery.

moois [mo:is] *o* fine things; *er het ~s afkijken* look too long at it; zie ook: *mooi*.

mooitjes ['mo:icəs] finely, prettily.

Moor [mo:r] *m* Moor, blackamoor.

moord [mo:rt] *m* & *v* murder (of *op*); *~ en brand schreeuwen* cry blue murder.

moordaanslag ['mo:rta.nslax] *m* attempt upon a person's life, attempted murder.

moorddadig [mo:r'da.dəx] murderous.

moorddadigheid [-hɛit] *v* murderousness.

moorden ['mo:rdə(n)] *vi* kill, commit murder(s).

moordenaar [-dəna:r] *m* murderer.

moordenares [mo:rdəna:'rɛs] *v* murderess.

moordend ['mo:rdənt] murderous, deadly; *~e concurrentie* cut-throat competition.

moordgeroep, ~geschrei ['mo:rtgəru.p, -gəs(x)rɛi] *o* cry of murder.

moordhol [-həl] *o* cut-throat den.

moordkuil [-kœyl] *m* cut-throat place; zie *hart*.

moordpartij [-partɛi] v massacre.

moordtoneel ['mo:rto.ne.l] o scene of murder.

moordtuig [-tœyx] o instrument(s) of murder.

moordwapen ['mo:rtva.pə(n)] o murderous weapon.

Moors [mo:rs] Moorish, Moresque.

moot [mo.t] v slice [of meat &], fillet [of fish].

1 **mop** [mɔp] m ⚤ pug(-dog).

2 **mop** [mɔp] v joke; *een ouwe ~, een ~ met een baard* a stale joke, F a hoary chestnut, a Joe Miller; *dat is nu juist de ~* that's the joke (the funny part) of it; *voor de~* for a lark.

3 **mop** [mɔp] v 1 blob [of ink]; 2 brick; 3 biscuit; *~pen hebben* S have the dibs (the dumps).

mopje ['mɔpjə] o F ♪ tune.

mopneus [-nø.s] m pug-nose.

moppentapper ['mɔpə(n)tapər] m F joker.

mopperaar ['mɔpəra:r] m grumbler, S grouser.

mopperen [-rə(n)] vi grumble, S grouse; *zonder ~* without grumbling, without a murmur.

mopperig [-rəx] grumbling, grumpy.

moppig ['mɔpəx] F funny.

mops(hond) ['mɔps(hɔnt)] m pug(-dog).

moquette [mo.'kɛtə] v moquette.

moraal [mo:'ra.l] v 1 (zedenles) moral; 2 (zedenleer) morality, ethics; 3 (zedelijke beginselen) morals.

moraliseren [-ra.li.'ze:rə(n)] vi moralize, point a moral.

moralist [-'lɪst] m moralist.

moraliteit [-li.'tɛit] v morality.

moralizeren zie *moraliseren.*

moratorium [-'to:ri.ũm] o moratorium.

Moravië [mo:'ra.vi.ə] o Moravia.

Moraviër [-vi.ər] m **Moravisch** [-vi.s] aj Moravian.

Morea [mo:'re.a.] o the Morea.

moreel [-'re.l] I aj (& ad) moral(ly); II o ⚔ morale.

morel [-'rɛl] v 🌶 morello.

morene [mo:'rɛ.nə] v moraine.

mores ['mo:rəs] *iemand ~ leren* teach one.

Morfeus ['mɔrfœys] m in: *in ~' armen* in the arms of Morpheus.

morfine [mɔr'fi.nə] v morphine, morphia.

morfinist [-fi.'nɪst] m morphine addict, morphi(n)omaniac.

morganatisch [mɔrga.'na.ti.s] aj (& ad) morganatic(ally).

1 **morgen** ['mɔrgə(n)] m & o 2¹/₄ acre [of land].

2 **morgen** ['mɔrgə(n)] m morning; *in de vroege ~* early in the morning; *op een ~* one morning; *van de ~ tot de avond* from morning till night; *'s (des) ~s* in the morning.

3 **morgen** ['mɔrgə(n)] ad to-morrow; *~avond* to-morrow evening; *~ochtend* to-morrow morning; *~ komt er nog een dag* to-morrow is another day; *hij betalen? ~ brengen!* nothing doing!, not likely!; *~ over acht dagen* to-morrow week.

morgengebed [-gəbɛt] o morning prayer.

morgenland [-lɑnt] o Orient.

morgenrood [-ro.t] o red of dawn.

morgenschemering [-sxe.mərɪŋ] v morning twilight.

morgenster [-stɛr] v ✳ morning star.

morgenstond [-stɔnt] m morning time; *de ~ heeft goud in de mond* the early bird catches the worm.

morgenuur [-y:r] o morning hour.

Moriaan [mo:ri.'a.n] m blackamoor; *het is de ~ gewassen* it is labour lost.

morille [mo:'ri.ljə] v morel [mushroom].

Morin [-'rɪn] v Moorish woman.

mormel ['mɔrməl] o monster.

mormoon(s) [mɔr'mo.n(s)] m (& aj) Mormon.

morrelen ['mɔrələ(n)] vi fumble; *~ aan* monkey with.

morren ['mɔrə(n)] vi grumble, murmur.

morrig [-rəx] grumbling, peevish.

morsdood ['mɔrsdo.t] stone-dead.

morsebel ['mɔrsəbɛl] v slut, slattern.

morsen ['mɔrsə(n)] I vi mess, make a mess; II vt spill [tea].

morsepot ['mɔrsəpɔt] = *morspot.*

morseschrift [-s(x)rɪft] o ⚡ Morse code.

morsesleutel [-slø.təl] m ⚡ Morse key.

morsig ['mɔrsəx] dirty, untidy.

morsigheid [-hɛit] v dirtiness, untidiness.

morspot ['mɔrspɔt] m dirty boy (girl &).

mortel ['mɔrtəl] m mortar.

mortelbak [-bɑk] m hod.

mortelmolen [-mo.lə(n)] m mortar mixer.

mortier [mɔr'ti:r] m & o mortar [vessel & ⚔].

mortierstamper [-stɑmpər] m pestle.

mos [mɔs] o ⚘ moss.

mosachtig ['mɔsaxtəx] mossy, moss-like.

mosgroen [-gru.n] moss-green.

moskee [mɔs'ke.] v mosque.

Moskou ['mɔskəu] o Moscow.

Moskous [-s] Moscow.

Moskovië [mɔs'ko.vi.ə] o Muscovy.

Moskoviet [-ko.'vi.t] m Muscovite.

Moskovisch [-'ko.vi.s] Muscovite; *~ gebak* sponge-cake.

moslem ['mɔslɛm] **moslim** ['mɔslɪm] m Moslem, Muslim.

mosroos ['mɔsro.s] v 🌶 moss-rose.

mossel ['mɔsəl] v mussel.

mosselbank [-bɑŋk] v mussel-bank, mussel-bed.

mosselvanger [-vɑŋər] m mussel-fisher.

mosselvangst [-vɑŋst] v mussel-fishery.

mosselvergiftiging [-vərgɪftəgɪŋ] v mussel poisoning.

mosselvrouw [-vrɔu] v **~wijf** [-vɛif] o mussel-woman.

mossig ['mɔsəx] mossy. [woman.]

most [mɔst] m must.

mostaard ['mɔsta.rt] = *mosterd.*

mosterd ['mɔstərt] m mustard; *'t is ~ na de maaltijd* it is too late to be of any use; it is a day after the fair; *ik zal je tot ~ slaan* F I'll beat you to a jelly.

mosterdpot [-pɔt] *m* mustard pot.
mosterdsaus [-sɔus] *v* mustard sauce.
mosterdzaad [-sa.t] *o* mustard seed; B & *fig* grain of mustard seed.
mosterdzuur [-sy:r] *o* piccalilli.
mot [mɔt] *v* (clothes-)moth; *de ~ zit in die japon* that dress is moth-eaten.
motel [mo.'tɛl] *o* motel.
motet [-'tɛt] *o ♪* motet.
motie ['mo.(t)si.] *v* motion; *~ van afkeuring* vote of censure; *een ~ van vertrouwen aannemen* pass a vote of confidence; *~ van wantrouwen* vote of no-confidence.
motief [mo.'ti.f] *o* 1 (reden) motive [= ground]; 2 (in dekunst) motif.
motiveren [-ti.'ve:rə(n)] *vt* motivate, motive, state the grounds for, account for.
motor ['mo.tər] *m* motor; engine; (motorfiets) motor cycle.
motoragent [-a.gɛnt] *m* motor-cycle policeman, police motor-cyclist.
motorbarkas [-barkas] *v ⚓* motor-launch.
motorboot [-bo.t] *m & v ⚓* motor-boat, motor-launch.
motorbril [-brɪl] *m* motoring goggles.
motordefect, -defekt [-dəfɛkt] *o* engine trouble.
motorfiets [-fi.ts] *m & v* motor (bi)cycle.
motorhandschoen [-hɑntsxu.n] *m & v* motoring gauntlet.
motorisch [mo.'to:ri.s] motor [nerve &].
motoriseren [mo.to:ri.'ze:rə(n)] *vt* motorize.
motorisering [-rɪŋ] *v* motorization.
motorize- zie *motorise-*.
motorjacht ['mo.tərjɑxt] *o ⚓* motor yacht.
motorkap [-kɑp] *v* 1 🚗 bonnet; ✈ cowling, cowl; 2 (hoofddeksel) motoring helmet.
motorordonnans [-ɔrdɔnɑns] *m* ⚔ dispatch-rider.
motorpech [-pɛx] *v* engine trouble.
motorploeg [-plu.x] *m & v* motor plough.
motorpolitie [-po.li.(t)si.] *v* motor-cycle police.
motorrijder ['mo.tərɛi(d)ər] *m* motor-cyclist.
motorrijtuig [-tœyx] *o* motor vehicle.
motorrijwiel [-vi.l] *o* zie *motorfiets*.
motorschip ['mo.tərsxɪp] *o ⚓* motor-ship, motor-vessel.
motorwagen [-va.gə(n)] *m* motor-car.
motregen ['mɔtre.gə(n)] *m* drizzling rain, drizzle.
motregenen [-gənə(n)] *vi* drizzle.
mottig ['mɔtəx] 1 (pokdalig) pock-marked; 2 (door de mot aangetast) moth-eaten; 3 (van het weer) drizzly.
motto ['mɔto.] *o* motto, device.
motzak ['mɔtsɑk] *m* moth-proof storage bag.
mousseline [mu.sə'li.nə] *v & o* muslin.
mousseren [mu.'se:rə(n)] *vi* effervesce; *~de wijn* sparkling (effervescent) wine.
mout [mɔut] *o & m* malt.
moutbak ['mɔutbak] *m* malt-tray.
mouteest [-e.st] *m* malt-kiln.
mouten ['mɔutə(n)] *vt* malt.

mouter [-tər] *m* maltster.
mouterij [mɔutə'rɛi] *v* malt-house.
moutmolen ['mɔutmo.lə(n)] *m* malt-mill.
moutwijn [-vɛin] *m* malt-wine.
mouw [mɔu] *v* sleeve; *ze achter de ~ hebben* be a slyboots; *iemand iets op de ~ spelden* make one believe something, gull a person; *iets uit de ~ schudden* knock off, throw off [verses, articles &]; *ergens een ~ aan passen* arrange matters, find a way out.
mouwvest ['mɔuvɛst] *o* sleeved waistcoat.
mozaïek [mo.za.'i.k] *o* mosaic work, mosaic.
mozaïekvloer [-flu:r] *m* mosaic floor.
Mozaïsch [mo.'za.i.s] Mosaic.
Mozes ['mo.zəs] *m* Moses.
Mr. ['me.stər] = *Meester (in de rechten)*.
ms = *manuscript*.
M.T.S. [mɪdəlba:rtɛxni.sɔ'sxo.l] = *middelbaar technische school* senior technical school.
mud [mʉt] *o* & *v* hectolitre.
muf(fig) ['mʉf(əx)] musty, fusty.
muffigheid, mufheid [-hɛit] *v* mustiness, fustiness.
mug [mʉx] *v* gnat; midge; *van een ~ een olifant maken* make mountains of molehills.
muggebeet ['mʉgəbe.t] *m* gnat-bite; midge-bite.
muggeziften [-zɪftə(n)] *vi* split hairs.   [bite.
muggezifter [-tər] *m* hair-splitter.
muggezifterij [mʉgəzɪftə'rɛi] *v* hair-splitting.
muil [mœyl] *m* mouth, muzzle ‖ *v* (pantoffel) slipper.
muilband ['mœylbɑnt] *m* muzzle.
muilbanden [-bɑndə(n)] *vt* muzzle[2].
muildier [-di:r] *o* ⚚ mule.
muildierdrijver [-drɛivər] *m* muleteer.
muilezel ['mœyle.zəl] *m* ⚚ hinny.
muilezeldrijver [-drɛivər] *m* muleteer.
muilkorf ['mœylkɔrf] *m* muzzle.
muilkorven [-kɔrvə(n)] *vt* muzzle.
muilpeer [-pe:r] *v* F box on the ear, cuff, slap.
muis [mœys] *v* ⚚ mouse [*mv* mice].
muisje ['mœyʃə] *o* (little) mouse; *dat ~ zal een staartje hebben* F there will be some consequences, the matter will not end there.
muisjes [-ʃəs] *mv* sugared caraway seeds.
muiskat ['mœyskɑt] *v* mouser.
muisstil ['mœystɪl] mouse-still, mouse-quiet, as still as mice.
muiteling ['mœytəlɪŋ] *m* mutineer, rebel.
muiten [-tə(n)] *vi* mutiny, rebel; *aan het ~ slaan* mutiny; *de ~de troepen* the mutinous troops.
muiter [-tər] *m* mutineer, rebel.
muiterij [mœytə'rɛi] *v* mutiny, rebellion.
muitziek ['mœytsi.k] mutinous.
muizegat, ~hol ['mœyzəgat, -hɔl] *o* mouse-hole.
muizen ['mœyzə(n)] *vi* 1 mouse; 2 F feed.
muizenest ['mœyzənɛst] *o* mouse-nest.
muizengif(t) ['mœyzə(n)gɪf(t)] *o* rat-poison.
muizenissen ['mœyzənɪsə(n)] *mv* in: *haal je geen ~ in het hoofd* don't worry.

muizentarwe ['mœyzə(n)tɑrvə] *v* rat-poison.
muizenvanger [-vaŋər] *m* mouser.
muizeval ['mœyzəval] *v* mousetrap.
1 mul [mŭl] *aj* loose; sandy.
2 mul [mŭl] *v* & *o* mould [= loose earth].
3 mul [mŭl] *m* 🐟 red mullet.
mulat(tin) [my.'lɑt, my.lɑ'tɪn] *m(-v)* mulatto.
mulder ['mŭldər] *m* miller°.
muloschool ['my.lo.sxo.l] *v* higher-grade school.
multilateraal [mŭlti.la.tə'ra.l] multilateral.
multimiljonair [-mɪljo.'nɛ:r] *m* multimillionaire.
multiplicator, multiplikator [-pli.'ka.tər] *m* multiplier.
mummelen ['mŭmələ(n)] *vi* mumble.
mummie ['mŭmi.] *v* mummy.
mummificatie [mŭmi.fi.'ka.(t)si.] *v* mummification.
mummificeren [-'se:rə(n)] *vt* & *vi* mummify.
mummifikatie zie *mummificatie*.
München ['my.ngə(n)] *o* Munich.
munitie [my.'ni.(t)si.] *v* (am)munition.
munitiewagen [-va.gə(n)] *m* 🪖 ammunition wagon.
munster ['mŭnstər] *o* ~kerk [-kɛrk] *v* minster.
munt [mŭnt] *v* 1 (stuk) coin; (geld) money, coinage, coin(s); [foreign] currency; 2 (gebouw) mint ‖ 3 🌿 mint; *iemand met gelijke ~ betalen* pay one (back) in his own coin, repay in kind, give tit for tat; *hij neemt alles voor goede ~ aan* he swallows everything; *~ slaan* coin (mint) money; *~ slaan uit* make capital out of; zie ook: *kruis*.
muntbiljet ['mŭntbɪljet] *o* currency note.
munteenheid [-e.nhɛit] *v* monetary unit.
munten ['mŭntə(n)] *vt* coin, mint; *het gemunt hebben op* zie gemunt.
muntenkabinet [-ka.bi.nɛt] *o* numismatic cabinet.
munter ['mŭntər] *m* minter, coiner.
muntgas ['mŭntgas] *o* slot-meter gas.
munthervorming [-hɛrvɔrmɪŋ] *v* currency reform.
muntloon [-lo.n] *o* mintage.
muntmeester [-me.stər] *m* mint-master, Master of the Mint.
muntmeter [-me.tər] *m* slot-(gas)meter.
muntspecie [-spe.si.] *v* specie.
muntstelsel [-stɛlsəl] *o* monetary system.
muntstempel [-stɛmpəl] *m* stamp, die.
muntstuk [-stŭk] *o* coin.
muntteken ['mŭnte.kə(n)] *o* mint-mark.
muntunie ['mŭnty.ni.] *v* monetary union.
muntvervalsing [-fərfalsɪŋ] *v* debasement of coinage.
muntvoet [-fu.t] *v* standard.
muntwet [-vɛt] *v* coinage act.
muntwezen [-ve.zə(n)] *o* monetary system, coinage.
murmelen ['mŭrmələ(n)] *vi* murmur, purl, gurgle.
murmureren [mŭrmy.'re:rə(n)] *vi* murmur,

grumble.
murw [mŭrv] soft, tender, mellow; *iemand ~ beuken* beat one to a jelly.
murwheid ['mŭrvhɛit] *v* softness, tenderness, mellowness.
mus [mŭs] *v* 🐦 sparrow; zie ook: *blij*.
museum [my.'ze.ŭm] *o* museum.
museumstuk [-stŭk] *o* museum piece.
musiceren [my.zi.'se:rə(n)] *vt* make music; have some music.
musicienne [-si.'ɛ:nə] *v* musician.
musicologie [my.zi.ko.lo.'gi.] *v* musicology.
musicologisch [-'lo.gi.s] musicological.
musicoloog [-'lo.x] *m* musicologist.
musicus ['my.zi.kŭs] *m* musician.
muskaat [mŭs'ka.t] 1 *v* 🌿 nutmeg; 2 *m* (wijn) muscadel.
muskaatnoot [-no.t] *v* nutmeg.
muskaatwijn [-vɛin] *m* muscadel.
muskadel, ~druif [mŭska.'dɛl, -drœyf] *v* muscatel.
musket [mŭs'kɛt] *o* 🔫 musket.
musketier [-kə'ti:r] *m* 🔫 musketeer.
muskiet [-'ki.t] *m* mosquito.
muskietengaas [-'ki.tə(n)ga.s] *o* mosquito-netting.
muskietennet [-'ki.tənɛt] *o* mosquito-net.
muskus ['mŭskŭs] *m* musk.
muskusdier [-di:r] *o* 🦌 musk-deer.
muskusrat [-rɑt] *v* 🐀 musk-rat, musquash.
muskusreuk [-rø.k] *m* musky scent, musky smell.
muskusroos [-ro.s] *v* 🌹 musk-rose.
mussenhagel ['mŭsə(n)ha.gəl] *m* dust-shot.
mutatie [my.'ta.(t)si.] *v* mutation; *~s (bij het departement &)* changes.
muts [mŭts] *v* cap; bonnet; *daar staat mij de ~ niet naar* I am not in the vein for it; *er met de ~ naar gooien* have a shot at it.
mutsaard, mutserd ['mŭtsa.rt, -ərt] *m* faggot.
1 muur [my:r] *m* wall; *de muren hebben oren* walls have ears; *tuṣsen vier muren* in prison.
2 muur [my:r] *v* 🌿 zie *sterremuur*.
muuranker ['my:raŋkər] *o* △ cramp-iron, brace.
muurbloem [-blu.m] *v* 🌿 wallflower; zie ook ↓.
muurbloempje [-blu mpjə] *o* *fig* wallflower.
muurfonteintje [-fɔntɛincə] *o* wall wash-basin.
muurkast [-kɑst] *v* wall cupboard.
muurplaat [-pla.t] *v* wall-plate.
muurschildering [-sxɪldərɪŋ] *v* mural painting, wall-painting.
muurtegel [-te.gəl] *m* wall-tile.
muurvast [-vɑst] as firm as a rock.
muurversiering [-vərsi:rɪŋ] *v* mural decoration.
muurvlakte [-vlɑktə] *v* wall space.
muze ['my.zə] *v* muse.
muzelman ['my.zəlmɑn] *m* Mussulman.
muziek [my.'zi.k] *v* music; *~ maken* make music; have some muṣic; *met ~* F to the sound of music, with the band playing; *fig* in style; [win] gloriously; [fail] ignominious-

ly; *op de* ~ to the music; *op* ~ *zetten* set to music.
muziekavondje [-a.vəncə] *o* musical evening.
muziekboek [-bu.k] *o* music-book.
muziekcriticus [-kri.ti.kűs] *m* music critic.
muziekdoos [-do.s] *v* musical box, music-box.
muziekgezelschap [-gəzɛlsxɑp] *o* musical society.
muziekhandel [-hɑndəl] *m* music-house.
muziekhandelaar [-hɑndəla:r] *m* music-seller.
muziekinstrument [-ɪnstry.mɛnt] *o* musical instrument.
muziekkastje [my.'zi.kɑʃə] *o* music cabinet.
muziekkorps [-kɔrps] *o* band (of musicians).
muziekkritiek [-kri.ti.k] *v* music criticism.
muziekleraar [my.'zi.kle:ra:r]] *m* music-master.
muziekles [-lɛs] *v* music-lesson.
muzieklessenaar [-lesəna:r] *m* music-desk.
muziekliefhebber [-li.fhɛbər] *m* music-lover.
muziekmeester [-me.stər] *m* music-master.
muziekonderwijs [-òndərvɛis] *o* musical instruction.
muziekschool [-sxo.l] *v* school of music.
muziekstander [-stɑndər] *m* music-stand.
muziekstuk [-stűk] *o* piece of music.
muziektent [-tɛnt] *v* bandstand.
muziekuitvoering [-œytfu:rɪŋ] *v* musical performance.
muziekvereniging [-fərə.nəgɪŋ] *v* musical society, musical club.
muziekwinkel [-vɪŋkəl] *m* music-shop.
muziekzaal [-sa.l] *v* concert-room.
muzikaal [my.zi.'ka.l] musical; *hij is zeer* ~ I he has a fine ear for music; 2 he is very fond of music.
muzikant [-'kɑnt] *m* musician, bandsman.
mv. = *meervoud.*
M.W.O. [mi.li.tɛ:rə'vіləmsərdə] = *Militaire Willemsorde* Military Order of William.
myriade [mi:ri.'a.də] *v* myriad.
myriameter ['mi:ri.a.me.tər] *m* myriametre.
mysterie [mɪ'ste:ri.] *o* mystery.
mysteriespel [-spɛl] *o* Ⓤ mystery (play).
mysterieus [mi.ste:ri.'ø.s] *aj* (& *ad*) mysterious-(ly).
mysticisme [mɪsti.'sɪsmə] *o* mysticism.
mysticus ['mɪsti.kűs] *v* mystic.
mystiek [mɪs'ti.k] **I** *aj* mystical [body, experience, union], mystic [life, rose, vision, way]; **II** *ad* mystically; **III** *v* mysticism; **IV** *mv de* ~*en* the mystics.
mystificatie [-ti.fi.'ka.(t)si.] *v* mystification.
mystificeren [-'se:rə(n)] *vt* mystify.
mystifikatie zie *mystificatie.*
myte zie *mythe.*
mythe ['mi.tə] *v* myth.
mythisch ['mi.ti.s] *aj* (& *ad*) mythical(ly).
mythologie [mi.to.lo.'gi.] *v* mythology.
mythologisch [-'lo.gi.s] *aj* (& *ad*) mythological(ly).
mytholoog [-'lo.x] *m* mythologist.
mytisch zie *mythisch.*

mytolo- zie *mytholo-.*
myxomatose [mɪkso.ma.'to.zə] *v* myxomatosis.

N

n [ɛn] *v* n.
N. = *noord.*
na [na.] **I** *prep* after; ~ *elkaar* one after the other, in succession; *twee keer* ~ *elkaar* twice running; ~ *u!* After you!; ~ *u heb ik alles aan hem te danken* next to you; ~ *vijven* after five o'clock; **II** *ad* near, ☉ nigh; *dat lag hem* ~ *aan het hart* zie *hart*; *je moet hem niet te* ~ *komen* 1 you must not come too near him; 2 *fig* you must not offend him; *dat kwam zijn eer te* ~ zie *eer*; *op mijn broer* ~ except my brother; *op één* ~ one excepted; *de laatste op één*~ the last but one; *neem wat pudding* ~ take some pudding to top up with.
naad [na.t] *m* 1 seam; 2 (v. wond) suture; *nylons met* ~ seamed nylons.
naadje ['na.cə] *o* in: *hij wil graag het* ~ *van de kous weten* he wants to know the ins and outs of it.
naadloos ['na.tlo.s] seamless.
naaf [na.f] *v* nave, hub.
naafdop ['na.fdəp] *m* hub-cap.
naaicursus ['na:ikűrzəs] *m* sewing-class.
naaidoos [-do.s] *v* sewing-box.
naaien ['na.jə(n)] **I** *vt* sew; *een knoop aan een...* ~ sew a button on; **II** *vi & va* sew, do needlework.
naaigaren ['na:iga:rə(n)] *o* sewing-thread.
naaigerei [-gərei] *o* sewing-things.
naaikamer [-ka.mər] *v* sewing-room.
naaikistje [-kɪʃə] *o* sewing-box.
naaikrans [-krɑns] *m* sewing-circle.
naaikursus zie *naaicursus.*
naaimachine [-ma.ʃi.nə] *v* sewing-machine.
naaimand [-mɑnt] *v* work-basket, sewing-basket.
naaimeisje [-mɛiʃə] *o* sewing-girl.
naaischool [-sxo.l] *v* sewing-school.
naaister [-stər] *v* seamstress, needlewoman.
naaitafel [-ta.fəl] *v* (tailor's) work-table.
naaiwerk [-vɛrk] *o* needlework.
naakt [na.kt] naked[2], bare[2]; nude [figure]; *de* ~*e waarheid* the bare (naked, plain) truth; *hij werd* ~ *uitgeschud* he was stripped to the skin.
naaktheid ['na.kthεit] *v* nakedness, bareness [of the walls &], nudity.
naald [na.lt] *v* needle°.
naaldboom ['na.ltbo.m] *m* ♣ conifer.
naaldbos [-bòs] *o* pine forest, conifer forest.
naaldenkoker ['na.ldə(n)ko.kər] *m* needle-case.
naaldewerk ['na.ldəvɛrk] = *naaldwerk.*
naaldhak ['na.lthɑk] *v* stiletto heel; *schoen met* ~ stiletto-heeled shoe.
naaldhout [-hout] *o* ♣ softwood.

naaldvormig [-fərməx] needle-shaped.
naaldwerk [-vɛrk] *o* needlework.

naam [na.m] *m* name; appellation, designation; *hoe is uw ~?* what's your name?; *zijn ~ met ere dragen* not belie one's name; *het moet een ~ hebben* it must have a name; *het mag geen ~ hebben* it is not worth mentioning; *een goede ~ hebben* have a good name, enjoy a good reputation; *een slechte ~ hebben* have an ill name (a bad reputation); *hij heeft nu eenmaal de ~ van...* he has the name of..., he has a name for [honesty &]; *~ maken* make a name for oneself; *geen namen noemen* mention no names; *iemand bij zijn ~ noemen* call a man by his name; *in ~ is hij...* in name (nominally) he is...; *in ~ der wet* in the name of the law; *noemen met ~ en toenaam* mention by name; *onder een aangenomen ~* under an assumed name; *onder een vreemde ~* in another name, not in their real names; *bekend staan onder de ~ (van)...* go by the name of...; *op een andere ~ overschrijven* zie *overschrijven; aandelen op ~* zie *aandeel; op ~ van* in the name of; *te goeder ~ (en faam) bekend staand* enjoying a good reputation, of good standing and repute; *uit ~ van mijn vader* from my father, on behalf of my father; *iemand van ~ kennen* know one by name; *een ... van ~* a distinguished...; *zonder ~* without a name, nameless. Zie ook: *name.*
naambord(je) ['na.mbɔrt, -bɔrcə] *o* name-plate.
naamcijfer [-seifər] *o* cipher, monogram, initials.
naamdag [-dɑx] *m* saint's day, name-day.
naamdicht [-dɪxt] *o* acrostic.
naamgenoot [-gəno.t] *m* namesake.
naamkaartje [-ka:rcə] *o* visiting-card, card.
naamlijst [-lɛist] *v* 1 list of names, (nominal) roll, register; 2 ☞ panel [of jury, doctors &].
naamloos [-lo.s] without a name, nameless, anonymous; zie ook: *vennootschap.*
naamplaatje [-pla.cə] *o* door-plate, name-plate.
naamval [-vɑl] *m* gram case; *eerste ~* nominative; *tweede ~* genitive; *derde ~* dative; *vierde ~* accusative.
naamwoord [-vo:rt] *o* gram noun.
naäpen ['na.a.pə(n)] *vi* ape, imitate, mimic.
naäper [-pər] *m* ape, imitator, mimic.
naäperij [na.a.pə'rɛi] *v* aping, imitation.
1 **naar** [na:r] I *prep* to; according to; after; by; *~ boven* & zie *boven; hij heet ~ zijn vader* he is called after his father; *~ huis gaan* go home; *hij kwam ~ me toe* he came up to me; *~ de natuur schilderen* paint from nature; II *ad* in: *dat is er ~* that depends; *ja maar het is er ook ~* but then it is no better than it should be; *hij is er de man niet ~ om...* zie *man;* III *cj ~ men zegt* it is said.
2 **naar** [na:r] *aj* disagreeble, unpleasant, sad, dismal; *een nare jongen* an unpleasant (nasty) boy; *die nare jongen!* that wretched boy!; *een nare smaak* a nasty taste; *~ weer* sour

weather; *ik voel me zo ~* I feel so queer (unwell); *hij is er ~ aan toe* he is in a bad way; *ik word er ~ van* it makes (turns) me sick.
naardien [na:r'di.n] since, whereas.
naargeestig [-'ge.stəx] dismal, gloomy, sombre.
naarheid ['na:rhɛit] *v* disagreeableness, unpleasantness, sadness, dismalness.
naarmate [na:r'ma.tə] according as, as.
naarstig ['na:rstəx] I *aj* assiduous, diligent, industrious, sedulous; II *ad* assiduously &.
naarstigheid [-hɛit] *v* assiduity, diligence, industry, sedulity.
naast [na.st] I *aj* nearest, next; *mijn ~e buurman* my next-door neighbour; *mijn ~e bloedverwant* my nearest relation, next of kin; *de ~e prijs* $ the lowest (utmost) price; *de ~e toekomst* the near future; *ten ~e bij* approximately, about; *ieder is zichzelf het ~* near is my shirt, but nearer is my skin; II *prep* next (to); *het is niet ~ de deur* it is not next door; *~ God heb ik hem alles te danken* next to God; *hij zat ~ haar* beside her, by her side; *~ ons wonen Fransen* next-door to us; *je bent er ~* you are beside the mark (wrong).
naastbestaande(n) [na.stbə'sta.ndə(n)] *m-v* (*mv*) next of kin, nearest relation(s).
naastbijzijnd [-'bɛizɛint] nearest.
naaste ['na.stə] *m-v* neighbour, fellow-creature.
naasten [-tə(n)] *vt* 1 nationalize, take over; 2 confiscate, seize.
naastenliefde [-li.vdə] *v* love of one's neighbour.
naasting ['na.stɪŋ] *v* 1 nationalization; 2 confiscation, seizure.
nababbelen ['na.babələ(n)] zie *napraten.*
nabauwen [-bɔuə(n)] *vt* repeat [something] parrot-like, echo, parrot [what one has heard].
nabehandeling [-bəhɑndəlɪŋ] *v* aftertreatment, follow-up.
nabeschouwing [-sxɔuɪŋ] *v* zie *nabetrachting.*
nabestaande [-sta.ndə] *m* relation, relative; *de ~n* ook: the next of kin.
nabestellen [-stɛlə(n)] I *vt* $ give a repeat order for, order a fresh supply of; II *vi* $ repeat an order.
nabestelling [-stɛlɪŋ] *v* $ repeat order, F repeat.
nabetalen [-ta.lə(n)] *vi* pay afterwards.
nabetaling [-ta.lɪŋ] *v* subsequent payment.
nabetrachting [-trɑxtɪŋ] *v* afterthought; *~en houden over...* consider... in retrospect.
nabeurs ['na.bø:rs] *v* $ (bourse of the) closing hours: the Street.
nabij [na.'bɛi] near, close to; *de dag is ~* the day is near at hand; *van ~* from close by; *van ~ bekeken* seen at close quarters; *iemand van ~ kennen* know a person intimately; *het raakt ons van ~* it concerns us nearly, it touches us very closely; *de dood ~* near death.
nabijgelegen [-gələ.gə(n)] neighbouring, adjacent.

nabijheid [-ɛit] *v* neighbourhood, vicinity, proximity; *er was niemand in de* ~ there was nobody near.

nabijkomen [-ko.mə(n)] *vt* come near to [one's ideal], come near [the mark], run [one] hard; *wie komt hem nabij in...?* who can approach him in...?, who can touch him at...?

nabijkomend [-mənt] approaching.

nablaffen ['na.blɑfə(n)] *vt* bark after.

nablijven [-blɛivə(n)] *vi* 1 remain, stay on; 2 ⇔ be kept in, be detained (at school).

nablijver [-vər] *m* boy kept in (after school hours).

nabloeden ['na.blu.də(n)] *vi* in: *de wond bleef* ~ kept on bleeding.

nabloeien [-blu.jə(n)] *vi* bloom later.

nabloeier [-jər] *m* ♣ late flowerer.

nabob ['na.bɔp] *m* nabob.

nabootsen ['na.bo.tsə(n)] *vt* imitate, mimic.

nabootser [-sər] *m* imitator, mimic.

nabootsing [-sɪŋ] *v* imitation.

nabrengen ['na.brɛŋə(n)] *vt* bring after [one], carry after.

naburig [na.'by:rəx] neighbouring.

nabuur ['na.by:r] *m* neighbour.

nabuurschap [-sxɑp] *v* neighbourhood, vicinity.

nacht [nɑxt] *m* night; *'s (des)* ~*s* [12 o'clock] at night, [work] by night, in the night-time, ⚹ of nights; *de* ~ *van maandag op dinsdag* the night from Monday to Tuesday; *bij* ~ by night, in the night-time; *bij* ~ *en ontij* at unseasonable hours; *in de* ~ at night, during the night; *van de* ~ *een dag maken* turn night into day; *de hele* ~ all night (long), the whole night; *'t wordt* ~ night is falling.

nachtarbeid ['nɑxtɑrbeit] *m* night-work.

nachtasiel, -asyl [-a.zi.l] *o* night-shelter.

nachtbel [-bɛl] *v* night-bell.

nachtblind [-blɪnt] night-blind.

nachtboot [-bo.t] *m & v* night-boat.

nachtbraken [-brɑ.kə(n)] *vi* make a night of it.

nachtbraker [-kər] *m* night-reveller.

nachtdienst ['nɑxdi.nst] *m* 1 night-service; 2 night-duty; ~ *hebben* be on night-duty.

nachtegaal ['nɑxtəgɑ.l] *m* ♣ nightingale.

nachtelijk ['nɑxtələk] nocturnal [visit], night [attack &], [disorder] by night; *de* ~*e stilte* the silence of the night.

nachtevening ['nɑxtə.vənɪŋ] *v* equinox.

nachtgewaad [-gəvɑ.t] *o* night-attire.

nachtgezicht [-gəzɪxt] *o* 1 nocturnal vision; 2 (schilderstuk) night-piece.

nachtgoed [-gu.t] *o* night-clothes, night-things.

nachthemd [-hɛmt] *o* night-shirt.

nachtjager [-ja.gər] *m* ✈ night-fighter.

nachtjapon [-ja.pòn] *m* night-gown, F nightie.

nachtkaars [-ka.rs] *v* night-light; *als een* ~ *uitgaan* fizzle out.

nachtkastje [-kɑʃə] *o* pedestal cupboard.

nachtlampje [-lɑmpjə] *o* night-lamp.

nachtleven [-le.və(n)] *o* night-life.

nachtlichtje [-lɪxjə] *o* night-light.

nachtlucht [-lûxt] *v* night-air.

nachtmerrie [-mɛri.] *v* nightmare.

nachtmis [-mɪs] *v* RK midnight mass.

nachtpitje [-pɪcə] *o* rushlight, floating wick.

nachtploeg [-plu.x] *v* night-shift.

nachtpon [-pòn] *m* = *nachtjapon*.

nachtportier [-pɔrti:r] *m* night-porter.

nachtronde [-ròndə] *v* night-round.

nachtrust [-rûst] *v* night's rest.

nachtschade [-sxa.də] *v* ♣ nightshade.

nachtschuit [-sxœyt] *v* night-boat; *met de* ~ *komen* be late; come a day after the fair.

nachtslot [-slòt] *o* double lock; *op het* ~ *doen* double-lock.

nachttafeltje ['nɑxta.fɔlcə] *o* pedestal cupboard.

nachttrein [-trɛin] *m* night-train.

nachtuil ['nɑxtœyl] *m* ♣ screech-owl.

nachtuiltje [-cə] *o* ✿ night-moth.

nachtvlinder ['nɑxtflɪndər] *m* (night-)moth.

nachtvlucht [-flûxt] *v* ✈ night flight.

nachtvogel [-fo.gəl] *m* night-bird✈.

nachtvoorstelling [-fo:rstelɪŋ] *v* late-night showing [of a film].

nachtvorst [-fɔrst] *m* night-frost.

nachtwacht [-vɑxt] *m* night watchman; *de Nachtwacht (van Rembrandt)* *v* the Midnight Round, (Rembrandt's) Night Watch.

nachtwaker [-va.kər] *m* night watchman.

nachtwerk [-vɛrk] *o* night-work, lucubration; *er* ~ *van maken* make a night of it.

nachtzak [-sɑk] *m* night-dress case.

nachtzoen [-su.n] *m* good-night kiss.

nachtzwaluw [-sva.ly:u] *v* ♣ nightjar.

nadat [na.'dɑt] *cj* after [we had seen it].

nadeel ['na.de.l] *o* disadvantage; injury, harm, hurt; loss; *dat is het* ~ *van zo'n betrekking* that is the drawback of such a place; *in uw* ~ against you; *ten nadele van* at the cost (expense) of, to the detriment (prejudice) of; *hij kan niets te mijnen nadele zeggen* he can say nothing against me; *tot zijn eigen* ~ to his cost.

nadelig [na.'de.ləx] disadvantageous; hurtful, detrimental, prejudicial; ~ *zijn voor,* ~ *werken op* be detrimental to; ~ *voor* detrimental to, hurtful to, harmful to, injurious to.

nademaal [-də'ma.l] whereas, since.

nadenken ['na.dɛŋkə(n)] I *vi* think [about], reflect [(up)on]; *ik moet er eens over* ~ I must think about it; II *o* reflection; *bij* ~ on reflection; *tot* ~ *brengen* make [one] think (reflect), set [one] thinking; *tot* ~ *stemmen* furnish food for thought; *zonder* ~ without thinking, unthinkingly.

nadenkend [na.'dɛŋkənt] I *aj* pensive, meditative, thoughtful; thinking; II *ad* pensively, meditatively.

nader ['na.dər] I *aj* nearer [road]; further [information]; *hebt u al iets* ~*s vernomen?* have you got any further information (news)?; II *ad* nearer; *je zult er* ~ *van horen* you will hear of this; ~ *aanduiden* indicate more precisely; ~ *op iets ingaan* 1 enter into the details of it; 2 make further inquiries; zie ook: *ingaan*; *ik zal u ~ schrijven* I'll write you more fully; ~ *verwant (aan)* more nearly allied (to); zie ook: *inzien, kennis, verklaren* &.

naderbij [na.dər'bɛi] nearer.

naderen ['na.dərə(n)] I *vi* approach, draw near; ~ *tot...* go to [Holy Communion]; II *vt* approach, draw near to [of persons, things]; *we ~ het doel* ook: we are nearing the goal.

naderhand [na.dər'hɑnt] afterwards, later on.

nadering ['na.dərɪŋ] *v* approach.

nadien [-'di.n] since.

nadoen ['na.du.n] *vt* imitate, mimic.

nadorst [-dòrst] *m* thirst after drinking to excess.

nadragen [-dra.gə(n)] *vt* carry after.

nadraven [-dra.və(n)] *vt* trot after.

nadruk [-drük] *m* 1 (klem) emphasis, stress, accent; 2 (het nagedrukte of nadrukken) reprint; pirated copy; piracy; *de ~ leggen op* stress², *fig* lay stress on, accentuate, emphasize; ~ *verboden* all rights reserved.

nadrukkelijk [na.'drükələk] *aj* (& *ad*) emphatic(ally).

nadrukken ['na.drükə(n)] *vt* reprint; pirate [a book].

nadrukker [-kər] *m* piratical publisher (printer).

naëten ['na.e.tə(n)] *vt* eat after the others; *wat eten we na?* what are we going to finish with?

nafluiten [-flœytə(n)] *vt* 1 whistle after; 2 hoot.

nafta ['nɑfta.] *m* naphtha.

naftaline [nɑfta.'li.nə] *v* naphthalene.

nagaan ['na.ga.n] I *vt* 1 (volgen) follow; 2 (het oog houden op) keep an eye on, look after; 3 (onderzoeken) trace; *de rekeningen ~* look into (check) the notes; *het verleden ~* retrace the past; *we worden nagegaan* we are watched; *als ik dat naga, dan...* when considering that...; *je kunt ~ hoe...* you can easily imagine how...; *voor zover we kunnen ~* as far as we can ascertain; *dat kan je ~!* not likely!; II *vi* be slow [of a watch].

nagalm [-gɑlm] *m* resonance, echo.

nagalmen [-gɑlmə(n)] *vi* resound, echo.

nagedachtenis [-gədɑxtənɪs] *v* memory, remembrance; *gewijd aan de ~ van* sacred to the memory of; *ter ~ van* in commemoration of.

nagekomen [-gəko.mə(n)] in: ~ *berichten* stop-press news.

nagel ['na.gəl] *m* nail°; (kruidnagel) clove; *dat was een ~ aan zijn doodkist* it was a nail in his coffin.

nagelbijten [-bɛitə(n)] *o* nail-biting.

nagelbijter [-tər] *m* nail-biter.

nagelborstel ['na.gəlbòrstəl] *m* nail-brush.

nagelen [na.gələ(n)] *vt* nail; *aan de grond genageld* rooted to the ground (to the spot).

nagellak ['na.gəlɑk] *o* & *m* nail varnish.

nagelriem ['na.gəiri.m] *m* cuticle.

nagelschaartje [-sxa:rcə] *o* nail-scissors.

nagelvast [-vɑst] fixed with nails; *aard- en ~* immovable, clinched and riveted; *alles wat ~ is* the fixtures.

nagelvijltje [-vɛilcə] *o* nail-file.

nagemaakt ['na.gəma.kt] counterfeit, forged, faked.

nagenoeg [-nu.x] almost, nearly, all but.

nagerecht [-rext] *o* dessert.

nageslacht [-slɑxt] *o* posterity, progeny, issue.

nageven ['na.ge.və(n)] *vt* in: *dat moet hem(tot zijn eer) worden nagegeven* that must be said to his honour (credit).

nagewas [-gəvɑs] *o* after-crop.

nagluren [-gly:rə(n)] *vt* peep after.

nagras [-grɑs] *o* after-grass, aftermath.

naherfst [-herfst] *m* last days of autumn.

nahollen [-hòlə(n)] *vt* gallop (tear) after.

nahooi [-ho:i] *o* after-crop of hay, aftermath.

nahouden [-hou(d)ə(n)] *vt* keep in (at school); *er op ~* keep [articles for sale]; *fig* hold [theories]; *er geen bedienden op ~* not keep (any) servants.

naïef [na.'i.f] *aj* (& *ad*) naive(ly), artless(ly), ingenuous(ly).

naijlen ['na.ɛilə(n)] *vt* hasten after.

naijver [-ɛivər] *m* emulation; jealousy; envy.

naijverig [na.'ɛivərəx] emulous, jealous, envious (of *op*).

naïveteit, naïviteit [na.i.və'tɛit, -vi.'tɛit] *v* naïveté.

najaar ['na.ja:r] *o* autumn.

najaarsbeurs [-ja:rsbø:rs] *v* autumn fair.

najagen [-ja.gə(n)] *vt* chase, pursue² [game, a plan, pleasures]; hunt for [a job], hunt (strain) after [effect].

najaging [-ja.gɪŋ] *v* pursuit².

najouwen [-jouə(n)] *vt* hoot after.

nakijken [-kɛikə(n)] *vt* zie *nazien*.

naklank [-klɑŋk] *m* resonance, echo².

naklinken [-klɪŋkə(n)] *vi* continue sounding, resound.

nakomeling [-ko.məlɪŋ] *m* descendant.

nakomelingschap [-sxɑp] *v* posterity, progeny, offspring, issue.

nakomen ['na.ko.mə(n)] I *vi* come afterwards, come later (on), arrive afterwards, follow; II *vt* 1 (volgen) come after, follow; 2 (volbrengen) perform, fulfil [a promise], meet, honour [an obligation].

nakoming [-mɪŋ] *v* performance, fulfilment.

nakroost ['na.kro.st] *o* progeny, offspring, issue.

nalaten [-la.tə(n)] *vt* 1 (achterlaten, bij overlijden) leave (behind); 2 (niet meer doen) leave off; 3 (niet doen) omit, fail; neglect [one's duties]; *ik kan niet ~ te... I* cannot help (forbear, refrain from) ...ing.

nalatenschap [na.'la.tənsxɑp] *v* inheritance; (boedel) estate.

nalatig [-'la.təx] negligent, neglectful, remiss, careless; *een ~e betaler* a bad payer.

nalatigheid [-hɛit] *v* 1 negligence, remissness, carelessness; 2 dereliction of duty.

nalating ['na.la.tɪŋ] *v* omission.

naleven [-le.və(n)] *vt* live up to [a principle]; observe [certain rules], fulfil [instructions].

naleveren [-le.vərə(n)] *vt* deliver subsequently.

nalevering [-rɪŋ] *v* subsequent delivery.

naleving ['na.le.vɪŋ] *v* living up to [principles &], observance [of rules], fulfilment.

nalezen [-le.zə(n)] *vt* 1 peruse, read over; 2 glean² [a field &].

nalezing [-le.zɪŋ] *v* 1 perusal; 2 gleaning [of a field]; gleaning [from books].

nalopen [-lo.pə(n)] **I** *vt* run after²; follow²; *ik kan niet alles ~* F I can't attend to everything; **II** *vi* be slow [of a watch]; *mijn horloge loopt iedere dag een minuut na* my watch loses one minute à day.

namaak ['na.ma.k] *m* imitation, counterfeit, forgery; *wacht U voor ~* beware of imitations.

namaaksel [-səl] *o* imitation.

namaken ['na.ma.kə(n)] *vt* 1 copy, imitate [a model]; 2 counterfeit, forge [a signature].

name ['na.mə] in: *met ~* especially, notably; *met ~ noemen* name (mention) expressly; *ten ~ van* in the name of.

namelijk [-lək] namely, viz., to wit; (want, immers) for; *ik wist ~ niet...* the fact is that I didn't know...

nameloos [-lo.s] nameless, unutterable, unspeakable; zie ook: *naamloos*.

Namen ['na.mə(n)] *o* Namur.

namens [-məns] in the name of, on behalf of.

nameten ['na.me.tə(n)] *vt* measure again, check.

namiddag [na.'mɪdɑx] *m* afternoon; *des ~s* in the afternoon; *om 3 uur in de ~* ook: at 3 p.m.

nanacht ['na.nɑxt] *m* latter part of the night.

nanking ['nɑŋkɪŋ] *o* nankeen.

naogen ['na.o.gə(n)] *vt* follow with one's eyes, watch.

naontsteking [-òntste.kɪŋ] *v* ⚒ retarded ignition.

naoogst [-o.xst] *m* after-crop.

naoorlogs [-o:rlɔxs] post-war.

nap [nɑp] *m* cup, bowl, basin, porringer.

Napels ['na.pəls] **I** *o* Naples; **II** *aj* Neapolitan.

napluizen ['na.plœyzə(n)] *vt* ferret into, investigate.

Napoleon [na.'po.le.òn] *m* Napoleon.

napoleon [na.'po.le.òn] *m* napoleon [coin].

Napoleontisch [-po.le.'ònti.s] Napoleonic.

Napolitaan(s) [-li.'ta.n(s)] *m* (& *aj*) Neapolitan.

napraten ['na.pra.tə(n)] **I** *vt* parrot [a man], echo [a man's words], repeat [his words]; **II** *vi* in: *nog wat ~* remain talking, have a talk after the meeting (the session &).

napret [-prɛt] *v* jollification after the feast.

nar [nɑr] *m* fool, jester.

narcis ['nɑrsɪs] *v* ✿ narcissus, daffodil.

narcisme [nɑr'sɪsmə] *o ps* narcissism.

narcose [nɑr'ko.zə] *v* narcosis, anaesthesia;

onder ~ brengen narcotize, anaesthetize; *onder ~ zijn* be under the anaesthetic.

narcoticum [-'ko.ti.kŭm] *o* narcotic.

narcotisch [-'ko.ti.s] narcotic; *~ middel* narcotic.

narcotiseren [-ko.ti.'ze:rə(n)] *vt* narcotize, anaesthetize.

narcotiseur [-ti.'zø:r] *m* anaesthetist.

narcotize- zie *narcotise-*.

nardus ['nɑrdŭs] *m* ✿ nard, spikenard.

narede ['na.re.də] *v* epilogue.

narekenen [-re.kənə(n)] *vt* 1 check; 2 (berekenen) calculate.

narennen [-rɛnə(n)] *vt* run (gallop) after.

narigheid ['na.rəxɛit] *v* trouble, misery.

narijden ['na.rɛi(d)ə(n)] *vt* ride (drive) after; *iemand (flink) ~* keep one on a tight rein, keep him well up to his work.

naroepen [-ru.pə(n)] *vt* 1 call after; 2 (uitschelden) call names.

narrenkap ['nɑrə(n)kɑp] *v* fool's cap, cap and bells.

narrenpak [-pɑk] *o* motley, fool's dress.

narwal ['nɑrvɑl] *m* ✿ narwhal.

nasaal [na.'za.l] **I** *aj* nasal; **II** *ad* nasally; **III** *v* nasal.

naschetsen ['na.sxɛtsə(n)] *vt* sketch, copy.

naschilderen [-sxɪldərə(n)] *vt* copy.

naschreeuwen [-s(x)re.və(n)] *vt* cry (bawl) after; *iemand ~* hoot at a person.

naschrift [-s(x)rɪft] *o* postscript.

naschrijven [-s(x)rɛivə(n)] *vt* copy [a model], plagiarize [an author].

naschrijver [-vər] *m* copyist; plagiarist.

naslaan ['na.sla.n] *vt* look up [a word]; consult [a book].

naslagboek [-slɑxbu.k] *~werk* [-vɛrk] *o* book of reference, reference book, work of reference, reference work.

nasleep [-sle.p] *m* train (of consequences); *de ~ van de oorlog* war's aftermath.

naslepen [-sle.pə(n)] **I** *vt* drag after; **II** *vi* drag (trail) behind.

nasluipen [-slœypə(n)] *vt* steal after.

nasmaak [-sma.k] *m* after-taste, tang; *een bittere ~ hebben* leave a bitter taste.

nasnellen [-snɛlə(n)] *vt* run (hasten) after.

nasnuffelen [-snŭfələ(n)] *vt* pry into [a secret]; ferret in [one's pockets].

naspel [-spɛl] *o* 1 (v. toneelstuk) afterpiece; 2 ♪ (concluding) voluntary; 3 *fig* sequel, aftermath.

naspellen [-spɛlə(n)] *vt* spell after; spell again.

naspeuren [-spø:rə(n)] *vt* trace, track, investigate.

nasporen [-spo:rə(n)] *vt* trace, investigate.

nasporing [-rɪŋ] *v* investigation; *zijn ~en* ook: his researches.

naspreken ['na.spre.kə(n)] *vt* repeat [my words]; > echo, parrot.

naspringen [-sprɪŋə(n)] *vt* leap (jump) after.

nastaren [-sta.rə(n)] *vt* gaze (stare) after.

nastreven [-stre.və(n)] *vt* strive after, pursue [happiness, wealth &]; emulate [a person]; *het* ~ the pursuit [of a policy &].

nasynchronisatie [-sɪngro.ni.ˈza.(t)si.] *v* dubbing.

nasynchroniseren [-ˈze:rə(n)] *vt* dub [a film].

nasynchroniz- zie *nasynchronis-*.

nasynkronisatie [ˈna.sɪnkro.ni.za.(t)si.] = *nasynchronisatie.*

nasynkroniseren [-kro.ni.ze:rə(n)] = *nasynchroniseren.*

nasynkroniz- zie *nasynkronis-*.

nat [nɑt] I *aj* wet; (vochtig) moist, damp; *zo* ~ *als een kat* as wet as a fish; ~ *van transpiratie* wet with perspiration; *hij is (een broeder) van de* ~*te gemeente* he is a tippler; ~ *maken* wet; II *o* wet, liquid; *het is een pot* ~ zie *potnat.*

natafelen [ˈna.ta.fələ(n)] *vi* remain at table after dinner is over.

natekenen [-te.kənə(n)] *vt* copy, draw [from a model].

natellen [-tɛlə(n)] *vt* count over, count again, check.

natheid [ˈnatheit] *v* wetness, moistness, dampness.

natie [ˈna.(t)si.] *v* nation.

natievlag [-vlɑx] *v* ⚓ ensign.

nationaal [na.(t)si.o.ˈna.l] national.

nationalisatie [-na.li.ˈza.(t)si.] *v* nationalization.

nationaliseren [-li.ˈze:rə(n)] *vt* nationalize.

nationalisme [-ˈlɪsmə] *o* nationalism.

nationalist [-ˈlɪst] *m* nationalist.

nationalistisch [-ˈlɪsti.s] nationalistic [state of mind], [they are very] nationalistic; nationalist [party, press].

nationaliteit [-li.ˈtɛit] *v* nationality.

nationaliteitsbewijs [-ˈtɛitsbəveis] *o* certificate of nationality.

nationaliteitsgevoel [-gəvu.l] *o* national feeling.

nationalizatie zie *nationalisatie.*

nationalizeren zie *nationaliseren.*

natrekken [ˈna.trɛkə(n)] *vt* I go after, march after [the enemy &]; 2 trace, copy [a drawing].

natrillen [-trɪlə(n)] *vi* continue to vibrate.

natrium [ˈna.tri.ũm] *o* sodium.

natriumlamp [-lɑmp] *v* sodium-vapour lamp.

natron [ˈna.trɔn] *o* natron.

nattig [ˈnɑtəx] wet(tish).

nattigheid [-heit] *v* wetness, wet, damp.

natura [na.ˈty:ra.] in: *in* ~ in kind.

naturalisatie [-ra.li.ˈza.(t)si.] *v* naturalization.

naturaliseren [-ˈze:rə(n)] *vt* naturalize; *zich laten* ~ take out letters of naturalization.

naturalistisch [na.ty:ra.ˈlɪsti.s] *aj* (& *ad*) naturalistic(ally).

naturalizatie zie *naturalisatie.*

naturalizeren zie *naturaliseren.*

natuur [na.ˈty:r] *v* I nature; 2 (natural) scenery; 3 disposition, temper; *de* ~ *is er erg mooi*

the scenery is very beautiful there; *er zijn van die naturen die*... there are natures who...; *in de vrije* ~ in the open air; *naar de* ~ from nature; *overeenkomstig de* ~ according to nature; *tegen de* ~ against nature; *van nature* by nature, naturally; *dat is bij hem een tweede* ~ *geworden* it has become a second nature with him; *de* ~ *is sterker dan de leer* nature passes nurture.

natuurbad [-bɑt] *o* lido.

natuurbescherming [-bəsxɛrmɪŋ] *v* protection of nature.

natuurbeschrijving [-bəs(x)rɛivɪŋ] *v* description of nature.

natuurboter [-bo.tər] *v* natural butter.

natuurgetrouw [-gətrɔu] I true to nature; II true to life.

natuurhistorisch [na.ty:rhɪsˈto:ri.s] natural-historical, natural history [society].

natuurkenner [na.ˈty:rkɛnər] *m* naturalist, natural philosopher.

natuurkennis [-kɛnəs] *v* natural history; zie ook: *natuurkunde.*

natuurkracht [-krɑxt] *v* force of nature.

natuurkunde [-kűndə] *v* physics, (natural) science.

natuurkundig [na.ty:rˈkűndəx] *aj* (& *ad*) physical(ly); ~ *laboratorium* physics laboratory; ~*e* natural philosopher physicist.

natuurlijk [na.ˈty:rlək] I *aj* natural; ~*e aanleg* natural bent; ~*e historie* natural history; ~ *kind* I natural (artless) child; 2 natural child, child born out of wedlock; II *ad* naturally; ~! of course!

natuurlijkerwijs, -wijze [na.ty:rləkərˈveis, -ˈveizə] naturally.

natuurlijkheid [na.ˈty:rləkheit] *v* naturalness, artlessness.

natuurmens [na.ˈty:rmɛns] *m* natural man.

natuurmonument [-mo.ny.mɛnt] *o* place of natural beauty.

natuuronderzoeker [-òndərzu.kər] *m* naturalist.

natuurramp [naˈty:rɑmp] *v* natural calamity (catastrophe, disaster).

natuurrecht [-rɛxt] *o* natural right.

natuurreservaat [-re.zərva.t] *o* nature reserve.

natuurschoon [na.ˈty:rsxo.n] *o* (beautiful) scenery; *ons* ~ our beauty spots.

natuurstaat [-sta.t] *m* original state; *in de* ~ in a state of nature; *tot de* ~ *terugkeren* return to a state of nature.

natuursteen [-ste.n] *o* & *m* natural stone.

natuurtafereel [-ta.fre.l] *o* scene of natural beauty.

natuurverschijnsel [-vərsxɛinsəl] *o* natural phenomenon [*mv* natural phenomena].

natuurvorser [-vorsər] *m* naturalist.

natuurvriend [-vri.nt] *m* lover of nature, nature lover.

natuurwet [-vɛt] *v* law of nature, natural law.

natuurwetenschap(pen) [-ve.tənsxap(ə(n))] *v* (*mv*) (natural) science.

nautiek [nɔu'ti.k] *v* nautical science.
nautilus ['nouti.lŭs] *m* nautilus.
nauw [nou] I *aj* 1 (eng) narrow [road &]; tight [dress]; 2 *fig* close [friendship &]; II *ad* narrowly; tightly; closely [related]; ~ *bij elkaar* close together; ~ *merkbaar* scarcely perceptible; *hij neemt het (kijkt) zo* ~ *niet* he is not so very particular; III *o* 1 ⚓ strait(s); 2 *fig* scrape; *het N*~ *van Calais* the Straits of Dover; *in het* ~ *zitten* be in a scrape, be in a (tight) corner, be hard pressed; *iemand in het* ~ *brengen* press a person hard, drive one into a corner.
nauwelijks ['nouələks] scarcely, hardly, barely; ~... *of*... scarcely (hardly)... when...; *no sooner... than...*
nauwgezet [nouɡə'zɛt] I *aj* conscientious; painstaking; punctual; II *ad* conscientiously; punctually.
nauwgezetheid [-hɛit] *v* conscientiousness; punctuality.
nauwheid ['nouhɛit] *v* narrowness; tightness.
nauwkeurig [nou'kø:rəx] *aj* (& *ad*) exact(ly), accurate(ly), close(ly).
nauwkeurigheid [-hɛit] *v* exactness, accuracy.
nauwlettend [nou'lɛtənt] I *aj* close, exact, accurate, strict, particular; ~*e zorg* anxious care; II *ad* closely, exactly, accurately, strictly.
nauwlettendheid [-hɛit] *v* exactness, accuracy.
nauwsluitend ['nouslœytənt] close-fitting.
nauwte [-tə] *v* ⚓ strait(s), narrows.
nauwziend [-zi.nt] particular.
navel ['na.vəl] *m* navel, § umbilicus.
navenant [na.və'nɑnt] zie *naar gelang.*
navertellen ['na.vərtələ(n)] *vt* repeat.
naverwant [-vərvɑnt] I *aj* closely related; II *sb* ~*en* relations.
navigatie [na.vi.'ɡa.(t)si.] *v* navigation.
navigator [-'ɡa.tɔr] *m* navigator [ook ✈].
navliegen ['na.vli.ɡə(n)] *vt* fly after.
navolgbaar [na.'vɔlxba:r] imitable.
navolgen [' na.vɔlɡə(n)] *vt* follow, imitate.
navolgend [-ɡənt] following.
navolgenswaard(ig) [na.vɔlɡəns'va:rt, -'va:rdəx] worthy of imitation.
navolger ['na.vɔlɡər] *m* follower, imitator.
navolging [-ɡɪŋ] *v* imitation.
navordering ['na.vɔrdərɪŋ] *v* (v. belasting) additional assessment.
navorsen [-vɔrsə(n)] *vt* investigate, search (into).
navorser [-sər] *m* investigator.
navorsing [-sɪŋ] *v* investigation; *zijn* ~*en* ook: his researches.
navraag ['na.vra.x] *v* inquiry; $ demand; *er is veel* ~ *naar* $ it is in great demand; ~ *doen naar* inquire after; *bij* ~ on inquiry.
navragen [-vra.ɡə(n)] *vi* inquire.
navrant [na.'vrɑnt] harrowing, sickening.
naweeën ['na.ve.ə(n)] *mv fig* after-effects, aftermath.

nawegen [-ve.ɡə(n)] *vt* reweigh, weigh again.
nawerken [-vɛrkə(n)] *vi* produce after-effects.
nawerking [-kɪŋ] *v* after-effect(s).
nawijzen ['na.vɛizə(n)] *vt* point after (at); zie ook: *vinger.*
nawinter [-vɪntər] *m* latter part of the winter.
⊙ **nazaat** [-za.t] *m* descendant.
Nazarener [na.za.'re.nər] *m* Nazarene.
Nazaret ['na.za.rɛt] *o* Nazareth.
nazeggen ['na.zɛɡə(n)] *vt* repeat.
nazenden [-zɛndə(n)] *vt* send (on) after, forward.
nazetten [-zɛtə(n)] *vt* pursue, chase. [ward.
nazi ['na.tsi.] *m* & *aj* Nazi.
nazien ['na.zi.n] *vt* 1 (naogen) look after, follow with one's eyes [a person]; 2 (kritisch nagaan) examine; ✗ overhaul [a machine, a bicycle &]; go over [one's lessons]; 3 (verbeteren) correct [exercises]; *ik zal het eens* ~ I'll look it up [in the dictionary].
nazitten [-zɪtə(n)] I *vi* in: *moeten* ~ be kept in [at school]; II *vt* pursue; zie ook: *narijden.*
nazomer [-zo.mər] *m* latter part of the summer; *mooie* ~ Indian summer, St. Martin's summer.
nazorg [-zɔrx] *v* after-care.
N.B. = *noorderbreedte; nota bene.*
n. Chr. [na.'krɪstŭs] = *na Christus* A.D.
ndl. = *Nederlands.*
necessaire [ne.sɛ'sɛ:rə] *m* 1 (met toiletbenodigdheden) dressing-case, toilet-case, hold-all; 2 (met naaigerei) housewife.
necrologie [ne.kro.lo.'ɡi.] *v* necrology.
necroloog [-'lo.x] *m* necrologist.
nectar ['nɛktar] *m* nectar.
neder ['ne.dər] = *neer.*
Nederduits ['ne.dərdœyts] *o*, *aj* Low German.
nederig ['ne.dərəx] I *aj* humble, lowly; II *ad* humbly.
nederigheid [-hɛit] *v* humility, humbleness, lowliness.
nederlaag ['ne.dərla.x] *v* ✗ defeat, reverse, overthrow; *de* ~ *lijden* suffer defeat, be defeated; *de vijand een zware* ~ *toebrengen* inflict a heavy defeat upon the enemy.
Nederland [-lɑnt] *o* the Netherlands; *de* ~*en* the Netherlands.
Nederlander [-lɑndər] *m* Dutchman.
Nederlanderschap [-lɑndərsxɑp] *o* Dutch nationality.
Nederlands [-lɑnts] I *aj* Dutch, Netherlands; II *o het* ~ Dutch.
nederwaarts ['ne.dərva:rts] = *neerwaarts.*
nederzetting ['ne.dərzɛtɪŋ] *v* settlement.
nee [ne.] = *neen.*
neef [ne.f] *m* 1 (broeders- of zusterszoon) nephew; 2 (ooms- of tanteszoon) cousin; *ze zijn* ~ *en nicht* they are cousins.
neen [ne.n] no; ~ *maar!* well I never!; ~ *zeggen* say no, refuse; *hij zei van* ~ he said no; *met* ~ *beantwoorden* answer in the negative.
neer [ne:r] down.

neerbuigen ['ne:rbœygə(n)] I *vi* bend (bow) down; II *vt* bend down; III *vr* zich ~ bow (kneel) down.

neerbuigend [ne:r'bœygənt] condescending.

neerbuigendheid [-hɛit] *v* condescension.

neerdalen ['ne:rda.lə(n)] *vi* come down, descend.

neerdaling [-lɪŋ] *v* descent.

neerdoen ['ne:rdu.n] *vt* let down.

neerdraaien [-dra.jə(n)] *vt* turn down.

neerdrukken [-drŭkə(n)] *vt* press down, weigh down, oppress².

neerduwen [-dy.və(n)] *vt* push (thrust) down.

neergooien [-go.jə(n)] *vt* throw (fling) down [something]; throw up [one's cards, *fig* one's berth]; *de boel er bij* ~ F chuck the whole thing.

neerhaal [-ha.l] *m* downstroke [in writing].

neerhalen [-ha.lə(n)] *vt* pull down, haul down [a flag], lower; bring down [aircraft].

neerhangen [-haŋə(n)] *vi* hang down, droop.

neerhurken [-hŭrkə(n)] *vi* squat (down).

neerknielen [-kni.lə(n)] *vi* kneel down.

neerkomen [-ko.mə(n)] *vi* come down; ~ *op een tak* alight on a branch; *daar komt het op neer* it comes (amounts) to this; *het komt alles op hetzelfde neer* it comes to the same thing, it works out the same in the end; *alles komt op hem neer* all falls on his shoulders (on him).

neerkwakken [-kʋakə(n)] *vt* dump down.

neerlaten ['ne:rla.tə(n)] *vt* 1 let down, lower [a blind]; 2 drop [a perpendicular, a parachutist].

neerleggen [-lɛgə(n)] I *vt* lay down, put down; *zijn ambt* ~ resign (one's office); *zijn betrekking* ~ lay down (vacate) one's office; *het commando* ~ relinquish the command; *ik moest 25 gulden* ~ I had to put down 25 guilders; *zijn hoofd* ~ lay down one's head²; *de kroon* ~ abdicate (the throne); *de praktijk* ~ retire from practice; *veel vijanden* ~ shoot (kill) many enemies; *de wapens* ~ lay down one's arms; *het werk* ~ 1 (gewoon) cease (stop) work; 2 (bij staking) strike work, strike; *zoveel stuks wild* ~ bring down (kill) so many head of game; *in dit boek heb ik... neergelegd* this book embodies...; *naast zich* ~ disregard, ignore, take no notice of; II *vr in: zich bij iets* ~ acquiesce in it; accept the fact; *men moet er zich maar bij* ~ one can only resign oneself to it; *zich* ~ *bij het vonnis* defer to the verdict.

neerliggen [-lɪgə(n)] *vi* lie down.

neerploffen [-plŏfə(n)] I *vr* dash down; II *vi* fall down (come down) with a thud.

neersabelen [-sa.bələ(n)] *vt* cut down, put to the sword.

neerschieten [-sxi.tə(n)] I *vt* shoot down [a bird &]; shoot [a man]; bring down [aircraft]; II *vi* dart down, dash down [upon...]; ~ *op* ook: pounce upon.

neerschrijven [-s(x)rɛivə(n)] *vt* write down.

neerslaan [-sla.n] I *vt* strike down [a person]; cast down [the eyes]; let down [a flap &]; lower [a hood]; precipitate [a substance]; *fig* dishearten; beat down [resistance]; II *vi* 1 be struck down; 2 (in scheikunde) precipitate.

neerslachtig [ne:r'slʌxtəx] dejected, low-spirited, depressed.

neerslachtigheid [-hɛit] *v* dejection, low spirits depression of spirits.

neerslag ['ne:rslʌx] I *m* ♪ down-beat; (regen &) precipitation; 2 *m* & *o* (in de scheikunde) precipitation; precipitate; (bezinksel) deposit; sediment; *radioactieve* ~ fall-out.

neersmijten [-smɛitə(n)] *vt* throw down, fling down.

neerstorten [-stɔrtə(n)] I *vi* 1 fall down; 2 ✈ crash; II *vt* fling down.

neerstorting [-tɪŋ] *v* 1 falling down; 2 ✈ crash.

neerstrijken ['ne:rstrɛikə(n)] *vi* alight [on a branch &].

neerstromen [-stro.mə(n)] *vi* stream down.

neertellen [-tɛlə(n)] *vt* count down.

neertrekken [-trɛkə(n)] *vt* pull down, draw down.

neertuimelen [-tœymələ(n)] *vi* tumble down.

neervallen [-vɑlə(n)] *vi* fall down, drop.

neervellen [-vɛlə(n)] *vt* fell, strike down, lay low.

neervlijen [-vlɛiə(n)] I *vt* lay down; II *vr* zich ~ lie down.

neerwaarts ['ne:rva:rts] I *aj* downward; II *ad* downward(s).

neerwerpen [-vɛrpə(n)] I *vt* cast (throw, fling, hurl) down; ✈ drop, parachute; II *vr* zich ~ throw oneself down.

neerzetten [-zɛtə(n)] I *vt* set (put) down; II *vr* zich ~ 1 sit down; 2 settle [in India &].

neerzien [-zi.n] *vi* look down (upon *op*).

neerzijgen, neerzinken [-zɛigə(n), -zɪŋkə(n)] *vi* sink down; ~ *in* sink into [an armchair &].

neerzitten [-zɪtə(n)] *vi* sit down.

negatief [ne.ga.'ti.f] I *aj* negative; II *ad* negatively; III *o* negative.

negen ['ne.gə(n)] nine; *alle* ~ *gooien* throw all nine.

negende ['ne.gəndə] ninth (part).

negenjarig [-ja.rəx] of nine years, nine-year-old.

negenoog [-o.x] *v* 1 🐟 lamprey; 2 🌶 carbuncle.

negental [-tɑl] *o* nine.

negentien [-ti.n] nineteen.

negentiende [-ti.ndə] nineteenth (part).

negentig [-təx] ninety.

negentigjarig [-ja.rəx] of ninety years; *een* ~*e* a nonagenarian.

negentigste [-stə] ninetieth (part).

negenvoud ['ne.gə(n)vɑut] *o* multiple of nine.

negenvoudig [-vɑudəx] ninefold.

neger ['ne.gər] *m* negro, > nigger.

negerbevolking [-bəvɔlkɪŋ] *v* negro population.

negerbloed [-blu.t] *o* negro blood.

1 **negeren** ['ne.ɡərə(n)] *vt* bully, dragoon, hector.

2 **negeren** [nə'ɡe:rə(n)] *vt* ignore [a thing, a person]; cut [a person].

negerij [ne.ɡə'rɛi] *v* in: *zo'n ∼* F such a doghole of a place.

negerin [-'rɪn] *v* negress.

negertaal ['ne.ɡərta.l] *v* negro language.

negligé [ne.ɡli.'ʒe.] *o* undress, dishabille; *in ∼* in undress.

negorij [ne.ɡo:'rɛi] = *negerij*.

negotie [nə'ɡo.(t)si.] *v* trade; *zijn ∼* his wares.

negrito [ne.'ɡri.to.] *m-v* negrito.

neigen ['nɛiɡə(n)] I *vi* incline, bend; *ter kimme ∼* decline; *ten val ∼* totter to its ruin; *geneigd tot...* zie *geneigd*; II *vt* incline, bend [one's head].

neiging [-ɡɪŋ] *v* leaning (towards *to*), propensity, tendency, bent, inclination; *∼ voelen om...* feel inclined to...

nek [nɛk] *m* back of the neck, nape of the neck; *hij heeft een stijve ∼* he has got a stiff neck; *∼ aan ∼ sp* neck and neck; *zij zien hem met de ∼ aan* they give him the cold shoulder; *iemand de ∼ breken* break a person's neck; *dat zal hem de ∼ breken* that will be his undoing; *iemand in de ∼ zien* F do one in the eye.

nekhaar ['nɛkha:r] *o* hair of the nape.

nekken ['nɛkə(n)] *vt* kill; *een voorstel ∼* S kill (wreck) a proposal; *dat heeft hem genekt* that has been his undoing.

nekkramp ['nɛkramp] *v* cerebro-spinal meningitis.

nekro- zie *necro-*.

nekschot ['nɛksxɔt] *o* shot in the back of the neck.

nekslag [-slɑx] *m* stroke in the neck; *fig* death-blow.

nekspier [-spi:r] *v* cervical muscle.

nektar zie *nectar*.

nekvel [-fɛl] *o* scruff of the neck.

Nel [nɛl] *v* Cornelia.

nemen ['ne.mə(n)] *vt* 1 take [something]; 2 (bij het schaken &) take, capture [a piece]; 3 ✕ take, carry [a fortress]; 4 (springen over) take, negotiate [the hurdles]; 5 (bespreken) take, engage, book [seats]; 6 (iemand voor de gek houden) F fool [a person], pull a person's leg; 7 (bedotten) F take in, do, cheat [a person]; *dat neem ik niet!* F I am not having this; *ik zou 't niet ∼* S I wouldn't stand for it; *het ∼ zoals het valt* take things just as they come; *iemand bij de arm ∼* take one by the arm; *iets op zich ∼* undertake to do it; *het bevel op zich ∼* take command; *een taak op zich ∼* shoulder a task; *tot zich ∼* 1 take [food]; 2 adopt [an orphan]; *een horloge uit elkaar ∼* take a watch to pieces; *het er goed van ∼* do oneself well; zie ook: *aanvang* &.

nemer [-mər] *m* 1 taker; 2 $ (afnemer) buyer;

(v. wissel) payee.

Nemesis ['ne.məzɪs] *v* Nemesis.

neofiet [ne.o.'fi.t] *m* neophyte.

neologisme [ne.o.lo.'ɡɪsmə] *o* neologism.

neon ['ne.ɔn] *o* neon.

neonbuis [-bœys] *v* neon tube.

nepotisme [ne.po.'tɪsmə] *o* nepotism.

Neptunus [nɛp'ty.nʉs] *m* Neptune.

nerf [nɛrf] *v* rib, nerve, vein; grain [of wood].

nergens ['nɛrɡəns] nowhere; *∼ toe dienen* zie *dienen*; *∼ om geven* care for nothing; *het is ∼ goed voor* it is good for nothing.

nering ['ne:rɪŋ] *v* $ 1 trade, retail trade; 2 custom, goodwill; *∼ doen* keep a shop; *drukke ∼ hebben* do a roaring trade.

neringdoende [-du.ndə] *m* tradesman, shopkeeper.

Nero ['ne:ro.] *m* Nero[2].

nerts [nɛrts] 1 *m* ✠ mink; 2 *o* (bont) mink.

nervatuur [nɛrva.'ty:r] *v* nervation.

nerveus [-'vø.s] I *aj* nervous, F nervy; II *ad* nervously.

nervositeit [-vo.zi.'tɛit] *v* nervousness.

nest [nɛst] *o* 1 nest [of birds &]; eyrie [of a bird of prey]; 2 litter [of pups], set [of kittens]; 3 > dog-hole, hole [of a place]; 4 F bed; 5 *fig* minx, proud little thing.

nestei ['nɛstɛi] *o* nest-egg.

nestel ['nɛstəl] *m* lace, shoulder-knot, tag.

nestelen ['nɛstələ(n)] I *vi* nest, make its (their) nest; II *vr zich ∼* nestle [*fig*]; *de vijand had zich daar genesteld* ✕ the enemy had lodged himself there.

nesteling [-lɪŋ] *m* ✠ nestling.

nestharen ['nɛstha:rə(n)] *mv* first hair, down.

nestkastje [-kɑʃə] *o* nest-box, nesting-box.

nestkuiken [-kœykə(n)] *o* ✠ nestling.

Nestor ['nɛstər] *m* Nestor.

nestor ['nɛstər] Nestor; *∼ van de Kamer* "Father" of the House.

nestveren ['nɛstfe:rə(n)] *mv* first feathers, down.

nestvogel [-fo.ɡəl] *m* nestling.

nestvol [-fɔl] *o* nestful; *een ∼ kinderen* a quiverful of children.

1 **net** [nɛt] *o* 1 net [of a fisherman &]; 2 string bag [for shopping]; 3 rack [in railway carriage]; 4 network [of railways], [railway, electricity, telephone &] system; *zijn ∼ ten uitwerpen* cast one's nets[2]; *achter het ∼ vissen* come a day after the fair, be too late; *zij heeft hem in haar ∼ ten gelokt* she has netted him; *in het ∼ vallen* be netted[2], *fig* fall into the trap.

2 **net** [nɛt] I *aj* 1 (net gemaakt) neat; 2 (aardig) smart, trim; 3 (proper) tidy, clean; 4 (fatsoenlijk) decent, nice [girls], respectable [boys, quarters]; II *o* fair copy; *in het ∼ schrijven* copy fair, make a fair copy of; III *ad* 1 neatly, decently; 2 < just; *∼ genoeg* just enough; *hij is ∼ vertrokken* he has juss left, he left this minute; *het is ∼ zes uur* it is just six o'clock; *∼ mijn idee* precisely my

idea; *zij is ~ een jongen* quite a boy; *dat is ~ wat (iets) voor hem* I the very thing for him; 2 that is just like him; ~ *zo* in exactly the same manner; ~ *zo lang tot...* until (at last)...; *hij is er nog ~ door* he has got through by the skin of his teeth; *het kan er ~ in* it just fits in; *ik heb hem ~ nog gezien* I saw him just now.

netel ['ne.tǝl] *v* ☙ nettle.

neteldoek [-du.k] *o & m* muslin.

neteldoeks [-du.ks] *aj* muslin.

netelig ['ne.tǝlǝx] thorny, knotty, ticklish [situation].

neteligheid [-hɛit] *v* thorniness, ticklishness.

netheid ['nethɛit] *v* I neatness, tidiness; 2 cleanness; 3 respectability.

netjes ['nɛcǝs] I *ad* neatly; nicely; prettily; *ik moest ~ betalen* there was nothing for it but to pay; ~ *eten* eat prettily; *een kamer ~ houden* keep a room tidy (clean); *zich ~ kleden* dress neatly; II *aj* in: *dat is (staat) niet ~* that is not becoming, not good form; *dat is niet ~ van hem* it is not nice of him; zie ook: 2 *net* I.

netschrift ['nɛts(x)rɪft] *o* fair copy; ⇨ fair-copy book.

nettenboeter ['nɛtǝ(n)bu.tǝr] *m* mender of nets.

nettenknoper [-kno.pǝr] *m* net-maker.

netto ['nɛto.] $ net; ~ *à contant* net cash; ~ *gewicht* net weight; ~*-opbrengst* (~-*provenu*) net proceeds.

netvleugelig ['nɛtflø.gǝlǝx] net-winged.

netvlies [-fli.s] *o* retina.

netvormig [-fɔrmǝx] reticular.

netwerk [-vɛrk] *o* network[2].

neurastenicus zie *neurasthenicus*.

neurasthenicus [nø:rɑs'te.ni.kȳs] *m* neurasthenic.

Neurenberg ['nø:rǝnbɛrx] *o* Nuremberg.

Neurenberger [-bɛrgǝr] I *aj* Nuremberg; II *m* Nuremberger.

neuriën ['nø:ri.ǝ(n)] *vt & vi* hum.

neurologie [nø:ro.lo.'gi.] *v* neurology.

neuroloog ['-'lo.x] *m* neurologist.

neurose [nø:'ro.zǝ] *v* neurosis [*mv* neuroses].

neuroticus ['-'ro.ti.kȳs] *m* neurotic.

neurotisch [-'ro.ti.s] neurotic.

neus [nø.s] *m* nose [of man, a ship &]; nozzle [of a spout &]; toe-cap [of boot]; *dat is een wassen ~* that's a blind, a nose of wax; *zijn ~ buiten de deur steken* stick one's nose out of doors; *een lange ~ maken tegen iemand* make a long nose at a person, cock a snook at one; *zijn ~ nagaan* follow one's nose; *de ~ voor iets ophalen (optrekken)* turn up one's nose at it; *een fijne ~ hebben* have a fine nose; *zijn ~ overal in steken* poke (thrust) one's nose into everything; *de ~ in de wind steken* carry it high; *de neuzen tellen* count noses; *iem. bij de ~ nemen* take one in; *door zijn (de) ~ praten* speak through one's nose; *ik zei het zo langs mijn ~ weg* in my innocent way; *hij zit altijd met zijn ~ in de boeken* he is always poring over his books; *hij moet overal*

met zijn ~ bij zijn he wants to be present at everything; *iemand iets onder zijn (de) ~ wrijven* cast it in one's teeth, rub it in; *op zijn ~ (staan) kijken* look blank (foolish); *iemand iets vóór zijn ~ wegnemen* take it away from under his (very) nose; *het ligt vóór je ~* it is under your (very) nose; *iemand de deur voor de ~ dichtdoen* shut the door in a man's face; *dat gaat zijn ~ voorbij* that is not for him; *hij ziet niet verder dan zijn ~ lang is* he does not see beyond his nose.

neusbeen ['nø.sbe.n] *o* nasal bone.

neusbloeding [-blu.dɪŋ] *v* bleeding at (from) the nose.

neusgat [-gɑt] *o* nostril [of man & beast].

neusgeluid [-gǝlœyt] *o* nasal sound, nasal twang.

neusholte [-hɔltǝ] *v* nasal cavity.

neushoorn, -horen [-ho:rǝn] *m* ☙ rhinoceros.

neushoornvogel, -horenvogel [-vo.gǝl] *m* ☙ hornbill.

neusje ['nø.ʃǝ] *o* (little) nose; *het ~ van de zalm* the pick of the basket.

neuskegel ['nøske.gǝl] *m* nose cone.

neusklank [-klɑŋk] *m* nasal sound.

neusriem [-ri.m] *m* nose-band.

neusring [-rɪŋ] *m* nose-ring.

neusvleugel [-flø.gǝl] *m* wing of the nose.

neuswarmer [-vɑrmǝr] *m* F nose-warmer, cutty.

neuswijs [-vɛis] conceited, pert, cocky.

neuswijsheid [-hɛit] *v* conceitedness, pertness, cockiness.

neutraal [nø.'tra.l] I *aj* neutral; *de neutrale school* the undenominational (unsectarian, secular) school; II *ad* neutrally.

neutraliseren [-tra.li.'ze:rǝ(n)] *vt* neutralize.

neutraliteit [-'tɛit] *v* neutrality.

neutraliz- zie *neutralis-*.

neutron ['nœytròn] *o* neutron.

neutrum [-trȳm] *o* neuter.

neuzen ['nø:zǝ(n)] *vi* nose.

nevel ['ne.vǝl] *m* mist, haze.

nevelachtig [-ɑxtǝx] nebulous[2], misty[2], hazy[2].

nevelachtigheid [-hɛit] *v* nebulosity[2], mistiness[2], haziness[2].

nevelen ['ne.vǝlǝ(n)] *vi* in: *het nevelt* it is misty.

nevelig [-lǝx] misty, hazy.

nevelvlek ['ne.vǝlvlɛk] *v* nebula [*mv* nebulae].

nevengeschikt ['ne.vǝ(n)gǝsxɪkt] co-ordinate.

nevenindustrie [-ɪndȳstri.] *v* ancillary industry.

nevens ['ne.vǝns] zie *naast & benevens*.

nevenschikkend ['ne.vǝ(n)sxɪkǝnt] *gram* co-ordinative.

nevenschikking [-kɪŋ] *v gram* co-ordination.

nevensgaand ['ne.vǝnsga.nt] accompanying, enclosed.

nevenstaand ['ne.vǝ(n)sta.nt] adjoining.

nicht [nɪxt] *v* I (broeders- of zustersdochter) niece; 2 (ooms- of tantesdochter) cousin.

Nicolaas ['ni.ko.la.s] *m* Nicholas, F Nick.

nicotine [ni.ko.'ti.nǝ] *v* nicotine.

nicotinevergiftiging [-vərgɪftəgɪŋ] *v* nicotine poisoning.

niemand ['ni.mɑnt] nobody, no one, none; ~ anders dan... none other than...; ~ minder dan... no less a person than...; ~ niet? no one better?

niemandsland [-mɑntslɑnt] *o* no man's land.

niemendal [ni.mən'dɑl] nothing at all.

niemendalletje [-'dɑləcə] *o* F nothing, trifle.

nier [ni:r] *v* kidney.

nierlijder ['ni:rlɛi(d)ər] *m* nephritic patient.

nierontsteking [-òntstɛ.kɪŋ] *v* nephritis.

nierpijn [-pɛin] *v* nephritic pain.

niersteen [-ste.n] *m* 1 🜊 renal calculus, stone in the kidney; 2 (geologie) jade.

niervet [-vɛt] *o* kidney-suet.

niervormig [-vɔrməx] kidney-shaped.

nierziekte [-zi.ktə] *v* nephritic disease, renal disease.

niesen ['ni.zə(n)] = niezen.

nieskruid ['ni.skrœyt] *o* 🜊 hellebore.

niespoeder, -poeier [-pu.dər, -pu.jər] *o* & *m* sneezing-powder.

nieswortel [-vòrtəl] *m* zie nieskruid.

1 niet [ni.t] I *ad* not; ~ eens zie eens; ~ langer no longer; ~ te veel not too much, none too many; ~ dat ik... not that I...; geloof dat maar ~! don't you believe it!; dat is ~ onaardig that's rather nice; II 1 *o* nothingness; 2 *m* blank; in het ~ verzinken 1 sink into nothingness; 2 pale (sink) into insignificance (beside bij); om ~ for nothing, gratis; om ~ spelen play for love; te ~ doen nullify, annul, cancel, abolish; bring (reduce) to naught [plans, a fortune], dash [one's hopes]; te ~ gaan come to nothing, perish; uit het ~ te voorschijn roepen call up from nothingness; een ~ trekken draw a blank; als ~ komt tot iet kent iet zichzelf ~ set a beggar on horseback and he'll ride to the devil.

2 niet [ni.t] *m* 🜋 staple [for papers].

nieten ['ni.tə(n)] *vt* 🜋 staple.

nietig [-təx] 1 (niets betekenend) insignificant; 2 (onbeduidend) miserable, paltry [sums]; 3 (ongeldig) (null and) void; ~ verklaren declare null and void, annul, nullify.

nietigheid [-hɛit] *v* 1 (onbeduidendheid) insignificance; 2 (ongeldigheid) nullity; zulke nietigheden such futilities (nothings, trifles).

nietigverklaring [-fərkla:rɪŋ] *v* nullification, annulment.

nietje ['ni.cə] *o* 🜋 staple.

niet-leden ['ni.t'le.də(n)] *mv* non-members.

nietmachine ['ni.tma.ʃi.nə] *v* stapler.

niet-nakoming [-'na.ko.mɪŋ] *v* non-fulfilment.

niets [ni.ts] I *pron* nothing; ~ anders dan... nothing (else) than, nothing (else) but, zie ook: anders; ~ dan lof nothing but praise; ~ minder dan... nothing less than; ~ nieuws nothing new; het is ~! it is nothing!; of het

zo ~ is without more ado; ...is er ~ bij ...is nothing to this, S ...is not in it; het is ~ gedaan it's no good; om (voor) ~ for nothing; hij had niet voor ~ in Duitsland gewerkt not for nothing had he...; ~ voor ~ nothing for nothing; zij moet ~ van hem hebben she will have none of him; II *ad* nothing; ~ bang nothing afraid; ik heb er ~ geen lust in I've no mind at all to...; een man van ~ a good-for-nothing, F a rotter; III *o* nothingness.

nietsbeduidend, ~betekenend ['ni.tsbədœydənt, -te.kənənt] insignificant.

nietsdoen [du.n] *o* idleness.

nietsdoend [-du.nt] idle.

nietsdoener [-du.nər] *m* idler, do-nothing.

nietsnut [-nût] *m* good-for-nothing.

nietswaardig [-va:rdəx] worthless.

nietszeggend ['ni.tsɛgənt] uninforming, meaningless [look], non-committal [words]; inexpressive [features].

niettegenstaande [ni.te.gən'sta.ndə] I *prep* notwithstanding, in spite of; II *cj* although, though.

niettemin [ni.tə'mɪn] nevertheless, for all that.

nieuw [ni:u] I *aj* new; fresh [butter, courage, evidence &]; recent [news]; novel [idea]; modern [history, languages &]; ~ste mode latest fashion; II *ad* in: de ~ aangekomene the new-comer, the new arrival.

nieuwbakken ['ni:ubakə(n)] new [bread]; *fig* newfangled [theories].

nieuwbouw [-bəu] *m* new building; new buildings.

nieuweling ['ni.vəlɪŋ] *m* 1 novice, new-comer; beginner, tyro; 2 ☞ new boy.

nieuwerwets [ni.vər'vɛts] new-fashioned, novel, > newfangled.

nieuwheid ['ni:uhɛit] *v* newness.

nieuwigheid ['ni.vəxhɛit] *v* novelty, innovation.

nieuwjaar [ni:u'ja:r] *o* new year; een gelukkig (RK zalig) ~ I wish you a happy New Year.

nieuwjaarsdag [-ja:rs'dɑx] *m* New Year's Day.

nieuwjaarsgeschenk [-'ja:rsgəsxɛŋk] *o* New Year's gift (present).

nieuwjaarsgift [-gɪft] *v* New Year's gift.

nieuwjaarskaart [-ka:rt] *v* New Year's card.

nieuwjaarswens [-vɛns] *m* New Year's wish.

nieuwmodisch [ni:u'mo.di.s] new-fashioned, fashionable, stylish.

Nieuwpoort ['ni:upo:rt] *o* Nieuport.

nieuws [ni:us] *o* news, tidings, piece of news; geen ~? any news?; dat is geen ~ that is no news; dat is wat ~! that's something new (indeed)!; geen ~ goed ~ no news good news; het laatste ~ the latest intelligence; laatste ~ (in krant) stop-press; oud ~ ancient history; wat voor ~? what's the news?; het ~ van de dag the news of the day; niets ~ onder de zon nothing new under the sun.

nieuwsbericht ['ni:usbərıxt] *o* news item.

nieuwsblad [-blɑt] *o* newspaper.

Nieuw-Schotland [ni:u'sxɔtlɑnt] *o* Nova Scotia.

nieuwsgierig [ni:us'gi:rex] I *aj* inquisitive, curious; *ik ben ~ te horen...* I am anxious to know...; II *ad* inquisitively, curiously.

nieuwsgierigheid [-hɛit] *v* inquisitiveness, curiosity.

nieuwstijding ['ni:ustɛidɪŋ] *v* news, tidings.

nieuwtje ['ni:ucə] *o* 1 novelty; 2 piece of news; *het ~ is eraf* the gilt is off the gingerbread; *als het ~ eraf gaat* when the novelty wears off.

Nieuw-Zeeland [ni:u'ze.lɑnt] *o* New Zealand.

niezen ['ni.zə(n)] *vi* sneeze.

nihil ['ni.hil] nil.

nihilisme [ni.hi.'lɪsmə] *o* nihilism.

nihilist [-'lɪst] *m* **nihilistisch** [-'lɪsti.s] *aj* nihilist.

nijd [nɛit] *m* envy.

nijdas ['nɛidɑs] *m* crosspatch.

nijdig [-dəx] I *aj* angry; *~ worden* get angry, fly into a passion; II *ad* angrily.

nijdigaard ['nɛidəga:rt] *m* crosspatch.

nijdigheid ['nɛidəxhɛit] *v* anger.

nijdnagel ['nɛitna.gəl] = *nijnagel.*

nijgen ['nɛigə(n)] *vi* bow, make a bow, drop a curtsy, curtsy.

nijging [-gɪŋ] *v* bow, curtsy.

Nijl [nɛil] *m* Nile.

Nijldal ['nɛildɑl] *o* Nile valley.

nijlpaard [-pa:rt] *o* ⚘ hippopotamus.

nijnagel ['nɛi.na.gəl] *m* hang-nail, agnail.

nijpen ['nɛi.pə(n)] *vi & vt* pinch; *als het nijpt* when it comes to the pinch.

nijpend [-pənt] biting [cold]; dire [poverty]; acute [shortage, crisis].

nijptang ['nɛiptɑŋ] *v* (pair of) pincers.

nijver ['nɛivər] *aj* (& *ad*) industrious(ly), diligent(ly).

nijverheid [-hɛit] *v* industry.

nijverheidsschool [-hɛitsxo.l] *v* *lagere ~* technical school.

nijverheidstentoonstelling [-hɛitstɛnto.nstɛlɪŋ] *v* industrial exhibition.

nikkel ['nɪkəl] *o* nickel.

nikkelen ['nɪkələ(n)] nickel.

nikkelstuk ['nɪkəlstŭk] *o* nickel coin; *een ~ ook:* a nickel.

nikken ['nɪkə(n)] *vi* nod.

nikker ['nɪkər] *m* 1 (geest) imp, fiend; 2 (neger) nigger.

Nikolaas ['ni.ko.la.s] *m* Nicholas, F Nick.

niks [nɪks] P nothing, zie *niets.*

nimbus ['nɪmbŭs] *m* nimbus.

nimf [nɪmf] *v* nymph.

nimmer ['nɪmər] never.

nimmermeer [-me:r] nevermore, never again.

Nimrod ['nɪmrɔt] *m* Nimrod.

nimrod ['nɪmrɔt] *m* Nimrod.

Ninive ['ni.ni.ve.] *o* Nineveh.

nippel ['nɪpəl] *m* ⚘ nipple.

nippen [-pə(n)] *vi* sip.

nippertje [-pərcə] *o* in: *op het ~* in the (very) nick of time; *het was net op het ~* it was touch and go, it was a near thing.

nis [nɪs] *v* niche; recess [in a wall], embrasure [of a window].

nitraat [ni.'tra.t] *o* nitrate.

nitroglycerine [ni.tro.gli.sə'ri.nə] *v* nitroglycerine.

niveau [ni.'vo.] *o* level; *op hetzelfde ~ als...* on a level with...; *op universitair & ~* at university & level.

niveauverschil [-vərsxɪl] *o* difference in levels.

nivelleren [ni.vɛ'le:rə(n)] *vt* level (up, down).

nivellering [-rɪŋ] *v* levelling.

Nizza ['nɪdza.] *o* Nice.

nl. = *namelijk.*

n.m. = (*des*) *namiddag(s).*

N.O. = *noordoosten.*

n° ['ny.məro., 'nŭmər] = *numero, nummer* number.

Nr ['nŭmər] = *nummer* number.

Noach ['no.ɑx] *m* Noah.

nobel ['no.bəl] I *aj* noble; II *ad* nobly.

Nobelprijs [no.'bɛlprɛis] *m* Nobel prize.

noch [nɔx] neither... nor.

nochtans [-'tɑns] nevertheless, yet, still.

nocturne [nɔk'ty:rnə] *v* ♪ nocturne.

node ['no.də] reluctantly; *van ~ hebben (zijn)* zie *nodig hebben (zijn).*

nodeloos [-lo.s] *aj* (& *ad*) needless(ly).

nodeloosheid [-hɛit] *v* needlessness.

noden ['no.də(n)] *vt* invite; *zij laat zich niet ~* she does not need much pressing.

nodig [-dəx] I *aj* necessary, requisite, needful; *~ hebben* be in want of, want, be (stand) in need of, need; *je hebt er niet mee ~* it is no business of yours; *~ maken* necessitate; *~ zijn* be necessary, be needed; *blijf niet langer dan ~ is* than you need, than you can help; *daarvoor is... ~* there needs... for that; *meer dan ~ is* more than is necessary; *er is heel wat voor ~ om...* it takes a good deal to...; *zo ~* if needs be, if necessary; II *ad* necessarily, needs; III *o* in: *het ~e* what is necessary; the necessaries of life; *het ~e verrichten* $ do the needful; *het éne ~e* the one thing needful.

nodigen [-dəgə(n)] *vt* invite; zie ook: *noden.*

noemen ['nu.mə(n)] I *vt* name: call, style, term, denominate; *zij is naar haar moeder genoemd* she is named after her mother; *hoe noemt u dit?* what do you call this?; *feiten en cijfers ~* cite facts and figures; *om maar eens iets te ~* say [fifty guilders]; just to mention one; II *vr* *zich ~* call oneself.

noemenswaard(ig) [nu.məns'va:rt, -'va:rdəx] worth mentioning; *niets ~s* nothing to speak of.

noemer ['nu.mər] *m* denominator [of a fraction].

noen [nu.n] *m* noon.

noenmaal [nu.nma.l] *o* midday-meal, lunch.

noest [nu.st] I *aj* diligent, industrious; *zijn ~e vlijt* his unflagging industry; II *ad* diligently, industriously.

noestheid ['nu.sthɛit] *v* diligence, industry.

nog [nɔx] yet, still, besides, further; *als 't A.* ~ *was* if it was A. now!; ~ *een appel* another apple; ~ *enige* a few more; ~ *eens* once more, (once) again; ~ *eens zoveel* as much (many) again; *dat is* ~ *eens een hoed* that's something like a hat, S some hat!; ~ *erger* still worse, even worse; ~ *iets?* anything else?; ~ *geen maand geleden* less than a month ago; ~ *geen tien* not (quite) ten, under ten; ~ *(maar) vijf* only five (left); ~ *meer* [give me] (some) more; *wat* ~ *meer?* what besides?; *een* ~ *moeilijker taak* a yet more difficult task; ~ *niet* not yet; ~ *wat* some more; *wacht* ~ *wat* stay a little longer; *hij zal* ~ *wel komen* he is sure to turn up yet; *en* ~ *wel...* and... too; *en zijn beste vriend* ~ *wel* and that his best friend; *en dat* ~ *wel op kerstdag* and that on Christmas of all days; *dat weet ik* ~ *zo net niet* I am not quite sure about that; *ik moet het vandaag (vanmiddag)* ~ *hebben* I must have it to-day (this very afternoon); ~ *in de 16e eeuw* as late as the 16th century.

noga ['no.ga.] *m* nougat.

nogal ['nɔxɑl] rather, fairly; ~ *gezet* pretty stout.

nogmaals [-ma.ls] once more, once again.

nok [nɔk] *v* 1 ridge; 2 ⚓ yard-arm; 3 ⚒ cam.

nokbalk ['nɔkbɑlk] *m* ridge-pole.

nokkenas ['nɔkə(n)ɑs] *v* ⚒ camshaft.

nolens volens [no.lɛns'fo.lɛns] willy-nilly.

nomaden [no.'ma.də(n)] *mv* nomads.

nomadenleven [-le.və(n)] *o* nomadic life.

nomadenstam [-stɑm] *m* nomadic tribe.

nomadenvolk [-vɔlk] *o* nomad people.

nomadisch [no.'ma.di.s] nomadic. [ture.

nomenclatuur [nomɛnkla.'ty:r] *v* nomencla-

nominaal [no.mi.'na.l] *aj* (& *ad*) nominal(ly).

nominatie [-'na.(t)si.] *v* nomination; *nummer één op de* ~ first on the short list.

nominatief ['no.mi.na.ti.f] *m gram* nominative.

non [nɔn] *v* nun.

non-acceptatie [nɔnɑksɛp'ta.(t)si.] *v* non-ac-ceptance.

non-actief [nɔnɑk'ti.f] 1 not in active service; 2 [put] on half-pay.

non-activiteit [-ti.vi.'tɛit] *v* being put on half-pay.

non-activiteitstraktement [-'tɛitstrɑktəmənt] *o* half-pay.

non-akti- zie *non-acti-*.

nonchalance [nõʃa.'lãsə] *v* nonchalance, care-lessness.

nonchalant [-lɑnt] *aj* (& *ad*) nonchalant(ly), careless(ly).

non-combattant [nɔnkɔmba'tɑnt] *m* non-com-batant.

non-conformisme [nɔnkɔnfər'mismə] *o* non-conformity.

non-conformist [-'mist] *m* nonconformist.

non-conformistisch [-'misti.s] nonconformist.

non-ferrometalen [nɔn'fɛro.me.ta.lə(n)] *mv* non-ferrous metals.

non-figuratief [-fi.gy.ra.'ti.f] non-figurative [painting].

nonna ['nõna.] *v Ind* coloured lady, half-caste.

nonnenklooster ['nɔnə(n)klo.stər] *o* convent, nunnery.

nonnetje ['nɔnəcə] *o* ♀ smew.

nonsens ['nɔnsɛns] *m* nonsense; S rot; *och* ~! fiddlesticks!

nonsensicaal, nonsensikaal [nɔnsɛnsi.'ka.l] non-sensical, absurd.

nonvlinder ['nɔnvlɪndər] *m* ⚘ nun.

nood [no.t] *m* need, necessity, want, distress; *geen* ~! no fear!; *zijn* ~ *klagen* disclose one's troubles; complain, lament; *door de* ~ *ge-drongen* compelled by necessity; *in (geval van)* ~ 1 at need, in an emergency; 2 in dis-tress [a ship]; *in de* ~ *leert men zijn vrienden kennen* a friend in need is a friend indeed; *uit* ~ compelled by necessity; *iemand uit de* ~ *helpen* get one out of a scrape, help him out; *van de* ~ *een deugd maken* make a virtue of necessity; ~ *breekt wet* necessity has (knows) no law; ~ *leert bidden*, ~ *maakt vindingrijk* necessity is the mother of inven-tion; *als de* ~ *aan de man komt* in case of need; *als de* ~ *het hoogst is, is de redding nabij* the darkest hour is before the dawn.

noodadres ['no.ta.drɛs] *o* $ address in case of need.

noodanker [-ɑŋkər] *o* ⚓ sheet-anchor.

noodbrug [-brʏx] *v* temporary bridge.

nooddeur ['no.dø:r] *v* emergency door.

nooddruft [-drʏft] *m* & *v* 1 necessaries of life; 2 want; 3 indigence, distitution, poverty.

nooddruftig [no.'drʏftəx] *aj* needy, indigent, destitute; *de* ~*en* the needy, the destitute.

nooddwang ['no.dvɑŋ] *m* compulsion, con-straint.

noodgebied ['no.tgəbi.t] *o* distress area.

noodgedrongen, ~gedwongen [-gədrɔ̀ŋə(n), -gə-dvɔ̀ŋə(n)] compelled by necessity, perforce.

noodhaven [-ha.və(n)] *v* ⚓ port of refuge.

noodhulp [-hʏlp] *v* 1 (persoon) emergency worker, temporary help; 2 (zaak) makeshift, stop-gap.

noodklok [-klɔk] *v* alarm-bell, tocsin.

noodkreet [-kre.t] *m* cry of distress.

noodlanding [-lɑndɪŋ] *v* forced landing.

noodleugen [-lø.gə(n)] *v* white lie.

noodlijdend [no.t'lɛidənt] 1 distressed [prov-inces]; 2 indigent, poor, destitute [people].

noodlot ['no.tlɔt] *o* fate, destiny.

noodlottig [no.t'lɔtəx] *aj* (& *ad*) fatal(ly).

noodlottigheid [-hɛit] *v* fatality.

noodmaatregel ['no.tma.tre.gəl] *m* emergency measure.

noodmast [-mɑst] *m* ⚓ jury-mast.

noodrem [-rɛm] *v* safety-brake; (in spoor-rijtuigen) communication cord.

noodschot [-sxɔt] *o* distress-gun.

noodsein [-sɛin] *o* distress-signal, distress-call, SOS (message).

noodtoestand ['no.tu.stɑnt] *m* (state of) emergency.

nooduitgang ['no.tœytgɑŋ] *m* emergency exit.

noodverband ['no.tfərbɑnt] *o* first dressing.

noodvlag [-flɑx] *v* flag of distress.

1 **noodweer** [-ve:r] *o* heavy weather.

2 **noodweer** [-ve:r] *v* self-defence; *uit* ~ in self-defence.

noodwendig(heid) [no.t'vɛndəx(hɛit)] zie *noodzakelijk(heid)*.

noodwoning ['no.tvo.nɪŋ] *v* temporary house, emergency dwelling.

noodzaak [-sa.k] *v* necessity.

noodzakelijk [no.t'sa.kələk] **I** *aj* necessary; **II** *ad* necessarily, of necessity, needs.

noodzakelijkerwijs [-sa.kələkər'vɛis] of necessity; *daaruit volgt* ~ *dat...* it follows as a matter of course that...

noodzakelijkheid [-'sa.kələkhɛit] *v* necessity; *in de* ~ *verkeren om...* be under the necessity of ...ing.

noodzaken ['no.tsa.kə(n)] *vt* oblige, compel, constrain, force; *zich genoodzaakt zien om...* be (feel) obliged to...

nooit [no:it] never; ~ *ofte nimmer* never in all my born days; *dat* ~ ! never!

Noor [no:r] *m* Norwegian.

noord [no:rt] north.

Noord-Afrika [-'a.fri.ka.] *o* North Africa.

Noord-Amerika [-a.'me:ri.ka.] *o* North America.

Noord-Brabant [-'bra.bɑnt] *o* North Brabant.

noordelijk ['no:rdələk] **I** *aj* northern, northerly; *de* ~*en* the Northerners; **II** *ad* northerly.

noorden [-də(n)] *o* north; *op het* ~ with a northern aspect; *ten* ~ *van* (to the) north of...

noordenwind [-'vɪnt] *m* north wind.

noorderbreedte ['no:rdərbre.tə] *v* North latitude.

noorderlicht [-lɪxt] *o* northern lights, aurora borealis.

noorderzon [-zòn] *v* in: *met de* ~ *vertrekken* shoot the moon, abscond.

Noord-Holland [no:rt'hɔlɑnt] *o* North Holland.

noordoostelijk [-'o.stələk] **I** *aj* northern, north-easterly, north-eastern; **II** *ad* towards the north-east.

noordoosten [-'o.stə(n)] *o* north-east.

noordpool ['no:rtpo.l] *v* north pole.

noordpoollanden [no:rt'po.lɑndə(n)] *mv* arctic regions.

noordpoolreiziger [-'po.lrɛizəgər] *m* arctic explorer.

noords [no:rts] Nordic [race].

noordster ['no:rtstɛr] *v* North Star, polar star.

noordwaarts [-va:rts] **I** *aj* northward; **II** *ad* northward(s).

noordwestelijk [no:rt'vɛstələk] **I** *aj* north-westerly; **II** *ad* towards the north-west.

noordwesten [-'vɛstə(n)] *o* north-west.

Noordzee [-'se.] *v* North Sea.

Noorman ['no:rmɑn] *m* Northman, Norseman, Dane.

Noors, Noorweegs [no:rs, 'no:rve.xs] *aj* & *o* Norwegian.

Noorwegen ['no:rve.gə(n)] *o* Norway.

noot [no.t] *v* 1 ♣ nut, (walnoot) walnut ‖ 2 ♪ note ‖ (aantekening) note; *achtste* ~ ♪ quaver; *halve* ~ ♪ minim; *hele* ~ ♪ semibreve; *tweeëndertigste* ~ ♪ demi-semiquaver; *zestiende* ~ ♪ semiquaver; *ik heb een lelijke* ~ *met hem te kraken* I have a nut to crack with him; *ik heb kwade noten over u horen kraken* I have heard them pass censure on you, they have been pecking at you; *hij heeft veel noten op zijn zang* he is very exacting.

nootjeskolen ['no.cəsko.lə(n)] *mv* nuts.

nootmuskaat [no.tmŭs'ka.t] = *notemuskaat*.

nop [nɔp] *v* burl; pile [of carpet].

nopen ['no.pə(n)] *vt* induce, urge, compel; *zich genoopt zien* be obliged [to...].

nopens [-pəns] concerning, as to, with regard to.

nopjes ['nɔpjəs] *in zijn* ~ *zijn* be in high feather, be as pleased as Punch.

noppen ['nɔpə(n)] *vt* burl.

nor [nɔr] *v* S jug; *in de* ~ in quod.

norm [nɔrm] *v* norm, rule, standard.

normaal [nɔr'ma.l] **I** *aj* normal; *hij is niet* ~ 1 he is not his usual self; 2 he is not right in his head; **II** *ad* normally.

normaalfilm [-fɪlm] *m* standard film.

normaalschool [-sxo.l] *v* normal school.

normalisatie [nɔrma.li.'za.(t)si.] *v* standardization, normalization; regulation [of a river].

normaliseren [-'ze:rə(n)] *vt* standardize, normalize; regulate [a river].

normalisering [-'ze:rɪŋ] *v* standardization, normalization; regulation [of a river].

normaliter [nɔr'ma.li.tər] normally.

normaliz- zie *normalis-*.

Normandië [nɔr'mɑndi.ə] *o* Normandy.

Normandiër [-di.ər] *m* Norman.

Normandisch [-di.s] Norman; *de* ~*e Eilanden* the Channel Islands; *de* ~*e kust* the Normandy coast.

nors [nɔrs] **I** *aj* gruff, surly; **II** *ad* gruffly, surlily.

norsheid ['nɔrshɛit] *v* gruffness, surliness.

nostalgie [nɔstɑl'gi.] *v* nostalgia.

nostalgisch [-'tɑlgi.s] *aj* (& *ad*) nostalgic(ally).

nota ['no.ta.] *v* 1 [tradesman's] bill, account; 2 [diplomatic] note, [official] memorial; ~ *nemen van* take (due) note of, note.

notabel [no.'ta.bəl] **I** *aj* notable; **II** *m* ~*e* notable man; *de* ~*en* the notabilities, F the big (great) guns, bigwigs.

nota bene [no.ta.'be.nə] nota bene, mind.

notariaat [no.ta:ri.'a.t] *o* profession of notary.

notarieel [-ri.'e.l] *aj* (& *ad*) notarial(ly).

notaris [no.'ta:rəs] *m* notary (public).

notarisambt [-ɑmt] *o* profession of notary.

notariskantoor [-kɑnto:r] *o* notary's office.

notarisklerk [-klɛrk] *m* notary's clerk.
notatie [no.'ta.(t)si.] *v* notation.
notebolster ['no.təbɔlstər] *m* husk of a walnut.
notebomen [-bo.mə(n)] *aj* walnut.
noteboom [-bo.m] *m* walnut-tree.
notedop [-dɔp] *m* 1 nutshell; 2 *fig* ⚓ cockle-shell.
notehout [-hɔut] *o* walnut.
notehouten [-hɔutə(n)] *aj* walnut.
notekraker [-kra.kər] *m* 1 (pair of) nut-crackers; 2 🐦 nutcracker.
notemuskaat [no.təmʏs'ka.t] *v* nutmeg.
notenbalk ['no.tə(n)bɑlk] *m* ♪ staff [*mv* staves], stave.
noteren [no.'te:rə(n)] *vt* 1 note, jot (note) down, make a note of [a word &]; put [a person] down [for...]; 2 $ quote [prices].
notering [-rɪŋ] *v* 1 noting &; 2 $ quotation.
notie ['no.(t)si.] *v* notion; *hij heeft er geen ~ van* he has not got the faintest notion of it.
notitie [no.'ti.(t)si.] *v* 1 (aantekening) note, jotting; 2 (aandacht) notice; *geen ~ van iets nemen* not take notice of it, not heed it.
notitieboek(je) [-bu.k(jə)] *o* notebook, memorandum book.
notoir [no.'to:r] notorious.
notulen ['no.ty.lə(n)] *mv* minutes; *de ~ arresteren* confirm the minutes; *de ~ lezen en goedkeuren* read and approve the minutes; *het in de ~ opnemen* enter it on the minutes.
notulenboek [-bu.k] *o* minute-book.
notuleren [no.ty.'le:rə(n)] *vt* take down, minute.
nou [nɔu] F now; zie *nu.*
nouveauté [nu.vo.'te.] *v* novelty; *~s* fancy-goods.
Nova Zembla [no.va.'zɛmbla.] *o* Novaya Zemlya.
noveen [no.'ve.n] *v* RK novena.
novelle [no.'vɛlə] *v* short story, novelette.
novellist [-vɛ'lɪst] *m* writer of short stories.
november [no.'vɛmbər] *m* November.
novene [no.'ve.nə] = *noveen.*
novice [no.'vi.sə] *m-v* novice.
noviciaat [no.vi.si.'a.t] *o* novitiate.
noviet, novitius [-'vi.t, -'vi.tsi.ʉs] *m* ⟷ freshman.
nozem ['no.zəm] *m* S teddy boy.
N.T. [ni.ʋətɛsta.'mɛnt] = *Nieuwe Testament.*
nu [ny.] I *ad* now, at present; by this time, by now [he will be ready]; *van ~ af* from this moment, henceforth; *wat ~?* what next?; *~ eens..., dan weer...* now... now...; at one time... at another...; *~ en dan* now and then, occasionally, at times; *~ niet* not now; *~ of nooit* now or never; *~, hoe gaat het?* well, how are you?; *~ ja!* well!; II *cj* now that (soms: now).
nuance [ny.'ãsə] *v* nuance, shade.
nuanceren [ny.ã'se:rə(n)] *vt* shade[2].
Nubië ['ny.bi.ə] *o* Nubia.
Nubiër [-bi.ər] *m* **Nubisch** [-bi.s] *aj* Nubian.

nuchter ['nʏxtər] sober[2]; *fig* hard-headed [man]; down-to-earth; *hij is nog ~* he has not yet breakfasted; *hij is mij te ~* he is too matter-of-fact for me; *hij is nog zo ~!* he is so green yet!; *~ kalf* newly born calf; *fig* green-horn; *op de ~e maag* on an empty stomach.
nuchterheid [-hɛit] *v* sobriety; soberness[2].
nucleair [ny.kle.'ɛ:r] nuclear.
nuf [nʏf] *v* Miss Pert.
nuffig ['nʏfəx] prudishly proud, prim.
nuffigheid [-hɛit] *v* primness.
nuk [nʏk] *v* freak, whim, caprice.
nukkig ['nʏkəx] freakish, whimsical, capricious.
nukkigheid [-hɛit] *v* freakishness, whimsicality, capriciousness.
nul [nʏl] *v* nought, naught, cipher, zero; ✆ O; *hij is een ~* he is a nonentity, a mere cipher, a nobody; *zijn invloed is gelijk ~* is nil; *~ op het rekest krijgen* meet with a rebuff; *tien graden boven (onder) ~* ten degrees above (below) zero; *op ~* at zero.
nulliteit [nʏli.'tɛit] *v* nullity, nonentity, cipher.
nulpunt ['nʏlpʏnt] *o* zero; *het absolute ~* the absolute zero; *tot op het ~ dalen* fall to zero[2].
Numeri ['ny.məri.] *o* B Numbers.
numeriek [ny.mə'ri.k] *aj* (& *ad*) numerical(ly).
numero ['ny.məro.] *o* number.
nummer ['nʏmər] *o* 1 number; 2 size [of gloves]; 3 item [of programme, catalogue]; turn [of music-hall artist], [circus] act; [sporting] event; 4 lot [at auction]; 5 [Christmas] number, issue [of a newspaper]; *ook een ~!* S a fine specimen!; *~ één zijn* ⟷ be at the top of one's form; *sp* be first[2]; *~ honderd* J the w.c.; *hij moet op zijn ~ gezet worden* he wants to be put in his place.
nummerbord [-bɔrt] *o* 1 ✆ annunciator (board); 2 zie *nummerplaat.*
nummeren ['nʏmərə(n)] I *vt* number; II *vr zich ~* number (off).
nummering [-rɪŋ] *v* numbering.
nummerplaat ['nʏmərpla.t] *v* number plate.
nummerschijf [-sxɛif] *v* ✆ dial.
nuntiatuur [nʏnsi.a.'ty:r] *v* nunciature.
nuntius ['nʏn(t)si.ʉs] *m* nuncio.
nurks [nʏrks] I *aj* peevish, pettish; II *m* grumbler.
nurksheid ['nʏrkshɛit] *v* peevishness, pettishness.
nut [nʏt] *o* use, benefit, profit; usefulness [of an inquiry]; *praktisch ~* practical utility; *~ trekken uit* derive profit from; *ten ~te van* for the use of; *ten algemenen ~te* for the general good; *zich ten ~te maken* turn to good advantage, avail oneself of; *tot ~ van (het algemeen)* for the benefit of (the community); *het is tot niets ~* it is good for nothing; *van ~ zijn* be useful; *van geen (groot) ~ zijn* be of no (great) use.
nutsbedrijf ['nʏtsbədrɛif] *o* public utility.
nutteloos ['nʏtəlo.s] I *aj* useless; *zijn... waren*

~ his... were in vain; **II** *ad* uselessly; in vain.
nutteloosheid [nûtə'lo.sɛit] *v* uselessness.
nutten ['nûtə(n)] *vt* be of use, avail.
nuttig [-təx] **I** *aj* useful [ook ✖ effect &], profitable; **II** *ad* usefully, profitably.
nuttigen [-təgə(n)] *vt* take, partake of, eat or drink.
nuttigheid [-təxɛit] *v* utility, profitableness.
nuttiging [-təgɪŋ] *v* eating or drinking; *RK de Nuttiging* the Communion.
N.V. [ɛn've.] = *Naamloze Vennootschap.*
N.W. = *noordwesten.*
Ⓜ**nylon** ['nɛilòn] **1** *o* & *m* nylon; **2** *v* (kous) nylon (stocking).

O

1 o [o.] *v* o.
2 o [o.] oh!, ah!; ~ *God!* my God!; ~ *jee!* good Heavens!, dear me!; ~ *zo!* aha!
O. = *oost.*
o. = *onzijdig.*
o.a. [òndər'andərə(n)] = *onder andere(n).*
oase, oaze [o.'a.zə] *v* oasis [*mv* oases].
obelisk [o.bə'lɪsk] *m* obelisk.
o-benen ['o.be.nə(n)] *mv* bandy-legs, bow-legs.
ober ['o.bər] *m* head-waiter.
object [ɔp'jɛkt] *o* object, thing; (doel, ook ✖) objective.
objectglas [-glas] *o* slide [of a microscope].
objectie [ɔp'jɛksi.] *v* objection.
objectief [-jɛk'ti.f] **I** *aj* (& *ad*) objective(ly), detached(ly); **II** *o* (v. verrekijker, camera) object-lens, object-glass.
objectiviteit [-jɛkti.vi.'tɛit] *v* objectivity, objectiveness.
objekt(-) zie *object(-).*
oblie [o.'bli.] *v* rolled wafer.
obligaat [o.bli.'ga.t] *aj* & *o* ♪ obbligato.
obligatie [o.bli.'ga.(t)si.] *v* bond, debenture.
obligatiehouder [-houdər] *m* bondholder.
obligatielening [-le.nɪŋ] *v* debenture loan.
obligatieschuld [-sxûlt] *v* bonded debt.
obligo ['o.bli.go.] *o* in: *zonder* ~ without prejudice.
obsceen [ɔp'se.n] *aj* (& *ad*) obscene(ly).
obsceniteit [-se.ni.'tɛit] *v* obscenity.
obscuur [ɔp'sky:r] **I** *aj* obscure; *een* ~ *type (zaakje)* a shady character (business); **II** *ad* obscurely.
obsederen [ɔpse.'de:rə(n)] *vt* obsess.
obsederend [-'de:rənt] obsessive [idea &].
observatie [ɔpsɛr'va.(t)si.] *v* observation; *in* ~ under observation; *ter* ~ *opgenomen* taken in for observation.
observatiehuis [-hœys] *o* remand home.
observatiepost [-pɔst] *m* ✖ observation post.
observator [ɔpsɛr'va.tɔr] *m* observer.
observatorium [-va.'to:ri.ûm] *o* observatory.

observeren [-'ve:rə(n)] *vt* observe.
obsessie [ɔp'sɛsi.] *v* obsession.
obsessioneel [-sɛsi.o.'ne.l] obsessional.
obskuur zie *obscuur.*
obstinaat [ɔpsti.'na.t] *aj* (& *ad*) obstinate(ly).
obstructie, obstruktie [ɔp'strûksi.] *v* obstruction; ~ *voeren* practise obstruction.
occasioneel [ɔka.zi.o.'ne.l] *aj* (& *ad*) occasional(ly).
occult [ɔ'kûlt] occult.
occultisme [ɔkûl'tɪsmə] *o* occultism.
oceaan [o.se.'a.n] *m* ocean; *de Grote Oceaan, de Stille Oceaan* the Pacific (Ocean).
Oceanië [-'a.ni.ə] *o* Oceania.
och [ɔx] oh!, ah!; ~ *arme* poor woman, poor thing!; ~ *kom!* **1** (bij twijfel) why, indeed!; **2** (bij verbazing) you don't say so!; ~, *waarom niet?* (well,) why not?; ~ *wat!* nonsense!
ochtend ['ɔxtənt] *m* morning; *des* ~*s*, '*s* ~*s* in the morning.
ochtendblad [-blat] *o* morning paper.
ochtendjapon [-ja.pòn] *m* morning gown.
ochtendjas [-jas] *m* & *v* house-coat.
ochtendstond [-stònt] *m* morning time.
octaaf [ɔk'ta.f] *o* & *v* octave.
octaaffluitje [ɔk'ta.flœycə] *o* ♪ octave flute.
octaan [ɔk'ta.n] *o* octane.
octaangetal [-gətal] *o* octane number; *benzine met een hoog* ~ high-octane petrol.
octant [ɔk'tant] *m* octant.
octavo [ɔk'ta.vo.] *o* octavo.
octet ɔk'tɛt] *o* ♪ octet.
october zie *oktober.*
octrooi [ɔk'tro:i] *o* **1** patent; **2** $ charter.
octrooibrief [-bri.f] *m* **1** letters patent; **2** $ charter.
octrooieren [ɔktro.'je:rə(n)] *vt* **1** patent; **2** $ charter [a company].
octrooiraad [-'tro:ira.t] *m* patent office.
oculatie [o.ky.'la.(t)si.] *v* inoculation, grafting.
oculeren [-'le:rə(n)] *vt* inoculate, graft.
odalisk(e) [o.da.'lɪsk(ə)] *v* odalisque.
ode ['o.də] *v* ode.
odeon [o.'de.òn] *o* odeum.
odeur [-'dø:r] *m* deurtje [-cə] *o* perfume, scent.
Odyssee, odyssee [o.dɪ'se.] *v* Odyssey.
oecumenisch [œyky.'me.ni.s] oecumenical [council, movement].
oedeem [œy'de.m] *o* 🜊 oedema.
oef [u.f] ugh!
oefenen ['u.fənə(n)] **I** *vt* exercise, practise; train [the ear, soldiers &]; zie ook: *geduld, wraak;* **II** *vr zich* ~ practise, train; *zich* ~ *in* practise; **III** *va* practise, train.
oefening [-nɪŋ] *v* **1** exercise, practice; **2** [religious] prayer-meeting; *een* ~ an exercise; *vrije* ~*en* free exercises; ~ *baart kunst* practice makes perfect.
oefenkamp ['u.fənkamp] *o* training-camp.
oefenmeester [-me.stər] *m sp* trainer, coach.
oefenschool -sxo.l] *v* training-school.

oefenterrein [-tɛrɛin] *o* training-ground.
oefenvlucht [-vlŭxt] *v* 🛩 practice flight, training-flight.
oefenwedstrijd [-vɛtstrɛit] *m sp* practice match.
oekaze [u.'ka.zə] *v* ukase.
Oekraïne [u.kra.'i.nə] *v* Ukraine.
Oeral ['u:ral] *m de* ~ the Ural(s).
oermens ['u:rmɛns] *m* primitive man.
oertekst [-tɛkst] *m* original text.
oertijd [-tɛit] *m* primeval age(s).
oertype [-ti.pə] *o* archetype.
oerwoud [-vout] *o* primeval forest, virgin forest.
oester ['u.stər] *v* oyster.
oesterbank [-baŋk] *v* oyster-bank.
oesterhandelaar [-handəla:r] *m* oyster dealer.
oesterkweker [-kve.kər] *m* oyster breeder.
oesterkwekerij [-kve.kərɛi] *v* 1 oyster culture; 2 oyster farm.
oesterpark [-park] *o* oyster park.
oesterplaat [-pla.t] *v* oyster-bank.
oesterput [-pŭt] *m* oyster-pond.
oesterschelp [-sxɛlp] *v* oyster-shell.
oesterteelt [-te.lt] *v* oyster culture.   [soning.
oestervergiftiging [-vərgiftəgɪŋ] *v* oyster poi-
oestervisser [-vɪsər] *m* oyster fisher.
oestervisserij [-vɪsərɛi] *v* oyster fishery.
oeuvre ['œ.vrə] *o* [Rembrandt's] works, [an author's] writings.
oever ['u.vər] *m* 1 shore [of the sea]; 2 bank [of a river]; *de rivier is buiten haar ~s getre-den* the river has overflowed its banks.
of [əf] 1 (nevenschikkend) *wit ~ zwart* white or black; *~ hij ~ zijn broer* either he or his brother; *ja ~ neen* (either) yes or no; *een dag ~ drie* two or three days; *een man ~ twee* a man or two; *een minuut ~ tien* ten minutes or so; 2 (onderschikkend) if, whether; (vóór onderwerpszinnen) *het duurde niet lang ~ hij...* he was not long in ...ing; (vóór voorwerpszinnen) *ik weet niet ~ hij trouweloos is, ~ dom* I don't know whether he is faithless or stupid; (vóór bijv. bijzinnen) *er is niemand ~ hij zal dat toe-juichen* there is nobody but (he) will applaud this measure; *hij is niet zo gek ~ hij weet wel wat hij doet* he is not such a fool but (but that, but what) he knows what he is about; (vóór bijw. bijzinnen) *ik kom vanavond ~ ik moet belet krijgen* I'll come to-night unless something should prevent me; *ik kan hem niet zien ~ ik moet lachen* I cannot see him without being compelled to laugh; *ik zie hem nooit ~ hij heeft een stok in de hand* I never see him but he has a stick in his hand; (vóór vergelijkingen) *het is net ~ hij mij voor de gek houdt* it is just as if he is making a fool of me; *Hou je daarvan? Nou, ~ ik! En ~!* Rather!; *~ ze 't weten* don't they just know it!; *~ ik 't me herinner?! Do* I remember?
offensief [əfɛn'si.f] I *aj* ⚔ offensive; II *ad* offensively; *~ optreden* act on the offensive; III *o* offensive.

offer ['ɔfər] *o* 1 offering, sacrifice[2]; 2 (slacht-offer) victim; *een ~ brengen* make a sacrifice; *hij viel als het ~ van zijn driften* he fell a victim to his passions; *zij zijn gevallen als ~ van...* they have been the victims of [their patriotism]; *ten ~ brengen* sacrifice.
offeraar ['ɔfəra:r] *m* offerer, sacrificer.
offerande ['ɔfərandə] *v* offering, sacrifice, oblation; *RK* offertory.
offerblok ['ɔfərblɔk] *o* ~**bus** [-bŭs] *v* alms-box, poor-box.
offerdier [-di:r] *o* sacrificial animal, victim.
offeren ['ɔfərə(n)] *vt* offer as a sacrifice, sacrifice, offer up.
offergave ['ɔfərga.və] *v* offering.
offerkelk [-kɛlk] *m* sacrificial cup, chalice.
offerlam [-lam] *o* sacrificial lamb, Lamb of God.
offermaal [-ma.l] *o* sacrificial repast.
offerplaats [-pla.ts] *v* place of sacrifice.
offerplechtigheid [-plɛxtəxhɛit] *v* sacrificial ceremony.
offerpriester [-pri.stər] *m* sacrificer.
offerte [ɔ'fɛrtə] *v* $ offer.
offertorium [ɔfɛr'to:ri.um] *o* *RK* offertory.
offervaardig [ɔfər'va:rdəx] willing to make sacrifices; liberal.
offervaardigheid [-hɛit] *v* willingness to make sacrifices; liberality.
officiant [ɔfi.si.'ant] *m* 1 official; 2 officiant [priest].
officie [ɔ'fi.si.] *o* office.
officieel [ɔfi.si.'e.l] *aj* (& *ad*) 1 (ambtelijk) official(ly); 2 (plechtig) formal(ly).
officier [ɔfi.'si:r] *m* (military) officer; *eerste ~* ⚓ chief officer; *~ van administratie* paymaster; *~ van de dag* ⚔ orderly officer; *~ van gezondheid* army (military) surgeon, medical officer; *~ van justitie* Public Prosecutor; *~ van de wacht* ⚓ officer of the watch.
officiersrang [-'si:rsraŋ] *m* ⚔ officer's rank.
officieus [ɔfi.si.'ø.s] *aj* (& *ad*) semi-official(ly).
offreren [ɔ'fre:rə(n)] *vt* offer.
ofschoon [əf'sxo:n] although, though.
⚓ **ofte** ['ɔftə] or.
ogenblik ['o.gə(n)blɪk] *o* moment, instant, twinkling of an eye; *een ~!* one moment!; *heldere ~ken* lucid moments; *in een ~* in a moment, in the twinkling of an eye, before you can say Jack Robinson; *in een onbewaakt ~* in an unguarded moment; *op het ~* at the moment, at present, just now; *op het juiste ~* at the right moment; in the very nick of time; *voor een ~* for a moment; *voor het ~* for the present, for the time being; *zonder een ~ na te denken* without a moment's thought; *zie ook: ondeelbaar, verloren, zwak.*
ogenblikkelijk [o.gə(n)'blɪkələk] I *aj* momentary [impression]; immediate [danger]; II *ad* immediately, directly, instantly, on (the spur of)the moment.
ogendienaar ['o.gə(n)di.na:r] *m* base flatterer.

ogendienst [-di.nst] *m* base flattery.

ogenschijnlijk [o.gə(n)´sxɛinlək] *aj* (& *ad*) apparent(ly).

ogenschouw [´o.gə(n)sxɔu] *in* ~ nemen inspect, examine, take stock of, review, survey.

ogief [o.´gi.f] *o* △ ogive.

ogivaal [o.gi.´va.l] △ ogival.

oho [o.´ho.] aha!

o.i. [òns´nzi.ns] = *ons inziens* in our opinion.

ojief [o.´ji.f] *o* △ ogee.

oker [´o.kər] *m* ochre.

okerachtig [-axtəx] ochr(e)ous.

okerkleurig [-klø:rəx] ochr(e)ous.

okkasioneel zie *occasioneel*.

okkernoot [´ɔkərno.t] *v* walnut.

okkult(-) zie *occult(-)*.

oksaal [ɔk´sa.l] *o* organ-loft.

oksel [´ɔksəl] *m* armpit.

okshoofd [´ɔksho.ft] *o* hogshead.

okta- zie *octa-*.

oktet zie *octet*.

oktober [ɔk´to.bər] *m* October.

oktrooi(-) zie *octrooi(-)*.

okulatie zie *oculatie*.

okuleren zie *oculeren*.

oleander [o.le.´andər] *m* ✿ oleander.

oleografie [o.le.o.gra.´fi.] *v* oleograph.

olie [´o.li.] *v* oil; *Heilige* ~ *RK* holy oil, chrism; *dat is* ~ *in het vuur* that is pouring oil on the flames, adding fuel to the fire; ~ *op de golven gieten* pour oil on the waters.

olieachtig [-axtəx] oily.

olieachtigheid [-hɛit] *v* oiliness.

oliebol [´o.li.bɔl] *m* oil-dumpling.

oliedom [-dòm] *F* very stupid, asinine.

olie-en-azijnstel [o.li.ena.´zɛinstɛl] *o* cruetstand, set of castors.

oliefabriek [´o.li.fa.bri.k] *v* oil-factory.

oliefles [-flɛs] *v* oil-bottle.

oliehandel [-handəl] *m* oil-trade.

oliehandelaar [-handəla:r] *m* oilman.

oliehoudend [-houdənt] oily, oil-bearing [seeds].

oliejas [-jas] *m* & *v* oilskin.

oliekoek [-ku.k] *m* 1 (voor de tafel) doughnut; 2 (voor het vee) oilcake.

oliekruik [-krœyk] *v* oil-jar.

olielamp [-lamp] *v* oil-lamp.

olieman [-man] *m* 1 ⚒ oiler, greaser; 2 (verkoper) oilman.

oliemolen [-mo.lə(n)] *m* oil-mill.

oliemotor [-mo.tər] *m* ⚒ oil-engine.

oliën [´o.li.ə(n)] *vt* 1 oil; 2 ⚒ lubricate.

olienootje [´o.li.no.cə] *o* peanut.

oliepak [-pak] *o* oilskins.

oliepalm [-palm] *m* ✿ oil-palm.

oliereservoir [-re.zɛrvva:r] *o* oil-tank.

oliesel [-səl] *o RK* extreme unction; *het laatste* ~ *ontvangen (toedienen) RK* receive (give, administer) extreme unction.

olieslager [-sla.gər] *m* oilman.

olieslagerij [o.li.sla.gə´rɛi] *v* oil-mill.

oliespuitje [´o.li.spœycə] *o* oil-squirt.

oliesteen [-ste.n] *m* oilstone.

oliestook(inrichting) [´o.li.sto.k(ɪnrɪxtɪŋ] *v* oil-heating (apparatus), oil-fired heating system.

olieverf [-vɛrf] *v* oil-paint, oil-colour; *in* ~ in oils.

olieverfportret [-pɔrtrɛt] *o* oil-portrait.

olieverfschilderij [-sxɪldərɛi] *o* & *v* oil-painting.

oliezaad [-za.t] *o* oil-seed.

olifant [´o.li.fant] *m* ♞ elephant.

olifantejacht [-fantəjaxt] *v* elephant-hunt(ing).

olifantshuid [-fantshœyt] *v* elephant's skin; *een* ~ *hebben* be thick-skinned.

olifantssnuit [-fantsnœyt] *m* elephant's trunk.

olifantstand [-fantstant] *m* elephant's tooth.

oligarchie [o.li.gar´gi.] *v* oligarchy.

oligarchisch [-´gargi.s] I *aj* oligarchic(al); II *ad* oligarchically.

olijf [o.´lɛif] *v* ✿ olive.

olijfachtig [-axtəx] olivaceous.

Olijfberg [-bɛrx] *m* Mount of Olives.

olijfboom [-bo.m] *m* olive-tree.

olijfgroen [-gru.n] olive-green.

olijfkleurig [-klø:rəx] olive-coloured, olive.

olijfolie [-o.li.] *v* oil of olives, olive-oil.

olijftak [-tak] *m* olive-branch.

olijk [´o.lək] *aj* (& *ad*) roguish(ly), arch(ly).

olijkerd [´o.ləkərt] *m* rogue.

olijkheid [´o.ləkhɛit] *v* roguishness, archness.

Olivier [´o.li.vi:r] *m* Oliver, *F* Noll.

olm, olmeboom [ɔlm, ´ɔlməbo.m] *m* ✿ elm.

O.L.V. [ònzəli.və´vrɔu] = *Onze-Lieve-Vrouw*.

olympiade [o.lɪmpi.´a.də] *v* ♔ olympiad.

olympisch [o.´lɪmpi.s] Olympian [detachment]; Olympic [games].

om [òm] I *prep* 1 (om... heen) round [the table, the world &]; 2 (omstreeks) about [Easter &]; 3 (te) at [three o'clock]; 4 (periodiek na) every [fortnight &]; 5 (voor, tegen) for [money &]; at [sixpence]; 6 (wegens) for, because of, on account of [the trouble &]; 7 (wat betreft) for [me]; ~ *de andere dag* & every other (every second) day; ~ *de andere vrijdag* on alternate Fridays; ~ *te* in order to, to; *hij is bereid* ~ *u te helpen* he is willing to help you; *het was niet* ~ *uit te houden* you couldn't stand it; *hij is* ~ *en bij de vijftig* he is round about fifty; *zij schreeuwden* ~ *het hardst* they cried their loudest; II *ad* in: *de hoek* ~ round the corner; *wij doen dat* ~ *en* ~ turn and turn about; *het jaar is* ~ the year is out; *de tijd is* ~ time is up; *mijn tijd is* ~ my time has expired; *mijn verlof is* ~ my leave is up; *eer de week* ~ is before the week is out.

O.M. = *Openbaar Ministerie* zie *ministerie*.

o.m. [òndər´me:r] = *onder meer*.

oma [´o.ma.] *v F* grandmother.

omarmen [òm´armə(n)] *vt* embrace.

omarming [-mɪŋ] *v* embrace.

1 **omber** [´òmbər] *v* umber [pigment].

2 **omber** [´òmbər] *o* ombre [card-game].

omberen ['òmbərə(n)] *vi* play at ombre.

omberspel ['òmbərspɛl] *o* (game of) ombre.

ombinden ['òmbɪndə(n)] *vt* tie (bind) round; *bind het* (*u*) *maar om* bind (tie) it round your waist.

ombladeren [-bla.dərə(n)] *vt* turn over [a leaf].

omblazen [-bla.zə(n)] *vt* blow down.

omboorden [òm'bo:rdə(n)] *vt* border, hem, edge.

omboordsel [-'bo:rtsəl] *o* border, edging.

ombrengen ['òmbrɛŋə(n)] *vt* kill, destroy, dispatch, do to death; *zijn tijd ~* kill one's time.

ombuigen [-bœygə(n)] I *vt* bend; II *vi* bend.

omdat [òm'dat] because, as.

omdoen ['òmdu.n] *vt* put on [clothes]; put [a cord] round...

omdopen [-do.pə(n)] *vt* rename.

omdraaien [-dra.jə(n)] I *vt* turn (over); *het hoofd ~* turn (round) one's head; *iemand de nek ~* wring a person's neck; *zijn polsen ~* twist his wrists; II *va* (v. d. wind) turn; (in politiek &) veer round; *het hart draait mij om in mijn lijf* it makes me sick (to see...); III *vr zich ~* 1 (staande) turn round; 2 (liggende) turn over [on one's face &].

omdraaiing [-jɪŋ] *v* turning, rotation.

omega ['o.məga.] *v* omega.

omelet [òmə'lɛt] *v* omelet(te).

omfloersen [òm'flu:rsə(n)] *vt* muffle [a drum]; *fig* veil.

omgaan ['òmga.n] I *vi* 1 (rondgaan) go about, go round; 2 (voorbijgaan) pass; *dat gaat buiten mij om* I have nothing to do with it; *er gaat veel om in die zaak* they are doing a roaring business; *er gaat tegenwoordig niet veel om in de handel* there is not much doing in trade at present; *hij kon niet zeggen wat er in hem omging* what were his feelings, what was going on in his mind &; *~ met* 1 (v. personen) hold intercourse with, associate (assort) with; 2 (v. gereedschap &) handle; *ik ga niet veel met hen om* I don't see much of them; *vertrouwelijk met iemand ~* be on familiar terms with a person; *ik weet* (*niet*) *met hem om te gaan* I (don't) know how to manage him; *met leugens ~* deal in lies; *per ~de* by return (of post); II *als vt in: een heel eind ~* go a long way about; *een hoek ~* turn a corner; zie ook: *hoekje.*

omgang [-gɑŋ] *m* 1 (social) intercourse, association [with other people]; 2 round; procession; 3 (v. wiel) rotation; 4 (v. toren) gallery; *~ hebben met iemand* zie *omgaan met iemand.*

omgangstaal [-gɑŋsta.l] *v* colloquial language; *in de ~* in common parlance.

omgekeerd [-gəke:rt] I *aj* turned, turned up [card], turned upside down [box &]; turned over [leaf]; [coat] inside out; reversed; reverse [order]; inverted [commas &]; inverse [proportion]; *precies ~* F the other way round, just (quite) the reverse; *in het ~e ge-*

val in the opposite case; II *o het ~e* the reverse; *het ~e van beleefd* the reverse of polite; *het ~e van een stelling* the converse of a proposition; III *ad* reversely, conversely; *en ~* ...and conversely, vice versa; zie ook: *evenredig.*

omgelegen [-gəle.gə(n)] surrounding, neighbouring.

omgespen [-gɛspə(n)] *vt* buckle on.

omgeven [òm'ge.və(n)] *vt* surround, encircle, encompass.

omgeving [-'ge.vɪŋ] *v* 1 surroundings, environs, environment [of a town]; 2 surroundings; entourage [of a person].

omgooien ['òmgo.jə(n)] *vt* knock over, upset, overturn [a thing]; 2 ⚔ reverse; 3 throw on [a cloak &].

omgorden [òm'gordə(n)] *vt* gird²; gird on [a sword].

omhaal [-ha.l] *m* ceremony, fuss; *waartoe al die ~?* 1 why this roundabout?; 2 why all this fuss?; *~ van woorden* verbiage; *met veel ~* with much circumstance; *zonder veel ~* 1 without much ado; 2 straight away.

omhakken [-hakə(n)] *vt* cut down, chop down, fell.

omhalen [-ha.lə(n)] *vt* pull down [walls]; break up [earth]; pull about [things].

1 **omhangen** [-haŋə(n)] I *vt* 1 put on, wrap round one; 2 hang otherwise; ⚓ sling [arms]; II *vi* hang about, loll about.

2 **omhangen** [òm'haŋə(n)] *vt* hang; *~ met* hung with.

omheen [-'he.n] about, round about.

omheinen [-'hɛinə(n)] *vt* fence in, fence round, hedge in, enclose.

omheining [-nɪŋ] *v* fence, enclosure.

omhelzen [òm'hɛlzə(n)] *vt* embrace²; F hug.

omhelzing [-zɪŋ] *v* embrace; *fig* embracement.

omhoog [òm'ho.x] on high, aloft; *de handen ~!* hands up!; *met zijn voeten ~* feet up.

omhooggaan [òm'ho.ga.n] *vi* go up².

omhooggooien [-go.jə(n)] *vt* throw up.

omhoogheffen [òm'ho.xhɛfə(n)] *vt* lift (up).

omhooghouden [-hou(d)ə(n)] *vt* hold up.

omhoogtrekken [-trɛkə(n)] *vt* pull up.

omhouden [òm'hou(d)ə(n)] *vt* keep on.

omhouwen [-houə(n)] *vt* zie *omhakken.*

omhullen [òm'hülə(n)] *vt* envelop, wrap round, enwrap.

omhulsel [-'hülsəl] *o* wrapping, wrapper, envelope, cover; *stoffelijk ~* mortal remains.

omissie [o.'mɪsi.] *o* omission.

omkantelen ['òmkɑntələ(n)] zie *kantelen.*

omkappen [-kɑpə(n)] *vt* zie *omhakken.*

omkeer [-ke:r] *m* change, turn; reversal, revolution; revulsion [of feeling]; *een hele ~ teweegbrengen in* ook: revolutionize.

omkeerbaar [òm'ke:rba:r] reversible [order, motion &]; convertible [terms].

omkeerbaarheid [-hɛit] *v* reversibility; convertibility.

omkeerfilm ['òmke:rfılm] *m* reversible film.

omkeren ['òmke:rə(n)] I *vt* turn [a card, one's coat]; turn over [hay, a leaf]; turn up [a card]; turn upside down [a box &]; turn out [one's pockets]; invert [commas &]; reverse [a motion, the order], convert [a proposition]; zie ook: *omgekeerd;* II *vt* turn back; III *vr zich* ~ turn (round).

omkering [-rıŋ] *v* I inversion [of order of words, a ratio]; conversion [of a proposition]; 2 reversal, revolution.

omkijken ['òmkeikə(n)] *vi* look back, look round; ~ *naar iets* I turn to look at a thing; 2 look about for a situation; *hij kijkt er niet meer naar om* he will not so much as look at it.

omkippen [-kıpə(n)] *vt* F tip over.

1 omkleden [-kle.də(n)] *zich* ~ change (one's dress).

2 omkleden [òm'kle.də(n)] *vt* in: ~ *met* clothe with[2], invest with[2] [power]; *met redenen omkleed* motivated.

omklemmen [-'klɛmə(n)] *vt* clench, clasp in one's arms, hug (in close embrace), grasp tightly.

omknellen [-'knɛlə(n)] *vt* clench, hold tight (in one's grasp), hold as in a vice.

omkomen ['òmko.mə(n)] I *vi* I come to an end [of time]; 2 perish [of people]; *van honger* & ~ perish with (from, by) hunger &; II *vt* in: *een hoek* ~ get (come) round a corner.

omkoopbaar [òm'ko.pba:r] bribable, corruptible, venal.

omkoopbaarheid [-hɛit] *v* corruptibility, venality.

omkopen ['òmko.pə(n)] *vt* buy, bribe, corrupt [officials].

omkoper [-pər] *m* briber, corrupter.

omkoperij [òmko.pə'rɛi] *v* bribery, corruption.

omkoping ['òmko.pıŋ] *v* zie *omkoperij.*

omkorsten [òm'kòrstə(n)] *vt* encrust.

omkransen [-'kransə(n)] *vt* wreathe.

omkrijgen ['òmkrɛigə(n)] *vt* get through [time].

omkruipen [-krœypə(n)] *vi* creep, drag (on) [of time].

omkuieren [-kœyərə(n)] *vt* & *vi* walk round (about).

omlaag [òm'la.x] below, down; *naar* ~ down.

omlaaghouden [-hou(d)ə(n)] *vt* keep down.

omlaten ['òmla.tə(n)] *vt* not take off [one's scarf &].

omleggen [-lɛgə(n)] *vt* I shift [the helm, railway points]; careen [a ship]; 2 divert [a road, traffic].

omlegging [-gıŋ] *v* diversion [of road, traffic].

omleiden ['òmlɛidə(n)] *vt* divert [traffic, a road].

omleiding [-dıŋ] *v* diversion [of traffic, a road].

omliggend ['òmlıgənt] surrounding.

omlijnen [òm'lɛinə(n)] *vt* outline; *duidelijk (scherp) omlijnd* clear-cut.

omlijning [-nıŋ] *v* outline.

omlijsten [òm'lɛistə(n)] *vt* frame.

omlijsting [-tıŋ] *v* I framing; 2 frame, framework[2], *fig* setting.

omloop ['òmlo.p] *m* I revolution [of the earth]; 2 rotation [of a wheel]; 3 circulation [of the blood; of money]; 4 gallery [round a tower]; *aan de* ~ *onttrekken* withdraw from circulation; *in* ~ *brengen* I circulate [money], put into circulation; 2 spread [a rumour]; *in* ~ *zijn* I be in circulation [of notes, money]; 2 be abroad, be current [of a story].

omloop(s)tijd [-lo.p(s)tɛit] *m* time of revolution.

omlopen ['òmlo.pə(n)] I *vi* I go (run) round, shift [to the North]; 2 walk about [in a town]; 3 be about [of rumours]; *het hoofd loopt mij om* my head is in a whirl, my head reels; II *vt* walk round [the town]; *een straatje* ~ go for a stroll.

ommantelen [ò'mantələ(n)] *vt* ✕ fortify [a town].

ommekeer ['òmake:r] = *omkeer.*

ommekomst [-kòmst] *v* expiration, expiry.

ommezien [-zi.n] *o* in: *in een* ~ in a trice, in the twinkling of an eye.

ommezij(de) [-zɛi(də)] *v* back; *aan* ~ overleaf; *zie* ~ please turn over, P.T.O.

ommuren [ò'my:rə(n)] *vt* wall in.

omnevelen [òm'ne.vələ(n)] *vt* wrap in mist, shroud in a fog; *fig* cloud, befog.

omnibus ['òmni.bǔs] *m* & *v* omnibus, bus.

omnivoor [òmni.'vo:r] *m* omnivorous animal.

ompalen [òm'pa.lə(n)] *vt* fence in, palisade.

omperken [-'pɛrkə(n)] *vt* fence in, enclose.

omploegen ['òmplu.gə(n)] *vt* plough (up).

ompraten [-pra.tə(n)] *vt* talk round, talk over; *hij wou me* ~ he wanted to talk me into doing it (talk me out of it).

omranden [òm'randə(n)] *vt* border, edge.

omrasteren [-'rastərə(n)] *vt* fence (rail) in.

omrastering [-rıŋ] *v* railing.

omrekenen ['òmre.kənə(n)] *vt* convert.

omrekening [-nıŋ] *v* conversion.

omrijden [òm'rɛi(d)ə(n)] I *vt* ride down, knock over; II *vi* in: *het rijdt om* it is a roundabout way.

omringen [òm'rıŋə(n)] *vt* surround, encircle, encompass.

omroep ['òmru.p] *m* ✳ ✝ broadcast(ing).

omroepen ['òmru.pə(n)] *vt* cry; ✳ ✝ broadcast.

omroeper [-pər] *m* (town) crier, common crier; ✳ ✝ *TV* announcer.

omroeporkest ['òmru.pòrkɛst] *o* ✳ ✝ broadcasting orchestra.

omroepstation [-sta.ʃòn] *o* ✳ ✝ broadcasting station.

omroepster [-stər] *v* ✳ ✝ *TV* lady announcer.

omroepvereniging [-fərə.ˌnəgıŋ] *v* ✳ ✝ broadcasting society.

omroeren ['òmru:rə(n)] *vt* stir [a cup of tea, porridge].

omruilen [-rœylə(n)] vt exchange, change, P swop.

omrukken [-rŭkə(n)] vt pull down.

omschakelaar [-sxa.kəla:r] m ⚡ change-over switch.

omschakelen [-lə(n)] vi & vt ⚡ change over².

omschakeling [-lɪŋ] v ⚡ change-over².

omschoppen ['ɔmsxɔpə(n)] vt kick down, kick over.

omschrift [-s(x)rɪft] o legend [of a coin].

omschrijven [ɔm's(x)rɛivə(n)] vt 1 (in taal) define; paraphrase; 2 (in meetkunde) circumscribe; 3 (beschrijven) describe.

omschrijving [-vɪŋ] v 1 definition; paraphrase; 2 circumscription; 3 description.

omsingelen [ɔm'sɪŋələ(n)] vt surround, encircle; invest [a fortress]; round up [criminals].

omsingeling [-lɪŋ] v encircling; investment [of a fortress]; round-up [of criminals].

omslaan ['ɔmsla.n] I vt 1 (omver) knock down; 2 (néér) turn down [a collar &]; turn up [one's trousers]; 3 (omkeren) turn over [a leaf], turn [the pages]; 4 (om lichaam) throw on [a cloak &], wrap [a shawl] round one; 5 (gelijkelijk verdelen) apportion, divide (among over); de hoek ~ turn (round) the corner; II vi 1 (omvallen) be upset, upset, capsize [of a boat]; be blown inside out [of an umbrella]; 2 (veranderen) change, break [of the weather]; links (rechts) ~ turn to the left (to the right); het rijtuig sloeg om the carriage was upset; het weer is omgeslagen the weather has broken.

omslachtig [ɔm'slaxtəx] cumbersome; zie ook: omstandig.

omslachtigheid [-hɛit] v cumbersomeness.

omslag ['ɔmslax] m & o 1 (aankleding) cuff [of a sleeve]; turn-up [of trousers]; 2 (v. boek) cover, wrapper, (stof~) jacket; envelope [of a letter]; 3 ⚕ compress; 4 ⚒ brace [of a drill]; 5 m fig ceremony, fuss, ado; 6 m (v. h. weer) break (in the weather); 7 m (verdeling) apportionment; hoofdelijke ~ poll-tax; zonder veel ~ without much ado.

omslagboor [-bo:r] v ⚒ brace and bit.

omslagdoek [-du.k] m shawl, wrap.

1 omslingeren ['ɔmslɪŋərə(n)] vi lie about.

2 omslingeren [ɔm'slɪŋərə(n)] vt twine about (round).

omsluieren [-'slœyərə(n)] vt veil.

omsluiten [-'slœytə(n)] vt enclose, encircle, surround.

omsmelten ['ɔmsmɛltə(n)] vt remelt, melt down.

omsmijten [-smɛitə(n)] vt knock down, overturn, upset.

1 omspannen [ɔm'spanə(n)] vt span.

2 omspannen ['ɔmspanə(n)] vt change [the horses].

omspitten ['ɔmspɪtə(n)] vt dig (up).

1 omspoelen [-spu.lə(n)] vt rinse (out), wash

up.

2 omspoelen [ɔm'spu.lə(n)] vt wash, bathe [the shores].

omspringen ['ɔmsprɪŋə(n)] vi jump about; laat mij er mee ~ let me manage it; ...met de jongens ~ manage the boys...; royaal (zuinig) met iets ~ use something freely (sparingly).

omstanders [-standərs] mv bystanders.

omstandig [ɔm'standəx] I aj circumstantial, detailed; II ad circumstantially, in detail.

omstandigheid [-hɛit] v 1 (in 't alg.) circumstance; 2 (uitvoerigheid) circumstantiality; zijn omstandigheden his circumstances in life; zijn geldelijke omstandigheden his financial position; in alle omstandigheden des levens in all circumstances of life; in de gegeven omstandigheden in (under) the circumstances; naar omstandigheden wel very well, considering; onder geen enkele ~ on no account.

omstoten ['ɔmsto.tə(n)] vt push down, overthrow, overturn, upset.

omstralen [ɔm'stra.lə(n)] vt shine about; met luister omstraald in a glorious halo.

omstreeks ['ɔmstre.ks] about [fifty, ten o'clock]; in the neighbourhood of [5000].

omstreken ['ɔmstre.kə(n)] mv environs.

omstrengelen [ɔm'strɛŋələ(n)] vt entwine, wind (twine) about, wind [a child] in one's arms.

omstuwen [-'sty.və(n)] vt surround.

omtrappen ['ɔmtrapə(n)] vt zie omschoppen.

omtrek [-trɛk] m 1 circumference [of a circle]; contour, outline [of a figure]; 2 neighbourhood, environs, vicinity; in ~ in circumference; in de ~ in the neighbourhood; ...mijlen in de ~ for... miles around, within... miles; in ~ schetsen outline; in ~ken in outline.

omtrekken [-trɛkə(n)] vt 1 (omver) pull down [a wall]; 2 (ommarcheren) ✗ march about; 3 (omsingelen) ✗ turn, outflank [the enemy]; een ~de beweging ✗ a turning movement.

omtrent [ɔm'trɛnt] I prep 1 (ten opzichte van) about, concerning, with regard to, as to; 2 (ongeveer) about; 3 (in de buurt van) about; II ad about, near.

omtuimelen ['ɔmtœymələ(n)] vi tumble down, topple over.

omvademen [ɔm'va.də.mə(n)] vt put one's arms round; fig encompass.

omvallen ['ɔmvalə(n)] vi fall down, be upset, upset, overturn; zij vielen haast om van het lachen F they almost split their sides with laughter; je valt om van de prijzen F the prices are staggering; ik val om van de slaap F I can hardly stand for sleep.

omvamen [ɔm'va.mə(n)] = omvademen.

omvang ['ɔmvaŋ] m girth [of a tree]; extent, compass, circumference, range [of voice], size [of a book]: latitude [of an idea]; ambit [of meaning].

omvangen [òm'vaŋə(n)] *vt* surround, encompass.

omvangrijk [-'vaŋrɛik] voluminous, bulky, extensive.

1 **omvaren** ['òmva:rə(n)] I *vi* sail by a roundabout way; II *vt* sail down.

2 **omvaren** [òm'va:rə(n)] *vt* sail about, circumnavigate; double, round [a cape].

omvatten [-'vatə(n)] *vt* span; embrace[2]; *fig* comprise, encompass, include; grasp [an idea].

omvattend [-tənt] embracing; ⚥ turning [movement]; *fig* comprehensive.

omver [òm'vɛr] down, over.

omverblazen [-bla.zə(n)] *vt* blow down.

omverduwen [-dy.və(n)] *vt* push over.

omvergooien [-go.jə(n)] *vt* zie *omverwerpen*.

omverhalen [-ha.lə(n)] *vt* pull down.

omverpraten [-pra.tə(n)] *vt* talk down.

omverrennen [òm'vɛrɛnə(n)] *vt* run down.

omverschieten [òm'vɛrsxi.tə(n)] *vt* shoot down.

omverslaan [-sla.n] I *vt* knock over; II *vi* fall down.

omverstoten [-sto.tə(n)] *vt* push down, overturn, upset.

omvertrekken [-trɛkə(n)] *vt* pull down.

omvertuimelen [-tœymələ(n)] *vi* tumble down, topple over.

omverwaaien [-va.jə(n)] I *vt* blow down; II *vi* be blown down.

omverwerpen [-vɛrpə(n)] *vt* upset[2] [a glass, a plan]; overthrow [the government].

omverwerping [-pɪŋ] *v* upsetting; *fig* overthrow.

omvlechten [òm'vlɛxtə(n)] *vt* twine about, entwine.

omvliegen ['òmvli.gə(n)] *vi* fly about; *fig* fly, fleet.

omvormen [-vɔrmə(n)] *vt* transform, remodel.

omvouwen [-vouə(n)] *vt* fold down, turn down.

omvraag [-vra.x] *v* zie *rondvraag*.

omwaaien [-va.jə(n)] *vt* & *vi* zie *omverwaaien*.

omwallen [òm'valə(n)] *vt* wall (round), wall in.

omwandelen ['òmvandələ(n)] *vt* & *vi* walk about.

omwaren [-va:rə(n)] *vi* walk, haunt a place (a house &) [of ghosts].

omwassen [-vasə(n)] *vt* wash (up).

omweg [-vex] *m* roundabout way, circuitous route; detour; *een hele* ~ a long way about; *een* ~ *maken* go about (a long way), make a detour (a circuit); *langs een* ~ by a circuitous route, by a roundabout way; *langs* ~*en* by devious ways; *zonder* ~*en* without beating about the bush; point-blank.

omwenden [-vɛndə(n)] I *vt* turn; II *vr zich* ~ turn.

omwentelen [-vɛntələ(n)] *vi* revolve, rotate, gyrate.

omwenteling [-lɪŋ] *v* revolution, rotation, gyration; *fig* revolution; *een* ~ *teweegbrengen in* revolutionize.

omwentelingsas [-lɪŋsas] *v* axis of rotation.

omwentelingssnelheid [-lɪŋsnɛlhɛit] *v* velocity of rotation.

omwentelingstijd [-lɪŋstɛit] *m* time of revolution.

omwentelingsvlak [-flak] *o* surface of revolution.

omwerken ['òmvɛrkə(n)] *vt* remould, remodel, refashion, recast [a book], rewrite [an article &].

omwerking [-kɪŋ] *v* recast(ing) &.

omwerpen ['òmvɛrpə(n)] *vt* zie *omgooien*.

omwikkelen [òm'vɪkələ(n)] *vt* wrap round.

omwinden [-'vɪndə(n)] *vt* entwine, envelop.

omwindsel [-'vɪntsəl] *o* wrapper.

omwisselen ['òmvɪsələ(n)] *vt* & *vi* change.

omwonenden [-vo.nəndə(n)] *mv* neighbours.

omwroeten [-vru.tə(n)] *vt* root up.

omzagen [-za.gə(n)] *vt* saw down.

1 **omzeilen** ['òmzɛilə(n)] zie 1 *omvaren*.

2 **omzeilen** [òm'zɛilə(n)] *vt* zie 2 *omvaren*; *een moeilijkheid* ~ evade, get round a difficulty.

omzendbrief ['òmzɛntbri.f] *m* circular letter.

omzet [-zɛt] *m* $ turnover; sales; *er is weinig* ~ $ there is little doing; *kleine winst bij vlugge* ~ small profits and quick returns.

omzetbelasting [-bəlastɪŋ] *v* turnover tax, ± purchase tax.

1 **omzetten** ['òmzɛtə(n)] *vt* 1 (a n d e r s z e t t e n) arrange (place) differently [of things]; transpose [letters, numbers &]; 2 ⚥ reverse [an engine]; 3 $ turn over, sell; *hij kwam de hoek* ~ he came (driving &) round the corner; ~ *in* convert into; *...in daden* ~ translate... into action.

2 **omzetten** [òm'zɛtə(n)] *vt in*: ~ *met* set with.

omzetting ['òmzɛtɪŋ] *v* transposition [of a term, a word]; conversion, inversion [of the order of words]; translation [into action]; ⚥ reversal [of an engine].

omzichtig [òm'zɪxtəx] *aj* (& *ad*) circumspect-(ly), cautious(ly).

omzichtigheid [-hɛit] *v* circumspection, cautiousness, caution.

1 **omzien** ['òmzi.n] *vi* look back; ~ *naar* look back at; look out for [another servant]; *niet* ~ *naar* not attend to [one's business], be negligent of [one's affairs], neglect [the children]; *hij ziet er niet naar om* he doesn't care for it.

2 **omzien** ['òmzi.n] *o* = *ommezien*.

omzomen ['òmzo.mən] *vt* hem; [òm'zo.mə(n)] *fig* border, fringe.

omzwachtelen [-'zvaxtələ(n)] *vt* swathe, bandage; swaddle [a baby].

omzwalken ['òmzvalkə(n)] *vi* drift about.

omzwemmen [-zvɛmə(n)] *vi* swim about.

omzwenken [-zvɛŋkə(n)] *vi* swing (wheel) round.

omzwermen [òm'zvɛrmi̊(n)] *vt* swarm about.

omzwerven ['òmzvɛrvə(n)] *vi* rove (ramble, wander) about.

omzwerving [-vɪŋ] v wandering, roving, rambling.

omzweven [òm zvɛ.və(n)] vt hover about, float about.

omzwikken [ˈòmzvɪkə(n)] vi sprain (wrench) one's ankle.

onaandoenlijk [òna.nˈdu.nlək] impassive, apathetic, stolid.

onaandoenlijkheid [-hɛit] v impassiveness, apathy, stolidity.

onaangedaan [ònˈa.ngəda.n] unmoved, untouched.

onaangemeld [-mɛlt] unannounced.

onaangenaam [-na.m] I aj disagreeable, offensive [smell], unpleasant[2]; fig unwelcome [truths]; II ad disagreeably, offensively, unpleasantly.

onaangenaamheid [-na.mhɛit] v disagreeableness, unpleasantness; onaangenaamheden krijgen met iemand fall out with one.

onaangepast [-past] maladjusted.

onaangepastheid [-pasthɛit] v maladjustment.

onaangeroerd [-ru:rt] untouched, intact; ~ laten leave untouched[2]; fig not touch upon.

onaangetast [-tast] untouched.

onaangevochten [-vòxtə(n)] unchallenged.

onaannemelijk [òna.ˈne.mələk] unacceptable [conditions]; inadmissibile [grounds].

onaannemelijkheid [-hɛit] v unacceptableness; inadmissibility [grounds].

onaanstotelijk [òna.nˈsto.tələk] unobjectionable, inoffensive.

onaanstotelijkheid [-hɛit] v unobjectionableness, inoffensiveness.

onaantastbaar [òna.nˈtastba:r] unassailable[2].

onaantastbaarheid [-hɛit] v unassailableness[2].

onaantrekkelijk [òna.nˈtrɛkələk] aj (& ad) unattractive(ly).

onaanvaardbaar [-ˈvaːrtba:r] unacceptable.

onaanvechtbaar [-ˈvɛxtba:r] unassailable[2].

onaanzienlijk [-ˈzi.nlək] inconsiderable; insignificant.

onaanzienlijkheid [-hɛit] v inconsiderableness; insignificance.

onaardig [ònˈa:rdəx] I aj unpleasant; unkind; het is ~ van je it is not nice of you; II ad unpleasantly; unkindly.

onaardigheid [-hɛit] v unpleasantness; unkindness.

onachtzaam [ònˈaxtsa.m] aj (& ad) inattentive(ly), negligent(ly), careless(ly).

onachtzaamheid [-hɛit] v inattention, negligence, carelessness.

onafbetaald [ònˈafbəta.lt] unpaid.

onafgebroken [-gəbro.kə(n)] aj (& ad) uninterrupted(ly), continuous(ly).

onafgedaan [-gəda.n] 1 unfinished [work]; 2 unpaid, outstanding [debts]; 3 S not sold.

onafgehaald [-gəha.lt] unclaimed [goods, prizes].

onafgewerkt [-gəvɛrkt] unfinished.

onafhankelijk [ònafˈhaŋkələk] aj (& ad) independent(ly).

onafhankelijkheid [-hɛit] v independence.

onafhankelijkheidsverklaring [-hɛitsfərkla:rɪŋ] v declaration of independence.

onaflosbaar [ònafˈlɔsba:r] irredeemable.

onafscheidelijk [-ˈsxɛidələk] I aj inseparable; II ad inseparably.

onafscheidelijkheid [-hɛit] v inseparability.

onafwendbaar [ònafˈvɛntba:r] not to be averted, inevitable.

onafzetbaar [-ˈsɛtba:r] irremovable.

onafzetbaarheid [-hɛit] v irremovability.

onafzienbaar [ònafˈsi.nba:r] immense, endless.

onattent [ònaˈtɛnt] aj (& ad) inattentive(ly).

onbaatzuchtig [ònba.tˈsüxtəx] aj (& ad) disinterested(ly), unselfish(ly).

onbaatzuchtigheid [-hɛit] v disinterestedness, unselfishness.

onbarmhartig [ònbarmˈhartəx] aj (& ad) merciless(ly), pitiless(ly).

onbarmhartigheid [-hɛit] v mercilessness.

onbeantwoord [ònbəˈantvo:rt] unanswered [letters]; unreturned [love].

onbebouwd [ˈònbəbout] uncultivated, untilled [soil]; unbuilt on [spaces], waste [ground].

onbedaarlijk [ònbəˈda:rlək] uncontrollable, inextinguishable [mirth].

onbedacht(zaam) [-ˈdaxt(sa.m)] aj (& ad) thoughtless(ly), rash(ly), inconsiderate(ly).

onbedachtzaamheid [-hɛit] v thoughtlessness rashness, inconsiderateness.

onbedekt [ònbəˈdɛkt] uncovered, bare, open.

onbedorven [-bəˈdorvə(n)] unspoiled, unsophisticated, innocent; sound; undepraved, incorrupted.

onbedorvenheid [-hɛit] v innocence.

onbedreven [ònbəˈdre.və(n)] unskilled, inexperienced.

onbedrevenheid [-hɛit] v inexperience, unskilfulness.

onbedrieglijk [ònbəˈdri.gələk] unmistakable [signs]; [instinct, memory] never at fault.

onbeduidend [ònbəˈdœydənt] I aj insignificant [people]; trivial, trifling [sums]; niet ~ not inconsiderable; II ad insignificantly.

onbeduidendheid [-hɛit] v insignificance; triviality.

onbedwingbaar [ònbəˈdvɪŋba:r] I aj uncontrollable, indomitable; II ad uncontrollably, indomitably.

onbedwingbaarheid [-hɛit] v uncontrollableness &.

onbeëdigd [ˈònbəe.dəxt] unsworn.

onbegaanbaar [ònbəˈga.nba:r] impassable, impracticable.

onbegonnen [ˈònbəgònə(n)] in: het is een ~ werk it is an endless task.

onbegrensd [ònbəˈgrɛnst] unlimited, unbounded.

onbegrijpelijk [-ˈgrɛipələk] I aj inconceivable, incomprehensible, unintelligible; II ad inconceivably.

onbegrijpelijkheid [-heit] v inconceivableness, incomprehensibility, unintelligibility.

onbegrip ['ònbəgrıp] o incomprehension.

onbehaaglijk [ònbə'ha.gələk] unpleasant, disagreeable; uncomfortable, uneasy.

onbehaaglijkheid [-heit] v unpleasantness &, discomfort.

onbehaard [ònbə'ha:rt] hairless.

onbeheerd [-'he:rt] without an owner, unowned, ownerless; (v. auto, fiets &) unattended.

onbeholpen [-'hòlpə(n)] I aj awkward, clumsy, II ad awkwardly, clumsily.

onbeholpenheid [-heit] v awkwardness, clumsiness.

onbehoorlijk [ònbə'ho:rlək] I aj unseemly, improper, indecent, unconscionable; II ad improperly.

onbehoorlijkheid [-heit] v unseemliness, impropriety, indecency.

onbehouwen ['ònbəhouə(n)] unhewn [blocks]; [ònbə'houə(n)] fig ungainly, unwieldy; unmannerly.

onbehouwenheid [ònbə'houə(n)heit] v ungainliness, unwieldiness; unmannerliness.

onbehuisd [ònbə'hœyst] homeless; de ~en the homeless.

onbehulpzaam [ònbə'hŭlpsa.m] unwilling to help, disobliging.

onbehulpzaamheid [-heit] v unwillingness to help, disobligingness.

onbekend [ònbə'kɛnt] unknown; dat is hier ~ that is not known here; ik ben hier ~ I am a stranger here; hij is nog ~ he is still unknown; dat was mij ~ it was unknown to me, I was not aware of the fact; ~ met unacquainted with, ignorant of; ~ maakt onbemind unknown, unloved.

onbekende [-'kɛndə] m-v stranger; de ~ ook: the unknown; het ~ the unknown; twee ~n I two unknown people, two strangers; 2 two unknowns [in algebra].

onbekendheid [-'kɛntheit] v I unacquaintedness, unacquaintance; 2 obscurity; zijn ~ met... his unacquaintance (unfamiliarity) with, his ignorance of...

onbeklaagd [-'kla.xt] unpitied, unlamented.

onbeklant [-'klant] without customers.

onbeklimbaar [-'klımba:r] unclimbable, inaccessible.

onbeklimbaarheid [-heit] v unclimbableness, inaccessibility.

onbekommerd [ònbə'kòmərt] I aj unconcerned; een ~ leven leiden lead a care-free life; II ad unconcernedly.

onbekommerdheid [-heit] v unconcern.

onbekookt [ònbə'ko.kt] aj (& ad) inconsiderate(ly), thoughtless(ly), rash(ly).

onbekrompen [-'kròmpə(n)] I aj I unstinted, unsparing, lavish; 2 liberal, broad-minded; II ad I unsparingly, lavishly; 2 liberally; ~ leven be in easy circumstances.

onbekrompenheid [-heit] v liberality.

onbekwaam [ònbə'kva.m] incapable, unable, incompetent.

onbekwaamheid [-heit] v incapacity, inability, incompetence.

onbelangrijk [ònbə'laŋrɛik] I aj unimportant, insignificant, trifling, inconsequential, immaterial; II ad unimportantly &.

onbelangrijkheid [-heit] v unimportance, insignificance, triflingness.

onbelast ['ònbəlast] I unburdened, unencumbered; 2 untaxed; 3 ✹ without load.

onbeleefd [ònbə'le.ft] I aj impolite, uncivil, illmannered, rude; II ad impolitely, uncivilly, rudely.

onbeleefdheid [-heit] v impoliteness, incivility, rudeness.

onbelemmerd ['ònbələmərt] unimpeded, unhampered, free.

onbelezen [ònbə'le.zə(n)] illiterate, unread.

onbeloond [-'lo.nt] unrewarded [pupils &]; unrequited [toil]; dat zal niet ~ blijven that shall not go unrewarded. [craft].

onbemand ['ònbəmant] unmanned [space-

onbemerkt [-mɛrkt] I aj unperceived, unnoticed, unobserved; II ad without being perceived.

onbemiddeld [ònbə'mıdəlt] without means.

onbemind [-'mınt] unloved, unbeloved.

onbeminnelijk ['ònbəmınələk] unamiable, unlovely.

onbenoemd [-nu.mt] unnamed; abstract [number].

onbenullig [ònbə'nŭləx] I aj fatuous, dullheaded; II ad fatuously.

onbenulligheid [-heit] v fatuousness, fatuity.

onbepaalbaar [ònbə'pa.lba:r] indeterminable.

onbepaald ['ònbəpa.lt] unlimited; indefinite; uncertain; vague; voor ~e tijd indefinitely; ~e wijs infinitive.

onbepaaldheid [ònbə'pa.ltheit] v unlimitedness; indefiniteness; uncertainty; vagueness.

onbeperkt ['ònbəpɛrkt] I aj unlimited, unrestrained, boundless, unbounded; II ad unlimitedly.

onbeproefd [ònbə'pru.ft] untried[2]; niets ~ laten leave nothing untried, leave no stone unturned.

onberaden [ònbə'ra.də(n)] I aj inconsiderate, ill-advised; II ad inconsiderately.

onberadenheid [-heit] v inconsiderateness.

onbereden [ònbə're.də(n)] I unbroken, unridden [horses]; 2 ✕ unmounted.

onberedeneerd [ònbərədə'ne:rt] I aj I unreasoned [fear]; 2 inconsiderate [behaviour]; II ad inconsiderately.

onbereikbaar [-'rɛikba:r] inaccessible; fig unattainable.

onbereisd ['ònbərɛist] untravelled [country, people].

onberekenbaar [ònbə're.kənba:r] incalculable[2], fig unpredictable.

onberispelijk [-'rıspələk] I aj irreproachable, blameless, immaculate, faultless, flawless; II ad irreproachably, faultlessly.
onberispelijkheid [-hɛit] v irreproachableness &.
onberoerd ['ònbəru:rt] untouched, unmoved.
onbeschaafd [ònbə'sxa.ft] 1 ill-bred, unmannerly, uneducated, unrefined; 2 uncivilized [nations].
onbeschaafdheid [-hɛit] v 1 ill-breeding, unmannerliness; 2 want of civilization.
onbeschaamd [ònbə'sxa.mt] I aj unabashed, impudent, impertinent, bold; ~e leugen barefaced lie; ~e kerel impudent fellow; II ad impudently.
onbeschaamdheid [-hɛit] v impudence, impertinence.
onbeschadigd ['ònbəsxa.dəxt] undamaged.
onbescheiden [ònbə'sxɛidə(n)] aj (& ad) indiscreet(ly), immodest(ly).
onbescheidenheid [-hɛit] v indiscretion, immodesty.
onbeschermd [ònbə'sxɛrmt] unprotected, undefended.
onbeschoft [-'sxɔft] aj (& ad) impertinent(ly), insolent(ly), impudent(ly), rude(ly).
onbeschoftheid [-hɛit] v impertinence, insolence, impudence, rudeness.
onbeschreven ['ònbə's(x)re.və(n)] not written upon, blank [paper]; unwritten [laws]; undescribed.
onbeschrijf(e)lijk [ònbə's(x)rɛif(ə)lək] I aj indescribable; II ad indescribably, < very.
onbeschroomd [-'s(x)ro.mt] I aj undaunted, fearless; II ad undauntedly, fearlessly.
onbeschroomdheid [-hɛit] v undauntedness, fearlessness.
onbeschut [ònbə'sxũt] unsheltered, unprotected.
onbeslagen ['ònbəsla.gə(n)] unshod; ~ ten ijs komen be unprepared (for...).
onbeslist [ònbə'slıst] undecided; ~ spel drawn game; het spel bleef ~ the game ended in a tie, in a draw.
onbeslistheid [-hɛit] v undecidedness.
onbesmet ['ònbəsmɛt] undefiled.
onbesproken ['ònbəspro.kə(n)] undiscussed [subjects]; unbooked, free [seat]; fig blameless, irreproachable [conduct].
onbestaanbaar [ònbə'sta.nba:r] impossible; ~ met inconsistent (incompatible) with.
onbestaanbaarheid [-hɛit] v impossibility; inconsistency, incompatibility [with].
onbestelbaar [ònbə'stɛlba:r] undeliverable; een onbestelbare brief ✍ a dead letter.
onbestemd ['ònbəstɛmt] indeterminate, vague.
onbestendig [ònbə'stɛndəx] unsettled, unstable, inconstant; fickle.
onbestendigheid [-hɛit] v unsettled state, instability, inconstancy; fickleness.
onbestuurbaar [ònbə'sty:rba:r] unmanageable, out of control.
onbesuisd [ònbə'sœyst] I aj rash, hot-headed,

foolhardy; II ad rashly.
onbesuisdheid [-hɛit] v rashness, foolhardiness.
onbetaalbaar [ònbə'ta.lba:r] 1 unpayable [debts]; 2 fig priceless, invaluable; een onbetaalbare grap a capital joke.
onbetaald ['ònbəta.lt] unpaid, unsettled; ~e rekeningen outstanding accounts.
onbetamelijk [ònbə'ta.mələk] I aj unbecoming, improper, unseemly, indecent; II ad unbecomingly.
onbetamelijkheid [-hɛit] v unbecomingness, impropriety, unseemliness, indecency.
onbetekenend [ònbə'te.kənənt] insignificant, unimportant, inconsiderable, trifling.
onbeteugeld ['ònbə'tø.gəlt] unbridled, unrestrained.
onbetreurd ['ònbə'trø:rt] unlamented, unwept.
onbetrouwbaar [ònbə'trɔuba:r] unreliable.
onbetrouwbaarheid [-hɛit] v unreliableness.
onbetuigd [ònbə'tœyxt] in: hij liet zich niet ~ he rose to the occasion.
onbetwist ['ònbətvıst] undisputed, uncontested.
onbetwistbaar [ònbə'tvıstba:r] I aj indisputable; II ad indisputably.
onbevaarbaar [-'va:rba:r] innavigable.
onbevaarbaarheid [-hɛit] v innavigableness.
onbevallig [ònbə'valəx] aj (& ad) ungraceful(ly), inelegant(ly).
onbevalligheid [-hɛit] v ungracefulness, inelegance.
onbevangen ['ònbəvaŋə(n)] 1 unprejudiced, unbiassed; 2 unconcerned.
onbevangenheid [ònbə'vaŋə(n)hɛit] v 1 impartiality; 2 unconcern(edness).
onbevaren ['ònbəva:rə(n)] 1 unfrequented [seas]; 2 inexperienced [sailors].
onbevattelijk [ònbə'vatələk] 1 slow [pupil]; 2 incomprehensible [thing].
onbevattelijkheid [-hɛit] v 1 slowness; 2 incomprehensibility.
onbevlekt ['ònbəvlɛkt] unstained, undefiled; immaculate; de Onbevlekte Ontvangenis RK the Immaculate Conception.
onbevoegd [ònbə'vu.xt] I aj incompetent, unqualified [teacher]; II ad incompetently.
onbevoegdheid [-hɛit] v incompetence.
onbevooroordeeld [ònbəvo:r'o:rde.lt] unprejudiced, unbiassed.
onbevredigd [-'vre.dəxt] unsatisfied, ungratified.
onbevredigend [-'vre.dəgənt] I aj unsatisfactory; II ad unsatisfactorily.
onbevreesd ['ònbəvre.st] I aj undaunted, unafraid, fearless; II ad undauntedly, fearlessly
onbewaakt [-va.kt] unguarded; zie ook: ogenblik, I overweg.
onbeweegbaar [ònbə've.xba:r] immovable.
onbeweegbaarheid [-hɛit] v immovableness.
onbeweeglijk [ònbə've.gələk] I aj motionless, immovable, immobile; II ad immovably.
onbeweeglijkheid [-hɛit] v immobility.

onbeweend ['ònbəve.nt] unwept.

onbewijsbaar [ònbə'vɛisba:r] unprovable.

onbewimpeld ['ònbəvɪmpəlt] I *aj* undisguised, frank; II *ad* frankly, without mincing matters.

onbewogen [ònbə'vo.gə(n)] unmoved, untouched, unruffled, impassive, placid.

onbewolkt ['ònbəvòlkt] unclouded, cloudless.

onbewoonbaar [-'vo.nba:r] uninhabitable [country]; [dwelling] unfit for habitation; ~ *verklaren* condemn.

onbewoond ['ònbəvo.nt] uninhabited [region, place &]; unoccupied, untenanted [house]; ~ *eiland* desert island.

onbewust [ònbə'vŭst] I *aj* unconscious [act]; unwitting [hope]; *mij* ~ *hoe (of, waar &)* not knowing how (if &); ~ *van...* unaware of...; *het* ~*e* the unconscious; II *ad* unwittingly, unconsciously.

onbewustheid [-hɛit] *v* unconsciousness.

onbezeerd [ònbə'ze:rt] unhurt, uninjured.

onbezet ['ònbəzɛt] unoccupied [chair], vacant [post].

onbezield [-zi.lt] inanimate, lifeless.

onbezoedeld [-zu.dəlt] undefiled, unsullied.

onbezoldigd [ònbə'zòldəxt] unsalaried, unpaid; *een* ~ *politieagent* a special constable.

onbezonnen [-'zònə(n)] I *aj* inconsiderate, thoughtless, unthinking, rash; II *ad* inconsiderately &.

onbezonnenheid [-hɛit] *v* inconsiderateness, thoughtlessness, rashness.

onbezorgd [ònbə'zɔrxt] I *aj* free from care, care-free [old age]; unconcerned; ಟ undelivered; II *ad* care-free; unconcernedly.

onbezorgdheid [-hɛit] *v* freedom from care; unconcern.

onbezwaard [ònbə'zva:rt] 1 unencumbered [property]; 2 unburdened [mind].

onbillijk [òn'bɪlək] I *aj* unjust, unfair, unreasonable; II *ad* unjustly, unfairly, unreasonably.

onbillijkheid [-hɛit] *v* injustice, unfairness, unreasonableness.

onbloedig ['ònblu.dəx] bloodless.

onblusbaar [òn'blŭsba:r] inextinguishable, unquenchable.

onboetvaardig [ònbu.t'fa:rdəx] *aj* (& *ad*) impenitent(ly).

onboetvaardigheid [-hɛit] *v* impenitence.

onbrandbaar [òn'brantba:r] incombustible, uninflammable.

onbrandbaarheid [-hɛit] *v* incombustibility.

onbreekbaar [òn'bre.kba:r] unbreakable.

onbreekbaarheid [-hɛit] *v* unbreakableness.

onbroederlijk ['ònbru.dərlək] I *aj* unbrotherly; II *ad* in an unbrotherly way.

onbruik ['ònbrœyk] *in* ~ *geraken* go out of use [of words], fall into disuse, into desuetude.

onbruikbaar [òn'brœykba:r] unfit for use, useless, unserviceable [things]; impracticable [roads]; inefficient [persons].

onbruikbaarheid [-hɛit] *v* uselessness, unserviceableness; impracticability; inefficiency.

onbuigbaar [òn'bœyxba:r] inflexible.

onbuigzaam [-sa.m] inflexible[2]; *fig* unbending, unyielding, rigid.

onbuigzaamheid [-hɛit] *v* inflexibility, rigidity.

ondank ['òndaŋk] *m* thanklessness, ingratitude; *zijns* ~*s* in spite of him; ~ *is 's werelds loon* the world's wages are ingratitude.

ondankbaar [òn'daŋkba:r] I *aj* ungrateful, unthankful, thankless; *een ondankbare rol* an unthankful part; II *ad* thanklessly.

ondankbaarheid [-hɛit] *v* ingratitude, thanklessness, unthankfulness.

ondanks ['òndaŋks] in spite of, notwithstanding.

ondeelbaar [òn'de.lba:r] indivisible; *één* ~ *ogenblik* one split second.

ondeelbaarheid [-hɛit] *v* indivisibility.

ondegelijk [òn'de.gələk] unsubstantial, flimsy.

ondenkbaar [-'dɛŋkba:r] unthinkable, inconceivable.

onder [òndər] I *prep* 1 under[2], ⊙ underneath; 2 (te midden van) among; 3 (gedurende) during; ~ *Amsterdam* under the smoke of A.; ~ *andere(n)* 1 (v. zaken) among other things; 2 (v. personen) among others; ~ *elkaar* between them [they had a thousand pounds]; [discuss, quarrel, marry] among themselves; ~ *meer* zie ~ *andere(n)*; ~ *ons* between you and me, between ourselves; *iets* ~ *zich hebben* have a thing in one's keeping; ~ *een glas wijn* over a glass of wine; ~ *het eten* during meals; at dinner; ~ *het lezen* while (he was) reading; ~ *het lopen* as he went; ~ *de preek* during the sermon; ~ *de toejuichingen van de menigte* amid the cheers of the crowd; ~ *de regering van Koningin Wilhelmina* during (in) the reign of Queen Wilhelmina; ~ *vrienden* among friends; ~ *vijanden* amid(st) enemies; II *ad* below; *de zon is* ~ the sun is set (is down); *er is een kelder* ~ underneath there is a cellar; ~ *aan de bladzijde (de trap)* at the foot of the page (the stairs); ~ *in de fles* at the bottom of the bottle; *naar* ~ down, below; *ten* ~ *brengen* subjugate, overcome; *ten* ~ *gaan* go to rack and ruin, be ruined; *van* ~! below there!; *van* ~ *op* from below; *fig* [start] from the bottom; *derde regel van* ~ 3rd line from the bottom.

onderaan [òndə'ra.n] I *prep* at the bottom of; II *ad* at the bottom, at (the) foot.

onderaanbesteden ['òndəra.nbɛste.də(n)] *vt* sublet.

onderaandeel ['òndəra.nde.l] *o* $ sub-share.

onderaannemer [-a.ne.mər] *m* sub-contractor.

onderaards [òndər'a:rts] subterranean, underground.

onderafdeling ['òndərafde.lɪŋ] *v* 1 subdivision; 2 subsection.

onderarm [-ɑrm] *m* fore-arm.

onderbaas [-ba.s] *m* foreman.

onderbelicht [-bəlɪxt] under-exposed.

onderbelichting [-bəlɪxtɪŋ] *v* under-exposure.

onderbevelhebber [-bəvɛlhɛbər] *m* second in command.

onderbevolking [-bəvɔlkɪŋ] *v* under-population.

onderbevolkt [-bəvɔlkt] under-populated.

onderbewust [-bəvǔst] *aj* (& *ad*) subconscious-(ly).

onderbewustzijn [-sɛin] *o* subconsciousness, subconscious.

onderbezet [ˈòndərbəzɛt] undermanned, understaffed.

onderbinden [-bɪndə(n)] *vt* tie on [skates].

onderblijven [-blɛivə(n)] *vi* 1 stay downstairs; 2 remain under water.

onderbouw [-bou] *m* substructure.

onderbreken [òndərˈbre.kə(n)] *vt* interrupt, break off, break [a journey, holidays].

onderbreking [-kɪŋ] *v* interruption, break.

onderbrengen [ˈòndərbrɛŋə(n)] *vt* shelter, house, place².

onderbroek [-bru.k] *v* (pair of) pants, drawers.

onderbuik [-bœyk] *m* abdomen.

onderdaan [-da.n] *m* subject; *onderdanen* nationals [of a country, when abroad]; *mijn onderdanen* J my pins [= legs].

onderdak [ˈòndərdak] *o* shelter; *geen ~ hebben* have no shelter (no home, no accommodation).

onderdanig [òndərˈda.nəx] I *aj* submissive; humble; *Uw ~e dienaar* Yours obediently; II *ad* submissively; humbly.

onderdanigheid [-hɛit] *v* submissiveness; humility.

onderdeel [ˈòndərde.l] *o* 1 lower part; 2 inferior part; 3 ⚔ accessory, part; 4 ⚒ unit; *dat is maar een ~* that's only part of it, a fraction; *voor een ~ van een seconde* for a fraction of a second, one split second.

onderdeur [-dø:r] *v* lower half of a door, hatch.

onderdirecteur, -direkteur [-di.rəktø:r] *m* submanager; ⚭ second master, vice-principal.

onderdoen [-du.n] I *vt* tie on [skates]; II *vi* in: *niet ~ voor... in...* not yield to... in...; *voor niemand ~ (in)...* be second to none, yield to none in...

onderdompelen [-dòmpələ(n)] *vt* submerge, immerse.

onderdompeling [-lɪŋ] *v* submersion, immersion.

onderdoor [òndərˈdo:r] underneath.

onderdrukken [-ˈdrǔkə(n)] *vt* keep down [one's anger], oppress [a nation]; suppress [a rebellion, a groan, a yawn &], stifle [a sigh], smother [a laugh, a yawn]; quell [a revolt].

onderdrukker [-kər] *m* oppressor [of people]; suppressor [of revolt].

onderdrukking [-kɪŋ] *v* 1 oppression [of the people]; 2 suppression [of a revolt].

onderduiken [ˈòndərdœykə(n)] *vi* 1 dive, duck [of birds &]; sink below the horizon [of the sun]; 2 (zich verbergen) F go into hiding; *ondergedoken zijn* F be in hiding.

onderduiker [-kər] *m* F person in hiding.

ondereen [òndərˈe.n] together, pell-mell, in disorder.

ondereind(e) [ˈòndərɛint, -ɛində] *o* lower end.

onderen [ˈòndərə(n)] in: *naar ~, van ~* zie *onder* II.

1 ondergaan [ˈòndərga.n] *vi* 1 (v. schip) go down, sink; 2 (v. zon) set, go down; 3 (bezwijken) go down, perish.

2 ondergaan [òndərˈga.n] *vt* undergo, suffer, endure; *hij onderging zijn lot* he underwent his fate; *een verandering ~* undergo (suffer) a change; *wat ik ~ heb* what I have undergone (gone through, suffered).

ondergang [ˈòndərgaŋ] *m* setting [of the sun]; *fig* (down)fall, ruin, destruction; ☉ doom; *dat was zijn ~* that was the ruin of him, that was his undoing.

ondergeschikt [òndərgəˈsxɪkt] I *aj* subordinate [person]; subservient [position]; inferior [rôle]; *van ~ belang* of minor importance; *~ maken aan* subordinate to; II *m-v ~e* subordinate, inferior; *zijn ~en* those under him, his inferiors.

ondergeschiktheid [-hɛit] *v* subordination, inferiority.

ondergeschoven [ˈòndərgəsxo.və(n)] supposititious.

ondergetekende [òndərgəˈte.kəndə] *m-v* undersigned; J yours truly; *ik ~ verklaar* I the undersigned declare; *wij ~n verklaren* we the undersigned declare.

ondergoed [ˈòndərgu.t] *o* underwear, underclothes.

ondergraven [òndərˈgra.və(n)] *vt* undermine, sap.

ondergrond [ˈòndərgrònt] *m* subsoil²; *fig* foundation.

ondergronds [òndərˈgrònts] underground² [railway; movement]; subterranean.

onderhandelaar [-ˈhandəla:r] *m* negotiator.

onderhandelen [-lə(n)] *vi* negotiate, treat.

onderhandeling [-lɪŋ] *v* negotiation; *in ~ treden met...* enter into negotiations with...; *in ~ met iemand zijn over...* be negotiating with one for...

onderhands [òndərˈhants] 1 underhand [intrigues]; 2 $ [sale] by private contract; private [arrangement, contract, sale].

onderhavig [-ˈha.vəx] in: *in het ~e geval* in the present case.

onderhevig [-ˈhe.vəx] in: *~ aan* subject to [fits of...]; liable to [error]; admitting of [doubt].

onderhorig [-ˈho.rəx] I *aj* dependent, subordinate, belonging to; II *m-v ~e* subordinate.

onderhorigheid [-hɛit] *v* dependence, subordination; (gebied) dependency.

onderhoud [ˈòndərhout] *o* 1 (het in stand houden) upkeep [of the roads &]; 2 (levensonderhoud) maintenance, support, sustenance; 3 (gesprek) conversation, interview, talk; *in zijn (eigen)* ∼ *voorzien* support oneself, be self-supporting, provide for oneself.

1 **onderhouden** [-hou(d)ə(n)] *vt* keep under; *de jongens er* ∼ keep the boys in hand.

2 **onderhouden** [òndər'hou(d)ə(n)] I *vt* 1 (in orde houden) keep in repair [a house &]; 2 (aan de gang houden) keep up [the firing, a correspondence, one's French &], maintain [a service]; 3 (in 't leven houden) support, provide for [one's family &]; 4 (bezighouden) amuse; entertain [people]; 5 keep [God's commandments]; *u moet hem daarover eens* ∼ you ought to remonstrate (expostulate) with him about that; *het huis is goed (slecht)* ∼ the house is in good (bad) repair; *een goed (slecht)* ∼ *tuin* a well-(badly) kept garden; II *vr zich* ∼ support (provide for) oneself; *zich* ∼ *over...* converse about.

onderhoudend [-dənt] entertaining, amusing.
onderhouder [-dər] *m* maintainer, supporter.
onderhoudskosten [òndərhoutskostə(n)] *mv* cost of upkeep, maintenance cost(s).
onderhout [-hout] *o* underwood, undergrowth, brushwood.
onderhuid [-hœyt] *v* true skin.
onderhuids [-hœyts] subcutaneous; hypodermic [syringe].
onderhuis [-hœys] *o* lower part of a house.
onderhuren [-hy:rə(n)] *vt* sub-rent.
onderhuur [-hy:r] *v* subtenancy.
onderhuurder [-dər] *m* subtenant.
onderin [òndər'ɪn] at the bottom [of the cupboard].
onderjurk [òndərjűrk] *v* (under)slip.
onderkaak [-ka.k] *v* lower jaw.
onderkant [-kant] *m* bottom.
onderkennen [òndər'kenə(n)] *vt* discern, perceive; (onderscheiden) distinguish.
onderkin [òndərkɪn] *v* double chin.
onderkleren [-kle:rə(n)] *mv* zie *ondergoed.*
onderkomen [-ko.mə(n)] I *vi* find shelter (a lodging); II *o* in: *een* ∼ *vinden* find shelter, find accommodation.
onderkoning [-ko.nɪŋ] *m* viceroy.
onderkrijgen [-krɛigə(n)] *vt* get the better of, subdue.
onderkruipen [-krœypə(n)] *vi* S 1 $ undercut, spoil a person's trade; 2 (bij staking) blackleg.
onderkruiper [-pər] *m* S 1 $ underseller; 2 (bij staking) blackleg, scab.
onderkruiping [-pɪŋ] *v* S 1 $ undercutting; 2 (bij staking) playing the blackleg.
onderlaag [òndərla.x] *v* substratum [*mv* substrata].
onderlangs [òndər'laŋs] along the bottom (the foot).
onderlegd [-'lɛxt] in: *goed* ∼ *(in alle vakken)* well-grounded (all-round).

onderlegger [òndərlegər] *m* blotting-pad, (writing-)pad.
onderliggen [-lɪgə(n)] *vi* lie under; *fig* be worsted; *de* ∼*de partij* F the underdog.
onderlijf [-lɛif] *o* belly, abdomen.
onderlijfje [-jə] *o* (under-)bodice.
onderling [òndərlɪŋ] I *aj* mutual; ∼*e verzekeringsmaatschappij* mutual insurance company; II *ad* 1 mutually; 2 together, between them; ∼ *verdeeld* divided among themselves.
onderlip [-lɪp] *v* lower lip.
onderlopen [-lo.pə(n)] *vi* be flooded, be overflowed, be swamped [of a meadow]; *laten* ∼ inundate.
ondermaans [òndər'ma.ns] sublunary; *het* ∼*e* the sublunary world; *in dit* ∼*e* here below.
ondermijnen [-'mɛinə(n)] *vt* undermine[2], sap[2].
ondermijning [-'mɛinɪŋ] *v* undermining[2], sapping[2].
ondernemen [-'ne.mə(n)] *vt* undertake, attempt.
ondernemend [-mənt] enterprising.
ondernemer [-mər] *m* 1 undertaker; 2 $ proprietor, owner, entrepreneur, enterpriser.
onderneming [-mɪŋ] *v* 1 undertaking, enterprise; venture; 2 (business) concern; 3 (plantage) estate, plantation.
ondernemingsgeest [-mɪŋsge.st] *m* (spirit of) enterprise.
onderofficier [òndərofi.si:r] *m* 1 ✕ non-commisiened officer, N.C.O.; 2 ⚓ petty officer.
onderom [òndəròm] round the foot (bottom of...
onderonsje [òndər'ònʃə] *o* F 1 private business; 2 small sociable party, informal gathering.
onderontwikkeld [òndəròntvɪkəlt] underdeveloped [areas; negative].
onderpand [òndərpant] *o* pledge, guarantee, security; *op* ∼ on security; *in* ∼ *geven* pledge.
onderploegen [-plu.gə(n)] *vt* plough in.
onderrand [òndərant] *m* lower edge [of a page].
onderregenen [òndəre.gənə(n)] *vi* be swamped with rain.
onderricht [-rɪxt] *o* instruction, tuition.
onderrichten [òndə'rɪxtə(n)] *vt* 1 instruct, teach; 2 inform (of *van*).
onderrichting [-tɪŋ] *v* 1 instruction; 2 information.
onderrok [òndərok] *m* petticoat.
onderschatten [òndər'sxatə(n)] *vt* undervalue underestimate, underrate.
onderschatting [-tɪŋ] *v* undervaluation, underestimation.
onderscheid [òndərsxeit] *o* difference; distinction, discrimination; *de jaren des* ∼*s* the years of discretion [in England: 14]; ∼ *maken tussen... en...* distinguish (discriminate) between... and...; *dat maakt een groot* ∼ that makes all the difference; *allen zonder* ∼ all without exception; zie ook: *oordeel.*
1 **onderscheiden** [òndər'sxeidə(n)] I *vt* distin-

guish, discern; *fig* distinguish, single out; ~ *in*... distinguish into...; ~ *van*... distinguish from, tell... apart from; II *vr zich* ~ distinguish oneself.

2 **onderscheiden** [òndər'sxɛidə(n)] *aj* different, various, distinct.

onderscheidenlijk [-lək] respectively [called A, B, C].

onderscheiding [òndər'sxɛidɪŋ] *v* distinction; ~*en* 1 [New Year's &] honours; 2 [civil, war] decorations; 3 awards [at a show].

onderscheidingsteken [-dɪŋste.kə(n)] *o* distinguishing mark, badge.

onderscheidingsvermogen [-fərmo.gə(n)] *o* discrimination, discernment.

onderscheppen [òndər'sxɛpə(n)] *vt* intercept.

onderschepper [-pər] *m* interceptor.

onderschepping [-pɪŋ] *v* interception.

onderschikkend [òndərsxɪkənt] *gram* subordinating.

onderschikking [-kɪŋ] *v gram* subordination.

onderschrift [òndərs(x)rɪft] *o* 1 subscription, signature [of a letter]; 2 caption, letterpress [under a picture].

onderschrijven [òndər's(x)rɛivə(n)] *vt* in: *het* ~ subscribe to that [statement], endorse the statement.

onderschuiving [òndərsxœyvɪŋ] *v* substitution.

ondershands [òndərs'hɑnts] privately, by private contract.

ondersneeuwen [òndərsne.və(n)] *vi* be snowed under.

onderspit [-spɪt] *o* in: *het* ~ *delven* be worsted, have the worse, get the worst of it.

onderstaand [-stɑ.nt] subjoined, undermentioned.

onderstand [-stɑnt] *m* relief, assistance, maintenance.

onderstandig [-stɑndəx] ⚭ inferior.

onderste [-stə] lowest, lowermost, undermost, bottom; ~*boven* upside down, wrong side up; ~*boven gooien* overthrow, overturn, upset; *het* ~ *boven* the bottom part; *wie het* ~ *uit de kan wil hebben, valt het lid op de neus* much would have more and lost all.

onderstel [-stɛl] *o* (under-)carriage, underframe.

onderstellen [òndər'stɛlə(n)] *vt* suppose.

onderstelling [-lɪŋ] *v* supposition; hypothesis; zie ook: *veronderstelling*.

ondersteunen [òndər'stø.nə(n)] *vt* support.

ondersteuning [-nɪŋ] *v* support, relief.

ondersteuningsfonds [-nɪŋsfònts] *o* relief fund.

onderstrepen [òndər'stre.pə(n)] *vt* underline².

onderstroom [òndərstro.m] *m* undercurrent.

onderstuk [-stŭk] *o* lower part, bottom piece.

ondertand [-tɑnt] *m* lower tooth.

ondertekenaar [òndər'te.kəna:r] *m* signer, subscriber; signatory [to a convention].

ondertekenen [-nə(n)] *vt* sign, affix one's signature to.

ondertekening [-nɪŋ] *v* signature, subscription;

(de handeling) signing; *ter* ~ for signature.

ondertitel [òndərti.təl] *m* sub-title, sub-heading.

ondertoon [-to.n] *m* undertone.

ondertrouw [-trou] *m* betrothal.

ondertrouwde [òndər'troudə] *m-v* person betrothed.

ondertrouwen [-'trouə(n)] *vi* have their names entered at the registry-office.

ondertussen [-'tŭsə(n)] meanwhile, in the meantime.

ondervangen [-'vɑŋə(n)] *vt* obviate [criticism], anticipate, meet [objections].

onderverdelen [òndərvərde.lə(n)] *vt* subdivide.

onderverdeling [-lɪŋ] *v* subdivision.

onderverhuren [òndərverhy:rə(n)] *vt* sublet.

onderverhuurder [-hy:rdər] *m* sublessor.

ondervinden [òndər'vɪndə(n)] *vt* experience, meet with [difficulties].

ondervinding [-dɪŋ] *v* experience; ~ *is de beste leermeester(es)* experience is the best of all schoolmasters; *bij (door)* ~ [know] by (from) experience.

ondervoed [òndər'vu.t] underfed, under-nourished.

ondervoeding [-dɪŋ] *v* underfeeding, malnutrition.

ondervoorzitter [òndərvo:rzɪtər] *m* vice-chairman.

ondervragen [òndər'vra.gə(n)] *vt* interrogate, examine, question.

ondervrager [-gər] *m* interrogator, examiner.

ondervraging [-gɪŋ] *v* interrogation, examination.

onderwatersport [òndər'va.tərspɔrt] *v sp* skin-diving, underwater-swimming.

onderwaterzetting [-zɛtɪŋ] *v* inundation, flooding.

onderweg [-'vɛx] on the way; *hij was* ~ he was on his way.

onderwereld [òndərve:rəlt] *v* underworld.

onderwerp [-vɛrp] *o* 1 subject, topic; theme; 2 *gram* subject.

onderwerpelijk [òndər'vɛrpələk] [the matter] in question.

onderwerpen [-'vɛrpə(n)] I *vt* subject, subdue; ~ *aan* submit to [an examination], subject to [a test]; II *vr zich* ~ submit; *zich aan een examen* ~ go in for an examination; *zich aan zijn lot* ~ resign oneself to one's fate; *zich* ~ *aan Gods wil* resign oneself to the will of Heaven.

onderwerping [-pɪŋ] *v* subjection, submission.

onderwerpszin [òndərverpsɪn] *m gram* subjective clause.

onderwicht [-vɪxt] *o* $ short weight.

onderwijl [òndər'vɛil] meanwhile, the while.

onderwijs [òndərveis] *o* instruction, tuition; education, schooling; *bijzonder* ~ denominational education; *hoofdelijk* ~ individual teaching; *hoger* ~ university education, higher education; *lager* ~ primary (elementary) education; *middelbaar* ~ secondary education; *openbaar* ~ public education; *technisch* ~ technical education; *het* ~ *in geschiedenis* history teaching, the teaching of history; ~ *geven (in)* teach; *bij het* ~ *zijn* be a teacher.

onderwijsinrichting [-ɪnrɪxtɪŋ] *v* teaching institution.

onderwijskracht [-krɑxt] *v* teacher.

onderwijzen [òndər'ʋɛizə(n)] I *vt* instruct [persons], teach [persons, a subject]; *het* ~*d personeel* the teaching staff; II *va* teach.

onderwijzer [-'ʋɛizər] *m* teacher.

onderwijzeres [-ʋɛizə'rɛs] *v* (woman) teacher.

onderwijzersakte [-'ʋɛizərsɑktə] *v* teacher's certificate.

onderwijzing [òndər'ʋɛizɪŋ] *v* instruction.

onderworpen [-'ʋɔrpə(n)] I *aj* submissive; ~ *aan* subject to [stamp-duty &]; II *ad* submissively.

onderworpenheid [-hɛit] *v* subjection, submission, submissiveness.

onderzeeboot [òndər'ze.bo.t] *m* & *v* ⚓ submarine.

onderzeeër [-'ze.ər] *m* ⚓ zie *onderzeeboot*.

onderzees [-'ze.s] submarine.

onderzij(de) [òndərzɛi(də)] *v* bottom.

onderzoek [-zu.k] *o* inquiry, investigation, examination; [scientific] research; ~ *doen naar iets* inquire into it; *een* ~ *instellen* make inquiries, inquire into the matter, investigate; *bij (nader)* ~ upon (closer) inquiry; *de zaak is in* ~ the matter is under investigation (examination).

onderzoeken [òndər'zu.kə(n)] *vt* inquire (look) into, investigate, examine; make [scientific] researches into; ~ *op* test for, examine for; *een* ~*de blik* a searching look.

onderzoeker [-kər] *m* investigator; research-worker.

onderzoeking [-kɪŋ] *v* exploration [of unknown regions], zie *onderzoek*.

onderzoekingsreis [-kɪŋsrɛis] *v* journey (voyage) of exploration.

ondeskundig [òndɛs'kűndəx] inexpert.

ondeugd ['òndø.xt] *v* 1 (tegenover deugd) vice; 2 (ondeugendheid) naughtiness, mischief; 3 (persoon) naughty boy (girl).

ondeugdelijk [òn'dø.gdələk] unsound, faulty, defective.

ondeugend [-'dø.gənt] I *aj* naughty, mischievous [children &]; bad, wicked [people]; vicious [animals]; (guitig) naughty; II *ad* naughtily.

ondeugendheid [-hɛit] *v* naughtiness, mischief.

ondichterlijk ['òndɪxtərlək] *aj* (& *ad*) unpoetical(ly).

ondienst [-di.nst] *m* bad (ill) service, bad (ill) turn; *iemand een* ~ *doen* ook: do one a disservice.

ondienstig [òn'di.nstəx] unserviceable, useless.

ondienstigheid [-hɛit] *v* unserviceableness, use-

lessness.

ondiep [òn'di.p] shallow.

ondiepte ['òndi.ptə] *v* 1 ('t ondiep zijn) shallowness; 2 (ondiepe plaats) shallow, shoal.

ondier ['òndi:r] *o* brute², monster².

onding [-dɪŋ] *o* 1 absurdity; 2 zie *prul*.

ondoelmatig [òndu.l'ma.təx] I *aj* unsuitable, inexpedient; II *ad* unsuitably, inexpediently.

ondoelmatigheid [-hɛit] *v* unsuitability, inexpediency.

ondoenlijk [òn'du.nlək] unfeasible, impracticable.

ondoenlijkheid [-hɛit] *v* unfeasibleness, impracticability.

ondoordacht [òndo:r'dɑxt] *aj* (& *ad*) inconsiderate(ly), thoughtless(ly), rash(ly).

ondoordachtheid [-'dɑxthɛit] *v* inconsiderateness, thoughtlessness, rashness.

ondoordringbaar [-'drɪŋba:r] impenetrable, impervious; ~ *voor...* impervious to...

ondoordringbaarheid [-hɛit] *v* impenetrability, imperviousness.

ondoorgrondelijk [òndo:r'gròndələk] inscrutable, unsearchable, unfathomable, impenetrable.

ondoorgrondelijkheid [-hɛit] *v* inscrutability, unsearchableness, impenetrability.

ondoorschijnend [òndo:r'sxɛinənt] opaque.

ondoorschijnendheid [-hɛit] *v* opacity.

ondoorzichtig [òndo:r'zɪxtəx] untransparent.

ondoorzichtigheid [-hɛit] *v* untransparency.

ondraaglijk [òn'dra.gələk] I *aj* unbearable, not to be borne, intolerable, insupportable, insufferable; II *ad* unbearably, intolerably, insupportably, insufferably.

ondraaglijkheid [-hɛit] *v* unbearableness, intolerableness, insupportableness, insufferableness.

ondrinkbaar [òn'drɪŋkba:r] undrinkable.

ondubbelzinnig [-dűbəl'zɪnəx] *aj* (& *ad*) unambiguous(ly), unequivocal(ly).

onduidelijk [-'dœydələk] I *aj* indistinct [utterance, outlines &]; obscure; *het is mij* ~ it is not clear to me; II *ad* indistinctly; not clearly.

onduidelijkheid [-hɛit] *v* indistinctness; obscurity.

onduldbaar [òn'dűltba:r] I *aj* unbearable, intolerable; II *ad* unbearably, intolerably.

onduleren [òndy.'le.rə(n)] *vt* wave [of the hair].

onecht [òn'ɛxt] not genuine; false, imitation [jewellery]; forged, unauthentic [letters], spurious [coin, MS], improper [fractions], illegitimate [children]; *fig* sham [feelings], mock [sympathy].

onedel [òn'e.dəl] I *aj* ignoble, base, mean; base [metals]; II *ad* basely, meanly.

onedelmoedig [-e.dəl'mu.dəx] *aj* (& *ad*) ungenerous(ly).

oneens [òn'e.ns] in: *zij zijn het* ~ they disagree, they are at variance; *ik ben het met mezelf* ~ I am in two minds about it.

oneer ['òne:r] *v* dishonour, disgrace.

oneerbaar [òn'e:rba:r] indecent,i mmodest.

oneerbaarheid [-heit] *v* indecency, immodesty.

oneerbiedig [òne:r'bi.dəx] *aj* (& *ad*) disrespectful(ly), irreverent(ly).

oneerbiedigheid [-heit] *v* disrespect, irreverence.

oneerlijk [òn'e:rlək] *aj* (& *ad*) unfair(ly), dishonest(ly).

oneerlijkheid [-heit] *v* dishonesty, improbity.

oneervol [òn'e:rvòl] dishonourable.

oneetbaar [òn'e.tba:r] uneatable, inedible.

oneetbaarheid [-heit] *v* uneatableness, inedibility.

oneffen [òn'εfə(n)] uneven, rugged.

oneffenheid [-heit] *v* unevenness, ruggedness.

oneindig [òn'εindəx] I *aj* infinite, endless; *het ~e* the infinite; *tot in het ~e* ad infinitum, indefinitely; II *ad* infinitely; *~ klein* infinitesimally small.

oneindigheid [-heit] *v* infinity.

onenig [òn'e.nəx] disagreeing, at variance.

onenigheid [-heit] *v* discord, disagreement, dissension; *onenigheden krijgen* fall out.

onervaren [ònεr'va:rə(n)] inexperienced.

onervarenheid [-heit] *v* inexperience.

oneven [òn'e.və(n)] (v. getal) odd; *~ genummerd* odd numbered.

onevenredig [òne.vən're.dəx] I *aj* disproportionate, out of (all) proportion; II *ad* disproportionately, out of (all) proportion.

onevenredigheid [-heit] *v* disproportion.

onevenwichtig [òne.vən'vɪxtəx] unbalanced, unpoised.

onfatsoenlijk [ònfat'su.nlək] *aj* (& *ad*) indecent(ly), improper(ly).

onfatsoenlijkheid [-heit] *v* indecency, impropriety.

onfeilbaar [òn'fɛilba:r] I *aj* unfailing, infallible; II *ad* unfailingly, infallibly.

onfeilbaarheid [-heit] *v* infallibility.

onfortuinlijk [ònfɔr'tœynlək] unlucky luckless.

ongaarne [-'ga:rnə] unwillingly, with a bad grace.

ongastvrij [-'gastfrɛi] inhospitable.

ongeacht ['òngəaxt] I *aj* unesteemed; II *prep* irrespective of [race or creed]; in spite of, notwithstanding.

ongebaand [-ba.nt] unbeaten, untrodden.

ongeblust [-blüst] unquenched [of fire]; unslaked, quick [of lime].

ongebogen [-bo.gə(n)] not bent, unbent.

ongebonden [òngə'bòndə(n)] I *aj* 1 unbound, in sheets; 2 *fig* dissolute, licentious, loose; *~ stijl* prose; II *ad* dissolutely, licentiously.

ongebondenheid [-heit] *v* dissoluteness, licentiousness.

ongebreideld ['òngəbreidəlt] unbridled, unchecked, uncurbed.

ongebroken [-bro.kə(n)] unbroken.

ongebruikelijk [òngə'brœykələk] unusual.

ongebruikt [òngə'brœykt] unused, unemployed, idle.

ongebuild ['òngəbœylt] whole [meal].

ongedaan [òngə'da.n] undone, unperformed; *~ maken* 1 undo [it]; 2 $ cancel [a bargain].

ongedagtekend, ongedateerd ['òngədaxte.kənt, -da.te:rt] not dated.

ongedeerd ['òngəde:rt] unhurt, uninjured, unscathed.

ongedierte [-di:rtə] *o* vermin.

ongedrukt [-drükt] unprinted [essays &].

ongeduld [-dült] *o* impatience.

ongeduldig [òngə'düldəx] *aj* (& *ad*) impatient(ly).

ongeduldigheid [-heit] *v* impatience.

ongedurig [òngə'dy:rəx] inconstant, restless [person]; *hij is een beetje ~* he is rather fidgety; *zij is erg ~* she is a regular fidget.

ongedurigheid [-heit] *v* inconstancy, restlessness.

ongedwongen [òngə'dvòŋə(n)] unconstrained, unrestrained, unforced.

ongedwongenheid [-heit] *v* unconstraint, abandon.

ongeëvenaard [òngəe.və'na:rt] unequalled, matchless, unparalleled [success].

ongeëvenredigd [-e.vən're.dəxt] I *aj* disproportionate, out of (all) proportion; II *ad* disproportionately, out of (all) proportion.

ongefortuneerd [-forty.'ne:rt] without means.

ongefrankeerd [-fraŋ'ke:rt] ℬ not prepaid, unpaid; unstamped [letter]; $ carriage forward.

ongegeneerd [-zə'ne:rt] *aj* (& *ad*) unceremonious(ly); *~ weg* without ceremony, in his free-and-easy way.

ongegeneerdheid [-heit] *v* unceremoniousness, free-and-easy way.

ongegrond [òngə'grònt] groundless, unfounded, without foundation, baseless.

ongegrondheid [-heit] *v* groundlessness, unfoundedness, baselessness.

ongehavend ['òngəha.vənt] undamaged.

ongehinderd [-hɪndərt] unhindered, unhampered.

ongehoopt [-ho.pt] unhoped for.

ongehoord [òngə'ho:rt] unheard (of), unprecedented; *iets ~s* a thing unheard-of.

ongehoorzaam [-'ho:rza.m] *aj* (& *ad*) disobedient(ly).

ongehoorzaamheid [-heit] *v* disobedience.

ongehuwd ['òngəhy:ut] unmarried; *de ~e staat* celibacy, single life.

ongekamd [-kamt] uncombed, unkempt.

ongekend [-kənt] unprecedented.

ongekleed [-kle.t] 1 unclothed, undressed; 2 in undress, in dishabille.

ongekleurd [-klø:rt] uncoloured; plain [picture postcard].

ongeknipt [-knɪpt] uncut [hair]; unclipped [ticket].

ongekrenkt [-krɛŋkt] unhurt, uninjured, unimpaired.

ongekreukt [-krø.kt] *eig* not ruffled, unruffled [forehead]; *fig* unviolated [loyalty].

ongekunsteld [òngə'kŭnstəlt] I *aj* artless, ingenuous, unaffected; II *ad* artlessly, ingenuously.

ongekunsteldheid [-hɛit] *v* artlessness, ingenuousness &.

ongeladen ['òngəla.də(n)] ✄ unloaded [gun]; ⚓ unladen [ships]; ⚡ uncharged.

ongeldig [òn'gɛldəx] not valid, invalid; ~ *maken* render null and void, invalidate, nullify; ~ *verklaren* declare null and void, annul.

ongeldigheid [-hɛit] *v* invalidity, nullity.

ongeldigverklaring [-fərkla:rɪŋ] *v* annulment, nullification, invalidation.

ongelegen [òngə'le.gə(n)] inconvenient, unseasonable, inopportune; *op een* ~ *uur* at an unseasonable hour; *kom ik u* ~? am I intruding?; *het bezoek kwam mij* ~ the visit came at an inopportune moment.

ongelegenheid [-hɛit] *v* inconvenience; *geldelijke* ~ pecuniary difficulties; *in* ~ *brengen* inconvenience; *in* ~ *geraken* get into a scrape, get into trouble.

ongeletterd [òngə'lɛtərt] unlettered, illiterate

ongelezen ['òngəle.zə(n)] unread.   [[savages].

1 **ongelijk** ['òngəlɛik, òngə'lɛik] *aj* (& *ad*) uneven(ly), unequal(ly); ~ *van lengte* of unequal lengths.

2 **ongelijk** ['òngəlɛik] *o* wrong; ~ *bekennen* acknowledge oneself to be wrong; *iemand* ~ *geven* put one in the wrong, give it against one; *ik kan hem geen* ~ *geven* I can't blame him; ~ *hebben* be (in the) wrong; ~ *krijgen* be put in the wrong, be proved wrong.   [gie].

ongelijkbenig [òngəlɛik'be.nəx] scalene [triangle].

ongelijkheid [-'lɛikhɛit] *v* unevenness; inequality [of surface, rank &]; dissimilarity, disparity.

ongelijkmatig [òngəlɛik'ma.təx] I *aj* unequal [climate]; uneven [temper &]; II *ad* unequally; unevenly.

ongelijkmatigheid [-hɛit] *v* inequality; unevenness.

ongelijknamig [òngəlɛik'na.məx] not having the same name; [fractions] not having the same denominator.

ongelijksoortig [-'so:rtəx] dissimilar, heterogeneous.

ongelijksoortigheid [-hɛit] *v* dissimilarity, heterogeneity.

ongelijkvloers [òngəlɛik'flu:rs] in: ~*e* (*weg*)-*kruising* fly-over.

ongelijkvormig [òngəlɛik'fərmøx] dissimilar [triangles].

ongelijkvormigheid [-hɛit] *v* dissimilarity.

ongelijkzijdig ['òngəlɛiksɛidəx] with unequal sides; ~*e driehoek* scalene triangle.

ongelikt [-lɪkt] unlicked; *een* ~*e beer* an unlicked cub², ook: quite a bear.

ongelinieerd [-li.ni.e:rt] unruled [paper].

ongelofelijk [òngə'lo.fələk] I *aj* not to be believed, unbelievable, incredible, past (all) belief; II *ad* unbelievably, incredibly.

ongelofelijkheid [-hɛit] *v* incredibility.

ongelogen ['òngəlo.gə(n)] in: *het water was* ~ *een voet gestegen* the water had risen one foot without exaggeration.

ongeloof ['òngəlo.f] *o* unbelief, disbelief.

ongelooflijk(heid) [òngə'lo.flək(hɛit)] = *ongelofelijk(heid)*.   [ing belief.

ongeloofwaardig [òngəlo.f'va:rdəx] not deserv-

ongelovig [òngə'lo.vəx] I *aj* unbelieving, incredulous; II *ad* incredulously.

ongelovige [-vəgə] *m-v* unbeliever, infidel.

ongelovigheid [-vəxhɛit] *v* incredulity.

ongeluk ['òngəlŭk] *o* 1 (door omstandigheden) misfortune; 2 (gemoedstoestand) unhappiness; 3 (ongelukkige gebeurtenis) accident, mishap; 4 (toeval) bad luck; *dat* ~ *van een...* that wretch of a...; *dat was zijn* ~ that was his undoing; *dat zal zijn* ~ *zijn* that will be his ruin; *een* ~ *begaan aan iemand* do one a mischief; *zich een* ~ *eten* eat till one bursts; *een* ~ *krijgen* meet with an accident; *bij* ~ by accident, accidentally; *zonder* ~*ken* without accidents; *een* ~ *komt zelden alleen* misfortunes never come single; *een* ~ *zit in een klein hoekje* great accidents spring from small causes; *geen* ~ *zo groot of er is een gelukje bij* it is an ill wind that blows nobody good.

ongelukkig [òngə'lŭkəx] I *aj* unhappy [marriage]; unfortunate, unlucky; ill-starred [attempt]; *diep* ~ miserable, wretched; II *ad* unfortunately; [married] unhappily.

ongelukkigerwijs, -wijze [òngəlŭkəgər'vɛis, -'vɛizə] unfortunately.

ongeluksbode ['òngəlŭksbo.də] *m* messenger of bad news.

ongeluksdag [-dɑx] *m* 1 ill-fated (fatal) day; 2 unpropitious day.

ongelukskind [-kɪnt] *o* unlucky person.

ongeluksprofeet [-pro.fe.t] *m* prophet of woe.

ongeluksvogel [-fo.gəl] *m* 1 bird of ill omen; 2 *fig* unlucky person.

ongemak ['òngəmak] *o* 1 inconvenience, discomfort; 2 (kwaal, gebrek) trouble, infirmity.

ongemakkelijk [òngə'makələk] I *aj* not easy, difficult, uneasy, uncomfortable; II *ad* 1 not easily; uncomfortably; 2 < properly; *ik heb hem* ~ *de waarheid gezegd* I have given him a piece of my mind; *hij heeft er* ~ *van langs gehad* he has had a sound thrashing.

ongemanierd [òngəma.'ni:rt] unmannerly, ill-mannered.

ongemanierdheid [-hɛit] *v* unmannerliness.

ongemeen [òngə'me.n] I *aj* uncommon, out of the common, singular, extraordinary; II *ad* < uncommonly, extraordinarily, passing.

ongemeenheid [-hɛit] *v* uncommonness.

ongemengd [òngə'mɛŋt] unmixed.

ongemerkt [-'mɛrkt] I *aj* 1 unperceived [approach]; 2 unmarked [linen]; II *ad* without being perceived, imperceptibly.

ongemeubileerd [òngəmø.bi.'le:rt] unfurnished.
ongemoeid [-'mu:it] undisturbed, unmolested; *hem~ laten* leave him alone.
ongemotiveerd [-mo.ti.'ve:rt] not motived, unwarranted, uncalled for, gratuitous.
ongenaakbaar [-'na.kba:r] unapproachable, inaccessible [of mountains &, also of persons].
ongenaakbaarheid [-hɛit] *v* unapproachableness, inaccessibility.
ongenade ['òngɔna.dǝ] *v* disgrace, disfavour; *in ~ vallen bij iemand* fall out of favour with a person; *in ~ zijn* be in disgrace (with *bij*).
ongenadig [òngǝ'na.dǝx] I *aj* merciless, pitiless; II *ad* mercilessly; < severely, tremendously; *hij heeft er ~ van langs gehad* he has been mercilessly thrashed.
ongeneeslijk [-'ne.sǝlǝk] incurable [illness], past recovery; *een~e zieke* an incurable.
ongeneeslijkheid [-hɛit] *v* incurableness.
ongenegen [òngǝ'ne.gǝ(n)] disinclined, unwilling.
ongenegenheid [-hɛit] *v* disinclination.
ongeneigd [òngǝ'nɛixt] disinclined, unwilling.
ongeneigdheid [-hɛit] *v* disinclination.
ongeneeslijk(heid) [òngǝ'ne.sǝlǝk(hɛit)] = *ongeneeslijk(heid)*.
ongenietbaar [òngǝ'ni.tba:r] disagreeable.
ongenoegen ['òngǝnu.gǝ(n)] *o* < displeasure; 2 tiff; *zij hebben ~* they are at variance; *~ krijgen* fall out.
ongenoegzaam [òngǝ'nu.xsa.m] *aj* (& *ad*) insufficient(ly).
ongenoegzaamheid [-hɛit] *v* insufficiency.
ongenoemd ['òngǝnu.mt] unnamed, anonymous; *een~e* a nameless one, an anonymous person.
ongenood [-no.t] unasked, unbidden, uninvited [guest].
ongeoefend [òngǝ'u.fǝnt] untrained, unpractised, inexperienced.
ongeoefendheid [-hɛit] *v* want of practice, inexperience.
ongeoorloofd [òngǝ'o:rlo.ft] unallowed, illicit, unlawful.
ongeoorloofdheid [-hɛit] *v* unlawfulness.
ongeopend ['òngǝo.pǝnt] unopened.
ongepaard [-pa:rt] unpaired; odd [glove &].
ongepast [òngǝ'pɑst] I *aj* unseemly, improper; II *ad* improperly.
ongepastheid [-hɛit] *v* unseemliness, impropriety.
ongepeld ['òngǝpɛlt] rough [rice].
ongepermitteerd [òngǝpɛrmi.'te:rt] I *aj* not permitted; II *ad* < exceedingly.
ongeraden ['òngǝra.dǝ(n)] unadvisable.
ongerechtigheid [òngǝ'rɛxtǝxhɛit] *v* iniquity.
ongerede [òngǝ're.dǝ] *in het ~ raken* 1 (zoek) get lost, be mislaid; 2 (onbruikbaar) get out of order, go wrong.
ongeregeld [-'re.gǝlt] I *aj* irregular, disorderly; II *ad* irregularly.
ongeregeldheid [-hɛit] *v* irregularity; *ongere-*

geldheden disorders, disturbances, riots.
ongerekend ['òngǝre.kɔnt] uncounted; (*nog*) ~... not including..., apart from...
ongeremd [òngǝ'rɛmt] uninhibited.
ongerept [-'rɛpt] untouched; virgin [forests]; *fig* undefiled, pure.
ongerief ['òngǝri.f] *o* inconvenience, trouble; *~ veroorzaken* put to inconvenience.
ongerief(e)lijk [òngǝ'ri.f(ǝ)lǝk] *aj* (& *ad*) inconvenient(ly); incommodious(ly).
ongerief(e)lijkheid [-hɛit] *v* inconvenience; incommodiousness.
ongerijmd [òngǝ'rɛimt] *aj* absurd, preposterous, nonsensical; *het ~e van...* the absurdity (preposterousness) of...; *tot het ~e herleiden* reduce to an absurdity; *uit het ~e bewijzen* prove by negative demonstration.
ongerijmdheid [-hɛit] *v* absurdity.
ongeroepen ['òngǝru.pǝ(n)] uncalled, unbidden.
ongeroerd ['òngǝru:rt] unmoved, impassive.
ongerust [òngǝ'rŭst] uneasy; *~ over iemand* anxious about a person; *zich ~ maken, ~ zijn* be worried, worry (about *over*); *zich ~ maken over iets* be uneasy about something, become anxious about something.
ongerustheid [-hɛit] *v* uneasiness, anxiety.
ongeschikt [òngǝ'sxikt] unfit, inapt, unsuitable, improper; *~ maken voor...* render unfit for...
ongeschiktheid [-hɛit] *v* unfitness, inaptness, inaptitude, unsuitability, impropriety.
ongeschokt ['òngǝsxɔkt] unshaken [faith].
ongeschonden ['òngǝsxòndǝ(n)] inviolate, unviolated; undamaged.
ongeschoold [-sxo.lt] untrained [new-comers]; unskilled [labourer].
ongeschoren [-sxo:rǝ(n)] unshaved, unshaven [faces]; unshorn [lambs].
ongeschreven [-s(x)re.vǝ(n)] unwritten.
ongeslagen [-sla.gǝ(n)] *sp* unbeaten.
ongestadig [òngǝ'sta.dǝx] I *aj* unsteady, unsettled, inconstant; II *ad* unsteadily.
ongestadigheid [-hɛit] *v* unsteadiness, nconstancy.
ongesteld [òngǝ'stɛlt] indisposed, unwell.
ongesteldheid [-hɛit] *v* indisposition, illness.
ongestempeld ['òngǝstɛmpǝlt] unstamped.
ongestild [-stɪlt] unappeased.
ongestoord [òngǝ'sto:rt] I *aj* undisturbed, uninterrupted; II *ad* undisturbedly &.
ongestraft [-'strɑft] I *aj* unpunished; *~ blijven* go unpunished; II *ad* with impunity.
ongetekend ['òngǝte.kǝnt] not signed, unsigned.
ongeteld [-tɛlt] untold, unnumbered, uncounted. [counted.]
ongetemd [-tɛmt] untamed.
ongetroost [-tro.st] uncomforted.
ongetrouwd [-trɑut] unmarried, single.
ongetwijfeld [òngǝ'tvɛifǝlt] undoubtedly, doubtless(ly), without doubt, no doubt.
ongevaarlijk [-'va:rlǝk] harmless, without danger.

ongeval ['òngəval] *o* accident, mishap.

ongevallenverzekering [-valə(n)vərze.kərɪŋ] *v* accident insurance.

ongeveer [-ve:r, òngə've:r] about, some, approximately, something like [ten pounds, five years &].

ongeveinsd ['òngəvɛinst] I *aj* unfeigned, sincere; II *ad* unfeignedly, sincerely.

ongeveinsdheid [òngə'vɛinstheit] *v* unfeignedness, sincerity.

ongevoelig [-'vu.ləx] I *aj* unfeeling, impassive, insensible (to *voor*); II *ad* unfeelingly, impassively, insensibly.

ongevoeligheid [-heit] *v* unfeelingness, impassiveness, insensibility.

ongevoerd ['òngəvu:rt] unlined [coat] ‖ unfed [animals].

ongevraagd [-vra.xt] unasked, unasked for, unrequested [things], unsolicited [scripts]; uninvited, unbidden [guests]; uncalled for [remarks &].

ongewapend [òngə'va.pənt] unarmed.

ongewenst ['òngəvɛnst, òngə'vɛnst] unwished for, undesirable [person].

ongewerveld ['òngəvɛrvəlt] invertebrate; ~e *dieren* invertebrates.

ongewettigd [-vɛtəxt] 1 unauthorized [proceedings]; 2 unfounded [claims].

ongewijd [-vɛit] unhallowed, unconsecrated.

ongewijzigd [-vɛizəxt] unchanged, unaltered.

ongewild [-'vɪlt] 1 unintentional; 2 $ not in demand.

ongewillig [òngə'vɪləx] *aj* (& *ad*) unwilling(ly).

ongewilligheid [-heit] *v* unwillingness.

ongewoon [òngə'vo.n] unusual, uncommon, unfamiliar, unwonted; *iets* ~*s* something uncommon; *niets* ~*s* nothing out of the common.

ongewoonte ['òngəvo.ntə] *v* unwontedness; *dat is maar* ~ it comes from my [your &] not being used (accustomed) to it.

ongewraakt [-'vra.kt] undisputed, unchallenged.

ongewroken [òngə'vro.kə(n)] unrevenged, unavenged.

ongezegeld ['òngəze.gəlt] unsealed [letters]; unstamped [paper].

ongezeglijk [òngə'zɛglək] unbiddable, intractable, indocile.

ongezeglijkheid [-heit] *v* intractability, indocility.

ongezellig [òngə'zɛləx] I *aj* unsociable; not cosy [of a room]; II *ad* unsociably.

ongezelligheid [-heit] *v* unsociableness.

ongezien ['òngəzi.n] 1 unseen, unobserved, unperceived; 2 *fig* unesteemed, not respected.

ongezocht ['òngəzoxt] unsought; unstudied.

ongezond [òngə'zònt] unhealthy [climate]; unwholesome [food]; insalubrious [air].

ongezondheid [-heit] *v* unhealthiness; unwholesomeness, insalubrity.

ongezouten ['òngəzoutə(n)] I *aj* unsalted, fresh;

~ *taal* blunt speaking; II *ad* in: *hem* ~ *de waarheid zeggen* tell him the truth without mincing matters.

ongezuiverd [-zœyvərt] unpurified, unrefined.

ongodsdienstig [òngots'di.nstəx] *aj* (& *ad*) irreligious(ly).

ongodsdienstigheid [-heit] *v* irreligiousness.

ongrondwettig [òngrònt'vɛtəx] *aj* (& *ad*) unconstitutional(ly).

ongunst ['òngünst] *v* disfavour.

ongunstig [òn'günstəx] I *aj* unfavourable; adverse [balance, effect on prices]; II *ad* unfavourably; adversely [affected].

onguur [-'gy:r] 1 inclement, rough [weather]; 2 sinister [air, countenance, forest]; unsavoury [business, story]; coarse [language]; *een* ~ *element, een ongure klant* a rough, a hooligan; *een* ~ *type* a bad character, an ugly customer.

onguurheid [-heit] *v* 1 inclemency, roughness [of the weather]; 2 coarseness [of language].

onhandelbaar [òn'handəlba:r] unmanageable, intractable.

onhandelbaarheid [-heit] *v* unmanageableness, intractability.

onhandig [òn'handəx] I *aj* clumsy, awkward [man]; II *ad* clumsily, awkwardly.

onhandigheid [-heit] *v* clumsiness, awkwardness.

onhandzaam [òn'hantsa.m] unwieldy.

onharmonisch ['ònharmo.ni.s] *aj* (& *ad*) inharmonious(ly).

onhartelijk [òn'hartələk] I *aj* not cordial, unkind; II *ad* not cordially, unkindly.

onhartelijkheid [-heit] *v* lack of cordiality, unkindness.

onhebbelijk [òn'hɛbələk] unmannerly, rude; *wat een* ~ *stuk vlees* 1 what an enormous piece you take; 2 *fig* P what a rude hulking piece of humanity!

onhebbelijkheid [-heit] *v* unmanneriness, rudeness.

onheelbaar [òn'he.lba:r] incurable.

onheil ['ònheil] *o* calamity, disaster, mischief; ~ *stichten* make mischief.

onheilspellend [ònheil'spɛlənt] ominous.

onherbergzaam [-her'bɛrxsa.m] inhospitable

onherbergzaamheid [-heit] *v* inhospitality.

onherkenbaar [ònher'kɛnba:r] unrecognizable; *tot* ~ *wordens toe* [change] out of recognition, beyond (all) recognition.

onherroepelijk [ònhɛ'ru.pələk] I *aj* irrevocable [resolution]; II *ad* irrevocably.

onherroepelijkheid [-heit] *v* irrevocableness.

onherstelbaar [ònhɛr'stɛlba:r] I *aj* irreparable, irremediable, past remedy, past redress, irretrievable, irrecoverable [loss]; II *ad* irreparably &, [damaged] beyond repair.

onherstelbaarheid [-heit] *v* irreparableness &, irreparability.

onheuglijk [òn'hø.gələk] immemorial; *sedert* ~*e tijden* from time immemorial, time out of mind.

onheus [-'hø.s] *aj* (& *ad*) ungracious(ly), discourteous(ly), disobliging(ly).

onheusheid [-hɛit] *v* ungraciousness, discourtesy, disobligingness.

onhoffelijk [ὸn'hɔfələk] zie *onheus*.

onhoffelijkheid [-hɛit] *v* zie *onheusheid*.

onhoorbaar [ὸn'ho:rba:r] I *aj* inaudible; II *ad* inaudibly.

onhoudbaar [-'hɔutba:r] untenable [position, theory]; unbearable; *het onhoudbare van de toestand* the untenable state of affairs.

onhoudbaarheid [-hɛit] *v* untenableness.

onhygiënisch [ὸnhi.gi.'e.ni.s] insanitary.

oninbaar [-'ınba:r] irrecoverable, bad [debts].

oningevuld [-'ıngəvʉlt] not filled up, blank.

oningewijd [-vɛit] uninitiated; *de ~en* the uninitiated, F the outsiders.

oninteressant [ὸnıntərəsɑnt] uninteresting.

onjuist [ὸn'jœyst] *aj* (& *ad*) inaccurate(ly), inexact(ly), erroneous(ly), incorrect(ly).

onjuistheid [-hɛit] *v* inaccuracy, erroneousness, misstatement, error, incorrectness.

onkenbaar [ὸn'kɛnba:r] 1 unknowable; 2 unrecognizable; zie ook: *onherkenbaar*.

onkies [-'ki.s] *aj* (& *ad*) indelicate(ly), immodest(ly).

onkiesheid [-hɛit] *v* indelicacy, immodesty.

onklaar [ὸnkla:r] 1 (niet helder) not clear; 2 ✂ out of order; ⚓ fouled [anchor].

onkosten [ὸnkɔstə(n)] *mv* charges, expenses; *algemene ~* overhead charges (expenses), F overhead(s); *met de ~* charges included; *zonder~* free of charge.

onkostennota [-no.ta.] *v* $ note of charges.

onkostenrekening [-re.kənıŋ] *v* expense account.

onkreukbaar [ὸn'krø.kba:r] 1 *fig* unimpeachable; 2 *eig* zie *kreukvrij*.

onkreukbaarheid [-hɛit] *v* integrity.

onkruid [ὸnkrœyt] *o* weeds; *~ vergaat niet* ill weeds grow apace.

onkuis [-kœys] *aj* (& *ad*) unchaste(ly), impure(ly), lewd(ly).

onkuisheid [ὸn'kœyshɛit] *v* unchastity, impurity, lewdness.

onkunde [ὸnkʉndə] *v* ignorance.

onkundig [ὸn'kʉndəx] ignorant; *~ van* ignorant of, not aware of; *iemand ~ laten van* keep a person in ignorance of.

onkwetsbaar [-'kvɛtsba:r] invulnerable.

onkwetsbaarheid [-hɛit] *v* invulnerability.

onland [ὸnlɑnt] *o* waste.

onlangs [-lɑŋs] the other day, lately, recently; *~ op een middag* the other afternoon.

onledig [ὸn'le.dəx] in: *zich ~ houden met* busy oneself with.

onleesbaar [-'le.sba:r] I *aj* 1 illegible [writing]; 2 unreadable [novels &]; II *ad* illegibly.

onleesbaarheid [-hɛit] *v* illegibility.

onlekker [ὸn'lɛkər] out of sorts, off colour.

onlesbaar [-'lɛsba:r] unquenchable.

onlogisch [-'lo.gi.s] *aj* (& *ad*) illogical(ly).

onloochenbaar [-'lo.gənba:r] undeniable.

onloochenbaarheid [-hɛit] *v* undeniableness.

onlosmakelijk [ὸnlɔs'ma.kələk] I *aj* indissoluble; II *ad* indissolubly.

onlusten [ὸnlʉstə(n)] *mv* troubles, disturbances, riots.

onmaatschappelijk [ὸnma.t'sxapələk] antisocial.

onmacht [ὸnmɑxt] *v* 1 impotence, inability; 2 (bezwijming) swoon, fainting fit; *in ~ vallen* faint (away), swoon.

onmachtig [ὸn'mɑxtəx] impotent, unable.

onmatig [-'ma.təx] *aj* (& *ad*) immoderate(ly), intemperate(ly).

onmatigheid [-hɛit] *v* immoderateness, intemperance, insobriety.

onmeedogend [ὸnme.'do.gənt] *aj* (& *ad*) merciless(ly), pitiless(ly), ruthless(ly).

onmeedogendheid [-hɛit] *v* mercilessness &.

onmeetbaar [ὸn'me.tba:r] immeasurable; *onmeetbare getallen* irrationals, surds.

onmeetbaarheid [-hɛit] *v* immeasurableness, incommensurability.

onmens [ὸnmɛns] *m* brute, monster.

onmenselijk [ὸn'mɛnsələk] *aj* (& *ad*) inhuman(ly), brutal(ly).

onmenselijkheid [-hɛit] *v* inhumanity, brutality.

onmerkbaar [ὸn'mɛrkba:r] I *aj* imperceptible; II *ad* imperceptibly.

onmetelijk [ὸn'me.tələk] I *aj* immeasurable, immense; II *ad* immeasurably, immensely.

onmetelijkheid [-hɛit] *v* immeasurableness, immensity.

onmiddellijk [ὸn'mıdələk] I *aj* immediate; II *ad* directly, immediately, at once.

onmin [ὸnmın] *v* discord, dissension; *in ~ geraken* fall out; *in ~ leven* be at variance.

onmisbaar [ὸn'mısba:r] indispensable.

onmisbaarheid [-hɛit] *v* indispensableness.

onmiskenbaar [ὸnmıs'kɛnba:r] undeniable, unmistakable.

onmogelijk [ὸn'mo.gələk] I *aj* impossible°; *een ~e hoed* (vent) an impossible hat (fellow); *het was mij ~ om...* it was not possible (impossible) for me to...; *het ~e* what is impossible, the impossible; *het ~e vergen* demand an impossibility (impossibilities); II *ad* not... possibly; *die plannen kunnen ~ verwezenlijkt worden* these plans cannot possibly be realized; *niet ~* not impossibly; *een ~ lange naam* an impossibly long name.

onmogelijkheid [-hɛit] *v* impossibility.

onmondig [ὸn'mὸndəx] zie *minderjarig*.

onmondigheid [-hɛit] *v* zie *minderjarigheid*.

onnadenkend [ὸna.'dɛŋkənt] I *aj* unreflecting, unthinking, thoughtless; II *ad* thoughtlessly.

onnadenkendheid [-hɛit] *v* want of thought.

onnaspeurlijk [ὸna.'spø:rlək] inscrutable, unsearchable, untraceable.

onnaspeurlijkheid [-hɛit] *v* inscrutableness, unsearchableness, inscrutability, untraceableness.

onnatuurlijk [òna.'ty:rlǝk] I *aj* not natural, unnatural; II *ad* unnaturally.

onnatuurlijkheid [-heit] *v* unnaturalness.

onnauwkeurig [ònou'kø:rǝx] *aj* (& *ad*) inaccurate(ly), inexact(ly).

onnauwkeurigheid [-heit] *v* inaccuracy, inexactitude.

onnavolgbaar [òna.'vòlxba:r] inimitable.

onnavolgbaarheid [-heit] *v* inimitability.

onneembaar [ò'ne.mba:r] impregnable.

onnet [ò'net] 1 *eig* untidy; 2 *fig* improper.

onnodig [ò'no.dǝx] I *aj* needless, unnecessary; II *ad* needlessly, unnecessarily.

onnoem(e)lijk [ò'nu.mǝlǝk] 1 unmentionable, unnameable, unutterable, inexpressible; 2 (veel) innumerable, numberless, countless.

onnozel [ò'no.zǝl] I *aj* 1 (dom) silly, simple, stupid; 2 (argeloos) innocent; 3 (lichtgelovig) gullible; *een ~e bloed* a simpleton; *een ~e jongen* a silly boy, a simpleton; *een ~e tien gulden* a paltry ten guilders; II *ad* 1 in a silly way, stupidly; 2 innocently.

Onnozele-kinderen(dag) [òno.zǝlǝ'kindǝrǝ(n)-(dax)] *m* Innocents' Day, Childermas (Day).

onnozelheid [ò'no.zǝlheit] *v* 1 silliness, simplicity; 2 innocence.

onnut [ò'nŭt] useless, needless.

onomatopee [o.no.ma.to.'pe.] *v* onomatopoeia.

onomkoopbaar [ònòm'ko.pba:r] not 'o be bribed, incorruptible.

onomkoopbaarheid [-heit] *v* incorruptibility.

onomstotelijk [ònòm'sto.tǝlǝk] irrefutable, irrefragable.

onomwonden [-'vòndǝ(n)] *aj* (& *ad*) explicit-(ly), plain(ly), without mincing matters, forthright.

ononderbroken [ònòndǝr'bro.kǝ(n)] zie *onafgebroken*.

onontbeerlijk [ònònt'be:rlǝk] indispensable.

onontbeerlijkheid [-heit] *v* indispensableness.

onontbindbaar [ònònt'bintba:r] indissoluble.

onontbindbaarheid [-heit] *v* indissolubility.

onontcijferbaar [ònònt'seifǝrba:r] undecipherable.

onontgonnen [-'gònǝ(n)] uncultivated, unworked [coal], undeveloped [areas].

onontkoombaar [-'ko.mba:r] ineluctable, inescapable, inevitable.

onontwarbaar [-'varba:r] inextricable.

onontwijkbaar [-'veikba:r] inevitable, unescapable.

onontwikkeld [-'nikǝlt] undeveloped; uneducated.

onooglijk [òn'o.gǝlǝk] unsightly.

onooglijkheid [-heit] *v* unsightliness.

onoorbaar [òn'o:rba:r] improper, indecent.

onoordeelkundig [òno:rde.l'kŭndǝx] *aj* (& *ad*) injudicious(ly).

onopgehelderd [òn'òpgǝheldǝrt] unexplained, uncleared-up; *de moord bleef ~* the murder remained unsolved.

onopgelost [-lòst] undissolved, *fig* unsolved.

onopgemerkt [-merkt] unobserved, unnoticed, unnoted; *dat is niet ~ gebleven* this has not gone unnoted.

onopgesmukt [-smŭkt] unadorned, uncoloured, unvarnished, plain [tale]; bald [reports &].

onopgevoed [-vu.t] ill-bred.

onophoudelijk [ònòp'houdǝlǝk] *aj* (& *ad*) incessant(ly).

onoplettend [-'letǝnt] *aj* (& *ad*) inattentive(ly).

onoplettendheid [-heit] *v* inattention.

onoplosbaar [ònòp'lòsba:r] insoluble[2] [matter]; unsolvable [problems].

onoplosbaarheid [-heit] *v* insolubility[2]; *fig* unsolvableness.

onopmerkzaam [ònòp'merksa.m] unobservant.

onoprecht [-'rext] *aj* (& *ad*) insincere(ly).

onoprechtheid [-heit] *v* insincerity.

onopvallend [ònòp'falǝnt] *aj* (& *ad*) inconspicuous(ly), unobtrusive(ly).

onopvallendheid [-heit] inconspicuousness, unobtrusiveness.

onopzettelijk [ònòp'setǝlǝk] *aj* (& *ad*) unintentional(ly).

onordelijk [òn'òrdǝlǝk] disorderly; unruly.

onordelijkheid [-heit] *v* disorderliness; unruliness.

onoverdekt [òno.vǝr'dekt] uncovered.

onovergankelijk [-'gaŋkǝlǝk] *aj* (& *ad*) *gram* intransitive(ly).

onoverkomelijk [-'ko.mǝlǝk] insurmountable, insuperable.

onoverkomelijkheid [-heit] *v* insuperability.

onovertrefbaar [òno.vǝr'trefba:r] unsurpassable.

onovertroffen [-'tròfǝ(n)] unsurpassed.

onoverwin(ne)lijk [-'vin(ǝ)lǝk] unconquerable, invincible.

onoverwin(ne)lijkheid [-heit] *v* invincibility.

onoverwonnen [òno.vǝr'vònǝ(n)] unconquered.

onoverzichtelijk [-'zixtǝlǝk] badly arranged [matter]; [the position is] difficult to survey.

onparlementair [ònparlǝmǝn'te:r] unparliamentary.

onpartijdig [-par'teidǝx] *aj* (& *ad*) impartial-(ly).

onpartijdigheid [-heit] *v* impartiality.

onpas ['ònpas] *te ~* unseasonably, out of season; *te ~ gemaakte opmerkingen* ook: uncalled-for remarks.

onpasselijk [òn'pasǝlǝk] sick.

onpasselijkheid [-heit] *v* sickness.

onpedagogisch [ònpe.da.'go.gi.s] *aj* (& *ad*) unpedagogical(ly).

onpeilbaar [òn'peilba:r] unfathomable.

onpeilbaarheid [-heit] *v* unfathomableness.

onpersoonlijk [ònpǝr'so.nlǝk] impersonal.

onplezierig [-plǝ'zi:rǝx] unpleasant, disagreeable.

onpractisch zie *onpraktisch*. [(ly).

onpraktisch [-'prakti.s] *aj* (& *ad*) unpractical-

onraad ['ònra.t] *o* trouble, danger; *daar is ~* there is something wrong, I smell a rat.

onraadzaam [òn′ra.tsa.m] unadvisable.

onrecht [′ònrɛxt] *o* injustice, wrong; *iemand ~ aandoen* wrong one, do him an injustice (a wrong); *ten ~e* unjustly, wrongly; *zij protesteren ten ~e* they are wrong to protest (in protesting).

onrechtmatig [ònrɛxt′ma.təx] *aj* (& *ad*) unlawful(ly).

onrechtmatigheid [-hɛit] *v* unlawfulness.

onrechtvaardig [ònrɛxt′fa:rdəx] *aj* (& *ad*) unjust(ly).

onrechtvaardigheid [-hɛit] *v* injustice.

onredelijk [òn′re.dələk] I *aj* unreasonable; II *ad* unreasonably.

onredelijkheid [-hɛit] *v* unreasonableness.

onregelmatig [ònre.gəl′ma.təx] *aj* (& *ad*) irregular(ly).

onregelmatigheid [-hɛit] *v* irregularity.

onrein [òn′rɛin] I *aj* unclean, impure; II *o* vermin.

onreinheid [-hɛit] *v* uncleanness, impurity.

onrijp [òn′rɛip] unripe, immature[2].

onrijpheid [-hɛit] *v* unripeness, immaturity[2].

onroerend [′ònru:rənt] immovable; zie ook: 2 *goed*.

onrust [-rûst] *v* 1 restlessness, unrest, disquiet, commotion; 2 restless person, restless child; 3 ✕ fly, balance [of watches].

onrustbarend [ònrûst′ba:rənt] *aj* (& *ad*) alarming(ly).

onrustig [-′rûstəx] I *aj* unquiet, restless, turbulent; troubled [areas, days, sleep, world]; uneasy [night]; II *ad* restlessly.

onrustigheid [-hɛit] *v* unrest, restlessness.

onruststoker, **~zaaier** [′ònrûststo.kər, -sa.jər] *m* mischief-maker.

1 **ons** [òns] I *pers. vnmw.* us; II *bez. vnmw.* our; *~ land* ook: this country; zie ook: *volk*; *de onze* ours; *de onzen* ours.

2 **ons** [òns] *o* ounce; hectogram(me).

onsamenhangend [ònsa.mən′haŋənt] disjointed [speech]; incoherent, disconnected, rambling [talk]; scrappy [discourse].

onsamenhangendheid [-hɛit] *v* disjointedness, incoherence.

onschadelijk [òn′sxa.dələk] harmless, innocuous, inoffensive; *~ maken* render harmless; *hij werd ~ gemaakt* he was made away with.

onschadelijkheid [-hɛit] *v* harmlessness.

onschatbaar [òn′sxatba:r] inestimable, invaluable, priceless; *van onschatbare waarde* invaluable.

onscheidbaar [-′sxɛitba:r] I *aj* inseparable; II *ad* inseparably.

onscheidbaarheid [-hɛit] *v* inseparability.

onschendbaar [òn′sxɛntba:r] inviolable.

onschendbaarheid [-hɛit] *v* inviolability.

onschuld [′ònsxûlt] *v* innocence; *de verdrukte ~* injured innocence; *ik was mijn handen in ~* I wash my hands of it.

onschuldig [òn′sxûldəx] I *aj* innocent, guiltless; harmless; *ik ben er ~ aan* I am innocent of

it; *zo ~ als een lam* as innocent as a lamb; II *ad* innocently.

onsmakelijk [-′sma.kələk] unsavoury, unpalatable.

onsmakelijkheid [-hɛit] *v* unsavouriness &.

onsmeltbaar [òn′smɛltba:r] not to be melted, infusible.

onsolide, **onsolied** [ònso.′li.də, -′li.t] I *aj* not strong [furniture &]; unsubstantial [building]; *fig* unsteady [livers]; unsound [business]; II *ad* unsubstantially; unsteadily.

onsplinterbaar [òn′splıntərba:r] unsplinterable.

onstandvastig [-stant′fastəx] unstable, inconstant.

onstandvastigheid [-hɛit] *v* instability, inconstancy.

onsterfelijk [òn′stɛrfələk] immortal. [stancy.

onsterfelijkheid [-hɛit] *v* immortality.

onstilbaar [òn′stılba:r] unappeasable, insatiable.

onstoffelijk [òn′stòfələk] immaterial, spiritual.

onstoffelijkheid [-hɛit] *v* immateriality, spirituality.

onstuimig [òn′stœymax] I *aj* tempestuous; boisterous, turbulent; *fig* impetuous [man]; II *ad* tempestuously &.

onstuimigheid [-hɛit] *v* tempestuousness; boisterousness, turbulence; *fig* impetuosity.

onsympathiek, **onsympatiek** [ònsımpa.′ti.k] uncongenial.

ontaard [ònt′a:rt] degenerate; unnatural [mother].

ontaarden [-′a:rdɔ(n)] *vi* degenerate [into], deteriorate.

ontaarding [-dıŋ] *v* degeneration, degeneracy.

ontastbaar [òn′tastba:r] impalpable, intangible.

ontastbaarheid [-hɛit] *v* impalpability, intangibility.

ontberen [ònt′be:rə(n)] *vt* be in want of; do without; *wij kunnen het niet ~* we can't do without it.

ontbering [-rıŋ] *v* want, privation; *allerlei ~en* all sorts of hardships.

ontbieden [ònt′bi.də(n)] *vt* summon, send for.

ontbijt [ònt′bɛit] *o* breakfast.

ontbijten [-′bɛitə(n)] *vi* breakfast (on *met*), have breakfast.

ontbinden [ònt′bındə(n)] *vt* untie, undo [a knot, fetters &]; *fig* disband [troops]; decompose [the body, light, a substance]; dissolve [a marriage, Parliament, a partnership]; resolve [forces &]; separate [numbers into factors].

ontbinding [-dıŋ] *v* untying &; *fig* dissolution, [of a marriage &]; decomposition; resolution [of forces]; disbandment [of troops]; *in staat van ~* in a state of decomposition; *tot ~ overgaan* become decomposed, decay.

ontbladeren [ònt′bla.dərə(n)] *vt* strip of the leaves.

ontbloot [-′blo.t] naked, bare; *~ van* destitute of, devoid of, without; zie ook: *grond*.

ontbloten [-'blo.tə(n)] *vt* bare [the sword]; uncover [the head]; ~ *van* denude of, strip of.

ontbloting [-tɪŋ] *v* baring: denudation, stripping.

ontboezeming [ònt'bu.zəmɪŋ] *v* effusion, outpouring.

ontbolsteren [ònt'bɔlstərə(n)] *vt* shell, husk, hull; *fig* polish [a man].

ontbossen [-'bòsə(n)] *vi* disafforest.

ontbossing [-'bòsɪŋ] *v* disafforestation.

ontbrandbaar [-'brɑntba:r] inflammable, combustible.

ontbrandbaarheid [-hɛit] *v* inflammability, combustibility.

ontbranden [ònt'brɑndə(n)] *vi* take fire, ignite; (v. strijd, oorlog) break out; *doen* ~ kindle, ignite.

ontbranding [-dɪŋ] *v* ignition, combustion.

ontbreken [ònt'bre.kə(n)] **I** *vi* I be absent; 2 be wanting (missing); *er* ~ *er vijf* I five are absent; 2 five are wanting (missing); *er ontbreekt nog wel iets aan* something is wanted still; *dat ontbreekt er nog maar aan* that's the last straw; **II** *onpers. ww.* *het ontbreekt hem aan geld* he wants money; *het ontbreekt hem aan moed* he is lacking (wanting) in courage; *laat het hem aan niets* ~ let him want for nothing; *het zou mij daartoe aan tijd* ~ time would fail me (to do that); *het* ~*de* the deficiency; the balance; **III** *o* absence.

ontcijferen [-'sɛifərə(n)] *vt* decipher [a man's writing]; decode [a telegram].

ontcijfering [-rɪŋ] *v* decipherment; decoding [of a telegram].

ontdaan [ònt'da.n] disconcerted, upset; *geheel* ~ quite taken aback; ~ *van* stripped of [details &].

ontdekken [-'dɛkə(n)] *vt* discover [a country]; find out [the truth]; detect [an error, a criminal].

ontdekker [-kər] *m* discoverer.

ontdekking [-kɪŋ] *v* discovery; *tot de* ~ *komen, dat*... discover, find (out) that...

ontdekkingsreis [-kɪŋsrɛis] *v* voyage of discovery.

ontdekkingsreiziger [-rɛizəgər] *m* explorer.

ontdoen [ònt'du.n] **I** *vt* in: *iemand* ~ *van* strip one of; **II** *vr zich* ~ *van* get rid of, dispose of, part with; *ontdoe u van hoed en mantel* take off your hat and cloak (your things).

ontdooien [-'do.jə(n)] **I** *vi* thaw²; *fig* melt; **II** *vt* thaw²; *de waterleiding* ~ thaw out the water-pipe(s).

ontduiken [-'dœykə(n)] *vt* elude [a blow]; *fig* get round [the regulations], elude [the laws], evade [a difficulty]; dodge [arguments, conditions, a tax &].

ontduiking [-kɪŋ] *v* elusion, evasion; ⚖ fraud.

ontgegensprekelijk, ~zeglijk [ònte.gən'spre.kələk, -'zɛgələk] **I** *aj* incontestable, undeniable, unquestionable; **II** *ad* incontestably, undeniably, unquestionably.

onteigenen [ònt'ɛigənə(n)]*vt* expropriate.

onteigening [-nɪŋ] *v* expropriation.

ontelbaar [òn'tɛlba:r] **I** *aj* countless, innumerable, numberless; **II** *ad* innumerably.

ontembaar [-'tɛmba:r] untamable, indomitable.

ontembaarheid [-hɛit] *v* untamableness, indomitableness.

onteren [ònt'e:rə(n)] *vt* dishonour.

onterend [-rənt] dishonouring, ignominious.

ontering [-rɪŋ] *v* dishonouring.

onterven [ònt'ɛrvə(n)] *vt* disinherit.

onterving [-vɪŋ] *v* disinheritance.

ontevreden [òntə'vre.də(n)] discontented; ~ *over* discontented (dissatisfied, displeased) with; *de* ~*en* the malcontents.

ontevredenheid [-hɛit] *v* discontent(edness); dissatisfaction (with *over*), displeasure (at *over*).

ontfermen [ònt'fɛrmə(n)] in: *zich* ~ *over* take pity on, have mercy on.

ontferming [-mɪŋ] *v* pity.

ontfutselen [ònt'fütsələ(n)] *vt* in: *iemand iets* ~ filch (pilfer) something from a person.

ontgaan [-'ga.n] *vi* escape, elude; *het is mij* ~ I it has slipped my memory; 2 I have failed to notice it; *de humor ontging hem* the humour was lost upon him; *het kampioenschap ontging hem* he missed the championship.

ontgelden [-'gɛldə(n)] *vt* in: *het moeten* ~ have to pay (suffer) for it.

ontginnen [-'gɪnə(n)] *vt* reclaim [land], break up [a field]; work exploit [a mine], develop [a region].

ontginning [-nɪŋ] *v* reclamation; working, exploitation, development.

ontglippen [ònt'glɪpə(n)] *vi* slip from one's grasp [of an eel &]; slip from one's tongue [of words].

ontgoochelen [-'go.gələ(n)] *vt* disenchant, disillusion(ize), undeceive.

ontgoocheling [-lɪŋ] *v* disenchantment, disillusionment.

ontgraten [ònt'gra.tə(n)] *vt* bone [a fish].

ontgrendelen [-'grɛndələ(n)] *vt* unbolt.

ontgroeien [-'gru.jə(n)] *vi* in: ~ *(aan)* outgrow, grow out of.

ontgroenen [-'gru.nə(n)] *vt* ☞ rag [a fellow-student]; *fig* put [a person] wise.

onthaal [ònt'ha.l] *o* treat, entertainment; *fig* reception; *een goed* ~ *vinden* meet with a kind reception.

onthalen [-'ha.lə(n)] *vt* treat, entertain, feast, regale; ~ *op* treat [one] to, entertain [one] with.

onthand [-'hɑnt] inconvenienced.

ontharen [-'ha.rə(n)] *vt* depilate.

ontharing [-rɪŋ] *v* depilation.

ontharingsmiddel [-rɪŋsmɪdəl] *o* depilatory.

ontheemde [ònt'he.mdə] *m-v* displaced person.

ontheffen [-'hɛfə(n)] in: *iemand* ~ *van zijn ambt* relieve one of his office; *iemand van het* *commando* ~ ✕ & ⚓ relieve one of (remove from) his command; *iemand van een verplichting* ~ zie *ontslaan*.

ontheffing [-fɪŋ] *v* exemption, dispensation, exoneration; (v. ambt, commando) discharge, removal.

ontheiligen [ònt'hɛiləgə(n)] *vt* desecrate, profane.

ontheiliging [-gɪŋ] *v* desecration, profanation.

onthoofden [ònt'ho.vdə(n)] *vt* behead, decapitate.

onthoofding [-dɪŋ] *v* decapitation.

onthouden [ònt'hɑu(d)ə(n)] I *vt* 1 (niet geven) withhold, keep from; 2 (niet vergeten) remember, bear in mind; *onthoud dat wel!* don't forget that!; II *vr zich* ~ *van* abstain from, refrain from.

onthouder [-'hɑudər] *m* abstainer.

onthouding [-dɪŋ] *v* 1 abstinence, abstemiousness; 2 (bij stemming &) abstention.

onthoudingsdag [-dɪŋsdɑx] *m RK* day of abstinence.

onthullen [ònt'hʉlə(n)] *vt* unveil [a statue]; *fig* reveal, disclose.

onthulling [-lɪŋ] *v* unveiling; *fig* revelation, disclosure.

onthutsen [ònt'hʉtsə(n)] *vt* disconcert, bewilder.

onthutst [ònt'hʉtst] disconcerted, dismayed, upset.

ontijde ['òntɛidə] *te(n)* ~ at an unseasonable hour (time).

ontijdig [òn'tɛidəx] I *aj* unseasonable, untimely, premature; II *ad* unseasonably, untimely, prematurely.

ontijdigheid [-hɛit] *v* unseasonableness, untimeliness, prematurity.

ontkennen [ònt'kɛnə(n)] I *vt* deny [that it is so &]; II *va* deny the charge.

ontkennend [-nənt] I *aj* negative; II *ad* negatively, [reply] in the negative.

ontkenning [-nɪŋ] *v* denial, negation.

ontketenen [ònt'ke.tənə(n)] *vt* unchain; launch [an attack].

ontkiemen [-'ki.mə(n)] *vi* ꙮ germinate.

ontkieming [-mɪŋ] *v* ꙮ germination.

ontkleden [ònt'kle.də(n)] *vt* & *vr* undress.

ontknopen [-'kno.pə(n)] *vt* unbutton; untie; *fig* unravel.

ontknoping [-pɪŋ] *v* dénouement, unravelling.

ontkolen [ònt'ko.lə(n)] *vt* ✕ decarbonize [a cylinder].

ontkomen [-'ko.mə(n)] *vi* escape; *hij wist te* ~ he managed to escape; *daaraan kunnen wij niet* ~ we cannot escape that; *zij ontkwamen aan de vervolging* they eluded pursuit.

ontkoming [-mɪŋ] *v* escape.

ontkoppelen [ònt'kɔpələ(n)] I *vt* 1 ✕ uncouple, ungear; 2 unleash [hounds]; II *vi* ⚙ declutch.

ontkoppelingspedaal [-'kɔpəlɪŋspədɑ.l] *o* & *m* ⚙ clutch pedal.

ontkrachten [ònt'krɑxtə(n)] *vt* weaken.

ontkurken [-'kʉrkə(n)] *vt* uncork.

ontladen [-'la.də(n)] *vt* unload; ⚡ discharge.

ontlading [-dɪŋ] *v* 1 ⚓ unloading; 2 ⚡ discharge.

ontlasten [ònt'lɑstə(n)] I *vt* unburden[2]; *iemand van...* ~ relieve one of...; II *vr zich* ~ discharge (itself), disembogue [of a river].

ontlasting [-tɪŋ] *v* 1 discharge, relief; 2 (uitwerpselen) stools; ~ *hebben* go to stool, have a movement; *voor goede* ~ *zorgen* keep the bowels open.

ontleden [ònt'le.də(n)] *vt* 1 analyse; 2 (anatomie) dissect, anatomize; 3 (redekundig) analyse; 4 (taalkundig) parse.

ontleder [-dər] *m* dissector.

ontleding [-dɪŋ] *v* 1 analysis [*mv* analyses]; 2 (in de anatomie) dissection; 3 (redekundige) analysis; 4 (taalkundige) parsing.

ontleedkunde [ònt'le.tkʉndə] *v* anatomy.

ontleedkundig [òntle.t'kʉndəx] *aj* (& *ad*) anatomical(ly).

ontleedkundige [-dəgə] *m* anatomist.

ontleedmes [ònt'le.tmɛs] *o* ꙮ dissecting-knife.

ontleedtafel [-'le.ta.fəl] *v* ꙮ dissecting-table.

ontlenen [ònt'le.nə(n)] *vt* in: ~ *aan* borrow from, adopt from, derive from, take [one's name] from.

ontlening [-nɪŋ] *v* borrowing, adoption.

ontloken [ònt'lo.kə(n)] full-blown [flower, talent].

ontlokken [-'lɔkə(n)] *vt* draw (elicit, coax) from.

ontlopen [-'lo.pə(n)] *vt* run away from, escape, avoid; *ik tracht hem zoveel mogelijk te* ~ I always give him a wide berth; *ze* ~ *elkaar niet veel* there is not much difference between them.

ontluiken [-'lœykə(n)] *vi* open, expand; *een* ~*de liefde* a nascent love; *een* ~*d talent* a budding talent; zie ook: *ontloken*.

ontmantelen [-'mɑntələ(n)] *vt* dismantle.

ontmanteling [-lɪŋ] *v* dismantling.

ontmaskeren [ònt'mɑskərə(n)] I *vt* unmask[2], *fig* show up, expose; II *vr zich* ~ unmask.

ontmaskering [-rɪŋ] *v* unmasking, *fig* exposure.

ontmoedigd [ònt'mu.dəxt] discouraged, disheartened, dispirited, down-hearted.

ontmoedigen [-dəgə(n)] *vt* discourage.

ontmoediging [-dəgɪŋ] *v* discouragement.

ontmoeten [ònt'mu.tə(n)] *vt* 1 (toevallig) meet with, meet [a person]; chance upon [an expression]; 2 (niet toevallig) meet; 3 *fig* encounter [resistance].

ontmoeting [-tɪŋ] *v* 1 meeting; 2 [hostile] encounter.

ontmunten [ònt'mʉntə(n)] *vt* demonetize.

ontnemen [-'ne.mə(n)] *vt* take (away) from, deprive of.

ontneming [-mɪŋ] *v* taking away, deprivation.

ontnuchteren [ònt'nʉxtərə(n)] *vt* sober[2]; *fig* disenchant, disillusion.

ontnuchtering [-rɪŋ] v *fig* disenchantment, disillusionment.

ontoegankelijk [òntu.'gɑŋkələk] unapproachable, inaccessible.

ontoegankelijkheid [-ɦɛit] v unapproachableness, inaccessibility.

ontoelaatbaar [òntu.'la.tba:r] inadmissible.

ontoepasselijk [-'pɑsələk] inapplicable.

ontoepasselijkheid [-ɦɛit] v inapplicability.

ontoereikend [òntu.'reikənt] insufficient, inadequate.

ontoereikendheid [-ɦɛit] v insufficiency, inadequacy.

ontoerekenbaar [òntu.'re.kənba:r] not imputable [crimes]; irresponsible [for one's actions]; *je bent ~ F* you are out of your senses.

ontoerekenbaarheid [-ɦɛit] v irresponsibility.

ontoonbaar [òn'to.nba:r] not fit to be shown [of things], not fit to be seen [of persons].

ontplofbaar [ònt'plòfba:r] explosive; *ontplofbare stoffen* explosives.

ontploffen [-'plòfə(n)] vi explode, detonate.

ontploffing [-fɪŋ] v explosion, detonation; *tot ~ brengen* explode; *tot ~ komen* explode.

ontploffingsgeluid [-fɪŋsɡəlœyt] o *gram* explosive.

ontplooien [ònt'plo.jə(n)] vt & vr unfurl, unfold.

ontplooiing [-jɪŋ] v unfolding.   [fold².

ontpoppen [ònt'pòpə(n)] vr in: *zich ~ als...* turn out to be..., show oneself a...

ontraadselen [-'ra.tsələ(n)] vt unriddle, unravel.

ontraden [-'ra.də(n)] vt dissuade from, advise against.

ontrafelen [-'ra.fələ(n)] vt unravel².

ontreddrd [-'rɛdərt] (put) out of joint, disabled.

ontredderen [-'rɛdərə(n)] vt put out of joint, throw out of gear, disable, shatter.

ontreddering [-'rɛdərɪŋ] v disorganization, general collapse [of society].

ontrieven [-'ri.və(n)] vt in: *als ik u niet ontrief* if I don't put you to inconvenience.

ontroeren [-'ru:rə(n)] I vt move, affect; II vi be moved.

ontroering [-'ru:rɪŋ] v emotion.

ontrollen [-'rɔlə(n)] vt & vr unroll, unfurl, unfold; *iemand iets ~* pilfer something from a person.

ontromen [-'ro.mə(n)] vt skim, cream [milk].

ontroostbaar [òn'tro.stba:r] not to be comforted, disconsolate, inconsolable.

ontroostbaarheid [-ɦɛit] v disconsolateness.

ontrouw ['òntrou] I *aj* unfaithful [husband, wife], disloyal, false [to oneself]; II v unfaithfulness, disloyalty, [marital] infidelity.

ontroven [ònt'ro.və(n)] vt rob of, steal from.

ontruimen [-'rœymə(n)] vt ✕ evacuate, vacate [the premises, a house], clear [the park &].

ontruiming [-mɪŋ] v evacuation, vacation, clearing.

ontrukken [ònt'rúkə(n)] vt tear from, snatch (away) from.

ontschepen [-'sxe.pə(n)] I vt unship [cargo], disembark [passengers]; II vr *zich ~* disembark.

ontscheping [-'sxe.pɪŋ] v disembarkation; unshipping [of cargo].

ontschieten [-'sxi.tə(n)] vi slip from; *het is mij ontschoten* it has slipped my memory.

ontschorsen [-'sxɔrsə(n)] vt bark [a tree].

ontsieren [-'si:rə(n)] vt disfigure, deface, mar.

ontsiering [-rɪŋ] v disfigurement, defacement.

ontslaan [ònt'sla.n] vt discharge, dismiss; *~ uit zijn betrekking* discharge, dismiss; *~ uit de gevangenis* release from gaol; *~ van* discharge from, release from, free from; *iemand van een belofte ~* let one off his promise; *iemand van een verplichting ~* relieve one from (absolve him from) an obligation; *we zijn van hem ontslagen* we have got rid of him.

ontslag [-'slɑx] o discharge, dismissal; resignation; release [from gaol]; *hem zijn ~ geven* discharge (dismiss) him; *zijn ~ indienen (aanvragen)* tender one's resignation, send in (give in) one's papers; *zijn ~ krijgen* be dismissed; *~ nemen* resign.

ontslagbriefje [-bri.fjə] o discharge certificate.

ontslapen [ònt'sla.pə(n)] vi pass away; *in de Heer ~ zijn* sleep in the Lord.

ontslapene [-'sla.pənə] m-v in: *de ~* the (dear) deceased, the (dear) departed.

ontslippen [-'slɪpə(n)] vi zie *ontglippen*.

ontsluieren [-'slœyərə(n)] vt unveil²; *fig* disclose, reveal.

ontsluipen [-'slœypə(n)] vi steal away from.

ontsluiten [-'slœytə(n)] I vt unlock; open²; II vr *zich ~* open.

ontsmetten [-'smɛtə(n)] vt disinfect.

ontsmetting [-tɪŋ] v disinfection.

ontsmettingsmiddel [-tɪŋsmɪdəl] o disinfectant.

ontsnappen [ònt'snɑpə(n)] vt escape, make one's escape; *~ aan* escape from [a person]; escape [one's vigilance]; *je kunt er niet aan ~* there is no escape (from it).

ontsnapping [-pɪŋ] v escape.

ontspannen [ònt'spɑnə(n)] I vt unbend [a bow, the mind]; relax [the muscles]; release [a spring]; ease [the situation]; II vr *zich ~* unbend, relax.

ontspanner [-nər] m (fotogr.) release.

ontspanning [-nɪŋ] v relaxation²; *fig* 1 (verminderde spanning) relief; [international] détente, easing (of the political situation); 2 (uitspanning) diversion, distraction; *hij neemt nooit ~* he never unbends.

ontspanningslectuur, -lektuur [-nɪŋslɛkty:r] v light reading.

ontspanningslokaal [-lo.ka.l] o recreation hall.

ontspanningsoord [-o:rt] o [holiday &] resort.

ontspinnen [ònt'spɪnə(n)] vi in: *er ontspon zich een belangrijke discussie* this led to an interesting discussion.

ontsporen [-'spo.rə(n)] vi run off the metals (rails), be derailed, derail.

ontsporing [-'spo:rɪŋ] *v* derailment.
ontspringen [-'sprɪŋə(n)] *vi* rise [of a river]; zie ook: *dans.*
ontspruiten [-'sprœytə(n)] *vi* spring, sprout; *fig ~ uit* arise from, spring from, proceed from.
ontstaan [-'sta.n] I *vi* come into existence (into being), originate; start [of a fire]; develop [of a crisis, fever &]; *doen ~* give rise to, cause, create; start [a fire]; *~ uit* arise from; II *o* origin.
ontsteken [-'ste.kə(n)] I *vt* kindle, light, ignite, blast off [a rocket]; *iemand in toorn doen ~* kindle a person's wrath; II *vi* become inflamed [of a wound]; *in toorn ~* fly into a passion.
ontsteking [-kɪŋ] *v* 1 kindling [of fire], ⚙ ignition, blast-off [of a rocket]; 2 (v. wonden) inflammation.
ontstekingsschakelaar [-kɪŋsxa.kəla:r] *m* ignition switch.
ontsteld [ònt'stɛlt] alarmed, frightened.
ontstelen [-'ste.lə(n)] *vt* steal from; *zij hebben het hem ontstolen* they have stolen it from him.
ontstellen [-'stɛlə(n)] I *vt* startle, alarm, frighten; II *vi* be startled, become alarmed.
ontsteltenis [-'stɛltənɪs] *v* consternation, alarm, dismay.
ontstemd [-'stɛmt] ♪ out of tune; *fig* put out, displeased.
ontstemmen [-'stɛmə(n)] *vt* ♪ put out of tune; *fig* put out, displease.
ontstemming [-mɪŋ] *v* displeasure, dissatisfaction, soreness, heartburning.
ontstentenis [ònt'stɛntənɪs] *v* in: *bij ~ van* in default of, in the absence of, failing...
ontstichten [-'stɪxtə(n)] *vt* offend, give offence.
ontstoken [-'sto.kə(n)] inflamed [of a wound].
ontstoppen [-'stɔpə(n)] *vt* clear [a choked pipe &].
onttakelen [òn'ta.kələ(n)] *vt* ⚓ unrig, dismantle.
onttakeling [-lɪŋ] *v* ⚓ unrigging, dismantling.
onttrekken [òn'trɛkə(n)] I *vt* withdraw (from *aan*); *aan het oog ~* hide; II *vr zich ~ aan* withdraw from; shirk [a duty]; back out of [an obligation].
onttrekking [-'trɛkɪŋ] *v* withdrawal.
onttronen [-'tro.nə(n)] *vt* dethrone.
onttroning [-'tro.nɪŋ] *v* dethronement.
ontucht ['òntʉxt] *v* lewdness, prostitution.
ontuchtig [òn'tʉxtəx] *aj* (& *ad*) lewd(ly).
ontuig ['òntœyx] *o* riff-raff.
ontvallen [ònt'fɑlə(n)] *vi* drop (fall) from [one's hands]; *zich geen woord laten ~* not drop a single word; *het is mij ~* it escaped me; *zijn kinderen ontvielen hem* he lost his children.
ontvangbewijs [ònt'fɑŋbəvɛis] *o* receipt.
ontvangdag [-dɑx] *m* at-home (day).
ontvangen [ònt'fɑŋə(n)] I *vt* receive°, $ take delivery of [the goods]; *de vijand werd warm ~* the enemy was given a warm reception; II

va receive; *wij ~ vandaag niet* we are not at home to-day.
ontvangenis [-'fɑŋənɪs] *v* conception.
ontvanger [-'fɑŋər] *m* 1 recipient, $ consignee; 2 (ambtenaar) tax-collector; 3 ⚙ ✠ (ontvangtoestel) receiver.
ontvangerskantoor [-'fɑŋərskɑnto:r] *o* tax-collector's office.
ontvangst [-'fɑŋst] *v* receipt; reception [of a person & ⚙ ✠]; *de ~en van één dag* $ the takings of one day; *de ~ berichten (bevestigen, erkennen) van...* acknowledge receipt of...; *de ~ weigeren van...* $ refuse to take delivery of...; *bij de ~ van...* on receiving...; *in ~ nemen* receive, $ take delivery of; *na ~ van...* on receipt of...
ontvangstation [-'fɑŋsta.ʃòn] *o* ⚙ ✠ receiving-station.
ontvangstbewijs [-'fɑŋstbəvɛis] *o* receipt.
ontvangtoestel [-'fɑŋtu.stɛl] *o* ⚙ ✠ receiver, receiving set.
ontvankelijk [ònt'fɑŋkələk] receptive, susceptible; *~ voor* accessible to, amenable to; *zijn eis werd ~ verklaard* he was entitled to proceed with his claim; *zijn eis werd niet ~ verklaard* it was decided that the action would not lie.
ontvankelijkheid [-ɦɛit] *v* receptivity, susceptibility.
ontveinzen [ònt'fɛinzə(n)] *vt* in: *wij ~ het ons niet* we fully realize it; *wij kunnen ons niet ~ dat...* we cannot disguise from ourselves the fact that (the difficulty & of...).
ontvellen [-'fɛlə(n)] *vt* excoriate, graze, bark [one's knee &]; *ik heb mij ontveld* I have got an abrasion.
ontvelling [-'fɛlɪŋ] *v* abrasion, excoriation.
ontvlambaar [-'flɑmba:r] inflammable.
ontvlambaarheid [-ɦɛit] *v* inflammableness.
ontvlammen [ònt'flɑmə(n)] *vi* inflame, kindle[2].
ontvlamming [-mɪŋ] *v* inflammation.
ontvlekken [ònt'flɛkə(n)] *vt* remove stains from.
☉ **ontvlieden** [-'fli.də(n)] *vt* fly from, flee from.
ontvluchten [-'flʉxtə(n)] I *vi* fly, flee, escape, make good one's escape; II *vt* fly (from), flee (from).
ontvluchting [-tɪŋ] *v* flight, escape.
ontvoerder [ònt'fu:rdər] *m* abductor, kidnapper.
ontvoeren [-'fu:rə(n)] *vt* carry off, abduct, kidnap.
ontvoering [-rɪŋ] *v* abduction, kidnapping.
ontvolken [ònt'fɔlkə(n)] *vt* depopulate.
ontvolking [-kɪŋ] *v* depopulation.
ontvoogden [ònt'fo.gdə(n)] *vt* emancipate.
ontvoogding [-dɪŋ] *v* emancipation.
ontvouwen [ònt'fouə(n)] *vt* & *vr* unfold[2].
ontvouwing [-ɪŋ] *v* unfolding[2].
ontvreemden [ònt'fre.mdə(n)] *vt* steal, embezzle.
ontvreemding [-dɪŋ] *v* theft, embezzlement.

ontwaken [ònt'va.kə(n)] *vi* awake[2], wake up[2], get awake; *uit zijn droom* ~ awake from a dream.

ontwaking [-kɪŋ] *v* awakening.

ontwapenen [ònt'va.pənə(n)] *vt & vi* disarm.

ontwapening [-nɪŋ] *v* I disarming [of a soldier]; 2 disarmament [movement].

ontwaren [ònt'va:rə(n)] *vt* perceive, descry.

ontwarren [-'varə(n)] *vt* disentangle, unravel.

ontwarring [-'varɪŋ] *v* disentanglement, unravelling.

ontwassen [-'vasə(n)] *vi* zie *ontgroeien*.

ontweien [-'vɛiə(n)] *vt* disembowel.

ontwellen [-'vɛlə(n)] *vi* spring from.

ontwennen [-'vɛnə(n)] *vt* zie *afwennen*.

ontwerp [-'vɛrp] *o* project, plan, (rough) draft, design; (wetsontwerp) bill.

ontwerpen [-'vɛrpə(n)] *vt* draft, draw up, frame, design, project, plan [towns].

ontwerper [-pər] *m* draftsman [of a document], designer, framer, planner, projector.

ontwijden [ònt'vɛidə(n)] *vt* desecrate, profane, defile.

ontwijder [-dər] *m* desecrator, profaner, defiler.

ontwijding [-dɪŋ] *v* desecration, profanation, defilement.

ontwijfelbaar [ònt'vɛifəlba:r] I *aj* indubitable, unquestionable, unquestioned, doubtless; II *ad* indubitably &, doubtless(ly).

ontwijfelbaarheid [-hɛit] *v* indubitableness, doubtlessness.

ontwijken [ònt'vɛikə(n)] *vt* evade, dodge [a blow]; avoid, shun [a man, a place]; fight shy of [a person]; *fig* blink, evade, elude, fence with [a question], shirk [the main point].

ontwijkend [-kənt] *aj* (& *ad*) evasive(ly).

ontwijking [-kɪŋ] *v* evasion.

ontwikkelaar [ònt'vɪkəla:r] *m* (foto) developer.

ontwikkeld [-'vɪkəlt] (fully) developed; *fig* educated.

ontwikkelen [-'vɪkələ(n)] I *vt* develop; II *vr* zich ~ develop[2] (into *tot*).

ontwikkeling [-lɪŋ] *v* development; *algemene* ~ general education.

ontwikkelingsland [-lɪŋslɑnt] *o* developing country.

ontwikkelingsleer [-le:r] *v* theory of evolution.

ontwikkelingstijdperk [-tɛitpɛrk] *o* period of development.

ontwoekeren [ònt'vu.kərə(n)] *vt* in: ~ *aan* wrest from; *ontwoekerd aan de baren* reclaimed from the sea, wrested from the waves.

ontworstelen [-'vòrstələ(n)] *vt* wrest from.

ontwortelen [-'vòrtələ(n)] *vt* uproot.

ontwricht [-'vrɪxt] dislocated, out of joint; disrupted.

ontwrichten [-'vrɪxtə(n)] *vt* dislocate[2], disjoint; disrupt [society; transport].

ontwrichting [-tɪŋ] *v* dislocation[2] [also of affairs]; disruption [of society; of postal services].

ontwringen [ònt'vrɪŋə(n)] *vt* wrest from, extort from.

ontzag [ònt'sɑx] *o* awe, respect, veneration; ~ *inboezemen* inspire with awe, (over)awe; ~ *hebben voor* stand in awe of.

ontzaglijk [-'sɑgələk] I *aj* awful; enormous, tremendous [quantity], vast [number]; II *ad* < awfully. ·

ontzaglijkheid [-hɛit] *v* enormousness.

ontzagwekkend [òntsɑx'vɛkənt] awe-inspiring.

ontzegelen [ònt'se.gələ(n)] *vt* unseal, break the seal of.

ontzeggen [-'sɛgə(n)] I *vt* deny; *mijn benen* ~ *mij de dienst* my legs fail me; *hij zag zich zijn eis ontzegd* his suit was dismissed; *iemand zijn huis* ~ forbid one the house; *ik ontzeg u het recht om...* I deny to you the right to...; *de toegang werd hem ontzegd* he was denied admittance; II *vr* in: *zich iets* ~ deny oneself something.

ontzegging [-'sɛgɪŋ] *v* denial.

ontzeilen [-'sɛilə(n)] *vt* sail away from; *de klip van...* ~ steer clear of the rock of..., steer clear of...

ontzenuwen [-'se.ny.və(n)] *vt* I enervate, unnerve; 2 *fig* invalidate [grounds, arguments].

ontzenuwing [-vɪŋ] *v* enervation; *fig* invalidation.

1 **ontzet** [ònt'sɛt] *aj* aghast, appalled.

2 **ontzet** [ònt'sɛt] *o* ⚔ relief [of a besieged town]; rescue [of a person]; *tot* ~ *komen opdagen* ⚔ advance to the relief [of the town]; come to a person's rescue.

ontzetten [-'sɛtə(n)] *vt* I ⚔ relieve; rescue [by the police]; 2 (afzetten) dismiss; 3 (met ontzetting vervullen) appal; 4 (ontwrichten, verbuigen) buckle [metal, a wheel], warp [wood]; *iemand uit zijn ambt* ~ deprive one of his office.

ontzettend [-'sɛtənt] I *aj* appalling, dreadful, terrible; (het is) ~! it is awful!; II *ad* dreadfully, < awfully, terribly.

ontzetting [-'sɛtɪŋ] *v* I ⚔ relief [of a town]; rescue [of a person]; 2 deprivation [of office]; dismissal [of functionary]; 3 horror.

ontzield [-'si.lt] inanimate, lifeless.

ontzien [-'si.n] I *vt* respect, stand in awe of; spare [a person], consider (a person's feelings); *hij moet* ~ *worden* he must be dealt with gently; *geen moeite* ~ *om...* spare no pains to...; *geen (on)kosten* ~*d* regardless of expense; II *vr* zich ~ spare oneself; take care of oneself (of one's health); *zich niet* ~ *om...* not scruple to...; *hij ontzag zich nota bene niet om...* he had the conscience to [smoke my cigars &].

ontzind [-'sɪnt] distracted.

ontzinken [-'sɪŋkə(n)] *vi* in: *de moed ontzonk mij* my courage gave way.

onuitblusbaar [ònœyt'blŭsba:r] inextinguishable, unquenchable.

onuitgegeven [-'œytgəge.və(n)] unpublished.

onuitgemaakt [-ma.kt] unsettled, not settled, open [question].

onuitgesproken [-spro.kə(n)] unspoken.

onuitputtelijk [ònœyt'pūtələk] inexhaustible, unfailing.

onuitputtelijkheid [-hɛit] v inexhaustibleness.

onuitroeibaar [ònœyt'ru:iba:r] ineradicable.

onuitspreekbaar [-'spre.kba:r] unpronounceable.

onuitsprekelijk [-'spre.kələk] I aj unspeakable, inexpressible, unutterable, ineffable [joy]; II ad unspeakably, inexpressibly, unutterably, ineffably; ~ gelukkig ook: too happy for words, happy beyond words.

onuitstaanbaar [-'sta.nba:r] I aj insufferable, intolerable, unbearable; II ad insufferably, intolerably, unbearably.

onuitstaanbaarheid [-hɛit] v insufferableness, intolerableness, unbearableness.

onuitvoerbaar [ònœyt'fu:rba:r] impracticable, impossible.

onuitvoerbaarheid [-hɛit] v impracticability, impossibility.

onuitwisbaar [ònœyt'ʋɪsba:r] I aj indelible, ineffaceable; II ad indelibly, ineffaceably.

onuitwisbaarheid [-hɛit] v indelibility, ineffaceableness.

onvaderlands ['ònva.dərlɑnts] aj (& ad) unpatriotic(ally).

onvast [òn'vɑst] unstable, unsteady [gait, character &]; unsettled, uncertain [state of things]; loose [soil]; light [sleep].

onvastheid [-hɛit] v instability, unsteadiness &.

onvatbaar [òn'vɑtba:r] in: ~ voor immune from [a disease]; insusceptible of [pity].

onvatbaarheid [-hɛit] v immunity [from disease]; insusceptibility [of pity].

onveilig [òn'vɛiləx] unsafe, insecure; ~! danger!; ~ maken make unsafe, infest [the roads]; ~ sein danger signal; het sein staat op ~ the signal is at danger.

onveiligheid [-hɛit] v unsafeness, insecurity.

onveranderd [ònvər'ɑndərt] unchanged, unaltered.

onveranderlijk [-'ɑndərlək] I aj unchangeable, unalterable, immutable [decision &]; invariable [behaviour &]; immovable [feasts as Christmas &]; II ad unchangeably &.

onveranderlijkheid [-hɛit] v unchangeableness, immutability, invariableness.

onverantwoord [ònvər'ɑntvo:rt] I (v. handeling) unjustified, unwarranted; 2 (v. geld) not accounted for.

onverantwoordelijk [-ɑnt'vo:rdələk] I not responsible, irresponsible; 2 unwarrantable, unjustifiable.

onverantwoordelijkheid [-hɛit] v I irresponsibility; 2 unwarrantableness, unjustifiableness.

onverbasterd [ònvər'bɑstərt] undegenerate.

onverbeterlijk [ònvər'be.tərlək] I aj I incorrigible [child &]; 2 (voortreffelijk) excellent, perfect; II ad I incorrigibly; 2 (voortreffelijk) excellently, perfectly, [sing &] to perfection.

onverbiddelijk [-'bɪdələk] inexorable.

onverbiddelijkheid [-hɛit] v inexorability.

onverbloemd ['ònvərblu.mt] I aj undisguised, unvarnished; II ad [tell me] in plain terms, bluntly.

onverbogen [-bo.gə(n)] gram undeclined.

onverbrandbaar [ònvər'brɑntba:r] incombustible.

onverbrandbaarheid [-hɛit] v incombustibility.

onverbreekbaar, ~brekelijk [ònvər'bre.kba:r, -'bre.kələk] unbreakable, indissoluble.

onverbuigbaar [ònvər'bœyxba:r] gram indeclinable.

onverdedigbaar [-'de.dəxba:r] indefensible.

onverdedigd [-'de.dəxt] undefended.

onverdeelbaar [-'de.lba:r] indivisible.

onverdeelbaarheid [-hɛit] v indivisibility.

onverdeeld [ònvərde.lt] undivided, whole, entire; unqualified [praise, success].

onverdelgbaar [ònvər'dɛlxba:r] indestructible.

onverdiend [ònvər'di.nt] I aj unearned [money]; undeserved [reproach], unmerited [praise]; II ad undeservedly.

onverdienstelijk [ònvər'di.nstələk] in: niet ~ not without merit.

onverdraaglijk(heid) [-'dra.gələk(hɛit)] zie ondraaglijk(heid).

onverdraagzaam [-'dra.xsa.m] intolerant.

onverdraagzaamheid [-hɛit] v intolerance.

onverdroten ['ònvərdro.tə(n)] I aj indefatigable, unwearying, unflagging [zeal]; sedulous [care]; II ad indefatigably; sedulously.

onverenigbaar [ònvər'e.nəxba:r] not to be united; onverenigbare begrippen irreconcilable ideas; ~ met incompatible with, inconsistent with.

onverenigbaarheid [-hɛit] v incompatibility, inconsistency.

onverflauwd ['ònvərflout] undiminished, unabated [energy], unrelaxing [diligence], unremitting [attention], unflagging [zeal].

onvergankelijk [ònvər'gɑŋkələk] imperishable, undying.

onvergankelijkheid [-hɛit] v imperishableness.

onvergeeflijk, onvergefelijk [ònvər'ge.fələk] unpardonable, unforgivable.

onvergeeflijkheid, onvergefelijkheid [-hɛit] v unpardonableness.

onvergelijkelijk [ònvɛrgə'leikələk] I aj incomparable, matchless, peerless; II ad incomparably.

onvergetelijk [ònvər'ge.tələk] unforgettable.

onverhinderd [-'hɪndərt] I aj unhindered, unimpeded; II ad without being hindered.

onverhoeds [-'hu.ts] I aj unexpected, sudden; een ~e aanval a surprise attack; II ad unawares, unexpectedly, suddenly; [attack] by surprise.

onverholen ['ònvərho.lə(n)] I aj unconcealed

[disgust], undisguised [contempt]; **II** *ad* frankly, openly, without mincing matters.

onverhoopt [ònvər'ho.pt] unexpected, unlooked-for.

onverhuurd ['ònvərhy:rt] not let, unlet, untenanted.

onverkiesbaar [ònvər'ki.sba:r] ineligible.

onverkiesbaarheid [-hɛit] v ineligibility.

onverkies(e)lijk [ònvər'ki.sələk] undesirable.

onverklaarbaar [-'kla:rba:r] inexplicable.

onverklaarbaarheid [-hɛit] v inexplicableness.

onverkocht [ònvər'kɔxt] unsold; *mits* ~ **$** if unsold.

onverkoopbaar [-'ko.pba:r] unsal(e)able, unmarketable.

onverkort ['ònvərkòrt] unabridged, uncurtailed.

onverkwikkelijk [ònvər'kʌikələk] unpleasant, unpalatable, unsavoury [case &].

onverlaat ['ònvərla.t] *m* miscreant, vile wretch.

onverlet [ònvər'lɛt] unhindered, unimpeded.

onvermeld [-'mɛlt] unmentioned, unrecorded; *(niet)* ~ *blijven* (not) go unrecorded.

onvermengd [-'mɛŋt] unmixed, unalloyed, unqualified, pure.

onvermijdelijk [-'mɛidələk] **I** *aj* inevitable, unavoidable; *het* ~*e* the inevitable; **II** *ad* inevitably, unavoidably.

onvermijdelijkheid [-hɛit] v unavoidableness, inevitability.

onverminderd ['ònvərmɪndərt] **I** *aj* undiminished, unabated; **II** *prep* without prejudice

onvermoed ['ònvərmu.t] unsuspected. [to.

onvermoeibaar [ònvər'mu:iba:r] **I** *aj* indefatigable; **II** *ad* indefatigably.

onvermoeibaarheid [-hɛit] v indefatigability.

onvermoeid [ònvər'mu:it] unwearied, untired, tireless.

onvermoeidheid [-hɛit] v tirelessness.

onvermogen ['ònvərmo.gə(n)] *o* 1 impotence, inability; 2 impecuniosity; 3 indigence; ~ *om te betalen* insolvency; *in staat van* ~ insolvent.

onvermogend [ònvər'mo.gənt] 1 (**machteloos**) unable; 2 (**geldeloos**) impecunious; 3 (**behoeftig**) indigent.

onvermurwbaar [-'mʏrʋba:r] unrelenting, inexorable.

onvernielbaar [-'ni.lba:r] indestructible.

onvernietigbaar [-'ni.təxba:r] zie *onvernielbaar*.

onverpacht ['ònvərpaxt] unlet, untenanted [farms].

onverpoosd [ònvər'po.st] **I** *aj* uninterrupted, unremitting; **II** *ad* uninterruptedly, unceasingly.

onverricht ['ònvərɪxt] undone, unperformed; ~*er zake* without having attained one's end, [return] without success.

onversaagd [ònvər'sa.xt] **I** *aj* undaunted, intrepid; **II** *ad* undauntedly, intrepidly.

onversaagdheid [-hɛit] v undauntedness, intrepidity.

onverschillig [ònvər'sxɪləx] **I** *aj* indifferent, careless [person]; [air, tone &] of indifference; ~ *door welk middel* no matter by what means; ~ *of we... dan wel...* whether... or...; ~ *voor...* indifferent to...; ~ *wat* (*wie*) no matter what (who); *het is mij* ~ it is all the same (all one) to me; **II** *ad* indifferently, carelessly, insouciantly.

onverschilligheid [-hɛit] v indifference, insouciance.

onverschrokken(heid) [ònvər's(x)rəkə(n)(hɛit) zie *onversaagd(heid)*.

onverslapt ['ònvərslapt] unflagging; zie ook: *onverflauwd*.

onverslijtbaar [ònvər'slɛitba:r] not to be worn out, imperishable, everlasting.

onversneden ['ònvərsne.də(n)] undiluted, unqualified [wine &].

onverstaanbaar [ònvər'sta.nba:r] **I** *aj* unintelligible; **II** *ad* unintelligibly.

onverstaanbaarheid [-hɛit] v unintelligibleness, unintelligibility.

onverstand ['ònvərstant] *o* unwisdom.

onverstandig [ònvər'standəx] **I** *aj* unwise; *het* ~*e ervan* the unwisdom of it; **II** *ad* unwisely.

onverstoorbaar [-'sto.rba:r] **I** *aj* imperturbable; **II** *ad* imperturbably.

onverstoorbaarheid [-hɛit] v imperturbability.

onverstoord [ònvər'sto.rt] undisturbed; *fig* unperturbed.

onvertaalbaar [-'ta.lba:r] untranslatable.

onverteerbaar [-'te:rba:r] indigestible[2].

onverteerd [-'te:rt] undigested[2].

onvertogen [-'to.gə(n)] unseemly.

onvervaard [-'va:rt] **I** *aj* fearless, undaunted; **II** *ad* fearlessly, undauntedly.

onvervalst [-'valst] unadulterated, unalloyed, genuine, unsophisticated; *een* ~*e schurk* an unmitigated blackguard.

onvervangbaar [-'vaŋba:r] irreplaceable.

onvervreemdbaar [-'vre.mtba:r] inalienable [goods, property], indefeasible [rights].

onvervreemdbaarheid [-hɛit] v inalienability, indefeasibility.

onvervulbaar [ònvər'vʏlba:r] unfulfillable.

onvervuld [-'vʏlt] unoccupied [place], unaccomplished [wishes], unperformed, unfulfilled [promises].

onverwacht [ònvər'vaxt] **I** *aj* unexpected, unlooked for; **II** *ad* zie *onverwachts*.

onverwachts [-'vaxts] unexpectedly, unawares.

onverwarmd ['ònvərvarmt] unheated [room], unwarmed.

onverwelkbaar [-'vɛlkba:r] unfading[2].

onverwijld [-'vɛilt] *aj* (& *ad*) immediate(ly), without delay.

onverwin(ne)lijk [-'vɪn(ə)lək] unconquerable, invincible.

onverwoestbaar [-'vu.stba:r] indestructible.

onverwoestbaarheid [-hɛit] v indestructibility.

onverzadelijk [ònvər'za.dələk] **I** *aj* insatiable **II** *ad* insatiably.

onverzadelijkheid [-hɛit] *v* insatiability.

onverzadigd [ònvər'za.dəxt] unsatiated, unsatisfied.

onverzegeld [-'ze.gəlt] unsealed.

onverzettelijk [-'zɛtələk] immovable²; *fig* unyielding, inflexible, stubborn, obstinate.

onverzettelijkheid [-hɛit] *v* inflexibility, stubbornness, obstinacy.

onverzoend [ònvər'zu.nt] unreconciled.

onverzoenlijk [-'zu.nlək] irreconcilable, implacable.

onverzoenlijkheid [-hɛit] *v* irreconcilability, implacability.

onverzorgd ['ònvərzɔrxt] 1 (niet opgepast) not attended to; 2 (niet gesoigneerd) uncared-for, unkempt [gardens]; untidy [nails]; slovenly [style]; 3 (zonder middelen) unprovided for.

onverzwakt [-zvɑkt] not weakened; unimpaired; zie ook: *onverflauwd.*

onvoegzaam [òn'vu.xsa.m] indecent, unseemly.

onvoegzaamheid [-hɛit] *v* indecency, unseemliness.

onvoldaan [ònvòl'da.n] unsatisfied, dissatisfied [people]; unpaid, unsettled [bills].

onvoldaanheid [-hɛit] *v* dissatisfaction.

onvoldoend [ònvòl'du.nt] *aj* (& *ad*) insufficient(ly).

onvoldoende [ònvòl'du.ndə] *v* & *o* ☞ insufficient mark; *hij heeft vier ∼s, ∼n* he is insufficient in four branches.

onvoleind(igd) [ònvòl'ɛint, -'ɛindəxt] unfinished, uncompleted.

onvolkomen [-'ko.mə(n)] *aj* (& *ad*) imperfect-(ly), incomplete(ly).

onvolkomenheid [-hɛit] *v* imperfection, incompleteness.

onvolledig [ònvò'le.dəx] *aj* (& *ad*) incomplete-(ly), defective(ly).

onvolledigheid [-hɛit] *v* incompleteness, defectiveness.

onvolmaakt [ònvòl'ma.kt] *aj* (& *ad*) imperfect(ly), defective(ly).

onvolmaaktheid [-hɛit] *v* imperfection, deficiency.

onvolprezen [ònvòl'pre.zə(n)] that cannot be praised enough.

onvoltallig [-'tɑləx] incomplete.

onvoltooid [-'to:it] 1 unfinished, incomplete; 2 *gram* imperfect [tense].

onvolvoerd [-'vu.rt] unperformed, unfulfilled.

onvolwaardig [-'va.rdəx] [physically] unfit, [mentally] deficient; *∼e arbeidskrachten* partially disabled workers.

onvolwassen [-'vɑsə(n)] half-grown, not full-grown.

onvoorbereid [òn'vo:rbərɛit] unprepared.

onvoordelig [ònvo:r'de.ləx] I *aj* unprofitable; II *ad* unprofitably.

onvoordeligheid [-hɛit] *v* unprofitableness.

onvoorspoedig [ònvo:r'spu.dəx] unsuccessful.

onvoorwaardelijk [-'va:rdələk] *aj* (& *ad*) unconditional(ly); implicit(ly); *onvoorwaardelijke overgave* unconditional surrender.

onvoorzichtig [-'zɪxtəx] I *aj* imprudent; II *ad* imprudently.

onvoorzichtigheid [-hɛit] *v* imprudence.

onvoorzien [ònvo:r'zi.n] unforeseen, unexpected.

onvoorziens [-'zi.ns] unexpectedly, unawares; *op het ∼t* quite unexpectedly.

onvriendelijk [òn'vri.ndələk] I *aj* unkind; II *ad* unkindly.

onvriendelijkheid [-hɛit] *v* unkindness.

onvriendschappelijk [ònvri.nt'sxɑpələk] I *aj* unfriendly; II *ad* in an unfriendly way.

onvrij [-'vrɛi] not free; *het is hier erg ∼* we are not free here.

onvrijheid [-hɛit] *v* want of freedom, constraint.

onvrijwillig [ònvrɛi'vɪləx] I *aj* involuntary, unwilling; II *ad* involuntarily, unwillingly.

onvruchtbaar [-'vrʉxtba:r] infertile [land]; unfruitful², sterile², barren².

onvruchtbaarheid [-hɛit] *v* infertility, unfruitfulness, sterility, barrenness.

onwaar [òn'va:r] untrue, not true, false.

onwaarachtig [-va:'rɑxtəx] untrue, false.

onwaarachtigheid [-hɛit] *v* untruth; duplicity.

onwaarde ['ònva:rdə] *v* invalidity, nullity; *van ∼ verklaren* declare null and void; *van ∼ zijn* be null and void.

onwaardig [òn'va:rdəx] I *aj* unworthy; undignified [spectacle]; *het is uwer ∼* it is unworthy of you; II *ad* unworthily.

onwaardigheid [-hɛit] *v* unworthiness.

onwaarheid [òn'va:rhɛit] *v* untruth, falsehood, lie.

onwaarschijnlijk [ònva:r'sxɛinlək] improbable, unlikely.

onwaarschijnlijkheid [-hɛit] *v* improbability, unlikeliness.

onwankelbaar [òn'vɑŋkəlba:r] unshakable, unwavering [decision], unswerving [resolution].

onwankelbaarheid [-hɛit] *v* unshakableness.

onwe(d)er ['ònve:r, -ve.dər] *o* thunderstorm, storm.

onweerachtig [-ɑxtəx] thundery.

onweerlegbaar [ònve:r'lɛxba:r] irrefutable, unanswerable, irrefragable.

onweerlegbaarheid [-hɛit] *v* irrefutableness.

onweersbui ['ònve:rsbœy] *v* thunderstorm.

onweerslucht [-lʉxt] *v* thundery sky.

onweerstaanbaar [ònve:r'sta.nba:r] I *aj* irresistible; II *ad* irresistibly.

onweerstaanbaarheid [-hɛit] *v* irresistibility.

onweerswolk ['ònve:rsvòlk] *v* thunder-cloud, storm-cloud.

onwel [òn'vɛl] indisposed, unwell.

onwelkom [-'vɛlkòm] unwelcome. [i(ly).

onwellevend [ònvɛ'le.vənt] *aj* (& *ad*) impolite-

onwellevendheid [-hɛit] *v* impoliteness.

onwelluidend [ònvɛ'lœydənt] *aj* (& *ad*) unharmonious(ly).

onwelluidendheid [-hɛit] v want of harmony.
onwelvoeglijk [ònvɛl'vu.ɡələk] aj (& ad) indecent(ly).
onwelvoeglijkheid [-hɛit] v indecency.
onwelwillend [ònvɛl'vilənt] aj (& ad) unkind-(ly).
onwelwillendheid [-hɛit] v unkindness.
onwennig [òn'vɛnəx] zich ~ voelen feel strange.
onweren ['ònve:rə(n)] vi in: het zal ~ there will be a thunderstorm.
onwerkelijk [òn'vɛrkələk] unreal.
onwerkelijkheid [-hɛit] v unreality.
onwerkzaam [òn'vɛrksa.m] inactive.
onwerkzaamheid [-hɛit] v inaction, inactivity.
onwetend [òn've.tənt] ignorant; iemand volkomen ~ laten van leave a person in complete ignorance of.
onwetendheid [-hɛit] v ignorance.
onwetenschappelijk [ònve.tən'sxɑpələk] aj (& ad) unscientific(ally).
onwettelijk [òn'vɛtələk] illegal.
onwettig [-'vɛtəx] aj (& ad) unlawful(ly), illegal(ly); (v. kind) illegitimate(ly).
onwettigheid [-hɛit] v unlawfulness, illegality; illegitimacy.
onwezenlijk [òn've.zənlək] unreal.
onwezenlijkheid [-hɛit] v unreality.
onwijs [-'vɛis] aj (& ad) unwise(ly), foolish(ly).
onwijsheid [-hɛit] v unwisdom, folly.
onwil ['ònvil] m unwillingness.
onwillekeurig [ònvilə'kø:rəx] I aj involuntary; II ad involuntarily; ik moest ~ lachen I could not help laughing.
onwillig [-'viləx] I aj unwilling; ~e manslag homicide by misadventure; met ~e honden is het kwaad hazen vangen one man may lead a horse to water, but fifty cannot make him drink; II ad unwillingly, with a bad grace.
onwilligheid [-hɛit] v unwillingness.
onwraakbaar [òn'vra.kba:r] unchallengeable [data, witnesses], unimpeachable [witnesses].
onwraakbaarheid [-hɛit] v unchallengeableness.
onwrikbaar [òn'vrikba:r] immovable², fig unshakable [conviction], unflinching.
onwrikbaarheid [-hɛit] v immovability², unshakableness &.
onyx ['o.niks] o & m onyx.
onz. = onzijdig.
onzacht [òn'zaxt] I aj ungentle, rude; II ad rudely.
onzachtheid [-hɛit] v ungentleness, rudeness.
onzalig [òn'za.ləx] unholy, evil, unhappy.
onzedelijk [òn'ze.dələk] aj (& ad) immoral(ly).
onzedelijkheid [-hɛit] v immorality.
onzedig [òn'ze.dəx] aj (& ad) immodest(ly).
onzedigheid [-hɛit] v immodesty.
onzeewaardig [ònze.'va:rdəx] ♪ unseaworthy.
onzegbaar, onzeglijk [òn'zɛxba:r, -'zɛɡələk] zie onuitsprekelijk.
onzeker [òn'ze.kər] I aj uncertain; insecure [ice, foundation]; unsafe [ice, people]; precarious [income, living]; unsteady [hand,

voice, steps]; het is nog ~ it is still uncertain; het ~e what is uncertain; iemand in het ~e laten leave one in uncertainty; in het ~e omtrent iets verkeren (zijn) be in uncertainty as to...; II ad uncertainly &.
onzekerheid [-hɛit] v uncertainty; insecurity; in ~ verkeren be in uncertainty.
onzelfstandig [ònzɛlf'stɑndəx] dependent on others.
onzelfstandigheid [-hɛit] v dependency on others.
onzelfzuchtig [ònzɛlf'sûxtəx] aj (& ad) unselfish(ly).
onzelfzuchtigheid [-hɛit] v unselfishness.
Onze-Lieve-Heer [ònzəli.və'he:r] m our Lord, the Lord.
onze-lieve-heersbeestje [-'he:rsbe.ʃə] o ladybird.
Onze-Lieve-Vrouw [-'vrɔu] v Our Lady.
onze-lieve-vrouwebedstro [-vrɔuə'bɛtstro.] o ♣ woodruff.
Onze-Lieve-Vrouwekerk [-'vrɔuəkɛrk] v de ~ Our Lady's Church.
onzent in: te(n) ~ [tə-, tɛn'ònzənt] at our house, at our place; ~halve for our sake(s); ~wege as for us; van ~wege on our behalf, in our names; om ~wil(le) for our sake(s).
onzerzijds ['ònzərzɛits] on our part, on our behalf.
onzevader [ònzə'va.dər] o Our Father, Lord's prayer.
onzichtbaar [òn'zixtba:r] I aj invisible; II ad invisibly; ~ stoppen repair by invisible mending.
onzichtbaarheid [-hɛit] v invisibility.
onzienlijk [òn'zi.nlək] invisible.
onzijdig [-'zɛidəx] I aj 1 neutral; 2 gram neuter; zich ~ houden remain neutral; II ad neutrally.
onzijdigheid [-hɛit] v neutrality.
onzin ['ònzin] m nonsense; ~ uitkramen (verkopen) talk (stuff and) nonsense.
onzindelijk [òn'zindələk] uncleanly, dirty.
onzindelijkheid [-hɛit] v uncleanliness, dirtiness.
onzinnig [òn'zinəx] aj (& ad) nonsensical(ly), absurd(ly), senseless(ly).
onzinnigheid [-hɛit] v absurdity, nonsense, senselessness.
onzuiver [òn'zœyvər] impure; unjust [scales], ♪ out of tune, false; (bruto) gross [profit &]; ~ in de leer unsound in the faith, heterodox.
onzuiverheid [-hɛit] v impurity.
ooft [o.ft] o fruit.
ooftboom ['o.ftbo.m] m fruit-tree.
oog [o.x] o 1 eye°; 2 (op dobbelsteen &) point, spot; goede (slechte) ogen [have] good (bad) eyesight; geheel ~ zijn be all eyes; hij kon er zijn ogen niet afhouden he could not keep his eyes off it; een ~ dichtdoen zie oogje; geen ~ dichtdoen not sleep a wink [all night]; het ~ laten gaan over cast one's eye over; hij kon zijn ogen niet geloven he could not believe

his eyes; *een (goed)* ~ *op haar hebben* zie oogje; *geen* ~ *voor iets hebben* have no eye for it; *een open* ~ *hebben voor* be (fully) alive to [the requirements of...]; *heb je geen ogen in je hoofd?* have you no eyes (in your head)?; *het* ~ *wil ook wat hebben* the eye has its claims too; *hij heeft zijn ogen niet in zijn zak* F he has all his eyes about him; *het* ~ *op iets houden* keep an eye on something; *ik kan er geen* ~ *op houden* I can't keep track of them; *een* ~ *in het zeil houden* keep an eye upon [him, them]; *zijn ogen de kost geven* look about one; *iemand de ogen openen* open a person's eyes; *grote ogen opzetten* open one's eyes wide; *het* ~ *slaan op...* cast a look (a glance) at...; *de ogen sluiten voor...* shut one's eyes to...; *een* ~ *toedoen* zie oogje; *geen* ~ *toedoen* not sleep a wink [all night]; *het* ~ *treffen* meet the eye; *iemand de ogen uitsteken* zie uitsteken; *zijn* ~ *erop laten vallen* cast a glance at it; *mijn* ~ *viel erop* it caught my eye; *iets in het* ~ *houden* keep an eye upon it; *fig* not lose sight of; *iemand in het* ~ *houden* keep an eye on a man's movements; *iets (iemand) in het* ~ *krijgen* catch sight of; *in het* ~ *lopen (vallen)* strike the eye; *in het* ~ *lopend (vallend)* conspicuous, striking, obvious; *in het* ~ *springen* zie *springen*; *in mijn oog (ogen)* in my eyes; *in zijn eigen ogen* in his own conceit; *iets in het* ~ *vatten* fix one's eyes upon a thing; *met de ogen volgen* follow with one's eyes; *ik zag het met mijn eigen ogen* I saw it with my own eyes; *met open ogen* with one's eyes open; *een man met een open* ~ *voor onze noden* a man (fully) alive to our needs; *het met schele (lede) ogen aanzien* view it with a jealous eye, with regret; *met het* ~ *op...* 1 with a view to..., with an eye to...; 2 in view of...; *iemand naar de ogen zien* read a person's wishes; *zij behoeven niemand naar de ogen te zien* they are not dependent upon anybody; they can hold up their heads with the best; ~ *om* ~, *tand om tand* an eye for an eye, a tooth for a tooth; *onder vier ogen* in private, privately; *een gesprek onder vier ogen* a private talk; *iemand iets onder het* ~ *brengen* remonstrate with a person on a thing; *iemand onder de ogen komen* come under a person's eye, under his notice; *kom me niet meer onder de ogen* let me never set eyes on you again; *iets onder de ogen krijgen* set eyes upon it; *de dood onder de ogen zien* look death in the face; *de feiten (het gevaar) onder de ogen zien* face the facts (the danger); *de mogelijkheid onder het* ~ *zien* envisage the possibility; *op het* ~ *is het...* when looked at; *iets op het* ~ *hebben* have something in view; *iemand op het* ~ *hebben* have one's eye on a man [as a fit candidate]; have one in mind [when making an allusion]; *(ga) uit mijn ogen!* out of my sight!; *te lui om uit zijn ogen te kijken* too lazy to

open his eyes; *(goed) uit zijn ogen zien* use one's eyes; *uit het* ~, *uit het hart* out of sight, out of mind; *iets (hem) uit het* ~ *verliezen* lose sight of it (of him); *het is alles voor het* ~ for show; *God voor ogen houden* keep God in view; *met dat doel voor ogen* with that object in view; *met de dood voor ogen* in the face of certain death; *voor het* ~ *van de wereld* for the world; *het staat mij nog voor ogen* I have a vivid recollection of it; *het* ~ *des meesters maakt het paard vet* the eye of the master makes the cattle thrive.

oogappel ['o.xɑpəl] *m* apple of the eye[2], eye-ball.

oogarts [-ɑrts] *m* oculist.

oogbadje [-bɑcə] *o* eye-bath.

oogbal, ~**bol** [-bɑl, -bɔl] *m* eye-ball.

oogdruppelbuisje [-drypəlbœyʃə] *o* eye-dropper.

oogdruppels [-drypəls] *mv* eye-drops.

ooggetuige ['o.gətœygə] *m-v* eye-witness.

ooggetuigeverslag [-vərslɑx] *o* eye-witness's account; ※ ‡ running commentary.

ooghaar ['o.xha:r] *o* eyelash.

ooghoek [-hu.k] *m* corner of the eye.

oogholte [-hɔltə] *v* orbit, socket of the eye eye-socket.

oogje ['o.xjə] *o* (little) eye; ~*s geven* make eyes at; *een (goed)* ~ *hebben op een meisje* keep an eye on a girl; *een* ~ *houden op* keep an eye on; *een* ~ *toedoen (dichtdoen)* turn a blind eye (on *voor*), wink at.

oogkas ['o.xkɑs] *v* zie *oogholte*.

oogkleppen [-klɛpə(n)] *mv* blinkers.

ooglid [-lɪt] *o* eyelid.

ooglijder [-lɛidər] *m* eye-patient.

oogluikend [o.x'lœykənt] in: ~ *toelaten* connive at.

oogluiking ['o.xlœykɪŋ] *v* connivance.

oogmerk [-mɛrk] *o* object in view, aim, intention, purpose; *met het* ~ *om...* with a view to ...ing; ※ with intent to...

oogontsteking [-ɔntste.kɪŋ] *v* inflammation of the eye, ophthalmia.

oogopslag [-ɔpslɑx] *m* glance, look; *met één*~, *bij de eerste* ~ at a glance, at the first glance.

oogpunt [-pYnt] *o* point of view, view-point; *uit een* ~ *van...* from the point of view of...; *uit dat* ~ *beschouwd* viewed from that angle.

oogscherm [-sxɛrm] *o* eye-shade.

oogspiegel [-spi.gəl] *m* ophthalmoscope.

oogspier [-spi:r] *v* muscle of the eye.

oogst [o.xst] *m* harvest[2], crop(s).

oogsten ['o.xstə(n)] *vt* reap[2], gather, harvest.

oogster [-stər] *m* reaper, harvester.

oogstfeest ['o.xstfe.st] *o* harvest home.

oogstlied [-li.t] *o* harvest-song.

oogstmaand [-ma.nt] *v* harvest month = August.

oogstmachine [-ma.ʃi.nə] *v* harvester.

oogsttijd ['o.xsteit] *m* reaping-time, harvest time.

oogtand ['o.xtɑnt] *m* eye-tooth.

oogverblindend [o.xfər'blɪndənt] dazzling.

oogvlies ['o.xfli.s] *o* tunic of the eye.

oogwater [-va.tər] *o* eye-wash.

oogwenk [-vɛŋk] *m* wink; *in een ~*, zie *ogenblik*.

oogwit [-vɪt] *o eig* white of the eye; *fig* aim,

oogzalf [-sɑlf] *v* eye-salve. [end.

oogzenuw [-se.ny:u] *v* optic nerve.

oogziekte [-si.ktə] *v* disease of the eyes, eye-trouble.

ooi [o:i] *v* ♈ ewe.

ooievaar ['o.jəva:r] *m* ♈ stork.

ooievaarsbek [-va:rsbɛk] *m* I stork's bill; 2 ♈ crane's-bill.

ooilam ['o:ilɑm] *o* ewe-lamb.

ooit [o:it] ever; *heb je ~ (van je leven)* did you ever?, well I never!

ook [o.k] also, too, likewise, as well; *je bent me ~ een groentje!* you are a green one, you are!; *het gebeurde ~* and so it happened; *het gebeurde ~ niet* nor did it happen; *hij kon het dan ~ niet vinden* nor could he find it, as was to be expected; *ik lees dan ~ geen moderne romans* that's why I don't read modern novels; *maar waarom lees je dan ~ geen moderne romans?* but then why don't you read modern novels?; *Was het dan ~ te verwonderen dat...?* Now was it to be wondered at that...?; *ik houd veel van roeien en hij ~* I am fond of boating and so is he; *ik houd niet van roken en hij (zijn broer) ~ niet* I do not like smoking, neither (no more) does he, nor does his brother either; *wat zei hij ~ weer?* what did he say?; *hoe heet hij ~ weer?* what's his name again?; *zijn er ~ schulden?* are there any debts?; *al is 't ~ nog zo lelijk* though it be (n)ever so ugly; *kunt u mij ~ zeggen waar...?* can (could) you tell me where...?; zie ook: *waar, wat, wie &.*

oom [o.m] *m* uncle; *hoge ome*, S bigwig, *bij ome Jan* S at my uncle's, up the spout.

oomzegger ['o.mzɛgər] *m* nephew.

oomzegster [-zɛxstər] *v* niece.

oor [o:r] *o* ear [ook = handle]; dog's ear [in book]; *geheel ~ zijn* be all ears; *iemand de oren van het hoofd eten* eat one out of house and home; *iemands ~ hebben* have a person's ear; *wel oren naar iets hebben* lend a willing ear to it; *ik heb er wel oren naar* I don't decline the invitation &; *hij had er geen oren naar* he would not hear of it; *geen ~ hebben voor muziek* have no ear for music; *leen mij het ~* lend me your ears; *het ~ lenen aan* give ear to, lend (an) ear to; *de oren spitsen* prick (up) one's ears²; *fig* cock one's ears; *een open ~ vinden* find a ready ear; *iemand de oren wassen* warm a person's ears; *iemand over iets aan de oren malen (zaniken, zeuren)* din it into his ears; *hem aan zijn oren trekken* pull his ears; *het gaat het ene ~ in het andere uit* it goes in at one ear and out at the other;

met een half ~ luisteren listen with half an ear; *iemand om zijn (de) oren geven* box a person's ears; *om zijn oren krijgen* have one's ears boxed; *met de hoed op één ~* his hat cocked on one side; *hij ligt nog op één ~* F he is still in bed; *het is mij ter ore gekomen* it has come to (reached) my ear; *tot over de oren in de schulden* up to his ears in debt; *tot over de oren blozend* blushing up to the ears; *tot over de oren verliefd* over head and ears in love; *ik zit tot over de oren in het werk* up to the eyes; *wie oren heeft om te horen, die hore* B he that hath ears to hear let him hear.

oorarts ['o:rɑrts] *m* aurist, ear-doctor.

oorbaar [-ba:r] decent, proper; *het ~ achten om...* see (think) fit to...

oorbel [-bɛl] *v* ear-drop.

oorbiecht [-bi.xt] *v* auricular confession.

oord [o:rt] *o* place, region, [holiday] resort.

oordeel ['o:rde.l] *o* I ⚖ judgment, sentence, verdict; 2 (mening) judgment, opinion; *het laatste ~* the last judgment, the day of judgment; *~ des onderscheids* discernment, discrimination; *een leven als een ~* a clamour (noise) fit to wake the dead; *zijn ~ opschorten* reserve (suspend) one's judgment; *zijn ~ uitspreken* give one's judgment, pass judgment; *een ~ vellen over* pass judgment on; *dat laat ik aan uw ~ over* I leave that to your judgment; *naar (volgens) mijn ~* in my opinion (judgment); *van ~ zijn dat...* be of opinion that..., hold that...; *volgens het ~ der kenners* according to the best opinion.

oordeelkundig [o:rde.l'kŭndəx] *aj* (& *ad*) judicious(ly).

oordeelvelling ['o:rde.lvɛlɪŋ] *v* judgment.

oordelen [-de.lə(n)] *vi* I judge; 2 think, deem [it necessary &]; *te ~ naar...* judging from (by); *~ over* judge of; *oordeelt niet, opdat ge niet geoordeeld wordt* B judge not that ye be not judged.

oorhanger [-hɑŋər] *m* ear-pendant, ear-drop.

oorijzer [-ɛizər] *o* (gold or silver) casque, gilt casque.

oorklep [-klɛp] *v* ear-flap.

oorknopje [-knɔpjə] *o* ear-drop.

oorkonde [-kɔndə] *v* I charter, deed, document, instrument [of ratification]; 2 [illuminated] address.

oorkussen [-kŭsə(n)] *o* pillow; zie ook: *ledigheid.*

oorlam [-lɑm] *m* ⚓ allowance of gin, dram.

oorlel [-lɛl] *v* lobe of the ear, ear-lobe.

oorlijder [-lɛidər] *m* ear patient.

oorlog ['o:rlɔx] *m* war, [naval, aerial, gas &] warfare; *de koude ~* the cold war; *er is ~* there is a war on; *de ~ aandoen* make (declare) war on; *~ voeren* carry on war, make (wage) war; *~ voeren tegen* make (wage) war against (on); *in de ~* in war; *in ~ zijn met* be at war with; *ten ~ trekken* go to war.

oorlogen [-lo.gə(n)] *vi* make (wage) war, ⊙ war.
oorlogsbodem ['o:rləxsbo.dəm] *m* zie *oorlogsschip*.
oorlogsgedenkteken [-gədɛŋkte.kə(n)] *o* war memorial.
oorlogsgraf [-grɑf] *o* war grave.
oorlogshaven [-ha.və(n)] *v* ⚓ naval port.
oorlogsinvalide [-ɪnva.li.də] *m-v* war cripple.
oorlogskerkhof [-kɛrkhɔf] *o* war cemetery.
oorlogskreet [-kre.t] *m* war cry, war whoop.
oorlogslening [-le.nɪŋ] *v* war loan.
oorlogsmateriaal [-ma.te:ri.a.l] *o* war material.
oorlogsmisdaad [-mɪsda.t] *v* war crime.
oorlogsmisdadiger [-mɪsda.dəgər] *m* war criminal.
oorlogspad [-pɑt] *o* war path.
oorlogsrisico [-ri.zi.ko.] *o* war risk(s).
oorlogsschade ['o:rləxsxa.də] *v* war damage.
oorlogsschatting [-sxɑtɪŋ] *v* war contribution.
oorlogsschip [-sxɪp] *o* ⚓ man-of-war, war-ship, war-vessel.
oorlogssterkte [-stɛrktə] *v* war strength.
oorlogstijd ['o:rləxstɛit] *m* time of war, war time.
oorlogstoestand [-tu.stɑnt] *m* state of war.
oorlogstoneel [-to.ne.l] *o* theatre (seat) of war.
oorlogsverklaring [-fərkla:rɪŋ] *v* declaration of war.
oorlogsvloot [-flo.t] *v* navy, (war) fleet.
oorlogswapen [-va.pə(n)] *o* weapon of war.
oorlogswinst [-vɪnst] *v* war profit; ~ *maken* profiteer.
oorlogszuchtig [o:rləx'sűxtəx] eager for war, warlike, bellicose; *een ~e geest* a bellicose spirit.
oorlogvoerend ['o:rləxfu:rənt] *aj* belligerent, waging war, at war; *de ~en* the belligerents.
oorlogvoering [-rɪŋ] *v* conduct (prosecution) of the war [against...]; [modern, economic, naval &] warfare.
oormerk ['o:rmɛrk] *o* earmark.
oormerken [-kə(n)] *vt* earmark.
oorontsteking ['o:ròntste.kɪŋ] *v* inflammation of the ear.
oorpijn [-pɛin] *v* ear-ache.
oorring ['o:rɪŋ] *m* ear-ring.
oorschelp ['o:rsxɛlp] *v* auricle.
oorsieraad [-si:ra.t] *o* ear-trinket, ear-jewel.
oorspiegel [-spi.gəl] *m* otoscope.
oorsprong [-spròŋ] *m* origin, fountain-head, source; *zijn ~ vinden in...* have its origin in..., originate in...
oorspronkelijk [o:r'spròŋkələk] **I** *aj* original° [works, remarks, people]; **II** *o* in: *het ~e* the original; *Don Quichotte in het ~e* Don Quixote in the original; **III** *ad* originally.
oorspronkelijkheid [-hɛit] *v* originality.
oorsuizing ['o:rsœyzɪŋ] *v* ringing (singing) in the ears.
oortje ['o:rcə] *v* 🕮 farthing; *het is geen ~ waard* it is not worth a fig (a button); *hij ziet er uit of hij zijn laatste ~ versnoept heeft* he looks blue (dejected).
ooruil [-œyl] *m* 🐦 eared owl.
oorveeg [-ve.x] *v* box on the ear.
oorverdovend [o:rvər'do.vənt] deafening.
oorverscheurend [-'sxø:rənt] ear-splitting.
oorvijg ['o:rvɛix] *v* box on the ear.
oorworm, -wurm ['o:rvərm, -vűrm] *m* earwig; *een gezicht als een ~ zetten* look glum.
oorzaak [-za.k] *v* cause [and effect], origin [of the fire]; *kleine oorzaken hebben grote gevolgen* little strokes fell great oaks; *ter oorzake van* on account of.
oorzakelijk [o:r'za.kələk] causal; ~ *verband* causality, causal relation.
oost [o.st] east; ~, *west, thuis best* east, west, home's best, home is home, be it (n)ever so homely.
Oost [o.st] *v* in: *de ~* the East.
Oostduits ['o.stdœyts] East German.
Oostduitser [-dœytsər] *m* East German.
Oost-Duitsland [o.st'dœytslɑnt] *o* East Germany.
oostelijk ['o.stələk] eastern, easterly; ~ *van Amsterdam* (to the) east of A.
oosten ['o.stə(n)] *o* east; *het O~* the East, the Orient; *het Nabije O~* the Near East; *het Verre O~* the Far East; *ten ~ van* (to the) east of.
Oostenrijk ['o.stənrɛik] *o* Austria.
Oostenrijker [-rɛikər] *m* Austrian.
Oostenrijks [-rɛiks] *aj* Austrian; *een ~e* an Austrian woman.
oostenwind [o.stə(n)'vɪnt] *m* east wind.
oosterkim(me) ['o.stərkɪm(ə)] *v* eastern horizon.
oosterlengte [-lɛŋtə] *v* East longitude.
oosterling [-lɪŋ] *m* Oriental, Eastern, native of the East; *vreemde ~en* 🕮 foreign Asiatics.
oosters ['o.stərs] *aj* Eastern, Oriental.
Oosterschelde ['o.stərsxɛldə] *v* East Scheldt.
Oost-Europa [o.stø:'ro.pa.] *o* Eastern Europe.
Oosteuropees [-ro.'pe.s] Eastern European.
Oost-Friesland [o.st'fri.slɑnt] *o* East Friesland.
Oostgoten ['o.stgo.tə(n)] *mv* Ostrogoths.
Oostgotisch [-go.ti.s] Ostrogothic.
Oost-Indië [o.st'ɪndi.ə] *o* the East Indies.
Oostindisch [-di.s] East-Indian; *de ~e Compagnie* the East India Company; *~e kers* ✿ nasturtium; zie ook: *doof*, *inkt*.
oostkust ['o.stkűst] *v* east coast.
oostmoesson [-mu.sòn] *m* north-east monsoon.
Oostromeins ['o.stro.mɛins] Eastern; *het ~e rijk* the Eastern (the Lower) Empire.
Oost-Vlaanderen [-'fla.ndərə(n)] *o* East Flanders.
oostwaarts ['o.stva:rts] **I** *aj* eastward; **II** *ad* eastward(s).
Oostzee [o.st'se.] *v de ~* the Baltic.
oostzij(de) ['o.stsɛi(də)] *v* east side.
ootje ['o.cə] *iemand in het ~ nemen* make a fool of a person, chaff a person.
ootmoed ['o.tmu.t] *m* meekness, humility.
ootmoedig [o.t'mu.dəx] **I** *aj* meek, humble; **II** *ad* meekly, humbly.
ootmoedigheid [-hɛit] *v* meekness, humility.

op [òp] **I** *prep* on, upon, at, in; ~ *het dak (de tafel &)* on the roof (the table &); ~ *het dak klimmen* climb upon the roof; ~ *het dak springen* jump on to the roof; ~ *een eiland* in an island; *de bloemen* ~ *haar hoed* the flowers in her hat; ~ *Java* in Java; ~ *zijn kamer* in his room; ~ *school* at school, zie ook: *school*; ~ *straat* in the street, zie ook: *straat*; ~ *de wereld* in the world; ~ *zee* at sea, zie ook: *zee*; ~ *zijn Engels* **1** in (after) the English fashion; **2** in English; ~ *zijn hoogst* at (the) most; *een antwoord* ~ *een brief* a reply to a letter; *brief* ~ *brief* letter after letter; ~ *een avond* one evening; *twee keer* ~ *één avond* twice in one evening; *één inwoner* ~ *de vijf* one inhabitant in every five [owns a bicycle]; *één inwoner* ~ *de vierkante mijl* one inhabitant to the square mile; **II** *ad* up; ~*! up!; de trap* ~ up the stairs; *zijn geld is* ~ his money is spent (all gone); *onze suiker is* ~ we are out of sugar; *de wijn is* ~ the wine is out; *de zon was* ~ the sun had risen (was up); *het is* ~ there is nothing left, it has all been eaten; *hij is* ~ **1** he is out of bed; F he is up; **2** he is quite knocked up, done up, spent, finished; *hij is weer* ~ *(na zijn ziekte)* he is about again; *vraag maar* ~*!* ask away!; ~ *en af,* ~ *en neer* up and down.

opa ['o.pa.] *m* F grandad, grandfather.

opaal [o.'pa.l] *m & o* opal.

opaalachtig [-axtəx] opaline.

opaalsteen [-ste.n] *m* opal.

opbakken ['òbakə(n)] *vt* bake again, fry again.

opbaren [-ba:rə(n)] *vt* place upon a bier; *opgebaard liggen* lie in state.

opbellen [-bɛlə(n)] *vt* ring up [at night]; *telefonisch* ~ ring [one] up, (automatisch) dial.

opbergen [-bɛrɣə(n)] *vt* put away, pack up, stow away, store [furniture].

opbeuren [-bø:rə(n)] *vt* lift up; *fig* cheer (up), comfort.

opbeuring [-rɪŋ] *v* lifting up; *fig* comfort.

opbiechten ['òbi.xtə(n)] *vt* confess; *eerlijk* ~ make a clean breast of it.

opbieden [-bi.də(n)] *vi* make a higher bid; *tegen elkaar* ~ try to outbid each other.

opbinden [-bɪndə(n)] *vt* tie (bind) up.

opblaasbaar [òp'bla.sba:r] inflatable [dinghy].

opblazen ['òbla.zə(n)] *vt* **1** blow up, inflate, puff up; **2** blow up [a bridge &]; **3** *fig* magnify, exaggerate [an incident].

opblijven [-blɛivə(n)] *vi* sit up, stop up, stay up.

opbloei [-blu:i] *m* revival [of interest &].

opbloeien [-blu.jə(n)] *vi* revive.

opbod [-bòt] *o* in: *bij* ~ *verkopen* sell by auction.

opborrelen [-bòrələ(n)] *vi* bubble up.

opborreling [-lɪŋ] *v* bubbling up, ebullition.

opborstelen ['òbòrstələ(n)] *vt* brush (up), give a brush.

opbouw [-bou] *m* building up; *fig* edification.

opbouwen [-ə(n)] *vt* build up; ~*de kritiek* constructive criticism.

opbranden ['òbrandə(n)] **I** *vt* burn, consume; **II** *vi* be burnt.

opbrassen [-brasə(n)] *vt* ⚓ brace to.

opbreken [-bre.kə(n)] **I** *vt* in: *het beleg* ~ raise the siege; *zijn huishouden* ~ break up one's home; *het kamp (de tenten)* ~ break (strike) camp, strike the tents; *de straat* ~ tear up the pavement; *de straat is opgebroken* the street is up (for repair); **II** *vi & va* break camp; break up [of a meeting, of the company]; *dat zal je* ~*!* you shall smart for it.

opbrengen [-brɛŋə(n)] *vt* **1** (hoger) raise; **2** (opdoen) bring in, bring up [dinner]; **3** (inrekenen) take to the police-station, run in [a thief]; seize [ships]; **4** (aanbrengen) apply [colours &]; **5** (grootbrengen) bring up, rear; **6** (opleveren) bring in [much money], realize, fetch [big sums, high prices], yield [profit]; **7** (betalen) pay [taxes]; *dat kan ik niet* ~ I cannot afford it.

opbrengst [-brɛŋst] *v* yield, produce, proceeds [from the sale of...].

opbruisen [-brœysə(n)] *vt* effervesce, bubble up.

opbruisend [-sənt] effervescent; *fig* hot-headed.

opcenten ['òpsɛntə(n)] *mv* additional percentage.

opdagen [-da.ɣə(n)] *vi* turn up, come along, appear.

opdat [òp'dat] that; ~ *niet* lest.

opdelven ['òpdɛlvə(n)] *vt* dig up; *fig* unearth [a book &].

opdienen [-di.nə(n)] *vt* serve up, dish up.

opdiepen [-di.pə(n)] *vt fig* unearth.

opdirken [-dɪrkə(n)] **I** *vt* dress up, prink up; **II** *vr zich* ~ prink oneself up.

opdissen [-dɪsə(n)] *vt* serve up², dish up².

opdoeken [-du.kə(n)] **I** *vt eig* furl [sails]; **II** *va fig* shut up shop.

opdoemen [-du.mə(n)] *vi* loom (up).

opdoen [-du.n] **I** *vt* **1** (opdissen) serve up, bring in [the dinner]; **2** (krijgen) get, gain, acquire, obtain; **3** (inslaan) lay in [provisions]; *kennis & ~* gather, acquire knowledge; *een nieuwtje* ~ pick up a piece of news; *een ziekte* ~ catch (get, take) a disease; *waar heb je dat opgedaan?* where did you get that (come by that)?, where did you pick it [your English &] up?; **II** *vr zich* ~ arise; *er deed zich geen gelegenheid op* no opportunity offered (presented itself); *er deden zich nieuwe moeilijkheden op* new difficulties arose (cropped up); *als er zich eens wat opdoet* when (if) something turns up.

opdoffen [-dòfə(n)] **I** *vt* F polish, clean; **II** *vr zich* ~ F dress up.

opdoffer [-fər] *m* F thump, punch.

opdokken ['òpdəkə(n)] *vi & vt* S shell (fork) out.

opdraaien [-dra.jə(n)] **I** *vt* turn up [the lamp]; wind up [a gramophone &]; **II** *vi* in: *dan moet ik ervoor* ~ F I have to pay the piper.

opdracht [-drɑxt] *v* 1 (toewijding) dedication; 2 (last) charge, mandate, commission, instruction; mission; 3 (aan kunstenaar) commission; *wie heeft u die ~ gegeven?* who has instructed you?; *een kunstenaar een ~ geven* commission an artist [to paint, to write...]; *iets in ~ hebben* be instructed to...; *in ~ van* by order of.

opdragen [-dra.ɡə(n)] *vt* 1 carry up; 2 (opdienen) serve up, put on the table; 3 (lezen) celebrate [mass]; 4 (toewijden) dedicate; *iem. iets ~ charge* a man with a thing; instruct him to...; *ik draag u mijn belangen op* I consign my interests to your care.

opdreunen [-drø.nə(n)] *vt* rattle off, chant.

opdrijven [-drɛivə(n)] *vt* force up [prices].

opdrijving [-viŋ] *v* inflation [of prices].

opdringen [ɔpdrɪŋə(n)] I *vi* press on; II *vt* in: *iemand iets ~ thrust*, force [a present, goods &] upon (on) a person, force [one's views] down a man's throat; III *vr zich ~* obtrude oneself [upon other people], intrude; *die gedachte drong zich aan mij op* the thought forced itself upon me.

opdringerig [ɔp'drɪŋərəx] I *aj* obtrusive, intrusive; II *ad* obtrusively, intrusively.

opdringerigheid [-hɛit] *v* obtrusiveness, intrusiveness.

opdrinken [ɔpdrɪŋkə(n)] *vt* drink (up), empty, finish, drink off.

opdrogen [-dro.ɡə(n)] *vt* dry up, desiccate.

opdrogend [-ɡənt] ~ (middel) desiccative.

opdroging [-ɡɪŋ] *v* desiccation.

opdruk [ɔpdrŭk] *m* overprint, surcharge [on postage stamp]; *met ~* surcharged.

opdrukken [-drŭkə(n)] *vt* (im)print upon.

opduikelen [-dœykələ(n)] *vt* F unearth [a book &].

opduiken [-dœykə(n)] I *vi* emerge, turn up, crop up, F pop up; ⚓ surface; *~ uit* emerge from; II *vt* F unearth [a book &].

opdweilen [-dvɛilə(n)] *vt* mop up.

opeen [ɔp'e.n] one upon another, together, in a heap.

opeendringen [-drɪŋə(n)] *vi* crowd together.

opeenhopen [-ho.pə(n)] I *vt* heap up, pile up, accumulate; II *vr zich ~* crowd together.

opeenhoping [-ho.pɪŋ] *v* accumulation, congestion.

opeenjagen [-ja.ɡə(n)] *vt* drive together.

opeenpakken [-pɑkə(n)] *vt* pack together.

opeens [ɔp'e.ns] all at once.

opeenstapelen [ɔp'e.nstɑ.pələ(n)] I *vt* heap up, pile up, accumulate; II *vr zich ~* pile up, accumulate.

opeenstapeling [-lɪŋ] *v* accumulation.

opeenvolgen [ɔp'e.nvɔlɡə(n)] *vi* succeed (follow) each other.

opeenvolgend [-ɡənt] successive, consecutive.

opeenvolging [-ɡɪŋ] *v* succession, sequence.

opeisbaar [ɔp'ɛisba:r] claimable.

opeisen [ɔpɛisə(n)] *vt* claim, demand, summon.

opeising [-sɪŋ] *v* summons.

open [o.pə(n)] I *aj* open [door &, credit, letter, knee, question, weather, face, heart, carriage, car, city, tuberculosis], vacant [situation]; *is de kruidenier nog ~?* is the grocer's open yet?; *het ligt daar ~ en bloot* open to everybody; II *ad* openly; *~ met iemand spreken* be open with one.

op- en aanmerkingen [ɔpen'a.nmɛrkɪŋə(n)] *mv* critical remarks and observations.

openbaar [o.pən'ba:r] I *aj* public; *~ maken* make public, publish, disclose, make known; *in openbare vijandschap* at open enmity; *in het ~* in public, publicly; II *ad* publicly, in public.

openbaarheid [-hɛit] *v* publicity; *~ aan iets geven* make it public.

openbaarmaking [-ma.kɪŋ] *v* publication, disclosure.

openbaren [o.pən'ba:rə(n)] I *vt* 1 reveal, disclose; divulge; 2 (in hogere zin) reveal; *geopenbaarde godsdienst* revealed religion; II *vr zich ~* reveal itself, manifest itself.

openbaring [-rɪŋ] *v* revelation, disclosure; *de O~ van Johannes* the Apocalypse, Revelations.

openbreken [o.pə(n)bre.kə(n)] *vt* burst, break (force) open.

opendoen [-du.n] *vt* open [a door].

opendraaien [-dra.jə(n)] *vt* open, turn on [the gas &].

openen [o.pənə(n)] I *vt* open° [a door, the debate, a credit &]; II *vr zich ~* open.

opengaan [o.pə(n)ɡa.n] *vi* open.

opengewerkt [-ɡəvɛrkt] open-work [stockings].

opengooien [-ɡo.jə(n)] *vt* throw open, fling open.

openhartig [o.pən'hɑrtəx] I *aj* open-hearted, frank, ingenuous, outspoken; II *ad* open-heartedly, frankly, ingenuously, outspokenly.

openhartigheid [-hɛit] *v* open-heartedness, frankness, ingenuousness, outspokenness.

openheid [o.pənhɛit] *v* openness, frankness, candour.

openhouden [o.pə(n)hɔu(d)ə(n)] *vt* keep open², hold open.

opening [o.pənɪŋ] *v* opening° [also at chess]; aperture; interstice.

openingskoers [o.pənɪŋsku:rs] *m* $ opening price.

openingsrede [-re.də] *v* inaugural address.

openkrabben [o.pə(n)krɑbə(n)] *vt* scratch open.

openkrijgen [-krɛiɡə(n)] *vt* get open, open.

openlaten [-lɑ.tə(n)] *vt* leave [a door, the possibility] open; *ruimte ~* leave a blank.

openleggen [-lɛɡə(n)] *vt* lay open; *fig* disclose, reveal; *de kaarten ~* lay one's cards on the table.

openliggen [-lɪɡə(n)] *vi* lie open.

openlijk [-lək] I *aj* open; public; II *ad* openly; publicly.

openluchtmuseum [o.pə(n)'lŭxtmy.ze.ŭm] *o* (open-air) folk museum.

openluchtschool [-sxo.l] *v* open-air school.

openluchtspel [-spɛl] *o* 1 (v. kinderen) outdoor game; 2 (toneelspel) open-air play.

openluchtteater zie *openluchttheater*.

openluchttheater [o.pə(n)'lŭxte.a.tər] *o* open-air theatre.

openmaken ['o.pə(n)ma.kə(n)] *vt* open.

openrijten [-rɛitə(n)] *vt* rip up[2], tear.

openrukken [-rŭkə(n)] *vt* tear open.

openscheuren [-sxø:rə(n)] *vt* tear open.

openslaan [-sla.n] *vt* open [a book]; ~*d* folding [door], [window] opening outwards; French [window, down to the ground].

opensnijden [-snɛi(d)ə(n)] *vt* cut open; cut [a book].

openspalken [-spalkə(n)] *vt* dilate [the eyes]; *met opengespalkte kaken* with distended jaws.

opensperren [-spɛrə(n)] *vt* open wide, distend.

openspringen [-spriŋə(n)] *vi* burst (open); crack [of skin], chap [of hands].

openstaan [-sta.n] *vi* be open, be vacant; *voor allen* ~ be open to all; *er stond mij geen andere weg open* there was no other way open to me ~*de rekening* unpaid account.

opensteken [-ste.kə(n)] *vt* pick [a lock]; prick [a boil].

openstellen [-stɛlə(n)] *vt* open, throw open [to the public].

openstelling [-stɛliŋ] *v* opening.

openstoten [-sto.tə(n)] *vt* push open.

op-en-top ['ɔ̀pəntɔp] in: ~ *een gentleman* every inch a gentleman, a gentleman all over; ~ *een gek* a downright fool.

opentrappen ['o.pə(n)trapə(n)] *vt* kick in.

opentrekken [-trɛkə(n)] *vt* open, draw back [the curtains]; uncork, open [a bottle].

openvallen [-valə(n)] *vi* fall open; *fig* fall vacant.

openvouwen [-vɔuə(n)] *vt* unfold.

openwaaien [-va.jə(n)] *vi* be blown open, blow open.

openwerpen [-vɛrpə(n)] *vt* throw open, fling open.

openzetten [-zɛtə(n)] *vt* open [a door]; turn on [the cock].

opera ['o.pəra.] *m* opera; (gebouw) opera-house.

operateur [o.pəra.'tø:r] *m* 1 operator; 2 (film~, die opneemt) cameraman; (film~, die vertoont) projectionist.

operatie [o.pə'ra.(t)si.] *v* operation[2]; *een* ~ *ondergaan* undergo an operation, be operated upon.

operatiebasis [-ba.zəs] *v* ✗ base of operations.

operatief [o.pəra.'ti.f] ✚ operative [surgery]; *slechts* ~ *ingrijpen kan...* only a surgical operation can...

operatiekamer [o.pə'ra.(t)si.ka.mər] *v* operating room.

operatietafel [-ta.fəl] *v* operating table.

operatiezaal [-zal.] *v* operating theatre.

operationeel [o.pəra.(t)si.o.'ne.l] ✗ operational.

operazanger ['o.pəra.zaŋər] *m* ~es [-zaŋərəs] *v* opera(tic) singer.

opereren [o.pə're:rə(n)] I *vi* ✗ & ✚ operate; II *vt* ✚ operate on.

operette [o.pə'rɛtə] *v* [Viennese] operetta; musical comedy.

operment [o.pər'mɛnt] *o* orpiment.

opeten ['ɔ̀pe.tə(n)] *vt* eat up, eat.

opfleuren [-flø:rə(n)] *vi* & *vt* brighten (up).

opflikkeren [-flɪkərə(n)] *vi* flare up, blaze up.

opflikkering [-flɪkəriŋ] *v* flare-up, flicker.

opfokken [-fɔkə(n)] *vt* breed, rear [cattle].

opfrissen [-frɪsə(n)] I *vi* freshen; II *vt* refresh, revive; *iemands geheugen eens* ~ refresh (jog, rub up) a man's memory; *zijn kennis wat* ~ rub up (brush up, touch up) one's knowledge; *van die rekening zal hij* ~ F that will make him sit up; III *vr zich* ~ have a wash.

opfrissing [-frɪsiŋ] *v* refreshment.

opgaaf [-ga.f] *= opgave*.

opgaan [-ga.n] I *vi* 1 (de hoogte in) rise [of the sun, a kite, the curtain]; go up [of a clamour, cries]; 2 (geen rest laten) leave no remainder [of a division sum]; 3 (juist zijn) hold (good) [of a comparison]; 4 (voor examen) go up, go in; 5 (opraken) run out, give out; *het eten gaat schoon op* nothing will be left; *dat gaat niet op hier* that won't do here; *hij gaat dit jaar niet op* he is not going to present himself for the exam this year; *7 gaat niet op in de 34* 7 does (will) not go into 34; ~ *in rook* vanish into smoke; ~ *in zijn vrouw* be wrapped up in one's wife; ~ *in zijn werk* be absorbed in one's work; II *vt* ascend, mount [a hill]; go up [the stairs].

opgang [-gaŋ] *m* 1 rise; 2 entrance [of house]; ~ *maken* catch on [of a fashion]; *het maakte* (veel) ~ it achieved (a great) success, it made a great hit; *het maakte geen* ~ it fell flat.

opgave [-ga.və] *v* 1 (mededeling) statement [of reasons], [official] returns; 2 (taak); ☛ exercise, problem; *de schriftelijke* ~*n* the written work, the papers.

opgeblazen [-gəbla.zə(n)] blown up; puffed; *fig* bumptious; puffed up, inflated [with pride].

opgeblazenheid [-hɛit] *v fig* bumptiousness.

opgebruiken ['ɔ̀pgəbrœykə(n)] *vt* use up.

opgedirkt [-dɪrkt] prinked up.

opgeld ['ɔ̀pgɛlt] *o* in: *margarine doet nu* ~ margarine is in great demand now.

opgelegd [-gələxt] 1 laid-up [ship], [ship] in ordinary; 2 veneered [table].

opgemaakt [-ma.kt] made-up [dress &]; made [dish]; dressed [hair].

opgeprikt [-prɪkt] dressed up [swell, girl].

opgepropt [-prɔpt] in: ~ *met* crammed with.

opgeruimd [-rœymt] I *aj* in high spirits, cheerful; II *ad* cheerfully.

opgeruimdheid [ɔ̀pgə'rœymthɛit] *v* high spirits, cheerfulness.

opgescheept ['ɔpgəsxe.pt] in: *met iemand ∼ zijn* have a person on one's back, be saddled with one; *nu zitten we met dat goed∼* we have the stuff on our hands now.

opgeschoten [-sxo.tə(n)] half-grown [youths].

opgeschroefd [-s(x)ru.ft] screwed up; *fig* stilted [language], unnatural [enthusiasm].

opgesmukt [-smûkt] ornate, embellished.

opgesmuktheid [-heit] *v* ornateness.

opgetogen ['ɔpgəto.gə(n)] ravished, elated [with].

opgetogenheid [ɔpgə'to.gənheit] *v* ravishment, elation.

opgeven ['ɔpge.və(n)] I *vt* 1 (afgeven) give up [what one holds]; 2 (toereiken) hand up; 3 (vermelden) give, state [one's name &]; 4 (braken) expectorate, spit [blood]; 5 (als taak) set [a task, a sum]; ask [riddles], propound [a problem]; 6 (laten varen) give up, abandon [hope]; 7 🕈 give up [a patient]; *mijn benen gaven het op* gave out; *ik geef het op* I give it up; *hij geeft het niet op* he is not going to yield, he will stick it out; II *va* expectorate; *hoog (breed) ∼ van iets* speak highly of something, make much of a thing; III *vr zich ∼* enter one's name, apply [for a situation].

opgewassen ['ɔpgəvasə(n)] in: *∼ zijn tegen* be a match for [a person], be equal to [the task].

opgewekt [-vɛkt] I *aj* 1 (v. personen) cheerful, in high spirits; 2 (v. gesprekken &) animated; II *ad* cheerfully.

opgewektheid [ɔpgə'vɛktheit] *v* cheerfulness, buoyancy, high spirits.

opgewonden ['ɔpgəvɔndə(n)] excited; heated [debate].

opgewondenheid [ɔpgə'vɔndə(n)heit] *v* excitement.

opgezet ['ɔpgəzət] 1 stuffed [birds]; 2 bloated [face]; 3 swollen [vein].

opgieten ['ɔpgi.tə(n)] *vt* pour upon.

opgooien [-go.jə(n)] *vt* throw up, toss (up); *zullen wij erom ∼?* shall we toss (up) for it?

opgraven [-gra.və(n)] *vt* 1 (zaken) dig up, unearth; 2 (lijken) disinter, exhume.

opgraving [-gra.vɪŋ] *v* 1 digging up, excavation [at Pompeii]; 2 disinterment, exhumation.

opgroeien [-gru.jə(n)] *vi* grow up.

ophaal [-ha.l] *m* upstroke, hair-line [of a letter].

ophaalbrug [-brûx] *v* drawbridge, lift-bridge.

ophakken ['ɔphakə(n)] *vi* F brag.

ophakker [-kər] *m* F braggart, swaggerer.

ophakkerij [ɔphakə'rei] *v* F brag(ging).

ophalen ['ɔpha.lə(n)] I *vt* 1 (in de hoogte) draw up [a bridge], pull up [blinds], raise [the curtain]; hitch up [one's trousers]; weigh [anchor]; shrug [one's shoulders]; turn up [one's nose]; 2 (herhalen) bring up again [a sermon &]; 3 (inzamelen) collect [money, rubbish, the books]; 4 (verdiepen) brush up, rub up [one's French]; *ladders ∼*

mend ladders [in a stocking]; *kan ik het nog ∼?* can I make good yet?; *u moet zo iets (dat) niet weer ∼* let bygones be bygones; II *va* regain health (lost ground &).

ophanden [ɔp'handə(n)] at hand; *het ∼ zijnde feest* the approaching festivity.

ophangen ['ɔphaŋə(n)] I *vt* hang [a man, a picture &]; hang up [one's coat &]; suspend [a lamp &]; *de schilderij werd opgehangen* the picture was hung; *hij werd opgehangen* he was hanged (ook: hung); II *vr zich ∼* hang oneself.

ophanging [-ŋɪŋ] *v* 1 hanging; 2 🔧 [frontwheel] suspension.

ophebben ['ɔphɛbə(n)] *vt* have on [one's head]; have eaten [one's meal]; ☞ have got to do; *veel∼ met* be taken with [a person]; *ik heb niet veel op met...* I can't say I care for (I fancy)..., I don't hold with...

ophef [-hɛf] *m* fuss.

opheffen [-hɛfə(n)] I *vt* 1 (in de hoogte) lift (up), raise [something], elevate [the Host]; 2 raise [one's eyes]; 3 (zedelijk) raise, lift up [the mind], elevate, level up [the fourth estate]; 4 (te niet doen) abolish [a law], do away with [abuses], remove [doubts], close [a school, a meeting], adjourn [a meeting], call off [a strike], discontinue [a branch-office], raise [an embargo, blockade &], annul [a bankruptcy]; *het ene heft het andere op* one neutralizes (cancels) the other.

opheffing [-fɪŋ] *v* 1 elevation, raising; 2 (afschaffing) abolition [of a law], removal [of doubts], closing [of a school], discontinuance [of a branch-office], raising [of an embargo], annulment [of a bankruptcy]; *de ∼ van de inboorling* the levelling up (lifting up, elevation) of the native.

opheffingsuitverkoop [-fɪŋsœytfərko.p] *m* $ winding-up sale.

ophelderen ['ɔphɛldərə(n)] I *vt* clear up, explain, elucidate; II *vi* zie *opklaren* I.

opheldering [-rɪŋ] *v* explanation, elucidation; clearing up.

ophelpen ['ɔphɛlpə(n)] *vt* help up, assist in rising.

ophemelen [-he.mələ(n)] *vt* extol, praise (to the skies), cry (write, preach, crack) up.

ophijsen [-heisə(n)] *vt* hoist up, hoist.

ophitsen [-hɪtsə(n)] *vt* set on [a dog]; *fig* set on stir up, egg on, incite, instigate [people].

ophitser [-sər] *m* instigator, inciter.

ophitsing [-sɪŋ] *v* setting on, incitement, instigation.

ophoepelen ['ɔphu.pələ(n)] *vi* S beat it, hop it.

ophogen [-ho.gə(n)] *vt* heighten, raise.

ophopen [-ho.pə(n)] I *vt* heap up, pile up, bank up, accumulate; II *vr zich ∼* accumulate.

ophoping [-pɪŋ] *v* accumulation.

ophoren ['ɔpho:rə(n)] *vi* in: *er vreemd van ∼* be surprised to hear it.

ophouden -hɔu(d)ə(n)] I *vt* 1 (in de hoogte)

hold up [one's head]; 2 hold out [one's hand]; 3 (afhouden van bezigheid) detain, keep [a person]; 4 (tegenhouden) hold up; 5 (niet afzetten) keep on [one's hat]; 6 (niet verkopen) withdraw [a house]; 7 *fig* (hooghouden) keep up [appearances], uphold [the honour of...]; II *vi* cease, stop, come to a stop; *houd op!* stop (it)!; ~ *te bestaan* cease to exist; ~ *lid te zijn* discontinue one's membership; ~ *met* cease (from) ..ing, stop ...ing; ~ *met vuren* ✗ cease fire; ~ *met werken* stop work; III *vr zich* ~ stay, live [somewhere]; *zich onderweg* ~ stop on the road; *houd u daar niet mee op*, met hem niet *op* have nothing to do with it, with him; IV *o in: zonder* ~ continuously, incessantly; *het heeft drie dagen zonder* ~ *geregend* it has been raining for three days at a stretch.

opinie [o.'pi.ni.] *v* opinion; *naar mijn* ~ in my opinion.

opinieonderzoek [-òndərzu.k] *o* (public) opinion poll.

opium ['o.pi.űm] *m & o* opium.

opiumkit [-kıt] *v* opium den.

opiumpijp [-pɛip] *v* opium pipe.

opiumschuiver [-sxœyvər] *m* opium smoker.

opjagen ['òpja.gə(n)] *vt* rouse [a stag], start [a hare &], flush [birds], spring [a partridge], dislodge [the enemy]; *fig* force up, send up, run up [prices].

opjager [-ja.gər] *m* I (op jacht) beater; 2 (bij verkoping) runner-up, puffer.

opkammen [-kamə(n)] *vt* comb (up); *iemand* ~ extol a person, F crack him up.

opkammerij [òpkamə'rɛi] *v* cracking up.

opkijken ['òpkɛikə(n)] *vi* look up; *vreemd* ~ stare, sit up [at being told].

opkikkeren [-kıkərə(n)] *vi & vt* F perk up.

opklapbed [-klabɛt] *o* folding bed.

opklaren [-kla:rə(n)] I *vi* clear up, brighten up [of the weather]; *fig* brighten [of the face, prospect]; II *vt* make clear[2] [what we see or what is hidden]; *fig* elucidate [the matter].

opklaring [-kla:rıŋ] *v* in: *met tijdelijke* ~*en* [rainy weather] with bright intervals.

opklauteren [-klᴐutərə(n)] *vi* clamber up.

opklimmen [-klımə(n)] *vi* climb (up), mount, ascend; *fig* rise [to be a captain &, to a high position].

opklimming [-klımıŋ] *v* ascent, graduation, climax.

opkloppen [-klᴐpə(n)] *vt* I knock up, call up [a person]; 2 beat up [cream, eggs].

opknabbelen [-knabələ(n)] *vt* munch.

opknappen [-knapə(n)] I *vt* I (netjes maken) tidy up [a room]; smarten up [the children]; do up [the garden, an old house]; 2 (beter maken) put right [a patient]; patch up [a thing]; *hij zal 't alleen wel* ~ he'll manage it quite well by himself; *hij zal het wel voor je* ~ he will fix it up for you; II *va* regain strength, recuperate, pick up; *het weer knapt wat op*

the weather is looking up; III *vr zich* ~ smarten oneself up.

opknopen [-kno.pə(n)] *vt* tie up; string up, hang [a man].

opkoken [-ko.kə(n)] I *vi* boil up [of milk]; II *vt* reboil [syrup]; cook again.

opkomen [-ko.mə(n)] *vi* I (opstaan) get up (again), recover one's legs; 2 ♣ come up; 3 (uitkomen) come out [of pox]; 4 (rijzen) rise [of dough]; 5 (verschijnen) rise [of the sun]; come on [of actor; of thunderstorm; of fever]; present oneself [of candidates]; ✗ join the colours; ♫ appear; 6 *fig* (zich voordoen) arise, crop up [of questions]; *het getij komt op* the ebb makes; *de koning (met zijn gevolg) komt op* enter king (and attendants); *de leden zijn flink opgekomen* the members turned up in (good) force; *het eten zal wel* ~ they are sure to eat it all up; *laat ze maar* ~*!* let them come on!; *die gedachte kwam bij mij op* that idea crossed my mind; *het komt niet bij mij op* I don't even dream of it; ~ *tegen iets* take exception to it, protest against it; *wij konden tegen de wind niet* ~ we could not make head against the wind; ~ *voor zijn rechten* make a stand for one's rights; ~ *voor zijn vrienden* stand up for one's friends.

opkomend [-ko.mənt] rising[2] [sun, author &].

opkomst [-kòmst] *v* I rise; 2 (v. vergadering &) attendance; turn-out [on election day].

opkopen [-ko.pə(n)] *vt* buy up.

opkoper [-ko.pər] *m* buyer-up; second-hand dealer.

opkrabbelen [-krabələ(n)] *vi* scramble to one's legs (feet); *fig* pick up.

opkrassen [-krasə(n)] *vi* I (weggaan) skedaddle; make oneself scarce; 2 (doodgaan) peg out.

op krijgen [-krɛigə(n)] I *vt* get on [the head]; *ik kan het niet* ~ I can't eat all that; *veel werk* ~ be set a great task; II *vi* in: *met hem* ~ begin to like him.

opkrikken [-krıkə(n)] *vt* ✗ jack up.

opkroppen [-krᴐpə(n)] *vt* F bottle up [one's anger]; *zijn opgekropte woede* his pent-up wrath.

opkruipen [-krœypə(n)] *vi* creep up [of insects].

op kunnen [-kűnə(n)] I *vt* in: *ik zou het niet* ~ I could not eat all that; II *vi* in: *niet* ~ *tegen...* be no match for...

opkweken [-kve.kə(n)] *vt* breed, bring up, rear, nurse.

opkwikken [-kvıkə(n)] *vt* refresh.

oplaag [-la.x] = *oplage*.

oplaaien [-la.jə(n)] *vi* blaze up; *hoog* ~ run high [of excitement, passions &].

opladen [-la.də(n)] *vt* load.

oplage [-la.gə] *v* impression [of a book]; circulation [of a newspaper]; *de* ~ *is slechts honderd exemplaren* edition limited to 100 copies.

oplappen [-lᴐpə(n)] *vt* patch up[2], piece up[2] [old shoes &, a play]; *fig* tinker up [a patient].

oplaten [-la.tə(n)] *vt* fly [a kite, pigeons], launch [a balloon].

opleggen [-lɛgə(n)] *vt* 1 (leggen op) lay on, impose [one's hands]; 2 (belasten met) charge with [a thing], impose [a thing, one's will upon a person], set [one a task]; 3 (gelasten) lay [an obligation] upon [one], impose [silence], enjoin [secrecy upon one]; 4 ⚓ (vastleggen) lay up; 5 ⚒ (inleggen met) veneer; *er een gulden ~* 1 raise the price by one guilder; 2 bid another guilder [at an auction]; *een (grammofoon)plaat ~* put on a record; *hem werd een zware straf opgelegd* he had a heavy punishment inflicted on him.

oplegger [-gər] *m* (semi-)trailer [of a tractor].

oplegging [-gɪŋ] *v* laying on, imposition [of hands].

oplegsel [ˈɔplɛxsəl] *o* 1 trimming [of a gown]; 2 veneer [of a piece of furniture].

opleiden [-lɛidə(n)] *vt* lead up; *fig* bring up, educate, train; *iemand voor een examen ~* prepare (coach) one for an examination; *voor geestelijke opgeleid* bred for the Church.

opleiding [-dɪŋ] *v* training, education.

opleidingsschip [-sxɪp] *o* training-ship, schoolship.

opleidingsschool [-sxo.l] *v* training-school.

oplepelen [ˈɔple.pələ(n)] *vt* ladle out[2].

opletten [-lɛtə(n)] *vi* attend, pay attention.

oplettend [ɔpˈlɛtənt] *aj* (& *ad*) attentive(ly).

oplettendheid [-hɛit] *v* attention, attentiveness.

opleven [ˈɔple.və(n)] *vi* revive; *doen ~* revive.

opleveren [-le.vərə(n)] *vt* 1 (opbrengen) produce, yield, bring in, realize [big sums]; present [difficulties]; 2 (afleveren) deliver (up) [a house].

oplevering [-rɪŋ] *v* delivery [of a work].

opleving [ˈɔple.vɪŋ] *v* revival.

oplezen [-le.zə(n)] *vt* read out.

1 **oplichten** [-lɪxtə(n)] *vt* lift (up); *fig* 1 (wegvoeren) carry off; 2 (bedriegen) swindle; *iemand ~ voor...* swindle a person out of...

2 **oplichten** [-lɪxtə(n)] *vi* light up [of face, eyes].

oplichter [-tər] *m* swindler, sharper.

oplichterij [ɔplɪxtəˈrɛi] *v* swindle, swindling, fraud.

oploeven [ˈɔplu.və(n)] *vi* ⚓ luff up, haul to the wind.

oploop [-lo.p] *m* 1 tumult, riot, row; 2 (menigte) crowd.

oplopen [-lo.pə(n)] I *vi eig* rise; *fig* 1 (hoger worden) rise, advance [of prices]; mount up [of bills]; 2 (opzwellen) swell (up); *samen (een eindje) ~* go part of the way together; *even komen ~ bij iemand* drop in, step round; *~ tegen* zie *aanlopen tegen*; *een rekening laten ~* run up a bill; II *vt* in: *straf ~* incur punishment; *de trap ~* go up the stairs; *verwondingen ~* receive injuries; *een ziekte ~* catch a disease.

1 **oplopend** [-pənt] rising[2]. [cible.

2 **oplopend** [ɔpˈlo.pənt] quick-tempered, iras-

oplopendheid [-hɛit] *v* quick temper, irascibility.

oplosbaar [ɔpˈlɔsba:r] soluble [substance]; solvable [problem].

oplosbaarheid [-hɛit] *v* solubility [of a substance]; solvability [of a problem].

oplosmiddel [ˈɔplɔsmɪdəl] *o* solvent.

oplossen [ˈɔplɔsə(n)] I *vt* dissolve [in a liquid]; resolve [an equation]; solve [a problem, a riddle]; II *vi* dissolve.

oplossing [-sɪŋ] *v* solution [of a solid or gas, of a problem, sum]; resolution [of an equation]; *de juiste ~ van het vraagstuk* ook: the right answer to the problem.

opluchten [ˈɔplʌxtə(n)] *vt* in: *het zal u ~* you will be relieved [to hear that...].

opluchting [-tɪŋ] *v* relief.

opluisteren [ˈɔplœystərə(n)] *vt* add lustre to, grace, adorn.

opluistering [-rɪŋ] *v* adornment.

opmaak [ˈɔpma.k] *m* make-up.

opmaken [-ma.kə(n)] I *vt* 1 (verteren) use up [one's tea], spend [one's money], < squander [one's money]; 2 (in orde maken &) make [a bed]; trim [hats]; get up[2] [a dress, a programme]; do (up), dress [her hair]; make up [one's face, the type]; make out [a bill], draw up [a report]; *daaruit moeten wij ~ dat...* from that we must conclude that..., we gather from this...; II *vr zich ~* 1 set out (for *naar*); 2 make up [of a woman]; *zich ~ voor de reis* get ready for the journey.

opmaker [-ma.kər] *m* 1 (v. geld) spendthrift; 2 (v. zetsel &) maker-up.

opmarche [-marʃ] = *opmars*.

opmarcheren [-marʃe:rə(n)] *vi* march (on); *dan kun je ~* F you may skedaddle, you can hop it.

opmars [-mars] *m* & *v* ⚔ advance, march (on *naar*).

opmerkelijk [ɔpˈmɛrkələk] I *aj* remarkable, noteworthy; II *ad* remarkably.

opmerken [ˈɔpmɛrkə(n)] *vt* 1 (waarnemen) notice, observe; 2 (commenterend zeggen) remark, observe; *mag ik u doen ~ dat...?* may I point out to you that...?; *wat heeft u daarover op te merken?* what have you to remark upon that?

opmerkenswaard(ig) [ɔpmɛrkənsˈva:rt, -ˈva:rdəx] remarkable, noteworthy.

opmerker [ˈɔpmɛrkər] *m* observer.

opmerking [-kɪŋ] *v* remark, observation.

opmerkzaam [ɔpˈmɛrksa.m] *aj* (& *ad*) attentive(ly); observant(ly); *~ maken op* draw attention to.

opmerkzaamheid [-hɛit] *v* attention, attentiveness.

opmeten [ˈɔpme.tə(n)] *vt* 1 measure [one's garden &]; 2 survey [a country &].

opmeting [-me.tɪŋ] *v* 1 measurement; 2 survey.

opmonteren [-mɔntərə(n)] *vt* F cheer up, hearten up.

opmontering [-rɪŋ] *v* cheering up, heartening
opnaaisel ['ópna:isəl] *o* tuck. [up.

opname [-na.mə] *v* [documentary] record; ('t opnemen) recording [of music]; shooting [of a film]; *een fotografische* ~ a photo, a view, a picture; (v. film) a shot; zie verder *opneming*.

opnemen [-ne.mə(n)] I *vt* 1 (in handen nemen) take up [a newspaper]; 2 (optillen) take up, lift [a weight]; 3 (hoger houden) gather up [one's gown]; 4 (een plaats geven) pick up [passengers], insert [an article], include [in a book, in the Government]; take in [straying travellers], admit [patients]; 5 (tot zich nemen) take [food], assimilate² [material or mental food]; 6 $ take up [money at a bank], borrow [money]; 7 (ophalen) collect [the papers, votes]; 8 (wegnemen) take up, take away [the carpet]; 9 (opvegen) mop up [a puddle]; 10 (meten) take [one's temperature]; 11 (in kaart brengen) survey [a property &]; 12 (voor grammofoon) record; 13 (voor bioscoop) shoot [a film, a scene]; 14 (stenografisch) take down [a letter]; 15 *fig* receive [something favourably]; survey [one], take stock of [him], measure [him] with one's eyes; *het gemakkelijk* ~ take things easy; *u moet het in de krant laten* ~ you must have it inserted; *het kunnen* ~ *tegen iemand* be able to hold one's own against a person; *het* ~ *voor iemand* stand up for a person; *hoe zullen zij het* ~? how are they going to take it?; *iemand* ~ *van top tot teen* take stock of one; *hij werd in die orde opgenomen* he was received into that order; *iemand* ~ *in een vennootschap* take one into partnership; *iemand* ~ *in een (het) ziekenhuis* admit a person to hospital; *iets goed (slecht)* ~ take it in good (bad) part; *iets hoog* ~ resent it; *iets verkeerd* ~ take it ill (amiss); *de gasmeter* ~ read the gas-meter; *een gevallen steek* ~ take up a dropped stitch; *iemands tijd* ~ time a person; II *vi* catch on, meet with success.

opnemer [-mər] *m* (landmeter) surveyor.

opneming [-mɪŋ] *v* taking &, zie *opnemen*; (opmeting) survey; (in krant) insertion; *zijn* ~ *in het ziekenhuis* his admission to (the) hospital.

opnieuw [òp'ni:u] anew, again, a second time.

opnoemen ['ópnu.mə(n)] *vt* name, mention, enumerate; *te veel om op te noemen* too numerous to mention; *en noem maar op* F or what have you.

opnoeming [-mɪŋ] *v* naming, mention, enumeration.

opoe ['o.pu.] *v* F granny.

opofferen ['òpǝfǝrǝ(n)] *vt* sacrifice, offer up.

opoffering [-rɪŋ] *v* sacrifice; *met* ~ *van* at the sacrifice of.

oponthoud ['òpònthout] *o* stop(page); (gedwongen) detention; (vertraging) delay.

oppakken ['òpakǝ(n)] *vt* 1 (opnemen) pick up, take up [a book]; 2 (inrekenen) run in [a thief].

oppassen ['òpasǝ(n)] I *vt* (verzorgen) take care of; nurse, tend [a patient]; II *vi* take care, be careful; zie ook: *zich gedragen*; *je moet voor hem* ~ be careful of him, beware of him.

oppassend [ò'pasǝnt] well-behaved.

oppasser ['òpasǝr] *m* 1 (v. dierentuin &) keeper, attendant [of a museum]; 2 ⚔ batman; 3 (lijfknecht) valet; 4 zie *ziekenoppasser*.

oppassing [-sɪŋ] *v* attendance, nursing, care.

opper ['òpǝr] *m* (hay)cock; *aan* ~*s zetten* cock [hay].

opperbest ['òpǝrbɛst] *aj* (& *ad*) excellent(ly); *je weet* ~... you know perfectly well...

opperbestuur ['òpǝrbǝsty:r] *o* supreme direction; *het* ~ ook: the government.

opperbevel [-bǝvɛl] *o* supreme command, [Russian &] High Command, [British] Higher Command.

opperbevelhebber [-hɛbǝr] *m* commander-in-chief; supreme commander [of the Allied Forces].

opperen ['òpǝrǝ(n)] *vt* propose, suggest, put forward, advance [a plan]; raise [objections, a question].

oppergezag ['òpǝrgǝzax] *o* supreme authority.

opperheer [-he:r] *m* sovereign, overlord.

opperheerschappij [-he:rsxɑpɛi] *v* sovereignty.

opperhoofd [-ho.ft] *o* chief, head.

opperhuid [-hœyt] *v* scarf-skin, epidermis, cuticle.

opperjager(meester) [òpǝr'ja.gǝr(me.stǝr)] *m* Master of Hounds.

opperkamerheer [-'ka.mǝrhe:r] *m* Lord Chamberlain.

opperkerkvoogd [-'kɛrkfo.xt] *m* primate.

oppermacht ['òpǝrmaxt] *v* supreme power, supremacy.

oppermachtig [òpǝr'maxtǝx] supreme.

opperman ['òpǝrman] *m* hodman.

opperofficier [-ǝfi.si:r] ⚔ general officer.

opperrabbijn ['òpǝrabɛin] *m* chief rabbi(n).

oppersen ['òpǝrsǝ(n)] *vt* press [one's trousers &].

Opper-Silezië [òpǝrsi.le.zi.ǝ] *o* Upper Silesia.

opperstalmeester [-'stalme.stǝr] *m* (Lord Grand) Master of the Horse.

opperste ['òpǝrstǝ] uppermost, supreme.

opperstuurman [òpǝr'sty:rman] *m* ⚓ first mate.

oppertoezicht ['òpǝrtu.zixt] *o* supervision, superintendence.

oppervlak ['òpǝrvlak] *o* zie *oppervlakte*.

oppervlakkig [òpǝr'vlakǝx] I *aj* superficial²; *fig* shallow; II *ad* superficially.

oppervlakkigheid [-hɛit] *v* superficiality, shallowness.

oppervlakte ['òpǝrvlaktǝ] *v* surface; (grootte) area, superficies.

Opperwezen [-ve.zə(n)] *o* Supreme Being.
oppeuzelen ['òpø.zələ(n)] *vt* munch.
oppikken ['òpıkə(n)] *vt* pick up.
opplakken ['òplakə(n)] *vt* paste on; mount [photographs].
oppoetsen ['òpu.tsə(n)] *vt* rub up, clean, polish.
oppoken ['òpo.kə(n)] *vt* poke (up), stir [the fire].
oppompen ['òpòmpə(n)] *vt* pump up [water]; blow out, inflate [the tyres of a bicycle].
opponent [əpo.'nɛnt] *m* opponent, objector.
opporren ['òpərə(n)] *vt* stir [the fire]; *fig* shake up.
opportunisme [əpɔrty.'nısmə] *o* opportunism.
opportunist [-'nıst] *m* opportunist.
opportunistisch [-'nısti.s] opportunist.
opportuniteit [əpɔrty.ni.'tɛit] *v* opportuneness, expediency.
opportuun [-'ty.n] opportune, timely, well-timed.
opposant [əpo.'zɑnt] *m* opponent.
oppositie [-'zi.(t)si.] *v* opposition.
oppositiepartij [-pɑrtɛi] *v* opposition party.
oppotten ['òpɔtə(n)] *vt* F save, hoard [money].
opprikken ['òprıkə(n)] *vt* 1 (v. insekten) pin (up); 2 (v. personen) dress up, prink up.
opproppen ['òprɔpə(n)] *vt* cram, fill.
oprakelen ['òpra.kələ(n)] *vt* poke (up) [the fire]; *fig* rake up, dig up [old disputes &]; *rakel dat nu niet weer op* don't bring up by-gones.
opraken [-ra.kə(n)] *vi* run low, give out, run out.
oprapen [-ra.pə(n)] *vt* pick up, take up; *je hebt ze maar voor het* ~ F they are as plentiful as blackberries.
oprecht [òp'rɛxt] I *aj* sincere, straightforward; II *ad* sincerely.
oprechtheid [-hɛit] *v* sincerity, straightforward-ness.
opredderen ['òpredərə(n)] *vt* straighten up, tidy up.
oprichten [-rıxtə(n)] I *vt* raise, set up²; erect [a statue]; establish [a business], found [a college]; form [a company]; II *vr zich* ~ rise.
oprichter [-tər] *m* erector [of a statue]; founder [of a business].
oprichtersaandelen [-tərsa.nde.lə(n)] *mv* founder's shares.
oprichting [-tıŋ] *v* erection [of a statue]; establishment, foundation, formation.
oprichtingskapitaal [-tıŋskɑpi.ta.l] *o* foundation capital.
oprichtingskosten [-kɔstə(n)] *mv* formation expenses.
oprijden ['òprɛi(d)ə(n)] *vt* ride (drive) up [a hill]; *het trottoir* ~ mount the pavement [of a motor-car]; ~ *tegen* run (crash) into.
oprijlaan [-rɛila.n] *v* drive, sweep.
oprijzen [-rɛizə(n)] *vi* rise, arise.
oprispen [-rıspə(n)] *vi* belch.
oprisping [-pıŋ] *v* belch, eructation.

oprit ['òprıt] *m* 1 ascent, slope; 2 (laan) drive, sweep.
oproeien [-ru.jə(n)] *vi* row up [a river]; zie ook: *stroom*.
oproep [-ru.p] *m* summons; *fig* call.
oproepen ['òpru.pə(n)] *vt* call up [soldiers]; summon, convoke [members]; conjure up, raise [spirits]; call up, evoke [the past &].
oproeping [-ru.pıŋ] *v* call, summons; convocation; ✕ call-up [of soldiers]; (biljet) notice (of meeting); ✕ calling-up notice.
oproer [-ru:r] *o* revolt, rebellion, insurrection, mutiny; sedition; ~ *kraaien* preach sedition; ~ *verwekken* stir up a revolt.
oproerig [òp'ru:rəx] *aj* (& *ad*) rebellious(ly), mutinous(ly); seditious(ly).
oproerigheid [-hɛit] *v* rebelliousness; seditious-ness.
oproerkraaier ['òpru:rkra.jər] *m* preacher of revolt, agitator.
oproerling [-lıŋ] *m* insurgent, rebel.
oproken ['òpro.kə(n)] *vt* smoke [another man's cigars]; finish [one's cigar]; *een half opgerookte sigaar* a half-smoked cigar.
oprollen [-rɔlə(n)] *vt* roll up² [also ✕]; *fig* break up [a gang, an organization]; *een op-gerolde paraplu* a rolled umbrella.
opruien [-rœyə(n)] *vt* incite, instigate; ~*de ar-tikelen* seditious articles; ~*de woorden* in-flammatory (incendiary) words.
opruier [-ər] *m* agitator, inciter, instigator.
opruiing [-ıŋ] *v* incitement, instigation; sedi-tion.
opruimen ['òprœymə(n)] I *vt* 1 (wegruimen) clear away [the tea-things &]; 2 (uitverko-pen) sell off, clear (off) [stock]; 3 *fig* remove [obstacles]; put [a person] out of the way [by poison]; make a clean sweep [of crim-inals]; *de kamer* ~ tidy up the room; *de tafel* ~ clear the table; II *va* put things straight; *dat ruimt op!* (it, he, she is) a good riddance!
opruiming [-mıŋ] *v* 1 clearing away; 2 $ selling-off, clearance(-sale), [January] sales; ~ *hou-den* clear away things; *fig* make a clean sweep (of *onder*).
oprukken ['òprŭkə(n)] *vi* advance; *je kunt* ~! hop it!; ~ *naar* march upon, advance upon [a town]; ~ *tegen* march against, advance against [the enemy].
opscharrelen [-sxɑrələ(n)] *vt* ferret (rout) out, rummage out.
opschenken [-sxɛŋkə(n)] *vt* pour on.
opschepen [-sxe.pə(n)] *vt* saddle with; zie ook: *opgescheept*.
opscheppen [-sxɛpə(n)] I *vt* ladle out, serve out; *de boel* ~ 1 kick up a dust; 2 paint the town red; *het geld ligt er opgeschept* they are simply rolling in money; *die heb je maar voor het* ~ zie *oprapen*; II *vi* brag, swank.
opschepper [-pər] *m* braggart, swanker
opschepperig [òp'sxɛpərəx] swanky.
opschepperij [òpsxepə'rɛi] *v* swank.

opschieten ['ɔpsxi.tə(n)] *vi* shoot up; *fig* make headway, get on; *schiet op!* 1 (haast je) hurry up!, do get a move on!; 2 (ga weg) hop it!; (*goed*) *met elkaar* ~ pull together; *je kan niet met hem* ~ you can't get on (along) with him; *wat schiet je ermee op?* where does it get you?; *je schiet er niets mee op* it does not get you anywhere, it gets you nowhere.

opschik [-sxɪk] *m* finery, trappings.

1 **opschikken** [-sxɪkə(n)] *vi* move up, close up.

2 **opschikken** [-sxɪkə(n)] I *vt* dress up, trick out, prink up; II *vr zich* ~ prink oneself up.

opschilderen [-sxɪldərə(n)] *vt* paint up.

opschommelen [-sxòmələ(n)] *vt* F dig up, unearth.

opschorten [-sxɔrtə(n)] *vt* tuck up [one's sleeves]; *fig* reserve [one's judgment]; suspend [hostilities, judgment &].

opschorting [-tɪŋ] *v* suspension.

opschrift ['ɔps(x)rɪft] *o* heading [of an article &]; inscription [on a coin]; direction [on a letter].

opschrijfboekje [-s(x)rɛifbu.kjə] *o* notebook.

opschrijven ['ɔps(x)rɛivə(n)] *vt* write down, take down; *wilt u het maar voor mij* ~? will you put that down to me?; *voor hoeveel mogen we u* ~? what may we put you down for?

opschrikken ['ɔps(x)rɪkə(n)] *vi* start, be startled.

opschroeven [-s(x)ru.və(n)] *vt* screw up; *fig* cry (puff) up; zie ook: *opgeschroefd*.

opschrokken [-s(x)rɔkə(n)] *vt* bolt, devour.

opschudden [-sxüdə(n)] *vt* shake, shake up.

opschudding [-dɪŋ] *v* bustle, commotion, tumult; ~ *veroorzaken* create a sensation, cause (make) a stir.

opschuiven ['ɔpsxœyvə(n)] I *vt* push up; II *vi* move up.

opschuiving [-vɪŋ] *v* moving up.

opsieren ['ɔpsi:rə(n)] *vt* embellish, adorn.

opsiering [-rɪŋ] *v* embellishment, adornment.

opslaan ['ɔpsla.n] I *vt* 1 (omhoog doen) turn up [one's collar &]; put up, raise [the hood of a motor-car]; raise [the eyes]; 2 (openslaan) open [a book], turn up [a page]; 3 (opzetten) pitch [camp, a tent]; 4 (prijzen) put [a penny] on, raise [the price]; 5 (inslaan) lay in [potatoes &]; 6 (in entrepot) store, warehouse [goods]; II *vi* go up, advance, rise [in price]; *de suiker is 1 sh. opgeslagen* ook: sugar is up a shilling.

opslag [-slɑx] *m* 1 ♪ upbeat; 2 (prijs-, loonsverhoging) advance, rise; 3 facing [of a uniform], cuff [of a sleeve]; 4 (in pakhuis &) storage; *de* ~ *van de goederen* the storage (storing) of the goods; *het dienstmeisje* ~ *geven* raise the servant's wages.

opslagplaats [-pla.ts] *v* storage building, store, depot, [ammunition] dump.

opslagruimte [-rœymtə] *v* storage space (accommodation).

opslagterrein [-tɛrɛin] *o* storage yard.

opslokken ['ɔpslòkə(n)] *vt* swallow, gulp down.

opslorpen [-slɔrpə(n)] *vt* lap up; absorb.

opslorping [-pɪŋ] *v* absorption.

opsluiten ['ɔpslœytə(n)] I *vt* lock (shut) up [things, persons]; confine [a thief &]; ✕ close [the ranks]; *daarin ligt opgesloten...* it implies... (that...); II *vr zich* ~ shut oneself up (in one's room); III *vi* ✕ close the ranks, close up.

opsluiting [-tɪŋ] *v* locking up, confinement, incarceration; *eenzame* ~ solitary confinement.

opslurpen ['ɔpslürpə(n)] *vt* zie *opslorpen*.

opsmuk [-smük] *m* finery, trappings.

opsmukken [-smükə(n)] *vt* trim, dress up, embellish[2].

opsnijden [-snɛi(d)ə(n)] I *vt* cut up, cut open, cut, carve; II *vi fig* F brag, swank.

opsnijder [-snɛi(d)ər] *m* F braggart, swanker.

opsnijderig [-snɛi(d)ərəx] F swanky.

opsnijderij [ɔpsnɛi(d)ə'rɛi] *v* F bragging, swank.

opsnorren [-ɔpsnɔrə(n)] *vt* F rout out, ferret out, unearth.

opsnuiven [-snœyvə(n)] *vt* sniff (up), inhale.

opsommen [-sòmə(n)] *vt* enumerate, sum up.

opsomming [-sòmɪŋ] *v* enumeration.

opsouperen [-su.pe:rə(n)] *vt* spend, use up.

opsparen [-spa:rə(n)] *vt* save up, lay by, put by.

opspelen [-spe.lə(n)] *vi* 1 play first, lead [at cards]; 2 *fig* kick up a row, cut up rough.

opsporen [-spo:rə(n)] *vt* trace, track (down), find out.

opsporing [-rɪŋ] *v* tracing; exploration [of ore &]; ~ *verzocht* wanted by the police.

opspraak ['ɔpspra.k] *v* scandal; *in* ~ *brengen* compromise; *in* ~ *komen* get talked about.

opspreken [-spre.kə(n)] *vi* speak out; *spreek op!* speak!

opspringen [-sprɪŋə(n)] *vi* jump (leap, start) up, jump to one's feet; (v. bal) bounce; *van vreugde* ~ leap for joy.

opstaan [-sta.n] *vi* 1 get up, rise; 2 (uit bed) rise; 3 (in verzet komen) rise, rebel, revolt (against *tegen*); *het eten staat op* dinner is cooking; *het water staat op* the kettle is on; *als je hem te pakken wil nemen, moet je vroeg(er)* ~ you have to be up early to be even with him; zie ook: *dood, tafel*.

opstal [-stɑl] *m* buildings.

opstand [-stɑnt] *m* 1 △ (vertical) elevation; 2 (v. winkel) fixtures; 3 (verzet) rising, insurrection, rebellion, revolt; *in* ~ *komen tegen iets* revolt against (at, from) it; *in* ~ *zijn* be in revolt.

opstandeling [-stɑndəlɪŋ] *m* insurgent, rebel.

opstandig [ɔp'stɑndəx] insurgent, rebel; mutinous.

opstandigheid [-ɦeit] *v* mutinousness.

opstanding ['ɔpstɑndɪŋ] *v* resurrection.

opstapelen [-sta.pələ(n)] I *vt* stack (up), heap up, pile up, accumulate; II *vr zich* ~ ac-

cumulate [dirt, capital &], pile up; bank up [snow].
opstapeling [-lɪŋ] *v* piling up, accumulation.
opstappen ['ɔpstapə(n)] *vi* F go (away).
opsteken [-ste.kə(n)] I *vt* 1 (in de hoogte) hold up, lift [one's hand]; put up [one's hair]; prick up [one's ears]; put up [an umbrella]; 2 (openmaken) broach [a cask]; 3 (aansteken) light [a cigar &]; 4 (insteken) pocket [money]; put up [a sword]; *hij zal er niet veel van* ~ he will not profit much by it; *stemmen met het* ~ *der handen* by show of hands; II *va* light up; *wilt u eens* ~? will you light up?; have a smoke; III *vi* rise [of a storm].
opstel [-stɛl] *o* composition, theme, F paper; *een* ~ *maken over* write (do) a paper on.
opstellen [-stɛlə(n)] I *vt* 1 (opzetten) fit up [poles]; mount [an instrument]; set up [a hypothesis]; 2 ✗ (plaatsen) post, draw up [soldiers]; 3 (in positie brengen) mount [guns]; 4 (in elkaar zetten) mount [machinery]; 5 *fig* (redigeren) draft, draw up [a deed]; frame [a treaty]; redact [a paper]; II *vr zich* ~ 1 take up a (one's) position; 2 ✗ form up, line up; 3 line up [of a football team].
opsteller [-lər] *m* drafter [of a deed], framer [of a treaty].
opstelling [-lɪŋ] *v* drawing up &; line-up [of a football team].
opstijgen ['ɔpstɛigə(n)] *vi* ascend, mount, go up, rise; ✈ take off; ~! to horse!
opstijging [-gɪŋ] *v* ascent; ✈ take-off.
opstoken ['ɔpsto.kə(n)] *vt* 1 poke (up), stir (up); 2 *fig* set on, incite, instigate; 3 burn [all the fuel].
opstoker [-kər] *m* inciter, instigator.
opstokerij ['ɔpsto.kə'rɛi] *v* incitement, instigation.
opstommelen ['ɔpstɔmələ(n)] *vt* stumble up [the stairs].
opstootje [-sto.cə] *o* disturbance, riot.
opstoppen [-stɔpə(n)] *vt* stop up, fill.
opstopper [-pər] *m* F cuff, slap.
opstopping [-pɪŋ] *v* stoppage, congestion [of traffic]; [traffic] block, jam.
opstormen ['ɔpstɔrmə(n)] *vt* tear up [the stairs].
opstreek [-stre.k] *v* ♪ upstroke.
opstrijken [-strɛikə(n)] *vt* 1 (gladstrijken) iron [clothes]; twirl up [one's moustache]; 2 *fig* pocket, rake in [money].
opstropen [-stro.pə(n)] *vt* tuck up, roll up [sleeves].
opstuiven [-stœyvə(n)] *vi* fly up; *fig* fly out, flare up.
optakelen [-ta.kələ(n)] *vt* ⚓ rig up.
optassen [-tasə(n)] *vt* pile up.
optekenen [-te.kənə(n)] *vt* note (write, jot) down, note, record.
optekening [-nɪŋ] *v* notation.

optellen [-tɛlə(n)] *vt* cast up, add (up), S tot up.
optelling [-lɪŋ] *v* casting up, addition.
optelsom ['ɔptɛlsɔm] *v* addition sum, sum in addition.
1 **opteren** [-te:rə(n)] *vt* eat up, consume.
2 **opteren** [ɔp'te:rə(n)] *vi* in: ~ *voor* decide in favour of, choose.
optica ['ɔpti.ka.] *v* optics.
opticien [ɔpti.si.'ɛ] *m* optician.
optie ['ɔpsi.] *v* option; *in* ~ *geven* (*hebben*) give (have) the refusal of...
optiek [ɔp'ti.k] *v* zie *optica*.
optika zie *optica*.
optillen ['ɔptɪlə(n)] *vt* lift up, raise.
optimisme [ɔpti.'mɪsmə] *o* optimism.
optimist [-'mɪst] *m* optimist.
optimistisch [-'mɪsti.s] *aj* (& *ad*) optimistic-(ally), sanguine(ly).
optisch ['ɔpti.s] optical.
optocht ['ɔptɔxt] *m* procession, [historical] pageant.
optomen [-to.mə(n)] *vt* bridle [a horse].
optooien [-to.jə(n)] *vt* deck out, adorn, decorate.
optooiing [-jɪŋ] *v* adornment, decoration.
optornen ['ɔptɔrnə(n)] *vi* rip up, rip open; ~ *tegen* struggle against[2].
optreden [-tre.də(n)] I *vi* make one's appearance [as an actor], appear (on the stage), enter; perform [in night clubs &]; *fig* take action, act; ~ *als* act as...; *hij durft niet* ~ he dare not assert himself; ~ *tegen* take action against, deal with; *strenger* ~ adopt a more rigorous action; II *o* appearance [on the stage]; *fig* [military, defensive] action; [disgraceful] proceedings; [reckless, aggressive] behaviour; *eerste* ~ first appearance, debut[2]; *gezamenlijk* ~ joint action.
optrekje [-trɛkjə] *o* cottage.
optrekken [-trɛkə(n)] I *vt* 1 (omhoog) draw up [a blind], pull up [a load, ✈ one's machine &]; raise [the curtain, one's eyebrows]; turn up [one's nose]; shrug [one's shoulders]; hitch up [one's trousers]; 2 (bouwen) raise [a building]; II *vr zich* ~ pull oneself up; III *vi* 1 (wegtrekken) lift [of a fog]; 2 (marcheren) march (against *tegen*); 3 ✗ accelerate [of a motor-car].
optrommelen [-trɔmələ(n)] *vt* zie *bijeentrommelen*.
optuigen [-tœygə(n)] I *vt* ⚓ rig [a ship]; caparison, harness [a horse]; II *vr zich* ~ F rig oneself up.
opvallen ['ɔpfalə(n)] *vi* attract attention; *het zal u* ~ it will strike you.
opvallend [ɔp'falənt] *aj* (& *ad*) striking(ly).
opvangcentrum ['ɔpfaŋsɛntrʏm] *o* reception centre.
opvangen ['ɔpfaŋə(n)] *vt* catch [a ball, a sound, a thief, the water]; snap up [a piece of bread]; ⚡ ✝ pick up [a station, a transmission]; receive [the sword-point with one's

shield]; meet² [an attack, the difference, a loss &]]; intercept [a telegram]; overhear [what is said].

opvaren [-fa:rə(n)] I vt ⚓ go up, sail up; II vi ascend (to heaven); de ~den ⚓ those on board.

opvatten [-fɑtə(n)] vt 1 (opnemen) take up² [a book, the pen, the thread of the narrative]; 2 (krijgen) conceive [a hatred against, love for, a dislike to]; 3 (maken) conceive [a plan]; 4 (begrijpen) understand; iets somber ~ take a gloomy view (of things); u moet het niet verkeerd ~ 1 you must not take it in bad part; 2 you must not misunderstand me; het als een belediging ~ take it as an insult; zijn taak weer ~ resume one's task.

opvatting [-fɑtɪŋ] v conception, idea, view, opinion.

opvegen [-fe.gə(n)] vt sweep, sweep up.

opveren [-fe:rə(n)] vi rise buoyantly [from one's seat].

opverven [-fɛrvə(n)] vt paint up.

opvijzelen [-feizələ(n)] vt jack up, lever up, screw up; fig cry up, crack up.

opvissen [-fɪsə(n)] vt fish up; fish out; als ik het kan~ if I can unearth it.

opvlammen [-flɑmə(n)] vi flame up, flare up.

opvliegen [-fli.gə(n)] vi fly up; fig fly out, flare up.

opvliegend [ɔp'fli.gənt] short-tempered, quick-tempered, irascible, F peppery.

opvliegendheid [-hɛit] v quick temper, irascibility.

opvoeden [ɔpfu.də(n)] vt educate, bring up, rear.

opvoedend [-dənt] educative.

opvoeder [-dər] m educator.

opvoeding [-dɪŋ] v education.

opvoedingsgesticht [-dɪŋsgəstɪxt] o approved school.

opvoedkunde [ɔpfu.tkʉndə] v pedagogy, pedagogics.

opvoedkundig [ɔpfu.t'kʉndəx] I aj pedagogic(al) [books]; educative [value]; II ad pedagogically.

opvoedkundige [-'kʉndəgə] m education(al)ist, pedagogue.

opvoeren [ɔpfu:rə(n)] vt 1 (hoger brengen) carry up; 2 (hoger maken) raise [the price, their demands]; increase [the speed], step up [production]; 3 (ten tonele voeren) 1 put on the stage; 2 perform, give [a play].

opvoering [-rɪŋ] v 1 performance [of a play]; 2 raising [of prices], increase, stepping up [of production].

opvolgen [ɔpfɔlgə(n)] vt succeed [one's father]; obey [a command], act upon, follow [advice].

opvolger [-gər] m successor; benoemd & als ~ van in succession to.

opvolging [-gɪŋ] v succession.

opvorderbaar [ɔp'fɔrdərba:r] claimable; direct ~ S on call.

opvorderen [ɔpfɔrdərə(n)] vt claim.

opvouwbaar [ɔp'fouba:r] foldable [music stand], collapsible [boat], folding [bicycle].

opvouwen [ɔpfɔuə(n)] vt fold (up).

opvragen [-fra.gə(n)] vt 1 call in, withdraw [money from the bank]; 2 claim [letters].

opvreten [-fre.tə(n)] I vt F devour, eat up; II vr zich ~ F fret away one's life, eat one's heart out.

opvrolijken [-fro.ləkə(n)] vt brighten, cheer (up), enliven.

opvullen [-fʉlə(n)] vt fill up, stuff [a cushion], pad.

opvulsel [-fʉlsəl] o filling, stuffing, padding.

opwaaien [-va.jə(n)] I vt blow up; II vi be blown up.

opwaarts [-va:rts] I aj upward; II ad upward(s).

opwachten [-vɑxtə(n)] vt 1 wait for; 2 waylay.

opwachting [-tɪŋ] v in: zijn ~ maken bij pay one's respects to [a person], wait upon.

opwarmen [ɔpvɑrmə(n)] vt warm up [broken victuals].

opwegen [-ve.gə(n)] vi in: ~ tegen (counter)-balance.

opwekken [-vɛkə(n)] vt awake², rouse²; resuscitate, raise [the dead]; fig excite [feelings &], stimulate [functional reaction, the appetite], provoke [fermentation, indignation &]; generate [electricity]; iemand tot iets ~ 1 rouse a person to something; 2 invite him to do something.

opwekkend [ɔp'vɛkənt] exciting, stimulating; ~ middel tonic, cordial, stimulant.

opwekking [ɔpvɛkɪŋ] v excitement, stimulation; generation [of electricity]; resuscitation; B raising [of Lazarus]; (aansporing) exhortation.

opwellen [-vɛlə(n)] vi well up; fig well up (forth).

opwelling [-vɛlɪŋ] v ebullition, outburst; flush [of joy], access [of anger]; in de eerste ~ on the first impulse.

opwerken [-vɛrkə(n)] I vt work up, touch up; II vr zich ~ work one's way from the ranks; zich ~ tot... work oneself up to...

opwerpen [-vɛrpə(n)] I vt throw up; put up [barricades]; een vraag ~ raise a question; zie ook: 1 dam; II vr in: zich ~ tot... set up for..., constitute oneself the...

opwinden [-vɪndə(n)] I vt eig wind up; fig excite; II vr zich ~ get excited.

opwinding [-vɪndɪŋ] v eig winding up; fig excitement, agitation.

opwrijven [-vrɛivə(n)] vt rub up, polish.

opzadelen [-sa.dələ(n)] vt saddle (up).

opzamelen [-sa.mələ(n)] vt collect, gather.

opzameling [-lɪŋ] v collection.

opzegbaar [ɔp'sɛxba:r] terminable; ~ kapitaa capital redeemable at notice.

opzeggen [ɔpsɛgə(n)] vt 1 (uit het hoofd)

say, repeat, recite [a lesson]; 2 (intrekken) terminate [a contract], denounce [a treaty], recall [moneys]; *iemand de dienst (de huur)* ~ give a person notice; *de krant* ~ withdraw one's subscription; *met drie maanden* ~s at three months' notice.

opzegging [-sɛɣɪŋ] *v* termination [of a contract], denunciation [of a treaty]; withdrawal; notice, warning.

opzeilen [-sɛilə(n)] *vi* sail up.

opzenden [-sɛndə(n)] *vt* send, **&** forward [a letter]; offer (up) [a prayer].

1 **opzet** [-sɛt] *o* design, intention; *boos* ~ malice (prepense), malicious intent; *met* ~ on purpose, purposely, intentionally, designedly; *zonder* ~ unintentionally, undesignedly.

2 **opzet** [-sɛt] *m* framework [of a play]; plan [of a novel].

opzettelijk [ɔp'sɛtələk] I *aj* intentional, wilful, premeditated; deliberate [lie]; II *ad* zie *met opzet*.

opzetten ['ɔpsɛtə(n)] I *vt* 1 (zetten op) put on [one's hat &]; 2 (overeind) place upright [a plank], put up, set up [skittles], turn up [one's collar]; 3 (op het spel zetten) stake [money]; 4 (opslaan) erect [booths]; 5 (oprichten) set up, establish [a business], start [a shop]; 6 (doen staan) spin [a top]; 7 (spannen) brace [one's biceps]; 8 (openspannen) put up, open [an umbrella]; 9 (prepareren) stuff [birds, a dead lion &]; 10 *fig* (ophitsen) set on [people]; *de bajonet-(ten)* ~ ⚔ fix bayonets; *de mensen tegen elkaar* ~ set people against each other, set persons by the ears; *de mensen tegen de regering* ~ set people against the government; II *vi* swell; *er komt een onweer* ~ a storm is coming on; *toen kwam hij* ~ F then he came along.

opzetting [-tɪŋ] *v* swelling [of a limb &].

opzicht ['ɔpsɪxt] *o* supervision; *in ieder* ~, *in alle* ~*en* in every respect, (in) every way; *in dit* ~ in this respect; *in financieel* ~ financially [a disappointing year]; *in zeker* ~ in a way; *te dien* ~*e* in this respect; *ten* ~*e van* with respect (regard) to.

opzichter [-sɪxtər] *m* 1 overseer, superintendent; 2 (bouw~) clerk of the works.

opzichtig [ɔp'sɪxtəx] I *aj* showy, gaudy, loud [dress]; II *ad* showily, gaudily, loudly.

opzichtigheid [-hɛit] *v* showiness, gaudiness, loudness.

opzichzelfstaand [ɔpsɪx'sɛlfsta.nt] isolated.

opzien ['ɔpsi.n] I *vi* look up [to one]; *tegen iets* ~ shrink from the task, the difficulty &; *ik zie er tegen op* I dread having to do it; *tegen geen moeite* ~ not think any trouble too much; II *o* ~ *baren* make (cause, create) a sensation, make a stir.

opzienbarend [ɔpsi.n'ba:rənt] sensational.

opziener ['ɔpsi.nər] *m* overseer, inspector.

opzitten [-sɪtə(n)] *vt* sit up; mount (one's horse); ~! to horse!; ~, *Fidel!* beg!; *er zit niets anders op dan...* there is nothing for it but to...; *er zal een standje voor je* ~ you will be in for a scolding.

opzoeken [-su.kə(n)] *vt* 1 (zoeken) seek, look for [something]; look up [a word]; 2 (bezoeken) call on [a person].

opzouten [-sɔutə(n)] *vt* salt, pickle; *fig* salt down.

opzuigen [-sœyɣə(n)] *vt* suck (in, up), absorb.

opzwellen [-sʋɛlə(n)] *vi* swell; *doen* ~ swell.

opzwelling [-lɪŋ] *v* swelling, tumefaction.

opzwepen ['ɔpsʋe.pə(n)] *vt* whip up[2], *fig* work up.

oraal [o.'ra.l] *aj* (& *ad*) oral(ly).

orakel [o.'ra.kəl] *o* oracle[2].

orakelachtig [-axtəx] *aj* (& *ad*) oracular(ly).

orakelen [o.'ra.kələ(n)] *vi* talk like an oracle.

orakelspreuk [-kəlsprø.k] *v* oracle.

orakeltaal [-ta.l] *v* oracular language.

orang-oetan(g) ['o:raŋ'u.tan, -'u.taŋ] *m* 🐒 orang-utan.

oranje [o.'raɲə] orange; *O*~ *boven!* three cheers for Orange!

oranjeappel [-apəl] *m* orange.

oranjebitter [-bɪtər] *o* & *m* orange bitters.

oranjebloesem [-blu.səm] *m* 🌸 orange blossom.

Oranjegezind [-ɡəzɪnt] loyal to the House of Orange.

Oranjehuis [-hœys] *o* House of Orange.

oranjekleur [-klø:r] *v* orange colour.

oranjemarmelade [-marmələ.də] *v* orange marmalade.

oranjerie [o:raɲə'ri.] *v* orangery, greenhouse; greenery.

oranjesnippers [o.'raɲəsnɪpərs] *mv* candied orange-peel.

oranjestrik [-strɪk] *m* orange favour.

Oranje Vrijstaat [o.raɲə'vreista.t] *m* Orange Free State.

oratie [o.'ra.(t)si.] *v* oration.

oratorisch [o.ra.'to:ri.s] *aj* (& *ad*) oratorical(ly).

oratorium [-ri.ũm] *o* ♪ oratorio.

Orcadische eilanden [ɔrka.di.sə'eilandə(n)] *mv* Orkneys.

orchidee [ɔrɡi.'de.] *v* 🌸 orchid.

orde ['ɔrdə] *v* order°; orderliness; *de* ~ *handhaven* maintain order; *de* ~ *herstellen* restore order; ~ *houden* keep order; ~ *scheppen in de chaos* zie *chaos*; ~ *stellen op zijn zaken* put one's affairs in order, settle one's affairs; *aan de* ~ *komen* come up for discussion; *aan de* ~ *stellen* put on the order-paper; *aan de* ~ *zijn* be under discussion; *aan de* ~ *van de dag zijn* be the order of the day; *dat onderwerp is niet aan de* ~ that question is out of order; *buiten de* ~ out of order; *in* ~! all right!; *in* ~ *brengen* put right, set right; *het zal wel in* ~ *komen* it's sure to come right; *iets in* ~ *maken* zie *in* ~ *brengen*; *het is nu in* ~ it is all right now; *het is niet in* ~ it is out of order; that is not as it should be; *ik ben niet goed in* ~ I don't feel quite well; *in goede* ~ in good order; *we hebben uw brief in goede* ~ *ontvangen* we duly received your letter; *in verspreide* ~ ✕ in extended order; *wij konden niet op* ~ *komen* we could not get straight; *als jullie (helemaal) op* ~ *zijn* when you are straight; when you are settled in; *gaat over tot de* ~ *van de dag* passes to the order of the day; *iemand tot de* ~ *roepen* call a person to order; *voor de goede* ~ for the sake of good order.

ordebroeder [-bru.dər] *m* brother, friar.

ordeketen [-ke.tə(n)] *v* chain, collar [of an order].

ordekruis [-krœys] *o* cross [of an order].

ordelievend [ordə'li.vənt] orderly; law-abiding [citizens].

ordelievendheid [-hɛit] *v* love of order.

ordelijk ['ordələk] I *aj* orderly; II *ad* in good order.

ordelijkheid [-hɛit] *v* orderliness.

ordelint ['ordəlint] *o* ribbon [of an order].

ordeloos [-lo.s] disorderly.

ordeloosheid [ordə'lo.shɛit] *v* disorderliness.

ordenen ['ordənə(n)] *vt* 1 (in orde schikken) order, arrange, marshal [facts, data &]; regulate [industry], plan [economy]; 2 (wijden) ordain.

ordener [-nər] *m* file.

ordening [-nɪŋ] *v* 1 arrangement, regulation [of industry], planning [of economy]; 2 (wijding) ordination.

ordentelijk [or'dɛntələk] I *aj* decent [people]; fair [share &]; II *ad* decently; fairly.

ordentelijkheid [-hɛit] *v* decency; fairness.

order ['ordər] *v* & *o* order, command; $ order; *gelieve te betalen aan... of* ~ $ or order; *aan eigen* ~ $ to my own order; *aan de* ~ *van...* $ to the order of...; *op* ~ *van...* by order of...; *tot uw* ~*s* at your service; *tot nader* ~ until further orders, until further notice; *wat is er van uw* ~*s?* what can I do for you?

orderbevestiging [-bəvɛstəgɪŋ] *v* $ confirmation of sale.

orderbiljet [-bɪljɛt] *o* zie *orderbriefje*.

orderboek [-bu.k] *o* $ order-book.

orderbriefje [-bri.fjə] *o* $ 1 note (of hand); 2 order form.

orderportefeuille [-portəfœyjə] *m* $ order-book.

ordeteken ['ordəte.kə(n)] *o* badge, *mv* ook: insignia.

ordinair [ordi.'nɛ:r] I *aj* 1 low, vulgar, common; 2 inferior [quality]; *een* ~*e vent* a vulgarian; II *ad* 1 vulgarly, commonly; 2 inferiorly.

ordner ['ordnər] *m* file.

ordonnans [ordò'nɑns] *m* ✕ [officer's] orderly; ~*officier* aide-de-camp.

ordonnantie [-'nɑn(t)si.] *v* order, decree, ordinance.

ordonneren [ordò'ne:rə(n)] *vt* order, decree, ordain.

oreren [o:'re:rə(n)] *vi* orate, declaim, hold forth.

Orfeus ['orfœys] *m* Orpheus.

orgaan [or'ga.n] *o* organ[2].

organisatie [orga.ni.'za.(t)si.] *v* organization.

organisator [-tor] *m* organizer.

organisch [or'ga.ni.s] I *aj* organic; II *ad* organically.

organiseren [orga.ni.'ze:rə(n)] *vt* organize; arrange [an exhibition &].

organisme [orga.'nɪsmə] *o* organism.

organist [-'nɪst] *m* ♪ organist.

organiza- zie *organisa-*.

organizeren zie *organiseren*.

orgel ['orgəl] *o* ♪ organ; *een (het)* ~ *draaien* grind an (the) organ.

orgelconcert [-kònsɛrt] *o* ♪ 1 (uitvoering) organ recital; 2 (muziekstuk) organ concerto.

orgeldraaier [-dra.jər] *m* organ-grinder.

orgelen ['orgələ(n)] *vi* ♪ play on the organ; *fig* warble.

orgelkoncert zie *orgelconcert*.

orgelmuziek ['orgəlmy.zi.k] *v* ♪ organ music.

orgelpijp [-pɛip] *v* ♪ organ-pipe.

orgelregister [-rəgɪstər] *o* ♪ organ-stop, stop of an organ.

orgelspel [-spɛl] *o* ♪ organ-playing.

orgelspeler [-spe.lər] *m* ♪ organ-player.

orgeltrapper [-trapər] *m* organ-blower.

orgie [or'gi.] *v* orgy; *fig* riot [of colours].

oriënteren [o.ri.ɛn'te:rə(n)] *zich* ~ take one's bearings; *hij kon zich niet meer* ~ he had lost his bearings; *zich weten te* ~ know the geography of a place; *fascistisch (internationaal, links &) georiënteerd* fascist (internationally, left &) -minded.

oriëntering [-rɪŋ] *v* orientation; *te uwer* ~ for your information.

originaliteit [o.ri.gi.-, o.ri.ʒi.na.li.'tɛit] *v* originality.

origineel [-'ne.l] I *aj* (& *ad*) original(ly); II *o*, *m* original.

orkaan [or'ka.n] *m* hurricane.

orkest [or'kɛst] *o* orchestra, band; *klein* ~ small orchestra; *groot* ~ full orchestra.

orkestdirigent, -leider, -meester [-di.ri.gɛnt, -lɛidər, -me.stər] *m* orchestra(l) conductor.

orkestratie [orkɛs'tra.(t)si.] *v* ♪ orchestration, scoring.

orkestreren [-'tre:rə(n)] *vt* ♪ orchestrate, score.

orkestrion [or'kɛstri.òn] *o* ♪ orchestrina.

ornaat [or'na.t] *o* official robes; (v. geestelijke) pontificals, vestments; *in vol* ~ in full pontificals [of a bishop &]; in state [of a king &]; ~ in full academicals.

ornament [orna'mɛnt] *o* ornament.

ornamenteel [-mɛn'te.l] ornamental, decorative.

ornamentiek [-mɛn'ti.k] *v* ornamental art.

ornement [orna'mɛnt] = *ornament*.

orthodox [ɔrto.'dɔks] orthodox.
orthodoxie [-dɔk'si.] v orthodoxy.
orthopedie [-pe.'di.] v orthopaedy.
orthopedisch [-'pe.di.s] aj (& ad) orthopaedic-(ally).
orto- zie ortho-.
os [ɔs] m ox [mv oxen], bullock; wat een ~ what an ass!
ossebloed ['ɔsəblu.t] o 1 blood of an ox; 2 (kleur) oxblood.
ossedrijver [-drɛivər] m ox-driver, drover.
ossehaas [-ha.s] m fillet of beef.
ossehuid [-hœyt] v ox-hide.
ossekop [-kɔp] m ox-head.
ossestaart [-sta:rt] m ox-tail.
ossestal [-stɑl] m ox-stall.
ossetong [-tɔŋ] v 1 eig neat's tongue, ox-tongue; 2 ♣ bugloss.
ossevlees [-vle.s] o beef.
ossewagen [-va.gə(n)] m bullock-cart, (ZA) ox-wagon.
Ostende [ɔs'tɛndə] o Ostend.
O.T. = Oude Testament [oudətɛsta.'mɛnt].
otter ['ɔtər] m otter.
Ottomaans [ɔto.'ma.ns] Ottoman.
ottomane [-'ma.nə] v ottoman.
oud [ɑut] I aj (bejaard) old, aged; 2 (v. d. oude tijd) antique [furniture], ancient [history]; hoe ~ is hij? how old is he?, what age is he?; hij is twintig jaar ~ he is twenty (years old), twenty years of age; ~ maken age; ~ worden grow old, age; hij zal niet ~ worden he will not live to be old; ~ brood stale bread; een ~e firma an old-established firm; ~e kaas ripe cheese; ~ nummer back number [of a periodical]; ~ papier waste paper; de ~e schrijvers the ancient writers, the classics; de ~e tijden the olden times; een ~e zondaar an old sinner, a hardened sinner; II sb ~ en jong old and young; ~ en nieuw vieren see the old year out, see the new year in; alles bij het ~e laten leave things as they are [as they were]; de ~e S 1 the governor [= my father]; 2 the old man [at the office &], the boss; ik ben weer de ~e I am my usual (old) self again; de Ouden the ancients; (de) ~en van dagen the aged, old people; zie oook: ouder & oudst.
ud-... [ɑut] former, late, ex-, retired.
oudachtig ['ɑutɑxtəx] oldish, elderly.
oud-ambtenaar ['ɑut.ɑmtəna:r] m ex-official.
oudbakken [ɑut'bɑkə(n)] stale.
oud-burgemeester [-bûrgə'me.stər] m 1 late burgomaster; 2 (in Engeland) ex-mayor.
oude ['ɑu(d)ə] m zie oud II.
oudeheer [ɑu(d)ə'he:r] m de ~ the (my) governor, the old man.
oudejaar [-'ja:r] o last day of the year.
oudejaarsavond [-ja:rs'a.vɔnt] m New Year's Eve.
oudelui [-'lœy] mv old folks.
oudemannenhuis [-'mɑnə(n)hœys] o old men's home.

ouder ['ɑu(d)ər] I aj older; elder; hij is twee jaar ~ two years older, my elder by two years; een ~e broer an elder brother; hoe ~ hoe gekker there's no fool like an old fool; wij ~en we oldsters; II m parent; van ~ op (tot) ~ from generation to generation.
ouderdom ['ɑudərdòm] m age, old age; hoge ~ great age; in de gezegende ~ van... at the good old age of.
ouderdomskwaal [-dòmskva.l] v infirmity of old age.
ouderdomspensioen [-pɛnʃu.n] o old-age pension.
ouderdomsrente [-rɛntə] v retirement pension.
ouderdomsverzekering [-fərzə.kərɪŋ] v old-age insurance.
ouderhuis ['ɑudərhœys] o parental home.
ouderliefde [-li.vdə] v parental love.
ouderlijk [-lək] parental.
ouderling [-lɪŋ] m elder.
ouderlingschap [-sxɑp] o eldership.
ouderloos ['ɑudərlo.s] parentless.
ouderloosheid [-hɛit] v orphanhood.
ouderpaar ['ɑudərpa:r] o parents.
ouders ['ɑudərs] mv parents.
oudervreugde ['ɑudərvrœ.gdə] v parental joy (bliss).
ouderwets [ɑudər'vɛts] I aj old-fashioned, old-fangled; II ad in an old-fashioned way.
oudevrouwenhuis [ɑu(d)ə'vrɔuə(n)hœys] o old women's home.
oudewijvenpraatje [-'vɛivə(n)pra.cə] o old woman's tale; ~s gossip.
oudgast ['ɑutgɑst] m old Indian, eld colonial.
oudgediende [ɑutgə'di.ndə] m old campaigner, old hand.
oudheid ['ɑuthɛit] v antiquity, oldness; Griekse oudheden Greek antiquities; koopman in oudheden antiquary.
oudheidkenner [-kɛnər] m antiquarian.
oudheidkunde [-kûndə] v antiquarian science, archaeology.
oudheidkundig [ɑuthɛit'kûndəx] antiquarian, archaeological.
oudheidkundige [-dəgə] m antiquarian, archaeologist.
oudje ['ɑucə] o old man, old woman; de ~s the old folks.
oud-leerling [ɑut'le:rlɪŋ] m 1 ex-pupil; 2 old boy.
oudoom ['ɑuto.m] m great-uncle.
oudroest [ɑut'ru.st] o scrap-iron.
ouds(her) van~ [vɑn'ɑuts(her)] of old.
oudst [ɑutst] oldest, eldest; de ~e boeken the oldest books; zijn ~e broer his eldest brother; ~e vennoot senior partner.
oud-strijder [ɑut'strɛidər] m ⚔ veteran, ex-Serviceman.
oudtante ['ɑutɑntə] v great-aunt.
oudtijds ['ɑutɛits] in olden times.
outillage [u.ti.(l)'ja.ʒə] v equipment.

outilleren [-'je:rə(n)] *vt* equip.
ouverture [u.vər'ty;rə] *v* ♪ overture.
ouvreuse [u.'vrə.zə] *v* usherette.
ouwel ['ouəl] *m* 1 wafer [for letter]; 2 ♔ cachet.
ouwelijk ['ouələk] oldish.
ovaal [o.'va.l] I *aj* (& *ad*) oval(ly); II *o* oval.
ovatie [o.'va.(t)si.] *v* ovation; *een ~ brengen (krijgen)* give (have) an ovation.
oven ['o.və(n)] *m* 1 oven, furnace; 2 (kalk-oven) kiln.
over ['o.vər] I *prep* 1 (zich bewegende op of langs een oppervlakte) along [a good road we sped...]; 2 (boven) over [the meadow]; 3 (over... heen) over [the brook, the hedge], across [the river]; on top of [his cassock he wore...]; 4 (aan de overzijde van) beyond [the river]; 5 (méér dan) above, upwards of, over [fifty]; 6 (via) by way of, via [Paris]; 7 (na) in [a week &]; 8 (tegenover) opposite [the church &]; *een boek ~ Afrika* a book on (about) Africa; *~ een dag of acht* in a week or ten days; *zondag ~ acht dagen* Sunday week; *~ een maand, een paar jaar* a month, a few years hence; *~ land zie land*; *het is ~ vieren* it is past four (o'clock); *hij is ~ de zestig* he is turned (of) sixty; *hij heeft iets ~ zich* he has certain ways, there is something about him (that...); II *ad* over; *ik heb er één ~* I have one left; *hij is ~* 1 he has got across; 2 he is staying with us; 3 ⚭ he has been removed; *mijn pijn is ~* my pain is over (better); *~ en weer* mutually; *geld (tijd &) ~* plenty of money (time &).
overal ['o.vəral] everywhere; *~ waar* wherever.
overal(l) [o.və'rɔl] *m* overalls.
overbekend ['o.vərbəkɛnt] generally known; notorious.
overbelasten [-lastə(n)] *vt* 1 overburden; 2 ⚔ overload²; 3 overtax.
overbeleefd [-le.ft] too polite, (over-)officious.
overbeleefdheid [-hɛit] *v* (over-)officiousness.
overbelicht ['o.vərbəlıxt] over-exposed.
overbelichting [-lıxtıŋ] *v* over-exposure.
overbevolking ['o.vərbəvɔlkıŋ] *v* 1 surplus population; 2 overcrowding [in dwellings &].
overbevolkt [-bəvɔlkt] 1 overpopulated; 2 overcrowded [hospitals &].
overbezet [-bəzɛt] overcrowded [buses, ⬥ forms]; (door personeel) overstaffed.
overblijfsel [-blɛifsəl] *o* remainder, remnant, relic, remains, rest.
overblijven [-blɛivə(n)] I *vi* be left, remain; *X. blijft vannacht over* X. remains for the night (will stay the night); *er bleef me niets anders over dan...* nothing was left to me (remained for me) but to...; II *vt* in: *een boot ~* stay over one steamer.
overblijvend [-vənt] remaining; *~e plant* ⚘ perennial (plant); *het ~e* the remainder, the rest; *de ~en* the survivors.
overbluffen [o.vər'blüfə(n)] *vt* bluff; *overbluft*

put out of countenance, bewildered.
overbodig [-'bo.dəx] superfluous.
overbodigheid [-hɛit] *v* superfluity, superfluousness.
overboeken ['o.vərbu.kə(n)] *vt* $ transfer.
overboeking [-kıŋ] *v* $ transfer.
overboord [o.vər'bo:rt] ⚓ overboard; zie ook: *boord*.
overbrengen ['o.vərbrɛŋə(n)] *vt* carry [a thing to another place]; transfer, transport, remove [a piece of furniture &]; transmit [a parcel, a disease, news, heat, electricity &]; convey [a parcel, a letter, sound]; translate [into another language], transpose [algebraic values]; repeat [a piece of news, tales]; *de zetel van de regering naar A. ~* transfer the seat of government to A.
overbrenger [-brɛŋər] *m* carrier, conveyer; *fig* telltale, informer.
overbrenging [-brɛŋıŋ] *v* carrying, transport, conveyance [of goods]; transfer [of a business, sums]; transmission [of power &]; translation [of a document]; [thought] transference.
overbrieven [-bri.və(n)] *vt* tell, repeat [things heard].
overbriever [-vər] *m* telltale.
overbruggen [o.vər'brügə(n)] *vt* bridge (over).
overbrugging [-gıŋ] *v* bridging.
overbuur ['o.vərby:r] *m* opposite neighbour.
overcompleet [-kòmple.t] surplus.
overdaad [-da.t] *v* excess, superabundance; *in ~ leven* live in luxury; *~ schaadt* too much of a thing is good for nothing.
overdadig [o.vər'da.dəx] I *aj* superabundant; excessive; II *ad* superabundantly &, to excess.
overdadigheid [-hɛit] *v* excess, superabundance.
overdag [o.vər'dax] by day, in the day-time; during the day.
overdekken [-'dɛkə(n)] *vt* cover (up, in).
overdenken [-'dɛŋkə(n)] *vt* consider, meditate (on).
overdenking [-kıŋ] *v* consideration, reflection.
overdoen ['o.vərdu.n] *vt* 1 (nog eens) do [it] over again; 2 (afstaan) part with, make over, sell, dispose of; *het dunnetjes ~* F repeat the thing.
overdonderen [o.vər'dòndərə(n)] *vt* zie *overbluffen*.
overdracht ['o.vərdrɑxt] *v* transfer, conveyance.
overdrachtelijk [o.vər'drɑxtələk] *aj* (& *ad*) metaphorical(ly).
overdragen ['o.vərdra.gə(n)] *vt* carry over; *fig* convey, make over, hand over, transfer [property], assign [a right]; delegate [power], depute [a task]; *het bestuur (de leiding, de zaak &) ~* hand over.
overdreven [o.vər'dre.və(n)] I *aj* exaggerated [statements]; excessive, immoderate [claims]; II *ad* exaggeratedly; excessively, immoderately.
overdrevenheid [-hɛit] *v* exaggeration; excessiveness, immoderateness.

1 **overdrijven** ['o.vərdrɛivə(n)] *vi* blow over[2].

2 **overdrijven** [o.vər'dreivə(n)] I *vt* exaggerate, overdo; II *vi* exaggerate.

overdrijving [-vɪŋ] *v* exaggeration.

1 **overdruk** ['o.vərdrŭk] *m* 1 off-print, separate (reprint) [of an article &]; 2 overprint [on postage stamps]; 3 ✗ overpressure.

2 **overdruk** ['o.vər'drŭk] *aj* too much occupied, over-busy.

overdrukken ['o.vərdrŭkə(n)] *vt* reprint; overprint [stamps].

overdwars [o.vər'dvɑrs] athwart, across.

overeenbrengen [o.vər'e.nbrɛŋə(n)] *vt* conciliate [discrepant theories]; *dat is niet overeen te brengen met* it cannot be reconciled with, it is not consistent with; zie ook: *geweten*.

overeenkomen [-ko.mə(n)] I *vi* agree [with a person, on a thing], harmonize; ~ *met* agree with; *zoals met uw afkomst overeenkomt* in keeping with your birth; II *vt* agree on [a price &].

overeenkomst [-kòmst] *v* 1 (gelijkheid) resemblance, similarity, conformity, agreement; 2 (verdrag) agreement.[*]

overeenkomstig [o.vəre.n'kòmstəx] I *aj* conformable; corresponding, similar [period]; ~*e hoeken* corresponding angles; *een*~*e som* an equivalent sum; II *ad* correspondingly; ~ *het bepaalde* agreeably (conformably) to the provisions; ~ *uw wensen* in accordance with (in compliance with, in conformity with) your wishes.

overeenkomstigheid [-hɛit] *v* conformableness, conformity, similarity.

overeenstemmen [o.vər'e.nstemə(n)] *vi* agree, concur, harmonize; ~ *met* agree & with, be in accordance (in harmony) with; *dat stemt niet overeen met wat hij zei* that does not tally with what he said.

overeenstemming [-mɪŋ] *v* harmony; consonance; agreement, concurrence; *gram* concord; *in*~ *brengen* (*met*) bring into line (with); *dat is niet in* ~ *met de feiten* that is not in accordance with the facts; *in* ~ *met de omgeving* in harmony with the surroundings; *tot* ~ *geraken of komen* (*omtrent*) come to an agreement (about).

overeind [o.vər'ɛint] on end, upright, up, erect; *nog* ~ *staan* be still standing[2]; *hij ging* ~ *staan* he stood up; ~ *zetten* set up; *hij ging* ~ *zitten* he sat up; *hij krabbelde* ~ he scrambled to his feet.

overerfelijk [-'ɛrfələk] hereditary, inheritable.

overerfelijkheid [-hɛit] *v* heredity.

overerven ['o.vərɛrvə(n)] I *vt* inherit; II *vi* be hereditary [of a disease].

overerving [-vɪŋ] *v* heredity, inheritance.

overeten [o.vər'e.tə(n)] *zich* ~ overeat oneself, overeat.

overgaaf ['o.vərga.f] = *overgave*.

overgaan [-ga.n] I *vi* 1 (aanslaan) go [of a bell]; 2 (bevorderd worden) be removed, get one's remove [at school]; 3 (ophouden) pass off, wear off [of suffering &]; *in iets anders* ~ change into something different; *in elkaar* ~ become merged, merge [of colours]; *de leiding gaat over van... op...* the leadership passes from... to...; *alvorens wij daartoe* ~ before passing on to that; ~ [*van...*] *tot...* change over [from one system] to [another]; *tot daden* ~, *tot handelen* ~ proceed to action; *tot liquidatie* ~ go into liquidation; *tot stemming* ~ proceed to the vote; II *vt* go across, cross [the street &].

overgang [-gaŋ] *m* transition, change; change-over [to another system].

overgangsbepaling [-gaŋsbəpa.lɪŋ] *v* temporary provision.

overgangseksamen zie *overgangsexamen*.

overgangsexamen [-ɛksa.mə(n)] *o* ☞ promotion trial.

overgangsmaatregel [-ma.tre.gəl] *m* transitional measure.

overgangstijdperk [-tɛitpɛrk] *o* transition(al) period.

overgangstoestand [-tu.stɑnt] *m* state of transition.

overgankelijk [o.vər'gaŋkələk] *aj* (& *ad*) *gram* transitive(ly).

overgave ['o.vərga.və] *v* handing over, delivery [of parcels]; giving up; surrender [of fortress, to God's will].

overgedienstig [-gədi.nstəx] (over-)officious, obsequious.

overgelukkig [-gəlŭkəx] most happy, overjoyed.

overgeven [-ge.və(n)] I *vt* 1 (aanreiken) hand over, hand, pass [something]; 2 (afstaan) deliver up, give over (up), yield, surrender [a town]; 3 (braken) vomit [blood]; II *vi* vomit, be sick; *moet je* ~? do you feel sick?; III *vr zich* ~ surrender; *zich* ~ *aan...* abandon oneself to..., indulge in...; *zich aan smart, wanhoop* ~ surrender (oneself) to grief, to despair.

overgevoelig [-gəvu.ləx] over-sensitive [people].

overgevoeligheid [-hɛit] *v* over-sensitiveness.

overgewicht ['o.vərgəvɪxt] *o* $ overweight.

1 **overgieten** [-gi.tə(n)] *vt* pour (into *in*), transfuse, decant.

2 **overgieten** [o.vər'gi.tə(n)] *vt* in: ~ *met* pour on, cover with[2], suffuse with[2].

overgooier ['o.vərgo.jər] *m* pinafore (dress), *Am* jumper.

overgordijn [-gərdɛin] *o* curtain.

overgroot [-gro.t] immense, huge.

overgrootmoeder [-gro.tmu.dər] *v* great-grandmother.

overgrootvader [-fa.dər] *m* great-grandfather.

overhaast [o.vər'ha.st] I *aj* rash; hurried; II *ad* rashly, hurriedly, in a hurry.

overhaasten [-'ha.stə(n)] *vt* & *vr* hurry.

overhaastig [-'ha.stəx] zie *overhaast.*

overhaasting [-'ha.stɪŋ] v precipitation, precipitancy.

overhalen ['o.vərha.lə(n)] vt 1 (met veer pont) ferry over; 2 (omtrekken) pull [a bell]; cock [a rifle]; 3 (distilleren) distil [spirits]; 4 fig (overreden) talk round, persuade, gain over.

overhand [-hant] v in: *de ~ hebben* have the upper hand (of *op*); predominate (over *op*), prevail; *de ~ krijgen* get the upper hand, get the better (of *op*).

overhandigen [o.vər'handəgə(n)] vt hand (over), deliver.

overhandiging [-gɪŋ] v handing over, delivery.

overhands [o.vər'hants] overhand.

overhangen ['o.vərhaŋə(n)] vi hang over, incline, beetle.

overhebben [-hɛbə(n)] vt have left; *daar heeft hij alles voor over* he is willing to give anything for it; *ik heb er een pond voor over* I am willing to pay a pound for it; *wij hebben iemand over* we have somebody staying with us.

overheen [o.vər'he.n] over, across; [she wore a jumper] on top; *daar is hij nog niet ~* he has not (quite) got over it yet.

overheenstappen [-stapə(n)] vt step across; *over de moeilijkheden heenstappen* brush aside the difficulties; *er maar ~* not mind that, ignore it.

overheerlijk [o.vər'he:rlək] delicious, exquisite.

overheersen [-'he:rsə(n)] I vt domineer over, dominate; II vi predominate.

overheersend [-sənt] (pre)dominant.

overheerser [-sər] m ruler, tyrant.

overheersing [-sɪŋ] v rule, domination.

overheid ['o.vərhɛit] v in: *de ~ the authorities; the Government.

overheids... [-hɛits] public [authorities, organizations, services &], government [controls]; zie ook ↓.

overheidsambt [-amt] o public office; ɟ magistracy.

overheidspersoneel [-pɛrso.ne.l] o public servants.

overheidspersoon [-pərso.n] m public officer; ɟ magistrate.

overheidswege [-ve.gə] *van ~* by the authorities; *van ~ bekendmaken* announce officially.

overhellen ['o.vərhɛlə(n)] vi hang over, lean over, incline, ⚓ list, ≽ bank; *~ naar* incline to(wards), have a leaning to, lean towards [fig].

overhelling [-hɛlɪŋ] v inclination[2], leaning[2]; ⚓ list.

overhemd [-hɛmt] o shirt.

overhevelen [-he.vələ(n)] vt transfer[2].

overheveling [-lɪŋ] v transfer[2].

overhoop [o.vər'ho.p] in a heap, pell-mell, in a mess, topsyturvy; *~ halen* turn over, put in disorder; *~ liggen met* be a variance (at odds) with; *~ schieten* shoot down; *~ steken* stab; *~ werpen* overthrow, upset.

overhoren [-'ho:rə(n)] vt hear [a boy a lesson].

overhouden ['o.vərhou(d)ə(n)] vt save [money].

overig ['o.vərəx] I aj remaining; *het ~e Europa* the rest of Europe; II *sb het ~e* the remainder; *voor het ~e* for the rest; *de ~en* the others, the rest.

overigens ['o.vərəgəns] apart from that [all is well, he is quite sane], after all, moreover [I don't know...]; [he] incidentally [looked quite the gentleman].

overijld [o.vər'ɛilt] zie *overhaast.*

overijlen [-'ɛilə(n)] *zich ~* hurry.

overijling [-lɪŋ] v precipitation, precipitancy.

overjas ['o.vərjas] m & v overcoat, greatcoat, top-coat.

overkant [-kant] m opposite side, other side; *aan de ~ van* ook: beyond [the river, the Alps], across [the Channel]; *hij woont aan de ~* he lives over the way, he lives opposite.

overkappen [o.vər'kapə(n)] vt roof in.

overkapping [-pɪŋ] v roof; zie ook: *luifel.*

overkijken ['o.vərkɛikə(n)] vt look over, go through.

overklassen [o.vər'klasə(n)] vt sp outclass.

overkleed ['o.vərkle.t] o upper garment [of a priest &].

overklimmen [-klɪmə(n)] vt climb over.

overkoepelen [o.vər'ku.pələ(n)] vt co-ordinate.

overkoken [o.vər'ko.kə(n)] vi boil over.

overkomelijk [o.vər'ko.mələk] surmountable.

1 **overkomen** ['o.vərko.mə(n)] vi come over; *ik kan maar eens in de week ~* I can come to see (him, her, them) but once a week.

2 **overkomen** [o.vər'ko.mə(n)] vt befall, happen to; *er is hem een ongeluk ~* he has met with an accident; *dat is mij nog nooit ~* I never yet had that happen to me; *wat overkomt je?* what has got you?

overkompleet zie *overcompleet.*

overkomst ['o.vərkɔmst] v coming, visit.

overkrijgen [-krɛigə(n)] vt in: *bezoek ~* get visitors.

overkroppen [o.vər'krɔpə(n)] vt cram; *wij zijn overkropt met werk* we are full up with work; zie ↓.

overkropt [-'krɔpt] overburdened; *haar overkropt gemoed* her overburdened heart.

overlaat ['o.vərla.t] m overflow.

1 **overladen** [-la.də(n)] vt 1 tranship [goods]; transfer [from one train into another]; 2 (opnieuw) reload.

2 **overladen** [o.vər'la.də(n)] vt overload[2], overburden[2]; fig overstock [the market]; *iemand met geschenken (verwijten &) ~* shower presents upon a person, heap reproaches upon a person; *zich de maag ~* surfeit one's stomach, overeat (oneself).

1 **overlading** ['o.vərla.dɪŋ] v 1 transhipment, transfer; 2 reloading.

2 **overlading** [o.vər'la.dɪŋ] v surfeit [of the

stomach]; *fig* overburdening, overloading.

overladingskosten ['o.vərla.dɪŋskɔstə(n)] *mv* $ transhipment charges.

overland [o.vər'lɑnt] by land.

overlandmail [-me.l] *v* ⚭ overland mail.

overlangs [o.vər'lɑŋs] I *aj* longitudinal; II *ad* lengthwise, longitudinally.

overlast ['o.vərlɑst] *m* annoyance, nuisance; ~ *aandoen* annoy; *tot* ~ *van* to the inconvenience of.

overlaten [-la.tə(n)] *vt* leave; *dat laat ik aan u over* I leave that to you; *laat dat maar aan hem over* let him alone to do it; *aan zich zelf overgelaten* left to himself; zie ook: *lot*.

overleden [o.vər'le.də(n)] *aj* deceased, dead; *de* ~*e* the dead man (woman); *de* ~*e(n)* the deceased, the departed, the defunct.

overle(d)er ['o.vərle:r, -le.dər] *o* upper leather, vamp.

overleg [o.vər'lex] *o* I deliberation, forethought, judg(e)ment, management; 2 (beraadslaging) deliberation, consultation; ~ *is het halve werk* a stitch in time saves nine; ~ *plegen* consult together; ~ *plegen met* consult; *in* ~ *met...* in consultation with...; *met* ~ with deliberation; *zonder* ~ without (taking) thought.

1 **overleggen** ['o.vərlɛgə(n)] *vt* I (aanbieden) hand over, produce [a document]; 2 (besparen) lay by, put by [money].

2 **overleggen** [-'lɛgə(n)] *vt* deliberate, consider; *je moet het maar met hem* ~ you should consult with him about it.

1 **overlegging** ['o.vərlɛgɪŋ] *v* production; *na* (onder) ~ *der stukken* upon (against) presentation and surrender of the documents.

2 **overlegging** [o.vər'lɛgɪŋ] *v* consideration, deliberation.

overleren ['o.vərle:rə(n)] *vt* learn over, learn again.

overleven [o.vər'le.və(n)] *vt* survive, outlive.

overlevende [-vəndə] *m-v* survivor, longest liver.

overleveren ['o.vərle.vərə(n)] *vt* transmit, hand down; ~ *aan* give up to, deliver up to; *overgeleverd aan...* at the mercy of [impostors, swindlers &].

overlevering [-rɪŋ] *v* tradition.

overlezen ['o.vərle.zə(n)] *vt* read over, go through.

overligdag [-lɪxdɑx] *m* $ day of demurrage.

overliggeld [-lɪgɛlt] *o* $ demurrage.

overliggen ['o.vərlɪgə(n)] *vi* $ be on demurrage.

overlijden [o.vər'lɛidə(n)] I *vi* die, ⊙ pass away, depart this life, decease; *aan de bekomen verwondingen* ~ die of injuries; II *o* death, ⊙ decease, demise; *bij* ~ in the event of death.

overloop ['o.vərlo.p] *m* I (bij huis) corridor; 2 (van trap) landing; 3 (van rivier) overflow.

overlopen [-lo.pə(n)] I *vi* I run over, overflow; 2 go over, desert, defect [to the West,

to the East]; *naar de vijand* ~ go over to the enemy; *hij loopt over van vriendelijkheid* he is all kindness; II *vt* cross [a road].

overloper [-lo.pər] *m* deserter, turncoat, defector [to capitalism, to communism].

overluid [o.vər'lœyt] aloud.

overmaat ['o.vərma.t] *v* over-measure; *fig* excess; *tot* ~ *van ramp* to make matters (things) worse, to top all.

overmacht [-mɑxt] *v* I superior power, superior forces; 2 🜨 force majeure; 3 ⚓ the Act of God; *voor de* ~ *bezwijken* succumb to superior numbers.

overmachtig [-mɑxtəx] stronger, superior (in numbers).

overmaken [-ma.kə(n)] *vt* I (opnieuw maken) do over again [one's work]; 2 (overzenden) make over, remit [money].

overmaking [-kɪŋ] *v* remittance.

overmannen [o.vər'mɑnə(n)] *vt* overpower, overcome; *overmand door slaap* overcome by sleep.

overmatig [-'ma.təx] *aj* (& *ad*) excessive(ly).

overmeesteren [-'me.stərə(n)] *vt* overmaster, overpower, conquer.

overmeestering [-rɪŋ] *v* conquest.

overmoed ['o.vərmu.t] *m* recklessness; (aanmatiging) presumption.

overmoedig [o.vər'mu.dəx] *aj* (& *ad*) reckless-(ly); (aanmatigend) presumptuous(ly).

overmorgen ['o.vərmɔrgə(n)] *m* the day after to-morrow.

overnachten [o.vər'nɑxtə(n)] *vi* stop (during the night), pass the night, stay overnight [at a hotel].

overnachting [-tɪŋ] *v* overnight stay [at a hotel].

overname ['o.vərna.mə] *v* taking over; adoption; purchase; *ter* ~ *aangeboden...* ...for sale.

overnemen [-ne.mə(n)] *vt* take [something] from; take over [a business, command &], adopt [a word from another language]; borrow, copy [something from an author]; take up [the refrain]; buy [books &]; *de dienst (de wacht, de zaak* &) ~ take over; *gewoonten* ~ adopt habits.

overneming [-ne.mɪŋ] *v* zie *overname*.

overoud ['o.vərɔut] very old, ancient.

overpakken [-pɑkə(n)] *vt* I pack from one thing into another; 2 repack, pack again.

overpeinzen [o.vər'pɛinzə(n)] *vt* meditate, reflect upon.

overpeinzing [-zɪŋ] *v* meditation, reflection.

overpennen ['o.vərpɛnə(n)] *vt* F copy, crib.

overplaatsen [-pla.tsə(n)] *vt* remove; *fig* transfer [an officer &].

overplaatsing [-sɪŋ] *v* removal; transfer [of a officer].

overplanten ['o.vərplɑntə(n)] *vt* transplant.

overplanting [-tɪŋ] *v* transplantation.

overprikkelen [o.vər'prɪkələ(n)] *vt* overexcite.

overprikkeling [-lɪŋ] *v* overexcitement.

overproductie zie *overproduktie*.

overproduktie ['o.vərpro.dúksi.] *v* overproduction.

overreden [o.və're.də(n)] *vt* persuade, prevail upon [a man], talk [one] round; *hij wou mij ~ om...* he wanted to persuade me to..., to persuade me into ...ing; *hij was niet te ~* he was not to be persuaded.

overredend [-dənt] *aj* (& *ad*) persuasive(ly).

overreding [-dɪŋ] *v* persuasion.

overredingskracht [-dɪŋskraxt] *v* persuasiveness, power of persuasion, persuasive powers.

overreiken ['o.vərɛikə(n)] *vt* hand, reach, pass.

overrijden [o.və'rɛi(d)ə(n)] *vt* run over [a person, a dog].

overrijp ['o.vərɛip] over-ripe.

overrompelen [o.və'ròmpələ(n)] *vt* surprise, take by surprise.

overrompeling [-lɪŋ] *v* surprise attack, surprise².

overschaduwen [o.vər'sxa.dy.və(n)] *vt* shade, overshadow; *fig* throw into the shade, eclipse.

overschakelen ['o.vərsxa.kələ(n)] *vi* switch over², change over² [from... to...]; ⏚ change gear; *we schakelen* (u) *over naar de concertzaal* ✠ ✠ we are taking you over to the concert hall; *~ op de tweede* ⏚ change into second.

overschatten [o.vər'sxɑtə(n)] *vt* overrate, overestimate.

overschatting [-tɪŋ] *v* overestimation, overrating.

overschenken ['o.vərsxɛŋkə(n)] *vt* decant, pour over [in a glass].

overschepen [-sxe.pə(n)] *vt* tranship.

overscheping [-pɪŋ] *v* transhipment.

overschieten ['o.vərsxi.tə(n)] *vi* remain, be left.

overschilderen [-sxɪldərə(n)] *vt* 1 paint over, repaint; 2 paint out [to make it invisible].

overschoen [-sxu.n] *m* overshoe, galosh, golosh.

overschot [-sxɔt] *o* remainder, rest; surplus; zie ook: *stoffelijk*.

overschreeuwen [o.vər's(x)re.və(n)] *vt* cry down, shout down, roar down; *hij kon ze niet ~ ook:* he could not make himself heard; **II** *vr zich ~* overstrain one's voice.

overschrijden [-'s(x)rɛidə(n)] *vt* step across, cross; *fig* overstep [the bounds], exceed [one's powers, the speed limit &].

overschrijven ['o.vərs(x)rɛivə(n)] *vt* write out (fair), copy (out) [a letter &]; $ transfer; *iets op iemands naam laten ~* have a property transferred; *je hebt dat van mij overgeschreven* you have copied that from me.

overschrijving [-vɪŋ] *v* transcription, $ transfer.

overschrijvingskosten [-vɪŋskɔstə(n)] *mv ~rechten* [-rɛxtə(n)] *mv* transfer duties.

overseinen ['o.vərsɛinə(n)] *vt* ✠ transmit, telegraph, wire.

overslaan [-sla.n] **I** *vt* 1 (geen beurt geven)

pass [one] over; 2 (niet lezen &) omit, skip [a line], jump [some pages], miss [a performance]; 3 ⏚ tranship [goods]; **II** *vi ...zei zij, terwijl haar stem oversloeg* with a catch in her voice; *~ op* 1 spread to [of a fire]; 2 infect [of laughter &].

overslag [-slɑx] *m* 1 (aan kledingstuk) turn-up; 2 (v. enveloppe) flap; 3 (raming) estimate; 4 ⏚ transhipment.

overslaghaven [-ha.və(n)] *v* ⏚ port of transhipment, transhipment harbour.

1 **overspannen** [o.vər'spɑnə(n)] **I** *vt* span [a river &]; overstrain; **II** *vr zich ~* overexert oneself.

2 **overspannen** [o.vər'spɑnə(n)] *aj* overstrung, overstrained, overwrought [nerves, imagination].

overspanning [-nɪŋ] *v* 1 span [of a bridge]; 2 overstrain, overexertion, overexcitement.

oversparen ['o.vərspa:rə(n)] *vt* lay by, save [money].

overspel [-spɛl] *o* adultery.

overspelig [o.vər'spe.ləx] *aj* (& *ad*) adulterous-(ly).

overspringen ['o.vərsprɪŋə(n)] **I** *vi* 1 leap over, jump over; 2 ⚡ jump over; **II** *vt* jump [ten lines &].

overstaan [-sta.n] *ten ~ van* in the presence of, before.

overstaand [-sta.nt] opposite.

overstag [o.vər'stɑx] in:*~ gaan* ⏚ tack (about), go about, change one's tack².

overstapje ['o.vərstɑpjə] **-kaartje** [-ka:rcə] *o* correspondence ticket, transfer (ticket).

overstappen ['o.vərstɑpə(n)] *vt* 1 cross, step over; 2 change (into another train), transfer [to an open car].

overste ['o.vərstə] *m* 1 ✖ lieutenant-colonel; 2 *RK* prior, Father Superior; *~ v* prioress, Mother Superior.

oversteekplaats ['o.vərste.kpla.ts] *v* crossing place, pedestrian crossing, crossing.

oversteken [-ste.kə(n)] **I** *vi* cross (over); *gelijk ~* swop at the same time; **II** *vt* cross.

overstelpen [o.vər'stɛlpə(n)] *vt* overwhelm²; *we worden overstelpt met aanvragen* we are swamped (inundated, flooded) with applications.

overstelping [-pɪŋ] *v* overwhelming.

1 **overstemmen** ['o.vərstɛmə(n)] **I** *vt* tune again [a piano]; **II** *vi* vote again.

2 **overstemmen** [o.vər'stɛmə(n)] *vt* drown [a man's voice]; outvote [a man].

1 **overstromen** ['o.vərstro.mə(n)] *vi* overflow.

2 **overstromen** [o.vər'stro.mə(n)] *vt* inundate², flood; *overstroomd door dagjesmensen* overrun by cheap trippers; *de markt ~ met...* flood, glut (deluge) the market with...

overstroming [-mɪŋ] *v* inundation, flood.

oversturen ['o.vərsty:rə(n)] zie *overzenden*.

overstuur [o.vər'sty:r] out of order, upset; *zij was helemaal ~* she was quite upset.

overtallig [-'tɑləx] supernumerary.

overtappen ['o.vərtɑpə(n)] *vt* transfer from one cask to another.

1 **overtekenen** [-te.kənə(n)] *vt* redraw [a drawing].

2 **overtekenen** [o.vər'te.kənə(n)] *vt* oversubscribe [a loan].

overtocht ['o.vərtɔxt] *m* passage, crossing.

overtogen [o.vər'to.gə(n)] in: *met... ~* suffused with...

overtollig [-'tɔləx] *aj* (& *ad*) superfluous(ly), redundant(ly).

overtolligheid [-hɛit] *v* superfluity, superfluousness, redundancy .

overtoog [o.vər'to.x] in: *het schaamrood ~ haar wangen* a blush of shame suffused her cheeks.

overtreden [-'tre.də(n)] *vt* contravene, transgress, infringe [the law]; break (through) [rules].

overtreder [-dər] *m* transgressor, breaker [of rules], trespasser.

overtreding [-dɪŋ] *v* contravention, transgression, infringement, breach [of the rules], trespass.

overtreffen [o.vər'trefə(n)] *vt* I surpass, excel, outdo, outvie; *zich zelf ~* surpass (excel) oneself; *de vraag overtreft het aanbod* demand exceeds supply.

overtrek ['o.vərtrɛk] *o* & *m* case, casing, cover.

1 **overtrekken** [-trɛkə(n)] I *vt* I (trekken over) pull across; 2 (overhalen) pull [the trigger]; 3 (gaan over) cross [a river &]; 4 (natrekken) trace [a drawing]; II *vi* blow over [of a thunderstorm].

2 **overtrekken** [o.vər'trɛkə(n)] *vt* I cover, upholster [furniture]; recover [an umbrella]; 2 $ overdraw [one's account]; *overtrokken raken* ✈ stall; *een overtrokken antithese* an overdrawn antithesis.

overtrekpapier ['o.vərtrɛkpa.pi:r] *o* tracing-paper.

overtroeven [o.vər'tru.və(n)] *vt* overtrump; *fig* go one better than [a person].

overtuigen [-'tœygə(n)] I *vt* convince; II *vr zich ~* convince oneself; III *va* carry conviction.

overtuigend [-gənt] *aj* (& *ad*) convincing(ly).

overtuiging [-gɪŋ] *v* conviction; *de ~ hebben dat...* be convinced that; *tot de ~ komen dat...* come to the conviction that...; *uit ~* from conviction; *stuk van ~* 🕮 exhibit.

overtuigingskracht [-gɪŋskrɑxt] *v* force of conviction, convincing power.

overuren ['o.vəry:rə(n)] *mv* overtime, hours of overtime; *~ maken* work overtime.

overvaart [-va:rt] *v* passage, crossing.

overval [-vɑl] *m* raid.

overvallen [o.vər'vɑlə(n)] *vt* I (v. onweer &) overtake; 2 surprise; *door de regen ~* caught in the rain.

1 **overvaren** ['o.vərva:rə(n)] I *vi* cross (over); II *vt* cross [a river]; take [a person] across.

2 **overvaren** [o.vər'va:rə(n)] *vt* run down [a vessel].

ververhitten ['o.vərvərhɪtə(n)] *vt* overheat; superheat [steam].

oververmoeid [-vərmu:it] over-fatigued, overtired.

oververmoeidheid [o.vərvər'mu:ithɛit] *v* over-fatigue.

oververtellen ['o.vərvərtɛlə(n)] *vt* repeat, tell.

ververven [-vɛrvə(n)] *vt* I redye; 2 zie *overschilderen.*

oververzadigen [-vərza.də gə(n)] *vt* I supersaturate; 2 *fig* surfeit.

oververzadiging [-gɪŋ] *v* I supersaturation; 2 *fig* surfeit.

overvleugelen [o.vər'vlø.gələ(n)] *vt* I surpass; 2 ✗ outflank.

overvliegen ['o.vərvli.gə(n)] *vt* fly over; fly across.

overvloed [-vlu.t] *m* abundance, plenty; *~ hebben van* abound in; *...in ~ hebben* have plenty of...; *ten ~e* moreover.

overvloedig [o.vər'vlu.dəx] *aj* (& *ad*) abundant(ly), plentiful(ly), copious(ly), profuse(ly).

overvloedigheid [-hɛit] *v* abundance, plentifulness, profusion.

overvloeien ['o.vərvlu.jə(n)] *vi* overflow; *~ van* abound in, brim with; *~ van melk en honig* B flow with milk and honey.

overvoeden [o.vər'vu.də(n)] *vt* overfeed.

overvoeding [-dɪŋ] *v* overfeeding.

1 **overvoeren** ['o.vərvu:rə(n)] *vt* carry over, transport.

2 **overvoeren** [o.vər'vu:rə(n)] *vt* overfeed; *fig* overstock, glut.

overvol ['o.vərvɔl] full to overflowing, over-crowded, crowded [house].

overvracht [-vrɑxt] *v* excess luggage, excess.

overvragen [o.vər'vra.gə(n)] *vt* ask too much, overcharge.

overwaaien ['o.vərva.jə(n)] *vi* blow over.

overwaard [-va:rt] well worth (the trouble, a visit &).

overwaarde [-va:rdə] *v* surplus value.

1 **overweg** [-vɛx] *m* level crossing; *onbewaakte ~* unguarded level crossing.

2 **overweg** [o.vər'vɛx] in: *met iets ~ kunnen* know how to manage something; *ik kan goed met hem ~* I can get on with him very well; *zij kunnen niet met elkaar ~* they don't hit it off.

1 **overwegen** ['o.vərve.gə(n)] *vt* reweigh, weigh again.

2 **overwegen** [o.vər've.gə(n)] *vt* weigh, consider.

overwegend [-gənt] preponderant; *dat is van ~ belang* of paramount importance; *~ droog weer* dry on the whole; *de bevolking is ~ Duits* predominantly German.

overweging [-gɪŋ] *v* consideration; *iemand iets in ~ geven* suggest a thing to a person, recommend it to him; *in* ~ *nemen* take into consideration; *ter* ~ for reflection; *uit* ~ *van* in consideration of.

overwegwachter [o.vərvɛxvɑxtər] *m* gateman, crossing keeper.

overweldigen [o.vər'vɛldəɡə(n)] *vt* overpower [a person]; usurp [a throne].

overweldigend [-ɡənt] *vt* overwhelming.

overweldiger [-ɡər] *m* usurper.

overweldiging [-ɡɪŋ] *v* usurpation.

overwelfsel [o.vər'vɛlfsəl] *o* vault.

overwelven [-'vɛlvə(n)] *vt* overarch, vault.

overwerk ['o.vərvɛrk] *o* extra work, overwork, overtime.

1 **overwerken** [-vɛrkə(n)] *vi* work overtime.

2 **overwerken** [o.vər'vɛrkə(n)] *zich* ~ overwork oneself.

overwerktarief ['o.vərvɛrkta.ri.f] *o* overtime rate.

overwerkuren [-y:rə(n)] zie *overuren*.

overwicht [-vɪxt] *o* overbalance; *fig* preponderance, ascendancy; *het* ~ *hebben* preponderate.

overwinnaar [o.vər'vɪna:r] *m* conqueror, victor.

overwinnen [-'vɪnə(n)] I *vt* conquer, vanquish, overcome [the enemy]; *fig* conquer, overcome, surmount [difficulties]; II *va* conquer, vanquish, be victorious.

overwinnend [-nənt] victorious, conquering.

overwinning [-nɪŋ] *v* victory; *de* ~ *behalen op* gain the victory over; *het heeft mij een* ~ *gekost* it has been an effort to me.

overwinst ['o.vərvɪnst] *v* $ surplus profit, excess profit.

overwinteren [o.vər'vɪntərə(n)] *vi* winter.

overwintering [-rɪŋ] *v* wintering.

overwippen ['o.vərvɪpə(n)] I *vi* pop over; *kom eens* ~ just slip across, step round; *naar A.* ~ pop over to A.; II *vt* pop across [the road].

overwonneling [o.vər'vɔnəlɪŋ] *m* vanquished person.

overzees [-'ze.s] oversea(s), transmarine.

overzeilen ['o.vərzɛilə(n)] I *vi* sail over, sail across; II *vt* sail across, sail [the seas].

overzenden [-zɛndə(n)] *vt* send, forward, dispatch; transmit [a message]; remit [money].

overzending [-dɪŋ] *v* dispatch; transmission; remittance.

overzetboot ['o.vərzɛtbo.t] *m* & *v* ferry-boat.

overzetgeld [-ɡɛlt] *o* fare [for ferrying one over].

overzetten ['o.vərzɛtə(n)] *vt* 1 (overvaren) ferry over, take across; 2 (vertalen) translate.

overzetter [-tər] *m* 1 ⚓ ferryman; 2 translator.

overzetting [-tɪŋ] *v* translation.

overzicht ['o.vərzɪxt] *o* survey, synopsis, [general] view, review [of foreign affairs &].

overzichtelijk [o.vər'zɪxtələk] I *aj* clear [arrangement of the matters]; II *ad* clearly [arranged].

overzichtelijkheid [-hɛit] *v* clarity [of the ar-

rangement].

1 **overzien** ['o.vərzi.n] *vt* look over, go through.

2 **overzien** [o.vər'zi.n] *vt* overlook, survey; *alles met een blik* ~ take in everything at a glance; *niet te* ~ immense, vast[2]; incalculable [consequences].

overzij(de) ['o.vərzɛi(də)] *v* zie *overkant*.

overzwemmen [-zvɛmə(n)] *vt* swim across, swim [the Channel].

Ovidius [o.vi.di.üs] *m* Ovid.

oweeër [o.ve.ər] *m* war-profiteer.

oxydatie [ɔksi.'da.(t)si.] *v* oxidation.

oxyde [ɔk'si.də] *o* oxide.

oxyderen [ɔksi.'de:rə(n)] *vt* & *vi* oxidize.

ozon [o.'zòn] *o* & *m* ozone.

P

p [pe.] *v* p.

p.a. = *per adres* [pɛra.'drɛs].

pa [pa.] *m* pa(pa), dad(dy).

paadje ['pa.cə] *o* foot-path, walk.

paai [pa:i] *m* gaffer; *ouwe* ~ ook: old fog(e)y.

1 **paaien** ['pa.jə(n)] *vt* appease, soothe.

2 **paaien** ['pa.jə(n)] *vi* spawn [of fish].

paaitijd ['pa.iteit] *m* spawning season.

paal [pa.l] *m* 1 pole [driven into ground]; pole [rising out of ground]; stake, ✗ palisade; 2 ⊘ pale; ~ *en perk stellen aan* check [a disease], put a stop to, stop [abuses]; *dat staat als een* ~ *boven water* that's a fact, that is unquestionable.

paaldorp ['pa.ldɔrp] *o* lake-village, lacustrine settlement.

paaltje [-cə] *o* picket, peg.

paalwerk [-vɛrk] *o* pilework, palisade.

paalwoning [-vo.nɪŋ] *v* pile-dwelling, lake-dwelling.

paap [pa.p] *m* papist.

paapje ['pa.pjə] *o* 🐦 whinchat.

paaps [pa.ps] papistic, popish.

paar [pa:r] *o* pair [of shoes &]; couple, brace [of partridges &]; *een* ~ *dagen* a day or two; a few days; *een gelukkig* ~ a happy pair (couple); *verliefde paren* couples of lovers; *zij vormen geen* ~ they don't match; ~ *aan* ~ two together; *bij paren, bij het* ~ *verkopen* in pairs.

paard [pa.rt] *o* 1 🐴 horse; 2 (schaakspel) knight; 3 (gymnastiek) (vaulting-)horse; ~ *en rijtuig houden* keep a carriage; ~ *rijden* ride (on horseback); *(de)* ~*en die de haver verdienen krijgen ze niet* desert and reward seldom keep company; *het beste* ~ *struikelt wel eens* it is a good horse that never stumbles; *men moet een gegeven* ~ *niet in de bek zien* you must not look a gift horse in the mouth; *het* ~ *achter de wagen spannen* put the cart before the horse; *iemand op het* ~ *helpen* give one a leg up [*fig*]; *hij wordt hier* *over het ~ getild* he is made too much of here; *te ~* on horseback, mounted; *te ~!* to horse!; zie ook: *stijgen &*.

paardebloem ['pɑ:rdəblu.m] *v ♣* dandelion.

paardedek [-dɛk] *o* **paardedeken** [-de.kə(n)] *v* horse-cloth.

paardehaar [-ha:r] *o* horsehair.

paardeharen [-ha:rə(n)] *aj* horsehair.

paardehoef [-hu.f] *m* hoof (of a horse).

paardehorzel [-hɔrzəl] *v* horse-fly, gad-fly.

paardeknecht [-knɛxt] *m* groom.

paardekracht [-krɑxt] *v* horse-power, h.p.

paardemiddel [-mɪdəl] *o* horse-physic; *fig* kill or cure remedy.

paardenfokker ['pɑ:rdə(n)fɔkər] *m* horse-breeder.

paardenfokkerij [pɑ:rdə(n)fɔkə'rɛi] *v* 1 horse-breeding; 2 stud; stud-farm.

paardenhandel ['pɑ:rdə(n)hɑndəl] *m* horse-trade.

paardenkoper [-ko.pər] *m* horse-dealer.

paardenmarkt [-mɑrkt] *v* horse-fair.

paardenslachter [-slɑxtər] **~slager** [-sla.ɡər] *m* horse-butcher.

paardenslagerij [pɑ:rdə(n)sla.ɡə'rɛi] *v* horse-butcher's shop.

paardenspel ['pɑ:rdə(n)spɛl] *o* circus.

paardenstoeterij [pɑ:rdə(n)stu.tə'rɛi] *v* stud; stud-farm.

paardenvolk ['pɑ:rdə(n)vɔlk] *o* ✕ cavalry, horse.

paardepoot ['pɑ:rdəpo.t] *m* horse's foot.

paarderas [-rɑs] *o* breed of horses.

paardesport [-spɔrt] *v* equestrianism.

paardestaart [-sta:rt] *m* 1 horse-tail (ook ♣); 2 (haardracht) pony tail.

paardestal [-stɑl] *m* stable.

paardetram, -trem [-trɛm] *v* horse-tramway.

paardetuig [-tœyx] *o* harness.

paardevijg [-vɛix] *v* ball of horse-dung; **~en** horse-manure.

paardevlees [-vle.s] *o* horseflesh, (als gerecht) horse meat; *hij heeft ~ gegeten* J he has got the fidgets.

paardevlieg [-vli.x] *v* horse-fly.

paardevoet [-vu.t] *m* 1 zie *paardepoot*; 2 club-foot.

paardje ['pɑ:rcə] *o* little horse, F gee-gee; *~ spelen* play horses.

paardmens ['pɑ:rtmɛns] *m* centaur.

paardrijden [-rɛi(d)ə(n)] *o* riding (on horseback), horse riding; (als kunst) horsemanship; *zij gingen ~* they went out riding.

paardrijder [-rɛi(d)ər] *m* rider, horseman, equestrian.

paardrijdster [-rɛitstər] *v* horsewoman, lady equestrian.

paarlemoer [pɑ:rlə'mu:r] *o* mother-of-pearl, nacre.

paarlemoerachtig [-'mu:rɑxtəx] nacr(e)ous.

paarlemoeren [-'mu:rə(n)] *aj* mother-of-pearl [buttons &].

paars [pɑ:rs] *aj & o* (~rood) purple, (~blauw) violet.

paarsgewijs, -gewijze [pɑ:rsɡə'vɛis, -'vɛizə] in pairs, two and two.

paartijd ['pɑ:rtɛit] *m* pairing-time, mating-time.

paartje [-cə] *o* couple [of lovers].

paasbest ['pɑ.sbɛst] *o* Easter best, Sunday best.

paasbrood [-bro.t] *o* 1 Easter loaf [of the Christians]; 2 Passover bread [of the Jews].

paasdag [-dɑx] *m* Easter day.

paasei [-ɛi] *o* Easter egg.

paasfeest [-fe.st] *o* 1 Feast of Easter; 2 Passover [of the Jews].

paaslam [-lɑm] *o* paschal lamb. [day.

Paasmaandag [pɑ.s'ma.ndɑx] *m* Easter Monday.

paasplicht ['pɑ.splɪxt] *m & v RK* Easter duties.

paastijd [-tɛit] *m* Easter time.

paasvacantie zie *paasvakantie*.

paasvakantie [-fa.kɑnsi.] *v* Easter holidays.

paasweek [-ve.k] *v* Easter week.

Paaszondag [pɑ.'sɔndɑx] *m* Easter Sunday.

paatje ['pɑ.cə] *o* F daddy.

pacht [pɑxt] *v* 1 ('t pachten) lease; 2 (geld) rent; *in ~ geven* let out, farm out; *in ~ hebben* hold on lease, rent; *in ~ nemen* take on lease, rent; zie ook: *wijsheid.*

pachtboer ['pɑxtbu:r] *m* tenant farmer.

pachtcontract [-kòntrɑkt] *o* lease.

pachten ['pɑxtə(n)] *vt* rent; ⚒ farm [a monopoly].

pachter [-tər] *m* tenant, tenant farmer [of a farm]; lessee, leaseholder [of a theatre &]; ⚒ farmer [of a monopoly].

pachtgeld ['pɑxtɡɛlt] *o* rent.

pachthoeve [-hu.və] *v* farm.

pachtkontrakt zie *pachtcontract.*

pachtsom [-sòm] *v* rent.

pacificatie [pɑ.si.fi.'ka.(t)si.] *v* pacification.

pacificeren [-'se:rə(n)] *vt* pacify.

pacifikatie zie *pacificatie.*

pact [pɑkt] *o* pact.

1 **pad** [pɑt] *o* path[2] [of virtue &], walk; (tussen zitplaatsen) gangway, aisle; *op ~ gaan* set out; *op het ~ zijn* be about.

2 **pad** [pɑt] *v* ⚘ toad.

paddel ['pɑdəl] = *peddel.*

paddestoel ['pɑdəstu.l] *m* 1 toadstool; 2 (eetbare) mushroom; *eetbare ~en* ook: edible fungi; *als ~en verrijzen* spring up like mushrooms.

paddestoelwolk [-vòlk] *v* mushroom cloud.

padie ['pɑdi.] *m Ind* paddy.

padvinder ['pɑtfɪndər] *m* 1 (boy) scout; 2 (baanbreker) pathfinder.

padvinderij [pɑtfɪndə'rɛi] *v* (boy-)scout movement, scouting.

padvindster ['pɑtfɪn(t)stər] *v* girl guide.

paf [pɑf] *ij* puff!; bang!; *hij stond er ~ van* F he was staggered, he was flabbergasted.

paffen ['pɑfə(n)] *vi* 1 puff [at a pipe]; 2 pop [with a gun].

pafferig ['pɑfərəx] puffy, bloated.

pag. = *pagina*.

pagaai [pa.'ga:i] *m* paddle.

pagaaien [-'ga.jə(n)] *vi* & *vt* paddle.

page ['pa.ʒə] *m* page; foot-boy, buttons.

pagekop [-kəp] *m* bobbed hair.

pagina ['pa.gi.na.] *v* page [of a book].

pagineren [pa.gi.'ne:rə(n)] *vt* page, paginate.

paginering [-rɪŋ] *v* paging, pagination.

pagode [pa.'go.də] *v* pagoda.

pair [pɛ:r] *m* peer.

pairschap ['pɛ:rsxɑp] *o* peerage.

pak [pɑk] *o* 1 package, parcel, packet [of matches], bundle; [pedlar's] pack; *fig* load; 2 suit [of clothes]; *een ~ slaag* a thrashing, a hiding, a flogging, a drubbing; *een ~ voor de broek* a spanking; *wij kregen een nat ~* we got wet through; *ik ben niet bang voor een nat ~* I don't fear a wetting; *mij viel een ~ van het hart* that was a load off my mind; *bij de ~ken neerzitten* sit down in despair, give it up as a bad job; *met ~ en zak* (with) bag and baggage.

pakezel ['pake.zəl] *m* pack-mule.

pakgaren [-ga:rə(n)] *o* packthread.

pakhuis [-hœys] *o* warehouse.

pakhuishuur [-hy:r] *v* warehouse rent, storage.

pakhuisknecht [-knɛxt] *m* warehouseman.

pakhuismeester [-me.stər] *m* warehouse-keeper.

pakijs ['pakɛis] *o* pack-ice.

Pakistaans [pa.kɪs'ta.ns] Pakistani.

Pakistan ['pa.kɪstɑn] *o* Pakistan.

Pakistaner [pa.kɪs'ta.nər] *m* Pakistani.

pakkamer ['pɑka.mər] *v* packing-room.

pakken ['pɑkə(n)] **I** *vt* 1 (grijpen) seize, clutch, grasp, take hold of [a man's hands]; 2 (omhelzen) hug, cuddle [a child &]; 3 (inpakken) pack [one's trunk]; 4 *fig* fetch [one's public], grip [the reader]; *pak ze l* sick him!; *er eentje ~* F have a wet; *het te ~ hebben* have caught a cold; *hij heeft het erg (zwaar) te ~* F it's hit him very hard; *hij zal het gauw te ~ hebben* he will soon get the trick of it; *je hebt de koorts te ~* you have got fever (on you); *als ik hem te ~ krijg* 1 [I'll tell him] if I can get hold of him; 2 [I'll smash him] if he ever falls into my clutches; *ze kunnen hem niet te ~ krijgen* 1 they can't get hold of him; 2 they can't catch him; *iemand te ~ nemen* 1 make a fool of one; S pull a man's leg; 2 take him in; **II** *va* ball, bind [of snow]; *ik moet nog ~* I must pack (up); *het stuk pakt niet* the play does not catch on; *de zaag pakt niet* the saw doesn't bite.

pakkend [-kənt] fetching, taking [manner]; gripping [story]; catchy [melodies, songs]; telling [device].

pakker [-kər] *m* packer.

pakker(d) [-kər(t)] *m* F hug, squeeze.

pakkerij [pɑkə'rɛi] *v* packing-room.

pakket [pa'ket] *o* parcel, packet.

pakketboot [-bo.t] *m* & *v* packet-boat.

pakketpost [-pəst] *v* 🕊 parcel post.

pakketvaart [-fa:rt] *v* ⚓ packet service.

pakking ['pɑkɪŋ] *v* 🔧 packing; gasket.

pakkingring [-rɪŋ] *m* 🔧 gasket-ring.

pakkist ['pɑkɪst] *v* (packing-)case.

paklinnen ['pɑklɪnə(n)] *o* packing-cloth, canvas.

pakloon [-lo.n] *o* packing-charges.

pakmand [-mɑnt] *v* hamper.

paknaald [-na.lt] *v* packing-needle.

pakpaard [-pa:rt] *o* pack-horse.

pakpapier [-pa.pi:r] *o* packing-paper.

pakt zie *pact*.

paktouw [-tou] *o* twine.

pakzadel [-sa.dəl] *m* & *o* pack-saddle.

pakzolder [-səldər] *m* storage loft.

1 **pal** [pɑl] *m* click, ratchet, pawl [of a watch].

2 **pal** [pɑl] **I** *aj* firm; *~ staan* stand firm; **II** *ad* 1 firmly [fixed &]; 2 right [in the middle]; *~ noord* due north.

paladijn [pa.la.'dɛin] *m* paladin.

palankijn [pa.lɑŋ'kɛin] *m* palanquin.

palataal [pa.la.'ta.l] *aj* & *v* palatal.

paleis [pa.'lɛis] *o* palace; *ten paleize* at the palace; at court.

paleisrevolutie [-re.vo.ly.(t)si.] *v* palace revolution.

paleiswacht [-vɑxt] *v* palace guard.

palen ['pa.lə(n)] *vi* in: *~ aan* confine upon.

Palestijns [palɛs'tɛins] Palestinian.

Palestina [-'ti.na.] *o* Palestine.

palet [pa.'lɛt] *o* palette, pallet.

paletot [pa.lə'to.] *m* paletot, overcoat.

palfrenier [palfrə'ni:r] *m* groom.

paling ['pa.lɪŋ] *m* eel.

palissade [pɑli.'sa.də] *v* palisade, paling.

palissaderen [-sa.'de:rə(n)] *vt* palisade.

palissadering [-rɪŋ] *v* 1 palisading; 2 palisade.

palissanderhout [pa.li.'sɑndərhout] *o* rose-wood.

paljas [pɑl'jɑs] *m* 1 clown, buffoon, merry-andrew; 2 paillasse, pallet [= straw mattress].

palm [pɑlm] *m* 1 palm [of the hand]; deci-metre; 2 (boom, tak) palm; *de ~ wegdragen* bear (win, carry off) the palm.

palmblad ['pɑlmblɑt] *o* palm-leaf.

palmboom [-bo.m] *m* palm-tree.

palmboompje [-bo.mpjə] *o* zie *palmstruik*.

palmbos [-bòs] *o* palm-grove.

palmhout [-hout] *o* box-wood, box.

palmolie [-o.li.] *v* palm-oil.

Palmpaas [pɑlm'pa.s] **Palmpasen** [-'pa.sə(n)] *m* Palm Sunday.

palmstruik ['pɑlmstrœyk] *m* 🌿 box-tree.

palmtak ['pɑlmtɑk] *m* palm-branch; (symbolisch) palm.

palmwijn [-vɛin] *m* palm-wine.

Palmzondag [pɑlm'zòndɑx] *m* Palm Sunday.

Palts [pɑlts] *v* Palatinate [of the Rhine].

paltsgraaf ['pɑltsgra.f] *m* count palatine

paltsgraafschap [-sxɑp] *o* palatinate.

pamflet [pɑm'flɛt] *o* libel, lampoon, broadsheet; (brochure) pamphlet.

pamfletschrijver [-s(x)rɛivər] **pamflettist** [pɑmflɛ'tɪst] *m* lampoonist, pamphleteer.

pan [pɑn] *v* I pan, frying-pan; 2 (v. dak) tile; 3 S (herrie) row; *wat een ~!* S what a go!; *in de ~ hakken* cut up, cut to pieces, wipe out.

panacee [pa.na.'se.] *v* panacea, cure-all, heal-all.

panama(hoed) ['pa.na.ma.(hu.t)] *m* Panama hat, panama.

Panamakanaal [-ka.na.l] *o* Panama Canal.

pand [pɑnt] I *o* pledge, security, pawn, *sp* forfeit; 2 *o* huis en erf) premises; 3 *m & o* (v. jas) flap, tail, skirt; *~ verbeuren* zie *verbeuren*; *in ~ geven* offer in pawn, give as (a) security; *tegen ~* on security.

pandbrief ['pɑntbri.f] *m* mortage bond.

pandecten, pandekten [pɑn'dɛktə(n)] *mv* pandects.

panden ['pɑndə(n)] *vt* seize, distrain upon.

pandgever ['pɑntge.vər] *m* pawner.

pandhouder [-hɑudər] *m* pawnee.

pand(jes)huis [-hœys, 'pɑŋcəshœys] *o* pawnshop.

pandjesjas [-jɑs] *m & v* tail-coat.

pandoer [pɑn'du:r] *o & m ◊* "pandoer".

pandrecht ['pɑntrɛxt] *o* lien.

pandverbeuren [-fərbø:rə(n)] *o* (game of) forfeits.

paneel [pa.'ne.l] *o* panel.

paneermeel [pa.'ne:rme.l] *o* bread-crumbs.

paneren [pa.'ne:rə(n)] *vt* (bread-)crumb.

panfluit ['pɑnflœyt] = *pansfluit*.

paniek [pa.'ni.k] *v* panic; [war] scare.

panisch ['pa.ni.s] panic; *~es* schrik panic.

panklaar ['pɑnkla:r] ready for the frying-pan.

panne ['pɑnə] *v ✗* breakdown.

pannekoek ['pɑnəku.k] *m* pancake.

pannelap [-lɑp] *m* I (om te reinigen) (pot) scourer; 2 (om aan te vatten) pot-holder.

pannenbakker ['pɑnə(n)bɑkər] *m* tile-maker.

pannenbakkerij [pɑnə(n)bɑkə'rɛi] *v* tile-works.

pannendak ['pɑnə(n)dɑk] *o* tiled roof.

pannendekker [-dɛkər] *m* tiler.

pannespons ['pɑnəspòns] *v* (pot) scourer.

panopticum [pa.'nɔpti.kữm] *o* zie *wassenbeeldenspel*.

panorama [pa.no:'ra.ma.] *o* panorama.

pansfluit ['pɑnsflœyt] *v* Pan-pipe, Pandean pipes.

pantalon [pɑnta.'lòn] *m* [man's] trousers, F pants; (sport~ voor dames, heren) slacks; (damesonderkleding) knickers, panties.

panteïs- zie *pantheïs-*.

panteon zie *pantheon*.

panter ['pɑntər] *m ≙* panther.

pantheïsme [pɑnte.'ɪsmə] *o* pantheism.

pantheïst [-'ɪst] *m* pantheist.

pantheïstisch [-'ɪsti.s] *aj (& ad)* pantheistic(ally).

pantheon ['pɑnte.òn] *o* pantheon.

pantoffel [pɑn'tòfəl] *v* slipper; *onder de ~ staan (zitten)* be henpecked (by *van*), be under petticoat government.

pantoffelheld [-hɛlt] *m* henpecked husband.

pantoffelparade [-pa.ra.də] *v* S parade; (na kerk) church-parade.

pantomime [pɑnto.'mi.mə] *v* pantomime, dumb show.

pantser ['pɑn(t)sər] *o* I (harnas) cuirass, (suit of) armour; 2 (bekleding) armour-plating.

pantserauto [-ɔuto., -o.to.] *m ✕* armoured car.

pantserdek [-dɛk] *o ⚓* armoured deck.

pantseren ['pɑn(t)sərə(n)] *vt* armour-plate, armour; zie ook: *gepantserd*.

pantserkruiser ['pɑn(t)sərkrœysər] *m ⚓* armoured cruiser.

pantserschip [-sxɪp] *o ⚓* iron-clad.

pantserwagen [-va.gə(n)] *m ⚓* armoured car.

pap [pɑp] *v* I (om te eten) porridge [thick, made of oatmeal or cereals]; pap [soft food for infants or invalids]; 2 ⚕ poultice; 3 (in de nijverheid) dressing [for textiles]; [paper] pulp; 4 (stijfsel) paste; 5 (v. sneeuw, modder) slush.

papa [pa.'pa.] *m* papa.

papaver [pa.'pa.vər] *v ✿* poppy.

papaverachtig [-ɑxtəx] ✿ papaverous.

papaverbol [-bòl] *m ✿* poppy-head.

papaverzaad [-za.t] *o* poppy-seed.

papegaai [pa.pə'ga:i] *m* I ≙ parrot; 2 *sp* popinjay.

papegaaieziekte [-'ga.jəzi.ktə] *v* psittacosis.

paperassen [pa.pə'rɑsə(n)] *mv* I waste paper: 2 > papers.

paperclip ['pe.pərklɪp] *m* paper-clip.

papier [pa.'pi:r] *o* paper; *~en* papers; *zijn ~en rijzen* his stock is going up²; *goede ~en hebben* have good testimonials; *het zal in de ~en lopen* it will run into a lot of money; *op ~* on paper; *op ~ brengen (zetten)* put on paper; commit to paper; *het ~ is geduldig* anything may be put on paper.

papieren [pa.'pi:rə(n)] *aj* paper; *~ geld* paper money, paper currency.

papierfabriek [pa.'pi:rfa.bri.k] *v* paper-mill.

papierfabrikant [-fa.bri.kɑnt] *m* paper-maker.

papierhandel [-hɑndəl] *m* paper-trade.

papierhandelaar [-hɑndəla:r] *m* paper-seller.

papierindustrie [-ɪndűstri.] *v* papermaking industry.

papier-maché [pa.pi.e.ma.'ʃe.] *o* papier mâché.

papiermand [pa.'pi:rmɑnt] *v* waste-paper basket.

papiermolen [-mo.lə(n)] *m* paper-mill.

papiertje [-cə] *o* bit of paper.

papierwinkel [-vɪŋkəl] *m* stationer's shop.

papierwol [-vòl] *v* paper shavings.

papil [pa.'pɪl] *v* papilla [*mv* papillae].

papillot [pa.pɪl'jòt] *v* curl-paper; *met ~ten in het haar* with her hair in papers.

papirus zie *papyrus*.

papisme [pa.'pɪsmə] *o* papistry, popery.

papist [pa.'pɪst] *m* papist.

papkindje ['pɑpkɪncə] *o* F mollycoddle.

paplepel [-le.pəl] *m* pap-spoon; *het hun met de ~ ingeven* explain it over and over again until they need only swallow it; *'t is hem met de ~ ingegeven* he has sucked it in with his mother's milk.

Papoea ['pa.pu.a.] *m* Papoeaas [-a.s] *aj* Papuan.

pappen ['pɑpə(n)] *vt* 1 poultice [a wound]; 2 ⚔ dress.

pappenheimers ['pɑpə(n)hɛimərs] *mv* in: *hij kent zijn ~* he knows his people, his men.

pappig ['pɑpəx] pappy.

pappot ['pɑpɔt] *m* pap-pot; *bij moeders ~ blijven* F be a sad stay-at-home.

papyrus [pa.'pi:rฺũs] *m* papyrus.

paraaf [pa.'ra.f] *m* initials [of one's name].

paraat [pa.'ra.t] ready, prepared, in readiness; *parate kennis* ready knowledge.

paraatheid [-hɛit] *v* readiness, preparedness.

parabel [pa.'ra.bəl] *v* parable.

parabolisch [pa.ra.'bo.li.s] *aj* (& *ad*) parabolic(ally).

parabool [-'bo.l] *v* parabola.

parachute [-'ʃy.t] *m* parachute.

parachuteren [-ʃy.'te:rə(n)] *vt* parachute.

parachutesprong [-'ʃy.tๆspròn] *m* parachute jump.

parachutetroepen [-'ʃy.tru.pə(n)] *mv* ⚔ parachute troops, paratroops.

parachutist [-ʃy.'tɪst] *m* parachutist, ⚔ paratrooper.

parade [pa.'ra.də] *v* 1 ⚔ parade, review; 2 parade, parry [in fencing]; 3 *fig* parade, show; *de ~ afnemen* take the salute; *~ houden* hold a review; *~ maken* parade.

paradepaard [-'pa:rt] *o* state-horse.

paradepas [-pɑs] *m* ⚔ parade step, > goose-step.

paradeplaats [-pla.ts] *v* ⚔ parade ground.

paraderen [pa.ra.'de:rə(n)] *vi* 1 ⚔ parade; 2 *fig* parade, show off.

paradigma [pa.ra.'dɪxma.] *o* paradigm.

paradijs [pa.ra.'dɛis] *o* paradise[2].

paradijsachtig [-ɑxtəx] paradisiac(al).

paradijsvogel [-fo.gəl] *m* 🐦 bird of paradise.

paradoks(-) zie *paradox*(-).

paradox [pa.ra.'dɔks] *m* paradox.

paradoxaal [-dɔk'sa.l] *aj* (& *ad*) paradoxical(ly).

paraferen [-'fe:rə(n)] *vt* initial [a document &].

parafering [-'fe:rɪŋ] *v* initial(l)ing.

paraffine [-'fi.nə] *v* 1 (wasachtige stof) paraffin wax; 2 (bepaalde koolwaterstof) paraffin.

parafrase [pa.ra.'fra.zə] *v* paraphrase.

parafraseren [-fra.'ze:rə(n)] *vt* paraphrase.

parafraz- zie *parafras*-.

paragnosie [pa.ra.gno.'zi] *v* extrasensory˜perception.

paragnostisch [-'nɔsti.s] extrasensory.

paragraaf [pa.ra.'gra.f] *m* paragraph, section; (teken) section-mark: §.

parallel [pa.ra'lɛl] *aj*, *v* parallel; *een ~ trekken* draw a parallel.

parallellepipedum [-lɛle.'pi.pe.dũm] *o* parallelepiped.

parallellogram [-lo.'grɑm] *o* parallelogram.

parament [pa.ra.'mɛnt] *o* vestment.

paramilitair ['pa.ra.mi.li.'tɛ:r] para-military.

paranoot [pa:ra.no.t] *v* 🌰 Brazil nut.

paranormaal ['pa:ra.nɔrˈma.l] paranormal.

paraplu [pa.ra.'ply.] *m* umbrella.

paraplustandaard, -stander [-stɑnda:rt, -dər] *m* umbrella-stand.

parapsychologie ['pa:ra.psi.go.lo.gi.] *v* para-psychology.

parapsychologisch [-'lo.gi.s] parapsychological.

parasiet [pa.ra.'si.t] *m* parasite[2].

parasitair [-si.'tɛ:r] parasitic [disease].

parasiteren [-si.'te:rə(n)] *vi* be parasitic(al).

parasitisch [-'si.ti.s] I *aj* parasitic(al); II *ad* parasitically.

parasol [pa.ra.'sɔl] *m* sunshade, parasol; (tuin~) umbrella.

paratyfus ['pa:ra.ti.fũs] *m* 🐛 paratyphoid.

parcours [par'ku:rs] *o* *sp* circuit, course.

pardoes [pɑr'du.s] bang, plump, slap.

pardon [pɑr'dòn] *o* pardon; *~, mijnheer!* I sorry!, beg pardon, sir!; 2 excuse me, sir, could you...; *geen ~ geven* give no quarter.

parel ['pa:rəl] *v* pearl[2]; *~en voor de zwijnen werpen* B cast pearls before swine.

parelachtig [-ɑxtəx] pearly, pearl-like.

parelduiker [-dœykər] *m* 1 (visser) pearl-diver, pearl-fisher; 2 🐦 black-throated diver.

parelen ['pa:rələ(n)] *vi* pearl, sparkle, bead; *het zweet parelde hem op het voorhoofd* the perspiration stood in beads on his brow.

parelgerst ['pa:rəlgɛrst] *v* parelgort [-gɔrt] pearl-barley.

parelgrijs [-grɛis] pearl-grey.

parelhoen [-hu.n] *o* 🐦 guinea-fowl.

parelmoer(-) [pa:rəl'mu:r] = *paarlemoer*(-).

pareloester ['pa:rəlu.stər] *v* pearl-oyster.

parelschelp [-sxɛlp] *v* pearl-shell.

parelsnoer [-snu:r] *o* pearl-necklace.

parelvisser [-vɪsər] *m* pearl-fisher.

parelvisserij [pa:rəlvɪsə'rɛi] *v* pearl-fishery, pearling.

parement [pa.rə'mɛnt] = *parament*.

paren ['pa:rə(n)] I *vt* pair, couple, match; unite; *...~ aan* combine... with; II *vi* pair, mate [of animals]; zie ook: *gepaard*.

parentese, parentesis zie *parenthese, parenthesis*.

parenthese [pa.rɛn'te.zə] parenthesis [pa.'rɛnte.zɪs] *v* parenthesis; *in ~* within parentheses.

pareren [pa.'re:rə(n)] *vt* parry, ward off [a blow].

parfum [par'fũm] *o* & *m* perfume, scent.

parfumeren [parfy.'me:rǝ(n)] *vt* perfume, scent.
parfumerie [-mǝ'ri.] *v* I perfume, scent; 2 perfumery [shop or trade].
pari [´pa:ri] $ par; *à* ~ at par; *beneden* ~ below par, at a discount; *boven* ~ above par, at a premium; ~ *staan* be at par.
paria [´pa:ri.a.] *m-v* pariah.
Parijs [pa.'rɛis] I *o* Paris; II *aj* Parisian, Paris.
Parijzenaar [pa.'rɛizǝna:r] *m* Parisian.
pariteit [pa.ri.'tɛit] *v* $ parity.
park [park] *o* park, (pleasure) grounds.
parkeergeld [par'ke:rgɛlt] *o* parking fee.
parkeerhaven [-ha.vǝ(n)] *v* lay-by, parking bay.
parkeerlicht [-lɪxt] *o* parking light.
parkeermeter [-me.tǝr] *m* parking meter.
parkeerplaats [-pla.ts] *v* ~**terrein** [-tɛrɛin] *o* parking place, car park.
parkeerverbod [-vǝrbɔt] *o* parking ban.
parkeren [par'ke:rǝ(n)] *vi* & *vt* park; *niet* ~ no parking.
parket [par'kɛt] *o* I parquet; 2 ɪ̯ (bureau) Public Prosecutor's Office; (ambtenaar) Public Prosecutor; *iemand in een lastig* ~ *brengen* put (place) one in an awkward predicament (position), embarrass a person; *hij zat in een lelijk* ~ he was in an awful scrape (fix).
parketteren [parkɛ'te:rǝ(n)] *vt* parquet.
parketvloer [par'kɛtflu:r] *m* parquet floor(ing).
parkiet [par'ki.t] *m* ḵ parakeet, paroquet.
parkoers = *parcours*.
parlement [parlǝ'mɛnt] *o* parliament.
parlementair [-mɛn'tɛ:r] I *aj* parliamentary; *de* ~*e vlag* the flag of truce; II *m* bearer of a flag of truce.
parlementeren [-mɛn'te:rǝ(n)] *vi* (hold a) parley.
parlementslid [-'mɛntslɪt] *o* member of parliament, M.P.
parlementszitting [-'mɛntsɪtɪŋ] *v* session of parliament.
parlevinken [-'vɪŋkǝ(n)] *vi* (koeteren) jabber, talk gibberish.
parmant(ig) [par'mant(ǝx)] *aj* (& *ad*) pert(ly), perky (perkily).
parmantigheid [-hɛit] *v* pertness, perkiness.
parmezaan [parmǝ'za.n] *m* Parmesan cheese.
Parnas, Parnassus [par'nas, -'nasŭs] *m de* ~ Parnassus.
parochiaal [parɔgi.'a.l] parochial.
parochiaan [-gi.'a.n] *m* parishioner.
parochie [pɔ'rɔgi.] *v* parish.
parochiekerk [-kɛrk] *v* parish church.
parodie [pa.ro.'di.] *v* parody, travesty, skit.
parodiëren [-di.'e:rǝ(n)] *vt* parody, travesty, take off.
parool [pa.'ro.l] *o* I (erewoord) parole; 2 (wachtwoord) parole, password; 3 *fig* watchword.
I **part** [part] *o* part, portion, share; *ik had er* ~ *noch deel aan* I had neither part nor lot in it; *voor mijn* ~ as for me, as far as I am concerned...

2 **part** [part] *v* in: *iemand* ~*en spelen* play a trick on one, play one false.
parterre [par'tɛ:rǝ] *o* & *m* I pit [in a theatre]; 2 ground floor [of a house]; 3 (bloemperk) parterre.
particulier [parti.ky.'li:r] I *aj* private; ~*e school* private school; ~*e weg* occupation road; ~*e woning* private house; II *ad* privately; III *m* private person.
partieel [par(t)si.'e.l] *aj* (& *ad*) partial(ly).
partij [par'tɛi] *v* I party°; 2 game [of billiards &]; 3 $ parcel, lot [of goods]; 4 ♪ part; *een goede* ~ a good match, an eligible parti; *een goede* ~ *doen* make a good match; *een* ~ *geven* give a party; ~ *kiezen* take sides; ~ *kiezen tegen* take part against, side against; ~ *kiezen voor* take part with, side with; *de wijste* ~ *kiezen* choose the wisest course; *een* ~ *maken* have a game of billiards [whist &]; *zijn* ~ *meeblazen* F keep one's end up; *zijn* ~ *spelen* play one's part; *zich* ~ *stellen* take a side; ~ *trekken van* take advantage of; *bij* ~*en verkopen* sell in lots; *van* ~ ~ *veranderen* change sides; *van de* ~ *zijn* make one.
partijdig [-dɔx] *aj* (& *ad*) partial(ly), biassed (in a biassed way).
partijdigheid [-dǝxhɛit] *v* partiality, bias.
partijganger [-gaŋǝr] *m* partisan.
partijgeest [-ge.st] *m* party spirit.
partijgenoot [-gǝno.t] *m* party member.
partijleider [-lɛidǝr] *m* party leader.
partijleus, -leuze [-lø.s, -lø.zǝ] *v* party cry, slogan.
partijloos [-lo.s] non-party.
partijman [-man] *m* party man, partisan.
partijstrijd [-strɛit] *m* party battle, party warfare.
partijtje [-cǝ] *o* I party; 2 $ lot; 3 (spelletje) game.
partijzucht [-zŭxt] *v* party spirit.
partikulier zie *particulier.*
partituur [parti.'ty:r] *v* ♪ score.
partizaan [parti.'za.n] *m* partisan.
partje [´parcǝ] *o* slice, section, small piece [of an orange].
partner [´partnǝr] *m* partner.
parvenu [parvǝ'ny.] *m* parvenu, upstart, mushroom.
parvenuachtig [-axtǝx] I *aj* parvenu..., mushroom, shoddy; II *ad* like a parvenu.
I **pas** [pas] *m* I (stap) pace, step; 2 (bergweg) pass; defile; 3 (paspoort) passport; *gewone* ~ quick time; *gewone* ~*!* quick march!; *de* ~ *aangeven* set the pace; *iemand de* ~ *afsnijden* I forestall a person; 2 cut a person short; *daarvoor is mij de* ~ *afgesneden* I find my way barred to that; *iets de* ~ *afsnijden* put a stop to [abuses &]; *in houden* keep up a smart pace; *er de* ~ *in zetten* step out; ~ *op de plaats maken* mark time²; *in de* ~ in step; *in de* ~ *blijven met* keep pace (step) with; *in de* ~ *komen*

catch step; *bij hem in de ~ zien te komen* curry favour with him; *in de ~ lopen* keep step; *bij iemand in de ~ staan (zijn)* be in a person's good books; *op tien ~ (afstands)* at ten paces; *uit de ~ raken* get (fall) out of step; *uit de ~ zijn* be out of step.

2 **pas** [pɑs] *o* in: *waar het ~ geeft* where proper; *een woordje op zijn ~* a word in season; *te ~ en te onpas* in season and out of season; *iets te ~ brengen* work in [a quotation &]; *het zal u nog te ~ komen* it will come in handy; *dat komt niet te ~, dat geeft geen ~* that is not becoming; *hij is lelijk te ~ gekomen* he has been badly handled, he has come in for some very rough treatment (usage); *er aan te ~ komen* enter into it (the question); *hij moest er aan te ~ komen* he had to step in; *je komt net van ~* as if you had been called; *dat kwam mij net van ~* that came in very opportunely.

3 **pas** [pɑs] *ad* scarcely, hardly; just (now); new-[born], newly-[married]; *~ gisteren* not before (not until) yesterday, only yesterday; *~... of...* zie *nauwelijks.*

pasar ['pɑsɑr] *m Ind* bazaar, market.

Pascha ['pɑ.sgɑ.] *o* zie *Pasen.*

pascontrole ['pɑskòntrɔ.lə] *v* examination of passports, passport check.

Pasen ['pɑ.sə(n)] *m* I Easter; 2 (bij de joden) Passover; *zijn ~ houden RK* take the Sacrament at Easter.

pasfoto ['pɑsfo.to.] *v* passport photo.

pasgeld [-gɛlt] *o* change, small money.

pasja ['pɑʃɑ.] *m* pasha.

pasje ['pɑʃə] *o* transfer (ticket).

paskamer ['pɑskɑ.mər] *v* fitting-room.

pasklaar [-klɑ:r] ready for trying on; *fig* cut and dried [methods]; *het ~ maken voor...* adapt it to... [*fig*].

paskontrole zie *pascontrole.*

paskwil [pɑs'kvɪl] *o* I lampoon; 2 *fig* mockery, farce.

paslood ['pɑslo.t] *o* plummet.

pasmunt [-mỹnt] *v* change, small money.

paspoort [-po:rt] *o* passport.

passaat(wind) [pɑ'sɑ.tvɪnt] *m* trade wind.

passabel [pɑ'sɑ.bəl] I *aj* passable; II *ad* passably.

passage [pɑ'sɑ.ʒə] *v* I (doorgang) passage; 2 (galerij) arcade; 3 (gedeelte) passage [of a book]; 4 ⚓ passage; 5 zie *passagegeld; ~ bespreken* book [by the "Queen Mary" &]; *we hebben hier veel ~* we've many people passing [here.

passagebiljet [-biljet] *o* ticket.

passagebureau [-by.ro.] *o* booking-office.

passagegeld [-gɛlt] *o* passage-money, fare.

passagier [pɑsɑ.'ʒi:r] *m* passenger.

passagieren [-'ʒi:rə(n)] *vi* ⚓ go on shore-leave.

passagiersboot [-'ʒi:rsbo.t] *m & v* ⚓ passenger-ship.

passagiersgoed [-'ʒi:rsgu.t] *o* passenger's luggage.

passagierslijst [-'ʒi:rsleist] *v* list of passengers, passenger-list.

passagierstrein [-'ʒi:rstrein] *m* passenger-train.

passagiersverkeer [-'ʒi:rsfərke:r] *o* passenger-traffic.

1 **passant** [pɑ'sɑnt] *m* I (voorbijganger) passer-by; 2 (doorreizende) passing traveller; 3 (schouderbedekking) shoulder-knot.

2 **passant** in: *en ~* [ɑ̃pɑ'sɑ̃] by the way, in passing.

passement [pɑsə'mɛnt] *o* passementerie, lace, galloon.

passementwerker [-vɛrkər] *m* lace-maker.

passementwinkel [-vɪŋkəl] *m* lace-shop.

passen ['pɑsə(n)] I *vi* I (v. kleren) fit; 2 (bij kaartspel) pass; *het past me niet* I it [the suit &] does not fit; 2 it [the buying &] is not convenient, I can't afford it; 3 it is not for me [to tell him]; *het past u niet om...* it does not become you to..., it is not (not fit) for you to...; *deze kleren ~ mij precies* these clothes fit me to a nicety; *dat past er niet bij* it does not go (well) with it, it doesn't match it; *kunt u mij zijde geven die bij deze past?* can you match me this silk?; *ze ~ (niet) bij elkaar* they are (not) well matched; *de steel past niet in de opening* the handle doesn't fit the opening; *~ op iets* mind it; *op de kinderen ~* look after the children; *die kurk past op deze kruik* that cork [stopper] fits this jar; *op zijn woorden ~* be careful of one's words; *ik pas* I pass; *ik pas er voor* that's what I won't put up with; *~ en meten* cut and contrive; II *vt* fit on, try on [a coat]; *kunt u het niet ~?* haven't you got the exact money?; *wanneer kunt u mij ~?* when can you fit me?

passenbureau ['pɑsə(n)by.ro.] *o* passport office.

passend ['pɑsənt] suitable, fit; appropriate, fitting [coat].

passe-partout [pɑspɑr'tu.] *m* passe-partout.

passer ['pɑsər] *m* (pair of) compasses; *kromme ~* callipers.

passerdoos [-do.s] *v* case of mathematical instruments.

passeren [pɑ'se:rə(n)] I *vi* I (voorbijgaan) pass, pass by; 2 (gebeuren, overkomen) happen, occur; *u mag dat niet laten ~* you should not let that pass; II *vt* pass [a person, the frontier, the time &]; pass [a dish]; *fig* I pass over [a man who ought to be promoted]; 2 execute [a deed].

passie ['pɑsi.] *v* I (hartstocht) passion; 2 (manie) mania, craze; zie ook: *vos.*

passiebloem [-blu.m] *v* ✿ passion-flower.

passief [pɑ'si.f] I *aj* passive; *passieve handelsbalans* ook: $ adverse trade balance; II *ad* passively; III *o* in: *het ~ en actief* $ the liabilities and assets.

passiespel ['pɑsi.spel] *o* passion-play.

passietijd [-tɛit] *m* Passiontide.

passieweek [-ʋe.k] v Passion Week, Holy Week.

passiva [pɑ'si.va.] mv $ liabilities.

passiviteit [pɑsi.vi.'tɛit] v passiveness, passivity.

passus ['pɑsŭs] m passage.

pasta ['pɑsta.] m & o paste.

pastei [pɑs'tɛi] v pie, pasty.

pasteibakker [-bɑkər] m pastry-cook.

pasteitje [-cə] o patty.

pastel [pɑs'tɛl] I o (krijt) pastel; 2 v ♣ pastel, woad.

pastelschilder [-sxɪldər] m pastel(l)ist.

pasteltekening [-te.kənɪŋ] v pastel drawing.

pasteltint [-tɪnt] v pastel shade.

pasteurisatie [pɑstø.ri.'za.(t)si.] v pasteurization.

pasteuriseren [-'ze:rə(n)] vt pasteurize.

pasteuriz- zie pasteuris-.

pastille [pɑs'ti.jə] v pastil(le), lozenge.

pastoor [pɑs'to:r] m (parish) priest, rector; ja ~ yes, Father.

pastoraal [-to:'ra.l] pastoral [theology, psychology, Epistles].

pastorale [-'ra.lə] v pastoral, ♪ pastorale.

pastorie [pɑsto:'ri.] I RK presbytery; 2 (v. dominee) rectory, vicarage, parsonage; [Nonconformist] manse.

pasvorm ['pɑsfɔrm] m fit.

1 pat [pɑt] stalemate [in chess]; ~ zetten stalemate.

2 pat [pɑt] v tab [on uniform].

Patagonië [pɑta.'go.ni.ə] o Patagonia.

Patagoniër [-ni.ər] m Patagonisch [-ni.s] aj Patagonian.

pateen [pa.'te.n] v RK paten.

1 patent [pa.'tɛnt] I aj capital, first-rate; A I; een ~e jongen S a brick; er ~ uitzien look (very) fit; II ad capitally.

2 patent [pa.'tɛnt] o I patent [for an invention]; 2 licence [to carry on some business]; ~ nemen op iets take out a patent for something; ~ verlenen grant a patent.

patenteren [pa.tɛn'te:rə(n)] vt patent.

patenthouder [pa.'tɛnthɑudər] m patentee.

patentolie [-o.li.] v patent oil.

patentrecht [-rɛxt] o patent right.

patentsluiting [-slœytɪŋ] v patent lock, patent fastening.

pater ['pa.tər] m father [of a religious order]; Witte P~ RK White Father.

paternoster [pa.tər'nɔstər] o paternoster; ~s S bracelets.

patertje ['pa.tərcə] o in: ~ langs de kant ± kiss-in-the-ring.

patetisch zie pathetisch.

pathetisch [pa.'te.ti.s] aj (& ad) pathetic(ally).

pathologie [pa.to.lo.'gi.] v pathology.

pathologisch [-'lo.gi.s] aj (& ad) pathologic(al)ly.

patholoog [-'lo.x] m pathologist.

pathos ['pa.tɔs] o pathos.

patience(spel) [pa.si.'ãsə(spɛl)] o ◊ patience.

patiënt [pa.si.'ɛnt] m patient.

pato- zie patho-.

patriarch [pa.tri.'ɑrx] m patriarch.

patriarchaal [-ɑr'ga.l] aj (& ad) patriarchal(ly).

patriarchaat [-'ga.t] o I patriarchate; 2 (gezinsverband) patriarchy.

patriciër [pa.'tri.si.ər] m patrician.

patricisch [-si.s] patrician.

Patricius [-si.ŭs] m Patrick.

patrijs [pa.'trɛis] m & v & o ♣ partridge.

patrijshond [-hɔnt] m pointer, setter.

patrijspoort [-po:rt] v ⚓ port-hole.

patriot [pa.tri.'ɔt] m patriot.

patriottisch [-'ɔti.s] aj (& ad) patriotic(ally).

patriottisme [-ə'tɪsmə] o patriotism.

patronaat [pa.tro.'na.t] o I patronage; 2 (Church) club.

patrones [-'nɛs] v I (heilige) patron saint; 2 (beschermvrouw) patroness.

1 patroon [pa.'tro.n] m I (baas) employer, master, principal; 2 (heilige) patron saint; 3 (beschermheer) patron.

2 patroon [pa.'tro.n] v cartridge; losse ~ blank cartridge; scherpe ~ ball cartridge.

3 patroon [pa.'tro.n] o pattern, design.

patroonhuls [-hŭls] v ✗ cartridge-case.

patroontas [-tɑs] v ✗ cartridge-box.

patrouille [pa.'tru.(l)jə] v ✗ patrol.

patrouilleren [pa.tru.(l)je:rə(n)] vi ✗ patrol; ~ door (in) de straten patrol the streets.

pats [pɑts] I v smack, slap; II ij slap!, bang!

patser ['pɑtsər] m F bounder, cad.

patserig ['pɑtsərəx] F caddish.

pauk [pɑuk] v ♪ kettledrum.

pauken ['pɑukə(n)] vi beat the kettledrum.

paukenist [pɑukə'nɪst] m ♪ kettledrummer.

paukeslager ['pɑukəsla.gər] m zie paukenist.

Paulina [pɑu'li.na.] v Pauline.

Paulus ['pɑulŭs] m (St.) Paul.

pauper ['pɑupər] m pauper.

pauperisme ['pɑupə'rɪsmə] o pauperism.

paus [pɑus] m pope.

pausdom ['pɑusdɔm] o papacy.

pauselijk ['pɑusələk] papal.

pausgezind ['pɑusgəzɪnt] aj papistic(al); ~e papist.

pausschap ['pɑusxɑp] o papacy.

pauw [pɑu] m ♣ peacock².

pauwachtig ['pɑuɑxtəx] fig peacockish.

pauweoog ['pɑuəo.x] = pauwoog.

pauwestaart [-sta:rt] m peacock's tail.

pauweveer [-ʋe:r] v peacock's feather.

pauwin [pɑu'ʋɪn] v ♣ pea-hen.

pauwoog ['pɑuo.x] m ✲ peacock butterfly.

pauwstaart [-sta:rt] m ♣ fantail.

pauze ['pɑuzə] v I pause; 2 interval, wait [between the acts of a play]; ⌀ break; 3 ♪ rest.

pauzeren [pɑu'ze:rə(n)] vi make a pause, pause, stop.

pauzering [-rɪŋ] *v* pause, stop.
paviljoen [pa.vɪl'ju.n] *o* pavilion.
pavoiseren [pa.vva'ze:rə(n)] *vt* dress [with flags].
pct. = *percent, procent.*
pech [pɛx] *m* bad luck; ~ *hebben* be down on one's luck, have a run of bad luck.
pechvogel ['pɛxfo.gəl] *m* unlucky person.
pedaal [pə'da.l] *o* & *m* pedal [of a piano, bicycle &].
pedagogie(k) [pe.da.go.'gi.(k)] *v* pedagogics, pedagogy.
pedagogisch [-'go.gi.s] I *aj* pedagogic(al); II *ad* pedagogically.
pedagoog [-'go.x] *m* pedagogue.
pedant [pə'dant] I *m* pedant; II *aj* (& *ad*) pedantic(ally).
pedanterie [pədantə'ri.] *v* pedantry.
peddel ['pɛdəl] *m* paddle.
peddelen ['pɛdələ(n)] *vi* (fietsen) pedal ‖ (roeien) paddle.
pedel [pə'dɛl] *m* mace-bearer, beadle.
pedestal [pe.də'stal] *o* & *m* pedestal.
pedicure [pe.di.'ky:rə] I *m-v* (persoon) chiropodist; 2 *v* (de handeling) chiropody.
peen [pe.n] *v* ♣ carrot; *witte* ~ parsnip.
peenhaar ['pe.nha:r] *o* carroty hair.
peer [pe:r] *v* I pear°; 2 (v. lamp) reservoir, pear [of a lamp], [electric] bulb; *iemand met de gebakken peren laten zitten* F leave one in the lurch.
peervormig ['pe:rvɔrməx] pear-shaped.
pees [pe.s] *v* tendon, sinew, string.
peesachtig ['pe.saxtəx] I tendinous, sinewy; 2 stringy [meat].
peet [pe.t] *m-v* sponsor, godfather, godmother.
peetdochter ['pe.tdɔxtər] *v* goddaughter.
peetoom [-o.m] *m* godfather.
peetschap [-sxap] *o* sponsorship.
peettante ['pe.tantə] *v* godmother.
peetzoon ['pe.tso.n] *m* godson.
Pegasus ['pe.ga.zũs] *m* Pegasus.
peignoir [pɛɲ'va:r] *m* peignoir, morning wrapper.
peil [pɛil] *o* gauge, water-mark; *fig* standard; *het* ~ *verhogen* raise the level; *beneden* ~ below the mark, not up to the mark; *beneden (boven) Amsterdams* ~ below (above) Amsterdam water-mark; *op* ~ *brengen* level up, bring up to the required standard; *op hetzelfde* ~ *brengen* put on the same level; *op* ~ *houden* keep up (to the mark), maintain [exports, stocks &]; *op een laag zedelijk* ~ *staan* stand morally low; *op hem is geen* ~ *te trekken* he can't be relied upon.
peilen ['pɛilə(n)] *vt* gauge² [the depth of liquid content, the mind]; sound² [the sea, a pond, a man, one's sentiments on...], fathom² [the sea, depth of water, the heart &]; probe [a wound]; plumb² [depth, misery]; *fig* search [the hearts].
peiler [-lər] *m* gauger.

peilglas ['pɛilglɑs] *o* gauge-glass, (water-)gauge.
peiling ['pɛilɪŋ] *v* gauging; ⚓ sounding.
peillood ['pɛilo.t] *o* sounding-lead.
peilloos [-lo.s] fathomless, unfathomable.
peilschaal ['pɛilsxa.l] *v* tide-gauge.
peinzen ['pɛinzə(n)] *vi* ponder, meditate, muse (upon *over*).
peinzend [-zənt] *aj* (& *ad*) meditative(ly), pensive(ly).
peinzer [-zər] *m* muser.
pek [pɛk] *o* & *m* I pitch; 2 (cobbler's) wax; *wie met* ~ *omgaat, wordt er mee besmet* they that touch pitch will be defiled.
pekdraad ['pɛkdra.t] = *pikdraad.*
pekel ['pe.kəl] *m* pickle, brine.
pekelen ['pe.kələ(n)] *vt* brine, pickle [a herring], salt [meat].
pekelharing ['pe.kəlha:rɪŋ] *m* salt herring.
pekelnat [-nat] *o* brine; *het* ~ ook: the briny [= the sea].
pekelvlees [-vle.s] *o* salt(ed) meat.
pekinees [pe.ki.'ne.s] *m* ♞ Pekinese.
pekken ['pɛkə(n)] *vt* pitch.
pel [pɛl] *v* skin [of fruit]; shell [of an egg], pod [of peas, beans].
pelerine [pelə'ri.nə] *v* pelerine.
pelgrim ['pɛlgrɪm] *m* pilgrim, palmer.
pelgrimage [pɛlgri.'ma.ʒə] *v* pilgrimage.
pelgrimsgewaad, ~**kleed** ['pɛlgrɪmsgəva.t, -kle.t] *o* pilgrim's garb.
pelgrimsstaf, ~**stok** ['pɛlgrɪmstɑf, -stɔk] *m* pilgrim's staff.
pelgrimstas ['pɛlgrɪmstɑs] *v* pilgrim's scrip.
pelgrimstocht [-tɔxt] *m* pilgrimage.
pelikaan [pe.li.'ka.n] *m* ♞ pelican.
pellen ['pɛlə(n)] *vt* peel [an egg], shell [nuts], scale [almonds], hull, husk.
pelmolen ['pɛlmo.lə(n)] *m* peeling-mill.
Peloponnesisch [pe.lo.pò'ne.zi.s] Peloponnesian.
Peloponnesus [-zũs] *m* Peloponnesus.
peloton [pəlo.'tòn] *o* I ⚔ platoon [= half company]; 2 *sp* (v. wielrenners &) bunch.
pels [pɛls] *m* I fur; 2 fur coat, fur.
pelsdier ['pɛlsdi:r] *o* furred animal.
pelshandelaar [-hɑndəla:r] *m* furrier.
pelsjager [-ja.gər] *m* (fur-)trapper.
pelsjas [-jɑs] *m* & *v* fur coat, F fur.
pelskraag [-kra.x] *m* fur collar.
pelsmantel [-mɑntəl] *m* fur cloak.
pelsmuts [-mũts] *v* fur cap.
pelswerk [-vɛrk] *o* furriery.
pelterij [pɛltə'rɛi] *v* furriery.
peluw ['pe.ly:u] *v* bolster.
pen [pɛn] *v* I (in het alg.) pen; 2 (losse pen) nib; 3 (veren pen) feather, quill; 4 (naald om te breien &) needle; 5 zie *pin; de* ~ *er door halen* run one's pen through it, cancel it; *de* ~ *voeren* wield the pen; *iemand de* ~ *op de neus zetten* I put pressure on a person; 2 ook: pull him up a bit; *'t is in de* ~ *gebleven* it never came off; *in de* ~ *geven* dictate; *het*

is in de ~ it is in preparation; *het is mij uit de* ~ *gevloeid* it was a slip of the pen; *van zijn* ~ *leven* live by one's pen; zie ook: *welversneden* &.

penant [pə'nant] *o* pier [between two windows].

penantspiegel [-spi.gəl] *m* pier-glass.

penanttafel [pə'nanta.fəl] *v* pier-table.

penarie [pə'na:ri.] *in de* ~ *zitten* be in a scrape, be in the soup.

penaten [pə'na.tə(n)] *mv* penates, household gods.

pendant [pã'dã] *o* & *m* pendant, companion picture (portrait, piece), counterpart[2].

pendelaar ['pendəla:r] *m* commuter.

pendeldienst ['pendəldi.nst] *m* shuttle service.

pendule [pen'dy.lə] *v* clock, timepiece.

penhouder ['penhou(d)ər] *m* penholder.

penibel [pe.'ni.bəl] painful, embarrassing, awkward.

penicilline [pe.ni.si.'li.nə] *v* penicillin.

penitentie [pe.ni.'ten(t)si.] *v* I penance; 2 *fig* vexation, trial.

pennehouder ['penəhou(d)ər] = *penhouder*.

pennelikker [-likər] *m* quill-driver.

pennemes [-mes] *o* penknife.

pennen ['penə(n)] *vt* pen, write [a letter].

pennenbak [-bak] *m* pen-tray.

pennendoos [-do.s] *v* pen-box.

pennenkoker [-ko.kər] *m* pen-case.

pennestreek ['penəstre.k] *v* stroke (dash) of the pen; *met één* ~ with (by) one stroke of the pen.

pennestrijd [-streit] *m* paper war.

pennevrucht [-vrüxt] *v* writing.

penning ['penɪŋ] *m* I penny, farthing; 2 medal; 3 (metalen plaatje) badge; *op de* ~ *zijn* be close-fisted.

penningkruid [-krœyt] *o* ♣ moneywort.

penningkunde [-kündə] *v* numismatics.

penningkundige [penɪŋ'kündəgə] *m* numismatist.

penningmeester ['penɪŋme.stər] *m* treasurer.

penningmeesterschap [-sxap] *o* treasurership.

penningske ['penɪŋskə] *o* in: *het* ~ *der weduwe* the widow's mite.

Pennsylvanië [pensɪl'va.ni.ə] *o* Pennsylvania.

pens [pens] *v* paunch; (als gerecht) tripe.

pensee [pã'se.] *v* ♣ pansy, heart's-ease.

penseel [pen'se.l] *o* paint-brush, brush, pencil.

penseelstreek [-stre.k] *v* stroke of the brush.

penselen [pen'se.lə(n)] *vt* I (aanstrijken) pencil; 2 (schilderen) paint.

pensioen [pen'ʃu.n] *o* (retiring, retirement) pension; ⚔ retired pay; ~ *aanvragen* apply for one's pension; ~ *krijgen* be pensioned off; ⚔ be placed on the retired list; ~ *nemen*, *met* ~ *gaan* take one's pension, retire (on pension), ⚔ go on retired pay.

pensioenbijdrage [-beidra.gə] = *pensioensbijdrage*.

pensioenfonds [-fònts] *o* pension fund.

pensioengerechtigd [-gərextəxt] pensionable, entitled to a pension.

pensioensbijdrage [pen'ʃu.nsbeidra.gə] *v* contribution towards pension.

pension [pãsi.'òn] *o* boarding-house; *in* ~ *zijn* be living at a boarding-house; *met volledig* ~ with full board.

pensionaat [pensi.o.'na.t] *o* boarding-school.

pensionaire [pãsi.ò'nɛ:rə] *v* boarder [at a school].

pensionaris [pensi.o.'na:rəs] *m* ⒲ pensionary.

pensioneren [-'ne:rə(n)] *vt* pension off, ⚔ place on the retired list; *een gepensioneerd generaal* ⚔ a retired general.

pensionering [-rɪŋ] *v* retirement, superannuation.

pensiongast [pãsi.'òngast] *m* boarder.

pensionhoud(st)er [-houdər, -houtstər] *m (v)* boarding-house keeper.

pentekening ['pente.kənɪŋ] *v* pen-drawing.

peper ['pe.pər] *m* pepper; *Spaanse* ~ red pepper.

peperachtig [-axtəx] peppery.

peperbus [-büs] *v* pepperbox, pepper-castor.

peperduur [-dy:r] high-priced, stiff [prices].

peperen ['pe.pərə(n)] *vt* pepper; zie ook: *gepeperd.*

peper-en-zoutkleurig [pe.pər'ɛn'zoutklø:rəx] pepper-and-salt.

peperhuisje ['pe.pərhœyʃə] *o* cornet, screw.

peperig ['pe.pərəx] peppery.

peperkoek ['pe.pərku.k] *m* gingerbread.

peperkorrel [-kərəl] *m* peppercorn.

pepermunt [pe.pər'münt] *v* I ♣ peppermint; 2 zie *pepermuntje*.

pepermuntje [-'müncə] *o* peppermint lozenge.

pepernoot ['pe.pərno.t] *v* gingerbread cube.

pepertuin [-tœyn] *m* pepper plantation.

pepervreter [-vre.tər] *m* ♊ toucan.

peppel ['pepəl] *m* ♣ poplar.

per [per] by [train &, the dozen &]; ~ *dag* a day, per day; *135 inwoners* ~ *vierkante kilometer* 135 inhabitants to the square kilometre; *er worden 5000 auto's* ~ *week gemaakt* ook: motor-cars are being manufactured at the rate of 5000 a week.

perceel [per'se.l] *o* I plot [of ground]; lot [at auction]; 2 premises; *een lastig* ~ F rather a handful, a troublesome customer.

perceelsgewijs, -gewijze [-'se.lsgəveis, -veizə] in lots.

percent [per'sent] *o* per cent; ~*en* percentage; ~*en als schrijver* royalty; *voor honderd* ~ F a hundred per cent.

percentage [-sen'ta.ʒə] *o* percentage.

percentsgewijs, -gewijze [per'sentsgəveis, -veizə] proportionally.

perceptie [per'sepsi.] *v* perception.

percussie [per'küsi.] *v* percussion.

pereboom ['pe.rəbo.m] *m* pear-tree.

perfect [per'fekt] *aj* (& *ad*) perfect(ly).

perfectie [-'feksi.] *v* perfection; *in de* ~ perfectly, to perfection.

perfectioneren [-fɛksi.o.'ne:rə(n)] *vt* perfect.

perfekt(-) zie *perfect(-)*.

perfide [pɛr'fi.də] perfidious.

perforeren [pɛrfo:'re:rə(n)] *vt* perforate.

periode [pe:ri.'o.də] *v* period; spell [of rain, sunshine &]; *in deze ~* 1 in this period; 2 at this stage.

periodiek [pe:ri.o.'di.k] I *aj* (& *ad*) periodical-(ly); II *v* & *o* periodical.

periscoop, periskoop [pe:rıs'ko.p] *m* periscope.

perk [pɛrk] *o* (flower-)bed; *binnen de ~en blijven* remain within the bounds of decency (of the law); *alle ~en te buiten gaan* go beyond all bounds.

perkament [pɛrka.'mɛnt] *o* parchment, vellum.

perkamentachtig [-'mɛntɑxtəx] parchment-like.

perkamenten [-'mɛntə(n)] *aj* parchment.

perkussie zie *percussie*.

permanent [pɛrma.'nɛnt] permanent [wave &], lasting [peace], standing [committee].

permanenten [-'nɛntə(n)] *zich laten ~* have one's hair permed.

permissie [pɛr'mɪsi.] *v* 1 permission; 2 ✕ leave (of absence), furlough [of soldiers]; *met ~* with your leave; *hij is met ~ een...* he is a... God save the mark!

permitteren [-mɪ'te:rə(n)] I *vt* permit; II *vr zich ~* permit oneself; *ik kan mij die weelde niet ~* I cannot afford it.

perplex [pɛr'plɛks] perplexed, taken aback.

perron [pɛ'ròn, pə'ròn] *o* platform.

perronkaartje [-ka:rcə] *o* platform ticket.

1 **pers** [pɛrs] *v* press; *hij is bij de ~* he is on the press; *ter ~e* at press, in the press; *ter ~e gaan* go to press; *ter ~e zijn* be in the press.

2 **pers** [pɛrs] *m* (tapijt) Persian carpet.

Pers [pɛrs] *m* Persian.

persauto ['pɛrso.to., -ɔuto.] *m* press car.

persbericht [-bərıxt] *o* press report.

persbureau [-by.ro.] *o* press bureau.

perscampagne [-kɑmpɑnə] *v* press campaign.

persconferentie [-kònfərən(t)si.] *v* press conference.

persdelict, -delikt [-de.lıkt] *o* press offence.

per se [pɛr'se.] by all means, [he must] needs [go]; *een... is nog niet ~ een geleerde* is not per se (not on that account, not necessarily) a scholar.

persen ['pɛrsə(n)] *vt* press, squeeze.

persfotograaf ['pɛrsfo.to.gra.f] *m* press photographer, cameraman.

persgesprek [-gəsprɛk] *o* interview.

persianer [pɛrsi.'a.nər] *o* Persian lamb.

persico ['pɛrsi.ko.] *m* peach-brandy.

persienne [pɛrsi.'ɛ:nə] *v* Persian blind.

persiflage [pɛrsi.'fla.ʒə] *v* persiflage, banter.

persifleren [-'fle:rə(n)] *vt* & *vi* banter.

persijzer ['pɛrseizər] *o* (tailor's) goose.

persing ['pɛrsıŋ] *v* pressing, pressure.

perskaart ['pɛrska:rt] *v* press-ticket, (press) pass

persklaar [-kla:r] ready for (the) press.

perskonferentie zie *persconferentie*.

persman [-mɑn] *m* pressman, journalist.

personage [pɛrso.'na.ʒə] *o* & *v* personage, person; character.

personalia [-'na.li.a.] *mv* personal notes; *zijn ~ opgeven* give one's name and birth-date [to a policeman].

personaliteit [-na.li.'tɛit] *v* personality.

personeel [pɛrso.'ne.l] I *aj* personal; *personele belasting* duty or tax on houses, property &; II *o* personnel, staff, servants.

personenauto [pər'so.nənouto., -o.to.] *m* passenger (motor-)car.

personentrein [-nə(n)trein] *m* passenger train.

personificatie [pɛrso.ni.fi.'ka.(t)si.] *v* personification.

personifiëren [-'e:rə(n)] *vt* personify.

personifikatie zie *personificatie*.

persoon [pər'so.n, pɛr'so.n] *m* person; *mijn ~* I, myself; *publieke personen* public characters; *in (hoogst eigen) ~* in (his own) person, personally; *hij is de goedheid in ~* he is kindness personified, he is kindness itself; *...per ~ drie gulden* three guilders a head, three guilders each; *ik voor mijn ~* I, for one; personally.

persoonlijk [-lək] I *aj* personal; *ik wil niet ~ worden (zijn)* I don't want to be personal; II *ad* personally, in person.

persoonlijkheid [-hɛit] *v* personality; *persoonlijkheden* personal remarks.

persoonsbewijs [pər'so.nsbəveis] *o* identity card.

persoontje [pər'so.ncə] *o* (little) person; *mijn ~* I, my unworthy self, yours truly.

persorgaan [pɛr'sɔrga.n] *o* organ of the press.

perspectief [pɛrspɛk'ti.f] *v* & *o* perspective².

perspectivisch [-'ti.vi.s] *aj* (& *ad*) perspective-(ly).

perspekti- zie *perspecti-*.

perspomp ['pɛrspòmp] *v* force-pump.

perstribune [-tri.by.nə] *v* reporters' gallery, press gallery.

persverslag [-fərslɑx] *o* press account.

persvrijheid [-freiheit] *v* liberty (freedom) of the press, press freedom.

pertinent [pɛrti.'nɛnt] I *aj* categorical, positive; *een ~e leugen* a downright lie; II *ad* categorically, positively.

Peru ['pe:ry.] *o* Peru.

Peruaan [pe:ry.'a.n] *m* Peruvian.

perubalsem ['pe:ry.bɑlsəm] *m* balsam of Peru.

Peruviaans [pe:ry.vi.'a.ns] Peruvian.

pervers [pɛr'vɛrs] *aj* (& *ad*) perverse(ly).

perversiteit [pɛrvɛrzi.'tɛit] *v* perversity.

Perzië ['pɛrzi.ə] *o* Persia.

perzik ['pɛrzik] *v* & ✲ peach.

perzik(e)boom ['pɛrzik(ə)bo.m] *m* peach-tree.

Perzisch ['pɛrzi.s] I *aj* Persian; II *o* Persian.

pessimisme [pɛsi.'mısmə] *o* pessimism.

pessimist [pɛsi.'mıst] *m* pessimist.

pessimistisch [-'mɪsti.s] *aj* (& *ad*) pessimistic-(ally).

pest [pɛst] *v* plague, pestilence[2]; *fig* pest; *de ~ aan iets gezien hebben* hate and detest it; *de ~ in hebben* be in a wax; *dat is de ~ voor de zenuwen* it plays the devil with one's nerves.

pestbacil ['pɛstbɑsɪl] *m* plague bacillus.

pesten ['pɛstə(n)] *vt* tease, nag.

pesterij [pɛstə'rɛi] *v* teasing, nagging.

pestgeval ['pɛstgəvɑl] *o* plague case.

pesthaard [-ha:rt] *m* plague spot[2].

pesthuis [-hœys] *o* plague-house.

pestilentie [pɛsti.'lɛn(t)si.] *v* pestilence, plague.

pestkop ['pɛstkɔp] *m* teaser, beast, bully.

pestlijder [-lɛidər] *m* plague patient.

pestlucht [-lʏxt] *v* pestilential air.

pestvogel [-fo.gəl] *m* 🐦 waxwing.

pestziekte [-si.ktə] *v* pestilence, plague.

pet [pɛt] *v* (v. stof, slap) (cloth) cap, (met klep) peaked cap; (decoratief, stijf) hat; zie ook: *petje*.

petekind ['pe.təkɪnt] *o* godchild.

petemoei [-mu:i] *v* godmother.

peter ['pe.tər] *m* godfather.

Peter ['pe.tər] *m* (St.) Peter.

peterselie [pe.tər'se.li.] *v* 🌿 parsley.

petitie [pə'ti.(t)si.] *v* petition, memorial.

petitioneren [-ʃò'ne:rə(n)] *vt* petition.

petitionnement [-ʃònə'mɛnt] *o* petition.

petje ['pɛcə] *o* cap; *dat gaat boven mijn ~ F* it is beyond me, it beats me.

petoet [pə'tu.t] *m* ⚖ S clink, jug; *in de ~* in quod.

Petrarca [pe.'trɑrka.] *m* Petrarch.

petroleum [pe.'tro.le.ʉm] *m* petroleum, oil; (gezuiverd) kerosene.

petroleumblik [-blɪk] *o* oil-tin.

petroleumboer [-bu:r] *m* kerosene peddler.

petroleumbron [-brɔn] *v* oil-well.

petroleumkachel [-kɑgəl] *v* oil-stove, oil-heater.

petroleumlamp [-lɑmp] *v* paraffin-lamp.

petroleummaatschappij [-ma.tsxɑpɛi] *v* oil company.

petroleumraffinaderij [-rɑfi.na.dərɛi] *v* oil refinery.

petroleumstel [-stɛl] *o* oil-stove.   [refinery.

petroleumveld [-vɛlt] *v* oil-field.

Petrus ['pe.trʉs] *m* (St.) Peter.

peuk [pøk] *m F* zie *peuter* 2 & *peukje*.

peukje ['pøkjə] *o F* [candle-, cigarette-, cigar-] end, stub.

peul [pø.l] *v* husk, shell, pod; *~en* zie *peultjes*.

peul(e)schil ['pø.l(ə)sxɪl] *v* pea-pod; *dat is maar een ~letje voor hem* that is a mere flea-bite to him; that is nothing to him.

peultjes ['pø.lcəs] *mv* podded peas.

peulvrucht [-vrʏxt] *v* 🌿 pulse, leguminous plant; *~en* pulse.

peur [pø:r] *v* bob.

peurder ['pø:rdər] *m* sniggler, bobber [for eels].

peuren ['pø:rə(n)] *vi* sniggle, bob [for eels].

peuter ['pø.tər] *m* 1 pipe-cleaner; 2 F (klein persoon) hop-o'-my-thumb, little nipper,

---

tot, chit.

peuteraar ['pø.təra:r] *m* niggler.

peuteren [-rə(n)] *vi* fumble, niggle; *wie heeft daaraan gepeuterd?* who has tampered with it?; *in zijn neus (tanden &) ~* pick one's nose (teeth).

peuterig [-rəx] finical, niggling, pernickety.

peuterwerk ['pø.tərvɛrk] *o* niggling work.

peuzelen ['pø.zələ(n)] *vi* & *vt* munch.

P.G. [pe.'ge.] = *Protestantse Godsdienst*.

Philippijnen [fi.lɪ'pɛinə(n)] *mv de ~* the Philippines.

Philips ['fi.lɪps] *m* Philip.

Phoenicië [fø.'ni.si.ə] zie *Fenicië*.

Phoeniciër [-si.ər] Phoenicisch [-si.s] zie *Fenicier, Fenicisch*.

piama(-) = *pyjama(-)*.

pianino [pi.a.'ni.no.] *v* ♪ pianino, upright piano, cottage piano.

pianist [-'nɪst] *m ~e* [-'nɪstə] *v* ♪ pianist.

piano [pi.'a.no.] *v* ♪ piano; *~ spelen* play the piano.

pianobegeleiding [-bəgəlɛidɪŋ] *v* ♪ piano(forte) accompaniment.

pianoconcert, -koncert [-kònsɛrt] *o* 1 (uitvoering) piano recital; 2 (muziekstuk) piano(forte) concerto.

pianokruk [-krʏk] *v* (revolving) piano-stool.

pianoleraar [-le:ra:r] *m* ♪ piano-teacher.

pianoles [-lɛs] *v* ♪ piano-lesson.

pianoloper [-lo.pər] *m* piano-cover.

piano-orgel [-ɔrgəl] *o* ♪ piano-organ.

pianospel [-spɛl] *o* ♪ piano-playing.

pianospeler [-spe.lər] *m* ♪ pianist.

pianostemmer [-stɛmər] *m* ♪ piano-tuner.

pias [pi.'ɑs] *m* > clown, buffoon, merry-andrew.

piaster [pi.'ɑstər] *m* piastre.

piccolo ['pi.ko.lo.] *m* 1 ♪ (fluit) piccolo; 2 (bediende) page, buttons.

picknick ['pɪknɪk] *m* picnic.

picknicken ['pɪknɪkə(n)] *vt* picnic.

Picten ['pɪktə(n)] *mv* Picts.

pied-à-terre [pje.a.'tɛ:rə] *o* pied-à-terre.

piëdestal [pje.də'stɑl] = *pedestal*.

pief, in: ~, *paf, poef!* [pi.fpɑf'pu.f] bang, pop!

piek [pi.k] *v* 1 pike [weapon]; 2 (top) peak; *een ~ haar* a wisp of hair.

piekeren ['pi.kərə(n)] *vi F* think, brood, reflect; *hij zat er altijd over te ~* he was worrying it out in his mind.

piekfijn ['pi.kfɛin] I *aj F A* 1, spick and span; II *ad* in: *~ gekleed* dressed up to the knocker.

piekuur [-y:r] *o* peak hour.

Piëmont [pi.e.'mònt] *o* Piedmont.

Piëmontees [-mòn'te.s] *m* & *aj* Piedmontese.

pienter ['pi.ntər] I *aj F* clever, smart, bright; II *ad* cleverly &.

pienterheid [-hɛit] *v F* cleverness &.

piep [pi.p] *ij* peep!, chirp, squeak.

piepen ['pi.pə(n)] *vi* peep, chirp, squeak [of birds, mice &]; creak [of a hinge].

pieper [-pər] *m* 1 squeaker; 2 P spud: potato.

pieperig [-pərəx] squeaking, squeaky.

piepjong ['pi.pjòŋ] very young.

piepkuiken ['pi.pkœykə(n)] *o* 🠒 spring-chicken.

piepzak *in de(n)* ~ [ɪndə(n)'pi.psɑk] P in a blue funk.

1 **pier** [pi:r] *m* earthworm; *voor de* ~*en zijn* be food for worms.

2 **pier** [pi:r] *m* pier, jetty.

pierement [pi.rə'mɛnt] *o* S zie *straatorgel*.

pierenverschrikker ['pi:rə(n)vərs(x)rɪkər] *m* S wet, dram, drink.

pierewaaien ['pi.rəva.jə(n)] *vi* be on the spree.

pierewaaier [-jər] *m* F man about town, rake.

pierrot [pi.ɛ:'ro.] *m* pierrot.

Piet [pi.t] *m* Peter; ~ *de Smeerpoes* Shock-headed Peter.

piet [pi.t] *m in: een hele* ~ 1 ('*n hele meneer*) a taff; 2 ('*n kraan*) a dab (*at in*); *een hoge* (*grote*) ~ a bigwig; *een rijke* ~ a rich Johnnie; *een saaie* ~ a dull dog.

piëteit [pi.e.'tɛit] *v* piety, reverence.

pietepeuteren ['pi.təpø.tərəx] I *aj* fussy; II *ad* fussily.

pietepeuterigheid [-hɛit] *v* fussiness.

Pieter ['pi.tər] *m* Peter.

pieterman [-mɑn] *m* 🐟 weever.

pieterselie [pi.tər'se.li.] = *peterselie*.

Pieterspenning ['pi.tərspɛnɪŋ] *m de* ~ RK Peter's pence.

piëtist [pi.e.'tɪst] *m* pietist.

pietluttig [pi.t'lütəx] niggling.

pigmee zie *pygmee*.

pij [pɛi] *v* frock, habit.

pijjekker [-jɛkər] *m* pea-jacket.

pijl [pɛil] *m* arrow; bolt, dart; *fig* shaft; ~ *en boog* bow and arrow; *hij heeft al zijn* ~*en verschoten* he has shot all his bolts; *als een* ~ *uit een boog* as swift as an arrow, [be off] like a shot; *meer* ~*en op zijn boog hebben* have more strings to one's bow.

pijl(en)bundel [-bündəl, 'pɛilə(n)bündəl] *m* bundle of arrows.

pijler ['pɛilər] *m* pillar, column; (v. e. brug) pier.

pijlkoker ['pɛilko.kər] *m* quiver.

pijlkruid [-krœyt] *o* 🌿 arrow-head.

pijlsnel [-snɛl] (as) swift as an arrow.

pijlstaart [-sta:rt] *m* 1 🠒 pintail duck; 2 🐟 zie *pijlstaartrog*; 3 🦋 zie *pijlstaartvlinder*.

pijlstaartrog [-rɔx] *m* 🐟 sting-ray.

pijlstaartvlinder [-flɪndər] *m* 🦋 hawk-moth.

pijlvormig ['pɛilvɔrməx] arrow-shaped.

pijlwortel [-vòrtəl] *m* 🌿 arrowroot.

pijn [pɛin] *m* 🌲 pine, pine-tree.

pijn [pɛin] *v* pain, ache; ~ *doen* zie *zeer doen*; *ik heb* ~ *in mijn borst* I have a pain in my chest; *ik heb* ~ *in mijn keel* I have a sore throat.

pijnappel ['pɛinɑpəl] *m* 🌲 fir-cone, pine-cone.

pijnbank [-baŋk] *v* rack; *iemand op de* ~ *leggen* put a person to the rack.

pijnboom [-bo.m] *m* 🌲 pine-tree, pine.

pijnigen ['pɛinəgə(n)] *vt* torture, rack, torment.

pijniger [-gər] *m* torturer, tormentor.

pijniging [-gɪŋ] *v* torture.

pijnlijk ['pɛinlək] *aj* (& *ad*) painful(ly); *het is* ~ *ook*: it hurts; ~*e voeten* aching feet, tender feet.

pijnlijkheid [-hɛit] *v* painfulness.

pijnloos ['pɛinlo.s] *aj* (& *ad*) painless(ly).

pijnstillend [-stɪlənt] soothing, § anodyne; ~ *middel* anodyne, F pain-killer.

pijp [pɛip] *v* 1 pipe [for gas, of an organ, for smoking]; 2 nose, nozzle [of bellows]; 3 socket [of a candlestick]; 4 leg [of a pair of trousers]; 5 (buis) pipe, tube, spout; funnel [of a steamer]; 6 (plooisel) flute; 7 ♪ fife; *een* ~ *lak* a stick of sealing-wax; *een lelijke* ~ *roken* F come in for something unpleasant.

pijpaarde ['pɛipa:rdə] *v* pipe-clay.

pijpekop ['pɛipəkɔp] *m* bowl (of a pipe).

pijpen ['pɛipə(n)] *vi* & *vt* ♪ pipe, fife.

pijpenla(de) [-la.(də)] *v* 1 pipe-box; 2 F long, narrow room.

pijpenrek [-rɛk] *o* pipe-rack.

pijper ['pɛipər] *m* ♪ piper, fifer.

pijpesteel ['pɛipəste.l] *m* stem (shank) of a tobacco-pipe; *het regent pijpestelen* it is raining in sheets.

pijpkaneel ['pɛipka.ne.l] *m* & *o* cinnamon (in sticks).

pijpleiding [-lɛidɪŋ] *v* pipe-line.

1 **pik** [pɪk] *o* & *m* (stofnaam) = *pek*.

2 **pik** [pɪk] *m* peck ‖ pique, grudge; *hij heeft de* ~ *op mij* F he owes me a grudge.

3 **pik** [pɪk] *v* (houweel) pick, pickax(e).

pikant [pi.'kɑnt] piquant, seasoned, spicy, pungent; *dat gaf het gesprek iets* ~*s* that's what gave a piquancy to the conversation.

pikanterie [pi.kɑntə'ri.] *v* piquancy[2]; *fig* spiciness.

pikbroek ['pɪkbru.k] *m* F (Jack-)tar [sailor].

pikdonker [-dòŋkər] I *aj* pitch-dark; II *o* pitch-darkness.

pikdraad [-dra.t] *o* & *m* wax-end, waxed end.

pikeren [pi.'ke:rə(n)] *vt* nettle; *hij was erover gepikeerd* he was nettled at it; zie *ook: gepikeerd*.

piket [pi.'kɛt] *o* 1 (kaartspel) piquet; 2 ✕ picket.

piketpaal [-pa.l] *m* picket.

pikeur [pi.'kø:r] *m* 1 riding-master; 2 (v. circus) ringmaster; 3 (jager) huntsman.

pikhouweel ['pɪkhouve.l] *o* pickaxe.

pikkedonker ['pɪkədòŋkər] = *pikdonker*.

1 **pikken** ['pɪkə(n)] *vt* (besmeren met pek) = *pekken*.

2 **pikken** ['pɪkə(n)] I *vi* 1 pick, peck; 2 S sew II *vt* peck.

piknik(-) zie *picknick(-)*.

pikol ['pi.kəl] *m* Ind picul.

pikzwart ['pɪksvɑrt] coal-black, pitchy (black).
pil [pɪl] *v* pill; ~*len draaien* roll pills; *een bittere* ~ *slikken* swallow a bitter pill; *de* ~ *vergulden* gild the pill.
pilaar [pi.'la:r] *m* pillar, post.
pilaster [pi.'lɑstər] *m* pilaster.
Pilatus [pi.'la.tŭs] *m* Pilate; zie ook: *Pontius*.
pillendoos ['pɪlə(n)do.s] *v* pill-box[2].
pillendraaier [-dra.jər] *m* pill-roller.
pilo ['pi.lo.] *o* corduroy.
piloot [pi.'lo.t] *m* pilot.
pils(ener) [pɪls, 'pɪlsənər] *m & o* Pilsen(er).
piment [pi.'mɛnt] *o* pimento, allspice.
pimpelaar ['pɪmpəla:r] *m* Fbibber, tippler, toper.
pimpelen [-lə(n)] *vi* F bib, tipple.
pimpelmees ['pɪmpəlme.s] *v* ♱ blue tit(mouse).
pimpelpaars [-pa:rs] purple.
pin [pɪn] *v* peg, pin; zie ook: *pen*.
pinakel [pi.'na.kəl] *m* pinnacle.
pinas [pi.'nɑs] *v* ⚓ pinnace.
pince-nez [pɛ̃sə'ne.] *m* pince-nez.
pincet [pɪn'sɛt] *o & m* (pair of) tweezers.
pinda ['pɪnda.] *v* peanut.
pindakaas [-ka.s] *m* peanut butter.
pindaman [-mɑn] *m* peanut vendor.
Pindarus ['pɪnda.rŭs] *m* Pindar.
pingelaar [pɪŋəla:r] *m* ~*ster* [-stər] *v* haggler.
pingelen ['pɪŋələ(n)] *vi* haggle.
pingoeïn zie *pinguïn*.
pinguïn ['pɪŋɣvɪn] *m* ♱ penguin.
1 pink [pɪŋk] *m* little finger; zie ook: 1 *pinken*.
2 pink [pɪŋk] *m* ⚓ pink, fishing-boat.
1 pinken ['pɪŋkə(n)] *bij de* ~ *zijn* be all there, have one's wits about one.
2 pinken ['pɪŋkə(n)] **I** *vi* wink, blink; **II** *vt* in: *een traan uit de ogen* ~ brush away a tear.
pinksterbloem ['pɪŋkstərblu.m] *v* ♱ cuckooflower.
pinksterdag [-dɑx] *m* Whit Sunday; *tweede* ~ Whit Monday.
Pinksterdinsdag [pɪŋkstər'dɪnsdɑx] **Pinksterdrie** [-'dri:] *m* Whit Tuesday.
Pinksteren ['pɪŋkstərə(n)] *m* Whitsun(tide), Pentecost.
pinksterfeest ['pɪŋkstərfe.st] *o* 1 Whitsuntide; 2 [Jewish] Pentecost.
Pinkstermaandag [pɪŋkstər'ma.ndɑx] *m* Whit Monday.
pinkstertijd [-tɛit] *m* Whitsuntide.
pinkstervacantie zie *pinkstervakantie*.
pinkstervakantie [-va.kɑnsi.] *v* Whitsun(tide) holidays.
pinksterweek [-ve.k] *v* Whit(sun) week.
Pinksterzondag [pɪŋkstər'zòndɑx] *m* Whit Sunday.
pinnen ['pɪnə(n)] *vt* pin, peg, fasten with pins.
pint [pɪnt] *v* pint.
ploen(roos) [pi.'u.n(ro.s)] *v* ♱ peony.
pion [pi.'òn] *m* pawn [at chess].
pionier [pi.o.'ni:r] *m* pioneer[2].
pionierswerk [-'ni:rsvɛrk] *o* pioneering; *fig* spadework.

pip [pɪp] *v* pip [disease of birds].
pipet [pi.'pɛt] *v & o* pipette.
pips [pɪps] 1 having the pip; 2 peaked, drawn.
piqué [pi.'ke.] *o* piqué.
piraat [pi:'ra.t] *m* pirate.
piramidaal [pi:ra.mi.'da.l] pyramidal; *het is* ~ it is enormous.
piramide [-'mi.də] *v* pyramid.
pirouette [pi:ru.'ɛtə] *v* pirouette.
pirouetteren [-ɛ'te:rə(n)] *vi* pirouette.
pisang ['pi.zɑŋ] *v* ♱ banana.
pissebed ['pɪsəbɛt] *v* sow-bug.
pistache [pi.s'tɑʃ] *v* 1 ♱ pistachio; 2 (knalbonbon) cracker.
piste ['pi.stə] *v* 1 (v. circus) ring; 2 (voor wielrenners) track.
piston [pi.s'tòn] *m* ♪ cornet.
pistonist [pi.sto.'nɪst] *m* ♪ cornetist.
1 pistool [pi.s'to.l] *o* pistol [weapon]; *iemand het* ~ *op de borst zetten* clap a pistol to a man's breast.
2 pistool [pi.s'to.l] *o* pistole [coin].
pistoolschot [-sxòt] *o* pistol-shot.
pit [pɪt] *v* 1 kernel [of nut]; pip [of an apple, orange], seed [of apple, grape, orange, raisin], stone [of grapes &]; *fig* pith, spirit; body [of wine, a novel]; 2 wick [of a lamp]; burner [of a gas-cooker]; *er zit geen* ~ *in die vent* he has no grit in him.
pit(h)on zie *python*.
pittig ['pɪtəx] **I** *aj* pithy[2] [style &], lively, stirring [music]; [beer, wine] of a good body; **II** *ad* pithily.
pittigheid [-heit] *v* pithiness[2].
pitvrucht ['pɪtfrŭxt] *v* ♱ pome.
pk [pe.'ka.] = *paardekracht*.
plaag [pla.x] *v* plague, vexation, nuisance; pest.
plaaggeest ['pla.ge.st] *m* teaser, tease.
plaagziek ['pla.xsi.k] fond of teasing, teasing.
plaagzucht [-sŭxt] *v* teasing disposition.
plaat [pla.t] *v* 1 (ijzer) sheet, plate [also of glass]; 2 (marmer) slab; 3 (wijzerplaat) dial; 4 (gravure) picture, engraving, print; 5 (grammofoon~) record; 6 (ondiepte) shoal, sands; *de* ~ *poetsen* F beat it, bolt.
plaatijzer ['pla.tɛizər] *o* sheet-iron.
plaatje ['pla.cə] *o* 1 (afbeelding) picture; 2 (v. ijzer &) plate.
plaatkoek ['pla.tku.k] *m* griddle cake.
plaats [pla.ts] *v* 1 (in 't alg.) place; 2 (ruimte) room, place; [enclosed] court, yard; 3 (hofstede) farm; 4 (zitplaats) seat; 5 (betrekking) place, situation, post, office; [clergyman's] living; 6 (in boek) place; 7 (toneel) scene [of the crime, of the disaster]; ~ *daar!* make room there!; *het is hier niet de* ~ *om...* the present (this) is not a place for ...ing; *de* ~ *innemen van...* take the place of...; *neemt uw* ~ *in* take your places; *een eervolle* ~ *innemen* hold an honoured place; *het neemt te veel* ~ *in* it takes up too much room; ~ *maken* make room; make way [for

others]; ~ nemen sit down, take a seat; in de ~ van de heer H., benoemd tot... in (the) place of...; in (op) de allereerste ~ first and foremost; in (op) de eerste ~ in the first place, first of all, firstly; primarily [intended for pupils, students &]; in (op) de laatste ~ last of all, lastly; wat had u in mijn ~ gedaan? in my place; in uw ~ if I were (had been) in your place; ik zou niet graag in zijn ~ zijn I should not like to stand in his shoes; in ~ van instead of; in ~ daarvan instead; in de ~ komen van (voor) take the place of; in de ~ stellen van substitute for; op de ~ (dood) blijven be killed on the spot; op de ~ rust! ⚔ stand easy!; op alle ~en in all places, everywhere; daar is hij op zijn ~ he is in his element there; dat woord is hier niet op zijn ~ is out of place, is not in place; iemand op zijn ~ zetten put one in his (proper) place; ter ~e on the spot; daar ter ~e there, at that place; wij zijn ter ~e we have reached our destination; niet van de ~ komen not move from the spot; de schoenmaker van de ~ the local shoemaker.

plaatsbeschrijving ['pla.tsbəs(x)rɛivɪŋ] v topography.

plaatsbespreking [-bəspre.kɪŋ] v (advance) booking.

plaatsbewijs [-bəvɛis] o ticket.

plaatscommandant [-kòmɑndɑnt] m ⚔ town major.

plaatselijk ['pla.tsələk] aj (& ad) local(ly).

plaatsen [-sə(n)] vt I (zetten) put, place; 2 (een plaats geven) seat [guests &]; give employment to [people]; 3 (stationeren) station, post; 4 (opstellen) put up [a machine]; 5 (opnemen) insert [an advertisement]; 6 (aan de man brengen) dispose of [articles &]; 7 sp place [a horse]; 8 (uitzetten) invest [money]; hij heeft zijn zoons goed weten te ~ he has got his sons into good situations.

plaatsgebrek ['pla.tsɣəbrɛk] o want of space.

plaatsgrijpen [-ɣrɛipə(n)] vi take place.

plaatshebben [-hɛbə(n)] vi take place.

plaatsing ['pla.tsɪŋ] v I placing &; 2 insertion [of advertisements]; 3 investment [of capital]; 4 appointment [of servants].

plaatsje ['pla.tʃə] o I place; 2 yard [of a house]; 3 (zitplaats) seat; in die kleine ~s in those small towns.

plaatskaart ['pla.tska:rt] v ticket.

plaatskommandant zie plaatscommandant.

plaatsnaam [-na.m] m place name.

plaatsruimte [-rœymtə] v space, room; ~ aanbieden (hebben) voor have (provide) accommodation for.

plaatstroom ['pla.tstro.m] m ⚡ anode current.

plaatsvervangend ['pla.tsfərfɑŋənt] acting [manager], deputy [commissioner], temporary.

plaatsvervanger [-fɑŋər] m I (in het alg.) substitute; 2 (met volmacht) deputy; 3 (dokter) locum tenens, deputy; 4 (acteur) understudy; 5 (bisschop) surrogate.

plaatsvervanging [-fɑŋɪŋ] v substitution.

plaatsvinden [-fɪndə(n)] vi take place.

plafon(d) [pla.'fõ] o ceiling.

plafonneren [pla.fò'ne:rə(n)] vt ceil.

plag [plɑx] = plagge.

plagen ['pla.ɣə(n)] I vt I tease; 2 (uit boosaardigheid) vex; 3 zie kwellen; zij ~ hem ermee they chaff him about it; mag ik u even ~? excuse my disturbing you; II va tease.

plager [-ɣər] m teaser, tease.

plagerij [pla.ɣə'rɛi] v teasing; vexation; zie plagen.

plagge ['plɑɣə] v sod (of turf).

plaggenhut ['plɑɣə(n)hʏt] v sod house, turf hut.

plaggensteker [-ste.kər] m turf-cutter.

plagiaat [pla.gi.'a.t] o plagiarism, plagiary; ~ plegen commit plagiarism, plagiarize.

plagiaris [pla.gi.'a:rəs] **plagiator** [pla.gi.'a.tər] m plagiarist.

plaid [ple.d] m I (Schotse mantel) plaid; 2 (reisdeken) (travelling-)rug.

plak [plɑk] v slice [of ham &]; slab [of cake, chocolate &]; 2 ⓤ [schoolmaster's] ferule; onder de ~ van zijn vrouw zitten be henpecked [by one's wife]; flink onder de ~ houden keep a tight hand over.

plakband ['plɑkbɑnt] o I (v. cellofaan) adhesive tape; 2 (v. papier) gummed paper.

plakkaat [plɑ'ka.t] o I placard, poster; 2 ⓤ edict.

plakken ['plɑkə(n)] I vt paste, stick, glue; II vi stick, be sticky; blijven ~ stay on and never know when to go away.

plakker [-kər] m I paster, sticker[2]; 2 🦋 gipsymoth; hij is een echte ~ F he is a sticker.

plakkerig [-kərəx] sticky[2].

plakplaatje ['plɑkpla.cə] o pasting-in picture.

plakpleister [-plɛistər] v I zie hechtpleister; 2 fig (plakker) sticker; (liefje) sweetheart.

plakzegel [-se.ɣəl] m receipt-stamp.

plan [plɑn] o I (voornemen) plan, design, project, intention; 2 (voorbereiding) plan, design, scheme, project; 3 (tekening) plan; dat is zijn ~ niet that is not his intention, that is not part of his plan; ~nen beramen make plans, lay schemes; zijn ~nen blootleggen (ontvouwen) unfold one's plans; een ~ ontwerpen (opmaken) draw up a plan; het ~ opvatten om... conceive the project of ...ing; ~nen smeden forge plots; zijn ~ vaststellen lay down one's plan; een ~ vormen form a scheme; met het ~ om... with the intention to; op een hoger ~ on a higher plane, at a higher level; van ~ zijn (om) intend, mean to, think of...; we zijn niet van ~ te werken voor anderen we are not prepared (are not going) to work for others.

planbureau ['plɑnby.ro.] o planning office.

plan de campagne [plɑndəkɑm'pɑɲə] o plan of campaign.

planeet [pla.'ne.t] v planet.

planeetbaan [-ba.n] *v* orbit of a planet.
planeren [pla.'ne:rə(n)] *vt* planish [metals]; size [paper].
planetair [-ne.'tɛːr] planetary.
planetarium [-'ta:ri.ům] *o* planetarium, orrery.
planetenstelsel [pla.'ne.tə(n)stɛlsəl] *o* planetary system.
planimetrie [pla.ni.me.'tri.] *v* plane geometry.
plank [plaŋk] *v* plank [2 to 6 inches thick], board [under 2¹/₂ in.]; shelf [in book-case &]; *dat was de ~ mis* that was beside (wide of) the mark; *hij komt op de ~en* he will appear on the stage; *van de bovenste ~* A I, top-hole; *hij is er een van de bovenste ~* he is a first-rate fellow.
planken ['plaŋkə(n)] *aj* made of boards, wooden; *een ~ vloer* a boarded floor.
plankenkoorts [-ko:rts] *~vrees* [-vre.s] *v* stage-fright.
plankier [plaŋ'ki:r] *o* I foot-board; 2 platform.
plankton ['plaŋktòn] *o* plankton.
planmatig [plan'ma.təx] planned [economy].
plannenmaker ['planə(n)ma.kər] *m* planner, schemer, projector.
planologie [pla.no.lo.'gi.] *v* planning.
planologisch [-'lo.gi.s] planning [problems &].
planoloog [-'lo.x] *m* planner.
plant [plant] *v* plant.
plantaardig [-'a:rdəx] vegetable; *~ voedsel* a vegetable diet.
plantage [plan'ta.ʒə] *v* plantation, estate.
planteboter ['plantəbo.tər] *v* vegetable butter.
planteleven [-le.və(n)] *o* plant life, vegetable life; *een ~ leiden* vegetate.
planten ['plantə(n)] *vt* plant [potatoes &, the flag].
plantenetend [-e.tənt] plant-eating, § herbivorous.
plantengroei [-gru:i] *m* vegetation; plant-growth.
plantenkenner [-'kɛnər] botanist.
plantenkweker [-kve.kər] *m* nurseryman.
plantenkwekerij [plantə(n)kve.kə'rɛi] *v* nursery (-garden).
plantenleer ['plantə(n)le:r] *v* botany.
plantenrijk [-rɛik] *o* vegetable kingdom.
plantentuin [-tœyn] *m* botanical garden.
plantenwereld [-ve:rəlt] *v* vegetable world.
planter ['plantər] *m* planter.
plantevezel ['plantəve.zəl] *v* vegetable fibre.
planteziekte [-zi.ktə] *v* plant disease.
planteziektenkunde [-tə(n)kůndə] *v* plant pathology.
planteziektenkundig [-kůndəx] of plant pathology.
planting ['plantɪŋ] *v* planting.
plantkunde ['plantkůndə] botany.
plantkundig [plant'kůndəx] botanical.
plantkundige [-'kůndəgə] *m* botanist.
plantluis ['plantlœys] *v* plant-louse, green fly, aphid, aphis [*mv* aphides].
plantsoen [plant'su.n] *o* I plantation; 2 (park)

public garden, pleasure grounds, park.
plas [plɑs] *m* puddle, pool; *de Friese ~sen* the Frisian "meers" (lakes); *de grote ~* the briny [= the sea]; *een ~ doen* make water.
plasma ['plasma.] *o* [blood] plasma.
plasregen ['plasre.gən] *m* splashing rain, downpour.
plasregenen [-re.gənə(n)] *vi* rain cats and dogs.
plassen ['plasə(n)] *vi* I splash; 2 (urineren) make water.
I **plastiek** [plas'ti.k] *v* (kunst) plastic art.
2 **plastiek** [plas'ti.k] *o* (kunststof) plastic.
plastieken [-'ti.kə(n)] *aj* plastic.
plastisch ['plasti.s] I *aj* I plastic [art; materials; nature; surgery]; 2 (aanschouwelijk) graphic [description]; II *ad* I plastically; 2 graphically [told &].
plastron [plas'tròn] *o* & *m* plastron.
plat [plat] I *aj* flat [roof &]; *fig* broad [accent], coarse, vulgar [language]; *een ~te beurs* an empty purse; *~te knoop* ⚓ reefknot; *~ maken* (*worden*) flatten; II *ad* flat; *fig* vulgarly, coarsely; III *o* I flat [of a sword &]; 2 flat, leads [of a roof]; 3 cover [of a book]; *continentaal ~* continental shelf.
plataan(boom) [pla.'ta.n(bo.m)] *m* ⚘ plane (-tree).
platbodemd, platboomd ['platbo.dəmt, -bo.mt] ⚓ flat-bottomed.
platbranden [-brandə(n)] *vt* burn down.
Platduits [-dœyts] *o* Low German.
plateau [pla.'to.] *o* plateau, tableland.
plateel [pla.'te.l] *o* Delft ware, faience.
plateelbakker [-bakər] *m* Delft-ware maker.
plateelbakkerij [-bakə'rɛi] *v* Delft-ware pottery
platenatlas ['pla.tə(n)atlas] *m* pictorial atlas.
platenboek [-bu.k] *o* picture-book.
platenspeler [-spe.lər] *m* record player.
platenwisselaar ['pla.tə(n)vɪsəla:r] *m* record changer.
plateren [pla.'te:rə(n)] *vt* plate [metals].
plateschijf ['pla.təsxɛif] *v* turn-table.
platform ['platfòrm] *o* I platform; 2 ✈ apron [of airfield].
platgetreden [-gətre.də(n)] downtrodden; *fig* beaten [track].
platheid [-hɛit] *v* flatness; *fig* coarseness, vulgarity.
platina ['pla.ti.na.] *o* platinum.
platinablond [-blònt] platinum blonde.
platje ['placə] *o* I (plat dakje) flat, leads; 2 (stoep) platform.
platliggen ['platlɪgə(n)] I *vi* lie flat; II *vt* lie upon, crush.
platlopen [-lo.pə(n)] *vt* tread down; *zie ook: deur.*
platneus [-nø.s] *m* flat-nose.
Plato ['pla.to.] *m* Plato.
platonisch [pla.'to.ni.s] I *aj* platonic; II *ad* platonically.
plattegrond [platə'grònt] *m* ground-plan [o a building]; plan, map [of the town].

platteland [-'lant] *o* country.

plattelandsbewoner [-'lantsbəvo.nər] *m* rural resident.

plattelandsvrouw [-frəu] *v* countrywoman.

platvis ['platfɪs] *m* 𝕾 flatfish.

platvoet [-fu.t] *m* flat-foot; flat-footed person.

platweg [-vɛx] flatly.

platzak [plat'sak] in: ~ *thuiskomen* return with an empty bag (*fig* empty-handed); ~ *zijn* have an empty purse, be hard up.

platzitten ['platsɪtə(n)] *vt* sit upon, crush [a hat &].

plaveien [pla.'vɛiə(n)] *vt* pave.

plaveisel [-səl] *o* pavement.

plaveisteen [-ste.n] *m* paving-stone.

plebejer [ple.'be.jər] *m* plebeian.

plebejisch [-ji.s] plebeian.

plebisciet [ple.bi'si.t] *o* plebiscite.

plebs [plɛps] *o* rabble, riff-raff.

plecht [plɛxt] *v* ⚓ fore-deck, after-deck.

plechtanker ['plɛxtaŋkər] *o* ⚓ sheet-anchor[2].

plechtig ['plɛxtəx] **I** *aj* solemn, ceremonious, stately; formal [opening of Parliament]; ~*e communie RK* solemn communion; **II** *ad* solemnly, ceremoniously, in state; formally [opened].

plechtigheid [-hɛit] *v* solemnity, ceremony, rite; *een* ~ ook: a function.

plechtstatig [plɛxt'sta.təx] **I** *aj* solemn, stately, ceremonious; **II** *ad* solemnly, ceremoniously.

plechtstatigheid [-hɛit] *v* solemnity, stateliness, ceremoniousness.

pleegbroe(de)r ['ple.xbru.dər, -bru:r] *m* foster-brother.

pleegdochter [-dɔxtər] *v* foster-daughter.

pleeggezin ['ple.gəzɪn] *o* foster-home.

pleegkind ['ple.xkɪnt] *o* foster-child.

pleegmoeder [-mu.dər] *v* foster-mother.

pleegouders [-əudərs] *mv* foster-parents.

pleegvader [-fa.dər] *m* foster-father.

pleegzoon [-so.n] foster-son.

pleegzuster [-sŭstər] *v* **1** foster-sister; **2** sick-nurse, nursing sister.

pleet [ple.t] *o* electroplate.

pleetwerk ['ple.tvɛrk] *o* plated articles, plated ware.

plegen ['ple.gə(n)] *vt* commit, perpetrate; *men pleegt te vergeten dat...* one is apt to forget that...; *hij placht te drinken* he used to drink; *vaak placht hij 's morgens uit te gaan* he often would go out in the morning.

pleidooi [plɛi'do:i] *o* pleading, plea, defence; *een* ~ *houden voor* make a plea for.

plein [plɛin] *o* square; (r o n d) circus.

1 pleister ['plɛistər] *v* plaster; *een* ~ *op de wond* a salve for his wounded feelings.

2 pleister ['plɛistər] *o* plaster, stucco.

1 pleisteren [-tərə(n)] *vt* plaster, stucco.

2 pleisteren [-tərə(n)] *vi* fetch up, stop [at an inn]; *de paarden laten* ~ bait the horses.

pleisterkalk [-tərkalk] *m* parget.

pleisterplaats [-pla.ts] *v* baiting place, stage.

pleisterwerk [-vɛrk] *o* plastering, stucco.

pleit [plɛit] *o* ⚖ plea, (law)suit; *toen was het* ~ *beslecht* (*voldongen*) then their fate was decided, then the battle was over; *zij hebben het* ~ *gewonnen* they have gained the day.

pleitbezorger ['plɛitbəzɔrgər] *m* ⚖ solicitor, counsel; *fig* advocate.

pleiten ['plɛitə(n)] *vi* ⚖ plead; ~ *tegen u* tell against you; ~ *voor* plead in favour of (for), defend; *fig* advocate; *dat pleit voor je* that speaks well for you, that tells in your favour.

pleiter [-tər] *m* ⚖ pleader.

pleitrede ['plɛitre.də] *v* pleading, plea, defence.

Plejaden [ple.'ja.də(n)] *mv* Pleiades.

plek [plɛk] *v* **1** (p l a a t s) spot, place; patch; **2** (v l e k) stain, spot; *kale* ~ bald patch.

plekken ['plɛkə(n)] *vi & vt* stain.

plempen ['plɛmpə(n)] *vt* fill up [with earth, rubbish &].

plenair [ple.'nɛ:r] plenary, full.

plengen ['plɛŋə(n)] *vt* shed [tears, blood]; pour out [wine].

plenging [-ŋɪŋ] *v* shedding; pouring out.

plengoffer ['plɛŋɔfər] *o* libation.

plenum ['ple.nŭm] *o* full session, plenary session.

plenzen ['plɛnzə(n)] *vi* splash.

pleonasme [ple.o.'nasmə] *o* pleonasm.

pleonastisch [-ti.s] *aj* (& *ad*) pleonastic(ally).

plethamer ['plɛtha.mər] *m* flatt(en)ing-hammer.

pletmolen [-mo.lə(n)] *m* rolling-mill, flatting-mill.

pletrol [-rɔl] *v* flatt(en)ing-roller.

pletten ['plɛtə(n)] *vt* flatten, roll [metal].

pletter [-tər] in: *te* ~ *slaan* smash; *te* ~ *vallen* smash, be smashed, crash.

pletterij [plɛtə'rɛi] *v* ⚒ rolling-mill, flatting-mill.

pleuris ['plø:rəs] *v & o* pleurisy.

plevier [plə'vi:r] = *pluvier*.

plezier [plə'zi:r] *o* pleasure; *veel* ~! enjoy yourself!, have a good time!; *het zal hem* ~ *doen* it will please him, be a pleasure to him; *iemand een* ~ *doen* do one a favour; ~ *hebben* have a good time, enjoy oneself; ~ *hebben in iets* find, take (a) pleasure in; ~ *hebben van iets* derive pleasure from something, enjoy it; *hij had niet veel* ~ *van zijn zoons* his sons never did anything to give him pleasure; ~ *maken* take one's pleasure(s), make merry; *zijn* ~ *wel opkunnen* have a bad time; ~ *vinden in iets* find, take (a) pleasure in; *met* ~! with pleasure!; *ten* ~*e van...* to please...; *voor* (*zijn*) ~ for pleasure.

plezierboot [-bo.t] *m & v* excursion steamer, pleasure steamer.

plezieren [plə'zi:rə(n)] *vt* please.

plezierig [-rəx] *aj* (& *ad*) pleasant(ly).

plezierjacht [plə'zi:rjaxt] *o* ⚓ (pleasure) yacht.

plezierreis [-'zi:rɛis] *v* pleasure trip.

plezierreiziger [-rɛizəgər] *m* excursionist.

plezierritje [-rɪcə] *o* pleasure drive.

pleziertochtje [plə'zi:rtɔxjə] *o* pleasure trip, jaunt.

pleziertrein [-trɛin] *m* excursion train.

plicht [plɪxt] *m* & *v* duty, obligation; *zijn ~ doen* do one's duty; play one's part; *zijn ~ verzaken* neglect (fail in) one's duty; *volgens zijn ~ handelen* act up to one's duty.

plichtbesef ['plɪxtbəsɛf] *o* sense of duty.

plichtbetrachting [-bətraxtɪŋ] *v* devotion to duty.

plichtgetrouw, plichtmatig [-gətrɔu, plɪxt'ma.-təx] *aj* (& *ad*) dutiful(ly).

plichtpleging ['plɪxtple.gɪŋ] *v* compliment; *geen ~en* no ceremony.

plichtsbesef ['plɪxtsbəsɛf] = *plichtbesef.*

plichtsbetrachting [-bətraxtɪŋ] = *plichtbetrachting.*

plichtsgetrouw [-gətrɔu] = *plichtgetrouw.*

plichtshalve [plɪxts'halvə] from a sense of duty, dutifully.

plichtsverzuim ['plɪxtsfərzœym] *o* neglect of duty.

plichtvergeten ['plɪxtfərge.tə(n)] forgetful of one's duty, undutiful.

plichtverzuim [-zœym] = *plichtsverzuim.*

Plinius ['pli.ni.ʉs] *m* Pliny.

plint [plɪnt] *v* skirting-board [of a room &]; plinth [of a column].

plissé [pli.'se.] *o* pleating.

plisseren [-'se:rə(n)] *vt* pleat.

1 **ploeg** [plu.x] *m* & *v* (werktuig) plough; *de hand aan de ~ slaan* put one's hand to the plough.

2 **ploeg** [plu.x] *v* (groep) [day, night] shift, gang [of workmen]; [rescue &] party, F batch; team² [of footballers], crew [of rowing-boat].

ploegbaas ['plu.xba.s] *m* ganger, foreman.

ploegboom [-bo.m] *m* plough-beam.

ploegen ['plu.gə(n)] *vt* 1 plough; 2 ⚒ groove [a board].

ploegenstelsel [-stɛlsəl] *o* shift system; *volgens het ~* on the shift system.

ploeger ['plu.gər] *m* ploughman, plougher.

ploegijzer, ~kouter ['plu.xɛizər, -kɔutər] *o* coulter.

ploegland [-lant] *o* land under the plough, ploughland.

ploegos [-ɔs] *m* plough-ox.

ploegrister [-rɪstər] *o* mouldboard.

ploegschaar [-sxa:r] *v* ploughshare.

ploegstaart [-sta:rt] *m* plough-tail.

ploegvoor [-fo:r] *v* furrow.

ploert [plu:rt] *m* cad; ⇔ S 1 landlord; 2 snob; *de koperen ~* S the sun.

ploertachtig ['plu:rtaxtəx] I *aj* 1 caddish; 2 snobbish; II *ad* 1 caddishly; 2 snobbishly.

ploertendoder ['plu:rtə(n)do.dər] *m* bludgeon, life-preserver.

ploertenstreek [-stre.k] *m* & *v* mean (scurvy) trick.

ploertig ['plu:rtəx] zie *ploertachtig.*

ploertin [plu:r'tɪn] *v* ⇔ S landlady.

ploeteraar ['plu.təra:r] *m* plodder.

ploeteren [-rə(n)] *vi* 1 splash, dabble; *fig* toil (and moil), drudge, plod; *~ aan* plod at.

plof [plɔf] I *ij* plop!, flop!, plump!; II *m* thud.

ploffen ['plɔfə(n)] *vi* plump (down), flop, plop.

plombe ['plɔmbə] *v* zie *plombeerloodje* & *plombeersel.*

plombeerloodje [plɔm'be:rlo.cə] *o* S lead seal, lead.

plombeersel [-səl] *o* stopping, filling, plug.

plomberen [plɔm'be:rə(n)] *vt* 1 plug, stop, fill [a tooth]; 2 S lead [goods].

1 **plomp** [plɔmp] I *ij* plump!, flop!; II *m* flop.

2 **plomp** [plɔmp] I *aj* 1 clumsy; 2 (grof) rude; II *ad* 1 clumsily; 2 rudely.

3 **plomp** [plɔmp] *v* 🌸 (white, yellow) water-lily.

plompen ['plɔmpə(n)] *vi* plump, flop, plop.

plompheid ['plɔmpheit] *v* 1 clumsiness; 2 (grofheid) rudeness; rude thing.

plompverloren [-fərlo:rə(n)] plump.

plompweg [-vɛx] zie *botweg.*

plons [plɔns] I *ij* plop!; II *m* splash.

plonzen ['plɔnzə(n)] *vi* 1 flop, plop; 2 splash.

plooi [plo:i] *v* fold, pleat [in cloth]; crease [of trousers]; wrinkle [in the forehead]; *een goede ~ aan iets geven* smooth matters over; *zijn gezicht in de ~ zetten* compose one's countenance; *hij komt nooit uit de ~* he never unbends.

plooibaar ['plo:iba:r] pliable, pliant.

plooibaarheid [-heit] *v* pliability, pliancy.

plooien ['plo.jə(n)] *vt* fold, crease; pleat; wrinkle [one's forehead]; *fig* arrange [things].

plooirok ['plo:irɔk] *m* pleated skirt.

plooisel ['plo:isəl] *o* pleating.

plots [plɔts] *ad* zie *plotseling* II.

plotseling ['plɔtsəlɪŋ] I *aj* sudden; II *ad* suddenly, all of a sudden.

pluche [ply.ʃ] *o* & *m* plush.

pluchen ['ply.ʃə(n)] *aj* plush.

plug [plʉx] *v* plug.

pluim [plœym] *v* plume, feather, crest.

pluimage [plœy'ma.ʒə] *v* plumage, feathers.

pluimbal ['plœymbal] *m* shuttlecock.

pluimen ['plœymə(n)] *vt* plume.

pluimpje ['plœympjə] *o* little feather; *fig* compliment; *dat is een ~ voor u* that is a feather in your cap.

pluimstaart ['plœymsta:rt] *m* bushy tail.

pluimstrijken [-strɛikə(n)] *vt* wheedle, fawn upon, toady.

pluimstrijker [-kər] *m* wheedler, fawner, toady.

pluimstrijkerij [plœymstrɛikə'rɛi] *v* wheedling, fawning, toadyism.

pluimvaren ['plœymva:rə(n)] *v* 🌸 zie *koningsvaren.*

pluimvee [-ve.] *o* poultry.

pluimveehouder [-hɔu(d)ər] *m* poultry keeper, poultry farmer.

pluimveeteelt [-te.lt] *v* poultry farming.

pluimveetentoonstelling [-tɛnto.nstɛlɪŋ] *v* poultry show.

1 **pluis** [plœys] *o* fluff; zie ook: *pluisje*.

2 **pluis** [plœys] *aj* in: *het is er niet ~* it is not as it ought to be; *het is bij hem niet ~* he is not right in his head.

pluisje ['plœyʃə] *o* bit of fluff.

pluizen ['plœyzə(n)] I *vi* become fluffy; II *vt* pick [oakum].

pluizer [-zər] *m* picker; *fig* Paul Pry.

pluizig [-zəx] fluffy.

pluk [plŭk] *m* 1 gathering, picking [of fruit]; 2 *fig* handful.

plukharen ['plŭkha:rə(n)] *vi* have a tussle, tussle.

plukken ['plŭkə(n)] I *vt* pick, gather, cull[2] [flowers &]; pluck [birds]; *fig* fleece [a player, a customer]; II *vi* in: *~ aan* pick at, pull at.

plukker [-kər] *m* picker, gatherer, reaper.

pluksel ['plŭksəl] *o* lint.

pluktijd [-tɛit] *m* picking-season.

plumeau [ply.'mo.] *m* feather-duster, feather-brush.

plunderaar ['plŭndəra:r] *m* plunderer, pillager, robber.

plunderen [-rə(n)] I *vt* plunder, pillage, loot, sack [a town], rifle [a house], rob [a man]; II *vi* plunder, pillage, loot, rob.

plundering [-rɪŋ] *v* plundering, pillage, looting; sack [of Magdeburg].

plunje ['plŭɲə] *v* F togs, toggery.

plunjezak [-zak] *m* kit.

plus [plŭs] plus.

plusminus [plŭs'mi.nŭs] about.

plusteken ['plŭste.kə(n)] *o* plus sign.

Plutarchus [ply.'tɑrɣŭs] *m* Plutarch.

Pluto ['ply.to.] *m* Pluto.

plutocraat [ply.to.'kra.t] *m* plutocrat.

plutocratie [-kra.'(t)si.] *v* plutocracy.

plutocratisch [-'kra.ti.s] *aj* (& *ad*) plutocratic-(ally).

plutokra- zie *plutocra-*.

plutonium [ply.'to.ni.ŭm] *o* plutonium.

pluvier [ply.'vi:r] *m* 🐦 plover.

pneumatisch [pnø.'ma.ti.s] pneumatic.

po [po.] *m* chamber (pot).

pochen ['pɔɣə(n)] *vi* boast, brag; *~ op* boast of.

pocher [-ɣər] *m* boaster, braggart.

pocheren [pɔ'ʃe:rə(n)] *vt* poach [eggs].

pocherij [pɔɣə'rɛi] *v* boasting, boast, brag-(ging).

pochet [pɔ'ʃɛt] *v* fancy handkerchief.

pochhans ['pɔxhɑns] *m* zie *pocher*.

pocketboek ['pɔkətbu.k] *o* paperback.

podagra ['po.da.gra.] *o* podagra.

podium ['po.di.ŭm] *o* platform, dais.

poedel ['pu.dəl] *m* 1 🐕 poodle; 2 S miss [at ninepins].

poedelen ['pu.dələ(n)] I *vi* miss [at ninepins]; II *vt* ⚔ puddle.

poedelnaakt ['pu.dəlna.kt] stark naked.

poedelprijs [-prɛis] *m* consolation prize.

poeder ['pu.dər, 'pu.jər] *o* & *m* & *v* powder.

poederchocola(de) [-ʃo.ko.la.(də)] *m* chocolate powder.

poederdons [-dɔns] *m* & *o* powder-puff.

poederdoos [-do.s] *v* powder-box.

poederen ['pu.dərə(n), -jərə(n)] *vt* powder, strew with powder.

poederig [-dərəx, -jərəx] powdery, powder-like.

poederkoffie ['pu.dər-, -jərkɔfi.] *m* powdered coffee.

poederkwast [-kvɑst] *m* powder-puff.

poedersneeuw [-sne:u] *v* powder snow.

poedersuiker [-sœykər] *m* powdered sugar.

poëet [po.'e.t] *m* poet.

poeha [pu.'ha.] *o* & *m* F 1 (drukte) fuss; 2 (opscheperij) swank.

poehamaker [-ma.kər] *m* F zie *opschepper*.

poeier(-) ['pu.jər] = *poeder(-)*.

poel [pu.l] *m* puddle, pool, slough.

poelier [pu.'li:r] *m* poulterer.

poema ['pu.ma.] *m* 🐾 puma.

poen [pu.n] *m* 1 F vulgarian, > snob, bounder, cad; 2 S (geld) tin, rhino, dust.

poenig ['pu.nəx] *aj* (& *ad*) snobbish(ly), cad-(dish(ly)).

poer [pu:r] = *peur*.

poeren ['pu:rə(n)] = *peuren*.

Poerim ['pu:rɪm] = *Purim*.

poes [pu.s] *v* cat, puss(y); *hij is voor de ~* F it's all up with him, he's finished; *ze is niet voor de ~* F she is not to be trifled with; *dat is niet voor de ~ !* F that's some!

poesje ['pu.ʃə] *o* pussy-cat; *mijn ~!* F my kitten.

poeslief ['pu.sli.f] bland, suave, sugary.

poesmooi [-mo:i] as sweet as a nut.

poespas ['pu.spɑs] *m* 1 (rommel) hotch-potch, hodge-podge; 2 (omhaal) fuss.

poëtisch [po.'e.ti.s] I *aj* poetic(al); II *ad* poetic-ally.

poets [pu.ts] *v* trick, prank; *iemand een ~ spelen (bakken)* play a trick upon one.

poetsdoek ['pu.tsdu.k] *m* polishing cloth, cleaning rag.

poetsen ['pu.tsə(n)] *vt* polish, clean; *hem ~* F beat it, bolt.

poetser [-sər] *m* polisher, cleaner.

poetsgerei, poetsgoed ['pu.tsɣɛrɛi, -gu.t] *o* cleaning things.

poetskatoen [-ka.tu.n] *o* & *m* cotton waste.

poetslap [-lɑp] *m* polishing cloth, cleaning rag.

poetspoeder, -poeier [-pu.dər, -pu.jər] *o* & *m* polishing powder.

poetspommade [-pɔma.də] *v* polishing paste.

poezelig ['pu.zələx] plump, chubby.

poezeligheid [-heit] *v* plumpness, chubbiness.

poëzie [po.e.'zi.] *v* poetry[2]; [Latin &] verse.

pof [pɔf] *m* thud; *op de(n) ~ kopen* S buy (go) on tick.

pofbroek ['pɔfbru.k] *v* knickerbockers, plus fours.

poffen ['pòfə(n)] I *vi* (schieten) pop; II *vt* S (op krediet kopen) buy on tick; (krediet geven) give credit; sell on tick ‖ roast [chestnuts].

poffertje ['pòfərcə] *o* "poffertje".

poffertjeskraam [-cəskra.m] *v* & *o* booth where "poffertjes" are sold.

pofmouw ['pòfmou] *v* puff sleeve.

pogen ['po.gə(n)] *vt* endeavour, attempt, try.

poging [-gɪŋ] *v* endeavour, attempt, effort; *een ~ doen om...* make an attempt at ...ing; *geen ~ doen om...* make no attempt to...; *een ~ tot moord* attempted murder.

pointe ['pv'ātə] *v* point [of a joke].

pok [pòk] *v* pock; *zij kregen de ~ken* they got smallpox; *van de ~ken geschonden* pock-marked.

pokdalig [pòk'da.ləx] pock-marked.

poken ['po.kə(n)] *vi* poke (stir) the fire.

pokeren ['po.kərə(n)] *vi* play poker.

pokken ['pòkə(n)] *mv* smallpox.

pokkenbriefje [-bri.fjə] *o* vaccination certificate.

pokstof ['pòkstòf] *v* vaccine lymph, vaccine.

pol [pòl] *m* tussock [of grass].

polak [po.'lak] *m* > Pole.

polder ['pòldər] *m* polder.

polderbestuur [-bəsty:r] *o* polder board.

polderdijk [-dɛik] *m* dike of a polder.

polderjongen [-jòŋə(n)] *m* navvy.

polderland [-lant] *o* polder-land.

polemiek [po.le.'mi.k] *v* polemic, controversy; polemics.

polemisch [-'le.mi.s] I *aj* polemic(al), controversial; II *ad* polemically, controversially.

polemiseren [-le.mi.'ze:rə(n)] *vi* carry on a controversy; be engaged in a paper war; *ik wil niet met u ~* I'm not going to contest the point with you.

polemist [-le.'mɪst] *m* polemic writer, polemic, controversialist.

polemizeren zie *polemiseren*.

Polen ['po.lə(n)] *o* Poland.

polichinel [po.li.ʃi.'nɛl] *m* punchinello, Punch.

poliep [po.'li.p] *v* I (dier) polyp; 2 (gezwel) polypus [*mv* polypi].

polijsten [po.'lɛistə(n)] *vt* polish, burnish.

polijster [-tər] *m* polisher, burnisher.

polikliniek [po.li.kli.'ni.k] *v* policlinic, out-patients' department.

polio ['po.li.o.] *v* polio.

poliomyelitis [po.li.o.mi.ə'li.tɪs] *v* poliomyelitis.

polis ['po.ləs] *v* (insurance) policy.

politicus [po.'li.ti.kŭs] *m* politician.

politie [po.'li.(t)si.] *v* police.

politieagent [-a.gɛnt] *m* policeman, constable, police officer.

politiebureau [-by.ro.] *o* I police station; 2 (hoofdbureau) police office.

politieel [po.li.(t)si.'e.l] police [action, operation &].

politiehond [-hònt] *m* police dog.

politiek [po.li.'ti.k] I *aj* I political; 2 politic; *de ~e partijen* the political parties; *dat is niet ~* it is bad policy, it would not be politic; II *v* I (staatkundige beginselen) politics; 2 (gedragslijn) policy, line of policy; 3 (burgerkleding) plain clothes; *zijn ~* his policy; *in ~* in plain clothes, S in mufti; *in de ~* in politics; *uit ~* from policy, for political reasons.

politiekorps [po.'li.(t)si.kɔrps] *o* police force.

politiemacht [-maxt] *v* body of police, police force.

politieman [-man] *m* police officer, policeman.

politiemuts [-mŭts] *v* ⚔ forage-cap.

politiepost [-pɔst] *m* station-house, police post.

politierapport [-rapɔrt] *o* police report.

politierechter [-rɛxtər] *m* police magistrate.

politietoezicht [-tu.zɪxt] *o* police supervision.

politieverordening [-vərɔrdənɪŋ] *v* police regulation.

politiewezen [-ve.zə(n)] *o* in: *het ~* the police.

politoer [po.li.'tu:r] *o* & *m* (French) polish.

politoeren [-'tu:rə(n)] *vt* (French-)polish.

polka ['pòlka.] *m* & *v* polka.

polkahaar [-ha:r] *o* bobbed hair.

pollepel ['pole.pəl] *m* ladle.

polo ['po.lo.] *o sp* polo.

polohemd [-hɛmt] *o* polo shirt.

polonaise [po.lo.'nɛ:zə] *v* I polonaise; 2 ♪ polonaise; *de ~ doen (met)* walk a polonaise (with).

I **pols** [pòls] *m* pole, leaping-pole.

2 **pols** [pòls] *m* I (ader) pulse; 2 (gewricht) wrist; *iemand de ~ voelen* feel a person's pulse[2]; zie ook: *polsen*.

polsen ['pòlsə(n)] *vt* iemand ~ sound a person; *iemand over iets ~* sound one (up)on something.

polshorloge ['pòlshərlo.ʒə] *o* wrist(let) watch.

polsslag ['pòlslax] *m* pulsation.

polsstok [-stòk] *m* leaping-pole, jumping-pole.

polsstokspringen [-sprɪŋə(n)] *o* pole-jump, pole-vault.

Polynesië [po.li.'ne.zi.ə] *o* Polynesia.

Polynesiër [-zi.ər] *m* **Polynesisch** [-zi.s] *aj* Polynesian.

polytechnisch [po.li.'tɛxni.s] polytechnic; *~e school* polytechnic (school).

pomerans [pòmə'rans] *v* I ⚘ bitter orange; 2 ⚬⚬ (aan keu) (cue-)tip.

pomeransbitter [-bɪtər] *o* & *m* orange bitters.

pommade [pò'ma.də] *v* pomade, pomatum.

pommaderen [-ma.'de:rə(n)] *vt* pomade.

Pommeren ['pòmərə(n)] *o* Pomerania.

pomp [pòmp] *v* pump; *loop naar de ~!* go to blazes!

pompbediende ['pòmpbədi.ndə] *m* (petrol) pump attendant.

Pompeji [pòm'pe.ji.] *o* Pompeii.

Pompejus [pòm'pe.jŭs] *m* Pompey.

pompelmoes ['pòmpəlmu.s] *v* ⚘ pomelo, shaddock; (kleiner) grape-fruit.

pompen ['pòmpə(n)] *vi* & *vt* pump; ~ *of verzuipen* F sink or swim.

pomper [-pər] *m* pumper.

pompernikkel [-nɪkəl] *m* pumpernickel.

pompeus [pòm'pø.s] *aj* (& *ad*) pompous(ly).

pompoen [-'pu.n] *m* ♣ pumpkin, gourd.

pompon [-'pòn] *m* pompon, tuft.

pompstation ['pòmpsta.ʃòn] *o* pumping station.

pompwater [-va.tər] *o* pump-water.

pon [pòn] *m* F nighty, night-dress.

pond [pònt] *o* pound; *het volle* ~ *eisen* exact one's pound of flesh; *in (Engelse)* ~*en betalen* ook: pay in sterling.

pondenbezit ['pòndə(n)bəzɪt] *o* sterling holdings.

pondensaldo [-saldo.] *o* sterling balance.

pondspondsgewijs, -gewijze [pòntspòntsgə'vɛis, -'vɛizə] pro rata, proportionally.

ponjaard ['pònja:rt] *m* poniard, dagger.

1 **pons** [pòns] *m* (d r a n k) punch.

2 **pons** [pòns] *m* ✕ punch.

ponsen ['pònsə(n)] *vt* ✕ punch.

ponskaart ['pònska:rt] *v* punched card.

ponsmachine [-ma.ʃi.nə] *v* ✕ punching machine.

pont [pònt] *v* ferry-boat.

pontificaal, pontifikaal [pònti.fi.'ka.l] pontifical; *in* ~ in full pontificals, in full regalia.

Pontius ['pòn(t)si.ũs] *m* Pontius; *iemand van* ~ *naar Pilatus zenden* send one from pillar to post.

ponton [pòn'tòn] *m* pontoon.

pontonbrug [-brüx] *v* pontoon-bridge.

pontonnier [pòntò'ni:r] *m* ✕ pontoneer.

pontveer ['pòntfe:r] *o* ferry.

pony ['pòni.] *m* 1 ♞ pony; 2 zie *ponyhaar*.

ponyhaar [-ha:r] *o* bang, fringe.

pooien ['po.jə(n)] *vi* booze.

pook [po.k] *m* & *v* poker.

Pool [po.l] *m* Pole.

1 **pool** [po.l] *v* pole.

2 **pool** [po.l] *v* pile [of velvet].

3 **pool** [po.l] *m* (o v e r j a s) greatcoat.

4 **pool** [pu.l] *m* (v. k o l e n, s t a a l, v o e t b a l &) pool.

poolcirkel ['po.lsɪrkəl] *m* polar circle.

poolgebied [-gəbi.t] *o* polar region.

poollicht ['po.lɪxt] *o* polar lights.

Pools [po.ls] I *aj* Polish; II *o het* ~ Polish; III *v een* ~*e* a Polish woman; zie ook: *landdag*.

poolshoogte ['po.lsho.xtə] *v* ⁕ elevation of the pole, latitude; ~ *nemen* see how the land lies.

poolster ['po.lstər] *v* polar star, pole-star.

poolstreek [-stre.k] *v* polar region.

pooltocht [-tòxt] *m* polar expedition.

poolvos [-vòs] *m* ♞ arctic fox.

poolzee [-ze.] *v* polar sea.

poon [po.n] *m* 🐟 gurnard.

poort [po:rt] *v* gate, doorway, gateway.

poortader ['po:rta.dər] *v* portal vein.

poorter ['po:rtər] *m* ⋓ citizen, freeman.

poortwachter ['po:rtvaxtər] *m* gate-keeper.

poos [po.s] *v* while, time, interval.

poosje ['po.ʃə] *o* little while; *een* ~ for a while.

poot [po.t] *m* 1 (v. dier) paw, foot, leg; 2 (v. meubel) leg; *wat een* ~ *schrijft hij!* what a fist he writes!; *op hoge poten* in high dudgeon; *op zijn* ~ *spelen* zie *opspelen* 2; *op zijn achterste poten gaan staan* 1 *eig* rear [of a horse]; 2 *fig* (zich verzetten) jib; (opstuiven) flare up; *die brief staat op poten* that letter says what it ought to say; *op zijn poten terechtkomen* fall on one's legs; *de zaak op poten zetten* arrange the thing.

pootaan [po.'ta.n] ~ *spelen* work (peg) hard, put one's back into it.

pootaardappel ['po.ta:rdapəl] *m* seed-potato.

pootijzer [-ɛizər] *o* dibble.

pootje ['po.cə] *o* 1 paw; 2 ♀ podagra; *met hangende* ~*s* F with one's tail between one's legs, crestfallen; zie ook: *poot*.

pootjebaden [-ba.də(n)] *vi* F paddle.

pootvijver ['po.tfɛivər] *m* nurse-pond.

pootvis [-fis] *m* fry.

pop [pòp] *v* 1 doll; puppet [in a show]; [tailor's] dummy; 2 (v. insekt) pupa [*mv* pupae], chrysalis, nymph; 3 (v. vogels) hen; 4 (in 't kaartspel) picture-card, court-card; 5 (kind) darling; 6 S guilder; *toen had men de* ~*pen aan 't dansen* F then there was the devil to pay, the fat was in the fire.

popachtig ['pòpaxtəx] doll-like.

pope ['po.pə] *m* pope.

popel ['po.pəl] *m* ♣ poplar.

popelen ['po.pələ(n)] *vt* quiver, throb; *zijn hart popelde* his heart went pit-a-pat; ~ *om te zien* be itching to see.

popeline [po.pə'li.nə] *o* & *m* poplin.

poppegezicht ['pòpəgəzɪxt] *o* doll's face.

poppegoed [-gu.t] *o* doll's clothes.

poppejurk [-jürk] *v* doll's dress.

poppenhuis ['pòpə(n)hœys] *o* doll's house.

poppenkast [-kast] *v* Punch-and-Judy show, puppet-show; *fig* tomfoolery.

poppenkraam [-kra.m] *v* & *o* booth for dolls and toys.

poppenspel [-spɛl] *o* puppet-show.

poppenwinkel [-vɪŋkəl] *m* doll-shop.

popperig ['pòpərəx] doll-like, dollish, dolly.

poppetje ['pòpəcə] *o* little doll, dolly; *teer* ~ sugar baby; ~*s tekenen* draw figures.

poppewagen [-va.gən] *m* doll's carriage, doll's perambulator.

populair [po.py.'lɛ:r] *aj* (& *ad*) popular(ly).

populariseren [-la.ri.'ze:rə(n)] *vt* popularize.

populariteit [-'tɛit] *v* popularity.

popularizeren zie *populariseren*.

populier [po.py.'li:r] *m* ♣ poplar.

por [pòr] *m* thrust, dig [in one's side], poke, jab.

poreus [po:'rø.s] porous.

poreusheid [-hɛit] *v* porosity.

porfier [pòr'fi:r] *o* porphyry.

porie ['po:ri.] *v* pore.

pornograaf [porno.'gra.f] *m* pornographer.
pornografie [-gra.'fi.] *v* pornography.
pornografisch [-'gra.fi.s] pornographic.
porren ['porə(n)] *vt* 1 poke, stir [the fire]; 2 prod [one's man]; jab [one in the leg &]; 3 (wekken) knock up, call up; 4 zie *aanporren*.
porselein [porsə'lɛin] *o* china, china-ware, porcelain.
porseleinaarde [-a:rdə] *v* china-clay, kaolin.
porseleinbloempje [-blu.mpjə] *o* 🌸 London pride.
porseleinen [porsə'lɛinə(n)] *aj* china, porcelain.
porseleinfabriek [-'lɛinfa.bri.k] *v* china (porcelain) factory.
porseleinkast [-kɑst] *v* china-cabinet.
porseleinschelp [-sxɛlp] *v* porcelain shell.
porseleinwinkel [-vɪŋkəl] *m* china shop.
1 **port** [port] *o & m* 🐚 postage.
2 **port** [port] *m* zie *portwijn*.
portaal [por'ta.l] *o* 1 landing [of stairs]; 2 porch, hall.
portefeuille [portə'fœyjə] *m* 1 (v. minister, schilder &) portfolio; 2 (voor zak) pocket-book, note-case, wallet; *de ~ aanvaarden* accept office; *de ~ neerleggen (ter beschikking stellen)* resign (office), leave the ministry; *aandelen in ~* $ unissued shares; *minister zonder ~* minister without portfolio.
porte-manteau [portmɑn'to.] *m* hall-stand.
portemonnaie, portemonnee [portmo'ne.] *m* purse.
portglas ['portglɑs] *o* port-wine glass.
portie ['porsi.] *v* portion, share [of something]; helping [at meals]; *fig* dose [of patience]; *een ~ ijs* an ice.
portiek [por'ti.k] *v* 1 (met zuilen) portico; 2 (uitgebouwd) porch; 3 (overwelfde deurtoegang) doorway.
1 **portier** [por'ti:r] *m* 1 door-keeper; 2 hotelporter, hall-porter, porter.
2 **portier** [por'ti:r] *o* (carriage-)door.
portière [porti.'ɛ:rə] *v* portière, door-curtain.
portierster [por'ti:rstər] *v* portress.
portierswoning [-'ti:rsvo.nɪŋ] *v* porter's lodge.
porto ['porto.] *o & m* 🐚 postage.
portret [por'trɛt] *o* portrait, likeness, photo-(graph); *ik heb mijn ~ laten maken* I have had my photo taken.
portretalbum [-ɑlbɵm] *o* photograph album.
portretlijstje [-lɛijə] *o* photo-frame.
portretschilder [-sxɪldər] *m* portrait-painter.
portretteren [portrɛ'te:rə(n)] *vt* portray², take a photo.
portrettist [-'tɪst] *m* portraitist.
Portugal ['porty.gɑl] *o* Portugal.
Portugees [porty.'ge.s] *aj & sb* Portuguese; *de Portugezen* the Portuguese.
portuur [por'ty:r] *v & o* match.
portvrij ['portfrɛi] 🐚 post-paid, free.
portwijn [-vɛin] *m* port(-wine)
portzegel [-se.gəl] *m* 🐚 postage due stamp.

pose ['po.zə] *v* posture, attitude, pose.
poseren [po.'ze:rə(n)] *vi* pose, sit [to a painter]; *fig* pose [as...], attitudinize, strike an attitude.
poseur [-'zø:r] *m* poseur.
positie [po.'zi.(t)si.] *v* 1 (houding &) position; 2 (betrekking) position, situation; 3 (rang in de maatschappij) status.
positief [po.zi.'ti.f] I *aj* positive; *hij is altijd zo ~* he is always so cocksure; II *ad* 1 decidedly; 2 § positively [charged particles]; *dat weet ik ~* I am quite sure about it; III *o* 1 (v. foto) positive; 2 *m gram* positive (degree).
positieve(n) [-'ti.və(n)] in: *hij kwam weer bij zijn ~* he came to his senses; *bij zijn ~ zijn* have all one's faculties; *hij is niet wel bij z'n ~* he is not right in his head.
1 **post** [post] *m* post [as support].
2 **post** [post] *m* 1 (standplaats) ✕ post² [also place of duty], station; 2 (betrekking) post; office; 3 🐚 postman; 4 $ item, entry [in a book]; 5 (schildwacht) sentry; 6 (bij staking) picket; *~ van vertrouwen* position of confidence; *enige ~en afdoen* $ sell a few lots; *~ vatten* take up one's station; *de mening heeft ~ gevat, dat...* it is the prevailing opinion that...; *op zijn ~ blijven* ✕ remain at one's post; *op ~ staan* ✕ stand sentry; *daar op ~ staand* posted there; *op ~ zetten* ✕ post [sentries]; *op zijn ~ zijn* be (present) at one's post; *ik moet om 4 uur op mijn ~ zijn* I am on at four o'clock.
3 **post** [post] *v* 🐚 1 post, mail; 2 post office, post; *hij is bij de ~* he is in the post office; *met deze, de eerste, laatste ~* by this mail, by first (last) post; *een brief op de ~ doen* post a letter, take a letter to the post; *over (met) de ~* through the post; *per ~* by post, through the post; *per kerende ~* by return of post.
4 **post** [post] *o* note-paper, letter-paper.
postambtenaar ['postɑmtəna:r] *m* 🐚 post-office official.
postauto [-o.to., -ɔuto.] *m* 🐚 post-office van.
postbeambte [-bəɑmtə] *m-v* 🐚 post-office servant.
postbestelling [-bəstelɪŋ] *v* 🐚 postal delivery.
postbewijs [-bəvɛis] *o* 🐚 postal order.
postblad [-blɑt] *o* 🐚 letter-card.
postbode [-bo.də] *m* 🐚 postman. [boat.
postboot [-bo.t] *m & v* ⚓ mail-steamer, mail-
postbus [-bɵs] *v* 🐚 post-office box, box.
postcheck zie *postcheque*.
postcheque [-ʃɛk] *m* 🐚 postal cheque.
postdateren [postda.'te:rə(n)] *vt* post-date.
postdienst ['postdi.nst] *m* 🐚 postal service.
postdirecteur, -direkteur [-di.rəktø:r] *m* 🐚 postmaster.
postduif [-dœyf] *v* 🐦 carrier-pigeon, homing pigeon.
postelein [postə'lɛin] *m* 🌸 purslane.
posten ['postə(n)] *vt* 1 🐚 post [a letter]; 2 (bij staking) picket [of workmen].
poster ['postər] *m* (bij staking) picketer.

posteren [pɔs'te:rə(n)] *vt* post, station.

poste-restante [pɔstrɛs'tɑnt] ᘛ to be (left till) called for.

posterijen [pɔstə'rɛiə(n)] *mv* ᘛ *de* ~ the Post Office.

postgids ['pɔstɡɪts] *m* ᘛ post-office guide.

posthoorn, -horen [-ho:rən] *m* ᘛ post-horn.

postiljon [pɔstɪl'jòn] *m* postilion, post-boy.

postkantoor ['pɔstkɑnto:r] *o* ᘛ post office.

postkwitantie [-kvi.tɑn(t)si.] *v* ᘛ postal collection order.

postmerk [-mɛrk] *o* ᘛ postmark; *datum* ~ date as per postmark.

postorder [-ɔrdər] *v* & *o* $ mail-order.

postorderbedrijf [-bədrɛif] *o* $ mail-order business.

postpaard ['pɔstpa:rt] *o* ᘛ post-horse.

postpakket [-pɑkɛt] *o* ᘛ parcel, postal parcel; *als* ~ *verzenden* send by parcel post.

postpapier [-pa.pi:r] *o* note-paper, letter-paper.

postrekening [-re.kənɪŋ] *v* ᘛ postal cheque account.

postrijtuig [-rɛitœyx] *o* ᘛ mail-van, travelling post-office.

postscriptum [pɔst'skrɪptʉm] *o* postscript.

postspaarbank ['pɔstspa:rbɑŋk] *v* post-office savings-bank.

postspaarbankboekje [pɔst'spa:rbɑŋkbu.kjə] *o* P.O. savings-bank book.

poststempel ['pɔststɛmpəl] *o* & *m* ᘛ postmark.

poststuk [-stʉk] *o* ᘛ postal article.

posttarief ['pɔsta:ri.f] *o* ᘛ postal rate(s), postage rates, rates of postage.

posttijd [-tɛit] *m* ᘛ post-time, mail-time.

posttrein [-trɛin] *m* ᘛ mail train.

postulaat [pɔsty.'la:t] *o* postulate.

postulant [-'lɑnt] *m* postulant.

postuleren [-'le:rə(n)] *vt* postulate.

postunie ['pɔsty.ni.] *v* ᘛ postal union.

postuum [pɔs'ty.m] *aj* (& *ad*) posthumous(ly).

postuur [pɔs'ty:r] *o* shape, figure, build; *zich in* ~ *stellen* (*zetten*) draw oneself up.

postverbinding ['pɔstfərbɪndɪŋ] *v* ᘛ postal communication.

postverkeer [-fərke:r] *o* ᘛ postal traffic.

postvliegtuig [-fli.xtœyx] *o* ✈ mailplane

postvlucht [-flʉxt] *v* ✈ (air-)mail flight.

postwagen [-va.ɡə(n)] *m* 1 stage-coach [between two places]; 2 ᘛ mail van.

postweg [-vɛx] *m* ᘛ post-road.

postwezen [-ve.zə(n)] *o* ᘛ in: *het* ~ the Post Office.

postwissel [-vɪsəl] *m* ᘛ post-office order, [foreign, international] money-order.

postwisselformulier [-fɔrmy.li:r] *o* ᘛ money-order form.

postzak ['pɔstsɑk] *m* ᘛ post-bag, mail-bag.

postzegel [-se.ɡəl] *m* ᘛ (postage) stamp.

postzegelalbum [-ɑlbʉm] *o* stamp album.

postzegelautomaat [-o.to.-, əuto.ma.t] *m* stamp machine.

postzegelbevochtiger [-bəvòxtəɡər] *m* stamp damper.

postzegelveiling [-vɛilɪŋ] *v* stamp auction.

postzegelverzamelaar [-vərza.mələ:r] *m* stamp collector.

postzegelverzameling [-lɪŋ] *v* stamp collection.

pot [pɔt] *m* 1 (om in te maken &) pot; jar [also for tobacco]; 2 (om te drinken) pot, mug; 3 (po) chamber (pot); 4 (inzet) stakes, pool; ~*ten en pannen* pots and pans; *een gewone* (*goede*) ~ plain (good) cooking; *de* ~ *verteren* spend the pool; *u moet voor lief nemen wat de* ~ *schaft* you must take potluck; *de* ~ *verwijt de ketel dat hij zwart is* the pot calls the kettle black.

potas ['pɔtɑs] *v* potash.

potdeksel [-dɛksəl] *o* pot-lid.

potdicht ['pɔdɪxt] tightly closed, close(-shut); *fig* very close.

potdoof [-do.f] stone-deaf.

poten ['po.tə(n)] *vt* plant [potatoes &], set [fish].

potentaat [po.tən'ta.t] *m* potentate.

potentiaal [po.tɛn(t)si.'a.l] *m* potential.

potentie [po.'tɛn(t)si.] *v* potency.

potentieel [po.tɛn(t)si.'e.l] I *aj* (& *ad*) potential(ly); II *o* potential.

poter ['po.tər] *m* 1 planter; 2 seed-potato.

potig [-təx] strong, robust, strapping.

potje ['pɔcə] *o* (little) pot; ~ *bier* glass of beer; *een* ~ *biljarten* have a game of billiards; *hij kan een* ~ *breken* they connive at his doings; *zijn eigen* ~ *koken* do one's own cooking; *een* ~ *maken* lay by something against a rainy day; *kleine* ~*s hebben grote oren* little pitchers have long ears.

potjeslatijn ['pɔcəsla.tɛin] *o* dog Latin.

potkachel ['pɔtkɑɡəl] *v* pot-bellied stove.

potkijker [-kɛikər] = *pottekijker*.

potloden [-lo.də(n)] *vt* black-lead.

potlood [-lo.t] *o* 1 (om te schrijven) (lead-pencil; 2 (smeersel) black lead.

potloodslijper [-slɛipər] *m* pencil sharpener.

potloodtekening [-te.kənɪŋ] *v* pencil drawing.

potnat [pɔt'nɑt] *o* in: *'t is één* ~ F it is six of one and half a dozen of the other.

potplant ['pɔtplɑnt] *v* pot-plant.

potpourri [-pu.ri.] *m* & *o* ♪ potpourri, med-

pots [pɔts] *v* prank. [ley[2]

potscherf ['pɔtsxɛrf] *v* potsherd.

potsenmaker ['pɔtsə(n)ma.kər] *m* wag, buffoon, clown.

potsierlijk [pɔt'si:rlək] I *aj* ludicrous, comical; II *ad* ludicrously, comically.

potspel ['pɔtspel] *o* pool.

pottekijker ['pɔtəkɛikər] *m* 1 zie *keukenpiet*; 2 (bemoeial) snooper.

potten ['pɔtə(n)] I *vt* pot [plants]; *fig* hoard (up) [money]; II *va* salt down money.

pottenbakker [-bɑkər] *m* potter.

pottenbakkerij [pɔtə(n)bɑkə'rɛi] *v* pottery, potter's workshop.

pottenwinkel ['potə(n)vɪŋkəl] *m* earthenware shop.
potter ['potər] *m* F hoarder.
potverteren ['potfərte:rə(n)] *o* spending of the pool for a treat to all.
potvis [-fɪs] *m* ⚓ cachalot.
pousseren [pu.'se:rə(n)] *vt* push, push on [a man].
pover ['po.vər] poor, shabby.
poverheid [-hɛit] *v* poorness.
povertjes [-cəs] poorly.
pozen ['po.zə(n)] *vi* 1 pause; 2 take a rest.
p.p. = [pɛrpər'so.n] *per persoon*; = *per procuratie* zie *procuratie*.
Praag [pra.x] *o* Prague.
praaien ['pra.jə(n)] *vt* ⚓ hail, speak [ships].
praal [pra.l] *v* pomp, splendour, magnificence.
praalbed ['pra.lbɛt] *o* bed of state; *op een ~ liggen* lie in state.
praalgraf [-ɡraf] *o* mausoleum.
praalhans [-hans] *m* braggart, boaster.
praalkoets [-ku.ts] *v* coach of state.
praalvertoon [-vərto.n] *o* pomp, ostentation.
praalwagen [-va.ɡə(n)] *m* float. •
praalziek [-zi.k] fond of display, ostentatious.
praalzucht [-zŭxt] *v* love of display, ostentation.
praam [pra.m] *v* ⚓ pram.
praat [pra.t] *m* talk, tattle; *veel ~s hebben* talk big; *iemand aan de ~ houden* hold (keep) one in talk.
praatachtig, praatgraag ['pra.taxtəx, -ɡra.x] zie *praatziek*.
praatje ['pra.cə] *o* talk; *het is maar een ~, dat zijn maar ~s* (*voor de vaak*) it's all idle talk; *natuurlijk het gewone ~* the usual cheap talk; *een ~ maken* (*met*) have a chat (with); *och wat, ~s!* fiddlesticks!; *het ~ gaat dat...* there is some talk of...; *zoals het ~ gaat* as the talk goes; *er liepen ~s* (*over haar*) people were talking (about her); *u moet niet alle ~s geloven* you should not believe all that is told; *~s vullen geen gaatjes* fair words butter no parsnips.
praatjesmaker [-cəsma.kər] *m* braggart, vapourer.
praatster ['pra.tstər] *v* talker, chatterer, gossip.
praatstoel [-stu.l] *m* in: *op zijn ~ zitten* F 1 be in the talking vein; 2 be talking nineteen to the dozen.
praatvaar [-fa:r] *m* great talker.
praatziek [-si.k] *v* talkative, loquacious, garrulous.
praatzucht [-sŭxt] *v* talkativeness, loquacity, garrulity.
pracht [praxt] *v* splendour, magnificence, pomp; *~ en praal* pomp and splendour.
prachtband ['praxtbant] *m* amateur binding.
prachteksemplaar zie *prachtexemplaar*.
prachtexemplaar [-ɛksəmpla:r] *o* 1 de luxe copy [of a book]; 2 beautiful specimen [of something], beauty.

prachtig ['praxtəx] I *aj* magnificent, splendid, superb, sumptuous; *dat zou ~ zijn* that would be grand (splendid); *~, hoor!* capital!; II *ad* magnificently &.
prachtstuk ['praxtstŭk] *o* beauty.
prachtuitgave [-œytɡa.və] *v* de luxe edition.
prachtwerk [-vɛrk] *o* drawing-room book, table-book.
practicum ['prakti.kŭm] *o* practical work.
practicus [-kŭs] *m* practical person.
practijk zie *praktijk*.
practisch zie *praktisch*.
praeadvies zie *preadvies*.
praedicaat zie *predikaat*.
praedicatief zie *predikatief*.
praehistori- zie *prehistori-*.
praemisse zie *premisse*.
praeses ['pre.zəs] *m* chairman, president.
praesidium zie *presidium*.
praetor(-) zie *pretor(-)*.
pragmatiek [praxma.'ti.k] pragmatic [sanction].
pragmatisch [-'ma.ti.s] I *aj* pragmatic; II *ad* pragmatically.
prairie ['prɛ:ri.] *v* prairie.
prairiebrand [-brant] *m* prairie fire.
prairiehond [-hònt] *m* prairie-dog.
prairiewolf [-vòlf] *m* prairie-wolf, coyote.
prak *m* in: *een auto in de ~ rijden* smash up a car.
prakkezeren, prakkizeren [prakə-, praki.'ze:-rə(n)] I *vi* F think; II *vt* F contrive.
praktijk [prak'tɛik] *v* practice; (v. personeel, leerkrachten &) experience; *kwade ~en* evil practices; *die dokter heeft een goede ~* has a large practice; *de ~ uitoefenen* practise [of a doctor]; *in de ~* in practice [not in theory]; *in ~ brengen* put in practice; *zonder ~* [doctor] without practice; briefless [barrister].
praktisch ['prakti.s] I *aj* practical; *~e bekwaamheid* practical skill; *~e kennis* working knowledge; *~ plan* practicable (workable) plan; II *ad* practically.
praktizeren [-ti.'ze:rə(n)] *vi* practise; be in practice; *~d geneesheer* medical practitioner, general practitioner; *~d katholiek* practising Roman Catholic.
pralen ['pra.lə(n)] *vi* 1 be resplendent, shine, glitter; 2 flaunt; *~ met* show off...
praler [-lər] *m* showy fellow, swaggerer.
pralerij [pra.lə'rɛi] *v* ostentation, showing off, show.
praline [pra.'li.nə] *v* praline.
prat [prat] proud; *~ gaan* (*zijn*) *op* pride oneself on...
praten ['pra.tə(n)] *vi* talk, chat; > prate; *u moet hem aan het ~ zien te krijgen* 1 make him talk; 2 try to draw him; *hij heeft gepraat* 1 he has talked; 2 he has told tales; *kan de kleine al ~?* can the little one talk yet?; *hij kan mooi ~* he has a smooth tongue; *hij heeft mooi ~*

it is all very well for him to say so; *er valt met hem te* ~ he is a reasonable man; *er valt niet met hem te* ~ there is no reasoning with him; *er omheen* ~ talk round a subject, beat about the bush; *zij waren over de kunst aan het* ~ they were talking art; *ze zitten altijd over hun vak te* ~ they are always talking shop; *praat me daar niet over* don't talk to me of that; *u moet hem dat uit het hoofd* ~ talk him out of it; *daar weet ik van mee te* ~ zie *meepraten.*

prater [-tər] *m* talker.

prauw [prɔu] *v Ind* ♣ proa.

prauwvoerder ['prɔuvu:rdər] *m Ind* proa-man.

preadvies ['pre.ɑtvi.s] *o* preliminary advice, report.

prealabel [pre.a.'la.bəl] previous; *de* ~*e kwestie stellen* move the previous question.

prebende [pre.'bɛndə] *v* prebend.

precair [pre.'kɛ:r] *aj* (& *ad*) precarious(ly).

precedent [pre.se.'dɛnt] *o* precedent.

precies [prə'si.s] **I** *aj* precise; **II** *ad* precisely, exactly; *om 5 uur* ~ at five precisely (sharp); *ze passen* ~ zie *passen* I.

preciosa [pre.si.'o.za.] *mv* valuables.

preciseren [-'ze:rə(n)] *vt* define, state precisely, specify.

precisie-instrument [pre.'si.zi.ɪnstry.mɛnt] *o* precision instrument, instrument of precision.

precizeren zie *preciseren.*

predestinatie [pre.dɛsti.'na.(t)si.] *v* predestination.

predestineren [-'ne:rə(n)] *vt* predestine.

predikaat [pre.di.'ka.t] *o* 1 (gezegde) predicate; 2 (titel) title; 3 (cijfer) mark [at school].

predikambt ['pre.dəkɑmt] *o* ministry.

predikant [pre.di.'kɑnt] *m* 1 zie *dominee*; (v. leger, vloot, gevangenis &) chaplain; 2 *RK* zie *kanselredenaar.*

predikantsplaats [-'kɑntspla.ts] *v* living.

predikantswoning [-vo.nɪŋ] *v* rectory, vicarage, parsonage.

predikatie [pre.di.'ka.(t)si.] *v* sermon, homily.

predikatief [-ka.'ti.f] *aj* (& *ad*) predicative(ly).

predikbeurt ['pre.dəkbø:rt] *v* turn to preach; preaching-engagement.

prediken ['pre.dəkə(n)] *vt* & *vi* preach.

prediker [-kər] *m* preacher; *P*~ B Ecclesiastes.

predikheer ['pre.dəkhe:r] *m* Dominican (friar).

prediking ['pre.dəkɪŋ] *v* preaching.

predikstoel ['pre.dəkstu.l] = *preekstoel.*

predisponeren [pre.dɪspo.'ne:rə(n)] *vt* predispose.

preek [pre.k] *v* sermon [ook >].

preekbeurt ['pre.kbø:rt] = *predikbeurt.*

preekheer [-he:r] = *predikheer.*

preekstoel [-stu.l] *m* pulpit.

preektoon [-to.n] *m* preachy tone.

prefabricatie [pre.fa.bri.'ka.(t)si.] *v* prefabrication.

prefabriceren [-'se:rə(n)] *vt* prefabricate.

prefabrikatie zie *prefabricatie.*

prefatie [pre.'fa.(t)si.] *v RK* preface.

prefect [prə'fɛkt] *m* prefect.

prefectuur [pre.fɛk'ty:r] *v* prefecture.

prefekt(-) zie *prefect(-).*

preferent [pre.fə'rɛnt] preferential; ~*e schuldeiser* preferential creditor; ~*e schulden* preferred debts; zie ook: *aandeel.*

preferentie [pre.fə'rɛn(t)si.] *v* preference; *de* ~ *op een huis hebben* have the (first) refusal of a house.

prefereren [-'re:rə(n)] *vt* prefer (to *boven*).

prehistoricus [pre.hɪs'to:ri.kűs] *m* prehistorian.

prehistorie ['pre.hɪsto:ri.] *v* prehistory.

prehistorisch [pre.hɪs'to:ri.s] prehistoric.

prei [prɛi] *v* ♣ leek.

preken ['pre.kə(n)] *vi* & *vt* preach[2].

prekerig [-kərəx] > preachy.

prelaat [pre.'la.t] *m* prelate.

prelaatschap [-sxɑp] *o* prelacy.

premie ['pre.mi.] *v* premium[2]; (boven het loon) bonus; (voor uitvoer) bounty; (v. AOW &) contribution.

premielening [-le.nɪŋ] *v* lottery loan.

premier [prəmi.'e.] *m* prime minister, premier.

première [prəmi.'ɛ:rə] *v* première, first night [of a play], first showing [of a film].

premiestelsel ['pre.mi.stɛlsəl] *o* premium (bounty) system.

premievrij [-vrɛi] paid-up [policy], non-contributory [pension].

premisse [pre.'mɪsə] *v* premise, premiss.

prenataal [-na.'ta.l] antenatal.

prent [prɛnt] *v* print, engraving, picture.

prentbriefkaart ['prɛntbri.fka.rt] *v* picture post-card.

prenten ['prɛntə(n)] *vt* imprint; *het (zich iets) in het geheugen* ~ imprint it on the memory.

prentenboek [-bu.k] *o* picture-book.

prentenkabinet [-ka.bi.nɛt] *o* print-room.

prentje ['prɛncə] *o* picture; ~*s kijken* look at the pictures [in a book].

preparaat [pre.pa.'ra.t] *o* preparation.

prepareren [-'re:rə(n)] **I** *vt* 1 prepare; 2 dress [skins]; **II** *vr zich* ~ get ready, make ready.

presbyteriaan(s) [prɛsbi.te.ri.'a.n(s)] *m* (& *aj*) Presbyterian.

presenning [pre.'sɛnɪŋ] *v* ♣ tarpaulin.

1 present [prə'zɛnt] *o* present; ~ *geven* make a present of; ~ *krijgen* get it as a present.

2 present [prə'zɛnt] *aj* present; ~! here!

presentabel [prəzən'ta.bəl] presentable.

presenteerblad [-'te:rblɑt] *o* salver, tray.

presenteksemplaar zie *presentexemplaar.*

presenteren [prəzən'te:rə(n)] **I** *vt* offer [something]; present [a bill &]; *het geweer* ~ ✗ present arms; *iets* ~ offer (hand round) some refreshments; *het is me gepresenteerd* they have made me an offer of it; *iemand* ~ introduce a person [to another]; **II** *vr zich* ~ 1 introduce oneself [of persons]; 2 present itself [of an opportunity].

presentexemplaar [prə'zɛntɛksəmpla:r] *o* presentation copy, complimentary copy, free copy.

presentie [-'zɛn(t)si.] *v* presence.

presentiegeld [-gɛlt] *o* attendance money.

presentielijst [-lɛist] *v* list of members present; attendance register.

preses zie *praeses*.

president [pre.zi.'dɛnt] *m* 1 president [of a meeting, republic, a board], chairman [of a meeting]; 2 foreman [of a jury]; *Mijnheer de* ~ Mr. Chairman.

president-commissaris [-dɛntkòmə'sa:rəs] *m* chairman of directors [of a company].

presidente [-'dɛntə] *v* chairwoman.

president-kommissaris zie *president-commissaris*.

presidentschap [-'dɛntsχap] *o* presidency², chairmanship.

presidentverkiezing [-'dɛntsførki.zɪn] *v* presidential election.

presidentszetel [-'dɛntse.təl] *m* (presidential) chair.

presideren [-'de:rə(n)] I *vt* preside over, preside at [a meeting]; II *va* preside, be in the chair.

presidium [pre.'zi.di.ũm] *o* presidentship, chairmanship.

preskop ['prɛskɔp] *m* pressed hog's head.

pressant [prɛ'sant] pressing, urgent.

pressen ['prɛsə(n)] *vt* press [into the service].

presse-papier [prɛspa.pi.'e.] *m* paper-weight.

presseren [prɛ'se:rə(n)] *vt* press, hurry [a person]; *presseert het?* is it very urgent?; *het presseert niet* there is no hurry.

pressie ['prɛsi.] *v* pressure; ~ *uitoefenen op* bring pressure to bear upon.

pressiegroep [-gru.p] *v* pressure group.

pressing ['prɛsɪn] *v* ⚔ & ⚓ impressment.

prestatie [prɛs'ta.(t)si.] *v* performance [also ⚔, ✈], achievement [of our industry], [physical &] feat.

presteren [-'te:rə(n)] *vt* achieve; *wat hij* ~ *kan* what he can do.

prestige [-'ti.ʒə] *o* prestige; *zijn* ~ *ophouden* maintain one's prestige; *zijn* ~ *redden* save one's face.

prestigekwestie [-kvɛsti.] *v* matter of prestige.

pret [prɛt] *v* pleasure, fun; *dat was me een* ~ it was great fun; *ik heb dolle* ~ *gehad* I had great fun, I've had a rare old time; ~ *hebben over iets* revel in a thing; ~ *maken* enjoy oneself.

pretendent [pre.tɛn'dɛnt] *m* pretender [to the throne], claimant [of right]; suitor [for girl's hand].

pretenderen [-'de:rə(n)] *vt* pretend.

pretentie [prə'tɛn(t)si.] *v* 1 pretension; 2 pretension, claim [to merit]; *vol* ~*s* pretentious; *zonder* ~ unpretentious, unassuming.

pretentieus [pre.tɛnsi.'ø.s] pretentious.

pretje ['prɛcə] *o* bit of fun, frolic, lark; *'t is me nogal een* ~*!* a nice job, indeed!

pretmaker ['prɛtma.kər] *m* merry-maker, reveller.

pretor ['pre.tər] *m* ⚏ praetor.

pretoriaan [pre.to.ri.'a.n] *m* ⚏ praetorian.

prettig ['prɛtəχ] I *aj* amusing, pleasant, nice, agreeable; *het* ~ *vinden* like it; II *ad* pleasantly, agreeably.

preuts [prø.ts] *aj* (& *ad*) prudish(ly), prim(ly), demure(ly), squeamish(ly).

preutsheid ['prø.tshɛit] *v* prudishness, prudery, primness, demureness, squeamishness.

prevelen ['pre.vələ(n)] *vi* & *vt* mutter, mumble.

preventief [pre.vɛn'ti.f] preventive; *in preventieve hechtenis houden* keep [him] under remand; ~ *middel* preventive (means).

prezent(-) zie *present(-)*.

Priamus ['pri.a.mũs] *m* Priam.

prieel [pri.'e.l] *o* bower, arbour, summer-house.

priem [pri.m] *m* 1 pricker, piercer, awl; 2 stiletto, bodkin, dagger.

priemen ['pri.mə(n)] *vt* prick, pierce.

priemgetal ['pri.mχətal] *o* prime number.

priester ['pri.stər] *m* priest.

priesterambt [-amt] *o* priestly office.

priesteres [pri.stə'rɛs] *v* priestess.

priestergewaad ['pri.stərγəva.t] *o* sacerdotal garments, clerical garb.

priesterkaste [-kastə] *v* priestly caste.

priesterlijk [-lək] priestly.

priesterschap [-sχap] *o* priesthood.

priesterwijding [-vɛidɪn] *v* ordination.

prijken ['prɛikə(n)] *vi* shine, glitter, blaze; *...prijkte in al zijn schoonheid ...*was in the pride of its beauty.

prijs [prɛis] 1 *m* (waarde) price; (kaartje met prijsaanduiding) price ticket; 2 *m* (beloning) prize; award [for the best book of the year]; 3 *v* ⚓ (buit) prize; *speciale prijzen* (in hotel &) special terms [March to May]; *de eerste* ~ *behalen* win (gain, carry off) the first prize; ~ *maken* ⚓ make a prize of [a ship], prize, capture, seize [a ship]; *goede prijzen maken* $ command (fetch) good prices [of things]; obtain (make) good prices [of a seller, for his articles]; ~ *stellen op* 1 appreciate, value [your friendship]; 2 be anxious to [do something]; *voor goede* ~ *verklaren* declare lawful prize, prize [a ship]; *een* ~ *zetten op iemands hoofd* set a prize on a man's head; *beneden (onder) de* ~ *verkopen* $ sell below the market; *op* ~ *houden* keep up the price (of...); *op* ~ *stellen* appreciate, value; *tegen elke* ~ at any price²; *tegen lage* ~ at a low price, at low prices; *tot elke* ~ at any cost, at all costs, at any price; *voor geen* ~ not at any price; *voor die* ~ at the price.

prijsbeheersing ['prɛisbəhe:rsɪn] *v* price control.

prijsbepaling [-bəpa.lɪn] *v* fixing (fixation) of prices.

prijsbinding [-bɪndɪn] *v* price maintenance.

prijscourant [-ku:rant] *m* **$** price-list, price-current.

prijsdaling [-da.lɪŋ] *v* **$** fall in prices.

prijsgeld [-gɛlt] *o* ⚓ prize-money.

prijsgericht [-gərɪxt] *o* ⚓ Prize Court.

prijsgeven [-ge.və.və(n)] *vt* abandon [to the waves]; commit [to the flames]; zie ook: *bespotting, vergetelheid* &.

prijshoudend [preis'həudent] **$** firm.

prijsindex ['prɛɪsɪndɛks] *m* price-index.

prijskamp [-kamp] *m* competition.

prijsklas(se) [-klas(ə)] *v* price-range.

prijskoerant zie *prijscourant*.

prijslijst ['prɛɪslɛɪst] *v* **$** price-list.

prijsniveau [-ni.vo.] *o* price-level.

prijsnotering [-no.te:rɪŋ] *v* **$** quotation (of prices).

prijsopdrijving [-òpdrɛɪvɪŋ] *v* **$** inflation (of prices).

prijsopgaaf, -opgave [-òpga.f, -ga.və] *v* **$** quotation.

prijspeil [-pɛil] *o* price-level.

prijspolitiek [-po.li.ti.k] *v* price-policy.

prijsschieten [-sxi.tə(n)] *o* shooting-match.

prijsstijging ['prɛɪstɛɪgɪŋ] *v* rise (in prices).

prijsstop [-stɔp] *m* price freeze; *een ~ afkondigen* freeze prices.

prijsuitdeling ['prɛɪsœytde.lɪŋ] *v* distribution of prizes.

prijsverbetering [-fərbe.tərɪŋ] *v* **$** improvement (in prices).

prijsverhoging [-ho.gɪŋ] *v* increase, rise (in prices).

prijsverlaging [-la.gɪŋ] *v* reduction, abatement, price-cutting; *grote ~!* sweeping reductions.

prijsvermindering [-mɪndərɪŋ] *v* zie *prijsverlaging*.

prijsverschil [-sxɪl] *o* **$** difference in price.

prijsvraag ['prɛɪsfra.x] *v* competition; *een ~ uitschrijven* offer a prize [for the best...].

prijswinnaar [-vɪna:r] *m* prize-winner.

prijzen ['prɛɪzə(n)] *vt* 1 (loven) praise, commend, extol; 2 **$** price; *iemand gelukkig ~* call one happy; *zich gelukkig ~* deem oneself happy; *zijn waren ~* 1 praise one's wares; 2 price one's wares [in guilders &].

prijzenhof [-həf] *o* ⚓ prize court.

prijzenswaard(ig) [prɛɪzəns'va:rt, -'va:rdəx] praiseworthy, laudable, commendable.

prijzig ['prɛɪzəx] **$** commanding a good price, expensive.

prik [prɪk] *m* prick, stab, sting ‖ 🐟 lamprey.

prikje ['prɪkjə] *o* prick; *voor een ~* for a song.

prikkel ['prɪkəl] *m* 1 (prikstok) goad; 2 (stekel) sting; 3 *fig* stimulus, spur, incentive.

prikkelbaar [-ba:r] irritable, excitable.

prikkelbaarheid [-ba:rhɛit] *v* irritability, excitability.

prikkeldraad [-dra.t] *o* & *m* barbed wire.

prikkeldraadversperring [-fərspɛrɪŋ] *v* (barbed) wire entanglement.

prikkelen ['prɪkələ(n)] I *vt* 1 *eig* prickle; tickle

[the palate]; 2 (opwekken) stimulate, excite, spur on]; 3 (irriteren) irritate [the nerves], provoke [a person]; *de nieuwsgierigheid ~* pique (prick) one's curiosity; II *va* prickle; *fig* stimulate; irritate.

prikkelend [-lənt] prickling, prickly; *fig* stimulating; irritating; provoking.

prikkeling [-lɪŋ] *v* prickling; tickling; *fig* stimulation; irritation; provocation.

prikkellectuur, -lektuur ['prɪkəlɛkty:r] *v* lurid literature.

prikken ['prɪkə(n)] *vt* & *vi* prick.

prikker [-kər] *m* pricker.

prikklok ['prɪklɔk] *v* time clock.

priksle(d)e ['prɪksle.(də)] *v* pricker-moved sledge.

prikstok [-stɔk] *m* pricker.

priktol [-təl] *m* pegtop.

pril [prɪl] in: *in zijn ~le jeugd* in his early youth.

prima ['pri.ma.] I *aj* first-class, first-rate, prime, A 1; II *v* **$** first of exchange.

primaat [pri.'ma.t] *m* primate.

primaatschap [-sxap] *o* primacy, primateship.

prima-donna [pri.ma.'dɔna.] *v* prima donna.

primair [pri.'mɛ:r] I *aj* primary; II *ad* primarily.

primeur [-'mø:r] *v* in: *~s* early fruit, early vegetables; *de ~ van iets hebben* be the first to use it, to hear it &.

primitief [-mi.'ti.f] *aj* (& *ad*) primitive(ly); crude(ly).

primitiviteit [-ti.vi.'tɛit] *v* primitiveness; crudity.

primo ['pri.mo.] in the first place; *~ januari* on the first of January.

primula ['pri.my.la.] *v* 🌸 primrose.

1 **primus** ['pri.mʉs] *m* first.

2 ⓜ **primus** ['pri.mʉs] *m* (kooktoestel) primus.

princiep [prɪn'si.p] = *principe*.

principaal [-si.'pa.l] *m* master, employer; '**$** principal.

principe [-'si.pə] *o* principle; *in ~* in principle; *uit ~* on principle.

principieel [-si.pi.'e.l] I *aj* fundamenal [differences]; *een ~ akkoord* an agreement in principle; *een principiële kwestie* a question of principle; *een ~ tegenstander* an opponent on principle; II *ad* fundamentally, on principle; *~ uitmaken* decide the question on principle.

prins [prɪns] *m* prince; *van de ~ geen kwaad weten* F be as innocent as the babe unborn; *leven als een ~* lead a princely life.

prinsdom ['prɪnsdòm] *o* principality.

prinselijk ['prɪnsələk] princely.

prinses [prɪn'ses] *v* princess.

prinsessenboon [-'sɛsə(n)bo.n] *v* French bean.

prins-gemaal [prɪnsgə'ma.l] *m* Prince Consort.

prinsgezind(e) ['prɪnsgəzɪnt, -zɪndə] *aj* (& *m*) 🏛 Orangist.

prins-regent [prɪnsrə'gɛnt] *m* Prince Regent.

prior ['pri.ər] *m* prior.

prioraat [pri.o:'ra.t] *o* priorship, priorate.
priores [-'rɛs] *v* prioress.
priorij [-'rɛi] *v* priory.
prioriteit [-ri.'tɛit] *v* priority.
prisma ['prɪsma.] *o* prism.
prismakijker [-kɛikər] *m* prism(atic) binoculars.
prismatisch [prɪs'ma.ti.s] *aj* (& *ad*) prismatic-(ally).
privaat [pri.'va.t] **I** *aj* private; **II** *o* privy, w.c.
privaatdocent [-do.sɛnt] *m* private University teacher.
privaatles [-lɛs] *v* private lesson.
privaatleven [-le.və(n)] *o* private life.
privaatrecht [-rɛxt] *o* private law; *internationaal* ~ private international law.
privaatrechtelijk [pri.va.t'rɛxtələk] of private law; ~ *lichaam* private corporation.
privé [pri.'ve.] private, personal; *voor mijn* ~ $ for my own account.
privé-gebruik [-gəbrœyk] *o* personal use.
privé-kantoor [-kɑnto:r] *o* $ private office.
privé-secretaresse, privé-sekretaresse [pri.ve.-sɪkrɑta:'rɛsə] *v* private (confidential, personal) secretary.
privilege [pri.vi.'le.ʒə] *o* privilege.
privilegiëren [-le.ʒi.'e:rə(n)] *vt* privilege.
pro [pro.] pro; *het* ~ *en contra* the pros and cons.
probaat [pro.'ba.t] efficacious, approved, sovereign [remedy].
probeersel [-'be:rsəl] *o* experiment.
proberen [-'be:rə(n)] **I** *vt* try [it]; attempt [to do it]; *je moet het maar eens* ~ just try; *dat moet je niet met mij* ~ you must not try it on with me; *we zullen het eens met u* ~ we shall give you a trial; **II** *va* try; *probeer maar!* (just) try!, have a try!
probleem [-'ble.m] *o* problem.
problematisch [pro.ble.'ma.ti.s] *aj* (& *ad*) problematical(ly).
procédé [pro.se.'de.] *o* process.
procederen [-'de:rə(n)] *vi* be at law; go to law [with].
procedure [-'dy:rə] *v* **1** (werkwijze) procedure; **2** 𝓉𝓉 (proces) action, lawsuit.
procent [pro.'sɛnt] *o* zie *percent*.
proces [-'sɛs] *o* **1** 𝓉𝓉 lawsuit, action; [criminal] trial, [divorce] case; **2** (reactie) process; *iemand een* ~ *aandoen* bring an action against a person, take the law of one; *in* ~ *liggen* be engaged in a lawsuit, be at law [with...].
proceskosten [-kɔstə(n)] *mv* costs.
processie [pro.'sɛsi.] *v* procession.
processtukken [pro.'sɛstɵkə(n)] *mv* documents in the case.
proces-verbaal, procesverbaal [pro.sɛsfər'ba.l] *o* **1** (verklaring) (official) report, record (of evidence); minutes [of proceedings]; **2** (bekeuring) warrant; ~ *opmaken tegen hem* take his name, summons him.
proclamatie [pro.kla.'ma.(t)si.] *v* proclama-

tion.
proclameren [-'me:rə(n)] *vt* proclaim; *hem tot...* ~ proclaim him...
procuratie [pro.ky:'ra.(t)si.] *v* $ power of attorney, proxy, procuration.
procuratiehouder [-houdər] *m* $ confidential clerk, proxy.
procureur [pro.ky:'rø:r] *m* solicitor, attorney.
procureur-generaal [-rø:rge.nə'ra.l] *m* Attorney General.
producent [pro.dy.'sɛnt] *m* producer.
produceren [-'se:rə(n)] *vt* produce, turn out.
product(-) zie *produkt*(-).
produkt [pro.'dɵkt] *o* product°; ~*en* ook: [natural, agricultural] produce.
produktie [-'dɵksi.] *v* production, output.
produktieapparaat [-ɑpa.ra.t] *o* productive machine.
produktief [pro.dɵk'ti.f] productive; *iets* ~ *maken* make it pay.
produktiekosten [-'dɵksi.kɔstə(n)] *mv* cost(s) of production, production costs.
produktievermogen [-vərmo.gə(n)] *o* (productive) capacity.
produktiviteit [pro.dɵkti.vi.'tɛit] *v* productivity, productive capacity.
proef [pru.f] *v* proof [of photo]; trial, test, experiment [of something]; specimen, sample; *de* ~ *op de som* the proof[2]; *dat is de* ~ *op de som* that is proof enough; *de* ~ *op de som maken* prove the sum; *proeven van bekwaamheid afleggen* give proof of one's ability; *proeven doen* make experiments; *een zware* ~ *doorstaan* stand a severe test; *er eens een* ~ *mee nemen* give it a trial; *proeven nemen* (*met*) make experiments (on), experiment (on); *op* ~ [he is there] on probation; $ on trial; on approval; *op de* ~ *stellen* put to the test, try, tax [one's patience]; *het stelde mijn geduld erg op de* ~ my patience was severely tried.
proefbalans ['pru.fba.lɑns] *v* $ trial balance.
proefballon [-bɑlɔ̀n] *m* **1** pilot-balloon; **2** *fig* F kite; *een* ~ *oplaten* fly a kite, throw out a feeler.
proefbank [-bɑŋk] *v* ⚒ test bench.
proefbestelling [-bɔstɛlɪŋ] *v* $ trial order.
proefdier [-di:r] *o* laboratory animal, experimental animal.
proefdraaien [-dra.jə(n)] *vi* run on trial.
proefdruk [-drɵk] *m* proof.
proeffabriek ['pru.fa.bri.k] *v* pilot plant.
proefflesje [-flɛʃə] *o* trial bottle.
proefhoudend [pru.f'houdənt] proof; ~ *blijken* stand the test.
proefje ['pru.fjə] *o* sample, specimen.
proefkonijn(tje) [-ko.nɛin(cə)] *o* experimental rabbit; *fig* guinea-pig.
proefles [-lɛs] *v* test lesson.
proeflokaal [-lo.ka.l] *o* wine-vaults, bar.
proefmonster [-mɔ̀nstər] *o* $ testing sample.
proefnemer [-ne.mər] *m* experimenter.
proefneming [-ne.mɪŋ] *v* **1** (handeling) ex-

perimentation; 2 (afzonderlijk geval) experiment; ~en doen make experiments, experimentalize.

proefnummer [-nŭmər] o specimen copy.

proefondervindelijk [pru.fòndər'vɪndələk] aj (& ad) experimental(ly).

proefpersoon ['pru.fpərso.n] m experimental

proefproces [-pro.sɛs] o ⁊⁊ test case. [person.

proefrit ['pru.frɪt] m trial run.

proefschrift [-s(x)rɪft] o thesis [mv theses]; een ~ verdedigen uphold a thesis.

proefstation [-sta.ʃòn] o experiment(al) station, research station.

proefsteen [-ste.n] m touchstone.

proefstomen [-sto.mə(n)] I vi ⚓ make a (her) trial trip; fig make a trial; II o trial trip, trials.

proefstuk [-stŭk] o specimen.

proeftijd [-tɛit] m period (time) of probation, probation, probationary period, apprenticeship, noviciate.

proeftocht [-tɔxt] m trial trip.

proefvel ['pru.fɛl] o proof(-sheet).

proefveld [-fɛlt] o trial field, experimental plot.

proefvlucht [-flŭxt] v ✈ trial flight, test flight.

proefwerk ['pru.fvɛrk] o ⇔ (test) paper.

proefzending [-sɛndɪŋ] v $ trial consignment.

proesten ['pru.stə(n)] vi sneeze; ~ van het lachen burst out laughing.

proeve ['pru.və] v specimen.

proeven [-və(n)] I vt I taste [food, drinks &]; 2 $ sample [wine]; je proeft er niets van it does not taste; II vi taste; proef maar eens just taste (at) it; III va drink.

proever [-vər] m taster.

prof [prɔf] m F I professor; 2 sp pro (= professional).

profaan [pro.'fa.n] aj (& ad) profane(ly).

profanatie [-fa.'na.(t)si.] v profanation.

profaneren [-'ne:rə(n)] vt profane.

profeet [pro.'fe.t] m prophet; hij is een ~ die brood eet he can eat better than prophesy; een ~ is niet geëerd in zijn eigen land a prophet has no honour in his own country.

professen [pro.'fɛsə(n)] vi profess.

professie [-'fɛsi.] v profession.

professor [pro.'fɛsər] m professor; ~ in de... professor of...

professoraal [pro.fɛso:'ra.l] aj (& ad) professorial(ly).

professoraat [-'ra.t] o professorship, professorate.

profeteren [pro.fe.'te:rə(n)] vt prophesy.

profetes [-'tɛs] v prophetess.

profetie [pro.fe.'(t)si.] v prophecy.

profetisch [-'fe.ti.s] aj (& ad) prophetic(ally).

proficiat! [pro.'fi.si.at] ij congratulations (on met).

profiel [pro.'fi.l] o profile [esp. of face]; sideview, section [of a building]; in ~ in profile.

profijt [pro.'fɛit] o profit, gain.

profijtelijk [-'fɛitələk] I aj profitable; II ad profitably.

profileren pro.fi.'le:rə(n)) vt profile.

profiteren [-'te:rə(n)] vi in: van iets ~ I (gunstig) profit by; 2 (ongunstig) take advantage of. [vantage of.

profiteur [-'tø:r] m profiteer.

pro forma [pro.'fɔrma.] for form's sake; ~ rekening $ pro forma account.

prognose [prɔx'no.zə] v prognosis.

program(ma) [pro.'grɑm(a.)] o I (in 't alg.) program(me); 2 (v. schouwburg) playbill, bill; 3 ⇔ curriculum; syllabus [of a course, of examinations]; het staat op het ~ it is on the programme[2].

programmeren [-grɑ'me:rə(n)] vt programme.

programmeur [-grɑ'mø:r] m programmer.

progressief [pro.grɛ'si.f] I aj progressive, graduated [tax]; forward [policy], advanced [intellectuals]; II ad progressively.

project [pro.'jɛkt] o project, scheme.

projecteren [-jɛk'te:rə(n)] vt project.

projectie [-'jɛksi.] v projection.

projectiel [pro.jɛk'ti.l] o projectile, missile.

projectielamp [-'jɛksi.lɑmp] v projector.

projectielantaarn, -lantaren [pro.'jɛksi.lɑnta:rə(n)] v ~toestel [-tu.stɛl] o projector.

projekt(-) zie project(-).

proklam- zie proclam-.

prokur- zie procur-.

proleet [pro.'le.t] m cad, vulgarian.

proletariaat [-ləta:ri.'a.t] o proletariat.

proletariër [-'ta:ri.ər] m proletarian.

proletarisch [-'ta:ri.s] proletarian.

prolongatie [pro.lòŋ'ga.(t)si.] v continuation; op ~ $ on security.

prolongatierente [-rɛntə] v $ contango.

prolongeren [pro.lòŋ'ge:rə(n)] vt continue [an engagement, a film]; $ renew [a bill].

proloog [pro.'lo.x] m prologue, proem.

promenade [pro.mə'na.də] v promenade, walk.

promenadedek [-dɛk] o ⚓ promenade-deck.

promesse [pro.'mɛsə] v $ promissory note, note of hand.

promotie [pro.'mo.(t)si.] v promotion, rise, advancement, preferment; ⇔ graduation (ceremony); ~ maken be promoted.

promotiediner [-di.ne.] o ⇔ graduation dinner.

promotielijst [-lɛist] v list of promotions.

promotor [pro.'mo.tər] m $ promoter, company promoter; wie is zijn ~? ⇔ by whom is he going to be presented [for his degree]?

promoveren [-mo.'ve:rə(n)] I vi graduate, take one's degree; II vt confer a doctor's degree on.

prompt [pròmpt] I aj prompt [delivery &], ready [answer]; II ad promptly [paid]; het ~ kennen have it pat.

promptheid ['pròmpthɛit] v promptitude, promptness, readiness.

pronk [pròŋk] m I (abstract) show, ostentation; 2 (concreet) finery; te ~ staan I be exposed to view; 2 stand in the pillory.

pronkboon ['pròŋkbo.n] v 🍲 scarlet runner.

pronken ['pròŋkə(n)] vi strut (about), show

off; (v. p a u w) spread its tail; ~ *met* make a show of, show off.

pronker [-kər] *m* showy fellow; beau.

pronkerig [-kərəx] I *aj* showy, ostentatious; II *ad* showily, ostentatiously.

pronkerij [pròŋkə'rɛi] *v* show, parade.

pronkerwt ['pròŋkɛr(v)t] *v* ✿ sweet pea.

pronkgewaad [-gəva.t] *o* dress of state, gala dress.

pronkjuweel [jy.ve.l] *o* jewel, gem.

pronkkamer ['pròŋka.mər] *v* state-room.

pronkster ['pròŋkstər] *v* doll, fine lady.

pronkstuk [-stük] *o* show-piece.

pronkziek [-si.k] showy, ostentatious.

pronkzucht [-süxt] *v* ostentatiousness, ostentation.

prooi [pro:i] *v* prey²; *ten* ~ *aan* a prey to; *ten* ~ *vallen aan* fall a prey to.

proosdij [pro.z'dɛi] *v* deanery.

1 **proost** [pro.st] *m* dean.

2 **proost!** [pro.st] *ij* cheers!, your health!, here is to you!

prop [prɔp] *v* 1 stopple, stop(per) [of a bottle]; 2 cork [of a bottle]; 3 bung [of a cask]; 4 wad [of a gun, of cotton-wool]; 5 gag [for the mouth]; 6 lump [in the throat]; 7 [antiseptic] plug; 8 pellet [made by schoolboys]; 9 *fig* roly-poly, dump [of a person]; *op de* ~*pen komen* F turn up; *hij durft er niet mee op de* ~*pen komen* F he dare not come out with it; *hij is weer op de* ~*pen* F he is on his legs again.

propaedeuse [pro.pe.'dœyzə] **propaedeutica** [-'dœyti.ka.] *v* propaedeutics.

propaedeutisch [-ti.s] propaedeutic(al), preliminary [examination].

propaganda [pro.pa.'gɑnda.] *v* propaganda; ~ *maken* make propaganda, propagandize; ~ *maken voor* ook: agitate for [shorter hours &], propagate [ideas].

propagandist [-gɑn'dɪst] *m* propagandist.

propagandistisch [-gɑn'dɪsti.s] propagandist.

propageren [-'ge:rə(n)] *vt* propagate.

propedeu- zie *propaedeu-*.

propeller [pro.'pɛlər] *m* propeller.

proper ['pro.pər] tidy, clean.

properheid [-hɛit] *v* tidiness, cleanness.

propertjes [-cəs] tidily.

proponent [pro.po.'nɛnt] *m* postulant, probationer.

proponeren [-'ne:rə(n)] *vt* propose.

proportie [pro.'pɔrsi.] *v* proportion.

proportioneel [-pɔrsi.o.'ne.l] *aj* (& *ad*) proportional(ly).

proppen [prɔpə(n)] *vt* cram.

proppeschieter ['prɔpəsxi.tər] *m* popgun.

propvol ['prɔpfɔl] crammed, chock-full, cramfull.

proseliet [pro.zə'li.t] *m* proselyte.

proselietenmaker [-'li.tə(n)ma.kər] *m* proselytizer.

Proserpina [pro.'zɛrpi.na.] *v* Proserpine)

prosit! ['pro.zɪt] *ij* zie 2 *proost !*

prosodie [pro.zo.'di.] *v* prosody.

prospectus, prospektus [prɔs'pɛktüs] *o* & *m* prospectus.

prostitueren [prɔsti.ty.'e:rə(n)] I *vt* prostitute; II *vr zich* ~ prostitute oneself.

prostitutie [-'ty.(t)si.] *v* prostitution.

prot. = *protestants*.

protectie [pro.'tɛksi.] *v* protection; > patronage, favouritism, interest, influence.

protectionisme [-tɛksi.o.'nɪsmə] *o* protectionism.

protectionist [-'nɪst] *m* protectionist. [ism.

protectionistisch [-'nɪsti.s] protectionist.

protectoraat [pro.tɛkto.'ra.t] *o* protectorate.

protégé [pro.te.'ʒe.] *m* protégé.

protégée [-'ʒe.] *v* protégée.

protegeren [-'ʒe:rə(n)] *vt* protect, patronize.

proteïne [pro.te.'i.nə] *v* protein.

protekt- zie *protect-*.

protese zie *prothese*.

protesis zie *prothesis*.

protest [pro.'tɛst] *o* protest, protestation; ~ *aantekenen tegen...* protest against; *onder* ~ under protest; *uit* ~ in protest .

protestant [-təs'tɑnt] *m* Protestant.

protestantisme [-təstɑn'tɪsmə] *o* Protestantism.

protestants [-təs'tɑnts] Protestant.

protesteren [-tɛs'te:rə(n)] I *vi* protest, make a protest; ~ *bij* protest to [the Government]; ~ *tegen* protest against; II *vt* $ protest [a bill].

proteststaking [-'tɛststa.kɪŋ] *v* strike of protest, protest strike.

protetisch zie *prothetisch*.

Proteus ['pro.tœys] *m* Proteus.

prothese [pro.'te.zə] *v* prosthesis; (concreet) artificial part (leg, teeth &).

prothesis ['pro.təsɪs] *v gram* prosthesis.

prothetisch [pro.'te.ti.s] prosthetic.

protocol, protokol [pro.to.'kɔl] *o* protocol.

proton ['pro.tòn] *o* proton.

protoplasma [-'plɑsma.] *o* protoplasm.

prototype [-'ti.pə] *o* prototype.

protozoën [-'zo.ə(n)] *mv* protozoa.

protsen ['prɔtsə(n)] *vi* S swank.

protser [-sər] *m* S swanker.

protserig [-sərəx] S swanky.

provenier [pro.və'ni:r] *m* inmate of an almshouse.

proveniershuis [-'ni:rshœys] *o* (a kind of) almshouse.

provenu [pro.və'ny.] *o* proceeds.

proviand [pro.vi.'ɑnt] *m* & *o* provisions, victuals, stores.

provianderen [-ɑn'de:rə(n)] *vt* provision, victual.

proviandering [-ɑn'de:rɪŋ] *v* provisioning, victualling.

proviandschip [-'ɑntsxɪp] *o* ⚓ store-ship.

provinciaal [pro.vɪnsi.'a.l] I *aj* provincial; II *m* 1 provincial; 2 *RK* provincial [of a religious order].

provincialisme [-a.'lɪsmə] o provincialism.
provincie [pro.'vɪnsi.] v province.
provinciestad [-stat] v provincial town.
provisie [pro.'vi.zi.] v 1 (voorraad) stock, supply, provisions; 2 $ (loon) commission.
provisiebasis [-ba.zəs] v in: op ~ $ on a commission basis.
provisiekamer [-ka.mər] v pantry, larder.
provisiekast [-kast] v pantry, larder.
provisioneel [pro.vi.zi.o.'ne.l] aj (& ad) provisional(ly).
provocatie [pro.vo.'ka.(t)si.] v provocation.
provoceren [-'se:rə(n)] vt provoke.
provocerend [-'se:rənt] aj (& ad) provocative(ly).
1 provoost [pro.'vo.st] m ✕ provost.
2 provoost [pro.'vo.st] v ✕ detention-room.
proza ['pro.za.] o prose.
prozaïsch [pro.'za.i.s] I aj prosaic; II ad prosaically.
prozaïst, prozaschrijver [-za.'ɪst, 'pro.za.-s(x)rɛivər] m prose-writer.
pruik [prœyk] v wig, periwig, peruke; F shock (of hair); een oude ~ F an old fogey.
pruikenmaker ['prœykə(n)ma.kər] m wig-maker.
pruikentijd [-tɛit] m in: de ~ the periwig period.
pruikerig ['prœykərəx] antiquated.
pruilen ['prœylə(n)] vi pout, sulk, be sulky.
pruiler [-lər] m sulky person.
pruim [prœym] v 1 ❦ plum; 2 (gedroogd) prune; 3 (tabak) quid, plug.
pruimeboom ['prœyməbo.m] m plum-tree.
pruimedant [prœymə'dant] v prune.
druimemondje ['prœyməmònсə] o in: een ~ zetten make a pretty mouth.
pruimen ['prœymə(n)] I vt chew [tobacco]; II va 1 chew tobacco; 2 F munch [= eat].
pruimentaart [-ta:rt] v plum-tart.
pruimepit ['prœymapit] v plum-stone.
pruimer [-mər] m tobacco-chewer.
pruimtabak ['prœymta.bak] m chewing-tobacco.
Pruis [prœys] m Prussian.
Pruisen ['prœysə(n)] o Prussia.
Pruisisch [-si.s] Prussian; ~ blauw Prussian blue; ~ zuur prussic acid.
prul [prül] o bauble, rubbishy stuff; het is een ~ it is trash; wat een ~ (van een vent)! what a dud!; allerlei ~len all sorts of gewgaws.
pruldichter ['prüldɪxtər] m poetaster, paltry poet.
prullaria [prü'la:ri.a.] mv rubbish, gewgaws.
prulleboel ['prüləbu.l] m trashy stuff, trash.
prullenmand [-lə(n)mant] v waste-paper basket; naar de ~ verwijzen condemn to the basket.
prullerig ['prülərəx] zie prullig.
prullewerk [-vɛrk] = prulwerk.
prullig ['prüləx] rubbishy, trumpery, trashy.
prulroman ['prülro.man] m trashy novel.

prulschrijver [-s(x)rɛivər] m scribbler, paltry writer.
prulwerk [-vɛrk] o trash, rubbish.
prutsding ['prütsdɪŋ] o trifle, knick-knack.
prutsen ['prütsə(n)] vi potter, tinker (at, with aan).
prutser [-sər] m potterer, tinkerer.
prutserij [prütsə'rɛi] v pottering (work).
prutswerk ['prütsvɛrk] o pottering work.
pruttelaar ['prütəla:r] m grumbler.
pruttelen [-lə(n)] vi simmer; fig grumble.
pruttelig [-ləx] grumbling, grumpy.
P.S. [pe.'ɛs] = Postscriptum.
psalm [psalm] m psalm.
psalmboek ['psalmbu.k] o psalm-book, psalter.
psalmdichter [-dɪxtər] m psalmist.
psalmgezang [-gəzaŋ] o psalm-singing.
psalmist [psal'mɪst] m psalmist.
psalter ['psaltər] o 1 ♪ psaltery; 2 (boek) psalter.
pseudo... ['psœydo.] pseudo..., false.
pseudoniem [psœydo.'ni.m] I o pseudonym, pen-name; onder ~ over a pseudonym; II aj pseudonymous.
pst! [pst] ij (hi)st!
psyche ['psi.ge.] v psyche.
psyché ['psi.ge.] m (spiegel) cheval-glass.
psychiater [psi.gi.'a.tər] m psychiatrist.
psychiatrie [-a.'tri.] v psychiatry.
psychiatrisch [-'a.tri.s] psychiatric; ~ ziekenhuis mental hospital.
psychisch ['psi.gi.s] I aj psychic(al); II ad psychically.
psychoanalyse [psi.go.a.na.'li.zə] v psychoanalysis.
psychoanalytisch [-ti.s] psychoanalytic(al).
psychologie [psi.go.lo.'gi.] v psychology.
psychologisch [-'lo.gi.s] aj (& ad) psychological(ly).
psycholoog [-'lo.x] m psychologist.
psychopaat [-'pa.t] m psychopath.
psychopathisch, psychopatisch [-'pa.ti.s] psychopathic.
psychose [psi.'go.zə] v psychosis [mv psychoses].
psychotechniek ['psi.go.tɛx'ni.k] v intelligence testing.
psychotechnisch [-'tɛxni.s] in: ~ onderzoek intelligence test(s).
Ptolemeus [pto.lə'me.üs] m Ptolemy.
publicatie zie publikatie.
publiceren [-'se:rə(n)] vt publish, bring before the public, make public, issue.
publicist [-'sɪst] m publicist.
publiciteit [-si.'tɛit] v publicity; er ~ aan geven make it public.
publiek [py.'bli.k] I aj public; ~ engagement open engagement; iets ~ maken give publicity to something, publish it; ~ worden be made public, be published; II ad publicly, in public; III o public; in het ~ in public, publicly; het grote ~ the general public; het

stuk trok veel ∼ the play drew a full house (a large audience).

publiekrecht [py.′bli.krɛxt] *o* public law.

publiekrechtelijk [py.bli.k′rɛxtələk] of public law; ∼ *lichaam* public corporation.

publikatie [py.bli.′ka.(t)si.] *v* publication.

puddelen [′pŭdələ(n)] *vt* ✂ puddle.

puddeloven [′pŭdəlo.və(n)] *m* ✂ puddling-furnace.

pudding [′pŭdıŋ] *m* pudding.

puddingpoeder, -poeier [-pu.dər, -pu.jər] *o* & *m* pudding powder.

puddingvorm [-vɔrm] *m* pudding mould.

puf [pŭf] *v* in: *ik heb er niet veel* ∼ *in* F I have no great mind to do it.

puffen [′pŭfə(n)] *vi* puff.

pui [pœy] *v* 1 lower front of a building, shop front; 2 flight of steps, steps.

puik [pœyk] I *aj* choice, excellent, prime, first-rate; II *ad* beautifully, to perfection; III *o* choice, best, pick (of...).

puikje [′pœykjə] *o* zie *puik* III.

puilen [′pœylə(n)] *vi* protrude, bulge; *zijn ogen puilden uit hun kassen* his eyes started from their sockets.

puimen [′pœymə(n)] *vt* pumice.

puimsteen [′pœymste.n] *m* & *o* pumice (-stone).

puin [pœyn] *o* rubbish, debris, wreckage, [brick] rubble; ∼ *storten* shoot rubbish; *in* ∼ *gooien* (*leggen*) lay in ruins, reduce to rubble; *in* ∼ *liggen* be (lie) in ruins; *in* ∼ *vallen* fall in ruins.

puinhoop [′pœynho.p] *m* 1 heap of rubbish; 2 heap of ruins, ruins; heap of rubble, rubble heap.

puist [pœyst] *v* pimple, pustule, tumour.

puistachtig [′pœystɑxtəx] **puistig** [′pœystəx] full of pimples, pimpled, pimply.

pukkel [′pŭkəl] *v* pimple.

pul [pŭl] *v* jug, vase.

pulken [′pŭlkə(n)] *vi* pick; *in zijn neus* ∼ pick one's nose.

pulp [pŭlp] *v* pulp [of beetroots].

puls [pŭls] *m* ✻ pulse.

✎ **pulver** [′pŭlvər] *o* 1 powder, dust; 2 gun-powder.

pulveriseren, pulverizeren [pŭlvəri.′ze:rə(n)] *vt* pulverize, powder.

pummel [′pŭməl] *m* boor, lout, yokel, bumpkin.

pummelig [′pŭmələx] boorish.

punaise [py.′nɛ:zə] *v* drawing-pin, thumb-tack.

punch [pŭnʃ] *m* punch.

punctualiteit [pŭŋkty.a.li.′tɛit] *v* punctuality.

punctuatie [-′a.(t)si.] *v* punctuation.

punctueel [-′e.l] *aj* (& *ad*) punctual(ly).

Punisch [′py.ni.s] Punic.

punkt- zie *punct-*.

1 **punt** [pŭnt] *m* 1 point [of a pen, pin &]; 2 tip [of a cravat, the nose &]; corner [of an apron]; 3 toe [of shoe]; 4 top [of asparagus]; 5 wedge [of tart, cake]; 6 ⚓ peak [of anchor]; *daar kan jij een* ∼(*je*) *aan zuigen* F that leaves you nowhere.

2 **punt** [pŭnt] *o* point [of intersection]; *fig* point [of discussion &]; item [on the agenda]; ∼ *van aanklacht* count [of an indictment]; *hoeveel* ∼*en heb je?* 1 ☞ what marks have you got?; 2 *sp* what's your score?; *10* ∼*en maken* score ten; *op het* ∼ *van...* in point of...; *op het* ∼ *van te...* on the point of ...ing, about to...; *op dit* ∼ *geeft hij niet toe* on this point he will never yield; *op het dode* ∼ *at a deadlock*; *op het dode* ∼ *komen* come to a deadlock; *hen over het dode* ∼ *heen helpen* lift them from the deadlock; *verslaan (winnen) op* ∼*en sp* beat (win) on points; ∼ *voor* ∼ point by point.

3 **punt** [pŭnt] *v* & *o* (leesteken) 1 dot [on i]; 2 full stop [after sentence]; *dubbele* ∼ colon; ∼ *!* (basta) enough!, that's that!

puntbaard [′pŭntba:rt] *m* pointed beard.

puntboord [-bo:rt] *o* & *m* butterfly collar, wing collar.

puntdicht [-dıxt] *o* epigram.

puntdichter [-dıxtər] *m* epigrammatist.

punten [′pŭntə(n)] *vt* point, sharpen [a pencil]; trim [the hair].

punteslijper [′pŭntəsleipər] *m* pencil sharpener.

puntgevel [′pŭntge.vəl] *m* gable.

punthelm [-hɛlm] *m* ✕ spiked helmet.

punthoed [-hu.t] *m* pointed hat, sugar-loaf hat.

puntig [′pŭntəx] pointed, sharp; *fig* pointed.

puntigheid [-hɛit] *v* pointedness[2], sharpness.

puntje [′pŭncə] *o* point [of a pencil &]; tip [cigar, nose, tongue]; dot [on i]; *de* ∼*s qp de i zetten* dot one's i's and cross one's t's; *als* ∼ *bij paaltje komt* when it comes to the point; *alles was in de* ∼*s* everything was shipshape (in apple-pie order); *hij zag er in de* ∼*s uit* he looked very trim (spick and span); zie ook: *punt*.

puntkomma [pŭnt′kòma.] *v* & *o* semicolon.

puntschoen [′pŭntsxu.n] *m* pointed shoe.

pupil [py.′pıl] 1 *m* pupil, ward; 2 *v* pupil [of the eye].

puree [py.′re.] *v* purée [of tomatoes &]; (v. aardappelen) mashed potatoes, S mash.

purgatie [pŭr′ga.(t)si.] *v* purge.

purgeren [-′ge:rə(n)] *vi* purge oneself, take a purgative.

Purim [′py.rım] *o* Purim.

purisme [py.′rısmə] *o* purism.

purist [-′rıst] *m* purist.

puristisch [-′rısti.s] puristic.

puritein [py.ri.′tɛin] *m* Puritan.

puriteins [-′tɛins] puritanical.

purper [′pŭrpər] *o* purple.

purperachtig [-ɑxtəx] purplish.

1 **purperen** [′pŭrpərə(n)] *vt* purple.

2 **purperen** [′pŭrpərə(n)] *aj* purple.

purperkleurig [′pŭrpərklø:rəx] purple

purperreiger ['pûrpərɛigər] *m* 🐦 purple heron.
purperrood [-ro.t] I *aj* purple; II *o* purple.
pus [pûs] *o & m* pus.
pussen ['pûsə(n)] *vi* suppurate.
put [pût] *m* 1 (waterput) well; 2 (kuil) pit; *in de* ~ F in the dumps.
puthaak ['pûtha.k] *m* bucket-hook.
putje ['pûcə] *o* 1 little hole [in the ground]; 2 dimple [in the chin].
putjesschepper ['pûcəsxɛpər] *m* scavenger.
puts(e) [pûts, 'pûtsə] *v* (canvas) bucket.
putten ['pûtə(n)] *vt* draw [water, comfort, strength & from...]; *uit zijn eigen ervaringen* ~ draw upon one's personal experiences; *waaruit heeft hij dat geput?* what has been his source?
putter [-tər] *m* 1 🐦 water-drawer ‖ 2 🐦 zie *distel-*
putwater ['pûtva.tər] *o* well-water. [*vink.*
puur [py:r] I *aj* pure²; (v. sterke drank) neat, raw, short; *pure chocolade* plain chocolate; *het is pure onzin* it is pure (sheer) nonsense; II *ad* purely; ~ *uit baldadigheid* out of pure mischief.
puzzel ['pûzəl] *m* puzzle.
puzzelen [-zələ(n)] *vi* solve puzzles; ~ *op (over)* puzzle over.
puzzle zie *puzzel.*
pygmee [pɪg'me.] *m-v* pygmy.
pyjama [pi.'ja.ma.] *m* pyjamas, pyjama suit; *een* ~ a set of pyjamas.
pyjamabroek [-bru.k] *v* pyjama trousers.
pyjamajasje [-jaʃə] *o* pyjama jacket.
Pyreneeën [pi:rə'ne.ə(n)] *mv de* ~ the Pyrenees.
Pyrenees [-'ne.s] Pyrenean.
pyriet [pi:'ri.t] *o* pyrites.
pyrometer ['pi:ro.me.tər] *m* pyrometer.
Pyrrus ['pɪrûs] *m* Pyrrhus.
Pyrrusoverwinning [-o.vərvɪnɪŋ] *v* Pyrrhic victory.
python, pyton ['pi.tòn] *m* python.

Q

q [ky.] *v* q.
qua [kva.] qua, in the capacity of.
quadraat(-) zie *kwadraat(-).*
quadrant zie *kwadrant.*
quadratuur zie *kwadratuur.*
quadriljoen [kvadrɪl'ju.n] *o* quadrillion.
quadrille [ka.'dri.(l)jə] *m & v* quadrille.
quaestieus zie *kwestieus.*
qualificatie zie *kwalificatie.*
qualificeren zie *kwalificeren.*
qualitatief zie *kwalitatief.*
quantit- zie *kwantit-.*
quantum ['kvɑntûm] *o* quantum, amount.
quarantaine [ka.rɑn'tɛ:nə] *v* quarantine.
quarantainehaven [-ha.və(n)] *v* ⚓ quarantine station.
quarantainevlag [-vlɑx] *v* quarantine flag.

quarto zie *kwarto.*
quasi ['kva.zi.] quasi, seeming [friends], mis-called [improvements], pretended [interest].
quatertemperdag [kva.tər'tɛmpərdɑx] *m RK* Ember day.
quatre-mains [kɑtrə'mɛ̃] *m* ♪ duet (for piano); ~ *spelen* play duets.
querulant [kve:ry.'lɑnt] *m* querulous person, grumbler.
queue [kø.] *v* queue, line; ~ *maken* stand in a queue, wait in the queue, queue up, line up.
quibus zie *kwibus.*
quint(-) zie *kwint(-).*
Quirinaal [kvi:ri.'na.l] *o* Quirinal.
quitte [ki.t] quits; *nu zijn we* ~ we are quits.
qui-vive [ki.'vi.və] *o* in: *op zijn* ~ *zijn* be on the qui vive (on the alert).
quiz [kvɪs] *m* quiz.
quota ['kvo.ta.] *v* quota.
quotiënt [ko.'ʃɛnt] *o* quotient.
quotum ['kvo.tûm] *o* quota, share.

R

r [ɛr] *v* r.
ra [ra.] *v* ⚓ yard; *grote* ~ ⚓ mainyard.
raad [ra.t] *m* 1 advice, counsel; 2 (redmiddel) remedy, means; 3 (raadgevend lichaam) council; 4 (raadgevend persoon) counsellor, counsel; 5 (lid v. raadgevend lichaam) councillor; *dat is een goede* ~ that is a good piece of advice; *goede* ~ *was duur* there was a dilemma; *hoge* ~ 🏛 Supreme court; *daar is wel* ~ *op* I'm sure a way may be found; ~ *van arbeid* board of labour; ~ *van beheer* board of directors; ~ *van beroep* board of appeal; ~ *van beroerten* Ⓤ council of troubles; ~ *van commissarissen* $ board of directors, directorate; ~ *van State* Council of State; ~ *van toezicht* supervisory board; *neem mijn* ~ *aan* take my advice; *iemand* ~ *geven* advise one; ~ *inwinnen* ask [a man's] advice; *zij moeten* ~ *schaffen* they must find ways and means; *iemands* ~ *volgen* follow a person's advice; *hij weet altijd* ~ he is sure to find a way (out); *hij wist geen* ~ *meer* he was at his wit's end; *met zijn... geen* ~ *weten* not know what to do with one's...; *overal* ~ *voor weten* be never at a loss for an expedient; *in de* ~ *zitten* be on the (town) council; *iemand met* ~ *en daad bijstaan* assist a man by word and deed; *iemand om* ~ *vragen* ask a man's advice; *op zijn* ~ at (on) his advice; *met hem te rade gaan* consult him; *iemand van* ~ *dienen* advise a person. Zie ook: *eind.*
raadgevend ['ra.tge.vənt] advisory, consultative [body].
raadgever [-vər] *m* adviser, counsellor.
raadgeving [-vɪŋ] *v* advice, counsel; *een* ~ a piece of advice.

raadhuis ['ra.thœys] *o* town hall.
raadkamer [-ka.mər] *v* council chamber.
raadpensionaris [-pɛnsi.o.na:rəs] *m* 🏛 Grand Pensionary.
raadplegen [-ple.gə(n)] *vt* consult.
raadpleging [-gɪŋ] *v* consultation.
raadsbesluit ['ra.tsbəslœyt] *o* 1 decision of the town council; 2 *fig* ordinance, decree [of God].
raadsel ['ra.tsəl] *o* riddle, enigma; ...*is mij een* ~ ...is a mystery to me; *in* ~*en spreken* speak in riddles; *voor een* ~ *staan* be puzzled.
raadselachtig [-ɑxtəx] *aj* (& *ad*) enigmatic-(ally), mysterious(ly).
raadselachtigheid [-hɛit] *v* enigmatic character, mysteriousness.
raadselboek ['ra.tsəlbu.k] *o* book of riddles (conundrums).
raadsheer ['ra.tshe:r] *m* 1 (**persoon**) councillor; senator; ⚖ justice; 2 (**schaakstuk**) bishop.
raadslid [-lɪt] *o* councillor, town councillor.
raadslieden [-li.də(n)] *mv* advisers, counsellors; *de* ~ *van de Kroon* His Majesty's government.
raadsman [-mɑn] *m* adviser, counsellor; (**advocaat**) counsel.
raadsvergadering [-fərga.dərɪŋ] *v* council meeting.
raadsverkiezing [-ki.zɪŋ] *v* municipal election.
raadsverslag [-slɑx] *o* report of the meeting.
raadszaal zie *raadzaal*.
raadszetel ['ra.tse.təl] *m* seat on the (town) council.
raadszitting [-sɪtɪŋ] *v* session of the town council.
raadzaal [-sa.l] *v* council hall.
raadzaam [-sa.m] advisable.
raadzaamheid [-hɛit] *v* advisableness, advisability.
raaf [ra.f] *v* 🐦 raven; *witte* ~ white crow; *de raven zullen het uitbrengen* murder will out.
raagbol ['ra.xbəl] *m* Turk's-head; *fig* mop (of hair), mop-head.
raaigras ['ra:igrɑs] *o* 🌿 darnel; *Engels* ~ rye-grass.
raak [ra.k] telling [blow, effect]; *een* ~ *antwoord* a reply that went home; *een rake beschrijving* an effective description; *maar* ~ *kletsen* F talk at random; ~ *slaan* hit home; *wat hij zegt, is* ~ what he says gets there; *die was* ~, *zeg!* that shot told!, he had you there!
raaklijn ['ra.klɛin] *v* tangent.
raakpunt [-pŭnt] *o* point of contact.
raakvlak [-flɑk] *o* tangent plane.
raam [ra.m] *o* 1 (v. huis) window; 2 (v. fiets &) frame; *uit het* ~ *kijken* look out of the window; *er hangen gordijnen voor het* ~ curtains hang at the window; *het lag voor het* ~ it was in the window.
raamkozijn ['ra.mko.zɛin] *o* window-frame.
raap [ra.p] *v* 🌿 1 turnip; 2 rape [for cattle].

raapkoek ['ra.pku.k] *m* rapeseed cake, rape-cake.
raapkool [-ko.l] *v* kohlrabi, turnip-cabbage.
raapolie [-o.li.] *v* rapeseed oil, colza oil.
raapstelen [-ste.lə(n)] *mv* turnip-tops.
raapzaad [-sa.t] *o* rapeseed.
raar [ra:r] I *aj* strange, queer, odd; *hij is een rare* (*Chinees, sijs*) he is a queer (rum) customer, a queer fish; *ik voel me zo* ~ I feel so queer; *ben je* ~? F are you mad?; II *ad* strangely.
raaskallen ['ra.skɑlə(n)] *vt* rave, talk nonsense.
raat [ra.t] *v* honeycomb.
rabarber [ra.'bɑrbər] *v* 🌿 rhubarb.
rabat [ra.'bɑt] *o* 1 $ reduction, discount, rebate; 2 (**rand**) border.
rabbelaar ['rɑbəla:r] *m* ~**ster** [-stər] *v* rattler, rattle, chatterer.
rabbelen [-lə(n)] *vi* rattle, chatter.
rabbi, rabbijn ['rɑbi, ra'bɛin] *m* rabbi, rabbin.
rabbijns, rabbinaal [ra'bɛins, -bi.'na.l] rabbinical.
rabbinaat [-bi.'na.t] *o* rabbinate.
race [re.s] *m* race.
raceauto ['re.so.to., -ɔuto.] *m* racing-car, racer.
racebaan ['re.sba.n] *v* race-course, race-track.
raceboot [-bo.t] *m* & *v* speed-boat.
racefiets [-fi.ts] *m* & *v* racing-bicycle, racer.
racen ['re.sə(n)] *vi* race.
racepaard ['re.spa:rt] *o* race-horse, racer.
raceterrein [-tɛrɛin] *o* race-track, turf.
racewagen [-va.gə(n)] *m* racing-car, racer.
Rachel ['ra.gəl] *v* Rachel.
rachitis [ra.'gi.tɪs] *v* 🦴 rachitis, rickets.
rachitisch [-ti.s] 🦴 rickety.
1 rad [rɑt] *o* wheel; *het* ~ *van avontuur, het* ~ *der fortuin* the wheel of fortune; *iemand een* ~ *voor de ogen draaien* throw dust in a person's eyes; *het vijfde* ~ *aan de wagen* the fifth wheel to the coach; ~ *slaan* turn cart-wheels (Catherine wheels).
2 rad [rɑt] I *aj* quick, nimble; glib [tongue]; ~ *van tong zijn* have the gift of the gab; II *ad* quickly, nimbly; glibly.
radar ['ra.dɑr] *m* radar.
radbraken ['rɑtbra.kə(n)] *vt* break upon the wheel [a convict]; *fig* murder [a language]; *ik voel me geradbraakt* I am dead-beat.
raddraaier ['rɑdra.jər] *m* ringleader.
radeermesje [ra.'de:rmɛʃə] *o* eraser, erasing-knife.
radeloos ['ra.dəlo.s] desperate, at one's wit's end.
radeloosheid [ra.də'lo.shɛit] *v* desperation.
raden ['ra.də(n)] I *vt* 1 (**raad geven**) counsel, advise; 2 (**goed gissen**) guess; *iemand iets* ~ advise one to do a thing; *te* ~ *geven* leave to guess; *laat je* ~! be advised!; *dat zou ik je* ~, *het is je geraden* you will be well advised to do it; II *vi* & *va* guess; *nou raad eens!* (just) give a guess!; *naar iets* ~ guess at (make a guess at) a thing.

raderboot ['ra.dərbo.t] *m* & *v* ⚓ paddle-boat.
raderen [ra.'de:rə(n)] *vt* erase.
radering [-rɪŋ] *v* erasure.
raderkast ['ra.dərkast] *v* paddle-box.
raderwerk [-vɛrk] *o* wheel-work, wheels[2].
radheid ['ratheit] *v* quickness, nimbleness; ~ *van tong* volubleness, volubility, glibness.
radiator [ra.di.'a.tər] *m* radiator.
radicaal [ra.di.'ka.l] I *aj* radical; *een radicale hervorming* a sweeping reform; II *ad* radically; III *m* radical.
radicalisme [-ka.'lɪsmə] *o* radicalism.
radijs [ra'dɛis] *v* ⚘ radish.
radika- zie *radica-*.
radio ['ra.di.o.] *m* ✕ ✝ radio; sound broadcasting [and television broadcasting]; *over de* ~ over the radio, over the wireless, over the air; *voor de* ~ on the radio, on the wireless, on the air.
radioactief [ra.di.o.ak'ti.f] radioactive.
radioactiviteit [-ti.vi.'tɛit] *v* radioactivity.
radioakti- zie *radioacti-*.
radiobaken ['ra.di.o.ba.kə(n)] *o* radio beacon.
radiobuis [-bœys] *v* radio valve.
radiocentrale [-sɛntra.lə] *v* relay exchange, relay company.
radiodistributie [-dɪstri.by.(t)si.] *v* wire broadcasting, wired transmission.
radiografie [ra.di.o.gra.'fi.] *v* radiography.
radiografisch [-'gra.fi.s] *aj* (& *ad*) radiographic(ally).
radiogram [-'gram] *o* radiogram; radiotelegram.
radiogrammofoon ['ra.di.o.gramo.fo.n] *m* radiogram(ophone).
radiokast [-kast] *v* radio cabinet.
radiolamp [-lamp] *v*(radio) valve.
radiomonteur [-mòntø:r] *m* radio mechanic.
radiopeiling [-pɛilɪŋ] *v* (radio) direction-finding.
radiopraatje [-pra.cə] *o* broadcast talk.
radiorede [-re.də] *v* broadcast (speech).
radioreportage [-rəporta.ʒə] *v* (running) commentary.
radioreporter [-rəpɔrtər] *m* (radio) commentator.
radiospreker [-spre.kər] *m* broadcaster.
radiostation [-sta.ʃòn] *o* wireless station.
radiotechnicus [-tɛxni.kūs] *m* radio engineer.
radiotechniek [-ni.k] *v* radio engineering.
radiotechnisch [-ni.s] radio-engineering.
radiotelefonie [ra.di.o.te.ləfo.'ni.] *v* radiotelephony.
radiotelegrafie [-gra.'fi.] *v* radiotelegraphy.
radiotelegrafist [-'fist] *m* wireless operator.
radiotelegram ['ra.di.o.te.ləgram] *o* wireless message.
radiotelescoop, -teleskoop [-te.ləsko.p] *m* radiotelescope.
radiotoestel [-tu.stɛl] *o* wireless set.
radiozender [-zɛndər] *m* radio transmitter.
radium ['ra.di.ūm] *o* radium.
radius ['ra.di.ūs] *m* radius [*mv* radii].

radja ['ratja.] *m* rajah.
radstand ['ratstant] *m* wheel-base.
radvormig [-fɔrməx] wheel-shaped.
rafactie, rafaktie [ra.'faksi.] *v* $ allowance for damage.
rafel ['ra.fəl] *v* ravel.
rafelen ['ra.fələ(n)] *vi* & *vt* fray, unravel, ravel out.
rafelig [-ləx] frayed.
raffinaderij [rafi.na.də'rɛi] *v* refinery.
raffinadeur [-'dø:r] *m* refiner.
raffineren [rafi.'ne:rə(n)] *vt* refine.
rag [rax] *o* cobweb.
rage ['ra.ʒə] *v* rage, craze, mania.
ragebol ['ra.gəbəl] = *raagbol*.
ragfijn ['raxfein] gossamer, filmy.
ragoût [ra.'gu.] *m* ragout.
rail [re.l] *v* rail; *uit de* ~*s lopen* leave the metals.
railleren [ra(l)'je:rə(n)] I *vt* banter, chaff, poke fun at [a person]; II *va* banter, chaff, poke fun.
raillerie [rajə'ri.] *v* raillery, banter, chaff.
rak [rak] *o* 1 (voor boeken &) rack; 2 (v. rivier) reach.
rakelen ['ra.kələ(n)] *vt* rake.
rakelijzer ['ra.kəlɛizər] *o* rake.
rakelings [-lɪŋs] in: *de kogel ging mij* ~ *voorbij* the bullet brushed past me (grazed my shoulder &).
raken ['ra.kə(n)] I *vt* 1 (treffen) hit; 2 (aanraken) touch; 3 (aangaan) affect; concern; *deze cirkels* ~ *elkaar* these circles touch; *wanneer het onze eer raakt* when our honour is concerned; II *vi* get; zie *geraken*; *gevangen* ~ become a prisoner; ~ *aan* touch[2]; *aan de drank* ~ take to drink(ing), become addicted to drink; *hoe aan mijn geld te* ~ how to come by my money; *aan het malen* ~ begin to wander in one's mind; *aan de praat* ~ get talking; *in oorlog* ~ *met* become involved in a war with.
1 raket [ra.'kɛt] *o* & *v sp* 1 racket; 2 battledore.
2 raket [ra.'kɛt] *v* rocket [firework].
raketauto [-o.to., -ɔuto.] *m* rocket motor-car.
raketbal [-bal] *m* shuttlecock.
raketbasis [-ba.zəs] *v* ✕ rocket base.
raketbom [-bòm] *v* ✕ rocket bomb.
raketmotor [-mo.tər] *m* rocket engine.
raketspel [-spɛl] *o* (game of) battledore and shuttlecock.
raketten [ra.'kɛtə(n)] *vi* play at battledore and shuttlecock.
raketvliegtuig [ra.'kɛtfli.xtœyx] *o* ✈ rocket plane.
rakker ['rakər] *m* rascal, rogue, scapegrace.
rally ['rɛli.] *m* rally.
ram [ram] *m* 1 ♈ ram, tup; 2 ⊞ (battering-) ram; *de Ram* ✳ Aries.
ramen ['ra.mə(n)] *vt* estimate (at *op*).
raming ['ra.mɪŋ] *v* estimate.
rammei [ra.'mɛi] *v* ⊞ battering-ram.
rammeien [-ə(n)] *vt* ram.

rammel ['rɑməl] *m* I rattle; 2 zie *rammeling*.

rammelaar ['rɑmǝla:r] *m* I (speelgoed & persoon) rattle; 2 (konijn) buck(-rabbit), (haas) buck(-hare).

rammelen [-lǝ(n)] **I** *vi* rattle, clatter, clash, clank; *fig* rattle; ~ *met...* rattle (clatter, clank) ...; *ik rammel van de honger* F I am sharp-set; **II** *vt* in: *hem door elkaar* ~ F give him a good shaking.

rammeling [-lɪŋ] *v* F drubbing, dusting.

rammelkast ['rɑmǝlkɑst] *v* I (v. rijtuig) rattle-trap; ramshackle motor-car &; 2 F (piano) old piano.

rammen ['rɑmǝ(n)] *vt* ram.

rammenas [rɑmǝ'nɑs] *v* **☘** black radish.

ramp [rɑmp] *v* disaster, calamity; catastrophe.

rampenfonds ['rɑmpǝ(n)fǒnts] *o* [national] disaster fund.

rampgebied ['rɑmpgǝbi.t] *o* disaster area.

rampspoed [-spu.t] *m* adversity.

rampspoedig [rɑmp'spu.dǝx] **I** *aj* disastrous, hapless, calamitous; **II** *ad* disastrously.

rampzalig [-'sa.lǝx] **I** *aj* I miserable, wretched; 2 fatal; **II** *ad* I miserably, wretchedly; 2 fatally.

rampzaligheid [-hɛit] *v* misery, wretchedness.

rancune [rɑŋ'ky.nǝ] *v* rancour, grudge.

rancunemaatregelen [-ma.tre.gǝlǝ(n)] *mv* penal action, victimization.

rancuneus [rɑŋky.'nø.s] vindictive, spiteful.

rand [rɑnt] *m* brim [of a hat]; rim [of a bowl]; margin [of a book]; [black, grass] border; edge [of a table, a bed, a wood]; edging [of a towel]; brink [of a precipice]; fringe [of a wood]; *fig* verge [of ruin].

randen ['rɑndǝ(n)] *vt* border; mill [coins].

randgebergte ['rɑntgǝbɛrxtǝ] *o* border mountains.

randgemeente [-gǝme.ntǝ] *v* satellite town.

randschrift [-s(x)rɪft] *o* legend [of a coin].

randstaat [-sta.t] *m* border state.

randsteen [-ste.n] *m* curbstone [of a well].

randversiering [-fǝrsi:rɪŋ] *v* ornamental border.

rang [rɑŋ] *m* rank, degree, grade; ~ *en stand* rank and station; *in* ~ *staan boven* rank above...; *met de* ~ *van kapitein* holding the rank of a captain; *wij zaten op de eerste* ~ we had seats in the first row (in the stalls); *van de eerste* ~ first-rate [man], first-class [restaurant].

rangeerder [rɑn'ʒe:rdǝr] *m* shunter, yardman.

rangeerlocomotief, -lokomotief [-'ʒe:rlo.ko.-mo.ti.f] *v* shunting engine.

rangeerterrein [-tɛrɛin] *o* marshalling yard, shunting yard.

rangeerwissel [-vɪsǝl] *m & o* shunting switch.

rangeren [rɑn'ʒe:rǝ(n)] *vt & vi* shunt.

ranggetal ['rɑŋgǝtɑl] *o* ordinal number.

ranglijst [-lɛist] *v* I **⚔** army list [of officers]; **⚓** navy list; 2 list (of candidates).

rangnummer [-nǖmǝr] *o* number.

rangorde [-ɔrdǝ] *v* order.

rangschikken [-sxɪkǝ(n)] *vt* arrange, range [things]; *fig* marshal [the facts]; ~ *onder* class with.

rangschikkend [-kǝnt] *gram* ordinal.

rangschikking [-kɪŋ] *v* arrangement, classification.

rangtelwoord ['rɑŋtɛlvo:rt] *o* ordinal number.

1 **rank** [rɑŋk] *v* **☘** tendril.

2 **rank** [rɑŋk] *aj* slender [of persons]; **⚓** crank(y).

ranken ['rɑŋkǝ(n)] *vi* **☘** twine, shoot tendrils.

rankheid ['rɑŋkhɛit] *v* slenderness; **⚓** crank(i)ness.

ranonkel [ra.'nǒŋkǝl] *v* **☘** ranunculus.

rans [rɑns] rancid.

ransel ['rɑnsǝl] *m* I **⚔** knapsack, pack; 2 ⚮ satchel; 3 (slaag) F flogging, drubbing.

ranselen ['rɑnsǝlǝ(n)] *vt* F wallop, whop, drub.

ransheid ['rɑnshɛit] *v* rancidness, rancidity.

ransig ['rɑnsǝx] rancid.

ransigheid [-hɛit] *v* rancidness, rancidity.

rantsoen [rɑnt'su.n] *o* ration, allowance; *op* ~ *stellen* put on rations, ration.

rantsoeneren [-su.'ne:rǝ(n)] *vt* ration, put on rations.

rantsoenering [-rɪŋ] *v* rationing.

ranzig ['rɑnzǝx] rancid.

ranzigheid [-hɛit] *v* rancidness, rancidity.

rap [rɑp] **I** *aj* nimble, agile, quick; **II** *ad* nimbly.

rapaille [ra.'pɑljǝ] *o* rabble, riff-raff.

rapen ['ra.pǝ(n)] *vt & vi* pick up, gather; glean [ears of corn]; ~ *en schrapen* pinch and pare.

rapheid ['rɑphɛit] *v* nimbleness, agility, quickness.

rapier [ra.'pi:r] *o* rapier; foil [to fence with].

rapport [rɑ'pɔrt] *o* statement, account; report [ook ⟳]; ~ *uitbrengen over* report on...

rapporteren [rɑpɔr'te:rǝ(n)] *vt & vi* report (on *over*).

rapporteur [-'tø:r] *m* reporter.

rapsodie [rɑpso.'di.] *v* rhapsody[2].

rapsodisch [-'so.di.s] *aj* (& *ad*) rhapsodical(ly).

rapsodist [-so.'dɪst] *m* rhapsodist.

rapunzel [ra.'pünzǝl] *o & m* **☘** rampion.

rarekiek [ra.rǝ'ki.k] *m* raree-show, peep-show.

rarigheid ['ra.rǝxhɛit] *v* queerness, oddness, oddity, curiosity.

rariteit [ra.ri.'tɛit] *v* curiosity, curio; ~*en* curios.

rariteitenkamer [-'tɛitǝ(n)ka.mǝr] *v* museum of curiosities.

1 **ras** [rɑs] *o* race [of men]; breed [of cattle]; *gekruist* ~ cross-breed; *van zuiver* ~ thoroughbred.

2 **ras** [rɑs] **I** *aj* quick, swift, speedy; **II** *ad* soon, quickly.

rasdiscriminatie ['rɑsdɪskri.mi.na.(t)si.] *v* racial discrimination.

rasecht [-ɛxt] thoroughbred, true-bred.

raseren [ra.'ze:rǝ(n)] *vt* raze (to the ground), level with the ground.

rasheid ['rɑshɛit] *v* quickness, speed, swiftness.

rashoenders [-hu.ndərs] *mv* ⚓ pedigree fowls.

rashond [-hònt] *m* true-bred dog.

rasp [rɑsp] *v* grater, [wood] rasp.

raspaard ['rɑspa:rt] *o* thoroughbred, blood-horse.

raspen ['rɑspə(n)] *vt* grate [cheese], rasp [wood].

rassehaat ['rɑsəha.t] *m* racial hatred, race-hatred.

rassenstrijd ['rɑsə(n)strɛit] *m* racial conflict.

rassenteorie zie *rassentheorie*.

rassentheorie [-te.o.ri.] *v* racialism.

rassenvermenging [-vərmɛŋɪŋ] *v* mixture of races, racial mixture.

rassenverschil [-vərsxɪl] *o* racial difference.

raster ['rɑstər] *o* & *m* 1 (lat) lath; 2 (hekwerk) zie *rastering*; 3 (netwerk van lijnen) screen.

rastering ['rɑstərɪŋ] *v* rasterwerk [-tərvɛrk] *o* trellis-work, lattice, grill, railing.

rasverschil ['rɑsfərsxɪl] = *rassenverschil*.

rasvooroordeel [-fo:ro:rde.l] *o* racial prejudice, racialism.

raszuiver ['rɑsœyvər] thoroughbred, true-bred.

rat [rɑt] *v* rat; *oude* ~ old hand, old stager; *een oude* ~ *loopt niet zo gemakkelijk in de val* an old bird is not caught with chaff.

rata ['ra.ta.] in: *naar* ~ in proportion (to *van*), pro rata.

rataplan ['rɑta.plɑn] 1 *o* rataplan, sound (rub-a-dub) of drums; 2 *m* in: *de hele* ~ F the whole show.

ratel ['ra.təl] *m* rattle[2]; clack [= tongue]; *hou je* ~! F shut up!

ratelaar ['ra.tələ:r] *m* (persoon) rattler, rattle.

ratelen [-lə(n)] *vi* rattle; ~*de donderslagen* rattling peals of thunder.

ratelslang ['ra.təlslɑŋ] *v* rattlesnake.

ratificatie [ra.ti.fi.'ka.(t)si.] *v* ratification.

ratificeren [-'se:rə(n)] *vt* ratify.

ratifikatie zie *ratificatie*.

ratiné [ra.ti.'ne.] *o* ratiné.

rationalisatie [ra.(t)si.o.na.li.'za.(t)si.] *v* rationalization.

rationaliseren [-li.'ze:rə(n)] *vt* rationalize.

rationalisme [-'lɪsmə] *o* rationalism.

rationalist [-'lɪst] *m* rationalist.

rationalistisch [-'lɪsti.s] I *aj* rationalist, rationalistic; II *ad* rationalistically.

rationalizatie zie *rationalisatie*.

rationalizeren zie *rationaliseren*.

rationeel [ra.(t)si.o.'ne.l] *aj* (& *ad*) rational-(ly).

ratjetoe ['rɑcətu.] *m* & *o* ⚔ soldiers' hodge-podge; *fig* olla podrida, olio, farrago, hotch-potch.

rato ['ra.to.] in: *naar* ~ zie *rata*.

rattenkruit ['rɑtə(n)krœyt] *o* arsenic.

rattenplaag [-pla.x] *v* rat plague.

rattenvanger [-vɑŋər] *m* rat-catcher; (hond) ratter; *de* ~ *van Hameln* the pied piper of Hamelin.

rattenverdelging [-vərdɛlgɪŋ] *v* destruction of rats.

ratteval ['rɑtəvɑl] *v* rat-trap.

rauw [rɔu] raw, uncooked [food]; raucous, hoarse [voice], harsh [of sounds]; *fig* crude [statements].

rauwheid ['rɔuhɛit] *v* rawness; *fig* crudity.

ravage [ra.'va.ʒə] *v* 1 (verwoesting) ravage [of the war]; havoc, devastations; 2 (overblijfselen) wreckage [of a motor-car &], debris, shambles [of a building]; *een* ~ *aan-richten* make havoc (of *onder*, in).

ravegekras ['ra.vəgəkrɑs] *o* croaking (of a raven).

ravezwart [-zvɑrt] raven-black; ~*e haren* raven locks.

ravijn [ra.'vɛin] *o* ravine.

ravitailleren [ra.vi.ta(l)'je:rə(n)] *vt* supply.

ravitaillering [-rɪŋ] *v* supply.

ravotster [ra.'vɔtstər] *v* romp, tomboy.

ravotten [-'vɔtə(n)] *vi* romp.

ravotter [-tər] *m* romping boy.

rayon [rɛi'òn] *o* & *m* 1 radius [of a circle]; 2 shelf [of a bookcase]; 3 department [in a shop]; 4 (gebied) area; $ [commercial traveller's] territory; 5 (stofnaam) rayon [artificial silk].

rayongaren [-ga:rə(n)] *o* rayon yarn.

rayonvezel [-ve.zəl] *v* rayon staple.

razeil ['ra.zɛil] *o* ⚓ square sail.

razen ['ra.zə(n)] *vi* rage, rave; ~ *en tieren* rage and rave, storm and swear; *over de weg* ~ tear along the road; *het water raast in æ ketel* the water sings in the kettle.

razend [-zənt] I *aj* raving, mad, wild, F savage; ~*e honger* ravenous hunger; ~*e vaart* tearing pace; *ben je* ~? F are you mad?; *het is om* ~ *te worden* it is enough to drive you mad; *het maakt me* ~ it makes me wild; *je maakt me* ~ *met je...* you drive me mad with your...; *hij is* ~ *op mij* he is furious with me; *hij... als een* ~*e* like mad; II *ad* in: *hij heeft* ~ *veel geld* he has a mint of money; *wij hebben* ~ *veel plezier gehad* we have enjoyed ourselves immensely; *hij is* ~ *verliefd op haar* he is madly in love with her.

razernij [ra.zər'nɛi] *v* rage; frenzy, madness.

razzia ['rɑdzi.a.] *v* razzia, raid, round-up [of suspects]; *een* ~ *houden in een café* raid a café; *een* ~ *houden op verdachten* round up suspects.

re [re.] *v* ♪ re.

reaal [re.'a.l] *m* real [silver coin].

reactie [re.'ɑksi.] *v* reaction[2] (to *op*).

reactionair [-ɑksi.o.'nɛ:r] *aj* & *m* reactionary.

reactor [-'ɑktər] *m* reactor.

reageerbuis [re.a.'ge:rbœys] *v* test-tube, test-glass.

reageerpapier [-pa.pi:r] *o* test-paper.

reagens ['re.a.gɛns] *o* reagent, test.

reageren [re.a.'ge:rə(n)] *vi* react (to *op*), *fig* respond (to *op*).

reakt- zie *react-*.
realisatie [re.a.li.'za.(t)si.] *v* realization.
realiseren [-li.'ze:rə(n)] I *vt* 1 (in 't alg.) realize; 2 $ realize, cash, convert into money, sell; II *vi* $ realize, sell; III *vr zich* ~ realize [that...].
realisme [-'lɪsmə] *o* realism.
realist [-lɪst] *m* realist.
realistisch [-'lɪsti.s] I *aj* realistic; II *ad* realistically.
realiteit [-li.'tɛit] *v* reality.
realizatie zie *realisatie*.
realizeren zie *realiseren*.
Rebecca [rə'bɛka.] *v* Rebecca.
rebel [rə'bɛl] *m* rebel, mutineer.
rebelleren [-bɛ'le:rə(n)] *vi* rebel, revolt [against...].
rebellie [-bɛ'li.] *v* rebellion, mutiny.
rebels [-'bɛls] rebellious, mutinous.
rebus ['re.bɵs] *m* rebus, picture-puzzle.
recalcitrant [re.kalsi.'trant] recalcitrant.
recapitulatie [-ka.pi.ty.'la.(t)si.] *v* recapitulation.
recapituleren [-'le:rə(n)] *vi* & *vt* recapitulate.
recensent [rəsɛn'zɛnt] *m* reviewer, critic.
recenseren [-'ze:rə(n)] I *vt* review [an author, a book]; II *vi* review, write a review.
recensie [rə'sɛnzi.] *v* review, critique, (kort) notice; *ter* ~ for review.
recensie-eksemplaar zie *recensie-exemplaar*.
recensie-exemplaar [-ɛksəmpla:r] *o* review copy.
recent [re.'sɛnt] recent.
recepis [re.sə'pɪs] *o* & *v* $ scrip (certificate).
recept [rə'sɛpt] *o* 1 (voor keuken &) recipe, receipt; 2 ℞ prescription.
receptenboek [-'sɛptə(n)bu.k] *o* 1 (household) recipe book; 2 ℞ prescription book.
receptie [rə'sɛpsi.] *v* reception.
receptionist [rəsɛpsi.o.'nɪst] *m* receptionist.
reces [rə'sɛs] *o* recess, adjournment; *op* ~ *gaan* (uiteengaan) rise, adjourn; *op* ~ *zijn* be in recess.
recessie [rə'sɛsi.] *v* $ recession.
recette [rə'sɛtə] *v* takings, receipts.
recherche [rə'ʃɛrʃə] *v* detective force, Criminal Investigation Department, C.I.D.
rechercheur [-ʃər'ʃøːr] *m* detective.
recherchevaartuig [-'ʃɛrʃəva:rtœyx] *o* ⚓ revenue-cutter.
1 recht [rɛxt] I *aj* right [side, word, angle &]; straight [line]; *wat* ~ *en billijk is* what is just and fair; *zo* ~ *als een kaars* as straight as an arrow; *de* ~*e man op de* ~*e plaats* the right man in the right place; *te* ~*er tijd zie tijd*; II *als sb in: ik weet er het* ~*e niet van* I do not know the rights of the case; III *ad* rightly; < right, quite; straight; ~ *door zee gaand* straightforward, straight; *hij is niet* ~ *bij zijn verstand* he is not quite right in his head; ~ *op hem af* straight at him; ~ *toe,* ~ *aan* straight on.

2 recht [rɛxt] *o* 1 (ongeschreven natuurwet) right; 2 (rechtspraak) law, justice; 3 (bevoegdheid) right, title, claim [to a pension]; 4 (geheven recht) poundage [on money-orders]; duty, custom [on goods]; [registration] fee; *burgerlijk* ~ civil law; *het gemene (gewone)* ~ common law; *het geschreven* ~ statute law; *ongeschreven* ~ unwritten law; *Romeins* ~ Roman law; *verkregen* ~*en* vested rights; ~ *van bestaan* reason for existence; ~ *van eerstgeboorte* (right of) primogeniture; ~ *van gratie* prerogative of pardon; ~ *van initiatief* initiative; ~ *van opstal* building rights; ~ *van opvoering* performing rights; ~ *van spreken hebben* have a right to speak; ~ *van de sterkste* right of the strongest; ~ *van vergadering* right of public meeting; ~*en en plichten* rights and duties; *onze* ~*en en vrijheden* our rights and liberties; ~ *doen* administer justice; *er moet* ~ *geschieden* justice must be done; *iemand het* ~ *geven om...* entitle one to...; *het* ~ *hebben om...* have a (the) right to..., be entitled to...; *het volste* ~ *hebben om...* have a perfect right to...; ~ *hebben op iets* have a right to something; *het* ~ *aan zijn zijde hebben* have right on one's side; *zich* ~ *verschaffen* right oneself; take the law into one's own hands; *iedereen* ~ *laten wedervaren* do justice to everyone; *iemand* ~ *laten wedervaren* do one right, give one his due; *in zijn* ~ *zijn* be within one's rights, be in the right; *iemand in* ~*en aanspreken* take legal proceedings against one, have (take) the law of one, sue one [for damages]; *met* ~ justly, rightly; *met welk* ~? by what right? *tot zijn* ~ *komen* show to full advantage; *beter tot zijn* ~ *komen* show to better advantage.
rechtaan [rɛxt'a.n] straight on.
rechtbank ['rɛxtbaŋk] *v* court of justice, law-court, tribunal; *fig* bar [of public opinion]; zie ook: 2 *gerecht*.
rechtdoor [rɛxt'do:r] straight on.
rechtdraads [rɛx'dra.ts] with the grain.
rechtens ['rɛxtəns] by right(s), in justice.
1 rechter [-tər] *m* judge, justice; ~ *van instructie* examining magistrate.
2 rechter [-tər] *aj* right [hand &], right-hand [corner &].
rechterachterpoot [rɛxtər'axtərpo.t] *m* off hind leg.
rechterarm [-arm] *m* right arm. [leg.
rechterbeen [-be.n] *o* right leg.
rechter-commissaris ['rɛxtərkòmǝsa:rəs] *m* judge presiding at criminal preparatory examinations, at meetings of creditors in insolvency &.
rechterhand ['rɛxtərhant] *v* right hand; *fig* right-hand man, right hand.
rechterkant [-kant] *m* right side.
rechter-kommissaris zie *rechter-commissaris*.
rechterlijk [-lək] judicial; *de* ~*e macht* the judiciary.

rechtersambt ['rɛxtərsɑmt] *o* judgeship.
rechterstoel ['rɛxtərstu.l] *m* judgment seat², tribunal².
rechtervleugel [-vlø.ɡəl] *m* right wing.
rechtervoet [-vu.t] *m* right foot.
rechtervoorpoot [rɛxtər'vo:rpo.t] *m* off fore leg.
rechterzij(de) ['rɛxtərzɛi(də)] *v* right side, right; *de* ~ the Right [in Parliament].
rechtgeaard ['rɛxtɡəa:rt] right-minded, upright, honest.
rechtgelovig [rɛxtɡə'lo.vəx] orthodox.
rechtgelovigheid [-hɛit] *v* orthodoxy.
rechthebbende ['rɛxthɛbəndə] *m-v* rightful claimant.
rechtheid [-hɛit] *v* straightness.
rechthoek [-hu.k] *m* rectangle.
rechthoekig [-hu.kəx, rɛxt'hu.kəx] right-angled, rectangular; ~*e driehoek* right-angled triangle; ~ *op* at right angles to.
rechthoekszijde ['rɛxthu.ksɛidə] *v* base or perpendicular.
rechtlijnig [-lɛinəx, rɛxt'lɛinəx] rectilinear [figure], linear [drawing].
rechtmaken ['rɛxtmɑ.kə(n)] *vt* straighten (out).
rechtmatig [rɛxt'mɑ.tex] rightful, lawful, legitimate.
rechtmatigheid [-hɛit] *v* lawfulness, legitimacy.
rechtop [rɛxt'ɔp] upright, erect.
rechtopstaand [-stɑ.nt] vertical, upright, erect.
rechts [rɛxts] I *aj* 1 right; 2 right-handed, dextrous; 3 of the Right [in politics]; rightwing [parties]; *de* ~*en*, ~ the Right [in politics]; *een* ~*e regering* a right-wing government; II *ad* to (on, at) the right.
rechtsaf [-'ɑf] to the right.
rechtsbegrip ['rɛxtsbəɡrip] *o* sense of justice.
rechtsbijstand [-bɛistɑnt] *m* legal assistance.
rechtsbinnen [rɛxts'binə(n)] *m sp* inside right.
rechtsbuiten [-'bœytə(n)] *m sp* outside right.
rechtschapen [rɛxt'sxɑ.pə(n)] *aj* (& *ad*) upright(ly), honest(ly).
rechtschapenheid [-hɛit] *v* honesty, rectitude.
rechtscollege ['rɛxtskɔle.ʒə] *o* court.
rechtsdwang [-dvɑŋ] *m* judicial constraint.
rechtsgebied [-ɡəbi.t] *o* jurisdiction.
rechtsgebruik [-ɡəbrœyk] *o* legal usage, form of law.
rechtsgeding [-ɡədiŋ] *o* lawsuit.
rechtsgeldig [rɛxts'ɡɛldəx] valid in law, legal.
rechtsgeldigheid [-hɛit] *v* validity, legality.
rechtsgeleerd ['rɛxtsɡəle.rt] *aj* juridical, legal; ~*e m* lawyer.
rechtsgeleerdheid [-hɛit] *v* jurisprudence.
rechtsgelijkheid ['rɛxtsɡəlɛikhɛit] *v* equality (of rights).
rechtsgevoel [-ɡəvu.l] *o* sense of justice.
rechtsgrond [-ɡrɔnt] *m* legal ground.
rechtsingang [-iŋɡɑŋ] *m* in: ~ *verlenen tegen iemand* send a person to trial.
rechtskollege zie *rechtscollege*.
rechtskundig [rɛxts'kŭndəx] legal [adviser, aid &], juridical.

rechtsmiddel ['rɛxtsmidəl] *o* legal remedy.
rechtsom ['rɛxts'ɔm] to the right; ~*!* ⚔ righ turn!; ~ ... *keert!* ⚔ about ... turn!
rechtsomkeer(t) [rɛxtsɔm'ke:r(t)] ~ *maken* ⚔ turn about; *fig* F turn tail.
rechtspersoon ['rɛxtspərso.n] *m* corporate body, corporation.
rechtspersoonlijkheid [-ləkhɛit] *v* incorporation; ~ *aanvragen* apply for a charter of incorporation; ~ *verkrijgen* be incorporated.
rechtspleging ['rɛxtsple.ɡiŋ] *v* administration of justice.
rechtspositie [-po.zi.(t)si.] *v* legal status.
rechtspraak ['rɛxtspra.k] *v* jurisdiction, administration of justice.
rechtspractijk zie *rechtspraktijk*.
rechtspraktijk ['rɛxtsprɑktɛik] *v* legal practice.
rechtspreken ['rɛxtspre.kə(n)] *vi* administer justice.
rechtsstaat ['rɛxtstɑ.t] *m* constitutional state.
rechtstaal ['rɛxtstɑ.l] *v* legal language.
rechtstandig [rɛxt'stɑndəx] perpendicular, vertical.
rechtstandigheid [-hɛit] *v* perpendicularity.
rechtsterm ['rɛxtstɛrm] *m* law-term.
rechtstoestand [-tu.stɑnt] *m* legal position.
rechtstreeks ['rɛxtstre.ks] I *aj* direct; II *ad* [send, order, buy] direct, directly.
rechtsverdraaiing ['rɛxtsfərdra.jiŋ] *v* chicanery.
rechtsverkrachting [-fərkrɑxtiŋ] *v* violation of right.
rechtsvervolging [-fərvɔlɡiŋ] *v* prosecution; *van* ~ *ontslaan* discharge.
rechtsvordering [-fɔrdəriŋ] *v* action, (legal) claim.
rechtsvorm [-fɔrm] *m* legal form.
rechtsvraag [-frɑ.x] *v* question of law.
rechtswege [-ve.ɡə] *van* ~ in justice, by right.
rechtswetenschap [-ve.tənsxɑp] *v* jurisprudence.
rechtswezen [-ve.zə(n)] *o* judicature.
rechtszaak ['rɛxtsɑ.k] *v* lawsuit, cause.
rechtszaal [-sɑ.l] *v* court-room.
rechtszekerheid [-se.kərhɛit] *v* legal security.
rechtuit [-œyt, rɛxt'œyt] straight on; *fig* frankly.
rechtvaardig [rɛxt'fa:rdəx] *aj* (& *ad*) righteous(ly), just(ly).
rechtvaardigen [-'fa:rdəɡə(n)] *vt* justify.
rechtvaardigheid [-'fa:rdəxhɛit] *v* righteousness, justice.
rechtvaardiging [-'fa:rdəɡiŋ] *v* justification; *ter* ~ *van...* in justification of...
rechtverkrijgende ['rɛxtfərkrɛiɡəndə] *m-v* assign.
rechtzetten [-sɛtə(n)] *vt* 1 straighten, put straight, adjust [one's hat]; 2 *fig* correct, rectify.
rechtzetting [-tiŋ] *v fig* correction, rectification.
rechtzinnig [rɛxt'sinəx] *aj* (& *ad*) orthodox(ly).
rechtzinnigheid [-hɛit] *v* orthodoxy.
recidive [re.si.'di.və] *v* relapse (into crime), repetition of an offence.
recidivist [-di.'vist] *m* recidivist, old offender.

recipiënt [-pi.'ɛnt] *m* ⚔ receiver.
recipiëren [-pi. e:rə'(n)] *vt* entertain, receive.
recitatief [-ta.'ti.f] *o* recitative.
reciteren [-'te:rə(n)] I *vt* recite, declaim; II *vi* recite.
reclamant [re.kla.'mɑnt] *m* claimant.
reclame [rə'kla.mə] *v* I (in krant &) advertising, publicity, advertisement; [advertisement, illuminated] sign; 2 (protest) claim; complaint, protest; *een ~ indienen* put in a claim; *~ maken* advertise; *~ maken voor* advertise, publicize F puff, boom.
reclameartikel [-ɑrti.kəl] *o* $ article that is being sold cheap (as an advertisement).
reclamebiljet [-biljɛt] *o* (advertising) poster.
reclamebord [-bɔrt] *o* advertisement-board.
reclamebureau [-by.ro.] *o* publicity agency.
reclamefilm [-fɪlm] *m* advertising film.
reclameplaat [-pla.t] *v* (picture) poster.
reclameplaatje [-pla.cə] *o* advertising picture, show-card.
reclameren [re.kla.'me:rə(n)] I *vi* put in a claim; complain (about *over*); II *vt* claim.
reclamezuil [rə'kla.məzœyl] *v* advertising-pillar.
reclasseren [re.klɑ'se:rə(n)] *vt* reclaim, assist in finding employment [an offender].
reclassering [-rɪŋ] *v* after-care of discharged prisoners; *ambtenaar van de ~* probation officer.
recommandatie [rəkòmɑn'da.(t)si.] *v* recommendation.
recommanderen [-'de:rə(n)] *vt* recommend.
reconstructie [re.kòn'strŭksi.] *v* reconstruction.
reconstrueren [-stry.'e:rə(n)] *vt* reconstruct.
reconvalescent [re.kònva.lɛ'sɛnt] *m* convalescent.
reconvalescentie [-'sɛn(t)si.] *v* convalescence.
record [rə'kɔ:r, -'kɔrt] I *o* record; *het ~ slaan* (*verbeteren*) *sp* beat (raise) the record; II *als aj* record [figure, number, speed], bumper [crop, harvest, season], peak [figure, year].
recordhouder [-hɔudər] *m ~ster* [-hɔutstər] *v* recordholder.
recreatie [rəkre.'a.(t)si.] *v* recreation.
recreatiezaal [-za.l] *v* recreation hall.
recru- zie *rekru-.*
rectificatie [rɛkti.fi.'ka.(t)si.] *v* rectification.
rectificeren [-'se:rə(n)] *vt* rectify, put right.
rector ['rɛktər] *m* I ⟺ headmaster, principal [of a grammar school]; 2 rector [of a religious institution]; *~ magnificus* Vice-Chancellor.
rectoraat [rɛkto.'ra.t] *o* rectorship; zie *rector.*
reçu [rə'sy.] *o* I (luggage-)ticket; 2 receipt [for something received]; 3 ⅋ certificate.
redacteur [rədak'tø:r] *m* editor.
redactie [rə'dɑksi.] *v* I (v. krant) editorship; editorial staff, the editors; 2 (v. zin &) wording; *onder ~ van* edited by.
redactiebureau [-by.ro.] *o* editorial office.
redactioneel [rədɑksi.o.'ne.l] editorial.
redactrice [-'tri.sə] *v* editress.

redakt- zie *redact-.*

reddeloos ['rɛdəlo.s] I *aj* not to be saved, past recovery, irrecoverable, irretrievable; II *ad* irrecoverably, irretrievably.
redden ['rɛdə(n)] I *vt* save, rescue, retrieve; *iemand het leven ~* save a man's life; *we zijn gered!* we are safe!; *de geredde* the rescued person; *de geredden* those saved; *iemand uit de nood ~* help one out of distress; *iemand ~ van...* save (rescue) one from; *er was geen ~ aan* saving was out of the question; II *vr zich ~* save oneself; *je moet je zelf maar ~* you ought to manage for yourself; *met 50 gulden kan ik me ~* I can manage with 50 guilders, 50 guilders will do (for me); *hij weet zich wel te ~* leave him alone to shift for himself; *niet weten, hoe zich er uit te ~* how to get out of this.
redder [-dər] *m* saver, rescuer, deliverer, preserver; *de R~* the Saviour.
redderen [-dərə(n)] *vt* put in order, arrange, clear, do [a room].
redding [-dɪŋ] *v* saving, rescue, deliverance; salvation²; *fig* retrieval [of situation].
redding(s)boei [-dɪŋ(s)bu:i] *v* lifebuoy.
redding(s)boot [-bo.t] *m* & *v* lifeboat.
redding(s)brigade [-bri.ga.də] *v* rescue party.
redding(s)gordel [-gɔrdəl] *m* lifebelt.
redding(s)lijn [-lɛin] *v* life-line.
redding(s)maatschappij [-ma.tsxɑpɛi] *v* Humane Society; Lifeboat Association.
redding(s)medaille [-mədɑljə] *v* medal for saving (human) life.
redding(s)ploeg [-plu.x] *v* rescue team.
redding(s)poging [-po.gɪŋ] *v* attempt at a rescue, rescue attempt.
redding(s)toestel [-tu.stɛl] *o* life-saving apparatus.
redding(s)werk [-vɛrk] *o* rescue work.
1 rede ['re.də] *v* I (taal) speech, discourse; 2 (hoogste vermogen v. d. geest) reason, sense; *~ verstaan* listen to reason; *het ligt in de ~* it stands to reason; *in de ~ vallen* interrupt; *naar ~ luisteren* listen to reason; *tot ~ brengen* bring to reason.
2 rede ['re.də] *v* ⚓ roads, roadstead; *op de ~ liggen* lie in the roads.
rededeel [-de.l] *o gram* part of speech.
redekavelen [-ka.vələ(n)] *vi* argue, talk, reason.
redekaveling [-lɪŋ] *v* reasoning.
redekunde ['re.dəkŭndə] *v* rhetoric.
redekundig [re.də'kŭndəx] zie *ontleden* en *ontleding.*
redekunst ['re.dəkŭnst] *v* rhetoric.
redekunstig [re.də'kŭnstəx] rhetorical; *~e figuur* figure of speech, trope.
redelijk ['re.dələk] I *aj* I (met rede begaafd) rational [being]; [be] reasonable; 2 (niet overdreven) reasonable, moderate [charges, prices]; 3 (tamelijk) passable; II *ad* I reasonably, in reason; 2 (als graadaanduiding) moderately; passably.

redelijkerwijs, -wijze [re.dələkər'ʋɛis, -'ʋɛizə] reasonably, in reason.

redelijkheid ['re.dələkhɛit] *v* reasonableness.

redeloos [-lo.s] irrational, void of reason; ~ *dier* brute beast, brute; *de redeloze dieren* the brute creation.

redeloosheid [re.də'lo.shɛit] *v* irrationality.

redemptorist [re.dɛmto:'rɪst] *m RK* Redemptorist.

reden ['re.də(n)] *v* 1 reason, cause, motive, ground; 2 (**verhouding**) ratio; ~ *van bestaan* reason for existence; ~ *hebben om...* have reason to...; *daar had hij* ~ *voor* he had his reasons; *in* ~ *van 1 tot 5* in the ratio of one to five; *in omgekeerde (rechte)* ~ in inverse (direct) ratio; *om* ~ *dat...* because...; *om* ~ *van* by reason of, on account of; *om die* ~ for that reason; *zonder (enige)* ~ without reason.

redenaar ['re.dəna:r] *m* orator.

redenaarstalent [-na:rsta.lɛnt] *o* oratorical talent.

redenatie [rədə'na.(t)si.] *v* reasoning.

redeneren [-'ne:rə(n)] *vi* reason, argue (about *over*); discourse.

redenering [-rɪŋ] *v* reasoning.

redengevend ['re.də(n)ge.vənt] *gram* causal.

reder ['re.dər] *m* ♺ (ship-)owner.

rederij [re.də'rɛi] *v* ♺ ship-owners' society, shipping company; *de* ~ the shipping trade.

rederijker ['re.dərɛikər] *m* 1 ⨀ rhetorician; 2 member of a dramatic club.

rederijkerskamer [-kɔrska.mər] *v* 1 ⨀ society of rhetoricians, "rhetorical chamber"; 2 dramatic club.

rederijkerskunst [-kūnst] *v* rhetoric.

rederijvlag [re.də'rɛivlɑx] *v* ♺ house-flag.

redetwist ['re.dətʋɪst] *m* dispute, controversy.

redetwisten [-tʋɪstə(n)] *vi* dispute (about *over*).

redevoeren [-vu:rə(n)] *vi* orate, speak.

redevoering [-rɪŋ] *v* oration, speech, address, ' harangue; *een* ~ *houden* make a speech.

redigeren [re.di.'ge:rə(n)] *vt* 1 edit, conduct [a paper]; 2 draw up, redact [a note].

redmiddel ['rɛtmɪdəl] *o* remedy, expedient, [last] resource.

redoubleren [re.du.'ble:rə(n)] *vt & vi* ◇ redouble.

redres [rə'drɛs] *o* redress.

redresseren [rədrɛ'se:rə(n)] *vt* redress, right.

reduceren [re.dy.'se:rə(n)] *vt* reduce.

reductie, reduktie [rə'dūksi.] *v* reduction.

1 ree [re.] *v & o* ♋ roe, hind.

2 ree [re.] *v* ♺ = 2 *rede*.

reebok ['re.bɔk] *m* ♋ roebuck.

reebout [-bɔut] *m* haunch of venison.

reeds [re.ts] already; ~ *in...* as early as...; ~ *de gedachte...* the mere idea; zie verder: 2 *al*.

reëel [re.'e.l] 1 real [value]; 2 $ sound [business].

reef [re.f] *o* ♺ reef; *een* ~ *inbinden* take in a reef[2].

reegeit ['re.gɛit] *v* ♋ roe.

reekalf [-kɑlf] *o* ♋ fawn.

reeks [re.ks] *v* 1 series, sequence [of things]; train [of consequences &]; 2 progression [in mathematics].

reel ['re.l] = *rail*.

reep [re.p] *m* rope, line, string; strip; *een* ~ *chocolade* a bar of chocolate.

reepje ['re.pjə] *o* sliver.

reet [re.t] *v* cleft, crack, chink, crevice.

refactie, refaktie [re.'fɑksi.] = *rafactie*.

refectorium [re.fɛk'to:ri.ūm] *o* refectory.

referaat [rəfə'ra.t] *o* report.

referendaris [-rɛn'da:rəs] *m* referendary.

referendum [-'rɛndūm] *o* referendum.

referent [-'rɛnt] *m* reporter; speaker.

referentie [-'rɛn(t)si.] *v* (**inlichting**) reference, (**persoon**) referee.

refereren [-'re:rə(n)] *vt* refer; ~*de aan uw schrijven* referring to your letter &.

referte [rə'fɛrtə] *v* reference; *Onder* ~ *aan mijn schrijven van...* Referring to...

reflectant [rəflɛk'tɑnt] *m* zie *gegadigde*.

reflecteren [-'te:rə(n)] I *vt* (**weerkaatsen**) reflect; II *vi* in: ~ *op* consider [an application]; answer [an advertisement]; entertain [an offer, a proposal]; *er zal alleen gereflecteerd worden op...* only... will be considered.

reflectie [rə'flɛksi.] *v* reflection.

reflector [-'flɛktor] *m* reflector.

reflekt- zie *reflect-*.

reflex [rə'flɛks] *m* reflex; *voorwaardelijke* ~ conditioned reflex.

reflexbeweging [-bəve.gɪŋ] *v* reflex action, reflex.

reflexie zie *reflectie*.

reformatie [re.fɔr'ma.(t)si.] *v* reformation.

refrein [rə'frɛin] *o* burden [of a song], chorus, refrain.

refter ['rɛftər] *m* refectory.

regaal [re.'ga.l] *o* 1 rack [for books &]; 2 ♪ vox humana [of organ]; 3 royal prerogative.

regeerder [rə'ge:rdər] *m* ruler.

regeerkunst [-kūnst] *v* art of governing.

regel ['re.gəl] *m* 1 (lijn) line; 2 *fig* rule; *de* ~ *van drieën* the rule of three; *nieuwe* ~*!* new line!; *in de* ~ as a rule; *tegen alle* ~ *in*, in *strijd met de* ~ against the rule(s), contrary to all rules; *zich tot* ~ *stellen* make it a rule; *tussen de* ~*s* between the lines; *volgens de* ~ according to rule; *volgens de* ~*en der kunst* in the approved manner; *geen* ~ *zonder uitzondering* no rule without exception.

regelaar ['re.gəla:r] *m* regulator.

regelbaar ['re.gəlba:r] adjustable.

regelen ['re.gələ(n)] I *vt* 1 arrange, order, settle [things]; 2 regulate, adjust [a clock &]; 3 control [the traffic]; II *vr zich* ~ *naar* be regulated (ruled) by, conform to.

regeling [-lɪŋ] *v* 1 arrangement, settlement; [pension &] scheme; order; 2 regulation, adjustment.

regelmaat ['re.gəlma.t] v regularity.
regelmatig [re.gəl'ma.təx] aj (& ad) regular-
regelmatigheid [-heit] v regularity. [(ly).
regelrecht ['re.gəlrɛxt] straight.
regeltje [-cə] o line; schrijf me een ~ write (F drop) me a line.
regen ['re.gə(n)] m rain; na ~ komt zonne-schijn after rain comes sunshine; van de ~ in de drop komen fall out of the frying pan into the fire.
regenachtig ['re.gənɑxtəx] rainy, wet.
regenbak ['re.gə(n)bɑk] m cistern, tank.
regenboog [-bo.x] m rainbow.
regenboogvlies [-bo.xfli.s] o iris.
regenbui [-bœy] v shower of rain, rain-shower.
regendag [-dɑx] m rainy day; day of rain, rain day.
regendroppel, -druppel [-drɔpəl, -dr̃ypəl] m drop of rain, raindrop.
regenen ['re.gənə(n)] onp. ww. rain; het regen-de granaten (rozen) it rained shells (roses); het regent dat het giet (bakstenen, oude wij-ven) zie gieten II.
regenjas [-jɑs] m & v rain-coat, mackintosh.
regenkapje [-kɑpjə] o rain-hood.
regenmantel [-mɑntəl] m rain-cloak, water-proof.
regenmeter [-me.tər] m rain-gauge, pluvio-meter.
regenschade ['re.gə(n)sxa.də] v damage done by the rain.
regenscherm [-sxɛrm] o umbrella.
regent [rə'gɛnt] m I (v. vorst) regent; 2 (v. inrichting) governor; (v. weeshuis &) trustee.
regentes [rəgən'tɛs] v I (v. vorst) regent; 2 (v. inrichting) lady governor.
regentijd [re.gə(n)tɛit] m rainy season.
regenton [-tòn] v water-butt.
regentschap [rə'gɛntsxɑp] o regency.
regenval ['re.gə(n)vɑl] m rainfall, fall of rain.
regenvlaag [-vla.x] v squall of rain.
regenwater [-va.tər] o rain-water.
regenweer [-ve:r] o rainy weather.
regenwolk [-vòlk] v rain-cloud.
regenworm [-vɔrm] m earthworm.
regeren [rə'ge:rə(n)] I vt reign over, rule, govern; control, manage [a horse &]; II vi & va reign, rule, govern; ~ over reign over.
regering [-rɪŋ] v reign [of Queen Victoria], rule, [the British, the Drees &] government; aan de ~ komen come to the throne [of a king &]; come into power [of a cabinet &]; onder de ~ van in (during) the reign of.
regeringloos [-lo.s] anarchical.
regeringloosheid [rəge:rɪŋ'lo.sheit] v anarchy.
regeringsalmanak [rə'ge:rɪŋsɑlma.nɑk] m Government Year-book.
regeringsbeleid [-bəlɛit] o (government) policy.
regeringsbesluit [-bəslœyt] o decree, ordinance.
regeringscommissaris, -kommissaris [-kòmə-sa:rəs] m government commissioner.

regeringskringen [-krɪŋə(n)] mv governmen circles.
regeringspersoon [-pərso.n] m member of the government.
regeringspost [-pɔst] m government post.
regeringsstelsel [-stɛlsəl] o system of govern-ment.
regeringstroepen [-tru.pə(n)] mv government troops.
regeringsvorm [-fɔrm] m form of government.
regeringswege [-ve.gə] van ~ from the govern-ment, officially.
regeringszaak [rə'ge:rɪŋsa.k] v affair of the government.
regie [re.'ʒi.] v I régie, state monopoly [of tobacco, salt &]; 2 stage-management [in a theatre], staging [of a play]; direction [of a film].
regime [re.'ʒi.m] o regime, régime; regimen [= diet].
regiment [re.ʒi.-, re.gi.'mɛnt] o ⚔ regiment.
regimentsvaandel [-'mɛntsfa.ndəl] o ⚔ regi-mental colours.
regionaal [re.gi.o.'na.l] regional.
regionen [re.gi.'o.nə(n)] mv eig regions; in de hogere ~ der diplomatie in the higher reaches of diplomacy.
regisseren [re.ʒi.'se:rə(n)] vt stage [a play]; direct [a film].
regisseur [-'sø:r] m stage-manager; [film] director.
register [rə'gɪstər] o I (boek & v. stem) register; 2 (index) index [of a book]; 3 ♪ (organ-)stop; ~ van de burgerlijke stand register of births, marriages and deaths; alle ~s uithalen pull out all the stops[2].
registerton [-tòn] v ⚓ register ton.
registratie [re.gɪs'tra.(t)si.] v registration.
registratiekantoor [-kɑnto:r] o registry office.
registratiekosten [-kɔstə(n)] mv registration fee.
registreren [re.gɪs'tre:rə(n)] vt register, record.
reglement [re.glə'mɛnt] o regulation(s), rules; ~ van orde standing orders.
reglementair [-mɛn'tɛ:r] I aj regulation, pre-scribed; II ad according to the regulations.
reglementeren [-'te:rə(n)] vt regulate.
reglementering [-'te:rɪŋ] v regulation.
regres [rə'grɛs] o recourse.
regresrecht [-rɛxt] o right of recourse.
regressief [re.grɛ'si.f] regressive.
regularisatie [re.gy.la:ri.'za.(t)si.] v regulariza-tion.
regulariseren [-'ze:rə(n)] vt regularize.
regulariz- zie regularis-.
regulateur [re.gy.la.'tø:r] m I (uurwerk) reg-ulator; 2 ⚙ (regelaar) governor, regulator.
reguleren [-'le:rə(n)] vt regulate, adjust.
regulier [-'li:r] I aj RK regular [clergy]; II m RK regular [monk &].
rehabilitatie [re.ha.bi.li.'ta.(t)si.] v rehabilita-tion; $ discharge [of bankrupt].

rehabiliteren [-'te:rə(n)] I *vt* rehabilitate; $ discharge [a bankrupt]; II *vr zich* ~ rehabilitate oneself.

rei [rɛi] *m* 1 chorus; 2 (round) dance.

reidans ['rɛidɑns] *m* round dance.

reiger ['rɛigər] *m* ⚲ heron.

reigersbek ['rɛigərsbɛk] *m* ⚱ stork's bill.

reiken ['rɛikə(n)] I *vi* reach, stretch, extend; *zover het oog reikt* as far as the eye can reach; *zover reikt mijn inkomen niet* I cannot afford it; *ik kan er niet aan* ~ I can't reach (up to) it, it is beyond my reach; ~ *naar* reach (out) for; II *vt* reach; *de hand* ~ *aan* extend one's hand to; *iemand de (behulpzame) hand* ~ lend one a helping hand; *elkaar de hand* ~ join hands.

reikhalzen ['rɛikhɑlzə(n)] *vi* in: ~ *naar* long for.

reilen ['rɛilə(n)] *vi* in: *zoals het reilt en zeilt* with everything belonging thereto; lock, stock, and barrel.

rein [rɛin] I *aj* pure, clean, chaste; *dat is je* ~*ste onzin* that is unmitigated (rank) nonsense; *in het* ~*e brengen* set right; II *ad* purely, cleanly, chastely.

Reinaert ['rɛina:rt] *m* in: ~ *(de Vos)* Renard the Fox.

reïncarnatie [re.ɪnkɑr'na.(t)si.] *v* reincarnation.

reine-claude [re.nə'klo.də] *v* greengage.

reinheid ['rɛinhɛit] *v* purity, cleanness, chastity.

Reinier [rɛi'ni:r] *m* Reynold.

reinigen ['rɛinəgə(n)] *vt* clean, cleanse, purify.

reiniging [-gɪŋ] *v* cleaning, cleansing, purification.

reinigingsdienst [-gɪŋsdi.nst] *m* cleansing department.

reinigingsmiddel [-gɪŋsmɪdəl] *o* cleanser, detergent.

Reinout ['rɛinout] *m* Reynold.

Reintje ['rɛincə] *o* in: ~ *(de Vos)* Renard the Fox.

reis [rɛis] *v* journey [by land or by sea, by air]; voyage [by sea, by air]; [pleasure] trip, tour [round the world]; *Gullivers reizen* Gulliver's travels; *goede* ~! a pleasant journey!, God speed you!; *een* ~ *maken* make a journey; *een* ~ *ondernemen* undertake a journey; *op* ~ on a journey, on a voyage; *op* ~ *gaan* go (away) on a journey, set out on one's journey; *op* ~ *gaan naar...* be leaving for...; *hij is op* ~ he is (away) on a journey; *als ik op* ~ *ben* when (I am) on a journey.

reisagent ['rɛisa.gɛnt] *m* travel agent.

reisapoteek zie *reisapotheek*.

reisapotheek ['rɛisa.po.te.k] *v* traveller's medicine-chest.

reisavontuur [-a.vònty:r] *o* travel adventure.

reisbenodigdheden [-bəno.dəxthe.də(n)] *mv* travelling requisites.

reisbeschrijving [-bəs(x)rɛivɪŋ] *v* book of travel(s), itinerary, account of a journey (voyage).

reisbiljet [-bɪljɛt] *o* ticket.

reisbureau [-by.ro.] *o* travel agency, tourist agency.

reischeck zie *reischeque*.

reischeque [-ʃɛk] *m* traveller's cheque.

reiscostuum zie *reiskostuum*.

reisdeken [-de.kə(n)] *v* travelling rug.

reis- en verblijfkosten [rɛisənvər'blɛifkɔstə(n)] *mv* hotel and travelling expenses.

reisgeld ['rɛisgɛlt] *o* travelling-money, journey-money.

reisgelegenheid [-gəle.gənhɛit] *v* (travelling) opportunity.

reisgenoot [-gəno.t] *m* fellow-traveller, travelling-companion.

reisgezelschap [-gəzɛlsxɑp] *o* party of travellers, travelling party; *mijn* ~ my fellow-traveller(s), my travelling-companion(s).

reisgids [-gɪts] *m* 1 guide, guide-book; 2 (dienstregeling) time-table.

reisgoed [-gu.t] *o* luggage.

reisindrukken [-ɪndrʉkə(n)] *mv* impressions of travel.

reiskoffer [-kòfər] *m* (travelling-)trunk.

reiskosten [-kɔstə(n)] *mv* travelling-expenses.

reiskostuum [-kɔsty.m] *o* 1 travelling costume, travelling dress; 2 (v. bruid) going-away dress.

reiskredietbrief [-krədi.tbri.f] *m* circular letter of credit.

reislectuur [-lɛkty:r] *v* railway reading.

reisleider [-lɛidər] *m* conductor.

reislektuur zie *reislectuur*.

reislust [-lʉst] *m* love of travel(ling).

reislustig [rɛis'lʉstəx] travel-minded.

reismakker ['rɛismɑkər] *m* travelling-companion.

reisnecessaire [-ne.sɛsɛ:rə] *m* dressing-case.

reispas [-pɑs] *m* passport.

reispet [-pɛt] *v* travelling-cap.

reisplan [-plɑn] *o* travelling-plan (design).

reisroute [-ru.tə] *v* route (of travel), itinerary.

reistas [-tɑs] *v* travelling-bag.

reisvaardig [rɛis'fa:rdəx] ready to set out.

reisvereniging ['rɛisfərə.nəgɪŋ] *v* travel association.

reisverhaal [-fərha.l] *o* zie *reisbeschrijving*.

reiswekker [-vekər] *m* travel alarm.

reiswieg [-vi.x] *v* carry-cot.

reizen ['rɛizə(n)] *vi* travel, journey.

reiziger [-zəgər] *m* traveller; (inzittende) passenger.

reizigersverkeer [-zəgərsfərke:r] *o* passenger traffic.

1 rek [rɛk] *m* (in elastiek) elasticity, spring; *een hele* ~ a long distance.

2 rek [rɛk] *o* 1 rack; 2 (v. kleren) clothes-horse; 3 (v. handdoek) towel-horse; 4 (v. kippen) roost; 5 (in gymnastiek) horizontal bar.

rekapitul- zie *recapitul-*.

rekbaar ['rɛkba:r] elastic², extensible.

rekbaarheid [-hɛit] v elasticity[2], extensibility.

rekel ['re.kəl] m dog; die kleine ~! the little rascal!

rekelachtig [-ɑxtəx] currish.

rekenaar ['re.kəna:r] m reckoner, calculator, arithmetician.

rekenboek ['re.kənbu.k] o ciphering-book, arithmetic book.

rekenen ['re.kənə(n)] I vi count, cipher, calculate, reckon; reken maar! F you bet!; we hebben ~ vandaag we have a ciphering lesson today; we ~ hier met guldens we reckon by guilders here; ~ op depend upon [a person]; count upon [good weather]; je kunt er vast op ~ you may rely (depend) on it; II vt reckon, count; charge; door elkaar gerekend on an average; we ~ hen onder onze vrienden we reckon them among our friends; wij ~ het aantal op... we compute the number at...; wat ~ ze er voor? what do they charge for it?

rekenfout ['re.kənfout] v mistake (error) in calculation.

rekening ['re.kəniŋ] v 1 (concreet) bill, account; 2 (abstract) calculation, reckoning, computation; ~ en verantwoording $ [treasurer's] accounts; ~ en verantwoording afleggen (doen) render an account [of one's deeds]; ~ houden met take into account; take into consideration; geen ~ houden met take no account of; in ~ brengen charge; op ~ kopen buy on credit; op ~ ontvangen receive on account; op nieuwe ~ overbrengen (boeken) carry forward (to new account); het op ~ stellen van put it down to the account of; fig impute it to, ascribe it to, put it down to [negligence &]; zet het op mijn ~ charge it in the bill, put it down to my account; voor ~ van... for account of; voor eigen ~ on one's own account; wanneer zal hij voor eigen ~ beginnen? when is he going to set up for himself?; voor gezamenlijke (halve) ~ $ on joint account; dat is voor mijn ~ put that down to my account; dat laat ik voor ~ van de schrijver I leave the author responsible for that; dat neem ik voor mijn ~ 1 I'll make myself answerable for that; 2 I undertake to negotiate that, I'll account for that; effen ~ maakt goede vrienden, korte ~ maakt lange vriendschap short reckonings make long friends.

rekening-courant [re.kəniŋku.'rɑnt] v $ account current; in ~ staan met have a current account with.

rekeninghouder ['re.kəniŋhɔudər] m current account customer, account holder.

rekenkamer ['re.kənka.mər] v audit office.

rekenkunde [-kŭndə] v arithmetic.

rekenkundig [re.kən'kŭndəx] aj (& ad) arithmetical(ly).

rekenlat ['re.kənlɑt] v slide-rule.

rekenles [-lɛs] v arithmetic lesson.

rekenliniaal [-li.ni.a.l] v & o slide-rule.

rekenmachine [-ma.ʃi.nə] v calculating-machine, calculator, [electronic] computer.

rekenmunt [-mŭnt] v money of account.

rekenschap [-sxɑp] v account; ~ geven van render an account of, account for; zich ~ geven van realize..., form an idea of...; iemand ~ vragen call a person to account.

rekensom [-sòm] v problem (sum) in arithmetic.

rekest [rə'kɛst] = rekwest.

rekestreren [rəkɛs'tre:rə(n)] = rekwestreren.

rekken ['rɛkə(n)] I vt 1 (v. draad) draw out; 2 (v. goed) stretch [cloth]; 3 fig draw out [one's words]; spin out [a speech]; protract [the proceedings, the time]; II vi stretch [of boots &]; III vr zich ~ stretch oneself.

rekker [-kər] m stretcher.

rekla- zie recla-.

rekommand- zie recommand-.

rekonstru- zie reconstru-.

rekord(-) zie record(-).

rekreatie(-) zie recreatie(-).

rekrutenschool [rə'kry.tə(n)sxo.l] v ✕ recruit drill.

rekruteren [rəkry.'te:rə(n)] vt recruit [soldiers, sailors]; nieuwe leden ~ uit draw new members from [all classes].

rekrutering [-riŋ] v recruitment.

rekruut [rə'kry.t] m ✕ recruit.

rekstok ['rɛkstɔk] m horizontal bar.

rektifi- zie rectifi-.

rektor(-) zie rector(-).

rekverband ['rɛkfərbɑnt] o ⚕ extension apparatus.

rekwest [rə'kvɛst] o petition, memorial; een ~ indienen zie rekwestreren.

rekwestrant [re.kvɛs'trɑnt] m petitioner, memorialist.

rekwestreren [-'tre:rə(n)] vi petition; ~ bij petition, memorialize.

rekwireren [re.kvi.'re:rə(n)] vt 1 requisition, commandeer; 2 ⚖ demand [a sentence of...].

rekwisiet [-'zi.t] o (stage-)property.

rekwisitie [-'zi.(t)si.] v requisition.

rekwisitoor = requisitoir.

rel [rɛl] m F row.

relaas [rə'la.s] o account, story, tale, relation.

relais [rə'lɛ] o ⚡ ✝ relay.

relatie [rə'la.(t)si.] v relation; ~s aanknopen met enter into relations with.

relatief [rəla.'ti.f] aj (& ad) relative(ly), comparative(ly).

relativiteit [-ti.vi.'tɛit] v relativity.

relativiteitstheorie zie relativiteitstheorie.

relativiteitstheorie [-'tɛitste.o.ri.] v theory of relativity, relativity theory.

relayeren [re.la.'je:rə(n)] vt ⚡ ✝ relay.

releveren [rələ've:rə(n)] vt call attention to, point out.

reliëf [rəli.'ɛf] o relief; en [à] ~ in relief, embossed.

reliëfkaart [-ka:rt] v relief map.

religie [rə'li.gi.] *v* religion.
religieus [rəli.ʒi.'ø.s, -gi.'ø.s] I *aj* (& *ad*) religious(ly); II *sb de religieuzen* the religious, [the nuns.
relikwie [rəli.'kvi.] *v* relic.
relikwieënkastje [-'kvi.ə(n)kaʃə] *o* reliquary.
reling ['re.lɪŋ] *v* ⚓ rail(s).
relletje ['rɛləcə] *o* disturbance, riot, F row.
relmuis ['rɛlmœys] *v* 🐾 dormouse.
rem [rɛm] *v* brake², drag²; *fig* (inz. psychisch) inhibition.
remblok ['rɛmblɔk] *o* brake-block, drag, skid.
rembours [rɑm'bu:rs] *o* $ cash on delivery; *onder* ~ cash on delivery.
remedie [rə'me.di.] *v* & *o* remedy.
remise [rə'mi.zə] *v* 1 $ remittance; 2 *sp* draw, drawn game; 3 (koetshuis) coach-house; [engine] shed; [tramway] depot.
remittent [re.mɪ'tɛnt] *m* $ remitter.
remitteren [-'te:rə(n)] *vt* $ remit.
remmen ['rɛmə(n)] I *vt* brake [a train &]; *fig* (inz. psychisch) inhibit; *iemand wat* ~ check him; *de produktie* ~ put a brake on production; *het remt* (= *werkt remmend op*) *de produktie* it acts as a brake on production; II *vi* & *va* put on the brake(s); *fig* go slow.
remmer [-mər] *m* brakesman.
remonstrant(s) [rəmòn'strɑnt(s)] *m* (& *aj*) Remonstrant.
remontoir [rəmòn'tva:r] *o* keyless watch.
rempaardekracht ['rɛmpa:rdəkrɑxt] *v* brake horse-power, b.h.p.
remplaçant [rɑmpla.'sɑnt] *m* substitute.
remraket ['rɛmra.kɛt] *v* retro-rocket.
remschoen [-sxu.n] *m* brake-shoe, drag, skid.
remspoor [-spo:r] *o* skid mark.
remsysteem [-si.ste.m] *o* braking system.
remtoestel [-tu.stɛl] *o* brake(s).
remweg [-vɛx] *m* 1 braking path; 2 (lengte) braking distance.

1 **ren** [rɛn] *m* race, run, gallop, trot; *in volle* ~ (at) full gallop, at full speed.
2 **ren** [rɛn] *v* chicken-run, fowl-run.
renaissance [rənɛ'sɑ̃sə] *v* Renaissance, renascence, revival.
renbaan ['rɛnba.n] *v* race-course, race-track.
renbode [-bo.də] *m* courier.
rendabel [rɛn'da.bəl] paying, remunerative.
rendement [rɛndə'mɛnt] *o* yield, output; ⚒ efficiency, output.
renderen [-'de:rə(n)] *vi* pay (its way).
renderend [-'de:rənt] paying, remunerative.
rendez-vous [rɑ̃de.'vu.] *o* rendezvous, ☉ tryst; *elkaar* ~ *geven* make an appointment.
rendier ['rɛndi:r] *o* 🐾 reindeer.
rendiermos [-rɪŋ] *o* 🍄 reindeer-moss.
renegaat [re.nə'ga.t] *m* renegade.
renet [rə'nɛt] *v* rennet.
rennen ['rɛnə(n)] *vi* race, run, gallop.
renner [-nər] *m* racer.
renommee [rənə'me.] *v* reputation.
renonce [rə'nõsə] *v* revoke.
renonceren [rənõ'se:rə(n)] *vi* revoke.

renpaard ['rɛnpa:rt] *o* race-horse.
rensport [-sport] *v* (horse-)racing, the turf.
renstal [-stɑl] *m* racing-stable.
rentabiliteit [rɛnta.bi.li.'tɛit] *v* remunerativeness, productiveness.
rente ['rɛntə] *v* interest; ~ *op* ~ at compound interest; *op* ~ *zetten* put out at interest; *van zijn* ~*n leven* zie *rentenieren*.
renteberekening [-bərə.kənɪŋ] *v* calculation of interest.
rentegevend [-ge.vənt] interest-bearing.
rentekaart [-ka:rt] *v* insurance card.
renteloos [-lo.s] bearing no interest; idle [capital]; ~ *voorschot* interest-free loan.
renten ['rɛntə(n)] *vt* yield interest; ~*de 5%* bearing interest at 5%.
rentenier [rɛntə'ni:r] *m* rentier, man of (independent) means, retired tradesman.
rentenieren [-'ni:rə(n)] *vi* live upon the interest of one's money, live on one's means.
rentenierster [-'ni:rstər] *v* lady of independent means.
rentestandaard ['rɛntəstɑnda:rt] *m* rate of interest, interest rate.
rentetrekker [-trɛkər] *m* (v. ouderdomsrente) (retirement) pensioner.
rentevergoeding [-vərgu.dɪŋ] *v* interest payment.
renteverlaging [-vərla.gɪŋ] *v* lowering of the rate of interest.
renteverlies [-vərli.s] *o* loss of interest.
renteverschil [-vərsxɪl] *o* difference in the rate of interest, interest difference.
rentevoet [-vu.t] *m* rate of interest, interest rate.
rentezegel [-ze.gəl] *m* insurance stamp.
rentmeester ['rɛntme.stər] *m* steward, (land) agent, bailiff.
rentmeesterschap [-sxɑp] *o* stewardship.
reorganisatie [re.ɔrga.ni.'za.(t)si.] *v* reorganization.
reorganiseren [-'ze:rə(n)] *vt* reorganize.
reorganiz- zie reorganis-.
reostaat [re.o.'sta.t] *m* rheostat.
rep [rɛp] in: *alles was in* ~ *en roer* the whole town & was in a commotion; *in* ~ *en roer brengen* throw into confusion.
reparateur [re.pa.ra.'tø:r] *m* repairer.
reparatie [-'ra.(t)si.] *v* repair(s), reparation; *in* ~ *zijn* be under repair.
reparatiekosten [-kɔstə(n)] *mv* cost of repair.
repareren [re.pa.'re:rə(n)] *vt* repair, mend.
repatriëren [re.pa.tri.'e:rə(n)] I *vi* repatriate, go (return) home; II *vt* repatriate.
repatriëring [-rɪŋ] *v* repatriation.
repel ['re.pəl] *m* ripple.
repelen ['re.pələ(n)] *vt* ripple [flax].
repertoire [rəpɛr'tva:r] *o* repertoire, repertory.
repertoirestuk [-stʉk] *o* stock-piece, stock-play.
repertorium [re.pɛr'to:ri.ʉm] *o* repertory.
repeteergeweer [rəpə'te:rgəve:r] *o* repeating rifle.

repetent [-'tɛnt] *m* period.

repeteren [-'te:rə(n)] *vt* repeat [a word &]; go over [lessons]; rehearse [a play].

repetitie [-'ti.(t)si.] *v* I repetition [of a word, a sound &]; 2 ⟿ test-paper(s); 3 (van een stuk &) rehearsal [of a play]; *algemene ~* full rehearsal; *generale ~* final rehearsal [of a concert]; dress rehearsal [of a play].

repetitiehorloge [-horlo.ʒə] *o* repeater.

repetitor [rəpə'ti.tər] *m* private tutor, coach.

repliceren [re.pli.'se:rə(n)] *vt & vi* rejoin, reply, retort.

repliek [rə'pli.k] *v* counter-plea, rejoinder; *van ~ dienen* reply, make a reply [to a person].

reportage [rəpər'ta.ʒə] *v* reporting, reportage; (v. radio) commentary.

reportagewagen [-va.ɡə(n)] *m* recording van.

reporter [rə'pɔrtər] *m* reporter; (v. radio) commentator.

reppen ['rɛpə(n)] I *vi* in: *~ van* mention, make mention of; *er niet van ~* not breathe a word of it; II *vr zich ~* bestir oneself, hurry.

represaille [rəpre.'zajə] *v* reprisal; *~s nemen* make reprisals, retaliate (upon *tegen*).

represaillemaatregel [-ma.tre.ɡəl] *m* reprisal, retaliatory measure.

representant [rəpre.zɛn'tɑnt] *m* representative.

representatief [-ta.'ti.f] representative (of *voor*).

reprimande [rəpri.'mɑndə] *v* reprimand, rebuke.

reprise [rə'pri.zə] *v* I revival [of a play]; 2 ♪ repeat.

reproduceerbaar [re.pro.dy.'se:rba:r] reproducible.

reproduceren [-'se:rə(n)] *vt* reproduce.

reproductie zie *reproduktie.*

reproduktie [-'dŭksi.] *v* reproduction.

reptiel [rɛp'ti.l] *o* reptile.

republiek [re.py.'bli.k] *v* republic[2].

republikein(s) [-bli.'kɛin(s)] *m* (*& aj*) republican.

reputatie [re.py.'ta.(t)si.] *v* reputation; *een goede ~ genieten* have a good reputation; *hij heeft de ~ van... te zijn* he has a reputation for... [courage &], he is reputed to be... [brave &].

requiem ['re.kʋi.ɛm] *o RK* requiem.

requiemmis [-mɪs] *v RK* requiem mass.

requireren zie *rekwireren.*

requisi- zie *rekwisi-.*

requisitoir [re.kʋi.zi.'to:r] *o* ⚖ requisitory.

rescontre [rɛs'kòntrə] *v* $ settlement.

rescontredag [-dɑx] *m* $ settling-day.

reseda ['re.zədɑ.] *v* ✾ mignonette.

reservaat [re.zər'va.t] *o* [Indian &] reservation, reserve [for wild animals], [bird] sanctuary.

reserve [rə'zɛrvə] *v* $ reserve; ✕ reserve (troops), reserves; *in ~ hebben* (*houden*) hold in reserve, keep in store; *onder ~ iets aannemen* accept it with some reserve.

reserveband [-bɑnt] *m* spare tyre.

reservedelen [-de.lə(n)] *mv* spare parts, F spares.

reservefonds [-fònts] *o* $ reserve fund.

reservekapitaal [-ka.pi.ta.l] *o* $ reserve capital.

reserveofficier [-ɔfi.si:r] *m* ✕ reserve officer.

reserverekening [-re.kənɪŋ] *v* $ reserve account.

reserveren [re.zər've:rə(n)] *vt* reserve.

reservering [-rɪŋ] *v* [room, table] reservation.

reservetroepen [rə'zɛrvətru.pə(n)] *mv* ✕ reserve troops, reserves.

reservist [re.zɛr'vɪst] *m* reservist.

reservoir [-'vva:r] *o* reservoir, tank, container.

resident [re.zi.'dɛnt] *m* resident.

residentie [-'dɛn(t)si.] *v* (royal) residence, court-capital.

resideren [-'de:rə(n)] *vi* reside.

resoluut [re.zo.'ly.t] *aj* (& *ad*) resolute(ly), determined(ly).

resonantie [re.zo.'nɑn(t)si.] *v* resonance.

resoneren [-'ne:rə(n)] *vi* resound.

resp. = *respectievelijk.*

respect [rɛs'pɛkt] *o* respect.

respectabel [-pɛk'ta.bəl] respectable.

respecteren [-'te:rə(n)] *vt* respect.

respectief [-'ti.f] respective, several.

respectievelijk [-'ti.vələk] *aj* (& *ad*) respective-(ly); or.

respekt(-) zie *respect(-).*

respijt [rɛs'pɛit] *o* $ respite, delay.

respijtdag [-dɑx] *m* $ day of grace.

respondent [rɛspòn'dɛnt] *m* ⟿ respondent.

responderen [-'de:rə(n)] *vi* answer.

responsorie [-'so:ri.] *v* responsory, response.

ressort [rɛ'sɔrt] *o* jurisdiction, department, province; *dat is buiten mijn ~* outside (not within) my province; *in het hoogste ~* in the last resort.

ressorteren [rɛsɔr'te:rə(n)] *vi* in: *~ onder* come within, fall under.

rest [rɛst] *v* rest, remainder.

restant [rɛs'tɑnt] *o* remainder, remnant.

restaurant [rɛsto:'rã] *o* restaurant.

restaurateur [-ra.'tø:r] *m* I restaurateur, restaurant keeper; 2 restorer [of monuments &].

restauratie [-'ra.(t)si.] *v* I (herstel) restoration, renovation; 2 (eethuis) restaurant; refreshment room [of railway station].

restauratiewagen [-va.ɡə(n)] *m* restaurant car, dining-car.

restauratiezaal [-za.l] *v* refreshment room.

restaureren [rɛsto:'re:rə(n)] *vt* restore, renovate.

resten, resteren ['rɛstə(n), rɛs'te:rə(n)] *vi* remain, be left; *mij rest alleen...* it only remains for me to...

restitueren [rɛsti.ty.'e:rə(n)] *vt* repay; return.

restitutie [-'ty.(t)si.] *v* restitution, repayment.

restorno [rɛs'tɔrno.] *m* ⚓ return of premium.

restrictie, restriktie [rɛs'trɪksi.] *v* restriction.

resultaat [re.zŭl'ta.t] *o* result, outcome; *geen* ~ *hebben* fail; *tot een* ~ *komen* arrive at a result; *zonder* ~ without result, to no effect.
resultante [-'tɑntə] *v* resultant.
resulteren [-'te:rə(n)] *vi* result.
resumé [re.zy.'me.] *o* résumé, summary, abstract, précis, synopsis; ᵗⁱ summing-up.
resumeren [-'me:rə(n)] *vt* sum up, summarize.
reticule [re.ti.'ky.l] *m* reticule.
retirade [re.ti.'ra.də] *v* w.c., lavatory.
retireren [-'re:rə(n)] *vi* retire, retreat.
retor ['re.tər] *m* rhetorician.
retorica [re.'to:ri.ka.] *v* rhetoric.
retoriek [-to.'ri.k] *v* rhetoric.
retorika zie *retorica.*
retorisch [re.'to:ri.s] *aj* (& *ad*) rhetorical(ly).
retort [rə'tərt] *v* retort.
retoucheren [rətu.'ʃe:rə(n)] *vt* retouch, touch up.
retour [rə'tu:r] *o* return.
retourbiljet [-biljet] *o* return ticket.
retourcommissie [-kòmisi.] *v* illicit commission.
retourkaartje [-ka:rcə] *o* return ticket.
retourkommissie zie *retourcommissie.*
retourneren [rətu:r'ne:rə(n)] *vt* return.
retourtje [rə'tu:rcə] *o* zie *retourbiljet.*
retourvlucht [-vlŭxt] *v* ✈ return flight.
retourvracht [-vraxt] *v* return freight.
retourwissel [-visəl] *m* $ redraft.
retraite [rə'trɛ.tə] *v RK* retreat; *een* ~ *geven* give a retreat; ~ *hebben* (*houden*) be in retreat; *in* ~ *gaan* go into retreat.
retrospectief, retrospektief [re.tro.spɛk'ti.f] retrospective [exhibition].
reu [rø] *m* ᵗⁱ (male) dog.
reuk [rø.k] *m* smell, odour, scent; *de* ~ *van iets hebben* get wind of a thing, S smell a rat; *in een goede* (*slechte*) ~ *staan* be in good (bad) odour; *in de* ~ *van heiligheid* in the odour of sanctity.
reukeloos ['rø.kəlo.s] odourless.
reukflesje ['rø.kflɛsjə] *o* smelling-bottle.
reukgras [-gras] *o* ❀ vernal grass.
reukloos [-lo.s] = *reukeloos.*
reukorgaan [-ɔrga.n] *o* organ of smell.
reukwater [-va.tər] *o* perfumed water.
reukwerk [-vɛrk] *o* perfume(s).
reukzenuw [-se.ny:u] *v* olfactory nerve.
reukzin [-sɪn] *m* (sense of) smell.
reuma ['rø.ma.] *o* rheumatism.
reumatiek [rø.ma.'ti.k] *v* rheumatism.
reumatisch [-'ma.ti.s] rheumatic.
reünie [re.y.'ni.] *v* reunion, rally.
reüniediner [-di.ne.] *o* reunion dinner.
reus [rø.s] *m* giant, colossus.
reusachtig [rø.'zaxtəx] I *aj* gigantic, huge, colossal; II *ad* gigantically; < hugely, enormously, awfully; zie ook: *reuze* & *reuzen...*
reusachtigheid [-heit] *v* gigantic stature (size).
reutelen ['rø.tələ(n)] *vi* rattle; *hij reutelde* there was a rattle in his throat; *het* ~ *van de dood* the death-rattle.

reuze ['rø.zə] F topping; *het was* ~*!* F it was awfully funny!
reuzel ['rø.zəl] *m* lard.
reuzen ['rø.zə(n)] giant..., monster..., mammoth...
reuzenarbeid [-ɑrbɛit] *m* gigantic task.
reuzengeslacht [-gəslaxt] *o* giant race.
reuzengestalte [-gəstdltə] *v* gigantic stature.
reuzenkracht [-kraxt] *v* gigantic strength.
reuzenletters [-lɛtərs] *mv* mammoth letters.
reuzenschrede [-s(x)re.də] *v* giant's stride; *met* ~*n vooruitgaan* advance with giant strides.
reuzenslang [-slɑŋ] *v* python, boa constrictor.
reuzenstrijd [-strɛit] *m* battle of giants.
reuzentaak [-ta.k] *v* ~**werk** [-vɛrk] *o* gigantic task.
reuzenzwaai [-zva:i] *m* grand circle.
reuzin [rø.'zɪn] *v* giantess.
revalidatie [re.va.li.'da.(t)si.] *v* rehabilitation.
revalideren [-'de:rə(n)] *vt* rehabilitate.
revanche [rə'vãʃə] *v* revenge; ~ *nemen* have (take) one's revenge.
revanchepartij [-pɑrtɛi] *v sp* return match.
reveil [re.'vɛij] *o* revival [of religious feeling].
reveille [rə'vɛijə] *v* ✗ reveille; *de* ~ *blazen* sound the reveille.
reven ['re.və(n)] *vt* ⚓ reef [a sail].
reverbeeroven [re.vɛr'be:ro.və(n)] *m* ✗ reverberatory.
révérence [re.ve.'rãsə] *v* curtsy.
revers [rə've:r] *m* revers, facing, lapel.
revideren [re.vi.'de:rə(n)] *vt* revise.
reviseren [-'ze:rə(n)] *vt* ✗ overhaul [engines].
revisie [rə'vi.zi.] *v* 1 (in 't alg.) revision; 2 ᵗⁱ review [of a sentence); 3 (v. drukwerk) revise; 4 ✗ overhaul(ing) [of engines).
revisor [re.'vi.zər] *m* reviser.
revizeren zie *reviseren.*
revolutie [re.vo.'ly.(t)si.] *v* revolution.
revolutiebouw [-bou] *m* 1 ('t bouwen) jerrybuilding; 2 ('t gebouwde) jerry-built houses.
revolutionair [re.vo.ly.(t)si.o.'nɛ:r] *aj* & *m* revolutionary.
revolver [rə'vɔlvər] *m* revolver.
revolverdraaibank [-dra:ibɑŋk] *v* ✗ turret lathe, capstan lathe.
revue [rə'vy.] *v* 1 ✗ review²; 2 (op toneel) revue; *de* ~ *passeren* pass in review; *de* ~ *laten passeren* pass in review².
Rhodus ['ro.dŭs] *o* Rhodes.
rib [rɪp] *v* 1 rib [in body, of a leaf &]; 2 edge [of a cube]; *de valse* (*ware*) ~*ben* the false (true) ribs.
ribbel ['rɪbəl] *v* rib.
ribbelen ['rɪbələ(n)] *vt* rib.
ribbenkast [-bə(n)kast] *v* F body, carcass.
ribbestuk [-bəstŭk] = *ribstuk.*
ribstuk ['rɪpstŭk] *o* rib (of beef).
richel ['rɪgəl] *v* ledge, border, edge.
richten ['rɪxtə(n)] I *vt* direct, aim, point; *zijn schreden* ~ *naar* direct (turn, bend) one's

steps towards; *zijn oog* ~ *op* fix one's eye upon; *aller ogen waren gericht op hem* all eyes were turned towards him; *het kanon* ~ *op* aim (point) the gun at; *de motie was gericht tegen...* the motion was directed against (aimed at)...; *een brief* ~ *tot...* address a letter to...; II *va* in: ~*!, richt u!* ✕ dress!; *rechts... richt u!* ✕ right... dress!; III *vr* in: *zich* ~ *naar iemand* take one's cue from one; *zich* ~ *tot iemand* address oneself to a person.

⟍richter [-tər] *m* judge; *the boek der R~en* B the book of Judges.

richtig [-təx] *aj* (& *ad*) right(ly), correct(ly), exact(ly).

richting [-tɪŋ] *v* 1 direction, trend; 2 persuasion, creed; *in de goede* ~ in the right direction; *van onze* ~ 1 of our school of thought; 2 of our persuasion.

richtingaanwijzer [-a.nʋɛizər] *m* direction indicator, traffic indicator.

richtlijn ['rɪxtlɛin] *v* directive, line of action.

richtsnoer [-snu:r] *o* line of action.

ricinusolie ['ri.si.nŭso.li.] *v* castor-oil.

ricochetschot [ri.ko.'ʃɛtsxɔt] *o* ✕ ricochet (shot).

ricochetteren [-ʃɛ'te:rə(n)] *vi* ricochet.

ridder ['rɪdər] *m* knight; *dolende* ~ knight errant; ~ *van de* el draper's assistant; ~ *van de droevige figuur* knight of the rueful countenance; ~ *van de Kouseband* knight of the Garter; *tot* ~ *slaan* dub [one] a knight, knight [a person].

ridderdienst [-di.nst] *m* knight service.

ridderen ['rɪdərə(n)] *vt* knight.

riddergoed ['rɪdərgu.t] *o* manor, manorial estate.

ridderkasteel [-kaste.l] *o* knight's castle.

ridderkruis [-krœys] *o* cross of an order of knighthood.

ridderlijk [-lək] I *aj* knightly, chivalrous; II *ad* chivalrously.

ridderlijkheid [-ləkheit] *v* chivalrousness, chivalry.

ridderorde [-ɔrdə] *v* order of knighthood.

ridderroman ['rɪdəro.man] *m* romance of chivalry.

ridderschap ['rɪdərsxap] *v* & *o* knighthood.

ridderslag [-slax] *m* accolade; *de* ~ *ontvangen* be dubbed a knight; be given the accolade.

ridderspel [-spɛl] *o* tournament.

ridderspoor [-spo:r] *v* ☘ larkspur.

ridderstand [-stɑnt] *m* knighthood.

riddertijd [-tɛit] *m* age of chivalry.

ridderverhaal [-vərha.l] *o* tale of chivalry.

ridderwezen [-ve.zə(n)] *o* chivalry.

ridderzaal [-za.l] *v* hall (of the castle); *de R~* the Knights' Hall [of the Binnenhof Palace at the Hague].

riek [ri.k] *m* three-pronged fork.

rieken ['ri.kə(n)] *vi* smell; zie *ruiken*.

riem [ri.m] *m* 1 (v. leer) strap; 2 (om 't lijf) belt, girdle; sling [of a rifle]; 3 (roeiriem)

oar; 4 (papier) ream; *de* ~*en binnenhalen* ⚓ ship the oars; *de* ~*en strijken* ⚓ back the oars, back water.

riempje ['ri.mpjə] *o* leather thong.

riemslag [-slɑx] *m* ⚓ stroke of oars.

riet [ri.t] *o* 1 ☘ reed, (bamboe) cane; 2 ☘ (bies) rush; 3 (v. daken) thatch.

rietachtig ['ri.tɑxtəx] reedy.

rietbos [-bɔs] *o* reedy marsh.

rietdekker [-dɛkər] *m* thatcher.

rieten ['ri.tə(n)] *aj* 1 reed [pipe]; 2 thatched [roof]; 3 cane [chair, trunk].

rietfluit ['ri.tflœyt] *v* reed pipe, reed.

rietgors [-gɔrs] *v* ☘ reed-bunting.

rietgras [-grɑs] *o* ☘ sword-grass, reed-grass.

rietje ['ri.cə] *o* 1 reed, cane; 2 (om te drinken) straw; 3 ♪ reed.

rietsuiker ['ri.tsœykər] *m* cane-sugar.

riettuin ['ri.tœyn] *m* *Ind* cane-field, sugar-field.

rietveld ['ri.tfɛlt] *o* 1 reed-land; 2 *Ind* cane-field.

rietvink [-fɪŋk] *m* & *v* ☘ reed-bunting.

rietvoorn, -voren [-fo:rən] *m* ☒ rudd.

rietzanger [-sɑŋər] *m* ☘ reed-warbler.

1 rif [rɪf] *o* 1 (rots) reef; 2 (geraamte) carcass, skeleton.

2 rif [rɪf] *o* ⚓ (v. zeil) = *reef*.

rij [rɛi] *v* row, range, series, file, line, queue [of shoppers, visitors &]; *aan* ~*en* in rows; *in de* ~ *staan* queue, be (stand) in the queue; *in de* ~ *gaan staan* queue up; *met één* ~ *(twee* ~*en) knopen* single-(double-)breasted [coat]; *op een* ~ in a row.

rijbaan ['rɛiba.n] *v* 1 (voor ruiters) riding-track; 2 (voor schaatsenrijders) skating-rink; 3 (voor voertuigen) carriage-way.

rijbewijs [-bəvɛis] *o* (driving) licence.

rijbroek [-bru.k] *v* riding-breeches.

rijcostuum zie *rijkostuum*.

rijden ['rɛi(d)ə(n)] I *vi* ride [on horseback, on a bicycle]; drive [in a carriage, in a car]; travel [at 50 miles an hour, motor-car &]; *een* ~*de auto* a moving car; *een* ~*de tentoonstelling* a mobile exhibition; *een* ~*de trein* a running train; *St.-Nicolaas heeft goed gereden* St. Nicholas has brought lots of presents; (te) *hard* ~ 🚗 speed; *gaan* ~ 1 go (out) for a ride (for a drive); 2 go by carriage (by car &); *ik zal zelf wel* ~ I'm going to drive myself; *op een paard* ~ ride a horse, ride on horseback; *hoe lang rijdt de trein er over?* how long does it take the train?; II *vt* drive [a person to a place]; wheel [a person in a chair, a child in a perambulator]; *een paard kapot* ~ override a horse, ride a horse to death.

rijder [-(d)ər] *m* 1 rider, horseman; 2 skater.

rijdier [-di:r] *o* riding-animal, mount.

rijdraad [-dra.t] *m* ⚡ (overhead) contact-wire.

rijeksamen zie *rijexamen*.

rijexamen ['rɛiɛksa.mə(n)] *o* driving-test.

rijgdraad ['rɛixdra.t] tacking-thread, basting-thread.

rijgen ['rɛigə(n)] *vt* lace [shoes, stays]; string [beads], thread [on a string]; tack [with pins]; baste [a garment]; file [papers]; *hem aan de degen* ∼ run him through with one's sword.

rijglaars ['rɛixla:rs] *v* lace-up boot.

rijgnaald, rijgpen [-na.lt, -pɛn] *v* bodkin.

rijgschoen [-sxu.n] *m* laced shoe.

rijgsteek [-ste.k] *m* tack.

rijhandschoenen ['rɛihantsxu.nə(n)] *mv* riding-gloves.

rijinstructeur, -instrukteur [-ɪnstrŭktø:r] *m* driving-instructor.

1 rijk [rɛik] I *aj* rich[2], wealthy [people], copious [meals]; *hij is geen cent* ∼ he is not worth a red cent; ∼ *aan* rich in [gold &]; ∼ *maken* enrich; *de* ∼ *e* the rich man; *de* ∼ *en* the rich; *vele* ∼ *en* many rich people; ∼ *en en armen,* ∼ *en arm* rich and poor; II *ad* richly.

2 rijk [rɛik] *o* empire[2], kingdom[2], realm[2]; *het* ∼ *der verbeelding* the realm of fancy; *zijn* ∼ *is uit* his reign is at an end; *we hebben nu het* ∼ *alleen* we have it (the place) all to ourselves now.

rijkaard ['rɛika:rt] *m* rich fellow; *de* ∼ the rich man.

rijkdom [-dòm] *m* 1 riches, wealth[2]; 2 *fig* copiousness, richness; *natuurlijke* ∼ *men* natural resources [of a country].

rijke ['rɛikə] *m* zie 1 *rijk* I.

rijkelijk [-lək] I *aj* zie 1 *rijk* I; II *ad* richly, copiously, amply, abundantly; ∼ *voorzien van...* abundantly provided with...

rijkelui ['rɛikə'lœy] *mv* rich people, rich folks.

rijkheid ['rɛikhɛit] *v* richness.

rijkleed ['rɛikle.t] *o* (riding-)habit.

rijknecht [-knɛxt] *m* groom.

rijkostuum [-kɔsty.m] *o* riding-suit, riding-dress.

rijksadel ['rɛiksa.dəl] *m* nobility of the Empire.

rijksadelaar [-a.dəla:r] *m* imperial eagle.

rijksadvocaat, -advokaat [rɛiksatvo.'ka.t] *m* ± counsel for the Government.

rijksambtenaar ['rɛiksamtəna:r, rɛiks'amtəna:r] *m* government official, civil servant.

rijksappel ['rɛiksapəl] *m* orb, globe.

rijksarchief [-argi.f, rɛiksar'gi.f] *o* Public Record Office, State Archives.

rijksarchivaris [rɛiksargi.'va:rəs] *m* Master of the Rolls.

rijksbetrekking ['rɛiksbətrɛkɪŋ] *v* government office.

rijksdaalder [rɪks'da.ldər] *m* rixdollar.

rijksdag ['rɛiksdɑx] *m* diet; Reichstag [in Germany].

rijksgebied [-gəbi.t] *o* territory (of the empire).

rijksgezag [-gəzɑx] *o* 1 imperial authority; 2 sovereignty.

rijksgrens [-grɛns] *v* frontier (of the empire).

rijksinstelling [-ɪnstɛlɪŋ] *v* government institution.

rijkskanselier [-kɑnsəli:r] *m* Chancellor of the Empire.

rijkskweekschool [-kʋe.ksxo.l, rɛiks'kʋe.ksxo.l] *v* government training-college [for teachers].

rijksmerk [-mɛrk] *o* government stamp.

rijksmunt [-mŭnt, rɛiks'mŭnt] *v* coin of the realm; *de R* ∼ the Mint.

rijksopvoedingsgesticht [rɛiks'òpfu.dɪŋsgəstɪxt] *o* reformatory school.

rijkssubsidie ['rɛiksŭpsi.di.] *v* & *o* state aid.

rijkswapen ['rɛiksʋa.pə(n)] *o* ▨ government arms.

rijksweg [-ʋɛx] *m* (national) highway.

rijkunst ['rɛikŭnst] *v* horsemanship.

rijlaars [-la:rs] *v* riding-boot.

rijles [-lɛs] *v* 1 riding-lesson; 2 (auto∼) driving-lesson.

1 rijm [rɛim] *m* hoar-frost, ☉ rime.

2 rijm [rɛim] *o* rhyme [in verse]; *slepend (staand)* ∼ feminine (masculine) rhyme; *op* ∼ in rhyme; *op* ∼ *brengen* put into rhyme.

rijmelaar ['rɛiməla:r] *m* paltry rhymer, poetaster.

rijmelarij [rɛiməla:'rɛi] *v* doggerel.

rijmelen ['rɛimələ(n)] *vt* write doggerel.

rijmen ['rɛimə(n)] I *vi* rhyme; ∼ *met (op)* rhyme with, rhyme to; *deze woorden* ∼ *niet met elkaar* these words do not rhyme; *dat rijmt niet met wat u anders altijd zegt* that does not tally with what you are always saying; II *vt* rhyme; *hoe is dat te* ∼ *met...?* how can you reconcile that with...?

rijmer [-mər] *m* rhymer, rhymester; zie ook: *rijmelaar.*

rijmklank ['rɛimklaŋk] *m* rhyme.

rijmkunst [-kŭnst] *v* art of rhyming.

rijmloos [-lo.s] rhymeless, blank.

rijmpje [-pjə] *o* short rhyme.

rijmwoord [-vo:rt] *o* rhyme, rhyming word.

Rijn [rɛin] *m* Rhine.

rijnaak ['rɛina.k] *m* & *v* ⚓ Rhine barge.

Rijnland [-lɑnt] *o* Rhineland.

Rijnlands [-lɑnts] Rhineland.

rijns [rɛins] Rhenish.

Rijnvaart ['rɛinva:rt] *v de* ∼ navigation on the Rhine.

rijnwijn [-vɛin] *m* Rhine-wine, hock.

1 rijp [rɛip] *m* hoar-frost, ☉ rime.

2 rijp [rɛip] *aj* ripe, mature; *de tijd is er nog niet* ∼ *voor* the time is not yet ripe for it; *hij is* ∼ *voor het gekkenhuis (Meerenberg* &) he ought to be shut up; *vroeg* ∼ *vroeg rot* soon ripe, soon rotten; ∼ *maken,* ∼ *worden* ripen, mature.

rijpaard ['rɛipa:rt] *o* riding-horse, mount.

rijpelijk ['rɛipələk] in: *iets* ∼ *overwegen* consider it maturely.

1 rijpen ['rɛipə(n)] *vi* & *vt* ripen[2], mature[2].

2 rijpen ['rɛipə(n)] *vi* in: *het heeft vannacht gerijpt* there was a hoar-frost last night.

rijpheid ['rɛiphɛit] *v* ripeness, maturity.

rijproef ['rɛipru.f] *v* driving-test; *een* ∼ *afleggen (met goed succes)* pass a driving-test.

rijpwording [-vərdɪŋ] *v* ripening, maturation.

rijs [rɛis] *o* twig, sprig, osier.

rijsbezem ['rɛisbe.zəm] *m* birch-broom.

rijschool ['rɛisxo.l] *v* 1 riding-school; 2 (auto∼) driving-school, school of motoring.

rijshout ['rɛishout] *o* osiers, twigs, sprigs.

Rijssel ['rɛisəl] *o* Lille.

rijst [rɛist] *m* rice.

rijstbaal ['rɛistba.l] *v* rice-bag.

rijstbouw [-bou] *m* cultivation of rice, rice-growing.

rijstebrij [rɛistə'brɛi] *m* rijstepap ['rɛistəpɑp] *v* rice-milk.

rijstkorrel ['rɛistkorəl] *m* grain of rice, rice-grain.

rijstland [-lɑnt] *o* rice-plantation, rice-field.

rijstlepel [-le.pəl] *m* rice-ladle.

rijstoogst [-o.xst] *m* rice-crop.

rijstpapier [-pa.pi:r] *o* rice-paper.

rijstpellerij [rɛistpelə'rɛi] *v* rice-mill.

rijsttafel ['rɛista.fəl] *v Ind* "rice-table", tiffin.

rijsttafelen [-fələ(n)] *vi Ind* tiffin.

rijstveld ['rɛistfɛlt] *o* rice-field, paddy-field.

rijstvogel [-fo.gəl] *m* ½ rice-bird.

rijstwater [-va.tər] *o* rice-water.

rijswerk ['rɛisʋɛrk] *o* banks of osier and earth.

rijten ['rɛitə(n)] *vt* tear.

rijtoer ['rɛitu:r] *m* drive, ride; *een ∼ doen* take a drive (a ride), go for a drive (a ride).

rijtuig ['rɛitœyx] *o* carriage; *een ∼ met vier (zes) paarden* a coach-and-four (six); *een ∼ nemen* take a cab.

rijtuigfabriek [-fa.bri.k] *v* coach-builder's workshop.

rijtuigmaker [-ma.kər] *m* coach-builder.

rijtuigverhuurder [-fərhy:rdər] *m* livery-stable keeper.

rijvaardigheid [rɛi'va:rdəxhɛit] *v* efficient driving.

rijverkeer ['rɛivərke:r] *o* vehicular traffic.

rijweg [-vɛx] *m* carriage-way.

rijwiel ['rɛivi.l] *o* bicycle, cycle, F bike.

rijwielhersteller [-hɛrstelər] *m* cycle repairer.

rijwielpad [-pɑt] *o* cycle-track.

rijzen ['rɛizə(n)] *vi* 1 (v. personen &, de zon, het water &) rise; 2 (v. deeg, barometer &) rise; 3 (v. prijzen) rise, go up; 4 (v. moeilijkheden &) arise; *∼ en dalen* rise and fall.

rijzig [-zəx] tall.

rijzweep [-zve.p] *v* horsewhip, riding-whip.

Rika ['ri.ka.] *v* Harriet.

rik(ke)kikken ['rɪkəkɪkə(n), rɪ'kɪkə(n)] *vt* croak [like a frog].

rikketik ['rɪkətɪk] in: *van∼* F pit-a-pat.

riksja ['rɪkʃa.] *m* rickshaw, jinricksha.

rillen ['rɪlə(n)] *vt* shiver [with], shudder [at]; *ik ril ervan, het doet me ∼* it gives me the shudders.

rillerig [-lərəx] shivery.

rilling [-lɪŋ] *v* shiver, shudder.

rimboe ['rɪmbu.} *v Ind* jungle.

rimpel ['rɪmpəl] *m* wrinkle [of the skin];

rumple [in garment, leaf, fabric &]; ruffle [of water].

rimpelen [-pələ(n)] *vi & vt* wrinkle [the skin]; ruffle [water, the brow]; pucker [a material, the brow, a seam]; *het voorhoofd ∼ ook*: knit one's brow.

rimpelig [-pələx] wrinkled, wrinkly.

rimpeling [-pəlɪŋ] *v* ripple, ruffle [especially of water]; wrinkling, puckering.

ring [rɪŋ] *m* ring.

ringbaard ['rɪŋba:rt] *m* fringe (of whisker).

ringdijk [-dɛik] *m* ring-dike, circular embankment.

ring(el)duif ['rɪŋ(əl)dœyf] *v* ½ ring-dove.

ringelmus ['rɪŋəlmœs] *v* ½ tree-sparrow.

ringeloren ['rɪŋəlo:rə(n)] *vt* F bully, order about.

ringelrups ['rɪŋəlrœps] *v* zie *ringrups*.

ringen ['rɪŋə(n)] *vt* 1 ring [a pig, migratory birds]; 2 girdle [a tree].

ringetje ['rɪŋəcə] *o* little ring; *je kan hem wel door een ∼ halen* he looks as if he came out of a bandbox.

ringmus ['rɪŋmœs] *v* ½ tree-sparrow.

ringmuur [-my:r] *m* ring-wall, circular wall.

ringrijden [-rɛi(d)ə(n)] *vi* tilt at the ring.

ringrups [-rœps] *v* ring-streaked caterpillar.

ringslang [-slɑŋ] *v* ring-snake, grass-snake.

ringsteken [-ste.kə(n)] *vi* tilt at the ring.

ringvaart [-va:rt] *v* circular canal.

ringvinger [-vɪŋər] *m* ring-finger.

ringvormig [-vərməx] ring-shaped, annular.

ringwerpen [-vɛrpə(n)] *o* quoits.

ringworm [-vɔrm] *m* 1 🐛 ringworm; 2 annelid.

rinkelbel ['rɪŋkəlbɛl] *v* 1 (globular) bell; 2 (rammelaar) rattle, coral.

rinkelbom [-bòm] *v* ♪ tambourine.

rinkelen ['rɪŋkələ(n)] *vi* jingle, tinkle, chink; *∼ met* jingle [one's money]; rattle [one's sabre].

rinkinken [rɪŋ'kɪŋkə(n)] *vi* tinkle, jingle.

rinoceros [ri.'no.sərɔs] *m* 🐘 rhinoceros.

rins [rɪns] sourish.

riolenstelsel [ri.'o.lə(n)stɛlsəl] = *rioolstelsel*.

rioleren [ri.o.'le:rə(n)] *vt* sewer.

riolering [-rɪŋ] *v* sewerage.

riool [ri.'o.l] *o & v* sewer, drain.

rioolbuis [-bœys] *v* sewer-pipe.

rioolstelsel [-stɛlsəl] *o* sewerage.

rioolwater [-va.tər] *o* sewage.

rioolwerker [-vɛrkər] *m* sewerman.

riposteren [ri.pɔs'te:rə(n)] *vi* riposte[2].

rips [rɪps] *o* rep(s).

ris [rɪs] = *rist*.

risico ['ri.zi.ko.] *o & m* risk; *op uw ∼* at your risk; *op ∼ van* at the risk of.

riskant [ri.s'kɑnt] risky, hazardous.

riskeren [-'ke:rə(n)] *vt* risk, hazard.

risqu- zie *risk-*.

rissen ['rɪsə(n)] *vt* = *risten*.

rist [rɪst] *v* bunch [of berries]; rope, string [of onions]; *fig* string.

risten ['rɪstə(n)] *vt* string [onions].
rister [-tər] *o* mouldboard [of a plough].
1 rit [rɪt] *m* ride, drive; run.
2 rit [rɪt] *o* (v. kikkers) frog-spawn.
rite ['ri.tə] *v* rite.
ritje ['rɪcə] *o* ride, drive; run; *een ~ maken* take a ride (a drive), go for a ride (a drive).
ritme ['rɪtmə] *o* rhythm.
ritmeester ['rɪtme.stər] *m* ✗ cavalry captain.
ritmiek [rɪt'mi.k] *v* rhythmics.
ritmisch ['rɪtmi.s] *aj* (& *ad*) rhythmic(ally).
ritmus [-mʉs] *m* rhythm.
ritselen ['rɪtsələ(n)] *vi* rustle.
ritseling [-lɪŋ] *v* rustle, rustling.
ritssluiting ['rɪtslœytɪŋ] *v* zip fastening, zip fastener.
ritueel [ri.ty.'a.l] *o* ritual.
ritueel [ri.ty.'e.l] *aj* (& *ad*) ritual(ly).
ritus ['ri.tʉs] *m* rite.
rivaal [ri.'va.l] *m* rival.
rivaliteit [ri.va.li.'tɛit] *v* rivalry.
rivier [ri.'vi.r] *v* river; *aan de ~* on the river; *de ~ op (af) varen* go up (down) the river.
rivierarm [-arm] *m* branch of a river.
rivierbedding [-bɛdɪŋ] *v* river-bed.
rivierklei [-klɛi] *v* river-clay.
rivierkreeft [-kre.ft] *m* & *v* crayfish.
riviermond [-mònt] *m* river-mouth.
rivieroever [-u.vər] *m* riverside, bank.
rivierschip [-sxɪp] *o* river-vessel; *mv ook:* river-craft.
riviervis [-vɪs] *m* river-fish.
rivierwater [-va.tər] *o* river-water.
R.K. [ro.mska.to.'li.k] = *Rooms-Katholiek*.
roastbeef zie *rosbief*.
rob [rɔp] *m* ⚓ seal.
robbedoes ['rɔbədu.s] *m-v* F romping boy (girl), (v. meisje) hoyden, tomboy.
robbejacht [-jɑxt] *v* seal-hunting, sealing.
robber ['rɔbər] *m* rubber [at whist, bridge].
robbetraan ['rɔbətra.n] *m* seal-oil.
robbevel [-vɛl] *o* sealskin.
robe ['rɔ:bə] *v* robe, gown.
Robert ['ro.bərt] *m* Robert, F Bob.
robijn [ro.'bɛin] *m* & *o* ruby.
robijnen [-'bɛinə(n)] *aj* ruby.
robot ['ro.bɔt] *m* robot.
robuust [ro.'by.st] robust.
rochade zie *rokade*.
rochelen ['rɔxələ(n)] *vi* 1 ruckle, expectorate; 2 zie *reutelen*.
rocheren zie *rokeren*.
rococo ['ro.ko.ko.] *o* rococo.
roddelaar ['rɔdəla:r] *m* ~ster [-stər] *v* P talker, gossip(er).
roddelen [-lə(n)] *vi* P talk, gossip.
rode ['ro.də, 'ro.jə] *m* 1 (scheldwoord) ginger; 2 F red [= socialist].
rodehond [ro.jə'hònt] *m* 🐕 (Europese) German measles.
Rode Kruis [ro.də-, ro.jə'krœys] *o* [International] Red Cross.

rodelbaan ['ro.dəlba.n] *v* toboggan slide.
rodelen ['ro.dələ(n)] *vi* toboggan.
rododendron [ro.do.'dɛndròn] *m* 🌷 rhododendron.
roe [ru.] = *roede*.
roebel ['ru.bəl] *m* rouble.
roede ['ru.də] *v* 1 rod; 2 wand [of a conjurer]; 3 birch [for flogging]; 4 verge [as emblem of office]; 5 (lengtemaat) decametre; *met de ~ krijgen* be birched; *wie de ~ spaart, bederft zijn kind* spare the rod and spoil the child.
roedeloper [-lo.pər] *m* dowser, water-diviner.
roef [ru.f] *v* ⚓ deck-house; cuddy [of a barge].
roef, roef [ru.f 'ru.f] F helter-skelter, hurry-scurry.
roeibank ['ru.ibɑŋk] *v* thwart, bench.
roeiboot [-bo.t] *m* & *v* rowing-boat, row-boat.
roeidol [-dəl] *m* thole(-pin).
roeien ['ru.jə(n)] *vi* & *vt* 1 ⚓ row, pull; 2 (peilen) gauge; *men moet ~ met de riemen die men heeft* one must make the best of things.
roeier [-jər] *m* 1 ⚓ oarsman, rower; 2 (peiler) gauger.
roeiklamp ['ru.iklɑmp] *m* & *v* rowlock.
roeipen [-pɛn] *v* thole(-pin).
roeiriem [-ri.m] *m* ~spaan [-spa.n] *v* oar, scull.
roeistok [-stɔk] *m* gauging-rod.
roeitochtje [-tɔxjə] *o* row; *een ~ gaan maken* go for a row.
roeivereniging [-vərə.nəgɪŋ] *v* rowing-club.
roeiwedstrijd [-vɛtstreit] *m* rowing-match, boat-race.
roek [ru.k] *m* 🐦 rook.
roekeloos ['ru.kəlo.s] *aj* (& *ad*) rash(ly), reckless(ly).
roekeloosheid [ru.kə'lo.shɛit] *v* rashness, recklessness.
roekoeën [ru.'ku.ə(n)] *vi* coo.
Roeland ['ru.lɑnt] *m* Roland.
Roelof ['ru.lɔf] *m* Ralph.
roem [ru.m] *m* glory, renown, fame; *~ behalen* reap glory; *eigen ~ stinkt* zie 1 *lof*.
Roemeen(s) [ru.'me.n(s)] *aj* & *sb* Roumanian.
roemen ['ru.mə(n)] I *vt* praise; II *vi* boast; *~ op iets* boast of a thing; *onze stad kan ~ op...* our town can boast...
Roemenië [ru.'me.ni.ə] *o* Roumania.
1 roemer ['ru.mər] *m* (persoon) boaster, braggart.
2 roemer ['ru.mər] *m* (glas) rummer.
roemrijk, roemrucht(ig) ['ru.mrɛik, ru.m'rʉxt-(əx)] illustrious, famous, famed, glorious, renowned.
roemzucht ['ru.mzʉxt] *v* vainglory.
roemzuchtig [ru.m'zʉxtəx] *aj* (& *ad*) vainglorious(ly).
roep [ru.p] *m* call, cry; *er is maar één ~ over hem* they have nothing but unqualified praise for him; *in kwade ~ brengen* bring into disrepute.
roepen ['ru.pə(n)] I *vi* call, cry; shout; *om hulp*

~ cry (call) for help; *iedereen roept er over* everybody is praising it; *het is nu niet om er (zo) over te* ~ it is no better than it should be; II *vt* call; *een dokter (erbij)* ~ call in a doctor; *wie heeft mij laten* ~? who has sent for me?; *u komt als geroepen* you come as if you had been sent for; *ik voel me niet geroepen om...* I don't feel called upon to...; *velen zijn geroepen, maar weinigen uitverkoren* B many are called, but few are chosen.

roeper [-pər] *m* 1 (persoon) crier; 2 (voorwerp) speaking-trumpet; megaphone.

roeping [-pɪŋ] *v* call, calling, vocation; *hij heeft zijn* ~ *gemist* he has mistaken his vocation; *ik voel er geen* ~ *toe om...* I don't feel called upon to...; ~ *voelen voor* feel a vocation for [...teaching &]; *zijn* ~ *volgen* follow one's vocation; *een toneelspeler uit* ~ an actor by vocation.

roepstem ['ru.pstɛm] *v* call, voice.

roer [ru:r] *o* 1 ⚓ (blad) rudder, (stok) helm, (rad) wheel; 2 (v. pijp) stem; 3 ✸ (geweer) firelock; *het* ~ *omleggen* ⚓ shift the helm; *het* ~ *recht houden* manage things well; *hou je* ~ *recht* F keep straight, steady!; *aan het* ~ *komen* take the reins (of government); *aan het* ~ *staan* be at the helm².

roerdomp ['ru:rdɔmp] *m* 🦆 bittern.

roereieren [-ɛiərə(n)] *mv* scrambled eggs.

roeren ['ru:rə(n)] I *vi* stir; *je moet er niet aan* ~ you must not touch it; II *vt* stir [one's tea &], *fig* stir, touch [the heart]; move [a man to tears]; *zijn mondje* ~ be talking away; *de trom* ~ beat the drum; III *vr zich* ~ stir, move; *zich* ~ *in een zaak* bestir oneself in a cause; *hij kan zich goed* ~ he is in easy circumstances.

roerend [-rənt] moving, touching [words &].

roerganger ['ru:rgaŋər] *m* ⚓ helmsman, man at the helm, man at the wheel.

roerig ['ru:rəx] 1 active, stirring, lively; 2 unruly; > turbulent.

roerigheid [-hɛit] *v* activity, liveliness [of a person]; > unrest [among the population].

roering ['ru:rɪŋ] *v* (beweging) motion, stir.

1 **roerloos** ['ru:rlo.s] motionless; *fig* impassive.

2 **roerloos** ['ru:rlo.s] ⚓ rudderless.

roerpen [-pɛn] *v* ⚓ tiller, helm.

roersel [-səl] *o* motive; *de* ~*en des harten* ☉ the stirrings of the heart.

roerspaan [-spa.n] *v* stirrer; spatula.

roervink [-vɪŋk] *m* & *v* 1 🐦 decoy-bird; 2 *fig* ringleader.

1 **roes** [ru.s] *m* drunken fit, intoxication²; ~ *der vrijheid* intoxication of liberty; *hij is in een* ~ he is intoxicated.

2 **roes** [ru.s] *m* in: *in (bij) de* ~ in the lump.

1 **roest** [ru.st] *m* & *o* perch, roost [of birds].

2 **roest** [ru.st] *m* & *o* rust; ~ *in het koren* rust, blight, smut; *oud* ~ zie *oudroest*.

1 **roesten** ['ru.stə(n)] *vi* perch, roost [of birds].

2 **roesten** ['ru.stə(n)] *vi* rust.

roestig [-təx] rusty.

roestigheid [-hɛit] *v* rustiness.

roestkleurig ['ru.stkløːrəx] rust-coloured.

roestvlek [-flɛk] *v* rust-stain; (in wasgoed) iron-mould.

roestvrij [-frɛi] rust-proof, stainless [steel].

roet ['ru.t] *o* soot; ~ *in het eten gooien* spoil the game.

roetachtig [-axtəx] sooty.

roetdeeltjes [-de.lʧəs] *mv* particles of soot.

roetig ['ru.təx] sooty.

roetigheid [-hɛit] *v* sootiness.

roetkleur ['ru.tkløːr] *v* sooty colour.

roetkleurig [-kløːrəx] of a sooty colour.

roetmop [-mɔp] *v* S darky, > nigger.

roetsjbaan ['ru.ʧba.n] *v* switchback (railway); roller-coaster.

roetvlek ['ru.tflɛk] *v* smut.

roetzwart [-svɑrt] (as) black as soot.

roezemoezen ['ru.zəmu.zə(n)] *vi* F bustle, buzz.

roez(emoez)ig [-z(əmu.z)əx] boisterous.

roffel ['rɔfəl] *m* ✕ roll [of drums].

roffelen ['rɔfələ(n)] *vi* ✕ roll [the drum].

roffelvuur ['rɔfəlvyːr] *o* ✕ drum-fire.

rog [rɔx] *m* 🐟 ray, thornback.

rogge ['rɔgə] *v* 🌾 rye.

roggebrood [-bro.t] *o* rye-bread, black bread.

roggemeel [-me.l] *o* rye-flour.

roggeveld [-vɛlt] *o* rye-field.

rok [rɔk] *m* 1 dress-coat [for gentlemen]; 2 [outer, short] skirt; [under or outer] petticoat [for ladies]; *in* ~ [gentlemen] in evening-dress, in dress-coats.

rokade [rɔˈka.də] *v* castling [in chess].

rokcostuum zie *rokkostuum*.

roken ['ro.kə(n)] I *vi* smoke; II *vt* 1 smoke [tobacco]; 2 smoke [ham &].

roker [-kər] *m* smoker.

rokeren [rɔˈke:rə(n)] *vi* castle [in chess].

rokerig ['ro.kərəx] smoky.

rokerij [ro.kəˈrɛi] *v* smoke house.

rokje ['rɔkjə] *o* zie *rok* 2; ~ *der Bergschotten* kilt; *zijn* ~ *omkeren* turn one's coat.

rokkostuum ['rɔkɔsty.m] *o* dress-suit.

1 **rol** [rɔl] *v* 1 (in het alg.) roll; 2 ✕ roller, cylinder; 3 (v. deeg) rolling-pin; 4 (v. toneelspeler) part, rôle, character; 5 ⚖ calendar, (cause-)list; ~ *papier* scroll; *de* ~*len zijn omgekeerd* the tables are turned; *een* ~ *spelen* act (play) a part; *een voorname (grote)* ~ *spelen* play an important part; *de* ~*len verdelen* assign the parts; *in zijn* ~ *blijven* follow out the character; *op de* ~ *staan* ⚖ appear in the calendar for trial; *uit de* ~ *vallen* act out of character.

2 **rol** [rɔl] *aan de(n)* ~ *zijn* S be on the spree (on the loose).

rolblind ['rɔlblɪnt] *o* zie *rolluik*.

roldak [-dɑk] *o* sliding-roof.

rolgordijn [-gɔrdɛin] *o* roller-blind.

rolhanddoek [-hɑndu.k] *m* roller-towel.

roljaloezie [-ʒa.lu.zi.] *v* rolling-shutter.

rollade [rɔˈla.də] *v* collared beef, collar of brawn &.

rollager ['rɔlaˌɡər] o ✻ roller-bearing.

rollen ['rɔlə(n)] I vi roll; tumble; ~ met de ogen roll one's eyes; van de trappen ~ tumble down the stairs; II vt roll [paper &]; S pick [a man's pockets].

rolletje ['rɔləcə] o I (los) (small) roll [of paper, of sovereigns, tobacco &]; 2 (onder iets) roller [of roller-skate]; castor, caster [of leg of a chair]; het ging als op ~s it all went on wheels, without a hitch.

rolluik ['rɔlœyk] o rolling-shutter.

rolmops ['rɔlmɔps] m collared herring.

rolpens [-pɛns] v minced beef in tripe.

rolprent [-prɛnt] v [cinema] film.

rolroer [-ru:r] o ✈ aileron.

rolschaats [-sxaˌts] v roller-skate.

rolschaatsbaan [-sxaˌtsba.n] = rolschaatsenbaan.

rolschaatsen [-sxaˌtsə(n)] o roller-skating.

rolschaatsenbaan [-ba.n] v (roller-)skating rink.

rolstoel ['rɔlstu.l] m wheel-chair, Bath chair.

roltabak [-ta.bɑk] m twist (tobacco).

roltrap [-trɑp] m moving staircase, escalator.

rolvast [-vɑst] letter-perfect [of an actor].

rolverdeling [-vərdeˌlɪŋ] v cast [of a play].

rolwagen [-va.ɡə(n)] m truck.

Romaans [ro.'ma.ns] I Romance [languages, philology], Romanic; 2 Romanesque [architecture, sculpture].

roman [ro.'mɑn] m I novel; 2 fig & ⬚ romance [of the Rose]; een ~netje, o > a novelette; ~s ook: fiction.

romance [ro.'mɑsə] v romance.

romancière [-mɑsi.'ɛ:rə] v (lady, woman) novelist.

romanesk [-ma.'nɛsk] aj (& ad) romantic(-ally).

romanheld [ro.'mɑnhɛlt] m book hero, novel hero.

romankunst [-kŭnst] v art of fiction.

romanlezer [-le.zər] m novel reader, fiction reader.

romanlit(t)eratuur [-li.təra.ty:r] v (prose) fiction.

romanschrijfster [-s(x)rɛifstər] v (lady, woman) novelist, fiction writer.

romanschrijver [-s(x)rɛivər] m novelist, fiction writer.

romanticus [-ti.kŭs] m romanticist.

romantiek [ro.mɑn'ti.k] v I (kunstrichting) romanticism; 2 ('t romantische) romance.

romantisch [ro.'mɑnti.s] aj (& ad) romantic(-ally).

romanwereld [-vɛːrɛlt] v fictional world.

Rome ['ro.mə] o Rome.

romein [ro.'mɛin] v Roman type.

Romein(s) [ro.'mɛin(s)] m (& aj) Roman.

romen ['ro.mə(n)] I vt cream, skim; II vi cream.

romer [-mər] = 2 roemer.

rommel ['rɔməl] m lumber, rubbish; de hele ~ the whole lot; ouwe ~ (old) junk; koop geen ~ don't buy trash; maak niet zo'n ~ don't

make such a mess.

rommelen [-mələ(n)] vi I rumble [of the thunder]; 2 rummage [among papers &].

rommelig [-ləx] untidy, disorderly.

rommeling [-lɪŋ] v rumbling.

rommelkamer ['rɔmələka.mər] v lumber-room.

rommelzo(oi) [-zo:(i)] v zie rommel.

romp [rɔmp] m I trunk [of the body]; 2 ♣ hull; 3 ✈ fuselage.

romppariement [-rɔmpɑrləmɛnt] o ⬚ Rump (parliament).

rompslomp ['rɔmpslɔmp] m F bother.

rond [rɔnt] I aj round; rotund; circular; een ~ jaar a full year; ~e som round sum; ~e vent straight fellow; de ~e waarheid the plain truth; II ad zie ronduit II, ongeveer, uitkomen; III prep round [the table &]; IV o round; in het ~ around, round about; een E. mijl in het ~ for a mile around.

rondachtig ['rɔntɑxtəx] roundish.

rondbazuinen [-ba.zœynə(n)] vt trumpet forth, blazon abroad.

rondboemelen [-bu.mələ(n)] vi F knock (loaf) about.

rondboog [-bo.x] m △ round arch.

rondborstig [rɔnt'bɔrstəx] I aj candid, frank, open-hearted; II ad candidly, frankly.

rondborstigheid [-hɛit] v candour, frankness, open-heartedness.

rondbrengen ['rɔntbrɛŋə(n)] vt take round; de kranten ~ ook: deliver the papers.

rondbrieven [-bri.və(n)] vt rumour about.

ronddansen [-dɑnsə(n)] vi dance about.

ronddelen [-de.lə(n)] vt distribute, hand round.

ronddienen [-di.nə(n)] vt serve round [tea &], hand round [cakes &].

ronddobberen [-dɔbərə(n)] vi drift about.

ronddolen [-do.lə(n)] vi wander about, rove about.

ronddraaien [-dra.jə(n)] I vi turn, turn about, turn round, rotate, gyrate; II vt turn (round).

ronddraaiend [-dra.jənt] rotary, rotatory.

ronddraven [-dra.və(n)] vi trot about.

ronddrentelen [-drɛntələ(n)] vi lounge about.

ronddrijven [-drɛivə(n)] vi float about, drift about.

ronddwalen [-dva.lə(n)] vi wander, roam (about).

ronde ['rɔndə] v I round; 2 ✕ round; 3 [postman's &] round; beat [of policeman]; 4 sp round [in boxing &]; lap [in cycle-racing]; de ~ doen I make (go) one's rounds; 2 fig go round [of rumours]; het verhaal doet de ~ the story goes the round; het verhaal deed de ~ door het dorp the story went the round of the village.

rondedans [-dɑns] m round dance.

rondeel [rɔn'de.l] o I rondeau, rondel [song]; 2 ✕ round bastion.

ronden ['rɔndə(n)] vt round, make round; round off.

ronde-tafelconferentie, ronde-tafelkonferentie

[ròndə'ta.fəlkònfərɛn(t)si.] *v* round-table conference.

rondfladderen ['ròntfladərə(n)] *vi* flutter about.

rondgaan [-ga.n] *vi* go about (round); *laten* ~ hand about, send (pass) [the hat] round, circulate.

rondgaand [-ga.nt] in: ~e *brief* circular letter.

rondgang [-gaŋ] *m* circuit, tour; *een* ~ *maken door de fabriek* make a tour of the factory.

rondgeven [-ge.və(n)] *vt* pass round, hand about.

rondheid [-hɛit] *v* roundness, rotundity; *fig* frankness, candour.

rondhout [-hout] *o* ⚓ spar.

ronding ['ròndɪŋ] *v* I rounding; 2 ⚓ camber.

rondje ['ròncə] *o* round; *hij gaf een* ~ F he stood drinks (all round).

rondkijken ['ròntkɛikə(n)] *vi* look about.

rondkomen [-ko.mə(n)] *vi* make (both) ends meet.

rondkuieren [-kœyərə(n)] *vi* stroll about.

rondleiden [-lɛidə(n)] *vt* lead about; *iemand* ~ show one over the place, take him round.

rondleiding [-lɛidiŋ] *v* guided tour.

rondlopen [-lo.pə(n)] *vi* walk about, F knock about, gad about; *de dief loopt nog rond* is still at large; *hij loopt weer rond* he is about again [after recovery]; *loop rond!* P get along with you; ~ *met plannen* go about with plans.

rondneuzen [-nø.zə(n)] *vi* nose about.

rondo ['ròndo.] *o* rondeau, rondel.

rondom [rònt'òm] I *ad* round about, all round; ~ *behangen met...* hung round with...; II *prep* round about [the house &], around [us].

rondreis ['ròntrɛis] *v* (circular) tour, round trip.

rondreisbiljet [-bɪljɛt] *o* circular ticket.

rondreizen ['ròntrɛizə(n)] *vi* travel about; ~*d* strolling, itinerant [player], touring [company].

rondrijden [-rɛi(d)ə(n)] I *vi* ride about, drive about; II *vt* drive [him] about; tour [the town &].

rondrit [-rɪt] *m* tour.

rondscharrelen [-sxɑrələ(n)] *vi* F potter (poke) about; ~ *in...* poke about in..., rummage in...

rondschenken [-sxɛŋkə(n)] *vt* serve round.

rondschrift [-s(x)rɪft] *o* round hand.

rondschrijven [-s(x)rɛivə(n)] *o* circular, circular letter.

rondsel ['ròntsəl] *o* ⚙ pinion.

rondslenteren ['ròntslɛntərə(n)] *vi* lounge (saunter) about.

rondslingeren [-slɪŋərə(n)] I *vt* fling about; II *vi* lie about [of books &].

rondsluipen [-slœypə(n)] *vi* steal about.

rondsnuffelen [-snʉfələ(n)] *vi* nose about.

rondspringen [-sprɪŋə(n)] *vi* jump about.

rondstrooien [-stro.jə(n)] *vt* strew about; *fig* put about.

rondtasten ['ròntɑstə(n)] *vi* grope about, grope one's way: *in het duister* ~ grope one's way in the dark; *fig* be in the dark (about *om-*

trent).

rondte ['ròntə] *v* circle, circumference; *in de* ~ *draaien* turn round, zie ook: *rond* IV & *ronde*.

rondtrekken ['ròntrɛkə(n)] *vi* go about, wander about.

rondtrekkend [-kənt] zie *rondreizend*.

ronduit ['ròntœyt] I *aj* frank, plain-spoken; II *ad* roundly, bluntly, frankly, plainly; *spreek* ~ speak your mind; *hem* ~ *de waarheid zeggen* tell him some home truths; ~ *gezegd...* frankly...

rondvaart ['ròntfa.rt] *v* zie *rondreis*, ook: (circular) cruise.

rondventen [-fɛntə(n)] *vt* hawk (about).

rondventer [-fɛntər] *m* hawker.

rondvertellen [-fərtɛlə(n)] *vt* spread [it]; *je moet het niet* ~ ook: you must not tell.

rondvliegen [-fli.gə(n)] *vi* fly about, fly round; ~ *boven* circle over [a town].

rondvlucht [-flʉxt] *v* circuit.

rondvraag [-fra.x] *v* in: *iets in* ~ *brengen* put the question.

rondwandelen [-vɑndələ(n)] *vi* walk about.

rondwaren [-va.rə(n)] *vi* walk (about); *er waren hier spoken rond* ook: the place is haunted.

1 **rondweg** [-vɛx] *ad* roundly; zie ook: *ronduit* II.

2 **rondweg** [-vɛx] *m* by-pass (road).

rondwentelen [-vɛntələ(n)] *vi* revolve.

rondzenden [-sɛndə(n)] *vt* send round, send out.

rondzwalken [-svɑlkə(n)] *vi* I drift about, scour the seas; 2 lollop about.

rondzwerven [-svɛrvə(n)] *vi* wander (roam, rove) about.

rondzwieren [-svi:rə(n)] *vi* glide about [on the ice].

ronken ['ròŋkə(n)] *vi* I snore; 2 (v. machine) snort, whirr, hum, drone.

ronselaar ['rònsəla:r] *m* crimp.

ronselen [-lə(n)] *vi* & *vt* crimp [sailors &].

röntgenen ['rœntgənə(n)] *vt* X-ray.

röntgenfoto ['rœntgənfo.to.] *v* X-ray photograph, radiograph.

röntgenoloog [rœntgəno.'lo.x] *m* X-ray specialist, radiographer.

röntgenonderzoek ['rœntgənòndərzu.k] *o* X-ray examination.

röntgenstralen [-stra.lə(n)] *mv* X-rays.

rood [ro.t] I *aj* red; ~ *maken* make red, redden; ~ *worden* grow red, redden, blush; *zo* ~ *als een kreeft* as red as a lobster; II *o* red.

roodaarde ['ro.ta:rdə] *v* ruddle.

roodachtig [-ɑxtəx] reddish, ruddy.

roodbont [-bònt] red and white.

roodborstje [-bòrʃə] *o* 🐦 (robin) redbreast, robin.

roodbruin [-brœyn] reddish brown, russet; bay [horse].

roodgloeiend [-glu.jənt] red-hot.

roodharig [-ha:rəx] red-haired.

roodheid [-hɛit] v redness.

roodhout [-həut] o redwood, Brazil wood.

roodhuid [-hœyt] m redskin, red Indian.

Roodkapje [ro.t'kɑpjə] v Little Red Riding-Hood.

roodkoper [-'ko.pər] o copper.

roodkoperen [-pərə(n)] aj copper.

roodrok ['ro.trɔk] m Ⓤ redcoat [British soldier].

roodsel [-səl] o ruddle.

roodstaartje ['ro.tsta:rcə] o ⚘ redstart.

roodvonk [-fɔŋk] v & o scarlet fever, scarlatina.

roodwangig [-vɑŋəx] red-cheeked, ruddy.

1 **roof** [ro.f] v scab, slough [on wound].

2 **roof** [ro.f] m robbery, plunder; op ~ uitgaan 1 go plundering; 2 (v. dier) go in search of prey.

roofachtig ['ro.fɑxtəx] rapacious.

roofbouw [-bəu] m excessive cultivation.

roofdier [-di:r] o beast of prey.

roofgierig [ro.f'gi:rəx] aj (& ad) rapacious(ly).

roofgierigheid [-hɛit] v rapacity.

roofhol, ~**nest** ['ro.f.hɔl, -nɛst] o den of robbers, robbers' den.

roofoverval [-o.vərvɑl] m hold-up.

roofridder [-rɪdər] m robber baron, robber knight.

roofschip [-sxɪp] o pirate ship.

rooftocht [-tɔxt] m predatory expedition.

roofvis ['ro.fɪs] m fish of prey.

roofvogel [-fo.gəl] m bird of prey.

roofziek ['ro.fsi.k] aj (& ad) rapacious(ly).

roofzucht [-sŭxt] v rapacity.

roofzuchtig [ro.f'sŭxtəx] zie roofziek.

rooien ['ro.jə(n)] vt lift, dig (up) [potatoes]; pull up [trees].

rooilijn ['ro:ilɛin] v building-line, alignment; op de ~ staan range with the street [of a house].

1 **rook** [ro.k] v (hay)stack.

2 **rook** [ro.k] m smoke; geen ~ zonder vuur no smoke without fire; onder de ~ van under the smoke of...

rookartikelen ['ro.kɑrti.kələ(n)] mv smokers' requisites.

rookbom [-bɔm] v smoke-bomb.

rookcoupé ['ro.ku.pe.] m smoking-compartment, F smoker.

rookgat ['ro.kgɑt] o smoke-hole.

rookgordijn [-gɔrdɛin] o smoke-screen.

rookkamer ['ro.ka.mər] v smoking (smoke)-room.

rookkanaal ['ro.ka.na.l] o flue. [room.

rookkast [-kɑst] v ⚒ smoke-box.

rookloos ['ro.klo.s] smokeless.

rooklucht [-lŭxt] v smoky smell.

rookpluim [-plœym] v wreath of smoke.

rooksalon [-sa.lòn] m & o smoking-room, smoke-room.

rookscherm [-sxɛrm] o smoke screen.

rookspek [-spɛk] o smoked bacon.

rooktabak [-ta.bɑk] m smoking-tobacco.

rooktafeltje [-ta.fəlcə] o smoker's table.

rookvang [-fɑŋ] v flue [of a chimney].

rookvlees [ro.k'fle.s] o smoked beef.

rookwaren ['ro.kva:rə(n)] mv smoking-materials.

rookwolk [-vòlk] v cloud of smoke, smoke cloud.

rookworst [-vòrst] v smoked sausage.

rookzolder [-sòldər] m smoking-loft.

room [ro.m] m cream[2].

roomachtig ['ro.mɑxtəx] creamy.

roomboter [-bo.tər] v creamery butter.

roomhoorn, -horen [-ho:rən] m cream horn.

roomhuis [-hœys] o creamery.

roomijs [-ɛis] o ice-cream.

roomkaas [-ka.s] m cream cheese.

roomkan [-kɑn] v cream-jug.

rooms [ro.ms] Roman, Roman Catholic; de ~en mv the Roman Catholics.

rooms-katholiek, rooms-katoliek [-ka.to.'li.k] Roman Catholic; de ~en mv the Roman Catholics.

roomsoes ['ro.msu.s] v cream puff.

roomtaart [-ta:rt] v cream tart.

roomvla [-vla.] v cream custard.

roos [ro.s] v 1 ⚘ rose; 2 (op hoofd) dandruff; 3 (huidziekte) erysipelas, St. Anthony's fire; 4 ⚔ bull's-eye [of a target]; 5 ⚓ (compass-)card; rozen op de wangen hebben have a complexion of milk and roses; in de ~ treffen score a bull's-eye; onder de ~ under the rose, in secret; hij gaat niet op rozen his path is not strewn with roses, he is not on a bed of roses; geen rozen zonder doornen no rose without a thorn.

roosachtig ['ro.sɑxtəx] rose-like.

Roosje ['ro.ʃə] v & o Rose.

rooskleur ['ro.sklø:r] v rose colour.

rooskleurig [ro.s'klø:rəx] rose-coloured[2], rosy[2]; fig bright [of prospects, the future &]; zie ook: bril.

roosten ['ro.stə(n)] vt zie roosteren.

rooster ['ro.stər] m & ɒ 1 (om te braden) gridiron, grill; 2 (in de kachel) grate; 3 (afsluiting) grating; 4 (lijst) rota; ~ van werkzaamheden time-table; volgens ~ aftreden go out by rotation.

roosteren ['ro.stərə(n)] vt broil, roast, grill; toast [bread]; geroosterd brood toast.

roosterwerk ['ro.stərvɛrk] o grating.

roosvenster ['ro.sfɛnstər] o rose-window.

root [ro.t] v retting-place [for flax].

1 ⊙ **ros** [rɔs] o steed [= horse].

2 **ros** [rɔs] aj reddish [hair], ruddy [glow].

Rosa ['ro.za.] v Rose.

rosarium [ro.'za:ri.ŭm] o rosary.

rosbief ['rɔsbi.f] m roast beef.

rose zie roze.

rosharig ['rɔsha:rəx] red-haired.

roskam [-kɑm] m curry-comb.

roskammen [-kɑmə(n)] vt 1 curry; 2 fig criticize severely.

rosmarijn [rɔsma:'rɛin] = *rozemarijn*.
rossig ['rɔsəx] reddish, sandy [hair], ruddy [glow].
rossinant [rɔsi.'nant] *m* Rosinante, hack.
1 rot [rɔt] *o* ✕ file [consisting of two men], squad [of soldiers]; *een ~ geweren* a stack of arms; *de geweren werden aan ~ten gezet* ✕ the arms were stacked; *met ~ten rechts* (*links*) ✕ right (left) file.
2 rot [rɔt] I *aj* rotten, putrid, putrefied; bad [fruit, tooth &]; *wat ~!* P how provoking!; II *ad* in : *zich ~ vervelen* P be bored to death; III *o* rot.
3 rot [rɔt] *v* zie *rat*.
rotan ['rɔtan] *o* & *m* rattan.
rotatiepers [ro.'ta.(t)si.pɛrs] *v* rotary press.
roten ['ro.tə(n)] *vt* ret [flax].
rotgans ['rɔtgans] *v* ⚓ brent-goose.
rotheid [-hɛit] *v* rottenness.
rotonde [ro.'tɔndə] *v* △ rotunda.
rotor ['ro.tər] *m* rotor.
rots [rɔts] *v* 1 rock; 2 cliff [= high steep rock].
rotsachtig ['rɔtsaxtəx] rocky.
rotsachtigheid [-hɛit] *v* rockiness.
rotsblok ['rɔtsblɔk] *o* boulder.
rotsduif [-dœyf] *v* ⚓ rock-pigeon.
rotseiland [-ɛilant] *o* rocky island.
Rotsgebergte [-gəbɛrxtə] *het* ~ the Rocky Mountains.
rotskloof [-klo.f] *v* chasm.
rotskristal [-kristal] *o* rock-crystal.
rotspartij [-partɛi] *v* rockery.
rotsschildering ['rɔtsxildəriŋ] *v* cave-painting.
rotstekening ['rɔtste.kəniŋ] *v* cave-drawing.
rotsvast [-fast] firm as a rock.
rotswand [-vant] *m* rock-face; precipice; bluff [of coast].
rotswoning [-vo.niŋ] *v* rock-dwelling.
rotten ['rɔtə(n)] *vi* rot, putrefy.
rottig [-tɛx] zie 2 *rot* I.
1 rotting [-tiŋ] *v* putrefaction.
2 rotting [-tiŋ] *m* cane.
roulade [ru.'la.də] *v* ♪ roulade.
rouleau [ru.'lo.] *m* roller-blind.
roulette [ru.'lɛtə] *v* roulette.
roulettetafel [-ta.fəl] *v* roulette-table.
route ['ru.tə] *v* route, way.
routine [ru.'ti.nə] *v* routine.
rouw [rɔu] *m* mourning; *lichte* (*zware*) ~ half (deep) mourning; *de ~ aannemen* go into mourning; ~ *dragen* (*over*) mourn (for); *in de ~ gaan* go into mourning; *in de ~ zijn* be in mourning; *uit de ~ gaan* go out of mourning.
rouwband ['rɔubant] *m* mourning-band.
rouwbeklag [-bəklax] *o* condolence; *verzoeke van ~ verschoond te blijven* no calls of condolence.
rouwbrief [-bri.f] *m* notification of death.
rouwdienst [-di.nst] *m* memorial service.
rouwdrager [-dra.gər] *m* mourner.
rouwen ['rɔuə(n)] *vi* go into (be in) mourning,

mourn (for *over*); zie ook: *berouwen*.
rouwfloers ['rɔuflu:rs] *o* crape.
rouwgewaad, ~goed [-gəva.t, -gu.t] *o* mourning garb.
rouwig ['rɔuəx] sorry; *ik ben er helemaal niet ~ om* I am not at all sorry.
rouwklacht ['rɔuklaxt] *v* lamentation.
rouwkleed [-kle.t] *o* mourning-dress; *rouwkleren* mourning-clothes.
rouwkoets [-ku.ts] *v* mourning-coach.
rouwkoop [-ko.p] *m* smart-money; ~ *hebben* repent one's bargain.
rouwrand [-rant] *m* mourning-border, black border.
rouwsluier [-slœyər] *m* crape veil, weeper.
rouwstoet [-stu.t] *m* funeral procession.
rouwtijd [-tɛit] *m* period of mourning.
roven ['ro.və(n)] I *vi* rob, plunder; II *vt* steal.
rover ['ro.vər] *m* robber, brigand.
roverbende [-bɛndə] *v* gang of robbers.
roverhoofdman [-ho.ftman] *m* robber-chief.
roverij [ro.və'rɛi] *v* robbery, brigandage.
roversbende ['ro.vərsbɛndə] = *roverbende*.
rovershol [-hɔl] *o* den of robbers, robbers' den.
rovershoofdman [-ho.ftman] = *roverhoofdman*.
rovertje [ro.vərcə] *o* in: ~ *spelen* play at brigands.
royaal [rva-, ro.'ja.l] I *aj* liberal [man, tip &]; free-handed, open-handed, munificent [man]; handsome, generous [reward &]; *hij is erg ~ (met zijn geld)* he is very free of his money; II *ad* liberally.
royalist(isch) [-ja.'list(i.s)] *m* (& *aj*) royalist.
royaliteit [-ja.li.'tɛit] *v* liberality, munificence, generosity.
royement [rvajə'mɛnt] *o* expulsion [from a party]; cancellation [of a contract].
royeren [-'je:rə(n)] *vt* remove from (strike off) the list; expel [from a party]; cancel [a contract].
roze ['ro.zə] pink.
rozeblad ['ro.zəblat] *o* 1 (**van de struik**) rose-leaf; 2 (**bloemblad**) rose-petal.
rozeboom [-bo.m] *m* rose-tree.
rozebottel [-bɔtəl] *v* rose-hip.
rozegeur [-gø:r] *m* scent of roses; *het is* (*was*) *niet alles ~ en maneschijn* life is not all honey, it was not all roses and raptures.
rozehout [-hɔut] *o* rose-wood.
rozeknop [-knɔp] *m* rose-bud.
rozelaar [-la:r] *m* rose-bush, rose-tree.
rozemarijn [ro.zəma:'rɛin] *m* rosemary.
rozenbed ['ro.zə(n)bɛt] *o* bed of roses.
rozenhoedje [-hu.cə] *o* RK chaplet.
rozenkrans [-krans] *m* 1 garland of roses; 2 *RK* rosary; *zijn ~ bidden* tell one's beads.
rozenkweker [-kve.kər] *m* rose-grower.
rozenolie [-o.li.] *v* oil (attar) of roses.
rozentuin [-tœyn] *m* rose-garden, rosary.
rozenwater [-va.tər] *o* rose-water.
rozerood ['ro.zəro.t] rose-red.

rozestek [-stɛk] *m* rose-cutting.
rozestruik [-strœyk] *m* rose-bush.
rozet [ro.'zɛt] *v* rosette.
rozig ['ro.zəx] rosy, roseate.
rozijn [ro.'zɛin] *v* raisin.
rubber ['rŭbər] *m* & *o* rubber.
rubberboot [-bo.t] *m* & *v* (rubber) dinghy.
rubberlaars [-la:rs] *v* rubber boot.
rubbermaatschappij [-ma.tsxɑpɛi] *v* rubber company.
Ruben ['ry.bɛn] *m* Reuben.
rubriek [ry.'bri.k] *v* heading, head; column, section [of newspaper].
ruche ['ry.ʃə] *v* ruche, frill(ing).
ruchtbaar ['rŭxtba:r] in: ~ *maken* make public, make known, spread abroad; ~ *worden* become known, get abroad, be noised abroad.
ruchtbaarheid [-hɛit] *v* publicity; ~ *geven aan iets* make it public, disclose it, divulge it.
rudimentair [ry.di.mɛn'tɛ:r] rudimentary, rudimental.
rug [rŭx] *m* 1 back; 2 ridge [of mountains]; 3 back [of a book]; 4 bridge [of the nose]; *ik heb een brede* ~ I have broad shoulders; *iemand de* ~ *smeren (meten)* give one a good hiding; *iemand de* ~ *toedraaien (toekeren)* turn one's back upon one; ~ *aan* ~ back to back; *hij deed het achter mijn* ~ behind my back²; *de veertig achter de* ~ *hebben* be turned (of) forty; *dat hebben wij goddank achter de* ~ thank God it's finished, it's over now; *de vijand in de* ~ *(aan)vallen* attack the enemy in the rear, from behind; *iemand met de* ~ *aanzien* give one the cold shoulder; *hij stond met de* ~ *naar ons toe* he stood with his back to us.
rugcrawl ['rŭxkrɔ.l] *m* back-crawl.
ruggegraat ['rŭgəgra.t] *v* vertebral column, backbone², spine.
ruggegraatsverkromming [-gra.tsfərkrɔ̀mɪŋ] *v* spinal curvature, curvature of the spine.
ruggelings [-lɪŋs] backward(s); back to back.
ruggemerg [-mɛrx] *o* spinal marrow.
ruggemergstering [-mɛrxste:rɪŋ] *v* spinal consumption.
ruggen ['rŭgə(n)] *vt* back.
ruggespraak ['rŭgəspra.k] *v* consultation; ~ *houden met iemand* consult a person.
ruggesteun [-stø.n] *m* backing, support.
ruggewervel [-vɛrvəl] = *rugwervel*.
rugleuning ['rŭxlø.nɪŋ] *v* back [of a chair].
rugpijn [-pɛin] *v* back-ache, pain in the back.
rugschild [-sxɪlt] *o* carapace.
rugslag [-slɑx] *m* back-stroke [in swimming].
rugsteunen [-stø.nə(n)] *vt* back (up), support.
rugstuk [-stŭk] *o* back, back-piece.
rugvin [-fɪn] *v* 𝔜 dorsal fin.
rugwaarts [-va:rts] I *aj* backward; II *ad* backward(s).
rugwervel [-vɛrvəl] *m* dorsal vertebra.
rugzak [-sɑk] *m* rucksack.
rugzwemmen [-svɛmə(n)] *o* swimming on the

back.
rui [rœy] *m* moulting(-time).
ruien ['rœyə(n)] *vi* moult.
ruif [rœyf] *v* rack.
ruig [rœyx] 1 hairy, shaggy; 2 rough; rugged.
ruigharig ['rœyxha:rəx] shaggy.
ruigheid [-hɛit] *v* 1 hairiness &; 2 roughness; ruggedness.
ruiken ['rœykə(n)] I *vt* smell, scent; *hij ruikt wat, hij ruikt lont* he smells a rat; *dat kon ik toch niet* ~? how could I know?; II *vi* smell; *het ruikt goed* it smells good; *ze* ~ *lekker* they have a sweet (nice) smell; *ruik er eens aan* smell (at) it; *hij zal er niet aan* ~ he won't even get a smell of it; *daar kan hij niet aan* ~ F he cannot touch it; *het (hij) ruikt naar cognac* it (he) smells of brandy; *dat ruikt naar ketterij* that smells of heresy.
ruiker [-kər] *m* nosegay, bouquet, bunch of flowers.
ruil [rœyl] *m* exchange, barter; *een goede* ~ *doen* make a good exchange; *in* ~ *voor* in exchange for.
ruilartikel ['rœylɑrti.kəl] *o* article for barter.
ruilen ['rœylə(n)] I *vt* exchange, barter, truck; ~ *tegen* exchange [it] for; ~ *voor* exchange for, barter for, truck for; II *va* & *vi* exchange; *ik zou niet met hem willen* ~ I wouldn't be in his shoes; *zullen we van plaats* ~? shall we (ex)change places?
ruilhandel [-hɑndəl] *m* barter.
ruiling ['rœylɪŋ] *v* exchange, barter.
ruilmiddel ['rœylmɪdəl] *o* medium of exchange.
ruilobject, ~objekt [-ɔpjɛkt] *o* object in exchange.
ruilverkaveling [-vərka.vəlɪŋ] *v* re-allotment.
ruilverkeer [-vərke:r] *o* exchange.
ruilwaarde [-va:rdə] *v* exchange value.
1 ruim [rœym] I *aj* large, wide, spacious, roomy; ample; *zijn* ~*e blik* his breadth of outlook, *een* ~ *gebruik van iets maken* use it freely; ~*e kamer* spacious room; *in* ~*e kring* in wide circles; ~*e voorraad* ample stores; *het niet* ~ *hebben* be in straitened circumstances, not be well off; II *ad* largely, amply, plentifully; ~ *30 jaar geleden* a good thirty years ago; *hij is* ~ *30 jaar* he is past thirty; ~ *30 pagina's* well over thirty pages; ~ *40 pond* upwards of £ 40; *hij sprak* ~ *een uur* he spoke for more than an hour; ~ *meten* measure liberally; ~ *uit elkaar* well apart; ~ *voldoende* amply sufficient; ~ *voorzien van*... amply provided with...
2 ruim [rœym] *o* 1 ⚓ hold [of a ship]; 2 nave [of a church].
ruimen ['rœymə(n)] I *vt* 1 empty, evacuate; 2 clear (away) [the snow, rubble &]; *zie veld* &; II *vi* ⚓ veer aft, veer [of wind].
ruimschoots ['rœymsxo.ts] *fig* amply, largely, plentifully; ~ *de tijd hebben* have ample (plenty of) time; ~ *zeilen* ⚓ sail large.
ruimte [-tə] *v* room, space, capacity; *de* ~ ⚓

the offing; *de oneindige* ~ (infinite) space; ~ *van beweging* elbow-room; ~ *van blik* breadth of outlook; ~ *maken* make room.

ruimtecapsule [-kapsy.lə] *v* space capsule.

ruimtelijk ['rœymtələk] spatial.

ruimtemaat [-ma.t] *v* measure of capacity.

ruimteonderzoek [-òndərzu.k] *o* exploration of space, space research.

ruimteschip [-sxɪp] *o* space ship.

ruimtevaarder [-va:rdər] *m* space traveller, astronaut.

ruimtevaart [-va:rt] *v* space travel, astronautics.

ruin [rœyn] *m* ♨ gelding.

ruïne [ry.'i.nə] *v* ruins; *hij is een* ~ he is a mere wreck.

ruïneren [-i.'ne:rə(n)] I *vt* ruin; *hij is geruïneerd* ook: he is a ruined man; II *vr zich* ~ 1 (fi-nanciëel) ruin oneself, bring ruin on oneself; 2 (fysiek) make a wreck of oneself.

ruïneus [-'nø.s] ruinous.

ruisen ['rœysə(n)] *vi* rustle; murmur [of a stream].

ruising [-sɪŋ] *v* rustle; murmur [of a stream].

ruisvoorn, -voren ['rœysfo:rən] *m* 🐟 rudd.

ruit [rœyt] *v* 1 diamond; lozenge; ♦homb [in mathematics]; 2 pane [of a window]; 3 square [of draught-board]; 4 🌿 rue; zie ook: *ruitje*.

1 **ruiten** ['rœytə(n)] *vt* chequer; zie ook: *geruit*.

2 **ruiten** ['rœytə(n)] *v* ◊ diamonds; ~*zes* six of diamonds.

ruiter ['rœytər] *m* 1 rider, horseman; 2 ✕ trooper; *Spaanse (Friese)* ~*s* chevaux-de-frise.

ruiterbende [-bɛndə] *v* troop of horse.

ruiterij [rœytə'rɛi] *v* ✕ cavalry, horse.

ruiterlijk ['rœytərlək] *aj* (& *ad*) frank(ly).

ruiterpad [-pɑt] *o* bridle-path, bridle-way.

ruitersabel [-sa.bəl] *m* sabre, cavalry-sword.

ruiterstandbeeld [-stɑntbe.lt] *o* equestrian statue.

ruitesproeier ['rœytəspru.jər] *m* windscreen washer.

ruitewisser [-vɪsər] *m* (wind)screen wiper.

ruitijd ['rœytɛit] *m* moulting-time, moulting-season.

ruitje ['rœycə] *o* 1 (v. raam) pane; 2 (op goed) check.

ruitjesgoed [-cəsgu.t] *o* chequered material, check.

ruitvormig ['rœytfɔrməx] lozenge-shaped, dia-mond-shaped.

ruk [rük] *m* pull, tug, jerk, wrench.

rukken ['rükə(n)] I *vt* pull, tug, jerk, snatch; *uit de handen* ~ snatch out of a person's hands; *iets uit het verband* ~ wrest (tear) a phrase from its context; II *vi* pull, tug, jerk; *aan iets* ~ pull at it, give it a tug.

rukwind ['rükvɪnt] *m* gust of wind, squall.

rum [rüm] *m* rum.

rumboon ['rümbo.n] *v* rum bonbon.

rumoer [ry.'mu:r] *o* noise, uproar; ~ *maken (verwekken)* make a noise.

rumoeren [-'mu:rə(n)] *vi* make a noise.

rumoerig [-rəx] noisy, tumultuous, uproarious.

rumpunch ['rümpünʃ] *m* rum punch, (rum) shrub.

run [rün] *v* tan, bark.

rund [rünt] *o* cow, ox.

runderlapje ['ründərlɑpjə] *o* beefsteak.

runderpest [-pɛst] *v* cattle-plague.

runderstal [-stɑl] *m* stable (shed) for cattle.

rundvee ['rüntfe.] *o* (horned) cattle.

rundveestamboek [-stɑmbu.k] *o* herd-book.

rundvet ['rüntfɛt] *o* beef suet; (gesmolten) beef dripping.

rundvlees [-fle.s] *o* beef.

rune ['ry.nə] *v* rune, runic letter.

runenschrift ['ry.nə(n)s(x)rɪft] *o* runic writing.

runkleurig ['rünklø:rəx] tan-coloured, tan. ·

runmolen [-mo.lə(n)] *m* tan-mill.

runnen ['rünə(n)] *vi* curdle.

rups [rüps] *v* caterpillar.

rupsband ['rüpsbɑnt] *m* caterpillar; *met* ~*en* tracked [vehicles].

rupswiel [-vi.l] *o* ✕ caterpillar wheel.

Rus [rüs] *m* Russian.

Rusland ['rüslɑnt] *o* Russia.

Russin [rü'sɪn] *v* Russian lady (woman).

Russisch ['rüsi.s] I *aj* Russian; ~ *leer* Russia leather; II *o het* ~ Russian; III *v een* ~*e* a Russian woman (lady).

rust [rüst] *v* 1 rest, repose [after exertion], quiet, tranquillity [of mind], calm; 2 ♪ rest; 3 ✕ safety-notch [of a revolver]; 4 *sp* half-time, interval; ~ *en vrede* peace and quiet; ~ *geven* give a rest, rest; *zich geen ogenblik* ~ *gunnen* not give oneself a moment's rest; *geen* ~ *heb-ben vóórdat...* not be easy till...; *hij is een van die mensen die* ~ *noch duur hebben* who can-not rest for a moment; *hij moet* ~ *houden* take a rest; *hij is de eeuwige* ~ *ingegaan* he has entered into his rest; *wat* ~ *nemen* take a rest, rest oneself; *predikant in* ~*e* zie *rus-tend*; *al in diepe* ~ *zijn* be fast asleep; *iemand met* ~ *laten* leave one in peace, leave (let) one alone; *zich ter* ~*e begeven* go to rest, retire for the night; *tot* ~ *brengen* set at rest, quiet; *tot* ~ *komen* quiet down, settle down, subside; ~ *roest* rest makes rusty.

rustbank ['rüstbɑŋk] *v* rustbed [-bɛt] *o* couch.

rustdag [-dɑx] *m* day of rest, holiday.

rusteloos ['rüstəlo.s] *aj* (& *ad*) restless(ly).

rusteloosheid [rüstə'lo.shɛit] *v* restlessness.

rusten ['rüstə(n)] *vi* rest, repose; *hier rust... here lies...*; *hij ruste in vrede* may he rest in peace; *zijn as(se) ruste in vrede* peace (be) to his ashes; *wel te* ~! good night!; *ik moet wat* ~ I must take a rest; *laten* ~ let rest[2]; *de paarden laten* ~ rest one's horses; *we zullen dat punt (die zaak) maar laten* ~ drop the point, let the matter rest; *er rust geen blaam op hem* no blame attaches to him; *zijn blik* *rustte op...* his gaze rested on...; *op u rust de plicht om...* on you rests the duty to...; *de verdenking rust op hem* it is on him that suspicion rests, suspicion points to him.

rustend [-tənt] retired [official]; ~ *predikant* emeritus minister.

rusthuis ['rŭsthœys] *o* home of rest, rest home.

rustiek [rŭs'ti.k] rustic [bridge &]; rural [simplicity &].

rustig ['rŭstəx] I *aj* quiet, still, tranquil, restful, reposeful, placid, calm; II *ad* quietly, calmly.

rustigheid [-ɦɛit] *v* quietness, stillness, restfulness, tranquillity, placidity, calmness, calm.

rustigjes [-jəs] quietly, calmly.

rusting ['rŭstɪŋ] *v* ⚏ (suit of) armour.

rustkuur ['rŭstky:r] *v* rest-cure.

rustoord [-o:rt] *o* retreat.

rustplaats [-pla.ts] *v* resting-place.

rustpunt [-pŭnt] *o* rest, pause; stopping place.

ruststand [-stɑnt] *m* position of rest.

ruststoel [-stu.l] *m* rest-chair.

rustteken ['rŭste.kə(n)] *o* ♪ rest.

rusttijd [-tɛit] *m* (time of) rest, resting-time.

rustuur ['rŭsty:r] *o* hour of rest.

rustverstoorder [-fərsto:rdər] *m* disturber of the peace, peace-breaker.

rustverstoring [-sto:rɪŋ] *v* disturbance, breach of the peace.

ruw [ry:u] I *aj* 1 raw [materials, silk], rough [diamonds &], crude [oil]; 2 (grof) rough, coarse[2], crude[2], rude[2]; 3 (oneffen) rugged; ~ *ijzer* pig-iron; *in het* ~*e* in the rough, roughly; II *ad* roughly[2].

ruwaard ['ry.va:rt] *m* ⚏ regent, governor.

ruwharig ['ry:uha:rəx] shaggy, wire-haired [terrier].

ruwheid [-ɦɛit] *v* roughness, coarseness, rudeness, ruggedness, crudity.

ruzie ['ry.zi.] *v* quarrel, brawl, squabble, fray; ~ *hebben* be quarrelling, be at odds; ~ *hebben over...* quarrel about...; ~ *krijgen* quarrel, fall out (over *over*); ~ *maken* quarrel; ~ *stoken* make mischief, make trouble; ~ *zoeken* pick a quarrel.

ruziemaker [-ma.kər] *m* brawler, quarrelsome fellow.

S

s [ɛs] *v* s.

1 **saai** [sa:i] *o* & *m* serge.

2 **saai** [sa:i] I *aj* dull, slow, tedious; II *ad* tediously.

saaien ['sa.jə(n)] *aj* serge.

saaiheid ['sa:iɦɛit] *v* dullness &.

saam [sa.m] = *samen.*

saamhorigheid [sa.m'ho:rəxɦɛit] *v* solidarity, unity.

Saar(tje) ['sa.r(cə)] *v* & *o* F Sal(ly).

sabbat ['sɑbɑt] *m* Sabbath.

sabbatdag [-dɑx] *m* Sabbath-day.

sabbat(s)schender [-sxɛndər] *m* Sabbath-breaker.

sabbat(s)stilte [-stɪltə] *v* silence of the Sabbath.

sabbelen ['sɑbələ(n)] *vi* drivel, slaver; ~ (*aan*) suck (at).

1 **sabel** ['sa.bəl] *o* sable.

2 **sabel** ['sa.bəl] *m* ✕ sabre, sword.

sabelbajonet [-ba.jo.nɛt] *v* ✕ sword-bayonet.

sabelbont [-bɔnt] *o* sable (fur).

sabeldier [-di:r] *o* sable.

sabelgekletter [-gəklɛtər] *o* sabre-rattling[2].

sabelhouw [-hou] *m* 1 sabre-thrust, cut (stroke) with a sabre; 2 sabre-cut [wound].

sabelkling [-klɪŋ] *v* blade of a sword.

sabelkoppel [-kɔpəl] *m* & *v* ✕ sword-belt.

sabelkwast [-kʋɑst] *m* ✕ sword-knot.

sabelschede [-sxe.də] *v* ✕ scabbard.

sabelschermen [-sxɛrmə(n)] *o* ✕ sword exercise.

sabeltas [-tɑs] *v* ✕ sabretache. [cise.

Sabijnen [sa.'bɛinə(n)] *mv* Sabines.

Sabijns [-'bɛins] Sabine; *de* ~*e maagdenroof* the rape of the Sabine women.

sabotage [sa.bo.'ta.ʒə] *v* sabotage.

saboteren [-'te:rə(n)] *vt* sabotage.

saboteur [-'tø:r] *m* saboteur.

sacharine [sɑgɑ'ri.nə] *v* saccharin.

sacrament [sa.kra.'mɛnt] *o* sacrament; *de laatste* ~*en toedienen RK* administer the last sacraments.

sacramenteel [-mɛn'te.l] sacramental.

Sacramentsdag [-'mɛntsdɑx] *m* Corpus Christi.

sacristein [sa.krɪs'tɛin] *m* sacristan, sexton, vesturer.

sacristie [sa.krɪs'ti.] *v* sacristy, vestry.

sadisme [sa.'dɪsmə] *o* sadism.

sadist [-'dɪst] *m* sadist.

sadistisch [-'dɪsti.s] sadistic.

safeloket ['se.flo.kɛt] *o* safe-deposit box.

saffiaan [sɑfi.'a.n] *o* zie *marokijn.*

saffier [sɑ'fi:r] *m* & *o* saffieren [-'fi:rə(n)] *aj* sapphire.

saffraan [sɑ'fra.n] *m* saffron.

saffraangeel [-ge.l] *o* saffron.

saga ['sɑgɑ] *v* [Icelandic &] saga.

sagaai [sɑ'ga:i] = *assagaai.*

sage ['sa.gə] *v* legend, tradition, myth.

sago ['sa.go.] *m* sago.

sagomeel [-me.l] *o* sago-flour, sago-meal.

sagopalm [-pɑlm] *m* ♣ sago-palm.

Sahara [sa.'ha:ra.] *v* Sahara.

saillant [sɑ'jɑnt] I *aj* salient[2]; II *m* & *o* ✕ salient.

sajet [sa.'jɛt] *m* sajetten [-jɛtə(n)] *aj* worsted.

sakkerloot [sɑkər'lo.t] zie *sapperloot.*

sakr- zie *sacr-.*

Saks [sɑks] *m* Saxon.

Saksen ['sɑksə(n)] *o* Saxony.

Saksen-Coburg [sɑksə(n)'ko.bŭrx] *o* Saxe-Coburg.

Saksisch ['sɑksi.s] Saxon; ~ *porselein* Dresden china.

salade [sa.'la.də] = *sla*.
salamander [sa.la.'mandər] *m* salamander.
salariëren [sa.la:ri.'e:rə(n)] *vt* salary, pay.
salaris [sa.'la:rəs] *o* salary, pay.
salarisregeling [-re.gəlɪŋ] *v* scale of salary (pay).
salarisverhoging [-fərho.gɪŋ] *v* rise, salary increase.
salarisverlaging [-fərla.gɪŋ] *v* cut, salary reduction.
salderen [sal'de:rə(n)] *vt* $ balance.
saldo ['saldo.] *o* $ balance; *batig* ~ credit balance, surplus, balance in hand, balance in one's favour; *nadelig* ~ deficit; ~ *in kas* balance in hand; *per* ~ $ on balance.
saletjonker [sa.'letjòŋkər] *m* beau, fop, carpet-knight.
salicielzuur zie *salicylzuur*.
salicylzuur [sa.li.'si.lzy:r] *o* salicylic acid.
salie ['sa.li.] *v* ⚘ sage.
Saliër ['sa.li.ər] *m* Salian.
Salisch ['sa.li.s] Salic.
salmiak [salmi.'ak] *m* sal-ammoniac.
Salomo(n) ['sa.lo.mo., -mòn] *m* Solomon.
salon [sa.'lòn] *m* & *o* 1 drawing-room; 2 [hairdresser's] saloon.
salonameublement [-a.mø.bləmɛntʲ] *o* drawing-room furniture.
salonboot [-bo.t] *m* & *v* saloon-steamer.
salonheld [-hɛlt] *m* zie *saletjonker*.
salonwagen [-va.gə(n)] *m* saloon-car.
salpeter [sal'pe.tər] *m* & *o* saltpetre, nitre.
salpeter(acht)ig [-(axt)əx] nitrous.
salpeterzuur [-zy:r] *o* nitric acid.
salto-mortale [salto.mɔr'ta.lə] *m* somersault.
salueren [sa.ly.'e:rə(n)] *vi* & *vt* salute.
saluut [sa.'ly.t] *o* ⚔ salute; greeting; ~*!* goodbye!; *het* ~ *geven* 1 ⚔ give the salute, salute; 2 ⚔ fire a salute.
saluutschot [-sxɔt] *o* salute; *er werden* 21 ~*en gelost* a salute of 21 guns was fired.
salvo ['salvo.] *o* ⚔ volley, round, salvo.
salvovuur [-vy:r] *o* ⚔ volley-firing.
Samaritaan [sa.ma:ri.'ta.n] *m* Samaritan; *de barmhartige* ~ the Good Samaritan.
Samaritaans [-'ta.ns] *aj* Samaritan.
samen ['sa.mə(n)] together.
samenbinden [-bɪndə(n)] *vt* bind together.
samenbrengen [-brɛŋə(n)] *vt* bring together.
samendoen [-du.n] I *vt* put together; II *vi* be partners, act in common, go shares.
samendrukbaar [sa.mə(n)'drŭkba:r] compressible.
samendrukbaarheid [-hɛit] *v* compressibility.
samendrukken ['sa.mə(n)drŭkə(n)] *vt* press together, compress.
samenflansen [-flanzə(n)] *vt* knock (patch) together, patch up.
samengaan [-ga.n] *vi* go together[2], *fig* agree; ~ *met* go with[2].
samengesteld [-gəstɛlt] compound [leaf, interest &]; complex [sentence].
samengesteldheid [sa.mə(n)gə'stɛlthɛit] *v* complexity.

samengroeien ['sa.mə(n)gru.jə(n)] *vi* grow together.
samengroeiing [-jɪŋ] *v* growing together.
samenhang ['sa.mə(n)haŋ] *m* 1 (in 't alg.) coherence, cohesion, connection; 2 (v. zin) context.
samenhangen [-haŋə(n)] *vi* cohere, be connected; *dat hangt samen met* that is connected with.
samenhangend [-haŋənt] coherent [discourse &]; connected [text, whole &].
samenhokken [-hɔkə(n)] *vi* F pig it.
samenhopen [-ho.pə(n)] *vt* accumulate, heap up, pile up.
samenhoping [-ho.pɪŋ] *v* accumulation.
samenhorigheid [sa.mə(n)'ho:rəxhɛit] = *saamhorigheid*.
samenklank ['sa.mə(n)klaŋk] *m* concord.
samenklinken [-klɪŋkə(n)] I *vi* ♪ chime together, harmonize; II *vt* ⚒ rivet together.
samenknopen [-kno.pə(n)] *vt* tie together.
samenkomen [-ko.mə(n)] *vi* 1 come together, meet, assemble, gather, ☉ forgather [of persons]; 2 come together, meet [of lines].
samenkomst [-kòmst] *v* meeting.
samenkoppelen [-kəpələ(n)] *vt* couple.
samenleving [-le.vɪŋ] *v* society.
samenlijmen [-lɛimə(n)] *vt* glue together.
samenloop [-lo.p] *m* concourse [of people], confluence [of rivers], concurrence; ~ *van omstandigheden* coincidence, conjunction of circumstances.
samenlopen [-lo.pə(n)] *vi* meet, converge [of lines]; concur [of events].
samenpakken [-pakə(n)] I *vt* pack up (together); II *vr zich* ~ gather [of a storm].
samenpersen [-pɛrsə(n)] *vt* press together, compress.
samenpersing [-pɛrsɪŋ] *v* compression.
samenplakken [-plakə(n)] I *vt* paste together; II *vi* stick.
samenraapsel [-ra.psəl] *o* hotchpotch; ~ *van leugens* pack of lies.
samenroepen [-ru.pə(n)] *vt* call together, convoke, convene [a meeting].
samenroeping [-ru.pɪŋ] *v* convocation.
samenrollen [-rələ(n)] *vt* roll up.
samenscholen [-sxo.lə(n)] *vi* assemble, gather.
samenscholing [-sxo.lɪŋ] *v* (riotous, unlawful) assembly, gathering.
samenschrapen [-s(x)ra.pə(n)] *vt* scrape together.
samensmelten [-smɛltə(n)] *vt* & *vi* melt together; *fig* amalgamate.
samensmelting [-smɛltɪŋ] *v* melting together; *fig* amalgamation.
samenspannen [-spanə(n)] *vi* conspire, plot.
samenspanning [-spanɪŋ] *v* conspiracy, plot.
samenspel [-spɛl] *o* 1 ♪ ensemble playing; 2 ensemble acting; 3 *sp* team-work.
samenspraak [-spra.k] *v* conversation, dialogue

samenspreking [-spre.kɪŋ] *v* conference, conversation.

samenstel [-stɛl] *o* structure, system, fabric [logical &].

samenstellen [-stɛlə(n)] *vt* compose, compile, make up; ∼d component [parts].

samensteller [-lər] *m* compiler.

samenstelling [-lɪŋ] *v* composition [of forces]; *gram* compound word, compound.

samenstemmen ['sa.mə(n)stɛmə(n)] *vt* harmonize, chime together; ∼ met agree with.

samenstemming [-stɛmɪŋ] *v* harmony.

samenstromen [-stro.mə(n)] *vi* flow together; *fig* flock together [of people].

samenstroming [-stro.mɪŋ] *v* I confluence; 2 *fig* concourse [of people].

samentrekken [-trɛkə(n)] I *vt* contract [one's brow]; ⚔ concentrate [troops]; II *vr zich* ∼ contract; ⚔ concentrate; gather [of a storm]; III *vi* contract.

samentrekkend [-kənt] astringent, constringent.

samentrekking [-kɪŋ] *v* contraction; ⚔ concentration [of troops].

samentrekkingsteken [-kɪŋste.kə(n)] *o* circumflex.

samenvallen ['sa.mə(n)valə(n)] I *vi* coincide [of events, dates, triangles]; II *o het* ∼ the coincidence.

samenvatten [-vatə(n)] *vt* take together; *fig* sum up.

samenvatting [-vatɪŋ] *v* résumé, précis, summing up.

samenvloeien [-vlu.jə(n)] *vi* flow together.

samenvloeiing [-vlu.jɪŋ] *v* confluence.

samenvoegen [-vu.gə(n)] *vt* join, unite.

samenvoeging [-vu.gɪŋ] *v* junction.

samenvouwen [-vouə(n)] *vt* fold up [a newspaper], fold [one's hands].

samenweefsel [-ve.fsəl] *o* contexture, texture, web, tissue; *fig* tissue [of lies].

samenwerken [-vɛrkə(n)] *vi* act together, work together, co-operate.

samenwerking [-vɛrkɪŋ] *v* I co-operation; 2 concerted action; *in* ∼ *met* in co-operation with.

samenwonen [-vo.nə(n)] *vi* live together; (wegens woningschaarste) share a house.

samenwoning [-vo.nɪŋ] *v* living together; (wegens woningschaarste) shared accommodation.

samenzijn [-zɛin] *o* gathering.

samenzweerder [-zve:rdər] *m* conspirator, plotter.

samenzweren [-zve:rə(n)] *vi* conspire, plot.

samenzwering [-rɪŋ] *v* conspiracy; *een* ∼ *smeden* lay a plot.

Samojeed [sa.mo.'je.t] *m* Samoyed.

Samuel ['sa.my.ɛl] *m* Samuel, F Sam.

sanatorium [sa.na.'to:ri.ũm] *o* sanatorium, health-resort.

sanctie [saŋksi.] *v* sanction.

sanctioneren [saŋksi.o.'ne:rə(n)] *vt* sanction.

sandaal [san'da.l] *v* sandal.

sandelhout ['sandəlhout] *o* sandalwood.

Sander ['sandər] *m* F Sandy.

saneren [sa.'ne:rə(n)] *vt* reorganize [the finances].

sanering [-rɪŋ] *v* reorganization.

sanguinisch [saŋ'gvi.ni.s] sanguine.

sanhedrin ['sanhe.drɪn] *o* sanhedrim, sanhedrin.

sanitair [sa.ni.'tɛ:r] I *aj* sanitary; II *o* sanitary fittings, sanitation, plumbing.

Sanskriet ['sanskri.t] *o* Sanskrit.

santé, santjes [sã'te., 'sancəs] F your health!

sap [sap] *o* sap [of plants]; juice [of fruit].

sappe ['sapə] *v* ⚒ sap.

sapperen [sa'pe:rə(n)] *vt* ⚒ sap.

sapperloot! [sapər'lo.t] *ij* F the deuce!, by Jove!

sappeur [sa'pø:r] *m* ⚒ sapper.

sappig ['sapəx] sappy; juicy, succulent [fruit].

sappigheid [-hɛit] *v* juiciness, succulence.

saprijk ['sapreik] zie *sappig*.

Sara ['sa:ra.] *v* Sarah.

Saraceen [sa:ra.'se.n] *m* **Saraceens** [sa:ra.'se.ns] *aj* Saracen.

sarcasme [sar'kasmə] *o* sarcasm.

sarcastisch [-ti.s] *aj* (& *ad*) sarcastic(ally).

sarcofaag [sarko.'fa.x] *m* sarcophagus [*mv* sarcophagi].

sardientje [sar'di.ncə] *o* zie *sardine*.

sardine [-'di.nə] *v* 🐟 sardine.

Sardinië [sar'di.ni.ə] *o* Sardinia.

Sardiniër [-ni.ər] *m* **Sardinisch** [-ni.s] *aj* Sardinian.

sardonisch [sar'do.ni.s] I *aj* sardonic; II *ad* sardonically.

sark- zie *sarc-*.

sarong ['sa:rɔŋ] *m* Ind sarong.

sarren ['sarə(n)] *vt* tease, nag, bait.

satan ['sa.tɑn] *m* satan, devil.

satanisch [sa.'ta.ni.s] I *aj* satanic; II *ad* satanically.

satans ['sa.tɑns] *aj* (& *ad*) satanic(ally).

satanskind [-kɪnt] *o* imp, little devil.

satelliet [sa.tɛ'li.t] *m* satellite[2].

satellietstaat [-sta.t] *m* satellite country.

sater ['sa.tər] *m* satyr.

satijn [sa.'tɛin] *o* satin.

satijnachtig [-ɑxtəx] satiny.

satijnen [sa.'tɛinə(n)] *aj* satin.

satijnhout [sa.'tɛinhout] *o* satinwood.

satineren [sa.ti.'ne:rə(n)] *vt* satin, glaze; *gesatineerd papier* glazed paper.

satinet [-'nɛt] *o* & *m* satinet(te), sateen.

satire [sa.'ti:rə] *v* satire.

satiricus [-'ti:ri.kŭs] *m* satirist.

satiriek [-ti:'ri.k] **satirisch** [-'ti:ri.s] *aj* (& *ad*) satirical(ly).

satraap [sa.'tra.p] *m* satrap.

saturnaliën [sa.tŭr'na.li.ə(n)] *mv* saturnalia.

Saturnus [sa.'tŭrnŭs] *m* Saturn.

saucijs [so.'sεis] *v* sausage.
saucijzebroodje [-'sεizǝbro.cǝ] *o* sausage-roll.
Saul, Saulus [sɔul, 'soulũs] *m* Saul.
sauna ['sɔuna.] *v* sauna.
saus [sɔus] *v* 1 (als toespijs) sauce²; 2 (voor tabak) flavouring; 3 (voor muren &) distemper; 4 F (regen) rain.
sausen ['sɔusǝ(n)] I *vt* flavour (tobacco); distemper [ceilings]; sauce² [food, a person &]; II *vt* F rain.
sauskom ['sɔuskòm] *v* sauce-boat.
sauslepel [-le.pǝl] *m* sauce-ladle.
sauzen ['sɔuzǝ(n)] = *sausen*.
savanne [sa.'vanǝ] *v* savanna(h).
savooi(e)kool [sa.'vo.jǝko.l] *v* ♣ savoy (cabbage).
Savoyard [sa.vo.'ja:rt] *m* Savoyard.
Savoye [sa.'vo.jǝ] *o* Savoy.
sawa ['sa.va.] *m Ind* paddy-field, rice-field.
saxofonist [sakso.fo.'nɪst] *m* ♪ saxophonist.
saxofoon [-'fo.n] *v* ♪ saxophone.
scalp [skɑlp] *m* scalp.
scalpeermes [skɑl'pe:rmεs] *o* scalping knife.
scalperen [-'pe:rǝ(n)] *vt* scalp.
scanderen [skɑn'de:rǝ(n)] *vt* scan [verses].
Scandinavië [skɑndi.'na.vi.ǝ] *o* Scandinavia.
Scandinaviër [-vi.ǝr] *m* Scandinavian.
Scandinavisch [-vi.s] Scandinavian.
scansie ['skɑnzi.] *v* scansion.
scapulier [ska.py.'li:r] *o* & *m RK* scapulary, scapular.
scenario [se.'na:ri.o.] *o* scenario; (inz. v. film) script.
scenarioschrijver -s(x)rεivǝr] *m* scenarist, scenario writer; (inz. v. film) script-writer.
scène ['se:nǝ] *v* 1 scene; 2 (unpleasant) scene.
scepter ['sεptǝr] *m* sceptre; de ~ zwaaien wield (sway) the sceptre, bear (hold) sway.
scepticisme [s(k)εpti.'sɪsmǝ] *o* scepticism.
scepticus ['s(k)εpti.kũs] *m* sceptic.
sceptisch [-ti.s] *aj* (& *ad*) sceptical(ly).
scha [sxa.] = *schade*.
schaaf [sxa.f] *v* plane.
schaafbank ['sxa.fbɑŋk] *v* joiner's (carpenter's) bench.
schaafbeitel [-bɛitǝl] *m* **schaafmes** [-mεs] *o* plane-iron.
schaafsel [-sǝl] *o* shavings.
schaafwond(e) [-vònt, -vòndǝ] *v* gall.
schaak [sxa.k] *o* check; ~ spelen play (at) chess; ~ staan (zijn) be in check.
schaakbord ['sxa.kbɔrt] *o* chess-board.
schaakclub ['sxa.klũp] *v* chess-club.
schaakkampioen [-kɑmpi.u.n] *m* chess-champion.
schaakkampioenschap [-sxɑp] *o* chess-championship.
schaakklok ['sxa.klòk] *v* chess-clock.
schaakklub zie *schaakclub*.
schaakmat [sxa.k'mɑt] checkmate; hij werd ~ gezet 1 *sp* he was mated; 2 *fig* he was checkmated.

schaakmeester ['sxa.kme.stǝr] *m* chess master, master of chess.
schaakpartij [-pɑrtεi] *v* game of chess.
schaakspel [-spεl] *o* 1 (game of) chess; 2 set of chess-men.
schaakspeler [-spe.lǝr] *m* chess-player.
schaakstuk [-stũk] *o* chess-man, piece.
schaakto(e)rnooi [-tu.rno:i, -tǝrno:i] *o* chess-tournament.
schaakwedstrijd [-vεtstrεit] *m* chess-match.
schaal [sxa.l] *v* 1 (v. schaaldier) shell; 2 (dop) shell [in one piece], valve [as half of a shell]; 3 (schotel) dish, bowl; 4 (om rond te gaan) plate [at church]; 5 (v. weegschaal) scale; 6 (weegschaal) (pair of) scales; 7 (verhouding) scale; 8 *fig* scale; dat doet de ~ overslaan that's what turns the scale; met de ~ rondgaan make a plate-collection; op ~ tekenen draw to scale; op grote (kleine) ~ on a large (small) scale; zie ook: gewicht & zwoard.
schaalcollecte ['sxa.lkɔlεktǝ] *v* plate-collection.
schaaldeel [-de.l] *o* slab [of timber].
schaaldier [-di:r] *o* crustacean.
schaalkollekte zie *schaalcollecte*.
schaaltje [-cǝ] *o* (small) dish.
schaalverdeling [-vǝrde.lɪŋ] *v* graduation-scale.
schaamachtig ['sxa.mɑxtǝx] shamefaced, bashful, coy.
schaamachtigheid [-hεit] *v* bashfulness, coyness, shame.
schaamrood ['sxa.mro.t] I *aj* blushing with shame; zij werd ~ she blushed with shame; II *o* blush of shame; haar het ~ op de kaken jagen bring a blush to her cheeks.
schaamte [-tǝ] *v* shame; alle ~ afgelegd hebben be lost to all sense of shame.
schaamtegevoel [-gǝvu.l] *o* sense of shame; geen ~ hebben be lost to all sense of shame.
schaamteloos [-lo.s] I *aj* shameless, barefaced, impudent, brazen, unblushing; II *ad* shamelessly, impudently, brazenly.
schaamteloosheid [sxa.mtǝ'lo.shεit] *v* shamelessness, impudence, brazenness.
schaap [sxa.p] *o* sheep²; verdoold ~ lost sheep²; de schapen van de bokken scheiden separate the sheep and the goats; er gaan veel makke schapen in één hok heart-room makes house-room; als er één ~ over de dam is volgen er meer one sheep follows another.
schaapachtig ['sxa.pɑxtǝx] I *aj* sheep-like, sheepish²; II *ad* sheepishly².
schaapachtigheid [-hεit] *v* sheepishness².
schaapherder ['sxa.phεrdǝr] *m* shepherd.
schaapherderin [sxa.phεrdǝ'rɪn] *v* shepherdess.
schaapje ['sxa.pjǝ] *o* (little) sheep; zijn ~s op het droge hebben be a made man.
schaapjeshemel [-jǝshe.mǝl] *m* fleecy sky.
schaapskooi ['sxa.psko:i] *v* sheep-fold.
schaapskop [-kɔp] *m* sheep's head; *fig* blockhead.

schaapsle(d)er [-le:.r, -le.dər] = *schapele(d)er*.
schaapsvacht [-faxt] = *schapevacht*.
1 schaar [sxa:r] *v* 1 (om te knippen) scissors, pair of scissors; 2 (om te snoeien) shears, pair of shears; 3 (v. ploeg) share; 4 pincer, nipper, claw [of a lobster].
2 schaar [sxa:r] *v* (menigte) = *schare*.
3 schaar [sxa:r] *v* (kerf) = *schaard(e)*.
schaard(e) [sxa:rt, 'sxa:rdə] *v* notch [in a saw, a knife &].
schaars [sxa:rs] I *aj* scarce, scanty; II *ad* 1 scarcely, scantily; 2 seldom.
schaarsheid ['sxa:rsheit] *v* scarcity, scantiness, dearth.
schaarste [-tə] *v* scarcity [of teachers &], dearth [of money &], shortage, famine [in glass].
schaats [sxa.ts] *v* skate.
schaatsen ['sxa.tsə(n)] *vi* skate.
schaatsenrijden ['sxa.tsə(n)rei(d)ə(n)] I *vi* skate; II *o* skating.
schaatsenrijder [-(d)ər] *m* ~ster [-stər] *v* skater.
schablone, schabloon zie *sjablone, sjabloon.*
schacht [sxaxt] *v* shank [of an anchor]; leg [of a boot]; stem [of an arrow]; quill [of a feather]; shaft [of a mine, an oar].
schade ['sxa.də] *v* damage, harm; detriment; *materiële* ~ material damage; ~ *aanrichten (doen)* cause (do) damage, do harm; ~ *lijden* sustain damage, be damaged; suffer a loss, lose; ~ *toebrengen* do damage to, inflict damage on; zie ook: *verhalen*; *door* ~ *en schande wordt men wijs* live and learn; *tot* ~ *van zijn gezondheid* to the detriment (to the prejudice) of his health.
schadelijk [-lək] harmful, hurtful, injurious, detrimental, noxious; (onvoordelig) unprofitable.
schadelijkheid [-heit] *v* harmfulness &.
schadeloos ['sxa.dəlo.s] in: *iemand* ~ *stellen* indemnify (compensate) a person; *zich* ~ *stellen* indemnify (recoup) oneself.
schadeloosstelling [-lo.stɛlɪŋ] *v* indemnification, compensation.
schaden ['sxa.də(n)] I *vt* damage, hurt, harm; II *va* do harm, be harmful.
schadepost ['sxa.dəpɔst] *m* $ loss.
schadevergoeding [-vərgu.dɪŋ] *v* indemnification, compensation; ~ *eisen (van iemand)* claim damages (from one), 🕮 sue (one) for damages.
schadeverhaal [-vərha.l] *o* $ redress.
schadevordering [-vɔrdərɪŋ] *v* $ claim (for damages).
schaduw ['sxa.dy:u] *v* 1 (zonder bepaalde omtrek) shade; 2 (met bepaalde omtrek) shadow [of a man &]; *een* ~ *van wat hij geweest was* the shadow of his former self; *de* ~ *des doods* the shadow of death; *iemand als zijn* ~ *volgen* follow a man like his shadow; *een* ~ *werpen op* cast (throw) a shadow on; *fig* cast a shadow (a gloom) over;

in de ~ *lopen* walk in the shade; *je kunt niet in zijn* ~ *staan* you are not fit to hold a candle to him; *in de* ~ *stellen* put in (throw into) the shade, eclipse.
schaduwbeeld [-be.lt] *o* silhouette.
schaduwboom [-bo.m] *m* shade-tree.
schaduwen ['sxa.dy.və(n)] *vt* shade; *fig* shadow [a criminal].
schaduwkant [-dy:ukant] *m* shady side [of the road].
schaduwrijk [-reik] shady, shadowy.
schaduwzijde [-zeidə] *v* shady side; *fig* drawback.
schaffen ['sxafə(n)] *vt* give, procure; *is hier niets te* ~? F no grub here?
schaft [sxaft] *v* zie *schacht* ‖ zie *schafttijd.*
schaften ['sxaftə(n)] *vi* eat; *de werklui zijn gaan* ~ have gone (home) for their meal.
schaftlokaal ['sxaftlo.ka.l] *o* canteen.
schafttijd ['sxafteit] *m* ~uur [-y:r] *o* meal-time.
schakel ['sxa.kəl] *m* & *v* link²; *de ontbrekende* ~ the missing link.
schakelaar ['sxa.kəla:r] *m* 🔌 switch.
schakelarmband ['sxa.kəlarmbant] *m* link-bracelet.
schakelbord [-bɔrt] *o* 🔌 switch-board.
schakelen ['sxa.kələ(n)] *vt* link; 🔌 connect, switch.
schakeling [-lɪŋ] *v* linking; 🔌 connection.
schakelnet ['sxa.kəlnɛt] *o* trammel(-net).
1 schaken ['sxa.kə(n)] *vi sp* play (at) chess.
2 schaken ['sxa.kə(n)] *vt* run away with, abduct [a girl].
schaker [-kər] *m* (vrouwenrover) abductor ‖ (schaakspeler) chess-player.
schakeren [sxa.'ke:rə(n)] *vt* variegate, chequer.
schakering [-rɪŋ] *v* variegation, nuance, shade.
schaking ['sxa.kɪŋ] *v* elopement, abduction.
schalk [sxalk] *m* wag, rogue.
schalkachtig ['sxalkaxtəx] zie *schalks.*
schalks [sxalks] *aj* (& *ad*) arch(ly), roguish(ly), waggish(ly).
schalksheid ['sxalksheit] *v* archness, roguishness &.
schallen ['sxalə(n)] *vi* sound, resound; *laten* ~ sound [the horn].
schalm [sxalm] *m* link.
schalmei [sxal'mei] *v* ♪ shawm, reed-pipe.
schamel ['sxa.məl] I *aj* poor, humble; II *ad* poorly, humbly.
schamelheid [-heit] *v* poverty, humbleness.
schamen ['sxa.mə(n)] *zich* ~ be (feel) ashamed, feel shame; *zich dood* ~, *zich de ogen uit het hoofd* ~ not know where to hide for shame; *schaam u wat!* for shame!; *je moest je* ~ you ought to be ashamed of yourself; *zich* ~ *over* be ashamed of; *zich* ~ *voor iemand* 1 be ashamed for a person; 2 be ashamed in the presence of a person.
schampen ['sxampə(n)] *vt* graze.
schamper [-pər] *aj* (& *ad*) scornful(ly), sarcastic(ally).

schamperheid [-hɛit] *v* scorn, sarcasm.

schampschot ['sxɑmpsxɔt] *o* grazing shot, graze.

schandaal [sxɑn'da.l] *o* scandal, shame, disgrace.

schandalig [-'da.ləx] **I** *aj* disgraceful, scandalous, shameful; ∼, *zeg!* for shame!, shame!; **II** *ad* scandalously; disgracefully, shamefully; < shockingly [bad, dear].

schandaliseren, schandalizeren [sxɑnda.li.'ze:-rə(n)] *vt* scandalize.

schanddaad ['sxɑnda.t] *v* infamous deed, infamy, outrage.

schande ['sxɑndə] *v* ı shame, disgrace, infamy, ignominy; 2 scandal; *het is (bepaald)* ∼ *!* it is a (downright) shame; ∼ *aandoen* bring shame upon, disgrace; *er* ∼ *over roepen* cry shame upon it; *met* ∼ *overladen* utterly disgraced; *te* ∼ *maken* ı disgrace [a person]; 2 zie *logenstraffen*; *het zal u tot* ∼ *strekken* it will be a disgrace to you; *tot mijn* ∼... to my shame [I must confess].

schandelijk [-lək] **I** *aj* shameful, disgraceful, infamous, outrageous, ignominious; **II** *ad* shamefully &, < scandalously, disgracefully, infamously, outrageously.

schandelijkheid [-hɛit] *v* shamefulness, ignominy, infamy.

schandpaal ['sxɑntpa.l] *m* pillory.

schandvlek [-flɛk] *v* stain, blemish, stigma; *de* ∼ *der familie* the disgrace of the family.

schandvlekken [-flɛkə(n)] *vt* disgrace, dishonour.

schans [sxɑns] *v* ✕ entrenchment, field-work, redoubt.

schansgraver ['sxɑnsgra.vər] *m* ✕ sapper.

schanskorf [-kɔrf] *m* ✕ gabion.

schapebout ['sxa.pəbəut] *m* leg of mutton.

schapehok [-hɔk] *o* sheep-fold, (sheep-)pen.

schapekaas [-ka.s] *m* sheep-cheese.

schapekop [-kɔp] *m* sheep's head; *fig* blockhead.

schapele(d)er [-le:r, -le.dər] *o* sheepskin.

schapemelk [-mɛlk] *v* sheep's milk.

schapenfokker ['sxa.pə(n)fɔkər] *m* sheep-farmer.

schapenfokkerij [sxa.pə(n)fɔkə'rɛi] *v* ı sheep-farming; 2 sheep-farm.

schapenscheerder ['sxa.pə(n)sxe:rdər] *m* sheep-shearer, clipper.

schaper ['sxa.pər] = *scheper*.

schapestal ['sxa.pəstal] *m* sheep-fold.

schapevacht [-vɑxt] *v* fleece.

schapevel [-vɛl] *o* sheepskin.

schapevet [-vɛt] *o* mutton fat.

schapevlees [-vle.s] *o* mutton.

schapewei(de) [-vɛi(də)] *v* sheep-walk.

schapewol [-vɔl] *v* sheep's wool.

schapewolkjes [-vɔlkjɔs] *mv* fleecy clouds.

schappelijk ['sxapələk] **I** *aj* fair, tolerable, moderate, reasonable [prices &]; decent [fellow]; **II** *ad* fairly, tolerably, moderately, reasonably; decently.

schappelijkheid [-hɛit] *v* fairness, tolerableness &.

schapulier [sxa.py.'li:r] = *scapulier*.

schar [sxɑr] *v* 🐟 dab.

○ **schare** ['sxa:rə] *v* crowd, multitude.

scharen ['sxa:rə(n)] **I** *vt* range, draw up; **II** *vr* *zich* ∼ range oneself; *zich* ∼ *aan de zijde van...* range oneself on the side of, range oneself with...; *zich om de haard* ∼ draw round the hearth; *zich om de leider* ∼ rally round the chief; *zich onder de banieren* ∼ *van* range oneself under the banners of...

scharenslijper [-slɛipər] *m* scissors-grinder.

scharlaken [sxɑr'la.kə(n)] **I** *aj* scarlet; **II** *o* scarlet.

scharlakenrood [-ro.t] scarlet.

scharlakens [sxɑr'la.kəns] *aj* scarlet.

scharminkel [sxɑr'mɪŋkəl] *o* & *m* F scrag, skeleton.

scharnier [sxɑr'ni:r] *o* hinge.

scharniergewricht [-gəvrɪxt] *o* hinge-joint.

scharrelaar [-la:r] *m* F ı potterer [on skates &]; bungler; 2 $ petty dealer.

scharrelen [-lə(n)] *vi* scrape, rout [among debris &]; potter about [on skates]; bungle; fumble [at a thing]; *bij elkaar* ∼ get together; *er door* ∼ muddle through; ∼ *in* rummage in [a drawer &]; *fig* deal in [second-hand books &].

schat [sxɑt] *m* treasure; *mijn* ∼ *!* my darling!; *een* ∼ *van kennis* a wealth of information.

schatbaar ['sxɑtba:r] taxable, rat(e)able.

schateren ['sxa.tərə(n)] *vi* in: ∼ *van lachen* roar with laughter.

schaterlach ['sxa.tərlɑx] *m* loud laugh, burst of laughter.

schaterlachen [-lɑgə(n)] *vt* roar with laughter.

schatgraver ['sxɑtgra.vər] *m* treasure-seeker.

schatkamer [-ka.mər] *v* treasure-chamber, treasury; *fig* treasure-house, storehouse.

schatkist [-kɪst] *v* (public) treasury, exchequer.

schatkistbiljet [-bɪljɛt] *o* exchequer bill.

schatkistpromesse [-pro.mesə] *v* treasury bond.

schatplichtig [sxɑt'plɪxtəx] tributary.

schatrijk ['sxɑtrɛik] very rich, wealthy.

schattebout ['sxɑtəbəut] *m* F tootsy-wootsy.

schatten ['sxɑtə(n)] *vt* appraise, assess, value [for taxing purposes]; estimate, value; gauge [distances]; *hoe oud schat je hem?* how old do you take him to be?; *op hoeveel schat u het?* what is your valuation?; *ik schat het geheel op een miljoen* I value (estimate) the whole at a million; *(naar waarde)* ∼ appreciate; *hij schat het niet naar waarde* he does not estimate it at its true value; *te hoog* ∼ overestimate, overvalue; *te laag* ∼ underestimate, undervalue.

schatter [-tər] *m* appraiser, valuer [of furniture &]; assessor (of taxes).

schattig [-təx] F sweet.

schatting [-tɪŋ] *v* ı valuation, estimate, estimation; 2 (cijns) tribute, contribution; *naar* ~ at a rough estimation.

schaven ['sxa.və(n)] *vt* plane [a plank]; *zijn knie* ~ graze one's knee; *zijn vel* ~ abrade (graze) one's skin.

schavot [sxa.'vɔt] *o* scaffold.

schavuit [-'vœyt] *m* rascal, rogue, knave.

schavuitenstuk [-'vœytə(n)stŭk] *o* roguish trick.

schede ['sxe.də] *v* sheath, scabbard [of a sword]; ♣ sheath; *in de* ~ *steken* sheathe [the sword]; *uit de* ~ *trekken* unsheathe.

schedel ['sxe.dəl] *m* skull, cranium, brain-pan; *hij heeft een harde* ~ he is thick-skulled.

schedelbasisfractuur, -fraktuur [-ba.zəsfrak-ty:r] *v* fractured skull.

schedelboor [-bo:r] *v* trepan.

schedelholte [-hɔltə] *v* cranial cavity.

schedelleer ['sxe.dəle:r] *v* phrenology, craniology.

schee [sxe.] = *schede*.

scheef [sxe.f] **I** *aj* on one side; oblique [angle]; slanting, sloping [mast]; wry [neck, face]; *hij is wat* ~ *(gebouwd)* he is a little on one side; *scheve positie* false position; *de scheve toren te Pisa* the leaning tower of Pisa; *scheve verhouding* false position; *scheve voorstelling* misrepresentation; **II** *ad* obliquely &; awry, askew; *iets* ~ *houden* slant it; *zijn hoofd* ~ *houden* hold the head sidewise; *zijn schoenen* ~ *lopen* wear one's boots on one side; *de zaken* ~ *voorstellen* misrepresent things.

scheefheid ['sxe.fhɛit] *v* obliqueness, wryness.

scheefhoekig [-hu.kəx] with oblique angles.

scheefogig [-o.gəx] slant-eyed.

scheefte [-tə] *v* zie *scheefheid*.

scheel [sxe.l] squinting, squint-eyed, cross-eyed; *schele hoofdpijn* migraine, bilious headache; *de schele nijd* the green-eyed monster; ~ *zien* squint; *hij ziet erg* ~ he has a fearful squint; ~ *zien naar* squint at.

scheelheid ['sxe.lhɛit] *v* squint(ing).

scheelogig [-o.gəx] zie *scheel*.

scheeloog [-o.x] *m-v* F squint-eye, squinter.

scheelzien [-zi.n] **I** *o* squint(ing); **II** *vi* squint.

scheen [sxe.n] *v* shin.

scheenbeen ['sxe.nbe.n] *o* shin-bone, § tibia.

scheep [sxe.p] ~ *gaan* go on board, embark, take ship.

scheepsaandeel ['sxe.psa.nde.l] *o* share in a ship; zie ook: *scheepvaartaandeel*.

scheepsagent [-a.gɛnt] *m* shipping agent.

scheepsagentuur [-a.gɛnty:r] *v* shipping agency.

scheepsbehoeften [-bəhu.ftə(n)] *mv* ship's provisions.

scheepsbemanning [-manɪŋ] *v* ship's crew.

scheepsberichten [-rɪxtə(n)] *mv* shipping intelligence.

scheepsbeschuit [-sxœyt] *v* ship's biscuit.

scheepsbevrachter [-vraxtər] *m* chartering-broker.

scheepsbouw ['sxe.psbəu] *m* ship-building.

scheepsbouwkunde [-kŭndə] *v* naval architec-ture.

scheepsbouwkundige [sxe.psbəu'kŭndəgə] *m* naval architect.

scheepsbouwmeester ['sxe.psbəume.stər] *m* ship-builder, naval architect.

scheepsdokter [-dɔktər] *m* (ship's) surgeon.

scheepsgelegenheid [-gəle.gənhɛit] *v* shipping-opportunity; *ik zond het met* ~, *per* ~ I sent it by ship; *met de eerste* ~ by first steamer.

scheepsgeschut [-gəsxŭt] *o* naval guns.

scheepshelling [-helɪŋ] *v* slip(s), slipway.

scheepsjongen [-jòŋə(n)] *m* ship-boy, cabin-boy.

scheepsjournaal [-ʒu:rna.l] *o* log(-book), ship's journal.

scheepskapitein [-ka.pi.tɛin] *m* (ship-)captain.

scheepskok [-kɔk] *m* ship's cook.

scheepslading [-la.dɪŋ] *v* shipload, cargo.

scheepslantaarn, -lantaren [-lanta:rən] *v* ship's lantern.

scheepslengte [-lɛŋtə] *v* ship's length.

scheepsmaat [-ma.t] **1** *v* ship's measure ‖ **2** *m* shipmate.

scheepsmacht [-maxt] *v* naval forces, navy.

scheepsmakelaar [-ma.kəla:r] *m* ship-broker.

scheepsmotor [-mo.tor] *m* ✹ marine engine.

scheepspapieren [-pa.pi:rə(n)] *mv* ship's papers.

scheepsraad [-ra.t] *m* council of war (on board a ship).

scheepsramp [-ramp] *v* shipping disaster.

scheepsrecht [-rɛxt] *o* maritime law; *driemaal is* ~ to be allowed to try three times running is but fair.

scheepsreder [-re.dər] *m* ship-owner.

scheepsroeper [-ru.pər] *m* speaking-trumpet, megaphone.

scheepsrol [-rɔl] *v* zie *monsterrol*.

scheepsruim [-rœym] *o* ship's hold.

scheepsruimte [-rœymtə] *v* tonnage, shipping (space).

scheepstijdingen [-tɛidɪŋə(n)] *mv* shipping intelligence.

scheepstimmerman [-tɪmərman] *m* **1** ship-carpenter; **2** (bouwer) shipwright.

scheepstimmerwerf [-vɛrf] *v* **1** ship-building yard; ship-yard; **2** (v. d. marine) dockyard.

scheepsvolk ['sxe.psfɔlk] *o* **1** ship's crew; **2** sailors.

scheepsvracht [-fraxt] *v* shipload.

scheepswerf [-vɛrf] *v* zie *scheepstimmerwerf*.

scheepvaart ['sxe.pfa:rt] *v* navigation; shipping.

scheepvaartaandeel [-a.nde.l] *o* $ shipping share.

scheepvaartbeweging [-bəve.gɪŋ] *v* shipping movement.

scheepvaartkanaal [-ka.na.l] *o* ship-canal.

scheepvaartmaatschappij [-ma.tsxapɛi] *v* shipping company.

scheerapparaat ['sxe:rapa.ra.t] *o elektrisch* ~ electric shaver, electric razor.

scheerbakje [-bɑkjə] *o* shaving-bowl.

scheercrème [-krɛ:m] *v* shaving-cream.

scheerder [-dər] *m* 1 barber; 2 [sheep] shearer.

scheergereedschap [-gərə.tsχap] ~**gerei** [-gərɛi] *o* shaving-tackle.

scheerkwast [-kvɑst] *m* shaving-brush.

scheerlijn [-lɛin] *v* guy-rope [of a tent].

scheerling [-lɪŋ] *v* ⚕ hemlock.

scheermes [-mɛs] *o* razor.

scheermesje [-mɛʃə] *o* blade [of a safety-razor].

scheerriem ['sxe:ri.m] *m* (razor-)strop.

scheersalon ['sxe:rsa.lòn] *m* & *o* barber's saloon.

scheerstaaf ['sxe:rsta.f] *v* shaving-stick.

scheersteentje [-ste.ɲɔ] *o* shaving-block.

scheertijd [-tɛit] *m* shearing-time [for sheep].

scheerwater [-va.tər] *o* shaving-water.

scheerwinkel [-vɪŋkəl] *m* barber's shop.

scheerwol [-vòl] *v* shorn wool.

scheerzeep [-ze.p] *v* shaving-soap.

scheg [sxɛx] *v* ⚓ cutwater.

schegbeeld ['sxɛxbe.lt] *o* ⚓ figurehead [of a ship].

schegge ['sxɛxə] = *scheg*.

scheidbaar ['sxɛitba:r] separable.

scheidbaarheid [-hɛit] *v* separableness, separability.

scheiden ['sxɛidə(n)] I *vt* 1 (in 't alg.) separate, divide, sever, disconnect, disjoin, disunite, sunder; 2 (het haar) part; 3 (v. huwelijk) divorce; *het hoofd van de romp ~* sever the head from the body; *de vechtenden ~* separate the combatants; *hij liet zich van haar ~* he divorced her; II *vi* part; *als vrienden ~* part friends; *uit het leven ~* depart this life; *zij konden niet (van elkaar) ~* they could not part (from each other); *zij konden niet van het huis ~* 1 they could not take leave of the house; 2 they could not part with the house; *hier ~ (zich) onze wegen* here our roads part; *bij het ~ van de markt leert men de kooplui kennen* one cannot judge of the flour before the bread is made.

scheiding [-dɪŋ] *v* 1 separation, division, disjunction; 2 partition [between rooms]; 3 parting [of the hair]; 4 divorce [of a married couple]; ~ *van kerk en staat* separation of Church and State, disestablishment.

scheidingslijn [-dɪŋslɛin] *v* dividing line; (grenslijn) boundary line, demarcation line, line of demarcation.

scheidsgerecht ['sxɛitsgərɛxt] *o* court of arbitration; *aan een ~ onderwerpen* refer to arbitration.

scheidsman [-mɑn] *m* arbiter, arbitrator.

scheidsmuur [-my:r] *m* partition-wall; *fig* barrier.

scheidsrechter [-rɛxtər] *m* 1 arbiter, arbitrator; 2 *sp* umpire, referee.

scheidsrechterlijk [sxɛits'rɛxtərlək] I *aj* arbitral; ~*e uitspraak* arbitral award; II *ad* by arbitration.

scheidsvrouw ['sxɛitsfrɒu] *v* arbitress.

scheikunde ['sxɛikûndə] *v* chemistry.

scheikundig [sxɛi'kûndəx] *aj* (& *ad*) chemical-(ly); ~ *laboratorium* chemistry laboratory.

scheikundige [-'kûndəgə] *m* chemist.

1 **schel** [sxɛl] *v* bell; *de ~len vielen hem van de ogen* the scales fell from his eyes.

2 **schel** [sxɛl] I *aj* 1 (v. geluid) shrill, strident; 2 (v. licht) glaring; II *ad* 1 shrilly, stridently; 2 glaringly.

Schelde ['sxɛldə] *v* Scheldt.

schelden [-də(n)] *vi* call names, use abusive language; ~ *als een viswijf* scold like a fishwife; ~ *op* abuse, revile.

scheldnaam ['sxɛltna.m] *m* nickname, sobriquet.

scheldpartij [-partɛi] *v* slanging match, exchange of abuse.

scheldwoord [-vo:rt] *o* term of abuse; ~*en ook:* abusive language, abuse.

schelen ['sxe.lə(n)] *vt* 1 (verschillend zijn) differ; 2 (ontbreken) want; *zij ~ niets* they don't differ; *dat scheelt veel* that makes a great difference; *zij scheelden veel in leeftijd* there was a great disparity of age between them; *wat scheelt eraan (u)?* what is the matter with you?, what's wrong?; *hij scheelt wat aan zijn voet* there is something the matter with his foot; *het scheelde maar een haartje* it was a near thing; *het scheelde niet veel of hij was in de afgrond gestort* he had a narrow escape from falling into the abyss, he nearly fell, he almost fell into the abyss; *wat kan dat ~?* what does it matter?; *wat kan hun dat ~?* what do they care?; *wat kan u dat ~?* what's that to you?; *het kan me geen zier ~* I don't care a rap (a button &).

schelf [sxɛlf] *v* stack, rick [of hay].

schelheid ['sxɛlhɛit] *v* 1 (v. geluid) shrillness; 2 (v. licht) glare.

schelklinkend [-klɪŋkənt] shrill, strident.

schelkoord [-ko:rt] *o* & *v* bell-rope, bell-pull.

schellak ['sxɛlɑk] *o* & *m* shellac. [*bellen.*

schellen ['sxɛlə(n)] *vi* ring the bell, ring, zie

schelling [-lɪŋ] *m* sixpence.

schellinkje [-lɪŋkjə] *o* F *het ~* the gallery, the gods; *op het ~* among the gods.

schelm [sxɛlm] *m* rogue, knave, rascal.

schelmachtig ['sxɛlmɑxtəx] roguish, knavish, rascally.

schelmenroman ['sxɛlmə(n)ro.mɑn] *m* picaresque novel.

schelmerij [sxɛlmə'rɛi] *v* roguery, knavery.

schelms [sxɛlms] *aj* (& *ad*) roguish(ly)[2], arch-(ly).

schelmstuk ['sxɛlmstŭk] *o* piece of knavery, roguish trick.

schelp [sxɛlp] *v* 1 shell, valve [of a mollusc]; 2 (bij diner) scallop.

schelpdier ['sxɛlpdi:r] *o* shell-fish, § testacean.

schelpkalk [-kɑlk] *m* shell-lime.

schelpwerk [-vɛrk] *o* shell-work.

schelvis ['sxɛlvɪs] *m* ⚥ haddock.

schelvisogen [-o.gǝ(n)] *mv* fishy eyes.

schema ['sxe.ma.] *o* diagram, skeleton, outline(s).

schematisch [sxe.'ma.ti.s] ɪn diagram, in outline; ~*e voorstelling* diagram.

⚓ schemel ['sxe.mǝl] *m* footstool.

schemer ['sxe.mǝr] *m* twilight; dusk.

schemerachtig [-ɑxtǝx] dim², dusky.

schemeravond [-a.vǝnt] *m* twilight.

schemerdonker [-dònkǝr] *o* twilight².

schemeren ['sxe.mǝrǝ(n)] *vi* 1 dawn [in the morning]; grow dusk [in the evening]; 2 sit without a light; 3 glisten, gleam [of a light]; *er schemert mij zo iets voor de geest* I have a sort of dim recollection of it; *het schemerde mij voor de ogen* my eyes grew dim, my head was swimming.

schemerig [-rǝx] dim², dusky.

schemering [-rɪŋ] *v* twilight², gloaming, dusk; *in de* ~ at twilight.

schemerlamp ['sxe.mǝrlamp] *v* shaded lamp, (kleine, op tafel) table-lamp; (grote, staande) floor-lamp.

schemerlicht [-lɪxt] *o* 1 twilight; 2 dim light.

schemertijd [-tɛit] *m* twilight.

schemeruurtje [-y:rcǝ] *o* twilight (hour).

schenden ['sxɛndǝ(n)] *vt* disfigure [one's face &]; damage [a book]; deface [a statue &]; *fig* violate [one's oath, a treaty, a law, a sanctuary]; outrage² [law, morality].

schender [-dǝr] *m* violator, transgressor.

schenderij [sxɛndǝ'rɛi] *v* violation, sacrilege.

schendig ['sxɛndǝx] sacrilegious.

schending [-dɪŋ] *v* disfigurement, defacement; *fig* violation, infringement.

schenkblaadje, schenkblad ['sxɛŋkbla.cǝ, -blɑt] *o* tray.

schenkel ['sxɛŋkǝl] *m* shank, § femur.

schenken ['sxɛŋkǝ(n)] I *vt* 1 (gieten) pour; 2 (geven) give, grant, present with; *ik schenk u het lesgeld* I let you off the fee; *iemand het leven* ~ grant one his life; *een kind het leven* ~ give birth to a child; *ik schenk u de rest* never mind the rest, I'll excuse you the rest; *wilt u (de) thee* ~? will you kindly pour out the tea?; *wijn* ~ 1 retail wine; 2 serve wine; II *va* serve drinks.

schenker [-kǝr] *m* 1 (die inschenkt) cupbearer; 2 (die geeft) donor.

schenking [-kɪŋ] *v* donation, gift; benefaction.

schenkkan ['sxɛŋkɑn] *v* flagon, tankard.

schenkkurk [-kůrk] *v* cork for pouring out.

schennis ['sxɛnǝs] *v* violation; outrage.

schep [sxɛp] I *v* (werktuig) scoop, shovel; 2 *m* (hoeveelheid) spoonful, shovelful; *een* ~ *mensen* F lots of people.

schepbord ['sxɛpbǝrt] *o* float-board, float.

schepel ['sxe.pǝl] *o & m* bushel, decalitre.

schepeling ['sxe.pǝlɪŋ] *m* member of the crew [of a ship]; sailor; *de* ~*en* the crew.

schepen ['sxe.pǝ(n)] *m* sheriff, alderman.

scheper ['sxe.pǝr] *m prov* shepherd.

schepnet ['sxɛpnɛt] *o* landing-net.

1 scheppen ['sxɛpǝ(n)] *vt* scoop, ladle; shovel [coal, snow]; zie ook: *adem, luchtje* &.

2 scheppen ['sxɛpǝ(n)] *vt* create, make.

scheppend [-pǝnt] creative.

schepper [-pǝr] *m* 1 (voortbrenger) creator, maker ‖ 2 (werktuig) scoop.

schepping [-pɪŋ] *v* creation.

scheppingsdrang [-pɪŋsdrɑŋ] *m* creative urge.

scheppingsgeschiedenis [-gǝsxi.dǝnɪs] *v* history of creation.

scheppingskracht [-krɑxt] *v* creative power.

scheppingsverhaal [-fǝrha.l] *o* creation story.

scheppingsvermogen [-fǝrmo.gǝ(n)] *o* creative power.

scheppingswerk [-vɛrk] *o* (work of) creation.

scheprad ['sxɛprɑt] *o* paddle-wheel.

schepsel [-sǝl] *o* creature.

scheren ['sxe:rǝ(n)] I *vt* shave [men]; shear [sheep & cloth]; clip [a hedge]; skim [stones over the water, the waves]; ⚓ reeve [a rope]; ✂ warp [linen &]; *fig* fleece [customers]; II *vr zich* ~ shave; *zich laten* ~ get shaved, have a shave; *scheer je weg!* be off!, begone!, get you gone!; III *vi* in: *de zwaluwen* ~ *langs het water* the swallows skim the water.

scherf [sxɛrf] *v* potsherd [of a pot]; fragment, splinter [of glass, of a shell].

schering ['sxe:rɪŋ] *v* 1 shearing [of sheep]; 2 warp [of cloth]; ~ *en inslag* warp and woof; *dat is hier* ~ *en inslag* that is of common (everyday) occurrence here.

scherm [sxɛrm] *o* 1 screen [for the hearth, for moving or televised pictures]; 2 curtain [on the stage]; 3 ✿ umbel [of a flower]; 4 awning [of a shop &]; *achter de* ~*en* in the wings, behind the scenes; *fig* behind the scenes; *wie zit er achter de* ~*en?* who is at the back of it, who is the wire-puller?

schermbloem ['sxɛrmblu.m] *v* ✿ umbellifer.

schermdegen [-de.gǝ(n)] *m* foil.

schermen ['sxɛrmǝ(n)] *vi* fence; *in 't wild* ~ talk at random; *met de armen in de lucht* ~ flourish one's arms; *met woorden* ~ fence with words.

schermer [-mǝr] *m* fencer.

schermhandschoen ['sxɛrmhɑntsxu.n] *m & v* fencing-glove.

schermkunst [-kůnst] *v* art of fencing, swordsmanship.

schermmasker [-mɑskǝr] *o* fencing-mask.

schermmeester [-me.stǝr] *m* fencing-master.

schermschool [-sxo.l] *v* fencing-school.

schermutselen [sxɛr'můtsǝlǝ(n)] *vi* ✗ skirmish.

schermutseling [-lɪŋ] *v* ✗ skirmish.

schermzaal ['sxɛrmza.l] *v* fencing-room, fencing-hall.

scherp [sxɛrp] I *aj* sharp² [in de meeste betekenissen]; keen³ [eyes, smell, intellect &]; trenchant² [sword, language]; acute² [angles, judgement]; poignant³ [taste, hunger]; *gram* hard [consonant]; *fig* pungent [pen]; keen [competition]; sharp-cut [features]; acrid [temper]; caustic [tongue]; tart [reply]; brisk [trot]; live [cartridge]; strict, close, searching [examination]; ~ maken sharpen; II ad sharply, keenly &; III o edge [of a knife]; met ~ schieten ✕ use ball ammunition; een paard op ~ zetten calk a horse.

scherpen ['sxɛrpə(n)] vt sharpen² [a pencil, faculties, the appetite &].

scherpheid ['sxɛrphɛit] v sharpness, keenness, acuteness, pungency, trenchancy.

scherphoekig [-hu.kəx] acute-angled.

scherpklinkend, ~luidend [-kliŋkənt, -lœydənt] shrill.

scherprechter [-rɛxtər] m executioner.

scherpschutter [-sxǔtər] m sharpshooter, [good] marksman; (verdekt opgesteld) sniper.

scherpsnijdend [-snɛidənt] sharp, keen-edged.

scherpte [-tə] v sharpness², edge.

scherpziend [-si.nt] sharp-sighted, keen-sighted, eagle-eyed, perspicacious, penetrating.

scherpzinnig [sxɛrp'sinəx] I aj acute, sharp (-witted); II ad acutely, sharply.

scherpzinnigheid [-hɛit] v acumen, penetration.

scherts [sxɛrts] v pleasantry, raillery, banter, jest, joke; het is maar ~ he is only joking; ~ terzijde joking apart; hij kan geen ~ verstaan he cannot take a joke.

schertsen ['sxɛrtsə(n)] vi jest, joke; met hem valt niet te ~ he is not to be trifled with.

schertsenderwijs, ~wijze [sxɛrtsəndər'vɛis, -'vɛizə] jokingly, jestingly, by way of a joke, in jest.

schervengericht ['sxɛrvə(n)gərixt] o ostracism.

schets [sxɛts] v sketch, draught, (sketchy) outline; een ruwe ~ geven van draw (sketch) in outline.

schetsboek ['sxɛtsbu.k] o sketch-book.

schetsen ['sxɛtsə(n)] vt sketch, draw, outline.

schetser [-sər] m sketcher.

schetskaart ['sxɛtska:rt] v sketch-map.

schetsmatig [sxɛts'ma.təx] I aj sketchy; II ad sketchily.

schetstekening ['sxɛtste.kəniŋ] v sketch.

schetteraar ['sxɛtəra:r] m braggart, swaggerer.

schetteren [-rə(n)] vi 1 (v. trompet &) bray, blare; 2 (opsnijden) brag, swagger.

scheur [sxø:r] v tear, rent [in clothes], slit, split, crack, cleft.

scheurbuik ['sxø:rbœyk] m & o scurvy.

scheuren ['sxø:rə(n)] I vt 1 (aan stukken) tear up [a letter]; rend [one's garments]; 2 (een scheur maken in) tear [a dress &]; break up, plough up [grass-land]; in stukken ~ tear to pieces; II va & vi tear; (v. ijs) crack; het scheurt licht it tears easily.

scheuring [-riŋ] v breaking up [of grass-land]; fig rupture, split, disruption, schism.

scheurkalender ['sxø:rka.lɛndər] m tear-off calendar.

scheurmaker [-ma.kər] m schismatic.

scheurpapier [-pa.pi:r] o waste-paper.

scheut [sxø.t] m 1 ⚘ shoot, sprig; 2 (kleine hoeveelheid) dash [of vinegar &]; 3 (v. pijn) twinge, shooting pain.

scheutig ['sxø.təx] I aj open-handed, liberal; (niet) ~ met... (not) lavish of...; II ad liberally.

scheutigheid [-hɛit] v open-handedness, liberality.

scheutje | sxø.cə] o zie scheut.

schibbolet ['ʃibo.lɛt] = sjibbolet.

schicht [sxixt] m dart, bolt, flash [of lightning].

schichtig ['sxixtəx] I aj shy, skittish; ~ worden shy (at voor); II ad shyly.

schichtigheid [-hɛit] v shyness, skittishness.

schiedammer [sxi.'damər] m Schiedam, Hollands [gin].

schielijk ['sxi.lək] I aj quick, rapid, swift, sudden; II ad quickly, rapidly, swiftly, suddenly.

schielijkheid [-hɛit] v quickness, rapidity, swiftness, suddenness.

schier [sxi:r] almost, nearly, all but.

schiereiland ['sxi:rɛilɑnt] o peninsula.

schietbaan ['sxi.tba.n] v rifle-range, range.

schieten ['sxi.tə(n)] I vi fire [with a gun]; shoot [of persons, pain & ⚘]; dat schoot mij door het hoofd (in de gedachte) it flashed upon me; in de aren ~ come into ear, ear; de bomen ~ in de hoogte the trees are shooting up; hij schoot in de kleren he slipped (huddled) on his clothes; de tranen schoten hem in de ogen the tears started (in)to his eyes; er naast ~ miss the mark; onder een brug door ~ shoot a bridge; onder iemands duiven ~ poach on a person's preserves; ~ op fire at; uit de grond ~ spring up; iemand laten ~ F drop a person, give him the go-by; iets laten ~ let it go; II vt shoot [an animal]; geld ~ provide funds; netten ~ shoot nets; een schip in de grond ~ send a ship to the bottom; vuur ~ shoot (flash) fire; de zon ~ take the sun's altitude; zich voor de kop ~ blow out one's brains.

schieter [-tər] m 1 shooter; 2 ✕ bolt [of a lock]; 3 peel [for the oven].

schietgat ['sxi.tgɑt] o ✕ loop-hole.

schietgebed [-gəbɛt] o ejaculatory prayer.

schietkatoen [-ka.tu.n] o & m gun-cotton.

schietlood [-lo.t] o plummet, plumb.

schietoefeningen [-u.fəniŋə(n)] mv ✕ target-practice; ⚓ gunnery practice.

schietpartij [-pɑrtɛi] v shooting.

schietschijf [-sxɛif] v target, mark.

schietschool [-sxo.l] v 1 ✕ musketry school; 2 ⚓ gunnery school.

schietspoel [-spu.l] v shuttle.

schietstoel [-stu.l] m ✈ ejection seat.

schiettent ['sxi.tɛnt] v shooting-gallery, rifle-booth.

schietterrein [-tɛrɛin] o ✕ practice-ground, range.

schietvereniging ['sxi.tfərə.nəgiŋ] v rifle-club.

schietwedstrijd [-vɛtstrɛit] m shooting-match, shooting-competition.

schiften ['sxıftə(n)] I *vt* sort, separate; (zorgvuldig onderzoeken) sift; II *vi* curdle.

schifting [-tıŋ] *v* I sorting; (zorvuldig onderzoek) sifting; 2 curdling [of milk].

schijf [sxɛif] *v* I slice [of ham &]; 2 (v. dampel) man; 3 (schietschijf) target, mark; 4 (v. wiel &) disc, disk; 5 ☆ sheave [of a pulley]; 6 (v. telefoon &) dial; *dat loopt over veel schijven* there are wheels within wheels.

schijfje ['sxɛifjə] *o* thin slice [of meat &]; round [of lemon &].

schijfrem [-rɛm] *v* disc brake.

schijfschieten [-sxi.tə(n)] I *o* ✕ target-practice; II *vi* fire at a target.

schijfvormig ['sxɛifɔrməx] disc-shaped.

schijfwiel ['sxɛifvi.l] *o* disc-wheel.

schijn [sxɛin] *m* glimmer, shine; *fig* seeming, appearance, semblance [of truth]; show, pretence, pretext; *het was alles maar ~* it was all show; *geen ~ van kans* not the ghost of a chance; *zonder ~ of schaduw van bewijs* without a shred of evidence; *~ en wezen* the shadow and the substance; *~ bedriegt* appearances are deceptive; *de ~ is tegen hem* appearances are against him; *het heeft de ~ alsof...* it looks as if...; *de ~ redden* save appearances; *in ~* in appearance, seemingly; *naar alle ~* to all appearance; *onder de ~ van* under the pretence (pretext) of; *voor de ~* for the sake of appearances.

schijnaanval ['sxɛina.nvɑl] *m* feigned attack, feint.

schijnbaar [-ba:r] *aj* (& *ad*) seeming(ly), apparent(ly).

schijnbeeld [-be.lt] *o* phantom.

schijnbeweging [-bəve.gıŋ] *v* feint.

schijndood [-do.t] apparently dead, in a state of suspended animation.

schijnen ['sxɛinə(n)] *vi* I (licht geven) shine; glimmer; 2 (lijken) seem, look; *naar het schijnt* it would seem, it appears, to all appearance.

schijngeleerde ['sxɛingələ:rdə] *m* would-be scholar.

schijngeleerdheid [-le:rthɛit] *v* would-be learning.

schijngeluk [-lŭk] *o* false happiness.   [ing.

schijngestalte [-stɑltə] *v* phase (of the moon).

schijnheilig [sxɛin'hɛiləx] *aj* (& *ad*) hypocritical(ly).

schijnheilige [-'hɛiləgə] *m-v* hypocrite.

schijnheiligheid [-hɛiləxhɛit] *v* hypocrisy.

schijnsel ['sxɛinsəl] *o* glimmer.

schijntje [-cə] *o* in: *een ~* F very little, a trifle.

schijnvriend [-vri.nt] *m* sham friend, fairweather friend.

schijnvroom [-vro.m] *aj* (& *ad*) sanctimonious(ly).

schijnvroomheid [-hɛit] *v* sanctimony.

schijnwerper ['sxɛinvɛrpər] *m* searchlight, spotlight, projector.

schik [sxık] *m* in: *~ hebben* amuse oneself; *veel ~ hebben* enjoy oneself immensely; have

a rare old time; *in zijn ~ zijn* be pleased, be in high spirits; *in zijn ~ zijn met iets* be pleased (delighted) with a thing.

schikgodinnen ['sxıkgo.dınə(n)] *mv de ~* the fatal Sisters.

schikkelijk ['sxıkələk] zie *schappelijk*.

schikken ['sxıkə(n)] I *vt* arrange, order [books &]; *we zullen het wel zien te ~* we'll try and arrange matters; *de zaak ~* settle the matter; II *onpers. ww.* in: *het schikt nogal!* pretty middling; *als het u schikt* when it is convenient to you; *het schikt me niet* it is not convenient; *zodra het u schikt* at your earliest convenience; III *vi* in: *wilt u wat deze kant uit ~?* move up a little; IV *vr zich ~* come right; *het zal zıch wel ~* it is sure to come right; *zich in alles ~* resign oneself to everything; *hoe schikt hij zich in zijn nieuwe betrekking?* how does he take to his new berth?; *zich in het onvermijdelijke ~* resign oneself to the inevitable; *zich naar iemand ~* conform to a person's wishes; *zich om de tafel~* draw up round the table.

schikking [-kıŋ] *v* arrangement, settlement; *een ~ treffen* come to an arrangement (with met); *~en treffen* make arrangements.

schil [sxıl] *v* peel [of an orange]; skin [of a banana or potato]; rind [of cheese]; *~len* (als afval) parings [of apples], peelings [of potatoes]; *aardappelen met de ~* potatoes in their jackets.

schild [sxılt] *o* I shield[2]; buckler; 2 ▨ escutcheon; 3 (v. schildpad) shell; 4 (v. insekt) zie *vleugelschild*; *iets in het ~ voeren* aim at (drive at) something; *ik weet niet wat hij in zijn ~ voert* what he's up to.

schilddrager ['sxıltdra.gər] *m* I shield-bearer; 2 ▨ supporter.

schilder ['sxıldər] *m* I (kunstenaar) painter; 2 (ambachtsman) (house-)painter.

schilderachtig [-ɑxtəx] *aj* (& *ad*) picturesque(ly).

schilderachtigheid [-hɛit] *v* picturesqueness.

I **schilderen** ['sxıldərə(n)] I *vt* paint[2]; *fig* ook: picture, portray, delineate, depict; *naar het leven ~* paint from life; II *va* paint.

2 **schilderen** ['sxıldərə(n)] *vt* ✕ do sentry-go, stand sentry; *ik heb hier al een uur staan ~* F I've been cooling my heels for an hour.

schilderes [sxıldə'rɛs] *v* paintress, woman painter.

schilderhuisje ['sxıldərhœysjə] *o* ✕ sentry-box.

schilderij [sxıldə'rɛi] *o* & *v* painting, picture.

schilderijenkabinet [-'rɛiə(n)kɑbi.nɛt] *o* picture-gallery.

schilderijententoonstelling [-tɛnto.nstɛlıŋ] *v* art exhibition, picture show.

schildering ['sxıldərıŋ] *v* depiction, picture, portrayal.

schilderkunst ['sxıldərkŭnst] *v* (art of) painting.

schilderles [-lɛs] *v* painting-lesson; *~ krijgen* take lessons in painting.

schilderschool [-sxo.l] v 1 school of painting; 2 school of painters.

schildersezel ['sxɪldərse.zəl] m (painter's) easel.

schilderskwast [-kvast] m paint-brush.

schildersstok ['sxɪldərstɔk] m maulstick.

schilderstuk [-stük] o painting, picture.

schilderswerkplaats ['sxɪldərsverkpla.ts] v ~winkel [-vɪŋkəl] m house-painter's work-shop.

schilderwerk ['sxɪldərverk] o painting.

schildklier ['sxɪltkli:r] v thyroid gland.

schildknaap [-kna.p] m 1 ⱳ squire, shield-bearer; 2 fig lieutenant.

schildluis [-lœys] v scale insect.

schildpad [-pat] 1 v ♨ tortoise; (zeedier) turtle; 2 o (stofnaam) tortoise-shell; [dark] turtle-shell.

schildpadden [-padə(n)] aj tortoise-shell.

schildpadsoep [-patsu.p] v (mock) turtle soup.

schildvleugeligen [-flø.gələgə(n)] mv sheath-winged insects, § coleoptera.

schildvormig [-fɔrməx] shield-shaped.

schildwacht [-vaxt] m ⚔ sentinel, sentry; op ~ staan ⚔ stand sentry.

schildwachthuisje [-hœyʃə] o ⚔ sentry-box.

schilfer ['sxɪlfər] m scale; flake; ~s op het hoofd dandruff.

schilferachtig [-axtəx] scaly.

schilferachtigheid [-heit] v scaliness.

schilferen ['sxɪlfərə(n)] vi scale (off), peel [off], come off.

schilferig [-rəx] scaly.

schillen ['sxɪlə(n)] I vt pare [apples &]; peel [oranges, potatoes &]; II vi peel.

schillerhemd ['ʃi.lərhɛmt] o open-necked shirt.

schillerkraag [-kra:x] m Byronic collar.

schilmesje ['sxɪlmɛʃə] o paring-knife, peeling-knife.

schim [sxɪm] v shadow, shade; ghost; Chinese ~men Chinese shades.

schimachtig ['sxɪmaxtəx] shadowy, ghostly.

1 **schimmel** ['sxɪməl] m (paard) grey horse, F grey.

2 **schimmel** ['sxɪməl] m (uitslag) mould.

schimmelachtig [-axtəx] mouldy.

schimmelen ['sxɪmələ(n)] vi grow mouldy, mould.

schimmelig [-ləx] mouldy.

schimmenrijk ['sxɪmə(n)reik] o het ~ the land of shadows.

schimp [sxɪmp] m contumely, taunt, scoff.

schimpdicht ['sxɪmpdɪxt] o satire.

schimpen ['sxɪmpə(n)] vi scoff; ~ op scoff at, revile.

schimpnaam ['sxɪmpna.m] m nickname, so-briquet.

schimprede [-re.də] v invective, diatribe.

schimpscheut [-sxø.t] m gibe, taunt, jeer.

schimpwoord [-vo:rt] o abusive word.

schinkel ['sxɪŋkəl] = schenkel.

schip [sxɪp] o 1 ⚓ ship, vessel; [canal] barge, boat; 2 nave [of a church]; het ~ van staat the ship of state; schoon ~ maken make a clean sweep (of it); settle accounts; zijn schepen achter zich verbranden burn one's boats; een ~ op strand een baken in zee ± one man's fault is another man's lesson.

schipbreuk ['sxɪpbrø.k] v shipwreck; ~ lijden 1 be shipwrecked; 2 fig fail; zijn plannen hebben ~ geleden his plans have miscarried, his plans were wrecked.

schipbreukeling [-brø.kəlɪŋ] m shipwrecked person, castaway.

schipbrug [-brüx] v bridge of boats, floating-bridge.

schipper ['sxɪpər] m bargeman, boatman; (gezagvoerder) master.

schipperen [-pərə(n)] vi temporize, tergiversate, trim; hij zal het wel ~ he is sure to arrange it.

schippersbaard [-pərsba:rt] m Newgate frill (fringe).

schippersbeurs [-bø:rs] v shipping-exchange.

schippersboom [-bo.m] m barge-pole.

schippershaak [-ha.k] m boat-hook.

schipperskind [-kɪnt] o bargeman's child; ~eren ook: barge children, boat children.

schippersknecht [-knɛxt] m bargeman's mate.

schisma ['sxɪsma.] o schism.

schismatiek [sxɪsma.'ti.k] I aj schismatic; de ~en the schismatics; II ad schismatically.

schitteren ['sxɪtərə(n)] vi shine [of light], glitter [of the eyes], sparkle [of diamonds]; ~ door afwezigheid be conspicuous by one's absence.

schitterend [-rənt] I aj fig brilliant, glorious, splendid; II ad brilliantly &.

schittering [-rɪŋ] v glittering, sparkling; lustre; splendour.

schizofreen [sxi.dzo.'fre.n] aj & m-v schizophrenic.

schizofrenie [-fre.'ni.] v schizophrenia.

schlager ['ʃla.gər] m hit.

schmink [ʃmi.ŋk] m grease-paint; make-up.

schminken ['ʃmi.ŋkə(n)] vt & vr make up.

schobbejak ['sxɔbəjak] m scalawag, scamp, rogue.

schoeien ['sxu.jə(n)] vt shoe; zie ook: leest.

schoeisel ['sxu:isəl] o shoes, $ foot-wear.

schoelje ['sxu.ljə] m P rascal, scamp.

schoen [sxu.n] m 1 (in 't alg. & laag) shoe; 2 (hoog) boot; de stoute ~en aantrekken pluck up courage; ik zou niet graag in zijn ~en staan I should not like to be in his shoes; vast in zijn ~en staan stand firm in one's shoes; met loden ~en zie loden; wie de ~ past, trekke hem aan whom the cap fits, let him wear it; men moet geen oude ~en weggooien vóór men nieuwe heeft one should not throw away old shoes before one has got new ones.

schoenborstel ['sxu.nbɔrstəl] m shoe-brush, blacking-brush.

schoenenfabriek ['sxu.nə(n)fa.bri.k = schoen-fabriek.

schoenenwinkel [-vɪŋkəl] = schoenwinkel.
schoener ['sxu.nər] m ⚓ schooner.
schoenerbrik [-brɪk] v ⚓ brigantine.
schoenfabriek ['sxu.nfa.bri.k] v shoe factory.
schoengesp [-gɛsp] m & v shoe-buckle.
schoenhoorn, -horen [-ho:rən] m shoe-horn,
schoenlapper [-lapər] m cobbler.   [shoe-lift.
schoenle(d)er [-le:r, -le.dər] o shoe-leather.
schoenleest [-le.st] v (shoe-)last.
schoenlepel [-le.pəl] m zie schoenhoorn.
schoenmaker [-ma.kər] m shoemaker; ~ blijf
  bij je leest let the cobbler stick to his last.
schoenmakerij [sxu.nma.kə'rɛi] v I shoemak-
  ing, shoemaker's trade; 2 shoemaker's shop.
schoenpoetser ['sxu.npu.tsər] m (op straat)
  shoe-black, boot-black; (in een hotel)
  boots.
schoenriem [-ri.m] m strap of a shoe; niet
  waard zijn om iemands ~en te ontbinden (los
  te binden) not be worthy to (un)tie a person's
  shoe-strings.
schoensmeer [-sme:r] o & m blacking, boot-
  polish.
schoenveter [-ve.tər] m boot-lace, shoe-lace.
schoenwinkel [-vɪŋkəl] m shoe-shop.
schoenzool [-zo.l] v sole of a shoe.
schoep [sxu.p] v I paddle-board, paddle; 2
schoffel ['sxɔfəl] v hoe.   [blade.
schoffelen [-fələ(n)] vt hoe.
I schoft [sxɔft] m scoundrel, rascal, scamp.
2 schoft [sxɔft] v withers [of a horse].
schoftachtig ['sxɔftaxtəx] zie schofterig.
schofterig [-tərəx] scoundrelly, rascally.
schoftje ['sxɔfjə] o street arab.
schok [sxɔk] m I (in 't alg.) shock; 2 (v. rijtuig) jolt, jerk; 3 (hevig) impact; concussion, convulsion; het heeft hem een ~ gegeven it has shaken his health; een ~ krijgen
  receive a shock[2].
schokbreker ['sxɔkbre.kər] m ✗ shock-
  absorber.
schokbuis [-bœys] v ✗ percussion-fuse.
schokken ['sxɔkə(n)] I vt shake[2], convulse[2],
  jerk; zijn krediet (vertrouwen) is geschokt his
  credit (faith) is shaken; de zenuwen ~ shatter
  the nerves; een ~de gebeurtenis a startling
  event; II vi shake, jolt, jerk.
schokschouderen ['sxɔksxɔudərə(n)] vi shrug
  one's shoulders.
schol [sxɔl] I m 🐟 plaice || 2 v floe [of ice].
scholastiek [sxo.las'ti.k] I v scholastic theology, scholasticism; 2 m RK scholastic.
scholekster ['sxɔlɛkstər] v 🐦 oyster-catcher.
scholen ['sxo.lə(n)] vi shoal [of fish]; flock together ‖ vt train; zie ook: geschoold.
scholengemeenschap [-gəme.nsxap] v comprehensive school.
scholier [sxo.'li:r] m pupil, schoolboy.
scholierster [-stər] v pupil, schoolgirl.
scholing ['sxo.lɪŋ] v training.
schollevaar, scholver(d) ['sxɔləva:r, 'sxɔlvər(t)]
  m 🐦 cormorant.

schommel ['sxɔməl] m & v swing.
schommelen ['sxɔmələ(n)] I vi I (op schommel) swing; 2 (v. slinger) swing, oscillate; 3
  (op schommelstoel) rock; 4 (v. schip)
  roll; 5 (met het lichaam) wobble, waddle;
  6 fig (v. prijzen) fluctuate; met de benen ~
  swing one's legs; II vt swing, rock [a child].
schommeling [-lɪŋ] v swinging, oscillation,
  fluctuation.
schommelstoel ['sxɔmɔlstu.l] m rocking-chair.
schoof [sxo.f] v sheaf; aan schoven zetten, in
  schoven binden sheave.
schooien ['sxo.jə(n)] vi beg.
schooier [-jər] m I ragamuffin; 2 beggar, tramp,
  vagrant; ~! rascal!
school [sxo.l] v I school; academy, college; 2
  shoal [of herrings]; de ~ ook: the school-
  house; bijzondere ~ I private school; 2 denominational school; lagere ~ primary (elementary) school; middelbare ~ secondary
  school; militaire ~ military academy (college); neutrale ~ secular (unsectarian) school;
  openbare ~ State primary school; de Parijse
  (schilder)~ the school of Paris; ~ met de
  Bijbel denominational school for orthodox
  Protestants; ~ gaan go to school; toen ik nog
  ~ ging when I was at school; we hebben geen
  ~ vandaag! no school to-day!; ~ houden
  keep in [a pupil]; een ~ houden keep a
  school; naar ~ gaan go to school; op ~ at
  school; waar ben je op ~? where are you
  going to school?; een jongen op ~ doen put
  a boy to school; daarvoor moet je bij hem t er
  ~ gaan for that you have to go to school to
  him; van ~ gaan leave school.
schoolarts ['sxo.larts] m school medical officer,
  school doctor.
schoolatlas [-atlas] m school atlas.
schoolbank [-baŋk] v form [long, without
  back]; desk [for one or two, with back].
schoolbehoeften [-bəhu.ftə(n)] mv school necessaries.
schoolbestuur [-bəsty:r] o school management.
schoolbezoek [-bəzu.k] o I (v. d. leerlingen)
  school attendance; 2 (v. d. overheid) inspection, visit.
schoolbibliotheek zie schoolbibliotheek.
schoolbibliotheek [-bi.bli.o.te.k] v school library.
schoolblijven [-blɛivə(n)] vi stay in (after hours),
  be kept in; het ~ detention; twee uur ~ two
  hours' detention.
schoolboek [-bu.k] o school-book, class-book.
schoolbord [-bɔrt] o blackboard.
schoolcommissie [-kɔmɪsi.] v education committee.
schooldag [-dax] m school-day.
school-Engels [-ɛŋəls] ø schoolboy English.
schooleksamen zie schoolexamen.
schoolexamen [-ɛksa.mə(n)] o school examination.
schoolgaan [-ga.n] vi go to school, be at school.

schoolgebouw [-gǝbǝu] *o* schoolhouse.

schoolgebruik [-gǝbrœyk] *o* in: *voor* ~ for use in schools.

schoolgeld [-gɛlt] *o* school fee.

schoolgeleerde [-gǝle:rdǝ] *m* 1 schoolman, scholar; 2 > pedant, schoolmaster.

schoolgeleerdheid [-gǝle:rthɛit] *v* book-learning.

schoolhoofd [-ho.ft] *o* head of a school, headmaster.

schooljaar [-ja:r] *o* scholastic year, schoolyear; *in mijn schooljaren* in my school-days (school-time).

schooljeugd [-jø.xt] *v de* ~ the school-children.

schooljongen [-jòŋǝ(n)] *m* schoolboy.

schooljuffrouw [-jũfrǝu] *v* school-mistress, teacher.

schoolkameraad [-ka.mǝra.t] *m* zie *schoolmakker*.

schoolkennis [-kɛnǝs] *v* scholastic knowledge.

schoolkind [-kɪnt] *o* school-child.

schoolkommissie zie *schoolcommissie*.

schoollokaal ['sxo.lo.ka.l] *o* class-room.

schoolmakker ['sxo.lmɑkǝr] *m* school-fellow, schoolmate.

schoolmeester [-me.stǝr] *m* schoolmaster; *fig* pedant.

schoolmeesterachtig [-ɑxtǝx] *aj* (& *ad*) pedantic(ally).

schoolmeesterachtigheid [-hɛit] *v* pedantry.

schoolmeisje ['sxo.lmɛiʃǝ] *o* schoolgirl.

schoolonderwijs [-òndǝrʋɛis] *o* school-teaching.

schoolopziener [-òpsi.nǝr] *m* school-inspector.

schoolplicht [-plɪxt] *m* & *v* compulsory school attendance.

schoolplichtig [sxo.l'plɪxtǝx] in: ~*e leeftijd* compulsory school age; *verhoging van de* ~*e leeftijd* raising of the school-leaving age.

schoolreisje ['sxo.lrɛiʃǝ] *o* school journey.

schools [sxo.ls] scholastic; ~*e geleerdheid* book-learning.

schoolschrift ['sxo.ls(x)rɪft] *o* exercise-book.

schoolslag [-slɑx] *m* breast-stroke [in swimming].

schooltas [-tɑs] *v* (school-)satchel.

schooltijd [-tɛit] *m* school-time; *buiten* ~ out of school; *na* ~ when school is over; *onder* ~ during lessons.

schooltoezicht [-tu.zɪxt] *o* school inspection.

schooltucht [-tũxt] *v* school-discipline.

schooltuin [-tœyn] *m* school-garden.

schooluur [-y:r] *o* school-hour; *buiten de schooluren* &, zie *schooltijd*.

schoolverzuim [-vǝrzœym] *o* non-attendance, absenteeism.

schoolvos [-vos] *m* pedant, pedagogue.

schoolvosserij [sxo.lvosǝ'rɛi] *v* pedantry.

schoolwerk ['sxo.lʋɛrk] *o* task for school, home tasks.

schoolwezen [-ʋe.zǝ(n)] *o* public education.

schoolziek [-zi.k] in: ~ *zijn* sham illness.

schoolziekte [-tǝ] *v* sham illness, feigned illness.

1 **schoon** [sxo.n] I *aj* 1 (zindelijk) clean; pure; 2 (mooi) beautiful, handsome, fair, fine; II *sb* in: *een schone* a belle, a beauty, a fair one, a beautiful woman &; *het schone* the beautiful; III *ad* 1 clean(ly); 2 beautifully; *het is* ~ *op* it is all gone, clean gone.

2 **schoon** [sxo.n] *cj* though, although.

schoonbroeder, -broer ['sxo.nbru.(dǝ)r] *m* brother-in-law.

schoondochter [-dǝxtǝr] *v* daughter-in-law.

schoonheid [-hɛit] *v* beauty.

schoonheidsgevoel [-hɛitsgǝvu.l] *o* zie *schoonheidszin*.

schoonheidsinstituut [-ɪnsti.ty.t] *o* beauty parlour.

schoonheidskoningin [-ko.nǝŋɪn] *v* beauty queen.

schoonheidsleer [-le:r] *v* aesthetics.

schoonheidsmiddel [-mɪdǝl] *o* cosmetic.

schoonheidssalon [-hɛitsa.lòn] *m* & *o* beauty parlour.

schoonheidswedstrijd [-hɛitsʋɛtstrɛit] *m* beauty competition, beauty contest.

schoonheidszin [-hɛitsɪn] *m* aesthetic sense, sense of beauty.

schoonhouden [-hǝu(d)ǝ(n)] *vt* keep clean.

schoonklinkend [-klɪŋkǝnt] fine-sounding.

schoonmaak [-ma.k] *m* clean-up, (house-)cleaning; *(de) grote* ~ *(in het voorjaar)* spring-cleaning; *grote* ~ *houden* 1 *eig* spring-clean; 2 *fig* make a clean sweep.

schoonmaakster [-stǝr] *v* charwoman, cleaning woman.

schoonmaaktijd [-tɛit] *m* cleaning-time.

schoonmaken ['sxo.nma.kǝ(n)] *vt* clean.

schoonmoeder [-mu.dǝr] *v* mother-in-law.

schoonouders [-ǝudǝrs] *mv* parents-in-law.

schoonrijden [-rɛidǝ(n)] *o* (op schaatsen) figure-skating.

schoonschijnend [-sxɛinǝnt] specious, plausible.

schoonschrift ['sxo.ns(x)rɪft] *o* 1 calligraphic writing; 2 copy-book.

schoonschrijfkunst [-s(x)rɛifkũnst] *v* calligraphy.

schoonschrijver [-s(x)rɛivǝr] *m* calligrapher, penman.

schoonspringen [-sprɪŋǝ(n)] *o* (v. zwemmers) fancy diving.

schoonvader [-va.dǝr] *m* father-in-law.

schoonvegen [-ve.gǝ(n)] *vt* sweep clean; clear [the streets, by the police].

schoonwassen [-vɑsǝ(n)] *vt* wash; *fig* white-wash.

schoonzoon [-zo.n] *m* son-in-law.

schoonzuster [-zũstǝr] *v* sister-in-law.

schoor [sxo:r] *m* △ buttress, stay, strut, prop, support.

schoorbalk ['sxo:rbɑlk] *m* summer.

schoorsteen [-ste.n] *m* 1 chimney, (chimney-)stack [of a house]; 2 funnel [of a steamer]; *daar kan de* ~ *niet van roken* that won't keep the pot boiling.

schoorsteenbrand [-brɑnt] *m* chimney-fire.

schoorsteenkap [-kɑp] *v* chimney-cap.

schoorsteenmantel [-mɑntəl] *m* mantelpiece.

schoorsteenplaat [-pla.t] *v* hearth-plate.

schoorsteenveger [-ve.ɡər] *m* chimney-sweeper, sweep.

schoorsteenwissel [-vɪsəl] *m* ⚓ accommodation bill.

schoorvoetend ['sxo:rvu.tənt] (reluctantly, hesitatingly.

schoot [sxo.t] *m* 1 lap; *fig* womb; 2 ⚓ sheet [of a sail]; 3 ⚒ bolt [of a lock]; 4 ⚘ shoot, sprig; *de ~ der Kerk* the bosom of the Church; *de handen in de ~ leggen* fold one's arms; *het hoofd in de ~ leggen* give in, submit; *met de handen in de ~ zitten* sit with folded hands; *het wordt hun in de ~ geworpen* it is lavished upon them; *in de ~ der aarde* in the bowels of the earth; *zij had een boek op haar ~* she sat with a book on her lap; *het kind op moeders ~* the child in its mother's lap.

schoothondje ['sxo.thɔɲcə] *o* lap-dog, toy dog.

schootkindje [-kɪɲcə] *o* 1 baby; 2 favourite child, pet.

schootsafstand ['sxo.tsɑfstɑnt] *m* ⚔ range.

schootsvel [-fɛl] *o* leather(n) apron.

schootsveld [-fɛlt] *o* ⚔ field of fire.

schootsverheid [-fɛrhɛit] *v* ⚔ range.

schootvrij ['sxo.tfrɛi] shot-proof, bomb-proof; *fig* proof (against *voor*).

1 **schop** [sxɔp] *v* 1 shovel, spade; 2 (v. koren &) scoop.

2 **schop** [sxɔp] *m* kick.

1 **schoppen** ['sxɔpə(n)] I *vi* kick; *~ naar* kick at; II *vt* in: *herrie (lawaai) ~* kick up a row; *iemand een standje ~* zie *standje*.

2 **schoppen** ['sxɔpə(n)] *v* ◇ spades; *~aas* ace of spades.

schor [sxɔr] hoarse, husky.

schorem ['sxo:rəm] I *o* zie *schorr(i)emorrie*; II *aj* shabby.

schoren ['sxo:rə(n)] *vt* shore up, buttress, support, prop.

schorheid ['sxɔrhɛit] *v* hoarseness.

schorpioen [sxɔrpi.'u.n] *m* ♏ scorpion.

schorr(i)emorrie ['sxɔri.məri., 'sxɔrəmɔri.] *o* rabble, riff-raff, tagrag and bobtail.

schors [sxɔrs] *v* bark.

schorsen ['sxɔrsə(n)] *vt* suspend [the sitting, an official], suspend [a lawyer] from practice.

schorseneel, schorseneer [sxɔrsə'ne.l, -'ne:r] *v* ⚘ black salsify, scorzonera.

schorsing ['sxɔrsɪŋ] *v* suspension [of a meeting, an official].

schort [sxɔrt] *v* & *o* apron, [child's] pinafore.

schorteband ['sxɔrtəbɑnt] *m* apron-string.

schorten ['sxɔrtə(n)] *onp. ww.* in: *wat schort eraan?* what is the matter?

schot [sxɔt] *o* 1 shot, report [of a gun]; 2 partition [in room]; ⚓ bulkhead; *er komt ~ in* we are making headway; *een ~ doen* fire a shot; *~ geven* veer [a cable]; *~ en lot betalen* pay scot and lot; *binnen ~* within range; *buiten ~* out of range; *trachten buiten ~ te blijven* try to keep out of harm's way; *onder ~ krijgen* get within range; *ze zijn onder ~* they are within range; *geen ~ kruit waard* not worth powder and shot.

Schot [sxɔt] *m* Scotchman, Scotsman, Scot; *de ~ten* the Scotch, the Scots.

schotel ['sxo.təl] *m* & *v* dish; *vliegende ~* flying saucer.

schoteltje [-cə] *o* 1 (vooɪ kop) saucer; 2 (eten) dish.

Schotland ['sxɔtlɑnt] *o* Scotland, ⊙ Caledonia.

1 **schots** [sxɔts] *v* floe [of ice].

2 **schots** [sxɔts] in: *~ en scheef door elkaar* higgledy-piggledy.

Schots [sxɔts] I *aj* Scotch, Scottish; II *o het ~* Scotch, Scots; III *v een ~e* a Scotchwoman.

schotschrift ['sxɔts(x)rɪft] *o* libel, lampoon.

schotvrij ['sxɔtfrɛi] = *schootvrij*.

schotwond(e) [-vɔnt, -vɔndə] *v* shot-wound, bullet-wound.

schouder ['sxɔudər] *m* shoulder; *breed van ~s* broad-shouldered; *de ~s ophalen* shrug one's shoulders, give a shrug; *~ aan ~ staan* stand shoulder to shoulder; *over de ~ aanzien* give a person the cold shoulder.

schouderband [-bɑnt] *m* **-bandje** [-bɑɲcə] *o* shoulder-strap.

schouderbedekking [-bədɛkɪŋ] *v* ⚔ shoulder-strap.

schouderblad [-blɑt] *o* shoulderblade, § scapula [*mv* scapulae].

schouderbreedte [-bre.tə] *v* breadth of shoulders.

schouderen ['sxɔudərə(n)] *vt* in: '*t geweer ~* shoulder the gun, ⚔ shoulder arms.

schoudergewricht ['sxɔudərɡəvrɪxt] *o* shoulderjoint.

schouderklep [-klɛp] *v* ⚔ shoulder-strap.

schoudermantel [-mɑntəl] *m* cape.

schouderophalen [-ɔpha.lə(n)] *o* shrug (of the shoulders).

schouderstuk [-stʉk] *o* 1 ⚔ shoulder-strap; 2 (v. hemd &) yoke; 3 (v. vlees) shoulder [of lamb &].

schoudertas [-tɑs] *v* shoulder-bag.

schout [sxɔut] *m* ⊞ bailiff, sheriff.

schout-bij-nacht [-bɛi'nɑxt] *m* ⚓ rear-admiral.

1 **schouw** [sxɔu] *v* chimney.

2 **schouw** [sxɔu] *m* inspection, survey.

3 **schouw** [sxɔu] *v* ⚓ scow.

schouwburg ['sxɔubʉrx] *m* theatre.

schouwburgbezoeker [-bəzu.kər] *m* theatregoer.

schouwburgpubliek [-py.bli.k] *o* theatre-going public.

schouwen ['sxɔuə(n)] *vt* inspect; ⊙ view, behold; *een lijk ~* hold an inquest.

schouwing [-ɪŋ] *v* inspection.

schouwspel [-spɛl] *o* spectacle, scene, sight, view.

schouwtoneel [-to.ne.l] *o* stage, scene, theatre.
schoven ['sxo.və(n)] *vt* sheave.
schraag ['s(x)ra.x] *v* trestle; support.
schraagpijler [-pɛilər] *m* buttress.
schraal [s(x)ra.l] **I** *aj* 1 (personen) thin, gaunt; 2 (inkomen) slender [salary]; lean [purse]; 3 (spijs &) meagre [diet], poor, scanty, spare, slender; 4 (grond) poor; 5 (wind) bleak; **II** *ad* poorly, scantily.
schraalhans ['s(x)ra.lhɑns] *m* in: *hier is ~ keukenmeester* we are on short commons here.
schraalheid [-hɛit] *v* poverty, thinness, scantiness &.
schraaltjes [-cəs] poorly, scantily, thinly, slenderly.
schraapachtig ['s(x)ra.pɑxtəx] scraping, stingy, covetous.
schraapijzer [-ɛizər] *o* scraper.
schraapsel [-səl] *o* scrapings.
schraapzucht [-sŭxt] *v* stinginess, covetousness.
schraapzuchtig [s(x)ra.p'sŭxtəx] scraping, stingy, covetous.
schrab [s(x)rɑp] *v* scratch.
schrabben ['s(x)rɑbə(n)] *vt* scratch, scrape [carrots].
schrabber [-bər] *m* **schrabijzer** ['s(x)rɑpɛizər] ~mes [-mɛs] *o* scraper.
schragen ['s(x)ra.gə(n)] *vt* support, prop, stay.
schram [s(x)rɑm] *v* scratch.
schrammen ['s(x)rɑmə(n)] **I** *vt* scratch, graze; **II** *vr zich* ~ scratch oneself, graze one's skin.
schrander ['s(x)rɑndər] **I** *aj* clever, intelligent, sagacious, discerning; **II** *ad* cleverly, intelligently, sagaciously.
schranderheid [-hɛit] *v* cleverness, intelligence, sagacity.
schransen ['s(x)rɑnsə(n)] *vi* gormandize; *zij waren aan het* ~ they were stoking up (stuffing, cramming).
schranser [-sər] *m* glutton.
schranzen ['s(x)rɑnzə(n)] = *schransen*.
schranzer [-zər] = *schranser*.
1 **schrap** [s(x)rɑp] *v* scratch; *er een* ~ *door halen* strike it out.
2 **schrap** [s(x)rɑp] in: *zich* ~ *zetten* take a firm stand.
schrapen ['s(x)ra.pə(n)] *vt* scrape; *zich de keel* ~ clear one's throat.
schraper [-pər] *m* scraper.
schraperig [-pərəx] scraping, stingy, covetous.
schrapijzer *o* zie *schrabijzer*.
schrapmes *o* zie *schrabmes*.
schrappen ['s(x)rɑpə(n)] *vt* scrape [carrots &]; scale [fish]; strike out [a name]; cancel [a debt]; delete [a name, a passage]; *iemand van de lijst* ~ strike one off the list.
schrapper *m* zie *schrabber*.
schrapping [-pɪŋ] *v* striking out [of a name]; deletion [of a passage, word]; cancellation [of a debt].
schrapsel ['s(x)rɑpsəl] *o* scrapings.

schrede ['s(x)re.də] *v* pace, step, stride; *de eerste* ~ *doen* take the first step; *zijn* ~*n wenden naar...* turn (bend) one's steps to...; *met rasse* ~*n* with rapid strides, fast.
schreef [s(x)re.f] *v* line, scratch; *buiten de* ~ *gaan* go over the line, exceed the bounds; *hij heeft een* ~*je vóór* he is the favourite.
schreeuw [s(x)re:u] *m* cry, shout, screech; *een* ~ *geven* give a cry.
schreeuwen ['s(x)re.və(n)] *vi* cry, shout, bawl; ~ *als een mager varken* F squeal like a (stuck) pig; (*er*) *om* ~ ook: clamour for it; *hij schreeuwt voordat hij geslagen wordt* he cries out before he is hurt; *zich hees* ~ cry oneself hoarse.
schreeuwend [-vənt] crying[2] [injustice]; ~*e kleuren* loud colours.
schreeuwer [-vər] *m* bawler; *fig* braggart.
schreeuwerig [-vərəx] screaming [voice &]; *fig* clamorous [persons]; loud [colours]; vociferous [speeches].
schreeuwlelijk ['s(x)re:ule.lək] *m* 1 bawler; 2 (huilebalk) cry-baby.
schreien ['s(x)rɛiə(n)] *vi* weep, cry; ~ *om...* weep for...; *ten hemel* ~ cry (aloud) to Heaven; *tot* ~*s toe bewogen* moved to tears; ~ *van...* weep for (with) [joy].
schreier [-ər] *m* ~*ster* [-stər] *v* weeper, crier.
schriel [s(x)ri.l] **I** *aj* (gierig) stingy, mean, niggardly; **II** *ad* stingily, meanly, niggardly; zie ook: *schraal*.
schrielhannes ['s(x)ri.lhɑnəs] *m* niggard, skinflint.
schrielheid [-hɛit] *v* (gierigheid) stinginess, meanness, niggardliness; zie ook: *schraalheid*.
schrift [s(x)rɪft] *o* 1 (het geschrevene) writing; [Arabic, Latin] script; 2 (schrijfboek) exercise-book; (voor schoonschrift) copybook; *op* ~ in writing; *op* ~ *brengen* put [it] in writing.
Schrift [s(x)rɪft] *v de (Heilige)* ~ Holy Writ, (Holy) Scripture, the Scriptures.
schriftelijk ['s(x)rɪftələk] **I** *aj* written, in writing; ~*e cursus* correspondence course; **II** *ad* in writing; by letter; **III** *o* in: *het* ~ the written work [of an examination].
schriftgeleerde ['s(x)rɪftgəle:rdə] *m* scribe.
schriftuur [s(x)rɪf'ty:r] *v* writing, document; *de S*~ Scripture.
schriftuurlijk [-lək] scriptural.
schrijden ['s(x)rɛidə(n)] *vi* stride.
schrijfbehoeften ['s(x)rɛifbəhu.ftə(n)] *mv* writing-materials, stationery.
schrijfblok [-blɔk] *o* writing-block.
schrijfboek [-bu.k] *o* exercise-book; (voor schoonschrift) copy-book.
schrijfbureau [-by.ro.] *o* desk, writing-table.
schrijffout ['s(x)rɛifɑut] *v* clerical error, slip of the pen.
schrijfgerei ['s(x)rɛifgərɛi] *o* writing-materials.
schrijfinkt [-ɪŋ(k)t] *m* writing-ink.

schrijfkramp [-kramp] v writer's cramp.

schrijfkunst [-kŭnst] v art of writing, penmanship.

schrijfles [-les] v writing-lesson.

schrijflessenaar [-lesǝna:r] m desk, writing-table.

schrijfletter [-letǝr] v written character; ~s script.

schrijfmachine [-ma.ʃi.nǝ] v typewriter.

schrijfmachinelint [-lint] o typewriter ribbon.

schrijfmachinepapier [-pa.pi:r] o typewriting paper.

schrijfmap ['s(x)rɛifmɑp] v writing-case.

schrijfpapier [-pa.pi:r] o writing-paper.

schrijfster [-stǝr] v (woman) writer, authoress.

schrijftaal [-ta.l] v written language.

schrijftafel [-ta.fǝl] v writing-table.

schrijfvoorbeeld ['s(x)rɛifo:rbe.lt] o copy-book heading.

schrijfwerk ['s(x)rɛifverk] o clerical work, writing.

schrijfwijs, -wijze [-vɛis, -vɛizǝ] v manner (style) of writing.

schrijfwoede [-vu.dǝ] v mania for scribbling.

schrijlings ['s(x)rɛiliŋs] astride [his father's knee], astraddle (of op); [stand] straddle-legged.

⁎ schrijn [s(x)rɛin] o & m chest, cabinet; (v. relikwieën] shrine.

schrijnen ['s(x)rɛinǝ(n)] vt graze, abrade [the skin]; ~d leed bitter grief; ~de pijn smarting pain; ~de tegenstelling, ~d verhaal poignant contrast (story).

schrijnwerker [-verkǝr] m joiner.

schrijven ['s(x)rɛivǝ(n)] I vt write; dat kan je op je buik ~ P you may whistle for it; II vi & va write; ~ aan write to; hij schrijft in de krant he writes in a paper (for the papers); ~ op een advertentie answer an advertisement; hij schrijft over de oorlog he writes about the war; hij heeft over Byron geschreven he has written on Byron; er staat geschreven it is written; III vr zich ~ sign oneself [John Jones]; IV o in: ons laatste ~ our last letter; uw ~ van de 20ste your letter, your favour of the 20th inst.

schrijver [-vǝr] m writer [of a letter, books &]; author [of a treatise, books &]; clerk, copyist [in an office].

schrijverij [s(x)rɛivǝ'rɛi] v writing, scribbling.

schrik [s(x)rik] m fright, terror; de ~ van 't dorp the terror of the village; iemand ~ aanjagen give one a fright, terrify one; er de ~ inbrengen put the fear of God into them; een ~ krijgen get a fright; met ~ vervullen strike terror into; met ~ wakker worden start from one's sleep; het van ~ besterven be frightened to death.

schrikaanjagend ['s(x)rika.nja.gǝnt] terrifying.

schrikachtig [-ɑxtǝx] easily frightened, F jumpy.

schrikachtigheid [-hɛit] v jumpiness.

schrikbarend [s(x)rik'ba:rǝnt] I aj frightful,

fearful, dreadful, F awful; II ad frightfully, fearfully, dreadfully, F awfully.

schrikbeeld ['s(x)rikbe.lt] o terror, bogy.

schrikbewind [-bǝvint] o (Reign of) Terror.

schrikdraad [-dra.t] m electric (wire) fence.

schrikkeldag ['s(x)rikǝldɑx] m intercalary day.

schrikkeljaar [-ja:r] o leap-year.

schrikkelmaand [-ma.nt] v February.

schrikken ['s(x)rikǝ(n)] I vi be frightened; (op ~) start, give a start; iemand doen ~ give one a fright, frighten one, startle one; hij ziet eruit om van te ~ his looks simply frighten you; ~ voor... take fright at; II vr in: zich dood (een aap &) ~ F be frightened to death.

schrikwekkend [s(x)rik'vekǝnt] terrifying, terrific, appalling.

schril [s(x)ril] I aj shrill, strident [sounds]; glaring [light, colours, contrast]; II ad shrilly, stridently; glaringly.

schrobben ['s(x)ròbǝ(n)] vt scrub, scour [the floor].

schrobber [-bǝr] m scrubbing-brush, scrubber.

schrobbering [s(x)rò'be:riŋ] v F dressing-down, scolding, trimming.

schrobnet [s(x)ròpnet] o trawl-net.

schroef [s(x)ru.f] v 1 screw; 2 (bank~) vice; 3 ⚓ screw, (screw) propeller; 4 ✈ airscrew, propeller; 5 ♪ peg [of a violin]; ~ van Archimedes Archimedean screw; ~ zonder eind endless screw; ~ en moer male and female screw; de ~ wat aandraaien turn the screw²; alles staat op losse schroeven everything is unsettled.

schroefas ['s(x)ru.fɑs] v ⚓ propeller-shaft.

schroefbank [-bɑŋk] v ⚒ vice-bench.

schroefblad [-blɑt] o propeller-blade.

schroefboor [-bo:r] v ⚒ screw-auger.

schroefboot [-bo.t] m & v screw steamer.

schroefbout [-bɑut] m ⚒ screw-bolt.

schroefdraad [-dra.t] m ⚒ screw-thread.

schroefgang [-gɑŋ] m ⚒ thread (worm) of a screw.

schroeflijn [-lɛin] v helix [mv helices].

schroefmoer [-mu:r] v ⚒ nut, female screw.

schroefsgewijs, -gewijze [s(x)ru.fsgǝ'vɛis, -'vɛizǝ] spirally.

schroefsleutel ['s(x)ru.fslø.tǝl] m ⚒ monkey-wrench, spanner.

schroefsluiting [-slœytiŋ] v screw-cap; fles met ~ screw-stoppered bottle.

schroefstoomboot [-sto.mbo.t] m & v ⚓ screw steamer.

schroefturbine [-tŭrbi.nǝ] v propeller turbine.

schroefvliegtuig ['s(x)ru.fli.xtœyx] o ✈ propeller plane.

schroefvormig [-fòrmǝx] screw-shaped, spiral.

schroeien ['s(x)ru.jǝ(n)] I vt scorch [the grass &]; singe [one's dress, one's hair]; scald [a pig]; cauterize [a wound]; II vi get singed.

schroevedraaier ['s(x)ru.vǝdra.jǝr] m ⚒ screw-driver, turnscrew.

schroeven [-vǝ(n)] vt screw.

schrok [s(x)rɔk] *m* glutton.

schrokken ['s(x)rɔkə(n)] I *vi* eat gluttonously, bolt (wolf down) one's food, guzzle; II *vt het naar binnen* ~ bolt it down.

schrokker(d) [-kər(t)] *m* glutton.

schrokk(er)ig [-k(ər)əx] I *aj* gluttonous, greedy; II *ad* gluttonously, greedily.

schrokk(er)igheid [-hɛit] *v* gluttony, greediness.

schromelijk ['s(x)ro.mələk] I *aj* gross [exaggeration &], < frightful, awful; II *ad* grossly [exaggerated &], greatly, grievously, sorely [mistaken], < frightfully, awfully.

schromen [-mə(n)] *vt* fear, dread, hesitate.

schrompelen ['s(x)rɔmpələ(n)] *vi* shrivel (up).

schrompelig [-ləx] shrivelled, wrinkled.

schroom [s(x)ro.m] *m* diffidence, fear, dread, scruple.

schroomvallig [s(x)ro.m'vɑləx] *aj* (& *ad*) diffident(ly), timorous(ly).

schroomvalligheid [-hɛit] *v* diffidence, timidity, timorousness.

schroot [s(x)ro.t] *o* 1 ✕ grape-shot; ⚔ case-shot; 2 ⚒ (ijzerafval) scrap.

schub(be) [sxʉp, 'sxʉbə] *v* scale [of a fish].

schubben ['sxʉbə(n)] *vt* scale [a fish].

schubbig [-bəx] scaly.

schuchter ['sxʉxtər] I *aj* timid, timorous, shy, bashful, coy; II *ad* timidly &.

schuchterheid [-hɛit] *v* timidity, timorousness, shyness, bashfulness, coyness.

schuddebollen ['sxʉdəbɔlə(n)] *vi* nid-nod, niddle-noddle.

schudden ['sxʉdə(n)] I *vt* shake [one's head, a bottle, hands with a person]; shuffle [the cards]; *iemand door mekaar* ~ F shake a person up, give him a good shaking; II *vi* 1 (in 't alg.) shake; 2 (v. rijtuig) jolt; ~ *vóór het gebruik* to be shaken before taking it; *hij schudde met het hoofd (van neen)* he shook his head; *dat deed het hele huis* ~ it shook the house; *hij schudde van het lachen* he was convulsed with laughter; *het gebouw schudde op zijn grondvesten* the building shook to its foundations.

schudding [-dɪŋ] *v* shaking, concussion.

schuier ['sxœyər] *m* brush.

schuieren [-ərə(n)] *vt* brush.

schuif [sxœyf] *v* slide; sliding-lid [of a box]; bolt [of a door]; slide [of a magic lantern &]; damper [of a stove].

schuifblad ['sxœyfblɑt] *o* extra leaf [of a table].

schuifdak [-dɑk] *o* sliding-roof.

schuifdeur [-dø:r] *v* sliding-door.

schuifelen ['sxœyfələ(n)] *vi* 1 shuffle, shamble; 2 (v. slang) hiss.

schuifgordijn ['sxœyfɡɔrdɛin] *o* curtain.

schuifklep [-klɛp] *v* ✕ slide-valve.

schuifknoop [-kno.p] *m* running knot, slip-knot.

schuifladder [-lɑdər] *v* extending ladder, extension ladder.

schuifla(de) [-la.(də)] *v* drawer.

schuifpotlood [-pɔtlo.t] *o* sliding-pencil.

schuifraam [-ra.m] *o* sash-window.

schuiftafel [-ta.fəl] *v* zie *uittrektafel*.

schuiftrompet [-trɔmpɛt] *v* ♪ trombone.

schuilen ['sxœylə(n)] *vi* 1 take shelter, shelter (from *voor*); 2 hide; *daar schuilt wat achter* there is something behind it, something at the bottom; *de moeilijkheid schuilt in...* the difficulty lies (consists, rests) in...; *onder een boom* ~ flee for shelter under a tree.

schuilevinkje [-ləvɪŋkjə] *o* hide-and-seek; ~ *spelen* play at hide-and-seek.

schuilgaan ['sxœylɡa.n] *vi* hide [of the sun].

schuilhoek [-hu.k] *m* hiding-place.

schuilhouden [-hɑudə(n)] *zich* ~ hide, be in hiding, keep in the shade, S lie low.

schuilkelder [-kɛldər] *m* underground shelter.

schuilnaam [-na.m] *m* (inz. v. schrijver) pen-name, pseudonym; (v. spion &) assumed name.

schuilplaats [-pla.ts] *v* hiding-place; shelter; refuge, asylum; *bomvrije* ~ ✕ dug-out; bombproof shelter; *een* ~ *zoeken bij...* take shelter with, flee for shelter to...

schuim [sxœym] *o* foam [of liquid in fermentation or agitation, of saliva or perspiration]; froth [of liquid, beer &]; lather [of soap]; dross [of metals]; scum² [of impurities rising to the surface in boiling]; *fig* offscourings, scum, dregs [of the people]; *het* ~ *staat hem op de mond* he foams at the mouth.

schuimachtig ['sxœymɑxtəx] foamy, frothy.

schuimbekken [-bɛkə(n)] *vi* foam at the mouth; ~*d van woede* foaming with rage.

schuimblusser [-blʉsər] *m* foam extinguisher.

schuimen ['sxœymə(n)] I *vi* 1 foam [of water, the mouth &]; froth [of beer]; lather [of soap]; 2 (klaplopen) sponge; *op zee* ~ scour the seas; II *vt* skim [soup &].

schuimig [-məx] foamy, frothy.

schuimkop ['sxœymkɔp] *m* crest [of waves].

schuimpje [-pjə] *o* meringue.

schuimplastiek [-plɑsti.k] *o* foam(ed) plastic.

schuimrubber [-rʉbər] *m* & *o* foam rubber.

schuimspaan [-spa.n] *v* skimmer.

schuin [sxœyn] I *aj* slanting, sloping [wall &]; oblique [bearing, course, line, winding &]; inclined [plane]; bevel [edge]; *fig* broad, obscene [stories, song, jokes]; *de* ~*e zijde (van een driehoek)* the hypotenuse; II *ad* aslant, slantingly &; awry; askew; ~ *aanzien* look askance at²; *het* ~ *houden* tilt it, slant it, slope it; ~ *tegenover* nearly opposite.

schuinen ['sxœynə(n)] *vt* ✕ bevel, chamfer, splay.

schuinheid ['sxœynhɛit] *v* obliqueness, obliquity; *fig* obscenity.

schuins [sxœyns] zie *schuin*.

schuinschrift ['sxœyns(x)rɪft] *o* sloping (slanting) writing.

schuinte [-tə] *v* obliquity, slope; *in de* ~ aslant.

schuit [sxœyt] *v* boat, barge; zie ook: *schuitje*.
schuitehuis ['sxœytəhœys] *o* boat-house.
schuitevoerder [-vu:rdər] *m* bargeman, bargee.
schuitje ['sxœycɔ] *o* 1 ♨ (little) boat; 2 (v. ballon) car, basket; 3 ✗ pig, sow [of tin]; *we zitten in 't ~ en moeten meevaren* in for a penny in for a pound; *we zitten allemaal in hetzelfde ~* we are all in the same boat.
schuitjevaren [-va:rə(n)] *vi* boat, be boating.
schuitvormig ['sxœytfɔrməx] boat-shaped.
schuiven ['sxœyvə(n)] I *vt* shove, push [a chair &]; slip [a ring off one's finger]; *opium ~* smoke opium; *de grendel op de deur ~* shoot the bolt; *de schuld op een ander ~* lay the guilt at another man's door, lay the blame on someone else; *iets van zijn hals ~* shift the responsibility & upon another man's shoulders, rid oneself of something; II *vi* slide, slip.
schuiver [-vər] *m* F lurch; *een ~ maken* give a lurch ‖ zie ook: *opiumschuiver*.
schuld [sxŭlt] *v* 1 (in geld) debt; 2 (fout) fault, guilt; *achterstallige ~* arrears; *kwade ~en* bad debts; *lopende ~* outstanding (running, current) debt; *het is mijn ~ (niet)* it is (not) my fault, the fault is (not) mine; *wiens ~ is het?* whose fault is it?, who is to blame?; *het weer was ~ dat...* it was owing to the weather that...; *~ bekennen* plead guilty; *~ belijden* confess one's guilt; *iemand de ~ van iets geven* lay (throw) the blame on a person, blame a person for a thing; *~ hebben* 1 (schuldig zijn) be guilty; 2 (verschuldigd zijn) owe (money); *wie heeft ~?* who is to blame?; *~ hebben aan iets* be a party to it; *gewoonlijk krijg ik de ~* usually I am blamed; *~en maken* contract debts, run into debt; *de ~ op zich nemen* take the blame upon oneself; *vergeef ons onze ~en* B forgive us our trespasses; *buiten mijn ~* through no fault of mine; *door uw ~* through your fault.
schuldbekentenis ['sxŭltbəkɛntənɪs] *v* 1 confession of guilt; 2 $ I O U, bond.
schuldbelijdenis [-lɛidənɪs] *v* confession of guilt.
schuldbesef [-sɛf] *o* sense of guilt, consciousness of (his, her) guilt.
schuldbewijs [-vɛis] *o* zie *schuldbekentenis* 2.
schuldbewust [-vŭst] I *aj* guilty; II *ad* guiltily.
schuldbrief ['sxŭltbri.f] *m* $ debenture.
schulddelging [-dɛlgɪŋ] *v* $ debt redemption.
schuldeiser [-ɛisər] *m* $ creditor.
schuldeloos ['sxŭldəlo.s] guiltless, innocent.
schuldeloosheid [sxŭldə'lo.shɛit] *v* guiltlessness, innocence.
schuldenaar ['sxŭldəna:r] *m ~nares* [sxŭldə-na:'rɛs] *v* $ debtor.
schuldgevoel ['sxŭltgəvu.l] *o* guilt feeling, feeling of guilt.
schuldig ['sxŭldəx] I *aj* guilty (of *aan*), culpable; *zijn ~e plicht* his bounden duty; *~ zijn* 1 (schuld hebben) be guilty; 2 (te betalen hebben) owe; *ik ben u nog wat ~* I owe you

a debt; *ik ben niemand iets ~* I owe no one any money; *ik ben u nog enige lessen ~* I still owe you for a few lessons; *het antwoord ~ blijven* not make an answer; *het antwoord niet ~ blijven* be ready with an answer; *het bewijs ~ blijven* fail to prove that...; *zich ~ maken aan* render oneself guilty of; *hij is des doods ~* he deserves death; *het ~ uitspreken over* condemn, find [one] guilty; II *sb* in: *de ~e* the guilty party, the culprit.
schuldvernieuwing ['sxŭltfərni.vɪŋ] *v* $ renewal of a debt.
schuldvordering [-fɔrdərɪŋ] *v* claim.
schulp [sxŭlp] *v* shell; *in zijn ~ kruipen* draw in one's horns.
schulpen ['sxŭlpə(n)] *vt* scallop.
schunnig ['sxŭnəx] I *aj* mean, shabby, shady, scurvy; II *ad* meanly &.
schunnigheid [-hɛit] *v* meanness.
schuren ['sxy:rə(n)] I *vt* 1 scour [a kettle &]; 2 chafe [the skin]; II *va* scour; III *vi* in: *over het zand ~* grate over the sand.
schurft [sxŭrft] *v* & *o* scabies, itch [of man]; scab [of sheep]; mange [of horses].
schurftig ['sxŭrftəx] scabby, mangy.
schurftigheid [-hɛit] *v* scabbiness, manginess.
schurftmijt ['sxŭrftmɛit] *v* itch-mite.
schuring ['sxy:rɪŋ] *v* friction.
schuringsgeluid [-rɪŋsgəlœyt] *o* gram fricative.
schurk [sxŭrk] *m* rascal, rogue, scoundrel, scamp, knave, villain.
schurkachtig ['sxŭrkɑxtəx] rascally, scoundrelly, knavish, villainous.
schurkachtigheid [-hɛit] *v* rascality, villainy, knavishness.
schurkenstreek ['sxŭrkə(n)stre.k] *m* & *v* ~**stuk** [-stŭk] *o* **schurkerij** [sxŭrkə'rɛi] *v* roguery, (piece of) villainy, piece of knavery, knavish trick.
schut [sxŭt] *o* (scherm) screen; (schutting) fence; (schot) partition.
schutblad ['sxŭtblɑt] *o* 1 (v. boek) fly-leaf; endpaper; 2 ♣ bract.
schutbord [-bɔrt] *o* ⚙ dash-board.
schutdeur [-dø:r] *v* lock-gate, floodgate.
schutgeld [-gɛlt] *o* 1 (voor vee) poundage; 2 (voor schepen) lockage.
schutkleur(en) [-klø:r(ə(n))] *v* (*mv*) protective coloration.
schutkolk [-kɔlk] *v* lock-chamber.
schutsengel ['sxŭtsɛŋəl] *m* guardian angel.
schutsheer [-he:r] *m* patron.
schutsluis ['sxŭtslœys] *v* lock.
schutspatroon ['sxŭtspa.tro.n] *m* ~**patrones** [-pa.tro.nɛs] *v* patron saint.
schutstal ['sxŭtstɑl] *m* pound.
schutsvrouw ['sxŭtsfrou] *v* patroness.
schutten ['sxŭtə(n)] *vt* 1 (van vee) pound; 2 (v. schepen) lock (through).
schutter [-tər] *m* 1 marksman; ✗ [air-, machine-]gunner; 2 ♔ soldier of the Civic guard; *de Schutter* ✳ Sagittarius.

schutterig [-tərəx] *aj* (& *ad*) awkward(ly).

schutterij [sxŭtə'rɛi] *v* ⚇ National guard, Civic guard.

schutting ['sxŭtɪŋ] *v* fence; hoarding [in the street, for advertisement].

schuur [sxy:r] *v* 1 barn [for corn]; 2 shed.

schuurborstel ['sxy:rbòrstəl] *m* scouring-brush.

schuurlap [-lɑp] *m* scouring-cloth.

schuurlinnen [-lɪnə(n)] *o* emery-cloth.

schuurmiddel [-mɪdəl] *o* abrasive.

schuurpapier [-pa.pi:r] *o* emery-paper.

schuurzand [-zɑnt] *o* scouring-sand.

schuw [sxy:u] *aj* (& *ad*) shy(ly), timid(ly), bashful(ly).

schuwen ['sxy.və(n)] *vt* shun [a man, bad company &]; eschew [action, kind of food &]; *iets ~ als de pest* shun (avoid) it like the plague.

schuwheid ['sxy:uhɛit] *v* shyness, timidity, bashfulness.

sclerose [skle:'ro.zə] *v* 🜊 sclerosis; *multiple* [mŭl'ti.pələ] ~ multiple sclerosis.

scooter ['sku.tər] *m* (motor) scooter.

scooterrijder ['sku.tərɛidər] *m* scooterist.

score ['sko:rə] *m* score.

scorebord [-bərt] *o* score-board.

scoren ['sko:rən] *vi* & *vt* score.

scribent [skri.'bɛnt] *m* scribbler.

scrofuleus [skro.fy.'lø.s] scrofulous.

scrupel ['skry.pəl] *o* scruple.

scrupule [skry.'py.lə] *v* scruple.

scrupuleus [-py.'lø.s] scrupulous.

scrupulositeit [-py.lo.zi.'tɛit] *v* scrupulosity.

Scylla ['skɪla.] in: *tussen ~ en Charybdis* between Scylla and Charybdis.

Scyth [ski.t] *m* Scythian.

Scythië ['ski.ti.ə] *o* Scythia.

Scythisch [-ti.s] Scythian.

seance [se.'ãsə] *v* séance.

Sebastiaan [se.'bɑsti.a.n] *m* Sebastian.

secondair [səkòn'dɛ:r] secondary.

secondant [-'dɑnt] *m* 1 assistant master [in a boarding-school]; 2 second [in a duel]; 3 bottle-holder [at a prize-fight].

secondante [-'dɑntə] *v* assistant teacher.

seconde [sə'kòndə] *v* second.

seconderen [səkòn'de:rə(n)] *vt* second.

secondewijzer [sə'kòndəvɛizər] *m* second(s) hand.

secretaire [səkre.'tɛ:rə] *m* writing-desk, secretary.

secretaresse [sɪkrəta:'rɛsə] *v* (lady) secretary.

secretariaat [-ri.'a.t] *o* secretaryship, secretariat.

secretarie [-'ri.] *v* 1 secretary's office, Secretariat; 2 (v. d. gemeente) town clerk's office.

secretaris [sɪkrə'ta:rəs] *m* 1 (in 't alg.) secretary; 2 (v. d. gemeente) town clerk.

secretaris-generaal [-ta:rəsge.nə'ra.l] *m* 1 permanent under-secretary [of a ministry]; 2 secretary-general [of UNO &]

sectari- zie *sektari-*.

secte(-) zie *sekte(-)*.

sectie ['sɛksi.] *v* 1 section; 2 (v. lijk) dissection, post-mortem (examination); 3 ⚔ platoon.

sector ['sɛktər] *m* sector.

seculair [se.ky.'lɛ:r] secular.

secularisatie [-la:ri.'za.(t)si.] *v* secularization.

seculariseren [-'ze:rə(n)] *vt* secularize.

seculariz- zie *secularis-*.

seculier [se.ky.'li:r] I *aj* secular; II *m* secular.

secunda [sə'kŭnda.] *v* $ second of exchange.

secundair [səkŭn'dɛ:r] = *secundair*.

securiteit [səky.ri.'tɛit] *v* security; *voor alle ~* to be on the safe side, for safety's sake.

secuur [sə'ky:r] I *aj* accurate, precise; II *ad* accurately, precisely; *het ~ weten* know it positively.

sedert ['se.dərt] I *prep* since; *~ enige dagen* for some days past; *~ mijn komst* since my arrival; II *ad* since; *ik heb hem ~ niet meer gezien* I have not seen him since; III *cj* since.

sedertdien [se.dər'di.n] since.

segment [sɛx'mɛnt] *o* segment.

segrijn [sə'grɛin] *o* shagreen.

segrijnen [sə'grɛinə(n)] *aj* shagreen.

segrijnle(d)er [-grɛinle:r, -le.dər] *o* shagreen.

sein [sɛin] *o* signal; *dat was het ~ tot...* that was the signal for...; *~en geven* make signals; *hun het ~ geven om stil te houden* signal to them to stop.

seinen ['sɛinə(n)] *vt* & *vi* 1 (seinen geven) signal; 2 ‡ telegraph, wire.

seiner [-nər] *m* signaller, signalman.

seinfluit ['sɛinflœyt] *v* signal-whistle.

seinfout [-fout] *v* ‡ telegraphic error.

seinhuisje [-hœyʃə] *o* signal-box.

seinpaal [-pa.l] *m* signal-post, semaphore.

seinpost [-pòst] *m* signal-station.

seinstation [-sta.ʃòn] *o* signalling-station.

seintoestel [-tu.stɛl] *o* 1 signalling-apparatus; 2 ‡ transmitter.

seinvlag [-vlɑx] *v* ⚓ signal(ling)-flag.

seinwachter [-vɑxtər] *m* signalman.

seismograaf [sɛismo.'gra.f] *m* seismograph.

seizoen [sɛi'zu.n] *o* season.

seizoenarbeider [-ɑrbɛidər] *m* seasonal worker.

sekondant(e) zie *secondant(e)*.

sekonde(-) zie *seconde(-)*.

sekretar- zie *secretar-*.

sekse ['sɛksə] *v* sex; *de (schone) ~* the fair sex.

sekstant zie *sextant*.

seksualiteit [sɛksy.a.li.'tɛit] *v* sexuality, sex.

seksueel [-sy.'e.l] I *aj* sexual [organs]; sex [education, factor, life, problem]; II *ad* sexually.

sektariër [sɛk'ta:ri.ər] *m* sectarian.

sektarisch [-ri.s] sectarian.

sektarisme [sɛkta.'rɪsmə] *o* sectarianism.

sekte ['sɛktə] *v* sect.

sektegeest [-ge.st] *m* sectarianism.

sektie(-) zie *sectie(-)*.

sektor zie *sector*.
sekulari- zie *seculari-*.
sekulier zie *seculier*.
sekuriteit zie *securiteit*.
sekuur zie *secuur*.
sekwester [se.'kʌɛstər] 1 *m* sequestrator; 2 *o* sequestration.
sekwestratie [-kʌɛs'tra.(t)si.] *v* sequestration.
sekwestreren [-'tre:rə(n))] sequester, sequestrate.
selderie, selderij ['sɛldəri, -rɛi] *m* ♣ celery.
selecteren [se.lɛk'te:rə(n)] *vt* select.
selectie [se.'lɛksi.] *v* selection.
selectief [-lɛk'ti.f] selective.
selectiviteit [-ti.vi.'tɛit] *v* selectivity.
selekt- zie *select-*.
selfmade man ['sɛlfme.dmɛn] *m* self-made man.
semafoor [se.ma.'fo:r] *m* semaphore.
semester [sə'mɛstər] *o* semester.
Semiet [sə'mi.t] *m* Semite.
seminarie [se.mi.'na:ri] *o* seminary.
seminarist [-na.'rɪst] *m* seminarist.
Semitisch [sə'mi.ti.s] Semitic.
senaat [sə'na.t] *m* 1 senate; 2 ⇆ committee of senior students.
senator [-'na.tər] *m* senator.
seniel [se.'ni.l] senile; ~*e aftakeling* senile decay.
senior ['se.ni.ər] senior.
sensatie [sɛn'sa.(t)si.] *v* sensation, stir [among audience &]; [personal] thrill; ~ *maken (veroorzaken)* create a sensation, cause a stir; *op* ~ *belust* sensation-hungry.
sensatieroman [-ro.man] *m* sensational novel, S shocker, thriller.
sensatiestuk [-stʉk] *o* sensational play, thriller.
sensationeel [sɛnsa.(t)si.o.'ne.l] *aj* (& *ad*) sensational(ly).
sensueel [sɛnsy.'e.l] *aj* (& *ad*) sensual(ly).
sententie [sɛn'tɛn(t)si.] *v* sentence.
sentimentaliteit [sɛnti.mɛnta.li.'tɛit] *v* sentimentality.
sentimenteel [-'te.l] I *aj* sentimental; II *ad* sentimentally.
sepia ['se.pi.a.] *v* (dier & kleur) sepia.
september [sɛp'tɛmbər] *m* September.
septet [sɛp'tɛt] *o* ♪ septet(te).
septiem, septime [sɛp'ti.m] *v* ♪ seventh; ~ *akkoord* seventh chord.
sequest- zie *sekwest-*.
seraf, serafijn ['se:raf, se:ra.'fɛin] *m* seraph [*mv* seraphim].
serail [se:'rɑj] *o* seraglio.
serenade [se:rə'na.də] *v* ♪ serenade; *iemand een* ~ *brengen* serenade a person.
serge ['sɛrʒə] *v* serge.
sergeant [sɛr'ʒɑnt] *m* ⚔ sergeant.
sergeant-majoor [-ʒɑntma.'jo:r] *m* ⚔ sergeant-major.
sergeantsstrepen [-'ʒɑntstre.pə(n)] *mv* ⚔ sergeant's stripes.
Sergius ['sɛrgi.ʉs] *m* Serge.

serie ['se:ri.] *v* 1 (in het alg.) series; 2 ⚭ break.
serieus [se:ri.'ø.s] *aj* (& *ad*) serious(ly); *serieuze aanvragen* genuine inquiries.
sering [sə'rɪŋ] *v* ♣ lilac.
seringboom [-'rɪŋəbo.m] *m* ♣ lilac-tree.
sermoen [sɛr'mu.n] *o* sermon[2], *fig* lecture.
serpent [sɛr'pɛnt] *o* serpent; *fig* shrew.
serpentine [-pɛn'ti.nə] *v* (paper) streamer.
serre ['sɛrə] *v* 1 (losstaand of uitgebouwd) conservatory; hothouse, greenhouse, greenery; 2 (als achterkamer) closed veranda(h).
serum ['se:rʉm] *o* serum.
serveren [sɛr've:rə(n)] *vt* serve.
servet [sɛr'vɛt] *o* napkin, table-napkin, [paper] serviette; *te groot voor* ~ *en te klein voor tafellaken* at the awkward age.
servetring [-rɪŋ] *m* napkin ring, serviette ring.
Servië ['sɛrvi.ə] *o* Serbia.
Serviër [-vi.ər] *m* Serbian.
servies [sɛr'vi.s] *o* 1 dinner-set; 2 tea-set.
Servisch ['sɛrvi.s] *aj* & *o* Serbian.
servituut [sɛrvi.'ty.t] *o* easement, charge.
sesam ['se.sam] *m* ♣ sesame; ~ *open u* open sesame.
sessie ['sɛsi.] *v* session.
sexe zie *sekse*.
sextant [sɛks'tɑnt] *m* sextant.
sextet [sɛks'tɛt] *o* ♪ sextet(te).
sexu- zie *seksu-*.
sfeer [sfe:r] *v* 1 [celestial, social] sphere; 2 [cordial, cosy, home] atmosphere; *dat gaat boven mijn* ~ that is beyond me; *dat ligt buiten mijn* ~ that is out of my domain (my province); *hij was in hoger sferen* he was in the clouds.
sfinks zie *sfinx*.
sfinx [sfɪŋs] *m* sphinx.
shag [ʃɛg] *m* shag, cigarette tobacco.
shamponeren [ʃɑmpo.'ne:rə(n)] *vt* shampoo.
shampoo ['ʃɑmpo.] *m* shampoo.
shantoeng ['ʃɑntu.ŋ] *o* & *m* shantung.
sherry ['ʃɛri.] *m* sherry.
shock [ʃɔk] *m* shock.
shockbehandeling ['ʃɔkbəhandəlɪŋ] *v* shock treatment.
shockterapie zie *shocktherapie*.
shocktherapie ['ʃɔkte.ra.pi.] *v* shock therapy.
si [si.] *v* ♪ si.
Siam ['si.ɑm] *o* Siam.
Siamees [si.a.'me.s] I *aj* Siamese; II *m* Siamese; *de Siamezen* the Siamese; III *o het* ~ Siamese; IV *v een Siamese* a Siamese woman.
Siberië [si.'be:ri.ə] Siberia.
Siberisch [-ri.s] Siberian.
sibille, sibylle [si.'bɪlə] *v* sibyl.
siccatief [sɪka.'ti.f] *o* siccative.
Siciliaan(s) [si.si.li.'a.n(s)] *sb* & *aj* Sicilian.
Sicilië [si.'si.li.ə] *o* Sicily.
sidderaal ['sɪdəra.l] *m* 🐟 electric eel.
sidderen ['sɪdərə(n)] *vi* quake, shake, tremble, shudder; ~ *van...* quake & with.

siddering [-rɪŋ] *v* shudder, trembling.

sidderrog [-rɔx] *m* 🐟 electric ray.

sier [si:r] *v* in: *goede ∼ maken* make good cheer.

sieraad ['si:ra.t] *o* ornament².

sieren [-rə(n)] I *vt* adorn, ornament, decorate; II *vr zich ∼* adorn oneself.

sierheester ['si:rhe.stər] *m* ornamental shrub.

sierkunst [-kûnst] *v* decorative art.

sierlijk [-lək] *aj* (& *ad*) graceful(ly), elegant-(ly).

sierlijkheid [-ləkhɛit] *v* gracefulness, elegance.

sierpalm [-palm] *m* ornamental palm.

sierplant [-plant] *v* ornamental plant.

siësta [si.'ɛsta.] *v* siesta, nap.

sifon [si.'fòn] *m* siphon.

sigaar [si.'ga:r] *v* cigar.

sigareaansteker [-'ga:rəa.nste.kər] *m* cigar-lighter.

sigareas [-as] *v* cigar-ash.

sigarebandje [-baɲɔ] *o* cigar-band.

sigareknipper [-knɪpər] *m* cigar-cutter.

sigarenfabriek [si.'ga:rə(n)fa.bri.k] *v* cigar-factory, cigar-works.

sigarenhandelaar [-handəla:r] *m* tobacconist, dealer in cigars.

sigarenkistje [-kɪʃə] 1 cigar-box; 2 (schoen) S beetle-crusher.

sigarenkoker [-ko.kər] *m* cigar-case.

sigarenmagazijn [-ma.ga.zein] *o* cigar-store.

sigarenmaker [-ma.kər] *m* cigar-maker.

sigarenwinkel [-vɪŋkəl] *m* tobacconist's shop, cigar-shop.

sigarepijpje [si.'ga:rəpɛipjə] *o* cigar-holder.

sigaret [si.ga:'rɛt] *v* cigarette.

sigaretteaansteker [-'rɛtəa.nste.kər] *m* cigarette-lighter.

sigarettenautomaat [-'rɛtə(n)o.to.ma.t, -ɔuto.-ma.t] *m* cigarette-machine.

sigarettendoos [-do.s] *v* cigarette-box.

sigarettenkoker [-ko.kər] *m* cigarette-case.

sigarettenpapier [-pa.pi:r] *o* cigarette-paper.

sigarettentabak [-ta.bak] *m* cigarette-tobacco.

sigarettenvloei [-vlu:i] *o* cigarette-paper.

sigarettepijpje [-'rɛtəpɛipjə] *o* cigarette-holder, cigarette-tube.

sigaretteroller [-rɔlər] *m* [leather] cigarette-machine.

signaal [si.'na.l] *o* 1 (in 't alg.) signal; 2 ✗ bugle-call, call; 3 🎺 pipe, call.

signalement [-ɲa.lə'mɛnt] *o* description.

signaleren [-ɲa.'le:rə(n)] *vt* call attention to, point out [a fact]; describe, give a description of [a man wanted by the police].

signatuur [-'ty:r] *v* signature.

signeren [si.'ɲe:rə(n)] *vt* sign.

signet [-'ɲet] *o* signet, seal.

sijpelen ['sɛipələ(n)] *vi* ooze, trickle.

sijs [sɛis] *v* 🐦 siskin.

sik [sɪk] *v* 1 (dier) goat; 2 (baard) goat's beard [of a goat]; goatee, chin-tuft [of a man].

sikkatief zie *siccatief.*

1 **sikkel** ['sɪkəl] *v* sickle, reaping-hook.

2 **sikkel** ['sɪkəl] *m* shekel [Jewish weight & silver coin].

sikkepit ['sɪkəpɪt] *v* F bit; *geen ∼* not the least bit.

silene [si.'le.nə] *v* 🌷 campion.

Silezië [si.'le.zi.ə] *o* Silesia.

Sileziër [-zi.ər] *m* Silezisch [-zi.s] *aj* Silesian.

silhouet [si.lu.'ɛt] *v* silhouette.

silhouetteren [-ɛ'te:rə(n)] *vt* silhouette.

sillabe zie *syllabe.*

silo ['si.lo.] *m* silo; (graanpakhuis) elevator.

Simon ['si.mòn] *m* Simon.

simonie [si.mo.'ni.] *v* simony.

simpel ['sɪmpəl] simple, mere; (onnozel) silly.

simpelheid [-hɛit] *v* simplicity; silliness.

simplistisch [sɪm'plɪsti.s] (over-)simplified.

Simson ['sɪmsòn] *m* Samson.

simulant [si.my.'lant] *m* simulator; ✗ malingerer.

simulatie [-'la.(t)si.] *v* simulation; ✗ malingering.

simuleren [-'le:rə(n)] I *vt* simulate; II *va* simulate; ✗ malinger.

simultaanseance [si.mûl'ta.nse.ãsə] *v* simultaneous game.

sinaasappel ['si.na.sapəl] *m* orange.

sinaasappelkist [-kɪst] *v* orange box.

sinaasappelsap [-sap] *o* orange juice.

sinds [sɪnts] zie *sedert.*

sindsdien [sɪnts'di.n] zie *sedertdien.*

sinecure, sinecuur [si.nə'ky:r(ə)] *v* sinecure.

Singalees [sɪŋga.'le.s] *aj* & *m* Cingalese, Singhalese.

singel ['sɪŋəl] *m* 1 (voor paard) girth; 2 *RK* girdle [of priest's alb]; 3 (om stad) moat; ook: 4 ± boulevard; *∼s* (weefsel) webbing.

singelen ['sɪŋələ(n)] *vt* girth.

sinjeur [si.'ɲø:r] *m* fellow.

sinjo ['sɪɲo.] *m Ind* half-caste.

sint [sɪnt] saint; *de goede ∼* F St. Nicholas [Dec. 6th].

sint-bernhardshond [-'bɛrnartshònt] *m* 🐕 St. Bernard dog.

sintel ['sɪntəl] *m* cinder.

sintelbaan [-ba.n] *v sp* cinder track; (voor motorfietsen) dirt track.

sint-elmsvuur [sɪnt'ɛlmsfy:r] *o* St. Elmo's fire.

sinterklaas [sɪntər'kla.s] St. Nicholas [Dec. 6th].

sinterklaasavond [-kla.s'a.vənt] *m* St. Nicholas' Eve.

Sint-Jan [sɪnt'jan] *m* 1 St. John; 2 (feestdag) Midsummer (day).

sint-jut(te)mis [-'jût(ə)mɪs] *met ∼* (als de kalveren op het ijs dansen) at latter Lammas, tomorrow come never.

Sint-Maarten [-'ma:rtə(n)] *m* 1 St. Martin; 2 (feestdag) Martinmas.

Sint-Nicolaas [-'ni.ko.la.s] *m* St. Nicholas.

sint-veitsdans, sint-vitusdans [-'fɛits-, -'fi.tûs-dans] *m* St. Vitus's dance.

sinus ['si.nũs] *m* sine.

Sion ['si.òn] *o* Zion.

sip [sɪp] in: ~ *kijken* look blue.

Sire ['si:rə] *m* sire, your Majesty.

sirene [si.'re.nə] *v* 1 siren, syren; 2 (fluit) siren, [factory] hooter.

sirenenzang [si.'re.nə(n)zaŋ] *m* siren song.

sirih ['si:ri.] *m* ♣ *Ind* sirih, betel.

sirocco [si:'roko.] *m* sirocco.

siroop [si:'ro.p] *v* zie *stroop*.

sisal ['si.zɑl] *m* sisal.

sisklank ['sɪsklɑŋk] *m* hissing sound, hiss, § sibilant.

sissen ['sɪsə(n)] *vi* hiss; sizzle [in the pan].

sisser [-sər] *m* (vuurwerk) squib; *met een ~ aflopen* fizzle out.

sits [sɪts] *o* **sitsen** ['sɪtsə(n)] *aj* chintz.

situatie [si.ty.'a.(t)si.] *v* situation.

Sixtijns [sɪks'tɛins] Sixtine.

sjaal [ʃa.l] *m* 1 shawl; 2 scarf.

sjablone, sjabloon [ʃa.'blo.n(ə)] *v* stencil.

sjabrak [-'brak] *v* & *o* housing, saddle-cloth, caparison.

sjachelaar ['ʃagələ:r] = *sjacheraar*.

sjachelen [-lə(n)] = *sjacheren*.

sjacheraar ['ʃagərɑ:r] *m* barterer, huckster.

sjacheren [-rə(n)] *vi* barter.

sjagrijn(ig) zie *chagrijn(ig)*.

sjah [ʃa.] *m* shah.

sjako [ʃa.'ko.] *m* ✕ shako.

sjalot [ʃa.'lɔt] *v* ♣ shallot.

sjamberloek [ʃambər'lu.k] *m* dressing-gown.

sjees [ʃe.s] *v* gig, tilbury.

sjeik [ʃɛik] *m* sheik(h).

sjerp [ʃɛrp] *m* sash, scarf.

sjezen ['ʃe.zə(n)] *vi* S be plucked [in an examination].

sjibbolet ['ʃɪbo.lɛt] *o* shibboleth.

sjiek [ʃi.k] zie *chic*.

sjilpen ['ʃɪlpə(n)] *vi* chirp, cheep.

sjirpen ['ʃɪrpə(n)] *vi* chirr.

sjoelbakspel ['ʃu.lbakspɛl] *o* shovelboard.

sjofel ['ʃo.fəl] shabby, seedy.

sjofelheid [-hɛit] *v* shabbiness, seediness.

sjofeltjes [-cəs] shabbily, seedily.

sjokken ['ʃokə(n)] *vi* jog, trudge.

sjorren ['ʃorə(n)] *vt* ✪ lash, seize.

sjouw [ʃou] *m* job, grind, piece of difficult work; *het is een hele ~* it is a hard pull.

sjouwen ['ʃouə(n)] I *vt* carry; II *vi* (zwaar werken) toil and moil.

sjouwer(man) [-ər(man)] *m* porter; dock-hand.

skald [skɑlt] *m* scald.

skalp(-) zie *scalp(-)*.

skanderen zie *scanderen*.

Skandi- zie *Scandi-*.

skapulier zie *scapulier*.

skelet [skə'lɛt] *o* skeleton.

skepter ['skɛptər] = *scepter*.

skepticisme [skɛpti.'sɪsmə] = *scepticisme*.

skepticus ['skɛpti.kũs] = *scepticus*.

skeptisch [-ti.s] = *sceptisch*.

ski [ski., ʃi.] *m* ski.

skiën ['ski.ə(n), 'ʃi.ə(n)] I *vi* ski; II *o* skiing.

skiër ['ski.ər, 'ʃi.ər] *m* skier.

skileraar ['ski.-, 'ʃi.le:ra:r] *m* ski-instructor.

skilift [-lɪft] *m* ski-lift.

skilopen ['ski.-, 'ʃi.lo.pə(n)] I *vi* ski; II *o* skiing.

skiloper [-pər] *m* ski-runner, skier.

skipak ['ski.-, 'ʃi.pak] *o* ski-suit.

skischoen [-sxu.n] *m* ski-boot.

skisok [-sɔk] *v* ski-sock.

skisport [-spɔrt] *v* skiing.

skiterrein [-tɛrɛin] *o* ski-run.

skiwas [-vɑs] *m* & *o* ski-wax.

skrup- zie *scrup-*.

sla [sla.] *v* (gerecht) salad; (plantensoort) lettuce.

Slaaf [sla.f] *m* Slav.

slaaf [sla.f] slave, bondman, thrall.

slaafs [sla.fs] *aj* slavish [copy of...], servile.

slaafsheid ['sla.fshɛit] *v* slavishness, servility.

slaag [sla.x] *een pak ~* a beating.

slaags [sla.xs] in: *~raken* come to blows; ✕ join battle; ~ *zijn* be fighting.

slaan [sla.n] I *vt* 1 (bij herhaling) beat[2]; 2 (één enkele maal) strike; 3 (leggen) put [one's arm round...]; pass [a rope round...]; 4 (verslaan) beat [the enemy]; 5 (v. klok) strike [the hours, twelve]; *een brug ~* build a bridge; *een gedenkpenning ~* strike a medal; *hij heeft mij geslagen* he has struck (hit) me; *u moet mij (die schijf) ~* you ought to take me (to capture that man); *olie ~* make oil; *touw ~* lay (make) ropes; *de trommel ~* beat the drum; *vuur ~* strike fire (a light); *daar slaat het tien uur!* there goes ten o'clock!, it is striking ten; zie ook: *klok*; *hem aan het kruis ~* nail him to the cross; *zich er door heen ~* fight one's way through[2], *fig* pull through, carry it off; *hij sloeg de spijker in de muur* he drove the nail into the wall; *hij sloeg zich op de borst* he beat his breast; *hij sloeg zich op de dijen* he slapped his thighs; *hij sloeg de armen (benen) over elkaar* he crossed his arms (legs); zie ook: *acht, alarm, beleg* &; II *vi* 1 strike [of a clock]; 2 beat [of the heart]; 3 warble, sing [of a bird], jug [of nightingale]; 4 kick [of a horse]; 5 flap [of a sail]; *aan het muiten ~* zie *muiten*; *de bliksem sloeg in de toren* the lightning struck the steeple, the steeple was struck by lightning; *met de deuren ~* slam the doors; *hij sloeg met de vuist op tafel* he struck his fist on the table; *hij sloeg naar mij* he struck (hit out) at me; *dat slaat op u* that refers to you, that's meant for you; *erop ~* hit out, lay into them; *de golven sloegen over de zeewering* the waves broke over the sea-wall; *het water sloeg tegen de dijk* the water beat against the embankment; *hij sloeg tegen de grond* he fell down with a thud; *de vlammen sloegen uit het dak* the flames burst from the roof.

slaap [sla.p] *m* 1 (het slapen) sleep; 2 (v. het hoofd) temple; ~ hebben be (feel) sleepy; zijn ~ uit hebben have slept one's fill; ~ krijgen get sleepy; ik heb de ~ niet kunnen vatten I could not get to sleep; in ~ vallen fall asleep; in ~ wiegen rock asleep; *fig* put [doubts] to sleep, lull [suspicions] to sleep; zich in ~ wiegen lull oneself to sleep.

slaapbeen ['sla.pbe.n] *o* temporal bone.

slaapcoupé [-ku.pe.] *m* sleeping-compartment.

slaapdrank [-draŋk] *m* sleeping-draught.

slaapdronken ['sla.pdrònkə(n)] hardly able to keep one's eyes open.

slaapgelegenheid [-gəle.gənhɛit] *v* sleeping-accommodation.

slaapkamer [-ka.mər] *v* bedroom.

slaapkop [-kɔp] *m* sleepy-head.

slaapmiddel [-mɪdəl] *o* opiate, narcotic, soporific.

slaapmuts [-mŭts] *v* 1 night-cap; 2 zie slaapkop.

slaapmutsje [-mŭtʃə] *o* 1 (borrel) night-cap; 2 ⚘ California poppy.

slaapplaats ['sla.pla.ts] *v* sleeping-place, sleeping-accommodation.

slaapste(d)e ['sla.pste.(də)] *v* lodging-house, S doss-house.

slaapster [-stər] *v* sleeper; de schone ~ the Sleeping Beauty.

slaapvertrek [-fərtrɛk] *o* sleeping-apartment.

slaapwagen [-va.gə(n)] *m* sleeping-car, F sleeper.

slaapwandelaar [-vandəla:r] *m* ~ster [-stər] *v* sleep-walker.

slaapwandelen [-vandələ(n)] *o* sleep-walking, walking in one's sleep.

slaapwekkend [-vɛkənt] soporific, sleep-inducing.

slaapzaal [-sa.l] *v* dormitory.

slaapzak [-sak] *m* sleeping-bag.

slaapziekte [-si.ktə] *v* 1 sleeping-sickness [of Africa]; 2 (European) sleepy sickness.

slaatje ['sla.cə] *o* salad; ergens een ~ uit slaan S get something out of it.

slabak ['sla.bak] *m* salad-bowl.

slabakken [sla.'bakə(n)] *vi* slacken (in one's zeal), slack off; idle; dawdle.

slabben, slabberen ['slabə(n), -bərə(n)] *vt & vi* lap.

slabbetje [-bəcə] *o* bib.

slaboontjes ['sla.bo.ncəs] *mv* ⚘ French beans.

slachtbank ['slaxtbɑŋk] *v* butcher's board, shambles[2]; ter ~ leiden lead to the slaughter.

slachtbeest [-be.st] *o* beast to be killed; ~en ook: stock for slaughter, slaughter cattle.

slachten ['slaxtə(n)] *vt* kill, slaughter.

slachter [-tər] *m* butcher[2].

slachterij [slaxtə'rɛi] *v* butcher's shop.

slachthuis ['slaxthœys] *o* abattoir, slaughter-house.

slachting ['slaxtɪŋ] *v* slaughter, butchery; massacre; een ~ aanrichten (houden) onder hen slaughter them, do great execution among them.

slachtmaand ['slaxtma.nt] *v* November.

slachtoffer [-ɔfər] *o* victim; het ~ worden van fall a victim (victims) to.

slachtplaats [-pla.ts] *v* butchery, shambles.

slachtvee [-fe.] *o* slaughter cattle.

sladood [sla.'do.t] *m* F in: een lange ~ a tall lanky individual.

1 **slag** [slɑx] *m* 1 (met stok &) blow, stroke hit; 2 (met hand) blow, slap, cuff, box [on the ears]; 3 (met zweep) stroke, lash, cut; 4 (v. hart) beat, beating, pulsation; 5 (v. klok) stroke; 6 (v. roeier, zwemmer) stroke; 7 (v. vogels) warble [of birds], jug [of nightingale]; 8 (v. donder) clap; 9 (geluid) bang; crash, thump; thud; 10 ♞ stroke [of piston], turn [of wheel]; 11 (winding) turn [of a rope]; 12 ⚓ (bij laveren tack; 13 ◇ trick; 14 (veldslag) battle; 15 (aan zweep) lash; 16 *fig* blow [of misfortune]; knack [of doing something]; vrije ~ free style [in swimming]; het is maar een ~ it is only a knack; een zware ~ voor hem a heavy blow to him; een ~ in het gezicht a slap in the face[2]; de ~ aangeven bij het roeien stroke the boat; hij heeft geen ~ gedaan he has not done a stroke of work; alle ~en halen ◇ make all the tricks; ~ van iets hebben have the knack of it; de ~ van iets beethebben F have got the hang of it; een ~ van de molen hebben have a tile off; ~ houden keep stroke; een ~ om de arm houden not commit oneself, hedge; de ~ (van iets) kwijt zijn have lost the knack of it; ~ leveren ◇ give battle; zijn ~ slaan seize the opportunity; make one's coup; een goede ~ slaan do a good stroke of business; hij sloeg er maar een ~ naar he had (made) a shot at it; iemand een ~ toebrengen (geven) deal (strike, fetch) one a blow; de ~ winnen 1 ◇ make the trick; 2 ⚔ gain the battle[2]; aan de ~ gaan get going, get busy, set (get) to work; ik kon niet meer aan ~ komen ◇ [having no hearts] I could not regain the lead; bij de eerste ~ at the first blow (stroke); met één ~ at one (a) stroke, at one (a) blow; met één ~ van zijn zwaard with one stroke of his sword; met de Franse ~ iets doen do something perfunctorily; op ~ at once; op ~ gedood killed on the spot, outright, instantly; op ~ van drieën on the stroke of three; ik kon niet op ~ komen I could not get my hand in; ~ op ~ blow upon blow, at every stroke; de klok is van ~ the clock is off strike; de roeiers waren van ~ the oarsmen were off their stroke; zonder ~ of stoot without (striking) a blow.

2 **slag** [slɑx] *o* kind, sort, class, description; het gewone ~ mensen the common run of people; iemand van dat ~ a man of that kidney; mensen van allerlei ~ all sorts and conditions of men.

slagader ['slɑxa.dər] *v* artery; grote ~ aorta.

slagaderbreuk [-brø.k] *v* rupture of an artery.
slagaderlijk [-lək] *aj* arterial.
slagboom ['slɑxbo.m] *m* barrier².
slagen ['sla.ɡə(n)] *vi* succeed; *ben je goed geslaagd?* have you succeeded in finding what you wanted?; *hij slaagde er in om...* he succeeded in ...ing; *hij is voor (zijn) Frans geslaagd* he has passed his French examination.
slager [-ɡər] *m* butcher.
slagerij [sla.ɡə'rɛi] *v* 1 butcher's shop; 2 butcher's trade.
slagersjongen [-ɡərs'jòŋə(n)] *m* butcher's boy.
slagersknecht [-'knɛxt] *m* butcher's man.
slagersmes ['sla.ɡərsmɛs] *o* butcher's knife.
slagerswinkel [-vɪŋkəl] *m* butcher's shop.
slaghamer ['slɑxha.mər] *m* mallet.
slaghoedje [-hu.cə] *o* percussion-cap.
slaghout [-hout] *o sp* bat.
slaginstrument [-ɪnstry.mɛnt] *o* ♪ percussion instrument.
slaglinie [-li.ni.] *v* ⚔ line of battle.
slagorde [-ɔrdə] *v* ⚔ order of battle, battle-array; *in ~ geschaard* ⚔ drawn up in battle-array.
slagpen [-pɛn] *v* quill-feather.
slagregen [-re.ɡə(n)] *m* downpour, heavy shower, driving rain.
slagroeier [-ru.jər] *m* stroke.
slagroom [-ro.m] *m* 1 whipping cream; 2 whipped cream.
slagschaduw [-sxa.dy:u] *v* cast shadow.
slagschip [-sxɪp] *o* ⚓ battleship.
slagtand [-tɑnt] *m* tusk, fang.
slagvaardig [slɑx'fa:rdəx] ready for battle; *fig* quick at repartee, quick-witted.
slagvaardigheid [-hɛit] *v* readiness for battle; *fig* quickness at repartee, quick-wittedness.
slagveer ['slɑxfe:r] *v* 1 ⚔ main spring; 2 🐦 flight feather.
slagveld [-fɛlt] *o* battle-field, field of battle.
slagwerk [-vɛrk] *o* 1 striking-parts [of a clock], striking-work; 2 ♪ percussion instruments.
slagwerker [-vɛrkər] *m* ♪ drummer.
slagzee [-se.] *v* zie *stortzee*.
slagzij(de) [-sɛi(də)] *v* ⚓ list; 📏 bank; *~ maken* ⚓ list; 📏 bank.
slagzin [-sɪn] *m* slogan.
slagzwaard [-sva:rt] *o* broadsword.
slak [slɑk] *v* 1 snail [with a shell]; 2 slug [without a shell] ‖ 3 ⚒ slag [*mv* slag], scoria [*mv* scoriae] [of metal].
slaken ['sla.kə(n)] *vt* in: *iemands boeien ~* loosen one's fetters; *een kreet ~* utter a cry; *een zucht ~* heave (utter) a sigh.
slakkegang ['slɑkəɡaŋ] *m* in: *de ~ gaan* go at a snail's pace, go snail-slow.
slakkehuis(je) [-hœys, -hœyʃə] *o* 1 snail-shell; 2 § cochlea [of the ear].
slakkenmeel ['slɑkə(n)me.l] *o* basic slag.
slampampen [slɑm'pɑmpə(n)] *vi* F carouse.
slampamper [-pər] *m* P scalawag.
slang [slɑŋ] *v* 1 (dier) snake, serpent; 2 hose

[of a fire-engine]; (rubber) tube; worm [of a still]; 3 *fig* serpent, viper.
slangachtig ['slɑŋɑxtəx] snaky, serpentine.
slangebeet ['slɑŋəbe.t] *m* snake-bite.
slangegif(t) [-ɡɪf(t)] *o* snake-poison.
slangekruid [-krœyt] *o* ☘ viper's bugloss.
slangemens [-mɛns] *m* contortionist.
slangenbezweerder ['slɑŋə(n)bəzve:rdər] *m* snake-charmer.
slangetong ['slɑŋətòŋ] *v* 1 serpent's tongue; 2 ☘ adder's-tongue.
slangevel [-vɛl] *o* snake-skin, slough.
slank [slɑŋk] I *aj* slender, slim; *~ blijven* keep slim; II *ad* slenderly, slimly.
slankheid ['slɑŋkhɛit] *v* slenderness, slimness.
slaolie ['sla.o.li.] *v* salad-oil.
slap [slɑp] I *aj* soft [nib, collar], supple [limbs], flaccid [flesh]; slack² [rope, tire, season, trade], limp² [binding of a book, cravat, rhymes], flabby² [cheeks, character, language]; thin² [brew, style]; unsubstantial [food]; *fig* lax [discipline]; weak-kneed [attitude]; spineless [fellow]; $ dull [market], weak [market, tea]; II *ad* flabbily, limply; *~ neerhangen* flag, droop.
slapeloos ['sla.pəlo.s] sleepless.
slapeloosheid [sla.pə'lo.shɛit] *v* sleeplessness, insomnia.
slapen ['sla.pə(n)] I *vi* sleep, be asleep²; *mijn been slaapt* my leg has gone to sleep, I've pins and needles in my leg; *gaan ~* go to bed, go to sleep; *zit je weer te ~?* are you asleep again?; *ik zal er nog eens op ~* I'll sleep upon it; *~ als een os* sleep like a log; *~ als een roos* sleep like a top; II *vt* sleep; *de slaap des rechtvaardigen ~* sleep the sleep of the just.
slaper [-pər] *m* 1 (slapend persoon) sleeper; 2 (slaapgast) lodger.
slaperig [-pərəx] sleepy, drowsy.
slaperigheid [-hɛit] *v* sleepiness, drowsiness.
slapheid ['slɑphɛit] *v* slackness, weakness &, zie *slap*.
slapjes [-jəs] I *aj* slack, dull; weak; II *ad* slackly.
slapte [-tə] *v* slackness [of a rope]; $ slack.
slaven ['sla.və(n)] *vi* drudge, slave, toil; *~ en zwoegen* toil and moil.
slavenarbeid [-ɑrbɛit] *m* slavery, slave labour; *fig* drudgery.
slavendrijver [-drɛivər] *m* slave-driver².
slavenhandel [-hɑndəl] *m* slave trade.
slavenhandelaar [-hɑndəla:r] *m* slave-trader.
slavenhouder [-houdər] *m* slave-owner.
slavenjuk [-jûk] *o* yoke of bondage.
slavenketenen [-ke.tənə(n)] *mv* slave's chains.
slavenleven [-le.və(n)] *o* slavery, life of toil.
slavenmarkt [-mɑrkt] *v* slave-market.
slavenopstand [-òpstant] *m* slave rebellion.
slavenschip [-sxɪp] *o* ⚓ slave-ship, slaver.
slavernij [sla.vər'nɛi] *v* slavery, bondage, servitude.
slavin [-'vɪn] *v* (female) slave, bondwoman.

Slavisch ['sla.vi.s] *aj* & *o* Slav, Slavonic.
Slavonië [sla.'vo.ni.ə] *o* Slavonia.
Slavoniër [-ni.ər] *o* Slavonian.
Slavonisch [-ni.s] *aj* & *o* Slavonian.
slecht [slɛxt] I *aj* bad; evil [thoughts]; < wicked [person]; poor [quality, stuff &]; *hij is ~ van gezicht* his eye-sight is bad; *de zieke is ~er vandaag* the patient is worse to-day; *op zijn ~st* at one's (its) worst; II *ad* badly; ill[-tempered &].
slechten ['slɛxtə(n)] *vt* level (with the ground, to the ground), raze (to the ground), demolish.
slechtheid, slechtigheid ['slɛxt-, 'slɛxtəxhɛit] *v* badness; (v. karakter) ook: < wickedness.
slechting ['slɛxtɪŋ] *v* levelling, razing, demolition.
slechts [slɛxts] only, but, merely.
slede ['sle.də] *v* I (voertuig) sledge, sleigh; sled [for dragging loads]; 2 ⚓ (v. sleephelling) cradle.
sleden [-də(n)] *vi* & *vt* sledge.
sledetocht [-dətoxt] *m* sleigh-ride, sledge-drive.
slee [sle.] = *slede*; *'n ~ (van een auto)* a big car, a swell car.
sleedoorn, -doren ['sle.do:rən] *m* ♣ black-thorn, sloe.
sleeën ['sle.ə(n)] = *sleden*.
sleep [sle.p] *m* train; *fig* train [of followers &].
sleepboot ['sle.pbo.t] *m* & *v* ⚓ tug(-boat).
sleepdienst [-di.nst] *m* towing-service.
sleepdrager [-dra.gər] *m* ~draagster [-dra.x-stər] *v* train-bearer.
sleephelling [-hɛlɪŋ] *v* ⚓ slipway.
sleepjapon [-ja.pòn] *m* train-gown.
sleepkabel [-ka.bəl] *m* towing-line.
sleeploon [-lo.n] *o* I cartage; 2 ⚓ towage.
sleepnet [-nɛt] *o* drag-net, trailing-net, trail-net.
sleeptouw [-tau] *o* I ⚓ tow-rope; 2 guide-rope [of a balloon]; *op ~ hebben* have in tow²; *op ~ houden* keep [a person] on a string; *op ~ nemen* take in tow².
sleeptros [-tros] *m* ⚓ tow-rope, hawser.
sleepvaart [-fa:rt] *v* towing-service.
sleepvoeten [-fu.tə(n)] *vi* drag one's feet,
sleet [sle.t] *v* wear and tear. [shuffle.
sleetocht ['sle.tɔxt] = *sledetocht*.
sleets [sle.ts] wearing out one's clothes (things) very quickly.
sleevaart ['sle.va:rt] *v* zie *sledetocht*.
sleg(ge) [slɛx, 'slɛgə] *v* maul.
slem [slɛm] *o* & *m* ◊ slam; *groot (klein) ~ maken* make a grand (a little) slam.
slemp [slɛmp] *m* saffron milk.
slempen ['slɛmpə(n)] *vi* carouse, feast, banquet.
slemper [-pər] *m* carouser, feaster.
slemperij [slɛmpə'rɛi] *v* carousing, feasting, carousal.
slempmaal ['slɛmpma.l] *o* slemppartij ['slɛmpartɛi] *v* carousal.
slenteraar ['slɛntəra:r] *m* saunterer, lounger.

slenteren [-rə(n)] *vi* saunter, lounge; *langs straat ~* knock about the streets.
slentergang ['slɛntərgaŋ] *m* sauntering gait, saunter.
slepen ['sle.pə(n)] I *vi* drag; trail; *zijn ~de gang* his shuffling gait; *een ~de ziekte* a lingering disease; *iets ~de houden* keep the thing dragging; *hij sleept met zijn voeten* he drags his feet; II *vt* I drag, haul; 2 ⚓ tow; *er bij ~* drag in [*fig*]; *dat zal lelijke gevolgen na zich ~ bring...* in its train, draw on; III *vr* in: *zij moesten zich naar een hut ~* they had to drag themselves along to a hut.
sleper [-pər] *m* I carter; 2 ⚓ tug(-boat).
sleperij [sle.pə'rɛi] *v* carter's business.
sleperspaard [sle.pərs'pa:rt] *o* dray-horse.
sleperswagen [-'va.gə(n)] *m* dray.
slet [slɛt] *v* slut, trollop.
sleuf [slø.f] *v* groove, slot, slit.
sleur [slø:r] *m* routine, rut; *de oude ~* the old humdrum way; *met de ~ breken* get out of the old groove.
sleuren ['slø:rə(n)] *vt* & *vi* trail, drag.
sleurmens ['slø:rmɛns] *m* routineer.
sleurwerk [-vɛrk] *o* routine work.
sleutel ['slø.təl] *m* I key² [of a door, watch &; to success]; 2 regulator, damper, register [of a stove]; 3 ♪ clef.
sleutelbeen [-be.n] *o* collarbone, clavicle.
sleutelbloem [-blu.m] *v* ♣ primula, cowslip, primrose.
sleutelbos [-bòs] *m* bunch of keys.
sleutelgat [-gat] *o* keyhole.
sleutelgeld [-gɛlt] *o* key money.
sleutelindustrie [-ɪndūstri.] *v* key industry.
sleutelmandje [-manɔ] *o* key-basket.
sleutelpositie [-po.zi.(t)si.] *v* key position.
sleutelring [-rɪŋ] *m* key-ring.
slib [slɪp] *o* ooze, slime, mud, silt.
slibberen ['slɪbərə(n)] *vi* slip, slither.
slibberig [-rəx] slippery.
slibberigheid [-hɛit] *v* slipperiness.
slier [sli:r] *m* zie *sliert*.
slieren ['sli:rə(n)] *vi* drag, trail; slide.
sliert [sli:rt] *m* string [of words, children &].
slijk [slɛik] *o* mud, mire, dirt; ooze; *aards ~* filthy lucre; *iemand door het ~ sleuren* drag a person (his name) through the mud (through the mire); *zich in het ~ wentelen* wallow in the mud.
slijkerig ['slɛikərəx] muddy, miry.
slijm [slɛim] *o* & *m* [nasal] mucus, phlegm; slime [of snail &]; (plantaardig) mucilage.
slijmerig ['slɛimərəx] slimy.
slijmerigheid [-hɛit] *v* sliminess.
slijmklier ['slɛimkli:r] *v* mucous gland.
slijmvlies [-vli.s] *o* mucous membrane.
slijpen ['slɛipə(n)] *vt* grind, whet, sharpen; cut [glass], polish [diamonds]; *een potlood ~* sharpen a pencil.
slijper [-pər] *m* I (messen &) grinder; 2 (v. glas) cutter, (v. diamant) polisher.

slijperij [slɛipə'rɛi] v grinding-shop.

slijpmachine ['slɛipma.ʃi.nə] v grinding-machine.

slijpmiddel [-mɪdəl] o abrasive.

slijpmolen [-mo.lə(n)] m grinding-mill.

slijpplank ['slɛiplɑŋk] v knife-board.

slijpsteen ['slɛipste.n] m grindstone, whetstone.

slijtachtig ['slɛitɑxtəx] zie sleets.

slijtage [slɛi'ta.ʒə] v wear (and tear), wastage.

slijten ['slɛitə(n)] I vi wear out, wear away²; dat goed slijt niet gauw that stuff wears well; dat leed zal wel ~ it will soon wear off; II vt 1 wear out [clothes]; 2 sell over the counter, retail [spirits &]; 3 spend [days, time]; zijn dagen ~ pass one's days.

slijter [-tər] m 1 $ retailer, retail dealer; 2 (v. dranken) licensed victualler.

slijterij [slɛitə'rɛi] v licensed victualler's shop, gin-shop.

slik [slɪk] = slijk.

slikken ['slɪkə(n)] I vt swallow² [food, insults, stories &]; dat belief ik niet te ~ that won't go down with me; heel wat moeten ~ have to put up with a lot; II vi swallow.

slim [slɪm] I aj 1 astute [= sagacious & crafty]; sly, cunning, crafty, artful; 2 prov bad; hij was mij te ~ af he was one too many for me; II ad astutely; slyly, cunningly, craftily, artfully.

slimheid ['slɪmhɛit] v slyness, cunning, craft, craftiness.

slimmerd ['slɪmərt] m slyboots, sly dog.

slimmigheid [-məxhɛit] v 1 zie slimheid; 2 piece of cunning, dodge.

slinger ['slɪŋər] m 1 (v. uurwerk) pendulum; 2 (zwengel) handle; 3 (draagband) sling; 4 (werptuig) sling; 5 (guirlande) festoon.

slingeraap [-a.p] m 🐒 spider-monkey.

slingeren ['slɪŋərə(n)] I vi 1 (v. slinger) swing, oscillate; 2 (als een slinger) swing, dangle, oscillate; 3 (v. schip) roll; 4 (v. rijtuig) lurch; 5 (v. dronkaard) reel; 6 (v. pad) wind; 7 (ordeloos liggen) lie about; laten ~ leave about; II vt fling, hurl; heen en weer ~ toss to and fro; III vr zich ~ 1 fling oneself [of a person]; 2 wind [of a river &].

slingering [-rɪŋ] v swinging, oscillation.

slingerplant ['slɪŋərplɑnt] v 🌿 climber, trailer.

slingeruurwerk [-y:rʋɛrk] o pendulum-clock.

slinken ['slɪŋkə(n)] vi shrink; in het koken ~ boil down; tot op... ~ dwindle down to...

slinking [-kɪŋ] v shrinkage; dwindling.

slinks [slɪŋs] I aj crooked, artful, cunning; door ~e middelen by underhand means; op ~e wijze in an underhand way; II ad crookedly, artfully, cunningly.

slinksheid [-hɛit] v crookedness, false dealings.

slip [slɪp] v lappet; tail, flap [of a coat].

slipgevaar ['slɪpɣəva:r] o danger of skidding; weg met ~ slippery road.

slipjas [-jɑs] m & v tailcoat.

slip-over [-o.vər] m slipover.

slippedrager ['slɪpədra.ɣər] m pall-bearer.

slippen ['slɪpə(n)] vi 1 (v. personen) slip; 2 (v. auto) skid.

slipstroom ['slɪpstro.m] m ✈ slipstream.

slobber ['slɔbər] m 1 (spoelsel) swill, pigwash; 2 (sneeuw) sludge, slush.

slobberen [-bərə(n)] vi drink (eat) noisily.

slobkousen ['slɔpkɑusə(n)] mv 1 gaiters; 2 spats [= short gaiters].

slodderen ['slɔdərə(n)] vi hang loosely.

slodderig [-rɑx] slovenly, sloppy.

sloddervos ['slɔdərvɔs] m sloven.

sloep [slu.p] v ⚓ (ship's) boat, sloop, shallop, longboat.

sloependek ['slu.pə(n)dɛk] o ⚓ boat-deck.

sloeproeier ['slu.pru.jər] m rower of a boat.

sloerie ['slu.ri.] v F slut, trollop, trapes.

slof [slɔf] m 1 slipper, mule; 2 ♪ nut [of a violin bow]; 3 (v. sigaretten) carton; 4 (v. aardbeien) basket; ik kan het op mijn ~fen (slofjes) af with my socks down; uit zijn ~ schieten F bestir oneself, make a sudden display of energy.

sloffen ['slɔfə(n)] vi shuffle, shamble.

sloffig [-fəx] slack, careless, negligent.

slof(fig)heid ['slɔf(əx)hɛit] v slackness, carelessness, negligence.

slöjd [slɔjt] v sloyd, manual training, handicraft.

slok [slɔk] m draught; in één ~ at a draught.

slokdarm ['slɔkdɑrm] m gullet, § oesophagus.

slokje [-jə] o 1 (small) draught; 2 F dram, drop.

slokken ['slɔkə(n)] vi guzzle, swallow.

slokker [-kər] m guzzler, glutton; arme ~ poor devil.

slokop ['slɔkɔp] m gobbler, glutton.

slons [slɔns] v slut, sloven, slattern.

slonsachtig ['slɔnsɑxtəx] slovenly.

slonzig ['slɔnzəx] slovenly.

slonzigheid [-hɛit] v slovenliness.

sloof [slo.f] 1 (voorschoot) apron; 2 (persoon) drudge.

1 sloop [slo.p] v & o (v. kussen) pillow-slip, pillow-case.

2 sloop [slo.p] m zie sloping.

sloot [slo.t] v ditch.

slootje ['slo.cə] o 1 (slot) snap ‖ 2 small ditch.

slootjespringen [-sprɪŋə(n)] vi leap over ditches.

slootkant ['slo.tkɑnt] m side of a ditch, ditch-side.

slop [slɔp] o slum, blind alley.

slopen ['slo.pə(n)] vt demolish [a fortification], pull down [a house], break up [a ship]; fig sap, undermine [health &].

sloper [-pər] m 1 ship-breaker; 2 house-breaker, demolisher.

sloperij [slo.pə'rɛi] v breaking-up yard.

sloping ['slo.pɪŋ] v demolition.

slordig ['slɔrdəx] I aj slovenly, sloppy, careless; untidy [hair]; een ~e duizend pond a cool thousand pounds; II ad carelessly.

slordigheid [-hɛit] v slovenliness &.

slorpen ['slɔrpə(n)] *vt* sip, gulp; suck [an egg].
slot [slɔt] *o* 1 (aan deur &) lock; 2 (aan boek &) clasp; 3 (kasteel) castle; 4 (besluit, eind) conclusion, end; *batig* ~ zie *batig*; ~ *volgt* to be concluded; *iemand een* ~ *op de mond doen* shut a person's mouth; *achter* ~ *houden* keep under lock and key; *achter* ~ *en grendel* under lock and key; *de deur op* ~ *doen* lock the door; *per* ~ *van rekening* in the end, ultimately; *per* ~ *van rekening is hij nog zo'n kwaje vent niet* he is not a bad fellow after all; *ten* ~*te* 1 finally, lastly; in the end, eventually; 2 (tot besluit) to wind up with, in conclusion; *zonder* ~ *noch zin* without rhyme or reason.
slotaccoord zie *slotakkoord*.
slotakkoord ['slɔtako:rt] *o* ♪ final chord.
slotalinea [-a.li.ne.a.] *v* concluding paragraph.
slotbedrijf [-bədrɛif] *o* final act.
slotbewaarder [-bəva:rdər] *m* governor (of a castle).
slotenmaker ['slo.tə(n)ma.kər] *m* locksmith.
slotklinker ['slɔtkliŋkər] *m* gram final vowel.
slotkoers [-ku:rs] *m* $ closing price.
slotmedeklinker [-me.dəkliŋkər] *m* final consonant.
slotnotering [-no.te:riŋ] *v* $ closing price.
slotpoort [-po:rt] *v* castle-gate.
slotrede [-re.də] *v* peroration, conclusion.
slotregel [-re.gəl] *m* final line.
slotrijm [-rɛim] *o* final rhyme.
slotsom [-sòm] *v* conclusion, result; *tot de* ~ *komen dat...* come to the conclusion that...
slottoneel ['slɔto.ne.l] *o* closing scene, final scene.
slottoren [-to:rən] *m* donjon, keep.
slotvoogd ['slɔtfo.xt] *m* governor (òf a castle).
slotwoord [-vo:rt] *o* last word, concluding words.
slotzang [-saŋ] *m* concluding song, last canto.
sloven ['slo.və(n)] *vi* drudge, toil, slave.
Slowaak(s) [slo.'va.k(s)] *m* (& *aj*) Slovak.
Slowakije [slo.va.'kɛiə] *o* Slovakia.
Sloween [slo.'ve.n] *m* Slovene, Slovenian.
Sloweens [slo.'ve.ns] Slovenian.
sluier ['slœyər] *m* 1 veil[2]; 2 (op foto) fog; *de* ~ *aannemen* take the veil.
sluieren [-ərə(n)] *vt* veil.
sluik [slœyk] lank [hair].
sluiken ['slœykə(n)] *vi* & *vt* smuggle.
sluiker [-kər] *m* smuggler.
sluikhandel ['slœykhandəl] *m* smuggling; ~ *drijven* smuggle.
sluikharig [-ha:rəx] lank-haired.
sluimeren ['slœymərə(n)] *vi* slumber[2], doze; *fig* lie dormant.
sluimerend [-rənt] slumbering[2]; *fig* dormant.
sluimering [-riŋ] *v* slumber, doze.
sluipen ['slœypə(n)] *vi* steal, slink, sneak; slip.
sluiper [-pər] *m* sneak(er).
sluipmoord ['slœypmo:rt] *m* & *v* assassination.
sluipmoordenaar [-mo:rdəna:r] *m* assassin.

sluipschutter [-sxûtər] *m* sniper.
sluipwesp [-vesp] *v* ichneumon(-fly).
sluis [slœys] *v* sluice, lock; *de sluizen des hemels* the floodgates of heaven; *de sluizen der welsprekendheid* the floodgates of eloquence.
sluisdeur ['slœysdø:r] *v* lock-gate, floodgate.
sluisgeld [-gɛlt] *o* lock dues, lockage.
sluiskolk [-kɔlk] *v* lock-chamber.
sluiswachter [-vɑxtər] *m* lock-keeper.
sluitboom ['slœytbo.m] *m* 1 (v. deur &) bar; 2 (v. een spoorweg) gate.
sluiten ['slœytə(n)] I *vt* 1 (dichtdoen) shut [the hand, the eyes, a book, a door &]; 2 (op slot doen) lock [a door, a drawer &]; 3 (tijdelijk gesloten verklaren) close [a shop, the Exchange]; 4 (voor goed gesloten verklaren) shut up [a shop], close down [a factory, school]; 5 (beëindigen) conclude [speech]; close [a controversy]; 6 (tot stand brengen) close, strike [a bargain], conclude [an alliance], contract [a marriage, a loan]; make [peace]; effect [an insurance]; *de gelederen* ~ ✕ close the ranks; *een kind in zijn armen* ~ clasp a child in one's arms; II *va* shut; lock up (for the night), close [for a week]; *de begroting sluit niet* the budget doesn't balance; *de deur sluit niet* the door does not shut; *de jas sluit goed* is an exact fit; *de redenering sluit niet* the argument halts; *die rekening sluit met een verlies van...* the account shows a loss of...; *wij moeten (tijdelijk of voorgoed)* ~ we must close down; III *vr zich* ~ close [of a wound]; ✿ shut [of flowers]. Zie ↓.
sluitend [-tənt] tight-fitting [coat &]; balanced [budget]; *niet* ~*e begroting* unbalanced budget; *de begroting* ~ *maken* balance the budget.
sluiter [-tər] *m* (in fotografie) shutter.
sluiting [-tiŋ] *v* 1 shutting, closing, locking; 2 lock, fastener, fastening.
sluitingsuur [-tiŋsy:r] *o* closing hour, closing time.
sluitmand ['slœytmɑnt] *v* hamper.
sluitnota [-no.ta.] *v* $ covering note.
sluitrede [-re.də] *v* syllogism.
sluitring [-riŋ] *m* ✕ washer.
sluitsteen [-ste.n] *m* keystone.
sluitstuk [-stûk] *o* ✕ breech-block [of a gun].
sluitzegel [-se.gəl] *m* poster stamp.
slungel ['slûŋəl] *m* lout, hobbledehoy.
slungelachtig [-ɑxtəx] loutish, gawky.
slungelen ['slûŋələ(n)] *vi* slouch; *wat loop je hier te* ~? what are you mooning about for?
slungelig [-ləx] loutish, gawky.
slurf [slûrf] *v* 1 trunk (of an elephant); 2 proboscis [of insects].
slurpen ['slûrpə(n)] = *slorpen*.
sluw [sly:u] I *aj* sly, cunning, crafty, astute; II *ad* slyly &.
sluwheid ['sly:uhɛit] *v* slyness, cunning, craftiness, astuteness.

smaad [sma.t] *m* revilement, contumely, obloquy, opprobrium; *ᵗ⁄ₜ* libel.

smaadrede ['sma.tre.də] *v* invective, diatribe.

smaadschrift [-s(x)rɪft] *o* lampoon, libel.

smaadwoord [-vo:rt] *o* opprobrious word.

smaak [sma.k] *m* 1 taste², relish; savour, flavour; 2 (zin) liking; *ieder zijn ∼* everyone to his taste; *er is geen ∼ aan* it has no taste (no relish); *er de ∼ van beethebben, ∼ hebben in iets* have a liking for something; *een fijne ∼ hebben* 1 (v. spijzen &) taste deliciously; 2 (v. personen) have a fine palate; *fig* have a fine taste; *∼ krijgen in...* acquire a taste for...; *get a liking for [it]; ik kan er geen ∼ in vinden* I cannot relish it; *dat viel niet in zijn ∼* that was not to his taste (not to his liking); *algemeen in de ∼ vallen* hit the popular fancy; *erg in de ∼ vallen bij* appeal strongly to, make a strong appeal to; *met ∼* 1 with gusto²; 2 tastefully; *met ∼ eten* eat with great relish; *met ∼ uitgevoerd* done in good taste, tastefully executed; *dit is niet naar mijn ∼* this is not to my liking; *naar de laatste ∼* after the latest fashion; *over de ∼ valt niet te twisten* there is no accounting for tastes; *hij is een man van ∼* a man of taste; *zonder ∼* tasteless.

smaakje ['sma.kjə] *o* in: *er is een ∼ aan* it has a taste (a tang).

smaakloos [-lo.s] zie *smakeloos*.

smaakvol [-fòl] I *aj* tasteful, in good taste; II *ad* tastefully, in good taste.

smaakzenuw [-se.ny:u] *v* gustatory nerve.

smaaldicht ['sma.ldɪxt] *o* satire.

smaalschrift [-s(x)rɪft] *o* lampoon, libel.

smachten ['smaxtə(n)] *vi* languish; *∼ naar* pine after (for), yearn for.

smadelijk ['sma.dələk] *aj* (& *ad*) opprobrious(ly), contumelious(ly), ignominious(ly), scornful(ly).

smadelijkheid [-ɦɛit] *v* contumeliousness, ignominy, scorn.

smaden ['sma.də(n)] *vt* revile, defame, vilipend.

1 **smak** [smak] *m* 1 smacking [of the lips]; 2 heavy fall, thud, thump.

2 **smak** [smak] *v* ⚓ (fishing-)smack.

3 **smak** [smak] *m* (heester, stofnaam) = sumak.

smakelijk ['sma.kələk] I *aj* savoury, tasty, toothsome; II *ad* savourily, tastily; *∼ eten* enjoy one's dinner; *∼ lachen* have a hearty laugh.

smakelijkheid [-ɦɛit] *v* savouriness, tastiness, toothsomeness.

smakeloos ['sma.kəlo.s] I *aj* 1 tasteless; 2 *fig* lacking in taste, in bad taste; II *ad* tastelessly.

smakeloosheid [sma.kə'lo.sɦɛit] *v* tastelessness.

smaken ['sma.kə(n)] I *vi* taste; *hoe smaakt het?* how does it taste?; *dat smaakt goed* it tastes good; *smaakt het (u)?* do you like it?, is it to your taste?; *het eten smaakt mij niet* I cannot relish my food; *die erwtjes ∼ lekker* these

peas taste nice; *het ontbijt zal mij ∼* I shall enjoy my breakfast; *zich de maaltijd laten ∼* enjoy one's dinner; *het smaakt als... it* tastes (eats, drinks) like...; *∼ naar* taste of, have a taste of, have a smack of [the cask &], smack of²; *naar de kurk ∼* taste of the cork; *dat smaakt naar meer* F that tastes moreish; II *vt* in: *de dood ∼* taste (of) death; *genoegens ∼* enjoy pleasures.

smakken ['smakə(n)] I *vi* 1 fall with a thud; 2 smack; *met de lippen ∼* smack one's lips; II *vt* dash, fling.

smal [smal] I *aj* narrow; *de ∼le gemeente* the lower (poorer) classes; II *ad* narrowly.

smalbladig ['smalbla.dəx] ⚘ narrow-leaved.

smaldeel [-de.l] *o* ⚓ squadron.

smalen [sma.lə(n)] *vi* rail; *∼ op* rail at.

smalend [-lənt] scornful, contumelious.

smalfilm ['smalfɪlm] *m* sub-standard film, narrow(-gauge) film, 16 mm film.

smalheid [-ɦɛit] *v* narrowness.

smalletjes ['smaləcəs] smallish; *er ∼ uitzien* look peaky.

smalspoor ['smalspo:r] *o* narrow-gauge (line).

smalt [smalt] *v* smalt.

smalte ['smaltə] *v* narrowness.

smaragd [sma.'raxt] *o* & *m* emerald.

smaragden [-'ragdə(n)] *aj* emerald.

smaragdgroen [-'raxtgru.n] emerald-green.

smart [smart] *v* pain, grief, sorrow; *wij verwachten u met ∼* we have been anxiously waiting for you.

smartegeld ['smartəgɛlt] *o* ⚓ & ⚔ smart-money.

smartelijk [-lək] *aj* (& *ad*) painful(ly), grievous(ly).

smartelijkheid [-ləkhɛit] *v* painfulness.

1 **smarten** ['smartə(n)] *vt* give (cause) pain, grieve; *het smart mij* it pains me, it is painful to me.

2 **smarten** ['smartə(n)] *vt* ⚓ parcel.

smarting [-tɪŋ] *v* ⚓ parcelling.

smeden ['sme.də(n)] *vt* forge, weld; *fig* forge [a lie], coin [new words]; devise, contrive [a plan]; lay [a plot]; zie ook: *ijzer*.

smeder [-dər] *m* forger², *fig* deviser.

smederij [sme.də'rɛi] *v* smithy, forge.

smeedbaar ['sme.tba:r] malleable.

smeedbaarheid [-ɦɛit] *v* malleability.

smeedijzer ['sme.tɛizər] *o* wrought iron.

smeekbede ['sme.kbe.də] *v* supplication, entreaty.

smeekolen ['sme.ko.lə(n)] *mv* forge coal.

smeekschrift ['sme.ks(x)rɪft] *o* petition.

smeer [sme:r] *o* & *m* grease, fat, tallow; *om der wille van de ∼ likt de kat de kandeleer* from love of gain.

smeerboel ['sme:rbu.l] *m* beastly mess.

smeerder [-dər] *m* greaser.

smeerlap [-lap] *m* 1 (oorspronkelijk) greasing-clout; 2 *fig* dirty fellow; blackguard, skunk, blighter.

smeerlapperij [sme:rlɑpə'rɛi] v dirt, filth.

smeermiddel ['sme:rmɪdəl] o lubricant.

smeerolie [-o.li.] v lubricating oil.

smeerpoe(t)s v dirty person.

smeersel [-səl] o 1 ointment, unguent; 2 (vloeibaar) embrocation, liniment; 3 (voor de boterham) paste.

smeet [sme.t] m throw.

smekeling ['sme.kəlɪŋ] m suppliant.

smeken [-kə(n)] v entreat, beseech, supplicate, implore; ik smeek er u om I beseech you.

smeker [-kər] m suppliant.

smeking [-kɪŋ] v supplication, entreaty.

smeltbaar ['smɛltba:r] v fusible, liquefiable.

smeltbaarheid [-heit] v fusibility.

smelten ['smɛltə(n)] I vi melt, fuse; fig melt [into tears]; ze ~ in je mond they melt in your mouth; II vt melt, fuse; smelt [ore]; gesmolten boter melted butter; gesmolten lood molten lead.

smelterij [smɛltə'rɛi] v smelting-works.

smelting ['smɛltɪŋ] v melting, fusion; smelting.

smeltkroes ['smɛltkru.s] m melting-pot, crucible.

smeltmiddel [-mɪdəl] o flux.

smeltoven [-o.və(n)] m smelting-furnace.

smeltpunt [-pũnt] o melting-point.

smeltstop [-stɔp] m 🕮 fuse.

smeren ['sme:rə(n)] vt grease, oil; lubricate; smear [with paint &]; spread [butter]; (zich) een boterham ~ butter one's bread; iemand de handen ~ grease a man's palm; de keel ~ wet one's whistle; de ribben ~ thrash; 'm ~ S beat it, scram; het gaat als gesmeerd F it runs on wheels.

smerig [-rəx] I aj greasy, dirty; messy, squalid; grubby; fig dirty, nasty; sordid [trick]; een ~e jongen a dirty boy; ~ weer rotten (dirty, foul) weather; II ad dirtily.

smerigheid [-heit] v dirtiness, dirt.

smering ['sme:rɪŋ] v greasing, oiling; lubrication.

smeris ['sme:rəs] m S cop.

smet [smɛt] v spot, stain²; blot²; taint²; fig blemish; slur; iemand een ~ aanwrijven cast a slur on a person.

smetstof ['smɛtstɔf] v infectious matter, virus.

smetteloos ['smɛtəlo.s] stainless, spotless, immaculate².

smetten ['smɛtə(n)] vt & vi stain, soil.

smeulen ['smø.lə(n)] vi smoulder²; er smeult iets there is some mischief smouldering.

smid [smɪt] m smith.

smidse ['smɪtsə] v forge, smithy.

smidsknecht ['smɪtsknɛxt] m blacksmith's man.

smient [smi.nt] v 🐦 widgeon.

smijdig ['smɛidəx] malleable, supple.

smijdigheid [-heit] v malleability, suppleness.

smijten ['smɛitə(n)] I vt throw, fling, dash, hurl; II vi in: met het (zijn) geld ~ throw (one's) money about.

smis(se) [smɪs, 'smɪsə] = smidse.

smoesje ['smu.ʃə] o F dodge, pretext, poor excuse; ~s, zeg! all eyewash, it's all dope; een ~ bedenken find a pretext; dat ~ kennen we! we know that stunt.

smoezelig ['smu.zələx] dingy, smudgy, grimy.

smoezen [-zə(n)] vi F whisper; talk.

smoken ['smo.kə(n)] vi & vt smoke.

smoking [-kɪŋ] m dinner-jacket, Am tuxedo.

smokkelaar ['smɔkəla:r] m smuggler.

smokkelarij [smɔkəla:'rɛi] v smuggling.

smokkelen ['smɔkələ(n)] I vt smuggle; II vi & va smuggle; F cheat [at play &].

smokkelhandel [-kəlhɑndəl] m smuggling, contraband trade.

smokkelwaar [-va:r] v contraband (goods).

smook [smo.k] m smoke.

smoordronken ['smo:rdrɔŋkə(n)] dead drunk

smoorheet [-he.t] sweltering, suffocating, broiling.

smoorhitte [-hɪtə] v sweltering heat.

smoorklep [-klɛp] v 🔧 throttle(-valve).

smoorlijk [-lək] in: ~ verliefd over head and ears in love, dead in love.

smoren ['smo:rə(n)] I vi stifle; om te ~ stifling hot; II vt smother, throttle, suffocate; 🔧 throttle (down) [the engine]; stew [meat]; fig smother up, burke [the discussion]; smother [a curse]; stifle [a sound, the voice of conscience]; choke [the revolution in blood]; met gesmoorde stem in a strangled voice.

smous [smɔus] m (hond) griffon.

smout [smɔut] o grease, lard.

smoutachtig ['smɔutɑxtəx] greasy.

smouten ['smɔutə(n)] vt grease.

smuk [smœk] m finery.

smukken ['smœkə(n)] vt trim, adorn, deck out.

smulbaard ['smœlba:rt] smulbroer [-bru:r] m free-liver, gastronomist, gastronomer, epicure.

smullen ['smœlə(n)] vi feast (upon van), banquet; zij smulden ervan (toen ze 't hoorden) they simply "ate it".

smulpaap ['smœlpa.p] m zie smulbaard.

smulpartij [-pɑrtɛi] v banquet.

Smyrna ['smɪrna.] o Smyrna.

smyrnatapijt [-ta.pɛit] o Turkey (Turkish) carpet.

snaak [sna.k] m wag; een rare ~ a queer fellow, a queer chap.

snaaks [sna.ks] I aj droll, waggish; II ad drolly, waggishly.

snaaksheid ['sna.kshɛit] v drollery, waggishness.

snaar [sna:r] v string, chord; een gevoelige ~ aanroeren touch upon a tender string; je hebt de verkeerde ~ aangeroerd you did not sound the right chord.

snakerig ['sna.kərəx] zie snaaks.

snakerij [sna.kə'rɛi] v drollery, waggishness.

snakken ['snɑkə(n)] vi in: ~ naar adem pant for breath, gasp; ~ naar een kop thee be dying for a cup of tea; ~ naar lucht gasp for air; ~ *naar het uur van de...* languish for the hour of...

snaphaan ['snɑpha.n] *m* 🕮 firelock.

snappen ['snɑpə(n)] I *vt* snap, snatch, catch; *hij kan geen aardigheid ~* he does not see a joke; *een bui ~* be caught in the rain; *snap je het?* F do you get me?, see?; *hij snapte er niets van* F he did not grasp it, he did not understand it at all, he did not tumble to anything [when the joke was made]; *hij zal er toch niets van ~* 1 he will never get the hang of it [e.g. mathematics]; 2 he will never twig [our doings]; *men heeft hem gesnapt* he has been caught; *ik snapte dadelijk dat hij geen Hollander was* I spotted him at once as being no Dutchman; II *vi* chat, tattle, prattle.

snapper [-pər] *m* tattler, talker, prattler.

snapster ['snɑpstər] *v* gossip, chatterbox.

snarenspel ['sna:rə(n)spɛl] *o* ♪ string music.

snars [snɑrs] *geen ~* not a bit; zie verder: (*geen*) *steek*.

snater ['sna.tər] *m* in: *hou je ~!* P hold your jaw!, shut up!

snateraar ['sna.təra:r] *m* chatterer.

snateren [-rə(n)] *vi* chatter.

snauw [snɔu] *m* snarl.

snauwen ['snɔuə(n)] *vi* snarl; ~ *tegen* snarl at, snap at.

snauwerig [-ərəx] snarling, snappish.

snavel ['sna.vəl] *m* bill, (krom) beak.

snede ['sne.də] *v* 1 (snijwond) cut [with a knife]; 2 (schijf) slice [of bread], rasher [of bacon]; 3 (scherp) edge [of a knife, razor &]; 4 (in de prosodie) caesura, section [of a verse]; *ter ~* to the point, just to the purpose.

snedig [-dəx] witty; *een ~ antwoord* a smart reply.

snedigheid [-hɛit] *v* smartness [of repartee].

snee [sne.] = *snede*.

sneeuw [sne:u] *v* snow; *als ~ voor de zon verdwijnen* disappear like snow before the sun.

sneeuwachtig ['sne:uɑxtəx] snowy.

sneeuwbal [-bɑl] *m* 1 snowball; 2 🌣 snowball, guelder rose; *met ~len gooien* throw snowballs; *iemand met ~len gooien* pelt a person with snowballs.

sneeuwballen [-bɑlə(n)] *vi* throw snowballs.

sneeuwbank [-bɑŋk] *v* snow-bank.

sneeuwblind [-blɪnt] snow-blind.

sneeuwblindheid [-blɪntheit] *v* snow blindness.

sneeuwbril [-brɪl] *m* snow-goggles.

sneeuwbui [-bœy] *v* snow-shower, snow-squall.

sneeuwen ['sne.və(n)] *onpers. ww.* snow; *het sneeuwde bloempjes* flowers were snowing down [from the tree]; *het sneeuwde briefkaarten* there was a shower of postcards.

sneeuwgrens ['sne:ugrɛns] *v* snow-line.

sneeuwhoen [-hu.n] *o* 🐦 white grouse, ptarmigan.

sneeuwjacht [-jɑxt] *v* snow-drift, driving snow.

sneeuwketting [-kɛtɪŋ] *m & v* non-skid chain.

sneeuwklokje [-klɔkjə] *o* 🌣 snowdrop.

sneeuwlucht [-lʏxt] *v* snowy sky.

sneeuwman [-mɑn] *m* snow-man.

sneeuwploeg [-plu.x] *m & v* snow-plough.

sneeuwpop [-pɔp] *v* snow-man.

sneeuwschoen [-sxu.n] *m* snow-shoe.

sneeuwstorm [-stɔrm] *m* snow-storm.

sneeuwuil [-œyl] *m* 🐦 snow-owl, snowy owl.

sneeuwval [-vɑl] *m* 1 snow-fall, fall(s) of snow; 2 (lawine) avalanche, snow-slide.

sneeuwvlaag [-vla.x] *v* snow-shower.

sneeuwvlok [-vlɔk] *v* snow-flake, flake of snow.

sneeuwwit ['sne.vɪt] snow-white, snowy white.

Sneeuwwitje [sne.'vɪtʃə] *o* Little Snow White.

snel [snɛl] I *aj* swift, quick, fast, rapid; II *ad* swiftly, quickly, fast, rapidly.

snelbuffet ['snɛlby.fɛt] *o* snack-bar.

sneldicht [-dɪxt] *o* epigram.

snelheid [-hɛit] *v* swiftness, rapidity, speed, velocity; *met een ~ van* ook: at the rate of... [50 miles an hour].

snelheidsmaniak [-hɛitsma.ni.ɑk] *m* S road-hog.

snelheidsmeter [-me.tər] *m* tachometer, speedometer.

snelheidsrecord, -rekord [-rəkɔ:r, -rəkɔrt] *o* speed record.

snelkoker [snɛlko.kər] *m* quick heater.

snelkookpan [-ko.kpɑn] *v* pressure-cooker.

snellen ['snɛlə(n)] *vi* hasten, rush.

snellopend ['snɛlo.pənt] fast [horse, steamer &].

snelschrift ['snɛls(x)rɪft] *o* shorthand, stenography.

snelschrijver [-s(x)rɛivər] *o* shorthand writer, stenographer.

sneltekenaar [-te.kəna:r] *m* lightning cartoonist.

sneltrein [-trɛin] *m* fast train, express (train).

snelvarend [-va:rənt] fast.

snelverband [-vərbɑnt] *o* first dressing.

snelverkeer [-vərke:r] *o* fast traffic.

snelvoetig [-vu.təx] swift-footed, nimble, fleet.

snelvuur [-vy:r] *o* ✕ rapid fire.

snelvuurkanon [-vy:rka.nòn] *o* ✕ quick-firing gun.

snelweg [-vɛx] *m* speedway. [gun.

snelweger [-ve.gər] *m* weighing-machine.

snelwerkend [-vɛrkənt] rapid, speedy [poison].

snelzeilend [-zɛilənt] fast-sailing, fast.

snelzeiler [-zɛilər] *m* ⚓ fast sailer.

snep [snɛp] = *snip*.

snerpen ['snɛrpə(n)] *vi* bite, cut; *een ~de koude* a biting cold; *een ~de wind* a cutting wind.

snert [snɛrt] *v* pea-soup; *fig* trash; *het lijkt wel ~!* (it is) a rotten show!

snertkerel ['snɛrtke.rəl] ~**vent** [-fɛnt] *m* F good-for-nothing, rotter, dud.

sneu [snø.] F disappointing, mortifying; ~ *kijken* look blue.

sneuvelen, sneven ['snø.vələ(n), 'sne.və(n)] *vi* be killed (in action, in battle), be slain, perish, fall.

snib(be) [snɪp, 'snɪbə] *v* shrew, vixen.

snibbig ['snɪbəx] *aj* (& *ad*) snappish(ly).

snibbigheid [-hɛit] *v* snappishness.

snijbloemen ['snɛiblu.mə(n)] *mv* cut flowers.

snijboon [-bo.n] *v* ⚘ French bean, haricot bean; *een rare* ~ F a queer fish, a queer card.

snijbrander [-brandər] *m* ⚒ [oxygen] cutter.

snijden ['snɛi(d)ə(n)] I *vi* 1 cut; 2 ⚙ cut in; 3 ◊ finesse; II *vt* 1 cut [one's bread, hair &]; cut (up), carve [meat]; carve [figures in wood, stone &]; 2 *fig* (afzetten) fleece, shear [customers]; *ze* ~ *je daar lelijk* ook: they make you pay through the nose; *die lijnen* ~ *elkaar* those lines cut each other, they intersect; *je kon de rook wel* ~ the smoke could be cut with a knife; *het snijdt je door de ziel* it cuts you to the heart; *aan (in) stukken* ~, *stuk* ~ cut to pieces, cut up; *hij er zich* ~ cut oneself; *ik heb mij in mijn (de) vinger gesneden* I have cut my finger (with a knife); *je zult je (lelijk) in de vingers* ~ you'll burn your fingers.

snijdend ['snɛidənt] 1 cutting[2], *fig* sharp, biting; 2 (in de meetkunde) secant.

snijder ['snɛi(d)ər] *m* 1 cutter, carver; 2 tailor.

snijdervogel ['snɛidərvo.ɡəl] *m* 🐦 tailor-bird.

snijding [-dɪŋ] *v* 1 cutting, section; 2 (in prosodie) caesura; 3 (in de meetkunde) intersection; ~*eʌ (in het lijf)* gripes.

snijdsel ['snɛi(t)səl] *o* clippings, cuttings.

snijkamer ['snɛika.mər] *v* dissecting-room.

snijlijn [-lɛin] *v* secant, intersecting line.

snijmachine [-ma.ʃi.nə] *v* 1 cutting-machine; cutter; [bread, vegetable &] slicer; 2 (op de drukkerij) guillotine, plough.

snijpunt [-pŭnt] *o* (point of) intersection.

snijtand [-tant] *m* cutting tooth, incisor.

snijwerk [-vɛrk] *o* carved work, carving.

snijwond(e) [-vònt, -vòndə] *v* cut, incised wound.

1 **snik** [snɪk] *m* gasp, sob; *laatste* ~ last gasp; *de laatste* ~ *geven zie geest.*

2 **snik** [snɪk] *aj* in: *hij is niet goed* ~ S he is not quite right in his head, a bit cracked.

snikheet ['snɪkhe.t] suffocatingly hot, stifling.

snikken ['snɪkə(n)] *vi* sob.

snip [snɪp] *v* 🐦 snipe.

snippejacht ['snɪpəjaxt] *v* snipe shooting, sniping.

snippel ['snɪpəl] = *snipper.*

snipper [-pər] *m* cutting, clipping; scrap, shred, snip, snippet, chip.

snipperdag [-dax] *m* extra day off.

snipperen ['snɪpərə(n)] *vt* snip, shred.

snipperjacht [-pərjaxt] *v* paper-chase.

snippermand [-mant] *v* waste-paper basket.

snippertje [-cə] *o* scrap, shred, snippet, chip.

snipperuurtje [-y:rcə] *o* spare hour, leisure hour; *in mijn* ~*s* at odd times.

snipperwerk [-vɛrk] *o* trifling work.

snipverkouden [snɪpfər'kou(d)ə(n)] suffering from a bad cold.

snit [snɪt] *m* & *v* cut [of grass, a coat]; *het is naar de laatste* ~ it is after the latest fashion.

snoeien ['snu.jə(n)] *vt* lop [trees]; prune [fruit-tree]; 2 clip [money, a hedge].

snoeier [-jər] *m* lopper, pruner [of trees]; clip per [of coin, hedges].

snoeimes ['snu:iməs] *o* pruning-knife, bill.

snoeischaar [-sxa:r] *v* pruning-shears.

snoeisel [-səl] *o* clippings, loppings.

snoeitijd [-tɛit] *m* pruning-time.

snoek [snu.k] *m* 🐟 pike.

snoekbaars ['snu.kba:rs] *m* 🐟 pike-perch.

snoep [snu.p] *m* F zie *snoeperij.*

snoepachtig ['snu.paxtəx] fond of eating sweets.

snoepachtigheid [-hɛit] *v* fondness of eating sweets.

snoepen ['snu.pə(n)] *vi* eat sweets; *wilt u eens* ~? have a sweet?; *wie heeft van de suiker gesnoept?* who has eaten of (who has been at) the sugar?

snoeper [-pər] *m* ~*ster* ['snu.pstər] *v een* ~ *zijn* have a sweet tooth.

snoeperig [-pərəx] I *aj* F nice, pretty, sweet; II *ad* nicely, prettily, sweetly.

snoeperij [snu.pə'rɛi] *v* sweets, sweeties, goodies, sweet stuff.

snoepertje ['snu.pərcə] *o* F duck of a child.

snoepgoed ['snu.pgu.t] *o* zie *snoeperij.*

snoepkraampje [-kra.mpjə] *o* sweet-stall.

snoeplust [-lŭst] *m* fondness for sweets.

snoepreisje [-rɛiʃə] *o* trip.

snoepwinkel [-vɪŋkəl] *m* sweet(-stuff) shop.

snoer [snu:r] *o* 1 string [of beads]; 2 cord; 3 line [for fishing]; 4 ⚡ flex.

snoeren ['snu:rə(n)] *vt* string, tie, lace; zie ook: *mond.*

snoes [snu.s] *m*-*v* F darling, duck.

snoeshaan ['snu.sha.n] *m* in: *zo'n vreemde* ~ F a foreign bloke, a stranger.

snoet [snu.t] *m* snout, muzzle [of an animal]; *zijn* ~ > S his mug.

snoetje ['snu.cə] *o* F mug; *een aardig* ~ a pretty face.

snoeven ['snu.və(n)] *vi* brag, boast, bluster, vapour; ~ *op...* brag (boast) of..., vaunt.

snoever [-vər] *m* boaster braggart, blusterer.

snoeverij [snu.və'rɛi] *v* boast, brag(ging), braggadocio.

snoezig ['snu.zəx] I *aj* F sweet, ducky; II *ad* sweetly.

snood [sno.t] I *aj* base [ingratitude]; heinous [crime]; wicked, iniquitous, nefarious [practices]; II *ad* basely.

snoodaard ['sno.da.rt] *m* villain, rascal, miscreant.

snoodheid ['sno.thɛit] *v* baseness, wickedness.

snor [snòr] *v* moustache; [of a cat] whiskers.

snorbaard ['snòrba:rt] *m* moustache; *een oude* ~ an old soldier.

snorder [-dər] *m* crawler [plying for customers], crawling taxi

snorken [-kə(n)] *vi* I snore; 2 *fig* brag, boast.

snorker [-kər] *m* I snorer; 2 *fig* braggart, boaster.

snorkerij [snɔrkə'rɛi] *v* bragging, brag, boast.

snorrebaard ['snɔrəba:rt] = *snorbaard*.

snorren [-rə(n)] *vi* I drone, whir [of engine]; buzz [of fly]; purr [of cat]; roar [of stove]; whiz [of bullet]; 2 (om een vrachtje) crawl, ply for hire; *het rijtuig snorde langs de weg* the carriage whirred along the road.

snorrepijperij [snɔrəpɛipə'rɛi] *v* knick-knacks, trifles.

snot [snɔt] *o & m* mucus.

snotaap, ~jongen ['snɔta.p, -jɔŋə(n)] *m* F whipper-snapper.

snotneus [-nø.s] *m* I F snivelling nose; 2 zie *snotaap*.

snotolf [-ɔlf] *m* 🐟 lumpfish.

snotteren ['snɔtərə(n)] *vi* snivel.

snotterig [-rəx] F snivelling.

snuffelaar ['snʏfəla:r] *m* ferreter, Paul Pry.

snuffelen [-lə(n)] *vi* nose, ferret, mouse, browse, rummage [in something].

snufje ['snʏfjə] *o* in: *het nieuwste ~* the latest thing.

snugger ['snʏɣər] I *aj* F bright, clever, sharp, smart; II *ad* brightly, cleverly.

snuggerheid [-hɛit] *v* brightness, cleverness &.

snuif [snœyf] *m* snuff.

snuifdoos ['snœyfdo.s] *v* snuff-box.

snuifje [-jə] *o* pinch of snuff.

snuiftabak [-ta.bak] *m* snuff.

snuisterij [snœystə'rɛi] *v* knick-knack.

snuit [snœyt] *m* snout, muzzle; trunk [of an elephant]; proboscis [of insects]; *zijn ~ S* his mug.

snuiten ['snœytə(n)] I *vt* snuff [a candle]; *zijn neus ~* blow one's nose; II *va* blow one's nose.

snuiter [-tər] *m* I zie *kaarsesnuiter*; 2 F chap.

snuitje [-cə] *o* zie *snoetje*.

snuiven [-və(n)] *vi* I sniff, snuffle, snort; 2 take snuff; *~ van woede* snort with rage.

snuiver [-vər] *m* I snuffer; 2 snuff-taker.

snurken ['snʏrkə(n)] *vi* snore.

sober ['so.bər] I *aj* sober, frugal, scanty; austere [life, building]; II *ad* soberly, frugally, scantily; [live] austerely.

soberheid [-hɛit] *v* soberness, sobriety, frugality, scantiness; austerity [of life].

sobertjes [-cəs] zie *sober* II.

sociaal [so.si.'a.l] I *aj* social; *~ werk* social work; *sociale werkster* social worker; II *ad* socially.

sociaal-democraat, sociaal-demokraat [so.si.-a.lde.mo.'kra.t] *m* social democrat.

sociaal-democratisch, sociaal-demokratisch [-'kra.ti.s] social democratic.

socialisatie [so.si.a.li.'za.(t)si.] *v* socialization.

socialiseren [-'ze:rə(n)] *vt* socialize.

socialisme [so.si.a.'lɪsmə] *o* socialism.

socialist [-'lɪst] *m* socialist.

socialistisch [-'lɪsti.s] I *aj* socialist [party], socialistic; II *ad* socialistically.

socializatie zie *socialisatie*.

socializeren zie *socialiseren*.

sociëteit [so.si.'tɛit] *v* club-house, club; *de Sociëteit van Jezus RK* the Society of Jesus.

sociologie [so.si.o.lo.'gi.] *v* sociology.

sociologisch [-'lo.gi.s] *aj* (& *ad*) sociological(ly).

socioloog [-'lo.x] *m* sociologist.

soda ['so.da.] *m & v* soda.

sodawater [-va.tər] *o* soda-water.

Sodom ['so.dɔm] *o* Sodom.

soebatten ['su.batə(n)] *vi & vt* implore, treat.

Soedan ['su.dɑn] *m de ~* the S(o)udan.

Soedanees [su.da.'ne.s] *sb & aj* S(o)udanese, *mv* S(o)udanese.

⚓ soelaas [su.'la.s] *o* solace, comfort.

Soenda ['su.nda.] *o* Sunda.

Soenda-eilanden [-ɛilɑndə(n)] *mv de ~* the Sunda Islands.

Soendanees [su.nda.'ne.s] I *m* Sundanese, *mv* Sundanese; II *aj* Sundanese; III *o* Sundanese.

soep [su.p] *v* soup; broth; *het is niet veel ~s* it is not up to much; *in de ~ rijden* smash up; *in de ~ zitten* F be in the soup.

soepachtig ['su.pɑxtəx] soupy.

soepballetje [-bɑləcə] *o* force-meat ball.

soepbord [-bɔrt] *o* soup-plate.

soepel ['su.pəl] supple, flexible.

soepelheid [-hɛit] *v* suppleness, flexibility.

soeperig ['su.pərəx] soupy[2]; *fig* watery.

soepgroente ['su.pgru.ntə] *v* soup greens.

soepketel [-ke.təl] *m* soup-kettle.

soepkom [-kɔm] *v* soup-bowl.

soepkommetje [-kɔmə cə] *o* porringer.

soeplepel [-le.pəl] *m* I (om te eten) soup-spoon; 2 (om op te scheppen) soup-ladle.

soepterrine [-tɛri.n] *v* soup-tureen.

soepvlees [-fle.s] *o* soup-meat.

1 **soes** [su.s] *v* (cream) puff.

2 **soes** [su.s] *m* I (handeling) doze; 2 (persoon) S dotard.

soesa ['su.za.] *m* F bother; trouble(s), worry, worries.

soeverein [su.və'rɛin] I *aj* sovereign; *~e minachting* supreme contempt; II *m* I sovereign 2 sovereign [coin].

soevereiniteit [-rɛini.'tɛit] *v* sovereignty.

soevereiniteitsoverdracht [-'tɛitso.vərdrɑxt] *v* transfer of sovereignty.

soeza zie *soesa*.

soezen ['su.zə(n)] *vi* doze.

soezerig [-zərəx] dozy, drowsy.

soezerigheid [-hɛit] *v* drowsiness.

sofa ['so.fa.] *m* sofa, settee.

1 **Sofia** ['so.fi.a.] *o* Sofia [in Bulgaria].

2 **Sofia, Sofie** [so.'fi.a., so.'fi.] *v* Sophia, Sophy

sofisme [so.'fɪsmə] *o* sophism.

sofist [-'fɪst] *m* sophist.

sofisterij [-fɪstə'rɛi] *v* sophistry.

sofistisch [-'fɪsti.s] I *aj* sophistic(al); II *ad* sophistically.

soiree [sva.'re.] *v* evening party, soirée.

soit! [sva] *ij* let it be!, let it pass!, all right!

soja ['so.ja.] *m* soy.

sojaboon [-bo.n] *v* ✿ soya bean.

sok [sɔk] *v* I sock; 2 ✕ socket; 3 F (old) fog(e)y; *er de ~ken in zetten* F run; *een held op ~ken* F a hero who is afraid of his own shadow; *iemand van de ~ken slaan* F knock him down; *van de ~ken vallen* F zie *stokje*.

sokkel ['sɔkəl] *m* socle.

sokophouder ['sɔkòphəuər] *m* sock-suspender.

sol [sɔl] *v* ♪ sol.

sola ['so.la.] *v* $ sole bill.

solaas [so.'la.s] = *soelaas*.

soldaat [sɔl'da.t] *m* ✕ soldier; *gewoon ~* private (soldier); *de Onbekende S~* the Unknown Warrior; *~ eerste klasse* lance-corporal; *~ worden* become a soldier, enlist.

soldaatje [-'da.cə] *o* little soldier; *~ spelen* play (at) soldiers.

soldatenleven [-'da.tə(n)le.və(n)] *o* military life.

soldatesk [sɔlda.'tɛsk] soldier-like.

soldateska [-'teska.] *v* soldiery.

soldeer [sɔl'de:r] *o* & *m* solder.

soldeerbout [-bout] *m* soldering-iron, soldering-bit.

soldeerder [-dər] *m* solderer.

soldeerijzer [-ɛizər] *o* soldering-iron.

soldeerlamp [-lɑmp] *v* soldering-lamp, blow-lamp.

soldeersel [-səl] *o* solder.

soldeertin [-tɪn] *o* tin-solder.

soldeerwater [-va.tər] *o* soldering-water.

solderen [sɔl'de:rə(n)] *vt* solder.

soldij [sɔl'dɛi] *v* ✕ pay.

solfer ['sɔlfər] = *sulfer*.

solidair [so.li.'dɛ:r] solidary; *~ aansprakelijk* jointly and severally liable; *zich ~ verklaren met* solidarize with.

solidariteit [-da:ri.'tɛit] *v* I solidarity; 2 $ joint liability; *uit ~* in sympathy.

solidariteitsgevoel [-'tɛitsgəvu.l] *o* feeling of solidarity.

solidariteitsstaking [-'tɛitsta.kɪŋ] *v* sympathetic strike.

solide [so.'li.də] I *aj* I (v. ding) solid, strong, substantial; 2 *fig* (v. persoon) steady; 3 $ respectable [dealers, firms]; sound, safe [investments]; II *ad* solidly, strongly &.

soliditeit [so.li.di.'tɛit] *v* I solidity; 2 steadiness; 3 $ solvability, solvency, stability; soundness.

solied [so.'li.t] = *solide*.

solist [so.'lɪst] *m~e* [-'lɪstə] *v* ♪ soloist.

solitair [so.li.'tɛ:r] I *aj* solitary; II *m* I solitary; 2 (spel & steen) solitaire.

sollen ['sɔlə(n)] I *vt* toss; II *vi* in: *~ met* I romp with; 2 *fig* make a fool of; *hij laat niet met zich ~* he doesn't suffer himself to be trifled with.

sollicitant [sɔli.si.'tɑnt] *m* candidate, applicant.

sollicitatie [-'ta.(t)si.] *v* application.

solliciteren [-'te:rə(n)] *vi* apply (for *naar*).

solo ['so.lo.] *m* & *o* solo.

solozanger [-zɑŋər] *m* ♪ solo vocalist.

solsleutel ['sɔlslø.təl] *m* ♪ G clef, treble clef.

solutie [so.'ly.(t)si.] *v* solution.

solvabel [sɔl'va.bəl] $ solvent.

solvabiliteit [sɔlva.bi.li.'tɛit] *v* $ ability to pay, solvency.

solvent [sɔl'vɛnt] $ solvent.

solventie [-'vɛn(t)si.] *v* $ solvency.

som [sɔm] *v* I (totaalbedrag) sum, total amount; 2 (vraagstuk) sum, problem; *een ~ geld(s)* a sum of money; *een ~ ineens* a lump sum; *~men maken* do sums.

somber ['sòmbər] I *aj* gloomy, sombre[2]; *fig* cheerless, sad, dark, black; II *ad* gloomily.

somberheid [-hɛit] *v* gloom[2], sombreness[2], cheerlessness.

somma ['sòma.] *v* sum total, total amount.

sommatie [sò'ma.(t)si.] *v* summons.

sommeren [-'me:rə(n)] *vt* summon, call upon; 🏛 summon.

sommige ['sòməgə] some; *~n* some.

sommiteit [sòmi.'tɛit] *v* notable (eminent) person.

somnambule [sòmnɑm'by.lə] *m* somnambulist.

soms [sòms] sometimes; *~ goed &, ~ slecht* & now..., now..., at times..., at other times...; *kijk eens of hij daar ~ is* if he is there perhaps; *hij mocht ~ denken dat...* he might think that...; *als je hem ~ ziet* if you should happen to see him.

somtijds, somwijlen [sòm'tɛits, -'vɛilə(n)] sometimes; zie ook: *soms*.

sonate [so.'na.tə] *v* ♪ sonata.

sonatine [so.na.'ti.nə] *v* ♪ sonatina.

sonde ['sòndə] *v* probe [for wounds].

sonderen [sòn'de:rə(n)] *vt* sound, probe.

sonisch ['sòn.i.s] sonic.

sonnet [sò'nɛt] *o* sonnet.

sonnettenkrans [sò'nɛtə(n)krɑns] *m* sonnet sequence.

sonoor [so.'no:r] *aj* (& *ad*) sonorous(ly).

sonoriteit [-no:ri.'tɛit] *v* sonority.

Sont [sònt] *v de ~* The Sound.

soort [so:rt] *v* & *o* I (in 't alg.) sort, kind; 2 (biologie) species; *het is ~, hoor!* they are a nice sort!; *hij is een goed ~* he is a good sort; *~ zoekt ~* like draws to like, birds of a feather flock together; *zo'n ~ schrijver* he is a kind (a sort) of author, an author of sorts; *enig in zijn ~* zie *enig*; *mensen van allerlei ~* people of all kinds, all sorts and conditions of men; *van dezelfde ~* of the same kind, of a kind, $ of the same description.

soortelijk ['so:rtələk] specific; *~ gewicht* specific gravity.

soortgelijk ['so:rtgəlɛik] similar, suchlike.

soortnaam [-na.m] *m* I *gram* common noun; 2 ♣ ♠ generic name.

soos [so.s] *v* F club.

sop [sɔp] *o* I broth; 2 (v. zeep) suds; *het ruime* ~ the open sea, the offing; *het ruime* ~ *kiezen zie zee (kiezen): laat hem in zijn eigen* ~ *gaar koken* zie I *vet*; *met hetzelfde* ~ *overgoten* tarred with the same brush; *het* ~ *is de kool niet waard* the game is not worth the candle.

soppen ['sɔpə(n)] *vi* sop, dip, steep, soak.

sopperig [-pərəx] sloppy, soppy.

sopraan [so.'pra.n] *v* ♪ soprano, treble.

sopraanstem [-stɛm] *v* ♪ soprano voice.

sopraanzangeres [-zaŋərɛs] *v* ♪ soprano singer.

sorbet [sɔr'bɛt] *m* sorbet, sherbet.

sorteerder [sɔr'te:rdər] *m* sorter.

sorteren [-'te:rə(n)] *vt* (as)sort; *onze winkel is goed gesorteerd* is well-stocked; zie ook: *effect*.

sortering [-'te:rɪŋ] *v* sorting; assortment.

sortie [-'ti.] *v* I (mantel) opera-cloak; 2 (controlebiljet) pass-out check.

souche ['su.ʃə] *v* counterfoil.

souffleren [su.'fle:rə(n)] *vi & vt* prompt.

souffleur [-'flø:r] *m* prompter.

souffleurshok [-'flø:rshɔk] *o* prompter's box.

souper [su.'pe.] *o* supper.

souperen [su.'pe:rə(n)] *vi* sup, take supper.

sourdine [su.r'di.nə] *v* ♪ mute.

souspied [su.'pje.] *m* strap.

soutache [su.'taʃə] *v* braid.

soutane [su.'ta.nə] *v* RK soutane.

souterrain ['su.tɛrɛɪn] *o* basement(-floor).

souvenir [su.və'ni:r] *o* souvenir, keepsake.

sovjet, sowjet ['sɔvjɛt] *m* sovjet.

Sovjetunie, Sowjetunie [-y.ni.] *v* Soviet Union.

spa [spa.] = *spade*.

I **spaak** [spa.k] *v* spoke; *een* ~ *in het wiel steken* put a spoke in the wheel.

2 **spaak** [spa.k] ~ *lopen* go wrong.

spaakbeen ['spa.kbe.n] *o* radius.

spaan [spa.n] *v* I chip [of wood]; 2 scoop [for butter].

spaander ['spa.ndər] *m* chip.

Spaans [spa.ns] I *aj* Spanish; ~ *riet* rattan; ~*e vlieg* cantharides, Spanish fly; II *o het* ~ Spanish; III *v een* ~*e* a Spanish woman (lady).

spaarbank ['spa:rbaŋk] *v* savings-bank.

spaarbankboekje [-bu.kjə] *o* savings-bank book, deposit book.

spaarbrander ['spa:rbrandər] *m* economical burner.

spaarder [-dər] *m* saver; (inlegger) depositor.

spaarduitjes [-dœycɔs] *mv* savings.

spaargeld [-gɛlt] *o* savings.

spaarkas [-kas] *v* savings-bank.

spaarpot [-pɔt] *m* money-box; *een* ~*je maken* lay by (some) money.

spaarvarken ['spa:rvarkə(n)] *o* piggy bank.

spaarzaam [-za.m] I *aj* saving, economical, thrifty; ~ *zijn met* be economical of; be chary of [praise &]; II *ad* economically.

spaarzaamheid [-hɛit] *v* economy, thrift.

spaarzegel ['spa:rze.gəl] *m* savings-stamp.

spaarzin [-zɪn] *m* thrift spirit.

spaat [spa.t] *o* spar.

spade ['spa.də] *v* spade; *de eerste* ~ *in de grond steken* cut the first sod.

spagetti zie *spaghetti*.

spaghetti [spa'gɛti.] *m* spaghetti.

spalier [spa.'li:r] *o* espalier, lattice-work.

spalk [spɑlk] *v* ♣ splint.

spalken ['spɑlkə(n)] *vt* ♣ splint, put in splints.

span [spɑn] I *v* (v. hand) span; 2 *o* (dieren) yoke [of bullocks]; team [of oxen]; pair, set [of horses]; *een aardig* ~ F a nice couple.

spanbeton ['spɑnbətɔn] *o* prestressed concrete.

spanbroek [-bru.k] *v* tight trousers, tights.

spandoek [-du.k] *o & m* banner.

spanen ['spa.nə(n)] *aj* chip.

spaniël ['spa.ni.ɛl] *m* ♠ spaniel.

Spanjaard ['spɑnja:rt] *m* Spaniard.

Spanje [-jə] *o* Spain.

spanjolet [spɑnjo.'lɛt] *v* espagnolette.

Spanjool [-'jo.l] *m* Spaniard.

spankracht ['spɑnkrɑxt] *v* tensile force; tension [of gases].

⊙ **spanne** ['spɑnə] *v* span; *een* ~ *tijds* a brief space of time, a brief while, a (short) spell.

spannen ['spɑnə(n)] I *vt* stretch [a cord]; tighten [a rope]; draw, bend [a bow]; strain[2] [every nerve; the attention]; brace [a drum]; span [a distance]; spread [a net]; lay [snares], put [a horse] to [a carriage &]; *de haan* ~ cock a gun; zie ook: *boog* &; II *vr* in: *zich ervóór* ~ zie *voorspannen*; III *vi* be (too) tight [of clothes]; *als het er spant* when it comes to the pinch; *het zal er* ~ there will be hot work; *het begint te* ~ things are getting lively; *het heeft er om gespannen* it was a near thing.

spannend [-nənt] I (nauw) tight; 2 (boeiend) exciting [scene], thrilling [story], tense [moment].

spanning [-nɪŋ] *v* stretching; tension[2], strain[2]; span [of bridge]; ✗ stress; ⚡ tension, voltage; pressure [of steam]; *fig* tension, strain, suspense; *in angstige* ~ in anxious suspense; *iemand in* ~ *houden* keep one in suspense.

spanraam ['spɑnra.m] *o* tenter.

spanrups [-rⁿps] *v* geometer, looper.

spant [spɑnt] *o* I △ rafter; 2 ⚓ frame, timber.

spanwijdte ['spɑnvɛitə] *v* span.

I **spar** [spɑr] *m* ♣ spruce-fir.

2 **spar** [spɑr] *m* (v. dak) rafter.

sparappel ['spɑrapəl] *m* ♣ fir-cone.

sparen ['spa:rə(n)] I *vt* I (overleggen) save [money]; 2 (ontzien) spare [a friend, no pains]; *spaar mij uw klachten* spare me your complaints; *u kunt u die moeite* ~ you may save yourself the trouble; spare yourself the effort; *moeite noch kosten* ~ spare neither pains nor expense; *zij zijn gespaard gebleven voor de vernietiging* they have been spared from destruction; II *vr zich* ~ spare oneself, husband one's strength; III *vi* save, economize.

sparreboom ['sparəbo.m] *m* spruce-fir.

sparrehout [-hout] *o* fir-wood.

sparrekegel [-ke.gəl] *m* fir-cone.

sparrenbos ['sparə(n)bòs] *o* fir-wood.

Sparta ['sparta.] *o* Sparta.

Spartaan(s) [spar'ta.n(s)] *m* (& *aj*) Spartan.

spartelen [spartələ(n)] *vi* sprawl, flounder.

sparteling [-lɪŋ] *v* sprawling, floundering.

spastisch ['spasti.s] 𝔉 spastic.

spat [spat] *v* 1 (vlek) spot, speck, stain; 2 (v. paard) spavin.

spatader ['spata.dər] *v* 𝔉 varicose vein.

spatbord [-bòrt] *o* splash-board [of vehicle]; mudguard [of motor-car, bicycle], ⟶ wing.

spatbordlamp [-lamp] *v* wing lamp.

spatel ['spa.təl] *v* spatula, slice.

spatie ['spa.(t)si.] *v* space.

spatiëren [spa.si.'e:rə(n)] *vt* space.

spatiëring [-rɪŋ] *v* spacing.

spatlap ['spatlap] *m* mud-flap.

spatten ['spatə(n)] I *vi* splash, spatter [of liquid]; spirt [of a pen]; *uit elkaar* ~ zie *uiteenspatten*; II *vt* in: *vonken* ~ emit sparks, spark.

specerij [spe.sə'rɛi] *v* spice; spices.

specerijhandel [-handəl] *m* spice-trade.

specht [spext] *m* 🐦 woodpecker; *blauwe* ~ nuthatch; *bonte* ~ pied woodpecker; *groene* ~ green woodpecker.

speciaal [spe.si.'a.l] *aj* (& *ad*) special(ly).

specialiseren [-a.li.'ze:rə(n)] *vt* specialize.

specialisering [-rɪŋ] *v* specialization.

specialist [spe.si.a.'lɪst] *m* specialist.

specialiteit [-li.'tɛit] *v* 1 (iets speciaals) speciality; 2 (persoon) specialist; *...is onze* ~ we specialize in..., ...a speciality.

specialize- zie *specialise-*.

specie ['spe.si.] *v* 1 $ specie, cash, ready money; 2 △ mortar.

specificatie [spe.si.fi.'ka.(t)si.] *v* specification.

specificeren [-'se:rə(n)] *vt* specify.

specifiek [spe.si.'fi.k] I *aj* specific; ~ *gewicht* specific gravity; II *ad* specifically.

specifikatie zie *specificatie*.

specimen ['spe.si.men] *o* specimen.

spectaculair [spɛkta.ky.'lɛ:r] *aj* (& *ad*) spectacular(ly).

spectator [-'ta.tɔr] *m* spectator.

spectraal [-'tra.l] spectral.

spectroscoop [-trɔs'ko.p] *m* spectroscope.

spectrum ['spɛktrʉm] *o* spectrum.

speculaas [spe.ky.'la.s] *m* & *o* ± parliament cake.

speculant [-'lant] *m* $ speculator, bull [à la hausse], bear [à la baisse].

speculatie [-'la.(t)si.] *v* $ speculation, stock-jobbing.

speculatief [-la.'ti.f] speculative.

speculeren [-'le:rə(n)] *vi* $ speculate; ~ *op* trade upon; hope for...

speech [spi.tʃ] *m* speech.

speechen ['spi.tʃə(n)] *vi* speechify.

speeksel ['spe.ksəl] *o* spittle, saliva, sputum.

speekselklier [-kli:r] *v* salivary gland.

speelbal ['spe.lbal] *m* playing ball; *fig* plaything, toy, sport; *een* ~ *van de golven zijn* be at the mercy of the waves.

speeldoos [-do.s] *v* musical box.

speelduivel [-dœyvəl] *m* demon of gambling.

speelfilm [-fɪlm] *m* feature film.

speelgenoot [-gəno.t] *m* playmate, playfellow.

speelgoed [-gu.t] *o* toys, playthings.

speelgoedwinkel [-vɪŋkəl] *m* toy-shop.

speelhol ['spe.lhɔl] *o* gambling-den.

speelhuis [-hœys] *o* gambling-house.

speelkaart [-ka:rt] *v* playing-card.

speelkamer [-ka.mər] *v* 1 play-room [for children]; 2 card-room [of a club].

speelkameraad [-ka.məra.t] *m* zie *speelmakker*.

speelkwartier [-kʋarti:r] *o* ⟶ break, recess.

speelmakker [-makər] *m* playmate, playfellow.

speelman [-man] *m* musician, fiddler.

speelpakje [-pakjə] *o* playsuit.

speelplaats [-pla.ts] *v* playground.

speelruimte [-rœymtə] *v* ⚒ play; *fig* elbow-room, scope, latitude, margin.

speels [spe.ls] playful, sportive.

speelschuld ['spe.lsxʉlt] *v* gaming-debt, play-debt.

speelseizoen [-sɛizu.n] *o* theatrical season.

speelsheid ['spe.lshɛit] *v* playfulness, sportiveness.

speelster ['spe.lstər] *v* 1 gamester, player; 2 actress.

speeltafel [-ta.fəl] *v* 1 (in huis) card-table; 2 (in speelhol) gaming-table; 3 ♪ (v. orgel) console.

speelterrein [-tɛrɛin] *o* playground, recreation-ground, playing-field.

speeltijd [-tɛit] *m* playtime.

speeltuig [-tœyx] *o* ♪ (musical) instrument.

speeltuin [-tœyn] *m* recreation-ground.

speeluur [-y:r] *o* play-hour, playtime.

speelveld [-vɛlt] *o* playing-field.

speelzaal [-za.l] *v* gaming-room, gambling-room.

speelziek [-zi.k] playful, sportive.

speelzucht [-zʉxt] *v* passion for gambling.

speen [spe.n] *v* teat, nipple; (fopspeen) comforter.

speenkruid ['spe.nkrœyt] *o* 🌱 pilewort.

speenvarken [-varkə(n)] *o* sucking-pig.

speer [spe:r] *v* spear; *sp* javelin.

speerdrager ['spe:rdra.gər] *m* spearman.

speerpunt [-pʉnt] *m* spear-head.

speerwerpen [-vɛrpə(n)] *o* *sp* javelin throwing.

spek [spɛk] *o* 1 (gezouten of gerookt) bacon; 2 (vers) pork [of swine]; blubber [of a whale]; *dat is geen ~ voor iouw bek* F that is not for you; *met ~ schieten* draw the long bow; *voor ~ en bonen meedoen* sit mum.

spekbokking ['spɛkbɔkıŋ] *m* fat bloater.

spekken ['spɛkə(n)] *vt* lard [meat]; *een welgespekte beurs* a well-lined purse; zie ook: *doorspekken.*

spekkig [-kəx] fat, plump.

spekkoek [-ku.k] *m* larded pancake; *Indische ~* streaked cake.

speknek ['spɛknɛk] *m* fat neck. [cake.

spekpannekoek [-panəku.k] *m* larded pancake.

spekslager [-sla.gər] *m* pork-butcher.

speksteen [-ste.n] *o & m* soap-stone, steatite.

spektakel [spɛk'ta.kəl] *o* racket, hubbub; *~ maken* make a noise, kick up a row.

spektakelstuk [-stük] *o* show-piece.

spektator zie *spectator.*

spektr- zie *spectr-.*

spekul- zie *specul-.*

spekzool ['spɛkso.l] *v* (thick) crepe sole.

spel [spɛl] *o* 1 (tegenover werk) play; 2 (volgens regels) game; 3 (om geld) gaming, gambling; 4 pack [of cards], set [of dominoes]; 5 (kaarten van één speler) hand; 6 (tent) booth, show; *het ~ van deze actrice* the acting of this actress; *zijn (piano)~ is volmaakt* his playing is perfect; *gewonnen ~ hebben* have the game in one's own hands; *vrij ~ hebben* enjoy free play, have free scope; *iemand vrij ~ laten* allow one full play [to...], allow one a free hand; *dubbel ~ spelen* play a double game; *eerlijk ~ spelen* play the game; *een gewaagd ~ spelen* play a bold game; *buiten ~ blijven* remain out of it; *u moet mij buiten ~ laten* leave me out of it; *er is een dame in het ~* there is a lady in it; *als... in het ~ komt* when... comes into play; *op het ~ staan* be at stake; *op het ~ zetten* stake; *alles op het ~ zetten* stake one's all.

spelbederver, spelbreker ['spɛlbədɛrvər, -brekər] *m* spoil-sport, kill-joy, wet blanket.

speld [spɛlt] *v* pin; *er was geen ~ tussen te krijgen* 1 you could not get in a word edgeways; 2 there was not a single weak spot in his reasoning; *men had een ~ kunnen horen vallen* you might have heard a pin drop.

speldeknop, speldekop ['spɛldəknɔp, -kɔp] *m* pin's head.

spelden [-də(n)] *vt* pin; zie ook: *mouw.*

speldendoos [-do.s] *v* pin-box.

speldengeld [-gɛlt] *o* pin-money.

speldenkussen [-küsə(n)] *o* pin-cushion.

speldeprik ['spɛldəprık] *m* pin-prick[2].

speldjesdag ['spɛlcəsdax] *m* ± flag-day.

spelen ['spe.lə(n)] I *vi* 1 (in 't alg.) play; 2 (om geld) gamble; *het geschut laten ~* play the guns; *dat speelt hem door het hoofd* that is running through his head; *het stuk speelt in Parijs* the scene (of the play) is laid in Paris; *de roman (het verhaal) speelt in...* the novel (the story) is set in...; *met iemand ~* play

with one [*fig*]; *hij laat niet met zich ~* he is not to be trifled with, he will stand no nonsense; *zij speelde met haar waaier* ook: she was trifling (toying) with her fan; *om geld ~* play for money; *een glimlach speelde om haar lippen* a smile was playing about her lips; *~ tegen sp* play [a team]; *voor bediende ~* act the servant; *hij speelt meestal voor Hamlet* he plays the part of Hamlet; II *vt* play; *de beledigde ~* play the injured one; *biljart & ~* play (at) billiards &; *viool ~* play (on) the violin; *kun je dat allemaal naar binnen ~?* F can you put away all that?

spelenderwijs, -wijze ['spe.ləndərʋeis, -ʋeizə] 1 in sport; 2 with playful ease; *~ vechten* play at fighting.

speleologie [spe.le.o.lo.'gi.] *v* speleology, F pot-holing.

speleologisch [-'lo.gi.s] speleological.

speleoloog [-'lo.x] *m* speleologist, F pot-holer.

speler ['spe.lər] *m* player, fiddler, musician, performer, actor; gamester, gambler.

spelevaren [-ləva:rə(n)] I *vi* be boating; II *o* boating.

spelfout ['spɛlfout] *v* spelling-mistake.

speling ['spe.lıŋ] *v* 1 ✕ play; 2 *~ der natuur* freak (of nature); *~ hebben* have play; zie ook: *speelruimte.*

spelkunst ['spɛlkünst] *v* orthography.

spelleider ['spɛleidər] *m* 1 *sp* games-master; 2 (toneel) stage-manager.

spellen ['spɛlə(n)] *vt & vi* spell.

spelletje [-ləcə] *o* game; *het is het oude ~* they are still at the old game; *een ~ doen* have a game; *hetzelfde ~ proberen (uit te halen)* try the same game.

spelling [-lıŋ] *v* spelling, orthography.

spelonk [spə'lɔŋk] *v* cave, cavern, grotto.

spelregel ['spɛlre.gəl] *m* 1 spelling-rule; 2 *sp* rule of the game[2].

spelt [spɛlt] *v* ✿ spelt.

spenen ['spe.nə(n)] *vt* wean; *ik moet mij daarvan ~* I must fast from it; zie ook: *gespeend.*

sperballon ['spɛrbalɔn] *m* barrage balloon.

sperren ['spɛrə(n)] *vt* bar, block up.

spervuur ['spɛrvy:r] *o* ✕ barrage.

sperwer ['spɛrvər] *m* ✿ sparrow-hawk.

sperzieboon ['spɛrzi.bo.n] *v* ✿ French bean.

speurder ['spø:rdər] *m* detective, F sleuth, S tec.

speurdersroman [-dərsro.man] *m* detective novel, F whodunit.

speuren ['spø:rə(n)] *vt* trace, track.

speurhond ['spø:rhɔnt] *m* sleuth(-hound)[2].

speurtocht [-tɔxt] *m* search [for rare books truth].

speurwerk [-vɛrk] *o* 1 (van rechercheur) detective work; 2 (op wetenschappelijk gebied) research (work).

speurzin [-zın] *m* flair.

spichtig ['spıxtəx] lank, weedy; *een ~ meisje* a wisp (a slip) of a girl.

spichtigheid [-hɛit] v lankness, weediness.
spie [spi.] v 1 ✕ pin, peg, cotter; 2 S [Dutch] cent; (mv, geld) dibs.
spieden ['spi.də(n)] vi & vt spy.
spiegel ['spi.ɣəl] m 1 looking-glass, mirror, glass; 2 ☂ [doctor's] speculum; 3 ⚓ stern; escutcheon [with name]; 4 surface; boven de ~ van de zee above the level of the sea; in de ~ kijken look (at oneself) in the mirror.
spiegelbeeld [-be.lt] o (reflected) image, reflection.
spiegelblank [-blɑŋk] as bright as a mirror.
spiegelei [-ɛi] o ± fried egg.
spiegelen ['spi.ɣələ(n)] zich ~ look in a mirror; zich ~ aan take warning from, take example by; die zich aan een ander spiegelt, spiegelt zich zacht one man's fault is another man's lesson; zie ook: weerspiegelen.
spiegelgevecht [-ɣəlɣəvɛxt] o ✕ sham fight.
spiegelglad [-glɑt] as smooth as a mirror.
spiegelglas [-glɑs] o plate-glass.
spiegelhars [-hɑrs] o & m colophony.
spiegeling ['spi.ɣəlɪŋ] v reflection.
spiegelkast [-ɣəlkɑst] o mirror wardrobe.
spiegelruit [-ɣəlrœyt] v plate-glass window.
spieken ['spi.kə(n)] vi & vt ✎ S crib.
spier [spi:r] v 1 muscle [of the body]; 2 ☘ spire, shoot, blade [of grass]; 3 ⚓ boom, spar; geen ~ not a bit; zie ook: vertrekken II.
spierbundel ['spi:rbŭndəl] m muscular bundle.
spiering ['spi:rɪŋ] m 🐟 smelt; een ~ uitwerpen om een kabeljauw te vangen throw a sprat to catch a whale.
spierkracht ['spi:rkrɑxt] v muscular strength, muscle.
spierkramp [-krɑmp] v muscular spasm.
spiermaag [-ma.x] v gizzard, muscular stomach.
spiernaakt [-na.kt] stark naked.
spierpijn [-pɛin] v muscular pain(s), muscular ache.
spierstelsel [-stɛlsəl] o muscular system.
spierverrekking [-vərɛkɪŋ] v sprain.
spiervezel [-ve.zəl] v muscle fibre.
spierweefsel [-ve.fsəl] o muscular tissue.
spierwit [-vɪt] as white as a sheet, snow-white.
spies, spiets [spi.s, spi.ts] v spear, pike, javelin, dart.
spietsen ['spi.tsə(n)] vt spear [fish]; pierce [a man]; impale [a criminal].
spijbelaar ['spɛibəla:r] m ~ster [-stər] v S truant.
spijbelen [-lə(n)] vi S play truant.
spijgat ['spɛiɣɑt] = spuigat.
spijker ['spɛikər] m nail; de ~ op de kop slaan hit the nail on the head, hit it; ~s met koppen slaan come down to brass tacks; ~s op laag water zoeken try to pick holes in a man's coat, split hairs.
spijkerbak [-bɑk] m nail-box.
spijkerbroek [-bru.k] v American pants.
spijkeren ['spɛikərə(n)] vt nail.

spijkergat [-ɣɑt] o nail-hole.
spijkerschrift [-s(x)rɪft] o cuneiform characters (writing).
spijkertje [-cə] o tack.
spijkervast [-vɑst] zie nagelvast.
spijl [spɛil] v spike [of a fence]; bar [of a grating]; baluster [of stairs].
spijs [spɛis] v food; ~ en drank meat and drink; de spijzen the viands, the dishes, the food.
spijskaart ['spɛiska:rt] v menu, bill of fare.
spijsvertering [-fərte:rɪŋ] v digestion; slechte ~ indigestion, dyspepsia.
spijsverteringskanaal [-rɪŋska.na.l] o alimentary canal.
spijt [spɛit] v regret; ~ hebben van iets be sorry for it, regret it; ten ~ van in spite of; tot mijn (grote) ~ (much) to my regret; I am sorry...
spijten ['spɛitə(n)] in: het spijt me (erg) I am (so) sorry; het spijt mij, dat... I am sorry..., I regret...; het speet me voor de vent I felt sorry for the fellow.
spijtig [-təx] spiteful; het is ~ dat... it is a pity that...
spijtigheid [-hɛit] v spitefulness.
spijzen ['spɛizə(n)] I vi eat; dine; II vt feed, give to eat.
spijzigen [-zəɣə(n)] vt feed, give to eat.
spijziging [-ɣɪŋ] v feeding.
spikkel ['spɪkəl] m speck, speckle, spot.
spikkelen [-kələ(n)] vt speckle.
spikkelig [-kələx] speckled.
spiksplinternieuw ['spɪksplɪntərni:u] zie splinternieuw.
1 **spil** [spɪl] v 1 ✕ spindle, pivot; 2 axis, axle; 3 sp (bij voetbal) centre half; de ~ waarom alles draait the pivot on which everything hinges (turns).
2 **spil** [spɪl] o ⚓ capstan.
spillebeen ['spɪləbe.n] o spindle-leg.
spillen ['spɪlə(n)] vt spill, waste.
spilziek ['spɪlzi.k] prodigal, wasteful.
spilzucht [-zŭxt] v prodigality.
spin [spɪn] v spider; zo nijdig als een ~ as cross as two sticks.
spinazie [spi.'na.zi.] v ☘ spinach.
spinet [spi.'nɛt] o ♪ spinet.
spinhuis ['spɪnhœys] o Ⓤ spinning-house; house of correction.
spinklier [-kli:r] v spinneret.
spinmachine [-ma.ʃi.nə] v spinning-machine, spinning-jenny.
spinnekop ['spɪnəkɔp] v spider.
spinnen [-nə(n)] I vi 1 (op de spinmachine) spin; 2 purr [of cats]; II vt spin.
spinner [-nər] m spinner.
spinnerij [spɪnə'rɛi] v spinning-mill.
spinneweb ['spɪnəvɛp] o cobweb.
spinnewiel [-vi.l] o spinning-wheel.
spinrag ['spɪnrɑx] o cobweb.
spinrokken [-rɔkə(n)] o distaff.

spinsel [-səl] o 1 (v. spinnerij) spun yarn; 2 (v. zijderups) cocoon.

spinster [-stər] v spinner.

spint [spint] o ⚥ sap-wood, alburnum.

spion [spi.'òn] m 1 (persoon) spy; 2 (spiegeltje) (Dutch) spy-mirror, window-mirror.

spionage [spi.ò'na.3ə] v spying, espionage.

spioneren [-'ne:rə(n)] vi spy, play the spy.

spionne [-'ònə] v woman spy.

spionnetje [-'ònəcə] o zie spion 2.

spiraal [spi.'ra.l] v spiral.

spiraallijn [-'ra.lɛin] v spiral line.

spiraalmatras [-'ra.lma.tras] v & o wire mattress.

spiraalsgewijs, -gewijze [-'ra.lsgəvɛis, -gəvɛizə] spirally; zich ~ bewegen spiral.

spiraalveer [-'ra.lve:r] v ⚒ coil-spring.

spiraalvormig [-vɔrməx] spiral.

spirant [spi.'rant] v fricative.

spirea [spi:'re.a.] m ⚘ spiraea, meadow-sweet.

spiritisme [spi:ri.'tismə] o spiritualism.

spiritist [-'tist] m spiritualist.

spiritistisch [-'tisti.s] spiritualistic.

spirituaiën [-ty.'a.li.ə(n)] mv spirits, spirituous liquors.

spiritualiteit [-ty.a.li.'tɛit] v spirituality.

spiritueel [-ty.'e.l] spiritual.

spiritus [spi'ri.tűs] m spirits; op ~ zetten put into spirits.

spirituslampje [-lampjə] o spirit-lamp.

spit [spit] o 1 (stang) spit; 2 (pijn) lumbago; aan het ~ steken spit.

spitdraaier ['spitdra.jər] m turnspit.

1 spits [spits] aj 1 pointed, sharp, peaky; 2 (scherpzinnig, pienter) clever, cute; ~e baard pointed beard; ~ gezicht peaky face; ~e toren steeple; ~ maken point, sharpen; zie ook: toelopen.

2 spits [spits] de (het) ~ afbijten bear the brunt (of the battle, of the onset); de vijanden de (het) ~ bieden make head against the enemy.

3 spits [spits] v point [of a sword]; spire [of a steeple]; ⚔ vanguard [of an army], [armoured] spear-head; peak, top, summit [of a mountain]; aan de ~ van het leger at the head of the army; aan de ~ staan hold pride of place [fig]; het op de ~ drijven push things to extremes; op de ~ gedreven carried to an extreme.

4 spits [spits] m ⚑ spitz [dog].

Spitsbergen ['spitsbɛrgə(n)] o Spitzbergen.

spitsboef [-bu.f] m rascal, rogue.

spitsboog [-bo.x] m △ pointed arch.

spitsen ['spitsə(n)] I vt point, sharpen [a pencil &]; prick² (up) [one's ears]; II vr zich ~ op set one's heart on, look forward to.

spitsheid ['spitsheit] v 1 sharpness, pointedness; 2 (pienterheid) cleverness.

spitshond [-hònt] m zie 4 spits.

spitsmuis [-mœys] v ⚑ shrew-mouse, shrew.

spitsneus [-nø.s] m pointed nose.

spitsroede [-ru.də] v in: door de ~n lopen run the gauntlet.

spitsuren [-y:rə(n)] mv rush hours, peak hours.

spitsvondig [spits'fòndəx] I aj subtle, captious; II ad subtly.

spitsvondigheid [-hɛit] v subtleness, subtlety; spitsvondigheden subtleties.

spitten ['spitə(n)] vt & vi dig, spade [the ground].

spitter [-tər] m digger.

spleet [sple.t] v cleft, chink, crack, fissure crevice, slit.

spleetogig ['sple.to.gəx] slit-eyed.

splijtbaar ['splɛitba:r] 1 cleavable [rock, wood]; 2 (in de kernfysica) fissionable, fissile.

splijten ['splɛitə(n)] I vi split; II vt split, cleave.

splijting [-tiŋ] v 1 cleavage; 2 (in de kernfysica) fission.

splijt(ings)product zie splijt(ings)produkt.

splijtingsprodukt [-tiŋspro.dűkt] o fission product.

splijtprodukt ['splɛitpro.dűkt] o fission product.

splijtstof [-stɔf] v fissionable (fissile) material.

splijtzwam [-svam] v fission fungus; fig disintegrating influence.

splinter ['splintər] m splinter, shiver; de ~ zien in het oog van een ander, maar niet de balk in zijn eigen oog see the mote in one's brother's eye and not the beam in one's own.

splinteren [-tərə(n)] vi splinter, shiver, go to shivers.

splinterig [-tərəx] splintery.

splinternieuw ['splintərni:u] bran(d)-new.

split [split] o 1 (opening) slit; 2 (v. jas) slit; 3 (v. vrouwenrok) placket.

spliterwten ['splitər(v)tə(n)] mv split peas.

splitsen [-sə(n)] I vt 1 split (up) [a lath, peas &], divide; 2 ⚓ splice [a rope]; II vr zich ~ split (up), divide; bifurcate [of a road].

splitsing [-siŋ] v 1 splitting (up), division, § fission [of atoms]; bifurcation [of a road]; fig split, disintegration; 2 ⚓ splicing [of a rope].

spoed [spu.t] m 1 (haast) speed, haste; 2 ⚒ pitch [of screw]; ~! immediate [on letter]; ~ bijzetten hurry up; ~ maken make haste; ~ vereisen be urgent; met (bekwame) ~ with all (due) speed; met de meeste ~ with the utmost speed; full speed; zie ook: haastig I.

spoedbehandeling ['spu.tbəhandəliŋ] v 1 speedy despatch [of a business]; 2 ⚕ emergency treatment.

spoedbestelling [-bəstɛliŋ] v 1 ✆ express delivery; 2 $ rush order.

spoedcursus [-kűrzəs] m intensive course.

spoedeisend [-ɛisont] urgent.

spoeden ['spu.də(n)] I vi speed, hasten; II vr zich ~ make haste; speed, hasten (to naar).

spoedgeval ['spu.tgəval] o emergency; ⚕ emergency case.

spoedig ['spu.dəx] I aj speedy quick; early; II ad speedily, quickly, soon, before long.

spoedkursus zie spoedcursus.

spoedorder ['spu.tordər] *v* & *o* $ rush order.
spoedstuk [-stŭk] *o* urgent document.
spoedtelegram [-te.ləgrɑm] *o* urgent telegram.
spoedvergadering [-fərga.dərɪŋ] *v* emergency meeting.
spoedzending [-sɛndɪŋ] *v* parcel sent by fast train.
spoel [spu.l] *v* spool, bobbin, shuttle; ※ coil; reel [of magnetic tape].
spoelbak ['spu.lbɑk] *m* washing-tub, rinsing-tub.
1 **spoelen** ['spu.lə(n)] *vt* spool [yarn].
2 **spoelen** ['spu.lə(n)] *vt* wash, rinse; *iemand de voeten* ～ ♨ make a person walk the plank.
spoeling [-lɪŋ] *v* hog-wash, draff.
spoelkom ['spu.lkòm] *v* slop-basin.
spoeltje [-cə] *o* spool, bobbin, shuttle.
spoelwater [-va.tər] *o* slops, wash.
spog [spɔx] *o* spittle.
spoken ['spo.kə(n)] *vi* haunt, walk [of ghosts]; *het spookt in het huis* the house is haunted; *je bent al vroeg aan het* ～ F you are stirring early; *het kan geducht* ～ *in de Golf van Biscaje* the Bay of Biscay is apt to be rough at times; *het heeft vannacht weer erg gespookt* the night has been boisterous.
spon [spòn] *v* bung.
⊙ **sponde** ['spòndə] *v* couch, bed, bedside.
spondee [spòn'de.] = *spondeus*.
spondeus [spòn'de.ŭs] *m* spondee.
spongat ['spòngat] *o* bung-hole.
sponning ['spònɪŋ] *v* rabbet, groove, slot; (v. schuifraam) runway.
spons [spòns] *v* sponge; *de* ～ *halen over* pass the sponge over.
sponsachtig ['spònsɑxtəx] spongy.
sponsachtigheid [-hɛit] *v* sponginess.
sponsen ['spònsə(n)] *vt* sponge, clean with a sponge.
sponsenetje ['spònsənɛcə] *o* sponge-bag.
sponsenvisser ['spònsə(n)vɪsər] *m* sponge-fisher.
sponsvisser ['spònsfɪsər] *m* sponge-fisher.
spontaan [spòn'ta.n] *aj* (& *ad*) spontaneous-(ly).
spontaneïteit [-ta.ne.i.'tɛit] *v* spontaneity.
sponzen ['spònzə(n)] *vt* sponge, clean with a sponge.
sponzenetje [-zənɛcə] *o* sponge-bag.
sponzenvisser [-zə(n)vɪsər] *m* sponge-fisher.
spook [spo.k] *o* ghost, phantom, spectre[2]; *zo'n* ～*!* the minx!
spookachtig ['spo.kɑxtəx] ghostly.
spookdier(tje) [-di:r(cə)] *o* 🐒 tarsier.
spookgeschiedenis [-gəsxi.dənɪs] *v* ghost-story.
spookgestalte [-gəstaltə] *v* spectre.
spookhuis [-hœys] *o* haunted house.
spookschip [-sxɪp] *o* ghost-ship.
spooksel [-səl] *o* spectre, ghost, phantom.
spookverschijning [-fərsxɛinɪŋ] *v* apparition, phantom, ghost, spectre.
1 **spoor** [spo:r] *v* 1 spur of a horseman]; 2 ♣

spur [of a flower]; 3 = *spore*; *de sporen geven* spur, clap (put) spurs to, set spurs to; *hij heeft zijn sporen verdiend* he has won his spurs.
2 **spoor** [spo:r] *o* 1 foot-mark, trace, track, trail; slot [of deer]; spoor [of an elephant]; prick [of a hare]; scent [of a fox]; 2 (v. wagen) rut; 3 (overblijfsel) trace, vestige, mark; 4 (trein) track, rails, railway; 5 (spoorwijdte) gauge; *dubbel* ～ double track; *enkel* ～ single track; *niet het minste* ～ *van...* not the least trace (vestige) of...; *het* ～ *kwijtraken* get off the track; *sporen nalaten* leave traces; *het* ～ *volgen* follow the track; *iemands* ～ *volgen* follow in a person's wake; *bij het* ～ *zijn* be a railway employee; *als alles weer in het rechte* ～ *is* in the old groove again; *op het* ～ *brengen* put on the scent; *de dief op het* ～ *zijn* be on the track of the thief; *het wild op het* ～ *zijn* be on the track of the game; *het toeval bracht ons op het rechte* ～ put us on to the right scent; *op het verkeerde* ～ on the wrong track; *per* ～ by rail(way); *uit het* ～ *raken* run (get) off the metals; *iemand van het* ～ *brengen* put one off the track, throw one off the scent.
spoorbaan ['spo:rba.n] *v* railroad, railway.
spoorboekje [-bu.kjə] *o* (railway) time-table, railway guide.
spoorboom [-bo.m] *m* gate.
spoorbrug [-brŭx] *v* railway bridge.
spoordijk [-dɛik] *m* railway embankment.
spoorkaartje [-ka:rcə] *o* railway ticket.
spoorkogel [-ko.gəl] *m* ✕ tracer bullet.
spoorlijn [-lɛin] *v* railway (line).
spoorloos [-lo.s] I *aj* trackless; II *ad* without leaving a trace, without (a) trace.
spoorraadje ['spo:ra.cə] *o* rowel [of a spur].
spoorslag ['spo:rslɑx] *m* spur, incentive, stimulus.
spoorslags [-slɑxs] at full gallop, full speed.
spoorstaaf [-sta.f] *v* rail.
spoorstudent [-sty.dɛnt] *m* travelling home student.
spoortijd [-tɛit] *m* railway time.
spoortrein [-trɛin] *m* train, railway train.
spoorverbinding [-vərbɪndɪŋ] *v* railway connection.
spoorwagen [-va.gə(n)] *m* railway carriage.
spoorweg ['spo:rvɛx] *m* railway.
spoorwegaandeel [-a.nde.l] *o* railway share.
spoorwegbeambte [-bəamtə] *m* railway official. railway employee.
spoorwegkaart [-ka:rt] *v* railway map.
spoorwegmaatschappij [-ma.tsxɑpɛi] *v* railway company.
spoorwegnet [-nɛt] *o* railway system, network of railways.
spoorweggeluk [-òngəlŭk] *o* railway accident.
spoorwegovergang [-o.vərgɑŋ] *m* level crossing.
spoorwegpersoneel [-pɛrso.ne.l] *o* railwaymen.
spoorwegstation [-sta.fòn] *o* railway-station.
spoorwegverkeer [-fərke:r] *o* railway traffic.

spoorwijdte ['spo:rvɛitə] *v* gauge.
Sporaden [spo:'ra.də(n)] *mv de ~* the Sporades.
sporadisch [-di.s] *aj* (& *ad*) sporadic(ally).
spore ['spo:rə] *v* ✲ spore.
sporen ['spo:rə(n)] *vi* go (travel) by rail, F train it.
sporeplant ['spo:rəplant] *v* ✲ cryptogam.
1 **sport** [spɔrt] *v* sport.
2 **sport** [spɔrt] *v* rung [of a chair, ladder &]; *tot de hoogste ~ in de maatschappij opklimmen* climb up (go) to the top of the social ladder.
sportartikelen ['spɔrtarti.kələ(n)] *mv* sports goods.
sportberichten [-bərɪxtə(n)] *mv* sporting news.
sportblad [-blat] *o* sporting paper.
sportbloeze zie *sportblouse*.
sportblouse [-blu.zə] *v* sports blouse.
sportclub [-klûp] *v* sports club.
sportcostuum zie *sportkostuum*.
sporthemd [-hɛmt] *o* sports shirt.
sportief [spɔr'ti.f] *v* sporting, sportsmanlike.
sportiviteit [-ti.vi.'tɛit] *v* sportsmanship.
sportkar ['spɔrtkar] *v* mail-cart.
sportklub zie *sportclub*.
sportkostuum [-kɔsty.m] *o* sports suit, sporting dress.
sportman [-man] *m* sporting man.
sportnieuws [-ni:us] *o* sporting news.
sportpak [-pak] *o* sports suit.
sportpantalon [-panta.lòn] *m* slacks.
sportterrein ['spɔrtɛrɛin] *o* sports ground.
sportvliegtuig ['spɔrtfli.xtœyx] *o* ⟩✈ private plane.
spot [spɔt] *m* mockery, derision, ridicule; *de ~ drijven met* mock at, scoff at, make game of.
spotachtig ['spɔtaxtəx] mocking, scoffing.
spotdicht [-dɪxt] *o* satirical poem, satire.
spotgoedkoop [-gu.tko.p] dirt-cheap.
spotlach [-lax] *m* jeering laugh, jeer, sneer.
spotlust [-lûst] *m* love of mockery.
spotnaam [-na.m] *m* nickname, sobriquet.
spotprent [-prɛnt] *v* caricature, [political] cartoon.
spotprijs [-prɛis] *m* nominal price; *voor een ~* at a ridiculously low price, dirt-cheap.
spotrede [-re.də] *v* diatribe.
spotschrift [-s(x)rɪft] *o* lampoon, satire.
spotten ['spɔtə(n)] *vi* mock, scoff; *~ met* mock at; scoff at, ridicule, deride; make light of; *dat spot met alle beschrijving* it beggars description; *~ met het heiligste* trifle with what is most sacred; *hij laat niet met zich ~* he is not to be trifled with.
spottenderwijs, -wijze ['spɔtəndərvɛis, -vɛizə] mockingly.
spotter ['spɔtər] *m* mocker, scoffer.
spotternij [spɔtər'nɛi] *v* mockery, derision, taunt, jeer(ing).
spotvogel ['spɔtfo.gəl] *m* ⚘ mocking-bird; *fig* mocker, scoffer.

spotziek [-si.k] mocking, scoffing.
spotzucht [-sûxt] *v* love of scoffing.
spraak [spra.k] *v* speech, language, tongue; zie ook: *sprake*.
spraakgebrek ['spra.kgəbrɛk] *o* speech-defect.
spraakgebruik [-gəbrœyk] *o* usage; *in het gewone ~* in common parlance.
spraakgeluid [-gəlœyt] *o* speech-sound.
spraakklank ['spra.klaŋk] *m* speech-sound.
spraakkunst [-kûnst] *v* grammar.
spraakorgaan ['spra.kɔrga.n] *o* organ of speech.
spraakvermogen [-fərmo.gə(n)] *o* power of speech.
spraakverwarring [-fərvarɪŋ] *v* confusion of tongues.
spraakzaam [-sa.m] loquacious, talkative.
spraakzaamheid [-hɛit] *v* loquacity, talkativeness.
sprake ['spra.kə] in: *er was ~ van* there has been some talk of it; *als er ~ is van betalen, dan...* when it comes to paying...; *geen ~ van!* not a bit of it! that's out of the question!; *ter ~ brengen* moot, raise [a subject]; *ter ~ komen* come up for discussion, be mentioned, be raised.
sprakeloos [-lo.s] speechless, dumb, tongue-tied.
sprakeloosheid [spra.kə'lo.shɛit] *v* speechlessness.
sprank [spraŋk] *v* spark. [ness.]
sprankel ['spraŋkəl] *v* spark, sparkle.
sprankelen [-kələn] *vt* sparkle.
sprankje ['spraŋkjə] *v* spark².
spreekbeurt ['spre.kbœ:rt] *v* turn to speak; *een ~ vervullen* deliver a lecture.
spreekbuis [-bœys] *v* 1 *eig* speaking-tube; 2 *fig* mouthpiece.
spreekcel [-sɛl] *v* ☏ call-box.
spreekgestoelte [-gəstu.ltə] *o* pulpit, (speaker's) platform, tribune, rostrum.
spreekkamer ['spre.ka.mər] *v* 1 parlour [in private house]; 2 consulting-room [of a doctor]; 3 parlour [in convent].
spreekkoor [-ko:r] *o* chorus, chant; *spreekkoren vormen* shout slogans.
spreekoefening ['spre.ku.fənɪŋ] *v* conversational exercise.
spreekster [-stər] *v* speaker.
spreektaal [-ta.l] *v* spoken language.
spreektrant [-trant] *m* manner of speaking.
spreektrompet [-trompet] *v* speaking-trumpet; *fig* mouthpiece.
spreekuur [-y:r] *o* consulting hour [of a doctor]; office-hour [of a headmaster &]; *~ houden* ✚ take surgery; *op het ~ komen* ✚ attend surgery.
spreekwijs, -wijze [-vɛis, -vɛizə] *v* phrase, locution, expression, saying.
spreekwoord [-vo:rt] *o* proverb, adage.
spreekwoordelijk [spre.k'vo:rdələk] *aj* (& *ad*) proverbial(ly); *zijn onwetendheid is ~* he is ignorant to a proverb.

spreeuw [spre:u] *m* & *v* 🐦 starling.

sprei [sprɛi] *v* bedspread, counterpane, coverlet.

spreiden ['sprɛidǝ(n)] *vt* spread°; disperse [industry]; stagger [holidays]; *een bed* ~ make a bed.

spreiding [-dɪŋ] *v* spread [of payments]; dispersal [of industry]; staggering [of holidays].

spreken ['spre.kǝ(n)] I *vt* speak, say [a word]; *wij* ~ *elkaar iedere dag* we see each other every day; *wij* ~ *elkaar niet meer* we are not on speaking terms; *wij* ~ *elkaar nog wel, ik zal je nog wel* ~! I'll have it out with you!; *Frans* ~ talk (speak) French; *ik moet mijnheer X* ~, *kan ik mijnheer X* ~? I I want to see Mr. X, can I see Mr. X?; 2 ☞ can I speak to Mr. X?; *kan ik u even* ~? can I have a word with you?; *als je nog een woord spreekt, dan...* if you say another word; *een woordje* ~ speak a word; say something, make a speech; II *vi* & *va* speak, talk; *dat spreekt (vanzelf)* it goes without saying, that is a matter of course; *dat spreekt als een boek* that's a matter of course; *in het algemeen gesproken* generally speaking; *...niet te na gesproken* with all due deference to...; *met iemand* ~ speak to a person, talk to a person (with a person); *met wie spreek ik?* I (tegen onbekende) whom have I the honour of addressing?; 2 ☞ is that... [X]?; *spreekt u mee* ☞ speaking; *spreek op!* speak out!; say away!; *wij* ~ *over u* we are talking of you (about you); *daar wordt niet meer over gesproken* there is no more talk about it; *zij spraken over de kunst* they were talking art; *is mijnheer te* ~? can I see Mr. X?; *hij is slecht over u te* ~ he has not a good word to say for you; ~ *tot iemand* speak to a person; *tot het hart* ~ appeal to the heart; *daaruit sprak de vrouw* that spoke the woman; *van... gesproken* talking of..., what about...?; *om nog maar niet te* ~ *van...* to say nothing of..., not to speak of..., not to mention...; *u moet van u af* ~ speak out for yourself; *hij heeft van zich doen* ~ he has made a noise in the world; ~ *voor...* speak for...; *goed voor iemand* ~ go bail for a person; *voor zich zelf* ~ speak for oneself (themselves); III *o* in: ~ *is zilver, zwijgen is goud* speech is silvern, silence is golden; *onder het* ~ while talking; zie ook ↓.

sprekend [-kǝnt] speaking; *een* ~ *bewijs* eloquent evidence; a telling proof; ~*e film* talking film; ~*e gelijkenis* speaking likeness; ~*e ogen* talking eyes; *het lijkt* ~ it is a speaking likeness, the portrait speaks; *hij lijkt* ~ *op zijn vader* he is the very image of his father; *sterk* ~*e trekken* (strongly) marked features.

spreker [-kǝr] *m* I (in 't alg.) speaker; 2 (redenaar) orator.

sprenkelen ['sprɛŋkǝlǝ(n)] *vt* sprinkle [with water].

sprenkeling [-lɪŋ] *v* sprinkling.

spreuk [sprø.k] *v* motto, apophthegm, aphorism, maxim, (wise) saw; *het Boek der Spreuken* B the Book of Proverbs.

spriet [spri.t] *m* I 🌾 sprit; 2 🌿 blade [of grass]; 3 🦗 feeler [of an insect]; 4 🐦 landrail.

sprietig ['spri.tǝx] I spiky [hair]; 2 zie *spichtig*.

sprietzeil ['spri.tsɛil] *o* 🌾 spritsail.

springader ['sprɪŋa.dǝr] *v* spring, fountain-head.

springbok [-bòk] *m* I 🐾 *ZA* springbok; 2 (in de gymnastiek) vaulting-buck.

springbron [-bròn] *v* spring, fountain.

springen ['sprɪŋǝ(n)] *vi* I spring, jump, leap; bound [also of a ball]; skip, gambol; 2 (v. granaat &) explode, burst; 3 (v. snaren) snap; 4 (v. huid) chap; 5 (v. glas) crack; 6 (v. luchtband, leidingbuis) burst; 7 (v. fontein) spout; 8 *fig* $ go smash; *het huis (hij) staat op* ~ $ it (he) is on the verge of bankruptcy; *de bank laten* ~ break the bank; *de bruggen laten* ~ blow up the bridges; *de fonteinen laten* ~ let the fountains play; *een mijn laten* ~ spring (explode) a mine; *een rots laten* ~ blast a rock; *het springt in het oog* it leaps to the eye; *de tranen sprongen hem in de ogen* tears started to his eyes; *hij sprong in het water* he jumped into the water; *op het paard* ~ vault on to his horse, jump (vault) into the saddle; *over een heg* ~ leap over a hedge; *over een hek* ~ take a fence; *over een sloot* ~ clear a ditch; ~ *van vreugde* jump (leap) for joy; *of je hoog springt of laag* whether you like it or not.

springer ['sprɪŋǝr] *m* jumper, leaper.

spring-in-'t-veld [-ɪnǝtfɛlt] *m* F harum-scarum.

springkever [-ke.vǝr] *m* skipjack, springbeetle.

springlevend ['sprɪŋ'le.vǝnt] fully alive, alive and kicking.

springmiddelen ['sprɪŋmɪdǝlǝ(n)] *mv* explosives.

springoefeningen [-u.fǝnɪŋǝ(n)] *mv* jumping-exercises.

springpaard [-pa:rt] *o* I *sp* jumper; 2 (in de gymnastiek) vaulting-horse.

springplank [-plɑŋk] *v* spring-board.

springstof [-stɒf] *v* 💥 explosive; ~*fen* explosives.

springstok [-stɒk] *m* jumping-pole, leaping-pole.

springtij [-tɛi] *o* spring-tide.

springtouw [-tɒu] *o* skipping-rope.

springveer [-ve:r] *v* spiral metallic spring.

springveren matras [-ve:rǝ(n)ma.'trɑs] *v* & *o* spring-mattress.

springvloed [-vlu.t] *m* zie *springtij*.

springzaad [-za.t] *o* 🌿 noli-me-tangere.

springzeil [-zɛil] *o* jumping-sheet.

sprinkhaan ['sprɪŋkha.n] *m* grasshopper, locust.

sprint [sprɪnt] *m sp* sprint.

sprinten ['sprɪntǝ(n)] *vi sp* sprint.

sprinter [-tər] *m sp* sprinter.

sprintwedstrijd ['sprɪntvɛtstreit] *m sp* sprint race.

sproeien ['spru.jə(n)] *vt* sprinkle, water; (in land- en tuinbouw) spray.

sproeier [-jər] *m* sprinkler [on the lawn]; rose [of watering-can]; ⚔ jet [of carburettor].

sproeimachine ['spru:ima.ʃi.nə] *v* spraying machine.

sproeimiddel [-mɪdəl] *o* spray.

sproeiwagen [-va.ɡə(n)] *m* water(ing)-cart, sprinkler.

sproet [spru.t] *v* freckle.

sproeterig, sproetig ['spru.t(ər)əx] freckled.

sproke ['spro.kə] *v* tale.

sprokkel ['sprɔkəl] *m* dry stick.

sprokkelaar [-kəla:r] *m* gatherer of dry sticks; gleaner[2].

sprokkelen [-kələ(n)] *vi* gather dry sticks.

sprokkelhout [-kəlhout] *o* dead wood, dry sticks.

sprokkeling [-kəlɪŋ] *v* gathering of dead wood; ~en uit zijn dagboek gleanings from his diary.

sprokkelmaand [-kəlma.nt] *v* February.

sprong [sprɔ̀ŋ] *m* spring, leap, jump, bound, caper, gambol; ♪ skip; *dat is een hele ~ that is quite a jump*[2]; *fig* that is a far cry; *een ~ doen* take a leap (a spring); *een ~ in het duister doen* take a leap in(to) the dark; *de ~ wagen* take the plunge [*fig*]; *in (met) één ~* at a leap; *met een ~* with a bound; *met ~en by leaps and bounds.*

sprookje ['spro.kjə] *o* fairy-tale[2], nursery tale.

sprookjesachtig [-jəsɑxtəx] fairy-like.

sprookjesprinses [-prɪnsɛs] *v* fairy-tale princess.

sprot [sprɔt] *m* 🐟 sprat.

1 spruit [sprœyt] *v* sprout, sprig, offshoot; scion.

2 spruit sprœyt] *m-v* (afstammeling(e)) sprig, offshoot; scion; *een adellijke ~* a sprig of the nobility; *mijn ~en* F my offspring.

spruiten ['sprœytə(n)] *vi* sprout; *uit een oud geslacht gesproten* sprung from an ancient race.

spruitjes ['sprœycəs] *mv* **spruitkool** ['sprœytko.l] *v* 🌱 (Brussels) sprouts.

spruw [spry:u] *v* 🌱 thrush; *Indische ~* sprue.

spugen ['spy.ɡə(n)] *vi & vt* zie *spuwen*.

spui [spœy] *o* sluice.

spuien ['spœyə(n)] **I** *vi* sluice[2]; *wij moeten eens ~ F* ventilate; **II** *vt* unload [goods, shares &].

spuigat [-ɡat] *o* ⚓ scupper, scupper-hole; *het loopt de ~en uit* it goes beyond all bounds, it is too bad.

spuit [spœyt] *v* I syringe, squirt; 3 (brandspuit) fire-engine; 3 (voor lak, verf &) sprayer, gun.

spuiten ['spœytə(n)] *vi & vt* I spirt, spurt, spout, squirt; 2 spray [the paint on a surface].

spuitfles ['spœytflɛs] *v* siphon.

spuitgast [-ɡɑst] *m* hoseman.

spuitje ['spœycə] *o* in: *iemand een ~ geven* give one an injection.

spuitwater ['spœytva.tər] *o* aerated water, soda-water.

spul [spʉl] *o* F I (goedje) stuff; 2 (kermisspel) booth, show; 3 (equipage) turn-out; 4 (last) trouble; *ze hebben eigen ~ F* they have their own carriage; *dat is goed ~ F* good stuff that!; *slecht ~ F* bad stuff; *zijn ~len* S I his togs, his duds; 2 his traps, his things; *zondagse ~len* Sunday togs.

spullebaas ['spʉləba.s] *m* showman.

spulletjes [-cəs] *mv* I (kleren) S duds, togs; 2 (meubeltjes &) traps, sticks.

spurrie ['spʉri.] *v* 🌱 spurry.

spurten ['spʉrtə(n)] *vi* spurt.

sputteren ['spʉtərə(n)] *vi* sputter, splutter [of speakers].

sputum ['spy.tʉm] *o* sputum.

spuwbak ['spy:ubɑk] *m* spittoon.

spuwen ['spy.və(n)] *vi & vt* I (uitspuwen) spit; 2 (braken) vomit; zie ook: *vuur*.

ss = *stoomschip*.

s(s)t! [st] hush!, sh!

St. = *Sint*.

sta [stɑ.] *te ~ komen* = *te stade komen*.

staaf [sta.f] *v* I (van ijzer) bar; 2 (van goud) ingot; 3 (niet van metaal) stick.

staafgoud ['sta.fɡoud] *o* gold in bars, bar-gold.

staafijzer [-ɛizər] *o* bar-iron, iron in bars.

staaflantaarn, -lantaren [-lɑnta:rən] *v* (electric) torch.

staafmagneet [-mɑxne.t] *m* bar-magnet.

staafzilver [-sɪlvər] *o* bar-silver, silver in bars.

staag [sta.x] zie *gestadig*.

staak [sta.k] *m* stake, pole, stick.

1 staal [sta.l] *o* (model) sample, pattern, specimen.

2 staal [sta.l] *o* I (metaal) steel[2]; 2 🛡 (medicijn) steel; *~ innemen* take steel.

staalachtig ['sta.lɑxtəx] like steel, steely.

staalblauw [-blou] steely blue.

staalboek [-bu.k] *o* $ sample-book, pattern-book.

staaldraad [-dra.t] *o & m* steel-wire.

staaldraadtouw [-dra.tou] *o* steel wire-rope.

staalfabriek [-fa.bri.k] *v* steel-works.

staalgravure [-gra.vy:rə] *v* steel-engraving.

staalgrijs [-ɡreis] steely grey.

staalhard [-hɑrt] (as) hard as steel.

staalkaart [-ka:rt] *v* sample-card, pattern-card.

staalkleurig [-klø:rəx] steel-coloured.

staalmeesters [-me.stərs] *mv de ~* the Syndics [by Rembrandt].

staalsmederij [sta.lsme.də'rei] *v* steel-works.

staaltje ['sta.lcə] *o* sample[2] [of goods &; of his proceedings]; specimen[2] [of the mass, of his skill]; *fig* piece [of impudence]; *dat is niet meer dan een ~ van uw plicht* it is your duty.

staalwaren [-va.rə(n)] *mv* steel goods.

staalwerk [-vɛrk] *o* steel-work.

staalwerker [-vɛrkər] *m* steelworker.

staalwijn [-vɛin] *m* steel wine.

staan [sta.n] I *vi* 1 stand, be [of persons, things]; sleep [of a top]; 2 (**passen**) become; 3 (zijn) be; *staat!* ✕ (eyes) front!; *wat staat daar (te lezen)?* what does it say?; *er stond een zware zee* there was a heavy sea on; *het koren staat dun* is thin; *de hond staat* the dog points; *het staat goed* it is very becoming; *zwart staat haar zo goed* black suits her so well; *dat staat niet* it is not becoming; *hiermee staat of valt de zaak* with this the matter will stand or fall; *dat staat te bewijzen (te bezien)* i 1 remains to be proved (to be seen); *wat mij te doen ɔtaat* what I have to do; (met infinitief) *zij ∼ daar te praten* they are talking there; *sta daar nu niet te redeneren* don't stand arguing there; (onpers. w.w.) *hoe staat het ermee?* how are things?; *hoe staat het met je geld?* how are you off for money?; *hoe staat 't met ons eigen land?* what about our own country?; *als het er zo mee staat* if the matter stands thus; (na infinitieven) *blijven ∼* 1 remain standing; 2 stop; *de stoel blijft zo niet ∼* will not stand; *dat moet zo blijven ∼* the passage must stand; *zeg hem dat hij moet gaan ∼* tell him to get (stand) up; *ergens gaan ∼* (go and) stand somewhere, take one's stand somewhere; *komen ∼* come and stand, stand [here]; (na 't w.w. laten) *alles laten ∼* leave everything on the table &; *zijn baard laten ∼* grow a beard; *zijn eten laten ∼* not touch one's food; *hij kan niet eens..., laat ∼...* let alone...; *laat (dat) ∼* leave it alone!; *weten waar men ∼ moet* know one's place; ∞ *de zon staat hoog aan de hemel* the sun is high in the sky; *het staat aan u om...* it lies with you to..., it is for you to...; *hij staat boven mij* he is above me in rank, he is my superior; *het staat zo in de Bijbel* it says so in the Bible; *het staat in de krant* it is in the paper; *iemand naar het leven ∼* attempt a person's life; *daar staat mijn hoofd niet naar* I am in no mood for it (to do it); *hij staat onder de kapitein* he is under the captain; *de thermometer staat op...* the thermometer stands at..., marks...; *daar staat boete op* it is liable to a fine; *daar staat de doodstraf op* it is punishable with (by) death; *daar staat drie jaar op* it is liable to three years' imprisonment; *zij ∼ erop dat je komt* they insist upon your coming; *3 staat tot 9 als 4 tot 12* 3 is to 9 as 4 is to 12; *de machine tot ∼ brengen* bring the machine to a stand; *de vijand tot ∼ brengen* check the progress of the enemy, stop the enemy; *het is tot ∼ gekomen* it has come to a stand; *daar sta ik voor!* that's beyond me!; *hij staat er goed voor* all is well with him; *wij ∼ voor een crisis* we are faced with a crisis; *hij staat voor niets* he sticks (stops) at nothing; II *vt* in: *hem ∼* stand up to him; zie ook ↓.

staand [sta.nt] standing [person, army]; stand-up [collar]; upright [writing]; *∼e hond* setter,

pointer; *∼e klok* 1 mantelpiece clock; 2 grandfather's clock; *∼e de vergadering* pending the meeting; *iemand ∼e houden* stop one [in the street]; *∼e houden* maintain, assert; *zich ∼e houden* keep on one's feet²; *fig* hold one's own; *zich ∼e houden tegen* bear up against.

staangeld ['sta.ngɛlt] *o* 1 (op markt) stallage; 2 (waarborg) deposit.

staanplaats [-pla.ts] *v* stand; *∼(en)* standing-room.

staar [sta:r] *v* cataract; *grauwe ∼* cataract.

staart [sta:rt] *m* 1 tail [of an animal, a kite, a comet]; 2 pigtail [of a Chinaman]; *met de ∼ tussen de benen weglopen* go off with one's tail between one's legs.

staartbeen ['sta:rtbe.n] *o* coccyx.

staartmees [-me.s] *v* ⅟₂ long-tailed tit.

staartriem [-ri.m] *m* crupper.

staartster [-stɛr] *v* comet.

staartstuk [-stŭk] *o* 1 rump [of an ox]; 2 ♪ tail-piece [of a violin].

staartvin [-fɪn] *v* tail-fin.

staartvlak [-flɑk] *o* ✈ tail-plane.

staat [sta.t] *m* 1 (toestand) state, condition; 2 (rang) rank, status; 3 (geordende gemeenschap) state; 4 (lijst) statement, list; *burgerlijke ∼* civil status; *de ∼ van beleg afkondigen, in ∼ van beleg verklaren* ✕ proclaim martial law, proclaim a state of siege [in a town]; *∼ van dienst* record (of service); *de ∼ van zaken* the state of affairs (things); *∼ maken op...* rely on..., depend upon...; *een grote ∼ voeren* live in state; *iemand tot iets in ∼ achten* think one capable of a thing; *iemand in ∼ stellen om...* enable one to...; *in ∼ zijn om...* be able to..., be capable of ...ing, be in a position to...; *niet in ∼ om...* not able to..., not capable of ...ing, not in a position to...; *hij is tot alles in ∼* he is capable of anything; he sticks at nothing; *ik was er niet toe in ∼* I was not able to do it; *in goede ∼* in (a) good condition; *in treurige ∼* in a sad condition; *in ∼ van oorlog* in a state of war; *een stad in ∼ van verdediging brengen* put a town into a state of defence.

staathuishoudkunde [sta.t'hœyshɔutkŭndə] *v* political economy.

staathuishoudkundige [-hœyshɔut'kŭndəgə] *m* political economist.

staatkunde ['sta.tkŭndə] *v* 1 (politieke leer) politics; 2 (bepaald politiek beleid) policy; *in de ∼* in politics.

staatkundig [sta.t'kŭndəx] I *aj* political; *∼ evenwicht* balance of power; II *ad* politically.

staatkundige [-'kŭndəgə] *m* politician.

staatloos ['sta.tlo.s] stateless; *staatlozen* stateless persons.

staatsalmanak ['sta.tsɑlma.nɑk] *m* state directory.

staatsambt [-ɑmt] *o* public office.

staatsambtenaar [-ɑmtəna:r] *m* public servant.

staatsbankroet [-baŋkru.t] *o* state bankruptcy.
staatsbedrijf [-bədrɛif] *o* government undertaking.
staatsbegroting [-gro.tɪŋ] *v* budget.
staatsbeheer [-he:r] *o* state management.
staatsbelang [-laŋ] *o* interest of the state.
staatsbeleid [-lɛit] *o* policy.
staatsbemoeiing [-mu.jɪŋ] *v* state interference, controls.
staatsbestel [-stɛl] *o* régime.
staatsbestuur [-sty:r] *o* government of the state.
staatsbetrekking [-trɛkɪŋ] *v* government office.
staatsbewind [-vɪnt] *o* zie *staatsbestuur*.
staatsblad ['sta.tsblɑt] *o* official collection of the laws, decrees &; Statute-Book.
staatsburger [-bűrgər] *m* ~es [-gərɛs] *v* subject; citizen.
staatsburgerschap [-sxɑp] *o* citizenship.
staatscommissie ['sta.tskòmɪsi.] *o* government commission.
staatscourant [-ku:rɑnt] *v* Gazette.
staatsdienaar [-di.na:r] *m* servant of the state; *hoge staatsdienaren* high officials.
staatsdienst [-di.nst] *m* public service.
staatsdomein [-do.mɛin] *o* state demesne.
staatseigendom [-ɛigəndòm] 1 *o* state property; 2 *m* state ownership [of the means of production].
staatseksamen zie *staatsexamen*.
staatsexamen [-ɛksa.mə(n)] *o* government examination; *het* ~ matriculation (for such as have not gone through a grammar-school curriculum).
staatsexploitatie [-ɛksplvata.(t)si.] *v* government exploitation.
staatsgelden [-gɛldə(n)] *mv* public funds.
staatsgevangene [-gəvaŋənə] *m* state prisoner.
staatsgevangenis [-nɪs] *v* state prison.
staatsgreep ['sta.tsgre.p] *m* coup (d'état).
staatshoofd [-ho.ft] *o* Chief of a (the) state.
staatshulp [-hűlp] *v* state aid, state grant.
staatsie ['sta.(t)si.] *v* state, pomp, ceremony; *met* ~ in (great) state, with great pomp.
staatsiebed [-bɛt] *o* bed of state.
staatsiebezoek [-bəzu.k] *o* state visit.
staatsiekleed [-kle.t] *o* robes of state, courtdress.
staatsiekoets [-ku.ts] *v* state coach, state carriage.
staatsietrap [-trɑp] *m* 1 grand staircase; 2 ⚓ accommodation ladder.
staatsinkomsten ['sta.tsɪnkòmstə(n)] *mv* public revenue.
staatsinrichting [-ɪnrɪxtɪŋ] *v* 1 polity, form of government; 2 zie *staatswetenschappen*.
staatsinstelling [-ɪnstəlɪŋ] *v* public institution.
staatskas [-kɑs] *v* public treasury (exchequer).
staatskerk [-kɛrk] *v* established church, state church.
staatskommissie zie *staatscommissie*.
staatslening [-le.nɪŋ] *v* government loan.
staatslichaam [-lɪga.m] *o* body politic.

staatsloterij [-lo.tərɛi] *v* state lottery.
staatsman [-mɑn] *m* statesman.
staatsmanswijsheid [-mɑnsvɛishɛit] *v* statesmanship, statecraft.
staatspapieren [-pa.pi.rə(n)] *mv* government stocks.
staatsraad [-ra.t] *m* 1 (instelling) council of state, Privy Council; 2 (persoon) Councillor of state, Privy Councillor.
staatsrecht [-rɛxt] *o* constitutional law.
staatsrechtelijk [sta.ts'rɛxtələk] constitutional.
staatsregeling ['sta.tsre.gəlɪŋ] *v* constitution.
staatsschuld ['sta.tsxűlt] *v* national (public) debt.
staatssecretaris, -sekretaris [-sɪkrəta:rəs] *m* minister of state.
staatsspoorweg [-spo:rvɛx] *m* state railway.
staatstoezicht ['sta.tstu.zɪxt] *o* government supervision.
staatsvorm [-fɔrm] *m* form of government.
staatswege [-ve.gə] *van* ~ from the government, by authority, [organized] by the State.
staatswet [-vɛt] *v* law of the country.
staatswetenschappen [-ve.tənsxɑpə(n)] *mv* political science.
staatszaak ['sta.tsa.k] *v* affair of state, state affair.
staatszorg [-sɔrx] *v* government care.
stabiel [sta.'bi.l] stable.
stabilisatie [sta.bi.li.'za.(t)si.] *v* stabilization.
stabilisator [-'za.tər] *m* stabilizer.
stabiliseren [-'ze:rə(n)] *vt* stabilize.
stabiliteit [-'tɛit] *v* stability, stableness, firmness.
stabiliz- zie *stabilis-*.
staccato [sta'ka.to.] ♪ staccato.
stad [stɑt] *v* 1 (in 't alg.) town; 2 (bisschopszetel of grote stad) city; ~ ❡ local [on letters]; *de* ~ *Londen* the town of London, London town; *de* ~ *door* through the town; *het is de* ~ *door* it is all over the town; *in de* ~ 1 (door of tot bewoner gezegd) in town; 2 (door vreemdeling) in the town; *naar* ~ to town; *naar de* ~ to the town; *hij is uit de* ~ he is out of town; *de* ~ *uit* out of town.
stadbewoner ['stɑtbəvo.nər] = *stadsbewoner*.
stade ['sta.də] in: *te* ~ *komen* be serviceable, be useful, come in handy, stand [a person] in good stead.
stadgenoot ['stɑtgəno.t] = *stadsgenoot*.
stadgenote [-gəno.tə] = *stadsgenote*.
stadhouder [-hɔudər] *m* ⬚ stadtholder.
stadhouderlijk [-lək] ⬚ stadtholder's.
stadhouderloos [-lo.s] ⬚ without a stadtholder.
stadhouderschap [-sxɑp] *o* ⬚ stadtholdership.
stadhuis [stɑt'hœys] *o* town hall.
stadhuistaal [-ta.l] *v* official language.
stadhuiswoord [-vo:rt] *o* official term.
stadion ['sta.di.òn] *o* stadium.
stadium ['sta.di.űm] *o* stage, phase; *in dit (een later)* ~ at this (a later) stage; *in het eerste* ~ in the first stage.

stads [stɑts] town..., > townish.

stadsbestuur ['stɑtsbəsty:r] o het ~ the municipality.

stadsbewoner [-bəvo.nər] m town-dweller, city-dweller.

stadsgenoot [-gəno.t] m fellow-townsman; is hij een ~ van je? is he a townsman of yours?

stadsgenote [-gəno.tə] v fellow-townswoman, townswoman.

stadsgezicht [-gəzɪxt] o town-view, townscape.

stadsgracht [-grɑxt] v 1 ⊞ city moat; 2 town canal.

stadskern [-kɛrn] v town-centre, city-centre.

stadsleven [-le.və(n)] o town-life.

stadslicht [-lɪxt] o in: met ~(en) rijden ⇔ drive on sidelights.

stadsmensen [-mɛnsə(n)] mv townsfolk.

stadsmuur [-my:r] m town-wall.

stadsnieuws [-ni:us] o town-news.

stadsomroeper [-òmru.pər] m town-crier.

stadspark [-pɑrk] o town-park.

stadsreiniging [-rɛinəgɪŋ] v municipal scavenging.

stadsschool ['stɑtsxo.l] v municipal school.

stadsschouwburg [stɑt'sxəubûrx] m municipal theatre.

stadstoren ['stɑtsto:rə(n)] m steeple (tower) of the town.

stadstuin [-tœyn] m town-garden.

stadswaag [-va.x] v town weighing-house.

stadswal [-vɑl] m rampart.   [town.

stadswapen [-va.pə(n)] o city-arms, arms of a

stadwaarts ['stɑtva:rts] towards the town, in the direction of the town, townward(s), cityward(s).

staf [stɑf] m staff°; mace [= staff of office]; B rod; de generale ~ ⚔ the general staff; de ~ breken over pass censure on; bij de ~ ⚔ on the staff.

stafdrager ['stɑfdra.gər] m mace-bearer, verger.

stafkaart [-ka:rt] v ⚔ ordnance map.

stafmuziek [-my.zi.k] v ⚔ regimental band.

stafmuzikant [-my.zi.kɑnt] m ⚔ bandsman.

stafofficier [-òfi.si:r] m ⚔ staff-officer.

stafrijm [-rɛim] o alliteration.

stag [stɑx] o ⚓ stay.

stagnatie [stɑx'na.(t)si.] v stagnation; [traffic] hold-up.

stagneren [-'ne:rə(n)] vi stagnate.

sta-in-de(n)-weg ['sta.ɪndəvɛx] m F obstacle, impediment.

staken ['sta.kə(n)] I vt suspend, stop [payment]; discontinue [one's visits]; strike [work]; cease [fire]; een ~ van het vuren ⚔ a cease-fire; wij zullen het werk ~ I (om te rusten) cease work, knock off; 2 (in economische strijd) we are going to strike, we shall go on strike; II vi & va I cease, leave off, stop; 2 go on strike, strike; be out (on strike); de stemmen ~ the votes are equally divided.

staker [-kər] m striker, man out on strike.

staket, ~sel [sta.'kɛt(səl)] o fence, railing.

staking ['sta.kɪŋ] v 1 stoppage, cessation [of work]; suspension [of payment, hostilities]; discontinuance [of a suit, visits &]; 2 strike; wilde ~ lightning (unofficial) strike; bij ~ van stemmen in case of equality (of votes); in ~ gaan (zijn) go (be out) on strike.

stakingbreker ['sta.kɪŋbre.kər] m strikebreaker.

stakingscomité [-kɪŋskòmi.te.] o strike committee.

stakingsgolf [-gòlf] v wave of strikes.

stakingskas [-kɑs] v strike fund.

stakingskomitee zie stakingscomité.

stakingsleider [-lɛidər] m strike-leader.

stakingsrecht [-rɛxt] o right to strike.

stakingsuitkering [-œytke:rɪŋ] v strike pay.

stakker(d) ['stakər(t)] m F poor wretch (thing).

stal [stɑl] m stable [for horses, less usual for cattle]; cowshed, cowhouse [for cattle]; sty [for pigs]; mews [round an open yard]; de koninklijke ~len the royal mews; op ~ zetten stable [horses]; house [cattle]; hij werd op ~ gezet S he was shelved; van ~ halen trot out again [old arguments]; dig out [retired generals &]; te hard van ~ lopen rush matters, overdo it.

stalactiet [sta.lak'ti.t] m stalactite.

stalagmiet [-lɑx'mi.t] m stalagmite.

stalaktiet zie stalactiet.

staldeur ['stɑldø:r] v stable door.

1 stalen ['sta.lə(n)] aj steel; fig iron [constitution, nerves, will]; steely [glance]; ~ gebouwen steel-framed buildings; met een ~ gezicht as bold as brass; een ~ pen (= (heren)rok) S a claw-hammer; het ~ ros F the iron horse; een ~ voorhoofd a brazen face.

2 stalen ['sta.lə(n)] vt steel².

stalenboek [-bu.k] = staalboek.

stalgeld ['stɑlgɛlt] o stabling-money.   [ter.

stalhouder [-houdər] m stablekeeper, jobmas-

stalhouderij [stɑlhoudə'rɛi] v livery-stable.

staljongen ['stɑljòŋə(n)] m stable-boy.

stalknecht [-knɛxt] m stableman, (h)ostler, groom.

stallen ['stɑlə(n)] vt stable [horses &]; house [cattle]; put up [a motor-car].

stalles ['stɑləs] mv stalls [in theatre].

stalletje ['stɑləcə] o [market] stall, stand; book-stall.

stalling [-lɪŋ] v 1 (het stallen) stabling &, zie stallen; 2 (de plaats) stable, stabling; [motor] garage, [bicycle] shelter.

stalmeester ['stɑlme.stər] m master of the horse, equerry.

stalvoe(de)r [-vu:r, -vu.dər] o fodder.

stam [stɑm] m 1 (in 't alg.) stem² [of a tree, shrub, verb]; trunk, bole [of a tree]; 2 (afstamming) stock, race, tribe, Sc clan; de twaalf ~men the twelve tribes [of Israel]; wilde ~men wild tribes.

stamboek ['stɑmbu.k] *o* 1 (v. p e r s o n e n) book of genealogy, register; 2 (v. p a a r d e n) stud-book; 3 (v. v e e) herd-book.

stamboekvee [-bu.kfe.] *o* pedigree cattle.

stamboom [-bo.m] *m* family tree, pedigree.

stamelaar ['stɑ.məlɑ:r] *m* stammerer.

stamelen [-lə(n)] I *vi* stammer; II *vt* stammer (out).

stameling [-lɪŋ] *v* stammering [of a child].

stamgast ['stɑmgɑst] *m* regular customer.

stamgenoot [-gəno.t] *m* congener, tribesman, clansman.

stamhoofd [-ho.ft] *o* tribal chief, chieftain.

stamhouder [-houdər] *m* son and heir.

stamhuis [-hœys] *o* dynasty.

stamkapitaal [-ka.pi.ta.l] *o* $ original capital.

stammen ['stɑmə(n)] *vi* ~ *van* zie *afstammen*; *dit stamt nog uit de tijd toen...* it dates from the time when...

stammoeder ['stɑmu.dər] *v* first mother.

stamouders ['stɑmoudərs] *mv* ancestors, progenitors.

stamp [stɑmp] *m* stamp [of the foot].

stampen ['stɑmpə(n)] I *vi* 1 (met v o e t e n) stamp, stamp one's feet; 2 ⚓ (v. s c h i p) pitch; 3 (v. m a c h i n e) thud; II *vt* pound [chalk &]; crush [ore]; *fijn*~ ook: bray; *zich iets in het hoofd* ~ drum a thing into one's brains; *gestampte aardappelen* mashed potatoes; *gestampte pot* zie *stamppot*.

stamper [-pər] *m* 1 ✂ stamper; rammer [of a gun]; zie ook: *straatstamper*; pounder, pestle [of a mortar]; [potato] masher; 2 ⚘ pistil.

stamppot ['stɑmpɔt] *m* mashed food, hotch-potch.

stampvoeten ['stɑmpfu.tə(n)] *vi* stamp one's feet.

stampvol [-fɔl] crowded, chock-full.

stamvader ['stɑmvɑ.dər] *m* ancestor, progenitor.

stamverwant [-vərvɑnt] I *aj* cognate; II *m* congener.

stamverwantschap [-vərvɑntsxɑp] *v* racial or tribal affinity.

stamwoord [-vo:rt] *o* primitive word, stem.

stand [stɑnt] *m* 1 (h o u d i n g) attitude, posture, pose [before a sculptor &]; stance [in playing golf, billiards]; 2 (h o o g t e) height [of the barometer]; 3 (l i g g i n g) position [of a shop &]; 4 (m a a t s c h a p p e l ij k) status, social status, standing, position, station [in life]; 5 (t o e s t a n d) situation, position, condition, state [of affairs]; 6 *sp* score; 7 (o p t e n t o o n-s t e l l i n g) stand; *de betere* ~ the better-class people; (*het bureau van) de burgerlijke* ~ the registrar's office; *de hogere (lagere)* ~*en de* higher (lower) classes; *de vierde* ~ the working classes; *de* ~ *van zaken* the state of affairs; *zijn* ~ *ophouden* keep up one's rank, live up to one's station; *een meisje beneden* (*boven*) *zijn* ~ a girl below (above) his social position; *beneden (boven) zijn* ~ *trouwen* marry beneath (above) one; *boven zijn* ~ *leven* live beyond one's means; *in* ~ *blijven* last; *in* ~ *houden* maintain, keep up [a custom]; keep going [a business]; *een winkel op goede* ~ a shop in a good situation; *tot* ~ *brengen* bring about, accomplish, achieve; effect [a sale]; negotiate [a treaty]; *tot* ~ *komen* be brought about; *een... uit de gegoede* ~ a better-class...; *mensen van* ~ people of a good social position, people of high rank; *van lage* ~ of humble condition; *iemand van zijn* ~ a man of his social position.

standaard ['stɑndɑ:rt] *m* standard [= flag; support; model].

standaardisatie [stɑndɑ:rdi.'za.(t)si.] *v* standardization.

standaardiseren [-'ze:rə(n)] *vt* standardize.

standaardiz- zie *standaardis-*.

standaardloon ['stɑndɑ:rtlo.n] *o* standard wage.

standaardwerk [-vɛrk] *o* standard work.

standbeeld ['stɑntbe.lt] *o* statue.

stander ['stɑndər] *m* stand [for umbrellas &]; tripod, stand [of a camera &]; △ post, upright [of a roof]; clothes-horse.

standgenoot ['stɑntgəno.t] *m* man in one's own class.

standhouden [-houdə(n)] *vi* ✗ 1 make a stand; 2 stand firm, hold one's own, hold out; *zij hielden dapper stand* they made a gallant stand; *het hield geen stand* it did not last.

standje ['stɑncə] *o* 1 (b e r i s p i n g) scolding, wigging; 3 (h e r r i e) row, shindy; *een* ~ *krijgen* get a scolding; *iemand een* ~ *maken (schoppen)* scold a person; *het is een opgewonden* ~ he (she) is quick-tempered.

standplaats ['stɑntpla.ts] *v* 1 standing-place, stand; 2 (v. a m b t e n a a r) station, post; *zij keerden naar hun* ~ *terug* they returned to their stations.

standpunt [-pʏnt] *o* standpoint, point of view, attitude (towards, to *tegenover*); *een duidelijk* ~ *innemen* take a clear stand [on this issue]; *een nieuw* ~ *innemen ten opzichte van...* take a new attitude towards...; *zij stellen zich op het* ~, *dat...* they take the view that...; *van zijn* ~ from his point of view.

standrecht [-rɛxt] *o* ✗ summary justice.

standsverschil ['stɑntsfərsxɪl] *o* class distinction.

standvastig [stɑnt'fɑstəx] *aj* (& *ad*) steadfast-(ly), firm(ly), constant(ly).

standvastigheid [-heit] *v* steadfastness, firmness, constancy.

standvogel ['stɑntfo.gəl] *m* resident bird.

stang [stɑŋ] *v* 1 ✗ bar, rod; 2 bit [for horses].

staniol [stɑ.ni.'ɔl] = *stanniool*.

stank [stɑŋk] *m* bad smell, stench, stink; *hij kreeg* ~ *voor dank* he was rewarded with ingratitude.

stanniool [stɑni.'o.l] *o* tinfoil.

stap [stɑp] *m* step, pace; *fig* step, move; *dat is een* ~ *achteruit* (*vooruit*) that is a step backward (forward); *dat is een gewaagde* ~ that is a risky step (to take); *dat is een hele* ~ *tot...* is a long step towards...; *een stoute* ~ a bold step; *het is maar een paar* ~*pen* it is but a step; *de eerste* ~ *doen* (*tot*) take the first step (towards); ~*pen doen bij de regering* approach the Government; ~*pen doen om...* take steps to...; *een* ~ *verder gaan* go a step further[2]; *grote* ~*pen nemen* (*maken*) take great strides; *bij de eerste* ~ at the first step; *bij elke* ~ at every step; *in twee* ~*pen* in two strides; *met één* ~ at a (one) stride; *met afgemeten* ~*pen* with measured steps; *op* ~ *gaan* F go for a walk; *u bent al vroeg op* ~ F you are on the wander at an early hour; ~ *voor* ~ step by step; *zich hoeden voor de eerste* ~ beware of the thin end of the wedge.

stapel [′sta.pǝl] *m* 1 pile, stack, heap; 2 ⚓ stocks; 3 ♪ sound-post [of a violin]; 4 (**stapelplaats**) staple; *aan*~*s zetten* pile; *op* ~ *staan* ⚓ be on the stocks[2]; *op* ~ *zetten* ⚓ put on the stocks[2]; *van* ~ *lopen* ⚓ leave the stocks, be launched; *goed van* ~ *lopen* go off well [*fig*]; *te hard van* ~ *lopen* rush matters, overdo it; *van* ~ *laten lopen* ⚓ launch [a ship].

stapelartikel [-ɑrti.kǝl] *o* $ staple commodity.
stapelen [′sta.pǝlǝ(n)] *vt* pile, heap, stack.
stapelgek [′sta.pǝlgɛk] stark (raving) mad, clean mad.
stapelgoederen [-gu.dǝrǝ(n)] *mv* $ staple goods.
stapelplaats [-pla.ts] *v* staple-town, emporium.
stapelrecht [-rɛxt] *o* staple-right.
stapelvezel [-ve.zǝl] *v* staple fibre.
stapelwolk [-vòlk] *v* cumulus [*mv* cumuli].
stappen [′stapǝ(n)] *vi* step, stalk; *deftig* ~ strut; *in het vliegtuig* & ~ board the plane &; *op zijn fiets* ~ mount one's bike; ~ *uit* zie *uitstappen*; ~ *van* zie *afstappen*.
stapvoets [′stapfu.ts] 1 at a foot-pace, at a walk; 2 step by step.
1 ⊙ **star** [stɑr] *v* zie *ster*.
2 **star** [stɑr] *aj* stiff; fixed [gaze]; rigid [prejudices, system].
staren [′sta.rǝ(n)] *vi* stare, gaze (at *naar*).
starheid [′stɑrhɛit] *v* stiffness; fixedness [of gaze]; rigidity [of a system].
starogen [′staro.gǝ(n)] *vi* stare.
start [stɑrt] *m* start, ⚡ ook: take-off; *staande* (*valse, vliegende*) ~ *sp* standing (false, flying) start.
startbaan [′stɑrtba.n] *v* ⚡ runway.
startblok [-blòk] *o* ⚡ chock.
starten [′stɑrtǝ(n)] *vi* start, ⚡ ook: take off; *goed* ~ *sp* get away (off) to a good start[2].
starter [-tǝr] *m* 𝔛 & *sp* starter.
startklaar [′stɑrtkla.r] ready to start.
startknop [-knɔp] *m* 𝔛 starter button.
startlijn [-lɛin] *v sp* starting line.
startpistool [-pi.sto.l] *o* starting gun, starter pistol.

startschot [-sxɔt] *o* in: *het* ~ *lossen* fire the starting gun.
statenbijbel [′sta.tǝ(n)bɛibǝl] *m* Authorized Version [of the Bible].
statenbond [-bònt] *m* confederation (of States).
Staten-Generaal [sta.tǝ(n)ge.nǝ′ra.l] *mv* States General.
statica [′sta.ti.ka.] *v* statics.
statie [′sta.(t)si.] *v RK* Station of the Cross.
statief [sta.′ti.f] *o* stand, support, tripod.
statiegeld [′sta.(t)si.gɛlt] *o* deposit.
statig [′sta.tǝx] I *aj* stately, grave; II *ad* in a stately manner, gravely.
statigheid [-hɛit] *v* stateliness, gravity.
statika zie *statica*.
station [sta.′∫òn] *o* (railway) station; ~ *van afzending* forwarding station.
stationair [sta.∫ò′nɛ:r] stationary; ~ *draaien* 𝔛 tick over, idle.
stationeren [-′nɛ:rǝ(n)] *vt* station, place.
stationsboekhandel [sta.′∫ònsbu.khɑndǝl] *m* railway bookstall.
stationschef [-′∫ònʃɛf] *m* station-master.
stationskruier [-′∫ònskrœyer] *m* railway porter.
statisch [′sta.ti.s] static.
statisticus [sta.′tɪsti.kũs] *m* statistician, statist.
statistiek [-tɪs′ti.k] *v* statistics; *de* ~ ook: the returns; *de* ~ *opmaken van...* take statistics of...; *Centraal Bureau voor de S*~ Central Statistical Office.
statistisch [sta.′tɪsti.s] *aj* (& *ad*) statistical(ly).
status [′sta.tũs] *m* status.
status-quo [sta.tũs′kwo.] *m* & *o* status quo.
statutair [sta.ty.′tɛ:r] statutory.
statuur [sta.′ty:r] *v* stature, size.
statuut [-′ty.t] *o* statute; *de statuten van een maatschappij* (*vereniging*) $ the articles of association of a trading-company; the regulations, the constitution of a society.
stavast [sta.′vɑst] *in: een man van* ~ a resolute man.
staven [′sta.vǝ(n)] *vt* substantiate [a charge, claim], support, bear out [a statement].
staving [-vɪŋ] *v* substantiation; *tot* ~ *van* in support of.
stearine [ste.a.′ri.nǝ] *v* stearin.
stearinekaars [-ka.rs] *v* stearin candle.
⊙ **stede** [′ste.dǝ] *v* stead, place, spot; *te dezer* ~ in this town; *in* ~ *van* instead of.
stedebouw(kunde) [-bou(kũndǝ)] *m* (*v*) town (and country) planning.
stedebouwkundig [ste.dǝbou′kũndǝx] town-planning...
stedebouwkundige [-′kũndǝgǝ] *m* town-planner, town-planning consultant.
stedehouder [′ste.dǝhoudǝr] *m* vicegerent, governor, lieutenant; ~ *Christi* Vicar of Christ.
stedelijk [-lǝk] municipal, of the town, town...
stedeling [-lɪŋ] *m* townsman, town-dweller; ~*e* townswoman; ~*en* townspeople.
stedemaagd [-ma.xt] *v* town-patroness.

stee [ste.] *v* stead, place, spot; zie ook: *stede.*

1 **steeds** [ste.ts] *ad* always, for ever, ever, continually; *nog* ∼ still; ∼ *meer* more and more.

2 **steeds** [ste.ts] *aj* (s t a d s) town…, > townish.

steeg [ste.x] *v* lane, alley, passage.

steek [ste.k] *m* 1 stitch [of needlework]; stab [of a dagger]; thrust [of a sword]; sting [of a wasp]; stitch, twitch [of pain]; 2 three-cornered hat, cocked hat; 3 *fig* (sly) dig; *een* ∼ *in de zijde* a stitch in the side; *dat was een* ∼ *(onder water) op mij* that was a dig at me; ∼ *houden* hold water; *die regel houdt geen* ∼ that rule does not hold (good); *een* ∼ *laten vallen* drop a stitch; *een* ∼ *opnemen* take up a stitch; *hij heeft er geen* ∼ *van begrepen* he hasn't understood one iota of it; *het kan me geen* ∼ *schelen* I don't care a rap (a fig, a pin); *ze hebben geen* ∼ *uitgevoerd* they have not done a stroke of work; *je kan hier geen* ∼ *zien* you can't see at all here; *hij kan geen* ∼ *meer zien* he is stone-blind; *hij heeft ons in de* ∼ *gelaten* he has left us in the lurch, he deserted us; *zijn geheugen & liet hem in de* ∼ his memory failed him; *zij hebben het werk in de* ∼ *gelaten* they have abandoned the work.

steekbeitel ['ste.kbɛitəl] *m* ☆ paring-chisel.

steekhevel [-he.vəl] *m* pipette.

steekhoudend [ste.k'houdənt] valid, sound [arguments].

steekpasser ['ste.kpɑsər] *m* (pair of) dividers.

steekpenning [-pɛnɪŋ] *m* bribe, illicit commission.

steekproef [-pru.f] *v* sample taken at random; *steekproeven nemen* test at random.

steekspel [-spɛl] *o* 🛡 tournament, tilt, joust.

steekvlam [-flɑm] *v* 1 ⚒ blow-pipe flame; 2 (b i j o n t p l o f f i n g) flash.

steekwond(e) [-vònt, -vòndə] *v* stab-wound.

steel [ste.l] *m* stalk [of a flower, fruit]; stem [of a flower, a wine-glass, a pipe]; handle [of a tool]; *de* ∼ *naar de bijl werpen* throw the helve after the hatchet.

steelpan ['ste.lpɑn] *v* saucepan.

steels [ste.ls] stealthy [look].

steels(ge)wijs, steels(ge)wijze ['ste.ls(gə)vɛis, -vɛizə] stealthily, by stealth.

1 **steen** [ste.n] *m* 1 (i n 't a l g.) stone [for building, playing dominoes &, of fruit, hail &]; 2 (b a k s t e e n) brick; *een* ∼ *des aanstoots* a stone of offence, a stumbling-block; *de* ∼ *der wijzen* the philosopher's stone; *er bleef geen* ∼ *op de andere* no stone remained upon another; *iemand stenen voor brood geven* give one a stone for bread; ∼ *en been klagen* complain bitterly; *de eerste* ∼ *leggen* lay the foundation-stone; *de eerste* ∼ *op iemand werpen* cast the first stone at one; *met stenen gooien (naar)* throw stones (at).

2 **steen** [ste.n] *o & m* (s t o f n a a m) 1 (i n 't a l g.) stone; 2 (b a k s t e e n) brick.

steenachtig ['ste.nɑxtəx] stony.

steenachtigheid [-hɛit] *v* stoniness.

steenarend ['ste.na:rɔnt] *m* ⚘ golden eagle.

steenbakker [-bɑkər] *m* brick-maker.

steenbakkerij [ste.nbɑkə'rɛi] *v* brick-works, brick-yard.

steenbok ['ste.nbòk] *m* ⚘ 1 ibex; 2 *de Steenbok* ✳ Capricorn.

steenbokskeerkring [-bòkske:rkrɪŋ] *m* tropic of Capricorn.

steenbreek [-bre.k] *v* ⚘ saxifrage.

steendruk [-drůk] *m* lithography.

steendrukker [-drůkər] *m* lithographer.

steendrukkerij [ste.ndrůkə'rɛi] *v* lithographic printing-office.

steengoed ['ste.ngu.t] *o* stoneware.

steengroef, -groeve [-gru.f -gru.və] *v* quarry, stone-pit.

steengrond [-grònt] *m* stony ground.

steengruis [-grœys] *o* stone-dust.

steenhard [-hɑrt] stone-hard, stony, as hard as (a) stone (as rock), flinty.

steenhoop [-ho.p] *m* heap of stones (bricks).

steenhouwen [-houə(n)] *v* stone-cutting.

steenhouwer [-ər] *m* stone-cutter, stone-mason.

steenhouwerij [ste.nhouə'rɛi] *v* stone-cutter's yard.

steenkolenmijn & ['ste.nko.lə(n)mɛin] zie *kolenmijn* &.

steenkool [-ko.l] *v* pit-coal, coal.

steenkoud [-kout] stone-cold.

steenmarter [-mɑrtər] *m* ⚘ stone-marten.

steenoven [-o.və(n)] *m* brick-kiln.

steenpuist [-pœyst] *v* boil.

steenrood [-ro.t] brick-red.

steenrots [-ròts] *v* rock.

steenslag [-slɑx] *o* broken stones, stone-chippings, road-metal.

steentijdperk [-tɛitpɛrk] *o* stone age.

steentje ['ste.ɲcə] *o* (small) stone, pebble; flint [for a lighter]; *ook een* ∼ *bijdragen* contribute one's mite.

steenuil ['ste.nœyl] *m* ⚘ little owl.

steenvalk [-vɑlk] *m & v* ⚘ stone-falcon, merlin.

steenvrucht [-vrůxt] *v* stone-fruit, drupe.

steenweg [-vɛx] *m* paved road, causeway.

steenworp [-vòrp] *m* stone's throw, stone-cast.

steenzwaluw [-zvɑ.ly:u] *v* ⚘ swift.

steevast ['ste.vɑst] *aj* (& *ad*) regular(ly).

Stefanus ['ste.fa.nůs] *m* Stephen.

steg [stɛx] in: *over heg en* ∼ up hill and down dale, across country; *weg (heg) noch* ∼ *weten* zie 1 *weg.*

steiger ['stɛigər] *m* 1 (a a n h u i s) scaffolding, scaffold, stage; 2 ⚓ pier, jetty, landing-stage; *in de* ∼*s* in scaffolding [of a building].

steigerbalk [-bɑlk] *m* scaffolding-beam.

steigeren ['stɛigərə(n)] *vi* rear, prance [of a horse].

steigerpaal [-gərpa.l] *m* scaffold(ing)-pole.

steigerwerk [-vɛrk] *o* scaffolding.

steil [stɛil] 1 (n a a r b o v e n) steep; 2 (n a a r b e-n e d e n) bluff; 3 (l o o d r e c h t) sheer; 4 (l o o drecht en vlak) precipitous; 5 *fig* rigid [Calvinist].

steilheid ['stɛilhɛit] *v* steepness.

steiloor [-o:r] I *m* ♈ donkey; 2 *m-v fig* stiff-necked precisian.

steilorig [-o:rɔx] stubborn, stiff-necked.

steilorigheid [steil'o:rɔxhɛit] *v* stubbornness.

steilschrift ['steils(x)rɪft] *o* upright writing.

steilte [-tə] *v* steepness; (steile kant) precipice.

stek [stɛk] *m* ♣ slip, cutting.

stekeblind ['ste.kəblɪnt] stone-blind[2].

stekel ['ste.kəl] *m* prickle, prick, sting [of a thistle; an insect &]; spine, quill [of a hedgehog].

stekelachtig [-axtəx] zie *stekelig*.

stekelbaars [-ba:rs] *m* 🐟 stickleback.

stekelbrem [-brɛm] *m* ♣ needle-furze.

stekelig ['ste.kələx] prickly, spinous, spiny, thorny; poignant[2]; *fig* stinging, sarcastic, barbed [discussion; words].

stekeligheid [-hɛit] *v* prickliness, spinosity, poignancy[2]; *fig* sarcasm.

stekelrog ['ste.kəlrɔx] *m* 🐟 thornback.

stekeltje [-cə] *o* zie *stekelbaars*.

stekelvarken [-varkə(n)] *o* ♈ porcupine.

steken ['ste.kə(n)] I *vi* 1 sting [of insects], prick [of nettle &]; 2 smart [of a wound]; 3 burn [of the sun]; *blijven* ~ stick fast, stick [in the mud]; *in zijn rede blijven* ~ break down in one's speech; *daar steekt iets (wat) achter* there is something behind it, there is something at the back of it, there is something at the bottom of it; *daar steekt meer achter* more is meant than meets the eye; *in de schuld* ~ be in debt; *de sleutel steekt in het slot* the key is in the lock; *daar steekt geen kwaad in* there is no harm in it; *hij stak naar mij* he thrust (stabbed) at me; zie ook: *wal, zee*; II *vt* 1 (iemand) sting, prick [with a pin, sting &]; thrust [with a sword]; stab [with a dagger]; 2 (iets ergens in) put [...in one's pocket]; stick [a pencil behind one's ear]; poke [a finger in water, one's nose into a man's affairs]; 3 (ergens uit) put, stick [one's head out of the window]; *aal* ~ spear eels; *asperges* ~ cut asparagus; *gaten* ~ prick holes; *monsters* ~ *uit* sample; *plaggen (zoden)* ~ cut sods; *de bij stak mij* the bee stung me; *dat steekt hem* that sticks in his throat, he is nettled at it; *hij wilde de ring aan haar vinger* ~ he was going to put the ring on her finger; *steek die brief bij je* put that letter in your pocket; *steek je arm door de mijne* put your arm through mine; *geld in een onderneming* ~ put (invest, sink) money in an undertaking; III *vr* in: *zich in gala* ~ put on full dress; *zich in schulden* ~ run into debt; zie ook: *stokje &*.

stekend [-kənt] stinging.

stekken ['stekə(n)] *vt* ♣ slip.

stekker [-kər] *m* 🔌 plug.

stel [stɛl] *o* set [of cups, fire-irons &]; *het is me een* ~ F a nice lot they are!; *op* ~ *en sprong* then and there.

stelen ['ste.lə(n)] I *vt* steal[2] [money &, a kiss, a person's heart]; *een kind om te* ~ a duck of a child; *hij kan me gestolen worden!* F he may go to blazes!; *zij* ~ *wat los en vast is* they steal all they can lay their hands on; II *va* steal, pick and steal; ~ *als de raven* steal like magpies. [magpies.

steler [-lər] *m* stealer, thief.

stelkunde ['stɛlkündə] *v* algebra.

stelkundig [stɛl'kündəx] *aj* (& *ad*) algebraic(ally).

stellage [stɛ'la.ʒə] *v* scaffolding, scaffold, stage.

stellen ['stɛlə(n)] I *vt* 1 (plaatsen) place, put; 2 ✗ (regelen) adjust; focus [a lens]; 3 (redigeren) compose; 4 (veronderstellen) suppose; 5 $ (vaststellen) fix [prices]; 6 (beweren, verklaren) state; *stel eens dat...* put the case that...; suppose he...; *het goed kunnen* ~ be in easy circumstances; *het goed kunnen* ~ *met* get on with; *een rustig gesteld pleidooi* a calmly worded plea; *strafbaar (verplichtend &)* ~ make punishable (obligatory &); *ik heb heel wat te* ~ *met die jongen* he is rather a handful; ...~ *boven rijkdom* place (put)... above riches; *ik kan het buiten (zonder) u* ~ I can do without you; *de prijs* ~ *op...* fix the price at; *iemand voor een voldongen feit* ~ present a person with an accomplished fact; *iemand voor de keus* ~ put a person to the choice; *voor de keus gesteld...* faced with the choice of... [they...]; II *vr zich* ~ put oneself; *stel u in mijn plaats* put yourself in my place; *zich iets tot plicht* ~ make it one's duty to...; *zich iets tot taak* ~ make it one's task to..., set oneself the task; zie ook: *borg, kandidaat &*; III *va* compose; *hij kan goed* ~ he is a good stylist.

steller [-lər] *m* writer, author; ~ *dezes* the present writer.

stelletje [-ləcə] *o* F set [of people]; zie ook: *stel*.

stellig [-ləx] I *aj* positive [answer &]; explicit [declaration]; II *ad* 1 (v. verklaring) positively; explicitly; 2 (als verzekering) positively, decidedly; *u kunt er* ~ *op aan* you may be quite sure as to that; *hij zal* ~ *ook komen* he is sure to come too; *kom je?* ~! surely!; *je moet* ~ *komen* come by all means; *dat weet ik* ~ I am quite positive as to that.

stelligheid [-ləxhɛit] *v* positiveness.

stelling [-lɪŋ] *v* 1 (stellage) scaffolding; 2 (opstelling) ✗ position; 3 (bewering) theorem, thesis [*mv* theses]; 4 × proposition; *een sterke* ~ *innemen* × take up a strong position; ~ *nemen* take up a position [regarding a question]; ~ *nemen tegen* make a stand against; *in* ~ *brengen* × place in position.

stellingoorlog [-o:rlɔx] *m* × war of positions.

stelpen ['stɛlpə(n)] *vt* sta(u)nch [the bleeding], stop [the blood].

stelregel ['stɛlre.gəl] *m* maxim, precept.

stelsel ['stɛlsəl] *o* system.

stelselloos [-səlo.s] *aj* (& *ad*) unsystematic-(ally), unmethodical(ly).

stelselloosheid [stɛlsə'lo.sheit] *v* want of system (method).

stelselmatig [stɛlsəl'ma.təx] *aj* (& *ad*) systematic(ally).

stelselmatigheid [-heit] *v* systematicalness.

stelt [stɛlt] *v* stilt; *op* ~*en lopen* go (walk) upon stilts; *alles op* ~*en zetten* throw everything in (a state of) confusion.

stem [stɛm] *v* I voice; 2 (bij stemming) vote; 3 ♪ part [of a musical composition]; *eerste (tweede)* ~ ♪ first (second) part; *er waren 30* ~*men vóór* there were 30 votes in favour; *de* ~ *eens roependen in de woestijn* B a voice crying in the wilderness; *de meeste* ~*men gelden* the majority have it; *iemand zijn* ~ *geven* vote for a person; ~ *in het kapittel hebben* have a voice in the matter; *hij had de meeste* ~*men* he (had) polled most votes; *zij is haar* ~ *kwijt* she has lost her voice; *de* ~*men opnemen* collect the votes; *zijn* ~ *uitbrengen* record one's vote; *zijn* ~ *uitbrengen op...* vote for...; *bijna alle* ~*men op zich verenigen* receive nearly all the votes; *zijn* ~ *verheffen* raise one's voice (against *tegen*); *de tweede* ~ *zingen* ♪ sing a second; *bij* ~ *zijn* ♪ be in (good) voice; *met algemene* ~*men* unanimously; *met luider* ~ in a loud voice; *met één* ~ *tegen* with one dissentient voice; *met de* ~*men van... tegen* [rejected] by the adverse votes of...; *met tien* ~*men voor en vier tegen* by ten votes to four; *voor drie* ~*men* ♪ [song] in three parts.

stembanden ['stɛmbandə(n)] *mv* vocal chords.

stembiljet, ~**briefje** [-bɪljet, -bri.fjə] *o* voting-paper, ballot-paper.

stembuiging [-bœygɪŋ] *v* modulation, intonation.

stembureau [-by.ro.] *o* I (lokaal) polling-booth, polling-station; 2 (personen) polling-committee.

stembus [-bȕs] *v* ballot-box; *ter* ~ *gaan* go to the poll.

stemdag [-dax] *m* polling-day.

stemgeluid [-gəlœyt] *o* sound of [one's] voice, voice.

stemgerechtigd [-gərɛxtəxt] entitled to a (the) vote, qualified to vote, enfranchised.

stemhamer [-ha.mər] *m* ♪ tuning-hammer.

stemhebbend [-hɛbənt, stɛm'hɛbənt] voiced [consonant].

stemhokje [-hɔkjə] *o* cubicle.

stemlokaal [-lo.ka.l] *o* polling-booth, polling-station.

stemloos [-lo.s] dumb, mute, voiceless; *stemloze medeklinker* voiceless consonant.

stemmen ['stɛmə(n)] I *vt* I vote [a candidate]; 2 ♪ tune [a violin &], voice [organ-pipes]; *(op) links* ~ vote Left; II *va* I vote, poll; 2 ♪

tune up [of performers]; be in tune; *ze zijn aan 't* ~ ♪ they are tuning up; III *vi* vote, poll; *er is druk gestemd* voting (polling) was heavy; ~ *op iemand* vote for a person; ~ *over* vote upon; divide on... [in Parliament]; *we zullen er over* ~ we'll put it to the vote; ~ *tegen* vote against; ~ *tot dankbaarheid &* inspire one to gratitude; ~ *tot vrolijkheid* dispose the mind to gaiety; ~ *vóór iets* vote for (in favour of) it; *ik stem vóór* I'm for it.

stemmencijfer [-seifər] *o* poll.

stemmenwerver [-vɛrvər] *m* canvasser.

stemmer ['stɛmər] *m* I voter; 2 ♪ tuner.

stemmig [-məx] I *aj* demure, sedate, grave [person, manner]; sober, quiet [colours, dress]; II *ad* demurely, sedately, gravely; soberly, quietly.

stemmigheid [-məxheit] *v* demureness, sedateness, gravity; sobriety, quietness.

stemming [-mɪŋ] *v* I voting, voice; ballot; division [in Parliament]; 2 ♪ tuning; 3 *fig* (v. één persoon) frame of mind; (v. publiek) feeling; (v. omgeving) atmosphere; $ (v. beurs &) tone; ~ *houden* ♪ keep in tune; ~ *maken tegen* rouse popular feeling against; ~ *verlangen* challenge a division; *het aan* ~ *onderwerpen* put it to the vote; *bij* ~ on a division; *bij de eerste* ~ at the first ballot; *iets in* ~ *brengen* put it to the vote; *in de beste* ~ *zijn* be in the very best of spirits; *ik ben niet in een* ~ *om...* I am in no mood for ...ing, not disposed to...; *in* ~ *komen* be put to the vote; *zonder* ~ [motion carried] without a division.

stemopnemer ['stɛmɔpne.mər] *m* I polling-clerk, scrutineer; 2 teller [in House of Commons].

stemopneming [-mɪŋ] *v* counting of the votes.

stempel ['stɛmpəl] I *m* (werktuig) stamp; die [for striking coins]; 2 *o* & *m* (afdruk) stamp[2] [on document]; impress, imprint; hallmark [of gold and silver]; ♈ postmark; 3 *m* ♣ stigma; *de* ~ *dragen van...* bear the stamp (hallmark) of...; *de* ~ *der waarheid dragen* bear the impress of truth; *zijn* ~ *drukken op* put one's stamp on...; *van de oude* ~ of the old stamp.

stempelaar [-pəla:r] *m* stamper.

stempelband ['stɛmpəlbant] *m* cloth binding.

stempelen [-pələ(n)] I *vt* stamp[2], mark; hall-mark [gold and silver]; ♈ postmark; *dat zou hem tot een verrader* ~ stamp him (as) a traitor; II *vi* (v. werklozen) sign on (for the dole).

stempeling [-lɪŋ] *v* stamping.

stempelinkt ['stɛmpəlɪŋ(k)t] *m* ink for rubber stamps.

stempelkussen [-kȕsə(n)] *o* stamp pad.

stemplicht ['stɛmplɪxt] *m* & *v* compulsory voting.

stemrecht [-rɛxt] *o* right to vote; **suffrage,** franchise; $ voting rights [of shareholders];

het ~ ook: the vote; *algemeen* ~ universal suffrage; *aandelen zonder* ~ $ non-voting shares.

stemsleutel [-slø.təl] *m* ♪ tuning-key.

stemspleet [-sple.t] *v* glottis; ~... glottal.

stemverheffing [-vərhɛfɪŋ] *v* raising of the voice.

stemvork [-vɔrk] *v* ♪ tuning-fork.

stemvorming [-vɔrmɪŋ] *v* ♪ voice production.

stemwisseling [-vɪsəlɪŋ] *v* breaking of the voice.

stencil ['stɛnsəl] *o* & *m* stencil.

stencilen [-sələ(n)] *vt* stencil, duplicate, mimeograph.

stencilmachine [-səlma.ʃi.nə] *v* stencil machine, duplicator, mimeograph.

stencilpapier [-pa.pi:r] *o* stencil paper.

1 **stenen** ['ste.nə(n)] *vi* moan, groan.

2 **stenen** ['ste.nə(n)] *aj* of stone, stone; (b a k- s t e n e n) brick; *een* ~ *hart* a heart of stone.

stengel ['stɛŋəl] *m* stalk, stem [of plants].

stenig ['ste.nəx] stony.

stenigen [-nəgə(n)] *vt* stone (to death).

steniging [-nəgɪŋ] *v* stoning.

stenograaf [ste.no.'gra.f] *m* stenographer, shorthand writer.

stenograferen [-gra.'fe:rə(n)] 1 *vi* write shorthand; II *vt* take down in shorthand.

stenografie [-gra.'fi.] *v* stenography, shorthand.

stenografisch [-'gra.fi.s] *aj* (& *ad*) stenographic(ally), in shorthand.

stenogram [-'grɑm] *o* shorthand writer's notes, shorthand report.

stenotypist(e) [-ti.'pɪst(ə)] *m*(-*v*) shorthand typist.

stentorstem ['stɛntɔrstɛm] *v* stentorian voice.

step [stɛp] *m* step; (a u t o p e d) scooter.

steppe ['stɛpə] *v* steppe.

ster [stɛr] *v* star²; *met* ~*ren bezaaid* starry; ⊙ star-spangled.

sterappel ['stɛrɑpəl] *m* star apple.

stère ['stɛ:rə] *v* stère, cubic metre.

stereofonie [ste:re.o.fo.'ni.] *v* stereophony.

stereofonisch [-'fo.ni.s] stereophonic.

stereometrie [ste:re.o.me.'tri.] *v* solid geometry.

stereoplaat ['ste:re.o.pla.t] *v* stereo record.

stereoscoop [ste:re.os'ko.p] *m* stereoscope.

stereoscopisch [-əs'ko.pi.s] *aj* (& *ad*) stereoscopic(ally).

stereosko- zie *stereosco-*.

stereotiep [ste:re.o.'ti.p] stereotype; *fig* stereotyped, stock [phrase, saying].

stereotyperen [-ti.'pe:rə(n)] *vt* stereotype.

stereotypie [-ti.'pi.] *v* stereotype printing.

sterfbed ['stɛrfbɛt] *o* death-bed, dying-bed.

sterfdag [-dɑx] *m* day of one's death.

sterfelijk ['stɛrfələk] mortal.

sterfelijkheid [-hɛit] *v* mortality.

sterfgeval ['stɛrfgəvɑl] *o* death; *wegens* ~ owing to a bereavement.

sterfhuis [-hœys] *o* house of the deceased.

sterfkamer [-ka.mər] *v* death-room, death-chamber.

sterflijk(heid) ['stɛrflək(hɛit)] = *sterfelijk-* [(*heid*).

sterfte ['stɛrftə] *v* mortality.

sterftecijfer [-təsɛifər] *o* (rate of) mortality, death-rate.

sterfuur [-y:r] *o* dying-hour, hour of death.

steriel [ste.'ri.l] sterile, barren.

sterilisatie [-ri.li.'za.(t)si.] *v* sterilization.

sterilisator [-'za.tər] *m* sterilizer.

steriliseren [-'ze:rə(n)] *vt* sterilize.

steriliz- zie *sterilis-*.

sterk [stɛrk] 1 *aj* 1 strong²; powerful [microscope]; $ sharp [rise, fall]; 2 (r a n z i g) strong; *een* ~ *geheugen* a retentive memory; *een* ~ *verhaal* a tall story; ~*e werkwoorden* strong verbs; *dat is* ~, *zeg !* that's what I call steep!; *ik maak me* ~ *het binnen korter tijd te doen* I undertake to...; *een leger* 100.000 *man* ~ an army 100.000 strong; *hij is* ~ *in het Frans* he is strong (well up) in French; *daarin is hij* ~ that's his strong point; *daar ben ik niet* ~ *in* I am not good at that; *hij* (*zijn zaak*) *staat* ~ he has a strong case; *zo* ~ *als een paard* as strong as a horse; II *ad* strongly; *dat is* ~ *gezegd* that is a strong thing to say; ~ *overdreven* wildly exaggerated; ~ *vergroot* much enlarged.

sterken ['stɛrkə(n)] *vt* strengthen, fortify, invigorate.

sterking [-kɪŋ] *v* strengthening.

sterkstroom ['stɛrkstro.m] *m* ⚡ strong current.

sterkte [-tə] *v* 1 strength; 2 (f o r t) fortress.

sterkwater [stɛrk'va.tər] *o* nitric acid, aqua fortis; *op* ~ *zetten* zie *spiritus*.

sterling ['stɛrlɪŋ] sterling; *pond* ~ pound sterling.

sterlinggebied [-gəbi.t] *o* sterling area.

stermotor ['stɛrmo.tər] *m* ✈ radial (engine).

sterrebaan ['stɛrəba.n] *v* orbit of a star.

sterrekijker [-kɛikər] *m* telescope.

sterremuur [-my:r] *v* ❀ chickweed.

sterrenbeeld ['stɛrə(n)be.lt] *o* constellation.

sterrenhemel [-he.məl] *m* starry sky.

sterrenkaart [-ka:rt] *v* star-map.

sterrenkijker [-kɛikər] *m* star-gazer.

sterrenkunde [-kŭndə] *v* astronomy.

sterrenkundige [stɛrə(n)'kŭndəgə] *m* astronomer.

sterrenlicht ['stɛrə(n)lɪxt] *o* star-light, light of the stars.

sterrenloop [-lo.p] *m* course (motion) of the stars.

sterrenregen [-re.gə(n)] *m* meteoric shower.

sterrenwacht [-vɑxt] *v* (astronomical) observatory.

sterrenwichelaar [-vɪgəla:r] *m* astrologer.

sterrenwichelarij [stɛrə(n)vɪgəla:'rɛi] *v* astrology.

sterretje ['stɛrəcə] *o* 1 little star; 2 star, asterisk (*); 3 [film] starlet; *een klap dat je de* ~*s voor de ogen dansen* a blow that will make you see stars.

sterrit ['stɛrɪt] *m* [Monte Carlo]ι ally.

sterveling ['stɛrvəlɪŋ] *m* mortal; *geen ~* not a (living) soul; *gelukkige ~* ! happy mortal!

sterven ['stɛrvə(n)] **I** *vi* die; *ik mag ~ als...* I wish I may die if; *~ aan een ziekte* die of a disease; *van honger ~* die of hunger; *~ van ouderdom* die of old age; *~ van verdriet* die of a broken heart; *op ~ liggen* be dying, be at the point of death; **II** *vt* in: *de dood ~* die the death; *duizend doden ~* taste death a thousand times; *een ellendige dood ~* die a dog's death.

stervend [-vənt] *aj* dying, moribund; *de ~e* the dying person.

stervensuur [-vənsy:r] *o* dying-hour.

stervormig ['stɛrvɔrməx] star-shaped, stellate(d).

stethoscoop, stethoskoop, stetoscoop, stetoskoop [ste.tɔs'ko.p] *m* stethoscope.

steun [stø.n] *m* support[2], prop[2], *fig* stay; *de ~ van zijn oude dag* the support of his old age; *de enige ~ van het ministerie* the only support (backing) of the ministry; *(van de) ~ trekken* P be on the dole; *~ verlenen aan* support; *met ~ van...* aided by...; *tot ~ van...* in support of...

steuncomité ['stø.nkɔ̀mi.te.] *o* relief committee.

1 steunen ['stø.nə(n)] *vi* zie 1 *stenen.*

2 steunen ['stø.nə(n)] **I** *vt* support, prop (up); *fig* support [a cause, an institution, a candidate]; back (up); countenance [a movement]; uphold [a practice, a person]; second [a motion]; **II** *vi* lean; *~ op* lean on; *fig* lean upon [a person]; *waarop steunt dat?* what is it founded on?, what does it rest upon?; *~ tegen* lean against.

steunfonds ['stø.nfɔ̀nts] *o* relief fund.

steunkomitee zie *steuncomité.*

steunmuur ['stø.nmy:r] *m* supporting wall.

steunpilaar [-pi.la:r] *m* pillar[2].

steunpunt [-pŭnt] *o* 1 point of support; 2 ✗ fulcrum [of a lever]; 3 ✗ base.

steunsel [-səl] *o* stay, prop, support.

steuntje [-cə] *o* rest.

steuntrekker [-trɛkər] *m* recipient of (unemployment) relief.

steunzool [-zo.l] *v* arch support.

steur [stø:r] *m* ✖ sturgeon.

Steven ['ste.və(n)] *m* Stephen.

steven ['ste.və(n)] *m* ⚓ prow, stem; *de ~ wenden ~* ⚓ go about; *de ~ wenden naar* ⚓ head for ..., make for...

stevenen ['ste.vənə(n)] *vi* ⚓ steer, sail; *~ naar* steer for; F make for.

stevig ['ste.vəx] **I** *aj* 1 (v. zaken) solid, strong [furniture, ropes &]; substantial [meal &]; firm [post]; 2 (v. persoon) strong, sturdy; *een ~e bries* a stiff breeze; *een ~ eter* a hearty eater; *een ~ glaasje* a stiff glass; *een ~e handdruk* a firm shake of the hand; *~e kost* substantial food; *een ~e meid* a strap-

ping lass; *een ~ uur* a stiff hour, one solid hour; **II** *ad* solidly &; *~ doorstappen* walk at a stiff pace; *~ geboeid* firmly fettered; *~ gebouwd* firmly built [houses]; well-knit [lads]; *hem ~ vasthouden* hold him tight.

stevigheid [-hɛit] *v* solidity, substantiality, firmness, sturdiness.

stewardess [stju.ər'dɛs] *v* ✈ air hostess.

sticht [stɪxt] *o* bishopric; *het Sticht* ⑫ (the bishopric of) Utrecht.

stichtelijk ['stɪxtələk] **I** *aj* edifying; *een ~ boek* a devotional book; **II** *ad* edifyingly; *dank je ~* ! F thank you very much!

stichtelijkheid [-hɛit] *v* edification.

stichten ['stɪxtə(n)] **I** *vt* 1 found [a business, colonies, a hospital, a church, a religion, an empire &]; establish [a business]; raise [a fund]; 2 edify [people at church]; *vrede ~* make peace; *hij is er niet over gesticht* zie 2 *gesticht;* **II** *va* edify.

stichter [-tər] *m* founder.

stichting [-tɪŋ] *v* 1 (oprichting) foundation; 2 (inrichting) institution, almshouse; 3 (in de kerk &) edification.

stichtster ['stɪxtstər] *v* foundress.

stiefbroe(de)r ['sti.fbru.dər, -bru:r] *m* stepbrother.

stiefdochter [-dɔxtər] *v* step-daughter.

stiefkind [-kɪnt] *o* step-child[2].

stiefmoeder [-mu.dər] *v* step-mother[2].

stiefmoederlijk [sti.f'mu.dərlək] step-motherly; *wij zijn altijd ~ bedeeld geweest* we have always been the poor cousins; *de natuur heeft hem ~ bedeeld* nature has not lavished her gifts upon him.

stiefvader ['sti.fa.dər] *m* step-father.

stiefzoon ['sti.fso.n] *m* step-son.

stiefzuster ['sti.fsỳstər] *v* step-sister.

stiekem ['sti.kəm] **I** *aj* underhand; **II** *ad* on the sly, on the q.t., secretly; *zich ~ houden* lie low.

stiekemerd ['sti.kəmərt] *m* sneak.

stier [sti:r] *m* ♉ bull; *de Stier* ✶ Taurus.

stieregevecht ['sti:rəgəvɛxt] *o* bull-fight.

stierenvechter ['sti:rə(n)vɛxtər] *m* bull-fighter.

stierkalf ['sti:rkɑlf] *o* bull-calf.

stierlijk [-lək] F in: *~ het land hebben* be as humpy as anything; *zich ~ vervelen* be bored to death.

Stiermarken [-mɑrkə(n)] *o* Styria.

1 stift [stɪft] *v* pin.

2 stift [stɪft] *o =* sticht.

stifttand ['stɪftɑnt] *m* pivot tooth.

stigma ['stɪxma.] *o* stigma.

stigmatisatie [stɪxma.ti.'za.(t)si.] *v* stigmatization.

stigmatiseren [-'ze.rə(n)] *vt* stigmatize.

stigmatiz- zie *stigmatis-.*

stijf [stɛif] **I** *aj* stiff[2] [collar, leg, neck, breeze; manners, attitude, bow]; rigid [balloon]; *fig* F starchy; *zo ~ als een paal* as stiff as a poker; *~ van de kou* stiff with cold; *u moet* *het ~ laten worden* leave it to stiffen; *de geldprijs wordt stijver* $ money begins to stiffen; II *ad* stiffly; *iets ~ en strak volhouden* stoutly maintain it.

stijfheid ['stɛifhɛit] *o* stiffness², rigidity, F starch.

stijfhoofdig, ~**koppig** [stɛif'ho.vdəx, -'kopəx] I *aj* obstinate, headstrong; II *ad* obstinately.

stijfhoofdigheid, ~**koppigheid** [-hɛit] *v* obstinacy.

stijfkop ['stɛifkɔp] *m* obstinate person.

stijfsel ['stɛifsəl] *m* & *o* I starch [from corn, for stiffening]; 2 paste [of the bill-sticker].

stijfselachtig [-axtəx] starchy.

stijfselen ['stɛifsələ(n)] *vt* starch.

stijfselfabriek ['stɛifsəlfa.bri.k] *v* starch factory.

stijfselkwast [-kvɑst] *m* paste-brush.

stijfselpap [-pɑp] *v* paste.

stijfte ['stɛiftə] *v* stiffness.

stijgbeugel ['stɛixbø.gəl] *m* stirrup.

stijgen ['stɛigə(n)] *vi* I (in de hoogte) rise, mount [of a road], mount [of blood], ⚓ ook: climb; 2 (hoger worden) rise [of a river, prices, of the barometer], go up, advance [of prices]; *naar het hoofd ~* go to one's head [of wine &]; mount (rush) to one's head [of the blood]; *te paard ~* mount one's horse; *van het paard ~* alight from one's horse, dismount.

stijging [-gɪŋ] *v* rise², rising, advance.

stijl [stɛil] *m* I △ post [of door &]; 2 ⚓ style; 3 (schrijfwijze, trant) style; 4 (tijdrekening) style; *oude ~* old style; *in verheven ~* in elevated style.

stijlbloempje ['stɛilblu.mpjə] *o* flower of speech.

stijlleer ['stɛile:r] *v* stylistics.

stijloefening ['stɛilu.fənɪŋ] *v* stylistic exercise.

stijlvol [-vòl] stylish.

stijven ['stɛivə(n)] I *vt* I stiffen [the back of a book &]; 2 starch [linen]; *de kas ~* swell the fund (the treasury); *iemand in het kwaad ~* egg him on, set him on; II *vi* stiffen.

stijving [-vɪŋ] *v* I stiffening; 2 starching [of linen]; *tot ~ van de kas* to swell the fund.

stikdonker ['stɪkdòŋkər] I *aj* pitch-dark; II *o* pitch-darkness.

stikgas [-gɑs] *o* I ⚒ asphyxiating gas; 2 (in mijnen) choke-damp.

1 **stikken** ['stɪkə(n)] *vi* stifle, be stifled, choke, be suffocated, suffocate; *ik stik!* I am choking; *ze mogen voor mijn part ~* P they may go to hell!; *als ik jou was liet ik de hele boel ~* I should cut the whole concern; *het was om te ~* I it was suffocatingly hot; 2 it was screamingly funny; *~ van het lachen* split one's sides with laughter; *hij stikte van woede* he choked with rage.

2 **stikken** ['stɪkə(n)] *vt* stitch [a garment &]; *gestikte deken* quilt.

stikker [-kər] *m* stitcher.

stiknaald ['stɪkna.lt] *v* stitching-needle.

stiksel [-səl] *o* stitching.

stikster [-stər] *v* stitcher.

stikstof [-stɔf] *v* nitrogen.

stikstofhoudend [-stɔfhɔudənt] nitrogenous.

stikvol [-fòl] crammed, chock-full.

stikwerk [-vɛrk] *o* stitching.

stil [stɪl] I *aj* still, quiet; silent; *~!* hush!; *~ daar!* silence there!; *tabak ~* $ tobacco quiet; *~le diender* detective; *~ spel* stage business, by-play [of actor]; *de ~le week* Holy Week; *zo ~ als een muis(je)* as silent as a mouse; *zo ~ als de muisjes* as mum as mice; zie ook: *vennoot* &; II *ad* quietly; silently; *~ leven* have retired from business; *~ toeluisteren* listen in silence.

stileren [sti.'le:rə(n)] *vt* & *vi* I compose [a letter &]; 2 stylize [a dress], conventionalize [flowers &].

stilet [sti.'lɛt] *o* stiletto.

stilheid ['stɪlhɛit] *v* stillness, quiet, silence.

stilhouden [-hɔu(d)ə(n)] I *vi* stop, come to a stop; *de wagen hield stil voor de deur* pulled (drew) up at the door; II *vt* in: *iets ~* keep it dark, hush it up; III *vr* *zich ~* I keep quiet, be quiet, keep still; 2 keep silent.

stilist [sti.'lɪst] *m* stylist.

stilleggen ['stɪlɛgə(n)] *vt* stop [work]; close down, shut down [a factory].

stillen ['stɪlə(n)] *vt* quiet, hush [a crying child]; still [fears &]; allay, alleviate [pain]; appease [one's hunger]; quench [one's thirst].

stilletjes ['stɪlɛcəs] I silently; 2 secretly, F on the quiet.

stilleven ['stɪlɛ.və(n)] *o* still life [painting].

stilliggen [-lɪgə(n)] *vi* lie still [in bed &]; lie idle [a harbour]; have closed down [a factory].

stilling [-lɪŋ] *v* stilling &, alleviation, appeasement &, zie *stillen.*

stilstaan ['stɪlsta.n] *vi* stand still; stop; *hij bleef ~* he stopped; *alle handel staat stil* trade is at a standstill; *de klok staat stil* the clock has stopped; *de klok laten ~* stop the clock; *er wat langer bij ~* dwell on it a little longer; zie ook: *mond, verstand.*

stilstaand [-sta.nt] standing, stagnant [waters]; standing, stationary [train].

stilstand [-stɑnt] *m* standstill; cessation; stagnation, stagnancy [of business]; stoppage [in factory, of work]; *tot ~ komen* come to a standstill.

stilte [-tə] *v* stillness, quiet, silence; *de ~ voor de storm* the lull before the storm; *in ~* silently; secretly, privately [married]; *in ~ lijden* suffer in silence; *de menigte nam twee minuten ~ in acht* the crowd stood in silence for two minutes.

stilzetten [-zɛtə(n)] *vt* zie *stopzetten.*

stilzitten [-zɪtə(n)] *vi* sit still; *fig* do nothing [of a minister &]; *we hebben niet stilgezeten* we have not been idle.

stilzwijgen [-zvεiɣə(n)] o silence; het ~ bewaren keep (preserve, observe, maintain) silence; be (keep) silent (about over).

stilzwijgend [-zvεiɣənt] I aj silent, taciturn [person]; tacit [agreement]; implied [condition]; II ad tacitly [understood]; [pass over] in silence.

stilzwijgendheid [stɪl'zvεiɣəntεit] v silence, taciturnity.

stimulans ['sti.my.lɑns] m stimulant; fig stimulus.

stimuleren [sti.my.'le.rə(n)] vt stimulate.

stimulus ['sti.my.lŭs] m zie stimulans.

stinkbom ['stɪŋkbòm] v stink-bomb.

stinkdier [-di:r] o 🦨 skunk.

stinken ['stɪŋkə(n)] vi stink, smell, reek (of naar).

stinkend [-kənt] stinking, reeking, fetid, mephitic; ~e gouwe ⚕ greater celandine.

stinkstok ['stɪŋkstɔk] m S cheap cigar.

stip [stɪp] v point, dot (on the i).

stipendium [sti.'pεndi.ŭm] o stipend, ⟿ scholarship.

stippel ['stɪpəl] v speck, dot.

stippelen ['stɪpələ(n)] vt dot, speckle, stipple.

stippellijn [-lεin] v dotted line.

stippen ['stɪpə(n)] vt point, prick.

stipt [stɪpt] aj (& ad) punctual(ly), precise-(ly); ~ eerlijk strictly honest; ~ op tijd punctually to time.

stiptheid ['stɪptεit] v punctuality, precision.

stoeien ['stu.jə(n)] vi romp, have a game of romps.

stoeier [-jər] m romp, romping boy.

stoeierij [stu.jə'rεi] v romp(ing).

stoeipartij ['stu:ipɑrtεi] v romping, romp, game of romps.

stoeister [-stər] v romp.

stoeiziek [-zi.k] romping, rompish.

stoel [stu.l] m I (meubel) chair; 2 (v. plant) stool; de Heilige S~ the Holy See; neem een ~ take a seat; een ~ in de hemel verdienen deserve a front-seat in Heaven; het niet onder ~en of banken steken make no secret of it, make no bones about it; tussen twee ~en in de as zitten have come down between two stools; voor ~en en banken spelen (spreken) play (lecture) to empty benches.

stoelendans ['stu.lə(n)dɑns] m "musical chairs".

stoelenmaker [-ma.kər] m chair-maker.

stoelenmatter [-mɑtər] m ~ster [-mɑtstər] v chair-bottomer.

stoelgang ['stu.lgɑŋ] m movement, stool(s); zie verder: ontlasting.

stoelkussen [-kŭsə(n)] o chair-cushion.

stoeltjeslift ['stu.lcɔslɪft] m chair-lift.

stoep [stu.p] m & v I (flight of) steps; 2 (trottoir) pavement, footway.

stoer [stu:r] sturdy, stalwart, stout.

stoerheid ['stu:rεit] v sturdiness.

stoet [stu.t] m cortege, procession; train; retinue

stoeterij [stu.tə'rεi] v stud(-farm).

I stof [stɔf] o dust; ~ afnemen dust; ~ opjagen make a dust; dat heeft heel wat ~ opgejaagd that has raised a good deal of dust; het ~ van zijn voeten schudden shake the dust off one's feet; in het ~ vernederen humble to the dust; onder het ~ zitten be covered with dust; iemand uit het ~ verheffen raise one from the dust.

2 stof [stɔf] v I matter[2]; 2 (zelfstandigheid) [radioactive] substance; 3 fig subject-matter, theme [of a book, for an essay]; 4 (goed) [dress] material, stuff, [silk, woollen] fabric; ~ en geest matter and mind; dat geeft ~ tot nadenken that will give food for reflection (thought).

stofblik ['stɔfblɪk] o dustpan.

stofbril [-brɪl] m goggles.

stofdicht [-dɪxt] dust-proof.

stofdoek [-du.k] m duster.

stoffeerder [-'fe:rdər] m upholsterer.

stoffeerderij [stɔfe:rdə'rεi] v upholstery (business).

stoffel ['stɔfəl] m F blockhead, duffer, ninny.

stoffelijk ['stɔfələk] material; ~e belangen material interests; ~e bijvoeglijke naamwoorden names of materials used as adjectives; zijn ~ overschot his mortal remains.

stoffelijkheid [-hεit] v materiality.

I stoffen ['stɔfə(n)] vt (stof afnemen) dust.

2 stoffen ['stɔfə(n)] vi (bluffen) boast (of op).

3 stoffen ['stɔfə(n)] aj Denmark satin [shoes].

stoffer ['stɔfər] m duster, brush; ~ en blik (dust)pan and brush.

stofferen [stɔ'fe:rə(n)] vt upholster, furnish.

stoffering [-rɪŋ] v upholstering, furnishing.

stoffig ['stɔfəx] dusty.

stoffigheid [-hεit] v dustiness.

stofgoud ['stɔfgout] o gold-dust.

stofhoek [-hu.k] m dusty corner.

stofhoop [-ho.p] m heap of dust.

stofjas [-jɑs] m & v dust-coat.

stofje [-jə] o speck of dust ‖ zie 2 stof 4.

stofkam [-kɑm] m fine-tooth comb.

stofmantel [-mɑntəl] m dust-cloak.

stofnaam [-na.m] m gram name of a material.

stofnest [-nεst] o dust-trap.

stofomslag [-òmslɑx] m & o dust jacket.

stofplaag [-pla.x] v de ~ the dust nuisance.

stofregen [-re.gə(n)] m drizzling rain, drizzle.

stofregenen [-re.gənə(n)] vi drizzle.

stofvrij ['stɔfrεi] free from dust.

stofwisseling ['stɔfvɪsəlɪŋ] v metabolism.

stofwolk [-vòlk] v dust cloud, cloud of dust.

stofzuigen [-sœygə(n)] vi & vt vacuum.

stofzuiger [-sœygər] m (vacuum) cleaner.

stoïcijn [sto.i.'sεin] m stoic.

stoïcijns [-'sεins] I aj stoical [serenity], stoic [doctrines]; II ad stoically.

stoïcisme [-'sɪsmə] o stoicism.

stoïsch ['sto.i.s] zie stoïcijns.

stok [stɔk] *m* 1 (in 't alg.) stick; 2 (**wandel-stok**) walking-stick, cane, stick; 3 (**zitstok**) perch, roost [for birds]; 4 (**bij batonneren**) quarterstaff; 5 (**van agent**) truncheon; 6 (**v. vlag**) pole; 7 ⚓ stock [of anchor]; *de ~ achter de deur* the big stick; *het met iemand aan de ~ hebben* be at loggerheads with a person; *het met iemand aan de ~ krijgen* get into trouble with a person; *op ~ gaan* go to roost²; *op ~ zijn* be at roost.

stokdoof ['stɔkdo.f] stone-deaf.

stokebrand ['sto.kəbrant] *m* firebrand.

stoken ['sto.kə(n)] I *vt* burn [coal, wood]; stoke [a furnace &]; fire [a boiler, an engine &]; distil [spirits]; *fig* stir up [trouble]; brew [mischief]; *het vuur ~* feed the fire; *een vuurtje ~* 1 make a fire; 2 *fig* blow the coals, stir up trouble; II *vi & va* make a fire, have a fire [in a room]; stoke; *fig* blow the coals, stir up trouble.

stoker [-kər] *m* 1 stoker, fireman [of steam-engine]; 2 distiller [of spirits]; 3 *fig* firebrand.

stokerij [sto.kə'rɛi] *v* distillery.

stokje ['stɔkjə] *o* (little) stick; *daar zullen wij een ~ voor steken* we shall stop it; *van zijn ~ vallen* F faint, swoon; *zie ook: gekheid.*

stokken ['stɔkə(n)] *vi* cease to circulate [of the blood]; break down [in a speech]; flag [of conversation]; *haar adem stokte* her breath failed her; *zijn stem stokte* there was a catch in his voice.

stokk(er)ig [-kə(rə)x] woody.

stokoud ['stɔkʌut] very old.

stokpaard, **~je** [-pa:rt, -pa:rcə] *o* hobby-horse; *fig* fad; *op zijn ~ zitten (zijn)* be on one's pet subject.

stokroos [-ro.s] *v* ✿ hollyhock.

stokslag [-slax] *m* stroke with a stick.

stokstijf [-stɛif] as stiff as a poker; *~ volhouden* maintain obstinately.

stokstil [-stɪl] stock-still. [cod.

stokvis [-fɪs] *m* (**gedroogd**) stockfish, dried

stola ['sto.la.] *v* stole.

stollen ['stɔlə(n)] *vi* congeal, coagulate, curdle, clot, fix, set; *het bloed stolde mij in de aderen* my blood froze (ran cold); *het doet het bloed ~* it makes one's blood run cold, it curdles one's blood.

stolling [-lɪŋ] *v* congelation, coagulation.

stolp [stɔlp] *v* cover, glass bell, shade.

stom [stɔm] I *aj* 1 (**niets zeggend**) dumb, mute, speechless; silent [film, part]; 2 (**dom**) stupid, dull; 3 (**niet verstandig**) foolish; *een ~me h* a mute h; *~me personen* mutes; *hij sprak (zei) geen ~ woord* he never said a word; *~ van verbazing* speechless with amazement; *hij is te ~ om voor de duivel te dansen* F he is as stupid as an owl; *zo ~ als een vis* as mute as a fish; II *ad* 1 mutely; 2 stupidly; *zie ook: stomme.*

stomdronken ['stɔmdrɔŋkə(n)] F dead drunk.

stomen ['sto.mə(n)] I *vi* steam; *de lamp stoomt*

the lamp is smoking; *~d verkopen* $ sell on steaming terms; II *vt* 1 steam [rice &]; 2 (**chemisch reinigen**) dry-clean.

stomerij [sto.mə'rɛi] *v* dry-cleaning establishment; *mijn pak is in de ~* my suit is at the (dry-)cleaner's.

stomheid ['stɔmhɛit] *v* 1 dumbness; 2 stupidity; *met ~ geslagen* struck dumb.

stomkop [-kɔp] *m* F *zie stommerik.*

stomme ['stɔmə] *m-v* dumb person; *de ~n* the dumb.

stommelen ['stɔmələ(n)] *vi* clutter.

stommeling [-lɪŋ] *m* F *zie stommerik.*

stommerik [-rɪk] *m* F blockhead, dullard, duffer; *(jij) ~!* you stupid!

stommetje ['stɔməcə] *wij moesten ~ spelen* we had to sit mum.

stommigheid, stommiteit ['stɔməxhɛit, stɔmi.-'tɛit] *v* 1 (**abstract**) stupidness, stupidity; 2 (**concreet**) stupidity, blunder.

1 **stomp** [stɔmp] *m* thump, punch, push, dig.

2 **stomp** [stɔmp] *m* stump [of a tree &].

3 **stomp** [stɔmp] *aj* 1 blunt [pencil], dull; 2 *fig* obtuse; *~e hoek* obtuse angle; *~e neus* flat nose.

stompen ['stɔmpə(n)] *vt* pummel, thump, punch, push.

stompheid ['stɔmphɛit] *v* bluntness, dullness; *fig* obtuseness.

stomphoekig [-hu.kəx] obtuse-angled.

stompje [-jə] *o* stump [of branch, tree, limb, cigar, pencil], stub [of dog's tail].

stompneus [-nø.s] *m* 1 snub nose; 2 snub-nosed person.

stompzinnig [stɔmp'sɪnəx] obtuse.

stompzinnigheid [-hɛit] *v* obtuseness.

stomverbaasd ['stɔmvərba.st] stupefied.

stomvervelend [-vərve.lənt] awfully slow.

stond [stɔnt] *m* time, hour, moment; *te dezer ~* at this moment (hour); *terzelfder ~* at the same moment; *van ~en aan* henceforward, from this very moment.

stoof [sto.f] *v* foot-warmer, foot-stove.

stoofappel ['sto.fapəl] *m* cooking-apple.

stoofpan [-pan] *v* stew-pan.

stoofpeer [-pe:r] *v* cooking-pear, stewing-pear.

stookgat ['sto.kgat] *o* fire hole.

stookgelegenheid [-gələ.gənhɛit] *v* fireplace.

stookolie [-o.li.] *v* oil fuel, liquid fuel.

stookoven [-o.və(n)] *m* furnace.

stookplaats [-pla.ts] *v* 1 fireplace, hearth; 2 ⚒ stoke-hold, stoke-hole.

stool [sto.l] *m* stole.

stoom [sto.m] *m* steam; *we hebben ~ op* steam is up; *~ houden* keep up steam; *~ maken* get up (raise) steam; *er ~ achter zetten* put steam on²; *het gaat met (volle) ~* it goes full steam; *onder ~ met (volle)* ⚓ with steam up; *onder eigen ~* ⚓ under her own steam.

stoombarkas ['sto.mbɑrkɑs] *v* ⚓ steam launch.

stoomboot [-bo.t] *m & v* ⚓ steamboat, steamer, steamship.

stoombootmaatschappij [-bo.tma.tsχɑpɛi] *v* steam navigation company, steamship company.

stoombrandspuit [-brɑntspœyt] *v* steam fire-engine.

stoomcursus [-kŭrzəs] *m* intensive course, short course.

stoomdruk [-drŭk] *m* steam-pressure.

stoomfluit [-flœyt] *v* steam-whistle.

stoomgemaal [-gəma.l] *o* steam pumping-station.

stoomjacht [-jɑxt] *o* ⚓ steam-yacht.

stoomketel [-ke.təl] *m* ⚒ steam-boiler, boiler.

stoomklep [-klɛp] *v* steam-valve.

stoomkraan [-kra.n] *v* ⚒ 1 (heftoestel) steam-crane; 2 steam-cock.

stoomkracht [-krɑxt] *v* steam-power.

stoomkursus zie *stoomcursus*.

stoommachine ['sto.ma.ʃi.nə] *v* steam-engine.

stoommolen [-mo.lə(n)] *m* steam-mill.

stoompijp ['sto.mpɛip] *v* steam-pipe.

stoomploeg [-plu.x] *m* & *v* steam-plough.

stoompomp [-pòmp] *v* steam-pump.

stoomschip [-sχɪp] *o* ⚓ steamship, steamer.

stoomtractie, -traktie [-trɑksi.] *v* steam traction.

stoomtram, -trem [-trɛm] *m* steam-tram.

stoomvaart [-va:rt] *v* steam navigation.

stoomvaartlijn [-lɛin] *v* steamship line.

stoomvaartmaatschappij [-ma.tsχɑpɛi] *v* steam navigation company, steamship company.

stoomwals ['sto.mʋɑls] *v* steam-roller.

stoomwasserij [-ʋɑsərɛi] *v* steam-laundry.

stoornis ['sto:rnɪs] *v* disturbance, disorder.

stoorzender [-zɛndər] *m* jamming transmitter, jamming station.

stoot [sto.t] *m* 1 push [with the elbow &]; punch [in boxing]; thrust [with a sword]; lunge [in fencing]; stab [with a dagger]; shot, stroke [at billiards]; impact [of colliding bodies]; kick [of a rifle]; gust (of wind); 2 blast [on a horn]; *de (eerste) ~ tot (aan) iets geven* give the impulse to something; *wie heeft er de eerste ~ aan (toe) gegeven?* who has been the prime mover?; *dat zal hem de laatste ~ geven* that will be the end of him, that will be the finishing stroke; *dat heeft hem een lelijke ~ gegeven* that has dealt him a severe blow; *wie is aan ~?* ⚬₀ who is in play?

stootblok ['sto.tblɔk] *o* buffer; 🠞 chock.

stootje ['sto.cə] *o* push; *hij kan wel een ~ velen* he is not easily hurt, F he can take it.

stootkant ['sto.tkɑnt] *m* protection strip.

stootkussen [-kŭsə(n)] *o* buffer.

stootplaat [-pla.t] *v* guard [of sword].

stoottroepen ['sto.tru.pə(n)] *mv* ✕ shock-troops.

stop [stɔp] *m* 1 stopper [of a bottle]; darn [in a stocking]; ⚒ (stekker) plug; ⚒ (smelt-stop) fuse; (v. badkuip &) plug; 2 (v. huur, loon, prijzen) freeze.

stopbord ['stɔpbɔrt] *o* halt sign.

stopcontact [-kòntɑkt] *o* ⚒ point; (contact-doos) socket.

stopfles [-flɛs] *v* stoppered bottle, (glass) jar.

stopgaren [-ga:rə(n)] *o* darning cotton, mending cotton.

stophorloge [-hɔrlo.ʒə] *o* stop-watch.

stopkontakt zie *stopcontact*.

stoplap [-lɑp] *m* sampler; *fig* stop-gap.

stoplicht [-lɪxt] *o* stop-light; *door het ~ rijden* jump the (traffic) lights.

stopmes [-mɛs] *o* putty-knife.

stopnaald [-na.lt] *v* darning-needle.

stoppage [stɔ'pa.ʒə] *v* invisible mending.

stoppel ['stɔpəl] *m* stubble; *~s* stubble.

stoppelbaard [-ba:rt] *m* stubbly beard.

stoppelig ['stɔpələx] stubbly.

stoppelland ['stɔpəlɑnt] *o* stubble-field.

1 **stoppen** ['stɔpə(n)] *vt* 1 (dichtmaken) stop [a hole, a leak &]; darn [stockings]; 2 (dichthouden) stop [one's ears]; 3 (vol-stoppen) fill [a pipe &]; 4 (inbrengen, wegbergen) put [something in a box, one's fingers in one's ears &]; *een bal ~* ⚬₀ pocket a ball; *iemand de handen ~* grease a person's palm, bribe him; *de kinderen in bed ~* 1 put the children to bed; 2 bundle the children off to bed; *iemand iets in de handen ~* foist it off upon a person; *hij laat zich alles in de hand(en) ~* you can foist (palm off) anything upon him; *het in zijn mond (zak) ~* put it in one's mouth (pocket); *de kleine er lekker onder ~* tuck the baby up in bed; *iemand onder de grond ~* put to bed with a shovel.

2 **stoppen** ['stɔpə(n)] I *vi* stop, come to a stop, halt; *de trein stopt hier niet* the train does not stop here; *de trein gaat door tot A. zonder ~* without a stop; II *vt* stop.

stopperspil ['stɔpərspil] *m* *sp* centre half.

stopplaats ['stɔpla.ts] *v* stopping-place, stop.

stopsein ['stɔpsɛin] *o* stop signal.

stopster [-stər] *v* darner.

stopteken [-te.kə(n)] *o* stop signal.

stoptrein [-trɛin] *m* stopping train.

stopverf [-fɛrf] *v* (glazier's) putty.

stopwoord [-vo:rt] *o* expletive.

stopzetten [-sɛtə(n)] *vt* stop; close down, shut down [a factory]; shut (cut) off [the engine].

stopzetting [-sɛtɪŋ] *v* stoppage, closing down &.

stopzij(de) [-sɛi(də)] *v* darning silk.

store ['stɔ:rə] *v* Venetian blind.

storen ['sto:rə(n)] I *vt* disturb, derange, interrupt, interfere with; ⚒ ✝ jam [broadcasts]; *stoor ik (u) soms?* am I intruding?; II *vr* hij stoort zich aan alles he minds everything; *hij stoort zich aan niets* he does not mind; *waarom zou ik mij daaraan ~?* why should I mind?; *zonder zich te ~ aan wat zij zeiden* heedless (regardless) of what they said.

storing [-rɪŋ] *v* disturbance, interruption, ✕ trouble, failure, breakdown; ⚒ ✝ interference; ⚡ disorder.

storm [storm] *m* storm² [also of applause, cheers, indignation]; tempest, gale; *een ~ in een glas water* a storm in a tea-cup.

stormaanval ['storma.nval] *m* ✕ assault.

stormachtig [-axtəx] I *aj* stormy, tempestuous, tumultuous, boisterous; II *ad* stormily &.

stormachtigheid [-heit] *v* storminess &.

stormband ['stormbant] *m* ✕ chin-strap.

stormdek [-dɛk] *o* ⚓ hurricane deck.

stormen ['stormə(n)] *vi* storm; *het stormt* it is blowing a gale; *het zal er ~* there will be ructions [*fig*]; *hij kwam uit het huis ~* he came tearing (dashing, rushing) out of the house.

stormenderhand [storməndər'hant] ✕ by storm; *~ innemen* take by storm².

stormklok ['stormklɔk] *v* alarm-bell, tocsin.

stormladder [-ladər] *v* ✕ scaling-ladder.

stormlamp [-lamp] *v* hurricane lamp.

stormlijn [-lɛin] *v* guy(-rope) [of a tent].

stormloop [-lo.p] *m* rush²; ✕ assault.

stormlopen [-lo.pə(n)] *vi* in: *~ op (tegen)* storm, rush, assault [a fortified town].

stormpas [-pas] *m* ✕ double-quick step; *in de ~* at the double-quick.

stormram [-ram] *m* ⛫ battering-ram.

stormsein [-sɛin] *o* 1 storm-signal; 2 storm-drum.

stormtroepen [-tru.pə(n)] *mv* ✕ storm troops.

stormvogel [-vo.gəl] *m* 🐦 stormy petrel.

stormwe(d)er [-ve:r] *o* stormy (tempestuous) weather.

stormwind [-vɪnt] *m* stormy wind, storm-wind.

stortbad ['stortbat] *o* shower-bath.

stortbak [-bak] *m* 1 ⚒ shoot; 2 (v. W.C.) cistern.

stortbui [-bœy] *v* heavy shower, downpour.

storten ['stortə(n)] I *vt* spill [milk]; shed [tears, blood]; shoot, dump [rubbish]; pay in [money]; contribute [towards one's pension]; *elk 10 gulden ~* deposit 10 guilders each; *het geld moet gestort worden bij een bank (op een rekening)* the money must be paid into a bank (into an account); II *vr zich ~ in de armen van...* throw oneself into the arms of...; *de rivier stort zich in zee bij...* falls (pours itself) into the sea near...; *zich in een oorlog ~* plunge into a war; *zich ~ op* fall upon, swoop down on [the enemy]; III *vi & va* in: *het stort* it is pouring.

stortgoederen ['stortgu.dərə(n)] *mv* ⚓ goods laden in bulk.

storting ['stortɪŋ] *v* 1 spilling, shedding, pouring [of a liquid]; 2 payment, deposit, contribution [of money].

stortingstermijn [-tɪŋstɛrmɛin] *m* term for paying in.

stortkar ['stortkar] *v* tip-cart, tumbril, tumbrel.

stortkoker [-ko.kər] *m* chute, shoot.

stortplaats [-pla.ts] *v* dumping-ground, (rubbish) shoot, (rubbish) tip.

stortregen [-re.gə(n)] *m* heavy shower (of rain), pouring rain, downpour.

stortregenen [-re.gənə(n)] *vi* pour (with rain), rain cats and dogs.

stortvloed [-flu.t] *m* flood, torrent, deluge.

stortzee [-se.] *v* sea; *wij kregen een ~* we shipped a sea.

stoten ['sto.tə(n)] I *vi* 1 (in 't alg.) push; 2 (met horens) butt; 3 (v. geweer) recoil, kick; 4 (v. schip) touch the ground; 5 (v. spoortrein) bump; 6 ⚬⚬ play; *aan iets ~* push it, give it a push; *~ naar* thrust at; *op iets ~* stumble upon something, come across it; meet with [difficulties]; *het schip stootte op een ijsberg* struck an iceberg; *tegen iets ~* bump against [a wall &]; push [the table]; *tegen elkaar ~* bump (knock) against each other; II *vt* 1 (aankomen tegen) stub [one's toes]; bump [one's head against a wall]; nudge [one with one's elbow]; 2 (duwen) push [me &]; poke [a hole in a thing]; thrust [a person from his rights]; 3 (fijnstampen) pound; 4 *fig* shock, scandalize [people]; *iemand van zich ~* repudiate a person; *iemand voor het hoofd ~* offend a person; zie ook: *bezit &*; III *vr zich ~* bump against something; *zich aan iemands gedrag ~* be shocked at a person's conduct.

stotend [-tənt] pushing, thrusting; *fig* shocking, offensive.

stotteraar ['stotəra:r] *m ~ster* [-stər] *v* stammerer, stutterer.

stotteren [-rə(n)] *vt* stammer, stutter.

1 **stout** [stout] *m & o* stout.

2 **stout** [stout] I *aj* 1 (moedig) bold, daring, audacious [behaviour]; sanguine [expectations]; 2 (ondeugend) naughty; II *ad* 1 boldly; 2 naughtily.

stouterd ['stoutərt] *m* F naughty child (boy, girl).

stoutheid ['stoutheit] *v* 1 (moed) boldness, audacity; 2 (ondeugendheid) naughtiness.

stoutmoedig [stout'mu.dəx] *aj* (& *ad*) bold(ly), daring(ly), undaunted(ly).

stoutmoedigheid [-heit] *v* courage, daring, boldness.

stouwage [stou'va.ʒə] = *stuwage*.

stouwen ['stouvə(n)] *vt* ⚓ stow [goods].

stoven ['sto.və(n)] I *vt* stew; II *vr zich ~* bask [in the sun].

straal [stra.l] *m & v* 1 ray, beam [of light], gleam, ray [of hope]; flash [of lightning]; 2 spout, jet [of water &]; 3 radius [*mv* radii] [of a circle].

straalaandrijving ['stra.la.ndrɛivɪŋ] *v* ✈ jet propulsion; *met ~* jet-propelled.

straalbommenwerper [-bɔmə(n)vɛrpər] *m* ✈ jet bomber.

straalbreking [-bre.kɪŋ] *v* refraction.

straaljager [-ja.gər] *m* ✈ jet fighter.

straalkachel [-kaɣəl] *v* electric radiator.

straalmotor [-mo.tər] *m* ✕ jet engine.

straalpijp [-pɛip] *v* nozzle [of fire-hose].

straalsgewijs, -gewijze ['stra.lsgəvɛis, -gəvɛizə] radially.

straalturbine ['stra.ltŭrbi.nə] v turbojet (engine).

straalvliegtuig [-vli.xtœyx] o jet(-propelled) plane, jet.

straat [stra.t] v 1 (v. stad) street; 2 (zeestraat) straits; langs de ~ slingeren knock (gad) about the streets; op ~ in the street(s); op ~ lopen walk (run) about the streets; op ~ staan be on the streets; iemand op ~ zetten turn one into the street; hij is niet van de ~ opgeraapt he was not picked out of the gutter.

straatarm ['stra.tarm] very poor, as poor as Job.

straatcollecte [-kɔlɛktə] v street collection.

straatdeuntje [-dø.ncə] o street-song, streetballad.

straatdeur [-dø:r] v street-door, front door.

straatgevecht [-gəvext] o street fight; ~en street fighting.

straatjongen [-jòŋə(n)] m street-boy, street arab, gutter-snipe.

straatkei [-kɛi] m cobble(-stone).

straatkollekte zie straatcollecte.

straatlantaarn, -lantaren [-lanta:rən] v streetlamp.

straatlied(je) [-li.t, -li.cə] o street-song, streetballad.

straatmaker [-ma.kər] m road-maker, paviour.

straatmuzikant [-my.zi.kɑnt] m street-musician.

straatnaam [-na.m] v street-name. [cian.

straatnaambordje [-bɔrcə] o street-sign.

straatorgel ['stra.tɔrgəl] o street-organ, barrelorgan.

straatroof [-ro.f] m street-robbery. [organ.

straatrover [-ro.vər] m street-robber.

straatroverij [stra.tro.və'rɛi] v street-robbery.

Straatsburg ['stra.tsbŭrx] o Strasbourg.

straatschender ['stra.tsxɛndər] m street rough, hooligan.

straatschenderij [stra.tsxɛndə'rɛi] v disorderliness in the street(s), hooliganism.

straatslijpen ['stra.tslɛipə(n)] vi gad about the streets.

straatslijper [-slɛipər] m street-lounger, loafer.

straatstamper [-stampər] m paviour's beetle, rammer.

straatsteen [-ste.n] m paving-stone.

straattaal ['stra.ta.l] v language of the street.

straatveger ['stra.tfe.gər] m 1 (man) roadsweeper, street-sweeper, scavenger; 2 (machine) road-sweeper, street-sweeper.

straatventer [-fɛntər] m street-vendor, hawker.

straatverlichting [-fərlɪxtɪŋ] v street-lighting.

straatvuil [-fœyl] o street-refuse.

straatweg [-vex] m high road.

straatwerker [-vɛrkər] m road-maker, paviour.

straatzanger [-saŋər] m ~es [-saŋərɛs] v street-singer.

1 straf [straf] v punishment, penalty; ~ krijgen be (get) punished; het brengt zijn eigen ~

mee it carries its own punishment; voor zijn ~ as a punishment, for punishment, by way of punishment; de ~ volgt op de zonde punishment follows sin.

2 straf [straf] I aj severe, stern [looks]; stiff [drink]; strong [tea]; II ad [look] severely, sternly.

strafbaar ['strafba:r] punishable; penal [offences].

strafbepaling [-bəpa.lɪŋ] v penal provision; penalty clause [in contract].

strafexerceren [-ɛksərse:rə(n)] o ✕ pack drill.

strafexpeditie [-ɛkspədi.(t)si.] v ✕ punitive expedition.

straffe ['strafə] op ~ van on penalty of; op ~ des doods upon pain of death.

straffeloos [-lo.s] unpunished, with impunity.

straffeloosheid [strafə'lo.shɛit] v impunity.

straffen ['strafə(n)] vt punish; met boete ~ punish by a fine; met de dood ~ punish with death.

strafgevangenis ['strafgəvaŋənɪs] v (convict) prison.

strafheid [-hɛit] v severity, stiffness.

strafinrichting [-ɪnrɪxtɪŋ] v penal establishment.

strafkolonie [-ko.lo.ni.] v penal (convict) settlement, penal (convict) colony.

strafmaatregel [-ma.tre.gəl] m punitive measure.

strafmiddel [-mɪdəl] o means of punishment.

strafoefening [-u.fənɪŋ] v execution.

strafport [-pɔrt] o & m 🖃 additional postage, extra postage, surcharge.

strafpreek [-pre.k] v lecture, F talking-to.

strafpunt [-pŭnt] o sp in: een mededinger 10 ~en geven penalize a competitor 10 points.

strafrecht [-rext] o criminal law.

strafrechtelijk [straf'rextələk] of criminal law, criminal.

strafrechter ['strafrextər] m criminal judge.

strafregels [-re.gəls] mv ⋙ lines.

strafregister [-rɑgɪstər] o 🖃 police record, criminal record; een schoon ~ hebben have a clean record.

strafschop [-sxɔp] m sp penalty kick.

strafschopgebied [-gəbi.t] o sp penalty area.

straftijd ['strafteit] m term of imprisonment.

strafwerk [-vɛrk] o ⋙ imposition, detention

strafwet [-vɛt] v penal law. [work.

strafwetboek [-vɛtbu.k] o penal code.

strafwetgeving [-vɛtge.vɪŋ] v penal legislation.

strafzaak [-sa.k] v criminal case.

strak [strɑk] I aj tight, taut, stiff; fig fixed [looks], set [face]; een ~ touw a taut (tight) rope; II ad in: ~ aanhalen tighten, tauten [a rope]; ~ aankijken look fixedly at.

strakheid ['strakhɛit] v tightness, stiffness; fixedness [of his gaze].

strak(je)s [strɑks, 'strɑkjəs] 1 presently, by and by; 2 just now, a little while ago; tot ~! so long!

stralen ['stra.lə(n)] *vi* beam, shine, radiate²; *voor een examen* ~ zie *druipen*.

stralenbundel [-bŭndəl] *m* pencil of rays, beam.

stralend ['stra.lənt] *aj* (& *ad*) radiant(ly).

stralenkrans [-lə(n)krans] *m* aureole, nimbus, halo.

straling [-lɪŋ] *v* radiation.

stralingsgevaar [-lɪŋsgəva:r] *o* radiation danger.

stralingsgordel [-lɪŋsgordəl] *m* radiation belt.

stralingsziekte [-lɪŋsi.ktə] *v* radiation illness.

stram [stram] stiff, rigid.

stramheid ['stramhɛit] *v* stiffness, rigidity.

stramien [stra.'mi.n] *o* canvas.

strand [strant] *o* beach; (kust) shore; *het* ~ (inz. als uitspanningsoord) the sands; *op het* ~ *lopen* run aground; *op het* ~ *zetten* run ashore.

strandbewoner ['strantbəvo.nər] *m* inhabitant of the coast.

strandboulevard [-bu.ləva:r] *m* marine parade, sea-front.

stranddief [-di.f] *m* zie *strandjut(ter)*.

stranden ['strandə(n)] *vi* strand, run aground; *fig* come to grief (upon *op*).

strandgoed ['strantgu.t] *o* wrecked goods, wreck, jetsam, flotsam.

strandhotel [-ho.tɛl] *o* sea-front hotel.

stranding ['strandɪŋ] *v* ⚓ stranding, grounding.

strandjut(ter) ['strantjŭt(ər)] *m* wrecker, beachcomber.

strandloper [-lo.pər] *m* ⚖ sanderling.

strandpiama, -pyjama [-pi.ja.ma.] *m* beach pyjamas.

strandroof [-ro.f] *m* beachcombing.

strandschoenen [-sxu.nə(n)] *mv* sand-shoes.

strandstoel [-stu.l] *m* beach chair, (gevlochten) beehive chair.

strandvond [-fònt] *m* zie *strandgoed*.

strandvonder [-fòndər] *m* receiver of wreck, wreck-master.

strateeg [stra.'te.x] *m* strategist.

strategie [stra.te.'ʒi., -'gi.] *v* strategy, strategics.

strategisch [stra.'te.gi.s] *aj* (& *ad*) strategic-(ally).

stratosfeer [stra.to.'sfe:r] *v* stratosphere.

streefcijfer ['stre.fsɛifər] *o* target figure, target.

streefdatum [-da.tŭm] *m* target date.

streek [stre.k] I *v* stroke [with the pen &]; tract; district, region, part of the country; point [of the compass]; 2 *m* & *v* (list, poets) trick; *dat is net een* ~ *voor hem* it is just like him; *gekke streken* foolish pranks; *een gemene* (*smerige*) ~ a dirty trick; *we zullen hem die streken wel afleren* we shall teach him; *lange streken maken* (*bij het schaatsen*) skate with long strokes; *een* ~ *uithalen* play a trick; *in deze* ~ in this region, in these parts; *in de* ~ *van de lever* in the region of the liver; *weer op* ~ *komen* get into one's stride again; *goed op* ~ *zijn* be in splendid form; *morgen zijn we weer op* ~ to-morrow we shall

be in the old groove again; *een* ~ *door de rekening* zie *streep*; *hij was helemaal van* ~ he was quite upset; *mijn maag is van* ~ my stomach is out of order; *dat heeft hem van* ~ *gebracht* that's what has upset him.

streekplan ['stre.kplan] *o* regional plan.

streekroman [-ro.man] *m* regional novel.

streektaal [-ta.l] *v* dialect.

streep [stre.p] *v* stripe, streak, stroke, dash, line; *A—* [gelezen: A ~] *A— A* dash; *dat was voor hem een* ~ *door de rekening* there he was out in his calculations; *er loopt bij hem een* ~ *door* he has a tile loose; *er maar een* ~ *door halen* strike it out, cancel it²; *de strepen hebben* ✂ have got the stripes.

streepje ['stre.pjə] *o* dash; *een* ~ *vóór hebben* be the favourite.

streepjesgoed [-jəsgu.t] *o* $ striped material.

strekdam ['strɛkdam] *m* breakwater.

strekken ['strɛkə(n)] I *vi* stretch, reach, extend; *per* ~*de meter* per running meter; ~ *om...* serve to...; ~*de tot het welslagen van de onderneming* tending (conducive) to the success of the enterprise; zie ook: *eer, schande* &; II *vt* stretch, extend; III *vr zich* ~ stretch oneself [in the grass &].

strekking [-kɪŋ] *v* tendency, purport, drift; *dezer* ~ *hebbend om...* purporting to...; *van dezelfde* ~ of the same tenor; in the same vein.

strekkingsroman [-kɪŋsro.man] *m* novel with a purpose, purpose novel.

strekspier ['strɛkspi:r] *v* (ex)tensor.

strelen ['stre.lə(n)] *vt* stroke, caress; *fig* flatter; *dat streelt zijn eigenliefde* it tickles his egotism; *de zinnen* ~ gratify the senses.

strelend [-lənt] *fig* flattering.

streling [-lɪŋ] *v* stroking, caress.

stremmen ['strɛmə(n)] I *vi* congeal, coagulate [of blood]; curdle [milk]; II *vt* 1 congeal, coagulate; curdle; 2 stop, obstruct, block [the traffic].

stremming [-mɪŋ] *v* 1 congelation, coagulation; curdling; 2 obstruction, stoppage.

stremsel ['strɛmsəl] *o* (v. kaas) rennet.

1 streng [strɛŋ] *v* strand [of rope], skein [of yarn]; trace [for horse].

2 streng [strɛŋ] I *aj* 1 (in 't alg.) severe [look, discipline, sentence, master, winter &]; 2 (v. uiterlijk) severe, stern [countenance], austere [mien]; 3 (opvatting) stern [ruler, treatment, rebuke, virtue, father]; rigid [justice, Catholics]; strict [parents, masters, discipline]; stringent [rules]; austere [morals]; rigorous [winter, execution of the law, definition]; close [examination]; II *ad* severely &; strictly [scientific]; closely [guarded].

strengel ['strɛŋəl] *m* strand [of hair].

strengelen ['strɛŋələ(n)] *vt* & *vr* twine, twist [about, round].

strengeling [-lɪŋ] *v* twining, twisting.

strengheid ['strɛŋhɛit] *v* severity, rigour, sternness.

strepen ['stre.pə(n)] vt stripe, streak.

streven ['stre.və(n)] I vi strive; ~ naar strive after (for), strain after, aim at, aspire after (to); er naar ~ om... strive to..., endeavour to...; op zijde ~ emulate; II o in: zijn ~ his ambition, his study, his endeavours; het zal mijn ~ zijn om... it will be my study (my endeavour) to...

stribbeling ['strɪbəlɪŋ] = strubbeling.

striem [stri.m] v stripe, wale, weal.

striemen ['stri.mə(n)] vt lash².

strijd [streit] m fight, combat, battle, conflict, contest, struggle; contention, ⊙ strife; inwendige ~ inward struggle; de ~ om het bestaan the struggle for life; de ~ aanbinden met join issue with; de ~ aanvaarden (met) accept battle, join issue (with); dat heeft een zware ~ gekost it has been a hard fight; de ~ opgeven abandon the contest, F throw up the sponge; ~ voeren (tegen) wage war (against); in ~ met de afspraak (met de regels) contrary to our agreement (the rules); in ~ met de waarheid at variance with the truth; die verklaringen zijn met elkaar in ~ these statements clash; om ~ boden zij hun diensten aan they vied with each other as to who should be the first to...; zich ten ~e aangorden gird oneself for war; ten ~e trekken go to war; op, ten ~e! on!

strijdbaar ['streitba:r] capable of bearing arms, warlike; fig fighting, militant [spirit].

strijdbaarheid [-ba:rhɛit] v fighting spirit, militancy.

strijdbijl [-bɛil] v battle-axe, broad-axe; de ~ begraven bury the hatchet.

strijden ['streidə(n)] I vi 1 fight, combat, battle, struggle, contend; 2 dispute; ~ met fight against (with); fig clash with, be contrary to...; ~ tegen fight against; ~ voor fight for; II vt in: de goede strijd ~ fight the good fight.

strijdend [-dənt] fighting, contending, conflicting, contrary, contradictory, militant; de ~e kerk the church militant.

strijder [-dər] m fighter, combatant, warrior.

strijdgenoot ['streitgəno.t] m brother in arms.

strijdgewoel [-vu.l] o turmoil of battle.

strijdig ['streidəx] conflicting², fig discrepant, contradictory, contrary; ~ met contrary to, incompatible with.

strijdigheid [-hɛit] v contrariety.

strijdkrachten ['streitkraxtə(n)] mv armed forces.

strijdkreet [-kre.t] m war-cry, war-whoop, slogan.

strijdleus, -leuze [-lø.s, -lø.zə] v battle-cry; zie ook: strijdkreet.

strijdlust [-lŭst] m combativeness, pugnacity.

trijdlustig [streit'lŭstəx] combative, pugnacious, militant.

strijdmakker ['streitmakər] m comrade in arms.

strijdmiddel [-mɪdəl] o weapon.

strijdperk [-pɛrk] o lists, arena; in het ~ treden enter the lists.

strijddros [-rɔs] o war-horse, battle-horse.

strijdschrift [-s(x)rɪft] o controversial (polemic) pamphlet.

strijdvaardig [streit'fa:rdəx] ready to fight.

strijdvaardigheid [-hɛit] v readiness to fight.

strijdvraag ['streitfra.x] v question at issue, issue.

strijk [streik] in: ~ en zet every moment, again and again; invariably [at 7 o'clock].

strijkage [strei'ka.ʒə] v bow; ~s maken bow and scrape (to voor).

strijkbout ['streikbout] m heater.

strijkconcert [-kɔnsɛrt] o concert for strings.

strijkdeken [-de.kə(n)] v ironing-cloth, ironing-blanket.

strijkelings ['streikəlɪŋs] zie rakelings.

strijken ['streikə(n)] I vi in: ~ langs... brush past...; skim [the water]; hij is met alle koopjes (prijzen) gaan ~ he has snapped up all the bargains, the prizes were all scooped up by him; hij is met de winst gaan ~ he has scooped up the profits; wij hebben gekaart, hij is alweer met de winst gaan ~ he has swept the board; de wind streek over de velden the wind swept the fields; hij streek met de hand over het voorhoofd he passed his hand across his brow; II va iron; III vt smooth [cloth]; iron [linen]; stroke [with the hand]; een boot ~ ⚓ lower (get out) a boat; de vlag ~ strike the flag (one's colours); zie ook: riem & vlag; een zeil ~ ⚓ lower a sail; de zeilen ~ ⚓ strike sail; het haar naar achteren ~ smooth back one's hair; hij streek haar onder de kin he chucked her under the chin; kalk op een muur ~ spread plaster on a wall; kreukels uit het papier ~ smooth out creases; hij streek de ring van zijn vinger he slipped the ring off his finger.

strijker [-kər] m in: de ~s ♪ the strings.

strijkgoed ['streikgu.t] o linen (clothes) to be ironed.

strijkijzer [-ɛizər] o flat-iron, iron; elektrisch ~ electric iron.

strijkinstrument [-ɪnstry.mɛnt] o ♪ stringed instrument; voor ~en ook: for strings.

strijkje [-jə] o ♪ F string-band.

strijkkamer ['streika.mər] v ironing-room.

strijkkoncert zie strijkconcert.

strijkkwartet [-kvartɛt] o ♪ string(ed) quartet(te).

strijkmuziek ['streikmy.zi.k] v ♪ string-music.

strijkorkest [-ɔrkɛst] o ♪ string-orchestra, string-band.

strijkplank [-plaŋk] v ironing-board.

strijkster [-stər] v ironer.

strijkstok [-stɔk] m 1 ♪ bow, fiddlestick; 2 (bij maten) strickle, strike; er blijft heel wat aan maat- en ~ hangen much sticks to the fingers [of the officials].

strijktafel [-ta.fəl] *v* ironing-table.

strik [strɪk] *m* 1 (om te vangen) snare², noose, gin, springe [to catch birds]; 2 (op japon & van lint) knot, bow, favour; 3 (dasje) bow(-tie); *een ~ maken* make a knot; *~ken spannen* lay snares²; *iemand een ~ spannen* lay a snare for a person; *in zijn eigen ~ gevangen raken* be caught in one's own trap; *hij haalde bijtijds zijn hoofd uit de ~* he got his head out of the noose in time.

strikdas ['strɪkdɑs] *v* bow(-tie).

strikje [-jə] *o* bow; *(allerlei) ~s en kwikjes* gewgaws, fal-lals.

strikken ['strɪkə(n)] *vt* 1 tie; 2 (vangen) snare² [birds, gullible people].

strikt [strɪkt] I *aj* strict, precise, rigorous; II *ad* strictly; *~ genomen* strictly speaking.

striktheid ['strɪkthɛit] *v* strictness, precision.

strikvraag ['strɪkfra.x] *v* catch.

strippen ['strɪpə(n)] *vt* strip, stem [tobacco].

stripverhaal ['strɪpfərha.l] *o* (picture, comic) strip. [strip.

stro [stro.] *o* straw.

stroachtig ['stro.ɑxtəx] strawy.

strobed [-bɛt] *o* straw-bed.

strobloem [-blu.m] *v* 🌻 immortelle.

strobos [-bòs] *m* bundle of straw.

strodak [-dɑk] *o* thatched roof.

strodekker [-dɛkər] *m* thatcher.

stroef [stru.f] I *aj* stiff² [hinge, piston & translation]; harsh [features]; stern [countenance]; jerky [verse]; II *ad* stiffly².

stroefheid ['stru.fhɛit] *v* stiffness, harshness &.

strofe ['stro.fə] *v* strophe.

strofisch [-fi.s] strophic.

strogeel ['stro.ge.l] straw-yellow, straw-coloured.

strohalm [-hɑlm] *m* straw; *zich aan een ~ vasthouden* catch at a straw.

strohoed [-hu.t] *m* straw hat, F straw.

strohuls [-hûls] *v* straw case.

strokarton [-kɑrtòn] *o* straw-board.

stroken ['stro.kə(n)] *vi* in: *~ met* be in keeping with.

strokleurig ['stro.klø:rəx] straw-coloured.

stroleger [-le.gər] *o* bed of straw.

stroman [-mɑn] *m* man of straw, dummy.

stromat [-mɑt] *v* straw mat.

stromatras [-ma.trɑs] *v & o* straw mattress.

stromen ['stro.mə(n)] *vi* stream, flow; *~ naar* flock to [fig]; *het stroomt er naar toe* they are flocking to the place; *de tranen stroomden haar over de wangen* the tears streamed down her cheeks.

stromend [-mənt] streaming [rain], running [water].

stroming [-mɪŋ] *v* current², fig trend.

strompelen ['stròmpələ(n)] *vi* stumble, hobble, totter.

stronk [stròŋk] *m* 1 (v. boom) stump, stub; 2 (v. kool) stalk; 3 (v. andijvie) head.

strontium ['stròntsi.ûm] *o* strontium.

strooibiljet ['stro.ibɪljɛt] *o* handbill, leaflet.

1 **strooien** ['stro.jə(n)] *aj* straw; *een ~ hoed* a straw hat.

2 **strooien** ['stro.jə(n)] I *vt* strew, scatter [things], sprinkle [salt], dredge [sugar &]; II *va* throw [nuts, apples &] to be scrambled for [on St. Nicholas' Eve].

strooier [-jər] *m* (voorwerp) dredger, sprinkler, castor.

strooisel ['stro.isəl] *o* litter; *chocolade ~* powdered chocolate.

strooisuiker [-sœykər] *m* castor sugar.

strook [stro.k] *v* strip [of cloth, paper, territory]; slip [of paper]; band, flounce [of a dress]; counterfoil [of receipt &]; label [indicating address]; ✝ tape [of recording telegraph].

stroom [stro.m] *m* 1 (het stromen) stream², current [of a river]; 2 ⚡ current; 3 (rivier) stream, river; 4 fig flow [of words]; *een ~ van mensen (tranen)* a stream of people (tears); *de ~ van zijn welsprekendheid* the tide of his eloquence; *bij stromen* in streams, in torrents; *met de ~ meegaan* go with the stream; *onder ~* ⚡ live [wire], charged; *niet onder ~* ⚡ dead; *op ~ liggen* ⚓ be in mid-stream; *tegen de ~ inroeien* row against the stream; *vele gezinnen zaten zonder ~* many homes were without power.

stroomaf(waarts) [-'ɑf(va:rts)] down the river, downstream.

stroombed ['stro.mbɛt] *o* river-bed.

stroomgebied [-gəbi.t] *o* (river-)basin.

stroomkring [-krɪŋ] *m* ⚡ circuit.

stroomlevering [-le.vərɪŋ] *v* ⚡ current supply.

stroomlijn [-lɛin] *v* streamline.

stroomlijnen [-lɛinə(n)] *vt* streamline.

stroomop(waarts) [stro.m'òp(va:rts)] up the river, upstream.

stroomrijk ['stro.mrɛik] streamy.

stroomsterkte [-stɛrktə] *v* ⚡ strength of current.

stroomverbruik [-vərbrœyk] *o* ⚡ consumption of current, current consumption.

stroomversnelling [-vərsnɛlɪŋ] *v* rapid.

stroomwisselaar [-vɪsəla:r] *m* ⚡ commutator.

stroop [stro.p] *v* 1 treacle [made of beetroot]; 2 syrup [of fruits]; *iemand ~ om de mond smeren* zie honi(n)g.

stroopachtig ['stro.pɑxtəx] 1 treacly; 2 syrupy.

stroopje [-jə] *o* syrup.

stroopkwast [-kʋɑst] *m* in: *met de ~ lopen* butter up people.

strooplikken [-lɪkə(n)] *vi* F toady.

strooplikker [-lɪkər] *m* F lickspittle, toady.

strooplikkerij [stro.plɪkə'rɛi] *v* F toadyism.

strooppot ['stro.pòt] *m* treacle-pot; *met de ~ lopen* butter up people.

strooptocht ['stro.ptòxt] *m* predatory incursion, raid.

strootje ['stro.cə] *o* 1 straw; 2 *Ind* straw cigarette; *~ trekken* draw straws; *over een ~ vallen* stumble at a straw.

strop [strɔp] *m* & *v* 1 (om iemand op te hangen) halter, rope; 2 (voor wild) snare; 3 (aan laars) strap; 4 ⚓ strop; 5 (stropdas) stock; *een ~ van een jongen* a (little) rascal; *daar heb ik een ~ aan S* I am out of pocket by the transaction; *dat is een ~ S* (geldelijk nadeel) it is a bad bargain; ('n tegenvaller) bad luck!; *iemand de ~ om de hals doen* put the halter round a man's neck; *hij werd veroordeeld tot de ~* he was condemned to be hanged, he was sentenced to death by hanging.

stropapier ['stro.pa.pi:r] *o* straw-paper.

stropdas ['strɔpdɑs] *v* 1 (ouderwets) stock; 2 (zelfbinder) knotted tie.

stropen ['stro.pə(n)] **I** *vi* (v. wilddieven) poach; 2 (v. andere dieven) maraud, pillage; **II** *vt* 1 strip [a branch of its leaves, a tree of its bark]; skin [an eel, a hare]; 2 poach [game].

stroper [-pər] *m* 1 poacher [of game]; 2 marauder.

stroperig [-pərəx] zie *stroopachtig*.

stroperij [stro.pə'rɛi] *v* 1 poaching [of game]; 2 marauding.

stropop ['stro.pɔp] *v* zie *stroman*.

stroppen ['strɔpə(n)] *vt* snare.

strosnijder ['stro.snɛidər] *m* straw-cutter.

strot [strɔt] *m* & *v* throat; *hij heeft zich de ~ afgesneden* he has cut his throat; *alles door de ~ jagen* eat oneself out of hearth and home.

strotader ['strɔtɑ.dər] *v* jugular vein.

strotklepje [-klɛpjə] *o* epiglottis.

strottehoofd ['strɔtəho.ft] *o* larynx.

strovuurtje ['stro.vy:rcə] *o* straw fire.

strowis [-vis] *v* wisp of straw.

strozak [-zɑk] *m* straw mattress.

strubbeling ['strʉbəlɪŋ] *v* difficulty, trouble; *dat zal ~en geven* there will be trouble.

structuur [strʉk'ty:r] *v* structure [of organism]; texture[2] [of skin, a rock, a literary work].

struif [strœyf] *v* omelet(te).

struik [strœyk] *m* bush, shrub.

struikelblok ['strœykəlblɔk] *o* stumblingblock, obstacle.

struikelen [-kələ(n)] *vi* stumble, trip[2]; *wij ~ allen wel eens* we are all apt to trip; *~ over een steen* be tripped up by a stone; *~ over zijn eigen woorden* stumble over one's own words; *iemand doen ~* trip one up[2].

struikeling [-kəlɪŋ] *v* stumbling, stumble.

struikgewas ['strœykgəvɑs] *o* shrubs, bushes, brushwood, scrub.

struikhei(de) [-hɛi(də)] *v* ✿ ling.

struikrover [-ro.vər] *m* highwayman.

struikroverij [strœykro.və'rɛi] *v* highway robbery.

1 **struis** [strœys] *v* ceruse, white lead.

2 **struis** [strœys] *m* ➚ zie *struisvogel*.

struisveer ['strœysfe:r] *v* ostrich feather, ostrich plume.

struisvogel [-fo.gəl] *m* ➚ ostrich.

struisvogelpolitiek [-po.li.ti.k] *v* ostrich policy.

struktuur zie *structuur*.

◯ **struweel** [stry.'ve.l] *o* shrubs.

strychnine [strɪx'ni.nə] *v* strychnine.

stuc [sty.k] *o* stucco.

studeerkamer [sty.'de:rka.mər] *v* study.

studeerlamp [-lɑmp] *v* reading-lamp.

studeervertrek [-vərtrɛk] *o* zie *studeerkamer*.

student [sty.'dɛnt] *m* student, undergraduate.

studentencorps [sty.'dɛntə(n)kɔ:r] *o* corporation of students.

studentengrap [-grɑp] *v* students' prank.

studentenhaver [-ha.vər] *v* S almonds and raisins.

studentenjaren [-ja:rə(n)] *mv* college years.

studentenkorps [-kɔ:r] = *studentencorps*.

studentenleven [-le.və(n)] *o* college life.

studentenlied [-li.t] *o* students' song.

studentenpet [-pɛt] *v* college cap.

studentensociëteit [-so.si.tɛit] *v* students' club.

studentenstreek [-stre.k] *m* & *v* students' trick (prank).

studentikoos [sty.dɛnti.'ko.s] student-like.

studeren [sty.'de:rə(n)] *vi* 1 study; read [for an examination, a degree]; be at college; 2 ♪ practise; *heeft hij aan de universiteit gestudeerd?* is he a University man?; *wij kunnen hem niet laten ~* we cannot send him to college; *(in) talen ~* study languages; *in de rechten (wiskunde &) ~* study law (mathematics &); *erop ~ om... ~* study to...; *op de piano ~* practise the piano.

studie ['sty.di.] *v* 1 (in 't alg.) study [also in painting & ♪]; 2 ➚ preparation [of lessons]; *~ maken van* make a study of...; *in ~ nemen* study [a proposal]; put [a play] in rehearsal; *op ~ zijn* ➚ be at college (at school); *een man van ~* a man of studious habits, a student.

studiebeurs [-bø:rs] *v* scholarship, exhibition.

studieboek [-bu.k] *o* text-book.

studiefonds [-fɔnts] *o* foundation.

studiejaar [-ja:r] *o* year of study; *ik ben in het eerste ~* I am in the first standard (form).

studiekop [-kɔp] *m* 1 [painter's] study of a head; 2 head for learning.

studiekosten [-kɔstə(n)] *mv* college expenses.

studiereis [-reis] *v* study tour.

studietijd [-tɛit] *m* years of study, college days.

studio ['sty.di.o.] *m* studio.

studiosus [sty.di.'o.zʉs] *m* student.

stuf [stʉf] *o* ➚ (india-)rubber, [ink-]eraser.

stug [stʉx] **I** *aj* 1 stiff; 2 surly; **II** *ad* 1 stiffly; 2 surlily.

stugheid ['stʉxhɛit] *v* 1 stiffness; 2 surliness.

stuifmeel ['stœyfme.l] *o* ✿ pollen.

stuifzand [-sɑnt] *o* drift sand.

stuifzwam [-svɑm] *v* ✿ puff-ball.

stuip [stœyp] *v* convulsion, fit; *fig* whim; *~en* fits of infants; *zich een ~ lachen* be convulsed with laughter; *iemand de ~en op het lijf jagen* give a person a fit.

stuipachtig ['stœypɑxtəx] convulsive.

stuiptrekken [-trɛkə(n)] *vi* be (lie) in convulsions.

stuiptrekkend [-kənt] convulsive.

stuiptrekking [-kɪŋ] *v* convulsion, twitching.

stuit(been) ['stœyt(be.n)] *v* (*o*) coccyx.

stuiten ['stœytə(n)] **I** *vt* 1 stop, check, arrest, stem; 2 *fig* shock, offend; *het stuit me* (*tegen de borst*) it goes against the grain with me; **II** *vi* bounce [of a ball]; ~ *op moeilijkheden* meet with difficulties; ~ *tegen een muur* strike a wall.

stuitend [-tənt] *aj* (& *ad*) offensive(ly), shocking(ly).

stuiter [-tər] *m* big marble, taw.

stuiven ['stœyvə(n)] *vi* fly about; dash; *het stuift* there is a dust; *hij stoof de kamer in* he dashed into the room; *hij stoof de kamer uit* he ran out of the room.

stuiver ['stœyvər] *m* penny; ⚒ stiver; *ik heb geen* ~ I have not got a stiver; *hij heeft een aardige* (*mooie*) ~ *verdiend* he has earned a pretty penny; *zie ook: stuivertje.*

stuiverstuk [-stük] *o* penny.

stuivertje [-cə] *o* penny; ~ *wisselen* (play) puss in the corner.

stuk [stük] **I** *o* 1 (v. geheel) piece, part, fragment; 2 (lap) piece; 3 (vuurmond) gun, piece (of ordnance); 4 (schaakstuk) piece, (chess-)man; 5 (damschijf) (draughts)man; 6 (schriftstuk) paper, document; article [in a periodical]; \$ security; 7 (toneelstuk) play, piece; 8 (schilderstuk) piece, picture; 9 (aantal) head [of cattle]; *ingezonden* ~ *zie ingezonden*; *een stout* ~ a bold feat; *een* ~ *artiest* a bit of an artist; *een* ~ *neef van me* F a sort of cousin of mine; *vijftig* ~*s* fifty; *vijftig* ~*s vee* fifty head of cattle; *een mooi* ~ *werk* a fine piece of work; *een* ~ *wijn* a piece of wine; *een* ~ *zeep* a piece (a cake) of soap; *vijf gulden het* ~ five guilders apiece; five guilders each; *een* ~ *of vijf (tien)* four or five; nine or ten; ~*ken en brokken* odds and ends; *een* ~ *in hebben* (*in zijn kraag*) F be in one's cups; *zijn* ~*ken inzenden* send in one's papers; *aan één* ~ of one piece; *uren aan één* ~ (*door*) for hours at a stretch, on end; *aan het* ~ in the piece; *aan* ~*ken breken* (*scheuren* &) break (tear) to pieces; *bij* ~*en en brokken* piecemeal, bit by bit, piece by piece; *in één* ~ *dóór* at a stretch; *het schip sloeg in* ~*ken* was dashed to pieces; *op* ~ ~ *werken* work by the piece; *op geen* ~*ken na* not by a long way; *het is op geen* ~*ken na genoeg om te...* it is nothing like enough to...; *op het* ~ *van politiek* in point of (in the matter of) politics; *op* ~ *van zaken* after all; when it came to the point; *op zijn* ~ *blijven staan* keep (stick) to one's point; *zoveel per* ~ so much apiece, each; *per* ~ *verkopen* sell by the piece (singly, in ones); *uit één* ~ of one piece; *hij is een man uit één* ~ he is a plain, downright fellow; *iemand van zijn* ~ *brengen* upset a person; *van zijn* ~ *raken* be upset; *hij is klein van* ~ he is of a small stature, short of stature; ~ *voor* ~ one by one; **II** *aj* broken; out of order, in pieces, gone to pieces.

stukadoor [sty.ka.'do:r] *m* plasterer, stuccoworker.

stukadoorswerk [-'do:rsvɛrk] *o* plastering, stucco(-work).

stukadoren [-'do:rə(n)] **I** *vt* plaster, stucco; **II** *vi* & *va* work in plaster.

stukbreken ['stükbre.kə(n)] *vt* break [it] to pieces.

stukgaan [-ga.n] *vi* break, go to pieces.

stukgoederen [-gu.dərə(n)] *mv* 1 \$ [textile] piece-goods; 2 ⚓ (lading) general cargo.

stukgooien [-go.jə(n)] *vt* smash.

stukje [-jə] *o* bit; *een kranig* ~ a fine feat; *bij* ~*s en beetjes* bit by bit; *zie ook: stuk* I.

stukloon [-lo.n] *o* piece-wage.

stukmaken [-ma.kə(n)] *vt* break, smash.

stukrijder [-rɛidər] *m* ⚔ driver.

stukscheuren [-sxø:rə(n)] *vt* tear to pieces, tear up.

stuksgewijs, -gewijze [stüksgə'vɛis, -'vɛizə] piecemeal.

stukslaan ['stüksla.n] *vt* smash, knock to pieces; *geld* ~ make the money fly.

stuktrappen [-trɑpə(n)] *vt* kick to pieces.

stukvallen [-fɑlə(n)] *vi* fall to pieces.

stukwerk [-vɛrk] *o* piece-work.

stukwerker [-vɛrkər] *m* piece-worker.

stulp [stülp] *v* hut, hovel; *zie ook: stolp.*

stumper ['stümpər] = *stumperd.*

stumperachtig [-ɑxtəx] *zie stumperig.*

stumperd ['stümpərt] *m* bungler; *arme* ~! poor wretch; poor thing.

stumperig [-pərəx] *aj* (& *ad*) 1 bungling(ly); 2 wretched(ly).

stuntelig ['stüntələx] **I** *aj* clumsy; **II** *ad* clumsily.

sturen ['sty:rə(n)] **I** *vt* 1 (zenden) send; 2 (besturen) steer [a ship, a motor-car], drive [a car]; *iemand om iets* ~ send one for it; **II** *vi* & *va* ⚓ steer; drive; *wij stuurden naar Engeland* we steered (our course) for England; *om de dokter* ~ send for the doctor; *ik zal er om* ~ I'll send for it.

stut [stüt] *m* prop, support[2], stay[2].

stutten ['stütə(n)] *vt* prop, prop up, shore (up), support, buttress up, underpin[2].

stuur [sty:r] *o* 1 helm, rudder [of a ship]; 2 handle-bar [of a bicycle]; 3 wheel [of a motor-car]; *links* (*rechts*) ~ ⚙ left-hand (right-hand) drive.

stuuras ['sty:rɑs] *v* ⚙ steering shaft.

stuurboord [-bo:rt] *o* ⚓ starboard; *zie ook: bakboord.*

stuurhuis [-hœys] *o* 1 ⚓ wheel-house; 2 ✈ cockpit.

stuurhut [-hǔt] *v* ⚓ cockpit.

stuurinrichting [-ɪnrɪxtɪŋ] *v* steering-gear.

stuurloos [-lo.s] out of control.

stuurman [-mɑn] *m* ⚓ 1 steersman, mate [chief, second]; man at the helm; 2 coxswain [of a boat]; *de beste stuurlui staan aan wal* bachelors' wives and maidens' children are well taught.

stuurmanskunst [-mɑnskǔnst] *v* (art of) navigation.

stuurrad ['sty:rɑt] *o* steering-wheel.

stuurreep [-re.p] *m* ⚓ tiller-rope, wheel-rope.

stuurs [sty:rs] surly, sour.

stuursheid ['sty:rshɛit] *v* surliness, sourness.

stuurstang ['sty:rstɑŋ] *v* 1 (v. fiets) handlebar; 2 🚗 drag link; 3 ✈ S joy-stick.

stuurstoel [-stu.l] *m* 1 ⚓ stern-sheets; 2 ✈ pilot's seat.

stuw [sty:u] *m* weir, dam, barrage.

stuwadoor [sty.va.'do:r] *m* ⚓ stevedore.

stuwage [-'va.ʒə] *v* ⚓ stowage.

stuwdam ['sty:udɑm] *m* zie *stuw.*

stuwen ['sty.və(n)] *vt* 1 ⚓ stow [the cargo]; 2 (voortbewegen) propel; 3 (tegenhouden) dam up [the water].

stuwer [-vər] *m* ⚓ stower, stevedore.

stuwkracht ['sty:ukrɑxt] *v* propulsive (impulsive) force; *fig* driving power.

Styx [stɪks] *m* Styx; *van de* ~ Stygian.

subagent ['sǔpa.gɛnt] *m* sub-agent.

subaltern [sy.bɑl'tɛrn] subaltern.

subcommissie ['sǔpkòmɪsi.] *v* subcommittee.

subcontinent [-kònti.nɛnt] *o* subcontinent.

subiet [sy.'bi.t] I *aj* sudden; II *ad* suddenly; at once.

subject ['sǔbjɛkt] *o* subject.

subjectief [sǔbjɛk'ti.f] *aj* (& *ad*) subjective(ly).

subjectiviteit [-ti.vi.'tɛit] *v* subjectivity.

subjekt(-) zie *subject*(-).

subkommissie zie *subcommissie.*

subkontinent zie *subcontinent.*

subliem [sy.'bli.m] sublime.

sublimaat [-bli.'ma.t] *o* sublimate.

sublimeren [-bli.'me:rə(n)] *vt* sublimate.

subordinatie [sy.bɔrdi.'na.(t)si.] *v* subordination.

subsidiair [sǔpsi.di.'ɛ:r] in the alternative, with the alternative of.

subsidie [sǔp'si.di.] *v* & *o* subsidy, subvention grant.

subsidiëren [-si.di.'e:rə(n)] *vt* subsidize.

subsidiëring [-rɪŋ] *v* subsidization.

subsoon ['sǔpso.n] subsonic.

substantie [sǔp'stɑn(t)si.] *v* substance.

substantief ['sǔpstɑnti.f] *o* substantive, noun.

substitueren [sǔpsti.ty.'e:rə(n)] *vt* substitute.

substitutie [-'ty.(t)si.] *v* substitution.

substituut [-'ty.t] *m* substitute; ⚖ Deputy Prosecutor; ~*-griffier* ⚖ Deputy Clerk.

subtiel [sǔp'ti.l] subtle.

subtiliteit [-ti.li.'tɛit] *v* subtlety.

subtropen ['sǔptro.pə(n)] *mv* subtropics.

subtropisch [sǔp'tro.pi.s] subtropical.

succes [sǔk'sɛs] *o* success; *veel* ~ *!* good luck!; ~ *hebben* score a success, be successful; *geen* ~ *hebben* meet with no success, be unsuccessful, fail, fall flat; *veel* ~ *hebben* score a great success, be a great success; *met* ~ with good success, successfully.

succesnummer [-nǔmər] *o* hit.

successie [sǔk'sɛsi.] *v* succession.

successiebelasting [-bəlɑstɪŋ] *v* zie *successierechten.*

successief [sǔksɛ'si.f] successive.

successieoorlog [sǔk'sɛsi.o:rlɔx] *m* war of succession.

successierechten [-rɛxtə(n)] *mv* death duties.

successievelijk [sǔksɛ'si.vələk] successively.

successtuk [sǔk'sɛstǔk] *o* hit.

succesvol [-'sɛsfòl] *aj* (& *ad*) successful(ly).

sudderen ['sǔdərə(n)] *vi* simmer; *laten* ~ simmer.

suède [sy.'ɛ.də] *o* & *v* suède. [mer.

Suez ['sy.ɛs] *o* Suez; ~*kanaal* Suez Canal.

suf [sǔf] dazed [in the head]; muzzy [look]; dull, sleepy [boys].

suffen ['sǔfə(n)] *vi* dote; (soezen) doze; *zit je daar te* ~*?* are your wits wool-gathering?

suffer(d) [-fər(t)] *m* dotard; *fig* duffer, muff, dullard.

sufferig [-fərəx] doting.

sufheid ['sǔfhɛit] *v* dullness.

suggereren [sǔgə're:rə(n)] *vt* suggest [something].

suggestie [-'gɛsti.] *v* suggestion.

suggestief [-gɛs'ti.f] *aj* (& *ad*) suggestive(ly).

suiker ['sœykər] *m* sugar; *gesponnen* ~ candy

suikerachtig [-ɑxtəx] sugary. [floss.

suikerbakker [-bɑkər] *m* confectioner.

suikerbeet, -biet [-be.t, -bi.t] *v* 🌱 sugar-beet.

suikerboon [-bo.n] *v* 1 🌱 French bean; 2 (snoep) sugar-plum.

suikerbrood [-bro.t] *o* sugar-loaf.

suikercultuur [-kǔlty:r] *v* sugar-culture.

suikeren ['sœykərə(n)] *vt* sugar, sweeten.

suikererwt ['sœykərɛr(v)t] *v* 🌱 sugar-pea.

suikerfabriek [-fa.bri.k] *v* sugar factory.

suikergehalte [-gəhɑltə] *v* sugar content.

suikerglazuur [-gla.zy:r] *o* icing [of cakes &

suikergoed [-gu.t] *o* confectionery, sweetmeats.

suikerhoudend [-hɔudənt] containing sugar.

suikerig ['sœykərəx] sugary.

suikerkultuur zie *suikercultuur.*

suikerlepeltje ['sœykərlə.pəlcə] *o* sugar-spoon.

suikeroogst [-o.xst] *m* sugar-crop.

suikeroom [-o.m] *m* F rich uncle, zie ook: *erf-oom.*

suikerplantage [-plɑnta.ʒə] *v* sugar-plantation, sugar-estate.

suikerpot [-pɔt] *m* sugar-basin.

suikerproductie zie *suikerproduktie.*

suikerproduktie [-pro.dǔksi.] *v* sugar output.

suikerraffinaderij [-rɑfi.na.dərɛi] *v* sugarrefinery.

suikerraffinadeur [-dø:r] *m* sugar-refiner.
suikerriet ['sœykəri.t] *o* sugar-cane.
suikerschepje ['sœykərsxɛpjə] *o* sugar-spoon.
suikerspin [-spɪn] *v* candy floss.
suikerstrooier [-stro.jər] *m* sugar-caster.
suikerstroop [-stro.p] *v* molasses.
suikertang [-taŋ] *v* sugar-tongs.
suikertante [-tantə] *v* F rich aunt, zie ook: *erf-*
suikertje [-cə] *o* sugar-plum. [*tante.*
suikerwater [-va.tər] *o* sugar and water.
suikerwerk [-vɛrk] *o* sweetmeats, sweets, confectionery.
suikerziekte [-zi.ktə] *v* diabetes; *lijder aan* ∼
diabetic.
suikerzoet [-zu.t] as sweet as sugar; sugary².
suite ['svi.tə] *v* I suite of rooms; 2 ◊ sequence
[of cards]; 3 ♪ suite.
suizebollen ['sœyzəbolə(n)] *vi* in: *de klap deed*
hem ∼ the blow made his head reel.
suizelen [-lə(n)] *vi* rustle [of trees].
suizeling [-lɪŋ] *v* rustling.
suizen ['sœyzə(n)] *vi* buzz, sough; sing, ring,
tingle [of ears]; whisk (along, past &) [of
motor-cars]. ◆
suizing [-zɪŋ] *v* buzzing, tingling; ∼ *in de oren*
singing (ringing) in the ears.
suja! ['sy.ja.] hush!
sujet [sy.'ʒɛt] *o* individual, person, fellow; *een*
gemeen ∼ a scalawag, a mean fellow.
sukade [sy.'ka.də] *v* candied peel.
sukkel ['sŭkəl] *m* I crock; 2 *v* poor soul; *aan*
de ∼ *zijn* be ailing; *arme* ∼ *!* poor wretch!
sukkelaar [-kəla:r] *m* I (t. o. v. gezondheid)
valetudinarian; 2 zie *sukkel.*
sukkeldraf ['sŭkəldraf] *m* in: *op een* ∼*je* at a
jog-trot.
sukkelen [-kələ(n)] *vi* I be ailing; 2 (lopen)
jog; *hij was al lang aan het* ∼ he haď been in
indifferent health for a long time; *hij sukkelde*
achter zijn vader aan he pottered in his
father's wake; *met zijn been* suffer from
his leg; *die jongen sukkelt met rekenen* that
boy is weak in arithmetic.
sukkelend [-kələnt] ailing.
sukkelgangetje [-kəlgaŋəcə] *o* jog-trot; *het*
gaat zo'n ∼ we are jogging along.
sukses zie *succes.*
sul [sŭl] *m* noodle, muff, simpleton, dunce,
dolt, ninny, softy, juggins, flat.
sulfaat [sŭl'fa.t] *o* sulphate.
sulfer ['sŭlfər] *o* & *m* sulphur, brimstone.
sullen ['sŭlə(n)] *vi* slide.
sullig ['sŭləx] soft, goody-goody.
sulligheid [-hɛit] *v* softness.
sultan ['sŭltɑn] *m* sultan.
sultanaat [sŭlta.'na.t] *o* sultanate.
sultane [sŭl'ta.nə] *v* sultana, sultaness.
sumak [sy.'mɑk] *m* sumac(h).
Sumatra [sy.'ma.tra.] *o* Sumatra.
Sumatraan [-ma.'tra.n] *m* Sumatra man,
Sumatran.
Sumatraans [-'tra.ns] Sumatran, Sumatra...

summum ['sŭmŭm] *o* in: *dat is het* ∼ zie *top-*
punt.
supercarga, -cargo ['sy.pərkɑrga., -go.] *m* $ &
⚓ supercargo.
superfosfaat [-fəsfa.t] *o* superphosphate.
superieur [sy.pe:ri.'ø:r] I *aj* superior; II *m*
superior; ∼*e v* Mother Superior [of a con-
vent]; *zijn* ∼*en* his superiors.
superioriteit [-o:ri.'tɛit] *v* superiority.
superlatief ['sy.pɛrla.ti.f] *m* superlative.
supermarkt ['sy.pərmɑrkt] *v* supermarket.
supersonisch [sy.pɛr'so.ni.s] supersonic.
supplement [sŭplə'mɛnt] *o* supplement.
suppleren [sŭ'ple:rə(n)] *vt* supplement, make
up the deficiency.
suppletie [-'ple.(t)si.] *v* supplementary payment; completion.
suppletoir, suppletoor [-ple.'to:r] in: ∼*e begro-*
ting supplementary estimates.
suppoost [sŭ'po.st] *m* I door-keeper, usher;
attendant [of a museum]; 2 (v. gevangenis)
turnkey, warder.
supporter [sŭ'pɔrtər] *m sp* supporter.
suprematie [sy.pre.ma.'(t)si.] *v* supremacy.
Surinaams [sy:ri.'na.ms] Surinam.
Suriname [-'na.mə] *o* Surinam.
surnumerair [sy:rny.mə're:r] *m* supernumerary.
surplus [sy:r'ply.s] *o* surplus, excess; $ margin,
cover.
surprise [sy:r'pri.zə] *v* I surprise; 2 surprise
packet &.
surrogaat [sŭro.'ga.t] *o* substitute.
surséance [sy:rse.'ɑnsə] *v* delay; ∼ *van betaling*
$ letter of licence.
surveillance [-vɛi'ɑnsə] *v* surveillance, supervision; (bij examen) invigilation.
surveillant [-'ɑnt] *m* I overseer; 2 ☞ master on
duty; (bij examen) invigilator.
surveilleren [-'e:rə(n)] I *vt* keep an eye on,
watch (over) [boys, students]; II *va* be on
duty; (bij examen) invigilate.
sussen [sŭsə(n)] *vt* hush [a child], soothe [a
person]; *fig* hush up [an affair], pacify [one's
Suzanna [sy.'zɑna.] *v* Susanna. [conscience].
Suze ['sy.zə] *v* Suzy.
suzerein [sy.zə'rɛin] *m* suzerain.
suzereiniteit [-rɛini.'tɛit] *v* suzerainty.
swastika ['svɑsti.ka.] *v* swastika, fylfot.
syllabe [si.'la.bə] *v* syllable.
syllabus ['sɪla.bŭs] *m* syllabus.
symboliek [sɪmbo.'li.k] *v* symbolism.
symbolisch [-'bo.li.s] I *aj* symbolic(al); ∼*e be-*
taling token payment; II *ad* symbolically.
symboliseren [-bo.li.'ze:rə(n)] *vt* symbolize.
symbolisme [-bo.'lɪsmə] *o* symbolism.
symbolizeren zie *symboliseren.*
symbool [-'bo.l] *o* symbol, emblem.
symfonie [sɪmfo.'ni.] *v* ♪ symphony.
symfonieconcert, -koncert [-kònsɛrt] *o* ♪
symphony concert.
symfonieorkest [-ɔrkɛst] *o* ♪ symphony
orchestra.

symfonisch [sɪm'fo.ni.s] ♪ symphonic.
symmetrie [sɪme.'tri.] *v* symmetry.
symmetrisch [-'me.tri.s] *aj* (& *ad*) symmetric(ally).
sympathie [sɪmpa.'ti.] *v* fellow-feeling; sympathy (with *voor*); ~*ën en antipathieën* ook: likes and dislikes.
sympathiek [-'ti.k] I *aj* congenial [surroundings]; F likable [fellow], nice [man], attractive [woman]; engaging [trait]; soms: sympathetic; II *ad* sympathetically.
sympathiseren, sympathizeren [-ti.'ze:rə(n)] *vi* sympathize; ~ *met* sympathize with, be in sympathy with.
sympati- zie *sympathi-*.
symptomatisch [sɪmto.'ma.ti.s] symptomatic (of *voor*).
symptoom [-'to.m] *o* symptom.
synagoge, synagoog [si.na.'go.gə, -'go.x] *v* synagogue.
synchronisatie [sɪnɡro.ni.'za.(t)si.] *v* synchronization.
synchroniseren [-'ze:rə(n)] *vt* synchronize.
synchroniz- zie *synchronis-*.
synchroon [sɪn'ɡro.n] synchronous.
synchroonklok [-klɔk] *v* synchronous electric clock.
syncoperen [sɪnko.'pe:rə(n)] *vt* ♪ syncopate.
syndicaat, syndikaat [sɪndi.'ka.t] *o* syndicate, pool.
syndroom [-'dro.m] *o* 🎯 syndrome.
synkoperen zie *syncoperen*. [*tie*.
synkronisatie [-kro.ni.'za.(t)si.] = *synchronisa-*
synkroniseren [-'ze:rə(n)] = *synchroniseren*.
synkroniz- zie *synkronis-*.
synkroon(-) [sɪn'kro.n] = *synchroon(-)*.
synode [si.'no.də] *v* synod.
synoniem [si.no.'ni.m] *aj* (& *ad*) synonymous(ly); II *o* synonym.
syntaxis [sɪn'taksɪs] *v* syntax.
synte- zie *synthe-*.
synthese [sɪn'te.zə] *v* synthesis.
synthetisch [-'te.ti.s] I *aj* synthetic [rubber, food &]; II *ad* synthetically.
Syrië ['si:ri.ə] *o* Syria.
Syriër ['si:ri.ər] *m* Syrian.
Syrisch ['si:ri.s] I *aj* Syrian; II *o* Syriac.
systeem [si.'ste.m] *o* system.
systematisch [si.ste.'ma.ti.s] *aj* (& *ad*) systematic(ally).
systematiseren, systematizeren [-ma.ti.'ze:-rə(n)] *vt* systematize.

T

t [te.] *v* t.
Taag [ta.x] *m* Tagus.
taai [ta:i] tough [beefsteak, steel, clay &]; *fig* tough [fellow], tenacious [memory], dogged [determination]; (saai) dull; *het is een* ~

boek it is dull reading; *hij is* ~ 1 he is a wiry fellow; 2 he is a tough customer; *hou je* ~ *!* 1 keep hearty!; 2 bear up!, never say die!; *een* ~ *gestel* a tough constitution; *het is een* ~ *werkje* it is a dull job; *zo* ~ *als leer* as tough as leather.
taaiheid ['ta:ihɛit] *v* toughness; wiriness; *fig* tenacity.
taaitaai [ta:i'ta:i] *m* & *o* tough gingerbread.
taak [ta.k] *v* task; *een* ~ *opleggen* (*opgeven*) set [a man] a task; *zich iets tot* ~ *stellen* zie *stellen* II.
taakomschrijving ['ta.kɔms(x)rɛivɪŋ] *v* terms of reference.
taal [ta.l] *v* language, speech, tongue; ~ *noch teken* neither word nor sign; *hij gaf* ~ *noch teken* he neither spoke nor moved; *zonder* ~ *of teken te geven* .without (either) word or sign; *wel ter tale zijn* be a fluent speaker.
taalboek ['ta.lbu.k] *o* language-book, grammar.
taaleigen [-ɛigə(n)] *o* idiom.
taalfout [-fəut] *v* mistake against the language.
taalgebruik [-gəbrœyk] *o* usage.
taalgeleerde [-gəle:rdə] *m* philologist, linguist.
taalgevoel [-gəvu.l] *o* language-sense.
taalgrens [-grɛns] *v* language boundary.
taalkenner [-kɛnər] *m* linguist, philologist.
taalkunde [-kűndə] *v* knowledge of languages, philology.
taalkundig [-dəx] I *aj* grammatical, philological; ~*e ontleding* parsing; II *ad* in: ~ *juist* grammatically correct; ~ *ontleden* parse.
taalkundige [ta.l'kűndəgə] *m* linguist, philologist.
taaloefening ['ta.lu.fənɪŋ] *v* grammatical exercise.
taalonderwijs [-òndərvɛis] *o* language teaching.
taalregel [-re.gəl] *m* grammatical rule.
taalschat [-sxɑt] *m* vocabulary.
taalstrijd [-strɛit] *m* language struggle.
taalstudie [-sty.di.] *v* study of language(s).
taaltje [-cə] *o* F lingo, jargon, gibberish.
taalwet [-vɛt] *v* linguistic law.
taalwetenschap [-ve.tənsxɑp] *v* science of language, linguistics, philology.
taalzuiveraar [-zœyvəra:r] *m* purist.
taalzuivering [-rɪŋ] *v* purism.
taan [ta.n] *v* tan. [colour.
taankleur ['ta.nklø:r] *v* tan-colour, tan
taankleurig [-klø:rəx] tan-coloured, tawny.
taart [ta.rt] *v* cake, tart.
taartenbakker ['ta.rtə(n)bɑkər] *m* confectioner.
taart(e)schaal ['ta.rt(ə)sxa.l] *v* tart-dish.
taart(e)schep [-(ə)sxɛp] *v* tart-server.
taartje ['ta.rcə] *o* pastry, tartlet; ~*s* ook: fancy pastry.
tabak [ta.'bɑk] *m* tobacco. [tax.
tabaksbelasting [ta.'bɑksbəlɑstɪŋ] *v* tobacco
tabaksblad [-blɑt] *o* tobacco-leaf.
tabaksbouw [-bəu] *m* ~*cultuur* [-kűlty:r] *v* tobacco-culture, tobacco-growing.

tabaksdoos [-do.s] *v* tobacco-box.
tabaksfabriek [-fa.bri.k] *v* tobacco-factory.
tabakshandel [-handəl] *m* tobacco-trade.
tabakshandelaar, ~koper [-handəla:r, -ko.pər] *m* tobacco-dealer, tobacconist.
tabakskultuur zie *tabakscultuur*.
tabaksland [-lant] *o* tobacco estate.
tabaksmarkt [-markt] *v* tobacco market.
tabaksonderneming [-òndərne.mιŋ] *v* tobacco-plantation.
tabakspijp [-pεip] *v* tobacco-pipe.
tabaksplant [-plant] *v* ⚥ tobacco-plant.
tabaksplantage [-planta.ʒə] *v* tobacco-plantation.
tabaksplanter [-plantər] *m* tobacco-planter.
tabakspot [-pɔt] *m* tobacco-jar.
tabakspruim [-prœym] *v* quid.
tabaksregie [-re.ʒi.] *v* (tobacco) régie, tobacco monopoly.
tabaksreuk [-rø.k] *m* smell of tobacco.
tabaksschuur [ta.'baksxy:r] *v* tobacco-barn.
tabaksvat [ta.'baksfat] *o* tobacco-cask.
tabaksveiling [-fεilιŋ] *v* sale of tobacco.
tabaksverkoper [-fərko.pər] *m* tobacconist.
tabakswinkel [-vιŋkəl] *m* tobacco-shop, tobacconist's (shop).
tabakszak [ta.'baksak] *m* tobacco-pouch.
tabbaard, tabberd ['taba:rt, 'tabərt] *m* tabard, gown, robe; *iemand op zijn ~ komen* dust one's jacket.
tabel [ta.'bɛl] *v* table, schedule, index, list.
tabellarisch [ta.bɛ'la:ri.s] **I** *aj* tabular, tabulated; **II** *ad* in tabular form.
tabernakel [ta.bər'na.kəl] *o* & *m* tabernacle; *het feest der ~en* the Feast of Tabernacles; *ik zal je op je ~ komen, je krijgt op je ~* **F** I'll dust your jacket.
tableau [ta.'blo.] *o* scene; *~!*, tableau!, curtain!; *~ vivant* [vi.'vã] living picture.
tablet [ta.'blɛt] *v* & *o* 1 (p l a k) tablet; 2 (k o e k-je) lozenge, square.
taboe [ta.'bu.] taboo; *~ verklaren* taboo.
taboeret, tabouret [ta.bu.'rɛt] *m* tabouret, stool; (v o o r d e v o e t e n) footstool.
tachtig ['taxtəx] eighty; ook: four score [years].
tachtiger [-təgər] *m* octogenarian, man of eighty; *de Tachtigers* the writers of the eighties.
tachtigjarig ['taxtəxja:rəx] of eighty years; *de ~e oorlog* the eighty years' war.
tachtigste [-stə] eightieth (part).
tact [takt] *m* tact.
tacticus ['takti.kǔs] *m* tactician.
tactiek [tak'ti.k] *v* tactics.
tactisch ['takti.s] **I** *aj* tactical; **II** *ad* tactically.
tactloos ['taktlo.s] *aj* (& *ad*) tactless(ly).
tactvol [-fòl] *aj* (& *ad*) tactful(ly).
taf [taf] *m* & *o* taffeta.
tafel ['ta.fəl] *v* table [ook = index]; ⊙ board; *de groene ~* 1 *sp* the green table, the gaming-table; 2 (b e s t u u r s t a f el) the board-table; *hij*

deed de hele ~ lachen he set the table in a roar; *de Ronde ~* the Round Table; *de ~ des Heren* the Lord's Table; *de ~s (van vermenig-vuldiging)* the multiplication tables; *de ~en der wet* the tables of the law; *de ~ afnemen (afruimen)* clear the table, remove the cloth; *de ~ dekken* lay the cloth, set the table; *een goede ~ houden* keep a good table; *van een goede ~ houden* like a good dinner; *open ~ houden* keep open table; *aan ~ gaan* go to table; *aan ~ zijn (zitten)* be at table; *aan de ~ gaan zitten* sit down at the table; *na ~* after dinner; *onder ~* during dinner; *iemand onder de ~ drinken* drink a person under the table; *iets ter ~ brengen* bring something on the carpet (on the tapis), introduce something; *ter ~ liggen* lie on the table; *tot de ~ des Heren naderen RK* go to Communion; *van ~ opstaan* rise from table; *gescheiden (scheiding) van ~ en bed* separated (separation) from bed and board; *vóór ~* before dinner.
tafelappel ['ta.fəlapəl] *m* dessert apple.
tafelbel [-bɛl] *v* table-bell, hand-bell.
tafelberg [-bɛrx] *m* table mountain.
tafelblad [-blat] *o* table-leaf, table-top.
tafelbuur [-by:r] *m* neighbour at table.
tafeldame [-da.mə] *v* partner (at table).
tafeldans [-dans] *m* table-tipping, table-turning.
tafeldekken [-dɛkə(n)] *o het ~* laying the table.
tafeldienen [-di.nə(n)] *o* waiting at table.
tafeldrank [-draŋk] *m* table-drink.
tafelen ['ta.fələ(n)] *vi* sit (be) at table.
tafelgast ['ta.fəlgast] *m* dinner guest.
tafelgeld [-gɛlt] *o* table-money, messing-allowance.
tafelgesprek(ken) [-gəsprɛk(ə(n))] *o(mv)* table-talk.
tafelgoed [-gu.t] *o* table-linen, ⚲ napery.
tafelheer [-he:r] *m* partner (at table).
tafelkleed [-kle.t] *o* table-cover.
tafellaken ['ta.fəla.kə(n)] *o* table-cloth.
tafelland [-lant] *o* table-land, plateau.
tafelloper [-lo.pər] *m* (table-)runner.
tafelmatje ['ta.fəlmacə] *o* table-mat.
tafelpoot [-po.t] *m* table-leg.
Tafelronde [ta.fəl'ròndə] *v de ~* the Round Table.
tafelschel ['ta.fəlsxɛl] *v* table-bell.
tafelschuier [-sxœyər] *m* table-brush, crumb-brush.
tafelschuimer [-sxœymər] *m* sponger.
tafeltennis [-tɛnəs] *o* table-tennis.
tafeltoestel [-tu.stɛl] *o* ☎ desk telephone.
tafelwater [-va.tər] *o* table-water.
tafelwijn [-vεin] *m* table-wine.
tafelzilver [-zιlvər] *o* plate, silverware.
tafelzout [-zout] *o* table-salt.
tafereel [ta'fre.l] *o* picture, scene; *een... ~ van iets ophangen* give a... picture of it, paint in... colours.

taffen ['tɑfə(n)] *aj* taffeta.
tafzij(de) ['tɑfsɛi(də)] *v* taffeta silk.
taifoen [tɑ:i'fu.n] = *tyfoon*.
taille ['tɑ(l)jə] *v* 1 waist; 2 (lijfje) bodice.
tailleren [tɑ(l)'je:rə(n)] *vt* shape [a coat] to the figure; *getailleerd* ook: well-cut.
tailleur [tɑ.'jø:r] *m* 1 (persoon) tailor; 2 (kostuum) tailored dress.
tailleuse [tɑ.'jø.zə] *v* dressmaker.
taillewerkster ['tɑ(l)jəvɛrkstər] *v* bodice-hand.
tak [tɑk] *m* 1 (v. boom) bough; branch[2] [of a tree springing from bough; also of a river, of a science &]; 2 (v. 't gewei) tine; ~ *van dienst* branch of (the) service; ~ *van sport* sport.
takel ['tɑ.kəl] *m* & *o* ⚓ pulley, tackle.
takelage [tɑ.kə'la.ʒə] *v* ⚓ tackle, rigging.
takelblok ['tɑ.kəlblɔk] *o* ⚓ tackle.
takelen ['tɑ.kələ(n)] *vt* 1 ⚓ rig; 2 (ophijsen) hoist (up).
takeling [-lɪŋ] *v* ⚓ rigging.
takelwagen ['tɑ.kəlva.gə(n)] *m* breakdown lorry.
takelwerk [-vɛrk] *o* ⚓ tackling, rigging.
takje ['tɑkjə] *o* twig, sprig.
takkenbos ['tɑkə(n)bɔs] *m* faggot.
takkig ['tɑkəx] branchy.
1 **taks** [tɑks] *m* 🐕 (German) badger-dog, dachshund.
2 **taks** [tɑks] *m* & *v* share, portion.
takt(-) zie *tact(-)*.
tal [tɑl] *o* number; *zonder* ~ numberless, countless, without number; ~ *van* (quite) a number of, numerous, many.
talen ['tɑ.lə(n)] *vi* in: *hij taalt er niet naar* he does not show the slightest wish for it.
talent [tɑ.'lɛnt] *o* talent [= gift & weight, money]; *zijn* ~*en* ook: his parts, his accomplishments.
talentvol [-fɔl] talented, gifted.
talg [tɑlx] *m* sebum.
talgklier ['tɑlxkli:r] *v* sebaceous gland.
talie ['tɑ.li.] *v* ⚓ tackle.
taling ['tɑ.lɪŋ] *m* 🐦 teal.
talisman ['tɑ.ləsmɑn] *m* talisman.
talk [tɑlk] *m* 1 (delfstof) talc; 2 (smeer) tallow.
talkachtig ['tɑlkɑxtəx] 1 talcous; 2 tallowy, tallowish.
talkpoeder, -poeier [-pu.dər, -pu.jər] *o* & *m* talcum powder.
talksteen [-ste.n] *m* talc.
talloos ['tɑlo.s] numberless, countless, without number.
talmen ['tɑlmə(n)] *vi* loiter, linger, dawdle, delay.
talmer [-mər] *m* loiterer, dawdler.
talmerij [tɑlmə'rɛi] *v* lingering, loitering, dawdling, delay.
talmoed, talmud ['tɑlmu.t] *m* Talmud.
talon [tɑ.'lɔ̀n] *m* talon; counterfoil [of cheque].
talrijk ['tɑlrɛik] numerous, multitudinous.

talrijkheid [-hɛit] *v* numerousness.
talstelsel ['tɑlstɛlsəl] *o* notation.
tam [tɑm] I *aj* tame, tamed, domesticated, domestic; *fig* tame; ~ *maken* domesticate [wild beast], tame[2] [a wild beast, a person]; II *ad* tamely[2].
tamarinde [tɑ.mɑ.'rɪndə] *v* 🌿 tamarind.
tamarisk [tɑ.mɑ.'rɪsk] *m* 🌿 tamarisk.
tamboer [tɑm'bu:r] *m* ✕ drummer.
tamboeren [-'bu:rə(n)] *vi* in: ~ *op iets* insist on something being done; lay stress on a fact.
tamboereren [-bu:'re:rə(n)] *vi* tambour, do tambour-work; *op iets* ~ zie *tamboeren*.
tamboerijn [-bu:'rein] *m* ♪ tambourine.
tamboer-majoor [-bu:rmɑ.'jo:r] *m* ✕ drum-major.
tamelijk ['tɑ.mələk] I *aj* fair, tolerable, passable; II *ad* fairly, tolerably, passably; ~ *wel* pretty well.
tamheid ['tɑmhɛit] *v* tameness[2].
tampon [tɑm'pɔ̀n] *m* tampon, plug.
tamponneren [-pɔ̀'ne:rə(n)] *vt* tampon, plug.
tamtam [tɑm'tɑm] *m* tamtam; *met veel* ~ with a lot of noise.
tand [tɑnt] *m* tooth [of the mouth, a wheel, saw, comb, rake]; cog [of a wheel]; prong [of a fork]; *de* ~ *des tijds* the tooth of time; ~*en krijgen* cut its teeth, be teething; *de* ~*en laten zien* show one's teeth; *iemand aan de* ~ *voelen* F put one through his paces; *met lange* ~*en eten* trifle with one's food; *tot de* ~*en gewapend zijn* be armed to (up to) the teeth; zie ook: *hand, mond* &.
tandarts ['tɑntɑrts] *m* dentist, dental surgeon.
tandbeen [-be.n] *o* dentine.
tandeloos ['tɑndəlo.s] toothless [woman].
tandem ['tɛndəm] *m* tandem.
tanden ['tɑndə(n)] *vt* ✕ tooth, indent, cog.
tandenborstel [-bɔrstəl] *m* tooth-brush.
tandengeknars [-gəknɑrs] *o* gnashing of teeth.
tandenkrijgen [-krɛigə(n)] *o* dentition, teething.
tandentrekker [-trɛkər] *m* tooth-drawer.
tandestoker ['tɑndəsto.kər] *m* toothpick.
tandformule ['tɑntfɔrmy.lə] *v* dental formula.
tandheelkunde [-he.lkŭndə] *v* dental surgery, dentistry.
tandheelkundig [-dəx] dental.
tandheelkundige [tɑnthe.l'kŭndəgə] *m* dentist, dental surgeon.
tandkas ['tɑntkɑs] *v* socket (of a tooth).
tandpasta [-pɑsta.] *m* & *o* tooth-paste.
tandpijn [-pein] *v* toothache.
tandpoeder, -poeier [-pu.dər, -pu.jər] *o* & *m* tooth-powder.
tandprotese zie *tandprothese*.
tandprothese [-pro.te.zə] *v* dental prosthesis; (concreet) denture.
tandrad [-rɑt] *o* ✕ cog-wheel, toothed wheel.
tandradbaan [-rɑtba.n] *v* rack-railway.
tandsteen [-ste.n] *o* & *m* scale, tartar.
tandstelsel [-stɛlsəl] *o* dentition.
tandvlees [-fle.s] *o* gums.

tandvulling [-fûlıŋ] v filling, stopping, plug.
tandwiel [-vi.l] o ⚙ cog-wheel, toothed wheel.
tandwortel [-vòrtəl] m root of a tooth.
tandzenuw [-se.ny:u] v dental nerve.
tanen ['ta.nə(n)] I vi tan; *fig* fade, pale, tarnish, wane; *aan het* ~ *zijn* be fading, [renown] on the wane; *doen* ~ tarnish; II vt tan.
tang [taŋ] v 1 (pair of) tongs; 2 (knijptang) pincers; nippers; *wat een* ~! what a shrew!; *dat sluit (slaat) als een* ~ *op een varken* there's neither rhyme nor reason in it; *ze ziet er uit om met geen* ~ *aan te pakken* you wouldn't touch her with a pair of tongs.
tangens ['taŋəns] v tangent.
tango ['taŋo.] m tango.
tanig ['ta.nəx] tawny.
tank [tɛŋk] m tank°.
tanken ['tɛŋkə(n)] vi fill up.
tanker ['tɛŋkər] m ⚓ tanker.
tankgracht ['tɛŋkgrαxt] v ⚔ antitank ditch.
tankschip [-sxıp] o ⚓ tank-steamer, tanker.
tankstation [-sta.ʃòn] o filling station.
tankwagen [-va.gə(n)] m tank-car.
tannine [ta'ni.nə] v tannin.
Tantalus ['tαnta.lûs] m Tantalus.
tantalusbeker [-be.kər] m Tantalus cup.
tantaluskwelling [-kvɛlıŋ] v torment of Tantalus; tantalization.
tante ['tαntə] v aunt; *een oude* ~ an old woman; *och wat, je* ~! F your grandmother!
tantième [tαnti.'ɛ:mə] o bonus, royalty, percentage.
tap [tαp] m 1 (kraan) tap; 2 (spon) bung; 3 ⚔ tenon; 4 ⚒ & ⚔ trunnion [of a gun, in steam-engine].
tapdans ['tɛpdαns] m tap-dance.
tapdanser [-dαnsər] m tap-dancer.
tapgat ['tαpgαt] o 1 ⚔ tap-hole; mortise; 2 bung-hole.
tapijt [ta.'pɛit] o carpet; *op het* ~ *brengen* bring on the tapis (carpet).
tapijtwerker [-vɛrkər] m carpet-maker.
tapioca [ta.pi.'o.ka.] m tapioca.
tapir ['ta.pi:r] m 🦛 tapir.
tapisserie [ta.pi.sə'ri.] v tapestry.
tapissière [-si.'ɛ:rə] v furniture-van, pantechnicon.
tappelings ['tαpəlıŋs] in: ~ *lopen langs...* trickle down...
tappen ['tαpə(n)] I vt tap [beer, rubber]; draw [beer]; *aardigheden (moppen)* ~ crack jokes; II va keep a public house.
tapper [-pər] m publican.
tapperij [tαpə'rɛi] v public house, ale-house.
taps [tαps] tapering, conical; ~ *toelopen* taper.
taptemelk ['tαptəmɛlk] v skim-milk.
taptoe ['tαptu.] m ⚔ tattoo; *de* ~ *slaan* beat the tattoo.
tapuit [ta.'pœyt] m 🐦 wheatear, chat.
tapverbod ['tαpfərbòt] o prohibition.
tarantula [ta.'rαnty.la.] v tarantula.

tarbot ['tαrbòt] m 🐟 turbot.
tarief [ta.'ri.f] o tariff; rate; (legal) fare [for cabs].
tarievenoorlog [-'ri.vəno:rləx] m tariff war, war of tariffs.
tarra ['tαra.] v $ tare.
Tartaar(s) [tαr'ta:r(s)] m (& aj) Tartar.
Tartarije [-ta:'rɛiə] o Tartary.
Tartarus ['tαrta:rûs] m Tartarus.
tarten ['tαrtə(n)] vt challenge, defy; *het tart alle beschrijving* it beggars description.
tartend [-tənt] aj (& ad) defiant(ly).
tarwe ['tαrvə] v 🌾 wheat.
tarwebloem [-blu.m] v flour of wheat.
tarwebrood [-bro.t] o wheaten bread; *een* ~ a wheaten loaf.
tarwemeel [-me.l] o wheaten flour.
1 **tas** [tαs] m (stapel) heap, pile.
2 **tas** [tαs] v bag, pouch, satchel.
Tasmanië [tαs'ma.ni.ə] o Tasmania.
tassen ['tαsə(n)] vt heap (up), pile (up).
tast [tαst] m in: *op de* ~ *zijn weg zoeken* grope one's way.
tastbaar ['tαstba:r] tangible, palpable [lie].
tastbaarheid [-heit] v palpableness, palpability, tangibleness, tangibility.
tasten ['tαstə(n)] I vi feel, grope, fumble (for *naar*); *in de zak* ~ put one's hand into one's pocket, dive into one's pocket; II vt touch; *iemand in zijn eer* ~ cast a slur on a man's honour; 2 appeal to his sense of honour; *iemand in zijn gemoed* ~ work on a man's feelings; *iemand in zijn zwak* ~ zie zwak III.
taster [-tər] m feeler.
tastorgaan ['tαstərga.n] o tentacle.
tastzin [-sın] m (sense of) touch.
Tataar(s) [ta.'ta:r(s)] = *Tartaar(s)*.
tatoeëren [ta.tu.'e:rə(n)] vt tattoo.
tatoeëring [-rıŋ] v 1 (de handeling) tattooing; 2 (het getatoeëerde) tattoo.
tautologie [tɔuto.lo.'gi.] v tautology.
tautologisch [-'lo.gi.s] aj (& ad) tautological(ly).
taxameter ['tαksa.me.tər] m taximeter.
taxateur [tαksa.'tø:r] m (official) appraiser, valuer.
taxatie [tαk'sa.(t)si.] v appraisement, appraisal, valuation.
taxatieprijs [-prɛis] m valuation price; *tegen* ~ at a valuation.
taxatiewaarde [-va:rdə] v appraised value.
taxe zie 2 *taks.*
taxeren [tαk'se:rə(n)] vt appraise, assess, value (at *op*).
taxi ['tαksi.] m taxi-cab, taxi.
taxichauffeur [-ʃo.fø:r] m taxi-driver.
taxistandplaats [-stαntpla.ts] v cab-rank, taxi-rank.
taxus(boom) ['tαksûs(bo.m)] m 🌲 yew-tree.
tbc [te.be.'se.] = *tuberculose.*
te [tə] 1 (vóór plaatsnaam) at, in; 2 (vóór bijv. nmw.) too; 3 (vóór infinitief) to; ~

A. at A.; ~ *Londen* in London; ~ *middernacht* at midnight; zie verder *bed, des &.*

teakhout ['ti.khəut] *o* teak(-wood).

teater(-) zie *theater(-)*.

teatraal zie *theatraal*.

technicus ['tɛxni.kŭs] *m* 1 technician, technicist; 2 (v o o r b e p a a l d v a k) engineer.

techniek [tɛx'ni.k] *v* 1 (w e t e n s c h a p) technics; 2 (b e d r e v e n h e i d) technique [of an artist, of piano-playing &]; 3 (a l s t a k v a n n i j v e r h e i d) [heat, illuminating, refrigerating &] engineering.

technisch ['tɛxni.s] I *aj* technical; *een prachtige* ~*e prestatie* ook: a magnificent engineering achievement; ~*e hogeschool* technical college; *middelbaar* ~*e school* senior technical school; II *ad* technically.

technologie [tɛxno.lo.'gi.] *v* technology.

technologisch [-'lo.gi.s] *aj* (& *ad*) technologic al(ly).

technoloog [-'lo.x] *m* technologist.

teddybeer ['tɛdi.be:r] *m* teddy bear.

teder ['te.dər] I *aj* tender [heart, subject], delicate [child, question]; II *ad* tenderly; ~ *bemind* dearly loved.

tederheid [-hɛit] *v* tenderness; delicacy.

Te-Deum [te.'de.ŭm] *o* Te Deum.

tee(-) zie *thee(-)*.

teef [te.f] *v* (v. h o n d) bitch.

teefabriek, -gerei, -goed, -handel(aar), -huis zie *theefabriek &.*

teek [te.k] *v* tick.

teeketel, -kistje, -kopje, -kultuur zie *theeketel &.*

teelaarde ['te.la:rdə] *v* (vegetable) mould.

teeland, -lepeltje, -lichtje zie *theeland &.*

teelt [te.lt] *v* cultivation, culture; breeding [of stock].

teemuts zie *theemuts*.

1 **teen** [te.n] *v* osier, twig, withe.

2 **teen** [te.n] *m* toe; *grote (kleine)* ~ big (little) toe; *op de tenen lopen* walk on tiptoe; tiptoe; *iemand op de tenen trappen* tread on a person's toes[2] (*fig* corns); *hij is gauw op zijn tenen getrapt* he is quick to take offence, he is touchy; *hij was erg op zijn tenen getrapt* he was very much huffed.

teenganger ['te.ngaŋər] *m* ➡ digitigrade.

teentje ['te.ncə] *o* in: *een* ~ *knoflook* a clove of garlic.

teeoogst, -pauze, -plantage, -pot zie *theeoogst &.*

1 **teer** [te:r] *aj* & *ad* zie *teder*.

2 **teer** [te:r] *m* & *o* tar.

teerachtig [te.'raxtəx] tarry.

teergevoelig [te:rɡə'vu.ləx] I *aj* tender, delicate, sensitive; II *ad* tenderly.

teergevoeligheid [-hɛit] *v* tenderness, delicacy, sensitiveness.

teerhartig [te:r'hartəx] tender-hearted.

teerhartigheid [-hɛit] *v* tender-heartedness.

teerheid ['te.rhɛit] *v* zie *tederheid*.

teerkleed [-kle.t] *o* ⚓ tarpaulin.

teerkost [-kɔst] *m* provisions.

teerkwast [-kvast] *m* tar-brush.

teerling [-lɪŋ] *m* die; *de* ~ *is geworpen* the die is cast.

teeroos zie *theeroos*.

teerpenning [-pɛnɪŋ] *m* travelling-money, viaticum.

teerpot [-pɔt] *m* tar-pot.

teerspijze [-spɛizə] *v* zie *teerkost*; *RK* viaticum.

teerton [-tòn] *v* tar-barrel.

teerwater [-va.tər] *o* tar-water.

teerzeep [-ze.p] *v* tar-soap.

teesalon, -servies & zie *theesalon, -servies &.*

tegel ['te.ɡəl] *m* tile.

tegelbakker [-bakər] *m* tile-maker.

tegelbakkerij [te.ɡəlbakə'rɛi] *v* tile-works.

tegelijk [təɡə'lɛik] at the same time, at a time, at once; together; *niet allemaal* ~ not all together; *hij is* ~ *de ...ste en de ...ste* ook: he is both the ...st and the ...st.

tegelijkertijd [təɡəlɛikər'tɛit] at the same time, zie ook: *tegelijk*.

tegeltje ['te.ɡəlcə] *o* (small) tile; *blauwe* ~*s* Dutch tiles.

tegelvloer [-vlu:r] *m* tiled pavement, tiled floor.

tegelwerk [-vɛrk] *o* tiles.

tegemoetgaan [təɡə'mu.tga.n] *vt* go to meet; *zijn ondergang (ongeluk)* ~ be heading for ruin (disaster).

tegemoetkomen [-ko.mə(n)] *vt* come to meet; *fig* meet (half-way).

tegemoetkomend [-ko.mənt] accommodating.

tegemoetkoming [-ko.mɪŋ] *v* 1 accommodating spirit; 2 aid, gratuity; 3 compensation.

tegemoetlopen [-lo.pə(n)] *vt* go to meet.

tegemoettreden [-'mu.tre.də(n)] *vt* 1 go to meet; 2 meet [difficulties &].

tegemoetzien [-'mu.tsi.n] *vt* look forward to [the future with confidence], await [your reply].

tegen ['te.ɡə(n)] I *prep* 1 *eig* & *fig* against [the door &, the law &]; 2 (o m s t r e e k s) towards [the close of the week, evening &]; by [nine o'clock]; 3 (v o o r) at [the price]; 4 (i n r u i l v o o r) for; 5 (tegenover) to, against; 6 (c o n t r a) ⚖ & *sp* versus; *het is goed* ~ *brandwonden* it is good for burns; *er is* ~ *dat...* there is this against it that...; *wie is er* ~? who is against it?; *zijn ouders waren er* ~ his parents were opposed to it; *hij is niets* ~ *zijn broer* he is nothing beside (compared with) his brother; *hij spreekt niet* ~ *mij* he does not speak to me; *tien* ~ *één* ten to one; *5000* ~ *verleden jaar 500* 5000 as against 500 last year; ~*... in* against...; zie ook: *hebben*; II *aj* in: (*ik ben*) ~ I'm against it; *de wind is* ~ the wind is against us; *ze zijn erg* ~ *bescherming* they are strongly opposed to protection; III *ad* in: *de wind* ~ *hebben* have the wind against one; IV *cj* against; ~ *dat wij terugkomen* F against we come back; V *o* n: *het vóór en* ~ the pros and cons.

tegenaan [te.gən'a.n] against.

tegenaanval ['te.gəna.nvɑl] *m* ✗ counter-attack; *een* ~ *doen* counter-attack.

tegenbericht [-bərɪxt] *o* message to the contrary, $ advice to the contrary; *als wij geen* ~ *krijgen* unless we hear to the contrary, $ if you don't advise us to the contrary.

tegenbeschuldiging [-bəsxʏldəgɪŋ] *v* counter-charge, recrimination.

tegenbevel [-bəvɛl] *o* counter-order, counter-mand.

tegenbewijs [-bəvɛis] *o* counter-proof, counter-evidence.

tegenbezoek [-bəzu.k] *o* return visit, return call; *een* ~ *brengen* return a visit (a call).

tegenbod [-bɔt] *o* counter-bid.

tegencandidaat zie *tegenkandidaat*.

tegendeel [-de.l] *o* contrary.

tegendraads [te.gən'dra.ts] against the grain.

tegendruk ['te.gəndrʏk] *m* counter-pressure; reaction.

tegeneis [-ɛis] *m* counter-claim.

tegeneten [-e.tə(n)] in: *zich iets* ~ begin to loathe some food by eating too much of it.

tegengaan [-ga.n] *vt* go to meet; *fig* oppose, check.

tegengesteld [-gəstɛlt] *aj* opposite, contrary; *het* ~*e* the opposite, the contrary, the reverse.

tegengif(t) [-gɪf(t)] *o* antidote[2].

tegenhanger [-haŋər] *m* counterpart[2].

tegenhouden [-houdə(n)] *vt* stop, hold up [a horse &], arrest, retard, check [the progress of].

tegenkandidaat [-kɑndi.da.t] *m* rival candidate, candidate of the opposition; *zonder* ~ unopposed.

tegenkanting [-kɑntɪŋ] *v* opposition; ~ *vinden* meet with opposition.

tegenklacht [-klɑxt] *v* counter-charge.

tegenkomen [-ko.mə(n)] *vt* meet [a person]; come across [a word &], encounter [a difficulty &].

tegenlachen [-lɑgə(n)] *vt* smile upon, smile at.

tegenligger [-lɪgər] *m* ⚓ meeting ship; 🚗 oncoming car.

tegenlist [-lɪst] *v* counter-stratagem.

tegenlopen [-lo.pə(n)] *vt* go to meet; *alles loopt hem tegen* everything goes against him.

tegenmaatregel [-ma.tre.gəl] *m* counter-measure.

tegenmaken [-ma.kə(n)] *vt* in: *iemand iets* ~ give one a loathing for something.

tegenmijn [-mɛin] *v* ✗ countermine.

tegennatuurlijk [te.gəna.'ty:rlək] against nature, contrary to nature; unnatural.

tegenoffensief ['te.gənɔfɛnsi.f] *o* ✗ counter-offensive.

tegenofferte [-ɔfɛrtə] *v* $ counter-offer.

tegenorder [-ɔrdər] *v* & *o* counter-order.

tegenover [te.gə'no.vər] opposite (to), over against, facing [each other, page 5]; *onze plichten* ~ *elkander* our duties towards each other; ~ *mij gedraagt hij zich fatsoenlijk* with me; *hier* ~ opposite, over the way; *schuin* ~, zie *schuin* II; *vlak (recht, dwars)* ~... right opposite...

tegenovergesteld [-gəstɛlt] *aj* opposed [characters]; opposite [directions]; *zij is het* ~*e* she is the opposite; *precies het* ~*e* quite the contrary.

tegenoverstaan [-sta.n] *vi* in: *daar staat tegenover, dat...* on the other hand..., but then...

tegenoverstaand [-sta.nt] opposite.

tegenoverstellen [-stɛlə(n)] *vt* set [advantages] against [disadvantages].

tegenpartij ['te.gə(n)pɑrtɛi] *v* antagonist, adversary, opponent, other party, other side.

tegenpool [-po.l] *v* antipole.

tegenpraten [-pra.tə(n)] *vi* contradict, answer back.

tegenprestatie [-prɛsta.(t)si.] *v* (service in) return.

tegenpruttelen [-prʏtələ(n)] *vi* grumble. [turn.

tegenrekening [-re.kənɪŋ] *v* contra account.

tegenslag [-slɑx] *m* reverse, set-back.

tegenspartelen [-spɑrtələ(n)] *vi* struggle, kick; *fig* jib.

tegensparteling [-lɪŋ] *v* resistance.

tegenspeler ['te.gə(n)spe.lər] *m* opponent; *fig* opposite number.

tegenspoed [-spu.t] *m* adversity; bad luck.

tegenspraak [-spra.k] *v* contradiction; *bij de minste* ~ at the least contradiction; *in* ~ *met* ... in contradiction with; *in* ~ *komen met zichzelf* contradict oneself; *zonder* ~ without (any) contradiction; 2 incontestably, indisputably.

tegenspreken [-spre.kə(n)] I *vt* 1 contradict; 2 answer back; *het bericht wordt tegengesproken* the report is contradicted; *elkaar* ~ contradict each other, be contradictory; II *vr zich* ~ contradict oneself.

tegensputteren [-spʏtərə(n)] *vi* protest.

tegenstaan [-sta.n] *vt* in: *het staat mij tegen* I loathe it[2]; *fig* it is repugnant to me.

tegenstand [-stɑnt] *m* resistance, opposition; ~ *bieden* offer resistance, resist; *geen* ~ *bieden* make (offer) no resistance.

tegenstander [-stɑndər] *m* opponent, antagonist, adversary.

tegenstelling [-stɛlɪŋ] *v* contraposition [in logic]; contrast, antithesis, contradistinction, opposition; *in* ~ *met* as opposed to, as distinct from, in contrast with, contrary to [his habit, received ideas].

tegenstem [-stɛm] *v* 1 dissentient vote, adverse vote; 2 ♪ counterpart.

tegenstemmen [-stɛmə(n)] *vi* vote against.

tegenstemmer [-stɛmər] *m* voter against [a motion &].

tegenstoot [-sto.t] *m* counterstroke[2]; *fig* retort.

tegenstreven [-stre.və(n)] I *vt* resist, oppose; II *vi* resist.

tegenstribbelen [-strɪbələ(n)] *vi* struggle, kick; *fig* jib.

tegenstrijdig [te.gə(n)'strɛɪdəx] contradictory [reports, feelings]; conflicting [opinions]; clashing [interests].

tegenstrijdigheid [-hɛit] *v* contrariety, contradiction, discrepancy.

tegenstroom ['te.gə(n)stro.m] *m* 1 countercurrent; 2 ⚡ reverse current.

tegenvallen [-vɑlə(n)] *vi* not come up to expectations; *het zal u ~* you will be disappointed; you may find yourself mistaken; *je valt me lelijk tegen* I am sorely disappointed in you.

tegenvaller [-vɑlər] *m* disappointment, F comedown.

tegenvergif(t) [-vərgɪf(t)] *o* zie *tegengif(t)*.

tegenvoeter [-vu.tər] *m* antipode[2].

tegenvoorstel [-vo:rstɛl] *o* counter-proposal.

tegenwaarde [-va:rdə] *v* equivalent, countervalue.

tegenwerken [-vɛrkə(n)] *vt* work against, counteract, oppose, cross, thwart.

tegenwerking [-vɛrkɪŋ] *v* opposition.

tegenwerpen [-vɛrpə(n)] *vt* object.

tegenwerping [-vɛrpɪŋ] *v* objection.

tegenwicht [-vɪxt] *o* counterpoise[2], counterweight[2], counterbalance[2]; *een ~ vormen tegen...* counterbalance...

tegenwind [-vɪnt] *m* adverse wind, head wind.

tegenwoordig [te.gə(n)'vo:rdəx] I *aj* present; present-day [readers &], [the girls] of to-day; *~ zijn bij...* be present at...; *onder de ~e omstandigheden* under existing circumstances; II *ad* at present, nowadays.

tegenwoordigheid [-hɛit] *v* presence; *~ van geest* presence of mind; *in ~ van...* in the presence of...

tegenzin ['te.gə(n)zɪn] *m* antipathy, aversion, dislike (of, for *in*); *een ~ hebben in...* dislike...; *een ~ krijgen in* take a dislike to; *met ~* with a bad grace, reluctantly.

tegenzitten [-zɪtə(n)] *vi* in: *het zat me tegen* luck was against me, I was unlucky.

tegoed [tə'gu.t] *o* $ [bank] balance.

tehuis [tə'hœys] *o* home.

teil [teil] *v* basin, pan, tub.

teint [tɛ̃.] *v* & *o* complexion.

teïsme zie *theïsme*.

teïst zie *theïst*.

teisteren ['tɛistərə(n)] *vt* harass, ravage, visit.

teïstisch zie *theïstisch*.

tekeergaan [tə'ke:rga.n] *vi* go on, take on; storm (at a person *tegen iemand*).

teken ['te.kə(n)] *o* 1 sign, token, mark; symptom (of a disease); 2 (signaal) signal; *het ~ des kruises* the sign of the cross; *een ~ des tijds* a sign of the times; *een slecht ~* a bad omen; *iemand een ~ geven om...* make him a sign to..., motion him to...; *~ van leven geven* give a sign of life; *in het ~ van...* * in the sign of [Gemini]; *alles komt in het ~ van de*

bezuiniging te staan retrenchment is the order of the day; *de organisatie staat in het ~ van de vrede* the keynote of the organization is peace; *op een ~ van...* at (on) a sign from...; *ten ~ van...* in token of..., as a token of... [mourning, respect &].

tekenaar ['te.kəna:r] *m* drawer, designer, draughtsman; (van spotprenten) cartoonist.

tekenacademie ['te.kəna.ka.de.mi.] *v* drawing-academy.

tekenachtig [-ɑxtəx] *aj* (& *ad*) graphic(ally), picturesque(ly).

tekenakademie zie *tekenacademie*.

tekenbehoeften [-bəhu.ftə(n)] *mv* drawing-materials.

tekenboek [-bu.k] *o* drawing-book, sketchbook.

tekendoos [-do.s] *v* box of drawing-materials.

tekenen ['te.kənə(n)] I *vt* 1 (natekenen) draw[2], delineate[2]; 2 (ondertekenen) sign; 3 (intekenen) subscribe; 4 (merken) mark; *dat tekent hem* that's characteristic of him, that's just like him; *fijn getekende wenkbrauwen* delicately pencilled eyebrows; II *vi* & *va* 1 draw; 2 sign; *naar het leven ~* draw from (the) life; *voor gezien ~* visé, visa; *voor zes jaar ~* ⚔ sign on for six years; *voor de ontvangst ~* sign for the receipt (of it); *voor hoeveel heb je getekend?* how much have you subscribed?; III *vr zich ~* sign oneself [X]; *ik heb de eer mij te ~* I remain, yours respectfully, X.

tekenend [-nənt] characteristic (of *voor*).

tekenfilm ['te.kənfɪlm] *m* cartoon (picture, film).

tekengeld [-gɛlt] *o* token money, token coin.

tekengereedschap [-gəre.tsxɑp] *o* drawing-instruments.

tekenhaak [-ha.k] *m* (T-)square.

tekening ['te.kənɪŋ] *v* 1 (voorlopige schets) design [for a picture, of a building]; 2 (eigenaardige streping &) marking(s) [of a dog]; 3 (getekend beeld, landschap &) drawing; 4 (het ondertekenen) signing [of a letter &]; 5 (ondertekening) signature; *het hem ter ~ voorleggen* submit it to him for signature; *er begint ~ in te komen* things are taking shape.

tekeninkt ['te.kənɪŋ(k)t] *m* drawing-ink.

tekenkamer [-ka.mər] *v* drawing-office.

tekenkrijt [-kreit] *o* crayon, drawing-chalk.

tekenkunst [-kŭnst] *v* art of drawing.

tekenleraar [-le:ra:r] *m* drawing-master.

tekenles [-lɛs] *v* drawing-lesson.

tekenmunt [-mŭnt] zie *tekengeld*.

tekenpapier [-pa.pi:r] *o* drawing-paper.

tekenpen [-pɛn] *v* 1 (houder) crayon-holder, portcrayon; 2 (pen) drawing-nib.

tekenplank [-plɑŋk] *v* drawing-board.

tekenportefeuille [-pɔrtəfœyjə] *m* drawing-portfolio.

tekenpotlood [-pɔtlo.t] *o* drawing-pencil.
tekenschool [-sxo.l] *v* drawing-school.
tekentafel [-ta.fəl] *v* drawing-table.
tekenvoorbeeld [-vo:rbe.lt] *o* drawing-copy.
tekort [tə'kòrt] *o* shortage (of *aan*), deficit, deficiency.
tekortkoming [-ko.mɪŋ] *v* shortcoming, failing, deficiency, imperfection.
tekst [tɛkst] *m* I text; (samenhang) context; 2 letterpress [to a print, an engraving]; 3 ♪ words; 4 ✠ ✝ script; 5 (v. reclame) copy; ~ *en uitleg geven* give chapter and verse (for *van*); *bij de* ~ *blijven* stick to one's text; *van de* ~ *raken* lose the thread of one's speech &.
tekstboekje ['tɛkstbu.kjə] *o* libretto, book (of words).
tekstschrijver [-s(x)rɛivər] *m* I (v. reclame) copy writer; 2 ✠ ✝ script writer.
tekstverdraaiing [-fərdra.jɪŋ] *v* false construction (put) upon a text.
tekstverklaring [-kla:rɪŋ] *v* exposition.
tekstvervalsing [-valsɪŋ] *v* falsification of a text.
tel [tɛl] *m* count; *de* ~ *kwijt zijn* have lost count; *in geen* ~ *zijn* be of no account; *hij is niet meer in* ~ he is out of the running now; *in twee* ~*len* in two twos, F in a jiffy; *op zijn* ~*len passen* mind one's P's and Q's; *als hij niet op zijn* ~*len past ook*: if he is not careful.
telaatkomer [tə'la.tko.mər] *m* late-comer.
telastlegging [tə'lɑstlɛgɪŋ] *v* charge, indictment.
telbaar ['tɛlba:r] numerable, countable.
telecamera ['te.le.ka.məra.] *v* telecamera.
telecommunicatie [te.le.kòmy.ni.'ka.(t)si.] *v* telecommunication.
telefoneren [te.ləfo.'ne:rə(n)] *vt* & *vi* telephone, F phone, dial.
telefonie [-fo.'ni.] *v* telephony.
telefonisch [te.lə'fo.ni.s] I *aj* telephonic; telephone [bookings, calls &]; II *ad* telephonically, by (over the) telephone.
telefonist(e) [-fo.'nɪst(ə)] *m(-v)* telephone operator, (female) telephonist.
telefoon' [-'fo.n] *m* telephone, F phone; *wij hebben* ~ we are on the telephone; *de* ~ *aannemen* answer the telephone; *de* ~ *aan de haak hangen* hang up the receiver; *de* ~ *neerleggen* lay down the receiver; *de* ~ *van de haak nemen, de* ~ *opnemen* take off (unhook) the receiver; *aan de* ~ [she is] on the telephone; *aan de* ~ *blijven* hold the line, hold on; *per* ~ by telephone, over the telephone.
telefoonaansluiting [-a.nslœytɪŋ] *v* telephonic connection.
telefoonboek [-bu.k] *o* telephone directory, telephone book.
telefooncel [-sɛl] *v* call-box, telephone kiosk.
telefooncentrale [-sɛntra.lə] *v* (telephone) exchange.

telefoondraad [-dra.t] *m* telephone wire.
telefoongesprek [-gəsprɛk] *o* telephone call; conversation over the telephone, telephonic conversation, telephone conversation.
telefoongids [-gɪts] *m* zie *telefoonboek*.
telefoonjuffrouw [-jÿfrəu] *v* telephonist, telephone girl.
telefoonkantoor [-kanto:r] *o* zie *telefooncentrale*.
telefoonnet [te.lə'fo.nɛt] *o* telephone system.
telefoonnummer [-nÿmər] *o* telephone number.
telefoonpaal [te.lə'fo.npa.l] *m* telephone pole.
telefoontje [-cə] *o* F (telephone) call.
telefoontoestel [-tu.stɛl] *o* telephone set.
telefoonverbinding [-vərbɪndɪŋ] *v* telephone communication.
telefoto ['te.le.fo.to.] *v* telephotograph.
telefotografie [-gra.'fi.] *v* telephotography.
telegraaf [te.lə'gra.f] *m* telegraph; *per* ~ by wire.
telegraafdraad [-dra.t] *m* telegraph wire.
telegraafkabel [-ka.bəl] *m* telegraph cable.
telegraafkantoor [-kanto:r] *o* telegraph office.
telegraafnet [-nɛt] *o* telegraph system.
telegraafpaal [-pa.l] *m* telegraph pole.
telegraaftoestel [-tu.stɛl] *o* telegraphic apparatus.
telegraferen [te.ləgra.'fe:rə(n)] *vt* & *vi* telegraph, wire, cable.
telegrafie [-gra.'fi.] *v* telegraphy.
telegrafisch [-'gra.fi.s] I *aj* telegraphic; II *ad* telegraphically, by wire.
telegrafist(e) [-gra.'fɪst(ə)] *m(-v)* telegraphist, (telegraph) operator.
telegram [-'grɑm] *o* telegram, wire, cablegram; ~ *met betaald antwoord* reply-paid telegram.
telegramadres [-a.drɛs] *o* telegraphic address.
telegrambesteller [-bəstɛlər] *m* telegraph messenger, telegraph boy.
telegramformulier [-fɔrmy.li:r] *o* telegraph form.
telegramstijl [-stɛil] *m* telegraphese. [form.
telekommunikatie zie *telecommunicatie*.
telelens ['te.le.lens] *v* telelens.
telen ['te.lə(n)] *vt* I breed, rear, raise [animals]; 2 grow, cultivate [plants].
telepaat [te.lə'pa.t] *m* telepathist.
telepathie [-pa.'ti.] *v* telepathy.
telepathisch [-'pa.ti.s] *aj* (& *ad*) telepathic(ally).
telepati- zie *telepathi-*.
teler ['te.lər] *m* I (v. vee) breeder; 2 (v. planten) grower.
telescoop [te.ləs'ko.p] *m* telescope.
telescopisch [-'ko.pi.s] *aj* (& *ad*) telescopic(ally).
telesko- zie *telesco-*.
teleurstellen [tə'lö:rstɛlə(n)] *vt* disappoint [a person, hope &]; *teleurgesteld over* disappointed at (with).
teleurstelling [-lɪŋ] *v* disappointment (at, with *over*).

televisie [te.lə'vi.zi.] *v* television, S telly; *per ~ voor de ~* on television; *per ~ overbrengen* (*uitzenden*) televise.

televisiecamera [-ka.məra.] *v* television camera.

televisiekijker [-kɛikər] *m* television viewer, televiewer.

televisieomroepster [-òmru.pstər] *v* television announcer.

televisiescherm [-sxɛrm] *o* television screen.

televisietoestel [-tu.stɛl] *o* television set.

televisieuitzending [-œytsɛndɪŋ] *v* television broadcast.

televisiezender [-zɛndər] *m* television transmitter.

telex ['te.lɛks] *m* teleprinter.

telg [tɛlx] *m-v* descendant, scion, shoot; *zijn ~en* ook: his offspring.

telgang ['tɛlgɑŋ] *m* ambling gait, amble.

telganger [-gɑŋər] *m* ambling horse, ambler.

teling ['te.lɪŋ] *v* 1 breeding [of animals]; 2 growing, cultivation [of plants].

telkenmale ['tɛlkənma.lə] zie *telkens*.

telkens ['tɛlkəns] I (voortdurend) again and again, at every turn; 2 (iedere keer) every time, each time; *~ als, ~ wanneer* whenever, every time.

tellen ['tɛlə(n)] I *vt* 1 count; 2 (ten getale zijn van) number; *dat telt hij niet* he makes no account of it; *iets licht ~* make little account of it, make light of a thing; *hij ziet er uit of hij geen tien kan ~* he looks as if he could not say bo to a goose; *wij ~ hem onder onze vrienden* we count (number, reckon) him among our friends; *hij wordt niet geteld* he doesn't count; *zijn dagen zijn geteld* his days are numbered; II *vi & va* count; *dat telt niet* that does not count; that goes for nothing; *dat telt bij mij niet* that does not count (weigh) with me; *tot 100 ~* count up to a hundred; *voor twee ~* count as two.

teller [-lər] *m* 1 (persoon) counter, teller; 2 (v. breuk) numerator.

telling [-lɪŋ] *v* count(ing).

telmachine ['tɛlma.ʃi.nə] *v* adding machine.

teloorgaan [tə'lo:rga.n] *vi* be lost, get lost.

telpas ['tɛlpɑs] *m* amble.

tel quel [tɛl'kɛl] $ tel quel.

telraam ['tɛlra.m] *o* counting-frame.

telwoord [-vo:rt] *o* numeral.

tema(-) zie *thema(-)*.

tembaar ['tɛmba:r] tamable.

tembaarheid [-ɦɛit] *v* tamability.

temen ['te.mə(n)] *vi* drawl, whine.

temer ['te.mər] *m* drawler, whiner.

temerig ['te.mərəx] drawling, whining.

temerij [te.mə'rɛi] *v* drawling, whining.

temmen ['tɛmə(n)] *vt* tame[2].

temmer [-mər] *m* tamer.

temming [-mɪŋ] *v* taming.

tempel ['tɛmpəl] *m* temple, ⊙ fane.

tempelbouw [-bɔu] *m* building of a (the) temple.

tempeldienst [-di.nst] *m* temple service.

tempelier [tɛmpə'li:r] *m* Knight Templar, templar; *hij drinkt als een ~* he drinks like a fish.

tempelridder ['tɛmpəlrɪdər] *m* Knight Templar.

temperament [tɛmpəra.'mɛnt] *o* temperament, temper.

temperamentvol [-fòl] temperamental.

temperatuur [tɛmpəra.'ty:r] *v* temperature; *zijn ~ opnemen* take his temperature.

temperatuurverhoging [-vərho.gɪŋ] *v* rise of temperature.

temperatuurverschil [-vərsxɪl] *o* difference in temperature.

temperen ['tɛmpəra(n)] *vt* 1 (matigen) temper[2] [the heat, one's austerity &]; deaden[2] [the sound, brightness]; damp[2] [fire, zeal]; soften [light, colours]; tone down[2] [the colouring, an expression]; dim [the headlights]; 2 (de brosheid ontnemen) temper [steel].

tempering [-rɪŋ] *v* tempering, softening.

tempermes ['tɛmpərmɛs] *o* palette-knife.

temperoven [-o.və(n)] *m* tempering-furnace.

tempo ['tɛmpo.] *o* 1 ♪ time; 2 pace; *in een snel ~* at a quick rate; *in zes ~'s* ♪ in six movements; *het ~ aangeven* set the pace.

temptatie [tɛm'ta.(t)si.] *v* 1 (verzoeking) temptation; 2 (kwelling) vexation.

tempteren [-'te:rə(n)] *vt* 1 (in verzoeking brengen) tempt; 2 (plagen) vex.

ten [tɛn] at, to &; *~ zesde, ~ zevende &* sixthly, in the sixth place, seventhly, in the seventh place &; zie verder *aanzien* &.

tendens [tɛn'dɛns] *v* tendency, purpose.

tendensroman [-ro.mɑn] *m* novel with a purpose, purpose novel.

tendentie [tɛn'dɛn(t)si.] *v* tendency.

tendentieus [-dɛnsi.'ø.s] tendentious.

tender ['tɛndər] *m* tender.

tenderlocomotief, -lokomotief [-lo.ko.mo.ti.f] tank-engine.

tenen ['te.nə(n)] *aj* osier, wicker [basket].

tengel ['tɛŋəl] *m* lath.

tenger ['tɛŋər] slight, slender; *~ gebouwd* slightly built.

tengerheid [-ɦɛit] *v* slenderness.

tenietdoening [tə'ni.tdu.nɪŋ] *v* nullification, annulment.

tenlastelegging [tɛn'lɑstə.lɛgɪŋ] = *telastlegging*.

tenminste [tɛn'mɪnstə] at least.

tennis ['tɛnəs] *o* (lawn-)tennis.

tennisbaan [-ba.n] *v* tennis-court.

tennisbal [-bɑl] *m* tennis-ball.

tennissen ['tɛnəsə(n)] *vi* play (lawn-)tennis.

tennisveld ['tɛnəsfɛlt] *o* tennis-ground.

tenor [tə'no:r] *m* ♪ tenor.

tenorstem [-stɛm] *v* tenor voice, tenor.

tenorzanger [-zaŋər] *m* ♪ tenor(-singer).

tent [tɛnt] *v* 1 (⚔ & van Indianen &) tent; 2 (op kermis) booth; 3 ⚓ awning [on a ship]; 4 (v. rijtuig) tilt; 5 F (café, dancing &) joint; *de ~en opslaan* pitch tents; *ergens zijn ~en opslaan* pitch one's tent somewhere;

in ~en (ondergebracht) ook: under canvas; *hem uit zijn ~ lokken* draw him.

tentamen [tɛn'ta.mə(n)] *o* preliminary examination.

tentbewoner ['tɛntbəvo.nər] *m* tent dweller.

tentdak [-dɑk] *o* pavilion roof.

tentdek [-dɛk] *o ♣* awning-deck.

tentdoek [-du.k] *o & m* canvas.

tentenkamp ['tɛntə(n)kɑmp] *o* camp of tents, tented camp.

tentoonspreiden [tɛn'to.nspreidə(n)] *vt* display.

tentoonspreiding [-spreidɪŋ] *v* display.

tentoonstellen [-stɛlə(n)] *vt* exhibit, show.

tentoonstelling [-lɪŋ] *v* exhibition, show.

tentoonstellingsterrein [-lɪŋstɛrɛin] *o* exhibition ground(s).

tentpaal ['tɛntpa.l] *m* tent-pole; *~tje* tent-peg.

tentwagen [-va.gə(n)] *m* tilt-cart.

tenue [tə'ny.] *o & v* ✕ dress, uniform; *in groot ~* ✕ in full dress, in full uniform; *in klein ~* ✕ in undress.

tenuitvoerbrenging, ~legging [tɛn'œytfu:r-brɛŋɪŋ, -lɛgɪŋ] *v* execution.

tenware [tɛn'va:rə] unless.

tenzij [tɛn'zɛi] unless.

teo- zie *theo-*.

tepel ['te.pəl] *m* nipple; teat [of udder].

ter [tɛr] at (in, to) the; zie ook: *aarde &*.

teraardebestelling [tɛr'a:rdəbəstɛlɪŋ] *v* burial, interment.

terap- zie *therap-*.

terdege, terdeeg [-'de.gə, -'de.x] properly, thoroughly, vigorously.

terdoodbrenging [-'do.tbrɛŋɪŋ] *v* execution.

terecht [tə'rɛxt] rightly, justly, with justice; *zij protesteren ~* they are right to protest (in protesting); *~ of ten onrechte* rightly or wrongly; *~ zijn* be found; *het is weer ~* it has been found; *ben ik hier ~?* am I right here?; *ben ik hier ~ bij X?* does X live here?

terechtbrengen [-brɛŋə(n)] *vt* in: *het ~* arrange matters; *ik kan hem niet ~* I cannot "place" him; *een zondaar ~* reclaim a sinner; *er niets van ~* make a mess of it; *er (heel) wat van ~* make a success of it.

terechthelpen [-hɛlpə(n)] *vi* help on, set right.

terechtkomen [-ko.mə(n)] *vi* be found (again); *het zal wel ~* it is sure to come right; *het zal van zelf wel ~* it is sure to right itself; *het boek zal wel weer ~* the book is sure to turn up some day; *de brief is niet terechtgekomen* the letter has not come to hand; *wat de betaling betreft, dat zal wel ~* never mind about the payment, that will be all right; *hij zal wel ~* he will make his way (in the world); he is sure to "make good" after all; *in een moeras ~* land in a bog; *~ in de zakken van...* go to the pockets of...; *er komt niets van hem terecht* he will come to no good; *daar komt niets van terecht* it will come to nothing.

terechtstaan [-sta.n] *vi* be committed for trial, stand one's trial, be on (one's) trial.

terechtstellen [-stɛlə(n)] *vt* execute.

terechtstelling [-stɛlɪŋ] *v* execution.

terechtwijzen [-vɛizə(n)] *vt* 1 set right [one who has lost his way]; 2 reprimand, reprove [a naughty child &].

terechtwijzing [-vɛizɪŋ] *v* reprimand, reproof.

terechtzitting [-sɪtɪŋ] *v* session, sitting.

1 **teren** ['te.rə(n)] *vt* tar.

2 **teren** ['te.rə(n)] *vi* in: *achteruit ~* be eating into one's capital; *~ op* live on; *op eigen kosten ~* pay one's way; zie ook: *boom*.

tergen ['tɛrgə(n)] *vt* provoke, irritate, aggravate, tease, torment.

tergend [-gənt] provocative, provoking &; exasperating.

terging [-gɪŋ] *v* provocation &.

terhandstelling [tɛr'hɑntstɛlɪŋ] *v* handing over, delivery.

tering ['te.rɪŋ] *v* 1 (uitgaven) expense; 2 (ziekte) (pulmonary) consumption, phthisis; *de ~ hebbend* in consumption, consumptive; *de ~ krijgen* go into consumption; *de ~ naar de nering zetten* cut one's coat according to one's cloth; zie ook: *vliegend*.

teringachtig [-ɑxtəx] consumptive.

teringlijder [-lɛidər] *m* consumptive.

terloops [tɛr'lo.ps] in passing, incidentally; *~ gemaakte opmerkingen* incidental remarks.

term [tɛrm] *m* term [= limit & word]; *er zijn geen ~en voor* there are no grounds for it; *in de ~en vallen om* be liable to...; *in bedekte ~en* in veiled terms; *volgens de ~en van de wet* within the meaning of the law.

termiet [tɛr'mi.t] *m & v* termite, white ant.

termijn [tɛr'mɛin] *m* 1 (tijdruimte) term; 2 (afbetalingssom) instalment; *de uiterste ~* $ the latest time, the latest date (for delivery, for payment); *een ~ vaststellen* fix a time; *binnen de vastgestelde ~* within the time fixed; *in ~en betalen* pay by (ook: in) instalments; *op ~* $ [securities] for the account; [goods] for future delivery; *op korte ~* $ at short notice; *krediet op korte (lange) ~* short (long)-term credit.

termijnaffaires [-afɛ:rəs] *mv* $ futures.

termijnbetaling [-bəta.lɪŋ] *v* zie *afbetaling*.

termijnhandel [-hɑndəl] *m* $ (dealing in) futures.

termijnmarkt [-mɑrkt] *v* $ futures market.

terminologie [tɛrmi.no.lo.'gi.] *v* terminology, nomenclature.

terminologisch [-'lo.gi.s] *aj* (& *ad*) terminological(ly).

termo- zie *thermo-*.

ternauwernood [tɛr'nɔuərno.t] scarcely, barely, hardly, [escape] narrowly.

terneergeslagen [tər'ne:rgəsla.gə(n)] cast down, dejected, low-spirited.

terneerslaan [-sla.n] *vt* cast down, dishearten, depress.

terp [tɛrp] *m* mound, hill.

terpentijn [tɛrpən'tɛin] *m* 1 (hars) turpentine;

2 (olie) oil of turpentine, turpentine, F turps.
terra ['tɛra.] terra-cotta.
terracotta [tɛra.'kɔta.] **I** *v* & *o* terra cotta; **II** *aj* terra-cotta.
terrarium [tɛ'ra:ri.ũm] *o* terrarium.
terras [tɛ'ras] *o* 1 terrace; 2 (v. café) pavement.
terrasvormig [-fɔrməx] terraced.
terrein [tɛ'rɛin] *o* ground, plot [of land]; (building-)site; ✕ terrain; *fig* domain, province, field; *open* ~ open ground; *het* ~ *kennen* be sure of one's ground; *het* ~ *verkennen* ✕ reconnoitre; *fig* see how the land lies; ~ *verliezen* lose ground; ~ *winnen* gain ground²; *op bekend* ~ *zijn* be on familiar ground; *daar was je op gevaarlijk* ~ you were on dangerous ground; *op internationaal* ~ in the international field.
terreingesteldheid [-gəstɛlthɛit] *v* nature of the ground.
terreur [tɛ'rø:r] *v* (reign of) terror; *de T*~ the (Reign of) Terror; *daden van* ~ acts of terrorism, terrorist acts.
terriër ['tɛri.ər] *m* 🐕 terrier.
terrine [tɛ'ri.nə] *v* tureen.
territoriaal [tɛri.to:ri.'a.l] territorial.
territorium [-'to:ri.ũm] *o* territory.
terrorisatie [tɛro:ri.'za.(t)si.] *v* terrorization.
terroriseren [-'ze:rə(n)] *vt* terrorize.
terrorisme [tɛro:'rismə] *o* terrorism.
terrorist(isch) [-'rist(i.s)] *m* (& *aj*) terrorist.
terrorizatie zie *terrorisatie*.
terrorizeren zie *terroriseren*.
tersluik(s) [tɛr'slœyk(s)] stealthily, by stealth, on the sly.
terstond [tɛr'stònt] directly, immediately, at once, forthwith.
tertia ['tɛrtsi.a.] *v* $ third of exchange.
tertiair [tɛrtsi.'ɛ:r] tertiary.
terts [tɛrts] *v* ♪ third; *grote* (*kleine*) ~ ♪ major (minor) third.
terug [tə'rûx] back, backward; ~ *!* stand back!, back there!; *30 jaar* ~ thirty years back, thirty years ago; *ze zijn* ~ they have returned, they are back (again).
terugbegeven [-bəge.və(n)] *zich* ~ return.
terugbekomen [-bəko.mə(n)] *vt* get back.
terugbellen [-bɛlə(n)] *vt* 📞 ring back.
terugbetaalbaar [-bəta.lba:r] repayable.
terugbetalen [-bəta.lə(n)] *vt* pay back, repay, refund.
terugbetaling [-bəta.lıŋ] *v* repayment [to a person]; withdrawal [from a bank].
terugblik [-blık] *m* look(ing) backward, retrospective view, retrospection; retrospect; *een* ~ *werpen op* look back on. [past].
terugblikken [-blıkə(n)] *vi* look back [into the past].
terugbrengen [-brɛŋə(n)] *vt* bring (take) back; *tot op...* ~ reduce to...
terugdeinzen [-dɛinzə(n)] *vi* shrink back; (*niet*) ~ *voor...* (not) shrink from...; *voor niets* ~ *ook*: stick (stop) at nothing.
terugdenken [-dɛŋkə(n)] **I** *vi* in: ~ *aan* recall

(to mind); **II** *vr zich* ~ *in die toestand* think oneself back into that state.
terugdoen [-du.n] *vt* in: *iets* ~ do something in return.
terugdraaien [-dra.jə(n)] *vt* turn back, put back.
terugdrijven [-drɛivə(n)] *vt* drive back, repulse, repel.
terugdringen [-drıŋə(n)] *vt* drive back, push back, repel; force back [tears].
terugeisen [-ɛisə(n)] *vt* reclaim, demand back.
teruggaaf [tə'rûga.f] = *teruggave*.
teruggaan [-ga.n] *vi* 1 go back, return; 2 recede, go down [prices]; *enige jaren* ~ go back a few years.
teruggang [-gaŋ] *m* 1 going back; 2 (verval) decay; 3 $ fall [in prices].
teruggave [-ga.və] *v* return, restitution.
teruggetrokken [-gɔtròkə(n)] retiring, keeping oneself, to oneself, retired [life].
teruggetrokkenheid [-hɛit] *v* retirement.
teruggeven [tə'rûge.və(n)] **I** *vt* give back, return, restore; **II** *va* in: *kunt u van een gulden* ~? can you let me have my change out of a guilder?
teruggroeten [-gru.tə(n)] *vt* & *vi* return a salute (salutation, greeting); acknowledge a person's bow; ✕ acknowledge (return) a salute.
terughalen [tə'rûxha.lə(n)] *vt* fetch back.
terughebben [-hɛbə(n)] **I** *vt* in: *iets* ~ have got it back; **II** *va* in: *ik heb niet terug* (*van een gulden*) I have no change (out of a guilder).
terughouden [-hɔudə(n)] *vt* retain, hold back [wages]; *iemand van iets* ~ restrain a person (hold a person back) from doing something.
terughoudend [tərûx'hɔudənt] reserved.
terughoudendheid [-hɛit] *v* reserve, restraint.
terughouding [tə'rûxhɔudıŋ] *v* reserve.
terugjagen [-ja.gə(n)] *vt* drive back [a person &].
terugkaatsen [-ka.tsə(n)] **I** *vt* strike back [a ball &]; throw back, reflect [sound, light, heat]; reverberate [sound, light]; (re-)echo [sound]; **II** *vi* rebound [of a ball]; be thrown back, be reflected; reverberate; (re-)echo.
terugkaatsing [-ka.tsıŋ] *v* reflection, reverberation.
terugkeer [-ke:r] *m* coming back, return.
terugkeren [-ke:rə(n)] *vi* return, turn back; *op zijn schreden* ~ retrace one's steps.
terugkomen [-ko.mə(n)] *vi* return, come back; ~ *op iets* return to the subject; ~ *van een besluit* go back on a decision; *ik ben ervan teruggekomen* I don't hold with it any longer.
terugkomst [-kòmst] *v* coming back, return.
terugkoop [-ko.p] *m* 1 buying back, repurchase; 2 (inlossing) redemption.
terugkopen [-ko.pə(n)] *vt* 1 buy back, repurchase; 2 (inlossen) redeem.
terugkoppeling [-kɔpəlıŋ] *v* 📺 feed-back.
terugkrabbelen [-krabələ(n)] *vi* F go back on it (on the bargain), back out of it, cry off.

terugkrijgen [-krɛigə(n)] *vt* get back.

teruglopen [-lo.pə(n)] *vi* 1 (in 't alg.) run (walk) back; 2 (v. water) run (flow) back; 3 $ (v. prijzen) recede; 4 ✗ (v. kanon) recoil.

terugmarche [-marʃ] = *terugmars*.

terugmarcheren [-marʃe:rə(n)] *vi* march back.

terugmars [-mars] *m* & *v* march back, march home.

terugnemen [-ne.mə(n)] *vt* take back [something]; *fig* withdraw, retract; *zijn woorden* ～ ook: eat one's words.

terugreis [-rɛis] *v* return-journey, journey back, ⚓ return-voyage, ⚓ voyage back.

terugreizen [-rɛizə(n)] *vi* travel back, return.

terugrijden [-rɛi(d)ə(n)] *vi* ride (drive) back.

terugroepen [-ru.pə(n)] *vt* call back, recall; *teruggeroepen worden* 1 (in 't alg.) be called back; 2 (v. acteur) get a "recall"; *in het geheugen* ～ recall (to mind).

terugroeping [-ru.pɪŋ] *v* recall.

terugschakelen [-sxa.kələ(n)] *vi* ⚙ change down [from fourth to third].

terugschrijven [-s(x)rɛivə(n)] *vi* & *vt* write in reply, write back.

terugschrikken [-s(x)rɪkə(n)] *vi* start back, recoil; *(niet)* ～ *voor* (not) shrink from.

terugslaan [-sla.n] I *vi* 1 strike (hit) back; 2 ✗ back-fire [of an engine]; II *vt* strike back, return [the ball &]; beat back, repulse [the enemy].

terugslag [-slax] *m* 1 repercussion [after impact]; 2 back-fire [of an engine]; back-stroke [of a piston]; 3 *fig* reaction, revulsion, repercussion.

terugsnellen [-snelə(n)] *vi* hasten (hurry) back.

terugspringen [-sprɪŋə(n)] *vi* start back, leap back [of person]; recoil, rebound [after impact].

terugstoot [-sto.t] *m* rebound, recoil; ✗ recoil [of a gun], kick [of a rifle].

terugstoten [-sto.tə(n)] I *vt* push back; *fig* repel; II *vi* ✗ recoil [of a gun], kick [of a rifle].

terugstotend [tərɵx'sto.tənt] repellent, repulsive, forbidding.

terugstromen [tə'rɵxstro.mə(n)] *vi* flow back.

terugstuiten [-stœytə(n)] *vi* rebound, recoil.

terugtocht [-tɔxt] *m* 1 retreat; 2 zie *terugreis*.

terugtrappen [-trapə(n)] I *vi* 1 kick [him] back; 2 back-pedal [on bike]; II *vt* kick back.

terugtraprem [-traprɛm] *v* back-pedalling brake, coaster-brake [of a bicycle].

terugtreden [-tre.də(n)] *vi* step back.

terugtrekken [-trɛkə(n)] I *vt* pull back, draw back, withdraw[2] [one's hand, troops, a candidature, a remark]; retract[2] [its claws, a promise]; II *va* ✗ retire, retreat, withdraw; ～ *op* ✗ fall back on; III *vr zich* ～ retire [also: from business], withdraw.

terugtrekking [-trɛkɪŋ] *v* retirement [from business], withdrawal [of troops]; retraction [of claws]; *fig* retractation [of a promise].

terugvallen [-falə(n)] *vi* fall back[2].

terugvaren [-fa:rə(n)] *vi* sail back, return.

terugverlangen [-fərlaŋə(n)] I *vi* long to go back [to India &]; II *vt* want back.

terugvinden [-fɪndə(n)] *vt* find again, find.

terugvliegen [-fli.gə(n)] *vi* fly back.

terugvloeien [-flu.jə(n)] *vi* flow back.

terugvoeren [-fu:rə(n)] *vt* carry back.

terugvorderen [-fərdərə(n)] *vt* claim back ask back.

terugvordering [-fərdərɪŋ] *v* reclamation.

terugvragen [-fra.gə(n)] *vt* ask back, ask for the return of.

terugweg [-vɛx] *m* way back.

terugwerken [-vɛrkə(n)] *vi* react.

terugwerkend [-vɛrkənt] retroactive, reacting; ～*e kracht* retrospective (retroactive) effect; *een bepaling* ～*e kracht verlenen* make a provision retroactive; *salarisverhogingen* ～*e kracht verlenen* back-date salary increases.

terugwerking [-vɛrkɪŋ] *v* reaction, retroaction.

terugwerpen [-vɛrpə(n)] *vt* throw back[2].

terugwijken [-vɛikə(n)] *vi* 1 (in 't alg.) recede; 2 ✗ retreat, fall back.

terugwijzen [-vɛizə(n)] *vt* refer back [the reader to page...]; zie ook: *afwijzen*.

terugwinnen [-vɪnə(n)] *vt* win back, regain.

terugzenden [-sɛndə(n)] *vt* send back [a person, thing], return [a book &].

terugzetten [-sɛtə(n)] *vt* put back.

terugzien [-si.n] I *vi* look back [to the past]; II *vt* see again [a lost friend &].

terugzwemmen [-svɛmə(n)] *vi* swim back.

terwijl [tɛr'vɛil] I *cj* 1 (v. tijd) while, whilst; as; 2 (tegenstellend) whereas; II *ad* meanwhile.

terzet [tɛr'zɛt] *o* ♪ terzetto.

terzijde [tɛr'zɛidə] *o* aside.

terzijdestelling [-stɛlɪŋ] *v* putting aside, neglect, disregard; *met* ～ *van* putting aside; in disregard of.

tesaurie(-) zie *thesaurie(-)*.

tese, tesis zie *these, thesis*.

test [tɛst] *v* 1 chafing-dish; 2 S nob, sconce ‖ *m* (proef) test.

testament [tɛsta.'mɛnt] *o* 1 will, last will (and testament); 2 Testament; *het Oude en Nieuwe* ～ the Old and New Testament; *zijn* ～ *maken* make one's will; *bij* ～ *vermaken aan* bequeath to, will away to; *iemand in zijn* ～ *zetten* remember a person in one's will; *zonder* ～ *na te laten* intestate.

testamentair [-mɛn'tɛ:r] testamentary.

testateur [-'tø:r] *m* testator.

testatrice [-'tri.sə] *v* testatrix.

testen ['tɛstə(n)] *v* test (for *op*).

testeren [tɛs'te:rə(n)] *vt* 1 (getuigen) state; 2 (vermaken) bequeath.

testimonium [tɛsti.'mo.ni.ɵm] *o* testimonial, ⟹ testamur.

tête-à-tête [tɛ:ta.'tɛ:t] *o* tête-à-tête.

teug [tø.x] *m* & *v* draught; pull; *in één* ～ at a

draught; *met volle ~en* taking deep draughts.
teugel ['tø.gəl] *m* rein, bridle; *de ~s van het bewind in handen hebben (nemen)* hold (assume, seize, take over) the reins of government; *de ~ strak houden* hold the rein tight, drive him (them) on a tight rein; *de vrije ~ laten* give [a horse] the reins; give free rein, give rein (the reins) to [one's imagination], give a loose to [one's passions]; *de ~ vieren aan* give full rein to, give a loose to; *met losse ~* with a loose rein; *met strakke ~* with tightened rein(s).
teugelen ['tø.gələ(n)] *vt* bridle [a horse].
teugelloos [-gəlo.s] unbridled, unrestrained.
teugelloosheid [tø.gə'lo.shɛit] *v* unrestrainedness, unbridled passion.
teugje ['tø.xjə] *o* sip; *met ~s drinken* sip.
Teun, Teunis [tø.n, 'tø.nəs] *m* Anthony, Tony.
teunisbloem ['tø.nəsblu.m] *v* 🌺 evening primrose.
teut ['tø.t] *m-v* slow-coach, dawdler.
teutachtig ['tø.taxtəx] dawdling.
teuten ['tø.tə(n)] *vi* dawdle.
teutkous ['tø.tkɔus] *v* slow-coach, dawdler.
Teutoon [tø.'to.n] *m* Teuton.
Teutoons [-'to.ns] Teutonic.
teveel [tə've.l] *o* surplus.
tevens ['te.vəns] at the same time; *de ...ste en ~ de ...ste* both the ...st and the ...st.
tevergeefs [təvər'ge.fs] in vain, vainly.
tevoren [-'vo.rə(n)] zie 2 *voren*.
tevreden [-'vre.də(n)] **I** *aj* 1 (predicatief) content; 2 (attributief) contented; *~ stellen* content, satisfy *zich ~ stellen met...* content oneself with...; *~ met* content with; *~ zijn over* be satisfied with; **II** *ad* contentedly.
tevredenheid [-hɛit] *v* contentedness, contentment, content, satisfaction; *tot zijn (volle) ~* to his (entire) satisfaction.
tewaterlating [tə'va.tərla.tɪŋ] *v* ⚓ launch, luanching.
teweegbrengen [-'ve.xbrɛŋə(n)] *vt* bring about, cause.
tewerkstelling [-'vɛrkstelɪŋ] *v* employment.
Texas ['tɛksɑs] *o* Texas.
Texel ['tɛsəl] *o* (the) Texel.
textiel [tɛks'ti.l] **I** *aj* textile; **II** *m* & *o* textiles.
textielindustrie [-'industri.] *v* textile industry.
thans [tɑns] at present, now; by this time.
theater [te.'a.tər] *o* theatre.
theatraal [te.a.'tra.l] **I** *aj* theatrical, stag(e)y, histrionic; **II** *ab* theatrically, stagily, histrionically.
Thebaan(s) [te.'ba.n(s)] *m* (& *aj*) Theban.
Thebe ['te.bə] *o* Thebes.
thee [te.] *m* tea; *~ drinken* have (take) tea, tea; *ze zijn aan het ~drinken* they are at tea; *komt u op de ~?* will you come to tea (with us)?; *kunnen we op de ~ komen?* can you have us to tea?
theeblad ['te.blat] *o* 1 🌺 tea-leaf; 2 tea-tray.
theebus [-bŭs] *v* tea-canister.

theecultuur [-kŭlty:r] *v* tea-culture, tea-growing.
theedoek [-du.k] *m* tea-cloth.
theefabriek [-fa.bri.k] *v* tea-works, tea-factory.
theegerei, theegoed [-gərɛi, -gu.t] *o* tea-things.
theehandel [-hɑndəl] *m* tea-trade.
theehandelaar [-hɑndəla:r] *m* tea-merchant, tea-dealer.
theehuis [-hœys] *o* tea-house.
theeketel [-ke.təl] *m* tea-kettle.
theekistje [-kɪʃə] *o* tea-caddy.
theekopje [-kɔpjə] *o* tea-cup.
theekultuur zie *theecultuur*.
theeland [-lɑnt] *o* tea-plantation, tea-estate.
theelepeltje [-le.pəlcə] *o* 1 tea-spoon; 2 tea-spoonful.
theelichtje [-lɪxjə] *o* spirit-stove.
Theems [te.ms] *v* Thames.
theemuts ['te.mŭts] *v* tea-cosy.
theeoogst [-o.xst] *m* tea-crop.
theepauze [-pɔuzə] *v* tea break.
theeplantage [-plɑnta.ʒə] *v* tea-plantation, tea-estate.
theepot [-pɔt] *m* tea-pot.
theeroos [-ro.s] *v* 🌺 tea-rose.
theesalon [-sa.lòn] *m* & *o* tea-room(s).
theeschoteltje [-sxo.təlcə] *o* saucer.
theeservies [-sɛrvi.s] *o* tea-service, tea-set.
theestoof [-sto.f] *v* tea-kettle stand.
theetafel [-ta.fəl] *v* tea-table.
theetante [-tɑntə] *v* F gossip.
theetuin [-tœyn] *m* (uitspanning & plantage) tea-garden.
theevisite [-vi.zi.tə] *v* five o'clock visit; tea-party.
theewagen [-va.gə(n)] *m* tea-trolley.
theewater [-va.tər] *o* water for tea; *hij is boven zijn ~* F he is in his cups.
theezeefje [-ze.fjə] *o* tea-strainer.
theïsme [te.'ɪsmə] *o* theism.
theïst [te.'ɪst] *m* theist.
theïstisch [te.'ɪsti.s] **I** *aj* theistic(al); **II** *ad* theistically.
thema ['te.ma.] 1 *v* & *o* ⮕ exercise; 2 *o* theme.
thematisch [te.'ma.ti.s] thematic.
theocraat [te.o.'kra.t] *m* theocrat.
theocratie [-kra.'(t)si.s] theocracy.
theocratisch [-'kra.ti **I** *aj* theocratic; **II** *ad* theocratically.
Theodoor ['te.o.do:r] *m* Theodore.
Theodora [te.o.'do:ra.] *v* Theodora.
theokra- zie *theocra-*.
theologant [te.o.lo.'gɑnt] *m* zie *theoloog*.
theologie [-'gi.] *v* theology.
theologisch [te.o.'lo.gi.s] *aj* (& *ad*) theological(ly).
theoloog [-'lo.x] *m* 1 theologian; 2 F student of theology, divinity student.
theorema [-'re.ma.] *o* theorem.
theoreticus [-'re.ti.kŭs] *m* theorist; > theory-monger.
theoretisch [-'re.ti.s] **I** *aj* theoretical; **II** *ad* theoretically, in theory.

theoretiseren, theoretizeren [-re.ti.'ze:rə(n)] *vi* theorize.

theorie [-'ri.] *v* theory; ✕ theoretical instruction.

theosofie [-zo.'fi.] *v* theosophy.

theosofisch [-'zo.fi.s] *aj* (& *ad*) theosophical(ly).

theosoof [-'zo.f] *m* theosophist.

theozo- zie *theoso-*.

therapeut [te.ra.'pœyt] *m* therapeutist.

therapeutisch [-'pœyti.s] *aj* (& *ad*) therapeutic(ally).

therapie [-'pi.] *v* 1 (onderdeel der geneeskunde) therapeutics; 2 (behandeling) therapy.

Theresia [te.'re.zi.a.] *v* Theresa.

thermometer ['tɛrmo.me.tər, tɛrmo.'me.tər] *m* thermometer.

thermometrisch [tɛrmo.'me.tri.s] *aj* (& *ad*) thermometric(ally).

thermonucleair [tɛrmo.ny.kle.'ɛ:r] thermonuclear.

Thermopylae [tɛr'mo.pi.le.] *mv* Thermopylae.

Ⓜ **thermosfles** ['tɛrmɔsfles] *v* thermos (flask).

thermostaat [tɛrmo.'sta.t] *m* thermostat.

thesaurie [te.zo.'ri.] *v* treasury.

thesaurier [-'ri:r] *m* treasurer.

these ['te.zə] *v* thesis [*mv* theses].

thesis ['te.zis] *v* thesis [*mv* theses].

Thomas ['to.mɑs] *m* Thomas; *ongelovige* ～ doubting Thomas.

Thracië ['tra.tsi.ə] *o* Thrace.

Thraciër [-tsi.ər] *m* **Thracisch** [-tsi.s] *aj* Thracian.

thuis [tœys] I *ad* at home; (terug) home; ～ *blijven* (*zijn*) stay (be) at home; *is...* ～*?* ook: is... in?; *ergens goed* ～ *in zijn* be at home with (on) a subject; *doe of je* ～ *waart* (*was, bent*) make yourself at home; *handen* ～ *!* hands off!; *niemand* (*niet*) ～ nobody (not) at home, nobody (not) in; *niet* ～ *geven* not be at home [to visitors]; II *o* home.

thuisbezorgen ['tœysbəzɔrgə(n)] *vt* send to a person's house.

thuisbrengen [-brɛŋə(n)] *vt* 1 see home [a friend]; 2 *fig* place [a man].

thuisclub [-klŭp] *v sp* home team.

thuisfront [-frɔnt] *o* home front.

thuishaven [-ha.və(n)] ⚓ home port.

thuishoren [-ho:rə(n)] *vi* in: *daar* ～ belong there; *die opmerkingen horen hier niet thuis* are out of place; *ik geloof dat ze in Haarlem* ～ I think they belong to H.

thuisklub zie *thuisclub*.

thuiskomen [-ko.mə(n)] *vi* come (get) home.

thuiskomst [-kòmst] *v* home-coming, return (home).

thuisreis [-rɛis] *v* homeward journey, journey home; ⚓ homeward passage, voyage home; *op de* ～ homeward bound.

thuisvlucht [-flŭxt] *v* ✈ flight home.

thuiswedstrijd [-vɛtstrɛit] *m sp* at home game, home match.

thuiswerker [-vɛrkər] *m* ～**ster** [-stər] *v* homeworker, outworker.

tiara [ti.'a:ra.] *v* tiara.

Tiber ['ti.bər] *m* Tiber.

Tibet ['ti.bɛt] *o* Tibet.

Tibetaan(s) [ti.be'ta.n(s)] *m* (& *aj*) Tibetan.

tichel ['tɪgəl] *m* tile, brick.

tichelaarde [-a:rdə] *v* brick-clay.

tichelbakker [-bɑkər] *m* tile-maker, brickmaker.

tichelbakkerij [tɪgəlbɑkə'rɛi] *v* brick-works.

ticheloven ['tɪgəlo.və(n)] *m* tile-kiln.

tichelsteen [-ste.n] *m* tile, brick.

tichelwerk [-vɛrk] *o* tile-work, brick-work.

tien [ti.n] ten.

tiend [ti.nt] *m* & *o* tithe.

tiendaags ['ti.nda.xs] of ten days, ten-days'...

tiende ['ti.ndə] I *aj* tenth; II *o* 1 tenth part, tenth; 2 tithe; *de* ～*n heffen* levy tithes.

tiendelig [-de.lɔx] consisting of ten parts; decimal [fraction].

tiendheffer ['ti.nthefər] *m* tithe-gatherer, tither.

tiendheffing [-hefɪŋ] *v* tithing.

tiendpachter [-pɑxtər] *m* farmer of tithes.

tiendplichtig [ti.nt'plɪxtəx] tithable.

tiendrecht ['ti.ntrɛxt] *o* right to levy tithes.

tiendubbel ['ti.ndŭbəl] tenfold.

tienduizend [-dœyzənt] ten thousand; ～*en* tens of thousands.

tiendverpachting ['ti.ntfərpɑxtɪŋ] *v* farming out of tithes.

tiener ['ti.nər] *m* teen-ager.

tienhoek ['ti.nhu.k] *m* decagon.

tienjarig [-ja:rəx] 1 decennial; 2 of ten years, ten-year-old.

tienkamp [-kɑmp] *m sp* decathlon.

tiental [-tɑl] *o* (number of) ten, decade; *het* ～ the ten (of them); *twee* ～*len* two tens.

tientallig [-tɑləx] decimal.

tientje [-cə] *o* 1 (bedrag) ten guilders; (gouden) gold ten-guilder piece; (papieren) ten-guilder note; 2 *RK* decade (of the rosary); 3 tenth of a lottery-ticket.

tienvoud [-vɑut] *o* decuple.

tienvoudig [-vɑudəx] tenfold.

tienwerf [-vɛrf] ten times.

tierelantijntje [ti:rəlɑn'tɛincə] *o* flourish; ～*s* scrolls and flourishes.

tierelieren ['ti:rə'li:rə(n)] *vi* warble, sing.

1 **tieren** ['ti:rə(n)] *vi* (welig groeien) thrive [of a plant, a tree]; *fig* flourish; *de ondeugd tiert daar* vice is rampant (rife) there.

2 **tieren** ['ti:rə(n)] *vi* (razen) rage, rant, bluster, zie ook: *razen*.

tierlantijntje [ti:rlɑn'tɛincə] zie *tierelantijntje*.

tij [tɛi] *o* tide; zie ook: *getij*.

tijd [tɛit] *m* 1 (in 't alg.) time; 2 (periodiek) period; season; 3 *gram* tense [of a verb]; *de goede oude* ～ the good old times, the good old days; *de hele* ～ all the time; *een hele (lange)* ～ (*was hij ziek*) for a long time; *dat* *is een hele* ~ that's quite a long time; *wel, lieve* ~ ! dear me!; *middelbare* ~ mean time; *plaatselijke* ~ local time; *vrije* ~ leisure (time), spare time; *zijn zwarte* ~ his black years; *het zal mijn* ~ *wel duren* it will last my time; *het is* ~ time is up; *het is hoog* ~ it is high time; *er was een* ~ *dat...* time was when...; *het wordt* ~ *om...* it is getting time to...; *(geen)* ~ *hebben* have (no) time; *alles heeft zijn* ~ there is a time for everything; *het heeft de* ~ there is no hurry; *ik heb de* ~ *aan mijzelf* my time is my own; *hij heeft zijn* ~ *gehad* he has had his day; *als men maar* ~ *van leven heeft* if only one lives long enough; *de* ~ *niet klein weten te krijgen* have time on one's hands; ~ *maken* make time; *er de* ~ *voor nemen* take one's time (for...); ~ *winnen* gain time; ~ *trachten te winnen* ook: play for time; *wij zijn aan geen* ~ *gebonden* we are not tied down to time; *bij* ~ *en wijle* in due time; *bij* ~ *en* at times, sometimes; occasionally; *gedurende de* ~ *dat...* during the time that..., while, whilst; *in* ~ *van nood* in time of need; *in* ~ *van oorlog* in times of war; *in de* ~ *van een maand* in a month's time, within a month; *in de* ~ *toen (dat)...* at the time when; *in mijn* ~ in my time (day); *in mijn jonge* ~ in my young days; *in geen* ~ *heb ik...* I have not... for ever so long; *in de laatste* ~ of late; *in lange* ~ for a long time past; *in minder dan geen* ~ in (less than) no time; *in onze* ~ in our days; *in de goede oude* ~ in the good old times; *in vroeger* ~ in former times; *met zijn* ~ *meegaan* zie *meegaan*; *na die* ~ after that time; *na korter of langer* ~ sooner or later; *morgen om deze* ~ this time to-morrow; *omtrent deze* ~ about this time; *op* ~ in time; *hij kwam net op* ~ in the nick of time; *de trein kwam precies op* ~ punctually to (schedule) time; *op* ~ *kopen* $ buy for forward delivery; *een woord op* ~ a word in season; *op de bepaalde* ~ at the appointed time, at the time fixed; *op gezette* ~ *en* at set times; *alles op zijn* ~ all in good time; *op welke* ~ *ook* (at) any time; *hij is over zijn* ~ he is behind (his) time; *het schip (de trein) is over zijn* ~ the ship (the train) is overdue; *sedert die* ~ from that time, ever since; *te allen* ~ *e* at all times; *te bekwamer* ~ in due time; *te dien* ~ *e* at the time; *te eniger* ~ at some time (or other); *zo hij te eniger* ~ *...* if at any time he...; *te gelegener (rechter)* ~ in due time; *te zijner* ~ in due time; *ten* ~ *e dat...* at the time when...; *ten* ~ *e van* at (in) the time of...; *terzelfder* ~ at the same time; *tegen die* ~ by that time; *tot* ~ *en wijle dat...* till...; *dat is uit de* ~ it is out of date, it has had its day; *hij is uit de* ~ he has had his day; *dichters van deze (van onze)* ~ contemporary poets; *van de laatste (nieuwere)* ~ recent; *van die* ~ *af* from that time forward; *van* ~ *tot* ~ from time to time; *voor de* ~

van 6 maanden for a period of six months; *voor de* ~ *van het jaar* for the time of year; *dat was heel mooi voor die* ~ as times went; *voor enige* ~ 1 for some time; for a time; 2 some time ago; *voor korte (lange)* ~ for a short (long) time; *vóór zijn* ~ *(werd hij oud)* prematurely; ~ *is geld* time is money; *de* ~ *zal het leren* time will show (tell); *de* ~ *is de beste heelmeester* time heals all; *andere* ~ *en, andere zeden* other times other manners; *komt* ~, *komt raad* with time comes counsel; *er is een* ~ *van komen en een* ~ *van gaan* to everything there is a season and a time to every purpose.

tijdaanwijzing ['tɛita.nvɛizɪŋ] *v* indication o time.

tijdaffaire [-afɛ:rə] *v* $ time bargain.

tijdbal [-bɑl] *m* ♪ time-ball.

tijdbepaling [-bəpa.lɪŋ] *v gram* adjunct of time.

tijdbesparing [-spa:rɪŋ] *v* saving of time.

tijdbom [-bòm] *v* delayed-action bomb, time bomb.

tijdelijk ['tɛidələk] I *aj* temporary; (wereldlijk) temporal; *het* ~ *e met het eeuwige verwisselen* depart this life; II *ad* temporarily.

tijdeloos [-dɔlo.s] timeless.

tijdens [-dəns] *prep* during.

tijdgeest ['tɛitɡe.st] *m* spirit of the age (of the time).

tijdgenoot ['tɛitɡəno.t] *m* contemporary.

tijdig ['tɛidəx] I *aj* timely [help &], seasonable; II *ad* in good time, betimes.

tijdigheid [-hɛit] *v* timeliness, seasonableness.

tijding(en) ['tɛidɪŋ(ən)] *v(mv)* tidings, news, intelligence.

tijdingzaal ['tɛidɪŋza.l] *v* news-room.

tijdje ['tɛicə] *o* (little) while.

tijdkorting ['tɛitkòrtɪŋ] *v* zie *tijdverdrijf*.

tijdkring [-krɪŋ] *m* period.

tijdlang [-lɑŋ] *m* in: *een* ~ for some time, for a while.

tijdmaat [-ma.t] *v* time.

tijdmeter [-me.tər] *m* chronometer, timekeeper.

tijdnood [-no.t] *m* time shortage, time trouble [of a chess-player]; *in* ~ *verkeren* be short of time, be under time pressure.

tijdopname [-òpna.mə] *v* 1 *sp* timing; 2 (foto) time exposure.

tijdopnemer [-òpne.mər] *m sp* timekeeper, timer.

tijdpassering [-pasə:rɪŋ] *v* zie *tijdverdrijf*.

tijdperk [-perk] *o* period; [stone &] age; [a new] era.

tijdrekening [-re.kənɪŋ] *v* chronology; [Christian] era; [Julian &] calendar.

tijdrit [-rɪt] *m sp* race against time.

tijdrovend [tɛit'ro.vənt] taking up much time, time-consuming.

tijdruimte ['tɛitrœymtə] *v* space of time, period.

tijdsbeeld ['tɛitsbe.lt] *o* image of the time.

tijdsbepaling [-bəpa.lɪŋ] = *tijdbepaling*.

tijdsbestek [-stɛk] *o* space of time.
tijdschakelaar ['tɛitsxa.kəla:r] *m* ☒ time switch.
tijdschema [-sxe.ma.] *o* time-table.
tijdschrift [-s(x)rɪft] *o* periodical, magazine, review.
tijdschriftenzaal [-s(x)rɪftə(n)za.l] *v* periodicals room.
tijdschrijver [-s(x)rɛivər] *m* timekeeper [of workmen].
tijdsduur ['tɛitsdy:r] *m* length of time.
tijdsein [-sɛin] *o* time-signal.
tijdsgewricht ['tɛitsɡəvrɪxt] *o* period.
tijdslimiet ['tɛitsli.mi.t] *v* time-limit.
tijdsluiter ['tɛitslœytər] *m* delayed-action shutter.
tijdsomstandigheid [-òmstandəxhɛit] *v* circumstance.
tijdsorde [-ordə] *v* chronological order.
tijdsruimte [-rœymtə] = *tijdruimte*.
tijdstip ['tɛitstɪp] *o* moment; date.
tijdsverloop ['tɛitsfərlo.p] *o* course of time; *na een ~ van...* after a lapse of...
tijdtafel ['tɛita.fəl] *v* chronological table.
tijdvak ['tɛitfak] *o* period.
tijdverdrijf [-fərdrɛif] *o* pastime; *tot (uit) ~ as* a pastime.
tijdverlies [-li.s] *o* loss of time.
tijdverspilling [-spɪlɪŋ] *v* waste of time.
⊙ **tijgen** ['tɛiɡə(n)] *vi* go; *aan het werk ~* set to work; *ten oorlog ~* go to war.
tijger ['tɛiɡər] *m* ♇ tiger.
tijgerachtig [-axtəx] tig(e)rish.
tijgerin [tɛiɡə'rɪn] *v* ♇ tigress.
tijgerjacht ['tɛiɡərjaxt] *v* tiger-hunt(ing).
tijgerkat [-kat] *v* ♇ tiger-cat.
tijgerlelie [-le.li.] *v* ☙ tiger-lily.
tijgervel [-vɛl] *o* tiger's skin.
tijhaven ['tɛiha.və(n)] *v* tidal harbour.
tijk [tɛik] I *m* tick; 2 *o* (de stof) ticking.
tijm [tɛim] *m* ☙ thyme.
tik [tɪk] *m* touch, pat, rap, flick; *een ~ om de oren* a box on the ears.
tikfout ['tɪkfəut] *v* typist's error, slip of the typewriter.
tikje [-jə] *o* I (klapje) pat, tap; 2 (beetje) bit; *fig* dash, tinge, touch [of malice &]; *een ~ arrogantie* a touch of arrogance; *een ~ beter* a shade better; *een ~ korter* a thought shorter.
tikken ['tɪkə(n)] I *vi* tick [of a clock], click; *aan de deur ~* tap at the door; *aan zijn pet ~* touch one's cap; *iemand op de schouder ~* tap one on the shoulder; *iemand op de vingers ~* rap a person's knuckles²; II *va* F type-(write); III *vt* i touch [a person]; 2 type-(write) [a letter &].
tikker [-kər] *m* ticker [ook: F = watch].
tikkertje [-kərcə] *o* i ticker [= watch]; 2 (insekt) death-watch.
tiktak ['tɪktak] I *m* (geluid) tick-tack; 2 *o* (spel) backgammon.
til [tɪl] I *m* lift; 2 *v* zie *duiventil*; *op ~ zijn* be

drawing near, be at hand; *er is iets op ~ ook*: there is something in the wind.
tilbaar ['tɪlba:r] movable.
tilbury ['tɪlbŭri.] *m* tilbury, gig.
tillen ['tɪlə(n)] *vt* lift, heave, raise.
timbre ['tɛ̃brə] *o* timbre.
timmeren ['tɪmərə(n)] I *vi* carpenter; *hij timmert niet hoog* he will not set the Thames on fire; *er op ~* pitch into him (into them), lay about one; *men moet er op blijven ~* one ought to keep harping on the subject; II *vt* construct, build, carpenter; *in elkaar ~* frame (up) [a story &].
timmergereedschap ['tɪmərɡəre.tsxɑp] *o* carpenter's tools.
timmerhout [-hɑut] *o* timber.
timmerman [-mɑn] *m* carpenter.
timmermansbaas [tɪmərmɑns'ba:s] *m* master carpenter.
timmerwerf ['tɪmərvɛrf] *v* (carpenter's) yard.
timmerwerk [-vɛrk] *o* carpentry, carpenter's work; carpentering.
Timon ['ti.mòn] *m* Timon.
Timotheus [ti.'mo.te.ús] *m* Timothy.
tin [tɪn] *o* tin, (legering van tin en lood) pewter.
tinctuur [tɪŋk'ty:r] *v* tincture.
tinerts ['tɪnɛrts] *o* tin-ore.
tinfoelie [-fu.li.] *v* (tin-)foil.
tingelen ['tɪŋələ(n)] *vi* tinkle, jingle.
tingeling(eling) [-'lɪŋ, tɪŋəlɪŋə'lɪŋ] ting-a-ling (-a-ling).
tingeltangel ['tɪŋəltɑŋəl] *m* S café-chantant.
tinkelen ['tɪŋkələ(n)] *vi* tinkle.
tinktuur zie *tinctuur*.
tinmijn ['tɪnmɛin] *v* tin-mine.
tinne ['tɪnə] *v* battlements, crenel.
tinnegieter ['tɪnəɡi.tər] *m* tinman, pewterer; *politieke ~* pot-house politician, political upholsterer.
tinnen ['tɪnə(n)] *aj* pewter.
tinschuitje ['tɪnsxœycə] *o* pig of tin.
tint [tɪnt] *v* tint, tinge, hue. shade.
tintel ['tɪntəl] *m* tingling [of the fingers].
tintelen [-tələ(n)] *vi* twinkle; *~ van* I sparkle with [wit]; 2 tingle with [cold].
tinteling [-təlɪŋ] *v* I twinkling; sparkling; 2 tingling.
tinten ['tɪntə(n)] *vt* tinge, tint; *getint papier* toned paper; *blauw getint* tinged with blue.
tintje ['tɪncə] *o* tinge².
tinwinning ['tɪnvɪnɪŋ] *v* tin-mining.
1 **tip** [tɪp] *m* tip [of finger]; corner [of a handkerchief &]; *een ~ van de sluier oplichten* lift a corner of the veil.
2 **tip** [tɪp] *m* tip [information].
tippel ['tɪpəl] *m* F tramp; *op de ~* F on the trot.
tippelen ['tɪpələ(n)] *vi* F trot, tramp.
tippen ['tɪpə(n)] I *vt* clip, trim; II *vi* in: *...kan er niet aan ~* F ...cannot touch it, ...is not a patch on it.

tiptop ['tɪptɔp] F tiptop, first-rate, A I.

tirade [ti.'ra.də] v tirade.

tirailleren [ti.ra(l)'je:rə(n)] vi ✕ skirmish.

tirailleur [-'jø:r] m ✕ skirmisher.

tiran [ti.'rɑn] m tyrant.

tirannie [ti.rɑ'ni.] v tyranny.

tiranniek [-'ni.k] aj (& ad) tyrannical(ly).

tiranniseren, tirannizeren [-ni.'ze:rə(n)] vt tyrannize over.

titan ['ti.tɑn] m Titan.

titanisch [ti.'ta.ni.s] titanic.

titel ['ti.təl] m title [of a poem, book &, of a person]; heading [of a column, chapter].

titelblad [-blɑt] o title-page.

titelhouder [-həudər] m sp holder of the title.

titelplaat [-pla.t] v frontispiece.

titelrol [-rɔl] v title-rôle, title-part, name-part.

titelwoord [-vo:rt] o headword.

tittel ['tɪtəl] m tittle, dot; geen ∼ of jota not one jot or tittle.

titulair [ti.ty.'lɛ:r] titular; majoor ∼ brevet major.

titularis [-'la:rəs] m holder (of an office, of a title); office-bearer; incumbent [of a parish].

titulatuur [-la.'ty:r] v style, titles; forms of address.

tituleren [-'le:rə(n)] vt style, title; hoe moet ik u∼? what is your style (and title)?

tjalk [tjɑlk] m & v ⚓ tjalk.

tjiftjaf ['tjɪftjɑf] m 🐦 chiff-chaff.

tjilpen ['tjɪlpə(n)] vi chirp, cheep, twitter.

tjokvol ['tjɔkfɔl] chock-full, cram-full, crammed.

TL-buis [te.'ɛlbœys] v zie *fluorescentielamp*.

toast(-) zie *toost(-)*.

tobbe ['tɔbə] v tub.

tobben ['tɔbə(n)] vi toil, drudge; met iemand ∼ have a lot of trouble with a person; over iets∼ worry about something.

tobber [-bər] m I toiler, drudge; 2 worrier.

tobberij [tɔbə'rɛi] v I trouble, difficulty; 2 worrying.

Tobias ['to.bi.ɑs] m Tobias, F Toby.

toch [tɔx] I (niettegenstaande dat) yet, still, for all that, in spite of (all) that, nevertheless; 2 (werkelijk) really; 3 (zeker) surely, to be sure; 4 (ongeduld uitdrukkend) ever; 5 (verzoekend, gebiedend) do..., pray...; 6 (niet vertaald) in: wat is het ∼ jammer! what a pity it is!; je moest nu ∼ klaar zijn you should be ready by this time; het is ∼ te erg it really is too bad; je komt ∼? you are coming, to be sure?; een ... is ∼ een mens a ... is a man for all that; wat wil hij ∼? what ever does he want?; what does he want?; wie kan het ∼ zijn? who ever can it be?; welke Jan bedoel je ∼? which ever John do you mean?; maar Jan ∼! I say, John!, John! Really, you know!; wat mankeert hij ∼? what is the matter with him, anyhow?; hoe (waar, waarom, wanneer) ∼? how (where, why, when) ever...?; wij gaan

morgen — Neen ∼? Not really?; waar zou hij ∼ zijn? I (nieuwsgierig) where may he be?; 2 (verbaasd) where can he be?; 3 (ongeduldig) where ever is he?; wees ∼ stil! do be quiet, please!; ja ∼, nu herinner ik het me yes indeed, now I remember; het is ∼ al moeilijk it is difficult as it is (anyhow); hij komt ∼ niet he will never turn up; antwoord ∼ niet (pray) don't answer; hij heeft de hele kip opgegeten. — Toch niet? Never!, you don't say so!; hij is ∼ wel knap he is a clever fellow though.

tocht [tɔxt] m I (reis) march, expedition, journey; voyage [by sea]; 2 (trekwind) draught; op de ∼ zitten sit in a draught.

tochtband ['tɔxtbɑnt] o & m list.

tochtdeken [-de.kə(n)] v draught-rug.

tochtdeur [-dø:r] v swing-door.

tochten ['tɔxtə(n)] in: het tocht hier there is a draught here.

tochtgat ['tɔxtgɑt] o vent-hole, air-hole.

tochtgenoot [-gəno.t] m fellow-traveller, companion.

tochtig ['tɔxtəx] (waar het tocht) draughty.

tochtigheid [-ɛit] v draughtiness.

tochtje ['tɔxjə] o excursion, trip.

tochtlat ['tɔxtlɑt] v strip.

tochtraam [-ra.m] o double window.

tochtscherm, ∼schut [-sxɛrm, -sxȳt] o (draught-screen.

toe [tu.] to; ∼, jongens, nu stil! I say, boys, do be quiet now!; ∼, kom nou toch! Oh, do come!; ∼ maar! I (aanmoedigend tot daad) go it!; 2 (aanm. tot spreken) fire away!; 3 (uiting v. verwondering) never!, good gracious!; deur ∼! shut the door!; de deur is ∼ the door is shut; ∼ nou! F do, now!; ik ben er nog niet aan ∼ I've not got so far yet; nu weet ik waar ik aan ∼ ben now I know where I am (where I stand); hij is er slecht aan ∼ I he is badly off; 2 he [the patient] is in a bad way; naar de stad ∼ I in the direction of the town; 2 F to (the) town.

toebedelen ['tu.bədə.lə(n)] vt allot, assign, apportion, deal out, dole (parcel, mete) out.

toebehoren [-ho:rə(n)] I vi belong to; II o in: met ∼ with appurtenances, with accessories.

toebereiden [-rɛidə(n)] vt I prepare; 2 (kruiden) season.

toebereiding [-rɛidɪŋ] v I (klaarmaken) preparation [of food]; 2 (kruiden) seasoning.

toebereidselen [-rɛitsələ(n)] mv preparations, preparatives; ∼ maken voor... make preparations for, get ready for.

toebijten ['tu.bɛitə(n)] I vi bite²; hij zal niet ∼ F he won't take the bait; II vt in: „weg", beet hij mij toe he snarled (snapped) at me.

toebinden [-bɪndə(n)] vt bind (tie) up.

toeblijven [-blɛivə(n)] vi remain shut.

toebrengen [-brɛŋə(n)] vt inflict [a wound, a loss, a defeat upon]; deal, strike [one a blow], do [harm].

toebulderen [-bûldərə(n)] *vt* shout (roar) at.

toedekken [-dɛkə(n)] *vt* cover (up) [something]; tuck in [a child in bed].

toedelen [-de.lə(n)] *vt* zie *toebedelen*.

toedenken [-dɛŋkə(n)] *vt* in: *iemand iets ~* destine it, intend it for him.

toedichten [-dɪxtə(n)] *vt* ascribe, impute [it to him].

toedienen [-di.nə(n)] *vt* administer [remedies, the sacraments]; give [a blow].

toediening [-di.nɪŋ] *v* administration [of remedies, sacraments].

1 **toedoen** [-du.n] *vt* shut; zie ook: *oog(je)*.

2 **toedoen** [-du.n] *o* in: *het geschiedde buiten mijn ~* I had no part in it; *door zijn ~* through him; *zonder uw ~ zou ik niet...* but for you.

toedraaien [-dra.jə(n)] *vt* close (by turning), turn off [a tap]; zie ook: *rug*.

toedracht [-drɔxt] *v de ~* the way it happened; *de (ware) ~ der zaak* how it all came to pass, the ins and outs of the affair.

toedragen [-dra.ɣə(n)] **I** *vt* in: *achting ~* esteem, hold in esteem; *iemand een goed hart ~* be kindly disposed towards a person, wish a person well; *iemand geen goed hart ~* be ill-affected towards a person; *ze dragen elkaar geen goed hart toe* there is no love lost between them; **II** *vr zich ~* happen; *hoe heeft het zich toegedragen?* how did it come to pass?

toedrinken [-drɪŋkə(n)] *vt* in: *iemand ~* drink a person's health.

toedrukken [-drûkə(n)] *vt* close, shut.

toeduwen [-dy.və(n)] *vt* push [a door] to; *iemand iets ~* slip something into a person's hands.

toeëigenen [-ɛiɣənə(n)] *vt* in: *zich iets ~* appropriate something.

toeëigening [-nɪŋ] *v* appropriation.

toefluisteren ['tu.flœystərə(n)] *vt* in: *iemand iets ~* whisper something in a person's ear, whisper it to him.

toegaan [-ɣa.n] *vi* 1 (dichtgaan) close, shut; 2 (zich toedragen) happen, come to pass; *het gaat er raar toe* there are strange happenings there; *zo is het toegegaan* thus the matter went; *~ naar* go (up) to [him], make for [the door &].

toegang [-ɣɑŋ] *m* 1 ingress, entrance, way in; approach [to a town]; 2 access, entrance; 3 admission, admittance; *verboden ~* private, no admittance; *trespassers will be prosecuted*; *vrije ~* admission free; *vrije ~ hebben tot* ook: have the run of [a library &]; be free of [the house]; *~ geven tot* give access to [another room]; *iemand ~ verlenen* admit a person; *zich ~ verschaffen tot* get into, force an entrance into [a house]; *de ~ weigeren* deny [one] admittance.

toegangsbewijs ['tu.ɣɑŋsbəvɛis] *o* ~**biljet** [-bɪl-jɛt] *o* ~**kaart** [-ka:rt] *v* admission ticket.

toegangsprijs [-prɛis] *m* (charge for) admission.

toegangsweg [-vɛx] *m* approach, access road, access route.

toegankelijk [tu.'ɣɑŋkələk] accessible, approachable, F get-at-able; *moeilijk ~* [sources] difficult of access; *hij is voor iedereen ~* he is a very approachable man; *niet ~ voor het publiek* not open to the public.

toegankelijkheid [-hɛit] *v* accessibility.

toegedaan ['tu.ɣəda.n] in: *ik ben hem zeer ~* I am very much attached to him; *ik ben die mening ~* I hold that opinion; *de vrede oprecht ~ zijn* be sincerely devoted to peace.

toegeeflijk [tu.'ɣe.fələk] *aj* (& *ad*) indulgent-

toegeeflijkheid [-hɛit] *v* indulgence. [(ly).

toegefelijk(-) = *toegeeflijk(-)*.

toegenegen ['tu.ɣəne.ɣə(n)] affectionate, devoted to; *Uw ~ X* Yours affectionately X.

toegenegenheid [-hɛit] *v* affectionateness, affection. [tion.

toegepast ['tu.ɣəpɑst] applied.

toegespen ['tu.ɣɛspə(n)] *vt* buckle.

toegeven [-ɣe.və(n)] **I** *vt* give into the bargain; *fig* concede, admit, grant; *dat geef ik u toe* I grant you that; *toegegeven dat u gelijk hebt* granting you are right; *de zangeres gaf nog wat toe* gave an extra; *ze geven elkaar niets toe* they are well matched; *men moet kinderen wat ~* children should be humoured (indulged) a little; *zij geeft hem te veel toe* she is too indulgent; **II** *vi* give in [to a person], give way [to grief, one's emotions &], yield; *hij wou maar niet ~* he could not be made to yield the point; *zoals iedereen ~ zal* as everybody will readily admit; *~ aan zijn hartstochten* indulge one's passions; *je moet maar niet in alles ~* not give way in everything.

toegevend [tu.'ɣe.vənt] indulgent; *gram* concessive.

toegevendheid [-hɛit] *v* indulgence.

toegewijd ['tu.ɣəvɛit] devoted [friend], dedicated [fighter].

toegift ['tu.ɣɪft] *v* makeweight; extra; *als ~* into the bargain.

toegooien [-ɣo.jə(n)] *vt* throw to, slam [a door]; fill up [a hole]; throw [me that book].

toegrauwen [-ɣrouə(n)] *vt* snarl at.

toegrendelen [-ɣrɛndələ(n)] *vt* bolt. [thing].

toegrijpen [-ɣrɛipə(n)] *vi* make a grab [at a

toehalen [-ha.lə(n)] *vt* draw closer, draw tighter.

toehappen [-hɑpə(n)] *vi* snap at it; swallow the bait[2]; *gretig ~* jump at a proposal (an offer).

toehoorder [-ho:rdər] *m* auditor, hearer, listener.

toehoren [-ho:rə(n)] *vi* 1 listen to; 2 zie *toebehoren*.

toehouden [-houdə(n)] *vt* 1 (toereiken) hand to; 2 (dichthouden) keep shut.

toejuichen [-jœyɣə(n)] *vt* applaud, cheer; *fig* welcome [a measure &].

toejuiching [-ɣɪŋ] *v* applause, shout, cheer.

toekaatsen ['tu.ka.tsə(n)] *vt* fling to.

toekan ['tu.kɑn] *m* ♀ toucan.

toekennen ['tu.kɛnə(n)] *vt* adjudge, award [a prize, punishment]; give [marks in examination &]; *een grote waarde ~ aan...* attach great value to...

toekenning [-nɪŋ] *v* granting, award.

toekeren ['tu.ke:rə(n)] *vt* turn to; zie ook: *rug*.

toekijken [-kɛikə(n)] *vi* look on.

toekijker [-kɛikər] *m* looker-on, onlooker.

toeknikken [-knɪkə(n)] *vt* nod to [a person].

toeknopen [-kno.pə(n)] *vt* button up.

toekomen [-ko.mə(n)] *vi* in: *zij kunnen niet ~* they can't make both ends meet; *dat komt ons toe* that is our due, it is due to us, we have a right to it; *iemand iets doen ~* send a person something; *zult u er mee ~?* will that be sufficient?; *ik kan er lang mee ~* it goes a long way with me.

toekomend [-ko.mənt] future, next; *~e tijd gram* future tense, future; *het hem ~e* his due.

toekomst [-kòmst] *v* future; *in de ~* in (the) future; *in de ~ lezen* look into the future.

toekomstdroom [-dro.m] *m* dream of the future.

toekomstig [tu.'kòmstəx] future.

toekomstmuziek ['tu.kòmstmy.zi.k] *v fig* dreams of the future.

toekomstplan [-plɑn] *o* plan for the future

toekrijgen ['tu.krɛiɡə(n)] *vt* 1 get shut, succeed in shutting; 2 get into the bargain.

toekruid [-krœyt] *o* seasoning, condiment.

toekunnen [-kűnə(n)] *vt* in: *het kan niet toe* you can't shut it; *zult u er mee ~?* will that be sufficient?; *ik kan er lang mee toe* it goes a long way with me.

toelaatbaar [tu.'la.tba:r] admissible.

toelaatbaarheid [-hɛit] *v* admissibility.

toelachen ['tu.lɑɡə(n)] *vt* smile at; *fig* smile on; *het lacht me niet toe* it doesn't appeal to me, it doesn't commend itself to me.

toelage [-la.ɡə] *v* allowance, gratification, grant [for students]; bonus; extra pay (salary, wages).

toelaten [-ła.tə(n)] *vt* 1 (dulden) permit, allow, suffer, tolerate; 2 (toegang verlenen) admit; 3 (dóórlaten) pass [a candidate]; *...kunnen niet toegelaten worden* no... admitted; *het laat geen twijfel (geen andere verklaring) toe* it admits of no doubt (of no other interpretation).

toelating [-tɪŋ] *v* 1 permission, leave; 2 admission, admittance.

toelatingseksamen zie *toelatingsexamen*.

toelatingsexamen [-tɪŋsɛksa.mə(n)] *o* 1 entrance examination; 2 matriculation [at the university].

toeleg ['tu.lɛx] *m* attempt, design, purpose, intention, plan.

toeleggen [-lɛɡə(n)] I *vt* cover up; *er geld op ~* be a loser by it; *er 10 gulden op ~* be ten guilders out of pocket; *het erop ~ om...* be bent upon ...ing; *het op iemands ondergang ~* be out to ruin him; II *vr zich ~ op de studie van...* apply oneself to [mathematics &].

toelichten [-lɪxtə(n)] *vt* clear up, elucidate, explain; *het met voorbeelden ~* illustrate it.

toelichting [-lɪxtɪŋ] *v* explanation, elucidation.

toelonken [-lòŋkə(n)] *vt* ogle [a girl].

toeloop [-lo.p] *m* concourse.

toelopen [-lo.pə(n)] *vi* come running on; *u moet maar ~* you just walk on; *op iemand ~* go up to a person; *hij kwam op mij ~* 1 he came up to me; 2 he came running towards me; *spits ~* taper, end in a point.

toeluisteren [-lœystərə(n)] *vt* listen.

toemaken [-ma.kə(n)] *vt* close, shut [a door &]; fold up [a letter]; button up [one's coat].

toemeten [-me.tə(n)] *vt* measure out, mete out.

toen [tu.n] I *ad* then, at that time; *van ~ af* from that time, from then; II *cj* when, as.

toenaaien ['tu.na.jə(n)] *vt* sew up.

toenaam [-na.m] *m* 1 surname, nickname; 2 family name, surname.

toenadering [-na.dərɪŋ] *v* approach[2]; *fig* rapprochement.

toename [-na.mə] *v* increase, rise.

toendra ['tu.ndra.] *v* tundra.

toenemen ['tu.ne.mə(n)] *vi* increase, grow.

toeneming [-mɪŋ] *v* increase, rise.

toenmaals ['tu.nma.ls] then, at the (that) time.

toenmalig [tu.n'ma.ləx] then, of the (that) time; *de ~e voorzitter* the then president.

toentertijd [tu.nter'tɛit] at the (that) time.

toepasselijk [tu.'pɑsələk] apposite, appropriate, suitable, bearing upon the matter; *~ op* applicable to, pertinent to, relevant to.

toepasselijkheid [-hɛit] *v* applicability; appropriateness, relevancy.

toepassen ['tu.pɑsə(n)] *vt* apply [rules & to].

toepassing [-sɪŋ] *v* application; *in ~ brengen* put into practice; *dat is ook van ~ op...* it is also applicable to..., it also applies to...

toer [tu:r] *m* 1 (omdraaiing) turn [of a wheel &], revolution [of an engine, of a long-play record]; 2 (tocht) tour, trip; 3 (wandeling) turn [= stroll, drive, run, ride]; 4 (kunststuk) feat, trick; 5 (van kapsel) front [of false hair]; 6 (v. halssnoer) string [of pearls]; 7 (bij het breien) round; *een ~ doen* take a turn [in the garden]; *~en doen* perform tricks; S do stunts; *het is een hele ~* it is quite a job; *het is zo'n ~ niet* there is nothing very difficult about it.

toerauto ['tu:ro.to., -ɔuto.] *m* touring-car.

toerbeurt [-bø:rt] *v* turn; *bij ~* by (in) rotation; by turns.

toereiken ['tu.rɛikə(n)] I *vt* reach, hand [something to a person]; II *vi* suffice, be sufficient.

toereikend [tu.'rɛikənt] sufficient, enough; *~ zijn* ook: suffice.

toerekenbaar [tu.'re.kənba:r] accountable, responsible [for one's actions].

toerekenbaarheid [-hɛit] *v* accountability responsibility.

toeren ['tu:rə(n)] *vi* take a drive (a ride &).

toerental [-tɑl] *o* ⚔ number of revolutions.

toerenteller [-tɛlər] *m* ⚔ revolution-counter.

toerisme [tu:'rɪsmə] *o* tourism; tourist industry.

toerist [-'rɪst] *m* tourist.

toeristenklas(se) [-'rɪstə(n)klɑs(ə)] *v* tourist class.

toeristenseizoen [-sɛizu.n] *o* tourist season.

toeristisch [tu:'rɪsti.s] tourist [traffic &].

toernee zie *tournee.*

toernooi [tu.r'no:i] *o* tournament, tourney, joust.

toernooien [-'no.jə(n)] *vi* tilt, joust.

toernooiveld [-'no:ivɛlt] *o* tilt-yard, tilting-ground.

toeroepen ['tu.ru.pə(n)] *vt* call to, cry to.

toertje ['tu:rcə] *o* turn [in the garden]; drive, run [in motor-car], spin [on bicycle]; ride [on horseback]; *een ~ gaan maken* go for a walk (a drive, a spin; a ride).

toerusten ['tu.rŭstə(n)] I *vt* equip, fit out; II *vr zich ~ voor* equip oneself for, prepare for.

toerusting [-tɪŋ] *v* equipment, fitting out, preparation.

toeschietelijk [tu.'sxi.tələk] 1 friendly; 2 (inschikkelijk) obliging.

toeschietelijkheid [-hɛit] *v* 1 friendliness; 2 obligingness.

toeschieten ['tu.sxi tə(n)] *vi* (toesnellen) dash forward; *~ op* rush at [a person]; pounce upon [its prey].

toeschijnen [-sxɛinə(n)] *vi* seem to, appear to.

toeschouwen [-sxɔuə(n)] *vi* look on.

toeschouwer [-sxɔuər] *m* spectator, looker-on, onlooker.

toeschreeuwen [-s(x)re.və(n)] *vt* cry to.

toeschrijven [-s(x)rɛi.və(n)] *vt* ascribe, attribute, impute [it] to, put [it] down to.

toeschuiven [-sxœyvə(n)] *vt* close (by pushing), draw [the curtains].

toeslaan [-sla.n] *vt* 1 (dichtslaan) slam [of a door]; 2 (er op slaan) lay about one, hit out; 3 (een slag toebrengen) strike; *sla toe!* 1 pitch into them!, go it!; 2 (bij koop) shake (hands on it)!; II *vt* 1 (dichtslaan) slam, bang [a door]; shut [a book]; 2 (bij veiling) knock down to.

toeslag [-slɑx] *m* 1 (in geld) extra allowance (pay); [war] bonus; (prijsvermeerdering) extra charge; extra fare, excess fare [on railways &]; 2 (bij veiling) knocking down.

toeslagbiljet [-bɪljet] *o* extra ticket.

toesmijten ['tu.smɛitə(n)] *vt* zie *toegooien.*

toesnauwen [-snɔuə(n)] *vt* snarl at.

toesnellen [-snɛlə(n)] *vi* rush forward; *~ op* rush to.

toespelden [-spɛldə(n)] *vt* pin up.

toespeling [-spe.lɪŋ] *v* allusion, insinuation, hint; *een ~ maken op* allude to, hint at.

toespijkeren [-spɛikərə(n)] *vt* nail up.

toespijs [-spɛis] *v* 1 side-dish; 2 dessert.

toespitsen [-spɪtsə(n)] I *vt* exacerbate [the position, relations &]; II *vr zich ~* grow worse [of a situation].

toespraak [-spra.k] *v* address, harangue, allocution; *een ~ houden* give an address.

toespreken [-spre.kə(n)] *vt* speak to [a person]; address [a meeting].

toespringen [-sprɪŋə(n)] *vi* spring forward; *komen ~* come bounding on; *~ op* spring at.

toestaan [-sta.n] *vt* 1 (toelaten) permit, allow; 2 (verlenen) grant, accord, concede.

toestand [-stɑnt] *m* state of affairs, position, situation, condition, state; *in hachelijke ~* in a precarious situation; *in a sorry plight.*

toesteken [-ste.kə(n)] *vt* in: *iemand de hand ~* put (hold) out one's hand to a person; *de toegestoken hand* the proffered hand.

toestel [-stɛl] *o* appliance, contrivance, apparatus; ⚑ machine; [wireless, TV] set; (foto~, film~) camera; *~ 13* ☎ extension 13.

toestemmen [-stɛmə(n)] I *vt* in: *dat wil ik u gaarne ~* I readily grant you that; II *vi* consent; *~ in iets* consent to, agree to; grant it; accede to it.

toestemmend [-stɛmənt] I *aj* affirmative; II *ad* [reply] in the affirmative, affirmatively; *hij knikte ~* he nodded assent.

toestemming [-stɛmɪŋ] *v* consent, assent; *met (zonder) ~ van* with (without) the permission of.

toestoppen [-stɔpə(n)] *vt* stop up [a conduit]; stop [one's ears]; tuck in [a child]; *iemand iets ~* slip it into his hand.

toestormen [-stɔrmə(n)] *vi* rush forward; *~ op* rush at, rush upon.

toestromen [-stro.mə(n)] *vi* flow (stream, rush) towards, flock in, come flocking to [a place].

toesturen [-sty:rə(n)] *vt* send, forward; remit [money].

toetakelen [-ta.kələ(n)] I *vt* 1 (uitdossen) accoutre [a child]; 2 (mishandelen) Sknock about [a person]; damage [a thing]; *hij werd lelijk toegetakeld* he was awfully knocked about; II *vr zich (gek) ~* accoutre oneself.

toetasten [-tɑstə(n)] *vi* help oneself, fall to [at dinner].

toeten ['tu.tə(n)] *vi* toot(le), hoot; *hij weet van ~ noch blazen* he knows nothing at all.

toeter ['tu.tər] *m* tooter, hooter, horn.

toeteren ['tu.tərə(n)] *vi* toot, tootle, hoot; sound the (one's) horn.

toetje ['tu.cə] *o* 1 sweet, a bit of dessert; 2 knot [of hair]; 3 pretty face.

toetreden ['tu.tre.də(n)] *vi* in: *op iemand ~* walk up to a man; *~ tot* join [a club, union &], accede to [a treaty].

toetreding [-dɪŋ] *v* accession, joining.

toets [tu.ts] *m* 1 (penseelstreek) touch; 2 (proef) test², assay; 3 key [of a piano; of a typewriter]; *de ~ (der kritiek) kunnen doorstaan* stand the test, pass muster.

toetsen ['tu.tsə(n)] *vt* try, test, put to the test [a person, thing, quality]; assay [metals]; ~ *aan* test by [the original].

toetsenbord [-bɔrt] *o* keyboard.

toetsnaald ['tu.tsna.lt] *v* touch-needle.

toetssteen ['tu.tste.n] *m* touchstone².

toetswedstrijd ['tu.tsvɛtstreit] *m sp* test-match.

toeval ['tu.val] I *o* accident, chance; 2 *m & o* ☞ fit of epilepsy; *het* ~ *wilde dat...* it so happened that..., it chanced that...; *aan* ~ *len lijden* be epileptic; *bij* ~ by chance, by accident, accidentally; *bij* ~ *ontmoette ik hem ook*: I happened to meet him; *door een gelukkig* ~ by some lucky chance.

toevallen [-valə(n)] *vi* fall to; *hem* ~ fall to his share; accrue to him [of interest].

toevallig [tu.'valəx] I *aj* accidental, casual, fortuitous; *een* ~ *e ontmoeting* ook: a chance meeting; II *ad* by chance, by accident, accidentally; ~ *zag ik het* ook: I happened to see it.

toevalligerwijs, -wijze [tu.valəgər'vɛis, '-vɛizə] zie *toevallig* II.

toevalligheid [tu.'valəxhɛit] *v* 1 (**abstract**) casualness, fortuitousness, fortuity; 2 (**concreet**) fortuity, coincidence, accident.

toeven ['tu.və(n)] *vi* 1 tarry; 2 stay.

toeverlaat ['tu.vərla.t] *m* refuge, shield.

toevertrouwen [-trouə(n)] *vt* in: *iemand iets* ~ entrust a person with a thing, entrust a thing to a person; confide something [a secret] to him; commit (consign) it to his charge.

toevliegen ['tu.vli.gə(n)] *vi* in: ~ *op* fly at.

toevloed [-vlu.t] *m* affluence; concourse [of people].

toevloeien [-vlu.jə(n)] *vi* flow to; accrue to.

toevloeiing [-vlu.jɪŋ] *v* zie *toevloed*.

toevlucht [-vlʏxt] *v* refuge; recourse; *zijn* ~ *ne- men tot* have recourse to, resort to.

toevluchtsoord [-vlʏxtso:rt] *o* (haven of) refuge.

toevoegen ['tu.vu.gə(n)] *vt* 1 add, join [something] to; 2 address [words] to; „*zwijg!*" *voegde hij mij toe* "silence!" he said to me; *wat heeft u daaraan toe te voegen?* what have you to add to that?

toevoeging [-gɪŋ] *v* addition.

toevoegsel ['tu.vu.xsəl] *o* supplement.

toevoer ['tu.vu:r] *m* supply.

toevoerbuis [-bœys] *v* supply-pipe.

toevoeren ['tu.vu:rə(n)] *vt* supply.

toevouwen [-vouə(n)] *vt* fold up.

toevriezen [-vri.zə(n)] *vi* freeze over (up).

toewas [-vas] *m* increase, growth.

toewenden [-vɛndə(n)] *vt* zie *toekeeren*.

toewenken [-vɛŋkə(n)] *vt* beckon to.

toewensen [-vɛnsə(n)] *vt* wish.

toewerpen [-vɛrpə(n)] *vt* cast [a glance &] at, throw, fling [it] to; *de deur* ~ slam the door.

toewicht [-vɪxt] *o* overweight.

toewijden [-vɛidɛ(n)] I *vt* consecrate, dedicate [a church & to God]; dedicate [a book to a friend]; devote [one's time & to]; II *vr zich*

~ *aan* devote oneself to.

toewijding [-dɪŋ] *v* devotion [to duty].

toewijzen ['tu.vɛizə(n)] *vt* allot, assign, award [a prize to...], allocate [sugar, fats &]; knock down [to the highest bidder].

toewijzing [-zɪŋ] *v* allotment, assignment, award, allocation [for sugar, fats &].

toewuiven ['tu.vœyvə(n)] *vt* wave to; *zich koelte* ~ *met zijn strooien hoed* fan oneself with one's straw hat.

toezeggen [-zɛgə(n)] *vt* promise.

toezegging [-gɪŋ] *v* promise.

toezenden ['tu.zɛndə(n)] *vt* send, forward; re- mit [money].

toezending [-dɪŋ] *v* sending, forwarding; remit- tance [of money].

toezicht ['tu.zɪxt] *o* surveillance, supervision, superintendence, inspection; ~ *houden op de jongens* keep an eye on the boys; *wie moet* ~ *houden?* who is charged with the sur- veillance?; *het* ~ *uitoefenen over...* be charged with the supervision over..., supervise..., superintend...; *onder* ~ *van...* under the supervision of...

toezien [-zi.n] *vi* 1 (**toekijken**) look on; 2 (**oppassen**) take care, be careful; *u moet goed* ~ be careful; see to it that...; *wij moch- ten* ~ we were left out in the cold; ~ *op zie toezicht houden op, het toezicht uitoefenen over*; ~ *d voogd* co-guardian.

toezingen [-zɪŋə(n)] *vt* sing to; *iemand een wel- kom* ~ welcome one with a song.

toezwaaien [-zva.jə(n)] *vt* wave to; *lof* ~ praise.

toga ['to.ga.] *v* gown, robe, toga; ~ *en bef* bands and gown.

toilet [tva'lɛt] *o* 1 toilet; dress; 2 toilet-table, dressing-table; 3 (W.C.) lavatory; ~ *maken* make one's toilet, dress; *een beetje* ~ *maken* smarten oneself up a bit; *in groot* ~ in full dress.

toiletbenodigdheden [-bəno.dəxthe.də(n)] *mv* toilet requisites.

toiletdoos [-do.s] *v* dressing-case.

toiletemmer [-ɛmər] *m* slop-pail.

toiletpapier [-pa.pi:r] *o* toilet-paper.

toiletspiegel [-spi.gəl] *m* toilet-mirror; cheval- glass.

toilettafel [tva'lɛta.fəl] *v* toilet-table, dressing- table.

toiletzeep [tva'lɛtse.p] *v* toilet soap.

tokayer [to.'ka.jər] *m* Tokay (wine).

tokkelen ['tɔkələ(n)] I *vt* pluck, touch [the strings], touch [the harp &], twang [a guitar], thrum [a banjo]; II *va* thrum.

toko ['to.ko.] *m Ind* (general) store; shop.

tokohouder [-houdər] *m Ind* storekeeper.

tok-tok ['tɔktɔk] (**van hen**) cluck-cluck!

tol [tɔl] *m* 1 (**speelgoed**) top ‖ 2 (**schatting**) toll², tribute; (bij in- en uitvoer) customs, duties; (bij doortocht) toll; 3 (**tolboom**) turnpike; 4 (**tolhuis**) toll-house; ~ *betalen* pay toll; *hij betaalde de ~ aan de natuur* he paid the debt of (to) nature; *~ heffen van...* levy toll on.

tolbaas ['tɔlba.s] ~**beambte** [-bəamtə] *m* toll-collector, turnpike-keeper.

tolboom [-bo.m] *m* turnpike, toll-bar.

tolbrug [-brük] *v* toll-bridge.

tolereren [to.lə're:rə(n)] *vt* tolerate.

tolgaarder ['tɔlga:rdər] *m* toll-collector, turnpike-keeper.

tolgeld [-gɛlt] *o* toll.

tolhek [-hɛk] *o* toll-gate.

tolhuis [-hœys] *o* toll-house.

tolk [tɔlk] *m* interpreter; *fig* mouthpiece.

tolkantoor ['tɔlkɑnto:r] *o* zie *tolhuis.*

tollen ['tɔlə(n)] *vi* spin a top, play with a top; *in het rond ~* tumble about; *iemand in het rond doen ~* send one spinning.

tollenaar ['tɔlɔna:r] *m* B publican.

tolplichtig [tɔl'plɪxtəx] subject to toll.

tolunie ['tɔly.ni.] *v* **tolverbond** [-vərbɔnt] *o* customs union.

tolvlucht [-vlüxt] *v* ✈ spin.

tolvrij [-vrei] toll-free, free of duty, duty-free.

tomaat [to.'ma.t] *v* ⚡ tomato.

Tomas zie *Thomas.*

tomatensoep [-'ma.tə(n)su.p] *v* tomato-soup.

tombe ['tɔmbə] *v* tomb.

tombola ['tɔmbo.la.] *m* tombola.

tomeloos ['to.məlo.s] unbridled, unrestrained, ungovernable.

tomeloosheid [to.mə'lo.shɛit] *v* licentiousness.

tomen ['to.mə(n)] *vt* bridle[2], *fig* curb, check.

tompoes, tompouce [tɔm'pu.s] *m* ɪ Tom Thumb (umbrella); 2 cream pastry.

ton [tɔn] *v* ɪ (vat) cask, barrel; 2 (maat) ton; 3 ⚓ buoy; 4 a hundred thousand guilders.

tondel ['tɔndəl] *o* tinder.

tondeldoos [-do.s] *v* tinder-box.

tonder ['tɔndər] = *tondel.*

tondeuse [tɔn'dø.zə] *v* (pair of) clippers.

toneel [to.'ne.l] *o* ɪ stage; 2 scene [of an act]; 3 *fig* theatre, scene; *het Nederlands ~* the Dutch stage; *~ spelen* act[2]; *het ~ van de oorlog* the theatre (seat) of war; *bij het ~* on the stage; *bij het ~ gaan* go on the stage; *ten tonele verschijnen* appear on the stage, come on; *fig* appear on the scene[2]; *ten tonele voeren* put upon the stage; *van het ~ verdwijnen* make one's exit[2], disappear from the stage[2], make one's bow[2].

toneelaanwijzing [-a.nvɛizɪŋ] *v* stage-direction.

toneelachtig [-ɑxtəx] theatrical, stagy.

toneelbenodigdheden [-bəno.dəxthe.də(n)] *mv* stage-properties.

toneelbewerking [-bəvɛrkɪŋ] *v* stage version.

toneelcriticus [-kri.ti.küs] *m* dramatic critic.

toneeleffect, ~**effekt** [-ɛfɛkt] *o* stage-effect.

toneelgezelschap [-gəzɛlsxɑp] *o* theatrical company.

toneelheld [-hɛlt] *m* stage-hero.

toneelkijker [-kɛikər] *m* opera-glass, binocu-lars.

toneelknecht [-knɛxt] *m* stage-hand.

toneelkritiek [-kri.ti.k] *v* dramatic criticism.

toneelkunst [-künst] *v* dramatic art, stage-craft.

toneellaars [to.'ne.la.rs] *v* buskin.

toneelmatig [to.ne.l'ma.təx] theatrical.

toneelscherm [to.'ne.lsxɛrm] *o* ɪ (gordijn) (stage-)curtain, (act-)drop; 2 (coulisse) side-scene.

toneelschikking [-sxɪkɪŋ] *v* setting of a (the) play.

toneelschool [-sxo.l] *v* school of acting, academy of dramatic art.

toneelschrijver [-s(x)rɛivər] *m* playwright, dramatist.

toneelspeelster [-spe.lstər] *v* (stage-)actress.

toneelspel [-spɛl] *o* ɪ acting; 2 zie *toneelstuk.*

toneelspeler [-spe.lər] *m* (stage-)actor, player.

toneelstuk [-stük] *o* (stage-)play.

toneelvoorstelling [-vo:rstɛlɪŋ] *v* theatrical performance.

tonelist [to.ne.'lɪst] *m* actor.

tonen ['to.nə(n)] I *vt* show; II *vr zich ~* show oneself; III *va* make a show; *zó ~ ze meer* they make a better show.

tong [tɔŋ] *v* ɪ tongue; 2 🐟 sole [a fish]; *hij heeft een gladde ~* he has got a glib tongue; *een kwade ~ hebben* have an evil tongue; *hij heeft een lange (scherpe) ~* he has a long (a sharp) tongue; *zijn ~ laten gaan (roeren)* be talking away; *zijn ~ uitsteken* put out (stick out) one's tongue (at *tegen*); *steek uw ~ uit* put out your tongue, show me your tongue; *zijn ~ slaat dubbel* he speaks thickly; *op de ~ rijden, over de ~ gaan* be the talk of the town.

tongbeen ['tɔŋbe.n] *o* tongue-bone.

tongklank [-klɑŋk] *m* lingual.

tongklier [-kli:r] *v* lingual gland.

tongriem [-ri.m] *m* string of the tongue; *van de ~ gesneden zijn* have a ready tongue.

tongspier [-spi:r] *v* lingual muscle.

tongval [-vɑl] *m* ɪ accent; 2 dialect.

tongvormig [-vɔrməx] tongue-shaped.

tongwortel [-vɔrtəl] *m* root of the tongue.

tongzenuw [-ze.ny:u] *v* lingual nerve.

tonic ['tɔnɪk] *m* tonic, tonic water.

tonicum ['to.ni.küm] *o* 🍷 tonic.

tonijn [to.'nɛin] *m* 🐟 tunny.

tonnage [tɔ'na.ʒə] *v* ⚓ tonnage.

tonnegeld ['tɔnəgɛlt] *o* ⚓ tonnage.

tonnen ['tɔnə(n)] *vt* barrel.

tonneninhoud [-ɪnhɔut] *m* **tonnenmaat** [-ma:t] *v* ⚓ tonnage.

tonrond ['tɔnrɔnt] tubby.

tonsuur [tɔn'zy:r] *v* tonsure.

toog [to.x] *m* cassock [of a priest].

toogdag ['to.xdɑx] *m* rally.

tooi [to:i] *m* attire, array, trimmings.

tooien ['to.jə(n)] I *vt* adorn, decorate, array, (be)deck; II *vr zich ~* adorn & oneself.

tooisel ['to:isəl] *o* finery, ornament.

toom [to.m] *m* bridle, reins; *een ~ kippen* a brood of hens; *in ~ houden* keep in check, check[2], *fig* bridle, curb [one's tongue &].

Toon [to.n] *m* Tony.

1 **toon** [to.n] *m* 1 tone; 2 (**toonhoogte**) pitch; 3 (**klank**) sound; 4 (**klemtoon**) accent, stress; 5 *fig* tone [of a letter, debate &, also of a picture &]; *de goede ~* good form; *de ~ aangeven* give the tone[2]; *fig ook:* set the tone; set the fashion; *een ~ aanslaan* strike a note; *fig* take a high tone; *u hoeft tegen mij niet zo'n ~ aan te slaan* you need not take this tone with me; *een andere ~ aanslaan* change one's tone; *in zijn brieven slaat hij een andere ~ aan* his letters are in a different strain; *een hoge ~ aanslaan* take a high tone; (*goed*) *houden* ♪ keep tune [of singer]; keep in tune [of instrument]; *de juiste ~ treffen* strike the right note; *op bevelende* (*gebiedende*) *~* in a tone of command; *op hoge* (*zachte*) *~* in a high (low) tone; *op de tonen van de muziek* to the strains of the music; *het is tegen de goede ~* it is bad form.

2 **toon** [to.n] *m* zie 2 *teen*.

toonaangevend ['to.na.nge.vənt] leading.

toonaard [-a:rt] *m* ♪ key [major or minor].

toonbaar [-ba:r] presentable, fit to be shown, fit to be seen.

toonbank [-baŋk] *v* counter.

toonbeeld [-be.lt] *o* model, pattern, paragon.

toondemper [-dɛmpər] *m* ♪ mute.

toonder [-dər] *m* $ bearer; *betaalbaar aan ~* (*dezes*) $ payable to bearer.

toondicht [-dɪxt] *o* ♪ (musical) composition.

toondichter [-dɪxtər] *m* ♪ (musical) composer.

toongevend [-ge.vənt] leading.

toongever [-ge.vər] *m* leader.

toonhoogte [-ho.xtə] *v* ♪ pitch.

toonkamer [-ka.mər] *v* show-room.

toonkunst [-kʏnst] *v* ♪ music.

toonkunstenaar [-kʏnstəna:r] *m* ~**kunstenares** [to.nkʏnstəna:'rɛs] *v* ♪ musician.

toonladder ['to.nladər] *v* ♪ gamut, scale; *~s spelen* practise scales.

toonloos [-lo.s] 1 toneless [voice]; 2 unaccented, unstressed [syllable].

toonschaal [-sxa.l] *v* scale, gamut.

toonteken [-te.kə(n)] *o* gram accent, stress-mark.

toontje [-cə] *o* in: *een ~ lager zingen* sing small, climb down; *iemand een ~ lager doen zingen* make one sing another tune, take him down a peg or two.

toonvast [-vast] ♪ keeping tune.

toonzaal [-za.l] *v* show-room.

toonzetter [-zɛtər] *m* ♪ (musical) composer.

toonzetting [-tɪŋ] *v* ♪ (musical) composition.

toorn [to:rn] *m* anger, wrath, choler, ⊙ ire.

toornen ['to:rnə(n)] *vi* be angry (wrathful).

toornig [-nəx] **I** *aj* angry, wrathful, irate; **II** *ad* angrily, wrathfully.

toorts [to:rts] *v* 1 torch, link; 2 ♣ mullein.

toortsdrager ['to:rtsdra.gər] *m* torch-bearer.

toortslicht [-lɪxt] *o* torch-light.

toost [to.st] *m* toast [to the health of...]; *een ~ instellen* (*uitbrengen*) give (propose) a toast.

toosten ['to.stə(n)] *vi* give (propose) a toast.

1 **top** [tɔp] *m* 1 top, summit [of a mountain]; 2 tip [of the finger]; 3 apex [of a triangle]; *de ~ van de mast* the mast-head; *met de vlag in ~* the flag flying at the mast-head; *ten ~ stijgen* rise to a climax; *van ~ tot teen* from top to toe, from head to foot.

2 **top** [tɔp] *ij* 1 done!, it's a go!, I'm on!; 2 (*bij weddenschap*) taken!

topaas [to.'pa.s] *m* & *o* topaz.

topconditie ['tɔpkɔndi.(t)si.] *v* zie *topvorm*.

tophoek [-hu.k] *m* vertical angle.

topinamboer [to.pi.nam'bu:r] *m* ♣ Jerusalem artichoke.

topkonditie zie *topconditie*.

toplicht ['tɔplɪxt] *o* ⚓ mast-head light.

topograaf [to.po.'gra.f] *m* topographer.

topografie [-gra.'fi.] *v* topography.

topografisch [-'gra.fi.s] *aj* (& *ad*) topographical(ly).

toppen ['tɔpə(n)] *vt* top [a tree].

topprestatie ['tɔpresta.(t)si.] *v* record; ⚔ maximum performance; maximum output [of a factory].

toppunt ['tɔpʏnt] *o* 1 (in 't alg.) top[2], summit[2]; 2 (in meetk.) vertex, apex; 3 (in sterrenk.) culminating point, 4 *fig* top, culminating point, acme, pinnacle, zenith, climax; *dat is het ~!* F that's the limit!, that puts the lid on!, that beats all!; *het ~ van mijn eerzucht* the top of my ambition; *het ~ van onbeschaamdheid* the height of insolence; *het ~ van volmaaktheid* the summit (the acme) of perfection; *het ~ bereiken* reach its acme, reach a climax; *op het ~ van zijn* (*haar*) *roem* at the height of his (her) fame.

topsnelheid ['tɔpsnelheit] *v* top speed.

topvorm [-fɔrm] *m* in: *in ~ zijn* be at the top of one's form, be in top form.

topzwaar [-sva:r] top-heavy[2].

toque [to.k] *v* toque.

tor [tɔr] *v* beetle; *gouden ~* rose-chafer.

toren ['to:rə(n)] *m* tower [not tapering], steeple [with a spire]; turret [for guns]; *hoog van de ~ blazen* boast.

torenflat [-flɛt] *m* tower-block of flats.

torenhoog [-ho.x] as high as a steeple, towering.

torenklok [-klɔk] *v* 1 tower-clock church-clock; 2 church-bell.

torenkraan [-kra.n] *v* tower-crane.

torenspits [-spɪts] *v* spire.

torenspringen [-sprɪŋə(n)] *o* (v. zwemmers high diving.

torentje [-cə] *o* turret; *van ~s voorzien* turreted.

torenuil [-œyl] *m* zie *kerkuil*.

torenvalk [-valk] *m* & *v* 🐦 kestrel, windhover.

torenwachter [-vaxtər] *m* watchman on a tower.

torenzwaluw [-zva.ly:u] v 🐦 zie *gierzwaluw*.
tornado [tər'na.do.] v tornado.
tornen ['tɔrnə(n)] I vt rip (up); II vi come unsewn; *daar valt niet aan te* ~ that is irrevocable, unshakable; *niet* ~ *aan* not meddle with, not tamper with [rights].
tornmesje ['tɔrnmɛʃə] o ripper.
tornooi(-) [tɔr'no:i] = *toernooi(-)*.
torpederen [tɔrpe.'de:rə(n)] vt torpedo.
torpedo [tɔr'pe.do.] v torpedo.
torpedoboot [-bo.t] m & v ⚓ torpedo-boat.
torpedojager [-ja.gər] m ⚓ (torpedo-boat) destroyer.
torpedolanceerbuis [-lɑnse:rbœys] v ⚓ torpedo-tors [tɔrs] m = *torso*. [tube.
torsen ['tɔrsə(n)] vt carry [a bag, on the back], bear [a heavy burden].
torsie ['tɔrsi.] v torsion.
torso ['tɔrso.] m torso.
tortel ['tɔrtəl] m & v 🐦 turtle(-dove).
tortelduif [-dœyf] v 🐦 turtle-dove.
Toskaan(s) [tɔs'ka.n(s)] m (& aj) Tuscan.
Toskane [tɔs'ka.nə] o Tuscany.
tot [tɔt] I *prep* I (v. afstand) to, as far as; 2 (v. tijd) till, until, to; 3 (bij bepaling v. gesteldheid) as, for & onvertaald; *benoemd* ~ *gouverneur* appointed governor; ~ *vriend kiezen* choose [one] for (as) a friend; *die woorden* ~ *de zijne maken* make those words his own; ~ *1848* till (up to) 1848; [go] as far back as 1848; *van 8* ~ *12* from 8 to (till) twelve o'clock; ~ *de laatste cent* to the last farthing; ~ *aan de armen* up to their arms; ~ *aan de borst (de knieën)* breast-high, knee-deep; ~ *aan de top* as high as the top; up to the top; ~ *boven 32°* to above 32°; ~ *in de dood (getrouw)* (faithful) (un)to death; ~ *in zijn laatste regeringsjaar* down to the last year of his reign; ~ *op de bodem* as low down as the bottom; down to the bottom; ~ *op een stuiver* to within a penny; ~ *voor enkele jaren* up to a few years ago; *dat is nog* ~ *daar aan toe!* well, let it go at that!; ~ *dan toe* until then; ~ *hier(toe)* thus far; ~ *nu toe (nog toe)* till now, up to now; so far; ~ *en met...* up to and including [May 15], as far as [page 50] inclusive; II *cj* till, until.
totaal [to.'ta.l] I *aj* (& *ad*) total(ly); II *o* total (amount), sum total; *in* ~ in all, totalling [1500 persons].
totaalbedrag [-bədrɑx] o sum total, total amount.
totaalindruk [-ɪndrŭk] m general impression.
totalisator [to.ta.li.'za.tɔr] m totalizator, total-totalitair [-'tɛ:r] totalitarian. [izer, F tote.
totalitarisme [-ta.'rɪsmə] o totalitarianism.
totalizator zie *totalisator*.
totdat [tɔt'dɑt] till, until.
totebel [to.təbɛl] v I *eig* square net; 2 *fig* draggle-tail, slattern; *ouwe* ~ old frump.
totem ['to.təm] m totem.
toto ['to.to.] m I (sport~, voetbal~) pool;

2 (bij wedren) zie *totalisator*.
totok ['tɔtək] m-v *Ind* full-blooded European.
totstandkoming [tɔt'stɑntko.mɪŋ] v realization, completion.
touringcar ['tu:rɪŋka:r] m & v (motor-)coach.
tournee [tu:r'ne.] v tour (of inspection); *een* ~ *maken (in)* tour; *op* ~ *gaan* go on tour.
tourniquet [tu:rni.'kɛ(t)] m turnstile.
touw [tɔu] o I (voorwerp) rope [over one inch thick]; cord [= thin rope]; string [= thin cord]; 2 (stof) rope; ~ *pluizen* pick oakum; *er is geen* ~ *aan vast te knopen* you can make neither head nor tail of it; *ik ben de hele dag in* ~ *geweest* I have been in harness all day; *op* ~ *zetten* undertake [something]; get up [a show]; engineer [a war]; launch [a scheme].
touwklimmen ['tɔuklɪmə(n)] o rope-climbing.
touwladder [-lɑdər] v rope-ladder.
touwslager [-sla.gər] m rope-maker.
touwslagerij [tɔusla.gə'rɛi] v rope-walk.
touwtje ['tɔucə] o (bit of) string.
touwtjespringen [-sprɪŋə(n)] I *vi* skip; II *o* skipping.
touwtrekken ['tɔutrɛkə(n)] o *sp* tug-of-war.
touwwerk [-vɛrk] o I cordage, ropes; 2 ⚓ rigging.
t.o.v. = *ten opzichte van* zie *opzicht*.
tovenaar ['to.vəna:r] m sorcerer, magician, wizard, enchanter.
tovenares [to.vəna:'rɛs] v sorceress, witch, en-tovenarij [-'rɛi] v zie *toverij*. [chantress.
toveraar ['to.vəra:r] = *tovenaar*.
toverachtig ['to.vəraxtəx] I *aj* fairy-like, magic(al), charming, enchanting; II *ad* magically.
toverbeker [-be.kər] m magic cup.
toverboek [-bu.k] o conjuring-book.
toverdrank [-drɑŋk] m magic potion.
toveren ['to.vərə(n)] I *vi* practise sorcery; F conjure, juggle; *ik kan niet* ~ I am no wizard; II *vt* conjure (up)²; *een ei uit een hoed* ~ conjure (juggle) an egg out of a hat.
toveres [to.və'rɛs] v zie *tovenares*.
toverfluit ['to.vərflœyt] v magic flute.
toverformule [-fɔrmy.lə] v toverformulier [-fɔrmy.li:r] o magic formula, spell, charm, incantation.
tovergodin [-go.dɪn] v fairy.
toverheks [-hɛks] v witch.
toverij [to.və'rɛi] v sorcery, witchcraft, magic.
toverkol ['to.vərkɔl] v witch, hag.
toverkracht [-krɑxt] v witchcraft, spell.
toverkunst [-kŭnst] v sorcery, magic (art); ~*en* magic tricks, tricks of magic, witchcraft.
toverlantaarn, -lantaren [-lɑnta:rən] v magic lantern.
tovermiddel [-mɪdəl] o charm, spell, magic means.
toverpaleis [-pa.lɛis] o enchanted palace.
toverring [to.vərɪŋ] m magic ring.
toverroede [-ru.də] v magic wand.
toverslag ['to.vərslɑx] m in: *als bij* ~ as if (as by magic).

toverspiegel [-spi.gəl] *m* 1 magic mirror; 2 distorting mirror.

toverspreuk [-sprø.k] *v* incantation, spell, charm.

toverstaf [-staf] *m* magic wand.

toverwoord [-vo:rt] *o* magic word, spell, charm.

traag [tra.x] I *aj* slow, tardy, indolent, sluggish, slothful, inert; II *ad* slowly, tardily &.

traagheid ['tra.xhɛit] *v* 1 (in 't alg.) slowness, indolence, inertness, sluggishness, slothfulness; 2 (in natuurk.) inertia.

1 **traan** [tra.n] *m & v* tear; *de tranen stonden hem in de ogen* tears were in his eyes; *hij zal er geen ~ om laten* he will not shed a tear over it; *tranen met tuiten schreien, hete tranen schreien* cry one's heart out, cry bitterly; *tot tranen geroerd zijn* be moved to tears.

2 **traan** [tra.n] *m* train-oil.

traanachtig ['tra.naxtəx] zie *tranig*.

traanbom [-bòm] *v* ✗ tear(-gas) bomb.

traanbuis [-bœys] *v* tear-duct.

traangas [-gas] *o* ✗ tear-gas.

traanklier [-kli:r] *v* lachrymal gland.

traankoker [-ko.kər] *m* train-oil boiler.

traankokerij [tra.nko.kə'rɛi] *v* try-house; *drijvende ~* ⚓ factory-ship.

traanogen ['tra.no.gə(n)] *vi* have watering eyes.

traanzak [-zak] *m* lachrymal sac.

tracé [tra.'se.] *o* (ground-)plan, trace.

traceren [tra.'se:rə(n)] *vt* trace, trace out [a plan].

trachten ['traxtə(n)] *vt* try, attempt, endeavour; *~ naar* zie *streven naar*.

tractaat zie *traktaat*.

tractatie zie *traktatie*.

tracteren zie *trakteren*.

tractie ['traksi.] *v* traction, haulage.

tractor ['trak-, 'trektər] *m* tractor.

traditie [tra.'di.(t)si.] *v* tradition.

traditioneel [-di.(t)si.o.'ne.l] 1 (in 't alg.) traditional; time-honoured; 2 F customary, stock...

tragedie [tra.'ge.di.] *v* tragedy.

tragiek [-'gi.k] *v* tragedy [of life].

tragikomedie [-gi.ko.'me.di.] *v* tragi-comedy.

tragikomisch [-gi.'ko.mi.s] tragi-comic.

tragisch ['tra.gi.s] I *aj* tragic(al); II *ad* tragically.

trainen ['tre.nə(n)] I *vt* train, coach; II *vr zich ~* train.

trainer [-nər] *m* trainer, coach.

traineren [trɛ'ne:rə(n)] I *vi* hang fire, drag (on); *~ met* delay; II *vt* drag out.

training ['tre.nɪŋ] *v* training.

trainingsbroek [-nɪŋsbru.k] *v* track-suit trousers.

trainingspak [-pak] *o* track suit.

trait d'union [trɛdy.ni.'õ] *o* hyphen.

traite ['trɛ.tə] *v* $ draft.

traject, trajekt [tra.'jɛkt] *o* way, distance, stretch; section [of railway line]; stage [of bus &].

traktaat [trak'ta.t] *o* treaty.

traktaatje [-'ta.cə] *o* tract.

traktatie [-'ta.(t)si.] *v* treat.

traktement [-tə'mɛnt] *o* salary, pay.

traktementsdag [-'mɛntsdax] *m* pay-day.

traktementsverhoging [-fərho.gɪŋ] *v* rise, increase (of salary).

trakteren [trak'te:rə(n)] I *vt* 1 (onthalen) treat, regale [one's friends]; 2 (behandelen) deal with [the matter]; *hen op een fles ~* stand them a bottle, treat them to a bottle, regale them with a bottle; II *va & vi* stand treat, stand drinks.

traktie, traktor zie *tractie, tractor*.

tralie ['tra.li.] *v* bar; *~s* ook: lattice, trellis, grille; *achter de ~s* inside, behind prison bars, under lock and key.

traliedeur [-dø:r] *v* grated door.

traliën [-ə(n)] *vt* grate, lattice, trellis.

tralievenster [-vɛnstər] *o* 1 (met tralies, v. gevangenis &) barred window; 2 (van latwerk) lattice-window.

traliewerk [-vɛrk] *o* lattice-work, trellis-work.

tram [trɛm] *m* tramway, tram-car.

tramconducteur ['trɛmkòndűktø:r] *m* tram(way) conductor.

tramhalte [-haltə] *v* stopping-place, (tram-)stop.

tramhuisje [-hœyʃə] *o* (tram) shelter.

tramkaartje [-ka:rcə] *o* tramway ticket, tram ticket.

tramkondukteur zie *tramconducteur*.

tramlijn [-lɛin] *v* tram(way) line.

trammen ['trɛmə(n)] *vi* (& *vt*) go by tram, F tram it.

tramrijtuig ['trɛmrɛitœyx] *o* zie *tramwagen*.

tramverkeer [-vərke:r] *o* tramway traffic.

tramwagen [-va.gə(n)] *m* tram-car.

tramweg [-vɛx] *m* tramway.

trance ['trãsə] *v* trance.

tranche ['trãʃə] *v* $ instalment [of a loan].

tranen ['tra.nə(n)] *vi* water; *~de ogen* watering eyes.

tranendal [-dal] *o* vale of tears.

tranenvloed [-vlu.t] *m* flood of tears.

tranig ['tra.nəx] like train-oil, train-oil...

trans [trɑns] *m* 1 (omgang v. toren) gallery; 2 (rand) battlements.

transactie, transaktie [trɑns'aksi.] *v* transaction, deal.

transatlantisch [-at'lɑnti.s] transatlantic.

transcendentaal [trɑnsɛndɛn'ta.l] transcendental.

transformator [trɑnsfər'ma.tər] *m* ⚡ transformer.

transformeren [-'me:rə(n)] *vt* transform.

transfusie [trɑns'fy.zi.] *v* transfusion.

transistor [trɑn'sɪstər] *m* transistor.

transistorradio [-'sɪstəra.di.o.] *m* transistor radio.

transistortoestel [-'sɪstərtu.stɛl] *o* transistor set.

transitief ['trɑnsi.ti.f] *aj* (& *ad*) transitive(ly).

transito [tran'si.to.] $ transit.

transitohandel [-handəl] m $ transit-trade.

transitoir, transitoor [transi.'tva:r, -'to:r] transitory.

translateur [transla.'tø:r] m translator.

transmissie [-'mɪsi.] v transmission.

transparant [-pa.'rant] I aj transparent; II o 1 transparency [picture]; 2 black lines [for writing].

transpiratie [transpi.'ra.(t)si.] v perspiration.

transpireren [-'re:rə(n)] vi perspire.

transplantatie [transplan'ta.(t)si.] v ✝ transplantation.

transplanteren [-'te:rə(n)] vt ✝ transplant.

transponeren [transpo.'ne:rə(n)] vt transpose.

transport [trans'pɔrt] o 1 (vervoer) transport, conveyance, carriage; 2 (in rekeningen) amount carried forward; per ~ $ carried forward.

transportarbeider [-arbɛidər] m transport worker.

transportband [-bant] m ⚒ conveyor.

transporteren [transpɔr'te:rə(n)] vt 1 transport, convey; 2 $ carry forward [in book-keeping].

transporteur [-'tø:r] m 1 (persoon) transporter; 2 (instrument) protractor.

transportfiets [trans'pɔrtfi.ts] m & v carrier cycle.

transportkabel [-ka.bəl] m telpher.

transportkosten [-kɔstə(n)] mv cost of transport.

transportschip [-sxɪp] o transport(-ship), ⚓ troop-ship.

transportvliegtuig [-fli.xtœyx] o ✈ transport plane.

transportwezen [-ve.zə(n)] o transport.

Trans-Siberisch [transi.'be:ri.s] Trans-Siberian.

Transsilvanië [transɪl'va.ni.ə] o Transylvania.

transsubstantiatie [transŭpstansi.'a.(t)si.] v transubstantiation.

Transvaal [trans'fa.l] v The Transvaal.

Transvaals [-'fa.ls] aj Transvaal.

Transvaler [-'fa.lər] m Transvaaler.

trant [trant] m manner, way, fashion, style; in de ~ van after the manner of; naar de oude ~ in the old style.

1 trap [trap] m 1 (schop) kick; 2 (trede) step; 3 (graad) degree, step; 4 (v. raket) stage; de ~pen van vergelijking the degrees of comparison; stellende ~ positive (degree); vergrotende ~ comparative (degree); overtreffende ~ superlative (degree); iemand een ~ geven give one a kick; op een hoge ~ van beschaving at a high degree of civilization; op de laagste ~ van beschaving on the lowest plane of civilization.

2 trap [trap] m 1 ('t geheel van treden) stairs, staircase, flight of stairs; 2 (trapladder) step-ladder, (pair of) steps; de ~ af down the stairs, downstairs; de ~ op up the stairs, upstairs; ~ op, ~ af up and down the stairs, upstairs and downstairs; iemand van

de ~pen gooien kick a person downstairs.

trapeze [tra.'pɛ.zə] v trapeze.

trapezium [-'pe.zi.ŭm] o 1 (meetk.) trapezium; 2 (gymnastiek) trapeze.

trapgans ['trapgans] v 🦃 bustard.

trapgevel [-ge.vəl] m stepped gable.

trapladder, trapleer [-ladər, -le:r] v step-ladder, (pair of) steps.

trapleuning [-lø.nɪŋ] v banisters, handrail.

traploper [-lo.pər] m stair-carpet.

trap(naai)machine [-(na:i)ma.ʃi.nə] v treadle sewing-machine.

trappehuis ['trapəhœys] o staircase hall, well.

trappelen ['trapələ(n)] vi trample, stamp [with impatience].

trappen ['trapə(n)] I vi 1 kick (at naar); 2 (op fiets) F pedal; erin ~ F fall for it; ~ op step (tread) on; II vt tread; kick; het orgel ~ blow the organ; ik laat me niet ~ I won't suffer myself to be kicked; ze moesten zulke... eruit ~ they ought to kick them out of the service; hij werd eruit getrapt 1 he got the boot, he was fired [from his billet]; 2 ☞ he was chucked out; zie ook: 2 teen.

trapper ['trapər] m treadle [of organ, lathe, bicycle &]; pedal [of bicycle].

trappist [tra'pɪst] m Trappist.

trappistenklooster [-'pɪstə(n)klo.stər] o Trappist monastery.

trapportaal ['traporta.l] o landing.

traproe(de) ['trapru.(də)] v stair-rod.

trapsgewijs, -gewijze [trapsgə'vɛis, -'vɛizə] gradually, by degrees.

trassaat [tra'sa.t] m $ trawee.

trassant [-'sant] m $ drawer.

trasseren [-'se:rə(n)] vi $ draw.

trauma ['trouma.] v trauma.

traumatisch [trou'ma.ti.s] traumatic.

travesteren [tra.vɛs'te:rə(n)] vt travesty.

travestie [tra.vɛs'ti.] v travesty.

trawant [tra.'vant] m satellite.

trechter ['trɛxtər] m 1 funnel; 2 (v. molen) hopper; 3 (v. granaat) crater.

trechtervormig [-vɔrməx] funnel-shaped.

tred [trɛt] m tread, step, pace; gelijke ~ houden met keep step (pace) with; met vaste ~ with a firm step.

trede [tre.də] v 1 (bij 't lopen) step, pace; 2 (v. trap, rijtuig) step; 3 (v. ladder) rung; 4 (trapper) treadle [of a sewing-machine].

treden ['tre.də(n)] I vi tread, step, walk; daarin kan ik niet ~ I cannot accede to that; I can't fall in with the proposal; in bijzonderheden ~ enter into detail(s); in dienst ~ & zie dienst &; nader ~ approach; naar voren ~ come to the front; ~ uit withdraw from [a club], leave [the Church, a party &]; II vt tread.

tredmolen ['trɛtmo.lə(n)] m treadmill[2]; fig jog-tree [tre.] = trede. [trot.

treeft [tre.ft] v trivet.

treeplank ['tre.plank] v foot-board [of railway carriage].

tref [trɛf] *m* chance; *wát een* ~ *!* how lucky!; *het is een* ~ *als je...* it is a mere chance if...

treffen ['trɛfə(n)] **I** *vt* 1 (raken) hit, strike²; *fig* touch; 2 (aantreffen) meet (with); *het doel* ~ hit the mark²; *hem trof een ongeluk* he met with an accident; *hem treft geen schuld* no blame attaches to him; *regelingen* ~ make arrangements; *personen aie door dit verbod getroffen worden* persons affected by this prohibition; *u heeft de gelijkenis goed getroffen* you have hit off the likeness; *je treft het, dat...* lucky for you that...; *je treft het niet* bad luck for you; *we hebben het goed getroffen* we have been lucky; *dat treft u ongelukkig* bad luck for you; *ik heb het die dag slecht getroffen* I was very unlucky that day; *iemand thuis* ~ find a person at home; *waar kan ik je* ~*?* where can I find you?; *we troffen hem toevallig te S.,* we came across him (chanced upon him) at S.; **II** *vi* in: *dat treft goed* nothing could have happened better, that's lucky; **III** *o* encounter, engagement, fight.

treffend ['trɛfənt] *aj* (& *ad*) striking(ly); touching(ly).

treffer [-fər] *m* ⚔ hit²; *fig* lucky hit.

trefpunt ['trɛfpŭnt] *o* 1 ⚔ point of impact; 2 (v. personen) meeting place.

trefwoord [-vo:rt] *o* reference, entry, catchword.

treil [trɛil] *m* 1 tow-line; 2 trawl(-net).

treilen ['trɛilə(n)] *vt* 1 tow; 2 trawl [with a net].

treiler [-lər] *m* ⚓ trawler.

trein [trɛin] *m* 1 (railway) train; 2 retinue, suite; 3 ⚔ train.

treinbeambte ['trɛinbəamtə] *m* railway official.

treinbotsing [-botsiŋ] *v* train collision, train crash.

treinconducteur [-kòndŭktø:r] *m* (railway) guard.

treinenloop ['trɛinə(n)lo.p] *m* train-service.

treinkondukteur zie *treinconducteur*.

treiteraar ['trɛitəra:r] *m* tease, teaser, pesterer.

treiteren [-rə(n)] *vt* vex, nag, tease, pester.

trek [trɛk] *m* 1 (ruk) pull, tug, haul; 2 (aan pijp) pull; 3 (v. schoorsteen) draught; 4 (tocht) draught; 5 (het trekken) migration [of birds]; (*ZA*) trek [journey by ox-wagon]; 6 (haal met de pen &) stroke; dash; 7 ◇ trick; 8 (in geweerloop) groove; 9 (gelaatstrek) feature, lineament; 10 (karaktertrek) trait; 11 (lust) mind, inclination; 12 (eetlust) appetite; *een paar* ~*ken (aan zijn pijp) doen* have a few whiffs; *alle* ~*ken halen* ◇ make all the tricks; (*geen*) ~ *hebben* have an (no) appetite; ~ *hebben in iets* have a mind for something; *ik zou wel* ~ *hebben in een kop thee* I should not mind a cup of tea; (*geen*) ~ *hebben om te...* have a (no) mind to..., (not) feel like ...ing; *zijn* ~*ken thuis krijgen* have the tables turned on one, have

one's chickens come home to roost; *er is geen* ~ *in de kachel* the stove doesn't draw; *in* ~ *zijn* be in demand (request); *ze zijn erg in* ~ *bij* they are in great request with, very popular with; *in brede* ~*ken* in broad outline; *in korte* ~*ken* in brief outline, briefly; *in vluchtige* ~*ken* in broad outline; *in grote* ~*ken aangeven* outline [a plan]; *met één* ~ with one stroke; *op de* ~ *zitten* sit in a draught.

trekbal ['trɛkbɑl] *m* ♂♂ twister.

trekbank [-bɑŋk] *v* ⚒ draw-bench.

trekbeest, trekdier [-be.st, -di:r] *o* draught-animal.

trekhond [-hònt] *m* draught-dog.

trekkas ['trɛkɑs] *v* hothouse, forcing-house.

trekkebekken ['trɛkəbɛkə(n)] *vi* bill and coo.

trekken ['trɛkə(n)] **I** *vi* 1 (rukken) draw, pull, tug; 2 (v. scheermes) pull; 3 (gaan, reizen) go, march; *sp* hike; *ZA* trek [of people]; migrate [of birds]; 4 (kromtrekken) warp, become warped; 5 (van thee &) draw; 6 (v. schoorsteen &) draw; 7 *fig* draw [customers &]; *'t trekt hier* there is a draught here; *er op uit* ~ set out, ☉ set forth; *zij* ~ *heen en weer* they go up and down the country; *de thee laten* ~ let the tea draw; *de thee staat te* ~ the tea draws; ~ *aan* pull (tug, tear) at; pull, tug; *aan de bel* ~ pull the bell; *aan zijn haar* ~ pull one's hair; *hij trok aan zijn pijp, maar zijn pijp trok niet* he pulled at his pipe, but his pipe didn't draw; *aan zijn sigaret* ~ draw on one's cigarette; *met zijn linkerbeen trekt hij* he has a limp in his left leg; *met de mond trekt hij* his mouth twitches; *zij trokken naar het westen* they moved (marched) west; *op iemand* ~ $ draw on a man; *wij zullen uit dit huis* ~ move out of this house; *zij* ~ *van de ene plaats naar de andere* they move from place to place; *als dat niet trekt, trekt niemendal* if that doesn't fetch them, I don't know what will; **II** *vt* 1 draw² [a load, a line, a revolver, his sword, many people, customers &]; pull [something]; tow [a ship, motorcar]; 2 force [plants]; *een bal* ~ ♂♂ twist a ball; *draad* ~ draw wire; *een prijs* ~ draw a prize; *een mooi salaris* & ~ draw a handsome salary &; *een tand* ~ draw a tooth; *een tand laten* ~ have a tooth drawn; *een wissel* ~ (*op*) $ draw a bill (on); *hij trok mij aan mijn haar* he pulled my hair; *hij trok mij aan mijn mouw* he pulled (at) my sleeve; *iemand aan de (zijn) oren* ~ pull his ears; *hij trok zijn hoed in de ogen* he pulled his hat over his eyes; *hem op zij* ~ draw him aside; *zich de haren uit het hoofd* ~ tear one's hair; *iemand uit het water* ~ draw (pull, haul) one out of the water; *een les* ~ *uit* draw a lesson from; *we moesten hen van elkaar* ~ we had to pull them apart; *zij trokken hem de kleren van het lijf* they tore the clothes from his back.

trekker ['trɛkər] m 1 drawer [of a bill]; 2 sp hiker; 3 trigger [of fire-arms]; 4 tab, tag [of a boot]; 5 (tractor) tractor.

trekking [-kɪŋ] v 1 (in 't alg.) drawing; 2 (v. loterij) drawing, draw; 3 (in schoorsteen) draught; 4 (v. zenuwen) twitch, convulsion.

trekkingslijst [-kɪŋslɛist] v list of prizes.

trekkracht ['trɛkrɑxt] v tractive power.

treknet ['trɛknɛt] o drag-net, seine.

trekpaard [-pa:rt] o draught-horse.

trekpen [-pɛn] v drawing-pen.

trekpleister [-plɛistər] v vesicatory; fig attraction, F draw; (liefje) sweetheart.

trekpot [-pɔt] m tea-pot.

trekschroef [-s(x)ru.f] v tractor screw.

trekschuit [-sxœyt] v tow-boat.

treksel [-səl] o infusion, brew [of coffee].

treksluiting [-slœytɪŋ] v slide fastener.

trektocht [-tɔxt] m sp hike; een ~ maken hike.

trekvaart [-fa:rt] v ship-canal.

trekvogel [-fo.gəl] m 🐦 bird of passage, migratory bird, migrant.

trekzaag [-sa.x] v ✂ cross-cut saw, whip-saw.

trem [trɛm] = tram.

trema ['tre.ma.] o diaeresis [mv diaereses].

tremconducteur ['trɛmkɔ̀ndʉktø:r] = tramconducteur.

tremel ['tre.məl] m (mill-)hopper.

tremhalte ['trɛmhaltə] = tramhalte.

tremhuisje [-hœyʃə] = tramhuisje.

tremkaartje [-ka:rcə] = tramkaartje.

tremkondukteur zie tremconducteur.

tremlijn [-lɛin] = tramlijn.

1 tremmen ['tremə(n)] vt trim [coals].

2 tremmen ['tremə(n)] = trammen.

tremmer [-mər] m trimmer.

tremrijtuig ['trɛmrɛitœyx] = tramrijtuig.

tremverkeer [-vərke:r] = tramverkeer.

tremwagen [-va.gə(n)] = tramwagen.

tremweg [-vɛx] = tramweg.

trens [trɛns] v 1 (aan bit) snaffle; 2 (lus) loop.

trepaneerboor [tre.pa.'ne:rbo:r] v trepan.

trepaneren [-'ne:rə(n)] vt & vi trepan.

tres [tres] v braid.

treurboom ['trø:rbo.m] m 🌳 weeping tree [weeping beech &].

treurdicht [-dɪxt] o elegy.

treuren ['trø:rə(n)] vi be sad, grieve; fig languish [of plants &]; ~ om mourn for, mourn over [a loss²]; ~ over grieve over, mourn for.

treures ['trø:res] m 🌳 weeping ash.

treurgewaad [-gəva.t] o mourning-dress.

treurig ['trø:rəx] I aj sad, sorrowful, mournful, pitiful; II ad sadly &.

treurigheid [-hɛit] v sadness.

treurkleed ['trø:rkle.t] o mourning-dress.

treurlied [-li.t] o elegy, dirge.

treurmarche [-marʃ] = treurmars.

treurmare [-ma:rə] v sad news (tidings).

treurmars [-mars] m & v ♪ funeral march,
dead march.

treurmuziek [-my.zi.k] v funeral music.

treurspel [-spɛl] o tragedy.

treurspeldichter [-dɪxtər] m tragic poet.

treurspelspeler [-spe.lər] m tragedian.

treurwilg ['trø:rvɪlx] m 🌳 weeping willow.

treurzang [-zaŋ] m elegy, dirge.

treuzel, ~aar ['trø.zəl, -zəla:r] m ~ster [-stər] v slow-coach, dawdler, loiterer, slacker.

treuzelachtig ['trø.zəlaxtəx] dawdling.

treuzelen [-zələ(n)] vi dawdle, loiter, linger.

treuzelkous [-zəlkous] v F zie treuzelaar(ster).

triangel [tri.'aŋəl] m ♪ triangle.

tribunaal [tri.by.'na.l] o tribunal, court of justice.

tribune [tri.'by.nə] v tribune, rostrum, [speaker's] platform; [reporters' &] gallery; sp (grand)stand; publieke ~ public gallery, [in House of Parliament] strangers' gallery.

tribuun [tri.'by.n] m tribune.

trichine [tri.'gi.nə] v trichina.

trichineus [-gi.'nø.s] trichinous.

trichinose [-gi.'no.zə] v trichinosis.

tricot [tri.'ko.] o 1 tricot [woollen fabric], stockinet; 2 m & o jersey [for children &]; tights [for acrobats &].

triduüm [tri.dy.ũm] o RK triduum.

Trier [tri:r] o Treves.

triest(ig) ['tri.st(əx)] dreary, dismal, melancholy, sad.

trigonometrie [tri.go.no.me.'tri.] v trigonometry.

trigonometrisch [-'me.tri.s] aj (& ad) trigonometric(ally).

trijp [trɛip] o mock-velvet.

trijpen ['trɛipə(n)] aj mock-velvet.

triktrak ['trɪktrak] o sp backgammon.

triktrakbord [-bɔrt] o sp backgammon board.

triktrakken ['trɪktrakə(n)] vi sp play at backgammon.

trilgras [-gras] o 🌾 quaking-grass.

triljoen [trɪl'ju.n] o trillion [1.000.000³].

trillen ['trɪlə(n)] vi 1 (v. personen, stem &) tremble; 2 (v. stem) vibrate, quaver, quiver; 3 (v. gras) quake, dither; 4 (in de natuurk.) vibrate; ~ van tremble with [anger].

triller [-lər] m ♪ trill, shake.

trilling [-lɪŋ] v vibration, quivering, quiver.

trilogie [tri.lo.'gi.] v trilogy.

trimester [-'mɛstər] o term, three months.

trio ['tri.o.] o trio².

triolet [tri.o.'lɛt] v & o triolet.

triomf [tri.'ɔmf] m triumph; ~en vieren achieve great triumphs.

triomfantelijk [tri.ɔm'fantələk] I aj triumphant; triumphal [entry]; II ad triumphantly.

triomfator [-'fa.tər] m triumpher.

triomfboog [tri.'ɔmfbo.x] m triumphal arch.

triomferen [tri.ɔm'fe:rə(n)] vi triumph (over over).

triomflied [tri.'ɔmfli.t] o triumphal song, paean.

triomfpoort [-po:rt] *v* triumphal arch.

triomftocht [-tɔxt] *m* triumphal procession.

triomfwagen [-*v*a.ɡə(n)] *m* triumphal car (chariot).

triomfzuil [-sœyl] *v* triumphal column.

triool [tri.'o.l] *v* ♪ triplet.

triplexhout ['tri.plɛkshɔut] *o* three-ply wood, plywood.

triplo ['tri.plo.] in: *in* ~ in triplicate.

trippelaar ['trɪpəla:r] *m* ~**ster** [-stər] *v* tripper.

trippelen [-lə(n)] *vi* trip (along).

trippelmaat ['trɪpəlma.t] *v* ♪ triple time.

trippelpas [-pɑs] *m* tripping-step, trip.

trippen ['trɪpə(n)] *vi* trip.

triptiek [trɪp'ti.k] *v* 1 triptych; 2 triptyque [for international travel].

Triton, triton ['tri.tòn] *m* Triton.

tritonshoorn, -horen [-tònsho:rən] *m* triton.

trits [trɪts] *v* set of three, trio, triplet.

triumviraat [tri.ũmvi:'ra.t] *o* triumvirate.

triviaal [tri.vi.'a.l] *aj* (& *ad*) trivial(ly), trite(ly), banal(ly).

trivialiteit [-a.li.'tɛit] *v* triviality, triteness, banality.

trochee [trɔ'ɡe.] zie *trocheus.*

trocheus [trɔ'ɡe.ũs] *m* trochee.

troebel ['tru.bəl] troubled, turbid, thick, cloudy.

troebelen [-bələ(n)] *mv* disturbances.

troebelheid [-bəlhɛit] *v* troubled condition, turbidity, turbidness, thickness, cloudiness.

troebleren [tru.'ble:rə(n)] *vt* disturb; zie ook: *getroebleerd.*

troef [tru.f] *v* trump, trumps; *harten is* ~ hearts are trumps; ~ *bekennen* follow suit; ~ *draaien* turn up trumps; *iemand* ~ *geven* take one up roundly; ~ *maken* declare trumps; *er zijn* ~ *opleggen* put on a trump, trump; ~ *uitspelen* play a trump, play trumps; *zijn laatste* ~ *uitspelen* play one's last trump; ~ *verzaken* fail to follow suit; zie ook: *armoe(de).*

troefaas [tru.f'a.s] *m* & *o* ace of trumps.

troefkaart ['tru.f ka:rt] *v* trump-card[2].

troefkleur [-klø:r] *v* trumps.

troep [tru.p] *m* troupe [of actors], (theatrical) company; band, gang [of robbers]; flock [of cattle]; herd [of sheep, geese]; drove [of cattle]; pack [of dogs, wolves]; troop [of people]; > pack [of kids: children]; ✕ body of soldiers; ~*en* ✕ troops, forces; *bij* ~*en* in troops; *de hele* ~ the whole crowd, the whole set; zie ook: *zooi.*

troepenconcentratie, -koncentratie ['tru.pə(n)kònsentra.(t)si.] *v* concentration of troops, troop concentration.

troepenmacht [-mɑxt] *v* force.

troepenvervoer [-vərvu:r] *o* ✕ transport of troops.

troepsgewijs, -gewijze ['tru.psɡəvɛis, -vɛizə] in troops.

troetelen ['tru.tələ(n)] *vt* pet, coddle.

troetelkind [-təlkɪnt] *o* darling, pet, spoiled child; ~ *der fortuin* minion of fortune.

troetelnaam [-na.m] *m* pet name.

troeven ['tru.və(n)] I *vt* 1 trump, overtrump; 2 (bij whist) ook: ruff; *ik zal hem* ~ I'll give him a set-down [*fig*]; II *vi* play trumps.

trofee [tro.'fe.] = *tropee.*

troffel ['trɔfəl] *m* trowel.

trog [trɔx] *m* trough. [dweller.]

troglodiet [tro.ɡlo.'di.t] *m* troglodyte, cave-

Trojaan [tro.'ja.n] *m* Trojan.

Trojaans [-'ja.ns] Trojan; *het* ~*e paard binnenhalen* drag the Trojan horse within the walls.

Troje ['tro.jə] *o* Troy.

trolleybus ['trɔli.bũs] *m* & *v* trolley-bus.

trom [trɔm] *v* drum; *de grote* ~ *roeren* beat the big drum[2]; *kleine* ~ ✕ snare-drum; *de Turkse* ~ the big drum; *met slaande* ~ *en vliegende vaandels* ✕ with drums beating and colours flying; *met stille* ~ ✕ with silent drums; *met stille* ~ *vertrekken* shoot the moon, take French leave.

trombone [trɔm'bɔːnə] *v* ♪ trombone.

trombonist [-bo.'nɪst] *m* ♪ trombonist.

trombose [-'bo.zə] *v* 🜊 thrombosis.

tromgeroffel ['trɔmɡərɔfəl] *o* roll of drums.

trommel ['trɔməl] *v* 1 ♪ drum; 2 ✕ drum; barrel; 3 box, case, tin.

trommelaar ['trɔmɔla:r] *m* drummer.

trommelen [-lə(n)] *vi* 1 drum [on a drum, table &]; 2 strum, drum [on a piano].

trommelholte ['trɔmɔlhɔltə] *v* tympanic cavity.

trommelslag [-slɑx] *m* drum-beat, beat of drum; *bij* ~ by beat of drum.

trommelslager [-sla.ɡər] *m* drummer.

trommelstok [-stɔk] *m* drumstick.

trommelvel [-vɛl] *o* drumhead.

trommelvlies [-vli.s] *o* tympanum, ear-drum, tympanic membrane.

trommelvliesontsteking [-vli.sòntste.kɪŋ] *v* tympanitis.

trommelvuur [-vy:r] *o* ✕ drum fire.

tromp [trɔmp] *v* 1 mouth, muzzle [of a fire-arm]; 2 trunk [of an elephant].

trompet [trɔm'pɛt] *v* ♪ trumpet; (*op*) *de* ~ *blazen* blow (sound) the trumpet.

trompetblazer [-bla.zər] *m* trumpeter.

trompetgeschal [-ɡəsxɑl] *o* sound (flourish, blast) of trumpets.

trompetsignaal [-si.na.l] *o* ✕ trumpet-call.

trompetten [trɔm'pɛtə(n)] *vi* trumpet.

trompetter [-tər] *m* trumpeter.

trompettist [trɔmpɛ'tɪst] *m* ♪ trumpet-player.

trompetvogel [trɔm'pɛtfo.ɡəl] *m* 🜊 trumpeter.

trompetvormig [-fɔrməx] trumpet-shaped.

1 tronen ['tro.nə(n)] *vi* sit enthroned, throne.

2 tronen ['tro.nə(n)] *vt* allure, entice.

tronie ['tro.ni.] *v* face, F phiz, P mug.

tronk [trɔŋk] *m* stump [of a tree].

troon [tro.n] *m* throne; *de* ~ *beklimmen* mount (ascend) the throne; *op de* ~ *plaatsen* enthrone, place on the throne; *van de ~ stoten* dethrone.

troonhemel ['tro.nhe.məl] *m* canopy, baldachin.

troonopvolger [-òpfòlgər] *m* heir to the throne.

troonopvolging [-òpfòlgɪŋ] *v* succession to the throne.

troonrede [-re.də] *v* speech from the throne, King's (Queen's) speech, royal speech.

troonsafstand ['tro.nsafstant] *m* abdication.

troonsbestijging [-bəsteigɪŋ] *v* accession to the throne.

troonstoel ['tro.nstu.l] *m* chair of state.

troonzaal [-za.l] *v* throne-room.

troop [tro.p] *m* trope.

troost [tro.st] *m* comfort [= consolation & person who consoles], consolation, solace; *een kommetje ~* J a cup of coffee; *dat is tenminste één ~* that's a (one, some) comfort; *een schrale ~* cold comfort; *dat zal een ~ voor u zijn* it will afford you some consolation; *~ vinden in...* find comfort in...; *zijn ~ zoeken bij...* seek comfort with...

troostbrief ['tro.stbri.f] *m* consolatory letter.

troosteloos ['tro.stəlo.s] disconsolate, cheerless, desolate.

troosteloosheid [tro.stə'lo.sheit] *v* disconsolateness.

troosten ['tro.stə(n)] **I** *vt* comfort, console; **II** *vr* zich *~* console oneself; *zich ~ met de gedachte dat...* take comfort in the thought that...

trooster [-tər] *m* comforter.

troosteres [tro.stə'rɛs] *v* comforter.

troostprijs ['tro.stpreis] *m* consolation prize.

troostrijk, troostvol [-rɛik, -fòl] comforting, consoling, consolatory.

troostwoord [-vo.rt] *o* word of comfort.

tropee [tro.'pe.] *v* trophy.

tropen ['tro.pə(n)] *mv* tropics.

tropenhelm [-hɛlm] *m* tropical helmet, pith helmet.

tropenuitrusting [-œytrũstɪŋ] *v* tropical outfit.

tropisch ['tro.pi.s] tropical.

troposfeer [tro.pos'fe.r] *v* troposphere.

tros [tròs] *m* **1** bunch [of grapes]; cluster [of fruits]; string [of currants]; (b l o e i w ij z e) raceme; **2** ✕ train; **3** ⚓ hawser; *aan ~sen* in bunches, in clusters.

trots [tròts] **I** *m* pride; *ten ~ van* = **II** *prep* in spite (defiance) of, notwithstanding; *~ de beste* with the best; **III** *aj* proud, haughty; *~ zijn op* be proud of; *zo ~ als een pauw* as proud as a peacock (as Lucifer); **IV** *ad* proudly, haughtily.

trotsaard ['tròtsa.rt] *m* proud person.

trotseren [tròt'se:rə(n)] *vt* defy, set at defiance, dare, face, brave [death].

trotsering [-rɪŋ] *v* defiance.

trotsheid ['tròtsheit] *v* pride, haughtiness.

trottoir [trə'tva:r] *o* pavement, footway, *Am* sidewalk.

trottoirband [-bant] *m* kerb(stone), curb-(stone).

troubadour [tru.ba.'du:r] *m* troubadour.

troubleren zie *troebleren*.

1 trouw [trəu] **I** *aj* **1** (v. mens & dier) faithful; **2** (v. onderdanen) loyal; **3** (v. vrienden) true, trusty; *een ~ afschrift* a true copy; *~ bezoeker* regular attendant; *~ aan* loyal to, ook: true to; **II** *ad* faithfully, loyally.

2 trouw [trəu] **1** *v* (getrouwheid) loyalty, fidelity, faithfulness, faith; **2** *m* (h u w e l ij k) marriage; *beproefde ~* tried faithfulness, staunch loyalty; *goede (kwade) ~* good (bad) faith; *~ zweren aan* swear fidelity (allegiance) to; *in ~e* in faith, honestly; *te goeder (kwader) ~* in good (bad) faith; *te goeder (kwader) ~ zijn* be quite sincere (insincere).

trouwakte ['trəuaktə] *v* marriage certificate.

trouwbelofte [-bəlòftə] *v* promise of marriage.

trouwbreuk [-brø.k] *v* breach of faith.

trouwdag [-dax] *m* **1** wedding-day; **2** wedding-anniversary.

trouweloos ['trəuəlo.s] *aj* (& *ad*) faithless(ly), disloyal(ly), perfidious(ly).

trouweloosheid [trəuə'lo.sheit] *v* faithlessness, disloyalty, perfidy, perfidiousness.

trouwen ['trəuə(n)] **I** *vi* marry, wed; *~ met* marry; *getrouwd met een Duitser* married to a German; **II** *vr* marry; *hij heeft veel geld getrouwd* he has married a fortune; *zo zijn we niet getrouwd* J that was not in the bargain; *wanneer zijn ze getrouwd?* when were they married?, when did they get married?

trouwens [-əns] indeed, for that matter.

trouwfeest [-fe.st] *o* wedding, wedding-feast.

trouwgewaad [-gəva.t] *o* wedding-dress.

trouwhartig [trəu'hartəx] true-hearted, candid, frank.

trouwhartigheid [-heit] *v* true-heartedness, candour.

trouwjapon ['trəuja.pòn] *m* wedding-dress.

trouwkamer [-ka.mər] *v* wedding-room.

trouwkleed [-kle.t] *o* zie *trouwjapon*.

trouwpak [-pak] *o* wedding-suit.

trouwpartij [-partei] *v* wedding-party.

trouwplechtigheid [-plextəxheit] *v* wedding-ceremony.

trouwring [-rɪŋ] *m* wedding-ring.

trouwzaal [-za.l] *v* wedding-room.

truc [try.k] *m* trick, dodge, S stunt.

truck [trŭk] *m* truck.

truffel ['trŭfəl] *v* truffle.

trufferen [trŭ'fe:rə(n)] *vt* stuff with truffles; *getruffeerd* truffled.

Trui [trœy] *v* F Gerty.

trui [trœy] *v* jersey, sweater.

trust [trŭst] *m* $ trust.

truuk zie *truc*.

tsaar [tsa:r] *m* Czar, Tsar.

tsarina [tsa.'ri.na.] *v* Czarina, Tsarina.

tsaristisch [-'rɪsti.s] Tsarist.

tseetseevlieg ['tse.tse.vli.x] *v* tsetse fly.

Tsjech [tʃɛx] *m* Czech.

Tsjechisch [ˈtʃɛɡi.s] **I** *aj* Czech; **II** *o* Czech.

Tsjechoslowaak(s) [tʃɛɡo.slo.ˈva.k(s)] *m* (& *aj*) Czechoslovak.

Tsjechoslowakije [-va.ˈkɛiə] *o* Czechoslovakia.

tuba [ˈty.ba.] *m* ♪ tuba.

tube [ˈty.bə] *v* (collapsible) tube.

tuberculeus [ty.bɛrky.ˈlø.s] tuberculous, tubercular.

tuberculose [-ˈlo.zə] *v* tuberculosis.

tuberculosebestrijding [-bəstrɛidiŋ] *v* fight against tuberculosis.

tuberculoselijder [-lɛidər] *m* tubercular patient.

tuberkel [ty.ˈbɛrkəl] *m* tubercle.

tuberkelbacil [-ba.sıl] *m* tubercle bacillus.

tuberkul- zie *tubercul-*.

tuberoos [ˈty.bəro.s] *v* ❀ tuberose.

tucht [tʏxt] *v* discipline; *onder ~ staan* be under discipline.

tuchteloos [ˈtʏxtəlo.s] **1** undisciplined, indisciplinable, insubordinate; **2** dissolute.

tuchteloosheid [tʏxtəˈlo.sheit] *v* **1** insubordination; indiscipline; **2** dissoluteness.

tuchthuis [ˈtʏxthœys] *o* house of correction.

tuchthuisboef [-hœysbu.f] *m* convict, jail-bird.

tuchthuisstraf [-hœystraf] *v* imprisonment.

tuchtigen [ˈtʏxtəɡə(n)] *vt* chastise, punish.

tuchtiging [-ɡıŋ] *v* chastisement, punishment.

tuchtmeester [ˈtʏxtme.stər] *m* disciplinarian.

tuchtmiddel [-mıdəl] *o* means of correction.

tuchtroede [-ru.də] *v* rod, birch.

tuchtschool [-sxo.l] *v* ± reformatory; (in England) approved school.

tuf [tʏf] *o* tuff.

tuffen [ˈtʏfə(n)] *vi* F motor.

tufsteen [ˈtʏfste.n] *o* & *m* tuff.

tuier [ˈtœyər] *m* tether.

tuig [tœyx] *o* **1** (gereedschap) tools; **2** ⚓ rigging [of a ship]; **3** harness [of a horse]; **4** *~ (van goed)* stuff, trash, rubbish; *~ (van volk)* riff-raff, rabble, vermin.

tuigage [tœyˈɡa.ʒə] *v* ⚓ rigging.

tuigen [ˈtœyɡə(n)] **1** ⚓ rig; **2** harness [a horse].

tuighuis [ˈtœyxhœys] *o* ✗ arsenal.

tuil [tœyl] *m* **1** bunch [of flowers], nosegay; **2** posy [of verse].

tuimelaar [ˈtœyməla.r] *m* **1** (persoon) tumbler; **2** 🐦 (duif) tumbler; **3** (bruinvis) porpoise; **4** ✗ tumbler [of a lock]; **5** (glas) tumbler.

tuimelen [-lə(n)] *vi* tumble, topple, topple over.

tuimeling [-lıŋ] *v* tumble; *een ~ maken* have a spill [from one's bicycle, horse].

tuin [tœyn] *m* garden; *hangende ~en* hanging gardens [of Babylon]; *iemand om de ~ leiden* hoodwink (dupe, gull) a person.

tuinaarde [ˈtœyna.rdə] *v* vegetable mould.

tuinameublement [-a.mø.bləmɛnt] *o* set of garden-furniture.

tuinarchitect, -architekt [-ɑrɡi.tɛkt, -ɑrʃi.tɛkt] *m* landscape gardener.

tuinarchitectuur, -architektuur [-tɛkty:r] *v* landscape gardening.

tuinbaas [ˈtœynba.s] *m* gardener, head-gardener.

tuinbank [-baŋk] *v* garden-seat.

tuinbed [-bɛt] *o* garden-bed.

tuinbloem [-blu.m] *v* ❀ garden-flower.

tuinboon [-bo.n] *v* ❀ broad bean.

tuinbouw [-bou] *m* horticulture.

tuinbouwleraar [-le:ra:r] *m* horticultural teacher.

tuinbouwonderwijs [-òndərvɛis] *o* horticultural teaching.

tuinbouwschool [-sxo.l] *v* horticultural college.

tuinbouwtentoonstelling [-tɛnto.nstɛlıŋ] *v* horticultural show.

tuinder [ˈtœyndər] *m* horticulturist, market-gardener.

tuindeur [-dø:r] *v* garden-door.

tuinfeest [-fe.st] *o* garden-party, garden-fête.

tuinfluiter [-flœytər] *m* 🐦 garden-warbler.

tuingereedschap [-ɡəre.tsxap] *o* garden(er's) tools.

tuingewassen [-ɡəvasə(n)] *mv* garden-plants.

tuinhuis [-hœys] *o* summer-house.

tuinier [tœyˈni:r] *m* gardener.

tuinieren [-ˈni:rə(n)] *vi* garden.

tuiniersvak [-ˈni:rsfak] *o* gardening.

tuinkamer [ˈtœynka.mər] *v* room that looks on a garden.

tuinman [-man] *m* gardener.

tuinmanswoning [ˈtœynmansvo.nıŋ] *v* gardener's lodge.

tuinparasol [ˈtœynpa.ra.səl] *m* umbrella.

tuinschuurtje [-sxy:rcə] *o* garden-shed, potting-shed.

tuinslak [-slak] *v* garden-slug.

tuinslang [-slaŋ] *v* garden-hose.

tuinstad [-stat] *v* garden-city.

tuinstoel [-stu.l] *m* garden-chair.

tuinvrucht [-vrʏxt] *v* garden-fruit.

tuinwerk [-vɛrk] *o* garden-work, gardening.

tuit [tœyt] *v* spout, nozzle.

tuitelen [ˈtœytələ(n)] *vi* totter.

tuitelig [-ləx] tottering, shaky, rickety.

tuiten [ˈtœytə(n)] *vi* tingle.

tuithoed [ˈtœythu.t] *m* poke-bonnet.

tuk [tʏk] in: *~ op* keen on, eager for.

tukje [ˈtʏkjə] *o* nap; *een ~ doen* F take a nap.

tulband [ˈtʏlbant] *m* **1** turban; **2** sponge-cake.

tule [ˈty.lə] *v* tulle.

tulen [ˈty.lə(n)] *aj* tulle.

tulp [tʏlp] *v* ❀ tulip.

tulpebol [ˈtʏlpəbəl] *m* tulip-bulb.

tulpenbed [-pə(n)bɛt] *o* bed of tulips.

tulpenkweker [-kve.kər] *m* tulip-grower.

tumbler [ˈtʏmblər] *m* tumbler.

tumor [ˈty.mər] *m* tumour.

tumult [ty.ˈmʏlt] *o* tumult.

Tunesië [ty.ˈne.zi.ə] *o* Tunisia.

Tunesiër [-zi.ər] *m* **Tunesisch** [-zi.s] *aj* Tunisian.

tunica [ˈty.ni.ka.] *v* tunic; *RK* tunicle.

tuniek [ty.ˈni.k] *v* tunic.

tunika zie *tunica.*
tunnel ['tŭnəl] *m* 1 (in 't alg.) tunnel; 2 (v. station, onderstraat) subway.
turbine [tŭr'bi.nə] *v* turbine.
turbinestoomboot [-sto.mbo.t] *m* & *v* turbine-steamer.
turbinestraalmotor [-stra.lmo.tər] *m* ✈ turbojet engine.
turbinestraalvliegtuig(en) [-vli.xtœyx(tœygə(n))] *o* (*mv*) ✈ turbojet aircraft.
tureluur ['ty:rəly:r] *m* ⚲ redshank.
tureluurs [ty:rə'ly:rs] wild, mad; *het is om ~ te worden* F it's enough to drive you mad.
turen ['ty:rə(n)] *vi* peer; *~ naar* peer at.
turf [tŭrf] *m* peat; ook: (dry) turf; *een ~* a block (a square, a lump) of peat; (van een boek) a bulky book.
turfachtig ['tŭrfɑxtəx] peaty.
turfboer [-bu:r] *m* peat-man.
turfbriket [-bri.kɛt] *v* peat-briquette.
turfgraver [-gra.vər] *m* peat-digger.
turfhok [-hək] *o* peat-hole.
turfland [-lɑnt] *o* peat-ground.
turfmand [-mɑnt] *v* peat-basket.
turfmarkt [-mɑrkt] *v* peat-market.
turfschip [-sxɪp] *o* ~**schuit** [-sxœyt] *v* peat-boat.
turfschuur [-sxy:r] *v* shed for peat.
turfsteker [-ste.kər] *m* peat-cutter.
turfstrooisel [-stro:isəl] *o* peat-litter, moss-litter.
turfveen ['tŭrfe.n] *o* peat-bog.
turfvuur [-fy:r] *o* peat-fire.
turfzolder ['tŭrfsəldər] *m* peat-loft.
Turk [tŭrk] *m* Turk[2].
Turkije [tŭr'kɛiə] *o* Turkey.
turkoois [-'ko:is] *m* & *o* turquoise.
Turks [tŭrks] I *aj* Turkish; II *o het* ~ Turkish; III *v een*~*e* a Turkish woman.
turnen ['tŭrnə(n)] *vi* do gymnastics.
turner [-nər] *m* gymnast.
turngebouw ['tŭrngəbəu] *o* gymnasium.
turven ['tŭrvə(n)] *vi* in: *erop* ~ F hit out.
tussen ['tŭsə(n)] 1 between; 2 among [of more than two]; *dat blijft ~ ons* that is between you and me, between ourselves; *er is iets ~ gekomen* something has come between; *iemand er ~ nemen* pull a man's leg; *ze hebben je er ~ genomen* they had you there, you have been had.
tussenbedrijf [-bədrɛif] *o* interval.
tussenbeide [tŭsə(n)'bɛidə] between-whiles; ~ *komen* intervene, interpose, step in; *er is iets ~ gekomen* something has come between.
tussendek ['tŭsə(n)dɛk] *o* ⚓ between-decks, 'tween-decks; (voor passagiers) steerage.
tussendeks [tŭsə(n)'dɛks] *ad* ⚓ between-decks, 'tween-decks; *de reis ~ maken* go (travel) steerage.
tussendekspassagier [-pɑsa.ʒi:r] *m* ⚓ steerage passenger.
tussendeur ['tŭsə(n)dø:r] *v* communicating

door.
tussending [-dɪŋ] *o* [not a..., and not a..., but] something between the two.
tussengelegen [-gəle.gə(n)] interjacent, inter-mediate.
tussengerecht [-gərɛxt] *o* entremets, side-dish.
tussengevoegd [-gəvu.xt] interpolated, inter-calary.
tussenhandel [-hɑndəl] *m* intermediate trade, commission business.
tussenhandelaar [-hɑndəla:r] *m* commission-agent, intermediary, middleman.
tussenhaven [-ha.və(n)] *v* intermediate port.
tussenin [tŭsən'ɪn] (*er*~) in between.
tussenkomst ['tŭsə(n)kòmst] *v* intervention, in-terposition, intercession, intermediary, agen-cy; *door ~ van* through.
tussenlanding [-lɑndɪŋ] *v* ✈ stop; *zonder* ~(*en*) non-stop [flight].
tussenlassen [-lɑsə(n)] *vt* insert, intercalate, interpolate.
tussenliggend [-lɪgənt] interjacent, intermedi-ate.
tussenmuur [-my:r] *m* partition-wall.
tussenpersoon [-pərso.n] *m* agent, intermedi-ary, middleman; go-between; *tussenpersonen komen niet in aanmerking* $ only principals dealt with.
tussenpoos [-po.s] *v* interval, intermission; *bij tussenpozen* at intervals.
tussenregering [-rəge:rɪŋ] *v* interregnum.
tussenruimte [-rœymtə] *v* intervening space, interspace, interstice, interval.
tussenschot [-sxət] *o* 1 partition; 2 ⚕ & ⚕ septum [of the nose &].
tussensoort [-so:rt] *v* medium sort.
tussenspel [-spɛl] *o* interlude.
tussenstation [-sta.ʃòn] *o* intermediate station.
tussentijd [-tɛit] *m* interim, interval; *in die* ~ in the meantime, meanwhile.
tussentijds [tŭsən'tɛits, 'tŭsəntɛits] I *aj* interim [dividend]; ~*e verkiezing* by-election; II *ad* between times.
tussenuit [-'œyt] in: *er ~ gaan* zie *uitknijpen* II.
tussenuur ['tŭsəny:r] *o* intermediate hour, odd hour.
tussenvoegen [-vu.gə(n)] *vt* intercalate, insert, interpolate.
tussenvoeging [-vu.gɪŋ] *v* intercalation, inser-tion, interpolation.
tussenvoegsel [-vu.xsəl] *o* insertion, interpola-tion.
tussenvorm [-vərm] *m* intermediate form.
tussenwerpsel [-vɛrpsəl] *o gram* interjection.
tussenzin [-zɪn] *m* parenthetic clause, paren-thesis [*mv* parentheses].
tutoyeren [ty.tvɑ'je:rə(n)] *vt* be on familiar terms with.
t.w. = *te weten* zie *weten* IV.
twaalf [tva.lf] twelve.
twaalfde ['tva.lfdə] twelfth (part).
twaalfhoek [-hu.k] *m* dodecagon.

twaalftal [-tal] *o* twelve, dozen.

twaalfuurtje [tva.lf'y:rcə] *o* lunch.

twaalfvlak ['tva.ləflak] *o* dodecahedron.

twaalfvoud [-fout] *o* multiple of twelve.

twaalfvoudig [-foudəx] twelvefold.

twee [tve.] *v* two; *sp* deuce; ~ *a's* two a's; *met* ~ *a's* [to be written] with double a; ~ *aan* ~ two and two, by (in) twos; ~ *naast elkaar* two abreast; ~ *weten meer dan één* two heads are better than one; *in* ~*ën snijden* cut in halves, in half, in two.

tweearmig ['tve.armǝx] two-armed.

tweebenig [-be.nǝx] two-legged.

tweedaags [-da.xs] of two days, two-days'...

tweede [-də] second; *maar ... dat is een* ~ that is another matter; *ten* ~ secondly.

tweedehands [tve.də'hants] second-hand.

tweedekker ['tve.dɛkər] *m* ✈ biplane, two-decker.

tweedelig [-de.ləx] bipartite.

tweederangs [-dǝrans] second-rate.

tweedraads [-dra.ts] two-ply.

tweedracht [-draxt] *v* discord; ~ *zaaien* sow dissension.

tweeërhande, tweeërlei [-ǝrhandǝ, -ǝrlɛi] of two kinds.

tweegevecht [-gǝvext] *o* duel, single combat.

tweehandig [-handǝx] two-handed.

tweehonderdjarig [-hòndǝrtja:rǝx] two hundred years old; ~*e gedenkdag* bicentenary.

tweehoofdig [-ho.vdǝx] two-headed.

tweeklank [-klank] *m gram* diphthong.

tweeledig [-le.dǝx] double, binary, binomial; twofold [purpose].

tweelettergrepig [-lɛtǝrgre.pǝx] dissyllabic; ~ *woord* dissyllable.

tweeling [-lɪn] *m* twin, pair of twins.

tweelingbroe(de)r [-bru.dǝr, -bru:r] *m* ~*zuster* [-zûstǝr] *v* twin-brother, twin-sister.

tweemaandelijks ['tve.ma.ndǝlǝks] bimonthly; *een* ~ *tijdschrift* a bimonthly.

tweemaster [-mastǝr] *m* ⚓ two-masted ship.

tweemotorig [-mo.to:rǝx] ✈ twin-engined [plane].

tweeoogig [-o.gǝx] two-eyed.

tweepersoons [-pǝrso.ns] for two; double [bedstead, room]; ~*auto* two-seater.

tweeregelig [-re.gǝlǝx] of two lines; ~ *vers* distich, couplet.

tweerijig [-rɛiǝx] double-breasted [coat].

tweern [tve:rn] *m* twine.

tweernen ['tve:rnǝ(n)] *vt* twine.

tweeslachtig ['tve.slaxtǝx] 1 amphibious; 2 bisexual.

tweesnarig [-sna:rǝx] ♪ two-stringed.

tweesnijdend [-snɛidǝnt] two-edged, double-edged.

tweespalt [-spalt] *v* discord, dissension.

tweespan [-span] *o* two-horse team.

tweesprong [-spròn] *m* cross-way, cross-road, bifurcation; *op de* ~ at the cross-roads.

tweestemmig [-stɛmǝx] ♪ for two voices.

tweestrijd [-strɛit] *m* nward struggle; *in* ~ *staan* be in two minds.

tweetaktmotor [-taktmo.tǝr] *m* two-stroke engine.

tweetal [-tal] *o* two, pair.

tweetalig [-ta.lǝx] bilingual.

tweetallig [-talǝx] binary.

tweeterm [-tɛrm] *m* binomial.

tweetongig [-tònǝx] two-tongued; *fig* double-tongued, blowing hot and cold.

tweevleugelig [-vlø.gǝlǝx] two-winged.

tweevoetig [-vu.tǝx] two-footed; ~ *dier* biped.

tweevoud [-vout] *o* double; *in* ~ in duplicate.

tweevoudig [-voudǝx] twofold, double.

tweewegskraan ['tve.vɛxskra.n] *v* ✗ two-way cock.

tweewerf [-vɛrf] twice.

tweezijdig [-zɛidǝx] two-sided, bilateral.

twijfel ['tvɛifǝl] *m* doubt; *zijn bange* ~ his misgivings; ~ *koesteren* have one's doubts [about...], entertain doubts [as to...]; *het lijdt geen* ~ (*of...*) there is no doubt (that...); *iemands* ~ *wegnemen* remove a person's doubts; ~ *wekken* create doubts (a doubt); *daar is geen* ~ *aan* there is no doubt of it; *er is geen* ~ *aan of hij...* there is no doubt that he...; *het is aan geen* ~ *onderhevig* that admits of no doubt, it is beyond doubt; *het is boven alle* ~ *verheven* it is beyond all doubt; *hij is buiten* ~... he is without doubt (doubtless, undoubtedly) the...; *in* ~ *staan* (*zijn*) doubt, be in doubt [whether...]; be in two minds about the matter; *in* ~ *trekken* call in question, question; *zonder* ~*!* without (any) doubt; *hij is zonder* ~... he is undoubtedly (doubtless)...

twijfelaar ['tvɛifǝla:r] *m* ~*ster* [-stǝr] *v* doubter, sceptic.

twijfelachtig ['tvɛifǝl'axtǝx] I *aj* doubtful, dubious, questionable; II *ad* doubtfully, dubiously, questionably.

twijfelachtigheid [-hɛit] *v* doubtfulness, dubiousness, questionableness.

twijfelen ['tvɛifǝlǝ(n)] *vi* doubt; ~ *aan* doubt (of); *ik twijfel er niet aan* I have no doubt about it, I make no doubt of it; *wij* ~ *of...* we doubt whether (if)...; *wij* ~ *niet of...* we do not doubt (but) that...

twijfeling [-lɪn] *v* 1 hesitation; 2 (twijfel) doubt.

twijfelmoedig [tvɛifǝl'mu.dǝx] vacillating, wavering, irresolute.

twijfelmoedigheid [-hɛit] *v* irresolution.

twijfelzucht ['tvɛifǝlzûxt] *v* doubting disposition; scepticism.

twijfelzuchtig [tvɛifǝl'zûxtǝx] of a doubting disposition, given (prone) to scepticism.

twijg [tvɛix] *v* twig.

twijn [tvɛin] *m* twine, twist.

twijnder ['tvɛindǝr] *m* twiner, twister.

twijnderij [tvɛindǝ'rɛi] *v* twining-mill.

twijnen ['tvɛinǝ(n)] *vt* twine, twist.

twintig ['tvɪntəx] twenty.
twintiger [-təgər] *m* person of twenty (years).
twintigjarig [-təxja:rəx] of twenty years.
twintigste [-stə] twentieth (part).
twintigtal [-tal] *o* twenty, score.
twintigvoud [-fɔut] *o* multiple of twenty.
twintigvoudig [-fɔudəx] twentyfold.
1 twist [tvɪst] *m* 1 (concreet) quarrel, dispute, altercation, brawl; 2 (abstract) dispute, discord, ⊙ strife; *binnenlandse ∼en* internal strife; *een ∼ beslechten (bijleggen)* settle a dispute; *∼ krijgen* fall out; *∼ stoken (tussen)* stir up strife, make mischief (between); *∼ zaaien* sow discord, sow (stir up) dissension; *∼ zoeken* pick a quarrel.
2 twist [tvɪst] *o* twist [kind of yarn].
3 twist [tvɪst] *m* twist [dance].
twistappel ['tvɪstapəl] *m* apple of discord, bone of contention.
1 twisten ['tvɪstə(n)] *vi* quarrel, dispute; *met iemand ∼* quarrel (wrangle) with one, dispute with a person; *∼ om iets* quarrel about something; *daar kunnen we nog lang over ∼* that is a point we could quarrel (dispute) about for a long time; *ik wil niet met u daarover ∼* I'm not going to contest the point with you.
2 twisten ['tvɪstə(n)] *vi* (dansen) twist.
twister [-tər] *m* quarreller.
twistgeding ['tvɪstgədɪŋ] *o* ⚖ lawsuit.
twistgeschrijf [-gəs(x)reif] *o* controversy, polemics.
twistgesprek [-gəsprɛk] *o* dispute, disputation.
twistpunt [-pʉnt] *o* (point at) issue, disputed point, controversial question.
twiststoker [-sto.kər] *m* firebrand, mischiefmaker.
twistvraag [-fra.x] *v* (question at) issue, controversial question.
twistziek [-si.k] quarrelsome, cantankerous, contentious, disputatious.
twistzoeker [-su.kər] *m* quarrelsome fellow.
twistzucht [-sʉxt] *v* quarrelsomeness, cantankerousness, contentiousness.
tyfeus [ti.'fø.s] typhoid, typhous; *tyfeuze koorts* zie *tyfus* 1.
tyfoon [ti.'fo.n] *m* typhoon.
tyfus ['ti.fʉs] *m* 1 (buik) typhoid (fever), enteric fever; 2 (vlek) typhus (fever).
tyfuslijder [-leidər] *m* typhoid patient.
type ['ti.pə] *o* type [also in printing]; *zij is 'n ∼* she is quite a character; *wat een ∼!* what a specimen!
typen ['ti.pə(n)] *vt* type(write); *het document beslaat wel 300 getypte pagina's* the document runs to 300 pages of type-script.
typeren [ti.'pe:rə(n)] *vt* characterize, typify; *∼d voor* typical of..., characteristic of...
typering [-rɪŋ] *v* characterization, typification.
typisch ['ti.pi.s] *aj* (& *ad*) typical(ly).
typist(e) [ti.'pɪst(ə)] *m(-v)* typist.
typograaf [ti.po.'gra.f] *m* typographer.

typografie [-gra.'fi.] *v* typography.
typografisch [-'gra.fi.s] *aj* (& *ad*) typographical(ly).
Tyrol [ti.'ro.l] *o* The Tyrol.
Tyroler [ti.'ro.lər] *m* Tyrolese.
Tyrools [ti.'ro.ls] *aj* Tyrolese.
Tyrrheens [ti.'re.ns] Tyrrhenian; *de ∼e Zee* the Tyrrhenian Sea.
Tyrus ['ti:rʉs] *o* Tyre.

U

1 u [y.] *v* u.
2 U, u [y.] *pron* you.
uchtend ['ʉxtənt] = *ochtend*.
ui [œy] *m* 1 ⚘ onion; 2 *fig* (grap) joke, jest.
uiensaus ['œyə(n)sɔus] *v* onion-sauce.
uier ['œyər] *m* udder.
uiig ['œyəx] I *aj* F funny, facetious; II *ad* funnily, facetiously.
uil [œyl] *m* 1 ⚘ owl; 2 ⚘ moth; 3 *fig* zie *uilskuiken*; *∼en naar Athene dragen* send (carry) owls to Athens; *elk meent zijn ∼ een valk te zijn* everone thinks his own geese swans.
uilachtig ['œylaxtəx] owlish.
Uilenspiegel ['œylə(n)spi.gəl] *m* Owlglass.
uilskuiken ['œylskœykə(n)] *o* owl, goose, dolt, ninny.
uiltje ['œylcə] *o* 1 ⚘ owlet; 2 ⚘ moth; *een ∼ knappen (vangen)* F take forty winks.
uit [œyt] I *prep* 1 (plaatselijk) out of, from; 2 (emotioneel) from, out of, for [joy &]; 3 (oorzakelijk) from; *∼ achteloosheid ook:* through carelessness; *hij is ∼ Amsterdam* he is of A., he hails from A.; *∼ ervaring* by (from) experience; *de goedheid sprak ∼ haar gelaat* goodness spoke in her face; zie ook: *armoede, ervaring &*; II *ad out*; *het is ∼ met zijn meisje* his engagement is off; *het boek is ∼* 1 the book is out (has appeared); 2 I have finished the book; *als de kerk ∼ is* when church is over; *Mijnheer X is ∼* Mr. X is out, has gone out; *hier is het verhaal ∼* here the story ends; *het vuur is ∼* the fire is out; *daarmee is het ∼* there's an end of the matter; *en daar was het mee ∼!* and that was all; *en daarmee ∼!* so there!; *het moet nu ∼ zijn met die ruzies* these quarrels must stop; *er ∼!* out with him (with you)! get out!; *ik ben er een beetje ∼* I'm rather out of it, my hand is out; *er eens helemaal ∼ willen zijn* want to get away from it all; *hij is er altijd op ∼ om...* he is bent (intent) upon ...ing; *zij is op mijn geld ∼* she is after my money; *∼ en thuis* out and home.
uitademen ['œyta.demə(n)] I *vi* & *va* expire; II *vt* expire, breathe out[2], exhale[2].
uitademing [-mɪŋ] *v* expiration, breathing out, exhalation.
uitbaggeren ['œytbagərə(n)] *vt* dredge.

uitbakenen [-ba.kənə(n)] *vt* peg out, mark out.

uitbalanceren [-ba.lɑnse:rə(n)] *vt* balance.

uitbannen [-bɑnə(n)] *vt* 1 banish[2] [fear &], expel [people]; 2 exorcise [spirits].

uitbanning [-bɑnɪŋ] *v* 1 banishment; 2 exorcism.

uitbarsten [-bɑrstə(n)] *vt* burst out, break out, explode; erupt [of volcano]; *in lachen* ~ burst out laughing; *in tranen* ~ burst into tears.

uitbarsting [-bɑrstɪŋ] *v* eruption [of volcano], outburst[2] [of feeling], outbreak[2] [of anger]; explosion[2], burst[2] [of flame, anger &]; *het zal wel tot een* ~ *komen* there will be an explosion.

uitbazuinen [-ba.zœynə(n)] *vt* trumpet forth.

uitbeelden [-be.ldə(n)] *vt* personate, represent.

uitbeelding [-dɪŋ] *v* personation, representation.

uitbeitelen [ˈœytbɛitələ(n)] *vt* 1 (in steen &) chisel (out); 2 (in hout) carve.

uitbenen [-be.nə(n)] *vt* bone; *fig* exploit.

uitbesteden [-bəste.də(n)] *vt* 1 put out to nurse [a child], put out to board, board out, farm out; 2 (v. werk) put out to contract.

uitbetalen [-bəta.lə(n)] *vt* pay (down), pay out.

uitbetaling [-lɪŋ] *v* payment.

uitbijten [ˈœytbɛitə(n)] I *vt* bite out; corrode; II *vi* corrode.

uitblazen [-bla.zə(n)] I *vt* blow out [a candle]; puff out [smoke]; *de laatste adem* ~ breathe one's last, expire; II *va* in: *even* ~ breathe, have a breathing-spell; *laten* ~ breathe [a horse], give a breathing-spell.

uitblijven [-blɛivə(n)] *vi* stay away; stop out [all night]; hold off [of rain &]; *een verklaring bleef uit* a statement was not forthcoming; *het kan niet* ~ it is bound to come (happen &).

uitblinken [-blɪŋkə(n)] *vi* shine, excel; ~ *boven zijn mededingers* outshine (eclipse) one's rivals.

uitblinker [-kər] *m* one who excels.

uitbloeien [ˈœytblu.jə(n)] *vi* cease blossoming; *uitgebloeid zijn* ✿ be off flowering.

uitblussen [-blฺ¿sə(n)] *vt* extinguish, put out.

uitbombarderen [-bòmbɑrde:rə(n)] *vt* bomb out.

uitboren [-bo:rə(n)] *vt* bore out, drill.

uitborstelen [-bòrstələ(n)] *vt* brush.

uitbotten [-bòtə(n)] *vi* ✿ bud (forth), put forth buds.

uitbouw [-bou] *m* annex(e) [to a building].

uitbouwen [-bouə(n)] *vt* enlarge, extend.

uitbraaksel [-bra.ksəl] *o* vomit.

uitbraken [-bra.kə(n)] *vt* vomit[2] [one's food, fire, smoke]; *fig* belch forth [smoke &, blasphemous or foul talk]; disgorge [waters, people].

uitbranden [-brɑndə(n)] I *vt* 1 burn out; 2 cauterize [a wound]; II *vi* be burnt out; *het huis was geheel uitgebrand* the house was completely gutted; *een uitgebrande vulkaan*

an extinct volcano.

uitbrander [-dər] *m* F scolding, wigging; *ik kreeg een* ~ *van hem* he gave it me hot.

uitbreiden [ˈœytbrɛidə(n)] I *vt* 1 spread [one's arms]; 2 enlarge [the number of..., a business, a work &], increase [the staff]; extend [a domain]; II *vr zich* ~ 1 (v. oppervlakte) extend, expand; 2 (v. ziekten of brand) spread; zie ook: *uitgebreid*.

uitbreiding [-dɪŋ] *v* 1 spreading[2], *fig* spread; 2 enlargement, extension, expansion.

uitbreidingsplan [-dɪŋsplɑn] *o* plan for the extension.

uitbreken [ˈœytbre.kə(n)] I *vi* 1 break out [of disease, a fire, war &]; 2 break out (of prison); *het koude zweet brak hem uit* a cold sweat came over him; the cold sweat started on his brow; *er een dagje* ~ manage to have a holiday (a day off); II *vt* break out [a tooth &]; III *o het* ~ the outbreak.

uitbreker [-kər] *m* prison-breaker.

uitbrengen [ˈœytbrɛŋə(n)] *vt* bring out [words], emit [a sound]; disclose, divulge, reveal [a secret]; ⚓ run out [a cable], get out [a boat]; *advies* ~ *over...* report on...; *...bracht hij stamelend uit* ook: *...he faltered*; *wie heeft het uitgebracht?* who has told about it?; zie ook: *rapport, stem, toost &*.

uitbroeden [-bru.də(n)] *vt* hatch[2] [birds, a plot].

uitbrullen [-brฺ¿lə(n)] *vt* roar (out); *het* ~ *(van lachen, pijn)* roar (with laughter, with pain).

uitbuiten [-bœytə(n)] *vt* exploit.

uitbuiting [-tɪŋ] *v* exploitation.

uitbulderen [ˈœytbฺ¿ldərə(n)] I *vt* bellow (out), roar (out); II *vi* cease blustering.

uitbundig [œytˈbฺ¿ndəx] I *aj* exuberant; II *ad* exuberantly.

uitbundigheid [-hɛit] *v* exuberance, excess.

uitcijferen [ˈœytsɛifərə(n)] *vt* calculate, compute.

uitclub [-klฺ¿p] *v sp* visiting team.

uitdagen [-da.gə(n)] *vt* challenge[2], *fig* defy; ~ *tot een duel* challenge (to a duel).

uitdagend [œytˈda.gənt] I *aj* defiant; II *ad* defiantly.

uitdager [ˈœytda.gər] *m* challenger.

uitdaging [-gɪŋ] *v* challenge.

uitdampen [ˈœytdɑmpə(n)] I *vi* evaporate; II *vt* evaporate [water], exhale [fumes]; air [linen].

uitdamping [-pɪŋ] *v* evaporation, exhalation.

uitdelen [ˈœytde.lə(n)] *vt* distribute, dispense, dole (deal) out [money &]; measure out, mete out [punishment]; deal [blows]; give out, hand out, share out.

uitdeler [-lər] *m* distributor; dispenser.

uitdeling [-lɪŋ] *v* 1 distribution; 2 (bij faillissement) dividend.

uitdelingslijst [-lɪŋslɛist] *v* notice of dividend.

uitdelven [ˈœytdɛlvə(n)] *vt* dig out, dig up.

uitdenken [-dɛŋkə(n)] *vt* devise, contrive, invent.

uitdienen [-di.nə(n)] I *vt* serve [one's time]; II *vi* in: *dat heeft uitgediend* that has had its day.

uitdiepen [-di.pə(n)] *vt* deepen.

uitdijen [-dɛiə(n)] *vi* expand, swell.

uitdoen [-du.n] *vt* 1 (uitdoven) put out, extinguish [a light]; 2 (wegmaken) take out [a stain]; 3 (doorhalen) cross out [a word]; 4 (afleggen) put (take) off [a coat].

uitdossen [-dɔsə(n)] I *vt* attire, array, dress up; II *vr zich* ~ attire oneself.

uitdoven [-do.və(n)] I *vt* extinguish[2] [fire, faculty]; quench, put out [a fire, light]; II *vi* go out; *een uitgedoofde vulkaan* an extinct volcano.

uitdoving [-vɪŋ] *v* extinction.

uitdraagster ['œytdra.xstər] *v* second-hand dealer, old-clothes woman.

uitdraaien [-dra.jə(n)] I *vt* turn out [the gas], switch off [the electric light]; *er zich netjes* ~ wriggle (shuffle) out of it; II *vi* in: *op niets* ~ come to nothing; *waar zal dat op* ~? what is it to end in?

uitdragen [-dra.gə(n)] *vt* carry out; *fig* propagate.

uitdrager [-gər] *m* second-hand dealer, old-clothes man.

uitdragerij [œytdra.gə'rɛi] *v* **uitdragerswinkel** [-gərs'vɪŋkəl] *m* second-hand shop.

uitdrijven ['œytdrɛivə(n)] *vt* drive out, expel [people]; cast out [of devils].

uitdrijving [-vɪŋ] *v* expulsion [of people]; casting out [of devils].

uitdringen ['œytdrɪŋə(n)] *vt* push out, crowd out.

uitdrinken [-drɪŋkə(n)] *vt* drink off, empty, finish [one's glass].

uitdrogen [-dro.gə(n)] I *vi* dry up, become dry; II *vt* dry up, desiccate.

uitdroging [-gɪŋ] *v* desiccation.

uitdrukkelijk [œyt'drŭkələk] I *aj* express, explicit, formal; II *ad* expressly, explicitly.

uitdrukkelijkheid [-hɛit] *v* explicitness.

uitdrukken ['œytdrŭkə(n)] I *vt* squeeze out, press out, express [juice &]; *fig* express [feelings]; II *vr zich* ~ express oneself.

uitdrukking [-kɪŋ] *v* 1 expression, term, locution, phrase; 2 expression, feeling; *tot* ~ *komen* find expression; *vol* ~ expressive; *zonder* ~ expressionless.

uitduiden ['œytdœydə(n)] *vt* point out, show.

uitduiding [-dɪŋ] *v* explanation.

uitdunnen ['œytdŭnə(n)] *vt* thin (out).

uitduwen [-dy.və(n)] *vt* push out, shove out.

uiteen [œyt'e.n] asunder, apart.

uiteendrijven [-drɛivə(n)] *vt* disperse.

uiteengaan [-ga.n] *vi* part, separate, disperse; *de vergadering ging om 5 uur uiteen* rose at five, broke up at five.

uiteenjagen [-ja.gə(n)] *vt* disperse.

uiteenlopen [-lo.pə(n)] *vi* diverge[2], *fig* differ, be different.

uiteenlopend [-lo.pənt] divergent[2], *fig* different.

uiteenrukken [-rŭkə(n)] *vt* tear asunder.

uiteenspatten [-spatə(n)] *vi* burst (asunder); *fig* break up.

uiteenvallen [-valə(n)] *vi* fall apart, fall to pieces; *fig* break up.

uiteenvliegen [-vli.gə(n)] *vi* fly apart, scatter.

uiteenzetten [-zɛtə(n)] *vt* explain, expound, set out.

uiteenzetting [-tɪŋ] *v* explanation, exposition.

uiteinde ['œytɛində] *o* end[2], extremity; *zijn* ~ his end.

uiteindelijk [œyt'ɛindələk] I *aj* ultimate, final [aim &], eventual [ruin]; II *ad* ultimately, in the end, finally, eventually, in the event.

uiten ['œytə(n)] I *vt* utter, give utterance to, express; II *vr zich* ~ express oneself.

uitentreuren [œytən'trø:rə(n)] continually, for ever.

uiteraard [œytər'a:rt] naturally.

uiterlijk ['œytərlək] I *aj* outward, external; II *ad* 1 outwardly, externally; looked at from the outside; 2 at the utmost, at the latest; III *o* (outward) appearance, aspect, exterior, looks; *hij doet alles voor het* ~ for the sake of appearance.

uiterlijkheid [-hɛit] *v* exterior; *uiterlijkheden* externals.

uitermate [œytər'ma.tə] extremely, excessively.

uiterst ['œytərst] I *aj* utmost, utter, extreme; *uw* ~*e prijzen* $ your lowest prices, your outside prices; *zie ook: wil* &; II *ad* in the extreme, extremely, highly; *een* ~ *rechtse partij* an extreme right-wing party.

uiterste ['œytərstə] *o* extremity, extreme; *de vier* ~*n* the four last things; *de* ~*n raken elkaar* extremes meet; *in* ~*n vervallen* rush to extremes; *op het* ~ *liggen* be in the last extremity; *te n* ~ in the extreme, exceedingly; *tot het* ~ to the utmost (of one's power); [go &] to the limit; *tot het* ~ *brengen* drive to distraction; *tot het* ~ *gaan* go to the limit, carry matters to an extreme, go (to) all lengths; *zich tot het* ~ *verdedigen* defend oneself to the last; *van het ene* ~ *in het andere vervallen* rush from one extreme to the other, rush (in)to extremes; *zie ook: drijven.*

uiterwaard ['œytərva:rt] *v* foreland.

uitflappen ['œytflapə(n)] *vt* blurt out [everything, the truth], blab [a secret].

uitfluiten [-flœytə(n)] *vt* hiss, catcall [an actor].

uitgaaf [-ga.f] *v* 1 (geld) expenditure, expense; 2 (v. boek &) publication; [first &] edition.

uitgaan [-ga.n] *vi* go out [of persons, light, fire]; *het gebouw* ~ leave (go out of) the building; *de kerk gaat uit* church is over; *die schoenen gaan makkelijk uit* come off easily; *de vlekken gaan er niet uit* the spots won't come out; *wij gaan niet veel uit* we don't go out (go into society) much; *vrij* ~ be free from blame; *er eens op* ~ *om...* set out to...; ~ *op een klinker* end in a vowel; *het gaat uit van...* it originates with..., it emanates from

..; *hij gaat uit van 't idee dat*... his starting point is that...; ~*de van*... starting from... [this principle &]; *er gaat niet veel van hem uit* he is not a man of light and leading.

uitgaand ['œytga.nt] theatre-going, concert-attending, café-frequenting [public]; outward [cargo], outward-bound [ships]; ~*e rechten* export duties; ~*e stukken* outgoing letters (correspondence).

uitgaansdag [-ga.nsdɑx] *m* day out, off-day, outing.

uitgaansverbod [-fərbɔt] *o* curfew.

uitgalmen ['œytgɑlmə(n)] *vt* sing out, bawl out.

uitgang [-gɑŋ] *m* 1 (v. huis &) exit, way out, issue, outlet, egress; 2 (v. woord) ending, termination.

uitgangspunt [-gɑŋspŭnt] *o* starting point.

uitgave [-ga.və] = *uitgaaf*.

uitgebreid [-gəbrɛit] I *aj* extensive, comprehensive, wide [knowledge, powers, choice]; ~ *lager onderwijs* advanced elementary education; ~*e voorzorgsmaatregelen* elaborate precautions; II *ad* extensively, comprehensively.

uitgebreidheid [œytgə'brɛithɛit] *v* extensiveness, extent.

uitgedroogd ['œytgədro.xt] dried up², shrivelled.

uitgehongerd [-hòŋərt] famished, starving, ravenous.

uitgelaten [-la.tə(n)] elated; exuberant; rollicking [fun]; ~ *van vreugde* elated with joy.

uitgelatenheid [œytgə'la.tənhɛit] *v* elation; exuberance.

uitgeleefd ['œytgəle.ft] decrepit, worn out.

uitgeleerd [-le:rt] in: ~ *zijn* 1 (v. leerjongen) have served one's apprenticeship; 2 (v. scholier) have done learning; *men is nooit* ~ live and learn.

uitgeleide [-lɛidə] *o* in: ~ *doen* show [one] out; see [one] off [the premises, by the Mauretania]; give [one] a send-off.

uitgelezen [-le.zə(n)] 1 (gelezen) read, finished [books]; 2 (uitgezocht) select [party of friends]; choice [cigars]; picked [troops].

uitgelezenheid [œytgə'le.zənhɛit] *v* choiceness, excellence.

uitgeloot ['œytgəlo.t] drawn.

uitgemaakt [-ma.kt] in: *dat is een* ~*e zaak* that's a settled thing; that is an established truth; *ook*: that's a foregone conclusion.

uitgerekend [-re.kənt] calculating [man, woman].

uitgeslapen [-sla.pə(n)] *fig* F wide-awake, long-headed, knowing.

uitgesloten [-slo.tə(n)] in: *dat is* ~ it is out of the question, it is quite impossible.

uitgesproken [-spro.kə(n)] I *aj fig* avowed [purpose, fascist &]; II *ad fig* avowedly [democratic].

uitgestorven [-stɔrvə(n)] extinct [animals]; deserted [of a place].

uitgestreken [-stre.kə(n)] smug, demure; *met een* ~ *gezicht* smooth-faced.

uitgestrekt [-strɛkt] extensive, vast.

uitgestrektheid [œytgə'strɛkthɛit] *v* extensiveness, extent; expanse, stretch, reach [of water &].

uitgestudeerd ['œytgəsty.de:rt] 1 having finished one's studies; 2 *fig* cunning, sly.

uitgeteerd [-te:rt] emaciated, wasted.

uitgeven ['œytge.və(n)] I *vt* 1 (afgeven) give out, distribute [provisions]; 2 (verteren) spend [money on...]; 3 (uitvaardigen) issue [a proclamation]; 4 (publiceren) publish [a book &]; 5 $ issue [bank-notes &]; 6 (voor de druk bezorgen) edit [memoirs &]; *een boek* ~ *bij Harpers* publish a book with H.]; II *vr* zich ~ *voor*... give oneself out as [a medium &]; pass oneself off as (for) [a...], set up for a...

uitgever [-vər] *m* publisher.

uitgeverij [œytge.və'rɛi] *v* F publishing business.

uitgeversfirma ['œytge.vərsfɪrma.] *v* publishing firm.

uitgeverszaak ['œytge.vərsa.k] *v* publishing business.

uitgewekene ['œytgəve.kənə] *m-v* refugee.

uitgewerkt [-vɛrkt] 1 elaborate [plan]; 2 worked [example]; 3 extinct [volcano].

uitgewezene [-ve.zənə] *m-v* banished person, exile.

uitgezocht [-zɔxt] excellent; zie ook: 2 *uitgelezen*.

uitgezonderd [-zòndərt] except, excepted, barring, save; *dat* ~ barring this; *niemand* ~ not excepting anybody, nobody excepted.

uitgieren ['œytgi:rə(n)] *vt* in: *het* ~ scream with [laughter.

uitgieten [-gi.tə(n)] *vt* pour out.

uitgifte [-gɪftə] *v* issue.

uitgillen [-gɪlə(n)] *vt* scream out; *het* ~ *van pijn* scream with pain.

uitglijden [-glɛi(d)ə(n)] *vi* slip; ~ *over* slip on.

uitgooien [-go.jə(n)] *vt* throw out; throw off [clothes].

uitgraven [-gra.və(n)] *vt* dig out, dig up, disinter; exhume [a corpse]; excavate [a buried city &]; deepen [a ditch].

uitgraving [-vɪŋ] *v* excavation.

uitgroeien ['œytgru.jə(n)] *vi* grow, develop (into *tot*); *hij is er uitgegroeid* he has outgrown it.

uithalen [-ha.lə(n)] I *vt* 1 pull out, draw out [something]; root out [weeds]; ♪ draw out [a tone]; 2 (schoonmaken) clean [a pipe]; gut [fish]; turn out [a room]; 3 (uitvoeren) do [some devilry], play [pranks]; *nestjes* ~ go bird('s)-nesting; *het zal niet veel* ~ it will not be of much avail; *er* ~ *zoveel als men kan* use it for all it is worth; get as much as possible out of it; II *vi* (uitwijken) pull out [to the left.

uithangbord [-haŋbərt] *o* sign-board, (shop) sign.

uithangen [-hɑŋə(n)] I vt hang out [the wash, a flag &]; *de grote heer* ∼ do the grand; *de brave Hendrik* ∼, *de vrome* ∼ play the saint, saint it; II *vi* in: *waar zou hij* ∼? where can he hang out?

uithebben [-hɛbə(n)] *vt* have finished.

uitheems [œyt'he.ms] foreign [produce]; exotic [plants].

uithelpen ['œythɛlpə(n)] *vt* help out.

uithoek [-hu.k] *m* remote corner, out-of-the-way corner.

uithoesten [-hu.stə(n)] I *vt* expectorate, cough up; II *vi* in: *ben je uitgehoest?* have you finished coughing?; *eens goed* ∼ have a good cough.

uithollen [-hɔlə(n)] *vt* hollow (out), scoop out, excavate.

uitholling [-lɪŋ] *v* 1 hollowing (out), excavation; 2 (holte) hollow, excavation.

uithongeren ['œythɔŋərə(n)] *vt* famish, starve (out).

uithongering [-rɪŋ] *v* starvation.

uithoren ['œytho:rə(n)] *vt* draw, pump [a person].

uithouden [-hɔu(d)ə(n)] *vt* hold out; *fig* bear, suffer, stand; *het* ∼ hold out; stand it, stick it (out); *je hebt het uitgehouden!* what a time you have been!

uithoudingsvermogen [-hɔudɪŋsfərmo.gə(n)] *o* staying-power(s), (power of) endurance, stamina.

uithouwen [-hɔuə(n)] *vt* carve, hew (from *uit*).

uithozen [-ho.zə(n)] *vt* bail out, bale out.

uithuilen [-hœylə(n)] *vi* weep oneself out; *eens* ∼ ook: have a good cry.

uithuizig [œyt'hœyzəx] in: *hij is erg* ∼ he is never at home.

uithuwelijken, uithuwen ['œythy.vələkə(n), -hy.-və(n)] *vt* give in marriage, marry off [daughters].

uiting ['œytɪŋ] *v* utterance, expression; ∼ *geven aan* give expression to, give utterance to, give voice to; *tot* ∼ *komen* find expression.

uitje ['œycə] *o* (small) onion ‖ F outing.

uitjouwen ['œytjɔuə(n)] *vt* hoot (at, after), boo.

uitkammen [-kɑmə(n)] *vt* comb out.

uitkeren [-ke:rə(n)] *vt* pay.

uitkering [-rɪŋ] *v* 1 payment; 2 (v. faillissement) dividend; 3 (bij ziekte &) benefit; 4 (v. staking) strike-pay; 5 (v. werklozen) unemployment benefit, F dole.

uitkermen ['œytkɛrmə(n)] *vt* in: *het* ∼ *van pijn* groan with pain.

uitkiezen [-ki.zə(n)] *vt* choose, select, single out, pick out.

uitkijk [-kɛik] *m* 1 look-out; 2 (persoon) look-out (man); *op de* ∼ on the look-out.

uitkijken [-kɛikə(n)] I *vi* look out, be on the look-out; *goed* ∼ keep a good look-out; ∼ *naar* look out for; *ik kijk wel uit!* I know better (than that); II *vt* in: *zich de ogen* ∼ stare one's eyes out.

uitkijkpost ['œytkɛikpɔst] *m* observation post.

uitkijktoren [-to:rə(n)] *m* watch-tower.

uitklaren ['œytkla:rə(n)] *vt* $ clear.

uitklaring [-rɪŋ] *v* $ clearance.

uitkleden ['œytkle.də(n)] I *vt* undress, strip; *naakt* ∼ strip to the skin; II *vr zich* ∼ undress.

uitkloppen [-klɔpə(n)] *vt* knock out [the ashes, a pipe]; beat [carpets].

uitklub zie *uitclub*.

uitknijpen [-knɛipə(n)] I *vt* press (squeeze) out, squeeze; *een uitgeknepen citroen* a squeezed orange [fig]; II *vi* S 1 (stilletjes weggaan) decamp, clear out, sling one's hook; 2 (doodgaan) pop off.

uitknippen [-knɪpə(n)] *vt* cut out.

uitknipsel [-knɪpsəl] *o* cutting, scrap.

uitkoken [-ko.kə(n)] *vt* boil.

uitkomen [-ko.mə(n)] *vi* 1 (ergens uit komen) come out; 2 ♣ (uitlopen) come out, bud; 3 ♠ hatch, come out of the shell [of chickens]; 4 (eerst uitspelen) ◊ lead; (opkomen) *sp* turn out; compete [in a tournament &]; 5 *Ind* (uit Europa komen) come out; 6 (afsteken) stand out; 7 (in 't oog vallen) show; *fig* 1 (aan 't licht komen) come out, be brought to light [of crimes]; 2 (bekend worden) become known [of secrets, plots &]; 3 (uitvallen) turn out; 4 (bewaarheid worden) come true; 5 (verschijnen) come out, appear, be published [of books &]; 6 (goed komen) work out [of sums]; 7 (toekomen, rondkomen) make both ends meet; *dat komt uit* that's correct; *wat komt er uit (die som)?* what is the result?; *de krant komt niet meer uit* the paper has ceased to appear; *ik zal er wel* ∼ [don't trouble] I can find my way out; *je komt er niet uit* you shan't leave the house; *het kwam anders uit* things turned out differently; *zo komt het beter uit* 1 that's a better arrangement; 2 (in) this way it will be brought out to better advantage, it shows better; *dat kwam duidelijk uit* that was very evident; *dat komt goed uit* that is very opportune; how lucky!; *die kleur doet* ∼ *borduursel goed* ∼ brings out (sets off) the embroidery to advantage; *u moet dat eens goed doen* ∼ do bring it out very clearly, underline it properly; *het komt mij niet goed uit* it doesn't suit me; *het kwam net zo uit* things turned out exactly that way; *dat komt goedkoper uit* it comes cheaper, it is cheaper in the end; *dat zal wel* ∼ that goes without saying; *wie moet* ∼? ◊ whose turn is it to play?; *u moet* ∼ ◊ your lead!; ∼ *met goede spelers sp* turn out good players; *ik kan met die som (gelds) niet* ∼ this sum is not enough for me; ∼ *op* open on (on to, into) [a garden &]; debouch on [the beach]; *ik kwam op de weg uit* I emerged into the road; ∼ *tegen* stand out against [the sky]; *sp* play (against); *dat beeldje komt goed uit tegen die achtergrond* the statuette stands out well against that background; *hij kwam er voor uit* he admitted it; (bekende schuld) he owned up; *hij kwam er rond voor uit* he made no secret of it; (rond) ~ *voor zijn mening* speak one's mind .

uitkomst [-kòmst] v 1 (uitslag) result, issue; (vansom) result; 2 (redding) relief, deliverance, help; *een ~ voor iedere huisvrouw* a boon and a blessing to every housewife.

uitkooksel [-ko.ksəl] o decoction.

uitkoop [-ko.p] m buying out, buying off.

uitkopen [-ko.pə(n)] vt buy out, buy off.

uitkraaien [-kra.jə(n)] vt in: *het ~* crow.

uitkrabben [-krabə(n)] vt scratch out.

uitkramen [-kra.mə(n)] vt in: *zijn geleerdheid ~* show off one's learning; *onzin ~* talk nonsense, say silly things.

uitkrijgen [-krɛigə(n)] vt get off [his boots &]; *ik kan het boek niet ~* I can't get through the book.

uitkrijten [-krɛitə(n)] vt in: *iemand ~ voor* decry one as a..., denounce him as a...

uitkruipen [-krœypə(n)] vi creep out.

uitkunnen [-kűnə(n)] vi in: *je zult er niet ~* you won't be able to get out; *mijn schoenen kunnen niet uit* won't come off.

uitlaat [-la.t] m ⚒ exhaust.

uitlaatklep [-klɛp] v ⚒ exhaust-valve.

uitlachen ['œytlɑɣə(n)] I vt laugh at; II vi laugh one's fill.

uitladen [-la.də(n)] vt unload, discharge.

uitlading [-dɪŋ] v unloading, discharge.

uitlaten ['œytla.tə(n)] I vt 1 let out [a dog, a hidden person &]; see out [a visitor]; let off [fumes]; 2 (weglaten) leave out, omit [a word &]; 3 (wijder maken) let out [a garment]; 4 (niet meer dragen) leave off [one's coat]; leave off wearing [Jaeger &]; II vr *zich ~ over iets* speak about it.

uitlating [-tɪŋ] v 1 (weglating) letting out, omission; 2 (gezegde) utterance; statement.

uitleenbibliotheek zie *uitleenbibliotheek*.

uitleenbibliotheek ['œytle.nbi.bli.o.te.k] v lending-library.

uitleg ['œytlɛx] m 1 (aanbouw) extension [of a town]; 2 (verklaring) explanation, interpretation [of a person's words].

uitleggen [-lɛgə(n)] vt eig 1 (gereedleggen) lay out [articles of dress, books &]; 2 (wijder maken) let out [a garment]; extend [a town]; 3 *fig* explain, interpret.

uitlegger [-gər] m explainer, expounder.

uitlegging [-gɪŋ] v explanation, interpretation [of words, a text]; exegesis [of Scripture].

uitleiden ['œytlɛidə(n)] vt expel [an alien], conduct [him] across the frontier.

uitlekken [-lɛkə(n)] vi leak out²; *fig* trickle out, filter through, ooze out; transpire.

uitlenen [-le.nə(n)] vt lend (out).

uitleren [-le.rə(n)] vt finish [a book]; zie ook: *uitgeleerd*.

uitleveren [-le.vərə(n)] vt ⚖ extradite [a person].

uitlevering [-rɪŋ] ⚖ extradition [of a person].

uitleveringsverdrag [-rɪŋsfərdrɑx] o ⚖ extradition treaty.

uitlezen ['œytle.zə(n)] vt 1 read through (to the end), finish [a book]; 2 pick out, select.

uitlichten [-lɪxtə(n)] vt lift out.

uitlikken [-lɪkə(n)] vt lick out.

uitlogen [-lo.gə(n)] vt zie *logen*.

uitlokken [-lòkə(n)] vt provoke [action &]; elicit [an answer]; invite [criticism]; evoke [a smile]; call forth [protests]; ask for [trouble]; court [comparison].

uitloodsen [-lo.tsə(n)] vt ⚓ pilot out.

uitloop [-lo.p] m (v. water) outlet.

uitlootbaar [œyt'lo.tba:r] redeemable.

uitlopen ['œytlo.pə(n)] vi 1 (v. personen) run out; go out; (v. bevolking) turn out; 2 (v. schepen) put out to sea, sail; 3 (uitbotten) bud, shoot; sprout [of potatoes]; *hij loopt veel uit* he is always gadding about; *heel Parijs liep uit om hem toe te juichen* all Paris turned out to cheer him; *~ in een baai* run into a bay; *het is op niets uitgelopen* it has come to nothing; *waar moet dat op ~?* what is it to end in?

uitloper [-pər] m 1 (persoon) gadabout; 2 (v. planten) runner, offshoot, sucker; 3 (v. berg) spur; 4 *fig* offshoot.

uitloten ['œytlo.tə(n)] vt draw out, draw.

uitloting [-tɪŋ] v drawing [for the prizes &].

uitloven ['œytlo.və(n)] vt offer [a reward, a prize], promise.

uitlozen [-lo.zə(n)] vi discharge (itself).

uitlozing [-zɪŋ] v discharge.

uitluchten ['œytlűxtə(n)] vt (luchten) air, ventilate.

uitluiden [-lœydə(n)] vt ring out. [ventilate.

uitmaken [-ma.kə(n)] vt 1 finish [a book, a game]; break off [an engagement]; 2 (uitdoven) put out [fire]; 3 (wegmaken) take out [stains]; 4 (beslechten) decide, settle [a dispute]; 5 (vormen) form, constitute [the board, the government], make up [the greater part of]; 6 (uitschelden) call [one] names; *dat moeten zij samen maar ~* they should settle that between themselves; *dat maakt niet(s) uit* it does not matter, it is immaterial; *wat maakt dat uit?* what does it matter?; *dat is een uitgemaakte zaak* zie *uitgemaakt*; *dat is nu uitgemaakt* that is settled now; *iemand voor leugenaar ~* call one a liar; *iemand ~ voor al wat lelijk is* call one all sorts of names.

uitmalen [-ma.lə(n)] vt 1 (water) drain; 2 (meel) extract.

uitmalingspercentage [-ma.lɪŋspɛrsɛnta.ʒə] o extraction rate.

uitmergelen [-mɛrgələ(n)] vt exhaust.

uitmergeling [-lɪŋ] v exhaustion.

uitmesten ['œytmɛstə(n)] vt muck out.

uitmeten [-me.tə(n)] vt measure (out); *breed ~* exaggerate [one's grievances].

uitmiddelpuntig [œytmɪdəl'pʉntəx] eccentric.

uitmiddelpuntigheid [-hɛit] v eccentricity.

uitmonden ['œytmòndə(n)] vi in: ~ in debouch into.

uitmonding [-dɪŋ] v mouth.

uitmoorden ['œytmo:rdə(n)] vt massacre.

uitmunten [-mʉntə(n)] vi in: ~ boven excel, surpass; ~ in excel in (at).

uitmuntend [œyt'mʉntənt] I aj excellent; II ad excellently.

uitmuntendheid [-hɛit] v excellence.

uitnemen ['œytne.mə(n)] vt take out.

uitnemend [œyt'ne.mənt] zie uitmuntend.

uitnemendheid [-hɛit] v excellence; bij ~ pre-eminently, par excellence.

uitnoden, uitnodigen ['œytno.də(n), -dəɣə(n)] vt invite.

uitnodiging [-no.dəɣɪŋ] v invitation; op ~ van at (on) the invitation of.

uitnodigingskaart [-ɣɪŋska:rt] v invitation card.

uitoefenen ['œytu.fənə(n)] vt exercise [a profession, a right &]; practise, carry on [a trade].

uitoefening [-nɪŋ] v exercise [of a right], discharge [of a function], practice [of an art]; prosecution [of a trade].

uitpakkamer ['œytpaka.mər] v commercial room.

uitpakken [-pakə(n)] I vt unpack; II vi F (aflopen, uitkomen) work out; als hij aan't ~ gaat when he begins to pour forth; ~ over een onderwerp F let out on a subject; ~ tegen inveigh against.

uitpersen [-pɛrsə(n)] vt express, press out, squeeze.

uitpeuteren [-pø.tərə(n)] vt pick (out).

uitpiekeren [-pi.kərə(n)] vt F puzzle out [something].

uitpikken [-pɪkə(n)] vt 1 eig peck out; 2 (uitkiezen) pick out, select, single out.

uitplanten [-plantə(n)] vt plant out, bed out.

uitpluizen [-plœyzə(n)] vt pick; fig sift out, sift.

uitplukken [-plʉkə(n)] vt pluck out.

uitplunderen [-plʉndərə(n)] vt plunder, pillage, ransack, sack, rob.

uitplundering [-rɪŋ] v plundering, pillage, sack.

uitpompen ['œytpòmpə(n)] vt pump (out).

uitpoten [-po.tə(n)] vt zie poten.

uitpraten [-pra.tə(n)] vi finish talking; laat mij ~ let me have my say; daarover raakt hij nooit uitgepraat that is a theme of which he never tires.

uitproesten [-pru.stə(n)] vt in: het ~ burst out laughing.

uitpuilen [-pœylə(n)] vi protrude, bulge.

uitpuilend [-lənt] protuberant; ~e ogen bulging eyes; met ~e ogen 1 goggle-eyed; 2 with eyes starting from its sockets.

uitputten ['œytpʉtə(n)] I vt exhaust; II vr zich ~ exhaust oneself.

uitputting [-tɪŋ] v exhaustion.

uitputtingsoorlog [-tɪŋso:rlɔx] m war of attrition.

uitrafelen ['œytra.fələ(n)] vt ravel out, fray.

uitrazen [-ra.zə(n)] vi 1 (v. storm) rage itself out, spend itself; 2 (v. personen) vent one's fury; de jeugd moet ~ youth will have its fling; hij is nu uitgeraasd he has sown his wild oats.

uitredden [-rɛdə(n)] I vt in: er ~ help out, deliver; II vr zich er ~ get out of it.

uitredding [-dɪŋ] v deliverance, (means of) escape.

uitreiken ['œytrɛikə(n)] vt distribute, deliver, give, issue [tickets].

uitreiking [-kɪŋ] v distribution, delivery, issue [of tickets].

uitreis ['œytrɛis] v outward journey; ♦ voyage out; op de ~ ♦ outward bound.

uitrekenen ['œytre.kənə(n)] vt calculate, compute, figure out, reckon up; een som ~ work out a sum; zie ook: uitgerekend & vinger.

uitrekening [-nɪŋ] v calculation, computation.

uitrekken ['œytrɛkə(n)] I vt stretch (out), draw out; II vr zich ~ stretch oneself.

uitrichten [-rɪxtə(n)] vt do; wat heb jij hier uitgericht? what have you done?; er is niet veel mee uit te richten it is not much good.

uitrijden [-rɛi(d)ə(n)] vi ride out, drive out; de stad ~ ride (drive) out of the town; de trein reed het station uit the train was moving out of the station.

uitroeien [-ru.jə(n)] vt root out[2] [trees]; weed out[2], extirpate[2], eradicate[2] [weed, an error]; exterminate [a tribe, a nation, vice].

uitroeier [-jər] m extirpator, exterminator.

uitroeiing [-jɪŋ] v extirpation, extermination, eradication.

uitroep ['œytru.p] m exclamation, shout, cry.

uitroepen [-ru.pə(n)] vt cry (out), exclaim; declare [a strike &]; ~ tot (koning &) proclaim [one] king.

uitroeper [-pər] m (town-)crier.

uitroep(ings)teken ['œytru.p(ɪŋs)te.kə(n)] o note of exclamation.

uitroken ['œytro.kə(n)] vt 1 (ten einde roken) smoke out [pipe]; finish [a pipe, cigar]; 2 (om te ontsmetten &) smoke, fumigate; 3 (door rook verdrijven) smoke out [animals].

uitrukken [-rʉkə(n)] I vt pull out, pluck out [something], tear [one's own hair]; tear out [weeds]; II vi 1 ✗ march (out); 2 (v. brandweer) turn out; de stad ~ ✗ march out of the town; je kunt ~!, ruk uit! clear out!; hop it!, beat it!; de politie moest ~ the police were called out.

1 **uitrusten** [-rʉstə(n)] vi rest, take rest; bent u nu helemaal uitgerust? are you quite rested?; ik heb de mannen laten ~ I have given the men a rest, I have rested them; ~ van rest from [one's labours].

2 **uitrusten** [-rʉstə(n)] vt equip [an army, a ship, a person]; fit out [a fleet]; rig [cabin as operating-room].

uitrusting [-tɪŋ] *v* equipment.

uitrustingsstukken [-tɪŋstŭkə(n)] *mv* ✕ equipment.

uitschakelen ['œytsxa.kələ(n)] *vt* ✽ cut out, switch off; *fig* eliminate, leave out, rule out.

uitschakeling [-lɪŋ] *v* ✽ putting out of circuit; *fig* elimination.

uitschateren ['œytsxa.tərə(n)] *vt* in: *het* ~ burst out laughing.

uitscheiden [-sxɛi(d)ə(n)] I *vi* stop, leave off; *er* ~ 1 (tijdelijk) stop working; 2 (voorgoed) shut up shop; *schei uit!* stop (it)!; *chei uit met dat geklets!* stop that jawing!; II *vt* excrete.

uitschelden [-sxɛldə(n)] *vt* abuse, call [a person] names; ~ *voor* call; zie ook: *uitmaken*.

uitschenken [-sxɛŋkə(n)] *vt* pour out.

uitscheppen [-sxɛpə(n)] *vt* bail out, bale out, scoop out.

uitscheuren [-sxœːrə(n)] I *vt* tear out; II *vi* tear.

uitschieten [-sxi.tə(n)] I *vt* 1 shoot out, throw out [a cable]; shoot [rays]; 2 whip off [one's coat]; *er werd hem een oog uitgeschoten* he had one of his eyes shot out; II *vi* slip; *de boot kwam de kreek* ~ the boat shot out from the creek; zie ook: *schieten* ✽, *opschieten* ✽ & *voorschieten*.

uitschiften [-sxɪftə(n)] *vt* sift (out).

uitschilderen [-sxɪldərə(n)] *vt* paint, portray.

uitschoppen [-sxɔpə(n)] *vt* kick out²; kick off [one's shoes].

uitschot [-sxɔt] *o* refuse, offal, trash; off-scourings, riff-raff, dregs [of the people].

uitschrabben, ~**schrapen** [-s(x)rabə(n), -s(x)ra.pə(n)] *vt* scratch out.

uitschreeuwen [-s(x)re.və(n)] *vt* cry out; *het* ~ cry out.

uitschreien [-s(x)rɛiə(n)] *vi* zie *uithuilen*.

uitschrijven [-s(x)rɛivə(n)] *vt* write out, make out [an invoice &]; zie ook: *lening, prijsvraag, vergadering* &.

uitschudden [-sxŭdə(n)] *vt* shake (out) [a carpet]; strip [a person] to the skin.

uitschuiven [-sxœyvə(n)] *vt* push out; draw out [a table].

uitschuld [-sxŭlt] *v* $ outstanding debt.

uitschulpen [-sxŭlpə(n)] *vt* scallop.

uitschuren [-sxy:rə(n)] *vt* scour (out).

uitslaan [-sla.n] I *vt* beat out, strike out; drive out [a nail]; knock out [a tooth &]; hammer, beat (out) [metals]; shake out [carpets], unfold [a map]; throw out [one's legs]; put forth [one's claws]; stretch, spread [one's wings]; *mallepraat* ~ talk nonsense; *de taal die zij* ~! the language they use!; II *vi* break out [of flames, measles]; sweat [of a wall]; grow mouldy [of bread].

uitslaand [-sla.nt] in: ~*e brand* blaze; ~*e plaat* folding picture (plate).

uitslag [-slɑx] *m* 1 outcome, result, issue, event, success; 2 (schimmel) mouldiness; 3 (puistjes) eruption, rash; *stille* ~ $ draft; *de* ~

van de verkiezing the result of the poll; *de bekendmaking van de* ~ *van de verkiezing* the declaration of the poll; *wat is de* ~ *van uw examen?* what is the result of your examination?; *met goede* ~ with good success, successfully.

uitslapen [-sla.pə(n)] *vt* & *vi* sleep one's fill; *zijn roes* ~ sleep off one's debauch, sleep it off.

uitsliepen [-sli.pə(n)] *vt* in: *iemand* ~ ± jeer at a person; *sliep uit!* ± sold again!

uitslijten [-slɛitə(n)] *vi* wear out, wear away; wear off.

uitsloven [-slo.və(n)] in: *zich* ~ do one's best, drudge, toil, work oneself to the bone [for one's livelihood, for others]; lay oneself out [to please a person].

uitsluiten [-slœytə(n)] *vt* shut (lock) out; *fig* exclude; lock out [workmen].

uitsluitend [œyt'slœytənt] *aj* (& *ad*) exclusive-(ly).

uitsluiting ['œytslœytɪŋ] *v* 1 exclusion; 2 lockout [workmen]; *met* ~ *van* exclusive of.

uitsluitsel [-slœytsəl] *o* decisive answer.

uitsmeren [-sme:rə(n)] *vt* spread [over a longer period].

uitsmijten [-smɛitə(n)] *vt* chuck out, throw out.

uitsmijter [-smɛitər] *m* 1 chucker-out; 2 slice of bread with veal & and a fried egg on top, ± ham and eggs.

uitsnellen [-snɛlə(n)] *vi* in: *de deur* ~ rush out.

uitsnijden [-snɛi(d)ə(n)] *vt* cut out, carve out, excise.

uitsnijding [-snɛidɪŋ] *v* cutting out, excision.

uitsnikken [-snɪkə(n)] I *vt* sob out; II *vi* sob till one is calmed down.

uitspannen [-spanə(n)] I *vt* 1 (uitstrekken) stretch out, extend [one's fingers &]; spread [a net]; 2 (uit het tuig halen) take out, unharness [the horses], unyoke [oxen]; II *vr* *zich* ~ unbend, take some recreation.

uitspanning [-nɪŋ] *v* 1 baiting-place; 2 garden-restaurant, tea-garden; 3 *fig* recreation, relaxation.

uitspansel ['œytspɑnsəl] *o* firmament, heavens, sky.

uitsparen [-spa:rə(n)] *vt* save, economize, zie ook: *besparen*.

uitsparing [-rɪŋ] *v* saving, economy.

uitspatting ['œytspɑtɪŋ] *v* dissipation, debauchery; excess; *zich aan* ~*en overgeven* indulge in dissipation (in excesses).

uitspelen [-spe.lə(n)] *vt* play; *ze tegen elkaar* ~ play them off against each other.

uitspinnen [-spɪnə(n)] *vt* spin out².

uitspoelen [-spu.lə(n)] *vt* rinse (out); wash away.

uitspraak [-spra.k] *v* 1 pronunciation; 2 (oordeel) pronouncement, utterance, statement; 3 (arbitraal) award; ⚖ finding, sentence, verdict; ~ *doen* pass judg(e)ment, pass (pronounce) sentence.

uitspreiden [-spreidə(n)] *vt* spread (out).

uitspreken [-spre.kə(n)] I *vt* pronounce [a word, judg(e)ment, a sentence]; deliver [a message]; express [thanks, the hope]; II *vi* finish.

uitspringen [-spriŋə(n)] *vi* project, jut out; *je kunt er niet ~* you can't jump out.

uitspringend [-ŋənt] jutting out, projecting [part]; salient [angle].

uitspruiten ['œytsprœytə(n)] *vi* ♣ sprout, shoot.

uitspruitsel [-sprœytsəl] *o* ♣ sprout, shoot.

uitspugen, uitspuwen [-spy.gə(n), -spy.və(n)] *vt* spit out.

uitstaan ['œytsta.n] I *vt* endure, suffer, bear; *ik kan hem niet ~* I cannot stand the fellow, I have no patience with him; *wat ik moest ~* what I had to suffer (bear, endure); *ik heb niets met hen uit te staan* I have nothing to do with them; *dat heeft er niets mee uit te staan* that has nothing to do with it; II *vi* 1 stand out; 2 be put out at interest; *mijn geld staat uit tegen 4%* my money is put out at 4%; *~de schulden* outstanding debts.

uitstalkast [-stɑlkɑst] *v* show-case.

uitstallen [-stɑlə(n)] *vt* expose for sale, display.

uitstalling [-liŋ] *v* display (in the shop-window), (shop-)window display.

uitstalraam ['œytstɑlra.m] *o* show-window.

uitstamelen [-sta.mələ(n)] *vt* stammer (out).

uitstapje [-stɑpjə] *o* excursion, tour, trip, outing, jaunt; *een ~ doen (maken)* make an excursion, make (take) a trip.

uitstappen [-stɑpə(n)] *vi* get out [of tram-car &]; step out, alight [from a carriage]; *allen ~!* all get out here.

uitstedig [œyt'ste.dəx] absent from town.

uitstedigheid [-ɦɛit] *v* absence from town.

uitsteeksel ['œytste.ksəl] *o* projection; protuberance.

uitstek [-stɛk] *o* projection; *bij ~* pre-eminently.

uitsteken [-ste.kə(n)] I *vt* stretch out, hold out [one's hand], put out [the tongue, the flag]; *iemand de ogen ~* put out a man's eyes; *dat zal hun de ogen ~* that will make them jealous; zie ook: *hand* &; II *vi* 1 (in elke richting) stick out; 2 (horizontaal) jut out, project, protrude; *hoog ~ boven...* rise far above..., ⊙ tower above...; *hoog boven de anderen ~* rise (head and shoulders) above the others, tower above one's contemporaries; *boven anderen ~ in...* excel others in...

1 **uitstekend** [-kənt] *aj* protruding &, prominent.

2 **uitstekend** [œyt'ste.kənt] I *aj* excellent, first-rate, eminent; II *ad* excellently, extremely well, splendidly; very well!

uitstekendheid [-ɦɛit] *v* excellence.

uitstel ['œytstɛl] *o* postponement, delay, respite; *~ van betaling* extension of time for payment; *het kan geen ~ lijden* it admits of no delay; *~ van executie* stay of execution;

~ geven (verlenen) grant a delay; *~ vragen* ask for a delay; *van ~ komt dikwijls afstel* delays are often dangerous, ± procrastination is the thief of time; *~ is geen afstel* forbearance is no acquittance; all is not lost that is delayed; *zonder ~* without delay.

uitstellen [-stɛlə(n)] *vt* delay, defer, postpone, put off; *stel niet uit tot morgen, wat ge heden doen kunt* don't put off till to-morrow what you can do to-day.

uitsterven [-stɛrvə(n)] *vi* die out², become extinct.

uitsterving [-viŋ] *v* extinction.

uitstijgen ['œytstɛigə(n)] *vi* get out.

uitstippelen [-stɪpələ(n)] *vt* dot [a line]; *fig* outline [a policy], lay down [lines, a programme].

uitstoelen [-stu.lə(n)] *vi* ♣ stool.

uitstomen [-sto.mə(n)] I *vt* 1 clean by steam; 2 zie *stomen* II 2; II *vi* steam away; *het schip stoomde uit* the ship steamed out to sea.

uitstorten ['œytstɔrtə(n)] I *vt* pour out, pour forth; *zijn gemoed, zijn hart ~* pour out one's heart, unbosom oneself; II *vr zich ~* discharge itself [of a river, into the sea].

uitstorting [-tiŋ] *v* effusion; *de ~ van de Heilige Geest* the outpouring of the Holy Ghost.

uitstoten ['œytsto.tə(n)] *vt* thrust out; *fig* expel [a person]; *kreten~* utter cries.

uitstoting [-tiŋ] *v* expulsion.

uitstralen ['œytstra.lə(n)] *vt* radiate, beam forth.

uitstraling [-liŋ] *v* radiation, emanation.

uitstralingsvermogen [-liŋsfərmo.gə(n)] *o* radiating power.

uitstralingswarmte [-vɑrmtə] *v* radiant heat.

uitstrekken ['œytstrɛkə(n)] I *vt* stretch, stretch forth, extend; stretch out, reach out [one's hand]; II *vr zich ~* 1 (v. levende wezens) stretch oneself; 2 (v. dingen) stretch, extend, reach; *zich ~ naar het oosten* stretch away to the east.

uitstromen [-stro.mə(n)] *vi* stream forth; *~ in* flow into.

uitstrooien [-stro.jə(n)] *vt* strew, spread², disseminate²; *fig* spread [rumours], put about [lies &].

uitstrooisel [-stro.isəl] *o* rumour, false report.

uitsturen [-sty:rə(n)] *vt* send out.

uittanden ['œytɑndə(n)] *vt* indent, tooth, jag.

uittarten [-tɑrtə(n)] *vt* defy, challenge, provoke.

uittarting [-tɑrtiŋ] *v* defiance, challenge, provocation.

uittekenen [-te.kənə(n)] *vt* draw, delineate, portray, picture.

uittellen [-tɛlə(n)] *vt* count out.

uitteren [-te:rə(n)] *vi* pine (waste) away, waste.

uittering [-te:riŋ] *v* emaciation.

uittocht [-tɔxt] *m* exodus².

uittrappen [-trɑpə(n)] *vt* stamp out [a fire]; kick off [one's shoes]; kick [you] out [of the job].

uittreden [-tre.də(n)] *vi* step out; (*uit de firma*) ~ retire (from partnership); zie ook: *treden uit & aftreden.*

uittrekken [-trɛkə(n)] I *vt* draw out [a nail &]; pull off [boots]; take off [one's coat]; pull out, extract [a tooth, herbs &]; *een som ~ voor* earmark £... for...; II *vi* ✕ I march out; set out, ☉ set forth; 2 move out [of a house].

uittreksel [-trɛksəl] *o* I (afkooksel) extract; 2 (korte inhoud) abstract; (v. d. burgerl. stand) [birth, marriage &] certificate; $ (v. rekening) statement; 3 (het ontleende) extract.

uittrektafel [-trɛkta.fəl] *v* pull-out table, extending table, telescope-table.

uittrompetten [-trɔmpɛtə(n)] *vt* trumpet forth.

uitvaagsel [ˈœytfa.xsəl] *o* sweepings, scum, dregs, offscourings [of society].

uitvaardigen [-fa:rdəɡə(n)] *vt* issue [an order]; promulgate [a law].

uitvaardiging [-ɡɪŋ] *v* issue; promulgation.

uitvaart [ˈœytfa:rt] *v* funeral; obsequies.

uitval [-fal] *m* I ✕ sally², sortie; 2 (bij 't schermen) thrust, lunge, pass; 3 *fig* outburst, sudden fit of passion; *een ~ doen* I ✕ make a sally (a sortie); 2 (bij 't schermen) make a pass, lunge.

uitvallen [-falə(n)] *vi* I fall out, come off [hair]; 2 ✕ make a sally; 3 ✕ fall out [while on the march]; 4 (bij 't schermen) make a pass, lunge; 5 (bij 't spel) drop out; 6 (v. el. licht, stroom &) fail; 7 *fig* fly out (at *tegen*), cut up rough; *goed (slecht) ~* turn out well (badly); *tegen iemand ~* fly out at a man; *hij kan lelijk tegen je ~* he is apt to cut up rough; *die trein is uitgevallen* that train has been cancelled; *het ~ van de stroom (een transformator)* a power (a transformer) failure.

uitvaller [-falər] *m* ✕ straggler; *er waren 2 ~s sp* two competitors dropped out.

uitvalmonster [-falmɔnstər] *o* $ shipping-sample.

uitvaren [-fa:rə(n)] *vi* I ✕ 𝄢 sail (out); put to sea; 2 *fig* storm, fly out; *~ tegen* fly out at, inveigh against, declaim against.

uitvechten [-fɛxtə(n)] *vt* in: *het onder elkaar maar ~* fight (have) it out among themselves.

uitvegen [-fe.ɡə(n)] *vt* I sweep out; 2 (met gummi &) wipe out, rub out, efface; *iemand de mantel ~* haul a person over the coals, give a person a bit of one's mind.

uitventen [-fɛntə(n)] *vt* hawk about.

uitverkocht [-fərkɔxt] out of print [book]; sold out, out of stock [goods]; *de druk was gauw ~* the edition was exhausted in a very short time; *~e zaal* full house.

uitverkoop [-fərko.p] *m* $ selling-off, clearance sale, sale(s).

uitverkoopprijs [-fərko.prɛis] *m* sale price.

uitverkopen [ˈœytfərko.pə(n)] *vt & va* sell off, clear.

uitverkoren [-ko:rə(n)] *aj* chosen, elect; *het ~ Volk* the Chosen People (Race); *~e* favourite; *zijn ~e* his sweetheart; *de ~en* the chosen.

uitvertellen [-tɛlə(n)] *vt* tell to the end; *ik ben uitverteld* I am at the end of my story.

uitvieren [ˈœytfi:rə(n)] *vt* veer out, pay out [a cable]; *een kou ~* nurse one's cold.

uitvinden [-fɪndə(n)] *vt* invent [a machine &]; find out [the secret &].

uitvinder [-dər] *m* inventor.

uitvinding [-dɪŋ] *v* invention.

uitvindsel [ˈœytfɪntsəl] *o* invention.

uitvissen [ˈœytfɪsə(n)] *vt* fish out², *fig* ferre out.

uitvlakken [-flakə(n)] *vt* blot out, wipe out; (met gummi) rub out; *dat moet je niet ~!* S it is not to be sneezed at.

uitvliegen [-fli.ɡə(n)] *vi* fly out.

uitvloeien [-flu.jə(n)] *vi* flow out.

uitvloeiing [-jɪŋ] *v* flowing out.

uitvloeisel [ˈœytflu:isəl] *o* consequence, outcome, result.

uitvloeken [-flu.kə(n)] I *vt* swear at, curse [a man]; II *vi* have a good swear.

uitvlucht [-flʏxt] *v* I loop-hole; 2 (voorwendsel) evasion, pretext, subterfuge, excuse; *~en zoeken* prevaricate, shuffle.

uitvoer [-fu:r] *m* $ export, exportation; (de goederen) exports; *de ~ verhogen en de invoer verlagen* increase exports and reduce imports; *ten ~ brengen (leggen)* carry into effect, execute, carry out [a threat].

uitvoerartikel [-arti.kəl] *o* $ article of export; *~en* ook: exports.

uitvoerbaar [œytˈfu:rba:r] practicable, feasible.

uitvoerbaarheid [-hɛit] *v* practicability, practicableness, feasibility.

uitvoeren [-fu:rə(n)] *vt* I carry out [harbour-works &]; execute [an order, a plan, a sentence &]; perform [an operation, a task, tricks &]; carry into effect, carry out [a resolution]; 2 $ fill [an order]; export [goods]; *hij heeft weer niets uitgevoerd* he has not done a stroke of work; *wat voer jij daar uit?* what are you doing?; *wat heb jij toch uitgevoerd, dat je...?* what ever have you been doing?; *wat heb je vandaag uitgevoerd?* what have you done to-day?; *wat moet ik daarmee ~?* what am I to do with it?; *de ~de macht* the Executive; *de ~de Raad* the Executive Council.

uitvoerhandel [ˈœytfu:rhandəl] *m* $ export trade.

uitvoerhaven [-ha.və(n)] *v* harbour of exportation.

uitvoerig [œytˈfu:rəx] I *aj* ample [discussion]; full [particulars], copious [notes], detailed, circumstantial, minute [account]; II *ad* amply &, in detail; *ik zal ~er schrijven* ook: I'l write more fully.

clear.

uitvoerigheid [-hɛit] v ampleness, copiousness.

uitvoering ['œytfu:rɪŋ] v ɪ execution [of an order &]; get-up [of a book]; 2 (voorstelling) performance; ~ geven aan carry into effect, carry out.

uitvoerpremie [-fu:rpre.mi.] v $ export bounty, bounty on exportation.

uitvoerrechten ['œytfu:rɛxtə(n)] mv $ export duties.

uitvoerverbod [-fu:rvɜrbɔt] o $ export prohibition.

uitvoervergunning [-vɜrgŷnɪŋ] v $ export licence.

uitvorsen ['œytfɜrsə(n)] vt find out, ferret out.

uitvragen ['œytfra.gə(n)] vt question, catechize, F pump; ik ben uitgevraagd ɪ I have been asked out [to dinner &]; 2 I have no more questions to ask.

uitvreten [-fre.tə(n)] vt eat out, corrode.

uitwaaien [-va.jə(n)] I vt blow out; II vi be blown out [of a candle]; het is nu uitgewaaid the wind (gale) has spent itself.

uitwaarts [-va:rts] I aj outward; II ad outward(s).

uitwas [-vɑs] m & o outgrowth, excrescence, protuberance.

uitwasemen [-va.səmə(n)] I vi evaporate; II vt exhale.

uitwaseming [-mɪŋ] v evaporation, exhalation.

uitwassen ['œytvɑsə(n)] vt wash (out).

uitwateren [-va.tərə(n)] vi in: ~ in discharge itself into..., flow into...

uitwatering [-rɪŋ] v discharge [of a stream].

uitwedstrijd ['œytvɛtstrɛit] m sp away game.

uitweg [-vɛx] m way out[2], outlet.

uitwegen [-ve.gə(n)] vt weigh out.

uitweiden [-vɛidə(n)] vi in: ~ over enlarge upon, expatiate on, dwell upon, digress upon.

uitweiding [-dɪŋ] v expatiation, digression.

uitwendig [œyt'vɛndəx] I aj external, exterior; voor ~ gebruik for outward application; zijn ~ voorkomen his outward appearance; II ad externally, outwardly.

uitwendigheid [-hɛit] v exterior; uitwendigheden externals.

uitwerken ['œytvɛrkə(n)] I vt ɪ work out [a plan &]; elaborate [a scheme]; work [a sum]; labour [a point]; 2 (tot stand brengen) effect, bring about; niets ~ be ineffective; II vi work; dit geneesmiddel heeft uitgewerkt this medicine has lost its efficacy; zie ook: uitgewerkt.

uitwerking [-kɪŋ] v ɪ working-out; 2 (gevolg) effect, ~ hebben be effective, work; geen ~ hebben produce no effect, be ineffective.

uitwerpen ['œytvɛrpə(n)] vt throw out [ballast], cast out; eject; ⚓ drop [bombs, arms], parachute [a man, troops]; (spuwen) vomit; duivelen ~ cast out devils.

uitwerpsel [-vɛrpsəl] o excrement.

uitwieden [-vi.də(n)] vt weed out.

uitwijken [-vɛikə(n)] vi ɪ (op zij) draw aside, step aside, make way, make room; pull out

[of a motor-car]; 2 (uit het land) go into exile, leave one's country; ~ naar emigrate to, take refuge in [a country]; ~ voor make way for, get out of the way of, avoid [a dog on the road].

uitwijking [-kɪŋ] v ɪ drawing aside; 2 emigration.

uitwijzen ['œytvɛizə(n)] vt ɪ show; 2 expel [person].

uitwijzing [-zɪŋ] v expulsion.

uitwinnen ['œytvɪnə(n)] vt save.

uitwippen [-vɪpə(n)] vi F nip out.

uitwisselen [-vɪsələ(n)] vt exchange.

uitwisseling [-lɪŋ] v exchange.

uitwissen ['œytvɪsə(n)] vt wipe out, blot out, efface.

uitwoeden [-vu.də(n)] vi spend itself [of a storm].

uitwonend [-vo.nənt] non-resident [masters &]; ☞ non-collegiate [students].

uitwrijven [-vrɛivə(n)] vt rub out; zich de ogen ~ rub one's eyes[2].

uitwringen [-vrɪŋə(n)] vt wring out.

uitzaaien [-sa.jə(n)] vt sow[2], disseminate[2].

uitzagen [-sa.gə(n)] vt saw out.

uitzeilen [-sɛilə(n)] vt & ⚓ sail out, sail.

uitzenden [-sɛndə(n)] vt send out, dispatch; ✻ ✝ broadcast; transmit; iemand ~ ɪ send one on an errand; 2 send one out to the colonies.

uitzending [-dɪŋ] v sending out, dispatch; ✻ ✝ broadcast, broadcasting; transmission.

uitzet ['œytsɛt] m & o (bride's) trousseau; ~ voor de tropen zie tropenuitrusting; zie ook: babyuitzet.

uitzetbaar [œyt'sɛtba:r] expansible, dilatable.

uitzetbaarheid [-hɛit] v expansibility, dilatability.

uitzetten ['œytsɛtə(n)] I vi ɪ (in 't alg.) expand, dilate, swell; 2 (in de natuurkunde) expand; II vr zich ~ expand [of metals &]; III vt ɪ (vergroten) expand; 2 (doen zwellen) distend, inflate; 3 set out [a rectangle]; mark out [distances]; ⚓ put out, put out [a boat]; ⚔ post [a sentinel]; put out [a post]; throw out [a line of sentinels]; ⚖ evict, eject [a tenant]; turn [a person] out [of the room]; $ invest [money], put out [at 4% interest]; iemand het land ~ expel, banish one from the country.

uitzetting [-tɪŋ] v expansion; dilat(at)ion; inflation; expulsion, ⚖ eviction, ejection.

uitzettingscoëfficiënt, -koëfficiënt [-tɪŋsko.-ɛfi.si.ɛnt] m coefficient of expansion.

uitzettingsvermogen [-fɜrmo.gə(n)] o power of expansion, expansive power, dilatability.

uitzicht ['œytsɪxt] o view, prospect, outlook; het ~ hebben op... command a (fine) view of..., overlook [the Thames]; ...in ~ stellen hold out a prospect that...

uitzichttoren [-sɪxto:rə(n)] m belvedere.

uitzieken ['œytsi.kə(n)] vi nurse one's illness.

uitzien [-si.n] I *vi* look out; *er* ~ look; *je ziet er goed uit* you look well; *zij ziet er goed* (= *knap*) *uit* she is good-looking; *zij ziet er niet goed uit* she doesn't look well; *dat ziet er mooi uit!* a fine prospect!, a pretty state of affairs!; *hoe ziet hij (het) eruit?* what does he (it) look like?, what is he (it) like?; *wat zie jij eruit!* what a state you are in!; *ziet het er zó uit?* I does it look like this?; 2 is it thus that matters stand?; *het ziet eruit alsof het wil gaan regenen* it looks like rain; *naar een betrekking* ~ look out for a situation; *naar iemand* ~ look out for a person; ~ *naar zijn komst* look forward to his coming; ~ *op een plein* look out upon a square; ~ *op de Theems* overlook the Thames; ~ *op het zuiden* look (face) south; II *vt* in: *zijn ogen* ~ stare one's eyes out.

uitziften [-sɪftə(n)] *vt* sift (out)²; *fig* thresh out.

uitzijgen [-sɛigə(n)] *vt* strain (out).

uitzingen [-sɪŋə(n)] *vt* sing out, sing [the chorus &] to the finish; *als we het maar kunnen* ~ F if we can hold out, stick it [until...].

uitzinnig [œyt'sɪnəx] beside oneself, distracted, demented, mad, frantic.

uitzinnigheid [-hɛit] *v* distraction, madness.

uitzitten ['œytsɪtə(n)] *vt* sit out; *zijn tijd* ~ serve one's time [in prison], do time.

uitzoeken [-su.kə(n)] *vt* select [an article, seeds &], choose [an article]; look out [the wash], sort out².

uitzonderen [-sòndərə(n)] *vt* except.

uitzondering [-rɪŋ] *v* exception; *een* ~ *op de regel* an exception to the rule; ~*en bevestigen de regel* the exception proves the rule; *bij* ~ by way of exception; *bij hoge* ~ very rarely; *bij* ~ *voorkomend* exceptional; *met* ~ *van...* with the exception of...; *zonder* ~ without exception; *allen zonder* ~ *hadden handschoenen aan* they one and all wore gloves.

uitzonderingsgeval [-rɪŋsgəval] *o* exceptional case.

uitzonderingsverlof [-fərlɔf] *o* ✕ compassionate leave.

uitzonderlijk [œyt'sòndərlək] I *aj* exceptional [ability], outstanding [merit]; II *ad* exceptionally [large], outstandingly [important].

uitzuigen ['œytsœygə(n)] *vt* I *eig* suck (out); 2 *fig* extort money from [a person]; sweat [labour].

uitzuiger [-gər] *m* extortioner; sweater [of labour].

uitzuinigen ['œytsœynəgə(n)] *vt* economize, save (on *op*).

uitzwavelen [-sva.vələ(n)] *vt* fumigate, sulphur.

uitzwermen [-svɛrmə(n)] *vi* I swarm off [of bees]; 2 ✕ disperse.

uitzweten [-sve.tə(n)] *vt* exude, ooze out, sweat [out.

uitzweting [-tɪŋ] *v* exudation.

ukkepuk ['ũkəpũk] *m* ukkie ['ũki.] *o* F little nipper, tiny tot.

ulaan [y.'la.n] *m* ✕ uhlan.

ulevel ['y.ləvɛl] *v* motto-kiss.

ulevelvers [-vers] *o* motto.

U.L.O. = *uitgebreid lager onderwijs* zie *uitgebreid*.

uloschool ['y.lo.sxo.l] *v* higher-grade school.

ulster ['ũlstər] *m* ulster.

ult. = *ultimo*.

ultimatief [ũlti.ma.'ti.f] in: *ultimatieve nota* note in (of) the nature of an ultimatum.

ultimatum [-'ma.tũm] *o* ultimatum; *een* ~ *stellen* issue an ultimatum (to *aan*).

ultimo ['ũlti.mo.] in: ~ *januari* at the end of January.

ultra ['ũltra.] I *m* extremist; II *ad* extremely, ultra [short wave].

ultramarijn [ũltra.ma.'rein] *o* ultramarine.

ultramontaan(s) [-mòn'ta.n(s)] *m* (& *aj*) ultramontane.

ultraviolet [-vi.o.'let] ultra-violet.

umlaut ['u.mlɑut] *m* Umlaut, (vowel) mutation; *a*~ modified a.

unaniem [y.na.'ni.m] *aj* (& *ad*) unanimous(ly).

unciaal [ũnsi.'a.l] *v* uncial.

unicum ['y.ni.kũm] *o* I single copy; 2 unique phenomenon, thing unique of its kind.

unie ['y.ni.] *v* union.

uniek [y.'ni.k] unique.

unificatie, unifikatie [y.ni.fi.'ka.(t)si.] *v* unification.

uniform [-'fɔrm] I *aj* uniform; II *o* & *v* (in 't alg.) uniform; ✕ (ook:) regimentals.

uniformiteit [-formi.'tɛit] *v* uniformity.

uniformjas [-'fɔrmjɑs] *m* & *v* ✕ tunic.

uniformpet [-pɛt] *v* uniform cap.

unitariër [y.ni.'ta:ri.ər] *m* Unitarian.

universeel [-ver'ze.l] universal, sole; ~ *erfgenaam* sole heir, residuary legatee.

universitair [-zi.'tɛ:r] I *aj* university...; II *ad* in: ~ *opgeleid* college-taught.

universiteit [-'tɛit] *v* university, zie *hogeschool*.

universiteitsbiblioteek zie *universiteitsbibliotheek*.

universiteitsbibliotheek [-'tɛitsbi.bli.o.te.k] *v* university library.

universiteitsgebouw [-gəbɑu] *o* university building.

unster ['ũnstər] *v* steelyard, weigh-beam.

uranium [y.'ra.ni.ũm] *o* uranium.

urbaan [ũr'ba.n] *aj* (& *ad*) urbane(ly).

urbaniteit [ũrba.ni.'tɛit] *v* urbanity.

Urbanus [ũr'ba.nũs] *m* Urban.

ure ['y.rə] *v* zie *uur*.

urgent [ũr'gent] *aj* (& *ad*) urgent(ly).

urgentie [ũr'gɛnsi.] *v* urgency.

urgentieprogramma [-pro.grɑma.] *o* crash programme.

urgentieverklaring [-vərkla:rɪŋ] *v* declaration of urgency.

urinaal [y.ri.'na.l] *o* urina

urine [y.'ri.nə] *v* urine.

urineren [y:ri.'ne:rə(n)] *vi* urinate, make (pass) water

urinoir [-'nvɑ:r] *o* urinal.

urmen ['ürmə(n)] *vi* F worry (about *over*).

urn(e) [ürn, 'ürnə] *v* urn.

Ursula ['ürsy.la.] *v* Ursula.

ursuline [ürsy.'li.nə] *v* Ursuline (nun).

ursulinenklooster [-'li.nə(n)klo.stər] *o* Ursuline convent.

ursulinenschool [-sxo.l] *v* Ursuline school.

usance [y.'zãsə] **usantie** [y.'zɑn(t)si.] *v* custom, usage.

uso ['y.zo.] *o* $ usance.

usurpatie [y.zür'pa.(t)si.] *v* usurpation.

usurpator [-'pa.tər] *m* usurper.

usurperen [-'pe:rə(n)] *vt* usurp.

ut [üt] *v ♪* ut, do.

utiliteit [y.ti.li.'tɛit] *v* utility.

utiliteitsbeginsel [-'tɛitsbəgɪnsəl] *o* utilitarian principle.

Utopia [y.'to.pi.a.] *o* Utopia.

utopie [y.to.'pi.] *v* utopian scheme, Utopia.

utopisch [y.'to.pi.s] utopian.

utopist [y.to.'pɪst] *m* Utopian.

uur [y:r] *o* hour; *een ~ gaans* an hour's walk; *alle uren* every hour; *uren lang* for hours (together, on end); *aan geen ~ gebonden* not tied down to time; *binnen het ~* within an hour; *in het ~ van het gevaar* in the hour of danger; *in een verloren ~* zie *uurtje*; *om drie ~* at three (o'clock); *om het ~* every hour; *op elk ~* every hour; at any hour; *op elk ~ van de dag* at all hours of the day, at any hour; *op een vast ~* at a fixed hour; *over een ~* in an hour; *zoveel per ~* so much per hour (an hour); *een rijtuig per ~ nemen* by the hour; *te goeder (kwader) ure* in a happy (an evil) hour; *ter elfder ure* at the eleventh hour; *tegen drie ~* by three o'clock; *van ~ tot ~* from hour to hour, hourly.

uurglas ['y:rglɑs] *o* hour-glass.

uurloon [-lo.n *o* hourly wage.

uurtje [-cə] *o* hour; *in een verloren ~* in a spare hour.

uurwerk [-vɛrk] *o* 1 clock, timepiece; 2 (raderwerk) clockwork.

uurwerkmaker [-vɛrkma.kər] *m* clock-maker, watchmaker.

uurwijzer [-vɛizər] *m* hour-hand, short hand.

uw [y:u] your, ⊙ thy; *de, het ~e* yours, ⊙ thine; *geheel de ~e...* Yours truly...

uwent ['y.vənt] in: *te(n) ~* at your house; *~halve* for your sake; *~wege* as for you; *van ~wege* on your behalf, in your name; *om ~wil(le)* for your sake.

uwerzijds ['y.vərzɛits] on your part, on your behalf.

V

v [ve.] *v* v; *~ 1* ⚔ **V 1**, fly(ing)-bomb; *~ 2* ⚔ **V 2**, rocket.

vaag [va.x] **I** *aj* vague, hazy; indefinite; **II** *ad* vaguely.

vaagheid ['va.xhɛit] *v* vagueness.

1 **vaak** [va.k] *m* sleepiness; *~ hebben* be sleepy; zie ook: *praatje*.

2 **vaak** [va.k] *ad* often, frequently.

vaal [va.l] sallow; *fig* drab.

vaalbruin ['va.lbrœyn] dun, drab.

vaalgrijs [-grɛis] greyish.

vaalheid [-hɛit] *v* sallowness.

vaalt [va.lt] *v* dunghill.

vaam [va.m] = *vadem*.

vaan [va.n] *v* flag, banner, standard; *de ~ des oproers opheffen* raise the standard of revolt.

vaandel ['va.ndəl] *o* flag, standard, ensign, colours; *met vliegende ~s* with colours flying; *onder het ~ van...* [fight] under the banner of...

vaandeldrager [-dra.gər] *m* standard-bearer[2].

vaandrig ['va.ndrɪx] *m* 1 standard-bearer; 2 ⚏ (voetvolk) ensign; (ruiterij) cornet.

vaantje ['va.ncə] *o* 1 vane; 2 weathercock.

vaardig ['va.rdəx] **I** *aj* 1 skilled, skilful, adroit, clever, proficient; 2 fluent [speech]; 3 ready; *hij is ~ met de pen* he has a ready pen; *de geest werd ~ over hem* the spirit moved him; *~ in... zijn* be clever at...; **II** *ad* adroitly, cleverly &.

vaardigheid [-hɛit] *v* 1 skill, cleverness, proficiency; 2 fluency [of speech]; 3 readiness; *zijn ~ in...* his proficiency in...

vaargeul ['va.rgø.l] *v* channel; fairway, lane.

vaars [va:rs] *v* heifer.

vaart [va:rt] *v* 1 (de scheepvaart) navigation; 2 (reis te water) zie *reis*; 3 (snelheid) speed [of a vessel &]; 4 (voortgang) career [of a horse &]; 5 (kanaal) canal; *de grote ~* foreign trade; *de kleine ~* coastwise trade; *~ hebben* have speed; *een ~ hebben van ...knopen* run ...knots; *~ krijgen* gather way, ⚓ gain headway; *het zal zo'n ~ niet lopen (niet nemen)* things won't take that turn; *~ verminderen* slacken speed, slow down; *~ achter iets zetten* put on steam, speed up the thing; *in de ~ brengen* put into service [ships]; *in dolle ~* at breakneck speed, in mad career; *in volle ~* (at) full speed; *met een ~ van...* at the rate of...; *uit de ~ nemen* withdraw from service.

vaartuig ['va:rtœyx] *o* ⚓ vessel.

vaarwater [-va.tər] *o* ⚓ fairway, channel; *iemand in het ~ zitten* thwart a person; *ze zitten elkaar altijd in het ~* they are always at cross-purposes; *je moet maar uit zijn ~ blijven* you had better give him a wide berth.

vaarwel [va:r'vɛl] **I** *ij* farewell, adieu, goodbye!; **II** *o* farewell, valediction; *hun een laatst*

~ *toewuiven* wave them a last adieu; ~ *zeggen* say good-bye, bid farewell (to), take leave (of), leave; *de studie* ~ *zeggen* give up studying; *de wereld* ~ *zeggen* retire from the world.

vaas [va.s] *v* vase.

vaat [va.t] *v* in: *de* ~ *wassen* wash up.

vaatbundel ['va.tbůndəl] *m* vascular bundle.

vaatdoek ['va.du.k] *m* dish-cloth.

vaatje ['va.cə] *o* small barrel, cask, keg; *uit een ander* ~ *tappen* change one's tune.

vaatkwast ['va.tkvast] = *vatenkwast*.

vaatstelsel [-stɛlsəl] *o* vascular system.

vaatwerk [-vɛrk] *o* 1 casks; 2 plates and dishes; 3 vessels [in dairy-factory].

vacant [va.'kant] vacant.

vacantie(-) zie *vakantie(-)*.

vacatie [va.'ka.(t)si.] *v* tʒ sitting.

vacatiegeld [-gɛlt] *o* fee.

vacature [va.ka.'ty:rə] *v* vacancy, vacant place, vacant post; *bij de eerste* ~ on the occurrence of the next vacancy.

vacatuur [-'ty:r] = *vacature*.

vaccin [vak'sɛ̃] *o* vaccine.

vaccinateur [vaksi.na.'tø:r] *m* vaccinator.

vaccinatie [-'na.(t)si.] *v* vaccination.

vaccinatiebewijs [-bəvɛis] *o* vaccination certificate.

vaccine [vak'si.nə] *v* (*stof*) vaccine.

vaccineren [-si.'ne:rə(n)] *vt* vaccinate.

vaceren [va.'se:rə(n)] *vi* 1 be vacant; 2 sit; *komen te* ~ fall vacant.

vacht [vaxt] *v* fleece, pelt, fur.

vacuüm ['va.ky.ům] *o* vacuum.

vadem ['va.dəm] *m* fathom; *een* ~ *hout* a cord of wood.

vademecum [va.də'me.kům] *o* vade-mecum.

vader ['va.dər] *m* 1 father; 2 (v. weeshuis e. d.) master; (v. jeugdherberg) warden; (*de*) *Heilige V*~ (the) Holy Father; *Onze Hemelse V*~ Our Heavenly Father; *de V*~ *des Vaderlands* the father of his country; *van* ~ *op zoon* from father to son; *zo* ~, *zo zoon* like father like son; *tot zijn* ~*en verzameld worden* be gathered to one's fathers.

vaderdag [-dax] *m* Father's Day.

vaderhand [-hant] *v* hand of a father, father's hand.

vaderhart [-hart] *o* father's heart.

vaderhuis [-hœys] *o* paternal home.

vaderland [-lant] *o* (native) country, ⊙ fatherland; home.

vaderlander [-landər] *m* patriot.

vaderlandlievend [va.dərlant'li.vənt] = *vaderlandslievend*.

vaderlands ['va.dərlants] patriotic [feelings]; national [history, songs]; native [soil].

vaderlandsliefde [-lantsli.vdə] *v* love of (one's) country, patriotism.

vaderlandslievend [va.dərlants'li.vənt] *aj* (& *ad*) patriotic(ally).

vaderliefde ['va.dərli.vdə] *v* a father's love, paternal love.

vaderlijk [-lək] **I** *aj* fatherly, paternal; **II** *ad* in a fatherly way.

vaderloos [-lo.s] fatherless.

vadermoord [-mo:rt] *m* & *v* parricide.

vadermoordenaar [-mo:rdəna:r] *m* parricide.

vadermoorders [-mo:rdərs] *mv* S stick-ups.

vaderons [va.dər'òns] *o* Our Father.

vaderplicht ['va.dərplıxt] *m* & *v* paternal duty, duty as a father.

vaderschap [-sxap] *o* paternity, fatherhood.

vaderskant ['va.dərskant] zie *vaderszijde*.

vaderstad ['va.dərstat] *v* native town.

vaderszijde [-sɛidə] *van* ~ [related] on the (one's) father's side; paternal [grandfather].

vadervreugde [-vrø.gdə] *v* a father's joy.

vaderzorg [-zɔrx] *v* paternal (a father's) cares.

vadsig ['vatsəx] **I** *aj* lazy, indolent, slothful; **II** *ad* lazily, indolently, slothfully.

vadsigheid [-hɛit] *v* laziness, indolence, sloth.

vagebond ['va.gəbònt] *m* vagabond, tramp.

vagebonderen [va.gəbòn'de:rə(n)] *vi* vagabond, tramp.

vagevuur ['va.gəvy:r] *o* purgatory[2]; *in het* ~ in purgatory.

vak [vak] *o* 1 (v. kast &) compartment, partition, pigeon-hole; 2 (v. geruit veld) square, pane; 3 (v. muur) bay; 4 (v. deur &) panel; 5 (v. studie) branch, subject; 6 (beroep) line [of business]; trade [of a carpenter &]; profession [of a teacher &]; *zijn* ~ *verstaan* understand (know) one's job; *dat is mijn* ~ *niet* that is not my line of business (not in my line); *ik ben in een ander* ~ I am in another line of business; *een man van het* ~ a professional; *hij praat altijd over zijn* ~ he is always talking shop.

vakant zie *vacant*.

vakantie [va.'kansi.] *v* holiday(s), vacation; *grote* ~ summer holidays; [of University] long vacation; *een dag* ~ a holiday, a day off; *een maand* ~ a month's holiday; ~ *nemen* take a holiday; *in de* ~ during the holidays; *met* ~ *gaan* go (away) on holiday; *met* ~ *naar huis gaan* go home for the holidays; *waar ga je met de* ~ *naar toe?* where are you going for your holidays?; *met* ~ *zijn* be (away) on holiday.

vakantieadres [-a.drɛs] *o* holiday address.

vakantiecursus [-kůrzəs] *m* holiday course.

vakantiedag [-dax] *m* holiday.

vakantieganger [-gaŋər] *m* holiday-maker.

vakantiekaart [-ka:rt] *v* holiday ticket.

vakantiekolonie [-ko.lo.ni.] *v* holiday camp.

vakantiekursus zie *vakantiecursus*.

vakantieoord [-o:rt] *o* holiday resort.

vakantiereisje [-rɛiʃə] *o* holiday trip.

vakantiespreiding [-sprɛidıŋ] *v* staggering of holidays, staggered holidays.

vakantietijd [-tɛit] *m* holidays, holiday season.

vakantiewerk [-vɛrk] *o* holiday task.

vakarbeider ['vakarbɛidər] *m* skilled worker.

vakat- zie *vacat-*.
vakbekwaam ['vɑkbəkva.m] skilled.
vakbekwaamheid [-hɛit] *v* professional skill.
vakbeweging ['vɑkbəve.gɪŋ] *v* trade-unionism, trade-union movement.
vakblad [-blɑt] *o* professional journal, trade journal, technical paper.
vakbond [-bònt] *m* trade-union.
vakgenoot [-gəno.t] *m* colleague.
vakgroep [-gru.p] *v* trade association.
vakkennis ['vɑkɛnəs] *v* professional knowledge.
vakkundig [vɑ'kűndəx] I *aj* expert, skilled; II *ad* expertly.
vakkundigheid [-hɛit] *v* (professional) skill.
vakman ['vɑkmɑn] *m* professional man, professional, craftsman, expert, specialist; *geschoolde* ~ skilled tradesman.
vakmanschap [-sxɑp] *o* craftsmanship; skill.
vakonderwijs ['vɑkòndərvɛis] *o* vocational education.
vakopleiding [-òplɛidɪŋ] *v* vocational (professional) training.
vakschool [-sxo.l] *v* vocational school.
vakstudie [-sty.di.] *v* professional studies.
vakterm [-tɛrm] *m* technical term.
vaktijdschrift [-tɛits(x)rɪft] *o* zie *vakblad*.
vakvereniging [-fərə.nəgɪŋ] *v* trade-union.
1 val [vɑl] *m* I fall²; *fig* ook: overthrow [of a minister]; *vrije* ~ free fall; *een* ~ *doen* have a fall; *ten* ~ *brengen* ruin [a man]; overthrow [the ministry], bring down [the government].
2 val [vɑl] *v* I (om te vangen) trap; 2 (strook) valance [round a chimney]; *een* ~ *opzetten* set a trap; *in de* ~ *lopen* walk (fall) into the trap².
3 val [vɑl] *o* ⚓ halyard.
valbijl ['vɑlbɛil] *v* guillotine.
valblok [-blòk] *o* I zie *hijsblok*; 2 zie *heiblok*.
valbrug [-brűx] *v* draw-bridge.
valdeur [-dø:r] *v* I trapdoor, trap; 2 (v. sluis) penstock.
valentie [vɑ.'lɛn(t)si.] *v* valence.
Valentijn ['vɑ.lɔntɛin] *m* Valentine.
valeriaan [vɑ.le:ri.'ɑ.n] I *v* ⚕ valerian; 2 *v* & *o* (stofnaam) valerian.
valgordijn ['vɑlgɔrdɛin] *o* blind.
valhek [-hɛk] *o* portcullis.
valhelm [-hɛlm] *m* crash-helmet.
valhoogte [-ho.xtə] *v* fall.
valide [vɑ.'li.də] I valid; 2 able-bodied [men].
valideren [vɑ.li.'de:rə(n)] *vt* validate, make valid.
validiteit [-di.'tɛit] *v* validity.
valies [vɑ.'li.s] *o* portmanteau, carpet-bag.
valk [vɑlk] *m* & *v* ⚲ falcon, hawk.
valkejacht ['vɑlkəjɑxt] *v* falconry, hawking.
valkenier [vɑlkə'ni:r] *m* falconer.
vallei [vɑ'lɛi] *v* valley, ☉ vale; (kleiner) dale [cultivated or cultivable], dell [with tree-clad sides]; *Sc* glen.
vallen ['vɑlə(n)] I *vi* fall² [ook = be killed];

drop, go down, come down; *de avond valt* night is falling; *het gordijn valt* the curtain drops; *de minister is gevallen* the minister fell; *de motie (het voorstel) is gevallen* the motion (the proposal) was defeated; *velen zijn in die slag gevallen* many fell; *het kleed valt goed* sits (hangs) well; *het zal hem hard* ~ he'll find it a great wrench; zie ook: *hard-vallen*; *de tijd valt mij lang* time hangs heavy on my hands; *dat valt me moeilijk (zwaar)* it is difficult for me; I find it difficult; *het valt zo het valt* come what may; *er zullen klappen (slagen)* ~ there will be blows; *er vielen woorden* there were high words; *er valt wel met hem te praten* zie *praten*; *daar valt niet mee te spotten* that is not to be trifled with; *wat valt daarvan te zeggen?* what can be said about it?; *doen* ~ trip up [a man]; bring about the fall of [the ministry]; *laten* ~ drop [something]; let [it] fall; *wij kunnen niets van onze eisen laten* ~ we cannot bate a jot of our claims; *wij kunnen niets van de prijs laten* ~ we cannot knock off anything; *zich laten* ~ drop [into a chair]; *aan stukken* ~ fall to pieces; *het huis viel aan mijn broeder* the house fell to my brother; *al naar het valt* as the case may be; *dat valt hier niet onder* it does not fall (come) under this head; *de klem valt op de eerste lettergreep* falls on the first syllable; *het valt op een maandag* it falls on Monday; *de keuze is op u gevallen* their choice has fallen on you; *hij valt over elke kleinigheid* he stumbles at every trifle; *ik ken hem niet, al viel ik over hem* I don't know him from Adam; *van zijn paard* ~ fall from one's horse; II *o* in: *het* ~ *van de avond* nightfall; *bij het* ~ *van de avond* at nightfall.
vallend [-lənt] in: *~e ster* falling star; *~e ziekte* epilepsy; *lijdend (lijder) aan* ~*e ziekte* epileptic.
vallicht [-lɪxt] *o* skylight.
valling [-lɪŋ] *v* I slope; 2 ⚓ rake [of mast].
valluik [-lœyk] *o* trapdoor.
valorisatie, valorizatie [vɑ.lo:ri.'zɑ.(t)si.] *v* valorization.
valpoort ['vɑlpo:rt] *v* portcullis.
valreep [-re.p] *m* ⚓ gangway; *een glaasje op de* ~ a stirrup-cup, a parting cup.
valreepstrap [-re.pstrɑp] *m* ⚓ accommodation ladder.
vals [vɑls] I *aj* I (niet echt) false [coin, hair, teeth &, ideas, gods, pride, shame]; ♪ note], forged [writings, cheque, Rembrandt]; 2 (niet oprecht) false, guileful, perfidious, treacherous; 3 (boosaardig) vicious; 4 F (woedend) waxy; ~ *geld* base coin, counterfeit money; *een* ~*e handtekening* a forged signature; *een* ~*e hond* a vicious dog; ~*e juwelen* imitation jewels; ~*e speler* (card-)sharper; II *ad* falsely; *iemand* ~ *aankijken* look viciously at somebody; ~ *klinken* have a false ring; ~ *spelen* I ♪ play out of tune; 2

sp cheat [at cards]; ~ *zingen* sing false (out of tune); ~ *zweren* swear falsely, forswear oneself, perjure oneself.

valsaard ['valsa:rt] *m* false (perfidious) person.

valscherm ['valsxerm] *o* parachute.

valselijk ['valsələk] falsely.

valsemunter [valsə'mȳntər] *m* coiner.

valsheid ['valsheit] *v* falseness, falsity, treachery, perfidy; ~ *in geschrifte* forgery.

valsmunter [-mȳntər] = *valsemunter*.

valstrik ['valstrɪk] *m* gin, springe; snare², trap².

valuta [va.'ly.ta.] *v* $ value; 2 (koers) rate of exchange; 3 (munt) currency; *vreemde* ~ foreign currency.

vampier ['vampi:r] *m* vampire-bat, vampire².

van [van] I *prep* 1 (bezit aanduidend) of [ook uitgedrukt door 's]; 2 (oorzakelijk) from, with, for; 3 (scheiding aanduidend) from; 4 (afkomst) of [noble blood]; 5 (voor stofnamen) of [gold]; 6 (voor tijdsaanduiding) zie beneden; 1 *het boek* ~ *mijn vader* my father's book; *dat boek is* ~ *mij* that book is mine; *een vriend* ~ *mij* a friend of mine; *zij was een eigen nicht* ~ *de Koningin ook*: she was own niece to the Queen; *de stijging* ~ *prijzen en lonen* the rise in prices and wages; 2 ~ *kou omkomen* perish with cold; ~ *vreugde schreien* weep with (for) joy; 3 ~ *A tot B* from A to B.; ~ *de morgen tot de avond* from morning till night; *het is een uur* ~ *A*. it is an hour's walk from A.; *hij viel* ~ *de ladder* (~ *de trappen*) he fell off the ladder (down the stairs); *negen* ~ *de tien* 1 nine out of (every) ten [have a...]; 2 × nine from ten [leaves one]; 4 *dat heeft hij niet* ~ *mij* it is not me he takes it from; *een roman* ~ *Dickens* a novel by Dickens; *een schilderij* ~ *Rembrandt* a picture of Rembrandt's; *het was dom* ~ *hem* it was stupid of him; 5 *een kam* ~ *zilver* a comb of silver, a silver comb; 6 ~ *de week* this week; ∞ *de schurk* ~ *een kruidenier* that rascal of a grocer; *de sneltrein* ~ 3 *uur* 16 the 3.16 express; *hij zegt* ~ *ja* he says yes; *ik vind* ~ *wel* I think so; II *m* & *o* in: *zijn* ~ F his family name.

vanaf [van'af] from.

vanavond [-'a.vənt] this evening, to-night.

vandaag [-'da.x] to-day.

vandaal [-'da.l] *m* vandal.

vandaan ['da.n] in: *ik kom daar* ~ from that place; *waar kom jij* ~? 1 where do you come from?; 2 where do you hail from?

vandaar [-'da:r] hence, that's why; *ik kom* ~ I come from that place.

vandalisme [vanda.'lɪsmə] *o* vandalism.

vandehands [vandə'hants] in: *het* ~*e paard* the off horse.

vaneen [van'e.n] asunder, apart.

vaneenrukken [-rȳkə(n)] *vt* tear asunder.

vaneenscheuren [-sxø:rə(n)] *vt* tear up.

vang [van] *v* stay [of a mill].

vangarm ['vanarm] *m* tentacle.

vangen ['vanə(n)] *vt* catch, capture; *zich niet laten* ~ not walk into the trap.

vanger [-ŋər] *m* catcher.

vanglijn ['vanlein] *v* ⚓ painter.

vangnet [-nɛt] *o* safety net.

vangrail [-re.l] *v* guard-rail.

vangst [vaŋst] *v* catch, capture; bag, taking; *een goede* ~ a fine bag, a large take, a big [haul.

vanhier [van'hi:r] from here.

vanille [va.'ni.(l)jə] *v* ⚘ vanilla.

vanille-ijs [-eis] *o* vanilla ice.

vanillestokje [-stɔkjə] *o* stick of vanilla.

vanmiddag [van'mɪdax] this afternoon.

vanmorgen [-'mɔrɣə(n)] this morning.

vannacht [va'naxt] 1 (toekomstig) to-night; 2 (verleden) last night.

vanouds [van'auts] of old.

vanwaar [-'va:r] from what place, from where, whence; *we weten niet* ~ *wij komen noch waarheen wij gaan* we know neither our whence nor our whither.

vanwege [-'ve.ɣə] 1 on account of, because of; 2 on behalf of, in the name of.

vanzelf [-'zɛlf] [fall, happen] of itself, [come] of its own accord; zie ook: *spreken* II.

vanzelfsprekend [vanzɛlf'spre.kənt] I *aj* self-evident; *het is* ~ it goes without saying; *als* ~ *aannemen* take it for granted; II *ad* naturally, as a matter of course.

vaporisator, vaporizator [va.po:ri.'za.tər] *m* vaporizer, spray.

1 **varen** ['va.rə(n)] *v* ⚘ fern, bracken, brake.

2 **varen** ['va.rə(n)] I *vi* navigate, sail; *hoe vaart u?* how are you?, how do you do?; *om hoe laat vaart de boot?* what time does the steamer leave (sail)?; *gaan* ~ go to sea; *zullen we wat gaan* ~? shall we go for a sail?; *zij hebben dat plan laten* ~ they have abandoned (relinquished, given up, dropped) the plan; *wel bij iets* ~ have cause for satisfaction; *u zult er niet slecht bij* ~ you will be none the worse for it; *de duivel is in hem gevaren* the devil has taken possession of him; *wij voeren om de Kaap* we went via the Cape; *zij* ~ *op New York* they trade to New York; *ten hemel* ~ ascend to Heaven; *ter helle* ~ go to hell; II *vt* row, take [a person across &].

varensgezel, ~man ['va:rənsɣəzəl, -man] *m* sailor.

varia ['va.ri.a.] *mv* miscellanies, miscellanea.

variant [va:ri.'ant] *v* variant.

variatie [va:ri.'a.(t)si.] *v* variation; *voor de* ~ for a change.

variëren [va:ri.'e:rə(n)] I *vi* vary; ~*d tussen de* 10 *en* 20 *gulden* ranging from 10 to 20 guilders (between 10 and 20 g.); II *vt* vary.

variété [va:ri.e.'te.] *v* variety theatre, music-hall.

variëteit [-'tɛit] *v* variety.

varken ['varkə(n)] *o* ♔ pig², hog², swine²; *wild* ~ (wild) boar; *we zullen dat* ~ *wel wassen!*

we'll deal with it!; *het ~ is op één oor na ge-
vild* everything is almost over.

varkensblaas ['vɑrkənsbla.s] *v* hog's bladder.

varkensfokker [-fɔkər] *m* pig-breeder.

varkensfokkerij [-fɔkərɛi] *v* 1 pig-breeding; 2
pig-farm.

varkenshaar [-ha:r] *o* hog's bristles.

varkenshok [-hɔk] *o* pigsty², piggery².

varkenskarbonade [-kɑrbo.na.də] *v* pork-chop.

varkenskost [-kɔst] *m* food for swine, hog's
meat.

varkenskot [-kɔt] *o* pigsty², piggery².

varkenskotelet [-ko.tələt] *v* pork-cutlet.

varkenslapjes [-lɑpjəs] *mv* pork-collops.

varkensle(d)er [-le:r, -le.dər] *o* pigskin.

varkensmarkt [-mɑrkt] *v* pig-market.

varkenspoot [-po.t] *m* 1 (v. l e v e n d d i e r) pig's
leg; 2 (v. g e s l a c h t) pig's trotter; *~jes*
pettitoes.

varkensslachterij ['vɑrkənslɑxtərɛi] *v* pork-
butcher's shop.

varkensslager [-sla.gər] *m* pork-butcher.

varkensstaart [-sta:rt] *m* pig's tail.

varkensstal [-stɑl] *m* pigsty², piggery².

varkenstrog ['vɑrkənstrɔx] *m* pig-trough, pig-

varkensvet [-fɛt] *o* fat of pigs.   [tub.

varkensvlees [-fle.s] *o* pork.

varkensvoer [-fu:r] *o* zie *varkenskost*.

varkentje ['vɑrkənə] *o* F piglet, pigling, piggy.

Ⓜ **vaseline** [va.zə'li.nə] *v* vaseline.

vasomotorisch [va.zo.mo.'to:ri.s] vasomotor.

vast [vɑst] **I** *aj* fast, firm, fixed, steady; *olie-
waarden ~* $ oil shares were a firm market;
~e aardigheden stock jokes; *~e arbeider*
regular workman; *~e avondjes* set evenings;
zijn ~e benoeming his permanent appointment; *~e betrekking* permanent situation;
~e bezoeker regular visitor, patron; *~e
brandstoffen* solid fuel; *~e brug* fixed bridge;
~e goederen fixed property, immovables;
~e halte compulsory stop; *~e hand* firm
(steady) hand; *~ inkomen* a fixed income;
~e inwoners resident inhabitants; *~e klanten* regular customers; *~ kleed* fitted carpet;
~e kleuren fast colours; *~e lichamen* solid
bodies, solids; *een ~e massa* a solid mass;
een ~ nummer F a fixture; *~e offerte* $
firm offer; *~e overtuiging* firm conviction;
~e positie stable position; *~e prijzen* fixed
prices; no discount given!; *~ salaris* fixed
salary; *onze ~e schotel op zondag* our
standing Sunday-dish; *~e slaap* sound sleep;
~e spijzen solid food; *~e ster* fixed star; *~e
uitdrukking* stock phrase; *~ voornemen* firm
(fixed, set) intention; *~e wal* shore; *~e wastafel* fitted wash-basin; *~ weer* settled
weather; *~ werk* regular work (employment); *~e woonplaats* fixed abode; *het is ~
en zeker* it is quite certain; *~ worden* congeal
[of liquids], solidify [of cheese &], set [of
custard]; settle [of the weather]; *~er worden*
$ firm up, stiffen [of prices]; **II** *ad* 1 (f e r m)

fast, firmly, $ [offer] firm; 2 (a l v a s t) as well,
in the meantime; 3 (z e k e r) certainly; *wij
zullen maar ~ beginnen* we'll begin meanwhile; *~ slapen* be sound asleep, sleep soundly.

vastbakken ['vɑstbɑkə(n)] *vi* stick to the pan.

vastberaden [vɑstbə'ra.də(n)] *aj* (& *ad*)
resolute(ly), firm(ly), determined(ly).

vastberadenheid [-hɛit] *v* resoluteness, resolution, firmness, determination.

vastbinden ['vɑstbɪndə(n)] *vt* bind fast, fasten,
tie up.

vastdraaien [-dra.jə(n)] *vt* turn on, screw down.

vasteland [vɑstə'lɑnt] *o* continent, mainland.

vastelandsklimaat [-'lɑntsklima.t] *o* continental climate.

vastelandsplat [-plɑt] *o* continental shelf.

1 **vasten** ['vɑstə(n)] *m* Lent; *in de ~* in Lent.

2 **vasten** ['vɑstə(n)] *vi* fast; *het ~* fasting, the
fast.

vastenavond [vɑstən'a.vɔnt] *m* Shrove Tuesday, Shrovetide.

vastenavondgek [-gɛk] *m* carnival reveller.

vastenavondgrap [-grɑp] *v* carnival joke.

vastenavondpret [-prɛt] *v* carnival fun.

vastenavondzot [-sɔt] *m* zie *vastenavondgek*.

vastenbrief ['vɑstə(n)bri.f] *m* RK Lenten pastoral.

vastendag [-dɑx] *m* fast-day, fasting-day.

vastenpreek [-pre.k] *v* Lenten sermon.

vastentijd [-tɛit] *m* time of fasting; *de ~* Lent.

vastenwet [-vɛt] *v* 1 law of fasting; 2 RK Lenten
regulations.

vaster ['vɑstər] *m* faster.

vastgespen ['vɑstɡɛspə(n)] *vt* buckle.

vastgrijpen [-grɛipə(n)] *vt* seize, catch hold of,
grip.

vastgroeien [-gru.jə(n)] *vi* grow together.

vasthaken [-ha.kə(n)] *vt* hook (on to *aan*).

vasthechten [-hɛxtə(n)] **I** *vt* attach, fasten, fix,
affix [something to...]; **II** *vr zich ~* (*aan*) attach itself (themselves) to...²; *fig* become
(get) attached to...

vastheid [-hɛit] *v* firmness, fixedness, solidity.

vasthouden [-hou(d)ə(n)] **I** *vt* hold fast, hold
[something]; retain [facts]; detain [the ac-
cused]; **II** *va* in: ~ *aan* be tenacious of [one's
rights &]; stick to [one's opinion, old fash-
ions &]; **III** *vr zich ~* hold fast, hold on; *zich
~ aan de leuning* hold on to the banisters.

vasthoudend [vɑst'houdənt] 1 tenacious; 2
(g i e r i g) stingy, tight-fisted.

vasthoudendheid [-hɛit] *v* 1 tenacity; 2 (g i e r i g-
h e i d) stinginess.

vastigheid ['vɑstəxhɛit] *v* 1 fixedness, fixity,
stability; 2 fixed property, real property; 3
certainty.

vastketenen ['vɑstke.tənə(n)] *vt* chain up.

vastklampen [-klɑmpə(n)] in: *zich ~ aan* cling
to²; clutch at [a straw].

vastklemmen [-klɛmə(n)] in: *zich ~ aan* hold
on to [the banisters]; zie ook: *vastklampen*.

vastkleven ['vɑstkle.və(n)] *vi* & *vt* stick (to *aan*).

vastklinken [-klɪŋkə(n)] *vt* rivet.

vastkluisteren [-klœystərə(n)] *vt* fetter², shackle².

vastkoppelen [-kɔpələ(n)] *vt* couple².

vastleggen [-lɛɡə(n)] *vt* fasten, tie up, chain up [a dog]; ⚓ moor [a ship]; *fig* tie up, lock up [capital]; record [by photography &]; *het geleerde* ~ fix what one has learned; *het resultaat van het onderzoek* ~ *in...* embody (record) the result of the investigation in.

vastliggen [-lɪɡə(n)] *vi* lie firm [of things]; be chained up [of a dog]; be tied (locked) up [of a capital]; be moored [of a ship].

vastlijmen [-lɛimə(n)] *vt* glue.

vastlopen [-lo.pə(n)] I get stuck²; ✂ jam [of a machine]; 2 ⚓ run aground; 3 *fig* come to a deadlock [of conference &].

vastmaken [-ma.kə(n)] *vt* fasten, make fast, tie, bind, secure [something]; ⚓ furl [sails]; *die blouse kan je van achteren* ~ this blouse fastens at the back.

vastmeren [-me:rə(n)] *vt* ⚓ moor [a ship].

vastnaaien [-na.jə(n)] *vt* sew together, sew (on to *aan*).

vastnagelen [-na.ɡələ(n)] *vt* nail (down).

vastpakken [-pɑkə(n)] *vt* seize, take hold of, grip; *het goed* ~ take fast hold of it.

vastplakken [-plɑkə(n)] I *vi* stick; ~ *aan* stick to; II *vt* stick; *het* ~ *aan...* paste it on to...

vastpraten [-pra.tə(n)] I *vt* in: *iemand* ~ corner him; II *vr zich* ~ be caught in one's own words.

vastraken [-ra.kə(n)] *vi* get stuck²; ⚓ run aground.

vastrecht [-rɛxt] *o* flat rate.

vastrijgen [-rɛiɡə(n)] *vt* lace (up).

vastroesten [-ru.stə(n)] *vi* in: ~ *aan...* rust on to...

vastschroeven [-s(x)ru.və(n)] *vt* I screw tight, screw home; 2 screw down, screw up.

vastsjorren [-ʃɔrə(n)] *vt* I (v. touwen) lash, belay; 2 secure [something].

vastslaan [-sla.n] *vt* fasten, nail down.

vastspelden [-spɛldə(n)] *vt* pin (on to *aan*).

vastspijkeren [-spɛikərə(n)] *vt* nail (down).

vaststaan [-sta.n] *vi* stand firm; *dat staat vast!* that's a fact!; *zijn besluit stond vast* his resolution was fixed.

vaststampen [-stɑmpə(n)] *vt* ram down.

vaststeken [-ste.kə(n)] *vt* fasten [with pins or pegs].

vaststellen [-stɛlə(n)] *vt* establish, ascertain [a fact]; determine [the amount &]; ⚕ diagnose [ulceration]; lay down [rules]; draw up [a programme]; assess [the damages]; appoint [a time, place]; settle, fix [a day &]; state [that...]; *vastgesteld op 1 mei* fixed for May 1st.

vaststelling [-lɪŋ] *v* establishment; determination, fixation; settlement, appointment.

vaststrikken ['vɑststrɪkə(n)] *vt* tie.

vasttrappen ['vɑstrɑpə(n)] *vt* stamp (tread) down.

vastvriezen ['vɑstfri.zə(n)] *vi* be frozen in (up); ~ *aan* freeze on to.

vastzetten [-sɛtə(n)] *vt* fasten [something]; secure [a cask &]; *fig* check [one at draughts]; tie up [money]; commit [one] to prison; *geld* ~ *op iemand* settle a sum of money upon a person; *iemand* ~ I pose (nonplus, corner) him; 2 commit him to prison.

vastzitten [-sɪtə(n)] *vi* I (v. dingen) stick fast, stick; ⚓ be aground; 2 (v. personen) be in prison; *fig* be stuck; be at a nonplus; *wij zitten hier vast* we are marooned here; *daar zit meer aan vast* I more belongs to that; 2 more is meant than meets the ear (the eye); *nu zit hij eraan vast* he can't back out of it now; *ik zit er niet aan vast* I am not wedded to it; ~ *in het ijs* be ice-bound.

I **vat** [vɑt] *m* hold, grip; ~ *op zich geven* lay oneself open to criticism (reproaches &); give a handle to one's enemies; *ik heb geen* ~ *op hem* I have no hold on (over) him; *...heeft geen* ~ *op hem* ...has no hold upon him; he is proof against...; *niets had* ~ *op hem* it was all lost upon him; *ik kon geen* ~ *op hem krijgen* I could not get at him.

2 **vat** [vɑt] *o* I cask, barrel, tun, butt, vat; 2 ✝ & ⚕ vessel; *de heilige* ~*en* the holy vessels; *een uitverkoren* ~ B a chosen vessel; *het zwakke* ~ B the weaker vessel; *de* ~*en wassen* wash up (the plates and dishes); *wat in het* ~ *is verzuurt niet* forbearance is no acquittance; *holle* ~*en klinken het hardst* the empty vessel makes the greatest sound; *bier van het* ~ beer on draught, draught ale; *wijn van het* ~ wine from the wood.

vatbaar ['vɑtba:r] in: ~ *voor* capable of [improvement], open to, accessible to, amenable to, susceptible to [reason &]; susceptible to [cold]; susceptible of [impressions]; ~ *voor indrukken* impressionable.

vatbaarheid [-heit] *v* capacity, accessibility, susceptibility; ~ *voor indrukken* impressionability.

vatbier ['vɑtbi:r] *o* beer on draught, draught ale.

vatboter [-bo.tər] *v* salt butter.

vaten ['va.tə(n)] *vt* barrel.

vatenkwast [-kvɑst] *m* dish-mop.

Vatican [va.ti.ʹka.n] *o* Vatican.

Vaticaans [-ʹka.ns] Vatican [Council &].

Vaticaanstad [-ʹka.nstɑt] *v* Vatican City.

vatten ['vɑtə(n)] I *vt* catch², seize², grasp² [a thing]; *fig* understand [something, the meaning], see [a joke]; *zie ook: kou, moed,* 3 *post* &; *in goud* ~ mount in gold; *in lood* ~ set in lead, frame with lead, lead; II *va* in: *vat je?* F (you) see?

vazal [va.ʹzal] *m* vassal.

vazalstaat [-sta.t] *m* vassal state.

vechten ['vɛxtə(n)] *vi* fight; F have a scrap; ~ *met de stadsjongens* fight (with) the town-boys; ~ *om iets* fight for something; ~ *tegen* fight against, fight; *ik heb er altijd voor gevochten* I've always fought in behalf of it, stood up for it.

vechter [-tər] *m* fighter, combatant.

vechterij [vɛxtə'rɛi] *v* fighting.

vechtersbaas ['vɛxtərsba.s] *m* fighter, F bantam.

vechthaan ['vɛxtha.n] *m* ♣ game-cock.

vechtjas [-jas] *m* S slasher, soldier.

vechtlust [-lŭst] *m* pugnacity, combativeness.

vechtlustig [vɛxt'lŭstəx] pugnacious, combative.

vechtpartij ['vɛxtpartɛi] *v* fight, F scrap, scuffle.

vechtwagen [-va.gə(n)] *m* ✕ tank.

vedel ['ve.dəl] *v* fiddle.

vedelaar ['ve.dəla:r] *m* fiddler.

vedelen ['ve.dələ(n)] *vi* fiddle.

veder ['ve.dər] = I *veer*.

vederachtig [-axtəx] feathery.

vederbal [-bal] *m* shuttlecock.

vederbos [-bòs] *m* tuft, crest, plume; panache.

vedergewicht [-gəvɪxt] *o sp* featherweight.

vederloos [-lo.s] I featherless; 2 unfledged.

vedervormig [-vɔrməx] feather-shaped.

vederwolk [-vòlk] *v* cirrus [*mv* cirri].

vee [ve.] *o* cattle².

veearts ['ve.arts] *m* veterinary surgeon, F vet.

veeartsenijkunde [ve.artsə'neikŭndə] *v* veterinary science, veterinary surgery.

veeartsenijschool [-sxo.l] *v* veterinary college.

veeboer ['ve.bu:r] *m* cattle-breeder, stock-farmer.

veeboot [-bo.t] *m* & *v* ⚓ cattle-boat.

veedief [-di.f] *m* cattle-stealer, cattle-lifter.

veedieverij [ve.di.və'rɛi] *v* cattle-lifting.

veedrijver ['ve.drɛivər] *m* cattle-drover, drover.

veefokker [-fɔkər] *m* cattle-breeder, stock-breeder.

veefokkerij [ve.fɔkə'rɛi] *v* I cattle-breeding, cattle-raising; 2 stock-farm.

I **veeg** [ve.x] *aj* in: *het vege lijf redden* get off with one's life; *een ~ teken* an ominous sign.

2 **veeg** [ve.x] *m* & *v* wipe [with a cloth]; whisk [with a broom]; slap [in the face], box [on the ear]; (*vette*) ~ smear; *iemand een ~ uit de pan geven* have a smack (a fling) at one; *hij kreeg ook een ~ uit de pan* he got a smack as well.

veegsel ['ve.xsəl] *o* sweepings.

veehandel ['ve.handəl] *m* cattle-trade.

veehandelaar [-dəla:r] *m* cattle-dealer.

veehoeder ['ve.hu.dər] *m* herdsman.

veekoek [-ku.k] *m* oil-cake.

I **veel** [ve.l] I *aj* I (*voor enkelvoud*) much; a great deal; 2 (*voor meervoud*) many; *vele* many; *de velen die...* the many that...; *heel ~* zie *zeer* ~ I too much; 2 too many; *ben ik hier te ~?* am I one too many?; *niets is hem te ~* he thinks nothing too much

trouble; *te ~ om op te noemen* too numerous to mention; ~ *te ~* I far too much; 2 far too many; *zeer* ~ I very much, a great deal; 2 very many, a great many; *zo* ~ I so much; 2 so many; *zo* ~ *je wilt* as much (as many) as you like; ~ *hebben van...* be much like; II *ad* much [better &]; ~ *te mooi* much too fine, a good (great) deal too fine; *hij komt er* ~ he often goes there.

2 **veel** [ve.l] *v* = *vedel*.

veelal ['ve.lal, ve.l'al] often, mostly.

veelbelovend ['ve.lbəlo.vənt] full of promise, promising; *het ~ zoontje* Young Hopeful.

veelbesproken [-spro.kə(n)] much-discussed.

veelbetekenend [ve.lbə'te.kənənt] I *aj* significant, meaning; II *ad* significantly, meaningly.

veelbewogen ['ve.lbəvo.gə(n)] very agitated, eventful [life, times], chequered [life].

veeleer [ve.l'e:r] rather, sooner.

veeleisend [-'ɛisənt] exacting, exigent.

veeleisendheid [-hɛit] *v* exactingness.

veelgeprezen ['ve.lgəpre.zə(n)] much-belauded.

veelgodendom [ve.l'go.dəndòm] *o* **veelgoderij** [ve.lgo.də'rɛi] *v* polytheism.

veelheid ['ve.lhɛit] *v* multiplicity, multitude.

veelhoek [-hu.k] *m* polygon.

veelhoekig [-hu.kəx] polygonal.

veelhoofdig [ve.l'ho.vdəx] many-headed; ~*e regering* polyarchy.

veeljarig [-'ja:rəx] of many years.

veelkleurig ['ve.lklø:rəx] multi-coloured, variegated.

veellettergrepig ['ve.lɛtərgre.pəx] polysyllabic.

veelmannerij [ve.lmanə'rɛi] *v* polyandry.

veelomstreden ['ve.lòmstre.də(n)] much disputed, vexed [question].

veelomvattend [ve.lòm'vatənt] comprehensive, wide [programme].

veelprater ['ve.lpra.tər] *m* ~**praatster** [-pra.tstər] *v* voluble person.

veelschrijver [-s(x)rɛivər] *m* voluminous writer.

veelsoortig [ve.l'so:rtəx] manifold, multifarious.

veelstemmig [-'stɛməx] ♪ many-voiced.

veeltalig [-'ta.ləx] polyglot.

veelterm ['ve.ltɛrm] *m* multinomial.

veelvermogend [-vərmo.gənt] powerful, influential.

veelvlak [-vlak] *o* polyhedron.

veelvlakkig [-vlakəx] polyhedral.

veelvormig [ve.l'vɔrməx] multiform.

veelvoud ['ve.lvout] *o* multiple; *kleinste gemene* ~ least common multiple.

veelvoudig [ve.l'voudəx] manifold, multifarious.

veelvraat ['ve.lvra.t] *m* I 🐾 wolverene; 2 *fig* glutton.

veelvuldig [ve.l'vŭldəx] *aj* (& *ad*) frequent(ly); zie ook: *veelvoudig.*

veelvuldigheid [-hɛit] *v* frequency.

veelwijverij [ve.lvɛivə'rɛi] *v* polygamy.

veelzeggend [ve.l'zɛɣənt] significant.

veelzijdig [-'zɛidəx] multilateral[2]; *fig* many-sided, versatile [mind]; wide [knowledge]; catholic [taste].

veelzijdigheid [-hɛit] v many-sidedness, versatility; catholicity [of taste].

veem [ve.m] o $ dock company; warehouse company; (gebouw) warehouse.

veemarkt ['ve.mɑrkt] v cattle-market.

veemgericht ['ve.mɣərɪxt] o Ⓤ vehmic court.

veen [ve.n] o peat-moor, peat-bog, peat.

veenachtig ['ve.nɑxtəx] boggy, peaty.

veenbaas [-ba.s] m peat-moor proprietor.

veenbes [-bɛs] v ♣ cranberry.

veenboer [-bu:r] m 1 peat-maker; 2 peat-dealer.

veenbrand [-brɑnt] m peat-moor fire.

veenderij [ve.ndə'rɛi] v 1 peat-digging; 2 peatery.

veengrond ['ve.nɣrɔnt] m peat-moor, peat.

veenkolonie [-ko.lo.ni.] v fen-colony, peat-colony.

veenland [-lɑnt] o peat-moor, peat-bog.

veenmol [-mɔl] m ✖ mole-cricket.

veepest ['ve.pɛst] v cattle-plague, rinderpest.

1 veer [ve:r] v 1 feather [of a bird]; 2 spring [of a watch &]; *hij kan geen ~ van de mond blazen* he can't blow away a feather; *hij heeft een ~ moeten laten* he has suffered a loss (a defeat); *hij is nog niet uit de veren* F he is still between the sheets; *elkaar in de veren zitten* be at loggerheads.

2 veer [ve:r] o ferry; ferry-boat.

veerbalans ['ve.rbɑlɑns] v spring-balance.

veerboot [-bo.t] m & v ⚓ ferry-boat, ferry-steamer.

veerdienst [-di.nst] m ferry-service.

veergeld [-ɣɛlt] o passage-money, ferriage.

veerhuis [-hœys] o ferryman's house, ferry-station.

veerkracht [-krɑxt] v elasticity[2], resilience[2], spring[2].

veerkrachtig [ve:r'krɑxtəx] elastic[2], resilient[2], springy.

veerloon ['ve.rlo.n] o zie *veergeld*.

veerman [-mɑn] m ferryman.

veerpont [-pɔnt] v ferry-boat.

veerschipper [-sxɪpər] m zie *veerman*.

veerschuit [-sxœyt] v ferry-boat.

veertien ['ve.rti.n] fourteen; *~ dagen* a fortnight.

veertiendaags [-da.xs] fortnightly.   [night.

veertiende [-də] fourteenth (part).

veertig ['ve.rtəx] forty.

veertiger [-təɣər] m person of forty (years).

veertigjarig [-təxja.rəx] of forty years.

veertigste [-stə] fortieth (part).

veestal ['ve.stɑl] m cow-house, byre.

veestapel [-sta.pəl] m live-stock, stock of cattle.

veeteelt [-te.lt] v cattle-breeding, stock-breeding.

veetentoonstelling [-tɛnto.nstɛlɪŋ] v cattle-show.

veeverzekering [-vərze.kərɪŋ] v live-stock insurance.

veevoe(de)r [-vu.dər, -vu:r] o cattle-fodder, forage.

veewagen [-va.ɣə(n)] m cattle-truck.

veeziekte [-zi.ktə] v cattle-plague.

vegen ['ve.ɣə(n)] vt sweep [a floor, a room, a chimney]; wipe [one's feet, one's hands]; *ze ~ hem !* how they tear along.

veger [-ɣər] m 1 (persoon) sweeper, wiper; 2 (borstel) brush.

vegetariër [ve.ɣə'ta:ri.ər] m **vegetarisch** [-ri.s aj vegetarian.

vegetarisme [-ta:'rɪsmə] o vegetarianism.

vegetatie [-'ta.(t)si.] v vegetation.

vegeteren [-'te:rə(n)] vi vegetate.

vehikel [ve.'hi.kəl] o vehicle.

1 veil [vɛil] aj venal, corruptible, mercenary; *zijn leven ~ hebben* be ready to sacrifice one's life.

2 veil [vɛil] o ♣ ivy.

veilcondities ['vɛilkɔndi.(t)si.s] mv conditions of sale.

veildag [-dɑx] m auction-day.

veilen ['vɛilə(n)] vt sell by auction, bring to the hammer, auction.

veiler [-lər] m auctioneer.

veilheid ['vɛilhɛit] v venality, corruptibility, mercenariness.

veilig ['vɛiləx] I aj safe, secure; *~!* all clear!; *een ~e plaats* ook: a place of safety; *de (spoor)lijn is ~* the line is clear; *~ voor* safe from, secure from; II *ad* safely.

veiligheid [-hɛit] v 1 safety, security; 2 ⚡ fuse; *collectieve ~* collective security; *openbare ~* public safety; *in ~ brengen* put (place) in safety; *voor de ~* for safety('s sake).

veiligheidsdienst ['vɛiləxhɛitsdi.nst] m security service.

veiligheidsglas [-ɣlɑs] o safety glass.

veiligheidsgordel [-ɣɔrdəl] m ✈ 🚗 safety belt, seat belt.

veiligheidshalve [vɛiləxhɛits'hɑlvə] for safety's sake.

veiligheidsklep ['vɛiləxhɛitsklɛp] v safety valve.

veiligheidslamp [-lɑmp] v safety lamp.

veiligheidsmaatregel [-ma.tre.ɣəl] m precautionary measure, safety measure.

veiligheidsmarge [-mɑrʒə] v margin of safety, safety margin.

Veiligheidsraad [-ra.t] m Security Council.

veiligheidsscheermes ['vɛiləxhɛitsxe:rmɛs] o safety-razor.

veiligheidsspeld [-spɛlt] v safety-pin.

veiligstellen ['vɛiləxstɛlə(n)] make safe [the currency]; safeguard [our interests].

veiling ['vɛilɪŋ] v public sale, auction; *in ~ brengen* put up for auction (for sale), sell by auction, bring to the hammer.

veilingprijs [-prɛis] m sale price.

veilingskosten ['vɛilɪŋskɔstə(n)] mv sale expenses.

veilingzaal [-lɪŋza.l] *v* auction-room.

veilkondities zie *veilcondities*.

veine ['vɛ:nə] *v* luck, run of luck; *hij heeft altijd* ~ he is always in luck.

veinzaard ['vɛinza:rt] *m* dissembler, hypocrite.

veinzen [-zə(n)] **I** *vi* dissemble, feign; simulate; **II** *vt* feign, simulate; ~ *doof te zijn* feign that one is deaf, feign (sham) deafness.

veinzer [-zər] *m* dissembler, hypocrite.

veinzerij [vɛinzə'rɛi] *v* dissimulation, hypocrisy.

vel [vɛl] *o* 1 skin [of the body], (v. dieren) ook: hide; skin, film [on milk]; 2 sheet [of paper]; *niet meer dan* ~ *over been zijn* be only skin and bone; *iemand het* ~ *over de oren trekken* fleece a person, skin one; *hij steekt in een slecht* ~ he is delicate; *ik zou niet graag in zijn* ~ *steken* I should not like to be in his skin; *uit zijn* ~ *springen* be beside oneself; *het is om uit je* ~ *te springen* it is enough to drive you wild.

veld [vɛlt] *o* field; *het* ~ *van eer* the field of honour; *een ruim* ~ *van werkzaamheid* a wide field (sphere) of activity; *het* ~ *behouden* hold the field[2]; *het* ~ *ruimen* retire from the field, abandon (leave) the field[2]; ~ *winnen* gain ground; *in het open (vrije)* ~ in the open field; *hoeveel mannen kunnen zij in het* ~ *brengen?* can they put into the field?; *op het* ~ *werken* work in the fields; *de te* ~*e staande gewassen* the standing crops; *de te* ~*e staande legers* the armies in the field; *te* ~*e trekken* take the field; *te* ~*e trekken tegen* [*fig*] *uit het* ~ *geslagen zijn* be discomfited, be put out (of countenance).

veldapoteek zie *veldapotheek*.

veldapotheek ['vɛlta.po.te.k] *v* ✕ field dispensary.

veldarbeid [-arbɛit] *m* labour in the fields.

veldartillerie [-artiləri.] *v* ✕ field artillery.

veldbed [-bɛt] *o* field-bed, camp-bed.

veldbloem [-blu.m] *v* ♣ field-flower, wild flower.

velddienst [-di.nst] *m* ✕ field service, field duty.

veldfles [-flɛs] *v* case-bottle, ✕ water-bottle, canteen.

veldgewas [-gəvas] *o* ♣ field crop.

veldheer [-he:r] *m* ✕ general.

veldheerschap [-sxap] *o* generalship.

veldheersstaf [-staf] *m* baton.

veldhospitaal ['vɛlthɔspi.ta.l] *o* ✕ field hospital, ambulance.

veldkeuken [-kø.kə(n)] *v* ✕ field-kitchen.

veldkijker [-kɛikər] *m* ✕ field-glass(es).

veldkrekel [-kre.kəl] *m* ✕ field-cricket.

veldleger [-le.gər] *o* ✕ field army, army in the field.

veldloop [-lo.p] *m sp* cross-country.

veldmaarschalk [-ma:rsxalk] *m* ✕ field-marshal.

veldmuis ['vɛltmœys] *v* ✕ field-mouse, vole.

veldoverste [-o.vərstə] *m* ✕ general.

veldpost [-pɔst] *v* ✕ field-post, field-post office.

veldprediker [-pre.dəkər] *m* ✕ army chaplain.

veldsalade [-sa.la.də] **veldsla** [-sla.] *v* ♣ corn-salad.

veldslag [-slax] *m* ✕ battle.

veldsnip [-snɪp] *v* ✕ snipe.

veldspaat [-spa.t] *o* feldspar.

veldtent ['vɛltɛnt] *v* ✕ army tent.

veldtenue [-təny.] *o & v* ✕ field-service uniform, battle-dress.

veldtocht [-tɔxt] *m* ✕ campaign.

velduitrusting ['vɛltœytrŭstɪŋ] *v* ✕ field-kit.

veldvruchten [-frŭxtə(n)] *mv* produce of the fields.

veldwacht [-vaxt] *v* ✕ picket.

✎ **veldwachter** [-vaxtər] *m* county constable, village policeman.

1 **velen** ['ve.lə(n)] *aj* (to) many; zie ook: *veel* I.

2 **velen** ['ve.lə(n)] *vt* in: *hij kan het niet* ~ he cannot stand it; *ik kan hem niet* ~ I can't stand him, I can't bear the sight of him; *hij kan niets* ~ he is very touchy.

velerhande, ~**lei** ['ve.lərhandə, -lɛi] of many kinds, of many sorts, various, sundry, many.

velg [vɛlx] *v* rim, felly, felloe.

velgrem ['vɛlxrɛm] *v* rim-brake.

velijn [və'lɛin] *o* 1 vellum; 2 vellum-paper.

vellen ['vɛlə(n)] *vt* 1 fell, cut down [trees]; 2 lay in rest [a lance], couch [arms]; 3 *fig* pass [judgment, a sentence]; zie ook: *bajonet*.

velletje [-ləcə] *o* skin, film, membrane; *een* ~ *postpapier* a sheet of note-paper.

vellig [-ləx] skinny.

velling [-lɪŋ] *v* = *velg*.

velocipède [ve.lo.si.'pɛ:də] *v* Ⓤ velocipede.

velocipedist [-pe.'dɪst] *m* Ⓤ velocipedist.

velours [və'lu:r] *o & m* velours.

ven [vɛn] *o* fen.

vendel ['vɛndəl] *o* 1 Ⓤ company; 2 zie *vaandel*.

vendetta [vɛn'dɛta.] *v* vendetta.

venduhouder [vɛn'dy.houdər] *m* auctioneer.

venduhuis, ~**lokaal** [-hœys, -lo.ka.l] *o* auction-room.

vendumeester [-me.stər] *m* auctioneer.

vendutie [vɛn'dy.(t)si.] *v* auction, public sale; *op* ~ *doen* put up for auction.

Venetiaan(s) [ve.ne.(t)si.'a.n(s)] *m* (& *aj*) Venetian.

Venetië [ve.'ne.(t)si.ə] *o* Venice.

Venezuela [ve.ne.zy.'e.la.] *o* Venezuela.

venijn [və'nɛin] *o* venom[2].

venijnig [və'nɛinəx] *aj* (& *ad*) 1 venomous(ly); 2 virulent(ly), vicious(ly).

venijnigheid [-hɛit] *v* 1 venomousness; 2 virulence, viciousness.

venkel ['vɛŋkəl] *v* ♣ fennel.

venkelolie [-o.li.] *v* fennel-oil.

venkelwater [-va.tər] *o* fennel-water.

vennoot [vɛ'no.t, 've.no.t] *m* $ partner; *beherend* ~ managing partner; *commanditaire* ~

limited partner; *stille* ~ silent (sleeping) partner; *werkend* ~ active partner.

vennootschap [-sxɑp] *v* $ partnership, company; *commanditaire* ~ limited partnership; *naamloze* ~ limited liability company; *een* ~ *aangaan* enter into partnership.

vennootschapsbelasting [-sxɑpsbəlɑstɪŋ] *v* company tax.

venster ['vɛnstər] *o* window.

vensterbank [-bɑŋk] *v* window-sill, window-ledge; (*brede zitplaats*) window-seat.

vensterblind [-blɪnt] *o* shutter.

vensterenvelop(pe) [-ɑnvəlɔp(ə)] *v* window envelope.

vensterglas [-glɑs] *o* 1 window-pane; 2 (*glas voor vensters*) window-glass.

venstergordijn [-gɔrdɛin] *o* window-curtain.

vensterluik [-lœyk] *o* shutter.

vensterraam ['vɛnstəra.m] *o* window-frame.

vensterruit [-rœyt] *v* window-pane.

vent [vɛnt] *m* fellow, chap; (*aanspreking*) sonny, little man [to a boy]; *een beste* ~ a good fellow; *een goeie* ~ a good sort; *geen kwaaie* ~ not a bad sort; *een rare* ~ a queer fellow (customer).

venten ['vɛntə(n)] *vt* hawk, peddle.

venter ['vɛntər] *m* hawker, pedlar; (v. fruit, vis &) costermonger.

ventiel [vɛn'ti.l] *o* 1 ✗ valve; 2 ♪ ventil [in organ].

ventieldop [-dɔp] *m* valve-cap.

ventilatie [vɛnti.'la.(t)si.] *v* ventilation.

ventilator [-'la.tɔr] *m* ventilator, fan.

ventilatorriem [-'la.tɔri.m] *m* fan-belt.

ventileren [-'le.rə(n)] *vt* ventilate², air².

ventje ['vɛnɕə] *o* little fellow, little man.

Venus ['ve.nũs] *v* Venus.

venushaar [-ha:r] *o* ♣ maidenhair.

ver [vɛr] I *aj* 1 far [way &]; distant [ages, past, connection, likeness]; remote [ages]; 2 (*verwantschap*) distant, remote [kinsman &]; II *ad* far; *het is* ~ it is far, a long way (off); *het is mijlen* ~ it is miles and miles away (off); *nu ben ik nog even* ~ I'm no further forward than before; *dat is nog heel* ~ that is very far off yet; *het* ~ *brengen zie brengen*; ~ *gaan* go far; *te* ~ *gaan* go too far²; *zo* ~ *gaan wij niet* we shall not go so far²; *het te* ~ *laten komen* let things go too far; ~ *beneden mij* far beneath me; ~ *van hier* far away; ~ *van rijk* far from being rich; *zie ook: verder, verre & verst.*

veraangenamen [vər'a.ngənə.mə(n)] *vt* make agreeable, make pleasant.

veraanschouwelijken [vəra.n'sxɔuələkə(n)] *vt* illustrate.

veraccijnzen [-ɑk'sɛinzə(n)] *vt* 1 (*betalen*) pay the excise; 2 (*opleggen*) excise.

verachtelijk [-'ɑxtələk] 1 despicable, contemptible; 2 contemptuous; ~*e blik* contemptuous look; ~*e kerel* contemptible fellow.

verachtelijkheid [-hɛit] *v* contemptibleness.

verachten [vər'ɑxtə(n)] *vt* despise, have a contempt for, hold in contempt, scorn; *de dood* ~ scorn death.

verachter [-tər] *m* despiser.

verachting [vər'ɑxtɪŋ] *v* contempt; scorn; *iemand aan de* ~ *prijsgeven* hold one up to scorn.

verademen [vər'a.dəmə(n)] *vt* breathe again.

verademing [-mɪŋ] *v* 1 (*opluchting*) relief; 2 (*tijd*) breathing-time, breathing-spell.

veraf ['vɛrɑf] at a great distance, far (away).

verafgelegen [vɛr'ɑfgəle.gə(n)] remote, distant.

verafgoden [vər'ɑfgo.də(n)] *vt* idolize.

verafgoding [-dɪŋ] *v* idolization.

verafschuwen [vər'ɑfsxy.və(n)] *vt* abhor, loathe.

veraksijnzen *zie veraccijnzen.*

veralgemenen [-ɑlgə'me.nə(n)] *vt* generalize.

veranda [və'rɑnda.] *v* veranda(h).

veranderen [vər'ɑndərə(n)] I *vi* change, alter; *het weer verandert* the weather changes; ~ *in* change into; ~ *van gedachte zie gedachte; van godsdienst (mening, toon)* ~ change one's religion (one's opinion, one's tone); *ik kon haar niet van mening doen* ~ I could not get her to change her mind; II *vt* 1 (*in 't alg.*) change; 2 (*wijzigen*) alter; convert [a motor-car &]; 3 (*tot iets geheel anders maken*) transform; *dat verandert de zaak* that alters the case; *dat verandert niets aan de waarheid* that does not alter the truth; *...in...* ~ change (alter, convert, turn, transform) *...into...*; ⚖ commute [death-sentence] to [imprisonment]; *hij is erg veranderd* he has altered a good deal, a great change has come over him.

verandering [-rɪŋ] *v* change, alteration, transformation, conversion, ⚖ commutation; ~ *ten goede (ten kwade)* change for the better (for the worse); ~ *van weer* a change in the weather (of weather); ~ *van woonplaats* change of residence; ~*en aanbrengen* make alterations, alter things; ~ *in iets brengen* change something; ~ *ondergaan* undergo a change; *voor de* ~ for a change; *alle* ~ *is geen verbetering* let well alone; ~ *van spijs doet eten* a change of food whets the appetite.

veranderlijk [vər'ɑndərlək] changeable, variable; (*wispelturig*) inconstant, fickle.

veranderlijkheid [-hɛit] *v* changeableness, variability; (*wispelturigheid*) inconstancy, fickleness.

verankeren [vər'ɑŋkərə(n)] *vt* 1 ⚓ anchor, moor [a ship]; 2 △ brace, tie, stay [a wall]; 3 *fig* root.

verantwoordelijk [-ɑnt'vo:rdələk] responsible, answerable, accountable; ~ *stellen voor* hold responsible for; *zich* ~ *stellen voor* accept responsibility for; ~ *zijn voor...* be (held) responsible for..., have to answer for...

verantwoordelijkheid [-hɛit] *v* responsibility; *de* ~ *van zich afschuiven* shift the responsibility upon another; *de ~ op zich nemen* take the responsibility [of...], accept responsibility [for...]; *buiten ~ van de redactie* the editor not being responsible; *op eigen ~* on his (her) own responsibility.

verantwoordelijkheidsgevoel [-heitsgəvu.l] *o* sense of responsibility.

verantwoorden [vər'antvo:rdə(n)] I *vt* answer for, account for; justify; *hij zegt niet meer dan hij ~ kan* he doesn't like to say more than he can stand to; *het hard te ~ hebben* be hard put to it; *heel wat te ~ hebben* have a lot to answer for; *ik ben niet verantwoord* I am not justified; II *vr zich ~* justify oneself.

verantwoording [-dɪŋ] *v* I justification; 2 responsibility; *op eigen ~* on one's own responsibility; *ter ~ roepen* call to account.

verarmen [vər'armə(n)] I *vt* impoverish, reduce to poverty, pauperize; II *vi* become poor.

verarming [-mɪŋ] *v* impoverishment, pauperization, pauperism.

verassen [vər'asə(n)] *vt* cremate, incinerate.

verassing [-sɪŋ] *v* cremation, incineration.

verbaal [vɛr'ba.l] verbal.

verbaasd [vər'ba.st] I *aj* surprised, astonished, amazed; *~ staan (over)* be surprised (at), be astonished (at), be amazed (at); II *ad* wonderingly, in wonder, in surprise.

verbaasdheid [-heit] *v* surprise, astonishment, amazement.

verbabbelen [vər'babələ(n)] I *vt* waste [one's time] chattering; II *vr zich ~* let one's tongue run away with one.

verbaliseren, verbalizeren [vərba.li.'ze:rə(n)] *vt* in: *iemand ~* take a person's name, summons him.

verband [vər'bant] *o* I 🍀 bandage, dressing; 2 (v. ader) ligature; 3 (samenhang) connection; 4 (betrekking) relation [between smoking and cancer]; 5 (zinsverband) context; 6 (verplichting) charge, obligation; *hypothecair ~* mortgage; *~ houden met...* be connected with...; *een ~ leggen* apply a dressing; *een ~ leggen op een wond* dress a wound; *in ~ brengen met* connect with; *iets met iets anders in ~ brengen* put two and two together; *zijn arm in een ~ dragen* carry one's arm in a sling; *dat staat in ~ met...* it is connected with...; *dat staat in geen ~ met...* it is in no way connected with...; it does not bear upon...; *in ~ hiermee...* in this connection; *in ~ met uw vraag* in connection with your question.

verbandcursus [-kūrzəs] *m* ambulance class(es).

verbandgaas [-ga.s] *o* sterilized gauze.

verbandkamer [-ka.mər] *v* dressing-room.

verbandkist [-kɪst] *v* (surgeon's) first-aid kit; dressing-case.

verbandkursus zie *verbandcursus*.

verbandleer [-le:r] *v* wound-dressing.

verbandlinnen [-lɪnə(n)] *o* rolls of bandage.

verbandmiddelen [-mɪdələ(n)] *mv* zie *verband-stoffen*.

verbandplaats [-pla.ts] *v* ✕ dressing-station.

verbandstoffen [-stɔfə(n)] *mv* wound-dressing requisites.

verbandwatten [-vatə(n)] *mv* medicated cotton-wool.

verbannen [vər'banə(n)] *vt* exile, banish, expel; *~ naar* exile & to; relegate to [the past]; *~ uit het land* banish from the country.

verbanning [-nɪŋ] *v* exile, banishment, expulsion. •

verbasteren [vər'bastərə(n)] *vi* I degenerate; 2 be corrupted [of words].

verbastering [-rɪŋ] *v* I degeneration; 2 corruption [of words].

verbazen [vər'ba.zə(n)] I *vt* surprise, astonish; amaze; *het verbaast me dat...* it surprises me that..., what astonishes me is that...; *dat verbaast me niet* I am not surprised (astonished) at it; *dat verbaast mij van je* I am surprised at you; II *vr zich ~* be astonished & (at *over*).

verbazend [-zɔnt] *aj* (& *ad*) surprising(ly), astonishing(ly); prodigious(ly), marvellous(ly); *wel ~!* F by Jove!; good gracious!; *~ veel...* ook: no end of...; *~ weinig* I precious little; 2 surprisingly & few.

verbazing [-zɪŋ] *v* surprise, astonishment, amazement; ⊙ amaze; *één en al ~ zijn* look all wonder; *vol ~* all astonishment; *in ~ brengen* astonish, amaze; *met ~* zie *verbaasd* II; *tot mijn ~* to my astonishment; *tot niet geringe ~ van...* to the no small astonishment of...

verbazingwekkend [vərba.zɪŋ'vɛkənt] astounding, stupendous.

verbedden [vər'bɛdə(n)] *vt* put on (into) another bed.

verbeelden [-'be.ldə(n)] I *vt* represent; *dat moet... ~* that's meant for...; II *vr zich ~* imagine, fancy; *verbeeld je!* Fancy!; *wat verbeeld je je wel?* who do you think you are?; *verbeeld je maar niet dat...* don't fancy that...; *verbeeld je maar niets!* don't you presume!; *hij verbeeldt zich heel wat* he fancies himself; *hij verbeeldt zich een dichter te zijn* he fancies himself a poet.

verbeelding [-dɪŋ] *v* I imagination; fancy; 2 (eigenwaan) conceit, conceitedness; *dat is maar ~ van je* that is only your fancy; *hij heeft veel ~ van zich zelf* he is very conceited.

verbeeldingskracht [-dɪŋskraxt] *v* imagination.

⊙ **verbeiden** [vər'bɛidə(n)] *vt* wait for, await.

verbena [vɛr'be.na.] *v* 🌿 verbena.

verbenen [vər'be.nə(n)] *vi* ossify.

verbening [-nɪŋ] *v* ossification.

verbergen [vər'bɛrgə(n)] I *vt* hide, conceal; *iets ~ voor* hide (conceal) it from; *je verbergt toch niets voor mij?* you are not keeping anything from me?; II *vr zich ~* hide, conceal oneself; *zich ~ achter...* screen oneself behind... [*fig*].

verberging [-gɪŋ] *v* hiding, concealment.

verbeten [vər'be.tə(n)] in: ~ *strijd* grim struggle; ~ *woede* pent-up rage.

verbetenheid [-hɛit] *v* grimness.

verbeteraar [vər'be.təra:r] *m* improver, mender, corrector, reformer.

verbeterblad [vər'be.tərblɑt] *o* leaf with errata.

verbeteren [vər'be.tərə(n)] **I** *vt* 1 make better [things & men], better [the condition of..., men], improve [land, one's style &]; ameliorate [the soil, the condition of...]; mend [the state of...]; amend [a law]; 2 (corrigeren) correct [work, mistakes &]; rectify [errors]; 3 (zedelijk beter maken) reform, reclaim [people]; *dat kunt u niet* ~ you cannot improve upon that; **II** *va* correct; **III** *vr zich* ~ 1 (v. gedrag) reform, mend one's ways; 2 (v. conditie) better one's condition.

verbeterhuis [-tərhœys] *o* house of correction.

verbetering [-tərɪŋ] *v* 1 change for the better, improvement, amelioration; amendment; betterment; 2 correction, rectification; 3 reformation, reclamation; ~*en aanbrengen* make corrections; effect improvements; zie *verbeteren*.

verbeteringsgesticht [-tərɪŋsɡəstɪxt] *o* reformatory; (thans) approved school.

verbeurbaar [vər'bø:rba:r] confiscable, forfeitable.

verbeurdverklaren [vər'bø:rtvərkla:rə(n)] *vt* confiscate, seize, declare forfeit.

verbeurdverklaring [-rɪŋ] *v* confiscation, seizure, forfeiture.

verbeuren [vər'bø:rə(n)] *vt* 1 (verliezen) forfeit; 2 (verbeurdverklaren) confiscate; *die...,verbeurt een pand* must pay a forfeit; *pand* ~ play (at) forfeits; *er is niets aan verbeurd* it is no great loss.

verbeurte [-'bø:rtə] *op (onder)* ~ *van* on (under) penalty of.

verbeuzelen [-'bø.zələ(n)] *vt* trifle away, fritter away, dawdle away; fiddle away [one's time].

verbidden [-'bɪdə(n)] in: *zich niet laten* ~ be inexorable.

verbieden [-'bi.də(n)] *vt* forbid, prohibit [by law], interdict, veto; *een boek (film &)* ~ ban a book (a film &); *ten strengste verboden* strictly forbidden; *verboden in te rijden* no thoroughfare; *verboden te roken* no smoking (allowed); *verboden hier vuilnis neer te werpen* no rubbish (to be) shot here; *verboden (toegang) voor militairen* ⚔ out of bounds [to British troops], *Am* off limits; „*verboden toegang*" zie *toegang*.

verbijsterd [-'bɛistərt] bewildered, perplexed, dazed.

verbijsteren [-stərə(n)] *vt* bewilder, perplex, daze.

verbijstering [-rɪŋ] *v* bewilderment, perplexity.

verbijten [vər'bɛitə(n)] in: *zich* ~ bite one's lip, bite one's tongue, set one's teeth; *zich* ~ *van woede* chafe with rage; zie ook: *verbeten*.

verbinden [-'bɪndə(n)] **I** *vt* 1 join [two things, persons]; connect [two things, points, places]; link, link up [two places], tie [two rafters]; combine [elements]; 2 ⚕ bind up, bandage, tie up, dress [a wound]; 3 ☎ connect, put through; 4 (anders binden) tie (bind) otherwise; *er is wel enig gevaar aan verbonden* it involves some danger; *de moeilijkheden verbonden aan...* the difficulties with which... is attended; *er is een salaris van £ 500 aan verbonden* it carries a salary of £ 500; *het daaraan verbonden salaris* the salary that goes with it; *welke voordelen zijn daaraan verbonden?* what advantages does it offer?; *er is een voorwaarde aan verbonden* there is a condition attached to it; *hen in de echt* ~ join (unite) them in marriage; *wilt u mij* ~ *met nummer...?* ☎ put me through to number...; *na een uur was ik verbonden met onze firma* ☎ I was through to our firm; **II** *vr zich* ~ 1 (v. personen) enter into an alliance; 2 (v. stoffen, elementen) combine; *zich* ~ *om...* pledge oneself to...; *hij had zich verbonden om...* he was under an engagement to...; *zich* ~ *tot iets* bind oneself (commit oneself, undertake, pledge oneself) to do it; *zich tot niets* ~ not commit oneself to anything; zie ook: *verbonden*.

verbinding [-dɪŋ] *v* 1 (gemeenschap) communication; 2 connection [of two points]; junction [of railways]; union [of persons]; ⚕ dressing, bandaging [of a wound]; *deze scheikundige* ~ 1 (abstract) this combination; 2 (concreet) this compound; *de* ~ *tot stand brengen (verbreken)* ☎ make (break) the connection; *in* ~ *staan met...* be in communication with..., have connection with...; *zich in* ~ *stellen met...* communicate with [the police &], get into touch with...; *kunt u mij in* ~ *stellen met...?* can you put me in communication with...?; *in* ~ *treden met...* zie: *zich in* ~ *stellen met...*; *zonder* ~ $ without engagement.

verbindingsdienst [-dɪŋsdi.nst] *m* ⚔ Signals.

verbindingslijn [-lɛin] *v* line of communication.

verbindingsofficier [-ɔfi.si:r] *m* ⚔ 1 liaison officer; 2 (technisch) Signals officer.

verbindingsspoor [-dɪŋspo:r] *o* junction railway.

verbindingsteken [-dɪŋste.kə(n)] *o gram* hyphen.

verbindingstroepen [-tru.pə(n)] *mv* ⚔ (Corps of) Signals.

verbindingsweg [-vɛx] *m* connecting road; zie ook: *verbindingslijn*.

verbindingswoord [-vo:rt] *o gram* copulative.

verbintenis [vər'bɪntənɪs] *v* engagement, undertaking; alliance [ook = marriage], bond; contract; *bestaande* ~*sen* existing commitments; *een* ~ *aangaan* 1 enter into an engagement; 2 enter into an alliance.

verbitterd [-'bɪtərt] 1 embittered, exasperated; 2 fierce, furious [battle]; ~ *op...* embittered against...; ~ *over...* exasperated at...

verbitterdheid [-hɛit] *v* bitterness, embitterment, exasperation.

verbitteren [vər'bɪtərə(n)] *vt* embitter, exasperate.

verbittering [-rɪŋ] *v* zie *verbitterdheid*.

verbleken [vər'ble.kə(n)] *vi* 1 (v. personen) grow (turn) pale; 2 (v. personen & kleuren) pale²; 3 (v. kleuren) fade; *doen* ~ pale².

verblijd [-'blɛit] zie *verheugd*.

verblijden [-'blɛidə(n)] I *vt* rejoice, gladden; II *vr zich* ~ (*over*) rejoice (at).

verblijdend [-dənt] gladdening, joyful, cheerful.

verblijf [vər'blɛif] *o* 1 (plaats) abode, residence; 2 (ruimte om in te verblijven) [crew's, emigrants'] quarters; 3 (het verblijven) residence, stay, sojourn; ~ *houden* reside.

verblijfkosten [-kɔstə(n)] *mv* hotel expenses, lodging expenses.

verblijfplaats [-pla.ts] *v* (place of) abode; *zijn tegenwoordige* ~ *is onbekend* his present whereabouts are unknown.

verblijven [vər'blɛivə(n)] *vi* stay, remain, ✱ abide; *hiermee verblijf ik Uw dw. dr.* I remain yours truly...

verblind [-'blɪnt] blinded², dazzled².

verblinden [-'blɪndə(n)] *vt* blind², dazzle²; ~ *voor*... blind to...

verblindheid [-'blɪnthɛit] *v* blindness; infatuation.

verblinding [-'blɪndɪŋ] *v* 1 blinding, dazzle; 2 zie *verblindheid*.

verbloeden [-'blu.də(n)] *vi* bleed to death.

verbloeding [-dɪŋ] *v* bleeding to death.

verbloemd [vər'blu.mt] disguised, veiled.

verbloemen [-'blu.mə(n)] *vt* disguise [the fact that...]; palliate, veil, gloze over [unpleasant facts].

verbloeming [-mɪŋ] *v* disguise, palliation.

verbluffen [vər'blüfə(n)] *vt* put out of countenance, dumbfound, baffle, bewilder; ~*d* startling.

verbluft [-'blüft] put out of countenance, dumbfounded.

verbod [-'bɔt] *o* prohibition, interdiction; ban [on a book &]; *een* ~ *uitvaardigen* issue a prohibition.

verboden [-'bo.də(n)] forbidden; zie ook: *verbieden*.

verbodsbepaling [-'bɔtsbəpa. ɪŋ] *v* prohibitive regulation.

verbolgen [-'bɔlgə(n)] angry, incensed, wrathful.
verbolgenheid [-hɛit] *v* anger, wrath. [ful.

verbond [vər'bɔnt] *o* alliance; league; union; (verdrag) pact; covenant; *het drievoudig* ~ the triple alliance; *het Nieuwe* (*Oude*) ~ the New (Old) Testament.

verbonden [-'bɔndə(n)] allied; *de* ~ *mogendheden* the allied powers.

verborgen [-'bɔrgə(n)] concealed, hidden [things, treasure &]; secret [sin, place, influence, life]; occult [qualities]; *in het* ~(*e*) in secret, secretly.

verborgenheid [-hɛit] *v* secrecy; *de verborgenheden van Parijs* the mysteries of Paris.

verbouw [vər'bou] *m* zie *verbouwing*.

verbouwen [-ə(n)] *vt* 1 (ombouwen) newbuild, rebuild [a house], convert [a bank building into...]; 2 (telen) cultivate, raise, grow [potatoes].

verbouwereerd [vərbouə're:rt] perplexed, dumbfounded.

verbouwereerdheid [-hɛit] *v* perplexity.

verbouwing [vər'bouɪŋ] *v* 1 (ombouwing) rebuilding [of a house]; structural alterations; 2 (teelt) cultivation, culture, growing.

verbranden [-'brɑndə(n)] I *vt* 1 burn [papers &]; burn to death [martyrs]; 2 (verassen) cremate [a body], incinerate; *zijn door de zon verbrand gezicht* his sunburnt (tanned) face; II *vi* 1 be burnt (to death); 2 (door de zon) get sunburnt, tan.

verbranding [-dɪŋ] *v* 1 burning, combustion; 2 (v. lijk en) cremation.

verbrandingsmotor [-dɪŋsmo.tər] *m inwendige* ~ internal combustion engine.

verbrandingsoven [-o.və(n)] *m* incinerator.

verbrandingsproces [-pro.sɛs] *o* process of combustion.

verbrandingsproduct zie *verbrandingsprodukt*.

verbrandingsprodukt [-pro.dükt] *o* product of combustion.

verbrassen [vər'brɑsə(n)] *vt* squander.

verbreden [-'bre.də(n)] I *vt* widen, broaden; II *vr zich* ~ widen, broaden (out).

verbreding [-dɪŋ] *v* widening, broadening.

verbreiden [vər'brɛidə(n)] I *vt* spread [malicious reports]; propagate [a doctrine]; II *vr zich* ~ spread [of rumours &].

verbreiding [-dɪŋ] *v* spread(ing), propagation.

verbreken [vər'bre.kə(n)] *vt* break [a contract, a promise &]; break off [an engagement]; sever [diplomatic relations]; cut [communications]; burst [one's chains]; violate [vows].

verbreking [-kɪŋ] *v* breaking; severance; violation.

verbrijzelen [vər'brɛizələ(n)] *vt* break (smash) to pieces, smash, shatter².

verbrijzeling [-lɪŋ] *v* smashing, shattering².

verbroddelen [vər'brɔdələ(n)] *vt* bungle, spoil.

verbroederen [-'bru.dərə(n)] *vt* in: *zich* ~ fraternize.

verbroedering [-rɪŋ] *v* fraternization.

verbrokkelen [vər'brɔkələ(n)] *vi* & *vt* crumble.

verbruid [-'brœyt] *aj* F deuced, wretched; *wel* ~ *!* the deuce!

verbruien [-'brœyə(n)] *vt* in: *het bij iemand* ~ incur a man's displeasure; zie ook: *vertikken*.

verbruik [-'brœyk] *o* 1 consumption [of foodstuffs, petrol &]; expenditure [of energy, time]; 2 (verspilling) wastage, waste.

verbruiken [-'brœyka(n)] *vt* consume [food, time], use up [coal, wood &; one's strength], spend [money, time &].

verbruiker [-kər] *m* consumer.

verbruiksartikel [vər'brœyksɑrti.kəl] *o* article of consumption.

verbruiksbelasting [-bəlɑstɪŋ] *v* consumer tax, consumption tax.

verbruiksgoederen [-gu.dərə(n)] *mv* consumer goods, consumption goods.

verbuigbaar [vər'bœyxbɑ:r] *gram* declinable.

verbuigen [-'bœygə(n)] *vt* 1 bend (out of shape); ⚓ buckle; 2 *gram* decline.

verbuiging [-gɪŋ] *v gram* declension.

verchroomd [vər'gro.mt] chromium-plated.

verdacht [-'dɑxt] I *aj* suspected [persons]; suspicious [circumstances]; (alléén predikatief) suspect; ~*e personen* suspicious characters; suspected persons, suspects; *iemand* ~ *maken* make one suspected; *er* ~ *uitzien* have a suspicious look; *er* ~ *uitziend* suspicious-looking; *dat komt me* ~ *voor* I think it suspicious; *op iets* ~ *zijn* be prepared for it; *eer ik erop* ~ *was* before I was prepared for it; before I knew where I was; *hij wordt* ~ *van...* he is suspected of...; II *sb* in: *de* ~*e* 1 the suspected party, the person suspected; 2 ⚖ the accused; the defendant, the prisoner; ~*en* suspected persons, suspects; III *ad* suspiciously.

verdachtmaking [-ma.kɪŋ] *v* insinuation.

verdagen [vər'dɑ.gə(n)] *vt* adjourn, prorogue.

verdaging [-gɪŋ] *v* adjournment, prorogation.

verdampen [vər'dɑmpə(n)] *vi* & *vt* evaporate.

verdamping [-pɪŋ] *v* evaporation.

verdedigbaar [vər'de.dəxbɑ:r] defensible.

verdedigbaarheid [-hɛit] *v* defensibility.

verdedigen [vər'de.dəgə(n)] I *vt* defend [a town]; stand up for [one's rights]; *wie zal u* ~? ⚖ who will defend you?; *een* ~*de houding aannemen* stand (act) on the defensive; *een* ~*d verbond* a defensive alliance; II *vr zich* ~ defend oneself.

verdediger [-gər] *m* 1 defender [of liberty &]; 2 ⚖ defending counsel, counsel for the defendant (for the defence).

verdediging [-gɪŋ] *v* defence°; *ter* ~ *van* in defence of.

verdedigingslinie [-gɪŋsli.ni.] *v* ⚔ line of defence, defence line.

verdedigingsmiddel [-mɪdəl] *o* means of defence.

verdedigingsoorlog [-o:rlɔx] *m* war of defence.

verdedigingswapen [-vɑ.pə(n)] *o* defensive weapon.

verdedigingswerken [-vɛrkə(n)] *mv* ⚔ defences, defensive works.

verdeeld [vər'de.lt] divided.

verdeeldheid [-hɛit] *v* dissension, discord [between...], 1 division, disunity.

verdeemoedigen [vərde.'mu.dəgə(n)] *vt* humble, humiliate.

verdeemoediging [-gɪŋ] *v* humbling, humiliation.

verdek [vər'dɛk] *o* ⚓ deck.

verdekt [vər'dɛkt] ⚔ under cover; ~ *opgesteld zijn* ⚔ be under cover.

verdelen [-'de.lə(n)] I *vt* divide, share out, distribute; II *va* divide [and rule]; ~ *in* divide into [...parts]; ~ *onder* divide (distribute) among; ~ *over* spread over [a period of...]; III *vr zich* ~ divide.

verdelgen [-'dɛlgə(n)] *vt* destroy, exterminate.

verdelging [-gɪŋ] *v* destruction, extermination.

verdelgingsoorlog [-gɪŋso:rlɔx] *m* war of extermination.

verdeling [vər'de.lɪŋ] *v* division [of labour], distribution [of food], partition [of Palestine].

verdenken [-'dɛŋkə(n)] *vt* suspect; *iemand van iets* ~ suspect one of a thing; zie ook: *verdacht*.

verdenking [-kɪŋ] *v* suspicion; *een aantal personen op wie de* ~ *rustte* to whom suspicion pointed; *de* ~ *viel op hem* suspicion fell on him; *boven* ~ above suspicion; *in* ~ *brengen* cast suspicion on; *in* ~ *komen* incur suspicion; *in* ~ *staan* be under suspicion, be suspected; *onder* ~ *van...* on suspicion of...

verder ['vɛrdər] I *aj* 1 (meer verwijderd) farther, further; 2 (bijkomend, later) further; II *als sb het* ~*e* the rest; III *ad* farther, further; ~ *op* further on; ~ *gaan* 1 go farther; 2 proceed; 3 go on; *we zouden al veel* ~ *zijn als...* we should be much farther[2] if...

verderf [vər'dɛrf] *o* ruin, destruction, undoing, perdition; *in zijn* ~ *lopen* go to meet one's doom; *in het* ~ *storten* bring ruin upon; *ten verderve voeren* lead to perdition.

verderfelijk [-'dɛrfələk] pernicious, baneful, noxious, ruinous.

verderfelijkheid [-hɛit] *v* perniciousness.

verderven [vər'dɛrvə(n)] *vt* ruin, pervert, corrupt.

verderver [-vər] *m* perverter, corrupter.

verdicht [vər'dɪxt] 1 assumed [names]; fictitious [names &]; 2 condensed [vapour].

verdichten [-'dɪxtə(n)] I *vt* 1 condense [steam] ‖ 2 invent [a name, a story]; II *vr zich* ~ condense.

verdichting [-tɪŋ] *v* 1 (v. gassen) condensation ‖ 2 (verzinnen) invention, fiction.

verdichtsel [vər'dɪxtsəl] *o* fabrication, fable, fiction, story, figment, invention.

verdienen [vər'di.nə(n)] *vt* 1 earn [money, one's bread]; deserve [praise &]; merit [a reward, punishment]; *hoeveel verdien je?* how much do you earn?; *zij* ~ *niet beter* they don't deserve any better; *het verdient de voorkeur* it is preferable; *dat heb ik niet aan u verdiend* that I have not deserved at your hands; *een verdiende overwinning* a deserved victory; *er is niets aan (mee) te* ~ there is no money in it;

daar zul je niet veel aan (op) ~ you will not make much out of it.

verdienste [-'di.nstə] *v* 1 (loon) earnings, wages; 2 (winst) profit, gain; 3 (verdienstelijkheid) merit, desert; *naar* ~ according to merit, [punish] condignly; *zich iets tot een* ~ *(aan)rekenen* take merit to oneself for something; *een man van* ~ a man of merit.

verdienstelijk [-lək] deserving, meritorious; *hij heeft zich jegens zijn land* ~ *gemaakt* he has deserved well of his country.

verdienstelijkheid [-hɛit] *v* deservingness, meritoriousness, merit.

verdiepen [vər'di.pə(n)] I *vt* deepen[2]; II *vr zich* ~ *in* lose oneself in; *verdiept in gedachten* deep (absorbed) in thought, in a brown study; *zich in allerlei gissingen* ~ lose oneself in conjectures [as to...]; *in zijn krant verdiept* engrossed in his newspaper.

verdieping [-pɪŋ] *v* 1 deepening[2]; 2 stor(e)y, floor; *eerste* & ~ first floor, second stor(e)y; *hoog van* ~ high-pitched; *laag van* ~ low-pitched; *op de eerste* & ~ **on** (in) the first floor.

verdierlijken [vər'di:rləkən] I *vt* brutalize; II *vi* become a brute.

verdierlijking [-kɪŋ] *v* brutalization.

verdierlijkt [vər'di:rləkt] brutalized, brutish.

verdietsen [-'di.tsə(n)] *vt* zie *verhollandsen*.

verdikken [-'dɪkə(n)] *vi* & *vt* thicken.

verdikking [-dɪkɪŋ] *v* thickening.

verdisconteerbaar [vərdɪskòn'te:rba:r] $ negotiable.

verdisconteren [-'te:rə(n)] *vt* $ negotiate [bills].

verdiscontering [-rɪŋ] *v* $ negotiation.

verdiskonte- zie *verdisconte-*.

verdobbelen [vər'dɔbələ(n)] *vt* dǐce away, gamble away.

verdoemd [-'du.mt] I *aj* damned; P damn; *die* ~*e...!* that cursed...!; *de* ~*en (in de hel)* the damned; II *ad* < damn, deuced(ly); *wel* ~*!* the deuce!

verdoemelijk [-'du.mələk] damnable.

verdoemeling [-məlɪŋ] *m* reprobate.

verdoemen [-mə(n)] *vt* damn.

verdoemenis [-mənɪs] *v* damnation.

verdoemenswaard(ig) [vərdu.məns'va:rt, -'va:rdəx] damnable.

verdoeming [vər'du.mɪŋ] *v* damnation.

verdoen [vər'du.n] I *vt* dissipate, squander, waste; II *vr zich* ~ make away with oneself.

verdoezelen [-'du.zələ(n)] *vt* blur, obscure [a fact], disguise [the truth].

verdolen [-'do.lə(n)] *vi* lose one's way, go astray.

verdomd [-'dòmt] = *verdoemd.*

verdommelijk [-'dòmələk] = *verdoemelijk.*

1 **verdommen** [-'dòmə(n)] *vt* (dom maken) dull the mind(s) of, render stupid.

2 **verdommen** [-'dòmə(n)] *vt* zie *vertikken.*

verdommenis [-'dòmənɪs] = *verdoemenis.*

verdonkeremanen [-dòŋkərə'ma.nə(n)] *vt* spirit

away, embezzle [money]; purloin [letters].

verdonkeren [-'dòŋkərə(n)] *vt* & *vi* darken[2].

verdonkering [-rɪŋ] *v* darkening, obscuration.

verdoofd [vər'do.ft] benumbed, numb; torpid, (doorslag) stunned.

verdoold [-'do.lt] strayed, stray, wandering, having gone astray[2].

verdord [-'dòrt] withered.

verdordheid [-hɛit] *v* withered state.

verdorren [vər'dòrə(n)] *vi* wither.

verdorring [-rɪŋ] *v* withering.

verdorven [vər'dòrvə(n)] depraved, corrupt, wicked, perverse.

verdorvenheid [-hɛit] *v* depravity, depravation, corruption, perverseness, perversity.

verdoven [vər'do.və(n)] *vt* 1 deafen, make deaf; 2 (geluid) deafen, deaden, dull [sound]; 3 (ledematen, gevoel) benumb [with cold], numb; 4 (personen) stupefy, stun; 5 (pijn) ℞ anaesthetize.

verdovend [-vənt] 1 deafening; 2 stupefying; ℞ anaesthetic; ~*middel* ℞ anaesthetic, narcotic (inz. als genotmiddel) drug.

verdoving [-vɪŋ] *v* stupefaction, stupor, torpor; numbness; ℞ anaesthesia.

verdovingsmiddel [-vɪŋsmɪdəl] *o* zie *verdovend.*

verdraaglijk [vər'dra.gələk] bearable, endurable, tolerable.

verdraagzaam [-'dra.xsa.m] tolerant, forbearing.

verdraagzaamheid [-hɛit] *v* tolerance, forbearance, toleration.

verdraaid [vər'dra:it] I *aj* distorted, disfigured, deformed [features]; *met een* ~*e hand geschreven* written in a disguised hand; II *ad* < deuced; ~ *knap* deuced clever; *wel* ~*!* the deuce!

verdraaien [-'dra.jə(n)] *vt* spoil [a lock]; distort[2], contort[2], twist[2] [features, facts, motives, statements, the truth &]; *fig* pervert [words, facts, a law]; *de ogen* ~ roll one's eyes; *iemands woorden* ~ ook: twist a person's words; *ik verdraai het om...* F I just won't...; zie ook: *verdraaid.*

verdraaiing [-jɪŋ] *v* distortion, contortion, twist, perversion [of fact].

verdrag [vər'drax] *o* treaty, pact; *een* ~ *aangaan (sluiten)* conclude (make, enter into) a treaty.

verdragen [-'dra.gə(n)] *vt* 1 (dulden) suffer, bear, endure, stand; 2 (wegdragen) remove; *ik kan geen bier* ~ beer does not agree with me; *men moet elkander leren* ~ you must try to put up with each other; *zo iets kan ik niet* ~ I can't stand it; *ik heb heel wat van hem te* ~ I have to suffer (to put up with) a good deal at his hands.

verdragend ['verdra.gənt] ♪ carrying; ✕ long-range [guns].

verdraghaven [vər'draxha.və(n)] *v* treaty port.

verdriedubbelen [-dri.'dûbələ(n)] *vt* treble, triple.

verdriet [-'dri.t] *o* grief, sorrow; ~ *aandoen* cause sorrow, give pain.

verdrietelijk [-'dri.tələk] vexatious, irksome.

verdrietelijkheid [-heit] *v* vexatiousness, irksomeness, vexation; *verdrietelijkheden* vexations.

verdrieten [vər'dri.tə(n)] *vt* vex, grieve; *het verdriet mij dat te horen* I'm grieved to hear this.

verdrietig [-təx] sad, sorrowful. [triple.

verdrievoudigen [vərdri.'vɔudəgə(n)] *vt* treble.

verdrijven [-'drɛivə(n)] *vt* drive away, drive out, chase away; dissipate, dispel [clouds, fears, suspicion]; oust, expel [from a place]; dislodge [the enemy from his position]; pass (while) away [the time].

verdrijving [-vɪŋ] *v* expulsion, ousting.

verdringen [vər'drɪŋə(n)] I *vt* push away, crowd out[2], *fig* oust, supplant, supersede, cut out; *ps* repress [desires, impulses]; *elkaar* ~ (dringen) jostle (each other); ~ *van de markt* oust from the market; II *vr zich* ~ crowd (round *om*).

verdringing [-nɪŋ] *v* ousting, supplanting [of a rival]; *ps* repression [of desires, impulses].

verdrinken [-drɪŋkə(n)] I *vt* 1 drown [a young animal]; 2 spend on drink [one's money], drink [one's wages], drink away [one's fortune]; 3 drink down [one's sorrow], drown [one's sorrow in drink]; 4 inundate [a field]; II *vi* be drowned; III *vr zich* ~ drown oneself.

verdrinking [-kɪŋ] *v* drowning; *dood door* ~ death from drowning.

verdrogen [vər'dro.gə(n)] *vi* dry up; wither [of plants &].

verdromen [-'dro.mə(n)] *vt* dream away.

verdronken [-'drɔŋkə(n)] 1 drowned [person]; 2 submerged [fields].

verdrukken [-'drůkə(n)] *vt* oppress.

verdrukker [-kər] *m* oppressor.

verdrukking [-kɪŋ] *v* oppression; *tegen de* ~ *in groeien* prosper in spite of opposition.

verdubbelen [vər'důbələ(n)] I *vt* double [a letter &]; *fig* redouble [one's efforts]; *zijn schreden* ~ quicken one's pace; II *vr zich* ~ double.

verdubbeling [-lɪŋ] *v* 1 doubling, duplication; *fig* redoubling; 2 *gram* reduplication.

verduidelijken [vər'dœydələkə(n)] *vt* elucidate, explain.

verduidelijking [-kɪŋ] *v* elucidation, explanation.

verduisteren [vər'dœystərə(n)] I *vt* 1 (donker maken) darken[2], obscure[2]; cloud[2] [the sky, the mind, eyes with tears]; ✱ eclipse [the sun, the moon]; (tegen luchtaanval) black out; 2 (ontvreemden) embezzle [money], misappropriate [funds]; II *vi* darken, grow dark.

verduistering [-rɪŋ] *v* 1 obscuration[2]; ✱ eclipse [of sun and moon]; (tegen luchtaanval)

black-out; 2 embezzlement [of money], misappropriation [of funds].

verduitsen [vər'dœytsə(n)] *vt* 1 Germanize; 2 translate into German.

verduiveld [-'dœyvəlt] I *aj* devilish, deuced; II *ad* < devilish, deuced; *wel* ~ *!* the deuce!

verduizendvoudigen [vərdœyzənt'fɔudəgə(n)] *vt* multiply by a thousand.

verdunnen [vər'důnə(n)] *vt* 1 thin; 2 (vloeistof) dilute; 3 (lucht) rarefy.

verdunning [-nɪŋ] *v* 1 thinning; 2 dilution; 3 rarefaction.

verduren [vər'dy:rə(n)] *vt* bear, endure.

verduurzamen [-'dy:rza.mə(n)] *vt* preserve; *verduurzaamde levensmiddelen* tinned food, (*Am*) canned food.

verduurzaming [-mɪŋ] *v* preservation.

verduiveld [vər'dy.vəlt] = *verduiveld*.

verduwen [-'dy.və(n)] *vt* push away; *fig* digest [foods]; swallow [an insult].

verduwing [-vɪŋ] *v* digestion.

verdwaald [vər'dva.lt] lost [child, traveller, sheep], stray [bullet]; ~ *raken* lose one's way; ~ *zijn* have lost one's way.

verdwaasd [-'dva.st] infatuated, foolish.

verdwaasdheid [-hɛit] *v* infatuation, folly.

verdwalen [vər'dva.lə(n)] *vi* lose one's way, go astray[2].

verdwazen [-'dva.zə(n)] *vt* infatuate.

verdwazing [-zɪŋ] *v* infatuation.

verdwijnen [vər'dvɛinə(n)] *vi* disappear, vanish [suddenly or gradually]; fade away; *verdwijn (uit mijn ogen)!* out of my sight!, be off!; *deze regering (minister &) moet* ~ must go.

verdwijning [-nɪŋ] *v* disappearance, vanishing.

veredelen [vər'e.dələ(n)] *vt* improve [fruit]; *fig* ennoble, elevate [the feelings], refine [manners, morals, the taste].

veredeling [-lɪŋ] *v* improvement; *fig* ennoblement, elevation [of the feelings], refinement.

vereelt [vər'e.lt] callous[2], horny [hands].

vereelten [-'e.ltə(n)] I *vt* make callous, make horny; II *vi* become callous, become horny.

vereeltheid, vereelting [-'e.lthɛit, -'e.ltɪŋ] *v* callosity.

vereenvoudigen [vəre.n'vɔudəgə(n)] *vt* simplify; × reduce [a fraction].

vereenvoudiging [-gɪŋ] *v* simplification; × reduction [of a fraction].

vereenzamen [vər'e.nza.mə(n)] *vi* grow lonely.

vereenzaming [-mɪŋ] *v* isolation.

vereenzelvigen [vəre.n'zɛlvəgə(n)] *vt* identify.

vereenzelviging [-gɪŋ] *v* identification.

vereerder [vər'e:rdər] *m* worshipper, admirer, [her] adorer.

vereeuwigen [-'e.vəgə(n)] *v* perpetuate, immortalize.

vereeuwiging [-gɪŋ] *v* perpetuation, immortalization.

vereffenen [vər'ɛfənə(n)] *vt* balance, settle [an account]; square [a debt]; adjust, settle [a

difference, dispute].
vereffening [-nɪŋ] *v* settlement, adjustment; *ter ~ van* in settlement of.
vereisen [vər'ɛisə(n)] *vt* require, demand.
vereist [-'ɛist] required.
vereiste [-'ɛistə] *o* & *v* requirement, requisite.
1 **veren** ['ve:rə(n)] *vi* be elastic, be springy, spring; *~d* elastic, springy, resilient; *~d zadel* spring-mounted saddle; *ze ~ niet* they have no spring in them.
2 **veren** ['ve:rə(n)] *aj* feather; *~ bed* featherbed.
verenen [vər'e.nə(n)] *vt* zie *verenigen*; *met vereende krachten* with united efforts, unitedly
verengelsen [-'ɛŋəlsə(n)] I *vt* Anglicize; II *vi* become Anglicized.
verengen [-'ɛŋə(n)] *vt* & *vr* narrow.
verenigbaar [-'e.nəxba:r] in: (*niet*) *~ met* (not) compatible (consistent, consonant) with...
verenigd [-nəxt] united; *de V~e Naties* the United Nations [Organization]; *~ optreden* united action; *de V~e Staten* the United States; *~e vergadering* joint meeting.
verenigen [-nəgə(n)] I *vt* 1 unite, join [their efforts, two nations]; combine [data]; 2 (verzamelen) collect; *hen in de echt ~* join (unite) them in marriage, join A to B in marriage; *die belangen zijn niet met elkaar te ~* these interests are not consistent with each other; *voor zover het te ~ is met...* in so far as is consistent (compatible, reconcilable) with ...; *~ tot...* unite into...; II *vr zich ~* 1 unite; 2 (zich verzamelen) assemble; *zich ~ met* join [also of rivers]; join hands (forces) with [a person in doing something]; *ik kan mij met die mening niet ~* I cannot agree with (concur in) that opinion; *ik kan mij met het voorstel niet ~* I cannot agree to the proposal.
vereniging [vər'e.nəgɪŋ] *v* 1 (handeling of resultaat) joining, junction, combination, union; 2 (genootschap) union, society, association, club; *recht van ~ en vergadering* right of association and of assembly.
verenigingsleven [-gɪŋsle.və(n)] *o* corporate life.
verenigingslokaal [-lo.ka.l] *o* club-room.
verenigingspunt [-pʉnt] *o* junction; rallying-point.
vereren [vər'e.rə(n)] *vt* honour, revere, worship, venerate; *iemand iets ~* present a person with a thing; *~ met* honour with; grace with [one's presence, a title &].
vererend [-rənt] in: *in ~e bewoordingen* in flattering terms.
verergeren [vər'ɛrgərə(n)] I *vi* grow worse, change for the worse, worsen, deteriorate; II *vt* make worse, worsen, aggravate.
verergering [-rɪŋ] *v* worsening, growing worse, change for the worse, aggravation, deterioration.
verering [vər'e:rɪŋ] *v* veneration, worship, reverence.

veretteren [-'ɛtərə(n)] *vi* fester, suppurate.
verettering [-rɪŋ] *v* suppuration.
vereuropesen [vərø:ro.'pe.sə(n)] I *vt* Europeanize; II *vi* become Europeanized.
verevenen [vər'e.venə(n)] *vt* zie *vereffenen*.
verf [vɛrf] *v* 1 paint; 2 (v. kunstschilder) colour, paint; 3 (voor stoffen &) dye.
verfdoos ['vɛrfdo.s] *v* box of colours, paintbox.
verfhandel [-handəl] *m* 1 colour-trade; 2 colourman's business.
verfhandelaar [-handələ:r] *m* colourman.
verfhout [-hout] *o* dye-wood.
verfijnen [vər'fɛinə(n)] *vt* refine.
verfijning [-nɪŋ] *v* refinement.
verfilmen [vər'fɪlmə(n)] *vt* film.
verfilming [-mɪŋ] *v* 1 (handeling) filming; 2 (resultaat) film version, screen version.
verfkuip ['vɛrfkœyp] *v* dyeing-tub.
verfkwast [-kʋɑst] *m* paint-brush.
verflaag [-la.x] *v* coat of paint.
verflauwen [vər'flʌuə(n)] *vi* 1 (v. kleuren &) fade; 2 (v. wind) abate; 3 (v. ijver &) flag, slacken; 4 $ flag.
verflauwing [-ɪŋ] *v* fading; abatement; flagging.
verflensen [vər'flɛnsə(n)] *vi* fade, wither.
verflucht ['vɛrflʌxt] *v* smell of paint, painty smell.
verfoeien [vər'fu.jə(n)] *vt* detest, abhor, abominate.
verfoeiing [-jɪŋ] *v* detestation, abomination.
verfoeilijk [vər'fu:ilək] detestable, abominable.
verfoeilijkheid [-hɛit] *v* detestableness, abominableness, abomination.
verfoeliën [vər'fu.li.ə(n)] *vt* tinfoil, silver.
verfoeliesel [-səl] *o* foil, tinfoil.   [frumpy.
verfomfaaid [vər'fòmfa:it] crumpled &; ook:
verfomfaaien [-fa.jə(n)] *vt* crumple, rumple.
verfpot ['vɛrfpɔt] *m* paint-pot.
verfraaien [vər'fra.jə(n)] *vt* embellish, beautify.
verfraaiing [-jɪŋ] *v* embellishment, beautifying.
verfransen [vər'frɑnsə(n)] I *vt* Frenchify; II *vi* become French.
verfrissen [-'frɪsə(n)] I *vt* refresh; II *vr zich ~* 1 refresh oneself; 2 (iets gebruiken) take some refreshment.
verfrissing [-sɪŋ] *v* refreshment.
verfrommelen [vər'frɔmələ(n)] *vt* crumple (up), rumple, crush.
verfstoffen ['vɛrfstɔfə(n)] *mv* dye-stuffs, dyes, colours.
verfwaren [-va.rə(n)] *mv* oils and colours.
verfwinkel [-vɪŋkəl] *m* colour shop.
vergaan [vər'ga.n] *vi* 1 (v. al 't aardse) perish, pass away; decay; 2 ⚓ founder, be wrecked, be lost [a vessel]; *'t verging hun slecht* they fared badly; *het zal je er naar ~* you will meet with your deserts; *~ van afgunst* be consumed (eaten up) with envy; *~ van kou* be perishing with cold; *vergane glorie* departed glory.
vergaarbak [-'ga:rbɑk] *m* reservoir, receptacle.

vergaderen [-'ga.dərə(n)] I *vt* gather, assemble, collect; II *vi* assemble, meet, hold their meetings.

vergadering [-rɪŋ] *v* assembly, meeting; *geachte* ~ *!* (ladies and) gentlemen!; ~ *met debat* discussion meeting; *een* ~ *bijeenroepen (houden)* call (hold) a meeting; *de* ~ *openen* open the meeting; *de* ~ *opheffen (sluiten)* close the meeting; *een* ~ *uitschrijven* convene a meeting.

vergaderplaats [vər'ga.dərpla.ts] *v* meeting-place, place of meeting.

vergaderzaal [-za.l] *v* meeting-room, meeting-hall.

vergallen [vər'galə(n)] *vt* break the gall-bladder of [a fish]; *iemand het leven* ~ embitter a man's life; *iemands vreugde* ~ spoil (mar) a person's pleasure.

vergalopperen [-ga.lɔ'pe:rə(n)] in: *zich* ~ commit oneself, put one's foot in it.

vergankelijk [-'gaŋkələk] perishable, transitory, transient, fleeting.

vergankelijkheid [-ɦɛit] *v* perishableness, transitoriness, instability.

vergapen [vər'ga.pə(n)] in: *zich* ~ *aan een meisje* become infatuated with a girl; *zich aan de schijn* ~ take the shadow for the substance.

vergaren [-'ga:rə(n)] *vt* gather, collect, hoard.

vergassen [-'gasə(n)] *vt* I gasify [solids]; 2 gas [people].

vergasser [-sər] *m* paraffin stove.

vergassing [-sɪŋ] *v* I gasification [of solids]; 2 gassing [of people].

vergasten [vər'gastə(n)] I *vt* treat, regale; *iemand* ~ *op...* treat one to..., regale one with...; II *vr zich* ~ *aan* feast upon, take delight in.

vergeeflijk [-'ge.fələk] pardonable, forgivable, excusable [fault]; venial [sin].

vergeeflijkheid [-ɦɛit] *v* pardonableness &, veniality.

vergeefs [vər'ge.fs] I *aj* vain, useless, fruitless; II *ad* in vain, vainly, to no purpose.

vergeestelijken [-'ge.stələkə(n)] *vt* spiritualize.

vergeestelijking [-kɪŋ] *v* spiritualization.

vergeetachtig [vər'ge.taxtəx] apt to forget, forgetful.

vergeetachtigheid [-ɦɛit] *v* aptness to forget, forgetfulness.

vergeetal [vər'ge.tal] *m* forgetful person.

vergeetboek [-bu.k] *o* in: *het raakte in het* ~ it was forgotten, it fell into oblivion.

vergeet-me-niet zie *vergeet-mij-niet*.

vergeet-mij-niet [-məni.t] *v* ♣ forget-me-not.

vergefelijk(heid) = *vergeeflijk(heid)*.

vergelden [vər'gɛldə(n)] *vt* repay, requite; *goed met kwaad* ~ return evil for good; *God vergelde het u!* God reward you for it!

vergelder [-dər] *m* rewarder; avenger [of evil].

vergelding [-dɪŋ] *v* requital, retribution; *de dag der* ~ the day of reckoning; *ter* ~ *van...* in return for...

vergeldingsmaatregel [-dɪŋsma.tre.gəl] *m* retaliatory measure; reprisal.

vergelen [vər'ge.lə(n)] *vi* yellow.

vergelijk [vɛrgə'lɛik] *o* agreement, accommodation, compromise; *een* ~ *treffen, tot een* ~ *komen* come to an agreement.

vergelijkbaar [-'lɛikba:r] comparable.

vergelijken [-'lɛikə(n)] *vt* compare; ~ *bij...* compare to, liken to; ~ *met* compare with; *u kunt u niet met hem* ~ you can't compare with him; *vergeleken met...* in comparison with..., as compared with...

vergelijkend [-kənt] comparative; ~ *examen* competitive examination.

vergelijkenderwijs, -wijze [vɛrgələikəndər'vɛis, -'vɛizə] by comparison.

vergelijking [vɛrgə'lɛikɪŋ] *v* I comparison; 2 equation [in mathematics]; 3 simile [in stylistics]; ~ *van de eerste graad met een onbekende* simple equation with one unknown quantity; ~ *van de tweede (derde) graad* quadratic (cubic) equation; *de* ~ *doorstaan kunnen met...* bear (stand) comparison with; *een* ~ *maken (trekken)* make a comparison, draw a parallel; *in* ~ *met...* in comparison with..., as compared with...; *dat is niets in* ~ *met wat ik heb gezien* that is nothing to what I have seen; *ter* ~ for (purposes of) comparison.

vergemakkelijken [vɛrgə'makələkə(n)] *vt* make easy (easier), facilitate.

vergen ['vɛrgə(n)] *vt* require, demand, ask; *te veel* ~ *van* ook: overtax [one's strength].

vergenoegd [vɛrgə'nu.xt] contented, satisfied.

vergenoegdheid [-ɦɛit] *v* contentment, satisfaction.

vergenoegen [vɛrgə'nu.gə(n)] I *vt* content, satisfy; II *vr zich* ~ *met te...* content oneself with ...ing.

vergetelheid [vər'ge.təlɦɛit] *v* oblivion; *aan de* ~ *ontrukken* save (rescue) from oblivion; *der* ~ *prijsgeven* consign (relegate) to oblivion; *in* ~ *raken* fall (sink) into oblivion.

vergeten [-'ge.tə(n)] I *vt* forget; *ik ben* ~ *hoe het moet* I forget how to do it; *...niet te* ~ not forgetting...; *ik ben zijn adres* ~ I forget his address; *ik heb de courant* ~ I have forgotten the newspaper; *hebt u niets* ~? haven't you forgotten something?; *(het)* ~ *en vergeven* forget and forgive; II *vr zich* ~ forget oneself; III *aj* forgotten.

vergeven [-'ge.və(n)] *vt* I (weggeven) give away [a situation]; 2 (vergiffenis geven) forgive, pardon; 3 (verkeerd geven) misdeal [cards]; 4 (vergiftigen) poison; *vergeef (het) mij!* forgive me!; *vergeef me dat ik u niet gezien heb* forgive me for not having seen you; *dat zal ik u nooit* ~ I'll never forgive you for it; *(alles)* ~ *en vergeten* forgive and forget; *wie heeft die betrekking te* ~? in whose gift is the place?

vergevensgezind [vərge.vənsgə'zɪnt] forgiving.

vergevensgezindheid [-hɛit] *v* forgivingness.

vergeving [vər'ge.vɪŋ] *v* 1 pardon, remission [of sins]; 2 collation [of a living].

vergevorderd ['vərgəvordərt] (far) advanced[2].

vergewissen [vərgə'vɪsə(n)] in: *zich ~ van iets* make sure of a thing; ascertain [the facts].

vergezellen [-'zɛlə(n)] *vt* accompany [equals]; attend [superiors]; *vergezeld gaan van* be attended with; *vergezeld doen gaan van* accompany with [a threat].

vergezicht ['vərgəzɪxt] *o* view, prospect, perspective, vista.

vergezocht [-zɔxt] far-fetched.

vergiet [vər'gi.t] *o* & *v* strainer, colander.

vergieten [-'gi.tə(n)] *vt* shed [blood, tears].

vergif [vər'gɪf] = *vergift*.

vergiffenis [-'gɪfənɪs] *v* pardon, ☉ forgiveness; remission [of sins]; *iemand ~ schenken* forgive one; *~ vragen* beg one's pardon, ☉ ask (one's) forgiveness.

vergift [-'gɪft] *o* poison[2], venom [of animals].

vergiftig [vər'gɪftəx] poisonous[2], venomous[2].

vergiftigen [-təgə(n)] *vt* poison[2], envenom[2]; *ze wilden hem ~* they wanted to poison him.

vergiftigheid [-təxhɛit] *v* poisonousness, venomousness.

vergiftiging [-təgɪŋ] *v* poisoning[2].

Vergiliaans [vɛrgi.li.'a.ns] Virgilian.

Vergilius [-'gi.li.ûs] *m* Virgil; *van ~* Virgilian.

vergissen [vər'gɪsə(n)] in: *zich ~* mistake, be mistaken; commit a mistake (an error); *als ik me niet vergis* if I am not mistaken; *of ik zou me zeer moeten ~* unless I am greatly mistaken; *u vergist u als u...* you are under a mistake if...; *zich ~ in...* be mistaken in; *ik had mij in het huis vergist* I had mistaken the house; *u hebt u lelijk in hem vergist!* you have mistaken your man!

vergissing [-sɪŋ] *v* mistake, error; *bij ~* by mistake, in mistake; unintentionally.

verglaassel [vər'gla.səl] *o* glaze, enamel.

verglazen [-'gla.zə(n)] *vt* 1 (v. buiten) glaze, enamel; 2 (door en door) vitrify.

verglazing [-zɪŋ] *v* 1 glazing, enamelling; 2 vitrification.

vergoden [vər'go.də(n)] *vt* deify; idolize.

vergoding [-dɪŋ] *v* deification; idolization.

vergoeden [vər'gu.də(n)] *vt* make good [cost, damages, losses], compensate; reimburse [the cost]; pay [interest]; *iemand iets ~* indemnify a person for a loss [expenses]; *dat vergoedt veel* that goes to make up for a lot.

vergoeding [-dɪŋ] *v* compensation, indemnification, reimbursement; *tegen een (kleine) ~* for a consideration.

vergoelijken [vər'gu.ləkə(n)] *vt* gloze over, smooth over [faults], palliate, extenuate [an offence], excuse [weakness], explain away [wrong done &].

vergoelijking [-kɪŋ] *v* glozing over, palliation, extenuation, excuse.

vergokken [vər'gɔkə(n)] *vt* gamble away.

vergooien [-'go.jə(n)] I *vt* throw away; *een kans ~* throw (chuck) away a chance; II *vr zich ~* throw oneself away (on *aan*).

vergramd [-'grɑmt] angry, wrathful.

vergramdheid [-hɛit] *v* anger, wrath.

vergrammen [vər'grɑmə(n)] I *vt* make angry, kindle the wrath of; II *vr zich ~* become angry (wrathful).

vergrijp [-'grɛip] *o* transgression; offence [against decency and morals]; outrage [on virtue].

vergrijpen [-'grɛipə(n)] in: *zich ~ aan* lay hands upon.

vergrijsd [-'grɛist] grown grey [in the service], grizzled.

vergrijzen [-'grɛizə(n)] *vi* grow grey.

vergroeien [-'gru.jə(n)] *vi* 1 grow together; 2 grow out of shape; become crooked [of persons]; 3 disappear [of cicatrices].

vergrootglas [-'gro.tglɑs] *o* magnifying-glass.

vergroten [-'gro.tə(n)] *vt* enlarge [a building, a portrait &]; increase [one's stock, their number]; add to [his wealth]; magnify [the size with a lens &].

vergroting [-tɪŋ] *v* enlargement; increase; magnifying.

vergroven [vər'gro.və(n)] *vt* & *vi* coarsen.

verguizen [-'gœyzə(n)] *vt* revile, abuse.

verguizing [-zɪŋ] *v* revilement, abuse.

verguld [vər'gʉlt] gilt; *~ op snee* gilt-edged.

vergulden [-'gʉldə(n)] *vt* gild; zie ook: *pil*.

vergulder [-dər] *m* gilder.

vergulding [-dɪŋ] *v* gilding.

verguldsel [vər'gʉltsəl] *o* gilding, gilt.

vergunnen [-'gʉnə(n)] *vt* permit, allow; grant [privileges].

vergunning [-nɪŋ] *v* 1 permission, allowance, leave; permit; 2 licence [for the sale of drinks]; 3 concession; *herberg met ~* licensed public house; *met ~ van...* by permission of...; *zonder ~* 1 without permission; 2 without a licence, unlicensed.

vergunninghouder [-nɪŋhoudər] *m* licensee; (v. herberg) licensed victualler.

vergunningsrecht [-nɪŋsrɛxt] *o* licence.

verhaal [vər'ha.l] *o* 1 story, tale, narrative, account, recital, relation, narration; 2 r⁵⁄₂ (legal) remedy, redress; *het korte ~* the short story; *een ~ doen* tell a story; *allerlei verhalen doen (opdissen) over...* pitch yarns about; *er is geen ~ op* there is no redress; *hij kwam weer op zijn ~* he collected himself, he picked himself up again.

verhaalbaar [-ba:r] r⁵⁄₂ recoverable (from *op*).

verhaaltrant [-trɑnt] *m* narrative style.

verhaasten [vər'ha.stə(n)] *vt* hasten, accelerate, quicken [one's steps &]; expedite [the process].

verhaasting [-tɪŋ] *v* hastening, acceleration, expedition.

verhalen [vər'ha.lə(n)] *vt* 1 tell, relate, narrate

2 ♨ (wegtrekken) shift [a ship]; *men heeft hem bedrogen en nu wil hij het op mij* ∼ he wants to recoup the loss on me; *hij wil het op mij* ∼ he wants to take it out of me; *de schade* ∼ *op een ander* recoup oneself out of another man's pocket.

verhalend [-lənt] narrative.

verhaler [-lər] *m* relater, narrator, story-teller.

verhandelbaar [vər'hɑndəlba:r] negotiable.

verhandelbaarheid [-hɛit] *v* negotiability.

verhandelen [vər'hɑndələ(n)] *vt* 1 deal in [goods]; negotiate [a bill], transact [business]; 2 (bespreken) discuss.

verhandeling [-lɪŋ] *v* treatise, essay, discourse, dissertation.

verhangen [vər'hɑŋə(n)] I *vt* rehang, hang otherwise; II *vr zich* ∼ hang oneself.

verhanging [-ŋɪŋ] *v* hanging.

verhard [vər'hɑrt] hardened²; metalled [road]; *fig* (case-)hardened, indurated, obdurate, hard-hearted.

verharden [-'hɑrdə(n)] I *vt* harden², indurate²; *een weg* ∼ metal a road; II *vi* become hard [mortar &]; harden², indurate².

verhardheid [-hɑrthɛit] *v* hardness, obduracy.

verharding [-hɑrdɪŋ] *v* hardening²; metalling [of a road]; (vereelting) callosity.

verharen [-'ha:rə(n)] *vi* lose (shed) one's hair; (v. dieren ook:) moult.

verhaspelen [-'hɑspələ(n)] *vt* spoil, botch; mangle [a word, a quotation].

verheerlijken [-'he:rləkə(n)] *vt* glorify.

verheerlijking [-kɪŋ] *v* glorification.

verheffen [vər'hɛfə(n)] I *vt* lift [one's head], raise [one's eyes], lift up [the soul], elevate [one's voice, eyes, the mind, a person above the mass]; exalt, extol [a person]; *een getal tot de 2de macht (in het kwadraat)* ∼ raise a number to the second power (square it); zie ook: *stem* &; II *vr zich* ∼ rise (above *boven*); *zich* ∼ *op* pride oneself on, glory in [fig].

verheffend [-fənt] elevating, uplifting.

verheffing [-fɪŋ] *v* raising; elevation, exaltation; ∼ *in (tot) de adelstand* ennoblement, [in England] raising to the peerage; *met* ∼ *van stem* raising his voice.

verheimelijken [vər'hɛiməlaka(n)] *vt* secrete [goods], zie verder: *verbergen* I.

verhelderen [-'hɛldərə(n)] I *vi* brighten² [of sky, face, eyes &]; clear up [of weather]; II *vt* clarify [liquids, a question]; brighten, light up, lighten [a person's face]; *fig* enlighten [the mind].

verheldering [-rɪŋ] *v* clearing, clarification, brightening; *fig* enlightenment.

verhelen [vər'he:lə(n)] *vt* conceal, hide, keep secret; *iets voor iemand* ∼ conceal (hide, keep back) something from one; *hij verheelt 't niet* he makes no secret of it; *wij* ∼ *het ons niet* we fully realize this; *wij kunnen ons niet* ∼, *dat...* we cannot disguise from ourselves the fact that... (the difficulty & of...).

verheling [-lɪŋ] *v* concealment.

verhelpen [vər'hɛlpə(n)] *vt* remedy, redress, correct.

verhelping [-pɪŋ] *v* remedy, redress, correction.

verhemelte [vər'he.məltə] *o* palate [of the mouth]; *het* ∼ ook: the roof (of the mouth); *zacht* ∼ soft palate, § velum.

verheugd [-'hø.xt] I *aj* glad, pleased; ∼ *over* glad of, pleased at; II *ad* gladly.

verheugen [-'hø.gə(n)] I *vt* gladden, rejoice, delight; *dat verheugt mij* I am glad of that; *het verheugt ons te horen, dat...* we are glad to hear that...; II *vr zich* ∼ rejoice, be glad; *zich* ∼ *in* rejoice in; *zich in een goede gezondheid* ∼ enjoy good health; *daar verheug ik mij (nu reeds) op* I am looking forward to it; *zich* ∼ *over iets* rejoice at a thing, be rejoiced at it.

verheugend [-gənt] I *aj* welcome [sign, example, announcement &]; *het is* ∼ *te weten, dat...* it is gratifying to know that...; II *ad* gratifyingly [high numbers].

verheugenis, verheuging [-gənɪs, -gɪŋ] *v* joy.

verheven [vər'he.və(n)] I *aj* 1 *fig* elevated, exalted, lofty, sublime; 2 (v. beeldwerk) raised, embossed, in relief; ∼ *zijn boven* above; II *ad* loftily, sublimely.

verhevenheid [-hɛit] *v* elevation², *fig* loftiness, sublimity; *een kleine* ∼ a slight elevation (eminence, height).

verhevigen [vər'he.vəgə(n)] *vt* intensify.

verheviging [-gɪŋ] *v* intensification.

verhinderen [vər'hɪndərə(n)] *vt* prevent, hinder; *dat zal mij niet* ∼ *om te...* that will not prevent me from ...ing; *dat zal hem misschien* ∼ *te schrijven* this may prevent him from writing; *hij zal verhinderd zijn* he will have been prevented (from coming); *iemand* ∼ *in de uitoefening van zijn beroep* obstruct one in the execution of his duty.

verhindering [-rɪŋ] *v* 1 ('t verhinderen) prevention; 2 (beletsel) hindrance, obstacle, impediment; *ik kreeg* ∼ *om te komen* I was prevented from coming; *bij* ∼ in case of prevention.

verhit [vər'hɪt] heated², overheated, flushed².

verhitten [-'hɪtə(n)] I *vt* heat² [iron, the blood]; *fig* heat, fire [the imagination]; II *vr zich* ∼ (over)heat oneself.

verhitting [-tɪŋ] *v* heating².

verhoeden [vər'hu.də(n)] I *vt* prevent, avert; *dat verhoede God!* God forbid!, ⊙ God forfend!

verhoeding [-dɪŋ] *v* prevention.

verhogen [vər'ho.gə(n)] I *vt* 1 heighten² [a wall &, the illusion]; raise² [a platform, a man, prices, salary &]; ♪ raise [a tone]; *fig* advance, put up [the charges]; enhance [their prestige]; increase, add to [the beauty of...]; 2 (bevorderen) promote [in rank]; ☞ move up to a higher form; *hij werd niet verhoogd* ook: he missed his remove; ∼ *met* raise (increase) by; II *vr zich* ∼ exalt oneself.

verhoging [-gɪŋ] *v eig* 1 dais, (raised) platform; 2 elevation, eminence, height [of ground]; *fig* 1 rise, increase, advance [of salary, of prices]; 2 heightening², raising², enhancement; promotion [in rank]; ∝ remove [of pupils]; *jaarlijkse* ∼ 1 annual increment [of salary]; 2 ∝ yearly promotion; *hij heeft wat* ∼ he has a rise of temperature.

verholen [vər'ho.lə(n)] concealed, hidden, secret.

verholenheid [-hɛit] *v* concealment, secrecy.

verhollandsen [vər'hɔlɑntsə(n)] I *vt* 1 Dutchify, make Dutch; 2 turn into Dutch; II *vi* become Dutch.

verhonderdvoudigen [-hòndərt'foudəgə(n)] *vt* increase a hundredfold, centuple.

verhongeren [-'hòŋərə(n)] *vi* be starved to death, starve (to death), die of hunger; *doen* (*laten*) ∼ starve (to death).

verhongering [-rɪŋ] *v* starvation.

verhoor [vər'ho:r] *o* hearing, examination [before the magistrate], interrogatory; *wie zal het* ∼ *afnemen?* who is going to examine?; *een* ∼ *ondergaan* be under examination; *in* ∼ *nemen* hear, interrogate; *in* ∼ *zijn* be under examination.

verhoren [-'ho:rə(n)] *vt* hear [a prayer]; hear [a lesson]; hear, examine [a witness].

verhoring [-rɪŋ] *v* hearing.

verhouden [vər'houdə(n)] in: *zij* ∼ *zich als... en...* they are in the proportion of... to...; 2 *verhoudt zich tot 4 als 3 tot 6* 2 is to 4 as 3 is to 6.

verhouding [-dɪŋ] *v* 1 (tussen getallen) proportion; ratio; 2 (tussen personen) relation(s); relationship [of master and servant, with God]; 3 (minnarij) (love-)affair; *een gespannen* ∼ strained relations; *buiten* ∼ *tot...* out of proportion to...; *in* ∼ *tot* in proportion to; *in geen* ∼ *staan tot...* be out of (all) proportion to...; *naar* ∼ proportionally, proportionately; comparatively, relatively; *naar* ∼ *van hun...* in proportion to

verhoudingsgetal [-dɪŋsgətɑl] *o* ratio. [their...

verhovaardigen [vərho.'va:rdəgə(n)] *zich* ∼ (*op*) pride oneself (on), be proud (of).

verhovaardiging [-gɪŋ] *v* pride.

verhuisboel [vər'hœysbu.l] *m* furniture in course of removal.

verhuisdag [-dax] *m* moving-day.

verhuisdrukte [-drŭktə] *v* worry and trouble of (re)moving.

verhuiskosten [-kɔstə(n)] *mv* expenses of (re)moving.

verhuistijd [-tɛit] *m* time for (of) removing.

verhuiswagen [-va.gə(n)] *m* furniture van, pantechnicon (van).

verhuizen [vər'hœyzə(n)] I *vi* remove, move (into another house), move house; II *vt* remove.

verhuizer [-zər] *m* (furniture) remover, removal contractor.

verhuizing [-zɪŋ] *v* removal, move.

verhuren [vər'hy:rə(n)] I *vt* let [apartments]; let out (on hire) [things]; hire (out) [motorcars, bicycles]; II *vr zich* ∼ go into service.

verhuring [-rɪŋ] *v* letting (out), hiring (out).

verhuur [vər'hy:r] *m* [car, dress] hire; zie verder: *verhuring*.

verhuurder [-dər] *m* letter, lessor, landlord; hirer out [of bicycles].

verhuurkantoor [vər'hy:rkɑnto:r] *o* employment agency, (servants') registry office.

verhypotekeren zie *verhypothekeren*.

verhypothekeren [-hi.po.te.'ke:rə(n)] *vt* mortgage.

verificateur [ve:ri.fi.ka.'tø:r] *m* verifier.

verificatie [-'ka.(t)si.] *v* verification.

verificatievergadering [-vərga.dərɪŋ] *v* $ first meeting of creditors.

verifiëren [ve:ri.fi.'e:rə(n)] *vt* verify, check [figures, a reference &], audit [accounts].

verifikat- zie *verificat-*.

verijdelen [vər'ɛidələ(n)] *vt* frustrate, foil, baffle, baulk, defeat [attempts &]; upset [a scheme]; *dat verijdelde hun verwachtingen* that confounded their hopes.

verijdeling [-lɪŋ] *v* frustration.

vering ['ve:rɪŋ] *v* 1 (het veren) spring action; 2 (de veren) springs.

verint(e)resten [-'ɪntərɛstə(n)] I *vt* put out at interest; II *vi* bear no interest.

verjaard [vər'ja:rt] superannuated, statute-barred [debts]; prescriptive [rights].

verjaardag [-'ja:rdɑx] *m* anniversary [of a victory, marriage &]; birthday [of a person].

verjaar(s)feest [vər'ja:r(s)fe.st] *o* birthday feast.

verjaar(s)geschenk [-gəsxɛŋk] *o* birthday present.

verjaar(s)partij [-partɛi] *v* birthday party.

verjagen [vər'ja.gə(n)] *vt* drive (chase, frighten, shoo) away [birds &]; expel [a person]; drive out [the enemy]; dispel [fear].

verjaging [-gɪŋ] *v* chasing away, expulsion.

verjaren [vər'ja.rə(n)] *vi* 1 celebrate one's birthday; 2 become superannuated, become statute-barred; *ik verjaar vandaag* it is my birthday to-day.

verjaring [-rɪŋ] *v* 1 *tʒ* superannuation; 2 zie *verjaardag*.

verjaringsrecht [-rɪŋsrɛxt] *o* *tʒ* statute of limitations.

verjaringstermijn [-tɛrmɛin] *m* *tʒ* term of limitation.

verjongen [vər'jòŋə(n)] I *vi* grow young again, rejuvenate; II *vt* make young again, rejuvenate.

verjonging [-ŋɪŋ] *v* rejuvenescense, rejuvenation.

verjongingskuur [-ŋɪŋsky:r] *v* rejuvenation cure.

verkalken [vər'kɑlkə(n)] *vi & vt* calcine, calcify.

verkalking [-kɪŋ] *v* calcination, calcification; ~ *van de bloedvaten* arteriosclerosis.

verkankeren [vər'kaŋkərə(n)] *vi* canker.

verkapt [-'kɑpt] disguised; veiled [threat].

verkavelen [-'ka.vələ(n)] *vt* lot (out), parcel out.

verkaveling [-lɪŋ] *v* lotting (out), parcelling out.

verkeer [vər'keːr] *o* 1 traffic; 2 (omgang) intercourse; *gezellig* (*huiselijk*) ~ social (family) intercourse; *veilig* ~ road safety.

verkeerd [-'keːrt] I *aj* wrong, bad; *de* ~*e kant* the wrong side; zie ook: *been, kantoor, wereld* &; II *m* in: *de* ~*e voorhebben* mistake one's man; *dan heb je de* ~*e voor, mannetje!* then you have come to the wrong shop!; III *ad* wrong(ly), ill, amiss; *zijn kousen* ~ *aantrekken* put on one's stockings the wrong way; *iets* ~ *uitleggen* misinterpret it; *iets* ~ *verstaan* misunderstand it.

verkeerdelijk [-'keːrdələk] wrong(ly), mistakenly.

verkeerdheid [-'keːrthɛit] *v* perversity; *verkeerdheden* faults.

verkeersader [-'keːrsa.dər] *v* (traffic) artery.

verkeersagent [-a.gɛnt] *m* policeman on point-duty, pointsman, traffic policeman, F traffic cop.

verkeersbord [-bɔrt] *o* road sign.

verkeersbrug [-brʏx] *v* road-bridge.

verkeerschaos [-ga.ɔs] *m* traffic chaos.

verkeersheuvel [-hø.vəl] *m* island, refuge.

verkeerslicht [-lɪxt] *o* traffic light.

verkeersmiddel(en) [-mɪdəl(ə(n))] *o(mv)* means of communication.

verkeersongeval [-òngəvɑl] *o* road accident.

verkeersopstopping [-òpstəpɪŋ] *v* traffic congestion, traffic jam, traffic block.

verkeersovertreding [-o.vərtre.dɪŋ] *v* road offence.

verkeersplein [-plɛin] *o* traffic circus.

verkeersregeling [-re.gəlɪŋ] *v* traffic regulation.

verkeersteken [-te.kə(n)] *o* traffic sign.

verkeerstoren [-to:rə(n)] *m* ✈ control tower.

verkeerstunnel [-tʏnəl] *m* road tunnel.

verkeersveiligheid [-fɛiləxhɛit] *v* road safety.

verkeersvliegtuig [-fli.xtœyx] *o* ✈ air liner.

verkeersvoorschriften [-fo:rs(x)rɪftə(n)] *mv* traffic regulations.

verkeersweg [-vɛx] *m* thoroughfare; (handelsweg) trade route.

verkeerswezen [-ve.zə(n)] *o* traffic; *minister van het* ~ minister of transport.

verkeerszuil [-zœyl] *v* guard-post.

verkennen [vər'kɛnə(n)] *vt* ✕ reconnoitre, scout.

verkenner [-nər] *m* 1 ✕ scout; 2 ✈ zie *verkenningsvliegtuig.*

verkenning [-nɪŋ] *v* ✕ reconnoitring, scouting; *een* ~ a reconnaissance; *op* ~ *uitgaan* make a reconnaissance.

verkenningspatrouille [vər'kɛnɪŋspa.tru.(l)jə] *v* ✕ reconnoitring patrol.

verkenningstocht [-tɔxt] *m* ✕ reconnoitring expedition.

verkenningsvliegtuig [-fli.xtœyx] *o* ✕ scouting-plane, scout.

verkenningsvlucht [-flʏxt] *v* ✕ reconnaissance flight.

verkenningswagen [-va.gə(n)] *m* ✕ scout car.

verkeren [vər'ke:rə(n)] *vi* ⚓ (veranderen) change; *het kan* ~ (zei Breeroo) things may change; *aan het hof* ~ move in court-circles; *vreugd kan in droefheid* ~ joy may turn to sadness; *in twijfel* ~ be in doubt; ~ *met iemand* associate with (have intercourse with) a person; *hij verkeert met ons dienstmeisje* he keeps company with our servant.

verkering [-rɪŋ] *v* courtship; *hij heeft* ~ *met ons dienstmeisje* he keeps company with our servant; *zij heeft* ~ she is walking out with a fellow; *zij hebben* ~ they are walking out; *vaste* ~ *hebben* go steady.

verkerven [vər'kɛrvə(n)] *vt* in: *het bij iemand* ~ incur a person's displeasure.

verketteren [-'kɛtərə(n)] *vt* charge with heresy; *fig* decry, denounce.

verkiesbaar [-'ki.sba:r] eligible; *zich* ~ *stellen* accept to stand for an election (an office &).

verkiesbaarheid [-hɛit] *v* eligibility.

verkies(e)lijk [vər'ki.sələk] preferable (to *boven*).

verkiezen [-'ki.zə(n)] *vt* 1 choose; elect; return [a member of Parliament]; 2 (de voorkeur geven) prefer; *wij* ~ *naar de schouwburg te gaan* I we choose to go to the theatre; 2 we prefer to go to the theatre; *hij verkoos niet te spreken* he did not choose to speak; *ik verkies niet dat je...* you must not...; *verkiest u nog iets anders?* I $ anything else (in our line)?; 2 will you have any more?; *zoals u verkiest* just as you like, please yourself; ~ *boven* prefer to; *iemand* ~ *tot president* choose him for a president, elect him president.

verkiezing [-zɪŋ] *v* 1 (keus) choice; 2 (politiek) election; *een* ~ *uitschrijven* issue writs for an election; *bij* ~ for choice; for (by, in) preference; *naar* ~ at choice, at pleasure, at will; *u kunt naar* ~ *òf..., òf...* the choice lies with you whether... or...; *meen je dat naar eigen* ~ *te kunnen doen?* at your own sweet will?; *handel naar eigen* ~ use your own discretion; please yourself; *uit eigen* ~ of one's own free will.

verkiezingsagent [vər'ki.zɪŋsa.gɛnt] *m* electioneering agent.

verkiezingscampagne [-kɑmpɑɲə] *v* electioneering campaign, election campaign.

verkiezingsdag [-dax] *m* election day, polling-day.

verkiezingsleus [-lø.s] *v* election cry, slogan.

verkiezingsmanifest [-ma.ni.fɛst] *o* election manifesto.

verkiezingsprogram [-pro.grɑm] *o* election programme.

verkiezingsrede [-re.də] *v* election speech.

verkijken [vər'kɛikə(n)] I *vt* in: *hij heeft zijn kans verkeken* he has lost his chance; II *vr zich* ∼ be mistaken.

verkikkerd [-'kɪkərt] in: ∼ *op iets* keen on something; ∼ *op een meisje* F gone on a girl.

verkitten [-'kɪtə(n)] *vt* lute.

verklaarbaar [-'kla:rba:r] explicable, explainable; *om verklaarbare redenen* for obvious reasons.

verklaard [-'kla:rt] declared, avowed [enemy].

verklaarder [-'kla:rdər] *m* explainer, interpreter, commentator, glossarist.

verklappen [-'klɑpə(n)] I *vt* blab; *de boel* ∼ give the game (the show) away; *iemand* ∼ peach upon a person; II *vr zich* ∼ let one's tongue run away with one, give oneself away.

verklapper [-pər] *m* telltale.

verklaren [vər'kla:rə(n)] I *vt* I explain, elucidate, interpret [a text]; 2 (zeggen) declare [that..., one to be a...], (officieel) certify; *zⁱ* depose, testify [that...]; 3 (aanzeggen) declare [war]; *hoe kunt u het gebruik van dit woord hier* ∼? can you account for the use of this word?; *het onder ede* ∼ declare it upon oath; II *vr zich* ∼ declare oneself; *verklaar u nader!* explain yourself; *zich* ∼ *tegen* (*vóór*)... declare against (in favour of)...

verklarend [-rənt] explanatory [notes].

verklaring [-rɪŋ] *v* I explanation; 2 declaration, statement; [doctor's] certificate; *zⁱ* deposition, evidence; *beëdigde* ∼ sworn statement; (schriftelijk) affidavit.

verkleden [vər'kle.də(n)] I *vt* (vermommen) disguise; *een kind* ∼ (= anders kleden) change a child's clothes; II *vr zich* ∼ I change (one's clothes, [of woman] one's dress); 2 dress up, disguise oneself.

verkleding [-dɪŋ] *v* I change of clothes; 2 (vermomming) disguise. *[aan].*

verkleefd [vər'kle.ft] attached, devoted (to

verkleefdheid [-hɛit] *v* attachment, devotion.

verkleinbaar [vər'klɛinba:r] reducible.

verkleinen [-'klɛinə(n)] *vt* make smaller, reduce [a design &], diminish [weight, pressure]; lessen [the number, the value &]; minimize [an incident]; belittle, disparage [merits]; *een breuk* ∼ reduce a fraction.

verkleining [-nɪŋ] *v* reduction, diminution; disparagement, belittlement [of merits &]; reduction [of fractions].

verkleiningsuitgang [-nɪŋsœytgɑŋ] *m* diminutive ending.

verkleinwoord [vər'klɛinvo:rt] *o* diminutive.

verkleumd [-'klø.mt] benumbed, numb.

verkleumdheid [-hɛit] *v* numbness.

verkleumen [vər'klø.mə(n)] *vi* grow numb, be benumbed (with cold).

verkleuren [-'klø:rə(n)] *vi* lose (its) colour, discolour, fade.

verkleuring [-rɪŋ] *v* discoloration, fading.

verklikken [vər'klɪkə(n)] *vt* I (iets) tell, disclose; 2 (iemand) peach upon.

verklikker [-kər] *m* ∼ster [-'klɪkstər] *v* I (persoon) telltale; 2 ✺ (instrument) telltale [of an air-pump], indicator; *stille* ∼ police spy.

verkneukelen, verkneuteren [vər'knø.kələ(n), -'knø.tərə(n)] in: *zich* ∼ chuckle, hug oneself (rub one's hands) with joy; *zich* ∼ *in* revel in.

verkniezen [-'kni.zə(n)] in: *zich* ∼ fret (mope) oneself to death.

verknippen [-'knɪpə(n)] *vt* I cut up; 2 spoil in cutting.

verknocht [-'knɔxt] attached, devoted (to *aan*).

verknochtheid [-hɛit] *v* attachment, devotion.

verknoeien [vər'knu.jə(n)] *vt* I spoil, bungle [some work]; 2 (slecht besteden) waste [food, paper &]; *de boel* ∼ make a mess of it.

verkoelen [-'ku.lə(n)] I *vt* cool², refrigerate, chill; II *vi* cool².

verkoeling [-lɪŋ] *v* cooling²; *fig* chill [between two persons].

verkoken [vər'ko.kə(n)] *vi* boil away.

verkolen [-'ko.lə(n)] I *vt* carbonize, char; *een verkoold lijk* a charred body; II *vt* become carbonized, char [wood].

verkoling [-lɪŋ] *v* I carbonization; 2 charring.

verkond(ig)en [vər'kɔnd(əg)ə(n)] *vt* proclaim [the name of the Lord]; preach [the Gospel]; enunciate [a theory].

verkondiger [vər'kɔndəgər] *m* proclaimer; preacher.

verkondiging [-gɪŋ] *v* proclamation; preaching [of the Gospel].

verkoop ['vɛrko.p, vər'ko.p] *m* sale; *ten* ∼ *aanbieden* offer for sale; ∼ *bij afslag* Dutch auction; ∼ *bij opbod* sale by auction, auction-sale.

verkoopafdeling ['vɛrko.pɑfde.lɪŋ] *v* sales department.

verkoopakte [-ɑktə] *v* deed of sale.

verkoopautomaat [-o.to.-, -əuto.ma.t] *m* vending machine.

verkoopbaar [vər'ko.pba:r] sal(e)able, marketable, vendible.

verkoopbaarheid [-hɛit] *v* sal(e)ability, vendibility.

verkoopboek ['vɛrko.pbu.k] *o* $ sales-book.

verkoopbriefje [-bri.fjə] *o* $ sold note.

verkoopcampagne [-kɑmpɑɲə] *v* sales (selling) campaign, sales drive.

verkoopdag [vər'ko.pdɑx] *m* day of sale.

verkoophuis [-hœys] *o* auction-room.

verkoopkunde ['vɛrko.pkʉndə] *v* salesmanship.

verkoopleider [-lɛidər] *m* sales manager, sales executive.

verkooplokaal [vər'ko.plo.ka.l] *o* auction-room.

verkoopprijs ['vɛrko.prɛis] *m* $ selling price.

verkooprekening ['vɛrko.pre.kənɪŋ] *v* $ account sales.

verkoopster [vər'ko.pstər] v saleswoman; *eerste (tweede)* ~ first (second) saleswoman.

verkoopwaarde ['verko.pva:rdə] v $ selling value, market value.

verkopen [vər'ko.pə(n)] I vt sell [goods]; dispose of [a house, horses]; *grappen* ~ crack jokes; *leugens* ~ tell lies; *in het groot (klein)* ~ sell wholesale (by retail); *in het openbaar of onderhands* ~ sell by public auction or by private contract; II vr zich ~ sell oneself.

verkoper [-pər] m seller, vendor; $ salesman [of a firm].

verkoperen [vər'ko.pərə(n)] vt copper [iron &]; sheathe (with copper) [a ship].

verkoping [-'ko.pɪŋ] v sale, auction, public sale; *op de* ~ *doen* put up for auction.

verkoren [-'ko:rə(n)] chosen, elect.

verkorten [vər'kòrtə(n)] vt shorten[2]; abridge[2] [a novel &]; abbreviate [a word]; *iemand in zijn rechten* ~ abridge a person of his rights.

verkorting [-tɪŋ] v shortening[2]; abridg(e)ment[2]; abbreviation.

verkouden [vər'kou(d)ə(n)] having a cold, with a cold; *je zult* ~ *worden* you'll catch cold; *als... dan ben je* ~ F you are in for it.

verkoudheid [-'kouthɛit] v cold (in the head); *een* ~ *opdoen* (F *oplopen*) catch (a) cold; *ik kan niet van mijn* ~ *afkomen* I cannot get rid of my cold.

verkrachten [-'krɑxtə(n)] vt violate [a law].

verkrachting [-tɪŋ] v violation [of the law].

verkreuk(el)en [vər'krø.k(əl)ə(n)] vt rumple, crumple (up).

verkrijgbaar [-'krɛixba:r] obtainable, available, to be had; *niet meer* ~ sold out, out of stock, no longer to be had.

verkrijgen [-'krɛigə(n)] vt obtain, acquire, gain, get; *hij kon het niet van zich* ~ he cold not find it in his heart.

verkrijging [-gɪŋ] v obtaining, acquisition.

verkroppen [vər'krɔpə(n)] vt swallow[2] [one's anger]; *hij kan het niet* ~ it sticks in his throat; *verkropte gramschap* pent-up anger.

verkruimelen [-'krœymələ(n)] vt & vi crumble.

verkwanselen [-'kvɑnsələ(n)] vt barter (bargain) away; fritter away [one's time, money].

verkwijnen [-'kvɛinə(n)] vi pine away, languish.

verkwikkelijk [-'kvɪkələk] refreshing; comforting.

verkwikken [-'kvɪkə(n)] vt refresh; comfort.

verkwikking [-kɪŋ] v refreshment; comfort.

verkwisten [vər'kvɪstə(n)] vt waste, dissipate, squander; *...~ aan* waste... on.

verkwistend [-tənt] wasteful, extravagant, prodigal; ~ *met* lavish of.

verkwister [-tər] m spendthrift, prodigal.

verkwisting [-tɪŋ] v waste, wastefulness, dissipation, prodigality.

1 **verlaat** [vər'la.t] o lock, weir.

2 **verlaat** [vər'la.t] aj belated.

verladen [-'la.də(n)] vt ⚓ ship.

verlading [-dɪŋ] v ⚓ shipment.

verlagen [vər'la.gə(n)] I vt lower[2]; reduce [prices]; cut [prices, wages]; ♪ flatten [a note]; ⇔ put [a boy] in a lower form; *fig* debase, degrade; ~ *met* reduce (cut, lower) by; II vr zich ~ lower (degrade, debase) oneself; *ik wil me tot zo iets niet* ~ I refuse to stoop to such a thing.

verlaging [-gɪŋ] v lowering[2]; reduction [of prices]; cut [in wages]; *fig* debasement, degradation.

verlak [vər'lɑk] o lacquer, varnish.

verlakken [-'lɑkə(n)] vt *eig* lacquer, varnish, japan; *iemand* ~ S bamboozle a person.

verlakker [-kər] m S bamboozler.

verlakkerij [vərlɑkə'rɛi] v S bamboozlement, spoof; *'t was maar* ~ it was all a do, all gammon.

verlakt [vər'lɑkt] lacquered, japanned [boxes]; patent-leather [shoes].

verlamd [-'lɑmt] paralyzed[2], palsied; *een* ~e a paralytic.

verlammen [-'lɑmə(n)] I vt paralyze[2]; *fig* cripple; II vi become paralyzed[2].

verlamming [-mɪŋ] v paralysis[2], palsy.

verlangen [vər'lɑŋə(n)] I vt desire, want; *ik verlang dat niet te horen* I don't want to hear it; *ik verlang (niet), dat je...* I (do not) want you to...; *verlangt u, dat ik...?* do you want (wish) me to...?; *ik verlang niets liever* I'd ask nothing better, I shall be delighted (to...); *dat is alles wat men* ~ *kan* it is all that can be desired; *wat zou men meer kunnen* ~? what more could one ask for?; *verlangt u nog iets?* $ anything else (in our line)?; *verlangd salaris* salary required; II vi long, be longing; ~ *naar* long for [his arrival]; *er naar* ~ *om...* long to..., be anxious to...; *wij* ~ *er niet naar om...* ook: we have no desire to...; III o desire; longing; *zijn* ~ *naar* his longing for; *op* ~ [to be shown] on demand; *op* ~ *van...* at (by) the desire of...; *op speciaal* ~ *van...* at the special desire of...

verlangend [-ŋənt] longing (for *naar*); ~ *naar* desirous of, eager for; ~ *om...* desirous of ...ing, eager (anxious) to...

verlanglijst [vər'lɑŋlɛist] v list of the presents one would like to get [at Christmas &]; *u moet maar eens een* ~ *opmaken* draw up a list of the things you would like to have.

verlangzamen [-'lɑŋza.mə(n)] vt slow down.

verlanterfanten [-'lɑntərfɑntə(n)] vt idle away.

1 **verlaten** [-'la.tə(n)] I vt leave, quit, abandon, forsake, desert; *de dienst* ~ quit the service; *iemand* ~ 1 (bij bezoek) leave a person; 2 (in de steek laten) abandon (desert) a person; *zijn post* ~ desert one's post; *de stad* ~ leave the town; *de wereld* ~ 1 give up the world; 2 depart this life; II vr zich ~ *op* trust to [Providence], rely (depend) upon; *daar kunt u zich op* ~ depend upon it, you may rely upon it.

2 **verlaten** [-'la.tə(n)] in: *ik heb mij verlaat* I am late.

3 **verlaten** [-'la.tə(n)] *aj* I (niet bewoond) abandoned, deserted [islands, villages &]; 2 (afgelegen) lonely.

verlatenheid [-hɛit] *v* abandonment, desertion, forlornness, loneliness.

verlating [vər'la.tiŋ] *v* I abandonment, desertion || 2 retardation, delay.

verleden [-'le.də(n)] I *aj* past, last; ~ *tijd gram* past tense; ~ *vrijdag* last Friday; II *ad* the other day, lately, recently; III *o* past; *zijn* ~ his past, his record, his antecedents; *dat behoort tot het* ~ that's a thing of the past.

verlegen [-'le.ɡə(n)] I *aj* I (bedorven) shopworn, shop-soiled [articles]; stale [wine]; 2 (beschroomd) shy, timid, bashful; self-conscious [through inability to forget oneself]; 3 (beschaamd) confused, embarrassed, perplexed; *u maakt me* ~ you make me blush; *dat maakte hem* ~ that put him out of countenance, embarrassed him; ~ *met iets zijn* not know what to do with it; *hij was met zijn persoon* ~ he was self-conscious, embarrassed; ~ *zijn om* stand in need of [it], want [it] badly; be at a loss for [a reply]; *om geld* ~ *zijn* ook: be hard up; II *ad* shyly &.

verlegenheid [-hɛit] *v* I shyness, timidity, bashfulness; self-consciousness [in speech &]; 2 confusion, embarrassment, perplexity; *in* ~ *brengen* I embarrass; 2 get into trouble; *in* ~ *geraken* get into difficulties; *uit de* ~ *redden* help out of a difficulty.

verleggen [vər'lɛɡə(n)] *vt* remove, shift, lay otherwise [things]; divert [a road, a river].

verlegging [-ɡiŋ] *v* removal; shifting [of things]; diversion [of a road, a river].

verleidelijk [vər'lɛidələk] I *aj* alluring, tempting, seductive; II *ad* alluringly &.

verleidelijkheid [-hɛit] *v* allurement, seductiveness.

verleiden [vər'lɛidə(n)] *vt* I (tot het slechte) seduce [inexperienced youths, girls]; 2 (tot iets lokken) allure, tempt; *kan het mooie weer u niet* ~? can't the fine weather tempt you?; *hij liet zich door zijn...* ~ *tot een daad van...* by his... he was betrayed into an act of...; *tot zonde* ~ tempt (entice) to sin.

verleider [-dər] *m* seducer; tempter.

verleiding [-diŋ] *v* seduction; temptation; *de* ~ *weerstaan om...* resist the temptation to...; *in de* ~ *komen om...* be tempted to...

verleidster [vər'lɛitstər] *v* seducer; temptress.

verlekkerd [-'lɛkərt] in: ~ *op* keen on.

verlenen [-'le.nə(n)] *vt* grant [a pension, credit &]; give [permission, support, help]; confer [an order, full powers &] upon [him]; *hulp* ~ render (lend, give) assistance.

verlengen [-'lɛŋə(n)] *vt* make longer, lengthen, prolong [in space, in time]; produce [a line: in geometry]; renew [bills, passports, a sub-

scription]; extend [a contract, ticket &]; *de pas* ~ step out.

verlenging [-'lɛŋiŋ] *v* lengthening, prolongation; production [of a line: in geometry]; renewal [of a bill, a passport, a subscription]; extension [of leave].

verlengsnoer [vər'lɛŋsnu:r] *o* 🗲 extension cord.

verlengstuk [-stœk] *o* lengthening-piece; extension².

verlening [vər'le.niŋ] *v* granting; conferment.

verleppen [-'lɛpə(n)] *vi* wither, fade; *een verlepte schoonheid* a faded beauty.

verleren [-'le.rə(n)] *vt* unlearn.

verlet [-'lɛt] *o* I delay; 2 loss of time; *zonder* ~ without delay.

verletsel [-'lɛtsəl] *o* hindrance, obstacle, impediment.

verletten [-'lɛtə(n)] *vt* I prevent; 2 neglect; 3 lose time; *niets te* ~ *hebben* be in no hurry.

verleuteren [-'lø.tərə(n)] *vt* trifle (idle, fritter) away.

verlevendigen [-'le.vəndəɡə(n)] *vt* revive [trade], quicken, enliven [the conversation].

verlevendiging [-ɡiŋ] *v* revival [of trade], quickening, enlivening [of a conversation].

verlicht [vər'lixt] I (minder donker) lighted (up), illuminated; *fig* enlightened; 2 (minder zwaar) lightened; *fig* relieved; *zich* ~ *voelen* feel relieved; *onze* ~*e eeuw* our enlightened age; *met een* ~ *gevoel* with a sense of relief.

verlichten [-'lixtə(n)] *vt eig* I light, light up, illuminate [a building]; 2 (minder zwaar maken) lighten [a ship]; *fig* I enlighten [the mind]; 2 lighten [a burden]; relieve, ease, alleviate [pain]; zie ook: *verlicht*.

verlichting [-tiŋ] *v eig* I lighting, illumination [of a town]; 2 lightening; *fig* I enlightenment [of the mind]; 2 alleviation [of pain]; relief [of pain, from anxiety].

verliederlijken [vər'li.dərləkə(n)] *vi* become a debauchee, go to the bad.

verliefd [-'li.ft] enamoured, in love; amorous [look]; ~ *op* in love with; ~ *worden op* fall in love with; *een* ~ *paar* a couple of lovers.

verliefdheid [-hɛit] *v* (state of) being in love, amorousness; *dwaze* ~ infatuation.

verlies [vər'li.s] *o* loss; bereavement; *ons* ~ *op de tarwe* our loss(es) on the wheat; *het was een groot* ~ it was a great loss; *hun groot* ~ *door zijn dood* their sad bereavement; *iemand een* ~ *berokkenen* inflict a loss upon a person; *een* ~ *goedmaken* make good (make up for, recoup) a loss; *met* ~ *verkopen (werken)* sell (work) at a loss; *niet tegen zijn* ~ *kunnen* be a bad loser.

verlieslijst [-lɛist] *v* ⚔ casualty list, list of casualties.

verlieven [vər'li.və(n)] *vi* in: ~ *op* fall in love with.

verliezen [vər'li.zə(n)] I *vt* lose [a thing, a battle, one's life &]; *u zult er (niet) bij* ~ you will (not) lose by it, you will (not) be a loser by it (by the bargain); zie ook: *verloren;* **II** *vr zich* ~ lose oneself (itself).

verliezer [-zər] *m* loser.

verlijden [vər'lɛidə(n)] *vt* draw up [a deed]; *verleden voor een notaris* notarially executed.

verlof [vər'lɔf] *o* 1 (**vergunning**) leave, permission; 2 (**vakantie**) leave (of absence); ook: furlough; 3 (**tapvergunning**) licence for the sale of beer; *groot* ~ ✕ long furlough; *klein* ~ ✕ short leave; *onbepaald* ~ ✕ unlimited furlough; ~ *aanvragen* apply for leave; ~ *geven* grant leave; ~ *geven om...* give (grant) permission to...; *alle* ~ *intrekken* ✕ cancel all leave; ~ *nemen* go on leave; *met* ~ on leave; *met* ~ *gaan* go on leave; *met* ~ *zijn* be on leave; *met uw* ~ excuse me; *zonder* ~ without permission.

verlofcentrum [-sɛntrɵm] *o* ✕ leave centre.

verlofganger [-gaŋər] *m* 1 ✕ soldier on leave; 2 person (official) on leave.

verlofpas [-pɑs] *m* leave pass.

verlofsaanvrage [vər'lɔfsa.nvra.gə] *v* application for leave.

verlof(s)traktement [vər'lɔf(s)traktəmɛnt] *o* leave pay.

verlofsverlenging [vər'lɔfsfərlɛŋiŋ] *v* extension of leave.

verloftijd [vər'lɔftɛit] *m* (time of) leave.

verlokkelijk [-'lɔkələk] alluring, tempting, seductive.

verlokkelijkheid [-hɛit] *v* allurement, seductiveness.

verlokken [vər'lɔkə(n)] *vt* allure, tempt, entice, seduce; *zij heeft mij er toe verlokt* ook: she wiled me into doing it.

verlokking [-kŋ] *v* temptation, allurement, enticement.

verloochenaar [vər'lo.gəna:r] *m* denier.

verloochenen [-nə(n)] **I** *vt* deny [God], disown [a friend, an opinion], disavow [an action], repudiate [an opinion, a promise], renounce [one's faith, the world], belie [one's words]; **II** *vr zich* ~ 1 belie one's nature; 2 deny oneself, practise self-denial; *zijn... verloochende zich niet* his... did not belie itself.

verloochening [-niŋ] *v* denial, repudiation, disavowal, renunciation.

verloofd [vər'lo.ft] engaged (to *met*), engaged to be married.

verloofde [-'lo.vdə] *m-v* fiancé(e), betrothed, affianced; *de* ~ *n* the engaged couple.

verloop [-'lo.p] *o* 1 course, progress [of an illness]; course, lapse, expiration [of time]; 2 (**achteruitgang**) decline; wastage [among married women in industry]; 3 (**wisseling van personeel**) turnover; *het moet zijn* ~ *hebben* it must take its normal course; *het gewone* ~ *hebben* take the accustomed course; *een noodlottig* ~ *hebben* end fatally; *de vergadering had een rustig* ~ the meeting passed off quietly; *de besprekingen hebben een vlot* ~

the conversations are proceeding smoothly; *een gunstig* ~ *nemen* take a favourable turn; *na* ~ *van drie dagen* after a lapse of three days; *na* ~ *van tijd* in course (in process) of time.

1 **verlopen** [-'lo.pə(n)] *vi* 1 ♂ run into the pocket; 2 (v. tijd) pass, pass away, elapse, go by; 3 (v. biljet, paspoort &) expire; 4 (v. zaak) go down, run to seed; *het getij verliep* the tide was ebbing; *de staking verliep* the strike collapsed; *de demonstratie verliep zonder incidenten* the demonstration passed off without incident; zie ook: *verloop.*

2 **verlopen** [-'lo.pə(n)] *aj* seedy-looking, seedy [man].

verloren [-'lo.rə(n)] lost; *een* ~ *man* a lost man, a dead man; ~ *moeite* labour lost; *het V*~ *Paradijs van Milton* Milton's Paradise Lost; ~ *ogenblikken* spare moments, odd moments; *de* ~ *zoon* the prodigal son; ~ *gaan* (*raken*) be (get) lost; *er zou niet veel aan* ~ *zijn* it would not be much (of a) loss.

verloskunde [-'lɔskɵndə] *v* obstetrics, midwifery.

verloskundig [-lɔs'kɵndəx] obstetric(al).

verloskundige [-dəgə] *m-v* obstetrician; *v* (vroedvrouw) midwife.

verlossen [-'lɔsə(n)] *vt* deliver, rescue, release [a prisoner], free [from...]; (v. Christus) redeem [mankind].

verlosser [-sər] *m* liberator, deliverer; *de Verlosser* the Redeemer.

verlossing [-sŋ] *v* deliverance, rescue; redemption [of mankind].

verlossingswerk [-sŋsvɛrk] *o* (work of) redemption.

verloten [vər'lo.tə(n)] *vt* dispose of [a thing] by lottery, raffle.

verloting [-tŋ] *v* raffle, lottery.

verloven [vər'lo.və(n)] *zich* ~ become engaged.

verloving [-vŋ] *v* betrothal, engagement (to *met*).

verlovingsfeest [-vŋsfe.st] *o* engagement party.

verlovingskaart [-ka:rt] *v* engagement card.

verlovingsring [-rŋ] *m* engagement ring.

verluchten [vər'lɵxtə(n)] *vt* illuminate [a manuscript].

verluchter [-tər] *m* illuminator.

verluchting [-tŋ] *v* illumination ‖ (opluchting) relief.

verluiden [vər'lœydə(n)] *vi* in: *naar verluidt* it is understood that...; *wat men hoort* ~ what one hears; *niets laten* ~ not breathe a word about it.

verluieren [-'lœyərə(n)] *vt* idle away.

verlummelen [-'lɵmələ(n)] *vt* laze away [one's time].

verlustigen [-'lɵstəgə(n)] **I** *vt* divert; **II** *vr zich* ~ disport oneself; *zich* ~ *in* take delight in, delight in, take (a) pleasure in.

verlustiging [-gŋ] *v* diversion, recreation.

vermaagschappen [vər'ma.xsxɑpə(n)] in: *zich ~ aan* become related to, marry into the family of...

vermaak [vər'ma.k] *o* pleasure, diversion, amusement; *~ scheppen in* take (a) pleasure in, find pleasure in, take delight in; *tot ~ van...* to the amusement of...; *tot groot ~ van...* much to the amusement of...

vermaan [-'ma.n] *o* admonition, warning.

vermaard [-'ma:rt] famous, renowned, celebrated, illustrious.

vermaardheid [-hɛit] *v* fame, renown, celebrity; *een van de vermaardheden van de stad* one of the celebrities of the town.

vermageren [vər'ma.gərə(n)] I *vi* grow lean (thin); II *vt* make lean (thin), emaciate.

vermagering [-rɪŋ] *v* emaciation; (slank maken) slimming.

vermageringskuur [-rɪŋsky:r] *v* reducing cure, slimming course.

vermakelijk [vər'ma.kələk] I *aj* amusing, entertaining; II *ad* amusingly.

vermakelijkheid [-hɛit] *v* amusingness; *publieke vermakelijkheden* public amusements.

vermakelijkheidsbelasting [-hɛitsbəlɑstɪŋ] *v* amusement tax, entertainment tax.

vermaken [vər'ma.kə(n)] I *vt* 1 (veranderen) alter [a coat &]; 2 (amuseren) amuse, divert; 3 (nalaten) bequeath [it]; will away [money]; II *vr zich ~* enjoy (amuse) oneself; *zich ~ met...* amuse oneself with something, amuse oneself (by) doing something.

vermaking [-kɪŋ] *v* ('t nalaten) bequest.

vermaledij(d)en [vərma.lə'dɛiə(n)] *vt* curse, damn.

vermalen [-'ma.lə(n)] *vt* grind [corn &]; crush [sugar-cane].

vermanen [-'ma.nə(n)] *vt* admonish, exhort, warn.

vermaner [-nər] *m* admonisher, exhorter.

vermaning [-nɪŋ] *v* admonition, exhortation, warning, F talking-to.

vermannen [vər'mɑnə(n)] in: *zich ~* take heart, nerve oneself, pull oneself together.

vermeend [-'me.nt] fancied, pretended; supposed [culprit, thief], reputed [father].

vermeerderen [-'me:rdərə(n)] I *vt* increase, augment, enlarge; *(het getal) ~ met 10* add 10 (to the number); *het aantal inwoners is vermeerderd met...* has increased by...; *vermeerderde uitgave* enlarged edition; II *vi* grow, increase (by *met*); III *vr zich ~* 1 (v. dingen, getallen &) increase; 2 (v. mens en dier) multiply.

vermeerdering [-rɪŋ] *v* increase, augmentation.

vermeesteren [vər'me.stərə(n)] *vt* master [one's passions]; capture [a town], conquer [a province], seize [a fortress &].

vermeestering [-rɪŋ] *v* mastering; capture, conquest, seizure.

vermeien [vər'mɛiə(n)] in: *zich ~* amuse oneself, disport oneself, enjoy oneself; *zich ~*

in... revel in...

vermelden [-'mɛldə(n)] *vt* mention, state; (boekstaven) record.

vermeldenswaard(ig) [vər'mɛldəns'va:rt, -'va:rdəx] worth mentioning, worthy of mention.

vermelding [-'mɛldɪŋ] *v* mention; *eervolle ~* 1 (op tentoonstelling) honourable mention; 2 ✕ being mentioned in dispatches; *met ~ van...* mentioning..., stating...

vermenen [-'me.nə(n)] *vt* be of opinion, opine.

vermengen [-'mɛŋə(n)] I *vt* mix, mingle [substances or groups]; blend [tea, coffee]; alloy [metals]; II *vr zich ~* mix, mingle, blend.

vermenging [-ŋɪŋ] *v* mixing, mixture, blending.

vermenigvuldigbaar [vərme.nəx'füldəxba:r] multipliable.

vermenigvuldigen [-dəgə(n)] I *vt* multiply; *~ met...* multiply by...; II *vr zich ~* multiply.

vermenigvuldiger [-dəgər] *m* multiplier.

vermenigvuldiging [-dəgɪŋ] *v* multiplication; *~en maken* do sums in multiplication.

vermenigvuldigtal [-dəxtɑl] *o* multiplicand.

vermetel [vər'me.təl] I *aj* audacious, bold, daring; II *ad* audaciously, boldly, daringly.

vermetelheid [-hɛit] *v* audacity, boldness, daring.

vermeten [vər'me.tə(n)] in: *zich ~* 1 (durven) dare, presume, make bold; 2 (verkeerd meten) measure wrong.

vermicelli [vɛrmə'sɛli.] *m* vermicelli.

vermicellisoep [-su.p] *v* vermicelli soup.

vermijdbaar [vər'mɛitba:r] avoidable.

vermijden [-'mɛidə(n)] *vt* avoid; (schuwen) shun.

vermijding [-dɪŋ] *v* avoidance, avoiding.

vermiljoen [vɛrmɪl'ju.n] *o* vermilion, cinnabar.

vermiljoenkleurig [-klø:rəx] vermilion, cinnabar.

verminderen [vər'mɪndərə(n)] I *vi* lessen, diminish, decrease [of strength &]; abate [of pain &]; fall off [of numbers]; II *vt* lessen, diminish, decrease, reduce; *verminder a met b* from *a* take *b*; *ik zal zijn verdienste niet ~* I am not going to detract from his merit.

vermindering [-rɪŋ] *v* diminution, decrease, falling-off [of the receipts &]; abatement [of pain &]; reduction [of price], cut [in wages].

verminken [vər'mɪŋkə(n)] *vt* maim, mutilate[2].

verminking [-kɪŋ] *v* mutilation[2].

verminkt [vər'mɪŋt] maimed, mutilated[2]; crippled, disabled [soldier]; *de in de oorlog ~en* ook: the war cripples.

vermissen [-'mɪsə(n)] *vt* miss; *hij wordt vermist* he is missing; *de vermisten* the (number of) missing.

vermits [-'mɪts] whereas, since.

vermoedelijk [-'mu.dələk] I *aj* presumable, probable; supposed [thief]; [heir] presumptive; II *ad* presumably, probably; *~ wel* ook: most likely.

vermoeden [-'mu.də(n)] I *vt* suspect; suppose, presume, surmise, conjecture; guess; *je* hebt..., *vermoed ik* I suppose, I guess; *geen kwaad ~d* unsuspecting(ly); II *o* suspicion; surmise, supposition, presumption; *~s hebben* have one's suspicions; *~s hebben dat...* suspect that...; *~ hebben op iemand* suspect a person; *~ krijgen op iemand* begin to suspect a person; *het ~ wekken dat...* suggest that...; *kwade ~s wekken* arouse suspicion.

vermoeid [-'mu:it] tired, weary, fatigued; *~ van* tired with.

vermoeidheid [-hεit] *v* tiredness, weariness, fatigue.

vermoeien [vɛr'mu.jə(n)] I *vt* tire, weary, fatigue; II *vr zich ~* tire oneself; get tired.

vermoeiend [-jənt] tiring, fatiguing; trying [journey, light].

vermoeienis [-jənis] *v* weariness, fatigue, lassitude.

vermoet zie *vermout*.

vermogen [vɛr'mo.ɡə(n)] I *vt* be able; *dat zal niets ~* it will be to no purpose; *veel bij iemand ~* have great influence with a person; *niets ~ tegen* be of no avail against; II *o* 1 (macht) power; 2 (geschiktheid) ability; 3 (fortuin) fortune, wealth, riches; 4 (werkvermogen) capacity; *zijn ~s* his (intellectual) faculties; *geen ~ hebben* have no fortune; *goede ~s hebben* be naturally gifted; *ik zal doen al wat in mijn ~ is* all in my power; *naar mijn beste ~* to the best of my ability.

vermogend [-ɡənt] 1 (machtig) influential [friends]; 2 (rijk) wealthy, rich.

vermogensbelasting [-ɡənsbəlɑstiŋ] *v* property tax.

vermolmen [vɛr'mɔlmə(n)] *v* moulder.

vermommen [-'mɔmə(n)] I *vt* disguise; II *vr zich ~* disguise oneself.

vermomming [-miŋ] *v* disguise.

vermoorden [vɛr'mo:rdə(n)] *vt* murder, kill.

vermoording [-diŋ] *v* murder(ing).

vermorsen [vɛr'mɔrsə(n)] *vt* waste, squander [money].

vermorzelen [-'mɔrzələ(n)] *vt* crush, pulverize.

vermorzeling [-liŋ] *v* crushing, pulverization.

vermout [vɛr'mu.t, 'vɛrmu.t] *m* vermouth.

vermurwen [vɛr'mürvə(n)] *v* soften, mollify.

vernagelen [-'na.ɡələ(n)] *vt* ✕ spike [a gun].

vernageling [-liŋ] *v* ✕ spiking [of a gun].

vernauwen [vɛr'nouə(n)] I *vt* narrow; II *vr zich ~* narrow.

vernauwing [-iŋ] *v* 1 narrowing; 2 ♀ stricture.

vernederen [vɛr'ne.dərə(n)] I *vt* humble, humiliate, mortify, abase; II *vr zich ~* humble (humiliate) oneself; *zich in het stof ~* humble oneself in the dust (to the dust); *zich voor zijn God ~* humble oneself before one's Maker.

vernederend [-rənt] humiliating.

vernedering [-riŋ] *v* humiliation, mortification, abasement.

verneembaar [vɛr'ne.mba:r] to be heard.

vernemen [-'ne.mə(n)] I *vt* hear, understand, learn; II *vi* in: *naar wij ~* we learn [that...].

vernielal [vɛr'ni.lɑl] *m* destroyer, smasher.

vernielen [-lə(n)] *vt* 1 wreck [a car, machinery]; 2 (verwoesten) destroy; *die jongen vernielt alles* that boy smashes everything.

vernielend [-lənt] destructive.

vernieler [-lər] *m* destroyer, smasher.

vernieling [-liŋ] *v* destruction.

vernielingswerk [-liŋsvɛrk] *o* work of destruction.

vernielzucht [vɛr'ni.lzüxt] *v* love of destruction, destructiveness, vandalism.

vernielzuchtig [vɔrni.l'züxtəx] destructive.

vernietigen [vɛr'ni.təɡə(n)] *vt* 1 (stuk maken) destroy, annihilate, wreck; 2 (nietig verklaren) nullify, annul, quash, reverse [a verdict]; *het leger werd totaal vernietigd* the whole army was annihilated (wiped out).

vernietigend [-ɡənt] destructive [fire, acids]; *fig* smashing [victory], crushing [review], withering [phrases, look], slashing [criticism].

vernietiging [-ɡiŋ] *v* destruction, annihilation [of matter, credit &]; *t's* annulment, nullification, quashing [of a verdict].

vernieuwen [vɛr'ni.və(n)] *vt* renew, renovate.

vernieuwer [-vər] *m* renewer, renovator.

vernieuwing [-viŋ] *v* renewal, renovation.

vernikkelen [vɛr'nikələ(n)] *vt* (plate with) nickel, nickel-plate.

vernis [vɛr'nis] *o & m* varnish[2]; *fig* veneer.

vernisje [vɛr'niʃə] *o* varnish[2].

vernissen [-'nisə(n)] *vt* varnish[2]; *fig* veneer.

vernisser [-'nisər] *m* varnisher.

vernuft [-'nüft] *o* 1 ingenuity, genius; 2 wit; *vals ~* would-be wit.

vernuftig [-'nüftəx] I *aj* ingenious [heads]; witty [saying]; II *ad* ingeniously; wittily.

vernuftigheid [-hεit] *v* ingenuity.

Verona [ve.'ro.na.] *o* Verona.

veronaangenamen [vərɔn'a.nɡəna.mə(n)] *vt* make unpleasant.

veronachtzamen [-'ɑxtsa.mə(n)] *vt* disregard [warning &], neglect [one's duty &]; slight [one's wife].

veronachtzaming [-miŋ] *v* neglect, negligence, disregard; *met ~ van...* neglecting.

veronderstellen [vərɔndər'stɛlə(n)] *vt* suppose; *veronderstel dat...* suppose, supposing (that)...

veronderstelling [-liŋ] *v* supposition; *in de ~ dat...* in (on) the supposition that...; *wij schrijven in de ~ (van de ~ uitgaand) dat...* we are writing on the assumption that...

Veronees [ve.ro.'ne.s] *m & aj* Veronese.

verongelijken [vərɔnɡəleikə(n)] *vt* wrong, do [a person] wrong.

verongelijking [-kiŋ] *v* wrong, injury.

verongelukken [vərɔnɡəlükə(n)] *vi* 1 (v. personen) meet with an accident; perish, come to grief; 2 (v. schepen &) be wrecked, be lost.

Veronica [ve.'ro.ni.ka.] *v* Veronica.

veronica [ve.'ro.ni.ka.] *v* ⚤ speedwell.

verontheiligen [vərònt'hɛiləgə(n)] *vt* 1 desecrate [a tomb]; 2 profane [the name of God].

verontheiliging [-gɪŋ] *v* 1 desecration; 2 profanation.

verontreinigen [vərònt'rɛinəgə(n)] *vt* defile, pollute.

verontreiniging [-gɪŋ] *v* defilement, pollution.

verontrusten [vərònt'rûstə(n)] I *vt* alarm, disturb, perturb; II *vr zich* ~ (*over*) be alarmed (at).

verontrustend [-tənt] alarming, disquieting, disturbing.

verontrusting [-tɪŋ] *v* alarm, perturbation, disturbance.

verontschuldigen [vərònt'sxûldəgə(n)] I *vt* excuse; *dat is niet te* ~ that is inexcusable; II *vr zich* ~ apologize (to *by*; for *wegens*); excuse oneself [on the ground that...].

verontschuldiging [-gɪŋ] *v* excuse, apology; *zijn* ~*en aanbieden* apologize; *vermoeidheid als* ~ *aanvoeren* plead fatigue; *ter* ~ by way of excuse [he said that...]; *ter* ~ *van zijn...* in excuse of his... [bad temper &].

verontwaardigd [vərònt'va:rdəxt] indignant; ~ *over* indignant at [something]; indignant with [a person].

verontwaardigen [-dəgə(n)] I *vt* make indignant; *het verontwaardigde hem* it roused his indignation; II *vr zich* ~ be (become) indignant, be filled with indignation.

verontwaardiging [-dəgɪŋ] *v* indignation.

veroordeelde [vər'o:rde.ldə] *m-v* condemned man (woman), convicted person.

veroordelen [-de.lə(n)] *vt* 1 ⚖ give judgment against, condemn, sentence, convict; 2 (in 't alg.) condemn; 3 (afkeuren) condemn; *iemand in de kosten* ~ order one to pay costs; *ter dood* ~ condemn to death; *de ter dood veroordeelden* those under sentence of death; *tot 3 maanden gevangenisstraf* ~ sentence to three months(' imprisonment); ~ *wegens* convict of [drunkenness &].

veroordeling [-lɪŋ] *v* 1 condemnation°; 2 ⚖ conviction (for *wegens*).

veroorloofd [vər'o:rlo.ft] allowed, allowable; permitted.

veroorloven [-lo.və(n)] I *vt* permit, allow, give leave; II *vr zich* ~ *om...* take the liberty to..., make bold to...; *zij* ~ *zich heel wat* they take great liberties; *zij kunnen zich dat* ~ they can afford it.

veroorloving [-lo.vɪŋ] *v* leave, permission.

veroorzaken [-za.kə(n)] *vt* cause, occasion, bring about.

veroorzaker [-za.kər] *m* cause, author.

verootmoedigen [vəro.t'mu.dəgə(n)] *vt* humble, humiliate.

verootmoediging [-gɪŋ] *vt* humiliation.

verorberen [vər'ɔrbərə(n)] *vt* F dispose of.

verordenen [-'ɔrdənə(n)] *vt* order, ordain, decree.

verordening [-nɪŋ] *v* regulation; (gemeentelijke) by-law; *volgens* ~ by order.

verordineren [vərɔrdi.'ne:rə(n)] *vt* order, ordain, prescribe.

verouderd [vər'oudərt] out of date, antiquated, archaic, obsolete [word]; inveterate [diseases, habits].

verouderen [-'ɔudərə(n)] I *vi* 1 (v. personen) grow old, age; 2 (v. woorden &) become obsolete; II *vt* make older, age; *hij is erg verouderd* he has aged very much.

veroudering [-rɪŋ] *v* growing old, ageing [of people]; obsolescence [of a word].

veroveraar [vər'o.vəra:r] *m* conqueror.

veroveren [-rə(n)] *vt* conquer, capture[2], take (from *op*).

verovering [-rɪŋ] *v* conquest[2], capture[2].

veroveringsoorlog [-rɪŋso:rlɔx] *m* war of conquest.

verpachten [vər'pɑxtə(n)] *vt* lease [land]; farm out [taxes].

verpachter [-tər] *m* lessor.

verpachting [-tɪŋ] *v* leasing [of land]; farming out [of taxes].

verpakken [vər'pɑkə(n)] *vt* pack, put up [... in tins].

verpakker [-kər] *m* packer.

verpakking [-kɪŋ] *v* packing°.

verpanden [vər'pɑndə(n)] *vt* pawn [at a pawnbroker's shop]; pledge [one's word]; mortgage [one's house].

verpanding [-dɪŋ] *v* pawning; pledging; mortgaging.

verpersoonlijken [verpər'so.nləkə(n)] *vt* personify, impersonate.

verpersoonlijking [-kɪŋ] *v* personification, impersonation.

verpesten [vər'pɛstə(n)] *vt* infect[2] [the air &]; *fig* poison [the mind].

verpestend [-tənt] pestilential, pestiferous.

verpesting [-tɪŋ] *v* infection[2]; *fig* poisoning.

verplaatsbaar [vər'pla.tsba:r] movable, removable.

verplaatsen [-'pla.tsə(n)] I *vt* move, remove, transpose, displace [things, persons]; transfer [persons]; II *vr zich* ~ move; *zich in iemands toestand* ~ put oneself in his place; *zich* ~ *in de toestand van iemand, die...* put (place) oneself in the position of a man who...

verplaatsing [-sɪŋ] *v* 1 movement; removal [of furniture]; displacement [of water]; transposition [of words]; 2 (overplaatsing) transfer [of officials].

verplanten [vər'plɑntə(n)] *vt* transplant, plant out.

verplanting [-tɪŋ] *v* transplantation.

verpleegde [vər'ple.gdə] *m-v* patient; inmate [of an asylum].

verpleegster [-'ple.xstər] *v* nurse.

verplegen [-'ple.gə(n)] *vt* nurse, tend.

verpleger [-gər] *m* male nurse, (hospital) attendant.

verpleging [-gɪŋ] *v* 1 (v. zieken, gewonden) nursing; 2 (onderhoud) maintenance; 3 (inrichting) nursing-home.

verplegingskosten [-gɪŋskostə(n)] *mv* 1 charge for board and lodging; 2 nursing fees.

verpletteren [vər'plɛtərə(n)] *vt* crush, smash, shatter, dash to pieces; ~*de meerderheid* overwhelming (crushing) majority; *een* ~*de tijding* crushing news.

verplettering [-rɪŋ] *v* crushing, smashing, shattering.

verplicht [vər'plɪxt] due (to *aan*); compulsory [subject, branch, insurance], obligatory; *tk ben u zeer* ~ I am much obliged to you; *iets* ~ *zijn aan iemand* be indebted to a person for a thing; owe it to him; ~ *zijn om...* be obliged to, have to; zie ook: *verplichten*.

verplichten [-'plɪxtə(n)] I *vt* oblige, compel; *daardoor hebt u mij (aan u) verplicht* by this you have (greatly) obliged me, you have put me under an obligation; II *vr zich* ~ *tot* bind oneself to; zie ook: *verplicht*.

verplichting [-tɪŋ] *v* obligation; commitment; *mijn* ~*en* ook: my engagements; ~*en aangaan* enter into obligations; *grote* ~*en aan iemand hebben* be under great obligations to a person; *zijn* ~*en nakomen* 1 (in 't alg.) meet one's obligations, meet one's engagements; 2 (geldelijk) meet one's liabilities; *de* ~ *op zich nemen om...* undertake to...

verpoppen [vər'pòpə(n)] in: *zich* ~ pupate.

verpopping [-pɪŋ] *v* pupation.

verpoten [vər'po.tə(n)] *vt* transplant, plant out.

verpotten [-'potə(n)] *vt* repot.

verpozen [-'po.zə(n)] in: *zich* ~ take a rest, rest.

verpozing [-zɪŋ] *v* rest.

verpraten [vər'pra.tə(n)] I *vt* waste [one's time] talking, talk away [one's time]; II *vr zich* ~ let one's tongue run away with one, give oneself away.

verprutsen [-'prütsə(n)] zie *verknoeien*.

verpulveren [-'pülvərə(n)] *vt* & *vi* pulverize.

verpulvering [-rɪŋ] *v* pulverization.

verraad [və'ra.t] *o* treason, treachery, betrayal; ~ *plegen* commit treason; ~ *plegen jegens*

verraadster [-stər] *v* traitress. [betray.

verraden [və'ra.də(n)] I *vt* betray[2], F give away; *fig* show, bespeak; *dat verraadt zijn gebrek aan beschaving* that betrays his want of good-breeding; II *vr zich* ~ betray oneself, give oneself away.

verrader [-dər] *m* betrayer, traitor [to his country].

verraderij [vəra.də'rɛi] *v* treachery, treason.

verraderlijk [və'ra.dərlək] I *aj* treacherous, traitorous, perfidious; insidious [disease]; *een* ~ *blosje* a telltale blush; II *ad* treacherously, perfidiously.

verraderlijkheid [-ɦɛit] *v* treacherousness.

verrassen [və'rasə(n)] *vt* surprise, take by surprise; *uw bezoek* & *verraste ons* ook: your

visit was a (pleasant) surprise, came as a surprise, took us unawares; *zij willen u eens* ~ they intend to give you a surprise; *door de regen verrast worden* be caught in the rain.

verrassend [-sənt] surprising, startling [news]; *een* ~*e aanval* ✕ a surprise attack.

verrassing [-sɪŋ] *v* surprise; *iemand een* ~ *bereiden* prepare a surprise for a man, give him a surprise; *bij* ~ ✕ by surprise; *tot mijn grote* ~ to my great surprise.

verrassingsaanval [-sɪŋsa.nval] *m* ✕ surprise attack.

verre ['vɛrə] far, distant, remote; *het zij* ~ *van mij dat...* far be it from me to...; ~ *van...* (so) far from..., we actually &; ~ *van gemakkelijk* far from easy; *op* ~ *na niet* not nearly, not by far; *van* ~ from afar.

verregaand [-ga.nt] I *aj* extreme, excessive [cruelty &]; II *ad* < extremely, excessively.

verregenen [və're.gənə(n)] *vi* be spoiled by the rain(s).

verreisd [-'rɛist] travel-worn, travel-stained.

verreizen [-'rɛizə(n)] *vt* spend in travelling.

verrekenen [-'re.kənə(n)] I *vt* settle; clear [cheques]; II *vr zich* ~ miscalculate, make a mistake in one's calculation.

verrekening [-nɪŋ] *v* 1 settlement; clearance; 2 miscalculation.

verrekenkantoor [və're.kənkɑnto:r] *o* $ clearing-house.

verrekenpakket [-pɑkɛt] *o* ✆ C.O.D. parcel.

verrekijker ['vɛrəkɛikər] *m* telescope, spyglass, glass.

verrekken [və'rɛkə(n)] I *vt* strain [a muscle], wrench, dislocate [one's arm], sprain [one's ankle], crick [one's jaw]; II *vr zich* ~ strain oneself.

verrekking [-kɪŋ] *v* strain(ing), sprain(ing) [of ankle, wrist]; crick [of neck].

verreweg ['vɛrəvɛx] by far, far and away; ~ *te verkiezen boven* much to be preferred to, infinitely preferable to.

verrichten [və'rɪxtə(n)] *vt* do, perform, execute, make [arrests].

verrichting [-tɪŋ] *v* action, performance, operation, transaction.

verrijken [və'rɛikə(n)] I *vt* enrich; II *vr zich* ~ enrich oneself.

verrijking [-kɪŋ] *v* enrichment.

verrijzen [və'rɛizə(n)] *vi* rise [from the dead]; arise [of difficulties &]; *doen* ~ raise; zie ook: *paddestoel*.

verrijzenis [-zənɪs] *v* resurrection.

verroeren [və'ru:rə(n)] *vt* & *vr* stir, move, budge.

verroest [-'ru.st] 1 rusty; 2 P zie *verduiveld*.

verroesten [-'ru.stə(n)] *vi* rust.

verroken [-'ro.kə(n)] *vt* spend on cigars, tobacco &.

verronselen [-'rònsələ(n)] *vt* barter away.

verrot [-'rɔt] rotten, putrid, putrefied.

verrotheid [-ɦɛit] *v* rottenness.

verrotten [vəˈrɔtə(n)] *vi* rot, putrefy.

verrotting [-tɪŋ] *v* rotting, putrefaction; *tot ~ overgaan* rot, putrefy.

verrottingsproces [-tɪŋspro.sɛs] *o* process of putrefaction.

verruilen [vəˈrœylə(n)] *vt* exchange, barter (for *tegen, voor*).

verruiling [-lɪŋ] *v* exchange, barter.

verruimen [vəˈrœymə(n)] *vt* enlarge, widen[2]; *fig* enlarge, broaden [one's outlook].

verruiming [-mɪŋ] *v* enlargement[2], widening[2], broadening[2].

verrukkelijk [vəˈrŭkələk] I *aj* delightful, enchanting, charming, ravishing; delicious [food]; II *ad* delightfully &; ook: < wonderfully.

verrukkelijkheid [-hɛit] *v* delightfulness, charm.

verrukken [vəˈrŭkə(n)] *vt* delight, ravish, enchant, enrapture; zie ook: *verrukt*.

verrukking [-kɪŋ] *v* delight, ravishment, transport, rapture, ecstasy.

verrukt [vəˈrŭkt] I *aj* delighted &, zie *verrukken*; ook: rapturous [smile]; *zij waren er ~ over* they were in raptures about it; *zij zullen er ~ over zijn* they will be delighted at (with) it; II *ad* rapturously, in raptures.

verruwen [-ˈry.və(n)] *vt* & *vi* coarsen.

verruwing [-vɪŋ] *v* coarsening.

1 vers [vɛrs, vɛːrs] *o* 1 (regel) verse; 2 (couplet) stanza; 3 (tweeregelig) couplet; 4 (v. Bijbel) verse; 5 (gedicht) poem.

2 vers [vɛrs] I *aj* fresh, new, new-laid [eggs], green [vegetables]; *het ligt nog ~ in het geheugen* it is fresh in men's minds; II *ad* freshly).

versaagd [vərˈsa.xt] faint-hearted.

versaagdheid [-hɛit] *v* faint-heartedness.

versagen [vərˈsa.ɣə(n)] *vi* grow faint-hearted, quail, despair, despond.

versbouw [ˈvɛ(ː)rsbɔu] *m* metrical construction.

verschaffen [vərˈsxafə(n)] I *vt* procure [something for a person], provide, furnish, supply [a person with something]; *wat verschaft mij het genoegen om...?* what gives me the pleasure of ...ing?; II *vr zich ~* procure; zie ook: 2 *recht*.

verschaffing [-fɪŋ] *v* furnishing, procurement, provision [of food and clothing].

verschalen [vərˈsxa.lə(n)] *vi* grow (go) flat (stale, vapid).

verschalken [-ˈsxalkə(n)] *vt* outwit; *er eentje ~, een glaasje & ~ S* have one; *een vogel ~* catch a bird.

verschalking [-kɪŋ] *v* deception.

verschansen [vərˈsxansə(n)] I *vt* entrench [a town &]; II *vr zich ~* ✗ entrench oneself[2].

verschansing [-sɪŋ] *v* 1 ✗ entrenchment [of a fortress]; 2 ⚓ bulwarks, (reling) rails [of a ship].

1 verscheiden [vərˈsxɛidə(n)] I *vi* depart this life, pass away; II *o* passing (away), death, decease.

2 verscheiden [vərˈsxɛidə(n)] I several; 2 (verschillend) various, diverse, different, sundry.

verscheidenheid [-hɛit] *v* diversity, variety; difference; range [of colours, patterns &].

verschenken [vərˈsxɛŋkə(n)] *vt* pour out.

verschepen [-ˈsxe.pə(n)] *vt* ship.

verscheper [-pər] *m* shipper.

verscheping [-pɪŋ] *v* shipment.

verschepingsdocumenten, -dokumenten [-pɪŋs-do.ky.mɛntə(n)] shipping documents.

verscherpen [vərˈsxɛrpə(n)] *vt* sharpen[2]; *de wet ~ stiffen* (tighten up) the law.

verscherping [-pɪŋ] *v* sharpening[2]; *fig* stiffening, tightening up [of the law].

verscheurdheid [vərˈsxø.rthɛit] *v* disunity.

verscheuren [-ˈsxø.rə(n)] *vt* 1 tear, tear up [a letter], tear to pieces; 2 (stuk scheuren) ☉ rend [one's garments]; 3 (verslinden) lacerate, mangle [its prey]; *~de dieren* ferocious animals.

verschiet [-ˈsxi.t] *o* distance; perspective[2]; *fig* prospect; *in het ~* in the distance; *fig* ahead.

verschieten [-ˈsxi.tə(n)] I *vt* 1 (afschieten) shoot; use up, consume [ammunition]; 2 (voorschieten) advance [money]; 3 (omzetten) stir [grain]; zie ook: *kruit & pijl*; II *vi* 1 (v. sterren) shoot; 2 (v. kleuren) fade; 3 (v. stoffen) lose colour; *ik zag hem (van kleur) ~* I saw him change colour; *niet ~d* unfading, sunproof [dress-materials].

verschijnen [-ˈsxɛinə(n)] *vi* 1 (v. hemellichamen, personen &) appear; 2 (v. zaken, personen) make one's appearance; put in an appearance; 3 (v. termijn) fall (become) due; *de verdachte was niet verschenen* ⚖ had not entered an appearance; *het boek zal morgen ~* is to come out to-morrow; *bij wie laat je het boek ~?* through whom are you going to publish your book?; *voor de commissie ~* attend before the Board.

verschijning [-nɪŋ] *v* 1 (het verschijnen) appearance; publication [of a book]; 2 (geest) apparition, phantom, ghost; 3 (persoon) figure; 4 (ommekomst) falling due [of a term]; *het is een mooie ~* she has a fine presence (a magnificent figure).

verschijnsel [vərˈsxɛinsəl] *o* 1 phenomenon [of nature], *mv* phenomena; 2 symptom.

verschikken [-ˈsxɪkə(n)] I *vt* arrange differently, shift; II *vi* move (higher) up.

verschikking [-kɪŋ] *v* different arrangement, shifting.

verschil [vərˈsxɪl] *o* difference [ook = remainder after subtraction & disagreement in opinion], disparity; distinction; *~ van gevoelen, ~ van mening* difference of opinion; *~ in leeftijd* difference in age, disparity in years; *het ~ delen* split the difference; *dat maakt een groot ~* that makes a big difference (all the difference); *dat maakt geen groot (niet* *veel)* ~ *of...* it is not much odds whether...; ~ *maken tussen...* make a difference between, differentiate (distinguish) between...: *met dit* ~ *dat...* with the (this) difference that...; zie ook: *geschil & hemelsbreed.*

verschillen [-'sxɪlə(n)] *vi* differ, be different, vary; ~ *van* differ from; ~ *van mening* differ (in opinion).

verschillend [-lənt] I *aj* different, various; differing; ~ *van...* different from...; ~*e personen* various persons, several persons; *ik heb het van* ~*e personen gehoord* ook: I've heard the story from several different people; II *ad* differently.

verschilpunt [vər'sxɪlpʌnt] *o* point of difference, point of controversy.

verschimmelen [-'sxɪmələ(n)] *vi* grow mouldy.

verscholen [-'sxo.lə(n)] hidden.

verschonen [-'sxo.nə(n)] I *vi eig* put clean sheets on [a bed]; change [the baby's clothes, sheets]; *fig* excuse [misconduct &]; *verschoon mij!* excuse me!; *verschoon mij van die praatjes* spare me your talk!; *van ets verschoond blijven* be spared something; *ik wens van uw bezoeken verschoond te blijven* spare me your visits; II *vr zich* ~ 1 change one's linen; 2 *fig* excuse oneself.

verschoning [-nɪŋ] *v* 1 *eig* clean linen, change of linen; 2 *fig* excuse; *waar is mijn* ~? where are my clean things?; ~ *vragen* apologize.

verschoonbaar [vər'sxo.nba:r] excusable.

verschoppeling [-'sxòpəlɪŋ] *m* outcast, pariah.

verschot [-'sxɔt] *o* 1 assortment, choice; 2 ~*ten* out-of-pocket expenses, disbursements.

verschoten [-'sxo.tə(n)] faded [dresses &].

verschrijven [-'s(x)rɛivə(n)] I *vt* use up in writing; II *vr zich* ~ make a mistake in writing.

verschrijving [-vɪŋ] *v* slip of the pen.

verschrikkelijk [vər's(x)rɪkələk] I *aj* frightful, dreadful, terrible; II *ad* frightfully &, < awfully.

verschrikkelijkheid [-hɛit] *v* frightfulness, dreadfulness, terribleness.

verschrikken [vər's(x)rɪkə(n)] I *vt* frighten, terrify [persons &]; scare [birds]; II *vi* zie *schrikken.*

verschrikking [-kɪŋ] *v* 1 (het schrikken) fright, terror; 2 (het verschrikkende) horror.

verschroeien [vər's(x)ru.jə(n)] I *vt* scorch, singe; II *vi* be scorched, be singed; *de tactiek der verschroeide aarde* scorched earth tactics.

verschroeiing [-jɪŋ] *v* scorching, singeing.

verschrompeld [vər's(x)ròmpəlt] shrivelled, wizened.

verschrompelen [-pələ(n)] *vi* shrivel (up), shrink, wrinkle.

verschuilen [vər'sxœylə(n)] *vr* in: *zich* ~ hide (from *voor*), conceal oneself; *zich* ~ *achter het ambtsgeheim* shelter oneself behind professional secrecy.

verschuiven [-'sxœyvə(n)] I *vt* 1 *eig* move, shift; 2 (uitstellen) put off; II *vi* shift.

verschuiving [-vɪŋ] *v* 1 shifting; 2 putting off.

verschuldigd [vər'sxʌldəxt] indebted, due; *met* ~*e eerbied* with due respect; *wij zijn hem alles* ~ we are indebted to him for everything we have; we owe everything to him; *het* ~*e* the money due; *het hem* ~*e* his dues.

versheid ['versheit] *v* freshness.

versie ['vɛrzi.] *v* version.

versierder [vər'si:rdər] *m* decorator.

versieren [-'si:rə(n)] *vt* adorn [with jewels], beautify, embellish [with flowers], ornament, decorate, deck [with flags, flowers &].

versiering [-rɪŋ] *v* adornment, decoration, ornament; ~*en ♪* grace notes.

versieringskunst [-rɪŋskʌnst] *v* decorative art.

versiersel [vər'si:rsəl] *o* ornament.

versjacheren [vər'ʃaxərə(n)] *vt* barter away.

verslaafd [vər'sla.ft] in: ~ *aan...* a slave to...; addicted to [drink[; *hij is* ~ *aan verdovende middelen* (cocaïne, morfine &) he is a drug (cocaine, morphine &) addict.

verslaafdheid [-hɛit] *v* addictedness, addiction.

verslaan [vər'sla.n] *vt* 1 beat, defeat [an army, a man &]; 2 (lessen) quench [thirst]; 3 (verslag uitbrengen over) report [a match], cover [a meeting], review [a book]; II *vi* 1 (v. warme dranken) cool; 2 (v. koude dranken) have the chill taken off.

verslag [-'slax] *o* account, report; *officieel statistisch* ~ returns; *schriftelijk* ~ written account; *woordelijk* ~ verbatim report; ~ *doen van...* give an account of...; *een* ~ *opmaken van* draw up a report on; ~ *uitbrengen* deliver a report, report (on *over*); ~ *uitbrengen* (over de gang van zaken, over de vorderingen van een zaak) report progress.

verslagen [-'sla.ɡə(n)] *aj* beaten, defeated; *fig* dejected, dismayed; *de* ~*e* the person killed.

verslagenheid [-hɛit] *v* consternation, dismay, dejection.

verslaggever [vər'slaxɡe.vər] *m* reporter.

verslagjaar [-ja:r] *o* year under review.

verslapen [vər'sla.pə(n)] I *vt* sleep away; II *vr zich* ~ oversleep oneself.

verslappen [-'slapə(n)] I *vi* slacken[2] [of a rope, one's zeal], relax[2] [of muscles, discipline]; *fig* flag [of zeal, interest]; II *vt* slacken[2], relax[2]; enervate [of climate].

verslapping [-pɪŋ] *v* slackening, relaxation; flagging; enervation.

verslavingsvergif(t) [vər'sla.vɪŋsfərɡɪf(t)] *o* habit-forming drug.

verslecht(er)en [vər'slɛxt(ər)ə(n)] I *vt* make worse, worsen, deteriorate; II *vi* grow worse, worsen, deteriorate.

verslechtering [-'slɛxtərɪŋ] *v* worsening, deterioration.

versleten [-'sle.tə(n)] the worse for wear, worn (out)[2]; threadbare[2].

verslijken [-'slɛikə(n)] *vi* silt up.

verslijten [-'slɛitə(n)] I *vi* wear out, wear off, wear away; II *vt* wear out [a coat &]; *iemand* ~ *voor...* F take one for...

verslikken [-'slɪkə(n)] in: *zich* ~ choke [on something], swallow something the wrong way.

verslinden [vər'slɪndə(n)] *vt* devour²; *fig* swallow up [much money &]; *een boek* ~ devour a book; *zijn eten* ~ bolt (wolf down) one's food; *iets met de ogen* ~ devour it with one's eyes.

verslinder [-dər] *m* devourer.

versloffen [vər'slɔfə(n)] *vt* neglect.

verslonzen [-'slɔnzə(n)] *vt* spoil (through carelessness).

versmaat ['vɛrs-, 'vɛːrsma.t] *v* metre.

versmachten [vər'smɑxtə(n)] *vi fig* languish, pine away; ~ *van dorst* be parched with thirst.

versmaden [-'sma.də(n)] *vt* disdain, despise, scorn; *dat is niet te* ~ that is not to be despised.

versmading [-dɪŋ] *v* disdain, scorn.

versmallen [vər'smɑlə(n)] *vt & vr* narrow.

versmelten [-'smɛltə(n)] I *vt* melt [butter, metals], smelt [ore], fuse [metals]; *zijn zilverwerk* ~ melt down one's plate; II *vi* melt², melt away.

versmelting [-tɪŋ] *v* melting, smelting, fusion; melting down.

versnapering [vər'sna.pərɪŋ] *v* titbit, dainty, refreshment.

versnellen [-'snɛlə(n)] *vi & vt* accelerate; *de pas* ~ mend (quicken) one's pace; *met versnelde pas* ✕ at the double-quick.

versneller [-lər] *m* accelerator.

versnelling [-lɪŋ] *v* 1 acceleration [of movement]; 2 ✕ gear, speed.

versnellingsbak [-lɪŋsbɑk] *m* change(-speed) gear.

versnellingshandel [-hɑndəl] *o & m* gear-lever.

versnellingshendel = *versnellingshandel.*

versnijden [vər'snɛidə(n)] *vt* 1 (aan stukken) cut up [a loaf]; cut [something] to pieces; 2 (door snijden bederven) spoil in cutting; 3 (mengen) dilute [wine].

versnijding [-dɪŋ] *v* 1 cutting up &; 2 dilution [of wine].

versnipperen [vər'snɪpərə(n)] *vt* 1 cut into bits; cut up; 2 *fig* fritter away [one's time].

versnippering [-rɪŋ] *v* cutting up &.

versnoepen [vər'snu.pə(n)] *vt* spend on dainties.

verspelen [-'spe.lə(n)] *vt* play away, lose in playing; *iemands achting* ~ lose a person's esteem.

versperren [-'spɛrə(n)] *vt* obstruct [the way], barricade [a street], block up [a road], block² [a passage, the way]; bar [the entrance].

versperring [-rɪŋ] *v* blocking up, obstruction [of the way &]; ✕ barricade; [barbed wire] entanglement; [balloon &] barrage.

versperringsballon [-rɪŋsbɑlɔn] *m* barrage balloon.

verspieden [vər'spi.də(n)] *vt* spy out, scout.

verspieder [-dər] *m* spy, scout.

verspieding [-dɪŋ] *v* spying (out).

verspillen [vər'spɪlə(n)] *vt* waste [one's time], dissipate [one's strength]; squander [one's money]; *er geen woord meer over* ~ not waste another word upon it.

verspiller [-lər] *m* spendthrift.

verspilling [-lɪŋ] *v* waste, dissipation.

versplinteren [vər'splɪntərə(n)] I *vt* splinter, shiver; II *vi* splinter, break up into splinters.

verspreid [-'sprɛit] scattered² [houses, showers, writings]; sparse [population]; ✕ extended [order].

verspreiden [-'sprɛidə(n)] I *vt* disperse [a crowd]; spread² [a smell, a report, a rumour]; scatter² [seed, people]; distribute [pamphlets]; *fig* disseminate [doctrines]; diffuse [happiness]; propagate [the Christian religion]; II *vr zich* ~ spread² [of odour, disease, fame, rumour, people]; disperse [of a crowd].

verspreider [-dər] *m* spreader, propagator; distributor [of pamphlets].

verspreiding [-dɪŋ] *v* spreading [of reports &]; dispersion [of a crowd]; spread [of knowledge]; distribution [of animals on earth, of pamphlets]; dissemination [of doctrines &]; propagation [of a creed].

verspreken [vər'spre.kə(n)] in: *zich* ~ make a mistake in speaking, make a slip of the tongue; *zie ook: zich vergalopperen.*

verspreking [-kɪŋ] *v* slip of the tongue.

1 verspringen [vər'sprɪŋə(n)] *vi* shift; *een dag* ~ move up one day.

2 verspringen ['vɛrsprɪŋə(n)] *o sp* long jump.

versregel ['vɛrs-, 'vɛːrsre.gəl] *m* verse, line of poetry.

verssnede ['vɛ(ː)rsne.də] *v* caesura. [poetry.

verst [vɛrst] I *aj* farthest, furthermost; *in de* ~*e verte niet zie verte*; II *ad* in: *het* ~ farthest, ook: furthest.

verstaan [vər'sta.n] I *vt* understand, know; *dat versta ik niet* 1 I don't understand; 2 I won't stand it; *ik heb het niet* ~ I did not understand; *versta je?* you understand?; *men versta mij wel* be it (distinctly) understood; *wel te* ~ that is to say; *iemand iets te* ~ *geven* give one to understand that...; *iemand verkeerd* ~ misunderstand a person; *onder pasteurisatie* ~ *wij...* by p. is meant...; *wat verstaat u daaronder?* what do you understand by that?; II *vr zich* ~ *met...* come to an understanding with...; *zich* ~ *op* understand, be a clever hand at.

verstaanbaar [-ba:r] I *aj* understandable, intelligible; *zich* ~ *maken* make oneself understood; II *ad* intelligibly.

verstaanbaarheid [-ba:rhɛit] *v* intelligibility.

verstaander [-dər] *m* in: *een goed* ~ *heeft maar een half woord nodig* a word to the wise is enough.

verstalen [vər'sta.lə(n)] *vt* steel[2], harden[2].

verstand [vər'stɑnt] *o* understanding, mind, intellect, reason; *gezond* ~ common sense; *zijn* ~ *gebruiken* 1 use one's brains; 2 listen to reason; ~ *genoeg hebben om...* have sense enough (the wits) to...; *hij spreekt naar hij* ~ *heeft* according to his lights; ~ *van iets hebben* understand about a thing; *heeft u* ~ *van schilderijen?* do you know about pictures?; *het (zijn)* ~ *verliezen* lose one's reason (one's wits); *heb je je* ~ *verloren?* have you taken leave of your senses?; *daar staat mijn* ~ *bij stil* it is beyond my comprehension how...; *dat zal ik hem wel aan zijn* ~ *brengen* I'll bring it home to him; *je kunt hun dat maar niet aan 't* ~ *brengen* you can't make them understand it; *hij is niet bij zijn* ~ he is not in his right mind; *hij is nog altijd bij zijn volle* ~ he is still in full possession of his faculties; he is still quite sane; *dat gaat boven mijn* ~ *(mijn* ~ *te boven)* it is beyond (above) my comprehension, it passes my comprehension, it is beyond me; *met* ~ *lezen* understandingly, intelligently; *met dien* ~*e dat...* on the understanding that...; *tot goed* ~ *van de zaak* for the right understanding of the thing.

verstandelijk [vər'stɑndələk] intellectual; ~*e leeftijd* mental age.

verstandeloos [-lo.s] senseless, stupid.

verstandhouding [vər'stɑnthɑudɪŋ] *v* understanding; *geheime* ~ secret understanding, 🕇 collusion; *in* ~ *staan met* have an understanding with, 🕇 be in collusion with; have dealings with, be in league with [the enemy]; *in goede* ~ *staan met* be on good terms with [one's neighbours].

verstandig [-'stɑndəx] I *aj* intelligent, sensible, wise; *wees nu* ~ *!* do be sensible!; *hij is zo* ~ *om...* he has the good sense to...; *het* ~*ste zal zijn, dat je...* the wisest thing you can (could) do will be to...; II *ad* sensibly, wisely; *je zult* ~ *doen met...* you will be wise to...; *hij zou* ~ *gedaan hebben, als...* he would have been well-advised if...; ~ *praten* talk reason; *het* ~ *vinden om...* judge it wise to...

verstandigheid [-heit] *v* good sense, wisdom.

verstandskies [vər'stɑntski.s] *v* wisdom-tooth; *hij heeft zijn* ~ *nog niet* he has not cut his wisdom-teeth yet.

verstandsverbijstering [-fərbɛistərɪŋ] *v* mental derangement, insanity.

verstarren [vər'stɑrə(n)] I *vt* 1 stiffen [limbs, the body]; 2 *fig* petrify, fossilize; II *vi* 1 stiffen; 2 *fig* become petrified, become fossilized.

verstarring [-rɪŋ] *v* 1 stiffening [of limbs, the body]; 2 *fig* petrifaction, fossilization.

versteend [vər'ste.nt] petrified[2]; fossilized[2]; *als* ~ petrified [with terror]; *een* ~ *hart* a heart of stone.

verstek [vər'stɛk] *o* 🕇 default; ~ *laten gaan* make default; *hij werd bij* ~ *veroordeeld* he was sentenced by default (in his absence).

verstekeling [-'ste.kəlɪŋ] *m* stowaway.

verstelbaar [-'stɛlba:r] adjustable [instrument].

versteld [-'stɛlt] 1 mended, repaired, patched ‖ 2 *in:* ~ *staan* be taken aback, be dumbfounded; *ik stond er* ~ *van* I was quite taken aback, it staggered me; *hem* ~ *doen staan* take him aback, stagger him; *de wereld* ~ *doen staan* stagger humanity.

versteldheid [-heit] *v* perplexity.

verstelgoed [vər'stɛlɣu.t] *o* mending.

verstellen [-'stɛlə(n)] *vt* 1 (herstellen) mend, repair [clothes], patch [a coat]; 2 (anders stellen) adjust [apparatus].

versteller [-lər] *m* mender.

verstelling [-lɪŋ] *v* 1 mending; 2 🛠 adjustment.

verstelnaaister [vər'stɛlna:istər] *v* needle-

verstelster [-stər] *v* mender. [woman.

verstelwerk [-vɛrk] *o* mending.

verstenen [vər'ste.nə(n)] *vi* & *vt* petrify; fossilize.

verstening [-nɪŋ] *v* petrifaction; ~*en* ook: fossils.

versterf [vər'stɛrf] *o* 1 (dood) death; 2 (erfenis) inheritance; *bij* ~ in case of death.

versterfrecht [-rɛxt] *o* right of succession.

versterken [vər'stɛrkə(n)] *vt* strengthen [the body, memory, the evidence &]; invigorate [the energy, the body, mind &]; fortify [the body, a town, a statement]; corroborate [a statement]; reinforce [a person with food, an army, a party, the orchestra]; consolidate [a position, power]; intensify [light]; 🕇 amplify; ~*de middelen* restorative food, restoratives; *met versterkt orkest* ♪ with an increased orchestra; zie ook: *mens*.

versterker [-kər] *m* 🕇 amplifier.

versterking [-kɪŋ] *v* strengthening, reinforcement, consolidation; intensification; 🕇 amplification; 🗡 1 (troepen) reinforcement(s); 2 (werk) fortification.

versterkingswerken [-kɪŋsvɛrkə(n)] *mv* 🗡 fortifications.

versterven [vər'stɛrvə(n)] I *vi* 1 (sterven) die; 2 (bij erfenis overgaan) devolve upon; II *vr zich* ~ *RK* mortify the flesh.

versterving [-vɪŋ] *v* 1 death; 2 *RK* mortification.

verstevigen [vər'ste.vəɣə(n)] *vt* strengthen.

verstijfd [-'stɛift] 1 stiff; 2 (v. koude ook) benumbed, numb.

verstijfdheid [-heit] *v* stiffness; numbness.

verstijven [vər'stɛivə(n)] I *vi* stiffen; grow numb [with cold]; II *vt* 1 stiffen; 2 benumb.

verstijving [-vɪŋ] *v* stiffening; numbness.

verstikken [vər'stɪkə(n)] I *vt* suffocate, stifle, choke, smother, asphyxiate; II *vi* zie 1 *stikken*.

verstikkend [-kənt] suffocating, stifling, choking.

verstikking [-kɪŋ] *v* suffocation, asphyxiation, asphyxia.

verstikt [vər'stɪkt] suffocated; *met ~e stem* in a strangled voice.

1 **verstoken** [-'sto.kə(n)] in: *~ van* destitute of, deprived of, devoid of.

2 **verstoken** [-'sto.kə(n)] *vt* burn, consume.

verstokken [-'stɔkə(n)] *vi & vt* harden.

verstokt [-'stɔkt] obdurate [heart], hardened [sinner], confirmed [bachelors &], seasoned [gamblers], case-hardened [malefactors].

verstoktheid [-hɛit] *v* obduracy, hardness of heart.

verstomd [vər'stɔmt] struck dumb, speechless; *~ staan* zie *versteld* 2.

verstommen [-'stɔmə(n)] I *vt* strike dumb, silence; II *vi* be struck dumb, become speechless; *alle geluid verstomde* every sound was hushed.

verstompen [-'stɔmpə(n)] I *vt* blunt, dull; *fig* blunt, dull, stupefy [the mind]; deaden [the senses]; II *vi* become dull².

verstomping [-pɪŋ] *v* blunting², dulling², *fig* stupefaction.

verstoord [vər'sto:rt] disturbed; *fig* annoyed, cross, angry.

verstoorder [-'sto:rdər] *m* disturber.

verstoordheid [-'sto:rthɛit] *v* annoyance, crossness, anger.

verstoppen [-'stɔpə(n)] *vt* 1 (dichtstoppen) clog [the nose]; choke (up), stop up [a drainpipe]; 2 (verbergen) put away, conceal, hide.

verstoppertje [-pərcə] *o* in: *~ spelen* play at hide-and-seek.

verstopping [-pɪŋ] *v* stoppage.

verstopt [vər'stɔpt] stopped up [pipes, drains]; clogged [nose]; *~ raken* become clogged, be choked up (stopped up); *~ (in 't hoofd) zijn* have (got) the snuffles (a clogged nose).

verstoren [-'sto:rə(n)] *vt* 1 disturb [one's rest, the peace]; interfere with [one's plans]; 2 annoy, make angry.

verstoring [-rɪŋ] *v* disturbance, interference.

verstoteling [və'sto.təlɪŋ] *m* outcast, pariah.

verstoten [-tə(n)] *vt* repudiate [one's wife]; disown [a child].

verstoting [-tɪŋ] *v* repudiation.

verstouten [vər'stəutə(n)] in: *zich ~* pluck up courage; *zij zullen zich niet ~ om...* they won't make bold to...

verstouwen [-'stəuə(n)] *vt* stow away.

verstrakken [-strɑkə(n)] *vi* set [of the face].

verstrekken [-'strɛkə(n)] *vt* furnish, procure; *hun al het nodige ~* furnish (provide) them with the necessaries of life; *gelden ~* supply moneys; *inlichtingen ~* give information; *levensmiddelen ~* serve out provisions.

verstrekkend ['vɛrstrɛkənt] far-reaching.

verstrijken [vər'strɛikə(n)] *vi* expire, elapse, go by; *de termijn is verstreken* has expired.

verstrijking [-kɪŋ] *v* expiration, expiry, passage [of time].

verstrikken [vər'strɪkə(n)] I *vt* ensnare, trap,

entrap, enmesh, entangle; II *vr zich ~* get entangled² [in a net, in a dispute], be caught [in one's own words].

verstrikking [-kɪŋ] *v* ensnaring, entanglement.

verstrooid [vər'stro.it] 1 scattered, dispersed; 2 (v. geest) absent-minded, distrait.

verstrooidheid [-hɛit] *v* absent-mindedness, absence of mind.

verstrooien [vər'stro.jə(n)] I *vt* scatter, disperse, rout [an army]; II *vr zich ~* 1 disperse; 2 seek amusement, unbend.

verstrooiing [-jɪŋ] *v* 1 dispersion; 2 diversion.

verstuiken [vər'stœykə(n)] I *vt* sprain [one's ankle]; II *vr zich ~* sprain one's ankle.

verstuiking [-kɪŋ] *v* sprain(ing).

verstuiven [vər'stœyvə(n)] I *vi* be blown away [of dust]; be dispersed (scattered); *doen ~* scatter, disperse; II *vt* pulverize, spray.

verstuiver [-vər] *m* pulverizer, atomizer, spray.

verstuiving [-vɪŋ] *v* 1 dispersion; 2 pulverization; 3 zie *zandverstuiving*.

verstuwen [vər'sty.və(n)] = *verstouwen*.

versuffen [-'süfə(n)] I *vi* grow dull, grow stupid; II *vt* dream away [one's time].

versuft [-'süft] stunned, dazed, dull; *~ van schrik* dazed with fright.

versuftheid [-hɛit] *v* stupor; (v. ouderdom) dotage.

vertaalbaar [vər'ta.lba:r] translatable.

vertaalmachine [-ma.ʃi.nə] *v* translating machine.

vertaaloefening [-u.fənɪŋ] *v* translation exercise.

vertaalrecht [-rɛxt] *o* right of translation, translation rights.

vertaalster [-stər] *v* translator.

vertaalwerk [-vɛrk] *o* translations, translation work.

vertakken [vər'tɑkə(n)] in: *zich ~* branch, ramify.

vertakking [-kɪŋ] *v* branching, ramification.

vertalen [vər'ta.lə(n)] I *vt* translate; *~ in* translate (render, turn) into [English &]; *~ uit het... in het...* translate from [Persian] into [Turkish]; II *vi* translate.

vertaler [-lər] *m* translator.

vertaling [-lɪŋ] *v* translation, ook: version [of the Bible]; *~ uit het... in het...* translation from... into...

vertalingsrecht [-lɪŋsrɛxt] *o* right of translation, translation rights.

verte ['vɛrtə] *v* distance; *in de ~* in the distance; *heel in de ~* far away (in the distance); *in de verste ~ niet* not in the least; *ik heb er in de verste ~ niet aan gedacht om...* I have not had the remotest idea of ...ing, nothing could be further from my thoughts; *uit de ~* from afar, from a distance.

vertederen [vər'te.dərə(n)] *vt* soften, mollify.

vertedering [-rɪŋ] *v* softening, mollification.

verteerbaar [vər'te:rba:r] digestible; *licht ~* easily digested, easy to digest.

verteerbaarheid [-hɛit] v digestibility.

vertegenwoordigen [vǝrte.gǝn'vo:rdǝgǝ(n)] vt represent, ook: be representative of; ~d representative; representative of, representing.

vertegenwoordiger [-gǝr] m representative; $ ook: agent.

vertegenwoordiging [-gɪŋ] v representation; $ ook: agency.

vertellen [vǝr'tɛlǝ(n)] I vt tell, relate, narrate; *men vertelt van hem dat...* he is said to...; *vertel me (er) eens...* F just tell me...; *ik heb horen ~ dat...* I was told that...; *vertel het niet verder* don't let it get about; II va tell a story; *hij kan aardig ~* he can tell a story well; III vr *zich ~* miscount, make a mistake in adding up.

verteller [-lǝr] m narrator, relater, story-teller.

vertelling [-lɪŋ] v tale, story, narration.

vertelsel [vǝr'tɛlsǝl] o tale, story.

vertelselboek [-bu.k] o story-book.

verteren [vǝr'te:rǝ(n)] I vt 1 (voedsel) digest; 2 (geld) spend; 3 *fig* (v. vuur &) consume; (v. hartstocht) eat up, devour [a man]; *de afgunst verteert hem* he is consumed (eaten up) with envy; *de roest verteert het ijzer* rust corrodes iron; II vi digest; *het verteert gemakkelijk* it is easy of digestion; *dat verteert niet goed* it does not digest well; *het hout verteert* the wood wastes away.

vertering [-rɪŋ] v 1 (v. voedsel) digestion; 2 (verbruik) consumption; 3 (gelag) expenses; *wat is mijn ~?* how much am I to pay for what I have had?; *grote ~en maken* spend largely.

verteuten [vǝr'tø.tǝ(n)] vt fritter (dawdle, idle) away.

verticaal [verti.'ka.l] aj (& ad) vertical(ly); (bij kruiswoordraadsel) down.

vertienvoudigen [verti.n'vǝudǝgǝ(n)] vt decuple.

vertier [vǝr'ti:r] o 1 (verkeer) traffic; 2 (drukte) bustle; 3 (vermaak) amusement.

vertikaal zie *verticaal*.

vertikken [-'tɪkǝ(n)] vt in: *het ~* F refuse; *hij vertikte het* he just wouldn't do it.

vertillen [-'tɪlǝ(n)] I vt lift, move; II vr *zich ~* strain oneself in lifting.

vertimmeren [-'tɪmǝrǝ(n)] vt make alterations in.

vertimmering [-rɪŋ] v alterations.

vertinnen [vǝr'tɪnǝ(n)] vt tin, coat with tin.

vertinsel [-'tɪnsǝl] o tinning, tin coating.

vertoeven [-'tu.vǝ(n)] vi sojourn, stay.

vertolken [-'tɔlkǝ(n)] vt interpret; *fig* voice [the feelings of...]; ♪ interpret, render, read.

vertolker [-kǝr] m interpreter[2]; *fig* exponent.

vertolking [-kɪŋ] v interpretation[2].

vertonen [vǝr'to.nǝ(n)] I vt 1 show [one's card]; exhibit [signs of..., a work of art]; display [the beauty of...]; 2 (opvoeren) produce, present [said of the theatrical manager]; perform [a play]; show, present

[a film]; II vr *zich ~* show, appear [of buds, flowers &]; show oneself [in public]; *hij toonde zich niet* ook: he did not put in an appearance, he did not show up (turn up).

vertoner [-nǝr] m shower; producer; performer.

vertoning [-nɪŋ] v 1 show, exhibition; 2 (opvoering) performance, representation; *stichtelijke ~* edifying spectacle.

vertoog [vǝr'to.x] o remonstrance, representation; expostulation; *vertogen richten tot* make representations to.

vertoon [-'to.n] o 1 show; 2 (praal) show, ostentation, > parade; *~ van geleerdheid* parade of learning; (veel) *~ maken* 1 (v. mensen) make a show; 2 (v. dingen) make a fine show; *~ maken met* show off, parade; *op ~* on presentation; *zonder ~ van geleerdheid* without showing off one's learning.

vertoonbaar [-ba:r] zie *toonbaar*.

vertoornd [vǝr'to:rnt] incensed, wrathful, angry; *~ op* angry with.

vertoornen [-'to:rnǝ(n)] I vt make angry, anger, incense; II vr *zich ~* become angry.

vertragen [-'tra.gǝ(n)] vt retard, delay, slacken, slow down [the pace, movement]; *vertraagde film* slow-motion picture, slow-motion film; *vertraagd telegram* belated telegram.

vertraging [-gɪŋ] slackening, slowing down [of the pace, a movement]; delay [in replying to a letter]; *de trein heeft 20 minuten ~* the train is 20 minutes late (overdue).

vertrappen [vǝr'trapǝ(n)] vt trample (tread) upon[2].

vertrapt [-'trapt] trampled down; *fig* downtrodden.

vertreden [-'tre.dǝ(n)] I vt tread upon; *in het stof ~* trample under foot; II vr in: *ik moet mij eens ~* I want to stretch my legs.

vertrek [-'trɛk] o 1 departure, ⚓ sailing; 2 room, apartment; *bij zijn ~* at his departure, when he left.

vertrekken [-'trɛkǝ(n)] I vi depart, start, leave, go away (off); ⚓ sail; *je kunt ~!* you may go now!; *~ van Parijs naar Londen* leave Paris for London; II vt distort [one's face]; *hij vertrok geen spier* he did not move a muscle.

vertrekking [-kɪŋ] v distortion.

vertreksein [vǝr'trɛksein] o starting signal.

vertreuzelen [vǝr'trø.zǝlǝ(n)] vt trifle away, loiter away.

vertroebelen [-'tru.bǝlǝ(n)] vt make cloudy (thick, muddy); *fig* cloud [the issue]; trouble [relations, the atmosphere].

vertroetelen [-'tru.tǝlǝ(n)] vt coddle, pamper, pet.

vertroosten [-'tro.stǝ(n)] vt comfort, console, solace.

vertrooster [-tǝr] m comforter.

vertroosting [-tɪŋ] v consolation, comfort, solace.

vertrouwd [vər'trɑut] reliable, trusted, trustworthy, trusty; safe; ~ *vriend* 1 intimate friend; 2 trusted friend; ~ *met* conversant (familiar) with; *zich* ~ *maken met* make oneself familiar with [a subject]; ~ *raken met* become conversant with.

vertrouwde [-'trɑudə] *m-v* zie *vertrouweling, vertrouwelinge.*

vertrouwdheid [-'trɑuthɛit] *v* familiarity [with the subject].

vertrouwelijk [-'trɑuələk] I *aj* confidential; ~*e omgang* familiar intercourse; *streng* ~*l* strictly private!; II *ad* confidentially, in confidence; ~ *omgaan met* zie *omgaan.*

vertrouwelijkheid [-hɛit] *v* confidentialness; familiarity.

vertrouweling(e) [vər'trɑuəlɪŋ(ə)] *m(-v)* confidant(e).

vertrouwen [-'trɑuə(n)] I *vt* trust; *iemand iets* ~ zie *toevertrouwen; wij* ~ *dat...* we trust that...; *zij* ~ *hem niet* they don't trust him; *hij vertrouwde het zaakje niet* he did not trust the business; *hij is niet te* ~ he is not to be trusted; II *vi in:* ~ *op God* trust in God; *ik vertrouw erop* I rely upon it; *kunnen wij op u* ~*?* can we rely upon you?; *op de toekomst (het toeval &)* ~ trust to the future (to luck); III *o* confidence, trust, faith; *zijn* ~ *op...* his reliance on..., his faith in...; *het* ~ *beschamen* betray a man's confidence; *het volste* ~ *genieten* enjoy one's entire confidence; ~ *hebben* have confidence, be confident; *geen* ~ *meer hebben in...* have lost confidence in...; ~ *hebben op* zie ~ *stellen in; iemand zijn* ~ *schenken* admit (take) him into one's confidence; ~ *stellen in* put trust in, repose (place, have) confidence in, put one's faith in; *zijn* ~ *is geschokt* his confidence has been shaken; ~ *wekken* inspire confidence; *in* ~ in (strict) confidence; *iemand in* ~ *nemen* take a person into one's confidence; *in* ~ *op* relying upon; *met* ~ with confidence, confidently; *met het volste* ~ with the utmost confidence, with every confidence; *op goed* ~ on trust; *goed van* ~ *zijn* be of a trustful nature.

vertwijfeld [-'tvɛifəlt] desperate.

vertwijfelen [-fələ(n)] *vi* despair; ~ *aan* despair of.

vertwijfeling [-fəlɪŋ] *v* despair, desperation.

vervaard [vər'va:rt] alarmed, frightened.

vervaardheid [-hɛit] *v* alarm, fear.

vervaardigen [vər'va:rdəgə(n)] *vt* make, manufacture.

vervaardiger [-gər] *m* maker, manufacturer.

vervaardiging [-gɪŋ] *v* making, manufacture.

vervaarlijk [vər'va:rlək] I *aj* frightful, awful; huge, tremendous; II *ad* frightfully, awfully.

vervaarlijkheid [-hɛit] *v* frightfulness, awfulness.

vervagen [vər'va.gə(n)] *vi* fade, grow blurred, become indistinct.

verval [-'val] *o* fall [difference in the levels of a river]; *fig* 1 (achteruitgang) decay, decline, deterioration; 2 (ommekomst) maturity [of a bill of exchange]; 3 (fooien) perquisites; ~ *van krachten* senile decay; *in* ~ *geraken* fall into decay.

vervaldag [-dɑx] *m* \$ day of payment, due date; *op de*~ \$ at maturity, when due.

1 **vervallen** [vər'valə(n)] *vi* 1 decay, fall into decay, go to ruin; fall into disrepair [of a house]; 2 (niet langer lopen) expire [of a term]; fall (become) due, mature [of bills]; 3 (wegvallen) be taken off [of a train]; be cancelled [of a service]; 4 (niet langer gelden) lapse [of a right], be abrogated [of a law]; ~ *aan de Kroon* fall to the Crown; *in boete* ~ incur a fine; *in zijn oude fout* ~ fall into the old mistake; *in herhalingen* ~ repeat oneself; *in onkosten* ~ incur expenses; *tot zonde* ~ lapse into sin; zie ook: *armoede, uiterste &.*

2 **vervallen** [vər'valə(n)] *aj* 1 (v. gebouwen &) ruinous, out of repair, dilapidated, ramshackle [house &]; worn (out), broken down [person]; 2 (v. wissels) due; 3 (v. recht) lapsed; 4 (v. termijn, polis) expired; *van de troon*~ *verklaard* deposed.

vervalsen [-'valsə(n)] *vt* falsify [a text], forge [a document], cook [the accounts]; adulterate [food], debase [coin &], counterfeit [banknotes], load [dice], doctor [wine], F fake.

vervalser [-sər] *m* falsifier, adulterator, forger, F faker.

vervalsing [-sɪŋ] *v* 1 falsification [of a document]; 2 adulteration [of food]; F fake.

vervaltijd [vər'valtɛit] *m* \$ due date; *op de* ~ \$ at maturity, when due.

vervangen [-'vɑŋə(n)] *vt* 1 take (fill, supply) the place of, replace, be used instead of; 2 (aflossen) relieve; *wie zal u* ~*?* who is going to take your place?, who is going to stand in for you?; *iets* ~ *door iets anders* replace it by something else, substitute something else for it.

vervanger [-ŋər] *m* zie *plaatsvervanger.*

vervanging [-ŋɪŋ] *v* replacement, substitution; *ter* ~ *van* in (the) place of, in substitution for.

vervangingsmiddel [-ŋɪŋsmɪdəl] *o* substitute.

vervangingswaarde [-va:rdə] *v* replacement value.

vervat [vər'vat] in: ~ *in* implied in [this statement &]; couched in [energetic terms]; *daarin is alles* ~ everything is contained therein.

vervelen [-'ve.lə(n)] I *vt* bore, tire, weary; (ergeren) annoy; *hij zal je dood* ~ he will bore you stiff; *het zal je dood* ~ you will be bored to death; *het begint me te* ~ I am beginning to get tired of it (bored with it); II *va* tire, bore, become a bore; *tot* ~*s toe* over and over again, ad nauseam; III *vr zich* ~ be bored, feel bored.

vervelend [-lənt] I *aj* tiresome, boring [fellow &]; dull [book, play, town &], tedious [speech &]; irksome [task]; (ergerlijk) annoying; *hè, hoe ~ is dat nou!* how provoking!, how annoying!; Oh bother!; *wat is dat ~* what a bore it is!; *wat is die vent ~!* what a bore!; *het wordt ~* it becomes wearisome; II *ad* boringly, tediously.

verveling [-lɪŋ] tiresomeness, tedium, boredom, weariness, ennui.

vervellen [vər'vɛlə(n)] *vi* cast its skin [of a snake], slough; *mijn neus begint te ~* begins to peel.

vervelling [-lɪŋ] *v* sloughing [of a snake]; peeling.

verveloos ['vɛrvəlo.s] colourless; discoloured.

verveloosheid [vɛrvə'lo.shɛit] *v* colourlessness.

verven ['vɛrvə(n)] *vt* 1 paint [a door, one's face &]; 2 dye [clothes, one's hair].

verver [-vər] *m* 1 (house-)painter; 2 dyer [of clothes].

ververij [vɛrvə'rɛi] *v* dye-house, dye-works.

verversen [vər'vɛrsə(n)] I *vt* refresh, renew; II *vr zich ~* take some refreshment.

verversing [-sɪŋ] *v* refreshment.

vervetten [vər'vɛtə(n)] *vi* turn into fat.

verviervoudigen [-vi:r'vɔudəgə(n)] *vt* quadruple.

vervliegen [-'vli.gə(n)] *vi* 1 (wegvliegen) fly [of time]; 2 (vervluchtigen) evaporate, volatilize [of liquids, salt &]; 3 *fig* evaporate; zie ook: *vervlogen*.

vervloeien [-'vlu.jə(n)] *vi* flow away; run [of ink], melt [of colours].

vervloeken [-'vlu.kə(n)] *vt* 1 curse, damn, execrate; 2 (met banvloek) anathematize.

vervloeking [-kɪŋ] *v* 1 curse, imprecation, malediction; 2 anathema.

vervloekt [vər'vlu.kt] I *aj* cursed, damned, execrable; *die ~e...!* damn the...!; *een ~e last* a damned nuisance; (wel) *~!* damn it!; II *ad* < d—d, deuced, confoundedly [difficult &].

vervlogen [-'vlo.gə(n)] gone; *in ~ dagen* in days gone by; *~ hoop* hope gone; *~ roem* departed glory.

vervluchtigen [-'vlüxtəgə(n)] *vi* & *vt* volatilize, evaporate[2].

vervluchtiging [-gɪŋ] *v* volatilization, evaporation[2].

vervoegbaar [vər'vu.xba:r] *gram* that can be conjugated.

vervoegen [-'vu.gə(n)] I *vt* conjugate [verbs]; II *vr zich ~ bij* apply to.

vervoeging [-gɪŋ] *v gram* conjugation.

vervoer [vər'vu:r] *o* transport, conveyance, carriage; transit; *~ te water* water-carriage.

vervoerbaar [-ba:r] transportable.

vervoerbiljet [-bɪljɛt] *o* $ permit.

vervoerd [vər'vu:rt] *fig* enraptured, in raptures.

vervoerder [-'vu:rdər] *m* transporter, conveyer, carrier.

vervoeren [-'vu:rə(n)] *vt* transport, convey, carry; zie ook: *vervoerd*.

vervoering [-rɪŋ] *v* transport, rapture, ecstasy; *in ~ raken* go into raptures [over it], be carried away [by these words].

vervoerkosten [vər'vu:rkɔstə(n)] *mv* transport charges, cost of carriage.

vervoermiddel [-mɪdəl] *o* (means of) conveyance, means of transport.

vervoerverbod [-vərbɔt] *o* prohibition of transport.

vervoerwezen [-ve.zə(n)] *o* transport.

vervolg [vər'vɔlx] *o* continuation, sequel; (toekomst) future; *~ op bl. 12* continued on page 12; *in het ~* in future, henceforth; *Ten ~e van mijn brief van...* $ Further to my letter of..., Following up my letter of...; *ten ~e van...* in continuation of...

vervolgbaar [-ba:r] *rt* actionable, indictable [offence]; (civiel) suable, (crimineel) prosecutable [persons].

vervolgdeel [-de.l] *o* supplementary volume.

vervolgen [vər'vɔlgə(n)] *vt* 1 continue [a story, a course &]; proceed on [one's way]; 2 (achternazetten) pursue [the enemy]; 3 persecute [for political or religious reasons]; 4 *rt* prosecute [a man]; sue [a debtor]; proceed against, have the law of [a person]; *...vervolgde hij* ...he went on, ...he continued, ...he went on to say; *wordt vervolgd* to be continued (in our next); *die gedachte (herinnering) vervolgt mij* the thought (memory) haunts me; *door pech vervolgd* dogged by ill-luck.

vervolgens [-gəns] then, further, next; afterwards; *hij vroeg ~...* ook: he went on (he proceeded) to ask...

vervolger [-gər] *m* 1 pursuer; 2 persecutor.

vervolging [-gɪŋ] *v* 1 pursuit; 2 persecution; 3 *rt* prosecution; *een ~ instellen tegen hem* bring an action against him; *aan ~ bloot-staan* be exposed to persecution.

vervolgingswaanzin [-gɪŋsva.nzɪn] *m* persecution mania.

vervolgklas(se) [vər'vɔlxklɑs(ə)] *v* continuation class.

vervormen [-'vərmə(n)] *vt* 1 transform, refashion; 2 deform.

vervorming [-mɪŋ] *v* 1 transformation, refashioning; 2 deformation.

vervrachten [vər'vrɑxtə(n)] *vt* zie *bevrachten*.

vervreemd [-'vre.mt] alienated, estranged (from *van*).

vervreemdbaar [-ba:r] alienable.

vervreemdbaarheid [-hɛit] *v* alienability.

vervreemden [vər'vre.mdə(n)] I *vt* alienate [property]; *~ van* alienate (estrange) from; *zijn familie van zich ~* alienate one's relations; II (*vr* &) *vi* (*zich*) *~ van* become estranged from, become a stranger to.

vervreemding [-dɪŋ] *v* alienation, estrangement.

vervroegen [vər'vru.gə(n)] *vt* fix at an earlier time (hour), advance, move forward [the date by a week]; *vervroegde betaling* accelerated payment.

vervroeging [-gɪŋ] *v* anticipation.

vervuild [vər'vœylt] filthy.

vervuildheid [-hɛit] *v* filthiness.

vervuilen [vər'vœylə(n)] I *vi* grow filthy; II *vt* make filthy.

vervuiling [-lɪŋ] *v* filthiness.

vervullen [vər'vŭlə(n)] *vt* fill² [a room with..., a part, a place, a rôle]; fulfil [a prophecy, a promise]; occupy, fill [a place]; perform, carry out [a duty], accomplish [a task]; comply with [a formality]; *hij zag zijn hoop (zijn wensen) vervuld* his hopes (his wishes) were realized, his desires were fulfilled; *iemands plaats ~* take a man's place; *~ met* fill with; *van angst vervuld* full of anxiety.

vervulling [-lɪŋ] *v* fulfilment, performance; realization; *in ~ gaan* be realized; (v. droom) come true.

verwaaid [vər'va:it] blown about; *er ~ uitzien* F look tousled (ruffled).

verwaaien [-'va.jə(n)] *vi* be blown away (about).

verwaand [-'va.nt] conceited, arrogant, stuck-up, bumptious, cocky.

verwaandheid [-hɛit] *v* conceitedness, conceit, arrogance, bumptiousness, cockiness.

verwaardigen [vər'va:rdəgə(n)] I *vt in: iemand met geen blik ~* not deign to look at a person; II *vr zich ~ om...* condescend to..., deign to...

verwaarlozen [-'va:rlo.zə(n)] *vt* neglect; *te ~* negligible.

verwaarlozing [-zɪŋ] *v* neglect; *met ~ van...* to the neglect of...

verwachten [vər'vɑxtə(n)] *vt* expect [people, events]; look forward to, anticipate [an event]; *wij ~ dat ze komen zullen* we expect them to come; *dat had ik niet van hem verwacht* I had not expected it of him (at his hands); *zoals te ~ was* as was to be expected.

verwachting [-lɪŋ] *v* expectation; *blijde ~* joyful anticipation; *grote ~en hebben van...* entertain great hopes of...; *de ~ koesteren dat...* cherish a hope that..., expect that...; *zonder de minste ~(en) te koesteren dienaangaande* without entertaining any expectation on that score; *zijn ~ hoog spannen* pitch one's expectations high; *de ~en waren hoog gespannen* expectation ran high; *vol ~* in expectation, expectantly; *het beantwoordde niet aan de ~en* it did not come up to my (their &) expectations, it fell short of my (his &) expectations; *boven ~* beyond expectation; *buiten ~* contrary to expectation; *in gespannen ~* on the tiptoe of expectation; *zij is in ~* she is expecting (a baby); *tegen alle ~* against all expectations, contrary to expectation.

verwant [vər'vɑnt] allied, related, kindred,

congenial [spirits]; cognate [words]; (alléén predikatief) akin; *~ aan* allied (related, akin) to; *het naast ~ aan* most closely allied to; *die hem het naast ~ zijn* his next of kin, next in blood.

verwant(e) [-'vɑnt(ə)] *m(-v)* relative, relation; *zijn ~en* his relations, his relatives.

verwantschap [-'vɑntsxɑp] *v* relationship, kinship, consanguinity, affinity [of blood]; congeniality [of character &]; relation.

verward [-'vɑrt] I *aj* 1 entangled, tangled [threads, hair, mass &]; tousled [hair]; confused [mass], disordered [things]; *fig* confused [thoughts, talk]; 2 (ingewikkeld) entangled, intricate [affair]; *~ raken in* get entangled in; II *ad* confusedly².

verwardheid [-hɛit] *v* confusion².

verwarmen [vər'vɑrmə(n)] *vt* warm, heat.

verwarming [-mɪŋ] *v* warming, heating; *centrale ~* central heating.

verwarmingsbuis [-mɪŋsbœys] *v* (central-)heating pipe.

verwarmingstoestel [-tu.stɛl] *o* heating-apparatus.

verwarren [vər'vɑrə(n)] I *vt eig* entangle, tangle [threads &]; *fig* confuse [names &]; confound, mix up [facts]; muddle up [things]; II *vr zich ~* get entangled.

verwarring [-rɪŋ] *v* entanglement; confusion², muddle; *~ stichten* create confusion; *in ~ brengen* throw into disorder [things]; confuse, confound [a man]; *in ~ raken* get confused².

verwaten [vər'va.tə(n)] I *aj* arrogant, overbearing, overweening, presumptuous; II *ad* arrogantly.

verwatenheid [-hɛit] *v* arrogance, presumption.

verwaterd [vər'va.tərt] spoiled by the addition of too much water; *fig* watered (down).

verwateren [-tərə(n)] *vt* dilute too much, water [the milk]; *fig* water [the capital], water down [the truth &].

verwedden [vər'vɛdə(n)] *vt* 1 bet, wager; 2 (door wedden verliezen) lose in betting; *ik verwed er 10 gulden onder* I bet you ten guilders; *ik verwed er mijn hoofd onder* I'll stake my life on it.

verweer [-'ve:r] *o* 1 resistance; 2 defence.

verweerd [-'ve:rt] weathered [stone &]; weather-beaten [pane, face].

verweerder [-'ve:rdər] *m* defender, *z̄z̄* defendant.

verweermiddel [-mɪdəl] *o* means of defence.

verweerschrift [-s(x)rɪft] *o* (written) defence, apology.

verweesd [vər've.st] orphaned, orphan...

verwegen [-'ve.gə(n)] *vt zie* verwikken.

verwekelijken [-'ve.kələkə(n)] I *vt* enervate; II *vi* become effeminate (enervated).

verwekelijking [-kɪŋ] *v* enervation, effeminacy.

verweken [vər've.kə(n)] *vt* soften.

verweking [-kɪŋ] *v* softening.

verwekken [vər'vɛkə(n)] *vt* procreate, beget

[children]; *fig* raise, cause [discontent]; rouse [feelings of...]; stir up [dissatisfaction, a riot]; breed [disease, strife]; *RK* make [an act of contrition].

verwekker [-kər] *m* procreator, begetter, author, cause.

verwekking [-kɪŋ] *v* procreation, begetting; raising.

verwelf(sel) [vər'vɛlf(səl)] *o* vault.

verwelken [-'vɛlkə(n)] *vi* fade, wither²; *doen* ~ fade, wither².

verwelking [-kɪŋ] *v* fading, withering².

verwelkomen [vər'vɛlko.mə(n)] *vt* welcome, bid [one] welcome; *hartelijk* ~ extend a hearty welcome to...

verwelkoming [-mɪŋ] *v* welcome.

verwelkt [vər'vɛlkt] faded, withered.

verwelven [-'vɛlvə(n)] *vt* vault.

verwend [-'vɛnt] spoilt [children]; *op het punt van... zijn wij niet* ~ they don't spoil us with... here, as for... we only get what is just better than nothing.

verwennen [-'vɛnə(n)] I *vt* spoil, indulge (too much) [a child]; II *vr zich* ~ coddle oneself.

verwensen [-'vɛnsə(n)] *vt* curse.

verwensing [-sɪŋ] *v* curse.

verwenst [vər'vɛnst] confounded, d—d.

1 **verweren** [-'ve:rə(n)] I *vt* defend; II *vr zich* ~ defend oneself.

2 **verweren** [-'ve:rə(n)] *vi* weather, become weather-beaten.

1 **verwering** [-rɪŋ] *v* 1 defence; 2 *zie ook: ver-*

2 **verwering** [-rɪŋ] *v* weathering. [*weerschrift.*

verwerkelijken [vər'vɛrkələkə(n)] *vt* realize.

verwerkelijking [-kɪŋ] *v* realization.

verwerken [vər'vɛrkə(n)] *vt* work up [materials]; digest², assimilate² [food, what is taught]; *fig* cope with [the demand, the rush, a record number of passengers]; ~ *tot* make into.

verwerking [-kɪŋ] *v* working up; assimilation², digestion² [of food, of what is taught].

verwerpelijk [vər'vɛrpələk] objectionable.

verwerpelijkheid [-hɛit] *v* objectionableness.

verwerpen [vər'vɛrpə(n)] *vt* reject [an offer]; reject, negative, defeat [a bill &]; repudiate the authority of...]; *het amendement werd verworpen* the amendment was lost (defeated); *het beroep werd verworpen* ɪɪ̃ the appeal was dismissed.

verwerping [-pɪŋ] *v* rejection, repudiation; ɪɪ̃ dismissal [of an appeal].

verwerven [vər'vɛrvə(n)] *vt* obtain, acquire, win, gain.

verwerving [-vɪŋ] *v* obtaining, acquiring, acquisition.

verwezen [vər've.zə(n)] dazed, dumb-founded; *hij stond als* ~, *als een* ~*e* he seemed to be in a daze.

verwezenlijken [-'ve.zə(n)ləkə(n)] *vt* realize.

verwezenlijking [-kɪŋ] *v* realization.

verwijden [vər'vɛidə(n)] I *vt* widen; II *vr zich* ~ widen; dilate [of eyes].

verwijderd [-'vɛidərt] remote, distant; *van elkaar* ~ *raken* drift apart².

verwijderen [-dərə(n)] I *vt* remove [things, a stain, a tumour, an official from office &]; get [a person, something] out of the way; expel [a boy from school]; *de mensen van elkaar* ~ alienate (estrange) people; II *vr zich* ~ withdraw, retire, go away [of persons]; move away, move off [of ships &]; grow fainter [of sounds]; *mag ik mij even* ~? excuse me one moment?; ⇔ may I leave the room?

verwijdering [-dərɪŋ] *v* 1 removal; expulsion [of a boy from school]; 2 (tussen personen) estrangement, alienation.

verwijding [-dɪŋ] *v* widening, § dila(ta)tion.

verwijfd [vər'vɛift] *aj* (& *ad*) effeminate(ly).

verwijfdheid [-hɛit] *v* effeminacy, effeminateness.

verwijl [vər'vɛil] *o* delay; *zonder* ~ without delay.

verwijlen [-'vɛilə(n)] *vi* stay, sojourn, abide; ~ *bij* dwell on [a subject].

verwijt [-'vɛit] *o* reproach, blame, reproof; *iemand een* ~ *van iets maken* reproach one with a thing; *ons treft geen* ~ no blame attaches to us, we are not to blame.

verwijten [-'vɛitə(n)] *vt* reproach, upbraid; *iemand iets* ~ reproach one with a thing; *zij hebben elkaar niets te* ~ they are tarred with the same brush; *ik heb mij niets te* ~ I have nothing to reproach myself with.

verwijtend [-tənt] *aj* (& *ad*) reproachful(ly).

verwijven [vər'vɛivə(n)] I *vt* render effeminate; II *vi* become effeminate.

verwijzen [-'vɛizə(n)] *vt* refer; *hij werd in de kosten verwezen* ɪɪ̃ he was cast in costs.

verwijzing [-zɪŋ] *v* reference; (cross-)reference [in a book]; *onder* ~ *naar*... referring to..., with reference to...

verwikkeld [vər'vɪkəlt] intricate, complicated; ~ *zijn in* be mixed up in.

verwikkelen [-'vɪkələ(n)] *vt* make intricate; *iemand* ~ *in* implicate a person in [a plot], mix him up in [it].

verwikkeling [-lɪŋ] *v* 1 entanglement, complication; 2 (v. roman, toneelstuk) plot; ~*en* complications.

verwikken [vər'vɪkə(n)] *vt* in: *het was niet te* ~ *of te verwegen* it could not be moved.

verwilderd [-'vɪldərt] *eig* 1 (v. dier, kind, plant) run wild; 2 (tuin) overgrown, neglected; *fig* haggard [looks]; *hij keek* ~ he looked haggard; *wat zien die kinderen er* ~ *uit!* how unkempt these children look!; *de* ~*e jeugd* lawless youth.

verwilderen [-'vɪldərə(n)] *vi* run wild² [also of children]; *fig* sink back into savagery.

verwildering [-rɪŋ] *v* running wild; *fig* sinking back into savagery; lawlessness [of youth, morals].

verwisselbaar [vər'vɪsəlba:r] interchangeable.

verwisselen [-sələ(n)] I *vt* (inter)change; exchange [things]; *u moet ze niet met elkaar* ~ you should not mistake one for the other; you should not confound them; ~ *tegen* exchange for; II *vi* in: *van kleren* ~ change one's dress, F change; ~ *van kleur* change colour; *van paarden* ~ change horses; *van plaats* ~ change places.

verwisselend [-lənt] in: ~*e hoeken* alternate angles.

verwisseling [-lɪŋ] *v* (inter)change; exchange; mistake; ~ *van plaats* change of place.

verwittigen [vər'vɪtəgə(n)] *vt* inform, tell; *iemand van iets* ~ inform one of a thing.

verwittiging [-gɪŋ] *v* notice, information.

verwoed [vər'vu.t] I *aj* furious, fierce, grim; keen [sportsman]; II *ad* furiously, fiercely, grimly.

verwoedheid [-hɛit] *v* rage, fury, fierceness, grimness.

verwoest [vər'vu.st] destroyed, laid waste, devastated, ruined; ~ *gebied* devastated area.

verwoesten [-'vu.stə(n)] *vt* destroy, lay waste, devastate, ruin.

verwoestend [-tənt] destructive, devastating.

verwoester [-tər] *m* destroyer, devastator.

verwoesting [-tɪŋ] *v* destruction, devastation, ravage, havoc; ~*en* ravages; (*grote*) ~*en aanrichten* (*onder*) work (great) havoc, make havoc (among).

verwonden [vər'vòndə(n)] *vt* wound, injure, hurt.

verwonderd [-dərt] I *aj* surprised, astonished (at *over*); II *ad* wonderingly, in wonder, in surprise.

verwonderen [-dərə(n)] I *vt* surprise, astonish; *wat mij verwondert is dat...* what surprises me is that...; *het verwondert me alleen dat...* the only thing that astonishes me is...; *dat verwondert mij niet* I am not surprised at that; *het zou me niets* ~ *als...* I should not wonder, I should not be at all surprised if...; *het is niet te* ~ *dat...* no wonder that...; *is het te* ~ *dat...?* is it any wonder that...?; II *vr zich* ~ (*over*) be surprised (at), be astonished (at), marvel (at), wonder (at).

verwondering [-dərɪŋ] *v* astonishment, wonder, surprise; ~ *baren* cause a surprise; *tot mijn grote* ~ to my great surprise.

verwonderlijk [-dərlək] *aj* (& *ad*) astonishing-(ly), surprising(ly), wonderful(ly); *het* ~*ste is dat...* the queer thing about it is that...

verwonderlijkheid [-hɛit] *v* wonderfulness; queerness.

verwonding [vər'vòndɪŋ] *v* wound, injury.

verwonen [-'vo.nə(n)] *vt* pay for rent.

verworden [-'vòrdə(n)] *vi* degenerate (into *tot*).

verwording [-dɪŋ] *v* degeneration.

verworgen [vər'vòrgə(n)] *vt* strangle, throttle.

verworging [-gɪŋ] *v* strangulation.

verworpeling [vər'vòrpəlɪŋ] *m* outcast, reprobate.

verworpen [-pə(n)] *fig* reprobate.

verworpenheid [-pə(n)hɛit] *v* reprobation.

verworvenheid [vər'vòrvə(n)hɛit] *v* achievement.

verwrikken [-'vrɪkə(n)] *vt* move (with jerks).

verwringen [-'vrɪŋə(n)] *vt* twist, distort[2].

verwringing [-ŋɪŋ] *v* twisting, distortion[2].

verwrongen [vər'vròŋə(n)] twisted, distorted[2].

verwulf(sel) [-'vũlf(səl)] = *verwelf(sel)*.

verwurgen [-'vũrgə(n)] = *verworgen*.

verwurging [-gɪŋ] = *verworging*.

verzachten [vər'zɑxtə(n)] *vt* soften[2] [the skin, colours, light, voice]; *fig* soothe; mitigate, palliate, alleviate, allay, assuage, relieve [pain]; relax [the law].

verzachtend [-tənt] softening, mitigating; ~ *middel* emollient, palliative; ~*e omstandigheden* extenuating circumstances.

verzachting [-tɪŋ] *v* softening [of the skin &]; mitigation, alleviation [of pain]; relaxation [of a law].

verzadigbaar [vər'za.dəxba:r] I satiable [person]; 2 saturable [substance, vapour &].

verzadigd [-dəxt] I (v. e t e n) satisfied, satiated; 2 (c h e m i s c h) saturated.

verzadigdheid [-dəxthɛit] *v* I satiety; 2 (chemisch) saturation.

verzadigen [-də gə(n)] I *vt* I satisfy, satiate; 2 (chemisch) saturate; *niet te* ~ insatiable; II *vr zich* ~ eat one's fill, satisfy oneself.

verzadiging [-gɪŋ] *v* I satiation; 2 (chemisch) saturation.

verzadigingspunt [-gɪŋspũnt] *o* saturation point.

verzaken [vər'za.kə(n)] *vt* renounce, forsake; *kleur* ~ ◊ revoke; *zie ook: plicht*.

verzaking [-kɪŋ] *v* I renunciation, forsaking; neglect [of duty]; 2 ◊ revoke.

verzakken [vər'zɑkə(n)] *vi* sag, sink, subside, settle.

verzakking [-kɪŋ] *v* sagging, sag [of a door], sinking, subsidence.

verzamelaar *m* ~**ster** [vər'za.mə la:r, -stər] *v* collector, gatherer, compiler.

verzamelen [-lə(n)] I *vt* gather [honey &]; collect [things]; store up [energy, power &]; assemble [one's adherents]; rally [troops]; compile [stories]; *zijn gedachten* ~ collect one's thoughts; *zijn krachten* ~ gather one's strength; *zijn moed* ~ muster one's courage; ~ *blazen* ⚔ sound the assembly; *fig* sound the rally; II *vr zich* ~ I (v. personen, dieren) congregate, come together, gather, meet, assemble, rally; 2 (v. stof &) collect; *zich* ~ *om...* gather (rally) round...

verzameling [-lɪŋ] *v* I collection; 2 gathering; 3 compilation.

verzamelnaam [vər'za.mə lna.m] *m* collective noun.

verzamelplaats [-pla.ts] *v* I meeting-place, trysting-place, meet; 2 ⚔ rallying-place.

verzanden [vər'zɑndə(n)] *vi* silt up.

verzanding [-dɪŋ] *v* silting up.

verzegelen [vər'ze.gələ(n)] *vt* seal (up); 𝑠𝑡 put under seal, put seals upon.

verzegeling [-lɪŋ] *v* sealing (up); 𝑠𝑡 putting under seal.

verzeilen [vər'zɛilə(n)] *vi* in: *hoe kom jij hier verzeild?* what brings you here?; *ik weet niet waar hij verzeild is* I don't know where he has got to.

verzekeraar [vər'ze.kəra:r] *m* 1 assurer; 2 insurer; ⚓ underwriter.

verzekerd [-kərt] 1 (**zeker**) assured, sure; 2 (**geassureerd**) insured; *u kunt ~ zijn van..., houd u ~ van...* you may rest assured of...; *de ~e* the insurant, the insured; zie ook: *bewaring.*

verzekeren [-kərə(n)] I *vt* 1 assure [person of a fact]; 2 (**waarborgen**) assure, ensure [success]; 3 (**assureren**) insure [property], assure, insure [one's life]; 4 (**vastmaken**) secure [windows &]; *dat ~ wij u* we assure you; *niets was verzekerd* there was no insurance; II *vr zich tegen... ~* insure against..., take out an insurance against...; *zich van iemands hulp ~* secure a man's help; *ik zal er mij van ~* I am going to make sure of it.

verzekering [-kərɪŋ] *v* 1 assurance; 2 assurance, insurance; *~ tegen glasschade* plate-glass insurance; *~ tegen inbraak* burglary insurance; *~ tegen ongelukken* accident insurance; *~ tegen ziekte en invaliditeit* health insurance; *sociale ~* social security; *ik geef je de ~ dat...* I assure you that...; *een ~ sluiten* effect an insurance.

verzekeringsagent [-kərɪŋsa.'gɛnt] *m* insurance agent.

verzekeringsbank [-bɑŋk] *v* insurance bank.

verzekeringskantoor [-kɑnto:r] *o* insurance office.

verzekeringsmaatschappij [-ma.tsxɑpɛi] *v* insurance company.

verzekeringsplichtig [vərze.kərɪŋs'plɪxtəx] obliged to insurance.

verzekeringspolis [vər'ze.kərɪŋspo.ləs] *v* insurance policy.

verzekeringspremie [-pre.mi.] *v* insurance premium.

verzekeringswet [-vɛt] *v* insurance act.

verzenboek ['vɛ(:)rzə(n)bu.k] *o* book of poetry.

verzenden [vər'zɛndə(n)] *vt* send (off), dispatch, forward, ship.

verzender [-dər] *m* sender; shipper.

verzendhuis [vər'zɛnthœys] *o* $ mail-order house, mail-order business.

verzending [-'zɛndɪŋ] *v* sending, forwarding, dispatch; shipment [of goods].

verzendingskosten [-dɪŋskəstə(n)] *mv* forwarding-charges.

verzendlijst [vər'zɛntlɛist] *v* $ mailing list.

verzenen ['vɛrzənə(n)] *mv* in: *de ~ tegen de prikkels slaan* B kick against the pricks.

verzengd [vər'zɛŋt] scorched [grass]; torrid [zone].

verzengen [-'zɛŋə(n)] *vt* singe, scorch, parch.

verzenging [-'zɛŋɪŋ] *v* singeing &.

verzenmaker ['vɛ(:)rzə(n)ma.kər] *m* > poetaster.

verzet [vər'zɛt] *o* 1 (**tegenstand**) opposition, resistance; 2 (**uitspanning**) distraction, diversion, recreation; *gewapend (lijdelijk) ~* armed (passive) resistance; *~ aantekenen* enter a protest, protest (against *tegen*); *in ~ komen* offer resistance; *fig* protest; *in ~ komen tegen* offer resistance to, resist, oppose; *fig* oppose; protest against [a measure &]; stand up against [tyranny &]; *in ~ komen tegen een vonnis* 𝑠𝑡 appeal against a sentence.

verzetje [-'zɛcə] *o* F distraction, diversion, recreation.

verzetsbeweging [-'zɛtsbəvə.gɪŋ] *v* resistance movement.

verzetsman [-mɑn] *m* resister.

verzetten [vər'zɛtə(n)] I *vt* 1 move, shift; 2 (**uitspanning geven**) distract, divert; *bergen ~* B remove mountains; *de klok ~* put the clock forward (back); *heel wat werk ~* get through (put in, do) a lot of work; *zij kan 't niet ~* she cannot get over it, it sticks in her throat; II *vr zich ~* 1 (**zich schrap zetten**) recalcitrate, kick against the pricks, kick; 2 (**weerstand bieden**) resist, offer resistance; 3 (**zich ontspannen**) take some recreation, unbend; *zich krachtig ~* offer (make) a vigorous resistance; *zich niet ~* make (offer) no resistance; *zich ~ tegen* resist; oppose² [a measure &]; stand up against [tyranny &]; stand out against [a demand].

verzien [vər'zi.n] I *vt* in: *hij heeft het op mij ~* he has a down on me; II *vr zich ~* be mistaken.

verziend ['vɛrzi.nt] far-sighted, long-sighted, presbyopic.

verziendheid [-hɛit] *v* far-sightedness, longsightedness, presbyopia.

verzilveren [vər'zɪlvərə(n)] *vt eig* silver; *fig* $ convert into cash, cash [a banknote]; *verzilverd* ook: silver-plated [wares].

verzilvering [-rɪŋ] *v eig* silvering; *fig* $ cashing.

verzinken [vər'zɪŋkə(n)] *vt* sink (down, away); *verzonken in gedachten* absorbed (lost) in thought; *in dromen verzonken* lost in dreams; *in slaap verzonken* deep in sleep.

verzinnen [-'zɪnə(n)] *vt* invent, devise, contrive; *dat verzin je maar* you are making it up; *ik wist niemand te ~ die...* I could not think of anybody who...

verzinner [-'zɪnər] *m* inventor, contriver.

verzinsel [-'zɪnsəl] *o* invention.

verzoek [-'zu.k] *o* request; petition; *een ~ doen* make a request; *op ~* [cars stop] by request, [samples sent] on request; *op dringend ~ van* at the urgent request of...; *op speciaal ~* by special request; *op ~ van...*

ten ~e van... at the request of...; *op zijn ~* at his request.

verzoeken [-'zu.kə(n)] *vt* 1 beg, request; 2 (uitnodigen) ask, invite; 3 (in verzoeking brengen) tempt; *verzoeke antwoord, antwoord verzocht* the favour of an answer is requested, an answer will oblige; *verzoeke niet te roken* please do not smoke; *mag ik u ~ de deur te sluiten?* may I trouble you to close the door?; *~ om* ask for; *mogen wij u om de klandizie ~?* may we solicit your custom?; *hem op de bruiloft ~* invite him to the wedding.

verzoeker [-kər] *m* 1 petitioner; 2 (verleider) tempter.

verzoeking [-kɪŋ] *v* temptation; *in ~ brengen* tempt; *in de ~ komen om...* be tempted to...

verzoekschrift [vər'zu.ks(x)rɪft] *o* petition; *een ~ indienen* present a petition.

verzoenbaar [-'zu.nba:r] reconcilable.

verzoendag [-'zu.ndɑx] *m* day of reconciliation; *Grote ~* Day of Atonement.

verzoenen [-'zu.nə(n)] I *vt* 1 reconcile, conciliate; 2 placate, propitiate; *~ met* reconcile with (to); *ik kan daar niet mee verzoend raken* I cannot reconcile myself to it; II *vr zich ~* become reconciled; *ik kan me daar niet mee ~* I cannot reconcile myself to it.

verzoenend [-nənt] conciliatory, propitiatory.

verzoener [-nər] *m* conciliator.

verzoening [-nɪŋ] *v* reconciliation, reconcilement; atonement.

verzoeningsgezind [-nɪŋsgəzɪnt] conciliatory.

verzoeten [vər'zu.tə(n)] *vt* sweeten[2].

verzoeting [-tɪŋ] *v* sweetening.

verzolen [vər'zo.lə(n)] *vt* resole.

verzorgd [-'zɔrxt] 1 (bezorgd) provided for; 2 (gesoigneerd) well-groomed [men &]; well-trimmed [nails]; well cared-for [baby]; well got-up [book].

verzorgen [-'zɔrgə(n)] I *vt* take care of, attend to, look after, provide for; II *vr zich ~* take care of oneself.

verzorger [-gər] *m* 1 provider; 2 fosterer [of a child].

verzorging [-gɪŋ] *v* care; provision.

verzorgingshuis [-gɪŋshœys] *o* home for the aged, old people's home.

verzorgingsstaat [-gɪŋsta.t] *m* welfare state.

verzot [vər'zɔt] in: *~ op* very fond of, infatuated with, mad on.

verzuchten [-'zūxtə(n)] *vt* sigh.

verzuchting [-tɪŋ] *v* sigh; lamentation; *een ~ slaken* heave a sigh.

verzuim [vər'zœym] *o* 1 neglect, oversight, omission; 2 non-attendance [at school], absenteeism [from work]; ♃ default.

verzuimd [-'zœymt] neglected &; *het ~e inhalen* make up for time lost.

verzuimen [-'zœymə(n)] I *vt* 1 (nalaten) neglect [one's duty]; 2 (niet doen) omit, fail [to...]; 3 (niet waarnemen) lose, miss [an

opportunity]; *de school ~* stop away from school; *niet ~ er heen te gaan* not omit going; II *va* stop away from school (from church &).

verzuipen [-'zœypə(n)] P I *vt* 1 drown; 2 spend on drink; II *vi* be drowned, drown.

verzuren [-'zy:rə(n)] I *vi* grow sour, sour[2]; turn [of milk]; II *vt* make sour, sour[2].

verzuurd [-'zy:rt] soured[2].

verzwakken [-'zvɑkə(n)] I *vt* weaken [the body, the mind, a solution, the force of argument]; enfeeble [the mind, a country &]; debilitate [the constitution]; enervate [a man physically]; II *vi* weaken, grow weak.

verzwakking [-kɪŋ] *v* weakening, enfeeblement, debilitation.

verzwaren [vər'zva:rə(n)] *vt* make heavier; *fig* aggravate [a crime]; stiffen [an examination]; increase, augment [a penalty]; *~de omstandigheden* aggravating circumstances.

verzwelgen [-'zvɛlgə(n)] *vt* swallow (up).

verzwelging [-gɪŋ] *v* swallowing (up).

verzweren [vər'zve:rə(n)] *vi* fester, ulcerate.

verzwering [-rɪŋ] *v* festering, ulceration.

verzwijgen [vər'zvɛigə(n)] *vt* in: *iets ~* not tell, keep it a secret, conceal it, suppress it; *je moet het voor hem ~* keep it from him.

verzwijging [-gɪŋ] *v* suppression [of the truth], concealment.

verzwikken [vər'zvɪkə(n)] I *vt* sprain [one's ankle]; II *vr zich ~* sprain one's ankle.

verzwikking [-kɪŋ] *v* sprain.

Vespasianus [vɛspa.zi.'a.nũs] *m* Vespasian.

vesper ['vɛspər] *v* vespers, evensong.

vesperdienst [-di.nst] *m* vespers.

vesperklokje [-klɔkjə] *o* vesper-bell, evening-bell.

vespertijd [-tɛit] *m* vesper-hour, evening-time.

1 **vest** [vɛst] *o* 1 waistcoat; 2 (in winkeltaal) 2 **vest** [vɛst] *v* zie *veste*. [vest.

Vesta ['vɛsta.] *v* Vesta.

Vestaals [vɛs'ta.ls] Vestal.

vestale [-'ta.lə] *v* vestal virgin, vestal.

🔸 **veste** ['vɛstə] *v* 1 fortress, stronghold; 2 rampart, wall; 3 moat.

vestiaire [vɛsti.'ɛ:rə] *m* cloak-room.

vestibule [vɛsti.'by.lə] *m* hall, vestibule.

vestigen [vɛsti.gə(n)] I *vt* establish, set up; *de blik, de ogen ~ op* fix one's eyes upon; *zijn geloof ~ op* place one's faith in; *zijn hoop ~ op* set one's hopes on; *waar is hij gevestigd?* where is he living?; *waar is die maatschappij gevestigd?* where is the seat of that company?; II *vr zich ~* settle, settle down, establish oneself, take up one's residence; *zich ~ als dokter* set up as a doctor.

vestiging [-gɪŋ] *v* establishment, settlement.

vesting ['vɛstɪŋ] *v* ✖ fortress.

vestingartillerie [-ɑrtɪləri.] *v* ✖ garrison artillery.

vestingstraf [-straf] *v* imprisonment (detention, confinement) in a fortress.

vestingwerken [-vɛrkə(n)] *mv* ✕ fortifications.
Vesuvius [və'sy.vi.ǘs] *m de* ~ Vesuvius.

1 **vet** [vɛt] *o* 1 (in 't alg.) fat; 2 grease [of game, or dead animals when melted and soft]; *dierlijke en plantaardige* ~*ten* animal and vegetable fats; *iemand zijn* ~ *geven* F give him his gruel; *we hebben nog wat in het* ~ there is something in store for us; *ik heb voor jou nog wat in 't* ~ F I have a rod in pickle for you; *laat hem in zijn eigen* ~ *gaar koken* let him stew in his own grease (juice); *we zullen het in het* ~ *zetten* grease; *op zijn* ~ *leven* live on one's own fat.

2 **vet** [vɛt] *aj* fat [people, coal, clay, lands, type, benefices &]; greasy [fingers, skin &, wool]; *een* ~ *baantje* a fat job; ~*te druk* ook: heavy (bold) type; ~ *gedrukt* printed in heavy (bold) type; *daar ben je* ~ *mee* F a lot of good that will do you!; *het* ~*te der aarde genieten* B live upon the fat of the land.

vetachtig ['vɛtaxtəx] fatty, greasy.
vete ['ve.tə] *v* feud, enmity.
veter ['ve.tər] *m* 1 boot-lace, shoe-lace; 2 (v. korset) stay-lace.
veteraan [ve.tə'ra.n] *m* veteran.
veterband ['ve.tərbɑnt] *o & m* tape.
veterbeslag [-bəslɑx] *o* tag.
vetgehalte ['vɛtgəhɑltə] *o* fat-content, percentage of fat.
vetgezwel [-gəzvɛl] *o* fatty tumour.
vetheid [-hɛit] *v* fatness; greasiness.
vetkaars [-ka:rs] *v* tallow-dip, dip.
vetle(d)er [-le:r, le.dər] *o* greased leather.
vetleren [-le:rə(n)] (of) greased leather.
vetmesten [-mɛstə(n)] **I** *vt* fatten²; **II** *vr zich* ~ *met* fatten on [*fig*].
veto ['ve.to.] *o* veto; *zijn* ~ *uitspreken* interpose one's veto; *zijn* ~ *uitspreken over...* put one's (a) veto upon, veto.
vetorecht [-rɛxt] *o* right of veto.
vetpan ['vɛtpɑn] *v* dripping-pan.
vetplant [-plɑnt] *v* ♣ succulent.
vetpot [-pɔt] *m* grease-pot; *het is er* ~ they do themselves well there.
vetpotje [-pɔcə] *o* lampion, fairy-lamp.
vettig ['vɛtəx] fatty, greasy.
vettigheid [-hɛit] *v* fatness, greasiness.
vetvlek ['vɛtflɛk] *v* grease-spot, greasy spot.
vetvorming [-fɔrmɪŋ] *v* formation of fat.
vetvrij [-frɛi] greaseproof [paper].
vetweiden [-vɛidə(n)] *vt* fatten [cattle].
vetweider [-vɛidər] *m* grazier.
vetzucht [-sǘxt] *v* fatty degeneration.
veulen ['vø.lə(n)] *o* 1 (in 't alg.) colt; 2 (mannetje) foal; 3 (wijfje) filly.
veulenen ['vø.lənə(n)] *vi* foal.
vezel ['ve.zəl] *v* fibre, filament, thread.
vezelachtig [-axtəx] zie *vezelig*.
vezelig [-ləx] fibrous, filamentous; stringy [beans].
vezeligheid [-hɛit] *v* fibrousness &.
vezelplant ['ve.zəlplɑnt] *v* fibrous plant.
vezelstof [-stɔf] *v* fibrin.

v.g.g.v. = *van goede getuigen voorzien* = with good references.
v.h.t.h. = *van huis tot huis* zie *huis*.
via ['vi.a.] via, by way of.
viaduct, viadukt [vi.a.'dǘkt] *m & o* viaduct; 🚋 fly-over.
vibratie [vi.'bra.(t)si.] *v* vibration.
vibreren [-'bre:rə(n)] *vi* vibrate, quaver, undulate.
vicariaat [vi.ka:ri.'a.t] *o* vicariate.
vicaris [vi.'ka:rəs] *m* vicar; *apostolisch* ~ vicar apostolic.
vicaris-generaal [-ge.nə'ra.l] *m* vicar general.
vice-admiraal ['vi.sɑɑtmi:ra.l] *m* ♣ vice-admiral.
vice-consul, vice-konsul [-kɔnsǘl] *m* vice-consul.
vice-president [-pre.zi.dɛnt] *m* vice-president.
vice versa [vi.sə'vɛrsa.] vice versa.
vice-voorzitter ['vi.səvo:rzɪtər] *m* vice-president, deputy chairman.
vicieus [vi.(t)si.'ø.s] vicious [circle].
Victoria [vɪk'to:ri.a.] *v* Victoria; ~ *regia* ♣ victoria.
victoria [vɪk'to:ri.a.] *v* victoria [four-wheeled carriage].
victorie [-ri.] *v* victory; ~ *kraaien* shout victory, triumph.
victualiën [vɪkty.'a.li.ə(n)] *mv* provisions, victuals.
vief [vi.f] lively, smart.
vier [vi:r] four; *met* ~*en!* ✕ form fours!
vierarmig ['vi:rɑrməx] four-armed.
vierbenig [-be.nəx] four-legged.
vierbladig [-bla.dəx] 1 four-leaved; 2 ✂ four-bladed [screw].
vierdaags [-da.xs] of four days, four days'.
vierde [-də] fourth (part); ~ *man zijn sp* make a fourth; *ten* ~ fourthly, in the fourth place.
vierdelig [-de.ləx] divided into (consisting of) four parts, quadripartite; four-section [screen].
vierdendaags ['vi:rdə(n)da.xs] in: ~*e koorts* 🌡 quintan fever.
vierderhande, ~lei ['vi:rdərhɑndə, -lɛi] of four sorts.
vierdraads [-dra.ts] four-ply.
vieren ['vi:rə(n)] *vt* 1 celebrate, keep [Christmas]; observe (keep holy) [the Sabbath]; 2 (laten schieten) veer out, pay out, ease off [a rope]; zie ook: *teugel*; *hij wordt daar erg gevierd* he is made much of there.
vierendeel [-de.l] *o* quarter [of weights and measures, of a year].
vierendelen [-de.lə(n)] *vt* quarter [something, ⊘ a shield, ⊞ a traitor's body].
vierhandig ['vi:rhɑndəx] four-handed [monkeys, pieces of music]; § quadrumanous.
vierhoek [-hu.k] *m* quadrangle.
vierhoekig [-hu.kəx] quadrangular.
viering ['vi:rɪŋ] *v* celebration [of a feast]; observance [of the Sunday].

vierjaarlijks ['vi:rja:rlǝks] quadrennial.

vierjarenplan [vi:r'ja:rǝ(n)plɑn] *o* four-year plan.

vierjarig [-ja:rǝx] of four years, four-year-old.

vierkant [-kɑnt] I *aj* I (v. figuren) square; 2 (v. getallen) square; *een* ~*e kerel* I a square-built fellow; 2 *fig* a blunt fellow; *drie* ~*e meter* three square metres; ~ *maken* square; II *o* I (figuur) square; 2 (getal) square; *3 meter in het* ~ 3 metres square; III *ad* squarely; ~ *brassen* ⚓ square the yards; *hem* ~ *de deur uitgooien* F bundle him out without ceremony; *het* ~ *tegenspreken* contradict it flatly; *het* ~ *weigeren* refuse flatly; ~ *tegen iets zijn* be dead against it.

vierkantig [-kɑntǝx] square.

vierkantsvergelijking [-kɑntsfɛrgǝlɛikiŋ] *v* quadratic equation.

vierkantswortel [-vòrtǝl] *m* square root.

vierkantsw-orteltrekking [-trekiŋ] *v* extraction of the square root.

vierkleurig ['vi:rklǝ:rǝx] four-coloured.

vierkwartsmaat [-kʋɑrtsma.t] *v*, ♪ quadruple time.

vierledig [-le.dǝx] consisting of four parts, quadripartite.

vierlettergrepig [-lɛtǝrgre.pǝx] quadrisyllabic; ~ *woord* quadrisyllable.

vierling [-liŋ] *m* quadruplets.

viermotorig [-mo.to:rǝx] ✈ four-engined.

vierpersoonsauto [-pǝrso.nso.to., -ǝuto.] *m* four-seater.

vierpotig [-po.tǝx] four-legged.

vierregelig ['vi:re.gǝlǝx] of four lines; ~ *gedicht* quatrain.

vierriemsgiek [-ri.msgi.k] *m* ⚓ four-oar.

vierschaar ['vi:rsxa:r] *v* tribunal, court of justice; *de* ~ *spannen* sit in judgment (upon over).

viersnarig [-sna:rǝx] ♪ four-stringed.

vierspan [-spɑn] *o* four-in-hand.

viersprong [-sprɔŋ] *m* cross-way; *op de* ~ at the cross-roads (at the parting of the ways) [*fig*].

vierstemmig [-stɛmǝx] ♪ for four voices, four-part.

viertaktmotor [-tɑktmo.tǝr] *m* four-stroke engine.

viertal [-tɑl] *o* (number of) four; *het* ~ the four (of them); *ons* ~ the four of us, our quartet(te).

viertalig [-ta.lǝx] quadrilingual.

viervlak [-vlɑk] *o* tetrahedron.

viervlakkig [-vlɑkǝx] tetrahedral.

viervoeter [-vu.tǝr] *m* quadruped.

viervoetig [-tǝx] four-footed, quadruped.

viervoud ['vi:rvʋut] *o* quadruple; *in* ~ in quadruplicate.

viervoudig [-vǝudǝx] fourfold, quadruple.

vierwielig [-vi.lǝx] four-wheeled.

vierzijdig [-zɛidǝx] four-sided, quadrilateral.

vies [vi.s] I *aj* I dirty, grubby [hands]; nasty²

[smell, weather &]; filthy [stories]; 2 (kieskeurig) particular, fastidious, dainty, nice; *hij valt niet* ~ he is not over-particular; ~ *zijn op zijn eten* be very nice about one's food, be fastidious; *ik ben er* ~ *van* it disgusts me; II *ad* in: ~ *kijken* make a wry face; ~ *ruiken* have a nasty smell.

viesheid ['vi.shɛit] *v* dirtiness, nastiness, filthiness.

viesneus [-nø.s] *m* fastidious fellow.

viezerik ['vi.zǝrık] *m* F dirty Dick, dirty pig.

viezigheid ['vi.zǝxhɛit] *v* I (abstract) dirtiness, nastiness; 2 (concreet) dirt, filth.

vigeren [vi.'ge:rǝ(n)] *vi* be in force.

vigilante [vi.ʒi.'lɑntǝ] *v* cab.

vigilie [vi.'gi.li.] *v* vigil [= eve of a festival].

vignet [vi.'ɲɛt] *o* vignette, (kop~) head-piece, (sluit~) tail-piece.

vijand ['vɛiɑnt] *m* enemy, ○ foe.

vijandelijk [vɛi'ɑndǝlǝk] I ⚔ (van een vijand) enemy('s) [fleet], hostile; 2 (als van een vijand) hostile [to...].

vijandelijkheid [-hɛit] *v* hostility.

vijandig [vɛi'ɑndǝx] *aj* (& *ad*) hostile(ly), inimical(ly); *hun* ~ *gezind* unfriendly disposed towards them; *hun niet* ~ *gezind zijn* bear them no enmity.

vijandigheid [-hɛit] *v* enmity, hostility.

vijandin [vɛiɑn'dın] *v* enemy, ○ foe.

vijandschap ['vɛiɑntsxɑp] *v* enmity; *in* ~ at enmity.

vijf [vɛif] five; *geef mij de* ~ F shake, shake hands; *een van de* ~ *is op de loop* F he has a screw loose.

vijfdaags ['vɛifda.xs] of five days, five days'; ~*e werkweek* five-day working week.

vijfde [-dǝ] fifth (part); *ten* ~ fifthly, in the fifth place.

vijfdelig [-de.lǝx] quinquepartite.

vijfdraads [-dra.ts] five-ply.

vijfhoek [-hu.k] *m* pentagon.

vijfhoekig [-hu.kǝx] pentagonal.

vijfjaarlijks [-ja:rlǝks] quinquennial.

vijfjarenplan [vɛif'ja:rǝ(n)plɑn] *o* five-year plan.

vijfjarig ['vɛifja:rǝx] of five years, five-year-old; quinquennial.

vijfkamp [-kɑmp] *m sp* pentathlon.

vijflettergrepig [-lɛtǝrgre.pǝx] of five syllables.

vijfling [-lıŋ] *m* quintuplets.

vijfsnarig [-sna:rǝx] ♪ five-stringed.

vijfstemmig [-stɛmǝx] ♪ for five voices.

vijftal [-tɑl] *o* (number of) five; quintet(te); *het* ~ the five (of them).

vijftien [-ti.n] fifteen.

vijftiende [-ti.ndǝ] fifteenth (part).

vijftig [-tǝx] fifty.

vijftiger [-tǝgǝr] *m* person of fifty (years).

vijftigjarig ['vɛiftǝxja:rǝx] of fifty years; *de* ~*e* the quinquagenarian.

vijftigste [-stǝ] fiftieth (part).

vijfvoetig ['vɛifu.tǝx] five-footed; ~ *vers* pentameter.

vijfvoud [-fɔut] *o* quintuple.
vijfvoudig [-fɔudəx] fivefold, quintuple.
vijg [vɛix] *v* fig.
vijgeblad ['vɛigəblat] *o* fig-leaf².
vijgeboom [-bo.m] *m* fig-tree.
vijl [veil] *v* file; *er de ~ over laten gaan* polish it [*fig*].
vijlen ['vɛilə(n)] *vt* file; *fig* polish.
vijlsel ['vɛilsəl] *o* filings.
vijver ['vɛivər] *m* pond.
1 **vijzel** ['vɛizəl] *m* (stampvat) mortar.
2 **vijzel** ['vɛizəl] *v* (hefschroef) jack.
vijzelen [-zələ(n)] *vt* screw up, jack (up).
vikari- zie *vicari-*.
viking ['vi.kiŋ] *m* viking.
vikt- zie *vict-*.
vilder ['vildər] *m* skinner, flayer, (horse-)knacker.
villa ['vi.la.] *v* villa, country-house, (klein) cottage.
villapark [-pɑrk] *o* villa park.
villen ['vilə(n)] *vt* flay², fleece², skin²; *ik laat me ~ als...* F I am dashed if...
vilmes ['vilmɛs] *o* flayer's knife.
vilt [vilt] *o* felt.
viltachtig ['viltɑxtəx] felty, felt-like.
1 **vilten** ['viltə(n)] *aj* felt.
2 **vilten** ['viltə(n)] *vt* felt.
vilthoed ['vilthu.t] *m* felt hat.
vin [vin] *v* 1 fin [of a fish]; 2 acne [on the human body]; *hij verroerde geen ~* he did not stir (move) a finger; he didn't move hand or foot.
Vincentius [vin'sɛn(t)si.ũs] *m* Vincent.
vinden ['vində(n)] I *vt* 1 find, soms: meet with, come across; 2 think [it fair &]; feel [that they should be abolished]; *hoe ~ ze het?* how do they like it?; *hoe vind je onze stad?* what do you think of our town?; *ik vind het niets aardig* I don't think it nice; *ik vind het niet erg* I don't mind; *ik vind niet dat het zo koud is als gisteren* I don't find it so cold as yesterday; *wij kunnen het goed met elkaar ~* we get on very well together; *zij kunnen het niet goed met elkaar ~* somehow they don't hit it off; *het niets ~ om...* think nothing of ...ing; *ik zal hem wel ~* he shall smart for this!; he shall not go unpunished; *dat zullen wij wel ~* we'll make it all right, get it settled; *wat ~ ze daar nu aan?* what can they see in it (in him)?; *er iets op ~ om...* find (a) means to; *daar is hij altijd voor te ~* he is always game for it; *daar is hij niet voor te ~* he will not be found willing to do it, he does not lend himself to that sort of thing; II *vr hij vond zich door iedereen verlaten* he found himself left by everybody; *dat zal zich wel ~* it is sure to come all right.
vinder [-dər] *m* finder; (uitvinder) inventor.
vinding [-diŋ] *v* invention, discovery.
vindingrijk [-rɛik] inventive [mind], ingenious, resourceful [person].

vindingrijkheid [-hɛit] *v* ingeniousness, ingenuity, inventiveness, resourcefulness.
vindplaats ['vintpla.ts] *v* place where something has been found; deposit [of ore]; habitat [of animal, plant].
vinger ['viŋər] *m* finger; *middelste ~* middle finger; *voorste ~* forefinger, index; *de ~ Gods* the finger of God; *als men hem een ~ geeft, neemt hij de hele hand* give him an inch, and he will take an ell; *lange ~s hebben, zijn ~s niet thuis kunnen houden* be light-fingered; *de ~s jeuken mij om...* my fingers itch to...; *de ~ op de wond leggen* put one's finger on the spot, touch the sore; *zijn ~ opsteken* show (put up) one's finger; *hij zal geen ~ uitsteken om...* he will not lift (stir) a finger to...; *als je een ~ naar hem uitsteekt* if you wag a finger at him; *iets door de ~s zien* overlook it; *met zijn ~s ergens aan komen (zitten)* finger it, meddle with it; *als je hem maar met de ~ aanraakt* if you lay a finger on him; *iemand met de ~ nawijzen* point (one's finger) at him; *iemand om de ~ winden* twist (turn) a person round one's (little) finger; *iemand op de ~s kijken* keep an eye on one; *dat kun je op je ~s natellen (narekenen, uitrekenen)* you can count it on your fingers; zie ook: *snijden* III, *tikken* II &.
vingerafdruk [-ɑfdrʏk] *m* finger-print.
vingeralfabet [-ɑlfa.bɛt] *o* finger-alphabet.
vingerbreed [-bre.t] I *aj* of a finger's breath; II *o* finger's breadth.
vingerdik [-dik] as thick as a finger.
vingerdoekje [-du.kjə] *o* doily.
vingergewricht [-gəvrixt] *o* finger-joint.
vingergras [-gras] *o* 🌿 panic-grass, panic.
vingerhoed [-hu.t] *m* 1 thimble; 2 centilitre.
vingerhoedskruid [-hu.tskrœyt] *o* 🌿 foxglove.
vingerkommetje [-kòmǝcǝ] *o* finger-bowl.
vingerlid [-lit] *o* finger-joint.
vingerling [-liŋ] *m* finger-stall.
vingeroefening [-u.fənin] *v* ♪ (five-)finger exercise.
vingerring ['viŋəriŋ] *m* finger ring.
vingerspraak ['viŋərspra.k] *v* finger-and-sign language.
vingertop [-tɔp] *m* finger-tip.
vingervormig [-vɔrməx] finger-shaped.
vingerwijzing [-vɛiziŋ] *v* hint, indication.
vingerzetting [-zɛtiŋ] *v* ♪ fingering; *met ~ van...* ♪ fingered by.
vink [viŋk] *m* & *v* 🐦 finch.
vinnig ['vinəx] I *aj* sharp, fierce; biting [cold, wind]; smart [blow]; keen [fight]; cutting [remarks]; II *ad* sharply &.
vinnigheid [-hɛit] *v* sharpness, fierceness &.
vinvis ['vinvis] *m* 🐋 rorqual.
violet [vi.o.'lɛt] *aj* & *o* violet.
violier [-'li:r] *v* 🌿 stock-gillyflower.
violist [-'list] *m* ♪ violinist, violin-player.
violoncel [-lòn'sɛl] *v* ♪ violoncello, F 'cello.
violoncellist [-lònsɛ'list] *m* ♪ violoncellist.

viool [vi.'o.l] *v* I ♪ violin, F fiddle; 2 ♣ violet; *hij speelt de eerste* ~ he plays first fiddle; *op de* ~ *spelen* play (on) the violin.

vioolconcert [-'kònsɛrt] *o* I (uitvoering) violon recital; 2 (muziekstuk) violin concerto.

vioolhars [-hɑrs] *o* & *m* colophony.

vioolkam [-kɑm] *m* bridge.

vioolkist [-kɪst] *v* violin-case.

vioolkoncert zie *vioolconcert.*

vioolles [vi.'o.lɛs] *v* violin lesson.

vioolmuziek [vi.'o.lmy.zi.k] *v* violin music.

vioolpartij [-pɑrtɛi] *v* violin part.

vioolsleutel [-slø.təl] *m* treble clef.

vioolsnaar [-sna:r] *v* violin-string.

vioolspel [-spɛl] *o* violin-playing.

vioolspeler [-spe.lər] *m* violinist, violin-player.

viooltje [-cə] *o* ♣ violet; *driekleurig* ~ pansy; *Kaaps* ~ African violet.

Virginia [vɪr'gi.ni.a.] *o* Virginia.

Virginiaans [-gi.ni.'a.ns] Virginian.

Virginië [-'gi.ni.ə] *o* Virginia.

Virginiër [-ər] *m* Virginian.

virologie [vi:ro.lo.'gi.] *v* ♣ virology.

viroloog [-'lo.x] *m* ♣ virologist.

virtuoos [vɪrty.'o.s] I *m* virtuoso [*mv* virtuosi]; *een piano* ~ a virtuoso pianist; II *aj* masterly; III *ad* in a masterly way.

virtuositeit [-o.zi.'tɛit] *v* virtuosity.

virus [vi:rəs] *o* virus.

virusziekte ['vi:rəsi.ktə] *v* virus disease.

vis [vɪs] *m* fish; ~ *noch vlees* neither fish nor flesh; *als een* ~ *op het droge* like a fish out of water.

visaas ['vɪsa.s] *o* fish-bait.

visachtig [-ɑxtəx] fish-like, fishy.

visakte [-ɑktə] *v* fishing-licence.

visangel [-ɑŋəl] *m* fish-hook.

visarend [-a:rənt] *m* ♣ osprey, ossifrage.

vis-à-vis [vi.za.'vi.] *ad* & *m*-*v* & *m* vis-à-vis.

visboer ['vɪsbu:r] *m* fish-man, fish-hawker.

viscose [vɪs'ko.zə] *v* viscose.

viscositeit [vɪsko.zi.'tɛit] *v* viscosity.

visdiefje ['vɪsdi.fjə] *o* ♣ tern.

viseren [vi.'ze:rə(n)] *vt* visa.

visgraat ['vɪsgra.t] *v* fish-bone.

vishandelaar [-hɑndəla:r] *m* fishmonger.

vishoek [-hu.k] *m* fish-hook.

visie ['vi.zi.] *v* I [prophetic] vision; 2 (kijk) outlook [on art], view [of the problem]; *ter* ~ *liggen* zie *ter inzage liggen.*

visioen [vi.zi.'u.n] *o* vision.

visionair [-ò'nɛ:r] *aj* & *m* visionary.

visitatie [vi.zi.'ta.(t)si.] *v* I visit [of a ship], search; customs examination, [customs] inspection; 2 *RK* Visitation.

visitatierecht [-rɛxt] *o* right of visit.

visite [vi.'zi.tə] *v* I (handeling) visit, call; 2 (v. personen) visitor(s); *er is* ~, *wij hebben* ~ we have visitors; *een* ~ *maken* pay a visit (call), make a call; *een* ~ *maken bij* pay a visit to, call on, give a call to, visit.

visiteboekje [-bu.kjə] *o* card-case.

visitekaartje [-ka:rcə] *o* visiting-card, card.

visiteren [vi.zi.'te:rə(n)] *vt* examine, search, inspect. [inspect.

viskaar ['vɪska:r] *v* fish-basket.

viskoper [-ko.pər] *m* fishmonger.

viskos- zie *viscos-.*

vislijm [-lɛim] *m* fish-glue, isinglass.

vislucht [-lʉxt] *v* fishy smell.

vismarkt [-mɑrkt] *v* fish-market.

vismes [-mɛs] *o* fish-knife.

visnet [-nɛt] *o* fishing-net.

visotter [-otər] *m* ♠ common otter.

visrecht [-rɛxt] *o* fishing-right.

visrijk [-rɛik] abounding in fish.

visrijkheid [-hɛit] *v* abundance of fish.

visschotel ['vɪsxo.təl] *m* & *v* I fish-strainer; 2 (gerecht) fish-dish.

visschub [-sxʉp] *v* scale [of fish].

vissen ['vɪsə(n)] I *vi* fish; *naar een complimentje* ~ fish (angle) for a compliment; II *va* fish; *uit* ~ *gaan* go out fishing.

visser [-sər] *m* I (hengelaar) angler; 2 (van beroep) fisherman; ♠ fisher.

visserij [vɪsə'rɛi] *v* fishery.

vissersboot ['vɪsərsbo.t] *m* & *v* fishing-boat.

vissersdorp [-dɔrp] *o* fishing-village.

vissershaven [-ha.və(n)] *v* fishing-port.

vissershut [-hʉt] *v* fisherman's cottage.

vissersleven [-le.və(n)] *o* fisherman's life.

vissersmeisje [-mɛijə] *o* fisher-girl.

vissersschuit ['vɪsərsxœyt] *v* fishing-boat.

vissersvloot ['vɪsərsflo.t] *v* fishing-fleet.

vissersvolk [-fɔlk] *o* nation of fishermen.

vissersvrouw [-frɑu] *v* fisherman's wife.

vissmaak ['vɪsma.k] *m* fishy taste.

visteelt [-te.lt] *v* fish-culture, pisciculture.

vistijd [-tɛit] *m* fishing-season.

vistuig [-tœyx] *o* fishing-tackle.

visueel [vi.zy.'e.l] *v* visual.

visum ['vi.zʉm] *o* visa.

visvangst ['vɪsfɑŋst] *v* fishing; *de wonderdadige* ~ B the miraculous draught of fishes.

visvijver [-fɛivər] *m* fish-pond.

visvrouw [-frɑu] *v* fish-woman, fishwife.

viswater [-va.tər] *o* fishing-water, fishing-ground.

viswijf [-vɛif] *o* fish-woman, fishwife.

viswijventaal [-vɛivə(n)ta.l] *v* Billingsgate (language).

viswinkel [-vɪŋkəl] *m* fish-shop.

vitaal [vi.'ta.l] vital.

vitachtig ['vɪtɑxtəx] zie *vitterig.*

vitaliteit [vi.ta.li.'tɛit] *v* vitality.

vitamine [vi.ta.'mi.nə] *v* vitamin.

vitaminetablet [-ta.blɛt] *v* & *o* vitamin tablet.

vitrage [vi.'tra.ʒə] I *v* (gordijn) lace curtain, net curtain; 2 *v* & *o* (stof) lace, net.

vitrine [vi.'tri.nə] *v* (glass) show-case, show-window.

vitriool [vi.tri.'o.l] *o* & *m* vitriol.

vitten ['vɪtə(n)] *vi* find fault, cavil, carp; ~ *op* find fault with, carp at.

vitter [-tər] *m* fault-finder, caviller.

vitterig [-tərəx] fault-finding, cavilling, censorious, captious.

vitterigheid, vitterij [-tərəxheit, vɪtə'rei] *v* fault-finding, cavilling, censoriousness; carping criticism.

vitusdans ['vi.tűsdɑns] *m* St. Vitus's dance.

vitzucht ['vɪtsűxt] *v* censoriousness.

vivat ['vi.vɑt] *o* long live [the King!], three cheers [for the King].

vivisectie, vivisektie [vi.vi.'sɛksi.] *v* vivisection; ~ *toepassen op* vivisect [animals].

vizeren zie *viseren.*

I **vizier** [vi.'zi:r] *m* vizi(e)r.

2 **vizier** [vi.'zi:r] *o* I visor [of a helmet]; 2 ✕ (back-)sight [of a gun]; *in het* ~ *krijgen* catch sight of; *met open* ~ with visor raised; *fig* openly.

vizierklep [-klɛp] *v* ✕ leaf.

vizierkorrel [-kɔrəl] *m* ✕ bead, foresight.

vizierlijn [-lɛin] *v* ✕ line of sight.

vizioen zie *visioen.*

vla [vla.] *v* I (crème) custard; 2 (baksel) tart.

vlaag [vla.x] *v* shower [of rain], gust [of wind]; *fig* fit [of anger, insanity &]; access [of generosity]; *bij vlagen* by fits and starts.

Vlaams [vla.ms] I *aj* Flemish; ~*e gaai* 🐦 jay; II *o het* ~ Flemish; III *v een* ~*e* a Flemish woman.

Vlaanderen ['vla.ndərə(n)] *o* Flanders.

vlade ['vla.də] = *vla.*

vlag [vlɑx] *v* I flag, ✕ colours; *fig* standard; 2 vane, web [of a feather]; *de witte* ~ the white flag, the flag of truce; *dat staat als een* ~ *op een modderschuit* it suits you as a saddle suits a sow; *de* ~ *hijsen* hoist the flag; *de* ~ *neerhalen* lower the flag; *de* ~ *strijken voor…* lower one's flag to…; *de* ~ *uitsteken* put out the flag; *de Engelse* ~ *voeren* fly the English flag; *met* ~ *en wimpel* with flying colours; *onder Franse* ~ *varen* fly the French flag; *onder valse* ~ *varen* sail under false colours[2], *fig* wear false colours; *de* ~ *dekt de lading* the flag covers the cargo; *free flag makes free bottom*; *de* ~ *dekt de lading niet* ± more cry than wool.

vlaggekoord ['vlɑgəkɔ:rt] *o* & *v* flag-line.

vlaggen [-gə(n)] *vi* put out (fly, hoist, display) the flag (flags); *de stad vlagde* the town was beflagged.

vlaggendoek [-du.k] *o* & *m* bunting.

vlaggeschip ['vlɑgəsxɪp] *o* ⚓ flag-ship.

vlaggestok [-stɔk] *m* flagstaff, flag-pole.

vlaggetouw [-tɔu] *o* flag-line.

vlagofficier [vlɑxɔfi.si:r] *m* ⚓ flag-officer.

vlagvertoon [-fərtɔ.n] *o* ⚓ showing the flag.

I **vlak** [vlɑk] I *aj* flat, level; § plane; ~ *land* flat (level) country; ~*ke meetkunde* plane geometry; ~*ke tint* flat tint; ~*ke zee* smooth sea; II *ad* flatly[2]; right [in the centre &]; ~ *oost* due east; ~ *achter elkaar* close after

one another, in close succession; ~ *achter hem* close behind him, close upon his heels, ~*bij* close by; *het huis is* ~ *bij de kerk* the house is close to the church; *ik sloeg hem* ~ *in zijn gezicht* I hit him full in the face; *ik zei 't hem* ~ *in zijn gezicht* I told him so to his face; ~ *vóór je* right in front of you; ~ *voor de start* just before the start; III *o* I plane, level; 2 face [of a cube]; 3 flat [of the hand, sword]; 4 sheet [of ice, water &]; *hellend* ~ inclined plane; *wij zijn op een hellend* ~ we are on a slippery slope.

2 **vlak** [vlɑk] *v* zie 2 *vlek.*

vlakgom ['vlɑkgɔm] *m* & *o* india-rubber, [ink-] eraser.

vlakheid [-heit] *v* flatness.

I **vlakken** ['vlɑkə(n)] *vt* flatten, level.

2 **vlakken** ['vlɑkə(n)] *vt* & *vi* zie *vlekken.*

vlakte ['vlɑktə] *v* plain, level; *hem tegen de* ~ *slaan* S knock him down.

vlaktemaat [-ma.t] *v* superficial measure.

vlam [vlɑm] *v* flame[2], blaze; *een oude* ~ *van hem* F an old flame of his; ~*men schieten* flash fire; ~ *vatten* catch fire[2]; *fig* fire up; *in* ~*men opgaan* go up in flames; *in (volle)* ~ *staan* be ablaze [in a blaze].

Vlaming ['vla.mɪŋ] *m* Fleming.

vlammen ['vlɑmə(n)] *vi* flame, blaze, be ablaze.

vlammend [-mənt] flaming, ablaze.

vlammetje [-məcə] *o* I little flame; 2 light [for pipe].

vlampijp ['vlɑmpɛip] *v* ⚒ fire-tube.

vlampijpketel [-ke.təl] *m* ⚒ fire-tube boiler.

vlas [vlɑs] *o* ✤ flax.

vlasachtig ['vlɑsɑxtəx] flaxy [plants]; flaxen [hair].

vlasakker [-ɑkər] *m* flax-field.

vlasbaard [-ba:rt] *m* I flaxen (downy) beard; 2 beardless boy, milksop.

vlasbouw [-bɔu] *m* flax-growing.

vlasbraak [-bra.k] *v* flax-brake.

vlashaar [-ha:r] *o* flaxen hair; *met* ~ flaxen-haired.

vlaskleur [-klø:r] *v* flaxen colour.

vlaskleurig [-klø:rəx] flaxen.

vlasleeuwebek [-le.vəbɛk] *m* ✤ toadflax.

I **vlassen** ['vlɑsə(n)] *aj* flaxen.

2 **vlassen** ['vlɑsə(n)] *vi* ~ *op* F look forward to, be keen on…

vlassig [-səx] zie *vlasachtig.*

vlasspinner *m* ~*ster* ['vlɑspɪnər, -stər] *v* flax-spinner.

vlasspinnerij [vlɑspɪna'rei] *v* flax-mill.

vlasstengel ['vlɑstɛŋəl] *m* flax stalk.

vlasvink ['vlɑsfɪŋk] *m* & *v* 🐦 linnet.

vlaszaad ['vlɑsa.t] *o* flax-seed, linseed.

vlecht [vlɛxt] *vt* braid, plait, tress; *valse* ~ false plait; *haar* ~ her [i. e. the girl's] pigtail; *in een (neerhangende)* ~ in a pigtail.

vlechten ['vlɛxtə(n)] *vt* twist [thread, rope]; twine [strands of hemp &]; plait [hair, ribbon, straw, mats]; braid [the hair]; wreathe [a garland]; wattle [a hedge]; make [baskets]; *een opmerking in zijn rede* ~ weave a remark into one's speech.

vlechter [-tər] *m* twister, plaiter, braider.

vlechtwerk ['vlɛxtvɛrk] *o* wicker-work, basketwork.

vleermuis ['vle:rmœys] *v* bat.

vleermuisbrander [-brɑndər] *m* batwing burner.

vlees [vle.s] *o* I flesh; 2 meat [when cooked]; 3 pulp [of fruit]; ~ *in bussen* tinned beef; *het levende* ~ the quick; *wild* ~ proud flesh; *zijn eigen* ~ *en bloed* his own flesh and blood; *ik weet wat voor* ~ *ik in de kuip heb* I know with whom I have to deal; *in het* ~ *snijden* cut to the quick; *goed in zijn* ~ *zitten* be in flesh; *het gaat hem naar den vleze* he is doing well; *hij bijt zijn nagels af tot op het* ~ he bites his nails to the quick.

vleesbal ['vle.sbɑl] *m* meat-ball.

vleesbank [-bɑŋk] *v* butcher's stall.

vleesblok [-blɔk] *o* butcher's block.

vleesdag [-dɑx] *m* meat-day.

vleesetend [-e.tənt] flesh-eating, § carnivorous; ~*e dieren* carnivores, carnivora.

vleesextract, -extrakt [-ɛkstrɑkt] *o* meat extract.

vleesgerecht [-gərɛxt] *o* meat-course.

vleeshal(le) [-hɑl(ə)] *v* meat-market, shambles.

vleeshouwer [-houər] *m* butcher.

vleeshouwerij [vle.shɔuə'rɛi] *v* butcher's shop.

vleeskleur ['vle.sklø:r] *v* flesh colour.

vleeskleurig [-klø:rəx] flesh-coloured.

vleesloos [-lo.s] meatless.

vleesmade [-ma.də] *v* maggot.

vleesmand [-mɑnt] *v* meat-basket.

vleesmes [-mɛs] *o* carving-knife; butcher's knife.

vleesmolen [-mo.lə(n)] *m* mincing-machine, mincer.

vleesnat [-nɑt] *o* broth.

vleespastei [-pɑstɛi] *v* meat-pie.

vleespasteitje [-cə] *o* meat-patty.

vleespin ['vle.spɪn] *v* skewer.

vleespot [-pɔt] *m* flesh-pot; *verlangen naar de* ~*ten van Egypte* be sick for the flesh-pots of Egypt.

vleesschotel ['vle.sxo.təl] *m* & *v* meat-dish; meat-course.

vleessoep [-su.p] *v* meat-soup.

vleesspijs *v* ~*spijzen* [-spɛis, -spɛizə(n)] *mv* meat.

vleeston ['vle.stòn] *v* meat-tub.

vleeswaren [-va:rə(n)] *mv* meats.

vleeswond(e) [-vònt, -vòndə] *v* flesh-wound.

vleeswording [-vərdɪŋ] *v* incarnation.

I **vleet** [vle.t] *v* herring-net; *bij de* ~ lots of..., plenty of..., ...galore.

2 **vleet** [vle.t] *v* 🐟 skate.

vlegel ['vle.gəl] *m* I flail; 2 *fig* lout, cur, boor.

vlegelachtig [-ɑxtəx] *aj* (& *ad*) loutish(ly), currish(ly), boorish(ly).

vlegelachtigheid [-hɛit] *v* loutishness, currish-

ness, boorishness; *een* ~ a piece of impudence; *zijn vlegelachtigheden* his impudence.

vlegeljaren ['vle.gəlja:rə(n)] *mv* years of indiscretion, awkward age.

vleien ['vlɛiə(n)] I *vt* flatter, coax, cajole, wheedle; II *vr zich* ~ *dat...* flatter oneself that...; *zich* ~ *met de hoop dat...* indulge a hope that..., flatter oneself with the belief that...; *zich* ~ *met ijdele hoop* deceive oneself with vain hopes; *zich gevleid voelen door...* feel flattered by...

vleier [-ər] *m* flatterer, coaxer.

vleierij [vlɛiə'rɛi] *v* flattery.

vleinaam ['vlɛina.m] *m* endearing name, pet name.

vleister [-stər] *v* flatterer, coaxer.

vleitaal [-ta.l] *v* flattering words, flattery.

I **vlek** [vlɛk] *o* small market-town.

2 **vlek** [vlɛk] *v* I spot[2], stain[2], blot[2], blemish[2]; 2 speck [in fruit]; *een* ~ *op zijn naam* a blot on his reputation.

vlekkeloos ['vlɛkəlo.s] spotless, stainless, speckless.

vlekkeloosheid [vlɛkə'lo.shɛit] *v* spotlessness.

vlekken ['vlɛkə(n)] I *vt* blot, soil, stain, spot; II *vi* soil; get spotted; *het vlekt gemakkelijk* it soils easily.

vlekkenwater [-va.tər] *o* stain remover.

vlekkig ['vlɛkəx] spotted, full of spots.

vlektyfus ['vlɛkti.füs] *m* typhus (fever).

I **vlerk** [vlɛrk] *v* wing; *fig* S paw [= hand]; *iemand bij zijn* ~*en pakken* P collar one.

2 **vlerk** [vlɛrk] *m* P churl, boor.

vleselijk ['vle.sələk] carnal, fleshy; *mijn* ~*e broeder* my own brother; ~*e lusten* carnal desires.

vlet [vlɛt] *v* ⚓ flat, flat-bottomed boat.

vletten ['vlɛtə(n)] *vt* I ⚓ convey in a flat; 2 flatten [peat].

vletter [-tər] *m* ⚓ flatman.

vleug [vlø.x] *v* (last) flicker.

vleugel ['vlø.gəl] *m* I wing[2] [of a bird, the nose, a building, an army]; ⊙ pinion; 2 leaf [of a door]; 3 (v. molen) wing, vane; 4 ♪ grand piano; *kleine* ~ ♪ baby grand; *de* ~*s laten hangen* droop one's wings; *iemand de* ~*s korten* clip a man's wings; *met de* ~*s slaan* beat its wings [of a bird]; *iemand onder zijn* ~*en nemen* take a person under his wing.

vleugeladjudant [-ɑtjy.dɑnt] *m* ✕ aide-de-camp.

vleugeldeur [-dø:r] *v* folding-door(s).

vleugelklep [-klɛp] *v* 🡒 wing-flap.

vleugellam ['vlø.gəlɑm] winged.

vleugelloos [-lo.s] wingless.

vleugelman ['vlø.gəlmɑn] *m* ✕ guide, leader of the file.

vleugelmoer [-mu:r] *v* ✕ butterfly-nut, wing-nut.

vleugelpiano [-pi.a.no.] *v* grand-piano; *kleine* ~ baby grand.

vleugelschild [-sxɪlt] *o* wing-sheath, wing-case.

vleugelschroef [-s(x)ru.f] *v* ✿ ✿ butterfly-screw.
vleugelslag [-slɑx] *m* wing-beat.
vleugelspeler [-spe.lər] *m* wing.
vleugje ['vlø.xjə] *o* zie *vleug*.
vleze ['vle.zə] zie *vlees*.
vlezen ['vle.zə(n)] *aj* of flesh, flesh...
vlezig [-zəx] I fleshy [arms &, women, tumours, ✿ leaves]; meaty [cattle]; 2 pulpy [fruits].
vlezigheid [-hɛit] *v* fleshiness &.
vlg. = *volgende* = following.
vlieboot ['vli.bo.t] *m* & *v* ⚓ fly-boat.
vlieden ['vli.də(n)] I *vi* flee, fly [from...]; II *vt* flee, fly, shun, eschew [dangers &].
vlieg [vli.x] *v* fly; *iemand een* ∼ *afvangen* steal a march upon a person; *geen* ∼ *kwaad doen* not hurt a fly; *twee* ∼*en in één klap slaan* kill two birds with one stone; *je bent niet hier gekomen om* ∼*en te vangen* you are not here to sit idle.
vliegbereik ['vli.xbərɛik] *o* ✈ radius of action.
vliegbiljet [-biljɛt] *o* air ticket.
vliegboot [-bo.t] *m* & *v* ✈ flying-boat.
vliegbrevet [-brəvɛt] *o* flying certificate.
vliegdek [-dɛk] *o* ✈ flight-deck.
vliegdekschip [-sxip] *o* ✈ (aircraft) carrier.
vliegdienst ['vli.xdi.nst] *m* ✈ flying-service, air service.
vliegeklap ['vli.gəklɑp] *m* fly-flap(per).
vliegen ['vli.gə(n)] *vi* fly² [of birds, aviators, time]; *hij ziet ze* ∼ he has a bee in his bonnet; *in brand* ∼ catch (take) fire; *zij vloog naar de deur* she flew to the door; *iemand naar de keel* ∼ fly at a person's throat; *de kogels vlogen ons om de oren* the bullets were flying about our ears; *wij vlogen over het ijs* we were simply flying over the ice; *hij vloog de kamer uit* he flew (tore) out of the room; *hij vliegt voor haar* he is at her beck and call; *ze* ∼ *voor je* they will fly to serve you.
vliegend [-gənt] flying; ∼ *blaadje* pamphlet; ∼*e bom* ✈ fly(ing)-bomb; *in* ∼*e haast* in a great hurry; ∼*e jicht* wandering gout; ∼*e tering* galloping consumption; ∼*e vis* 🐟 flying fish; ∼*e winkel* travelling shop; zie ook: *geest, Hollander* &.
vliegenier [vli.gə'ni.r] *m* ✈ zie *vlieger* 2.
vliegenkast ['vli.gə(n)kɑst] *v* meat-safe.
vliegennet ['vli.gənɛt] *o* fly-net.
vliegenpapier ['vli.gə(n)pa.pi.r] *o* fly-paper.
vliegensvlug ['vli.gənsflŭx] as quick as lightning.
vliegenvanger ['vli.gə(n)vɑŋər] *m* 1 fly-catcher; fly-paper; 2 ✿ fly-trap; 3 🐦 fly-catcher.
vliegenvergif(t) [-vərgif(t)] *o* fly-poison.
vlieger ['vli.gər] *m* 1 kite; 2 ✈ airman, flyer, flier, flying-man, aviator; *een* ∼ *oplaten* fly a kite; *die* ∼ *gaat niet op* that cock won't fight.
vliegerkoord [-ko:rt] *o* kite-line.
vliegertijd [-tɛit] *m* kite-season.
vlieghaven ['vli.xha.və(n)] *v* ✈ airport.
vliegkunst [-kŭnst] *v* ✈ aviation.

vliegmachine [-ma.ʃi.nə] *v* ✈ zie *vliegtuig*.
vliegongeluk [-òngəlŭk] *o* ✈ flying-accident.
vliegpost [-pɔst] *v* ✈ air mail.
vliegterrein [-tɛrɛin] *o* ✈ flying-ground, aerodrome.
vliegtuig [-tœyx] *o* ✈ plane, airplane, aeroplane, flying-machine; ∼*(en)* ook: aircraft; *per* ∼ ook: by air.
vliegtuigbemanning [-bəmɑniŋ] *v* ✈ air crew.
vliegtuigbenzine [-bɛnzi.nə] *v* aviation petrol, aviation spirit.
vliegtuigfabriek [-fa.bri.k] *v* aircraft factory.
vliegtuigindustrie [-indŭstri.] *v* aircraft industry.
vliegtuigmoederschip [vli.xtœyx'mu.dərsxip] *o* ⚓ sea-plane carrier.
vliegtuigmonteur ['vli.xtœyxmòntø:r] *m* ✈ air mechanic.
vliegtuigmotor [-mo.tər] *m* ✈ aero-engine, aircraft engine.
vliegveld ['vli.xfɛlt] *o* ✈ airfield.
vliegwedstrijd [-vɛtstrɛit] *m* ✈ air race.
vliegweer [-ve:r] *o* ✈ flying weather.
vliegwerk [-vɛrk] *o* in: *iets met kunst en* ∼ *doen* zie *kunst*.
vliegwezen [-ve.zə(n)] *o* ✈ flying.
vliegwiel [-vi.l] *v* ✿ fly-wheel.
vliem [vli.m] *v* = *vlijm*.
vlier [vli:r] *m* ✿ elder.
vlierboom ['vli:rbo.m] *m* ✿ elder-tree.
vlierbosje [-bòʃə] *o* elder-grove.
vliering ['vli:riŋ] *v* loft, garret, attic; *op de* ∼ under the leads.
vlieringkamertje [-ka.mərcə] *o* garret-room, attic.
vlierpit ['vli:rpit] *v* elder-pith.
vlierpitballetje [-pitbɑlɛcə] *o* elder-pith ball.
vlierstruik [-strœyk] *m* elder-bush.
vliertee zie *vlierthee*.
vlierthee [-te.] *m* elder-tea.
vlies [vli.s] *o* film [of any material]; 🐟 & ✿ 1 membrane [in body]; 2 ✿ cuticle; pellicle [= film & membrane]; 3 fleece [= woolly covering of sheep &]; *het Gulden Vlies* the Golden Fleece.
vliesachtig ['vli.sɑxtəx] filmy, membranous.
vliet [vli.t] *m* brook, rill.
vlieten ['vli.tə(n)] *vi* flow, run.
vliezig ['vli.zəx] membranous, filmy.
vlijen ['vlɛiə(n)] I *vt* lay down, stow; II *vr zich* ∼ *in het gras* nestle down in the grass; *zich tegen iemand aan* ∼ nestle up to a person.
vlijm [vlɛim] *v* lancet.
vlijmen ['vlɛimə(n)] *vt* open with a lancet.
vlijmend [-mənt] sharp², biting².
vlijmscherp ['vlɛimsxɛrp] (as) sharp as a razor, razor-sharp.
vlijt [vlɛit] *v* industry, diligence, assiduity, application.
vlijtig ['vlɛitəx] *aj* (& *ad*) industrious(ly), diligent(ly), assiduous(ly).
vlinder ['vlindər] *m* butterfly²; *fig* ook: philanderer.

vlinderachtig [-ɑxtəx] like a butterfly, butterfly-like; *fig* fickle.

vlinderbloemigen [-blu.məgə(n)] *mv* ✿ papilionaceous flowers.

vlindernetje [-nɛcə] *o* butterfly-net.

vlinderslag [-slɑx] *m* butterfly stroke [in swimming].

vlindervormig [-vɔrməx] butterfly-shaped.

Vlissingen ['vlɪsəɲə(n)] *o* Flushing.

vlo [vlo.] *v* flea.

vloed ['vlu.t] *m* 1 (getij) flood-tide, flux, flood, tide; 2 (rivier) stream, river; 3 (overstroming) flood; 4 *fig* flood [of tears, of words], flow [of words]; *een ~ van scheldwoorden* a torrent of abuse.

vloeddeur ['vlu.tdø:r] *v* floodgate.

vloedgolf [-gɔlf] *v* tidal wave[2], bore.

vloei [vlu:i] *o* zie *vloeipapier* & *vloeitje*.

vloeibaar ['vlu:iba:r] liquid, fluid; *~ maken (worden)* ook: liquefy.

vloeibaarheid [-hɛit] *v* liquidity, fluidity.

vloeibaarmaking, ~wording [-ma.kɪŋ, -vɔrdɪŋ] *v* liquefaction.

vloeiblok ['vlu:iblɔk] *o* blotting-pad, blotter.

vloeiboek [-bu.k] *o* blotting-book, blotter.

vloeien ['vlu.jə(n)] **I** *vi* 1 flow; 2 (in 't papier trekken) run; blot [of blotting-paper]; *die verzen ~ (goed)* those lines flow well; *er vloeide bloed* 1 there was bloodshed; 2 (bij duel) blood was drawn; **II** *vt* (met vloeipapier) blot.

vloeiend [-jənt] **I** *aj* flowing, fluent[2]; *een ~e stijl* a smooth style; *~e verzen* flowing verse; **II** *ad* [speak] fluently, [run] smoothly.

vloeipapier ['vlu:ipa.pi:r] *o* 1 blotting-paper; 2 (zijdepapier) tissue-paper.

vloeispaat [-spa.t] *o* fluor.

vloeistof [-stɔf] *v* liquid.

vloeitje [-cə] *o* cigarette paper.

vloek [vlu.k] *m* 1 oath, swear-word; 2 (vervloeking) curse, malediction, imprecation; *er rust een ~ op* a curse rests upon it; *in een ~ en een zucht* in two shakes of a lamb's tail, in the twinkling of an eye.

vloeken ['vlu.kə(n)] **I** *vi* swear, curse (and swear); *~ als een ketter* swear like a trooper; *~ op* swear at; *die kleuren ~ (tegen elkaar)* these colours clash (with each other); **II** *vt* curse [a person &].

vloeker [-kər] *m* swearer.

vloekwaardig [vlu.k'va:rdəx] damnable, execrable.

vloekwoord ['vlu.kvo:rt] *o* swear-word, oath.

vloer [vlu:r] *m* floor; *altijd over de ~ zijn* be always about the house.

vloerbedekking ['vlu:rbədɛkɪŋ] *v* floor-covering.

vloeren ['vlu:rə(n)] *vt* floor.

vloerkleed ['vlu:rkle.t] *o* carpet.

vloerkleedje [-kle.cə] *o* rug.

vloermat [-mɑt] *v* floor-mat.

vloersteen [-ste.n] *m* paving-tile, flag(-stone).

vloertegel [-te.gəl] *m* floor-tile, paving-tile.

vloerverwarming [-vərvɑrmɪŋ] *v* floor heating.

vloerwas [-vɑs] *m & o* floor-polish.

vloerwrijver [-vrɛivər] *m* floor-polisher.

vloerzeil [-zɛil] *o* floor-cloth.

vlok [vlɔk] *v* 1 flock [of wool]; 2 flake [of snow, soap &]; 3 tuft [of hair].

vlokken ['vlɔkə(n)] *vi* flake.

vlokkenzeep [-ze.p] *v* soap flakes.

vlokkig ['vlɔkəx] flocky, flaky.

vlokzij(de) [-sɛi(də)] *v* floss-silk.

vlonder ['vlɔndər] *m* plank-bridge.

vlooiebeet ['vlo.jəbe.t] *m* flea-bite.

vlooien [-jə(n)] *vt* clean of fleas [a dog &].

vlooienkruid [-krœyt] *o* ✿ fleabane.

vlooienspel [-spɛl] *o* tiddly-winks.

vlooienteater zie *vlooientheater*.

vlooientheater [-te.a.tər] *o* flea circus, performing fleas.

vlooiepik ['vlo.jəpɪk] *m* flea-bite.

vloot [vlo.t] *v* fleet, navy.

vlootaalmoezenier ['vlo.ta.lmu.zəni:r] *m RK* naval chaplain, F padre.

vlootbasis [-ba.zəs] *v* naval base.

vlootje ['vlo.cə] *o* butter-dish.

vlootpredikant ['vlo.tpre.di.kɑnt] *m* naval chaplain, F padre.

vlootvoogd [-fo.xt] *m* commander of the fleet, admiral.

vlossen ['vlɔsə(n)] *aj* floss.

vlossig [-səx] flossy.

vloszij(de) ['vlɔsɛi(də)] *v* floss silk.

1 **vlot** [vlɔt] *o* raft.

2 **vlot** [vlɔt] **I** *aj* 1 (drijvend) ⚓ afloat; 2 (vlug) fluent [speaker]; smooth [journey, landing &]; 3 (niet stroef) easy [manner, style, to live with], flowing [style]; *een ~ hoedje* a smart little hat; *zijn ~te pen* his facile pen; *een schip ~ krijgen* ⚓ get a ship afloat, float her; *~ worden* ⚓ get afloat; **II** *ad* fluently; *het gaat ~* it goes smoothly; *de... gaan ~ weg* $ there is a brisk sale of..., ...are a brisk sale; *~ opzeggen* get off pat [a lesson].

vlotbrug ['vlɔtbrʏx] *v* floating bridge.

vlotheid [-hɛit] *v* fluency; smoothness.

vlothout [-hout] *o* drift-wood.

vlotten ['vlɔtə(n)] **I** *vi* float; *fig* go smoothly; *het gesprek vlotte niet* the conversation dragged; *het werk wil maar niet ~* I can't make headway; *het werk vlot goed* we are making headway; *~de bevolking* floating population; *~d kapitaal* circulating capital; *~de middelen* liquid resources; *~de schuld* $ floating debt; **II** *vt* raft [wood, timber].

vlotter [-tər] *m* 1 (persoon) raftsman, rafter; 2 ✕ float.

vlucht [vlʏxt] *v* 1 (het vluchten) flight, escape; 2 (het vliegen) flight; 3 (afstand van vleugeluiteinden) wing-spread; 4 flight, flock [of birds]; bevy [of larks, quails]; covey [of partridges]; *de ~ nemen* flee, take to flight, take o⟩ one's heels; *zijn ~ nemen* take wing [of birds]; *een hoge* ∼ *nemen* fly high, soar; *fig* soar high, take a high (lofty) flight; *een te hoge* ∼ *nemen* fly too high; *een vogel in de* ∼ *schieten* shoot a bird on the wing; *op de* ∼ *drijven (jagen)* put to flight, put to rout, rout; *op de* ∼ *gaan (slaan)* zie *de* ∼ *nemen*; *op de* ∼ *zijn* be on the run.

vluchteling ['vlʉ̆xtəlɪŋ] *m* 1 fugitive; 2 refugee.

vluchtelingenkamp [-lɪŋə(n)kɑmp] *o* refugee camp.

vluchten ['vlʉ̆xtə(n)] I *vi* fly, flee; ∼ *naar* flee (fly) to; *uit het land* ∼ flee (from) the country; ∼ *voor* flee from, fly from, fly before; II *vt* fly, flee, shun [dangers &].

vluchthaven ['vlʉ̆xtha.və(n)] *v* port (harbour) of refuge.

vluchtheuvel [-hø.vəl] *m* island, refuge.

vluchtig ['vlʉ̆xtəx] I *aj* volatile [oils, persons]; cursory [reading], hasty [glance, sketch]; fleeting, transient [pleasure]; II *ad* cursorily.

vluchtigheid [-hɛit] *v* volatility; cursoriness; hastiness.

vlug [vlʉ̆x] I *aj* 1 quick² [trot & walk; to act, perceive, learn, think, or invent]; nimble² [in movement, of mind]; agile² [frame, arm, movements &]; 2 (*kunnende vliegen*) fledged [birds]; ∼ *in het rekenen* quick at figures; ∼ *met de pen zijn* have a ready pen; ∼ *van begrip* quick(-witted); *hij behoort niet tot de* ∼*gen* he is none of the quickest; II *ad* quickly, quick; ∼ (*wat*)! (be) quick!, look sharp!; *hij kan* ∼ *leren* he is a quick learner.

vlugheid ['vlʉ̆xhɛit] *v* quickness, nimbleness, rapidity, promptness.

vlugschrift [-s(x)rɪft] *o* pamphlet.

vlugzout [-sout] *o* sal volatile.

1 **vocaal** [vo.'ka.l] *aj* (& *ad*) vocal(ly).

2 **vocaal** [vo.'ka.l] *v* vowel.

vocabulaire [vo.ka.by.'lɛ:rə] *o* vocabulary.

vocatief ['vo.ka.ti.f] *m gram* vocative.

vocht [vòxt] 1 *o* (vloeistof) fluid, liquid; 2 *o* & *v* (condensatie) moisture, damp, wet.

vochten ['vòxtə(n)] *vt* moisten, wet, damp.

vochtgehalte ['vòxtgəhaltə] *o* percentage of moisture, moisture content.

vochtig ['vòxtəx] moist, damp, dank, humid; ∼ *maken* moisten, wet, damp; ∼ *worden* become moist &, moisten.

vochtigheid [-hɛit] *v* moistness, dampness, humidity; (het vocht) moisture, damp.

vochtigheidsmeter [-hɛitsme.tər] *m* hygrometer.

vochtmaat ['vòxtma.t] *v* liquid measure.

vochtvlek [-flɛk] *v* damp-stain.

vod [vòt] *o* & *v* rag, tatter; *een of ander* ∼ *van een boek* some rubbishy book; *iemand achter de* ∼*den zitten* F keep him hard at it; *hem bij de* ∼*den krijgen* F catch hold of him.

vodde ['vòdə] *v* rag, tatter.

voddeboel [-bu.l] *m* **voddegoed** [-gu.t] *o* trash, rubbish, trumpery things.

voddenhandel ['vòdə(n)handəl] *m* rag-trade.

voddenkoper [-ko.pər] *m* dealer in rags, rag-

man.

voddenkraam [-kra.m] *v* & *o* trash, rubbish.

voddenmarkt [-markt] *v* rag-market.

voddenraper [-ra.pər] *m* ∼**raapster** [-ra.pstər] *v* rag-picker.

voddig ['vòdəx] ragged; *fig* trashy.

vodje ['vòcə] *o* rag; *fig* scrap [of paper].

vodka = *wodka*.

voeden ['vu.də(n)] I *vt* feed [a man, a pump &]; nourish² [one's family, a hope &]; *fig* foster, nurse, cherish [a hope]; II *va* be nourishing [of food]; III *vr zich* ∼ feed; *zich* ∼ *met...* feed on...

1 **voeder** [-dər] *m* feeder.

2 **voeder** [-dər] *o* fodder, forage, provender.

voederartikelen [-arti.kələ(n)] *mv* feeding stuffs.

voederbak [-bak] *m* manger.

voederen ['vu.dərə(n)] *vt* feed.

voedergewas ['vu.dərgəvas] *o* ♣ fodder plant, fodder crop.

voedergraan [-gra.n] *o* feeding grain.

voedering ['vu.dərɪŋ] *v* feeding.

voedertijd ['vu.dərtɛit] *m* feeding time.

voederzak [-zak] *m* nose-bag.

voeding ['vu.dɪŋ] *v* 1 (handeling) feeding, nourishment, alimentation; 2 (voedsel) food, nourishment; 3 (voedingswijze) diet; *een gebalanceerde* ∼ a balanced diet.

voedingsbodem [-dɪŋsbo.dəm] *m* 1 *eig* (culture) medium [of bacteria]; matrix [of fungus]; 2 *fig* breeding ground.

voedingsgewas [-gəvas] *o* ♣ food plant, food crop.

voedingsmiddel [-midəl] *o* article of food; ∼*en* foodstuffs.

voedingsstoffen [-dɪŋstəfə(n)] *mv* nutritious matter.

voedingswaarde [-dɪŋsva:rdə] *v* food value.

voedsel ['vu.tsəl] *o* food, nourishment; ∼ *geven aan* encourage.

voedselschaarste [-sxa:rstə] *v* food shortage.

voedselvergiftiging [-vərgɪftəgɪŋ] *v* food poisoning.

voedselvoorraad [-vo:ra.t] *m* food supply.

voedselvoorziening [-vo:rzi.nɪŋ] *v* food supply.

voedster ['vu.tstər] *v* nurse, foster-mother.

voedzaam [-sa.m] nourishing, nutritious, nutritive.

voedzaamheid [-hɛit] *v* nutritiousness, nutritiveness.

voeg [vu.x] *v* joint, seam; *uit zijn* ∼*en rukken* put out of joint, disrupt; *dat geeft geen* ∼ that is not seemly, it is not the proper thing (to do).

voege ['vu.gə] *in dier* ∼ in this manner; *in dier* ∼ *dat...* so as to..., so that...

1 **voegen** ['vu.gə(n)] I *vi* (& *onpers. ww.*) (betamen) become; *die toon voegt u niet* that tone is not fitting for you; *zoals het een ware vrouw voegt* as beseems a true woman; *het voegt mij te zwijgen* decency bids me be

silent; *het voegt ons niet om...* it is not for us to...; **II** *vr zich* ~ *naar...* conform to..., comply with...

2 voegen ['vu.gə(n)] **I** *vt* 1 (bijdoen) add; 2 (dichtvullen) △ point, joint, flush; 3 (onpersoonlijk) suit [one]; *dat voegt mij niet* it doesn't suit me; ~ *bij* add to; zie ook: *daad;* **II** *vr zich* ~ *bij iemand* join a person.

voegijzer ['vu.xɛizər] *o* △ pointing-trowel.

voegwerk [-vɛrk] *o* △ pointing.

voegwoord [-vo:rt] *o gram* conjunction.

voegzaam [-sa.m] suitable, becoming, (be)fitting, seemly, fit, proper.

voegzaamheid [-hɛit] *v* suitableness, becomingness, seemliness, propriety.

voelbaar ['vu.lba:r] to be felt; palpable; perceptible.

voelen ['vu.lə(n)] **I** *vt* feel, ook: be sensible of [shame]; be alive to [an insult]; *ik voel mijn benen* my legs are aching; *ik zal het hem laten* ~ he shall be made to feel it; *ik voel daar niet veel voor* I don't sympathize with the idea, I don't care for it, it does not appeal to me; I don't care to... [be kept waiting &]; **II** *va* in: *het voelt zacht* it is soft to the touch; **III** *vr zich...* ~ feel [ill], feel oneself...; *hij begint zich te* ~ he is getting above himself; *hij voelt zich nogal* he rather fancies himself; *zich thuis* ~ feel at home[2].

voeler [-lər] *m* feeler.

voelhoorn, -horen ['vu.lho:rən] *m* feeler, antenna [*mv* antennae]; *zijn* ~*s uitsteken* feel one's ground [*fig*].

voeling ['vu.liŋ] *v* feeling; touch; ~ *hebben met* be in touch with; ~ *houden met* keep (in) touch with; ~ *krijgen met* come into touch with.

voelspriet ['vu.lspri.t] *m* zie *voelhoorn.*

voer [vu:r] *o* 1 fodder, forage, provender; 2 cartload; 3 zie *voering.*

voerbak ['vu.rbak] *m* manger.

1 voeren ['vu.rə(n)] *vt* zie *voederen.*

2 voeren ['vu.rə(n)] *vt* 1 carry, convey, take, bring, lead; 2 (hanteren) wield [the sword &]; 3 conduct [negotiations], carry on [propaganda]; *dat zou ons te ver* ~ that would carry us too far; *wat voert u hierheen?* what brings you here?; *een adelaar in zijn wapen* ~ have an eagle in one's coat of arms.

3 voeren ['vu.rə(n)] *vt* line [a coat].

voering [-riŋ] *v* lining.

voeringstof [-riŋstəf] *v* (material for) lining.

voerloon ['vu.rlo.n] *o* cartage.

voerman [-man] *m* 1 (koetsier) driver, coachman; 2 (vrachtrijder) wagoner, carrier; 3 ✳ Waggoner.

voertaal [-ta.l] *v* official language, vehicle.

voertuig [-tœyx] *o* carriage, vehicle[2].

voet [vu.t] *m* foot [of man, hill, ladder, page &], *fig* foot, footing; *zes* ~ *lang* six feet long; *je moet hem daarin geen* ~ *geven* you should not indulge him too much, you

should not encourage him; *dat gaat zover als het* ~*en heeft* that's all right as far as it goes; *de* ~ *in de stijgbeugel hebben* be in the saddle [*fig*]; *het heeft heel wat* ~*en in de aarde* it takes (will take) some doing; ~ *bij stuk houden* I keep to the point; 2 stick to one's guns; *vaste* ~ *krijgen* obtain a foothold, obtain a firm footing; *iemand de* ~ *lichten* supplant (oust) one; *geen* ~ *verzetten* not move hand or foot; *geen* ~ *kunnen verzetten* not be able to stir; *ik zet daar geen* ~ *meer* I'll never set foot there again; *iemand de* ~ *op de nek zetten* put one's foot upon his neck; ~ *aan wal zetten* set foot on shore; *geen* ~ *buiten de deur zetten* not stir out of the house; *een nieuwe* ~ *aan een kous zetten* new-foot a stocking; *aan de* ~ *van de bladzijde, van de brief* at the foot of the page, at foot; *met het geweer bij de* ~ ✕ with arms at the order; *met de* ~*en bij elkaar* with joined feet; *met één* ~ *in het graf staan* have one foot in the grave; *met* ~*en treden* trample under foot, tread under foot[2]; *fig* set at naught, override [laws]; *onder de* ~ *geraken* be trampled on; *een land onder de* ~ *lopen* overrun a country; *onder de* ~ *vertrappen* tread (trample) under foot; *op de* ~ *van 5 ten honderd* at the rate of five per cent.; *iemand (de tekst) op de* ~ *volgen* closely follow a person (the text); *op die* ~ at that rate; *op bescheiden* ~ on a modest footing; *op dezelfde* ~ on the old footing; in the old way; on the same lines; *op gelijke* ~ on an equal footing, on a footing of equality, on the same footing; *zij staan op gespannen* ~ relations are strained between them; *op goede* ~ *staan met* be on good terms with, stand well with; *op grote* ~ *leven* live in (grand) style; *op de oude* ~ on the old footing; *op staande* ~ off-hand, at once, on the spot, then and there; *op vertrouwelijke* ~ on familiar terms; *op vrije* ~*en* at liberty, at large; *op* ~ *van gelijkheid* on a footing of equality, on equal terms; *op* ~ *van oorlog* on a war footing; *op* ~ *van vrede* on a peace footing; *te* ~ on foot; *te* ~ *gaan* go on foot, walk; *iemand te* ~ *vallen* throw oneself at a man's feet; *ten* ~*en uit geschilderd* full-length [portrait]; *zich uit de* ~*en maken* take to one's heels, make off; ~ *voor* ~ foot by foot, step by step; *iemand iets voor de* ~*en gooien* cast (fling, throw) it in his teeth.

voetangel ['vu.taŋəl] *m* mantrap; ✕ caltrop; *hier liggen* ~*s en klemmen* beware of mantraps; *fig* it is full of pitfalls, there are snakes in the grass.

voetbad [-bat] *o* foot-bath.

voetbal [-bal] *m* 1 (bal) football; 2 *o* (spel) football, F soccer; ~ *spelen* play football, F play soccer.

voetbalcompetitie, -kompetitie [-kòmpəti.(t)si.] *v* ± association football season.

voetballen ['vu.tbɑlə(n)] *vi* play football, F play soccer.

voetballer, voetbalspeler [-bɑlər, -bɑlspe.lər] *m* football-player.

voetbalveld [-bɑlvɛlt] *o* football ground, football field.

voetbank ['vu.tbɑŋk] *v* footstool.

voetboeien [-bu.jə(n)] *mv* fetters.

voetboog [-bo.x] *m* cross-bow.

voetbreed [-bre.t] *geen* ∼ *wijken* not budge an inch.

voetbrug [-brŭx] *v* foot-bridge.

voeteind(e) [-ɛində, -ɛint] = *voeteneind(e)*.

voetenbank ['vu.tə(n)bɑŋk] = *voetbank*.

voete:ieind(e) ['vu.tɔneində, -ɛint] *o* foot-end, foot [of a bed].

voetenkussen ['vu.tə(n)kŭsə(n)] = *voetkussen*.

voetenschrapper [-s(x)rɑpər] = *voetschrapper*.

voetenzak [-zɑk] = *voetzak*.

voetganger ['vu.tɡaŋər] *m* ∼ster [-ɡaŋstər] *v* pedestrian.

voetgangerstunnel [-ɡaŋərstŭnəl] *m* pedestrian tunnel.

voetje ['vu.cə] *o* small foot; *een wit* ∼ *bij iemand hebben* be in a person's good graces; *een wit* ∼ *bij iemand zien te krijgen* insinuate oneself into a person's good graces; ∼ *voor* ∼ *stap by step.

voetkleedje ['vu.tkle.cə] *o* rug.

voetknecht [-knɛxt] *m* ⚇ foot-soldier.

voetkus [-kŭs] *m* 1 foot-kissing; 2 kissing the Pope's toe.

voetkussen [-kŭsə(n)] *o* hassock.

voetlicht [-lixt] *o* footlights; *voor het* ∼ *brengen* put on the stage; *voor het* ∼ *komen* appear before the footlights.

voetmat [-mɑt] *v* foot-mat.

voetnoot [-no.t] *v* foot-note.

voetpad [-pɑt] *o* foot-path, footway.

voetpomp [-pɔmp] *v* foot-pump, inflator.

voetpunt [-pŭnt] *o* ✱ nadir; (v. loodlijn) foot.

voetreis [-rɛis] *v* journey (excursion) on foot, pedestrian tour, walking-tour, *sp* hike.

voetreiziger [-rɛizəɡər] *m* foot-traveller, pedestrian, wayfarer.

voetrem [-rɛm] *v* foot-brake.

voetrempedaal [-pədɑ.l] foot-brake pedal.

voetschrapper ['vu.ts(x)rɑpər] *m* scraper.

voetspoor [-spo:r] *o* foot-mark, footprint, track; *het* ∼ *volgen van* follow in the track of.

voetstap [-stɑp] *m* step, footstep; *iemands* ∼*pen drukken, in zijn* ∼*pen treden* follow (tread, walk) in a person's (foot)steps.

voetstoots [-sto.ts] 1 $ [buy, sell] outright, as it is (as they are); 2 off-hand, out of hand.

voetstuk [-stŭk] *o* pedestal.

voettitel ['vu.ti.təl] *m* sub-title.

voetval ['vu.tfɑl] *m* prostration; *een* ∼ *doen voor...* prostrate oneself before...

voetveeg [-fe.x] *m* & *v* door-mat[2].

voetvolk [-fɔlk] *o* ⚔ foot-soldiers; *het* ∼ the foot, the infantry.

voetwassing [-vɑsiŋ] *v* washing of the feet.

voetwortel [-vòrtəl] *m* tarsus.

voetwortelbeentje [-be.ncə] *o* tarsal bone.

voetzak ['vu.tsɑk] *m* foot-muff.

voetzoeker [-su.kər] *m* squib, cracker.

voetzool [-so.l] *m* sole of the foot.

vogel ['vo.ɡəl] *m* bird, ☉ fowl; *de* ∼*en des hemels* the fowls of the air; *een slimme* ∼ a sly dog, a wily old bird; *beter één* ∼ *in de hand dan tien in de lucht* a bird in the hand is worth two in the bush; *de* ∼ *is gevlogen* the bird is flown.

vogelaar ['vo.ɡəla:r] *m* fowler, bird-catcher.

vogelbekdier ['vo.ɡəlbɛkdi:r] *o* duckbill, § platypus.

vogelei [-ɛi] *o* bird's egg.

vogelfluitje [-flœycə] *o* bird-call.

vogelgekweel [-ɡəkve.l] *o* warbling of birds.

vogelhandelaar [-hɑndəla:r] *m* bird-seller, bird-fancier.

vogeljacht [-jɑxt] *v* fowling.

vogelkers [-kɛrs] *v* ✿ bird-cherry.

vogelknip [-knip] *v* bird-trap.

vogelkooi [-ko:i] *v* bird-cage.

vogelkoopman [-ko.pmɑn] *m* zie *vogelhandelaar*.

vogelleven ['vo.ɡəle.və(n)] *o* bird-life.

vogelliefhebber [-li.fhɛbər] *m* bird-fancier.

vogellijm [-lɛim] *m* 1 bird-lime; 2 ✿ mistletoe.

vogelmarkt ['vo.ɡəlmɑrkt] *v* bird-market; poultry-market.

vogelmelk [-mɛlk] *v* ✿ star of Bethlehem.

vogelnest [-nɛst] *o* 1 bird's nest; 2 (eetbaar) edible bird's nest.

vogelnet [-nɛt] *o* bird-net.

vogelperspectief, -perspektief [-pɛrspɛkti.f] *o* zie *vogelvlucht*.

vogelpest [-pɛst] *v* fowl plague.

vogelpik [-pik] *m* *sp* darts.

vogelpoot [-po.t] *m* bird's foot.

vogelroer [-ru:r] *o* fowling-piece.

vogelslag [-slɑx] *o* & *m* bird-trap.

vogeltje [-cə] *o* little bird, F dicky-bird, dicky; ∼*s die zo vroeg zingen krijgt 's avonds de poes* sing before breakfast (and you'll) cry before night; *ieder* ∼ *zingt zoals het gebekt is* if better were within, better would come out; every one talks after his own fashion.

vogelvanger [-vaŋər] *m* bird-catcher, fowler.

vogelverschrikker [-vɛrs(x)rikər] *m* scarecrow[2]; *er uitzien als een* ∼ look a perfect fright.

vogelvlucht [-vlŭxt] *v* bird's-eye view; *...in* ∼ bird's-eye view of...

vogelvrij [-vrɛi] outlawed; *iemand* ∼ *verklaren* outlaw one.

vogelvrijverklaarde [-vərkla:rdə] *m-v* outlaw.

vogelvrijverklaring [-kla:riŋ] *v* outlawry.

vogelzaad ['vo.ɡəlza.t] *o* bird-seed.

vogelzang [-zaŋ] *m* singing (warbling) of birds, birds' song, bird song.

Vogezen [vo.'ɡe.zə(n)] *mv de* ∼ the Vosges.

voile ['vva.lə] 1 *m* (voorwerpsnaam) veil; 2 *o & m* (stofnaam) voile.

vokaal zie *vocaal*.

vokatief zie *vocatief*.

vol [vòl] full, filled; *de autobus, tram & is ~* ook: is full up; *hij was er ~ van* he was full of it; *~ (van) tranen* full of tears; *hij was ~ verontwaardiging* he was filled with indignation; *een boek ~ wetenswaardigheden* ook: packed with interesting facts; *~le broeder* full brother; *een ~le dag* a full day; *~le leerkracht* full-time (whole-time) teacher; *~ matroos* able seaman; *~le melk* full-cream milk, whole milk; *~le neef (nicht)* cousin german, first cousin; *~le stem* rich (full) voice; *een ~ uur* a full hour, a solid hour; *een ~le winkel (met mensen)* a crowded shop; *zij willen hem niet voor ~ aanzien* they don't take him seriously; *ten ~le* to the full, fully, [pay] in full.

volaarde ['vòla:rdə] *v* fuller's earth.

volant [vo.'lã] *m* 1 *sp* shuttlecock; 2 flounce [of dress].

volautomatisch ['vòlo.to.-, -òuto.ma.ti.s] fully automatic.

volbloed ['vòlblu.t] thoroughbred, full-blooded [horses &]; *fig* out-and-out [radical].

volbloedig [vòl'blu.dəx] full-blooded, plethoric.

volbloedigheid [-hεit] *v* full-bloodedness, plethora.

volbrassen ['vòlbrɑsə(n)] *vt* ⚓ brace full.

volbrengen [vòl'brεŋə(n)] *vt* fulfil, execute, accomplish, perform, achieve; *het is volbracht* B it is finished.

volbrenging [-ŋ] *v* fulfilment, performance, accomplishment.

voldaan [vòl'da.n] 1 satisfied, content; 2 $ (betaald) paid, received; *voor ~ tekenen* $ receipt [a bill].

voldaanheid [-hεit] *v* satisfaction, contentment.

volder ['vòldər] = *voller*.

1 **voldoen** [vòl'du.n] *vt* fill (up).

2 **voldoen** [vòl'du.n] I *vt* 1 satisfy, give satisfaction to, content, please [people]; 2 (betalen) pay [a bill]; II *va* (& *vi*) satisfy, give satisfaction; *wij kunnen niet aan alle aanvragen ~* we cannot cope with the demand; *aan een belofte ~* fulfil a promise; *aan een bevel ~* obey a command; *aan het examen ~* satisfy the examiners; *aan zijn plicht ~* fulfil one's duty; *aan zijn verplichtingen ~* meet one's obligations ($ one's liabilities); *(niet) aan de verwachting ~* (not) answer expectations; *aan een verzoek ~* comply with a request; *aan een voorwaarde ~* satisfy (fulfil) a condition; *aan iemands wens ~* satisfy a person's wish; zie ook: *eis*.

voldoend(e) [vòl'du.nt, -'du.ndə] I *aj* satisfactory [proof]; sufficient [amount, number, provisions &]; *dat is ~e* ook: that will do; II *ad* satisfactorily; sufficiently.

voldoende [-'du.ndə] *v & o ⌀* sufficient mark; *ik heb ~* I have got sufficient (marks).

voldoendheid [-'du.nthεit] *v* satisfactoriness; sufficiency.

voldoening [-'du.nɪŋ] *v* 1 satisfaction; 2 $ settlement, payment; 3 atonement [by Christ]; *zijn ~ over...* his satisfaction at or with [the results &]; *~ geven (schenken)* give satisfaction; *ter ~ aan...* in compliance with [regulations]; *ter ~ van...* in settlement of [a debt].

voldongen [-'dòŋə(n)] in: *~ feit* accomplished fact.

voleind(ig)en [-'εind(əg)ə(n)] *vt* finish, complete.

voleind(ig)ing [-d(əg)ɪŋ] *v* completion.

Volendammer [vo.lən'dɑmər] *aj* (& *m*) Volendam (man).

volgaarne ['vòlga:rnə] right willingly.

volgbriefje ['vòlxbri.fjə] *o* $ delivery order.

volgeboekt ['vòlgəbu.kt] booked up (to capacity), fully booked [aircraft &].

volgefourneerd [-'fu:rne:rt] zie *volgestort*. [ry.

volgeling(e) ['vòlgəlɪŋ(ə)] *m(-v)* follower, votary.

volgen ['vòlgə(n)] I *vt* follow [a person, a path, a speaker, an argument, the fashion, an admonition, a command &]; follow up [a clue]; pursue [a policy]; watch [the course of events, a football match &]; attend [a series of concerts, lectures]; take [a course of training]; *zijn eigen hoofd ~* go one's own way; *een verdachte ~* shadow (dog) a suspect; *ik heb (het verhaal) niet gevolgd* I have not followed it up; *hij liet deze verklaring ~ door...* he followed up this explanation by...; II *va* follow; *hij kan niet ~ (in de klas)* he can't keep up with his form; *je hebt weer niet gevolgd* you have not attended [to your book &]; II *vi* follow, ensue; *ik volg* I am next; *Nederland en België ~ met 11%* the Netherlands and Belgium come next with 11 per cent.; *slot volgt* zie *slot*; *wie (die) volgt?* next, please; *hij schrijft als volgt* as follows; *~ op* follow (on); *op de p volgt de q* p is followed by q; *de ene ramp volgde op de andere* disaster followed disaster; *op de haar ~de zuster* the sister next to her [in years]; *hieruit volgt dat...* it follows that...; *wat volgt daaruit?* what follows?

volgend ['vòlgənt] *aj* following, ensuing, next; *de ~e week* 1 next week; 2 the next (the ensuing) week; *het ~e* the following.

volgenderwijs, -wijze [vòlgəndər'vεis, -'vεizə] in the following way, as follows.

volgens ['vòlgəns] according to; *~ paragraaf zoveel* under such and such a paragraph; *~ de directe methode* by the direct method; *~ factuur* $ as per invoice.

volger [-gər] *m* follower.

volgestort ['vòlgəstòrt] $ paid-up (in full).

volgieten [-gi.tə(n)] *vt* fill.

volgkoets ['vòlxku.ts] *v* mourning-coach.

volgnummer [-nûmər] *o* serial number.

volgooien ['vòlgo.jə(n)] *vt* fill.

volgorde ['vɔlxərdə] v order (of succession), sequence.

volgreeks [-re.ks] v series, sequence.

volgrijtuig [-reitœyx] o mourning-coach.

volgroeid [vòl'gru:it] full-grown.

volgtrein ['vɔlxtrein] m relief train.

volgwagen [-va.gə(n)] m 1 (rouwkoets) mourning-coach; 2 zie *aanhangwagen*.

volgzaam [-sa.m] docile, tractable.

volgzaamheid [-heit] v docility, tractability.

volharden [vòl'hardə(n)] vi persevere, persist; ~ *bij zijn besluit* stick to one's resolution; ~ *bij zijn weigering* persist in one's refusal; ~ *in de boosheid* persevere in one's evil courses.

volhardend [-dənt] persevering, persistent.

volharding [-dɪŋ] v perseverance, persistency; tenacity (of purpose).

volhardingsvermogen [-dɪŋsfərmo.gə(n)] o perseverance, persistency.

volheid ['vòlheit] v ful(l)ness; *uit de ~ van zijn kennis* out of a plenitude of knowledge.

volhouden [-hou(d)ə(n)] I vt maintain [a war, statement &]; keep up [the fight]; sustain [a character, rôle]; *zelfs een... kan dat niet lang ~* even a... won't last long at that; *het ~* hold on, hold out, S stick it (out); *hij bleef maar ~ dat...* he (stoutly) maintained that..., he insisted that..., he was not to be talked out of his conviction that...; II va persevere, persist, hold on, hold out, S stick it out (to the end); ~ *maar !* never say die!

volière [vo.li.'ɛ:rə] v aviary.

volijverig ['vòlɛivərəx] zealous, full of zeal, assiduous.

volk [vɔlk] o 1 people, nation; 2 ✕ troops; (*er is*) ~ *!* Shop!; *het ~* 1 the people; 2 ⚓ the crew; *ons ~* 1 our nation, this nation, the people of this country; 2 our servants; *er was veel ~* there were many people; *zulk ~* such people; *de ~en van Europa* the nations (peoples) of Europe; *het gemene ~* the mob, the vulgar; *wij krijgen ~* we expect people [to-night]; *bij groot ~ dienen* serve with the quality; *een man uit het ~* a man of the people; *voor het ~* for the many, for the people.

volkenbond ['vɔlkə(n)bònt] m League of Nations.

volkenkunde [-kūndə] v ethnology.

volkenrecht [-rɛxt] o law of nations, international law, public law.

volkerenbond ['vɔlkərə(n)bònt] = *volkenbond*.

volkerenslag [-slɑx] m battle of the nations.

volkje ['vɔlkjə] o people; *het jonge ~* the young folk; *dat jonge ~ !* those youngsters.

volkomen [vòl'ko.mə(n)] I aj perfect [circle, ✿ flower]; complete [victory &]; II ad perfectly [happy &]; completely [satisfied].

volkomenheid [-heit] v perfection, completeness.

volkorenbrood [vòl'ko:rə(n)bro.t] o wholemeal bread.

volkrijk ['vɔlkreik] populous.

volkrijkheid [-heit] v populousness.

volksaard ['vòlksa:rt] m national character.

volksbegrip [-bəgrɪp] o popular notion.

volksbelang [-bəlɑŋ] o matter of national concern; *het ~* the interest of the nation.

volksbeschaving [-bəsxa.vɪŋ] v national culture.

volksbestaan [-bəsta.n] o existence as a nation.

volksbestuur [-bəsty:r] o popular government.

volksbeweging [-bəve.gɪŋ] v popular movement.

volksbibliotheek zie *volksbibliotheek*.

volksbibliotheek [-bi.bli.o.te.k] v free (circulating) library.

volksblad [-blɑt] o popular paper.

volksboek [-bu.k] o 1 popular book; 2 ⅏ chapbook.

volksbuurt [-by:rt] v popular neighbourhood, > low quarter.

volksconcert [-kònsert] o popular concert.

volksdans [-dɑns] m folk dance.

volksdemocratie, -demokratie [-de.mo.kra.-(t)si.] v people's democracy.

volksdichter [-dɪxtər] m popular poet; *onze ~* our national poet.

volksdracht [-drɑxt] v national dress, national costume.

volksdrank [-drɑŋk] m national drink.

volksetymologie [-e.ti.mo.lo.gi.] v popular etymology.

volksfeest [-fe.st] o 1 national feast; 2 public amusement; ~*en* public rejoicings.

volksgebruik [-gəbrœyk] o popular custom, national custom; ~*en ook*: folk-customs.

volksgeest [-ge.st] m national spirit.

volksgeloof [-gəlo.f] o popular belief.

volksgewoonte [-gəvo.ntə] v popular (national) habit.

volksgezondheid [-gəzòntheit] v public health.

volksgunst [-gūnst] v public favour, popularity; *de ~ trachten te winnen* make a bid for popularity.

volkshogeschool [-ho.gəsxo.l] v people's college.

volkskarakter [-ka:rɑktər] o national character.

volkskind [-kɪnt] o child of the people. [acter.

volksklas(se) [-klɑs(ə)] v lower classes.

volkskoncert zie *volksconcert*.

volkskunde [-kūndə] v folklore.

volkskunst [-kūnst] v folk art, popular art.

volksleger [-le.gər] o popular army.

volksleider [-leidər] m leader of the people; > demagogue.

volksleven [-le.və(n)] o life of the people.

volkslied [-li.t] o national song, national anthem; ~*eren* popular songs, folk-songs.

volksmenigte [-me.nəxtə] v crowd, multitude.

volksmenner [-mɛnər] m demagogue.

volksmond [-mònt] m in: *in de ~* in the language of the people; *zoals het in de ~ heet* as it is popularly called.

volksnaam [-na.m] m 1 name of a people; 2 popular name.

volksonderwijs [-òndərvɛis] *o* national (popular) education.

volksoploop [-òplo.p] *m* street-crowd.

volksoproer [-òpru:r] *o* popular rising.

volksopruier [-òprœyər] *m* agitator.

volksopstand [-òpstɑnt] *m* insurrection, riot.

volksoverlevering [-o.vərle.vərɪŋ] *v* popular tradition.

volkspartij [-pɑrtɛi] *v* people's party.

volksplanting [-plɑntɪŋ] *v* colony, settlement.

volksredenaar [-re.dəna:r] *m* popular orator.

volksregering [-rəge:rɪŋ] *v* government by the people, popular government.

volksrepubliek [-re.py.bli.k] *v* people's republic [of China].

volksschool ['vɔlksxo.l] *v* public elementary school.

volkssoevereiniteit [-su.vərɛini.tɛit] *v* sovereignty of the people.

volksspel [-spɛl] *o* popular game.

volksstam [-stɑm] *m* tribe, race.

volksstem [-stɛm] *v* voice of the people.

volksstemming [-stɛmɪŋ] *v* I plebiscite; 2 popular feeling.

volkstaal ['vɔlksta.l] *v* I language of the people, popular language, vulgar tongue; 2 national idiom, vernacular.

volkstelling [-tɛlɪŋ] *v* census (of population); *een ∼ houden* take a census.

volkstribuun [-tri.by.n] *m* tribune of the people.

volkstuintje [-tœyncə] *o* allotment (garden).

volksuitdrukking [-œytdrûkɪŋ] *v* popular expression.

volksuitgave [-œytga.və] *v* cheap (popular) edition.

volksverdrukker [-fərdrûkər] *m* oppressor of the people.

volksvergadering [-ga.dərɪŋ] *v* national assembly.

volksverhuizing [-hœyzɪŋ] *v* migration (wandering) of the nations.

volksvermaak [-ma.k] *o* public (popular) amusement.

volksvertegenwoordiger [-te.gənvo:rdəgər] *m* representative of the people, member of Parliament.

volksvertegenwoordiging [-gɪŋ] *v* representation of the people; *de ∼* Parliament.

volksvijand ['vɔlksfɛiɑnt] *m* enemy of the people.

volksvooroordeel [-fo:ro:rde.l] *o* popular prejudice.

volksvriend [-fri.nt] *m* friend of the people.

volkswil [-vɪl] *m* will of the people (of the nation), popular will.

volle ['vɔlə] in: *ten ∼ zie vol.*

volledig [vò'le.dəx] I *aj* complete [set, work &]; full [confession, details, report]; plenary [session]; II *ad* completely, fully.

volledigheid [-hɛit] *v* completeness, ful(l)ness.

volledigheidshalve [vòle.dəxhɛits'halvə] for the sake of completeness.

volleerd [vò'le:rt] finished, proficient; *∼ zijn* have done learning, have left school; *een ∼e schurk* a consummate scoundrel.

vollemaan [vòlə'ma.n] *v* full moon.

vollemaansgezicht [-'ma.nsgəzıxt] *o* full-moon face.

vollen ['vòlə(n)] *vt* full.

voller [-lər] *m* fuller.

vollerij [vòlə'rɛi] *v* I fulling; 2 fulling-mill.

vollersaarde ['vòlərsa:rdə] *v* fuller's earth.

vollerskuip [-kœyp] *v* fuller's tub.

volleybal ['vòli.bal] *m & o* volleyball.

vollopen ['vòlo.pə(n)] *vi* fill[2].

volmaakt [vòl'ma.kt] *aj* (*& ad*) perfect(ly).

volmaaktheid [-hɛit] *v* perfection.

volmacht ['vòlmɑxt] *v* full powers, power of attorney; procuration, proxy; *iemand ∼ verlenen* confer full powers upon one; *hem ∼ verlenen om...* authorize, empower him to... [do something]; *bij ∼* by proxy.

1 **volmaken** [-ma.kə(n)] *vt* fill.

2 **volmaken** [vòl'ma.kə(n)] *vt* perfect.

volmaking [-kɪŋ] *v* perfection.

volmondig [vòl'mòndəx] I *aj* frank, unqualified [yes &]; II *ad* frankly.

volontair [vo.lòn'tɛ:r] *m* I ✕ volunteer; 2 improver, learner; unsalaried clerk.

volop ['vòlòp] plenty of..., ...in plenty; *we hebben ∼ genoten van ons uitstapje* we thoroughly enjoyed our trip.

volproppen ['vòlprɔpə(n)] *vt* stuff, cram [with food, knowledge].

volschenken [-sxɛŋkə(n)] *vt* fill (to the brim).

volschrijven [-s(x)rɛivə(n)] *vt* cover (with writing).

volslagen [vòl'sla.gə(n)] *aj* (*& ad*) complete(ly), total(ly), utter(ly).

volstaan [-'sta.n] *vi* suffice; *daar kunt u mee ∼ that will do; daar kan ik niet mee ∼* it's not enough; *wij kunnen ∼ met te zeggen dat...* suffice it to say that...

volstoppen ['vòlstɔpə(n)] *vt zie volproppen.*

volstorten [-stɔrtə(n)] *vt* $ pay up (in full).

volstorting [-tɪŋ] *v* $ payment in full.

volstrekt [vòl'strɛkt] I *aj* absolute; II *ad* absolutely; *∼ niet* not at all, by no means.

volstrektheid [-hɛit] *v* absoluteness.

volt [vòlt] *m* ⚡ volt.

voltage [vɔl'ta.ʒə] *v & o* ⚡ voltage.

voltallig [vòl'tɑləx] complete [set of...]; full [meeting]; plenary [assembly]; *zijn we ∼?* all present?; *∼ maken* make up the number, complete.

voltalligheid [-hɛit] *v* completeness.

1 **volte** ['vòltə] *v* I (volheid) ful(l)ness; 2 (gedrang) crowd; 3 pass [of a juggler]; *de ∼ slaan* make the pass.

2 **volte** ['vòltə] *v* (zwenking) volt.

volte face [vòltə'fa.s] *v* volte-face; *∼ maken* execute a volte-face.

1 **voltekenen** ['vòlte.kənə(n)] *vt* fill (cover) with drawings.

2 voltekenen [vòl'te.kənə(n)] *vt* in: *de lening is voltekend* the loan is fully subscribed.

voltigeren [vòlti.'ʒe:rə(n)] *vi* vault.

voltigeur [-'ʒø:r] *m* I vaulter; 2 ✕ rifleman.

voltmeter ['vòltme.tər] *m* ✇ voltmeter.

voltooien [vòl'to.jə(n)] *vt* complete, finish.

voltooiing [-jɪŋ] *v* completion; *zijn ~ naderen* be nearing completion.

voltreffer ['vòltrefər] *m* ✕ direct hit.

voltrekken [vòl'trɛkə(n)] *vt* execute [a sentence]; solemnize [a marriage].

voltrekking [-kɪŋ] *v* execution [of a sentence]; solemnization [of a marriage].

volu²t ['vòlœyt] in full.

volume [vo.'ly.mə] *o* volume, size, bulk.

volumineus [vo.ly.mi.'nø.s] voluminous, bulky.

volvet ['vòlvɛt] in: *~te kaas* fat cheese.

volvoeren [vòl'vu:rə(n)] *vt* perform, fulfil, accomplish.

volvoering [-rɪŋ] *v* performance, fulfilment, accomplishment.

volwaardig [vòl'va:rdəx] able-bodied, (mentally, physically) fit; *fig* full-fledged [partner]; worthwhile [product].

volwassen [-'vasə(n)] full-grown, grown-up, adult; *half~* half-grown.

volwassene [-'vasənə] *m-v* adult, grown-up [man, woman]; *~n* grown people, F grown-ups; *school voor ~n* adult school.

volwichtig ['vòlvɪxtəx] of full weight.

volzin ['vòlzɪn] *m gram* sentence, period.

vondel ['vòndəl] = *vonder.*

vondeling ['vòndəlɪŋ] *m* foundling; *een kind te ~ leggen* expose a child. [hospital.

vondelingenhuis [-lɪŋə(n)hœys] *o* foundling-

vonder ['vòndər] *m* plank-bridge, foot-bridge.

vondst [vòn(t)st] *v* find, discovery; *een ~ doen* make a find.

vonk [vòŋk] *v* spark. [make a find.

vonkelen ['vòŋkələ(n)] *vi* I (vonken) spark; 2 (fonkelen) sparkle.

vonken ['vòŋkə(n)] *vi* spark, sparkle.

vonkje ['vòŋkjə] *o* sparklet, scintilla².

vonkvrij ['vòŋkfrei] non-sparking.

vonnis ['vònəs] *o* sentence, judg(e)ment; *~ bij verstek* judg(e)ment by default; *een ~ uitspreken* pronounce (give) a verdict; *een ~ vellen* pass (pronounce) sentence; *toen was zijn ~ geveld* then his doom was sealed.

vonnissen ['vònəsə(n)] *vt* sentence, condemn.

vont [vònt] *v* font.

voogd *m* ~es [vo.xt, vo.g'dɛs] *v* guardian.

voogdij [vo.g'dɛi] *v* I guardianship, tutelage; 2 trusteeship [of the United Nations]; *onder ~* [child] in tutelage (to *van*).

voogdijraad [-ra.t] *m* I ± Guardians' Supervisory Board; 2 Trusteeship Council [of the United Nations].

voogdijschap [-sxap] *o* guardianship, tutelage.

1 voor [vo:r] *v* furrow.

2 voor [vo:r] I *prep* I (ten behoeve van) for [soms: to]; 2 (in plaats van) for; 3 (voor de duur van) for; 4 (niet achter) before,

in front of [the house]; at [the gate]; off [the coast]; 5 (tegenover na) before, prior to; 6 (eerder dan) before; 7 (geleden) [weeks &] ago; 8 (ter ontkoming) [hide, shelter] from; 9 *fig* for, in favour of [a measure &]; *ik ~ mij* I for one, I for my part; *dat is niets ~ hem* I it's not in his line; 2 it's not like him to...; *het doet mij genoegen ~ hem* for him I am glad; *hij is een goed vader ~ hem geweest* he has been a good father to him; *hij werkte ~ de vooruitgang* he worked in the cause of progress; *vijf minuten ~ vijf* five minutes to five; *kom ~ vijven* come before five o'clock; *gisteren ~ een week* yesterday week; *hij had een paard ~ zich alleen* he had a horse all to himself; *mijn cijfers ~ algebra* my marks in algebra; *~ en achter mij* in front of me and behind me; II *ad* in front; *~ in de tuin* in the front of the garden; *het is pas I uur, u bent (uw horloge is) ~* your watch is fast; *er is iemand ~* there is somebody in the hall; *het rijtuig is ~* the carriage is at the door; *er is veel ~* there is much to be said in favour of it; *ik ben er ~* I am for it (in favour of it); *wij waren hun ~* I we were ahead² of them; 2 we had got beforehand with them, we had got the start of them; *wij wonen ~* we live in the front of the house; *de een ~ de ander na* one after another; *~ en achter* in front and at the back; *~ en na* again and again; *het was „beste vriend" ~ en na* it was "dear friend" here, there, and everywhere; *van ~ tot achter* from front to rear; ⚓ from stem to stern; III *o* in: *het ~ en tegen* the pros and cons; IV *cj* before, ⊙ ere.

vooraan [vo:'ra.n] in front; *~ in het boek* at the beginning of the book; *~ in de strijd* in the forefront of the battle; *hij is ~ in de dertig* he is in the (his) early thirties; *~ onder de... stond X* pre-eminent among the... was X [*fig*].

vooraanstaand [-sta.nt] standing in front; *fig* prominent, leading.

vooraanzicht ['vo:ra.nzɪxt] *o* front view.

vooraf [vo:r'af] beforehand, previously.

voorafgaan [-ga.n] *vt & vi* go before, precede; *...laten ~ door...* precede... by...

voorafgaand [-ga.nt] foregoing, preceding [word]; prefatory [remarks]; previous [knowledge]; *het ~e* what precedes.

vooral [vo:'ral] especially, above all things; *ga er ~ heen* do go by all means.

vooralsnog [vo:rals'nox] for the present, for the time being.

voorarm ['vo:rarm] *m* forearm.

voorarrest [-arɛst] *o* detention under remand; *in ~* under remand.

vooras [-as] *v* front-axle.

vooravond [-a.vənt] *m* I first part of the evening; 2 eve; *aan de ~ van de slag* on the eve of the battle; *wij staan aan de ~ van grote gebeurtenissen* we are on the eve (on the threshold) of important events.

voorbaat [-ba.t] *bij* ~ in advance, in anticipation; *bij* ~ *dank* thanking you in anticipation, thanking you in advance.

voorbalkon [-balkòn] *o* 1 front-balcony [of a house]; 2 driver's platform [of a tram-car].

voorband [-bant] *m* front-tyre.

voorbarig [vo:r'ba:rəx] I *aj* premature, rash, (over-)hasty; *je moet niet zo* ~ *zijn* you should not anticipate; *dat is nog wel wat* ~ it is early days yet to...; II *ad* prematurely, rashly.

voorbarigheid [-hɛit] *v* prematureness, rashness, (over-)hastiness.

voorbedacht ['vo:rbədaxt] premeditated; *met* ~*en rade* of malice prepense, of (with) malice aforethought, zie ook: *voorbedachtelijk*.

voorbedachtelijk [-daxtələk] premeditatedly, with premeditation, on purpose.

voorbede ['vo:rbe.də] *v* intercession.

voorbeding [-bədɪŋ] *o* condition, stipulation, proviso; *onder* ~ *dat*... on condition that...

voorbedingen [-dɪŋə(n)] *vt* stipulate (beforehand).

voorbeeld ['vo:rbe.lt] *o* 1 example, model; 2 (geval) example, instance; 3 ☞ (in schrijfboek) copy-book heading; ~*en aanhalen van*... cite instances of...; *een* ~ *geven* set an example; *kunt u een* ~ *geven?* can you give an instance?; *een goed* ~ *geven* set a good example; *het* ~ *geven* give the example, set the example; *een* ~ *nemen aan* take example by, follow the example of...; *een* ~ *stellen* make an example of one; *iemands* ~ *volgen* follow a person's example; take a leaf out of (from) his book; follow suit; *bij* ~ for instance, for example; e.g.; *tot* ~ *dienen* serve as a model; *zonder* ~ without example.

voorbeeldeloos [vo:r'be.ldəlo.s] unexampled, matchless.

voorbeeldig [-dəx] exemplary.

voorbeeldigheid [-hɛit] *v* exemplariness.

voorbehoedmiddel ['vo:rbəhu.tmɪdəl] *o* preservative.

voorbehoud [-hout] *o* reserve, reservation; proviso; *geestelijk* ~ mental reservation; *onder* ~ *dat*... with a (the) proviso that; *het onder* ~ *aannemen* accept it [the statement] with reservations, with all proper reserve; *onder alle* ~ with all reserve; *onder gewoon* ~ $ under usual reserve; *onder het nodige* ~ with due reserve; *onder zeker* ~ with reservations, with some reserve; *zonder* ~ [state] without reserve; [agree] unreservedly.

voorbehouden [-houdə(n)] *vt* reserve; *zich het recht* ~ reserve to oneself the right [of...].

voorbereiden ['vo:rbərɛidə(n)] I *vt* prepare; *iemand* ~ *op* prepare one for [something, some news, the worst]; II *vr zich* ~ prepare (oneself); *zich* ~ *voor een examen* read for an examination.

voorbereidend [-dənt] preparatory [school &].

voorbereider [-dər] *m* preparer.

voorbereiding [-dɪŋ] *v* preparation.

voorbereidingsschool [-dɪŋsxo.l] *v* preparatory school.

voorbereidsel ['vo:rbərɛitsəl] *o* preparative.

voorbericht [-rɪxt] *o* preface; foreword [esp. by another than the author].

voorbeschikken [-sxɪkə(n)] *vt* preordain [of God]; predestinate, predestine [to greatness &].

voorbeschikking [-sxɪkɪŋ] *v* predestination.

voorbestaan [-sta.n] *o* pre-existence.

voorbestemmen [-stɛmə(n)] *vt* predestine, predestinate; foreordain [to any fate].

voorbestemming [-stɛmɪŋ] *v* predestination.

voorbidden ['vo:rbɪdə(n)] *vi* lead in prayer, say the prayers.

voorbidder [-dər] *m* intercessor.

voorbidding [-dɪŋ] *v* intercession.

voorbij [vo:r'bɛi] I *prep* beyond, past; II *ad* past; *het huis* ~ past the house; *het is* ~ it is over now, it is at an end; III *aj* past.

voorbijdrijven [-drɛivə(n)] I *vi* float past (by); II *vt* drive past.

voorbijgaan [-ga.n] I *vi* 1 (v. personen) go by, pass by, pass; 2 (v. tijd &) go by, pass; *het zal wel* ~ it is sure to pass off; *hemel en aarde zullen* ~ heaven and earth shall pass away; II *vt* pass (by) [a house, person &]; *iemand* ~ pass a person; *fig* pass one over; *met stilzwijgen* ~ pass over in silence; III *o* in: *in 't* ~ in passing[2]; *fig* by the way.

voorbijgaand [-ga.nt] passing, transitory, transient; *...is slechts van* ~*e aard* ...is but temporary.

voorbijgang [-gaŋ] *m* in: *met* ~ *van*... over the head(s) of..., ...being passed over.

voorbijganger [-gaŋər] *m* passer-by.

voorbijkomen [-ko.mə(n)] I *vi* pass (by); II *vt* pass (by).

voorbijlaten [-la.tə(n)] *vt* let [one] pass.

voorbijlopen [-lo.pə(n)] *vt* ~ *vi* pass.

voorbijmarcheren [-marʃe:rə(n)] *vi* & *vt* march past.

voorbijpraten [-pra.tə(n)] *vt* in: *zijn mond* ~ let one's tongue run away with one.

voorbijrijden [-rɛidə(n)] *vi* & *vt* ride (drive) past, pass.

voorbijschieten [-sxi.tə(n)] I *vi* dash past; II *vt* shoot past, *fig* overshoot [the mark].

voorbijsnellen [-snɛlə(n)] *vi* & *vt* pass by in a hurry.

voorbijsnorren [-snɔrə(n)] *vi* & *vt* whir past, whizz by.

voorbijstreven [-stre.və(n)] *vt* outstrip; zie ook: *doel*.

voorbijtrekken [-trɛkə(n)] *vi* march past [of an army]; pass over [of a thunderstorm].

voorbijvaren [-va:rə(n)] I *vt* outsail; II *vi* pass.

voorbijvliegen [-vli.gə(n)] I *vi* fly past; II *vt* fly past, rush past.

voorbijwandelen [-vandələ(n)] *vi* & *vt* walk past, pass.

voorbijzien [-zi.n] *vt* overlook; *wij moeten niet ~ dat...* not overlook the fact that...

voorbinden ['vo:rbɪndə(n)] *vt* tie on, put on.

voorbode [-bo.də] *m* forerunner[2], precursor[2], ☉ harbinger.

voorbrengen [-brɛŋə(n)] *vt* 1 bring on the carpet, put forward [a proposal]; 2 ⚖ bring up [the accused]; produce [witnesses].

voorcijferen [-sɛifərə(n)] *vt* zie *voorrekenen*

voord [vo:rt] = *voorde.*

voordacht [vo:rdɑxt] *met ~* with premeditation, deliberately.

voordansen [-dɑnsə(n)] **I** *vi* lead the dance; **II** *vt* show how to dance.

voordat [-dɑt] before; ☉ ere.

voorde ['vo:rdə] *v* ford.

voordeel ['vo:rde.l] *o* 1 advantage, benefit; 2 (winst) profit, gain; *zijn ~ doen met* take advantage of, profit by, turn to (good) account; *dat heeft zijn ~* there is an advantage in that; *~ bij iets hebben* derive advantage from it, profit by it; *wat voor ~ zal hij daarbij hebben?* what will it profit him?; *~ opleveren* yield profit; *~ trekken van* turn to (good) account, profit by, take advantage of; *zijn ~ zoeken* seek one's own advantage; *in het ~ zijn van* be an advantage to; *is het in uw ~?* is it in your favour?, to your advantage?; *in zijn ~ veranderd* changed for the better; *met ~* with advantage; $ at a profit; *ten (tot) ~ strekken* be to a person's advantage, benefit, be beneficial to [trade]; be all to the good; *ten voordele van* for the benefit of; *zonder ~* without profit.

voordeeltje [-de.lcə] *o* windfall.

voordegekhouderij [vo:rdəgekhəudə'rɛi] *v* fooling.

voordek ['vo:rdɛk] *o* ⚓ foredeck.

voordelig [vo:r'de.ləx] **I** *aj* 1 profitable, advantageous; 2 (in het gebruik) economical, cheap; *dat is ~er in het gebruik* ook: that goes farther; **II** *ad* profitably, advantageously, to advantage; *zij kwamen niet op hun ~st uit* ook: they did not show at their best.

voordeligheid [-hɛit] *v* profitableness, advantageousness.

voordeur ['vo:rdø:r] *v* front door, street-door.

voordezen, voordien [vo:r'de.zə(n), -'di.n] before this, previously, before.

voordienen ['vo:rdi.nə(n)] *v* serve.

voordoen [-du.n] **I** *vt* 1 show [a person] (how to..); 2 put on [an apron]; **II** *vr zich ~* present itself, offer [of an opportunity]; arise, crop up, occur [of a difficulty]; *zich ~ als...* set up for a..., pass oneself off as a...; *hij weet zich goed voor te doen* he has a good address; *ik wil me niet beter ~ dan ik ben* I don't want to make myself out better than I am.

voordracht [-drɑxt] *v* 1 (wijze v. voordragen) utterance, diction, delivery; elocution; ♪ execution, rendering, playing; 2 (het voorgedragene) recitation, recital [of a poem]; discourse, lecture, address; 3 (kandidatenlijst) select list; nomination; 4 (domineesaanbeveling) presentation; *nummer één op de ~* first in the select list; *op ~ van* on the recommendation of; *een ~ indienen* submit (present) a list of names; *een ~ opmaken* make out a select list.

voordrachtkunstenaar [-drɑxtkʉnstəna:r] *m* elocutionist, reciter.

voordragen [-dra.gə(n)] *vt* 1 (iemand) propose, nominate [a candidate]; present [a clergyman]; 2 (een gedicht &) recite; *ik zal voor die betrekking voorgedragen worden* I shall be recommended for that post.

voordrager [-gər] *m* reciter.

vooreerst [vo:r'e:rst] 1 in the first place, to begin with; 2 (voorlopig) for the present, for the time being; *~ niet* not just yet, not yet awhile.

vooreind(e) ['vo:rɛində, -ɛint] *o* fore-part, fore-end.

voor- en nadelen [vo:rɛ'na.de.lə(n)] *mv* advantages and disadvantages.

voorgaan ['vo:rga.n] *vi* 1 go before, precede; *fig* set an example; 2 (voorbidden) lead in prayer, say the prayers; 3 (v. uurwerk) be fast, gain [5 minutes a day]; 4 (de voorrang hebben) take precedence; *gaat u voor!* after you!; *dames gaan voor!* ladies first!; *zal ik maar ~?* shall I lead the way?; *dat gaat voor* that comes first; *de generaal gaat voor* the general takes precedence; *de majoor liet de generaal ~* the major yielded the *pas* to the general; *goed ~ doet goed volgen* example does the whole.

voorgaand [-ga.nt] preceding [century &]; antecedent [term]; *het ~e* the foregoing; *in het ~e* in the preceding pages.

voorgalerij [-ga.lərɛi] *v* front veranda(h).

voorganger [-gɑŋər] *m* 1 (in ambt) predecessor; 2 (predikant) pastor.

voorgangster [-gɑŋstər] *v* predecessor.

voorgebergte [-gəbɛrxtə] *o* promontory, headland.

voorgeborchte [-bɔrxtə] *o* in: *het ~ der hel* limbo.

voorgebouw [-bou] *o* front part of a building.

voorgemeld [-mɛlt] = *voormeld.*

voorgenoemd [-nu.mt] = *voornoemd.*

voorgenomen [-no.mə(n)] intended, proposed, contemplated.

voorgerecht [-rɛxt] *o* entrée.

voorgeschiedenis [-sxi.dənɪs] *v* 1 (v. e. zaak) (previous) history; 2 (v. e. persoon) antecedents; 3 (prehistorie) prehistory.

voorgeschreven [-s(x)re.və(n)] prescribed, regulation.

voorgeslacht [-slɑxt] *o* in: *ons ~* our ancestors.

voorgevallene [-vɑlənə] *o* in: *het ~* what has happened.

voorgevel ['vo:rge.vəl] *m* front, forefront, façade.

voorgeven [-ge.və(n)] I *vt* 1 pretend, profess [to be a lawyer &]; 2 *sp* give odds; II *o* in: *volgens zijn* ~ according to what he pretends (to what he says).

voorgevoel [-gəvu.l] *o* presentiment; *mijn angstig* ~ *ook*: my misgiving(s).

voorgift [-gɪft] *v* odds (given); handicap.

voorgoed [vo:r'gu.t] for good (and all).

voorgoochelen ['vo:rgo.gələ(n)] *vt* in: *iemand iets* ~ delude one with...

voorgrond [-grònt] *m* foreground; *zich op de* ~ *plaatsen* put oneself forward; *op de* ~ *staan* be in the foreground; *fig* be to the fore; *dat staat op de* ~ that is a conditio sine qua non; *dat moeten wij op de* ~ *stellen* that's what we should emphasize; *op de* ~ *treden* come to the front, come (be) to the fore.

voorhamer [-ha.mər] *m* ⚒ sledge-hammer.

voorhand [-hant] *v* 1 front part of the hand; 2 forehand [of a horse]; *aan de* ~ *zitten* have the lead, play first.

voorhanden [vo:r'handə(n)] 1 on hand, in stock, in store, to be had, available; 2 existing, extant; *de* ~ *gegevens* the data on hand; *niet* ~ sold out, exhausted.

voorhang ['vo:rhɑŋ] *m* B veil [of the temple].

voorhangen [-hɑŋə(n)] I *vt* 1 (iets) hang in front; 2 (iemand als lid) put one up, propose for membership; II *va* be put up, be proposed for membership.

voorhaven [-ha.və(n)] *v* ⚓ outport.

voorhebben [-hɛbə(n)] *vt* have before one; *fig* intend, be up to, drive at, purpose; *een boezelaar* ~*d* wearing an apron; *weet je wie je voorhebt?* do you know whom you are talking to?; *het goed met iemand* ~ mean well by a person; *wat zouden ze met hem* ~*?* what do they intend to do with him?; *wat* ~ *op* have an advantage (F the pull) over [a person].

voorheen [vo:r'he.n] formerly, before, in the past; *Smith & Co.* ~ *Jones* $ Smith & Co., late Jones; ~ *en thans* past and present.

voorhistorisch ['vo:rhi.sto:ri.s] prehistoric.

voorhoede [-hu.də] *v* ✕ advance(d) guard[2], van[2], vanguard[2]; *fig* forefront; *de* ~ *sp* the forwards.

voorhoedespeler [-spe.lər] *m sp* forward.

voorhof ['vo:rhɔf] *o* forecourt.

voorhoofd [-ho.ft] *o* forehead, ⊙ front.

voorhoofdsbeen [-ho.ftsbe.n] *o* frontal bone.

voorhouden [-houdə(n)] *vt* 1 (iets) keep on [an apron]; 2 (iemand iets) hold [a book &] before; hold up [a mirror] to...; *fig* remonstrate with [one] on [something], expostulate with [one] about.

voorhuis [-hœys] *o* hall, vestibule.

voorin [-ɪn] in front; at the beginning [of the book].

Voor-Indië ['vo:rɪndi.ə] *o* India (proper).

vooringenomen [vo:r'ɪŋəno.mə(n)] prepossessed, prejudiced, bias(s)ed.

vooringenomenheid [vo:rɪŋə'no.mə(n)hɛit] *v* prepossession, prejudice, bias.

voorjaar ['vo:rja:r] *o* spring.

voorjaarsbeurs ['vo:rja:rsbø:rs] *v* spring fair.

voorjaarsbloem [-blu.m] *v* spring-flower.

voorjaarsnachtevening [-naxte.vənɪŋ] *v* vernal equinox.

voorjaarsopruiming [-òprœymɪŋ] *v* $ spring sale(s).

voorjaarsregen [-re.gə(n)] *m* vernal rain.

voorjaarsschoonmaak ['vo:rja:rsxo.nma.k] *m* spring-cleaning.

voorjaarswe(d)er ['vo:rja:rsve:r, -ve.dər] *o* spring weather.

voorkamer ['vo:rka.mər] *v* front room.

voorkant [-kant] *m zie voorzij(de)*.

voorkauwen [-kouə(n)] *vt* in: *40 jaar heb ik het hun voorgekauwd* for 40 years I have repeated it over and over again to them.

voorkennis [-kɛnəs] *v* prescience, (fore)knowledge; *met* ~ *van*... with the (full) knowledge of; *zonder* ~ *van* without the knowledge of, unknown to.

voorkeur [-kø:r] *v* preference; *de* ~ *genieten* 1 be preferred [of applicants, goods &]; 2 $ have the preference [for a certain amount]; *de* ~ *geven aan* give preference to, prefer; *de* ~ *geven aan*... *boven* prefer... to; *de* ~ *hebben* 1 enjoy (have) the preference, be preferred; 2 $ have the (first) refusal [of a house &]; *bij* ~ for preference, preferably.

voorkeurtarief [-ta:ri.f] *o* preferential tariff.

1 **voorkomen** ['vo:rko.mə(n)] I *vi* 1 (bij hardlopen &) get ahead[2]; 2 (v. rijtuig) come round; 3 ⚖ (v. zaak) come on, come up for trial; (v. persoon) appear; 4 (gevonden worden) occur, be found, be met with [of instances &]; appear, figure [on a list]; 5 (gebeuren) happen, occur; 6 (lijken) appear to, seem to; *het komt vaak voor* it frequently occurs, *ook*: it is of frequent occurrence; *het komt mij voor dat*... it appears (seems) to me that...; *laat het rijtuig* ~ order the carriage round; *het laten* ~ *alsof*... make it appear as if...; II *vt* get ahead of [a man], outstrip, outdistance [one]; III *o* appearance, mien, aspect, look(s), air; *het* ~ *van dit dier* 1 the appearance of this animal; 2 the occurrence of this animal.

2 **voorkomen** [vo:r'ko.mə(n)] *vt* 1 anticipate, forestall [a man's wishes]; 2 (verhinderen) prevent, preclude; ~ *is beter dan genezen* prevention is better than cure.

1 **voorkomend** ['vo:rko.mənt] *aj* occurring; *zie ook: gelegenheid.*

2 **voorkomend** [vo:r'ko.mənt] *aj* (& *ad*) obliging(ly), complaisant(ly).

voorkomendheid [-hɛit] *v* obligingness, complaisance.

voorkoming [vo:r'ko.mɪŋ] *v* prevention [of crime]; anticipation [of wishes]; *ter* ~ *van*... in order to prevent..., for the prevention of...

voorkrijgen ['vo:rkrɛigə(n)] *vt sp* receive [fifty points].

voorlaatst [-la.tst] last [page &] but one; penultimate [syllable].

voorlader [-la.dər] *m* muzzle-loader.

voorland [-lant] *o* foreland.

voorleggen [-lɛgə(n)] *vt* put before, place before, lay before, submit [the papers to him]; propound [a question to a person]; *iemand de feiten* ~ lay the facts before one; *hem die vraag* ~ put the question to him.

voorleiden [-lɛidə(n)] *vt* bring up [the accused].

voorletter [-lɛtər] *v* initial.

voorlezen [-le.zə(n)] *vt* read to [a person]; read out [a message].

voorlezer [-zər] *m* reader [also in church].

voorlezing [-zɪŋ] *v* reading; lecture.

voorlichten ['vo:rlɪxtə(n)] *vt* carry a light before [us &], see out with the light; *fig* enlighten [public opinion], advise [the government on...]; inform [a person of..., on...].

voorlichting [-tɪŋ] *v* enlightenment, [vocational, marriage] guidance, [marital] advice; information [on...].

voorlichtingsdienst [-tɪŋsdi.nst] *m* information service, ± Public Relations (Department).

voorliefde ['vo:rli.vdə] *v* predilection, partiality, liking; *(een zekere)* ~ *hebben voor* be partial to...

voorliegen [-li.gə(n)] *vt* in: *iemand (wat)* ~ lie to a person.

voorlijk [-lək] precocious, forward [plant, child].

voorlijkheid [-hɛit] *v* precocity, forwardness.

voorlopen ['vo:rlo.pə(n)] *vi* 1 (v. persoon) lead the way; 2 (v. uurwerk) be fast, gain [5 minutes a day].

voorloper [-pər] *m* forerunner, precursor, ⊙ harbinger.

voorlopig [vo:r'lo.pəx] I *aj* provisional; ~e *cijfers (conclusie* &) ook: tentative figures (conclusion &); ~ *dividend* $ interim dividend; ~e *hechtenis* zie *voorarrest*; II *ad* provisionally; for the present, for the time being.

voormalig [-'ma.ləx] former, late, sometime, one-time, ex-[enemy].

voorman ['vo:rman] *m* 1 (onderbaas) foreman; 2 ✕ front-rank man; 3 $ preceding holder; *de* ~*nen der beweging* the leaders, the leading men.

voormast [-mast] *m* ⚓ foremast.

voormeld [vo:r'mɛlt] above-mentioned, aforesaid; ~*e...* ook: the above...

voormiddag ['vo:rmɪdax] *m* morning, forenoon; *om 10 uur des* ~*s* at 10 o'clock in the morning, at 10 a.m.

voorn = 1 *voren.*

1 **voornaam** ['vo:rna.m] *m* Christian name, first name.

2 **voornaam** [vo:r'na.m] *aj* 1 distinguished [appearance]; prominen t [place]; 2 (belang-

rij k) important.

voornaamheid [-hɛit] *v* distinction.

voornaamste [-stə] chief, principal, leading; *het* ~ the principal (main) thing.

voornaamwoord ['vo:rna.mvo:rt] *o gram* pronoun.

voornaamwoordelijk [-vo:rdələk] *gram* pronominal.

voornacht ['vo:rnaxt] *m* first part of the night.

voornamelijk [vo:r'na.mələk] chiefly, principally, mainly.

voornemen ['vo:rne.mə(n)] I *vr zich* ~ resolve, make up one's mind [to do something]; zie ook: *voorgenomen*; II *o* 1 (bedoeling) intention; 2 (besluit) resolution; *het* ~ *hebben om* intend to; *het* ~ *opvatten om...* make up one's mind to..., resolve to...; ~*s zijn (om)* intend (to), propose (to); *het ligt in het* ~ *van de directie om...* it is the intention of the management to...

voornoemd [vo:r'nu.mt] zie *voormeld*.

vooronder [-'òndər] *o* ⚓ forecastle.

vooronderstellen ['vo:ròndərstɛlə(n)] *vt* presuppose.

vooronderstelling [-lɪŋ] *v* presupposition.

vooronderzoek ['vo:ròndərzu.k] *o* preliminary examination.

voorontsteking [-òntste.kɪŋ] *v* ✕ advanced ignition.

vooroordeel [-o:rde.l] *o* prejudice, bias (agains *tegen*).

vooroorlogs [vo:r'o:rlɔxs] pre-war.

voorop [vo:'ròp] in front.

vooropgezet [-gəzɛt] preconceived [opinion].

vooropstellen [-stɛlə(n)] *vt* premise; *vooropgesteld dat het verhaal waar is* assuming the truth of the story; *ik stel voorop dat..., het zij vooropgesteld dat...* I wish to point out that...

vooropzetten [-zɛtə(n)] *vt* premise; zie ook: *vooropgezet*.

voorouderlijk ['vo:rɔudərlək] ancestral.

voorouders [-dərs] *mv* ancestors, forefathers.

voorover [vo:'ro.vər] forward, bending forward, prone, face down.

vooroverhangen [-haŋə(n)] *vi* hang forward.

vooroverhellen [-hɛlə(n)] *vi* incline forward.

vooroverleunen [-lø.nə(n)] *vi* lean forward.

vooroverliggen [-lɪgə(n)] *vi* lie prostrate.

vooroverliggend [-lɪgənt] prostrate, prone.

vooroverlijden ['vo:ro.vərlɛidə(n)] *o* predecease.

vooroverlopen [vo:'ro.vərlo.pə(n)] *vi* stoop, walk with a stoop.

voorovervallen [vo:'ro.vərvalə(n)] *vi* fall forward (headlong), fall head foremost.

vooroverzitten [-zɪtə(n)] *vi* bend forward.

voorpaard ['vo:rpa:rt] *o* leader.

voorpagina [-pa.gi.na.] *v* front page.

voorpand [-pant] *o* front.

voorplecht [-plɛxt] *v* ⚓ forecastle.

voorplein [-plɛin] *o* forecourt, castle-yard.

voorpoort [-po:rt] *v* front gate, outer gate.

voorpoot [-po.t] *m* foreleg, front paw.

voorportaal [-pərta.l] *o* porch, hall.

voorpost [-post] *m* ✕ outpost.

voorpostengevecht [-postə(n)gəvɛxt] *o* ✕ outpost skirmish.

voorpostenlinie [-li.ni.] *v* ✕ line of outposts.

voorpraten ['vo:rpra.tə(n)] *vt* prompt; *hij zegt maar na wat ze hem ~* he parrots everything.

voorpreken [-pre.kə(n)] *vt* preach to.

voorproefje [-pru.fje] *o* foretaste, taste.

voorprogram(ma) [-pro.grɑm(a.)] *o* supporting programme.

voorraad ['vo:ra.t] *m* store, stock, supply [of books, wares &]; *zolang de ~ strekt* $ subject to stock being available (being unsold); *nieuwe ~ opdoen* (*in ~ opslaan*) lay in a fresh supply; *in ~* on hand, in store; *uit ~ leveren* $ supply from stock.

voorraadkamer [-ka.mər] *v* store-room.

voorraadkelder [-kɛldər] *m* store-cellar.

voorraadschuur [-sxy:r] *v* storehouse, granary.

voorraadvorming [-fɔrmɪŋ] *v* building up of stocks, (*strategische*) ~ stockpiling.

voorradig [vo:'ra.dəx] $ in stock, on hand, available; *niet meer ~* out of stock, sold out.

voorrang ['vo:rɑŋ] *m* precedence, priority; (v. auto &) right of way; *iemand de ~ betwisten* contend for the mastery with a person; *de ~ hebben (boven)* take precedence (of), have priority (over); *om de ~ strijden* contend for the mastery; *(de) ~ verlenen* 1 ⚙ give (right of) way to [another car]; 2 yield precedence to [a man]; 3 give priority to [a good cause].

voorrangsweg [-rɑŋsvɛx] *m* major road.

voorrecht ['vo:rɛxt] *o* privilege, prerogative.

voorrede [-re.də] *v* preface; foreword [esp. by another than the author].

voorrekenen [-re.kənə(n)] *vt* in: *iemand iets ~* show one how it works out.

voorrijden [-rɛi(d)ə(n)] *vi* ride in front [of horseman], drive in front [of motor-car]; come round [of carriage]; *laat het rijtuig ~* order the carriage round.

voorrijder [-dər] *m* outrider; postilion.

voorruit ['vo:rœyt] *v* ⚙ windscreen.

voorschieten ['vo:rsxi.tə(n)] *vt* advance [money].

voorschieter [-tər] *m* money-lender.

voorschijn ['vo:rsxɛin] *te ~ brengen* produce, bring out, bring to light; *te ~ halen* produce [a key, revolver &]; take out [one's purse]; *te ~ komen* appear, make one's appearance, come out; *te ~ roepen* call up.

voorschip [-sxɪp] *o* ⚓ fore-part of the ship.

voorschoot [-sxo.t] *m* & *o* apron.

voorschot [-sxɔt] *o* advanced money, advance, loan; *~ten* out-of-pocket expenses; (*geen*) *~ geven op...* advance (no) money upon...; *~ nemen* obtain an advance.

voorschotbank [-bɑŋk] *v* loan-bank.

voorschotelen ['vo:rsxo.tələ(n)] *vt* dish up, serve up.

voorschrift [-s(x)rɪft] *o* prescription [of a doctor]; precept [respecting conduct]; instruction, direction [what or how to do]; [traffic, safety] regulation; *op ~ van de dokter* by medical orders.

voorschrijven [-s(x)rɛivə(n)] *vt eig* write for, show how to write; *fig* prescribe [a medicine, a line of conduct]; dictate [conditions]; *de dokter zal het u ~* the doctor will prescribe it for you; *hij zal u wat (een recept) ~* he will write you out a prescription; *de dokter schreef me volkomen rust voor* the doctor ordered me a complete rest.

voorschuiven [-sxœyvə(n)] *vt* push, shoot [a bolt].

voorshands [vo:rs'hɑnts] for the time being, for the present.

voorslaan ['vo:rsla.n] *vt* propose, suggest.

voorslag ['vo:rslɑx] *m* first stroke; warning [of clock]; ♪ grace (note); *fig* proposal; *een ~ doen* make a proposal.

voorsmaak [-sma.k] *m* foretaste, taste.

voorsnijden [-snɛi(d)ə(n)] *vt* carve.

voorsnijmes [-snɛiməs] *o* carving-knife, carver.

voorsnijvork [-snɛivork] *v* carving-fork.

voorsorteren ['vo:rsortə:rə(n)] *vi* (in het verkeer) filter.

voorspan ['vo:rspɑn] *o* leader(s).

voorspannen [-spɑnə(n)] **I** *vt* put [the horses] to; **II** *vr* in: *zich ergens ~* undertake it.

voorspel [-spɛl] *o* 1 ♪ prelude; overture; 2 prologue, introductory part [of a play]; *dat was het ~ van...* it was the prelude to... [*fig*].

voorspelden [-spɛldə(n)] *vt* pin on.

voorspelen [-spe.lə(n)] *vt* 1 show how to play, play [it to you]; 2 play first, have the lead [at cards].

1 **voorspellen** [-spɛlə(n)] *vt* spell [a word] to.

2 **voorspellen** [vo:r'spɛlə(n)] *vt* predict, foretell, prophesy, presage, prognosticate; forebode, portend, bode [evil], spell [rain]; *dat heb ik je wel voorspeld* I told you beforehand, F I told you so!; *het voorspelt niet veel goeds voor de toekomst* it bodes ill for the future.

voorspeller [-lər] *m* predictor, prophet.

voorspelling [-lɪŋ] *v* prediction, prophecy, prognostication, [weather] forecast.

voorspiegelen ['vo:rspi.gələ(n)] *vt* in: *iemand iets ~* hold out hope, promises & to a person, hold out to him the prospect that...; *zich iets ~* delude oneself with the belief that...; *hij had zich van alles daarvan voorgespiegeld* he had deluded himself with all manner of vain hopes about it.

voorspiegeling [-lɪŋ] *v* false hope, delusion.

voorspoed ['vo:rspu.t] *m* prosperity; *~ hebben* be prosperous; *~- en tegenspoed* ups and downs; *in ~- en tegenspoed* in storm or shine; for better for worse.

voorspoedig [vo:r'spu.dəx] **I** *aj* prosperous [in affairs], successful; **II** *ad* prosperously, successfully.

voorspraak ['vo:rspra.k] *v* 1 intercession, mediation; 2 (**persoon**) intercessor, advocate.

voorspreken [-spre.kə(n)] *vt* speak in favour of.

voorspreker [-kər] *m* intercessor, advocate.

voorsprong ['vo:rsprɔŋ] *m* start, lead; *hem een ~ geven sp* give him a start; *een ~ hebben van 5 km* have a lead of 5 km; *een ~ hebben op* have a lead over; *een ~ krijgen op* gain a lead over.

voorstaan [-sta.n] I *vt* advocate [pacifism &]; champion [a cause]; *hij laat zich daarop (heel wat) ~* he prides himself on it; II *vi* be present to one's mind; *het staat mij voor* I think I remember; *het staat mij nog duidelijk voor* it still stands out clearly before me; *er staat mij nog zo iets van voor* I have a hazy recollection of it.

voorstad [-stat] *v* suburb.

voorstander [-standər] *m* advocate, champion, supporter.

voorste [-stə] foremost, first; *~ rij ook:* front row.

voorstel [-stɛl] *o* 1 proposal; (**wetsvoorstel**) bill; (**motie**) motion; 2 (v. wagen) forecarriage; *een ~ aannemen* accept (agree to) a proposal; *een ~ doen* make a proposal [to a person]; *een ~ indienen* move (put, hand in) a motion [in an assembly]; *op ~ van...* 1 on the proposal of..., on a (the) motion of...; 2 on (at) the suggestion of...

voorstellen [-stɛlə(n)] I *vt* 1 represent; 2 (op toneel) represent [a forest, a king], (im)personate [Hamlet &]; 3 (een voorstel doen) propose, move, suggest [a scheme]; 4 (ter kennismaking) present, introduce; *mag ik u mijnheer X. ~?* allow me to introduce to you Mr. X.; *ik heb ze aan elkaar voorgesteld* I introduced them; *hij werd aan de koning voorgesteld* he was presented to the King; *een amendement ~* move an amendment; *ik stel voor dat wij heengaan* I move we go, F I vote we go; *de feiten verkeerd ~* misrepresent the facts; II *vr zich ~* introduce oneself; *zich iets ~* 1 (zich verbeelden) figure (picture) to oneself, imagine, fancy, conceive (of); 2 (zich voornemen) intend, propose, purpose; *stel u voor!* F (just) fancy!

voorsteller [-lər] *m* 1 proposer; 2 (in vergadering) mover.

voorstelling [-lɪŋ] *v* 1 idea, notion, image; 2 representation; 3 performance [of a play]; 4 introduction [of people], presentation [at court]; *een verkeerde ~ van de feiten* a misrepresentation of the facts; *zich een verkeerde ~ maken van...* form a mistaken notion of...; *u kunt u er geen ~ van maken hoe...* you can't imagine how...

voorstellingsvermogen [-lɪŋsfərmo.gə(n)] *o* imaginative faculty.

voorstemmen ['vo:rstɛmə(n)] *vi* vote for it.

voorstemmers [-mərs] *mv* ayes.

voorsteven ['vo:rste.və(n)] *m ⚓ stem.

voorstuk [-stŭk] *o* 1 front-piece; front [of a shoe]; 2 (toneel) curtain-raiser.

voort [vo:rt] 1 (**verder**) forward, onwards, on, along; 2 (**weg**) away; 3 (**terstond**) at once, directly.

voortaan [vo:r'ta.n] henceforward, henceforth, in future.

voortand ['vo:rtɑnt] *m* front tooth.

voortbestaan ['vo:rtbəsta.n] I *vi* continue to exist, survive; II *o* survival, continued existence.

voortbewegen [-bəve.gə(n)] I *vt* move (forward), propel; II *vr zich ~* move, move on.

voortbeweging [-gɪŋ] *v* propulsion; ('t zich verplaatsen) locomotion.

voortbomen ['vo:rtbo.mə(n)] *vt* punt, pole [a boat].

voortbouwen [-bəuə(n)] *vi* go on building; *~ op* build on[2].

voortbrengen [-brɛŋə(n)] *vt* produce, bring forth, generate, breed.

voortbrenger [-ŋər] *m* producer, generator.

voortbrenging [-ŋɪŋ] *v* production, generation.

voortbrengsel ['vo:rtbrɛŋsəl] *o* product, prod·:ction; *~(en)* (v. d. natuur) ook: produce.

voortdrijven [-drɛivə(n)] I *vt* drive on, drive forward, spur on, urge on; II *vi* float along.

voortduren [-dy:rə(n)] *vi* continue, last, go on.

voortdurend [vo:rt'dy:rənt] I *aj* continual [lasting & very frequent]; continuous [lasting], constant, lasting; II *ad* continually; continuously.

voortduring ['vo:rtdy:rɪŋ] *v* continuance, continuation; *bij ~* continuously.

voortduwen [-dy.və(n)] *vt* push on [forward].

voorteken ['vo:rte.kə(n)] *o* sign, indication, omen, portent, presage; *de ~en van een ziekte* the precursory symptoms.

voortellen [-tɛlə(n)] *vt* count down.

voortgaan ['vo:rtga.n] *vi* go on, continue, proceed.

voortgang [-gɑŋ] *m* progress; *~ hebben* proceed; *het had geen ~* it didn't come off.

voortgezet [-gəzɛt] prolonged [investigations]; continued [education].

voortglijden [-glɛidə(n)] *vi* glide on.

voorthelpen [-hɛlpə(n)] *vt* help on, give a lift.

voortijd ['vo:rtɛit] *m* prehistoric times.

voortijdig [-tɛidəx] *aj* (& *ad*) premature(ly).

voortijds [-tɛits] in former times, formerly.

voortjagen ['vo:rtja.gə(n)] *vt* & *vi* hurry on.

voortkomen [-ko.mə(n)] *vi* get on, get along; *~ uit* proceed from, originate from, arise from, spring from, result from, emanate from.

voortkruipen [-krœypə(n)] *vi* creep on (along).

voortkunnen [-kŭnə(n)] *vi* be able to go on[2].

voortleven [-le.və(n)] *vi* live on. [(get on).

voortlopen [-lo.pə(n)] *vi* walk (run) on.

voortmaken [-ma.kə(n)] *vi* make haste ;*maak wat voort!* hurry up!, get a move on!; *~ met het werk* press on with the work, speed up the work.

voortoneel ['vo:rto.ne.l] *o* proscenium.

voortplanten ['vo:rtplantə(n)] I *vt* carry on [the race]; propagate, spread [the gospel, faith]; transmit [sound]; II *vr zich* ~ breed, propagate; ♣ & ♠ propagate itself; travel [of sound & light].

voortplanting [-tɪŋ] *v* propagation [of the race, a plant, vibrations&; *fig* of the faith]; [human] reproduction; transmission [of sound].

voortreffelijk [vo:r'trɛfələk] *aj* (& *ad*) excellent(ly).

voortreffelijkheid [-hɛit] *v* excellence.

voortrein ['vo:rtrɛin] *m* relief train.

voortrekken [-trɛkə(n)] *vt* in: *iemand* ~ treat one with marked preference, favour a person.

voortrekker [-kər] I *ZA* voortrekker; 2 *fig* pioneer; 3 rover [boy scout].

voortrennen ['vo:rtrɛnə(n)] *vi* gallop (run) on.

voortrijden [-rɛi(d)ə(n)] *vi* ride (drive) on.

voortroeien [-ru.jə(n)] *vi* row on.

voortrollen [-rələ(n)] *vi* (& *vt*) roll on, bowl along.

voortrukken [-rŭkə(n)] I *vi* march on; II *vt* pull along.

voorts [vo:rts] further, moreover, besides; then; *en zo* ~ and so on, et cetera.

voortschoppen ['vo:rtsxɔpə(n)] *vi* kick forward.

voortschrijden [-s(x)rɛidə(n)] *vi* proceed; *een gestadig* ~*de techniek* a constantly advancing technology; *een* ~*de vermindering* a progressive diminution.

voortschuiven [-sxœyvə(n)] *vt* push (shove) on.

voortsjokken [-ʃɔkə(n)] *vi* trudge along, jog along.

voortslepen [-sle.pə(n)] *vt* drag along [a thing]; drag out [a miserable life].

voortsluipen [-slœypə(n)] *vi* steal along, sneak along.

voortsnellen [-snɛlə(n)] *vt* hurry on, hurry along.

voortspoeden [-spu.də(n)] in: *zich* ~ hasten away.

voortspruiten [-sprœytə(n)] *vi* in: ~ *uit* proceed (spring, arise, result) from.

voortstappen [-stapə(n)] *vi* step on.

voortstormen [-stɔrmə(n)] *vi* dash on.

voortstuwen [-sty.və(n)] *vt* propel, drive.

voortstuwing [-vɪŋ] *v* propulsion.

voortsukkelen ['vo:rtsŭkələ(n)] *vi* 1 trudge on; 2 potter along.

voorttelen ['vo:rte.lə(n)] *vt* procreate, multiply.

voortteling [-te.lɪŋ] *v* procreation, multiplication.

voorttrekken [-trɛkə(n)] I *vt* draw (on), drag (along); II *vi* march on.

voortuin [-tœyn] *m* front garden.

voortvarend [vo:rt'fa:rənt] I *aj* energetic, F go-ahead; II *ad* energetically.

voortvarendheid [-hɛit] *v* energy, drive.

voortvliegen ['vo:rtfli.gə(n)] *vi* fly on.

voortvloeien [-flu.jə(n)] *vi* flow on; ~ *uit* result

(follow) from.

voortvluchtig [vo:rt'flŭxtəx] fugitive; *de* ~*e* the fugitive.

voortwoekeren ['vo:rtvu.kərə(n)] *vi* spread.

voortzeggen [-sɛgə(n)] *vt* make known; *zegt het voort!* tell your friends!

voortzetten [-sɛtə(n)] *vt* continue [a business, story &], proceed on [one's journey], go on with [one's studies], carry on.

voortzetting [-tɪŋ] *v* continuation.

voortzeulen ['vo:rtsø.lə(n)] *vt* drag along.

voortzwepen [-sve.pə(n)] *vt* whip on.

voortzwoegen [-svu.gə(n)] *vi* toil on.

vooruit [vo:'rœyt] I (v. plaats) forward; 2 (v. tijd) before, beforehand, in advance; ~ *maar,* ~ *met de geit!* F go it!; fire away! [= say it!]; *borst* ~ *!* chest out!; *zijn tijd* ~ *zijn* be ahead of his time(s).

vooruitbepalen [-bəpa.lə(n)] *vt* determine beforehand.

vooruitbestellen [-bəstɛlə(n)] *vt* order in advance.

vooruitbestelling [-lɪŋ] *v* advance order.

vooruitbetalen [vo:'rœytbəta.lə(n)] *vt* prepay, pay in advance.

vooruitbetaling [-lɪŋ] *v* prepayment, payment in advance; *bij* ~ *te voldoen* payable in advance; $ cash with order.

vooruitbrengen [vo:'rœytbrɛŋə(n)] *vt* bring forward [something]; advance [a cause, the line]; help forward.

vooruitdrijven [-drɛivə(n)] *vt* drive forward.

vooruitgaan [-ga.n] *vi* go first, walk on before; *fig* make progress, improve; rise [of barometer]; *de zieke gaat goed vooruit* the patient is getting on well.

vooruitgang [-gaŋ] *m* 1 progress, improvement; 2 $ advance [of prices].

vooruithelpen [-hɛlpə(n)] *vt* help on.

vooruitkomen [-ko.mə(n)] *vi* get on[2], make headway[2]; ~ (*in de wereld*) get on (in the world).

vooruitlopen [-lo.pə(n)] *vi* go first, walk on before; ~ *op*... anticipate [events].

vooruitrijden [-rɛi(d)ə(n)] *vi* ride (drive) on before [you &]; sit with one's face to the engine (to the driver).

vooruitschieten [-sxi.tə(n)] *vi* shoot forward.

vooruitschoppen [-sxɔpə(n)] *vt* kick on.

vooruitschuiven [-sxœyvə(n)] I *vt* shove (push) forward, advance; II *vi* shove along.

vooruitspringend [-sprɪŋənt] jutting out, projecting.

vooruitsteken [-ste.kə(n)] I *vt* put forward, advance; II jut out, project.

vooruitstekend [-kənt] projecting, jutting out.

vooruitstrevend [vo:rœyt'stre.vənt] progressive.

vooruitstrevendheid [-hɛit] *v* progressiveness.

vooruitzenden [vo:'rœytsɛndə(n)] *vt* send in advance (ahead).

vooruitzetten [-sɛtə(n)] *vt* advance, put [the clock] forward (ahead).

vooruitzicht [-sɪxt] *o* prospect, outlook; *de ~en van de oogst* the crop prospects; *geen prettig ~* not a cheerful outlook; *geen ~en hebben* have no prospects in life; *goede ~en hebben* have good prospects; *iets in het ~ hebben* have something in prospect; *met dit ~* with this prospect in view.

vooruitzien [-si.n] I *vt* foresee; II *va* look ahead.

vooruitziend [-si.nt] far-seeing; *zijn ~e blik* his foresight; *mensen met ~e blik* far-sighted people; *hij had een ~e blik* he was far-sighted.

voorvader ['vo:rva.dər] *m* forefather, ancestor; *onze ~en* ook: our forbears.

voorvaderlijk [-lək] ancestral.

voorval ['vo:rval] *o* incident, event, occurrence.

voorvallen [-valə(n)] *vi* occur, happen, pass.

voorvechter [-vɛxtər] *m* champion, advocate [of women's rights &].

voorvergadering [-vərga.dərɪŋ] *v* preliminary

voorvertrek [-vərtrɛk] *o* front-room. [meeting.

voorvlak [-vlak] *o* front face.

voorvoegen [-vu.gə(n)] *vt* prefix.

voorvoegsel [-vu.xsəl] *o gram* prefix.

voorvoet [-vu.t] *m* forefoot.

voorwaar [vo:r'va:r] indeed, truly, in truth, ⊙ of a truth, B verily.

voorwaarde ['vo:rva:rdə] *v* condition, stipulation; *~n* ook: terms; *~n stellen* make (one's) conditions; *onder ~ dat...* on (the) condition that...; *onder de bestaande ~n* under existing conditions; *onder geen enkele ~* not on any account; *onder zekere ~n* on conditions; *op deze ~* on this condition.

voorwaardelijk [vo:r'va:rdələk] *aj* (& *ad*) conditional(ly); *~e veroordeling* ⅔ suspended sentence.

voorwaarts ['vo:rva:rts] *aj* & *ad* forward, onward; *~ mars !* ✕ quick march.

voorwenden [-vɛndə(n)] *vt* pretend, feign, affect, simulate, sham; *voorgewend* ook: put on.

voorwendsel [-vɛntsəl] *o* pretext, pretence, blind; *onder ~ van...* on (under) the pretext of..., on (under) pretence of...

voorwereld [-ve:rəlt] *v* prehistoric world.

voorwereldlijk [vo:r've:rəltlək] 1 prehistoric; 2 *fig* antediluvian.

voorwerp ['vo:rvɛrp] *o* 1 (ding) object, thing, article; 2 *gram* object; *gevonden ~en* lost property; *lijdend ~ gram* direct object; *medewerkend ~ gram* indirect object; *~ van spot* object of ridicule, laughing-stock.

voorwerpglaasje [-vɛrpgla.ʃə] *o* slide [of a microscope].

voorwerpsnaam [-vɛrpsna.m] *m gram* name of a thing.

voorwerpszin [-vɛrpsɪn] *m gram* object(ive) clause.

voorweten ['vo:rve.tə(n)] *o* zie *voorkennis*.

voorwetenschap [-sxɑp] *v* foreknowledge, prescience.

voorwiel ['vo:rvi.l] *o* front-wheel.

voorwinter [-vɪntər] *m* beginning of the winter.

voorwoord [-vo:rt] *o* preface; foreword [esp. by another than the author].

voorzaal [-za.l] *v* 1 front room; 2 ante-chamber, ante-room.

voorzaat [-za.t] *m* ancestor, forefather; *onze voorzaten* ook: our forbears.

voorzang [-zɑŋ] *m* 1 introductory song; 2 proem [to poem &]; 3 hymn before the sermon.

voorzanger [-zɑŋər] *m* precentor, cantor, clerk.

1 **voorzeggen** ['vo:rzɛgə(n)] *vt* prompt.

2 **voorzeggen** [vo:r'zɛgə(n)] *vt* predict, presage, prophesy.

voorzegging [-gɪŋ] *v* prediction, prophecy.

voorzeker [vo:r'ze.kər] certainly, surely, assuredly, to be sure.

voorzet ['vo:rzɛt] *m sp* centre.

voorzetsel [-zɛtsəl] *o gram* preposition.

voorzetten [-zɛtə(n)] *vt* 1 (iets) put [something] before [a person]; 2 (de klok) put [the clock] forward, put [the clock an hour] ahead; 3 *sp* centre [the ball].

voorzichtig [vo:r'zɪxtəx] I *aj* prudent, careful, cautious; *~ !* 1 be careful!; look out!; mind the paint (the steps &); 2 (op kist &) with care!; II *ad* prudently, carefully, cautiously.

voorzichtigheid [-hɛit] *v* prudence, care, caution; *~ is de moeder van de porseleinkast* safety first!

voorzichtigheidshalve [vo:rzɪxtəxhɛits'halvə] by way of precaution.

voorzichtigheidsmaatregel [vo:r'zɪxtəxhɛitsma.tre.gəl] *m* zie *voorzorgsmaatregel*.

voorzien [vo:r'zi.n] I *vt* foresee [evil &]; *het was te ~* it was to be expected; *wij zijn al ~* we are suited; *~ van (met)* provide with, supply with, furnish with; *fit with* [shelves &]; *van etiketten ~* labelled; II *vi* in: *~ in* supply, meet, fill [a deficiency]; *in een (lang gevoelde) behoefte ~* supply a (long-felt) want; *~ in de behoeften van...* supply (provide for) the wants of...; *de wet heeft daarin (in een dergelijk geval) niet ~* the law makes no provision for a case of the kind; *daarin moet worden ~* that should be seen to; *in de vacature is ~* the vacancy has been filled; *het op iemand ~ hebben* have a down on a person; *het niet op iemand ~ hebben* zie *begrijpen (begrepen)*; III *vr zich ~* suit oneself; *zich ~ van* provide oneself with.

voorzienigheid [-'zi.nəxhɛit] *v* providence; *de V~* Providence.

voorziening [-'zi.nɪŋ] *v* provision, supply.

voorzij(de) ['vo:rzɛi(də)] *v* front [of a house &], face.

voorzingen [-zɪŋə(n)] I *vt* sing to [a person]; II *vi* lead the song.

voorzitten [-zɪtə(n)] I *vi* preside, be in the chair; *dat heeft bij hem voorgezeten* that has been his main consideration (his motive); II *vt* preside over, at [a meeting].

voorzitter [-tǝr] *m* I chairman, president; 2 Speaker [of the House of Commons]; *Mijnheer de* ~ Mr. Chairman.

voorzitterschap [-tǝrsxɑp] *o* chairmanship, presidency; *onder* ~ *van...* presided over by..., under the chairmanship of...

voorzittershamer [-tǝrsha.mǝr] *m* chairman's

voorzittersplaats [-pla.ts] *v* chair.   [hammer.

voorzitting ['vo:rzɪtɪŋ] zie *voorzitterschap*.

voorzomer [-zo.mǝr] *m* beginning of the summer.

voorzorg [-zɔrx] *v* precaution, provision; *uit* ~ by way of precaution.

voorzorgsmaatregel [-zɔrxsma.tre.gǝl] *m* precautionary measure, precaution.

voos [vo.s] spongy, woolly [radish].

voosheid ['vo.shɛit] *v* sponginess, woolliness.

I **vorderen** ['vɔrdǝrǝ(n)] *vi* advance, make headway, make progress, progress.

2 **vorderen** ['vɔrdǝrǝ(n)] *vt* I demand, claim; 2 requisition [for war purposes].

vordering [-rɪŋ] *v* I (voortgang) advance, progress, improvement ‖ 2 (eis) demand, claim; 3 requisitioning [of buildings for war purposes]; ~*en maken* make progress.

vore ['vo:rǝ] = I *voor*.

I **voren** ['vo:rǝn] *m* 🐟 roach.

2 **voren** ['vo:rǝ(n)] *ad* in: *naar* ~ to the front; *naar* ~ *brengen* put forward, advance [a claim &]; *naar* ~ *komen* I be put forward, be advanced [of plans &]; 2 emerge [from the discussion]; *te* ~ I (eerder) before, previously; 2 (vooraf) beforehand, [pay, book] in advance; *nooit te* ~ never before; *drie dagen te* ~ three days earlier; *van* ~ in front; *van* ~ *af (aan)* from the beginning; *van te* ~ zie *te* ~.

vorenstaand [-sta.nt] mentioned before, above-mentioned, above-said; *het* ~*e* ook: the above.

vorig ['vo:rǝx] former, previous; *in* ~*e dagen* in former days; *de* ~*e maand* last month; *de* ~*e oorlog* (regering) the late war (government).

vork [vɔrk] *v* fork; *hij weet hoe de* ~ *aan (in) de steel zit* he knows the ins and outs of it.

vorkbeen ['vɔrkbe.n] *o* wish(ing)-bone.

vorkheftruck [-hɛftrŷk] *m* fork lift (truck).

vorm [vɔrm] *m* I (gestalte) form, shape; 2 ⚒ (gietmal) mould, matrix; 3 *gram* [strong, weak] form; [active, passive] voice; 4 (plichtpleging) form, formality; ceremony; *vaste* ~ *aannemen* take definite form, take shape; *de* ~*en in acht nemen* observe the forms; *hij heeft* (kent) geen ~*en* he has no manners; *in de* ~ *van* in the shape (form) of; *in welke* ~ *ook* in any shape or form; *in* ~ *zijn* sp be in (good) form; *naar de* ~ in form; *voor de* ~ for form's sake, as a matter of form; *formal* [invitation]; *zonder* ~ *van proces* without trial; *fig* without ceremony, without more ado.

vormelijk ['vɔrmǝlǝk] *aj* (& *ad*) formal(ly), ceremonious(ly).

vormelijkheid [-hɛit] *v* formality, ceremoniousness.

vormeling ['vɔrmǝlɪŋ] *m RK* confirmee.

vormeloos ['vɔrmǝlo.s] = *vormloos*.   [*heid*.

vormeloosheid [vɔrmǝ'lo.shɛit] = *vormloosheid*.

vormen ['vɔrmǝ(n)] I *vt* I form, fashion, frame, shape, model, mould [something]; 2 form, constitute, make up [the committee &], build up [stocks, reserves]; 3 *RK* confirm; II *vr zich* ~ form.

vormend [-mǝnt] forming &, formative [influences]; *fig* educative [methods], informing [books].

vormer [-mǝr] *m* framer, moulder, modeller.

vormgever ['vɔrmge.vǝr] *m* designer.

vormgeving [-ge.vɪŋ] *v* design.

vormgieter [-gi.tǝr] *m* moulder.

vorming ['vɔrmɪŋ] *v* formation, forming, shaping, moulding; *fig* education, cultivation, culture.

vormleer [-le:r] *v* I elementary geometry; 2 *gram* accidence.

vormloos [-lo.s] shapeless, formless.

vormloosheid [vɔrm'lo.shɛit] *v* shapelessness, formlessness.

vormraam ['vɔrmra.m] *o* I moulding-frame; 2 [printer's] chase.

vormschool [-sxo.l] *v* training-school.

vormsel [-sǝl] *o RK* confirmation; *het* ~ *toedienen* confirm, administer confirmation.

vormverandering [-vǝrɑndǝrɪŋ] *v* transformation, metamorphosis.

vors [vɔrs] *m* 🐸 frog.   [into.

vorsen ['vɔrsǝ(n)] *vi* in: *naar iets* ~ inquire

I **vorst** [vɔrst] *v* △ ridge [of a roof].

2 **vorst** [vɔrst] *m* ('t vriezen) frost.

3 **vorst** [vɔrst] *m* sovereign, monarch, king, emperor; prince; *de* ~ *der duisternis* the prince of darkness.

vorstelijk ['vɔrstǝlǝk] I *aj* princely [salary], royal, lordly; II *ad* in a princely way, royally.

vorstelijkheid [-hɛit] *v* princely state, royalty.

vorstendom ['vɔrstǝ(n)dòm] *o* principality.

vorstengunst [-gŷnst] *v* royal favour.

vorstenhuis [-hœys] *o* dynasty.

vorstin [vɔr'stɪn] *v* sovereign, monarch, queen, empress; princess.

vorstperiode ['vɔrstpe.ri.o.dǝ] *v* spell (period) of frost, freeze.

vorstschade [-sxa.dǝ] *v* frost damage.

vort! [vɔrt] F hop it!, off with you!

vos [vɔs] *m* I fox²; 2 (halsbont) fox fur; 3 (paard) sorrel (horse); 4 🦋 tortoise-shell (butterfly); *zo'n slimme* ~*!* the slyboots!; *een* ~ *verliest wel zijn haren maar niet zijn streken* Reynard is still Reynard though he put on a cowl; *what is bred in the bone will not come out of the flseh* ; *als de* ~ *de passie preekt, boer pas op je ganzen* when the fox preaches beware of your geese.

vosaap ['vɔsa.p] *m* ♋ lemur.

vossehol ['vɔsəhɔl] *o* fox-hole.

vossejacht [-jɑxt] *v* fox-hunt(ing).

vossen ['vɔsə(n)] *vi* & *vt* S swot, mug.

vosser ['vɔsər] *m* S swot, mug, sap.

vosseval ['vɔsəval] *v* fox-trap.

vossevel [-vɛl] *o* fox-skin.

voteren [vo.'te:rə(n)] *vt* vote.

votief [vo.'ti.f] votive.

votiefkerk [-kɛrk] *v* votive church.

votum ['vo.tűm] *o* vote; *een* ~ *van vertrouwen* (*wantrouwen*) a vote of (want of) confidence.

vouw [vɑu] *v* fold [in paper &]; crease, pleat [in cloth &].

vouwbaar ['vɑuba:r] foldable, pliable.

vouwbeen [-be.n] *o* paper-knife.

vouwblad [-blɑt] *o* folder.

vouwdeur [-dø:r] *v* folding-door(s).

vouwen ['vɑuə(n)] *vt* fold; *de handen* ~ fold one's hands; *in vieren* ~ fold in four.

vouwer [-ər] *m* folder.

vouwscherm [-sxɛrm] *o* folding-screen.

vouwstoel [-stu.l] *m* folding-chair, camp-stool.

vouwwagen [-va.gə(n)] *m* folder.

vraag [vra.x] *v* 1 question; query; 2 $ request, demand; ~ *en aanbod* supply and demand; ~ *en antwoord* question and answer; *een* ~ *doen* ask [a man] a question; put a question to [a person]; *vragen stellen* ask questions; *de* ~ *stellen is haar beantwoorden* the question is answered by being asked; *een* ~ *uitlokken* invite a question; *er is veel* ~ *naar...* $ ...is much in demand, it is in great request, there is a great demand for...; *dat is nog de* ~ that's the question; *het is de* ~ *of...* it is a question whether...; *de* ~ *doet zich voor of...* the question arises whether...

vraagachtig ['vra.xɑxtəx] inquisitive.

vraagal [-ɑl] *m* inquisitive person.

vraagbaak [-ba.k] *v* (boek) vade-mecum; (persoon) oracle.

vraaggesprek ['vra.gəsprɛk] *o* interview.

vraagpunt ['vra.xpűnt] *o* point in question.

vraagstuk [-stűk] *o* problem.

vraagteken [-te.kə(n)] *o* note (point) of interrogation, question-mark, query; *daar zullen we een* ~ *achter moeten zetten* we shall have to put a note of interrogation to it².

vraagwoord [-vo:rt] *o* interrogative word.

vraagziek, ~**zuchtig** [-si.k, vra.x'sűxtəx] inquisitive.

vraat [vra.t] *m* glutton.

vraatzucht ['vra.tsűxt] *v* gluttony, gluttonousness, voracity.

vraatzuchtig [vra.t'sűxtəx] gluttonous, voracious.

vracht [vrɑxt] *v* 1 load; ♺ cargo; 2 (prijs) fare [for passengers]; carriage; ♺ freight.

vrachtauto ['vrɑxto.to., -ɔuto.] *m* motor-lorry, motor-truck, motor-van.

vrachtautobestuurder [-bəsty:rdər] **-chauffeur** [-ʃo.fø:r] *m* lorry driver.

vrachtboot [vrɑxtbo.t] *m* & *v* ♺ cargo-boat, freighter.

vrachtbrief [-bri.f] *m* $ 1 [railway] consignment note; 2 ♺ bill of lading.

vrachtdienst [-di.nst] *m* cargo service.

vrachtenmarkt ['vrɑxtə(n)mɑrkt] *v* freight market.

vrachtgoed ['vrɑxtgu.t] *o* goods; *als* ~ *zenden* send by goods-train.

vrachtlijst [-lɛist] *v* $ manifest.

vrachtloon *o* **vrachtprijs** [-lo.n, -prɛis] *m* zie *vracht* 2.

vrachtrijder [-rɛi(d)ər] *m* carrier, wagoner.

vrachtschip [-sxɪp] *o* ♺ cargo-boat, freighter.

vrachttarief ['vrɑxta:ri.f] *o* 1 railway rates, tariff; 2 ♺ freight rates.

vrachtvaarder ['vrɑxtfa:rdər] *m* 1 zie *vrachtschip*; 2 (schipper) carrier.

vrachtvaart [-fa:rt] *v* carrying-trade.

vrachtvliegtuig [-fli.xtœyx] *o* ✈ freight plane, freighter.

vrachtvrij [-frɛi] carriage paid; ♺ freight paid; ✆ post-paid.

vrachtwagen [-va.gə(n)] *m* truck, van.

vrachtzoeker [-su.kər] *m* ♺ tramp steamer, tramp.

vragen ['vra.gə(n)] I *vt* ask; *gevraagd: een 2de bediende* & Wanted; *wij* ~ *een tekenaar* we require a draughtsman; *mij werd gevraagd of...* I was asked if...; *zij is al tweemaal gevraagd* she has had two proposals; *zult u haar* ~? 1 are you going to propose to her (to ask her hand in marriage)?; 2 shall you invite her?; 3 are you going to question her (to hear her lesson)?; *iemand iets* ~ ask a thing of a person; *je moet het hem maar* ~ (you had better) ask him; *vraag het maar aan hem* 1 ask him (about it); 2 ask him for it; *hoeveel vraagt hij ervoor?* 1 how much does he ask for it?; 2 what does he [the tailor &] charge for it?; *waarom vraagt u dat?* what makes you ask that?; *hoe kunt u dat* ~? how can you ask the question?; *iemand op een feestje* ~ invite him to a party; *iemand ten eten* ~ ask him to dinner; II *vi* & *va* ask; *nu vraag ik u!* I ask you!; *...als ik* ~ *mag* if I may ask the question; ~ *naar iemand* ask after (inquire for) a person; ~ *naar iets* inquire after a thing; *vraag er uw broer maar eens naar* ask your brother (about it); ~ *naar die waren* inquire for these commodities; *er wordt veel naar gevraagd* there is a great demand for it (them); *naar uw mening wordt niet gevraagd* your opinion is not asked; *(iemand) naar de weg* ~ ask one's way (of a person), ask (a person) the way; *daar* ~ *ze niet naar* they never care about that; ~ *om iets* ask for a thing; *je hebt ze maar voor het* ~ they may be had for the asking.

vragenboek ['vra.gə(n)bu.k] *o* 1 question-book; 2 catechism.

vragend [-gənt] I *aj* inquiring, questioning

[eyes]; [look] of inquiry, of interrogation; interrogatory [tone]; *gram* interrogative; **II** *ad* inquiringly; *gram* interrogatively.

vragenderwijs, -**wijze** [vra.gəndər'vɛis, -'vɛizə] interrogatively.

vragenlijst ['vra.gə(n)lɛist] *v* questionnaire.

vrager ['vra.gər] *m* interrogator, questioner, inquirer.

vrede ['vre.də] *m* & *v* peace; *ik heb er ~ mee* I don't object, all right!; *wij kunnen daar geen ~ mee hebben* we can't put up with that; *ga in ~* go in peace; *in ~ leven met iedereen* live at peace with all men; *laat mij met ~* let me alone; *o m de lieve ~* for the sake of peace.

vredebreuk [-brø.k]*v* breach of the peace.

vredekus [-kŭs] = *vredeskus.*

vredelievend [vre.də'li.vənt] **I** *aj* peace-loving, peaceable, peaceful; **II** *ad* peaceably, peacefully.

vredelievendheid [-hɛit] **I** love of peace, peaceableness, peacefulness.

vrederechter [-rɛxtər] *m* ± justice of the peace.

vredesaanbod ['vre.dəsa.nbət] *o* peace offer.

vredesapostel [-a.pɔstəl] *m* apostle of peace.

vredesbeweging [-bə.ve.gıŋ] *v* peace movement.

vredesconferentie [-kɔnfərɛn(t)si.] *v* peace conference.

vredescongres [-kɔ̀ngrɛs] *o* peace congress.

vredesduif [-dœyf] *v* dove of peace, peace dove.

vredeskonferentie zie *vredesconferentie.*

vredeskongres zie *vredescongres.*

vredeskus [-kŭs] *m* kiss of peace.

vredesnaam [-na.m] *in ~* zie *godsnaam.*

vredesonderhandelingen [-ɔ̀ndərhandəlıŋə(n)] *mv* peace negotiations.

vredespaleis [-pa.lɛis] *o* palace of peace, peace-palace.

vredespijp [-pɛip] *v* pipe (calumet) of peace.

vredessterkte ['vre.dəstɛrktə] *v* ✕ peace establishment; *~ 25.000 man* ook: 25.000 men on a peace footing.

vredestichter [-stıxtər] *m* peacemaker.

vredestijd ['vre.dəstɛit] *m* time of peace, peace-time.

vredesverdrag [-fərdrɑx] *o* treaty of peace, peace treaty.

vredesvoorstel [-fo:rstɛl] *o* peace proposal.

vredesvoorwaarden [-fo:rva:rdə(n)] *mv* conditions of peace, peace terms.

vredig ['vre.dəx] *aj* (& *ad*) peaceful(ly), quiet-(ly).

vree [vre.] = *vrede.*

vreedzaam ['vre.tsa.m] **I** *aj* peaceable; peaceful [citizen]; **II** *ad* peaceably; peacefully.

vreedzaamheid [-hɛit] *v* peaceableness; peacefulness.

vreemd [vre.mt] **I** *aj* **1** (niet bekend) strange; **2** (buitenlands) foreign [persons, interference]; alien [enemy]; **3** exotic [plants]; **4** (raar) strange, queer, odd; *~ geld* foreign money; *~e goden* strange gods; *~e hulp*

hired assistance; *een ~e taal* **1** a foreign language; **2** a strange (queer) language; *ik ben hier ~* I am a stranger here; *dat is toch ~* that is strange, it is a strange thing; *het is (valt) mij ~* it is strange to me; *hij is me ~* he is a stranger to me; *afgunst is mij ~* envy is foreign to my nature; *alle vrees is hem ~* he is an utter stranger to fear; *het werk is mij ~* I am strange to the work; *~ zijn aan iets* have nothing to do with it; *hoe ~ !* how strange (it is); *ik voel me hier zo ~* I feel so strange here; *het ~e van de zaak is, dat...* the strange thing about the matter is; **II** *ad* strangely; *er ~ uitziend* strange-looking.

1 vreemde ['vre.mdə] *m-v* (onbekende) stranger; *dat heeft hij van geen ~* it runs in the family.

2 vreemde ['vre.mdə] *in den ~* in foreign parts, abroad.

vreemdeling [-lıŋ] *m* **1** (onbekende) stranger; **2** (buitenlander) foreigner, alien; *een ~ in Jeruzalem* a stranger in Jerusalem (in the place, to the place).

vreemdelingenboek [-lıŋə(n)bu.k] *o* arrival book, (hotel) register, visitors' book.

vreemdelingenbureau [-by.ro.] *o* intelligence bureau for tourists.

vreemdelingendienst [-di.nst] *m* Aliens Branch (of the Home Office).

vreemdelingenlegioen [-le.gi.u.n] *o* Foreign Legion.

vreemdelingenverkeer [-vərke:r] *o* tourist traffic; *Vereniging voor ~* ± Travel Association.

vreemdheid ['vre.mthɛit] *v* strangeness, queerness, oddness, oddity.

vreemdsoortig [vre.mt'so:rtəx] strange, odd; quaint.

vreemdsoortigheid [-hɛit] *v* strangeness, oddity; quaintness.

vrees [vre.s] *v* fear, fears, dread [= great fear], apprehension; *zijn ~ voor...* his fear of...; *~ aanjagen* intimidate; *heb daar geen ~ voor !* no fear!; *~ koesteren voor* be afraid of, stand in fear of, fear; *uit ~ dat...* for fear (that)..., for fear lest [he should...], lest...; *uit ~ voor...* for fear of...; *de ridder zonder ~ of blaam* without fear and without reproach; zie ook: *vreze.*

vreesaanjaging ['vre.sa.nja.gıŋ] *v* intimidation.

vreesachtig [vre.s'ɑxtəx] timid, timorous.

vreesachtigheid [-hɛit] *v* timidity, timorousness.

vreeslijk ['vre.slək] = *vreselijk.*

vreeslijkheid [-hɛit] = *vreselijkheid.*

vreeswekkend [vre.s'vɛkənt] fear-inspiring, frightful.

vrek [vrɛk] *m* miser, niggard, skinflint.

vrekachtig, vrekkig ['vrɛkɑxtəx, 'vrɛkəx] miserly, stingy.

vrekkigheid [-hɛit] *v* miserliness, stinginess .

vreselijk ['vre.sələk] **I** *aj* dreadful, frightful, terrible; < ook: tremendous; **II** *ad* fearfully &; ook: < awfully.

vreselijkheid [-hɛit] *v* dreadfulness, terribleness.

vreten ['vre.tə(n)] **I** *vt* (v. dier) eat, feed on; **II** *va* I (v. dier) feed; 2 (v. mens) feed, stuff, gorge.

vreter [-tər] *m* glutton.

vreugd(e) ['vrø.gdə, vrø.xt] *v* joy, gladness; *Vreugde der Wet* Rejoicing of the Law; ∼ *scheppen in het leven* enjoy life.

vreugdebedrijf, -betoon [-bədrɛif, -bəto.n] *o* rejoicings.

vreugdedag [-dɑx] *m* day of rejoicing.

vreugdedronken [-dròŋkə(n)] drunk with joy, elated with joy.

vreugdeloos [-lo.s] joyless, cheerless.

vreugdetraan [-tra.n] *m* & *v* tear of joy.

vreugdevol [-vòl] full of joy, joyful, joyous.

vreugdevuur [-vy:r] *o* bonfire, balefire.

vreugdezang [-zɑŋ] *m* song of joy.

⊙ **vreze** ['vre.zə] *v* fear; *de* ∼ *des Heren* the fear of the Lord.

vrezen ['vre.zə(n)] **I** *vt* fear, dread; *God* ∼ fear God; *iemand* ∼ fear (be afraid of) a person; *iets* ∼ dread it; *niets te* ∼ *hebben* have nothing to fear; *het is te* ∼ it is to be feared; **II** *vi* be afraid; ∼ *voor zijn leven* fear for his life.

vriend [vri.nt] *m* friend; *een* ∼ *van de natuur* a lover of nature; *een* ∼ *van orde* a friend of order; *even goede* ∼*en, hoor !* we'll not quarrel for that; *goede* ∼*en zijn met* be friends with; *kwade* ∼*en worden* fall out; *kwade* ∼*en zijn* be on bad terms; *iemand te* ∼ *hebben* be friends with a man, have him for a friend; *iemand te* ∼ *houden* keep friends with a person, keep on good terms with one; ∼ *noch maag* neither kith nor kin; ∼ *en vijand* friend and foe; ∼*en in de nood, honderd in een lood* ± a friend in need is a friend indeed; *God bewaar me voor mijn* ∼*en* God save me from my friends.

vriendelijk ['vri.ndələk] **I** *aj* I kind, friendly, affable; 2 (v. huis, stadje) pleasant; **II** *ad* kindly, affably, in a friendly way.

vriendelijkheid [-hɛit] *v* kindness, friendliness, affability; *vriendelijkheden* kindnesses.

vriendendienst ['vri.ndə(n)di.nst] *m* kind turn, good office.

vriendenfeest [-fe.st] *o* friendly feast (gathering).

vriendengroet [-gru.t] *m* friendly greeting.

vriendenkring [-krɪŋ] *m* circle of friends.

vriendin [vri.n'dɪn] *v* (lady, woman) friend.

vriendinnetje [-'dɪnəcə] *o* girl friend.

vriendje ['vri.ncə] *o* (little) friend; boy friend.

vriendschap ['vri.ntsxɑp] *v* friendship; ∼ *sluiten met contract* (form, strike up) a friendship with, make friends with; *uit* ∼ out of friendship, for the sake of friendship.

vriendschappelijk [vri.nt'sxɑpələk] **I** *aj* friendly, amicable; **II** *ad* in a friendly way, amicably.

vriendschappelijkheid [-hɛit] *v* friendliness, amicableness.

vriendschapsband ['vri.ntsxɑpsbɑnt] *m* tie (bond) of friendship.

vriendschapsbetuiging [-bətœygɪŋ] *v* profession (protestation) of friendship.

vriendschapsverdrag [-fərdrɑx] *ó* treaty of friendship.

vrieskamer ['vri.ska.mər] *v* freezing-chamber.

vriespunt [-pŭnt] *o* freezing-point; *boven* (*onder, op*) *het* ∼ above (below, at) freezing-point.

vrieswe(d)er [-ve:r, -ve.dər] *o* frosty weather.

vriezen ['vri.zə(n)] *vi* freeze; *het vriest hard* (*dat het kraakt*) it is freezing hard.

vriezend [-zənt] freezing, frosty.

vrij [vrɛi] **I** *aj* I (niet slaaf, onbelemmerd) free; 2 (zonder belet of werk) free, at liberty, at leisure, disengaged; 3 (niet bezet of besproken) not engaged, vacant [seats]; ∼*e arbeid* free labour; ∼*e avond* evening (night) out; ∼ *bovenhuis* self-contained flat; *een* ∼*e dag* a free day, a day off; ∼ *kwartier* ↝ break, recess; *een* ∼*e middag* a free afternoon, a half-holiday; ∼*e ogenblikken* leisure (spare) moments; ∼ *uitzicht* free view; *een* ∼ *uur* a spare (leisure, idle) hour, an off-hour; *het* ∼*e woord* free speech; *mijn* ∼*e zondag* my Sunday out; *zo* ∼ *als een vogeltje in de lucht* as free as air (as a bird); *60 gld. per maand en alles* ∼ and everything found; *goed loon en veel* ∼ and liberal outings; ∼ *hebben* be off duty, have a holiday; ∼ *krijgen* get a holiday, be free [3 times a week]; ∼ *vragen* ask for a (half-)holiday; ∼ *zijn* be free; *mag ik zo* ∼ *zijn?* may I take the liberty?; *zij is nog* ∼ she is still free; *de lijn is* ∼ the line is clear; ∼ *van accijns* free (exempt) from excise; ∼ *van dienst* I off duty, free, disengaged; 2 exempt from duty; ∼ *van sterke drank* free from drinking; ∼ *van port* ↝ post-free; **II** *ad* I (vrijelijk) freely; 2 (gratis) free (of charge); 3 (tamelijk) rather, pretty; ∼ *goed* pretty good; ∼ *veel* rather much (many); ∼ *wat...* a good deal of...; ∼ *wat meer* much more; ∼ *zonnig* fairly sunny [weather].

vrijaf [vrɛi'ɑf] a holiday, a day (evening) off; ∼ *nemen* take a holiday.

vrijage [vrɛi'a.ʒə] *v* courtship, ⊙ wooing.

vrijbiljet ['vrɛibɪljet] *o* zie *vrijkaart*.

vrijblijven [-blɛivə(n)] *vi* remain free. [ment.

vrijblijvend [vrɛi'blɛivənt] $ without engage-

vrijbrief ['vrɛibri.f] *m* passport; charter, licence, permit.

vrijbuiten [-bœytə(n)] *vi* practise piracy.

vrijbuiter [-bœytər] *m* freebooter.

vrijbuiterij [vrɛibœytə'rɛi] *v* freebooting.

vrijdag ['vrɛidɑx] *m* Friday; *Goede Vrijdag* Good Friday.

vrijdags [-dɑxs] **I** *aj* Friday; **II** *ad* on Fridays.

vrijdenker [-dɛŋkər] *m* free-thinker.

vrijdenkerij [vrɛidɛŋkə'rɛi] *v* free-thinking, free thought.

vrijdom ['vrɛidòm] m freedom, exemption.

vrije ['vrɛiə] m freeman.

vrijelijk ['vrɛiələk] freely.

vrijen ['vrɛiə(n)] I vi 1 court; 2 make love, bill and coo, spoon; gaan ~ go courting; hij vrijt met onze dienstbode he keeps company with our servant; ~ met een meisje court a girl, make love to her; ~ om (naar) een meisje court a girl, ⊙ woo her; II vt court, ⊙ woo.

vrijer ['vrɛiər] m suitor, lover, sweetheart, ⊙ wooer; oude ~ bachelor; haar ~ F ook: her young man, her chap.

vrijerij [vrɛiə'rɛi] v love-making, courtship.

vrije-tijd(s)besteding [vrɛiə'tɛit(s)bəste.dɪŋ] v use (employment) of leisure, leisure activity.

vrijgeboren ['vrɛigəbo:rə(n)] free-born.

vrijgeest [-ge.st] m free-thinker.

vrijgeesterij [vrɛige.stə'rɛi] v free-thinking, free thought.

vrijgelatene ['vrɛigəla.tənə] m-v freedman, freed woman.

vrijgeleide [-gəlɛidə] o safe-conduct; onder ~ under a safe-conduct.

vrijgeven ['vrɛige.və(n)] vt set at liberty [a man]; release, free, decontrol [government butter &]; manumit, emancipate [a slave]; give a holiday [to boys &].

vrijgevig [vrɛi'ge.vəx] I aj liberal, open-handed; II ad liberally.

vrijgevigheid [-hɛit] v liberality, open-handedness.

vrijgevochten ['vrɛigəvòxtə(n)] in: het is een ~ land it is Liberty Hall there.

vrijgezel [vrɛigə'zɛl] m bachelor.

vrijhandel ['vrɛihandəl] m free trade.

vrijhandelaar [-dəla:r] m free-trader.

vrijhaven ['vrɛiha.və(n)] v free port.

vrijheid ['vrɛihɛit] v liberty, freedom; dichterlijke ~ poetic licence; persoonlijke ~ personal freedom; ~ van drukpers (van gedachte, van geweten) liberty (freedom) of the press (of thought, of conscience); ~ van vergadering freedom of association; ~ van het woord freedom of speech; geen ~ hebben om... not be at liberty to...; de ~ nemen om... take the liberty to..., make bold to..., make free to...; zich vrijheden veroorloven take liberties; ik vind geen ~ om... I don't see my way to...; in ~ free, at liberty; in ~ stellen release, set at liberty, set free.

vrijheidlievend [vrɛihɛit'li.vənt] fond of liberty, liberty-loving, freedom-loving [people].

vrijheidsberoving ['vrɛihɛitsbəro.vɪŋ] v deprivation of liberty.

vrijheidsboom [-bo.m] m tree of liberty.

vrijheidsgeest [-ge.st] m spirit of liberty.

vrijheidsliefde [-li.vdə] v love of liberty.

vrijheidsmuts [-mûts] v cap of liberty, Phrygian cap.

vrijheidsoorlog [-o:rlòx] m war of independence.

vrijheidsstraf ['vrɛihɛitstraf] v ⚖ imprisonment.

vrijheidsvaan ['vrɛihɛitsfa.n] v flag (standard) of liberty.

vrijheidszin ['vrɛihɛitsɪn] m spirit of liberty.

vrijheidszucht [-sûxt] v love of liberty.

vrijhouden ['vrɛihoudə(n)] vt 1 (letterlijk) keep free; 2 defray a man's expenses; ik zal je ~ I'll stand treat.

vrijkaart [-ka:rt] v free ticket, complimentary ticket; (v. schouwburg, spoor &) free pass.

vrijkomen [-ko.mə(n)] vi get off; come out [of prison]; be released [of forces]; be liberated [in chemistry]; ~ met de schrik get off with a fright.

vrijkopen [-ko.pə(n)] vt buy off, ransom, redeem.

vrijkoping [-ko.pɪŋ] v buying off, redemption.

vrijkorps [-kòrps] o volunteer corps.

vrijlaten [-la.tə(n)] vt set at liberty, release [a prisoner], let off [their victim]; emancipate, manumit [a slave]; release, free, decontrol [government butter &]; leave [a country] free [to determine its own future]; iemand de handen ~ leave (allow) him a free hand.

vrijlating [-la.tɪŋ] v release; emancipation, manumission [of a slave].

vrijloop [-lo.p] m free wheel.

vrijlopen [-lo.pə(n)] vi go free, get off, escape.

vrijloten [-lo.tə(n)] vi & vr ✂ draw an exempting number.

vrijmaken [-ma.kə(n)] I vt emancipate [a slave]; free [a person]; liberate [a nation]; free [the mind]; disengage, free [one's arm]; clear [the way]; II vr zich ~ disengage (extricate, free) oneself; zich ~ van get rid of.

vrijmaking [-kɪŋ] v liberation, emancipation.

vrijmetselaar [vrɛi'mɛtsəla:r] m freemason, mason.

vrijmetselaarsloge [-la:rslo:ʒə] v 1 masonic lodge; 2 (gebouw) masonic hall.

vrijmetselarij [-mɛtsəla:'rɛi] v freemasonry.

vrijmoedig [vrɛi'mu.dəx] aj (& ad) outspoken(ly), frank(ly), free(ly), bold(ly).

vrijmoedigheid [-hɛit] v frankness, outspokenness, boldness.

vrijplaats ['vrɛipla.ts] v sanctuary, refuge, asylum.

vrijpleiten [-plɛitə(n)] I vt exculpate, exonerate, clear [from blame]; II vr zich ~ exculpate oneself, clear oneself.

vrijpostig [vrɛi'pòstəx] I aj bold, free, forward, pert; II ad boldly.

vrijpostigheid [-hɛit] v boldness, forwardness, pertness; vrijpostigheden liberties.

vrijspraak ['vrɛispra.k] v ⚖ acquittal.

vrijspreken [-spre.kə(n)] vt ⚖ acquit; ~ van acquit of.

vrijstaan [-sta.n] vi be permitted; het staat u vrij om... you are free to...; ~d detached [villa]; self-supporting [wall].

vrijstaat [-sta.t] m free state.

vrijstad [-stat] v free city, free town.

vrijstellen [-'stɛlə(n)] *vt* exempt (from *van*).

vrijstelling [-lɪŋ] *v* exemption, freedom (from *van*).

vrijster ['vrɛistər] *v* sweetheart; *oude* ~ old maid, spinster.

vrijuit [vrɛi'œyt] freely, frankly; *hij spreekt altijd* ~ he is very free-spoken; *spreek* ~ *!* ook: speak out!

vrijverklaren ['vrɛivərkla:rə(n)] *vt* declare free.

vrijwaren [-va:rə(n)] *vt in:* ~ *voor (tegen)* guarantee from, safeguard against, protect from, secure from, guard from (against).

vrijwaring [-rɪŋ] *v* safeguarding, protection.

vrijwel ['vrɛiwɛl] *in: hij is* ~ *genezen* practically cured; ~ *alles wat men kan wensen* pretty well everything that could be wanted; ~ *hetzelfde* much the same (thing); ~ *iedereen* almost everybody; ~ *niets* next to nothing; ~ *nooit* hardly ever; ~ *onmogelijk* well-nigh impossible; *ik ben er* ~ *zeker van* I am all but certain of it.

vrijwiel [-vi.l] *o* free wheel.

vrijwillig [vrɛi'vɪləx] I *aj* voluntary, free; ~*e brandweer* volunteer fire-brigade; II *ad* voluntarily, freely, of one's own free will.

vrijwilliger [-'vɪləgər] *m* volunteer.

vrijwilligheid [-'vɪləxhɛit] *v* voluntariness.

vrijzinnig [vrɛi'zɪnəx] I *aj* liberal; *een* ~*e* a liberal; II *ad* liberally.

vrijzinnigheid [-hɛit] *v* liberalism, liberality.

vroed [vru.t] *aj* wise, prudent; *de* ~*e vaderen* the City Fathers.

vroedschap ['vru.tsxɑp] *v* town-council; *de* ~ ook: the City Fathers.

vroedvrouw [-frɔu] *v* midwife.

vroeg [vru.x] I *aj* early; *zijn* ~*e dood* his untimely (premature) death; II *ad* early; at an early hour; *het is nog* ~ it is still early; *niets te* ~ none too early, none too soon; *een uur te* ~ an hour early (before one's time); *al* ~ *in maart* early in March; *'s morgens* ~ early in the morning; *te* ~ *komen* come too early, be early; ~ *opstaan* rise early; zie ook: *opstaan*; ~ *en laat* early and late; ~ *of laat* sooner or later; *van* ~ *tot laat* from early in the morning till late at night; zie ook: *vroeger & vroegst.*

vroegdienst ['vru.xdi.nst] *m* early service.

vroeger ['vru.gər] I *aj* former [friends, years &]; earlier [documents]; previous [statements]; past [sins]; late, ex- [president &]; II *ad* [come] earlier; [an hour] sooner; formerly, in former days (times), in times gone by, on former occasions, previously, before now; *daar stond* ~ *een molen* there used to be a mill there.

vroegkerk ['vru.xkɛrk] *v* early service.

vroegmis [-mɪs] *v RK* early mass.

vroegpreek [-pre.k] *v* early service.

vroegrijp ['vru.xrɛip] early-ripe, precocious [child].

vroegrijpheid [vru.x'rɛiphɛit] *v* precocity

vroegst [vru.xst] earliest; *op zijn* ~ at the earliest.

vroegte ['vru.xtə] *v in: in de* ~ early in the morning.

vroegtijdig [vru.x'tɛidəx] I *aj* early, untimely, premature [death]; II *ad* 1 early, betimes, at an early hour; 2 prematurely, before one's time.

vrolijk ['vro.lək] I *aj* merry, gay, cheerful; *zich* ~ *maken over* make merry over; II *ad* merrily, gaily, cheerfully.

vrolijkheid [-hɛit] *v* mirth, merriment, gaiety, cheerfulness; *grote* ~ *onder het publiek* great hilarity.

vrome ['vro.mə] *m-v* pious man or woman.

vroom [vro.m] *aj* (& *ad*) devout(ly), pious(ly); *vrome wens* pious wish.

vroomheid ['vro.mhɛit] *v* devoutness, devotion, piety.

vrouw [vrɔu] *v* 1 woman; 2 (echtgenote) wife, lady, ⊙ spouse; 3 ◇ queen; *de* ~ *des huizes* the lady (mistress) of the house; ~ *van de wereld* woman of the world; ~ *Hendriks* Mrs. H.; *hoe is het met je* ~? how is Mrs. H.?; *Maar* ~ *!* 1 But woman!; 2 I say, wife!; *haar tot* ~ *nemen* take her to wife.

vrouwachtig ['vrɔuɑxtəx] effeminate, womanish.

vrouwelijk ['vrɔuələk] I *aj* 1 female [animal, plant, sex &]; feminine [virtues, rhyme &]; womanly [conduct, modesty &], womanlike; 2 *gram* feminine; ~*e kandidaat (kandidaten)* woman candidate, women candidates; II *o in: het* ~*e in haar* the woman in her.

vrouwelijkheid [-hɛit] *v* womanliness, femininity.

vrouwenaard ['vrɔuə(n)a:rt] *m* woman's nature, female character.

vrouwenarbeid [-ɑrbɛit] *m* women's labour.

vrouwenbeeld [-be.lt] *o* image (statue) of a woman.

vrouwenbeweging [-bəve.gɪŋ] *v* woman's rights movement.

vrouwenbond [-bɔnt] *m* woman's league.

vrouwengek [-gɛk] *m* ladies' man, philanderer.

vrouwenhaar [-ha:r] *o* 1 woman's hair; 2 ♣ maidenhair.

vrouwenhater [-ha.tər] *m* woman-hater, misogynist.

vrouwenkiesrecht [-ki.srɛxt] *o* woman suffrage, votes for women.

vrouwenkleding [-kle.dɪŋ] *v* woman's (women's) dress.

vrouwenklooster [-klo.stər] *o* nunnery, convent for women.

vrouwenkoor [-ko:r] *o* ♪ choir for female voices.

vrouwenliefde [-li.vdə] *v* woman's love.

vrouwenlist [-lɪst] *v* woman's ruse, female cunning.

vrouwenrechten [-rɛxtə(n)] *mv* women's rights.

vrouwenregering [-rəgeːrɪŋ] *v* woman's rule.

vrouwenrok [-rɔk] *m* woman's skirt.

vrouwenstem [-stɛm] *v* woman's voice.

vrouwenvereniging [-vərə.nəgɪŋ] *v* women's association.

vrouwenverering [-vorɛːrɪŋ] *v* woman-worship.

vrouwenwerk [-vɛrk] *o* women's work.

vrouwenzadel [-za.dəl] zie *dameszadel*.

vrouwlief ['vrouli.f] my dear, dear wife; ~ *wil het hebben* my wife wants it so.

vrouwmens [-mɛns] ~**spersoon** ['vrousporso.n] *o* woman.

vrouwtje ['vroucə] *o* 1 little woman; 2 wif(e)y; *wie zijt ge,* ~? who are you, my good woman?

vrouwvolk ['vrouvɔlk] *o* women, womenfolk.

vrucht [vrʉxt] *v* fruit[2]; *deze* ~*en* these fruit; *de* ~*en der aarde (van zijn vlijt)* the fruits of the earth (of his industry); *verboden* ~ *is zoet* forbidden fruit is sweet; ~*en afwerpen,* ~ *dragen (opleveren)* bear fruit; *de* ~(*en*) *plukken van...* reap the fruits of...; *aan hun* ~*en zult gij ze kennen* B by their fruits ye shall know them; *aan de* ~ *kent men de boom* a tree is known by its fruit; *met* ~ with success, successfully; profitably, with profit, usefully; *zonder* ~ without avail, fruitless(ly).

vruchtbaar ['vrʉxtba:r] fruitful[2] [fields, minds, collaboration &]; fertile[2] [soil, inventions]; < prolific[2] [females, brain, writer &]; ~ *in* fruitful in [great events &]; fertile in, fertile of [great men]; prolific in; prolific of [offspring, honey &].

vruchtbaarheid [-hɛit] *v* fruitfulness[2], fertility[2].

vruchtbeginsel ['vrʉxtbəgɪnsəl] *o* ♀ ovary.

vruchtbodem [-bo.dəm] *m* ♀ receptacle.

vruchtboom [-bo.m] *m* fruit-tree.

vruchtdragend [vrʉxt'dra.gənt] fruit-bearing; *fig* fruitful.

vruchteloos ['vrʉxtəlo.s] I *aj* fruitless, vain, futile, unavailing; II *ad* fruitlessly, vainly, in vain, to no purpose, without avail.

vruchteloosheid [vrʉxtə'lo.shɛit] *v* fruitlessness, futility.

vruchtemesje ['vrʉxtəmɛʃə] *o* fruit-knife.

vruchtengelei ['vrʉxtə(n)ʒəlɛi] *m* & *v* 1 jam; 2 fruit-jelly.

vruchtenijs [-ɛis] *o* fruit ice.

vruchtenkoopman [-ko.pman] *m* fruit-seller, dealer in fruit, fruiterer.

vruchtenkweker [-kʋe.kər] *m* fruit-grower.

vruchtenkwekerij [-kʋe.kərɛi] *v* fruit farm.

vruchtenschaal [-sxa.l] *v* fruit-dish.

vruchtentaart [-ta.rt] *v* fruit tart, fruit pie.

vruchtenwijn [-vɛin] *m* fruit wine.

vruchtepers ['vrʉxtəpɛrs] *v* fruit-squeezer.

vruchtesap [-sap] *o* fruit juice.

vruchtgebruik ['vrʉxtgəbrœyk] *o* usufruct.

vruchtgebruiker [-gəbrœykər] *m* usufructuary.

vruchtvlees [-fle.s] *o* ♀ pulp.

vruchtvorming [-fɔrmɪŋ] *v* fructification.

vruchtwisseling [-vɪsəlɪŋ] *v* rotation of crops, crop rotation.

vruchtzetting [-sɛtɪŋ] *v* ♀ setting.

vuig [vœyx] *aj* (& *ad*) vile(ly), sordid(ly), base(ly).

vuigheid ['vœyxhɛit] *v* vileness, sordidness, baseness.

vuil [vœyl] I *aj* dirty[2], filthy[2], grimy, grubby [hands], *fig* nasty, smutty, obscene; (*er*) ~ (*uitziend*) dingy; ~*e borden* used plates; *een* ~ *ei* an addled egg; ~*e taal* obscene language; *het* ~*e wasgoed* the soiled linen; II *ad* dirtily[2]; III *o* dirt[2].

vuilbek ['vœylbɛk] *m* foul-mouthed fellow.

vuilbekken [-bɛkə(n)] *vi* talk smut.

vuilbekkerij [vœylbɛkə'rɛi] *v* smutty talk, smut.

vuilheid ['vœylhɛit] *v* dirtiness[2], filthiness[2]; *fig* obscenity.

vuiligheid ['vœyləxhɛit] *v* filth, filthiness, dirt, dirtiness.

vuilik [-lək] *m* 1 dirty fellow; 2 *fig* skunk.

vuilmaken ['vœylma.kə(n)] I *vt* make dirty, dirty, soil; *ik zal mijn handen niet* ~ *aan die vent* I am not going to mess my hands with such a fellow; *ik wil er geen woorden over* ~ I will waste no words over the affair; II *vr* *zich* ~ dirty oneself.

vuilnis ['vœylnis] *v* & *o* [household] refuse, dirt, rubbish.

vuilnisauto [-o.to., -ʻauto.] *m* refuse collector.

vuilnisbak [-bak] *m* dustbin, refuse bin.

vuilnisbelt [-bɛlt] *m* & *v* refuse dump.

vuilnisblik [-blɪk] *o* dustpan.

vuilnisemmer [-ɛmər] *m* dustbin, refuse bin.

vuilnishoop [-ho.p] *m* refuse heap, dust heap.

vuilniskar [-kar] *v* dust-cart, refuse cart.

vuilniskoker [-ko.kər] *m* refuse chute.

vuilnisman [-man] *m* dustman, scavenger.

vuilnisvat [-fat] *o* refuse bin.

vuilpoes ['vœylpu.s] *v* dirty woman (girl &).

vuiltje [-cə] *o* speck of dirt.

vuist [vœyst] *v* fist; *op de* ~ *gaan* take off the gloves, resort to fisticuffs; *voor de* ~ offhand, extempore, without notes; *hij lachte in zijn* ~*je* he laughed in his sleeve.

vuistgevecht ['vœystgəvext] *o* boxing-match, F set-to.

vuistrecht [-rext] *o* fist-law, club-law.

vuistslag [-slɑx] *m* blow with the fist.

vuistvechter [-fextər] *m* boxer, prize-fighter.

vulcanisatie [vʉlka.ni.ʻza.(t)si.] *v* vulcanization.

vulcaniseren [-ʻzeːrə(n)] *vt* vulcanize.

vuldop ['vʉldɔp] *m* ⛽ filler cap.

vulgair [vʉlʻgɛːr] *aj* (& *ad*) vulgar(ly).

vulgarisatie [-ga.ri.ʻza.(t)si.] *v* vulgarization.

vulgarisator [-ʻza.tər] *m* vulgarizer.

vulgariseren [-ʻzeːrə(n)] *vt* vulgarize.

vulgariteit [-ʻtɛit] *v* vulgarity.

vulgariz- zie *vulgaris-*.

vulhaard ['vʉlha:rt] *m* zie *vulkachel*.

vulkaan [vʉlʻka.n] *m* volcano.

vulkachel ['vŭlkagəl] v base-burner.

vulkanisch [vŭl'ka.ni.s] volcanic.

vulkaniz- zie vulcanis-.

vullen ['vŭlə(n)] I vt fill [a glass, the stomach &]; stuff [chairs, birds]; pad [sofas]; fill, stop [a hollow tooth]; inflate [a balloon]; ⚡ charge [an accumulator]; II vr zich ~ fill.

vulling [-lɪŋ] v I (in 't alg.) filling; 2 (v. opgezette dieren & in de keuken) stuffing; 3 (v. sofa) padding; 4 (v. bonbon) centre; 5 (v. ballon) inflation.

vulpen ['vŭlpen] v fountain-pen.

vulpenhouder [-hou(d)ər] m fountain-pen.

vulpeninkt [-ɪŋ(k)t] m fountain-pen ink.

vulpotlood ['vŭlpɔtlo.t] o propelling pencil.

vulsel [-səl] o stuffing; filling, stopping [of a tooth].

vuns [vŭns] musty, fusty.

vunsheid ['vŭnsheit] v mustiness, fustiness.

vunzig(heid) ['vŭnzəx(heit)] zie vuns(heid).

vurehout ['vy:rəhout] o deal.

vurehouten [-həutə(n)] deal.

1 vuren ['vy:rə(n)] I vi ~ fire; ~ op fire at, fire on; II o firing.

2 vuren ['vy:rə(n)] aj deal.

vurig ['vy:rəx] I aj I fiery[2] [coals, eyes, horses &]; ardent[2] [rays, love, zeal]; fig fervent [hatred, prayers]; fervid [wishes]; 2 red, inflamed [of the skin]; II ad fierily, ardently, fervently, fervidly.

vurigheid [-heit] v I fieriness[2]; fig fervency [of prayer]; ardour [to do something]; spirit [of a horse]; 2 redness, inflammation [of the skin].

vuur [vy:r] o I fire; fig ardour; 2 (in hout) dry rot; ~ en licht fuel and light; het ~ was niet van de lucht the lightning was continuous; ~ commanderen ✕ command fire; ~ geven ✕ fire; geef me eens wat ~ just give me a light; heeft u wat ~ voor me? have you got a light for me?; iemand het ~ na aan de schenen leggen make it hot for one, press one hard; ~ maken light a fire; een goed onderhouden ~ ✕ [keep up] a well-sustained fire; ~ spuwen spit fire; ~ en vlam spuwen boil over with rage; ~ vatten catch fire[2]; fig flare up; bij het ~ zitten sit near (close to) the fire; wie het dichtst bij het ~ zit, warmt zich het best the horse next the mill carries all the grist; voor iemand door het ~ lopen go through fire (and water) for a person; in ~ (ge)raken catch fire[2]; fig warm (up) [to one's subject]; de troepen zijn nog nooit in het ~ geweest ✕ the troops have never been under fire; in het ~ van het gesprek in the heat of the conversation; in ~ en vlam zetten set [Europe] ablaze; met ~ spelen play with fire; iemand met ~ verdedigen defend him spiritedly; onder ~ ✕ under fire; onder ~ nemen ✕ subject to fire; te ~ en te zwaard verwoesten destroy by fire and

sword; tussen twee vuren ✕ [enclose the enemy] between two fires; fig between the devil and the deep sea; ik heb wel voor heter vuren gestaan I have been up against a stiffer proposition.

vuuraanbidder ['vy:ra.nbidər] m fire-worshipper.

vuuraanbidding [-dɪŋ] v fire-worship.

vuurbaak ['vy:rba.k] v beacon-light.

vuurbol [-bɔl] m fire-ball.

vuurdood [-do.t] m & v death by fire.

vuurdoop [-do.p] m ✕ baptism of fire.

vuureter [-e.tər] m fire-eater.

vuurgloed [-glu.t] m glare, blaze.

vuurhaard [-ha:rt] m hearth, fireplace.

vuurkast [-kɑst] v ✕ fire-box.

vuurkolom [-ko.lòm] v pillar of fire.

vuurlak [-lɑk] o & m black japan.

Vuurland [-lɑnt] o Tierra del Fuego.

vuurlijn [-lεin] v ✕ firing-line, line of fire.

vuurlinie [-li.ni.] v ✕ zie vuurlijn.

vuurmaker [-ma.kər] m fire-lighter.

vuurmond [-mònt] m ✕ (muzzle of a) gun; tien ~en ten guns.

vuurpeloton [-pəlo.tòn] o ✕ firing-party, firing-squad.

vuurpijl [-pεil] m rocket.

vuurplaat [-pla.t] v hearth-plate.

vuurpoel [-pu.l] m sea of fire, blaze.

vuurproef [-pru.f] v fire-ordeal; fig crucial (acid) test; het heeft de ~ doorstaan it has stood the test.

vuurrad ['vy:rɑt] o Catherine wheel.

vuurregen [-re.gə(n)] m I rain of fire; 2 golden rain [pyrotechnics].

vuurroer [-ru:r] o ✕ firelock.

vuurrood [-ro.t] as red as fire, fiery red; scarlet [blush, cheeks].

vuurscherm ['vy:rsxεrm] o fire-screen.

vuurschip [-sxɪp] o ✕ fire-ship; ⚓ lightship.

vuurslag [-slɑx] o (flint and) steel.

vuurspuwend [-spy.vənt] fire-spitting, spitting fire; ~e berg volcano.

vuurstaal [-sta.l] o fire-steel.

vuursteen [-ste.n] o & m flint.

vuurtoren [-to:rə(n)] m lighthouse.

vuurtorenwachter [-vɑxtər] m lighthouse keeper.

vuurvast ['vy:rvɑst] fire-proof [dish], incombustible; ~e klei fire-clay; ~e steen fire-brick, refractory brick.

vuurvlieg [-vli.x] v fire-fly.

vuurvreter [-vre.tər] m fire-eater[2].

vuurwapen [-va.pə(n)] o fire-arm.

vuurwerk [-vεrk] o fireworks; pyrotechnic display, display of fireworks; ~ afsteken let off fireworks.

vuurzee [-ze.] v sea of fire; het was één ~ it was one sheet of fire, one blaze.

vuurzuil [-zœyl] v pillar of fire.

W

w [ve.] *v* w.
W. = *west*.

waadbaar ['va.tba:r] fordable *waadbare plaats* ford.

waadvogel [-fo.gǝl] *m* 🐦 wading-bird, wader.

1 **waag** [va.x] *v* 1 balance; 2 weighing-house.

2 **waag** [va.x] *m* in: *dat is een hele* ~ that is a risky thing.

waaghals ['va.xhɑls] *m* dare-devil, reckless fellow.

waaghalzerig [-hɑlzǝrǝx] venturesome, reckless.

waaghalzerij [va.xhɑlzǝ'rɛi] *v* recklessness.

waagmeester ['va.xme.stǝr] *m* weigh-master.

waagschaal [-sxa.l] in: *zijn leven in de* ~ *stellen* risk (venture, stake) one's life.

waagstuk [-stǔk] *o* risky undertaking, venture, piece of daring.

waaien ['va.jǝ(n)] I *vi* 1 (v. wind) blow; 2 (v. vlag &) flutter in the wind; *laten* ~ hang out [a flag]; *hij laat de boel maar* ~ he lets things slide; *laat hem maar* ~*!* give him the go-by; *laat maar* ~*!* blow the letter (the thing &)!; *de appels* ~ *van de bomen* the apples are blown from the trees; *het waait* it is blowing; *het waait hard* it is blowing hard, there is a high wind, it is blowing great guns; II *vt* in: *iemand met een waaier* ~ fan a person; III *vr zich* ~ fan oneself.

waaier ['va.jǝr] *m* fan.

waaierboom [-bo.m] *m* fan-tree.

waaierpalm [-pɑlm] *m* 🌴 fan-palm.

waaiervormig [-vɔrmǝx] I *aj* fan-shaped; II *ad* fan-wise.

waak [va.k] = *wake*.

waakhond ['va.khònt] *m* watch-dog, house dog.

waaks [va.ks] zie *waakzaam*.

waakster ['va.kstǝr] *v* watcher.

waakzaam ['va.ksa.m] vigilant, watchful, wakeful.

waakzaamheid [-hɛit] *v* vigilance, watchfulness, wakefulness.

1 **Waal** [va.l] *v* Waal [river].

2 **Waal** [va.l] *m* Walloon.

Waals [va.ls] I *aj* Walloon; II *o* Walloon.

waan [va.n] *m* erroneous idea, delusion, *in de* ~ *brengen* lead to believe; *hem in de* ~ *laten dat...* leave him under the impression that...; *in de* ~ *verkeren dat...* be under a delusion that...; *uit de* ~ *helpen* undeceive.

waandenkbeeld ['va.ndɛŋkbe.lt] *o* fallacy.

waanvoorstelling [-vo:rstɛlɪŋ] *v* delusion.

waanwijs [-vɛis] self-conceited, opinionated.

waanwijsheid [va.n'vsheit] *v* self-conceit.

waanzin ['va.nzɪn] *m* insanity, madness, dementia.

waanzinnig [va.n'zɪnǝx] insane, demented, mad, distracted, deranged; *als* ~ like mad.

waanzinnige [-'zɪnǝgǝ] *m-v* madman, mad woman, maniac, lunatic.

waanzinnigheid [-'zɪnǝxheit] *v* madness; lunacy.

1 **waar** [va:r] *v* ware(s), commodity, stuff; *alle* ~ *is naar zijn geld* you only get value for what you spend; ~ *voor zijn geld krijgen* get (good) value for one's money, get one's money's worth; *goede* ~ *prijst zichzelf* good wine needs no bush.

2 **waar** [va:r] *aj* true°; *een ware weldaad* ook: a veritable boon; *het is* ~, *het zou meer kosten* (it is) true, it would cost more; *het is* ~ *ook, heb je...?* that reminds me, have you...?; well, now I come to think of it, have you...?; *dat zal wel* ~ *zijn!* I should think so!; *dat zal je mij* ~ *maken* you'll have to prove that to me; *daar is niets van* ~ there is not a word of truth in it; *niet* ~? isn't it?; *jij hebt het gezegd, niet* ~? didn't you?; *jij hebt het, niet* ~? haven't you?; *wij zijn er, niet* ~? aren't we? &; *zo* ~ *ik leef (ik hier voor je sta)* as I live (as I stand here); *daar is iets* ~*s in* there is some truth in that; *hij is daarvoor de ware niet* he is not the right man for it; *dat is je ware* F that is the real thing, that is it!

3 **waar** [va:r] I *ad* where; ~ *ga je naar toe?* where are you going?; ~ *het ook zij* wherever it be; ~ *vandaan* zie *vandaan*; II *cj* 1 where; 2 (aangezien) since, as.

waaraan [va:'ra.n] on which, to which &; *de persoon,* ~ *ik gedacht heb* of whom I have been thinking (I have been thinking of); ~ *denk je?* what are you thinking of?

waarachter [-'rɑxtǝr] 1 (v. zaken) behind which; 2 (v. personen) behind whom.

waarachtig [ra:'rɑxtǝx] I *aj* true, veritable; II *ad* truly, really; ~*!* surely, certainly; ~*?* is it true?; ~ *niet!* 1 certainly not; 2 indeed I won't!; *en daar ging hij me* ~ *weg!* and he actually went away; *ik weet het* ~ *niet!* (I am) sure I don't know!; *daar is hij* ~*!* sure enough, there he is.

waarachtigheid [-heit] *v* truth, veracity.

waarbij [va:r'bei] by which, by what, whereby, whereat &; on which occasion, [accident] in which [people were killed].

waarborg ['va:rbɔrx] *m* guarantee, warrant, security.

waarborgen [-bɔrgǝ(n)] *vt* guarantee, warrant; ~ *tegen* secure against.

waarborgfonds [-bɔrxfònts] *o* guarantee fund.

waarborgkapitaal [-ka.pi.'ta.l] *o* guarantee capital.

waarborgmaatschappij [-ma.tsxɑpɛi] *v* insurance company.

waarborgsom [-sòm] *v* security.

waarboven [va:r'bo.vǝ(n)] above (over) which, above (over) what, above (over) whom.

1 **waard** [va:rt] *m* 1 innkeeper, landlord, host ‖ 2 🦆 drake; *zoals de* ~ *is, vertrouwt hij zijn gasten* you (they) measure other people's cloth by your (their) own yard; *buiten de* ~

rekenen reckon without one's host.
2 **waard** [va:rt] *v* 1 holm; 2 polder.

3 **waard** [va:rt] I *aj* worth; *het is geen antwoord* ∼ it is not worthy of a reply; *het aanzien niet* ∼ not worth looking at; *het is de moeite niet* ∼ it is not worth (your, our) while, it is not worth it (the trouble); *dank u!* — *het is de moeite niet* ∼! it is no trouble (at all), don't mention it!; *het is niet veel* ∼ it is not worth much; *het is niets* ∼ it is worth nothing; *dat is al heel wat* ∼ that's worth a good deal; *ik geef die verklaring voor wat ze* ∼ *is* for what it may be worth; *hij was haar niet* ∼ he was not worthy of her; ∼*e vriend* dear friend; *W*∼*e heer* Dear Sir; II *m* in: *mijn* ∼*e!* (my) dear friend.

waarde ['va:rdə] *v* 1 worth, value; 2 (bedrag v. onderdeel) denomination [of coins, stamps]; ∼*n* $ stocks and shares, securities; *aangegeven* ∼ declared value; *belastbare* ∼ ratable value; ∼ *in rekening* $ value in account; ∼ *genoten* $ value received; ∼ *geven aan* give value to [a book]; ∼ *hebben* be of value; *veel (weinig)* ∼ *hebben* have much (little) value; ∼ *hechten aan* set value on, attach (great) value to; *zijn* ∼ *ontlenen aan...* owe its value to...; *in* ∼ *houden* value; *in* ∼ *verminderen* 1 fall in value; 2 (v. geld) depreciate; *onder de* ∼ *verkopen* sell for less than its value; *ter* ∼ *van, tot een* ∼ *van* to the value of; *van* ∼ of value, valuable; *dingen van* ∼ things of value, valuables; *van geen* ∼ of no value, valueless, worthless; *van gelijke* ∼ of the same value; *van grote* ∼ of great value, valuable; *van nul en gener* ∼ null and void; *van weinig* ∼ of little value.

waardebepaling [-bəpa.lɪŋ] *v* valuation.

waardeerbaar [va:r'de:rba:r] valuable, appreciable.

waardeloos ['va:rdəlo.s] worthless.

waardeloosheid [va:rdə'lo.shɛit] *v* worthlessness.

waardemeter ['va:rdəme.tər] *m* standard of value.

waardeoordeel [-o:rde.l] *o* value judg(e)ment.

waarderen [va:r'de:rə(n)] *vt* value (at its true worth), appreciate (at its proper value), esteem; value, estimate, appraise [by valuer].

waarderend [-rənt] *aj* (& *ad*) appreciative(ly).

waardering [-rɪŋ] *v* valuation, estimation, appraisal [by valuer]; appreciation [of a man's worth &]; esteem; *(geen, weinig)* ∼ *vinden* meet with (no, little) appreciation; *met* ∼ *spreken van* speak appreciatingly of.

waardeschaal ['va:rdəsxa.l] *v* scale of values.

waardevermeerdering [-vərme:rdərɪŋ] *v* 1 increase in value; 2 [tax on] increment.

waardevermindering [-vərmɪndərɪŋ] *v* depreciation, fall in value.

waardevol [-vòl] valuable, of (great) value.

waardig ['va:rdəx] I *aj* worthy, dignified; *een* ∼ *zwijgen* a dignified silence; ∼ *zijn* be

worthy of; II *ad* [conduct oneself] with dignity.

waardigheid [-hɛit] *v* 1 (het waard zijn) worthiness; 2 (v. houding &) dignity; 3 (ambt) dignity; *de menselijke* ∼ human dignity; *het is beneden zijn* ∼ it is beneath his dignity, it is beneath him; *in al zijn* ∼ in all his dignity; *met* ∼ with dignity.

waardigheidsbekleder [-hɛitsbəkle.dər] *m* dignitary.

waardij [va:r'dɛi] *v* worth, value.

waardin [va:r'dɪn] *v* landlady, hostess.

waardoor [va:r'do:r] 1 through which; 2 by which, by which means, whereby.

waarheen [-'he.n] where, where... to, to what place, ∿ whither.

waarheid ['va:rhɛit] *v* truth; *de zuivere* ∼ the truth and nothing but the truth; *een* ∼ *als een koe* a truism; *de* ∼ *spreken* speak the truth; *de* ∼ *zeggen* tell the truth, be truthful; *iemand (vierkant) de* ∼ *zeggen* tell one some home truths, give him a piece of one's mind; *om de* ∼ *te zeggen* to tell the truth; *dat is dichter bij de* ∼ that is nearer the truth; *naar* ∼ truthfully; truly.

waarheidlievend, ∼minnend [va:rhɛit'li.vənt, -'mɪnənt] truth-loving, truthful, veracious.

waarheidsliefde ['va:rhɛitsli.vdə] *v* love of truth, veracity.

waarheidsserum ['va:rhɛitse:rûm] *o* truth serum.

waarheidszin [-sɪn] *m* sense of truth.

waarin [va:'rɪn] in which, ☉ wherein.

waarlangs [va:r'lɔŋs] past which, along which.

waarlijk ['va:rlək] truly, indeed, sure enough, upon my word, ☉ in truth, ✎ of a truth.

waarmaken [-ma.kə(n)] *vt* prove.

waarme(d)e [va:r'me.(də)] with which; with whom.

waarmerk ['va:rmɛrk] *o* stamp; hallmark [on metal objects].

waarmerken [-mɛrkə(n)] *vt* stamp, authenticate, attest, certify, validate; hallmark [metal objects].

waarmerking [-kɪŋ] *v* stamping, authentication.

waarna [va:r'na.] after which, whereupon, ✎ whereafter.

waarnaar [-'na.r] to which, at which.

waarnaast [-'na.st] beside which, by the side of which, next to which &.

waarneembaar [-'ne.mba:r] perceptible.

waarneembaarheid [-hɛit] *v* perceptibility.

waarnemen ['va:rne.mə(n)] I *vt* 1 (met het oog &) observe, perceive; 2 (gebruik maken van) avail oneself of, take [the opportunity]; 3 (uitvoeren) perform [one's duties]; *hij neemt de betrekking waar* he fills the place temporarily; II *va* 1 observe; 2 fill a place temporarily; act as a locum tenens, stand in [for a doctor or clergyman].

waarnemend [-mənt] acting, deputy, temporary.

waarnemer [-mər] *m* 1 (die waarneemt) ob-

server; 2 (plaatsvervanger) deputy, locum tenens [of doctor or clergyman], substitute.

waarneming [-mɪŋ] *v* 1 observation; perception; 2 performance [of duties].

waarnemingsvermogen [-mɪŋsfǝrmo.ɡǝ(n)] *o* 1 perceptive faculty; 2 power(s) of observation.

waarnevens [vaːr'ne.vǝns] next to which.

waarom [vaː'rɔm] I *cj* why, ☉ wherefore; II *o het* ~ the why (and wherefore).

waaromtrent ['vaːrɔmtrɛnt, vaːrɔm'trɛnt] about which.

waaronder [vaː'rɔndǝr] 1 under which; 2 among whom; including...

waarop [-'rɔp] 1 on which; 2 upon which, after which, whereupon.

waarover [-'ro.vǝr] across which; *fig* about which.

waarschijnlijk [vaːr'sxɛinlǝk] I *aj* probable, likely; II *ad* probably; hij zal ~ niet komen ook: he is not likely to come.

waarschijnlijkheid [-heit] *v* probability, likelihood; naar alle ~ zal hij... in all probability (likelihood) he will...

waarschijnlijkheidsrekening [-heitsre.kǝnɪŋ] *v* theory (calculus) of probabilities.

waarschuwen ['vaːrsxy.vǝ(n)] I *vt* warn, admonish, caution; ~ voor (tegen) caution against, warn of [a danger], warn against [person or thing]; wees gewaarschuwd! take my warning!, let this be a warning to you!; II *va* warn.

waarschuwend [-vǝnt] I *aj* warning; II *ad* warningly.

waarschuwing [-vɪŋ] *v* 1 warning, admonition, caution; 2 [tax-collector's] summons for payment.

waarschuwingsbord [-vɪŋsbɔrt] *o* notice-board, danger-board.

waarschuwingscommando, -kommando [-vɪŋskòmɔndo.] *o* cautionary word of command.

waarschuwingsschot [-vɪŋsxɔt] *o* warning shot.

waartegen [vaːr'te.ɡǝ(n)] against which.

waartoe [-'tu.] for which; ~ dient dat? what's the good?

waartussen [-'tʉsǝ(n)] between which, between whom.

waaruit [vaː'rœyt] from which, whence.

waarvan [vaːr'vɑn] of which, ☉ whereof.

waarvoor [-'vo:r] for what; ~? what for?, for what purpose?

waarzeggen ['vaːrzɛɡǝ(n)] *vi* tell fortunes; iemand ~ tell a person's fortune; zich laten ~ have one's fortune told.

waarzegger [-ɡǝr] *m* fortune-teller, soothsayer.

waarzeggerij [vaːrzɛɡǝ'rɛi] ~**zegging** ['vaːrzɛɡɪŋ] *v* fortune-telling, soothsaying.

waarzegster ['vaːrzɛxstǝr] *v* fortune-teller, soothsayer.

waas [vaː.s] *o* 1 haze [in the air]; 2 bloom [of fruit]; 3 mist [before one's eyes]; 4 *fig* air [of

secrecy].

wacht [vɑxt] *v* 1 watch, guard; 2 cue [of an actor]; de ~ aflossen ⚔ relieve guard; ⚓ relieve the watch; de ~ betrekken ⚔ mount guard; ⚓ go on watch; de ~ hebben ⚔ be on guard; ⚓ be on watch; de ~ houden keep watch; de ~ overnemen ⚔ take over guard; ⚓ take over the watch; de ~ in 't geweer roepen ⚔ turn out the guard; in de ~ slepen S walk away with, spirit away; op ~ staan ⚔ be on duty, stand guard.

wachtdienst ['vɑxtdi.nst] *m* ⚔ guard-duty; ⚓ watch.

wachten ['vɑxtǝ(n)] I *vi* wait; wacht (even), je vergeet dat... wait a bit! you forget that...; dat kan ~ it can wait; iemand laten ~ keep him waiting; > leave him to cool his heels! give him a long wait; staan ~ be waiting; wat u te ~ staat what awaits you, what is in store for you; ~ met iets tot... wait to... till..., delay ...ing till...; ~ met het eten op vader wait dinner for father; ~ met schieten wait to fire; ~ op wait for; hij laat altijd op zich ~ he always has to be waited for; u hebt lang op u laten ~ you have given us a long wait; u moet maar ~ tot het mij convenieert wait my convenience; II *vt* wait for [letter, visitors &]; zij heeft geld te ~ van een oom she has expectations from an uncle of hers; wat u wacht what awaits you, what is in store for you; III *vr* zich ~ be on one's guard; zich wel ~ om... know better than to...; zich ~ voor iets be on one's guard against something; wacht u voor zakkenrollers! beware of pickpockets!

wachter ['vɑxtǝr] *m* 1 watchman, keeper; 2 satellite [of a planet].

wachtgeld ['vɑxtɡɛlt] *o* half-pay.

wachtgelder [-ɡɛldǝr] *m* official on half-pay.

wachthebbend [-hebǝnt] on duty.

wachthuisje [-hœyʃǝ] *o* 1 ⚔ sentry-box; 2 [tram, bus] shelter.

wachtkamer [-ka.mǝr] *v* 1 waiting-room; ook: [a doctor's] ante-room; 2 ⚔ guard-room [for soldiers].

wachtlijst [-leist] *v* waiting-list.

wachtlokaal [-lo.ka.l] *o* ⚔ guard-room.

wachtmeester [-me.stǝr] *m* ⚔ sergeant.

wachtparade [-pa:ra.dǝ] *v* ⚔ guard-mounting, parade for guard.

wachtpost [-pɔst] *m* guard-post.

wachtschip [-sxip] *o* ⚓ guard-ship.

wachttijd ['vɑxteit] *m* waiting time, waiting period.

wachttoren [-to:rǝ(n)] *m* watch-tower.

wachtwoord ['vɑxtvo:rt] *o* ⚔ password, word, countersign, parole; watchword, *fig* catchword; het ~ uitgeven ⚔ give the word.

wad [vɑt] *o* shoal, mud-flat; de Wadden the Dutch Wadden shallows.

☉ **wade** ['va.dǝ] *v* shroud.

waden ['va.dǝ(n)] *vi* wade.

waf (waf)! [vɑf('vɑf)] bow-wow!
wafel ['va.fǝl] *v* waffle; (dun) wafer; *hou je* ~ P shut your head!, shut up!
wafelbakker [-bɑkǝr] *m* waffle-baker.
wafeldoek [-du.k] I *o* & *m* (stofnaam) honeycomb cloth; 2 *m* (voorwerpsnaam) honeycomb towel.
wafelijzer [-eizǝr] *o* waffle-iron.
wafelkraam [-kra.m] *v* & *o* waffle-baker's booth.
I **wagen** ['va.gǝ(n)] I *vt* risk, hazard, venture; *het* ~ venture [to go &]; *er alles aan* ~ risk one's all; *er een gulden aan* ~ venture a guilder on it; *hij durft alles* ~ he is ready for any venture; *daar waag ik het op* I'll take my chance of it; *hij zal het niet* ~ he won't venture (up)on doing it (to do it); *hoe durft u 't* ~? how dare you (do it)?; *wie het waagt hem tegen te spreken* who should venture upon contradicting him; *ze zijn een elkaar gewaagd* they are well matched, it is diamond cut diamond; *zijn leven* ~ risk (venture) one's life; II *vr zich* ~ *aan iets* venture on a thing; *zich aan een voorspelling* ~ venture on a prophecy; *zich op het ijs* ~ venture upon the ice, zie ook: *ijs*; III *va* in: *die niet waagt, die niet wint* nothing venture, nothing have.
2 **wagen** ['va.gǝ(n)] *m* (voertuig) vehicle; (rijtuig) [railway] carriage, [state] coach; (vrachtwagen) waggon, wagon, [delivery, goods] van, [flat, open] truck; (kar) [milk-, hand-] cart; [tram-, motor-] car; ✎ & Ⓤ chariot; (v. schrijfmachine) carriage; *de Wagen* ✶ Charles's Wain; *krakende* ~*s duren* (*lopen*) *het langst* creaking doors hang longest.
wagenas [-ɑs] *v* axle-tree.
wagenbestuurder [-bǝsty:rdǝr] *m* driver.
wagenhuis [-hœys] *o* cart-shed, coach-house.
wagenmaker [-ma.kǝr] *m* I cartwright, wheelwright; 2 coach-builder.
wagenmakerij [va.gǝ(n)ma.kǝ'rɛi] *v* I cartwright's shop; 2 coach-builder's shop.
wagenmenner ['va.gǝ(n)mɛnǝr] *m* driver, ☉ charioteer.
wagenpark [-pɑrk] *o* I zie *autopark*; 2 (rollend materiaal) rolling-stock, (plaats daarvoor) rolling-stock depot; 3 ✕ artillery park, wagon park.
wagenrad [-rɑt] *o* carriage-wheel, cartwheel.
wagenschot [-sxɔt] *o* wainscot.
wagensmeer [-sme:r] *o* & *m* cart-grease.
wagenspoor [-spo:r] *o* rut.
wagenvol [-vɔl] *m* -**vracht** [-vrɑxt] *v* cart-load, wagon-load.
wagenwijd [-ʋɛit] (very) wide.
wagenziek [-zi.k] train-sick.
waggelen ['vɑgǝlǝ(n)] *vi* stagger, totter, reel; waddle [like a duck]; *een* ~*de tafel* a rickety table.
wagon [va.'gɔn] *m* carriage [for passengers]; van [for luggage, goods], wag(g)on, truck [for cattle, open or flat].

wagonlading [-la.diŋ] *v* wagon-load, truck-load.
wajang ['va.jɑŋ] *m Ind* wayang.
wak [vɑk] *o* blow-hole in the ice.
wake [va.kǝ] *v* watch, vigil.
waken ['va.kǝ(n)] *vi* wake, watch; ~ *bij* watch by, watch over, sit up with, watch with [the sick]; ~ *over* watch over, look after; ~ *tegen* (be on one's) guard against; ~ *voor* watch over, look after [a man's interests]; *ervoor* ~ *dat...* take care that..., see to it that...
wakend [-kǝnt] I wakeful, watchful; vigilant; 2 waking; *een* ~ *oog houden op...* keep a wakeful (watchful) eye on...
waker [-kǝr] *m* watchman, watcher.
wakker ['vɑkǝr] I *aj* I (wakend) awake, waking; 2 (waakzaam) awake, vigilant; 3 (flink) smart, spry; brisk; ~ *liggen* lie awake; ~ *maken* wake², awake², waken², wake up²; ~ *roepen* wake (up), call up² [a person, an image, memories]; *fig* evoke [feelings &]; ~ *schrikken* start from one's sleep; ~ *schudden* shake up², rouse²; *hem* ~ *schudden uit zijn droom* rouse him from his dream²; ~ *worden* wake up², awake²; II *ad* smartly; briskly.
wakkerheid [-hɛit] *v* spryness; briskness.
wal [vɑl] *m* I ⚓ bank, coast, shore; quay, embankment; 2 ✕ rampart; ~*len onder de ogen* bags under the eyes; *aan* (*de*) ~ ashore, on shore; *aan* ~ *brengen* land; *aan* ~ *gaan* go ashore; *aan lager* ~ *geraken* ⚓ get on a lee-shore; *fig* be thrown on one's beam ends; *aan lager* ~ *zijn* be in low water [*fig*]; *van de* ~ S ex quay; *van de* ~ *in de sloot* out of the frying-pan into the fire; *van* ~ *steken* ⚓ push off, shove off; *fig* start, launch out; *steek maar eens van* ~! fire away!
Walachije [va.la.'gɛiǝ] *o* Wallachia.
Walachijer [-'gɛiǝr] *m* **Walachijs** [-'gɛis] *aj* Wallachian.
walbaas ['vɑlba.s] *m* wharfinger, super-intendent.
waldhoorn, -horen ['vɑltho:rǝn] *m* ♪ French horn.
Walenland ['va.lǝ(n)lɑnt] *o* Walloon country.
Wales [ʋe.ls] *o* Wales; *van* ~ Welsh.
walg [vɑlx] *m* loathing, disgust, aversion; *een* ~ *hebben van* loathe; *het is mij een* ~ I loathe it, it makes me sick.
walgelijk ['vɑlgǝlǝk] = *walglijk*.
walgelijkheid [-hɛit] = *walglijkheid*.
walgen [-gǝ(n)] *vi* in: *ik walg ervan* I loathe it, I am disgusted at (with) it; *tot je ervan walgt* till you become nauseated (disgusted) with it; *ik walg van mezelf* I loathe myself; *iemand doen* ~ fill a person with disgust, turn his stomach; *tot* ~*s toe* to loathing.
walging [-giŋ] *v* loathing, disgust, nausea.
walglijk [-gǝlǝk] I *aj* loathsome, nauseating, nauseous, disgusting; II *ad* disgustingly &; ~ *braaf* F nauseatingly good.

walglijkheid [-hɛit] v loathsomeness &.
walhalla [val'hala.] o Valhalla.
walkapitein ['valka.pi.tɛin] m landing captain.
Wallis ['valɪs] o Wales.
Wallonië [va'lo.ni.ə] o Wallonia.
walm [valm] m smoke.
walmen ['valmə(n)] vi smoke.
walmend, walmig [-mənt, -məx] smoky [lamp].
walnoot ['valno.t] v walnut.
walrus [-rũs] m ♨ wa̅lrus, morse, sea-horse.
wals [vals] 1 m & v (dans) waltz ‖ 2 v ⚒ roller, cylinder.
1 walsen ['valsə(n)] vi ♪ waltz.
2 walsen ['valsə(n)] vi ⚒ roll.
walserij [valsə'rɛi] v ⚒ rolling-mill.
walsmachine ['valsma.ʃi.nə] v ⚒ rolling-machine.
walstempo [-tɛmpo.] o ♪ waltz-time.
walstro ['valstro.] o ♣ bedstraw.
walvis [-vɪs] m ♨ whale.
walvisbaard [-ba:rt] m whalebone.
walvisspek [-vɪspɛk] o (whale-)blubber.
walvistraan [-vɪstra.n] m whale-oil, train-oil.
walvisvaarder [-fa:rdər] m ⚓ whaler.
walvisvangst [-faŋst] v whale-fishery, whaling.
wambuis ['vambœys] o jacket, ⚏ doublet.
wammen ['vamə(n)] vt gut [fish].
wan [van] v winnow, fan.
wanbedrijf ['vanbədrɛif] o crime(s).
wanbegrip [-grɪp] o false notion.
wanbeheer [-he:r] o mismanagement.
wanbeleid [-lɛit] o mismanagement.
wanbestuur [-sty:r] o misgovernment.
wanbetaler [-ta.lər] m defaulter.
wanbetaling [-lɪŋ] v non-payment; bij ∼ in default of payment.
wanbof ['vanbɔf] m bad luck.
wanboffen [-bɔfə(n)] vi be down on one's luck.
wanboffer [-bɔfər] m unlucky fellow.
wand [vant] m wall.
wandaad [vanda.t] v crime, outrage.
wandbekleding ['vantbəkle.dɪŋ] v wall-lining.
wandel ['vandəl] m fig conduct, behaviour; aan (op) de ∼ zijn be out for a walk.
wandelaar [-dəla:r] m ∼ster [-stər] v walker.
wandelcostuum zie wandelkostuum.
wandeldek ['vandəldek] o ⚓ promenade deck.
wandeldreef [-dre.f] v walk.
wandelen ['vandələ(n)] vi walk, take a walk; ∼d blad leaf-insect; de W∼de Jood the Wandering Jew; ∼de nier wandering kidney; ∼de tak stick-insect.
wandelgang ['vandəlgaŋ] m lobby.
wandelhoofd [-ho.ft] o zie wandelpier.
wandeling ['vandəlɪŋ] v walk, stroll; in de ∼ commonly, usually; in de ∼ ... genoemd popularly called...; een ∼ doen take a walk; een ∼ gaan doen (maken) go for a walk.
wandelkaart ['vandəlka:rt] v tourist's map.
wandelkostuum [-kɔsty.m] o walking-dress [of a lady]; lounge-suit [of a gentleman].
wandelpad [-pat] o foot-path.

wandelpier [-pi:r] m promenade pier.
wandelplaats [-pla.ts] v promenade.
wandelsport [-spɔrt] v pedestrianism, hiking.
wandelstok [-stɔk] m walking-stick.
wandeltocht [-tɔxt] m walking tour, hike.
wandelwagen [-va.gə(n)] m folder.
wandelweg [-vɛx] m walk.
wandgedierte ['vantgədi:rtə] o bugs.
wandkaart [-ka:rt] v wall-map.
wandkalender [-ka.lendər] m wall-calendar.
wandluis [-lœys] v bug.
wandplaat [-pla.t] v ☞ wall-picture.
wandschildering [-sxɪldərɪŋ] v mural painting, mural, wall-painting.
wandtapijt ['vanta.pɛit] o tapestry.
wandversiering ['vantfərsi:rɪŋ] v mural decoration.
wanen ['va.nə(n)] vt fancy, think.
wang [vaŋ] v cheek.
wangbeen ['vaŋbe.n] o cheek-bone.
wangedrag ['vangədrax] o bad conduct, misconduct, misbehaviour.
wangedrocht [-drɔxt] o monster.
wangeluid [-lœyt] o dissonance, cacophony.
wangunst ['vangũnst] v envy.
wangunstig [van'gũnstəx] envious.
wangzak ['vaŋzak] m cheek-pouch.
wanhoop ['vanho.p] v despair; uit ∼ in despair.
wanhoopsdaad [-ho.psda.t] v act of despair.
wanhoopskreet [-kre.t] m cry of despair.
wanhopen ['vanho.pə(n)] vi despair; ∼ aan despair of.
wanhopig [van'ho.pəx] aj (& ad) desperate(ly), despairing(ly); iemand ∼ maken drive one to despair; ∼ worden give way to despair; ∼ zijn be in despair.
wankel ['vankəl] unstable, unsteady; rickety [chairs &].
wankelbaar [-ba:r] unstable, unsteady, changeable; ∼ evenwicht unstable equilibrium.
wankelbaarheid [-hɛit] v instability, unsteadiness, changeableness.
wankelen ['vankələ(n)] vi totter², stagger², shake²; fig waver, vacillate; een slag die hem deed ∼ a staggering blow; aan het ∼ brengen stagger², shake² [the world, his resolution]; fig make [him] waver; aan het ∼ raken (begin to) waver².
wankeling [-lɪŋ] v tottering; fig wavering, vacillation.
wankelmoedig [vankəl'mu.dəx] wavering, vacillating, irresolute.
wankelmoedigheid [-hɛit] v wavering, vacillation, irresolution.
wanklank ['vanklaŋk] m discordant sound, dissonance; fig jarring note.
wanluidend [van'lœydənt] dissonant, jarring.
wanluidendheid [-hɛit] v dissonance.
wanmolen ['vanmo.lə(n)] m winnowing-mill.
wanneer [va'ne:r] I ad when; II cj when; (in dien) if.

wannen ['vanə(n)] *vt* winnow, fan.
wanner [-nər] *m* winnower.
wanorde ['vanordə] *v* disorder; *in ~ brengen* throw into disorder, disarrange; *in ~ terugtrekken* retreat in disorder.
wanordelijk [van'ordələk] disorderly.
wanordelijkheid [-hɛit] *v* disorderliness; *wanordelijkheden* disturbances.
wanschapen [van'sxa.pə(n)] misshapen, deformed, monstrous.
wanschapenheid [-hɛit] *v* deformity, monstrosity.
wanschepsel ['vansxɛpsəl] *o* monster.
wansmaak ['vansma.k] *m* bad taste.
wanstaltig [van'staltəx] misshapen, deformed.
wanstaltigheid [-hɛit] *v* deformity.
1 **want** [vant] *v* (vuisthandschoen) mitten.
2 **want** [vant] *o* 1 ⚓ rigging; 2 (vis~) nets; *lopend ~* running rigging; *staand ~* standing rigging.
3 **want** [vant] *cj* for.
wanten ['vantə(n)] in: *hij weet van ~* F he knows the ropes.
wantoestand ['vantu.stant] *m* abuse.
wantrouwen [-trouə(n)] I *vt* distrust; suspect; II *o* distrust (of *in*); suspicion; zie ook: *motie*.
wantrouwend [van'trouənt] zie *wantrouwig*.
wantrouwig [-əx] I *aj* distrustful; suspicious; II *ad* distrustfully; suspiciously.
wantrouwigheid [-hɛit] *v* distrustfulness; suspiciousness.
wants [vants] *v* 🐛 bug.
wanverhouding ['vanvərhoudiŋ] *v* disproportion; *~en* abuses.
wapen ['va.pə(n)] *o* 1 weapon, arm; 2 arm of service, arm; 3 ☒ arms, coat of arms; *het ~ der infanterie, artillerie* ook: the infantry, artillery arm; *de ~s dragen* bear arms; *de ~s (~en) opnemen* of *opvatten* take up arms; *bij welk ~ dient hij?* in what arm is he?; *hoog in zijn ~ zijn* carry it high; *onder de ~s komen* ⚔ join the army; *onder de ~s roepen* ⚔ call up; *onder de ~s staan (zijn)* ⚔ be under arms; *te ~!* to arms!; *te ~ snellen* spring to arms.
wapenboek [-bu.k] *o* ☒ armorial.
wapenbroeder [-bru.dər] *m* brother in arms, companion in arms, comrade in arms, fellow-soldier.
wapendrager [-dra.gər] *m* ☒ armour-bearer, squire.
wapenen ['va.pənə(n)] I *vt* arm; II *vr* *zich ~* arm oneself, arm; *zich ~ tegen* arm against².
wapenfabriek ['va.pə(n)fa.bri.k] *v* arms factory.
wapenfabrikant [-fa.bri.kant] *m* arms manufacturer.
wapenfeit [-fɛit] *o* feat of arms.
wapengekletter [-gəklɛtər] *o* clash (clang, din) of arms.
wapengeweld [-gəvɛlt] *o* force of arms.

wapenhandel [-handəl] *m* 1 ⚔ use of arms; 2 💲 trade in arms, > arms traffic.
wapenhandelaar [-handəla:r] *m* arms dealer.
wapening ['va.pəniŋ] *v* ⚔ arming, armament, equipment.
wapenkamer ['va.pə(n)ka.mər] *v* armoury.
wapenkoning [-ko.niŋ] *m* ☒ king-of-arms.
wapenkreet [-kre.t] *m* ⚔ call to arms.
wapenkunde [-kŭndə] *v* ☒ heraldry.
wapenkundig [-kə(n)'kŭndəx] ☒ 1 heraldic; 2 versed in heraldry.
wapenkundige [-'kŭndəgə] *m* ☒ heraldist.
wapenmagazijn ['va.pə(n)ma.ga.zɛin] *o* ⚔ arsenal.
wapenrek [-rɛk] *o* ⚔ arm-rack.
wapenrok [-rɔk] *m* 1 ⚔ tunic; 2 ⚙ coat of mail.
wapenrusting [-rŭstiŋ] *v* ⚙ (suit of) armour.
wapenschild [-sxilt] *o* ☒ escutcheon, scutcheon, armorial bearings, coat of arms.
wapenschorsing [-sxorsiŋ] *v* ⚔ truce.
wapenschouwing [-sxouiŋ] *v* ⚔ review.
wapensmid [-smit] *m* armourer.
wapenspreuk [-sprø.k] *v* ☒ device.
wapenstilstand [-stilstant] *m* ⚔ armistice.
wapenstok [-stɔk] *m* (policeman's) truncheon.
wapentuig [-tœyx] *o* weapons, arms.
wapenzaal [-za.l] *v* armoury.
wapperen ['vapərə(n)] *vi* wave, float, fly, flutter, stream.
war [var] *in de ~* tangled, in a tangle, in confusion, confused; *iemand in de ~ brengen* put him out, confuse him; *in de ~ gooien (sturen)* derange [plans]; upset, spoil [everything]; *de boel in de ~ gooien* ook: make a mess of it; *in de ~ maken* 1 (personen) put out, confuse; 2 (dingen) disarrange [things]; tangle [threads, hair]; tumble, rumple [clothes, hair]; *in de ~ raken* 1 (v. personen) be put out; 2 (v. dingen) get entangled [of thread &], get mixed up, be thrown into confusion [of things]; *in de ~ zijn* 1 (v. persoon) be put out, be at sea; be (mentally) deranged; 2 (v. dingen) be in confusion, be in a tangle, be at sixes and sevens; *uit de ~ maken* disentangle.
warande [va:'randə] *v* park, pleasure-grounds.
waratje [va:'racə] F zie *waarachtig* II.
warboel ['varbu.l] *m* confusion, muddle, mess, tangle, mix-up.
warempel [va:'rɛmpəl] zie *waarachtig* II.
1 **waren** ['va.rə(n)] *mv* wares, goods, commodities.
2 **waren** ['va.rə(n)] *vi* zie *rondwaren*.
warenhuis [-hœys] *o* department store(s), stores.
warenwet [-vɛt] *v* food and drugs act.
wargeest ['vargə.st] *m* **warhoofd** [-ho.ft] *o* & *m-v* muddle-head.
warhoop [-ho.p] *m* confused heap.
waringin [va:'riŋin] *m Ind* 🌳 1 banyan (tree) [Ficus Benjamina]; 2 pagoda tree [Ficus religiosa].

warkruid ['varkrœyt] o ☘ dodder.

warm [varm] I aj warm² [food &, friend, partisan, thanks, welcome], hot² [water &]; ~e baden 1 hot baths; 2 thermal baths; ~e bron thermal spring; je bent ~! sp you are warm (hot)!; het wordt ~ 1 it is getting warm; 2 the room is warming up; het ~ hebben be warm; het eten ~ houden keep dinner warm; het iemand ~ maken make things hot for one; II ad warmly², hotly²; ~ aanbevelen recommend warmly; ~ lopen ⚡ run hot, heat; fig warm up; het zal er ~ toegaan it will be hot work.

warmbloedig ['varmblu.dəx] warm-blooded.

warmen ['varmə(n)] I vt warm, heat; II vr zich ~ (aan) warm oneself (at); warm je eerst eens have a warm first.

warming [-mɪŋ] v warming.

warmoezenier [varmu.zə'ni:r] m market-gardener.

warmoezerij [-'rɛi] v market-garden.

warmpjes ['varmpjəs] zie warm II & inzitten.

warmte ['varmtə] v warmth², heat, ardour²; gebonden ~ latent heat; bij zulk een ~ in such hot weather, in such a heat; met ~ (verdedigen &) warmly.

warmtebron [-brɔn] v source of heat.

warmteëenheid [-e.nhɛit] v thermal unit, calorie.

warmtegeleider [-gəlɛidər] m conductor of heat.

warmtegeleiding [-dɪŋ] v conduction of heat.

warmtegraad [-gra.t] m degree of heat.

warmteleer [-le:r] v theory of heat.

warmtemeter [-me.tər] m thermometer; calorimeter.

warmwaterkraan [varm'va.tərkra.n] v hot-water tap (cock).

warmwaterreservoir [varm'va.tərə.zɛrvva:r] o (water-)heater.

warnet ['varnɛt] o maze, labyrinth.

warrelen ['varələ(n)] vi whirl.

warreling [-lɪŋ] v whirl(ing).

warrelwind ['varəlvɪnt] m whirlwind.

warren ['varə(n)] vt in: door elkaar ~ entangle.

wars [vars] in: ~ van averse to (from).

Warschau ['varʃəu] o Warsaw.

wartaal ['varta.l] v incoherent talk, gibberish.

wartel ['vartəl] m ⚓ swivel.

warwinkel ['varvɪŋkəl] m zie warboel.

1 was [vas] m rise [of a river].

2 was [vas] m & o wax; slappe ~ ⚒ dubbin(g).

3 was [vas] m wash, laundry; schone ~ clean linen; vuile ~ soiled linen; zij doet zelf de ~ she does the washing herself; het blijft goed in de ~ it will wash; it doesn't shrink in the wash; goed in de ~ doen send linen to the wash.

wasachtig ['vasaxtəx] waxy. [wash.

wasafdruk [-afdrŭk] m impression in wax.

wasautomaat [-o.to.-, əuto.ma.t] m (automatic) washing-machine.

wasbaar [-ba:r] zie wasecht.

wasbaas [-ba.s] m washerman, laundryman.

wasbak [-bak] m 1 wash-bowl; 2 trough [for washing ore].

wasbeer [-be:r] m ⚘ raccoon.

wasdag [-dax] m washing-day, wash-day.

wasdoek [-du.k] o & m oilcloth.

wasdom [-dɔm] m growth.

wasecht [-ɛxt] washable, fast-dyed, fast [colours], washing [silk, frock]; fig true-blue; is het ~? does it wash?

wasem ['va.səm] m vapour, steam.

wasemen ['va.səmə(n)] vi steam.

wasgeel ['vasgɛ.l] as yellow as wax.

wasgeld [-gɛlt] o 1 laundry charges, washing-money; 2 laundry allowance; 2 gld. ~ per week 2 guilders for washing.

wasgoed [-gu.t] o things for the wash.

washandje [-hanɔ] o washing-glove.

washok, washuis [-hɔk, -hœys] o wash-house.

wasinrichting [-ɪnrɪxtɪŋ] v laundry(-works).

waskaars [-ka:rs] v wax candle, taper.

waskan [-kan] v ewer, jug.

wasketel [-ke.təl] m wash-boiler.

wasklem [-klɛm] v zie wasknijper.

waskleur [-klø:r] v wax colour.

waskleurig [-klø:rəx] wax-coloured.

wasknijper [-knɛipər] m clothes-peg, clothes-pin.

waskom [-kɔm] v wash-basin, wash-hand basin.

waskuip [-kœyp] v washing-tub, wash-tub.

waslicht [-lɪxt] o wax-light.

waslijn [-lɛin] v clothes-line.

waslijst [-lɛist] v wash-list, laundry list.

waslucifer [-ly.si.fɛr] m wax-match, (wax-) vesta.

wasmachine [-ma.ʃi.nə] v washing-machine.

wasman [-man] m washerman, laundryman.

wasmand [-mant] v laundry-basket.

wasmiddel [-mɪdəl] o detergent.

waspitje [-pɪcə] o night-light.

waspoeder, -poeder [-pu.dər, -pu.jər] o & m washing-powder.

1 wassen ['vasə(n)] vi 1 (groeien) grow; 2 rise [of a river]; de maan is aan het ~ the moon is on the increase (is waxing).

2 wassen ['vasə(n)] vt wax.

3 wassen ['vasə(n)] I vt 1 wash [one's hands, dirty linen &]; 2 wash up [plates]; 3 shuffle [cards, dominoes]; II va wash [for a living], take in washing; III vr zich ~ wash oneself; wash [before dinner &].

4 wassen ['vasə(n)] aj wax(en).

wassenbeeld [vasən'be.lt] o wax figure, dummy.

wassenbeeldenspel [-be.ldə(n)spɛl] o waxwork show, waxworks.

wasser ['vasər] m washer.

wasserij [vasə'rɛi] v laundry(-works); automatische ~ launderette.

wasstel ['vastɛl] o toilet-service, toilet-set.

wastafel ['vasta.fəl] v wash-stand, wash-hand stand.

wastobbe [-tɔbə] v washing-tub, wash-tub.

wasvrouw [-frǝu] v washerwoman, laundress.

waswater [-va.tǝr] o wash-water, washing-water.

wat [vɑt] I *vragend vnmw* 1 (in vragende zinnen) what; ~ *is er?* what is the matter?; ~ *zegt hij?* what does he say?; *mooi, ~?* F fine, what?; ~ *nieuws?* what news?; ~ *voor een man is hij?* what man (what sort of man) is he?; *ik weet ~ voor moeilijkheden er zijn* I know what difficulties there are; ~, *meent u het?* what, do you really mean it?; *wel, ~ zou dat?* well, what of it?, what's the odds?; *en al zijn we arm, ~ zou dat?* what though we are poor?; *en ~ al niet* and what not; 2 (in uitroepende zinnen) what; ~ *een mooie bomen!* what fine trees!; ~ *een idee!* what an idea!; ~ *was ik blij!* how glad I was!; ~ *liepen ze!* how they did run!; ~ *mooi & !* how fine!; *hij liep & van ~ ben je me all* he could; II *onbep. vnmw.* something; *het is me ~!* it is something awful!; *ja, jij weet ~ !* F fat lot you know!; ~ *hij zegt* what he says; *hij zei ~* he said something; ~ *hij ook zei, ik...* whatever he said I...; *voor ~ hoort ~* nothing for nothing; ~ *nieuws* something new; ~ *papier* some paper; III *betr. vnmw.* what; which; that; *alles ~ ik heb* all (that) I have; *doe ~ ik zeg* do as I say; *hij zei dat hij 't gezien had, ~ een leugen was* he said he had seen it, which was a lie; IV *ad* 1 (een beetje) a little; 2 (heel erg) very, quite; *hij was ~ beter* a little better; *hij was ~ blij* he was very glad, F that pleased; *het is ~ leuk* awfully funny; *heel ~ last* a good deal (a lot) of trouble; *heel ~ mensen* a good many (quite a few) people; *dat is heel ~* that is quite a lot, that is saying a good deal; *het scheelt heel ~* it makes quite a difference; *hij kent vrij ~* he knows a pretty lot of things.

watblief [vɑ(t)'bli.f] 1 (bij niet verstaan) beg pardon?; 2 (bij verbazing) what did you say?, what?, F how much?

water ['va.tǝr] o water; (waterzucht) dropsy; *de ~en van Nederland* the waters of Holland; *stille ~s hebben diepe gronden* still waters run deep; *het ~ komt je ervan in je mond* it makes your mouth water; *Gods ~ over Gods akker laten lopen* let things drift, let things take their course; *er zal nog heel wat ~ door de Rijn lopen, eer het zover is* much water will have to flow under the bridge; *er valt ~* it is raining; ~ *en melk* milk and water [*fig*]; *ze zijn als ~ en vuur* they are at daggers drawn; ~ *in zijn wijn doen* water one's wine; *fig* climb down; ~ *naar (de) zee dragen* carry coals to Newcastle; *het ~ hebben* suffer from dropsy; *het ~ in de knieën hebben* have water on the knees; ~ *inkrijgen* 1 (drenkeling) swallow water; 2 & (schip) make water; ~ *maken* & make water; ~ *treden* tread water; *bij laag ~* at low water, at low tide; *het hoofd (zich) boven ~ houden* keep one's head

above water; *hij is weer boven ~* he is above water again; *weer boven ~ komen* turn up again; *in het ~ vallen* fall into the water; *fig* fall to the ground, fall through; *in troebel ~ vissen* fish in troubled waters; *onder ~ lopen* be flooded; *onder ~ staan* be under water, be flooded; *onder ~ zetten* inundate, flood; *op ~ en brood zetten (zitten)* put (be) on bread and water; *te ~ gaan, zich te ~ begeven* take the water; *een schip te ~ laten* & launch a vessel; *het verkeer te ~* by water; *te ~ en te land* by sea and land; *een diamant (een schurk) van het zuiverste ~* a diamond (a rascal) of the first water.

waterachtig ['va.tǝrɑxtǝx] watery[2], § aqueous.

waterafvoer [-ɑfu:r] m water-drainage.

waterbak [-bɑk] m 1 cistern, tank; water-trough [for horses]; 2 urinal.

waterbewoner [-bǝvo.nǝr] m aquatic animal.

waterbloem [-blu.m] ¥ & aquatic flower.

waterbouwkunde [-bǝukŭndǝ] v hydraulics, hydraulic engineering.

waterbouwkundig [va.tǝrbǝu'kŭndǝx] aj (& ad) hydraulic(ally).

waterbouwkundige [-dǝgǝ] m hydraulic engineer.

waterchocola(de) ['va.tǝrʃo.ko.la.(dǝ)] m chocolate prepared with water.

watercloset [-klo.zɛt] o water-closet.

waterdamp [-dɑmp] m (water-)vapour.

waterdeeltje [-de.lcǝ] o water-particle, particle of water.

waterdicht [-dɪxt] 1 impermeable to water; 2 (v. kleren) waterproof; 3 (v. beschotten &) watertight; ~ *(be)schot* watertight bulkhead.

waterdier [-di:r] o aquatic animal.

waterdrager [-dra.gǝr] m water-carrier.

waterdroppel [-drɔpǝl] = *waterdruppel*.

waterdruk [-drŭk] m water-pressure.

waterdruppel [-drŭpǝl] m drop of water, water-drop.

wateremmer [-ɛmǝr] m water-pail.

wateren ['va.tǝrǝ(n)] I *vt* water; II *vi* make water, urinate.

watergeest ['va.tǝrge.st] m water-sprite.

watergehalte [-gǝhɑltǝ] o percentage of water.

watergekoeld [-gǝku.lt] water-cooled.

watergeneeswijze [-gǝne.svɛizǝ] v hydropathy.

watergeus [-gø.s] m ⊕ Water-Beggar; *de watergeuzen* ook: the Beggars of the Sea.

waterglas [-glɑs] o 1 (om uit te drinken) drinking-glass, tumbler; (voor urine) urinal; 2 (stof) water-glass, soluble glass.

watergod [-gɔt] m water-god.

watergodin [-go.dɪn] v naiad, nereid.

watergolf [-gɔlf] v water-wave.

watergolven [-gɔlvǝ(n)] vt water-wave.

waterhoen [-hu.n] o & water-hen.

waterhoofd [-ho.ft] o hydrocephalus; *hij heeft een ~* he has water on the brain.

waterhoudend [-hǝudǝnt] aqueous.

waterig ['ʋa.tərəx] watery[2], § aqueous.
waterigheid [-ɦɛit] v wateriness[2].
waterjuffer ['ʋa.tərjʏfər] v dragon-fly.
waterkan [-kɑn] v ewer, jug.
waterkant [-kɑnt] m water's edge, water-side.
waterkaraf [-ka.rɑf] v water-bottle.
waterkering [-ke:rɪŋ] v weir, dam.
waterkers [-kɛrs] v ☘ watercress.
waterketel [-ke.təl] m water-kettle.
waterkloset zie *watercloset.*
waterkoeling [-ku.lɪŋ] v water-cooling; *motor met ~* water-cooled engine.
waterkolom [-ko.lòm] v column of water.
waterkom [-kòm] v bowl, water-basin.
waterkoud [-kout] damp cold.
waterkraan [-kra.n] v water-tap, water-cock.
waterkracht [-krɑxt] v water-power.
waterkrachtcentrale [-sɛntra.lə] v hydro-electric power-station.
waterkruik ['ʋa.tərkrœyk] v pitcher.
waterkuur [-ky:r] v water-cure, hydropathic cure.
waterlaarzen [-la:rzə(n)] mv waders.
waterlanders [-lɑndərs] mv F tears; *de ~ kwamen voor de dag* he turned on the waterworks.
waterleiding [-lɛidɪŋ] v waterworks; aqueduct; *er is geen ~ (in huis)* there is no piped water, no water-supply; zie ook ↓.
waterleidingbuis [-lɛidɪŋbœys] v conduit-pipe.
waterlelie [-le.li.] v ☘ water-lily.
waterlijn [-lɛin] v water-line°.
waterlinie [-li.ni.] v ⚓ & ⚔ water-line.
waterloop [-lo.p] m watercourse.
waterloos [-lo.s] waterless.
waterlozing [-lo.zɪŋ] v 1 drain(age); 2 urination.
waterman [-mɑn] m waterman; *de Waterman* ✷ the Water-bearer, Aquarius.
watermassa [-mɑsa.] v mass of water.
watermeloen [-məlu.n] m & v ☘ water-melon.
watermerk [-mɛrk] o watermark, water-line.
watermeter [-me.tər] m water-meter.
watermolen [-mo.lə(n)] m 1 water-mill [worked by water-wheel]; 2 draining-mill.
waternimf [-nɪmf] v water-nymph, naiad.
waternood [-no.t] m want of water, water-famine.
waterpas [-pɑs] I o water-level; II aj level.
waterpassen [-pɑsə(n)] I vt level, grade; II va take the level; III o het ~ levelling.
waterpeil [-pɛil] o 1 watermark; 2 (werktuig) water-gauge.
waterpest [-pɛst] v ☘ water-thyme.
waterpijp [-pɛip] v water-pipe.
waterplaats [-pla.ts] v 1 urinal; 2 horse-pond; 3 watering-place [for ships].
waterplant [-plɑnt] v aquatic plant, water-plant.
waterplas [-plɑs] m puddle.
waterpokken [-pɔkə(n)] mv chicken-pox.
waterpolo [-po.lo.] o sp water-polo.
waterproef, waterproof [-pru.f] I aj waterproof; II o waterproof.

waterrad ['ʋa.tərɑt] o water-wheel.
waterrat ['ʋa.tərɑt] v 1 ᴢᴏ water-vole; 2 fig water-dog.
waterreservoir ['ʋa.tərə.zɛrvʋa:r] o water-tank.
waterrijk [-rɛik] watery, abounding with water.
waterrot [-rɔt] v zie *waterrat.*
watersalamander ['ʋa.tərsa.la.mɑndər] m ᴢᴏ newt.
waterschade [-sxa.də] v damage caused by water.
waterschap [-sxɑp] o 1 body of surveyors of the dikes; 2 jurisdiction of the water-board.
waterscheiding [-sxɛidɪŋ] v watershed, water-parting.
waterschouw [-sxou] m inspection of canals.
waterschuw [-sxy:u] afraid of water.
waterschuwheid [-hɛit] v hydrophobia.
waterski ['ʋa.tərski.] I m (een ski) water ski; 2 o (de sport) water-skiing.
waterskiën [-ski.ə(n)] vi water-ski.
waterskiër [-ski.ər] m water-skier.
waterslang [-slɑŋ] v water-snake.
watersnip [-snɪp] v ⬥ snipe.
watersnood ['ʋa.tərsno.t] m inundation, flood(s).
waterspiegel ['ʋa.tərspi.ɡəl] m water-level.
waterspin [-spɪn] v water-spider.
watersport [-spɔrt] v aquatic sports.
waterspuwer [-spy.ʋər] m gargoyle.
waterstaat [-sta.t] m ± Department of Buildings and Roads.
waterstand [-stɑnt] m height of the water, level of the water, water-level; *bij hoge (lage) ~* at high (low) water.
waterstof [-stɔf] v hydrogen.
waterstofbom [-stɔfbòm] v hydrogen bomb.
waterstofgas [-stɔfgɑs] o hydrogen gas.
waterstraal [-stra.l] m & v jet of water.
watertanden [-tɑndə(n)] vi in: *het doet mij ~, ik watertand ervan* it makes my mouth water.
watertank [-tɛŋk] m water-tank.
watertaxi [-tɑksi.] m taxi-boat, water taxi.
watertje [-cə] o 1 streamlet; 2 (eye-, hair-) wash.
watertocht [-tɔxt] m trip by water, water-excursion.
waterton [-tòn] v water-cask.
watertoren [-to:rə(n)] m water-tower.
waterval [-vɑl] m (water)fall, cataract; (klein) cascade.
watervat [-vɑt] o water-cask.
waterverband [-vərbɑnt] o wet compress.
waterverf [-vɛrf] v water-colour(s).
waterverplaatsing [-vərpla.tsɪŋ] v displacement [of a ship].
watervlak [-vlɑk] o sheet of water.
watervlek [-vlɛk] v water-stain.
watervliegtuig [-vli.xtœyx] o ✈ sea-plane, hydroplane.
watervlo [-vlo.] v water-flea.
watervloed [-vlu.t] m great flood, inundation.
watervogel [-vo.ɡəl] m water-bird, aquatic bird.

watervoorziening [-vo:rzi.nɪŋ] *v* water supply.

watervrees [-vre.s] *v* hydrophobia.

watervrij [-vrɛi] free from water.

waterweg [-vɛx] *m* waterway, water-route; *de Nieuwe Waterweg* the New Waterway.

waterwerken [-vɛrkə(n)] *mv* I bridges, canals, sluices &; 2 fountains, ornamental waters.

waterwilg [-vɪlx] *m* ♣ water-willow.

waterzak [-zɑk] *m* water-bag.

waterzucht [-zŭxt] *v* dropsy.

waterzuchtig [va.tər'zŭxtəx] dropsical.

waterzuil [va.tərzœyl] *v* column of water.

watje ['vɑcə] *o* wad of cotton-wool.

watjekouw [-kəu] *m* F box on the ear, cuff.

I **watten** ['vɑtə(n)] *mv* I wadding [for padding]; 2 cotton-wool [for medical purposes]; *met ~ voeren* wad, quilt.

2 **watten** ['vɑtə(n)] *aj* cotton-wool [beard].

watteren [vɑ'te:rə(n)] *vt* wad, quilt.

wauwelaar ['vɔuələ:r] *m* ~ster [-stər] *v* twaddler, driveller; chatterbox.

wauwelen [-lə(n)] *vi* twaddle, drivel; chatter.

wauwelpraat ['vɔuəlpra.t] *m* twaddle, drivel, rot.

wazig [va.zəx] hazy.

wazigheid [-hɛit] *v* haziness.

W.C. [ve.'se.] *v* lavatory, w.c.

we [və] zie *wij*.

web [vɛp] *o* web.

weck [vɛk] *m* I preservation; 2 (het geweckte) preserves.

wecken ['vɛkə(n)] *vt* preserve.

weckfles ['vɛkfləs] *v* preserving-bottle.

weckglas [-glɑs] *o* preserving-jar.

wed [vɛt] *o* I (waadplaats) ford; 2 (drinkplaats) (horse-)pond, watering-place.

wed. = *weduwe*.

wedde ['vɛdə] *v* salary, pay.

wedden ['vɛdə(n)] *vi* bet, wager, lay a wager; *durf je met me ~?* will you wager anything?; *ik wed met je om tien tegen één* I'll bet you ten to one; *ik wed met je om 100 pop dat...* I bet you a hundred guilders; *ik wed om wat je wil, dat...* I'll bet you anything that...; *~ op* bet on [a horse &]; *ik zou er niet op durven ~* I should not like to bet on it; *op het verkeerde paard ~* put one's money on the wrong horse[2]; *ik wed van ja* I bet you it is; *ik wed dat de hele straat het weet* I bet the whole street knows it.

weddenschap [-sxɑp] *v* wager, bet; *een ~ aangaan* lay a wager, make a bet; *de ~ aannemen* take the bet, take the odds.

wedder ['vɛdər] *m* better, bettor, betting-man.

wede ['ve.də] *v* ♣ (& verfstof) woad.

I **weder** ['ve.dər] *o* = 2 *weer*.

2 **weder** ['ve.dər] *ad* = 4 *weer*.

wederantwoord [-ɑntvo:rt] *o* reply.

wederdienst [-di.nst] *m* service in return; *iemand een ~ bewijzen* do one a service in return; *(gaarne) tot ~ bereid* ready to reciprocate.

wederdoper [-do.pər] *m* anabaptist.

wederga(de) [-ga.(də)] *v* zie *weerga*.

wedergeboorte [-gəbo:rtə] *v* re-birth, regeneration.

wedergeboren [-gəbo:rə(n)] born again, regenerate.

wedergeven [-ge.və(n)] = *weergeven*.

wederhelft [-hɛlft] *v* J better half.

wederhoor [-ho:r] *o* in: *het hoor en ~ toepassen* hear both sides.

wederik ['ve.dərik] *m* ♣ loosestrife.

wederkeren ['ve.dərke:rə(n)] = *weerkeren*.

wederkerend [ve.dər'ke:rənt] *gram* reflexive.

wederkerig ['ve.'ke:rəx] *aj* (& *ad*) mutual(ly), reciprocal(ly)[2]; *~ voornaamwoord gram* reciprocal pronoun.

wederkerigheid [-hɛit] *v* reciprocity.

wederkomen ['ve.dərko.mə(n)] = *weerkomen*.

wederkomst ['ve.dərkòmst] *v* return.

wederkrijgen [-krɛigə(n)] = *weerkrijgen*.

wederliefde [-li.vdə] *v* love in return; *~ vinden* be loved in return.

wederom [ve.də'ròm] I (nog eens, opnieuw) again, once again, anew, once more, a second time; 2 (terug) back.

wederopbouw [ve.dər'òpbəu] *m* rebuilding[2], reconstruction[2].

wederopbouwen [-ə(n)] *vt* rebuild[2], reconstruct[2].

wederopstanding [ve.dər'òpstɑndɪŋ] *v* resurrection.

wederopzeggens [-sɛgəns] *tot ~* until further notice.

wederpartij ['ve.dərpɑrtɛi] *v* zie *tegenpartij*.

wederrechtelijk [ve.də'rɛxtələk] *aj* (& *ad*) illegal(ly), unlawful(ly).

wederrechtelijkheid [-hɛit] *v* illegality, unlawfulness.

I **wedervaren** [ve.dər'va.rə(n)] *vi* befall; *wat mij is ~* what has befallen me, my experiences; zie ook: 2 *recht*.

2 **wedervaren** [-'va.rə(n)] *o* adventure(s), experience(s); *zijn ~ ook:* what has (had) befallen him.

wedervergelden ['ve.dərvərgɛldə(n)] *vt* in: *iemand iets ~* I retaliate upon a person; 2 recompense (reward) one for something.

wedervergelding [-dɪŋ] *v* I retaliation; 2 recompense, reward.

wederverkoper ['ve.dərvərko.pər] *m* S retail dealer, retailer.

wedervinden [-vɪndə(n)] = *weervinden*.

wedervraag [-vra.x] *v* counter-question.

wederwaardigheid [ve.dər'va:rdəxhɛit] *v* vicissitude.

wederwoord ['ve.dərvo:rt] *o* answer, reply.

wederwraak [-vra.k] = *weerwraak*.

wederzijds [-zi.n] = *weerzien*.

wederzijds ['ve.dərzɛits] *aj* (& *ad*) mutual(ly).

wedijver ['vɛtɛivər] *m* emulation, competition, rivalry.

wedijveren [-vərə(n)] *vi* vie, compete; *~ met* vie with, compete with, emulate, rival.

wedloop ['vɛtlo.p] *m* running-match, race[2].

wedr. = *weduwnaar*.

wedren [-rɛn] *m* race.

wedstrijd [-strɛit] *m* match, [athletic, beauty] contest, competition; [tennis] tournament; [sailing, ski, sprint] race.

weduwe ['ve.dy.və] *v* widow; *onbestorven ~* grass widow.

weduwenfonds [-və(n)fònts] *o* -kas [-kɑs] *v* widows' fund.

weduwenpensioen [-pɛnsi.u.n] *o* widow's pension.

weduwgift ['ve.dy.ugɪft] *v* jointure.

weduwnaar [-na:r] *m* widower; *onbestorven ~* grass widower.

weduwnaarschap [-na:rsxɑp] *o* widowerhood.

weduwschap [-sxɑp] *o* -staat [-sta.t] *m* widowhood.

weduwvrouw [-vrɔu] *v* widow(-woman).

wee [ve.] I *o* & *v* woe; II *aj* sickly [smell]; *~ zijn* feel bad, feel sick; be faint [with hunger]; III *ij ~ mij !* woe is me!; *~ u !* woe be to you!; *~ je gebeente als...!* unhappy you, if...!; *o ~!* o dear!

weefgetouw ['ve.fgətou] *o* weaving-loom, loom.

weefkunst [-kűnst] *v* textile art.

weefsel [-səl] *o* tissue, texture, fabric, weave.

weefspoel [-spu.l] *v* shuttle.

weefster [-stər] *v* weaver.

weefstoel [-stu.l] *m* loom.

weegbree ['ve.xbre.] *v* ♃ plantain.

weegbrug [-brűx] *v* weigh-bridge, weighing-machine.

weeghaak [-ha.k] *m* weigh-beam, steelyard.

weegloon [-lo.n] *o* weighage.

weegmachine [-ma.ʃi.nə] *v* weighing-machine.

weegs [ve.xs] in: *ga uws ~* go thy ways; *hij ging zijns ~* he went his way; *elk ging zijns ~* they went their separate ways; *een eind ~ vergezellen* accompany part of the way.

weegschaal ['ve.xsxa.l] *v* (pair of) scales, balance; *de Weegschaal* ✳ Libra.

weegstoel [-stu.l] *m* weighing-chair.

1 week [ve.k] *v* week; *de volgende ~* next week; *de vorige ~* last week; *witte ~* $ white sale; *de ~ hebben* be on duty for the week; *door de ~, in de ~* during the week; *om de ~* every week; *om de andere ~* every other week; *over een ~* a week hence, in a week; *vandaag (vrijdag &) over een ~* to-day (Friday) week; *voor een ~* 1 for a week; 2 a week ago.

2 week [ve.k] *aj* soft, *fig* soft, tender, weak; *~ maken* soften[2]; *~ worden* soften[2].

3 week [ve.k] *v* in: *in de ~ staan* lie in soak; *in de ~ zetten* put in soak.

weekbericht ['ve.kbərɪxt] *o* weekly report.

weekbeurt [-bø:rt] *v* weekly turn; *de ~ hebben* be on duty for the week.

weekblad [-blɑt] *o* weekly (paper).

weekdier [-di:r] *o* mollusc.

weekend ['vi.kɛnt] *o* week end.

weekenden [-ɛndə(n)] *vi* week-end.

weekgeld ['ve.kgɛlt] *o* 1 weekly allowance; 2 weekly pay, weekly wages.

weekhartig [ve.k'hartəx] soft-hearted, tender-hearted.

weekhartigheid [-hɛit] *v* soft-heartedness, tender-heartedness.

weekheid [-hɛit] *v* softness.

weekhuur [-hy:r] *v* weekly rent.

weeklacht ['ve.klɑxt] *v* lamentation, lament, wailing.

weeklagen [-kla.gə(n)] *vi* lament, wail; *~ over* lament, bewail.

weekloon ['ve.klo.n] *o* weekly wages.

weekmarkt [-mɑrkt] *v* weekly market.

weekstaat [-sta.t] *m* weekly report, weekly return.

weelde ['ve.ldə] *v* 1 (luxe) luxury; 2 (overvloed) affluence, abundance, opulence, wealth; 3 luxuriance [of vegetation]; 4 (dartelheid) wantonness; *er was een ~ van bloemen* a wealth of flowers; *...is een ~ voor een moeder* ...is the highest bliss to a mother; *ik kan mij die ~ (niet) veroorloven* I can(not) afford it.

weeldeartikel [-ɑrti.kəl] *o* article of luxury; *~en ook:* luxuries.

weeldebelasting [-bəlɑstɪŋ] *v* luxury tax.

weelderig [-rəx] 1 (luxueus) luxurious; 2 (welig tierend) luxuriant; 3 (dartel) wanton.

weelderigheid [-hɛit] *v* 1 luxuriousness, luxury; 2 luxuriance [of vegetation]; 3 wantonness.

weemoed ['ve.mu.t] *m* sadness, melancholy.

weemoedig [ve.'mu.dəx] I *aj* sad, melancholy; II *ad* sadly.

weemoedigheid [-hɛit] *v* sadness, melancholy.

Weens [ve.ns] Vienna, Viennese.

1 weer [ve:r] *v* defence, resistance; *in de ~ zijn* be busy; be on the go [the whole day]; *zich te ~ stellen* defend oneself.

2 weer [ve:r] *o* weather; *mooi ~ spelen van zijn geld* F do the grand at his expense; *aan ~ en wind blootgesteld* exposed to wind and weather; *bij gunstig ~* weather permitting; *in ~ en wind, ~ of geen ~* in all weathers, wet or fine.

3 weer [ve:r] *m* ♈ wether.

4 weer [ve:r] *ad* again.

weerbaar ['ve:rba:r] defensible [stronghold]; [men] capable of bearing arms, able-bodied.

weerbarstig [ve:r'bɑrstəx] unruly, refractory.

weerbarstigheid [-hɛit] *v* unruliness, refractoriness.

weerbericht ['ve:rbərɪxt] *o* weather-report.

weerga ['ve:rga.] *v* equal, match, peer; *hun ~ is niet te vinden* they can't be matched; *als de ~!* like blazes!, (as) quick as lightning!; *loop naar de ~!* go to hell (to blazes)!; *om de ~ niet!* deuce a bit!; *wat ~!* (what) the deuce!; *zonder ~* matchless, unequalled, unrivalled, unparalleled.

weergaaf [-ga.f] = *weergave*.

weergaas [-ga.s] *aj* (& *ad*) devilish(ly), deuced-(ly).

weergalm [-galm] *m* echo.

weergalmen [ve:r'galmə(n)] *vi* resound, re-echo, reverberate; ~ *van* resound (ring, echo) with.

weergaloos ['ve:rga.lo.s] matchless, peerless, unequalled, unrivalled, unparalleled.

weergave [-ga.və] *v* reproduction; rendering.

weergeven [-ge.və(n)] *vt* return, restore; *fig* render [the expression, poetry in other words &]; reproduce [in one's own words, a sound &]; voice [feelings].

weerglas [-glas] *o* weather-glass, barometer.

weerhaak [-ha.k] *m* barb, barbed hook.

weerhaan [-ha.n] *m* weather-vane, weather-cock[2], *fig* time-server.

weerhouden [ve:r'həudə(n)] I *vt* keep back, restrain, check, stop; *dat zal mij niet* ~ *om* that will not keep me from ...ing; II *vr zich* ~ restrain oneself; *zich van lachen* ~ forbear laughing; *ik kon mij niet* ~ *het te zeggen* I could not refrain from saying it.

weerhuisje ['ve:rhœyʃə] *o* weather-house.

weerkaart [-ka:rt] *v* weather map, weather chart.

weerkaatsen [ve:r'ka.tsə(n)] I *vt* reflect [light, sound, heat]; reverberate [sound, light]; (re-)echo [sound]; II *vi* be reflected; reverberate; (re-)echo.

weerkaatsing [-sɪŋ] *v* reflection.

weerkeren ['ve:rke:rə(n)] *vi* return, come back.

weerklank ['ve:rklaŋk] *m* echo[2]; ~ *vinden* meet with a wide response.

weerklinken [ve:r'klɪŋkə(n)] *vi* ring again, re-sound, re-echo, reverberate; *schoten weerklonken* shots rang out.

weerkomen ['ve:rko.mə(n)] *vi* come back, return.

weerkrijgen [-kreigə(n)] *vt* get back, recover.

weerkunde [-kündə] *v* meteorology.

weerkundig [ve:r'kündəx] *aj* (& *ad*) meteorological(ly).

weerkundige [-'kündəgə] *m* meteorologist.

weerlegbaar [-'lexba:r] refutable.

weerleggen [-'lɛgə(n)] *vt* refute.

weerlegging [-gɪŋ] *v* refutation.

weerlicht ['ve:rlɪxt] *o* & *m* sheet lightning, heat lightning, summer lightning; *als de* ~ zie *weerga*.

weerlichten [-lɪxtə(n)] *vi* lighten [on the horizon].

weerlichts [-lɪxts] zie *weergaas*.

weerloos [-lo.s] defenceless.

weerloosheid [-hɛit] *v* defencelessness.

weermacht ['ve:rmaxt] *v* armed forces.

weermiddelen [-mɪdələ(n)] *mv* means of defence.

weerom [ve:'ròm] back; zie ook: *wederom*.

weeromstuit [-stœyt] *m* rebound; *van de* ~ *lachen* laugh again.

weerplicht ['ve:rplɪxt] *m* & *v* compulsory military service.

weerplichtig [ve:r'plɪxtəx] liable to military service.

weerprofeet ['ve:rpro.fe.t] *m* weather-prophet.

weersatelliet [-sa.tɛli.t] *m* weather satellite.

weerschein [-sxɛin] *m* reflex, reflection; lustre.

weerschijnen [-sxɛinə(n)] *vi* reflect.

weerschip [-sxɪp] *o* weather ship.

weersgesteldheid ['ve:rsgəstɛltheit] *v* state of the weather; *de* ~ (*van dit land*) the weather conditions; *bij elke* ~ in all weathers.

weerskanten [-kantə(n)] *aan* ~ on both sides, on either side; *aan* ~ *van* on either side of...; *van* ~ from both sides, on both sides.

weerspannig [ve:r'spanəx] recalcitrant, rebellious, refractory.

weerspannigheid [-hɛit] *v* recalcitrance, rebelliousness, refractoriness.

weerspiegelen [ve:r'spi.gələ(n)] I *vt* reflect, mirror; II *vr zich* ~ be reflected, be mirrored.

weerspiegeling [-lɪŋ] *v* reflection, reflex.

weerspreken [ve:r'spre.kə(n)] *vt* zie *tegenspreken*.

weerstaan [-'sta.n] *vt* resist, withstand, oppose.

weerstand ['ve:rstant] *m* resistance [of steel, air &, of person to...]; opposition; ~ *bieden* offer resistance; ~ *bieden aan* resist; *krachtig* ~ *bieden* make (put up) a stout resistance.

weerstandskas [-stantskas] *v* fighting-fund.

weerstandsvermogen [-fərmo.gə(n)] *o* (power of) resistance, endurance, staying power, stamina [of body, a horse].

weerstreven [ve:r'stre.və(n)] *vt* oppose, resist, struggle against, strive against.

weersverandering ['ve:rsfərandərɪŋ] *v* change of weather.

weersverwachting [-fərvaxtɪŋ] *v* weather-forecast.

weerszij(den) ['ve:rsɛi(də(n))] zie *weerskanten*.

weervaren [ve:r'va.rə(n)] = I *wedervaren*.

weerverwachting ['ve:rvərvaxtɪŋ] = *weersverwachting*.

weervinden [-vɪndə(n)] *vt* find again.

weervoorspeller [-vo.rspɛlər] *m* weather-prophet.

weervoorspelling [-lɪŋ] *v* weather-forecast.

weervraag ['ve:rvra.x] = *wedervraag*.

weerwijs [-vɛis] weather-wise.

weerwil [-vɪl] *in* ~ *van* in spite of, notwithstanding, despite, despite of.

weerwolf [-vòlf] *m* wer(e)wolf.

weerwoord [-vo:rt] = *wederwoord*.

weerwraak [-vra.k] *v* retaliation, revenge.

weerzien [-zi.n] I *vt* see again; II *o* meeting again; *tot* ~*s* till we meet again, F so long.

weerzin [-zɪn] *m* aversion, reluctance, repugnance; ~ *tegen* aversion to.

weerzinwekkend [ve:rzɪn'vekənt] revolting, repugnant, repulsive.

wees [ve.s] *m*-*v* orphan.

weesgegroet(je) [ve.sgə'gru.t (-'gru.cə)] *o* *RK* Hail Mary.

weeshuis ['ve.shœys] *o* orphan-house, orphan-age.

weesjongen [-jòŋə(n)] *m* orphan-boy.

weeskamer [-ka.mər] *v* 1 orphans' court; 2 (in Engeland) Court of Chancery.

weeskind [-kɪnt] *o* orphan (child).

weesmeisje [-mɛiʃə] *o* orphan-girl.

weesmoeder [-mu.dər] *v* matron of an orphanage.

weesvader [-fa.dər] *m* master of an orphanage.

weet [ve.t] *v* in: ~ *van iets hebben* be in the know; *het kind heeft al ~ van een en ander* the child takes notice already; *geen ~ van iets hebben* not be aware of a thing; *het aan de ~ komen* find out.

weetal ['ve.tɑl] *m* know-all, wiseacre.

weetgierig [ve.t'ɡi:rəx] desirous of knowledge, inquiring.

weetgierigheid [-heit] *v* desire of knowledge.

weetje ['ve.cə] *o* in: *zijn ~ weten* know what's what.

weetlust ['ve.tlŭst] *m* zie *weetgierigheid*.

weetniet [-ni.t] *m* know-nothing, ignoramus.

weeuwtje ['ve:ucə] *o* 1 widow; 2 ♃ zie *nonnetje*.

1 **weg** [vɛx] *m* way, road, path, route; *fig* way, road, course, channel, path, avenue; *de ~ afleggen* cover the distance; *de ~ van alle vlees gaan* go the way of all flesh; *zijn eigen ~ gaan* go one's own way; *deze ~ inslaan* take this road; *een andere ~ inslaan* take another road; *fig* take another course; *de slechte ~ opgaan* go [morally] wrong; ook: go to the bad; *dezelfde ~ opgaan* go the same way²; *fig* follow the rest; *het zal zijn ~ wel vinden* it is sure to find its way; *hij zal zijn ~ wel vinden* he is sure to make his way (in the world); *u kunt de ~ wel vinden, niet?* 1 you know your way, don't you?; 2 you know your way out, don't you?; ~ *noch steg weten* not know one's way at all; *hij weet ~ met zijn eten, hoor!* he can shift his food!; *geen ~ weten met zijn geld* not know what to do with one's money; *de ~ wijzen* show the way; *fig* point the way; *aan de ~ gelegen* skirting the road, by the roadside; *aan de ~ timmeren* make oneself conspicuous; *wie aan de ~ timmert, vindt veel berechts* he that buildeth in the street many masters hath to meet; *altijd bij de ~ zijn* be always gadding about; be always on the road [of commercial travellers]; *iemand in de ~ komen* get in a person's way, cross a man's path; *als niets in de ~ komt* if nothing interferes; *iemand iets in de ~ leggen* thwart a person; *ik heb hem niets (geen strobreed) in de ~ gelegd* I have never given him cause for resentment; *een zaak moeilijkheden in de ~ leggen* put obstacles in the way; *in de ~ staan* be in a man's way; *fig* stand in a man's light; stand in the way of a scheme &; *langs de ~* along the road; by the roadside; *langs dezelfde ~* by the same way; *langs deze ~* 1 in this way [*fig*]; 2 through the medium of this paper; *langs diplomatieke ~* through

diplomatic channels; *naar de bekende ~ vragen* ask what one knows already; *op ~* on his (her) way; *zich op ~ begeven, op ~ gaan* set out (for *naar*); *iemand op ~ helpen* give one a start; help him on; *het ligt niet op mijn ~* it is out of my way; *fig* it is not my business; *het ligt niet op mijn ~ om...* it is not for me to...; *op de goede (verkeerde) ~ zijn* be on the right (wrong) road; *mooi op ~ zijn om...* be in a fair way to...; *be well on the road to...*; *uit de ~!* out of the way there!, away!; *je moet hem uit de ~ blijven* keep out of his way, give him a wide berth; *uit de ~ gaan* make way; *voor iemand uit de ~ gaan* get out of a person's way, make way for him; *daarin ga ik voor niemand uit de ~* in this I don't yield to anybody; *iemand uit de ~ ruimen* make away with a person, put him out of the way [by poison &]; *moeilijkheden uit de ~ ruimen* remove obstacles, smooth over (away) difficulties; *van de goede ~ afgaan* stray from the right path; *de ~ naar de hel is geplaveid met goede voornemens* the road to hell is paved with good intentions; *alle ~en leiden naar Rome* all roads lead to Rome.

2 **weg** [vɛx] I *ad* 1 (niet meer aanwezig) away; 2 (verloren) gone, lost; 3 (vertrokken) gone; *ik ben ~* I'm off; *hij was helemaal ~* 1 he was quite at sea; 2 he was unconscious; *dan ben je ~* then you are done for; *mijn horloge is ~* my watch is gone; ~ *van iets zijn* be crazy about a thing; II *ij* in: ~ *jullie!* be off! get out!; ~ *daar!* make way there!, get away!; ~ *ermee!* away with it!; ~ *met die gedachte!* a truce to such thought!; ~ *met die verraders!* down with those traitors!; ~ *van hier!* get away!, get out!

wegbereider ['vɛxbərɛidər] *m fig* pioneer.

wegbergen [-bɛrɡə(n)] *vt* put away, lock up.

wegblazen [-bla.zə(n)] *vt* blow away.

wegblijven [-blɛivə(n)] *vt* stay away.

wegbreken [-bre.kə(n)] *vt* pull down [a wall &].

wegbrengen [-brɛŋə(n)] *vt* take (carry) away [something]; see off [a person]; remove, march off [a prisoner].

wegcijferen [-sɛifərə(n)] I *vt* eliminate, set aside; leave out of account; II *vr zich (zelf)* ~ sink oneself, sink one's own interests.

wegdek [-dɛk] *o* road surface.

wegdenken [-dɛŋkə(n)] *vt* think away, eliminate.

wegdoen [-du.n] *vt* 1 (wegleggen) put away; 2 (van de hand doen) dispose of, part with.

wegdragen [-dra.ɡə(n)] *vt* carry away; *de goedkeuring ~ van* meet with the approval of..., be approved by...; *de prijs ~* bear away the prize.

wegdrijven [-drɛivə(n)] I *vt* drive away; II *vi* float away.

wegdringen [-drɪŋə(n)] *vt* push away, push aside.

wegduiken [-dœykə(n)] *vi* dive, duck (away);

weggedoken in zijn fauteuil ensconced in his arm-chair.

wegduwen [-dy.vǝ(n)] *vt* push aside, push away.

wegen ['ve.gǝ(n)] **I** *vt* weigh² [luggage, 6 tons, one's words]; scale [100 pounds]; poise [on the hand]; **II** *vi* weigh; *hij weegt niet zwaar* he doesn't weigh much; *fig* he is a light-weight; *dat weegt niet zwaar bij hem* that point does not weigh (heavy) with him; *wat het zwaarst is moet het zwaarst* ~ first things come first.

wegenaanleg [-a.nlɛx] *m* zie *wegenbouw*.

wegenbelasting [-bǝlɑstɪŋ] *v* road-tax.

wegenbouw [-bɔu] *m* road-making, road-building, road-construction.

wegennet [-nɛt] *o* road-system, network of roads.

wegens ['ve.gǝns] on account of, because of; for [lack of evidence, the murder of].

wegenwacht ['ve.gǝ(n)vɑxt] **I** *v* ± road patrol, (Automobile Association) Scouts; **2** *m* (persoon) ± (Automobile Association) scout.

weger ['ve.gǝr] *m* weigher.

wegfladderen ['vɛxflɑdǝrǝ(n)] *vt* flutter away, flit away.

weggaan ['vɛga.n] *vi* go away, leave.

weggebruiker [-gǝbrœykǝr] *m* road-user.

weggeld [-gɛlt] *o* road-tax, toll.

weggeven [-ge.vǝ(n)] *vt* give away.

weggoochelen [-go.gǝlǝ(n)] *vt* spirit away.

weggooien [-go.jǝ(n)] **I** *vt* throw away, chuck away [something]; throw away, waste [money on...]; discard [the eight of clubs &]; *fig* pooh-pooh [an idea]; **II** *vr zich* ~ throw oneself away.

weggraven [-gra.vǝ(n)] *vt* dig away.

weghaasten ['vɛxha.stǝ(n)] in: *zich* ~ hasten away, hurry away.

weghalen [-ha.lǝ(n)] *vt* take (fetch) away, remove.

weghebben [-hɛbǝ(n)] *vt* in: *veel van iemand* ~ look much like a person; *het heeft er veel van weg, alsof...* it looks like... [rain &].

weghollen [-hɔlǝ(n)] *vi* run away, scamper away.

wegijlen [-ɛilǝ(n)] *vi* hurry (hasten) away.

weging ['ve.gɪŋ] *v* weighing.

wegjagen ['vɛxja.gǝ(n)] *vt* drive away [beggars, beasts, a visitor &]; turn [people] out [of doors]; expel [from office]; send about one's business [of people]; shoo away [birds].

wegkant [-kɑnt] *m* roadside, wayside.

wegkapen [-ka.pǝ(n)] *vt* snatch away, pilfer, filch.

wegkappen [-kɑpǝ(n)] *vt* chop away, cut off.

wegkijken [-kɛikǝ(n)] *vt* in: *iemand* ~ F freeze one out.

wegknippen [-knɪpǝ(n)] *vt* **I** (met schaar) cut off; **2** (door vingerbeweging) flick away [the ash of a cigar &].

wegkomen [-ko.mǝ(n)] *vi* get away; *ik maak dat ik wegkom* I'm off; *ik maakte dat ik wegkwam* I made myself scarce; *maak dat je weg-*

komt! take yourself off!, clear out!

wegkrijgen [-krɛigǝ(n)] *vt* get away; *ik kon hem niet* ~ I couldn't get him away; *de vlekken* ~ get out the spots.

wegkruipen [-krœypǝ(n)] *vi* creep away.

wegkruising [-krœysɪŋ] *v* intersection, crossroads.

wegkunnen [-kŭnǝ(n)] *vi* in: *het kan weg* it may be left out, it may go; *niet* ~ not be able to get away.

wegkussen [-kŭsǝ(n)] *vt* kiss away.

wegkwijnen [-kvɛinǝ(n)] *vi* languish, pine away.

weglaten [-la.tǝ(n)] *vt* leave out, omit.

weglating [-tɪŋ] *v* leaving out, omission; *met* ~ *van...* leaving out..., omitting...

weglatingsteken [-tɪŋste.kǝ(n)] *o* apostrophe.

wegleggen ['vɛxlɛgǝ(n)] *vt* lay by, lay aside; *dat was niet voor hem weggelegd* that was not reserved for him.

wegleiden [-lɛidǝ(n)] *vt* lead away, march off.

wegligging [-lɪgɪŋ] *v* ⊷ road-holding qualities.

weglokken [-lɔkǝ(n)] *vt* entice away, decoy.

weglopen [-lo.pǝ(n)] *vi* run away (off); make off; *hij loopt niet zo hoog weg met dat idee* he is not in favour of the idea; *ze lopen erg met die man weg* they are greatly taken with him, he is a great favourite; *met iemand (hoog)* ~ make much of one, think much of one; *het loopt niet weg, hoor!* there is no hurry!, it can wait; *het werk loopt niet weg* the work can wait.

wegmaaien ['vɛxma.jǝ(n)] *vt* mow down².

wegmaken [-ma.kǝ(n)] **I** *vt* **I** (iets) make away with, mislay [something]; remove, take out [grease-spots]; **2** (iemand) anaesthetize [a patient]; **II** *vr zich* ~ make off.

wegmoffelen [-mɔfǝlǝ(n)] *vt* spirit away.

wegnemen [-ne.mǝ(n)] *vt* **I** take away, remove [something, apprehension, doubt]; *fig* do away with [a nuisance &]; obviate [a difficulty]; **2** steal, pilfer; *dat neemt niet weg, dat...* that does not alter the fact that...

wegneming [-mɪŋ] *v* taking away &, removal.

wegomlegging ['vɛxɔmlɛgɪŋ] *v* diversion.

wegopzichter [-ɔpsɪxtǝr] *m* road-surveyor.

wegpakken [-pɑkǝ(n)] **I** *vt* snatch away; **II** *vr zich* ~ take oneself off; *pak je weg!* be off!

wegpesten [-pɛstǝ(n)] *vt* get away.

wegpikken [-pɪkǝ(n)] *vt* peck away; *fig* snatch away.

wegpinken [-pɪŋkǝ(n)] *vt* in: *een traan* ~ brush away a tear.

wegpiraat [-pi:ra.t] *m* S road-hog.

wegraken [-ra.kǝ(n)] *vi* be (get) lost.

wegredeneren [-re.dǝne:rǝ(n)] *vt* reason (explain) away.

wegrenner [-rɛnǝr] *m sp* road-racer.

wegrestaurant [-resto:rɑ̃] *o* road house.

wegrijden [-rɛi(d)ǝ(n)] *vi* ride away, drive away.

wegroepen [-ru.pǝ(n)] *vt* call away.

wegroesten [-ru.stǝ(n)] *vi* rust away.

wegrollen [-rɔlə(n)] vt & vi roll away.

wegrotten [-rɔtə(n)] vi rot off.

wegruimen [-rœymə(n)] vt remove, clear away.

wegruiming [-mɪŋ] v removal.

wegrukken ['vɛxrúkə(n)] vt snatch away[2].

wegschenken [-sxɛŋkə(n)] vt give away; ~ aan make [one] a present of.

wegscheren [-sxe:rə(n)] I vt shave (shear) off; II vr zich ~ make oneself scarce, decamp.

wegschieten [-sxi.tə(n)] I vt shoot away; II vi dart off.

wegschoppen [-sxɔpə(n)] vt kick away.

wegschuilen [-sxœylə(n)] vi hide (from voor).

wegschuiven [-sxœyvə(n)] vt shove away, push aside.

wegslaan [-sla.n] vt beat (strike) away; de brug werd weggeslagen the bridge was swept away.

wegslepen [-sle.pə(n)] vt drag away; ⚓ tow away.

wegslingeren [-slɪŋərə(n)] vt fling (hurl) away.

wegsluipen [-slœypə(n)] vi steal (sneak) away.

wegsluiten [-slœytə(n)] vt lock up.

wegsmelten [-smɛltə(n)] vi melt away, melt [into tears].

wegsmijten [-smɛitə(n)] vt fling (throw) away.

wegsnellen [-snɛlə(n)] vi hasten away, hurry away.

wegsnijden [-snɛi(d)ə(n)] vt cut away.

wegsnoeien [-snu.jə(n)] vt prune away, lop off.

wegspoelen [-spu.lə(n)] I vt wash away; II vi be washed away.

wegsteken [-ste.kə(n)] vt put away.

wegstelen [-ste.lə(n)] vt steal, pilfer.

wegsterven [-stɛrvə(n)] vi die away, die down.

wegstevenen [-ste.vənə(n)] vi sail away.

wegstoppen [-stɔpə(n)] vt put away, tuck away, hide.

wegstoten [-sto.tə(n)] vt push away.

wegstuiven [-stœyvə(n)] vi fly away [of dust &]; dash away [persons].

wegsturen [-sty:rə(n)] vt send away [something]; dismiss [a servant]; send [one] away; ⟶ expel [a boy from school].

wegteren [-te:rə(n)] vi waste away.

wegtoveren [-to.vərə(n)] vt spirit away, conjure away.

wegtrappen [-trɑpə(n)] vt kick away.

wegtrekken [-trɛkə(n)] I vt pull (draw) away; II vi 1 march away, march off [of troops]; 2 blow over [of clouds]; lift [of a fog]; disappear [of a headache].

wegtronen [-tro.nə(n)] vt entice away, lure away.

wegvagen [-fa.gə(n)] vt sweep away[2]; wipe out, blot out [memories &].

wegvak [-fɑk] o section of a (the) road.

wegvallen [-fɑlə(n)] vi fall off; fig be left out (omitted); tegen elkaar ~ cancel one another.

wegvaren [-fa:rə(n)] vi sail away.

wegvegen [-fe.gə(n)] vt sweep away [dirt]; wipe away [tears]; rub out, erase [a written word].

wegverkeer [-fərke:r] o road traffic.

wegvernauwing [-fərnɑuɪŋ] v road narrowing.

wegversperring [-fərsperɪŋ] v ⚔ road-block.

wegvervoer [-fərvu:r] o (road) haulage.

wegvervoerder [-dər] m (road) haulier.

wegvliegen ['vɛxfli.gə(n)] vi fly away; ze vliegen weg they [the goods, the tickets] are going (are being snapped up) like hot cakes.

wegvloeien [-flu.jə(n)] I vi flow away; II o het ~ the outflow.

wegvoeren [-fu:rə(n)] vt 1 carry off, lead away [a prisoner]; 2 abduct, kidnap [persons].

wegvoering [-rɪŋ] v carrying off; abduction, kidnapping.

wegvreten ['vɛxfre.tə(n)] vt eat away, corrode.

wegwaaien [-va.jə(n)] I vi be blown away, blow away; II vt blow away.

wegwals [-vɑls] v ⚒ road-roller.

wegwedstrijd [-vɛtstreit] m road-race.

wegwerken [-vɛrkə(n)] vt 1 (in de algebra) eliminate; 2 (v. personen) get rid of [a minister &]; manoeuvre [an employee] away.

wegwerker [-kər] m road-maker; (bij 't spoor) surface-man.

wegwerpen ['vɛxvɛrpə(n)] vt throw away.

wegwijs [-vɛis] in: iemand ~ maken put one up to the ropes, post him up; ~ zijn know one's way; fig know the ropes.

wegwijzer [-vɛizər] m 1 (persoon) guide; 2 signpost, finger-post; 3 handbook, guide.

wegwippen [-vɪpə(n)] vi whip away, pop away (off).

wegwissen [-vɪsə(n)] vt wipe away, wipe off.

wegzakken [-sɑkə(n)] vi 1 (v. personen, grond &) sink away; 2 (v. bodem) give way.

wegzenden [-sɛndə(n)] vt zie wegsturen.

wegzetten [-sɛtə(n)] vt put away.

wegzijde [-sɛidə] v roadside, wayside.

wegzinken [-sɪŋkə(n)] vi sink away.

1 wei [vɛi] v 1 whey [of milk]; 2 serum [of 2 wei [vɛi] v = weide. [blood].

Welchsel ['vɛiksəl] m Vistula.

weide ['vɛidə] v meadow; koeien in de ~ doen (sturen) put (send, turn out) cows to grass; in de ~ lopen be at grass.

weidegrond [-grɔnt] m zie weiland.

weiden ['vɛidə(n)] I vi graze, feed; zijn ogen (de blik) laten ~ over pass one's eyes over; II vt tend [flocks]; zijn ogen ~ aan feast one's eyes on.

weiderecht ['vɛidərɛxt] o grazing-rights, common of pasture.

weids [vɛits] stately, grandiose [name].

weidsheid ['vɛitshɛit] v stateliness, grandiosity.

weifelaar ['vɛifəla:r] m waverer.

weifelachtig [-fəlɑxtəx] zie weifelend.

weifelen [-fələ(n)] vi waver, vacillate, hesitate.

weifelend [-lənt] wavering, vacillating, hesitating.

weifeling [-lɪŋ] v wavering, vacillation, hesitation.

weifelmoedig [vɛifəl'mu.dəx] wavering, vacillating, irresolute.

weifelmoedigheid [-hɛit] *v* wavering, vacillation, irresolution.

weigeraar ['vɛigəra:r] *m* refuser.

weigerachtig [-gəraxtəx] unwilling to grant a request; *een ~ antwoord ontvangen* meet with a refusal; *~ blijven* persist in one's refusal; *~ zijn te...* refuse to...

weigeren ['vɛigərə(n)] **I** *vt* 1 (niet willen) refuse [to do something, duty]; 2 (niet aannemen) refuse, reject [an offer], decline [an invitation]; 3 (niet toestaan) refuse [a request], deny [a person a thing, a thing to a person]; **II** *vi* refuse [of persons]; refuse its office [of things], fail [of brakes], misfire [of fire-arms, of an engine].

weigering [-rɪŋ] *v* 1 refusal, denial; < rebuff; 2 failure [of brakes], misfire [of fire-arms]; *ik wil van geen ~ horen* I will take no denial.

weigrond ['vɛigrònt] = *weidegrond*.

weiland [-lɑnt] *o* meadow-land, grass-land, pasture.

weinig ['vɛinəx] 1 (enkelv.) little; 2 (meerv.) few; *~ goeds* little good (that is good); *~ of niets* little or nothing; *~ maar uit een goed hart* little but from a kind heart; *een ~ a* little; *het ~e dat ik heb* what little (money) I have; *maar ~* but little; *niet ~* not a little; *6 stuiver te ~* sixpence short; *al te ~* too little; *veel te ~* 1 much too little; 2 far too few; *~en* few; *maar ~en* only a few.

weit [vɛit] *v* wheat.

weitas ['vɛitɑs] *v* game-bag.

wekelijk ['ve.kələk] *aj* (& *ad*) soft(ly), tender-(ly), weak(ly), effeminate(ly).

wekelijkheid [-hɛit] *v* weakness, effeminacy.

wekelijks ['ve.kələks] **I** *aj* weekly; **II** *ad* weekly, every week.

wekeling [-lɪŋ] *m* weakling.

weken ['ve.kə(n)] **I** *vt* soak [bread in coffee &], put in soak, steep, soften, macerate; **II** *vi* be soaking, soak, soften.

wekken ['vekə(n)] *vt* (a)wake², awaken², (a)rouse²; *fig* ook: evoke, call up [memories]; create [an impression]; raise [expectations]; cause [surprise]; provoke [indignation]; *wek me om 7 uur* call me (knock me up) at seven o'clock.

wekker [-kər] *m* 1 (persoon) caller-up; 2 (wekkerklok) alarm(-clock).

1 **wel** [vɛl] *v* spring, well.

2 **wel** [vɛl] **I** *ad* 1 (goed) well; rightly; *zij danst (heel) ~* she dances (very) well; *als ik het mij ~ herinner* if I remember rightly; 2 (zeer) very (much); *dank u ~* thank you very much; *u is ~ vriendelijk* it is very kind of you, indeed; 3 (versterkend) indeed, truly; *~ een bewijs dat...* a proof, indeed, that...; *~ ja!* yes, indeed!; *~ neen!* Oh no!, certainly not!; *~ zeker* yes, certainly, to be sure (I do, I have &); *hij moet ~ rijk zijn om...* he must needs be rich to...; *hij zal ~ moeten* he will jolly well have to; 4 (niet minder dan) no less (no fewer) than, as many as; *er ~ 50* no fewer (no less) than 50, as many as 50; 5 (vermoeden uitdrukkend of geruststellend) surely; *hij zal ~ komen* he is sure to come, I daresay he will come; *ik behoef ~ niet te zeggen...* I need hardly say...; 6 (toegevend) (indeed); *zij is ~ mooi, maar niet...* handsome she is (indeed), but not...; 7 (tegenover ontkenning) ...is, ...has, &; *Jan kan het niet, Piet ~* but Peter can; *ik heb mijn les ~ geleerd* I *did* learn my lesson; *vandaag niet, morgen ~* not to-day, but to-morrow; 8 (als beleefdheidswoord) kindly; *zoudt u me dat boek ~ willen aangeven?* would you kindly hand me that book?; would you mind handing me that book?; 9 (vragend) are you, have you? &; *je gaat niet uit, ~?* you aren't going out, are you?; 10 (uitroepend) why, well; *~, heb ik je dat niet gezegd?* why, didn't I tell you?; *~ van me leven !, ~ nu nog mooier !* well, I never!; *~, wat is er?* why, what is the matter? *~, waarom niet?* well, why not?; *~ ! ~ !* well, well!, well, to be sure!; *~ zo !* well!; *er is nog wat mooiers, en ~...* well, it is this...; *zijn beste vriend nog ~ and that his best friend, his best friend of all people; *ik heb 't ~ gedacht !* I thought so (as much); *je moet... of~...* you must either... or...; *~ eens* now and again; *hebt u~...?* have you ever...?; **II** als *aj* well; *alles ~ aan boord* all well on board; *hij is niet ~* he does not feel well, he is unwell; *het is mij ~!* all right!, I have no objection; *hij is niet ~ bij het hoofd* zie *hoofd*; **III** als *o* well-being; *~ hem die...* happy he who...; *het ~ en wee* the weal and woe [of his subjects].

welaan [vɛl'a.n] well then.

welbedacht ['vɛlbədɑxt] well-considered, well thought-out.

welbegrepen [-gre.pə(n)] well-understood.

welbehagen [-ha.gə(n)] *o* pleasure, complacency.

welbekend [-kɛnt] well-known. [cency.

welbemind [-mɪnt] well-beloved, beloved.

welberaamd [-ra.mt] well thought-out.

welbereid [-rɛit] well-prepared.

welbespraakt [vɛlbə'spra.kt] fluent.

welbespraaktheid [-hɛit] *v* eloquence, fluency.

welbesteed ['vɛlbəste.t] well-used, well-spent.

welbewust [-vŭst] *aj* (& *ad*) deliberate(ly).

welbezocht [-zɔxt] much frequented.

weldaad ['vɛlda.t] *v* benefit, benefaction; *een ~ voor iedereen* a boon to everybody; *een ~ bewijzen* confer a benefit [upon a person].

weldadig [vɛl'da.dəx] 1 beneficent, benevolent, (liefdadig) charitable; 2 (heilzaam) beneficial.

weldadigheid [-hɛit] *v* beneficence, benevolence, (liefdadigheid) charity.

weldadigheidsbaza(a)r [-hɛitsba.zɑr, -za:r] *m* (charity) bazaar.

weldadigheidszegel, weldadigheidzegel [-hɛitse.gəl] *m* charity-stamp.

weldenkend ['vɛldɛŋkənt] right-thinking, right-minded.

weldoen [-du.n] *vi* I (goed doen) do good; 2 (liefdadig zijn) give alms; be charitable [to the poor]; *doe wel en zie niet om* zie *doen* II.

weldoener [-du.nər] *m* benefactor.

weldoenster [-du.nstər] *v* benefactress.

weldoordacht [-do:rdɑxt] well thought-out, well-considered.

weldra [-dra.] soon, before long, shortly.

weledel [vɛl'e.dəl] -geboren [-gəbo:rə(n)] -gestreng [-gəstrɛŋ] in: *W∼e heer* Dear Sir; *de W∼e heer J. Botha* J. Botha Esq.

weledelzeergeleerd [-ze:rgəle:rt] in: *de W∼e heer Dr. V.* Dr. V.

weleer [vɛl'e:r] formerly, in olden times, of old.

weleerwaard [vɛle:r'va:rt] reverend; *zeker, ∼e !* certainly, your Reverence; *de W∼e heer A. B.* (the) Reverend A. B., the Rev. A. B.

welfboog ['vɛlfbo.x] *m* vaulted arch.

welfsel [-səl] *o* vault.

welgedaan ['vɛlgəda.n] well-fed, portly.

welgedaanheid [vɛlgə'da.nhɛit] *v* portliness.

welgekozen ['vɛlgəko.zə(n)] well-chosen.

welgelegen [-le.gə(n)] well-situated.

welgelijkend [-lɛikənt] in: *een ∼ portret* a good likeness.

welgemaakt [-ma.kt] well-made [person, thing]; well-built [man], shapely [figure].

welgemaaktheid [vɛlgə'ma.kthɛit] *v* handsomeness.

welgemanierd [-gəma.'ni:rt] well-bred, well-mannered, mannerly.

welgemanierdheid [-hɛit] *v* good breeding, good manners.

welgemeend ['vɛlgəme.nt] well-meant [advice &]; heartfelt [thanks].

welgemoed [-gəmu.t] cheerful.

welgeordend [-gəɔrdənt] well-regulated.

welgeschapen [-gəsxa.pə(n)] well-made.

welgesteld [vɛlgə'stɛlt] well-to-do, in easy circumstances, well off, substantial [man].

welgesteldheid [-hɛit] *v* easy circumstances.

welgevallen ['vɛlgəvɑlə(n)] I *vi* in: *zich iets laten ∼* put up with a thing; II *o* pleasure; *met ∼* with pleasure, with satisfaction; *naar ∼* at will, at (your) pleasure.

welgevallig [vɛlgə'vɑləx] pleasing [to God], agreeable [to the Government].

welgevormd ['vɛlgəvɔrmt] well-made, well-shaped, shapely.

welgezind [-zɪnt] well-disposed [man]; well-affected, friendly [tribes].

welhaast [vɛl'ha.st] I (weldra) soon; 2 (bijna) almost, nearly; *∼ niets (niemand)* hardly anything (anybody).

welig ['ve.ləx] luxuriant, < rank; *∼ groeien* thrive².

weligheid [-hɛit] *v* luxuriance.

welingelicht ['vɛlɪngəlɪxt] well-informed.

weliswaar [vɛlɪs'va:r] it is true, true.

welk [vɛlk] I *vragend vnmw* which, what; *∼e jongen (van de zes)?* which boy?; *∼e jongen zal zo iets doen?* what boy?; II *uitroepend* what; *∼ een schande !* what a shame!; III *betr. vnmw.* I (v. personen) who, that; 2 (niet v. personen) which, that; *het Polyolbion, ∼ boek ik niet had* which book I hadn't got; *∼ ook* which(so)ever, what(so)ever.

welken ['vɛlkə(n)] *vi* wither, fade.

welkom ['vɛlkòm] I *aj* welcome; *wees ∼ !* welcome!; *∼ in Amsterdam* Welcome to A.!; *∼ thuis* welcome home; *iemand ∼ heten* bid one welcome, welcome him; *iemand hartelijk ∼ heten* extend a hearty welcome to one, give him a hearty welcome; *iets ∼ heten* welcome it; II *o* welcome.

welkomst ['vɛlkòmst] *v* welcome.

welkomstgeschenk [-gəsxɛŋk] *o* welcoming-gift.

welkomstgroet [-gru.t] *m* welcome.

I wellen ['vɛlə(n)] *vi* well.

2 wellen ['vɛlə(n)] *vt* ✗ weld.

3 wellen ['vɛlə(n)] *vt* draw [butter].

welletjes ['vɛləcəs] in: *het is zo ∼* F I that will do; 2 we have had enough of it.

wellevend [vɛ'le.vənt] polite, well-bred.

wellevendheid [-hɛit] *v* politeness, good breeding.

wellicht [vɛ'lɪxt] perhaps.

welluidend [-'lœydənt] melodious, harmonious.

welluidendheid [-hɛit] *v* melodiousness, harmony.

wellust ['vɛlŭst] *m* I (gunstig) delight; 2 (ongunstig) voluptuousness, lust, sensuality.

wellusteling [vɛ'lŭstəlɪŋ] *m* voluptuary, sensualist.

wellustig [-'lŭstəx] I *aj* sensual, voluptuous, lustful, lascivious; II *ad* sensually &.

wellustigheid [-hɛit] *v* voluptuousness, sensuality, lasciviousness.

welmenend ['vɛlme.nənt] well-meaning, well-intentioned.

welmenendheid [vɛl'me.nənthɛit] *v* good intention.

welnemen ['vɛlne.mə(n)] *o* in: *met uw ∼* by your leave.

welnu [vɛl'ny.] well then.

welopgevoed [-'ɔpgəvu.t] well-bred.

weloverwogen ['vɛlo.vərvo.gə(n)] well-considered, deliberate.

welp [vɛlp] I *m & o* cub, whelp; 2 *m* (bij de padvinderij) cub.

welriekend [vɛl'ri.kənt] sweet-smelling, sweet-scented, fragrant, odoriferous.

welriekendheid [-hɛit] *v* fragrance, odoriferousness.

welslagen ['vɛlsla.gə(n)] *o* success.

welsprekend [vɛl'spre.kənt] eloquent.

welsprekendheid [-hɛit] *v* eloquence.

welstand ['vɛlstɑnt] *m* I welfare, well-being; 2

health; *in* ~ *leven* be well off [in easy circumstances]; *naar iemands* ~ *informeren* inquire after a person's health.

welste ['vɛlstə] *van je* ~ F with a vengeance; *een klap van je* ~ a spanking blow; *een ruzie van je* ~ a regular row.

welvaart ['vɛlva:rt] *v* prosperity.

welvaartsstaat [-sta.t] *m* 1 affluent society; 2 (verzorgingsstaat) welfare state.

welvaren [-va:rə(n)] I *vi* 1 prosper, thrive, be prosperous; 2 be in good health; II *o* zie *welstand*.

welvarend [vɛl'va:rənt] 1 (voorspoedig) prosperous, thriving; 2 (gezond) healthy.

welvarendheid [-hɛit] *v* 1 prosperity; 2 good health.

welven ['vɛlvə(n)] I *vt* vault, arch; II *vr* zich ~ vault, arch.

welverdiend ['vɛlvərdi.nt] well-deserved.

welversneden [-sne.də(n)] in: *een* ~ *pen hebben* carry a good quill.

welving ['vɛlvɪŋ] *v* vaulting, vault.

welvoeglijk [vɛl'vu.ɡələk] becoming, seemly, decent, proper.

welvoeglijkheid [-hɛit] *v* seemliness, decency, propriety.

welvoeglijkheidshalve [vɛlvu.ɡələkhɛits'halvə] for decency's sake.

welvoorzien ['vɛlvo:rzi.n] well-provided [table]; well-loaded [table]; well-stocked [shop &].

welwater ['vɛlva.tər] *o* spring water.

welwillend [vɛl'vɪlənt] *aj* (& *ad*) benevolent-(ly), kind(ly); sympathetic(ally).

welwillendheid [-hɛit] *v* benevolence, kindness, sympathy.

welzijn ['vɛlzɛin] *o* welfare, well-being; *naar iemands* ~ *informeren* inquire after a person's health; *op iemands* ~ *drinken* drink a person's health; *voor uw* ~ for your good.

wemelen ['ve.mələ(n)] *vi* in: ~ *van* swarm (teem) with [flies, people, spies &]; crawl with [vermin]; bristle with [mistakes].

wendbaar ['vɛntba:r] ⚓ manoeuvrable.

wendbaarheid [-hɛit] *v* manoeuvrability.

wenden ['vɛndə(n)] I *vi* turn; ⚓ go about, put about; II *vt* turn; ⚓ put about [ship]; III *vr* zich ~ turn; *je kunt je daar niet* ~ *of keren* there is hardly room enough to swing a cat; *ik weet niet hoe ik mij* ~ *of keren moet* which way to turn; *zich* ~ *tot* apply to, approach [the minister]; turn to [God].

wending ['vɛndɪŋ] *v* turn; *het gesprek een andere* ~ *geven* give another turn to the conversation, turn the conversation; *een gunstige* ~ *nemen* take a favourable turn.

wenen ['ve.nə(n)] *vi* weep, cry; ~ *over iets* weep for it, weep over it.

Wenen ['ve.nə(n)] *o* Vienna.

Wener [-nər] I *aj* Viennese; ~ *meubelen* Austrian bentwood furniture; II *m* Viennese.

wenk [vɛŋk] *m* wink, nod, hint; *de* ~ *begrijpen* (*opvolgen*) take the hint; *iemand een* ~ *geven*

1 beckon to a person; 2 *fig* give a person a hint; *hem op zijn* ~*en bedienen* be at his beck and call.

wenkbrauw ['vɛŋkbrəu] *v* eyebrow.

wenkbrauwstift [-stɪft] *v* eyebrow pencil.

wenken ['vɛŋkə(n)] *vt* beckon.

wennen ['vɛnə(n)] I *vt* accustom, habituate [a person to something]; II *vi* in: ~ *aan iets* accustom oneself to a thing; *men went aan alles* one gets used to everything; *het zal wel* ~, *u zult er wel aan* ~ you will get used to it; *hij begint al goed te* ~ *bij hen* he begins to feel quite at home with them; zie ook: *gewend*.

wens [vɛns] *m* wish, desire; *mijn* ~ *is vervuld* I have my wish; *naar* ~ according to our wishes; *tegen de* ~ *van...* against the wishes of [his parents].

wensdromen ['vɛnsdro.mə(n)] *mv* wishful dreams; *fig* wishful thinking.

wenselijk ['vɛnsələk] desirable; *al wat* ~ *is !* my best wishes!; *het* ~ *achten* think it desirable.

wenselijkheid [-hɛit] *v* desirableness, desirability.

wensen ['vɛnsə(n)] *vt* 1 wish; 2 desire, want; *wij* ~ *te gaan* we wish to go: *ik wenste u te spreken* I should (would) wish to have a word with you; *ik wens dat hij dadelijk komt* I wish (want) him to come at once; *ik wens u alle geluk* I wish you every joy; *wat wenst u?* 1 (in 't alg.) what do you wish?; 2 (in winkel) what can I do for you?; *het is te* ~ *dat...* it is to be wished that...; *niets (veel) te* ~ *overlaten* leave nothing (much) to be desired; *iemand naar de maan* ~ wish one at the devil; *ja, als men 't maar voor 't* ~ *had* if wishes were horses, beggars might ride.

wentelen ['vɛntələ(n)] I *vt* turn over, roll; II *vi* revolve; III *vr* zich ~ welter, roll, wallow [in mud], revolve; *de planeten* ~ *zich om de zon* the planets revolve round the sun.

wenteling [-lɪŋ] *v* revolution, rotation.

wentelteefjes ['vɛntəlte.fjəs] *mv* pain perdu.

wenteltrap [-trɑp] *m* winding staircase.

wereld ['ve.rəlt] *v* world, universe; *de* ~ *is een schouwtoneel* all the world is a stage; *wat zal de* ~ *ervan zeggen?* what will the world (what will Mrs. Grundy) say?; *de andere* ~ the other world, the next world; *de boze* ~ the wicked world; *de geleerde* ~ the learned (the scientific) world; *de grote* ~ society, the upper ten; *de hele* ~ the whole world, all the world [knows]; *de nieuwe (oude)* ~ the New (Old) World; *de verkeerde* ~ the world turned upside down; *de vrije* ~ the free world; *de wijde* ~ the wide world; *iets de* ~ *in sturen* launch [a manifesto], give it to the world; *zijn* ~ *kennen (verstaan)* have manners; *de* ~ *verzaken* renounce the world; *zich door de* ~ *slaan* fight one's way through the world; *in de* ~ in the world; *zo gaat het in de* ~ so the world wags, such is the way of the world; *naar de andere* ~ *helpen* dispatch;

naar de andere ~ *verhuizen* go to kingdom come; *reis om de* ~ voyage round the world; *op de* ~, *ter* ~ in the world; *ter* ~ *brengen* bring into the world, give birth to [a child &]; *ter* ~ *komen* come into the world, see the light; *voor alles ter* ~ [I would not do it] for the world; *hij zou alles ter* ~ *willen geven om...* he would give the world to...; *niets ter* ~ nothing on earth, no earthly thing; *voor niets ter* ~ not for the world; *wat ter* ~ *moest hij...* what in the world should he...; *hoe is 't Gods ter* ~ *mogelijk!* how in the world is it possible; *een zaak uit de* ~ *helpen* settle a business; *die zaak is uit de* ~ that business is done with; *een leven van de andere* ~ a noise fit to raise the dead; *een man van de* ~ a man of the world; *wat van de* ~ *zien* see the world; *alleen voor de* ~ *leven* live for the world only, be worldly-minded.

wereldbeheerser [-bǝhe:rsǝr] *m* world-ruler, master of the world.

wereldberoemd [-bǝru.mt] world-famed, world-famous.

wereldbeschouwing [-bǝsxɔuɪŋ] *v* view (conception) of the world; philosophy.

wereldbeschrijving [-bǝs(x)rɛivɪŋ] *v* cosmography.

wereldbewoner [-bǝvo.nǝr] *m* inhabitant of the

wereldbol [-bɔl] *m* globe.   [world.

wereldbouw [-bɔu] *m* cosmos.

wereldbrand [-brɑnt] *m* world conflagration.

wereldburger [-bůrgǝr] *m* citizen of the world, cosmopolitan, cosmopolite; *de nieuwe* ~ J the little stranger, the new arrival.

werelddeel ['ve:rǝlde.l] *o* part of the world, continent.

wereldgebeurtenis ['ve:rǝltgǝbø:rtǝnɪs] *v* world event.

wereldgeschiedenis [-gǝsxi.dǝnɪs] *v* world history.

wereldheerschappij [-he:rsxɑpɛi] *v* world dominion.

wereldhervormer [-hɛrvǝrmǝr] *m* world reform-

wereldkaart [-ka:rt] *v* map of the world.   [er.

wereldkampioen [-kɑmpi.u.n] *m* world champion.

wereldkampioenschap [-sxɑp] *o* world championship.

wereldkennis ['ve:rǝltkɛnǝs] *v* knowledge of the world.

wereldkundig [ve:rǝlt'kůndǝx] universally known; *iets* ~ *maken* spread it abroad, make it public.

wereldlijk ['ve:rǝltlǝk] worldly; secular [clergy], temporal [power]; ~ *maken* secularize.

wereldling [-lɪŋ] *m* worldling.

wereldmacht [-mɑxt] *v* world power.

wereldmarkt [-mɑrkt] *v* world market.

wereldomvattend [-ɔmvɑtǝnt] world-wide; global [warfare].

wereldoorlog [-o:rlɔx] *m* world war; *de W*~ the Great War [of 1914—'18].

wereldorde [-ɔrdǝ] *v* world order.

wereldpremière [-prǝmi.ɛ:rǝ] *v* world première.

wereldrecord [-rǝkɔ:r, -rǝkɔrt] *o* world record.

wereldreis [-rɛis] *v* world tour.

wereldreiziger [-rɛizǝgǝr] *m* world traveller, globe-trotter.

wereldrekord zie *wereldrecord*.

wereldrond [-rònt] *o* world, globe.

wereldruim [-rœym] *o het* ~ space.

werelds ['ve:rǝlts] 1 (voor de wereld levend, van de wereld) worldly; 2 (tijdelijk) secular, temporal [power].

wereldschokkend [ve:rǝlt'sxɔkǝnt] world-shaking.

wereldsgezind ['ve:rǝltsgǝzɪnt] worldly-minded, worldly.

wereldsgezindheid [ve:rǝltsgǝ'zɪnthɛit] *v* worldly-mindedness, worldliness.

wereldstad ['ve:rǝltstɑt] *v* metropolis.

wereldstelsel [-stɛlsǝl] *o* cosmic system, cosmos.

wereldstreek [-stre.k] *v* region of the world, zone.

wereldtaal ['ve:rǝlta.l] *v* universal language.

wereldtentoonstelling [-tɛnto.nstɛlɪŋ] *v* international exhibition, world('s) fair.

wereldtitel [-ti.tǝl] *m sp* world title.

wereldtoneel [-to.ne.l] *o* stage of the world.

wereldverkeer ['ve:rǝltfǝrke:r] *o* world traffic, international traffic.

wereldvrede [-fre.dǝ] *m & v* world peace.

wereldwonder [-vòndǝr] *o* wonder of the world.

wereldzee [-se.] *v* ocean.

weren ['ve:rǝ(n)] **I** *vt* prevent, avert [mischief]; keep out [a person]; *we kunnen hem niet* ~ we cannot keep him out; **II** *vr zich* ~ 1 (zijn best doen) exert oneself; 2 (zich verdedigen) defend oneself.

werf [vɛrf] *v* 1 ship-yard, ship-building yard; 2 (v. d. marine) dockyard; 3 (houtwerf) timber-yard.

werfbureau ['vɛrfby.ro.] **-kantoor** [-kɑnto:r] *o* recruiting-office.

wering ['ve:rɪŋ] *v* prevention; *tot* ~ *van* for the prevention of.

1 **werk** [vɛrk] *o* tow, oakum; ~ *pluizen* pick oakum.

2 **werk** [vɛrk] *o* work [= task; employment; piece of literary or musical composition &]; labour; *de* ~*en van Vondel* the works of Vondel, Vondel's works; *het* ~ *van een horloge* the works of a watch; *een* ~ *van Gods handen* (of) God's workmanship; *het* ~ *van een ogenblik* the work (the business) of an instant; *dat is uw* ~ that is your work (your doing); *het is mooi* ~ it is a fine piece of work, a fine achievement; *er is* ~ *aan de winkel* there's much work to be done, he (you) will find his (your) work cut out for him (you); *een goed* ~ *doen* do a work of mercy; *geen half* ~ *doen* not do things by halves; *honderd mensen* ~ *geven* employ a hundred people; *dat geeft veel* ~ it gives you a lot of

work; ~ *hebben* have a job, be in work; *geen ~ hebben* I ☞ have no work; 2 be out of work (out of employment); *lang ~ hebben om* be long about ...ing; *zijn ~ maken* do one's work; *er dadelijk ~ van maken* see to it at once; *er veel ~ van maken* take great pains over it; *hij maakt (veel) ~ van haar* he is making up to her; *ik maak er geen ~ van (van die zaak)* I'll not take the matter up; ~ *verschaffen* give employment; ~ *vinden* find work (employment); ~ *zoeken* be looking for work; *aan het ~ !* to work!; *aan het ~ gaan, zich aan het ~ begeven* set to work; *weer aan het ~ gaan* resume work; *iemand aan het ~ zetten* set a person to work; *aan het ~ zijn* be at work, be working, be engaged; *aan het ~ zijn aan* be engaged (at work) on [a dictionary &]; *hoe gaat dat in zijn ~?* how is it done?; *hoe is dat in zijn ~ gegaan?* how did it come about?; *alles in het ~ stellen om...* leave no stone unturned (do one's utmost) in order to...; *pogingen in het ~ stellen* make efforts (attempts); *naar zijn ~ gaan* go to one's work; *onder het ~* while at work, while working; *goed (verkeerd) te ~ gaan* set about it the right (wrong) way; *voorzichtig te ~ gaan* proceed cautiously; ~ *stellen* employ, set to work; *zonder ~* out of work.

werkbaas ['vɛrkba.s] *m* foreman.
werkbank [-baŋk] *v* (work-)bench.
werkbij [-bɛi] *v* working-bee, worker.
werkbroek [-bru.k] *v* overalls.
werkdadig [vɛrk'da.dəx] efficacious, active, operative.
werkdadigheid [-hɛit] *v* efficacy, activity.
werkdag ['vɛrkdɑx] *m* work-day, week-day; [eight-hours'] working day.
werkelijk ['vɛrkələk] I *aj* real, actual; ~*e dienst* active service; *ik heb het niet gedaan,* ~*!* really!, fact!; II *ad* really.
werkelijkheid [-hɛit] *v* reality; *in* ~ in reality, in point of fact, in fact, really.
werkelijkheidszin [-hɛitsɪn] *m* realism.
werkeloos = *werkloos*.
werkeloosheid = *werkloosheid*.
werkeloze(-) = *werkloze(-)*.
werken ['vɛrkə(n)] I *vi* I (werk doen) work; 2 (uitwerking hebben) work, act, operate, take effect, be effective [of medicine &]; ⚔ work, function [of an engine]; 3 (stampen en slingeren) labour [of a ship]; 4 (verschuiven) shift [of cargo]; 5 (trekken) get warped [of wood]; *de rem werkt niet* the brake doesn't act; *het schip werkte vreselijk* the ship laboured heavily; *hij heeft nooit van ~ gehouden* he never liked work; *hij laat hen te hard ~* he works them too hard, he overworks them; *hij moet hard ~* he has to work hard; *aan een boek & ~* be at work (engaged) on a book; *nadelig ~ op* have a bad effect upon; *op iemands gemoed ~* work on a

man's feelings; *het werkt op de zenuwen* it affects the nerves; *voor Engels ~* be reading for English; II *vt* in: *iets naar binnen ~* get [food] down; *hij kan heel wat naar binnen ~* he can negotiate a lot of food; *ze ~ elkaar eronder* they are cutting each other's throats.
werkend ['vɛrkənt] I working; active; 2 efficacious; ~ *lid* active member; *de ~e stand* the working classes.
werker [-kər] *m* worker.
werkezel ['vɛrke.zəl] *m* drudge; *hij is een echte ~* he is a glutton for work.
werkgelegenheid [-gəle.gənhɛit] *v* employment; *volledige ~* full employment.
werkgever [-ge.vər] *m* employer; ~*s en werknemers* employers and employed.
werkhuis [-hœys] *o* I workhouse; 2 (v. werkvrouw) place.
werking ['vɛrkɪŋ] *v* working, action, operation; (uitwerking) effect; *die bepaling is buiten ~* has ceased to be operative; *buiten ~ stellen* suspend; *in ~* in action; *in ~ stellen* put in operation, set going, work; *in ~ treden* come into operation (into force); *in ~ zijn* be working; be operative; *in volle ~* in full operation, in full swing.
werkinrichting ['vɛrkɪnrɪxtɪŋ] *v* labour colony.
werkje [-jə] *o* piece of work, (little) work, job.
werkkamer ['vɛrka.mər] *v* study.
werkkiel [-ki.l] *m* overalls.
werkkracht [-krɑxt] *v* I energy; 2 hand, workman; *de Europese ~en* European labour.
werkkring [-krɪŋ] *m* sphere of activity (of action).
werklieden ['vɛrkli.də(n)] *mv* work-people, workers, operatives.
werkloon [-lo.n] *o* wage(s), pay.
werkloos ['vɛrkəlo.s] I inactive, idle; 2 out of work, out of employment, unemployed; ~ *maken* throw out of work.
werkloosheid [vɛrkə'lo.shɛit] *v* I inactivity, idleness, inaction; 2 unemployment.
werkloosheidsuitkering [-hɛitsœytke:rɪŋ] *v* unemployment benefit, (unemployment) dole.
werkloosheidsverzekering [-fərze.kərɪŋ] *v* unemployment insurance.
werkloze ['vɛrkəlo.zə] *m* out-of-work; *de ~n* the unemployed.
werklozenkas [vɛrk'lo.zə(n)kɑs] *v* unemployment fund.
werklust ['vɛrklŭst] *m* zest for work.
werkman [-mɑn] *m* workman, labourer, operative, mechanic.
werkmandje [-mɑnɔ] *o* work-basket.
werkmeid [-mɛit] *v* work-maid, housemaid.
werkmier [-mi:r] *v* worker (ant).
werknemer [-ne.mər] *m* employee, employed man.
werkpaard [-pa:rt] *o* work-horse.
werkpak [-pɑk] *o* working-clothes, overalls.
werkplaats [-pla.ts] *v* workshop, shop, workroom.

werkplan [-plɑn] *o* plan of work.

werkprogram(ma) [-pro.grɑm(a.)] *o* working-programme.

werkrooster [-ro.stər] *m & o* time-table.

werkschoen [-sxu.n] *m* working-boot.

werkstaker [-sta.kər] *m* striker.

werkstaking [-sta.kɪŋ] *v* strike.

werkster [-stər] *v* 1 (female) worker; 2 charwoman, daily woman.

werkstudent [-sty.dɛnt] *m* working student.

werkstuk [-stŭk] *o* 1 piece of work; 2 (in de meetk.) proposition, problem.

werktafel [-ta.fəl] *v* work-table.

werktijd [-tɛit] *m* working-hours; (v. e. ploeg) shift; *lange ~en hebben* work long hours; *verkorting der ~en* short-time working.

werktuig [-tœyx] *o* 1 tool², instrument², implement; 2 organ [of sight]; *~en (voor gymnastiek)* apparatus.

werktuigbouwkunde [-bəukŭndə] *v* mechanical engineering.

werktuigkunde [-kŭndə] *v* mechanics.

werktuigkundig [vɛrktœyx'kŭndəx] I *aj* mechanical [action, drawing, engineer &]; II *ad* mechanically.

werktuigkundige [-'kŭndəgə] *m* mechanician, instrument-maker.

werktuiglijk [vɛrk'tœygələk] *aj* (& *ad*) mechanical(ly)², automatic(ally)².

werktuiglijkheid [-hɛit] *v* mechanicalness.

werkuur ['vɛrky:r] *o* working-hour.

werkvergunning [-fərgŭnɪŋ] *v* working permit.

werkverschaffing [-fərsxɑfɪŋ] *v* the procuring of employment; relief work(s).

werkvolk [-fɔlk] *o* work-people, workmen, labourers.

werkvrouw [-frɔu] *v* charwoman.

werkweek [-ʋe.k] *v* working week.

werkwijze [-ʋɛizə] *v* (working) method.

werkwillige [vɛrk'ʋɪləgə] *m* willing worker, non-striker.

werkwinkel ['vɛrkʋɪŋkəl] *m* workshop.

werkwoord [-vo:rt] *o gram* verb.

werkzaam [-sa.m] I *aj* active, laborious, industrious; *hij is ~ op een fabriek* he is employed at a factory, he works in a factory; II *ad* actively, laboriously, industriously.

werkzaamheid [-hɛit] *v* activity, industry; *mijn talrijke werkzaamheden* my numerous activities; *de verschillende werkzaamheden* the various proceedings.

werpen ['vɛrpə(n)] I *vt* throw, cast, fling, hurl, toss; *iemand met stenen ~ zie gooien*; II *vr zich ~* throw oneself; *zich in de armen ~ van...* fling oneself into the arms of...; *zich op iemand ~* fall on him, set upon him; *zich op de knieën ~* go down on one's knees, prostrate oneself [before a person]; *zich op de studie van... ~* apply oneself to the study of... with a will; *zich te paard ~* fling oneself into the saddle.

werpnet ['vɛrpnɛt] *o* casting-net.

werppijl ['vɛrpɛil] **-schicht** ['vɛrpsxɪxt] *m* dart.

werpspeer ['vɛrpspe:r] **-spies, -spiets** [-spi.s, -spi.ts] *v* javelin.

werptros [-trɔs] *m ⚓* warp.

werptuig [-tœyx] *o* missile, projectile.

werst [vɛrst] *v* verst.

wervel ['vɛrvəl] *m* vertebra [*mv* vertebrae].

wervelen [-vələ(n)] *vi* whirl.

wervelkolom ['vɛrvəlko.lòm] *v* spinal column, spine.

wervelstorm [-stɔrm] *m* tornado. [spine.

wervelwind [-vɪnt] *m* whirlwind.

werven ['vɛrvə(n)] *vt* recruit, enlist, enrol; canvass for [customers].

werver [-vər] *m ⚔* recruiter, recruiting-officer.

werving [-vɪŋ] *v* recruitment, enlistment, enrolment; canvassing [for customers].

werwaarts ['vɛrʋa:rts] whither. [reason.

weshalve [vɛs'hɑlvə] wherefore, for which

wesp [vɛsp] *v* wasp.

wespendief ['vɛspə(n)di.f] *m 🐦* honey-buzzard.

wespennest [-pənɛst] *o* wasps' nest, vespiary; *fig* hornet's nest²; *zich in een ~ steken* bring a hornet's nest about one's ears.

wespesteek [-ste.k] *m* wasp-sting.

wespetaille [-tɑ(l)jə] *v* wasp-waist.

west [vɛst] west.

West [vɛst] *v de ~* the West Indies.

Westduits ['vɛstdœyts] West German.

Westduitser [-dœytsər] *m* West German.

West-Duitsland [vɛst'dœytslɑnt] *o* West Ger

westelijk ['vɛstələk] western, westerly. [many.

westen ['vɛstə(n)] *o* west; *het W~* the West, the Occident; *buiten ~* F unconscious; *ten ~ van* (to the) west of.

westenwind [-vɪnt] *m* westwind.

wester ['vɛstər] western.

westerkim(me) [-kɪm(ə)] *v* western horizon.

westerlengte [-lɛŋtə] *v* West longitude.

westerling [-lɪŋ] *m* Westerner.

westers ['vɛstərs] western, occidental.

Westerschelde ['vɛstərsxɛldə] *v de ~* the West Scheldt.

West-Europa ['vɛstø:ro.pa.] *o* Western Europe.

Westeuropees ['vɛstø:ro.'pe.s] Western Euro-

Westfaals [vɛst'fa.ls] Westphalian. [pean.

Westfalen [-'fa.lə(n)] *o* Westphalia.

Westfaler [-lər] *m* Westphalian.

Westgoten ['vɛstgo.tə(n)] *mv* Visigoths.

Westgotisch [-ti.s] Visigothic.

West-Indië [vɛst'ɪndi.ə] *o* the West Indies.

Westindisch [-di.s] West-Indian.

westkant ['vɛstkɑnt] *m* west side.

westkust [-kŭst] *v* west coast, western coast.

westmoesson [-mu.sòn] *m* south-west monsoon.

Westromeins [-ro.mɛins] in: *het ~e Rijk* the Western Empire, the Empire of the West.

westwaarts [-ʋa:rts] I *aj* westward; II *ad* westward(s).

wet [vɛt] *v* 1 (in 't alg.) law; 2 (in 't bijzonder) act; *~ op het Lager Onderwijs* Elementary Education Act; *de Mozaïsche ~* the

Mosaic Law; *een ~ van Meden en Perzen* a law of the Medes and Persians; *korte ~ten maken met* make short work of; *iemand de ~ stellen* (*voorschrijven*) lay down the law for one; *~ worden* become law; *boven de ~ staan* be above the law; *buiten de ~ stellen* outlaw; *door de ~ bepaald* fixed by law, statutory; *tegen de ~* against the law; *tot ~ verheffen* put [a bill] on the Statute Book; *volgens de ~* by law; *volgens de Franse ~* 1 according to French law [you are right]; 2 [married &] under French law; *voor de ~* in the eye of the law; [equality] before the law; zie ook: *volgens de ~*; *voor de ~ niet bestaan* not exist in law; *voor de ~ getrouwd* married at the registrar's office.

wetboek ['vɛtbu.k] *o* code; *~ van koophandel* commercial code; *~ van privaatrecht, burgerlijk ~* civil code; *~ van strafrecht* penal code, criminal code.

weten ['ve.tə(n)] I *vt* 1 (in 't alg.) know; 2 (kennis dragen van) be aware of; *doen* (*laten*) *~* let [one] know, send [one] word, inform [one] of; *wie weet of hij niet zal...* who knows but he may...; *God weet het!* God knows!; *dat weet ik niet* I don't know; *hij is mijn vriend moet je ~* (*weet je*) he is my friend, you know; *wel te ~* ... that is to say...; *het te ~ komen* get to know it; find out, learn; *hij wist te ontkomen* he managed to escape; *hij weet zich te verdedigen* he knows how to defend himself; *er iets op ~* know a way out; *het uit de krant ~* know it from the paper(s); *van wie weet je het?* whom did you hear it from?, who told you?; *eer je 't weet* before you know where you are; *zij ~ het samen* they are as thick as thieves; they are hand and glove; *hij weet er alles van* he knows all about it; *hij weet er niets van* he doesn't know anything about it; *dat moeten zullie maar ~* that's their look-out; *zij willen er niet(s) van ~* they will have none of it; *zij wil niets van hem ~* she will not have anything to say to him; *dat moet je zelf ~* that's your look-out; *wat niet weet, wat niet deert* what one does not know causes no woe; *weet je wat?*, *we gaan naar* ... I'll tell you what, we'll go to...; *zij weet wat zij wil* she knows what she wants, she knows her own mind; *hij weet zelf niet wat hij wil* he doesn't know his own mind; *daar weet jij wat van!* fat lot you know about it!; *ik weet wat van je* I know something about you; *dat schoonmaken dat weet wat!* what a nuisance!; *hij wil het wel ~* (*dat hij knap is* &) he needn't be told that he is clever; *hij wil het niet ~* he never lets it appear; *zonder het zelf te ~* unwittingly; *~ waar Abraham de mosterd haalt* know what's what; II *va* know; *wie weet?* who knows?; *men kan nooit ~* you never can tell; *hij weet niet beter* he doesn't know any better; *hij weet wel beter* he knows better

(than that); *niet dat ik weet* not that I know of; III *o* knowledge; *niet bij mijn ~* not to my knowledge; *buiten mijn ~* without my knowledge, unknown to me; *met mijn ~* with my knowledge; *naar mijn beste ~* to the best of my knowledge; *tegen beter ~ in* against one's better judgment; *zonder mijn ~* without my knowledge; IV *ad* in: *te ~ appels, peren...* viz., namely, ⊙ to wit...

wetens ['ve.təns] zie *willens*.

wetenschap ['ve.tənsxap] *v* 1 science; learning; 2 (kennis) knowledge; *er geen ~ van hebben* know nothing about it, not be aware of it.

wetenschappelijk [ve.tən'sxapələk] I *aj* scientific; learned; II *ad* scientifically.

wetenschappelijkheid [-hɛit] *v* scientific character.

wetenswaardig [ve.təns'va:rdəx] worth knowing.

wetenswaardigheid [-hɛit] *v* thing worth knowing.

wetering ['ve.tərɪŋ] *v* watercourse.

wetgeleerde ['vɛtɡələ:rdə] *m* one learned in the law, jurist.

wetgevend ['vɛtɡe.vənt] law-making, legislative; *de ~e macht* the legislature; *~e vergadering* Legislative Assembly.

wetgever [-vər] *m* law-giver, legislator.

wetgeving [-vɪŋ] *v* legislation.

wethouder ['vɛthɔudər] *m* alderman.

wetsartikel ['vɛtsɑrti.kəl] *o* article of a (the) law.

wetsbepaling [-bəpa.lɪŋ] *v* provision of a (the) law.

wetsherziening [-hɛrzi.nɪŋ] *v* revision of the (a) law.

wetsontduiking [-òndœykɪŋ] *v* evasion of the law.

wetsontwerp [-òntvɛrp] *o* bill.

wetsovertreding [-o.vərtre.dɪŋ] *v* breach of the law.

1 **wetstaal** ['vɛt-sta.l] *o* (sharpening) steel.

2 **wetstaal** ['vɛts-ta.l] *v* legal language.

wetsteen ['vɛt-ste.n] *m* whetstone, hone.

wetsverkrachting ['vɛtsfərkrɑxtɪŋ] *v* violation of the law.

wetsvoorstel [-fo:rstɛl] *o* bill.

wettelijk ['vɛtələk] I *aⁱ* legal; statutory; II *ad* legally.

wettelijkheid [-hɛit] *v* legality.

wetteloos ['vɛtəlo.s] lawless.

wetteloosheid [vɛtə'lo.shɛit] *v* lawlessness.

wetten ['vɛtə(n)] *vt* whet, sharpen.

wettenverzameling ['vɛtə(n)vərza.məlɪŋ] *v* body of laws.

wettig ['vɛtəx] I *aj* legitimate, legal, lawful; *een ~ kind* a legitimate child; II *ad* legitimately, legally, lawfully.

wettigen ['vɛtəɡə(n)] *vt* legitimate, legalize; *fig* justify; sanction [by usage].

wettigheid ['vɛtəxhɛit] *v* legitimacy.

wettiging ['vɛtəɡɪŋ] *v* legitimation, legalization.

weven ['ʋe.və(n)] vt & vi weave.

wever [-vər] m ɪ weaver; 2 ⚥ weaver-bird.

weverij [ʋe.və'rɛi] v ɪ weaving; 2 weaving-mill.

wezel ['ʋe.zəl] v ⚥ weasel.

wezen ['ʋe.zə(n)] I vi be; ik ben hem ~ opzoeken I have been to see him; hij mag er ~ he is all there; dat mag er ~ that is not half bad, that is some; II o ɪ (persoon) being, creature, [human, social] animal; 2 (bestaan) being, existence; 3 (aard) nature; 4 (wezenlijkheid) essence, substance; 5 (voorkomen) countenance, aspect; geen levend ~ not a living being (soul).

wezenfonds ['ʋe.zə(n)fònts] o orphans' fund.

wezenlijk [-lək] I aj real, essential; substantial; het ~e the essence; II ad ɪ essentially; substantially; 2 < really.

wezenlijkheid [-ləkhɛit] v reality.

wezenloos [-lo.s] vacant, vacuous, blank [stare].

wezenloosheid [-lo.shɛit] v vacancy, vacuity.

w.g. ['ʋɑsgə'te.kənt] = was getekend (signed).

whisky ['ʋɪski.] m whisky, whiskey.

whiskysoda [ʋɪski.'so.da.] v whisk(e)y and soda.

whist [ʋi.st] o whist.

whisten ['ʋi.stə(n)] vi play (at) whist.

w.i. [ʋɛrktœyx'kůndəxɪnʒəni.'ø:r] = werktuigkundig ingenieur.

wichelaar ['ʋɪgəla:r] m ~ster [-stər] v augur, soothsayer.

wichelarij [ʋɪgəla:'rɛi] v augury, soothsaying.

wichelen ['ʋɪgələ(n)] vt augur, soothsay.

wichelroede ['ʋɪgəlru.də] v divining-rod, dowsing-rod.

ɪ wicht [ʋɪxt] o (kind) baby, child, babe, mite; arm ~! poor thing!; een of ander mal ~ some foolish creature; mal ~! you fool!

2 wicht [ʋɪxt] o (gewicht) weight.

wichtig ['ʋɪxtəx] weighty[2].

wichtigheid [-hɛit] v weight[2].

wichtnota ['ʋɪxtno.ta.] v $ weight note.

wie [ʋi.] I betr. vnmw. he who, ⚲ who; ~ ook who(so)ever; II vragend vnmw. who?; ~ van hen? which of them?; ~ daar? ⚔ who goes there?

wiebelen ['ʋi.bələ(n)] vi wobble, waggle.

wiebelend [-lənt] wobbly.

wieden ['ʋi.də(n)] vt & va weed.

wieder [-dər] m weeder.

wiedes ['ʋi.dəs] in: dat is nogal ~ it goes without saying.

wiedijzer ['ʋi.tɛizər] o weeding-hook, spud.

wiedster [-stər] v weeder.

wieg [ʋi.x] v cradle; voor dichter in de ~ gelegd a born poet; hij was voor soldaat in de ~ gelegd he was cut out for a soldier; hij is niet voor soldaat in de ~ gelegd he will never make a soldier; voor dat werk was hij niet in de ~ gelegd he was not fitted by nature for that sort of work; van de ~ af from the cradle.

wiegelen ['ʋi.gələ(n)] vi rock.

wiegelied [-li.t] o cradle-song, lullaby.

wiegen ['ʋi.gə(n)] vt rock; zie ook: slaap.

wiek [ʋi.k] v (vleugel) wing; (lampekatoen) wick; (v. molen) sail, wing, vane; hij was in zijn ~ geschoten F he was crestfallen; he was stung to the quick; op eigen ~en drijven stand on one's own legs, shift for oneself.

wiel [ʋi.l] o wheel ‖ (plas) pool; het vijfde ~ zie ɪ rad; iemand in de ~en rijden put a spoke in a man's wheel.

wielband ['ʋi.lbɑnt] m tire, tyre.

wielbasis [-ba.zəs] v wheel-base.

wieldop [-dəp] m ⚙ hub-cap.

wielerbaan ['ʋi.lərba.n] v cycle-(cycling-) track.

wielersport [-spɔrt] v cycling.

wielerwedstrijd [-ʋɛtstrɛit] m bicycle race.

wielewaal ['ʋi.ləʋa.l] m ⚥ golden oriole.

wielrennen ['ʋi.lrɛnə(n)] o cycle-racing.

wielrenner [-nər] m racing cyclist.

wielrijden ['ʋi.lrɛidə(n)] vi cycle, wheel.

wielrijder [-dər] m cyclist.

wielrijdersbond [-dərsbònt] m cyclists' union.

wier [ʋi:r] o seaweed, § alga [mv algae].

wierook ['ʋi:ro.k] m incense[2], frankincense.

wierookgeur [-gø:r] m -lucht [-lůxt] v smell of incense.

wierookscheepje [-sxe.pjə] o incense-boat.

wierookvat [-fɑt] o censer, thurible, incensory.

wig [ʋɪx] ~ge ['ʋɪgə] v wedge; een ~ drijven tussen drive a wedge between.

wigvormig ['ʋɪxfɔrməx] wedge-shaped [thing]; cuneiform [inscription].

wij [ʋɛi] we.

wijbisschop ['ʋɛibɪsxòp] m suffragan (bishop).

wijd [ʋɛit] I aj wide, ample, large, broad, spacious; II ad wide(ly); de ramen ~ openzetten open the windows wide; ~ en zijd far and wide; ~ en zijd bekend widely known.

wijdbeens ['ʋɛitbe.ns] straddle-legged.

wijden ['ʋɛidə(n)] I vt ordain [a priest]; consecrate [a church, churchyard, a bishop &]; ~ aan dedicate to [God, some person &]; fig consecrate to [some purpose]; zijn tijd & ~ aan... devote one's time & to...; hem tot priester ~ ordain him priest; II vr zich ~ aan iets devote oneself to it.

wijders [-dərs] further, besides, moreover.

wijding [-dɪŋ] v ɪ ordination, consecration; 2 devotion; hogere (lagere) ~en RK major (minor) orders.

wijdlopig [ʋɛit'lo.pəx] prolix, diffuse, verbose.

wijdlopigheid [-hɛit] v prolixity, diffuseness, verbosity.

wijdte ['ʋɛitə] v ɪ width, breadth, space; 2 gauge [of a railway].

wijdvertakt ['ʋɛitfərtɑkt] wide-spread [plot].

wijf [ʋɛif] o woman, female; > mean woman, rago, vixen, shrew; een oud ~ an old woman[2].

wijtje ['vɛifjə] *o* 1 female [of animals]; 2 (als aanspreking) wifey, little wife.

wijk [vɛik] *v* quarter, district, ward; beat [of policeman], round [of milkman], walk [of postman]; *de ~ nemen naar Amerika* fly (flee) to America, take refuge in America.

wijken ['vɛikə(n)] *vi* give way, give ground, yield; *geen voet ~* not budge an inch; ⚔ not yield an inch of ground; *niet van iemand ~* not budge from his side; *~ voor niemand* not yield to anybody; *moet ik voor hem ~?* should I make way for him?; *~ voor de overmacht* yield to superior numbers; *het gevaar is geweken* the danger is over; *de pijn is geweken* the pain has gone.

wijkhoofd ['vɛikho.ft] *o* chief (air-raid) warden.

wijkplaats [-pla.ts] *v* asylum, refuge.

wijkverpleegster [-fərple.xstər] *v* district nurse.

wijkverpleging [-fərple.ɣiŋ] *v* district nursing.

wijkzuster [-süstər] *v* district nurse.

1 **wijl** [vɛil] *cj* since, because, as.

2 **wijl(e)** [vɛil, 'vɛilə] *v* while, time.

1 **wijlen** ['vɛilə(n)] *aj* in: *~ Willem I* the late William I; *~ mijn vader* my late father.

2 **wijlen** ['vɛilə(n)] *vi* zie *verwijlen*.

wijn [vɛin] *m* wine; *rode ~* red wine, claret; *witte ~* white wine; *klare ~ schenken* speak frankly, be frank; *er moet klare ~ geschonken worden!* plain language wanted!; *goede ~ behoeft geen krans* good wine needs no bush.

wijnachtig ['vɛinaxtəx] vinous.

wijnappel [-apəl] *m* wine-apple.

wijnazijn [-a.zɛin] *m* wine-vinegar.

wijnberg [-bɛrx] *m* vineyard.

wijnbouw [-bou] *m* viniculture, wine-growing.

wijnbouwer [-bouər] *m* wine-grower.

wijndruif [-drœyf] *v* grape.

wijnfles [-flɛs] *v* wine-bottle.

wijngaard [-ga.rt] *m* vineyard.

wijngaardenier [vɛinga.rdə'ni:r] *m* vine-dresser.

wijngaardslak ['vɛinga:rtslɑk] *v* edible snail.

wijngeest [-ge.st] *m* spirit of wine, alcohol.

wijnglas [-glɑs] *o* wine-glass.

wijnhandel [-hɑndəl] *m* 1 wine-trade; 2 wine-business; wine-shop.

wijnhandelaar [-hɑndəla:r] *m* wine-merchant.

wijnhuis [-hœys] *o* wine-house.

wijnjaar [-ja:r] *o* vintage [of 1910], vintage year.

wijnkaart [-ka.rt] *v* wine-list.

wijnkan [-kɑn] *v* wine-jug.

wijnkaraf [-ka.rɑf] *v* wine-decanter.

wijnkelder [-kɛldər] *m* wine-cellar, wine-vault.

wijnkenner [-kɛnər] *m* judge of wine.

wijnkleur [-klø:r] *v* wine colour.

wijnkleurig [-klø:rəx] wine-coloured.

wijnkoper [-ko.pər] *m* wine-merchant.

wijnkuip [-kœyp] *v* wine-vat.

wijnlezer [-le.zər] *m* vintager.

wijnlucht [-lüxt] *v* winy smell, vinous smell.

wijnmaand [-ma.nt] *v* October.

wijnmerk [-mɛrk] *o* brand of wine.

wijnoogst [-o.xst] *m* vintage.

wijnoogster [-o.xstər] *m* vintager.

wijnpers [-pɛrs] *v* winepress.

wijnrank [-rɑŋk] *v* ♀ vine-tendril.

wijnrijk [-rɛik] abounding in wine, viny.

wijnrood [-ro.t] wine-red.

wijnsaus [-sous] *v* wine-sauce.

wijnsmaak [-sma.k] *m* vinous (winy) taste.

wijnsoort [-so:rt] *v* kind of wine.

wijnsteen [-ste.n] *m* wine-stone, tartar.

wijnsteenzuur [-ste.nzy:r] *o* tartaric acid.

wijnstok [-stɔk] *m* ♀ vine.

wijnvat [-vɑt] *o* wine-cask.

wijnvlek [-vlɛk] *v* 1 wine-stain [in napkin &]; 2 strawberry mark [on the skin].

1 **wijs** [vɛis] *v* 1 (manier) manner, way; 2 *gram* mood; 3 ♪ tune, melody; zie ook: 2 *wijze*; *de ~ niet kunnen houden* ♪ not be able to keep tune; *op de ~ van...* ♪ to the tune of...; *op die ~* in this manner, in this way; *van de ~* ♪ out of tune; *hem van de ~ brengen* put him out [*fig*]; *zich niet van de ~ laten brengen* I not suffer oneself to be put out; 2 not suffer oneself to be misled [by idle gossip]; *van de ~ raken* ♪ get out of tune; *fig* get flurried; *ik ben geheel van de ~* I am quite at sea [*fig*]; *'s lands ~, 's lands eer* when you are at Rome, do as Rome does.

2 **wijs** [vɛis] I *aj* wise; *ben je (wel) ~?* are you in your right senses?, where are your senses?; *nu ben ik nog even ~* I am just as wise as (I was) before, I am not any the wiser; *hij is niet goed (niet recht) ~* he is not in his right senses (not quite in his senses); *ze zijn niet wijzer* they know no better; *hij zal wel wijzer zijn* he will know better (than to do that); *~ worden* learn wisdom; *ik kan er niet uit ~ worden* I can make neither head nor tail of it; I cannot make it out; *ik kan niet ~ uit hem worden* I don't know what to make of him; II *ad* wisely; *die hoed staat het kind te ~* makes the child look older.

wijsbegeerte ['vɛisbəge:rtə] *v* philosophy.

wijselijk ['vɛisələk] wisely.

wijsgeer ['vɛisge:r] *m* philosopher. [al(ly).

wijsgerig [vɛis'ge:rəx] *aj* (& *ad*) philosophic-

wijsheid ['vɛisheit] *v* wisdom; *alsof zij de ~ in pacht hebben* as if they had a monopoly of wisdom, as if they were the only wise people in the world.

wijsmaken [-ma.kə(n)] *vt* in: *iemand iets ~* make one believe something; *zich (zelf) ~ dat...* delude oneself into the belief that...; *maak dat anderen wijs* tell that story somewhere else; *dat maak je mij niet wijs* I know better; *maak dat de kat wijs* tell that to the horse-marines; *ik laat me niets ~* I don't suffer myself to be imposed upon; *hij laat zich alles ~* he will swallow anything.

wijsneus [-nø.s] *m* wiseacre, pedant; *een ~je* a young precocity.

wijsneuzig [vɛis'nø.zəx] conceited, pedantic.

wijsvinger ['vɛisfiŋər] m forefinger, index.

wijten ['vɛitə(n)] vt in: *iets ~ aan* impute something to; blame [a person] for a thing; *het was te ~ aan...* it was owing to...; *dat heeft hij zichzelf te ~* he has no one to thank for it but himself, he has only himself to blame for it.

wijting [-tiŋ] m 𝕾 whiting.

wijwater ['vɛiva.tər] o holy water.

wijwaterbakje [-bakjə] o holy-water font (basin).

wijwaterkwast [-kʋast] m holy-water sprinkler.

1 **wijze** ['vɛizə] m sage, wise man; *de Wijzen uit het Oosten* the Wise Men, the Magi.

2 **wijze** ['vɛizə] v manner, way; zie 1 *wijs*; *bij ~ van proef* by way of trial; *bij ~ van spreken* in a manner of speaking, so to speak, so to say; *naar mijn ~ van zien* in my opinion; *op die ~* in this manner, in this way; *op de een of andere ~* somehow or other; *op generlei ~* by no manner of means, in no way.

wijzen ['vɛizə(n)] I vt i show, point out [something]; 2 ⚖ pronounce [sentence]; *dat zal ik u eens ~* I'll show you; *dat wijst (ons) op...* this points to...; *iemand op zijn ongelijk ~* point out to him where he is wrong; II vi point: *ik zou erop willen ~ dat...* I should like to point out the fact that...; *alles wijst erop dat...* everything points to the fact that...

wijzer ['vɛizər] m i ✎ indicator; 2 hand [of a watch]; 3 (h a n d w ij z e r) finger-post; *grote ~* minute-hand; *kleine ~* hour-hand.

wijzerplaat [-pla.t] v dial(-plate), face [of a clock].

wijzertje [-cə] o hand [of a watch]; *het ~ rond slapen* sleep the clock round.

wijzigen ['vɛizəɣə(n)] vt modify, alter, change.

wijziging [-ɣiŋ] v modification, alteration, change; *een ~ aanbrengen (in)* make a change (in); *een ~ ondergaan* undergo a change, be altered.

wijzing ['vɛiziŋ] v ⚖ pronouncing [of a sentence].

wik [vik] v 🌿 vetch.

wiking ['vi.kiŋ] = *viking*.

wikke ['vikə] v 🌿 vetch.

wikkel ['vikəl] m wrapper; (v. s i g a a r) filler.

wikkelen ['vikələ(n)] I vt wrap (up) [in brown paper &]; envelop [person, thing in]; swathe [in bandages]; wind [on a reel]; involve² [person in difficulties &]; II vr zich ~ in... wrap [a shawl] about [her].

wikkeling [-liŋ] v ⚡ winding.

wikken ['vikə(n)] vt weigh² [goods, one's words]; poise [on the hand]; *~ en wegen* weigh the pros and cons; weigh one's words; *de mens wikt, maar God beschikt* man proposes, (but) God disposes.

wil [vil] m will, desire; *zijn uiterste ~* his last will (and testament); *de vrije ~* free will; *het is zijn eigen ~* he has willed it himself; *~ van*

iets hebben derive satisfaction from it; *u zult er veel ~ van hebben* it will prove very serviceable; *de ~ voor de daad nemen* take the will for the deed; *zijn goede ~ tonen* show one's willingness; *buiten mijn ~* without my will and consent; *met de beste ~ van de wereld* with the best will in the world; *met mijn ~ gebeurt het niet* not with my consent, not if I can help it; *om 's hemels ~* for Heaven's sake; F goodness gracious!; *tegen mijn ~* against my will; *tegen ~ en dank* against his will, in spite of himself, willy-nilly; *iemand ter ~le zijn* oblige a person; *ter ~le van mijn gezin* for the sake of my family; *ter ~le van de vrede* for peace's sake; *(niet) uit vrije ~* (not) of my own free will; *voor elk wat ~s* something for everyone, all tastes are catered for; *waar een ~ is, is een weg* where there's a will there's a way.

wild [vilt] I aj i (in 't wild groeiend) wild [flowers]; 2 (in 't wild levend) wild [animals], savage [tribes]; 3 (niet kalm) wild, unruly; 4 (w o e s t k ij k e n d) haggard [looks]; *~e boot* ⚓ tramp (steamer); *in 't ~* at random, wildly; *in het ~ groeien* grow wild; *in het ~ opgroeien* run wild; *in het ~(e) redene ren* reason at random; *in het ~ schieten* shoot at random; fire random shots; II ad wildly; III o i game, quarry; 2 (gebraden) game; *grof (klein) ~* big (small) game; zie *wilde*.

wildbraad ['viltbra.t] o game.

wilddief [-di.f] m poacher.

wilddieverij [viltdi.və'rɛi] v poaching.

wilde ['vildə] m savage; wild man; *de ~n* i the savages; 2 S the wild men [in Parliament].

wildebras [-bras] m-v i (j o n g e n) wild monkey; 2 (m e i s j e) tomboy, romp.

wildeman [-man] m wild man.

wildernis ['vildərnis] v wilderness, waste.

wildheid ['viltheit] v wildness, savageness.

wildpastei [-pastei] v game-pie.

wildrijk [-reik] gamy, abounding in game.

wildvreemd [-fre.mt] in: *ik ben hier ~* I am a perfect stranger here.

wildzang [-saŋ] m i wild notes, untaught song; 2 m-v zie *wildebras*.

wilg [vilx] m 🌿 willow.

wilgeboom ['vilɣəbo.m] m willow-tree.

wilgeroos [-ro.s] v willowherb.

Wilhelmina [vilhɛl'mi.na.] v Wilhelmina.

willekeur ['vilkø:r] v arbitrariness; *naar ~* at will.

willekeurig [vilə'kø:rəx] I aj arbitrary [actions &]; *een ~ getal* any (given) number; II ad arbitrarily.

willekeurigheid [-heit] v arbitrariness.

Willem ['viləm] m William, F Will(y), Bill.

willen ['vilə(n)] I vi & va will; be willing; *ik wil* I will; *ik wil niet* I will not, I won't; *hij kan wel, maar hij wil niet* but he will not; *hij wil wel* he is willing; *of hij wil of niet* willy-nilly; *hij moge zijn wie hij wil* whoever he may be; *zij ~ er niet aan* they won't hear of it; *dat wij er bij mij niet in* that won't go down with me; **II** *vt* will; **vóór** inf. **1** (zich niet verzetten) be willing [to go &]; **2** (wensen) wish, want [to go, write &]; **3** (nadrukkelijk wensen) insist [on being obeyed &]; **4** (beweren) say [something to have occurred]; *wilt u het zout aangeven?* would you pass the salt?; *hij was zieker dan hij wel wilde bekennen* than he was willing to own; *zij ~ hebben dat wij...* they want us to...; *hij zal hard moeten werken, wil hij slagen* if he wants to succeed; *wil je wel eens zwijgen!* keep quiet, will you?; *als ik iets wilde* **1** if I willed a thing; **2** whenever I wanted anything; *zij ~ het zo* it is their pleasure; *dat zou je wel ~, he?* wouldn't you like it?; *ik zou wel een glaasje bier ~* I should not mind a glass of beer; *ik zou hem wel om de oren ~ slaan* I should like to box his ears; *ik wilde liever sterven dan...* I would rather die than...; *zij ~ het niet (hebben)* **1** they don't want it, they will have none of it; **2** they don't allow it; *zij ~ dat u...* they want (wish) you to...; *ik wou dat ik het kon* I wish I could; *hij kan niet ~ dat ik...* he cannot want us to...; *als God wil dat ik...* if God wills me to...; *het toeval wilde dat...* zie *toeval*; *wat wil je?* what do you want?; what is your desire?; *wat ze maar ~* anything they like; *men kan niet alles doen wat men maar wil* a man cannot do all he pleases; *hij mag (ervan) zeggen wat hij wil, maar...* he may say what he will, but...; *wat wil hij er voor?* what does he ask for it?; **III** *o* volition; *~ is kunnen* where there's a will there's a way; *het is maar een kwestie van ~* it is but a question of willing.

willens ['vɪləns] on purpose; *~ of onwillens* willy-nilly; *~ en wetens* (willingly and) knowingly; *~ zijn* intend [to...].

willig [-ləx] **1** willing; **2** $ firm.

willigen [-ləgə(n)] *vi* $ become firmer.

willigheid [-ləxhɛit] *v* **1** willingness; **2** $ firmness [of the market].

willoos ['vɪlo.s] will-less.

willoosheid [-hɛit] *v* will-lessness.

wilsbeschikking ['vɪlsbəsxɪkɪŋ] *v* last will (and testament), will.

wilskracht [-krɑxt] *v* will-power, energy.

Wim [vɪm] *m* F Bill, Willie.

wimpel ['vɪmpəl] *m* pennant, streamer; *de blauwe ~* the blue ribbon.

wimper ['vɪmpər] *v* (eye)lash.

wind [vɪnt] *m* **1** wind; **2** 🌿 flatulence; *dat is maar ~* that is mere gas; *in weder dienende weather permitting*; *zien uit welke hoek de ~ waait* find out how the wind lies; *waait de ~ uit die hoek?* sits the wind in that quarter?; *de ~ waait uit een andere hoek* the wind blows from another quarter; *ga & ais de ~!* like the wind!; *iemand de ~ van voren geven* take him up roundly; *de ~ van achteren hebben*

go down the wind; *toen wij de ~ mee hadden* when the wind was with us; *er de ~ onder hebben* have them well in hand; *de ~ tegen hebben* sail against the wind; *de ~ van iets krijgen* zie *lucht*; *de ~ van voren krijgen* catch it; *~ maken* cut a dash; *bij de ~ zeilen* ⚓ sail near the wind; *scherp bij de ~ zeilen* ⚓ sail close-hauled; *de Eilanden boven de ~* the Windward Islands; *in de ~ praten* be talking to the wind; *zijn raad in de ~ slaan* fling his advice to the winds; *een waarschuwing in de ~ slaan* disregard a warning; *met alle ~en draaien (waaien)* trim one's sails to every wind; *met de ~ mee* down the wind; *de Eilanden onder de ~* the Leeward Islands; *tegen de ~ in* against the wind; *vlak tegen de ~ in* in the teeth of the wind; *van de ~ kan men niet leven* you cannot live on air; *het gaat hem vóór de ~* he is sailing before the wind, he is thriving; *vóór de ~ zeilen* ⚓ sail before the wind; *wie ~ zaait, zal storm oogsten* sow the wind and reap the whirlwind; *zoals de ~ waait, waait zijn jasje* he hangs his cloak to the wind.

windas ['vɪntɑs] *o* ⚒ windlass, winch.

windbuil [-bœyl] *v* windbag, gas-bag, braggart, braggadocio.

windbuks [-bŭks] *v* air-gun, air-rifle.

winddruk [-drŭk] *m* wind-pressure.

winde ['vɪndə] *v* 🌿 bindweed, convolvulus.

windei ['vɪntɛi] *o* wind-egg; *het zal hem geen ~eren leggen* he will do well out of it.

winden ['vɪndə(n)] **I** *vt* **1** wind, twist [yarn &]; **2** (ophijsen) hoist (up); ⚓ heave [an anchor &]; *het op een klos ~* wind it on a reel, reel it; **II** *vr zich ~* wind, wind itself [round a pole &].

winderig [-dərəx] windy[2].

winderigheid [-hɛit] *v* windiness[2].

windgat ['vɪntgɑt] *o* vent-hole.

windhandel [-hɑndəl] *m* speculation, stock-jobbery, gambling.

windhoek [-hu.k] *m* **1** quarter from which the wind blows; **2** windy spot.

windhond [-hònt] *m* 🐕 greyhound.

windhondenrennen [-hòndə(n)rɛnə(n)] *mv* greyhound races.

windhoos [-ho.s] *v* wind-spout, tornado.

winding [-dɪŋ] *v* winding, coil [of a rope]; § convolution.

windjak ['vɪntjɑk] *o* windproof jacket.

windje ['vɪncə] *o* breath of wind.

windkant ['vɪntkɑnt] *m* zie *windzij(de)*.

windkussen [-kŭsə(n)] *o* air-cushion.

windmaker [-ma.kər] *m* zie *windbuil*.

windmeter [-me.tər] *m* wind-gauge, anemometer.

windmolen [-mo.lə(n)] *m* windmill; *tegen ~s vechten* tilt at (fight) windmills.

windpokken [-pɔkə(n)] *mv* chicken-pox.

windrichting [-rɪxtɪŋ] *v* direction of the wind.

windroos [-ro.s] *v* ⚓ compass-card.

windscherm [-sxɛrm] *o* windscreen.

windsel [-səl] *o* bandage, swathe; ~s swaddling clothes.

windstil [-stil] calm.

windstilte [-stiltə] *v* calm.

windstoot [-sto.t] *m* gust of wind.

windstreek [-stre.k] *v* point of the compass.

windtunnel [ˈvintűnəl] *m* wind-tunnel.

windvaan [ˈvintfa.n] *v* weather-vane.

windvlaag [-fla.x] *v* gust of wind, squall.

windwaarts [-va:rts] to windward.

windwijzer [-vɛizər] *m* weathercock, weather-vane.

windzak [-sak] *m* ⚓ wind-sock, drogue.

windzij(de) [-sci(də)] *v* wind-side, windward side, weather-side.

wingerd [ˈvinɡərt] *m* 1 (wijngaard) vineyard; 2 ⚘ (wijnstok) vine; *wilde* ~ ⚘ Virginia(n) creeper.

wingewest [ˈvinɡəvɛst] *o* conquered country, province.

winkel [ˈvinkəl] *m* 1 shop; 2 (v. ambachtsman) workshop, shop; *een* ~ *doen* (*houden*) keep a shop; *de* ~ *sluiten* close the shop, shut up shop.

winkelbediende [-bədi.ndə] *m-v* shop-assistant.

winkelcentrum [-sɛntrűm] *o* shopping-centre.

winkelchef [-ʃɛf] *m* shopwalker.

winkeldief [-di.f] *m* shoplifter.

winkelen [ˈvinkələ(n)] *vi* go (be) shopping.

winkelgalerij [-ga.lərɛi] *v* arcade.

winkelhaak [ˈvinkəlha.k] *m* 1 (v. timmerman) square; 2 (scheur) tear.

winkelier [vinkəˈli:r] *m* shopkeeper, shopman.

winkeljuffrouw [ˈvinkəljűfrou] *v* shop-girl, saleswoman.

winkelkast [-kɑst] *v* show-window.

winkella(de) [-la.(də)] *v* till.

winkelnering [-ne:rin] *v* custom, goodwill; *gedwongen* ~ truck(-system).

winkelopstand [-ɔpstɑnt] *m* shop-fittings, fixtures.

winkelprijs [-prɛis] *m* retail-price.

winkelpui [-pœy] *v* shop-front.

winkelraam [-ra.m] *o* shop-window.

winkelsluiting [-slœytin] *v* closing of shops.

winkelstand [-stɑnt] *m* 1 shopping quarter; 2 community of shopkeepers.

winkelstraat [-stra[t] *v* shopping street.

winkelvereniging [-vəre.nəɡin] *v* co-operative store(s).

winkelwaar [-va:r] *v* shop-wares.

winkelwijk [-vɛik] *v* shopping-quarter.

winkelzaak [-za.k] *v* shop.

winnaar [ˈvina:r] *m* winner.

winnen [ˈvinə(n)] I *vt* 1 win [money, time, a prize, a battle &], gain [a battle, a lawsuit &]; 2 (verkrijgen) make [hay &]; *ook:* win [hay, ore &]; *het* ~ win, be victorious, carry the day; *het van iemand* ~ get the better of him; *het in zeker opzicht* ~ *van...* have the pull over...; *u hebt 10 pond* (*de weddenschap*) *van me gewonnen* you have won £ 10 of me, you have won the bet from me; *het glansrijk van iemand* ~ beat a person hollow; *iemand voor de goede zaak* ~ win him over to the (good) cause; *iemand voor zich* ~ win a person over (to one's side); II *va* win, gain; *aan* (*in*) *duidelijkheid* ~ gain in clearness; *bij iets* ~ gain by it; *bij nadere kennismaking* ~ improve upon acquaintance; *op iemand* ~ gain (up)on him; *Oxford wint van Cambridge* O. wins from C., O. beats C.; *zo gewonnen, zo geronnen* zie *gewonnen*.

winner [ˈvinər] *m* winner.

winst [vinst] *v* gain, profit, winnings, return(s); ~ *behalen* (*maken*) *op* make a profit on; *grote* ~*en behalen* make big profits; ~ *geven* (*opleveren*) yield profit; *met* ~ *verkopen* sell at a profit; ~ *en verlies* $ profits and losses.

winstaandeel [ˈvinsta.nde.l] *o* share in the profit(s).

winstbejag [-bəjɑx] *o* pursuit (love) of gain, profiteering.

winstbelasting [-bəlɑstin] *v* profits tax.

winstcijfer [-sɛifər] *o* profit.

winstderving [-dɛrvin] *v* loss of profit.

winst- en verliesrekening [vinstɛnvərˈli.sre.-kənin] *v* profit and loss account.

winstgevend [vinstˈɡe.vənt] profitable, lucrative.

winstje [ˈvinʃə] *o* (little) profit; *met een zoet* ~ with a fair profit.

winstmarge [ˈvinstmɑrʒə] *v* profit margin, margin of profit.

winstsaldo [-sɑldo.] *o* $ balance of profit(s).

winstuitkering [-œytke:rin] *v* $ distribution of profits.

winter [ˈvintər] *m* 1 winter; 2 (zwelling) chilblain(s).

winterachtig [-ɑxtəx] wintry.

winteravond [vintərˈa.vənt] *m* winter evening.

winterbloem [ˈvintərblu.m] *v* winter-flower.

winterdag [vintərˈdɑx] *m* winter-day.

winterdienst [ˈvintərdi.nst] *m* 1 winter-service; 2 winter time-table.

winteren [ˈvintərə(n)] in: *het wintert* it is freezing, it is winter.

wintergezicht [ˈvintərɡəzixt] *o* wintry scene.

wintergoed [-ɡu.t] *o* winter-clothes.

wintergroen [-ɡru.n] *o* ⚘ wintergreen.

winterhanden [-hɑndə(n)] *mv* chilblained hands.

winterhard [-hɑrt] ⚘ hardy. [hands.

winterhiel [-hi.l] *m* chilblained heel.

winterjas [-jɑs] *m* & *v* winter overcoat.

winterkleed [-kle.t] *o* winter-dress; 🦚 winter-plumage.

winterkleren [-kle.rə(n)] *mv* winter-clothes.

winterkoninkje [-ko.nənkjə] *o* 🐦 wren.

winterkoren [-ko.rə(n)] *o* ⚘ winter-corn.

winterkost [-kɔst] *m* winter-fare.

winterkwartier [-kvɑrti:r] *o* winter quarters.

winterlandschap [-lɑntsxɑp] *o* wintry landscape.

r] *v* sitting-room, living-
...torey.
] *v* dwelling-place, home,
le. & habitat.
ntə] *v* housing accommoda-
mmodation, living space.
woonschuit [-sxœyt] *v* house- [boat.
te.(də)] *v* home.
ttrek] *o* zie woonkamer.
ə(n)] *m* caravan.
] *v* housing estate; (deftig)
ter (district).
m = I waard 2 = woerd.
o word, term; *grote ~en* big
~en high words; het hoge ~ is er
truth is out; *het hoge ~ kwam*
ed up; *het Woord (Gods)* God's
ord (of God); *het Woord is vlees*
the Word was made flesh; *een ~*
word of thanksgiving; *~en en da-*
and deeds; *geen ~ meer!* not an-
; *er is geen ~ van waar* there is
of truth in it; *zijn ~ breken* break
; *een ~ van lof brengen aan...* pay
o...; *het ~ doen* act as spokesman;
el *goed zijn ~ doen* he is never at a
to say, F he has the gift of the gab;
~ voor iemand doen bij... put in a
one with...; *iemand het ~ geven* call
erson to speak (to say a few words);
) *zijn ~ geven* give (a person) one's
et éne ~ haalt (lokt) het andere uit,
éne ~ komt het andere one word leads
ther; *het ~ hebben* be speaking; be
e's feet, have the floor; *het ~ alléén*
have all the talk to oneself; *ik zou*
het ~ hebben I should like to say a
; *~en met iemand hebben* have words
a person; *het hoogste ~ hebben* do most
e talking; *hij wil het laatste ~ hebben* he
ts to have the last word; *(zijn) ~ houden*
o one's word, be as good as one's word;
~ vrees & kent hij niet fear & is a word
t has no place in his vocabulary; *het ~*
igen zie *aan het ~ komen; men kon er geen*
tussen krijgen you could not get in a word;
kan geen ~ uit hem krijgen I cannot get a
ord out of him; *~en krijgen met iemand*
ome to words with a person; *het ~ nemen*
egin to speak, rise, take the floor; *hem het ~*
ontnemen ask the speaker to sit down; *het*
~ richten tot iemand address one; *hij kon*
geen ~ uitbrengen he could not bring out
a word; *men kon zijn eigen ~en niet verstaan*
you couldn't hear your own words; *ik kan*
geen ~en vinden om... I have no words to...;
het ~ bij de daad voegen suit the action to the
word; *het ~ voeren* act as spokesman; *de*
heer A. zal het ~ voeren Mr. A. will speak;
een hoog ~ voeren talk big; *het ~ vragen* I
ask leave to speak; 2 try to catch the Speak-

er's eye; *wenst iemand het ~?* does any on...
desire to address the meeting?; *geen ~ zegge...*
not say a word; *ik heb er geen ~ in te zegge...*
I have no say in the matter; *het ~ is aan u th...*
word is with you; *het ~ is nu aan onze tegen...*
stander it is for our antagonist to speak now...
wie is aan het ~? who is speaking?; *ieman...*
aan zijn ~ houden take a person at his word...
ik kon niet aan het ~ komen I I could no...
get in a word; 2 I could not catch the Speaker's eye; *bij het ~ des meesters zweren zi...*
zweren I; *in één ~* in a word, in one word...
de oorlog in ~ en beeld the war in words an...
pictures; *met andere ~en* in other words...
hetzelfde met andere ~en the same thin...
though differently worded; *met deze ~e...*
with these words; *met een paar ~en* in a few...
words; *met zoveel ~en* in so many words...
iets onder ~en brengen put it into words...
op één ~ van u on a word from you; *op da...*
~ on the word, with the word; *op mijn ~...*
at this word of mine; 2 upon my word; *op...*
mijn ~ van eer upon my word (of honour);
iemand te ~ staan give one a hearing, listen...
to him; *~ voor ~* [repeat] word for word;
een goed ~ vindt een goede plaats a good...
word is never out of season; *~en wekken...*
voorbeelden trekken example is better than...
precept.

woordafleiding ['vo:rtafleidiŋ] *v* gram etymology.
woordbreker [-bre.kər] *m* promise-breaker.
woordbreuk [-brø.k] *v* breach of promise
(faith).
woordelijk ['vo:rdələk] I *aj* verbal, literal;
verbatim [report]; II *ad* verbally, literally,
word for word, verbatim.
woordenboek ['vo:rdə(n)bu.k] *o* dictionary,
lexicon.
woordenkraam [-kra.m] *v* verbiage.
woordenlijst [-leist] *v* word-list, vocabulary.
woordenpraal [-pra.l] *v* pomp of words, bombast.
woordenrijk [-reik] I rich in words; 2 wordy,
verbose, voluble [speaker].
woordenrijkheid [-heit] *v* I wealth of words; 2
flow of words, wordiness, verbosity, volubility.
woordenschat ['vo:rdə(n)sxat] *m* stock of
words, vocabulary.
woordenspel [-spɛl] *o* play upon words, pun.
woordenstrijd [-streit] *m* zie *woordentwist*.
woordentwist [-tvist] *m* verbal dispute, altercation.
woordenvloed [-vlu.t] *m* flow (torrent) of
words.
woordenwisseling [-visəliŋ] *v* altercation, dispute.
woordenzifter [-ziftər] *m* word-catcher, verbalist.
woordenzifterij [vo:rdə(n)ziftə'rei] *v* word-
catching, verbalism.

wintermaand [-ma.nt] *v* December; *de ~en* the
winter-months.
wintermantel [-mantəl] *m* winter-coat.
wintermorgen [vintər'mərgə(n)] *m* winter-
morning.
winternacht [-'naxt] *m* winter-night.
winterprovisie ['vintərpro.vi.zi.] *v* winter-store.
winters ['vintərs] *aj* wintry.
winterseizoen ['vintərseizu.n] *o* winter-season.
winterslaap [-sla.p] *m* winter sleep, § hibernation; *de ~ doen* hibernate.
wintersport [-spərt] *v* winter sport(s).
wintertijd [-teit] *m* winter-time.
wintertuin [-tœyn] *m* winter garden.
winterverblijf [-vərbleif] *o* winter-resort, win-
ter-residence.
wintervermaak [-vərma.k] *o* winter-amuse-
ment.
wintervoe(de)r [-vu:r, -vu.dər] *o* winter-fodder.
wintervoeten [-vu.tə(n)] *mv* chilblained feet.
wintervoorraad [-vo:ra.t] *m* winter-store.
winterwe(d)er [-ve:r, -ve.dər] *o* winter-weather,
wintry weather.
winterzonnestilstand [-zònəstilstant] *m* winter
solstice.
winzucht ['vinzuxt] *v* love of gain, covetousness.
winzuchtig [vin'zuxtəx] greedy of gain.
1 **wip** [vip] *v* I (plank) seesaw; 2 (wipgalg)
strappado; 3 (v. brug) bascule; *op de ~*
zitten hold the balance [in politics]; *hij zit op*
de ~ his position is shaky [fig].
2 **wip** [vip] *m* skip; *in een ~* in a trice, in a
jiffy, in the turn of a hand, before you can
(could) say Jack Robinson, in the twinkling
of an eye; *en ~ was hij weg!* pop went the
weasel!
wipbrug ['vipbrux] *v* drawbridge, bascule-
bridge.
wipgalg [-galx] *v* strappado.
wipneus [-nø.s] *m* turned-up nose.
wippen ['vipə(n)] I *vi* I seesaw, move up and
down; 2 skip, whip, nip; *naar binnen ~* skip
into the house; *de hoek om ~* whip round the
corner; *de straat over ~* nip across the street;
II *vt* F turn out [an official, a Liberal &].
wippertje [-pərcə] *o* I jack [in a piano]; 2 S
nip [of gin], dram.
wippertoestel [-pərtu.stɛl] *o* breeches buoy.
wipplank [-plaŋk] *v* seesaw.
wipstaart ['vipsta:rt] *m* wagtail.
wipstoel [-stu.l] *m* rocking-chair.
wirwar ['virwar] *m* tangle.
1 **wis** [vis] *aj* certain, sure; *van een ~se dood*
redden save from certain death; *~ en zeker*
yes, to be sure!
2 **wis** [vis] *v* wisp.
wiskunde ['viskundə] *v* mathematics.
wiskundeleraar [-le:ra:r] *m* mathematics
master.
wiskundig [vis'kundəx] *aj* (& *ad*) mathematic-
al(ly).

wiskundige [-dəgə] *m* mathematician.
wispelturig [vispəl'ty:rəx] I *aj* inconstant,
fickle; II *ad* inconstantly.
wispelturigheid [-heit] *v* inconstancy, fickleness.
wissel ['visəl] I *m* & *o* (v. spoor) switch,
points [of a railway]; 2 *m* $ bill (of ex-
change), draft; *de ~ omzetten* shift the points.
wisselaar ['visəla:r] *m* $ money-changer.
wisselagent ['visəla.gent] *m* $ exchange-broker.
wisselarbitrage [-arbi.tra.ʒə] *v* $ arbitration of
exchange.
wisselbank [-baŋk] *v* $ discount-bank.
wisselbeker [-be.kər] *m* challenge cup.
wisselboek [-bu.k] *o* $ bill-book.
wisselbouw [-bəu] *m* rotation of crops, crop
rotation.
wisselbrief [-bri.f] *m* $ bill of exchange.
wisselen ['visələ(n)] I *vt* I change, give change
for [a guilder &]; 2 (tanden) shed [one's
teeth]; 3 exchange [glances, words &]; bandy
[jests]; *zij hebben een paar schoten met elkaar*
gewisseld they have exchanged a few shots;
II *va* change, give [one] change; *ik kan niet*
~ I have no change; *dat kind is aan 't ~* it is
shedding its teeth; *zijn stem is aan het ~* his
voice is turning; *die trein moet nog ~* must
shunt; III *vi* change; *de a wisselt met de o*
a varies with *o; van gedachten ~ over...* exchange views about...; *van paarden ~* change
horses.
wisselgeld ['visəlgɛlt] *o* (small) change.
wisselhandel [-handəl] *m* $ exchange business.
wisseling ['visəliŋ] *v* I (verandering, afwisseling) change; 2 turn [of the century, of the
year]; 3 (ruil) exchange.
wisselkantoor ['visəlkanto:r] *o* $ exchange-
office.
wisselkoers [-ku:rs] *m* $ rate of exchange, ex-
change rate.
wisselloon [-lo.n] *o* $ bill-brokerage.
wisselmakelaar [-ma.kəla:r] *m* $ bill-broker.
wisselpaard [-pa:rt] *o* fresh horse.
wisselpersoneel [-pɛrso.ne.l] *o* parties to a bill.
wisselplaats [-pla.ts] *v* stage [of a coach].
wisselportefeuille [-portəfœyjə] *v* bill-case.
wisselprovisie [-pro.vi.zi.] *v* bill-commission.
wisselrekening [-re.kəniŋ] *v* $ bill-account.
wisselruiterij [-rœytərei] *v* $ kite-flying.
wisselslag [-slax] *m* sp medley relay.
wisselspoor [-spo:r] *o* siding.
wisselstand [-stant] *m* position of the points.
wisselstroom [-stro.m] *m* alternating current.
wisselstroomdynamo [-di.na.mo.] *m* alternator.
wisseltand ['visəltant] *m* permanent tooth.
wisselvallig [visəl'valəx] precarious, uncertain.
wisselvalligheid [-heit] *v* precariousness, uncertainty; *de wisselvalligheden des levens* the
vicissitudes of life.
wisselvervalser ['visəlvərvalsər] *m* bill-forger.

wisselwachter [-vɑxtər] *m* pointsman.
wisselwerking [-vɛrkɪŋ] *v* interaction.
wisselzegel [-ze.gəl] *o* $ bill-stamp.
wissen ['vɪsə(n)] *vt* wipe [plates &]; ✕ sponge [a gun].
wisser [-sər] *m* wiper, mop; ✕ sponge.
wissewasje ['vɪsəvɑʃə] *o* trifle; ~*s* fiddle-faddle.
wit [vɪt] **I** *aj* white; *Witte Donderdag* Maundy Thursday; ~ *maken* whiten, blanch; ~ *worden* 1 (v. dingen) whiten, go (turn) white; 2 (v. personen) turn pale; *zo ~ als een doek* as white as a sheet; **II** *o* white; *het ~ van een ei* the white of an egg; *het ~ van de ogen* the white(s) of the eye(s); *het ~ van de schijf* the white; *in het ~ (gekleed)* (dressed) in white.
witachtig ['vɪtɑxtəx] whitish.
witbont [-bònt] black with white spots.
witgeel [-ge.l] whitish yellow.
witgekuifd [-gəkœyft] white-crested.
witgloeiend [-glu.jənt] white-hot.
witharig [-ha:rəx] white-haired.
witheid [-hɛit] *v* whiteness.
without [-hout] *o* whitewood.
witje ['vɪtʃə] *o* ⊗ white [cabbage butterfly].
witjes ['vɪtʃəs] in: ~ *lachen* smile sweetly.
witkalk ['vɪtkɑlk] *m* whitewash.
witkiel [-ki.l] *m* railway-porter.
witkwast [-kvɑst] *m* whitewash brush.
witlo(o)f [-lòf, -lo.f] *o* chicory.
witsel [-səl] *o* whitewash.
witstaart [-sta:rt] *m* 1 ≛ wheatear; 2 ≛≛ white-tailed horse.
wittebrood ['vɪtəbro.t] *o* white bread; *een ~* a white loaf.
wittebroodskind [-bro.tskɪnt] *o* Sunday child.
wittebroodsweken [-ve.kə(n)] *mv* honeymoon.
witten ['vɪtə(n)] *vt* whitewash.
witter [-tər] *m* whitewasher.
witvis ['vɪtfɪs] *m* ⊠ whiting, whitebait.
W.L. ['vɛstərlɛŋtə] = *westerlengte*.
Wodan ['vo.dɑn] *m* Wotan, Odin.
wodka ['vòtka.] *m* vodka.
woede ['vu.də] *v* rage, fury; *machteloze ~* impotent rage; *zijn ~ koelen op* wreak one's fury on, vent one's rage on.
woeden [-də(n)] **I** *vi* rage[2] [of the sea, wind, passion, battle, disease]; **II** *o* raging; *het ~ der elementen* ook: the fury of the elements.
woedend [-dənt] **I** *aj* furious; *iemand ~ maken* put one in a passion, infuriate a person; *zich ~ maken* fly into a passion, fly into a rage; ~ *zijn* be in a rage, be furious; ~ *zijn op* be furious with; ~ *zijn over* be furious at (about), be in a rage at (about); **II** *ad* furiously.
woef! [vu.f] woof!
woeker ['vu.kər] *m* usury; ~ *drijven* practise usury.
woekeraar ['vu.kəra:r] *m* usurer.
woekerdier ['vu.kərdi:r] *o* a parasite.
woekeren ['vu.kərə(n)] *vi* 1 practise usury; 2 v. onkruid &) be rampant; ~ *met zijn tijd*

make the most of one's time; ~ *op* be parasitic on.
woekergeld ['vu.kərgɛlt] *o* money got by usury.
woekerhandel [-hɑndəl] *m* usurious trade.
woekerplant [-plɑnt] *v* ✿ parasitic plant, parasite.
woekerrente ['vu.kərɛntə] *v* usurious interest, usury.
woekerwinst ['vu.kərvɪnst] *v* exorbitant profit; ~ *maken* profiteer.
woelen ['vu.lə(n)] **I** *vi* 1 (in de slaap) toss (about), toss in bed; 2 (in de grond) burrow, grub; *zit niet in mijn papieren te ~* stop rummaging in my papers; **II** *vt* in: *zich bloot ~* kick the bed-clothes off; *gaten in de grond ~* burrow holes in the ground; *iets uit de grond ~* grub it up.
woelgeest ['vu.lge.st] *m* turbulent spirit, agitator.
woelig ['vu.ləx] turbulent; *de kleine is erg ~ geweest* has been very restless; *het is erg ~ op straat* the street is in a tumult; *in ~e tijden* in turbulent times.
woeligheid [-hɛit] *v* turbulence, unrest.
woeling ['vu.lɪŋ] *v* turbulence, agitation; ~*en* disturbances.
woelwater ['vu.lva.tər] *m-v* fidget.
woelziek [-zi.k] turbulent.
woelzucht [-zʉxt] *v* turbulence.
woensdag ['vu.nsdɑx] *m* Wednesday.
woensdags [-dɑxs] **I** *aj* Wednesday; **II** *ad* on Wednesdays.
woerd [vu:rt] *m* ≛ drake.
woest [vu.st] **I** *aj* 1 (onbebouwd) waste [grounds]; 2 (onbewoond) desolate [island]; 3 (wild) savage [scenery]; wild [waves]; fierce [struggle]; furious [speed]; reckless [driver, driving]; 4 F (nijdig) savage, wild; *hij werd ~* F he got wild; *hij was ~ op ons* F he was wild with us; ~*e gronden* waste lands; **II** *ad* 1 wildly &; 2 < awfully.
woestaard, woesteling ['vu.sta:rt, -təlɪŋ] *m* brute.
woestenij [vu.stə'nɛi] *v* waste (land), wilderness.
woestheid ['vu.sthɛit] *v* wildness, savagery, fierceness.
woestijn [vu.s'tɛin] *v* desert. [fierceness.
wol [vòl] *v* wool; *een in de ~ geverfde schurk* an engrained rogue, a double-dyed villain; *ik ging vroeg onder de ~* I turned in early; *onder de ~ zijn* be between the sheets.
wolachtig ['vòlɑxtəx] woolly.
wolbaal ['vòlba.l] *v* bale of wool, woolsack.
wolbereider [-bərɛidər] *m* wool-dresser.
wolbereiding [-dɪŋ] *v* wool-dressing.
wolf [vòlf] *m* 1 ≛≛ wolf; 2 caries [in the teeth]; *een ~ in schaapskleren* B a wolf in sheep's clothing; ~ *en schapen sp* fox and geese; *wee de ~ die in een kwaad gerucht staat* give a dog a bad name and hang him; *eten als een ~* eat ravenously; *een honger hebben als een ~* be as hungry as a hunter.

wolfabriek ['vòlfa.bri.k] *v* wool mill.
wolfabrikant [-bri.kɑnt] *m* woollen manufacturer.
wolfachtig ['vòlfɑxtəx] wolfish.
wolfra(a)m ['vòlfrɑm, -fra.m] *o* wolfram, tungsten.
wolfra(a)mlamp [-lɑmp] *v* tungsten filament lamp.
wolfsangel ['vòlfsɑŋəl] *m* trap (for wolves).
wolfshond [-hònt] *m* ≛≛ wolf-dog, wolf-hound.
wolfskers [-kɛrs] *v* ✿ belladonna.
wolfsklauw [-klou] *m & v* 1 wolf's claw; 2 ✿ club-moss.
wolfsmelk [-mɛlk] *v* ✿ spurge.
wolfsvel [-fɛl] *o* wolfskin.
Wolga ['vòlga.] *v* Volga.
wolgras ['vòlgrɑs] *o* ✿ cotton-grass.
wolhaar [-ha:r] *o* woolly hair.
wolhandel [-hɑndəl] *m* wool-trade.
wolhandelaar [-hɑndəla:r] *m* wool-merchant.
wolharig [-ha:rəx] woolly-haired.
wolk [vòlk] *v* cloud; *een ~ van insekten* a cloud of insects; *een jongen als een ~* F the baby (boy) is a picture of health; *er lag een ~ op zijn voorhoofd* there was a cloud on his brow; *hij is in de ~en* he is beside himself with joy; *iemand tot in de ~en verheffen* extol one to the skies.
wolkaarder ['vòlka:rdər] *m* wool-carder.
wolkbreuk ['vòlkbrø.k] *v* cloud-burst, torrential rain.
wolkenbank ['vòlka(n)bɑŋk] *v* cloud bank.
wolkenkrabber [-krɑbər] *m* sky-scraper.
wolkig ['vòlkəx] cloudy, clouded.
wolkje ['vòlkjə] *o* cloudlet [in the sky]; *zodra er het minste ~ aan de lucht is* as soon as there is ever so small a cloud in the sky[2].
wolkoper ['vòlko.pər] *m* wool-merchant.
wollegras ['vòləgrɑs] = *wolgras*.
wollen ['vòlə(n)] *aj* woollen; ~ *goederen* woollens.
wollengoed [-gu.t] *o* 1 (kleren) woollen things; 2 (goederen) $ woollens.
wollig ['vòləx] woolly.
wolligheid [-hɛit] *v* woolliness.
wolspinnerij [vòlspɪnə'rɛi] *v* wool mill.
wolveaard ['vòlvəa:rt] *m* wolfish nature.
wolvejacht [-jɑxt] *v* wolf-hunting.
wolverver ['vòlvɛrvər] *m* wool-dyer.
wolververij [vòlvɛrvə'rɛi] *v* 1 wool-dyeing; 2 dye-works.
wolvevel ['vòlvəvel] = *wolfsvel*.
wolvin [vòl'vɪn] *v* ≛≛ she-wolf.
wolwever ['vòlve.vər] *m* wool-weaver.
wolzak [-zɑk] *m* woolsack.
1 wond [vònt] *aj* sore; *de ~e plek* the sore spot.
2 wond [vònt] *v* wound; *oude ~en openrijten* rip up (reopen) old sores; *diepe ~en slaan* inflict deep wounds.
wonde ['vòndə] = 2 *wond*.
wonden [-də(n)] *vt* wound, injure, hurt.
wonder ['vòndər] *o* wonder, miracle, marvel;

woonkamer [-ka.m...] sitting-room.
woonlaag [-la.x] ...
woonplaats [-pla....] residence, domic...
woonruimte [-rœy....] ...
woonschip [-sxɪp] ...
⊙ **woonste**(d)e [-...
woonvertrek [-va....
woonwagen [-va....
woonwijk [-vɛik...] residential qua...
1 woord [vo:rt] ...
2 woord [vo:rt] ...
words; *hoge ~...*
uit at last th...
er uit he ow...
Word, the V...
geworden B...
van dank a...
den words ...
other word ...
not a word ...
one's wor...
a tribute th...
hij kan h...
loss wha...
een goed...
word fo...
upon a s...
(iemand...
word; ...
van he...
to an...
on on...
on on...
hebbe...
graag...
word...
with...
of th...
war...
kee...
het ...
tha...
kr...

wonderbaar marvello...
wonderbeeld ...
wonderdaad [-da...
wonderdadig ...
wonderdier [-...
wonderdoend [-...
wonderdoener [-...
wonderdokter [-...
wonderkind [-kɪn... igy.
wonderkracht [-kra...
wonderlijk [-lək] ... strange(ly).
wonderlijkheid [-lək... strangeness.
wondermacht [-mɑxt] ...
wondermens [-mɛns] *o* ...
wondermiddel [-mɪdəl] ...
wonderolie [-o.li.] *v* cast...
wonderteken [-te.kə(n)] *o* ...
wonderwel [-vel] to a mira...
wonderwerk [-vɛrk] *o* mira...
wondkoorts ['vòntko:rts] ... traumatic fever.
wondroos [-ro.s] *v* ⊠ erysipel...
wonen ['vo.nə(n)] *vi* live, ... *woont bij ons* he lives in our ... *in de stad ~* live in town; *o...* *kamer; op het land ~* live in th...
woning ['vo.nɪŋ] *v* house, dwell... ⊙ mansion; *vrij ~ hebben* have... (free quarters), live rent-free.
woningbouw [-bou] *m* house-buil... construction, housing.
woningbureau [-by.ro.] *o* house-age...
woninggids [-gɪts] *m* directory.
woningnood [-no.t] *m* house famine; *woningtekort*.
woningruil [-rœyl] *m* exchange of houses...
woningtekort [-təkort] *o* housing shortag...
woningtoestanden [-tu.stɑndə(n)] *mv* ho... conditions.
woningvraagstuk [-vra.xstʉk] *o* housing p...
woningwet [-vɛt] *v* housing act. [l...
woonachtig [vo.n'ɑxtəx] resident, living...
woonhuis ['vo.nhœys] *o* dwelling-house.

woordje ['vo:rcə] o (little) word; *een ~, alstublieft!* just a word, please!; *doe een goed ~ voor me* put in a word for me; *een ~ meespreken* put in a word.

woordkunst ['vo:rtkŭnst] v (art of) word-painting.

woordkunstenaar [-kŭnstəna:r] m artist in words.

woordmerk [-mɛrk] o brand name.

woordontleding [-òntle.dɪŋ] v gram parsing.

woordschikking [-sxɪkɪŋ] v gram order of words.

woordsoorten [-so:rtə(n)] mv gram parts of speech.

woordspeling [-spe.lɪŋ] v play upon words; pun; *~en maken* pun.

woordverdraaier [-fərdra.jər] m perverter of words.

woordverdraaiing [-jɪŋ] v perversion of words.

woordvoerder ['vo:rtfu:rdər] m spokesman, mouthpiece.

woordvorming [-fərmɪŋ] v gram formation of words, word formation.

worden ['vərdə(n)] vi become, get, go, grow, turn, fall; ✎ wax; *arm ~* become poor; *bleek ~ turn pale*; *blind ~* go blind; *dronken ~* get drunk; *gek ~* go mad; *hij is gisteren (vandaag) 80 geworden* he was eighty yesterday (he is eighty to-day); *hij is bijna honderd jaar geworden* he lived to be nearly a hundred; *nijdig ~* get angry; *oud ~* grow old; *soldaat ~* become a soldier; *hij zal een goed soldaat ~* he will make a good soldier; *wat wil je later ~?* what do you want to be when you grow up?; *ijs wordt water* ice turns into water; *ziek ~* be taken ill, fall ill; *wanneer 't lente wordt* when spring comes; *het wordt morgen een week* to-morrow it will be a week; *wat is er van hem geworden?* what has become of him?; *er zal gedanst ~* there is to be dancing.

wording ['vərdɪŋ] v origin, genesis; *in ~ zijn* be in process of formation.

wordingsgeschiedenis [-dɪŋsgəsxi.dənɪs] v genesis.

worgen ['vərgə(n)] vt strangle, throttle; *~de greep* stranglehold.

worger [-gər] m strangler.

worging [-gɪŋ] v strangulation.

worm [vərm] m 1 worm; 2 (made) grub, maggot.

wormachtig ['vərmaxtəx] vermicular.

wormig [-məx] wormy, worm-eaten.

wormmiddel [-mɪdəl] o vermifuge.

wormstekig [-ste.kəx] worm-eaten, wormy.

wormstekigheid [vərm'ste.kəxhɛit] v worm-eaten condition.

wormverdrijvend ['vərmvərdrɛivənt] vermifuge.

wormvormig [-vərməx] vermiform.

worp [vərp] m throw [of dice &]; litter [of pigs].

worst [vòrst] v sausage.

worstebroodje ['vòrstəbro.cə] o sausage-roll.

worstelaar ['vòrstəla:r] m wrestler.

worstelen [-lə(n)] vi wrestle; *~ met* wrestle with[2], *fig* struggle with, grapple with; *tegen de wind ~* struggle with the wind.

worsteling [-lɪŋ] v wrestling[2], wrestle; *fig* struggle.

worstelperk ['vòrstəlpɛrk] o ring, arena.

worstelstrijd [-strɛit] m struggle.

worstelwedstrijd [-vɛtstrɛit] m wrestling-match.

worstmachine ['vòrstma.ʃi.nə] v sausage-machine.

wortel ['vòrtəl] m 1 root[2]; 2 (peen) carrot; 3 (v. getal) root; *gele ~* ♣ carrot; *witte ~* ♣ parsnip; *~ schieten* take (strike) root[2]; *~ trekken* extract the root of a number; *met en tak uitroeien* root out, cut up root and branch.

wortelboom [-bo.m] m ♣ mangrove.

wortelen ['vòrtələ(n)] vi take root; *~ in* be rooted in [*fig*].

wortelgewas ['vòrtəlgəvas] o ♣ root crop.

wortelgrootheid [-gro.thɛit] v radical quantity.

wortelharen [-ha:rə(n)] mv ♣ fibrils.

wortelhout [-hɑut] o ♣ root-wood.

wortelkiem [-ki.m] v ♣ radicle.

wortelknol [-knòl] m ♣ tuber.

wortelnotehout [-no.təhɑut] o figured walnut.

wortelstok [-stòk] m ♣ root-stock, § rhizome.

wortelteken [-te.kə(n)] o radical sign.

worteltje [-cə] o ♣ 1 rootlet, radicle; 2 *~s* carrots.

worteltrekking [-trɛkɪŋ] v extraction of roots.

wortelvezel [-ve.zəl] v ♣ root-fibre, fibril.

wortelwoord [-vo:rt] o gram root-word, radical (word).

woud [vɑut] o forest.

woudduif ['vɑudœyf] v ♣ wood-pigeon.

woudezel ['vɑute.zəl] m ♣ wild ass, onager.

woudloper [-lo.pər] m bushranger.

woudreus [-rø.s] m giant of the forest.

Wouter ['vɑutər] m Walter.

1 wouw [vɑu] m ♣ kite.

2 wouw [vɑu] v ♣ weld.

wraak [vra.k] v revenge, vengeance; *de ~ is zoet* sweet is revenge; *~ ademen* breathe vengeance; *zijn ~ koelen* wreak one's vengeance; *~ nemen op* take revenge on, revenge oneself on, be revenged on; *~ nemen over iets* take revenge [on one] for something; *~ oefenen* take revenge; *~ zweren* swear vengeance; *om ~ roepen* cry for vengeance; *uit ~* in revenge.

wraakbaar ['vra.kba:r] challengeable; blamable.

wraakgierig [vra.k'gi:rəx] vindictive, revengeful.

wraakgierigheid [-hɛit] v vindictiveness, revengefulness, thirst for revenge.

wraakgodin ['vra.kgo.dɪn] v avenging goddess; *de ~nen* the Furies.

wraaklust [-lŭst] m zie *wraakgierigheid*.

wraakneming, -oefening [-ne.mɪŋ, -u.fənɪŋ] v retaliation, (act of) revenge.

wraakzucht [-süxt] v zie wraakgierigheid.

wraakzuchtig [vra.k'süxtəx] zie wraakgierig.

1 wrak [vrɑk] aj crazy, unsound, rickety; ⚓ cranky.

2 wrak [vrɑk] o wreck.

☉ wrake ['vra.kə] = wraak; mij is de ∼! B vengeance is mine!

1 wraken ['vra.kə(n)] vt 1 challenge, rule out of court [a witness]; 2 denounce [abuses &].

2 wraken ['vra.kə(n)] vi ⚓ make leeway.

wrakgoederen ['vrɑkgu.dərə(n)] mv wreck, wreckage, flotsam and jetsam.

wrakheid [-hɛit] v craziness, unsound condition, ricketiness; ⚓ crankiness.

wrakhout [-hout] o ⚓ wreckage.

wraking ['vra.kɪŋ] v ⚖ challenge.

wrang [vrɑŋ] sour, acid, tart, harsh [in the mouth]; de ∼e vruchten van zijn luiheid the bitter fruit of his idleness.

wrangheid ['vrɑŋhɛit] v sourness, acidity, tartness, harshness.

wrat [vrɑt] v wart.

wratachtig ['vrɑtɑxtəx] warty.

wrattenkruid ['vrɑtə(n)krœyt] o ♣ wart-grass.

weed [vre.t] I aj cruel, ferocious; grim [scenes]; II ad cruelly.

wreedaard ['vre.da:rt] m cruel man.

wreedaardig [vre.'da:rdəx] aj (& ad) cruel(ly).

wreedheid ['vre.thɛit] v cruelty, ferocity

wreef [vre.f] v instep.

wreekster ['vre.kstər] v avenger, revenger.

wreken ['vre.kə(n)] I vt revenge [an offence, a person]; avenge [a person, an offence]; II vr zich ∼ revenge oneself, avenge oneself, be avenged; het zal zich wel ∼ it is sure to avenge itself; zich ∼ op revenge oneself (up)on; zich ∼ over... op... revenge oneself for... (up)on...

wreker [-kər] m avenger, revenger.

wrevel ['vre.vəl] m peevishness, spite.

wrevelig [-vələx] I aj peevish, crusty, testy; II ad peevishly, crustily, testily.

wreveligheid [-hɛit] v peevishness, crustiness, testiness.

wriemelen ['vri.mələ(n)] vi wriggle; ∼ van crawl with...

wrijfdoek, -lap ['vrɛifdu.k, -lɑp] m rubbing cloth, rubber.

wrijfpaal [-pa.l] m eig rubbing-post; fig butt.

wrijfsteen [-ste.n] m rubbing-stone.

wrijfwas [-vɑs] m & o beeswax.

wrijven ['vrɛivə(n)] I vt 1 rub [chairs &, things against each other]; 2 bray [colours]; het ∼ over... rub it over; ze tegen elkaar ∼ rub them together; het tot poeder ∼ rub it to powder; zich de handen (de ogen) ∼ rub one's hands (one's eyes); II vi rub; ∼ tegen iets rub (up) against something.

wrijver [-vər] m rubber.

wrijving [-vɪŋ] v rubbing, friction[2]; de ∼ tussen hen the friction between them.

wrijvingselectriciteit zie wrijvingselektriciteit.

wrijvingselektriciteit [-vɪŋs-e.lɛktri.si.tɛit] v ⚡ frictional electricity.

wrijvingshoek [-hu.k] m ✕ angle of friction.

wrikken ['vrɪkə(n)] I vi jerk [at something]; II vt ⚓ scull [a boat].

wrikriem ['vrɪkri.m] m ⚓ scull.

wringen ['vrɪŋə(n)] I vt wring [one's hands]; wring out, wring [wet clothes]; iemand iets uit de handen ∼ wrest it from him; daar wringt hem de schoen that's where the shoe pinches; II vr zich ∼ twist oneself; zich ∼ als een worm writhe like a worm; zich door een opening ∼ worm oneself through a gap; zich in allerlei bochten ∼ wriggle, twist and turn; zich in allerlei bochten ∼ van pijn writhe with pain.

wringing [-ŋɪŋ] v wringing; twisting, twist.

wringmachine ['vrɪŋma.ʃi.nə] v wringing-machine, wringer.

wroeging ['vru.gɪŋ] v compunction, remorse, contrition.

wroeten ['vru.tə(n)] I vi root, rout [= turn up the earth], grub[2] [in the earth, fig for a livelihood]; in de grond ∼ root (rout) up the earth; II vt in: een gat in de grond ∼ burrow a hole.

wrok [vrɔk] m grudge, rancour, resentment; een ∼ tegen iemand hebben (jegens iemand koesteren) bear a person a grudge, have a spite against him, bear him ill-will; geen ∼ koesteren bear no malice.

wrokken ['vrɔkə(n)] vi chafe, sulk; ∼ over chafe at; ∼ tegen have a spite against [him].

wrokkig [-kəx] rancorous.

wrong [vrɔŋ] m 1 (ruk) wrench, twist; 2 (v. krans) wreath; 3 (v. haar) coil; 4 (tulband) turban; 5 ⊘ wreath; een ∼ sajet a skein of worsted.

wrongel ['vrɔŋəl] v curdled milk, curds.

wuft [vüft] I aj fickle, frivolous; II ad frivolously.

wuftheid ['vüfthɛit] v fickleness, frivolity.

wuiven ['vœyvə(n)] vi wave; ∼ met de hand wave one's hand.

wulp [vülp] m 🐦 curlew.

wulps [vülps] aj (& ad) wanton(ly), lascivious(ly), lewd(ly).

wulpsheid ['vülpshɛit] v wantonness, lasciviousness, lewdness.

wurgen ['vürgə(n)] = worgen.

wurger [-gər] = worger.

wurging [-gɪŋ] = worging.

wurm [vürm] 1 m worm; 2 o het ∼ the poor mite.

wurmen ['vürmə(n)] I vi worm, wriggle; fig drudge, toil; II vr in: zich er uit ∼ wriggle out of it.

W.v.K. ['vɛtbu.kfɑn'ko.phɑndəl] = Wetboek van Koophandel.

W.v.Str. ['vɛtbu.kfɑn'strafrɛxt] = Wetboek van Strafrecht.

X

x [ɪks] *v* x.
Xantippe, xantippe [ksɑn'tɪpə] *v* Xanthippe².
x-benen ['ɪksbe.nə(n)] *mv* turned-in (knock-kneed) legs; *iemand met* ~ a knock-kneed person.
x-stralen ['ɪkstra.le(n)] *mv* X-rays.

Y

y [i.'grɛk] *v* y.
ya(c)k zie 2 *jak*.
yamswortel ['jɑmsvɔrtəl] *m* yam.
yankee ['jɛŋki.] *m* Yankee, F Yank.
yen [jɛn] *m* yen.
yoga ['jo.ga.] *v* yoga.
yoghurt ['jɔɣərt] *m* yogurt.
yogi ['jo.ɣi.] *m* yogi.

Z

z [zɛt] *v* z.
Z. = *zuid.*
z.a. [zi.ɑl'da:r] = *zie aldaar* which see.
zaad [za.t] *o* seed² [of plants &, of strife, vice]; sperm [of mammalia]; *het* ~ *van Abraham* B the seed of Abraham; *het* ~ *der tweedracht* the seed(s) of dissension (of discord); *in het* ~ *schieten* run (go) to seed; *op zwart* ~ *zitten* F be hard up.
zaadbakje ['za.tbɑkjə] *o* seed-box [of a bird-cage].
zaaddoos [-do.s] *v* ♣ capsule.
zaadhandel [-hɑndəl] *m* seed-trade.
zaadhandelaar [-hɑndəla:r] *m* seedsman
zaadhuid [-hœyt] *v* ♣ seed-coat.
zaadhuisje [-hœyʃə] *o* ♣ seed-vessel.
zaadkiem [-ki.m] *v* ♣ germ.
zaadkorrel [-kɔrəl] *m* ♣ grain of seed.
zaadlob [-lɔp] *v* ♣ seed-lobe, § cotyledon.
zaadloos [-lo.s] seedless.
zaadmonster [-mɔnstər] *o* seed-sample.
zaadrok [-rɔk] *m* ♣ tunic.
zaadteelt [-te.lt] *v* seed-growing.
zaadveredeling [-fɔre.dəlɪŋ] *v* seed-improvement.
zaadvlies [-fli.s] *o* ♣ tunic.
zaadwinkel [-vɪŋkəl] *m* seed-shop.
zaag [za.x] *v* 1 ✂ saw; 2 (mens) bore.
zaagbok ['za.xbɔk] *m* trestle, saw-horse.
zaagmachine [-ma.ʃi.nə] *v* sawing-machine.
zaagmeel [-me.l] *o* sawdust.
zaagmolen [-mo.lə(n)] *m* saw-mill.
zaagsel [-səl] *o* sawdust.
zaagtand [-tɑnt] *m* tooth of a saw.
zaagvijl [-fɛil] *v* saw-file.
zaagvis [-fɪs] *m* 𓆝 sawfish.

zaagvormig [-fɔrməx] saw-shaped, § serrate(d).
zaaibed ['za.ibɛt] *o* seed-bed.
zaaien ['za.jə(n)] *vt* sow²; *wat gij zaait zult gij oogsten* you must reap what you have sown.
zaaier [-jər] *m* sower.
zaaigoed ['za.igu.t] *o* seeds for sowing.
zaaigraan [-gra.n] *o* seed-corn.
zaaiing ['za.jɪŋ] *v* sowing.
zaaikoren ['za.iko.rə(n)] *o* seed-corn.
zaailand [-lɑnt] *o* sowing-land.
zaailing [-lɪŋ] *m* seedling.
zaaimachine [-ma.ʃi.nə] *v* sowing-machine.
zaaisel [-səl] *o* seed (sown).
zaaitijd [-tɛit] *m* sowing-time, sowing-season.
zaaizaad [-za.t] *o* seed for sowing.
zaak [za.k] *v* 1 (ding) thing; 2 (aangelegenheid) business, affair, matter, concern, cause; 3 ⚖ case, (law)suit; 4 (bedrijf) business, concern, trade; *zaken* $ 1 business; 2 *zijn twee zaken te A.* his two businesses at A.; *zaken zijn zaken* business is business; *gedane zaken nemen geen keer* what is done cannot be undone; *de goede* ~ the good cause; *de* ~ *is dat ik de* ~ *niet vertrouw* the fact is that I don't trust the thing; *dat is de hele* ~ that is the whole matter; *het is* ~ *dat te bedenken* it is essential for us to consider that; *dat is uw* ~ that's your look-out; that's your affair; *het is mijn* ~ *niet* it is not my business, it is no concern of mine; *niet veel* ~*s* not much of a thing, not up to much, not worth much; *eens zien hoe de zaken staan* how things stand; *zoals de* ~ *nu staat* as matters (things) stand at present; *een* ~ *beginnen* start a business, set up in business, open a shop; *zaken doen* do (carry on) business; *zaken doen met iemand* do business (have dealings) with a person; *goede zaken doen* do good business; *do a good trade* [in ice-creams &]; *zijn advocaat de* ~ *in handen geven* place the matter in the hands of one's solicitor; *gemene* ~ *maken met...* make common cause with; *er een* ~ *van maken* ⚖ take proceedings; *hoe staat het met de zaken?* how's things?; *ter zake!* 1 to the point!; 2 (parlementair) Question!; *dat doet niets ter zake* 1 (that is) no matter; 2 it is not to the purpose, it is neither here nor there; *laat ons ter zake komen* let us come (get) to business (to the point); *het is niet ter zake dienende* it is not to the point; *ter zake van...* on account of...; zie ook: *inzake*; *hij is uit de* ~ he has retired from business; *voor een goede* ~ in a good cause; *voor zaken op reis* away on business; *suiker & zonder zaken* $ without any transactions.
zaakbezorger ['za.kbəzɔrɣər] *m* man of business, solicitor, agent, proxy.
zaakgelastigde [-ɣəlɑstəɣdə] *m* agent, proxy; [diplomatic] chargé d'affaires.
zaakkennis ['za.kɛnəs] *v* (expert) knowledge of a subject, practical knowledge.

zaakkundig [za.'kŭndəx] expert; *een* ∼*e* an expert.

zaakregister ['za.krəgɪstər] *o* subject-index.

zaakrijk [-rɛik] full of matter, matterful.

zaakrijkheid [-hɛit] *v* matterfulness.

zaakwaarnemer ['za.kʋa:rne.mər] *m* solicitor.

1 **zaal** [za.l] *v* hall, room; ward [in hospital]; auditorium [of a theatre]; *een volle* ∼ a full house [of theatre &].

2 **zaal** [za.l] *o* zie *zadel*.

zabbelen ['zɑbələ(n)] = *sabbelen*.

Zacharias [zaga:'ri.ɑs] *m* Zachariah, Zachary.

zacht [zɑxt] **I** *aj* 1 (niet hard) *eig* soft [bed, cushion, bread, butter, fruit, palate, steel]; *fig* gentle [rebuke, treatment]; mild [punishment]; 2 (niet ruw) *eig* soft, smooth [skin]; *fig* soft, mild [weather]; mild [climate]; 3 (niet luid) soft [whispers, music, murmurs]; low [voice]; gentle [knock]; mellow [tones]; 4 (niet hevig) soft [rain]; gentle [breeze]; slow [fire]; 5 (niet streng) soft, mild [winter]; 6 (niet schel) soft [hues]; 7 (niet scherp) soft [air, letters, water, wine]; 8 (niet geprononceerd) gentle [slope]; 9 (niet drastisch) mild, gentle [medicine]; 10 (niet pijnlijk) easy [death]; ∼ *van aard* of a gentle disposition, gentle; *zo* ∼ *als een lammetje* as gentle (meek) as a lamb; **II** *ad* softly &; ∼ *wat!* gently!, ⚘ softly!; ∼ *spreken* speak below (under) one's breath, whisper; ∼*er spreken* lower (drop) one's voice; *de radio* ∼*er zetten* turn down the radio; *op zijn* ∼*st genomen* to put it mildly, to say the least (of it).

zachtaardig [zɑxt'a:rdəx] gentle, mild; ⚘ benign.

zachtaardigheid [-hɛit] *v* gentleness, mildness; ⚘ benignity.

zachtgekookt ['zɑxtgəko.kt] soft-boiled.

zachtheid ['zɑxthɛit] *v* softness, smoothness &.

zachtjes ['zɑxjəs] softly, gently; in a low voice; ∼*!* hush!

zachtjesaan [zɑxjəs'a.n] slowly, zie ook: *zoetjesaan*.

zachtmoedig [zɑxt'mu.dəx] **I** *aj* gentle, meek; **II** *ad* gently, meekly.

zachtmoedigheid [-hɛit] *v* gentleness, meekness.

zachtwerkend ['zɑxtʋɛrkənt] mild.

zachtzinnig [zɑxt'sɪnəx] **I** *aj* gentle, meek; **II** *ad* gently, meekly.

zachtzinnigheid [-hɛit] *v* gentleness, meekness.

zadel ['za.dəl] *m* & *o* saddle; *iemand in het* ∼ *helpen* help one into the saddle, give one a leg up[2]; *in de* ∼ *springen* vault into the saddle; *in het* ∼ *zitten* be in the saddle; *vast in het* ∼ *zitten* have a firm seat; *uit de (het)* ∼ *lichten* (*werpen*) unseat (unhorse) one; *fig* oust one.

zadelboog [-bo.x] *m* saddle-bow.

zadelboom [-bo.m] *m* saddle-tree.

zadeldek [-dɛk] *o* saddle-cloth.

zadelen ['za.dələ(n)] *vt* saddle.

zadelkleed ['za.dəlkle.t] *o* saddle-cloth.

zadelknop [-knɔp] *m* pommel.

zadelkussen [-kŭsə(n)] *o* saddle-cushion, pillion.

zadelmaker [-ma.kər] *m* saddler.

zadelmakerij [za.dəlma.kə'rɛi] *v* 1 saddler's shop; 2 saddlery.

zadelpaard ['za.dəlpa:rt] *o* saddle-horse.

zadelpijn [-pein] *v* saddle-soreness; ∼ *hebben* be saddle-sore.

zadelriem [-ri.m] *m* (saddle-)girth.

zadelrug [-rŭx] *m* saddle-back; *met een* ∼ saddle-backed.

zadeltas [-tɑs] *v* 1 saddle-bag; 2 (aan fiets) tool-bag.

zadelvast [-vɑst] saddlefast, firmly seated (in the saddle); ∼ *zijn* have a firm seat[2].

zadelvormig [-vɔrməx] saddle-shaped.

zadelzak [-zɑk] *m* saddle-bag.

zagen ['za.gə(n)] **I** *vt* saw; **II** *vi* > scrape [on a violin]; zie ook: *zaniken*.

zager [-gər] *m* 1 sawyer; 2 > scraper [on a violin]; 3 (vervelend mens) bore.

zagerij [za.gə'rɛi] *v* 1 sawing; 2 saw-mill.

zak [zɑk] *m* 1 bag [for money &]; sack [for corn, coal, potatoes, wool &]; 2 (aan kledingstuk) pocket; 3 (kleiner of los te maken) pouch [for tobacco]; 4 (v. papier) bag; 5 ♋ pocket; 6 ♍ & ♒ sac; *de* ∼ *geven* (*krijgen*) give (get) the sack; *in* ∼*ken doen* bag, sack; *iemand in zijn* ∼ *hebben* know the length of a person's foot; *steek het in je* ∼ put it in your pocket; *steek die in je* ∼ put that in your pipe and smoke it; *een bal in de* ∼ *stoten* ♋ pocket a ball; *in* ∼ *en as zitten* B be in sackcloth and ashes; *ik heb niets op* ∼ I have no money with me (about me); *met geen* (*zonder een*) *cent op* ∼ penniless; *op iemands* ∼ *lopen* sponge on a man; *uit eigen* ∼ *betalen* pay out of one's own pocket.

zakagenda ['zɑka.gɛnda.] *v* pocket-diary.

zakalmanak [-ɑlma.nɑk] *m* pocket-almanac.

zakbijbeltje [-bɛibəlcə] *o* pocket-bible.

zakboekje [-bu.kjə] *o* 1 notebook; 2 ✕ paybook.

zakdoek [-du.k] *m* (pocket-)handkerchief; ∼*je leggen* drop the handkerchief.

zakelijk ['za.kələk] **I** *aj* 1 essential [differences]; real [tax]; matter-of-fact [statement &]; objective [judgment]; business-like [management]; 2 (zaakrijk) full of matter, matterful [paper, study &]; *een* ∼*e aangelegenheid* a matter of business; ∼*e inhoud* sum and substance, gist; ∼ *onderpand* collateral security; ∼ *blijven* (*zijn*) keep to the point, not indulge in personalities; **II** *ad* in a matter-of-fact way, without indulging in personalities, objectively; in a business-like way.

zakelijkheid [-hɛit] *v* 1 business-like character; objectivity; 2 (zaakrijkheid) matterfulness.

zakenbrief ['za.kə(n)bri.f] *m* business letter.

zakenman [-mɑn] *m* business man.

zakenreis [-rɛis] *v* business tour.

zakenrelatie [-rəla.(t)si.] *v* business relation.
zakenvriend [-vri.nt] *m* business friend.
zakenwereld [-ve:rəlt] *v* business world.
zakenwijk [-vɛik] *v* business quarter.
zakformaat ['zɑkfərma.t] *o* pocket-size; *een...
in* ~ a pocket...
zakgeld [-gɛlt] *o* pocket-money.
zakje [-jə] *o* I small pocket (bag, &); 2 paper
bag; *met het* ~ *rondgaan* take up the collection [in church].
zakkammetje ['zɑkɑməcə] *o* pocket-comb.
I **zakken** ['zɑkə(n)] *vi* I (barometer) fall; 2
(muur &) sag; 3 (water) fall; *fig* I (aandelen) fall; 2 (woede) subside; 3 (bij examens) be plucked (ploughed), fail; 4 (bij 't
zingen) go flat; *door het ijs* ~ go (fall)
through the ice; *in de modder* ~ sink in the
mud; ~ *voor* fail [one's driving test &]; *het
gordijn laten* ~ let down the curtain; *het hoofd
laten* ~ hang one's head; *een leerling laten* ~
pluck (plough) a pupil, fail a pupil; *de
moed laten* ~ lose courage, lose heart; *de
stem laten* ~ lower one's voice; *zich laten* ~
let oneself down.
2 **zakken** ['zɑkə(n)] *vt* bag, sack.
zakkendrager [-dra.gər] *m* porter.
zakkengoed [-gu.t] *o* bagging.
zakkenlinnen [-lɪnə(n)] *o* sackcloth. sacking.
zakkenroller [-rələr] *m* pickpocket.
zaklantaarn, -lantaren ['zɑklɑnta:rə(n)] *v* electric torch.
zaklopen [-lo.pə(n)] *o* sack-race.
zakmes [-mɛs] *o* pocket-knife, penknife.
zakpistool [-pi.sto.l] *o* pocket-pistol.
zakpotloodje [-pətlo.cə] *o* pocket-pencil.
zakradio [-ra.di.o.] *m* pocket radio (set).
zakspiegel [-spi.gəl] *m* pocket-glass, pocket-
mirror.
zakuitgave [-œytga.və] *v* pocket-edition.
zakvol [-fòl] *m* pocketful, bagful, sackful.
zakvormig [-fərməx] sack-shaped, bag-shaped.
zakwoordenboek [-vo:rdə(n)bu.k] *o* pocket
dictionary.
zalf [zɑlf] *v* ointment, unguent, salve.
zalfje ['zɑlfjə] *o* zie *zalf*; *een* ~ *op de wond* a
salve for his wounded feelings.
zalfolie [-o.li.] *v* anointing-oil.
zalfpot [-pət] *m* gallipot.
zalig ['za.ləx] I (in de hemel) blessed, blissful; 2 F (heerlijk) lovely, heavenly, divine,
delicious; ~ *maken* save [a sinner]; ~ *verklaren RK* beatify [a dead person], declare
[him] blessed; *wat moet ik doen om* ~ *te worden?* what am I to do to be saved?; ~ *zijn de
bezitters* B possession is nine points of the
law; *het is* ~*er te geven dan te ontvangen* B
it is more blessed to give than to receive;
de ~*en* the blessed.
zaligen ['za.ləgə(n)] *vt RK* beatify.
zaliger [-gər] late, deceased; ~ *gedachtenis* of
blessed memory; *mijn vader* ~ my late
father ,F my poor father, my sainted father.

zaligheid ['za.ləxhɛit] *v* salvation, bliss, beatitude; *wat een* ~ *!* F how delightful!
zaligmakend [-ma.kənt] beatific, (soul-)saving.
Zaligmaker [-kər] *m* Saviour.
zaligmaking [-kɪŋ] *v* salvation.
zaligverklaring ['za.ləxfərkla:rɪŋ] *v RK* beatification.
zalm [zɑlm] *m* 🐟 salmon.
zalmforel ['zɑlmfo:rɛl] *v* 🐟 salmon-trout.
zalmkleurig [-klø:rəx] salmon(-coloured),
salmon-pink.
zalmteelt [-te.lt] *v* salmon-breeding.
zalmvisserij [zɑlmvɪsə'rɛi] *v* salmon-fishing.
zalven ['zɑlvə(n)] *vt* I 🔨 rub with ointment; 2
(ceremonieel) anoint.
zalvend [-vənt] I *aj fig* unctuous, oily, soapy
[words &]; II *ad* unctuously.
zalving [-vɪŋ] *v* anointing, *fig* unction, unctu-
ousness.
zamelen ['za.mələ(n)] *vt* collect, gather.
zamen ['za.mə(n)] *te* ~ together.
zand [zɑnt] *o* sand; *iemand* ~ *in de ogen
strooien* throw dust in a person's eyes; *op* ~
bouwen build on sand.
zandachtig ['zɑntɑxtəx] sandy.
zandbak [-bɑk] *m* sand-box.
zandbank [-bɑŋk] *v* sand-bank [ook: the
sands], sand-bar; flat(s), shallow, shoal
[showing at low water].
zandberg [-bɛrx] *m* sand-hill.
zandblad [-blɑt] *o* sand-leaf [of tobacco].
zandduin ['zɑndœyn] *v* & *o* sand-dune.
zanden ['zɑndə(n)] *vt* sand.
zander ['zɑndər] *m* 🐟 zie *snoekbaars*.
zanderig ['zɑndərəx] sandy; gritty.
zanderigheid [-hɛit] *v* sandiness; grittiness.
zanderij, zandgroef, -groeve [zɑndə'rɛi, 'zɑnt-
gru.f, -gru.və] *v* sand-pit.
zandgrond ['zɑntgrònt] *m* sandy soil, sandy
ground.
zandheuvel [-hø.vəl] *m* sand-hill.
zandhoop [-ho.p] *m* heap of sand.
zandhoos [-ho.s] *v* sand-spout.
zandig ['zɑndəx] zie *zanderig*.
zandkever ['zɑntke.vər] *m* tiger-beetle.
zandkoekje [-ku.kjə] *o* (kind of) shortbread.
zandkorrel [-kərəl] *m* grain of sand; ~*s* ook:
sands.
zandkuil [-kœyl] *m* sand-pit.
zandlaag [-la.x] *v* layer of sand.
zandloper [-lo.pər] *m* hour-glass, sand-glass;
zie ook: *strandloper* & *zandkever*.
zandman [-mɑn] *m* I sand-hawker; 2 *het zandmannetje* the sandman, the dustman.
zandplaat [-pla.t] *v* sand-bank, flat(s), shoal.
zandruiter [-rœytər] *m* J unseated horseman.
zandschuit [-sxœyt] *v* sand-barge.
zandsteen [-ste.n] *o* & *m* sandstone.
zandsteengroef, -groeve [-ste.ngru.f, -gru.və] *v*
sandstone quarry.
zandstorm [-stərm] *m* sand-storm.
zandstrooier [-stro.jər] *m* sand-box.

zandtaart ['zɑnta:rt] *v* sand-cake.
zandverstuiving ['zɑntfərstœyvɪŋ] *v* sand-drift, shifting sand.
zandvlakte [-flɑktə] *v* sandy plain.
zandwagen [-va.gə(n)] *m* sand-wagon.
zandweg [-vɛx] *m* sandy road.
zandwoestijn [-vu.stɛin] *v* sandy desert.
zandzak [-sɑk] *m* sandbag.
zandzuiger [-sœygər] *m* suction-dredger.
zang [zɑŋ] *m* 1 (het zingen) singing, song; 2 (gezang, lied) song; 3 (in de poëzie) stave [of a poem]; canto [of a long poem].
zangberg ['zɑŋbɛrx] *m de* ~ Parnassus.
zangboek [-bu.k] *o* book of songs, song-book.
zangcursus [-kűrzəs] *m* singing-class.
zanger ['zɑŋər] *m* 1 *eig* singer, vocalist; 2 (dichter) singer, songster, bard, poet; *onze gevederde* ~s our feathered songsters.
zangeres [zɑŋə'rɛs] *v* (female) singer, vocalist.
zangerig ['zɑŋərəx] melodious.
zangerigheid [-hɛit] *v* melodiousness.
zangersfeest ['zɑŋərsfe.st] *o* singers' festival.
zanggezelschap ['zɑŋgəzɛlsxɑp] *o* choral society.
zanggod [-gɔt] *m* god of song.
zanggodin [-go.dɪn] *v* muse.
zangkoor [-ko:r] *o* choir.
zangkunst [-kűnst] *v* art of singing.
zangkursus zie *zangcursus*.
zangles [-lɛs] *v* singing-lesson.
zanglijster [-lɛistər] *v* ⚘ song-thrush.
zangmuziek [-my.zi.k] *v* vocal music.
zangnoot [-no.t] *v* musical note.
zangnummer [-nűmər] *o* vocal number.
zangoefening [-u.fənɪŋ] *v* singing-exercise.
zangonderwijs [-òndərveis] *o* singing-lessons; *het* ~ the teaching of singing.
zangpartij [-pɑrtɛi] *v* voice part.
zangschool [-sxo.l] *v* singing-school.
zangstem [-stɛm] *v* 1 singing-voice; 2 zie *zangpartij*.
zangster [-stər] *v* 1 singer; 2 *fig* muse.
zangstuk [-stűk] *o* song.
zanguitvoering [-œytfu:rɪŋ] *v* vocal concert.
zangvereniging [-vərə.nəgɪŋ] *v* choral society.
zangvogel [-vo.gəl] *m* singing-bird, song-bird.
zangwedstrijd [-vɛtstreit] *m* singing-contest.
zangwijs, -wijze [-veis, -veizə] *v* tune, melody.
zangzaad [-za.t] *o* mixed bird-seed.
zanik ['za.nək] *m-v* bore.
zaniken ['za.nəkə(n)] *vi* nag, bother; *lig toch niet te* ~ don't keep nagging (bothering).
zaniker [-kər] *m* bore.
zat [zɑt] 1 satiated; 2 *prov* drunk; (*oud en*) *der dagen* ~ B full of days; *hij heeft geld* ~ he has plenty of money; *ik ben het* ~ I am fed up with it; *zich* ~ *eten* eat one's fill.
zaterdag ['za.tərdɑx] *m* Saturday.
zaterdags [-dɑxs] I *aj* Saturday; II *ad* on Saturdays.
zatheid ['zɑthɛit] *v* satiety; weariness.
Z.B. ['zœydərbre.tə] = *zuiderbreedte*.

Z.E. 1 [zɛinəʔe.dəlhɛit] = *Zijne Edelheid*; 2 [zɛinəkse'lɛn(t)si.] = *Zijne Excellentie*.
ze [zə] 1 she, her; 2 they, them; ~ *zeggen, dat hij...* they say he..., he is said to..., people say he...
Zebedeus [ze.bə'de.űs] *m* Zebedee.
zebra ['ze.bra.] *m* 1 ♞ zebra; 2 (*oversteekplaats*) zebra crossing.
zede ['ze.də] *v* custom, usage, zie ook: *zeden*.
zedelijk ['ze.dələk] *aj* (& *ad*) moral(ly); *een* ~ *lichaam* a corporate body, a body corporate.
zedelijkheid [-hɛit] *v* morality.
zedelijkheidsgevoel [-hɛitsgəvu.l] *o* moral sense.
zedeloos ['ze.dəlo.s] *aj* (& *ad*) immoral(ly), profligate(ly).
zedeloosheid [ze.də'lo.shɛit] *v* immorality, profligacy.
zeden ['ze.də(n)] *mv* 1 morals; 2 manners; *hun* ~ *en gewoonten* their manners and customs.
zedenbederf [-bədɛrf] *o* demoralization, corruption (of morals), depravity.
zedenkunde [-kűndə] *v* ethics, moral philosophy.
zedenkundig [ze.də(n)'kűndəx] moral, ethical.
zedenkwetsend ['ze.də(n)kvɛtsənt] shocking, immoral.
zedenleer [-le:r] *v* morality, ethics.
zedenles [-lɛs] *v* moral, moral lesson.
zedenmeester [-me.stər] *m* moralist, moralizer.
zedenpreek [-pre.k] *v* moralizing sermon.
zedenpreker [-pre.kər] *m* moralizer, moralist.
zedenspreuk [-sprø.k] *v* maxim.
zedenwet [-vɛt] *v* moral law.
zedig ['ze.dəx] *aj* (& *ad*) modest(ly), demure(ly).
zedigheid [-hɛit] *v* modesty, demureness.
zee [ze.] *v* sea², ocean², ○ main; *een* ~ *van bloed* (*licht, rampen*) a sea of blood (light, troubles); ~ *kiezen* put to sea; ~ *winnen* get sea-room; *aan* ~ at the seaside; *aan* ~ *gelegen* on the sea, situated by the sea; *recht door* ~ *gaan* zie I *recht III; in* ~ *steken* 1 ⚓ put to sea; 2 *fig* launch forth, go ahead; *in open* ~, *in volle* ~ on the high seas, in the open sea; *in the offing; naar* ~ *gaan* 1 (als matroos) go to sea; 2 (voor genoegen) go to the seaside; *op* ~ at sea; *hij is* (*vaart*) *op* ~ he is a seafaring man (a sailor), he follows the sea; *over* ~ *gaan* go by sea; *in de landen van over* ~ in the countries beyond the seas, overseas, in oversea countries; *hij kan niet tegen de* ~ he is a bad sailor; *ter* ~ *varen* follow the sea; *de oorlog ter* ~ the war at sea.
zeeaal ['ze.a.l] *m* ♞ sea-eel, conger.
zeeajuin [-a.jœyn] *m* squill.
zeeanemoon [-a.nəmo.n] *v* sea-anemone.
zeearend [-a.rənt] *m* ⚘ white-tailed eagle.
zeearm [-ɑrm] *m* arm of the sea, estuary, firth.
zeeassurantie [-ɑsy.rɑn(t)si.] *v* marine insurance.
zeebaak [-ba.k] *v* sea-mark.

zeebaars [-ba:rs] *m* 🐟 sea-perch.
zeebad [-bɑt] *o* sea-bath.
zeebadplaats [-bɑtplɑ.ts] *v* seaside resort.
zeebaken [-ba.kə(n)] *o* sea-mark.
zeebanket [-bɑŋket] *o* herring.
zeebenen [-be.nə(n)] *mv* sea-legs.
zeebeving [-be.vɪŋ] *v* sea-quake.
zeebewoner [-bəvo.nər] *m* inhabitant of the sea.
zeebodem [-bo.dəm] *m* bottom of the sea, sea-bottom.
zeeboezem [-bu.zəm] *m* gulf, bay.
zeebonk [-bòŋk] *m* (Jack-)tar; *een oude* ~ an old salt.
zeebreker [-bre.kər] *m* breakwater.
zeebrief [-bri.f] *m* certificate of registry.
zeedienst [-di.nst] *m* naval service.
zeedier [-di:r] *o* marine animal.
zeedijk [-dɛik] *m* sea-bank, sea-dike.
zeedrift [-drɪft] *v* flotsam.
zeeduivel [-dœyvəl] *m* 🐟 sea-devil.
zeeëgel [-e.gəl] *m* sea-urchin.
zeeëngte [-ɛŋtə] *v* strait(s), narrows.
zeef [ze.f] *v* sieve, strainer; riddle, screen [for gravel &].
zeefauna ['ze.fɔunɑ.] *v* marine fauna.
zeefdoek ['ze.fdu.k] *m* strainer.
zeefje [-jə] *o* sieve.
zeefkring [-krɪŋ] *m* 🔆✝ filter(-circuit).
zeefvormig ['ze.fɔrmǝx] sieve-like.
zeeg [ze.x] *v* ⚓ sheer.
zeegat ['ze.gɑt] *o* ⚓ mouth of a harbour or river, outlet to the sea; *het* ~ *uitgaan* put to sea.
zeegevecht [-gǝvext] *o* sea-fight, naval combat.
zeegezicht [-zɪxt] *o* seascape, sea-piece.
zeegod ['ze.gɔt] *m* sea-god.
zeegodin [-go.dɪn] *v* sea-goddess.
zeegras [-grɑs] *o* 🌱 seaweed.
zeegroen [-gru.n] sea-green.
zeehandel [-hɑndǝl] *m* oversea(s) trade.
zeehaven [-ha.vǝ(n)] *v* seaport.
zeeheld [-hɛlt] *m* naval hero.
zeehond [-hònt] *m* 🦭 seal.
zeehondevel [-hòndǝvɛl] *o* sealskin.
zeehoofd [-ho.ft] *o* pier, jetty.
zeekaart [-ka:rt] *v* (sea-)chart.
zeekanaal [-ka.na.l] *o* ship-canal.
zeekant [-kɑnt] *m* seaside.
zeekapitein [-ka.pi.tɛin] *m* sea-captain; (bij de marine) captain in the navy.
zeekasteel [-kɑste.l] *o* sea-castle.
zeeklaar [-kla:r] ⚓ ready for sea.
zeeklimaat [-kli.ma.t] *o* marine (maritime) climate.
zeekoe [-ku.] *v* 🦭 sea-cow, manatee.
zeekoet [-ku.t] *m* 🐦 guillemot.
zeekomkommer [-kòmkòmǝr] *m* sea-cucumber.
zeekompas [-kòmpɑs] *o* mariner's compass.
zeekrab [-krɑp] *v* sea-crab.
zeekreeft [-kre.ft] *m & v* lobster.

zeekust [-kŭst] *v* sea-coast, sea-shore.
zeel [ze.l] *o* strap, trace.
Zeeland ['ze.lɑnt] *o* Zealand, Zeeland.
zeeleeuw [-le:u] *m* 🦭 sea-lion.
zeelieden [-li.dǝ(n)] *mv* seamen, sailors, mariners.
zeelt [ze.lt] *v* 🐟 tench.
zeelucht ['ze.lŭxt] *v* sea-air.
1 zeem [ze.m] *o* zie *zeemle(d)er*.
2 zeem [ze.m] *m & o* zie *zeemlap*.
zeemacht ['ze.mɑxt] *v* naval forces, navy.
zeeman [-mɑn] *m* seaman, sailor, mariner.
zeemanschap [-mɑnsxɑp] *o* seamanship; ~ *gebruiken* steer cautiously.
zeemanshuis ['ze.mɑnshœys] *o* sailors' home.
zeemanskunst [-kŭnst] *v* art of navigation, seamanship.
zeemansleven [-le.vǝ(n)] *o* seafaring life, sailor's life.
zeemeermin ['ze.me:rmɪn] *v* mermaid.
zeemeeuw [-me:u] *v* 🐦 (sea-)gull, seamew *drietenige* ~ kittiwake.
zeemijl [-mɛil] *v* sea-mile, nautical mile, league.
zeemijn [-mɛin] *v* sea-mine.
zeemlap ['ze.mlɑp] *m* shammy leather, wash-leather.
zeemle(d)er [-le:r, -le.dǝr] *o* chamois leather, shammy.
zeemleren [-le:rǝ(n)] *aj* shammy; *een* ~ *lap* a (chamois) leather.
zeemogendheid ['ze.mo.gǝnthɛit] *v* maritime (naval, sea) power.
zeemonster [-mònstǝr] *o* 1 sea-monster; 2 $ shipping-sample.
zeemos [-mòs] *o* sea-moss, seaweed.
zeen [ze.n] *v* tendon, sinew.
zeenimf ['ze.nɪmf] *v* sea-nymph.
zeeofficier [-ɔfi.si:r] *m* naval officer.
zeeoorlog [-o:rlɔx] *m* naval war.
zeep [ze.p] *v* soap; *groene* ~ soft soap; *om* ~ *brengen* S kill; *hij ging om* ~ S he went west.
zeepaard ['ze.-pa:rt] *o* sea-horse [of Neptune].
zeepaardje ['ze.-pa:rcǝ] *o* 🐟 sea-horse.
zeepachtig ['ze.p-ɑxtǝx] soapy, § saponaceous.
zeepaling ['ze.-pɑ.lɪŋ] *m* 🐟 sea-eel, conger.
zeepas [-pɑs] *m* passport.
zeepbakje ['ze.p-bɑkjǝ] *o* soap-dish.
zeepbekken [-bɛkǝ(n)] *o* shaving-basin.
zeepbel [-bɛl] *v* soap-bubble, bubble.
zeepfabriek [-fa.bri.k] *v* soap-works.
zeepfabrikant [-fa.bri.kɑnt] *m* soap-maker, soap-boiler.
zeepkist ['ze.p-kɪst] *v* soap-box.
zeeplaats ['ze.-plɑ.ts] *v* seaside town.
zeepolis [-po.lǝs] *v* marine policy.
zeepost [-pɔst] *v* oversea(s) mail.
zeeppoeder, -poeier ['ze.p-pu.dǝr, -pu.jǝr] *o & m* soap-powder.
zeeprik ['ze.-prɪk] *v* 🐟 sea-lamprey.
zeepsop ['ze.p-sɔp] *o* soap-suds.
zeepwater [-va.tǝr] *o* soap and water, soapy water.

zeepzieden [-si.də(n)] *o* soap-boiling.
zeepzieder [-dər] *m* soap-boiler.
zeepziederij [ze.psi.də'rɛi] *v* soap-works.
1 zeer [ze:r] *m* sore, ache; ~ *doen* ache, hurt²; *fig* pain; *heb je je erg ~ gedaan?* were you much hurt?; *het doet geen ~* it doesn't hurt; *zich ~ doen* hurt oneself; *iemand in zijn ~ tasten* touch a man on the raw, touch the tender spot.
2 zeer [ze:r] *aj* sore [arm &]; *ik heb een zere voet* my foot is sore.
3 zeer [ze:r] *ad* 1 very; 2 (vóór deelwoord) much, greatly [astonished &]; ✎ sorely [needed &]; *al te ~* overmuch.
zeeraad ['ze.-ra.t] *m* maritime court.
zeeramp [-ramp] *v* catastrophe at sea.
zeerecht [-rɛxt] *o* maritime law.
zeereerwaard ['ze:r-e:rva:rt] in: *de ~e heer A. B.* the Reverend A. B., Rev. A. B.
zeereis ['ze.-rɛis] *v* (sea-)voyage; ook: sea-journey.
zeergeleerd ['ze:rgəle:rt] very learned; *een ~e* a doctor.
zeerob ['ze.-rop] *m* 1 ♒ seal; 2 *fig* (Jack-)tar, sea-dog; *een oude ~* an old salt.
zeeroof [-ro.f] *v* piracy.
zeerover [-ro.vər] *m* pirate, corsair.
zeeroverij [ze.ro.və'rɛi] *v* piracy.
zeerst [ze:rst] in: *om het ~* as much as possible; *ten ~e* very much, highly, greatly.
zeeschade ['ze.sxa.də] *v* sea-damage.
zeeschelp [-sxɛlp] *v* sea-shell.
zeeschildpad [-sxɪltpat] *v* turtle.
zeeschip [-sxɪp] *o* sea-going vessel.
zeeschuimen [-sxœymə(n)] *vi* practise piracy.
zeeschuimer [-mər] *m* pirate, corsair.
zeeslag ['ze.slax] *m* sea-battle, naval battle.
zeeslak [-slak] *v* sea-snail.
zeeslang [-slaŋ] *v* sea-serpent.
zeespiegel [-spi.gəl] *m* sea-level, level of the sea; *beneden (boven) de ~* below (above) sea-level.
zeestad [-stat] *v* seaside town.
zeester [-stər] *v* starfish.
zeestraat [-stra.t] *v* strait(s).
zeestrand [-strant] *o* beach; *het ~* ook: the sands.
zeestroming [-stro.mɪŋ] *v* ocean current.
zeestuk [-stŭk] *o* sea-piece, seascape.
zeeterm [-tɛrm] *m* nautical term.
zeetijdingen [-tɛidɪŋə(n)] *mv* shipping intelligence.
zeetje [-cə] *o* sea; *een ~ overkrijgen* ship a sea.
zeetocht [-tɔxt] *m* voyage.
zeetransport [-transpɔrt] *o* sea-carriage, sea-transport.
Zeeuw [ze:u] *m* inhabitant of Zealand (Zeeland).
Zeeuws [ze:us] I *aj* Zealand; II *v* Zealand dialect.
Zeeuws-Vlaanderen -'fla.ndərə(n)] *o* Dutch Flanders.

zeevaarder ['ze.va:rdər] *m* navigator; (zeeman) seafarer.
zeevaardig [ze.'va:rdəx] ready to sail.
zeevaart ['ze.va:rt] *v* navigation.
zeevaartkunde [-kŭndə] *v* art of navigation.
zeevaartkundig [ze.va:rt'kŭndəx] nautical.
zeevaartschool ['ze.va:rtsxo.l] *v* school of navigation.
zeevarend [-va:rənt] seafaring [nation].
zeeverkenner [-vərkɛnər] *m* sea-scout.
zeeverzekering [-vərze.kərɪŋ] *v* marine insurance.
zeevis [-vɪs] *m* sea-fish.
zeevogel [-vo.gəl] *m* sea-bird.
zeevolk [-vɔlk] *o* seamen, sailors.
zeevracht [-vraxt] *v* $ freight.
zeewaardig [ze.'va:rdəx] seaworthy.
zeewaardigheid [-hɛit] *v* seaworthiness.
zeewaarts ['ze.va:rts] seaward.
zeewater [-va.tər] *o* sea-water.
zeeweg [-vɛx] *m* sea-route.
zeewering [-ve:rɪŋ] *v* sea-wall.
zeewezen [-ve.zə(n)] *o* maritime (nautical) affairs.
zeewier [-vi:r] *o* ❀ seaweed.
zeewind [-vɪnt] *m* sea-wind, sea-breeze.
zeewolf [-vòlf] *m* 🐟 sea-wolf.
zeeziek [-zi.k] seasick.
zeeziekte [-zi.ktə] *v* seasickness.
zeezout [-zɔut] *o* sea-salt.
zeezwaluw [-zva.ly:u] *v* ☆ sea-swallow
zefier [ze.fi:r, ze.'fi:r] *m* zephyr.
zege ['ze.gə] *v* victory, triumph.
zegeboog [-bo.x] *m* triumphal arch.
zegel ['ze.gəl] 1 *o* (v. document) seal; 2 (papier) stamped paper; 3 (instrument) seal, stamp; 4 *m* (v. belasting, post &) stamp; *zijn ~ drukken op een document* affix one's seal to a document; *zijn ~ aan iets hechten* set one's seal to it; *aan ~ onderhevig* liable to stamp-duty; *alles is onder ~* everything is under seal; *onder het ~ van geheimhouding* under the seal of secrecy; *alle stukken moeten op ~* all documents must be written on stamped paper; *vrij van ~* exempt from stamp-duty.
zegelbelasting [-bəlastɪŋ] *v* stamp-duty.
zegelbewaarder [-bəva:rdər] *m* Keeper of the Seal.
zegeldoosje [-do.ʃə] *o* seal-box.
zegelen ['ze.gələ(n)] *vt* 1 seal; 🏛 place under seal; 2 (stempelen) stamp; *gezegeld papier* stamped paper.
zegelkantoor ['ze.gəlkanto:r] *o* stamp-office.
zegelkosten [-kɔstə(n)] *mv* stamp-duties.
zegellak ['ze.gəlak] *v* & *m* sealing-wax.
zegelmerk ['ze.gəlmɛrk] *o* impression of a seal.
zegelrecht [-rɛxt] *o* stamp-duty.
zegelring [-rɪŋ] *m* seal-ring, signet-ring.
zegelwas [-vas] *m* & *o* sealing-wax.
zegelwet [-vɛt] *v* stamp-act.
1 zegen ['ze.gə(n)] *m* blessing, benediction;

welk een ~! what a blessing!, what a god-send!

2 zegen ['ze.ɡə(n)] *v* seine, drag-net.

zegenen ['ze.ɡənə(n)] *vt* bless.

zegening [-nɪŋ] *v* blessing [of civilization], benediction.

zegenrijk ['ze.ɡə(n)rɛik] I salutary, beneficial; 2 most blessed.

zegenwens [-vɛns] *m* blessing.

zegepoort ['ze.ɡəpo:rt] *v* triumphal arch.

zegepraal [-pra.l] *v* triumph.

zegepralen [-pra.lə(n)] *vi* triumph; ~ *over* triumph over.

zegeteken [-te.kə(n)] *o* trophy.

zegetocht [-tɔxt] *m* triumphal march.

zegevaan [-va.n] *v* victorious banner.

zegevieren [-vi:rə(n)] *vi* triumph; ~ *over* triumph over.

zegevierend [-vi:rənt] victorious, triumphant.

zegewagen [-va.ɡə(n)] *m* triumphal chariot, triumphal car.

zegezang [-zaŋ] *m* song of triumph, paean.

zegge ['zɛɡə] *v* ♣ sedge.

zeggen ['zɛɡə(n)] I *vt* say [to him]; tell [him]; *wat een prachtstuk, zeg!* I say, what a beauty!; *zegge vijftig gulden* $ say fifty guilders; *u zei...?* you were saying ...?; *doe dat, zeg ik je* I tell you; *nu u het zegt* now you mention it; *zeg eens!* I say!; *al zeg ik het zelf* though I say it who shouldn't, though I do say myself; *goede nacht* ~ say (bid) good night; *dat zegt (meer dan) boekdelen* that speaks volumes; *en dat zegt wat!, dat wil wat* ~! which is saying a good deal, and that is saying a lot; *ik heb gezegd!* I have had my say; *hij zegt niets maar denkt des te meer* he says nothing but thinks a lot; *de mensen* ~ *zóveel* people will say anything; *ik heb het wel gezegd* I told you so; *heb ik het niet gezegd?* didn't I tell you?; *daarmee is alles gezegd* that's all you can say of him (them &); (basta!) and there's an end of it; *dat is gauw (gemakkelijk) gezegd* it is easy (for you) to say so; *dat is gauwer gezegd dan gedaan* that is sooner said than done; *zo gezegd, zo gedaan* no sooner said than done; *dat behoef ik u niet te* ~ I need not tell you; *wat heeft u te* ~? what have you got to say?; *alle leden hebben evenveel te* ~ all the members have an equal say; *ik heb er ook iets in te* ~ I have some say in the matter; *ga het hem* ~ go and tell him; *dat kan ik u niet* ~ I cannot tell you; *dat zou ik u niet kunnen* ~ I could not say; *ze hebben het laten* ~ they have sent word; *laten we* ~ *tien* (let us) say ten; *dat mag ik niet* ~ I must not tell (you), that would be telling; *hij is..., dat moet ik* ~ I cannot but say that; *wij hadden het eerder moeten* ~ we should have spoken sooner; *dat wil* ~ that is (to say); *rechts..., ik wil* ~, *links* right, I mean, left; *dat wil nog niet* ~ *dat...* that is not to say that..., that does not mean

(imply) that...; *hij zegt het* he says so, so he says; *zeg dat niet* don't say so; *zegt u dat wel!* you may well say so!; *dat zeg je nu wel, maar...* you are pleased to say so, but...; *wat zegt dat nog?* well, what of it?; *mag ik ook eens iets* ~? may I say something?; *hij zeit wat!* P listen to him!, garn!; *niets* ~, *hoor!* keep quiet (F keep mum) about it!; *hij zegt niet veel* he is a man of few words; *dat zegt niet veel* that doesn't mean much; *die naam zegt mij niets* this name means nothing to me; *wat zegt u?* I what did you say?; 2 (bij verbazing) you don't say so!; *wat u zegt!* you don't say so!; *...wat ik je zeg* I tell you; *doe wat ik je zeg* do as I tell you; *het is wat te* ~ it is awful; *als ik wat te* ~ *had* if I could work my will; *wat ik* ~ *wil (wou)...* à propos, that reminds me...; *wat wou ik ook weer* ~? what was I going to say?; *daar zeg je zo iets* that's not a bad idea; *iemand* ~ *waar het op staat* give him a piece of one's mind; *wat is er op hem te* ~? what is there to be said against him?; *wat heb je daarop te* ~? what have you got to say to that?; *je hebt niets over mij te* ~ you have no authority over me; *om ook iets te* ~ by way of saying something; *om zo te* ~ so to say, so to speak; *daar is alles (veel) voor te* ~ there is everything (much) to be said for it; *zonder iets te* ~ without a word; *zonder er iets van te* ~ without saying anything about it; II *o* saying; ~ *en doen zijn twee* to promise is one thing to perform another; *naar zijn* ~, *volgens zijn* ~ according to what he says; *als ik het voor het* ~ *had* if I had my say in the matter; *je hebt het maar voor het* ~ you need only say the word.

zeggenschap ['zɛɡənsxɑp] *v* & *o* right of say; control; ~ *hebben* have a say (in the matter).

zeggingskracht ['zɛɡɪŋskrɑxt] *v* expressiveness, eloquence.

zegsman ['zɛxsmɑn] *m* informant, authority; *wie is uw* ~? who is your informant?, who told (it) you?

zegswijs, -wijze [-vɛis, -vɛizə] *v* saying, expression, phrase.

zeil [zɛil] *o* I ♣ sail; 2 (v. winkel &) awning; 3 (tot dekking) tarpaulin; tilt (of cart); 4 (v. vloer) floor-cloth; 5 zie *zeildoek*; ~ *bijzetten* set more sail; *alle* ~*en bijzetten* crowd on all sail; *fig* leave no stone unturned, do one's utmost; ~(*en*) *minderen* take in sail, shorten sail; *met een opgestreken* ~ in high dudgeon; *met volle* ~*en* (in) full sail, all sails set; *onder* ~ *gaan* ♣ get under sail, set sail; *fig* F drop off (to sleep), doze off; *onder* ~ *zijn* I ♣ be under sail; 2 *fig* F be away in the land of Nod; *een vloot van 20* ~*en* a fleet of twenty sail.

zeilboot ['zɛilbo.t] *m* & *v* sailing-boat.

zeildoek [-du.k] *o* & *m* sailcloth, canvas; (wasdoek) oilcloth.

zeilen ['zɛilə(n)] *vi* sail; *gaan* ~ go for a sail;

~d(e) $ sailing, floating [goods]; ~de verko-
pen $ sell on sailing terms, sell to arrive; een
uur ~s an hour's sail.
zeiler [-lər] m 1 (persoon) yachtsman; 2
(schip) sailing-ship.
zeiljacht ['zɛiljɑxt] o ⚓ sailing-yacht.
zeiljekker [-jɛkər] m jacket.
zeilklaar [-kla:r] ready to sail, ready for sea.
zeilmaker [-ma.kər] m sail-maker.
zeilmakerij [zɛilma.kə'rɛi] v sail-loft.
zeilpet ['zɛilpɛt] v yachting cap.
zeilree [-re.] ready to sail, ready for sea.
zeilschip [-sxip] o sailing-vessel, sailing-ship.
zeilschuit [-sxœyt] v sailing-boat.
zeilsport [-spɔrt] v yachting.
zeiltocht [-tɔxt] m sailing-trip, F sail.
zeilvaardig [zɛil'va:rdəx] ready to sail, ready
for sea.
zeilvaartuig ['zɛilva:rtœyx] o sailing-vessel.
zeilvereniging [-vərə.nəɣɪŋ] v yacht-club.
zeilwagen [-va.ɣə(n)] m sailing-car.
zeilwedstrijd [-vɛtstrɛit] m sailing-match, regatta.
zeis [zɛis] v scythe.
zeker ['ze.kər] I aj attributief 1 (vaststaand)
certain [event &]; 2 (betrouwbaar) sure
[proof]; 3 (niet nader aan te duiden)
certain [gentleman, lady of a certain age]; 4
(enige) a certain, some [reluctance &]; predikatief 1 (met persoons-onderwerp)
certain, sure, assured, positive, confident; 2
(met ding-onderwerp) sure, certain; (een)
~e dinges a certain Mr. Thingumbob, a Mr.
Th., one Th.; een ~e wrijving tussen hen a
certain friction (a certain amount of friction,
some friction) between them; ik ben ~ van
hen I can depend on them; ~ van zijn zaak
zijn be sure of one's ground; ben je er ~
van? are you (quite) sure?, are you quite
positive?; ik ben er ~ van dat... I am sure
(that)..., I am sure of his (her, their...); je
kunt er ~ van zijn dat... ook: you may feel
(rest) assured that...; men is er niet ~ van zijn
leven a man's life is not safe there; iets ~s
something positive; niets ~s nothing certain;
zo ~ als 2 × 2 (4 is) as sure as two and two
make four, as sure as eggs is eggs; II o het
~e what is certain; het ~e voor het onzekere
nemen take a certainty for an uncertainty;
prefer the one bird in the hand to the two
in the bush; III ad 1 (woordbepaling) for
certain; for a certainty, positively; 2 (zins-
bepaling) certainly, surely &; (wel) ~! 1
(bevestigend) certainly; 2 (afwijzend)
why not!; ik weet het ~ I know it for certain
(for a certainty, for a fact); ~ weet jij dat ook
wel surely you know it too; jij weet dat ~
ook wel, he? I daresay (I suppose) you know
it too; hij komt ~ als hij het weet he is sure
to come if he knows; we kunnen ~ op hem
rekenen we can safely count on him; Kunnen
wij op hem rekenen? Zeker! Certainly! To be
sure you can!

zekerheid ['ze.kərhɛit] v 1 certainty; 2 (veiligheid) safety; 3 (borg) security; ~ bieden
dat... hold out every certainty that...; voldoende ~ geven dat... guarantee that...; ~
hebben be certain; ~ stellen give security;
niet met ~ bekend not certainly known; we
kunnen niet met ~ zeggen of... we cannot say
with certainty (for certain).
zekerheidshalve [ze.kərhɛits'halvə] for safety('s
sake).
zekerheidstelling ['ze.kərhɛitstɛlɪŋ] v security.
zekering ['ze.kərɪŋ] v ⚡ fuse.
zekeringsdoos [-rɪŋsdo.s] v ⚡ fuse-box.
zekerlijk ['ze.kərlək] certainly, surely.
zelden ['zɛldə(n)] seldom, rarely; niet ~ not
unfrequently.
zeldzaam ['zɛltsa.m] I aj rare [= seldom
found & of uncommon excellence]; scarce
[books, moths]; II ad uncommonly, exceptionally [beautiful].
zeldzaamheid [-hɛit] v rarity, scarceness; zeldzaamheden rarities, curiosities; een van de
grootste zeldzaamheden one of the rarest
things; het is een grote ~ als... it is a rare
thing for him to...; het is geen ~ dat... it is no
rare thing to [find them &].
zelf [zɛlf] self; ik ~ I myself; u, jij ~ you
yourself; de man ~ the man himself; de
vrouw ~ the woman herself; het kind ~ the
child itself; zij hebben ~... they have... themselves; zij kunnen niet ~ denken they cannot
think for themselves; wees u ~ be thyself; hij
is de beleefdheid ~ he is politeness itself; zie
ook: zich, zichzelf &.
zelfbediening ['zɛlfbədi.nɪŋ] v self-service.
zelfbedieningswinkel, -zaak [-nɪŋsvɪŋkəl,
-nɪŋsa.k] v self-service shop, self-service
store.
zelfbedrog [-bədrɔx] o self-deceit, self-decep-
tion.
zelfbegoocheling [-ɣo.ɣəlɪŋ] v self-delusion.
zelfbehagen [-ha.ɣə(n)] o self-complacency.
zelfbeheersing [-he:rsɪŋ] v self-control, self-
command, self-possession, restraint; zijn ~
herkrijgen regain one's self-control, collect
oneself.
zelfbehoud [-hout] o self-preservation.
zelfbeschikkingsrecht [-sxɪkɪŋsrɛxt] o right of
self-determination.
zelfbestuur ['zɛlfbəsty:r] o self-government.
zelfbewust [zɛlfbə'vỹst] self-assertive.
zelfbewustheid [-hɛit] v **zelfbewustzijn** [-sɛin] o
self-assertion.
zelfbinder ['zɛlfbɪndər] m 1 (landbouwmachine) self-binder; 2 (das) knotted tie.
zelfde [-də] same, similar.
zelfgebreid ['zɛlfɣəbrɛit] home-knitted.
zelfgenoegzaam [zɛlfɣə'nu.xsa.m] self-sufficient.
zelfgenoegzaamheid [-hɛit] v self-sufficiency.
zelfgevoel ['zɛlfɣəvu.l] o self-esteem.
zelfkant [-kɑnt] m selvage, selvedge, list; aan

de ~ der maatschappij [live] on the fringe of society.

zelfkastijding [-kɑstɛidɪŋ] *v* self-chastisement.

zelfkennis [-kɛnəs] *v* self-knowledge.

zelfkritiek [-kri.ti.k] *v* self-criticism.

zelfmoord [-mo:rt] *m & v* suicide, self-murder.

zelfmoordenaar [-mo:rdəna:r] *m ~ares* [zɛlf-mo:rdəna:ˈrɛs] *v* suicide, self-murderer.

zelfonderricht ['zɛlfɒndərıxt] *o* self-tuition.

zelfonderzoek [-ɒndərzu.k] *o* self-examination, heart-searching.

zelfontbranding [-ɒntbrɑndıŋ] *v* spontaneous combustion.

zelfontsteking [-ɒntste.kıŋ] *v* ☀ self-ignition.

zelfopoffering [-ɒpɒfərıŋ] *v* self-sacrifice.

zelfoverwinning [-o.vərvınıŋ] *v* self-conquest.

zelfportret [-pɒrtrɛt] *o* self-portrait.

zelfregistrerend [-rəgıstre:rənt] self-registering, self-recording.

zelfrijzend [-rɛizənt] self-raising [flour].

zelfs [zɛlfs] even; *~ zijn vrienden* ook: his very friends; *zij klommen ~ tot op de daken* ook: on to the very roofs.

zelfstandig [zɛlf'stɑndəx] **I** *aj* independent; *~ naamwoord* substantive, noun; **II** *ad* 1 [act] independently; 2 [used] substantively.

zelfstandigheid [-hɛit] *v* 1 independence; 2 (stof) substance.

zelfstrijd ['zɛlfstrɛit] *m* inward struggle.

zelfstudie [-sty.di.] *v* self-tuition.

zelftucht [-tŭxt] *v* self-discipline.

zelfverblinding [-fərblındıŋ] *v* infatuation.

zelfverdediging [-de.dəgıŋ] *v* self-defence; *uit (ter) ~* in self-defence.

zelfvergoding [-go.dıŋ] *v* self-idolization.

zelfverheerlijking [-he:rləkıŋ] *v* self-glorifica-

zelfverheffing [-hɛfıŋ] *v* self-exaltation. [tion.

zelfverloochening [-lo.gənıŋ] *v* self-denial.

zelfvertrouwen [-trʊə(n)] *o* self-confidence, self-reliance.

zelfverwijt [-vɛit] *o* self-reproach.

zelfvoldaan ['zɛlf-fɒlda.n] self-complacent.

zelfvoldaanheid [zɛlf-fɒl'da.nhɛit] *v* self-complacency.

zelfvoldoening ['zɛlf-fɒldu.nıŋ] *v* self-satisfaction.

zelfwerkend ['zɛlfvɛrkənt] self-acting, automatic.

zelfzucht [-sŭxt] *v* egotism, egoism, selfishness.

zelfzuchtig [zɛlf'sŭxtəx] **I** *aj* selfish, egoistic, egotistical, self-seeking; *een ~e* an egoist, an egotist; **II** *ad* selfishly, egoistically, egotistically.

zeloot [ze.'lo.t] *m* zealot.

zemelen ['ze.mələ(n)] *mv* bran.

1 **zemen** ['ze.mə(n)] *aj* shammy; *een ~ lap* a leather.

2 **zemen** ['ze.mə(n)] *vt* 1 clean [windows] with a leather; 2 taw.

zendbode ['zɛntbo.də] *m* messenger.

zendbrief [-bri.f] *m* pastoral letter; **B** epistle.

zendeling ['zɛndəlıŋ] *m* missionary.

zenden ['zɛndə(n)] *vt* send [something, a man &]; forward, dispatch [a parcel &], ship, consign [goods &]; *~ om* send for.

zendenergie ['zɛnte.nɛrʒi.] *v* ☀☨ emissive power.

zender [-dər] *m* sender; ☀☨ transmitter; *over de Moskouse ~* over Moscow radio; *over een Nederlandse ~* on a Dutch transmitter; *over alle ~s* over all radio stations.

zending [-dıŋ] *v* 1 (het zenden) sending, forwarding, dispatch; 2 (het gezondene) shipment, consignment; parcel; 3 (roeping, opdracht) mission; 4 (zendingswerk) mission.

zendingsgenootschap [-dıŋsgəno.tsxɑp] *o* missionary society.

zendingsschool ['zɛndıŋsxo.l] *v* missionary school.

zendingsstation [-sta.ʃɒn] *o* mission station.

zendingswerk ['zɛndıŋsvɛrk] *o* missionary work.

zendlamp ['zɛntlɑmp] *v* ☀☨ transmitting valve.

zendmast [-mɑst] *m* ☀☨ transmitter mast.

zendstation [-sta.ʃɒn] *o* ☨ transmitting station.

zendtijd ['zɛntɛit] *m* ☀☨ transmission time, broadcast(ing) time.

zendtoestel [-tu.stɛl] *o* ☀☨ transmitting set, transmitter.

zenduur ['zɛnty:r] *o* ☀☨ broadcasting hour.

zendvergunning [-fərgŭnıŋ] *v* ☀☨ transmitting licence.

zengen ['zɛŋə(n)] *vt & vi* singe [hair], scorch [grass &].

zenging [-gıŋ] *v* singeing, scorching.

zenig ['ze.nəx] stringy, sinewy.

zenit ['ze.nıt] *o* zenith.

zenuw ['ze.ny:u] *v* nerve; *de ~ van de oorlog* the sinews of war; *~en als kabeltouwen* iron nerves; *hij was één en al ~en* he was a bundle of nerves; *het op de ~en hebben* be in a nervous fit, have a fit of nerves; *het op de ~en krijgen* go into hysterics.

zenuwaandoening [-a.ndu.nıŋ] *v* affection of the nerves.

zenuwachtig [-ɑxtəx] **I** *aj* nervous, nervy, F jumpy; *iemand ~ maken* ook: get on a person's nerves; **II** *ad* nervously.

zenuwachtigheid [-hɛit] *v* nervousness.

zenuwarts ['ze.ny:uɑrts] *m* nerve doctor, neurologist.

zenuwbundel [-bŭndəl] *m* nerve-bundle.

zenuwcel [-sɛl] *v* nerve cell.

zenuwenoorlog ['ze.ny.vəno:rlɒx] *m* war of nerves.

zenuwgestel ['ze.ny:ugəstɛl] *o* nervous system.

zenuwinrichting [-ınrıxtıŋ] *v* mental home.

zenuwinzinking [-ınzıŋkıŋ] *v* nervous breakdown.

zenuwknoop [-kno.p] *m* nerve-knot, ganglion; *fig* bundle of nerves.

zenuwkwaal [-kva.l] *v* -**lijden** [-lɛidə(n)] *o* nervous disease.

zenuwlijder [-lɛidər] *m* nervous sufferer.
zenuwoorlog [-o:rlɔx] = *zenuwenoorlog*.
zenuwpijn [-pɛin] *v* neuralgia, nerve pains.
zenuwschok [-sxɔk] *m* nervous shock.
zenuwslopend [-slo.pɔnt] nerve-racking.
zenuwstelsel [-stɛlsəl] *o* nervous system; *het centrale* ~ the central nervous system.
zenuwtoeval [-tu.val] *m & o* nervous attack.
zenuwtrekking [-trɛkɪŋ] *v* nervous twitch.
zenuwziek [-zi.k] suffering from nerves.
zenuwziekte [-zi.ktə] *v* nervous disease.
zenuwzwakte [-zvɑktə] *v* nervous debility.
zepen ['ze.pə(n)] *vt* soap; lather [before shaving].
zerk [zɛrk] *v* slab, tombstone.
zes [zɛs] six; *dubbele* ~ double six; *hij is van* ~*sen klaar* he is an all-round man; *he is for all waters*; *ze hadden pret voor* ~ they were having no end of fun.
zesachtste [zɛs'ɑx(t)stə] six eighths; ~ *maat* ♪ six-eight time.
zesdaagse [-'da.xsə] *v sp* six-day bicycle-race.
zesde ['zɛsdə] sixth (part).
zeshoek [-hu.k] *m* hexagon.
zeshoekig [-hu.kəx] hexagonal.
zesjarig [-ja:rəx] of six years, six-year-old.
zeskantig [-kɑntəx] hexagonal.
zesregelig [-re.gələx] of six lines; ~ *versje* sextain.
zestal [-tɑl] *o* six, half a dozen; *het* ~ the six of them.
zestien [-ti.n] sixteen.
zestiende [-ti.ndə] sixteenth (part).
zestig [-təx] sixty; *ben je* ~ *!* F are you mad?
zestiger [-təgər] *m* person of sixty (years).
zestigjarig [-təxja:rəx] of sixty years; *de* ~*e* the sexagenarian.
zestigste [-təxstə] sixtieth (part).
zesvlak [-flɑk] *o* hexahedron.
zesvoud [-fɔut] *o* multiple of six.
zesvoudig [-fɔudəx] sixfold, sextuple.
zet [zɛt] *m* I (duw) push, shove; 2 (sprong) leap, bound; 3 *sp* move[2] [at draughts, chess &]; *een domme* ~ a stupid move[2]; *:en fijne* ~ I a cunning move; 2 a sly hit; *een geestige* ~ a stroke of wit; *een gelukkige* ~ a happy move; *een handige* ~ a clever move (stroke); *een verkeerde* ~ a wrong move; *een* ~ *doen sp* make a move; *iemand een* ~ *geven* give one a shove.
zetbaas ['zɛtba.s] *m* manager, *fig* agent, hired man.
zetboer [-bu:r] *m* tenant-farmer.
zetel ['ze.təl] *m* I seat, chair; 2 (verblijf) see [of a bishop]; 3 seat [in parliament, on a committee, of government, of a company].
zetelen ['ze.tələ(n)] *vi* sit, reside; ~ *te Amsterdam* have its seat at A.
zetfout ['zɛtfɔut] *v* typographical error, misprint.
zethaak [-ha.k] *m* (v. letterzetters) composing-stick.
zetje ['zɛcə] *o* shove.

zetlijn ['zɛtlɛin] *v* I set-line, night-line [for fishing]; 2 ✂ [compositor's] setting-rule.
zetloon [-lo.n] *o* compositor's wages.
zetmachine [-ma.ʃi.nə] *v* type-setting machine.
zetmeel [-me.l] *o* starch, farina.
zetmeelachtig [-me.lɑxtəx] starchy, farinaceous.
zetsel [-səl] *o* I brew [of tea]; 2 ✂ matter [of compositors].
zetspiegel [-spi.gəl] *m* type area.
zetten ['zɛtə(n)] I *vt* I set, put; 2 (op de drukkerij) set up, compose; 3 (laten trekken) make [tea, coffee]; *een arm &* ~ set an arm [a bone, a fracture]; *een ernstig gezicht* ~ put on a serious face; *zijn handtekening (naam)* ~ *(onder)* sign (one's name), put one's name to [a document], set one's hand to [a deed &]; *ze kunnen elkaar niet* ~ they can't get on (get along) together; *ik kan hem niet* ~ I can't stick the fellow; *ik kon 't niet* ~ I could not stomach it; *het glas aan de mond* ~ put the glass to one's mouth; *iets in elkaar* ~ put something together; *een stukje in de krant* ~ put a notice (a paragraph) in; *op muziek* ~ zie *muziek*; *de wekker op 5 uur* ~ set the alarum for five o'clock; *waar zal jij op* ~*?* what are you going on?; *hij schijnt het erop gezet te hebben om mij te plagen* he seems to be bent upon teasing me; *een ladder tegen de muur* ~ put a ladder against the wall; *iemand uit het land* ~ expel him from the country; *een ambtenaar eruit* ~ turn out (S fire) an official; *ik kan de gedachte niet van mij* ~ I can't dismiss the idea; *gezet voor piano en viool* ♪ arranged for the piano and the violin; II *vr zich* ~ I (v. personen) sit down; 2 (v. vruchten) set; *zich iets in het hoofd* ~ take (get) it into one's head; *zich over iets heen* ~ get over it; *als hij er zich toe zet* when he sets himself to do it; *zet u dat maar uit het hoofd* put (get) it out of your head.
zetter ['zɛtər] *m* I (drukkerij) type-setter, compositor; 2 (belasting) assessor.
zetterij [zɛtə'rɛi] *v* composing room.
zetting ['zɛtɪŋ] *v* I setting [of a bone &]; 2 (v. belasting) assessment; 3 ♪ arrangement.
zetwerk ['zɛtvɛrk] *o* type-setting.
zeug [zø.x] *v* ♨ sow.
zeulen ['zø.lə(n)] *vt* drag.
zeur [zø:r] *v* bore.
zeuren ['zø:rə(n)] *vi* worry; tease; *hij zeurde om het boek* he was teasing me to get the book (for the book); *hij zit daar altijd over te* ~ he is always worrying about it; he is always harping on the subject.
zeurig [-rəx] I (v. persoon) worrying; 2 (v. spreken) whining, drawling.
zeurkous ['zø:rkɔus] *v* **zeurpiet** [-pi.t] *m* bore.
I **zeven** ['ze.və(n)] 7, seven.
2 **zeven** ['ze.və(n)] *vt* sieve, sift; riddle, screen [coal, gravel &].

zevende [-də] seventh (part).
zevengesternte [-gəstɛrntə] *o* Pleiades.
zevenhoek [-hu.k] *m* heptagon.
zevenhoekig [-hu.kəx] heptagonal.
zevenjarig [-ja:rəx] of seven years, seven-year-old.
zevenklapper [-klɑpər] *m* squib [fireworks].
zevenmijlslaarzen [ze.və(n)mɛils'la:rzə(n)] *mv* seven-league boots.
zevenslaper ['ze.və(n)sla.pər] *m* 1 🐭 dormouse [*mv* dormice]; 2 F lie-abed.
zevenster [-stɛr] *v* Pleiades.
zeventał [-tɑl] *o* seven.
zeventien [-ti.n] seventeen.
zeventiende [-ti.ndə] seventeenth (part).
zeventig [-təx] seventy.
zeventiger [-təgər] *m* person of seventy (years).
zeventigjarig [-təxja:rəx] of seventy years; *de ~e* the septuagenarian.
zeventigste [-stə] seventieth (part).
zevenvoud [-vɔut] *o* multiple of seven.
zevenvoudig [-vɔudəx] sevenfold, septuple.
zever ['ze.vər] *m* slaver, slobber, drivel.
z.g. [zo.gə'na.mt] = *zogenaamd.*
z.i. ['zɛins'inzi.ns] = *zijns inziens.*
zich [zix] oneself, himself, themselves; *hij heeft het niet bij ~* he has not got it with him.
1 **zicht** [zixt] *v* reaping-hook, sickle.
2 **zicht** [zixt] *o* 1 sight; 2 [good, bad] visibility; *in ~* in sight, within sight; *drie dagen na ~* at three days' sight, three days after sight; *betaalbaar op ~* payable at sight; *boeken op ~ zenden* send books on approval (for inspection).
zichtbaar ['zixtba:r] I *aj* visible, perceptible; II *ad* visibly.
zichtbaarheid [-hɛit] *v* visibility, perceptibility.
zichten ['zixtə(n)] *vt* cut, reap [corn].
zichtkoers ['zixtku:rs] *m* $ sight-rate.
zichtpapier [-pa.pi:r] *o* $ sight-bills.
zichtwissel [-visəl] *m* $ sight-bill.
zichtzending [-sɛndiŋ] *v* $ consignment on approval, goods on approval.
zichzelf [zix'sɛlf] oneself, himself; *hij was ~ niet* he was not himself; *bij ~* to himself [he said...]; *buiten ~* beside himself; *in ~* [talk] to oneself; *op ~* in itself [it is...]; [a class] by itself; [look at it] on its own merits; *op ~ staand* isolated [event, instance &]; self-contained [book, volume, school &]; *uit ~* of his own accord; *van ~ Jansen* her maiden name is J.; *zij is van ~ chic* she is smart in her own right; *voor ~* for himself (themselves).
ziedaar [zi.'da:r] there; *~ wat ik u te zeggen had* that's what I had to tell you.
zieden ['zi.də(n)] I *vi* seethe, boil; *~ van toorn* seethe with rage; II *vt* boil.
ziehier [zi.'hi:r] 1 look here, ☉ behold; 2 (overreikend) here you are!; here is... [the key &]; *~ wat hij schrijft* this is what he writes.
ziek [zi.k] 1 (predikatief) ill, diseased; 2

(attributief) sick, diseased; *hij is zo ~ als een hond* he is as sick as a dog; zie ook: *zieke.*
ziekbed ['zi.kbɛt] *o* sick-bed.
zieke ['zi.kə] *m-v* sick person, patient, invalid; *~n* sick people; *de ~n* the sick.
ziekelijk ['zi.kələk] sickly, ailing; morbid[2] [fancy].
ziekelijkheid [-hɛit] *v* sickliness; morbidity[2].
ziekenauto ['zi.kə(n)o.to., -ɔuto.] *m* motor ambulance, ambulance.
ziekenboeg [-bu.x] *m* ⚓ sick-bay.
ziekenbroeder [-bru.dər] *m* male nurse.
ziekendrager [-dra.gər] *m* ⚔ stretcher-bearer.
ziekenfonds [-fɔnts] *o* sick-fund.
ziekengeld [-gɛlt] *o* sick-pay.
ziekenhuis [-hœys] *o* hospital, infirmary.
ziekenhuisbed [-bɛt] *o* hospital bed.
ziekenkamer ['zi.kə(n)ka.mər] *v* sick-room.
ziekenkost [-kɔst] *m* invalid's food, sick-diet.
ziekenoppasser [-ɔpasər] *m* hospital attendant, male nurse; ⚔ hospital orderly.
ziekenrapport [-rapɔrt] *o* ⚔ sick parade.
ziekenstoel [-stu.l] *m* invalid chair.
ziekentroost [-tro.st] *m* comfort of the sick.
ziekenverpleegster [-vərple.xstər] *v* nurse. [*ser.*
ziekenverpleger [-ple.gər] *m* zie *ziekenoppas-*
ziekenverpleging [-giŋ] *v* 1 nursing; 2 nursing-home.
ziekenwagen ['zi.kə(n)va.gə(n)] *m* ambulance (wagon).
ziekenzaal [-za.l] *v* (hospital) ward, infirmary.
ziekenzuster [-zũstər] *v* nursing-sister.
ziekte ['zi.ktə] *v* illness; [contagious, tropical] disease, [bowel, liver, heart] complaint, ailment; *~ van de maag, lever, nieren* & disorder of the stomach, liver, kidneys &; *wegens ~* on account of ill-health.
ziektegeval [-gəvɑl] *o* case.
ziektekiem [-ki.m] *v* disease germ.
ziekteverlof [-vərlof] *o* sick-leave; *met ~* absent on sick-leave.
ziekteverloop [-vərlo.p] *o* course of the disease.
ziekteverschijnsel [-vərsxɛinsəl] *o* symptom.
ziekteverzekering [-vərze.kəriŋ] *v* health insurance.
ziektewet [-vɛt] *v* health insurance act.
ziel [zi.l] *v* 1 soul[2], spirit; 2 ⚔ (v. fles) kick; 3 ⚔ (v. kanon) bore; *arme ~!* poor soul!; *die eenvoudige ~en* these simple souls; *een goeie ~* F a good sort; *geen levende ~* not a (living) soul; *de ouwe ~!* F poor old soul!; *hij is de ~ van de onderneming* he is the soul of the undertaking; *een stad van... ~en of...* souls; *God hebbe zijn ~!* God rest his soul!; *bij mijn ~!* upon my soul!; *in het binnenste van zijn ~* in his heart of hearts; *met zijn ~ onder zijn arm lopen* be at a loose end; *iemand op zijn ~ geven* P give him socks; *op zijn ~ krijgen* P get a sound thrashing; *ter ~e zijn* be dead and gone; *tot in de ~* [moved] to the heart; *hoe meer ~en hoe meer vreugd* the more the merrier.

zieleadel ['zi.lə.dəl] *m* nobility of soul, nobleness of mind.

zielegrootheid [-gro.thɛit] *v* magnanimity.

zieleheil [-hɛil] *o* salvation.

zieleleed [-le.t] *o* mental suffering, agony of the soul.

zieleleven [-le.və(n)] *o* inner life.

zielemis [-mis] = *zielmis*.

zielenherder ['zi.lə(n)hɛrdər] *m* pastor.

zielental [-tɑl] *o* number of inhabitants.

zielenzorg [-zɔrx] = *zielzorg*.

zielepijn [-pɛin] *v* mental anguish.

zielerust [-rŭst] = *zielsrust*.

zielesmart [-smɑrt] *v* mental anguish.

zielestrijd [-strɛit] *m* struggle of the soul, inward struggle.

zielevrede [-vre.də] *m* & *v* peace of mind.

zielevreugde [-vrø.gdə] = *zielsvreugde*.

zielig ['zi.ləx] pitiful, pitiable, piteous, pathetic; *hoe ~ !* how sad!, what a pity!

zielkunde ['zi.lkŭndə] *v* psychology.

zielkundig [zi.l'kŭndəx] *aj* (& *ad*) psychological(ly).

zielloos ['zi.lo.s] 1 (zonder ziel)'soulless; 2 (dood) inanimate, lifeless.

zielmis ['zi.lmis] *v RK* mass for the dead.

zielroerend [-ru:rənt] soul-moving, pathetic.

zielsangst ['zi.lsɑŋst] *m* (mental) agony, anguish.

zielsbedroefd [-bədru.ft] deeply afflicted.

zielsbeminde [-bəmində] *m-v* dearly beloved.

zielsblij(de) [zi.ls'blɛi(də)] very glad, overjoyed.

zielsgenot ['zi.lsgənət] *o* heart's delight.

zielskracht [-krɑxt] *v* strength of mind, fortitude.

zielskwelling [-kvɛlıŋ] *v* zie *zielsangst*.

zielslief ['zi.ls'li.f] in: *iemand ~ hebben* love one dearly, love a person with all one's soul.

zielsrust ['zi.lsrŭst] *v* peace of mind, tranquility of mind; repose of the soul [after death].

zielsveel ['zi.lsfe.l] in: *~ houden van* be very, very fond of, love dearly.

zielsverdriet ['zi.lsfərdri.t] *o* deep-felt grief.

zielsverhuizing [-hœyzıŋ] *v* (trans)migration of souls.

zielsverrukking, ~vervoering [-fərŭkıŋ, -fərvu:rıŋ] *v* trance, rapture, ecstasy.

zielsverwanten [-fərvɑntə(n)] *mv* congenial spirits.

zielsverwantschap [-vɑntsxɑp] *v* congeniality, psychic affinity.

zielsvreugde ['zi.lsvrø.gdə] *v* soul's delight.

zielsvriend ['zi.lsfri.nt] *m* ~**in** [-fri.ndın] *v* bosom friend.

zielsziek ['zi.lsi.k] mentally deranged.

zielsziekte [-tə] *v* mental derangement, disorder of the mind.

zielszorg ['zi.lzɔrx] = *zielzorg*.

zieltje [-cə] *o* soul; *een ~ zonder zorg* a careless soul, a happy-go-lucky fellow; *~s winnen* F make proselytes.

zieltogen [-to.gə(n)] *vi* be dying.

zieltogend [-gənt] dying, moribund.

zielverheffend ['zi.lvərhɛfənt] elevating, soulful.

zielzorg [-zɔrx] *v* cure of souls, pastoral care.

zielzorger [-zɔrgər] *m* pastor.

zien [zi.n] I *vt* 1 (in het alg.) see, perceive; *hij is..., dat zie ik ...* I see; *de directie ziet dat niet gaarne* the management does not like it; *(geen) mensen ~* see (no) people, see (no) company; (not) entertain; *mij niet gezien !* F nothing doing!; 2 (vóór infinitief) *ik heb het ~ doen* I've seen it done; *ik heb het hem ~ doen* I have seen him do(ing) it; *ik zie hem komen* I see him come (coming); zie ook: *aankomen; men zag hem vallen* he was seen falling (seen to fall); *ik zal het ~ te krijgen* I'll try to get it for you; *je moet hem ~ over te halen* you must try to persuade him; 3 (na infinitief) *doen ~* make [us] see; *iemand niet kunnen ~* not be able to bear the sight of him; *laten ~* show; *laat eens ~...* let me see; *laat me ook eens ~* let me have a look; *hij heeft het mij laten ~* he has shown it to me; *zich laten ~* show oneself; *laat je hier niet weer ~* don't show yourself again, let me never set eyes on you again; *dat zou ik toch eens willen ~* I will see if...; *wat ze hier te ~ geven* what they let you see; ∞ *ik zie het aan je dat...* I can see it by your looks that...; *naar iets ~* look at a thing, have a look at a thing; *laat hem naar zijn eigen ~* let him look at home; *ze moest naar de kinderen ~* she had to look after the children; *naar het spel ~* look on at the game; *zie eens op je horloge* look at your watch; *hij ziet op geen rijksdaalder* he is not particular to a few guilders; *de kamer ziet op de tuin* the room looks out upon the garden, overlooks the garden, commands a view of the garden; *op eigen voordeel ~* seek one's own advantage; *uit uw brief zie ik dat...* from (by) your letter I see that...; *uit eigen ogen ~* look through one's own eyes; *hij kon van de slaap niet uit zijn ogen ~* he could not see for sleep; *zijn... ziet hem de ogen uit* his... looks through his eyes; *ik zie hem nog voor mij* I can see him now; *geen ... te ~* not a... to be seen; *het is goed te ~* 1 it can easily be seen, it shows; 2 it is distinctly visible; *er is niets te ~* there is nothing to be seen; *er is niets van te ~* there is nothing that shows; *iedere dag te ~* on view every day; II *vi & va* see; look; *bleek ~* look pale; *donker ~* look black[2]; *dubbel ~* see double; *ik zie niet goed* my eye-sight is none of the best, my sight is poor; *hij ziet bijna niet meer* his sight is almost gone; *hij ziet slecht* his eye-sight is bad; *het ziet zwart van de mensen* the place is black with people; *we zullen ~* well, we shall see; *zie beneden* see below; *zie boven* see above; *zie je?* you see?, F see?; *zie je wel?* (do you) see that, now?, I told you so!; *zie eens hier!* look here!; *En zie, daar kwam...* and behold!; *~de blind zijn* see and not perceive; **III** *o* seeing; sight; *bij (op) het ~ van* on seeing; *tot ~s!* see you again!, F so long!

zienderogen ['zi.ndərə.ɡə(n)] visibly.

ziener ['zi.nər] *m* seer, prophet.

zienersblik [-nərsblık] *m* prophetic eye.

zienlijk ['zi.nlək] visible.

zienswijs, -wijze ['zi.nsvɛis, -vɛizə] *v* opinion, view; *zijn ~ delen* be of his way of thinking.

zier [zi:r] *v* whit, atom; *het is geen ~ waard* it is not worth a pin (straw, bit).

ziertje ['zi:rcə] *o* zie *zier*; *geen ~ beter* not a (never a) whit better.

ziezo [zi.'zo.] well, so; *~!* that's it!, there (it is done)!

ziften ['zıftə(n)] *vt* sift.

zifter [-tər] *m* sifter; *fig* fault-finder, hairsplitter.

zifterij [zıftə'rɛi] *v* fault-finding, hair-splitting.

ziftsel ['zıftsəl] *o* siftings.

zigeuner [zi.'ɡø.nər] *m* gipsy.

zigeunerin [-ɡø.nə'rın] *v* gipsy (woman).

zigeunertaal [-'ɡø.nərta.l] *v* gipsy language, Romany.

zigzag ['zıxsax] *m* zigzag; *~ lopen* zigzag.

zigzaglijn [-lɛin] *v* zigzag line.

zigzagsgewijs, -gewijze [zıxsaxsɡə'vɛis, -'vɛizə] zigzag.

1 **zij** [zɛi] (enkelv.) she; (meerv.) they.

2 **zij** [zɛi] *v* side; *~ aan ~* side by side; zie verder: 1 *zijde.*

3 **zij** [zɛi] *v* silk; zie 2 *zijde.*

zijaanzicht ['zɛia.nzıxt] *o* side-view.

zijachtig [-axtəx] = *zijdeachtig.*

zijaltaar [-alta:r] *o* & *m* side-altar.

zijbeuk [-bø.k] *m* & *v* (side-)aisle.

1 **zijde** ['zɛidə] *v* 1 side [of a cube, a house, a table, the body &]; 2 flank [of an army]; *een ~ spek* a side of bacon; *zijn goede ~ hebben* have its good side; *iemands ~ kiezen* take a person's side, side with him; *aan beide ~n* on both sides, on either side; *aan deze ~* on this side of, (on) this side [the Alps &]; *aan de ene ~ heeft u gelijk* on one side you are right; *aan zijn ~* at his side; *hij staat aan onze ~* he is on our side; *de handen in de ~ zetten* set one's arms akimbo; *iemand in zijn zwakke ~ aantasten* attack him where he is weakest; *naar alle ~n* in every direction; *op ~!* stand clear!, out of the way there!; *op zij van het huis* at the side of the house; *met een degen op zij* sword by side; *op zij duwen* push aside; *op zij gaan* make way (for *voor*); *niet voor... op zij gaan* not give way to...; *fig* not yield to...; *op zij leggen* lay by [money]; save [money]; *op zij schuiven* shove on one side; set aside²; *iemand op zij zetten* shove a person on one side; *ter ~* aside; *ter ~ gezegd* in an aside; *ter ~ laten* leave on one side; *ter ~ leggen* lay on one side; *iemand ter*

~ nemen draw him aside; *ter ~ staan* stand by [a friend]; support [an actor on the stage]; *ter ~ stellen* put on one side, waive [considerations of...]; *van alle ~n* from all quarters [they flock in]; [you must look at it] from all sides; *van bevriende ~* from a friendly quarter; *van de ~ van de regering* on the part of the Government; *van die ~ geen hulp te verwachten* no help to be looked for in that quarter; *van militaire ~ vernemen wij* from military quarters; *van mijn ~* on my part; *van ter ~ vernemen wij* from other sources we have...; *van verschillende ~n* from various quarters.

2 **zijde** ['zɛidə] *v* (stof) silk; *daar spint hij geen ~ bij* he doesn't profit by it.

zijdeachtig [-axtəx] silky.

zijdefabriek [-fa.bri.k] *v* silk factory.

zijdefabrikant [-fa.bri.kant] *m* silk manufacturer.

zijdehandelaar [-handəla:r] *m* silk merchant.

zijdelings ['zɛidəlıŋs] **I** *aj* in: *een ~e blik* a sidelong look; *een ~ verwijt* an indirect reproach; **II** *ad* sideways, sidelong; indirectly.

zijden [-də(n)] *aj* silk; *fig* silken [hair].

zijdepapier ['zɛidəpa.pi:r] *o* tissue paper.

zijderups [-rũps] *v* silkworm.

zijdeteelt [-te.lt] *v* sericulture.

zijdeur ['zɛidø:r] *v* side-door.

zijdewever [zɛidəve.vər] *m* silk weaver.

zijdeweverij [zɛidəve.və'rɛi] *v* silk weaving.

zijdeworm [-vorm] *m* zie *zijderups.*

zijgang ['zɛigaŋ] *m* 1 side-passage [in a house]; 2 lateral gallery [in a mine]; 3 corridor [in a train].

zijgen ['zɛigə(n)] *vt* strain.

zijgevel ['zɛige.vəl] *m* side-façade.

zijingang [-ıngaŋ] *m* side-entrance.

zijkamer [-ka.mər] *v* side-room.

zijkanaal [-ka.na.l] *o* branch-canal.

zijlaan [-la.n] *v* side-avenue.

zijlaantje [-la.ncə] *o* side-alley, by-walk.

zijleuning [-lø.nıŋ] *v* handrail, railing; armrest [of a chair].

zijlicht [-lıxt] *o* sidelight.

zijlijn [-lɛin] *v* 1 side-line, branch line [of railway]; 2 zie *zijlinie.*

zijlinie [-li.ni.] *v* collateral line [of a dynasty].

zijlings [-lıŋs] = *zijdelings.*

zijloge [-lo:ʒə] *v* side-box.

zijmuur [-my:r] *m* side-wall.

1 **zijn** [zɛin] *pron* his; *de (het) ~e* his; *elk het ~e* every one his due; *Hitler en de ~en* Hitler and company.

2 **zijn** [zɛin] *vi* 1 (zelfstandig) be; *2 × 2 is 4* twice two is four; *hij is er* 1 he is there; 2 *fig* S he is a made man; *daarvoor is het... er* that is what the... is there for; *hij (zij) mag er ~* zie *wezen* I; *wij ~ er nog niet* we have not got there yet; *hoe is het?* how are you?, how do you do?; *hoe is het met de zieke?* how is

the patient?; *wat is er?* zie *wat* I; II (koppelwerkw.) be; *God is goed* God is good; *dat ben ik !* that's me; *hij is soldaat* he is a soldier; *ze ~ officier* they are officers; *jongens ~ (nu eenmaal) jongens* boys will be boys; *het is te hopen, dat...* it is to be hoped that...; *het is makkelijk & te doen* it is easy to do; III (hulpwerkw.) have, be; *hij is geslaagd* he has succeeded; *hij is gewond* 1 he has been wounded; 2 he is wounded; *ik ben naar A. geweest* I have been to A., [yesterday] I went to A.; IV *o* being.

zijnent ['zɛinənt] in: *te(n) ~* at his house, at his place; *~halve* for his sake; *~wege* as for him; *van ~wege* on his behalf, in his name; *om ~wil(le)* for his sake.

zijnerzijds ['zɛinərzɛits] on his part, from him.

zijpad ['zɛipat] *o* by-path.

zijpelen ['zɛipələ(n)] = *sijpelen.*

zijraam ['zɛira.m] *o* side-window.

zijrivier [-ri.vi:r] *v* tributary (river), affluent, confluent.

zijspan [-span] *o & m* **zijspanwagen** [-va.gə(n)] *m* side-car.

zijspoor [-spo:r] *o* side-track, siding, shunt; *de trein werd op een ~ gebracht* the train was shunted on to a siding.

zijsprong [-spròŋ] *m* side-leap.

zijstraat [-stra.t] *v* side-street, off-street, by-street.

zijstuk [-stǔk] *o* side-piece.

zijtak [-tɑk] *m* 1 side-branch; 2 branch [of a river]; 3 spur [of a mountain]; 4 *fig* collateral branch [of a family].

zijvenster [-vɛnstər] *o* side-window.

zijwaarts [-va:rts] I *aj* sideward, lateral; II *ad* sideways, sideward(s).

zijwand [-vɑnt] *m* side-wall.

zijweg [-vɛx] *m* side-way, by-way.

zijzwaard [-zva:rt] *o* ♨ leeboard.

zilt, *~ig* [zɪlt, 'zɪltəx] saltish; briny; *het ~e nat* the salty sea, the briny waves, the brine.

ziltheid, ziltigheid ['zɪltheit, -əxheit] *v* saltishness, brininess.

zilver ['zɪlvər] *o* 1 (in 't alg.) silver; 2 (huisraad) plate; *~ in staven* bar-silver, bullion.

zilverachtig [-ɑxtəx] silvery.

zilverblank [-blɑŋk] as bright as silver.

zilverbon [-bòn] *m* currency note.

zilverdraad [-dra.t] *o & m* 1 (met zilver omwonden) silver thread; 2 (van zilver) silver wire.

zilveren ['zɪlvərə(n)] *aj* silver.

zilvererts ['zɪlvərɛrts] *o* silver-ore.

zilverfazant [-fa.zɑnt] *m* 🐦 silver pheasant.

zilvergeld [-gɛlt] *o* silver money, silver.

zilverglans [-glɑns] *m* silvery lustre.

zilvergoed [-gu.t] *o* (silver) plate, silver.

zilverhoudend [-hɔudənt] containing silver.

zilverkast [-kɑst] *v* 1 silver-cabinet; 2 silversmith's show-case.

zilverkleur [-klø:r] *v* silvery colour.

zilverkleurig [-klø:rəx] silver-coloured.

zilverling [-lɪŋ] *m* B piece of silver.

zilvermeeuw [-me:u] *v* 🐦 herring gull.

zilvermijn [-mɛin] *v* silver mine.

zilvermunt [-mǔnt] *v* silver coin.

zilverpapier [-pa.pi:r] *o* silver-paper; tinfoil.

zilverpoeder, -poeier [-pu.dər, -pu.jər] *o & m* 1 powder to clean silver; 2 silver-dust.

zilverpopulier [-po.py.li:r] *m* ❀ white poplar, abele.

zilverreiger ['zɪlvərɛigər] *m* 🐦 *grote ~* great white heron; *kleine ~* little egret.

zilverschoon ['zɪlvərsxo.n] *v* ❀ silverweed.

zilversmid [-smɪt] *m* silversmith.

zilverspar [-spɑr] *m* ❀ silver fir.

zilverstaaf [-sta.f] *v* bar of silver.

zilverstukje [-stǔkjə] *o* silver coin.

zilvervisje [-vɪʃə] *o* 🐛 silver-fish.

zilvervloot [-vlo.t] *v* silver-fleet.

zilvervos [-vos] *m* 🐾 silver-fox.

zilverwerk [-vɛrk] *o* silverware, plate.

zilverwit [-vɪt] silvery white.

zin [zɪn] *m* 1 (betekenis) sense, meaning; 2 (zielsvermogen) sense; 3 (lust) mind; 4 (volzin) sentence; *~ voor humor* a sense of humour; *(geen) ~ voor het schone* a (no) sense of beauty; *waar zijn uw ~nen?* have you taken leave of your senses?; *zijn eigen ~ doen* do as one pleases; *iemands ~ doen do what he likes; hij wil altijd zijn eigen ~ doen* he always wants to have his own way; *als ik mijn ~ kon doen* if I could work my will; *iemand zijn ~ geven* let him have his way, indulge him; *wat voor ~ heeft het om...?* what's the sense (the point) of ...ing?; *dat heeft geen ~* 1 that [sentence] makes no sense; 2 that is nonsense; *het heeft geen ~...* there is no sense (no point) in ...ing; *nu heb je je ~* now you have it all your own way; *zij heeft ~ in hem* she fancies him; *ik heb ~ om* I have a mind to...; *als je ~ hebt om...* if you feel like ...ing, if you care to...; *ik heb er geen ~ in* I have no mind to; *ik heb er wel ~ in om* I have half a mind to; *zijn ~nen bij elkaar houden* keep one's head; *zijn ~ krijgen* get (have) one's own way, get (have) one's will; *zijn ~ niet krijgen* not carry one's point; *zijn ~nen op iets gezet hebben* have set one's heart upon it; *niet goed bij zijn ~nen zijn* not be in one's right senses, be out of one's senses; *in dezelfde (die) ~* [speak] to the same (to that) effect; *in eigenlijke ~* in its literal sense, in the proper sense; *in engere ~* in the strict (the limited) sense of the word; *in figuurlijke ~* in a figurative sense, figuratively; *in ruimere ~* in a wider sense; *opvoeding in de ruimste ~* education in its widest sense; *in de ruimste (volste) ~ des woords* in the full sense of the word; *in zekere ~* in a certain sense; in a sense, in a way; *iets in de ~ hebben* be up to something; *hij heeft niets goeds in de ~ hebben* he is up to no good; *dat zou mij nooit in de ~ ko-*

men I should not even dream of it, it would never occur to me; *is het naar uw ~?* is it to your liking?; *men kan het niet iedereen naar de ~ maken* it is impossible to please everybody; *tegen mijn ~* against my will; *van zijn ~nen beroofd zijn* be out of one's senses; *wat is hij van ~s?* what does he intend?; *hij is niets goeds van ~s* he is up to no good; *ik ben niet van ~s om* I have no thought of ...ing; *één van ~ handelen* act in harmony; *één van ~ zijn* be of one mind.

zindeel ['zɪnde.l] = *zinsdeel*.

zindelijk [-dələk] clean, cleanly, tidy.

zindelijkheid [-hɛit] *v* cleanness, cleanliness, tidiness.

zingen ['zɪŋə(n)] I *vi* (& *va*) sing [of people, birds, the wind, a kettle]; ⊙ chant; ♪ sing, carol, warble; *dat lied zingt gemakkelijk* sings easily; II *vt* sing; *iemand in slaap ~* sing one to sleep; *kom, zing eens wat* give us a song.

zingenot ['zɪŋənot] *o* sensual pleasure(s).

zink [zɪŋk] *o* zinc; $ spelter.

1 **zinken** ['zɪŋkə(n)] *vi* sink; *goederen laten ~ sink goods; *tot ~ brengen* sink.

2 **zinken** ['zɪŋkə(n)] *aj* zinc.

zinker ['zɪŋkər] *m* underwater main.

zinklaag ['zɪŋkla.x] *v* layer of zinc.

zinklood [-lo.t] *o* 1 (aan hengel &) sinker; 2 zie *dieplood*.

zinkplaat [-pla.t] *v* zinc plate.

zinkput [-pɥt] *m* cesspool, sink.

zinkstuk [-stɥk] *o* mattress.

zinkwit [-vɪt] *o* zinc-white.

zinkzalf [-salf] *v* zinc ointment.

zinledig [zɪn'le.dəx] meaningless, nonsensical.

zinledigheid [-hɛit] *v* meaninglessness.

zinlijk(heid) = *zinnelijk(heid)*.

zinloos ['zɪnlo.s] senseless, inane, pointless.

zinloosheid [zɪn'lo.shɛit] *v* senselessness, inanity, pointlessness.

zinnebeeld ['zɪnəbe.lt] *o* emblem, symbol.

zinnebeeldig [zɪnə'be.ldəx] I *aj* emblematic(al), symbolic(al); II *ad* emblematically, symbolically.

zinnelijk ['zɪnələk] I *aj* 1 (van de, door middel der zintuigen) of the senses; 2 (v. het zingenot) sensual; II *ad* 1 by the senses; 2 sensually.

zinnelijkheid [-hɛit] *v* sensuality, sensualism.

zinneloos ['zɪnəlo.s] insane, mad.

zinneloosheid [zɪnə'lo.shɛit] *v* insanity, madness.

1 **zinnen** ['zɪnə(n)] *vi* meditate, ponder, muse, reflect; *~ op* meditate on; *op wraak ~* brood on revenge.

2 **zinnen** ['zɪnə(n)] *vi* in: *het zint mij niet* I do not like it, it is not to my liking.

zinnig [-nəx] sensible; *geen ~ mens zal...* no man in his senses (no sane man) will...

zinrijk ['zɪnrɛik] full of sense, pregnant, significant, meaningful.

zinrijkheid [-hɛit] *v* pregnancy, significance, meaningfulness.

zinsbedrog ['zɪnsbədrɔx] *o* **zinsbegoocheling** [-go.gəlɪŋ] *v* illusion, delusion.

zinsbouw [-bou] *m gram* construction (of a sentence), sentence structure.

zinscheiding ['zɪnsxɛidɪŋ] *v gram* punctuation.

zinsdeel ['zɪnsde.l] *o gram* part of a sentence.

zinsnede ['zɪnsne.də] *v* passage, clause.

zinsontleding ['zɪnsɔntle.dɪŋ] *v gram* analysis.

zinspelen ['zɪnspe.lə(n)] *vi* in: *~ op* allude to, hint at.

zinspeling [-lɪŋ] *v* allusion (to *op*), hint (at *op*); *een ~ maken op* allude to, hint at.

zinspreuk ['zɪnsprø.k] *v* motto, device.

zinstorend [-sto.rənt] confusing.

zinsverband ['zɪnsfərbant] *o* context.

zinsverbijstering [-bɛistərɪŋ] *v* mental derangement.

zinsverrukking, -vervoering [-fərɥkɪŋ, -fərvu:rɪŋ] *v* exaltation.

zinswending ['zɪnsvɛndɪŋ] *v* turn (of phrase).

zinteken ['zɪnte.kə(n)] *o* punctuation mark.

zintuig [-tœyx] *o* organ of sense, sense-organ; *een zesde ~* a sixth sense.

zintuiglijk [zɪn'tœygələk] *aj* (& *ad*) sensorial(ly).

zinverwant ['zɪnvərvant] synonymous.

zinvol [-vɔl] meaningful.

zinvolheid [-hɛit] *v* meaningfulness.

zionisme [zi.o.'nɪsmə] *o* Zionism.

zionist [-'nɪst] *m* **zionistisch** [-'nɪsti.s] *aj* Zionist.

zit [zɪt] *m* in: *het is een hele ~* it is quite a long journey [from A]; it is quite a long stretch [from 9 to 4].

zitbad ['zɪtbat] *o* hip-bath, sitz-bath.

zitbank [-baŋk] *v* 1 bench, seat; 2 (in kerk) pew.

zitdag [-dax] *m* ⚖ court-day.

zitje ['zɪcə] *o* snug corner.

zitkamer ['zɪtka.mər] *v* sitting-room, parlour.

zitplaats [-pla.ts] *v* seat; *er zijn ~en voor 5000 mensen* the hall (church &) can seat 5000 people, the seating accommodation is 5000.

zitslaapkamer [zɪt'sla.pka.mər] *v* bed-sitting-room, F bed-sitter, bedsit.

zitten ['zɪtə(n)] I *vi* sit; *die zit!* F that is one in the eye for you; *sp* goal!; *ze ~ al* they are seated; *hij heeft gezeten* he has done time, he has been in prison; *die stoelen ~ gemakkelijk* these chairs are very comfortable; *zit je daar goed?* are you comfortable there?; *de jas zit goed (slecht)* is a good (bad) fit; *dat zit wel goed* it's (it'll be) all right; *de boom zit vol vruchten* is full of fruit; *daar zit je nou!* there you are!; *waar ~ ze toch?* where can they be?; *zit daar geld?* are they well off?; *hoe žit dat toch?* how is that?; *daar zit het hem* there's the rub; *dat zit nog!* that's a question!; *dat zit zo* it is like this; *het zit hem als geschilderd* it fits him to a T; (vóór infinitief) *de kip zit te broeden* the hen is sitting;

ze zaten te eten they were having dinner; they were eating [apples]; *hij zit weer te liegen* he is telling lies again; *hij zit de hele dag te spelen* he does nothing but sit and play all day long; (met infinitief) *blijven* ~ remain seated; *blijft u* ~ keep your seat, don't get up; ~ *blijven!* keep your seats!; *die jongen is blijven* ~ he has missed his remove; *zij is blijven* ~ she has been left on the shelf; *hij is met die goederen blijven* ~ he was left with his wares (on his hands); *ze is met vier kinderen blijven* ~ she was left with four children; *je hoed blijft zo niet* ~ your hat won't stay on; *gaan* ~ 1 sit down; 2 (v. vogels) perch; *gaat u* ~ sit down, be seated, take a seat; *kom bij mij* ~ come and sit by me; *iemand laten* ~ make one sit down; *hij heeft haar laten* ~ he has deserted her; *er veel geld bij laten* ~ lose a lot of money over it; *dat kan ik niet op mij laten* ~ I won't take it lying down, I cannot sit down under this charge; *laat (het) maar* ~ I don't, I am going to pay; 2 keep the change [waiter], it is all right; *aan tafel* ~ be at table; *het zit er aan, hoor* F you seem to have plenty of money; *het zit er niet aan* F I can't afford it; *hij zit achter mij* he sits behind me; *hij zit er achter* he is at the bottom of it; *er zit iets achter* there is something behind; *ze* ~ *altijd bij elkaar* they are always (sitting) together; *ze* ~ *er goed bij* they are well off; *er zit niet veel bij die man* he is a man with nothing in him; *in angst* ~ be in fear; *hij zit in de commissie* he is on the committee; *hoe zit dat in elkaar?* how is that?; *het zit in de familie* it runs in the family; *het zit niet in hem* it is not in him, he hasn't got it in him; *er zit wel wat in hem* he has (jolly) good stuff in him; zie ook: inzitten; *wij* ~ *er mee (te houden, te kijken &)* we don't know what to do (with it), what to make of it; *om het vuur* ~ sit (be seated) round the fire; *daar zit een jaar op, als je...* it will be a year (in prison) if you...; *dat zit er weer op* F that job is jobbed; zie ook: opzitten; *hij zit nu al een uur over dat opstel* he has been at work on it for an hour; *het zit me tot hier* I am fed up with it; *hij zit voor het kiesdistrict A.* he represents the constituency of A., he sits for A.; *zij zit voor een schilder* she sits to a painter; **II** *o* in: *stemmen bij* ~ *en opstaan* vote by rising or remaining seated.

zittenblijver [-blɛivər] *m* non-promoted pupil.

zittend ['zɪtənt] 1 seated, sitting; 2 ♯ sessile; 3 sedentary [life].

zittijd [-tɛit] *m* 1 (time of) session; 2 ♯♯ term [= period during which a court holds sessions].

zitting [-tɪŋ] *v* 1 sitting, session [of a committee &]; 2 seat, bottom [of a chair]; *geheime* ~ secret session; *een stoel met een rieten* ~ a cane-bottomed chair; ~ *hebben* sit, be in session [of a court]; ~ *hebben in* sit on [a

committee]; be on [the board]; serve on [a jury]; ~ *hebben voor...* sit [in Parliament] for...; ~ *houden* sit; ~ *nemen in een commissie* serve on a committee; ~ *nemen in het ministerie* accept office.

zitvlak ['zɪtflɑk] *o* seat, bottom.

Z.K.H. [zɛinəko.nəŋkləkə'ho.xhɛit] = *Zijne Koninklijke Hoogheid.*

Z.M. [zɛinə'ma.jəstɛit] = *Zijne Majesteit.*

Z.O. [zœyt'o.stə(n)] = *zuidoosten.*

1 **zo** [zo.] **I** *ad* 1 (zodanig) so, like that, such; zie ook: zo'n; *het is* ~ 1 so it is; 2 that is true, it's a fact!; 3 you are right; ~ *is het* quite so!, that's it!; ~ *is het niet* it is not like that (like this); *het is niet* ~ it is not true; *als dat* ~ *is* if that is the case; if that is true; ~ *was het* that's how it was; ~ *zij het!* so be it; ~ *is hij* (niet) he is (not) like that; ~ *is hij nu eenmaal* he is built that way; *het is nu eenmaal* ~ things are so; ~ *is het leven* such is life; ~ *zijn soldaten (nu eenmaal)* it is the way with soldiers; *het voorstel kan zó niet worden aangenomen* the proposal cannot be accepted as it stands; 2 (op die of zo'n manier) thus, like this, like that, in this manner, so; *alleen* ~ *kan je 't doen* so and only so; ~ *moet je het doen* ook: < that's how you should do it; *zó bang dat...* so much (so) afraid that...; *zó hoog dat...* so high that...; 3 (zoals ik hierbij aangeef) as ... as; *het was zó dik* it was as big as this; ~ *groot dat...* of such a size that...; *hij sprong zó hoog* he jumped as high as this, F that high; 4 (even) *a* bevestigend: as... as; *b* ontkennend: not so (ook: not as)... as; ~ *groot als zijn broer* as tall as his brother; ~ *wit als sneeuw* (as) white as snow, snow-white; *hij is lang niet* ~*...als...* he is not nearly so... as...; 5 (in die mate) so; *zijn ze zó slecht?* are they so bad (as bad as that, all that bad)?; *ik betaalde hem dubbel, zó tevreden was ik* I paid him double, I was so pleased; *wees* ~ *vriendelijk mij mede te delen...* be so kind as to inform me, be kind enough to inform me, kindly inform me...; 6 (in hoge mate) so; *ik ben* ~ *blij!* I am so glad!; *ik ben zó blij!* I am so very glad!; *ik verlang* ~ *hen weer te zien* I so long to see them again; 7 (dadelijk) directly; 8 (aanstonds) presently; 9 (stopwoord) Ah, I say; ~, *ben jij daar!* I say, that you!; ~, *en waar is Marie?* Ah, and where is Mary?; 10 (uitroep v. tevredenheid) that's it, well; ~, *dat is in orde!* Well, that's all right!; ~, *nu kunnen we gaan* that's it, now we can be off; 11 (uitroep v. leedvermaak) Aha!; ~, *nou ben je er bij!* Aha, now you are in for it!; 12 (vragend) Really?, did he?, has he? &; ~ *dat* so... that, in such a way that, so as not too...; ~ *een zie zo'n*; *net* ~ *een* just such another; ~ *eentje* F such a one; *om* ~ *en* ~ *laat* at something something o'clock; ~ *en zoveel gulden* umpty

guilders; *in het jaar ~ en zoveel* zie *zóveel; ~ iemand* such a man, such a one; *~ iets* such a thing, such things; *...of ~ iets* or some such thing; *~ iets als £ 5000* about £ 5000; *zó maar* without further ado; *waarom? och, zó maar !* I just thought I would!; just like that; *~ niet !* not so!; *~ pas* zie *zoëven; ~ zeer* so much that, zie ook: *zozeer; ~ ~ !* so so!; *hij was niet ~ doof of hij hoorde mij binnenkomen* he was not so deaf but he heard me enter; *al is hij nog ~* zie 3 *al; net ~* zie 2 *net* III; *o, ~* Aha!; *het was o ~ koud* ever so cold; II *cj* 1 (vergelijkend) as; 2 (veronderstellend) if; 3 (voorwaardelijk) if; *hij is, ~ men zegt, rijk* he is said to be rich; *je bent weer hersteld, ~ ik zie* I see; *~ ja...* if so; *~ neen (niet)...* if not...; *~ hij nu eens binnenkwam* if he were to come into the room now; *~ hij al moeite gedaan heeft om...* (even) if he has been at pains to...

2 **zo** [zo.] *v* zie *zooi.*

zoals [zo.'als] as, like; *zij stemmen ~ men hun zegt* they vote the way one tells them; *in landen ~ België, Frankrijk...* in countries such as Belgium, France...

zodanig [zo.'da.nəx] I *aj* such (as this, as these); *~e mensen* such people, people such as these; *op ~e wijze* in such a manner; *als ~* as such; II *ad* so (much), in such a manner.

zodat [-'dɑt] so that.

zode ['zo.də] *v* sod, turf.

zodenrand ['zo.də(n)rant] *m* turf-border.

zodiak [zo.di.'ak] *m* zodiac.

zodiakaallicht [-a.'ka.lɪxt] *o* zodiacal light.

zodoende ['zo.du.ndə] thus, in this way, so.

zodra [zo.'dra.] as soon as; *niet ~..., of...* no sooner [had he, did he &]... than..., scarcely (hardly)... when...

zoeaaf [zu.'a.f] *m* zouave.

zoek [zu.k] in: *het is ~* it has been mislaid, it is not to be found; *~ raken* be (get) lost; *op ~ naar...* in search of...

zoekbrengen ['zu.kbrɛŋə(n)] *vt* kill [time].

zoeken ['zu.kə(n)] I *vt* look for [something, a person &]; seek [assistance, the Lord]; *ja, maar hij zoekt het ook altijd* he is always asking for trouble; *hij zoekt mij ook altijd* he is always down on me; *hij zocht mij te overreden* he sought to persuade me; *zoek me eens een krant* go and find a newspaper for me; *de waarheid ~* seek truth; ook: search after truth; *arbeiders die werk ~* in search of work; zie ook: *ruzie* &; *dat had ik niet achter hem gezocht* I (ongunstig) I never thought him capable of such a thing; 2 (gunstig) I never thought he had it in him; *er wat achter ~* suspect something behind it; *dat is nog ver te ~* far to seek; II *vi* & *va* seek, search, make a search; *zoek, Castor!* seek!; *ik zal wel eens ~* I'll have a look [in the cupboard &]; *wie zoekt, die vindt, zoekt en gij zult vinden* B seek, and ye shall find; *naar iets ~* look

for (search for, seek) something; *naar zijn woorden ~* grope for words; III *o* search, quest; *aan het ~ zijn* be looking for it.

zoeker ['zu.kər] *m* 1 seeker; 2 ✗ view-finder.

zoeklicht ['zu.klɪxt] *o* searchlight.

zoekmaken [-ma.kə(n)] *vt* mislay [something].

zoel [zu.l] mild, balmy [weather].

zoelheid ['zu.lhɛit] *v* mildness, balminess.

Zoeloe ['zu.lu.] *m* Zulu.

Zoeloekaffer [-kafər] *m* Zulu-Kaffir.

zoemen ['zu.mə(n)] *vi* buzz, hum.

zoemer ['zu.mər] *m* 🐝 buzzer.

zoemertoon [-to.n] *m* buzzing tone.

zoen [zu.n] *m* 1 (kus) kiss; 2 (verzoening) expiation, atonement.

zoendood ['zu.ndo.t] *m* & *v* redeeming death.

zoenen ['zu.nə(n)] *vt* & *va* kiss.

zoenoffer ['zu.nəfər] *o* expiatory sacrifice, sin-offering, peace-offering.

zoet [zu.t] sweet[2], good; *een ~ kind* a good child; *~ water* fresh [= not salt] water; *het kind ~ houden* keep (the) baby quiet; *~ maken* sweeten.

zoetachtig ['zu.tɑxtəx] sweetish.

zoetekauw ['zu.təkɔu] *m-v* in: *een ~ zijn* have a sweet tooth.

zoetemelks [-mɛlks] in: *~e kaas* cream cheese.

zoeten ['zu.tə(n)] *vt* sweeten.

zoetheid ['zu.thɛit] *v* sweetness.

zoethout [zu.t'hɔut] *o* ⚘ liquorice.

zoetig ['zu.təx] sweetish.

zoetigheid [-hɛit] *v* sweetness; (allerlei) *~* sweet stuff, sweets, dainties.

zoetjes [zu.cəs] I softly, gently; 2 sweetly.

zoetjesaan [zu.cəs'a.n] I softly; 2 gradually; *~ dan breekt het lijntje niet* easy does it.

zoetluidend ['zu.tlœydənt] melodious.

zoetmiddel [-mɪdəl] *o* sweetening.

zoetsappig [zu.t'sapəx] *fig* goody-goody, mealy-mouthed.

zoetsappigheid [-hɛit] *v* goody-goodiness.

zoetstof ['zu.tstɔf] *v* sweetening.

zoetvloeiend [-flu.jənt] mellifluent, melodious.

zoetvloeiendheid [zu.t'flu.jəntheit] *v* mellifluence, melodiousness.

zoetwater ['zu.tva.tər] *o* fresh water.

zoetwatervis [zu.t'va.tərvɪs] *m* fresh-water fish.

zoetzuur ['zu.tsy:r] I *aj* between sweet and sour; II *o* sweet pickles.

zoëven [zo.'e.və(n)] just now, a minute ago.

zog [zɔx] *o* 1 (mother's) milk; 2 ⚓ wake [of a ship]; *in een andermans ~ meevaren* follow in another man's wake.

zogen ['zo.gə(n)] *vt* suckle, give suck, nurse.

zogenaamd [zo.gə'na.mt] I *aj* so-called; self-styled, would-be; II *ad ~ om te* ostensibly to.

zolang [zo.'lɑŋ] I *cj* so (as) long as; II *ad* meanwhile.

zolder [-'zɔldər] *m* 1 garret, loft; 2 (zoldering) ceiling.

zolderen [-dərə(n)] *vt* 1 warehouse, lay up, store; 2 △ ceil

zoldering [-dərɪŋ] *v* ceiling.

zolderkamertje ['zɔldərka.mərcə] *o* attic, attic room, garret.

zolderluik [-lœyk] *o* trapdoor.

zolderraam ['zɔldəra.m] *o* dormer-window.

zolderschuit ['zɔldərsxœyt] *v* ⚓ barge.

zoldertrap [-trap] *m* garret stairs.

zoldervenster [-vɛnstər] *o* garret-window.

zolderverdieping [-vərdi.piŋ] *v* attic-floor.

zolen ['zo.lə(n)] *vt* sole [boots].

zomen ['zo.mə(n)] *vt* hem.

zomer ['zo.mər] *m* summer; *des ~s, in de ~* in summer; *van de ~* 1 this summer [present]; 2 next summer [future]; 3 last summer [past].

zomerachtig [-ɑxtəx] zie *zomers*.

zomeravond [zo.mər'a.vənt] *m* summer-evening.

zomerdag [-'dɑx] *m* summer's day, summer day.

zomerdienst ['zo.mərdi.nst] *m* 1 summer-service; 2 summer time-table.

zomerdracht [-drɑxt] *v* summer wear.

zomergast [-gɑst] *m* summer-visitor.

zomergoed [-gu.t] *o* zie *zomerkleren*.

zomerhitte [-hɪtə] *v* summer-heat.

zomerhuis(je) [-hœys, -hœyʃə] *o* summer-cottage.

zomerjapon [-ja.pòn] *m* ~**jurk** [-jŭrk] *v* summer-frock, summer-dress.

zomerkleed [-kle.t] *o* summer-dress; ♣ summer-plumage.

zomerkleren [-kle:rə(n)] *mv* summer-clothes.

zomermaand [-ma.nt] *v* June; *de ~en* the summer-months.

zomermantel [-mɑntəl] *m* summer-coat.

zomermorgen [zo.mər'mɔrgə(n)] *m* summer-morning.

zomerpak ['zo.mərpɑk] *o* summer-suit.

zomers ['zo.mərs] *aj* summery, summerly, summerlike.

zomerslaap ['zo.mərsla.p] *m* summer-sleep.

zomersproeten [-spru.tə(n)] *mv* freckles.

zomertarwe [-tɑrvə] *v* ♣ summer-wheat, spring-wheat.

zomertijd [-tɛit] *m* summer-time.

zomervacantie zie *zomervakantie*.

zomervakantie [-va.kɑnsi.] *v* summer-holidays.

zomerverblijf [-vərblɛif] *o* summer-residence.

zomerwe(d)er [-ve:r, -ve.dər] *o* summer-weather.

zomerzonnestilstand [-zònəstɪlstɑnt] *m* summer solstice.

zomin [zo.'mɪn] in: *~ als* no more than.

zo'n [zo.n] such a; *~ leugenaar!* the liar!

zon [zòn] *v* sun; *in de ~ staan* stand in the sun; *hij kan de ~ niet in het water zien schijnen* he is a dog in the manger; zie ook: *schieten* II & *zonnetje*.

zonaal [zo.'na.l] zonal.

zondaar ['zònda:r] *m* sinner.

zondaarsbankje [-da:rsbɑŋkjə] *o* penitent form.

zondag ['zòndɑx] *m* Sunday.

zondags ['zòndɑxs] I *aj* Sunday; *mijn ~e pak* my Sunday suit, my Sunday best; II *ad* on Sundays.

zondagsblad [-blɑt] *o* Sunday paper.

zondagsdienst [-di.nst] *m* Sunday service [at church]; Sunday duty [of employees].

zondagsgezicht [-gəzɪxt] *o* 1 sanctimonious mien; 2 soms: best mien; *een ~ zetten* look as if butter wouldn't melt in one's mouth.

zondagsheiliging [-hɛiləgɪŋ] *v* Sunday observance.

zondagskind [-kɪnt] *o* Sunday child; *fig* one born with a silver spoon in his mouth.

zondagskleed [-kle.t] *o* Sunday dress.

zondagspak [-pɑk] *o* Sunday suit.

zondagsrust [-rŭst] *v* Sunday rest.

zondagsschool [-dɑxsxo.l] *v* Sunday school.

zondagssluiting [-slœytɪŋ] *v* Sunday closing.

zondagsviering [-dɑxsfi:rɪŋ] *v* Sunday observance.

zondares [zònda:'rɛs] *v* sinner.

zonde ['zòndə] *v* sin; *dagelijkse ~ RK* venial sin; *~ tegen de H. Geest RK* sin against the Holy Ghost; *een kleine ~* a peccadillo; *het is ~* 1 it is a sin; 2 F it is a pity; *het is ~ en jammer* it is a pity; *het is ~ en schande* it is a sin and a shame; *het is ~ van het meisje* it is a pity of the girl; *~ doen* commit a sin, sin.

zondebok ['zòndəbòk] *m* scapegoat[2].

zondelast [-lɑst] *m* burden of sins.

zondeloos [-lo.s] sinless.

zondenregister ['zòndə(n)rəgɪstər] *o* register of sins.

zonder ['zòndər] without; *~ zijn hulp* 1 without his help [you can't do it]; 2 but for his help [I should have been drowned]; *~ hem zou ik verdronken zijn* but for him I should have been drowned; *~ het te weten* without knowing it.

zonderling ['zòndərlɪŋ] I *aj* singular, quaint, queer, odd, eccentric; II *ad* singularly, quaintly &; III *m* eccentric (person).

zonderlingheid [-hɛit] *v* singularity, quaintness, queerness, oddity, eccentricity.

zondeval ['zòndəvɑl] *m* in: *de ~ (van Adam)* the Fall (of man).

zondig ['zòndəx] *aj* (& *ad*) sinful(ly).

zondigen [-dəgə(n)] *vi* sin[2]; *~ tegen* sin against.

zondigheid [-dəxhɛit] *v* sinfulness.

zondvloed ['zòntflu.t] *m* deluge[2], flood[2]; *van vóór de ~* antediluvian.

zone ['zo.nə, 'zo.nə] *v* zone [of earth].

zonhoed ['zònhu.t] = *zonnehoed*.

zonlicht [-lɪxt] *o* sunlight.

zonnebaan [-na.n] *v* ecliptic.

zonnebad [-bɑt] *o* sun-bath.

zonnebaden [-ba.də(n)] I *vi* sun-bathe; II *o* sun-bathing.

zonneblind [-blɪnt] *o* Persian blind.

zonnebloem [-blu.m] *v* ♣ sunflower.

zonnebrand [-brɑnt] *m* sunburn.

zonnebrandolie [-o.li.] *v* tanning oil.

zonnebril ['zònəbrıl] *m* sun-spectacles.
zonnedauw [-dou] *m* ⚘ sundew.
zonnegloed [-glu.t] *m* heat (glow) of the sun.
zonnegod [-got] *m* sun-god.
zonnehoed [-hu.t] *m* sun-hat.
zonnejaar [-ja:r] *o* solar year.
zonneklaar [-kla:r] as clear as daylight; *het ∼ bewijzen* prove it up to the hilt.
zonneklep [-klɛp] *v* ⇔ (sun) visor.
zonnelicht [-lıxt] = *zonlicht*.
zonnen ['zònə(n)] I *vt* sun; II *vr zich ∼* sun oneself.
zonnepitten ['zònəpıtə(n)] *mv* sunflower seeds.
zonnescherm [-sxɛrm] *o* I (voor personen) sunshade, parasol; 2 (aan huis) sun-blind, awning [before a shop-window].
zonneschijf [-sxɛif] *v* disc of the sun.
zonneschijn [-sxɛin] *m* sunshine.
zonnespectrum, -spektrum [-spɛktrům] *o* solar spectrum.
zonnestand [-stɑnt] *m* I sun's altitude; 2 (zonnestilstand) solstice.
zonnesteek [-ste.k] *m* sunstroke; *een ∼ krijgen* be sunstruck.
zonnestelsel [-stɛlsəl] *o* solar system.
zonnestilstand [-stılstɑnt] *m* solstice.
zonnestraal [-stra.l] *m & v* sunbeam, ray of the sun.
zonnetent [-tɛnt] *v* awning.
zonnetje ['zònəcə] *o* sun; *het ∼ van binnen* the sunshine in our heart(s); *zij is ons ∼ in huis* she is the sunshine of our home; *iemand in het ∼ zetten* poke fun at a person.
zonnevis [-vıs] *m* 🐟 John Dory.
zonnevlek [-vlɛk] *v* sun-spot, solar spot.
zonnewagen [-va.gə(n)] *m* chariot of the sun, Phoebus' car.
zonnewijzer [-vɛizər] *m* sun-dial.
zonnig ['zònəx] sunny, sunshiny.
zonshoogte ['zònsho.xtə] *v* sun's altitude.
zonsondergang [zòns'òndərgɑŋ] *m* sunset, sun-down.
zonsopgang [-'òpgɑŋ] *m* sunrise.
zonsverduistering ['zònsfərdœystərıŋ] *v* eclipse of the sun, solar eclipse.
zonzij(de) ['zònzɛi(də)] *v* sunny side.
zoogbroe(de)r ['zo.xbru.dər, -bru:r] *m* foster-brother.
zoogdier [-di:r] *o* mammal [*mv* mammalia].
zoogkind [-kınt] *o* I (zuigeling) suckling; 2 (voedsterkind) nurse-child.
zoogzuster [-sůstər] *v* foster-sister.
zooi [zo:i] *v* F lot, heap; *het is (me) een ∼* they are a nice lot!; *de hele ∼* the whole lot.
zool [zo.l] *v* sole.
zoolbeslag ['zo.lbəslɑx] *o* boot protectors.
zoolganger [-gɑŋər] *m* plantigrade.
zoolle(d)er [-le:r, -le.dər] *o* sole-leather.
zoölogie [zo.o.lo.'gi.] *v* zoology.
zoölogisch [-'lo.gi.s] zoological; *de ∼e tuin* the zoological garden(s), F the Zoo.
zoöloog [-'lo.x] *m* zoologist.

zoom [zo.m] *m* hem [of a dress, handkerchief]; edge, border; fringe [of a forest, a town]; bank [of a river].
zoon [zo.n] *m* son²; *de verloren ∼* zie *verloren*; *de Zoon Gods* the Son of God; *de Zoon des Mensen* the Son of Man; *Neerlands zonen* the sons of Holland; *hij is de ∼ van zijn vader* he is his father's son.
zootje ['zo.cə] *o* F lot; *het hele ∼* zie *zooi*.
zorg [zòrx] *v* I (zorgzaamheid) care; 2 (bezorgdheid) solicitude, anxiety, concern; 3 (moeilijkheid, last) care, trouble, worry; 4 (stoel) easy chair; *het zal mij een ∼ zijn* that is the last thing I am concerned about, F fat lot I care!; *zij is een trouwe ∼* she is a careful soul; *∼ dragen voor* take care of, see to; *geen ∼ vóór de tijd* sufficient unto the day is the evil thereof; *heb daar geen ∼ over* don't worry about that; *vol ∼ over...* ook: solicitous concerning...; *ik neem de ∼ daarvoor op mij* that shall be my care; *zich ∼en maken worry*; *in ∼ zijn over...* be anxious about...; *in de ∼ zitten* sit in the easy chair; *fig* be in trouble; *met ∼ gedaan* carefully done; *zonder ∼ gedaan* carelessly done.
zorgbarend ['zòrxba:rənt] alarming, critical.
zorgdragend ['zòrxdra.gənt] careful, solicitous.
zorgelijk(heid) = *zorglijk(heid)*.
zorgeloos ['zòrgə.lo.s] I *aj* I (achteloos) careless, improvident, unconcerned; 2 (zonder zorgen) care-free; II *ad* carelessly.
zorgeloosheid [zòrgə'lo.sheit] *v* carelessness, improvidence, unconcern.
zorgen ['zòrgə(n)] *vi* care; *∼ voor...* I take care of...; 2 (verschaffen) provide [entertainment &]; *voor de oude dag ∼* make provision for one's old age, lay by something for the future; *er was voor eten gezorgd* provision had been made for food; *de vrouw zorgt voor de keuken (de kinderen)* looks after the kitchen (the children); *u moet zelf voor uw kleren ∼* I you have to take care of your clothes yourself; 2 you have to find your own clothing; *voor de lunch ∼* see to lunch; *hij kan wel voor zich zelf ∼* I (financieel) he can support himself, he can fend (shift) for himself; 2 (oppassen) he is able to look after himself; *zorg er voor dat het gedaan wordt* see to it that it is done; *daar zal ik wel voor ∼* I shall see to that, that shall be my care; *zorg (er voor) dat je om 9 uur thuis bent* mind (that) you are (at) home at nine.
zorglijk [-gələk] precarious, critical.
zorglijkheid [-heit] *v* precariousness.
zorgvuldig [zòrx'fůldəx] *aj* (& *ad*) careful(ly).
zorgvuldigheid [-heit] *v* carefulness.
zorgwekkend [zòrx'vekənt] alarming, critical.
zorgzaam ['zòrxsa.m] *aj* (& *ad*) careful(ly), tender(ly).
zorgzaamheid [-heit] *v* carefulness, tender care.
zot [zòt] I *aj* foolish; II *ad* foolishly; III *m* fool.

zotheid ['zɔthɛit] *v* folly.

zotskap ['zɔtskɑp] *v* 1 fool's cap; 2 (persoon) fool.

zottenklap, -praat ['zɔtə(n)klɑp, -pra.t] *m* foolish talk, stuff and nonsense.

zotternij [zɔtər'nɛi] *v* folly.

zottin [zɔ'tɪn] *v* fool.

zou [zɔu] zie *zouden.*

zouaaf zie *zoeaaf.*

zou(den) [zɔu(də(n))] 1 (van voorwaarde) [I, we] should, [he, they, you] would; 2 (van afspraak) was to..., were to...; *wij ~ gaan, als...* we should go if...; *wij ~ er allemaal heengaan* we were to go all of us; *ik zou je danken!* thank you very much!; *wat zou dat?* zie *wat* I.

zout [zɔut] I *o* salt; *Attisch ~* Attic wit (salt); *het ~ der aarde* B the salt of the earth; II *aj* salt, salty, saltish, briny; salted [almonds, peanuts].

zoutachtig ['zɔutɑxtəx] saltish.

zoutbak [-bɑk] *m* salt-box.

zouteloos ['zɔutəlo.s] saltless, *fig* insipid.

zouteloosheid [zɔutə'lo.shɛit] *v fig* insipidity.

zouten ['zɔutə(n)] *vt* salt down, salt [meat]; corn [meat].

zouter [-tər] *m* salter.

zoutevis [-təvɪs] *m* salt fish, salt cod.

zoutgehalte ['zɔutgəhɑltə] *o* percentage of salt, salinity.

zoutheid [-hɛit] *v* saltness, salinity.

zouthoudend [-houdənt] saline.

zoutig ['zɔutəx] saltish.

zoutigheid [-hɛit] *v* saltishness.

zoutje ['zɔucə] *o* salted biscuit.

zoutkorrel ['zɔutkərəl] *m* grain of salt.

zoutloos [-lo.s] unsalted.

zoutmeer [-me:r] *o* salt-lake.

zoutmijn [-mɛin] *v* salt-mine.

zoutpan [-pɑn] *v* salt-pan, saline.

zoutpilaar [-pi.la:r] *m* pillar of salt.

zoutraffinaderij [-rɑfi.na.dərɛi] *v* salt-refinery.

zoutraffinadeur [-dø:r] *m* salt-refiner.

zoutsmaak ['zɔutsma.k] *m* salty taste.

zoutstrooier [-stro.jər] *m* salt-sprinkler.

zoutvaatje, zoutvat [-va.cə, -vɑt] *o* salt cellar.

zoutwater [-va.tər] *o* salt-water.

zoutwatervis [zɔut'va.tərvɪs] *m* salt-water fish.

zoutwinning ['zɔutvɪnɪŋ] *v* salt-making.

zoutzak [-sɑk] *m* salt-bag; *fig* lump (of a fellow).

zoutzieden [-si.də(n)] *o* salt-making.

zoutzieder [-dər] *m* salt-maker.

zoutziederij [zɔutsi.də'rɛi] *v* salt-works.

zoutzuur ['zɔutsy:r] I *o* hydrochloric acid; II *aj* hydrochloric.

1 **zoveel** ['zo.ve.l] so much, thus (that) much; *~ is zeker* that much is certain; *dat is ~ ge-wonnen* that much gained; *in 1800 ~* in 1800 odd, in 1800 and something; *in het jaar ~* in such and such a year; *om drie uur ~* at three something; *de trein van 5 uur ~* the five something train; *ik geef er niet ~ om!* I don't care

that about it!; *voor nog ~ niet* not for something, not for the world.

2 **zoveel** [zo.'ve.l] so much; *~ als* as much as; *hij is daar ~ als opziener* he is by way of being an overseer there; *~ mogelijk* as much as possible.

zoveelste ['zo.ve.lstə] n'th, F umptieth, umpteenth; *A., de ~ januari* A., January umpteenth; *dat is de ~ keer* the n'th time, the hundredth time; *bij het ~ regiment* in the -th (the umpteenth) regiment.

1 **zover** ['zo.ver] so far, thus far; *ga je ~?* will you go that far²?; *~ zal hij niet gaan* he will never go as far as that, he will never go that length; *hij heeft het ~ gebracht dat...* he has succeeded so well that...; *hij zal 't ~ niet laten komen* he won't let things go so far; *het is ~ gekomen dat...* things have come to such a pass that...; *in ~ ben ik het met u eens* so far I am with you; *tot ~* as far as this, so far, thus far.

2 **zover** [zo.'ver] so far; *~ ik weet* as far as I know, for aught (for all, for anything) I know; *in (voor) ~ (als)...* (in) so far as..., as far as...; *voor ~ men weet* (in) so far as is known, as far as is known.

zowaar [-'va:r] actually; sure enough.

zowat [-'vɑt] about; *dat is ~ alles* that's about all; *~ hetzelfde* pretty much the same (thing); *~ even groot* about the same size, much of a size; *~ niets* next to nothing.

zowel [-'vel] in: *~ als* as well as; *hij is ~...als...* he is... as well as..., he is both... and...; *hij ~ als zijn broer* both he and his brother.

z.o.z. [zɛto.'zɛt] = zie *ommezijde* [zi.'òmə-zɛidə] please turn over, P.T.O.

zozeer [zo.'ze:r] so much, to such an extent; *niet ~..., als wel...* not so much... as...

1 **zucht** [zʏxt] *m* (verzuchting) sigh.

2 **zucht** [zʏxt] *v* (begeerte) desire; *~ naar* desire for, desire of, love of [liberty, adventure]; *~ om te zien en te weten* desire to see and know; *~ tot navolging (tot tegenspraak)* spirit of imitation (contradiction).

zuchten ['zʏxtə(n)] I *vi* sigh; *~ naar (om) iets* sigh for it; *~ onder het juk* groan under the yoke; *~ over zijn werk* sigh over one's task (work); II *o* in: *het ~ van de wind* the sighing of the wind.

zuchtje ['zʏxjə] *o* 1 sigh; 2 sigh, sough, zephyr; *geen ~* not a breath of wind.

zuid [zœyt] south.

Zuid-Afrika [zœyt'a.fri.ka.] *o* South Africa.

Zuidafrikaans [-a.fri.'ka.ns] South African.

Zuidafrikaner [-a.fri.'ka.nər] *m* ZA Afrikander.

Zuid-Amerika [zœyta.'me:ri.ka.] *o* South America.

Zuidamerikaan [-me:ri.'ka.n] *m* **Zuidamerikaans** [-'ka.ns] *aj* South American.

zuidelijk ['zœydələk] I *aj* southern, southerly; II *ad* southerly.

zuiden [-də(n)] o south; *op het ~ gelegen* having a southern aspect; *ten ~ van...* (to the) south of...

zuidenwind [-vɪnt] *m* south wind.

zuiderbreedte ['zœydərbre.tə] *v* South latitude.

zuiderkruis [-krœys] o Southern Cross.

zuiderlicht [-lɪxt] o southern lights, aurora australis.

Zuiderzee [zœydər'ze.] *v* Zuider Zee.

zuidoostelijk [zœyt'o.stələk] south-easterly.

zuidoosten [-'o.stə(n)] o south-east.

zuidpool [-'po.l] *v* south pole, antarctic pole.

zuidpoollanden [-'po.lɑndə(n)] *mv* antarctic regions.

zuidpooltocht [-'po.ltɔxt] *m* antarctic expedition.

zuidvruchten ['zœytfrʏxtə(n)] *mv* semi-tropical fruit.

zuidwaarts [-va:rts] I *aj* southward; II *ad* southward(s).

zuidwestelijk [zœyt'vestələk] south-westerly.

zuidwesten [-'vestə(n)] o south-west.

zuidwester [-'vestər] *m* I (wind) southwester; 2 (hoofddeksel) southwester.

Zuidzee *v Stille ~* [stɪlə'zœytse.] South Sea, Pacific (Ocean).

zuigbuis ['zœyxbœys] *v* suction-pipe, sucker.

zuigeling ['zœygəlɪŋ] *m* baby, infant, babe.

zuigelingensterfte [-lɪŋə(n)sterftə] *v* infant(ile) mortality.

zuigen [-gə(n)] I *vi* suck; *aan zijn pijp & ~* suck at one's pipe &; *zuig er maar eens aan* take a suck at it; *op zijn duim & ~* suck one's thumb &; II *vt* suck; *iets uit zijn duim ~* F invent a story.

zuiger [-gər] *m* I (persoon) sucker; 2 ✗ piston, plunger [of a pump].

zuigerklep ['zœygərklep] *v* ✗ piston-valve.

zuigerslag [-slɑx] *m* ✗ piston-stroke.

zuigerstang [-stɑŋ] *v* ✗ piston-rod.

zuigerveer [-ve:r] *v* ✗ piston-ring.

zuigfles ['zœyxfles] *v* feeding-bottle, baby's bottle.

zuiging ['zœygɪŋ] *v* sucking; suction.

zuigklep ['zœyxklep] *v* ✗ suction-valve.

zuigleer [-le:r] o sucker.

zuignapje [-nɑpjə] o sucker.

zuigpijp [-pɛip] *v* ✗ suction-pipe, sucker.

zuigpomp [-pɔmp] *v* suction-pump.

zuil [zœyl] *v* pillar², column; *Dorische ~* Doric column; *de ~en van Hercules* the Pillars of Hercules; *~ van Volta* Voltaic pile.

zuilengalerij ['zœylə(n)ga.lərei] *v* zuilengang [-gɑŋ] *m* colonnade, arcade, portico.

zuilenrij [-rei] *v* colonnade.

zuinig ['zœynəx] I *aj* I economical, thrifty, frugal, sparing, saving [woman, housekeeper &]; 2 demure [look, mien]; *~ zijn* be economical &; *~ zijn met...* use... sparingly, economize [one's strength &], husband [provisions &]; be chary of [favours]; II *ad* I economically &; 2 [look] demurely; *ik heb*

ervan gelust en niet ~ ook not half!

zuinigheid [-heit] *v* economy, thrift, thriftiness; *verkeerde ~ betrachten* be penny-wise and pound-foolish.

zuinigheidsmaatregel [-heitsma.tre.gəl] *m* measure of economy.

zuinigjes [-jəs] economically.

zuipen ['zœypə(n)] I *vi* P tipple, booze, swig; II *vt* swig.

zuiper, zuiplap [-pər, 'zœyplɑp] *m* P toper, tippler.

zuivel ['zœyvəl] *m* & o butter and cheese, dairy-produce, dairy-products.

zuivelbereiding [-bəreidɪŋ] *v* dairy industry.

zuivelboer [-bu:r] *m* dairy-farmer.

zuivelfabriek [-fa.bri.k] *v* dairy-factory.

zuivelproducten zie *zuivelprodukten*.

zuivelprodukten [-pro.dʏktə(n)] *mv* dairy-produce, dairy-products.

zuiver ['zœyvər] I *aj* I (schoon, zindelijk) clean [hands]; 2 (zonder onreinheden) pure [air, water &]; 3 (onvermengd) pure, unadulterated [alcohol &]; 4 (zonder schuld) pure, clear [conscience]; 5 (kuis, rein) pure, chaste [thoughts &]; 6 (louter) pure, sheer, mere [nonsense &]; 7 $ clear, net [profit]; 8 ♪ pure [sounds]; *dat (die zaak) niet ~* that is a bit fishy; *dat is ~e taal* that is plain speaking; *het is daar niet ~* things are not as they ought to be; *hij is niet ~ in de leer* he is not sound in the faith, he is unsound in doctrine; II *ad* purely [accidental]; *~ schrijven* write pure English (Dutch &), write grammatically correct English; *~ zingen* ♪ sing in tune; *niet ~ zingen* ♪ sing out of tune; *het is ~ (en alléén) daarom* simply and solely (purely and simply) for that reason.

zuiveraar ['zœyvəra:r] *m* purifier; purist [in language].

zuiveren [-rə(n)] I *vt* clean [of dirt]; cleanse [of sin]; purify [the air, blood, language, liquor, metal &]; refine [oil, sugar, metals]; clear [the air²]; purge² [the belly, our moral life &]; wash [a wound]; *~ van* clean of [dirt]; purge of [impurities, sin &]; clean of [foreign elements, suspicion &]; cleanse of [sin]; II *vr zich ~* clear oneself [*fig*]; *zich ~ van het ten laste gelegde* purge (clear) oneself of the charge.

zuiverend [-rənt] purifying; ♈ purgative.

zuiverheid ['zœyvərheit] *v* cleanness², purity².

zuivering [-vərɪŋ] *v* cleaning, cleansing, purification, purgation, [political] purge; refining [of oil, sugar, metals].

zuiveringsactie, -aktie [-vərɪŋsaksi.] *v* ⚔ mopping-up operation.

zuiveringseed [-e.t] *m* oath of purgation.

zulk [zʏlk] such.

zulks [zʏlks] such a thing, such, this, it, the same.

zullen ['zʏlə(n)] I (gewone toekomst) [I, we] shall; [you, he, they] will; *we ~ gaan* we

shall go; *zij ~ gaan* they will go, they'll go; *ze ~ morgen gaan* ook: they are going to-morrow; *ik hoop dat hij komen zal* I hope he may come; 2 (vermoedelijk of waarschijnlijk) will (probably); *dat zal Jan zijn* that will be John; *dat zal Waterloo zijn* this would be Waterloo, I suppose; *ze ~ ziek zijn* they are ill maybe; 3 (afspraak) are to; *hij zal om 5 uur komen* he is to call here at five o'clock; 4 (wil v. spreker tegenover een ander) shall; *hij wil niet? hij zal* he shall [go &]; *gehoorzamen ~ ze!* they shall obey!; 5 (belofte) shall; *u zult ze morgen krijgen* you shall have them to-morrow; 6 (voorspelling) shall; *de aarde zal vergaan* the earth shall pass away; 7 (bedreiging) shall; *dat zal je berouwen* you shall smart for it; *ik zal je!* you shall catch it; 8 (gebod) shall; *gij zult niet stelen* thou shalt not steal; 9 (na *te*) in: *hij beloofde te ~ komen* he promised to come; *hij zei te ~ komen* he said he would come; 10 (andere gevallen) in: *ja, dat zal wel* I daresay you have (he is &); *voetbal? ik zal hem voetballen* I'll give him football.
zult [zült] *m* pork pickled in vinegar.
zulten ['zültə(n)] *vt* pickle, salt.
zundgat ['züntgat] *o* touch-hole, vent.
zuren ['zy:rə(n)] I *vt* sour, make sour; II *vi* sour, turn sour.
zurig [-rəx] sourish.
zurigheid [-hɛit] *v* sourishness.
zuring ['zy:rɪŋ] *v* ⚘ sorrel; *eetbare ~* dock.
zuringzout [-zəut] *o* salt of sorrel.
zuringzuur [-zy:r] *o* oxalic acid.
1 **zus** [züs] *v* sister.
2 **zus** [züs] so, thus; *~ of zo handelen* act one way or the other; *het stond ~ of zo* it was touch and go; *juffrouw ~ en juffrouw zo* Miss Blank and Miss Dash.
zusje ['zü∫ə] *o* (little) sister.
zuster ['züstər] *v* sister; (verpleegster) nurse, sister; *ja, je ~!* F your grandmother!
zusterhuis [-hœys] *o* 1 (klooster) nunnery; 2 (v. geestelijke orde) affiliated house; 3 (v. verpleegsters) nurses' home.
zusterliefde [-li.vdə] *v* sisterly love.
zusterlijk [-lək] sisterly.
zusterpaar [-pa:r] *o* pair of sisters; *het ~* the two sisters.
zusterschap [-sxap] *o* & *v* sisterhood.
zusterschip [-sxɪp] *o* ⚓ sister ship.
zusterschool [-sxo.l] *v* convent school. [tion.
zustervereniging [-vəre.nəgɪŋ] *v* sister associa-
zuur [zy:r] I *aj* sour; 2 (apples, grapes &, bread &, temper) acid [taste, expression & in chemistry]; acetous [fermentation]; tart [apple]; *fig* ook: soured [spinsters]; crabbed [expression]; *een ~ stukje brood* a hard-earned livelihood; *~ werk* disagreeable work; *die is ~ S* that man's number is up; *dan zijn we allemaal ~* we are all in for it; *iemand het leven ~ maken* make life a burden

to him; *~ worden* turn sour, sour²; II *ad* sourly &; *~ kijken* look sour; *~ verdiend* hard-earned; III *o* 1 (ingemaakt) pickles; 2 (in de scheik.) acid; *het ~ in de maag* acidity of the stomach, heartburn; *gemengd ~* mixed pickles; *ik heb het ~ aan hem* F I hate the fellow; *uitjes in 't ~* pickled onions.
zuurachtig ['zy:rɑxtəx] sourish, acidulous, subacid.
zuurdeeg [-de.x] *o* **zuurdesem** [-de.səm] *m* leaven³.
zuurheid [-hɛit] *v* sourness, acidity; tartness.
zuurkijker [-kɛikər] *m* crab.
zuurkool [-ko.l] *v* sauerkraut.
zuurpruim [-prœym] *v* crab.
zuurstel [-stɛl] *o* pickle-stand.
zuurstof [-stəf] *v* oxygen.
zuurstofverbinding [-stəfərbɪndɪŋ] *v* oxide.
zuurtje [-cə] acid drop.
zuurzoet [-zu.t] sour-sweet.
Z.W. [zœyt′vɛstə(n)] = *zuidwesten*.
Zwaab [zva.p] *m* Swabian.
zwaai [zva:i] *m* swing, sweep, flourish.
zwaaien ['zva.jə(n)] I *vt* sway [a sceptre]; flourish [a flag]; swing, wield [a hammer]; brandish [the lance]; zie ook: *scepter*; *wij zwaaiden de hoek om* we swung round the corner; II *vi* 1 (v. takken &) sway, swing; 2 (v. dronkeman) reel; 3 ⚓ (v. schip) swing; *met de hoed (een vlag &) ~* wave one's hat (a flag &).
zwaan [zva.n] *m* & *v* ⚘ swan; *een jonge ~* a cygnet.
zwaar [zva:r] I *aj* 1 heavy [of persons, things &], ponderous, weighty [bodies]; 2 (zwaargebouwd) heavily built, stout [man], hefty [Hollander]; 3 (dik) heavy [materials]; 4 ✗ (grof) heavy [ordnance, guns]; 5 (sterk) heavy [wine], strong [cigars, beer &]; *fig* 1 (groot) heavy [costs, losses]; 2 (ernstig) severe [illness], grievous [crime]; 3 (moeilijk) heavy, hard, difficult [task]; stiff [examination]; hard [times]; 4 (hard, streng) severe [punishment]; *een zware slag* 1 a heavy report [of gun &]; 2 a heavy thud [of falling body]; 3 a heavy blow² [with the hand, of fortune]; *dat is 5 kg ~* it weighs 5 kg; *het is tweemaal zo ~ als...* ook: it is twice the weight of...; *ik ben ~ in mijn hoofd* I feel a heaviness in the head; *hij is ~ op de hand* he is heavy on hand; II *ad* heavily & soms: heavy [e.g. heavy-laden]; *~ getroffen* hard hit, badly hit (by door); *~ gewond* badly wounded; *~ verkouden* having a bad cold; *~ ziek* seriously ill.
zwaarbeladen ['zva.rbəla.də(n)] heavily laden, heavy-laden.
zwaard [zva.rt] *o* 1 ✗ sword; 2 ⚓ (= zij~) leeboard [of a ship], (midden~) centreboard; *zijn ~ in de schaal werpen* throw one's sword into the scale; *met het ~ in de vuist* sword in hand.

zwaardlelie ['zva:rtle.li.] *v* ♣ sword-lily, gladiolus [*mv* gladioli].

zwaardslag [-slɑx] *m* stroke with the sword, sword-stroke.

zwaardvechter [-fextər] *m* gladiator.

zwaardvis [-fɪs] *m* 🐟 sword-fish.

zwaardvormig [-formɔx] sword-shaped.

zwaarheid ['zva:rhɛit] *v* heaviness, weight.

zwaarlijvig [zva:r'lɛivəx] corpulent, stout, obese.

zwaarlijvigheid [-hɛit] *v* corpulence, stoutness, obesity.

zwaarmoedig [zva:r'mu.dəx] melancholy, hypochondriac.

zwaarmoedigheid [-hɛit] *v* melancholy, hypochondria.

zwaarte ['zva:rtə] *v* weight, heaviness.

zwaartekracht [-krɑxt] *v* gravitation, gravity; *middelpunt van* ∼ centre of gravity; *de wet der* ∼ the law of gravitation.

zwaartepunt [-pʉnt] *o* centre of gravity; *fig* main point.

zwaartillend [zva:r'tɪlənt] pessimistic, gloomy.

zwaarwichtig [-'vɪxtəx] weighty, ponderous.

zwaarwichtigheid [-hɛit] *v* weightiness, ponderousness.

zwabber ['zvabər] *m* 1 (borstel) swab, swabber, mop; 2 (scheepsjongen) swabber; 3 (boemelaar) wild spark, rake; *aan de* ∼ *zijn* S be on the loose (on the spree).

zwabberen [-bərə(n)] I *vt* swab, mop; II *vi fig* zie *aan de zwabber zijn*.

Zwaben ['zva.bə(n)] *o* Swabia.

Zwabisch [-bi.s] Swabian.

zwachtel ['zvaxtəl] *m* bandage, swathe.

zwachtelen [-tələ(n)] *vt* swathe, bandage.

zwad [zvat] *o* zwade ['zva.də] *v* swath.

zwager ['zva.gər] *m* brother-in-law.

zwagerschap [-sxap] *o* & *v* relationship by marriage.

zwak [zvak] I *aj* 1 *eig* weak [barrier, enemy, eyes, stomach &]; *gram* weak [conjugation, verb]; *fig* weak [argument, character, mind, team]; > feeble; 2 (niet krachtig) weak, mild [attempt]; weak [resistance]; weak, low [pulse]; frail [old man]; 3 (niet hard) faint [sound]; 4 (niet helder) faint [light]; 5 (zedelijk onsterk) weak [man], frail [woman]; *stemming* ∼ $ market weak; *het* ∼*ke geslacht* zie 1 *geslacht*; *in een* ∼ *ogenblik* in a moment of weakness; ∼ *in Frans* weak (F shaky) in French; ∼ *van karakter* of a weak character; ∼ *staan* be shaky; II *ad* weakly &; III *o* weakness; *de Engelsen hebben een* ∼ *voor traditionele vormen* the British have a weakness for traditional forms; *een* ∼ *hebben voor iemand* have a weak spot for one; *iemand in zijn* ∼ *tasten* touch him in his weakest (tenderest) spot.

zwakheid ['zvakhɛit] *v* 1 (v. lichaamskracht) weakness, feebleness, debility; 2 (gebrek aan kracht of energie) feebleness; 3 (te grote toegeeflijkheid) weakness; 4 (moreel) frailty; *zwakheden* weaknesses, failings, foibles.

zwakhoofd [-ho.ft] *m-v* feeble-minded person.

zwakhoofdig [zvak'ho.vdəx] feeble-minded, weak-minded, weak-headed.

zwakjes ['zvakjəs] I *aj* in: *hij is* ∼ weakly, weakish; II *ad* weakly.

zwakkelijk ['zvakələk] a little weak, weakish.

zwakkeling [-lɪŋ] *m* weakling[2].

zwakstroom ['zvakstro.m] *m* ⚡ weak current.

zwakte [-tə] *v* weakness, feebleness.

zwakzinnig [zvak'sɪnəx] feeble-minded, (mentally) deficient, defective.

zwakzinnigheid [-hɛit] *v* feeble-mindedness, mental deficiency.

zwalken ['zvalkə(n)] *vi* ⚓ drift about; wander about; *op zee* ∼ rove the seas.

zwalker [-kər] *m* wanderer, vagabond.

zwaluw ['zva.ly:u] *v* 🐦 swallow; *één* ∼ *maakt nog geen zomer* one swallow doesn't make a summer.

zwaluwstaart [-sta:rt] *m* 1 *eig* swallow's tail; 2 ⚒ dovetail; 3 swallow-tail [butterfly]; 4 swallow-tail, claw-hammer [coat].

1 zwam [zvam] *v* fungus [*mv* fungi].

2 zwam [zvam] *o* tinder, touchwood.

zwamachtig ['zvamaxtəx] fungous.

zwammen ['zvamə(n)] *vi* S talk tosh, jaw.

zwanezang ['zva.nəzaŋ] *m* swan song.

zwang [zvaŋ] in: *in* ∼ *brengen* bring into vogue; *in* ∼ *komen* come into vogue; *in* ∼ *zijn* be in vogue.

zwanger ['zvaŋər] pregnant[2]; ∼ *gaan van grootse plannen* go about with mighty projects.

zwangerschap [-sxap] *v* pregnancy.

zwarigheid ['zva.rəxhɛit] *v* difficulty, scruple; *heb daar geen* ∼ *over* don't bother about that; ∼ *maken* make (raise) objections.

zwart [zvart] I *aj* black[2] [colour, bear, bread, list, hands, ingratitude, sable ⬛ &]; ∼ *maken* blacken[2] [things, character]; *het was er* ∼ *van de mensen* the place was black with people; ∼*e handel* black market, black-market traffic (dealings, transactions); ∼ *kopen* buy on the black market; ∼*e winst* & black-market profit &; *het in de* ∼*ste kleuren afschilderen* paint it in the darkest colours; II *ad* *alles* ∼ *inzien* look at the gloomy (black) side of things; ∼ *kijken* look black; III *o* black; *de* ∼*en* the blacks; *het* ∼ *op wit hebben* have it in black and white; *in het* ∼ (dressed) in black.

zwartachtig ['zvartaxtəx] blackish.

zwartbont [-bònt] mottled.

zwartehandelaar [zvartə'handəla:r] *m* black marketeer.

zwarten ['zvartə(n)] *vt* black, blacken.

zwartepiet [zvartə'pi.t] *m* 1 Black Jack; 2 *sp* Old Maid; 3 F (zwartehandelaar) black marketeer.

zwartepieten [-'pi.tə(n)] *vi* play the game of Old Maid.

Zwarte Woud [-'vɑut] *o het* ~ the Black Forest.

Zwarte Zee [-'ze.] *v de* ~ the Black Sea.

zwartgallig [zvɑrt'gɑləx] melancholy, atrabilious.

zwartgalligheid [-hɛit] *v* melancholy.

zwartgestreept ['zvɑrtgəstre.pt] I (aan de oppervlakte) black-striped; 2 (dooraderd) black-streaked.

zwarthandelaar [-hɑndəla:r] = zwartehandelaar.

zwartharig [-ha:rəx] black-haired.

zwartheid [-hɛit] *v* blackness.

zwartje ['zvɑrcə] *o* F darky.

zwartkop ['zvɑrtkɔp] *m* black-haired boy (girl &).

zwartogig [-o.gəx] black-eyed.

zwartsel [-səl] *o* black.

zwartselen [-sələ(n)] *vt* black.

zwavel ['zva.vəl] *m* sulphur, ↘ brimstone.

zwavelachtig [-ɑxtəx] sulphurous.

zwavelbad [-bat] *o* sulphur-bath.

zwavelbloem [-blu.m] *v* flowers of sulphur.

zwavelbron [-brɔn] *v* sulphur-spring.

zwaveldamp [-dɑmp] *m* sulphur-fume, sulphurous vapour.

zwavelen ['zva.vələ(n)] *vt* treat with sulphur, sulphurize, sulphurate.

zwavelerts ['zva.vəlɛrts] *o* sulphur-ore.

zwavelgeel [-ge.l] sulphur-yellow.

zwavelhoudend [-hɔudənt] sulphurous.

zwavelig ['zva.vələx] sulphurous.

zwavelijzer ['zva.vələizər] *o* ferric sulphide.

zwavellucht ['zva.vəlʏxt] *v* sulphurous smell.

↘ zwavelstok ['zva.vəlstɔk] *m* (sulphur-) match.

zwavelwaterstof [zva.vəl'va.tərstɔf] *v* ~gas [-gas] *o* sulphuretted hydrogen.

zwavelzuur ['zva.vəlzy:r] I *aj* sulphuric; II *o* sulphuric acid, oil of vitriol.

Zweden ['zve.də(n)] *o* Sweden.

Zweed [zve.t] *m* Swede.

Zweeds [zve.ts] I *aj* Swedish; II *o het* ~ Swedish; III *v een*~*e* a Swedish woman.

zweefbaan ['zve.fba.n] *v* overhead railway; telpher way.

zweefmolen [-mo.lə(n)] *m* giant('s)-stride.

zweefrek [-rɛk] *o* trapeze.

zweefvliegen ['zve.fli.gə(n)] I *vi* ✈ glide; II *o* ✈ gliding.

zweefvlieger [-gər] *m* ✈ glider-pilot.

zweefvliegtuig ['zve.fli.xtœyx] *o* ✈ glider.

zweefvlucht [-flʏxt] *v* ✈ volplane, glide; (v. zweefvlieger) glide.

zweem [zve.m] *m* I semblance, trace [of fear &]; 2 touch [of mockery], shade [of difference], tinge [of sadness]; *geen* ~ *van hoop* not the least flicker of hope.

zweep [zve.p] *v* whip; *er de* ~ *over leggen* whip up the horses; *fig* lay one's whip across their

(her, his) shoulders.

zweepslag ['zve.pslɑx] *m* lash.

zweeptol [-tɔl] *m* whipping-top.

zweer [zve:r] *v* ulcer, sore, boil.

zweet [zve.t] *o* perspiration, P & B sweat; *het klamme* ~ the cold perspiration; *het koude* ~ *brak hem uit* zie *uitbreken* I; *in het* ~ *uws aanschijns* B in the sweat of thy brow (face); *zich in het* ~ *werken* work oneself into a perspiration (a sweat).

zweetbad ['zve.tbɑt] *o* sweating-bath, sudatory.

zweetdoek [-du.k] *m* sweat-cloth; [Veronica's] sudarium.

zweetdruppel [-drʏpəl] *m* drop of perspiration, drop of sweat.

zweethanden [-hɑndə(n)] *mv* perspiring (sweaty) hands.

zweetkamer [-ka.mər] *v* sweating-room.

zweetklier [-kli:r] *v* sweat-gland.

zweetkuur [-ky:r] *v* sweating-cure.

zweetlucht [-lʏxt] *v* sweaty smell.

zweetmiddel [-mɪdəl] *o* sudorific.

zweetvoeten [-fu.tə(n)] *mv* perspiring feet.

zwei [zvɛi] *v* bevel.

zwelg [zvɛlx] *m* gulp, draught.

zwelgen ['zvɛlgə(n)] I *vt* swallow; swill; quaff; II *vi* carouse; ~ *in*... luxuriate in..., revel in...

zwelger [-gər] *m* guzzler, carouser.

zwelgerij [zvɛlgə'rɛi] *v* guzzling, revelling.

zwelgpartij ['zvɛlxpɑrtɛi] *v* carousal, revelry, orgy.

zwelkast ['zvɛlkɑst] *v* ♪ swell-box.

zwellen ['zvɛlə(n)] *vi* swell [= grow bigger or louder]; *de* ~*de zeilen* the swelling (bellying) sails; *doen* ~ swell.

zwelling [-lɪŋ] *v* swelling, tumour.

zwembad ['zvɛmbɑt] *o* swimming-bath.

zwembassin [-bɑsɛ̃] *o* swimming-pool.

zwemblaas [-bla.s] *v* swimming-bladder, sound.

zwembroek [-bru.k] *v* bathing-trunks.

zwemen ['zve.mə(n)] *vi* in: ~ *naar* be (look) like; ~ *naar het blauw* have a bluish cast.

zwemgordel ['zvɛmgɔrdəl] *m* swimming-belt.

zweminrichting [-ɪnrɪxtɪŋ] *v* swimming-baths.

zwemkunst [-kʏnst] *v* art of swimming, natation.

zwemles [-lɛs] *v* swimming-lesson.

zwemmen ['zvɛmə(n)] *vi* swim; *de aardappels* ~ *in de boter* are swimming in butter; *in het geld* ~ roll in money; *haar ogen zwommen in tranen* her eyes were swimming with tears; *op de buik* (*rug*) ~ swim on one's chest (back); *zullen we eens gaan* ~? shall we have (take) a swim?; *het laten* ~ F let it go; *zijn paard over de rivier laten* ~ ook: swim one's horse across the river.

zwemmer [-mər] *m* swimmer.

zwemschool ['zvɛmsxo.l] *v* swimming-school.

zwemsport [-spɔrt] *v* swimming.

zwemvest [-vɛst] *o* life-jacket.

zwemvlies [-vli.s] *o* 1 web; 2 *sp* flipper [for frogman]; *met zwemvliezen* web-footed [animals], webbed [feet].

zwemvoet [-vu.t] *m* web-foot [of birds].

zwemvogel [-vo.gǝl] *m* web-footed bird, swimming-bird.

zwemwedstrijd [-vɛtstreit] *m* swimming-match.

zwendel ['zvɛndǝl] *m* zie *zwendelarij.*

zwendelaar [-dǝlɑ:r] *m* swindler, sharper.

zwendelarij [zvɛndǝlɑ:'rɛi] *v* swindling; swindle.

zwendelen ['zvɛndǝlǝ(n)] *vi* swindle.

zwengel ['zvɛŋǝl] *m* 1 wing [of a mill]; 2 pumphandle; 3 crank [of an engine]; 4 splinterbar, swingle-tree [of a carriage].

zwenk [zvɛŋk] *m* turn.

zwenken ['zvɛŋkǝ(n)] *vi* turn to the right (left), swing round; ⚔ wheel; swerve [of motorcar]; *fig* change front; *links (rechts)* ~! ⚔ left (right), wheel!

zwenking [-kɪŋ] *v* turn, swerve; ⚔ wheel; *fig* change of front.

zwepen ['zve.pǝ(n)] *vt* whip, lash.

zweren ['zve:rǝ(n)] I *vi* 1 ulcerate, fester ‖ 2 swear; *bij hoog en laag (bij kris en kras)* ~ swear by all that is holy; *ze* ~ *bij die pillen* they swear by these pills; *bij het woord des meesters* ~ swear by the word of a (one's) master; *op de bijbel* ~ swear upon the bible; *men zou erop* ~ one could swear to it; II *vt* swear [an oath]; *dat zweer ik (u)!* I swear it!; *iemand geheimhouding laten* ~ swear him to secrecy.

zwerfstroom ['zvɛrfstro.m] *m* ⚡ stray current.

zwerftocht [-tɔxt] *m* wandering, peregrination, ramble, ⚓ cruise.

zwerfvogel ['zvɛrfo.gǝl] *m* 🦅 nomadic bird.

zwerfziek ['zvɛrfsi.k] of a roving disposition.

⊙ **zwerk** [zvɛrk] *o* welkin, firmament, sky.

zwerm [zvɛrm] *m* swarm [of bees, birds, horsemen &].

zwermen ['zvɛrmǝ(n)] *vi* swarm.

zwerveling ['zvɛrvǝlɪŋ] *m* wanderer, vagabond.

zwerven [-vǝ(n)] *vi* wander, roam, ramble, rove; ~*de kat* stray cat; ~*de stammen* wandering tribes, nomadic tribes.

zwerver [-vǝr] *m* wanderer, vagabond, rambler, rover, tramp.

zweten ['zve.tǝ(n)] I *vi* perspire, sweat [also of new hay, bricks &]; II *vt* sweat [blood].

zweterig [-tǝrǝx] sweaty.

zweterigheid [-hɛit] *v* sweatiness.

zwetsen ['zvɛtsǝ(n)] *vi* boast, brag, S talk hot air.

zwetser [-sǝr] *m* boaster, braggart.

zwetserij [zvɛtsǝ'rɛi] *v* boasting, boast, bragging, brag.

zweven ['zve.vǝ(n)] *vi* be in suspension, be suspended [in a liquid]; float [in the air]; hover [over something]; 🕊 glide [ook: over the ice]; *het zweeft mij op de tong* I have it on the tip of my tongue: ~ *tussen hoop en*

vrees hover between hope and fear; ~ *tussen leven en dood* be hovering between life and death; *voor de geest* ~ be present to the mind [of an image]; have [a thought] in mind.

zwezerik ['zve.zǝrɪk] *m* sweetbread.

zwichten ['zvɪxtǝ(n)] *vi* yield, give way; ~ *voor* yield to [him, his arguments, persuasion]; yield to, succumb to [superior numbers]; give in to [threats].

zwiepen ['zvi.pǝ(n)] *vi* switch, swish; ~ *met een stokje* switch (swish) a cane.

zwier [zvi:r] *m* 1 (d r a a i) flourish; 2 (p o m p e u-z e g r a t i e) dash; jauntiness, smartness; *aan de* ~ *zijn* S be on the spree; *met edele* ~ with a noble grace.

zwierbol ['zvi:rbǝl] *m* wild spark, reveller, rake.

zwierbollen [-bǝlǝ(n)] *vi* go the pace.

zwieren ['zvi:rǝ(n)] *vi* reel [when drunk]; glide [over the ice &].

zwierig [-rǝx] I *aj* dashing, jaunty, stylish, smart; II *ad* smartly.

zwierigheid [-hɛit] *v* dash, jauntiness, stylishness, smartness.

zwijgen ['zvɛigǝ(n)] I *vi & va* I be silent; 2 fall silent; *zwijg!, zwijg stil!* hold your tongue!, silence!, be silent!; *wie zwijgt, stemt toe* silence gives consent; *hij kan niet* ~ he cannot keep a secret, he cannot keep his (own) counsel; ~ *als het graf* be as silent as the grave, F be as mute as a fish; *hem doen* ~ put him to silence, silence him; *daarop moest ik* ~ to this I could make no reply; *maar je moet er over* ~ hold your tongue about it; *de geschiedenis zwijgt daarover* history is silent about this; *een batterij tot* ~ *brengen* ⚔ silence a battery; *iemand tot* ~ *brengen* reduce (put) a person to silence, silence a person; *daarvan zullen wij maar* ~ let it pass; *zwijg mij daarvan!* don't talk to me about that!; *om nog maar te* ~ *van...* to say nothing of..., not to mention..., let alone...; II *vt* in: *iets* ~ be silent about it; III *o* silence; *hij moest er het* ~ *toe doen* he could make no reply; *iemand het* ~ *opleggen* impose silence (up)on him.

zwijgend [-gǝnt] I *aj* silent; II *ad* silently, in silence.

zwijger [-gǝr] *m* silent person; *Willem de Zwijger* William the Taciturn, William the Silent.

zwijggeld ['zvɛigɛlt] *o* hush-money.

zwijgzaam ['zvɛixsa.m] silent.

zwijgzaamheid [-hɛit] *v* silence.

zwijm [zvɛim] *in* ~ *liggen* lie in a swoon; *in* ~ *vallen* faint, swoon.

zwijmel ['zvɛimǝl] *m* 1 giddiness, dizziness; 2 intoxication.

zwijmelen [-mǝlǝ(n)] *vi* become dizzy.

zwijn [zvɛin] *o* 1 🐖 pig[2], hog[2], (*mv & fig*) swine[2]; 2 S fluke; *wild* ~ (wild) boar.

zwijnachtig ['zvɛinɑxtǝx] hoggish, swinish.

zwijneboel ['zvɛinǝbu.l] *m* piggery, mess.

zwijnejacht [-jɑxt] v boar-hunting.
zwijnen ['zvɛinə(n)] vi 1 F go the pace; 2 S zie boffen.
zwijnenhoeder ['zvɛinə(n)hu.dər] m swineherd.
zwijnerij [zvɛinə'rɛi] v filth, dirt, muck, beastliness.
zwijnestal ['zvɛinəstɑl] m piggery, pigsty.
zwijnevlees [-vle.s] o pork.
zwijnjak ['zvɛinjɑk] m F pig, hog, swine, dirty tike.
zwijntje ['zvɛincə] o 1 piggy; 2 S (fiets) bike.
zwijntjesjager [-cəsja.gər] m S bicycle-snatcher.
zwik [zvɪk] m 1 vent-peg, spigot, spile; 2 ✂ kit; de hele ~ S the whole lot.
zwikboor ['zvɪkbo:r] v auger.
zwikgat [-gɑt] o vent-hole.
zwikken ['zvɪkə(n)] vi sprain one's ankle.

zwingel ['zvɪŋəl] m swingle(-staff).
zwingelaar ['zvɪŋəla:r] m flax-dresser.
zwingelen [-lə(n)] vt swingle (flax).
Zwitser ['zvɪtsər] m Swiss, ✂ Switzer; de ~s the Swiss.
Zwitserland [-sərlɑnt] o Switzerland.
Zwitsers [-sərs] aj Swiss.
zwoegen ['zvu.gə(n)] vi toil, toil and moil, drudge.
zwoeger [-gər] m toiler, drudge.
zwoel [zvu.l] sultry.
zwoelheid ['zvu.lhɛit] v zwoelte ['zvu.ltə] v sultriness.
zwoerd [zvu:rt] zwoord [zvo:rt] o rind [of bacon], pork-rind.
Z.Z.O. ['zœytsœyt'o.st] = zuidzuidoost.
Z.Z.W. [-'vɛst] = zuidzuidwest.

KRAMERS'

woordenboeken

geven houvast

Van Goor Zonen Den Haag